ASAKURA
Internal
Medicine

第11版

矢崎義雄 総編集

[編集]

赤司浩一	小室一成
渥美達也	須永眞司
伊藤　裕	南学正臣
稲垣暢也	長谷川好規
神田　隆	松本哲哉
木下芳一	楽木宏実
工藤正俊	

内科學

朝倉書店

題字・王羲之の書より

第11版の序

　本書の初版は，1977年に刊行された．爾来内科学の進歩に即して数年の間隔で，間断することなく常に改訂が重ねられ，このほど第11版を上梓する運びとなった．この間40年に及ぶ過程のなかで，数多くの内科学書が出版されたが，本書は内科学におけるもっとも基本的な教科書としてゆるぎない高い評価を受けてきた．これは初版以来，編集者が責任をもって寄せられた原稿を全て子細に目を通し，生じた疑問を書き込むとともに，内科学の進歩の最新情報を折り込み，さらに，各章における重複を避け，欠落した部分を補うなどにより，解説内容の水準を高く保持してきたことによるところが大きい．

　そもそもわが国における内科学書は，欧米の書と比較して数多くの執筆者による膨大な数の原稿により構成されていることから，内容の欠落，あるいは記述が必ずしも統一されていないことなどが指摘されてきた．本書はそのような課題を編集者が責任をもって今日まで解決してきたと言える．今回の改訂においても，私と須永眞司博士がともに全原稿を読み通した．専門家の先生方にご執筆いただいた貴重な内容に手を加えるのは大変心苦しかったが，初版以来の編集方針に従い，教科書を使用する医学生，あるいは研修医の視点に立って目を通し，記述の精査を図った．さらに，理解しやすい図・表にするためデザインも重視した．最近の飛躍的な内科学の進歩を俯瞰できるよう，各論の章の冒頭に章担当編集者によるまとめを掲載したことにより，一層充実した内科学書になったものと自負している．

　わが国は超高齢社会を迎え，高齢者の特性に注目した診療の進め方が，社会的にも重要な課題になっている．また，ライフイベント（災害や近親者の死亡など）や日常生活・職業生活におけるストレスなどの心理的社会因子から，心身症が増加傾向にある．そこで第11版では，老年医学と心身医学を新たな章として加え，理解を深めることとした．

　さらに第11版では，これまで紙数の制限から掲載できなかった画像や詳細な表，本文を補足するコラムやノートをデジタル付録として提供することとなった（⒠マーク）．また，エビデンスに基づく記載とするため，文献も充実させデジタル付録とした．さらに，従来の書籍には掲載不可能な動画も閲覧ができるようにした．書籍とともにデジタル付録も参照することで，より理解が深まることと思う．

　一方，第9版以来の，タブレット端末で閲覧が可能な電子版の配信を行う予定である．読者の好みに応じてご利用いただきたい．

　このような内科学書が発行され，定期的な改訂が実施されているのは，発行元の朝倉書店が編集者の意図を充分に理解し，全幅の信頼を置いて確かな編集方針のもとで事業を継続されたことも大きくかかわっている．今日まで本書が「朝倉内科」という愛称で親しまれてきた所以とも言える．これまでの編集スタッフの尽力に深甚の感謝を述べたい．

　最後に，ご多用のなかご執筆・ご編集にご尽力下さった先生方，および朝倉書店の担当者の方々のご苦労に厚く御礼を申し上げたい．

2017年1月

矢﨑義雄

初版の序

　英語圏の国々のみならず，世界を通じてもっとも普及し，代表的内科学書とされているのは Beeson & McDermott（もとの Cecil & Loeb）の "Textbook of Medicine" であろう．これはこの書が 200 名の専門家により，高度のレベルで，しかもあまりに専門的にかたよりすぎないよう慎重な配慮のもとに，内科的諸疾患についての最新の知見が記述されており，ある疾患に遭遇したとき，これをひもとけばその疾患についての現在の考え方，治療などがきわめて明快に理解されるという特長を有しているためであろう．この書がコンパクトに 1 冊にまとめられていることも重要な点といってよい．

　わが国にもすでに多くの内科学書があり，それぞれすぐれた特色をもっているが，Beeson & McDermott の内科学書のような性格の本はほとんどないように思われる．私どもはかねがねこのような性格の内科学書がわが国でも刊行されることを強く望んでいた．そのような内科学書は内科学教育の改善に大きく寄与し得ると考えたからである．

　本書の出版は，本来，私どもが内科医学教育を行なっている間に抱いていた上述の内科学教育改善の念願をはたすために企画したのであるが，現実の動機は，榊原 仟教授編著『外科学』を昨年出版した朝倉書店の勧奨により，『外科学』に釣り合う『内科学』を企画・編集して欲しいと懇望されたことによる．私どもの年来の構想に合致するので，引き受けることにしたのである．

　さて内科学の分野は広く，その進歩は早いので，権威ある内容をもり，重要な点をとり入れるためには各領域の専門家に執筆してもらう必要がある．しかも刊行を早くするためにも多数の共同執筆者の協力を得なければならない．そこで，現在内科学各分野の権威であり医学教育にたずさわっておられる，阿部　裕（阪大），池本秀雄（順天堂大），河合忠一（京大），坂本信夫（名大），竹本忠良（山口大），豊倉康夫（東大），中村元臣（九大），堀内淑彦（東大），三輪史朗（山口大），村尾　誠（北大），吉永　馨（東北大）の各教授に各部門の責任編集者になっていただき，その構想により 222 名の執筆者が定められた．この多数の執筆者の協力と熱意により，企画してからわずか 2 年以内に印刷を終り完成をみることができた．

　本書の記述は，簡潔であり要点を網羅しているが，羅列的でなく，重点を明示することにしている．基本的なものをはっきり教え，診断の項では鑑別診断を明記している．また最近の学生は視覚的教育に慣れているので，600 余の図と 300 余の写真を入れ理解しやすくした．内科学の進歩，たとえば成因・診断法・治療に関する最新の成果をとり入れ，記述内容を新鮮なものとした．また，可能な限り，わが国あるいは筆者自らの資料にもとづいて記載し，わが国の特色を明らかにするよう努力した．

　刊行にあたり，編集者・執筆者の皆様に御礼するとともに朝倉書店の熱意と奉仕に感謝する．

　終りに，本書が卒前医学生の内科学学習のガイドとなり，卒後医師の内科学の知識更新の宝典となることを期待する．

1977 年 6 月

上田英雄
武内重五郎

総編集

矢﨑 義雄　国際医療福祉大学総長

編集

赤司 浩一　九州大学教授
渥美 達也　北海道大学教授
伊藤 裕　慶應義塾大学教授
稲垣 暢也　京都大学教授
神田 隆　山口大学教授
木下 芳一　島根大学教授
工藤 正俊　近畿大学教授
小室 一成　東京大学教授
須永 眞司　調布東山病院院長
南学 正臣　東京大学教授
長谷川 好規　名古屋大学教授
松本 哲哉　東京医科大学教授
楽木 宏実　大阪大学教授

執筆者

1 内科学総論
矢﨑義雄	国際医療福祉大学総長
大滝純司	北海道大学教授
齋藤加代子	東京女子医科大学教授
久保田 馨	日本医科大学教授
本間 覚	筑波大学教授
宮川 清	東京大学教授
瀬戸泰之	東京大学教授

2 老年医学
楽木宏実	大阪大学教授
神﨑恒一	杏林大学教授
三木哲郎	愛媛大学名誉教授
横手幸太郎	千葉大学教授
葛谷雅文	名古屋大学教授
荒井秀典	国立長寿医療研究センター副院長
秋下雅弘	東京大学教授

3 心身医学
吉内一浩	東京大学准教授

4 症候学
佐地 勉	東邦大学名誉教授
佐藤伸一	東京大学教授
金子周一	金沢大学教授
川口和紀	金沢大学特任准教授
兵頭一之介	筑波大学教授
有沢富康	金沢医科大学教授
三輪洋人	兵庫医科大学教授
富田寿彦	兵庫医科大学講師
大島忠之	兵庫医科大学准教授
城 卓志	名古屋市立大学教授
松橋信行	NTT東日本関東病院部長
吉岡健太郎	藤田保健衛生大学教授
小松則夫	順天堂大学教授
安田 隆	吉祥寺あさひ病院副院長
河田則文	大阪市立大学教授
元山宏行	大阪市立大学病院講師
竹原徹郎	大阪大学教授
阪森亮太郎	大阪大学助教
田中克明	横浜市立大学教授

山下俊一	長崎大学理事・副学長
小川佳宏	東京医科歯科大学教授・九州大学教授
浅原哲子	国立病院機構京都医療センター部長
鈴木富雄	大阪医科大学特別任命教員教授
川口鎮司	東京女子医科大学臨床教授
瀬山邦明	順天堂大学先任准教授
大森 司	自治医科大学准教授
長谷部直幸	旭川医科大学教授
竹内利治	旭川医科大学講師
西村正治	北海道大学教授
陳 和夫	京都大学特定教授
萩原誠久	東京女子医科大学教授
山口悦郎	愛知医科大学教授
中村博幸	東京医科大学教授
伊藤孝史	島根大学診療教授
内田信一	東京医科歯科大学教授
守山敏樹	大阪大学教授
日下博文	関西医科大学教授
保田晋助	北海道大学准教授
土橋浩章	香川大学講師
中田 力	新潟大学特任教授
荒木信夫	埼玉医科大学教授
鈴木則宏	慶應義塾大学教授
赤松直樹	国際医療福祉大学教授
桑原 聡	千葉大学教授
城倉 健	横浜市立脳卒中・神経脊椎センター副病院長
関根孝司	元・東邦大学教授

5 治療学
山崎 力	東京大学教授
小出大介	東京大学特任准教授
前﨑繁文	埼玉医科大学教授
間野博行	東京大学教授・国立がんセンター研究所所長
堀内孝彦	九州大学教授
田村直人	順天堂大学先任准教授
槇野茂樹	大阪医科大学専門教授
柴垣有吾	聖マリアンナ医科大学教授
前川 平	京都大学教授
赤柴恒人	志木呼吸器科クリニック院長
宮川 清	東京大学教授
佐藤祐造	愛知みずほ大学学長

木澤義之	神戸大学特命教授
高橋智弘	岩手医科大学特任講師
佐藤直樹	日本医科大学教授
石井芳樹	獨協医科大学教授
下瀬川徹	東北大学教授
廣田衛久	東北大学講師
芳野純治	藤田保健衛生大学名誉教授
小坂俊仁	藤田保健衛生大学坂文種報德會病院客員講師
中田 力	新潟大学特任教授

6 感染症

松本哲哉	東京医科大学教授
大楠清文	東京医科大学教授
大曲貴夫	国立国際医療研究センター国際感染症センター長
前﨑繁文	埼玉医科大学教授
齋藤昭彦	新潟大学教授
大石和徳	国立感染症研究所センター長
飯沼由嗣	金沢医科大学教授
山本善裕	富山大学教授
西 順一郎	鹿児島大学教授
渡辺晋一	帝京大学教授
松下和彦	川崎市立多摩病院部長
上原由紀	順天堂大学准教授
濱砂良一	産業医科大学准教授
立川夏夫	横浜市立市民病院部長
栁原克紀	長崎大学教授
賀来敬仁	長崎大学助教
三笠桂一	奈良県立医科大学教授
笠原 敬	奈良県立医科大学准教授
光武耕太郎	埼玉医科大学国際医療センター教授
竹村 弘	聖マリアンナ医科大学病院教授
吉澤定子	東邦大学医療センター大森病院講師
関 雅文	東北医科薬科大学病院教授
髙橋 聡	札幌医科大学教授
石和田稔彦	千葉大学准教授
舘田一博	東邦大学教授
宮良高維	関西医科大学診療教授
外間 昭	琉球大学診療教授
浮村 聡	大阪医科大学教授
平松和史	大分大学准教授
大西健児	東京都保健医療公社荏原病院副院長
神谷 茂	杏林大学教授
森澤雄司	自治医科大学准教授
大石 毅	東海大学医学部准教授
三鴨廣繁	愛知医科大学大学院教授

永井英明	国立病院機構東京病院部長
長谷川直樹	慶應義塾大学教授
比嘉 太	国立病院機構沖縄病院統括診療部長
泉川公一	長崎大学教授
宮﨑義継	国立感染症研究所部長
掛屋 弘	大阪市立大学教授
時松一成	神戸大学特命准教授
藤井 毅	東京医科大学教授
坪井良治	東京医科大学教授
亀井克彦	千葉大学教授
宮下修行	川崎医科大学准教授
岩崎博道	福井大学教授
高橋 洋	坂総合病院内科診療部長
味澤 篤	東京都保健医療公社豊島病院副院長
今村顕史	がん・感染症センター都立駒込病院部長
青木洋介	佐賀大学教授
松嵜葉子	山形大学准教授
早川 智	日本大学教授
河島尚志	東京医科大学教授
西條政幸	国立感染症研究所部長
川名明彦	防衛医科大学校教授
多屋馨子	国立感染症研究所室長
城 裕之	横浜労災病院副院長
青木知信	福岡市立こども病院副院長
森田公一	長崎大学教授
塚田訓久	国立国際医療研究センターエイズ治療・研究開発センター室長
宮﨑泰司	長崎大学教授
森内浩幸	長崎大学教授
中込 治	長崎大学教授
柏木保代	東京医科大学准教授
四柳 宏	東京大学医科学研究所教授
安田二朗	長崎大学教授
狩野繁之	国立国際医療研究センター研究所部長
水野泰孝	東京医科大学准教授
春木宏介	獨協医科大学越谷病院教授
濱田篤郎	東京医科大学教授
吉川正英	奈良県立医科大学教授
濱野真二郎	長崎大学教授
中村(内山)ふくみ	東京都保健医療公社荏原病院医長
夏秋 優	兵庫医科大学准教授

7 循環器系の疾患

| 小室一成 | 東京大学教授 |
| 筒井裕之 | 九州大学教授 |

執筆者

福田　恵一	慶應義塾大学教授		絹川弘一郎	富山大学教授
遠山　周吾	慶應義塾大学特任助教		寺崎　文生	大阪医科大学専門教授
矢野　雅文	山口大学教授		安斉　俊久	国立循環器病研究センター部長
奥田　真一	山口大学助教		磯部　光章	東京医科歯科大学教授
古川　哲史	東京医科歯科大学教授		森崎　隆幸	東京工科大学教授
塩島　一朗	関西医科大学教授		坂田　泰史	大阪大学教授
佐田　政隆	徳島大学教授		室原　豊明	名古屋大学教授
斎藤　能彦	奈良県立医科大学教授		伊藤　正明	三重大学教授
渡邉　裕司	浜松医科大学教授		山田　典一	三重大学准教授
倉林　正彦	群馬大学教授		荻原　義人	三重大学助教
山本　一博	鳥取大学教授		福本　義弘	久留米大学教授
阿古　潤哉	北里大学教授		植田晋一郎	久留米大学講師
森田　啓行	東京大学講師			
清水　　渉	日本医科大学教授		**8 血圧の異常**	
村川　裕二	帝京大学附属溝口病院教授		楽木　宏実	大阪大学教授
羽田　勝征	埼玉医科大学総合医療センター客員教授		石光　俊彦	獨協医科大学教授
田邊　一明	島根大学教授		寺田　典生	高知大学教授
山科　　章	東京医科大学教授		三浦　克之	滋賀医科大学教授
竹石　恭知	福島県立医科大学教授		苅尾　七臣	自治医科大学教授
木原　康樹	広島大学教授		伊藤　正明	三重大学教授
山本　秀也	広島大学准教授		藤本　直紀	三重大学助教
木村　　剛	京都大学教授		大屋　祐輔	琉球大学教授
齋藤　成達	京都大学助教		大石　　充	鹿児島大学教授
平尾　見三	東京医科歯科大学教授		柴田　洋孝	大分大学教授
池田　隆徳	東邦大学教授		長谷部直幸	旭川医科大学教授
栗田　隆志	近畿大学教授		佐藤　伸之	旭川医科大学准教授
夛田　　浩	福井大学教授			
下川　宏明	東北大学教授		**9 呼吸器系の疾患**	
小川　久雄	国立循環器病研究センター理事長		長谷川好規	名古屋大学教授
掃本　誠治	熊本大学准教授		徳田　安春	地域医療機能推進機構本部顧問
尾崎　行男	藤田保健衛生大学教授		酒井　文和	埼玉医科大学教授
吉村　道博	東京慈恵会医科大学教授		村田喜代史	滋賀医科大学教授
前村　浩二	長崎大学教授		宮澤　輝臣	聖マリアンナ医科大学特任教授
山崎　　力	東京大学教授		栗本　典昭	聖マリアンナ医科大学病院教授
李　　政哲	ハーバードT.H.チャン公衆衛生大学院客員研究員		橋本　　修	日本大学教授
大屋　祐輔	琉球大学教授		萩原　弘一	自治医科大学教授
山岸　敬幸	慶應義塾大学教授		西岡　安彦	徳島大学教授
白石　　公	国立循環器病研究センター部長		滝澤　　始	杏林大学教授
中西　敏雄	東京女子医科大学特任教授		山谷　睦雄	東北大学教授
八尾　厚史	東京大学講師		藤田　次郎	琉球大学教授
伊藤　　浩	岡山大学教授		中野　孝司	兵庫医科大学教授
麻植　浩樹	岡山大学助教		一山　　智	京都大学教授
中谷　　敏	大阪大学教授		長谷川直樹	慶應義塾大学教授
増山　　理	兵庫医科大学教授		泉川　公一	長崎大学教授
合田亜希子	兵庫医科大学講師		三笠　桂一	奈良県立医科大学教授

中村(内山)ふくみ	東京都保健医療公社荏原病院医長	**10 消化管・腹膜の疾患**	
一ノ瀬正和	東北大学教授	木下芳一	島根大学教授
服部　登	広島大学准教授	髙木敦司	東海大学教授
長瀬隆英	東京大学教授	山本博徳	自治医科大学教授
檜澤伸之	筑波大学教授	林　芳和	自治医科大学講師
稲瀬直彦	東京医科歯科大学教授	八尾建史	福岡大学筑紫病院教授
須田隆文	浜松医科大学教授	畠　二郎	川崎医科大学教授
渡辺憲太朗	福岡大学教授	村上康二	順天堂大学教授
杉山幸比古	練馬光が丘病院常勤顧問	藤本一眞	佐賀大学教授
本間　栄	東邦大学教授	岩切龍一	佐賀大学診療教授
高橋弘毅	札幌医科大学教授	松浦文三	愛媛大学教授
迎　寛	長崎大学教授	矢作直久	慶應義塾大学教授
海老名雅仁	東北医科薬科大学教授	木暮宏史	東京大学助教
弦間昭彦	日本医科大学学長	髙戸　毅	東京大学教授
横山彰仁	高知大学教授	前田貢作	兵庫県立こども病院副院長
石井幸雄	筑波大学教授	一瀬雅夫	帝京大学特任教授
中田　光	新潟大学教授	井上　泉	東京海洋大学保健センター所長
新実彰男	名古屋市立大学教授	藤原靖弘	大阪市立大学教授
桑野和善	東京慈恵会医科大学教授	石村典久	島根大学講師
金澤　實	埼玉医科大学教授	村木洋介	帝京大学講師
瀬山邦明	順天堂大学先任准教授	桑野博行	群馬大学教授
瀬戸口靖弘	東京医科大学教授	宗田　真	群馬大学助教
桑平一郎	東海大学教授	草野元康	群馬大学診療教授
花岡正幸	信州大学教授	保坂浩子	群馬大学医員
木村　弘	奈良県立医科大学教授	岩切勝彦	日本医科大学教授
巽　浩一郎	千葉大学教授	小原勝敏	福島県立医科大学教授
赤柴恒人	志木呼吸器科クリニック院長	眞部紀明	川崎医科大学准教授
秋田弘俊	北海道大学教授	三輪洋人	兵庫医科大学教授
中西洋一	九州大学教授	近藤　隆	兵庫医科大学助教
今泉和良	藤田保健衛生大学教授	長嶺伸彦	自治医科大学教授
星野友昭	久留米大学教授	上村直実	国立国際医療研究センター国府台病院院長
岡元昌樹	久留米大学講師	東　健	神戸大学教授
東　公一	久留米大学講師	吉﨑哲也	大阪府済生会中津病院医員
木浦勝行	岡山大学病院教授	村上和成	大分大学教授
市原英基	岡山大学助教	岡田裕之	岡山大学教授
二宮　崇	岡山大学病院助教	伊東文生	聖マリアンナ医科大学教授
久保寿夫	岡山大学病院助教	松尾康正	聖マリアンナ医科大学助教
大橋圭明	岡山大学病院助教	小澤俊一郎	聖マリアンナ医科大学助教
清水英治	鳥取大学教授	喜多宏人	帝京大学教授
鰤岡直人	鳥取大学教授	加藤俊幸	新潟県立がんセンター新潟病院部長
西村善博	神戸大学特命教授	久守孝司	島根大学講師
礒部　威	島根大学教授	峯　徹哉	東海大学教授
久良木隆繁	島根県立中央病院部長	松本主之	岩手医科大学教授
三嶋理晃	大阪府済生会野江病院病院長	松井敏幸	福岡大学筑紫病院教授
		渡辺　守	東京医科歯科大学教授

執筆者

松岡 克善	東京医科歯科大学講師
大草 敏史	東京慈恵会医科大学教授
三浦 総一郎	防衛医科大学校学校長
矢野 智則	自治医科大学講師
田中 信治	広島大学教授
杉原 健一	光仁会第一病院院長・東京医科歯科大学特任教授
山内 慎一	東京医科歯科大学助教
安藤 朗	滋賀医科大学教授
福土 審	東北大学教授
松橋 信行	NTT東日本関東病院部長
中島 淳	横浜市立大学主任教授
大久保 秀則	横浜市立大学助教
福田 眞作	弘前大学教授
三上 達也	弘前大学准教授
中村 志郎	兵庫医科大学教授
宮嵜 孝子	兵庫医科大学学内講師
五十嵐 正広	がん研有明病院顧問
山田 英司	済生会横浜市南部病院医長
藤澤 聡郎	順天堂大学助教
後藤 秀実	名古屋大学教授
平石 秀幸	獨協医科大学教授

11 肝・胆道・膵の疾患

工藤 正俊	近畿大学教授
田中 榮司	信州大学教授
角谷 眞澄	信州大学教授
飯島 尋子	兵庫医科大学教授
上野 義之	山形大学教授
正木 勉	香川大学教授
上本 伸二	京都大学教授
伊藤 義人	京都府立医科大学教授
光吉 博則	公立南丹病院部長
國分 茂博	新百合ヶ丘総合病院肝疾患低侵襲治療センター長
中本 安成	福井大学教授
四柳 宏	東京大学医科学研究所教授
八橋 弘	国立病院機構長崎医療センター臨床研究センター長
朝比奈 靖浩	東京医科歯科大学教授
榎本 信幸	山梨大学教授
坂本 直哉	北海道大学教授
滝川 康裕	岩手医科大学教授
持田 智	埼玉医科大学教授
茶山 一彰	広島大学教授
柘植 雅貴	広島大学助教

泉 並木	武蔵野赤十字病院院長
大平 弘正	福島県立医科大学主任教授
西原 利治	高知大学教授
橋本 悦子	東京女子医科大学教授
佐々木 裕	熊本大学教授
田中 基彦	熊本大学准教授
坂井田 功	山口大学教授
向坂 彰太郎	福岡大学教授
田妻 進	広島大学教授
堀江 義則	国際医療福祉大学教授
滝川 一	帝京大学教授
上硲 俊法	近畿大学教授
近藤 福雄	帝京大学教授
松谷 正一	前・千葉県立保健医療大学教授
小川 眞広	日本大学病院消化器科科長
井戸 章雄	鹿児島大学教授
西口 修平	兵庫医科大学教授
榎本 平之	兵庫医科大学准教授
鳥村 拓司	久留米大学教授
高原 照美	富山大学准教授
藤澤 知雄	済生会横浜市東部病院顧問
清水 京子	東京女子医科大学臨床教授
蒲田 敏文	金沢大学教授
米田 憲秀	金沢大学助教
北野 雅之	和歌山県立医科大学教授
花田 敬士	JA広島厚生連尾道総合病院診療部長
峯 徹哉	東海大学教授
安田 一朗	帝京大学教授
入澤 篤志	福島県立医科大学教授
河上 洋	宮崎大学教授
廣川 慎一郎	富山大学客員教授
五十嵐 良典	東邦大学教授
杉山 政則	杏林大学教授
平野 聡	北海道大学教授
乾 和郎	藤田保健衛生大学教授
糸井 隆夫	東京医科大学教授
廣岡 芳樹	名古屋大学准教授
後藤 秀実	名古屋大学教授
伊佐地 秀司	三重大学教授
竹山 宜典	近畿大学教授
廣田 衛久	東北大学講師
下瀬川 徹	東北大学教授
岡崎 和一	関西医科大学教授
真口 宏介	手稲渓仁会病院消化器病センター長
大塚 隆生	九州大学准教授

山口　幸二	藤元総合病院総括外科部長		大久保公裕	日本医科大学教授
山上　裕機	和歌山医科大学教授		岡本　美孝	千葉大学教授
古瀬　純司	杏林大学教授		斎藤　純平	福島県立医科大学講師
伊佐山浩通	東京大学准教授		中島　裕史	千葉大学教授
伊藤　鉄英	九州大学准教授		山口　正雄	帝京大学教授
			海老澤元宏	国立病院機構相模原病院部長

12　リウマチ性疾患およびアレルギー性疾患

渥美　達也	北海道大学教授		土橋　邦生	群馬大学教授
三宅　幸子	順天堂大学教授		石井　芳樹	獨協医科大学教授
山本　一彦	東京大学教授		永田　　真	埼玉医科大学教授
三森　経世	京都大学教授		片山　一朗	大阪大学教授
山田　　亮	京都大学教授		秀　　道広	広島大学教授
亀田　秀人	東邦大学教授		藤本　　学	筑波大学教授
川合　眞一	東邦大学教授		髙村　悦子	東京女子医科大学臨床教授
竹内　　勤	慶應義塾大学教授		峯岸　克行	徳島大学教授
金子　祐子	慶應義塾大学講師			
石黒　直樹	名古屋大学教授		## 13　腎・尿路系の疾患	
渡部　一郎	青森県立保健大学教授		南学　正臣	東京大学教授
田中　良哉	産業医科大学教授		伊藤　貞嘉	東北大学教授
鈴木　康夫	東海大学教授		岡田　浩一	埼玉医科大学教授
小松田　敦	秋田大学准教授		深川　雅史	東海大学教授
天野　宏一	埼玉医科大学教授		内田　信一	東京医科歯科大学教授
三村　俊英	埼玉医科大学教授		正木　崇生	広島大学教授
住田　孝之	筑波大学教授		猪阪　善隆	大阪大学教授
三森　明夫	岩手県立中央病院参与		柏原　直樹	川崎医科大学教授
桑名　正隆	日本医科大学教授		西　　慎一	神戸大学教授
上阪　　等	東京医科歯科大学教授		大家　基嗣	慶應義塾大学教授
髙崎　芳成	順天堂大学名誉教授		松本　一宏	慶應義塾大学助教
尾崎　承一	聖マリアンナ医科大学教授		菅野　義彦	東京医科大学教授
廣畑　俊成	北里大学教授		西山　　成	香川大学教授
杉山　英二	広島大学教授		中山　昌明	東北大学特任教授
牧野　雄一	旭川医科大学准教授		田邉　一成	東京女子医科大学教授
簑田　清次	自治医科大学教授		佐藤　　滋	秋田大学教授
村上　正人	国際医療福祉大学教授		藤元　昭一	宮崎大学教授
山中　　寿	東京女子医科大学教授		横山　　仁	金沢医科大学教授
佐野　　統	兵庫医科大学主任教授		有馬　秀二	近畿大学教授
東　　直人	兵庫医科大学講師		山縣　邦弘	筑波大学教授
武井　修治	鹿児島大学教授		小松　康宏	聖路加国際病院副院長
髙橋　裕樹	札幌医科大学准教授		和田　健彦	東海大学准教授
上松　一永	信州大学准教授		丸山　彰一	名古屋大学教授
斎藤　博久	国立成育医療研究センター副研究所長		岩野　正之	福井大学教授
出原　賢治	佐賀大学教授		成田　一衛	新潟大学教授
檜澤　伸之	筑波大学教授		望月　俊雄	東京女子医科大学特任教授
土肥　　眞	渋谷内科・呼吸器アレルギークリニック院長		和田　隆志	金沢大学教授
今野　　哲	北海道大学准教授		今井　裕一	愛知医科大学教授
			要　　伸也	杏林大学教授

執筆者

野島美久	前橋赤十字病院腎臓内科部長		柳瀬敏彦	福岡大学教授
廣村桂樹	群馬大学診療教授		宗 友厚	川崎医科大学教授
香美祥二	徳島大学教授		柴田洋孝	大分大学教授
横尾 隆	東京慈恵会医科大学教授		長谷川奉延	慶應義塾大学教授
柳田素子	京都大学教授		曽根正勝	京都大学特定准教授
田中哲洋	東京大学講師		竹越一博	筑波大学教授
北村健一郎	山梨大学教授		田辺晶代	国立国際医療研究センター病院医長
寺田典生	高知大学教授		櫻井晃洋	札幌医科大学教授
向山政志	熊本大学教授		中里雅光	宮崎大学教授
土井研人	東京大学講師		小川佳宏	東京医科歯科大学教授・九州大学教授
乳原善文	虎の門病院部長		杉山 徹	武蔵野赤十字病院部長
星野純一	虎の門病院医長		斎藤能彦	奈良県立医科大学教授
新田孝作	東京女子医科大学教授		菅波孝祥	名古屋大学教授
鶴屋和彦	九州大学准教授		山田祐一郎	秋田大学教授
長田太助	自治医科大学教授		戸井雅和	京都大学教授
小川良雄	昭和大学教授		佐治重衡	福島県立医科大学教授
			青木大輔	慶應義塾大学教授

14 内分泌系の疾患

伊藤 裕	慶應義塾大学教授
栗原 勲	慶應義塾大学専任講師
小林佐紀子	慶應義塾大学助教
東條克能	東京慈恵会医科大学教授
島津 章	国立病院機構京都医療センター臨床研究センター長
髙橋 裕	神戸大学准教授
片上秀喜	甲南加古川病院部長
沖 隆	浜松医科大学特任教授
大塚文男	岡山大学教授
岩﨑泰正	高知大学教授
有馬 寛	名古屋大学教授
山田正信	群馬大学教授
佐藤哲郎	群馬大学講師
吉村 弘	伊藤病院内科部長
赤水尚史	和歌山県立医科大学教授
廣松雄治	久留米大学医療センター病院長
宮川めぐみ	虎の門病院医長
松本俊夫	徳島大学藤井節郎記念医科学センター顧問
杉本利嗣	島根大学教授
竹内靖博	虎の門病院部長
福本誠二	徳島大学特任教授
諸橋憲一郎	九州大学教授
本間桂子	慶應義塾大学病院臨床検査技師
野村政壽	九州大学講師
西川哲男	横浜労災病院名誉院長
田村 愛	千葉大学医員

15 代謝・栄養の異常

稲垣暢也	京都大学教授
川﨑英二	新古賀病院糖尿病センター長
石原寿光	日本大学教授
谷澤幸生	山口大学教授
山田祐一郎	秋田大学教授
内田俊也	帝京大学教授
佐々木雅也	滋賀医科大学病院教授
藤本新平	高知大学教授
門脇 孝	東京大学教授
前川 聡	滋賀医科大学教授
山根俊介	京都大学特定病院助教
剣持 敬	藤田保健衛生大学教授
荒木栄一	熊本大学教授
下田誠也	熊本県立大学教授
羽田勝計	旭川医科大学名誉教授・客員教授
池上博司	近畿大学教授
綿田裕孝	順天堂大学教授
後藤広昌	順天堂大学助教
杉江秀夫	常葉大学教授
杉江陽子	浜松医科大学臨床教授・葵町こどもクリニック院長
日紫喜光良	東邦大学准教授
丸山征郎	鹿児島大学特任教授
山田正仁	金沢大学教授
呉 繁夫	東北大学教授
横手幸太郎	千葉大学教授

寺本 民生	帝京大学臨床研究センター長
石橋　 俊	自治医科大学教授
下村伊一郎	大阪大学教授
髙原 充佳	大阪大学寄附講座助教
大門　 眞	弘前大学教授
日浅 陽一	愛媛大学教授
德本 良雄	愛媛大学講師
竹谷　 豊	徳島大学教授
田中　 清	京都女子大学教授
杉本 利嗣	島根大学教授
山内 美香	島根大学准教授
田中あけみ	元・大阪市立大学准教授
原田　 大	産業医科大学教授
吉岡健太郎	藤田保健衛生大学教授

16　血液・造血器の疾患

赤司 浩一	九州大学教授
小松 則夫	順天堂大学教授
松村　 到	近畿大学教授
髙後　 裕	国際医療福祉大学教授
北川 誠一	四天王寺たまつくり苑診療所所長
千葉　 滋	筑波大学教授
冨山 佳昭	大阪大学病院教授
和田 英夫	三重大学准教授
通山　 薫	川崎医科大学教授
片山 義雄	神戸大学講師
谷脇 雅史	京都府立医科大学名誉教授・特任教授
今井　 裕	東海大学教授
宮﨑 泰司	長崎大学教授
三谷 絹子	獨協医科大学教授
田川 博之	秋田大学講師
清井　 仁	名古屋大学教授
髙松　 泰	福岡大学教授
神田 善伸	自治医科大学教授
高橋　 聡	東京大学准教授
高見 昭良	愛知医科大学教授
鈴木 隆浩	北里大学教授
張替 秀郎	東北大学教授
中尾 眞二	金沢大学教授
伊藤 悦朗	弘前大学教授
澤田 賢一	医療法人北武会理事
大屋敷一馬	東京医科大学教授
石井 榮一	愛媛大学教授
西村 純一	大阪大学講師
桐戸 敬太	山梨大学教授

正木 康史	金沢医科大学教授
小林 正夫	広島大学教授
木崎 昌弘	埼玉医科大学教授
下田 和哉	宮崎大学教授
豊嶋 崇徳	北海道大学教授
片山 直之	三重大学教授
長藤 宏司	久留米大学教授
青木 定夫	新潟薬科大学教授
山口 素子	三重大学講師
塚崎 邦弘	国立がん研究センター東病院科長
鈴木 律朗	島根大学准教授
竹中 克斗	九州大学講師
飯田 真介	名古屋市立大学教授
村田　 満	慶應義塾大学教授
上田 孝典	福井大学副学長
嶋　 緑倫	奈良県立医科大学教授
志田 泰明	奈良県立医科大学助教
西久保敏也	奈良県立医科大学病院教授
松下　 正	名古屋大学教授

17　神経系の疾患

神田　 隆	山口大学教授
桑原　 聡	千葉大学教授
横田 隆徳	東京医科歯科大学教授
中田　 力	新潟大学特任教授
葛原 茂樹	鈴鹿医療科学大学特任教授
荒木 信夫	埼玉医科大学教授
城倉　 健	横浜市立脳卒中・神経脊椎センター部長
安東由喜雄	熊本大学教授
宇川 義一	福島県立医科大学教授
望月 仁志	宮崎大学講師
馬場 正之	青森県立中央病院医療顧問
岡本浩一郎	新潟大学准教授
朝比奈正人	神経内科津田沼所長
棚橋 紀夫	埼玉医科大学教授
大槻 俊輔	近畿大学教授
西山 和利	北里大学教授
栁田 敦子	北里大学助教病棟医
阿部 康二	岡山大学教授
中島 健二	国立病院機構松江医療センター院長
和田 健二	鳥取大学講師
松本 昌泰	JCHO 星ヶ丘医療センター院長
青木 志郎	広島大学助教
山田 正仁	金沢大学教授
望月 秀樹	大阪大学教授

執筆者

山本 光利	高松神経内科クリニック院長	
後藤 順	国際医療福祉大学教授	
佐野 輝	鹿児島大学教授	
長谷川一子	国立病院機構相模原病院医長	
佐々木秀直	北海道大学教授	
水澤 英洋	国立精神・神経医療研究センター理事長	
祖父江 元	名古屋大学特任教授	
原 英夫	佐賀大学教授	
中川 正法	京都府立医科大学教授	
亀井 聡	日本大学教授	
坪井 義夫	福岡大学教授	
三浦 義治	東京都立駒込病院診療科責任医長	
犬塚 貴	岐阜大学教授	
吉良 潤一	九州大学教授	
宮嶋 裕明	浜松医科大学教授	
井原 健二	大分大学教授	
古谷 博和	高知大学教授	
伊東 秀文	和歌山県立医科大学教授	
中里 雅光	宮崎大学教授	
髙 昌星	信州大学教授	
松井 真	金沢医科大学教授	
有村 公良	大勝病院院長・鹿児島大学臨床教授	
中村 友紀	鹿児島大学医員	
田中 恵子	新潟大学特任講師・福島県立医科大学特任教授	
岡 明	東京大学教授	
新井 一	順天堂大学教授	
三宅 康史	帝京大学教授	
森 悦朗	東北大学教授	
山口 修平	島根大学教授	
赤松 直樹	国際医療福祉大学教授	
鈴木 則宏	慶應義塾大学教授	
平田 幸一	獨協医科大学教授	
安藤 哲朗	安城更生病院副部長	
楠 進	近畿大学教授	
髙嶋 博	鹿児島大学教授	
園生 雅弘	帝京大学教授	
本村 政勝	長崎総合科学大学教授・長崎大学非常勤講師	
樋口 逸郎	鹿児島大学教授	
砂田 芳秀	川崎医科大学教授	
清水 潤	東京大学准教授	
青木 正志	東北大学教授	
後藤 雄一	国立精神・神経医療研究センター部長	
加藤 丈夫	山形大学教授	
川並 透	国立病院機構山形病院副院長	

18 環境要因と疾患・中毒

島野 仁	筑波大学教授
矢藤 繁	筑波大学講師
大和 浩	産業医科大学教授
横山 顕	国立病院機構久里浜医療センター部長
和田 貴子	杏林大学特任教授
森本 裕二	北海道大学教授
宮川 清	東京大学教授
渡辺 毅	労働者健康安全機構福島労災病院院長
坂部 貢	東海大学教授
相澤 好治	北里大学名誉教授
鈴木 光也	東邦大学教授
田中 秀治	国士舘大学大学院救急システム研究科長・教授
古谷 博和	高知大学教授
福本真理子	北里大学准教授
内原 俊記	東京都医学総合研究所副参事研究員
岩崎 泰昌	国立病院機構呉医療センター部長
和田 清	埼玉県立精神医療センター部長

付 基準値

矢冨 裕	東京大学教授

目次

1 内科学総論

1-1 内科学総論〔矢﨑義雄〕 …… 2
1) これからの内科学 …… 2
2) EBMと個別医療 …… 3
3) 医療安全とリスク管理 …… 4
4) 医の倫理と医師の社会的使命 …… 5
5) 医療と法 …… 5

1-2 患者へのアプローチの基本〔大滝純司〕 …… 6
1) 診療の内容と順番 …… 6
　(1) 医療面接と身体診療 …… 6
　(2) 検査 …… 6
　(3) 治療 …… 6
2) 医療面接の3つの機能 …… 6
　(1) 医師-患者関係の構築 …… 6
　(2) 健康問題の評価 …… 7
　(3) 健康問題のマネジメント …… 7
3) 医療面接の2つの側面 …… 7
　(1) 医療面接のプロセス …… 7
　(2) 医療面接のコンテント …… 7
4) 臨床推論の思考パターン …… 7
　(1) パターン認識 …… 8
　(2) ヒューリスティクス …… 8
　(3) 多分岐法 …… 8
　(4) 徹底的検討法 …… 8
　(5) 仮説-演繹法 …… 8
5) 臨床推論過程の研究 …… 8
6) 鑑別診断のあげ方 …… 9
7) 鑑別診断を検証する …… 9
8) 医療の過誤可能性 …… 10

1-3 遺伝性疾患〔齋藤加代子〕 …… 10
1) 遺伝医学の基礎と遺伝性疾患の分類 …… 10
　(1) DNAと遺伝子 …… 10
　(2) 遺伝子と蛋白質 …… 10
　(3) 家系図 …… 11
　(4) 遺伝性疾患の分子遺伝学的検査法 …… 12
　(5) 遺伝性疾患の分類 …… 13
2) 染色体異常 …… 13
　(1) 21トリソミー，Down症候群 …… 13
　(2) Klinefelter症候群 …… 13
　(3) Turner症候群 …… 14
　(4) 染色体微細欠失症候群 …… 14
　3) 単一遺伝子病(Mendel遺伝病) …… 14
　(1) 常染色体優性遺伝病 …… 14
　(2) 常染色体劣性遺伝病 …… 15
　(3) X連鎖優性遺伝病 …… 16
　(4) X連鎖劣性遺伝病 …… 17
4) 多因子遺伝病 …… 19
5) ミトコンドリア遺伝病 …… 20
　(1) 慢性進行性外眼筋麻痺症候群(KSS) …… 20
　(2) MERRF(福原病)/ragged red fibersを伴うミオクローヌスてんかん …… 20
　(3) 脳卒中様症状を伴うミトコンドリア脳筋症 …… 20
　(4) Leber病 …… 20
　(5) Leigh脳症 …… 20
　(6) ミトコンドリア異常を伴う糖尿病 …… 20
　(7) Pearson病 …… 20
　(8) ミトコンドリア病の経過 …… 20
6) 体細胞遺伝病 …… 20
7) 遺伝性疾患への対応 …… 21
8) 遺伝子医療に携わる人材育成 …… 22
9) 予期せぬ結果や偶発的な所見 …… 22

1-4 腫瘍性疾患総論〔久保田 馨〕 …… 22
1) 疫学 …… 22
　(1) 世界の状況 …… 22
　(2) 日本の状況 …… 24
2) 癌発生に関与する因子—病因 …… 24
　(1) 能動喫煙と受動喫煙 …… 24
　(2) 肥満，食事 …… 25
　(3) 感染 …… 25
　(4) 職業性要因 …… 25
3) 癌遺伝子，癌抑制遺伝子 …… 26
　(1) 癌細胞は正常細胞とどう異なるか …… 26
　(2) 癌遺伝子の臨床的意義 …… 27
　(3) 癌遺伝子の活性化 …… 27
　(4) 癌抑制遺伝子 …… 28
4) 増殖・浸潤・転移関連分子 …… 28
　(1) 増殖に関する因子 …… 28
　(2) 浸潤・転移に関与する因子 …… 28

1-5 医原性疾患
1) 医原性疾患総論〔本間 覚〕 …… 29
　(1) 医療の有害性 …… 29
　(2) 定義・概念 …… 29

（3）医原性疾患と医療事故 …………… 30
（4）医原性疾患が発生したとき ………… 30
（5）医原性疾患の診断および鑑別 ……… 31
（6）診断に基づく社会的対応 …………… 32
（7）医原性疾患の治療 …………………… 32
（8）医原性疾患の予防 …………………… 32
2）薬物療法に伴う医原性疾患 ………………… 33
（1）薬物療法におけるヒューマンエラー … 33
（2）薬物療法に伴う医原性疾患とハイリスク薬 … 33
（3）薬物療法に伴う医原性疾患の予防 … 35
3）診療行為に伴う医原性疾患 ………………… 35
（1）診断と治療の過程で発生する医原性疾患 … 35
（2）手術以外の侵襲的治療行為によって発生する医原性疾患 …………… 35
（3）診療行為に伴う医原性疾患の予防と対策 … 36
4）放射線障害〔宮川　清〕…………………… 36
（1）概念 …………………………………… 36
（2）放射線診断における被曝障害 ……… 37
（3）放射線治療における被曝障害 ……… 37
5）外科的処置(手術)による医原性疾患〔瀬戸泰之〕… 37
（1）医原性疾患の原因 …………………… 38
（2）医原性疾患に対する具体的予防策 … 38
（3）医療事故と医療過誤 ………………… 39

2 老年医学

老年医学における新しい展開〔楽木宏実〕………… 42
2-1 加齢・老化〔神﨑恒一〕………………… 43
1）加齢(老化)の概念 ………………………… 43
（1）概念 …………………………………… 43
（2）細胞老化と組織・器官の老化 ……… 43
2）加齢による臓器・機能の変化, 疾患の特徴 … 43
（1）加齢による臓器・機能の変化 ……… 43
（2）老年疾患の特徴 ……………………… 43
3）高齢者の生理的特徴 ……………………… 43
（1）予備力・適応能力の低下 …………… 43
（2）検査値の加齢変化 …………………… 43
4）高齢者の心理的特徴 ……………………… 43
（1）認知機能の低下や感情・意欲・性格の変化 … 43
（2）認知機能障害, 譫妄, うつの鑑別 … 46
2-2 老化の科学 …………………………………… 46
1）老化因子(老化仮説)〔三木哲郎・横手幸太郎〕… 46
（1）遺伝因子とそれを支持する事柄 …… 46
（2）遺伝外因子を支持する事柄 ………… 47
2）早老症 ……………………………………… 48
（1）早老症とは …………………………… 48

（2）Werner 症候群 ……………………… 48
（3）Hutchinson-Gilford プロジェリア症候群 … 49
3）老化制御〔葛谷雅文〕……………………… 49
（1）エネルギー制限 ……………………… 49
（2）レスベラトロール …………………… 49
（3）運動 …………………………………… 49
2-3 高齢者の保健や診療における目標〔荒井秀典〕… 50
1）生活機能評価 ……………………………… 50
2）基本チェックリスト ……………………… 51
3）フレイル, サルコペニア ………………… 51
4）高齢者総合的機能評価 …………………… 53
2-4 高齢者の診察と評価〔荒井秀典〕…………… 54
1）特徴 ………………………………………… 54
2）問診 ………………………………………… 54
3）身体所見の取り方 ………………………… 55
2-5 高齢者の薬物療法〔秋下雅弘〕……………… 55
（1）投与量の調節 ………………………… 55
（2）多剤併用の回避 ……………………… 55
（3）高齢者の服薬管理 …………………… 56

3 心身医学

3-1 総論〔吉内一浩〕…………………………… 58
3-2 心身症 ……………………………………… 58
3-3 摂食障害 …………………………………… 60
3-4 パニック症/パニック障害 ………………… 62
3-5 PTSD(心的外傷後ストレス障害) ………… 63
3-6 サイコオンコロジー(精神腫瘍学) ……… 63

4 症候学

4-1 発熱〔佐地　勉〕…………………………… 66
4-2 発疹・皮膚色素沈着〔佐藤伸一〕………… 68
4-3 黄疸〔金子周一・川口和紀〕……………… 71
4-4 腹痛 【⇨ 5-2-4】
4-5 悪心・嘔吐〔兵頭一之介〕………………… 72
4-6 食欲不振〔有沢富康〕……………………… 74
4-7 胸やけ・げっぷ〔富田寿彦・三輪洋人〕… 76
4-8 吃逆(しゃっくり)〔大島忠之・三輪洋人〕… 78
4-9 口渇〔大島忠之・三輪洋人〕……………… 79
4-10 嚥下困難〔城　卓志〕……………………… 79
4-11 便秘〔松橋信行〕…………………………… 81
4-12 下痢〔松橋信行〕…………………………… 83
4-13 吐血 【⇨ 5-2-5】
4-14 下血 【⇨ 5-2-5】
4-15 肝腫大〔吉岡健太郎〕……………………… 85
4-16 脾腫〔小松則夫〕…………………………… 86

4-17	リンパ節腫脹〔小松則夫〕	88
4-18	浮腫〔安田　隆〕	90
4-19	腹部膨隆〔河田則文・元山宏行〕	93
4-20	くも状血管腫・手掌紅斑〔竹原徹郎・阪森亮太郎〕	94
4-21	腹水〔田中克明〕	95
4-22	甲状腺腫〔山下俊一〕	97
4-23	肥満〔浅原哲子・小川佳宏〕	99
4-24	るいそう〔浅原哲子・小川佳宏〕	101
4-25	ばち指・チアノーゼ〔鈴木富雄〕	102
4-26	Raynaud症状〔川口鎮司〕	104
4-27	胸水〔瀬山邦明〕	106
4-28	貧血【⇨ 16-9-1-1】	
4-29	出血傾向〔大森　司〕	109
4-30	胸痛・胸部圧迫感〔竹内利治・長谷部直幸〕	112
4-31	呼吸困難〔西村正治〕	113
4-32	いびき〔陳　和夫〕	116
4-33	異常呼吸〔陳　和夫〕	117
4-34	動悸〔萩原誠久〕	119
4-35	咳・痰〔山口悦郎〕	121
4-36	喘鳴〔山口悦郎〕	124
4-37	喀血・血痰〔中村博幸〕	124
4-38	血尿【⇨ 13-1-2-3】	
4-39	乏尿・無尿〔伊藤孝史〕	126
4-40	多尿〔伊藤孝史〕	127
4-41	脱水〔内田信一〕	129
4-42	排尿障害〔守山敏樹〕	130
4-43	四肢痛〔日下博文〕	131
4-44	関節痛〔保田晋助〕	133
4-45	腰痛・背痛〔土橋浩章〕	135
4-46	意識障害〔中田　力〕	136
4-47	失神〔荒木信夫〕	137
4-48	頭痛〔鈴木則宏〕	137
4-49	痙攣〔赤松直樹〕	138
4-50	運動麻痺〔桑原　聡〕	138
4-51	めまい・耳鳴り〔城倉　健〕	139
4-52	成長障害〔関根孝司〕	140

5 治療学

5-1 治療学総論 …… 144
　1) 薬物療法 …… 144
　　(1) 臨床薬学〔小出大介・山崎　力〕 …… 144
　　(2) 抗菌薬〔前﨑繁文〕 …… 146
　　(3) 抗ウイルス薬 …… 150
　　(4) 抗癌薬〔間野博行〕 …… 151
　　(5) 非ステロイド系抗炎症薬〔堀内孝彦〕 …… 155
　　(6) 免疫療法〔田村直人〕 …… 157
　　(7) ステロイドと使い方〔槇野茂樹〕 …… 160
　2) 輸液療法〔柴垣有吾〕 …… 162
　　(1) 輸液が必要な状況 …… 162
　　(2) 輸液が必要でない状況 …… 162
　　(3) それぞれの状況に応じた輸液の処方 …… 163
　　(4) 輸液の開始から終了までの思考プロセス …… 164
　　(5) 是正輸液の実際 …… 165
　　(6) 維持輸液の実際 …… 166
　　(7) 是正輸液と維持輸液の併用の実際 …… 166
　　(8) Talbotの安全輸液理論 …… 166
　3) 栄養療法【⇨ 15-1-4】
　4) 輸血・成分輸血〔前川　平〕 …… 168
　　(1) 血液製剤の種類，一般的使用基準と適応疾患 …… 168
　　(2) 血液型と交差適合試験 …… 171
　　(3) 輸血の合併症とその予防 …… 172
　　(4) 自己血採取と自己血輸血の適応疾患 …… 175
　5) 呼吸管理〔赤柴恒人〕 …… 176
　　(1) 呼吸の生理 …… 176
　　(2) 低酸素血症と低酸素症 …… 176
　　(3) Ⅰ型呼吸不全の治療 …… 177
　　(4) Ⅱ型呼吸不全の治療 …… 178
　　(5) CO_2ナルコーシス …… 179
　　(6) 非侵襲的陽圧呼吸（NPPV） …… 179
　6) 放射線療法〔宮川　清〕 …… 180
　　(1) 放射線治療の目的 …… 180
　　(2) 放射線治療の作用機序 …… 180
　　(3) 放射線感受性の修飾 …… 180
　　(4) 放射線治療の方法 …… 182
　　(5) 放射線治療の有害事象 …… 182
　7) リハビリテーションと運動療法〔佐藤祐造〕 …… 183
　　(1) 概念 …… 183
　　(2) リハビリテーションの分類 …… 183
　　(3) 障害の構造とリハビリテーション …… 184
　　(4) リハビリテーション診療の実際 …… 184
　　(5) 生活習慣病，内部障害のリハビリテーション・運動療法 …… 185
　8) 緩和医療と終末期ケア〔木澤義之〕 …… 186
　　(1) ホスピス・緩和ケアの概念 …… 186
　　(2) ホスピスと緩和ケア―その歴史とことばの整理 …… 187
　　(3) 日本におけるホスピス・緩和ケア …… 187
　　(4) 終末期ケアのあり方 …… 188

（5）おわりに ……………………… 188
5-2 救急治療 ……………………………… 189
　1）心肺停止〔高橋智弘〕………………… 189
　2）急性心不全〔佐藤直樹〕……………… 191
　3）急性呼吸不全〔石井芳樹〕…………… 196
　4）腹痛（急性腹症）〔廣田衛久・下瀬川　徹〕… 199
　5）消化管出血〔小坂俊仁・芳野純治〕… 203
　6）昏睡（意識障害）〔中田　力〕………… 207
　（1）臨床診断 …………………………… 207
　（2）救急―CAB + ABC ……………… 207
　（3）記載と staging …………………… 207
　（4）各論 ………………………………… 207
　（5）非定型治療法と医療倫理 ………… 210

6 感染症

感染症・寄生虫疾患における新しい展開
　　　　　　　　〔松本哲哉〕 ……… 212
6-1 総論 …………………………………… 213
　1）病原体の分類〔大楠清文〕…………… 213
　（1）分類学（分類・命名・同定）……… 213
　（2）細菌の分類体系 …………………… 213
　2）病原体の病原性〔松本哲哉〕………… 213
　（1）病原体の構成要素 ………………… 214
　（2）毒素 ………………………………… 214
　（3）毒素以外の産生物質 ……………… 214
　（4）病原体の増殖性 …………………… 215
　（5）各種臓器との親和性 ……………… 215
　3）宿主の感染防御機構 ………………… 216
　（1）感染防御機構の概念 ……………… 216
　（2）自然免疫 …………………………… 216
　（3）獲得免疫 …………………………… 216
　4）感染症の診断〔大曲貴夫〕…………… 217
　（1）感染症診断と治療 ………………… 217
　（2）患者背景 …………………………… 217
　（3）どの臓器の問題かを見きわめる … 218
　（4）原因となる微生物をつきとめる … 218
　5）感染症の治療〔前﨑繁文〕…………… 218
　（1）感染症の治療を行う前に ………… 218
　（2）感染症治療のための原則 ………… 219
　（3）感染症の原因微生物の推定 ……… 219
　（4）疫学情報から推定した原因微生物を把握 … 220
　（5）推定した原因微生物に有効な抗菌薬の選択 … 220
　（6）耐性菌を生み出さない賢い抗菌薬の使い方 … 221
　6）感染症の予防（予防接種）〔齋藤昭彦〕… 222
　（1）定義・概念 ………………………… 222
　（2）分類 ………………………………… 222
　（3）ワクチンの接種方法 ……………… 223
　（4）予防接種の効果 …………………… 224
　（5）ワクチンによる有害事象と副反応 … 224
　（6）ワクチン接種の禁忌 ……………… 224
　7）感染症法と類型分類〔大石和徳〕…… 224
　（1）感染症法 …………………………… 224
　（2）類型分類 …………………………… 226
　（3）感染症発生動向調査の目的 ……… 226
　（4）現在の感染症法上の類型別届け出疾患 … 226
　（5）2013 年以降に新たに加わった届け出疾患 … 226
　8）伝播予防策・院内感染対策〔飯沼由嗣〕… 226
　（1）伝播予防策の意義 ………………… 226
　（2）院内感染対策の実際 ……………… 227
6-2 各種感染性疾患 ……………………… 228
　1）気道感染症〔山本善裕〕……………… 228
　2）肺炎　【⇨ 9 章】
　3）尿路感染症　【⇨ 13 章】
　4）消化管感染症〔西　順一郎〕………… 229
　（1）食中毒・食品媒介疾患 …………… 230
　（2）流行性嘔吐下痢症（ウイルス性胃腸炎）… 231
　（3）抗菌薬関連下痢症 ………………… 231
　5）中枢神経系感染症（髄膜炎，脳炎）【⇨ 17 章】
　6）菌血症・敗血症〔松本哲哉〕………… 232
　7）循環器系感染症　【⇨ 7 章】
　8）肝・胆道系感染症　【⇨ 11 章】
　9）皮膚・軟部組織感染症〔渡辺晋一〕… 235
　10）骨・関節感染症〔松下和彦〕………… 236
　11）腹腔・骨盤内感染症〔上原由紀〕…… 237
　12）性感染症〔濵砂良一〕………………… 238
　13）輸入感染症〔立川夏夫〕……………… 240
　（1）疾患分布の世界的傾向 …………… 241
　（2）日本での疾患分布 ………………… 241
　（3）重要疾患と潜伏期間 ……………… 241
　（4）顧みられない熱帯病 ……………… 241
6-3 細菌感染症 …………………………… 243
　1）Gram 陽性球菌による感染症 ……… 243
　（1）ブドウ球菌感染症〔柳原克紀・賀来敬仁〕… 243
　（2）肺炎球菌感染症〔三笠桂一・笠原　敬〕… 246
　（3）連鎖球菌感染症 …………………… 247
　（4）腸球菌感染症〔光武耕太郎〕……… 248
　2）Gram 陽性桿菌による感染症 ……… 249
　（1）破傷風〔竹村　弘〕………………… 249
　（2）ガス壊疽 …………………………… 251
　（3）ボツリヌス中毒 …………………… 252

（4）クロストリジウム・ディフィシル感染症
　　　　　〔吉澤定子〕 ………………………… 252
　（5）リステリア感染症 ……………………… 254
　（6）放線菌症・ノカルジア症〔関 雅文〕 …… 254
　（7）ジフテリア ……………………………… 256
　（8）炭疽〔松本哲哉〕 ……………………… 257
3）Gram 陰性球菌による感染症 ……………… 258
　（1）髄膜炎感染症〔大石和徳〕 …………… 258
　（2）淋菌感染症〔髙橋 聡〕 ……………… 260
4）Gram 陰性桿菌感染症 ……………………… 261
　（1）インフルエンザ菌およびその他のヘモフィ
　　　ルス感染症〔石和田稔彦〕 …………… 261
　（2）百日咳 …………………………………… 262
　（3）レジオネラ症〔舘田一博〕 …………… 262
　（4）モラクセラ・カタラーリス感染症
　　　　　〔宮良高維〕 ………………………… 264
　（5）大腸菌感染症〔外間 昭〕 …………… 265
　（6）クレブシエラ属菌による感染症
　　　　　〔浮村 聡〕 ………………………… 265
　（7）サルモネラ感染症〔笠原 敬〕 ……… 267
　（8）細菌性赤痢 ……………………………… 268
　（9）エルシニア属菌感染症〔平松和史〕 … 269
　（10）その他の腸内細菌科細菌による感染症 … 270
　（11）ビブリオ属菌感染症〔大西健児〕 …… 271
　（12）カンピロバクター感染症 ……………… 273
　（13）ヘリコバクター・ピロリ感染症
　　　　　〔神谷 茂〕 ………………………… 273
　（14）緑膿菌感染症〔松本哲哉〕 …………… 276
　（15）その他のブドウ糖非発酵性 Gram 陰性桿菌
　　　感染症〔森澤雄司〕 …………………… 278
　（16）鼻疽・類鼻疽（メリオイドーシス）
　　　　　〔松本哲哉〕 ………………………… 279
　（17）野兎病 …………………………………… 280
　（18）ブルセラ症〔大石 毅〕 ……………… 281
　（19）バルトネラ感染症 ……………………… 282
　（20）バクテロイデス属を含む無芽胞嫌気性菌感
　　　染症〔三鴨廣繁〕 ……………………… 283

6-4 抗酸菌症 ……………………………………… 285
1）結核〔永井英明〕 …………………………… 285
2）非結核性抗酸菌症〔長谷川直樹〕 ………… 287
3）Hansen 病〔比嘉 太〕 …………………… 288

6-5 真菌症 ………………………………………… 289
1）カンジダ症〔泉川公一〕 …………………… 289
2）クリプトコックス症〔宮﨑義継〕 ………… 290
3）アスペルギルス症〔泉川公一〕 …………… 291

4）ムーコル症（接合菌症）〔掛屋 弘〕 ……… 293
5）トリコスポロン症〔時松一成〕 …………… 293
6）ニューモシスチス肺炎〔藤井 毅〕 ……… 295
7）皮膚真菌症〔坪井良治〕 …………………… 296
　（1）表在性皮膚真菌症 ……………………… 296
　（2）深在性皮膚真菌症 ……………………… 297
8）輸入真菌症〔亀井克彦〕 …………………… 297
　（1）コクシジオイデス症 …………………… 297
　（2）ヒストプラズマ症 ……………………… 298
　（3）パラコクシジオイデス症 ……………… 298
　（4）マルネッフェイ型ペニシリウム症 …… 299

6-6 マイコプラズマ感染症〔宮下修行〕 ……… 299

6-7 クラミジア・クラミドフィラ感染症 ……… 300
1）オウム病・肺炎クラミジア感染症
　　　　〔宮下修行〕 ………………………… 300
2）クラミジア・トラコマティス感染症
　　　　〔上原由紀〕 ………………………… 302

6-8 リケッチア感染症 …………………………… 303
1）つつが虫病〔岩崎博道〕 …………………… 303
2）日本紅斑熱 …………………………………… 304
3）Q 熱〔高橋 洋〕 …………………………… 305
4）その他のリケッチア症〔岩崎博道〕 ……… 306
　（1）ロッキー山紅斑熱 ……………………… 306
　（2）地中海紅斑熱（ボタン熱） …………… 306
　（3）発疹チフス ……………………………… 306
　（4）発疹熱 …………………………………… 306
　（5）ヒト単球エーリキア症 ………………… 306
　（6）ヒト顆粒球アナプラズマ症 …………… 306

6-9 スピロヘータ感染症 ………………………… 307
1）梅毒〔味澤 篤〕 …………………………… 307
2）レプトスピラ症〔立川夏夫〕 ……………… 308
3）ボレリア感染症（Lyme 病，回帰熱）
　　　　〔今村顕史〕 ………………………… 308

6-10 ウイルス感染症 …………………………… 309
1）DNA ウイルスによる感染症 ……………… 309
　（1）単純ヘルペスウイルス感染症〔今村顕史〕… 309
　（2）水痘・帯状疱疹ウイルス感染症 ……… 310
　（3）サイトメガロウイルス感染症 ………… 311
　（4）Epstein-Barr ウイルス感染症〔青木洋介〕… 313
　（5）ほかのヒトヘルペスウイルス ………… 314
　（6）アデノウイルス感染症〔松嵜葉子〕 … 315
　（7）パピローマウイルス感染症〔早川 智〕… 316
　（8）パルボウイルス感染症〔河島尚志〕 … 317
　（9）ポックスウイルス感染症〔西條政幸〕… 318
2）RNA ウイルスによる感染症 ……………… 320

（1）	インフルエンザ〔川名明彦〕	320
（2）	麻疹〔多屋馨子〕	322
（3）	風疹	323
（4）	ムンプス（流行性耳下腺炎）〔城 裕之〕	324
（5）	重症急性呼吸器症候群と中東呼吸器症候群〔西條政幸〕	325
（6）	ポリオ〔青木知信〕	327
（7）	狂犬病〔立川夏夫〕	328
（8）	日本脳炎・ウエストナイル熱〔森田公一〕	330
（9）	デング熱・黄熱・ジカ熱	331
（10）	HIV感染症と後天性免疫不全症候群〔塚田訓久〕	333
（11）	HTLV-1感染症〔宮﨑泰司〕	335
（12）	ノロウイルス感染症〔森内浩幸〕	336
（13）	ロタウイルス感染症〔中込 治〕	337
（14）	重症熱性血小板減少症候群〔西條政幸〕	338
3）	ウイルスによる症候群	339
（1）	ウイルス性呼吸器感染症〔柏木保代〕	339
（2）	ウイルス性肝炎〔四柳 宏〕	341
（3）	無菌性髄膜炎　【⇨ 17-5-1-1】	
（4）	ウイルス性出血熱〔安田二朗〕	343
6-11	原虫疾患	345
1）	マラリア〔狩野繁之〕	345
2）	赤痢アメーバ症〔水野泰孝〕	348
3）	ジアルジア症（ランブル鞭毛虫症）	349
4）	トキソプラズマ症	350
5）	トリコモナス症	351
6）	リーシュマニア症〔春木宏介〕	352
7）	トリパノソーマ症	352
（1）	アフリカ嗜眠病	352
（2）	アメリカトリパノソーマ（クルーズトリパノソーマ）	353
8）	クリプトスポリジウム症・サイクロスポーラ症	353
6-12	線虫症	354
1）	回虫症〔濱田篤郎〕	354
2）	鉤虫症・鞭虫症	354
（1）	鉤虫症	354
（2）	鞭虫症	354
3）	蟯虫症	355
4）	糸状虫症	355
（1）	リンパ系糸状虫症	355
（2）	オンコセルカ症	355
5）	糞線虫症〔吉川正英〕	355
6）	アニサキス症	356
7）	顎口虫症	356
8）	幼線虫移行症	356
6-13	吸虫症〔濱野真二郎〕	357
1）	住血吸虫症	357
2）	肺吸虫症	357
3）	肝吸虫症, 肝蛭症, 巨大肝蛭症	358
4）	横川吸虫症	359
6-14	条虫症〔中村（内山）ふくみ〕	360
1）	腸管内条虫症	360
2）	腸管外条虫症	361
（1）	有鉤嚢虫症	361
（2）	マンソン孤虫症	362
（3）	エキノコックス症	362
6-15	外部寄生虫感染症〔夏秋 優〕	363
1）	疥癬	363
2）	皮膚ハエ症	364
3）	シラミ症	364

7 循環器系の疾患

循環器系疾患における新しい展開〔小室一成〕 366

7-1 循環器疾患患者のみかた〔筒井裕之〕 367
（1） 医療面接 367
（2） 身体診察 368
（3） インフォームドコンセント 369

7-2 心血管代謝と機能 370
1） 心筋代謝〔遠山周吾・福田恵一〕 370
（1） 心臓の特徴 370
（2） 心筋代謝に基づいた病態理解 370
（3） 心臓発生過程における代謝変化 370
（4） 心臓のエネルギー代謝 371
（5） 心筋代謝からみた心臓の病態 372
（6） 画像診断への応用 372
（7） 再生医療への応用の可能性 372
2） 心筋の収縮弛緩機構と心拍出量の調整〔奥田真一・矢野雅文〕 373
（1） 心筋の構造 373
（2） 心筋細胞における興奮収縮連関 373
（3） 筋原線維の構造と収縮・弛緩機序 374
（4） 心周期 375
（5） 心機能と心拍出量 375
（6） 強心薬の作用と心拍出量への影響 376
3） 心筋イオンの動態と心電図波形の成立〔古川哲史〕 377
（1） 刺激伝導系（心筋）と作業心筋 377
（2） 心筋細胞のイオンの分布とイオン輸送蛋白

質	……………………………	377
（3）イオンチャネルとイオンの動態	……	377
（4）活動電位の形成	………………	378
（5）洞房結節の活動電位とイオン電流	……	378
（6）心電図波形の成立	………………	379
4）心肥大と拡張〔小室一成〕	………………	380
（1）生理的心肥大と病的心肥大	………	380
（2）心肥大形成の分子メカニズム	………	381
（3）求心性心肥大と遠心性心肥大	………	382
（4）心不全への移行	…………………	383
5）血管の構造と血管細胞の機能〔塩島一朗〕…		383
6）血管の収縮・弛緩と血圧調節機構		
〔佐田政隆〕	…………………	386
（1）血管の収縮・弛緩	………………	386
（2）心脈管作動物質による血管の収縮・弛緩調		
節	………………………………	386
（3）血圧調節機構	……………………	387
（4）血圧調節因子の相互作用	…………	387
7）心血管系と神経体液性因子〔斎藤能彦〕	…	388
（1）心血管系に働く神経体液性因子	……	388
（2）交感神経系	………………………	389
（3）レニン-アンジオテンシン-アルドステロン		
（RAA）系	………………………	389
（4）ナトリウム利尿ペプチド（NP）系	……	390
（5）エンドセリン系	…………………	390
（6）アドレノメデュリン（AM）系	………	390
（7）バソプレシン（AVP）	………………	390
（8）サイトカイン	……………………	391
8）循環器薬の作用機序〔渡邉裕司〕	………	391
（1）循環器薬の作用点	………………	391
（2）レニン-アンジオテンシン系阻害薬	…	391
（3）交感神経系遮断薬	………………	393
（4）交感神経系刺激薬	………………	394
（5）ナトリウム利尿ペプチド	…………	395
（6）ジギタリス製剤	…………………	395
（7）ホスホジエステラーゼ（PDE）Ⅲ阻害薬	…	395
（8）硝酸薬	……………………………	396
（9）Ca拮抗薬	………………………	396
（10）利尿薬	……………………………	397
（11）肺血管拡張薬	……………………	397
（12）抗不整脈薬	………………………	398
7-3 循環器疾患の主要病態	……………	400
1）動脈硬化―粥腫の形成とその破綻		
〔倉林正彦〕		400
（1）粥腫の発症	………………………	400

（2）粥腫の進展	………………………	400
（3）血管平滑筋細胞の遊走・増殖と形質変換	…	401
（4）プラーク破裂	……………………	401
（5）プラークの石灰化	………………	402
2）心血管リモデリング〔倉林正彦〕	………	402
（1）心室リモデリング	………………	402
（2）血管リモデリング	………………	404
3）高血圧　【⇨8章】		
4）心不全〔山本一博〕	………………………	405
5）ショック〔阿古潤哉〕	……………………	414
7-4 循環器疾患と遺伝子異常	……………	417
1）虚血性心疾患〔森田啓行〕	………………	417
（1）疾患関連SNP検出法	………………	417
（2）虚血性心疾患関連SNP	……………	417
（3）疾患関連SNP検出―今後の課題	……	418
（4）SNP以外の遺伝リスク	……………	419
（5）ゲノム情報に基づいた個別化医療・予防の		
実現	………………………………	419
2）心筋症〔森田啓行〕	………………………	420
（1）肥大型心筋症	……………………	420
（2）拡張型心筋症	……………………	421
（3）拘束型心筋症	……………………	422
（4）グリコーゲン蓄積性心筋症および心Fabry		
病	…………………………………	422
（5）不整脈原性右室心筋症	……………	422
（6）左室心筋緻密化障害	……………	422
（7）遺伝子解析の意義と課題	…………	422
（8）遺伝子検査・診断の現状と課題	……	422
3）遺伝性不整脈〔清水　渉〕	………………	423
（1）先天性QT延長症候群	……………	423
（2）Brugada症候群	…………………	425
（3）カテコラミン誘発多形性心室頻拍	…	426
（4）QT短縮症候群	…………………	427
（5）早期再分極症候群	………………	427
7-5 検査法	……………………………	427
1）心電図〔村川裕二〕	………………………	427
（1）12誘導心電図	……………………	427
（2）心電図によって評価できること	……	429
（3）波形が表すもの	…………………	429
（4）病態と関連する心電図所見	………	429
（5）基本的な心電図判読	……………	430
（6）12誘導心電図以外の心電図検査	…	431
2）心音図・心機図〔羽田勝征〕	……………	431
（1）心音図・心機図記録の基本	………	431
（2）心音の異常と過剰心音	……………	431

- (3) 心雑音の種類 ……………………… 433
- (4) 心機図記録と所見 …………………… 433
- 3) 心エコー法〔田邊一明〕…………………… 435
  - (1) Mモード法，断層心エコー法，三次元心エコー法 …………………………… 435
  - (2) ドプラ法，カラードプラ法 ………… 435
  - (3) 組織ドプラ法，ストレイン法 ……… 438
  - (4) 心腔計測・機能評価 ………………… 438
  - (5) 血行動態の評価 ……………………… 444
  - (6) 負荷心エコー法 ……………………… 446
  - (7) 経食道心エコー法 …………………… 446
  - (8) コントラスト心エコー法 …………… 447
- 4) 胸部単純X線写真〔山科 章〕…………… 448
  - (1) 胸部X線の撮影法 …………………… 448
  - (2) 胸部単純X線写真の読影 …………… 448
- 5) 核医学検査〔竹石恭知〕…………………… 452
  - (1) 心筋血流シンチグラフィ …………… 452
  - (2) 代謝イメージング …………………… 456
  - (3) 交感神経機能 ………………………… 458
- 6) X線CT・MRI〔山本秀也・木原康樹〕… 458
  - (1) X線CT ……………………………… 458
  - (2) MRI …………………………………… 461
- 7) 心臓カテーテル検査〔齋藤成達・木村 剛〕… 463
  - (1) 圧測定 ………………………………… 464
  - (2) 心拍出量測定 ………………………… 464
  - (3) 短絡の評価 …………………………… 466
  - (4) 弁口面積の計算 ……………………… 466
  - (5) 冠動脈造影，左室造影 ……………… 467
  - (6) 冠動脈内圧測定 ……………………… 468
  - (7) 冠動脈内イメージング ……………… 469
  - (8) 心筋生検 ……………………………… 470
- 8) 心血管造影検査 …………………………… 470
  - (1) 左室造影法 …………………………… 470
  - (2) 大動脈造影法 ………………………… 473
  - (3) 下肢動脈造影 ………………………… 473
- 9) 冠動脈造影検査 …………………………… 473
  - (1) 冠動脈造影検査開発の歴史 ………… 473
  - (2) 冠動脈の正常解剖 …………………… 473
  - (3) 冠動脈造影の特徴，問題点 ………… 475
  - (4) 冠動脈造影の手技 …………………… 475
  - (5) 冠動脈造影の合併症 ………………… 477
  - (6) 負荷冠動脈造影法 …………………… 478

7-6 不整脈 ……………………………………… 478
- 1) 不整脈の発生機序と電気生理学的検査〔平尾見三〕……………………………… 478
  - (1) 正常な興奮生成 ……………………… 478
  - (2) 正常な興奮の伝達 …………………… 478
  - (3) 不整脈の発生機序 …………………… 480
  - (4) リエントリー性頻脈 ………………… 481
  - (5) 頻脈の臨床的分類 …………………… 482
  - (6) 心臓電気生理学的検査 ……………… 482
- 2) 頻脈性不整脈 ……………………………… 484
  - (1) 上室性不整脈〔池田隆徳〕…………… 484
  - (2) 心室性不整脈〔栗田隆志〕…………… 493
- 3) 徐脈性不整脈〔夛田 浩〕………………… 500
  - (1) 洞機能不全 …………………………… 500
  - (2) 房室ブロック ………………………… 503
  - (3) ペースメーカ ………………………… 506
- 4) 突然死〔清水 渉〕………………………… 508

7-7 虚血性心疾患 ……………………………… 511
- 1) 冠血流量調節と心筋虚血〔下川宏明〕…… 511
  - (1) 冠血流量調節 ………………………… 511
  - (2) 心筋虚血 ……………………………… 514
- 2) 狭心症・無症候性心筋虚血〔小川久雄・掃本誠治〕……………………… 516
  - (1) 狭心症 ………………………………… 516
  - (2) 無症候性心筋虚血 …………………… 527
- 3) 急性冠症候群〔尾崎行男〕………………… 529
  - (1) 概念・発症 …………………………… 529
  - (2) 病態・基礎疾患 ……………………… 531
  - (3) 急性冠症候群(ACS)の診断 ………… 533
  - (4) 鑑別診断 ……………………………… 539
  - (5) 急性心筋梗塞(AMI)管理 …………… 539
  - (6) 早期合併症・対策 …………………… 543
  - (7) 心臓リハビリテーション …………… 546
  - (8) 慢性期の管理・生活指導 …………… 546
- 4) 陳旧性心筋梗塞〔吉村道博〕……………… 547
  - (1) 心筋梗塞後症候群 …………………… 549
  - (2) 虚血性心筋症 ………………………… 549
- 5) 全身疾患と冠動脈障害〔前村浩二〕……… 550
  - (1) 川崎病の冠動脈障害 ………………… 550
  - (2) 膠原病の冠動脈障害 ………………… 553
- 6) 虚血性心疾患の疫学〔李 政哲・山崎 力〕… 553
  - (1) わが国における虚血性心疾患の特徴 … 553
  - (2) 虚血性心疾患の危険因子の疫学 …… 554
  - (3) 高齢者の虚血性心疾患 ……………… 554
  - (4) 虚血性心疾患における性差 ………… 555
- 7) 虚血性心疾患の予防〔大屋祐輔〕………… 556
  - (1) 運動 …………………………………… 557
  - (2) 食事と栄養 …………………………… 557

（3）喫煙対策	558
（4）体重コントロール	558
（5）脂質コントロール	558
（6）高血圧	558
（7）糖尿病	558
（8）慢性腎臓病（CKD）	558
（9）血液凝固系	558
（10）精神保健	559
（11）高齢者	559
（12）小児・若年	559

7-8 先天性心疾患

1）心臓の発生と先天性心疾患〔山岸敬幸〕	560
（1）心臓発生の概念	560
（2）心臓発生の過程と先天性心疾患の発症	560
（3）心臓の発生に関与する幹細胞	561
2）心房中隔欠損症	561
3）房室中隔欠損症・心内膜床欠損症	563
4）心室中隔欠損〔白石 公〕	566
5）動脈管開存	568
6）Eisenmenger 症候群	570
7）肺動脈狭窄症〔中西敏雄〕	572
8）Fallot 四徴症	573
9）大動脈狭窄症	574
（1）大動脈弁狭窄症	574
（2）大動脈弁下狭窄	575
（3）大動脈弁上狭窄	576
10）その他の先天性心疾患	576
（1）三尖弁閉鎖症	576
（2）Ebstein 病	577
（3）大血管転換症	577
（4）修正大血管転換症	578
（5）両大動脈右室起始症	579
（6）大動脈縮窄症	579
（7）総動脈幹遺残症	580
（8）総肺静脈還流異常症	580
（9）部分肺静脈還流異常症	581
（10）左心低形成症候群	581
（11）単心房症	581
（12）単心室症	582
（13）右胸心	582
（14）Valsalva 動脈瘤	582
（15）冠動脈起始異常	582
（16）左冠動脈肺動脈起始症	583
（17）右冠動脈肺動脈起始症	583
（18）冠状動脈瘻	583
（19）無脾症候群	583
（20）多脾症候群	584

7-9 成人でみられる先天性心疾患〔八尾厚史〕 584

1）二心室修復術後成人先天性心疾患	585
（1）心不全	585
（2）成人先天性心疾患に生じる不整脈	587
（3）成人先天性心疾患に合併する肺高血圧	588
2）未治療・姑息術後の ACHD	588
（1）PAH【⇨ 7-9-1-3】	
（2）容量負荷による体心室不全	589
（3）チアノーゼ	589
3）単心室（Fontan）型修復術後	590

7-10 後天性弁膜症

1）後天性弁膜症の成因〔麻植浩樹・伊藤 浩〕	591
（1）リウマチ性弁膜症	591
（2）動脈硬化性，変性そして膠原病に合併するもの	592
2）僧帽弁狭窄症	592
3）僧帽弁閉鎖不全症	597
4）僧帽弁逸脱症	603
5）大動脈弁狭窄症〔中谷 敏〕	605
6）大動脈弁閉鎖不全症	606
7）三尖弁狭窄症	608
8）三尖弁閉鎖不全症	608
9）肺動脈弁狭窄症	609
10）肺動脈弁閉鎖不全症	609
11）連合弁膜症	610

7-11 感染性心内膜炎〔増山 理・合田亜希子〕 611

7-12 心膜疾患〔増山 理・合田亜希子〕 615

1）急性心膜炎	615
2）慢性心膜液貯留，心タンポナーデ	616
3）収縮性心膜炎	618

7-13 心筋疾患 620

1）心筋症〔絹川弘一郎〕	620
（1）拡張型心筋症	620
（2）肥大型心筋症	622
（3）拘束型心筋症	624
（4）不整脈源性右室心筋症	626
2）その他の心筋症〔寺﨑文生〕	627
（1）心アミロイドーシス	627
（2）心サルコイドーシス	629
（3）全身性代謝異常に伴う二次性心筋症	631
（4）神経筋疾患に伴う心筋症	632
（5）ミトコンドリア心筋症	633
（6）たこつぼ心筋症	633

（7）不整脈原性右室心筋症 ……………… 633
　3）心筋炎〔安斉俊久〕 …………………… 634
　4）心臓腫瘍〔寺崎文生〕 ………………… 638
　　（1）心臓粘液腫 ……………………………… 639
　　（2）その他の良性腫瘍 ……………………… 640
　　（3）原発性悪性腫瘍 ………………………… 640
　　（4）転移性心臓腫瘍 ………………………… 640
　　（5）心膜腫瘍 ………………………………… 641
7-14 大動脈疾患〔磯部光章〕 ………………… 642
　1）大動脈瘤 …………………………………… 642
　2）大動脈解離 ………………………………… 644
　3）高安動脈炎 ………………………………… 646
7-15 先天性結合組織疾患に伴う心血管病変
　　　〔森崎隆幸〕 ……………………………… 648
　（1）Marfan 症候群 …………………………… 648
　（2）Loeys-Dietz 症候群と類縁疾患 ………… 649
　（3）血管型 Ehlers-Danlos 症候群（Ⅳ型） … 650
　（4）家族性大動脈瘤・解離 ………………… 650
7-16 人工臓器・補助循環・臓器移植〔坂田泰史〕… 651
　1）心臓移植 …………………………………… 651
　　（1）心臓移植の歴史とわが国における心臓移植
　　　　の現状 ………………………………… 651
　　（2）心臓移植の適応 ………………………… 651
　　（3）日本臓器移植ネットワークへの登録 …… 652
　　（4）心臓移植手術 …………………………… 653
　　（5）心臓移植後の拒絶反応 ………………… 653
　　（6）心臓移植後の免疫抑制療法 …………… 653
　　（7）心臓移植後の合併症 …………………… 653
　　（8）心臓移植の治療成績 …………………… 653
　2）補助循環・人工心臓 ……………………… 654
　　（1）大動脈内バルーンパンピング ………… 654
　　（2）経皮的心肺補助装置 …………………… 654
　　（3）補助人工心臓 …………………………… 655
7-17 末梢動脈および静脈疾患〔室原豊明〕 … 657
　1）動脈系疾患 ………………………………… 657
　　（1）末梢動脈疾患 …………………………… 657
　　（2）閉塞性血栓血管炎 ……………………… 659
　　（3）末梢動脈塞栓症 ………………………… 660
　2）静脈系疾患 ………………………………… 661
　　（1）静脈血栓塞栓症 ………………………… 661
　　（2）下肢静脈瘤 ……………………………… 662
7-18 肺性心疾患〔伊藤正明・山田典一・荻原義人〕… 663
7-19 心臓・血管外傷〔植田晋一郎・福本義弘〕… 666
　1）心外傷 ……………………………………… 666
　　（1）穿通性心外傷 …………………………… 666

　　（2）鈍的心外傷 ……………………………… 666
　　（3）診断 ……………………………………… 667
　2）血管外傷 …………………………………… 668
　　（1）大血管損傷 ……………………………… 668
　　（2）診断 ……………………………………… 668
　3）医原性心臓・血管外傷 …………………… 668

8 血圧の異常

血圧異常における新しい展開〔楽木宏実〕 …… 670
8-1 血圧異常のみかた ………………………… 671
　1）生体の血圧調節と血圧異常〔石光俊彦〕… 671
　　（1）収縮期および拡張期血圧の成り立ちと加齢
　　　　による影響 …………………………… 671
　　（2）生体の血圧調節機構 …………………… 671
　　（3）疫学的にみた血圧の推移と意義 ……… 672
　2）血圧測定法と血圧値の分類 ……………… 673
　　（1）診察室血圧の測定 ……………………… 673
　　（2）診察室外血圧の測定法 ………………… 673
　　（3）血圧値の分類 …………………………… 673
　　（4）血圧測定法の違いによる高血圧の基準 … 674
　3）血圧異常の定義・概念と分類 …………… 674
　　（1）診察室外血圧による血圧異常の分類 … 674
　　（2）本態性高血圧と二次性高血圧 ………… 674
　　（3）低血圧 …………………………………… 675
　4）単一遺伝子異常による血圧異常〔寺田典生〕… 675
　　（1）遺伝性高血圧 …………………………… 675
　　（2）遺伝性低血圧 …………………………… 677
8-2 本態性高血圧症 …………………………… 677
　1）疫学と予後〔三浦克之〕 ………………… 677
　　（1）集団としての血圧値 …………………… 677
　　（2）国民の血圧の推移 ……………………… 677
　　（3）高血圧の長期予後 ……………………… 679
　　（4）降圧治療と予後 ………………………… 679
　2）本態性高血圧の成因〔楽木宏実〕 ……… 680
　　（1）遺伝因子 ………………………………… 680
　　（2）環境因子 ………………………………… 680
　　（3）神経性因子 ……………………………… 680
　　（4）内分泌性因子 …………………………… 680
　　（5）腎性因子 ………………………………… 681
　　（6）血管性因子 ……………………………… 681
　　（7）代謝性因子（インスリン抵抗性・内臓肥満）… 681
　　（8）細胞膜イオン輸送機能異常 …………… 682
　3）診断・鑑別診断〔苅尾七臣〕 …………… 682
　　（1）問診 ……………………………………… 682
　　（2）診察（身体所見） ……………………… 683

- (3) 血圧測定と高血圧診断 …………… 683
- (4) 診察室外の血圧測定と高血圧診断 …… 684
- (5) 血圧変動性の評価 …………………… 685
- (6) 鑑別診断 ……………………………… 686
- 4) 高血圧性臓器障害と検査
  〔藤本直紀・伊藤正明〕 686
  - (1) 脳 ……………………………………… 686
  - (2) 眼底 …………………………………… 687
  - (3) 心臓 …………………………………… 688
  - (4) 腎臓 …………………………………… 689
  - (5) 血管 …………………………………… 689
- 5) 治療 …………………………………… 690
  - (1) 降圧治療の基本〔大屋祐輔〕 …… 690
  - (2) 高血圧の非薬物療法－生活習慣の修正 … 690
  - (3) 降圧薬療法 …………………………… 692
  - (4) 臓器障害を伴う高血圧・合併症を伴う高血圧の治療 …………………………… 694
  - (5) 高齢者高血圧〔大石　充〕 ………… 695
  - (6) 女性の高血圧 ………………………… 696
  - (7) 高血圧緊急症と切迫症 ……………… 697
- 8-3 二次性高血圧〔柴田洋孝〕 …………… 697
  - (1) 二次性高血圧の分類 ………………… 697
  - (2) 腎実質性高血圧 ……………………… 697
  - (3) 腎血管性高血圧 ……………………… 697
  - (4) 内分泌性高血圧 ……………………… 698
  - (5) 遺伝性高血圧 ………………………… 701
  - (6) 薬剤誘発性高血圧 …………………… 701
- 8-4 低血圧〔佐藤伸之・長谷部直幸〕 …… 702
  - 1) 起立性低血圧 ………………………… 702
  - 2) 食事性低血圧 ………………………… 704
  - 3) 本態性低血圧 ………………………… 704

9 呼吸器系の疾患

呼吸器系疾患における新しい展開〔長谷川好規〕 … 708

9-1 総論
- 1) 呼吸器疾患患者のみかた〔徳田安春〕 … 709
  - (1) 病歴 …………………………………… 709
  - (2) 診察 …………………………………… 711
- 2) 画像診断 ……………………………… 713
  - (1) 胸部単純X線撮影〔酒井文和〕 …… 713
  - (2) CT，MRI，PETとその読影基礎
    〔村田喜代史〕 716
- 3) 特殊検査〔栗本典昭・宮澤輝臣〕 … 721
  - (1) 気管支鏡検査 ………………………… 721
  - (2) 自家蛍光気管支鏡 …………………… 722
- (3) 中枢気道に対する気管支腔内超音波断層法 … 722
- (4) 超音波ガイド下経気管支針生検 …… 723
- (5) ガイドシースを用いた気管支腔内超音波断層法 …………………………… 723
- (6) 気管支ナビゲーション ……………… 724
- (7) 超音波検査 …………………………… 724
- (8) 気管支内視鏡治療 …………………… 724
- 4) 肺機能による評価〔橋本　修〕 …… 725
  - (1) スパイロメトリー …………………… 725
  - (2) 残気量，機能的残気量と全肺気量 … 727
  - (3) コンプライアンスとその評価 ……… 727
  - (4) 呼吸抵抗，気道抵抗 ………………… 728
  - (5) 肺拡散能 ……………………………… 728
  - (6) 動脈血ガス分析，酸塩基平衡 ……… 729
- 5) 呼吸器疾患の分子生物学〔萩原弘一〕 … 729
  - (1) 概説 …………………………………… 729
  - (2) 遺伝子多型，遺伝子変異 …………… 730
  - (3) 疾患と遺伝子多型，遺伝子変異 …… 731
  - (4) 臨床医学と分子生物学 ……………… 732
- 6) 呼吸器疾患のバイオマーカー〔西岡安彦〕 … 732
  - (1) 呼吸器感染症 ………………………… 733
  - (2) 気管支喘息 …………………………… 733
  - (3) 間質性肺炎 …………………………… 733
  - (4) サルコイドーシス …………………… 733
  - (5) 肺胞蛋白症 …………………………… 733
  - (6) 呼吸器悪性腫瘍 ……………………… 734

9-2 感染症 …………………………………… 734
- 1) かぜ症候群〔滝澤　始〕 ……………… 734
- 2) 急性気管支炎〔山谷睦雄〕 …………… 736
- 3) 肺炎・肺膿瘍〔藤田次郎〕 …………… 737
  - (1) 肺炎 …………………………………… 737
  - (2) 肺膿瘍 ………………………………… 742
- 4) 胸膜炎，膿胸〔中野孝司〕 …………… 745
  - (1) 胸囲結核 ……………………………… 745
  - (2) 寄生虫を原因とする胸水・胸膜炎 … 745
  - (3) EBウイルス感染と胸膿関連リンパ腫 … 746
- 5) 肺結核症〔一山　智・藤田次郎〕 …… 746
- 6) 肺非結核性抗酸菌症〔長谷川直樹〕 … 751
- 7) 肺真菌症〔泉川公一〕 ………………… 753
  - (1) ニューモシスチス症 ………………… 753
  - (2) クリプトコックス症 ………………… 754
  - (3) ムーコル症 …………………………… 754
- 8) 肺寄生虫症〔三笠圭一・中村(内山)ふくみ〕 … 755
  - (1) 肺吸虫症 ……………………………… 755
  - (2) トキソカラ症 ………………………… 755

- （3） 単純性肺好酸球増加症 ……… 756
- （4） 糞線虫症 ……… 756
- （5） 熱帯性肺好酸球増加症 ……… 757
- （6） イヌ糸状虫症 ……… 757

9-3 気道・肺胞疾患 ……… 757
- 1） 慢性閉塞性肺疾患〔一ノ瀬正和〕… 757
- 2） びまん性汎細気管支炎・閉塞性細気管支炎〔長谷川好規〕……… 762
  - （1） びまん性汎細気管支炎 ……… 762
  - （2） 閉塞性細気管支炎 ……… 764
- 3） びまん性肺胞出血〔服部 登〕……… 765

9-4 アレルギー・免疫性疾患 ……… 766
- 1） 気管支喘息〔長瀬隆英〕……… 766
- 2） 好酸球性肺炎〔檜澤伸之〕……… 769
  - （1） 慢性好酸球性肺炎 ……… 769
  - （2） 急性好酸球性肺炎 ……… 769
- 3） アレルギー性気管支肺アスペルギルス症 … 770
- 4） 過敏性肺炎〔稲瀬直彦〕……… 771
- 5） 膠原病に伴う肺病変〔須田隆文〕……… 773
- 6） サルコイドーシス〔渡辺憲太朗〕……… 776
- 7） その他の免疫関連肺疾患〔服部 登〕 … 779
  - （1） 抗好中球細胞質抗体関連血管炎 …… 779
  - （2） Goodpasture 症候群 ……… 781
  - （3） IgG4 関連疾患 ……… 782

9-5 間質性肺疾患 ……… 782
- 1） 間質性肺炎の分類〔杉山幸比古〕……… 782
  - （1） 間質性肺炎とは ……… 782
- 2） 特発性肺線維症〔本間 栄〕……… 784
- 3） 非特異性間質性肺炎〔高橋弘毅〕……… 787
- 4） 特発性器質化肺炎〔迎 寛〕……… 789
- 5） その他の特発性間質性肺炎〔海老名雅仁〕… 790
  - （1） 急性間質性肺炎 ……… 790
  - （2） 喫煙関連肺としての呼吸細気管支炎随伴間質性肺炎 ……… 791
  - （3） 呼吸細気管支炎随伴間質性肺炎 ……… 792
  - （4） 剝離性間質性肺炎 ……… 792
  - （5） 特発性リンパ球性間質性肺炎 ……… 792
- 6） 放射線肺臓炎・放射線肺線維症〔弦間昭彦〕… 793
- 7） 薬剤性肺炎〔横山彰仁〕……… 794
- 8） ガス・粉じんによる肺疾患〔石井幸雄〕… 796

9-6 代謝異常による肺疾患 ……… 797
- 1） 肺胞蛋白症〔中田 光〕……… 797
- 2） 肺胞微石症〔萩原弘一〕……… 799
- 3） 気管支・肺アミロイドーシス〔新実彰男〕… 801

9-7 無気肺〔桑野和善〕……… 802

9-8 急性呼吸促迫症候群〔金澤 實〕……… 805

9-9 囊胞および拡張性気管支・肺疾患 ……… 808
- 1） 囊胞性肺疾患〔瀬山邦明〕……… 808
  - （1） 定義・概念 ……… 808
  - （2） 囊胞性肺疾患の成因と分類 ……… 809
  - （3） ブラ／ブレブ ……… 809
  - （4） ニューマトセル ……… 810
  - （5） 巨大肺囊胞症 ……… 810
  - （6） Birt-Hogg-Dubé 症候群 ……… 811
- 2） 気管支拡張症 ……… 811
- 3） 原発性線毛運動不全症〔瀬戸口靖弘〕… 814
- 4） 囊胞性線維症 ……… 816

9-10 肺循環障害 ……… 818
- 1） 肺循環の生理・病態生理〔桑平一郎〕… 818
  - （1） 解剖学的構造 ……… 818
  - （2） 肺循環系の圧と抵抗 ……… 818
  - （3） 肺の血流分布 ……… 819
  - （4） 低酸素性肺血管収縮 ……… 820
- 2） 肺循環障害の臨床 ……… 820
  - （1） 肺水腫〔花岡正幸〕……… 820
  - （2） 肺血栓塞栓症〔木村 弘〕……… 822
  - （3） 肺高血圧症・肺性心〔巽 浩一郎〕… 824
  - （4） 肺動静脈瘻 ……… 828

9-11 呼吸調節の異常〔赤柴恒人〕……… 829
- 1） 呼吸の調節 ……… 829
- 2） 過換気症候群 ……… 830
- 3） 低換気症候群 ……… 830
- 4） 睡眠時無呼吸症候群 ……… 831

9-12 肺腫瘍 ……… 834
- 1） 原発性肺腫瘍〔秋田弘俊〕……… 834
- 2） 転移性肺腫瘍〔中西洋一〕……… 843
- 3） 良性肺腫瘍および腫瘍類似疾患〔今泉和良〕… 845
  - （1） 過誤腫 ……… 845
  - （2） 硬化性血管腫 ……… 845
  - （3） 肺 Langerhans 組織球症 ……… 845

9-13 胸部リンパ系疾患
〔星野友昭・岡元昌樹・東 公一〕……… 846
  - （1） リンパ脈管筋腫症 ……… 846
  - （2） 悪性リンパ腫による肺病変 ……… 847

9-14 胸膜疾患〔中野孝司〕……… 848
- 1） 胸膜炎 ……… 848
  - （1） 肺炎随伴胸水 ……… 848
  - （2） 結核性胸膜炎 ……… 848
  - （3） 膿胸 ……… 849
  - （4） 膿胸関連リンパ腫 ……… 849

（5） 乳び胸 …………………………… 850	（2） 内視鏡微細診断〔八尾建史〕………… 877
（6） 癌性胸膜炎 ………………………… 850	（3） 消化管の超音波診断〔畠　二郎〕…… 879
（7） 原発性滲出性リンパ腫 …………… 850	（4） 消化管の放射線画像診断〔村上康二〕… 880
（8） 良性石綿胸水 ……………………… 850	4） 生理機能診断〔藤本一眞・岩切龍一〕…… 882
2） 気胸 …………………………………… 851	（1） 消化管の運動機能評価 …………… 882
3） 胸膜腫瘍 ……………………………… 851	（2） 消化・吸収機能評価 ……………… 883
（1） 原発性胸膜腫瘍 …………………… 852	（3） 胃酸分泌機能検査・24時間 pH モニタリング …………………………… 885
（2） 転移性胸膜腫瘍 …………………… 853	5） 消化管ホルモン〔松浦文三〕…………… 885
9-15 縦隔疾患 ………………………………… 853	（1） コレシストキニン-ガストリンファミリー …… 885
1） 縦隔気腫〔木浦勝行・二宮　崇〕……… 853	（2） セクレチン-グルカゴンファミリー …… 886
2） 縦隔炎〔木浦勝行・久保寿夫〕………… 854	（3） ソマトスタチン …………………… 887
（1） 急性縦隔炎 ………………………… 854	（4） モチリン-グレリンファミリー …… 887
（2） 線維性縦隔炎 ……………………… 855	（5） セロトニン ………………………… 887
3） 縦隔内血腫〔木浦勝行・市原英基〕…… 856	6） 内視鏡的インターベンション〔矢作直久・木暮宏史〕…… 888
4） 縦隔腫瘍〔木浦勝行・大橋圭明〕……… 856	（1） 消化管腫瘍に対する治療 ………… 888
9-16 横隔膜の疾患〔鰤岡直人・清水英治〕… 858	（2） 消化管出血に対する治療 ………… 889
1） 横隔膜の形態と機能 ………………… 858	（3） 消化管狭窄に対する治療 ………… 890
2） 横隔膜ヘルニア ……………………… 858	（4） 胆管結石に対する治療 …………… 890
（1） 外傷性横隔膜ヘルニア …………… 858	（5） 閉塞性黄疸に対する治療(内視鏡的減黄術) … 891
（2） 非外傷性横隔膜ヘルニア ………… 858	（6） 膵囊胞に対する治療(内視鏡的膵囊胞ドレナージ術) ……………………… 891
3） 横隔膜位置異常 ……………………… 859	（7） 内視鏡的胃瘻造設術 ……………… 891
（1） 横隔膜弛緩症 ……………………… 859	**10-2 口腔疾患**〔髙戸　毅〕………………… 892
（2） 横隔膜麻痺 ………………………… 859	1） 口腔粘膜・舌の疾患 ………………… 892
4） 横隔膜炎 ……………………………… 860	（1） 天疱瘡 ……………………………… 892
5） 横隔膜下膿瘍 ………………………… 860	（2） アフタ性疾患 ……………………… 892
6） 横隔膜腫瘍 …………………………… 860	（3） 角化性疾患 ………………………… 892
9-17 胸郭の異常(漏斗胸・鳩胸)〔西村善博〕… 861	（4） 色素沈着 …………………………… 892
1） 漏斗胸 ………………………………… 861	（5） ウイルス性疾患 …………………… 893
2） 鳩胸 …………………………………… 862	（6） 細菌・真菌感染症 ………………… 893
9-18 発育異常・形成不全〔礒部　威・久良木隆繁〕… 862	（7） 口腔内に症状を現す血液疾患 …… 893
1） 肺形成不全 …………………………… 862	（8） 舌炎 ………………………………… 893
2） 肺分画症 ……………………………… 863	（9） 口腔癌 ……………………………… 893
3） 気管(気管支)食道瘻 ………………… 864	（10） 唾液腺疾患 ………………………… 894
4） 気管支閉鎖症 ………………………… 864	**10-3 食道疾患** ……………………………… 894
9-19 慢性呼吸不全〔三嶋理晃〕……………… 865	1） 先天性食道疾患〔前田貢作〕…………… 894
	（1） 先天性食道閉鎖症 ………………… 894
10 消化管・腹膜の疾患	（2） 先天性食道狭窄症 ………………… 895
消化管疾患における新しい展開〔木下芳一〕… 870	（3） 食道重複症(重複食道) …………… 896
10-1 総論 …………………………………… 871	（4） 食道外因性圧迫による狭窄 ……… 896
1） 消化器疾患患者のみかた〔髙木敦司〕… 871	2） 食道裂傷(Mallory-Weiss 症候群)・特発性食道破裂(Boerhaave 症候群)〔井上　泉・一瀬雅夫〕………… 896
（1） 消化器症状の評価 ………………… 871	
（2） 消化器疾患に用いられる各種検査 … 871	
2） 症候論 【⇨4章】	
3） 消化管の画像診断学 ………………… 874	
（1） 内視鏡診断〔林　芳和・山本博徳〕… 874	

3) 胃食道逆流症〔藤原靖弘〕 ……………… 898
4) 特殊な食道炎〔石村典久〕 ………………… 901
　(1) 好酸球性食道炎 ……………………………… 901
　(2) 感染性食道炎 ………………………………… 903
　(3) 薬物性・腐食性食道炎 ……………………… 903
5) 食道良性腫瘍〔村木洋介・一瀬雅夫〕 …… 903
6) 食道悪性腫瘍〔宗田　真・桑野博行〕 …… 905
　(1) 食道癌 ………………………………………… 905
　(2) 食道肉腫およびその他の食道悪性腫瘍 …… 909
7) 食道裂孔ヘルニア，食道憩室，食道良性狭窄
　　　〔保坂浩子・草野元康〕 ……………… 909
8) 食道運動障害〔岩切勝彦〕 ………………… 911
　(1) 疾患概念 ……………………………………… 911
　(2) 正常な食道運動機能 ………………………… 911
　(3) 食道運動障害の分類 ………………………… 911
　(4) 一次性食道運動障害の診断 ………………… 911
　(5) アカラシアを除く食道運動障害の治療 …… 911
　(6) アカラシア …………………………………… 912
9) 食道・胃静脈瘤〔小原勝敏〕 ……………… 913

10-4 胃・十二指腸疾患 …………………………… 918
1) 先天性胃・十二指腸疾患〔前田貢作〕 …… 918
　(1) 肥厚性幽門狭窄症 …………………………… 918
　(2) 先天性十二指腸閉鎖・狭窄症 ……………… 919
　(3) 上腸間膜動脈症候群 ………………………… 919
2) 急性胃炎，急性胃・十二指腸粘膜病変
　　　〔眞部紀明〕 …………………………… 920
3) 機能性ディスペプシアと慢性胃炎
　　　〔三輪洋人・近藤　隆〕 ……………… 922
4) 門脈圧亢進症性胃症〔長嶺伸彦〕 ………… 925
5) 胃前庭部毛細血管拡張症 …………………… 926
6) 消化性潰瘍(胃・十二指腸潰瘍)〔上村直実〕 … 927
7) 胃良性腫瘍〔吉﨑哲也・東　健〕 ………… 932
8) 胃悪性腫瘍・胃癌〔村上和成〕 …………… 934
9) 胃悪性リンパ腫・胃肉腫〔岡田裕之〕 …… 941
　(1) 胃悪性リンパ腫 ……………………………… 941
　(2) 胃肉腫 ………………………………………… 944
10) 胃粘膜下腫瘍〔松尾康正・伊東文生〕 …… 944
11) 十二指腸良性腫瘍〔小澤俊一郎・伊東文生〕 … 946
12) 十二指腸悪性腫瘍 …………………………… 947
　(1) 十二指腸癌 …………………………………… 947
　(2) 十二指腸乳頭部癌 …………………………… 948
　(3) 悪性リンパ腫 ………………………………… 948
13) 胃・十二指腸憩室〔喜多宏人〕 …………… 948
14) 胃切除後症候群〔加藤俊幸〕 ……………… 949
　(1) 機能的障害 …………………………………… 949
　(2) 消化吸収障害 ………………………………… 950
　(3) 胆嚢機能障害，胆切除後胆石 ……………… 951
　(4) 残胃癌 ………………………………………… 951
　(5) 胃切除後のQOL評価方法 …………………… 951

10-5 腸疾患 ………………………………………… 951
1) 先天性腸疾患〔久守孝司〕 ………………… 951
　(1) 先天性小腸閉鎖・狭窄症 …………………… 951
　(2) 腸回転異常症 ………………………………… 952
　(3) 腸管重複症 …………………………………… 952
　(4) Meckel憩室 …………………………………… 952
　(5) Hirschsprung病 ……………………………… 953
　(6) 鎖肛(直腸肛門奇形) ………………………… 953
2) 腸炎〔峯　徹哉〕 …………………………… 953
　(1) 感染性腸炎 …………………………………… 954
　(2) 薬物性腸炎 …………………………………… 956
　(3) 放射線腸炎 …………………………………… 957
3) 非特異性腸管潰瘍〔松本主之〕 …………… 957
　(1) 腸管Behçet病/単純性潰瘍 ………………… 957
　(2) 非特異性多発性小腸潰瘍症 ………………… 958
　(3) 急性出血性直腸潰瘍 ………………………… 959
4) Crohn病〔松井敏幸〕 ……………………… 959
5) 潰瘍性大腸炎〔渡辺　守・松岡克善〕 …… 964
6) 腸結核〔大草敏史〕 ………………………… 969
7) 虚血性腸炎〔三浦総一郎〕 ………………… 971
8) 小腸腫瘍〔山本博徳・矢野智則〕 ………… 973
9) 大腸良性腫瘍〔田中信治〕 ………………… 974
10) 大腸悪性腫瘍(癌，リンパ腫，肉腫)
　　　〔杉原健一・山内慎一〕 ……………… 978
　(1) 大腸癌 ………………………………………… 978
　(2) 大腸悪性リンパ腫 …………………………… 984
　(3) 大腸肉腫 ……………………………………… 984
11) 吸収不良症候群〔安藤　朗〕 ……………… 985
12) 乳糖不耐症 …………………………………… 989
13) 好酸球性胃腸炎・消化管アレルギー
　　　〔喜多宏人〕 …………………………… 991
14) 過敏性腸症候群〔福土　審〕 ……………… 992
15) イレウス(腸閉塞)〔松橋信行〕 …………… 995
16) 偽性腸閉塞〔中島　淳・大久保秀則〕 …… 997
17) 急性虫垂炎・虫垂腫瘍
　　　〔三上達也・福田眞作〕 ……………… 998
　(1) 急性虫垂炎 …………………………………… 998
　(2) 虫垂腫瘍 ……………………………………… 999
18) 腹部血管疾患〔矢野智則〕 ………………… 1001
　(1) 腸管虚血 ……………………………………… 1001
　(2) 腹部実質臓器虚血 …………………………… 1001

- （3） 腹部内臓動脈瘤 …………………… 1001
- 19） 消化管の血管性病変 ………………… 1002
- 20） 肛門部疾患〔中村志郎・宮嵜孝子〕 ……… 1003
  - （1） 痔瘻，肛門周囲膿瘍 ………………… 1003
  - （2） 痔核 ………………………………… 1003
  - （3） 粘膜脱症候群 ……………………… 1004
- 21） 腸内細菌異常増殖症候群 / 盲係蹄症候群
     〔中村志郎・宮嵜孝子〕 ……… 1004

10-6 蛋白漏出性胃腸症〔三浦総一郎〕 ……… 1005

10-7 消化管ポリポーシス〔五十嵐正広〕 ……… 1006
- （1） 家族性大腸腺腫症 …………………… 1006
- （2） Gardner 症候群 …………………… 1008
- （3） Peutz-Jeghers 症候群（PJS） ……… 1008
- （4） Cronkhite-Canada 症候群 ………… 1009

10-8 消化管憩室・憩室炎〔中島　淳・山田英司〕 … 1010
- （1） 食道・胃憩室 ……………………… 1010
- （2） 十二指腸憩室 ……………………… 1010
- （3） 小腸憩室 …………………………… 1010
- （4） 大腸憩室 …………………………… 1011

10-9 腹膜疾患〔松橋信行・藤澤聡郎〕 ……… 1013
- 1） 腹膜炎 ………………………………… 1013
  - （1） 原発性腹膜炎 ……………………… 1013
  - （2） 続発性腹膜炎 ……………………… 1014
  - （3） 癌性腹膜炎 ………………………… 1014
  - （4） 結核性腹膜炎 ……………………… 1015
  - （5） 硬化性被嚢性腹膜炎 ……………… 1015
  - （6） その他の腹膜炎 …………………… 1016
- 2） 腹膜腫瘍 ……………………………… 1016
  - （1） 原発性腹膜腫瘍 …………………… 1016
  - （2） 続発性腹膜腫瘍 …………………… 1017
- 3） 後腹膜腫瘍 …………………………… 1018

10-10 全身疾患と消化管〔後藤秀実〕 ……… 1019
- 1） 膠原病および類縁疾患 ……………… 1019
  - （1） 全身性強皮症の消化管病変 ……… 1019
  - （2） 全身性エリテマトーデスの消化管病変 … 1020
  - （3） 結節性多発動脈炎の消化管病変 … 1020
  - （4） 関節リウマチの消化管病変 ……… 1020
  - （5） Behçet 病の消化管病変 ………… 1021
- 2） 代謝性疾患 …………………………… 1021
  - （1） 糖尿病 ……………………………… 1021
  - （2） 消化管アミロイドーシス ………… 1021
  - （3） 急性間欠性ポルフィリン症 ……… 1022
- 3） 血液疾患 ……………………………… 1022
  - （1） 赤血球系疾患 ……………………… 1022
  - （2） 白血球系疾患 ……………………… 1022
- （3） 血小板 / 血管系疾患 ……………… 1023
- 4） 中枢神経疾患 ………………………… 1023
  - （1） Cushing 潰瘍 ……………………… 1023
  - （2） Curling 潰瘍 ……………………… 1023
  - （3） その他 ……………………………… 1023
- 5） 内分泌疾患 …………………………… 1024
  - （1） 甲状腺疾患 ………………………… 1024
  - （2） 副甲状腺（上皮小体）疾患 ……… 1024
  - （3） 副腎疾患 …………………………… 1024
  - （4） 消化管ホルモン関連疾患 ………… 1024
- 6） 免疫疾患 ……………………………… 1024
  - （1） AIDS による免疫不全と消化管病変 … 1024
  - （2） 移植片対宿主病 …………………… 1025
- 7） 循環器疾患 …………………………… 1025
  - （1） 循環不全と消化管病変 …………… 1025
  - （2） 心不全と消化管病変 ……………… 1025
  - （3） 抗血栓薬と消化管病変 …………… 1025

10-11 薬剤・異物と消化管〔平石秀幸〕 ……… 1026
- 1） 薬剤起因性消化管障害 ……………… 1026
  - （1） 非ステロイド系抗炎症薬(NSAIDs)/アスピリンによる消化管粘膜傷害 ……… 1026
  - （2） 顕微鏡的大腸炎による消化管粘膜傷害 … 1028
  - （3） 抗癌薬による消化管障害 ………… 1028
  - （4） 抗菌薬による消化管障害 ………… 1028
- 2） 異物・嗜好品と消化管障害 ………… 1029

11 肝・胆道・膵の疾患

肝・胆道・膵疾患における新しい展開
　　　　　　　　〔工藤正俊〕 ……… 1032

11-1 肝疾患総論 ……………………………… 1033
- 1） 肝疾患患者のみかた〔田中榮司〕 … 1033
  - （1） 発見の契機 ………………………… 1033
  - （2） 医療面接のポイント ……………… 1033
  - （3） 身体診察のポイント ……………… 1033
  - （4） 肝障害と肝機能検査 ……………… 1034
- 2） 肝の画像診断 ………………………… 1036
  - （1） CT・MRI・血管造影〔角谷眞澄〕 … 1036
  - （2） 肝臓の超音波診断〔飯島尋子〕 … 1039
- 3） 黄疸の病態生理〔上野義之〕 ……… 1042
- 4） 肝不全・肝性脳症〔正木　勉〕 …… 1046
  - （1） 肝不全 ……………………………… 1046
  - （2） 肝性昏睡 …………………………… 1046
- 5） 肝移植〔上本伸二〕 ………………… 1048
  - （1） 定義・概念 ………………………… 1048
  - （2） 肝移植の適応 ……………………… 1049

- 6） 肝腎症候群と肝肺症候群
  〔光吉博則・伊藤義人〕……………… 1051
- 7） 門脈圧亢進症〔國分茂博〕……………… 1052
- 8） 腹水と特発性細菌性腹膜炎〔中本安成〕… 1055

11-2 急性ウイルス性肝炎 …………………… 1057
- 1） 肝炎ウイルス〔四柳　宏〕……………… 1057
  - （1） A型肝炎ウイルス ………………… 1057
  - （2） B型肝炎ウイルス ………………… 1057
  - （3） C型肝炎ウイルス ………………… 1059
  - （4） D型肝炎ウイルス ………………… 1059
  - （5） E型肝炎ウイルス ………………… 1060
- 2） A型急性肝炎〔八橋　弘〕……………… 1060
- 3） B型急性肝炎〔朝比奈靖浩〕…………… 1062
- 4） C型急性肝炎〔榎本信幸〕……………… 1064
- 5） D型およびE型急性肝炎〔坂本直哉〕 … 1067
  - （1） D型肝炎 …………………………… 1067
  - （2） E型肝炎 …………………………… 1067

11-3 劇症肝炎・亜急性肝炎 ………………… 1068
- 1） 劇症肝炎（急性肝不全）〔滝川康裕〕 … 1068
- 2） 遅発性肝不全〔持田　智〕……………… 1072

11-4 慢性肝炎 ………………………………… 1075
- 1） ウイルス性慢性肝炎 …………………… 1075
  - （1） B型慢性肝炎〔柘植雅貴・茶山一彰〕… 1075
  - （2） C型慢性肝炎〔泉　並木〕………… 1078
- 2） 自己免疫性肝炎〔大平弘正〕…………… 1083

11-5 非アルコール性脂肪性肝疾患 ………… 1086
- 1） 脂肪肝〔西原利治〕……………………… 1086
- 2） 非アルコール性脂肪性肝炎〔橋本悦子〕… 1087

11-6 肝硬変 …………………………………… 1090
- 1） ウイルス性肝硬変〔田中基彦・佐々木　裕〕… 1090
- 2） 特殊型肝硬変〔坂井田　功〕…………… 1093
  - （1） 心臓性肝硬変 ……………………… 1093
  - （2） 胆汁性肝硬変 ……………………… 1094
  - （3） 寄生虫性肝硬変 …………………… 1094

11-7 原発性胆汁性胆管炎〔向坂彰太郎〕…… 1095
11-8 原発性硬化性胆管炎〔田妻　進〕……… 1097
11-9 アルコール性肝障害〔堀江義則〕……… 1099
11-10 薬物性肝障害〔滝川　一〕……………… 1102
11-11 体質性黄疸〔上硲俊法〕………………… 1104
- （1） 高非抱合型ビリルビン血症をきたす体質性
  黄疸 ………………………………… 1104
- （2） 高抱合型ビリルビン血症をきたす体質性黄
  疸 …………………………………… 1106

11-12 代謝性肝疾患
- （1） ヘモクロマトーシス【⇨15-6-2】
- （2） Wilson病【⇨15-6-13】
- （3） アミロイドーシス【⇨15-3-3】
- （4） ポルフィリン症【⇨15-6-1】
- （5） 糖原病【⇨15-2-6】
- （6） アミノ酸代謝異常【⇨15-3】
- （7） 脂質代謝異常【⇨15-4】

11-13 肝腫瘍〔工藤正俊〕…………………… 1108
- 1） 肝細胞癌 ………………………………… 1108
- 2） 肝内胆管癌 ……………………………… 1113
- 3） 混合型肝癌 ……………………………… 1115
- 4） その他の肝原発性悪性腫瘍 …………… 1116
- 5） 肝原発性良性腫瘍 ……………………… 1116
  - （1） 肝血管腫 …………………………… 1116
  - （2） 肝細胞腺腫 ………………………… 1117
  - （3） 限局性結節性過形成 ……………… 1117
  - （4） 肝血管筋脂肪腫 …………………… 1118
- 6） 転移性肝腫瘍 …………………………… 1118

11-14 肝膿瘍・肝囊胞〔工藤正俊〕………… 1120
- 1） 肝膿瘍 …………………………………… 1120
  - （1） 化膿性肝膿瘍 ……………………… 1120
  - （2） アメーバ性肝膿瘍 ………………… 1121
- 2） 肝囊胞 …………………………………… 1122

11-15 特発性門脈圧亢進症
〔近藤福雄・松谷正一〕……… 1123
- 1） 特発性門脈圧亢進症 …………………… 1123
- 2） 先天性肝線維症 ………………………… 1125

11-16 肝静脈閉塞症・門脈閉塞症〔小川眞広〕… 1126
- 1） 肝静脈閉塞症 …………………………… 1126
  - （1） 肝静脈閉塞性疾患 ………………… 1126
  - （2） Budd-Chiari症候群 ……………… 1126
- 2） 門脈閉塞症 ……………………………… 1127
  - （1） 肝外門脈閉塞症 …………………… 1127
  - （2） 肝内門脈閉塞症 …………………… 1128

11-17 循環不全時の肝障害〔井戸章雄〕…… 1128
- 1） 急性循環不全に伴う肝障害 …………… 1129
- 2） うっ血性心不全に伴う肝障害 ………… 1130
- 3） Budd-Chiari症候群や類洞閉塞性症候群 … 1130

11-18 ほかの疾患に伴う肝障害
〔榎本平之・西口修平〕……… 1131
- （1） 感染症 ……………………………… 1131
- （2） 膠原病 ……………………………… 1131
- （3） 内分泌疾患 ………………………… 1132
- （4） 消化器疾患 ………………………… 1132
- （5） 血液疾患 …………………………… 1132
- （6） 糖尿病 ……………………………… 1132

（7）サルコイドーシス ………………………… 1132
　　（8）IgG4 関連疾患 ……………………………… 1132
　　（9）血球貪食症候群 ……………………………… 1132
11-19 寄生虫による肝疾患〔鳥村拓司〕………… 1133
　1）肝吸虫症 ………………………………………… 1133
　2）肝蛭症 …………………………………………… 1133
　3）日本住血吸虫症 ………………………………… 1133
　4）肝包虫症 ………………………………………… 1134
　5）幼虫移行症による肝好酸球性肉芽腫症 …… 1134
11-20 妊娠と肝障害〔高原照美〕………………… 1135
　1）妊娠中の生理学的変化と血液・生化学検査所見 ……………………………………………… 1135
　　（1）生理学的変化 ………………………………… 1135
　　（2）血液・生化学検査 …………………………… 1135
　2）妊娠中の肝障害 ………………………………… 1135
　　（1）妊娠自体と関連する肝障害 ………………… 1135
　　（2）妊娠中に偶発する肝疾患 …………………… 1137
　　（3）妊娠前からの既存肝疾患 …………………… 1138
11-21 新生児黄疸・新生児肝炎〔藤澤知雄〕…… 1138
　1）新生児黄疸 ……………………………………… 1138
　2）特発性新生児肝炎 ……………………………… 1140
11-22 胆道・膵疾患総論 ………………………… 1141
　1）胆道・膵疾患患者のみかた〔清水京子〕…… 1141
　　（1）血液生化学検査 ……………………………… 1141
　　（2）腫瘍マーカー ………………………………… 1143
　2）胆道・膵疾患の画像診断 ……………………… 1143
　　（1）CT，MRCP〔米田憲秀・蒲田敏文〕……… 1144
　　（2）超音波・超音波内視鏡〔北野雅之〕……… 1145
　　（3）内視鏡的逆行性膵胆管造影〔花田敬士〕… 1148
　3）閉塞性黄疸の病態と診断〔峯　徹哉〕……… 1149
11-23 胆石症および胆道感染症 ………………… 1150
　1）胆石症〔安田一朗〕…………………………… 1150
　2）胆道感染症〔入澤篤志〕……………………… 1154
　3）胆道寄生虫症〔河上　洋〕…………………… 1157
　　（1）回虫症 ………………………………………… 1157
　　（2）肝吸虫症 ……………………………………… 1158
　　（3）肝蛭症 ………………………………………… 1158
　　（4）クリプトスポリジウム症，ジアルジア症 ……………………………………………… 1159
11-24 良性胆道狭窄（閉塞）……………………… 1159
　1）胆道閉鎖症〔廣川慎一郎〕…………………… 1159
　2）後天性胆道閉塞（狭窄）〔五十嵐良典〕…… 1161
11-25 膵・胆管合流異常〔杉山政則〕…………… 1164
11-26 先天性胆道拡張症〔平野　聡〕…………… 1165
11-27 胆囊・胆道の腫瘍 ………………………… 1167

　1）胆囊腫瘍（良性・悪性）〔乾　和郎〕……… 1167
　　（1）胆囊癌 ………………………………………… 1167
　　（2）胆囊良性腫瘍 ………………………………… 1169
　2）胆管腫瘍（良性，悪性）〔糸井隆夫〕……… 1169
　　（1）胆管癌 ………………………………………… 1169
　　（2）胆管良性腫瘍 ………………………………… 1173
　3）十二指腸乳頭部腫瘍〔廣岡芳樹・後藤秀実〕… 1173
11-28 膵疾患 ……………………………………… 1175
　1）膵奇形〔伊佐地秀司〕………………………… 1175
　　（1）膵の発生 ……………………………………… 1175
　　（2）先天性膵形成不全 …………………………… 1175
　　（3）輪状膵 ………………………………………… 1175
　　（4）膵管癒合不全 ………………………………… 1176
　2）急性膵炎〔竹山宜典〕………………………… 1176
　3）慢性膵炎（膵石症）〔廣田衛久・下瀬川　徹〕… 1180
　4）自己免疫性膵炎〔岡崎和一〕………………… 1186
　5）囊胞性膵腫瘍 …………………………………… 1189
　　（1）膵管内乳頭粘液性腫瘍〔真口宏介〕……… 1189
　　（2）粘液囊胞性腫瘍，その他〔大塚隆生〕…… 1191
　6）膵癌 ……………………………………………… 1193
　　（1）総論および診断・stage 分類〔山口幸二〕… 1193
　　（2）膵癌の外科治療〔山上裕機〕……………… 1195
　　（3）化学療法・放射線療法〔古瀬純司〕……… 1196
　　（4）内科的姑息治療〔伊佐山浩通〕…………… 1198
　7）インスリノーマ【⇨ 15-2-5】
　8）膵神経内分泌腫瘍〔伊藤鉄英〕……………… 1200

12 リウマチ性疾患およびアレルギー性疾患

リウマチ・アレルギー性疾患における新しい展開
　　　　　　　　　　〔渥美達也〕………………… 1204
12-1 リウマチ性疾患総論 ………………………… 1205
　1）免疫・炎症に関与する細胞・分子
　　　　　　　　　　〔三宅幸子〕………………… 1205
　　（1）自然免疫担当細胞 …………………………… 1205
　　（2）獲得免疫担当細胞 …………………………… 1207
　　（3）サイトカイン，ケモカイン ………………… 1208
　2）自己免疫，リウマチ性疾患と膠原病
　　　　　　　　　　〔山本一彦〕………………… 1209
　　（1）リウマチ性疾患と膠原病 …………………… 1209
　　（2）自己免疫疾患と自己免疫 …………………… 1210
　　（3）中枢性免疫寛容とその破綻 ………………… 1211
　　（4）末梢性免疫寛容の種々のメカニズム …… 1211
　　（5）B 細胞と自己免疫，免疫寛容 ……………… 1212
　　（6）自然免疫と自己免疫 ………………………… 1213
　3）リウマチ性疾患の概念・疾患群〔三森経世〕… 1213

- （1） リウマチ性疾患の概念 …………… 1213
- （2） リウマチ性疾患に分類される疾患群 …… 1213
- （3） リウマチ性疾患と膠原病の関連 …… 1213
- （4） リウマチ性疾患の特徴 …………… 1214
- 4） リウマチ性疾患と遺伝子異常・遺伝因子〔山田　亮〕 …………… 1216
  - （1） リウマチ性疾患の遺伝性と遺伝要因の分類 … 1216
  - （2） 単一遺伝子疾患 …………… 1216
  - （3） 複合遺伝性疾患 …………… 1216
  - （4） 多数のリウマチ性疾患と関連のある主要組織適合抗原（HLA）領域 …………… 1216
  - （5） HLA 領域外の遺伝子 …………… 1217
  - （6） 遺伝子解析の臨床 …………… 1217
- 5） リウマチ性疾患の臨床検査〔亀田秀人〕 …………… 1218
  - （1） 炎症反応の検査 …………… 1218
  - （2） 免疫学的検査 …………… 1218
- 6） リウマチ性疾患の薬物療法〔川合眞一〕 …………… 1220
  - （1） 薬物療法の基本 …………… 1220
  - （2） 副腎皮質ステロイド …………… 1220
  - （3） 免疫抑制薬 …………… 1221
  - （4） 抗リウマチ薬 …………… 1222
  - （5） 鎮痛薬 …………… 1223
- 7） リウマチ性疾患と生物学的製剤〔金子祐子・竹内　勤〕 …………… 1223
  - （1） リウマチ性疾患における生物学的製剤の位置づけ …………… 1223
  - （2） 生物学的製剤とは …………… 1223
  - （3） 生物学的製剤の種類と作用機序 …………… 1224
  - （4） 生物学的製剤の有効性・安全性 …………… 1224
  - （5） 今後の展望 …………… 1225
- 8） 関節リウマチの手術療法〔石黒直樹〕 …………… 1225
  - （1） 治療における位置づけ …………… 1225
  - （2） 手術治療時期の選択 …………… 1226
  - （3） 上肢障害に対する手術治療 …………… 1226
  - （4） 下肢障害に対する手術療法 …………… 1227
  - （5） 頸椎の手術療法 …………… 1227
- 9） リハビリテーション〔渡部一郎〕 …………… 1228
  - （1） 関節リウマチのリハビリテーションの特殊性 …………… 1228
  - （2） 身体機能障害へのアプローチ …………… 1228
  - （3） 日常生活活動に対する作業療法学的アプローチ …………… 1228
  - （4） 社会的参加に対するアプローチ …………… 1230
- **12-2 関節リウマチおよび類縁疾患** …………… 1231
  - 1） 関節リウマチ〔田中良哉〕 …………… 1231
  - 2） 関節リウマチ関連疾患〔鈴木康夫〕 …………… 1236
    - （1） 悪性関節リウマチ …………… 1236
    - （2） Felty 症候群 …………… 1238
    - （3） Caplan 症候群 …………… 1239
  - 3） 脊椎関節炎〔小松田 敦〕 …………… 1239
  - 4） リウマチ性多発筋痛症および RS$_3$PE 症候群〔天野宏一〕 …………… 1243
  - 5） 成人 Still 病〔三村俊英〕 …………… 1244
- **12-3 Sjögren 症候群**〔住田孝之〕 …………… 1246
- **12-4 全身性エリテマトーデス**〔三森明夫〕 …………… 1250
- **12-5 全身性強皮症**〔桑名正隆〕 …………… 1254
- **12-6 多発性筋炎・皮膚筋炎**〔上阪　等〕 …………… 1258
- **12-7 混合性結合組織病とオーバーラップ症候群**〔髙崎芳成〕 …………… 1262
- **12-8 血管炎症候群**〔尾崎承一〕 …………… 1264
  - （1） 高安動脈炎 【⇨ 7-14】
  - （2） 巨細胞性動脈炎 …………… 1266
  - （3） 結節性多発動脈炎 …………… 1268
  - （4） 川崎病 【⇨ 12-19-3】
  - （5） 顕微鏡的多発血管炎 …………… 1268
  - （6） 多発血管炎性肉芽腫症 …………… 1269
  - （7） 好酸球性多発血管炎性肉芽腫症 …………… 1270
  - （8） 抗 GBM 病 【⇨ 13-6-7】
  - （9） クリオグロブリン血症性血管炎 【⇨ 16-10-19-6】
  - （10） IgA 血管炎 …………… 1270
  - （11） 低補体血症性じんま疹様血管炎 …………… 1271
  - （12） Behçet 病 【⇨ 12-11, 17-12-6-3】
- **12-9 サルコイドーシス** 【⇨ 9-4-6】
- **12-10 抗リン脂質抗体症候群**〔渥美達也〕 …………… 1272
- **12-11 Behçet 病**〔廣畑俊成〕 …………… 1274
- **12-12 再発性多発軟骨炎**〔杉山英二〕 …………… 1277
- **12-13 Weber-Christian 病**〔牧野雄一〕 …………… 1278
- **12-14 クリオグロブリン血症** 【⇨ 16-10-19-6】
- **12-15 先天性結合組織疾患**〔簑田清次〕 …………… 1279
  - 1） 骨形成不全症 …………… 1279
  - 2） Marfan 症候群 …………… 1279
  - 3） Ehlers-Danlos 症候群 …………… 1280
  - 4） 軟骨形成不全症 …………… 1281
- **12-16 線維筋痛症**〔村上正人〕 …………… 1281
- **12-17 結晶誘発性関節炎（痛風と偽痛風）**〔山中　寿〕 …………… 1285
  - （1） 痛風 …………… 1285
  - （2） 偽痛風 …………… 1286
- **12-18 感染性関節炎**〔佐野　統・東　直人〕 …………… 1287

12-19 小児リウマチ性疾患〔武井修治〕……… 1289	12-30 食物アレルギー〔海老澤元宏〕……… 1328
1）若年性特発性関節炎 ……………………… 1289	12-31 職業性アレルギー〔土橋邦生〕……… 1331
2）リウマチ熱 ………………………………… 1290	1）職業性喘息 …………………………………… 1331
3）川崎病 ……………………………………… 1292	2）職業性アレルギー性鼻炎 ………………… 1331
12-20 IgG4 関連疾患〔高橋裕樹〕…………… 1293	3）職業性アレルギー性皮膚疾患 …………… 1332
12-21 自己炎症性症候群〔上松一永〕……… 1296	4）過敏性肺炎 ………………………………… 1332
12-22 アレルギー性疾患総論 ……………… 1300	12-32 昆虫アレルギー〔石井芳樹〕………… 1332
1）アレルギー性疾患の総論〔斎藤博久〕… 1300	12-33 ペットアレルギー〔永田　真〕……… 1333
2）アレルギーに関与する細胞・分子	12-34 その他のアレルギー疾患
〔出原賢治〕…………………… 1304	1）じんま疹・血管浮腫〔片山一朗〕……… 1334
（1）2 型免疫反応 …………………………… 1304	2）アトピー性皮膚炎〔秀　道広〕………… 1336
（2）アレルゲンの認識 ……………………… 1304	3）接触皮膚炎〔藤本　学〕………………… 1337
（3）2 型サイトカイン ……………………… 1306	4）アレルギー性結膜炎〔高村悦子〕……… 1338
（4）B 細胞における IgE 産生 ……………… 1306	5）化学物質過敏症【⇨ 18-1-8】
（5）エフェクター細胞 ……………………… 1306	12-35 原発性免疫不全症候群〔峯岸克行〕… 1341
（6）アレルギーにおける免疫反応の多様性 … 1307	1）原発性免疫不全症各論 …………………… 1343
3）アレルギー性疾患の遺伝子〔檜澤伸之〕… 1307	（1）重症複合免疫不全症 …………………… 1343
（1）アレルギーと遺伝 ……………………… 1307	（2）Omenn 症候群 …………………………… 1344
（2）遺伝子解析からわかるアレルギーの病態 … 1307	（3）Wiskott-Aldrich 症候群 ………………… 1344
（3）今後の展望 ……………………………… 1308	（4）毛細血管拡張性失調症 ………………… 1344
4）アレルギー性疾患患者のみかた〔土肥　眞〕… 1308	（5）胸腺低形成 ……………………………… 1345
（1）アレルギーとは ………………………… 1308	（6）高 IgE 症候群 …………………………… 1345
（2）問診（医療面接） ……………………… 1309	（7）無ガンマグロブリン血症 ……………… 1345
（3）身体所見 ………………………………… 1309	（8）分類不能型免疫不全症 ………………… 1346
（4）検査 ……………………………………… 1309	（9）高 IgM 症候群 …………………………… 1346
（5）診断 ……………………………………… 1311	（10）家族性血球貪食性リンパ組織球増殖症 … 1346
5）アレルギー性疾患の薬物療法〔今野　哲〕… 1311	（11）Chédiak-Higashi 症候群 ………………… 1347
（1）Ⅰ型アレルギーに対する薬物治療 …… 1312	（12）制御性 T 細胞の異常症 ………………… 1347
（2）好酸球性炎症抑制薬 …………………… 1313	（13）先天性好中球減少症 …………………… 1347
（3）各疾患における薬物療法 ……………… 1313	（14）白血球接着異常症 ……………………… 1347
6）アレルギー性鼻炎に対する免疫療法	（15）慢性肉芽腫症 …………………………… 1347
〔大久保公裕〕………………… 1313	（16）Mendel 遺伝型マイコバクテリア易感染症 … 1348
（1）概念 ……………………………………… 1313	（17）慢性皮膚粘膜カンジダ症 ……………… 1348
（2）機序 ……………………………………… 1314	（18）TLR シグナル伝達欠損症 ……………… 1348
（3）実施方法 ………………………………… 1314	（19）自己炎症性症候群 ……………………… 1348
（4）注意点 …………………………………… 1314	（20）補体欠損症 ……………………………… 1349
（5）全身性副作用とその対策 ……………… 1315	12-36 後天性免疫不全症候群 【⇨ 6-10-2-10】
（6）臨床効果 ………………………………… 1315	
12-23 気管支喘息 【⇨ 9-4-1】	**13 腎・尿路系の疾患**
12-24 アレルギー性鼻炎・花粉症〔岡本美孝〕… 1316	腎・尿路系疾患における新しい展開
12-25 好酸球増加症・好酸球増加症候群 【⇨ 16-10-7】	〔南学正臣〕…………………… 1352
12-26 過敏性肺炎 【⇨ 9-4-4】	13-1 総論 …………………………………… 1353
12-27 アナフィラキシー〔斎藤純平〕……… 1320	1）腎疾患患者のみかた〔伊藤貞嘉〕……… 1353
12-28 血清病〔中島裕史〕…………………… 1323	（1）腎臓の構造と機能 ……………………… 1353
12-29 薬物アレルギー〔山口正雄〕………… 1324	（2）腎・尿路疾患の症候 …………………… 1353

- 2) 病態生理 …………………………… 1354
  - (1) 腎性浮腫 【⇨ 4-18】
  - (2) 腎実質性高血圧, 腎血管性高血圧 【⇨ 8-3-1-2】
  - (3) 蛋白尿・血尿〔岡田浩一〕 ………… 1354
  - (4) 腎性貧血〔南学正臣〕 ……………… 1357
  - (5) 慢性腎臓病に伴う骨・ミネラル代謝異常〔深川雅史〕 …………………… 1359
  - (6) 腎疾患の水・電解質・酸塩基平衡異常〔内田信一〕 ……………………… 1360
  - (7) 尿毒症〔正木崇生〕 ………………… 1369
- 3) 検査法 ……………………………… 1371
  - (1) 尿検査〔猪阪善隆〕 ………………… 1371
  - (2) 腎機能検査 ………………………… 1373
  - (3) 腎の画像診断〔柏原直樹〕 ………… 1375
  - (4) 腎生検〔西 慎一〕 ………………… 1380
  - (5) 泌尿器科的検査法〔松本一宏・大家基嗣〕 ……………………… 1382
- 4) 治療 ………………………………… 1385
  - (1) 生活指導〔菅野義彦〕 ……………… 1385
  - (2) 食事療法 …………………………… 1386
  - (3) 薬物療法〔西山 成〕 ……………… 1388
  - (4) 血液透析・血液浄化法〔中山昌明〕 … 1391
  - (5) 慢性腎臓病と腎移植〔田邉一成〕 …… 1395
  - (6) 泌尿器科的治療〔佐藤 滋〕 ………… 1399

13-2 慢性腎臓病〔藤元昭一〕 …………… 1401

13-3 原発性糸球体疾患 ………………… 1403
- 1) 分類と症候群〔横山 仁〕 …………… 1403
- 2) 急性糸球体腎炎〔有馬秀二〕 ………… 1406
- 3) 急速進行性糸球体腎炎〔山縣邦弘〕 …… 1408
- 4) 慢性糸球体腎炎 ……………………… 1412
- 5) 微小変化型ネフローゼ症候群〔小松康宏〕 … 1413
- 6) 巣状分節性糸球体硬化症〔和田健彦〕 … 1416
- 7) 膜性腎症〔丸山彰一〕 ………………… 1419
- 8) 膜性増殖性糸球体腎炎〔岩野正之〕 …… 1421
- 9) IgA 腎症と紫斑病性腎炎〔成田一衛〕 … 1423

13-4 ネフローゼ症候群〔丸山彰一〕 …… 1426

13-5 遺伝性腎疾患〔望月俊雄〕 ………… 1430
- 1) Alport 症候群 ……………………… 1430
- 2) 糸球体基底膜菲薄化病 ……………… 1431
- 3) Fabry 病 …………………………… 1432
- 4) 多発性囊胞腎 【⇨ 13-14-1】

13-6 全身疾患と腎障害 ………………… 1433
- 1) 糖尿病性腎症〔和田隆志〕 …………… 1433
- 2) 膠原病・血管炎の腎障害 …………… 1436
  - (1) 全身性エリテマトーデス・ループス腎炎〔今井裕一〕 …………………… 1436
  - (2) 結節性多発動脈炎 【⇨ 12-8】
  - (3) 多発血管炎性肉芽腫病 【⇨ 12-8】
  - (4) 関節リウマチ〔要 伸也〕 …………… 1438
  - (5) 全身性強皮症 ……………………… 1440
  - (6) Sjögren 症候群 ……………………… 1442
  - (7) IgG4 関連腎臓病 …………………… 1443
- 3) アミロイド腎症〔廣村桂樹・野島美久〕 … 1445
- 4) 骨髄腫腎 …………………………… 1447
- 5) その他のパラプロテイン血症の腎障害 … 1447
  - (1) クリオグロブリン血症性糸球体腎炎 … 1448
  - (2) 単クローン性免疫グロブリン沈着症 … 1448
  - (3) proliferative glomerulonephritis with monoclonal IgG deposits（PGNMID） …… 1449
  - (4) イムノタクトイド腎症, 細線維性糸球体腎炎 ……………………………… 1449
  - (5) 原発性マクログロブリン血症 ……… 1449
- 6) 溶血性尿毒症症候群と非典型溶血性尿毒症症候群〔香美祥二〕 …………… 1449
- 7) 抗糸球体基底膜抗体病〔山縣邦弘〕 …… 1451
- 8) 肝疾患と腎障害〔横尾 隆〕 ………… 1452
  - (1) 肝腎症候群 ………………………… 1452
  - (2) 肝性糸球体硬化症 ………………… 1454
  - (3) 肝炎ウイルス関連腎炎 ……………… 1455
- 9) 悪性腫瘍と腎障害〔柳田素子〕 ……… 1456
  - (1) 悪性腫瘍に伴う腎障害 ……………… 1457
  - (2) 腎不全患者の悪性腫瘍 ……………… 1459
- 10) 感染症と腎障害〔田中哲洋〕 ………… 1460
  - (1) 感染性心内膜炎の腎障害 …………… 1460
  - (2) HIV 関連腎症 ……………………… 1460

13-7 間質性疾患〔藤元昭一〕 …………… 1462
- 1) 急性間質性腎炎 ……………………… 1462
- 2) 慢性間質性腎炎 ……………………… 1464

13-8 腎と血管障害〔北村健一郎〕 ……… 1466
- 1) 良性腎硬化症 ………………………… 1466
- 2) 悪性腎硬化症 ………………………… 1467
- 3) 腎血管性高血圧 【⇨ 8-3-2】
- 4) 腎動脈瘤 …………………………… 1467
- 5) 腎動静脈奇形 ………………………… 1468
- 6) 腎梗塞 ……………………………… 1468
- 7) 腎皮質壊死 ………………………… 1468
- 8) コレステロール塞栓症 ……………… 1469
- 9) 腎静脈血栓症 ………………………… 1470

13-9 尿細管疾患 ………………………… 1470

- 1) 分類と病態生理〔寺田典生〕 …… 1470
- 2) 近位尿細管疾患 …………………… 1470
  - （1） Fanconi 症候群 ………………… 1470
  - （2） シスチン尿症 …………………… 1471
  - （3） 家族性低リン血症性くる病 …… 1472
  - （4） Dent 病 ………………………… 1472
  - （5） 腎性糖尿 ………………………… 1473
- 3) 遠位尿細管疾患 …………………… 1473
  - （1） 腎性尿崩症 ……………………… 1473
  - （2） Bartter 症候群と Gitelman 症候群 …… 1475
  - （3） Liddle 症候群 ………………… 1477
- 4) 腎尿細管性アシドーシス〔向山政志〕 …… 1478

13-10 急性腎障害〔土井研人〕………… 1481

13-11 末期腎不全 ……………………… 1487
- 1) 慢性腎不全〔乳原善文・星野純一〕…… 1487
- 2) 長期透析患者の病態〔新田孝作〕 …… 1490

13-12 妊娠と腎〔鶴屋和彦〕 ………… 1494
- （1） 妊娠の腎臓に及ぼす影響 ……… 1494
- （2） 妊娠高血圧症候群（PIH） …… 1494
- （3） 慢性腎臓病（CKD）患者の妊娠 …… 1495

13-13 中毒性腎障害〔長田太助〕……… 1496

13-14 その他の腎・尿路疾患 ………… 1500
- 1) 嚢胞性腎疾患〔望月俊雄〕 ……… 1500
  - （1） 常染色体優性多発性嚢胞腎 …… 1500
  - （2） 単純性腎嚢胞 …………………… 1502
  - （3） 後天性腎嚢胞 …………………… 1502
  - （4） その他の嚢胞性腎疾患 ………… 1502
- 2) 閉塞性腎・尿路疾患〔小川良雄〕 …… 1502
- 3) 尿路感染症 ………………………… 1504
  - （1） 腎盂腎炎 ………………………… 1504
  - （2） 膀胱炎 …………………………… 1504
  - （3） 尿道炎 …………………………… 1505
  - （4） その他の尿路感染症 …………… 1505
- 4) 膀胱尿管逆流症 …………………… 1505
- 5) 神経因性膀胱 ……………………… 1506
- 6) 腎・尿管結石 ……………………… 1507
- 7) 腎・尿路腫瘍 ……………………… 1508
  - （1） 腎腫瘍 …………………………… 1508
  - （2） 腎盂腫瘍・尿管腫瘍 …………… 1509
  - （3） 膀胱腫瘍 ………………………… 1509
  - （4） 尿膜管癌 ………………………… 1510
  - （5） 尿道腫瘍 ………………………… 1510
  - （6） 前立腺肥大症 …………………… 1510
  - （7） 前立腺癌 ………………………… 1511
  - （8） 陰茎癌 …………………………… 1511
  - （9） 精巣腫瘍 ………………………… 1511
- 8) 腎・尿路の先天性異常 …………… 1512
  - （1） 馬蹄鉄腎 ………………………… 1512
  - （2） 重複腎盂尿管 …………………… 1512
- 9) 腎下垂 ……………………………… 1512

14 内分泌系の疾患

内分泌系疾患における新しい展開〔伊藤 裕〕 …… 1514

14-1 総論〔栗原 勲・伊藤 裕・小林佐紀子〕… 1515
- 1) ホルモンとは ……………………… 1515
  - （1） ホルモンの定義 ………………… 1515
  - （2） ホルモンの役割 ………………… 1515
  - （3） ホルモンの種類 ………………… 1515
- 2) ホルモンの生合成, 分泌, 代謝 …… 1515
  - （1） ペプチドホルモンの生合成 …… 1515
  - （2） ステロイドホルモンの生合成 … 1515
  - （3） ホルモンの分泌調節 …………… 1516
  - （4） ホルモンの代謝調節 …………… 1516
- 3) ホルモンの作用機序 ……………… 1517
  - （1） 膜受容体 ………………………… 1517
  - （2） 核内受容体 ……………………… 1518
- 4) 内分泌疾患 ………………………… 1520
  - （1） ホルモンの分泌低下 …………… 1520
  - （2） ホルモンの分泌過剰 …………… 1520
  - （3） 異常ホルモンの分泌 …………… 1520
  - （4） ホルモン受容体異常を含むホルモン応答の異常 …… 1520
  - （5） 多種類のホルモン分泌異常 …… 1520
  - （6） 非機能性内分泌腫瘍 …………… 1521
- 5) 内分泌疾患の診断 ………………… 1521
  - （1） 臨床症状および一般検査 ……… 1521
  - （2） ホルモン濃度測定 ……………… 1521
  - （3） 負荷試験 ………………………… 1522
  - （4） 画像診断 ………………………… 1522
  - （5） 静脈血サンプリング …………… 1522
  - （6） 免疫学的検査 …………………… 1522
  - （7） 遺伝学的検査 …………………… 1522
  - （8） 新しい内分泌疾患概念の登場と今後の課題 … 1522

14-2 視床下部・下垂体 ……………… 1523
- 1) 発生・形態 ………………………… 1523
  - （1） 視床下部の発生 ………………… 1523
  - （2） 下垂体前葉の発生 ……………… 1523
- 2) 視床下部・下垂体連関 …………… 1524
  - （1） 視床下部・下垂体の解剖学的関係 …… 1524
  - （2） 視床下部・下垂体の機能とホルモン分泌

　　　　調節 …………………………………… 1525
3）下垂体前葉ホルモン〔東條克能〕 …… 1526
　（1）成長ホルモン（GH） ……………… 1526
　（2）プロラクチン（PRL） ……………… 1526
　（3）甲状腺刺激ホルモン（TSH） ……… 1527
　（4）副腎皮質刺激ホルモン（ACTH） … 1527
　（5）ゴナドトロピン（黄体化ホルモン（LH）/
　　　　卵胞刺激ホルモン（FSH）） …… 1528
4）下垂体前葉機能検査〔島津　章〕 …… 1529
　（1）血中ホルモンの基礎値 …………… 1529
　（2）分泌刺激による分泌予備能の評価 … 1529
　（3）抑制機序を利用した分泌調節機構の評価 … 1530
　（4）異常な分泌調節機序の評価 ……… 1530
5）視床下部症候群 ……………………… 1530
　（1）視床下部症候群 …………………… 1530
　（2）性早熟症，思春期早発症 ………… 1532
　（3）視床下部・松果体部腫瘍 ………… 1533
6）下垂体前葉機能低下症 ……………… 1534
7）下垂体前葉ホルモン単独欠損症 …… 1537
8）成長ホルモン分泌不全症〔髙橋　裕〕 … 1537
　（1）成長ホルモン分泌不全性低身長症 … 1537
　（2）成人成長ホルモン分泌不全症 …… 1539
9）先端巨大症〔片上秀喜〕 ……………… 1540
10）Cushing 病〔沖　隆〕 ……………… 1545
11）無月経・乳汁漏出症候群・高プロラクチン
　　血症〔島津　章〕 …………………… 1549
12）TSH 産生性下垂体腺腫・ゴナドトロピン
　　産生腺腫〔大塚文男〕 ……………… 1551
　（1）甲状腺刺激ホルモン（TSH）産生性下垂体
　　　　腺腫 ……………………………… 1551
　（2）ゴナドトロピン産生腺腫 ………… 1553
13）非機能性下垂体腺腫 ………………… 1554

14-3 下垂体後葉 …………………………… 1556
1）発生・形態〔岩﨑泰正〕 ……………… 1556
2）下垂体後葉ホルモン ………………… 1557
　（1）アルギニンバソプレシン（AVP）の合成・
　　　　分泌調節 ………………………… 1557
　（2）AVP の作用機序 …………………… 1559
　（3）オキシトシン（OT）の合成・分泌調節 … 1560
　（4）OT の作用 ………………………… 1560
3）尿崩症〔有馬　寛〕 …………………… 1560
4）抗利尿ホルモン不適合分泌症候群 … 1563

14-4 甲状腺 ………………………………… 1565
1）発生・形態〔佐藤哲郎・山田正信〕 … 1565
　（1）発生 ………………………………… 1565

　（2）形態 ………………………………… 1565
　（3）触診 ………………………………… 1565
2）甲状腺ホルモン・ヨウ素代謝 ……… 1566
　（1）甲状腺ホルモンの生合成と分泌 … 1566
　（2）ヨウ素代謝 ………………………… 1567
　（3）甲状腺ホルモンの代謝 …………… 1567
　（4）甲状腺ホルモン作用 ……………… 1568
　（5）甲状腺ホルモン作用機構 ………… 1568
　（6）甲状腺ホルモン分泌調節機構 …… 1570
3）甲状腺機能検査〔吉村　弘〕 ………… 1570
　（1）甲状腺 *in vitro* 検査 ………………… 1570
　（2）甲状腺 *in vivo* 機能検査 …………… 1571
　（3）甲状腺特異的自己抗体 …………… 1572
　（4）甲状腺遺伝子診断 ………………… 1573
　（5）甲状腺画像関係 …………………… 1574
4）甲状腺機能亢進症〔赤水尚史〕 ……… 1576
　（1）Basedow 病 ………………………… 1576
　（2）Basedow 病以外の甲状腺機能亢進症をきた
　　　　す疾患 …………………………… 1579
5）甲状腺機能低下症 …………………… 1579
6）甲状腺腫・甲状腺腫瘍〔廣松雄治〕 … 1582
　（1）単純性甲状腺腫 …………………… 1582
　（2）甲状腺腫瘍 ………………………… 1582
7）甲状腺炎〔宮川めぐみ〕 ……………… 1586
　（1）急性化膿性甲状腺炎 ……………… 1586
　（2）亜急性甲状腺炎 …………………… 1587
　（3）慢性甲状腺炎 ……………………… 1588
　（4）無痛性甲状腺炎 …………………… 1589
　（5）橋本病の急性増悪 ………………… 1589
　（6）薬物性甲状腺炎 …………………… 1590

14-5 副甲状腺・カルシトニン・ビタミン D … 1591
1）発生・形態〔松本俊夫〕 ……………… 1591
2）合成・分泌 …………………………… 1591
　（1）副甲状腺ホルモン（PTH） ………… 1591
　（2）ビタミン D ………………………… 1592
　（3）カルシトニン ……………………… 1593
3）作用・作用機序 ……………………… 1593
　（1）副甲状腺ホルモン（PTH） ………… 1593
　（2）ビタミン D ………………………… 1594
　（3）カルシトニン ……………………… 1595
4）カルシウム・リンの代謝 …………… 1595
　（1）カルシウム代謝 …………………… 1595
　（2）リン代謝 …………………………… 1596
5）原発性副甲状腺機能亢進症〔杉本利嗣〕 … 1599
6）二次性副甲状腺機能亢進症 ………… 1601

- 7）副甲状腺機能低下症〔竹内靖博〕……… 1604
- 8）偽性副甲状腺機能低下症 ……………… 1606
- 9）悪性腫瘍に伴う高カルシウム血症
   〔福本誠二〕……………… 1608

14-6 副腎皮質 ………………………… 1610
- 1）発生・形態
   〔諸橋憲一郎・本間桂子・野村政壽〕… 1610
  - （1）副腎皮質の発生 ……………… 1610
  - （2）副腎皮質の形態と血管系 …… 1610
- 2）副腎皮質ステロイドホルモンとその作用 … 1611
  - （1）ステロイドホルモンの作用機構 … 1611
  - （2）グルココルチコイドの生理作用 … 1612
  - （3）ミネラルコルチコイドの生理作用 … 1613
  - （4）副腎アンドロゲンの生理作用 …… 1613
- 3）ステロイドホルモンの生合成・分泌・代謝 … 1614
  - （1）ステロイドホルモンの生合成 … 1614
  - （2）ステロイドホルモンの代謝 …… 1616
  - （3）ステロイドホルモンの分泌量，血中濃度と尿中排泄量 ……………… 1618
- 4）副腎皮質予備能の検査
   〔田村　愛・西川哲男〕……………… 1618
  - （1）ミネラルコルチコイド系 …… 1618
  - （2）グルココルチコイド系 ……… 1620
  - （3）副腎アンドロゲン系 ………… 1623
- 5）Cushing 症候群〔柳瀬敏彦〕……… 1623
- 6）男性化副腎腫瘍 ………………………… 1629
- 7）Addison 病・急性副腎不全〔宗　友厚〕… 1630
  - （1）Addison 病 …………………… 1630
  - （2）急性副腎不全（副腎クリーゼ）… 1632
- 8）原発性アルドステロン症〔柴田洋孝〕… 1633
- 9）続発性アルドステロン症 …………… 1639
- 10）副腎皮質ステロイド合成異常症
   〔長谷川奉延〕……………… 1641
  - （1）副腎皮質ステロイド合成異常症各論 …… 1641
- 11）副腎癌〔曽根正勝〕………………… 1646
- 12）副腎偶発腫瘍 ………………………… 1647
- 13）副腎皮質ステロイド【⇨ 5-1-1】

14-7 副腎髄質 ………………………… 1649
- 1）発生・形態〔竹越一博〕…………… 1649
- 2）構造・機能 …………………………… 1649
- 3）カテコールアミン …………………… 1650
  - （1）カテコールアミンの生合成と貯蔵 … 1650
  - （2）カテコールアミン分泌 ……… 1651
  - （3）カテコールアミンの代謝 …… 1651
  - （4）カテコールアミン受容体 …… 1652
  - （5）シナプス前受容体による調節 … 1652
  - （6）カテコールアミンの作用 …… 1654
- 4）褐色細胞腫・パラガングリオーマ
   〔田辺晶代〕……………… 1655
- 5）神経芽細胞腫 ………………………… 1660

14-8 性分化疾患〔長谷川奉延〕…… 1661
- （1）性 ……………………………………… 1661
- （2）性分化 ………………………………… 1662
- （3）性分化疾患 …………………………… 1662

14-9 多発性内分泌腫瘍症〔櫻井晃洋〕… 1668
- （1）多発性内分泌腫瘍症 1 型（MEN1）… 1668
- （2）多発性内分泌腫瘍症 2 型（MEN2）… 1670

14-10 神経内分泌腫瘍（カルチノイド腫瘍）
   〔櫻井晃洋〕……………… 1672

14-11 異所性ホルモン産生腫瘍〔中里雅光〕… 1674
- 1）総論 …………………………………… 1674
- 2）異所性ホルモン産生腫瘍の各型
  - （1）異所性 ACTH 産生腫瘍 ……… 1675
  - （2）異所性 ADH 産生腫瘍 ………… 1676
  - （3）異所性プロラクチン（PRL）産生腫瘍 … 1676
  - （4）異所性 GHRH 産生腫瘍 ……… 1676
  - （5）異所性 CRH 産生腫瘍 ………… 1676
  - （6）異所性 hCG 産生腫瘍 ………… 1677
  - （7）異所性ヒト絨毛性ソマトマンモトロピン（hCS）産生腫瘍 ……………… 1677
  - （8）悪性腫瘍随伴高カルシウム血症 … 1677
  - （9）異所性 PTH 産生腫瘍 ………… 1677
  - （10）非膵島細胞腫による低血糖症 … 1677
  - （11）腫瘍原性骨軟化症 …………… 1677
  - （12）異所性エリスロポエチン産生腫瘍 … 1677
  - （13）異所性カルシトニン産生腫瘍 … 1678
  - （14）異所性レニン産生腫瘍 ……… 1678
  - （15）異所性 1,25-ジヒドロキシビタミン D_3 産生腫瘍 ……………… 1678

14-12 ホルモン受容体異常症
   〔杉山　徹・小川佳宏〕……………… 1678
- （1）細胞膜ホルモン受容体異常症の遺伝子変異 ……………… 1678
- （2）核内受容体異常症の遺伝子変異 …… 1679

14-13 心臓血管ホルモンと疾患〔斎藤能彦〕… 1681
- 1）ナトリウム利尿ペプチド系 ………… 1681
  - （1）発見の経緯 …………………… 1681
  - （2）ナトリウム利尿ペプチド系の生化学と作用 ……………… 1681
- 2）レニン-アンジオテンシン-アルドステロン

　　　　　（RAA）系 ………………… 1682
　3）心臓ホルモンと心肥大，心不全 …………… 1682
14-14 脂肪由来ホルモンと疾患
　　　　　〔小川佳宏・菅波孝祥〕 ………… 1683
　（1）内分泌臓器としての脂肪組織 ……………… 1683
　（2）アディポサイトカインの生理的意義 ……… 1683
　（3）アディポサイトカインの病態生理的意義 … 1684
　（4）アディポサイトカインの産生調節機構 …… 1684
14-15 摂食調節ホルモンと肥満〔中里雅光〕 … 1684
　（1）概念 …………………………………………… 1684
　（2）視床下部と摂食調節 ………………………… 1684
　（3）カンナビノイド系 …………………………… 1685
　（4）末梢臓器からの摂食調節ホルモンと摂食
　　　調節 …………………………………………… 1686
　（5）末梢と中枢をつなぐネットワーク ………… 1686
14-16 インクレチンとエネルギー代謝
　　　　　〔山田祐一郎〕 ………………… 1687
　（1）インクレチン ………………………………… 1687
　（2）インクレチン関連薬 ………………………… 1687
14-17 加齢とホルモン/ホルモン補充療法
　　　　　〔柳瀬敏彦〕 …………………… 1688
　（1）デヒドロエピアンドロステロン …………… 1688
　（2）成長ホルモン ………………………………… 1689
　（3）テストステロン ……………………………… 1689
　（4）エストロゲン ………………………………… 1690
14-18 内分泌攪乱物質〔柳瀬敏彦〕 ………… 1692
　（1）概念・定義 …………………………………… 1692
　（2）種類 …………………………………………… 1692
　（3）作用様式 ……………………………………… 1692
　（4）リスク評価とスクリーニング系 …………… 1692
　（5）生態系での内分泌攪乱物質の事例 ………… 1692
14-19 乳腺疾患〔戸井雅和・佐治重衡〕 …… 1693
　1）乳癌 …………………………………………… 1693
　2）線維腺腫 ……………………………………… 1696
　3）乳腺症 ………………………………………… 1697
14-20 子宮頸癌・子宮体癌・卵巣癌〔青木大輔〕 … 1698
　1）子宮頸癌 ……………………………………… 1698
　2）子宮体癌 ……………………………………… 1698
　3）卵巣癌 ………………………………………… 1699

15 代謝・栄養の異常

代謝・栄養異常における新しい展開
　　　　　〔稲垣暢也〕 …………………… 1702
15-1 総論 ………………………………………… 1703
　1）代謝・栄養異常患者のみかた〔川﨑英二〕… 1703
　（1）代謝異常と栄養異常 ………………………… 1703
　（2）クワシオコールとマラスムス ……………… 1703
　（3）栄養スクリーニングと栄養アセスメント … 1703
　（4）病歴聴取のポイント ………………………… 1704
　（5）身体計測，身体所見と一般検査 …………… 1705
　2）代謝と栄養〔石原寿光〕 …………………… 1706
　（1）代謝 …………………………………………… 1706
　（2）栄養 …………………………………………… 1708
　3）代謝調節〔谷澤幸生〕 ……………………… 1709
　（1）生体のホメオスターシスと代謝調節 ……… 1709
　（2）液性調節因子（ホルモン）を介する調節 … 1710
　（3）神経系を介する代謝調節 …………………… 1713
　（4）時計遺伝子と代謝制御 ……………………… 1715
　4）栄養療法 ……………………………………… 1717
　（1）総論〔山田祐一郎〕 ………………………… 1717
　（2）経静脈栄養〔内田俊也〕 …………………… 1719
　（3）経腸栄養〔佐々木雅也〕 …………………… 1721
15-2 糖代謝異常 ………………………………… 1725
　1）糖代謝異常総論〔藤本新平〕 ……………… 1725
　（1）糖代謝とは …………………………………… 1725
　（2）糖代謝経路 …………………………………… 1725
　（3）絶食時と食事摂取時の血糖調節機構 ……… 1727
　（4）各臓器・組織における血糖調節機構 ……… 1727
　（5）ホルモンによる血糖調節機構の修飾 ……… 1728
　（6）生活習慣因子の血糖調節機構に対する影響 … 1729
　（7）耐糖能低下，2型糖尿病における血糖調節
　　　機構の破綻 …………………………………… 1730
　（8）ブドウ糖毒性 ………………………………… 1731
　（9）糖尿病神経障害におけるポリオール代謝
　　　障害 …………………………………………… 1731
　（10）低血糖症 ……………………………………… 1731
　（11）糖原病（グリコーゲン病） ………………… 1731
　（12）腫瘍におけるグルコース代謝異常 ………… 1731
　2）糖尿病 ………………………………………… 1732
　（1）診断と病型分類〔門脇　孝〕 ……………… 1732
　（2）病態生理と臨床症状〔前川　聡〕 ………… 1740
　（3）治療〔山根俊介・稲垣暢也〕 ……………… 1746
　（4）膵・膵島移植〔剣持　敬〕 ………………… 1754
　（5）人工膵島〔荒木栄一・下田誠也〕 ………… 1755
　（6）慢性合併症〔羽田勝計〕 …………………… 1757
　3）糖尿病の急性合併症（糖尿病昏睡）
　　　　　〔池上博司〕 …………………… 1764
　（1）糖尿病ケトアシドーシス …………………… 1764
　（2）高血糖高浸透圧症候群 ……………………… 1766
　（3）乳酸アシドーシス …………………………… 1767

- 4）低血糖症〔綿田裕孝・後藤広昌〕………… 1768
- 5）インスリノーマ ………………………………… 1772
- 6）糖原病（グリコーゲン代謝異常症）
  　　　〔杉江秀夫・杉江陽子〕………… 1773
  - （1）グリコーゲン代謝異常症各論 …………… 1775
- 7）先天性糖質代謝異常症 ……………………… 1779
  - （1）消化酵素欠損症 ……………………………… 1781
  - （2）吸収不全 ……………………………………… 1781
  - （3）細胞内での代謝障害 ……………………… 1781

15-3 蛋白質・アミノ酸代謝異常 1782
- 1）蛋白質・アミノ酸代謝総論〔日紫喜光良〕… 1782
  - （1）アミノ酸プールと蛋白質の代謝回転 …… 1782
  - （2）アミノ酸の種類 ……………………………… 1783
  - （3）アミノ酸の消化吸収 ……………………… 1784
  - （4）アミノ酸の代謝 ……………………………… 1785
- 2）血清蛋白質異常〔丸山征郎〕………………… 1787
- 3）アミロイドーシス〔山田正仁〕……………… 1792
- 4）先天性アミノ酸・尿素回路および有機酸代謝
      異常症〔呉　繁夫〕………………………… 1795
  - （1）フェニルケトン尿症 ………………………… 1795
  - （2）メープルシロップ尿症（楓糖尿症） …… 1797
  - （3）ホモシスチン尿症 …………………………… 1797
  - （4）オルニチントランスカルバミラーゼ欠損症
    　　　……………………………………………… 1798
  - （5）シトリン欠損症 ……………………………… 1798
  - （6）プロピオン酸血症 …………………………… 1799
  - （7）メチルマロン酸血症 ………………………… 1799

15-4 脂質代謝異常 1800
- 1）脂質代謝総論〔横手幸太郎・寺本民生〕… 1800
  - （1）リポ蛋白の構造 ……………………………… 1800
  - （2）脂質の流れとリポ蛋白代謝 ……………… 1801
  - （3）コレステロールの代謝 …………………… 1803
  - （4）トリグリセリド（TG）の代謝 …………… 1805
- 2）脂質異常症〔石橋　俊〕……………………… 1806

15-5 メタボリックシンドローム
  　　　〔高原充佳・下村伊一郎〕………… 1814

15-6 その他の代謝異常 1815
- 1）ポルフィリン症〔大門　眞〕………………… 1815
  - （1）急性ポルフィリン症 ………………………… 1817
  - （2）皮膚ポルフィリン症 ………………………… 1818
- 2）鉄過剰症〔德本良雄・日浅陽一〕………… 1820
- 3）痛風【⇨12-17】
- 4）ビタミン欠乏症・過剰症・依存症
  　　　〔竹谷　豊〕………………………… 1823
  - （1）ビタミン A 欠乏症 …………………………… 1823
  - （2）ビタミン A 過剰症 …………………………… 1824
  - （3）ビタミン D 欠乏症 …………………………… 1824
  - （4）ビタミン D 過剰症 …………………………… 1825
  - （5）ビタミン D 依存症 …………………………… 1825
  - （6）ビタミン E 欠乏症 …………………………… 1825
  - （7）ビタミン K 欠乏症 …………………………… 1826
  - （8）ビタミン B_1 欠乏症 ……………………… 1826
  - （9）ビタミン B_2 欠乏症 ……………………… 1827
  - （10）ビタミン B_6 欠乏症 ……………………… 1827
  - （11）ビタミン B_{12} 欠乏症 …………………… 1828
  - （12）ナイアシン欠乏症 ………………………… 1828
  - （13）葉酸欠乏症 ………………………………… 1829
  - （14）ビオチン欠乏症 …………………………… 1829
  - （15）ビタミン C 欠乏症 ………………………… 1829
- 5）微量元素欠乏症〔田中　清〕………………… 1830
  - （1）亜鉛欠乏症 …………………………………… 1830
  - （2）銅欠乏症（Menkes 病）…………………… 1830
- 6）骨粗鬆症〔山内美香・杉本利嗣〕………… 1831
- 7）くる病・骨軟化症 …………………………… 1836
- 8）先天性脂質代謝異常症〔田中あけみ〕…… 1839
  - （1）Gaucher 病 ………………………………… 1840
  - （2）Niemann-Pick 病（NPD）A/B 型 ……… 1840
  - （3）Niemann-Pick 病（NPD）C 型 ………… 1841
  - （4）GM_1-ガングリオシドーシス …………… 1842
  - （5）GM_2-ガングリオシドーシス …………… 1842
  - （6）Krabbe 病 …………………………………… 1842
  - （7）異染性ロイコジストロフィー …………… 1842
  - （8）Farber 病 …………………………………… 1843
  - （9）Fabry 病 ……………………………………… 1843
- 9）プリン・ピリミジン代謝異常症 …………… 1844
  - （1）Lesh-Nyhan 症候群 ……………………… 1845
  - （2）高尿酸血症と痛風 …………………………… 1846
  - （3）アデノシンデアミナーゼ（ADA）欠損症 … 1846
  - （4）遺伝性オロト酸尿症 ………………………… 1847
- 10）糖蛋白質代謝異常症 ………………………… 1848
- 11）先天性ムコ多糖症 …………………………… 1850
- 12）先天性ビリルビン代謝異常症【⇨11-11】
- 13）Wilson 病〔原田　大〕……………………… 1854
- 14）$α_1$-アンチトリプシン欠乏症〔吉岡健太郎〕… 1856

15-7 栄養異常
- 1）肥満・るいそう【⇨4-23，4-24】
- 2）中枢性摂食異常症【⇨3-2】

16 血液・造血器の疾患

血液・造血器疾患における新しい展開 〔赤司浩一〕 1860

16-1 血液疾患患者のみかた〔小松則夫〕 1861
1) 病歴聴取 1861
2) 身体診察 1861
3) 検査 1861
4) 治療 1862

16-2 造血のしくみ〔松村 到〕 1862
1) 血液の構成成分：細胞成分と血漿 1862
2) 造血細胞の発生 1862
3) 造血幹細胞の機能と特性 1863
4) 造血臓器の構造と機能 1863
　(1) 骨髄 1863
　(2) 脾臓 1864
　(3) リンパ節 1865
　(4) 胸腺 1865
5) 成熟血球の産生機構 1865
　(1) 赤血球系細胞 1866
　(2) 巨核球系細胞 1866
　(3) 白血球系細胞 1866

16-3 血球の動態と機能 1867
1) 赤血球〔髙後 裕〕 1867
　(1) 動態と機能 1867
　(2) ヘモグロビンの生合成と代謝 1868
　(3) 鉄代謝 1870
2) 白血球の動態と機能 1871
　(1) 好中球の動態と機能〔北川誠一〕 1871
　(2) リンパ球の動態と機能〔千葉 滋〕 1872
3) 血小板の動態と機能〔冨山佳昭〕 1875
　(1) 血小板産生・血小板寿命 1875
　(2) 血小板の構造 1875
　(3) 止血機構 1875
　(4) 先天性血小板機能異常症 1877

16-4 凝固・線溶系〔和田英夫〕 1878
1) 凝固因子ならびに凝固制御因子 1878
2) 凝固活性化機構とその制御因子 1878
3) 線溶系 1880
4) 細胞と凝固線溶系 1881

16-5 臨床検査 1881
1) 骨髄穿刺・生検〔通山 薫〕 1881
　(1) 骨髄検査の適応と禁忌・注意点 1881
　(2) 骨髄穿刺の方法 1881
　(3) 骨髄生検の方法 1881
　(4) 骨髄所見の評価 1882
2) 特殊染色 1882
　(1) ミエロペルオキシダーゼ染色 1882
　(2) エステラーゼ染色 1883
　(3) 鉄染色 1883
　(4) 好中球アルカリホスファターゼ染色 1883
　(5) PAS染色 1883
　(6) 酸ホスファターゼ染色 1883
3) 表面マーカー〔片山義雄〕 1884
　(1) 表面マーカー検査の目的 1884
　(2) フローサイトメトリーによる表面マーカー解析 1884
4) 染色体分析〔谷脇雅史〕 1887
　(1) 染色体分染法 1887
　(2) 染色体異常の臨床的意義 1887
　(3) 蛍光 in situ ハイブリダイゼーション法と多色蛍光染色体分析法 1888
5) 遺伝子検査 1888
　(1) ポリメラーゼ連鎖反応法 1888
　(2) サザンブロット法 1889
　(3) シーケンシング（塩基配列解析） 1890
　(4) オリゴヌクレオチドアレイ解析 1890
　(5) 次世代塩基配列決定法 1890
6) 血小板機能検査〔冨山佳昭〕 1890
　(1) 出血時間 1890
　(2) 血小板数 1891
　(3) 血小板凝集能 1891
　(4) その他の検査 1891
7) 凝固・線溶系検査〔和田英夫〕 1891
　(1) 出血傾向の検査 1891
　(2) 血栓症の診断 1892
8) 画像検査〔今井 裕〕 1893
　(1) 単純X線検査 1893
　(2) 超音波検査 1893
　(3) CT検査 1894
　(4) MRI検査 1894
　(5) 核医学検査 1894

16-6 造血器腫瘍のWHO分類〔宮﨑泰司〕 1896
　(1) 骨髄系腫瘍の分類 1896
　(2) リンパ系腫瘍の分類 1897

16-7 造血器腫瘍の発症機構と治療 1900
1) 造血器腫瘍発症の分子機構〔三谷絹子〕 1900
　(1) 癌遺伝子と癌抑制遺伝子 1900
　(2) 遺伝子変異の種類 1900
　(3) 疾患別の腫瘍発症機構 1903
2) 一般的抗癌薬の分類と副作用〔田川博之〕 1904

- （1） 細胞障害性抗癌薬 …………………… 1905
- （2） 内分泌療法薬 ………………………… 1906
- （3） 生物学的応答調節薬 ………………… 1906
- 3） 分子標的治療薬の作用機序と有効性
  〔清井　仁〕 1907
- （1） 作用機序と有効性 …………………… 1907
- 4） 造血器腫瘍治療とその補助療法〔髙松　泰〕… 1910
- （1） 発熱性好中球減少症 ………………… 1910
- （2） 癌薬物療法に伴う悪心・嘔吐 ……… 1912

16-8 造血幹細胞移植術 ……………………………… 1913
- 1） 造血幹細胞移植の原理と実際の流れ
  〔神田善伸〕 1913
- （1） 造血幹細胞移植の目的と分類 ……… 1913
- （2） 造血幹細胞移植の流れと合併症 …… 1913
- （3） 移植前処置 …………………………… 1913
- （4） 造血幹細胞の採取 …………………… 1914
- （5） 造血幹細胞の凍結保存と移植（輸注）… 1915
- （6） 造血幹細胞移植後の輸血 …………… 1916
- （7） 移植後の再発 ………………………… 1916
- 2） 自家移植と同種移植の選択, 同種移植におけるドナー選択 …………………………… 1916
- （1） 自家移植と同種移植の選択 ………… 1916
- （2） HLA …………………………………… 1916
- （3） 同種造血幹細胞移植におけるドナー選択 … 1917
- 3） 骨髄移植と末梢血幹細胞移植の選択 …… 1918
- （1） ドナーの立場からの骨髄移植と末梢血幹細胞移植の比較 ………………………… 1918
- （2） 患者の立場からの骨髄移植と末梢血幹細胞移植の比較 ………………………… 1919
- 4） 臍帯血移植〔高橋　聡〕 ………………… 1920
- （1） 臍帯血移植の特徴と現状 …………… 1920
- （2） 臍帯血に含まれる造血幹・前駆細胞, および免疫細胞の特徴 ……………………… 1920
- （3） どのような臍帯血を選ぶべきか …… 1920
- （4） 臍帯血移植の方法 …………………… 1920
- （5） 臍帯血移植の成績 …………………… 1921
- 5） ミニ移植, および新たな造血幹細胞移植術 … 1921
- （1） ミニ移植 ……………………………… 1921
- （2） HLA半合致移植 ……………………… 1921
- （3） 臍帯血移植における成績向上および適応拡大を目指した試み ………………………… 1921
- 6） 移植後合併症の予防と治療〔高見昭良〕… 1922
- （1） 感染症 ………………………………… 1922
- （2） 生着不全 ……………………………… 1923
- （3） SOS/VOD ……………………………… 1923
- （4） 移植片対宿主病 ……………………… 1923
- （5） 呼吸器合併症 ………………………… 1924
- 7） 移植の適応 ………………………………… 1925
- （1） 急性骨髄性白血病 …………………… 1925
- （2） 急性リンパ性白血病 ………………… 1925
- （3） 骨髄異形成症候群 …………………… 1925
- （4） 骨髄増殖性腫瘍 ……………………… 1925
- （5） 悪性リンパ腫 ………………………… 1926
- （6） 多発性骨髄腫 ………………………… 1926
- （7） 再生不良性貧血 ……………………… 1926

16-9 赤血球系疾患 …………………………………… 1927
- 1） 総論 ………………………………………… 1927
- （1） 貧血〔鈴木隆浩〕 …………………… 1927
- （2） 赤血球増加症〔小松則夫〕 ………… 1930
- 2） 鉄代謝異常症による貧血 ………………… 1932
- （1） 鉄欠乏性貧血〔鈴木隆浩〕 ………… 1932
- （2） 原発性および続発性ヘモクロマトーシス
  【⇨ 15-6-2】
- 3） 巨赤芽球性貧血〔張替秀郎〕 …………… 1934
- 4） 造血不全 …………………………………… 1937
- （1） 再生不良性貧血〔中尾眞二〕 ……… 1937
- （2） 先天性貧血〔伊藤悦朗〕 …………… 1940
- （3） 赤芽球癆〔澤田賢一〕 ……………… 1941
- （4） 骨髄異形成症候群〔大屋敷一馬〕 … 1943
- 5） 溶血性貧血 ………………………………… 1948
- （1） 赤血球膜異常症〔石井榮一〕 ……… 1948
- （2） 赤血球酵素異常症 …………………… 1950
- （3） ヘモグロビン異常症 ………………… 1950
- （4） メトヘモグロビン血症 ……………… 1953
- （5） ポルフィリン症 ……………………… 1953
- （6） 免疫性溶血性貧血〔西村純一〕 …… 1954
- （7） 発作性夜間ヘモグロビン尿症 ……… 1956
- （8） 赤血球破砕症候群 …………………… 1958
- （9） 脾機能亢進症 ………………………… 1959
- 6） 二次性貧血〔伊藤悦朗〕 ………………… 1959
- 7） 出血性貧血 ………………………………… 1961
- 8） 未熟児貧血 ………………………………… 1962
- 9） 相対的赤血球増加症〔桐戸敬太〕 ……… 1963
- 10） 真性赤血球増加症（真性多血症） ……… 1963
- 11） 二次性赤血球増加症 ……………………… 1965
- （1） EPO産生調整系分子の遺伝子異常による赤血球増加症 …………………………… 1966
- （2） 酸素親和性の高いヘモグロビン異常症 … 1966
- （3） EPO受容体の遺伝子異常 …………… 1966
- （4） 全身および局所性の低酸素状態 …… 1966

（5）EPO 産生腫瘍 1967
　（6）腎臓移植後 1967
　（7）薬剤による赤血球増加症 1967
16-10 白血球系疾患 1967
　1）総論〔正木康史〕............................ 1967
　（1）白血球減少症 1967
　（2）白血球増加症 1970
　2）無顆粒球症（好中球減少症）〔小林正夫〕... 1972
　（1）定義・概念・分類 1972
　（2）病因・病態・臨床（診断と治療）... 1973
　3）好中球機能異常症 1975
　（1）慢性肉芽腫症 1976
　（2）白血球接着異常症 1976
　（3）Chédiak-Higashi 症候群 1977
　4）慢性骨髄性白血病〔木崎昌弘〕........ 1977
　5）原発性骨髄線維症〔下田和哉〕........ 1981
　6）急性骨髄性白血病〔豊嶋崇徳〕........ 1983
　7）好酸球増加症〔片山直之〕................ 1986
　8）急性リンパ性白血病〔長藤宏司〕.... 1988
　9）慢性リンパ性白血病〔青木定夫〕.... 1991
　10）Hodgkin リンパ腫〔山口素子〕........ 1992
　11）非 Hodgkin リンパ腫 1994
　12）成人 T 細胞白血病・リンパ腫〔塚崎邦弘〕... 1998
　13）菌状息肉症 2001
　14）その他のリンパ増殖性疾患 2001
　（1）Castleman 病 2001
　（2）木村病 2002
　（3）IgG4 関連疾患 2002
　（4）自己免疫性リンパ増殖性症候群 2002
　（5）菊池・藤本病 2002
　（6）Rosai-Dorfman 病 2003
　15）組織球増殖症〔片山直之〕................ 2003
　（1）Langerhans 細胞組織球症 2003
　16）伝染性単核球症〔鈴木律朗〕............ 2004
　17）壊死性リンパ節炎（菊池病）............ 2005
　18）血球貪食症候群〔竹中克斗〕............ 2006
　19）血漿蛋白異常をきたす疾患〔飯田真介〕... 2008
　（1）意義不明の単クローン性ガンマグロブリン
　　　 血症 2008
　（2）原発性マクログロブリン血症 2009
　（3）多発性骨髄腫 2010
　（4）H 鎖病 2015
　（5）Crow-Fukase 症候群（POEMS 症候群，
　　　 高月病）.. 2015
　（6）クリオグロブリン血症 2016

16-11 血栓・止血疾患 2017
　1）血小板減少症〔村田　満〕................ 2017
　2）血小板増加症 2020
　3）本態性血小板血症〔小松則夫〕........ 2021
　4）特発性血小板減少性紫斑病〔冨山佳昭〕... 2023
　5）播種性血管内凝固症候群〔上田孝典〕... 2025
　6）血栓性血小板減少性紫斑病 2028
　7）先天性血小板機能異常症〔村田　満〕... 2029
　8）後天性血小板機能異常症 2030
　9）IgA 血管炎 2031
　10）単純性紫斑病・老人性紫斑病 2031
　（1）単純性紫斑病 2031
　（2）老人性紫斑病 2032
　11）遺伝性出血性末梢血管拡張症（Osler 病）... 2032
　12）血友病〔嶋　緑倫〕........................ 2033
　13）von Willebrand 病〔嶋　緑倫・志田泰明〕... 2036
　14）ビタミン K 欠乏性出血症
　　　　　　〔西久保敏也・嶋　緑倫〕... 2037
　15）循環抗凝固因子による出血傾向〔和田英夫〕... 2038
　16）先天性凝固・線溶系因子欠乏症 2039
　17）先天性血栓傾向 2040
　18）後天性血栓傾向〔松下　正〕............ 2040
　（1）後天性血栓傾向 2040
　（2）骨髄増殖性疾患に伴う血栓症 2041
　（3）抗リン脂質抗体症候群 2041
16-12 輸血 【⇨ 5-1-4】

17　神経系の疾患

神経系疾患における新しい展開〔神田　隆〕........ 2044
17-1 神経疾患患者のみかた〔桑原　聡〕... 2045
　（1）一般状態 2045
　（2）精神状態 2045
　（3）高次大脳機能のみかた 2045
　（4）脳神経のみかた 2045
　（5）筋萎縮・筋力低下・運動麻痺のみかた ... 2046
　（6）筋トーヌスのみかた 2047
　（7）不随意運動のみかた 2047
　（8）運動失調のみかた 2048
　（9）起立・歩行のみかた 2048
　（10）反射のみかた 2048
　（11）感覚障害のみかた 2048
　（12）髄膜刺激症候のみかた 2048
　（13）自律神経系のみかた 2049
17-2 局所診断の進め方〔横田隆徳〕.... 2049
　1）（末梢）神経，筋疾患の特徴 2049

（1）筋疾患の特徴 …………………… 2049
　（2）末梢神経の特徴 ………………… 2049
2）脊髄障害の特徴 …………………………… 2050
　（1）長経路症候と髄節性症候 ……… 2050
　（2）脊髄片側症候群（Brown-Séquard 症候群）… 2051
　（3）脊髄中心部障害 ………………… 2051
　（4）仙髄回避 ………………………… 2051
　（5）円錐・馬尾障害 ………………… 2052
3）脳幹障害の特徴 …………………………… 2052
　（1）延髄の症候 ……………………… 2052
　（2）橋病変の症候 …………………… 2053
　（3）中脳病変の症候 ………………… 2054
　（4）上行性網様体賦活系障害 ……… 2054
4）間脳・大脳基底核障害の特徴 …………… 2055
　（1）間脳の障害 ……………………… 2055
　（2）基底核の障害 …………………… 2055
5）大脳皮質障害の特徴 ……………………… 2055
　（1）失語 ……………………………… 2055
　（2）失行 ……………………………… 2056
　（3）失認 ……………………………… 2056

17-3 おもな神経症候 ……………………… 2057
1）意識障害〔中田 力〕 …………………… 2057
2）知的機能障害（認知症）〔葛原茂樹〕 … 2061
　（1）概念・診断基準 ………………… 2061
　（2）若年性認知症 …………………… 2063
　（3）皮質性認知症と皮質下性認知症の概念 … 2063
　（4）認知症の原因疾患と頻度 ……… 2064
　（5）認知症の中核的臨床症状 ……… 2064
　（6）BPSD …………………………… 2064
　（7）認知症，軽度認知機能障害と鑑別すべき病態 …………………………… 2064
3）失神〔荒木信夫〕 ………………………… 2064
4）めまい〔城倉 健〕 ……………………… 2066
　（1）めまいの診断 …………………… 2066
　（2）中枢性めまい …………………… 2066
　（3）末梢性めまい …………………… 2068

17-4 神経学的検査法 ……………………… 2070
1）脳脊髄液検査〔安東由喜雄〕 …………… 2070
　（1）脳脊髄液の産生・吸収と循環 … 2070
　（2）腰椎穿刺法・髄圧測定 ………… 2070
　（3）腰椎穿刺の禁忌・合併症 ……… 2071
　（4）正常髄液の性状 ………………… 2071
　（5）脳脊髄液組成の異常 …………… 2072
2）電気生理学的検査 ………………………… 2074
　（1）脳波〔宇川義一・望月仁志〕 … 2074

　（2）筋電図〔馬場正之〕 …………… 2077
　（3）神経伝導検査 …………………… 2078
　（4）反復刺激誘発筋電図 …………… 2080
　（5）誘発電位〔望月仁志・宇川義一〕 … 2081
　（6）磁気刺激・脳磁図 ……………… 2083
3）画像診断学〔岡本浩一郎〕 ……………… 2084
　（1）頭部・脊椎単純 X 線撮影 ……… 2086
　（2）CT ……………………………… 2086
　（3）MRI …………………………… 2089
　（4）脳・脊髄血管撮影 ……………… 2092
　（5）核医学検査 ……………………… 2092
　（6）脊髄造影（ミエログラフィ） … 2093
　（7）骨格筋疾患の画像診断 ………… 2094
4）生検〔神田 隆〕 ………………………… 2094
　（1）末梢神経生検 …………………… 2094
　（2）筋生検 …………………………… 2096
5）自律神経系の機能検査法〔朝比奈正人〕 … 2097
　（1）体位変換試験 …………………… 2098
　（2）心拍変動検査 …………………… 2098
　（3）Valsalva 試験 …………………… 2098
　（4）寒冷昇圧試験 …………………… 2099
　（5）発汗検査 ………………………… 2099
　（6）瞳孔点眼試験 …………………… 2099
　（7）膀胱機能試験 …………………… 2099

17-5 血管障害 ……………………………… 2100
1）脳血管の支配領域と脳循環の生理〔棚橋紀夫〕 …………………………… 2100
　（1）脳血管の支配領域 ……………… 2100
　（2）脳循環の生理 …………………… 2100
　（3）脳血管調節 ……………………… 2102
2）脳血管障害の分類 ………………………… 2102
　（1）脳卒中の臨床分類（NINDS-Ⅲ）… 2104
3）一過性脳虚血発作 ………………………… 2104
4）脳梗塞〔大槻俊輔〕 ……………………… 2107
　（1）ラクナ梗塞 ……………………… 2110
　（2）アテローム血栓性脳梗塞 ……… 2111
　（3）血行力学的梗塞 ………………… 2113
　（4）心原性脳塞栓症 ………………… 2115
　（5）脳梗塞の急性期治療と再発予防 … 2117
5）脳出血〔柳田敦子・西山和利〕 ………… 2119
　（1）高血圧性脳出血 ………………… 2119
　（2）アミロイドアンギオパチー …… 2120
6）くも膜下出血 ……………………………… 2121
　（1）脳動脈瘤 ………………………… 2121
　（2）脳血管奇形 ……………………… 2122

- 7) 特殊な原因による脳血管障害〔阿部康二〕 … 2123
  - (1) 脳静脈洞血栓症および脳静脈血栓症 …… 2123
  - (2) 解離性動脈瘤 …………………………… 2124
  - (3) 内頸動脈海綿静脈洞瘻 ………………… 2125
  - (4) 血管炎 …………………………………… 2125
  - (5) Willis 動脈輪閉塞症 …………………… 2125
  - (6) CADASIL・CARASIL …………………… 2126
  - (7) Trousseau 症候群 ……………………… 2126
- 8) 血管性認知症〔和田健二・中島健二〕 … 2126
- 9) 高血圧性脳症〔松本昌泰・青木志郎〕 … 2129
- 10) 脊髄の血管障害〔阿部康二〕 …………… 2130
  - (1) 脊髄血管の解剖 ………………………… 2130
  - (2) 脊髄梗塞 ………………………………… 2130
  - (3) 脊髄出血 ………………………………… 2131

17-6 神経変性疾患 …………………………… 2132
- 1) 大脳変性疾患 ……………………………… 2132
  - (1) Alzheimer 病〔山田正仁〕 ……………… 2132
  - (2) Lewy 小体型認知症 …………………… 2135
  - (3) 前頭側頭型認知症 ……………………… 2137
- 2) 錐体外路系の変性疾患 …………………… 2139
  - (1) Parkinson 病〔望月秀樹〕 ……………… 2139
  - (2) 進行性核上性麻痺〔山本光利〕 ………… 2142
  - (3) 大脳皮質基底核変性症 ………………… 2144
  - (4) 本態性振戦 ……………………………… 2147
  - (5) Huntington 病〔後藤 順〕 …………… 2148
  - (6) 有棘赤血球舞踏病〔佐野 輝〕 ………… 2149
  - (7) 遺伝性ジストニア〔長谷川一子〕 ……… 2151
  - (8) 眼瞼痙攣，眼瞼攣縮，Meige 症候群 …… 2153
  - (9) 痙性斜頸，頸部ジストニア，攣縮性斜頸 … 2153
  - (10) 書痙，上肢ジストニア ………………… 2153
- 3) 脊髄小脳変性症 …………………………… 2154
  - (1) 多系統萎縮症〔佐々木秀直〕 …………… 2154
  - (2) 皮質性小脳萎縮症 ……………………… 2158
  - (3) 遺伝性脊髄小脳失調症〔水澤英洋〕 …… 2158
  - (4) 家族性痙性対麻痺 ……………………… 2163
  - (5) Unverricht-Lundborg 病 ……………… 2163
- 4) 運動ニューロン疾患〔祖父江 元〕 …… 2164
  - (1) 筋萎縮性側索硬化症 …………………… 2164
  - (2) 原発性側索硬化症 ……………………… 2167
  - (3) 脊髄性筋萎縮症 ………………………… 2168
  - (4) 球脊髄性筋萎縮症 ……………………… 2169

17-7 感染性疾患 ……………………………… 2170
- 1) ウイルス感染症 …………………………… 2170
  - (1) ウイルス性髄膜炎〔原 英夫〕 ………… 2170
  - (2) ウイルス性脳炎 ………………………… 2171
  - (3) レトロウイルス感染症〔中川正法〕 …… 2173
  - (4) 遅発性ウイルス感染症 ………………… 2177
  - (5) その他のウイルス感染症 ……………… 2178
- 2) プリオン病〔水澤英洋〕 ………………… 2180
  - (1) 特発性プリオン病 ……………………… 2181
  - (2) 遺伝性プリオン病 ……………………… 2182
  - (3) 獲得性プリオン病（感染性プリオン病） … 2182
- 3) 細菌感染症〔亀井 聡〕 ………………… 2183
  - (1) 細菌性髄膜炎 …………………………… 2183
  - (2) 結核性髄膜炎 …………………………… 2185
  - (3) 脳膿瘍 …………………………………… 2186
  - (4) 静脈洞感染症 …………………………… 2188
  - (5) 脊髄硬膜外膿瘍 ………………………… 2189
  - (6) その他の細菌感染症 …………………… 2190
- 4) スピロヘータ感染症〔坪井義夫〕 ……… 2190
  - (1) 神経梅毒 ………………………………… 2190
  - (2) Weil 病 …………………………………… 2191
  - (3) Lyme 病 ………………………………… 2192
- 5) 真菌感染症 ………………………………… 2192
  - (1) クリプトコックス髄膜炎 ……………… 2192
  - (2) 脳アスペルギルス症 …………………… 2193
  - (3) ムコール菌症 …………………………… 2193
- 6) リケッチア感染症〔三浦義治〕 ………… 2193
  - (1) つつが虫病 ……………………………… 2193
  - (2) ロッキー山紅斑熱 ……………………… 2194
  - (3) 日本紅斑熱 ……………………………… 2194
- 7) 原虫感染症 ………………………………… 2195
  - (1) トキソプラズマ脳炎 …………………… 2195
  - (2) 脳赤痢アメーバ症 ……………………… 2195
  - (3) アメーバ性脳炎 ………………………… 2195
  - (4) 脳マラリア ……………………………… 2196
- 8) 寄生虫感染症 ……………………………… 2197
  - (1) 吸虫症 …………………………………… 2197
  - (2) 条虫症 …………………………………… 2197
  - (3) 広東住血線虫症 ………………………… 2198
  - (4) 旋毛虫症 ………………………………… 2198

17-8 非感染性炎症性疾患〔犬塚 貴〕 …… 2199
- 1) 急性散在性脳脊髄炎 【⇨17-9-3】
- 2) 小舞踏病 …………………………………… 2199
- 3) 急性小脳炎 ………………………………… 2199
- 4) オプソクローヌス・ミオクローヌス症候群 … 2200
- 5) Tolosa-Hunt 症候群 ……………………… 2201
- 6) 外眼筋炎 …………………………………… 2201
- 7) Vogt-小柳-原田病 ………………………… 2202
- 8) 肥厚性硬膜炎 ……………………………… 2202

9）横断性脊髄炎 ……………………… 2203
17-9 脱髄疾患〔吉良潤一〕……………… 2204
1）総論 ……………………………… 2204
2）多発性硬化症 …………………… 2204
3）急性散在性脳脊髄炎 …………… 2208
4）同心円硬化症（Baló 病）………… 2209
5）視神経脊髄炎 …………………… 2209
17-10 代謝性疾患 ……………………… 2211
1）脂質代謝異常症，糖蛋白代謝異常症，ムコ多
　　糖症〔宮嶋裕明〕………………… 2211
（1）脂質代謝異常症 ……………… 2211
（2）糖蛋白代謝異常症 …………… 2213
（3）ムコ多糖症 …………………… 2213
（4）ペルオキシソーム病 ………… 2213
2）アミノ酸代謝異常〔井原健二〕… 2214
（1）フェニルケトン尿症 ………… 2214
（2）テトラヒドロビオプテリン（BH$_4$）欠乏症
　　〔井原健二〕…………………… 2215
（3）メープルシロップ尿症（楓糖尿症）……… 2215
（4）ホモシスチン尿症 …………… 2216
3）プリン代謝異常　【⇨ 15-6-9】
4）Leigh 脳症，Reye 症候群〔井原健二〕…… 2217
（1）Leigh 脳症 …………………… 2217
（2）Reye 症候群 ………………… 2217
5）銅代謝異常症〔宮嶋裕明〕……… 2218
（1）Wilson 病 …………………… 2218
（2）Menkes 病 …………………… 2218
（3）無セルロプラスミン（CP）血症 …… 2218
6）ポルフィリン症 ………………… 2220
17-11 中毒性神経疾患 ……………… 2220
1）重金属中毒〔古谷博和〕………… 2220
（1）鉛中毒 ………………………… 2220
（2）水銀中毒 ……………………… 2221
（3）ヒ素中毒 ……………………… 2222
（4）マンガン中毒 ………………… 2223
2）有機物質中毒 …………………… 2223
（1）n-ヘキサン中毒 ……………… 2223
（2）トルエン中毒 ………………… 2224
（3）二硫化炭素中毒 ……………… 2225
（4）トリクロルエチレン中毒 …… 2225
（5）エチレングリコール中毒 …… 2225
（6）アクリルアミド中毒 ………… 2225
（7）有機リン中毒 ………………… 2226
（8）有機塩素中毒 ………………… 2227
（9）一酸化炭素中毒 ……………… 2227
（10）生物毒素による中毒 ………… 2228
3）アルコール中毒〔伊東秀文〕…… 2228
（1）急性エタノール中毒 ………… 2229
（2）離脱症候群 …………………… 2229
（3）慢性アルコール性神経・筋障害 …… 2229
（4）メタノール中毒 ……………… 2230
4）薬物中毒 ………………………… 2231
（1）中枢神経障害 ………………… 2232
（2）末梢神経，神経筋接合部障害 …… 2233
（3）筋障害 ………………………… 2234
17-12 内科疾患に伴う神経系障害 … 2234
1）ビタミン欠乏症〔中里雅光〕…… 2234
（1）ビタミン B$_1$ 欠乏症 ………… 2234
（2）ビタミン B$_6$ 欠乏症 ………… 2235
（3）ビタミン B$_{12}$ 欠乏症 ……… 2235
（4）ニコチン酸（ナイアシン）欠乏症 …… 2235
（5）葉酸欠乏症 …………………… 2236
（6）ビタミン E（トコフェロール）欠乏症 … 2236
2）代謝・内分泌疾患に伴う神経系障害 …… 2236
（1）糖尿病 ………………………… 2236
（2）低血糖 ………………………… 2237
（3）甲状腺機能亢進症 …………… 2237
（4）甲状腺機能低下症 …………… 2237
（5）副甲状腺機能亢進症 ………… 2237
（6）副甲状腺機能低下症 ………… 2238
（7）副腎皮質機能亢進症 ………… 2238
（8）原発性アルドステロン症 …… 2238
（9）副腎皮質機能低下症 ………… 2238
3）肝疾患に伴う神経系障害 ……… 2239
（1）肝性脳症 ……………………… 2239
（2）門脈下大静脈シャント脳症 … 2239
（3）肝性ミエロパチー …………… 2239
4）心・肺疾患に伴う神経系障害〔髙　昌星〕… 2240
（1）心原性脳梗塞 ………………… 2240
（2）心不全 ………………………… 2240
（3）心臓手術時の神経合併症 …… 2240
（4）Adams-Stokes 症候群（発作）… 2240
（5）肺性脳症 ……………………… 2241
5）腎疾患に伴う神経系障害 ……… 2241
（1）尿毒症性脳症 ………………… 2241
（2）透析不均衡症候群 …………… 2241
（3）透析脳症 ……………………… 2242
（4）尿毒症性ニューロパチー …… 2242
（5）手根管症候群 ………………… 2242
6）膠原病・炎症性疾患に伴う神経系障害

　　　　　　　　　〔松井　真〕……………… 2242
　（1）膠原病 ……………………………… 2242
　（2）血管炎症候群 ……………………… 2244
　（3）Behçet 病 …………………………… 2244
　（4）サルコイドーシス ………………… 2244
7) 血液疾患に伴う神経系障害
　　　　　　〔中村友紀・有村公良〕……… 2245
　（1）真性赤血球増加 …………………… 2245
　（2）血小板増加症 ……………………… 2245
　（3）白血病 ……………………………… 2245
　（4）悪性リンパ腫 ……………………… 2245
　（5）骨髄腫関連疾患 …………………… 2246
　（6）血友病 ……………………………… 2246
　（7）血栓性血小板減少性紫斑病 ……… 2246
　（8）播種性血管内凝固症候群 ………… 2246
　（9）過凝固状態と神経障害 …………… 2246
8) 悪性腫瘍に伴う神経系障害〔田中惠子〕… 2247
　（1）辺縁系脳炎 ………………………… 2247
　（2）傍腫瘍性小脳変性症 ……………… 2248
　（3）脊髄障害 …………………………… 2248
　（4）傍腫瘍性ニューロパチー ………… 2249

17-13 先天性疾患〔岡　明〕…………… 2249
1) 染色体異常，先天異常症候群 ………… 2249
　（1）染色体異常 ………………………… 2249
　（2）脆弱 X 症候群 ……………………… 2249
　（3）先天異常症候群 …………………… 2249
2) 先天奇形 ………………………………… 2250
　（1）先天性水頭症 ……………………… 2250
　（2）Dandy-Walker 症候群 …………… 2250
　（3）Joubert 症候群 …………………… 2250
　（4）二分脊椎，脊髄髄膜瘤，Chiari II型奇形 … 2251
　（5）全前脳胞症 ………………………… 2252
　（6）脳梁欠損症 ………………………… 2252
　（7）脳皮質形成異常，滑脳症，多小脳回，異所
　　　性灰白質 …………………………… 2252
　（8）裂脳症，孔脳症 …………………… 2253
3) ファコマトーシス（母斑症，神経皮膚症候群）… 2253
　（1）神経線維腫症 1 型 ………………… 2253
　（2）神経線維腫症 2 型 ………………… 2254
　（3）結節性硬化症 ……………………… 2254
　（4）von Hippel-Lindau 病 …………… 2255
　（5）末梢血管拡張性小脳失調症 ……… 2255
　（6）Sturge-Weber 症候群 …………… 2256
4) 胎内感染症 ……………………………… 2256
5) 周産期脳損傷 …………………………… 2257

17-14 脳腫瘍・脊髄腫瘍〔新井　一〕…… 2258
1) 脳腫瘍総論 ……………………………… 2258
2) 脳腫瘍各論 ……………………………… 2261
　（1）星細胞腫，退形成性星細胞腫，膠芽腫 … 2261
　（2）髄膜腫 ……………………………… 2262
　（3）下垂体腺腫 ………………………… 2262
　（4）神経鞘腫（Schwann 細胞腫）…… 2263
　（5）頭蓋咽頭腫 ………………………… 2263
　（6）胚細胞系腫瘍 ……………………… 2263
　（7）転移性脳腫瘍 ……………………… 2264
　（8）その他の腫瘍 ……………………… 2264
3) 脊髄腫瘍 ………………………………… 2265

17-15 頭部外傷・脊髄外傷〔三宅康史〕… 2266
1) 頭部外傷 ………………………………… 2266
2) 脊髄外傷 ………………………………… 2269

17-16 脳脊髄液循環異常
1) 特発性正常圧水頭症〔森　悦朗〕……… 2270
2) 本態性頭蓋内圧亢進症〔山口修平〕…… 2272

17-17 発作性神経疾患 …………………… 2273
1) てんかん〔赤松直樹〕 ………………… 2273
2) 頭痛〔鈴木則宏〕 ……………………… 2278
　（1）頭痛について ……………………… 2278
　（2）片頭痛 ……………………………… 2278
　（3）緊張型頭痛 ………………………… 2280
　（4）群発頭痛 …………………………… 2280
　（5）三叉神経痛 ………………………… 2281
3) 睡眠異常〔平田幸一〕 ………………… 2281
　（1）不眠症 ……………………………… 2281
　（2）過眠症 ……………………………… 2282
　（3）ナルコレプシー …………………… 2283
　（4）睡眠時無呼吸症候群 ……………… 2283
　（5）睡眠相遅延症候群 ………………… 2284
　（6）レム睡眠行動障害 ………………… 2284

17-18 脊椎脊髄疾患〔安藤哲朗〕………… 2284
1) 頸椎症 …………………………………… 2284
2) 椎間板ヘルニア ………………………… 2286
3) 脊柱靱帯骨化症 ………………………… 2287
4) 腰部脊柱管狭窄症 ……………………… 2288
5) 若年性一側上肢筋萎縮症（平山病）…… 2289

17-19 末梢神経疾患 ……………………… 2289
1) 末梢神経の形態と機能〔神田　隆〕…… 2289
　（1）末梢神経系の構成と機能 ………… 2289
　（2）末梢神経系の形態 ………………… 2290
2) 末梢神経疾患の分類と診断の進め方
　　　　　　　　〔楠　進〕……………… 2290

- 3）免疫性多発ニューロパチー ……………… 2291
  - （1） Guillain-Barré 症候群 ……………… 2291
  - （2） 慢性炎症性脱髄性多発根ニューロパチー … 2293
  - （3） 多巣性運動性ニューロパチー ……… 2294
- 4）遺伝性多発ニューロパチー〔髙嶋 博〕…… 2294
  - （1） 遺伝性運動感覚性ニューロパチー …… 2294
  - （2） 遺伝性感覚自律神経ニューロパチー …… 2297
- 5）代謝性多発ニューロパチー ……………… 2298
  - （1） 家族性アミロイド多発ニューロパチー … 2298
  - （2） 糖尿病性末梢神経障害 ……………… 2299
  - （3） アルコール性ニューロパチー，ビタミン欠乏性ニューロパチー ……………… 2300
- 6）多発性単神経障害【⇨ 17-12-6，17-19-5】
- 7）神経叢障害〔園生雅弘〕………………… 2300
  - （1） 腕神経叢障害概観 …………………… 2300
  - （2） 胸郭出口症候群 ……………………… 2301
  - （3） 神経痛性筋萎縮症 …………………… 2301
  - （4） 糖尿病性筋萎縮症 …………………… 2301
- 8）単ニューロパチー（単神経障害）……… 2301
  - （1） 脳神経の単神経障害 ………………… 2301
  - （2） 絞扼・圧迫性ニューロパチー ……… 2302
- **17-20 神経筋接合部疾患**〔本村政勝〕…………… 2303
- 1）重症筋無力症 ……………………………… 2303
- 2）Lambert-Eaton 筋無力症候群 …………… 2305
- **17-21 筋疾患** ………………………………… 2307
- 1）骨格筋の形態と機能〔樋口逸郎〕……… 2307
  - （1） 形態 …………………………………… 2307
  - （2） 筋の収縮と弛緩 ……………………… 2308
  - （3） 筋線維タイプ ………………………… 2308
- 2）筋疾患の分類〔砂田芳秀〕……………… 2308
  - （1） 筋疾患とは …………………………… 2308
  - （2） 遺伝性筋疾患 ………………………… 2308
  - （3） 非遺伝性筋疾患 ……………………… 2311
- 3）筋ジストロフィー ………………………… 2311
  - （1） Duchenne 型筋ジストロフィー …… 2311
  - （2） Becker 型筋ジストロフィー ……… 2313
  - （3） 肢帯型筋ジストロフィー …………… 2314
  - （4） 顔面・肩甲・上腕型筋ジストロフィー … 2315
  - （5） 遠位型ミオパチー …………………… 2315
  - （6） Emery-Dreifuss 型筋ジストロフィー … 2316
  - （7） 眼咽頭型筋ジストロフィー ………… 2316
  - （8） 先天性筋ジストロフィー …………… 2316
- 4）ミオトニア症候群 ………………………… 2318
  - （1） 筋強直性ジストロフィー …………… 2318
  - （2） 先天性ミオトニア …………………… 2321
  - （3） 先天性パラミオトニア ……………… 2321
- 5）炎症性ミオパチー〔清水 潤〕………… 2321
  - （1） 多発筋炎，皮膚筋炎 ………………… 2321
  - （2） 封入体筋炎 …………………………… 2322
- 6）代謝性・内分泌障害性ミオパチー〔青木正志〕………………… 2323
  - （1） 甲状腺機能障害 ……………………… 2323
  - （2） 副腎皮質機能障害およびステロイドミオパチー ……………… 2324
  - （3） 低カリウム血性ミオパチー ………… 2324
  - （4） サルコイドミオパチー ……………… 2324
- 7）周期性四肢麻痺 …………………………… 2324
  - （1） 低カリウム性周期性四肢麻痺 ……… 2324
  - （2） 高カリウム（正カリウム）性周期性四肢麻痺 ………………… 2325
- 8）先天性ミオパチー〔後藤雄一〕………… 2325
- 9）ミトコンドリア病 ………………………… 2327
- 10）糖原病（グリコーゲン病）〔樋口逸郎〕… 2330
  - （1） Pompe 病 …………………………… 2331
  - （2） 糖原病Ⅲ型 …………………………… 2331
  - （3） 筋ホスホリラーゼ欠損症 …………… 2332
  - （4） 筋ホスホフルクトキナーゼ欠損症 … 2332
  - （5） その他の糖原病 ……………………… 2332
- 11）筋痙攣とミオグロビン尿症〔加藤丈夫・川並 透〕……………… 2333
  - （1） 筋痙攣 ………………………………… 2333
  - （2） ミオグロビン尿症 …………………… 2335

18 環境要因と疾患・中毒

- **18-1 生活・社会・環境要因** …………………… 2338
- 1）生活習慣病〔矢藤 繁・島野 仁〕…… 2338
  - （1） 「成人病」から「生活習慣病」へ … 2338
  - （2） 社会のニーズの変化 ………………… 2338
  - （3） 生活習慣病に含まれる疾患の広がり … 2339
  - （4） 生活習慣病の各論 …………………… 2339
  - （5） 生活習慣病における運動療法の役割 … 2340
  - （6） わが国における最近のトピックス … 2341
  - （7） 生活習慣病診療における医師の役割 … 2341
- 2）喫煙関連疾患〔大和 浩〕……………… 2342
- 3）アルコール関連疾患〔横山 顕〕……… 2345
  - （1） 国民の飲酒様態 ……………………… 2345
  - （2） アルコール代謝 ……………………… 2345
  - （3） 飲酒による健康障害 ………………… 2346
- 4）温熱・寒冷による疾患〔和田貴子〕…… 2347
  - （1） 熱中症：温熱による疾患 …………… 2348

（2）寒冷による疾患 …………………… 2350
　5）減圧症〔森本裕二〕 ………………………… 2353
　6）放射線障害〔宮川　清〕 …………………… 2355
　7）災害・避難生活における疾患〔渡辺　毅〕… 2357
　　（1）災害後の時間経過と医学的問題点 …… 2357
　　（2）災害地での超急性期医療 …………… 2358
　　（3）地域における急性期医療対応 ……… 2359
　　（4）被災者・避難者における慢性期の保健・
　　　　医療対応 ………………………………… 2361
　8）化学物質過敏症〔坂部　貢〕……………… 2362
　9）VDTによる障害〔相澤好治〕…………… 2363
　10）動揺病〔鈴木光也〕………………………… 2365
　11）電撃傷〔田中秀治〕………………………… 2367
18-2 中毒 …………………………………………… 2369
　1）重金属中毒　【⇨17-11-1】
　2）ガス・その他の工業中毒〔古谷博和〕…… 2369
　　（1）一酸化炭素中毒　【⇨17-11-2-9】
　　（2）二硫化炭素中毒　【⇨17-11-2-3】
　　（3）アクリルアミド中毒　【⇨17-11-2-6】
　　（4）シアン化合物中毒 …………………… 2369
　　（5）硫化水素中毒 ………………………… 2369
　　（6）有機リン中毒 ………………………… 2369
　　（7）有機溶剤中毒・依存症 ……………… 2370
　3）食中毒〔福本真理子〕……………………… 2370
　　（1）細菌性食中毒　【⇨6-2-4】
　　（2）自然毒による食中毒 ………………… 2370
　4）農薬中毒〔内原俊記〕……………………… 2374
　　（1）有機リンとカルバメート …………… 2374
　　（2）パラコート …………………………… 2374
　　（3）グルホシネート ……………………… 2375
　　（4）グリホサート ………………………… 2375
　　（5）慢性農薬中毒 ………………………… 2375
　5）有毒動物による咬刺傷〔岩崎泰昌〕……… 2375
　　（1）毒蛇咬傷 ……………………………… 2375
　　（2）ハチ刺傷 ……………………………… 2376
　6）薬物中毒・依存症〔福本真理子〕………… 2378
　　（1）急性薬物中毒 ………………………… 2378
　　（2）急性中毒を引き起こしやすい薬物 … 2380
　　（3）薬物依存症 …………………………… 2382
　7）麻薬・覚醒剤を含む精神作用物質による依存
　　　　と中毒〔和田　清〕…………………… 2382

付　基準値・略語表
　基準値〔矢冨　裕〕………………………………… A1
　略語表 ……………………………………………… A22

　索引 ………………………………………………… I1

凡　例

1. 外国人名および人名由来術語の人名部分は，原則として原語綴りとした．
2. 疾患名は原則として『医師国家試験出題基準』に準拠して表記し，必要に応じて英語を補った．タイトル以外の文中では略称も使用している．
3. 薬品名はカタカナ書きとした．一般名を原則としたが，必要に応じて商品名を使用した．
4. 酵素名は一般的なものは日本語表記とし，それ以外は原語綴りとした．
   〔例〕　リパーゼ，ラクターゼ
   　　　　逆転写酵素，蛋白分解酵素
   　　　　glutamate dehydrogenase
   　　　　triose phosphate isomerase
5. 微生物名は，属などのグループを示す場合はカタカナあるいは漢字書き，個々の種を示すときは原則として学名とした．
   〔例〕　マイコプラズマ
   　　　　ブドウ球菌
   　　　　Helicobacter pylori
6. その他の術語は，原則として『日本医学会　医学用語辞典　WEB版』に拠ったが，一部は日本内科学会をはじめとした関連学会の慣例に従った．
7. デジタル付録

   ⓔマークのついたコンテンツは下記より閲覧することができる．
   　　http://www.asakura.co.jp/naikagaku11ed

   ⓔ動画（ⓔ音声）：心エコーや神経疾患での不随意運動など（MPEG-4形式）

   ⓔ図・ⓔ表：本文を補足する図版・画像や詳細な表

   ⓔ文献：本文をエビデンスに基づいた記載とするための引用文献
   　文献は，本文中の肩付き数字[1), 2), 3)]…あるいは，図版・表キャプション中に文献1，2，3…で示した．

   ⓔコラム：基礎からアドバンスな内容まで，図や表，引用文献も収録．

   ⓔノート：本文の補足説明・脚注
   　その他：基準値や略語表など．

1. 内科学総論

- 1. 内科学総論
- 2. 老年医学
- 3. 心身医学
- 4. 症候学
- 5. 治療学
- 6. 感染症
- 7. 循環器
- 8. 血圧の異常
- 9. 呼吸器系
- 10. 消化管・腹膜
- 11. 肝・胆道・膵
- 12. リウマチ・アレルギー
- 13. 腎・尿路系
- 14. 内分泌系
- 15. 代謝・栄養
- 16. 血液・造血器
- 17. 神経系
- 18. 環境要因・中毒

内科学総論

- 1.1 内科学総論 …………………… 2
- 1.2 患者へのアプローチの基本 …… 6
- 1.3 遺伝性疾患 …………………… 10
- 1.4 腫瘍性疾患総論 ……………… 22
- 1.5 医原性疾患 …………………… 29

1-1 内科学総論

1）これからの内科学

　そもそも内科学とは，患者の観察から出発し，それを体系的に把握して科学的に分析し，その病態生理および病因を明らかにすること，そしてその知見に基づいて新しい診断法や治療法を開発し，これを患者および社会に還元して医療の質の向上を目指す学問である．また，内科学はその診療分野として，幅広いプライマリケアの段階から，臓器や器官を中心とした高度専門医療，さらには重篤な患者の救命治療や先端医療技術の実地診療への導入まで広い範囲の領域を担当する分野でもある．手術などをおもに担っている外科学など，多くの医学・医療分野と密接な関連を有するとともに，その進歩には理学や工学といった異なる学問領域との連携も重要になっている．

　一方，内科学は医療として社会と幅広い接点を有することから，社会の動向が敏感に反映されている分野でもある．すなわち，進展著しい国際化とともに，経済の状況，人口の少子高齢化，情報化，技術の高度先進化などの社会の大きな潮流に伴って，医療に対する価値感や伝統的な概念が急速に変わりつつあり，内科学，特に医療としての内科学は，社会とともに歩んで進歩し，変革しなければならない．そこで，社会と患者の価値観を反映した医療が課題になっている．

　さらに，内科学も最近進展著しい生命科学分野における分子生物学，遺伝子生物学に関する知見の爆発的な集積により，基盤となる疾患の病態生理が分子レベル，遺伝子レベルから理解されるようになり，それぞれの病態に的確に反応する有効性の高い分子標的薬を中心とした治療法や診断法が次々と開発された．その結果，がんなどの難病も集学的な治療で克服できる可能性が高まり，大きな変革をとげることができた．また，従来からの患者の病態を観察して分析することから始まった内科学の研究も，はじめは臨床とは関連のなかった遺伝子解析などによる基礎的な生命科学で得られた知見により，一気に病態が解明されて，革新的な治療法や診断法が開発されるという新しい臨床研究の流れが形成されるようになった．一方，コンピュータを活用した画像診断法が飛躍的に進歩し，三次元画像が得られるようになった．さらには，ITシステムの発達により，診断データの蓄積と分析を行うデータマネジメントの手法も導入されるようになって，臨床的に有用性の高い新たな知見も得られるようになった．さらに，最近の内視鏡の機器や技術の飛躍的な進歩により，外科手術の適応であった多くの病巣が侵襲性の少ない内視鏡によって摘出可能となった．

　これからの内科学として注目されるのが，遺伝子診断・治療と再生医療である．遺伝子に異常をきたして発症した疾患を，正常な遺伝子を染色体に組み込んで発現させることにより治療するのが遺伝子治療であり，疾患の原因となる遺伝子の異常を遺伝子解析により見いだすのが遺伝子診断である．体外から遺伝子を注入して細胞内の核に移送して発現させる遺伝子治療の概念は，1970年代に確立されていたが，臨床応用できたのは1999年以降である．さらに，遺伝子の移送に用いられるベクターのウイルスによる細胞のがん化などの副作用が発生したことにより，進捗の遅れがあったが，ベクターの改良などにより課題が解決され，遺伝子治療が広く開発されて遺伝性難病などに応用されることが期待されている．一方，遺伝子を直接操作することから，倫理的な考慮が厳しく求められるところである．

　あらゆる細胞に分化が可能な多能性幹細胞を用いて，細胞や組織に分化させて治療に応用するのが再生医療である．当初は受精卵による胚性幹細胞（ES細胞）が用いられたが，生命の源である受精卵を破壊することから，倫理的にヒトでの応用は禁止されている．2012年にわが国においてヒト線維芽細胞に4つの遺伝子を導入することによって，多能性を獲得したiPS細胞（induced pluripotent stem cell）が確立され，これを用いて分化させ，細胞や組織を再生して治療に用いる研究開発が国家プロジェクトとして推進されている．一方，生体の組織のなかにも未分化の幹細胞が存在し，これを摘出して増殖培養して分化させ，組織を作製して治療に用いる再生医療は，骨，軟骨などですでに実施されている．

　このような医学と医療のめざましい進歩に伴い，わが国における疾病構造も大きく変化するところとなった（図1-1-1）．すなわち，結核を中心とする感染症が制御されるようになるとともに，国民死亡原因の大半を占めていた脳出血が，高食塩と低カロリーの食生活を改善して，高血圧をコントロールすることにより防止されるようになり，国民は長寿を獲得し，経済も大いに発展するところとなった．その後ライフスタイルの欧米化により，高脂肪，高カロリー食へと大きく変化し，肥満，糖尿病，動脈硬化などの生活習慣病が国民に蔓延するところとなった．その結果，冠動脈疾患や脳梗塞などの心血管疾患が国民死亡原因に占める割合が大きくなり，最近の人口の高齢化もあって，がんとともにその1/3を占めるようになった．しかも，慢性に経過するばかりでなく，単一の臓器のみなら

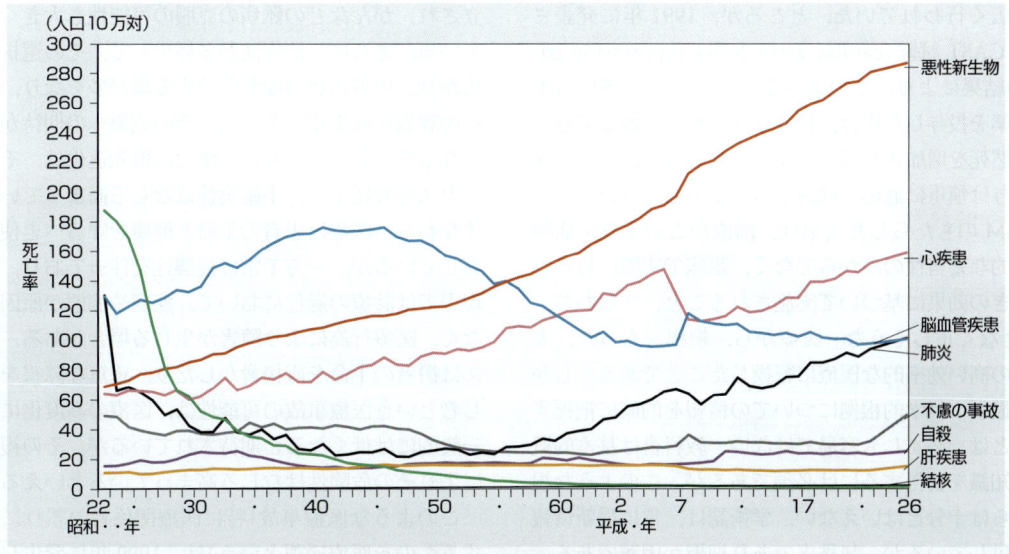

図 1-1-1 おもな死因別に見た死亡率の年次推移(資料：厚労省人口動態統計)
注：1)平成6・7年の心疾患の低下は，死亡診断書(死体検案書)(平成7年1月施行)において「死亡の原因欄には，疾患の終末期の状態としての心不全，呼吸不全等は書かないでください」という注意書きの施行前からの周知の影響によるものと考えられる．2)平成7年の脳血管疾患の上昇のおもな要因は，ICD-10(平成7年1月適用)による原死因選択ルールの明確化によるものと考えられる．

ず，多くの臓器の障害を伴う病態が一般的となり，先端的な高度専門医療に加えて，全人的なアプローチによる医療の推進も社会的なニーズの高い課題になっている．

このような視点から，医療のあり方も大きな変革を迫られているところであり，社会の期待する医療も治療効果という医学的尺度のみならず，患者の目線に立って安全で信頼され，しかも患者の価値観が反映されることがきわめて重要なポイントになっている．これからの内科学は，このような社会からの挑戦に的確に応えて行かなければならない．

2) EBM と個別医療

医師は診療にあたって，まず自己の知識や経験のみに基づいて行うのではなく，科学的で客観的な根拠となる臨床データを取り入れて診療方針を立てねばならない．少なくとも診療ガイドラインの内容を理解したうえで，個々の患者の病態を的確に把握して診療を行うことが必要である．このような科学的な根拠に基づいた医療(evidence based medicine：EBM)が医療の基本であり，それなくしては，医療の公平性，透明性を確保することは難しく，医療の質を保障することも困難となる．

それでは，医療における客観的で科学的な根拠(医療におけるエビデンス)とは何か．

従来は，疾患の病態生理を解明し，その理解に基づいた治療が科学的であり，最善であると考えられていた．しかし，実際に治療して患者の予後がどのように変わったかという臨床的結果(clinical outcome)を解析してみると，病態生理の視点に基づく治療が必ずしも最適であるとは限らないことが明らかとなった．そこで，無作為に割付を行って，治療の効果を比較する臨床試験(randomized controlled trial：RCT)の結果が，客観的な医療の科学的根拠とされるようになった．RCTのデザイン，すなわち，結果の客観性の高さから，科学的根拠(エビデンス)としての重要性が決まることから，その位置づけの整理が行われている(表 1-1-1)．

このような EBM の重要性が広く認識されるようになったのは，以下のような事例があったからである．心筋梗塞の患者は致死的な不整脈を伴って突然死をきたす危険性が高いので，不整脈を有する場合には予防的に抗不整脈薬を投与し，突然死を防止する治療が以

表 1-1-1 エビデンスレベル分類(質の高いもの順)(Minds 診療ガイドライン選定部会監，福井次矢，他編：診療ガイドライン作成の手引き2007，公益財団法人日本医療機能評価機構)

I	システマティック・レビュー/RCT のメタ解析
II	1 つ以上のランダム化比較試験による
III	非ランダム化比較試験による
IVa	分析疫学的研究(コホート研究)
IVb	分析疫学的研究(症例対照研究，横断研究)
V	記述研究(症例報告やケース・シリーズ)
VI	患者データに基づかない，専門委員会や専門家個人の意見

前は広く行われていた．ところが，1991年に発表された CAST 試験(cardiac arrhythmia suppression trial)の結果により，このような心筋梗塞の患者に抗不整脈薬を投与した場合，投与しない群と比較してむしろ突然死を増加させることが明らかとなり，抗不整脈薬投与は慎重に適応を検討するところとなった．

EBM のもたらした効果は，治療がこのように病態生理的な妥当性のみからでなく，臨床で実際に行われたときの効果に基づいて実施されること，すなわち，「何となく正しそうな」医療から，根拠をもった，より質の高い効率的な医療に転換したことである．しかし，最新の科学的根拠についての情報を的確に把握することは，必ずしも容易ではない．教科書は基本的概念と知識を習得するには必須であるが，このような視点からは十分とはいえない．学術誌は，常に最新情報を提供しているが，無秩序であり把握が困難である．その結果，知識や診療能力は劣化し，これを患者が代償することになる．そこで，多忙な医師に的確にEBM の最新のエビデンスを伝えるためのシステムを十分に整備する必要がある．最近は各専門学会が社会的使命として，その専門分野の診療に関するエビデンスを網羅的に収集して分析し，診療ガイドラインを作成して定期的に改訂しており，EBM の推進に大きく貢献している．

一方，このような EBM の基本となるエビデンスは，患者を群に分けて結果を比較したものであり，個々の患者を必ずしも識別して得られた結果ではない．医療は科学として普遍性を目指しているものの，最終的には個を扱う知識と技術といえる．個々の患者は固有の病態を有するばかりでなく，生涯の履歴をもち，特定の社会環境をもった人格であることを認識し，総合的にアプローチすることも欠かせない．すなわち，1人ずつ異なった患者に対して，普遍的な治療手段を適用するにしても，その適用は個別的に異なることも認識しなければならない．すなわち，個別診療の重要性である．

そこで，患者の診療にあたっては，最新のエビデンスに基づいた診療ガイドラインを順守したうえで，個々の患者の病態と生涯の履歴と価値観に応えて実施することが求められている．患者も，受けている医療が EBM に基づいていることの説明を受けることにより，良質で安心な医療であることが理解でき，また自己の価値観が反映した医療を受けられれば，医療に対する満足度がさらに増すことになる．

3）医療安全とリスク管理

医学・医療の進歩により，完成度の高い治療法が確立され，がんなどの難病の克服の可能性も大きくなっている．さらに，治療法が多様化して，その選択肢が広がり，患者の価値観を反映する場が多くなり，医療への評価が高まるとともに，その成果への期待が大きくなっている．しかし，医療の高度先進化は，そのプロセスを複雑化し，不確実性はむしろ高まっている．すなわち，医療は患者の生命と健康を守るべき使命を有しているが，一方で常に侵襲性を伴っており，医療現場では診療の過程において，疾病や病態が原因ではなく，医療行為により障害が生じる場合がある．ときには患者の生命を直接脅かしたり，重篤な障害を生ぜしむという医療事故の可能性は，医療の高度化により一般的には低くなると期待されているが，その複雑化によりその危険性はむしろ高まっているといえる．

このような医療事故(特に医療関係者の誤りに起因するものを医療過誤という)は，1999年に発生した手術時の患者の取り違え事件を契機に，メディアが注目するところとなり，社会的にも関心が急速に高まり，医療への信頼が大きく揺らぎ，医療安全の確保が大きな課題となった．

医療安全を確保するためには，医師を中心とした医療関係者が，常に知識と技術の向上に努めることが欠かせないが，医療の高度化と複雑化に対応するための医療現場全体での体系的なリスク管理への取り組みが必要である．そこで，医学教育にはじまり，卒後の臨床研修を通して，医療安全とリスク管理についての十分な知識と行動を修得することが，すべての医師に厳しく求められている．特に，医療を提供する「人」，医薬品や医療機器などの「物」，病院などの「組織」という要素と，組織を運営する「システム」の視点から，いかに医療安全を確保するか，リスク管理をどのように進めるか，それぞれの診療現場に即した実践から学ばなければならない．

そもそも病院という組織は，医師，看護師，薬剤師や臨床検査技師，事務職といった資格などによって区分される職種と，診療科という部門によって縦と横に分断されていることから，本来コミュニケーションをとることが難しい組織である．そこで，病院の職種や部門をこえて患者を中心とするチーム医療の徹底が医療安全の最大のポイントとなる．さらに，患者および家族と十分なコミュニケーションを日常的に維持していることも医療安全には欠かせない．そして，医療現場からヒヤリハットの事例などの報告を収集し，現場でのリスクを把握して院内共通の認識にすること，さらに，マニュアルなどに事故対策を結実させることが求められる．

なお，2013年に改正された医療法により，医療事故調査制度が定められ，医療事故が発生した医療機関において院内調査を行い，その調査報告を民間の第三

者機関(医療事故調査・支援センター)が収集・分析することで再発を防止する仕組みが成立した.

4)医の倫理と医師の社会的使命

　医療は,教育とともに人々を支え,国を発展させるための最も重要な社会基盤を形成するものであり,それだけに医師の果たすべき使命は大きいといえる.そこで,医師は常に高い倫理感のもとで,患者の目線に立って(humanity),自己の診療能力の向上に努め(art),科学的で客観的な,そして最新の知見(science)に基づいて診療を行わねばならない.そして,医の原点である医の倫理について,唄孝一(東京都立大学名誉教授)は次のようなことばで,患者側の視点から述べられている.「病人はいつも,かけがえのないいのちとからだを医師にあずけ,やり直しのきかない医療を医師に托している.そして医学が大きく進歩したといっても,あくまで不完全な知識の体系であり,しばしば予期しない医療事故が起こる.そして医師はこの不完全な医学のもとで,世間に対し,ひろく病人への献身を誓ったものであることを忘れないでほしい」.まさに,端的にしかも明確に医の倫理の原点が述べられている.

　一方,医療はことばで始まり,ことばで終わるともいわれている.それは,医療は,患者との信頼関係を培うことにより,よりよい効果が得られるからである.そして,医療は,常に侵襲性を伴ううえに,専門性がきわめて高いことから,医師と患者には大きな情報の較差が存在している.患者に診療情報をすべて開示して,治療方針について十分な説明を行い,患者の理解のもとで同意を得なければならない(インフォームドコンセント).それには,①まず患者の立場に立ってことばを交わす,②患者の生い立ちの歴史をよく聞き出してことばを交わす,③全体と部分の視点でことばを交わし,患者を理解することが求められる.そのために,患者が状況を正確に理解できるための説明力,すなわち,患者の訴え,気持ち,理解度に配慮しながら,適切に質問,説明し,問題を共有するための能力が重要で,この能力はコミュニケーション能力として,今日医学教育の基本事項に位置づけられるようになった.その前提として,客観的に正確に説明できる医療を行わなければならないことはいうまでもない.このような視点からの医療をEBMに対応してNBM(narrative based medicine：対話に基づいた医療)という.

　一方,医師は診療上知りえた患者の情報について,厳格な守秘義務が課せられている.患者の利益を損なわないという医の倫理からの視点だけではなく,刑法の条項(個人情報保護法)として患者本人の同意なくして診療情報を開示してはならないと記されている.したがって,違反した場合には法規に従って刑罰を受けることになる.ただし,第三者に提供することが明らかに本人の利益になる場合,たとえば,緊急時に血液型を伝えることなどは,例外的に本人の同意は必要としないとされている.

　医師の社会的使命も,最近特に注目されている.そもそも医師は,社会の安全と人々のいのちと健康を守り,すべての人々に安全で良質な医療を平等に提供する使命がある.しかし,最近の高齢化と人口の都市への集中により,医療の地域格差が広がり,これが社会的に注目されている.地方では,地域医療のセイフティネットの中核を担っている公的医療機関が,救急への対応が困難になるばかりでなく,診療科が休診したり,病院そのものが閉院に追い込まれる危機的な状況に至っている.さらには,時間が比較的束縛されない診療科への志向が強まっていることも指摘されている.このような医師の診療科や地域の偏在の解消に向けた対策も喫緊に解決すべき課題になっている.医療への対価が診療報酬という公的財源から支出されていることからも,医療関係者に,その解消に向けた的確な対応が厳しく求められている.

5)医療と法

　医療は常に侵襲性を伴うこと,そしてその専門性がきわめて高く,医師と患者には大きな情報の較差が存在すること,さらには,医師は患者の個人情報を知る立場にあることなどを踏まえ,社会と患者の安全と利益を守る視点から,医師の行動規範が医療関係法によって厳しく規定されている.その内容から,医療関係法は次のように3領域に大別される.すなわち,まず医療関係者や医療施設に関する法規として,医師法や医療法,そして罰則を記した刑法などがある.次に住民をおもに対象とした保健や疾病予防についての法規として,予防接種法,母子保健法,地域保健法や感染症予防と医療に関する法律(感染法)などがある.さらに,福祉と介護に関する法規として,身体障害者福祉法や障害者の日常生活及び社会生活を総合的に支援するための法律(障害者総合支援法)などがある.これらのなかで,診療の現場に関連の深い,医師法第21条と感染症法について述べる.

　医師法第21条は,「医師は,死体又は妊娠4月以上の死産児を検案して異状があると認めたときは,24時間以内に所轄警察署に届け出なければならない」と規定している.この規定は,死体は重大な犯罪の証拠となる可能性があることから,死亡診断に立ち会う

機会の多い医師に対して，警察の行政目的のために届出義務を課したものである．しかし，最近医療事故が発生した場合に，診療行為における過失致死などの罪責を問うための法的根拠として適用されることがあり，医療関係者，特に救急医療を担う医師から医師法第21条のあり方についての疑義が訴えられ，廃止を含めた検討が行われている．

感染症法（感染症の予防及び感染症の患者に対する医療に関する法律）は，最近のわが国の国際化により，遠隔地で発生した新興感染症が数日の時間差で伝播してくる可能性が高くなった．さらに結核などの感染症が高齢化により再興してくることも危惧されている．そこで，総合的な感染症予防対策を推進するために，入院，検疫などの措置の対象となる感染症の種類を見直すとともに，入院措置となる患者への説明など手続きに関する規定を設け，また結核などの再興感染症の予防などについての規定を整備するために，2008年に改正され実施されている．

〔矢﨑義雄〕

1-2 患者へのアプローチの基本（医療面接と臨床推論）

ここでは，患者に対する診療の基本的な進め方について，特に医療面接と臨床推論を中心に解説する．

1）診療の内容と順番

通常の診療は，おおむね図1-2-1の順で進める．初心者は，医療面接や身体診察，あるいは基本的検査を軽視しがちである．診療の各項目はある程度重なりながら進行する．たとえば医療面接は身体診察の途中や検査の後にも行われる．救急外来など緊急性のある状況では，すべての項目を同時に行うことが多い．

(1)医療面接と身体診療

後述するように，医療面接で特定の病態や疾患の可能性（鑑別診断）を想定できれば，それを検証することを目的に身体診察を行う．それらの所見をもとにさらに鑑別診断を検討しながら，その鑑別に役立つ検査を行う．

(2)検査

検査は，図1-2-1にあるように「基本的検査」と「特殊検査」に区別して行う．「基本的検査」の例として，日本臨床検査医学会のガイドライン[1]の一部を表1-2-1に示す．

(3)治療

治療は，病態や疾患が判明してから開始するのが理想であるが，診断に時間がかかる場合は未確定の段階で治療を行うことも少なくない．病態や疾患が判明しない段階で治療を開始する場合は，その治療が病態や診断に及ぼす影響を十分に考慮する．

表1-2-1 日本臨床検査医学会が提唱している「基本的検査」の一部（日本臨床検査医学会ガイドライン作成委員会編：初期診療の検査オーダーの考え方．ガイドラインJSLM2009, pp305-7, 宇宙堂八木書店，2009）

○基本的検査(1)（改定案）（いつでもどこでも必要な検査）
1. 尿検査：蛋白，糖，潜血
2. 血液検査：白血球数，ヘモグロビン，ヘマトクリット，赤血球数，赤血球指数
3. CRP
4. 血液化学検査：血清総蛋白濃度，アルブミン

2）医療面接の3つの機能

医療面接には3つの機能（表1-2-2）がある．
医療面接（medical interview）は，問診や病歴聴取（history taking）より広い概念であり，健康問題に関して医師と患者の間で交わされるさまざまなコミュニケーションを含む．

(1)医師-患者関係の構築

第1の機能は，患者との信頼関係の構築である．あいさつや身だしなみなどのマナーが基本となるが，何よりも大切なのは，疾患や症状だけでなく，その患者に興味をもつことである．そのためには，疾患の生物学的側面だけでなく，心理社会的側面にも配慮した（生物心理社会モデル，biopsychosocial model）情報の収集や，共感的理解が必要になる．より具体的には

表1-2-2 医療面接の機能（Coleら，2003）

○医師-患者関係の構築
○健康問題の評価
○健康問題のマネジメント

図1-2-1 診療を進める順番

①患者のからだに何が起きているのか
②患者の気持ちや考えに何が起きているのか
③患者の身のまわりで何が起きているのか
④その患者はどのような人なのか

といったことを同時進行で考える.

(2) 健康問題の評価

第2の機能は，患者の健康問題の評価である．症状の経過や既往歴などの情報を系統的に把握し，可能であれば鑑別診断を想定してその鑑別に必要な情報に的を絞った質問も行う．医療面接の訓練で強調されるように，面接の開始時点では患者が自由に話せるように配慮することが，正確な情報の把握につながる．

(3) 健康問題のマネジメント

第3の機能は，患者の健康問題のマネジメントである．患者にその健康問題について教育するとともに，生活習慣や受療行動の改善などについてみずから取り組むよう動機づけする．自身の健康問題について理解していない患者に対して医療者が一方的に医療を行うことは，倫理的にも病態的にも望ましくない場合が多い．医師が医学知識を詳しく「知っている」としても，それを「説明できる」とは限らない．医学の専門的知識が増えるほど，何が専門用語なのか，非医療者は何がわからないのか，などが認識しにくくなりやすい．

3) 医療面接の2つの側面

医療面接の構造は，面接の進め方(プロセス)と，そこで交わす情報(コンテント)の2つの面から整理することが推奨されている．

(1) 医療面接のプロセス

図1-2-2に医療面接のプロセスの概念モデルの例

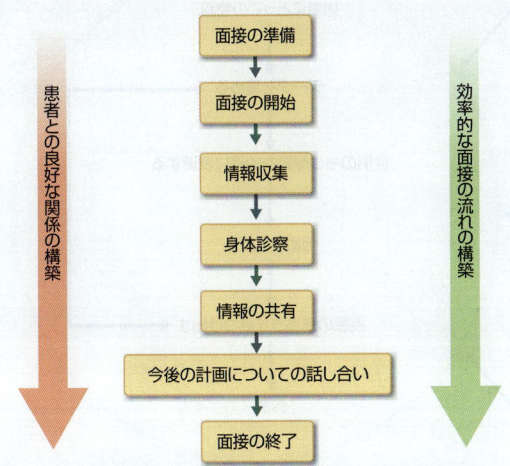

図1-2-2 医療面接のプロセスの概念モデル (向原ら，2006)

表1-2-3 医療面接のコンテント (Coleら，2003 ほかを参考に作成)

○**主訴**
　来院した理由となった症状
　症状に対する不安などの感情
　症状に対する患者の考え(解釈モデル)
　診療に関する要望

○**現病歴**
　主訴の発症とその後の経過を含む「病歴」
　　部位/性状/程度/時間経過/発症時の状況/増悪・寛解要因/随伴症状など
　患者が行った対応や感情を含む「物語」
　　時間経過に沿った語り/解釈モデル/受療行動/不安などの感情/日常生活への影響

○**既往歴**
　入院/手術/外来通院/外傷/検診歴と異常/服薬やサプリメント/アレルギー/月経・妊娠・出産(女性)/予防接種

○**家族歴**
　親族の健康問題/同居家族の構成と健康問題

○**患者プロフィール・社会歴**
　職業/生活習慣/嗜好品(喫煙・アルコール・薬物)/婚姻/性行動/ストレス/社会適応状況/社会的支援

○**系統的レビュー**(精神状態を含む)

を示す．基本的なプロセスを意識して習得することにより，面接全体を俯瞰する(メタ認知)ことが可能になり，偏りや見落としを防ぐとともに，臨機応変な対応が可能になる．

(2) 医療面接のコンテント

表1-2-3に医療面接で把握するべきコンテントの一覧を示す．これらの全項目をすべての患者について把握するべきということではない．必要性を説明しないまま網羅的に質問することは，情報の信頼性や患者との関係を損なうおそれがある．後述するように，その情報が必要な理由が患者に伝わるように問いかけることが大切である．

医療面接の技法については e コラム1を参照．

4) 臨床推論の思考パターン

臨床で疾患や病態を診断(臨床推論，clinical diagnostic reasoning)する思考過程は複雑で，いくつかの思考パターンが提唱されている．よく知られている5つの思考パターンを表1-2-4に示す[2-4]．自分の臨床推論がどのパターンに近いか意識する(メタ認知)ことにより[5,6]，診断の誤りや偏りを認識しやすくなる．同じ医師であっても，状況によりさまざまな思考パターンを，しかも同時並行で用いている[7-9] e コラム

表 1-2-4 臨床推論の思考パターン

○パターン認識(pattern recognition)
○ヒューリスティクス(heuristics)
○多分岐法(multiple branching method)
○徹底的検討法(method of exhaustion)
○仮説-演繹法(hypothetico-deductive method)

2).

(1)パターン認識

ゲシュタルト(Gestalt), 一発診断, snap diagnosisなどとほぼ同義である. ひと目見ただけで, 全体像を把握し正しい診断に至る「名人芸」として逸話的な扱いをされる場合が多い. 効率的に診断できるが, 経験を積まなければ判断が偏る危険もあり, 初学者がこの能力の習得を最初から目指すのは難しい.

(2)ヒューリスティクス

「近道思考」ともよばれ,「その疾患の典型に当てはまる」,「以前に診た症例を連想する」,「特徴的な所見から診断を連想する」といった方法で診断に早くたどりつく思考過程である. 経験がこのような直観を育てるが, 早合点や思い込みに注意しなければならない.

(3)多分岐法

論理的分類を情報によって絞り込む手順を繰り返す方法である. たとえば「咳が出る」という症例について「発熱の有無」で分け, 熱がある場合はさらに「痰の有無」で分ける. 疾患の特徴や差異を学ぶには適しているが, 実際の臨床場面では, この例でいえば「少し咳が出る」場合の判断が困難になるなど, この方法だけでは対応できないことが多い.

(4)徹底的検討法

系統的に情報を抽出し可能性のある病名を網羅する方法で, たとえば少しでも可能性のある鑑別診断を20〜30個もあげて, 1つずつ検討していく方法である. 多角的に検討する訓練になるが, 実際の臨床場面では時間がかかりすぎるうえに, 情報の重要性の見落としや混乱が増える危険も伴うため, 症例検討会などで用いられることが多い.

(5)仮説-演繹法

いくつかの鑑別診断を想定しながら診療し新しい情報を得るたびに鑑別診断のリストを並べ替える方法である. 初学者が習得すべき方法として推奨される. たとえ熟練した臨床医でも, パターン認識やヒューリスティクスでは診断が困難な, 苦手な領域やまれな症候を扱う場合などには頻用される.

たとえば「高血圧のある高齢の男性に突然生じた腹痛」という情報をもとに, 鑑別診断として「虚血性腸炎」,「腹部大動脈瘤解離」,「尿路結石」をあげたとする. 次に, それらの鑑別に役立つ情報を追加する目的で腹部の聴診をして血管雑音が聞こえたら, 腹部大動脈瘤解離の可能性が高いと考え, さらに検討を続けるといった手順である.

5) 臨床推論過程の研究

臨床推論の過程について, これまでの研究からいくつかの知見が得られている. 2006年にはそれらの集大成ともいえる総説が, *New England Journal of Medicine* に掲載された. そのなかでは臨床推論の過程の鍵となる要素が図 1-2-3 のように示されている. この図が示している過程の構造は, 前述の仮説-演繹法に相当すると考えられる.

注目すべきは, データを集めて(data acquisition)からの過程である.

1)症例のもつ問題を的確に表現する: 症例のもつ問題を的確に表現する(accurate "problem representation")段階が存在することが明示されている. この段階では, 医療面接などから得られた情報を整理し, ある程度抽象化して医学的な分析がしやすい形に言いかえることが初学者とベテランの違いだといわれている. たとえば,「42歳の事務系会社員. 朝5時過ぎに背中の右側が痛くて目が覚めた. 痛みが続いてよくならないので勤務先近くの病院にかかった」という現病歴であれば,「中年男性に突然に発症した持続性の右背部痛」などと言いかえをする.

この際に,「より的確に意味づけした言葉」(se-

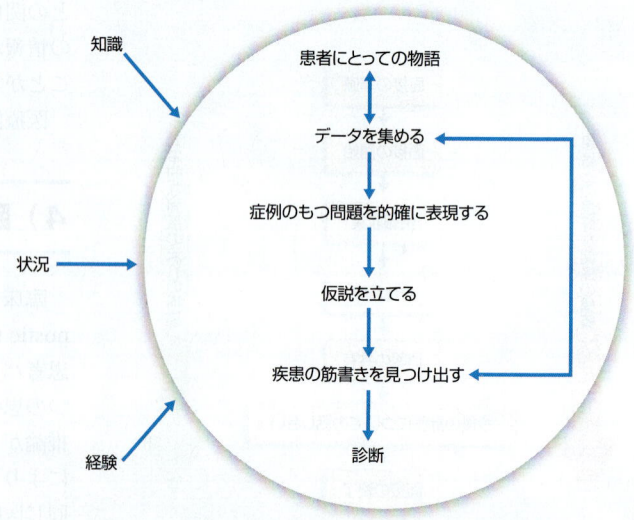

図 1-2-3 臨床推論過程の鍵となる要素(Bowen, 2006)

mantic qualifiers)を使うことが鍵になる．semantic qualifiersの特徴は，対比することでその特徴が明示される表現にある．たとえば「中年」は「小児」，「若年」，「高齢」などとの対比が可能である．

2）仮説を立てる： 対比することにより，症状の特徴が明瞭になり，疾患や病態に関する仮説を立てる（generation of hypothesis）ことが容易になる．この例では，たとえば「突然に生じた持続する痛みなので，血行障害や陥頓などの病態かもしれない」と考えることにつながる．

3）疾患の筋書きで見つけ出す： 仮説を立てた後に鑑別診断をいくつかあげる段階に進むが，熟練した臨床医は，単に疾患名を思い浮かべるのではなく，「疾患の筋書き（illness script）」として理解している知識のなかから選び出す特徴があるという．この「疾患の筋書き（illness script）」とは，危険因子や病態生理，そして臨床的特徴などがひとまとまりになった知識であり，そのような形で理解していることが初学者との違いであるとされている．

そのような形で鑑別診断をあげた後は，仮説-演繹法で前述したように，それを検証するためにさらに情報を集め，problem representation, hypothesis, illness scriptの選択を見直す．この作業のサイクルを，後述する「検査閾値」と「治療閾値」を意識しながら繰り返すのである．

6）鑑別診断のあげ方

このようにして鑑別診断をあげるには，知識をillness scriptの形で利用できること，そしてproblem representationを提示できることが前提になる．そのためには疾患別の教科書的な知識を学習するだけでなく，症例検討会での検討や症例報告の文献などによる学習が有効であるという．この前提を満たしたうえで，鑑別診断を適切にあげる際のノウハウがいくつか知られている．

problem representationを作成する段階では，複数の手がかりを盛り込む．たとえば「頭痛」よりも「突然生じた頭痛」とした方が，さらには「高血圧の既往がある中年女性に突然生じた頭痛」とした方が，適切な鑑別診断をあげやすくなる．このように，主訴のほかに性別・年齢層・危険因子・発症様式などをproblem representationに盛り込むことにより，鑑別診断の検索範囲をある程度絞り込む．

鑑別診断の検索は「頻度（common）」，「緊急性・重大性（critical）」，「治療可能性（curable）」の3つの軸で検索する．たとえば，慢性の頭痛で頻度が高いのは緊張型頭痛，失神発作で予後が不良なのは心原性，意識障害ですぐに安全に治療ができるのは低血糖，というように妥当な鑑別診断をあげやすくなることが多い．

鑑別診断のあげ方に重大な漏れが生じることを防ぐには，病態生理や解剖学的区分を用いて点検する．この点検のためのさまざまなリストが医学生や研修医向けのマニュアルで示されている．

7）鑑別診断を検証する

図1-2-3で「データを集める」と「疾患の筋書きを見つけ出す」の間にループになる形で双方向の矢印が引かれているように，鑑別診断をあげた後にも，個々の鑑別診断について，医療面接・身体診察・検査などを通じて，その診断を支持する情報と否定する情報を集めて検証する作業を繰り返し，早合点を防ぐ．その要点を紹介する．

1）検査前確率を意識する： その時点で推測される診断の確率（検査前確率）や新たな情報がもつ特性（感度，特異度など）を意識する．検査前確率が高い（低い）疾患は，検査が陰性（陽性）だとしても，偽陰性（偽陽性）の可能性が高いことに特に注意する．

2）検査の感度・特異度を意識する： 感度のよい検査は，それが陰性であった場合に疾患や病態を否定する（rule out）のに有用であり，特異度がすぐれている検査は陽性であった場合に肯定する（rule in）するのに役立つ．

3）病態を一元的に説明するか否か： 病因を一元的に説明できる疾患や病態を想定することが妥当なのは，50歳程度までといわれている．特に患者が高齢者の場合には，慢性疾患と急性疾患を組み合わせるなど，多元的に説明することを念頭におく．

4）経過観察： 病状に緊急性が少ないと判断できた場合は，経過を観察することも，診断に迫るための重要な手段となりうる．経過観察で診断を詰めるには，その意義について患者や家族の理解を得なければならない．

5）検査閾値と治療閾値： どのような検査を追加して行うかを判断するには，それぞれの検査の意義を「検査閾値」と「治療閾値」を意識しながら検討する．検査閾値とは，診断の可能性がその値を下回っていれば追加の検査をせずに診断を否定する境界の値である．治療閾値とは，診断の可能性がその値を上回っていれば追加の検査をせずにその診断を肯定して治療を開始する境界の値である．これらの値には，疾患の検査前確率・経過・重篤性，検査や治療に伴う副作用，治療による便益など，多くの要因が関係する．

8）医療の過誤可能性

診療を進める際には，医学・医療の不確実性を意識し，また患者や家族にも説明しなければならない．ここでは，医療で避けがたいとされている3つの過誤の可能性[10]について紹介する（@コラム 3）．

1）**本質的過誤可能性**：正しく診断する知識や方法が確定していない，いわば正解が明らかになっていないために起こる誤りである．たとえば，原因不明の難病の研究は，おもにこの過誤可能性を減らすことを目指している．

2）**偶然的過誤可能性**：正しい知識を採用しない，つまり正解を知らないために起こる誤りである．EBMはおもにこの過誤可能性を減らす営みである．

3）**必然的過誤可能性**：患者の個体差による不確実性であり，結果が正解どおりに一律にはならない，本質的なエラーである．これに対応するには，単なる知識だけでなく，高いコミュニケーション能力が求められる．

〔大滝純司〕

■文献（@文献 1-2）

Bowen JL: Educational strategies to promote clinical diagnostic reasoning. *NEJM*. 2006; **355**: 2217-25.
Cole SA, Bird J：メディカルインタビュー 第2版（飯島克巳，佐々木將人監訳），メディカル・サイエンス・インターナショナル，2003.
向原 圭：医療面接，文光堂，2006.

1-3 遺伝性疾患

1）遺伝医学の基礎と遺伝性疾患の分類

遺伝医学とは，「健康と疾患にかかわるヒトの生物学的な多様性の科学[1]」であり，医療における遺伝学の応用が含まれる（Jordeら，2010）．具体的には，家族における疾患の遺伝，疾患遺伝子の染色体上の局在，疾患発症遺伝子の分子メカニズム，遺伝性疾患の診断と治療などである．ヒトのからだのあらゆる構成要素は，ゲノム/DNA/遺伝子が深くかかわっており，今日の医療従事者は遺伝医学という科学を理解する必要がある．

(1) DNAと遺伝子

ヒトのからだは約60兆個の細胞で構成されている．それぞれの細胞には核があり，このなかにデオキシリボ核酸（DNA）が含まれている．DNAは4種類の塩基からなっている．DNAの1本の鎖ともう1本のDNAの鎖が，アデニン（A）に対してチミン（T）が，グアニン（G）に対してシトシン（C）が反応して対になり，らせん状になっている．1つの細胞に含まれる塩基は総計約60億にものぼるが，実際に遺伝子として働いている部分は，すべてのDNAの配列の1%以下にすぎないことがわかっている．遺伝子の総数はヒトでは，約2万〜2万5000個と推定される．

(2) 遺伝子と蛋白質

それぞれの染色体には数百〜数千の遺伝子が含まれている．遺伝子はからだのすべての特徴を規定する設

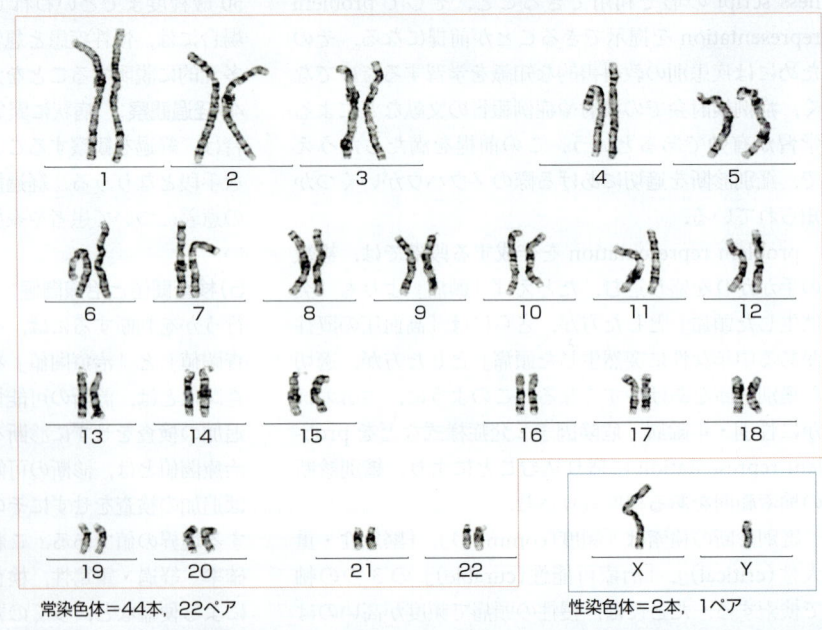

図1-3-1 ヒトの染色体
常染色体＝44本，22ペア　　性染色体＝2本，1ペア

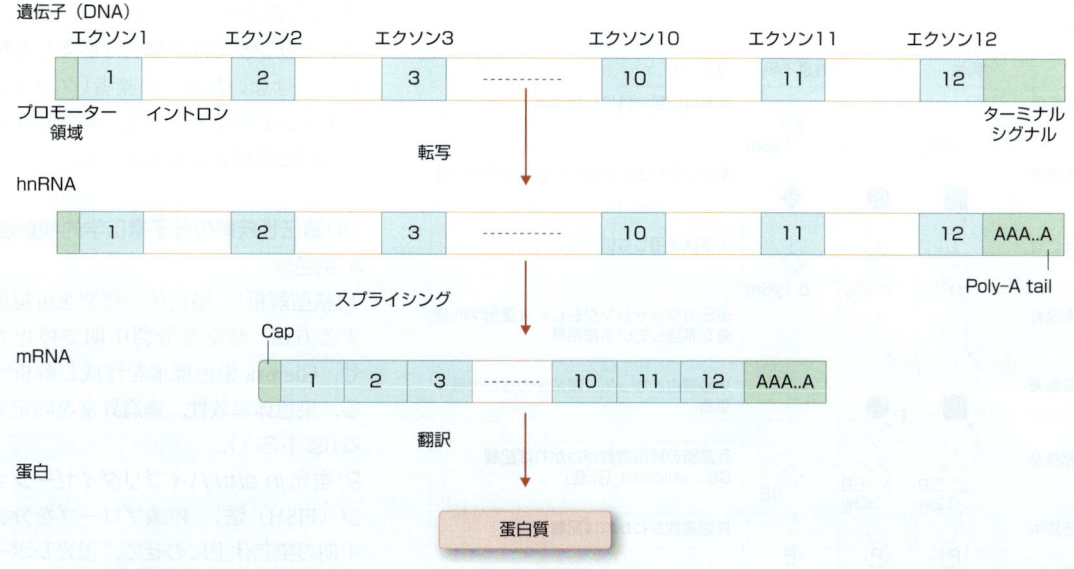

図 1-3-2 遺伝情報の発現過程

計図といえる．DNA はきわめて細いヒモ状の物質であるが，細胞の分裂中期に，Giemsa 染色で縞が染まる棒状のかたまりとなって見える．これが染色体(図 1-3-1)である．染色体には長いものから順に 1～22 番まで番号がつき，常染色体とよばれ，それぞれ 1 対(すなわち 2 本)ずつある．これら 22 対 44 本の染色体のほかに，女性では X 染色体が 1 対 2 本(XX)，男性では 1 本の X 染色体と 1 本の Y 染色体の計 2 本(XY)がある．これらの染色体は男女でその構成が異なるため，性染色体とよばれる．男女ともに染色体の総数は常染色体と性染色体を合わせて 46 本になる．染色体は，DNA の集合体であり，このなかにヒトのからだの設計図となる遺伝子が含まれる．染色体の縞模様が濃く染まる部分は DNA が強くかたまりをつくっている部分で，薄く染まる部分は適度に DNA がほぐれている部分で，この薄く染まった部分に遺伝子が多い．

DNA 分子に書き込まれた遺伝情報は，図 1-3-2 のように，RNA ポリメラーゼⅡによりヘテロ核RNA(hnRNA)に転写され，非コード領域であるイントロンがスプライスアウトされ，除去されてコード領域であるエクソンが連結し，メッセンジャー RNA(mRNA)が産生される．トリプレットコドンとよばれる mRNA の 3 塩基の組み合わせによりアミノ酸が決定され，この過程を翻訳という．アミノ酸が鎖状に連なったものがポリペプチドである．

ポリペプチドの翻訳後修飾として，N 末端のメチオニン除去，ポリペプチドの切断，リン酸化などがある．細胞外分泌されるポリペプチドは粗面小胞体や Golgi 体における糖鎖付加を受ける．コラーゲンのプロα鎖にみられるリシンやプロリンの水酸化，細胞内局在を決定するシグナルとしてのチロシン硫酸化，リン脂質膜への固定に必要なシステインやグリシン残基への脂質付加，プロテインキナーゼにおけるセリンやチロシン残基のリン酸化による酵素活性の制御なども翻訳後修飾としてあげられ，疾患の病因や病態にも深くかかわる現象である．

(3) 家系図

的確な家系情報を収集し，適切に解釈することは遺伝性疾患に限らず，診療においてきわめて重要なことである．家系情報を明示するうえで，家系図の作成は基本である．図 1-3-3A に家系図を記載する場合の基本的な個体記号と家系図の一例を図示した[2]．できるだけ詳しく，3 世代くらいはさかのぼって情報を得ることが望ましい．家系図を分析することにより遺伝形式がわかり，疾患の診断がなされたり，否定されたりする．たとえば，各世代の男女に同様の疾患の患者が認められるとき，常染色体性劣性遺伝は否定される．また，母親を介して疾患が遺伝していることが考えられるとき，X 連鎖性疾患やミトコンドリア病を考える．父と息子が同様の疾患であるとき，X 連鎖性の疾患は否定される．

図 1-3-3B に家系図の例を示す．女性は○，男性は□，性別不明者は◇で示す．罹患者は黒や斜線で塗り，健常者は白抜きとする．婚姻関係は水平な線，その子どもたちは両親の下に左から右に出生順に並べ，両親を結ぶ線に垂直につなげる．左から右にアラビア数字をつける．世代はローマ数字を左端につける．家系の発端者(受診の理由となった家系図のなかの罹患

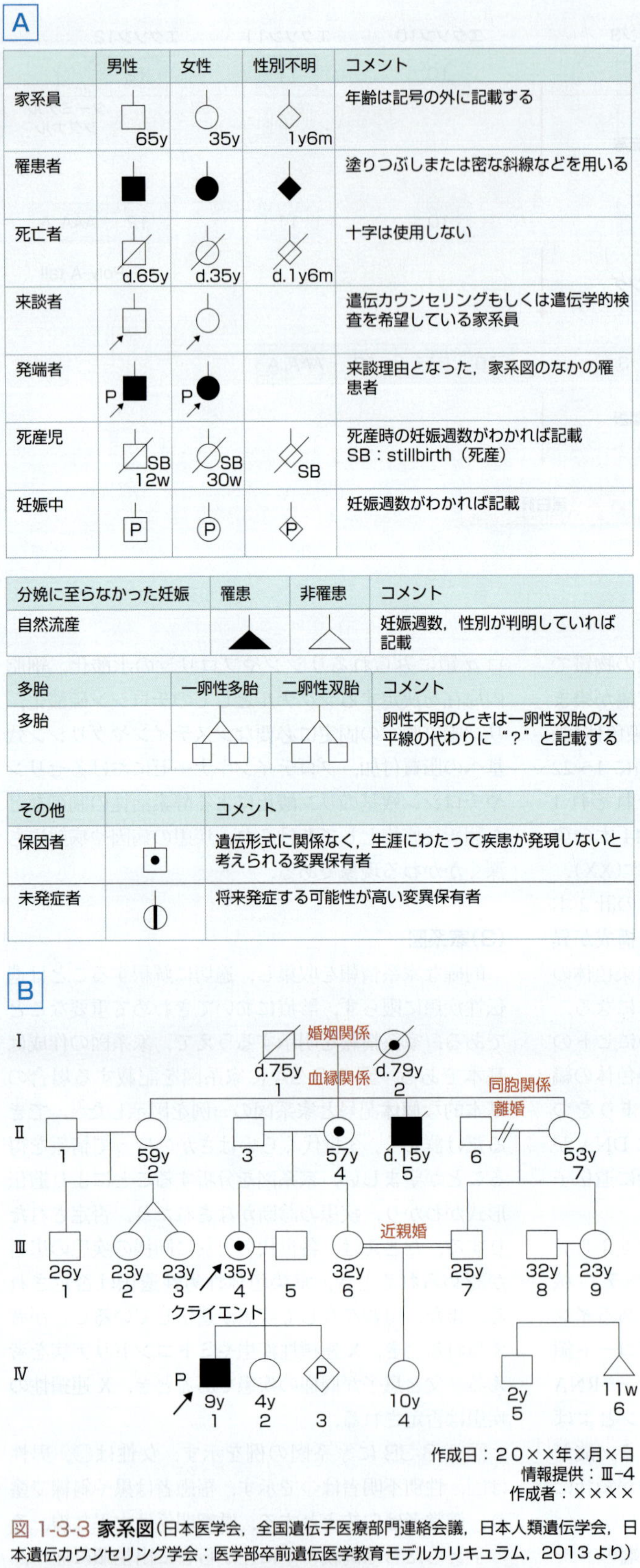

者)は矢印をつけてPとする．遺伝カウンセリングでは来談者は必ずしも罹患者ではないため，来談者(クライエント)には矢印をつける．家系図作成の日付と作成者名を記載する．

(4) 遺伝性疾患の分子遺伝学的検査法
a. 染色体

1) **核型解析**：染色体の核型を可視化する方法．細胞を分裂中期で停止させ，Giemsa染色標本を作成し解析する．染色体異数性，構造異常を同定する(図1-3-1)．

2) **蛍光 in situ ハイブリダイゼーション(FISH)法**：標識プローブを分裂中期の染色体上にのせて，蛍光レポーター分子を結合させて対象とする座位を解析する．微小欠失，重複を同定する．

3) **アレイ比較ゲノムハイブリダイゼーション(アレイCGH)**：スライドガラスの上にクローンDNAをスポットして固相(アレイ)化して，これに対して，検体試料と標準資料を競合的にハイブリダイズさせることにより，染色体領域のコピー数の差を検出する．ゲノム上の欠失や重複を同定する．

b. ポリメラーゼ連鎖反応(PCR)法
(e図1-3-A)

少量のDNAをDNAポリメラーゼの反応を繰り返すことによって数十万〜100万倍にも増幅する技術．増幅したいDNAの両側の塩基配列に対する相補的な短い単鎖DNAを化学的に合成し(プライマー)，ハイブリダイズさせ，DNAポリメラーゼにより次の鎖を合成させる．このサイクルを20回行うと，はじめのDNAの部分は100万倍(2^{20})に増幅される．このサイクルを連続して行い，DNA二重鎖の解離(94℃)→アニーリング(50〜60℃)→DNA伸長(72℃)の各段階を自動的に行う．遺伝子欠失，重複の同定が可能であるが，増幅産物をシーケンシングすることにより塩基配列を同定できる．RNAからcDNAをつくり，増幅を行えばRNAの解析も可能である(RT-PCR)．

ターゲット領域にプローブを設定

図1-3-3 **家系図**(日本医学会，全国遺伝子医療部門連絡会議，日本人類遺伝学会，日本遺伝カウンセリング学会：医学部卒前遺伝医学教育モデルカリキュラム，2013より)
A：基本的な個体記号，B：家系図(副腎白質ジストロフィー)の例．

表 1-3-1 遺伝性疾患の分類

- ●染色体異常
  - 染色体異数性(トリソミー,モノソミー)
  - 染色体構造異常(微細欠失症候群)
- ●単一遺伝子病(Mendel 遺伝病)
  - 常染色体優性遺伝性疾患
  - 常染色体劣性遺伝性疾患
  - X 連鎖優性遺伝性疾患
  - X 連鎖劣性遺伝性疾患
- ●多因子遺伝病
- ●体細胞遺伝病

し,プローブが相補的な配列にハイブリダイズした場合のみ PCR 産物が得られる解析手法を multiplex ligation probe amplification(MLPA)法という.プローブの設計はターゲット構造に対応して設計できる.エクソンレベルの遺伝子欠失,重複を同定できる(e図 1-3-B).

c. DNA シーケンシング

DNA 配列の変異の同定に有用な方法である.DNA 領域を走査して,変異を検出できる.蛍光マーカーを用いたジデオキシヌクレオチド DNA シーケンシング法により AGTC の塩基を 4 色のピークで表示して変異部位の特定ができる(e図 1-3-C).

現在,次世代シーケンシング(NGS)により,ハイスループットの DNA シーケンシングが可能となり,ゲノムの注目領域だけを凝縮して多くの検体を調べるターゲットリシーケンシング,全エクソーム解析,全ゲノム解析など,従来,診断できなかった遺伝性疾患における遺伝子変異の同定にも用いられるようになってきている[3,4].

(5)遺伝性疾患の分類

遺伝性疾患は,染色体異常,単一遺伝子病(Mendel 遺伝病),多因子遺伝病,ミトコンドリア遺伝病,体細胞遺伝病に分類される(表 1-3-1).

2)染色体異常

染色体とその異常に関する学問領域は細胞遺伝学とよばれる.染色体異常は出生児の 150 人に 1 人の頻度で認められる.数の異常(異数性)と構造の異常がある.染色体異数性は 1 対 2 本の染色体が 1 本だけになるモノソミーと,3 本になるトリソミーがある.常染色体モノソミーでは大きな異常が生じ,大部分は流産となる.一方,トリソミーではモノソミーほどは重症とはならない.21 トリソミー(Down 症候群)は出生児 660 人に 1 人,18 トリソミー(Edwards 症候群)は 6000 人に 1 人,13 トリソミー(Patau 症候群)1 万人に 1 人の頻度である.性染色体の異数性は,Klinefelter 症候群や Turner 症候群などがあり,常染色体異数性ほど重い障害は生じない.染色体構造異常には,染色体の一部が欠ける欠失,染色体の一部分に同じ染色体の配列が繰り返す重複,ある染色体とある染色体の一部が入れ替わる相互転座,欠失した部分が別の染色体のに挿入されることで生じる挿入転座,1 つの染色体の両末端付近で断裂が生じてそれが互いに融合することにより生じるリング染色体,1 つの染色体上の 2 カ所で断裂が生じ,その断裂が逆向きになって同じ箇所に再挿入される逆位などがある.欠失では 1 対 2 本ある染色体の一部分が 1 本だけになるため部分モノソミーとよばれる.染色体の一部分どうしが入れ替わり,全体としての染色体の量が入れ替わる前と変わっていない均衡型転座では症状がない.染色体の入れ替わりが起きた切れ目の部分に遺伝子が存在する場合には切断された遺伝子の変異により症状が出ることがある.

(1)21 トリソミー,Down 症候群

染色体検査で,完全型の 21 トリソミーは 90%以上,21 トリソミー/正常のモザイクと転座型はそれぞれ数%を示す.モザイク型では軽症のことも多く,知能障害を示さない場合もある.母親の妊娠年齢と Down 症候群の発生頻度の関係は比例しており,29 歳以下で 1/1500,30〜34 歳で 1/800,35〜39 歳 1/270,40〜44 歳で 1/100 である.

体格は比較的小柄で,扁平な顔つき,つり上がった目を特徴として精神運動発達遅滞を示す.発達の遅れの程度はさまざまである.40%に心奇形がみられる.消化器系では鎖肛や先天性食道閉鎖などの奇形は 12%にみられる.乳児期に呼吸器感染が重症になりやすい傾向がある.関節の過伸展と過屈曲,筋緊張低下を示す.頸椎の形成障害を示すことがあり,環軸椎の亜脱臼を示すこともある.

年齢とともに筋緊張は改善する.発達は緩徐,1983 年には死亡年齢は 25 歳といわれていたが,1997 年には 49 歳,現在は 60 歳をこえてきている.先天性心疾患の有無が予後を決め,手術治療成績も向上してきている.

(2)Klinefelter 症候群

男児出生 500 人あたり 1 人の割合で認められる.染色体は X 染色体が 1 本多く,47,XXY を示す.48,XXYY,48,XXXY,49,XXXXY や XY/XXY モザイクなども Klinefelter 症候群とされる.最も多い症状は不妊である.正常の性機能を有するが,無精子症や乏

表 1-3-2 微細欠失症候群の例，染色体欠失部位，臨床像

症候群	染色体欠失部位	臨床像
1p36 欠失	1p36	精神発達遅滞，筋緊張低下，てんかん，聴覚障害，先天性心疾患，水平直線上の眉，くぼんだ目，成長障害
Williams	7q11.23	精神発達遅滞，社交的態度，大動脈弁上狭窄，低身長，厚い唇，広い額，長い人中
Langer-Giedion	8q24.11-q24.13	（毛髪鼻指節骨症候群）精神発達遅滞，まばらな髪，丸い鼻，多発性外骨腫，眼瞼下垂，長い人中
WAGR	11p13	Wilms 腫瘍（W），無虹彩（A），泌尿生殖器奇形（G），成長障害と精神発達遅滞（R）
Prader-Willi	15q11-13	精神発達遅滞，低身長，肥満，筋緊張低下，アーモンド型の目，小さい手足
Angelman	15q11-13	精神発達遅滞，失調，てんかん，コントロールできない笑い
Rubinstein-Taybi	16p13.3	精神発達遅滞，広い母指趾，太い眉毛，長い睫毛，低身長，多毛
Smith-Magenis	17p11.2	精神発達遅滞，自傷行為などの異常行動，てんかん，睡眠障害，短頭，顔面中部低形成
Miller-Dieker	17p13.3	滑脳症，狭い前額部，額のしわ，眼瞼裂斜上，突き出た上唇，小顎症
Alagille	20p12	新生児黄疸，Fallot 四徴，肝腫腫，蝶形半側脊椎，幅広の前額部，突き出た顎，球状の先端の長い鼻
22q11.2 欠失	22q11.2	Fallot 四徴，大動脈離断などの心血管奇形，両眼開離，眼裂狭小，小さい口，鼻根部扁平，学習障害，統合失調症

精子症となる．しばしば乳腺組織の発育が認められる．高身長を示し，陰茎は標準の長さであるが，精巣は小さめである．テストステロン量が低下することがある．発語・言語の障害，学習障害を示すこともある．患児が 10 歳になったら，定期的に血中のホルモン濃度を測定し，テストステロン濃度が低ければ，あるいは実際のホルモン濃度は十分でも，二次性徴の発現抑制に対して，テストステロン療法を開始する．

(3) Turner 症候群

2500 人の女性に 1 人の頻度でみられる．核型は 45, X．多くは父親の精子の減数分裂時または初期の胚の細胞分裂時の X 染色体の喪失による．低身長と性発達の遅れが特徴である．治療しない場合の最終身長は 143 cm．肥満になる傾向がある．卵巣の形成不全，無月経，不妊を呈する．外表的には翼状頸，胸郭が広いという特徴をもっている．20％に二尖大動脈弁や大動脈弁縮窄症などの心臓の異常を示す．思春期前に成長ホルモン投与，エストロゲンの少量投与を行う．

(4) 染色体微細欠失症候群

染色体の核型解析の進歩，さらに FISH 法やアレイ CGH 法の発展により，部分的異数性が同定され，隣接遺伝子症候群さらに微細欠失症候群が明らかになった．表 1-3-2 に微細欠失症候群の染色体欠失部位と臨床像を示す．

3）単一遺伝子病（Mendel 遺伝病）

オンラインで編集された McKusick's Mendelian Inheritance in Man によると，2016 年 6 月現在，ヒトの単一遺伝子は 2 万以上が報告され，そのうち 90％以上が常染色体上の遺伝子である（e表 1-3-A）．X 染色体連鎖，Y 染色体連鎖，ミトコンドリアは合わせて 10％に満たない．

(1) 常染色体優性遺伝病（表 1-3-3）

特徴（図 1-3-4）：両親の 1 人から変異遺伝子を伝達されて発病する．
① 変異遺伝子 A と野生型遺伝子 a のヘテロ接合体 Aa が発症する．
② 罹患者は親，子，孫など世代から世代へと連続して存在する．
③ 罹患者の男女比は 1：1 である．
④ 分離比*は 0.5 である．

　*分離比：罹患者と非罹患者の比＝[罹患者/（罹患者＋非罹患者）]

多発性内分泌腫瘍症 1 型（MEN1）の家系（図 1-3-5 のⅢ-2）では，無症状にもかかわらず MEN1 を発症するリスクは 50％である．この場合の遺伝学的検査は，発症前診断となり，遺伝カウンセリングの下で対応する．

表 1-3-3 常染色体優性遺伝性疾患の例

疾患名	頻度	遺伝子局在	遺伝子名	蛋白質
家族性高コレステロール血症	1/500	19p13.2	*LDLR*	LDL受容体，ほか
多発性嚢胞腎	1/1000	16p13.3	*PKD1*	ポリシスチン1
神経線維腫症1型	1/3000	17q11.2	*NF1*	ニューロファイブロミン
筋強直性ジストロフィー	1/9000	19q13.32	*DMPK*	ミオトニンプロテインキナーゼ
Marfan症候群	1/10000	15q21.1	*FBN1*	フィブリリン
家族性大腸腺腫症	1/10000	5q22.2	*APC*	APC蛋白
Huntington病	1/20000	4p16.3	*HTT*	ハンチンチン
von Hippel-Lindau症候群	1/50000	3p25.3	*VHL*	VHL蛋白

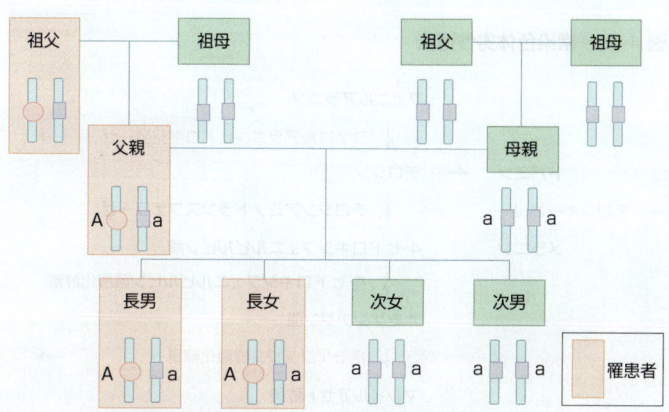

図 1-3-4 常染色体優性遺伝

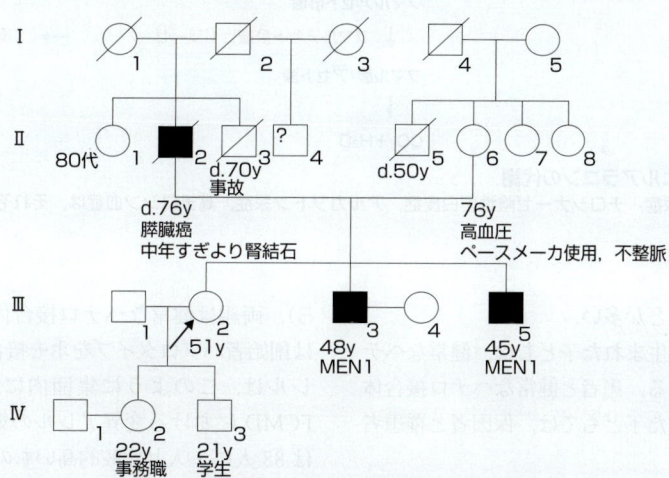

図 1-3-5 常染色体優性遺伝の例—家族性腫瘍（多発性内分泌腫瘍症1型）
クライエント：51歳，女性．弟2人（Ⅲ-3，Ⅲ-5）がMEN1と診断された．遺伝子診断を希望して受診．
31歳，第2子出産後，子宮筋腫で全摘手術．高カルシウム血症や腎結石を指摘されたことはない．

（2）常染色体劣性遺伝病

特徴（図 1-3-6）として両親の両方から変異遺伝子を伝達されてはじめて発病する．
①変異遺伝子aのホモ接合体aaが発症する．
②罹患者の性比は1：1である．
③変異遺伝子aと野生型遺伝子Aのヘテロ接合体Aaは非罹患者であり，保因者とよばれる．
④罹患者は同胞発生することがあり，一般的に親，子孫，血縁者には罹患者はみられない．
⑤罹患者の親はともにヘテロ接合体Aaである．

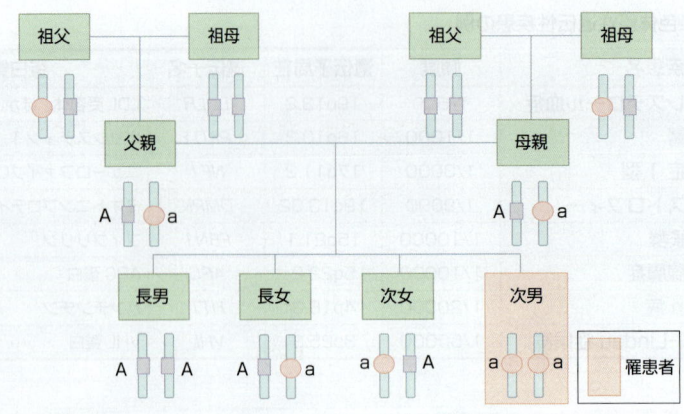

図 1-3-6 常染色体劣性遺伝

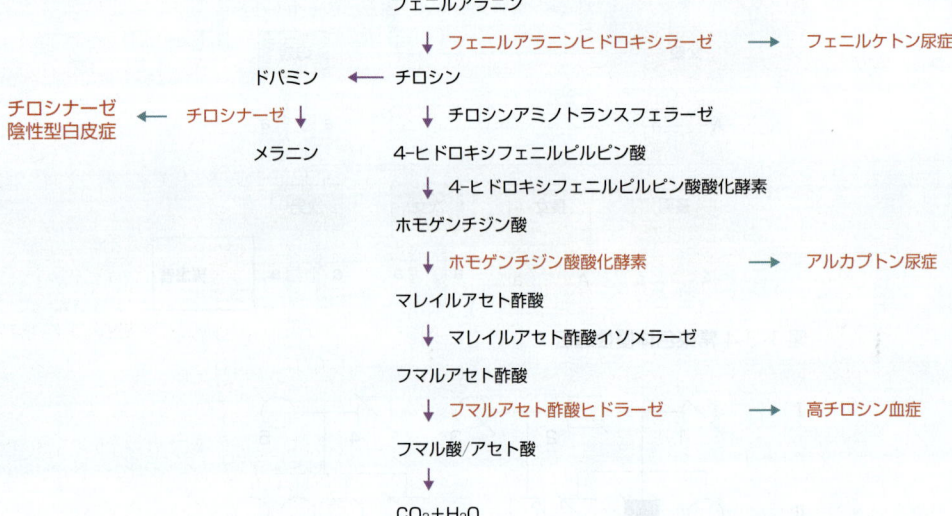

図 1-3-7 **フェニルアラニンの代謝**
フェニルケトン尿症，チロシナーゼ陰性型白皮症，アルカプトン尿症，高チロシン血症は，それぞれの酵素欠損により生じている．

⑥両親は血族結婚のことが多い．
⑦患者と健常人の間に生まれた子どもは，健常なヘテロ接合体保因者である．患者と健常なヘテロ接合体保因者の間に生まれた子どもでは，保因者と罹患者の比は1：1である．
⑧分離比は0.25である．

　多くの先天性代謝異常症は常染色体劣性遺伝性である．図1-3-7にフェニルアラニン代謝にかかわる酵素とその欠損による疾患を示す．フェニルケトン尿症，チロシナーゼ陰性型白皮症，アルカプトン尿症，高チロシン血症は，それぞれの酵素欠損により生じる．フェニルアラニン除去ミルクやフェニルアラニン制限食を摂取することで，フェニルケトン尿症の発症を抑えることが可能である．

　福山型筋ジストロフィー（FCMD）家系における*FKTN*遺伝子近傍のマイクロサテライトCAリピート多型マーカーを利用した家系解析では（図1-3-8），両親は健常なヘテロ接合体保因者であり，患者は創始者ハプロタイプをホモ接合性に示す．変異型アレルは，このように集団内に安定的に保存され，FCMDにおける変異アレルの集団内頻度は，日本では88人に1人と比較的高いものとなる．

（3）X連鎖優性遺伝病

特徴を図1-3-9に示す．
①遺伝子はX染色体にある．
②野生型遺伝子Xと変異遺伝子X'とのヘテロ接合体 XX'（女性），ヘミ接合体X'Y（男性）が発病する．
③ヘテロ接合女性の子の分離比は0.5であり，罹患した子の性比は1：1である．
④変異遺伝子のヘミ接合男性の娘は全員発病するが，息子は発病しない．
⑤大きな集団での罹患者の女性：男性は2：1である．

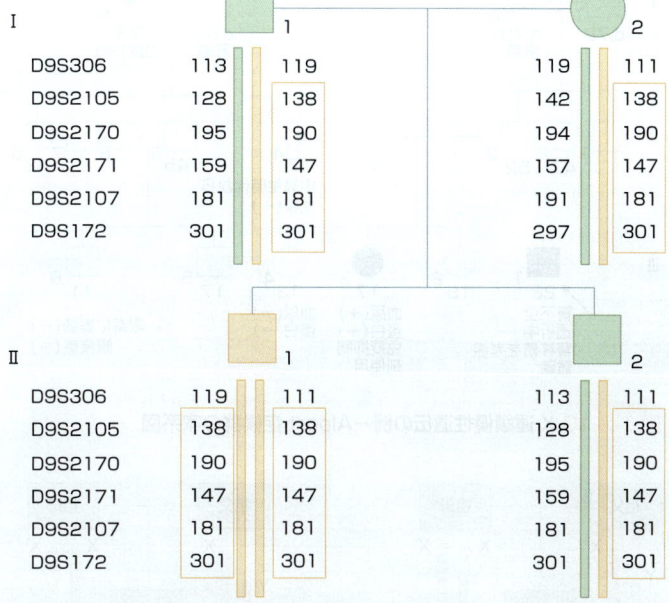

図 1-3-8 福山型筋ジストロフィー(FCMD)家系におけるマイクロサテライト CA リピート多型を利用した家系解析—ハプロタイプ解析結果
患者である第 1 子(Ⅱ-1)は，父由来，母由来とも D9S2105-(FKTN)-D9S2170-D9S2171-D9S2107-D9S172 の領域で 138-190-147-181-301 というハプロタイプをホモ接合性に示す．このハプロタイプは FCMD 患者の染色体の約 80％に共通な創始者ハプロタイプである．次男(Ⅱ-2)は，この創始者ハプロタイプを父(Ⅰ-1)からは受け継いでおらず，FCMD を発病しない．

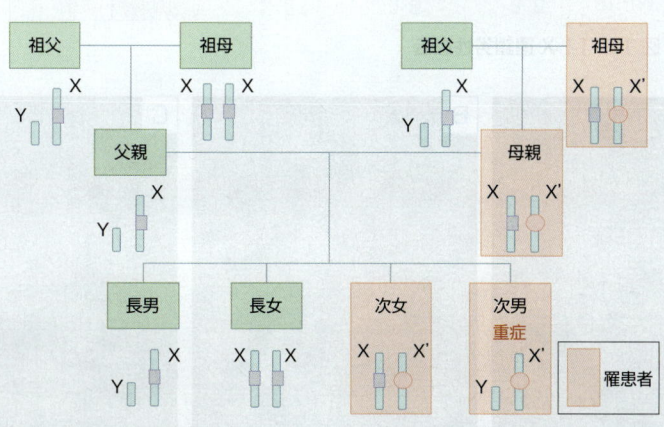

図 1-3-9 X 連鎖優性遺伝

⑥女性罹患者の症状は男性罹患者より軽い．
⑦ヘミ接合男性が致死になる疾患がある．この場合の罹患者はすべて女性である．

　Alport 症候群は，血尿を初発症状とした腎臓の糸球体基底膜変化と感音性難聴を特徴とする進行性遺伝性腎炎である(図 1-3-10)．その原因は糸球体基底膜を構成するⅣ型コラーゲンの異常である．X 染色体上に存在するⅣ型コラーゲン α5 鎖遺伝子変異による．Alport 症候群の家系の 85〜90％は X 連鎖優性遺伝を示し，男性では腎症状も重症で難聴を合併するが，女性では腎症状は軽症であることが多く，血尿のみの場合もある．また，女性では難聴はまれである．

(4) X 連鎖劣性遺伝病
　特徴を図 1-3-11 に示す．
①遺伝子は X 染色体にある．
②変異遺伝子 X'のヘミ接合体 X'Y の男性が発病する．
③ヘテロ接合 XX'女性は原則的に無症状(保因者)である．
　まれにホモ接合 X'X'女性が存在し，発病する．

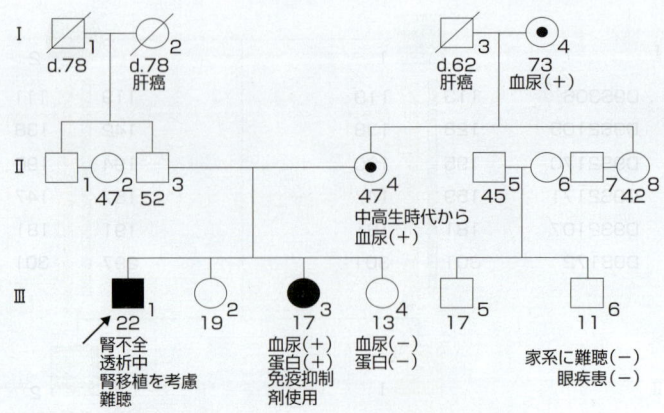

図 1-3-10 X 連鎖優性遺伝の例—Alport 症候群の家系図

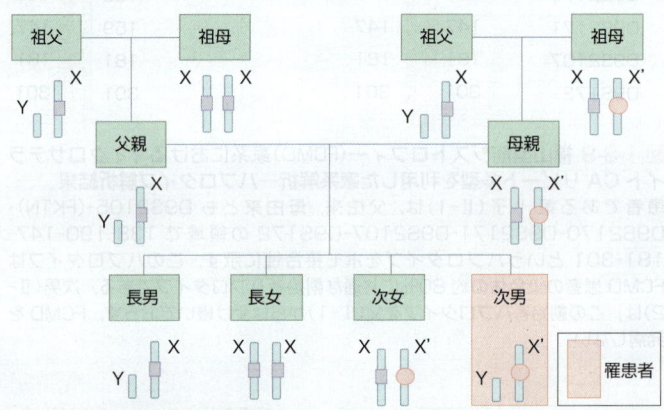

図 1-3-11 X 連鎖劣性遺伝

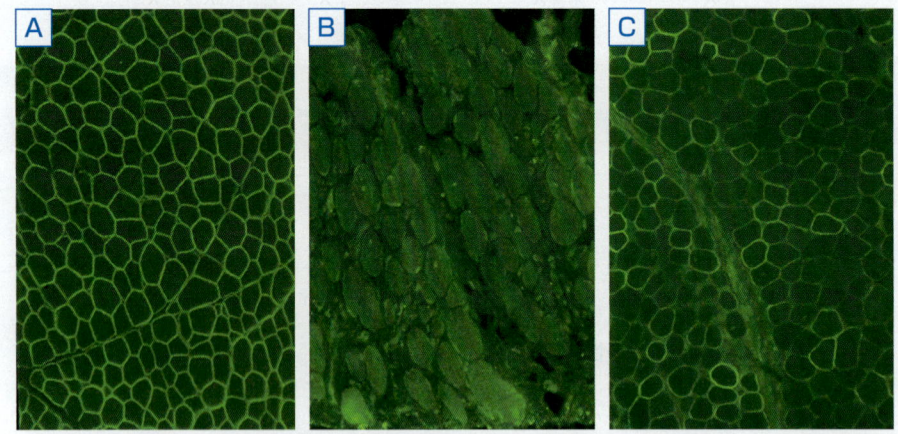

図 1-3-12 正常（A），Duchenne 型筋ジストロフィー（B），筋症状を示す保因者（C）の生検筋における抗ジストロフィン抗体を用いた免疫組織化学染色
DMD では膜のジストロフィンは認められないが，保因者では，モザイク状にジストロフィンが認められる．

④罹患男性 X'Y と（遺伝子的）正常女性 XX の娘はヘテロ接合体（保因者）となり，保因者を通じて男性の孫の半数が罹患する．1 世代おきの男性が発病する．

⑤罹患男性 X'Y と（遺伝子的）正常女性 XX の息子は正常である．

⑥女性保因者はときに軽度の症状を示すことがある．

X 連鎖劣性遺伝病は，男性にのみ発病するが（図 1-3-3B），X 染色体不活化の結果，女性にも発病することがある．男性では，1 本しかない X 染色体で生

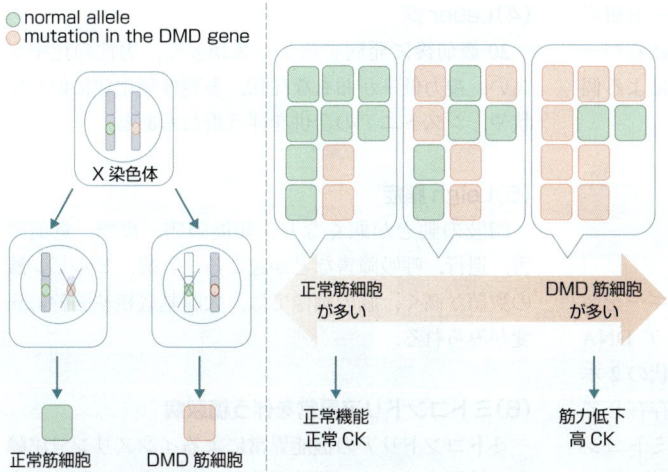

図 1-3-13 DMD の保因者の筋におけるジストロフィン染色，筋力，CK 値との関係

存に必要な遺伝子を発現させているが，女性では，2本の X 染色体からの過剰な量の遺伝子発現を避けるために，1本の X 染色体を不活性化している．どちらの X 染色体が不活性化されるかは細胞ごとにランダムに決まる．これを Lyon の仮説という．筋症状を示す Duchenne 型筋ジストロフィー（DMD）の保因者の生検筋の抗ジストロフィン抗体を用いた免疫組織化学染色では，モザイク状にジストロフィンが認められる（図 1-3-12）．X 連鎖劣性遺伝病の保因者の筋細胞では，遺伝子変異をもつ染色体が不活化されると正常筋細胞となり，遺伝子変異をもたない健常の染色体が不活化されると DMD 筋細胞となる．したがって，正常筋細胞と DMD 筋細胞のモザイクの比率により症状が決まり，正常筋細胞が多いほど，筋力は正常で血清クレアチンキナーゼ（CK）値も正常を示し，DMD 筋細胞が多いほど，筋力低下を示し血清 CK 値も高値となる（図 1-3-13）．

4）多因子遺伝病

単一遺伝子疾患は，1つの遺伝子の変異が発症の原因となり，種類は多いものの個々の有病率は低い疾患である．一方，生活習慣病をはじめ有病率の高い疾患（common disease）のほとんど，すなわち，糖尿病，高血圧，脂質異常症，肥満，癌，先天奇形などは，複数の遺伝子変異と環境要因が相互に影響して惹起される疾患，多因子遺伝病に属する．その発症には，生活習慣などの環境要因と複数の遺伝要因がかかわっている．

表 1-3-4[5]）に多因子遺伝病の頻度と遺伝率（heritability）を示す．遺伝率は一卵性双生児および二卵性双生児における一致率から計算される．

遺伝要因とは，多因子遺伝病においては，発症にかかわる感受性遺伝子における一塩基多型（SNP）などの多型アレルであり，浸透率あるいは個々の遺伝子の表現型に及ぼす効果がそれほど高くないという特徴がある．罹患者の頻度が高く，かつ環境因子の調整による発症予防，早期発見，早期治療が可能となることから，感受性遺伝子の探索において，ゲノムワイドな研究が進み，予測的遺伝学的検査としての易罹患性検査の開発が求められている．これら多因子遺伝病の発症予測に用いられる遺伝学的検査，特に体質遺伝子検査においては，検査の分析的妥当性，臨床的妥当性，臨床的有用性，環境因子の分析を含むコホート研究と確率的解析による科学的根拠を明確にする必要がある．SNP 解析は，頰粘膜で DNA を採取できる手軽さから，分析的妥当性に欠ける遺伝子検査を実施する医療現場や，検体を直接に検査会社に送って分析結果を得るような direct-to-consumer（DTC）遺伝子検査を実施する企業が現れてきている[6]．欧米人の感受性遺伝子が必ずしも日本人の集団における感受性遺伝子ではない．営利目的の検査のみが先行している場合や，分析的妥当性，臨床的妥当性・臨床的有用性が不明瞭な場合など問題点が少なくない．現在，体質遺伝子検査とよばれる遺伝学的検査の多くは，個人の体質を確実に表すもの，あるいはある疾患を発症するかどうかについて明確な答えを与えるものではなく，体質あるいは発症のリスクについて，その確率を示しているにすぎない．またその検査の有用性が科学的に証明されているものは少ないのが現状である[7]．多因子遺伝性疾患における感受性遺

表 1-3-4 多因子遺伝病の頻度と遺伝率

疾患	頻度（%）	遺伝率
統合失調症	1	85
喘息	4	80
口唇裂±口蓋裂	0.1	76
幽門狭窄	0.3	75
強直性脊椎炎	0.2	70
内反足	0.1	68
冠動脈疾患	3	65
本態性高血圧	5	62
股関節脱臼	0.1	60
無脳症，二分脊椎	0.3	60
消化性潰瘍	4	37
先天性心疾患	0.5	35

伝子特定の研究，ゲノム全領域に関するコホート研究を積み重ね，将来的に多因子遺伝性疾患におけるパーソナルゲノム解析を適切に運用していくことによる個別化健康増進が期待される．

5) ミトコンドリア遺伝病

　ミトコンドリアは細胞質内にあり，エネルギーを産生する細胞内小器官である．ミトコンドリアDNA (mtDNA) は16569塩基対からできている環状の2本鎖DNAで，1個の細胞には数百〜数千個が存在している．mtDNAにも37個の遺伝子がある．ミトコンドリア遺伝子はすべて母親から子へと伝達され，父親からの伝達はない．卵子には多数のミトコンドリアがあり，ランダムに子に分配・伝達される．したがって，ミトコンドリア遺伝子の遺伝は細胞質遺伝（母系遺伝）である．また，同一の遺伝子変異でも，症状はさまざまである．たとえば，ミトコンドリア脳筋症・乳酸アシドーシス・脳卒中様症候群 (MELAS) には，主として筋症状を示す例，心筋症を示す例，糖尿病と難聴を示す例，外眼筋麻痺の例などがある．母親のミトコンドリアの一部が変異遺伝子をもち（残りは正常遺伝子），それが子に伝達され，組織発生のときに変異ミトコンドリアが骨格筋または眼筋に多く分配されたために発症する．このように，臓器によって正常遺伝子と変異遺伝子が混在することをヘテロプラスミーといい，変異遺伝子の含有量が多いと発症する．

(1) 慢性進行性外眼筋麻痺症候群 (KSS)

　外眼筋麻痺 (CPEO) の一種であり，眼瞼下垂，眼球の左右上下の運動ができない外眼筋麻痺と，心伝導障害，網膜色素変性，筋力低下などを示す．数千塩基対の欠失を示す多種類の異常ミトコンドリアDNAの存在が知られている．

(2) MERRF (福原病)/ragged red fibersを伴うミオクローヌスてんかん

　小児で診断される．四肢のミオクローヌス，てんかん発作，知的退行，歩行障害などを示す．点変異としてA8344G, T3271C, A3251Gなどの報告がある．

(3) 脳卒中様症状を伴うミトコンドリア脳筋症 (MELAS)

　脳卒中様発作が特徴．頭痛，筋力低下，知能障害を生じる．一塩基置換A3243G, T3271C, A3251Gが，心筋症に関与すると考えられている．点変異としてA3243G, A4269G, A4300Gなどが報告されている．

(4) Leber病

　20歳前後に発病するケースが多く，男性の比率が高い．視力低下がおもな症状．多発性硬化症に似た症状や，ジストニアの合併を伴う場合もある．

(5) Leigh脳症

　四肢の動きが悪くなり，知能障害，痙攣，意識障害，退行，呼吸障害などが起こる．乳酸，ピルビン酸の数値が高く，脳の画像では，大脳基底核や脳幹に病変がみられる．

(6) ミトコンドリア異常を伴う糖尿病

　ミトコンドリアの機能異常によるインスリン分泌障害で糖尿病になる．難聴を伴うことが多い．脳や筋肉の障害はまれである．

(7) Pearson病

　乳児の疾患．高乳酸血症，代謝性アシドーシスなどを伴い，生後まもなくから，血液の障害，特に重症貧血を生じる．頻繁に輸血を要する．

(8) ミトコンドリア病の経過

　乳児期や小児期発症例は，変異ミトコンドリア遺伝子の割合が高いことが多く，進行して，心不全や腎機能異常，あるいは血液のなかの乳酸が異常に高くなることにより死亡する場合もある．思春期や成人に達して発症した場合には，比較的病気の進行が緩徐であることが多い．次第に筋力低下や，心機能の低下を示すこともある．

6) 体細胞遺伝病

　生殖細胞や受精卵ではなく，個体の体細胞に新たに発生する遺伝子の突然変異や染色体異常が原因で起こる疾患を体細胞遺伝病という．代表的な例は癌である．細胞生物学と分子遺伝学の進歩により，異常な細胞分裂，正常にプログラムされた細胞死の喪失など，すべての癌は体細胞における遺伝子病であることが明らかになった．また，そのうちの一部はMendel遺伝形式をとる生殖細胞の変異による家族性腫瘍である．

　RB1 遺伝子は，腫瘍抑制遺伝子として最初に同定され，細胞分裂の調節により腫瘍化を防ぐ遺伝子である（表1-3-5）(Jordeら，2010)．生殖細胞において，*RB1* 遺伝子変異を1つ有する（ヘテロ接合体の）場合に，網膜芽細胞腫という家族性腫瘍を有すると診断される．その人が，いずれかの体細胞においてセカンドヒットすなわち，*RB1* 遺伝子変異を生じた場合に，ヘテロ接合の喪失が生じて，網膜芽細胞腫を発症す

表 1-3-5 腫瘍抑制遺伝子と DNA 修復遺伝子の機能および，生殖細胞における変異による疾患

遺伝子（関連する遺伝子）	遺伝子産物の機能	生殖細胞における変異による疾患
腫瘍抑制遺伝子		
RB1	細胞周期の障害，E2F 転写因子複合体と結合	網膜芽細胞腫，骨肉腫
APC	Wnt シグナル伝達経路における β-カテニンと相互作用	家族性大腸腺腫症
SMAD4	TGF-β からのシグナル伝達	若年性腺腫症
NF1	ras 蛋白の発現低下	神経線維腫症 1 型
NF2	細胞骨格蛋白の調整	神経線維腫症 2 型
TP53	転写因子，細胞周期の停止またはアポトーシス	Li-Fraumeni 症候群
VHL	p53 や NFκB を含む多くの蛋白の調節	von Hippel-Lindau 病（腎嚢胞と癌）
WT1	zinc finger 転写因子，上皮細胞成長因子遺伝子と結合	Wilms 腫瘍
CDKN2A	CDK4 抑制	家族性黒色腫
PTEN	P13K シグナル伝達回路を調節する脱リン酸化酵素	Couden 症候群（乳癌と甲状腺癌）
CHEK2	p53 と BRCA1 のリン酸化	Li-Fraumeni 症候群
PTCH	ソニック・ヘッジホッグ受容体	Gorlin 症候群
CDH1	E-カドヘリン，細胞間の接着の調節	胃癌
DPC4	TGF-β からのシグナルの変換	若年性腺腫症
TSC2	mTOR（哺乳類ラパマイシン標的蛋白質）の発現低下	結節性硬化症
DNA 修復遺伝子		
MLH1	DNA ミスマッチ修復	HNPCC
MSH2	DNA ミスマッチ修復	HNPCC
BRCA1	BRCA2/RAD51 DNA 修復蛋白複合と相互作用	家族性乳癌卵巣癌症候群
BRCA2	RAD51 DNA 修復蛋白と相互作用	家族性乳癌卵巣癌症候群
ATM	プロテインキナーゼ，DNA の損傷に反応した BRCA1 リン酸化	毛細血管拡張性運動失調症，乳癌
XPA	ヌクレオチド除去修復	色素性乾皮症

る．これを 2 ヒット仮説という．その他の腫瘍抑制遺伝子と遺伝子産物の機能，生殖細胞における変異による疾患を表 1-3-5 に示す．

7）遺伝性疾患への対応

　遺伝医学関連学会による「遺伝学的検査に関するガイドライン」（2003）[8]は，遺伝学的検査が医療全域にわたって広く有効に利用される時代に対応して，2011 年に日本医学会「医療における遺伝学的検査・診断に関するガイドライン」[9]として改訂がなされた．この改訂では，すでに発症している患者の診断目的として行われる遺伝学的検査において，各診療科の医師自身が遺伝に関する十分な理解と知識および経験をもつことが重要であり，検査の意義や目的の説明とともに，結果が得られた後の状況や検査結果が血縁者に影響を与える可能性があることなどについて十分に説明し，被検者が理解して自己決定できるように支援する体制を整えることを述べている．医療機関は，遺伝医学の基本的事項および個人の遺伝情報の取り扱いに関する啓発や教育を行い，適切な遺伝医療を実施できる体制を整備することが望まれる．また，必要に応じて専門家による遺伝カウンセリングや意思決定のための支援を受けられるように配慮することを述べ，保因者診断，発症前診断，出生前診断を目的に行われる遺伝学的検査においても，遺伝カウンセリングの専門職による支援を述べている．

　遺伝カウンセリングは，疾患の遺伝学的関与について，その医学的影響，心理学的影響および家族への影響を人々が理解し，それに適応していくことを助けるプロセスである．このプロセスには，
①疾患の発生および再発の可能性を評価するための家族歴および病歴の解釈，
②遺伝現象，検査，マネージメント，予防，資源および研究についての教育，
③インフォームドチョイス（十分な情報を得たうえでの自律的選択），およびリスクや状況への適応を促進するためのカウンセリング，などが含まれる．

8）遺伝子医療に携わる人材育成

　自分が発症するか（発症前診断），自分は発症しないが保因者であるか（保因者診断），妊娠中の胎児がある疾患に罹患しているか（出生前診断）などに関する遺伝カウンセリングにおいて，また，パーソナルゲノム時代における個の医療，オーダーメイド医療を診療の場に導入すべき状況を迎えるにあたって，臨床遺伝学の専門的教育と，遺伝カウンセリング教育が必要である．医師においては，被検者の心理状態を常に把握しながら遺伝子医療，遺伝カウンセリングを実施する資格として，臨床遺伝専門医（日本人類遺伝学会と日本遺伝カウンセリング学会の共同認定）の養成が行われている．非医師の職種としては，上記2学会の共同認定の認定遺伝カウンセラー養成が大学院教育としてなされている．そこでは，遺伝医療，遺伝教育，さらに企業において活躍する認定遺伝カウンセラーとしての人材育成を実施している．患者・家族と遺伝カウンセリング担当者との良好な信頼関係に基づき，さまざまなコミュニケーションが行われ，この過程で医療的心理的精神的援助がなされる．一方的な医学情報提供だけではないことに留意すべきである．

9）予期せぬ結果や偶発的な所見

　パーソナルゲノム解析の医療応用，すなわち次世代シーケンサーの臨床応用，クリニカルシーケンスによって網羅的に全ゲノム，全エクソンの解析が行われると，目的とする遺伝子解析の結果だけでなく，ゲノム上のすべての遺伝子の遺伝子変異の情報が得られる．そのなかには家族性腫瘍遺伝子や遺伝性変性疾患の遺伝子が含まれるかもしれない．家族性腫瘍の場合には，発症リスクが予測できることにより適切な対応をとることができ，被検者の健康にとって大きなメリットもあろう．現時点では治療法のない神経変性疾患の場合には，被検者は予期せぬ結果を発症前に知らされることになる．このような情報は，偶発的所見（incidental findings）として議論されるようになってきている．偶発的所見について，American College of Medical Genetics（ACMG）が被検者に報告することを推奨している遺伝子として56遺伝子を呈示している[10]．これに対して，現在，多くの議論がなされている．ACMGは，「浸透率および臨床的有用性において（この56遺伝子についても）不十分なデータがあることを認識している．さらなるデータの集積とともに，これらの提言を少なくとも毎年更新する過程をつくることを強く勧める」と述べている．一方，米国では，2013年12月にPresidential Commission for the Study of Bioethical Issuesからincidental findingsについての勧告が出された．ここでは，検査担当者は検査実施の前にあらかじめ被検者に何が起こりうるか予測して知らせておくことを勧めている[11]．

　ゲノム解析研究が実を結び，多くの疾患の正確な診断と根本治療へのプロセスを現在，われわれは歩んでいる．高度医療の臨床応用の過程において大切なことは，遺伝子医学というハード面と，その医療を受ける患者・家族への情報提供，支援というソフト面である．患者・家族の人権および，生命の尊厳への慎重な配慮が求められる．遺伝子診療が実地医療の一部となりつつある現在，遺伝カウンセリングの必要性は増しており，生命倫理，医療倫理，社会倫理に関する十分な教育と人材育成がなされることが重要である．

〔齋藤加代子〕

■文献 (e文献 1-3)

Jorde LB, Carey JC, et al: Medical genetics, 4th ed, p1, Elsevier, 2010.
McKusick's Mendelian Inheritance in Man. http://www.ncbi.nlm.nih.gov/omim

1-4　腫瘍性疾患総論

1）疫学

　癌の発生は，世界的にみると地域別の差が大きい．これはその地域における20～30年前からの喫煙，食事，発癌ウイルス/細菌の感染，職場環境などを表している．すなわち，かなりの悪性腫瘍性疾患は予防可能であることを示している（Dollら，1981）．

（1）世界の状況

　2012年における，全世界の癌の発生数は1410万人，死亡数は820万人と推定されている（Ferlayら，2015）．発生臓器別には，肺癌（182万人），乳癌（167万人），大腸癌（136万人）の順である．死亡数は肺癌

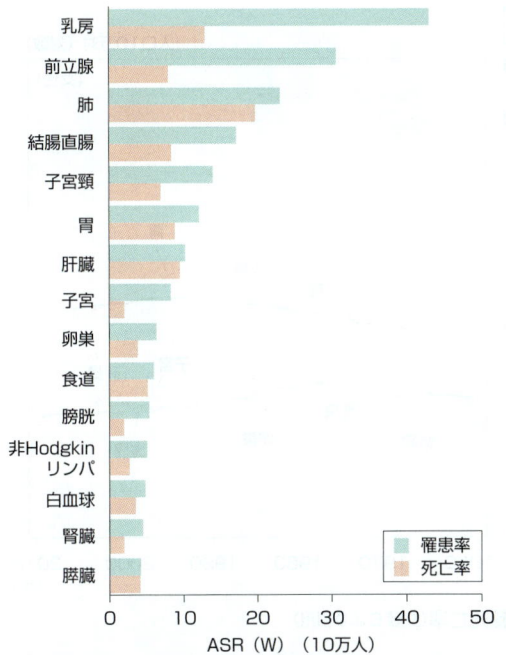

図 1-4-1 世界における癌の罹患率と死亡率(WHO：Globocan, 2012)

図 1-4-2 わが国における年齢階級別癌亡率推移(文献6より引用)

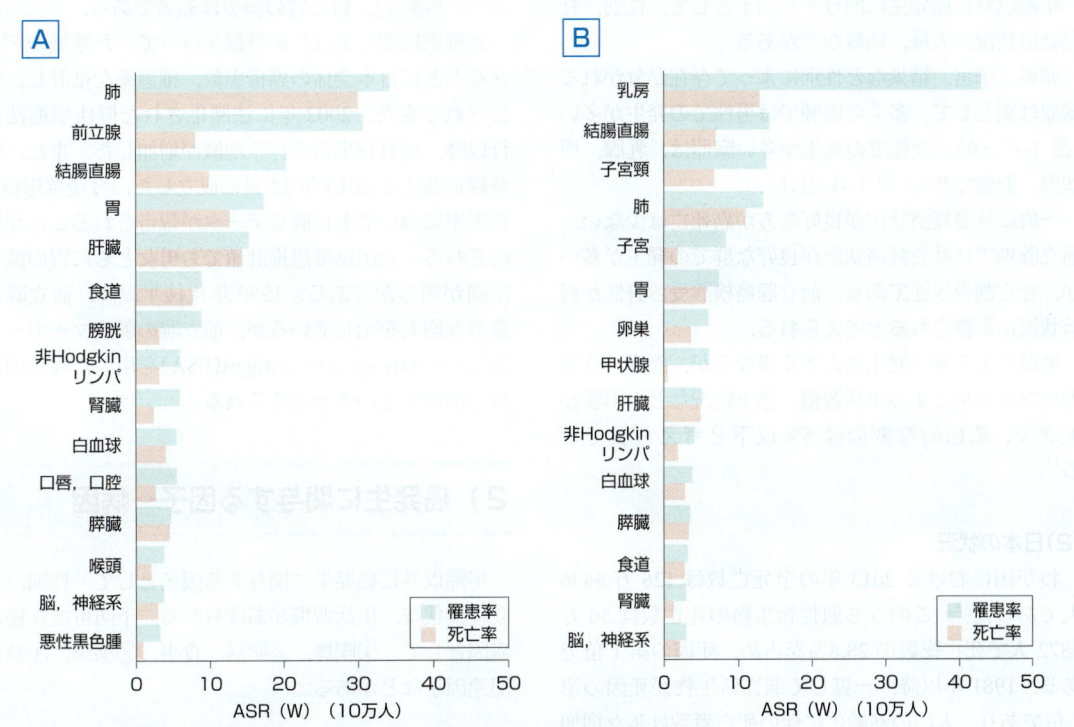

図 1-4-3 世界における男性(A)と女性(B)の癌の罹患率と死亡率(WHO：Globocan, 2012)

(160万人), 肝臓癌 (74万5000人), 胃癌 (72万3000人) の順に多い(図 1-4-1). 経済成長, 人口の高齢化, 生活様式の変化に伴い, 2030 年には新規の癌発生数 2140 万人, 死亡数 1320 万人と増加が予測されている. 多くの癌において, 年齢が発生に最も関与する因子であるため(図 1-4-2), 地域別や年代別に発生を比較する場合は年齢調整した発生割合, 死亡割合が有用である(Anderson ら, 1998).

先進国, 発展途上国別にみると, 検診によって発見されることが多い前立腺癌, 乳癌は先進国での発生が多く, ウイルスや細菌感染が原因となる癌腫は発展途上国に多い.

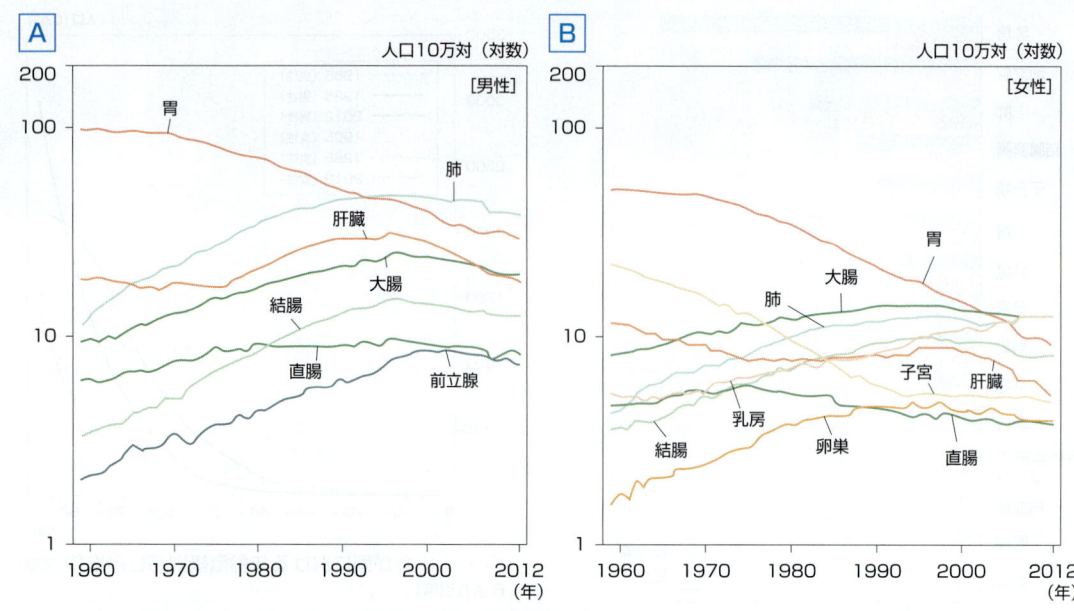

図1-4-4 わが国における男性(A)と女性(B)の部位別癌年齢調整死亡率（文献6より引用）

年齢以外に癌発生に関与する因子として，性別，社会経済状況，人種，地域などがある．

卵巣，子宮，精巣など性別によって存在が分かれる臓器は別として，多くの癌腫では男性での発生が多い（図1-4-3A）．女性での発生が多い臓器は，乳腺，甲状腺，胆嚢である（図1-4-3B）．

一般に社会経済状況が良好な方が癌死亡は少ない．前立腺癌では社会経済状況が良好な群での発生が多いが，死亡割合は逆である．前立腺癌検診受診有無が経済状況に影響されると考えられる．

地域による癌の発生は大きく異なるが，喫煙，受動喫煙をはじめとする生活習慣，感染状況などの影響が大きく，遺伝的な要因は5%以下と考えられている[1]．

(2) 日本の状況

わが国における2013年の全死亡数は126万8436人であった[2]．このうち悪性新生物の死亡数は36万4872人で死亡総数の28.8%を占め，死因の第1位である．1981年以降，一貫して悪性新生物が死因の第1位であり，人口の高齢化に伴い死亡者数は年々増加している．2013年の癌による死亡者数は，男性で肺，胃，大腸，肝臓，膵臓の順に多く，女性では，大腸，肺，胃，膵臓，乳房となる．合計では，肺，胃，大腸，膵臓，肝臓の順である．2011年の推定罹患数は，男性が胃，前立腺，肺，大腸，肝臓，女性が乳房，大腸，胃，肺，子宮の順であった．合計では，胃，大腸，肺，前立腺，乳房の順に罹患数が多い[3]．

年齢調整死亡率では，男女ともに近年減少傾向にある（図1-4-4）．特に胃の減少は顕著である．

癌罹患に関しては，癌登録を行っていた地域のデータをもとに日本全体の癌罹患数，罹患率を推計し，報告されてきた．2002年に法制化された健康増進法施行以降，癌登録事業を行う地域が増加した．また，癌登録推進法が2013年12月に成立した．今後罹患数，罹患率についても正確なデータが報告されることが期待される．全国癌罹患推計値でも男女ともに胃の減少傾向が明らかである．1990年代後半以降，前立腺が急激な増大を示しているが，前立腺の腫瘍マーカーであるprostate specific antigen（PSA）を用いた検診の普及が影響していると考えられる．

2）癌発生に関与する因子—病因

年齢以外に癌発生に関与する因子として，性別，社会経済状況，生活習慣があげられる．予防可能な癌の病因として，①喫煙，②肥満，食事，③感染，④職業関連因子などがある．

(1) 能動喫煙と受動喫煙

喫煙が発癌に関与する最も重要な要因である．喫煙という行為に伴い，喫煙者が吸入する主流煙，吸入した後呼気として排出される呼出煙，燃焼するタバコの先端から発生する副流煙の3種類のタバコ煙が発生する．タバコ煙はまた，粒子相，ガス相に分類される．粒子相には，ピレン，ベンゾピレン，アントラセンなどの多環芳香族炭化水素類，ダイオキシン類，

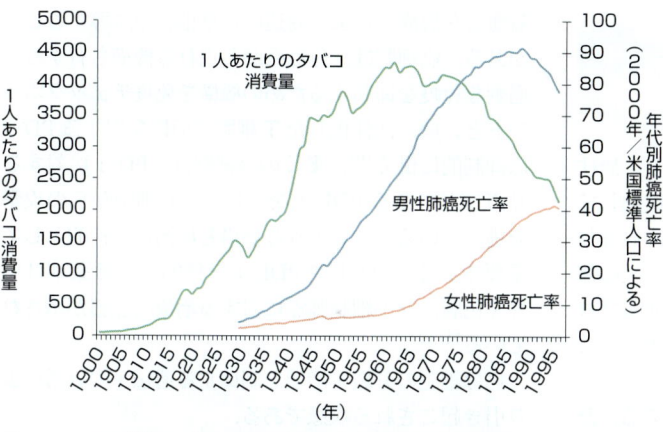

図1-4-5 20世紀の米国におけるタバコ消費量と肺癌死亡率
(Death rates: US Mortality Public Use Tapes, 1960-1999, US Mortality Volumes, 1930-1959, National Center for Health Statistics, Centers for Disease Control and Prevention, 2001. Cigarette consumption: Us Department of Agriculture, 1900-1999.)

ニッケル，カドミウムなどの金属類，および放射性物質が含まれる．ガス相には，一酸化炭素，ホルムアルデヒド，アンモニアが含まれる．粒子相，ガス相ともに含まれる物質には，ニコチン，ニトロソアミン類，活性酸がある．ニトロソアミン類は腺癌を引き起こすことが知られているが，受動喫煙量/能動喫煙量の比が1/2～1と高い．特に女性に多い非喫煙者の肺腺癌はニトロソアミン類が原因であることが示唆される[4]．タバコ煙に含まれる発癌物質は約70種類に及ぶ．これらは，吸入されることにより，気道～肺の細胞に影響を与えるのみならず，肺で血流に入り，あらゆる臓器の発癌のリスクとなる．喫煙による肺癌発生の増加が最初に疫学研究で示されたのは1950年である[5]．現在疫学的にタバコ煙との明確な関連が示されている部位は，口腔，口腔咽頭，鼻咽頭，鼻腔，副鼻腔，下咽頭，喉頭，肺，食道，胃，結腸，直腸，肝，膵，子宮頸部，卵巣(粘液性)，膀胱，腎，尿管，骨髄である[6]．肺と受動喫煙との関連が報告されている[7]．受動喫煙については，対照群も程度の差はあれ，曝露されていることがほとんどであり，関連性は低く見積もられることに注意が必要である．禁煙対策，受動喫煙対策が進んでいる米国では，ほぼ全年齢で肺癌発生率が減少傾向を続けている(図1-4-5)．2014年の米国 Centers for Disease Control and Prevention (CDC) の報告では，2005～2009年までの5年間の進行肺癌発生率の減少は，35～44歳の若年男性が6.4%/年，女性が5.9%/年と顕著である．

(2) 肥満，食事

肥満は，喫煙につぐ発癌に関する要因であるとされる．BMI 25 kg/m² 以上で発癌リスクが増大し，食道腺，大腸，閉経後乳房，子宮体部，腎臓，膵臓の発癌に関与することが報告されている．機序については明確ではないが，エストロゲンなどのホルモン産生の関与が考えられている．また，やせも発癌のリスクであるとされている．

アルコールは，口腔，咽頭，喉頭，食道，大腸，肝臓，乳房との関連が示されている[8]．特にアルコール代謝酵素欠損の場合は高率に発癌を引き起こすことが示されている．

食事では，赤身肉(牛，豚，羊)，加工肉(ソーセージ，サラミ，ベーコン，ハムなど)と大腸との関連が確実と評価されている．

リスク低下がほぼ確実と評価されているものは，コーヒーと肝臓，野菜・果物と食道である．

(3) 感染

発展途上国での癌の原因として，感染は23％程度と推計されている[9]．先進国での感染の関与は7％程度，わが国では19％程度と比較的高い．肝炎ウイルスと肝臓，*Helicobacter pylori* と胃(胃癌および胃 MALT リンパ腫)，ヒトパピローマウイルス(16, 18型)と子宮頸部，頭頸部，Epstein-Barr ウイルスによる悪性リンパ腫，鼻咽頭，ヒトT細胞白血病ウイルスによる成人T細胞白血病/リンパ腫，ヒト免疫不全ウイルス(HIV)と非 Hodgkin リンパ腫，Kaposi 肉腫などとの関連が示されている．

(4) 職業性要因

わが国において，労災補償の対象となっているものは，「石綿にさらされる業務による肺癌または中皮腫」，「ベンジンや2-ナフチルアミンにさらされる業務による尿路系腫瘍」，「コークスまたは発生炉ガスを製造する工程における業務による肺癌」，「クロム酸塩または重クロム酸塩を製造する工程における業務による肺癌又は上気道の癌」などがある．2012年には大阪市の印刷工場で胆道癌の集団発生が報告され，その後労災と認定された．癌患者の診療においては職業歴の聴取は重要である．

わが国では，石綿対策が遅れたため，中皮腫発生のピークは2030年代になると推定されている．職場での受動喫煙による発癌も今後問題になると考えられる．飲食店などにおける受動喫煙対策は客への被害防止のみならず，従業員の労災防止という観点が必要である．

3）癌遺伝子，癌抑制遺伝子

(1) 癌細胞は正常細胞とどう異なるか

癌細胞は，正常細胞に比較して未分化であり，無秩序に細胞分裂，増殖，浸潤する．正常細胞は成熟して特定の機能をもつ個別の細胞型に分化するが，癌細胞は成熟も分化もしない．また，癌細胞は細胞分裂の停止や人体が不要な細胞を除去するために利用するプログラム細胞死（アポトーシス）のシグナルを無視することがある．

癌細胞は，腫瘍周囲の微小環境に影響を与える．たとえば，腫瘍増殖に必要な酸素と栄養を腫瘍に供給する血管を形成するよう周辺の正常細胞を誘導することがある．癌細胞は，免疫系から逃れる機構も有する．過剰な免疫を抑制するための機構を免疫チェックポイントといい，活性化したT細胞表面に発現するPD-1は抑制的に働く[10]．多くの癌細胞は，PD-1に対するリガンドであるPDL-1を発現し，T細胞からの攻撃を逃れている．このような機構も癌治療の標的として重要である．PD-1やPDL-1を標的とする薬剤は悪性黒色腫，非小細胞肺癌に対する治療的意義が示されている[11, 12]．

癌は細胞の分裂・増殖を制御する遺伝子の異常により引き起こされる疾患である．

各患者の癌にはいくつかの遺伝子変異が存在し，癌

表 1-4-1 ヒト癌において異常のみられるおもな癌遺伝子

遺伝子	遺伝子産物の機能	遺伝子異常	おもな腫瘍
ALK	受容体型チロシンキナーゼ	染色体転座・逆位点変異	未分化リンパ腫，非小細胞肺癌，神経芽腫
NMYC	転写因子	遺伝子増幅	神経芽腫，小細胞肺癌
β-catenin	Wnt情報伝達系制御	点変異	皮膚癌，大腸癌，子宮内膜癌
EVI1	転写因子	染色体転座	急性骨髄性白血病
PIK3CA	PI3キナーゼ	点変異	乳癌，大腸癌，膠芽腫など
KIT	SCFR（幹細胞成長因子受容体）	点変異	消化管間質腫瘍
EGFR(HER1)	EGFR（上皮成長因子受容体）	遺伝子増幅/再構成 点変異/遺伝子内欠失	膠芽腫 非小細胞肺癌
MET	HGFR（幹細胞成長因子受容体）	胚細胞変異	家族性乳頭状腎細胞癌
SMO	Hedgehogシグナル伝達	点変異	基底細胞癌
BRAF	セリンスレオニンキナーゼ	点変異	悪性黒色腫，大腸癌，肺腺癌など
cMYC	転写因子	遺伝子増幅 染色体転座	肺癌など Burkittリンパ腫
JAK2	非受容体チロシンキナーゼ	点変異，染色体転座	骨髄増殖性腫瘍など
ABL	非受容体チロシンキナーゼ	染色体転座	慢性骨髄性白血病
RET	グリア細胞由来神経栄養因子受容体	胚細胞変異 染色体転座	多発性内分泌腫瘍症2A/2B型 甲状腺癌，肺腺癌
HRAS	GTP結合蛋白質	点変異	甲状腺癌，膀胱癌，前立腺癌など
Cyclin D1	サイクリン	遺伝子増幅 染色体転座	乳癌，食道癌 リンパ腫
KRAS	GTP結合蛋白質	点変異	膵臓癌，肺癌，大腸癌など
NRAS	GTP結合蛋白質	点変異	神経芽腫，骨髄性白血病
TEL	転写因子	染色体転座	急性リンパ性白血病
CDK4	サイクリン依存性キナーゼ	胚細胞変異 遺伝子増幅	家族性黒色腫 黒色腫，膠芽腫，乳癌，骨肉腫
MDM2	p53結合蛋白質	遺伝子増幅	骨肉腫
PML	転写因子	染色体転座	急性前骨髄球性白血病
ERBB2(HER2)	成長因子受容体	遺伝子増幅/変異 点変異	乳癌，胃癌 肺腺癌，卵巣癌
BCL2	アポトーシス抑制因子	染色体転座	リンパ腫
AML1	転写因子	染色体転座	急性骨髄性白血病
BCR	セリン・スレオニンキナーゼ	染色体転座	慢性骨髄性白血病

の増殖に伴い，さらに変異が生じることがある．正常細胞と比較して，癌細胞にはDNA変異などの遺伝子変異が多数存在する．こうした変異の一部は癌に関連しない．癌の原因ではなく，癌に認められる遺伝子変異をパッセンジャー変異という．

(2) 癌遺伝子(oncogene)の臨床的意義

癌の形成を促すように作用する遺伝子を癌遺伝子という．正常細胞の増殖・分裂にかかわる癌原遺伝子(proto-oncogene)が，何らかの原因により，変異するか，または通常時よりも活性化されると，癌遺伝子になることがある．癌遺伝子により，細胞は，死滅すべきときに，増殖して生き延びる．このような異常をドライバー変異という．癌遺伝子産物が受容体型チロシンキナーゼである場合を例にすると，変異を有しない癌原遺伝子では，リガンド(増殖因子)が受容体に結合することによって受容体の細胞内部分にリン酸化が起こり，細胞内のシグナル伝達経路を通して核内へシグナルが到達し，細胞分裂，増殖を引き起こす．ドライバー変異といわれる活性化が起こると，リガンドの受容体への結合がなくてもチロシンキナーゼ亢進によるリン酸化，シグナル伝達が起こり，腫瘍発生の原因となる．

レトロウイルスに関する研究によって，1976年癌遺伝子 v-src が同定された[13]．1982年には人の癌で K-RAS 変異が同定された．その後，癌遺伝子に関する多くの発見がされてきた．1990年代半ばまでは，癌遺伝子の臨床的意義は明確ではなかったが，1990年代後半以降，HER family, BCR-ABL などに対する抗体薬，低分子チロシンキナーゼ阻害薬が一般診療にも導入され，ドライバー変異を有する癌患者の予後は大きく変化した[14]．現在では，ドライバー変異の同定と対応する薬剤の開発が臨床腫瘍学の大きな潮流となっている．表1-4-1に，人において異常のみられるおもな癌遺伝子を記載した．

(3) 癌遺伝子の活性化

癌遺伝子は相同遺伝子の一方に活性化が起こり，優性的に発現する．活性化のメカニズムには，点変異(point mutation)，欠失(deletion)，DNA増幅(amplification)，染色体転座(chromosomal translocation)，などがある．点変異には，膵癌，大腸癌，白血病，肺癌，甲状腺癌などで認められるRAS遺伝子(H-RAS, K-RAS, N-RAS)，非小細胞肺癌で認められ

表1-4-2 **ヒト癌において失活変異のみられるおもな癌抑制遺伝子**

遺伝子	遺伝子産物の機能	遺伝性腫瘍	非遺伝性腫瘍
EAP1	ユビキチン化制御		中皮腫，眼悪性黒色腫
TGFβ-RⅡ	TGF-βシグナル伝達		大腸癌，胃癌，子宮内膜癌など
VHL	転写制御	von Hippel-Lindau病	腎癌，血管芽細胞腫
APC	Wntシグナル伝達	家族性大腸ポリポーシス	大腸癌，胃癌，膵癌など
p16	細胞周期制御	家族性悪性黒色腫	肺癌，神経膠腫，悪性黒色腫など
PTC	Hedgehogシグナル伝達	Gorlin症候群	基底細胞癌
Notch1	notchシグナル伝達		頭頸部癌
PTEN	蛋白質ホスファターゼ	Cowden病, Bannayan-Zonana症候群	神経膠腫，前立腺癌，肺癌など
WT1	転写因子	Wilms腫瘍	Wilms腫瘍，腎芽腫
MEN1	転写制御	多発性内分泌腫瘍症1型	膵内分泌腫瘍，副甲状腺腫
ATM	細胞周期・アポトーシス制御	毛細血管拡張性運動失調症	リンパ性白血病
BRCA2	DNA修復	家族性乳癌	
RB1	転写・細胞周期制御	家族性網膜芽細胞腫	網膜芽細胞腫，乳癌，肺癌
E-cadherin	細胞間接着	家族性胃癌	胃癌，乳癌
TP53	転写因子	Li-Fraumeni症候群	ほとんどすべての腫瘍
NF1	シグナル伝達	神経線維腫症1型	神経芽腫，悪性黒色腫
BRCA1	2本鎖DNA切断修復	家族性乳癌	乳癌
SMAD4/DPC4	TGF-βシグナル伝達	家族性若年性ポリポーシス	膵癌，大腸癌，肺癌
LKB1/STK11	セリン・スレオニンキナーゼ	Peutz-Jeghers症候群	肺癌
BAX	アポトーシス制御		大腸癌，胃癌，子宮内膜癌など
NF2	細胞接着	神経線維腫瘍2型	髄膜腫，神経鞘腫

る EGFR exon 21，悪性黒色腫での BRAF などがある．欠失には，非小細胞肺癌での EGFR exon 19 がある．増幅の例には，神経芽腫，小細胞肺癌での N-MYC，骨肉腫における MDM2，乳癌における ERBB2 などがある．染色体転座は，慢性骨髄性白血病における BCR-ABL，Burkitt リンパ腫における C-MYC，急性前骨髄球性白血病における PML など，血液悪性腫瘍では多く認められる．2007 年には肺腺癌において EML4-ALK 融合遺伝子が発見され[15]，血液腫瘍以外の固形癌においても染色体転座による融合遺伝子が活性化されていることが次々と示された．新しい治療標的となることが期待されている．

(4)癌抑制遺伝子

癌抑制遺伝子も細胞の増殖・分裂にかかわる．癌遺伝子とは異なり，相同遺伝子がともに不活化して細胞を癌化に至らせる．癌抑制遺伝子に何らかの変異が生じた細胞は，無秩序に分裂することがある．遺伝性網膜芽細胞腫の原因遺伝子として，1986 年に RB 遺伝子が同定された．その後，表 1-4-2 に示すように，多くの癌抑制遺伝子が発見された．癌抑制遺伝子の不活性化は，遺伝性腫瘍のみならず，非遺伝性腫瘍においてもしばしば認められる．特に p53 は人腫瘍の 50％以上で変異が認められる．体細胞にみられる癌抑制遺伝子の異常には，点変異と DNA 配列欠失の 2 種類がある．また，非遺伝性腫瘍では，エピジェネティック(後成的)な変化として，遺伝子発現を調整するプロモーター領域の DNA メチル化，ヒストンの脱アセチル化による遺伝子発現抑制も起こっている．

p53 を標的とした遺伝子治療などが試みられたが，その意義を示すことはできなかった．癌遺伝子に比較して，その機能が欠損している癌抑制遺伝子を治療標的とすることは困難である．2 つの遺伝子のうち，単独での変異では細胞死に至らないが，両方が変異を起こした場合に細胞死を引き起こすことを合成致死という．癌抑制遺伝子単独を標的とする戦略への期待が少ないが，合成致死に関与する遺伝子が同定されれば，今後治療標的としての開発が可能となる．

4）増殖・浸潤・転移関連分子

(1)増殖に関する因子

前項で述べたように，癌遺伝子自体が増殖にかかわる重要な因子である．癌細胞の増殖自体が癌遺伝子に依存(addiction)している場合は，癌遺伝子産物であるチロシンキナーゼ活性を抑えることで腫瘍増殖が抑制される．また，RAS，RAF から下流の MEK，MAPK へ伝達される経路，PI3K から AKT，mTOR

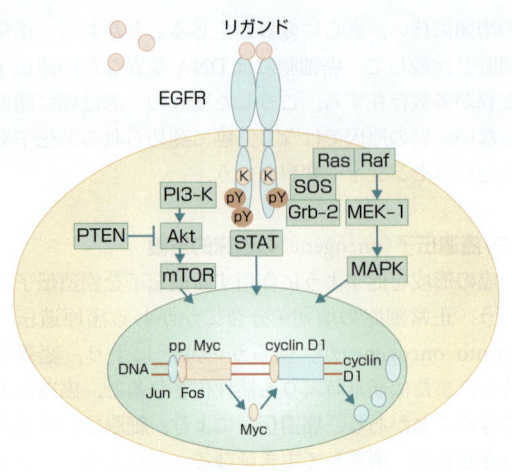

図 1-4-6 EGFR の細胞内シグナル伝達
EGFR(epidermal growth factor receptor：上皮成長因子受容体)は細胞膜を貫通する受容体である．細胞外領域に EGF などのリガンドが結合すると，受容体は活性化し，図に示すような二量体を形成する．二量体が形成されると，細胞内領域であるチロシンキナーゼ部位が活性化し，チロシンをリン酸化する．このリン酸化により，細胞内に →で示すようにシグナルが伝達され，細胞増殖，アポトーシス抑制，腫瘍血管新生，転移などが引き起こされる．

などの下流の細胞内蛋白は治療標的となりうる因子である(図 1-4-6)．これらを標的としたさまざまな臨床試験が行われている．

細胞核内には，MYC，API などの転写因子，CDK やサイクリン D などの細胞周期制御因子などがあり，細胞分裂が調整されている．

(2)浸潤・転移に関与する因子

癌が浸潤を起こすには，基底膜への細胞接着，基底膜の蛋白分解，癌細胞の遊走の 3 段階が必要とされる．血管内やリンパ管内へ到達した癌細胞は，浸潤，転移を起こすには，原発巣からの癌細胞の離脱が必要である．細胞の接着因子として知られるのが，E-cadherin である．E-cadherin の機能低下が，癌細胞の離脱に必要と考えられている．原発巣の周囲には，結合組織や基底膜などの細胞外マトリックスがあり，癌細胞の移動を困難にしている．細胞外マトリックスの分解が浸潤・転移において重要である．この分解に中心的役割を果たしているのが，matrix metalloproteinase(MMP)である．MMP は少なくとも 25 種類が同定されている．MMP を阻害することによって，癌細胞の浸潤・転移を抑制する効果が期待され，MMP 阻害薬有無のランダム化臨床試験が行われたが，その意義を示すことはできなかった[16]．

転移の生物学的な機序に基づいて，臨床応用されて

いるのは骨転移である．骨内に侵入した癌細胞はparathyroid hormone-related protein(PTHrP)やサイトカインを放出し，骨芽細胞を刺激してreceptor activator of NFκB ligand(RANKL)を放出させる．破骨細胞と破骨細胞前駆細胞は細胞表面にRANKLの受容体RANKを発現しており，RANKLによって破骨細胞の分化と活性化が引き起こされる．破骨細胞の活性化によって骨吸収が促進されるが，骨基質にはplatelet-derived growth factor(PDGF)やtransforming growth factor-β(TGF-β)などの腫瘍増殖因子が豊富に含まれており，骨吸収に伴って放出される．これにより骨内の癌細胞の増殖が促進され，骨芽細胞を刺激するサイトカインの量が増加するという悪性のサイクルとなる．RANKLに対する抗体薬が一般診療において使用され，骨転移に伴う疼痛，骨折などの骨関連事象が改善されている[17]．

近年，ドライバー変異に基づいた治療薬の選択が行われるようになり，個別化医療(personalized medicine)などといわれるようになった．しかし，医療は元来個別的なものであり，用語として不適切である．最近は，高精度医療(precision medicine)という表現が用いられている．

〔久保田 馨〕

■文献(e文献 1-4)

Anderson RN, Rosenberg HM: Age standardization of death rates: implementation of the year 2000 standard. *Natl Vital Stat Rep*. 1998; **47**: 1-16.

Doll R, Peto R: The causes of cancer: quantitative estimates of avoidable risks of cancer in the United States today. *J Natl Cancer Inst*. 1981; **66**: 1191.

Ferlay J, Soerjomataram I, et al: Cancer incidence and mortality worldwide: sources, methods and major patterns in GLOBOCAN 2012. *Int J Cancer*. 2015; **136**: E359-86.

1-5　医原性疾患

1) 医原性疾患総論

医原性疾患(iatrogenic disease)とは，疾病そのものではなく「医療」に起因して患者に発生した「精神・身体上の不具合」の総称である．合併症，副作用，不可抗力によるものなどが広く含まれ，過失の有無によらない．「診断」や「治療」の過程のみならず，「入院生活」や「医療システム」など，さまざまな場面で発生する．医学や医療は本来，人間の健康福祉の向上に寄与するためのものであり，医原性疾患の発生は望ましいものではない．医療に携わる者は，医原性疾患が発生しやすい状況やその誘因をよく理解し，極力予防に努めるとともに，発生時の早期診断・早期治療に備えて，日頃から医原性疾患の診断と治療に関する知識と技術を整理しておかなければならない．

(1) 医療の有害性

医療の有害性は古くより知られていた．ハンムラビ法典(Code of Hammurabi，紀元前18世紀)218条には，「手術で人を死亡させたり，目を潰したときは，医師の両手を切断する」とある．また，ヒポクラテスは，その誓い(The Hippocratic Oath，紀元前4世紀)のなかで，「above all, do no harm(何よりも患者に害をなすなかれ)」と説いている．このように，医療は諸刃の剣であり，非常に役立つ一方で，大きな害をもたらす危険性を常に内包している．

(2) 定義・概念

はじめ，Hurstは医原性疾患を，検査あるいは医師の態度や説明に起因する，患者の自己暗示によって引き起こされた病気と規定した(1932年)．このような心因性の医原性疾患は，医原性神経症(iatrogenic neurosis)ともいい，医療従事者の些細な態度や言動，テレビや新聞などのマスメディアによって誇張された情報あるいは，医療現場における厳密なインフォームドコンセントや煩雑な手続きによって引き起こされる，さまざまな心気症状，抑うつ気分，不安などをいう．

一方で，Schipkowenskyは，医原性疾患を，医師の行為または不作為によって引き起こされる疾病またはその増悪と定め，心因性のものと身体因性のものに分類した(1970年代)．

医原性疾患 ｛ 心因性医原性疾患
　　　　　　　（医原性神経症）
　　　　　　　身体性医原性疾患≒医療事故
　　　　　　　（医原性身体症）

その後20世紀の後半に医療技術は急速に進歩かつ強力化した．鋭利なメス，強力な薬物療法，切れ味のよい放射線治療，人体を改変できる遺伝子治療など，新規開発された医療技術は，強力であればあるほど，人体に対して有害になりうる．20世紀の終わりから21世紀のはじめにかけて，身体因性医原性疾患(医原性身体症)が，かなりの頻度で発生しかつ重篤な結果をもたらすことが明らかになり，医療界のみならず，

社会的に大きな問題になった．さらに医原性身体症を有する患者が，医療従事者による隠蔽や不適切な説明によって心因性にも病む事例も見受けられた．

(3) 医原性疾患と医療事故

a. 医療事故との関係

疾病そのものではなく医療を通じて患者に発生した傷害(an unintended injury caused by medical management rather than by the disease process)を医療事故(medical injury)という．これには，過失によるものと，過失によらないものを含む(中島ら，2000)．身体性医原性疾患は，医療事故とほぼ同じ概念である．医原性疾患が主として事故発生後に患者に生じた結果(病状)を示しているのに対して，医療事故は医原性疾患の発生過程を重視した表現である．

b. 医療事故と医療過誤

医療事故のうち，①医療行為に過失があること，②患者に傷害があること，③過失と患者の傷害の間に因果関係があることの3要件がそろったものを，医療過誤(medical malpractice)という．「過失によって発生した医療事故」は，医療過誤と同じ意味である．同様に，医原性疾患のなかにも，①「病因」として医療行為に過失があり，②患者に身体傷害があり，③過失と患者の身体傷害の間に因果関係があるもの，すなわち「過失による医原性疾患」がある．

c. 医療事故の頻度

ニューヨーク州51病院の入院患者(30121人)における調査により，医療事故は毎年3.7%の頻度で発生し，そのうちの13.6%(入院患者の0.5%)が死亡していた(Brennanら，1991)．この確率に基づいて推測すると，米国では毎年4万〜10万人が医療事故によって死亡している．

米国はその後国家的規模で医療事故の解明に取り組み，1999年に，米国医学研究所医療の質に関する委員会は，"To Err is Human: Building a Safer Health System(人は間違えるもの：安全な医療システムを目指して)"を発表した．そのなかで，生体の反応が多様であることを背景に，医療のなかで生命は容易に失われること，人間の能力は完璧ではなく，個人の力で医療事故を防止することには限界があることを指摘した．

d. ヒューマンエラー

人間と技術を適切に調和させるうえで避けられない人間特性の1つにヒューマンエラー(human error)がある．医療はきわめて複雑なシステムであるうえ，ほとんどの作業が人の手を介して行われる．医師Lewis Thomasは，著書"To Err Is Human"(1974)のなかで，「間違いは人間のなかに埋もれながら根を張っている．逆に間違うという宿命をきちんと把握できなければ，

表1-5-1 事故発生時の対応

①診療に最善を尽くす(最善の医療態勢で診療する)
②ノンテクニカルスキルを用いて最善を尽くす
　窓口を一本化し，情報収集と情報共有に努める
　病状を説明し，遺憾の気持ちを伝える
　医療チーム全体を管理し，誠意ある対応を心がける
③医療過誤かどうか判断する(専門の部署とともに)
　過失の有無
　傷害の重症度(影響度)
　過失と傷害の因果関係

表1-5-2 患者と医療従事者の要望の対比

患者	医療従事者
真相を知りたい	原因を究明したい
二度と起こさないでほしい	再発を防止したい
誠意ある対応と謝罪	適切な謝罪と対応

両者が究極的に要望するものは一致しており，誠意ある説明によって合意に達する可能性は高い．

人の役に立つことなど到底できない」と述べた．

ヒューマンエラーをすべて個人の責任だと非難し，エラーを起こした人を解雇したり，制裁することは社会のなかでごく最近まで普通に行われてきた．これに対して，安全管理の専門家は，非難や制裁は再発防止にあまり役立たないこと，エラーの成因を多面的にとらえ，「人はエラーをする」ことを前提に，システムを構築する必要性を指摘している．

(4) 医原性疾患が発生したとき

医原性疾患が発生したときに，医師は速やかに，①診療(テクニカルスキル)と②診療以外のノンテクニカルスキルに最善を尽くす(表1-5-1)．

医原性疾患は，医療行為と同時に発生する場合と遅れて発生する場合がある．すなわち，血管や臓器の損傷では速やかに出血などの身体傷害が発生するが，薬物誤投与や放射線誤照射では身体傷害が発現するまでに数分〜数カ月の猶予がある．いずれの場合でも速やかに有害事象の早期診断と早期治療に努める．同時に患者に対して「説明」して「診療」を開始する旨を伝える．猶予があるからといって身体傷害が顕在化しないことを秘かに期待して「様子をみる」態度は，患者の信頼を損なう．リスクの大小にかかわらず，「現在の状況」を患者に説明し，遺憾の気持ちを伝えつつ患者の理解と協力のもとで，最善のチーム医療を行う．なお，最近では説明の場にメディエーター(中立的立会人)を同席させる医療施設が増えている．

最後に，③医療過誤の有無とその影響範囲を慎重に

表 1-5-3 医原性疾患の身体的重症度

レベル	傷害の継続性	傷害の程度	
レベル0	—	—	エラーや医薬品・医療用具の不具合がみられたが、患者には実施されなかった
レベル1	—	なし（軽微）	患者への実害はなかった（何らかの影響を与えた可能性は否定できない）
レベル2	一過性	軽度	処置や治療は行わなかった（患者観察の強化、バイタルサインの軽度変化、安全確認のための検査などの必要性が生じた）
レベル3a	一過性	中等度	処置や治療を要した（消毒、湿布、皮膚の縫合、鎮痛薬の投与など）
レベル3b	一過性	高度	濃厚な処置や治療を要した（バイタルサインの高度変化、人工呼吸器の装着、手術、入院日数の延長、骨折など）
レベル4a	永続的	軽度～中等度	永続的な障害や後遺症が残り、機能障害や美容上の問題は軽度～中等度（後遺障害等級表において第10～14級相当である）
レベル4b	永続的	中等度～高度	永続的な障害や後遺症が残り、機能障害や美容上の問題は中等度～高度（後遺障害等級表において第1～9級相当）である
レベル5	死亡	—	死亡（現疾患の自然経過によるものは除く）

参考：身体障害者福祉法，民事交通事故損害賠償額算定基準（財団法人日弁連交通事故相談センター）

判断する．診断の項で詳述するが，医療安全を専門とする部署とともに判断するのが望ましい．医療チームがみずからの過失の有無とその影響範囲を正確に診断し，患者に納得してもらうのが理想である（表1-5-2）．その一方，当事者間で決着がつかずに紛争化する事例がある．主治医や医療施設の管理者は，全体の状況を冷静に判断し，不信感が強いなど当事者間で決着しがたい状況がある場合は，あらかじめ第三者を含めた，あるいは，第三者による事故調査を依頼する方が事態は冷静に推移しやすい【⇒1-1-3】．

(5) 医原性疾患の診断および鑑別
a. 医原性疾患における診断の進め方
医原性疾患の診断では，まず医原性の傷害の有無を診断する．次に医療行為における過失の有無を診断する．続いて，傷害の重症度を評価（または予測）する．過失がある場合はさらに，過失と傷害の因果関係（過失が心身傷害に及ぼした影響範囲）を正確に評価する．過失による医原性疾患では，治療費の弁済や損害の賠償が発生することが多く，過失の有無とその影響範囲を正確に説明しなければならない．説明には，通常のIC以上に，首尾一貫した客観性（独善的見解でないこと）が求められる．

b. 過失の判断
過失とは，結果から判断することではない．結果がよくても過失は過失であり，結果が死亡であっても過失でない医療行為は多い．過失には，大きく分けて，計画どおり行動できなかったエラー（スリップ）と間違った行動計画を立案したエラー（ミステーク）の2種類がある．また，適切な医療行為には一定の幅（裁量）があり，許容できる範囲か，許容できない範囲（逸脱）かの判断には個人差がある．特に医療行為が許容と逸脱の間のグレーゾーンにある場合は，主治医または医療施設の管理者は進んで，第三者を含めた，あるいは第三者によるセカンドオピニオンを求めることが望ましい．

c. 傷害（重症度）の判断
医療事故が患者に与えた影響を，傷害の程度と継続性という観点から分類したものを医療事故の影響度分類という．これは医原性疾患の身体的重症度ともいえる（表1-5-3）．たとえば，影響度3bとは，傷害は高度（生命に影響を与える程度）であったが，一過性で回復したことを意味する．この分類はわかりやすいので，わが国ではよく普及している．ただし，事故前に身体障害がないことを前提とした「影響度」であるため，事故発生前に重大な疾患や重度の障害を有している事例や，すでに人工呼吸器下であった事例では，補足をつけて使用する．また，この分類は医療が患者に与える精神的影響（心因性医原性疾患）の評価には適さない．

d. 過失と傷害の因果関係の判断
一般に，患者には医療行為を受けるに至った本来の原疾患があり，その病状を有している．したがって，患者の病状のうち，本来の疾患に起因する部分と医療行為に起因する部分を切り分けることが，医原性疾患では診断の要となる．しかし，これはしばしば容易ではない．

たとえば，2型糖尿病を有する患者がメトホルミンを内服中に乳酸アシドーシスを発症して死亡した場合，過失のない医原性疾患（A），過失のある医原性疾患（B），医原性疾患でない（C），の3通りの鑑別が考えられる．

2型糖尿病が正診であり，かつメトホルミンの投与が適切な医療行為である場合，発症した乳酸アシドーシスは，薬剤投与の併発症(A)あるいは糖尿病の合併症またはまったく別の偶発症(C)が考えられる．もし，2型糖尿病が誤診である，あるいはメトホルミンの投与が不適切な医療行為である場合，発症した乳酸アシドーシスは，薬剤誤投与の併発症(B)あるいは未知の疾患の合併症またはまったく別の偶発症(C)が考えられる．

以上のように，医原性疾患の正確な診断には，通常疾患の診断以上の熟練を要する．

(6) 診断に基づく社会的対応

前述のように，医原性疾患の正確な診断は容易でない．さらに，その診断が，社会的対応(謝罪や補償内容)に大きくかかわってくる点に通常疾患の診断とは異質の重要性がある．また，医原性疾患発病前の患者の病状によって生存期間や逸失利益の見込みも変わり，社会的対応も大きく異なる．

(7) 医原性疾患の治療

正確な診断に基づいて行う．医療行為のなかに病因がある場合は，該当する医療行為をやめることが可能であるか，またはやめる際に生じる利益が不利益を上回るかを，原疾患の病状を含めて，注意深く検討する．たとえば，出血性疾患の治療中に医原性の血栓塞栓症を生じたとしても，出血性疾患(原疾患)と血栓性疾患を同時に治療することはできない．まず活動性の出血を止めるための治療を優先し，一度止血した後に血栓性疾患の治療を慎重に始めるなど，高度な医療判断を要することが多い．

(8) 医原性疾患の予防

a. 情報収集

医療は有害性を内包するうえに，患者の生体反応も多様であるため，再発を防止できない医原性疾患は数多い．これらを解決するためには将来の医学の発展が俟たれる．その一方で，予防できる医原性疾患も少なくない．そのためには，まず医療施設内で診療録をチェックしたりインシデントなどの報告制度を整備して情報収集する(本間, 2012)．続いて，医療行為を行う者(医療従事者)，医療行為を受ける者(患者)，医療システムの管理者(医療施設の管理者)の3者が医療安全の改善に向けて協働するシステムを構築する．

b. 医療従事者の役割

医療従事者は，医療技術の安全な取り扱い方，事故発生時の対応，医療技術の品質管理に精通する．特に医療技術の安全な取り扱い方法を学ぶには，3ステップ戦略(設計・防御・情報)が有用である(表 1-5-

表 1-5-4 3ステップ戦略

あらゆる医療行為(手術，注射，投薬，療養，放射線治療等)を行う前に以下の3ステップを実行する．

1. 安全設計の理解
　一般論．手技，薬剤，医療機器いずれも人間に対して使うものは，それを確立させる段階である程度の安全設計が含まれている．たとえば手順書，添付文書，マニュアルでそれを学ぶ．

2. 安全防護
　個別論．患者や周辺環境は常に異なるため，現場では個別の工夫をする．たとえば，手術では，患者の病状変化，術者の体調やチームワーク，医療機器の状況に臨機応変に対応する．

3. 使用情報の取得
　頭で知っていることと実際にやってみるのでは大きく異なる場合がある．初めてのときは経験ある人から情報を取得する．

表 1-5-5 再発防止策を作成するための原因分析法

事故の原因を個人に帰するのではなく，「人間とシステムのかかわり」のなかでとらえ，人間の行動特性，能力，限界をふまえた再発防止策を検討する必要がある．

RCA 分析
　root cause analysis: 根本原因解析
SHEL モデル
　software：ソフトウエア，hardware：ハードウエア，environment：環境，liveware：まわりの人
4M4E 分析
　4M = man：人間，machine：機械，media：メディア，management：管理
　4E = education：教育，engineering：技術，enforcement：徹底，example：模範

4)．また，実際に発生したインシデントなどから再発防止策を作成する分析法がある(表 1-5-5)．

c. 患者の役割

患者が，みずからの病状と医療の危険性をともに理解したうえで，みずからの価値観に合った，実現可能な目標と方法を選び(インフォームドコンセント)，目標達成に向けて協力するよう，働きかける．

d. 医療施設の管理者の役割

医療施設の管理者は，限られた医療資源が適材適所に配置され，平常時にも事故発生時にも効率よく機能するようこのシステムを整備し，安定的に維持する必要がある．最近では，管理者の権限を一部委譲し，これらの協働を推進・促進させる部署(医療安全管理室)を設置している医療施設が多い．　〔本間　覚〕

■文献

Brennan TA, Leape LL, et al: Incidence of adverse events and negligence in hospitalized patients. Results of the Harvard Medical Practice Study I. *N Engl J Med*. 1991; **324**: 370-6.

本間 覚：インシデント・アクシデントの重要性．日本内科学会雑誌．2012; **101**: 3368-78.

中島和江，児玉安司：ヘルスケアリスクマネージメント，医学書院，2000.

表 1-5-6 インシデントの内訳（医療行為別）

投薬（注射・内服）	24%	輸血	4%
ライン	20%	治療処置	3%
転倒・転落	15%	食事	2%
手術関連	9%	事務管理	2%
検体検査	5%	その他	12%
看護ケア	4%		

投薬は全件数の約1/4と最もインシデント件数の多い医療行為の1つである．

2）薬物療法に伴う医原性疾患

薬物療法は，インシデント件数が最も多い医療行為の1つである（表1-5-6）．薬物の過量・過少投与，用法の誤り，薬剤の誤り，患者の誤りなどのエラー（スリップ）は日常的に発生している．その他に，抗癌薬の計画エラーや，本来中止・再開した方がよかった抗血栓薬や免疫抑制薬の計画エラー（ミステーク）なども散見される．これらのヒューマンエラーを発端とし，薬物そのものの有害性が顕在化することが多い．

ここでは，薬物療法におけるヒューマンエラーの特徴，ハイリスク薬，医原性疾患の予防について述べる．なお，薬物そのものの有害事象（副作用など）に関する詳しい解説は，ほかの薬理学書を参照されたい．

表 1-5-7 ヒューマンエラーを契機にリスクが顕在化しやすいハイリスク薬剤群

1. 抗癌・免疫抑制薬
2. 麻酔鎮静薬
3. 抗血栓薬
4. 循環作動薬
5. 糖尿病薬

(1) 薬物療法におけるヒューマンエラー
a. 計画どおり行動できなかったエラー（スリップ）

インシデントの報告件数では，注射薬と内服薬がほぼ半々である．誤り（スリップ）の内容は，薬物の過量・過少投与，用法の誤り，薬剤の誤り，患者の誤りなど，すべてにわたるが，注射薬では「薬剤の誤り」，内服薬では「用法の誤り」が目立つ．

たとえばインスリンの投与は看護師が行い，ダブルチェックを励行しているが，インスリンの誤薬は減らない．この理由として，①インスリン製剤の種類が多数あること，②食事の有無や食前の血糖値に応じて，インスリンの種類や用量を頻繁に変化させたり，中止や再開が頻繁にあるという複雑さ，③診療IT化が進むなかで，投薬指示と実施記録の経時的一覧性が失われていることなどが，おもな背景因子と推測される．

b. 間違った行動計画を立案したエラー（ミステーク）

薬物療法においては，ヒューマンエラーのうち，計画の誤り（ミステーク）の有無も最近はよく議論されるようになった．たとえば，侵襲的処置を行う前に抗血栓薬を休薬することと，その際にヘパリンなどの代替療法を行うことはよく知られた原則である．しかし，実際は，原疾患と計画する侵襲の相対関係により，血栓症発症のリスクは症例ごとにさまざまである．したがって，一律に定めるのは難しく，①抗血栓薬を投与したまま侵襲的処置を行う，②抗血栓療法を弱めて侵襲的処置を行う，③抗血栓療法を完全に止めて侵襲的処置を行う，④原則のとおり，休薬期間中，ヘパリンなどの代替療法を行い，処置の前日にヘパリンを中止し，処置の翌日からヘパリンを再開し，抗血栓療法が安定化した後に，ヘパリンを中止する．以上の4通り，またはそれ以上のバリエーションがある．

これまでに，抜歯と内視鏡的ポリペクトミーについては，一定の用量の抗血栓療法であるならば，抗血栓薬を投与したまま侵襲的処置を行う（上記①）ことを推奨したガイドライン（研究成果）があるので参考になる．しかしながら，研究はまだ十分でなく，その他ほとんどの侵襲的処置では，事例ごとに患者の病状を勘案し，専門家が総合的に協議し最善と思われる方法を選ぶのが現状である．

(2) 薬物療法に伴う医原性疾患とハイリスク薬

現在の薬物の一般的安全性は高くほとんどの薬剤インシデントでは，過失はあっても患者の影響度は2以下と影響度は低い．しかし，一部にリスクが高い15％程度の薬剤群がある（表1-5-7）．これらの薬剤では適正使用ではさほど大きな有害性がなくとも，過量投与，投与時期や経路の誤り，薬剤の誤り，患者の誤りなどのヒューマンエラーに対してきわめて脆弱であり，ヒトに傷害をもたらしやすい．ゆえに，これらはハイリスク薬剤群として慎重に扱った方がよいと考える（表1-5-7）．

これらのハイリスク薬剤群による致命的な事例を以下にあげる．①抗癌薬の過量投与による骨髄抑制および腎不全，②麻酔鎮静薬の過量投与による呼吸停止，

表 1-5-8 抗血栓薬の術前休薬の目安

Ⅰ 抗血小板薬		
経口薬		
薬品名(おもな商品名)	作用機序,半減期など	休薬期間
アスピリン*1 (バイアスピリン®) (バファリン®)	COX-1 阻害により TXA₂ の合成を阻害する. 効果は不可逆的で血小板の寿命期間を通じて持続.	7～14 日間
塩酸チクロピジン (パナルジン®)	血小板のアデニレートシクラーゼ活性を増強し血小板内の cAMP を増加させ凝集を抑制. 効果は不可逆的で血小板の寿命期間を通じて持続. プラビックスは肝障害などの副作用が軽減され,プラスグレル塩酸塩は効果発現が 2～12 時間と短い.	7～14 日間
硫酸クロピドグレル (プラビックス®)	^	7 日間(～10 日間)
プラスグレル塩酸塩 (エフィエント®)	^	7～14 日間
イコサペント酸エチル (EPA)*2 (エパデール®)	血小板膜のアラキドン酸代謝を競合的に阻害し,TXA₂ 産生を抑制. 血小板膜変化に 1～2 週間かかる. 効果は不可逆的で血小板の寿命期間を通じて持続.	7 日間(～10 日間)
シロスタゾール (プレタール®)	血小板の PDE Ⅲ 活性を選択的に阻害して cAMP を増加. 阻害作用は可逆的で血中半減期は 18 時間(β相).	2 日間
ジピリダモール (ペルサンチン®)	PGI₂ の放出促進及び TXA₂ の合成抑制. また血小板内 cAMP および cGMP ホスホジエステラーゼ活性を抑制. 効果は可逆的で血中半減期は約 1.7 時間.	1 日(～2 日間) 徐放錠は成分が残存
塩酸サルポグレラート (アンプラーグ®)	5-HT₂(セロトニン-2)受容体の拮抗的阻害. 投与後 12.5 時間で抗血小板作用が消失.	1 日
ベラプロストナトリウム (ドルナー®)	PGI₂ 誘導体. アデニレートシクラーゼ活性化による cAMP の増加. 血中半減期は 1.1 時間.	1 日
リマプロストアルファデクス (プロレナール®)	PGE₁ 誘導体. アデニレートシクラーゼ活性化による cAMP の増加. 血中半減期は 7 時間.	1 日
その他 (コメリアン®, サアミオン®, セロクラール®)		0～1 日

Ⅱ 抗凝固薬		
経口薬		
薬品名(おもな商品名)	作用機序,半減期など	休薬期間
ワルファリンカリウム (ワーファリン®)	肝臓におけるビタミン K 依存性凝固因子(プロトロンビン,Ⅶ,Ⅸ,Ⅹ因子)の生合成を抑制. また血中遊離 PIVKA を増加させる. 血中半減期は約 60～133 時間.	3～7 日間
ダビガトラン (プラザキサ®)	経口投与が可能な直接トロンビン阻害薬で,トロンビンの活性を直接かつ選択的に阻害し,抗凝固作用・抗血栓作用を発揮する. 半減期は 11 時間,Ccr 30 mL/分以下で 27 時間.	2～4 日間
リバーロキサバン (イグザレルト®)	第 Xa 因子を阻害し直接的な抗血液凝固作用を示す. 血中半減期は 6～13 時間程度で,腎障害時は 2～3 倍程度延長する.	1～2 日間
エドキサバン (リクシアナ®)	^	^
アピキサバン (エリキュース®)	^	^
注射薬		
ヘパリン (ヘパリン®)	AT Ⅲ と特異的に結合することにより,トロンビン,活性型 X 因子などに対する阻害作用を発揮する. 作用持続時間は静注 4 時間,皮下注 12 時間.	数～24 時間
フォンダパリヌクス (アリクストラ®)	AT Ⅲ に高親和性に結合し,AT Ⅲ の抗第 Xa 因子活性を顕著に増強させ,トロンビン産生を阻害する. ヘパリンとは異なり,AT Ⅲ の抗トロンビン活性をほとんど増強しない. 半減期は 13～22 時間.	1～2 日間
エノキサパリン (クレキサン®)	AT Ⅲ と複合体を形成し,AT Ⅲ の第 Xa 因子および第 Ⅱa 因子の阻害作用を促進して抗凝固作用を発現する. ヘパリンと異なり,第 Ⅱa 因子より第 Xa 因子に対して選択的である. 半減期は 4～5 時間.	1 日間

病態や手術・検査の種類を勘案し,裁量により継続または減薬することもある.
また,活動性の出血がない限り,施術翌日の再開を原則とする.
*1:このほか「タケルダ®配合錠」はアスピリンを含有する. *2:このほか「ロトリガ®」は EPA を含有する.

③抗血栓薬の休薬忘れ(表1-5-8),または用量調節不良による出血性ショックや肺血栓塞栓症,④突然のカテコールアミン中断による血圧低下と蘇生処置による心室頻拍,⑤ステロイド薬の投与忘れによる離脱症候群など.

(3) 薬物療法に伴う医原性疾患の予防

注射薬では「薬剤の誤り」,内服薬では「用法の誤り」が目立つ.これらのエラーが発生するプロセス(準備,計画,実施,評価)を解析すると,注射薬の「薬剤の誤り」では準備,「過量過少」では実施,内服薬の「用法の誤り」では実施,のプロセスにおいて発生しているのが目立つ.すなわち,対策として,注射薬では,準備の段階の種類チェック,実施の段階の用量チェックにもっと力を注いだ方がよく,内服では,実施の段階の用法チェックをもっと工夫した方がよいと考えられる.最近では,診療ITの進歩により,注射薬については,薬剤払い出し時の薬品コードで,患者認証と種類,用量などのチェックが行われるようになり,この種類のインシデントは激減している.その一方で,コンピュータが認証しにくい,注入速度や投与経路のエラー,内服薬の用法違いが目立つ傾向にある.

〔本間 覚〕

3) 診療行為に伴う医原性疾患

病院内で発生する影響度3b以上の重症な医原性疾患では,主として医師の診療中に発生するものが約8割を占め,医師以外の業務(検体取り違えなど),または療養生活中(転倒転落や点滴トラブルなど)に比較して圧倒的に多い.それゆえ,医師が行う診療行為には将来に向けてなお改善の余地がある.また,常に医原性疾患が発生したときにも備え,早期診断と早期治療(リカバリー)を実現することが可能なチーム編成で,診療に臨まなければならない.

(1) 診断と治療の過程で発生する医原性疾患

医師が行う診療行為は,診断と治療に大別される(表1-5-9).まず,診断の過程で発生する,誤診,診断の遅れ,説明の不足などは,重大な疾病に対する治療機会を失うことにつながる.疾病の増悪は,必ずしも医師の不作為のみによって生じるものではないが,医師に対する国民の期待が大きいことを念頭におき,これも医原性疾患の一型と医師は心得るべきであろう.

診療行為のうち,治療の過程で発生するものは,病院診療において最も注目すべき医原性疾患である.重症な医原性疾患の多くは医師が手術や「手術以外の侵

表1-5-9 診療行為の内訳

```
診療
    診断
    治療
        侵襲的治療
            手術
            手術以外(穿刺,カテーテル治療,消化管内視鏡治療,
                    化学療法,人工呼吸管理など)
        非侵襲的治療
            (投薬,ライン管理,輸血,食事,リハビリテーション
             など)
```

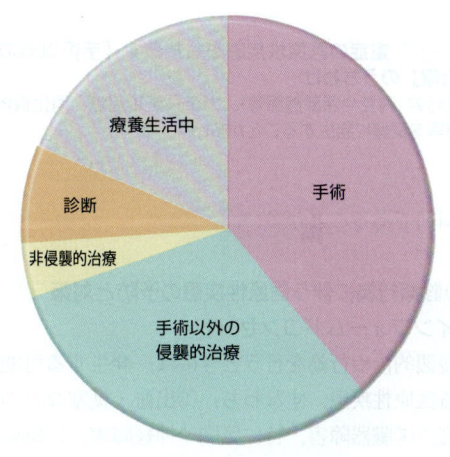

図1-5-1 重症の医原性疾患が発生する場面
重症(3b以上)の医原性疾患の多くは,医師の侵襲的治療行為中(手術・手術以外)に発生する.

襲的治療行為」を行っているときに発生している(図1-5-1).

(2) 手術以外の侵襲的治療行為によって発生する医原性疾患

手術以外の侵襲的治療行為のうち,重症(3b以上)の医原性疾患を特に引き起こしやすい行為は,①穿刺(特に胸腔穿刺や深部静脈穿刺),②カテーテル治療,③消化管内視鏡による治療,④化学療法,⑤人工呼吸療法(特に気管切開管理)などである(図1-5-2).これらの侵襲的治療行為によって発生する医原性疾患には,①循環障害(出血・梗塞),②臓器障害(気胸,神経障害など),③感染,その他(人工呼吸の不具合など)がある(図1-5-3).いずれも致命的疾患であり迅速で的確な救急対応を必要とする.このうち,広範な診療科において実施される,穿刺,人工呼吸療法などをハイリスク一般的医療行為とよぶ(表1-5-10).ハイリスク一般的医療行為は,研修医がはじめに挑戦す

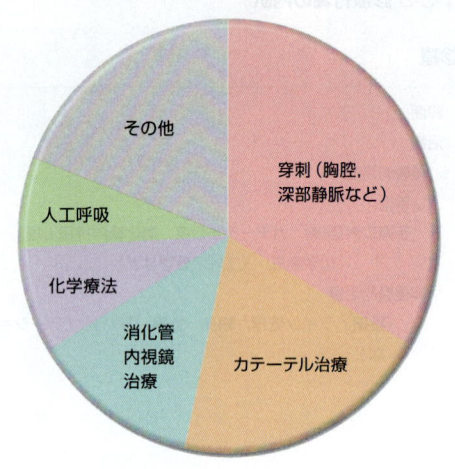

図1-5-2 重症の医原性疾患をもたらす「手術以外の侵襲的治療」のうちわけ
穿刺行為(胸腔や深部静脈等)，カテーテル治療，消化管内視鏡治療等を契機に発生することが多い．

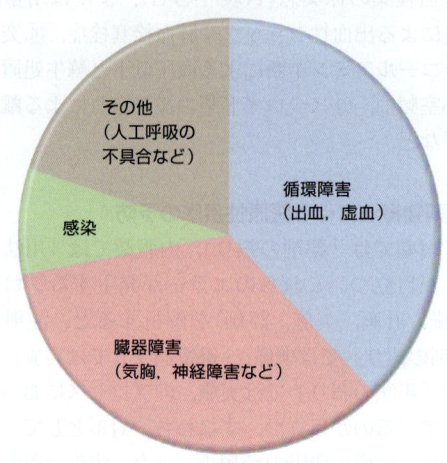

図1-5-3 重症の医原性疾患の内訳
循環障害，臓器障害などが発生する．これらに関するインフォームドコンセントおよび発生時の早期診断と早期治療は重要である．

る関門であることが多い．

(3)診療行為に伴う医原性疾患の予防と対策
a. インフォームドコンセント
侵襲的治療行為を行うときには，発生する可能性のある医原性疾患，すなわち，①出血・梗塞などの循環障害，②臓器障害，特に気胸や神経障害，③感染，その他(事故抜管など人工呼吸の不具合)を，インフォームドコンセントのなかで整理し，説明して患者の期待を適正化する．

b. ハイリスク一般的医療行為の質の管理
ハイリスク一般的医療行為の多くは複数の診療科において行われ，おもな実施者は研修医やレジデントである．ゆえに，ハイリスク一般的医療行為が関連する事故の再発防止策は，個々の診療科に任せるのではなく，病院内で統一した手順を作成し，診療科をこえて共有できる指導者を育成するなど，病院全体で研修医やレジデントをサポートする体制が必要であると考えられる．

特定の専門診療科が行う，ハイリスク専門的医療行為(カテーテル治療，消化管内視鏡による治療，化学療法など)が関連する事故に関する対策は，それぞれの専門書に譲る．

c. 新しい診療行為に立ち向かう態度
医療は進歩し続け，日々，新しい診療行為が生まれている．新しい診療行為の危険性について当初はすべてが判明していないことが通常である．職員・組織・病院それぞれが，インシデントの把握・対応・再発防止に取り組み，安全管理・危機管理・品質管理を確立させる必要がある．すべての医療従事者および医療安全を担当する者は，このようなシステムを構築・維持・活性化させ，新しい診療行為が少しでも安全に患者に応用できるよう，完成に向けて努力する必要がある．

〔本間　覚〕

表1-5-10 ハイリスク一般的医療行為

1. 穿刺処置
    a. 体腔穿刺(特に胸腔穿刺や心嚢穿刺)
    b. 動静脈穿刺(特に中心静脈カテーテル挿入)
    c. 生検(特に肝生検)
2. 人工呼吸管理
    a. 気管チューブ回路，アラーム，電源管理
    b. 気管切開後の気管チューブ管理

4) 放射線障害
radiation injury

(1)概念
診断や治療のために患者が被曝する医療被曝は，医療従事者が被曝する職業被曝や一般人が被曝する公衆被曝とは異なり，線量限度が設定されていない．これは，放射線による診断や治療の便益が，被曝のリスクを上回って健康維持に寄与することを前提としているからである．したがって，放射線を用いた診断や治療を行う際には，それらの適応を常に確認する必要がある．また，計画された線量を照射することを遵守するとともに，過剰な照射が行われないよう安全性の確保も不可欠である．一方，同じ医療における被曝であっ

ても，職業被曝と公衆被曝においては，線量限度をこえて被曝しないことを監視するとともに，被曝の低減化に極力努めることが必要である．

(2) 放射線診断における被曝障害

単純X線撮影に比べて，CTによる撮影や放射性同位元素を用いた核医学検査では被曝線量が高い．原子放射線の影響に関する国連科学委員会（UNSCEAR）からの2008年の報告によれば，胸部X線撮影の実効線量は0.017〜0.05 mSvであり[1]，0.015 mSvを代表的な胸部撮影の実効線量とする英国からの報告もある[2]．それに対して，CTの実効線量は，日本では，頭部2.4 mSv，胸部9.1 mSv，腹部12.9 mSv，骨盤部10.5 mSvと報告されていたが[3]，最近の英国からの報告では，頭部1.4 mSv，胸部6.6 mSv，腹部5.6 mSv，腹部・骨盤6.7 mSvを代表的な実効線量としている（e表1-5-A）[2]．撮影条件の差異があるために，これらを単純に比較することはできないが，被曝低減化の技術開発は積極的に進められている．また，日本におけるPETの実効線量の平均は6.4 mSvと報告されている[4]．

放射線防護基準の策定の際に重要なデータを提供している原爆被爆者を対象とした疫学研究によれば，30歳で被爆した場合の70歳での固形癌発症の過剰相対リスクは1 Svあたり47％であり，100 mSvで約5％となる（Prestonら，2007）．そのために，実効線量の高い検査を頻回に施行した場合には，発癌リスクの増加が問題となる．また，診断に引き続いて治療も行うinterventional radiology（IVR）では，皮膚障害などの局所症状も発現する可能性がある．

1）癌： 放射線診断による被曝で問題となる発癌は，低線量の放射線によるものである．放射線発癌は，閾値の存在が明らかではない確率的影響に分類されているが，低線量域においては，より高い線量域で観察される線量とリスクの直線関係が適応されるかどうかは不明である（Mullendersら，2009）．

低線量域における線量とリスクの関係を複雑化する要因の1つに，DNA損傷応答の個人差がある．この経路の上流に存在するATM（ataxia telangiectasia mutated）の遺伝性変異は血管拡張性失調症（ataxia telangiectasia）の原因となるが，この疾患では放射線高感受性と発癌リスクの増加がみられる．また，この疾患のキャリアでは，ATMのヘテロ接合変異によってその酵素活性が低下しているために，放射線感受性の亢進と若年発症の乳癌のリスクが増加している[5]．このほかに低線量域の放射線影響の複雑性に寄与する要因としては，バイスタンダー効果と適応応答が知られている．前者は，被曝した細胞の周辺に存在する非被曝細胞においても被曝細胞と同様の放射線影響が発現す

ることであり，後者は，事前に低線量の放射線照射した細胞では，事前照射をしない細胞に比べて，その後に同じ線量の照射をしても，放射線の影響が少なくなることである．このように，複数の要因が存在するために，低線量域における線量とリスクの関係は確立していない．

2）皮膚障害： 時間あたりの線量が低い低線量率の照射であっても，IVRのように長時間照射する場合には，放射線の早期影響である皮膚障害が発生する．軽症例では，急性炎症が原因となるために可逆性であるが，重症例では，DNA損傷に起因する細胞死が中心的な病因になるために，不可逆的な変化をきたす．

(3) 放射線治療における被曝障害

放射線治療においては，治療の標的となる腫瘍組織に線量を集中するように計画をしていても，実際にはその周辺に存在する正常組織もある程度の被曝をする可能性があり，その場合には局所障害が発生する．癌治療においては，局所の被曝線量は高線量域に及ぶこともあり，多彩な早期障害と晩期障害が発生する可能性がある．

1）早期障害： 放射線感受性の高い組織である造血器，皮膚，粘膜などが高線量の放射線に被曝した場合には，急性炎症や細胞死による組織の局所脱落による症状が発現する．

2）晩期障害： 肺線維症，神経障害，直腸障害などは，慢性炎症や細胞死が病因となり，これらは早期障害の病因とも類似するために，比較的早い時期に出現する．それに対して，癌は，DNA損傷，慢性炎症，染色体不安定性，加齢などの要因が原因となることが想定され，かなりの年数を経てから顕在化する．この場合に，治療の対象となった癌の再発や転移との鑑別診断が重要である．このような局所照射の障害に加えて，造血幹細胞移植における全身照射では，生殖細胞への影響によって不妊の可能性が高くなる．

〔宮川　清〕

■文献（e文献1-5-4）

Mullenders L, Atkinson M, et al: Assessing cancer risks of low-dose radiation. *Nature Rev Cancer*. 2009; **9**: 596-604.

Preston DL, Ron E, et al: Solid cancer incidence in atomic bomb survivors: 1958-98. *Radiat Res*. 2007; **168**: 1-64.

5）外科的処置（手術）による医原性疾患

外科的処置（手術）においては，体表・体内に直接診療行為（メスなどによる切開）が加えられるために，ほ

かの医療行為と比較すると医原性疾患が発生しやすいと考えられる．しかし，その原因としては，医療過誤の類から，手術に伴う臓器あるいは機能損失によるものといった，ある程度やむをえないものまで含まれる．いずれにしても，医療従事者は，その発生を防止するために最大限の注意を払う必要がある．今後，内科領域においても，カテーテル，内視鏡などを用いた手術と同様の治療（処置）は増加していくものと考えられるので，内科医にとっても，常に認識しておくべき事柄である．

(1) 医原性疾患の原因

手術に関連する医原性疾患の原因として，下記のものがあげられる．

1) 誤認： 患者誤認，左右誤認など手術前の確認不足によるもの．医療過誤となる．注意義務を怠るという過失によるものであり，医療従事者は法的責任を問われる可能性がある．

2) 技術的問題： 手術操作の間違い，手術関連機器の不具合など技術的な問題によるもの．過失の有無が問われる場合がある．

3) 術中・術後合併症： あらゆる手術において合併症の頻度がゼロということはありえない．肺炎，肺塞栓，心筋梗塞，脳梗塞など術野以外で発生するものもあれば，出血，縫合不全，surgical site infection (SSI) など術野で発生するものもある．

4) 術後障害： 手術に伴う臓器あるいは機能損失であり，特に悪性腫瘍に対する手術の際には，臓器損失が発生する．乳癌術後の上肢リンパ浮腫，胃癌術後の胃切除後症候群などがあげられる．術前より，発生してしまう可能性が予想できるものであり，医療過誤とは明らかに異なる．

(2) 医原性疾患に対する具体的予防策

医原性疾患は手術のどの段階（術前・術中・術後）でも起こりうることを医療従事者は常に念頭においておく必要がある．手術はリスクを伴う医療行為であり，事前の十分なインフォームドコンセント（IC）が重要であることはいうまでもない．手術の目的，治療効果，必要性をまず説明し，起こりうる合併症を概説する．また，術後早期だけでなく，予想される臓器損失あるいは機能障害による影響も付け加えて説明すべきである．説明に際しては患者が理解できる平易な用語を使い，それによってよりよい理解が得られれば，無用なトラブルを未然に防ぐことができる．外科的治療行為はいかなるものでも，メリットのみならずデメリットが起こりうることを，患者やその家族に前もって理解してもらうことが大切である．ただし，それらデメリットよりもメリットのほうが，患者にとって相対的に大きなものでなければならないのは自明の理である．

1) 誤認の予防： 不注意から発生するものであるが，通常はそれが重なってはじめて，患者に障害を及ぼすことになる．患者取り違え，左右間違いなどは論外の誤認であるが，二重，三重のチェックを確立しておくことが重要である．特に，職種ごとに（医師，看護師別々に）チェック機能があることが望ましい．手術後のガーゼなどの異物遺残も「大丈夫だ」という思い込みが発生させてしまう．施設ごとに，術前チェック事項（手術部位，リストバンド着用など），手術室入室時確認事項（本人確認など）などを複数の医療従事者により確認するシステムを構築すべきである．全身麻酔などで，麻酔科医が関与する場合も同様である．麻酔においても，投与薬剤量のチェックは重要であり，同様に複数によって確認すべきものである．1カ所で仮に誤認されたとしても，複数のチェック機能により，患者に危害が及ぶ前の段階で未然に防げるシステムの確立が必須である．

2) 技術的問題の予防： さまざまな要因によって起こりうる．術者の当該技術への不慣れ，使用機具の不具合などである．前者は指導医の指導が適切であったかどうかが，まず問われる．手術においては，術者はすべての手術において第一例目を経験する．経験を通じて技術を習得していくことは，外科においては通常であるので，これはやむをえないことである．しかしながら，手術はそれぞれに難易度があり，徐々にステップアップしていくものである．術者たるものは，その過程において，シミュレーションやトレーニングを怠らないこと，また指導医は，術者の技術レベルを適切に見きわめることが肝要である．また，手術においては，どの領域においても解剖学的知識がことさら重要であり，それが未熟である者は，責任ある治療行為を行ってはいけない．

3) 術中・術後合併症の予防： 起こりうる内容は術前に患者本人，家族に説明しておくべきである．消化管術後の縫合不全は頻度こそ大きくないものの，現状でゼロということはない．手術を担当する者には，そういった起こりうる合併症の頻度をより少なくする努力，工夫が必要であり，またこれが責務である．万が一，術中に予期せぬ事態が発生した場合には，速やかに家族にその事態を伝えるべきであり，いたずらに長時間待たせるのは，無用の不信感を生むだけである．

4) 術後障害の予防： 現時点ではやむをえないものであることが多い．患者が本来の疾患が治癒した代償として受け入れてくれるかどうかが重要である．そのためにも，術前の丁寧な説明が必要である．また，この克服は外科学の永遠の課題でもあり，真摯に取り組むべきものでもある．

(3) 医療事故と医療過誤

「医療事故」とは，医療の全過程において発生する人身事故一切を包含する言葉である．「過失のない医療事故」と「過失のある医療事故」に分かれ，後者が「医療過誤」に相当する（古川，2013）．診療行為に関連した死亡症例については，因果関係および再発防止策を検討するため2005（平成17）年から「診療行為に関連した調査分析モデル事業」が開始された．この経験に基づき2014（平成26）年6月の医療法改正により医療事故調査制度が制定され，2015（平成27）年10月1日に施行されたこの制度では，医療事故が発生した医療機関において院内調査を行い，その調査報告を第三者機関（医療事故調査・支援センター）が収集・分析することになっている．これらの取り組みが，医療事故の原因究明さらには発生予防につながることが期待されている． 〔瀬戸泰之〕

■文献

古川俊治：外科とリスクマネジメント．標準外科学 第13版（加藤治文監），pp268-77，医学書院，2013．

2. 老年医学

1. 内科学総論
2. 老年医学
3. 心身医学
4. 症候学
5. 治療学
6. 感染症
7. 循環器
8. 血圧の異常
9. 呼吸器系
10. 消化管・腹膜
11. 肝・胆道・膵
12. リウマチ・アレルギー
13. 腎・尿路系
14. 内分泌系
15. 代謝・栄養
16. 血液・造血器
17. 神経系
18. 環境要因・中毒

老年医学

2.1 加齢・老化 ……………………… 43
2.2 老化の科学 ……………………… 46
2.3 高齢者の保健や診療における目標
   ……………………………………… 50
2.4 高齢者の診察と評価 …………… 54
2.5 高齢者の薬物療法 ……………… 55

老年医学における新しい展開

　社会の超高齢化が進み，臓器別診療による疾患治療だけでは適切な高齢者診療が達成できない時代となった．医学部生への教育における到達目標としても，高齢者総合機能評価（CGA），老年症候群（歩行障害・転倒，認知機能障害，排泄障害，栄養障害，摂食・嚥下障害など），フレイル，サルコペニア，エンドオブライフケアといった老年医学に特有の用語の理解は必須である．実践的な面では，認知行動障害のある高齢者に対する認知症，うつ，譫妄（せんもう）の鑑別や初期対応の実施，歩行障害・転倒の評価，鑑別や転倒予防の実施，口腔機能や摂食・嚥下機能を含めた栄養マネジメントの実施，ポリファーマシーの是正，介護保険制度を理解した退院支援の実施までが求められる．

　いわゆる団塊の世代が75歳以上の後期高齢者となることによって生じるとされるさまざまな社会保障，医療，福祉での問題を総称して2025年問題と称しているが，老年医学の進歩，さまざまな分野と融合した老年学の進歩はこの問題を克服して，世界最長寿国かつ高齢化率が最も進んだ国である日本が活力ある超高齢社会国として世界をリードするために必須である．具体的には，老化機序の解明やそれに基づく新しい老化制御法の開発が望まれるが，2016年7月には慶應義塾大学が，老化制御因子として期待されるnicotinamide mononucleotide（ニコチンアミド・モノヌクレオチド，以下NMN）をヒトへ投与する臨床研究を世界ではじめて開始することが発表された．動物実験ではすでにNMN投与により，加齢に伴い生じる疾病が抑えられること，健康寿命に相当する中間寿命が最大寿命よりも延伸することが明らかにされており臨床研究開始への期待は大きい．その他にも，老齢マウスと若齢マウスの並体結合（パラビオーシス）により，老齢マウスの器官の若返りと若齢マウスの老化の形質促進を示した研究，断続的飢餓による線虫の寿命延長と老化抑制およびその細胞内情報伝達機構の解明，マウスでの老化細胞除去による健康寿命延長と老化細胞からのSASP（senescence-associated secretory phenotype）を介した個体老化の機序についての研究など，新規性が高い研究が相次いでおり老化研究のさらなる進歩が期待される．

　2016年6月2日の閣議決定で，「ニッポン一億総活躍プラン」が採択されたが，その中に，高齢者に対するフレイル（虚弱）予防・対策の項がある．フレイルは，frailtyの概念を国民に広く啓発することを目的に形容詞のfrailをカタカナで表現した用語である．robust（頑健，健康）とdisability（障害）の中間の状態にあって，適切な介入や支援により健康な方向に戻りうる状態で，医療従事者だけでなく，国民の多くが理解して自らが予防，早期発見，早期介入に取り組む必要がある．臨床的な面でも，いずれフレイル高齢者に対する各種の疾患の治療ガイドラインや手術適応のガイドラインなどが整備されると考える．認知症発症リスクの早期診断と早期介入手段の構築，新規治療法の開発と合わせて活力ある超高齢社会のために必須の分野である． 〔楽木宏実〕

2-1 加齢・老化

1）加齢（老化）の概念

(1)概念

老化とは，加齢に伴う生理機能の減退であり，個体の恒常性を維持することが難しくなり，崩壊（死）に至るまでの過程である．Strehler は老化の特徴を以下の4項目にまとめている[1]．
①普遍性：だれにでも起こる．
②内在性：寿命の原因の一部は体内にあり，遺伝的にプログラムされている．
③進行性：老化は不可逆性に進行し，後戻りしない．
④有害性：すべての機能は低下していき，有害物の蓄積などによって死を迎える．

老化は遺伝的にプログラムされている部分（内的要因）と，遺伝子以外の外的要因の両方で規定されると考えられている【⇨ 2-2-1-1, 2-2-1-2】．

(2)細胞老化と組織・器官の老化

細胞老化とは文字どおり"細胞としての老化"であり，個体の老化を考えるうえで単純化した系である．不死化させていない細胞は一定回数分裂すると，それ以上分裂しなくなる（Hayflick の限界）[2]．この考え方の延長として，細胞分裂の寿命が組織・器官の寿命を規定するのではないかと考えられるようになった．細胞の分裂回数を規定しているのは染色体 DNA の末端に存在するテロメアである【⇨ 2-2-1-1】．テロメアは細胞が分裂するたびに短縮する．テロメアが短くなりすぎると細胞の分裂は遅くなり，やがて停止する．これを細胞老化のテロメア説という[3]．ところが，癌細胞のなかにはテロメアを自己修復し，伸張する酵素であるテロメラーゼをもつものがあり，このような細胞は不死化する．以上のように，老化の制御にテロメアがかかわっていると考えられるようになった．このことは，科学的に興味深い．

生体内の分裂細胞も，培養細胞と同じような分裂過程の変化がみられるが，一生の間に分裂を停止することはない．一方，成体の体細胞のなかには神経細胞のように，成長期に分裂を終え，それ以後分裂しない細胞もある．したがって，細胞老化の考え方をそのまま組織・器官の老化に持ち込むことはできない．また，組織や器官の老化には，細胞だけでなく周囲の環境要因も大きく影響する．Strehler が示した老化の特徴④にある有害性はその例であり，フリーラジカルや，複数の蛋白が架橋してできる高分子物質（advanced glycation end products など）の蓄積，その他変性蛋白の蓄積（アミロイドなど）など，細胞外の要因が細胞や器官の老化に影響する．

2）加齢による臓器・機能の変化，疾患の特徴

(1)加齢による臓器・機能の変化

加齢に伴って各臓器の機能は低下するが，その程度は個人によって，また臓器によって異なる（表2-1-1）（eコラム1）．

(2)老年疾患の特徴

高齢者の疾病には表2-1-2 に示すように，若年者と異なるいくつかの特徴があり，これを理解したうえで診療に臨むことが大切である（eコラム2）．

3）高齢者の生理的特徴

(1)予備力・適応能力の低下

表2-1-1 のように加齢に伴って諸臓器の機能は低下するが，日常生活において多少の身体的，精神的な負荷には耐えうる予備能を有している（図2-1-1）．たとえば，慢性閉塞性肺疾患や高血圧による左室拡張障害，心房細動による心機能低下がある患者がかぜをひいても大事には至らないが，かぜから肺炎に至ってしまった場合，予備能の低下，負荷に対する適応能力の低下のために治療が必要な状態に至ってしまう（心不全や譫妄の合併など）．これが急性期の多病を起こす機序と考えられる（図2-1-2）．

(2)検査値の加齢変化（e表2-1-A）

表2-1-2 に示したように，高齢者は栄養状態や各臓器の機能，罹患疾患，服用薬剤などに個人差が大きいため，検査値にも個人差が大きい．加齢による臨床検査値の変動のおもなものを表2-1-3 に示す．また，腎機能の指標である eGFR や呼吸機能の指標である肺活量や一秒量も加齢に伴い低下する（e図2-1-A）．

4）高齢者の心理的特徴

(1)認知機能の低下や感情・意欲・性格の変化

a. 認知機能の低下

脳・神経系機能は運動機能や感覚機能など外部との

表 2-1-1 加齢に伴う臓器の変化

器官	加齢に伴う機能的・器質的変化	老年期に増える疾患または病態
脳・神経	記憶力,判断力,意欲の低下,うつ,不眠	認知症,うつ病,譫妄,不眠症
感覚器	視力,聴力の低下	白内障,緑内障,加齢黄斑変性症,難聴
骨,運動器	筋力,運動能(持久力,反射能,瞬発力,平衡覚)の低下	
	骨量,筋肉量の減少	骨粗鬆症,骨折,サルコペニア
	脊椎,関節の変性	変形性脊椎症,変形性関節症(膝,股),ロコモーティブシンドローム
呼吸器	胸郭コンプライアンスの低下,肺活量の減少	拘束性障害
	肺弾性収縮力の低下,呼吸細気管支~肺胞道の拡大,1秒率の減少	閉塞性障害,慢性閉塞性肺疾患
循環器	心室壁,心房壁の線維化,変性	拡張障害,心房細動
	弁の硬化,変性	弁膜症
	刺激伝導系の線維化,変性	不整脈(洞不全症候群,脚ブロック,房室ブロックなど)
	動脈硬化	虚血性心・脳・末梢血管疾患,高血圧症
	自律神経系の異常	低血圧症(起立時,食後,排尿後)
消化器	歯の喪失,唾液分泌の減少,嚥下機能の低下	咀嚼・摂食・嚥下障害,誤嚥
	下部食道括約筋,横隔膜の強度低下	食道裂孔ヘルニア,GERD(逆流性食道炎など)
	腸の蠕動障害,壁の脆弱化,虚血	便秘,イレウス,憩室,虚血性大腸炎
腎・泌尿器	腎血流量(RBF),糸球体濾過量(GFR)の低下	CKD,薬物有害事象の増加
	尿細管機能の低下による尿濃縮能,希釈能の低下,Na保持能の低下	脱水,溢水(浮腫),低ナトリウム血症
	膀胱容量の減少,膀胱の不随意収縮,前立腺肥大,骨盤底筋群の機能低下	頻尿,失禁
内分泌・代謝	性腺ホルモン,副腎性アンドロゲンの低下	エストロゲン,テストステロン,DHEA-Sの低下
	糖代謝,脂質代謝の低下	糖尿病,脂質異常症の増加
血液・免疫	造血能の低下	貧血
	細胞性免疫(T細胞性免疫)の低下	易感染性(肺炎,尿路感染症など)

表 2-1-2 高齢者における疾患の特徴

1) 諸臓器の機能低下があり,複数の慢性疾患を有する
2) 個人差が大きい
3) 症状が定型的でない
4) 認知機能が低下していることが多い
5) 精神・神経症状が出やすい
6) 体液バランスが崩れやすい
7) 薬物有害事象が生じやすい
8) 急性疾患発症時に合併症が生じやすい
9) 免疫,栄養状態が低下していることが多い
10) 日常生活を阻害する心身の要因(老年症候群)が多く,ADLが低下しやすい
11) 予後が医学的な面だけでなく,社会的要因(退院後の療養環境)に依存する

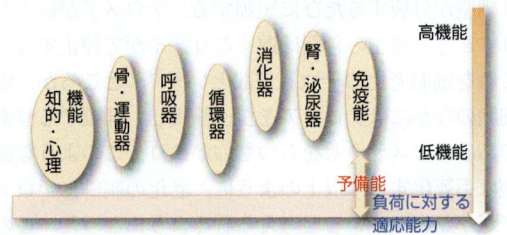

図 2-1-1 フレイルな高齢者

入出力に関連する機能と,記憶,思考,判断など情報を収集,処理する高次脳機能に分けることができる.自動車運転で危険を察知してブレーキを踏むまでの時間や転びそうになって体勢を立て直す動作など単純な反応動作は加齢とともに遅延する.一方,高次脳機能の加齢変化は一様ではなく,学習,計算,記憶,短時間での情報処理,新しいものへの処理対応などに必要な"流動性知能"は30歳をピークとして,65歳以降比較的早く低下するのに対して,知識や経験に基づく理解や判断能力である"結晶性知能"は30歳以降もゆるやかに上昇し,65歳以降もそれほど低下しない(e図 2-1-B)[4].このような知能の変化の違いは,流動性

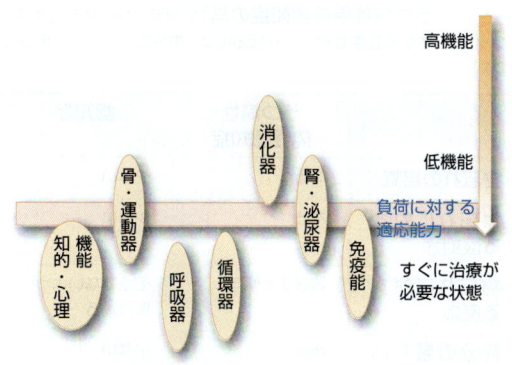

図 2-1-2 急性期の多病

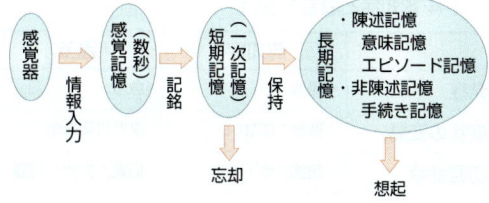

図 2-1-3 記憶の仕組み

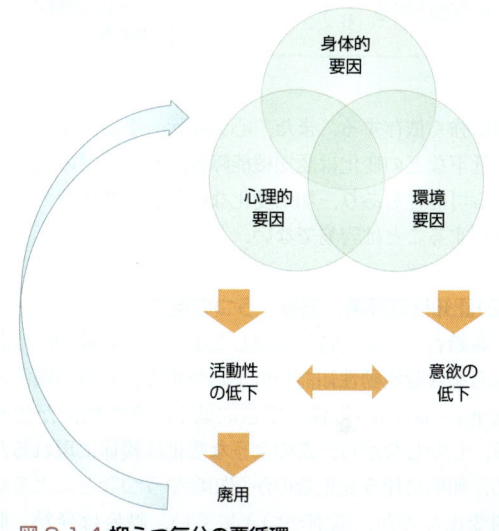

図 2-1-4 抑うつ気分の悪循環

知能は神経細胞の虚血や変性などの脳の器質的変化の影響を受けやすいのに対して，結晶性知能は経験の影響を受けやすいためと考えられる．

一方，記憶は感覚器を通して入力した情報を短期間保持した後（短期記憶），必要な情報を長期間保持する（長期記憶）．長期記憶のなかには，意識上に内容を想起でき，それを陳述できる記憶（陳述記憶）と，意識上に内容を想起できない記憶（非陳述記憶）に分けられる．陳述記憶には意味記憶（言葉の意味や概念などに関する記憶）とエピソード記憶（経験した出来事に関する記憶）などがあり，非陳述記憶には手続き記憶（自転車に乗るなどの経験に基づく技能に関する記憶など）などがある（図 2-1-3）．高齢期は短期記憶が低下しやすく，いわゆる"物忘れ"と表現される．また，長期記憶のなかでもエピソード記憶は低下しやすく，意味記憶や手続き記憶は低下しにくい．

表 2-1-3 臨床検査値（検体検査）の加齢による変動の代表的なもの（大内尉義，秋山弘子：臨床検査値の評価．新老年学 第 3 版 pp429-62，東京大学出版会，2010 より引用）

- **加齢とともに値が低下する検査項目**
  総蛋白，アルブミン，A/G 比，トランスフェリン，IgM，コリンエステラーゼ，クレアチニンクリアランス
  赤血球，ヘモグロビン，ヘマトクリット，網状赤血球
  PT・APTT（凝固時間が短縮する．つまり，凝固能が高まる）

- **加齢とともに値が上昇する検査項目**
  多くの急性相反応蛋白（CRP，フィブリノゲン，α_1-アンチトリプシンなど），血沈，IgG，IgA，尿素窒素，クレアチニン，過酸化脂質，自己抗体

- **加齢とともに値が上昇するが，後に低下する検査項目**
  総コレステロール，LDL コレステロール

b. 感情・意欲・性格の変化

青年期までにつくり上げられた性格，感情などの気質は 65 歳以上の老年期に大きく変わることはないが，75 歳以降は心身の機能が低下するにしたがって，老い先に対する不安が増大しやすい．男性であれば，定年後活動する場がなくなり"社会的喪失感"を抱くようになり，また，収入がなくなることによる"経済的喪失感"も抱く．そして，友人，同僚，家族，なかでも伴侶を失うことによる"人間関係の喪失感"は孤独感を増大させ，生きがいを消失させる．さらに，自身の健康が失われていき，認知，歩行，摂食，排泄など，生きていくための基本的な機能が脅かされることによる"健康喪失感"も抱きやすい．からだの不調が心の不調につながるのも高齢者の特徴である．このような喪失体験の連続により，抑うつ気分が増大しやすく，「心細い」，「不安」，「寂しい」というようなことばで表現される．一方で，子どもや他人の世話にはなりたくないという気持ちもあわせもち，心理は複雑である．抑うつ気分は生活意欲を低下させ，認知機能や ADL の悪化につながる（図 2-1-4）．このようにうつは精神機能だけでなく，身体機能も低下させ，その悪循環によって心身の機能低下（フレイル）が進行する．しかしながら，ここに記したことはすべての高齢者に一様に現れるわけではなく，個人の内的要因，環境要

表 2-1-4 認知症と譫妄の違い

	認知症	譫妄
発症	緩徐	急激
症状の変動	顕著ではない	夕方以降悪化
初発症状	記銘力低下	幻覚，妄想，興奮
持続	継続	一過性
身体疾患や精神要因の関与	直接の関与は少ない	急性疾患や心理的ストレスが強くかかわる

表 2-1-5 うつ病性偽性認知症の鑑別(新井平伊：認知症テキストブック(日本認知症学会編)，pp158-63，中外医学社，2008 より改変)

	うつ病性偽性認知症	認知症
物忘れの自覚	ある	少ない
物忘れに対する深刻さ	ある	少ない
物忘れに対する反応	誇張する傾向	そうでないように取り繕う
気分の落ち込み	ある	少ない
典型的な妄想	心気妄想（もうだめだ）	物盗られ妄想（物を盗まれる）
脳画像所見	正常	異常
抗うつ薬治療	有効	無効

因に強く依存する．また，心気症状，不安，頑迷，意欲低下などの変化は認知機能障害，うつなどの疾患による可能性もあり，加齢変化なのか病的変化なのかを区別することは容易でない．

(2) 認知機能障害，譫妄，うつの鑑別

高齢者の心理的特徴に記したように，高齢期には記憶力を含む流動性知能が低下しやすく，心身の機能の低下（フレイル）に伴って意欲低下，うつ傾向が生じる．しかしながら，このような変化は緩徐に現れるため，加齢に伴う変化なのか認知症やうつなどによる病的変化なのか，区別がつきにくい．譫妄は発熱，脱水，薬物の副作用，入院などの環境変化，などが原因となって起こる軽度の意識障害であり，ぼんやりとした状態になり，錯覚や幻覚，妄想，興奮などを伴うのが特徴である．認知症との区別が難しいが，症状に日内変動がある点で認知症とは区別される．しかしながら，慢性脳虚血や認知症性疾患を背景として譫妄が起こることは多いので認知症の精査は行っておく方がよい(e図 2-1-C)(eコラム 3)．譫妄と認知症の鑑別点を表 2-1-4 に示す．

高齢者のうつ症状は若壮年者と比べて身体的な訴えが多く，不安や心気傾向，焦燥が目立ち，妄想，譫妄など認知症様の症状を呈することがある(e表 2-1-B)．精神反応が乏しい場合，また，自己の認知機能低下を過剰に訴える場合，認知症と間違えられるおそれがある．このため，うつ病による"認知症様症状"は偽(仮)性認知症とよばれる．認知症との鑑別のために老年期うつ尺度(geriatric depression scale：GDS)が参考になる【⇨ 2-4-2-3】．認知症とうつ病の鑑別ポイントを表 2-1-5 に示す．　〔神﨑恒一〕

(e文献 2-1)

2-2 老化の科学

1) 老化因子（老化仮説）

老化機構を説明するための仮説はこれまでに多数提唱されてきたが，いまだ確定的なものはない．それらの仮説は，老化が主として遺伝因子に基づくとする考え方と遺伝外因子によるとするものの 2 つに大別される(Arking, 2000)．遺伝因子の場合，老化は生殖の後に進行する必然的な事柄で，遺伝子レベルであらかじめ決定されている過程とする．一方，遺伝外因子では，生体に対するフリーラジカルなどの傷害や老廃物の蓄積が DNA や蛋白質に起こり，最終的には不可逆的な障害となる．これら 2 つの要因が相互に関連しながら老化は進むものと考えられる．

(1) 遺伝因子とそれを支持する事柄

老化のはじまりや速度が遺伝的に決められているとする考え方はプログラム説とよばれる．動物が種によっておよそ定まった寿命をもつことや白髪の発現・記銘力の低下など加齢変化の速度が寿命と逆相関するようにみえることなどは，寿命そしておそらくは老化の速度が遺伝因子に影響されていることを示唆する．

a. 培養線維芽細胞の分裂寿命

哺乳動物の正常二倍体線維芽細胞を体外で培養すると，無限に分裂増殖を続けることはなく，一定回数の細胞分裂を起こした後に細胞老化【⇨ 2-1-1-2】を生

じ，不可逆的な増殖停止状態に入る（Hayflick, 1977）．これは，発見者の名前にちなんで Hayflick の限界とよばれる．高齢者と若年者の線維芽細胞を比較すると，高齢者では細胞寿命が短くなる．また，次項で述べる遺伝性早老症の Werner 症候群【⇒ 2-2-2-2】では，暦年齢の同じ健常者に比べ細胞寿命が短くなること，長寿命と短寿命の動物種で in vitro の細胞寿命を比較すると，短寿命の動物種で短いことがわかった．これらの細胞寿命に関する研究結果も，寿命が遺伝的に規定されているという説を支持している．このような培養細胞の老化と個体の老化との間には，近年，一定の関連が見いだされているものの，いまだ不明な点も多い．

b. 遺伝性早老症の存在と分子遺伝学的研究の成果

暦年齢に比較して，からだの老化が促進しているように観察される疾患が存在し，早期老化症候群（早老症）とよばれる【⇒ 2-2-2】．代表的な早老症のほとんどは，単一遺伝子の異常により発症することが明らかとなり，特定遺伝子の機能異常が老化に関連する症候をもたらす点で興味がもたれる．しかし，これら遺伝子の発現が，健常者の加齢において低下し老化の進行に寄与するという事実はこれまで報告されておらず，生理的な老化における役割は明らかでない．このほか，老化にかかわる遺伝因子については，実験動物である線虫（Caenorhabditis elegans），ショウジョウバエやマウス・ラットを使った多くの研究がある．線虫などの寿命を制御する遺伝子群の解析から，老化にはエネルギー代謝と，その副産物であるミトコンドリアから発生する活性酸素が深くかかわっていることが明らかになってきた．

c. テロメアと細胞寿命

真核細胞の染色体の両末端に存在するテロメア（染色体末端）は，TTAGGG からなる 6 塩基を 1 単位とする反復配列からなり，蛋白質と結合した複合体として形成されている．この反復配列は，ヒトの精子では 20 kb，体細胞では 6〜10 kb の長さをもち，染色体を安定にし，末端にある遺伝子機能の欠失を防ぐ役割があると考えられている．真核細胞の DNA は 2 本鎖として存在するため，複製に際して鋳型の 3' 末端の複製が不完全となる．テロメアの反復配列は，細胞分裂が繰り返され，DNA が複製するたびに短縮し，一定の長さに達すると細胞老化と分裂停止をもたらすことから，細胞寿命と密接にかかわる．一方，マウスの体細胞はヒト細胞に比べてテロメア長が長いものの，ヒト細胞と同様に細胞老化を生じることが知られており，テロメア短縮だけが細胞老化の原因ではないことを示す．

(2) 遺伝外因子を支持する事柄

同じ動物種のなかでも，各個体の寿命や見かけ上の老化の速度は多様であることから，老化には遺伝外因子の関与を考えることが自然である．老化に影響を与える遺伝外因子として，代表的なフリーラジカルおよび架橋形成・異常蛋白質蓄積について述べる．

a. フリーラジカル

酸素は好気的な生物にとって必須である一方，細胞にさまざまな傷害ももたらす．生物はこの酸素の毒性を排除するために防御機構を発達させてきた．たとえば，恒温動物においてその寿命は小動物であるほど短く，逆に体面積あたりの酸素要求量からみると代謝率は小動物ほど大きいことから，老化はその動物の体重あたりの酸素消費量により規定されると推察される．その原因として，代謝亢進に伴うフリーラジカル生成の増大が考えられている．活性酵素や脂質酸化物などのフリーラジカルは生体に有害であり，生体はこれらに対する数々の防御機構（スカベンジャー系）を備えている．たとえば，スーパーオキシドジスムターゼ（superoxide dismutase：SOD）は，O_2^- の不均化反応を拡散律速に近い速さで触媒して H_2O_2 を産生する．ネズミや霊長類の SOD 活性/基礎代謝率が最長寿命とみごとに相関することは，加齢に伴う SOD の低下がフリーラジカルによる細胞傷害を増幅することを示唆する．

b. 架橋形成・異常蛋白質蓄積

もともとはコラーゲンの架橋亢進や異常架橋の形成が老化の促進に寄与するとの考え方に端を発し，現在ではさまざまな蛋白質が架橋形成だけではない修飾を受け，異常蛋白質として蓄積することの重要性が指摘されている．白内障における水晶体混濁の原因となるクリスタリンの凝集物，Alzheimer 病患者の脳に顕著にみられる神経原線維変化や β-アミロイド，それに Parkinson 病患者の脳に蓄積する α-シヌクレインなどがその代表例である．活性酸素による酸化修飾蛋白質が加齢とともに各臓器へ沈着するほか，グルコース誘導体の非酵素的糖化反応によって生成される終末糖化産物（advanced glycation endproduct：AGE）も細胞機能を傷害し，老化の原因になると報告されている．

〔三木哲郎・横手幸太郎〕

■文献

Arking R：老化の理論と，老化のバイオロジー（鍋島陽一，北徹，他監訳），pp337-465，メディカル・サイエンス・インターナショナル，2000．

後藤佐多良：新老年学 第 3 版（大内尉義，秋山弘子，他編），pp11-5，東京大学出版会，2010．

Hayflick L: E cellular basis for biologocal aging. Handbook of the Aging (Finch CE, Hayflick L eds), p162, Van Nostrand Reinhold, 1977.

2）早老症

(1) 早老症とは

暦年齢に比較して，からだの老化が促進したように観察される疾患を早期老化症候群あるいは早老症とよぶ．早老症は，特定の臓器に限局してさまざまな老化様症状を呈するため，segmental progeroid syndrome（部分的早老症候群）ともよばれる．おもな早老症とその原因を表2-2-1に示す．なかでも，Hutchinson-Gilford プロジェリア症候群，Werner 症候群と Cockayne 症候群は，一般の加齢性変化と共通する多彩な老化様症状を示すことから，古典的な遺伝性早老症と認識されている．一方，染色体数の異常によって生じる Down 症候群や Klinefelter 症候群，Turner 症候群も，白髪・脱毛の早発や悪性腫瘍を好発し，広い意味で早老症に含められる．代表的な早老症は，そのほとんどが DNA の複製や修復，組み換え，翻訳，転写などを担う蛋白の遺伝子変異を原因とすることが知られている（表2-2-1）．わが国では，2015 年に Werner 症候群，Cockayne 症候群，Rothmund-Thomson 症候群の 3 疾患が指定難病に選定された．

(2) Werner 症候群

1904 年にドイツの眼科医 Otto Werner によりはじめて報告された常染色体劣性の遺伝性疾患である（e 表2-2-A）．思春期以降に，白髪・脱毛などの毛髪変化や両側性白内障，高調性の嗄声，腱など軟部組織の石灰化，皮膚の萎縮や角化・潰瘍，四肢の筋・軟部組織の萎縮，インスリン抵抗性の強い耐糖能障害，性腺機能低下症などが出現し，一般に低身長であることが多い．一方，認知機能は通常損なわれない．冠動脈疾患や主として非上皮性の悪性腫瘍を合併しやすく，2 大死因となっている．皮膚潰瘍は難治性であり，疼痛や感染のためしばしば下肢切断に至る．e 表2-2-A に診断基準を示す．単純 X 線写真でアキレス腱の特徴的な石灰化（図2-2-1）を認める場合が多く（e ノート 1），40 歳までにほぼ 100％の症例でみられる白内障とともに，本疾患の診断上重要な所見である．8 番染色体短腕上に存在する RecQ 型 DNA ヘリカーゼ（WRN）遺伝子のホモ接合体または複合ヘテロ接合体変異を原因とするが，同遺伝子の機能異常が特徴的な早老症状や糖尿病，悪性腫瘍などをもたらす機序はいまだ明らかでない．全世界の報告の 6 割が日本人とわが国に多く，国内では 100 人に 1 人が無症候のヘテロ接合体（保因者）と推定される．根本的治療法は未開発だが，糖尿病に対してはチアゾリジン誘導体がしばしば有効である．皮膚潰瘍に保存的治療が無効な場合は，他部位か

表 2-2-1 代表的な早老症とその原因

疾患名	原因
Down 症候群	21 トリソミー
Werner 症候群	RecQ DNA ヘリケース遺伝子 WRN の変異
Cockayne 症候群	CSA または CSB 遺伝子の変異
Hutchinson-Gilford プロジェリア症候群	LaminA/C 遺伝子の変異
毛細血管拡張性失調症	ATM 遺伝子の変異
Klinefelter 症候群	47,XXY
Turner 症候群	45,XO
筋強直性ジストロフィー	おもに DMKP 遺伝子における CTG リピートの伸長
色素性乾皮症	XPA, ERCC3, XPC, ERCC2, DDB2, ERCC4, ERCC5, ERCC1, または POLH 遺伝子の変異
Bloom 症候群	RecQ DNA ヘリケース遺伝子 BLM の変異
Rothmund-Thomson 症候群	RecQ DNA ヘリケース遺伝子 RecQL4 の変異

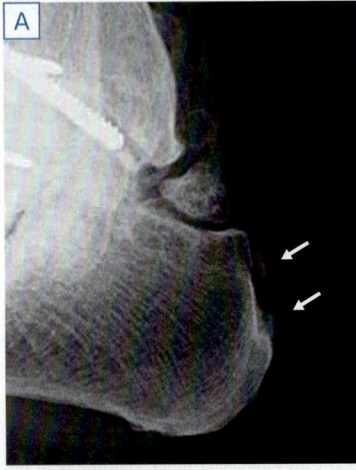 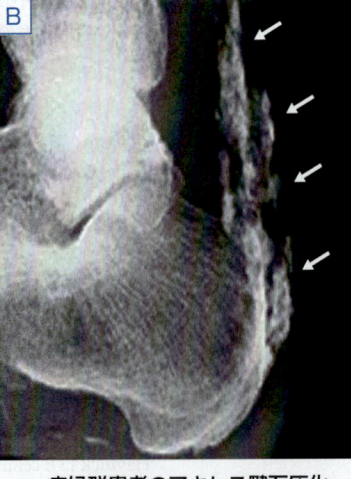

図 2-2-1 単純 X 線撮影で観察される Werner 症候群患者のアキレス腱石灰化
Werner 症候群では，アキレス腱の踵骨付着部付近に分節型の石灰化（A）を認めることが多く，進展とともにしばしば "火焔" のように見える（B）．矢印は石灰化の部位を示す．

らの皮膚移植を検討する．平均死亡年齢は40歳代半ばとされてきたが，近年の研究で約10年間の平均寿命延長が示された．

(3) Hutchinson-Gilford プロジェリア症候群

1886年に Johnathan Hutchinson，1887年 Hastings Gilford により報告され，頻度は400万～800万人に1人ときわめてまれな小児期発症の遺伝性早老症である．生後半年～2年より水頭症様の顔貌や禿頭，脱毛，小顎，強皮症，発育障害などを呈するが，精神運動機能や知能は正常である．高血圧や脳梗塞，冠動脈疾患，心臓弁膜症などを合併し，平均13歳で死亡する．核蛋白 LaminA/C の遺伝子変異により，異常蛋白 progerin を生成することが原因とされる．根治療法は未開発だが，臨床研究において，progerin 産生を低下させるファルネシル化阻害薬が患者の寿命延長効果を示した．　　　　　〔三木哲郎・横手幸太郎〕

■文献

Goto M, Ishikawa Y, et al: Werner syndrome: a changing pattern of clinical manifestations. *Biosci Trends*. 2013; **7**: 13-22.

Merideth MA, Gordon LB, et al: Phenotype and course of Hutchinson-Gilford progeria syndrome. *N Engl J Med*. 2008; **358**: 592-604.

横手幸太郎, 竹本 稔: 早老症 Werner 症候群の診療ガイドライン. 日本老年医学会雑誌. 2013; **50**: 417-27.

3) 老化制御

歴史を振り返ると，先人たちが永遠の生を夢見てさまざまな試みがされてきたが，もちろん命の永続性に成功した者はいない．環境さえ整えれば不老不死は可能ではないか，との夢は細胞レベルで否定されてしまった．米国の Hayflick らは正常体細胞の分裂には限界があり（Hayflick の限界），すべての正常体細胞には分裂集積回数があらかじめ決められていることを証明した（Hayflick ら，1961）．現在ではこの機構にテロメア，テロメラーゼが関与することが明らかになっている[1]．しかし，近年寿命自体が延ばせる可能性は出てきた．以下に代表的なものを掲載した（e図2-2-A）．

(1) エネルギー制限

酵母，線虫のような下等生物からラット，マウスのような齧歯類では一貫して寿命を延ばす方法として，エネルギー制限が知られる．30％程度の摂取エネルギーの削減により，寿命がラット，マウスでは1.3～1.5倍程度延長する[2,3]．霊長類であるアカゲザルでも，エネルギー制限により，平均寿命が延長するのみならず，癌，糖尿病，心臓病などの老化と関係する疾患の罹患率が低く，脳の萎縮も軽減したと報告された（Colman ら，2009）．しかし，その後別の研究所から否定する結果が報告された[4]．結果の相違の原因としてエネルギー制限の程度や食事内容の違いが指摘されているが，詳細はなお不明である．

近年，少なくとも下等動物におけるこのエネルギー制限による寿命延長の機構が一部明らかになり，特にサーチュインが注目されている．エネルギー制限によりサーチュイン蛋白が増加活性化され，寿命に関連する重要なさまざまな蛋白質を脱アセチル化し，寿命を制御している可能性が示唆されている[5]．またインスリンならびに蛋白質，アミノ酸による mammalian target of rapamycin (mTOR) の活性化が寿命を抑制する可能性が指摘されている．実際，mTOR の活性化を抑制する rapamycin 投与によりマウスの寿命延長が確認されている（Harrison ら，2009）．エネルギー制限の寿命延長効果にも mTOR の活性化抑制が関与している可能性が指摘され，最近ではエネルギー制限自体よりもむしろ mTOR 活性化を抑制させる栄養素の比率（蛋白質，アミノ酸量）が重要との報告もある[6]．しかし，mTOR の活性化抑制がなぜ寿命延長を誘導するかの機構はなお明確でない．

(2) レスベラトロール

レスベラトロールはもともとブドウの果皮などに含まれるポリフェノールで，サーチュインの活性化物質として同定された．レスベラトロールは線虫や魚などの寿命を延長することが報告された[7,8]．マウスでは高脂肪食を摂取させた場合のみレスベラトロールで寿命が延長するが，普通食ではその効果がない[9]．ヒトに対する寿命への影響などは今後の課題である．

(3) 運動

運動，特に定期的な持久運動はミトコンドリア合成を促進し，さまざまな疾病予防につながりヒトにおいても平均余命を延長させる可能性が示唆されているが，小動物の研究では，中等度の運動により平均寿命の延長は認めるものの，最大寿命の延長効果はないとされている[10]．　　　　　〔葛谷雅文〕

■文献（e文献 2-2-3）

Colman RJ, Anderson RM, et al: Caloric restriction delays disease onset and mortality in rhesus monkeys. *Science*. 2009; **325**: 201-4.

Harrison DE, Strong R, et al: Rapamycin fed late in life extends lifespan in genetically heterogeneous mice. *Nature*. 2009; **460**: 392-5.

Hayflick L, Moorhead PS: The serial cultivation of human diploid cell strains. *Exp Cell Res*. 1961; **25**: 585-621.

2-3 高齢者の保健や診療における目標

加齢とともにさまざまな臓器機能が低下し，ホメオスターシスが障害され，フレイルとなる（eコラム1）．高齢者は，多臓器疾患の合併やフレイルにより生活機能が損なわれ，長期ケアが必要となる．高齢者の保健では，加齢による影響を理解しながら，フレイル，要介護に陥ることを予防することが重要であり，高齢者の診療においては，単なる診断と治療にとらわれず，患者と介護者の視点に立って，疾病および生活機能障害を評価し，全人的医療を行う必要がある．

1）生活機能評価

高齢者においては疾病だけではなく，生活機能の評価が非常に重要である．その評価には日常生活活動度（activities of daily living：ADL）が用いられ，ADLは基本的ADL（basic ADL：BADL）と手段的ADL（instrumental ADL：IADL）に分類される．BADLは人が毎日の生活を送るために各人が共通に繰り返す，さまざまな基本的かつ具体的な活動のことである．もともとリハビリテーション分野における患者の機能障害や効果測定のために開発されたものであるが，近年では高齢者の生活機能の尺度として用いられることが多くなっている．BADLの評価は施設によって種々のものが用いられているが，多くは，食事，移動，整容，トイレ動作，入浴，歩行，階段昇降，更衣，排便，排尿の10項目を2～4段階で評価するBarthel IndexやKatzのIndexが使用される．Barthel Indexは表2-3-1に示すように，100点満点で評価し，Katz Indexは入浴，更衣，トイレ移動，移乗，排尿・排便，食事の6項目からなり，項目ごとに自立を1，部分介助または全介助を0としており，6点満点で評価する．

IADLは1969年にLawtonとBrodyによって提唱された概念であり，項目は電話，買い物，食事の準備，家事，洗濯，交通機関の利用，服薬管理，金銭管理の8項目からなっている（Lawton, 1975）．しかしながら，食事の準備，家事，洗濯の3項目については男性が評価対象から外されている点など，現在の日本の実情では使用しにくい点がある．一方，古谷野らの開発した老研式活動能力指標は13項目からなり（表2-3-2），1～5を手段的自立（IADL），6～9を知的能動性，10～13を社会的役割としているが，13点満点の総合点のほかに，手段的自立5項目5点満点はIADL評価方法として現在広く使われている．

生活機能障害の分類としては，「国際生活機能分類（International Classification

表2-3-1 Barthel Index

	項目	配点	基準の内容
1	食事	10 5 0	自立，自動具などの装着可，標準的時間内に食べ終える 部分介助（たとえば，おかずを切って細かくしてもらう） 全介助
2	移乗	15 10 5 0	自立，ブレーキ，フットレスの操作も含む（歩行自立も含む） 軽度の部分介助または監視を要する 座ることは可能であるがほぼ全介助 全介助または不可能
3	整容	5 0	自立（洗面，整髪，歯磨き，髭剃り） 部分介助または不可能
4	トイレ	10 5 0	自立，衣服の操作，後始末を含む，ポータブルトイレ便器などを使用している場合はその洗浄も含む 部分介助，身体を支える，衣服，後始末に介助を要する 全介助または不可能
5	入浴	5 0	自立 部分介助または不可能
6	歩行 （車椅子）	15 10 5 0	45m以上の歩行，補装具（車椅子，歩行器を除く）の使用の有無は問わない 45m以上の介助歩行，歩行器の使用を含む 歩行不能の場合，車椅子にて45m以上の操作可能 上記以外
7	階段昇降	10 5 0	自立・手すりなどの使用の有無は問わない 介助または監視を要する 不能
8	着替え	10 5 0	自立，靴，ファスナー，装具の着脱を含む 部分介助，標準的な時間内，半分以上は自分で行える 上記以外
9	排便	10 5 0	失禁なし，浣腸，座薬の扱いも可能 ときに失禁あり，浣腸，座薬の取り扱いに介助を要するものも含む 上記以外
10	排尿	10 5 0	失禁なし，収尿器の取り扱いも可能 ときに失禁あり，収尿器の取り扱いに介助を要する者も含む 上記以外

表 2-3-2 老研式活動能力指標

	質問	1	0	点数*
1	バスや電車を使って1人で外出できますか	はい	いいえ	
2	日用品の買い物ができますか	はい	いいえ	
3	自分で食事の用意ができますか	はい	いいえ	
4	請求書の支払いができますか	はい	いいえ	
5	銀行預金・郵便貯金の出し入れが自分でできますか	はい	いいえ	
6	年金などの書類が書けますか	はい	いいえ	
7	新聞を読んでいますか	はい	いいえ	
8	本や雑誌を読んでいますか	はい	いいえ	
9	健康についての記事や番組に興味がありますか	はい	いいえ	
10	友達の家を訪ねることがありますか	はい	いいえ	
11	家族や友達の相談にのることがありますか	はい	いいえ	
12	病人を見舞うことができますか	はい	いいえ	
13	若い人に自分から話しかけることがありますか	はい	いいえ	
*1か0を記入		合計得点		点

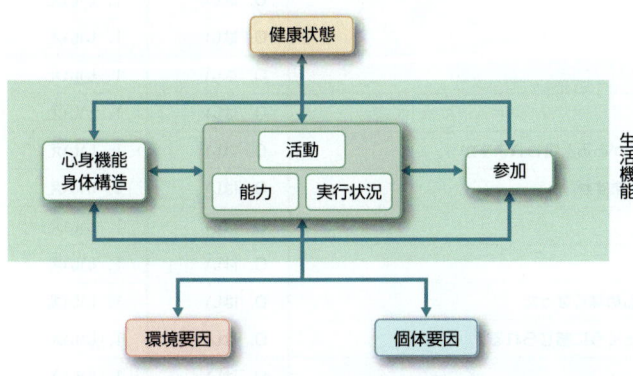

図 2-3-1 国際生活機能分類（ICF）の特徴

of Functioning, Disability and Health：ICF）」がある（eコラム 2）．ICF は，人の生活機能と障害について，「心身機能・身体構造」，「活動」，「参加」の3つの次元，および関連する「健康状態」，「環境要因」，「個体要因」の各構成要素が双方向的な関連をもつ相互作用モデルを提唱している（図 2-3-1）．

2）基本チェックリスト

わが国においては 2000 年 4 月から介護保険制度が始まったが，その 5 年後に見直しがなされ，2006 年より基本チェックリストを用いたスクリーニングが始まった．基本チェックリストは要介護状態に陥りそうな高齢者をスクリーニングするための方略であり，自己記入式の総合機能評価ということができる（表 2-3-3）．1～3 は手段的 ADL，4, 5 は社会的 ADL，6～10 は運動・転倒，11, 12 は栄養，13～15 は口腔機能，16, 17 は閉じこもり，18～20 は認知症，21～25 はうつに関する質問事項である．一定の基準をこえた場合「二次予防事業対象者」と判定され，各地域包括支援センターで介護予防プログラム（運動器の機能向上，栄養改善，口腔機能向上，閉じこもり予防・支援，認知症予防・支援，うつ予防・支援）が実施される（eノート 1）．しかしながら，一般の臨床医における基本チェックリストや介護予防に対する認識はきわめて低い．したがって，高齢者の健康長寿を達成するため，基本チェックリストを介護予防において活用するだけでなく，臨床現場においてその意義について啓発する必要性が叫ばれている．

3）フレイル，サルコペニア
frailty, sarcopenia

フレイルとは，加齢に伴うさまざまな機能変化や生理的な予備能力の低下によって健康障害を招きやすい状態と理解される（表 2-3-4）．実際，フレイルな高齢者では日常生活機能障害，施設入所，転倒，入院をはじめとする adverse health outcome（不良の転帰）を認めやすく死亡リスクも高くなる．これまでの研究からフレイルの指標についてさまざまな尺度や評価方法が提唱されているが，移動能力，筋力，認知機能，栄養状態，バランス能力，身体活動性，社会・経済的側面などの構成要素について複数項目をあわせて評価す

表 2-3-3 **基本チェックリスト**(地域支援事業実施要項　平成 22 年 8 月 6 日　厚生労働省老健局長通知より)

No.	質問項目	回答（いずれかに○をお付け下さい）	
1	バスや電車で 1 人で外出していますか	0. はい	1. いいえ
2	日用品の買物をしていますか	0. はい	1. いいえ
3	預貯金の出し入れをしていますか	0. はい	1. いいえ
4	友人の家を訪ねていますか	0. はい	1. いいえ
5	家族や友人の相談にのっていますか	0. はい	1. いいえ
6	階段をてすりや壁をつたわらずに昇っていますか	0. はい	1. いいえ
7	椅子に座った状態から何もつかまらずに立ち上がっていますか	0. はい	1. いいえ
8	15 分位続けて歩いていますか	0. はい	1. いいえ
9	この 1 年間に転んだことはありますか	0. はい	1. いいえ
10	転倒に対する不安は大きいですか	0. はい	1. いいえ
11	6ヵ月間で 2〜3 kg 以上の体重の増減がありましたか	0. はい	1. いいえ
12	身長　　　cm　体重　　　kg(BMI＝　　)(注)		
13	半年前に比べて堅いものが食べにくくなりましたか	0. はい	1. いいえ
14	お茶や汁物等でむせることがありますか	0. はい	1. いいえ
15	口の渇きが気になりますか	0. はい	1. いいえ
16	週に 1 回以上は外出していますか	0. はい	1. いいえ
17	昨年と比べて外出の回数が減っていますか	0. はい	1. いいえ
18	周りの人から「いつも同じことを聞く」などの物忘れがあると言われますか	0. はい	1. いいえ
19	自分で電話番号を調べて，電話をかけることをしていますか	0. はい	1. いいえ
20	今日が何月何日か分からない時がありますか	0. はい	1. いいえ
21	（ここ 2 週間）毎日の生活に充実感がない	0. はい	1. いいえ
22	（ここ 2 週間）これまで楽しんでやれていたことが楽しめなくなった	0. はい	1. いいえ
23	（ここ 2 週間）以前は楽にできていたことが今ではおっくうに感じられる	0. はい	1. いいえ
24	（ここ 2 週間）自分が役に立つ人間だと思えない	0. はい	1. いいえ
25	（ここ 2 週間）わけもなく疲れたような感じがする	0. はい	1. いいえ

(注)BMI(＝体重(kg)÷身長(m)÷身長(m))が 18.5 未満の場合に該当とする．
各項目の評価内容は，1〜3：手段的 ADL，4〜5：社会的 ADL，6〜10：運動・転倒，11〜12：栄養，13〜15：口腔機能，16〜17：閉じこもり，18〜20：認知機能，21〜25：うつ．

表 2-3-4 **フレイルに関係する要因**

加齢，通常 85 歳以上
機能低下
転倒とそれに付随する損傷（大腿骨近位部骨折）
多剤併用
慢性疾患
認知症とうつ病
社会的依存
施設入所または入院

る場合が多い．フレイルは，高齢者において恒常性を維持する機能が低下した状態であり，高齢者の生命・機能予後の推定や包括的医療を行ううえでも重要な概念である．介入可能な病態であることから高齢者の健康増進を考えるうえでは，すべての医療・介護専門職が理解すべき概念である．

また，サルコペニアとは 1989 年 Rosenberg によって提唱された概念であり，加齢に伴う筋肉減少症である．世界的にコンセンサスが得られているわけではないが，主として欧州老年医学会のグループが提唱している筋力量減少，活動度の低下(歩行速度低下)，筋力低下(握力低下)を用いた基準が使用されている．サルコペニアが進行すると転倒，歩行速度低下，活動度低下，基礎代謝低下が生じやすく，フレイルが進行して要介護状態につながる可能性が高くなる．サルコペニアは，高齢者の運動機能，身体機能を低下させるばかりでなく，生命予後，ADL を規定し，高齢者本人，介護者の QOL を低下させてしまう場合が多く，その

表 2-3-5 高齢者総合的機能評価：CGA7

番号	CGA7の質問	評価内容	正否と解釈	次へのステップ
①	〈外来患者〉 診察時に被験者の挨拶を待つ 〈入院患者・施設入所者〉 自ら定時に起床するか，もしくはリハビリへの積極性で判断	意欲	正：自分から進んで挨拶する 否：意欲の低下 正：自ら定時に起床する，またはリハビリその他の活動に積極的に参加する 否：意欲の低下	Vitality Index
②	「これから言う言葉を繰り返して下さい（桜，猫，電車）」，「あとでまた聞きますから覚えておいて下さい」	認知機能	正：可能（できなければ④は省略） 否：復唱ができない ⇒ 難聴，失語などがなければ中程度の認知症が疑われる	MMSE・HDS-R
③	〈外来患者〉 「ここまでどうやって来ましたか？」 〈入院患者・施設入所者〉 「普段バスや電車，自家用車を使ってデパートやスーパーマーケットに出かけますか？」	手段的ADL	正：自分でバス，電車，自家用車を使って移動できる 否：付き添いが必要 ⇒ 虚弱か中程度の認知症が疑われる	IADL
④	「先程覚えていただいた言葉を言って下さい」	認知機能	正：ヒントなしで全部正解．認知症の可能性は低い 否：遅延再生（近似記憶）の障害 ⇒ 軽度の認知症が疑われる	MMSE・HDS-R
⑤	「お風呂は自分ひとりで入って，洗うのに手助けは要りませんか？」	基本的ADL	正：⑥は，失禁なし，もしくは集尿器で自立．入浴や排泄が自立していれば他の基本的ADLも自立していることが多い 否：入浴，排泄の両者が× ⇒ 要介護状態の可能性が高い	Barthel Index
⑥	「失礼ですが，トイレで失敗してしまうことはありませんか？」			
⑦	「自分が無力だと思いますか？」	情緒・気分	正：無力と思わない 否：無力だと思う ⇒ うつの傾向がある	GDS-15

対策は重要である．また，その介入に関してはアミノ酸，ビタミンDを中心とした栄養療法と運動療法が有効であることが報告されており，早期発見，早期介入により高齢者の健康増進をはかることができる（Kimら，2012；Yamadaら 2012）．

フレイルもサルコペニアも医療・介護専門職にはその重要性がほとんど認識されていないため，今後はその早期発見・早期介入に対する啓発が重要となる．

4) 高齢者総合的機能評価
comprehensive geriatric assessment : CGA

これまで述べてきたように生活機能の評価が高齢者医療においては重要であるが，生活機能を含めて高齢者を包括的に評価する方法がCGAである（eコラム3）．

CGAにおいては疾患評価だけでなく，以下の事項を総合的に検査，評価し，個人の生活や個別性を重視したケアを選択することになる．身体的な分野では慢性疾患の評価とともに，BADL，IADLの評価が，精神心理的分野では，抑うつや認知機能障害の評価が重要となる．社会的分野では，家族状況，婚姻状況，同居者の有無，経済状況，介護サービスの利用状況などを評価する．以下に内容を整理する．

① BADL：最低限の生活の自立
② IADL：家庭での生活手段の自立
③ 認知機能：認知症の程度評価
④ 行動異常：BPSD（behavioral psychological symptoms of dementia）の評価
⑤ 気分：抑うつ，不安，意欲
⑥ 人的環境：家族・介護者の介護力，介護負担
⑦ 介護環境：家族の物理的，経済的環境，介護サービスの利用

①②については次項で詳述する．③の認知機能についてはMMSEやHDS-Rが用いられる．⑤の気分の評価にはGDS15（geriatric depression scale）が用いられることが多く，鳥羽らによって開発されたVitality Indexが意欲の指標として用いられる．Vitality Indexは起床，挨拶，食事，排泄，リハビリ活動の5項目からなっており，家族，介護者が自然に想起できるようになっている．

⑥，⑦の評価が必要な理由は要介護者のQOLが，個人の身体的，精神的機能だけでなく，さまざまな環境要因によって決定されるためである．介護者への遠慮により，自宅復帰を果たせず十分なQOLが得られていない高齢者も多い．一方，介護者の負担についての評価は，身体的側面，認知機能，行動障害が介護負担の規定因子として知られ，その評価法としては

Zarit介護負担尺度(日本語版)がある．また，栄養状態や服薬状況の把握も重要なポイントである．

CGAの実施には，チームアプローチが重要である．医師だけでなく，看護師，理学・作業療法士，言語聴覚士，薬剤師，管理栄養士，MSW(medical social worker)，ケアマネジャーなどによる分担と協力が必要である．これら多職種間での協調と問題点の共有，検出が重要であり，介入はチームで行う．

すでに触れたように，長寿科学総合研究CGAガイドライン研究班が作成したCGA7は，外来や入院患者で使える短時間で施行可能なスクリーニングである（表2-3-5）．異常が検出された場合は，標準的方法で評価することが必要である．設問には復唱，遅延再生も含まれており，認知機能，意欲，抑うつ，ADL，IADLが同時に評価できる．　　　　〔荒井秀典〕

■文献
Kim HK, Suzuki T, et al: Effects of exercise and amino acid supplementation on body composition and physical function in community-dwelling elderly Japanese sarcopenic women: a randomized controlled trial. *J Am Geriatr Soc*. 2012; **60**: 16-23.
Lawton MP: The philadelphia geriatric center morale scale: a revision. *J Gerontol*. 1975; **30**: 85-9.
Yamada M, Arai H, et al; Nutritional supplementation during resistance training improved skeletal muscle mass in community-dwelling frail older adults. *J Frailty Aging*. 2012; **1**: 64-70.

2-4 高齢者の診察と評価

高齢者の診療にあたっては，その診断・治療が重要であるのはいうまでもないが，その疾患を発症した背景について，現病歴，家族歴，既往歴，生活歴に加え，服用薬剤，生活機能障害，社会的背景についての情報収集が必要となることが多い．また高齢者においては認知機能低下，難聴などさまざまな問診を阻害する因子が存在するため，辛抱強い病歴聴取が必要である．さらに，診察に当たっては歩容や表情なども含めて，全身をくまなく診ることが求められ，必要に応じてCGAを用いた評価を行う必要がある．

ば複数の病因がからみあっており，症状は必ずしも典型的ではない．高齢者はまた，身体疾患だけでなく，精神・心理的問題や家庭・社会的問題，生活機能低下について考慮するとともに，ADLやQOLに配慮した対応が求められる（図2-4-1）．また，高齢者においては疾患の診断とともに，生活機能障害や要介護状態および死亡のリスクとなるフレイルを考慮した診療も必要である．

1）特徴

高齢者は複数の疾患をもっていることが多く，また認知症，尿失禁，転倒など高齢者に特有な病態(老年症候群)の理解が必要である．さらに，高齢者の訴えは，必ずしも単一の病因によるものではなく，しばし

2）問診

問診において必要不可欠な情報を得ることは正確な診断，適切な治療へつながることから，問診は最も医師の力量が問われる技術である．しかしながら，高齢者においては理解力の低下，難聴，構音障害などにより円滑な問診が難しい場合がある．患者やその家族とよりよい関係を構築するため，問診時の態度，言葉遣い，声のトーンなどに配慮し，ときには医療者から病歴をレビューし，患者に確認することが勧められる．高齢者を診察する場合，同伴した家族や付き添いからの情報も重要である．特に患者本人からの問診が困難な場合は，家族や付き添いの人から物忘れ，人格の変化，行動異常，家庭の環境などについて情報を得る．このように高齢者の問診は，主訴と関連した病歴だけでなく，生活機能障害や社会的・心理的な問題の有無に関する情報も重要である．可能であれば，CGA7（表2-3-5）やそれに続く総合機能評価を適宜実施し，生活機能全般について問題点をスクリーニングすることが有用である．入院患者においては入院前の生活状

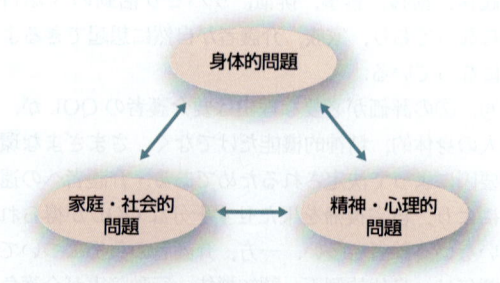

図2-4-1 総合機能評価における3大分野

況を聴取し，その情報を元に退院後の生活状況を考える．また，必要に応じて介護状況を確認し，配偶者の有無およびその健康状態，誰と同居しているのか，子供はどこに住んでいるのか，キーパーソンは誰か，かかりつけ医はいるのかなどの情報を得る．介護保険サービスを利用している場合には，要介護度，実際に使っているサービスの内容，可能であればケアマネジャーの連絡先について確認する．

3）身体所見の取り方

高齢者の診察において，診察室への入室時からの観察が重要である．歩行の速さおよび歩き方，杖や車椅子利用の有無，高度な脊柱後弯の有無，同伴者の有無，表情，姿勢，脱衣の様子，挨拶の有無などを観察する．特に歩行スピードや握力はフレイルやサルコペニアと関連するため，重要な情報である．また，血圧，脈拍数，呼吸数などのバイタルサインの確認および意識状態，麻痺やパーキンソニズムの有無をよく観察し，身体所見は，頭部から下肢まで系統的にとる．

加齢とともに皮膚疾患の頻度は増え，瘙痒感を訴えることも多くなる．瘙痒感がなくとも擦過傷がある場合には注意が必要である．皮膚の状態に応じて適切なスキンケアの指導を行う．また，皮膚の観察は，脱水の有無や栄養状態の評価に有用であり，下肢の観察は，爪白癬や深部静脈血栓症，末梢動脈疾患などを診断するうえで重要である．

齲歯や歯肉炎など口腔内の炎症は低栄養，消化器症状，糖尿病，心血管疾患にも関係するため，口腔内を観察し，口腔ケアの指導や歯科医との連携の必要性を考慮する．咬合力や歯の数を含めた咀嚼機能の評価も栄養との関係で重要である．

〔荒井秀典〕

2-5 高齢者の薬物療法

高齢者でも薬物療法の利点は明らかであるが，生理機能の加齢変化と多剤併用などを背景として，薬物有害事象は加齢に伴い増大し，後期高齢者では15%以上にみられる（鳥羽ら，1999）．そのため，有害事象の予防を目的とした薬物の中止・減量を適切に行うことが求められる．以下に，薬物療法の原則を記載する．

(1) 投与量の調節

薬物動態の加齢変化の結果，高齢者では半減期（$t_{1/2}$）の延長や最大血中濃度（C_{max}）の増大が起こり，総じて薬効が強く出ることが問題となる．投薬に際しては，このような高齢者の特性を理解し，さらに各患者の臓器機能に配慮して，投与量を調節する必要がある．治療を急ぐ場合を除き，初期量は若年成人の1/2〜1/3程度とし，効果と有害事象に留意しながら徐々に増量する．長年服用している薬剤の場合も，臓器機能の低下に配慮して量を調節する．

(2) 多剤併用（polypharmacy）の回避

多剤併用は，薬物有害事象，相互作用，飲み忘れ，処方・調剤のエラー，医療費の増大につながるため慎

表 2-5-1 アドヒアランスをよくするための工夫（日本老年医学会，2011）

服薬数を少なく	降圧薬や胃薬など同薬効 2〜3剤を力価の強い1剤か合剤にまとめる
服用法の簡便化	1日3回服用から2回あるいは1回への切り替え 食前，食直後，食後30分など服薬方法の混在を避ける
介護者が管理しやすい服用法	出勤前，帰宅後などにまとめる
剤形の工夫	口腔内崩壊錠や貼付薬の選択
一包化調剤の指示	長期保存できない，途中で用量調節ができない欠点あり 緩下薬や睡眠薬など症状によって飲み分ける薬剤は別にする
服薬カレンダー，薬ケースの利用	

まなければならない．有害事象が特に増加する5〜6種類から多剤併用を意識するべきである．多病が高齢者の多剤併用の主因なので，薬物の重要性，余命や日常生活動作，認知機能などを考慮して優先順位を決め，最低限に絞り込む努力が大切である．

有害作用が出やすく，効果に比べて安全性が劣るといった理由で，一般に高齢者にふさわしくないとされる薬物もある（日本老年医学会など，2015）．認知機能低下や転倒，便秘などの老年症候群を起こしやすい抗コリン系薬物やベンゾジアゼピン系薬物が代表的であり，優先順位づけの参考にできる．

日本老年医学会では「高齢者の安全な薬物療法ガイドライン2015」を発表し，高齢者の処方適正化スクリーニングツールとして「特に慎重な投与を要する薬物のリスト」と「開始を考慮すべき薬物のリスト」を示している（日本老年医学会，2015）．

(3)高齢者の服薬管理

高齢者は，認知機能障害，視力・聴力障害，麻痺や手指の機能低下により，飲み忘れ，用法・薬効の理解不足，とりこぼしなどのアドヒアランス低下要因をしばしば有する．したがって，高齢者総合機能評価の手法を用いて服薬管理能力を判断することが大切である．

服用に問題をきたすことが予想される症例では，表2-5-1のような工夫をする（日本老年医学会，2011）．さらに，本人だけでなく，家族や介護者からも服用状況を確認しながら薬剤と服用方法を決定していく慎重な態度が望まれる． 〔秋下雅弘〕

■文献

日本老年医学会編：健康長寿診療ハンドブック，p109，日本老年医学会，2011．

日本老年医学会，日本医療研究開発機構研究費・高齢者の薬物治療の安全性に関する研究研究班：高齢者の安全な薬物療法ガイドライン2015，p22-38，日本老年医学会，2015．

鳥羽研二，秋下雅弘，他：老年者の薬物療法．薬剤起因性疾患．日本老年医学会雑誌．1999; **36**: 181-5．

3. 心身医学

- 1. 内科学総論
- 2. 老年医学
- 3. 心身医学
- 4. 症候学
- 5. 治療学
- 6. 感染症
- 7. 循環器
- 8. 血圧の異常
- 9. 呼吸器系
- 10. 消化管・腹膜
- 11. 肝・胆道・膵
- 12. リウマチ・アレルギー
- 13. 腎・尿路系
- 14. 内分泌系
- 15. 代謝・栄養
- 16. 血液・造血器
- 17. 神経系
- 18. 環境要因・中毒

心身医学

- 3.1 総論 …………………………… 58
- 3.2 心身症 …………………………… 58
- 3.3 摂食障害 ………………………… 60
- 3.4 パニック症/パニック障害 ……… 62
- 3.5 PTSD（心的外傷後ストレス障害）
  ………………………………………… 63
- 3.6 サイコオンコロジー（精神腫瘍学）
  ………………………………………… 63

3-1 総論

日本心身医学会によると，「心身医学」は，「患者を身体面だけでなく，心理面，社会面をも含めて，総合的，統合的にみていこうとする医学」（日本心身医学会教育研修委員会，1991）と定義されており，これは，Engelが主張した「病気中心の生物医学的モデル（biomedical model）から，病人中心の身体的，心理的，社会的存在として理解するモデル（biopsychosocial medical model）への転換」（Engel，1977）に大きく影響されている．すなわち，心身医学は，病気中心・臓器中心ではなく，全人的医療を実践するために生まれてきたといえる．そして，「心身症」【⇒3-2】を中心とした病態を診療の対象としてきた．

3-2 心身症
psychophysiologic disorders, psychosomatic disorders

定義・概念

心身症とは，「身体疾患のなかで，その発症や経過に心理社会的因子が密接に関与し，器質的ないし機能的障害が認められる病態をいう．ただし神経症やうつ病など，ほかの精神障害に伴う身体症状は除外する」と定義される病態である（表3-2-1）[1]．つまり，心身症とは，単なる「身体症状」ではなく，「身体疾患」であることが前提で，さらに，その発症や経過に「心理社会的因子の密接な関与」が認められる「病態」である．ある疾患のなかで，この定義にあてはまる症例のみが心身症であるという意味で「病態」という表現が用いられている．心身症が含まれる代表的な疾患としては，Basedow病（Yoshiuchi ら，1998），過敏性腸症候群[2]，2型糖尿病[3]などの生活習慣病などがあげられる（表3-2-2）．なお，保険病名は，「身体疾患名（心身症）」（例：過敏性腸症候群（心身症））のように記載する．

診断[4]

心身症の診断は，病歴聴取，身体診察，検査所見などに基づく身体面からの情報と，面接による生活史の聴取や心理テストの結果などによる心理社会的側面からの情報を統合して多面的に行う．身体面のみに焦点を当てるのではなく，患者を取り巻く環境をも含めて全人的に評価し，診療していく姿勢が重要である．つまり，Engelが提唱した全人的医療を実践することになる．

具体的には，主訴，現病歴，既往歴，家族歴，生活歴のみならず，ライフイベント（例：近親者の死亡，災害など）や日常生活におけるストレス，ソーシャルサポート（他者から提供される有形または無形の援助のことで，主として家族や友人などからのサポートのこと），ストレスコーピング（ストレスへの対処行動）などの心理社会的因子の評価を行う．さらに，必要な場合には，幼少期を含めた生育歴や，家族関係などの

表3-2-1 心身症の定義

- 身体疾患である．
- 発症，あるいは経過（増悪）に心理・社会的因子が密接に関与している．
- 精神疾患による身体症状は除外する．

表3-2-2 心身症がしばしば認められる内科疾患の例

(1) 呼吸器系：気管支喘息
(2) 循環器系：本態性高血圧，冠動脈疾患（狭心症，心筋梗塞）
(3) 消化器系：過敏性腸症候群，胃・十二指腸潰瘍
(4) 内分泌・代謝系：2型糖尿病，Basedow病
(5) 神経・筋骨格系：緊張型頭痛，片頭痛

表3-2-3 心身症の診断・鑑別のポイント

- 諸検査で器質的ないし機能的な身体面の異常が認められる．
- 経過中（発症を含む）に，心理社会的因子と増悪・改善・寛解との間に関連が認められる．
- 身体症状は訴えるが，その症状を説明する身体面の異常（機能的ないし器質的）が認められない場合は，多くの場合，精神疾患であり，心身症ではない．

聴取も行う．また，心理テストによってパーソナリティや心理状態を把握することも有用だが，その役割はあくまでも補助的なものである．

鑑別診断[4]（表3-2-3）

鑑別を要するものとしては，精神疾患で身体症状を主とするものが重要である．心身症は，「身体疾患」の一部であり，「精神疾患」ではないという条件があるが，「精神疾患」のなかには，身体症状を呈する疾患があり，心身症との鑑別が必要となる．精神疾患のなかでも心身症と混同されることが多いのは，「身体

表 3-2-4 心身医学的治療法

- **薬物療法**
    抗不安薬
    抗うつ薬
- **心理療法**
    支持的精神療法
    認知行動療法
    リラクセーション法

表 3-2-5 自律訓練法の「公式」

- 背景公式：「気持ちが落ち着いている」
- 第1公式（重感練習）：「右腕が重たい」，「左腕が重たい」，「右脚が重たい」，「左脚が重たい」
- 第2公式（温感練習）：「右腕が温かい」，「左腕が温かい」，「右脚が温かい」，「左脚が温かい」
- 第3公式（心臓調整練習）：「心臓が静かに規則正しく打っている」
- 第4公式（呼吸調整練習）：「楽に呼吸をしている」
- 第5公式（腹部温感練習）：「お腹が温かい」
- 第6公式（額部涼感練習）：「額が心地よく涼しい」

症状症」である．これは，咽喉頭部の違和感，消化器症状など，ケースによって，さまざまな身体症状を訴えるが，それを説明できる身体面の異常が認められないものである．これらの症状の多くは，心理的要因が関与していると考えられており，その点においては心身症と共通であるが，症状を説明可能な身体疾患が存在しない点が心身症と異なる点である．

身体症状症のなかでも「変換症（機能性神経症状症）」は代表的なもので，古くは「ヒステリー神経症」とよばれていたものである．主たる症状は，随意運動または感覚機能についての症状または欠落で，身体症状が主たる症状であるにもかかわらず，身体的異常が存在しないものである．たとえば，神経学的には異常がないにもかかわらず，「足が動かない」，「手が動かない」，「耳が聞こえない」などの症状を呈する．これらには，「身体的に異常がないにもかかわらず，身体症状を呈している」ということで，心身症とは異なる．

<u>治療</u>（表3-2-4）（小牧ら，2006）

心身症の治療の基本は，身体面のみの治療にとどまらず，心理社会的側面からのアプローチを含めて全人的に治療することである．治療の進め方としては，心身両面からの病態把握の後，治療目標と治療方針を決定する．その際，十分に説明を行い患者との共同作業で決定していくプロセスをふむことが重要である．

治療方法は，薬物療法と非薬物療法に大別される．薬物療法としては，身体疾患の治療のための薬剤に加え，症状や病態に応じて，向精神薬（抗不安薬や抗うつ薬など）が併用される．非薬物療法としては，支持的精神療法（傾聴，受容，共感などの技法が中心となる）が基本であるが，さらに専門的な心理療法や環境調整なども行われる．専門的な心理療法としては，認知行動療法，リラクセーション法（自律訓練法など），家族療法などが行われる．これら専門的治療法の明確な選択基準は現在のところ存在しないが，認知行動療法およびリラクセーション法のエビデンスが蓄積されつつある．

1) 薬物療法： 不安・緊張，抑うつ，不眠などの精神症状が併存し，著しく生活に支障が生じている場合には，抗不安薬，抗うつ薬，睡眠薬が必要に応じ用いられる（ⓔコラム1）．投薬の際には，目的・副作用に関して十分説明のうえ，同意を得たうえで処方を行う．また，抗うつ薬に関しては，治療効果発現までに数週間かかる可能性が高く，投与初期には副作用のみが認められることがある旨を十分説明することが重要である．

2) 心理療法： 心身症に対する治療における心理療法の目的は，セルフコントロールの獲得を目指すということで，さまざまな治療法が用いられている．以下に，比較的エビデンスが集積されている治療法について概説する．

a) 認知行動療法：個人の行動と認知の問題に焦点を当て，そこに含まれる行動上の問題，認知の問題，感情や情緒の問題，からだの問題，そして動機づけの問題を合理的に解決するために計画された構造化された治療法であり，自己理解に基づく問題解決と，セルフコントロールに向けた教授-学習のプロセスのことで，生活習慣病における行動変容や摂食障害における治療などに用いられる．

行動変容における従来の「指導」においては，生活上のよくない点を指摘して改善を促す一方向的な指導である，改善の仕方に関する具体的な手がかりが十分に提案されていない，などの問題点があることが知られている．認知行動療法においては，健康に悪い「考え方や行動」を系統的に修正するが，その際，治療者と患者は，一方的に受動的に治療を受けるという関係ではなく，1つのチームとして共同作業で問題解決に取り組む「協同的経験主義」とよばれる関係で治療を進める点が従来の指導とは異なる．

b) リラクセーション法：リラクセーション法の1つである自律訓練法に関して，本態性高血圧症や一次性頭痛などにおける効果が報告されている．自律訓練法（表3-2-5）は，1932年にドイツの精神医学者Schultzが発表したもので，心身ともにリラックスした状態を導くために作成された．自律訓練法は，次の

ような手順に従って行う．基本は，「公式」とよばれる決まった文章を頭のなかで唱えることである．準備としては，なるべく静かな場所で堅苦しくない服装で行う．軽く目を閉じて，腹式呼吸にする．規則正しい呼吸を心がけ，呼吸が一定のリズムになった段階で，背景公式（「気持ちが（とても）落ち着いている」）を開始し，その後，第1公式（重感練習），第2公式（温感練習）へと移る．公式は，表 3-2-5 に示したとおり，第6公式まで存在するが，実際には，第2公式までマスターできれば十分にリラクセーションの効果が得られることが多い．

3-3 摂食障害
eating disorders

概念

摂食障害の主たる疾患（表 3-3-1）として，神経性やせ症（anorexia nervosa），神経性過食症（bulimia nervosa）が存在し，これらの疾患の病態は，「食欲」の問題ではなく，体型や体重に対する「認知の歪み」であり，通常，精神疾患に分類される[5]．また，2013年に発刊された米国精神医学会によるDSM-5（精神障害の診断と統計の手引き）[6]から正式な疾患となった過食性障害（binge-eating disorder）では，「認知の歪み」は明らかではないが，過食という食行動の制御が困難であるという食行動の異常を示し，肥満症を合併することが多く，内科的にも重要な疾患である．

疫学[7,8]

米国における各病型の生涯有病率は，神経性やせ症に関しては，成人で0.6%，思春期で0.3%，神経性過食症に関しては，成人で1.0%，思春期で0.9%，過食性障害に関しては，成人で2.6%，思春期で1.6%と報告されている（eノート1）．日本の近年の疫学データは存在せず，1999（平成11）年度厚生省特定疾患中枢性摂食異常調査研究班報告によれば，1998年に全国の医療施設（23401施設）を対象に実施した「全国疫学調査」では，患者推定数（罹患率）は神経性やせ症が1万2500（人口10万対10.0），神経性過食症が6500（人口10万対5.2）と推定されている．性差も報告されており，女性の罹患率が男性の罹患率の3〜10倍という特徴がある．

診断・病因・治療[9]

診断基準としてDSM-5が用いられることが多い．大きく分けると，低体重を伴う神経性やせ症（e表3-3-A）と，低体重を伴わない神経性過食症（e表3-3-B）と過食性障害（e表3-3-C）に分類される．神経性やせ症のうち，不食や摂食制限のみで，過食や自己誘発性嘔吐などの排出行動を伴わないものを摂食制限型（restricting type）という．また過食や，嘔吐・下剤や利尿薬の乱用などの排出行動を伴うものを過食/排出型（binge eating/purging type）とよぶ．神経性やせ症は，ボディイメージの障害，強いやせ願望や肥満恐怖

表 3-3-1 おもな摂食障害の分類

神経性やせ症
　摂食制限型
　過食/排出型
神経性過食症
過食性障害

のため，不食や摂食制限，あるいは過食しては嘔吐するため，著しいやせとさまざまな身体症状，精神症状を生じる．さらに低体重，低栄養による二次的な変化として，さまざまな身体所見，検査所見が認められ，場合によっては致死的となる．

治療に関しては，特に神経性やせ症の場合，低体重・低栄養・脱水に伴い，さまざまなからだの異常所見，血液および尿検査の異常，生理学的検査の異常が認められ，心身症としての側面ももつため，心身両面からのアプローチが必須であり，心療内科で診療することが多い代表的な疾患である．また，低体重を伴わない神経性過食症であっても，排出行動による電解質異常などの血液検査の異常が認められ，身体面の管理も必要となる．さらに，過食性障害では肥満症を合併することが多く，肥満症の併存疾患としても重要である．

ただし，中等度のエビデンスレベルがある思春期患者を対象とした家族療法以外にいまだエビデンスレベルの高い治療法は存在せず，栄養を補う栄養療法と心理療法の一種である認知行動療法が用いられることが多い．また近年，難治性の神経性やせ症に対して，脳深部刺激療法の効果も報告されているが，現時点では確立されていない[10]．

身体面の異常

内科的治療を優先すべき場合も多い．神経性やせ症の身体面の変化について記載する[9]（表 3-3-2）．

1）消化器系： 胃排出運動の遅延は神経性やせ症患者においてよく認められる．食後の膨満感などの訴えと

表 3-3-2 神経性やせ症の身体所見，検査所見

〈身体所見〉
- やせ：20％のやせ，幼児体型
- 弾力性がない乾燥した皮膚，カロチン血症状（代謝遅延）
- 乾燥して艶のない頭髪，脱毛，トリコチロマニア
- 背中の産毛，性毛の温存（恥毛の損失：3％）
- 変色しエナメル質が腐食した歯，齲歯，歯肉障害，唾液腺の腫大と圧痛
- 比較的保たれた乳房（萎縮：20％）
- 低体温：36℃以下の基礎体温，著しい冷え
- 低血圧：体重の減少度に比例する
- 徐脈，不整脈
- 無月経
- 便秘，痔核，種々の大腸障害
- 浮腫
- 嘔吐（自己嘔吐），手背の吐きダコ
- 筋肉痛，関節痛，末梢神経麻痺（尖足など），骨粗鬆症，側弯，成長障害
- 思考や記憶力の低下

〈検査所見〉
消化器系
  膵型アミラーゼ上昇
  唾液腺型アミラーゼ上昇
  トランスアミラーゼ上昇
代謝系
  総蛋白低下
  血清アルブミン低下
  高コレステロール血症
血球系
  血清ヘモグロビン値低下
  白血球数減少
  血小板数減少
電解質系
  低ナトリウム血症
  低カリウム血症
  低マグネシウム血症
  低カルシウム血症
  低リン血症
ホルモン系
  LH低下
  FSH低下
  エストラジオール値低下
  free T_3低下

なり，さらに食事忌避の理由となっていることがあるため注意が必要である．過食嘔吐のある患者においては耳下腺腫脹を主とする唾液腺腫脹が認められることが多い．これは自己誘発性嘔吐による唾液腺分泌刺激が原因といわれており，唾液腺型アミラーゼの上昇を認める．

その他，神経性やせ症患者では，低栄養状態や高度の脱水の症例で肝酵素の上昇が認められるが，詳細な機序はいまだ不明である．多くは栄養状態や脱水の改善に伴い速やかに正常化する．また，再栄養の時期にも再栄養症候群（refeeding syndrome）として，一時的に肝酵素の上昇を認めることが多いが，経過観察のみで正常化する．

2）電解質：低カリウム血症，低リン血症，低マグネシウム血症，低カルシウム血症などが認められることが多い．低カリウム血症は経口摂取量や体液量の減少，嘔吐，下剤，利尿薬の乱用が関係している．低リン血症は飢餓状態において，経静脈的あるいは経鼻胃管による栄養投与時に認められることが多く，やはり再栄養症候群において認められる．極度の低リン血症では，横紋筋融解症など致死的な合併症を生じる危険があり，注意深いモニタリングが必要である．

3）糖代謝：低栄養による慢性的な低血糖は神経性やせ症患者に多く認められる．さらに慢性低血糖であるため多くの患者では低血糖の自覚症状がない．そのため，突然意識障害（低血糖性昏睡）を生じ，死に至るケースも多いため十分な注意が必要である．

4）循環器系：神経性やせ症患者において，低栄養と脱水，電解質異常によりさまざまな循環器系の合併症を生じ，突然死が少なからず生じる．特に，電解質の異常を伴わない場合でもQT間隔が延長しているケースもあり，頻拍性の心室性不整脈の危険因子となる．また，神経性やせ症患者では心膜液貯留や極度の徐脈を認めることもある．

5）内分泌系：神経性やせ症患者では体脂肪減少に伴う続発性無月経などの内分泌系の異常所見が認められる．無月経と関連した所見としては性ホルモンの低下を認め，LH-RHに対するLH，FSHの反応不全も認められる．甲状腺に関しては神経性やせ症患者においてnonthyroidal illness syndromeが認められる．通常free T_3は低下するが，甲状腺刺激ホルモンは正常であることが多く，low T_3症候群とよばれる．これは低栄養状態に反応してT_4からT_3への転換が減少し，代謝活性の低いリバースT_3が優先的に産生されるためであり，低体重・低栄養への適応的な反応であるため，甲状腺ホルモンの投与を行ってはいけない．

6）代謝系：神経性やせ症においてはほかの飢餓状態とは異なり，高コレステロール血症を認める．これは胆汁酸の分泌の減少とコレステロール代謝の遅延に関連しているといわれている．

7）骨代謝系：神経性やせ症では，低体重，低カルシウム血症，また低エストロゲン血症など骨密度を低下させる要因が存在し，病的骨折を認めることもある．

8）血液系：著しい飢餓状態では骨髄低形成を認めるとの報告があり，神経性やせ症患者においては白血球の減少，正〜小球性の貧血がよく認められる．またまれではあるが血小板減少を認めることもある．

9）**中枢神経系**：神経性やせ症患者では，大脳の萎縮や脳室の拡大が認められることがある．体重回復とともに改善することが多い．

3-4 パニック症/パニック障害
panic disorder

概念[11,12]

「不安症群/不安障害群」に含まれる精神疾患で，パニック発作を繰り返し，発作そのものか発作の結果生じる症状に対する持続的な不安，発作が生じるような行動の回避などを伴う．胸痛や胸部不快感などの胸部症状や，息苦しさなどの呼吸器症状を伴うことから，最初に内科を受診することが多いので，鑑別疾患として知識をもっておくことが望ましい．なお，2013年にDSM-5が発刊されたのを機に，日本語病名をパニック症と改訂し，当分の間，パニック症/パニック障害と記載することとなった[13]．

疫学[14,15]

パニック症/パニック障害はけっしてまれな疾患ではなく，生涯有病率は，米国で4.7％，日本で0.8％であると報告されている．また，性差も報告されており，女性の方が男性よりも罹患率が高いという特徴がある．

臨床症状・診断[11,12]

パニック症/パニック障害の症状の特徴としては，パニック発作の繰り返し，発作そのものか発作の結果生じる症状に対する持続的な不安，発作が生じるような行動の回避，二次的なうつ病の合併があげられる．多彩な身体症状が生じるにもかかわらず，各種検査で症状を説明できる異常が検出されないことが特徴である．

パニック症/パニック障害の診断基準としては，米国精神医学会のDSM-5によるものが代表的である（ⓔ表3-4-A）[6]．パニック症/パニック障害の診断基準にもあるように，まず，原因となる可能性のある身体疾患を除外することが必要であり，患者の訴えが多いというだけで，安易に診断を下すべきではない．

病因[11,12]

現在までのところ，明らかな病因は同定されていない．遺伝的素因に関しても，さまざまな研究が行われ，近年は遺伝的な影響に関して連鎖解析や関連分析研究も行われているが，再現性のある結果は得られていない．神経学的な研究も行われており，γ-アミノ酪酸（GABA）の受容体の減少や，セロトニン受容体の減少の報告もあり，後述する薬物療法との関連が想定されている．また，生活上のストレスが発症の契機となっているという報告も認められる[16]．

治療[11,12]

1）**患者教育**：診断後の重要なステップは，多くの患者が重大な身体疾患をもっているかもしれないという不安をもっているので，パニック症/パニック障害が精神疾患により身体症状を呈しているということを説明することである．

2）**薬物療法**：メタ解析では，SSRIと三環系抗うつ薬とベンゾジアゼピン系薬物の有効性が示されているが，ベンゾジアゼピン系薬物の効果は，前2者と比較してやや弱いという結果となっている．わが国では，パロキセチンとセルトラリンのみにパニック障害への適応が認められている．また，効果と副作用の観点からも，SSRIが第一選択とされているが[17]，一般的に，治療効果発現までには数週間かかることと，投与初期の副作用であるいらいら感の軽減のために，比較的効果発現の早いロラゼプ酸エチル，アルプラゾラム，ロラゼパム，クロナゼパムなどのベンゾジアゼピン系の抗不安薬も併用される．ただし，ベンゾジアゼピン系抗不安薬は，長期服用で依存を生じることが問題となっており，使用には注意を要する．

いずれにしても，予期不安に対する薬物療法の効果は限定的であり，認知行動療法などの心理療法を併用する必要がある．

3）**心理療法**：最もエビデンスが蓄積されている心理療法は，認知行動療法である．認知行動療法では，パニック症/パニック障害に関する心理教育，思考の歪みを修整する認知再構成，恐怖を惹起する身体感覚や状況への暴露（回避行動の変化を含む）などである．また，恐怖を惹起する状況への暴露とともに，リラクセーション法を行うことが有効である【⇨3-2-4】．さらに，薬物療法と認知行動療法の組み合わせの方が，それぞれ単独の治療よりも効果的であったという報告もある．

4）**予後**：薬物療法で50〜70％で効果が認められるが，薬物療法終了後に，25〜50％が6カ月以内に再発する．30％の患者のみ，寛解後数年間再発が認められない．そして，35％では著明な改善は認められるが，その後，増悪と改善を繰り返す．

3-5 PTSD（心的外傷後ストレス障害）

定義・概念[18]
PTSD（心的外傷後ストレス障害）とは，「心的外傷およびストレス因関連障害群」に分類される精神疾患で，生命の危険が及ぶような体験後に生じる重症の疾患である．多くは慢性の経過をとり，動悸，息苦しさ，めまい感などの自律神経症状や睡眠障害を呈することがあるため，最初に内科を受診することがある．

疫学[14,15]
PTSDの一般人口における生涯有病率は，米国で6.8％，日本で1.4％であると報告されている．

診断[18]
PTSDの診断基準としては，米国精神医学会のDSM-5によるものが代表的である．DSM-5においては，6歳をこえる患者用（e表3-5-A）と6歳以下の子ども用（e表3-5-B）の診断基準が作成された．まず，Aに記載されているような衝撃的な体験をしていることが求められる．さらに，B（侵入症状）の項目のうち1項目以上を満たし，C（回避）の項目のうち1項目以上を満たし，D（認知と気分の陰性の変化）の項目のうち2項目以上を満たし，E（覚醒度と反応性の著しい変化）の項目のうち2項目以上を満たすことが求められる．そして，Fにあるように，1カ月以上，症状が持続していることが必須である（eノート1）．

病因
いまだ病因は不明であるが，MRIによる研究で，海馬や左扁桃，前帯状皮質の体積の減少が報告されている[19,20]．また，遺伝子と環境の相互作用の可能性も検討されているが，これまでのところ小規模な研究しか存在せず，結論は出ていない[21,22]．

治療
1）薬物療法[23]：メタ解析では，SSRI（選択的セロトニン再取り込み阻害薬）の有効性が報告されており，SSRIが第一選択薬とされている．
2）心理療法[24,25]：認知行動療法の効果が報告されている．特に，トラウマに焦点を当てた認知行動療法や暴露療法の効果が報告されているが，いずれも専門家のもとで行うことが必要である．共感的に話を聞くことは重要であるが，けっして，無理に話を引き出さないよう留意する必要がある．

3-6 サイコオンコロジー（精神腫瘍学）
psycho-oncology

概念・定義[26,27]
2002年のWHO（世界保健機関）の定義や，2007年4月に施行された「がん対策基本法」および同年6月に発表された「がん対策推進基本計画」により，「治療の初期段階からの緩和ケアの実施」が推進されてきたが，2012年6月に発表された新たな「がん対策推進基本計画」では，さらに踏み込んで，「診断時からの緩和ケアの実施」が盛り込まれた（図3-6-1）．「緩和ケア」とは，「身体的な苦痛に対する緩和ケアだけではなく，精神心理的な苦痛に対する心のケア等を含めた全人的な緩和ケア」のことであり，「心のケア」の重要性も認識されている．この緩和医療における「心のケア」を担うのがサイコオンコロジー（精神腫瘍学）である．

サイコオンコロジー（精神腫瘍学）は，文字どおり精神と腫瘍の関係を明らかにする学問であるが，癌と心の関係を精神医学，心理学だけでなく，社会学，行動学，内分泌免疫学，倫理学をはじめ学際的に扱う学問であり，米国における心身医学に端を発する．特に，次の2つの側面が強調される．1つ目は，「癌」が患者の心理状態に与える影響を扱うものである．「癌」は，それまでの生活や将来の見通しなどを根底から揺るがす大きな影響をもつが，それに伴って，患者に何らかの精神症状をもたらすこともまれではない．した

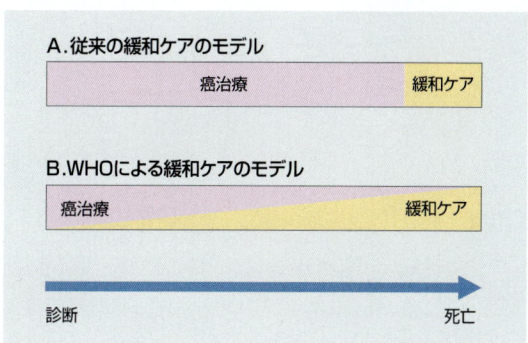

図3-6-1 がん医療における緩和ケアのモデル（Billings JA: Definitions and models of palliative care. Principles and practice of palliative care and supportive oncology（Berger AM, Shuster JL, et al ed）, pp489-98, Lippincott Williams & Wilkins, 2007より改変）

がって，精神症状を適切に評価，対応を行い，最終的には患者のクオリティオブライフの向上を目指すものである．2つ目は，精神状態が，癌罹患率や根治率，生存期間などの病状に影響を与えるか否かを扱うもので，心理的介入によって生存期間を延ばすことなども含まれてくる．現在までのところ，前者に力点がおかれている．

「癌」が精神状態に与える影響

癌患者における精神症状において，特に自殺との関連において重要な症状として「うつ」がある．癌患者のうつに関しては，適応障害やうつ病（大うつ病性障害）の有病率の報告があり，病期や治療の段階，癌の部位で異なるが，大うつ病性障害に関しては2～26％，適応障害に関しては5～35％の割合で認められることが報告されている[27-30]．また癌患者では，うつ病とも関連して，自殺の危険度も高いことが知られている．わが国における癌患者の自殺の危険率が，一般人口の1.6～6倍と非常に高いことが報告されている[31]．

〔吉内一浩〕

■文献（e文献3章）

Engel GL: The need for a new medical model: a challenge for biomedicine. *Science*. 1977; **196**: 129-36.

小牧　元，久保千春，他編：心身症診断・治療ガイドライン 2006, 協和企画, 2006.

Yoshiuchi K, Kumano H, et al: Stress and smoking were associated with Graves' disease in women, but not in men. *Psychosom Med*. 1998; **60**: 182-5.

4. 症候学

1. 内科学総論
2. 老年医学
3. 心身医学
4. 症候学
5. 治療学
6. 感染症
7. 循環器
8. 血圧の異常
9. 呼吸器系
10. 消化管・腹膜
11. 肝・胆道・膵
12. リウマチ・アレルギー
13. 腎・尿路系
14. 内分泌系
15. 代謝・栄養
16. 血液・造血器
17. 神経系
18. 環境要因・中毒

症候学

- 4.1 発熱 ……………………… 66
- 4.2 発疹・皮膚色素沈着 ……… 68
- 4.3 黄疸 ……………………… 71
- 4.4 腹痛 ……………【⇨5-2-4】
- 4.5 悪心・嘔吐 ……………… 72
- 4.6 食欲不振 ………………… 74
- 4.7 胸やけ・げっぷ ………… 76
- 4.8 吃逆（しゃっくり）……… 78
- 4.9 口渇 ……………………… 79
- 4.10 嚥下困難 ………………… 79
- 4.11 便秘 ……………………… 81
- 4.12 下痢 ……………………… 83
- 4.13 吐血 ……………【⇨5-2-5】
- 4.14 下血 ……………【⇨5-2-5】
- 4.15 肝腫大 …………………… 85
- 4.16 脾腫 ……………………… 86
- 4.17 リンパ節腫脹 …………… 88
- 4.18 浮腫 ……………………… 90
- 4.19 腹部膨隆 ………………… 93
- 4.20 くも状血管腫・手掌紅斑 … 94
- 4.21 腹水 ……………………… 95
- 4.22 甲状腺腫 ………………… 97
- 4.23 肥満 ……………………… 99
- 4.24 るいそう ………………… 101
- 4.25 ばち指・チアノーゼ …… 102
- 4.26 Raynaud症状 …………… 104
- 4.27 胸水 ……………………… 106
- 4.28 貧血 …………【⇨16-9-1-1】
- 4.29 出血傾向 ………………… 109
- 4.30 胸痛・胸部圧迫感 ……… 112
- 4.31 呼吸困難 ………………… 113
- 4.32 いびき …………………… 116
- 4.33 異常呼吸 ………………… 117
- 4.34 動悸 ……………………… 119
- 4.35 咳・痰 …………………… 121
- 4.36 喘鳴 ……………………… 124
- 4.37 喀血・血痰 ……………… 125
- 4.38 血尿 …………【⇨13-1-2-3】
- 4.39 乏尿・無尿 ……………… 126
- 4.40 多尿 ……………………… 128
- 4.41 脱水 ……………………… 129
- 4.42 排尿障害 ………………… 130
- 4.43 四肢痛 …………………… 131
- 4.44 関節痛 …………………… 133
- 4.45 腰痛・背痛 ……………… 135
- 4.46 意識障害 ………………… 136
- 4.47 失神 ……………………… 137
- 4.48 頭痛 ……………………… 137
- 4.49 痙攣 ……………………… 138
- 4.50 運動麻痺 ………………… 138
- 4.51 めまい・耳鳴り ………… 139
- 4.52 発育障害 ………………… 140

4-1 発熱
fever

体温調節

人体の体温は，熱産生と熱放散（輻射，伝導，対流，蒸発）により本来 35～37℃の幅で保たれ，生理的には早朝（2時～4時）に最低値を，夕方（16時～18時）に最高値となる．日内変動が 0.5℃あり，1℃以上は異常である．健常成人では，早朝 37.2℃以上，夕方 37.7℃以上は発熱，低体温は 35℃以下とする．女性は排卵後から月経までに 0.6℃の上昇がある．小児は成人よりおおむね 0.5℃高い．体温調節には日周期リズムがあり，調節部位は間脳の視索前野・前視床下部で，体温中枢とよばれている．華氏（℉：Fahrenheit）から摂氏（℃：Celsius）への変換は $℉=(9/5 ×℃)+32℃$ の式を用いる．測定部位で差があり腋窩温（鼓膜温）＜口腔内温＜直腸温の順に高く，おのおのおおむね 0.2℃，0.6℃の差がある．

定義（Gelfand ら，2010）

急性発熱の期間は通常 2 週間以内で，37.1～38.0℃は微熱，38.1～38.5℃は軽度発熱，38.6～39.0℃は中等度発熱，≧39.1℃は高熱，と定義されている．特徴的な熱型を表 4-1-1 に示すが，特別な診断的価値は少ないとされている．また熱の下り方には徐々に下がる渙散性解熱（crisis）（2～3日以上），急に下がる分利性解熱（lysis）（36 時間以内）（典型例：大葉性肺炎）がある．

病態（図 4-1-1）

発熱物質の産生源はマクロファージ，単球，リンパ球で，内因性発熱物質には，インターロイキン（IL）-1α，1β，IL-6，インターフェロン-α，TNF-α，-β，ciliary neurotropic factor がある．外因性発熱物質としてはエンドトキシンや，細菌，ウイルス，真菌由来物質がある．これらの作用により脳内グリア細胞や第 3 脳室前腹壁にある終板器官の血管内皮細胞は，発熱物質であるプロスタグランジン E_2 を産生し，EP-3 受容体を介して視床下部のグリア細胞からの cAMP 放出を上昇させ，体温中枢を刺激する．

発熱は体温中枢のセットポイントが高温側にシフトしたものであるが，一方，悪性症候群，熱射病の高体温はセットポイントの上昇ではなく，体温調節機構の不全である．

診断手順

1）不明熱（fever of unknown origin：FUO）（Legget, 2012）：古典的 FUO の定義は，①3 週間以上続く，②38.3℃以上，③1 週間の検査でも原因不明，の 3 つを含む．検査によりおおむね 70～80％は診断がつく．新しい FUO の定義は，38℃以上の発熱が数回みられ，3 日間の検査でも診断がつかないものである．その他，医療合併（healthcare）FUO（他疾患の治療中に発症する），免疫不全 FUO（悪性腫瘍の化学療法中，骨髄移植後，臓器移植後，膠原病治療中），HIV 関連 FUO の定義がある．fever without a focus または fever without a localized sign も類似語である．

通常，考えられる疾患群は 6 つに絞られる．それは①感染症，②非感染性炎症性疾患（膠原病，血管炎，自己炎症症候群），③腫瘍性疾患の 3 大原因に加え，④薬物熱（サルファ薬，βラクタム薬，PC，フェニトイン，カルバマゼピン，バルビツレート，インターフェロン-α，抗不整脈薬などで平均 6 日後に発熱し，中止後 2～3 日で下がる），⑤人為的発熱（毒物，体温計の問題），⑥その他（Fabry 病，周期性好中球減少，消耗熱）である．おおまかな頻度を表 4-1-2 に示す．

2）患者へのアプローチと評価：繰り返す病歴聴取と診察が重要．熱が高いわりには脈拍の亢進を伴わない

表 4-1-1 おもな熱型と典型的疾患

名称	熱型	疾患例
稽留熱 sustained (continuous) fever	日差 1℃以内で持続	大葉性肺炎，腸チフス，ブルセラ症，粟粒結核
弛張熱 remittent fever	日差 1℃以上で，最低体温が 37℃以上	敗血症，膿瘍，膠原病，成人 Still 病
間欠熱 intermittent fever	高熱期と無熱期の日差が 1℃以上で最低体温が 37℃以下	マラリア，敗血症，Felty 症候群
回帰熱 relapsing fever	1 ないし数日の正常体温期の間に短期間の有熱期間	ボレリア感染，Hodgkin リンパ腫
周期熱 periodic fever	規則的な周期をもつ	マラリア（3 日熱，4 日熱）
波状熱 undulant fever	有熱期と無熱期が不規則に交互に現れる	ブルセラ症

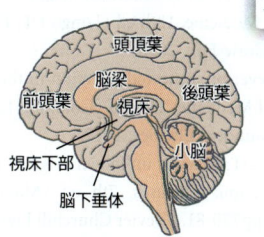
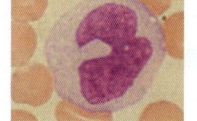

図 4-1-1 発熱の病態(McCance KL, Huether SE: Pathophysiology 5th ed, p.465, Elsevier Mosby)

図内容：
- 感染・毒素・外傷・炎症・免疫異常、その他；外因性発熱物質（LPS，ペプチドグルカンなど）
- マクロファージ・単球・血小板のTLR-2,-4に作用し内因性発熱物質の産生亢進
- 第3脳室前部でのCOX2，PGE2，cAMP産生増加　体温のセットポイント上昇
- IL-1β，IL-6，TNF-α，IFN-γ，ANA（血小板から2-AG）産生増加
- 頭頂葉、前頭葉、脳梁、視床、後頭葉、小脳、視床下部、脳下垂体
- 前部視床下部（視索前野・前視状核）の体温中枢
- 大脳皮質の行動反応
- 自律神経系の生理的・身体的反応（ふるえ，悪心，筋痛，血管収縮）
- 寒冷物質 cryogen によるフィードバック機構：ACTH／AVP／セロトニン
- 発熱反応：体温上昇／免疫反応（B細胞増殖）／内分泌学的変化（カテコールアミン増加）／生理的・身体的変化（食欲不振，倦怠感）／日周期リズムの非同期化
- 急性期反応物質の産生：CRP，フィブリノゲン，フェリチン増加／アルブミン低下／顆粒球増加／組織因子増加，PAI-1増加→DIC

表 4-1-2 不明熱の原因

感染症 （16～36%）	腫瘍性疾患 （7～31%）	非感染性炎症性疾患 （16～24%）	その他 （4～22%）	不明 （7～51%）
結核，チフス，マラリア デング熱，CMV，EBV感染 トキソプラズマ感染 心内膜炎 腹腔内・臓器内膿瘍	造血器腫瘍 リンパ腫 白血病 癌腫症	SLE，関節リウマチ，成人Still病 結節性多発動脈炎 側頭動脈炎，Sjögren症候群 過敏性血管炎，高安病，川崎病 自己炎症症候群	炎症性腸疾患（潰瘍性大腸炎，Crohn病） サルコイドーシス 薬物性発熱 先天性無汗症，心臓粘液腫 肺血栓塞栓症，膵炎	

（通常1℃上昇で脈拍10/分増加）"比較的徐脈"は，腸チフス，オウム病，レジオネラ症，ブルセラ，マイコプラズマ，デング熱，リンパ腫，人為的発熱でみられる．逆に，発熱のわりに頻脈である場合を比較的頻脈という．たとえば微熱を伴う甲状腺機能亢進である．

発熱と①発疹，②関節炎・筋炎，③リンパ腫脹，④黄疸，⑤肝脾腫，の組み合わせは注意する（Legget, 2012）．

確定診断前のNSAIDs，ステロイド，抗菌薬の使用は結果的に診断を遅らせる．

聴取すべき病歴は，LQQTSFA（Location, Quality, Quantity, Timing, Setting, および Sequence, Factors, Associated manifestations）が基本で，
①熱型（表4-1-1）
②最高体温，最低体温
③いつから，どの位の期間
④経過とともに上昇か低下か，どんなタイミングで上がるか
⑤解熱薬，ステロイドに反応するか
⑥熱に随伴する症状
⑦食事・排便・生活内容・睡眠，ペット，虫刺症（デング熱）・性的接触（STD），海外旅行歴（特に熱帯・亜熱帯地方のマラリア，赤痢，結核），服用薬物，家族歴として，家族性地中海熱，高IgD症候群は常染色体劣性遺伝，TNF受容体関連周期性発熱症候群（TRAPS），Muckle-Wells症候群は常染色体優性遺伝を示す．感染症発症動向報告も参考にする（Mackowiak, 2000）．

特殊な病態・現象（Gelfandら，2010）

1）悪性症候群（または神経遮断薬悪性症候群（neuroleptic malignant syndrome）：ドパミン拮抗薬，フェノチアジン系，ブチロフェノン系，抗うつ薬などさまざまな向精神薬による重篤な副作用である．白血球，CK（MM分画），LDH，ASTが増加する．発熱，筋硬直，意識障害，頻脈，頻呼吸，血圧上昇，自律神経機能不全，錐体外路症状を示す．

2）**悪性高熱症**（malignant hyperthermia，常染色体優性遺伝）： 全身麻酔に使用される多くの吸入麻酔薬（ハロタン）や筋弛緩薬（スキサメトニウム）で発症し，高体温をきたす．唯一の特効薬であるダントロレンで，発症しても死亡率は17.5％と低下した．

3）**Charcot 熱**： 胆道感染症にみられる間欠熱で，胆道感染から一過性に菌血症を起こす．

4）**死の交差**（funeral cross）： 腸チフスで腸出血が増加し，稽留熱の波形が徐々に低下し脈拍数が上昇する現象．体温と脈拍の2つの曲線が交差する．

〔佐地　勉〕

■文献

Gelfand JA, Callahan MV: Fever of unknown origin. Harrison's Principles of Internal Medicine, 18th ed（Longo DL, Fauci AS, et al）, pp158-64, McGraw-Hill, 2010.

Legget J: Approach to fever or suspected infection in the normal host. Goldman's Cecil Medicine, 24th ed（Goldman L, Schafer AI ed）, pp1768-74, Saunders Elsevier, 2012.

Mackowiak PA, Durack DT: Fever of unknown origin. Principles and Practice of Infectious Diseases, 7th ed（Mandell GL, Bennett JE, et al eds）, pp779-81, Elsevier Churchill Livingstone, 2010.

4-2　発疹・皮膚色素沈着
eruption and pigmentation

診断・鑑別診断

皮疹に関しては，発疹学に則り，①発疹の種類，②性状（色調，大きさ，形，境界など），③皮疹の分布や配列を記載することによって皮膚疾患の正しい診断・鑑別診断に繋がる．（ⓔ図 4-2-A）

分類・病態生理（ⓔ図 4-2-B）

a. 斑

色調の変化が主体で，紅斑，紫斑，白斑，色素斑がある．紅斑は真皮血管拡張によるもので，①血管腫などの血管拡張や②真皮の炎症による二次的な血管拡張などでみられる（図 4-2-1A）．盛り上がった紅斑を浸潤性紅斑とよび，真皮の強い炎症による真皮浮腫と血管拡張を反映する（図 4-2-1B, C）．紫斑は血管外への赤血球漏出によって生じ，血管炎や血栓・塞栓などで出現する（図 4-2-2）．硝子板や指先で圧迫すると，真皮の血管拡張による紅斑は一時的に消褪するが，血管外の赤血球漏出である紫斑は消褪しない点で紅斑と鑑別できる．白斑はメラノサイトあるいはメラニンの減少によって生じる脱色素斑である（図 4-2-3）．色素斑はメラニンなどの沈着によるもので，深さによって色調が異なる．すなわち，真皮浅層のメラニンの増加では褐色調を呈し（図 4-2-4A），真皮深層の増

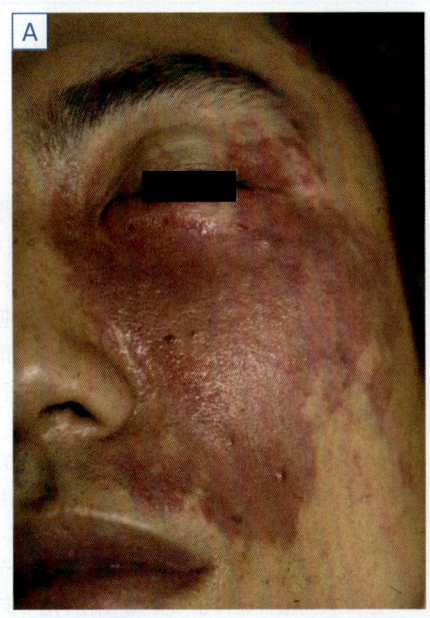

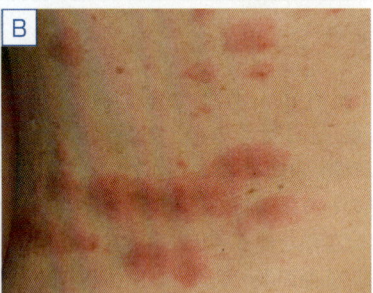

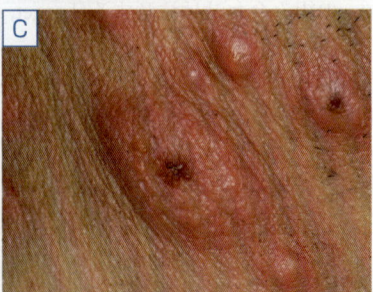

図 4-2-1　紅斑
A：単純性血管腫による紅斑．紅斑は基本的には隆起せず，紅色の色調を呈するものをいう．
B, C：隆起する紅斑は浸潤性紅斑とよばれる．Bは多形滲出性紅斑，CはSweet病の浸潤性紅斑．

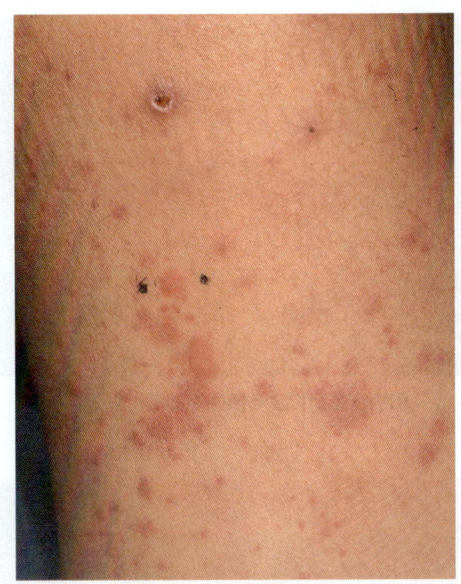

図 4-2-2 紫斑
アナフィラクトイド紫斑による紫斑.

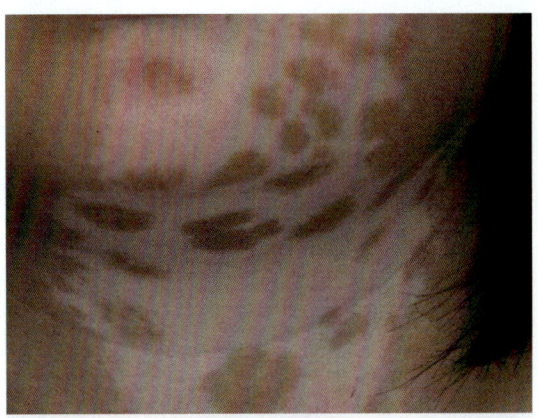

図 4-2-3 尋常性白斑による白斑
尋常性白斑では，メラノサイトに対する自己免疫のためメラノサイトの数が減少することによって白斑が生じる．

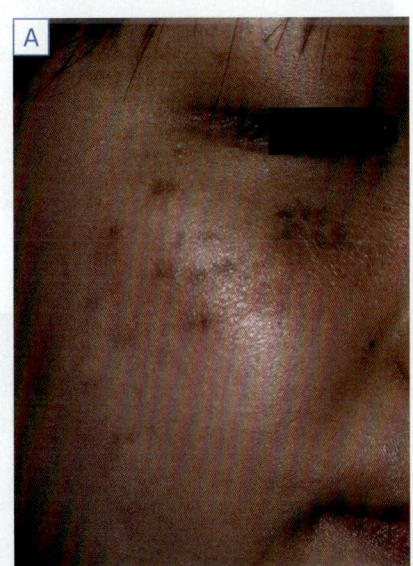
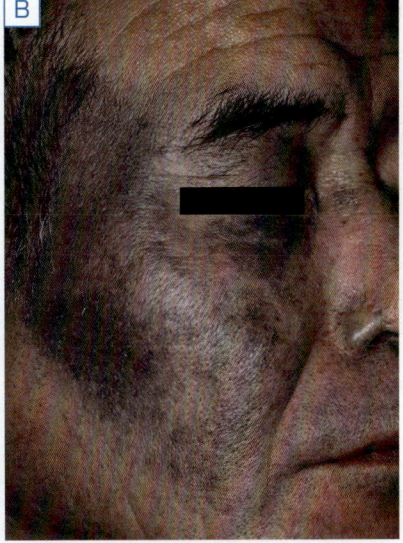

図 4-2-4 太田母斑による色素斑
太田母斑は真皮のメラノサイトによって生じるが，メラノサイトの深さによって色調が異なる．Aでは真皮浅層にメラニンが増加するため褐色調を呈し，Bでは真皮深層に増加するため青色調を呈する．

加では青色調を呈する（図 4-2-4B）．

b. 丘疹，結節，水疱，膿疱，膨疹，鱗屑

丘疹は大きさ 1 cm ほどまでのものを指し，おもに炎症性疾患で生じ，小範囲の表皮と真皮の炎症を反映する（図 4-2-5A）．一方，結節は大きさ 1 cm より大きく，おもに腫瘍性疾患で生じる（図 4-2-5B）．水疱は表皮内水疱（弛緩性で破れやすい）と表皮下水疱（緊満性で破れにくい）に分けられ，自己免疫性水疱症などで認められる（図 4-2-6）．膿疱は水疱内容が膿性のもので，毛嚢炎などの細菌性膿疱と膿疱性乾癬などの無菌性膿疱に分けられる（図 4-2-7）．膨疹は 24 時間以内で跡形を残さず消失する隆起であり，真皮上層の浮腫を反映しじんま疹でみられる（図 4-2-8）．鱗屑は，組織学的に表皮の炎症による不全角化を反映する（図 4-2-9）．皮疹の定義とそれぞれの皮疹の関係を図にまとめた（e図 4-2-A，4-2-B）． 〔佐藤伸一〕

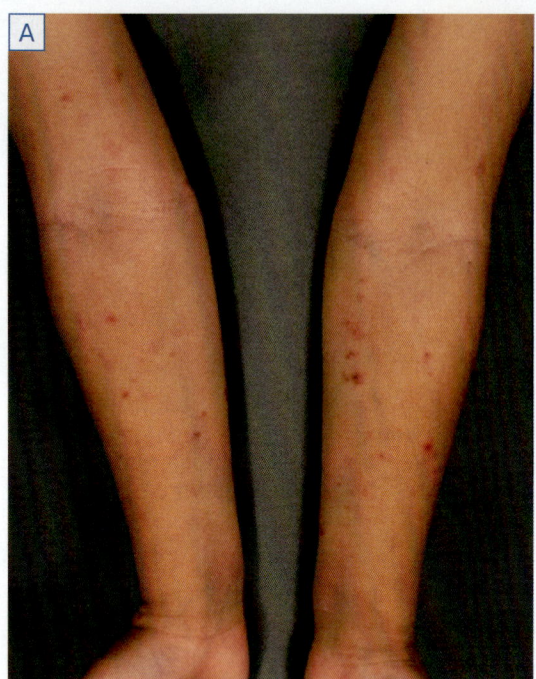

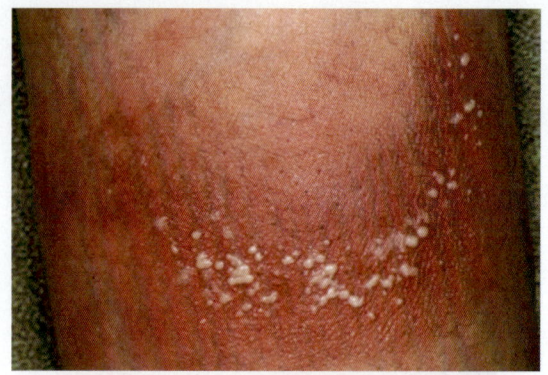

図 4-2-7 膿疱性乾癬による無菌性膿疱

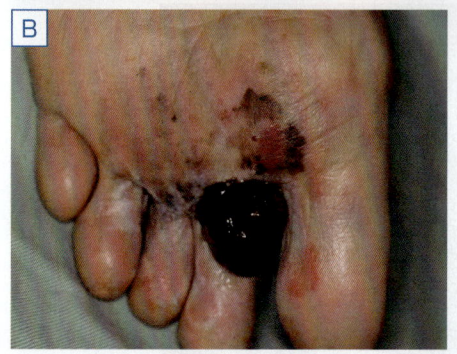

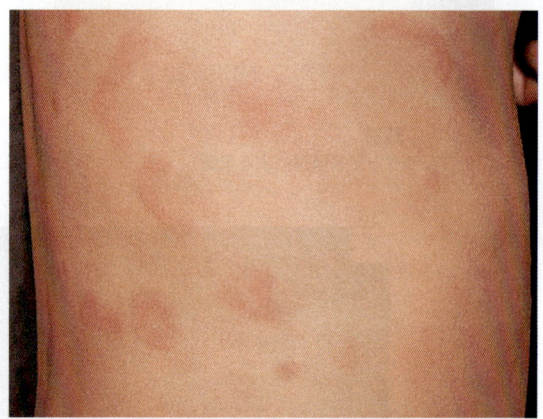

図 4-2-8 じんま疹による膨疹

図 4-2-5 丘疹・結節
A：アトピー性皮膚炎による丘疹（径1cm以下が丘疹），B：悪性黒色腫による結節（径1cm以上が結節）．

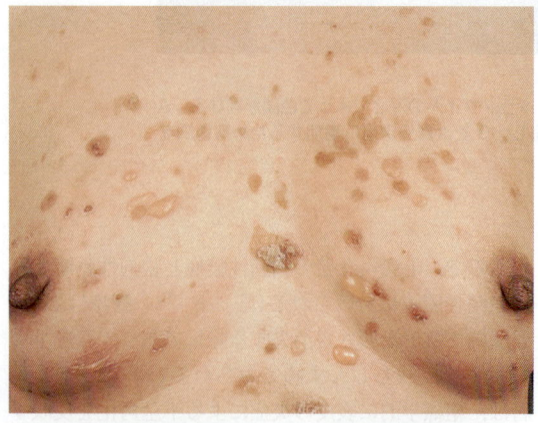

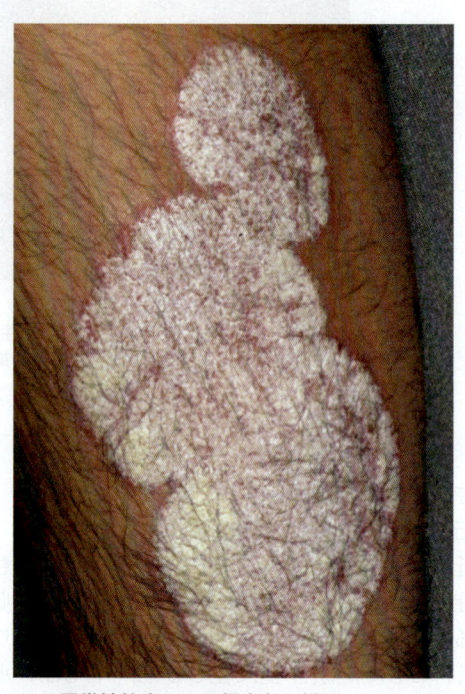

図 4-2-6 自己免疫性水疱症である尋常性天疱瘡による水疱
尋常性天疱瘡では，表皮細胞間のデスモグレイン3に対する自己抗体によって表皮内水疱が生じる．

図 4-2-9 尋常性乾癬による銀白色の鱗屑
鱗屑は，角層の不完全な角化（不全角化）によって生じるため，鱗屑があれば表皮に炎症があると考える．一方，真皮血管拡張である紅斑があれば，真皮に炎症があると考える．

4-3 黄疸
jaundice, icterus

概念
　黄疸は血中ビリルビンの増加により，体表もしくは尿にビリルビン色素が貯留するために黄染を呈する病態である．
　体表の黄染は血中総ビリルビンが 2.5 mg/dL 以上になると眼球結膜および皮膚の黄染が認められ，顕性黄疸の状態になる（図 4-3-1）．一方黄染が認められなければ不顕性黄疸と呼称される．眼球結膜が黄疸の判断に利用される理由は，ビリルビンが構成成分のエラスチンに親和性があり沈着しやすいためである．間接ビリルビン増加では皮膚瘙痒を認めないが，直接ビリルビン増加による黄疸では瘙痒感を伴う．
　尿の黄染は，増加した血中ビリルビンが腎臓経由で尿に移動することにより生じる．黄疸を伴わない濃縮尿も黄色傾向を示すが，黄疸においては尿の泡も黄染することが鑑別点となる．尿中ウロビリノーゲンは排尿後放置すると酸化されビリルビンとなるので，黄疸例において尿採取後時間経過により尿黄染が顕著になり，鑑別にもなる．尿ウロビリノーゲンは正常では＋/－であるが，陽性であれば肝細胞障害，陰性であれば胆道閉塞を伴う疾患が示唆される．
　黄疸は新生児の神経に影響を与え，ビリルビンの脳内神経組織への沈着により核黄疸が出現し哺乳能力の低下，脳性麻痺，知的能力の低下が認められる．一方，成人においては黄疸が高度になっても直接神経障害を起こすことはない．

鑑別診断
　黄疸の原因疾患は胆汁経路の障害部位に従って大きく肝前性，肝性，肝後性の疾患に分類される．柑橘類やベータカロテンの含まれた食物摂取により皮膚黄染が出現するが，眼球結膜の黄染は認められず黄疸と鑑別可能である（柑皮症）．
　黄疸の鑑別診断はまず，間接もしくは直接ビリルビンのどちらが優位の増加となるかで区分される．前者は肝前性，後者は肝性および肝後性の疾患でおもに増加する（表 4-3-1）．
　間接ビリルビンが優位なものとして，溶血性貧血を示す肝前性の疾患があげられる．溶血性貧血はハプトグロビンの低下，網状赤血球の増加，LDH 上昇を示す．ほかの疾患として一部の体質性黄疸があり，Criglar-Najjar 症候群，Gilbert 症候群があげられる．
　直接ビリルビンが優位なものとしては，肝実質性黄疸である肝性の疾患および胆汁うっ滞型黄疸，閉塞性黄疸を呈する肝後性の疾患があげられる．また，Dubin-Johnson 症候群や Rotor 症候群の体質性黄疸もあげられる．
　肝実質性黄疸はウイルス性肝炎や自己免疫性肝炎，肝細胞傷害型の薬物性肝障害のように AST, ALT の上昇に伴って引き起こされる黄疸を指す．ウイルス性急性肝炎のうち，A 型肝炎は黄疸を示す例が多い．また，B 型慢性肝炎や自己免疫性肝炎の急性増悪，肝硬変も黄疸を呈する．
　胆汁うっ滞型黄疸は肝内における胆汁排泄が障害されることに伴い発症する．急性もしくは慢性で発症するものがあり，急性発症のものは薬物による影響が多いがときに慢性に移行する．妊娠性反復性胆汁うっ滞もこれに属するが，出産後改善する特徴をもつ．慢性

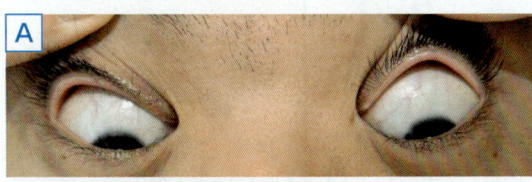
正常

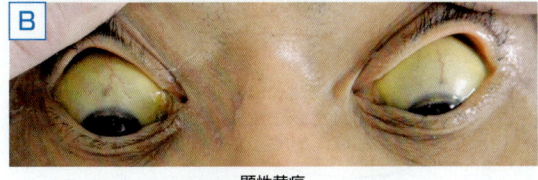
顕性黄疸

図 4-3-1 眼球結膜の観察
眼球結膜の観察は，眼瞼が下垂しないよう検者が指で上眼瞼を押さえつつ，被検者に下方を注視させる．正常では強膜は白色であるが(A)，顕性黄疸では強膜の黄染を示す(B)．

表 4-3-1 黄疸を呈する疾患の鑑別

A) 間接ビリルビン増加：
　1) 溶血性貧血（肝前性）
　2) 体質性黄疸（Criglar-Najjar 症候群，Gilbert 症候群）

B) 直接ビリルビン増加：
　1) 肝実質性黄疸（肝性）
　　ウイルス性肝炎（HAV, HBV, HCV, HEV），肝硬変，アルコール性肝炎，自己免疫性肝炎，薬物性肝障害（肝細胞傷害型）
　2) 胆汁うっ滞（肝性）
　　薬物性肝障害（胆汁うっ滞型），ウイルス性，原発性胆汁性肝硬変，原発性硬化性胆管炎，妊娠性反復性，良性家族性反復性，新生児肝炎，Byler 病
　3) 閉塞性黄疸（肝後性）
　　総胆管結石，胆管癌，胆嚢癌，十二指腸乳頭部癌，自己免疫性膵炎，IgG4 関連硬化性胆管炎，膵癌，膵嚢胞性疾患，術後胆道狭窄
　4) 体質性黄疸（Dubin-Johnson 症候群，Rotor 症候群）

に推移するものとしては原発性胆汁性肝硬変(PBC)や原発性硬化性胆管炎(PSC)があげられる．PBCは中年女性に多く，IgM高値や抗ミトコンドリア抗体陽性により診断され，その進展により黄疸が著明になる．PSCはMRCP，ERCPの画像検査で鑑別可能である．

閉塞性黄疸は胆道の機械的な閉塞に伴って認められ，結石や腫瘍によるものが多い．胆嚢炎により胆嚢腫大が認められ，総胆管を圧排し黄疸を認めることもある(Mirizzi症候群)．結石による黄疸の程度は比較的軽度であるが，腫瘍閉塞による黄疸は高度になる傾向がある．胆管，乳頭部の腫瘍により黄疸を示すが，胆嚢腫瘍でも胆管への浸潤や圧排により黄疸を呈する．膵癌の総胆管浸潤，腹部リンパ節転移による総胆管の圧排でも黄疸を表出する．また，自己免疫性膵炎により総胆管の圧排，IgG4関連硬化性胆管炎により肝内胆管に狭窄が生じて閉塞性黄疸を示す．肝胆道系術後における胆管吻合部狭窄も黄疸を呈する．これらの疾患はいずれもCT，MRI，ERCPなどの画像検査所見が鑑別点となる． 〔金子周一・川口和紀〕

■文献

Addley J, Mitchell RM: Advances in the investigation of obstructive jaundice. *Curr Gastroenterol Rep.* 2012; **14**:511-9.

Kruger D: The assessment of jaundice in adults: tests, imaging, differential diagnosis. *JAAPA.* 2011;**24**:44-9.

Roche SP, Kobos R: Jaundice in the adult patient. *Am Fam Physician.* 2004; **69**:299-304.

4-4 腹痛

【⇨ 5-2-4】

4-5 悪心・嘔吐

概念

悪心(nausea)は心窩部や前胸部のムカムカとした不快感で，吐き気を指す主観的な症状である．悪心に随伴して流涎(生唾)，冷汗，顔面蒼白，血圧の低下や徐脈などがみられることが多い．嘔吐(vomiting)は胃や腸管や胸腹壁筋の収縮により上部消化管内容物が口腔外へ吐き出されることである．

病態生理

嘔吐は脳幹部の孤束核，迷走神経背側核，疑核，横隔神経核，延髄核などと関連し，咽頭，喉頭，食道，胃，腸，胸腹壁筋の神経筋反射が関与する．悪心・嘔吐を引き起こす(催吐)中枢への刺激には解剖学的にさまざまなものがある(図4-5-1)．不快なにおいなどで誘発される悪心・嘔吐は大脳皮質から生じる．乗り物酔いや内耳障害は迷路，胃の刺激物は求心性迷走神経，腸の閉塞や虚血は求心性内臓神経を介し中枢へと伝えられる．その他に嘔吐の原因として

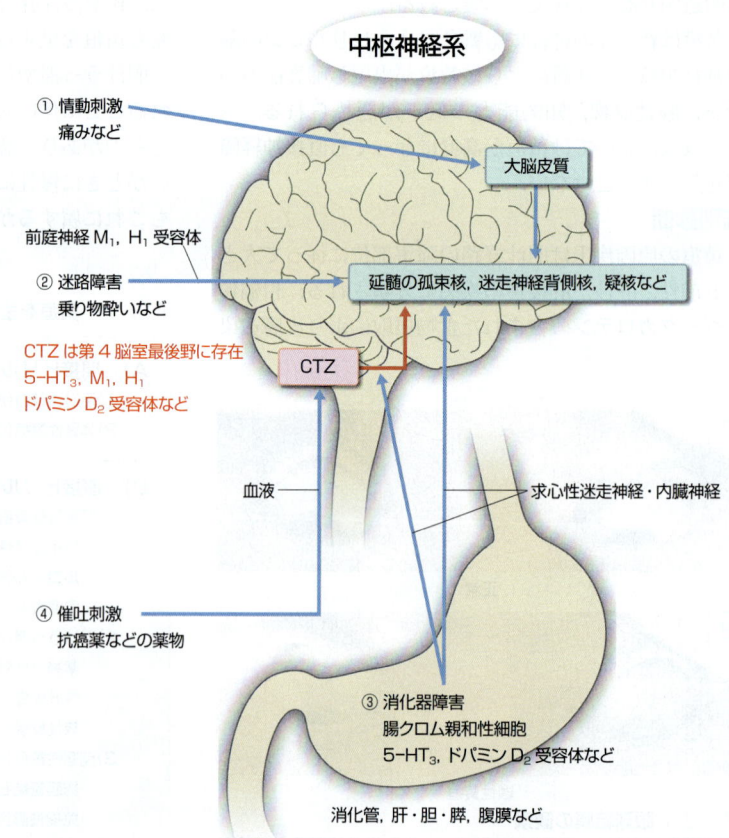

図4-5-1 悪心・嘔吐に関連する刺激伝達経路

は抗癌薬などの催吐物質，細菌毒素や尿毒症あるいは代謝・電解質異常などがある．血液中の催吐物質は延髄の最後野にある化学受容体引金帯（chemoreceptor trigger zone：CTZ）に作用し嘔吐を誘発する．これら経路の神経伝達物質は解剖学的に規定されている．迷路からの刺激は前庭のコリン作動性ムスカリン M_1 受容体やヒスタミン作動性 H_1 受容体を介して伝達される．また求心性迷走神経からの刺激はセロトニン 5-HT_3 受容体を活性化する．最後野の CTZ には 5-HT_3，M_1，H_1，ドパミン D_2 などの受容体が存在する．これらの受容体は制吐薬の標的作用点となっており，適切な薬物の選択に重要である．

さまざまな経路からの催吐刺激後，嘔吐反射が引き起こされる．胸腹壁筋の収縮により胸腔，腹腔内圧が上昇し，喉頭は上方に移動し，胃や腸の正常な肛門側への徐波収縮は，逆行性の棘波となり上部消化管の内容物が吐出される．顔面蒼白，よだれ，冷汗などの自律神経症状は嘔吐に関連する神経核と自律神経中枢が近接した位置にあるためとされている．

鑑別診断

嘔吐の鑑別診断には，①病歴，②摂食後から嘔吐までの時間，③吐物の内容（消化の程度，血液や胆汁の混入の有無，腐敗臭や糞便臭などのにおい）などに注意する．薬物や毒物は急性嘔吐の原因となる．著明な体重減少は悪性疾患や腸閉塞が考えられる．発熱は炎症性疾患を示唆し，頭痛や視野異常は頭蓋内疾患を疑うべきである．めまいや耳鳴りは迷路障害を示す．食後 1 時間以内の嘔吐は幽門狭窄を示唆し，それ以後の悪心・嘔吐は小腸以下の閉塞でみられることが多い．血液の混入は潰瘍や悪性腫瘍が，胆汁の混入は十二指腸乳頭より遠位の障害が，糞便臭の吐物は下部腸閉塞が疑われる．腸閉塞（イレウス）の場合は嘔吐後腹痛が軽減するが，膵炎や胆嚢炎では明らかな嘔吐と疼痛の関連がみられないことが多い．

身体所見は悪心・嘔吐の原因を推定するうえで重要である．腸閉塞では麻痺性の場合は腸雑音が消失し，逆に機械性の場合は亢進し，金属音などの特徴的な腸雑音が聴取される．一般的に腹部は膨隆し，やせた患者では拡張した腸管を触れることがある．側臥位にしたときに上腹部に連続した水の反跳音が聞こえれば幽門狭窄や胃不全麻痺が疑われる．圧痛や筋性防御があれば炎症の可能性がある．ほとんどの嘔吐には悪心が先行するが，脳血管障害の場合には悪心を伴わず突然の嘔吐がみられることが多い．また，この場合は意識障害や麻痺などの神経学的異常を伴う．

次に診断に必要な検査を実施する．血液検査にて白血球増加，CRP 陽性などは感染を示唆し，貧血は消化管出血や悪性腫瘍を疑う．電解質異常は基礎疾患が原因か嘔吐による二次的なものか鑑別が必要だが，治療は輸液による補正を行う．肝機能異常は肝炎や胆道系の障害を，膵酵素の上昇は膵の異常を示す．血糖の測定も必要である．腸管の閉塞では立位と臥位の腹部単純 X 線写真で，貯留した内容物やガスにより拡張した腸管がみられ，立位写真ではニボー（液面形成像）を認める．拡張した消化管の状態を観察することによって幽門，小腸，大腸の閉塞部位の推定にも有用である．その他，消化管内視鏡検査，超音波検査，CT，MRI など必要に応じて検査を選択する．

抗癌薬による悪心・嘔吐は高頻度に出現する．抗癌薬投与後 24 時間以内に出現する急性嘔吐，投与後 2〜4 日後に生じる遅発性嘔吐，抗癌薬投与前に出現する予測性嘔吐の 3 つのタイプがある．上部消化管から迷走神経を介する経路と CTZ への直接の作用経路とが関与している．予測性嘔吐は大脳皮質が関係している．嘔吐を誘発する作用の強いシスプラチンなどの投与によって生じる急性嘔吐ではセロトニン 5-HT_3 受容体経路が関与しているが，遅発性嘔吐には同受容体の関与は乏しい．遅発性嘔吐にはサブスタンス P-ニューロキニン 1 受容体経路が重要である．

嘔吐に関連する受容体阻害薬や消化管運動促進薬など，作用点を考慮したさまざまな制吐薬が開発されて

表 4-5-1 悪心・嘔吐の原因として鑑別すべき疾患

消化器疾患	消化器以外の疾患
消化管閉塞（イレウス） 消化管の悪性腫瘍 麻痺性イレウス 癒着性イレウス 腸捻転，腸重積 後腹膜線維症 上腸間膜動脈症候群	中枢神経系疾患 　出血，梗塞，血腫（脳圧の亢進） 　脳腫瘍 　髄膜炎 　片頭痛 　神経性食欲不振症あるいは過食症 　うつ病 　心因性嘔吐症 　乗り物酔い，Ménière 病（迷路障害）
感染症 　ウイルス性，細菌性	心疾患（心原性悪心・嘔吐） 　心筋梗塞 　うっ血性心不全
炎症 　急性胃腸炎 　胃・十二指腸潰瘍 　腹膜炎 　肝炎 　胆嚢炎（胆石），胆管炎 　膵炎 　虫垂炎，憩室炎 　Crohn 病	内分泌・代謝性疾患 　尿毒症 　ケトアシドーシス 　副腎不全 　甲状腺機能異常 　副甲状腺機能異常
消化管運動機能障害 　胃運動機能障害（ディスペプシア） 　仮性閉塞症（偽腸閉塞） 　消化不良症候群 　アカラシア	薬物 　抗癌薬 　鎮痛薬 　ジゴキシン 　麻薬など
腹部悪性腫瘍の放射線治療	妊娠 アルコール中毒 アミロイドーシス 多発性筋炎，強皮症などの膠原病

おり，治療薬の選択には悪心・嘔吐の刺激伝達経路を知っておく必要がある．また悪心・嘔吐の治療にあたっては原因の鑑別と原因疾患の治療が最も重要である（表4-5-1）．　　　　　　　　　　〔兵頭一之介〕

■文献
Horn CC: Why is the neurobiology of nausea and vomiting so important? *Appetite*. 2008; **50**: 430-4.
日本癌治療学会：制吐薬適正使用ガイドライン 2015年10月 第2版，金原出版，2015.

4-6　食欲不振
anorexia, loss of appetite

概念

　すべての高等生物は，ほかの生物を体内に吸収し同化することで自己の生体を維持している．ほかの生物を吸収する行為とは摂食行動のことであるが，食欲とは空腹感を感じ，摂食をしたいと感じる願望であるといえる．その摂食に対する欲求が低下している状態が食欲不振である．それゆえ，食べたいが意識的に食べない状態，たとえば体重増加の恐怖から摂食を拒否する，食べると腹痛が起こるから食べない，などの状態とは明確に区別されるべきである．食欲は，生物がエネルギーを吸収し，新陳代謝により生体を維持するためには必須のものであり，以下に述べるように消化管と脂肪組織と中枢の密接な相互作用により規定されており，その調節障害は拒食症や悪液質など重篤な状態の原因となりうる．

摂食の調節機構（図4-6-1）

　1950年代に視床下部外側野（lateral hypothalamic area：LHA）は摂食を亢進させる摂食中枢，視床下部腹内側核（ventromedial nucleus of the hypothalamus：VMH）は抑制する満腹中枢であることが示され，摂食はこの2つの中枢により二重支配されていると考えられた．その後，視床下部の室傍核や弓状核，延髄孤束核も摂食の調節に関与していることが明らかにされた．

a. 摂食亢進物質と抑制物質

i）摂食促進に作用する物質

1）神経ペプチドY（NPY）：　中枢神経系に広く分布するが，視床下部のNPY神経は室傍核などに投射し，摂食の亢進とCRF分泌抑制に関与する．レプチンからは負の制御を，グレリンからは正の制御を受ける．特に炭水化物の摂取亢進に関与する．
2）アグーチ関連蛋白（AgRP）：　視床下部弓状核に局在し，AgRP陽性線維の多くはNPYも陽性である．NPYと同様に，レプチンとグレリンの制御を受ける．
3）オレキシン：　視床下部外側野のみで発現し，食欲亢進系および抑制系神経との連絡を有する．低血糖刺激で発現が増強され，空腹時の食欲形成に関与している．
4）グレリン：　成長ホルモン分泌促進因子として日本で胃より発見された物質である．摂食や体重調節に関しては，抑制因子であるレプチンと拮抗することが示されている．末梢でのグレリンは迷走神経を介して視床下部に作用し，NPY/AgRPを介して摂食を亢進する．
5）その他：　メラニン凝集ホルモン（MCH），ガラニン，カンナビノイドなど．

ii）摂食抑制物質

1）プロオピオメラノコルチン（POMC）：　視床下部弓状核外側に発現する．メラニン細胞刺激ホルモン（α-MSH），メラノコルチン4型受容体（MC4R）を介して摂食抑制性に作用する．レプチンからは正の制御を，グレリンからは負の制御を受ける．
2）コカインアンフェタミン調節転写産物（CART）：　視床下部弓状核外側野で含有神経のほとんどは

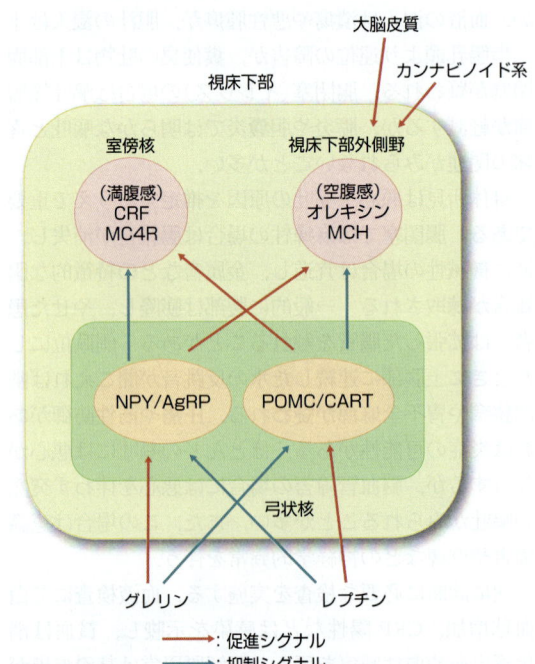

図4-6-1　摂食の調節機構

POMC と共存している．

3）副腎皮質刺激ホルモン放出ホルモン（CRF）：視床下部室傍核に発現し，下垂体から副腎皮質刺激ホルモンの分泌を促す．摂食抑制のほか，抗ストレスなどの作用を有する．レプチンにより正の制御を受ける．

4）レプチン：脂肪細胞から分泌され，血液-脳関門を通過し，視床下部や脳幹に作用する．体重増加や摂食を抑制するほか，エネルギー代謝や糖脂質代謝を亢進し，抗肥満作用を有する．摂食抑制は直接弓状核に作用することにより行われる．

5）その他：ノルアドレナリン，ヒスタミン，インスリンなど．

b. 視床下部を中心とした摂食の調節機構

摂食を調節するおもな部位は視床下部であり，そこに存在する神経ネットワークが重要な働きをしている．なかでも，弓状核は第3脳室底にあり，摂食中枢のなかでも中心的役割を果たしている．弓状核には摂食亢進物質である NPY/AgRP 含有神経，および摂食抑制物質である POMC/CART 含有神経が存在し，これらの神経活動は後述するレプチンやグレリンの調節を受けている．すなわち，レプチンは NPY/AgRP 神経には抑制性に，POMC/CART 神経には促進性に作用し，グレリンは逆の方向に作用する．NPY/AgRP 神経や POMC/CART 神経はそれぞれ室傍核や外側野に投射し，外側野のオレキシン神経などを介する摂食亢進系と室傍核の MC4R などを介する摂食抑制系に出力し，そのバランスが摂食行動を調節している．一方，満足度の高いいわゆる「おいしいもの」の摂食に関しては，大脳皮質や海馬などに多く存在するカンナビノイド受容体が重要な役割を果たす．カンナビノイド系はレプチンにより抑制性に，グレリンにより亢進性に制御されていると考えられている．

空腹時の血糖値・インスリンの低下や血中遊離脂肪酸の上昇，胃内腔の空虚によるグレリンの上昇などの内的要因の変化や，食物の味覚・嗅覚・視覚信号などの感覚刺激をはじめとする外的要因は最終的に視床下部に収束され，NPY や外側野のオレキシン神経を活性化し，摂食行動につながる．ストレス下では，CRF が活性化され，消化管での過剰吸収状態下では消化管からコレシストキニンなどが分泌され摂食抑制系を駆動する．さらに，増大した内臓脂肪の脂肪細胞からは分泌されたレプチンが，炎症環境下では炎症細胞からのインターロイキン-1 が摂食抑制系を刺激する．また，ヒトの摂食行動はエネルギー出納のみに依存しているのではなく，社会的因子が大きく関与しており，認知・情動性調節機構が重要である．これらは大脳皮質などの視床下部の上位中枢による支配を受けているが，そこの制御機構に関しては不明な点が多い．

診断・鑑別診断

食欲不振を引き起こす疾患は，消化器疾患に限らず非常に多岐にわたる．食欲不振が単独で発現することは少なく，多くの場合は随伴症状が存在し，原因を追及するうえで大きな助けとなる．逆に，随伴症状がないか，あっても一貫性がなく，画像検査や血液検査などで異常を認めないときは精神的要因やストレスの関与を考える必要がある．また食欲不振は，妊娠などの生理的条件の変化や服用薬剤によっても引き起こされることに注意が必要である．表 4-6-1 に食欲不振をきたすおもな疾患を列挙したが，これらの疾患を念頭におきながら，鑑別を進めていく．

a. 問診のポイント

発症の時期や状況，明らかな誘因，その後の経過につき問診する．それとともに，既往歴や服薬歴，嗜好歴，職場環境（有機溶媒などとの接触など），生活環境，随伴症状などを詳しく問診する．特に消化器疾患では，食欲不振に加えて，腹痛，悪心・嘔吐の有無，嚥下障害の有無，実際の体重減少の有無と期間は必ず

表 4-6-1 食欲不振をきたすおもな疾患

生理的要因
ストレス，過労，睡眠不足，妊娠，など
消化器疾患
口腔内疾患：舌炎，口内炎，など
食道疾患：食道炎，アカラシア，食道癌，など
胃疾患：急性胃炎，胃潰瘍，胃癌，機能性ディスペプシア，など
小腸疾患：十二指腸潰瘍，腸管閉塞・狭窄，Crohn 病，など
大腸疾患：大腸癌，潰瘍性大腸炎，など
肝疾患：急性肝炎，慢性肝炎，肝硬変，肝癌，など
胆・膵疾患：急性・慢性膵炎，膵癌，など
消化器以外の疾患
中枢性疾患：脳炎，髄膜炎，外傷，血管障害，腫瘍，Parkinson 病，など
内分泌疾患：下垂体機能低下症，甲状腺機能低下症，副腎皮質機能低下症，副甲状腺機能低下症，など
代謝性疾患：糖尿病，ビタミン欠乏症，亜鉛欠乏症，など
呼吸器疾患：慢性呼吸不全，気管支喘息，肺癌，など
循環器疾患：うっ血性心不全，など
腎疾患：慢性腎不全，など
血液疾患：貧血，白血病，悪性リンパ腫，など
膠原病：全身性エリテマトーデス，など
悪性腫瘍・炎症性疾患
上記以外のさまざまな悪性腫瘍や炎症性疾患
薬物性
抗悪性腫瘍薬，解熱鎮痛薬，インターフェロン，ジギタリス製剤，抗うつ薬，モルヒネ，有機溶媒，など
精神・神経疾患
うつ病，統合失調症，神経性食欲不振症，不安神経症，など

聴取するようにする．倦怠感や尿の濃染は急性肝炎を示唆する．消化器以外の疾患では，発熱の有無，呼吸困難や浮腫，動悸，胸痛の有無，口渇の有無，精神神経症状はないかなどを聞く必要がある．また，近年低用量アスピリンや鎮痛薬の使用頻度が多く，これら消化器に影響を与える薬剤の服用に関しても必ず聞くようにする．妊娠可能年齢の女性であれば，必ず月経の状況も聞いておく．

b. 身体診察のポイント

消化器疾患では，一般診察に加え，特に口腔内所見，腹部所見(圧痛，膨隆，腹水，肝脾腫の有無，腫瘤触知など)に留意する．消化器以外の疾患では，心雑音や呼吸音の異常を認めれば，心疾患や呼吸器疾患を考える必要がある．また，典型的な皮膚症状を呈する疾患も存在し，特に膠原病を念頭においたときに注意を要する．リンパ節の触知は，悪性腫瘍の存在を疑わせ，甲状腺も触れておくべきである．浮腫は多くの疾患で認められるが，消化管の浮腫は食欲低下にもつながり確認しておくべきである．

c. 検査のポイント

食欲不振をきたす疾患は非常に多岐にわたり，まず問診や身体診察でどの領域の異常かを絞り込み，必要な検査を進めるが，少なくとも尿検査，血液検査，生化学検査，炎症反応，便潜血反応，胸部・腹部単純Ｘ線検査などは初診時に実施したい．消化器疾患が疑われたときは，上部・下部内視鏡検査や腹部超音波検査，腹部 CT 検査で異常の有無を確認する．悪性疾患が疑われたときは，それに応じた腫瘍マーカーの測定や画像検査が必要になる．膠原病が疑われれば，抗核抗体をはじめとする各種免疫検査，内分泌疾患が疑われれば，血中・尿中ホルモンの測定が必要である．一般的に緊急性を要する疾患の場合には，食欲不振以外にも，何らかの随伴症状，身体所見の異常，検査所見の異常が認められるので，これらに異常がなく食欲不振のみを症状とするときは，緊急性はないと考えてよい．

〔有沢富康〕

■文献

福井次矢，奈良信雄編：内科診断学 第 2 版，医学書院，2008.
金澤一郎編：今日の診断指針 第 6 版，医学書院，2010.
中里雅光：摂食調節の中枢機構．*Clin Nerosci*. 2006; 24: 873-6.
日本消化器病学会編：肥満と消化器疾患，金原出版，2010.

4-7 胸やけ・げっぷ
heartburn, pyrosis and eructation, belching

概念

「胸やけ」とは「頸部に向かって放散し，食事や姿勢変化で増強する前胸部下部正中の灼熱感」と定義される症状である．胃酸や胆汁酸，膵液を含んだ胃内容物が食道内に逆流することで食道粘膜が刺激されることで生じる症状を指し，「逆流感(regurgitation)」とともに胃食道逆流症(gastroesophageal reflux disease：GERD)の定型的症状とされる．胸やけ症状を呈する代表的な疾患は GERD であるが，GERD 以外のさまざまな疾患(食道アカラシア，膠原病，虚血性心疾患，薬物，食物・嗜好品)などでも同様の症状を起こすことがある(表 4-7-1)．胸やけはよく耳にする症状であるが，意外と患者に正しく理解されていないことが知られている．その原因は明らかではないが，人種間や性差で症状に対する理解度が違うことが報告されている．つまり，患者が胸やけということばを用いずに胃痛や心窩部不快感，胃のもたれ感といった機能性ディスペプシアやほかの疾患を思わせる症状で訴える場合や逆に誤って胸やけを解釈して用いていることがあるため，医師側もこのような点をふまえて注意深く問診や診察をすることが重要である(表 4-7-1)．GERD の詳細については e コラム 1 参照．

一般的に胸やけを有する患者の症状出現には酸逆流が関係していると想定されるが，実際に酸逆流が関係しているのは 30％程度である．残りの 70％は酸以外の逆流(弱酸または非酸逆流)，あるいは運動機能異常や心理社会的な要因により症状が出現している．つまり内視鏡的に食道に粘膜傷害を認めない胸やけ患者のなかに，食道内への異常な酸逆流がなく，胸やけ症状が胃食道逆流に関連しない機能性胸やけ(functional heartburn：FH)が含まれ，この疾患が最近注目されている(Galmiche ら，2006)．おもな機能性胸やけの病態として，病理組織学的異常を確認できない食道運動障害，内臓知覚過敏，脂質などの食事，脳内の変化，心理社会的要因などがあげられている．

「げっぷ」とはおくびと同義語で胃内にたまったガスが食道を通って口外に出たものをいい，日常生活でも普通に認めるものである．しかしそれが頻回に認める場合に問題となり，多くは空気嚥下症(aerophagia)によるものである．食道下部括約筋(lower esophageal sphincter：LES)圧の低下などきたす病態でもげっぷを認める．このため胸やけや逆流症状と同時に認めることが多い．

病態生理

「胸やけ」症状を訴える患者の多くは胃酸を中心として膵液，ペプシン，胆汁酸，食品，腸液（アルカリ）などの食道粘膜刺激物質が食道内に異常に逆流することでも生じるとされている．その食道内への過剰な酸逆流のメカニズムとして一過性の下部食道括約筋弛緩（transient lower esophageal relaxation：TLESR）や食道裂孔ヘルニアなどによるLES圧の低下，食道運動異常による食道クリアランスの低下などが原因としてあげられる．TLESRとは，嚥下を伴わない酸逆流であり，コリン作動性神経や一酸化窒素，血管作動性腸管ペプチド（vasoactive intestinal peptide：VIP），カルシトニン遺伝子関連ペプチド（calcitonin gene-related peptide：CGRP）などが関与している．またそれ以外にもLES圧を低下させる因子として薬剤（抗コリン薬，平滑筋弛緩薬），高脂肪食・嗜好品（アルコール，喫煙）などがあげられる．非びらん性胃食道逆流症（non-erosive reflux disease：NERD）の病態に関しては食道内への酸や圧に対する知覚過敏，食道運動・収縮異常，心理社会的要素などの関与が注目されているが，どれも一定の見解は得られていないのが現状である．24時間食道内pHモニタリングを用いた検討では，胸やけ症状と内視鏡的な粘膜傷害の程度は相関しないが，食道内の酸逆流時間と食道粘膜傷害の程度が相関することが以前より報告されている．つまりNERDは食道の粘膜傷害がないために，酸の食道内逆流の程度は逆流性食道炎（reflux esophagitis：RE）患者に比べて少ないが，両者の症状の強さやQOLの低下は差がないことが知られており，プロトンポンプ阻害薬の効果が低いこともあわせると，NERDの病態が単純に酸の食道内逆流による粘膜傷害だけで説明することはできないことを示している．このことからNERDはREの軽症型ではなく，異なる病態と考えられている．また患者背景においても，NERDはREに比して食道裂孔ヘルニアが少ない，女性，若年者，やせている人に多いなどの特徴を有しており，REと異なっている．NERD患者では食道粘膜の細胞間隙が開大（dilated intercellular space：DIS）していることが報告されており，また酸に対する粘膜深層の知覚神経末端に存在する酸やトリプシンに対する侵害受容器であるTRPV-1（カプサイシン受容体）やPAR2（プロテアーゼ活性化型受容体）の過剰発現の関与が報告されており，これらと病態の関連が示唆されている．

げっぷの大部分は空気嚥下症，LES圧の低下などが原因と考えられている．空気嚥下症は急いで食事をとったり，ため息をついたりした場合に習慣的に無意識に多量の空気を嚥下することにより胃内にガスが一定以上に貯留し，そのガスが食道内へ逆流し口外へ放出されることでげっぷとして生じると考えられてい

表 4-7-1 胸やけ・げっぷをきたす病態

器質的疾患
- 胃食道逆流症
- 逆流性食道炎
- 食道裂孔ヘルニア
- 食道・胃癌
- 食道アカラシア
- 食道静脈瘤治療後
- Barrett食道
- 強皮症，混合性結合組織病
- 急性胃粘膜病変
- 消化性潰瘍
- 幽門狭窄
- 胃切除後
- 慢性偽性腸閉塞が関与するミオパチー

機能的および精神的疾患
- 機能性ディスペプシア
- 食道痙攣
- 空気嚥下症
- 食物過剰摂取
- 神経症
- 経口避妊薬（プロスタグランジン含有）
- 腹腔内圧の上昇（肥満，妊娠など）

薬物に起因する
- 抗コリン薬
- 平滑筋弛緩薬（テオフィリン，Ca拮抗薬，β交感神経作動薬，α交感神経作動性拮抗薬）

食物・嗜好品
- アルコール，喫煙，コーヒー，ワイン，チョコレート，ココア，香辛料，高脂肪食

食道・胃疾患以外
- 虚血性心疾患（狭心症，心筋梗塞）
- 呼吸器疾患

る．これらは特に病的意義はない．病的なげっぷは表4-7-1に示すように上部消化管疾患に多く，器質的疾患を鑑別しなければならない．

鑑別診断・診察

GERDの診断には症状を中心とした問診が有用である．上記のように患者が正しく胸やけ症状を理解し訴えているわけではなく，さまざまな表現を用いて逆流症状を訴える場合も多く，注意が必要である．簡便で短時間で詳細に症状を聴取するためには，QUEST（questionnaire for the diagnosis of reflux disease）やFSSG（frequency scale for the symptom of GERD）などの問診票も有効である．また内視鏡検査で食道粘膜傷害の有無を確認することが必要であるが，病態の詳細な把握には食道内pHモニタリング，食道内圧検

査，食道酸灌流試験なども有用である．また胸やけ症状の診断には GERD 以外の疾患，特に心疾患，呼吸器疾患，縦隔疾患も鑑別疾患として念頭におくことも肝要である． 〔富田寿彦・三輪洋人〕

■文献
Galmiche JP, Clouse RE, et al: Functional esophageal disorders. *Gastroenterology*. 2006; **130**: 1459-65.
Vakil N, van Zanten SV, et al: The Montreal definition and classification of gastroesophageal reflux disease: a global evidence-based consensus. *Am J Gastroenterol*. 2006; **101**: 1900-20.

4-8 吃逆（しゃっくり）
hiccup

概念
吃逆，いわゆるしゃっくりは，横隔膜，前斜角筋，肋間筋などの呼吸筋群の急激かつ不随意な収縮と，それに伴う声門開大筋の抑制と声門閉鎖筋の収縮による声門閉鎖により特有の吸気音を伴う発作的な強い呼吸運動である．持続時間によって吃逆発作（48 時間以内），持続性吃逆（48 時間〜1 カ月），難治性吃逆（1 カ月以上）に分類される（Kolodzik ら，1991）．

病態生理
一過性の吃逆を生じるメカニズムは，次のとおりである．舌咽神経咽頭枝，横隔神経，迷走神経，反回神経を求心路とし，反射中枢は延髄疑核近傍の網様帯内にある．遠心路として横隔神経などを介して横隔膜，前斜角筋，外肋間筋の収縮と，反回神経，迷走神経を介して声門閉鎖を生じさせると考えられている．

鑑別診断
吃逆発作は健常者にもあり，臨床的に問題となることは少ない．しかし，持続性および難治性吃逆の場合には，器質的疾患を念頭においた原因疾患の検索が必要である（表 4-8-1）．各臓器の器質的疾患はそれぞれ迷走神経の枝や横隔神経を介して吃逆の発生に関与する．問診では，発症時期，発症契機，持続期間，合併疾患，合併症状，既往歴，服薬歴，家族歴などを聴取する．診察では圧痛や腫瘤の有無などの身体的所見をとり，尿，血液生化学検査，血液ガスなどで代謝性疾患の有無を確認する．必要に応じて胸腹部 X 線，頭頸部 MRI，胸腹部 CT，消化管内視鏡検査などの画像診断による腫瘍や炎症の有無を検索する．吃逆が睡眠中も持続する場合は器質的疾患を強く疑う．
〔大島忠之・三輪洋人〕

表 4-8-1 吃逆の原因となる疾患

中枢神経疾患
脳腫瘍，脳梗塞，脳炎，脳出血，脳血管奇形，脳動脈瘤，脊髄癆，多発性硬化症，脳膿瘍，外傷，水頭症，脊髄空洞症，外科手術，髄膜炎，サルコイドーシス，中枢性前庭機能障害など
代謝性疾患
甲状腺腫，糖尿病，腎不全，低血糖，低ナトリウム血症，低カリウム血症，低カルシウム血症，ビタミン B_1 欠乏症
消化器疾患
食道炎，食道癌，消化性潰瘍，胃炎，胃癌，腹膜炎，脾腫，肝硬変，胆囊炎，胆石症，膵炎，虫垂炎，イレウス，腹水，消化管手術術後など
呼吸器・循環器疾患
狭心症，心筋梗塞，心膜炎，心筋炎，肺癌，縦隔腫瘍，縦隔炎，肺炎，気管支炎，胸膜炎，横隔膜下膿瘍，横隔膜ヘルニア，胸腹部大動脈瘤，膿胸，過換気による低二酸化炭素血症
腎泌尿器疾患
水腎症，前立腺癌，前立腺炎など
感染性疾患
横隔膜下膿瘍，赤痢，コレラ，マラリア，帯状疱疹，チフス，結核，インフルエンザ，敗血症性ショックなど
精神疾患
神経性食欲不振症，ヒステリーなど
薬剤性
α-メチルドパ製剤，デキサメタゾン，メチルプレドニゾロン，ニコチン酸，アルコール，抗癌薬，ベンゾジアゼピン系製剤，バルビタール，フェニトイン，麻薬
その他
悪性リンパ腫，上腸間膜動脈症候群，Wallenberg 症候群

■文献
Kolodzik PW, Eilers MA: Hiccups (singultus): review and approach to management. *Ann Emerg Med*. 1991; **20**: 565-73.

4-9 口渇
thirst

概念
口渇は水分摂取を欲する感覚である.

病態生理
血漿浸透圧や血清 Na の上昇は第 3 脳室周囲にある終板器官(OVLT),脳弓下器官,内側視索前核など脳血管関門を欠く領域で感知され,その情報は視床下部前部,視束前野を中心とした第 3 脳室前腹側部にあると考えられる口渇中枢に伝達され,口渇を生じる.一方,大量出血など,循環血液量の 10〜20% 程度が喪失すると,頸部動脈や左心房,傍糸球体装置にある圧伸展受容体で感知され,口渇中枢が刺激されて飲水行動が誘発される.また循環血液量の減少はレニン分泌を増加させ,アンジオテンシンⅡ濃度の上昇によって脳弓下器官や OVLT が刺激され口渇が生じる.水分や体液の喪失,血漿浸透圧の上昇による口渇以外に,中枢性,腎性尿崩症による脱水,Sjögren 症候群などの唾液分泌の減少,心因性多飲などさまざまな疾患で認められる(表 4-9-1).

鑑別診断
口渇の原因検索には Hb,Ht などの血液検査,血清電解質(Na, K, Ca, P など),腎機能,血糖値,肝機能,血漿浸透圧,尿浸透圧,尿中 Na などの検査が必須である.尿崩症および心因性多飲の鑑別診断には血中,尿中バソプレシン測定や水制限試験,デスモプレシン投与,高張食塩水負荷試験を行う.中枢性尿崩症をきたす脳神経疾患には MRI などの画像診断を行う.Sjögren 症候群の診断には抗核抗体,抗 SS-B 抗体などの自己抗体検査や唾液腺造影が有用である.

〔大島忠之・三輪洋人〕

■文献
Stricker EM, Sved AF: Thirst. *Nutrition*. 2000; **16**: 821-6.

表 4-9-1 口渇をきたす病態・疾患

循環血液量の減少
　脱水症,利尿薬,出血,嘔吐,下痢

血漿浸透圧の上昇
　高ナトリウム血症
　　原発性アルドステロン症
　　Cushing 症候群
　　医原性

高カルシウム血症
　急激,高度の高カルシウム血症では腎の水吸収抑制による多尿,口渇をきたす
　　原発性副甲状腺機能亢進症
　　PTHrP 産生腫瘍(肺癌,食道癌,咽喉頭癌)
　　固形腫瘍の骨転移
　　血液腫瘍
　　家族性低カルシウム尿性高カルシウム血症
　　甲状腺機能亢進
　　利尿薬
　　カルシウム製剤
　　ビタミン D 過剰
　　長期臥床

低カリウム血症
　腎でのバソプレシン作用の低下に伴い多尿,口渇をきたす
　　特発性アルドステロン血症
　　原発性アルドステロン症
　　利尿薬
　　Bartter 症候群
　　尿細管性アシドーシス

糖尿病
　血糖の上昇により血漿浸透圧の上昇をきたす結果,浸透圧利尿が生じ,口渇を生じる

中枢性尿崩症,腎性尿崩症

心因性多飲

口腔内乾燥症
　Sjögren 症候群,抗コリン薬

4-10 嚥下困難
dysphagia

概念
嚥下とは,食物塊を口腔内から咽頭,食道を経て胃内へと送り込む一連の運動過程を指す.嚥下は随意運動による第 1 期(口腔期),不随意運動による第 2 期(咽頭期)および第 3 期(食道期)に分けられ,嚥下困難とは種々の原因により,これらの過程が障害され,ものを飲み込むことが難しくなることである.嚥下困難は食物摂取を困難にし,栄養障害をきたすだけでなく,誤嚥を誘発し感染症リスクとなるなど,生命にかかわる重要な症候である.

病態生理
嚥下困難は,その成因から機能的障害による嚥下困難,器質的疾患による嚥下困難に大別される.その他に,複数の要素が副次的に作用し嚥下困難が生じる心

因性，薬物性のものなどがある．さらに，その障害部位により口腔咽頭性嚥下困難と食道性嚥下困難に分類される．口腔咽頭性嚥下困難は口腔から食道への食物塊の輸送が困難な状態で，口腔，咽頭の異常に由来する．食道性嚥下困難は食物塊を食道から胃へ送り込むのが困難な状態で，食道の機械的閉塞，運動障害が原因となって起こる（表4-10-1）．

1）機能性嚥下困難： 構造上の異常はないが，嚥下をコントロールしている神経や，筋の異常に由来する嚥下障害である．口腔咽頭性の嚥下困難は，嚥下第1期，第2期にかかわる約30種の筋群，これらの筋群をコントロールしている延髄の嚥下調節中枢系および咽頭神経や迷走神経などの支配神経の障害により生じる．原因疾患は脳血管障害から骨格筋に影響を及ぼす神経・筋疾患，感染症まで多岐にわたり，頻度的には脳血管障害に伴うものが多く，神経・筋疾患は比較的まれである．感染症に伴う嚥下困難としては，脳髄膜炎，Guillain-Barrè症候群などが知られている．機能性の食道性嚥下困難は食道平滑筋の異常による食道運動機能障害を成因とし，アカラシアやびまん性食道痙攣などが，また全身疾患に伴うものとして強皮症があげられる．

2）器質的嚥下困難： 器質的嚥下困難は咽頭から食道に至る部位の構造上の異常を成因とし，口腔咽頭性嚥下困難の原因として，頸椎疾患，腫瘍，炎症などがある．頸椎疾患としては，強直性脊椎骨増殖症や変形性頸椎症などがあり，頸椎椎体前面の骨棘による圧迫や，頸椎疾患術後の影響でおもに外部からの圧迫により嚥下障害をきたす．腫瘍に関しては口腔癌，舌癌などの内腔性の腫瘍のみならず，悪性リンパ腫などによる頸部リンパ節腫脹や甲状腺腫などの外方からの圧迫も嚥下障害の成因となる．同様に，食道性嚥下困難の原因となる器質的異常としては，食道腫瘍，逆流性食道炎などの内因性疾患および左室肥大，大動脈瘤などの血管異常や肺癌，縦隔腫瘍など食道外部からの圧迫による外因性疾患がある．

3）その他： 解剖学的構造上の異常，神経・筋の機能異常をきたす特定の疾患を成因としない嚥下困難には，心因性のものや，うつ病や神経性食欲不振症などの精神疾患に由来するものが含まれる．また精神神経用薬や催眠鎮静薬などの医薬品は，運動機能，感覚機能，粘膜の潤滑機能に影響を与え，嚥下障害をもたらすことがあるので，服薬歴には十分留意する必要がある．

鑑別診断

　嚥下困難への適切な対応，治療には，その成因を正確に診断し，さらに嚥下機能を客観的に評価することが重要である．嚥下困難の発症には，さまざまな原因が想定されるため，詳細な問診，精神機能，身体機能の診察が鑑別診断には肝要となる．加えて頸部，口腔領域の視診・触診，神経学的診察を十分に行うことが重要である．まず問診であるが，経口摂取の状況確認が重要である．一般的に口腔性嚥下困難では嚥下によりむせや咳き込むなどの症状が，食道性嚥下困難では食物つかえ感を訴えることが多い．また機能性の嚥下

表4-10-1 嚥下障害をきたす疾患

1. 機能性嚥下困難
　a. 口腔咽頭性嚥下困難
　　神経
　　　水頭症，脳幹部腫瘍，頭部外傷，脳血管障害，Parkinson病，多発性硬化症，進行性核上性麻痺，脊髄小脳変性症，筋萎縮性側索硬化症，反回神経麻痺
　　筋
　　　筋ジストロフィ，筋硬直性ジストロフィ，多発性筋炎，皮膚筋炎，封入体筋炎，自己免疫壊死性ミオパチー，アミロイドーシス
　　感染症
　　　脳髄膜炎，Guillain-Barrè症候群，帯状疱疹ウイルス感染，ボツリヌス症
　b. 食道性嚥下困難
　　食道運動障害
　　　アカラシア，びまん性食道痙攣，ナットクラッカー食道，強皮症

2. 器質的嚥下困難
　a. 口腔咽頭性嚥下困難
　　頸椎疾患
　　　強直性脊椎骨増殖症，変形性頸椎症，頭蓋底陥入症，Chiari奇形
　　腫瘍
　　　口腔癌，舌癌，咽頭癌
　　炎症
　　　口内炎，咽頭炎，扁桃周囲膿瘍
　　その他
　　　Plummer-Vinson症候群，Zenker憩室，外部圧迫（甲状腺腫，頸部リンパ節腫脹など）
　　　放射線治療後（咽頭癌），術後（口腔癌，喉頭癌，咽頭癌），外傷
　b. 食道性嚥下困難
　　腫瘍
　　　食道癌，食道肉腫，噴門部胃癌
　　炎症
　　　逆流性食道炎，好酸球性食道炎，腐食性食道炎
　　その他
　　　食道ウェブ，食道憩室，食道裂孔ヘルニア，食道外因性疾患（大動脈瘤，肺癌，縦隔腫瘍など）

3. その他
　心因性
　精神疾患
　　うつ病，神経性食欲不振症
　薬物性

困難では，固形物と液体の両方が，器質性のものでは，固形物のみの嚥下障害をきたし，食道癌などの腫瘍性疾患では，進行とともに液体でも嚥下が困難になる．さらに問診では既往歴・基礎疾患の有無，日常行動・生活様式に対する情報を聴取する．意識レベルや認知機能の低下，失語，失行，失認などの高次脳機能障害は嚥下機能に影響するため，Japan Coma Scale，長谷川式簡易知能評価スケールなどを用い精神機能評価を行う．嚥下困難に関連した身体機能としては，頸部，四肢の運動性や呼吸機能が重要である．これらの機能評価は姿勢保持能や運動機能の観察，喀出力の評価をもとに行う．口腔・咽頭，頸部の診察は視診・触診に加えて，必要に応じCT検査やMRI検査などの画像検査を行う．内視鏡を用いた観察も有用で，特に食道疾患に伴う嚥下困難の診断には必須となる．食道運動障害に伴う嚥下困難では，内視鏡検査のみでは診断に至らず，食道内圧検査による食道蠕動波や下部食道括約筋機能の測定を要することもある．神経学的診察は，多数の神経系，筋群が協調的に作用し成立している口腔咽頭性嚥下困難の原因疾患の鑑別に不可欠である．

これらの鑑別診断のための診察と同時に嚥下機能評価を行う．簡易検査として，反復唾液飲みテスト，水飲みテスト，食物テスト，血中酸素飽和度モニタなどがあり，スクリーニングおよび経過観察を行ううえで有用である．可能であれば，内視鏡観察下に嚥下機能を評価する嚥下内視鏡検査を行う．〔城　卓志〕

■文献
藤島一郎監：疾患別に診る嚥下障害，医歯薬出版，2012．
日本耳鼻咽喉科学会編：嚥下障害診療ガイドライン2012年度版，金原出版，2012．
福島雅典監：メルクマニュアル18版 日本語版，日経BP社，2006．

4-11 便秘
constipation

概念
便秘とは排便が円滑でないため自・他覚的に何らかの支障をきたすことであり，排便回数が少ないか（週2回以下，あるいは3日以上排便がない）排便困難を自覚するものである．便はかたいことが多いが例外も多い．排便習慣は個人差が大きく，上記の排便回数でも自・他覚的に問題のない場合は便秘とはしない．高齢化，生活の洋風化，運動不足傾向などに伴い便秘は増加しており，日本人の10～30％にみられる．

分類・病態生理
諸種の分類があるが原因疾患・要因があるものを続発性便秘，ないものを機能性（原発性）便秘とすることが多い（表4-11-1）．前者には大腸癌などの器質的疾患による器質性便秘，甲状腺機能低下症や糖尿病などの背景疾患による症候性便秘，薬物性便秘が含まれる．巨大結腸に伴う便秘は原発性に分類される．最も多いのは機能性便秘で，RomeⅢで表4-11-2のように定義されている[1]．ただ，実臨床上は機能性便秘と過敏性腸症候群を截然と区別することは困難である．機能性便秘の頻度は高齢者では性差は少ないが若年者では女性に多く，黄体ホルモンや食物繊維摂取不足との関連が推測されている．機能性便秘は従来弛緩性便秘，痙攣性便秘，直腸性便秘に分けられていたが，最近は結腸通過時間遅延型（slow transit），結腸通過時間正常型（normal transit），排泄障害型（outlet obstruction）に分類される（表4-11-3）．以前，日本では弛緩性便秘が多いとされたが，昨今は結腸通過時間正常型が多い．結腸通過時間遅延型は高齢者ややせ型の女性，長期臥床者などに多く，大腸の緊張，蠕動が低下していて大腸で水分が高度に吸収されて便がかたくなる．結腸通過時間正常型には左側結腸の緊張が

表4-11-1 便秘の分類

A 機能性（原発性）便秘ʻ
1. 結腸通過時間遅延型（slow transit）
2. 結腸通過時間正常型（normal transit）
3. 排泄障害型（outlet obstruction）

B 続発性便秘
1. 器質性便秘
   腸疾患（癌，腸炎，術後吻合部狭窄），腹腔内腫瘍，腹腔内炎症
2. 症候性便秘
   神経疾患（Parkinson病，脳卒中，脊髄疾患），精神病，糖尿病，甲状腺機能低下症，妊娠，電解質異常，脱水，肝硬変，癌性腹膜炎
3. 薬物性便秘
   止痢薬，麻薬，抗コリン薬，ビンカアルカロイド，利尿薬，鎮痛薬，制酸薬，抗Parkinson薬，向精神薬，バリウム，イオン交換樹脂

＊：運動不足，加齢，全身衰弱，長期臥床，食事の不規則，摂食・食物繊維摂取不足，過剰な暖房・厚着，便秘を我慢する習慣，下剤や浣腸の多用などは機能性便秘の要因となりうる．
巨大結腸や偽性腸閉塞などは原発性便秘に含められる．

表 4-11-2 機能性便秘の診断基準 (Rome Ⅲ) (Longstreth GF, 2006 の一部を翻訳)

1. 以下のうち 2 つ以上：
   a. 排便の 25% 以上で怒責
   b. 排便の 25% 以上で塊状ないしかたい便
   c. 排便の 25% 以上で残便感
   d. 排便の 25% 以上で肛門部のつかえ感
   e. 排便の 25% 以上で指での補助（摘便，骨盤底の圧迫）
   f. 排便が週 3 回未満
2. 下剤なしでは軟便はまれ
3. 過敏性腸症候群の診断基準を満たさない

＊診断 6 カ月以上前の発症であり最近 3 カ月に上記 3 つの基準を満たすものを機能性便秘とする．
（機能性便秘の診断はこの Rome Ⅲ という機能性消化管障害の診断基準による．ただしこの基準では続発性便秘は除外できないことに注意．）

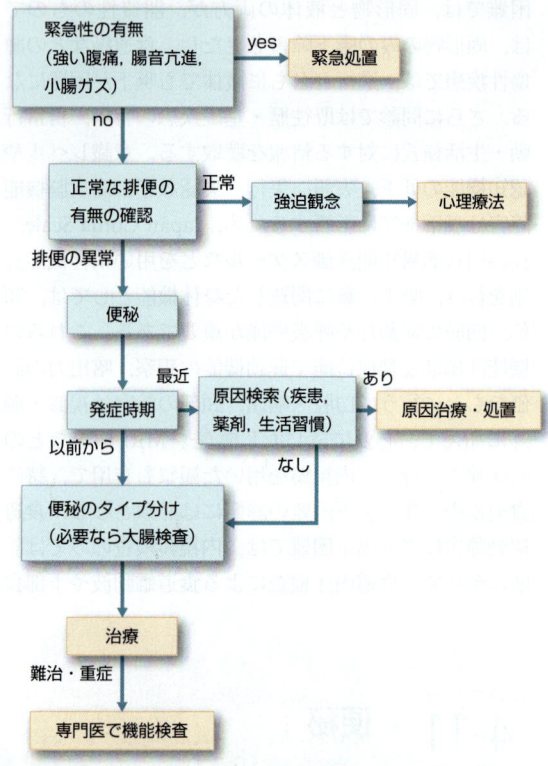

図 4-11-1 便秘を訴える症例への対処

持続的に強くて大腸内容の推進が阻害されて起こるものや摂食量不十分によるもの，排便を我慢する習慣を続けた結果の便秘などが含まれ，排便に関連して腹痛を伴うことも多い．これは最初かたい便が出て後半は軟便になるといった便秘型の過敏性腸症候群と重なり，大腸憩室をよく伴う．排泄障害型は，S状結腸から直腸への便の移動（大蠕動）までは正常に進むが直腸に入ってきた便をうまく排出できない状態であり，骨盤底筋群の機能異常，便排出力低下，直腸知覚低下，直腸瘤などが原因となる．薬物性便秘では蠕動の低下を介するものが多いが，イオン交換樹脂やバリウムでは薬剤が便を固まらせるために便秘となる．

診断

1) **便秘であることの確認**："便秘"との訴えで受診する者のなかには，実際には正常に排便できているのに十分排便できていないと感じ，下剤を連用するような例もある．一種の強迫観念によるものであり，排便状況の詳細の確認が重要である（図 4-11-1）．

2) **原因の有無**：最近発症した便秘では原因疾患の存在が疑われるので適宜大腸やほかの疾患の存在を調べる．機能性便秘の診断基準では器質性便秘は除外できないことに注意する．高齢化の進展に伴い薬物性便秘が増加している．便秘の要因になる生活習慣を明らかにするのも重要である．

3) **便秘のタイプ**：機能性便秘では便秘のタイプを評価するが，複数のタイプの併合も多い（表 4-11-3）．排便時の怒責・痛み，残便感，便の形状を問診する．Bristol 便形状尺度【⇒ 10-5-14】で口-肛門通過時間が推測できる[1]．身体所見では腹部手術瘢痕，腹部膨

表 4-11-3 機能性便秘の型

	結腸通過時間遅延型（slow transit）	結腸通過時間正常型（normal transit）	排泄障害型（outlet obstruction）
好発	女性，高齢		
腹痛	−	＋	−〜＋
腹部膨満	＋＋	＋	＋
便意	小	小〜大	小〜大
便	かたく太い	はじめかたく後半軟	かたい
指診での便の触知	−	−〜＋	＋
残便感	−	−〜＋	−〜＋
精神状態の影響	小	大	小〜大
X線不透過マーカー	結腸に滞留	左側結腸に滞留	直腸に滞留
内視鏡，造影	過長，拡張，メラノーシス	痙性のS状結腸，憩室	直腸病変，直腸拡張

機能性便秘の各型の特徴・傾向の概略を示した．実際には例外も多く，また結腸通過時間正常型や遅延型と排泄障害型の合併も多い．

満，腸音をみる．直腸・肛門では便塊，肛門狭窄，肛門痛，肛門括約筋のトーヌス，直腸腫瘤，骨盤底臓器脱を評価する．大腸内視鏡や注腸造影は器質的大腸疾患の評価に重要だが，機能性便秘の分類にも役立つ．結腸通過時間遅延型便秘では緊張の低い拡張ぎみの過長な大腸や下剤連用によるメラノーシスが，また結腸通過時間正常型ではS状結腸付近の緊張亢進，多発憩室，内視鏡挿入時に痛みが出やすいことなどが参考になる．X線不透過マーカーを内服し，後日腹部単純X線写真を撮ることにより便秘の有無や型が簡単に判定できる[2]（保険未適用）．排泄障害型の診断では直腸指診が重要で，専門医での排便造影や肛門内圧検査も有用である．　　　　　　　　　　　　　〔松橋信行〕

■文献
1) Longstreth GF, Thompson WG, et al: Functional bowel disorders. *Gastroenterology*. 2006; **130**: 1480-91.
2) Metcalf AM, Phillips SF, et al: Simplified assessment of segmental colonic transit. *Gastrienterology*. 1987; **92**: 40-7.

4-12 下痢
diarrhea

概念
下痢とは便の含水量が多いことであり，排便回数，1日の便量も増えることが多い．消化管からの水分吸収が十分でないか，粘膜から内腔への水分の移動が多い（浸透圧性，分泌性，滲出性）ことによる．下部大腸狭窄ではゆるい便が少量しか出ないことを下痢として訴えることもある．便は食物，消化液，腸内細菌の混合物であり，便の状態は腸内細菌の変化に大きく左右される．

病態生理
経口摂取された水分（1日約2L）は直ちに粘膜から吸収されはじめて細胞外液に移行していくが，粘膜から内腔への分泌もさかんに行われる．水分吸収は1日約9L，分泌も7Lに及ぶ．小腸から大腸へは1日1～2L，便として排出されるのは0.1～0.2Lである（図4-12-1）．水分摂取が多少多くても余分な水分は吸収されて尿や不感蒸泄で排出され，下痢にはならない．しかし短腸症候群，腸の瘻孔・バイパス，腸管蠕動亢進などで十分な吸収ができないと下痢となり，膵障害などで便中脂肪が多いと水分吸収が低下して下痢となる．外因性の難吸収性の溶質（大腸検査前処置薬，人工甘味料など）や消化不全（乳糖不耐症など）があると腸内容の浸透圧が高いため粘膜から腸管内に水が移行し，浸透圧性下痢となる．分泌性下痢は腸上皮細胞上のCl⁻チャネルの活性化によりCl⁻とともに水が腸管内に動員されて起こる．コレラが典型的で，コレラ毒素はG蛋白の異常活性化を介してCl⁻チャネルを刺激し，炎症がなくてもおびただしい下痢を起こす．腸内細菌異常増殖では浸透圧性と分泌性の側面があるが，ここでは腸内容推進が遅いと細菌増殖が促進され下痢傾向が強まる．炎症などにより粘膜が傷害されて滲出液が出るのが滲出性下痢であり，血性になりうる．ただ，粘膜病変での下痢ではほかの機序の下痢の側面も混在する．たとえば回腸炎では中等度の粘膜傷害では胆汁酸吸収障害のための胆汁酸による分泌性下痢，高度の粘膜傷害では吸収不良性下痢や胆汁酸枯渇から脂肪消化が障害されることに伴う浸透圧性下痢の側面もある．

鑑別診断
臨床的には急性か慢性かが重要で，病変部位は問診，診察で概略の推測ができる（●表4-12-A）．浸透圧性下痢や吸収不良性下痢では絶食で下痢は治まるが，分泌性下痢や滲出性下痢では治まらないことが参

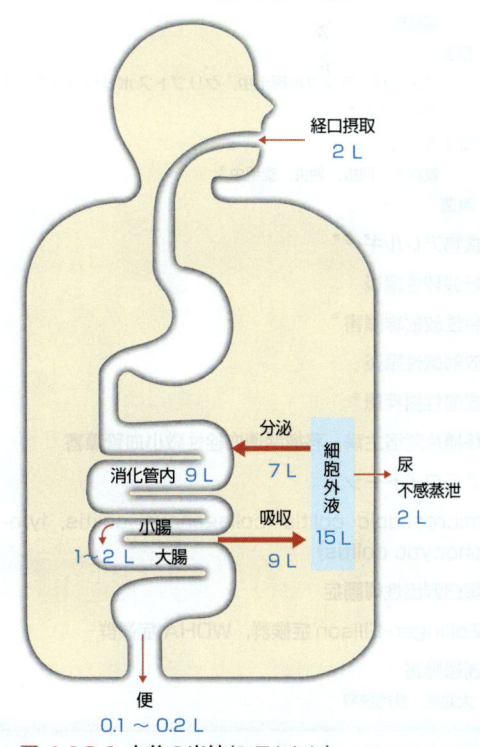

図4-12-1 水分の出納（1日あたり）

表 4-12-1 下痢の原因

腸蠕動亢進，吸収低下
過敏性腸症候群，冷飲料水*，ストレス*，ダンピング症候群，腸管の瘻孔・バイパス，短腸症候群

薬剤，化学物質
下剤*，コルヒチン*，胆汁酸製剤*，プロスタグランジン製剤*，コリン作働薬*，抗菌薬*
人工甘味料*，水銀，有機リン剤*，砒素*

非感染性の食中毒
毒茸*，アブラソコムツ*，シガテラ毒*

乳糖不耐症

基礎疾患
甲状腺機能亢進症，腸内細菌異常増殖，blind loop 症候群，偽性腸閉塞（全身性進行性硬化症，特発性），吸収不良症候群，肝不全，低栄養状態，慢性膵炎

炎症性腸疾患
潰瘍性大腸炎，Crohn 病

感染
　ウイルス
　　ロタウイルス*，ノロウイルス*，アデノウイルス*，サイトメガロウイルス
　細菌
　　感染型
　　　腸管侵入型*
　　　　腸炎ビブリオ*，サルモネラ*，カンピロバクター*，赤痢菌*，大腸菌*，エルシニア*
　　毒素産生型
　　　大腸菌*，コレラ*，ウェルシュ菌*
　　毒素型
　　　ブドウ球菌*，セレウス菌*
　　腸結核
　原虫
　　アメーバ，ランブル鞭毛虫，クリプトスポリジウム*，コクシジウム*
　寄生虫
　　糞線虫，回虫，鞭虫，旋毛虫*
　真菌

食物アレルギー*

好酸球性腸炎

急性放射線障害*

放射線性腸炎

虚血性腸疾患*

移植片対宿主病，移植関連血栓性微小血管障害

アミロイドーシス

microscopic colitis (collagenous colitis, lymphocytic colitis)

蛋白漏出性胃腸症

Zollinger-Ellison 症候群，WDHA 症候群

通過障害
　大腸癌，肛門狭窄

*：急性下痢の原因となりうるもの．

考になる．

1）急性下痢：急性で発熱，腹痛，血性下痢，周囲に同様の症状を呈する例がみられるなど腸管感染症や食中毒が疑わしいときは，検便（培養，毒素）を行う（表 4-12-1）．頻度はウイルス性腸炎が多く流行状況が参考になる．ウイルス性では血性下痢はまれである．細菌性腸炎のなかでは，腸管出血性大腸菌（O157:H7 など）は病態の重篤さと感染性の強さの点で赤痢菌と同様の注意が必要であり，早急な診断を要する．抗菌薬投与後の下痢では偽膜性腸炎や出血性腸炎を念頭におく．偽膜性腸炎は体力のない者に発生して重篤化しやすく，院内感染としても重要である．薬剤や飲食物についても問診が重要である．免疫不全状態や潰瘍性大腸炎ではサイトメガロウイルスや *C. difficile* 感染の合併も少なくない．虚血性腸疾患は突発する腹痛に続く血便という症状経過でほぼ推測がつく．免疫抑制状態では弱毒性の病原体による腸炎も起きうる．骨髄移植後の下痢では移植片対宿主病，移植関連血栓性微小血管障害，感染，薬物性下痢などの鑑別が必要になる．

2）慢性下痢：多いのは過敏性腸症候群で，問診や良好な全身状態でだいたい見当がつく．血性下痢が慢性的に続くのは潰瘍性大腸炎やアメーバなどが考えられ，若年者で体重減少を伴う下痢が続けば Crohn 病なども考える．中年以降で腹痛，出血，体重減少などを伴う場合は大腸癌の検査をする．放射線性腸炎は被曝後数カ月以上経って発症しうることに注意する．刺激性下剤の過剰使用による下痢・しぶり（下剤性結腸症候群）に注意する．高齢女性に多く慢性の水様下痢をきたす microscopic colitis（顕微鏡的大腸炎）（collagenous colitis や lymphocytic colitis）はランソプラゾールや非ステロイド系抗炎症薬による薬物性のものが多く，内視鏡下の大腸生検が診断に有用である．

〔松橋信行〕

4-13　吐血

【⇨ 5-2-5】

4-14　下血

【⇨ 5-2-5】

4-15 肝腫大
hepatomegaly

概念

肝腫大とは肝臓が部分的，あるいは全体的に腫大している状態をいう．通常は腹部触診の際に，右肋弓下または心窩部に腫大した肝を触れることにより診断するが，腹部単純 X 線検査，腹部超音波検査，CT，MRI などで診断されることもある．

病態生理

肝臓は体内で最も大きな臓器である．成人の肝重量は体重の約 1/50 であり，男性 1300〜1500 g，女性 1100〜1300 g である．肝腫大をきたす機序は，炎症（肝細胞の変性や壊死，腫大，炎症性細胞浸潤），線維化，種々の物質の沈着，腫瘍，血流障害，胆汁うっ滞などである（表 4-15-1）．

急性肝炎や薬物性肝障害では炎症性細胞浸潤や細胞の膨化により肝腫大が起こる．表面は平滑，かたさは軟，辺縁鋭の肝が触知され，しばしば圧痛がある．慢性肝炎や肝硬変では線維の沈着と細胞の膨化（風船様腫大），炎症性細胞浸潤により肝腫大をきたし，線維の沈着により肝硬度が増している．肝硬変では肝は辺縁鈍で，表面に結節があり，弾性硬〜硬で，圧痛はない．

白血病や悪性リンパ腫では腫瘍細胞の肝内浸潤により肝腫大をきたす．

脂肪肝では肝細胞内に中性脂肪が蓄積し，肝腫大をきたす．辺縁鈍で表面平滑の肝が触知され，圧痛はない．アルコール性肝障害では脂肪肝，細胞の膨化，炎症性細胞浸潤，線維の蓄積が肝腫大の原因となっている．アルコール性肝硬変では，脂肪沈着などにより臍にまで及ぶ著しい肝腫大を認めることがある．

原発性肝細胞癌や転移性肝癌では，肝内の腫瘍により肝腫大が起こる．不整な凹凸があり，かたい肝として触知される．肝膿瘍では，肝内の膿瘍により肝腫大が起こる．巨大肝嚢胞や多発性肝嚢胞では嚢胞により肝が腫大し，かたい肝として触知され，表面は平滑であり，圧痛はない．

心不全や Budd-Chiari 症候群ではうっ血により肝が腫大する．表面平滑で弾性硬の肝が触知され，しばしば圧痛を伴う．

アミロイドが肝に沈着するアミロイドーシスでは著明な肝腫大がみられ，肝はきわめてかたくなる．グリコーゲン，リン脂質，ムコ多糖の先天性代謝異常では，これらの物質が肝に蓄積し肝腫大をきたす．

肝外閉塞性黄疸では肝内胆管が拡張し肝腫大をきたす．

診断

肝腫大は身体診察と画像診断により診断される．

1）身体診察： 肝を触診する際は，仰臥位にて，腹壁を弛緩させるため両下肢を屈曲させる．右手指を肋骨弓に平行に腹壁に当て，肋骨弓下に指を差し込むように軽く押し当てながら，被検者に腹式呼吸をさせ，肝下縁を触知する．

正常肝はやわらかいため触れにくい．しかし健常人でも細長体型の人や肺気腫のある人では肝臓が下方に位置しており，右肋弓下に触れることがある．したがって肝を触知しても，肝腫大とはいえない．肝左葉下縁は剣状突起下数 cm に位置しているが，扁平で薄

表 4-15-1 肝触知あるいは肝腫大の原因

肝腫大がないのに肝触知する場合
右横隔膜の下方変位
肺気腫，喘息など
横隔膜下病変（膿瘍など）
やせた人や腹筋が弛緩している人

肝腫大
炎症性疾患
肝炎
ウイルス性肝炎や薬物性肝障害，自己免疫性肝炎
肝硬変
骨髄，細網内皮系細胞の浸潤
髄外造血
白血病
悪性リンパ腫
脂肪蓄積
脂肪肝
腫瘍
原発性腫瘍および転移性腫瘍
多発性肝嚢胞
多発性肝嚢胞
先天性肝線維症

うっ血
うっ血性心不全
Budd-Chiari 症候群
アミロイド蓄積（アミロイドーシス）
グリコーゲン蓄積
糖原病
肝外閉塞性黄疸
鉄蓄積（ヘモクロマトーシス，ヘモジデローシス）
銅蓄積（Wilson 病）
肉芽腫
結核
サルコイドーシス

く，やわらかいため触知されない．また前方にある腹直筋や腹壁脂肪のため，さらに触知困難となっている．腫大した病的肝では硬度が増していることが多く，容易に触れることができることが多い．肝臓の大きさは肺肝境界(lung-liver border)と肝下縁の距離(肝濁音界)から推測する．鎖骨中線上の肺肝境界は普通の体型の人では第5肋間に位置する．肺肝境界は深呼吸により1〜3 cm程度変動する．肝濁音界は正常では11 cm程度であり，この値を大きくこえれば肝腫大があると思われる．肝下縁が肋骨弓から何 cmに触れるか，また肝濁音界は何 cmか，記録する．圧痛の有無，凹凸の有無，かたさ(軟，弾性硬，硬)，辺縁の形状(鋭または鈍)，血管雑音の有無についても記録する．

肝腫大の鑑別においては，聴診も有用である．摩擦音は最近施行された肝生検や腫瘍，肝周囲炎によることが多い．門脈圧亢進症では静脈雑音が剣状突起と臍の間で聴かれる．肝の動脈雑音は肝癌によることが多い．

2)**画像診断**：腹部単純X線では，肝臓は右横隔膜下に楔形の均質な軟部組織陰影を呈する．肝の大きさは右横隔膜の最高点と肝右葉下極の上下差で計測し，22 cm以上あれば肝腫大が疑われる．

腹部超音波検査は肝腫大の診断に有用である．肝右葉縦走査で上下径が15.5 cm以上，右季肋下走査で前後径が13 cm以上であれば右葉腫大と診断する．肝左葉縦走査で前後径が8 cm以上では左葉腫大と診断する．

CTデータより肝容積を計算できる．また標準肝容積(mL)は $706.2 \times$ 体表面積$(m^2) + 2.4$ で計算できる．

鑑別診断

肝腫大の原因を考えるうえで，腫大肝の性状やその他の身体所見，症状が参考になる．悪心，嘔吐，倦怠感，黄疸，濃染尿，腹痛，発熱，浮腫，腹部膨満感などの症状がみられる．

特に巨大な肝は，肝腫瘍，多発性肝嚢胞，アルコール性肝硬変，うっ血肝，悪性リンパ腫，アミロイドーシスでみられる．

肝腫大とともに脾腫が存在するときは(hepatosplenomegaly)，肝疾患や血液疾患が疑われる．

肝腫大に圧痛を伴う場合は，急性肝炎，肝膿瘍，肝癌，うっ血肝などが考えられる．

弛張熱は肝膿瘍でみられる．腹水や腹壁静脈怒張は肝硬変やBudd-Chiari症候群が疑われる．

腫大していた肝が急に小さくなる場合，急性肝炎の劇症化やアルコール性肝炎の重症化が考えられる．逆に腫瘍性病変では，肝腫大の程度が急速に悪化する．

〔吉岡健太郎〕

4-16 脾腫
splenomegaly

概念

脾臓は左上腹部背部，横隔膜の直下，胃の裏側，膵尾部の先端に位置する．内側は左の腎臓と接し，下方は脾大腸ひだを介して左結腸曲に接している．腹腔動脈から分岐した脾動脈と門脈に注ぐ脾静脈が出入りする脾門がある．その重量はおよそ70〜130 gであり，正常では左肋骨弓に隠れていて触知しない(図4-16-1)．この脾臓が腫大することを脾腫というが，表4-16-1に示すようなさまざまな疾患でみられる．正常の約3倍以上(300 g以上)になると左肋骨弓下に触知するようになり，正常の約8倍以上(900 g以上)になると，臍下に達し，巨脾(giant splenomegaly)とよばれる．

脾臓の構造【⇒図16-2-4】と機能

実質は赤脾髄(red pulp)と白脾髄(white pulp)からなる．赤脾髄は海綿状の構造をした血管組織で，おもに脾洞(ビルロート索)と網内系細胞で覆われた脾索からなる．脾洞は洞様毛細血管とよばれる1層に並んだ細長い内皮細胞で囲まれた袋状の腔である．白脾髄は脾柱動脈から分かれた中心動脈のまわりを取り囲むTリンパ球からなる動脈周囲リンパ球鞘(periarteriolar lymphoid sheath：PALS)とBリンパ球の集団で構成される胚中心でできており，赤脾髄のなかに白く島状に散在する．さらに白脾髄と赤脾髄との境界には辺縁帯(marginal zone)とよばれる帯状領域が存在する．

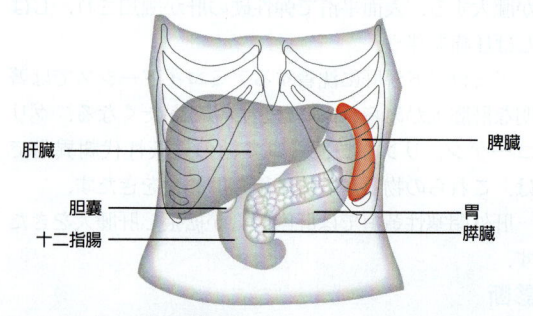

図4-16-1 **正常な脾臓**

表 4-16-1 脾腫のおもな原因

1) うっ血
- 肝硬変(門脈圧亢進症)
- 心不全
- 内臓静脈血栓症(門脈, 肝静脈, 脾静脈)

2) 悪性腫瘍
- 悪性リンパ腫
- 白血病(急性, 慢性)
- 真性赤血球増加症
- 本態性血小板血症
- 原発性骨髄線維症
- 多発性骨髄腫
- 原発性脾腫瘍
- 転移性固形癌

3) 感染症
- ウイルス性(肝炎, 伝染性単核球症, サイトメガロウイルス)
- 細菌性(サルモネラ, ブルセラ, 結核症)
- 寄生虫(マラリア, 住血吸虫症, トキソプラズマ, リーシュマニア)
- 感染性心内膜炎
- 真菌症

4) 炎症性疾患
- サルコイドーシス
- 血清病
- 全身性エリテマトーデス(SLE)
- 関節リウマチ(Felty 症候群)

5) 脾機能亢進症
- 急性・慢性溶血
- 鎌状赤血球症
- 顆粒球コロニー刺激因子使用後

6) 浸潤性(非悪性腫瘍)
- Gaucher 病
- Niemann-Pick 病
- アミロイドーシス
- 糖原病
- Langerhans 細胞組織球症
- 血球貪食症候群
- Rosai-Dorfman 病

脾の機能は①老化した赤血球, 球状赤血球や鎌状赤血球などの欠陥のある赤血球を除去する, ②オプソニン化した細菌や抗体の結合した細胞を血液中から除去する, ③抗体を産生する, などがおもなものである. 脾洞には狭い間隙があり変形能の高い正常な赤血球はここを通り抜けるが, 老化あるいは欠陥赤血球は変形能が低いために通過できずに赤脾髄内にとどまり破壊される(①の機能). また, この間隙を通過する際に核の遺残物である Howell-Jolly 小体, 変形したヘモグロビンである Heinz 小体, さらには赤血球に寄生している寄生虫も取り除かれる(①〜③の機能). したがって脾摘患者では末梢血に Howell-Jolly 小体や Heinz 小体がみられ, 免疫力の低下による細菌性敗血症(髄膜炎球菌や肺炎球菌など)を発症しやすい. 骨髄で造血ができなくなる病的状態(骨髄線維症など)においては脾で造血が行われることがあり, これを髄外造血(extramedullary hematopoiesis)という. また, 脾の機能の1つとして, 循環血小板および循環好中球を貯蔵(プール)しており, これらは出血や感染症などに際して, 一気に放出される.

脾腫の原因

原因としては前述の脾のおもな3つの機能(①〜③)が亢進した場合および腫瘍性変化によるもの, うっ血によるものなどがある. 表 4-16-1 に脾腫をきたすおもな疾患を示す.

診断

身体診察と画像診断によって脾腫の有無を調べる. 視診では中等度以上の脾腫の場合に左上腹部の膨隆がみられ, 立位で顕著になる. 打診では Traube 三角(第6肋骨, 肋骨下縁, 前腋窩線で囲まれた範囲)の部位を打診し, 濁音の場合には脾腫の存在を疑う. 最も重要なのは触診であり, 双手診で行う. すなわち, 仰臥位(ぎょうが)で術者の左手を左肋骨弓部に当て皮膚を下方に引き, 患者にゆっくりと深呼吸させ, 右手の示指で脾の下縁を触れるように触診する. 脾切痕を触れれば脾臓であることが確実である. 右側臥位で同様に触診すると重力の負荷によって脾臓はより触れやすくなる. 脾臓は触れれば明らかに異常である. 打診上濁音の拡大のみで脾を触れない, あるいは脾腫か否か確定できない場合は超音波, CT, MRI などの画像検査を行い, 確認する.

鑑別診断

表 4-16-1 に示した脾腫の原因となる疾患を考慮しながら, 詳細な病歴聴取と身体診察を行うことによって感染症, 溶血性貧血などの脾機能亢進症, 心不全や肝疾患などによるうっ血脾, 炎症性疾患などの可能性を絞ることができる. さらにスクリーニング検査としての基本的検査(尿検査, 便検査, 血液検査, 血液生化学検査, X線検査)を行うことによってほぼ診断可能である. 特異的検査として細菌学的検査, ウイルス抗体, 遺伝子検査などにより感染症の確定診断ができる, 造血器腫瘍が疑われる場合には骨髄穿刺や骨髄生検, リンパ節生検などの病理学的検査, 細胞表面マーカー, 遺伝子検査などを行い, 診断を確定する. うっ血脾の診断には内視鏡(食道静脈瘤など), 血管造影検査, 肝生検などが必要となる場合がある. 膠原病などの炎症性疾患の診断には各種自己抗体の検索を行う. 溶血性貧血の鑑別には赤血球浸透圧抵抗試験, ヘモグロビン分析, 抗赤血球自己抗体, 遺伝子検査などを行う. 上記のアプローチで診断が得られない場合には診断的脾臓摘出(diagnostic splenectomy)や画像ガイド下脾生検を行うこともある.

〔小松則夫〕

4-17 リンパ節腫脹
lymphadenopathy

概念

リンパ節はリンパ管の合流部にできるリンパ組織である．正常では約 1 cm 以下の腎臓形をした小器官で，リンパ管に沿って約 600 個存在している．表在からは頸部，腋窩，鼠径部，膝窩などで触知しやすいが，深部のものとして深頸部，縦隔，肺門部，腹腔内，などが重要である．正常でも顎下部や頸部に直径 1 cm 以下でやわらかく，表面平滑で扁平なリンパ節を，また鼠径部では直径 2 cm 以下の同様なリンパ節を触れることがある．リンパ節が病的に腫大した状態をリンパ節腫脹といい，正常よりも大きいリンパ節を 1 個以上触れる，性状がかたい，表面不整，圧痛あるいは自発痛がある，周囲組織と癒着し可動性がない，などの場合は病的と考えられる．また，画像検査により前述の深部リンパ節の腫大がみられる場合も病的である．

リンパ節の構造と機能

リンパ節（図 4-17-1）にはリンパ液の循環と血液の循環がある．リンパ液は被膜を貫通する輸入リンパ管を通してリンパ節内に入り，多数のマクロファージが存在する皮質洞，髄洞を経て門部の輸出リンパ管から出ていく．血液は門部の輸入動脈から入り，リンパ節内を灌流し，再び門部の輸出静脈から出ていく．リンパ節の実質は皮質，傍皮質（副皮質）および髄質からなり，皮質には B リンパ球で構成される濾胞（lymph follicle）と濾胞の周囲を取り囲む暗殻（mantle zone）が存在する．濾胞には小リンパ球のみからなる一次濾胞と，抗原刺激を受け増殖をしている胚中心（germinal center）をもつ二次濾胞がある．胚中心で芽球化し，濾胞の外へ出た大型の B リンパ球は免疫芽球（immunoblast）とよばれ，形質細胞（plasma cell）へと分化して抗体を産生し髄洞からリンパ液へと放出する．傍皮質領域にはおもに T リンパ球が分布し樹状細胞から抗原提示を受ける．髄質は髄洞とよばれるリンパ管の網からなる．

リンパ節の機能は，マクロファージによる異物の処理，リンパ球および抗体の産生である．

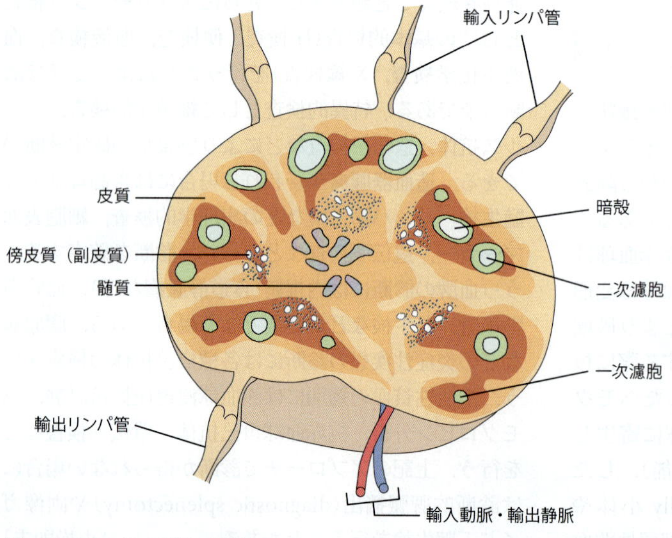

原因

リンパ節腫脹の原因の多くがリンパ節の機能が亢進した場合および腫瘍細胞の浸潤による場合である．感染症による腫脹は細菌やウイルスなど異物の捕捉や処理などで機能が亢進した状態である．一般的に細菌感染症では所属リンパ節の局所性腫脹であり，ウイルス感染症では多発性あるいは全身性腫脹が多い．「局所性」とは，1 つの解剖学的リンパ節領域を意味しており，「多発性あるいは全身性」とは，複数の連続しないリンパ節領域のリンパ節腫脹を意味している．風疹や麻疹では頸部，後頭部のリンパ節腫脹をしばしば伴い，Epstein-Barr ウイルスなどによる伝染性単核球症では頸部，腋窩，鼠径部など全身性にリンパ節腫脹をみることがあり，同じくリンパ系臓器である脾臓の腫大も伴う．結核では結核菌のリンパ節への感染によって乾酪性肉芽腫を形成し，皮膚表面は自壊したり，波動を触知することがある．

自己免疫疾患やアレルギー疾患などの非感染性炎症性疾患では，免疫応答に際して T リンパ球や B リンパ球の増殖，抗体産生などの機能が亢進しリンパ節腫脹をきたす．

腫瘍性腫脹で最も重要なのは造血器腫瘍であり，その多くはリンパ系腫瘍である．これらには幼若 B および T リンパ系腫瘍である急性リンパ性白血病，成熟 B リンパ系腫瘍である各種非 Hodgkin リンパ腫，慢性リンパ性白血病およびその類縁疾患であるヘアリー細胞白血病，原発性マクログロブリン血症など，成熟 T リンパ系腫瘍である各種非 Hodgkin リンパ腫，成人 T 細胞白血病などがあり，その他に Hodgkin リンパ腫が含まれる．ただし，Burkitt リンパ腫や MALT リンパ腫ではリンパ節腫脹を伴わないことが多い．造血器腫瘍以外には各種癌のリンパ節転移があり，胃癌や卵巣癌による左鎖骨窩リンパ節転移は

図 4-17-1 **リンパ節の構造**（檀 和夫：内科学 第 10 版（矢崎義雄総編集），朝倉書店，2013）

Virchow転移とよばれている．

その他のリンパ節腫脹をきたす疾患としては，サルコイドーシスとCastleman病が比較的多くみられ，その他まれであるが脂質代謝異常などもある．これらの疾患を表4-17-1に示した．

診断

触診と画像検査による診断が重要である．まず触診によってリンパ節腫脹の有無およびその性状を調べる．前述のとおり，顎下部や頸部に触れる直径1cm以下でやわらかく，表面平滑で扁平なリンパ節あるいは鼠径部に触れる直径2cm以下の同様なリンパ節は正常で，それ以外は病的である．すなわち，これらよりも大きいリンパ節を1個以上触れ，性状がかたい，表面不整，圧痛あるいは自発痛がある，周囲組織と癒着し可動性がない，などの場合は病的なリンパ節腫脹と診断する．触診の結果，全身性の疾患が疑われる場合には超音波，CT，MRIなどの画像検査を行い，深部リンパ節腫脹の有無の検索を行う．また，健診あるいはほかの疾患のための画像検査中に偶発的に深部リンパ節腫脹が診断される場合もある．

鑑別診断

前述の表4-17-1に示したリンパ節腫脹をきたす各種疾患の鑑別には，注意深い病歴聴取，身体診察，必要な各種検査を行う．最終的にリンパ節生検を行わなければならないこともある．

病歴聴取では可能性のある感染症の症状（発熱，咽頭痛，咳，局所の発赤や化膿巣など），腫脹しているリンパ節の疼痛の有無およびその経過，リンパ節腫脹以外の症状，既往歴，家族歴，ペット飼育の有無，旅行歴や海外渡航歴，薬剤服用歴，職業などを詳細に聴取する．

身体診察ではまず注意深くリンパ節腫脹の触診をする．おもなポイントは，リンパ節腫脹の部位と広がり（局所性か全身性か），大きさ，圧痛の有無，表面の性状と可動性，周囲組織との癒着，皮膚の発赤などである．リンパ節腫脹のなかで重要な感染性腫脹と腫瘍性腫脹の鑑別点を表4-17-2に示した．リンパ節以外の身体所見では，各種感染症にみられる他覚所見の有無，発疹，外傷，化膿巣などの皮膚所見の有無，自己免疫疾患にみられる皮膚所見，関節所見の有無などに注意を払う．造血器腫瘍に関しては，肝脾腫の有無，出血症状の有無などの所見も重要である．

検査では感染性腫脹における白血球増加あるいは減少，異型リンパ球の出現，好酸球増加，および造血器腫瘍における血球増加あるいは減少，白血病細胞やリンパ腫細胞の有無などをみるために末梢血塗抹検査を含めた血液検査が必要である．また，感染性腫脹の鑑別では各種培養などの細菌学的検査やウイルス抗体の検索が必要となる．自己免疫疾患の鑑別では各種自己

表4-17-1 リンパ節腫脹のおもな原因

1. 感染症
- 細菌性
  - 局所性：連鎖球菌咽頭炎，皮膚感染症，野兎病，ペスト，猫ひっかき病，ジフテリア，鼠咬熱，軟性下疳
  - 全身性：波状熱，レプトスピラ症，鼠径リンパ肉芽腫症，腸チフス
- ウイルス性：HIV，Epstein-Barrウイルス，単純ヘルペス，サイトメガロウイルス，ムンプス，麻疹，風疹，B型肝炎，デング熱
- 抗酸菌性：結核症，非結核性抗酸菌症
- 真菌性：ヒストプラズマ症，コクシジオイデス症，クリプトコックス症
- 原虫性：トキソプラズマ症，リーシュマニア症
- スピロヘータ：第2期梅毒，ライム病

2. 癌
- 頭頸部癌
- 転移性癌
- 悪性リンパ腫
- 白血病

3. リンパ増殖性疾患
- Epstein-Barrウイルス関連リンパ増殖性疾患
- MTX関連リンパ増殖性疾患
- 自己免疫性リンパ増殖症候群（ALPS）
- Rosai-Dorfman病
- 血球貪食症候群

4. 免疫疾患
- 血清病
- 薬物反応（フェニトインなど）

5. 内分泌疾患
- 甲状腺機能低下症
- Addison病

6. その他
- サルコイドーシス
- 脂質蓄積症
- アミロイドーシス
- 慢性肉芽腫症
- 組織球増殖症
- Castleman病
- 組織球性壊死性リンパ節炎（菊池病）
- 川崎病
- 炎症性偽腫瘍
- 全身性エリテマトーデス（SLE）
- 関節リウマチ
- 成人Still病
- 皮膚筋炎
- 好酸球性多発血管炎性肉芽腫症（Churg-Strauss症候群）

抗体の検索を行う．胸部X線検査によって結核，癌などの肺野病変，悪性リンパ腫，結核，サルコイドーシスなどの肺門リンパ節腫脹の存在を知る．深部リンパ節腫脹の検出にはCT，MRI，ガリウムシンチグラフィ，超音波などの画像検査が必要となる．

表 4-17-2 感染症腫脹と腫瘍性腫脹の鑑別(檀 和夫：内科学 第 10 版(矢﨑義雄総編集), 朝倉書店, 2013)

		感染性腫脹		腫瘍性腫脹	
		急性	慢性(結核など)	造血器腫瘍	癌の転移
自発痛		あり	ときにあり	なし	なし
経過		短期	長期	次第に増大	次第に増大
触診	性状	軟	弾性硬(ときに波動)	弾性硬	硬
	癒着	なし	リンパ節相互	なし	下層とあり
	圧痛	高度	乏しい	なし	なし
分布		限局～多発	限局～多発	限局～多発	限局

　リンパ節生検の施行に関しては判断が重要である．前述の注意深い病歴聴取と身体診察によって感染性腫脹や非感染性炎症性腫脹が疑われる場合には原則リンパ節生検は行わない．しかし，しばしば感染性あるいは炎症性腫脹と腫瘍性腫脹の鑑別が困難な例があり，この場合には 2～3 週間の慎重な経過観察を行い，軽快傾向がみられないなど悪性疾患が否定できない場合にリンパ節生検を行う．一方，造血器腫瘍が疑われる場合には迅速にリンパ節生検を行う必要がある．なお，リンパ節腫脹の診断には針生検(fine-needle aspiration)は不適である．リンパ節生検を行う場合にはHE 染色による病理組織検査のみでなく，免疫組織学的検査，細胞表面マーカー検査，染色体分析なども同時に行い，さらに必要に応じて遺伝子解析(免疫グロブリン遺伝子，T 細胞受容体遺伝子など)，ウイルス，結核菌などのポリメラーゼ連鎖反応(PCR)検査なども行う．

　最も診断が困難なのは腫瘍性腫脹が疑われるが，表在リンパ節の腫脹がなく，深部リンパ節腫脹のみの場合である．この場合には経過観察も含め慎重な判断をし，必要時には開腹生検，開胸生検，胸腔鏡下生検(VATS)，経気管支肺生検(TBLB)，CT ガイド下生検などを行う．

　また病状によっては，緊急性を要しリンパ節生検を行う前にステロイドの投与を余儀なくされることもあるが，このような場合には正確な病理診断が得られないこともある．　　　　　　　　　　　〔小松則夫〕

4-18 浮腫
edema

概念
　浮腫とは「間質液量の増加によって起こる触知できる腫れ」と定義されている．浮腫は，その分布により局所性と全身性に，圧迫による圧痕の有無により圧痕性浮腫(pitting edema)と非圧痕性浮腫(non-pitting edema)に，経過により急性(単回性，反復性)と慢性に区別される．

病態生理
1)浮腫の発症要因： 体液のおよそ 1/3 は細胞外液に分布し，細胞外液はその 1/4 が血管内に血漿として，残りの 3/4 は間質液として存在し，その境は血管壁である．60 kg の男性ではおよそ血漿 3 L，間質液 9 L であるが，全身的な浮腫が臨床的にとらえられるようになるには，間質液量は 2.5～3 L 以上増加している．さまざまな原因で毛細血管内から間質への体液移行が増加し，間質液量が増えて浮腫を形成する．

　浮腫の発症要因には局所における要因と全身的な要因とがある．全身的な浮腫の発症要因は腎からのナトリウム排泄障害で，この原因には腎不全などの一次的な腎の障害による排泄障害と有効循環血液量減少による場合とがある．

2)血管内から間質へ体液移動： 毛細血管における体液の血管内から間質への移行は，Starling の法則に従って毛細血管と間質との静水圧較差および膠質浸透圧較差によって起こると考えられてきた[1]．定常状態では，毛細血管の動脈側では高い静水圧較差により体液が血管内から流出し，静脈側では静水圧較差が減少し，体液を血管内に引き戻す力となる膠質浸透圧較差が高まるために流出した体液は血管内に戻り，戻りきらなかった分はリンパから体循環へ還流することにより間質液量は一定に保たれる(図 4-18-1)(Taylorら, 1981)．しかしながら，アルブミンや代用血漿剤などの膠質液輸注時の血漿量の増加割合は予想よりも少ないことなど，従来の考え方では説明できない実験的および臨床的な研究結果が数多く示され，それらの結果より，グリコカリックス(糖蛋白の巨大分子)モデ

ルに基づく新しい考え方（改訂Starlingの法則）が提唱されている（Woodcockら，2012）[2-5]．新しい考え方のポイントは通常の毛細血管では間質から血管内への体液の流れは，短時間での移動を除き，ほとんどみられないという点である．そして，血管内から間質へ移動する体液の量は従来の計算された量よりもはるかに少なく，間質へ移行した体液のほとんどはリンパ管を経て血管内へ戻るという考えである．この背景には，毛細血管での濾過障壁は従来考えられていたような単純な構造ではなく，より複雑な構造をしていることに起因している．この毛細血管での濾過障壁の複雑な構造の要をなすのは血管内皮細胞上に存在し，管腔内の表面を覆っているグリコカリックスである[6,7]．膠質浸透圧較差は血漿膠質浸透圧と間質膠質浸透圧との較差ではなく，血漿蛋白（アルブミンが主体）を保持したグリコカリックスの血漿膠質浸透圧とほぼゼロに近いグリコカリックス下層領域の膠質浸透圧との較差により決定されており，間質の静水圧も通常は非常に低いため，毛細血管全域にわたって体液は流出しているという考え方である[8]（eコラム1参照）．

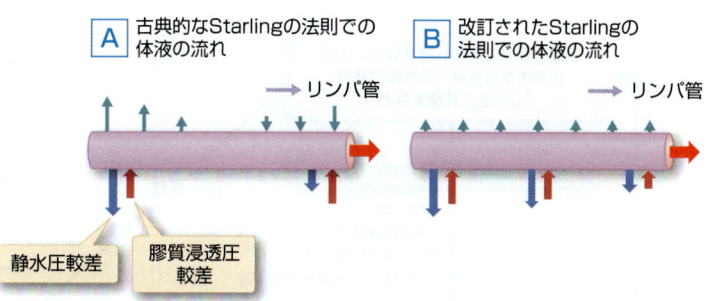

図 4-18-1 古典的なStarlingの法則と新しい改訂されたStarlingの法則
古典的なStarlingの法則では，毛細血管と間質との静水圧較差および浸透圧較差により体液は毛細血管の動脈側では血管内から流出し，静脈側では血管内へ流入し，間質に残った分はリンパを介して血管内に戻ることにより間質液量が維持されている．一方，改訂されたStarlingの法則では体液は毛細血管全域において流出し，リンパを介して戻るという考え方である．

3）局所における浮腫の要因：局所における浮腫の発症要因は毛細血管からの体液移行による間質液量の増加であるが，これは間質への体液の流入と流出の異常による場合と異常蛋白蓄積による場合とに区別すると理解しやすい．間質への流入・流出異常による場合は以下の4つの要因がある．

a）毛細血管静水圧の上昇：静脈血栓症や慢性静脈不全などによる局所要因および心不全などの全身の細胞外液量増加時には静脈圧上昇に伴って毛細血管静水圧が上昇して浮腫を生じる．

b）血漿膠質浸透圧の低下：ネフローゼ症候群や肝硬変では高度の低アルブミン血症により血漿膠質浸透圧が低下し浮腫の原因となる．

c）毛細血管壁の傷害による透過性の亢進：火傷や炎症などによる毛細血管壁の傷害は血管透過性を増大し，浮腫を生じる．

d）リンパ系の障害：手術によるリンパ節廓清やフィラリアなどによるリンパ管の閉塞では間質液のリンパ系からの灌流が障害されて浮腫の原因となる．この場合，浮腫は緩徐な発症で，圧痕を生じないことが多い．

4）全身的な浮腫の発症要因：全身的な浮腫の発症要因は腎からのナトリウム排泄障害である．主要な疾患として心不全，肝硬変，ネフローゼ症候群，腎不全がある（e図4-18-A）．注目すべきは異常蛋白の蓄積による浮腫で，甲状腺機能低下症などでは間質組織への体液やアルブミン保持能の高いムコ蛋白が蓄積し，浮腫の原因となる[9]．この場合は圧痕を生じない非圧痕性浮腫となる．

心不全では，細胞外液量は増加しているものの，心機能の低下のため腎臓や頸動脈の灌流圧，すなわち有効循環血液量は減少している．生体は有効循環血液量を一定に保つように，腎臓，心臓，頸動脈などに存在する体液量感知機構により圧や伸展刺激として感知して，ホルモンや神経系を介して調節している．有効循環血液量減少時には，この系により腎臓はナトリウムと水の再吸収を増加してこれらの排泄を低下させる．このため，心不全では腎からのナトリウムと水の排泄が低下して細胞外液量が増加し浮腫を生じる（図4-18-2）．左心不全では肺水腫を，右心不全では末梢の浮腫をきたす．肝硬変では類洞の閉塞による静脈圧の上昇により腹水や下肢の浮腫を生じる．また，動静脈瘻の形成や低アルブミン血症による有効循環血液量の減少も浮腫の要因となっている．ネフローゼ症候群では低アルブミン血症とともに腎での一次的なナトリウム排泄障害が浮腫の要因である．急性糸球体腎炎，急性腎障害，および進行したCKDなどの腎機能障害時には，一次的な腎からのナトリウムと水排泄の低下により体液が蓄積して浮腫を生じる．この場合には間質液量とともに有効循環血液量も増加する．

鑑別診断

1）浮腫の診察と評価：皮膚の観察により浮腫の可能性を把握する．そして，浮腫のありそうな部位を圧迫した感触で浮腫の有無は判断される．最も浮腫の生じやすい下腿では，両側の足背，内果後方，および脛骨粗面表面を最低5秒間以上しっかりと圧迫し，むくみの有無と圧痕の程度により浮腫を評価する．

2）浮腫へのアプローチ：浮腫を呈する疾患は多数あ

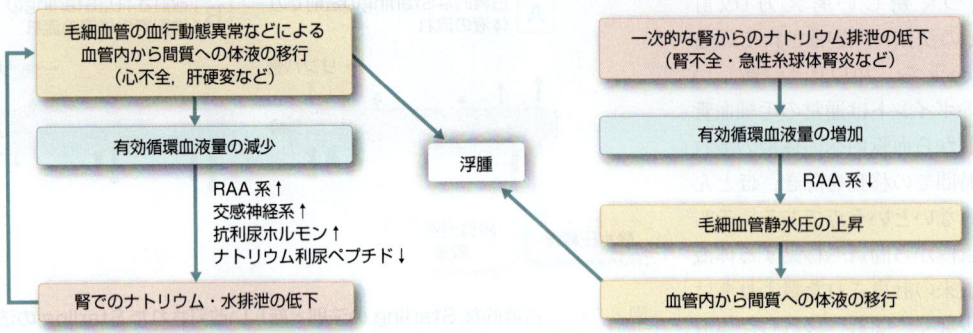

図 4-18-2 浮腫の発症機序
全身性浮腫は腎からのナトリウム排泄障害による細胞外液量の増加によって生じる．この原因として，有効循環血液量の減少によるレニン-アンジオテンシン-アルドステロン系（RAA 系）などのホルモン活性の変化に伴う二次的な腎からの排泄低下によるものと腎自体の異常に伴う一次的な排泄低下によるものとがある．後者では有効循環血液量は増加する．

表 4-18-1 浮腫をきたす疾患

全身性
　心疾患
　　うっ血性心不全
　肝疾患
　　肝硬変，門脈圧亢進症
　腎疾患
　　腎不全，ネフローゼ症候群，急性糸球体腎炎
　内分泌性
　　粘液水腫，Cushing 症候群，アルドステロン症
　妊娠・月経に関連
　　妊娠中毒症，月経前期緊張症候群
　栄養障害
　　吸収不良症候群，蛋白漏出性胃腸症，悪液質
　薬物性
　　非ステロイド系抗炎症薬
　　ホルモン薬：ステロイド，エストロゲン製薬
　　甘草を含むもの：グリチルリチン，甘草含有漢方薬
　　その他：降圧薬（Ca 拮抗薬，ACEI），糖代謝改善薬
　特発性浮腫
局所性
　血管性
　　血栓性静脈炎，静脈閉塞
　リンパ性
　　慢性リンパ管炎，リンパ管閉塞，フィラリア症
　熱症性
　　熱傷，蜂窩織炎，じんま疹
　血管神経性
　　Quincke 浮腫，遺伝性血管神経性浮腫

る（表 4-18-1）．まず，浮腫の分布が両側性か片側性かを判断する．片側性の場合には局所性浮腫の可能性が高いが，両側性の場合にも局所性浮腫を除外することはできない[10]．さらに，浮腫の発症時期と一過性か持続性かを聴取する．局所性の場合には局所の所見（皮膚の炎症所見など）に注目する．全身性の場合には，3 大原因（心不全，肝硬変，腎疾患）のほかの徴候に注目するとともに，浮腫をきたしやすい薬物の服用歴（非ステロイド系抗炎症薬，血管拡張薬，ステロイド）などを聴取する（Ely ら，2006）．

全身性浮腫時の検査所見としては，肝および腎機能検査，血清アルブミン濃度測定，尿蛋白定量，そして，尿量と尿中ナトリウム濃度測定が大切である．尿中ナトリウム濃度低下（< 20 mEq/L）の場合には有効循環血液量の減少をきたす疾患や急性糸球体腎炎を念頭において検索する．

〔安田　隆〕

■ 文献（e 文献 4-18）

Ely JW, Osheroff JA, et al: Approach to leg edema of unclear etiology. *J Am Board Fam Med*. 2006; **19**: 148-60.

Taylor AE: Capillary fluid filtration. Starling forces and lymph flow. *Circ Res*. 1981; **49**: 557-75.

Woodcock TE, Woodcock TM: Revised Starling equation and the glycocalyx model of transvascular fluid exchange: an improved paradigm for prescribing intravenous fluid therapy. *Br J Anaesth*. 2012; **108**: 384-94.

4-19 腹部膨隆
abdominal swelling or abdominal distension

概念
　腹部膨隆は腹壁が膨らみ出した状態を指す他覚所見であり，臍部が胸骨剣状突起と恥骨結合を結んだ線より突出している場合をいう．腹部膨隆には，腹部全体が膨隆する場合と局所的な場合がある．また，膨隆が前方に強い場合と側方に強い場合がある．腹部膨隆は腹壁，腹腔内または後腹膜の内容物が異常に増大した場合や，異常物が発生した場合に生じる．

病態生理
　腹部の全体的な膨隆として鼓腸，腹水，肥満，宿便などがある．局所的なものとしては各種臓器の腫瘍や囊胞などがある．膨隆による圧迫によって腹が張る，もたれる，重苦しい，悪心，腹痛などの症状が出現する．膨隆が強くなると横隔膜を押し上げ，呼吸運動を抑制し，呼吸困難を生じる．心臓に対しても影響を及ぼし，動悸やときに不整脈をきたすことがある．

鑑別診断
　おもな鑑別として6つのF(six F's)があげられる．すなわち，鼓腸(flatus；meteorism)，腹水(fluid；ascites)，胎児(fetus)，宿便(feces)，肥満(fat)，腫瘍(fibroid；tumor)である．鼓腸(気体)，腹水(液体)，腹部腫瘤(固体)などの鑑別を身体所見，腹部X線検査や腹部超音波検査にて行う．問診では発症様式，自覚症状，基礎疾患の有無，腹部手術などの既往歴，薬物服用歴を詳しく聴取する．視診では腹部膨隆が全体的なのか局所的なのかを見きわめる．診察の際には腹部全体を十分に露出させ，可能であれば仰臥位と腹臥位，かつ正面と側面から観察する．聴診では腸雑音，振水音，血管雑音などに注意する．触診では波動，呼吸性変動，圧痛，筋性防御，打診では鼓音，濁音などの変化に注意を払う．問診，診察後に血液検査，尿検査，腹部X線検査，腹部超音波検査など低侵襲な検査から順次行い，必要に応じて腹部CT，腹部MRI，消化管内視鏡検査などを行う．

1)全体的な腹部膨隆:

　a)鼓腸(meteorism)：鼓腸とは，腹部に異常にガスが貯留した状態をいう．消化管には通常約200 mL程度の腸管ガスが存在している．腸管外(腹腔内)にガスが貯留する場合は気腹(腹膜性鼓腸)とよばれる．腸管ガスの生成経路として，①空気の嚥下によるもの，②腸内細菌によって生じるもの，③血液中より腸管内に移行するもの，④胃内容と膵液や腸液の混和によって発生するものがあげられる．排泄経路として，①小腸壁より血液中へ，②放屁として体外へ，③おくびとして体外への3つがある．

　鼓腸は腸管内ガスの生成と排泄の不均衡により生じる．主として種々の腹腔内疾患による反射的な腸管運動の麻痺，腸管の血行障害，腸閉塞や腹腔内ガスの異常発生などにより生じる．腸からのガスの吸収障害によって生じる鼓腸は，心不全，低血圧症，門脈圧亢進症などによる腸の循環障害，あるいは腸炎が原因であることが多い．通過障害はイレウス，腸管狭窄，腸管蠕動低下(麻痺性イレウス，脊髄障害，感染症，低カリウム血症，モルヒネの使用など)でみられる．また心理的，精神的要因で胃や腸管にガスが貯留するヒステリー性鼓腸では，発作性に著しい腹部膨隆をきたすことがある．空気嚥下症，神経症などでは，空気の嚥下を異常に増加させ鼓腸が起こる．

　視診では腹部は全体的に膨隆するのみでなく，限局性に膨隆することがある．打診では鼓音を呈する．聴診は，鼓腸が閉塞性か麻痺性かの鑑別に有用である．蠕動音の亢進は閉塞性を，減弱は麻痺性を示すが，閉塞性のものでも経過とともに蠕動音の減弱をきたす場合がある．腹部X線検査では正常人でも少量のガスを脾弯曲部，肝弯曲部，噴門弯窿部などに認めることがある．読影に関しては，①ガスの局在，②ニボーの有無，③腸壁の拡張，④横隔膜下のガスの有無について注目すべきである．

　鼓腸の診断に際しては，その原因となる疾患と病態を正確に把握することが重要である．急性腹症としての速やかな外科的処置の必要性，また，しばらく容態をみる時間的余裕の有無を判断する．

　b)腹水(ascites)：腹水は腹腔内に生理的に存在する量をこえて液体が貯留した状態をいう．淡黄色透明で非炎症性の漏出液(transdate)と混濁して炎症性の滲出液(exudate)の2種類がある．腹水の発生には全身因子として，①肝硬変症，ネフローゼ症候群，低栄養などによる血漿膠質浸透圧の低下，②原発性高アルドステロン血症や肝硬変症による血中抗利尿物質の増加，③肝硬変症，Budd-Chiari症候群，うっ血性心不全などによる循環障害などがある．局所的因子としては，①感染や腫瘍による腹膜炎での血管透過性亢進，②腫瘍や感染性によるリンパ流出障害などがあげられる．

　視診では腹部全体の膨隆がみられるが，大量になると仰臥位で，いわゆる，かえる腹(frog abdomen)を呈し，立位では前下方に下垂する．また，しばしば臍の突出をみる．触診では波動(fluctuation)を触知する．また，体位変換による濁音界の変動がみられる(shifting dullness)．胸部X線検査にて横隔面の挙上や肝角の消失を，腹部X線検査ではガス像の圧排や偏位，実質臓器の輪郭の不鮮明化，側腹線条の消失

(flank stripe sigh)などがみられる場合がある．一方，腹部超音波検査を行えば容易に腹水を検出できる．

以上より，腹水の存在が疑われるときは，超音波検査下に腹腔穿刺を行い，腹水の存在を直接証明するとともに，漏出性か滲出性かを鑑別し，その原因となる疾患と病態を把握することが大切である【⇨4-21】．

2）局所的な腹部膨隆：腹部諸臓器の腫瘍，囊胞は原発臓器が存在する部位の局所的膨隆として認められる．しかし著しく巨大となると腹部全体が膨隆するため，一見しただけでは原発臓器が不明な場合がある．そのため問診，視診，触診，聴診，打診を注意深く行うことが重要である．

a）心窩部：胃，肝，膵臓，大腸（横行結腸）などに関係することが多い．主として，胃癌を含めた胃の腫瘍，胃拡張，肝癌，膵炎，膵癌，仮性膵囊胞などを考慮する．

b）右季肋部：おもな臓器として肝臓，胆囊，大腸（肝弯曲部）がある．疾患としては，肝癌，肝膿瘍，肝囊胞や肝臓が腫大する疾患（急性肝炎，慢性肝炎，脂肪肝），胆囊腫，胆石症，胆囊炎や膵頭部領域の癌などに伴う胆囊腫大，代謝性疾患（糖原病，アミロイドーシス），造血器腫瘍なども鑑別疾患としてあげられる．

c）左季肋部：通常脾腫が原因である．脾腫瘍，感染症，血液疾患，肝疾患のほかに大腸癌，膵尾部癌，胃癌でも左季肋部に腹部膨隆をきたすことがある．

d）側腹部：水腎症，囊胞腎および腎癌などの腎の異常によることが多い．巨大な囊胞腎では左右両側の側腹部に膨隆を認めることがある．

e）臍周囲部：胃，大腸，腎臓，副腎，腹部大動脈などの臓器がある．腎癌，腎囊胞，副腎腫瘍，腹部大動脈瘤，臍ヘルニアなどがあり後腹膜腫瘍も腹部腫瘤として触知されることがある．

f）下腹部：膨隆をきたす臓器としては尿を充満した膀胱，卵巣，子宮，大腸（回盲部，下行結腸）などがある．疾患として膀胱腫瘍，卵巣腫瘍，卵巣過剰刺激症候群，妊娠子宮および子宮腫瘍，虫垂炎，回盲部周囲膿瘍，Crohn病，腹壁瘢痕ヘルニアなどを考慮する．巨大な場合は心窩部に膨隆を認めることがある．

腹部膨隆をきたす疾患は少ないものの，その原因となる諸臓器の腫瘤を鑑別することが重要である．腫瘤の触れる部位により触知する主要臓器の疾患をⓔ図4-19-Aに示す．　　　　　〔河田則文・元山宏行〕

4-20 くも状血管腫・手掌紅斑

(1) くも状血管腫 (vascular spider)

概念

紅色小丘疹を中心に，中央の細い静脈から，細く蛇行した多数の毛細血管が，遠心性に伸びた状態をいう．大きさは直径1 mmから1 cm大であり，放射状に伸びた血管が"くも"の肢に見えるためこの名がある（図4-20-1）．好発部位は上大静脈の血管分布域の皮膚，特に顔面，頸部，胸部上半部，手背，手指，前腕，上腕，肩，肩甲部などで，ときに鼻腔，口腔，咽頭などの粘膜領域にみることもある．中心部を圧迫すると血流が途絶え，圧迫を解除すると周辺に向かって血液が拡散するのを透見できる．

病態生理

肝硬変患者で最も高頻度にみられ，ついでアルコール性肝障害，慢性肝疾患などにも出現し，また正常人，特に小児，妊婦（妊娠初期），関節リウマチにもまれにみられる．くも状血管腫はエストロゲン過剰によって起こると考えられている．正常時には男性では肝細胞によって女性ホルモン（エストロゲン）が不活性化され，男性ホルモン（テストステロン）が優勢となるが，肝機能障害を有する場合にはエストロゲンの不活化が障害されるため，エストロゲンが体内に蓄積されやすく，その作用が現れる．妊娠初期にみられることも同じ理由であると考えられる．しかしながら，出現部位やエストロゲン値との相関などを含め，発症機序は完全には解明されていない．

くも状血管腫では中央に点状膨隆があるが，中心部に通常みられる点状膨隆がなく，細かい血管拡張のみが出現する場合を，米国ドル紙幣を透かしたときに見える網状構造に似ていることからpaper money skin（紙幣状皮膚）とよぶ．

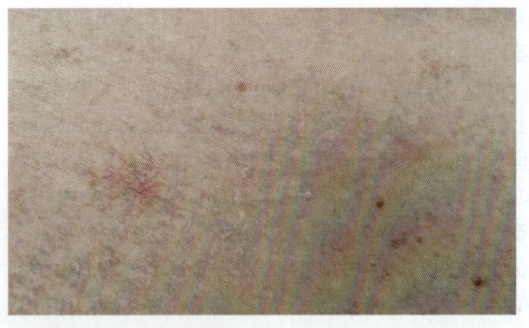

図4-20-1　くも状血管腫

(2) 手掌紅斑（palmar erythema）

概念
手掌，特に母指球・小指球に紅潮した斑紋を認め，全手掌足底に及ぶこともある．手掌中央部には紅斑がないか薄く，紅斑部にはむらがあり，ときには斑点状に見えることもある．圧迫すると紅斑は消失し，放すとすぐに再出現する（図4-20-2）．健常者でもときどき手掌が紅潮することがあるが，手掌全体にびまん性に及び，また紅潮も一様であることから，真の手掌紅斑と区別できる．

病態生理
発現機序はくも状血管腫とほぼ同様と考えられているが，くも状血管腫が上大静脈域である上半身のみに出現するのに対して，紅斑は足底，足蹠にも出現することがあり（足蹠紅斑，plantar erythema），病態的に異なる点もある．くも状血管腫とともに手掌紅斑は，アルコール性肝硬変に出現率が高く，アルコールの血管拡張作用が一因ではないかと考えられている．また

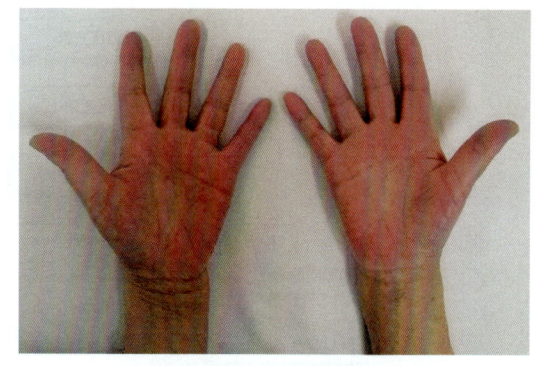

図 4-20-2 手掌紅斑

慢性肝疾患，肝硬変といった肝疾患，アルコール多飲以外にも，妊婦，関節リウマチなどでも認められることがある．

〔竹原徹郎・阪森亮太郎〕

■文献

Sherlock S: Spiders and capillaries. *Hepatology*. 1989; **10**: 388-9.

4-21 腹水 ascites

概念
腹腔内には 20～50 mL の体液が生理的な状態で存在し，腹膜からの分泌・再吸収などにより生理的変動の範囲内に維持されている．この生理的変動をこえて腹腔内に液体が貯留した状態が腹水である．腹部超音波検査などの画像診断を用いれば，100 mL 程度の腹水でも診断が可能となるが，触診などの身体所見で診断するためには 1000 mL 以上の貯留が必要となることが多い．腹水はその性状により，非炎症性の漏出液と腫瘍ないしは炎症に起因する滲出液に大別されるが，腹水が漏出性か滲出性かで発生機序や治療法も異なることに留意する必要がある．また，腹水をきたす原因疾患のなかで最も頻度が高いのは肝硬変症などの門脈圧亢進症であり，その他には心疾患，腎疾患，悪性腫瘍，低栄養状態など，多くの病態がある．腹水形成の病態生理は複雑であり，多くの神経体液性因子，腎性因子，血管性因子などがかかわった仮説が提唱されているが，腎における過剰なナトリウム・水貯留がかかわることは各仮説に共通である．本項では肝硬変における腹水形成と非肝硬変における腹水形成の病態生理に分けて概説することにする．

病態生理
1) 肝硬変における腹水（肝性腹水）：腎における過剰なナトリウム・水貯留を血管変化に伴う二次的現象ととらえる underfilling 説と一次的現象とする overflow 説が代表的な仮説として知られていたが，現在は前者を修正した peripheral arterial vasodilation hypothesis が最新仮説となっている（Schrier ら，1988）．門脈圧亢進症を伴う肝硬変では一酸化窒素（nitric oxide：NO）などの血管拡張因子により内臓動脈が拡張し，相対的に有効動脈血流が低下している[1]．その結果，腎輸入細動脈などの圧受容体を刺激し，レニン-アンジオテンシン-アルドステロン系を活性化することで尿細管でのナトリウム・水再吸収を促進するとともに，交感神経系も活性化され，腎血管床も収縮する．さらに，肝硬変による肝静脈枝，肝内門脈枝の圧迫の結果，肝静脈流出障害が起こり，類洞内静水圧・門脈圧の上昇，肝リンパ生成の増加を招く．肝静脈枝・肝内門脈末梢枝の透過性亢進，低アルブミン血症による血漿膠質浸透圧の低下とあいまって腹水貯留につながるとしている（Ginès ら，2004）（図 4-21-1）．

一方，肝内圧の上昇に起因する hepatoglomerular reflex などの肝由来シグナルが腎ナトリウム・水貯留を亢進させ，血漿量・心拍出量の増加と全身血管抵抗の低下を招き，肝静脈流出障害とあいまって増加した循環血液量が腹水生成につながるとしたのが overflow 説である．underfilling 説あるいは peripheral arterial vasodilation hypothesis との違いは，腎尿細管におけるナトリウム・水貯留の活性化に先行する心血管系の血行動態とレニン-アンジオテンシン-アルドス

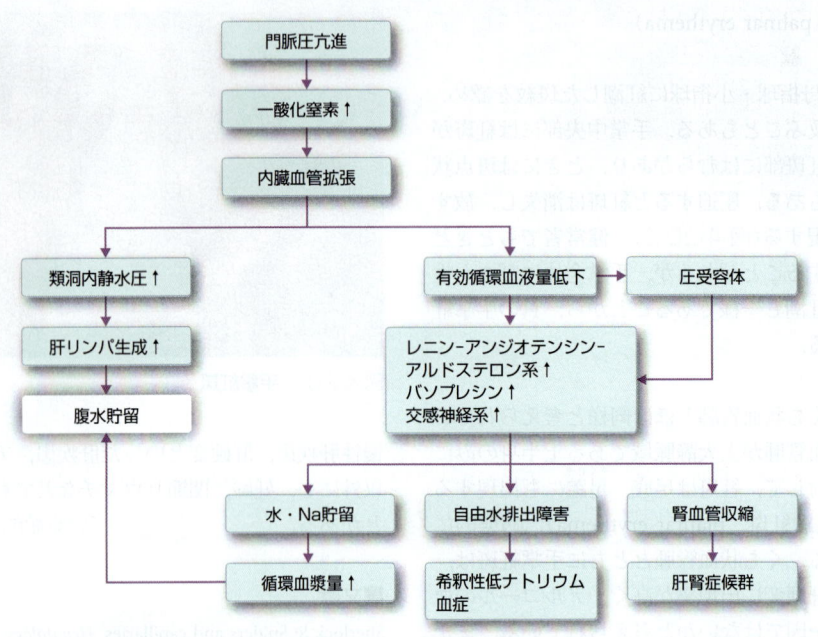

図 4-21-1 肝性腹水の病態生理（Ginès ら，2004 を一部改変）

テロン系の変化がないという点にある．

2) 非肝硬変における腹水：

a) 腎性腹水：ネフローゼ症候群は糸球体性の大量の蛋白尿による低アルブミン血症（3.0 g/dL 以下）をきたし，浮腫や腹水を合併する腎疾患群である．この場合の成立機序にも underfilling 説と overflow 説が提唱されている．前者は尿中へのアルブミン喪失により低アルブミン血症となり，血漿膠質浸透圧が低下すると Starling の法則に従い水分が血管内から間質へ移動することにより循環血漿量の低下が先行する．その結果，レニン-アンジオテンシン-アルドステロン系や交感神経系の活性化が惹起され，二次的にナトリウム再吸収を促進し，さらに症状を増悪するとされている．後者は遠位尿細管や集合管におけるナトリウム排泄低下・再吸収の亢進が一次的に生じ，ナトリウム貯留により血管内容量が増加した結果，静水圧が高まり発症するとしている．どちらかの仮説で説明されるというよりも，症例ごと，また同じ症例でも病期により 2 つの機序が異なる比率で存在すると説明している[2]．

b) 心性腹水：うっ血性心不全では右房圧上昇による体静脈うっ血を介して肝の中心静脈圧が上昇することで肝腫大，脾腫，腹水などの症状を引き起こす．慢性のうっ血が重度となった場合は心臓性肝硬変を引き起こす．腹水の発生機序としては門脈圧の亢進や心拍出量の低下による有効循環血液量の減少により，レニン-アンジオテンシン-アルドステロン系や交感神経系の活性化が惹起され，腎でのナトリウム・水再吸収が関与していると説明している．

c) 悪性腫瘍や炎症による腹水：腹膜への癌細胞播種や炎症の波及により血管透過性が亢進して発症する．

鑑別診断

1) 臨床像： 腹水貯留時には患者は腹部膨隆を訴え，腹囲，体重が増加する．大量に腹水が貯留すると臍部，大腿部，鼠径部，腹部手術創のヘルニアを助長し，陰嚢水腫もしばしば伴う．また，肝硬変患者では右側胸水を伴うことがあるが，これは横隔膜の一部欠損を介して腹水が胸腔内に移行するためと説明されている．

2) 検査： 中等度以上の腹水では波動（fluctuation）や体位の変換により濁音と鼓音の境界が移動する体位変換現象（shifting dullness）を認める．腹部超音波検査は腹水を無エコー域（echo-free space）として鋭敏に確認することができることから，腹水が疑われる場合には優先して行う検査法の 1 つといえる（e図 4-21-A）．腹部超音波検査や CT などの画像検査で腹水が確認されたら，原因疾患を鑑別することになるが，中等度以上の腹水を認める初発の患者や，入院治療にもかかわらず増悪を認める患者には腹水穿刺が強く推奨されている[3]．

腹水穿刺液の多くは淡黄色透明であるが，混濁がみられれば感染を疑い，血性の場合は癌性腹水や肝癌破裂，結核性腹水を考え，乳び性の場合には癌のリンパ節転移やリンパ腫を鑑別する．次に総蛋白，アルブミン，細胞数（白血球数，好中球数，赤血球数）算定，細胞診，一般細菌培養などを検査する．腹水が漏出液か滲出液かを鑑別する目的で Rivalta 反応（酢酸により

沈降する蛋白−酸性多糖類複合物の有無をみる検査で，陽性は滲出液を陰性は漏出液を意味する）を行うこともある．通常の漏出性腹水は腹水蛋白濃度が 2.5 g/dL 以下であり，Budd-Chiari 症候群や膵性腹水を除けば高濃度の腹水蛋白（滲出性）は感染を意味することが多い．現在では腹水蛋白濃度よりも血清-腹水アルブミン濃度較差が 1.1 g/dL 以上であればほぼ漏出液であり，患者は門脈圧亢進状態にあるとする基準[4]がより信頼性が高いとされている（表 4-21-1）．

表 4-21-1 血清-腹水アルブミン濃度較差による原因疾患別腹水（Runyon, 2010 を一部改変）

高較差（1.1 g/dL 以上）	低較差（1.1 g/dL 未満）
肝硬変	腎性腹水
アルコール性肝炎	膵性腹水
心性腹水	癌性腹膜炎
急性肝不全	結核性腹膜炎
粘液水腫	術後乳び腹水
Budd-Chiari 症候群	

3）注意を要する疾患：

a）特発性細菌性腹膜炎：肝硬変による腹水で本症を合併することがある．発熱，局所的な腹痛，腹部圧痛などの顕性症状の頻度は約半数にすぎないので，診断には穿刺液の細菌培養と好中球数算定が必須となる．腹水中の好中球数が 250/mm^3 以上では本症を強く疑う必要がある[3]．

b）腎性腹水：ネフローゼ症候群の場合，ほかの漏出性腹水と異なり，血清-腹水アルブミン濃度較差が 1.1 g/dL 未満となる．

c）悪性腫瘍による腹水：腹水中の蛋白濃度，LDH 値が高く，血清-腹水アルブミン濃度較差が 1.1 g/dL 未満と低ければ本症の可能性を疑う．悪性中皮腫では腹水中のヒアルロン酸が高値となり，診断に有用とされている．

d）結核性腹膜炎：腹水中に多数のリンパ球を含み，蛋白濃度が高い．腹水の結核菌染色と培養を行うが，ADA（adenosine deaminase）が高値で診断に有用とされている．

〔田中克明〕

■文献（e文献 4-21）

Ginès P, Cárdenas A, et al: Management of cirrhosis and ascites. *N Engl J Med*. 2004; 350: 1646-54.

Runyon BA: Ascites and spontaneous bacterial peritonitis. Sleisenger and Fordtran's Gastrointestinal and Liver Disease, 9th ed (Feldman M, Friedman LS, et al eds), Saunders, 2010.

Schrier RW, Arroyo V, et al: Peripheral arterial vasodilation hypothesis: a proposal for the initiation of renal sodium and water retention in cirrhosis. *Hepatology*. 1988; 8: 1151-7.

4-22 甲状腺腫
goiter

概念

甲状腺腫は，大半が無症状であり，頸部の視診と触診が診断の手がかりとなる．症候学的には，①びまん性と②結節性に大別される．嚥下運動に随伴して動くことが多く，甲状腺以外の腫瘤との鑑別が重要である．一方，超音波診断装置が普及し，偶発的に画像所見から診断される甲状腺腫，とりわけ甲状腺癌の発見頻度が増加している（Davies ら，2014；Russ ら，2014）．

甲状腺腫の診断においては，従来の視診や触診による分類に加えて，客観的な重量（容量）推計を，年齢，身長，体重などから算出することができる．おおよそ 5 歳で 5 g，10 歳で 10 g，成人体格で 15〜20 g 前後が正常範囲の目安となる．

鑑別診断

日常診療では，甲状腺超音波診断による鑑別が必要となりガイドラインの活用が不可欠であるが（日本乳腺甲状腺超音波診断会議甲状腺用語診断基準委員会，2012），本項では①びまん性と②結節性に分けて，臨床診断の手引きをフローチャートで概説する（図 4-22-1）．

1）びまん性甲状腺腫：甲状腺機能異常の有無が有用である．機能が正常な単純性びまん性甲状腺腫以外に，自己免疫性甲状腺機能亢進症（Basedow 病），低下症（橋本病）の頻度が高い．

a）単純性びまん性甲状腺腫：臨床所見がなく，また炎症や腫瘍もなく，単に甲状腺が腫脹している場合をいう．これは地方性（endemic）と散発性（sporadic）に分けられる．地方性甲状腺腫は，食生活のなかのヨード不足に起因するものであり，世界的には最も多い甲状腺腫である．わが国では，ヨード欠乏による甲状腺腫は皆無に近く，甲状腺へのヨード取り込みを阻害する食物あるいは薬剤を使用している場合に認められる．散発性の単純性びまん性甲状腺腫は，原因が明らかでなく，女性に多く思春期や妊娠時に発症することが多い．

b）甲状腺機能亢進症：一般にびまん性の甲状腺腫大を認めるが，同時に頻脈，手指振戦，体重減少，

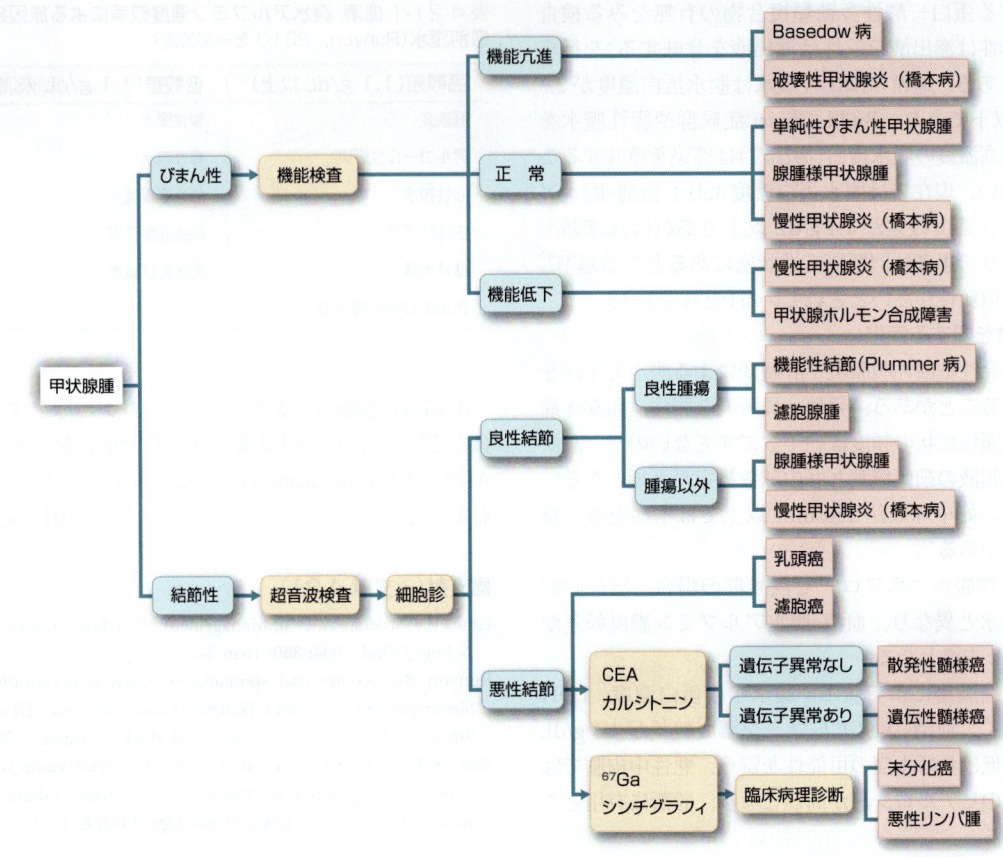

図 4-22-1 甲状腺腫の診断フローチャート

食欲亢進，動悸，暑がり，多汗，下痢，情動不安，易疲労感，希少月経，無月経などの臨床症状が認められる．

c）甲状腺機能低下症：主として橋本病に起因するが，びまん性結節性の甲状腺腫大とともに，寒がり，体重増加，皮膚乾燥，便秘などの症状が認められる．亜急性甲状腺炎はびまん性あるいは限局性の腫脹を示し，甲状腺部の自発痛，圧痛を訴えることが特徴的である．初診時に発熱を，また20％の症例で甲状腺機能亢進症状を認める．なお無症候性の橋本病では，唯一びまん性結節性のかたい甲状腺腫が特徴である．先天性の甲状腺ホルモン合成酵素の障害による甲状腺腫の場合には，やわらかい甲状腺腫大が若年期から観察されることが多い．

2）結節性甲状腺腫：良性腫瘍と悪性腫瘍に大別される．

a）良性腫瘍：囊胞は結節として触知される．腺腫様甲状腺腫も多くは結節性として認められる．これらはいずれも厳密には腫瘍ではないが，頻度が高く，結節性腫瘍との鑑別疾患として重要である．一方，良性腫瘍はやわらかく，可動性に富み，腫瘍表面は平滑，弾力性がある．良性結節には単発性の濾胞腺腫が最も多く，男女比は 1：7.5〜8 である．なお，甲状腺ホルモンを過剰に生産する機能性腺腫は Plummer 病とよばれ，FT_3，FT_4 の上昇，TSH の抑制が認められる．

b）悪性腫瘍：その経過が一般に長く，いつ発症したのかわからない場合が多いが，その発見頻度は思春期以降，年齢を重ねるに比例して増加する．分化癌（乳頭癌と濾胞癌）の結節はかたく，気管および前頸筋など周辺臓器への浸潤のため可動性が制限されている場合がある．なかでも乳頭癌の頻度が高く，全体の悪性甲状腺腫瘍の 90％以上を占める．甲状腺超音波検査で内部エコーの不均一性，微細石灰化（砂粒小体），囊胞状病変の乳頭増殖が認められる．気管，前頸筋への浸潤を伴っているか否か，さらに周辺リンパ節腫脹の有無に注意する．細胞診での正診率はきわめて高い．濾胞癌は，術前の確定診断が困難な腫瘍である．腫瘍細胞の被膜浸潤，甲状腺外への転移により病理診断される．これら分化癌の網羅的遺伝子解析の結果から，遺伝子再配列異常や点突然変異の頻度が明らかにされつつあるが[1]，術前の遺伝子診断は確立されていない．髄様癌は甲状腺傍濾胞細胞より発生し，カルシトニン，CEA を過

剰分泌する．甲状腺癌の1〜2％を占め，遺伝性と散発性に分類される．遺伝性髄様癌は全体の約1/3で，多発性内分泌腺腫瘍（multiple endocrine neoplasia: MEN）2a型（副腎褐色細胞腫，副甲状腺機能亢進症を合併），MEN 2b型（口唇，舌などの多発性粘膜腫瘍，Marfan様体型），家族性髄様癌（familiar medullary carcinoma of the thyroid: FMTC）に分類される．RET遺伝子診断が有用である．未分化癌は，甲状腺癌の約1％前後を占めるが，60歳以上の高齢者に多く男女比は1：1である．分化癌の経過中に急性悪性転化した場合には，周囲への局所性浸潤性癒着を起こし，可動性はなく，ときに圧痛がある．頸部の急激な腫脹や局所皮膚の発赤，びらんなどに加え，全身転移をきたし，予後不良である．診断確定後数カ月〜1年以内の余命のことが多く，種々の治療に抵抗性である．^{67}Gaシンチグラフィで病変部に一致した集積像を呈する．悪性リンパ腫は，甲状腺悪性腫瘍の2〜3％である．60歳以上の女性に多い．慢性甲状腺炎を基礎疾患とする場合もある．弾性硬の腫瘤を触知し，超音波では比較的均一で著明な低エコー像を呈する．^{67}Gaシンチグラフィで病変部に一致した集積像を呈する．

以上，甲状腺腫は一般に無症状であるが頻度が高く，日常臨床では甲状腺超音波検査が普及し，1cm以下の微小病変の発見頻度が増している．事実，福島県その他の小児甲状腺超音波検査の結果でも健常者の半数以上に囊胞や小結節が多く発見され[2]，その所見の読み方と対処法が重要であり，結節の質的診断の精度に注意が必要である．　　　　　　　　　〔山下俊一〕

■文献（e文献4-22）

Davies L, Welch HG: Current thyroid cancer trends in the United States. *JAMA Otolaryngol Head Neck Surg.* 2014; **140**: 317-22.
日本乳腺甲状腺超音波診断会議甲状腺用語診断基準委員会編：甲状腺超音波診断ガイドブック 改訂第2版, p163, 南江堂, 2012.
Russ G, Leboulleux S, et al: Thyroid incidentalomas: epidemiology, risk stratification with ultrasound and workup. *Eur Thyroid J.* 2014; **3**: 154-63.

4-23　肥満
obesity

概念

肥満はからだに脂肪が過剰に蓄積した状態である．肥満による合併症がすでに存在するか，またその発症あるいは増悪にかかわり，医学的管理の必要性があるものを肥満症（obesity）と定義する．肥満の指標として，体重（kg）÷（身長（m））^{2}で求めるbody mass index（BMI）が用いられ，BMI 25以上を肥満とする．臨床的には，肥満に伴う合併症を併発しやすい内臓脂肪蓄積型肥満が重要視されている．

病態生理

1）エネルギーバランス： 肥満をもたらす基礎疾患の有無によって，明らかな原因がない単純性肥満（原発性肥満）と症候性肥満（二次性肥満）に分けられる．肥満の90％以上を占める単純性肥満は，摂取および消費エネルギーのバランスがくずれ，余分なエネルギーが脂肪として貯蔵されることによって生じる．エネルギー摂取過多の要因としては，過食や間食など食物摂取の過剰がある．エネルギー消費系としては，基礎代謝，運動（身体活動），食事誘導性熱産生によるものが，それぞれ60〜75％，15〜30％，10％の割合で関与している．エネルギー消費系の要因としては，運動不足が最も大きい．基礎代謝や熱産生による消費系はホルモンや自律神経系で自動的に調節される．

2）遺伝要因： 肥満遺伝子（ob gene）は脂肪蓄積に伴って脂肪組織で特異的に発現が亢進し，レプチンを産生する．レプチンは食行動調節中枢が存在する視床下部に運ばれ，同部のレプチン受容体と結合し，摂食を抑制するとともに，自律神経系を介し，末梢でのエネルギー消費を亢進させる．レプチン産生異常あるいはレプチン受容体異常に基づく肥満発症家系が少数例ではあるが報告されている．一般的な肥満症患者では，レプチンの産生や受容体に異常はなく，脂肪蓄積増加を反映して血中レプチン値が増加している．レプチン値が高いにもかかわらず肥満が是正されていないため，肥満症患者にはレプチン抵抗性があると考えられる[2]．

β_3-アドレナリン受容体は脂肪組織に存在し，交感神経系を介する熱産生と脂肪分解に重要な役割を果たしている．このβ_3-アドレナリン受容体遺伝子のミスセンス変異がヒトでも比較的多く存在することがわかり，肥満症やその合併症発症との関連が明らかにされている[3,4]．

以上より，肥満発症に遺伝的要因が存在することは確実である．しかし，親子間など家族内発症については，食生活や食習慣などが類似しているという後天的要因も関与しており，遺伝的要因だけでは説明できないことも多い．

3）食行動調節系： 食行動は，摂食中枢である視床下部外側野（lateral hypothalamic area：LHA），満腹中枢である視床下部腹内側核（ventromedial hypothalamic nucleus：VMH）および室傍核（paraventricular nucleus：PVN），レプチン受容体を豊富に有する弓状核（arcuate nucleus：ARC）などによって構成される神経回路網によって調節されている（e図4-23-A）．これらの中枢に存在するニューロン群が，食行動に連動して血液中で増減するグルコースなどの代謝産物やレプチンなどのレベルをモニターし，食行動に反映させる[5]．PVNには摂食抑制物質である副腎皮質刺激ホルモン放出ホルモン（corticotropin releasing hormone：CRH）が存在し，レプチンによって促進性の制御を受けている．ARCは摂食促進物質であるニューロペプチド-Y（neuropeptide-Y：NPY）やアグーチ関連蛋白（agouti-related protein：AgRP），摂食抑制系である pro-opiomelanocortin（POMC）系ニューロンが存在し，レプチンによってそれぞれ抑制性と促進性の調節を受けている．その他ノルアドレナリン，セロトニン，ヒスタミンなどのモノアミン類も食行動やエネルギー代謝の調節物質として作動している．

胃や肝臓の内臓由来の内因性情報，環境温度など体性感覚によってもたらされる外因性情報も，視床下部に入力しており，視床下部はそれらの情報を統合的に処理することによって，動物の食行動をより適切なものへと導いている．また食行動の動機づけや，意思，欲求，記憶，認知など，より高次の脳機能に関与する大脳皮質連合野や大脳辺縁系からの情報入力もある．ストレス過食など，ヒトの肥満症発症につながる問題食行動にはこの調節系の影響が大きい．

4）代謝動態： 肥満に伴うインスリン抵抗性には，脂肪組織より分泌されるTNF-αやレジスチンなどのアディポサイトカインが関与している[6]（e図4-23-B）．肥満症で増加する遊離脂肪酸（free fatty acid：FFA）も，脂肪毒性を介してインスリン作用を抑制する．インスリンの作用低下は，やがて耐糖能異常，糖尿病の発症へと結びつく．一方，アディポネクチンは脂肪組織特異的に発現する蛋白で，抗動脈硬化作用，抗糖尿病作用を有する．肥満に伴ってアディポネクチンが減少することも，インスリン抵抗性や動脈硬化の増悪につながる．

食事性脂肪から合成されたカイロミクロンや，肝で合成された VLDL の主成分である血液中のトリグリセリド（TG）は，リポ蛋白リパーゼ（lipoprotein lipase：LPL）により FFA に分解される．この段階で脂肪細胞内に取り込まれた FFA とグルコースによって，脂肪細胞内で TG が合成される．この過程で，インスリンは LPL 活性およびグルコースの細胞内取り込み

表4-23-1 おもな症候性肥満症（文献1を改変）

肥満の分類と鑑別診断		主要徴候
疾患名 1. 単純性肥満（原発性肥満） 2. 症候性肥満（二次性肥満）		
A. 内分泌性肥満	Cushing 症候群	中心性肥満，満月様顔貌，水牛肩，赤色皮膚線条，多毛，痤瘡，高血圧，糖尿病
	甲状腺機能低下症	浮腫様顔貌，皮膚乾燥，耐寒性低下，脱毛，便秘
	偽性副甲状腺機能低下症	円形顔貌，低身長，中手骨/中足骨の短縮，テタニー，痙攣
	多嚢胞性卵巣症候群（Stein-Leventhal 症候群）	多毛，無月経，不妊，男性化，両側性多嚢胞性卵巣腫大
	インスリノーマ	低血糖，Whipple の3徴
B. 遺伝性肥満（先天異常）	Bardet-Biedl 症候群	肥満，網膜色素変性，知能低下，性器発育不全，多指症，遺伝性，奇形，腎症
	Alström 症候群	肥満，網膜色素変性，難聴，糖尿病，腎症
	Klinefelter 症候群	男性：性染色体異常（XXY），ときに肥満，性発育遅延
C. 視床下部性肥満	1）視床下部の器質的破壊	
	視床下部・下垂体腫瘍	視床下部・下垂体機能低下症状
	頭蓋咽頭腫 下垂体マクロアデノーマの上方進展 神経膠腫 髄膜腫 奇形腫 胚細胞腫瘍 転移性腫瘍 （Fröhlich 症候群）	脳腫瘍症状
	頭部外傷・放射線治療後遺症 外科手術	視床下部・下垂体機能低下症状
	視床下部炎症性疾患	視床下部・下垂体機能低下症状，サルコイドーシス，脳炎，結核などによる症状
	脳血管障害	視床下部・下垂体機能低下症状，脳血管障害による症状
	Kleine-Levin 症候群	嗜眠発作，多食，若年男子，急性熱性疾患直後に発症
	empty sella 症候群	中年以上の経産婦，頭痛，視力障害，髄液漏，無月経，乳汁分泌
	2）視床下部の機能障害	
	Prader-Willi 症候群（遺伝性肥満とすることもある）	知能障害，性器発育不全，筋緊張低下，アーモンド様眼裂，特徴的顔貌
	レプチン遺伝子異常	出生直後からの食欲過剰，異常な体重増加，軽度の低身長，情動不安定，社会性の低下，小児期からの易感染性，二次性徴低下
	POMC 遺伝子異常	若年発症の高度肥満，副腎不全，赤毛
	MC4 受容体遺伝子異常	出生直後からの食欲過剰，異常な体重増加
	PC 1 遺伝子異常	若年発症の高度肥満，性腺機能低下，食後低血糖，副腎皮質機能低下

を促進することにより，脂肪合成に促進的に働く．脂肪分解の過程では，脂肪細胞内に蓄積された TG がホルモン感受性リパーゼ（hormone sensitive lipase：HSL）によって FFA とグリセロールに分解される．インスリンは，HSL 活性を抑制することで脂肪分解に抑制的に働く．したがって，高インスリン血症は基本的には脂肪合成促進，脂肪分解抑制作用を介し，脂肪蓄積を増大させる方向で働くことになる．肥満症では，過剰エネルギー摂取による原料供給と脂肪組織からの FFA の動員増加があり，肝臓での TG および VLDL の過剰産生，過剰分泌が起こる．

一方，末梢組織のインスリン抵抗性が増大すると，LPL 活性はむしろ低下し，TG の異化障害が加わって，高トリグリセリド血症，高 VLDL 血症をきたすことになる．

合併症
1）**代謝系**：　高インスリン血症，2 型糖尿病，耐糖能異常，脂質異常症，高尿酸血症および痛風を認める．
2）**メタボリックシンドローム**：　内臓脂肪蓄積型肥満に脂質異常症（高トリグリセリド血症または低 HDL コレステロール血症），高血糖，高血圧のうち 2 つを合併した病態をメタボリックシンドロームと診断する．心筋梗塞など動脈硬化性疾患の危険因子として注目されている．
3）**循環器系**：　高血圧，冠動脈疾患，脳血管障害，肥満関連腎臓病などがある．
4）**呼吸器系**：　睡眠時無呼吸症候群（sleep apnea syndrome），肥満低換気症候群が問題である．
5）**消化器系**：　脂肪肝，胆石症の合併が多い．
6）**その他**：　変形性膝関節症，股関節症などの整形外科的疾患，女性では無月経などの月経障害や妊娠合併症（妊娠糖尿病，妊娠高血圧症候群，難産）がある．胆道癌，大腸癌などの悪性疾患の発生率も高い．

診断
BMI が一般的に用いられ，BMI 25 以上を肥満と定義する（e図 4-23-C）．インピーダンス法などを用いた体脂肪率の測定では，男性で 25％以上，女性で 30％以上を肥満と判定することが多い．腹部 CT 断面像による蓄積内臓脂肪の判定（脂肪面積が $100\ cm^2$ 以上のものを内臓脂肪型肥満と診断）も重要だが，簡便法として臍レベルでの腹囲測定を行い，男性 85 cm 以上，女性 90 cm 以上を内臓脂肪蓄積型肥満とする．

鑑別診断
おもな症候性肥満症を表 4-23-1 に示す．

〔浅原哲子・小川佳宏〕

■文献（e文献 4-23）
日本肥満学会：肥満症治療ガイドライン 2006．肥満研究．2006; **12**.
日本肥満学会・肥満症診断基準検討委員会：肥満症診断基準 2011．肥満研究．2011; **17**.
吉松博信：脳と食欲制御．臨床糖尿病学，内分泌・糖尿病科．2005; **20**: 76-90．

4-24　るいそう
emaciation, weight loss

概念
BMI から算出した標準体重より体重が 20％以上減少している場合に，るいそうと診断する．ただし 20％以下でも，短期間に急激な減量をきたす場合には臨床上問題となる．

成因・病態生理
脳では 1 日約 100 g，ほかの組織では約 50 g のグルコースを必要としている．絶食などのエネルギー欠乏状態ではこのグルコースを補うため，短期的（12〜24 時間のレベル）には，肝臓のグリコーゲン分解が起こり，その後にアミノ酸などによる糖新生，脂肪分解を生じる．長期的エネルギー欠乏時には筋肉蛋白質が利用されるようになる．この過程で生体は代謝を低下させるなど，エネルギー消費を抑制する方向で適応しようとする．このように，るいそうの病態生理は肥満発症と同様，摂取エネルギーと消費エネルギーのバランスおよび生体内エネルギーの代謝動態が問題となる．具体的には，疾患に伴う摂取エネルギーの減少，エネルギー利用障害，代謝亢進によるエネルギー消費の増大がある．

1）**摂取エネルギー減少**：

a）**食欲低下**：うつ病や神経性食欲不振症などの食事摂取量の低下は，中枢神経系の食行動調節系の機能異常に基づく．視床下部だけでなく大脳皮質連合野など高次中枢の関与があると考えられる．脳腫瘍など中枢神経系の器質的疾患による食欲低下もあるが，機能異常に比べ，頻度としては低い．

口腔を含めた消化器系の疾患に伴う食欲低下は最も頻繁に観察される．胃潰瘍や炎症性大腸疾患などにおいて，悪心，嘔吐，腹痛などの消化器症状とともに食欲低下を認める．しかし，食欲抑制信号など疾患ごとの摂食抑制メカニズムは不明な点も多い．摂食調節の情報伝達系としては，まず消化管および肝門脈の求心性迷走神経が消化管の機械的刺激やグルコース，消

化管ペプチドなどに応答し，それらの末梢信号を神経性に延髄，視床下部へと伝達する．コレシストキニン(CCK)やグレリンなど摂食調節作用を有する消化管ペプチドによる液性情報伝達も重要である．全身性のものとしては，悪性腫瘍や炎症性疾患など消耗性疾患とよばれるものの多くに食欲低下を認める．これらの疾患では血液中に増加するインターロイキン-1βやTNF-αなどの免疫サイトカインが視床下部に作用し，食欲を抑制する．

b）消化吸収障害：消化酵素の機能低下や慢性の下痢を伴う疾患で認められ，結果的にエネルギー摂取の低下を起こす．消化性潰瘍，慢性膵炎，膵腫瘍(WDHA症候群やZollinger-Ellison症候群)，蛋白漏出性胃腸症，吸収不良症候群などがある．

2) エネルギー代謝，利用障害： 糖尿病が代表的疾患である．インスリン作用が低下し，筋肉や脂肪組織でのグルコースの利用が低下する．グルコースが利用できないため，脂肪酸やアミノ酸をエネルギー源として用いるようになる．その結果，筋肉の蛋白質合成が低下する．インスリンの脂肪合成作用，脂肪分解抑制作用も低下する．ホルモン感受性リパーゼ(HSL)により脂肪分解が起こり，脂肪組織でトリグリセリド(TG)が分解されて，遊離脂肪酸(free fatty acid：FFA)とグリセロールが，血中に遊離され体重は減少する．

3) エネルギー消費亢進： 甲状腺機能亢進症や褐色細胞腫で認められる．甲状腺ホルモンやカテコールアミンによる代謝亢進作用によってエネルギー消費が増加する．また体温1℃の増加に伴ってエネルギー消費が10〜15％亢進するため，感染症など発熱を伴う多く

表 4-24-1 るいそうをきたす疾患

1. 摂取エネルギー減少		
A.食欲低下	中枢神経疾患	うつ病，神経性食欲不振症，統合失調症，脳腫瘍など
	消化器疾患	口腔内疾患，食道・胃・小腸・大腸などの消化管の炎症や潰瘍，悪性腫瘍などの疾患，慢性膵炎，膵臓癌，肝硬変など
	全身性疾患	感染症，悪性腫瘍，消耗性疾患
B.吸収障害消化	消化酵素分泌低下(肝・胆道・膵疾患)，慢性下痢(腸結核などの腸管感染症，Crohn病，AIDSなど)，蛋白漏出性胃腸症，膵腫瘍(Zollinger-Ellison症候群，WDHA症候群)	
2. エネルギー代謝・利用障害		
インスリン分泌低下を伴う糖尿病		
3. エネルギー消費亢進		
甲状腺機能亢進症，褐色細胞腫，発熱性疾患(肺結核，AIDSなど)		
4. その他		
アルコール依存症，筋萎縮性疾患		

の疾患ではエネルギーバランスが破綻する．

鑑別診断

るいそうをきたす主要疾患を表 4-24-1 に示す．

〔浅原哲子・小川佳宏〕

■文献

吉松博信，坂田利家：末梢代謝調節系の異常による食行動の調節障害．日本臨牀．2001; 59: 456-65.

肥塚直美：体重減少(るいそう)．日本医師会雑誌．2011; 140: 140-2.

4-25 ばち指・チアノーゼ

1) ばち指
clubbed fingers, clubbing of fingers

概念

ばち指とは，指趾の爪の根もと部分の結合組織が増殖して太鼓のばち状を呈した状態であり，先天性心疾患や肝硬変などの短絡疾患および肺癌や肺膿瘍などの肺内疾患におもに伴い出現する(図 4-25-1)．

診断に関しては，指趾を真横から見て，①爪甲基部の厚み(distal phalangeal depth：DPD)と指節間関節部の厚み(interphalangeal depth：IPD)の比が1以上になるか(正常では1未満)，②爪甲と後爪郭・軟部組織で形成される爪郭角が180°以上になるかで判断する(正常では160°以下)(図 4-25-2)．

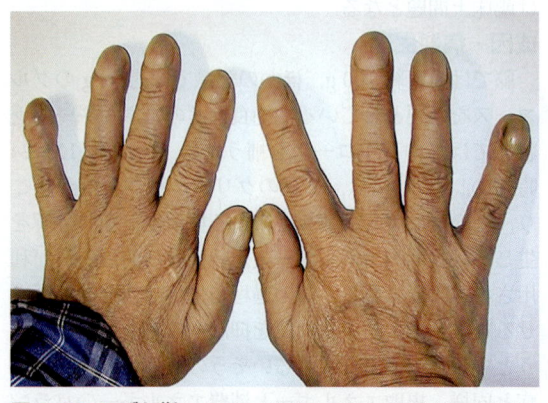

図 4-25-1 ばち指(大阪医科大学附属病院呼吸器内科科長後藤功先生より提供)

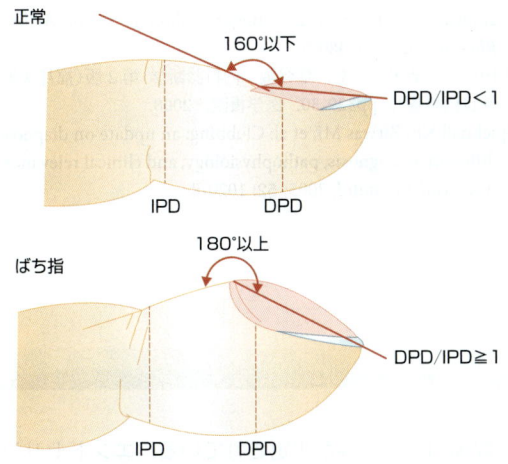

図 4-25-2 ばち指の診断のポイント

病態生理

病態に関しては以下の説が有力である．巨核球と大型血小板は正常肺の血管床を通過するときに断片化されるが，先天性心疾患や肝硬変などの短絡ができる病態では断片化されずに体循環から四肢末端に到達し，内皮細胞の活性化を引き起こし，血小板由来増殖因子（platelet derived growth factor：PDGF）などの体液性増殖因子を分泌することにより，周辺組織の増殖を惹起させる．また肺癌や肺膿瘍などの肺内疾患の存在時には体液性増殖因子が局所で産生され，体循環を通じて末梢に至ることにより本病態に関与するとされ，感染性心内膜炎では指趾末端の微小血栓による血管閉塞に続く血管拡張が本徴候を引き起こすとされる．

鑑別診断

短絡疾患，肺内疾患のみならず表 4-25-1 に記載したさまざまな疾患で本徴候がみられる．

表 4-25-1 ばち指の原因疾患

- 心血管系疾患
  先天性心疾患（右→左短絡を引き起こすもの），感染性心内膜炎，感染性動脈グラフト，気管支動静脈瘻，心臓粘液腫など
- 肺疾患
  肺膿瘍，膿胸，気管支拡張症，嚢胞性線維症，特発性間質性肺炎，じん肺，肺動静脈瘻，肺癌，転移性骨肉腫，悪性中皮腫，結核など
- その他
  炎症性腸疾患，celiac 病，肝硬変，原発性硬化性胆管炎，消化管由来のリンパ腫，甲状腺機能亢進症，HIV 感染，特発性，遺伝性など

2）チアノーゼ
cyanosis

概念

チアノーゼとは，皮膚や粘膜が暗青紫色を呈する状態で，毛細血管の静脈叢の還元ヘモグロビンまたは異常ヘモグロビンの増加が原因となるが，中枢性チアノーゼと末梢性チアノーゼに大別される．

病態生理

中枢性チアノーゼとは心・大血管・肺胸郭病変による動脈血酸素飽和度の減少によるもので，末梢性チアノーゼとは末梢血流障害による毛細管血液の還元ヘモグロビン増加によるものである．特殊形として右→左短絡を伴う動脈管開存などにより上・下肢いずれか一方だけにチアノーゼがみられる解離性チアノーゼがある．

チアノーゼは還元型ヘモグロビン濃度が 5 g/dL 以上，または異常ヘモグロビン濃度が 0.5 g/dL 以上になったときに出現する．よってヘモグロビンの絶対量の減る貧血では起こりにくく，赤血球数の増加する多血症で起こりやすい．

鑑別診断

表 4-25-2 に示すさまざまな疾患がチアノーゼをきたす．中枢性チアノーゼでは，異常ヘモグロビン血症以外は動脈血酸素飽和度の低下が認められる．その場合 100％酸素投与により改善しなければ右→左短絡をもつ先天性心疾患あるいは動静脈シャントをつくる種々の疾患が原因であると考えられ，改善すればシャント疾患以外の肺疾患や換気障害によるものと診断できる．末梢性チアノーゼでは，心不全やショックによ

表 4-25-2 チアノーゼの原因疾患

- 中枢性チアノーゼ
  - 先天性心疾患
    Fallot 四徴症，三尖弁閉鎖，大血管転位症，Ebstein 奇形，肺動静脈瘻，Eisenmenger 症候群など
  - 呼吸機能障害
    広汎肺炎，閉塞性肺疾患，肺水腫，pickwick 症候群など
  - 動静脈短絡をつくる種々の疾患
  - 異常ヘモグロビン血症
    メトヘモグロビン血症，スルフヘモグロビン血症など
- 末梢性チアノーゼ
  - 心拍出量低下
    心不全，ショックなど
  - 動静脈閉塞
    閉塞性動脈硬化症，動脈塞栓，血栓性静脈炎，静脈瘤など
  - Raynaud 症候群
  - 寒冷暴露
- 解離性チアノーゼ
  - 動脈管開存症に大動脈縮窄症を伴う場合など

る心拍出量低下以外では局所の循環障害が原因となるため，全身性の動脈血酸素飽和度の低下は認められず，チアノーゼも局所的に発現する． 〔鈴木富雄〕

■文献

Martinez-Lavin M: Exploring the cause of the most ancient clinical sign of medicine: finger clubbing. Semin Arthritis Rheum. 2007; 36: 380-5.
千田彰一：チアノーゼ，症候編．内科診断学 第2版（福井次矢，奈良信雄編），pp329-30，医学書院，2008．
Spicknall KE, Zirwas MJ, et al: Clubbing: an update on diagnosis, differential diagnosis, pathophysiology, and clinical relevance. J Am Acad Dermatol, 2005; 52: 1020-8.

4-26 Raynaud 症状

概念

Raynaud 症状とは，1862年に Raynaud が報告した症状である（Raynaud，1862）．寒冷刺激や精神的緊張などにより手足の末梢の小動脈が発作的に収縮し血液の流れが悪くなり，手指や足趾の皮膚が色調変化をきたす症状をいう（図4-26-1）．色調変化は蒼白になっている部分の境界が比較的鮮明であるのが特徴である．典型例では色調は白（蒼白）→紫（チアノーゼ）→赤（潮紅）の三相性の変化をたどるが（Herrick，2005）[1]，白→赤や白→紫など二相性のこともある．血管の収縮の後に拡張して血流が改善するが，そのときにうっ血が生じて赤紫の色調を呈す．

報告されている頻度はさまざまであるが，全人口の数％と考えられている．女性に多く，寒冷地域では頻度は上昇する[2]．

病態生理

Raynaud 現象の主要病態は血管収縮と血管拡張の不均衡である（Baumhäkel ら，2010）．血管内皮細胞由来の因子としてプロスタサイクリン・一酸化窒素（NO）などの血管拡張因子や，エンドセリンなどの血管収縮因子の関与が想定されている．エンドセリン-1 の産生は，アンジオテンシン，バソプレシン，TGF-β といった物質により促進される．アンジオテンシンはエンドセリン-1 と同様血管収縮物質でもある．血管は交感神経血管収縮ニューロン，交感神経あるいは副交感神経血管拡張ニューロン，血管拡張感覚ニューロンにより支配されている．サブスタンス P，calcitonin gene-related peptide（CGRP），アセチルコリンなどの神経伝達物質の関与，交感神経による血管収縮の過敏性の関与などが考えられている．

その他，血管内循環物質が Raynaud 現象に関与していることが報告されている．血小板由来因子であるトロンボキサン A_2 や血小板由来の血管収縮因子であるセロトニン，酸化ストレスなどが Raynaud 現象に関連している．全身性進行性硬化症患者においては，トロンボキサン A_2 の合成が寒冷刺激で増加すると報告されている．さらには，遺伝的要因の関与も指摘されている．筋アセチルコリン受容体 β サブユニットの遺伝子や，セロトニン 1B・1E 受容体遺伝子などが疾患感受性遺伝子として報告されている[3]．（病態生理のまとめは e図4-26-A を参照．）

鑑別診断

Raynaud 現象は，基礎疾患を伴わない一次性と，基礎疾患を伴う二次性に大別される．Raynaud 現象の 3/4 は一次性と考えられている．一次性 Raynaud 現象の約25％は家族歴を有し，平均発症年齢は14歳前後，40歳以上で発症する頻度は27％程度しかない．一次性 Raynaud 現象および二次性 Raynaud 現象の比較を表4-26-1 に示す．一次性に比して二次性 Raynaud 現象では発作頻度，潰瘍への進展頻度が高い傾向にある．また，一次性 Raynaud 現象では爪郭毛細血管がほぼ正常であるのに対して，二次性 Raynaud 現象では，血管拡張や消失といった爪郭毛細血管の異常を認めることが多い．自己抗体の頻度についても一次性 Raynaud 現象では陰性あるいは低値である[2]．二次性 Raynaud 現象の基礎疾患は表4-26-2 に示すように多岐にわたるが，約半数は全身性

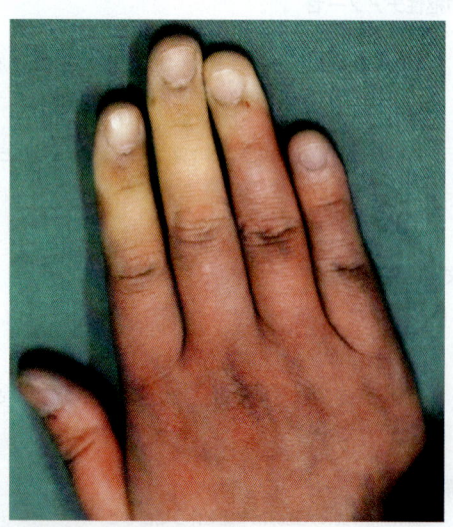

図4-26-1 Raynaud 症状

表 4-26-1 一次性 Raynaud 現象と二次性 Raynaud 現象の比較

特徴	一次性 Raynaud 現象	二次性 Raynaud 現象
自己免疫疾患との関連	なし	あり
発症年齢	＜30歳	＞30歳
発作時の疼痛頻度	少ない	多い
症状の部位	片側	両側
爪郭部毛細血管像	正常	拡張・欠損
指尖部潰瘍	なし	あり
自己抗体	陰性あるいは低値	高値
血管内皮細胞の活性化	あり	あり

強皮症，混合性結合組織病をはじめとする各種膠原病である[2]．

診断において重要な点は，Raynaud 現象の症状を確認したときには，必ず基礎疾患の有無を確認することである．膠原病に伴う二次性の Raynaud 現象であれば，膠原病の治療を行う必要がある．

治療

一次性 Raynaud 現象，二次性 Raynaud 現象にかかわらず，生活スタイルの変更が最も重要である．具体的には，寒冷暴露からの回避，血管収縮作用の可能性のある薬物の中止，禁煙が重要であり，一次性 Raynaud 現象患者にはこれらのライフスタイルの改善が十分な治療となる．二次性 Raynaud 現象患者においては，トリガーとなるものを避けることや背景にある基礎疾患を十分に治療することが大切である（e 図 4-26-B）．

上記のように Raynaud 現象の病態生理からすると薬物治療は，直接的に血管を拡張させるあるいは血管収縮を抑制するというように血管運動を調節することが基本となる．血管拡張薬としては，硝酸薬，Ca 拮抗薬[4]，プロスタグランジン製剤[5]，PDE-5 阻害薬[6]などがあげられ，血管収縮抑制薬としては，アンジオテンシン受容体拮抗薬[7]，α-アドレナリン受容体拮抗薬，エンドセリン受容体拮抗薬[8]などがあげられる．さらに，血管内皮機能を促進する薬剤として，Rho キナーゼ阻害薬，スタチンなどがあり，神経-血管調節に関するセロトニン再取り込み阻害薬なども Raynaud 現象の症状を改善する可能性がある．

〔川口鎮司〕

表 4-26-2 二次性 Raynaud 現象の基礎疾患

1. 膠原病および関連疾患：全身性強皮症，全身性エリテマトーデス，混合性結合組織病，皮膚筋炎/多発性筋炎，関節リウマチ，Sjögren 症候群，大動脈炎症候群
2. 閉塞性動脈疾患：動脈硬化症，動脈塞栓症，Burger 病
3. 血管攣縮性疾患：片頭痛，血管性頭痛，異型狭心症
4. 内分泌疾患：カルチノイド症候群，褐色細胞腫，甲状腺機能低下症
5. 悪性腫瘍：卵巣癌，血管中心性リンパ腫
6. 血液疾患：クリオグロブリン血症，クリオフィブリノゲン血症，寒冷凝集素症，パラプロテイン血症，多血症，マクログロブリン血症，プロテイン C・プロテイン S・アンチトロンビン III 欠乏症，factor V Leiden
7. 神経疾患：手根管症候群，末梢神経炎
8. 感染症：パルボウイルス B19，*Helicobacter pylori*，B・C 型肝炎，マイコプラズマ感染症
9. 反復性外傷や大血管の障害：松葉杖の圧迫，胸郭出口症候群
10. 化学物質，薬剤：ブレオマイシン，ビンブラスチン，シスプラチン，塩化ビニル，β遮断薬，エルゴタミン，methysergide，インターフェロン-α，インターフェロン-β，テガフール
11. 機械的外傷：振動病，凍傷
12. 重金属中毒：ヒ素，鉛

■文献（e 文献 4-26）

Baumhäkel M, Böhm M: Recent achievements in the management of Raynaud's phenomenon. *Vasc Health Rist Manag*. 2010; 6: 207-14.

Herrick AL: Pathogenesis of Raynaud's phenomenon. *Rheumatology*. 2005; 44: 587-96.

Raynaud M: Local asphyxia and symmetrical gangrene of extrimities, New Sydenham Society, 1862.

4-27 胸水
pleural effusion

定義・概念

胸水は，胸腔に存在する液体で，0.26 mL/kg程度 (10～20 mL)存在している．胸膜は肺表面と胸壁の内面を覆う漿膜で，前者を臓側胸膜，後者を壁側胸膜とよぶ．2枚の胸膜は連続しており肺門部で翻転して胸膜腔(胸腔)をつくる．胸水の存在は呼吸に伴う肺と胸壁の滑らかな滑走を支える潤滑油の役割を果たしている．胸膜表面は1層の中皮細胞で覆われる．中皮細胞は微絨毛を有する厚さ1～4μmの扁平な細胞で，マクロファージへの分化，細胞外マトリックスやサイトカインの産生，線維芽細胞の誘導，凝固線溶系の調節，などの多彩な機能を発揮する．

胸水の産生と吸収の病態生理

1)生理的状態における胸水: 生理的状態では，胸水は壁側胸膜の毛細血管から産生され，壁側胸膜のリンパ系から吸収される．胸水の産生は，Starlingの法則に示されるように，毛細血管と胸腔との静水圧較差と膠質浸透圧較差のバランスにより規定されている(図4-27-1).

Starlingの法則：
$$Q_f = L_p \cdot A[(P_{cap} - P_{pl}) - \sigma_d(\pi_{cap} - \pi_{pl})]$$

Q_f＝胸腔への水の動き，L_p＝膜の濾過係数・水硬伝導率，A＝膜の表面積，P_{cap}＝毛細血管の静水圧，P_{pl}＝胸膜の静水圧，σ_d＝膜の巨大分子通過を制限する力，π_{cap}＝毛細血管の膠質浸透圧，π_{pl}＝胸膜の膠質浸透圧．

生理的状態での胸水は，蛋白濃度が低いことを除けば基本的組成は血清と類似している．したがって胸腔液の膠質浸透圧は毛細血管内のそれより低く，また，胸腔内圧は陰圧であるため(重力や肺のひずみの影響で肺尖部と肺底部で約7 cmH₂Oの差がある)，壁側胸膜を介した胸腔への水分の動きが生じる．一方，臓側胸膜の毛細血管の静水圧は，壁側胸膜のそれよりも約6 cmH₂O少ない．これは，臓側胸膜の毛細血管は肺静脈へ注ぐためである．これのみが，臓側と壁側で違う要素であり，この違いのため臓側胸膜を介した圧差は0となるため臓側胸膜を介した正味の水の動きはないと考えられる．また，臓側胸膜のL_p(膜の濾過係数・水硬伝導率)は壁側胸膜のL_pより実際には小さいと考えられる．というのは，臓側胸膜は壁側胸膜より厚いため，血流は壁側胸膜側に比べてより離れて分布しているためである．胸膜を介した水の動きは，場所によっても違うし，呼吸の影響も受ける．たとえば，肋骨に面した壁側胸膜は肋間の壁側胸膜より水をより多く産生し，呼吸数が増えるとより多く産生される．

胸水は壁側胸膜のリンパ管小孔(lymphatic stoma, 胸腔に開口している直径2～10μmの小孔)から吸収される．臓側胸膜にはリンパ小孔はない．ここから胸水中の蛋白，水，細胞がリンパ管を介してクリアラン

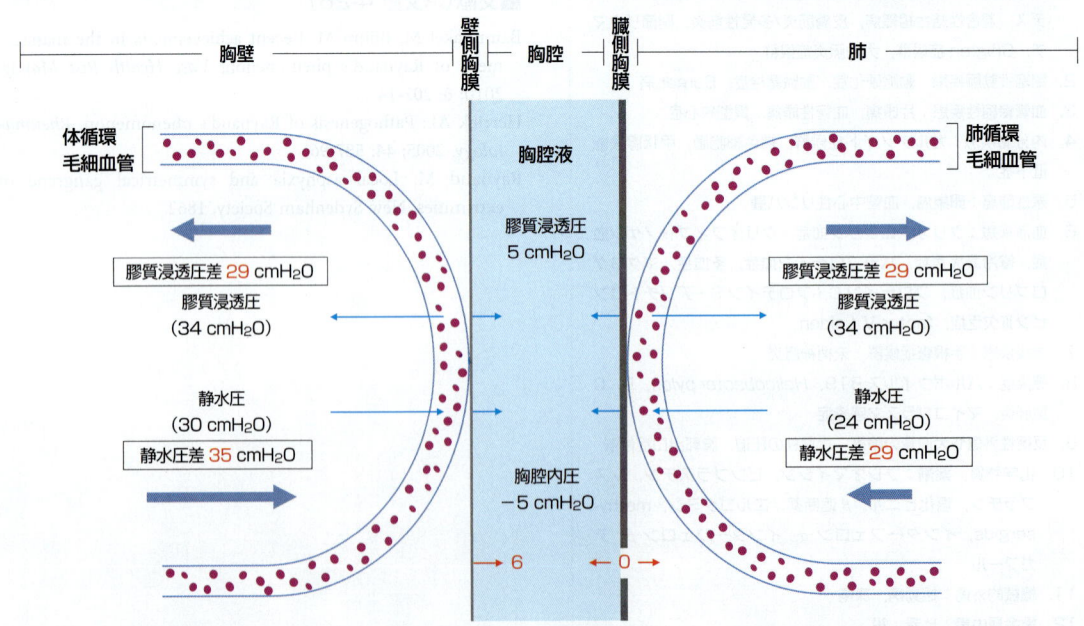

図 4-27-1 胸水産生の生理的メカニズム

表 4-27-1 胸水の貯留機転からみた原因疾患

1. 産生の増加	
肺組織間圧の上昇	・うっ血性心不全，肺血栓塞栓症，肺炎随伴性胸水，急性呼吸促迫症候群(ARDS)，肺移植
血管内圧の上昇 （静水圧較差の上昇）	・右心不全・左心不全，心嚢水貯留，上大静脈症候群
胸腔内圧の低下	・無気肺（下葉や片肺全体），臓側胸膜の肥厚による肺弾性収縮力上昇，あるいは肺弾性収縮力が上昇するような肺疾患
膜毛細血管透過性の亢進	・胸膜の炎症，VEGF（中皮細胞はVEGFR 陽性）の高値
血清蛋白の低下，あるいは胸水中蛋白質濃度増加（膠質浸透圧較差の低下）	・透過性亢進型肺水腫，血胸，胸膜毛細血管透過性が亢進する状態，低蛋白血症
2. 胸水の吸収の低下	
壁側胸膜からの胸水吸収の低下	・リンパ管の閉塞（肺癌，乳癌など） ・全身の静脈圧の増加（右心不全，上大静脈症候群）

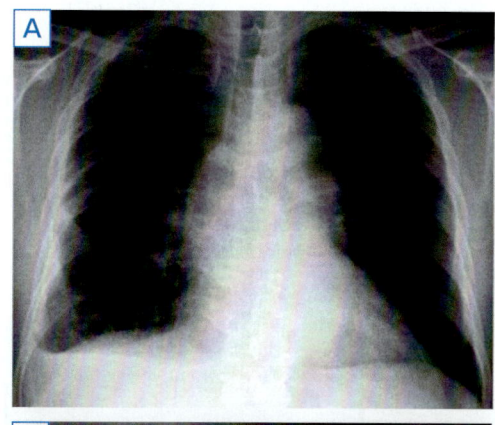

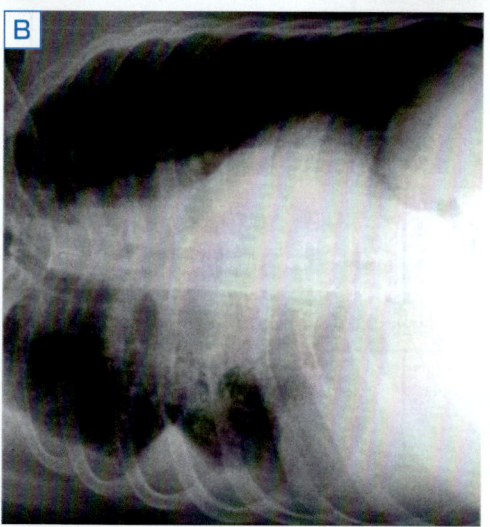

図 4-27-2　胸水の胸部 X 線所見
A：右肋骨横隔膜角が鈍であり，胸水貯留が疑われる．
B：右下側臥位で撮影すると，流動性のある胸水は重力の影響を受けて移動する．

スされる．

2) 胸水の貯留する病態：壁側胸膜のリンパ管系の排液能力には大きな個人差があり，20〜500 mL/時とされ，一般に胸水産生スピードの約 20 倍のクリアランス能力があると考えられている．一方，肺間質には，20 mL/時のリンパ流があると推定される．何らかの要因により胸水の産生と吸収のバランスが崩れると，胸水が貯留する（表 4-27-1）．静水圧上昇，膠質浸透圧低下（血清蛋白の低下あるいは胸水中蛋白質濃度増加），毛細血管透過性亢進，は産生増加をもたらし，全身の静脈圧の上昇やリンパ管の閉塞は吸収低下をもたらす．

　胸水の産生オリジンは，多くの病態では肺の間質由来と考えられている．透過性亢進型肺水腫でも肺血管圧上昇型の肺水腫でも，間質に水腫が生じてから胸腔に水が流出してくる．すなわち，肺血管外間質の水分量が一定の閾値をこえて上昇した場合に，胸水が生じると考えられている．最近は，低蛋白血症のみでは胸水産生の原因にはならないと考えられている．

診断

1) 存在診断：胸部 X 線写真により胸水は X 線透過性の低下した領域として描出される．胸水は流動性があるため，重力の影響を受けて胸腔内で低い部位に移動する．立位胸部単純写真では肋骨横隔膜角の鈍化（正面像），肋骨脊柱角の鈍化（側面像），側臥位像（decubitas view）による胸水貯留像の移動，などが診断に有用である（図 4-27-2）．少量の胸水を診断するには，超音波検査が有用である．一定量の貯留がないと身体所見で診断することは難しいが，打診では胸水貯留部位は濁音，その上部は鼓音となる．聴診では，胸水貯留部では呼吸音が減弱し，声音振盪も減弱する．

2) 漏出性胸水と滲出性胸水の鑑別：胸腔穿刺により胸水を採取し，その性状，生化学的検査所見により原因診断を行う．胸水が少量の場合には，超音波ガイド下に穿刺・採取することができる．

　まず，胸水と血清中の蛋白質と LDH を測定し，漏出性胸水か滲出性胸水か，を決定する（図 4-27-3）．①胸水/血清　蛋白比＞0.5，②胸水/血清 LDH 比＞0.6，③胸水 LDH ＞血清上限値の 2/3 は，Light 診断基準とよばれ，どれも満たない場合には漏出性胸水（transudative pleural effusion）と診断する（eノート 1）．どれか 1 つでも満たしていれば滲出性胸水（exudative pleural effusion）である可能性がある．漏出性胸水は炎症によらない胸水で，心不全，低蛋白血症（肝硬変やネフローゼ症候群）が最も一般的な原因である．通常，両側性が多いが，一側性胸水では右側が多い．一方，滲出性胸水は炎症による胸水で，多種類の原因疾患がある（表 4-27-2）．

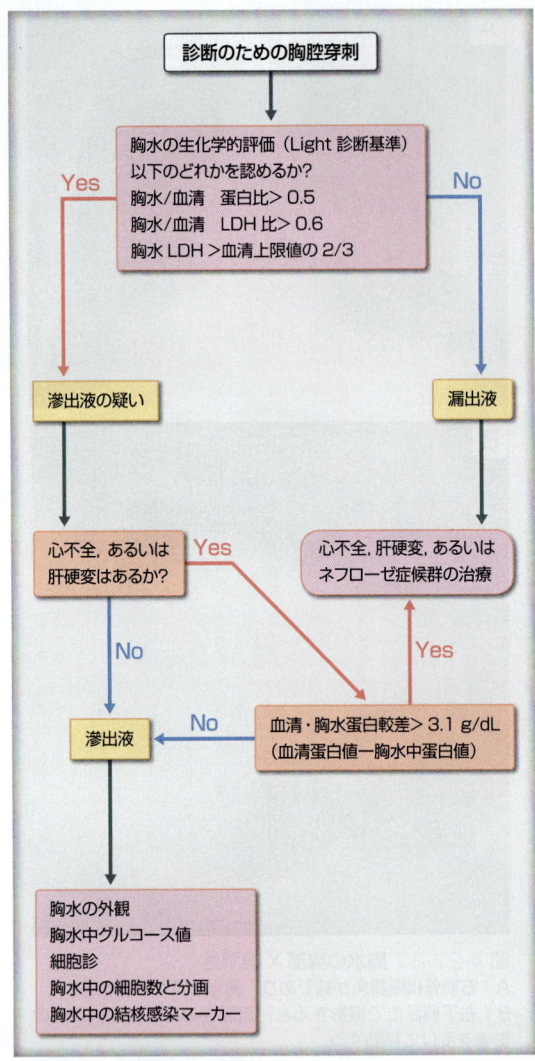

図 4-27-3 漏出性，滲出性胸水の鑑別手順

術操作に伴う胸管損傷により起こることが多い．基礎疾患としては，悪性リンパ腫が多い．その他に，リンパ脈管筋腫症ではLAM細胞の増殖に伴うリンパ管機能障害・閉塞などにより生じる．

b) 細胞数や分画：好中球優位の場合には急性炎症，あるいは細菌感染を示唆する．結核性胸膜炎はリンパ球優位な胸水であることが特徴であるが，急性期には好中球優位である．リンパ球優位な胸水は一般に慢性炎症を示唆し，癌性胸膜炎，膠原病に伴う胸膜炎などがある．好酸球が増加している場合（胸水細胞の10%以上）には，好酸球性多発血管炎性肉芽腫症，薬物性，寄生虫疾患，良性アスベスト性胸水，肺梗塞，悪性腫瘍，などがある．頻回の胸腔穿刺，胸腔内への空気あるいは血液の混入，でも好酸球増加を認める．

c) 細胞診：癌性胸膜炎の診断には必須である．胸水中の腫瘍細胞数が少ないと正診率が減少する．多量の胸水から細胞成分を遠心分離しセルブロックを作成すると正診率が向上する．リンパ腫では正診率が低いことが多い．

d) 細菌学的検査：感染性疾患を疑う場合には，塗抹Gram染色，培養（好気性，嫌気性）を行う．結核性胸膜炎を疑う場合には，陽性率は高くないが抗酸菌検査（塗抹，培養，遺伝子検査）を行う．

f) 生化学的検査：

i) pH：胸水中のpH＜7.3は胸水アシドーシスと診断され，悪性腫瘍，関節リウマチ，結核，肺炎随伴性胸水でみられる．pH＜7.2の肺炎随伴性胸水は胸水ドレナージを考慮するレベルである（eコラム1）．

ii) グルコース：胸水中のグルコースはルーチンに測定するべきで，＜60 mg/dLの場合には，肺炎随伴性胸水，癌性胸膜炎，結核性胸膜炎，関節リウマチ，の4疾患のうちのどれかである可能性が高い．

iii) ADA（アデノシンデアミナーゼ）：結核性胸膜炎の診断に有用である．ADA＞45〜60 U/Lであれば結核性胸膜炎の可能性が高い．

iv) アミラーゼ：膵炎に伴う胸水ではP型アミラーゼの上昇，食道破裂でみられる胸水では唾液の混入によりS型アミラーゼが上昇する．悪性腫瘍でもときにアミラーゼ産生腫瘍を経験するが，S型アミラーゼであることが多い．

v) コレステロール：胸水中のコレステロールは，胸水中の細胞の変性，血管透過性亢進が原因とされる．胸水コレステロール＞250 mg/dLは偽乳び胸とよばれ，長期間にわたって胸水が貯留した際に生じる．

vi) 腫瘍マーカー：癌性胸膜炎では胸水中の腫瘍マーカーが増加する．血清中より6倍以上高値であると診断的意義が高いとされる．

vii) ヒアルロン酸：＞100 μg/mLあると悪性中皮腫

3) 滲出性胸水の原因の鑑別：

a) 胸水の外観：外観を評価することにより，膿胸，血胸，乳び胸などの診断が可能である．

i) 膿胸：細菌感染による胸膜炎の際には肉眼的に膿性の胸水となる．嫌気性菌による膿胸では腐敗臭がする．

ii) 血胸：悪性腫瘍，肺梗塞，その他の炎症による胸膜炎で血液の混入した血性胸水を認めるが，胸水中のヘマトクリット値が末梢血液の50%以上である場合を血胸という．外傷による場合が最も多いが，自然気胸に際して壁側胸膜癒着部の血管断裂に伴い生じることもある．

iii) 乳び胸：乳びはミルク様のリンパ液を指し，腸管から吸収された脂肪成分（カイロミクロン）を豊富に含み胸管へ還流する．何らかの原因により胸腔に乳び液が貯留した状態を乳び胸とよぶ．食道癌や肺癌の手

表 4-27-2 胸水の鑑別診断（詳細はe表 4-27-A）

I. 漏出性胸水

A. 常に漏出性胸水となる疾患
- A. 心不全
- B. 肝硬変
- C. ネフローゼ症候群
- D. Fontan手術
- E. 尿胸 (urinothorax)
- F. 腹膜透析
- G. 脳脊髄液漏出
- H. 低アルブミン血症
- I. 無気肺

B. 通常は滲出性胸水となるが漏出性胸水となる場合もある疾患
- サルコイドーシス
- アミロイドーシス
- 上大静脈閉塞
- 収縮性心膜炎
- 肺塞栓
- 甲状腺機能低下症

II. 滲出性胸水

- A. 悪性腫瘍性疾患
- B. 感染性疾患
- C. 肺塞栓症
- D. 消化器疾患
- E. 心疾患
- F. 産婦人科系疾患
- G. 膠原病
- H. 薬剤による胸膜疾患
- I. その他
- J. 血胸
- K. 乳び胸

の可能性がある．しかし，上皮型以外では上昇しない．

viii) ネオプテリン：尿毒症性胸水の場合 > 200 nmol/L と高値を示す．

4) **胸膜生検**：結核性胸膜炎や悪性中皮腫の診断確定に胸膜生検が有用な場合がある．しかし，ブラインドで生検するため，病変を視認して生検可能な胸腔鏡下生検に比べ診断率は高くない．最近は，あまり実施されなくなっている．

5) **胸腔鏡下生検**：病変を視認して生検可能であるため診断率の高い検査法である．侵襲度が大きいが，局所麻酔下でも施行可能であるため普及してきている．

〔瀬山邦明〕

■ 文献

Light RW: Pleural Diseases, 6th ed, Lippincott Williams & Wilkins, 2013.

4-28 貧血

【⇨ 16-9-1-1】

4-29 出血傾向
bleeding tendency

概念

出血傾向とは，自然，または軽度の外傷による血液の血管外漏出や止血困難を表す徴候である．出血傾向は血液中の止血因子（血小板，凝固因子，線溶因子），および血管壁の先天的・後天的異常により起こりうる．出血傾向に遭遇した際には，その経過・診察から病態を推測し，確定診断のための臨床検査を効率よく行うことが肝要である．

病態生理

血管壁が損傷すると，生体は止血反応の進行によって出血を最小限にする．初期の止血反応を担うのが血小板である．この血小板の関与する止血反応を一次止血とよぶ．血小板活性化に引き続く，凝固因子による止血反応を二次止血とよぶ．一次止血は，決壊した堤防の土嚢の役割を果たし，二次止血はこれを埋めるセメントの役割をもつ．一次止血と二次止血は互いに相

互作用をしながら，出血部位に限局して止血栓を効率よく形成する．形成された止血栓は線溶により，血栓が適切な大きさに調節される．これらの止血反応の破綻により出血傾向を呈する．出血症状に遭遇した際には，上記の止血反応部位のどこに異常があるかを考える．出血傾向をきたす疾患を病態別に表 4-29-1，その診断アプローチを図 4-29-1 にまとめた．

鑑別診断

患者が出血傾向を主訴に受診するときは症状によって各診療科を受診する．出血斑は皮膚科，鼻出血は耳鼻科，下血は消化器内科，など多くの診療科が出血傾向の初期診断を担う．医療機関からの紹介は，観血的処置後の止血困難・スクリーニング検査値異常が多い．問診からは，出血傾向が先天的，後天的か，また，その家族歴に注意する．たとえば，血友病は伴性劣性遺伝のため小児期より出血傾向を認め，叔父や祖父に出血傾向があることが多い．von Willebrand 病 (VWD)では優性遺伝が大半を占め，この場合は親に出血傾向を認める．

診察時には出血の性状を十分観察する．出血傾向に伴う貧血の評価も重要である．一次止血異常では，点状出血に代表される小さな皮膚粘膜出血をきたす．点状出血は下腿前面に多い．点状出血に口腔内の紫斑・出血斑を合併したものは wet purpura とよばれ重篤な一次止血異常を表し，迅速な対応が必要である．二次止血異常では関節内，筋肉内出血が多く，皮膚への出血は大きな出血斑となる．体表面の出血は無くとも，血友病に合併する腸腰筋出血は大出血をきたすために入院加療が必要である．症状として股関節から大腿の伸展困難が特徴的である．後天性血友病(血液凝固第Ⅷ因子(FⅧ)インヒビター)は，通常の血友病と比較して関節出血が少なく，皮下へ広範な出血斑をとることが多い．線溶異常では，止血後の再出血が特徴である．これらの診察・問診によって鑑別診断を絞り，ス

表 4-29-1 出血傾向を呈するおもな疾患

分類			病名	成因
Ⅰ．血管・血小板系異常	血小板機能異常	先天性	血小板無力症	GPⅡb/Ⅲa 欠損・機能異常
			Bernard-Soulier 症候群	GPⅠb/Ⅸ/Ⅴ欠損(軽度血小板数低下)
			灰色血小板症候群(α-storage pool deficiency)	α 顆粒異常
			Hermansky-Pudluck 症候群，Chediak-higashi 症候群(δ-storage pool deficiency)	濃染顆粒異常
		後天性	抗血小板薬内服	アスピリン・クロピドグレル・NSAIDs など
			尿毒症・骨髄増殖性疾患	
	血小板数の異常	先天性	無巨核球性血小板減少症	TPO 受容体異常
		後天性	特発性血小板減少性紫斑病	血小板膜蛋白質への自己抗体産生
			血栓性血小板減少性紫斑病	ADAMTS13 に対する抗体産生
			薬物性血小板減少症	
			急性白血病・骨髄癌症・再生不良性貧血	骨髄造血不全
	血漿蛋白異常	先天性	von Willebrand 病	von Willebrand 因子欠乏・機能異常
	血管異常	先天性	遺伝性出血性毛細血管拡張症(Osler 病)	エンドグリン異常・ALK-1 異常
		後天性	IgA 血管炎(Henoch-Schönlein 紫斑病)	好中球破砕性血管炎
Ⅱ．血液凝固系異常		先天性	血友病	第Ⅷ因子，または第Ⅸ因子欠損
			その他の凝固因子欠損症	凝固因子の先天的欠損
			フィブリノゲン欠損症(異常症)	フィブリノゲン異常
		後天性	ワルファリン内服	
			肝硬変・ビタミン K 欠乏症	凝固因子産生障害
			播種性血管内凝固症候群	消費性凝固因子低下・血小板数低下
			後天性血友病・ほかの凝固因子インヒビター	抗凝固因子抗体産生
Ⅲ．線溶系異常		先天性	α2-プラスミンインヒビター欠損症	
			PAI-1 欠損症	
		後天性	APL に伴う播種性血管内凝固症候群	APL 細胞上のアネキシンⅡ過剰発現

NSAIDs：非ステロイド系抗炎症薬，TPO：thrombopoietin，ALK-1：activin receptor-like kinase-1，PAI-1：plasminogen activator inhibitor-1，APL：急性前骨髄球性白血病．

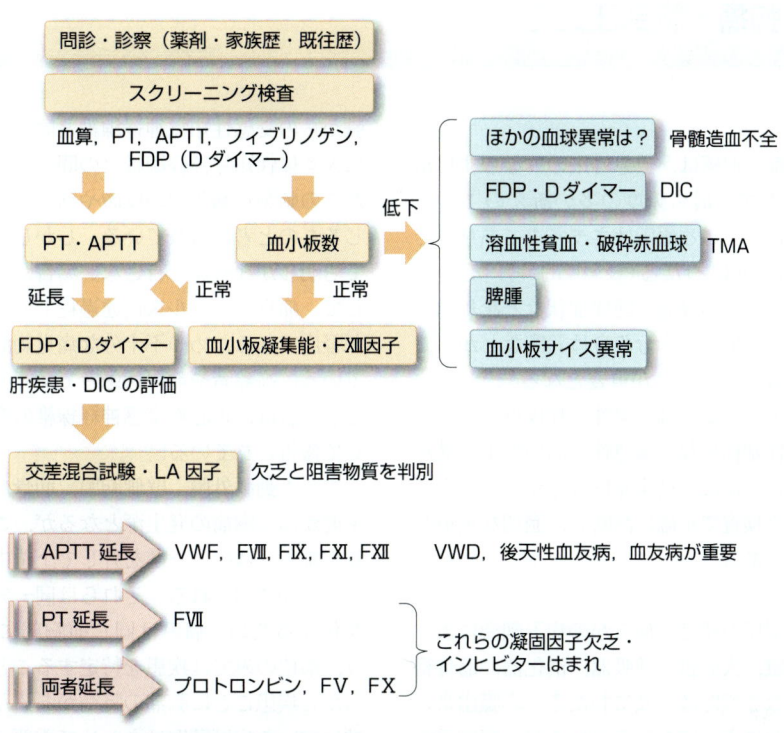

図 4-29-1 出血性疾患の診断アプローチ

クリーニング検査の解釈を行う．

スクリーニング検査として，末梢血血球計測検査（血算），塗抹標本，プロトロンビン時間（PT），活性化部分トロンボプラスチン時間（APTT），フィブリノゲン，およびFDP（またはDダイマー）の測定を行う．抗凝固薬エチレンジアミン四酢酸（EDTA）採血では，採血管中でEDTAによって血小板凝集塊を形成する偽性血小板減少症に注意する．また，採血に手間どると血液凝固によるPT，APTT延長が起こりうるので，臨床症状とデータの乖離が認められた場合は採血手技を確認する．一次止血の異常は血小板数の異常と機能の異常に分類される．日常診療では血小板数減少によることが主である．抗血小板薬など薬物性のものを除けば，血小板機能異常症はまれである．一次止血異常検査として行われる出血時間は精度が低く，正常でも必ずしも疾患を除外できない．血小板数低下に溶血性貧血を認め，末梢血塗抹標本に破砕赤血球を認めた場合には血栓性血小板減少性紫斑病や溶血性尿毒症症候群を鑑別にあげる．二次止血異常は，肝疾患による凝固因子産生障害や播種性血管内凝固症候群（DIC）による消費性凝固因子低下が多い．急性前骨髄球性白血病に伴うDICは線溶活性亢進による著しい出血傾向を呈する．

診断が確定できない場合には，確定診断のために凝固因子活性の測定を行う．PT，APTTの組み合わせから異常となる凝固因子を推定する．頻度が高く日常診療で重要な疾患としては血友病，VWD，および後天性血友病があげられる．これらの疾患はFⅧが低下し，APTTが延長するために鑑別が問題となる．von Willebrand因子（VWF）はFⅧを安定化するキャリア蛋白質であるためVWFの低下はFⅧ低下を伴う．FⅧの低下をみた際には必ずVWF活性を測定し，これらを鑑別する．さらに，凝固因子活性低下が，後天性か先天性かを判断するために交差混合試験が有用である．交差混合試験は患者血漿と正常血漿を一定の割合で混合し，PTやAPTTを測定する．凝固因子欠損であれば50%混合の際に検査値は正常化する．一方，凝固因子インヒビターなどの阻害物質が存在すれば，検査値は正常化しない【⇨ 16-12-5】． 〔大森　司〕

■文献

大森　司：出血性疾患の診断アプローチ．臨床血液．2013; **54**: 1888-96.

矢冨　裕：出血性疾患の診療のポイント．日本内科学会雑誌．2013; **102**: 658-63.

4-30 胸痛・胸部圧迫感
chest pain, chest oppression

概念

胸痛ないし胸部圧迫感は，救急外来のみならず日常の外来診療のなかで，最も頻度の多い訴えの1つである．しかし胸痛を生じる原因はさまざまであり，その鑑別疾患は広範囲にわたる（表4-30-1）．そのため，痛みの性状や症状の経過，随伴症状などを丹念に聴取し，危険因子の把握や十分な身体診察などから，ある程度疾患を絞り込むことが重要となる[1]．一方，胸痛をきたす疾患のなかには，急性冠症候群，急性大動脈解離，肺血栓塞栓症など緊急性の高い疾患が潜んでいる．これらは生命に直結する危険性が高い疾患であるため，迅速な検査で正確に診断し，適切な治療を行うことが重要である．

病態生理

胸痛および胸部圧迫感は，何らかの痛み刺激により発生するが，心臓，大血管，呼吸器，消化器，筋骨格系など，原因となる臓器は多岐にわたる．心臓由来の狭心痛は心筋虚血によってもたらされるが，痛覚受容器は起動電位を発生し，求心性の交感性知覚神経線維を経て脊髄後角に入る．その後角内でシナプスを介して二次ニューロンに伝わり，脊髄視床路に達し，脊髄，延髄，橋，視床，内包後脚を通り大脳皮質に到達する．これはいわゆる内臓痛であるが，ときに肩，上肢，背部などに放散する痛みを伴う．その原因は，心臓からの交感性知覚神経線維と同じレベルの脊髄後角に入る体性知覚神経線維との間にも連絡があり，心臓からの刺激が胸背部の皮膚や筋肉に伝わり放散痛を生じるものと考えられている．しかし，心筋虚血を生じても明らかな胸痛を有さない場合がある．その原因として，痛覚インパルス伝達過程での障害や，心筋虚血が軽度であるための不十分な痛覚刺激などが考えられている．高齢者や糖尿病患者で多くみられる無症候性心筋虚血は，求心性交感神経線維の変性などが要因として報告されている．

また大動脈外膜，壁側胸膜，肋骨，食道などは神経密度が高く胸痛の発生源となるが，これらの臓器の知覚線維も同様に，脊髄を介して上位中枢神経系に到達し痛みが認知される．それらは同一分節に収束し刺激を伝えるため，痛みは同じ前胸部に生じることがあり，部位のみでは疾患を特定することは困難である．しかし疾患ごとに胸痛の特徴があるため，それらを念頭においた病歴聴取はきわめて重要である．

鑑別診断

胸痛を訴える患者の鑑別診断を行う際にまずおさえるべきポイントは，緊急処置が必要な疾患か否かを判断することである．胸痛の性状，持続時間，随伴症状，誘因などについて簡潔に問診を行い，急性冠症候群，急性大動脈解離，肺血栓塞栓症などの緊急性が高

表4-30-1 胸痛あるいは胸部圧迫感をきたす疾患の特徴と身体所見

臓器	疾患	胸痛の特徴
心臓	狭心症	胸骨裏面や左前胸部の圧迫感，絞扼感，焼灼感，重苦感．下顎，心窩部，肩，左上腕への放散痛あり．
	器質性狭心症	運動や労作により胸痛が出現．労作の中断により数分～10分以内に軽快する．
	冠攣縮性狭心症	早朝，明け方の安静時に発作が多い．寒冷刺激や過呼吸で発作が誘発される．
	不安定狭心症	発作頻度の増加，程度の増強，持続時間の延長がみられる．安静時にも発作が出現する．
	急性心筋梗塞	突然発症の前胸部絞扼感，圧迫感で冷汗や悪心を伴うことが多い．30分以上持続する．
	急性心膜炎	鋭く持続的な前胸部痛，吸気や仰臥位で増強し，起座位や前屈で軽減する．心膜摩擦音を聴取する．
	大動脈弁狭窄症	労作性の胸痛．めまいや失神を生じる場合もある．遅脈および収縮期駆出性雑音を認める．
大血管	大動脈解離	突然発症の激烈な胸背部痛で冷汗を伴う．血圧の左右差，チアノーゼ，ショック，意識障害を生じる．
	肺血栓塞栓症	呼吸困難を伴う前胸部苦悶を認め，意識消失，ショックを生じる．反復すると呼吸困難の増悪を生じる．
	肺高血圧症	労作時息切れ，呼吸困難，易疲労感とともに増強する前胸部圧迫感．
呼吸器	胸膜炎	鋭く刺すような限局性の側胸部痛．深呼吸や咳により胸痛が増強する．
	肺炎/気管支炎	発熱，痰，咳，呼吸困難を伴う胸痛．水泡性ラ音を聴取する．
	自然気胸	突然の胸痛と呼吸困難，咳．打診で鼓音，聴診で固有音の減弱．声音振盪の減弱．
消化器	逆流性食道炎	胸やけを伴う胸骨下～心窩部痛で，前屈姿勢で増悪する．喉の痛みや慢性咳嗽を認める．
	胃・十二指腸潰瘍	遷延する胸骨下～上腹部痛．胃潰瘍では食後，十二指腸潰瘍では空腹時痛となり，黒色便を認める．
	胆石胆囊炎	心窩部～右上腹部の疝痛発作．食後に多く出現し，悪心・嘔吐，発汗，発熱を伴い遷延する．
	急性膵炎	心窩部～左上腹部，背部の鈍痛．食後やアルコール摂取と胸膝位で軽快し，仰臥位で増悪する．
筋骨格系	肋軟骨炎	肋軟骨部の限局的な圧痛．上肢を大きく動かすような体動や深呼吸などで痛みは増強する．
	椎間板疾患	背部，頸部～前胸部，上腕の痛みで，頸部の後屈により痛みが増強．手指のしびれ，脱力を伴う．
	外傷	胸部打撲などの非開放性外傷により生じる胸痛および呼吸困難．
その他	帯状疱疹	肋骨に沿ったピリピリとした胸痛．疼痛部位に発疹が出現する．発疹消退後も胸痛が遷延する場合がある．
	不安神経症	局所的な刺すような痛みで，持続は一瞬～長時間．めまい，息切れ，動悸など多彩な不定愁訴を伴う．
	パニック障害	予期しない不安から，激しい動悸，発汗，窒息感を伴う胸痛が出現し，10分以内にピークに達する．

い疾患を疑った場合には，適切な検査を速やかに行い，診断がつきしだいすぐに治療に移らなければならない．一方，緊急性が高くないと判断された場合には，詳細な問診と十分な身体診察を行う．これにより原因となる基礎疾患の診断に近づくことができ，特に狭心症は病歴聴取によって，ある程度診断をつけることが可能であるため，その特徴を理解しておくことが重要である．

1) **部位・範囲・放散の方向**：狭心痛は胸骨裏側，左前胸部，心窩部などのある程度広い範囲で生じ，ときに肩，下顎，左上肢への放散痛がみられる．急性大動脈解離では胸部から背部への激痛，自然気胸は片側性，消化器疾患は心窩部，帯状疱疹では肋骨に沿って生じることが特徴的である．一方，ピンポイントで指し示すことができる狭い範囲の痛みは，非心臓由来である場合が多い．

2) **性状・強さ**：典型的な狭心痛は，圧迫される，絞めつけられる，絞られる，焼ける，重苦しいなどと表現されることが多い．しかし，うまく表現することができず，ただ「胸が苦しい」とだけ訴え，「痛み」として尋ねると，むしろ否定される場合も少なくない．チクチク，ピリピリなどの刺されるような痛みは狭心痛ではない．また突然発症の死を感じるような激しい痛みは，急性心筋梗塞や大動脈解離が疑われるが，若年女性などではパニック障害を鑑別する必要がある．

3) **持続時間・頻度**：狭心痛の場合は数分〜10分以内がほとんどであり，特に労作性狭心症では安静により自然軽快することが特徴といえる．30分以上持続する場合は急性心筋梗塞を疑うが，性状が非典型的で心電図変化がみられない場合は非心臓由来を考えた方がよい．突然発症で持続する強い胸痛であれば，急性大動脈解離，肺血栓塞栓症，急性心膜炎，自然気胸などを鑑別し，比較的安定した持続性の胸痛であれば，帯状疱疹，消化器疾患，筋骨格系疾患，不安神経症などを考慮すべきである．

4) **発生状況・誘因**：器質性狭心症では歩行，運動，力仕事などの労作時に胸痛が発生し，冠攣縮(れんしゅく)性狭心症では早朝・深夜，寒冷などが誘因となり，安静時に胸痛を生じることが多い．急性心膜炎，胸膜炎，自然気胸では深呼吸により胸痛が増強することが特徴である．手術や長時間安静後の発症であれば肺血栓塞栓症，飲食との関連性があれば上部消化管疾患，体位や体動による胸痛の変化があれば筋骨格系疾患などを念頭におき鑑別を行う．

5) **随伴症状，身体所見**：冷汗，頻脈，チアノーゼを生じ，バイタルサインがショックであれば，まず第一に急性心筋梗塞，急性大動脈解離，肺血栓塞栓症を鑑別しなければならない．急性心筋梗塞では嘔吐，湿性ラ音，急性大動脈解離では意識障害，血圧の左右差，肺血栓塞栓症では呼吸困難，失神などが随伴症状および身体所見としてあげられ，これらは鑑別の一助となる．しかし随伴症状は病態によってバリエーションがあり，経時的にも変化するため，症状，バイタルサイン，身体所見を細やかにフォローすることが重要である．また肺炎・気管支炎における咳や発熱，上部消化管潰瘍での黒色便，食道疾患での嚥下困難，急性心膜炎における心膜摩擦音，大動脈弁狭窄症の心雑音なども特徴的な所見である．

6) **危険因子・既往歴など**：高血圧，糖尿病，脂質異常症，喫煙の有無などの危険因子に加え，年齢，性別，体型(体重)などは，虚血性心疾患を想定するうえで非常に有用な情報であり，必ず確認する必要がある．また脳血管疾患，末梢動脈疾患，透析患者などはハイリスクであるため，心血管由来の胸痛を優先的に考えるべきである．一方，胆石症，胃・十二指腸潰瘍，気胸などは反復することがあり，既往歴の確認が重要である．

以上より，患者からの病歴聴取に加え，家族からの情報，カルテの記載，処方されている薬の内容などを確認することで，ある程度疾患を絞ることができる．そのうえで必要な検査を効率よく行い，鑑別していくことが重要である．〔竹内利治・長谷部直幸〕

■文献
1) Bonow RO, Mann DL, et al: Braunwald's Heart Disease: A Textbook of Cardiovascular Medicine, 10th ed, WB Saunders, 2014.

4-31 呼吸困難
dyspnea

概念

呼吸は通常何の不快や苦痛を感じることなく無意識下で自動的に行われている．しかし，呼吸器疾患，循環器疾患，神経筋疾患，貧血などの患者ではしばしば労作に伴って，あるいは安静時においてさえも呼吸に伴う不安，不快，苦痛を「息苦しさ」，「息切れ」として訴える．ただし，健常者でも発熱，鼻閉があるとき，女性では妊娠時にもときに「息苦しさ」を自覚す

るし，不安や緊張によっても呼吸が強く意識されることがある．激しい運動をすれば身体に異常がなくてもだれでも「息苦しさ」を感じる．そこで，人が「息苦しさ」，「息切れ」と感じる呼吸感覚が健常者のレベルをこえて病的なものと想定されるときに症候学上の"呼吸困難"と称する．呼吸困難度の分類には通常修正MRC（modified Medical Research Council）スケールを用いる（表4-31-1）．これは英国・米国両呼吸器学会の合意によってつくられた世界的基準である（eコラム1）．

病態生理

呼吸困難をきたす生理学的要因としては，①動脈血ガス組成の異常（低酸素血症，高二酸化炭素血症，アシドーシス），②呼吸仕事量の増加（呼吸運動に伴う粘性抵抗あるいは弾性抵抗の増加），③呼吸筋の長さ-張力不均衡があげられる．肺粘性抵抗の増加とはいわゆる気道抵抗の増大であり喘息やCOPDが代表的な疾患である．一方，弾性抵抗の増大とは肺コンプライアンスの低下や胸水・胸郭変形による呼吸運動制限によって起こる．呼吸中枢からの指令と実際に呼吸に伴って生じる呼吸筋伸展の不均衡を筋紡錘が感知して呼吸困難をきたすという考えを"呼吸筋の長さ-張力不均衡仮説"とよぶ．しかし，いずれの生理学的要因であってもなぜ呼吸困難を感じるかという機序・神経経路を直接説明するものではない（eコラム2）．

呼吸困難の感覚はその原因疾患や呼吸刺激の種類・経路によって質が異なる可能性が報告されている．生理学的な直接的証明はなされていないが，患者が使う呼吸困難感の言語表現は原因疾患によって異なるとされる．また，健常者でも人為的につくり出した換気刺激の種類（運動，低酸素，呼吸抵抗負荷など）によって，呼吸困難の言語表現が異なる．したがって，患者の呼吸困難の訴えを問診・評価する際にはその言語表現をそのまま正確に記載することが望ましい．

鑑別診断

呼吸困難を呈するおもな疾患を急性と慢性に分けて表4-31-2，4-31-3にまとめた．呼吸困難の原因は呼吸器系や循環器系疾患のみならず，神経筋疾患，代謝性疾患，血液疾患，中枢性疾患など全身臓器に関連して広く原因を考慮しなければならない．

1）問診： 呼吸困難の発症様式が急性か亜急性である

表4-31-1 呼吸困難度分類（修正MRCスケール）

0：	なし	激しい運動以外は息が苦しくなることはない．
1：	軽度	平地で急いでいるときや，坂を歩いて昇るときに息が苦しくなる．
2：	中等度	息が苦しくなるので，同年齢の人と比べて平地を歩くのが遅い．また，平地を自分のペースで歩いていても，息が苦しくて休まなければならない．
3：	重度	休みながらでなければ50 m以上歩けない．
4：	最重度	息苦しさのため外出，着替えができない．

表4-31-2 急性の呼吸困難をきたす疾患

1. 発症時刻による鑑別
   - 発症時刻を特定できる突発性発症の場合：緊張性気胸，急性肺血栓塞栓症，異物誤飲，刺激ガス吸入，急性冠症候群など
   - 急性進行性の場合：ARDS，急性重症肺炎，急性間質性肺炎，急性肺水腫，急性心不全など

2. 随伴症状による鑑別
   - 喘鳴を伴う場合：気管支喘息発作，異物誤飲，アナフィラキシーや感染に伴う喉頭浮腫，喉頭痙攣など
   - 咳を伴う場合：乾性咳嗽→気胸，急性間質性肺炎，急性胸膜炎など
   - 胸痛を伴う場合：気胸，急性胸膜炎，急性肺血栓塞栓症，急性冠症候群など
   - 発熱を伴う場合：ARDS，急性重症肺炎，急性間質性肺炎，急性胸膜炎，肺梗塞など
   - 喀血を伴う場合：悪性腫瘍，気管支拡張症，肺結核などを基礎疾患とする肺出血，特発性あるいはびまん性肺疾患に伴う肺出血など

3. 身体所見による鑑別

   (1) 呼吸パターンによる鑑別
   - ①浅くて速い呼吸：ARDS，急性重症肺炎，急性間質性肺炎，急性肺水腫など
   - ②大きくて深い呼吸：気管支喘息，COPDの急性増悪，急性細気管支炎，中枢気道閉塞など
   - ③速くて深い呼吸：糖尿病性アシドーシス，尿毒症性アシドーシス，過換気症候群，心身症など
   - ④浅くて弱い呼吸：重症筋無力症，Guillan-Barré症候群などの神経筋疾患

   (2) 肺聴診所見による鑑別
   - ①呼吸音消失・低下の場合：気胸，胸膜炎，急性無気肺など
   - ②連続性ラ音を聴取する場合：気管支喘息，急性細気管支炎，異物誤飲，中枢気道閉塞，急性肺水腫など
   - ③非連続性ラ音を聴取する場合：ARDS，急性重症肺炎，急性間質性肺炎，急性肺水腫など

表 4-31-3 慢性の呼吸困難をきたす疾患

1. 解剖学的部位による疾患分類
    - 肺・気道系に起因するもの
        ①中枢気道閉塞：気管腫瘍など
        ②気道〜肺実質系疾患：COPD，びまん性汎細気管支炎，慢性肺感染症，肺腫瘍，無気肺など
        ③間質性肺疾患：特発性間質性肺炎，膠原病肺，慢性過敏性肺臓炎，じん肺症など
        ④肺循環系疾患：慢性肺血栓塞栓症，特発性肺動脈性高血圧症，種々の心肺疾患に伴う肺高血圧症，肺うっ血・肺水腫など
    - 胸膜・胸郭に起因するもの
        ①胸郭変形：側弯症，胸郭形成術後など
        ②胸水貯留：癌性胸膜炎，結核性胸膜炎，悪性中皮腫など
        ③胸膜腫瘍：悪性中皮腫，転移性胸膜腫瘍など
    - 循環系に起因するもの
        種々の原因による慢性心不全など
    - 血液疾患
        種々の原因による貧血，異常ヘモグロビン症など
    - 神経筋疾患
        重症筋無力症，筋萎縮性側索硬化症など
    - 代謝疾患
        甲状腺機能亢進症など
    - 中枢性疾患
        脳腫瘍，髄膜炎，心身症，神経性障害など

2. 換気障害のパターンによる分類
    閉塞性換気障害：COPD，喘息，びまん性汎細気管支炎など
    拘束性換気障害：間質性肺疾患，胸郭変形，胸水貯留，神経筋疾患など
    換気障害を伴わない呼吸困難：肺高血圧，循環器疾患，貧血，代謝疾患，中枢性疾患など

か，慢性であれば症状の増悪を反復するのか，漸増性であるか，あるいは増悪軽減の波があるかを確認する．次の対応の緊急度もこの問診によっておおむね決まる．

a)発症状況による鑑別：急性の場合には特に発症状況と受診に至る経過に留意する．急性であっても発症時刻を特定できるほど突発的なものかどうか，急性でかつ進行性であるかどうかが重要である．長期臥床や海外旅行の飛行機内のように長期に一定の姿勢を余儀なくされていたかどうかは肺血栓塞栓症を疑うきっかけとなる．異物による誤飲・窒息は食事中に起こる．食物アレルギー（アナフィラキシー）は食後に起こる．アレルギーを原因とする喘息，過敏性肺臓炎ではペットとの接触や作業場・住宅環境に留意する．

b)随伴症状による鑑別：咳の有無，特に痰を伴っているかどうか，血痰と喀血では第一にあげるべき鑑別疾患が異なる．喘鳴（ぜんめい）の有無，胸痛の有無，発熱の有無などはすべて鑑別疾患の順位を想定するのに役立つ．また，基礎疾患，背景疾患の聴取は重要で，糖尿病，内分泌疾患，腎疾患，血液疾患，神経筋疾患など全身臓器のあらゆる疾患が呼吸困難を引き起こす病態を起こしうる．また，全身各臓器の器質的疾患がなくても呼吸困難を訴える患者がおり，精神科的なアプローチを必要とすることもある．安定した病態であっても急速な体重減少，体重増加いずれの場合も呼吸困難増悪に関連することがあるし，日常的な身体活動性のレベルは慢性疾患による呼吸困難度に影響する．

2)身体所見： 呼吸パターンによる鑑別と肺聴診所見による鑑別がある．Kussmaul 呼吸とは糖尿病性ケトアシドーシスで特徴的に認められる速くて深い呼吸のことをいう．重症 COPD 患者では独特の口すぼめ呼吸が認められる．これは口をすぼめて気道内圧を人工的に高めることによって気道閉塞によるエアトラッピングを軽減する効果がある．起坐呼吸は仰臥位（ぎょうがい）よりも座位の方が呼吸困難が軽減する場合にみられるもので心不全に伴う肺うっ血，肺水腫に特徴的である．聴診所見では，呼吸音の消失・低下があるかどうか，連続性あるいは非連続性のラ音を聴取するか否かが鑑別に重要である．wheeze とよばれる連続性ラ音は喘息や COPD 患者でおもに聞かれる呼気性気道狭窄音であるが，気管狭窄・喉頭狭窄のような上気道で聞かれる場合の狭窄音（stridor）は吸気・呼気相ともに聴取する．ただし，喘息でも重症発作の際には吸気・呼気ともに wheeze を聴取する．チアノーゼやばち指は慢性の低酸素血症を，頸動脈怒張や浮腫は右心不全を疑わせる．身体所見をとる際には，呼吸困難は心肺疾患以外

の疾患でも起こりうることを念頭に全身を注意深く診ることも大切である．

3）検査の進め方： 呼吸困難を訴える患者診察においては，パルスオキシメーターによる酸素飽和度の評価は身体所見で呼吸数や脈拍をとるのと同様にルーチン化した検査である．S_pO_2 90% = P_aO_2 60 mmHg が目安となるが，S_pO_2，P_aO_2 両者の関係は pH，P_aCO_2 値，体温などによって変動することも知っておく必要がある．すでに患者の S_pO_2 値と動脈血 P_aO_2 値の関係がわかっている場合には，パルスオキシメーターで患者の状態を経過観察することが許される．しかし，そうではない場合には S_pO_2 値が低下を認めたときにはすぐに動脈血ガス分析をすることが望ましい．

呼吸困難を訴える患者の鑑別診断をするための検査としては，上記に加えて，胸部 X 線，心電図，スパイロメトリー，一般採血は必須である．その結果により，次に鑑別診断を絞ったうえで，喀痰検査，胸部 CT，呼吸機能精密検査，気管支ファイバースコープ，換気・血流シンチグラフィ，心エコー，心カテーテル検査，冠動脈造影などの精査を行う．血液検査でも感染症マーカー，腫瘍マーカー，凝固線溶系マーカー，各臓器障害のマーカーなど疾患・臓器特異性の高い検査に進む．　　　　　　　　　　　　　〔西村正治〕

4-32　いびき
snoring

概念

いびきは上気道で発生する呼吸音で通常吸気時に発生するが呼気時に聞こえることもある．最近では，一般にいびきは睡眠時無呼吸，低呼吸，気道の狭窄によって起こる呼吸努力に関連する覚醒や低換気などの病的状態と区別して使用されることが多くなっている．

いびきは閉塞性睡眠時無呼吸（obstructive sleep apnea：OSA）に随伴する主要な症状であるが，単純性いびきはいびきによる日中の眠気や疲労などの症状を伴わず，客観的な呼吸停止（無呼吸）を伴っていないと考えられている．

病態生理

いびきは上気道の振動によって生じると考えられている．いびき中には，通常口蓋垂，軟口蓋が振動するが，ときに口峡柱，咽頭壁，さらにその下部が振動することもある．多系統萎縮患者では声門の開大障害のため特徴的な高調性のいびきが生じることがある[1]．いびきは通常睡眠ステージの 3 期や REM 睡眠期に最も大きくなる．

いびきの頻度はさまざま報告されているが，米国のコホート研究で男性の 44%，女性の 28% と報告されている[2]．いびきの頻度は男女とも年齢とともに高くなるとされているが，男性は 70 歳をこえると再度低下するとの報告もある．高齢者の聴力低下の影響も考えられている．いびき音の閾値については定まった定義はなく，各施設間で主観的に決められていることが多い．ただし，患者の自覚では誤った判断を下すことが多いので，ベッドパートナーからの聞き取りは重要である．

いびきは肥満男性に多い．鼻閉はいびき発生のリスクを増やす．鼻炎のほかにアルコール，筋弛緩薬，鎮静薬など上気道の筋緊張を低下させるような状態はいびきを発生しやすくする．小児はアデノイド，扁桃肥大でいびきの頻度が増し，女性では妊娠中に頻度が増加する．上気道を狭窄させる腫瘍性疾患でいびきを生じることもある．いびきは脳心血管障害を増加させるとの報告がみられたが，いびきと睡眠時無呼吸を区別した研究では睡眠時無呼吸を除外した習慣性いびきは心血管障害の頻度も死亡率も増加させていなかった[3]．

妊娠の経過とともにいびきの頻度は増えていく．睡眠時無呼吸との鑑別は示されていないが，妊娠してはじめて出現した習慣性いびきは妊娠高血圧，子癇前症の増加と関連していたとの報告があり注目されている[4]．

鑑別診断

OSA【⇨ 9-11-3】との鑑別が最も重要である（呼吸努力関連覚醒については e コラム 1，OSA との鑑別は e コラム 2 参照）．　　　　　　〔陳　和夫〕

■文献（e文献 4-32）

American Academy of Sleep Medicine: International Classification of Sleep Disorders, 3rd ed, Darien, 2014.

4-33 異常呼吸
abnormal respiration

概念

ヒトにおいて，動脈血酸素ガス分圧(P_aO_2)値は頸動脈体，動脈血二酸化炭素分圧(P_aCO_2)値は延髄の化学受容野でおもに調節され(化学調節)，呼吸中枢のネガティブフィードバック機構を通して換気量(1回換気量，呼吸数)に表現される．しかしながら，呼吸は覚醒中には大脳などの高位中枢からの調節も受け(行動的調節)，それが換気量，呼吸パターンにも影響を与える(たとえば過換気症候群)．また，大脳から延髄に至る中脳，橋の異常も呼吸異常に関与する．その他，肺内の受容体(肺伸展受容体，J受容体，刺激受容体)，上気道の受容体などを介しての換気の修飾がある(図 4-33-1)．したがって，さまざまな病態が異常呼吸を生じる可能性がある．

1) 特殊な呼吸
起坐呼吸のような一定の体位をとる呼吸や奇異呼吸などの呼吸型によってもある種の病態を疑うことになる．ここでは呼吸リズムの異常を述べる．

2) 呼吸リズムの異常 (図 4-33-2B)[1]

① Cheyne-Stokes 呼吸：1回換気量が徐々に増加し，その後徐々に低下する呼吸が繰り返し続く呼吸．周期性呼吸(periodic breathing)の代表的例．各周期の間の無呼吸(apnea)を伴う場合もある．Cheyne-Stokes 呼吸はうっ血性心不全，脳出血，脳梗塞などの中枢性神経系の異常，透析中などにみられる(図 4-33-2B)．

② Kussmaul 呼吸：代謝性アシドーシス(糖尿病ケトアシドーシスなど)時などにみられる呼吸で，深く大きな呼吸が規則正しく続く．運動時も同様の呼吸パターンをみることもある(図 4-33-2A)．

③ 睡眠時無呼吸およびその他の睡眠関連呼吸障害：睡眠時無呼吸には無呼吸中に呼吸努力を伴う OSA と呼吸努力を伴わない中枢型睡眠時無呼吸がある．睡眠関連呼吸障害はⓔ表 4-33-A 参照．

④ 過換気後無呼吸(posthyperventilation apnea)：過換気の後にしばしばみられる無呼吸．過換気後の P_aCO_2 値が低いほど，また睡眠状態になると無呼吸時間は長くなる[2]．

⑤ Biot 呼吸：群発呼吸(cluster breathing)ともいわれ，不規則な群発呼吸が無呼吸とともに現れる．延髄の呼吸中枢と大脳などの高位中枢の経路である橋の疾患などでみられることが多い(図 4-33-2B)．

⑥ 中枢神経性過換気：持続的，規則的で速く(一部は呼吸数低下)深い過呼吸．中脳より橋にかけた障害で起こる．

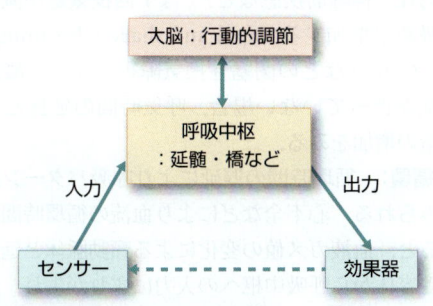

図 4-33-1 呼吸調節機構の基本的要因(桑平, 2009 より引用改変)
種々のセンサーからの情報は呼吸中枢に伝えられ，呼吸中枢から出力として効果器である呼吸筋に伝えられ，換気が調節され，血液ガスの変動が調節される．

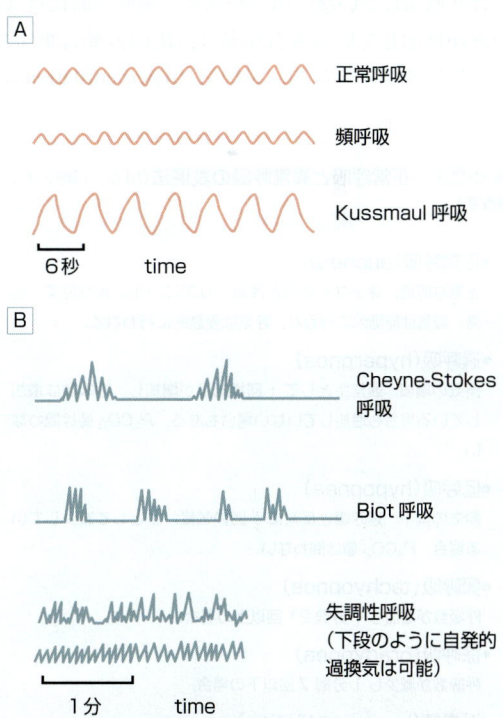

図 4-33-2 さまざまな呼吸パターン
A：正常呼吸は呼吸数と1回換気量がほぼ規則的な呼吸．頻呼吸は肺内の受容器の反射により生じることが多く，Kussmaul 呼吸のような大きな呼吸は化学刺激(代謝性アシドーシスなど)により生じることが多い．
B：呼吸数と1回換気量が不規則な呼吸．本文に示したように呼吸調節系の異常により生じることが多い．

⑦失調性呼吸：1回換気量，呼吸回数ともまったく不規則な呼吸で，延髄の化学受容野，呼吸中枢の障害によってみられる．顕著な低換気にもかかわらず，呼吸困難は伴わない．自発的過換気は可能である（図4-33-2B）．

病態生理

分時換気量，1回換気量，呼吸数に影響を与える要素として，①P_aO_2，P_aCO_2などの化学刺激，②睡眠，③肺胸郭系，④循環，⑤上気道，⑥無呼吸閾値の変化などがある．表4-33-1，図4-33-2Aに呼吸数や換気量の表現法を示す．

1) 化学刺激―低酸素，高二酸化炭素血症，代謝量：
呼吸数，1回換気量は代謝の影響を受け変化し，一定の肺胞換気量を得る呼吸筋の仕事量を最低に保つように変化する．たとえば，$P_aCO_2 ≒ P_ACO_2$（肺胞気二酸化炭素分圧）$= 0.863 × (\dot{V}CO_2/\dot{V}_A)$，$\dot{V}CO_2$は単位時間あたりの二酸化炭素の排泄量，$\dot{V}_A$は肺胞換気量である．また，$\dot{V}_E$（分時（呼気）換気量）$= \dot{V}_A$（肺胞換気量）$+ \dot{V}_D$（死腔換気量）である．運動，発熱時などでは$\dot{V}CO_2$が増加するので，$P_aCO_2$を一定に保つには$\dot{V}_A$の増大が必要になる．通常は二酸化炭素刺激，低酸素刺激により換気は亢進する．過呼吸(hyperpnea)時には通常1回換気量が増加し，呼吸数は増加している場合と増加していない場合がある．過呼吸時には$\dot{V}_D$のみが増加している場合があり，P_aCO_2値は低下するとは限らない．なお，過換気(hyperventilation)は

表4-33-1 正常呼吸と異常呼吸の表現法 (川上，1997より引用改変)

- **正常呼吸(eupnea)**
  正常な呼吸．休みなく吸気と呼気をリズミカルに繰り返す．通常，吸気は能動的に行われ，呼気は受動的に行われる．

- **過呼吸(hyperpnea)**
  換気の増加．通常主として1回換気量が増加し，呼吸数は増加している場合も増加していない場合もある．P_aCO_2値は問わない．

- **低呼吸(hypopnea)**
  換気の低下．過呼吸と反対に1回換気量が主として減少している場合．P_aCO_2値は問わない．

- **頻呼吸(tachyopnea)**
  呼吸数が増加し1分間21回以上の場合．

- **徐呼吸(bradypnea)**
  呼吸数が減少し1分間7回以下の場合．

- **過換気(hyperventilation)**
  肺胞換気量が増加し，肺胞気CO_2分圧(P_ACO_2)，P_aCO_2値の低下を伴う．

- **低換気(hypoventilation)**
  肺胞換気量が低下し，肺胞気CO_2分圧(P_ACO_2)，P_aCO_2値の上昇を伴う．

$\dot{V}_A$の増加を意味し，P_aCO_2値は低下する．低換気(hypoventilation)は$\dot{V}_A$の低下を意味し，P_aCO_2値は上昇する．低酸素刺激は頸動脈体を通して，高二酸化炭素刺激は延髄の化学受容体を通して，呼吸中枢に情報が入力される（図4-33-1）．低酸素血症，高二酸化炭素血症，代謝性アシドーシスなどの呼吸(化学)刺激が加わると，まず，最初は1回換気量の増加が起こり，ある一定以上に1回換気量が増えた後，呼吸回数が増えてくることが多い．

2) 睡眠： 通常，異常呼吸は睡眠時には増悪する【⇒9-11-3】．睡眠にはNREM(non-rapid eye movement)睡眠とREM睡眠がある．NREM睡眠は浅睡眠であるステージ1，2期と深睡眠である3，4期に分類される．

睡眠中には(肺胞)換気量は覚醒時に比し低下しており，正常人でも覚醒時に比し1割程度のP_aCO_2値の上昇と肺胞低換気に伴うP_aO_2値の低下を伴っている．睡眠中には，低酸素，高二酸化炭素血症に対する換気応答が鈍麻し，行動的調節（図4-33-1）も消失するので呼吸異常は増悪するのが通常である．睡眠時無呼吸以外にも慢性閉塞性肺疾患(chronic obstructive pulmonary disease：COPD)，神経筋疾患ではREM睡眠期を中心とした低換気が睡眠中の低酸素血症と高二酸化炭素血症を招くことがある．

3) 肺胸郭系： 肺胸郭系のコンプライアンスの変化(肺胸郭が動きやすいか否か)によって呼吸パターンは影響を受ける．一般に，肺胸郭系の弾性が増大しコンプライアンスが低下する(肺胸郭が動きにくい)病態(間質性肺炎，結核後遺症，肺炎，肺うっ血，肺水腫，側弯症，神経筋疾患など)では1回換気量が減少し，呼吸数が増加する(rapid and shallow breathing)．また，COPDなどの閉塞性換気障害では高二酸化炭素血症を伴っていない場合，呼気時間の延長と1回換気量の増加をみる．

4) 循環： 循環時間の遅延により呼吸パターンに変化がみられる．心不全などにより血流の循環時間が遅延すると，血液ガス値の変化による頸動脈体と延髄の化学受容体から呼吸中枢への入力にずれが生じ，周期性呼吸(Cheyne-Stokes呼吸：図4-33-2B)が生じやすくなる．

鑑別診断

1) 呼吸状態の観察： 呼吸状態を観察するときには，呼吸数，深さ，胸郭の動きなどに注意する．上半身脱衣の状態で確認する．呼吸回数，1回換気量ともに患者が意識すると変動しやすいので，呼吸数の測定は，たとえば脈拍測定時に同時に測定するのもよい方法である．視診で呼吸の動きがはっきりしないときは，触診を併用することもある．

① Hoover徴候：吸気時に，下部肋骨弓が内側に向

かって動く現象．横隔膜の動きが悪くなると現れる．気胸，大量の胸水貯留では病側に，高度の肺気腫では両側に現れる．
② 起坐呼吸（orthopnea）：臥床すると呼吸困難が強くなり，座位をとることにより呼吸困難が軽減する．臥床時に循環血液量が増すことが一因である．心不全，呼吸不全，喘息重積発作などでみられる．
③ 口すぼめ呼吸：COPD患者などの閉塞性換気障害患者においてみられる，呼気時に口をすぼめて口腔内の圧を高めながらゆっくり呼息する呼吸のことをいう．
④ 横臥呼吸，側臥呼吸：横臥位，側臥位で呼吸困難が軽減する呼吸．肝硬変，心内短絡，肺動静脈瘻の一部にみられる．
⑤ ため息（sigh）：正常人でも当然みられるが，回数の多いため息呼吸は過換気症候群患者において重要な徴候の1つになることがある．

2）**呼吸異常の判定**： スパイログラム，電磁呼吸計，インダクタンスプレチスモグラフィ（胸腹ベルト）（e図4-33-A）などで安静時の呼吸状態を観察することによって，換気量（1回換気量および分時換気量＝1回換気量×呼吸数），呼吸数，呼吸リズムが判定できる．安静換気には個人差が大きく，同一個人においても，会話時，感情の起伏などにより容易に変化するので，正常範囲内での変化が大きいことも留意すべきである．

通常，吸気時には胸郭，腹部とも拡張し，呼気時に拡張した胸腹部が収縮する．横隔膜麻痺，顕著な肥満，COPDの呼吸筋疲労時などにおいては胸郭拡張時に腹部が陥没する奇異呼吸をみることがある．また，緊張性気胸などでも奇異呼吸がみられる．成人の呼吸運動の型として胸郭型（thoracic type），肋骨型（costal type）および腹式（abdominal type），横隔膜型（diaphragmatic type）と表現することがある．女子では胸郭型優位の呼吸を行う者が男子に比し多い．

3）**血液ガス，パルスオキシメーターによる酸素飽和度の測定，肺機能測定**： 動脈血ガスの測定により，P_aO_2，P_aCO_2，pH，重炭酸イオン濃度を知ることができる．これらの値が正常範囲内なら，1回換気量の大小，呼吸数の多い少ないはあまり問題とならない．P_aO_2 60 mmHg（パルスオキシメーター値では90％前後）以下は呼吸不全，P_aCO_2 35 mmHg以下は過換気，45 mmHg以上は低換気とする．パルスオキシメーターによる酸素飽和度の測定は，血液ガスと異なり，連続測定可能であり，睡眠呼吸障害の存在の有無などの判定に有用である．肺機能測定により，閉塞性換気障害（1秒率が70％以下），拘束性換気障害（肺活量が予測値の80％以下）の有無が判明する．

4）**画像所見**： 胸部X線，胸部CT，シンチグラフィ，血管造影などを利用して，諸種呼吸器疾患，また，諸種呼吸器疾患に合併した肺炎，無気肺，気胸などを診断する．また，中枢神経系の障害に合併した異常呼吸の検索には脳のCT，MRI，髄液検査などが必要なときもある．

5）**ポリソムノグラフィ（polysomnography：PSG）**： 睡眠呼吸障害に伴う低酸素血症の存在のスクリーニングにはパルスオキシメーターによるS_PO_2の連続測定が有用であるが，睡眠中の異常呼吸の存在有無の確定には，脳波，眼電図，インダクタンスプレチスモグラフィ（胸腹ベルト）などによる呼吸運動の測定，気流測定，筋電図，S_PO_2の連続測定などを行うPSGが必要である（e図4-33-A）． 〔陳　和夫〕

■**文献**（e文献4-33）
川上義和編：呼吸調節のしくみ―ベッドサイドへの応用，文光堂，1997．
桑平一郎訳：ウエスト呼吸生理学入門，メディカル・サイエンス・インターナショナル，2009．

4-34 動悸
palpitation

概念
　動悸とは，通常は自覚しない心臓の拍動を意識する自覚症状であり，患者は不快な強い拍動感や不規則な拍動感を訴える．動悸は循環器外来患者で最も多く認められる症状であり，500名の外来調査で16％を示したと報告されている（Kroenkeら，1990）．

　自覚症状として，「心臓がドキドキする」，「激しい鼓動を感じる」，「心臓がドキッとする」，「脈がとぶ」，「息がつまる」など，多彩な表現をする．通常は良性の病態に起因することが多いが，致死性不整脈の初発症状の場合もあり，注意が必要である．

　自覚症状から動悸の原因が解明される可能性があり，十分な問診，身体所見の確認および適切な検査が重要である．

原因
　動悸の原因は多岐にわたるが，心臓が原因である場合と心臓以外が原因である場合に大別される（表4-34-1）．動悸を主訴に来院した190名の調査で原因

表 4-34-1 動悸の原因

不整脈	不整脈以外の心疾患
洞性頻脈 頻拍症：発作性上室性頻拍症，心室頻拍症 心房細動，心房粗動 期外収縮：心房性，心室性期外収縮 徐脈性不整脈：洞不全症候群，房室ブロック ペースメーカ症候群 　（ペースメーカ植え込みに伴う動悸）	弁膜症（狭窄症，閉鎖不全症） 僧帽弁逸脱症 先天性心疾患（左右短絡疾患） 心不全，心筋症，心膜炎 虚血性心疾患
心疾患以外の原因	心因性
発熱，貧血，脱水，低血糖 甲状腺機能亢進症，褐色細胞腫 肺疾患 薬物：ジギタリス，カテコールアミン，テオフィリン カフェイン，アルコール	パニック障害 不安神経症 過換気症候群

が解明された患者は84％であり，心臓が原因であった患者は43％，心臓以外の心因性が31％，その他薬物，甲状腺機能亢進，貧血などが原因であった患者は10％であった（Weberら，1996）．

心疾患は動悸の原因として最も多く，特に不整脈は動悸の原因として最も頻度が高い．心臓ペースメーカも機械的刺激に伴い動悸を訴える場合がある．弁膜症も狭窄症や閉鎖不全症などにより動悸を訴えるが，先天性の短絡疾患でも心拍出量の変動により，動悸を自覚することがある．また，心不全，心筋症，虚血性心疾患では，合併する不整脈や低心拍出量により動悸をきたす．

心臓以外が原因の動悸として，発熱，貧血，脱水などがある．その他，低血糖，甲状腺機能亢進症，褐色細胞腫や薬物によっても動悸を訴える．また，心因性のパニック障害や不安神経症が原因の動悸も頻度が高い（Abbott，2005）．

病態生理

心拍数は交感神経と副交感神経のバランスに依存しており，運動や興奮，精神的ストレスに伴う動悸は，交感神経緊張に伴う心拍数や心収縮力の増大に起因するものであり，生理的反応である．脈の不整に伴う動悸は，不整脈が原因の場合が多く，異常な心拍数上昇や過度の徐脈に伴って動悸が生じる．内分泌疾患では，甲状腺ホルモン，腫瘍に伴うカテコールアミン分泌に伴い心拍数が上昇する．また，貧血，発熱，心不全，肺疾患，低血糖では，生理的な代償機転に伴い心拍数が上昇する．完全房室ブロック，洞不全症候群などの高度徐脈性不整脈では，1回心拍出量が増大する結果，動悸を自覚する場合がある．また，心房，心室性期外収縮では代償性休止に伴う拡張期延長により心拍出量が増大することも影響する．大動脈弁閉鎖不全症や短絡性先天性心疾患でも，1回心拍出量が増大する結果，動悸を自覚する場合がある．また，僧帽弁狭窄症，大動脈弁狭窄症でも後負荷や前負荷の変動に伴う心収縮力の変動や合併する不整脈に伴い動悸を自覚する．心因性の動悸は，原因としても多く認められるが，パニック障害，不安神経症に伴う自律神経の変動などにも起因する．

鑑別診断

動悸の診断が可能であった患者の40％は問診，身体所見，心電図および血液検査で可能であったと報告されている．したがって，動悸を訴える患者においては，十分な問診，身体所見および12誘導心電図などの検索が診断に重要である．

1）不整脈に伴う動悸：　不整脈に伴う動悸の症状は，①規則正しく速い，②不規則で速い，③規則正しく遅い，④不規則で遅い，⑤脈がとぶ，などに分類される．

①の規則正しく速い動悸の場合は，洞性頻脈，発作性上室性頻拍症，心室頻拍症を疑う．発作性頻拍症の鑑別には発作の出現様式と停止時の状況を確認する必要がある．突然出現し，突然停止する規則正しく速い動悸の場合は発作性上室性頻拍症，心房粗動および心室頻拍症を疑う．特に，発作性上室性頻拍症はしゃがんだとき，背伸びなどの体位変換に伴って発作が起こる場合があり，飲水や息こらえなどで停止することが多く，鑑別診断に役立つ．これは，体位変換などによって発生した期外収縮が引き金となって出現し，息こらえなどのValsalva法により迷走神経が活性化される結果，発作性上室性頻拍症が停止するためである．心室頻拍症では，一般的に血圧低下を伴うことが多く，動悸以外にめまいや失神を伴うことがある．しかし，血圧や心機能が保たれた心室頻拍症では，動悸のみを呈する．また，心房粗動も規則正しい動悸を訴えるが，房室伝導能の変化に伴って心拍数が変動する．一方，洞性頻脈の場合は運動や興奮，ストレスに伴って徐々に心拍数が増加し，安静や鎮静に伴って徐々に減少することから鑑別可能である．

②不規則で速い，または脈が乱れている動悸の場合は心房細動の頻度が高い．一般的に心房細動では発作性心房細動が慢性心房細動と比べて動悸の自覚症状が強い．また，ブロックを伴う心房粗動や心房頻拍症でも同様の動悸を訴える．

③規則正しく遅い動悸はⅠ型洞不全症候群や完全房室ブロックなどで認められる症状であり，徐脈に伴うめまい，失神，息切れなどを伴いやすい．

④不規則で遅い動悸も洞不全症候群や房室ブロックで認められる症状であるが，心拍数が変動するⅡ型洞不全症候群や第2度房室ブロックで認められる．Ⅲ型洞不全症候群では心房粗細動や発作性上室性頻拍症停止後に洞徐脈を呈するため，動悸停止後に徐脈に伴うめまいや失神発作を伴う．

⑤脈がとぶタイプの動悸の多くは，心房性または心室性期外収縮に伴う症状である．

動悸の診断には，標準12誘導心電図の記録が最も有用である．心電図記録より，不整脈の診断，WPW症候群やQT延長症候群の診断のみならず，虚血や心筋梗塞の既往，心肥大の診断も可能である．来院時に症状がない場合でも，患者の症状が強いとき，重篤な心疾患合併患者，失神やめまいを伴う場合は，Holter心電図(24時間心電図)を施行する．Holter心電図は，週に1回以上の頻度で動悸があれば有用である[1]．しかし，発生頻度が少ない，不定期に繰り返す失神を伴う動悸で心原性が考えられる場合は，植え込み型心電計(植え込み型ループレコーダー，implantable loop recorder)の適応である[2]．さらに，動悸に随伴して失神，めまい，眼前暗黒感などの症状を有するときや失神や突然死の家族歴を有する場合は，重症不整脈診断のために，心臓電気生理検査が必要となることもある[3]．

2)不整脈以外の心疾患に伴う動悸: 心疾患に伴う動悸は，身体所見を十分に観察することで鑑別が可能である．心不全に伴う動悸は心拍出量低下により労作時の頻脈や息切れ，下腿浮腫を伴う場合が多い．弁膜症，心房中隔欠損，心室中隔欠損，動脈管開存症などでは典型的な心雑音を伴う．また，僧帽弁逸脱症も動悸を自覚することが多いが，典型例は収縮中期クリック音を聴取する．身体所見以外に，胸部X線所見が参考になる．虚血に伴う動悸では，運動負荷心電図，核医学検査，冠動脈CT検査などが有用である．

3)心疾患以外が原因の動悸: 心疾患以外で頻脈となる疾患として，発熱，貧血，脱水症，低血糖などがあるが，これらは身体所見の確認と血液検査で診断可能である．

また，内分泌疾患では，随伴症状として，発汗，体重減少，振戦などがあり，甲状腺腫や眼球突出があれば甲状腺機能亢進症を疑う．褐色細胞腫はカテコールアミン過剰による動悸以外に，高血圧や頭痛を合併することが多く，いずれの病態もホルモン検査で診断可能である．

ジギタリス，カテコールアミン，テオフィリンなどの薬物は，心筋収縮力増大や頻脈による動悸をきたす．Ca拮抗薬などの降圧薬は，血圧低下に伴う反射性頻脈によって動悸をきたす．また，アルコール，カフェインなども動悸の原因となる．

心因性動悸の原因としてのパニック障害は15〜31％と報告されている．動悸の原因精査として行った125例のHolter心電図検査の報告では，心因性の動悸患者は比較的若年で，動悸の持続時間も長く，不安症状や不定愁訴を伴うことが多かったと報告されている[4]．しかし，重症不整脈による心因反応の結果，動悸を伴う場合もあるため，心因性が疑われる動悸であっても，不整脈の有無を念頭におき十分な検索を行う．

〔萩原誠久〕

■文献(e文献4-34)

Abbott AV: Diagnostic approach to palpitations. *Am Fam Physicia*. 2005; **71**: 743-50.

Kroenke K, Arrington ME, et al: The prevalence of symptoms in medical outpatients and the adequacy of therapy. *Arch Intern Med*. 1990; **150**: 1685-9.

Weber BE, Kapoor WN: Evaluation and outcomes of patients with palpitations. *Am J Med*. 1996; **100**: 138-48.

4-35 咳・痰

1) 咳(咳嗽) cough

概念・機序

咳は家庭医を訪れる患者の主訴のなかで最も多いものの1つである[1]．咳とは深吸気後に一瞬声帯を閉じて気道内圧が十分上昇したところで声門を開放することにより，爆発的に息を吐き出す一種の呼吸運動である．咳の発生機序を図4-35-1に示す．ほとんどの場合反射的に発生するが，大脳皮質の指令により，意識的に行うこともできる．本来は気道内異物，吸入性有害物質，痰などを排除する重要な生体防御症状である．咳の気道清浄化作用は，呼気流速に大きく依存する．呼気流速が低下する原因には，呼気筋の収縮を制御する中枢ないし末梢神経疾患，筋疾患や，胸壁痛，腹筋痛などがある．また喘息では気道攣縮や粘稠な痰による気道閉塞により，肺気腫や気管・気管支の軟骨異常症では，呼気時に通常より気道が狭細化する(動的圧縮)ことにより，やはり咳の気道清浄作用が阻害される．

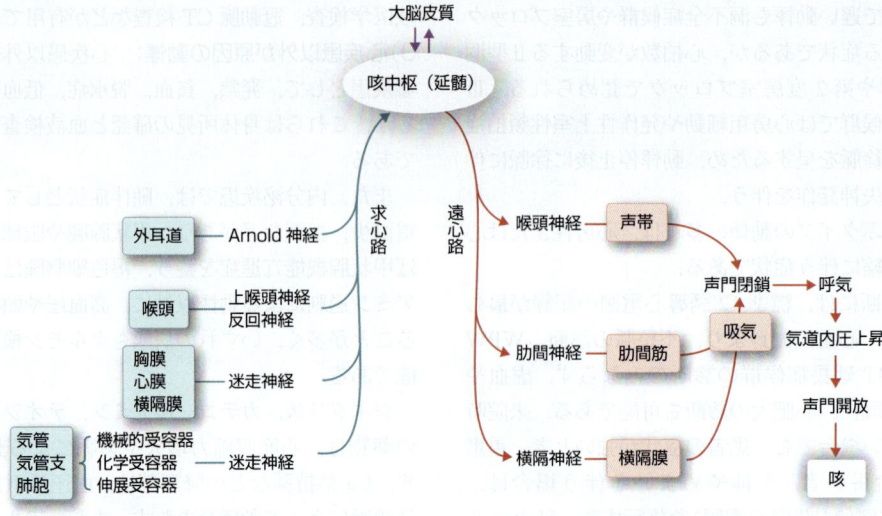

図 4-35-1 咳の発生機序
気道や喉頭，肺胞，胸膜，あるいは外耳道に由来する種々の刺激は咳中枢に伝達され，反射的に吸気が始まる（吸気相）．次に声帯を閉じて呼気に転じ，気道内圧を上昇させた（圧縮相）直後に声帯を弛緩させ爆発的に空気を吐き出す（呼気相）．多くの場合咳は，気管支に存在する化学受容器の刺激により発生する．その際に関連する分子として，サブスタンス P，カルシトニン遺伝子関連ペプチド（CGRP），ロイコトリエン C_4，ロイコトリエン D_4 などと，サブスタンス P を分解するノイトラルエンドペプチダーゼ（NEP）やキニナーゼⅡ（アンジオテンシン変換酵素，ACE）などが重要である．ACE 阻害薬は，咳誘発物質の分解が阻害されるために乾性咳嗽を発生させる．

合併症

咳は過剰となると人体に障害をもたらす．すなわち 1 回の咳でおよそ 2 kcal のエネルギーを消費し，長期に続くと体力を消耗する．また肋間筋や腹筋の障害や肋骨骨折のために強度の胸痛の原因となる．声帯に負担がかかり，喉頭痛や嗄声の原因となる．腹圧の上昇のために，失禁や嘔吐を誘発することもある．胸腔内圧は最大 100～300 mmHg まで上昇するため，心臓への血液還流が低下し，一過性の脳虚血が生じて失神に至る咳失神（cough syncope）が発生することがある．高い胸腔内圧のために，肺末梢から間質に空気が入り込み，縦隔気腫ひいては皮下気腫の原因となることがある．咳は一般に夜間に多く，睡眠障害の原因となる．

原因

ほとんどの呼吸器疾患が咳の原因となりうる．胸部 X 線写真や CT で異常所見が認められるなら，それと咳との関連を検討することが優先される．しかし日常診療では陰影を認めない例も多い．そのうち 3 週間程度で自然軽快する咳は，各種の細菌，ウイルス，マイコプラズマ，肺炎クラミドフィラ，百日咳による感染性咳嗽が多い[2]．これらは 3～8 週間程度持続する遷延性咳嗽の原因としても重要である．8 週間以上続く慢性咳嗽のおもな原因疾患は，咳喘息，副鼻腔気管支症候群，アトピー咳嗽，胃食道逆流症，慢性気管支炎などである．しかし原因を特定できない例も少なくない．

痰を伴う咳は湿性咳嗽（productive cough），伴わないものを乾性咳嗽（dry cough）とよぶ．湿性咳嗽をきたす代表的疾患として慢性気管支炎，びまん性汎細気管支炎，気管支拡張症，非結核性抗酸菌症がある．乾性咳嗽をきたす代表的疾患には，咳喘息，アトピー咳嗽，間質性肺炎，アンジオテンシン変換酵素阻害薬による咳，心因性咳などがある．

診断

発症契機として，ウイルス感染による上気道症状，内服薬の開始や変更，咳が増悪する環境などの有無は重要である．胸部 X 線写真や CT で陰影が認められれば，その性状により気管支鏡検査や喀痰検査を考慮する．陰影がなくとも，発作性呼吸困難や喘鳴があれば典型的喘息が疑われる．それらの徴候がなく，呼吸機能検査が正常でも気道過敏性が亢進していれば咳喘息が考えられる．無治療の喘息の診断に近年呼気一酸化窒素の測定が行われる．感染性咳嗽の診断には，喀痰検査や血清抗体価の測定が参考になる．気道アレルギーの診断には，皮内テスト，血清 IgE 値や抗原特異的 IgE 値の測定，ヒスタミン遊離試験などが参考となる．副鼻腔気管支症候群の診断のために，頭部 CT が有用である．胃食道逆流症の診断には，プロトンポンプ阻害薬の診断的投与が行われることが多い．

治療

咳は多くの患者にとって大変つらい症状である．基

本的には疾患特異的治療により，咳の軽減をはかる．しかし原因が判明しない場合や強い乾性咳嗽では鎮咳薬や気管支拡張薬により適宜咳を緩和する必要がある．しかし，湿性咳嗽では痰の存在が咳の一因であるので，過度な咳の抑制は痰の貯留を助長し，むしろ病態を悪化させる可能性がある．高齢者の唾液の不顕性吸引による咳の場合も同様である．一方喫煙は慢性咳嗽の原因ないし増悪要因となりうるので，禁煙を指導することはいうまでもない． 〔山口悦郎〕

■文献（e文献 4-35-1）

日本呼吸器学会編：新呼吸器専門医テキスト，pp28-30，南江堂，2015．
日本呼吸器学会咳嗽に関するガイドライン第 2 版作成委員会：咳嗽に関するガイドライン 第 2 版，日本呼吸器学会，2012．

2）痰（喀痰）
sputum

概念・機序

健常者でも 1 日約 10～100 mL の気道分泌物があり，おもに気管支の気管支腺や杯細胞から産生される．気管支腺は粘液細胞と漿液細胞からなる混合腺である．粘液細胞は糖蛋白を分泌し粘稠度を増加させる．漿液細胞は水分，電解質，分泌型 IgA，分泌型 IgM，リゾチームなどを分泌し，粘稠度を低下させる．産生された粘液は気道上皮表面を薄く覆い，気道の乾燥を防ぐとともに，吸入された塵埃や微生物をとらえる．その後，気道上皮細胞の線毛運動により中枢気道に送られ，喉頭で無意識に嚥下されている．種々の原因により気管支腺や杯細胞が刺激されたり，それらの肥大化や増生が促されると気道分泌物量が増加し，痰として自覚される．すなわち痰とは気道の過剰分泌物である．ときに後鼻漏や気道に吸引された唾液，肺実質の化膿性分泌物，肺胞への漏出物や滲出物が痰として喀出されることがある．

痰が気道に滞留したり，喉頭でからむとぜろぜろとした咳となり，いわゆる湿性咳嗽となる．またしばしば気道を閉塞し，呼吸困難や無気肺，閉塞性肺炎，低換気による低酸素血症の原因となる．

原因

痰を生じる原因で最も重要なものは気道感染である．特に細菌性では好中球が動員され，その結果好中球に多く含まれるペルオキシダーゼにより痰は黄緑色となる．そのような痰は膿性とよばれる．痰に臭気を伴う場合には嫌気性菌感染が疑われる．非膿性痰のうち，粘稠度の高いものは粘液性とよび，そうではないものは漿液性とよぶ．粘液性の痰は喘息，急性気管支炎などでみられ，漿液性痰は肺水腫，喉頭炎，肺胞上皮癌などで，膿性痰は気管支拡張症，びまん性汎細気管支炎，慢性気管支炎，肺化膿症などで観察されることが多い．喘息では発作時に特に粘稠な痰が増加し，攣縮を起こした気道の内腔をさらに狭める．肺水腫では肺胞へ血漿成分が漏出するために，漿液性からときに泡沫状の痰が喀出される．肺胞上皮癌ではきわめて大量の漿液性喀痰が産生されることがあり，気管支漏とよばれる．

臨床検査

痰には気道や肺実質の病変に関する多くの情報が含まれている．感染症の原因菌同定のために，痰を用いた細菌の塗抹検鏡，培養，同定が行われる．痰が下気道由来で細菌学的検査に適しているか否かの評価は重要である．そのための痰の肉眼的性状を表す Miller-Jones 分類を表 4-35-1 に示す．膿性が強くなるほど細菌学的検査には有用である．Gram 染色による細菌の形態や染色性から，肺炎球菌，黄色ブドウ球菌，モラクセラ・カタラーリス菌，インフルエンザ菌，緑膿菌などは推定可能である．白血球によるそれらの菌の貪食像があれば，原因菌である可能性が高い．貪食像がなくとも定量培養で 10^6～10^7 CFU（コロニー形成単位）/mL 以上であれば，原因菌である可能性が高い．また痰の細胞診により，悪性細胞の有無を検査する．さらに痰中の炎症細胞の主体が好中球であれば原因病態が感染症の可能性が高く，好酸球であればアレルギー性の要素が大きい．

治療

治療は，痰を産生する原因を明らかにし，それに対して適切な治療をすることが主体となる．細菌感染であれば，適切な抗菌薬を投与する．対症療法として粘稠な痰に対して去痰薬を使用する．$β_2$刺激薬も狭窄した気道を拡張させて痰の喀出を促進し，咳を鎮める働きを期待して使用されることがある．しかし，逆に気管支腺を刺激して粘液分泌を増強させることがあるので注意が必要とされる． 〔山口悦郎〕

表 4-35-1 Miller-Jones による痰の肉眼的性状分類

表記	性状
M1	膿を含まない純粋な粘痰
M2	粘性痰であるが，多少膿性の感があるもの
P1	膿性痰で膿性部分が 1/3 以下のもの
P2	膿性痰で膿性部分が 1/3～2/3 のもの
P3	膿性痰で膿性部分が 2/3 以上のもの

■文献

木村 弘, 山田嘉仁：喀痰, 血痰, 喀血. チャートで学ぶ病態生理学 第2版（川上義和, 丸茂文昭, 他編), pp40-1, 中外医学社, 2000.

日本呼吸器学会編：新呼吸器専門医テキスト, pp31-3, 南江堂, 2015.

4-36 喘鳴 wheezing

概念・病態生理

喘鳴とは気道に狭窄があるためそこを通過する空気が乱流を形成したり, 狭窄を起こしている粘液などが振動して発生する連続性の音で, 患者自身あるいは診察者が耳で聴取できるものを指す. 聴診上の連続性ラ音(wheezes や rhonchi)とは異なる. 患者は「ぜいぜい, ひゅーひゅーと音がして息が苦しい」と訴えることが多い. 喉頭などでの胸郭外気道狭窄ではおもに吸気時に喘鳴が発生し stridor とよばれ, 胸郭内気道狭窄による wheezing と区別することが多い. 胸郭内気道由来の喘鳴は, 胸腔内圧が上昇し気道の狭窄が増強する呼気相で聴取しやすいが, 狭窄が強くなると吸気相でも聴取される. 狭窄が強くなると通過する気流が低下するために, 喘鳴は逆に聞かれなくなる.

鑑別診断

喘鳴の原因として, 気管支・細気管支の攣縮, 気道壁の肥厚・浮腫による気道の狭窄, 分泌物の貯留, 腫瘍や炎症, 異物による気腔の狭小化などがある. それぞれをきたす疾患を表4-36-1 に示す. 鑑別法として, 気管支・細気管支攣縮は, 気管支拡張薬の使用で改善することにより証明される. 肺コンプライアンスの上昇をきたす疾患では閉塞性換気障害とCT上の気腫性嚢胞を認め, 肺気腫ではさらにX線の低吸収領域(low attenuation area: LAA)がみられることがある. 気道壁の肥厚は, 近年高分解能CTにより評価可能となってきた. 腫瘍による気道狭窄, 異物や痰による気腔狭小化は, CTや気管支鏡により確認される. 腫瘍や異物による気道の固定性狭窄では, フローボリューム曲線で吸呼気ともに平坦なパターンを呈する. 可動性狭窄では, 胸郭内に存在すれば呼気時にのみ平坦化し, 胸郭外に存在すると吸気時にのみ平坦化する. 難治性喘息と鑑別が必要な声帯機能異常症は, 喉頭鏡のほかに多列CTによる吸呼気時の声帯径を測定することでも評価可能との報告がある[1].

〔山口悦郎〕

■文献（e文献4-36）

木村 弘, 山田嘉仁：喘鳴. チャートで学ぶ病態生理学 第2版（川上義和, 丸茂文昭, 他編), pp42-3, 中外医学社, 2000.

日本呼吸器学会編：新呼吸器専門医テキスト, pp40-3, 南江堂, 2015.

4-37 喀血・血痰 hemoptysis and bloody sputum

概念

喀血・血痰とは下気道から出血した血液が喀出されたものである. 血液そのものが喀出されると喀血, 喀痰に血液が混在ないし付着したものは血痰とよばれている. しかし両者は明確に定義されているわけではない. ところで呼吸器系は解剖学的に肺動静脈系と気管支動静脈系の2つの循環系から血液支配を受けている. 肺動脈と異なり高圧系である気管支動脈の損傷では多量の出血がみられることが多い.

病態生理

出血の原因は気道(気管・気管支)の損傷, 肺実質の傷害, 心血管・肺血管性病変ないし血液凝固能の異常に分類される.

鑑別診断

①まず喀出された血液が呼吸器系に由来するものかを診断する必要がある. つまり口腔, 鼻腔, 咽喉頭ないし上部消化管からの出血との鑑別が重要である. これらの部位から大量に出血すると血液が気道内に

表4-36-1 喘鳴の機序と原因疾患, 誘因

気道攣縮
　気管支喘息；感染, 抗原吸入, 運動, 冷気, 心因
　慢性閉塞性肺疾患の急性増悪；感染
　細気管支炎；ウイルス感染, 気道傷害性ガス吸入
　肺うっ血；左心不全

気道壁肥厚
　リモデリング期の気管支喘息, 慢性気管支炎, 気管支拡張症
　再発性多発軟骨炎

気道の脆弱性亢進
　気管・気管支軟化症, 再発性多発軟骨炎

痰の貯留
　気管支喘息, 慢性気管支炎, びまん性汎細気管支炎, 気管支拡張症

肺コンプライアンスの上昇
　肺気腫, 肺リンパ脈管筋腫症, Langerhans 細胞組織球症

物理的狭窄
　気道内腫瘍, 気道異物, 多発血管炎性肉芽腫症

気管支瘢痕収縮
　気管支結核, 放射線照射後, 挿管後肉芽腫

その他
　声帯機能異常症

吸引されて喀出され，喀血との区別が困難なことがある．なお吐血は凝固しやすく酸臭があり，泡沫はないなどの性状を有するが，喀血との鑑別は必ずしも容易ではない．このため口腔・鼻腔の診察，耳鼻咽喉科医への診察依頼および上部消化管内視鏡検査が必要となることも多い．

②次に喀血・血痰と診断されたら，原因となる疾患を鑑別する．このためには損傷部位に基づいて考えると理解しやすい（表4-37-1）．

③原因となる疾患の絞り込みの要点を以下に記載する．

1）病歴聴取・身体所見： 喀血・血痰の既往，出血量とその速さ，出血傾向，生活歴，既往歴および基礎疾患（服薬状況）などを聴取する．

次に皮下出血斑，紫斑，毛細血管拡張，表在リンパ節腫脹，頸静脈の怒張および肝腫大などの有無を診察する．鞍鼻は多発血管炎性肉芽腫症でみられる．ばち指は肺癌，気管支拡張症，慢性心疾患などでみられる．膠原病では特徴的な皮膚所見が診断の契機となる．呼吸音や心音の聴取は原疾患の診断に有用である．なお限局した部位での連続性ラ音は気道狭窄を疑わせる．肺動静脈瘻では肺野で連続性雑音を聴取する．

2）鑑別に必要な検査： 血算，生化学，検尿，喀痰検査，心電図および胸部X線撮影は必須である．免疫学的機序が考えられるときには抗好中球細胞質抗体，抗基底膜抗体および各種膠原病で出現する自己抗体を測定する．胸部CTは出血部位や出血範囲の診断に有用である．なお気管支鏡検査は出血源の同定のみならず，診断および喀血の治療としても有効性が高い．肺血管造影は血管性病変の診断に有用で，さらには引き続き行う塞栓術による治療の参考となる．

治療

治療の選択は原因疾患，出血の程度および呼吸・循環動態などの全身状態を考慮して行う．

なお大量の出血により窒息の危険性があるときには迅速な対応が必要となる．気管支鏡を用いた止血法（圧迫止血，アドレナリンの局所注入，バルーン止血，レーザーなど），気管支動脈塞栓術，さらには外科的処置を考慮する． 〔中村博幸〕

■文献

Fishman AF, Elias JA, et al eds: Fishman's Pulmonary Diseases and Disorders, pp410-5, McGraw-Hill, 2008.

Pramanik B: Hemoptysis with diagnostic dilemma. *Expert Rev Respir Med.* 2013; 7: 91-7.

高橋典明，濱島吉男，他：ミニ特集「気道出血（喀血）の対応」．気管支学．2004; 26: 594-620.

表 4-37-1 喀血・血痰をきたす主要疾患（太字；大喀血をきたしやすい疾患）

1. 気管・気管支の損傷，肺実質の傷害
a. 感染症
  肺炎，**肺膿瘍**，**肺結核**，気管支炎，肺真菌症（特に菌球型肺アスペルギルス症），非結核性抗酸菌症，肺寄生虫症など
b. 腫瘍
  原発性肺癌，気管支内腫瘍（カルチノイド，腺腫など），転移性肺腫瘍（腎癌や大腸癌などの気管支腔内への転移），Kaposi肉腫など
c. 免疫学的機序（肺微小血管の傷害など）
  膠原病関連血管炎（特にループス肺炎），ANCA関連血管炎（多発血管炎性肉芽腫症，顕微鏡的多発血管炎），特発性肺鉄症，Goodpasture症候群など
d. その他
  気管支拡張症，中葉症候群，気道異物，気道外傷など

2. 心血管・肺血管性病変
僧帽弁狭窄症，肺水腫，**大動脈瘤（気道への穿破）**，肺動静脈瘻，肺血栓塞栓症，肺・気管支動静脈瘤，蔓状血管腫などの血管奇形など

3. 血液凝固系の異常
血小板減少症，血友病，紫斑病，白血病，再生不良性貧血，播種性血管内凝固症候群（DIC）など

4. その他
医原性（気管支鏡による生検操作，心臓カテーテル検査など），薬剤（抗血小板薬，抗凝固薬など），異所性子宮内膜症，肝硬変など

ANCA: anti-neutrophil cytoplasmic antibody, DIC: disseminated intravascular coagulation.

4-38 血尿

【⇨ 13-1-2-3】

4-39 乏尿・無尿
oliguria and anuria

概念
　乏尿や無尿は糸球体濾過量の過度な低下を示す重要な症候である．糸球体濾過量の低下以外には原因はない．

1）乏尿： 尿量が 400 mL/日もしくは 20 mL/時以下と定義されている．腎機能の正常な健常人は 1200 mOsm/kgH$_2$O までの最大尿濃縮能を有しており，通常の溶質摂取量が 600 mOsm/日であるため，すべての溶質を完全に排泄するに最大限濃縮でも 600/1200 ＝ 0.5 L/日の尿量が必要と計算され，それ以下の尿量では窒素化合物などの排泄すべきものが体内に蓄積する．このような理論に基づき 400 mL/日と定義されている．

2）無尿： 乏尿のレベルをこえて尿量が減り，50〜100 mL/日以下の場合を無尿と定義している．ただし，無尿の定義は乏尿ほどしっかりした根拠はない．膀胱頸部以降における閉塞の場合を意味する尿閉とは区別される．

病態生理
　乏尿・無尿の状態は，常に糸球体濾過量の低下を背景としている．したがって，乏尿・無尿の状態では内部環境の恒常性を維持できず，老廃物や電解質が体内に貯留するため，尿毒症症状，体液の貯留，高カリウム血症，あるいはアシドーシスとなる．乏尿・無尿は通常急性腎障害（acute kidney injury：AKI）を伴ってくるため，病態生理も同義と見なしてよい．
　原因がどこにあるかという観点から，腎前性，腎性，腎後性の 3 者に分類される（e表 4-39-A）．

1）腎前性乏尿・無尿：
① 腎血流量の低下や血圧低下により糸球体濾過量が減少して発症する．急激に腎血流量が低下すると，すべての糸球体で濾過が一斉に低下する．腎前性は基本的に腎の機能的な反応であり，原因が取り除かれれば，急速に回復し死亡率は低い．しかし，長期にわたれば腎実質の障害をきたし，急性尿細管壊死（腎性）へ移行するため，早期対策がきわめて重要である．
② 腎血流量の低下する原因は，有効循環血液量の減少，局所の循環不全がある．
③ 有効循環血液量の低下には，出血や脱水など細胞外液が喪失している場合とネフローゼ症候群など低蛋白血症により血管外に体液が移動している場合がある．局所の循環不全には，両側腎動静脈血栓・塞栓や薬剤によって腎循環自己調節が障害されている場合などがある．

2）腎性乏尿・無尿：
① 腎実質細胞の障害に基づいて糸球体濾過量が低下（濾過面積の減少）して発症する．
② 腎毒性物質や腎虚血が原因となる急性尿細管壊死の場合が多いが，腎炎や血液疾患による糸球体・細小血管障害や薬物性間質性腎炎による急性間質障害など，可能性のあるすべての疾患を念頭におく必要がある．
③ 腎毒性物質は，さまざまな機序で尿細管細胞を障害する．アミノグリコシドやシスプラチン，アムホテリシン，重金属などは，直接尿細管を障害する．非ステロイド系抗炎症薬は，血管収縮により腎血流を減少させ糸球体濾過量を低下させる．造影剤やシクロスポリン，ヘム色素などのように血管収縮と細胞直接障害の両方の機序を有する薬剤も多い．
④ どの薬剤も免疫学的機序で尿細管間質性腎炎を誘発しうるが，メチシリンが古典的に有名である．
⑤ メトトレキサートやアシクロビルなどのように結晶が尿細管を閉塞させる薬剤や悪性腫瘍の治療時の腫瘍崩壊症候群による尿酸結晶や多発性骨髄腫の際の cast nephropathy も原因となる．
⑥ 原因として単一因子を想定しがちであるが，2 つ以上の因子が相乗的に作用して発症していることも少なくない．特に，薬剤などの腎毒性の発現は腎血流低下，虚血下で増強されやすく注意が必要である．腎毒性のある薬剤を使用する際には，投与前から体液量不足を補正し腎血流を維持しておくことが重要である．

3）腎後性乏尿・無尿：
① 両側尿路の閉塞により糸球体濾過量が低下することが原因で，泌尿器科で扱う疾患である．片側尿路のみに閉塞が起きても対側の尿路が正常であれば乏尿・無尿はきたさないということを常に念頭においておく必要がある．
② 上部尿路では，後腹膜リンパ腫，転移癌，後腹膜線維症で尿管閉塞を起こすことがある．下部尿路では，前立腺肥大，前立腺癌での膀胱頸部閉塞や先天性弁異常による尿道閉塞などがある．また，医原性のものでは，後腹膜手術時の両側尿管結紮・損傷が原因となることもある．

鑑別診断
① 腎前性，腎性，腎後性に分類し，次にその機序，病態を念頭におきながら慎重に病歴聴取や身体診察を行う（e表 4-39-A に病態や疾患の鑑別を示す）．
② 腹部超音波検査を施行して水腎症の有無を確認するのが原則である．両側水腎症なら，両側尿路通過障

害による腎後性の乏尿・無尿である．さらに，CTやMRIなどの画像診断や尿細胞診などで尿路疾患の鑑別を進める．

③次に，腎前性か腎性かの鑑別がきわめて重要である．なぜなら，腎前性の乏尿・無尿なら，補液などで循環動態を改善することにより回復する可能性があるからである．

④腎前性か腎性かの鑑別には，表4-39-1にあげた指標が有用である．腎前性の乏尿・無尿では，腎血流量の低下が共通した病態であり，尿細管における水，ナトリウム（Na），尿素などの再吸収が亢進する（水と尿素の再吸収の亢進はADHの分泌亢進による．Naの再吸収の亢進は交感神経系とレニン-アンジオテンシン-アルドステロン系の亢進による）．したがって，尿は濃縮され（尿クレアチニン（Cr）/血漿Crが40以上，尿浸透圧/血漿浸透圧は1.5以上），尿中Na濃度も低くなる（< 20 mEq/L）ことが特徴である．

⑤尿細管排泄分画（fractional excretion：FE）（%）は，糸球体で濾過された物質が最終的に尿中に何%排泄されるかを表す指標である．FE_{Na}は通常1%程度であるが，腎血流の低下する腎前性の乏尿・無尿では，溶質排泄能と尿細管機能が保持されているため1%未満になる．逆に，腎性の乏尿・無尿では，尿細管での再吸収能が低下しており2%以上となる．

⑥利尿薬は腎血流低下時でもNaの尿中排泄を増加させてしまうため，利尿薬の使用時は尿中Na濃度とFE_{Na}は指標として用いることはできない．この場合には，尿細管での再吸収が利尿薬に影響されない尿素窒素（UN）の尿細管排泄分画FE_{UN}を指標として用いる．腎前性では35%未満となるが，急性尿細管壊死では50〜65%に上昇する．

⑦尿検査では，腎前性では定性，沈渣に異常はなく，糸球体腎炎などによる腎性では蛋白尿，血尿（変形赤血球・赤血球円柱あり）を認める．間質性腎炎による腎性では蛋白尿，血尿は軽度であるが，薬物性の場合には好酸球を認めることがある．急性尿細管壊死による腎性では粗糙顆粒状のmuddy brown castを認める．

〔伊藤孝史〕

表4-39-1 腎前性と腎性の乏尿・無尿を鑑別するのに有用な指標

		腎前性	腎性
尿比重		> 1.018	< 1.015
尿浸透圧（mOsm/kgH₂O）		> 500	< 300
尿浸透圧 / 血漿浸透圧		> 1.5	< 1.1
BUN/ 血漿Cr		> 20	< 20
尿Cr/ 血漿Cr		> 40	< 20
尿Na濃度（mEq/L）		< 20	> 40
尿細管排泄分画 (fractional excretion：FE)	FE_{Na}(%)	< 1	> 2
	FE_{UN}(%)	< 35	> 50
尿沈渣	変形赤血球	なし	あり
	赤血球円柱	なし	あり

$$FE_{Na}(\%) = \frac{U_{Na} \times P_{Cr}}{P_{Na} \times U_{Cr}} \times 100, \quad FE_{UN}(\%) = \frac{U_{UN} \times P_{Cr}}{P_{UN} \times U_{Cr}} \times 100$$

U_{Na}：尿中Na濃度，P_{Na}：血漿Na濃度，U_{Cr}：尿中クレアチニン濃度，P_{Cr}：血漿クレアチニン濃度，U_{UN}：尿中尿素窒素濃度，P_{UN}：血漿尿素窒素濃度．

■文献

Clarkson MR, Friedwald JJ, et al: Acute kidney injury. The Kidiney, 8th ed (Brenner BM ed), pp943-86, Saunders Elsevier, 2008.

Espinel CH, Gregory AW: Differential diagnosis of acute renal failure. *Clin Nephrol.* 1980; **13**: 73-7.

Molitoris BA: Oliguria and anuria. Textbook of Nephrology, 4th ed （Massry SG, Glassock RI eds）, pp489-92, Lippincott Williams & Wilkins, 2001.

4-40 多尿
polyuria

概念

腎障害により等張尿（300 mOsm/kgH₂O，尿比重1.010）しか排泄できなくなった場合，600 mOsmの溶質を排泄するためには，600/300 = 2 L/日の尿量が必要となる．そこから，2500 mL/日以上の排尿を多尿とよぶことが多い．

多尿と鑑別が必要な症候に，尿意切迫（尿意を覚えると我慢できない），頻尿（排尿回数が多い），夜間尿（夜間に排尿回数が多くなる）がある．しかし，患者自身が多尿と頻尿を区別することは必ずしも容易ではないため，尿量は必ず24時間蓄尿で定量化して評価する必要がある．

病態生理

腎臓は，大量の血漿を糸球体で濾過し（糸球体濾過

量(GFR)＝170 L/日)，濾液の99%以上を尿細管で再吸収することにより，1.0～1.5 L/日の尿を体外に排泄している．この再吸収が障害されると多尿となる．

多尿の病態生理を考えるためには，尿細管の各セグメントにおける水とナトリウム(Na)の再吸収の機序を理解しなければならない．

ⅰ) 近位尿細管では，血漿成分にほぼ等しい糸球体濾液をアルドステロン非調整性に再吸収する(低率再吸収)．通常，近位尿細管で濾液の約70%が再吸収される．これは近位尿細管細胞の管腔側と側底膜にアクアポリン1(AQP1)が高発現し，かつ細胞間隙の水透過性が高いという細胞特性による．

ⅱ) Henleの下行脚にもAQP1の発現が豊富で，水透過性は高く，浸透圧勾配に従って再吸収される．

ⅲ) 集合管では抗利尿ホルモン(antidiuretic hormone：ADH)の存在下でのみ水が再吸収される．ADHが集合管主細胞の血管側に存在するバソプレシン V$_2$ 受容体と結合すると，アクアポリン2(AQP2)がリン酸化し，AQP2が尿細管細胞の管腔側細胞膜に挿入され，管腔側細胞膜の水透過性が上昇する．ADHの分泌が低下するとAQP2は管腔側細胞膜から細胞内に戻り，水再吸収が減少する．

浸透圧利尿：近位尿細管，Henleの下行脚，集合管では，上記のように水が再吸収されている．したがって，糸球体で濾過された原尿への溶質負荷により浸透圧が上昇し，Naおよび水の再吸収が阻害されて多尿となる．この場合，尿浸透圧は，250 mOsm/kgH$_2$O以上となる．代表的疾患は糖尿病である．

水利尿：ADHの分泌低下あるいは尿細管のADHに対する反応性低下により，集合管でADHが作用せず，水の再吸収が不十分となり多尿となる．この場合，尿浸透圧は，150 mOsm/kgH$_2$O以下となる．代表的疾患は尿崩症である．

過剰なNa喪失：近位尿細管でのNaの再吸収が低下するため水の再吸収が低下し多尿となる．嚢胞性腎疾患や尿細管間質障害のときにみられる多尿の原因である．

鑑別診断

尿浸透圧が250 mOsm/kgH$_2$O以上の高張性の多尿は浸透圧利尿を意味する．浸透圧利尿には，浸透圧活性物質が電解質である電解質利尿(おもにNa)と，尿素，糖などによる非電解質利尿に分類される(e表4-40-A)．

浸透圧利尿と診断された場合には，多尿の原因となる浸透圧物質を確定しなければならない．2×(尿Na$^+$濃度＋尿K$^+$濃度)×尿量として算出した尿中電解質排泄量が600 mOsm/日をこえていれば，電解質が多尿に関与している．逆に尿中電解質排泄量が600 mOsm/日未満なら，電解質でない溶質(尿素，糖など)が多尿に関与していることになる．ブドウ糖やマンニトール輸液などが適正に実施されているかを確認し，尿糖，尿中尿素の濃度を確認する．1.030以上の生理的範囲を逸脱した尿比重の場合には，造影剤の使用を示唆する．

尿浸透圧が150 mOsm/kgH$_2$O以下，尿比重1.005以下の低張性の多尿は水利尿を意味する．下垂体後葉からのADH分泌低下(中枢性尿崩症，心因性多飲)またはADHの作用不足(腎性尿崩症，低カリウム血症，高カルシウム血症)が原因である(e表4-40-B)．

水利尿のなかでも尿崩症の場合には，入院により原因精査，加療が必要となる．中枢性尿崩症の診断には，①多尿の確認(3 L/日以上)，②尿浸透圧低値，尿糖陰性，③5%高張食塩水負荷試験によるADH分泌の低下の確認，④MRIなどによる視床下部・下垂体領域の病変検索，⑤デスモプレシン投与による尿濃縮の確認，が必要となる．腎性尿崩症と心因性多飲症は鑑別すべきであるが，両者は5%高張食塩水負荷試験によるADH分泌能は保たれており，さらに腎性尿崩症ではデスモプレシン投与による尿濃縮がみられないことから鑑別される．

〔伊藤孝史〕

■文献

Nonoguchi H, Owada A, et al: Immunohistochemical localization of V2 vasopressin receptor along the nephron and functional role of luminal V2 receptor in terminal inner medullary collecting ducts. J Clin Invest. 1995; **96**: 1768-78.

Simon EE, Puschett JB: Polyuria and nocturia. Textbook of Nephrology, 4th ed (Massry SG, Glassock RI eds), pp493-9, Lippincott Williams & Wilkins, 2001.

4-41 脱水
dehydration, volume depletion

概念

いわゆる日本語で「脱水」ということばが臨床で使われるときは，英語でいう dehydration と volume depletion のどちらの病態の意味でも使われていることが多い．英語での dehydration は水の喪失である．それに対して，volume depletion は水だけでなく Na を含む細胞外液が喪失した状態を指す．脱水を高張性・等張性・低張性と分類すると，前者が高張性脱水に，後者が等張性および低張性脱水に相当する．実際の臨床現場ではこれらをきれいに区別することは難しいことも多いが，的確な病態の把握と治療（輸液など）のためには，これらの違いを認識しておくことが大切である【⇨ 13-1-2-6】．

病態生理（図 4-41-1）

1）高張性脱水： 細胞外液から水が Na などの溶質より多く失われた状態である．発汗過多や尿崩症などによって引き起こされる．血清 Na 濃度や浸透圧が上昇し，細胞内液から外液に水が移動して細胞外液量は補われるため，循環血漿量の減少はほかの脱水に比して少なく，頻脈や起立性低血圧といった現象は起きづらい．しかしながら，細胞内は水の移動により脱水となるため，口渇中枢が刺激される．よってこのタイプの脱水は，通常は飲水行動により是正されるが，意識障害患者や口渇感の低下している高齢者，および何らかの理由で飲水できない状態の患者が，このタイプの脱水に陥ることとなる．

2）等張性脱水および低張性脱水： 細胞外液に近い成分が失われた状態である．嘔吐，下痢，出血，熱傷などでみられる．また本来そのような状態であれば，腎臓が尿からの Na と水の排泄を低下させ，さらなる脱水の進行を防ぐように調節するが，その本来の腎臓の調整機構が破綻するような病態（利尿薬投与，間質性腎炎による尿細管障害など）を伴うと脱水状態が持続することが多い．

等張性の場合は，細胞外液と同等の成分が失われた状態で，低張性の場合は Na が水より多く失われた状態である．その場合は，等張な細胞内液に細胞外液からさらに水が浸透圧で引っ張られるため，細胞内液は増加，細胞外液は高度低下となる．その結果，高張性脱水と違って頻脈，血圧低下，末梢循環不全がみられる．

臨床症状

1）身体所見： 口腔粘膜乾燥，舌乾燥，皮膚のツルゴールの低下，体重減少，頻脈，起立性低血圧，爪床圧迫後の赤い色調の回復までの時間（capillary refill time）が 2 秒以上に延長するなど．

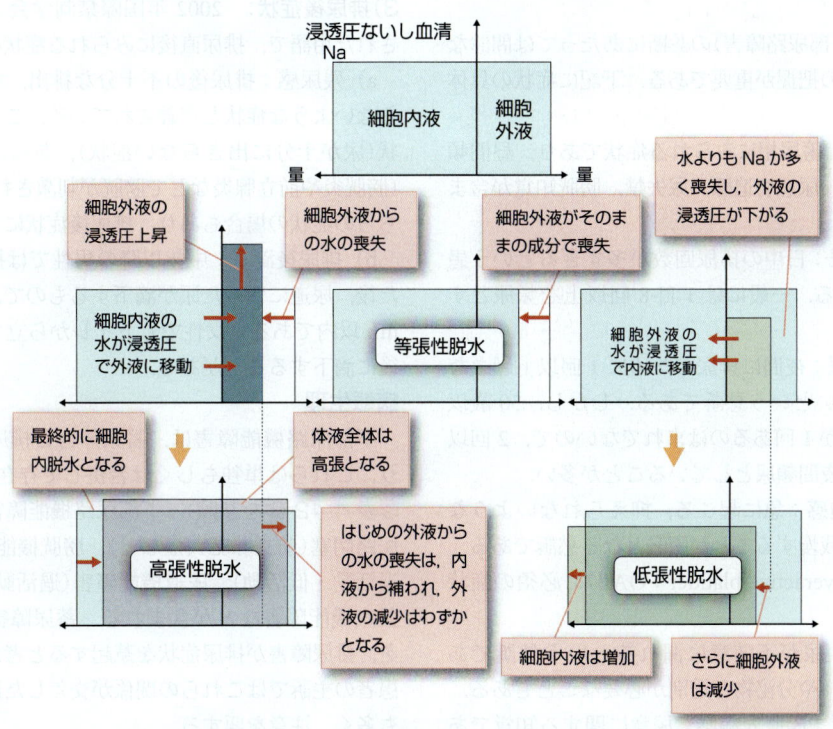

図 4-41-1 各脱水症の病態生理

2）検査所見： ヘマトクリット上昇，総蛋白上昇，血清尿素窒素（BUN）上昇，血清クレアチニン（Cr）上昇，血清 BUN/Cr 比の上昇，尿酸値上昇，血清 Na 上昇，尿比重増加，尿 Na 排泄低下，心胸郭比の低下，などがみられる．

〔内田信一〕

4-42 排尿障害
lower urinary tract dysfunction

定義・概念

排尿障害とは尿の排出や貯留に関する機能障害と考えられ，広義には排尿痛などの症状を伴う障害も含まれる．排尿障害による症状は下部尿路症状（lower urinary tract symptom：LUTS）であり，個人（患者本人やときには介護者も）の主観的な認知によるものである．通常定性的であり，問診や申し出によって把握されるが，確定診断に直接反映することは一般に難しい．その背景に下部尿路機能障害の存在を疑わせるが，尿路感染症のケースも含まれる．2002 年の国際禁制学会の用語基準では，下部尿路機能に関する用語が改定され，現在この分類，用語に基づき記載されるようになっている（日本排尿機能学会男性下部尿路症状診療ガイドライン作成委員会，2008）．そのうち重要なものとして蓄尿症状（storage symptoms），排尿症状（voiding symptoms）および新たに定義された排尿後症状（post micturition symptoms）の 3 つがある（e 表 4-42-A）．

臨床症状

排尿障害（下部尿路障害）の診断にあたっては問診などによる症状の把握が重要である．下記に症状の具体例を示す．

1）蓄尿症状： 蓄尿相にみられる症状であり，昼間頻尿，夜間頻尿，尿意切迫感，尿失禁，膀胱知覚が含まれる．

 a）昼間頻尿：日中の排尿回数が多すぎるという患者の愁訴である．一般には 1 日 8 回以上を頻尿とする．

 b）夜間頻尿：夜間に排尿のために 1 回以上起きなければならないという愁訴である．しかし，50 歳以上では夜間尿が 1 回あるのはまれでないので，2 回以上あるものを夜間頻尿としていることが多い．

 c）尿意切迫感：急に起こる，抑えられないような強い尿意で，我慢することが困難となる愁訴である．過活動膀胱（overactive bladder：OAB）に必須の症状である．

 d）尿失禁：尿が不随意に漏れるという愁訴である．尿漏れは汗や分泌物と鑑別が必要なこともある．

 e）膀胱知覚：膀胱充満感，尿意に関する知覚であり，病歴聴取によって正常，亢進，低下，欠如，非特異的（膀胱に特有の知覚ではなく，膀胱充満を腹部膨満感，自律神経症状，痙性反応として感じる）の 5 分類がある．

2）排尿症状： 排尿時に尿の出にくい症状，すなわち排尿困難である．

 a）尿流低下：尿の勢いが弱いという愁訴であり，通常は以前の状態あるいは他人との比較による．

 b）尿線分割・散乱：尿線が排尿中に分割・散乱することがある．

 c）尿線途絶：尿線が排尿中に 1 回以上途切れるという愁訴である．

 d）排尿遅延：排尿開始が困難で，排尿準備ができてから排尿開始までに時間がかかるという愁訴である．

 e）腹圧排尿：排尿の開始，尿線の維持または改善のために腹圧をかける必要があるという愁訴である．

 f）終末滴下：排尿の終了が延長し，尿が滴下する程度まで尿流が低下するという愁訴である．

3）排尿後症状： 2002 年国際禁制学会で新しく定義された用語で，排尿直後にみられる症状をいう．

 a）残尿感：排尿後の不十分な排出，すなわち出きらないような症状と定義されている．これは，排尿症状（尿が十分に出きらない症状），あるいは蓄尿症状（膀胱炎や前立腺炎などで膀胱が刺激された状態）のどちらの症状の場合もあり，排尿後症状に分類された．

 b）排尿後滴下：中年以降の男性では排尿が終了した後，尿道に残った尿が滴下するもので，その量は数 mL 以内である．女性でもトイレから立ち上がった直後に滴下することがある．

病態生理

下部尿路機能障害は，蓄尿障害と排尿障害よりなり，これらは単独もしくは合併して存在する（詳細は e 表 4-42-B を参照）．下部尿路機能障害には，下部尿路閉塞（前立腺肥大症など），膀胱機能障害（排尿筋過活動・低活動），尿道機能障害（過活動・不全），骨盤底機能障害などが含まれる．蓄尿障害が蓄尿症状を，排尿障害が排尿症状を惹起すると考えられるが，患者の主訴ではこれらの関係が交差した形をとることも多く，注意を要する．

診断・治療

上述した下部尿路症状を訴える患者には，排尿痛を伴うなど下部尿路感染症患者も含まれる．患者の訴えがあった際にはまず尿検査，尿沈渣によって尿路感染症の有無を確認する．尿路感染症が確認されたらその治療を実施する．尿路感染症を認めない場合には次のステップに進む．

診断のためには，患者の主観的な訴えである「下部尿路症状(LUSTS)」を客観的に評価することが必要である．この目的のためウロダイナミクス検査(尿流測定，膀胱内圧測定，尿道括約筋筋電図測定)が実施されるが，これらによる精査・診断は泌尿器科専門医に委ねられる．内科においてはLUSTSの注意深い問診，排尿日誌，残尿測定によってある程度予測可能である．経験豊富な泌尿器専門医の注意深い問診に代わるものとして，質問票の使用は有用である．LUSTSの全般的な質問票として，国際前立腺症状スコア(IPSS9)や主要下部尿路症状質問票が(日本排尿機能学会男性下部尿路症状診療ガイドライン作成委員会，2008)，また関連して国際尿失禁会議質問票，過活動膀胱症状質問票(日本語版)などが利用できる(日本排尿機能学会男性下部尿路症状診療ガイドライン作成委員会，2008；日本排尿機能学会過活動膀胱診療ガイドライン作成委員会，2005)．夜間頻尿のガイドラインも刊行されている(日本泌尿器科学会夜間頻尿診療ガイドライン作成委員会，2009)．排尿日誌は蓄尿症状の評価においてきわめて有用である(詳細は表4-42-1参照)．排尿記録の様式は日本排尿機能学会HPからダウンロード可能である．

また，超音波検査により，腎・膀胱・前立腺の形態を評価する．前立腺容積や膀胱壁の厚さにより，尿排出障害の存在を推測しうる．神経因性膀胱などの重度な機能障害によって生じる合併症(水腎症，膀胱憩室，膀胱結石など)の有無をチェックする．なお超音波検査による前立腺サイズや残尿量は，恥骨上縁にプローブを横断面と矢状断(縦断面)に当てた計測で

$$容積(mL) = \frac{(横断面の)長径 \times (矢状断の)短径 \times 前後径}{2}$$

によって計算できる． 〔守山敏樹〕

表4-42-1 排尿記録による頻尿のパターン分類

1	過活動膀胱パターン	昼間・夜間を問わず頻尿である． 1回尿量は150〜200 mLである． 尿意切迫感や切迫性失禁を伴うことが多い．
2	多飲多尿パターン	1日尿量が2000〜3000 mL以上で飲水量が多い． 1回排尿量は200 mL以上で，ときに大量の蓄尿がある．
3	夜間多尿パターン	夜間就寝中の尿量が1日尿量の1/3以上である． 日中の尿量は多くない．
4	不眠症パターン	夜間1回排尿量が昼間と比べて同等以下である (通常，夜間1回排尿量は昼間の約1.5倍である)．
5	心因性頻尿パターン	起きているときの1回排尿量はきわめて少なく，強度の頻尿であるが，尿失禁はないかきわめて少量． 夜間は排尿にまったく起きないか，頻尿はない． 起床後最初の排尿では十分な排尿量がある．

■文献

日本排尿機能学会男性下部尿路症状診療ガイドライン作成委員会編：男性下部尿路症状診療ガイドライン，ブラックウェルパブリッシング，2008．

日本排尿機能学会過活動膀胱診療ガイドライン作成委員会編：過活動膀胱診療ガイドライン，ブラックウェルパブリッシング，2005．

日本泌尿器科学会夜間頻尿診療ガイドライン作成委員会編：夜間頻尿診療ガイドライン，ブラックウェルパブリッシング，2009．

4-43 四肢痛
limb pain

概念

四肢痛とは上肢(上腕，前腕，手)または下肢(大腿，下腿，足)に痛みを訴える状態であり，四肢に放散する疼痛も含める．

病態生理

組織の侵害を感知する侵害受容性疼痛，神経自体の障害による神経障害性疼痛，さらに心因性疼痛に分類可能であるが(佐伯，2010)，実例では明確に分離・分類できないことも多い．

鑑別診断

四肢の局所性疼痛の多くは，通常疼痛部位が障害部位であり，ほとんどが整形外科的疾患である．内科的疾患が原因になることはまれである．

循環障害および神経障害性疼痛では四肢の痛みであっても，障害部位がより近位の血管あるいは神経組織であり，疼痛部位と一致しないことが多い．したがって全身的かつ系統的診察が重要である．障害される組織および機序からみた四肢痛のおもな原因を示す

(表 4-43-1).

循環障害による場合は，急性であれば，5P すなわち血管閉塞部位から末梢に放散する激痛(pain)，脈拍消失(pulseless)，蒼白(pallor)，運動麻痺(palsy)および感覚麻痺(paresthesia)がみられる．慢性の循環障害では一定の距離を歩くと下肢に疼痛を生じ歩けなくなる間欠性跛行が特徴的である．高度になると指趾末端に安静時の持続痛がみられるが，夜間臥床中など血圧低下時に増悪する傾向がある(江口ら，1998)．

神経障害性疼痛は，神経の損傷ないし機能異常が存在し，神経解剖学的に整合性のある分布をもつ疼痛があり，神経支配域に一致した感覚脱失．触覚・痛覚低下，あるいは異痛症，痛覚過敏などを示す．疼痛が特定の部位(手根管症候群では手首掌側，肘管症候群では肘窩，腓骨神経麻痺では腓骨切痕)を叩打すると神経の走行に沿って誘発されるかどうか(Tinel 徴候)，神経を伸張することで誘発されるかどうか(坐骨神経の下肢伸展挙上テスト，straight leg raising test および大腿神経伸展テスト，femoral nerve stretch test)，さらに自律神経障害の有無(皮膚温，発汗，皮膚色調，爪床・毛髪の変化)などにも注意する．神経筋の電気生理学的検査，特に伝導速度の検討が有用である(益田，2003)．

心因性疼痛とは，精査にもかかわらず疼痛を説明できる器質的病変ないし病態機序が見いだされず，関連性のある器質的病変があっても，疼痛の訴え，あるいはそれによって引き起こされている社会的・職業的障害が，身体所見から予測される程度をはるかにこえているものを指す．全人的アプローチが重要であろう．

〔日下博文〕

■文献

江口大彦, 古森公浩, 他：血管性・糖尿病性四肢痛．臨床と研究．1998; 75: 59-63.
益田律子：神経障害性疼痛の分類・診断．医学の歩み．2003; 247: 317-21.
佐伯 茂：痛みをもたらす疾患の分類と特徴．ねむりと医療．2010; 3: 1-5.

表 4-43-1 四肢疼痛の主要原因

1. 皮膚・筋肉・骨・関節疾患(侵害受容性疼痛，nociceptive pain)
    四肢損傷(骨折・脱臼，捻挫，打撲など)
    術後創部痛
    帯状疱疹
    蜂窩織炎
    多発性筋炎
    筋膜炎
    筋筋膜性疼痛症候群
    線維筋痛症
    骨髄炎
    骨腫瘍(原発性，転移性)関節リウマチ
    痛風
    癌性疼痛
2. 末梢循環障害(侵害受容性疼痛，nociceptive pain)
    急性動脈閉塞症
    慢性動脈閉塞症
        閉塞性動脈硬化症
        閉塞性血栓性血管炎
        原発性動脈血栓症
        膝窩動脈補足症候群
        膠原病
        大動脈炎症候群
        胸郭出口症候群
        四肢動脈外膜嚢腫
        線維筋形成異常
    肢端紅痛症
    静脈性疾患
        静脈血栓症
        慢性静脈弁不全
3. 関連痛
    狭心症・心筋梗塞(左上腕内側)
    胸膜炎
4. 神経障害性疼痛(neuropathic or neurogenic pain)
    末梢神経
    血管炎性ニューロパチー
        多発性ニューロパチー(痛みを伴ったしびれ感，painful dysesthesia)
            糖尿病，ビタミン欠乏症，Guillain-Barré 症候群
        小径線維ニューロパチー(ⓔコラム 1)
        絞扼性ニューロパチー
            手根管症候群
            足根管症候群
        異常感覚性大腿神経痛(meralgia paresthetica)
    painful legs and moving toes syndrome(ⓔコラム 2)
    神経叢：転移性腫瘍
    神経根性・脊髄性疼痛
        腰椎椎間板ヘルニア
        脊柱管狭窄症
        脊椎圧迫骨折
        頸椎症性脊髄症
        脊髄損傷
        脊髄梗塞
        脊髄空洞症
        多発性硬化症
    帯状疱疹後神経痛
    視床痛：視床，脳幹の血管障害後(ⓔコラム 3)
    幻肢痛
    複合局所性疼痛症候群(complex regional pain syndrome：CRPS)
5. 心因性障害(psychogenic pain)
    うつ病
    身体表現性障害
    転換障害
    統合失調症
    外傷性頸部症候群

4-44 関節痛
arthralgia

概念

　関節痛は一般に滑膜を有する関節に生ずる疼痛を意味する．広義には脊椎や仙腸関節など滑膜関節以外の疼痛も含まれる．関節痛は大きくその経過から急性と慢性，また単～少関節痛と多関節痛，あるいは炎症性疼痛と機械的疼痛に分けて考える．初期の関節リウマチなどにみられる炎症性の疼痛は，夜間の自発痛や朝のこわばりが特徴的で，動かしているうちに痛みが和らいでくる．逆に変形性関節症などにみられる機械的疼痛は，関節に負荷をかけることで痛みや腫れが増悪する．

病態生理

　関節痛は，滑膜や関節包などの軟部組織や骨および骨膜に分布する侵害受容体に対して物理刺激や化学刺激が入ることで疼痛が生ずる．多くの場合，関節痛は関節の炎症や構造変化を伴う疾患で起きてくるが，器質的疾患を伴わず疼痛に対する閾値の低下によって痛みが生ずる場合もある．

　関節炎を伴う場合，関節滑膜の増殖と関節液の貯留によって関節腫脹をきたす．関節リウマチでは初期に滑膜の血流が増加，続いて炎症細胞が滑膜組織に浸潤，炎症性サイトカインを分泌し，その影響を受けて滑膜細胞が腫瘍性ともいえる増殖をきたす．この段階で関節痛や関節腫脹をきたすが，炎症が長期にわたると蛋白分解酵素や活性化された破骨細胞の影響で軟骨・骨が破壊される．一方，変形性関節症では骨端部の骨化と軟骨組織の破壊による関節裂隙の狭小化が物理刺激となって関節痛を生ずる．痛風や偽痛風などの結晶誘発性関節炎では，単関節に急性発症の関節炎をきたし，発赤や痛みも強いのが特徴的である．

鑑別診断

　成人の関節痛で頻度が高いのは変形性関節症であるが，関節痛をきたす疾患は全身性自己免疫疾患から感染症，外傷や腫瘍まで多岐にわたるため，診断には慎重を期す必要がある．

1) **問診**：発症が急性か慢性か，単関節か多関節か，安静時痛か動作時痛かについて問診する．発熱，倦怠感や体重減少などの全身性疾患を疑わせる症状がないか，皮疹の有無も重要である．痛みが関節に限局しているのか，関節周囲の腱鞘炎や腱付着部炎を伴うか，また部位についても問診する．関節痛の訴えがあっても実際には筋痛が優位であるような場合にはリウマチ性多発筋痛や炎症性筋炎なども考慮する．家族歴や職歴も重要な判断材料となる．

2) **身体所見**：関節痛が関節炎や局所の構造変化を伴っているのかを見きわめる．特有のリウマトイド結節や痛風結節にも注意する．関節の腫脹や変形は視診と触診によって行うが，皮膚温や色調変化にも注意する．関節腫脹は一般に「爪が白くなる程度」の圧力で圧迫しながら診察する．関節リウマチなどの炎症性関節炎では紡錘形で弾力のある腫脹が特徴的である．変形性関節症による骨棘は，小関節の場合触診で骨性増殖部をかたく触れるので診断は容易であるが，大関節に関節水腫をきたしている症例では，視診や触診のみでは判断しにくいことがある．痛みはあっても構造変化や炎症を伴わない線維筋痛症は，特有の圧痛点を診察することで鑑別する．関節所見，発症経過や罹患関節数および罹患部位によって，可能性の高い疾患をおおまかに推測する（図4-44-1，図4-44-2，e表4-44-A）．

3) **臨床検査**：関節リウマチ，全身性自己免疫疾患や感染症が疑われる場合には血液検査により炎症反応や自己抗体検査を行う．関節腫脹や発赤が著明で感染性関節炎や結晶誘発性関節炎が疑われる際には関節穿刺を行い，培養検査や偏光顕微鏡による観察を依頼する（Bakerら，1993；American College of Rheumatology Ad Hoc Committee on Clinical Guidelines, 1996）．

4) **画像検査**：単純X線検査により，骨の状態および関節裂隙やアライメントが保たれているかどうかを把握する．変形性関節症では骨棘形成と関節裂隙狭小化が特徴的である（e図4-44-A）．早期関節リウマチでは単純X線で異常を認めないことが多いが，発症からの時間経過とともに皮質下に骨粗鬆症性変化や骨嚢胞を認めるようになる（e図4-44-B）．進行した関節リウマチでは滑膜停止部であるbare areaから骨びらんが生じ，さらに進行すると関節裂隙の狭小化，関節破壊，変異および強直などが観察される（e図4-44-C，4-44-D）．偽痛風では関節内に点状あるいは線状の石灰化を認めることがある（e図4-44-E）．痛風でみられる骨びらんは，関節リウマチとは異なり骨硬化を伴う．滑膜の増殖や血流増加は関節エコーを用いて検出する（e図4-44-F）．関節エコーは比較的簡便で侵襲性もないことから，関節リウマチ患者における治療効果の判定にも用いる．MRIは微小な骨びらんや骨髄浮腫の検出，骨肉腫などの腫瘍性病変の診断にも有用で，また造影を行うことで滑膜炎を検出できる．単純X線上の変化を伴わない初期の仙腸関節炎などを診断する際にも用いられる．

〔保田晋助〕

■文献

American College of Rheumatology Ad Hoc Committee on

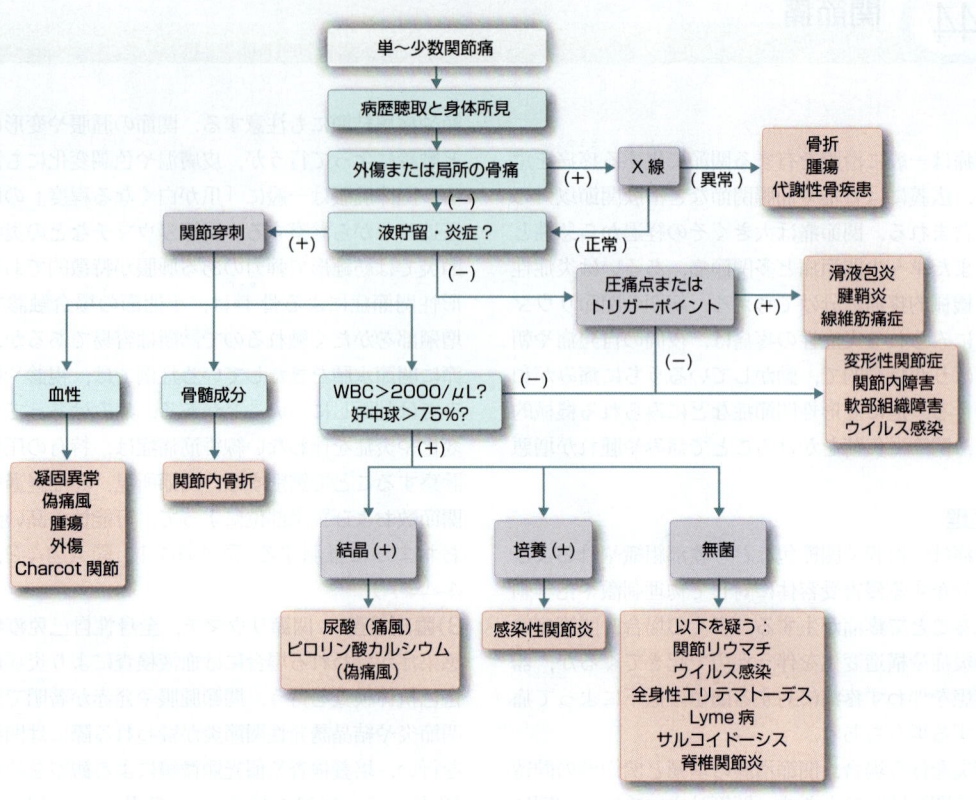

図 4-44-1 単～小関節痛へのアプローチ（American College of Rheumatology Ad Hoc Committee on Clinical Guidelines，1996 より一部改変）
多くの症例は問診と身体所見で対応できる．

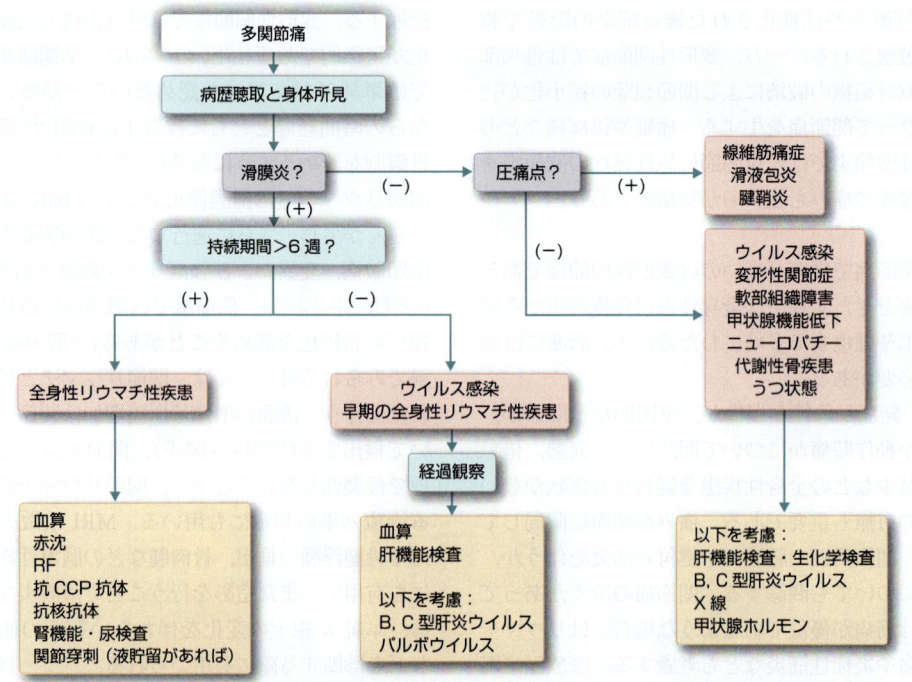

図 4-44-2 多関節痛へのアプローチ（American College of Rheumatology Ad Hoc Committee on Clinical Guidelines，1996 より一部改変）
CCP：cyclic citrullinated peptide（環状シトルリン化ペプチド）．

Clinical Guidelines: Guidelines for the initial evaluation of the adult patient with acute musculoskeletal symptoms. *Arthritis Rheum*. 1996; **39**: 1-8.

Baker DG, Schumacher HR Jr: Acute monoarthritis. *N Engl J Med*. 1993; **329**: 1013-20.

4-45 腰痛・背痛
low backache and backache

概念

腰背部痛は成人の60〜80％が一度は経験するといわれるほど，外来診療で最もよくみられる愁訴である．大部分は筋骨格組織に由来する疼痛で予後良好であるが，内臓疾患に起因する疼痛も存在する．腰痛は癌の再発やその他の重篤な疾患の診断の前兆となることがあるが，任意に抽出した外来腰痛患者に，重篤な疾患がみられるのは1％未満と報告されている（Deyoら，1988）．

病態生理

腰背部痛の病態の大部分は脊椎疾患由来であるが，神経根の圧迫や刺激により真の神経症状を呈するのは2％程度との報告がある．一方，腰痛症状のない成人でもその30％以上にMRIでヘルニアが証明される（Bodenら，1990）．このように症状，画像検査の結果の相関が弱いことから，非特異的腰痛というあいまいな診断が下されることも少なくない．頻度は少ないが，内臓疾患由来の疼痛も存在する．また慢性の腰背部痛には心因性の要因が関与していることもまれではない．

鑑別診断

腰背部痛は内臓疾患や脊椎疾患のほかに筋肉・末梢神経疾患などさまざまな要因で発症する（表4-45-1）．また，線維筋痛症のような全身性慢性疼痛疾患でも認められる．さらに頻度は少ないが，重篤な疾患を見落とさないために，"red flag"とよばれる症状や徴候に注意する必要がある．

1）問診：あらゆる疾患の診断に際して詳細な問診はきわめて重要であり，問診だけで疾患をある程度絞り込むことが可能である．診察を行うときには，以下の点に注意しながら，問診を行う．

a）発症の様子：急性発症の疼痛では，大動脈解離，心筋梗塞などの循環器疾患，腎・尿管結石や腎梗塞などの泌尿器疾患，胆嚢炎，胆石，膵炎などの消化器疾患などを考慮する．いわゆるぎっくり腰といわれる急性腰痛症も急性発症が多い．

b）既往歴や治療歴：悪性腫瘍の治療歴（転移性脊椎腫瘍の可能性），ステロイド使用（骨粗鬆症の可能性），免疫不全（感染の可能性）の有無を確認する．

c）随伴症状の有無：臀部から下肢へ放散する疼痛（大腿神経痛・坐骨神経痛）および膀胱直腸障害（高度の馬尾障害）があれば脊椎・脊髄疾患を疑う．腹痛，胸痛，血尿，体重減少，食欲不振などは内臓疾患の関連を示唆する．

d）月経周期や妊娠との関連：若・中年女性の月経周期に伴う疼痛や不正性器出血の合併は婦人科疾患を疑わせる．また異所性妊娠も念頭におく必要がある．

表4-45-1 腰背部痛をきたすおもな疾患

1. **脊椎疾患**
   a 外傷
      脊椎損傷，骨粗鬆症椎体骨折
   b 変形疾患
      変形性脊椎症，脊柱管狭窄症，椎間板症，椎間板ヘルニア，分離症，すべり症
   c 脊椎腫瘍
      良性腫瘍：血管腫，骨巨細胞腫，類骨骨腫
      悪性腫瘍：転移性脊椎腫瘍，骨髄腫，脊索腫
   d 脊髄腫瘍
      神経鞘腫，髄膜腫，上衣腫，星細胞腫
   E 炎症
      感染症：化膿性脊椎炎，脊椎カリエス，真菌性脊椎炎
      非感染症：関節リウマチ，血清反応陰性脊椎関節症（強直性脊椎炎など）
   f 代謝性
      骨粗鬆症，骨軟化症
   g 筋性
      筋膜炎

2. **内臓疾患**
   a 循環器疾患
      大動脈解離，心筋梗塞，狭心症
   b 泌尿器疾患
      腎・尿路結石，腎盂腎炎，水腎症，腎梗塞
   c 消化器疾患
      胆石，胆嚢炎，膵炎，膵癌，胃・十二指腸潰瘍
   d 生殖器疾患
      子宮筋腫，子宮内膜症，卵巣腫瘍，異所性妊娠

3. **末梢神経疾患**
   帯状疱疹

4. **心因性**

2）身体所見： まず内臓疾患を除外するための診察が必要である．特に急性発症の場合には，バイタルサインのほかに胸部や腹部の診察も重要である．腰部・背部の診察には脊柱肋骨角の叩打痛の有無を確認する．

内臓疾患が否定的であれば，脊椎疾患を考慮する．脊椎疾患では神経脱落症状の有無が重要である．これを確認するためには，姿勢や歩容の確認，棘突起の叩打痛の有無，疼痛誘発試験（大腿神経伸展テスト，下肢伸展挙上テスト，Kempテスト），筋力・知覚・反射の確認を行う．また，乾癬性関節炎などでは皮疹の存在が鑑別の重要な手がかりとなる．

3）臨床検査： 感染症や強直性脊椎炎などの炎症性疾患が疑われる場合には，血算や生化学検査，尿検査などのスクリーニング検査を行う．また，多発性骨髄腫などの悪性疾患が疑われる場合には腫瘍マーカーや免疫電気泳動を考慮する．骨粗鬆症に対する治療効果や予後予測にはオステオカルシンやⅠ型コラーゲン架橋N-テロペプチド（NTx）などの骨代謝マーカーの測定が有効である．

4）画像検査： スクリーニングのための画像検査は単純X線検査を行う．内臓疾患が疑われる場合には胸腹部CT（可能であれば造影CT）が必要である．神経脱落症状が認められる場合には，脊椎のMRIを考慮する．また悪性疾患や感染性疾患にはCTやMRIのほかにFDG-PET/CTや骨シンチグラフィなどの核医学検査も有効である．ただし，画像上の異常所見が必ずしも腰背部痛の原因にならない場合もあるので注意が必要である．　　　　　　　　　　　〔土橋浩章〕

■文献

Boden SD, Davis DO, et al: Abnormal magnetic-resonance scans of the limbar spine in asymptomatic subjects, a prospective investigation. *J Bone Joint Surg Am*. 1990; **72**: 403-8.

Deyo RA, Diehl AK: Cancer as acause of back pain: frequency, clinical presentation, and diagnostic strategies. *J Gen Intern Med*. 1988; **3**: 230-8.

4-46　意識障害
disturbance of consciousness

概念

意識とは，覚醒した個が，自己（self）および自己と外界（surroundings）との関係を認識している状態，言いかえれば，今していることが自分でわかっている状態をいう．唯物論の立場をとる医学において，意識の根源とは賦活された大脳皮質の活動と定義され，したがって，正常な意識を維持するためには，賦活される大脳皮質と，その賦活を維持する網様体賦活系（reticular activation system：RAS）の正常な活動とが不可欠とされる．睡眠（sleep）とは，大脳皮質覚醒機構が正常に働く脳で生理的に大脳皮質が情報学的な休止におかれた状態である．

病的に，覚醒（arousal）がまったく得られなくなった状態を昏睡（coma），不快刺激に対する回避行動などの反応がみられる状態を昏迷（stupor），刺激により覚醒可能で大脳皮質機能も確認できるが，自分自身では覚醒状態を維持できない状態を傾眠傾向（drowsiness, somnolence）とよぶ．覚醒が維持され，大脳皮質機能も確認できるが，正常な認識力に欠けている状態を錯乱状態（confusional state），網様体賦活系が正常に働いているにもかかわらず，大脳皮質による情報処理能力が認められない状態が慢性的に継続した場合を，植物状態（vegetative state）とよぶ．

病態生理

意識障害は，意識の座である大脳皮質の機能が広範囲に侵された場合と，大脳皮質が正常でも，その賦活を維持するために必須であるRASの機能が障害された場合に起こる．前者は，代謝，薬物，感染など，大脳皮質の機能全体を同時に侵す非器質性疾患によることが多く，後者は，腫瘍，外傷，虚血など，脳幹障害，特に，中脳の機能障害を起こす器質性疾患による場合が多い．

鑑別診断

意識障害，特に昏睡は，単なる症候ではなく，それ自体が臨床診断であることの認識が大切である．最も重要な鑑別診断は，閉じ込め症候群（locked in syndrome）で，閉じ込め症候群を完全に否定できるまでは，昏睡の診断を下してはならない．意識障害の診断が確定した後，原因疾患の鑑別に着手する．

治療については【⇨5-2-6】，病態生理・鑑別診断の詳細は【⇨17-3-1】を参照．　　　〔中田　力〕

4-47 失神
syncope, fainting

失神は脳の血流低下による一過性の意識消失発作であり，脳血流低下の原因は多岐にわたる．意識を失う直前に眼の前が暗くなったり，冷や汗をかいたり，血の気が引く感じがしたり，人の声が小さく聞こえたり，気分不快，悪心などを自覚することがある．これらは，いずれも血圧の低下に関連した前駆症状である．これらの前駆症状に続いて短時間の意識消失をきたす．失神時に転倒すると，受け身の姿勢がとれず，大けがをすることもある．「気がついたら，床のうえにいた」と感じることが多い．最も多いのは，心血管性失神のなかの反射性失神で，その代表は，血管迷走神経失神である．

失神は一般に心血管性と非心血管性に大別される（表4-47-1）．心血管性失神は，①反射性失神（神経調節性失神），②起立性低血圧による失神，③心原性失神に大別される．また，非心血管性失神は，①脳血管性失神，②代謝性失神，③心因性失神に大別される．反射性失神と起立性低血圧においては，失神発作と自律神経の関係が特に注目される【⇨17-3-3】．

〔荒木信夫〕

表 4-47-1 主要な失神の原因

Ⅰ．心血管性失神
　1）反射性失神（神経調節性失神）
　　a）血管迷走神経性失神
　　b）頸動脈洞失神
　　c）状況失神：排尿，くしゃみ，咳などで誘発される失神
　2）起立性低血圧による失神
　3）心原性失神
　　a）構造的心疾患：大動脈弁狭窄症など
　　b）冠動脈疾患
　　c）不整脈：Adams-Stokes症候群など

Ⅱ．非心血管性失神
　1）脳血管性失神
　　a）脳幹部の虚血
　　b）脳幹性前兆を伴う片頭痛
　　c）椎骨動脈圧迫
　2）代謝性失神
　　a）低酸素血症
　　b）過換気症候群
　　c）低血糖
　3）心因性失神

4-48 頭痛
headache

概念
頭痛は，神経内科のみならず一般内科・総合診療科において最も頻度の多い主訴の1つである．頭痛の分類は，「国際頭痛学会頭痛分類第3版 beta 版」（ICHD-3β）に基づき一次性頭痛，二次性頭痛および頭部神経痛，中枢性・一次性顔面痛の3部に分けられる（表4-48-1）（日本頭痛学会・国際頭痛分類委員会，2014）【⇨17-17-2】．

病態生理
頭蓋内において痛みに対し感受性を有する部位は硬膜および血管（内頸動脈，中大脳動脈，前大脳動脈，椎骨脳底動脈，硬膜動脈および静脈洞など）とされている．これらの部位の圧迫および炎症などにより頭痛が生じると考えられている．

鑑別診断
頭痛の診断において大切なことは，表4-48-1に記載されているような二次性頭痛の原因となる疾患を鑑別することである．特に，突然発症した頭痛，今ま

表 4-48-1 国際頭痛学会の頭痛の分類（日本頭痛学会・国際頭痛分類委員会，2014）

第1部：一次性頭痛
1. 片頭痛
2. 緊張型頭痛
3. 三叉神経・自律神経性頭痛（TACs）
4. その他の一次性頭痛

第2部：二次性頭痛
5. 頭頸部外傷・傷害による頭痛
6. 頭頸部血管障害による頭痛
7. 非血管性頭蓋内疾患による頭痛
8. 物質またはその離脱による頭痛
9. 感染症による頭痛
10. ホメオスターシス障害による頭痛
11. 頭蓋骨，頸，眼，耳，鼻，副鼻腔，歯，口あるいはその他の顔面・頸部の構成組織の障害による頭痛あるいは顔面痛
12. 精神疾患による頭痛

第3部：有痛性脳神経ニューロパチー，ほかの顔面痛およびその他の頭痛
13. 有痛性脳神経ニューロパチーおよびほかの顔面痛
14. その他の頭痛性疾患

一次性頭痛は慢性頭痛や機能性頭痛などともよばれ，片頭痛，緊張型頭痛，群発頭痛を含んでいる．二次性頭痛は症候性頭痛などともよばれ脳血管障害や髄膜炎などの器質的疾患に起因する頭痛群である．

で経験したことのないような激しい頭痛，50歳以上ではじめて自覚された頭痛，癌や免疫不全など基礎疾患のある患者の頭痛，熱，髄膜刺激症状およびその他神経症状を伴う頭痛などでは生命に影響を及ぼす二次性頭痛が存在している可能性がある．このため，頭痛の性状，部位，発症のしかた，持続時間，頻度，出現する時間，随伴症状などについて詳細な病歴を聴取するとともに，頭部画像検査を施行し鑑別診断を進める．症例によっては髄液検査の施行についても検討する．

〔鈴木則宏〕

■文献

日本頭痛学会・国際頭痛分類委員会訳：国際頭痛分類 第3版 beta版, 医学書院, 2014.

4-49 痙攣 convulsion

痙攣は全身または身体の一部の筋群の不随意で発作性の収縮を意味する．痙攣の原因となる病変部位としては，脳，脊髄，末梢神経，筋肉であり，神経-筋のどのレベルの異常でも起こりうる．また痙攣の原因となる病態は，炎症・感染，腫瘍，血管障害といった器質病変，電解質・代謝異常，脳循環障害など多岐にわたる．痙攣は全身痙攣発作の意味でよく使われる．全身痙攣発作の病因には，急性の脳障害・代謝障害などに起因する急性症候性痙攣発作（acute symptomatic convulsive seizure）と，慢性疾患のてんかん発作（epileptic seizure）がある．急性症候性の痙攣では，痙攣の治療と同時に原因検索を早急に行い原因疾患の治療をする．痙攣発作を慢性的に反復して生じるのがてんかんである．痙攣がすべててんかんではない．痙攣は代表的なてんかん発作の一型ではあるが，てんかん発作には痙攣をきたす発作（全般性強直間代発作，Jackson発作など）と，きたさない発作（欠神発作や側頭葉てんかんにみられる意識減損発作など）がある．痙攣は一般用語でもあり，患者の訴えの「けいれん」はてんかん発作である全般性強直間代発作から，ミオクロニー発作，不随意運動のミオクローヌスや有痛性の筋痙攣など多彩な症状が含まれる．さらに，いわゆるヒステリー発作も痙攣の鑑別診断として重要である．精神的な要因による痙攣発作で，心因性非てんかん性発作（psychogenic non-epileptic seizure：PNES）とよばれる．熱性痙攣は乳幼児の痙攣発作では最も頻度が高く，日本人では6〜8%が罹患する．生後3カ月〜5歳の間に生じる発熱に伴って生じる全身痙攣発作で，頭蓋内感染・病変に起因しない発作である．痙攣性てんかん発作重積状態は，全身痙攣発作が終息傾向なく持続もしくは反復している状態を指す．直ちに治療を要する神経学的救急状態である．従来の定義は30分以上続く発作であるが，臨床的には5分以上持続する発作は重積状態として対処する．

〔赤松直樹〕

4-50 運動麻痺

概念

随意運動の最終経路は，大脳運動野（上位運動ニューロン），上位運動ニューロンの軸索である錐体路，下位運動ニューロン（末梢運動神経），神経筋接合部，筋により構成される．この運動経路のいずれかの部位の障害により，随意運動に際して筋力が低下する状態が運動麻痺である．中枢性麻痺はおもに錐体路の障害により起こる上位運動ニューロン性麻痺であり，筋緊張の亢進（痙縮），腱反射亢進，異常反射（Babinski徴候など）を伴う．末梢性麻痺は下位（脊髄）運動ニューロンとその軸索である末梢運動神経線維の障害により生じ，神経原性筋萎縮と腱反射の低下・消失が認められる．神経筋接合部障害では，易疲労性を特徴として脳神経支配筋，四肢筋に筋力低下をきたす．筋病変では四肢，特に下肢の近位筋が優位に障害される．

鑑別診断・解剖学的診断

運動麻痺を呈する場合にはまず解剖学的診断（病変

表4-50-1 運動麻痺の分布と解剖学的診断

単麻痺	大脳運動野，神経叢
片麻痺	錐体路（対側の大脳運動野〜延髄）
対麻痺	胸髄（両側錐体路）
四肢麻痺	頸髄，末梢神経（多発ニューロパチー），神経筋接合部，筋
両上肢麻痺	頸髄前角

が大脳運動野から筋に至る運動経路のどの高位にあり，一側性か両側性か）を行う．運動麻痺は筋力低下の分布から単麻痺，片麻痺，対麻痺，四肢麻痺に分類され，これにより解剖学的診断が可能である（表4-50-1）．病変部位が決まれば，発症様式（突発性，急性，慢性）と患者背景により原因疾患が推定される．

発症が突発性の場合には血管障害を，急性では炎症，脱髄性疾患，感染症を考える．亜急性〜慢性進行性の場合には，局所性病変であれば腫瘍などの占拠性病変を，びまん性病変であれば多発ニューロパチー，神経筋接合部疾患，筋疾患あるいは変性疾患（運動ニューロン疾患）を考える．【⇨ 17-1】

〔桑原　聡〕

4-51 めまい・耳鳴り
vertigo, dizziness and tinnitus

1）めまい

めまい患者の診療では，脳の疾患による中枢性めまいと耳の疾患による末梢性めまいをいち早く鑑別することが，最も重要である【⇨ 17-3-4】．

(1) 中枢性めまい

中枢性めまいで最初に考慮しなければいけない疾患は，脳幹や小脳の脳血管障害である．脳幹や小脳に病変があれば，腫瘍や脱髄疾患（多発性硬化症など），脳炎（Behçet病など），代謝性脳症（Wernicke脳症など），中毒（フェニトイン中毒など），変性疾患（脊髄小脳変性症など）なども，中枢性めまいの原因になる．中枢性めまいの特徴は，①めまい以外の神経症候を伴う，および，②視覚や深部感覚による補正が効きづらい，という2点に要約される．

(2) 末梢性めまい

末梢性めまいの原疾患には，良性発作性頭位めまい症，前庭神経炎，Ménière病，突発性難聴，中耳や内耳の炎症などがある．めまい以外の神経症候を伴わない末梢性めまいは，眼振により診断する．末梢性めまいの眼振は，健側向き方向固定性水平性眼振（正確には水平回旋混合性眼振）が一般的だが，良性発作性頭位めまい症のみ，疾患に特異的な特殊な眼振を呈する．平衡維持には，前庭感覚のほかに視覚や深部感覚も用いているため，末梢性めまいには，視覚や深部感覚による補正が効く，という特徴もある．

2）耳鳴り

耳鳴りは他覚的に確認できる所見に乏しいため，正確な評価が難しい．実際の音との比較から類似する周波数（ピッチマッチ検査）や大きさ（ラウドネスバランス検査）を調べたり，耳鳴りを抑制できる最小ノイズの大きさ（マスキング検査）を調べたりする評価法はあるが，再現性は必ずしも高くはない．

耳鳴りは，実際に体内に音源がある場合もあれば，聴覚神経系の異常活動が原因のこともある．難聴をきたす疾患はすべて耳鳴りの原因になりうるが，それ以外にも，頭頸部の動脈狭窄や動静脈奇形，動静脈瘻，聴神経への血管圧迫，聴覚伝導路に生じた腫瘍などが耳鳴りをきたす．

〔城倉　健〕

4-52 成長障害
growth retardation

成長の評価は，年齢別の体重および身長の成長表に基づいてなされる(図4-52-1)．1歳くらいまでの乳児に関しては一般に体重が増加しない(体重増加不良，failure to thrive)として親あるいは健康診断時に気づかれることが多い．

一方，幼児期～思春期には低身長を主訴に医療機関を訪れる頻度が高くなる．

成長障害の一致した定義はないが，①体重・身長が図4-52-1で示される標準体重の3パーセンタイル未満である場合，②短期間に成長パーセンタイル曲線(3，10，25，50，75，90，97％)を横切る場合(成長の鈍化あるいは不変の状態)成長障害を疑う．このように成長障害の診断に際してはある一時点での体重・身長の評価のみならず，成長変化(個人の成長曲線)を正確に成長曲線にプロットして判定することがきわめて重要である．

成長障害は，器質的疾患を伴う場合と器質的疾患を伴わない場合がある．成長障害の原因となる基礎疾患は多く，非器質性疾患による場合も親の経済的理由，養育者の心理的問題(マタニティブルー，家族内不和)，虐待，栄養不足(母乳の量が少ないなど)，児の心理的理由など原因は多様である．また患児の年齢により成長障害の原因となる基礎疾患や環境因子も異な

り，成長障害の正確な診断は熟練した小児科医でもときとして難しい．表4-52-1に成長障害のおもな原因疾患を記す．

診断

注意深い病歴の聴取と身体所見から成長障害の診断・評価をかなり絞り込むことができる．

1) **成長曲線の評価：** これまでの成長歴を母子手帳などの記述から実際に標準成長曲線上にプロットしてみる．成長のパターンのタイプから診断はある程度予測可能である．図4-52-2に成長曲線からみた低身長の鑑別を記す．乳児の体重増加不良についても体重増加曲線は診断に重要な情報を与えてくれる．身長，体重，頭囲のすべてが5パーセンタイル以下であれば，器質的疾患の存在の可能性が高い．

2) **栄養に関する事項：** 児の栄養方法(母乳，人工乳，混合栄養)，1回の哺乳量，1日の回数などについて詳しく情報を得る．母乳不足は最も多い成長障害の1つである．児は一生懸命に母乳を吸っているのに母乳が少量しか出ないときに現れることが多い．1回の母乳の量を知るためには哺乳の前後で正確な体重計を用いて児の体重の増減を観察すればよい．一般に正常な成長のためには150 mL/kg/日以上の母乳あるいはミルクが必要である．離乳食が始まっている場合には，

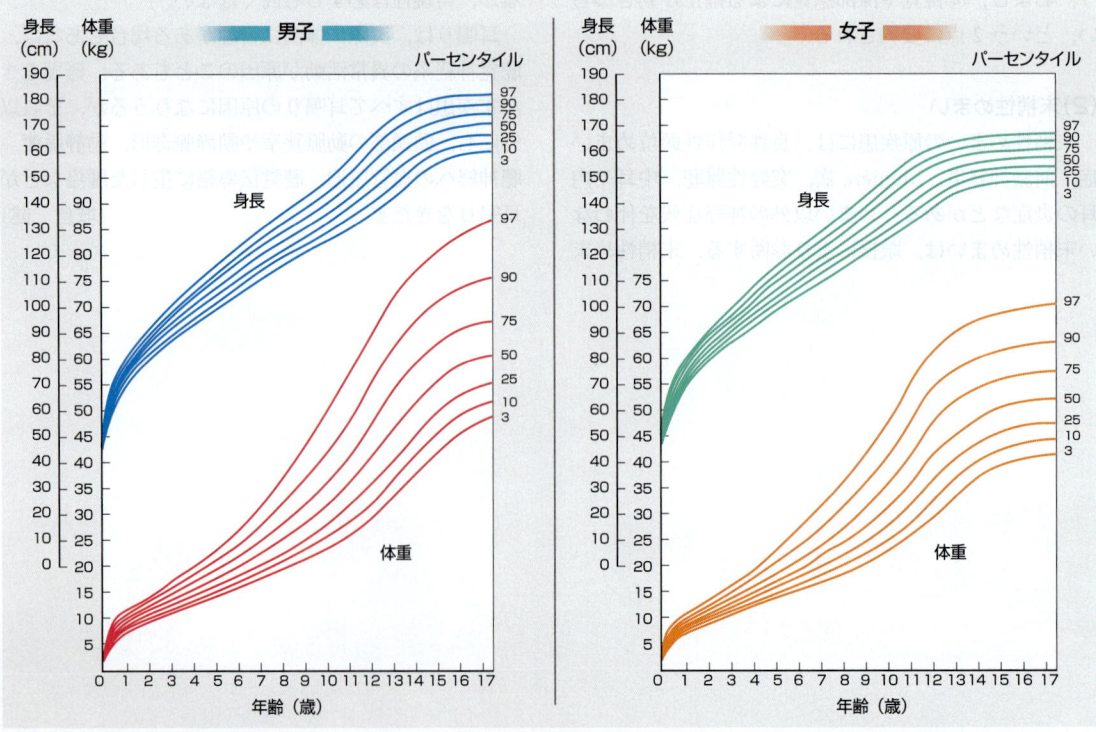

図4-52-1 **標準成長曲線(男女)**(厚労省「食を通じたこどもの健全育成のあり方に関する検討会」報告書，2004)

表 4-52-1 成長障害のおもな原因

I 非器質的要因
1. 栄養摂取不足
    母乳不足，不適切な栄養方法，育児不安，母親の精神的疾患
2. 精神社会学的低身長
    神経性食欲不振症，愛情遮断症候群，虐待

II 器質的原因
1. 染色体異常，奇形症候群：
    Turner 症候群，Down 症候群，Prader-Willi 症候群，Russel-Silver 症候群，Cornelia De lange 症候群，Noonan 症候群，Pierre-Robin 症候群
2. 神経，筋疾患：
    脳性麻痺，水頭症，脳奇形，難治性てんかん，頭蓋内出血，先天性筋ジストロフィー，先天性ミオパチー，変性疾患
3. 感染症：尿路感染症，TORCH，AIDS
4. 心疾患：先天性心奇形，心不全，肺動脈スリング
5. 消化器疾患：
    胃食道逆流，肥厚性幽門狭窄症，胃軸捻転，腸回転異常症，Hirschsprung 病，乳糖不耐症，短腸症候群，難治性下痢症，ミルクアレルギー，炎症性腸疾患，蛋白漏出性胃腸症，肝炎，胆道異常症
6. 腎疾患：
    慢性腎不全，Bartter 症候群，Gitelman 症候群，ネフロン癆，腎性尿崩症
    尿崩症，尿細管性アシドーシス
7. 代謝性疾患：
    先天性代謝異常症(糖代謝，アミノ酸代謝，脂肪酸代謝，有機酸)
8. 内分泌疾患：
    成長ホルモン分泌不全性低身長，甲状腺機能低下症，甲状腺機能亢進症，副甲状腺ホルモン過剰症，思春期早発症，糖尿病，偽性副甲状腺機能低下症
9. アレルギー：
    食物アレルギー，アトピー性皮膚炎(重症例)
10. 免疫疾患：免疫不全症

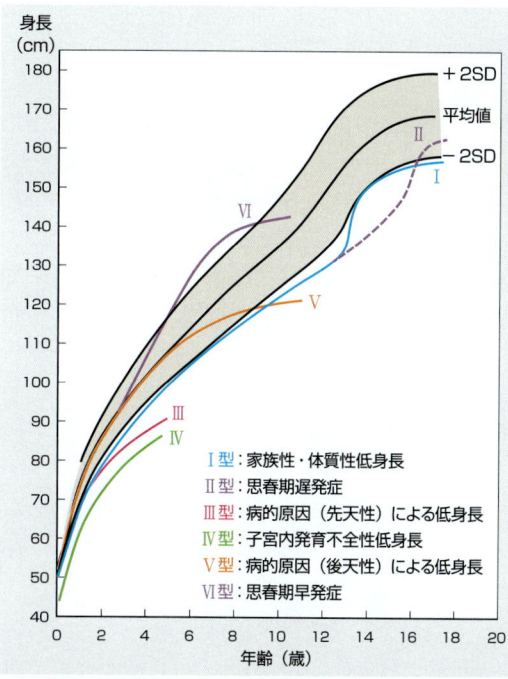

図 4-52-2 成長曲線から見た低身長のパターン (香川二郎：成長障害(低身長)．小児疾患診療マニュアル，pp63-7，中外医学社，2005)

（仮死の有無，骨盤位など）．早産児であれば，修正月齢を用いて評価する．

5) 成長障害以外の症状の有無： 発達の評価，下痢，血便(炎症性腸疾患，ミルクアレルギーなど)，多飲・多尿(尿崩症，慢性腎不全，糖尿病など)．

6) 既往歴： 全身性慢性疾患，代謝疾患，アレルギー・免疫疾患，血液・悪性腫瘍など．

7) 身体所見： 一般的な身体所見のほか，以下の点に注意する．不自然な外傷などがないか(虐待の可能性)，体格・体型の異常，小奇形・顔貌の異常(骨系統疾患，染色体異常，代謝異常症など)，性発達の異常の有無．

検査

器質的疾患が疑われるときは以下の検査を行う．骨年齢，胸部 X 線，CBC，生化学，一般検尿，血液ガス検査，GH，IGF-I，IGFBP-3，TSH，T_4，染色体分析，アンモニア．

中途より成長が止まったような症例では MRI，CT は必須である．

〔関根孝司〕

その内容をよく聞き，適切な栄養の量とバランスとなっているかを確認する．

3) 心理的・社会的背景： 主たる保育者・養育者の養育状況，家族の職業，社会的・経済的状況，母親の心理的状況，育児への関心，虐待，育児放棄などの可能性，食事に対する極端な考え方がないか(母乳至上主義)．

4) 家族歴，妊娠分娩歴，周産期歴： 器質的疾患が疑われるときには重要な情報である．
- 遺伝性疾患，血族結婚などの情報，家族の身長(家族性低身長)．
- 母親の基礎疾患，妊娠中の感染症(TORCH，eコラム 1)，アルコール歴など．
- 在胎週数，出生時の体重，身長，頭囲，分娩状況

■文献

Kirkland RT: Failure to thrive (Chapter 118). Oski's Pediatrics: Principles and Practice. 3rd ed (McMillan JA, Feigin RD, et al ed), pp752-5, Lippincott Williams & Wilkins, 1999.

5. 治療学

1. 内科学総論
2. 老年医学
3. 心身医学
4. 症候学
5. 治療学
6. 感染症
7. 循環器
8. 血圧の異常
9. 呼吸器系
10. 消化管・腹膜
11. 肝・胆道・膵
12. リウマチ・アレルギー
13. 腎・尿路系
14. 内分泌系
15. 代謝・栄養
16. 血液・造血器
17. 神経系
18. 環境要因・中毒

治療学

- 5.1 治療学総論 144
  - 1) 薬物療法 144
  - 2) 輸液療法 162
  - 3) 栄養療法【⇨15-1-4】
  - 4) 輸血・成分輸血 168
  - 5) 呼吸管理 176
  - 6) 放射線療法 180
  - 7) リハビリテーションと運動療法 183
  - 8) 緩和医療と終末期ケア 186
- 5.2 救急治療 189
  - 1) 心肺停止 189
  - 2) 急性心不全 191
  - 3) 急性呼吸不全 196
  - 4) 腹痛（急性腹症） 199
  - 5) 消化管出血 203
  - 6) 昏睡（意識障害） 207

5-1 治療学総論

1）薬物療法

(1) 臨床薬学 (clinical pharmacy)

適正な薬物治療のためには，医薬品それぞれの特性をよく理解して臨床の場で活用する必要がある．それが臨床薬学である．特に薬剤師は医薬品に関する専門家として，またチーム医療の一員として臨床の場で積極的にその役割を果たすことが期待されており，診療報酬上においても血中薬物濃度測定に基づき投与計画や評価を行う特定薬剤治療管理料や薬剤管理指導料などが設定されている．この臨床薬学を支えるのがTDM (therapeutic drug monitoring) をはじめとした薬物動態学，薬力学，ゲノム薬理学，医薬品情報学などである．

a. 臨床薬学の基盤となる薬物動態学，薬力学，ゲノム薬理学，医薬品情報学

薬物動態学はファーマコキネティクス (pharmacokinetics：PK) といわれ，薬物が投与されてから効果が発現するまでの過程では，薬物の吸収・分布・代謝・排泄といった体内動態を扱い，薬物の投与量や投与速度に応じて薬物血中濃度の時間推定を予測することができる．一方，薬力学はファーマコダイナミクス (pharmacodynamics：PD) といわれ，作用部位における薬物濃度と効果の関係を扱い，薬物濃度に応じた作用強度を予測することができる．薬物はその血中濃度が有効治療濃度域に達しないと効果が期待できない．しかし有効治療濃度域をこえてしまうと中毒域に達してしまい副作用が発生することになる（図5-1-1）．特に有効治療濃度域が狭く治療域と中毒域が近い場合や，薬物体内動態の個人間の変動が大きい場合にはTDMを実施して有効かつ安全に薬物治療を実施する必要がある．TDMが有効である薬物を表5-1-1に示す．

そしてゲノム薬理学すなわちファーマコゲノミクス (pharmacogenomics：PGx) は，狭義には薬理遺伝学ファーマコジェネティクス (pharmacogenetics：PGt) ともいわれ，ICHのE15ガイドライン[1]によれば「薬物応答 (drug response) と関連するDNA配列の変異に関する研究」とされて，広義には「薬物応答と関連するDNAおよびRNAの特性の変異に関する研究」とされている．

医薬品情報学すなわちドラッグインフォメーション (drug information：DI) では，添付文書やインタビューフォームなどの情報，緊急安全性情報（イエローレ

表5-1-1 TDMが有効であるおもな薬物

種類	薬物名
強心薬	ジゴキシン
抗てんかん薬	カルバマゼピン
	クロナゼパム
	バルプロ酸
	フェニトイン
	フェノバルビタール
抗喘息薬	テオフィリン
抗不整脈薬	アミオダロン
	キニジン
	ジソピラミド
	フレカイニド
	プロカインアミド
	リドカインなど
抗統合失調症薬	ハロペリドール
	ブロムペリドール
抗躁うつ病薬	リチウム
免疫抑制薬	シクロスポリン
	タクロリムス
	エベロリムスなど
抗炎症薬	サリチル酸
抗腫瘍薬	メトトレキサート
トリアゾール系抗真菌薬	ボリコナゾール
グリコペプチド系抗菌薬	バンコマイシン
	テイコプラニン
アミノグリコシド系抗菌薬	アミカシン
	カナマイシン
	ゲンタマイシン
	トブラマイシン

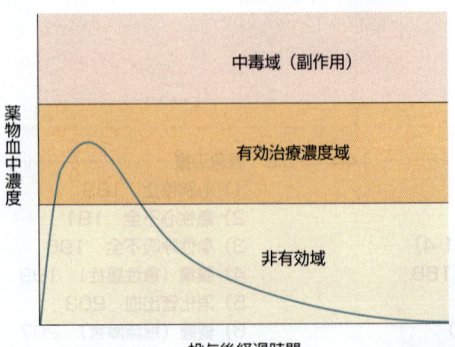

図5-1-1 薬物血中濃度

表 5-1-2 CYP を阻害または誘導する薬物など

CYP の分子種	阻害	誘導
1A2	ニューキノロン系抗菌薬など	喫煙など
2C9	選択的セロトニン再取り込み阻害薬，アゾール系抗真菌薬，サルファ薬など	カルバマゼピン，セントジョーンズワートなど
2C19	オメプラゾール，チクロピジンなど	リファンピシン，セントジョーンズワート
2D6	抗うつ薬，抗精神病薬，シメチジンなど	妊娠
3A4	アゾール系抗真菌薬，マクロライド系抗菌薬，シクロスポリン，タモキシフェン，グレープフルーツなど	抗てんかん薬，副腎皮質ステロイド薬，セントジョーンズワートなど

ター)・安全性速報(ブルーレター)，さらには学術誌からの医薬品に関する有効性や安全性の情報を評価して臨床の場に活かすものである．

b. 薬物の吸収，分布，代謝，排泄について

多くの薬物は経口投与の後，小腸から吸収され，肝臓を経由し全身循環血へと移行する．この消化管からの吸収における相互作用で代表的なものは，ニューキノロン薬が水酸化アルミニウムなど金属イオンと複合体を形成して吸収が低下することである[2]．さらに小腸上皮細胞には代謝酵素としてチトクローム P450 (CYP) が存在し，また異物排出ポンプの役割をする薬物トランスポーターである P 糖蛋白質もある．一部の Ca 拮抗薬は CYP や P 糖蛋白質を阻害するグレープフルーツジュースを併用すると血中濃度が上昇する[3]．逆に薬物取り込みトランスポーターの OATP (organic anion transporting polypeptides) をグレープフルーツなど種々のフルーツジュースが阻害することでフェキソフェナジンの血中濃度が減少する (Dresserら，2002)．またリファンピシンやサプリメントのセントジョーンズワート (セイヨウオトギリソウ)[4] は CYP や P 糖蛋白質を誘導し，ジゴキシンの血中濃度を減少させる．

分布では血漿蛋白質結合が影響し，結合型は薬理活性がなく，非結合型が薬理活性を有する．アスピリンがテノキシカムの蛋白結合を阻害することも注意を要する[5]．

薬物の代謝はおもに肝臓で行われ，先述の CYP やエステル加水分解酵素，グルクロン酸や硫酸との抱合などさまざまな酵素がある．CYP には多くの分子種があり，なかでも CYP3A4 は半数以上の薬物の代謝に関与している (表 5-1-2)．たとえばイトラコナゾールによる CYP3A4 の代謝阻害でシンバスタチンの血中濃度上昇が起こる (Neuvonen ら，1998)．また CYP 分子種には遺伝子多型があり，poor metabolizer では代謝酵素機能が低下している．日本人では CYP2A6 および CYP2C19 の poor metabolizer が多く[6]，この場合 CYP2C19 の基質となるオメプラゾールの血中濃度が上昇する[7]．CYP 以外ではグルクロン酸抱合酵素の 1 つである UGT1A1 が遺伝的に欠損していると，イリノテカンの骨髄毒性のリスクが増大する[8]．肝障害時には CYP1A2 や CYP2C19 の活性は大きく低下するため注意を要するが，CYP2C9 や CYP2D6 や抱合系の酵素は大きな低下を示さない．

排泄では腎臓から尿中へ排泄される薬物が多い．したがって腎機能が低下している場合には注意を要する．特に腎機能低下時にはテオフィリンの有効治療濃度域でも副作用が発現することがある．尿中排泄には糸球体濾過，尿細管分泌，再吸収の過程がある．クロロチアジドがリチウムの再吸収を促進してリチウムの血中濃度が上昇したり，プロベネシドによる薬物トランスポーターの阻害でメトトレキサートの腎クリアランスが低下したりする[9]．バンコマイシンの血中濃度は腎機能 (クレアチニンクリアランス) と密接であり，TDM により投与設計が有効である．

c. 年齢の影響

身体機能が未熟な新生児期は薬物の代謝も不十分で，ビリルビン抱合能は成人の 1/100 程度であり，CYP 活性も CYP1A2 でおもに代謝されるテオフィリンのクリアランスは成人の 1/10〜1/5 である．しかしこれらも乳児期になるとほぼ成人のレベルとなる．逆に小児期では薬物代謝が成人より増すこともあり，テオフィリンのクリアランスは体重あたりでは成人の約 2 倍となり，その後減少していく[10]．

一方，加齢に伴い多くの生理機能が低下する．まず肝臓の容積減少および肝血流量が減少し，薬物代謝速度が低下する．トリアゾラムやリドカインではクリアランスが青年の 1/2 以下となる．また加齢により腎機能も低下することから，尿中排泄を受けるアテノロールでは血中濃度が 2 倍以上になることがある．薬物に対する感受性が加齢で変化することもあり，イソプロテレノールに対する反応性は加齢とともに低下し，逆に ACE 阻害薬やワルファリンなどでは薬理作用が増大する (Schwartz, 2007)．

d. 薬剤管理指導業務

薬剤管理指導としてはさまざまな業務がある．まず ①患者ごとに薬剤服用歴 (薬歴) を作成し，この薬歴に

基づいて投薬にかかる薬剤の名称，用法，用量，効能，効果，副作用および相互作用に関するおもな情報を文書（正式には薬剤情報提供文書という）などで患者に提供して説明することがあげられる．②さらに処方された薬剤について，患者や家族から服薬状況などの情報を収集し，また薬歴に記録したり必要な指導を行ったりすることがある．③手帳などに調剤日や薬剤名，用法，用量，その他必要な注意などを記載することもあり，④後発医薬品に関する情報（存在の有無や価格など）を患者に提供することなども薬剤管理指導に含まれる．特に薬歴に基づき重複投薬や相互作用を防止するために処方した医師に問い合わせを行ったりすることは重視されている．また麻薬を調剤した場合にはその服用や管理状況，副作用の有無などを確認することや，6歳未満の乳幼児に必要な指導を直接患者や家族に行い，手帳に記載することも診療報酬上，評価対象になっている．

診療報酬に直接つながることではないが，薬の専門家である薬剤師が，医師や看護師など医療スタッフにカンファランスやクリニカルパス作成時に薬に関する助言をすることもチーム医療として必要なことである．特に入院患者においては，持参薬として患者が入院前から服用している薬剤をもってくることがあり，この持参薬を確認することは，薬剤の有効利用ということよりも，むしろ医療安全面の観点から重要である．　〔小出大介・山崎　力〕

■文献（ⓔ文献 5-1-1-1）
Dresser GK, Bailey DG, et al: Fruit juices inhibit organic anion transporting polypeptide: mediated drug uptake to decrease the oral availability of fexofenadine. Clin Pharmacol Ther. 2002; 71: 11-20.
Neuvonen PJ, Kantola T, et al: Simvastatin but not pravastatin is very susceptible to interaction with the CYP3A4 inhibitor itraconazole. Clin Pharmacol Ther. 1998; 63: 332-41.
Schwartz JB: The current state of knowledge on age, sex, and their interactions on clinical pharmacology. Clin Pharmacol Ther. 2007; 82: 87-96.

(2) 抗菌薬 (antibacterial drug)
a. 抗菌薬による薬物療法の原則
i) 抗菌薬療法の目的
抗菌薬は感染症の治療に用いる薬剤である．感染症の発症には宿主（ヒト）と病原体関係が不可欠である．感染症が発症するか否かは，宿主感染防御能と原因微生物の病原性とその菌量によって決まる．抗菌薬療法は薬物によって原因微生物の菌量を減少または消失させ宿主に有利な条件をつくり，疾病を治癒させることを目的としている．

ii) 抗菌薬の適正使用の目的
抗菌薬は感染症の原因微生物の発育を抑制または殺滅する薬剤であるが，臨床の場で不適切な診断により，不必要な抗菌薬が使用されればさまざまな問題を生じる．そのため抗菌薬の適正使用を考慮する必要がある．抗菌薬の適正使用には第一に治療対象となる患者の感染症に最も有効かつ安全な薬剤を選択する（個人防衛の目的）．第二に薬剤耐性菌の蔓延を防ぐため，抗菌薬の淘汰圧を最小限とする（集団防衛の目的）．第三に医療資源の浪費を最小限する（社会防衛の目的）．以上の3点を常に考慮し，抗菌薬の適正使用に努めることが必要となる．

iii) 抗菌薬選択のプロセス
実際に抗菌薬を選択する際には適切なプロセスをふむ必要がある．まず目前の患者の臨床症状や検査結果あるいは画像診断などから感染症の存在とその感染病巣を判断する．次に原因病原体の検索のための検査を行うが，結果はその場では得られないため，その感染症の病原体を推定し，最も抗菌力がすぐれた薬剤を選択する．さらに抗菌薬の用法と用量を判断するため，その感染病巣への薬剤の移行性がすぐれた抗菌薬を選択し，患者の重症度を判断した後，点滴静注か経口投与かを決定し，より重症例では静菌的な薬剤よりも殺菌的な薬剤を選択する．また，選択した抗菌薬の薬物動態 (pharmacokinetics：PK) /薬力学 (pharmacodynamics：PD) に応じて用法と用量を決定する．最後に選択された薬剤の副作用やほかの併用薬剤との相互作用などを確認し投与する．

b. 抗菌薬の分類
i) 抗菌薬の作用機序による分類 (表 5-1-3)
1) **細胞壁合成阻害薬**：細胞壁は網の目様の構造を示すペプチドグリカンで構成されている．そのペプチドグリカンの合成にはペニシリン結合蛋白質 (PBP) が重要な役割を果たしている．ペニシリン系薬などのβ-ラクタム系薬はPBPの作用を阻害し，抗菌力を示す．このような作用を有する抗菌薬にはペニシリン系薬，セフェム系薬およびカルバペネム系薬があり，いずれも化学構造上β-ラクタム環を有するため，β-ラクタム系抗菌薬と総称されている．また，β-ラクタム系薬ではないが，同じく細胞壁合成阻害作用を有する薬剤にホスホマイシンがある．

2) **蛋白合成阻害薬**：蛋白合成阻害薬は細菌の蛋白合成を阻害し，細菌の発育を抑制する．蛋白合成阻害薬は70Sリボソームに作用することで細菌にのみ選択毒性を示す．この作用を有する薬剤にはミノサイクリンなどのテトラサイクリン系薬，エリスロマイシンなどのマクロライド系薬，アミカシンなどのアミノグリコシド系薬，リネゾリドなどのオキサゾリジン系薬およびクロラムフェニコールなどがある．

表 5-1-3 代表的な抗菌薬の作用機序による分類

細胞壁合成阻害	ペニシリン系薬 セフェム系薬 カルバペネム系薬 モノバクタム系薬 ホスホマイシン リポグリコペプチド
蛋白合成阻害	マクロライド系薬 テトラサイクリン系薬 アミノグリコシド系薬 クロラムフェニコール リンコマイシン
核酸合成阻害	キノロン系薬 リファンピシン
細胞膜機能阻害	ポリペプチド系薬
葉酸合成阻害	ST合剤

抗菌薬は特異的な作用機序によって微生物の増殖を阻害する.細胞壁合成阻害や核酸合成阻害による薬剤は殺菌的な作用を有し,細胞膜機能阻害,蛋白合成阻害,葉酸合成阻害による薬剤は静菌的な作用を有している.

表 5-1-4 おもな抗菌薬の組織移行性と細胞内移行性

組織移行性
1)気道および肺組織の移行性 マクロライド系薬＞テトラサイクリン系薬＞ニューキノロン系薬＞β-ラクタム系薬＞アミノグリコシド系薬
2)肝臓および胆汁の移行性 マクロライド系薬＞β-ラクタム系薬＞ニューキノロン系薬＞アミノグリコシド系薬
3)腎臓および尿路の移行性 β-ラクタム系薬＝ニューキノロン系薬＝アミノグリコシド系薬＞マクロライド系薬
4)髄液の移行性 β-ラクタム系薬＞マクロライド系薬＝ニューキノロン系薬＝アミノグリコシド系薬
細胞内移行性
きわめて良好 マクロライド系薬,クリンダマイシン,ホスホマイシン
良好 ニューキノロン系薬,リファンピシン,クロラムフェニコール,サルファメトキサゾール／トリメトプリル(ST合剤),リンコマイシン
不良 β-ラクタム系薬,アミノグリコシド系薬

抗菌薬はその化学構造の特性や疎水性・親水性の差から各種の臓器への移行性に違いがある.抗菌力がすぐれた薬剤でも移行性が不良の場合は十分な臨床効果が期待されない.抗菌薬を投与する際には感染部位と抗菌薬の移行性を確認する必要がある.また,細胞内移行性が悪い薬剤はレジオネラ,クラミジア,カンピロバクターなど細胞内寄生菌の感染症には臨床的に無効となる.

3)**核酸合成阻害薬**: DNA鎖の超らせん化を起こすDNAジャイレースに作用し,DNA複製を阻害して細菌の増殖を阻止する薬剤である.この作用を有する薬剤にはレボフロキサシンなどのニューキノロン系薬がある.抗結核薬の代表的薬剤であるリファンピシンはRNAポリメラーゼに作用し,細菌の増殖を阻止する.

4)**細胞膜機能阻害薬**: 細胞膜機能阻害薬は細胞膜に作用して,選択的な透過性を変化させることによって細菌の生命維持に必要な細胞内成分を放出させ細菌の増殖を阻止する薬剤である.この作用を有する薬剤はコリスチン,ポリミキシンBなどのペプチド系薬である.

5)**葉酸合成阻害薬**: 葉酸は細菌の代謝に必須であり,多くの細菌は葉酸を自分で合成できる.葉酸合成阻害薬は細菌の周囲の環境からの葉酸の合成を阻害し,細菌の増殖を阻止する薬剤である.この作用を有する薬剤にはサルファ薬やトリメトプリムがある.

ii)**抗菌薬の臓器移行性による分類**(表 5-1-4)

抗菌薬は点滴静注でも経口投与でも血流を介して感染病巣に達し,抗菌力を示す.さらに化学組成や親水・疎水性などの違いから臓器移行性が決定される.推定された感染病巣へ最も移行性のすぐれた抗菌薬を選択する.肺や気道にはマクロライド系薬やニューキノロン系薬の移行性がすぐれ,アミノグリコシド系薬の移行性は劣っている.肝臓や胆汁にはマクロライド系薬,テトラサイクリン系薬の移行性がすぐれ,ペニシリン系薬,セフェム系薬の移行性は劣っている.腎臓や尿路にはペニシリン系薬,セフェム系薬の移行性はすぐれ,マクロライド系薬の移行性は劣っている.

iii)**抗菌薬の細胞内移行性による分類**

原因微生物のなかで結核菌,カンピロバクター,レジオネラ,クラミジアなどは細胞内寄生菌とよばれる.抗菌薬のなかでペニシリン系薬,セフェム系薬,アミノグリコシド系薬などは細胞内移行性が悪いため,細胞内寄生菌の感染症には無効となる.それに対してマクロライド系薬,クロラムフェニコール,ホスホマイシンなどは細胞内移行性にすぐれた薬剤であり,細胞内寄生菌の感染症に対して有効である.

iv)**抗菌薬の殺菌性と静菌性による分類**

試験内で微生物と抗菌薬を接触させ,抗菌薬の濃度が低くなれば,増殖が再び確認される薬剤は静菌的であり,抗菌薬が存在しなくても増殖が確認されない薬剤は殺菌的である.感染症が重症であり,より早期の治癒が必要な場合や,基礎疾患のために感染防御能が破綻している場合にはより殺菌的な薬剤が選択される.殺菌性の抗菌薬としてはペニシリン系薬,セフェム系薬,アミノグリコシド系薬,ニューキノロン系薬,モノバクタム系薬,カルバペネム系薬などがあり,静菌性の抗菌薬としてはテトラサイクリン系薬,マクロライド系薬,クロラムフェニコール,リンコマイシンなどがある.

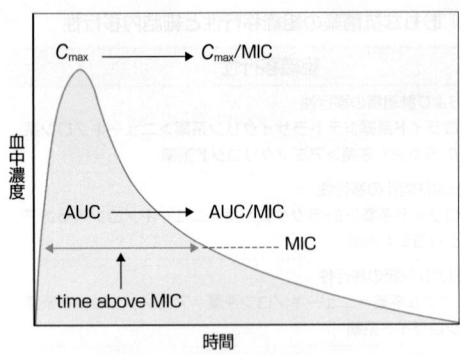

図 5-1-2 抗菌薬の薬物動態(pharmacokinetics：PK)/薬力学(pharmacodynamics：PD)パラメータ

PK/PD とは，抗菌薬の有効性と安全性を高めるために，最適な投与方法を設定するための考え方である．薬物動態を表す PK と薬力学を表す PD を組み合わせることで有効性の指標となる．PK/PD パラメータには，「C_{max}/MIC」，「AUC/MIC」，「time above MIC」などがあり，抗菌薬の作用機序により有効性と相関するものが異なる．

v)薬物動態/薬力学による分類

抗菌薬は経口投与または点滴静注で投与され血流によって感染巣に到達し，その抗菌活性を示す．そのため，抗菌薬の臨床効果はその薬剤の血中濃度動態いわゆる PK(pharmacokinetics)に大きく依存することとなる．PK では血中濃度のある種のパラメータと臨床効果の相関がそれぞれの抗菌薬によって規定されている．抗菌薬の PK パラメータは同じ用量で投与された患者から採血された血中濃度のポピュレーションPK 解析で決定される．PK パラメータとしては最高血中濃度(maximum concentration)，血中半減期($T_{1/2}$)および AUC(area under the curve)などが算出される(図 5-1-2)．

抗菌薬はそれぞれの薬剤に応じた用法・用量が定められている．この用法・用量は臨床試験の結果から薬物体内動態に基づいて規定されている．しかし，抗菌薬をより有効に使うには PK/PD 理論に基づいた抗菌薬の用法・用量を考慮する．抗菌薬の血中濃度が原因微生物の最小発育阻止濃度(MIC)を上回る時間(time above MIC)と血中濃度曲線のつくる面積(area under curve: AUC)と最高血中濃度(C_{max})などの関係から，ペニシリン系薬，セフェム系薬，カルバペネム系薬などの β-ラクタム系薬やテトラサイクリン系薬，オキサゾリジン系薬などは MIC を上回る濃度の抗菌薬が長時間存在する方が臨床的に有効であり，投与回数を増やすことでより有効となる．ニューキノロン系薬やアミノグリコシド系薬は血中濃度が高い方が有効であり，1 回投与量を多くすることでより有効となる．

表 5-1-5 おもな抗菌薬の副作用

抗菌薬	おもな副作用
ペニシリン系	過敏反応，肝障害，腎障害，出血傾向，中枢神経障害
セフェム系	過敏反応，肝障害，腎障害，アンタビュース様作用，出血傾向，中枢神経障害
カルバペネム系	過敏反応，肝障害，腎障害，中枢神経障害
マクロライド系	胃腸障害，肝障害
テトラサイクリン系	肝障害，腎障害，光線過敏
アミノグリコシド系	腎障害，耳障害，神経・筋障害
グリコペプチド系	皮膚発疹(レッドマン症候群 red man syndrome)，腎障害，肝障害，耳障害
クロラムフェニコール	造血器障害，肝障害，グレー症候群(gray syndrome)
キノロン系	胃腸障害，中枢神経障害(痙攣)，肝障害，過敏反応，低血糖，光毒性(光過敏症)

それぞれの系統別の抗菌薬の副作用を列挙した．副作用に関しては，それぞれの抗菌薬によって発生する頻度が異なっているため，投与に際しては添付文書を確認するか，薬剤師と十分に相談することが重要である．

c. おもな抗菌薬と特性
i)ペニシリン系薬

ペニシリン系抗菌薬はこれまで抗菌薬の代名詞とされ，およそ 30 種類弱の薬剤が開発されている．ペニシリン系薬は細菌の分裂増殖に最も重要なペニシリン結合蛋白質(PBP)に結合し殺菌的に作用する．しかし，近年ペニシリン系薬を分解する酵素である β-ラクタマーゼを産生する菌やペニシリン系薬が結合できない PBP をもつ耐性菌が増加しつつある．そのような耐性菌には β-ラクタマーゼ阻害薬配合ペニシリン系薬が有効となる．ペニシリン系薬は黄色ブドウ球菌(メチシリン耐性黄色ブドウ球菌を除く)，インフルエンザ菌，*Moraxella catarrhalis*，淋菌などに有効である．多くの薬剤は腎排泄性で，副作用としてアレルギー反応に注意する．その他，肝機能障害や腎機能障害，神経症状などの副作用を認めることがある(表 5-1-5)．

ii)セフェム系薬

セフェム系薬は殺菌性にすぐれ，抗菌スペクトルが広く，副作用が少ない安全性の高い薬剤である．セフェム系薬はその特徴から第 1 世代，第 2 世代，第 3 世代，第 4 世代と便宜上分類されている．第 1 世代セフェム系薬は Gram 陽性菌にすぐれた抗菌活性を示すが，インフルエンザ菌や腸球菌には抗菌活性が劣る．第 2 世代セフェム系薬は第 1 世代セフェム系薬に比較して Gram 陰性菌の抗菌スペクトルが拡大し，第 3 世代セフェム系薬は β-ラクタマーゼに安定で，Gram 陰性菌の抗菌スペクトルが拡大したが，Gram

陽性菌の抗菌力は弱くなった．第4世代セフェム系薬は緑膿菌も含んだGram陰性菌の抗菌力がさらに増強され，同時にGram陽性菌の抗菌力も強くなった．セフェム系薬の多くの薬剤は腎排泄性であるが，セフォペラゾンなど一部の薬剤は胆汁排泄性である．副作用は抗菌薬のなかでも最も少ない薬剤とされペニシリン系薬と同様にアナフィラキシーや薬剤性の発熱や腎機能障害などに注意が必要となる．

iii) アミノグリコシド系薬

アミノグリコシド系薬は抗菌スペクトルや抗菌力にすぐれているが，腎毒性や聴力障害などの副作用のため，第二選択薬と考えられている．しかし，最近は血中濃度を随時測定し，適切な投与量を設定し，副作用の軽減をはかるtherapeutic drug monitoring（TDM）の導入や，1日1回の投与法によって有効性を落とすことなく，副作用の軽減をはかる投与法などが工夫されている．アミノグリコシド系薬の特徴は短時間に強力な殺菌作用を示し，低濃度でも細菌を増殖抑制するpost antibiotic effect（PAE）を示すことである．大腸菌，肺炎桿菌，プロテウス，セラチアなどの腸内細菌群にすぐれた抗菌力を示し，Gram陽性菌ではブドウ球菌にはすぐれた抗菌力を示すが，肺炎球菌や腸球菌には抗菌力が劣る．腎排泄性で，胆汁中へ移行せず，直接刺激性が低いため，腹腔内や髄液内に局所投与されることもある．副作用として腎機能障害を高率に認める．また，耳毒性も注意が必要で，めまい，悪心，嘔吐，眼振などの前庭機能障害と難聴などの聴力障害を認める．

iv) ニューキノロン系薬

本来キノロン系薬はGram陰性菌にのみ抗菌力を有していたが，化学組成を変化させブドウ球菌や肺炎球菌などのGram陽性菌にも抗菌力をもつニューキノロン系薬が開発された．組織移行性や細胞内移行性も良好なため，マイコプラズマ，クラミジア，レジオネラなどにも有効である．副作用として光毒性を認める薬剤があり，服用時は直射日光を避ける．その他，痙攣，低血糖，横紋筋融解症，急性腎不全などの副作用がある．また，非ステロイド系抗炎症薬やテオフィリン薬との相互作用に注意が必要となる．

v) テトラサイクリン系薬

ミノサイクリンとドキシサイクリンはテトラサイクリン系薬であり，マイコプラズマ，クラミジア，リケッチアなどのβ-ラクタム系薬が無効な原因微生物に有効である．さらにコレラ，Lyme病，ブルセラ症など輸入感染症にも有効な薬剤である．テトラサイクリン系薬はブドウ球菌，溶連菌，肺炎球菌などのGram陽性菌とインフルエンザ菌，大腸菌，肺炎桿菌，赤痢菌などGram陰性菌のほか嫌気性菌にも抗菌力を示す．新たに開発されたチゲサイクリンは基質拡張型β-ラクタマーゼ産生Gram陰性菌（ESBL）やカルバペネム耐性緑膿菌やアシネトバクターなどいわゆる多剤耐性菌にも抗菌活性を認める薬剤である．テトラサイクリン系薬は胆汁排泄性で胆道感染にも有効であるが，肝機能障害の患者では注意が必要となる．発疹やアナフィラキシーなどの過敏反応，悪心，嘔吐などの消化器症状や肝機能障害などの副作用をときに認める．また妊婦や新生児から小児までの低年齢児への投与は催奇形性やキレート形成による骨発育不全，歯牙の着色エナメル質の形成不全を起こすことがあるため，原則的には投与できない．

vi) マクロライド・クリンダマイシン系薬

マクロライド・クリンダマイシン系薬は細菌細胞内のリボソームの50Sサブユニットに結合し，蛋白合成阻害によって抗菌活性を示す．Gram陽性菌ではブドウ球菌，肺炎球菌，連鎖球菌，腸球菌などに抗菌力を示すが，肺炎球菌には耐性化が進んでいる．また，マクロライド系薬は百日咳，レジオネラ，マイコプラズマ，クラミジア，リケッチアにも抗菌力を有し，クリンダマイシンは嫌気性菌に強い抗菌力を示すことも特徴の1つである．副作用としては食欲不振，胃部不快感，下痢などの消化器症状や肝機能障害，皮疹などがあるが，重篤なものは少ない．

vii) カルバペネム系薬

カルバペネム系薬はβ-ラクタム系薬で広い抗菌スペクトル，強力な抗菌活性，β-ラクタマーゼに対する高い安定性などのすぐれた抗菌薬である．Gram陽性菌では連鎖球菌，肺炎球菌（ペニシリン耐性肺炎球菌を含め），黄色ブドウ球菌などにすぐれた抗菌力を示すが，メチシリン耐性黄色ブドウ球菌（MRSA）には抗菌力がない．腸内細菌をはじめGram陰性菌にもすぐれた抗菌力を示し，さらに緑膿菌やセフェム系薬の耐性が問題となっているエンテロバクター，セラチア，シトロバクターなどの菌種にも有効である．嫌気性菌にもすぐれた抗菌力を示す．腎排泄性で腎機能低下例や高齢者では投与量を減量する必要がある．副作用は痙攣，意識障害などの中枢神経系障害と腎機能障害に注意が必要である．

viii) ST合剤

ST合剤は持続性サルファ剤のサルファメタゾール（SMX）と2,4-ジアミノピリミジン系薬トリメトプリルの合剤である．Gram陽性菌やGram陰性菌のほかにノカルジアやトキソプラズマにも抗菌力を示す．また，ニューモシスチス肺炎にも有効である．副作用は悪心，嘔吐，食欲不振，下痢，便秘，舌炎，口角炎などの消化器症状である．さらに長期使用では白血球減少，血小板減少，貧血などの造血器障害に注意が必要となる．

ix) 抗MRSA薬

バンコマイシンとテイコプラニンはグリコペプチド系の抗MRSA薬である．尿排泄性で髄液中にはほとんど移行しない．副作用として腎機能障害を認めるため，血中濃度をモニタリング（TDM）し，至適用量を決定する．また急速静注でヒスタミンが遊離され，顔面，上腕，体幹上部に搔痒感と熱感を伴う紅斑や発疹を伴うレッドマン症候群を認める．アルベカシンはアミノグリコシド系薬として，MRSAに抗菌活性を示す．肺への移行性が不良で，腎機能障害を認めることもある．リネゾリドはバンコマイシン耐性腸球菌（VRE）の治療薬であったが，MRSAに対してもすぐれた抗菌活性を有している．2週間以上の投与に際しては，血球減少症を伴うことが多い．ダプトマイシンはMRSAに対して殺菌的に作用するが，肺のサーファクタントで不活化されるため，MRSA肺炎には無効である．

d. 抗真菌薬

抗真菌薬は真菌感染症の治療薬である．内科系疾患の真菌感染症はカンジダ属やクリプトコックスなどの酵母状真菌とアスペルギルス属などの糸状菌による感染症がおもなものである．真菌はヒトの細胞と同様の真核生物であるため，抗真菌活性を有する抗真菌薬は，ヒトの細胞にも作用する．これが副作用として現れるために，安全性に問題があったが，抗真菌活性にすぐれ，同時に安全性にもすぐれたアゾール系抗真菌薬が開発されてから，多くの真菌感染症の治療に用いられるようになった．

i) ポリエン系薬

ポリエン系薬であるアムホテリシンBは，酵母状真菌から糸状菌まで，幅広い抗真菌スペクトラムをもち，殺真菌活性にすぐれた薬剤である．しかし，発熱，腎機能障害，低カリウム血症などの副作用が高頻度に認められるため，臨床的に使いにくい薬剤であった．その副作用を軽減するため，アムホテリシンBの脂質製剤が開発され，より高用量の薬剤が，より安全に投与可能となった．

ii) フルシトシン

フルシトシンは酵母状真菌のみに抗真菌活性をもつ経口薬であるが，現在ではほかに有効な経口薬が臨床使用可能となったため，実際の臨床現場ではほとんど使用される機会はなくなった．

iii) アゾール系薬

アゾール系薬は真菌細胞壁のステロール合成系を阻害することによって，抗真菌活性を示す．フルコナゾールは酵母状真菌に有効であるが，糸状菌には無効である．安全性にすぐれ，注射薬と経口薬が使用可能である．イトラコナゾールはアスペルギルス属などの糸状菌にも有効な抗真菌薬である．剤形としては，カプセル剤，口内溶液，注射薬があり，カプセル剤は十分な血中濃度に達しない症例もある．ボリコナゾールはアスペルギルス属などの糸状菌に対してきわめてすぐれた抗真菌活性を示し，侵襲性肺アスペルギルス症においては第一選択薬とされる．投与に際しては視覚障害や肝機能障害に注意する．

iv) エキンキャンディン系薬

最も新しく開発された抗真菌薬である．ミカファンギンは酵母状真菌から糸状菌まで多くの真菌に対してすぐれた抗真菌活性を有している．安全性にもすぐれているが，注射薬のみが使用可能である．カスポファンギンもミカファンギンと同様の抗真菌活性を有する薬剤である．

e. 抗寄生虫薬

抗寄生虫薬は，原虫症薬と蠕虫症薬に大別される．原虫症薬はマラリア，トリコモナス症，赤痢アメーバ症，ランブル鞭毛虫症などの感染症の治療に用いられる．原虫症のなかでもマラリアは重要な疾患であり，特に近年増加しつつある熱帯熱マラリアに対しては適切な治療を行わないと死の転帰をとることがある．ほかの原虫症薬は感染した寄生虫の種類によって，投与量が異なるため注意が必要である．多細胞生物である吸虫，条虫，線虫をまとめて蠕虫とよぶ．蠕虫症には蠕虫薬が投与される．外部寄生虫症としては，疥癬症とハエ症がある．疥癬症にはこれまで外用薬が使用されてきたが，現在は内服薬であるイベルメクチンが臨床的に使用可能となった．

抗寄生虫症薬は実際には有効であっても，保険適用外の薬剤が多く，また症例数がきわめて限られているため，有効な薬剤は一般的には入手できない．そのため，国内で入手できない薬剤に関しては「熱帯病治療薬研究班」が輸入し，保管しているため，必要に応じて連絡して，使用する．

〔前崎繁文〕

(3) 抗ウイルス薬（antiviral drug）

抗ウイルス薬はウイルスの細胞への吸着，ゲノムの脱殻，転写および複製，蛋白質合成，粒子の形成と放出など増殖過程のいずれかの段階を阻害することによって，抗ウイルス活性を発揮する．抗ウイルス薬は抗菌薬に比べて，その種類もきわめて限られており，また特定のウイルスにのみ効果を認める薬剤が多い．さらに，ウイルスは感染した細胞を利用し，増殖するため，抗ウイルス薬はウイルスの増殖抑制作用のみならず，宿主細胞に対して毒性を有し，多くの副作用を認めるため，注意が必要となる．

a. 抗ヘルペスウイルス薬

わが国で使用可能な抗ヘルペスウイルス薬には，アシクロビル，バラシクロビル，ファムシクロビル，ビダラビンがある．アシクロビルはグアノシンアナログ

で，感染細胞のなかでウイルス由来のチミジンキナーゼにより一リン酸化され，さらに細胞由来のチミジンキナーゼにより三リン酸化され，アシクロビル三リン酸となり，DNA ポリメラーゼにより，ウイルス DNA の 3′ 末端に取り込まれ，ウイルス DNA の伸長を停止し，ウイルス DNA の複製を阻害する．単純ヘルペス，骨髄移植におけるヘルペスウイルス感染症の発症抑制，帯状疱疹の治療薬として，経口および点滴静注される．正常細胞への毒性は比較的少ないが，腎障害のある患者では腎機能障害を認める．バラシクロビルはアシクロビルのプロドラッグである．バイオアベイラビリティは 50％程度向上し，アシクロビルより高い血中濃度が得られる．ファムシクロビルは経口薬で，服用後速やかに代謝され，活性代謝物ペンシクロビルに変換され，ウイルスの DNA ポリメラーゼを阻害し，増殖を抑制する．神経障害や，重篤な皮膚障害に注意が必要である．ビダラビンは強力な DNA ポリメラーゼ阻害作用を有するため，一般的には免疫抑制患者における単純ヘルペス脳炎や角膜炎の治療に用いられる．また，アシクロビル耐性ウイルスにも有効である．

b. 抗サイトメガロウイルス薬

わが国で使用可能な抗サイトメガロウイルス薬としては，経口薬のバルガンシクロビル，注射薬のガンシクロビルとホスカルネットがある．バルガンシクロビルはガンシクロビルのプロドラッグであり，体内で吸収された後，直ちにガンシクロビルになる．吸収にすぐれ，バイオアベイラビリティは 60％程度である．ガンシクロビルは強力な DNA ポリメラーゼ阻害作用により，抗ウイルス活性を示す．サイトメガロウイルス網膜炎や AIDS，臓器移植における重篤なサイトメガロウイルス感染症の治療に用いられる．ホスカルネットはガンシクロビル耐性ウイルスにも有効であるため，ガンシクロビルの代替薬として使用される．ガンシクロビルとバラシクロビルは用量依存的に骨髄抑制を認め，汎血球減少や貧血を生じる．また，不可逆的な精子形成機能障害や，女性の妊娠性低下を招く．ホスカルネットは重篤な腎機能障害を認めることに注意する．

c. 抗 RS ウイルス薬

パリビズマブは遺伝子組み換え由来 RS ウイルスの F 蛋白質上の抗原部位 A 領域に対する特異的ヒト化モノクローナル抗体である．新生児，乳児および幼児における RS ウイルス感染による重篤な下気道感染症の発症を抑制する抗ウイルス薬として使用される．

d. 抗インフルエンザウイルス薬

インフルエンザウイルス感染症の治療薬としては，ウイルス核酸の脱殻を阻害するアマンタジンと，インフルエンザウイルスのノイラミニダーゼ活性を選択的に阻害し，ウイルスの細胞からの遊離を阻害するノイラミニダーゼ阻害薬とがある．後者には，オセルタミビル，ザナミビル，ペラミビル，ラニナミビルの 4 薬剤がある．さらに，インフルエンザウイルスの RNA ポリメラーゼ活性を阻害する新しい作用機序を有するファビピラビルが開発されたが，安全性の懸念からパンデミック時に限って臨床使用する制限が設けられた．現在のインフルエンザ感染症治療の主流はノイラミニダーゼ阻害薬であり，剤形も経口薬であるオセルタミビル，吸入薬であるザナミビル，ラニナミビル，注射薬であるペラミビルがあり，患者の重症度や服薬コンプライアンスから薬剤を選択することが可能である．しかし，オセルタミビルなどのノイラミニダーゼ阻害薬は 10 歳以上の未成年において服薬後に異常行動が起こることが報告され，この年代の患者に投与する際には十分な注意が必要となる．

e. 抗 HIV（human immunodeficiency virus）薬

現在，臨床的に使用可能な抗 HIV 薬には，核酸系逆転写酵素阻害薬（NRTI），非核酸系逆転写酵素阻害薬（NNRTI），プロテアーゼ阻害薬（PI），インテグラーゼ阻害薬（INI），CCR5 阻害薬などさまざまな薬剤がある．抗 HIV 療法の目標は，血液中の HIV 量を最大限かつ長期間にわたって検出限界以下に抑え続けることによって，免疫能を回復・維持し，患者の QOL を改善し，HIV 関連疾患および死亡を減らすことである．AIDS 指標疾患を発症している場合および CD4 陽性 T リンパ球数が 350 cells/μL 以下の場合に，抗 HIV 療法を開始する．単独の抗 HIV 薬で治療を行うと，急速に薬剤耐性を獲得してしまうため，必ず，多剤併用療法を行う．また，治療を成功させるためには，高い服薬コンプライアンスを維持することが重要である．HIV/AIDS 診療に関する医学的知見は日々変化しており，常に最新版の治療ガイドラインを参照する必要がある． 〔前﨑繁文〕

■文献

前﨑繁文：抗菌薬はこう使え，中山書店，2012.
前﨑繁文：感染症はこう叩け，中山書店，2013.
日本化学療法学会編：抗菌薬適正使用生涯教育テキスト 改訂版，杏林舎，2013.

(4) 抗癌薬

a. 抗癌薬の使用法

悪性腫瘍の治療目的で薬剤を投与することを癌の化学療法といい，抗腫瘍効果のある薬剤を抗癌薬とよぶ．これまで化学療法は，造血器悪性腫瘍の治療において中心的な役割を果たしてきたが，固形腫瘍においてはおもに外科的腫瘍切除や放射線照射療法を補助す

る形で行われてきた．しかし近年，分子標的治療薬の急速な発展に伴って固形腫瘍においても重要な治療選択肢となっている．また外科治療を行っても多発転移巣などのために治癒が期待できない患者の場合に，延命あるいは生活の質(quality of life：QOL)の向上を目的とした化学療法が行われることがある．

抗癌薬は大きく，細胞傷害性の強い薬物(細胞傷害性抗癌薬)と，細胞増殖に重要な分子(多くの場合蛋白質)の機能を選択的に抑える分子標的治療薬に分かれる(日本臨床腫瘍学会，2012；西條ら，2014)．細胞傷害性抗癌薬を用いた療法の主体は多剤併用療法であり，分子標的療法薬と組み合わせて用いられることもあるため，抗癌薬の使用法は癌種・遺伝子異常・病態に応じて大きく異なる．したがって実際に抗癌薬を患者に用いる医師は，薬剤の有効性・副作用に最新かつ十分な知識があり，化学療法の実地教育を受けた者でなくてはならない．今日の多剤併用プロトコールは，作用機序の異なる，交差耐性の少ない薬剤が組み合わせて用いられ，癌細胞に対して最大の殺細胞効果が目指される．投与薬剤の選択は対象疾患・患者に応じて科学的根拠に基づき理論的に行われる(evidence-based medicine：EBM)必要がある．抗癌薬・治療プロトコールの情報は，基本的に患者に病名を告知したうえで開示され，インフォームドコンセントが得られたもとで治療が行われるべきである．

実際の使用にあたって抗癌薬の投与量は，対象患者の年齢，体表面積，体重，腫瘍の遺伝子異常の種類，全身状態(performance status：PS)，および主要臓器(心臓，肺，肝臓，腎臓)の機能に応じて勘案される．薬剤投与経路は経口あるいは経静脈による全身投与が一般的であるが，脳脊髄腔，胸腔，腹腔などに局所投与される場合もある．十分な効果を上げるためには抗癌薬の腫瘍局所における有効濃度を上昇させることが重要であり，薬剤の投与法(drug delivery system：DDS)の最適化がなされるべきである．

多くの細胞傷害性抗癌薬が重篤な副作用をもたらすため，適切な補助療法を施行することが化学療法の成功にきわめて重要である．具体的には，制吐薬の投与，造血障害に対する輸血，感染症治療，補液などが行われる．化学療法に伴う重篤な顆粒球減少症に対し

表5-1-6 おもな細胞傷害性抗癌薬

種類	薬品名：略称	おもな対象疾患	おもな副作用
アルキル化薬	シクロホスファミド(cyclophosphamide：CPM, CPA)	悪性リンパ腫，肺癌	骨髄抑制，出血性膀胱炎
	メルファラン(melphalan：L-PAM)	多発性骨髄腫	骨髄抑制，肝障害
	ブスルファン(busulfan：BUS)	骨髄増殖性腫瘍	骨髄抑制，間質性肺炎
	ニトロソウレア類：BCNU, ACNU	脳腫瘍，白血病	骨髄抑制，間質性肺炎
白金化合物	シスプラチン(cisplatin：CDDP)	肺癌，卵巣癌	腎毒性，末梢神経障害
	カルボプラチン(carboplatin：CBDCA)	肺癌，卵巣癌	骨髄抑制
	オキサリプラチン(oxaliplatin：L-OHP)	胃癌，大腸癌	末梢神経障害，骨髄抑制
代謝拮抗薬	メトトレキサート(methotrexate：MTX)	白血病，絨毛癌	骨髄抑制，口内炎，腎障害
	シタラビン(cytosine arabinoside, cytarabine：Ara-C)	急性白血病	骨髄抑制
	6-メルカプトプリン(6-mercaptopurine：6-MP)	白血病	骨髄抑制，肝障害
	5-フルオロウラシル(5-fluorouracil：5-FU)	胃癌，大腸癌	骨髄抑制，下痢，口内炎
	ヒドロキシウレア(hydroxyurea：HYD, HU)	骨髄増殖性腫瘍	骨髄抑制
	ゲムシタビン(gemcitabine：GEM)	膵臓癌，肺癌	骨髄抑制
	L-アスパラギナーゼ(L-asparaginase：L-ASP)	白血病，悪性リンパ腫	肝障害，骨髄抑制
抗腫瘍性抗生物質：アントラサイクリン系	ダウノルビシン(daunorubicin：DNR)	白血病，悪性リンパ腫	骨髄抑制，心筋障害
	ドキソルビシン(doxorubicin：DOX, ADM)	白血病，悪性リンパ腫	骨髄抑制，心筋障害
	イダルビシン(idarubicin：IDR)	白血病	骨髄抑制，心筋障害
抗腫瘍性抗生物質：その他	ブレオマイシン(bleomycin：BLM)	悪性リンパ腫，精巣腫瘍	間質性肺炎
	マイトマイシンC(mytomycin：MMC)	食道癌，胃癌	骨髄抑制，腎障害
植物アルカロイド	ビンクリスチン(vincristine：VCR)	白血病，悪性リンパ腫	末梢神経障害，腸閉塞
	ビンブラスチン(vinblastine：VBL)	悪性リンパ腫，精巣腫瘍	骨髄抑制，末梢神経障害
	パクリタキセル(paclitaxel：TXL)	卵巣癌，肺癌	過敏反応，骨髄抑制
	エトポシド(etoposide：VP-16)	白血病，精巣腫瘍	骨髄抑制，肝障害
	イリノテカン(irinotecan：CPT-11)	肺癌，卵巣癌	骨髄抑制，下痢

ては顆粒球コロニー刺激因子(granulocyte colony-stimulating factor：G-CSF)の投与も行われる．細胞傷害性抗癌薬が比較的類似した副作用をもたらすのに比し(表5-1-6)，分子標的治療薬の副作用は薬剤ごとに大きく異なることが多い(表5-1-7)．これは，標的分子の正常細胞における機能・重要性と，薬剤が本来の標的以外にどの程度非特異的に働くか(オフターゲット効果)によると考えられる．

また悪性腫瘍に対する治療の有効性が増して治癒例が多くなるにつれ，癌治療自体による二次発癌が問題となっている．二次発癌は化学療法および放射線照射療法のいずれによっても生じ，治療後数年後から発生しうる．具体的には，固形腫瘍，白血病，骨髄異形成症候群などさまざまな癌が二次性に生じ，多くは治療抵抗性である．

b. 抗癌薬の種類と副作用(表5-1-6, 5-1-7)

抗癌薬には第Ⅰ相臨床試験で明らかにされた用量規定因子が存在する．特に細胞傷害性抗癌薬の場合，骨髄抑制(シスプラチンとブレオマイシンが重要な例外)と悪心・嘔吐がしばしば認められる(表5-1-6)．な

表5-1-7 おもな分子標的治療薬

種類	薬品名：欧文表記	おもな対象疾患	おもな副作用
モノクローナル抗体	リツキシマブ(rituximab)	B細胞リンパ腫	輸注反応，腫瘍崩壊症候群
	トラスツズマブ(trastuzumab)	乳癌	輸注反応，間質性肺炎
	セツキシマブ(cetuximab)	結腸・直腸癌	輸注反応，間質性肺炎，皮疹
	パニツムマブ(panitumumab)	結腸・直腸癌	皮疹，間質性肺炎
	モガムリズマブ(mogamulizumab)	成人T細胞白血病，末梢性T細胞リンパ腫，非小細胞肺癌など	リンパ球減少，輸注反応
	ニボルマブ(nivolumab)	悪性黒色腫	皮膚瘙痒症，甲状腺機能障害，間質性肺炎
	イピリムマブ(ipilimumab)	悪性黒色腫	腸炎，内分泌障害，肝障害
	ベバシズマブ(bevacizumab)	結腸・直腸癌，肺癌，卵巣癌など	出血，血栓塞栓症，創傷治癒遅延
チロシンキナーゼ阻害薬	ゲフィチニブ(gefitinib)	非小細胞肺癌	間質性肺炎，下痢
	エルロチニブ(erlotinib)	非小細胞肺癌	皮疹，肝障害，間質性肺炎
	アファチニブ(afatinib)	非小細胞肺癌	下痢，発疹，間質性肺炎
	クリゾチニブ(crizotinib)	非小細胞肺癌	悪心，視野障害，間質性肺炎
	アレクチニブ(alectinib)	非小細胞肺癌	肝障害，味覚異常，下痢
	イマチニブ(imatinib)	慢性骨髄性白血病，急性リンパ性白血病，消化管間質腫瘍	浮腫，肝障害
	ダサチニブ(dasatinib)	慢性骨髄性白血病，急性リンパ性白血病	血球減少，浮腫
	ニロチニブ(nilotinib)	慢性骨髄性白血病	血球減少，QT延長
マルチキナーゼ阻害薬	ソラフェニブ(sorafenib)	腎細胞癌，肝細胞癌	手足症候群，肝障害，血球減少
	スニチニブ(sunitinib)	消化管間質腫瘍，膵神経内分泌腫瘍，腎細胞癌	血球減少，心不全，手足症候群
mTOR阻害薬	エベロリムス(everolimus)	腎細胞癌，膵神経内分泌腫瘍，乳癌	口内炎，発疹，間質性肺炎
	テムシロリムス(temsirolimus)	腎細胞癌	口内炎，過敏反応，間質性肺炎
プロテアソーム阻害薬	ボルテゾミブ(bortezomib)	多発性骨髄腫	骨髄抑制，末梢神経障害，間質性肺炎
転写調節薬	全トランスレチノイン酸(all-trans retinoic acid：ATRA)	急性前骨髄球性白血病	レチノイン酸症候群
	亜ヒ酸(arsenic trioxide：As_2O_3)	急性前骨髄球性白血病	皮疹，嘔吐
エピジェネティクス制御薬	アザシチジン(azacitidine)	骨髄異形成症候群	悪心，骨髄抑制
サイトカイン	インターフェロンα/β(interferon-α/β：IFN-α/β)	腎細胞癌，多発性骨髄腫	発熱，間質性肺炎，抑うつ状態
エストロゲン経路阻害薬	LH-RHアナログ，アロマターゼ阻害薬，抗エストロゲン薬	乳癌	悪心，嘔吐，肝障害
アンドロゲン経路阻害薬	エストロゲン薬，抗アンドロゲン薬，LH-RHアナログ	前立腺癌	女性化乳房，肝障害

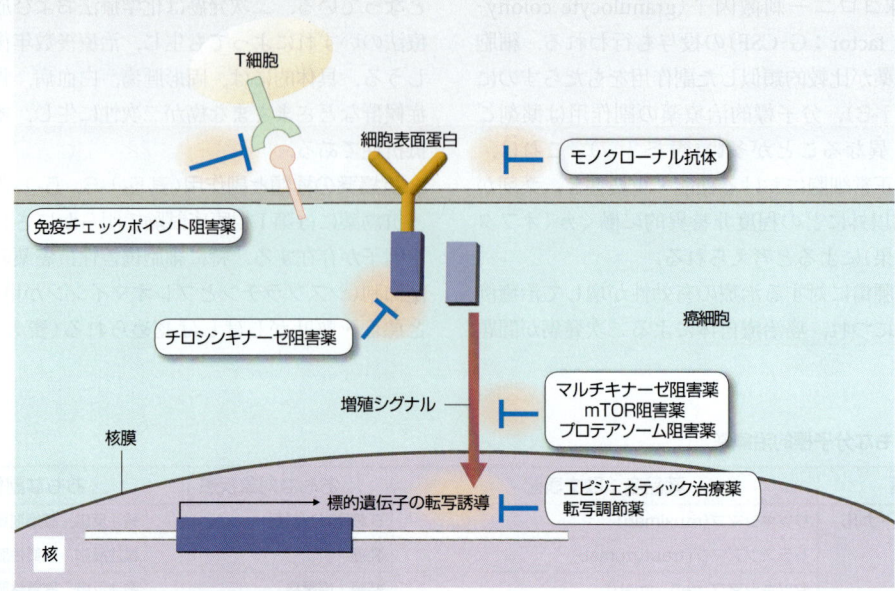

図 5-1-3 分子標的治療薬の作用機序
発癌に寄与するさまざまな機能分子を標的として，抗体薬，低分子化合物などの治療薬がつくられている．

お，使用する抗癌薬に応じた悪心・嘔吐リスクに対する制吐薬使用のガイドラインが作成されている（日本癌治療学会，2015）．

i）細胞傷害性抗癌薬

1）アルキル化薬： 標的細胞のゲノム DNA および蛋白をアルキル化し DNA の架橋を誘導することで，DNA 複製・RNA 転写を阻害する．化学療法に広く用いられており，骨髄抑制による血球減少が主たる副作用である．シクロホスファミドによる出血性膀胱炎，ブスルファン長期投与における間質性肺炎が認められる．

2）白金化合物： 白金化合物もアルキル化薬と同様にゲノム DNA をアルキル化することで細胞増殖を阻害する．さまざまな固形腫瘍の治療薬としてきわめて重要である．シスプラチンは骨髄抑制が軽度であるが腎毒性が強く，使用の際は尿量の確保が必須である．一方，シスプラチンの誘導体であるカルボプラチンは腎毒性が弱く骨髄抑制が用量規定因子である．

3）代謝拮抗薬： 核酸合成経路における基質や酵素に似た化合物で，核酸合成経路に取り込まれた後その経路を阻害する．DNA 合成を阻害するため細胞周期を考慮した投与スケジュールが必要である．造血器悪性腫瘍，固形腫瘍共通に用いられ骨髄抑制が主たる副作用であるが，メトトレキサートの口内炎と L-アスパラギナーゼの肝障害が重要である．

4）抗腫瘍性抗生物質： 菌が産生する物質のなかで抗癌薬として用いられるものであり，アントラサイクリン系とそれ以外に分かれる．前者は強い骨髄抑制作用をもつが，多くの癌に対して抗腫瘍活性も高い．アントラサイクリン系薬剤の副作用として心筋障害が重要であり，同薬剤によるうっ血性心不全はしばしば致死的である．心筋障害の発生は薬剤総投与量に依存しており，使用に際しては累積投与量を常に注意しなくてはならない．また非アントラサイクリン系薬剤のブレオマイシンは骨髄抑制はないがしばしば重症の間質性肺炎を生じる．

5）植物アルカロイド： 植物由来物質で抗腫瘍活性をもつものであり，ビンクリスチン，ビンブラスチンはチュブリンと結合して微小管の形成を阻害し，パクリタキセルは逆に非機能性の微小管を形成して細胞分裂を阻害する．またイリノテカン，エトポシドはそれぞれトポイソメラーゼ-Ⅰ，-Ⅱの阻害薬である．ビンクリスチンの末梢神経障害，パクリタキセルの過敏反応，イリノテカンの下痢が特徴的な副作用である．エトポシドは二次発癌の原因薬剤としても重要である．

ii）分子標的治療薬（図 5-1-3，表 5-1-7）

正常細胞の増殖は，細胞外からの成長因子刺激により成長因子受容体が活性化され，そのシグナルが核内へ伝達されて，細胞増殖を制御する遺伝子の発現が誘導されることにより生じる．悪性腫瘍においてはこのメカニズムの一部，および細胞死を誘導するメカニズムの一部に異常が生じて，恒常的細胞増殖が生じていると考えられており，そのような異常分子を標的とすることですぐれた治療効果が期待される．分子標的治療薬には，特定の癌化蛋白質を標的にしたものが多く，治療の場合はそのような癌化蛋白質陽性の腫瘍であることを診断したうえで用いるべきである（コンパニオン診断薬）．

また分子標的治療薬による治療中に薬剤抵抗性を獲得する癌も多い．薬剤耐性の原因となる遺伝子異常に応じて次に用いるべき薬剤は異なるため，必要に応じて耐性期の腫瘍細胞の遺伝子検査が考慮されるべきである．

1）モノクローナル抗体： 成熟Bリンパ球の表面にはCD20蛋白が存在するが，CD20に対するモノクローナル抗体（リツキシマブ）の結合により細胞死が誘導される．リツキシマブを含む治療はCD20陽性悪性リンパ腫に対して現在第一選択プロトコールの一種となっており，主たる副作用は輸注反応（imfusion reaction）と腫瘍崩壊症候群である[1]．また乳癌細胞表面に発現しているHER2に対しても同様にモノクローナル抗体（トラスツズマブ）が開発されており，HER2過剰発現乳癌に対して有効性が確認された．なお大腸癌に対する抗EGFR抗体（セツキシマブ，パニツムマブ）は，*KRAS*遺伝子が野生型の症例にのみ有効である[2]．成人T細胞白血病細胞は細胞表面にCCR4を高発現することが知られており，これを標的とした抗体（モガムリズマブ）が治療に用いられる．また血管内皮増殖因子（vascular endothelial growth factor：VEGF）に対する抗体であるベバシズマブは，腫瘍の血管新生を阻害して細胞増殖を抑制する薬剤であり，大腸癌，肺癌などに用いられる．

PD1およびCTLA4は，T細胞上に発現し免疫反応を低下させる機能をもつが，それらに対する抗体（ニボルマブおよびイピリムマブ）が抗腫瘍効果をもつことが明らかにされた．これら免疫チェックポイント阻害薬は広範囲の癌に有効なことが期待される[3]．

2）チロシンキナーゼ阻害薬： 慢性骨髄性白血病においては疾患特異的な染色体転座t(9;22)の結果*BCR-ABL*融合遺伝子が生じ，ABLチロシンキナーゼ活性が上昇する．ABLに対する選択的阻害薬であるイマチニブは慢性骨髄性白血病未治療例の過半数に細胞遺伝学的寛解を誘導可能である[4]．またイマチニブはKITチロシンキナーゼも阻害するが，*KIT*遺伝子の配列異常によって生じる消化管間質腫瘍に対しても有効である．上皮成長因子受容体（epidermal growth factor receptor：EGFR）はチロシンキナーゼ活性をもつが，活性型EGFR変異陽性の非小細胞肺癌に対して本酵素に対する阻害薬であるゲフィチニブ，エルロチニブ，アファチニブが用いられる[5]．また非小細胞肺癌の一部は*EML4-ALK*融合型癌遺伝子を有しており，そのチロシンキナーゼ活性を阻害するALK阻害薬（クリゾチニブ，アレクチニブ）が有効である[6]．

3）転写調節薬，エピジェネティクス制御薬： 急性前骨髄球性白血病（acute promyelocytic leukemia：APL）においては特徴的な染色体転座t(15;17)の結果*PML-RARA*融合遺伝子が生じ，レチノイン酸受容体による正常な転写制御が破綻して前骨髄球の分化がブロックされる．全トランスレチノイン酸はこのレチノイン酸受容体の機能を回復することにより悪性前骨髄球を分化させる薬物である．また癌細胞の多くで，ゲノムDNAのメチル化異常，染色体ヒストン蛋白のアセチル化・メチル化異常が生じていると考えられている．これらエピジェネティク異常を制御する薬剤の1つとしてDNAメチル化阻害薬であるアザシチジンが開発され，骨髄異形成症候群に有効であることが確認された．

4）その他の分子標的治療薬： 細胞内蛋白分解システムであるプロテアソームの阻害薬（ボルテゾミブ）が多発性骨髄腫に対して有効である．また性ホルモン感受性癌（乳癌および前立腺癌）に対して，それぞれのホルモンの働きを抑制する薬剤が用いられる．〔間野博行〕

■文献（e文献5-1-1-4）

日本癌治療学会編：制吐薬適正使用ガイドライン 第2版，金原出版，2015.
日本臨床腫瘍学会編：新臨床腫瘍学 第3版，南江堂，2012.
西條長宏，他：最新がん薬物療法学，日本臨牀社，2014.

(5) 非ステロイド系抗炎症薬（nonsteroidal anti-inflammatory drugs：NSAIDs）

a. 作用機序

NSAIDsはその名前のとおり「ステロイド以外で抗炎症作用をもつ薬剤」のことである．NSAIDsは鎮痛・解熱作用，抗炎症作用，血小板凝集抑制作用などを有しており，世界で最も繁用されている薬剤の1つである[1]．

NSAIDsの作用機序はシクロオキシゲナーゼ（COX）の酵素活性の阻害によるさまざまなプロスタグランジン（PG），トロンボキサン（TX）の生合成の抑制である（Vane，1971）．

b. 薬理作用[2-4]

1）鎮痛作用： PGは生体で最も強い発痛物質であるブラジキニンによる痛みの感受性を上げる．COXを阻害することによってPGの産生が抑制されて鎮痛作用を生じる．

2）解熱作用： PGは視床下部の体温中枢に働いて体温の設定を上げることによって発熱を生じさせる．PG産生を抑制するNSAIDsはこの設定を正常に戻すことによって解熱効果を発揮する．

3）抗炎症作用： PG自体は血管透過性亢進作用は弱いが，ヒスタミンやブラジキニンの血管透過性亢進作用を増強するなどの効果を介して炎症に関与する．PGを抑制するNSAIDsは抗炎症作用を示すことができる．

4）血小板凝集抑制作用： 血小板凝集にはTXが重要な役割を果たしており，低用量のアスピリンは血小板のCOXをおもに抑制してTX産生を阻害し，その結果血小板凝集抑制作用を発揮する．

c. 分類

NSAIDsはさまざまな分類法がある．化学構造からは酸性，中性，塩基性に大別され，酸性にほとんどのNSAIDsが含まれる（⊖表5-1-A）．ジクロフェナク（フェニル酢酸系）やインドメタシン（インドール酢酸系）は抗炎症，鎮痛・解熱作用が強いが副作用も強い．ロキソプロフェン（プロピオン酸系）は抗炎症，鎮痛，解熱作用のバランスがよく，副作用も比較的少ない．抗炎症作用はリウマチ性疾患の治療に有用である．メフェナム酸（アントラニル酸系）は抗炎症作用は弱いが鎮痛作用にすぐれる．メロキシカム（オキシカム系）は血中半減期が長いので1日投与回数が少なくてすむ．中性のセレコキシブ（コキシブ系）はCOX-2選択阻害作用がある．チアラミド塩酸塩などの塩基性NSAIDsにはCOX阻害作用はなく副作用も少ないが効果も弱いため，使用される場面は少ない．臨床的には化学構造による分類よりも，COX阻害の選択性，血中半減期の違い，剤形すなわちdrug delivery system（DDS）の違いによる分類の方が重要である．

i）COX選択性による分類

COX選択性による分類はNSAIDsの効果と副作用を考えるうえで役立つ．COXにはCOX-1とCOX-2というアイソザイムが存在し，ともにアラキドン酸カスケードに作用してさまざまな組織でPGやTXを生成する（DeWittら，1993）．COX-1は胃粘膜，血小板をはじめ多くの細胞に常に発現しており，胃酸分泌抑制，粘液分泌促進，腎血流の維持，血小板凝集作用など生体の保護と恒常性維持に働く．一方，COX-2は通常は発現しておらず，炎症刺激によりマクロファージや好中球などの炎症細胞で誘導され，炎症や発癌などに関与する[5]（図5-1-4）．

従来のNSAIDsは，COX-1もCOX-2もともに抑制して抗炎症作用を発揮するが，COX-1を抑制することが生理的に重要なPGを阻害し胃潰瘍，腎機能障害などの副作用の原因になった．そこで炎症にかかわるCOX-2を選択的に阻害する薬物が副作用の少ない理想的なNSAIDsとして開発された．それがコキシブ系NSAIDsであり，わが国では2007年セレコキシブが承認された[6]．従来のNSAIDsのなかにもエトドラクやメロキシカムのように，セレコキシブには劣るがCOX-2に選択性が高いものもある[7]．COX-2阻害薬は，非選択性NSAIDsと比較して消炎・鎮痛効果は同等であるが，胃・十二指腸潰瘍や消化管出血などの胃腸障害は少ない[8]．

ii）血中半減期による分類

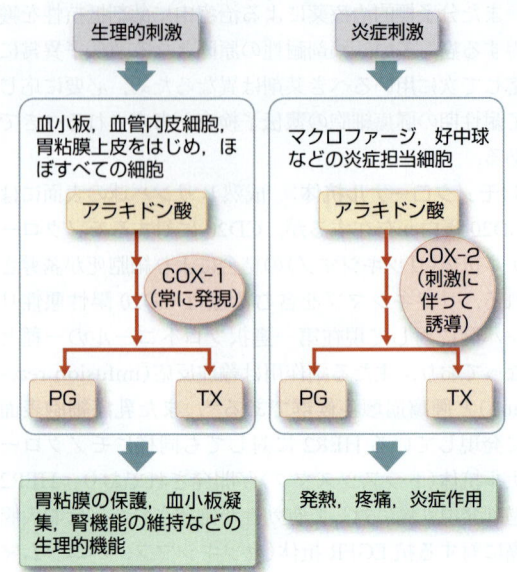

図5-1-4 COX-1とCOX-2の機能

血中半減期もNSAIDsを選択するうえで重要な因子である．一般に半減期の短い薬剤は吸収が速く即効性にすぐれる．また自覚症状に合わせて患者が服用回数を調節できるという利点があるため特に急性炎症には有用である．一方，半減期の長い薬物は作用時間が長く，服薬回数が少なく安定した効果を得られる．長期間にわたるNSAIDs投与が必要な慢性炎症には服薬コンプライアンスの点からはすぐれているが，高齢者や肝機能・腎機能障害をもつ患者では代謝が遅れて副作用が生じやすいという欠点がある（表5-1-B）[9]．

iii）DDSによる分類

DDSとは，薬剤を目的の場所に効率よく届けるシステムであり，確実な効果と少ない副作用を期待できる．NSAIDsについても，徐放薬，プロドラッグ，座薬，注射製剤，経皮吸収薬など実にさまざまな種類の剤形が提供されている．このような工夫のおもな目的はNSAIDsの副作用，とりわけ胃潰瘍などの消化管障害の軽減であるが，それでもなお副作用は生じる．

徐放薬としてジクロフェナクとインドメタシンの徐放カプセル製剤がある．消化管で徐々に吸収されて安定した血中濃度が得られるため効果持続時間が長い．また急激な血中濃度の上昇がないため副作用が少ないとされる．プロドラッグとは，不活性型で消化管から吸収され，肝臓や炎症局所で代謝されて活性型に変化する薬剤である．直接的なPG合成阻害作用がないため胃腸障害が少ない．

以上の経口薬に対し，座薬は胃粘膜における直接的な傷害を避けることができ，かつ吸収が速く切れ味が

よいという利点がある．注射製剤は即効性があり作用も強力であり急性疾患に適する．注射製剤のなかでも脂肪粒子封入リポ化製剤は炎症部位へ集積しやすい性質がありターゲット製剤といえる．経皮吸収薬には，軟膏，クリーム，貼付薬があり，効果も弱いが副作用も少ない．

d. 副作用
i) 胃腸障害

NSAIDsの最も代表的な副作用であり頻度も高い．特に長期，高用量の投与で生じやすく開始3カ月以内の頻度が高い．しばしば無症候性である点にも注意が必要である．表5-1-9にNSAIDsによる消化性潰瘍の危険因子をあげた（Wolfeら，1999）．ミソプロストロール（PG製剤）やプロトンポンプ阻害薬（PPI）による胃潰瘍の予防効果が証明されている[10]．リスクのある患者では，選択的COX-2阻害薬，プロドラッグや座薬を検討する．なおNSAIDsはCOX-2選択性の有無にかかわらず，小腸や大腸などの下部消化管障害も生じうる[11]．高齢者，ステロイド薬投与患者における骨粗鬆症治療の第一選択はビスホスホネート（BP）製剤であるがNSAIDsもしばしば併用される．BP製剤の併用はNSAIDs潰瘍のリスクを2倍程度増加させると報告されており，新たな危険因子として注意すべきである[12]．

ii) 腎機能障害

腎においても胃と同様，COX-1が常時存在しPGが腎血管拡張による腎内の血流維持などの生理的に重要な役割を果たしている．NSAIDsによるPG産生抑制により腎血流低下や尿細管機能異常を生じ，急性腎不全，浮腫，電解質異常，間質性腎炎，ネフローゼ症候群などをきたしうる[13]．特に高齢者，腎疾患，心不全，肝硬変，利尿薬投与時などの高リスク群では，減量や腎排泄の少ないスリンダク，半減期の短いNSAIDsや経皮吸収薬を検討する．

iii) その他の臓器障害

腎機能障害のほかにも血液障害や肝障害をきたすことがあるためNSAIDs投与中は定期的な血液検査が必要である．心筋梗塞，脳梗塞などの心血管系イベント増加は当初選択的COX-2阻害薬で問題とされたが[14]，その後NSAIDs全般にも同様のリスクがあることがわかった[8]．心血管系のリスクがある患者には留意して使用する．気管支喘息を増悪させることがありアスピリン喘息として知られているが，アスピリン以外のNSAIDsでも生じうる．混合性結合組織病や全身性エリテマトーデスで無菌性髄膜炎を生じることがあり特にイブプロフェンで注意が喚起されている．急性脳症（Reye症候群）を併発する可能性があるため，15歳未満のインフルエンザ，水痘患者にはアスピリンを原則投与しない．

〔堀内孝彦〕

表5-1-8 血中半減期によるNSAIDs分類（文献9より引用）

	一般名（商品名）	血中半減期（時間）	用法
長半減期	オキサプロジン（アルボ）	50	分1～2
	ピロキシカム（バキソ）	48	分1
	メロキシカム（モービック）	28	分1
	ナブメトン（レリフェン）	21	分1
	スリンダク（クリノリル）	18	分2
	ナプロキセン（ナイキサン）	14	分2～3
	エトドラク（ハイペン，オステラック）	7	分2
	セレコキシブ（セレコックス）	7	分2
短半減期	プラノプロフェン（ニフラン）	5	分3
	ロルノキシカム（ロルカム）	2.5	分3
	イブプロフェン（ブルフェン）	2	分3
	チアプロフェン酸（スルガム）	2	分3
	ロキソプロフェン（ロキソニン）	1.3	分3
	ジクロフェナク（ボルタレン）	1.3	分3

表5-1-9 NSAIDsによる消化性潰瘍の危険因子

確実な危険因子	可能性のある危険因子
高齢（年齢とともにリスク増加）	ピロリ菌感染
潰瘍の既往歴	喫煙
ステロイド薬の併用	アルコール摂取
複数あるいは高用量のNSAIDs服用	
抗凝固療法の併用	
重篤な全身疾患の合併	

■文献（e文献5-1-1-5）

DeWitt DL, Meade EA, et al: PGH synthase isoenzyme selectivity: the potential for safer nonsteroidal anti-inflammatory drugs. Am J Med. 1993; 95: 40S-45S.

Vane JR: Inhibition of prostaglandin synthesis as a mechanism of action for aspirin-like drugs. Nat New Biol. 1971; 231: 232-5.

Wolfe MM, Lichtenstein DR, et al: Gastrointestinal toxicity of nonsteroidal antiinflammatory drugs. N Engl J Med. 1999; 340: 1888-99.

(6) 免疫療法

a. 免疫グロブリン大量静注療法（intravenous immunoglobulin：IVIG）

免疫グロブリン製剤は，重症感染症やガンマグロブリン低下時の補充のほか，一部の自己免疫性疾患や炎症性疾患においても病態を改善する目的で高用量が用いられIVIG（療法）とよばれている．免疫グロブリンG（immunoglobulin G：IgG）はFc領域で細胞表面のFc受容体に結合し，細胞活性化やその抑制，免疫複合体の細胞内への取り込みなどを誘導するが（図5-1-5），免疫グロブリン製剤の大量投与では急速に血中

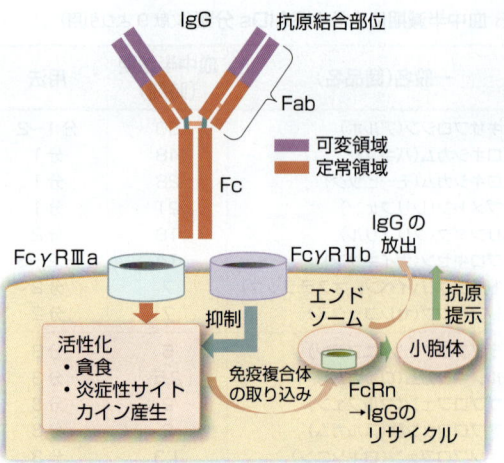

図 5-1-5 IgG の構造と Fc 受容体を介する機能
IgG は Fc 部分で細胞表面上の Fc 受容体(FcR)と結合する．マクロファージや樹状細胞，単球などに発現している FcγRⅢa などからは細胞活性化のシグナルが伝達され，貪食作用亢進や炎症性サイトカイン産生などが生じる．一方，FcγRⅡb からは唯一の抑制性シグナルが入る．Fc を介して取り込まれた免疫複合体は細胞内で処理され，抗原ペプチドは MHC とともに抗原提示される．一方，血管内皮細胞などでは，IgG はエンドソーム内に存在する neonatal FcR(FcRn) と結合して分解されずにリサイクルされ，細胞外に放出される．投与された IgG はこれらの過程に影響を及ぼす．

IgG 濃度が上昇することで，免疫応答にさまざまな影響を与え病態を改善すると考えられている．

i) 免疫グロブリン製剤

免疫グロブリン製剤は，数百〜数千人の献血血液から精製された多様な抗原を認識するポリクローナル IgG である．投与時アレルギー反応の要因となる凝集や抗原性を低下させるため，スルホ化[1]，ポリエチレングリコール(PEG)分画法，イオン交換，低 pH などの処理[2]がなされている．IgG の多くは単量体であり，製剤により頻度は異なるが二量体や多量体も一部存在する．IgG サブクラスでは IgG1 が最も多く，IgA や IgM も少量含まれている．

ii) 作用機序

IVIG の作用機序は不明であるが，疾患動物モデルなどによりさまざまな作用機序が推察されている(Ballow, 2014；Nagelkerke ら，2015)．Fc 受容体を介する機序として，マクロファージなど細網内皮系の活性化・貪食作用の阻害，リンパ球や樹状細胞など Fc 受容体発現細胞の活性化阻害やアポトーシス誘導による自己抗体産生の抑制，シアル化 Fc による抑制性 Fc 受容体発現増強[3]，neonatal Fc 受容体による IgG 再利用の阻害[4]，Fab を介するものとして，炎症性サイトカインなどの中和，抗イディオタイプ抗体による自己抗体の中和作用などがある．その他に，IVIG による制御性 T 細胞(Treg)の分化促進[5]，炎症に関与する Th17 細胞への分化抑制[6]，Toll-like receptor(TLR)-7 および TLR-9 を介した IFN-α 産生抑制[7]などの作用が示唆されている．これらのうち疾患によっていくつかの作用機序が効果に関与していると考えられる．

iii) 適応疾患

内科領域では以下の疾患で IVIG が用いられる．

特発性血小板減少性紫斑病(idiopathic thrombocytopenic purpura：ITP)では，主要臓器(脳，肺，消化管，腹腔内)での出血，血小板 5 万/μL 以下での手術や分娩などの場合には一時的な治療として IVIG が施行される．血小板が増加するまでには数日を要する[8]．

Guillain-Barré 症候群の急性期では軽症例を除いて IVIG もしくは後述する血漿交換療法のどちらかが選択され，効果はほぼ同等とされている[9]．免疫異常が関与する慢性炎症性脱髄性多発神経炎(chronic inflammatory demyelinating polyneuropathy：CIDP)でも IVIG が第一選択治療として汎用されている[10]．

多発性筋炎・皮膚筋炎，好酸球性多発血管炎性肉芽腫症(eosinophilic granulomatosis with polyangitis：EGPA)に伴う神経障害，重症筋無力症のステロイド抵抗例に対して IVIG は有効である[11,12]．ほかの自己免疫性疾患でも治療の選択肢となる可能性があるが[13]，一般的には使用されていない．

iv) 投与法と副作用

成人では多くの場合，体重 1 kg あたり免疫グロブリン製剤 400 mg が 1 日 1 回で 5 日間，経静脈投与される．注意すべき副作用として，アナフィラキシー，急性腎不全，血栓塞栓症，無菌性髄膜炎，肝機能障害，血小板減少などがある．アナフィラキシー様症状は投与後 1 時間以内に多く，特に先天性 IgA 欠損症では抗 IgA 抗体による過敏反応が起こりやすい．深部静脈血栓，脳梗塞，心筋梗塞などの血栓塞栓症は血液粘稠度の増加により発症する．特に高齢者や血栓症の既往がある患者では投与量や投与速度を抑え，投与時のモニタリングを適切に行う．

b. アフェレシス(apheresis)

アフェレシス療法とは，ある疾患や病態に関連していると考えられる物質を体外循環回路内で分離して除去する治療法のことである．血漿成分においては液性因子である抗体や免疫複合体，炎症性サイトカインやケモカイン，その他の可溶性蛋白，代謝産物，中毒物質などが除去の対象物質となる．アフェレシス療法が行われる内科領域の疾患を表 5-1-10 に示す．全身性エリテマトーデスなどでは，難治例に対する免疫抑制療法の補助的な位置づけとなる．また血球成分では，炎症などに関連する顆粒球やリンパ球を吸着し分離除去する治療法が行われている．

i) 単純血漿交換法(single filtration plasmapheresis：

表5-1-10 アフェレシス療法が行われる内科領域の疾患

疾患		PE	DFPP	HA/PA
肝疾患	急性肝不全	○	○	
	劇症肝炎	○		○(PA)
血液疾患	多発性骨髄腫 マクログロブリン血症	○	○	
	血栓性血小板減少性紫斑病	○	○	
	溶血性尿毒症症候群	○		
	血友病	○		
循環器疾患	閉塞性動脈硬化症		○	
	家族性高コレステロール血症	○	○	
リウマチ性疾患	関節リウマチ			○(HA)
	全身性エリテマトーデス	○	○	○(PA)
消化管疾患	Crohn病			○(HA)
	潰瘍性大腸炎			○(HA)
神経疾患	重症筋無力症	○	○	○(PA)
	Guillain-Barré症候群	○	○	○(PA)
	多発性硬化症 慢性炎症性脱髄性多発神経炎	○	○	○(PA)
腎疾患	巣状糸球体硬化症	○	○	
中毒	薬物中毒	○		○(HA)

PE：plasma exchange, DFPP：double filtration plasmapheresis, HA：hemoadsorption, PA：plasma adsorption, ○は適応あり.

SFPP, plasma exchange：PE)

単純血漿交換療法は，ポリエチレン素材の血漿分離膜により血漿成分と血球や血小板などの細胞成分を完全に分離し，血漿成分は廃棄して細胞成分は返血する治療法で，さまざまな液性因子が除去される．膠質浸透圧の維持の目的で置換液が補充されるが，急性肝疾患，劇症肝炎，血栓性血小板減少性紫斑病（thrombotic thrombocytopenic purpura：TTP）など，病因物質の除去目的に加えて凝固因子や血漿因子の補充が必要な疾患では新鮮凍結血漿（fresh frozen plasma：FFP）が，その他の疾患ではおもにアルブミン製剤が用いられる．特定の病因物質の除去はおもに以下の方法により行われる．

ii) 二重膜濾過法(double filtration plasmapheresis：DFPP)

血漿分離膜（一次膜）により分離された血漿成分を同一回路内でさらに小さい孔径の血漿成分分画器（二次膜）を用い，標的物質を含む分画とアルブミン分画を分離し，前者を廃棄して後者を血球成分とともに体内に戻す方法である．標的とする物質により孔径の大きさを選択する．リポ蛋白は分子量がアルブミンに比べて大きいため分離が容易であるが，グロブリン分画の免疫複合体などを分離する際には一部アルブミンを失うため補充が必要となる．

iii) 吸着法

吸着法はリガンドの特性により，特定の病因物質を吸着して除去する方法である．脱血した全血液を直接吸着器に通して返血するのを血液吸着法（hemoadsorption）といい，リガンドとしては薬物，アミノ酸，ビリルビンなどを吸着する活性炭や，エンドトキシンを吸着するポリミキシンBなどがある．エンドトキシン吸着はGram陰性菌の腹腔内感染症による敗血症ショックの死亡率を改善することが知られている（Cruzら，2009）．

一方，血漿吸着法（plasma adsorption）は，血漿成分のみ吸着器を通す方法で，イオン交換樹脂によるビリルビン吸着，デキストラン硫酸によるLDL，VLDLなどリポ蛋白吸着，免疫吸着としてデキストラン硫酸，トリプトファン，フェニルアラニンによる抗カルジオリピン抗体，抗DNA抗体，抗アセチルコリン受容体抗体，免疫複合体などの吸着がある．吸着法はアルブミン喪失が少なく，補充が不要であるとの利点がある．

iv) 白血球・顆粒球除去療法(leukocytapheresis：LCAP，granulocytapheresis：GCAP)

炎症や免疫応答に関与する白血球をカラム内で吸着

除去する方法である．繊維吸着材を用いるフィルター法は白血球除去に用いられ，顆粒球・単球のほぼ100％，リンパ球の60％が除去される．セルロースビーズを用いる顆粒球除去療法では，血液との接触で補体活性化が生じ C3b が吸着されるほか IgG も吸着され，これらの受容体を有する顆粒球・単球のうち60％が吸着される．LCAP は関節リウマチ[14]，潰瘍性大腸炎[15]で，GCAP は潰瘍性大腸炎と Crohn 病[16]で有用とされている．

〔田村直人〕

■文献（e文献 5-1-1-6）

Ballow M: Mechanisms of immune regulation by IVIG. Curr Opin Allergy Clin Immunol. 2014; **14**: 509-15.

Cruz DN, Antonelli M, et al: Early use of polymyxin B hemoperfusion in abdominal septic shock: the EUPHAS randomized controlled trial. JAMA. 2009; **301**: 2445-52.

Nagelkerke SQ, Kuijpers TW: Immunomodulation by IVIG and the role of Fc-gamma receptors: classic mechanisms of action after all? Front Immunol. 2015; **5**: 674.

(7) ステロイドと使い方

a. ステロイド治療の目的

合成副腎皮質ステロイド（以下ステロイド）による治療は2種に大別される．1つは，副腎皮質機能低下者に対する補償療法であり，もう1つは，炎症性疾患や自己免疫疾患に対する抗炎症・免疫抑制療法である．後者には，吸入や塗布薬などの局所投与療法もあるが，本項は，経口，注射などの全身療法を対象に記述する．

b. ステロイドの作用機序

副腎皮質ステロイドは，細胞膜を通過し細胞内にあるグルココルチコイド受容体（GR）と結合し作用を発揮する．作用機序は2つで，1つは GR ステロイド複合体が転写因子として働き，遺伝子に結合し mRNA の転写-蛋白合成を介し作用を発現するもので，おもに代謝作用であり，ステロイド治療では副作用と認識される作用が多い．もう1つの機序は，GR ステロイド複合体が炎症を惹起する転写因子である AP-1 や NF-κB と相互に作用を抑制しあうことによるもので，NF-κB などの制御下にあるサイトカインの産生や接着因子の発現を抑制することで抗炎症・免疫抑制作用が発揮される[1,2]（Barnes, 2006）(eコラム 1)．

c. ステロイドの種類・性質

おもなステロイドを表 5-1-11 に示す．プレドニゾロンにはミネラルコルチコイド作用が少し存在するが，ベタメタゾンにはない．同作用は体液貯留を起こし高用量のステロイド治療では不要である．しかし，ステロイド治療は経験知に負うところが大きいため使い慣れたプレドニゾロンの方が頻用される．投与経路には，経口，静注，筋注があるが前2者が主である．普通の状況では，ほぼ100％腸管から吸収されるため，経口と静注で効果に大きな差はない．ステロイドは肝臓の酵素 CYP3A4 で代謝されるが，これを誘導する抗結核薬リファンピシンや抗てんかん薬で代謝が亢進され作用が減弱する．また抗菌薬のエリスロマイシンなどで作用が増強される[3-5]（eコラム 2）．

d. ステロイド全身療法

全身療法は，投与量と投与期間で分けることができる．投与期間では，副腎皮質抑制が起こらない期間が短期であり1カ月以内である．これ以上の期間の使用は長期となる．投与量については超大量，大量，中等量，少量の4区分で表現される．超大量はプレドニゾロン換算で1g/日前後の用量（125 mg/日以上）であり，大量は 1 mg/kg/日前後（2～0.67 mg/kg/日），中等量は 0.3 mg/kg/日前後（0.5～0.2 mg/kg/日），少量は 10 mg/日以下の用量である．少量の範囲では抗炎症作用はあるが，免疫抑制作用は期待できない．中等量以上で長期の治療は副作用面から，中等量以下で短期の使用は効果の低さから有用性がない．意味がある治療法は大きく分けて3つとなる．1つは超大量を短期で使用するものでパルス療法とよばれる．典型的には，メチルプレドニゾロンを静注で1g/日×3日投与するものである[6]．2番目は，最もよく使われるステロイド治療で漸減療法とよぶべきもので，大量～中等量の範囲の用量で開始し一定期間持続した後，階段状に投与量を漸減する治療法である．3つ目は少量調節療法とでもよぶべきもので，少量，ときに中等量低めから開始し病勢や症状に応じて用量を小刻みに変更するものである．抗炎症作用はあるが免疫抑制作用はない．

ステロイド漸減療法は抗炎症・免疫抑制の両作用を目的として行われる最も一般的なステロイド治療で，初期量，初期量継続期間，漸減，維持量の4つの要素からなる．初期量は大量～中等量と高めで，一般的に 2～4 週継続した後，5～10 mg/1～2

表 5-1-11 ステロイドの相違

製剤名	抗炎症作用	Na 貯留作用	作用持続時間
コルチゾール	1	1	8～12
コルチゾン	0.8	1	8～12
プレドニゾロン	4	0.8	12～36
メチルプレドニゾロン	5	0	12～36
トリアムシノロン	5	0	12～36
ベタメタゾン	25～40	0	36～54
デキサメタゾン	30	0	36～54

表5-1-12 ステロイド全身療法の適応疾患

疾患	治療のタイプ
全身性エリテマトーデス	漸減, パルス
皮膚筋炎/多発性筋炎	漸減, パルス
血管炎症候群	漸減, パルス
混合性結合組織病	漸減, 調節
関節リウマチ	調節
Behçet病	漸減, 調節
リウマチ性多発筋痛症	調節
気管支喘息	調節
間質性肺炎	漸減, パルス
好酸球性肺炎	漸減, パルス
薬剤性肺炎	漸減, パルス
肺胞出血	パルス, 漸減
サルコイドーシス	調節, 漸減
IgG4関連症候群	調節, 漸減
潰瘍性大腸炎	調節, 漸減
Crohn病	調節, 漸減
自己免疫性肝炎	漸減, 調節
ネフローゼ症候群	漸減, パルス
自己免疫性溶血性貧血	漸減
自己免疫性血小板減少症	漸減
多発性硬化症	漸減, 調節
薬疹	漸減, 調節
天疱瘡	漸減, 調節

パルス:パルス療法, 漸減:漸減療法, 調節:少量調節療法.

表5-1-13 ステロイドの副作用と対応

副作用の種類	対応
易感染性(一般細菌・真菌)	原則発生時対応
易感染性(ウイルス)	原則発生時対応
易感染性(ニューモシスチス)	ST合剤の予防投与
易感染性(結核)	ときに抗結核薬の予防投与
続発性副腎皮質抑制	ステロイドカバー
消化性潰瘍	抗潰瘍薬の予防投与
ステロイド筋症	発生時対応
ステロイド精神症	発生時対応
創傷治癒遅延	外傷などの回避
無腐性骨壊死	発生時対応
動脈硬化	高血圧などの制御
糖尿病	発生時対応
高血圧	発生時対応
脂質異常症	発生時対応
白内障	手術
緑内障	点眼薬かステロイド中止
骨粗鬆症	ビスホスホネート薬などの投与
小児の成長障害	有効な対応策なし
中心性肥満	原則無対応
満月様顔貌	原則無対応
紫斑	原則無対応
紅潮	原則無対応
振戦	ときにβ遮断薬

特に重要な副作用を赤字で示す.

週の速度で漸減されるのが一般的である．近年，免疫抑制薬を併用し漸減を加速することが多くなってきている．維持量は10 mg以下の少量で，可能なら5 mg以下が望ましい．またケースによってはステロイド投与の中止も行われる[7-11)](Duruら，2013)．

全身療法の適応であるが，慢性の炎症性疾患の多くがその適応となる．表5-1-12にそのおもなものを示す(eコラム3)．

e. 副作用と対策

中心性肥満，満月様顔貌は，美容上の問題で患者のステロイド忌避を引き起こす．感染症はステロイドのもつ免疫抑制作用の結果として起こる副作用で生命予後に関連する重要な副作用である．多くの感染症は発症してからの対応となるが，ニューモシスチスや結核には抗微生物薬の予防投与が行われることもある．骨粗鬆症は，高齢女性に出現しやすくステロイドの維持量に最も制限を与える副作用である．ビスホスホネート薬などを予防投与する．脂質異常症，糖尿病，高血圧などは，動脈硬化を促進するため長期的には重要な副作用であるが，出現してからの対応となる．副作用と対策を表5-1-13に示す．ステロイドの副作用は作用と同一のGRを介して起きるため避けることが困難である．最も重要な副作用対策は不必要な疾患にステロイド治療を行わないことである(McDonoughら，2008)(eコラム4)．

f. 視床下部-下垂体-副腎皮質軸(HPA axis)と続発性副腎皮質不全

副腎皮質ステロイドは抗ストレスホルモンであり，精神的ストレス，肉体的ストレス(感染，炎症，外傷，手術など)の双方で必要となり分泌が促進される．制御は上位の視床下部・下垂体より分泌されるACTHなどの液性因子でなされる．このシステムをHPA axisという(図5-1-6)．この系は炎症などのストレス刺激によるポジティブフィードバックと副腎皮質ステロイドによるネガティブフィードバックにより制御されている．ステロイドの長期服用ではネガティブフィードバックのため副腎皮質が萎縮しストレス負荷時に十分なステロイド分泌ができなくなる．これが続発性副腎皮質不全であり，ストレス負荷時(手術，感染など)にステロイド追加(ステロイドカバー)が必

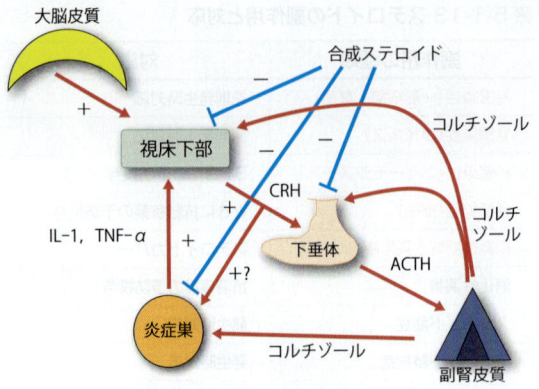

図 5-1-6 視床下部-下垂体-副腎皮質軸(HPA axis)

要となる．これを怠ると副腎皮質不全によるショック状態や原疾患の悪化を招き危険である．このことを軽視した対応により，多くのトラブルが発生してきたことを知るべきである．　　　　　　　　　〔槇野茂樹〕

■文献（ⓔ文献 5-1-1-7）

Barnes PJ: How corticosteroids control inflammation: Quintiles Prize Lecture 2005. *Brit J Pharmacol.* 2006; **148**: 245-54.

Duru N, van der Goes MC, et al: EULAR evidence-based and consensus-based recommendations on the management of medium to high-dose glucocorticoid therapy in rheumatic diseases. *Ann Rheum Dis.* 2013; **72**: 1905-13.

McDonough AK, Curtis JR, et al: The epidemiology of glucocorticoid-associated adverse events. *Curr Opin Rheumatol.* 2008; **20**: 131-7.

2）輸液療法
fluid replacement therapy

輸液をするかどうかを考えるときに，まず考えるべきことは常に輸液が本当に必要な状況なのかということであり，輸液は本当に必要な場合にのみ，必要な量だけ行われるべきである．

（1）輸液が必要な状況

輸液の必要な状況は栄養輸液（高カロリー輸液）や経静脈的な薬剤投与のための輸液を除けば，以下の3つである．

①現時点で存在するナトリウムの量の異常の是正（細胞外液量異常の是正）
②現時点で存在するナトリウムの濃度の異常の是正（細胞内液量異常の是正）
③摂取不足や体液喪失により今後起こるナトリウムの量・濃度の異常の是正

a. 現時点で存在するナトリウムの量と濃度の異常の是正（是正輸液あるいは補充輸液）

ナトリウムは細胞外液の主要な浸透圧物質であり，細胞外液中のナトリウムの増加は細胞外液の浸透圧を上昇させることで，細胞内液から細胞外液への水の移動を起こし，また，結果としての脳細胞の虚脱は口渇感を促すので，水の摂取につながる．結局のところ，ナトリウム量の増加は細胞外液（食塩水＝ナトリウム＋水）の増大に直結する．一方，ナトリウム濃度は細胞外液の浸透圧をほぼ規定し，このナトリウム濃度の変化（つまり，浸透圧変化）が細胞内外の水の移動を引き起こすので，ナトリウム濃度は細胞内液量を規定することとなる．つまり，ナトリウム量の異常は細胞外液量の異常，ナトリウム濃度の異常は細胞内液量の異常を示唆する．体液量が減少する結果としてのナトリウム量の欠乏やナトリウム濃度の増加は，日本語ではともに「脱水症」と表現するが，英語では前者を volume depletion, 後者を dehydration として区別する．これらを是正をするために行う輸液はいわゆる是正輸液（あるいは補充輸液）ともよばれる．

b. 現時点での摂取不足や体液喪失により今後起こるナトリウムの量・濃度の異常の是正

ヒトは病気でなくても，常に体液を失っている（尿，便，呼気中の水蒸気，皮膚からの不感蒸散や汗など）．病気になると，さらに体液の喪失は増える．たとえば，発熱で不感蒸散や汗は増加し，下痢や嘔吐などの消化管からの喪失，浸透圧利尿（糖尿病など）による尿量の増加，熱傷による皮膚からの喪失，胃管やドレナージチューブからの喪失など，体液喪失の原因は多岐にわたる．

経口摂取が正常に行われていれば，このような体液喪失は補われるが，特に，病的状況では，経口摂取量が不足していたり，絶飲食となっていることもある．このような状況では「現在進行形の体液喪失（ongoing fluid loss）」によって今後生じると予測される不足を予防し，体液を維持する輸液が必要であり，これを維持輸液とよぶ．

（2）輸液が必要でない状況

基本的に輸液は，脱水症や高度ナトリウム濃度異常がなく，経口摂取も十分あれば，必要ない．入院患者であっても，手術後であっても，輸液が常に必要とは限らない．急変が予測され，ラインキープしたい場合には，一時的に短期間行うことはあっても，漫然とした輸液指示・ルーチン化した輸液処方は医療資源の無駄であるばかりか，患者の状態によっては多くの合併症（低ナトリウム血症などの電解質異常や浮腫・心不全などの体液量過剰など）をもたらし，また，患者のADLやQOLを低下させる重要な原因となる．

表5-1-14 輸液の必要な状況

必要な状況	関係する体液コンパートメント	輸液の種類
ナトリウム量異常症の是正	細胞外液量の是正	是正輸液（補充輸液）
ナトリウム濃度異常症の是正	細胞内液量の是正	
経口摂取不足・持続的体液喪失	体液全体の維持	維持輸液
栄養補給		栄養輸液

表5-1-15 是正すべき体液分画とそれぞれの病態に適切な輸液内容

		臨床的サイン，病態	適切な輸液
細胞外液	過剰	浮腫，心不全，胸腹水	輸液自体を控える
	不足	循環動態不安定 低血圧，頻脈，ショック	等張液・アルブミン輸液？
細胞内液	過剰	低ナトリウム血症	細胞外液不足があれば等張液（低張液は避ける）高度・症候性低ナトリウム血症では高張液
	不足	高ナトリウム血症，口渇 長期飢餓，DM	自由水（5%ブドウ糖液），低張液 場合によりカリウム・リン補充

（3）それぞれの状況に応じた輸液の処方

不必要な輸液は極力避けるべきであるが，輸液が必要と判断したなら，躊躇すべきではない（表5-1-14）．

a. 是正輸液

是正輸液とは現在，欠乏している体液電解質を補充し，正常状態に是正するための輸液である．0.9%生理食塩水はそのほとんどが細胞外液に分布し，また，5%ブドウ糖液はすべての輸液のなかで細胞内液への分布が全体の2/3と最も多いことから，基本は細胞外液欠乏には生理食塩水などの等張液，細胞内液欠乏には5%ブドウ糖液などの低張液が適切となる．

細胞外液欠乏の有無は循環動態の評価を行って，適切に判断すべきであり，もし，細胞外液量が過剰と思われれば，輸液は控えるべきという判断になる．アルブミン製剤は細胞外液のなかの血漿分画にとどまる性質があるため，循環動態が不安定になっているような有効動脈血液量が減少している病態では，合目的的な輸液製剤といえる．また，有効動脈血液量が減っていても，間質液量が多く，細胞外液量全体は増加している病態（心不全，肝硬変などの浮腫性疾患）では，アルブミン投与は理論的には間質液量を増加させずに循環動脈血液量を増加させる．しかし，アルブミン製剤は生物製剤であり，高価で感染のリスクもあること，その投与による生命予後の改善などが証明されていないことから，安易な使用はためらわれる．よって，等張液はアルブミン製剤のような膠質液よりも電解質輸液製剤のような晶質液がより適応となる．この目的として使用される製剤としては0.9%食塩水（生理食塩水）

が基本であるが，大量・急速投与の場合などはCl^-（クロールイオン）の過剰負荷に伴う代謝性アシドーシスや凝固異常などのリスクがあり，乳酸・酢酸リンゲル液などがより適切となる場合がある．

また，細胞外液量低下が軽度（脱水症が軽症）で経口摂取が可能であれば，経口輸液療法（oral rehydration therapy：ORT）を行うことも検討される（eコラム1）．

一方，細胞内液の欠乏は高ナトリウム血症（高張性脱水）がその目安である．院外発症の高ナトリウム血症があり，かつ細胞内液量が低下していない病態は，高張食塩水負荷（炭酸水素ナトリウム投与）や海水溺水などまれである．一方，長期にわたる摂食不良やコントロール不良の糖尿病など，高ナトリウム血症がなくても，細胞内液が欠乏している病態もある（この場合，細胞内溶質であるカリウムやリンが低下している）．このような状況では，5%ブドウ糖液などの低張液に適宜，カリウムやリンなどを投与する必要が出てくる．逆に，低ナトリウム血症においては，長期の摂食不良などで細胞内液の溶質が減少していないかぎりは，細胞内液量は増加している．よって，細胞外液量の不足さえなければ輸液はいらないばかりか，輸液による水負荷は低ナトリウム血症を悪化させる懸念さえある〔抗利尿ホルモン（antidiuretic hormone：ADH）が過剰である状況が多いため〕．症候性となるような低ナトリウム血症では，積極的な是正のため，高張液投与が適切となる（表5-1-15）．

b. 維持輸液

維持輸液は，今後予測される生理的体液喪失あるい

表5-1-16 母乳・牛乳の組成から考えた維持輸液組成(Holliday)

	mEq/100 cal/日	
	ナトリウム	カリウム
母乳	1.0	2.0
牛乳	3.5	6.5
推奨維持輸液組成	3.0	2.0
1500 kcal/1500 mL とした場合の電解質濃度組成	30 mEq/L	20 mEq/L

は病的体液喪失を補うものである．生理的に体液が失われる場は，腎臓，皮膚，肺(呼気)，腸管が主であり，これに沿って考える．

腎臓から排泄される溶質は1日約10 mOsm/kgBWとされ，体重60 kgの成人では約600 mOsmとなる．腎機能が正常な場合，腎の最大尿濃縮能力は約1200 mOsm/Lなので，この溶質を排泄するのに最低限必要な尿量は，600÷1200 = 0.5 Lである．尿量が0.5 Lを下回ると溶質が体内に蓄積してしまうので，この尿量が乏尿(oliguria)の定義となる．つまり，少なくとも尿量は最低500 mLが生理的であるが，実際には，腎濃縮力も低下している可能性などを考え，尿量を1000 mL以上に保つようにすることが安全である．

皮膚・呼気からの喪失の主体は不感蒸散である．不感蒸散は1日約15 mL/kg体重程度と考えてよい．不感蒸散は体温が1℃上昇すると約15%程度増加するといわれているし，汗が多ければ，数L以上の体液の喪失も生じうる．便中水分は約100 mLであるが，さらに，体内の代謝で産生される水が200 mL程度であるので，尿以外の水分喪失は60 kgの人で15×60 + 100 − 200 ≒ 800 mL程度となる．よって，尿量を1000 mL以上に保つには1000 + 800 = 1800 mLの水分を補給する必要があることになり，維持輸液量とは1日1500〜2000 mL程度が生理的である．概算として，2000 mL + (体重(kg) − 60) × 25 mLという計算方法もある(e表5-1-B)．

ただし，これらは飲水や食事中の水分摂取を考慮しておらず，少しでも飲食飲水があれば，その水を差し引いた量を投与すべきである．

次に，維持輸液の電解質組成を考える．いわゆる維持輸液に適切な電解質組成はおもに母乳や牛乳の組成を参考に考えられてきた(表5-1-16)．この考え方は米国の小児科医であったDarrowやHollidayの研究による影響が強いと思われ，日本においては東京大学小児科の高津らを中心にソリタ液が作成され，その派生が現在に至っている．

以上から，維持輸液は3号液で1500〜2000 mLが適当であるというのが今までの考え方であった．しかし，維持輸液に3号液のような低張液を使うのは「生理的な」体液喪失を補う場合には適切であるが，入院患者の多くは「生理的な」体液喪失でなく，病的な体液喪失が多く認められる．このような状況では，ADHの過剰がある場合が多く，ADHは尿張度を上昇させるので，このような患者に低張液を使うと低ナトリウム血症を惹起する可能性が高い．実際に，入院患者の低ナトリウム血症の頻度は非常に高く，また，原因はこのADH過剰状態における低張液投与がほとんどである．低ナトリウム血症は体格の小さい患者(特に小児，高齢者，女性)や低酸素症の患者には致命的な脳神経障害を引き起こす可能性があり，軽度であっても認知障害や転倒などの問題を引き起こす可能性が指摘されている．よって，最近は急性期や周術期の維持輸液は等張液が適切であるという意見が多い(表5-1-17)．

(4) 輸液の開始から終了までの思考プロセス

実際に，輸液が必要となる患者のことを考えてみると，そのような患者の多くは，すでに体液量や電解質の異常を抱えていることが多いだけでなく，状態が悪いために，十分な摂食や飲水ができない状態の人が多

表5-1-17 輸液の分類(栄養輸液を除く)

	是正輸液 現時点で不足している体液欠乏の補充		維持輸液 今後欠乏が予測される体液に対する予防的補充
目的	ナトリウム量異常の是正	ナトリウム濃度異常の是正	経口摂取不足の補填
補充する体液の種類	細胞外液	細胞内液	喪失する体液
病態の英語表現	volume depletion	dehydration	ongoing fluid loss
具体例	低血圧・ショック	高ナトリウム血症	生理的喪失・下痢・浸透圧利尿・火傷
適切な輸液	等張液	5%ブドウ糖液	おもに3号液 ストレス下では等張液

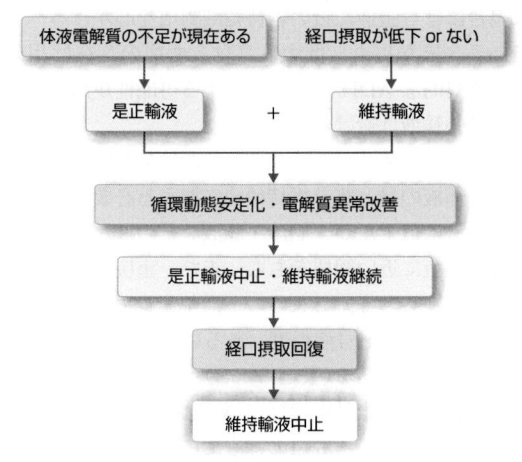

図 5-1-7 **典型的な輸液療法の流れ**

い．現場で遭遇する場面では，是正輸液だけ必要な状況や，維持輸液だけ必要な状況というのは少なく，是正輸液と維持輸液の両方が必要である場合が多い．よって，実際の輸液では是正輸液と維持輸液の両方をそれぞれ別個に考え，それらをあわせて処方するのが自然だといえる．

輸液処方の組み立ての流れを図 5-1-7 に示す．まず，患者に体液量減少などの水電解質の不足があれば，それを是正する是正輸液を開始する．このような状況下では，患者は経口摂取が低下していることが多いので，同時に維持輸液が必要となる．その後，是正輸液によって循環動態の安定・高ナトリウム血症（低ナトリウム血症）の改善など，細胞外液・細胞内液の是正がほぼ得られたと判断した時点で是正輸液は中止し，経口摂取の改善が不十分であれば維持輸液のみを継続する．経口摂取がほぼ改善したと思われる時点で，すべての輸液が終了となる．

(5) 是正輸液の実際

細胞外液量減少に対する是正輸液には，その分布から考えて等張液が適応になることが多く，細胞内液量の減少を示唆する高ナトリウム血症の治療に対しては，同様に 5% ブドウ糖液が適応となる．以下に体液量減少 (volume depletion) における是正輸液の実際について述べる．

細胞外液量減少の判断には表 5-1-18 にあげるような身体所見，バイタルサイン，検査所見が有用であり，チェックを行う．これらの所見のどれ 1 つをとっても，それだけで体液量減少を確実に診断するのには不十分で，複数の所見の組み合わせで判断する必要がある．

細胞外液量の減少を診断したら，次はその程度に従って，等張液の投与スピード・量を加減することを考える．ショックが疑われる状況では 0.9% 生理食塩水や乳酸リンゲル液などの等張液を急速に投与する．具体的には，まず体液量維持を等張液で CVP が 8～12 mmHg となるように行う．CVP の評価は中心静脈のカテーテルや Swan-Ganz カテーテルがあればよいが，頸静脈（必ずしも内頸静脈でなくても，外頸静脈でも十分である）の評価でも十分である．ショックを起こすほど高度でなくても，細胞外液量の減少を疑う所見があれば，状態に応じて等張液を投与する．そのスピードは決まったものはなく，あくまでも経験的なものになるが，患者の心機能や投与後の循環動態の変化をこまめにモニターし，溢水にならない程度，かつ循環動態の悪化を起こさない投与速度を試行錯誤的に決めていく．

一方，是正輸液を中止できるタイミングは循環動態の安定した時点となるが，この「循環動態の安定」の指標には決まったものはない．①もともとの血圧や脈拍への復帰（1 割減くらいまでは許容），②病前から減少した体重の 6 割（体液分に相当）に復帰，③尿量の 20 mL/kg 体重/日以上の維持，④ CVP が 10 cmH$_2$O（約 8 mmHg）以上などを目安として，これらの指標を複合的に評価する．また，体液喪失の病態が完全に治癒していない場合には，是正輸液の中止後に循環動態が不安定になる場合もあるので，中止後は十分な循環モニタリングをする．中止を段階的に行ってもよい

表 5-1-18 **体液量減少の身体・検査所見**

	脱水の指標
身体所見	体重減少，腋窩乾燥，毛細血管(中指)再充満遅延 (> 4 秒) 皮膚ツルゴール(前胸部)の低下，口腔粘膜乾燥，舌乾燥，眼球陥没
バイタルサイン	起立性低血圧 (ΔHR > 30 bpm ↑, ΔDBP > 15 mmHg ↓)，頻脈 (> 100 bpm)，血圧低下 (< 80 mmHg SBP)
循環モニタリング	CVP < 5 cmH$_2$O，IVC 径 呼吸性変動あり，虚脱 動脈圧モニタにて呼吸時の動脈圧のベースから 5 mmHg 以上の低下
検査所見	尿 Cl 低下 (< 20 mEq/L)，FE$_{Na}$ < 1%，FE$_{UN}$ < 35% 相対的な血液ヘマトクリット/アルブミン/BUN/浸透圧の増加，BUN/Cr > 20，尿浸透圧 > 500 mOsm/L，尿比重 > 1.020

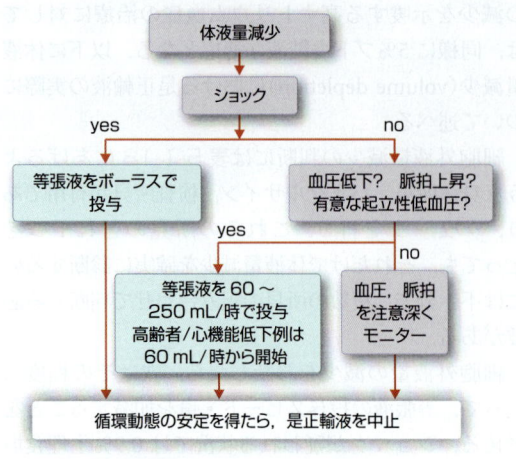

図 5-1-8 是正輸液処方のフローチャート

(図 5-1-8).

(6)維持輸液の実際

患者の経口摂取が不十分な場合には維持輸液が必要となる．これは是正輸液の必要性の有無にかかわらず，原則として同じである．維持輸液の量としては，前述したように1500〜2000 mL程度，あるいは2000 mL＋(体重−60 kg)×25 mL程度が適当と考えられるが，経口摂取が少ないながらもある場合は，その分を割り引いて投与する．

維持輸液の組成としては3号液に代表されるような低張液が多くの場合に適当だが，腎機能が明らかでない場合や低下している場合は，カリウム非含有の低張製剤である4号液や1号液が代用される．また，循環動態が不安定な場合や周術期・感染などの高度ストレス期にはADH過剰状態となっているため，維持輸液の組成も等張液に近い張度の組成が適切になると思われる．このADH過剰状態を予測するヒントとして，尿中のナトリウムとカリウム濃度の和(＝尿張度)を測定することが奨められる．尿(ナトリウム＋カリウム)濃度が半等張(75 mEq/L)以上であれば，ADHが亢進している可能性が高いと考えてよく，このような場合には等張液に近い維持輸液組成を心がけるべきである．ほかにも，低ナトリウム血症の存在は相対的・絶対的なADH過剰が存在する可能性が高いと考え，低張輸液は避ける．

また，喪失体液が不感蒸散や便だけでない場合，その喪失体液の量と質を維持輸液に加える必要がある．汗や胃液は低張だが，胆汁・膵液などのほかの消化管液は等張液に近い組成をもち，また，重炭酸もかなり含有しているので，これらの下痢やドレナージ液の補充には等張液〜1号液程度，あるいは乳酸や酢酸リンゲル液が適当である(表 5-1-19)．

維持輸液の中止基準は経口(あるいは経管)摂取の十分な回復であり，摂取量の程度に応じて，段階的に減量していくのが現実的と思われる．

(7)是正輸液と維持輸液の併用の実際

繰り返しになるが是正輸液が必要な状況があり，食事・飲水摂取が不足する場合は原則として，輸液は是正輸液と維持輸液を混合したものとなる．「原則として」と書いたのは，ショックなど重症患者の場合は，高度の高ナトリウム血症などがないかぎり，細胞内液の補充よりも細胞外液，特に，血漿量の是正が優先されるし，細胞内液補充のための低張液投与は重症患者におけるADH過剰や腎機能低下のため，低ナトリウム血症を惹起する可能性が高く，是正輸液のみで輸液を開始するのが適切となる．逆に，体液量減少の程度が強くない場合は当初より是正輸液と維持輸液を同時に投与する．この場合，是正輸液と維持輸液は混合するのでなく，別々のライン(三方活栓などを使用)から入れ，それぞれの投与量を別々に調整できるようにすべきである．高齢者など心機能・腎機能が低下していることが予想される場合，輸液量は必要と思われる量の半量(1/2)程度に減らす方が無難である．

(8)Talbotの安全輸液理論

高齢者など腎機能や心機能の低下した患者では輸液量を理論的に必要と思われる量より少なくする必要があるが，この理由は以下のTalbotの理論から説明で

表 5-1-19 維持輸液の量と組成の目安

量：	絶飲食の場合　　　　　1500〜2000 mL　または　2000 mL＋(体重(kg)−60 kg)×25 mL	
	摂取量半減の場合　　　　　　　　　　　　上記の半分程度	
組成：	非ストレス下　　　　　　　　　　　3号液(1/3等張程度)	
	ストレス下(ADH過剰状態[*1])　　等張液(最低でも3/5等張＝1号液)	

*1：ADH過剰を示唆する目安としては①尿ナトリウム＋カリウム濃度が高い(＞75 mEq/L)，②低ナトリウム血症の存在．
*2：喪失体液として病的喪失がある場合は，その量や組成を適宜上記に加える必要がある．

きる．ある輸液製剤の浸透圧濃度を X mOsm/kgH$_2$O，輸液量を Y L/日とする．平均的な食事を摂っている人が1日に排泄する溶質量は約 10 mOsm/kgBW であり，体重 50 kg の人では約 500 mOsm となる．1日に輸液によって負荷される溶質量は $X \times Y$(mOsm) なので，尿中に排泄されるべき溶質量は $[X \times Y + 500]$ mOsm となる．一方，1日の水バランスが維持されているとすると，経口水分摂取がなければ，負荷される水分(輸液＋代謝水)は体外に排泄される水分と同じ量となるはずであり，Y＋代謝水＝尿量＋汗・不感蒸散＋便中水分となる．代謝水－汗・不感蒸散－便中

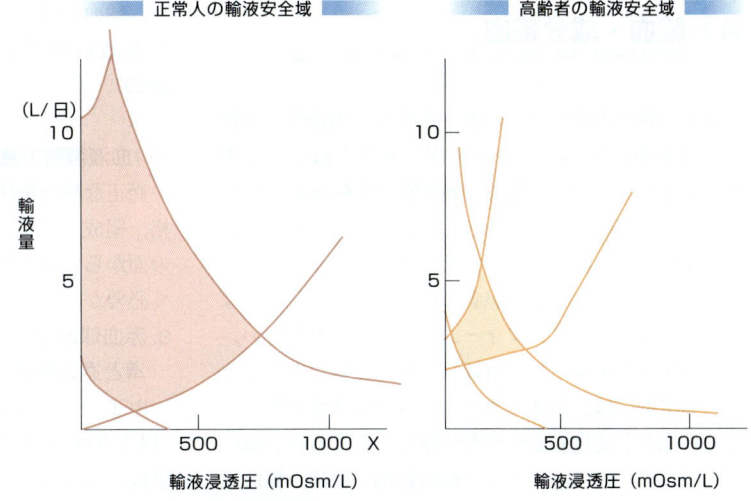

図 5-1-9 Talbot の安全輸液理論
4つの曲線で囲まれた範囲が輸液の安全域．

水分は約 －0.8(0.6〜1)L 程度となり，尿量＝$(Y-0.8)$ L と書き換えられる．尿浸透圧は尿中溶質排泄量を尿量で割ったものであり，$(X \times Y + 500) \div (Y-0.8)$ となる．尿浸透圧は正常では 50〜1200 mOsm/L まで変化できるが，高齢者では 150〜800 mOsm/L と尿希釈能・濃縮能が低下する．入院している高齢者では経口摂取も少ないことが多く，1日溶質生成量も 500 mOsm から 250 mOsm に低下するとして，尿浸透圧がとりうる範囲の式を考えて，以下の式が成立する．

正常人では
$50 < (X \times Y + 500) \div (Y-0.8) < 1200$ …①
高齢者では
$150 < (X \times Y + 250) \div (Y-0.8) < 800$ …②

一方，電解質溶液の主要な溶質である NaCl の摂取量を考えてみる．糸球体濾過量(GFR)が正常な場合，NaCl の摂取許容量は 0.5〜40 g/日といわれる．加齢により GFR が半減したとすると，その上限は 20 g/日となる．下限は大きな変化はないが，ナトリウム摂取低下に対する反応が鈍いため，実質的に下限は 1 g/日に上昇する．よって，高齢者における NaCl の許容量は 1〜20 g/日となる．NaCl 1 g は 34 mOsm なので，輸液による1日の溶質負荷量 $X \times Y$ mOsm との間には以下の関係式が成立する．

正常人では
$0.5 \times 34 < X \times Y < 40 \times 34$ …③
高齢者では
$1 \times 34 < X \times Y < 20 \times 34$ …④

以上の式①〜④を XY 軸の図に曲線としてあてはめると図 5-1-9 が得られる．正常人に比べ腎機能異常(高齢者群)で，4つの曲線に囲まれた範囲がかなり小さくなっている(輸液量も輸液の溶質量も制限が大幅に大きい)ことがわかる．

図 5-1-9 は，高齢者では輸液の量も，輸液の質(溶質の濃度)にもかなりの制限があることを示している．つまり，輸液量が多いと容易に溢水になり，少ないと脱水になる．これが，高齢者や腎・心機能低下者では輸液量を少なめに投与した方がよい理由だが，極端に少なくしても体液量減少を悪化させてしまうリスクもある．さらに，この理論から，輸液が濃い(浸透圧が高い)と容易に高ナトリウム血症をきたし，薄いと低ナトリウム血症をきたすことがわかる．入院中の高齢者の水・ナトリウムバランス異常のほとんどが医原性であることは，この安全輸液理論が十分に理解されていないためでもあろう．

〔柴垣有吾〕

■文献

Friedman JN, Beck CE, et al: Companison of isotomic and hypotomic intranenous maintenance fluids: a randouized climicl tnial. *JAMA Pediatr*. 2015; **169**: 445-51.

Moritz ML, Ayus JC: Hospital acguired hyponatremia—why ane hypotonic parental flwids still being used? *Nat Clin Pract Nephrol*. 2007; **3**: 374-82.

Talbot NB, Kemigan GA, et at: Application of homeostatic principles to the pxactice of parenteral fluid therapy *N Engl J Med*. 1955; **252**: 856-62, 898-602.

3）栄養療法

【⇨ 15-1-4】

4）輸血・成分輸血
blood transfusion and blood component transfusion

近年，輸血用血液の安全性が高まり，免疫性および感染性輸血副作用などの合併症は大きく減少してきた．しかし，それでもなお100％安全な輸血療法は存在しない．医師はこのことを理解したうえで日常の臨床現場での輸血療法の重要性を真摯にとらえ，輸血のリスクとベネフィットを患者にもわかりやすいことばで十分に説明してインフォームドコンセントを行い，適正な輸血を実施しなければならない．輸血を行おうとする医師には，生体のホメオスターシスを理解し，患者の刻々と変化する病態を的確にとらえる高い臨床能力が求められる．加えて，輸血製剤の特徴，輸血検査，輸血管理，リスクマネジメント，さらに血液事業や血液行政まで幅広い知識が必要である（前川，2005）．

（1）血液製剤の種類，一般的使用基準と適応疾患

適正な輸血療法を行うために，主要な血液製剤の規格，組成と性状，保管方法，有効期限，また医療経済の面から各血液製剤のおおよその価格なども知っておく必要がある（表5-1-20）．

a. 赤血球濃厚液（red cell concentrate：RCC）の使用基準と適応疾患

RCCとして使用されるものは赤血球液-LR「日赤」（以下RBC-LR）である．これは献血された400 mL（2単位），あるいは200 mL（1単位）の全血から遠心分離

表5-1-20 血液製剤の一覧表（2016年4月現在）

	販売名	略号	規格・単位	有効期間	貯法	薬価
赤血球製剤	赤血球液-LR「日赤」	RBC-LR-1	血液200 mL 由来　1袋	採血後21日間	2～6℃	8,402円
		RBC-LR-2	血液400 mL 由来　1袋			16,805円
	照射赤血球液-LR「日赤」	Ir-RBC-LR-1	血液200 mL 由来　1袋			8,864円
		Ir-RBC-LR-2	血液400 mL 由来　1袋			17,726円
	洗浄赤血球液-LR「日赤」	WRC-LR-1	血液200 mL 由来　1袋			9,470円
		WRC-LR-2	血液400 mL 由来　1袋			18,940円
	照射洗浄赤血球液-LR「日赤」	Ir-WRC-LR-1	血液200 mL 由来　1袋			10,036円
		Ir-WRC-LR-2	血液400 mL 由来　1袋			20,072円
合成血	合成血液-LR「日赤」	BET-LR-1	血液200 mL 由来赤血球に血漿約60 mLを混和した血液1袋	製造後48時間		13,499円
		BET-LR-2	血液400 mL 由来赤血球に血漿約120 mLを混和した血液1袋			26,997円
	照射合成血液-LR「日赤」	Ir-BET-LR-1	血液200 mL 由来赤血球に血漿約60 mLを混和した血液1袋			14,065円
		Ir-BET-LR-2	血液400 mL 由来赤血球に血漿約120 mLを混和した血液1袋			28,128円
血漿製剤	新鮮凍結血漿-LR「日赤」120	FFP-LR120	血液200 mL 由来　1袋	採血後1年間	−20℃以下	8,955円
	新鮮凍結血漿-LR「日赤」240	FFP-LR240	血液400 mL 由来　1袋			17,912円
	新鮮凍結血漿-LR「日赤」480	FFP-LR480	480 mL　1袋			23,617円
血小板製剤	照射濃厚血小板-LR「日赤」	Ir-PC-LR-1	1単位 約20 mL　1袋	採血後4日間	20～24℃要振盪	7,875円
		Ir-PC-LR-2	2単位 約40 mL　1袋			15,749円
		Ir-PC-LR-5	5単位 約100 mL　1袋			40,100円
		Ir-PC-LR-10	10単位 約200 mL　1袋			79,875円
		Ir-PC-LR-15	15単位 約250 mL　1袋			119,800円
		Ir-PC-LR-20	20単位 約250 mL　1袋			159,733円
	照射濃厚血小板HLA-LR「日赤」	Ir-PC-HLA-LR-10	10単位 約200 mL　1袋			96,025円
		Ir-PC-HLA-LR-15	15単位 約250 mL　1袋			143,854円
		Ir-PC-HLA-LR-20	20単位 約250 mL　1袋			191,496円

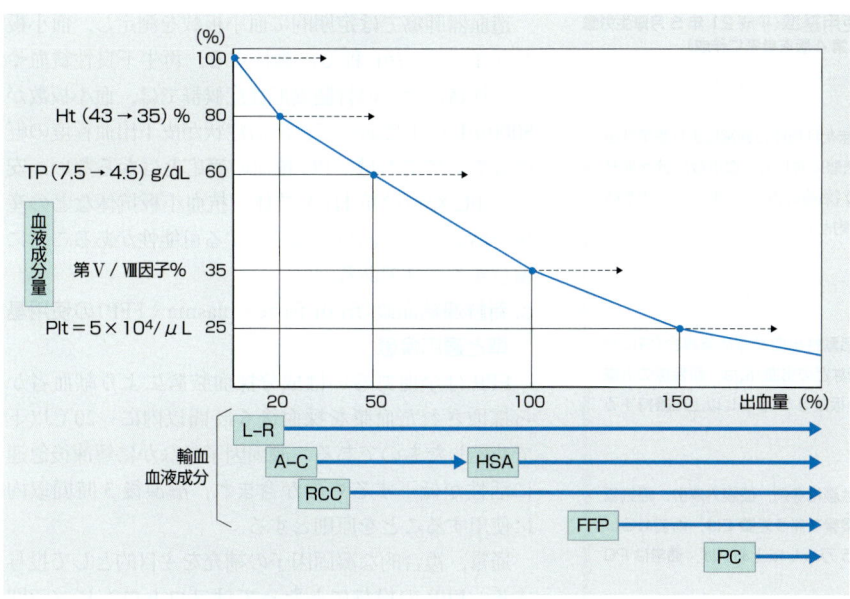

図 5-1-10 出血患者における輸液・成分輸血療法の適応
(Lundsgaard-Hansen P: Component therapy of surgical hemorrhage: red cell concentrates, colloids and crystalloids. *Bibl Haematol.* 1980; 46: 147-69 より改変)

により血漿と白血球の 90％を除き(LR, leukocyte reduction)，保存液 MAP (mannitol-adenine-phosphate) が加えられた製剤である．2〜6℃で保存される．有効期限は採血後 21 日間である．この期間は先進諸国中で最も短いグループに属する．低温でも増殖する *Yersenia enterocolitica* などによる汚染を防ぐ目的で有効期限が決められている．

慢性の貧血の多くは内科的疾患，特に造血器疾患に起因するものが多い．輸血以外の治療法で改善せず，循環器系の臨床症状(労作時の動悸，息切れ，易疲労感，浮腫など)が進行性の場合には，輸血を実施し臨床症状を観察する．慢性貧血の場合，Hb 値で 7 g/dL を目安に輸血を行うが，それ未満であっても輸血の必要のない場合もある．輸血の実施は検査値だけでなく，循環系の症状を観察して行わなければならない．輸血後の Hb 値を 10 g/dL 以上にする必要はない．RBC 輸血により改善される Hb 値は以下の式となる．

上昇期待値(g/dL)＝投与 Hb 量(g)/循環血液量(dL)
循環血液量(dL)＝体重(kg)× 70 mL/kg/100

急性出血をきたす内科的疾患(消化管出血と腹腔内出血など)の多くは外科的治療が必要である．図 5-1-10 に出血患者に対する輸液と成分輸血療法の適応基準を示す．

b. 血小板濃厚液 (platelet concentrate：PC) の使用基準と適応疾患

成分献血による PC (濃厚血小板-LR「日赤」) には 10, 15, 20 単位製剤があり，それぞれ 2.0, 3.0, 4.0 $\times 10^{11}$ 個以上の血小板を含む．1 回の PC 輸血は 10 単位製剤を用いるのが基本である．

血小板数 5 万/μL 以上では通常重篤な出血はなく，PC 輸血の必要はないが，それ以下については病態により維持すべき血小板数が異なる．血小板濃厚液の使用基準を表 5-1-21 に示す．各病態に応じ目標値を維持するように PC を輸血するが，約 1/3 が脾臓に捕捉されるため，血小板数の上昇期待値は以下の式となる．

上昇期待血小板数(/μL)
$$= \frac{輸血血小板総数}{循環血液量(mL) \times 1000} \times \frac{2}{3}$$

PC 輸血後の血小板増加の評価は輸血 1 時間後あるいは 20 時間後の補正血小板増加数 (corrected count increment：CCI) により行う．CCI の算出は下記の式で行う．

$$CCI(/\mu L) = \frac{血小板増加数(/\mu L) \times 体表面積(m^2)}{輸血血小板総数(\times 10^{11})}$$

輸血 1 時間後の CCI が 7500/μL 以上，20 時間後の CCI が 4500/μL 以上の場合は，輸血効果ありと評価される．血小板輸血効果がみられないときを血小板輸血不応状態という．投与血小板の寿命を短縮させる機序として，抗 HLA 抗体や抗血小板同種抗体などの免疫学的なものと，持続する出血，発熱，感染症，DIC，脾腫などの非免疫学的なものがある．1 時間後の CCI が低い場合は免疫学的な機序による可能性が

表 5-1-21 血小板濃厚液の使用基準(平成 21 年 5 月厚生労働省編：血液製剤の使用にあたって，第 4 版を参考に作成)

1. 投与の基本方針
PC 輸血は，血小板数の減少または機能の異常により重篤な出血ないし出血の予測される病態に対して，血小板成分を補充することにより止血をはかり（治療的投与），または出血を防止すること（予防的投与）を目的とする．

2. 使用指針
a. 活動性出血
　血小板減少による重篤な活動性出血を認める場合(特に網膜，中枢神経系，肺，消化管などの出血)には，原疾患の治療を十分に行うとともに，血小板数を 5 万/μL 以上に維持するよう PC 輸血を行う．

b. 外科手術の術前状態
　1) 待機的手術患者あるいは腰椎穿刺，硬膜外麻酔，経気管支生検，肝生検などの侵襲を伴う処置では，術前あるいは施行前の血小板数が 5 万/μL 以上あれば，通常は PC 輸血を必要としない．
　2) 骨髄穿刺や抜歯など局所の止血が容易な手技は 1 万～2 万/μL 程度で安全に施行できる．
　3) 頭蓋内の手術の場合，7 万～10 万/μL 以上であることが望ましい．

c. 人工心肺使用手術時の周術期管理
　1) 術中・術後を通じて血小板数が 3 万/μL 以下に低下した場合は PC 輸血の適応である．
　2) 複雑な心大血管手術で長時間(3 時間以上)の人工心肺使用例や，再手術などで広範な癒着剥離を要する例では 5 万～10 万/μL になるように PC 輸血を行う．

d. 大量輸血時(特に循環血液量の 2 倍以上の大量輸血の場合など)止血困難な出血症状と血小板減少がある場合は PC 輸血の適応となる．

e. 播種性血管内凝固症候群(DIC)
　1) 基礎疾患があって，血小板数が急速に低下(5 万/μL 以下)し，出血傾向の強い場合
　2) 血栓による臓器症状が強い DIC（たとえば，TTP 様の病態など）では PC 輸血には慎重であること．
　3) 癌末期などに生じる慢性 DIC は PC 輸血の適応はない．

f. 血液疾患；本文参照
g. 固形腫瘍の化学療法に伴う血小板減少；造血器腫瘍に準じる．

造血器腫瘍では定期的に血小板数を測定し，血小板数を 1～2 万/μL 程度に維持する．再生不良性貧血や不応性貧血などの骨髄異形成症候群では，血小板数が 5000/μL 以上であって，出血症状が皮下出血程度の軽微なものであれば，PC 輸血の適応とはならない．安易な PC 輸血は抗 HLA 抗体や抗血小板抗体などの産生を増加させ，治療を難しくする可能性があることに留意するべきである．

c. 新鮮凍結血漿(fresh frozen plasma：FFP)の使用基準と適応疾患

FFP は全血あるいは成分採血装置により献血者から採取された血漿を採血後 6 時間以内に－20℃以下で凍結したものである．凝固因子のなかに解凍後急速に活性が低下するものが含まれ，解凍後 3 時間以内に使用することを原則とする．

通常，複合的な凝固因子の補充を主目的として投与する．FFP の投与にあたってはプロトロンビン時間(PT)，活性化部分トロンボプラスチン時間(APTT)，フィブリノゲン値測定が必須である．PT で正常の 1.5 倍の延長，APTT が 30% 以下に低下している場合に FFP を投与することが望ましい．単なる蛋白質源としての栄養補給，創傷治癒を目的としての投与は行ってはならない．また，循環血漿量の減少している病態には，FFP と比較して膠質浸透圧が高く，より安全な人工膠質液や等張アルブミン製剤の適応である．

生理的な止血効果を期待しうる凝固因子の最小血中活性値は，正常の 20～30% である．循環血漿量を 40 mL/kg(70 mL/kg(1－Ht/100))とし，補充された凝固因子の血中回収率を 100% とすれば，凝固因子の血中レベルを 20～30% 上昇させるのに必要な FFP 量は，8～12 mL/kg である．

播種性血管内凝固症候群(DIC)治療の原則は基礎疾患の治療とヘパリンなどによる抗凝固療法で，FFP の投与はこれらの処置を前提として行う．FFP の投与は凝固因子とともに不足した生理的凝固線溶阻害因子(アンチトロンビン(AT)-III，プロテイン C，α_2-プラスミンインヒビターなど)の同時補給も目的とする．フィブリノゲン値 100 mg/dL 以下，血中凝固因子活性 30% 以下あるいは AT-III 活性 70% 以下の場合に適応となる．

循環血液量以上の輸血が 24 時間以内に行われた場合，希釈性凝固障害(凝固活性が 30% 以下)が起こることがあり，FFP 投与の適応となる．通常の出血量では，FFP と比較して膠質浸透圧が高く，より安全な人工膠質液あるいは等張アルブミン製剤を用いるべきである．

第 V，XI 因子の単独ないしこれらを含む複数の凝固因子欠乏症など，濃縮製剤のない凝固因子欠乏症も

高く，20 時間後の CCI が低い場合は非免疫学的な機序によると考えられる．免疫学的な機序が考えられる場合は血液センターに HLA 適合血小板供給のための検査(患者の HLA タイピングおよび抗 HLA 抗体スクリーニング)を依頼する．抗 HLA 抗体陽性(免疫学的機序の 80～90% を占める)の場合は HLA 適合血小板輸血の適応となり，この製剤を輸血することにより大部分の場合は輸血効果が認められるようになる(eコラム 1)．抗 HPA(human platelet antigen)抗体も輸血不応の原因となり，免疫学的な機序の約 10% を占める．

FFP 投与の適応となる．クマリン系薬剤は肝臓での凝固因子（第Ⅱ，Ⅶ，Ⅸ，Ⅹ因子）合成に必要なビタミン K の阻害薬である．これらの凝固因子欠乏による出血傾向はビタミン K の補給により数時間以内に改善する．したがって，FFP の投与はクマリン系薬剤（ワルファリンなど）による抗凝固療法中の出血で，緊急に対応しなければいけない場合と緊急手術に限り適応となる．

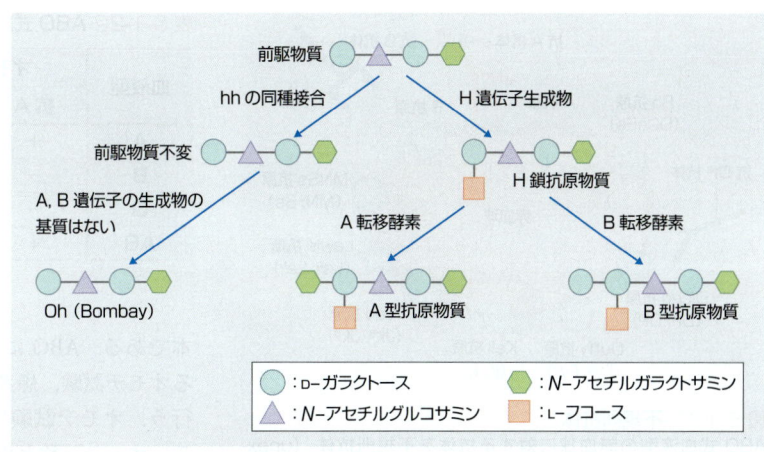

図 5-1-11 ABO 式血液型抗原の構造

血栓性血小板減少性紫斑病（thrombocytic thromobocytopenic purpura：TTP）は，von Willebrand 因子（VWF）多重体を止血に必要なサイズに分解する VWF 特異的切断酵素（VWF-cleaving protease：VWF-CP，別名 ADAMTS13）の欠損（先天性 TTP），あるいは VWF-CP に対する自己抗体（インヒビター）の産生（後天性 TTP）により生じる．先天性 TTP に対しては FFP の単独輸血，後天性 TTP に対しては血漿交換療法が必要である．

d. アルブミンの使用基準と適応疾患

膠質浸透圧を維持することで循環血漿量を確保（等張アルブミン製剤または加熱人血漿蛋白を使用），あるいは体腔内液や組織間液を血管内に移行させることで治療抵抗性の重度の浮腫を治療（高張アルブミン製剤を使用）することを目的として投与する．人血清アルブミンと加熱人血漿蛋白がある．

必要投与量(g)
＝期待上昇濃度(g/dL)×循環血漿量(dL)×2.5

と計算される．

投与されたアルブミンの血管内回収率を 40％，循環血漿量を 0.4 dL/kg とすると，アルブミン 1 g の投与による血清アルブミン濃度の上昇は，体重 A kg の場合には，

アルブミン 1 g × 血管内回収率 / 循環血漿量(dL)＝

$1 g \times \dfrac{0.4}{0.4\ dL/kg \times A\ kg} = 1/A\ (g/dL)$

となり，体重の逆数で表現される．得られたアルブミン量を患者の病状に応じて 2〜3 日に分割して投与する．

急性の病態（急性膵炎，イレウスなど）では 3.0 g/dL 以上であるが，慢性病態においては 2.5 g/dL 以上を目標とする．しかし，慢性に経過するアルブミン 2.0 g/dL の肝硬変症例へのアルブミン投与は，尿量の減少，腹水などの臨床症状を観察しながら投与を決めるべきであり，血中アルブミン濃度だけで投与を判断してはならない．蛋白質源としての栄養補給や単なる血清アルブミン濃度の維持目的で投与してはならない．

(2) 血液型と交差適合試験

a. 血液型（ABO 型抗原系）

ABO 型抗原系は A，B，O および AB の 4 種類の表現系をもち，A，B，O の 3 つの対立遺伝子にコードされている．ABO 型抗原系では，まず前駆物質となるコア糖鎖に L-フコースが結合し，H 鎖抗原物質が生成される．この H 鎖抗原物質が O 型抗原である．H 鎖抗原物質に N-アセチルガラクトサミンが A 転移酵素により付加されると A 型抗原物質となり，B 転移酵素により D-ガラクトースが結合すると B 型抗原物質となる（図 5-1-11）．ABO 抗原系の特徴として，A 型の人の血清中には抗 B 抗体が，B 型の人には抗 A 抗体が存在し，O 型の人の血清中には抗 A 抗 B 抗体が存在する（Landsteiner の法則）．ただし，O 型の人にみられる抗 A 抗 B 抗体は，A 抗原および B 抗原の両方に反応する抗体で，抗 A 抗体および抗 B 抗体として別々に分離できるわけではない．B 型の人にみられる抗 A 抗体，A 型の人の抗 B 抗体が IgM であるのに対し，O 型の人にみられる抗 A 抗 B 抗体はおもに IgG である．これら抗 A 抗体，抗 B 抗体は，赤血球膜表面上に各抗体に対応する抗原が存在するときに必ず（＝規則的に）みられるという意味で「規則抗体」，あるいは食物，環境や生体のなかに広く存在する A 抗原や B 抗原類似の物質に曝露されて感作され，自然に産生される抗体という意味で「自然抗体（"natural" antibodies）」，または "expected" antibodies とよばれる．ちなみに，わが国では抗 A 抗体，抗 B 抗体以外の赤血球に対する抗体を「不規則抗体」とよぶことが多い．これに対応する英語は "unexpected

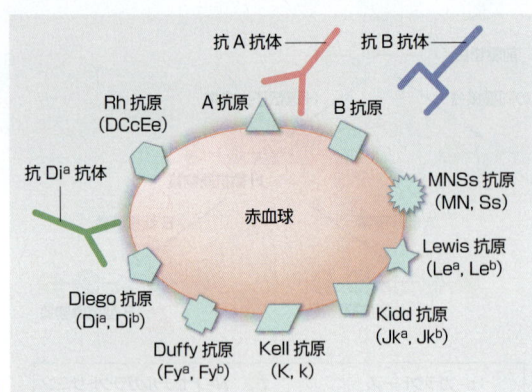

図 5-1-12 不規則抗体
ABO 式血液型の赤血球に対する抗体を不規則抗体（unexpected antibody）とよぶ．抗 A 抗体，抗 B 抗体を自然抗体あるいは規則抗体（natural antibody, expected antibody）とよぶ．

表 5-1-22 **ABO 式血液型の判定**（Landsteiner の法則）

血液型	オモテ試験		ウラ試験	
	抗A	抗B	A血球	B血球
A	＋	－	－	＋
B	－	＋	＋	－
O	－	－	＋	＋
AB	＋	＋	－	－

antibodies"である．不規則抗体も赤血球抗原に対する抗体であり，溶血などの副作用の原因となることを銘記すべきである（図 5-1-12）．

b. Rh 血液型

Rh 血液型は D，C，c，E，e の 5 種類の抗原で構成されている．これら Rh システムの抗原型のなかで，D/d，C/c，E/e はおのおの対立遺伝子と考えられ，ハプロタイプとして遺伝している．Rh 陽性とは通常 D 抗原をもつことを意味するが，C/c，E/e 抗原系も発現している．Rh 陰性とは D 抗原をもたないもので，RhD 陽性，あるいは RhD 陰性と記載されることが多いが，C/c，E/e 抗原系も発現している．Rh 抗原系のなかで最も免疫原性が強く，臨床的に重要なのは D 抗原型であるが，日本人の Rh 表現型の頻度から，RhEc の不適合の頻度は 25％と高いことが知られている．E 抗原の免疫頻度は D 抗原を除くと，ほかの Rh 系の抗原のなかでは高いため，E 抗体が新生児溶血性貧血の原因となることが多い．抗 Rh 抗体も不規則抗体である（前川，2005）．

c. 血液型と交差適合試験の検査手順

輸血検査は輸血療法を安全に行うために必須である．ここでは臨床医が知っておくべき，赤血球系を中心とした血液型と交差適合試験，不規則抗体の検査手順について述べる．

1）患者の血液型検査：
試験管による凝集法が基本である．ABO に関しては患者血球の抗原を同定するオモテ試験，患者血清の抗体を同定するウラ試験を行う．オモテ試験には生食で洗浄した赤血球を用いる．オモテ試験とウラ試験の結果が一致してはじめて血液型を確定できる（表 5-1-22）．血液型については採取時期の異なった検体について 2 回以上検査を行い，一致していることを確認しなければならない（血液型のダブルチェック）．

2）交差適合試験と不規則抗体スクリーニング： 交差適合試験は血液型の一致と不規則抗体の有無を検査するもので，主試験と副試験がある．主試験は赤血球液（RBC-LR）製剤の血球と患者血清，副試験は患者血球と RBC-LR 血漿の反応をみるものである．

血液型検査と交差適合試験の手順を示す（図 5-1-13，5-1-14）．血液製剤は原則として患者と ABO 同型の製剤を輸血する．RhD 陰性の場合は RhD 陰性血を輸血する．

(3) 輸血の合併症とその予防

a. 溶血性輸血副作用

免疫学的機序によるものとして，血管内および血管外溶血性副作用，遅発性溶血性副作用に分類される．非免疫学的機序によるものとしては過加温や凍結により溶血した赤血球の輸血，輸血針や輸血速度が不適切なことによる物理的溶血や，細菌汚染などによる溶血がある．

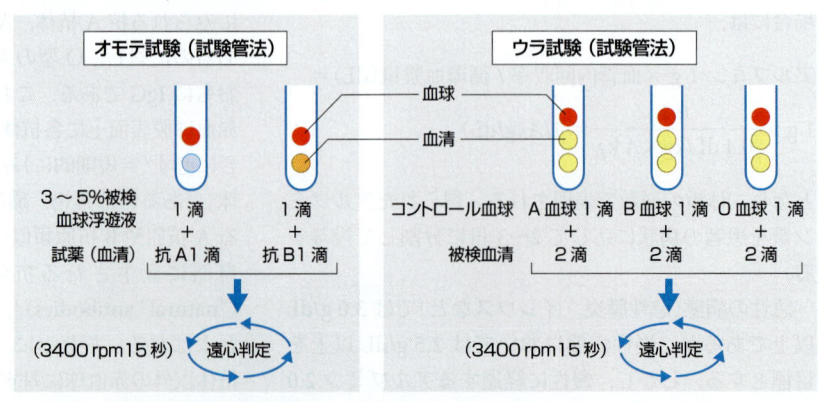

図 5-1-13 **血液型検査手順**

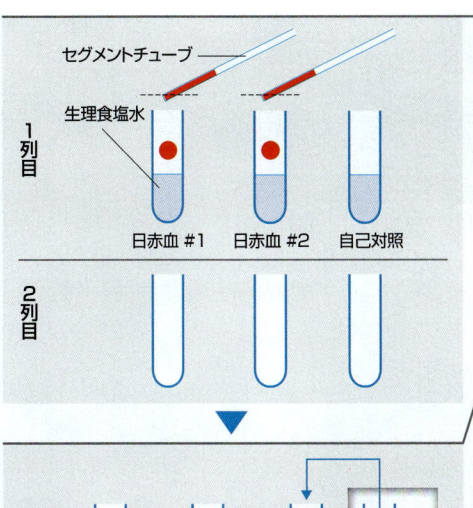
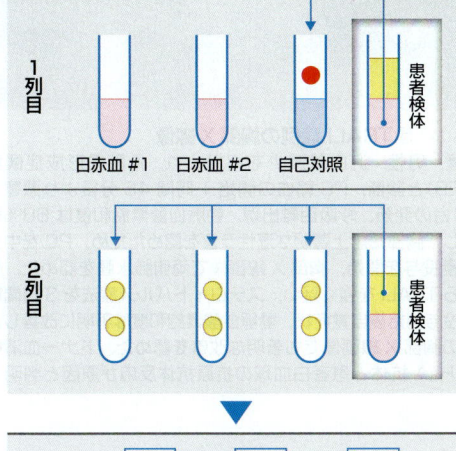
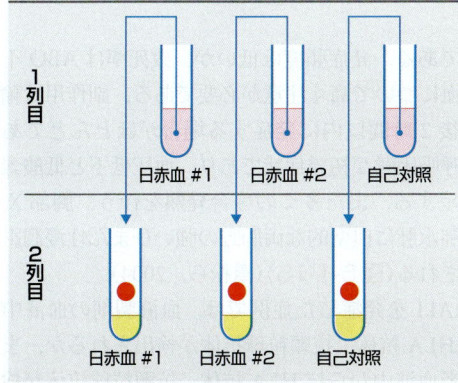

1. 患者とABOおよびRh（D）同型の照射済み赤血球液（RBC-LR）を血液センターより取り寄せる．
2. RBC-LRからクロスマッチ用にセグメントチューブを切り取る．
3. 日赤血のバッグ数＋1本の試験管を2列に並べる．
4. 1列目の試験管で，日赤血の3％赤血球浮遊液を作製する．1列目小試験管に1/3まで（約1.5 mL）生理食塩水を入れ，セグメントチューブの赤血球側をハサミで切り取り1滴入れる．
5. 患者の3％血球浮遊液を作製する．小試験管に1/3まで（約1.5 mL）生食を入れ，遠心した患者赤血球を1滴加え，スポイトで溶血させないように混和する．
6. 2列目の試験管に患者血清を2滴ずつ滴下する．
7. よく混和した3％赤血球浮遊液を対応する2列目の試験管（すでに患者血清が2滴滴下されている）に1滴ずつ加え，よく混和する．

生食法（血液型の再確認の意味）
8. 5分間置いた後，900〜1000 G（3400 rpm）で15秒遠心する．
9. 判定を行う．※判定方法は血液型に同じ．

アルブミン法
10. 生食法に引き続き，22％ウシアルブミンを2滴加え，37℃の恒温槽で15分間加温する．
11. 900〜1000 G（3400 rpm）で15秒遠心し判定．※判定方法は血液型に同じ．

抗ヒトグロブリン法
12. 11を3回洗浄する．
洗浄方法
　イ）試験管の8分目まで生食を加え900〜1000 G（3400 rpm）で1分間遠心する．
　ロ）試験管を逆さにして上清を捨てる．
　ハ）沈殿塊を再浮遊させる．
　　イ）〜ハ）を3回繰り返す．3回目のロ）では逆さにした状態で試験管口にたまっている生食をキムワイプなどで拭き取る．
13. 12に抗ヒトグロブリンを1〜2滴加え，よく混和する．
14. 900〜1000 G（3400 rpm）で15秒遠心し判定．※判定方法は血液型に同じ．

図 5-1-14 交差適合試験検査手順
血液型検査を1度しか実施していない患者については，新しく採血を行い交差適合試験を実施する（検体の取り違えによるABO不適合輸血を防ぐため）．日赤血とのクロスマッチは主試験のみで，副試験は省略できる．主試験：患者血清（血漿）と輸血しようとする赤血球製剤（RBC-LR）の赤血球と混和し，凝集および溶血を起こさないかをチェックする．

1）血管内溶血： 血管内溶血性副作用はABO不適合輸血（メジャーミスマッチ）時の抗A・抗B抗体により引き起こされるものが最も多い．まれに抗Le^a，抗Tj^a，抗Jk^{a}抗体などの不規則抗体が原因となる．メジャーミスマッチの輸血が行われた場合，輸血開始10分程度で静脈に沿った熱感，悪寒・戦慄，呼吸困難，胸部痛，腹痛，嘔吐などをきたし，ヘモグロビン尿を伴う．したがって，輸血開始後患者の様子を観察していれば，これらの症状には気づく．重篤な腎不全に進行してしまえば，DICに起因する多臓器不全のため死の転帰をとる．

2）血管外溶血： 血管外溶血性副作用は抗E，抗D抗体などRh式血液型抗体や抗M抗体などの不規則抗体による不適合輸血で起こる．不規則抗体に感作された赤血球が脾・肝臓などの網内系に取り込まれて血管外溶血を引き起こす．溶血に伴い悪寒・戦慄をきたす

ことがあり，輸血効果は不十分で血清ビリルビンの上昇を認める．

3）遅発性溶血性副作用（delayed hemolytic transfusion reaction：DHTR）： DHTR は，患者が過去に輸血あるいは妊娠により赤血球の血液型に対する同種抗体（不規則抗体）を産生している場合に，再び輸血を行った場合にみられる（前川ら，2008）．すなわち，年月が経ち輸血前の検査時点では不規則抗体の抗体価は検査の感度以下まで低下しており，不規則抗体検査や交差適合試験を行っても同種抗体は検出できないことが多く，この場合交差適合試験は適合と判定される．輸血すると再度抗原刺激が加わったことになり，抗原刺激を記憶しているメモリー B 細胞から過去に産生したことがある不規則抗体が急速に産生され溶血反応が起きる．

b. 非溶血性輸血副作用

1）発熱： 頻度の高い輸血副作用で，患者血清中の抗白血球抗体と輸血製剤中の白血球との反応が原因と考えられている．解熱薬の投与により軽快し輸血を中止しなくてもよい場合が多いが，単なる発熱と ABO 不適合輸血や輸血製剤の細菌汚染等，TRALI（後述）などによる重篤な輸血副作用に伴う発熱とを早期に鑑別し対処することが大切である．

2）アレルギー反応（じんま疹）： よくみられる副作用である．原因は輸血製剤中の血漿蛋白と患者血清中の抗血漿蛋白抗体の抗原抗体反応である．赤血球液 RBC-LR では 90％以上血漿成分が除去されているので頻度は低いが，PC，FFP 輸血時に発生頻度が高い（PC＞FFP）．輸血中に起こった場合は輸血速度を遅くして，抗ヒスタミン薬，グリチルリチン製剤の投与で経過観察すれば軽快することが多い．症状が重ければ輸血を中止し，副腎皮質ホルモンを投与する．洗浄赤血球や血漿除去血小板の輸血により防止できることが多い．

3）アナフィラキシー反応： 血液製剤中のアレルゲンが患者マスト細胞の Fc 受容体と結合した抗 IgE 抗体と反応し，細胞から種々の化学伝達物質が放出される結果，血管透過性の亢進，平滑筋収縮，サイトカイン分泌の亢進により重篤な症状を呈する．原因となる製剤は PC が 7 割以上を占め，半数はじんま疹，発熱などの副作用歴をもつ．IgA 欠損者における抗 IgA-IgG 抗体によるものがあげられるが，日本人では IgA 欠損者は 2 万～3 万人に 1 人（欧米では 700 人に 1 人）と少ない．しかし，これらの血漿蛋白に対する抗体が検出されるのは 7～8％でほとんどが原因不明である．

4）輸血関連急性肺障害（transfusion-related acute lung injury：TRALI）： 輸血後 6 時間以内に呼吸困難と低酸素血症を主徴として発症した非心原性急性肺

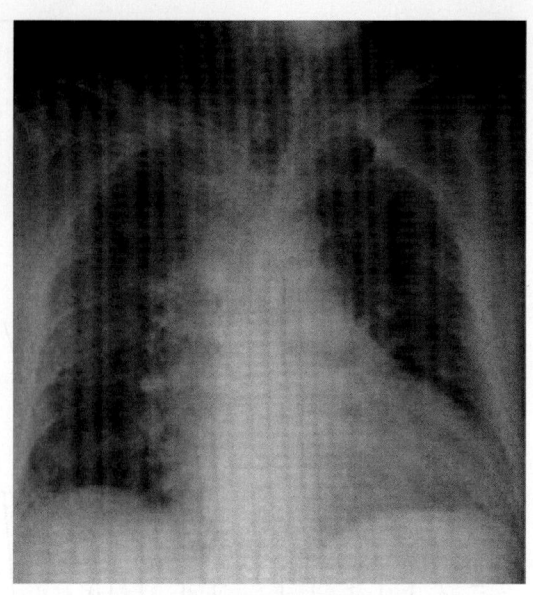

図 5-1-15 TRALI 症例の胸部 X 線像
76 歳，男性．汎血球減少を指摘され，骨髄異形成症候群（RAEB）と診断．PC 輸血の開始 1 時間 45 分後より悪寒，39℃台の発熱，呼吸困難出現．動脈血酸素飽和度は 68％に下降し，胸部聴診上著明な湿性ラ音を認めたため，PC を中止し酸素投与を開始．胸部 X 線画像で両側肺水腫を認めた．経過から TRALI を強く疑い，ステロイドパルス療法を 3 日間施行．投与開始後自覚症状，動脈血酸素飽和度は著明に改善し，翌日の胸部 X 線画像でも著明な改善を認めた．ドナー血清中の抗 HLA 抗体と患者白血球の抗原抗体反応が原因と判明した．

浮腫である．発症頻度は低いが，致死率は ABO 不適合輸血についで高く注意が必要である．副作用は輸血開始後 2 時間以内に発症する場合がほとんどであるが，呼吸困難が初発症状であり，血圧低下と低酸素血症を呈する．また多くの場合発熱を伴う．胸部 X 線では肺水腫に典型的な両肺野の強いびまん性浸潤影が観察される（図 5-1-15）（重松ら，2004）．

TRALI を発症した症例では，血液製剤の血清中から抗 HLA 抗体，抗顆粒球抗体が検出されるか，または患者血清中から抗 HLA 抗体，抗顆粒球抗体が検出されることが多い．これらの抗体が白血球と反応して活性化補体を放出し，肺に白血球浸潤，血管透過性亢進や肺血管壁の傷害を引き起こすことによって肺実質や肺胞内に滲出液をもたらし，急性呼吸促迫症候群（acute respiratory distress syndrome：ARDS）様の病態を引き起こす．しかし，白血球抗体の検出されない症例もあり，また保存赤血球製剤の血漿中に多く含まれる脂質の一部が顆粒球の活性化や活性酸素産生に関与するとの報告もある．

TRALI が疑われれば輸血を中止し，患者の全身状態を把握する．低酸素血症に対して酸素療法を，低血圧に対してドパミンの投与を考慮する（重松ら，2004）．人工呼吸器での管理も必要となる．TRALI の

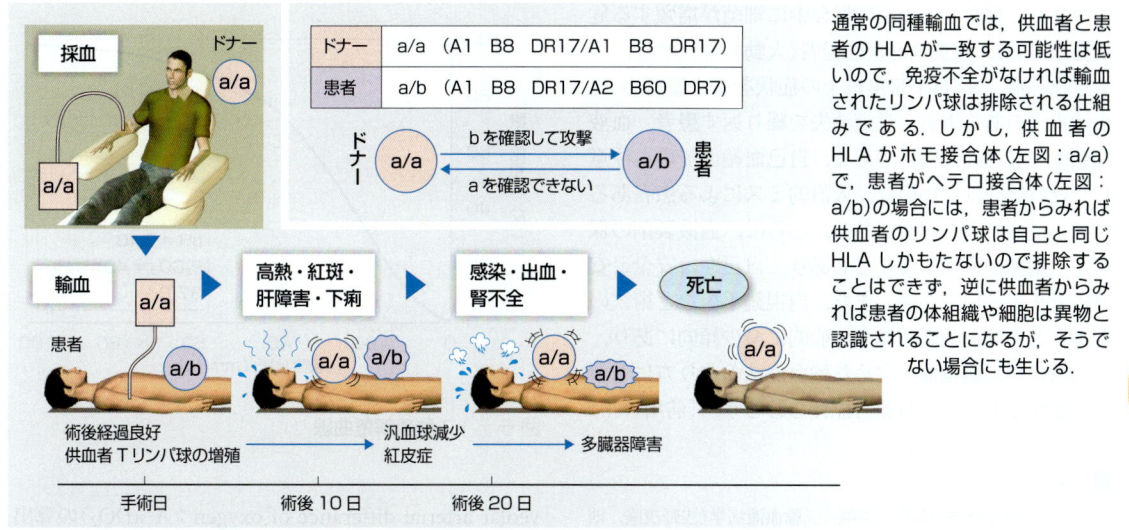

図 5-1-16 輸血後 GVHD の発症機序と臨床経過(日本赤十字社中央血液センター医薬情報部作成パンフレット，1994 年 10 月を改変)

疑いが強い場合はステロイドパルス療法を開始する．早期に対応すれば予後良好で大部分は 48 時間以内に動脈血中酸素分圧が発症前まで回復する．

5) 大量輸血時の輸血副作用: 24 時間以内に循環血液量をこえる輸血を行う場合を大量輸血という．生体肝臓移植や骨盤内臓全摘出術などで剥離操作が困難をきわめるとき，大量輸血が必要になることが多い．短時間に大量輸血を行うと，低体温，血清電解質異常，希釈性の凝固障害，抗凝固薬であるクエン酸ナトリウムによる低カルシウム血症などをきたすことがある．低体温により不整脈が誘発されることがあり，輸血ルートに加温器を装着することで防止する．

c. 輸血後移植片対宿主病(post transfusion-graft versus host disease：PT-GVHD)とその予防

現在，供給されている赤血球や血小板製剤には白血球除去フィルターや成分採血装置により白血球除去が行われ 1 袋あたり 1×10^6 個以下になっているが，それでも相当数のリンパ球が混入している．輸血後，これらのリンパ球が患者体内から排除されず，患者の HLA 抗原を異物と認識して急速に増殖し，患者の体細胞や組織を攻撃することによって起こる病態である．輸血後に高熱，紅斑，下痢がみられれば本症が疑われる．輸血後 1〜2 週間ほど経過した後，発熱がみられ，手掌，顔面，足底，耳殻などの皮膚が発赤し，下痢や下血が生じ，肝機能障害がみられる．2 週間を経過した頃から汎血球減少症がみられ，出血傾向や感染症を併発し，多臓器不全で死亡する(図 5-1-16)．当初は免疫不全状態にある患者では輸血されて体内に入ったリンパ球を異物と認識できないために発症すると考えられていたが，免疫不全でない患者にも起きることが明らかとなっている．

骨髄移植後の GVHD と PT-GVHD を医学生は混同することが多いが，病態はまったく異なる．骨髄移植などの造血幹細胞移植にみられる GVHD では，移植された造血幹細胞から新たな血球が産生されることから，汎血球減少症を生じることは少なく，また治療の手立てもある．終末細胞にまで分化・成熟した血液を輸注する輸血と，造血幹細胞を移植する治療法の違いである．

PT-GVHD に対する有効な治療法は確立されておらず，確実な予防方法をとることが肝要である．白血球除去がなされていても FFP を除くすべての輸血用血液製剤については放射線照射を行ったうえで輸血する必要がある(eコラム 2)．これは，製剤中のリンパ球の増殖能をなくし PT-GVHD の発症を予防するためであり，15〜50 Gy の照射を行う．わが国では血液製剤に放射線照射が義務づけられてから，PT-GVHD の発症はみられていない．

(4) 自己血採取と自己血輸血の適応疾患

自己血輸血とは，前もって患者本人から採血して保存しておいた全血を術前，術中，術後などに必要に応じて輸血する治療法のことである．自己血輸血は，同種血と異なりウイルスなどの感染症の伝播や，同種抗原による免疫副作用，さらに血漿蛋白などによるアレルギー反応もない．輸血療法が必要になり自己血輸血が可能である場合，インフォームドコンセントの際に医師は選択肢の 1 つとして自己血輸血を説明する義務がある．対象となる疾患の多くは，整形外科(変形性股関節症，人工関節置換術など)，産婦人科(子宮筋腫，早期子宮癌など)，泌尿器科(膀胱癌，前立腺癌など)の疾患である．しかし，細菌感染者(菌血症の可能

性があり，採血した血液の保存中に細菌が増殖する危険性がある），重篤な心疾患患者（大動脈弁狭窄症，不安定狭心症，NYHA III度以上の症状を有する者），出血性素因のある患者，意識消失を繰り返す患者，血液疾患患者などは適応外である．自己血輸血で最も注意しなければいけないのは，人為的ミスによる患者あるいは自己血の取り違えである．さらに，血液製剤の保存中に細菌が繁殖することもあり，自己血は安全と安易に考えてはいけない．また，内視鏡手術など術式の進歩とともに血液準備量も一般的に減少傾向にあり，手術時の自己血輸血を含めた輸血療法の在り方にも新しい変化がもたらされる可能性もあろう．〔前川　平〕

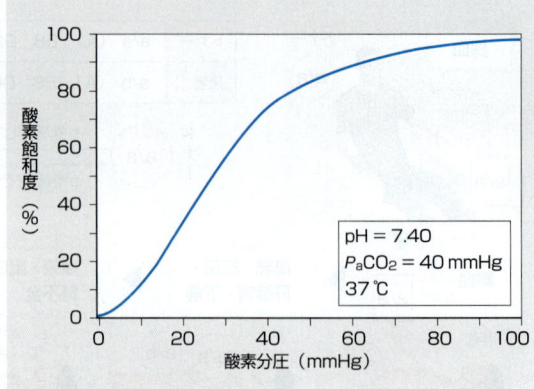

図 5-1-17 酸素解離曲線

■文献

前川　平：輸血療法の基礎と実際．三輪血液病学（浅野茂隆，池田康夫，他監），pp672-733，文光堂，2005．

前川　平，万木紀美子：遅発性溶血性輸血副作用（delayed hemolytic transfusion reaction, DHTR）— 見逃されている臨床病態．臨床血液．2008; 49: 1306-14．

重松明男，米積昌克，他：抗 HLA 抗体による輸血関連急性肺障害（Transfusion-Related Acute Lung Injury, TRALI）を発症した胃癌合併骨髄異形成症候群．日本輸血細胞治療学会誌．2004; 50: 720-5．

5）呼吸管理
respiratory care

(1) 呼吸の生理

呼吸管理とは呼吸器系の最も重要な働きであるガス交換が適切に行われ，その結果，血液ガス（P_aO_2，P_aCO_2，pH）が正常に保たれるようにすることである．したがって，呼吸管理の対象となる病態のほとんどは呼吸不全である．呼吸不全とは大気吸入下で $P_aO_2 < 60$ mmHg の状態を指し，P_aCO_2 の値により I 型と II 型に分類される．$P_aO_2 < 60$ mmHg の状態では動脈血中に溶存している酸素だけでなく赤血球中のヘモグロビンと結合している酸素の量も急激に低下しており絶対的な酸素不足を呈している．それは図 5-1-17 に示すような，酸素解離曲線の特性のために，$P_aO_2 < 60$ mmHg ではヘモグロビンと結合する酸素が急激に低下し，全体としての酸素の含量が著明に低下し生命の危機に直結する．急性に呼吸不全が生じた場合には早急かつ適切な呼吸管理が必要である．

$P_aCO_2 < 45$ mmHg の呼吸不全を I 型呼吸不全，$P_aCO_2 > 45$ mmHg の呼吸不全を II 型呼吸不全とよぶが，両者はその発生メカニズムが大きく異なっている．前者では①拡散障害，②シャント，③換気・血流の不均等が低酸素血症の原因であり，後者では肺胞低換気が原因である．肺胞気-動脈血酸素分圧較差（alveolar arterial differance of oxygen：A-aDO_2）の算出は両者の鑑別に有用で，A-a$DO_2 > 10 \sim 20$ mmHg と開大している場合には前述の①〜③が呼吸不全の原因であり，開大していなければ肺胞低換気が原因である．肺胞気酸素分圧（P_AO_2）は，肺胞気式，$150 - P_aCO_2/0.8$ から算出し，A-aDo_2（$P_AO_2 - P_aO_2$）の正常値は $10 \sim 20$ mmHg である．また，肺胞換気式 $P_aCO_2 = 0.863 \times \dot{V}_{CO_2}/\dot{V}_A$（$\dot{V}_{CO_2}$：二酸化炭素産生量，$\dot{V}_A$：肺胞換気量）から，$P_aCO_2$ は二酸化炭素産生量と肺胞換気に依存していることがわかる．通常の環境では二酸化炭素産生量は変化しないため，P_aCO_2 は肺胞換気に大きく依存し，P_aCO_2 の上昇の原因は肺胞での換気の低下と考えてよい．このように I 型と II 型ではその発症メカニズムが大きく異なるため，治療においても原因を考慮しての呼吸管理が重要である．

(2) 低酸素血症（hypoxemia）と低酸素症（hypoxia）

呼吸管理の基本は血液ガスを正常域に保つことであるが，なかでも，P_aO_2 を一定に保つことが最優先である．P_aO_2 の低下は低酸素血症とよばれ，その程度は図 5-1-18 に示すように生命の危機に直結する．生命の維持には各臓器への酸素供給が十分に保たれていなければならない．したがって，最も重要なことは各組織（臓器）に供給される酸素の量であり，これが低下している状態を低酸素症とよぶ．各組織へ供給される酸素の量は酸素輸送能とよばれ以下の式により求められる．

O_2 輸送能
$$= \dot{Q}\left(\frac{1.34 \times Hb \times S_aO_2}{100} + P_aO_2 \times 0.003\right)$$

（$\dot{Q}$：心拍出量，Hb：ヘモグロビン，S_aO_2：酸素飽和度）

ここで（）内は 100 mL の血液中に存在する酸素の量（酸素含量）を表す．1 g のヘモグロビンは 1.34 mL の酸素と結合でき，血液中に溶解している酸素の量は

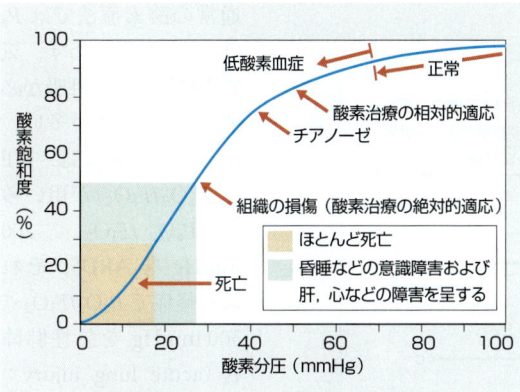

図 5-1-18 低酸素血症が組織に与える影響

P_aO_2 に定数である 0.003 を掛ければ求められる．この酸素含量に心拍出量の $\dot{Q}$ を掛けたものが酸素輸送能である．この式からわかることは，低酸素血症があれば（特に呼吸不全），間違いなく低酸素症が存在するが，低酸素血症がなくとも低酸素症はありうるということである．すなわち，上式の変数である $\dot{Q}$ か Hb が低下しても低酸素症は起こりうる．したがって，呼吸管理といえども P_aO_2 の是正だけを目指すのではなく，最終的な目的はこの酸素輸送能を保ち，低酸素症を改善することであるのを忘れてはならない．

(3) I 型呼吸不全の治療

I 型呼吸不全では，A-aDO_2 が開大し P_aCO_2 は上昇しない．これは，肺胞の換気は十分に行われているが酸素化が障害されていることを表す．したがって，治療は低酸素血症の是正であり酸素療法が治療の主体となる．

a. 酸素療法

一般的に，酸素療法の適応は $P_aO_2 < 60$ mmHg の呼吸不全であるが，特に急性の場合には 70 mmHg 以下で用いてもよい．酸素の投与法にはハイフローシステムとローフローシステムがあるが，急性期の酸素投与にはハイフローシステムの方がすぐれている．一般的に酸素療法で使用されるのは，酸素マスクや鼻カヌラなどのローフローシステムである場合が多い．これらは簡便でほとんどの施設に備えられているため使用されることが多いが，この方法には大きな欠点がある．それは投与する酸素の量を決定できない点である．たとえば，酸素マスクでは，毎分 2 L や 3 L の投与などの単位で使用されるが，これでは正確にどの程度の酸素量が患者に供給されているかが不明である．それは，患者が吸入する酸素量は患者の換気量に依存するためである．すなわち，患者の換気量が大きければ患者が実際に吸入する酸素量は少なくなり，逆に換気量が小さければ吸入量は多くなる．薬物療法における g, mg に相当するのは酸素療法では吸入気酸素濃度（F_IO_2）であり，F_IO_2 を決定できるのはベンチュリーマスクを代表とするハイフローシステムである．このシステムでは，患者は100%酸素と空気の混合気を吸入するため高流量（40 L/分以上）となるが，患者の換気量にかかわらず一定の F_IO_2 を得ることができる．呼吸不全の急性期では，患者の呼吸状態は不安定であるため，最初は酸素療法をハイフローシステムで開始し，呼吸状態が安定したら，患者にとって楽なローフローシステムに変えればよい．ローフローシステムにおいても，呼吸が表 5-1-23 に示すような安定した状態であれば，F_IO_2 を規定することが可能である．近年，鼻カヌラを用いても F_IO_2 を規定できるネーザルハイフローシステムが開発されたが，いまだその評価は定まっていない．

慢性呼吸不全の急性増悪は日常臨床でよく遭遇する病態であるが，このときの酸素療法は注意を要する．P_aCO_2 の上昇がなく換気が十分に保たれていれば酸素投与に大きな問題はない．多くは F_IO_2：30〜40%で低酸素血症は改善するため，その後 F_IO_2 を徐々に減らし，呼吸状態が安定したら，鼻カヌラなど患者にとって楽な方法に切り替える．一方，P_aCO_2 が上昇傾向で，肺胞の低換気が疑われる場合には，後述する CO_2 ナルコーシスを避けるため慎重な酸素投与が必要である．低濃度酸素投与から開始し，P_aCO_2 が上昇しないように P_aO_2 の改善をはかる controlled oxygen therapy を行った方が安全である．

慢性呼吸不全に対し最も成功した呼吸管理法は長期酸素療法であろう．わが国では在宅酸素療法（HOT）

表 5-1-23 ローフローシステムと F_IO_2

ローフローシステムで一定の F_IO_2 が得られる条件		
1. 1 回換気量：300〜700 mL		
2. 呼吸数：25 回/分以下		
3. 呼吸パターン：規則的で一定		
ローフローシステムで得られる F_IO_2 の目安		
A. 鼻カヌラ	B. 酸素マスク	C. リザーバーつき酸素マスク
1 L/分 → F_IO_2：24%	5〜6 L/分 → F_IO_2：40%	6 L/分 → F_IO_2：60%
2　　　 → F_IO_2：28%	6〜7　　　 → F_IO_2：50%	7　　　 → F_IO_2：70%
3　　　 → F_IO_2：32%	7〜8　　　 → F_IO_2：60%	8　　　 → F_IO_2：80%
4　　　 → F_IO_2：36%		9　　　 → F_IO_2：80%以上
5　　　 → F_IO_2：40%		10　　　 → F_IO_2：80%以上
6　　　 → F_IO_2：44%		

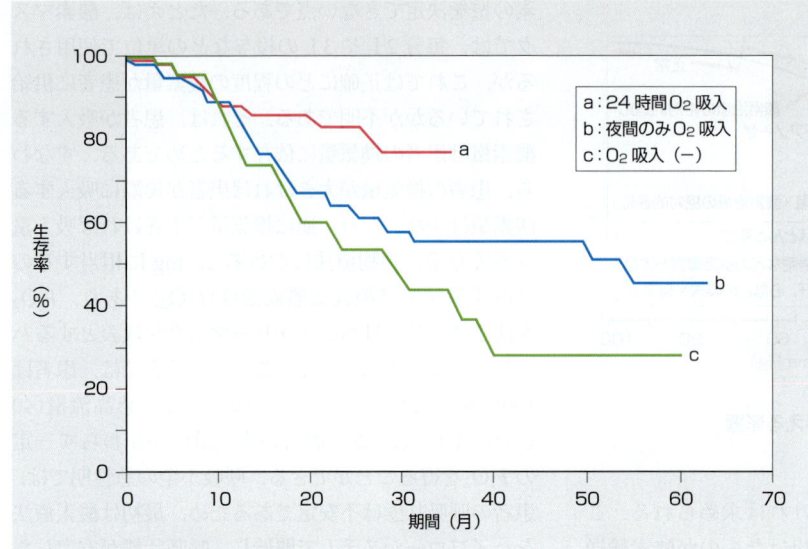

図 5-1-19 長期酸素療法の効果

とよばれ，自宅で 24 時間酸素を吸入させる治療法である．$P_aO_2 < 55$ mmHg の慢性呼吸不全患者に対して適用され図 5-1-19 に示すように長期予後の改善が認められている．通常は鼻カヌラを用いて P_aO_2 が 60～70 mmHg になるように 0.5～2 L/分の酸素を 24 時間吸入する．この治療法により，多くの呼吸不全患者が在宅での生活が可能となり，社会復帰も可能となった．これまでに約 30 万人の患者がその恩恵に浴している．現在では，適応が肺高血圧症，$55 < P_aO_2 < 60$ mmHg で睡眠時や運動時に増悪する患者，特殊な条件の心不全患者などに拡大されている．

酸素療法の限界は F_IO_2：50～60％と考えた方がよい．これ以上の高濃度の酸素は現実的に投与が難しいが，リザーバーつき酸素マスクでは厳密ではないが 60％以上の高濃度酸素の投与が可能である．しかし，70％以上の高濃度酸素が 48 時間以上投与されると致命的な肺損傷が惹起されるため禁忌である．50％以下の酸素濃度であれば臨床的に大きな問題はなく継続が可能である．50％の酸素でも改善がみられない時は酸素療法が限界であり人工呼吸を含めたほかの方法への変更を考慮する．

b. 人工呼吸器による治療

Ⅰ型呼吸不全の最重症型は急性呼吸促迫症候群（acute respiratory distress syndrome：ARDS）である．敗血症や多発外傷，重度の肺炎などが原因で肺に広範な損傷が起こり著しい低酸素血症を呈する．その病態生理は非心原性の透過性肺水腫であり，低酸素が惹起されるメカニズムはシャントの増大である．肺胞は重度の肺水腫によりほとんどガス交換が不能になるため静脈血が低酸素のまま動脈血となり P_aO_2 は低下する．

通常の酸素療法では P_aO_2 の改善が望めず，気管内挿管・人工呼吸が必要になることが多い．ARDS の診断には，P/F 比 P_aO_2/F_IO_2）が用いられ，$P_aO_2/F_IO_2 < 200$ mmHg を ARDS，それより軽症で $P_aO_2/F_IO_2 < 300$ mmHg を急性肺障害（acute lung injury：ALI）と診断することが欧米のガイドラインで推薦されていたが，2012 年に ARDS の新しい定義が提唱された（ⓔコラム 1）．しかし，今後，この新しい定義が主流となっていくかどうかはいまだ明らかではない．ARDS/ALI のようなシャントが原因の重篤な低酸素血症は，通常の 50～60％の酸素投与では改善せず，しばしば人工呼吸の適応となる．人工呼吸下では 60％以上の酸素投与が可能であるが，70％以上の酸素の長期投与は致命的な肺障害が起こるため禁忌である．そこで，しばしば PEEP（positive end-expiratory pressure）を用いて酸素化を是正し，吸入酸素濃度を低下させる方法が行われる．PEEP とは呼気の終末に 5～15 cmH$_2$O の陽圧をかけることにより肺胞の虚脱を防ぎガス交換を是正して低酸素状態を改善させる方法である．この方法は，低酸素の改善にきわめて有効で，PEEP を導入して酸素化を是正し，酸素濃度を 60％以下，できれば 50％以下に下げることが可能になる．

ARDS/ALI に対しては PEEP を中心とした人工呼吸管理が主流となっているが，ARDS/ALI の死亡率は依然として高いままであった．最近になり，その理由として人工呼吸により肺に陽圧をかけ肺を無理に伸展させることが肺組織を傷害する危険性が指摘された．そこで通常の 1 回換気量の設定より低く（10 mL/kg 以下）換気量を設定して人工呼吸を行うと ARDS 患者の予後が改善することが明らかとなった．低換気量で人工呼吸を行う結果，P_aCO_2 は上昇し，pH は低下するが，ある程度の P_aCO_2 の上昇は許容する（permissive hypercapnia）治療法である．この呼吸管理法が ARDS/ALI に対して従来の方法よりすぐれているとの報告があいつぎ現在では主流になりつつある．

（4）Ⅱ型呼吸不全の治療

Ⅱ型呼吸不全では肺胞低換気により P_aCO_2 が上昇

し，その結果低酸素血症が惹起される．したがって，治療の目標は肺胞低換気を是正することであり，その結果として低酸素血症を改善することである．前述の肺胞気式から，P_aCO_2 が上昇すれば P_aO_2 が低下することが明らかであり，したがって，治療の主体は P_aCO_2 を低下させることである．まず原疾患に対する治療を十分に行い，換気を改善させる必要がある．それにもかかわらず P_aCO_2 が上昇し，pH が低下して呼吸性アシドーシスに陥ったときには，最終的に気管内挿管・人工呼吸の適応となる．気管内挿管・人工呼吸の導入は生体への大きな侵襲となるため，その適応には慎重さが必要であるが，呼吸性アシドーシスが進行し，pH < 7.2 では絶対的な適応であり，pH < 7.20～7.25 は相対的適応である．人工呼吸では通常，鎮静・麻酔下に気管内挿管を行うため，生体への侵襲が大きく，種々の合併症が生ずる可能性がある．そのため，最近では意識下に鼻マスクやフェイスマスクを用いて気道を確保し人工呼吸を導入する非侵襲的陽圧換気療法（non-invasive positive airway pressure：NPPV）が注目され繁用されるようになってきている．通常の挿管・人工呼吸療法は侵襲的人工呼吸とよばれ，いわば呼吸管理における最後の手段的方法である．

人工呼吸の換気様式には調節換気として volume control ventilation（VCV）と pressure control ventilation（PCV）があり，部分的補助換気として synchronized intermittent mandatory ventilation（SIMV）と pressure support ventilation（PSV）がある．自発呼吸がない場合には調節換気から換気を開始し，自発呼吸がある場合には SIMV や PSV などの部分的補助換気から開始するのが望ましい．自発呼吸を残すのメリットは非常に大きいため，調節換気はできるだけ避けるべきである．P_aCO_2 を下げるには換気量を一定にできる VCV が有用であるが，肺のコンプライアンスの変化により肺に高い陽圧がかかり肺への損傷を引き起こす危険性がある．そのため最近では高圧のかからない PSV などがよく用いられている．

(5) CO_2 ナルコーシス

CO_2 ナルコーシスとは P_aCO_2 の上昇により呼吸性アシドーシスが増悪し，昏睡状態が出現する病態で，Ⅱ型呼吸不全例では最も重篤な病態である．慢性呼吸不全の急性増悪は臨床上，よく遭遇する例であるが，特に COPD 患者の急性増悪時に不用意に酸素を投与した場合に出現することが多い．進行した COPD 患者はしばしば慢性的にⅡ型呼吸不全を呈しているが，感染などを契機として呼吸不全が悪化すると低酸素血症が増悪する．このとき，高濃度あるいは高流量の酸素を投与すると換気が抑制され急激に P_aCO_2 が上昇する．CO_2 の上昇に対して腎臓の代償が間に合わなければ呼吸性アシドーシスが出現し，pH < 7.2 では昏睡が出現する．これを改善させるためには気管内挿管・人工呼吸が必要となる．後述する NPPV が奏効することもあるが，原則的には侵襲的人工呼吸の適応である．

しかし，CO_2 ナルコーシスを恐れるあまり低酸素状態を放置してはならない．低酸素血症は，より直接的に生命の危機に直結するため，低酸素状態の患者に対しては必ず酸素療法を併用しなくてはならない．Ⅱ型呼吸不全患者に対する酸素療法は，高濃度や高流量の酸素投与を避け，24～28％の低濃度酸素投与から開始すべきである．ハイフローシステムの酸素投与が不可能ならば，鼻カヌラで 0.5～1.0 L/分の低流量の酸素から開始し，P_aCO_2 が急速に上昇せず P_aO_2 が 60 mmHg 以上になるように酸素投与を調節していく必要がある．Ⅱ型呼吸不全の酸素療法では，この controlled oxygen therapy を原則とした方が安全である．

(6) 非侵襲的陽圧呼吸（NPPV）

近年，気管内挿管をせず，その代わりに鼻マスクやフェイスマスクにより気道を確保し，人工呼吸を行う呼吸管理が普及しつつある．この方法の普及には閉塞型睡眠時無呼吸症候群に対する nasal continuous positive airway pressure（CPAP）療法の開発・発展の影響が大きい．nasal CPAP 治療においては鼻マスクの装着が必須であるため，操作性にすぐれ患者にフィットした鼻マスクやフェイスマスクが開発された．これらの鼻マスクやフェイスマスクの開発・改良により気管内挿管に匹敵する気道確保が可能となり，現在では，気管内挿管を行う前にまず考慮すべき呼吸管理法となっている．意識状態が比較的よく協力的な患者で，喀痰を自力で排泄できることが条件で，通常はバイレベル型の圧型人工呼吸器を用いて人工呼吸管理を行う．最近では NPPV に特化した専用人工呼吸器が開発され，マスクの開発・改良とあいまって種々の呼吸不全例に適応が広がっている．

適応としては，① COPD の急性増悪，②気管支喘息の重積発作，③肺結核後遺症の急性増悪，④間質性肺炎，⑤心原性肺水腫，⑥胸郭損傷，などがあげられるが，このうち有効性が確立されているのは，COPD の急性増悪と心原性肺水腫である．これらの呼吸不全では，気管内挿管の前に可能であれば，まず NPPV を試行すべきであろう．NPPV は，気管内挿管を回避し自発呼吸を温存するため患者にとってのメリットはきわめて大きいが，医療者側にとっては負担の大きい呼吸管理法といえる．NPPV を開始後のしばらくは患者の呼吸・循環動態が安定するまでベッドサイドで患者を観察する必要があり，人工呼吸の条件の設定

にも時間がかかることが多い．しかし，侵襲的呼吸管理に比べれば患者にとってはるかに負担が小さく，今後は人工呼吸管理の主役となる可能性を秘めている治療法と考えられる．　　　　　　　　　〔赤柴恒人〕

■文献

日本呼吸器学会 ARDS ガイドライン作成委員会編：ALI/ARDS 診療のためのガイドライン，秀潤社，2005．
日本呼吸器学会 NPPV ガイドライン作成委員会編：NPPV（非侵襲的陽圧換気療法）ガイドライン，南江堂，2006．
Shapiro BA, Harrison RA, et al: Clinical Application of Respiratory Care, 3rd ed, Year Book Medical Publishers, 1985.

6）放射線療法
radiotherapy, radiation therapy

　放射線治療は，手術療法，化学療法とともに癌治療の重要な治療法として，現在広く用いられている．その癌治療における位置づけは，手術療法とともに腫瘍の局所における制御を目的とする局所療法であるが，手術療法とは異なる特徴を有している．第一に，局所の切除をしないために機能を温存することが期待できる．第二に，どのような部位に対しても照射が可能である．第三に，全身への負担が比較的少ない．放射線治療はこのような利点を有しているために，生活の質（QOL）を重視する場合，合併症を有する場合，高齢者の治療などの場合においては大きな役割を担うが，それに加えて，複数の治療の組み合わせを最適化して行う癌の集学的治療における位置づけも重要である．一方で，手術療法と比べて局所制御率が低い癌が存在することや周辺正常組織への照射による障害などの問題点に対しては，物理工学や放射線生物学の発展によって，より有害事象が少なくかつ局所制御率の高い治療方法の開発が進んでおり，癌治療における重要性は増大している．

（1）放射線治療の目的

　放射線治療の目的は癌の種類や病期によって異なり，また集学的治療においては手術療法や化学療法の目的とも関係するために，癌治療の原則にのっとり，症例ごとに複数の専門領域の治療関係者が慎重に議論して目的を決める必要がある．その目的は，癌の治癒を目指すことと症状を緩和することに大別される．治癒を目的とする場合には，さらに放射線治療単独で行う場合，化学療法と併用する場合，手術療法の補助として行う場合に分かれる．症状緩和のために放射線治療を行う場合は，癌の根治は期待できないが，それによる日常生活の質の向上や生存期間の延長を目的とする．

（2）放射線治療の作用機序

　治療において用いられる放射線は，物質にエネルギーを与え電離する能力を有する電離放射線である．放射線はこの電離能力によって生体を構成する分子に物理的変化や化学的反応を引き起こすが，癌に対する治療効果の発揮においては DNA の損傷が重要である．この DNA 損傷は，大別とすると放射線の直接作用と水分子の反応の結果生じるラジカルによる間接作用の2つの原因によって生成され，この2つの割合は放射線の種類によって異なる．飛程あたりの物質へエネルギーを与える指標である線エネルギー付与（linear energy transfer：LET）の低い X 線や γ 線などでは，後者の割合の方が高い．それに対して，重イオン線や中性子線などの LET が高い放射線では，直接作用の割合が大きくなる．

　放射線によって生じる DNA 損傷には，塩基損傷，DNA 1 本鎖切断，DNA 2 本鎖切断，架橋（DNA 蛋白質間，DNA 鎖内，DNA 鎖間）などがあるが，癌細胞の致死に最も重要であるのは DNA 2 本鎖切断である（Hosoya ら，2014）．DNA 2 本鎖が放射線によって切断されると，細胞はそれに応答して情報伝達経路を活性化し，最終的にはこの切断を修復することによって細胞にとって致死的な結果を回避する．しかし，このような細胞の防御機構は完璧に作動するわけではない．癌細胞のように正常細胞と比べて多様な分子異常が存在している場合には，DNA 損傷応答から修復に至る過程が正確に作動しないことがある．また分子レベルの異常がなくとも，DNA 損傷の処理能力には限度があると考えられているために，多量の DNA 損傷が生成された場合には，修復されない損傷が残存する．このような理由によって，癌治療で用いられる線量の放射線を照射された細胞では修復されない DNA 2 本鎖切断が存在し，それが DNA 複製と細胞分裂に重大な影響を与え，染色体構造の異常などを誘発して細胞に致死的な状況をもたらすものと考えられる．

（3）放射線感受性の修飾

　放射線によって生成された DNA 損傷が癌の細胞死を効率的に誘導することができれば，放射線治療はきわめて有効性の高い癌治療となる．しかし，生体における複雑な要因によって細胞の放射線感受性は大きな影響を受けるために，治療抵抗性の問題が生じることがある．放射線感受性のメカニズムは，生命科学の発展によって分子レベルでの解明が進み，放射線治療の増感法の開発が期待されるようになった（Begg ら，2011）．

a. DNA 損傷応答機構

　放射線治療が効果を発揮するうえで重要な役割を果たす DNA 2 本鎖切断が生じると，損傷のセンサー分

子である ATM が自己リン酸化によって活性化され，情報伝達経路の下流に存在する蛋白質をリン酸化することによって，損傷情報が伝達される[1]．ATM の遺伝性ホモ接合変異は血管拡張性失調症の原因となるが，この疾患では血管拡張と小脳失調に加えて，免疫不全，放射線高感受性，発癌リスクの増加が特徴的であることは，ATM の DNA 損傷応答のセンサーとしての役割の重要性を示唆するものである．センサー分子からの情報は，リン酸化活性を有する Chk1 や Chk2 などのトランスデューサー分子に伝達され，それらは代表的な癌抑制分子として知られている p53 などの下流に存在するエフェクター分子に情報を伝達することによって，細胞周期の制御，DNA 修復，細胞死などの細胞応答現象が発揮される（図 5-1-20）．そのために，これらの情報伝達経路を形成する分子の機能が多様な原因によって変化すると，放射線の感受性は修飾される．

b. 細胞周期

放射線の感受性は，細胞周期によって異なる（図 5-1-21）[2]．細胞分裂が行われる M 期と G1 期から S 期への移行期においては放射線感受性が高いために，これらの時期に存在する細胞は，放射線照射によって高い効率で細胞死に至りやすい．それに対して，DNA 複製が行われる S 期の後半と G1 期の前期においては放射線感受性が低いために，これらの時期に存在する細胞は，放射線に対して抵抗性になる．

c. DNA 修復

放射線によって生成される DNA 損傷に対しては，その損傷の種類に応じて独立した修復機構が存在する（Hosoya ら，2014）．最も頻度の高い損傷である塩基損傷に対しては塩基除去修復機構が，DNA 1 本鎖切断に対しては 1 本鎖切断修復機構がおもな役割を担うが，放射線治療の効果に最も直接的な影響を及ぼす DNA 2 本鎖切断に対しては，非相同末端結合（non-homologous end joining）と相同組み換え（homologous recombination）の 2 つの異なる修復機構が主要な役割を担っている（図 5-1-22）．非相同末端結合は，リン酸化活性を有する DNA-dependent protein kinase（DNA-PK）が中心となる蛋白質群によって DNA 切断部位を直接結合するために，断端の塩基は消失する可能性があり，不正確な修復となることがあるが，どの細胞周期でも働く．この経路に属する分子

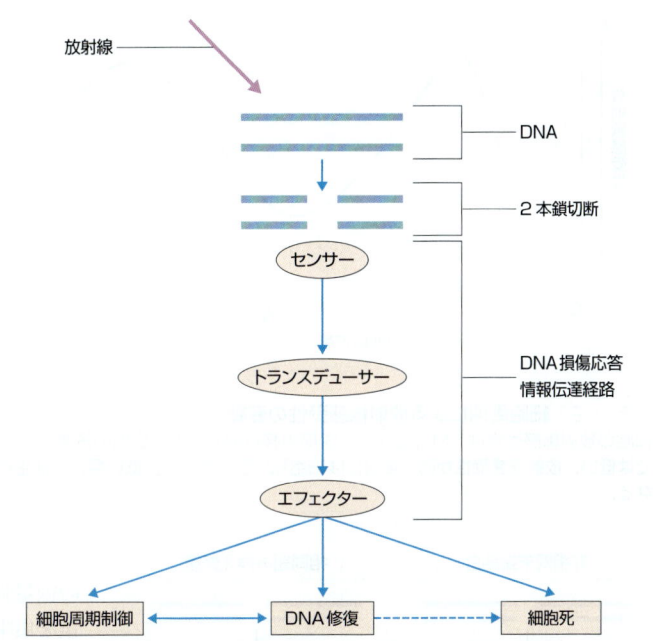

図 5-1-20 DNA 損傷応答機構の概略
放射線照射によって DNA の 2 本鎖が切断されると，直ちにセンサー分子が切断部位にリクルートされる．活性化されたセンサー分子は，トランスデューサー，エフェクターによって構成される情報伝達経路を活性化することによって，DNA 損傷の情報を伝達し，その結果として，細胞周期の制御，DNA 修復，細胞死などの現象が発現する．

の遺伝的欠損を有する症候群が複数同定されているが，これらは放射線高感受性，免疫不全を共通の特徴とする．相同組み換えは，DNA 複製期に生成される姉妹染色分体を鋳型として RAD51 を中心とする分子群による組み換え反応によって修復するために，正確な修復が期待できるが，姉妹染色分体が利用できる S 期～G2 期までに限定される．相同組み換えは，DNA 架橋修復でも重要な役割を果たすために，放射線以外にも DNA 架橋を主たる作用機序とする白金製剤に対する感受性も制御する．RAD51 と直接結合する BRCA2 も相同組み換えにおける重要な役割を担うが，この分子が遺伝性に変異している場合は乳癌や卵巣癌のリスクが増加し，出生時より全身で欠損している場合には Fanconi 貧血を発症する[3]．

d. 低酸素影響

腫瘍組織では，腫瘍細胞の異常な増殖と血管形成のバランスがとれないことが多いために，容易に低酸素状態に陥り，このような環境に存在する細胞は放射線抵抗性となる．低酸素環境では，転写因子である hypoxia-inducible factor 1（HIF1）の活性が上昇し，その転写活性の対象となる遺伝子の発現が変化する．この HIF1 が，低酸素環境における放射線抵抗性の発現

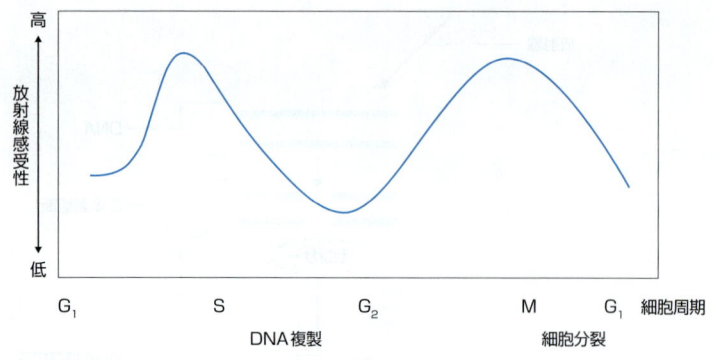

図 5-1-21 細胞周期による放射線感受性の変動
細胞の放射線感受性は，M 期と G1～S 期の移行期で高く，S 期の後半と G1 期の前期では低い．放射線感受性が高い場合には細胞死に至りやすく，低い場合には生存しやすくなる．

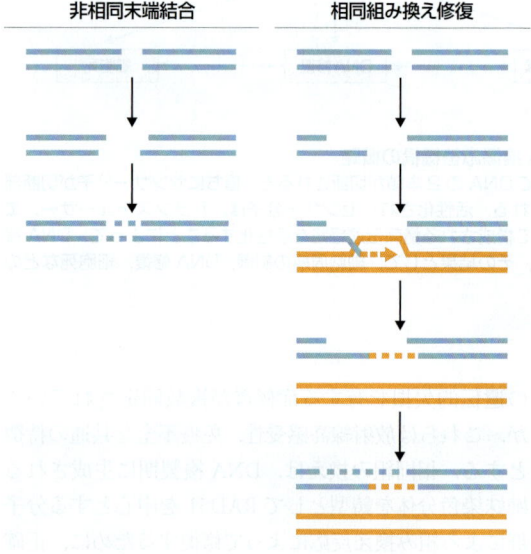

図 5-1-22 DNA 2 本鎖切断に対する修復機構
非相同末端結合は，切断部位を直接結合するために，塩基が欠失する可能性が高く，完全に正確な修復は期待できない．相同組み換えによる修復では，DNA 複製期に生成される姉妹染色分体を鋳型として修復されるために，正確な修復が起こる．破線は修復過程において DNA 合成される部位を示す．

に重要な役割を果たしている（Dewhirst ら，2008）．

(4) 放射線治療の方法

放射線治療を行うためには，最初に適応を決定した後に，治療すべき標的と周辺の正常組織の位置情報を CT などによって取得し，治療計画を策定する．治療方法は外部照射と小線源治療に大別される．

a. 外部照射

コバルト遠隔治療装置からの γ 線やライナックなどの高エネルギー加速装置からの X 線を体外から照射する方法である．線量は目的によって異なるが，治癒を目的とする場合には，通常 1 回 1.8～2 Gy で総線量 60～70 Gy を分割照射する．このような治療では周辺の正常組織も照射されることが問題となるが，物理工学の発展により，腫瘍組織に選択的に照射する技術である高精度放射線治療が開発され，最近はこのような問題が低減されるようになった．定位放射線治療では，1 回の照射で高線量を集中することによって，1～数回までの照射で治療を完了することができる．強度変調放射線治療（intensity-modulated radiation therapy：IMRT）では，照射野内の線量強度を変調させることによって，腫瘍部位へ線量を集中させることが可能である．また，照射日や照射中での腫瘍位置の変化に対しては，治療中に位置をモニターしながら照射する画像誘導放射線治療（image-guided radiation therapy：IGRT）が可能となっている．これらの放射線に加えて，陽子線や炭素イオン線などの粒子線が治療に用いられることもある．これらの粒子線と X 線や γ 線では体内における線量分布が大きく異なる[4]．X 線や γ 線は体表面近くで線量が最大になるのに対して，陽子線や炭素イオン線は体内における飛程の終端近くでエネルギーを急激に放出し，Bragg ピークとよばれる線量分布を示す．そのために，体内の深い部位に存在する腫瘍に線量を集中することが可能となる．このような放射線治療は，単独で行われる場合と，全身療法である化学療法を同時併用する化学放射線療法として行われる場合とがある．化学放射線療法では白金製剤が使用されることが多いが，放射線治療による局所制御をさらに増強することと遠隔転移の抑制が目的となる．

b. 小線源治療

イリジウム（^{192}Ir），ヨード（^{125}I）などの放射性物質を小さな容器に密封した線源を，腫瘍あるいはその近傍に留置する治療である．腫瘍部位に埋め込むことによって組織内照射を行うこと，体腔内に挿入することによって腔内照射を行うこと，直接刺入することが困難な腫瘍をカバーする補綴装置（モールド）を装着して照射を行うことなどによって，外部照射と比べて腫瘍部位に線量を集中することができるために，高い局所制御率が期待できる．

(5) 放射線治療の有害事象

放射線療法の有害事象は，治療中から終了後の短い

期間に発現する早期障害と，治療終了後6カ月以降に発現する晩期障害に大別される．

a. 早期障害

放射線治療を開始すると，食欲低下，悪心，嘔吐，全身倦怠感などの全身症状が発現しやすいが，治療の進行とともに軽快する傾向がある．局所症状としては，皮膚，消化管粘膜，造血組織などの放射線感受性が高い組織が照射された場合に，急性炎症と細胞死が原因となるもので，皮膚炎，脱毛，口内炎，食道炎，下痢，白血球減少などがある．

b. 晩期障害

総線量ならびに1回線量が多い場合に，照射部位における局所症状が発現する．基本的な病態として，慢性炎症や広範囲の細胞死が原因となるものでは，肺線維症，白内障，神経障害，直腸障害，皮膚潰瘍などがあり，DNA変異や染色体異常が原因となるものでは，二次癌がある．　　　　　　　　〔宮川　清〕

■文献（e文献 5-1-6）

Begg AC, Stewart FA, et al: Strategies to improve radiotherapy with targeted drugs. *Nature Rev Cancer.* 2011; **11**: 239-53.

Dewhirst MW, Cao Y, et al: Cycling hypoxia and free radicals regulate angiogenesis and radiotherapy response. *Nature Rev Cancer.* 2008; **8**: 425-37.

Hosoya N, Miyagawa K: Targeting DNA damage reponse in cancer therapy. *Cancer Sci.* 2014; **105**: 370-88.

7）リハビリテーションと運動療法

(1) 概念

リハビリテーション（rehabilitation）とは，障害者の能力を回復し，身体的，心理的，職業的・社会的に再適合するための過程（社会復帰）であり，機能訓練はその過程に含まれる一部である．すなわち，種々の疾患によって生じた神経・筋・骨格系の運動障害および高次脳機能障害を物理医学的手段により診断・治療を行い，患者に身体的だけでなく，精神的にも生きがいのある社会生活を送ることができるよう援助する医学の専門領域である．

一方，運動療法とは，2型糖尿病，メタボリックシンドローム，高血圧など後述する「生活習慣病」をはじめ，心身の疾患に対し，身体運動を予防・治療手段とするアプローチであり，医師が運動処方を作成し，コメディカルスタッフとともに指導する．必要に応じ，食事・薬物療法も併用する．

(2) リハビリテーションの分類

種々の疾病により生ずる障害に対する治療は，医療機関で行われる「医学的リハビリテーション」と，退院後家庭や地域などの生活の場で展開される「福祉的リハビリテーション」に分類される（千野，2009）（図5-1-23）[1,2]．

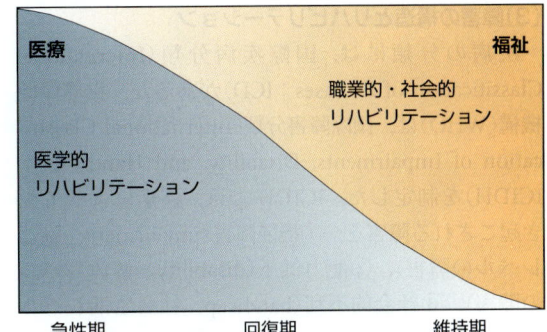

図 5-1-23 リハビリテーションの経過（千野直一，2009より改変）
リハビリテーションは医療としての医学的リハビリテーションと社会福祉面での職業的・社会的リハビリテーションに区分され，医学的リハビリテーションは，急性期，回復期，維持期に分けられる．

「医学的リハビリテーション」は，急性期，回復期，維持期に分けられる．急性期リハビリテーションは，発症早期よりリスク管理を行いながら開始し（早期離床），安静に伴う合併症（廃用症候群）の予防に重点をおく[1,2]．早期リハビリテーションによる医療費節減効果も明らかとなっている[1,3]．回復期リハビリテーションは疾病の安定した時期に実施し，機能回復を促進する．より高い機能を維持することにより要介護度を軽減し，早期社会復帰を目指す．機能が一定の状態に到達し社会生活が開始されると維持期となる．障害をもちつつ家庭生活に入る準備として，家屋改造や家族介護の指導を行う[1,2]．

「福祉的リハビリテーション」のうち，職業的リハビリテーションは障害者の復職や就職に関するものである．社会的リハビリテーションには，介護サービスやデイケアなどの社会福祉サービス，住宅・地域環境整備，補装具の支給，スポーツやリクリエーションなど社会参加への援助が含まれる．医療機関・福祉施設と保健所，地方自治体によって構成される連携システムならびに，居住地域住民による援助を含む「地域リハビリテーション」事業も重要なポイントとなる[1]．

厚生労働省は，2025年を目途に，高齢者の尊厳の保持と自立生活の支援のために，可能なかぎり住み慣れた地域で，生きがいをもった暮らしを人生の最期まで続けることができるよう，医療，保健，福祉を含めた地域の包括的な支援・サービス提供体制（地域包括ケアシステム）の構築を推進している[4]．

(3) 障害の構造とリハビリテーション

疾病の分類には，国際疾病分類(International Classification of Diseases：ICD)があるが，世界保健機構(WHO)は，国際障害分類(International Classification of Impairments, Disability, and Handicaps：ICIDH)を制定した．ICIDHでは，疾病によって引き起こされる障害を，①機能障害(impairment，臓器レベルの障害)，②能力低下(disability，個体レベルの障害)，③社会的不利(handicap，社会生活レベルの障害)の3つのレベルに分類した[5]．

国際障害分類はその後改訂され，生活機能面を考慮に入れた国際生活機能分類(International Classification of Functioning, Disability and Health：ICF)が2001年WHOによって採択された．しかし，ICFの医学，医療分野での利用は困難と思われる[6]．

(4) リハビリテーション診療の実際 (e図5-1-A，5-1-B)

リハビリテーション診療では，疾患名の確定に加えて，その疾病に起因する障害(機能障害，能力低下，社会的不利)の診断(評価)を行うとともに残っている機能を検索する．また，「主訴とニーズの把握」から「退院後の社会復帰」までを視野に入れたリハビリテーションデザインが必要であり，日常生活動作(activities of daily living：ADL)の向上を主目的とする[1,2]．

1) 問診：

a) 主訴とニーズの把握：認知症，失語症の場合には，家族から聴取する．

b) 病歴と障害歴の把握：代謝疾患(糖尿病，脂質異常症など)，循環器疾患(高血圧，脳血管疾患，心筋梗塞など)，精神疾患(認知症など)をはじめ，臓器別の聞き取りを行う．

c) 生活背景の把握：居住環境，家族の健康状態も問い合わせ，介護者となりうるかを判断する．

2) 診察： 特に神経，筋・骨格系(関節可動域，運動麻痺，筋力低下，運動失調，不随意運動)，呼吸・循環器系，皮膚(褥瘡，浮腫)などを慎重にチェックする．高次脳機能(認知症，失語症，失行・失認)も評価し，ADLを把握する．

3) 心理状態： 抑うつ状態を把握する．

4) 検査： 一般検査などに加え，生理学的検査(筋電図など)，画像診断(MRI，CTなど)，運動負荷試験も行う．

5) 診断： リハビリテーション総括と問題点を整理する．

6) 治療：

a) 目標設定：「食事動作自立」などの目標を設定する．

b) リスク管理を行う．

表5-1-24 身体運動の効果

1. 心臓血管系
 1) 急性効果
  ①心拍数増加，②1回拍出量増加，③血圧上昇
 2) トレーニング効果
  ①安静時徐脈，運動時相対的徐脈，②心筋肥大(スポーツ心臓)，③収縮期・拡張期血圧低下(高血圧の改善)，④心筋酸素消費量(二重積＝心拍数×収縮期血圧)の低下

2. 呼吸器系
 1) 急性効果
  ①呼吸数増加，②1回換気量増加，③酸素摂取量増加
 2) トレーニング効果
  ①最大酸素摂取量($\dot{V}O_2max$)増加，②乳酸性閾値(LT)または無酸素性閾値(AT)の増加(体力・全身持久力，有酸素運動能の増加)

3. 内分泌代謝系
 1) 急性効果
  ①運動筋でのエネルギー(糖・脂質)消費増加，②インスリン分泌低下，インスリン拮抗ホルモン(グルカゴン，カテコールアミンなど)分泌増加
 2) トレーニング効果
  ①インスリン抵抗性改善(2型糖尿病の予防・治療)，②血清中性脂肪低下，HDLコレステロール上昇(動脈硬化性心血管障害の予防)，③肥満者/メタボリックシンドロームでは，内臓脂肪の効率的減少

4. 筋肉・骨関節系
 ①筋肥大，筋力増大(サルコペニア防止)，②筋毛細血管増加，③筋グリコーゲン量増加，④骨粗鬆症防止

5. その他
 ①精神的ストレス解消，②免疫能活性化，③認知症防止，④急性期には腎血流量低下と運動後蛋白尿出現，⑤急性期には消化管への血流量低下，⑥スポーツ貧血

身体運動の効果は，急性効果とトレーニング効果に分けられ，心臓血管系，呼吸器系，内分泌代謝系など，各種臓器，組織に多様な効果が発現する．

---

c) リハビリテーション処方を作成する．

d) リハビリテーション医療開始にあたり説明と同意(インフォームドコンセント，informed consent)を得る．

e) リハビリテーション治療：リハビリテーション医，メディカルスタッフ(理学療法士，作業療法士，言語聴覚士など)のチーム医療体制で実施する．

f) リハビリテーションカンファレンスを開催し，目標や役割を修正する．

7) 社会復帰(退院)： 退院後の生活設計について相談し，最良の生活ができるよう調整する．復職援助も行う[1,2]．

介護保険制度によるサービスも活用する[1]．

(5) 生活習慣病，内部障害のリハビリテーション・運動療法

21世紀の現在，"文明化"された日常生活での身体活動の減少と欧米化された食事（動物性高脂肪・高蛋白食）は，人口の高齢化もあいまって，2型糖尿病，高血圧などの生活習慣病，内部障害を増加させている．すなわち，生活習慣の歪みは疾病の発症だけでなく，機能障害・能力障害の発症にも関与している[2]．

厚生省（当時）は，これらの病態は食生活，運動などの生活習慣が関係しているとして，「食習慣，運動習慣，休養，喫煙，飲酒などの生活習慣が関与する疾患群」と定義される「生活習慣病」の概念を導入した[7]．

一方，「内部障害」とは，先述のICIDHの機能障害に記載され，また，身体障害者福祉法に定められている，心臓，呼吸，腎尿路，消化など内部機能障害の総称である．厚生労働省の統計によれば，全国の身体障害者に占める内部障害者数，ことに心・腎機能障害者が激増している[1,8]．

a. 身体運動の効果

急性効果と，長期継続の結果出現するトレーニング効果がある（表5-1-24）[9-11]．

1）運動の急性効果： 運動（収縮）筋で運動に起因するグルコース，遊離脂肪酸の利用促進が行われ，食事制限の併用により減量効果がある．また，食後の運動実施は，摂食に起因する血糖上昇を抑制し，血糖コントロール状態を改善する．

2）インスリン抵抗性の改善： 最大酸素摂取量に影響を及ぼさないような軽・中等強度の身体運動でも，長期間継続すれば個体のインスリン抵抗性が改善する．食事制限と身体運動の継続は，筋肉のトレーニングになるとともに，内臓脂肪や筋肉内脂肪（intramyocellular lipids：IMCLs），肝内脂肪（intrahepatic lipids：IHLs）を効率的に減少させ，インスリン抵抗性・耐糖能と体力・心肺機能（cardiorespiratory fitness：CRF）改善をもたらす．その結果，メタボリックシンドローム，2型糖尿病，高血圧，脂質異常症，非アルコール性脂肪性肝疾患（non-alcoholic fatty liver diseases：NAFLD）などインスリン抵抗性関連の生活習慣病の予防，改善に役立つ（e図5-1-C）[9]．

3）交感神経刺激と脂肪組織脂肪分解能： 交感神経刺激に対する脂肪分解能は，皮下脂肪組織より内臓脂肪組織が大であり，運動療法実施時には，内臓脂肪が効率的に減少する[10]．

4）レジスタンス運動の併用： ジョギングに代表される有酸素運動は，重量挙げのような無酸素運動より個体のインスリン抵抗性改善に有用である．しかし，筋力・筋量の低下している（サルコペニア）高齢者では，レジスタンス（筋力）運動の併用も有用である[10,11]．

5）トレーニング効果の持続： インスリン感受性改善で代表されるトレーニング効果は，3日以内に低下し，1週間で消失する[10]．

6）運動療法の分子メカニズム： 運動時の筋肉への糖取り込み亢進は，インスリンとは別個の，AMPキナーゼ（AMPK）活性化による糖輸送担体（GLUT4）の細胞内プールから形質膜への移動（translocation）に由来する[10]．一方，運動療法の長期実施によるインスリン抵抗性改善などの効果発現には，筋肉で産生・分泌されるマイオカイン（myokine）を介することが判明している（e図5-1-D）[12]．すなわち，規則的な身体活動は，身体的不活動により増加した炎症サイトカインの産生を低下させるだけでなく，抗炎症性サイトカインの産生を増加させ，全身の炎症状態を改善させることによりインスリン抵抗性/2型糖尿病の予防・治療に有用である（Eckardtら，2014）（図5-1-24）．

7）血糖コントロールの改善： 運動療法の実施はHbA1cを低下させ，糖尿病合併症の危険性を低下させる．HbA1cレベルの低下は，運動量（頻度）の増加と相関があり，運動強度とは相関がなく，中等強度運動の実施が望ましい（e図5-1-E）[13]．

8）基礎代謝と食事誘発性熱産生（dietary-induced thermogenesis：DIT）の上昇： トレーニングの継続

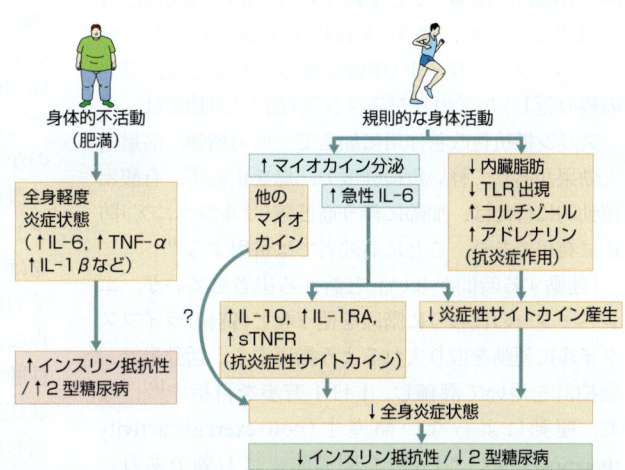

図5-1-24 身体活動と炎症状態，インスリン抵抗性/2型糖尿病（Eckardtら，2014）
肥満者の身体的不活動は全身の炎症状態を招き，インスリン抵抗性/2型糖尿病の危険性を増大させる．一方，規則的な身体活動は，インスリン抵抗性/2型糖尿病の危険性を低下させる．
TLR（Toll-like receptor）：トール様受容体（自然免疫系におけるシグナル伝達に重要な受容体），sTNFR（soluble tumor necrosis factor receptor）：可溶性腫瘍壊死因子受容体（TNFに拮抗し，抗炎症作用を示す）

はDITを上昇させたり，食事制限の実施による基礎代謝の低下を防止する[10]．

9）体力，全身持久力の向上： 身体運動の実施は有酸素運動能を増加させる．身体活動度および体力レベルと糖尿病発症率，総死亡率との間には負の相関関係が成立する[10]．

10）冠危険因子の低下： トレーニングの実施は，血清中性脂肪の低下，HDLコレステロールの上昇，軽症高血圧の改善など冠危険因子も低下させる．一方，TV視聴など安静時間の増加は糖・脂質代謝を増悪させ，冠危険因子を増加させるので，散歩など「ブレーク（中断）」を入れることにより安静時間を減少させる[14,15]．

b. 運動療法の実際

i）運動療法の適応とメディカルチェック

運動療法の開始に際しては，糖尿病では，増殖網膜症など運動の実施により病態を悪化させる要因の有無を検索する（佐藤，2011）．また，家族性高脂血症，二次性（症候性）肥満など運動療法の適応外の症例を除外する．

運動療法の適応は下記の病態である．①コントロール状態良好で重篤な合併症のない2型糖尿病，メタボリックシンドローム，②低リスク高血圧患者（降圧薬服用中も可），③Ⅱb，Ⅳ型脂質異常症の高中性脂肪血症，HDLコレステロール低下例．

ii）運動の種類，強度と方法

散歩，ジョギング，ラジオ体操，自転車エルゴメーター，水泳（後二者は肥満症患者に適）など全身の筋肉を用いる有酸素運動を中等強度（一般に脈拍120/分，60〜70歳代100/分）で1回10〜30分（できれば，1日食後2〜3回），週3〜5日以上実施する．ダンベル，ハーフスクワット（中腰で座る姿勢をとる，立つの繰り返し）などのレジスタンス（筋力）運動には，インスリン抵抗性改善作用に加えて，筋力増強，筋量増大効果があり，軽い負荷強度で，息を止めず，有酸素運動的に行えば，加齢に伴う筋萎縮（サルコペニア）防止に有用であり，ことに高齢者では併用する[10]．

「運動する時間がない」と訴える患者も多いが，エレベーターの代わりに階段を使うなど各自のライフスタイルに運動を取り入れるよう指導する．活動量計，脈拍計を用いて評価し，1日1万歩を目指す[10]．なお，運動によらない熱産生（non-exercise activity thermogenesis：NEAT）も肥満防止に有効であり，「こまめにからだを動かす」よう指導する[16]．

iii）運動療法実施上の注意点

①食事療法も併行して指導する．②準備・整理運動の実施を徹底する．③スポーツシューズの着用，暑いときの水分補給など一般的注意事項も指導する．④インスリン治療中の患者では低血糖防止のための補食な

ど個別の対応も行う．

軽・中等強度の身体運動が2型糖尿病，肥満症/メタボリックシンドローム，高血圧など生活習慣病全般の基本治療となっていることは，関連の各学会の「ガイドライン」に記載されている．しかし，日本糖尿病学会の調査成績でも運動療法を実施している患者は約半数であり，コメディカルを含めたチーム医療体制で，患者各個人のQOL向上を目指した「テーラーメイド」な運動処方を指導する[17,18]．なお，脳血管障害，心疾患，呼吸器疾患などのリハビリテーション各論に関しては関係の成書を参照されたい．〔佐藤祐造〕

■文献（e文献5-1-7）

千野直一：リハビリテーション医学総論．現代リハビリテーション医学 改訂第3版（千野直一編），pp1-25，金原出版，2009．

Eckardt K, Görgens SW, et al: Myokines in insulin resistance and type 2 diabetes. *Diabetologia*. 2014; 57: 1087-99.

佐藤祐造編著：糖尿病運動療法指導マニュアル，pp1-73，南江堂，2011．

8）緩和医療と終末期（エンド・オブ・ライフ）ケア

（1）ホスピス・緩和ケアの概念

2002年に世界保健機構（WHO）は緩和ケアの定義を以下のように改訂した．「生命を脅かす病に関連する問題に直面している患者と家族の痛みその他の身体的，心理社会的，スピリチュアルな問題を早期に同定し適切に評価し対応することを通して，苦痛（suffering）を予防し緩和することにより，患者と家族のquality of lifeを改善する取り組みである」（World Health Organization, 2002）．端的にいえば，緩和ケアとは，「重い病を抱える患者やその家族1人ひとりのからだや心などのさまざまなつらさをやわらげ，より豊かな人生を送ることができるように支えていくケア」を指す．従来の定義では，緩和ケアの対象は，癌をはじめとした積極的治療に反応しなくなった患者とその家族であるとされていた．改訂の要点は以下の2点にまとめられる．①疾患の種類を問わないこと（悪性腫瘍に限定せず，心不全や慢性閉塞性肺疾患，神経筋疾患，認知症なども対象とする），②病気の時期を問わないこと，特に早期から予防的にかかわること．また，WHOは緩和ケアの理念と具体的な実践を9項目にまとめている（表5-1-25）．

近年Temelらの非小細胞肺癌に対する緩和ケアの介入研究により，診断時から緩和ケアチームが専門的な緩和ケアを治療と並行して提供することにより，QOLが改善し，予後をも改善する可能性が示唆され

表 5-1-25 緩和ケアの理念と実践

①痛みやその他の苦痛な症状の緩和を行う
②生命を尊重し,死を自然なことと認める
③死を早めたり,引き延ばしたりしない
④心理的,スピリチュアルなケアを通常の医療・ケアに統合する
⑤死を迎えるまで患者が人生をできるかぎり積極的に生きていけるように支援する体制をとる
⑥家族が患者の病気や死別後の生活に適応できるように支援する体制をとる
⑦患者と家族のニーズに対応するためチームアプローチを実践する(適応があれば死別後のカウンセリングも行う)
⑧QOLを向上させ,病気の経過によい影響を与える
⑨病気の初期段階から,化学療法,放射線療法などの延命を目指すその他の治療と協働して行われ,治療や検査に伴う苦痛な合併症のマネジメントを包含する

ており[1],その緩和ケアによる早期からの緩和ケア介入の内容として,関係性の構築(その人自身の理解),コーピングへの対処,病状の理解を促進する,癌治療に関する意思決定支援と生活支援,終末期医療に関する計画,家族へのケア,症状マネジメント(非薬物療法を含む),があげられている[2].

(2) ホスピスと緩和ケア—その歴史とことばの整理
a. ホスピス

ホスピスは中世のはじめにヨーロッパ西部において誕生した.当時のホスピスは,疲れた旅人や巡礼者,孤児,病人,貧困者などに安らぎと必要な援助を施すために設けられ,その多くはキリスト教会に付属していた.旅人が病気などで旅立つことができなければ,そこでそのままケアや看病をした.教会で看護にあたる無私な献身と歓待を「ホスピタリティ」とよび,これが病院を指す「ホスピタル」の語源になったといわれている.19世紀に入り,アイルランドのダブリンにおいて,治療不可能な死にゆく病人に慰めと安らぎを与えるために,病院とは異なる,静かで小さな家が Mary Aikenhead をはじめとする修道女たちによって設立された(our lady's hospice)[3].当時のホスピスは結核をはじめとする感染症の患者がその患者の多くを占めていた.近代のホスピスの原点は,1967年ロンドン郊外のシデナムに創立された St. Christopher's Hospice にある.それまでのホスピスとの大きな相違は,オピオイドの適切な使用に代表される,身体症状の積極的な緩和などの医学的な介入をケアと融合させたこと,トータルペインモデルに代表されるように人を包括的・多面的にとらえ,チームによる医療・ケアを実践したこと,教育と研究を同時に実践したこと,にある[4].世界中の多くの医療従事者が St. Christopher's Hospice に学び,ホスピスケアは1970年代,たちまちのうちにイギリスをはじめ,ヨーロッパ,北米そして世界各国に広がった.

b. 緩和ケア

カナダには大きく分けてイギリス系のカナダ人とフランス系のカナダ人が在住しているが,フランス系カナダ人にはホスピスと称するとフランスにおける精神障害児や認知症患者の施設と誤解されやすいため,「緩和ケア」という名称としたようである.最初の緩和ケア病棟は1975年にモントリオールの Royal Victoria 病院,ウィニペグの St. Boniface 病院に創設された.WHO はその成り立ちからホスピスということばが特定の宗教との結びつきがあると考え,世界に普及させるため緩和ケアということばを採用した.このようにホスピスケアと緩和ケアは基本的にその源は同一であり,ケアの理念も同様であると考えてよい.

(3) 日本におけるホスピス・緩和ケア
a. 歴史

1973年に淀川キリスト教病院において始められたOCDP(organized care of dying patient,死にゆく患者への組織的ケア)がはじまりといわれている.日本のホスピス・緩和ケアは緩和ケア病棟を中心に発展してきたといっても過言ではない.1981年,静岡県浜松市にある聖隷三方原病院にはじめてのホスピス・緩和ケア病棟ができた.1990年緩和ケア病棟に定額払い制が導入され,1995年以降全国に多数の緩和ケア病棟が設置された.また,2007年のがん対策基本法の成立,2008年のがん対策推進基本計画の策定・実施により緩和ケアががん対策において重点的に推進する事業と位置づけられ,急速に緩和ケアが発展した.

b. 現状

わが国では年間約75万人が新たにがんと診断され,約36万人ががんで死亡する[5].がんによる死亡者は全死亡の1/3を占め,がんの緩和ケアは日常診療で遭遇することが多い病態の1つとなった.従来緩和ケアは,終末期医療や看取りのケアと同義にとらえられがちであったが,2007年に成立したがん対策基本法と2008年に策定されたがん対策推進基本計画によって大きく変化した.2014年より実施されている第2期がん対策推進基本計画では,診断時からの緩和ケアの実施がその重点課題として位置づけられた.わが国の緩和ケアの現状を,基本的緩和ケア,専門的緩和ケア(緩和ケア病棟,緩和ケアチーム,在宅緩和ケア)に分けて述べる.ここで基本的緩和ケアは,「すべての医療従事者が日常診療の一環として提供する緩和ケア」,専門的緩和ケアを「専門家が提供する緩和ケアで,その代表的なものとして,緩和ケア病棟,緩和ケアチーム,在宅緩和ケアにおける診療・ケアがあ

げられる」と操作的に定義する．

i）基本的緩和ケア

基本的な緩和ケアを評価するための質の評価指標は存在しないが，1990年代までは，卒前卒後教育において系統的な緩和ケアを教育している大学や研修病院は数少なく，基本的な緩和ケア診療能力は十分でなかったといわざるをえない．1990年代後半から日本死の臨床研究会，大学病院の緩和ケアを考える会，日本ホスピス緩和ケア協会，日本緩和医療学会などの活動があり，徐々に緩和ケアが日常臨床に浸透し，卒前・卒後で教育が行われるようになってきた．特に，2008年からは厚生労働省委託事業として，日本緩和医療学会ががん診療に携わる医師のための緩和ケア研修等事業を行い，通称PEACEプロジェクトにより組織的ながん緩和ケアの基本教育が実施された．2014年9月時点で3088回の研修会が実施され，その修了者は52254名にのぼり，年間8000名のペースで増加している．後述する緩和ケアチームの活動との相互作用で，今後日本の基本的緩和ケアのレベルはある程度担保されることが期待できる．

ii）専門的緩和ケア

2010年のデータでは全がん死亡者のうち24％が緩和ケア病棟もしくは緩和ケアチームを利用したことが報告されている（Kizawaら，2013）．まず緩和ケア病棟に関しては，2015年3月現在で330施設，6500床をこえる病床が認可されており[6]，2013年度の利用状況調査によれば，緩和ケア病棟における死亡者は36893名であり，がん死亡者の10％は緩和ケア病棟で最期を迎えていることがわかる．次に緩和ケアチーム診療であるが，2015年現在409ある全国のがん診療拠点病院・地域がん診療病院のすべてに緩和ケアチームが設置されており，コンサルテーションによる専門的な緩和ケアが提供されている．また，がん診療拠点病院以外でも緩和ケアチーム診療を実施している病院はあり，全国で少なくとも550以上の緩和ケアチームが活動していると考えられている．続いて，在宅緩和ケアであるが，国民のニーズならびに政策によって，在宅での緩和ケアが近年ますます充実しつつある．日本プライマリ・ケア連合学会ならびに在宅関連諸学会，日本緩和医療学会などがそれぞれ独自にその啓発・普及・教育にあたっているが，現在までのところその詳細は把握されていない．

（4）終末期ケアのあり方

わが国の一般市民および遺族に対する調査によって，望ましい終末期ケアのあり方として以下のことが明らかとなっている（Miyashitaら，2007）．8割以上の人が共通して望む事柄として「身体的・心理的なつらさが和らげられている」，「望んだ場所で過ごす」，「希望や楽しみがある」，「医師や看護師を信頼できる」，「家族や他人の負担にならない」，「家族や友人とよい関係でいる」，「自立している」，「落ち着いた環境で過ごす」，「人として大切にされる」，「人生を全うしたと感じる」という10の概念が明らかになっている．われわれは，緩和医療においてこの10個の項目が達成できるように努力をしていく必要があると考えられる．また，人によって重要さは異なるが大切なこととして「できるだけの治療を受ける」，「自然なかたちで過ごす」，「伝えたいことを伝えておける」，「先々のことを自分で決められる」，「病気や死を意識しないで過ごす」，「他人に弱った姿をみせない」，「生きていることに価値を感じられる」，「信仰に支えられている」の8個の概念が明らかになっている．望ましい終末期ケアのあり方には人によって価値観の違いがあるため，患者・家族の意見に耳を傾け，患者・家族が過ごしてきた人生や価値を大切にし，個別的なケアを実践することの重要性が示唆されている．

（5）おわりに

現在わが国では，がんを中心として緩和医療が普及発展してきているが，すでに欧米では専門緩和ケアの利用者の半数以上が非がん疾患となっている施設も散見される．緩和ケアの対象疾患は，すべての生命の危険に直面する疾患であり，その専門性はからだと心のつらさの緩和と，death and dying（治癒が難しい患者と家族にどう対峙し，どのようにQOLの向上をはかるか）にある．今後わが国でも，慢性心不全，慢性腎不全，COPD，肝硬変など多くの疾患に緩和ケアが導入され，普及していくことを期待したい．〔木澤義之〕

■文献（e文献5-1-8）

Kizawa Y, Morita T, et al: Specialized palliative care services in Japan: a nationwide survey of resources and utilization by patients with cancer. *Am J Hosp Palliat Care.* 2013; **30**: 552-5.

Miyashita M, Sanjo M, et al: Good death in cancer care: a nationwide quantitative study. *Ann Oncol.* 2007; **18**: 1090-7.

World Health Organization: Definition of palliative care, WHO, 2002. www.who.int/cancer/palliative/definition/en/

5-2 救急治療

1）心肺停止
cardiopulmonary arrest

定義・概念
心肺停止とは何らかの原因により有効な心拍出と呼吸が突然に停止した状態であり，直ちに有効な心肺蘇生法（cardiopulmonary resuscitation：CPR）を行わないと死に至る．心肺停止など生命の危機的状況に陥った傷病者を救命し社会復帰に導くための条件を示したものが「救命の連鎖」であり（e図 5-2-A），心停止の予防，心停止の早期認識と通報，一次救命処置，二次救命処置と心拍再開後の集中治療の4つの輪からなる[1]．

原因
わが国では，2005年から総務省消防庁が日本全域で国際的な心停止登録であるウツタイン統計に基づいて院外心肺停止患者登録を実施している[2]．このデータベースによると，わが国では年間約10万人の院外心肺停止患者が発生しており，そのうち約6万人が心原性である（Kitamura ら，2010）．心原性心肺停止の原因は主として急性冠症候群が占めており，その他として不整脈疾患などがある．また非心原性心肺停止の原因には，脳血管疾患，呼吸器系疾患，悪性腫瘍，大動脈疾患，外因（交通事故，墜落転落，縊首，溺水，窒息，中毒など）などがある．

疫学
総務省消防庁のデータベースによると，市民により目撃された院外心肺停止患者の社会復帰率は2005年の2.1％から2009年の4.3％へと約2倍に改善している（Kitamura ら，2012）．この間，居合わせた市民によるCPRや自動体外式除細動器（automated external defibrillator：AED）（e図 5-2-B）での除細動（public access defibrillation：PAD）の実施割合が大きく増加し，これらが院外心肺停止患者の社会復帰に貢献した重要な因子であった．しかし，社会復帰率の改善は幼児や高齢者では認められなかった（Kitamura ら，2010）．

治療
（1）心肺蘇生法
質の高い心肺蘇生法を行うために標準化された手順

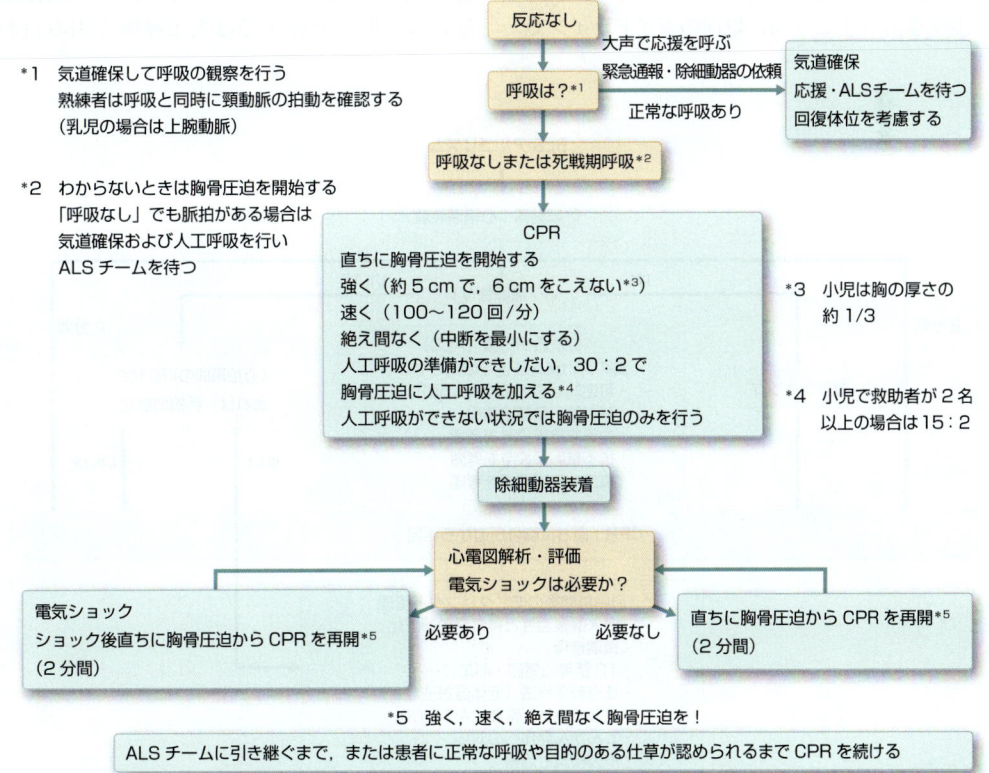

図 5-2-1 医療用 BLS アルゴリズム（JRC 蘇生ガイドライン作成委員会，2016 より一部改変）

が必要である．このため国際蘇生法連絡委員会（ILCOR）が心肺蘇生に関する国際標準の勧告（CoSTR）を発表し，この勧告に基づいて世界各地域の蘇生協議会がそれぞれの地域の医療事情を考慮した独自のガイドラインを作成している[3]．CoSTRは約5年ごとに改訂されており，現時点の最新版は2015年版である．これをもとにわが国の最新のガイドラインである「JRC蘇生ガイドライン2015」が作成されており，本項ではこれに沿って概説する（JRC蘇生ガイドライン作成委員会，2016）．

a. 一次救命処置（basic life support: BLS）

医療用BLSアルゴリズムを図5-2-1に示す．誰かが倒れるのを目撃した，あるいは倒れている傷病者を発見した場合には，周囲の安全を確認後に肩を軽くたたきながら大声で呼びかけて反応（意識）の有無を確認する．反応がなければその場で大声で叫んで周囲の注意を喚起し，周囲の者に緊急通報と除細動器の手配を依頼する．その後呼吸の有無を傷病者の胸と腹部の動きを見て確認する．市民救助者が呼吸の有無を確認する際には気道を確保する必要はないが，医療従事者や救急隊員などは気道確保を行う．呼吸の確認には10秒以上かけないようにする．傷病者に反応がなく，呼吸がないか異常な呼吸（死戦期呼吸，gasping）が認められる場合は心停止と判断する．

心停止と判断したら直ちに，胸骨圧迫からCPRを開始する．胸骨圧迫部位は胸骨の下半分，その目安としては「胸の真ん中」とする．以前のガイドラインでは乳頭間線を目標としていたが信頼性に欠けるとされた．胸骨圧迫は強く行い，成人では胸を約5 cm（ただし6 cmを超えない），小児では胸の厚さの約1/3沈むように圧迫する．胸骨圧迫は1分間あたり100〜120回のテンポで速く行う．毎回の胸骨圧迫の後で完全に胸壁がもとの位置に戻るように圧迫を解除する．胸骨圧迫の中断で心停止の生存率が低下するので，胸骨圧迫の中断は最小にする．

人工呼吸ができる場合は胸骨圧迫と人工呼吸を30：2の比で行う．人工呼吸を行う際には頭部後屈あご先挙上法を用いて気道確保を行う．外傷による心肺停止などで頸椎損傷が疑われる場合は下顎挙上法を用いてもよいが，頸椎保護よりも気道確保を優先する．すべての年齢において人工呼吸の目安は胸の上がりが確認できる程度とし，CPR中の過換気は避ける．訓練を受けていない市民救助者は，胸骨圧迫のみのCPR（hands-only CPR）を行う．訓練を受けた市民救助者であっても，気道を確保し人工呼吸をする意思または技術をもたない場合には胸骨圧迫のみのCPRを実施する．近年，胸骨圧迫のみのCPRの有効性が認識されてきており[4]，わが国からも目撃のあるPAD症例では胸骨圧迫のみのCPRの方が有効であることが報告されている[5]．胸骨圧迫のみのCPRは実施がより容易であり，一般市民へのCPRの普及上好都合であるとする意見がある[5]．しかし，窒息，溺水，気道閉塞，目撃がない心停止，遷延する心停止状態，あるいは小児の心停止では人工呼吸を組み合わせた

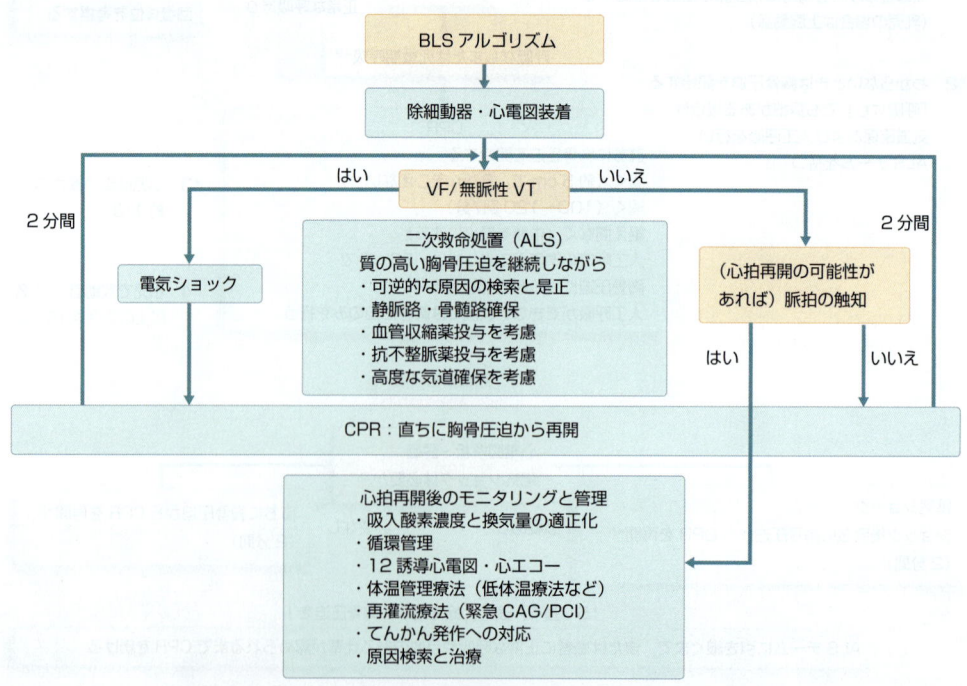

図 5-2-2 **二次救命処置の心停止アルゴリズム**（JRC蘇生ガイドライン作成委員会，2016より一部改変）

CPRを実施することが望ましい．

AEDが到着したら速やかに電源を入れ，右前胸部と左側胸部にパッドを装着する．装着後AEDによるリズム解析が開始されたら傷病者に触れないようにする．AEDの音声メッセージに従って，ショックの適応があればショックボタンを押し電気ショックを行う．ショックボタンを押す際には誰も傷病者に触れていないことを確認する．電気ショック後は脈の確認やリズムの解析を行うことなく，すぐに胸骨圧迫からCPRを再開する．ショックの適応がない場合には，すぐに胸骨圧迫からCPRを再開する．BLSは傷病者に十分な循環が回復し明確な体動がみられるか，あるいは救急隊やALSチームなど二次救命処置を行うことができる救助者に引き継ぐまで続ける．

b. 二次救命処置(advanced life support：ALS)

BLSのみで自己心拍再開(return of spontaneous circulation：ROSC)が得られないときにはALSが必要になる．絶え間なく効果的な胸骨圧迫が行われていることはBLSのみならずALSが成功するための条件でもあり，胸骨圧迫の中断はできるだけ避ける(eコラム1)．ALSの心停止アルゴリズム(図5-2-2)では，質の高いCPRを継続しつつ2分ごとに心電図診断を行うことを基本としている．心停止でみられる心電図波形は，心室細動(ventricular fibrillation：VF)および無脈性心室頻拍(pulseless ventricular tachycardia：pulseless VT)，無脈性電気活動(pulseless electrical activity：PEA)，心静止(asystole)の3つに分類される．このうち電気ショックの適応があるのはVF/無脈性VTである．VF/無脈性VTと診断後は直ちに電気ショックを実施する．血管収縮薬としてアドレナリンの投与を考慮する，通常アドレナリンは1回1 mgを静脈内投与し，3～5分間隔で追加投与後ショック非適応リズムの心停止においてはアドレナリンを投与する場合できるだけすみやかに投与する．電気ショックで停止しない難治性のVF/無脈性VTあるいはVF/無脈性VTが再発する治療抵抗性のVF/無脈性VTについてアミオダロンの投与を考慮する．アミオダロンは300 mgを静脈内投与する．アミオダロンが使用できない場合はニフェカラント(0.3 mg/kg 静脈内投与)あるいはリドカイン(1～1.5 mg/kg 静脈内投与)を使用してもよい．血管収縮薬や抗不整脈薬の投与でROSC率が改善するというエビデンスはあるが，生存退院率が改善するというエビデンスは乏しい．薬剤投与経路を新たに確保する場合は，末梢静脈路を第一選択とし，確保困難時は骨髄路を確保する．PEAや心静止の場合はCPRの継続と心停止の可逆的な原因検索と是正が重要である．気道確保として気管挿管・声門上気道デバイスを考慮するが，このときも胸骨圧迫の中断時間は可能なかぎり短くする．波形表示のある呼気CO_2モニターの使用が気管挿管時の先端位置確認とその後の持続的モニタリングの手段として推奨されている．

c. 心停止蘇生後の治療

ROSC後に入院した心停止患者の生存率を向上させるためには複数の専門分野にわたる蘇生後の治療が行われる必要がある．ROSC後に高体温を呈する患者の転帰は不良であり，高体温を予防・治療することは理にかなっている．院外でのVFによる心停止後，心拍が再開した昏睡状態の成人患者には体温管理療法(少なくとも24時間，32～36℃)を行う．わが国の多施設研究で，心停止からの蘇生に成功した患者のうち低体温療法を実施した場合の社会復帰率は55.3％と報告されている[6]．ROSC直後にはしばしば昏睡状態が認められるが，有意な神経学的回復が見込めない患者を識別するのは困難であることに留意しなければならない．また，ROSC後に12誘導心電図でST上昇または新たな左脚ブロックを呈した院外心停止患者では早期の冠動脈造影とプライマリPCI(経皮的冠動脈形成術)の施行を考慮するべきである． 〔高橋智弘〕

■文献(e文献5-2-1)

JRC蘇生ガイドライン作成委員会：JRC蘇生ガイドライン2015, 医学書院, 2016.

Kitamura T, Iwami T, et al: Nationwide public-access defibrillation in Japan. *N Engl J Med.* 2010; 362: 994-1004.

Kitamura T, Iwami T, et al: Nationwide improvements in survival from out-of hospital cardiac arrest in Japan. *Circulation.* 2012; 126: 2834-43.

2) 急性心不全
acute heart failure

定義

急性心不全は，心臓に器質的および/あるいは機能的異常が生じて急速に心ポンプ機能の代償機転が破綻し，心室拡張末期圧の上昇や主要臓器への灌流不全をきたし，それに基づく症状や徴候が急性に出現，あるいは悪化した病態と定義することができる[1]．急性心不全は，慢性心不全と明確に分かれるものではなく，一連の流れとしてとらえておくことが重要である(図5-2-3)．

診断

急性心不全の診断に際しては，①全身状態の把握，②心不全症状，③心不全徴候(身体所見)，④心臓エコー検査，⑤胸部X線，⑥心電図，⑦酸素飽和度，⑧血液検査診断を行う[1,2]．補助的に血中脳性ナトリウム利尿ペプチド(brain-type natriuretic peptide：BNP, あるいはN末端proBNP)を利用する[1,2]．心

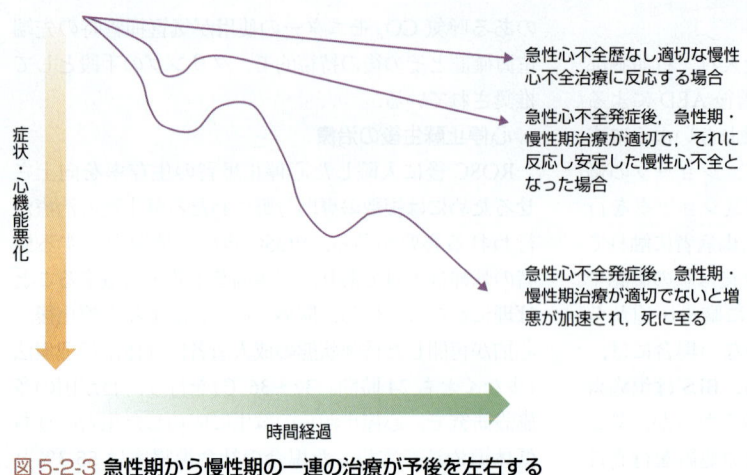

図 5-2-3 急性期から慢性期の一連の治療が予後を左右する
急性増悪を繰り返すたびに，心機能は悪化し，けっして完全にはもとには戻らないといわれ，急性期から慢性期にかけての一連の的確な治療が予後に大きく影響する．

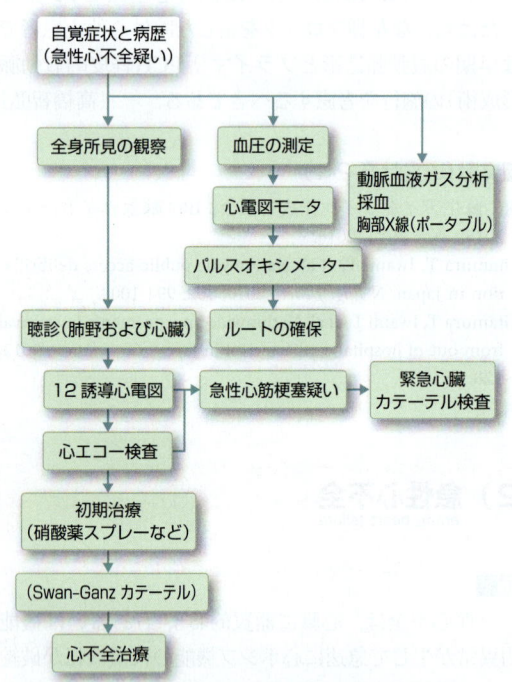

図 5-2-4 急性心不全の診断手順（日本循環器学会．急性心不全治療ガイドライン（2011年改訂版）http://www.j-circ.or.jp/guideline/pdf/JCS2011_izumi_h.pdf（2016年11月25日閲覧））
まずバイタルを評価し，重症度を判定する．身体所見，心電図，血液検査，心エコー検査を迅速に行い，できるだけ早期に初期治療を開始する．治療開始が遅れるほど予後に影響を与える．この時点で主病態が肺水腫，全身的体液貯留，低灌流であるか，また急性冠症候群や右心不全でないかを判断する．

不全診断を行いつつ，重症度を把握し，迅速な治療を並行して行うことが重要である．

1）全身状態の把握：図 5-2-4 に示した手順で診断と重症度を判定する．病院到着時の収縮期血圧は，予後予測にきわめて重要で，低ければ低いほど予後不良

であることを認識しておく[3]．急性期に病態は，おもに3つに分類される．すなわち，心原性肺水腫，全身的体液貯留，低心拍出・低灌流である．これらを判断するのに後述するクリニカルシナリオを参考にする[4]．この主病態把握が迅速な急性期治療に結びつくからである．また，いうまでもないが，表 5-2-1 にあげられた原因と悪化要因を念頭におきながら，心不全入院歴を含む，既往，合併症などに関する問診は可能なかぎり聴取することを忘れてはならない．

2）心不全症状（図 5-2-5）： 心不全症状は，低心拍出所見（心原性ショックを含む）の有無を把握しつつ，うっ血所見をしっかり把握する．すなわち，意識障害，不穏，記銘力低下，身のおき場がない様相，倦怠感の有無をチェックする．同時に，右心不全・左心不全症状を把握する．

3）心不全徴候（身体所見）（図 5-2-5，5-2-6）： 低心拍出による所見として，冷汗，四肢冷感，チアノーゼ，乏尿の有無を把握する．特に，四肢冷感は重要で，手背側で四肢のみならず体幹の冷感も評価する．同時に右心不全・左心不全所見も把握する．右心不全所見として，肝腫大，頸静脈怒張（内頸静脈の拍動レベル評価），末梢浮腫（顔面，下腿，足背，仙骨部），左心不全所見として，喘鳴，coarse crackles，ピンク色泡沫状痰，Ⅲ音，脈圧減少（特に脈圧を収縮期で除した proportional pulse pressure は心拍出量を反映するといわれている）をその程度も含めて評価する．なお，症状も含めて経過観察するために陰性所見も把握し記載しておくことが重要である．おもな症状や徴候の有用性を図 5-2-6 に示した[5]．また，これらの所見を参考に病態把握を行い治療に結びつけることを提唱したものが後述する Nohria-Stevenson 分類である[6]．退院時に，心不全症状も含めて，うっ血の所見を有するほど，また重度であればあるほど，予後不良であることが知られているため，急性期から慢性期までうっ血所見の変化をしっかり把握することが重要である[7]．

病態
　かつては，肺動脈カテーテル（Swan-Ganz カテーテル）を挿入し Forrester 分類に準じて薬物選択を行っていた．しかし，ルーチンでの使用は原則禁忌である[1,2]．しかし，①適切な輸液に速やかに反応しない心原性ショック，②適切な治療手段に反応しない，ま

たは低血圧かショック/ニアショックを合併する肺水腫，③肺水腫が心原性か非心原性かが不確かな場合は，そのかぎりではない[1]．最近の疫学研究によるプロペンシティ解析（統計的に患者背景を一致させて比較する統計手法）ではその有用性が改めて注目されている[8]．簡易的かつ非侵襲的病態把握として提唱されているのが，いわゆるクリニカルシナリオである[4]．これは病院前を含む超急性期に収縮期血圧を参考におおまかな病態把握するために考案されたものである（表 5-2-2）[4]．この分類は，時間軸を念頭において迅速に初期対応を行うための指針であり，大切なことは治療開始後の病態の再評価をしっかりと行い，適宜，治療を軌道修正することである．また，身体所見を中心とした病態把握法としていわゆる Nohria-Stevenson 分類が提唱されている（図 7-3-11）[6]．しかし，いずれの病態把握法を用いたことで予後改善などが実際に実現できているかの検証はなされていない．

治療効果判定をするためのうっ血所見をしっかりと把握することは重要であり，うっ血は，比較的目で見て把握できる臨床的うっ血と心不全によるうっ血のもとになる血行動態的うっ血に分けてアプローチすることが提唱されている[9]．すなわち，起座呼吸，頸静脈怒張，肝腫大，末梢浮腫といった臨床的うっ血の重症度，BNP あるいは NT-proBNP，Valsalva 法による血行動態的なうっ血を含むうっ血スコアが提唱されている．今後，このスコアの有用性は検証される必要があるが，どのような方法であるにせよ，退院時にうっ血の評価を可能なかぎり行い，少なくとも臨床的うっ血を退院時に残さないように治療することが重要である．

薬剤特性と薬物治療

病態が把握できても薬剤の特性を理解していなければ適切な治療は行えない．まず病態ありきで判断し，それに薬剤特性を考慮して治療を行うことが最も大切

表 5-2-1 急性心不全のおもな原因・悪化因子

新規発症	慢性心不全悪化
虚血性心疾患	—悪化関連因子—
急性冠症候群	
急性心筋梗塞に伴う機械的合併症	血圧コントロール不良
右室梗塞	血糖コントロール不良
弁膜症	内服中止・中断
弁狭窄	容量負荷（飲水・塩分過多など）
弁閉鎖不全	感染症（特に肺炎，敗血症）
心内膜炎	脳血管系障害
大動脈解離	術後
心筋症	腎機能障害
産褥期	喘息・慢性閉塞性肺疾患
急性心筋炎	薬物依存
急性肺血栓塞栓症	飲酒過多
急性心外膜炎（心タンポナーデ）	貧血
甲状腺中毒症	ストレス
薬剤性心筋傷害・心機能低下	薬剤性（β遮断薬開始・増量など）

新規発症の場合は原因心疾患を，慢性心不全の悪化はその要因を明確にすることが重要である．それは，心不全の病態に対する治療のみならず，基礎心疾患に対する治療も必要であるからである．

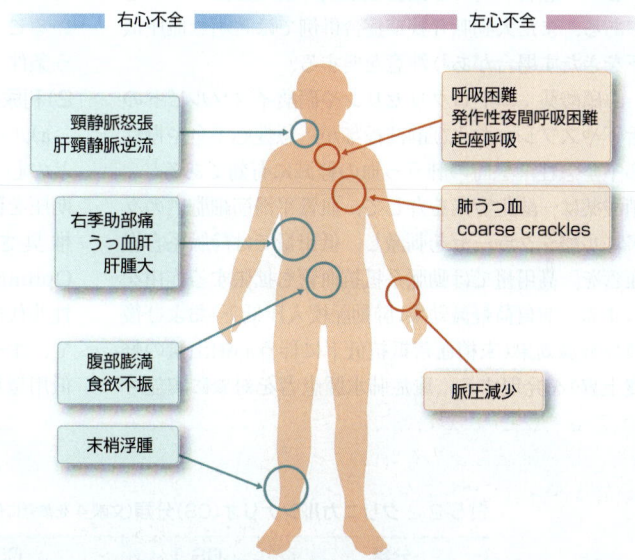

図 5-2-5 右心・左心不全症状・徴候
右心不全・左心不全症状を把握する．右心不全症状として，右季肋部痛，食欲不振，腹部膨満感，心窩部不快感，易疲労感，左心不全症状として，労作時あるいは安静時呼吸困難感，発作性夜間呼吸困難，起座呼吸，頻呼吸の有無を把握し，記載する．

である．

1）血管拡張薬： 心原性肺水腫が最も適応となる．低酸素血症があればそれを改善してから血管拡張薬による薬物療法を開始するが，低酸素改善のための硝酸薬スプレーが初期治療として推奨されている[1]．心原性肺水腫に対して血管拡張薬が第一選択である．わが国

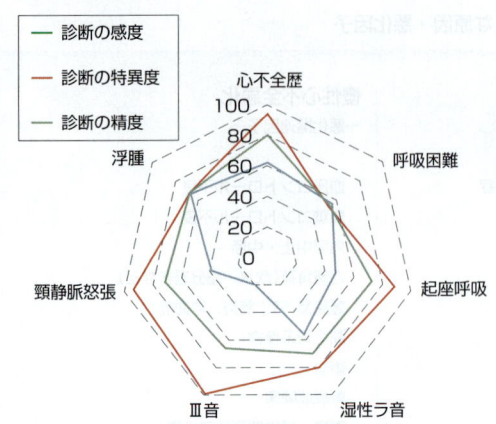

図 5-2-6 心不全診断における入院歴および症状・徴候の有用性(文献5より作成)
頸静脈怒張，Ⅲ音，起座呼吸，心不全入院歴は診断の際の特異度が高い．これらの所見は認めなくてもしっかりと把握しておくことがその後の経過を診るうえで重要である．

ではカルペリチドの使用頻度がきわめて高いが[10]，予後を改善するというエビデンスは少数例による研究しかない[11]．収縮期血圧 90 mmHg 未満の心原性ショック患者に対する血管拡張薬の使用は控えるべきである．また大動脈弁狭窄症合併例では著明な血圧低下をきたす場合があり注意を要する．

a) 硝酸薬：ニトログリセリンや硝酸イソソルビドの舌下やスプレーおよび静注投与が，急性心不全や慢性心不全急性増悪時の肺うっ血の軽減に有効である[1]．硝酸薬は一酸化窒素を介して，血管平滑筋細胞内のグアニル酸シクラーゼを刺激し，低用量では静脈系容量血管を，高用量では動脈系抵抗血管も拡張する作用を有する．前負荷軽減効果（肺動脈楔入圧低下）および後負荷軽減効果（末梢血管抵抗低下に伴う心拍出量の軽度上昇）を発現する．重症肺水腫患者を対象に実施された高用量硝酸薬静注反復投与＋低用量フロセミド投与の併用と高用量フロセミド投与＋低用量硝酸薬持続静注の併用の比較試験では，前者の方が酸素化の改善度は速く，人工呼吸管理導入の頻度が低く急性心筋梗塞発症の頻度も低いことが示されている[12]．

b) ニコランジル：静脈系拡張作用に ATP 感受性カリウム（K_{ATP}）チャネル開口作用による動脈系拡張作用を有する治療薬である．ニコランジルは K_{ATP} チャネル開口作用を有しているため，硝酸薬に比べて薬剤耐性を生じにくい．さらに，血圧が低いほど血圧を低下させにくく，過度な降圧をきたしにくいことが知られている[13]．急性心筋梗塞に対する再灌流療法に先立ってニコランジルを単回静脈内投与すると，冠微小循環の改善と再灌流障害の改善をもたらす[14]．したがって，虚血心に伴う急性心不全に有効と期待されているが，エビデンスは構築されていない．

c) カルペリチド：カルペリチド（遺伝子組み換え hANP）は，血管拡張作用，ナトリウム利尿効果，レニンやアルドステロン合成抑制作用などにより減負荷効果を発現し，肺うっ血患者への適応がある．腎保護作用も期待できるが，心血管系術後の急性腎障害の予防に血圧低下を過度にきたさない低用量が推奨されていることから[15]，あくまで血圧低下をきたさないとう条件下で投与することが重要である．

2) 利尿薬：

a) ループ利尿薬：ループ利尿薬は肺うっ血や浮腫などの心不全症状を軽減し，前負荷を減じて左室拡張末期圧を低下するため，うっ血を呈する患者への投与が推奨されている．最近行われた DOSE（Diuretic Optimization Strategies Evaluation）試験によると，急性非代償性心不全患者に対する利尿薬の投与法において，ボーラス静注か持続点滴か，あるいは，高用量か低用量か，いずれにもかかわらず，症状，腎機能の低

表 5-2-2 クリニカルシナリオ（CS）分類（文献4を参考に作成）

分類	CS 1	CS 2	CS 3
参考収縮期血圧	> 140 mmHg	100〜140 mmHg	< 100 mmHg
主病態	心原性肺水腫	全身性浮腫	低心拍出 低灌流
治療目標	低酸素血症改善	適切な利尿	心原性ショック有無に基づく適切な血行動態安定化

この分類はあくまで病院前から来院初期（来院後 90〜120 分）治療導入の目安
適宜，再評価をして治療の軌道修正を行うことが重要

CS 4：急性冠症候群，CS 5：右心不全．
この分類は，収縮期血圧のみで適切な病態把握が可能ということを提案しているのではなく，おおまかな方向性を迅速に判断して早期介入をすべきであることを強調したものである．ここでいう早期とは来院後 90〜120 分である．このコンセプトは早期介入が予後改善に結びつくとの研究結果が報告されていることに基づいている．

下に有意な差は認められなかった[16]．しかし，72時間後の腎機能は高用量で有意に悪化していたことから，低用量で改善できれば低用量の方がよい．

　b）バソプレシン拮抗薬：心不全進展過程においてアルギニン・バソプレシン（AVP）分泌亢進が起こり，腎臓集合管において V_2 受容体を介して水の再吸収を亢進して口渇感を増し，著明な低ナトリウム血症を引き起こす．低ナトリウム血症は心不全患者における重要な予後規定因子の1つであり[17]，これを抑制するバソプレシン拮抗薬は難治性心不全治療薬として期待される．V_{1a} 受容体は血管平滑筋や血小板などに存在しAVPはこれを介して血管収縮，心肥大を引き起こす．V_2 受容体は腎集合管に存在し，水の再吸収をもたらす．トルバプタンは，自覚症状や体重を改善するものの投与後1年における生命予後を改善するには至らなかった[18]．

　c）カルペリチド（hANP）：動静脈拡張作用のみならず，ナトリウム利尿作用も有する．ループ利尿薬との併用が最も一般的である[10]．RAA系抑制作用，交感神経亢進抑制作用などの薬理作用も有し，急性心筋梗塞においては，PCI実施後のカルペリチドは梗塞サイズを縮小し，再灌流障害を抑制し，転帰も良好であることより，安全かつ有効な補助療法であることが示されている[19]．

　d）抗アルドステロン薬：急性期においてもアルドステロンを適切に抑制することは臓器保護的にも有用であると考えられるが，その有用性は十分に検証されていない．重症慢性心不全NYHA分類Ⅳ度（Ⅳ度を経緯したⅢ度）に対しては，推奨されている．その根拠は，RALES（Randomized Aldactone Evaluation Study）で，スピロノラクトンによる有意な長期予後改善効果が示されたことにある[20]．スピロノラクトンによるナトリウム貯留，心筋線維化抑制作用が心不全の増悪を抑止し，心筋でのノルアドレナリンの取り込みの抑制，血中カリウムの保持が突然死の減少をもたらし，総死亡の抑制効果を示したと考えられ，臓器保護薬としても推奨されている．また，より選択的な抗アルドステロン薬としてエプレレノン（わが国では心不全に対する保険適用なし）の有用性も検証されており，現在日本においても急性心不全における有用性を検証する試験が行われている．

3）強心薬：強心作用を有する薬剤は，血圧低下，末梢循環不全，循環血液量の補正に抵抗する患者にも適応されるが，心筋酸素需要を増大し，心筋カルシウム負荷を誘導し，不整脈，心筋虚血，心筋傷害をもたらすことがある．使用する際には，病態に応じた適応，薬剤の選択，投与量，投与期間に十分注意を払うことが大切である．

　a）ドブタミン：ドブタミンは β_1，β_2，α_1 受容体刺激作用を有するが，おもに β_1 受容体刺激作用による陽性変力作用を発揮する．β_2 受容体刺激作用については，5 $\mu g/kg/$ 分以下の低用量では軽度の血管拡張作用による全身末梢血管抵抗低下および肺動脈楔入圧の低下をもたらす．ドブタミン投与の長期予後効果はFIRST研究のサブ解析があり，ドブタミン持続投与群では，非投与群に比して有意に心事故発生率が高く，さらに6カ月間の総死亡率も有意に高いことが示された[21]．

　b）ドパミン：ドパミンはノルアドレナリンの前駆物質であり，低用量（2 $\mu g/kg/$ 分以下）では，腎動脈拡張作用による糸球体濾過量の増加と腎尿細管への直接作用により利尿効果し，中等度の用量（2〜10 $\mu g/kg/$ 分）では陽性変力作用，心拍数増加，α_1 受容体刺激による血管収縮作用をもたらす．高用量（10〜20 $\mu g/kg/$ 分）では α_1 刺激作用により血管抵抗が上昇する．低用量のドパミンは腎血管拡張作用による利尿効果を期待して使用されるが，ROSE（Renal Optimization Strategies Evaluation in Acute Heart Failure）試験では，利尿薬にドパミンを追加しても，うっ血改善および腎機能に関してその有用性は認められなかった[22]．

　c）ノルアドレナリン：ノルアドレナリンは交感神経節後線維や副腎髄質においてドパミンから合成され，β_1 刺激作用により陽性変力作用と陽性変時作用を示す．また末梢の α 受容体に働く強力な末梢血管収縮薬である．心原性ショックでは，ドパミンよりもノルアドレナリンを使用した方が不整脈の発現が少なく28日後の死亡率もドパミン使用群より良好と報告されており，心原性ショック時にはドパミンよりも推奨される[23]．

　d）ジギタリス：ジゴキシンは強心薬としてはほかのカテコールアミンアナログに比して劣るが，急性効果を検討した非対照試験では血行動態改善効果が示されている[24]．長期予後に関しては，DIG試験によると血中濃度に注意すれば生命予後改善効果は認めなかったが再入院率は減少することが示されている[25]．一方，ジゴキシンは心房細動の心拍調節の目的でも使用されることがあるが，早期心拍調節という観点からは，左室駆出率25〜50％を対象とした場合，ランジオロールの方が有用であることが示されている[26]．

　e）PDE Ⅲ阻害薬（ミルリノン）：PDE Ⅲ阻害薬は，β 受容体を介さずに効果を発揮するので，β 遮断薬投与下であっても有効性が期待でき，また，血管拡張作用と強心作用をあわせもち，心筋酸素消費量の増加がカテコールアミン薬に比し軽度である．慢性心不全の急性増悪患者におけるミルリノンのプラセボ比較試験OPTIME-CHFではミルリノン投与群に血圧低下，新規の心房性不整脈の副作用が多かった[27]．この研究の解析より，非虚血性には使用可能であるが，虚血

性に対してはあまり推奨できない．β遮断薬が投与されている慢性心不全急性増悪患者では，PDE Ⅲ阻害薬が有用であると考えられている．

f)カルシウム感受性増強薬(ピモベンダン)：ピモベンダンは，心筋収縮調節蛋白トロポニンのカルシウム感受性を増強することにより，細胞内カルシウム濃度の上昇をきたさずに心筋収縮力を増強する作用を有する．また，PDE 活性を抑制することにより血管拡張作用を示し，心拍出量の増加と肺毛細管圧の低下が得られる．わが国では，標準的治療を行っても NYHA 分類Ⅱあるいは Ⅲ である患者に対して，ピモベンダン投与は予後改善効果があることが示されている[28]．

非薬物療法

1)呼吸管理： 心原性肺水腫の患者に対して，酸素投与で酸素化が不十分であれば，ためらうことなく非侵襲的陽圧呼吸管理を行うことが推奨されている．一般的適応条件は，①意識があり，協力的である，②気道確保ができている，③痰の排出ができる，④顔面に外傷がないなどマスク装着に問題がない，などの条件を満たすことである．この非侵襲的陽圧呼吸で酸素化が改善しない場合は，ためらうことなく気管内挿管することが大切である．不必要に非侵襲的陽圧呼吸に固執しない．

2)血行動態管理： 補助循環装置として，大動脈内バルーンパンピング(IABP)，心肺補助装置，補助人工心臓がある．IABP は，薬物治療により改善に乏しい場合，虚血改善がほかの手段ですぐにはかれない場合に適応となる．心電図に同期させ，拡張期にバルーンを拡張し，冠血流を改善し，収縮期にバルーンを脱気し，後負荷を軽減することで，血行動態の安定化をはかる．ただし，中等度以上の大動脈弁閉鎖不全を認める場合や大動脈解離・瘤を有する場合は禁忌である．薬物療法と IABP でも血圧維持が見込めない場合は，経皮的心肺補助装置の適応となるが，心肺停止，心原性ショック，難治性心不全の呼吸補助装置，難治性致死的不整脈合併時に挿入を考慮する．禁忌は，高度閉塞性動脈硬化症，中等度以上の大動脈閉鎖不全，出血傾向のある場合である．補助人工心臓は，その適応は慎重に判断する．低心拍出状態で薬剤抵抗性であり，かつ，予後や重症度に関しても補助することによる回復の可能性や社会的背景を考慮して導入を決定する．

3)急性血液浄化療法： 薬物療法によっても腎機能悪化が著しく限界がある場合，あるいは，その可能性が高いと判断した場合は，体外限外濾過あるいは持続性静脈・静脈血液濾過の適応を考慮する．うっ血のコントロールを可能にするが，予後改善に関してはまだ十分なエビデンスがない．

急性期以降の心保護薬

急性期を脱した後の慢性期へ向けた経口心不全標準治療の導入は重要である．アンジオテンシン変換酵素阻害薬(忍容性がなければアンジオテンシンⅡ受容体拮抗薬)と β 遮断薬の導入を試みる．慢性期治療をしっかり行うことが心不全の再入院含めた予後改善に非常に重要であるからである．また，原因疾患の診断をつけ，基礎心疾患に対する特異的治療も並行して行う．急性から慢性にかけて一連の流れを認識し慢性期治療に移行することが重要である． 〔佐藤直樹〕

(e文献 5-2-2)

3) 急性呼吸不全
acute respiratory failure

定義

呼吸不全とは呼吸機能障害のために動脈血ガスが異常値を示し，そのために正常な機能を営むことができない状態であると定義される．室内気吸入時の P_aO_2 が 60 mmHg，S_aO_2 が 90％未満の状態を指す．また，P_aCO_2 が 45 mmHg 未満の場合を Ⅰ 型呼吸不全，45 mmHg 以上の場合を Ⅱ 型呼吸不全という．呼吸不全状態が 1 カ月以上持続する場合は慢性呼吸不全とし，急性に発症した場合を急性呼吸不全という．

病態生理

呼吸不全のうち低酸素血症をきたす病態は，換気または血流の異常によって生じ，疾患によって以下の 5 つの病態がさまざまな割合で混在することで呼吸不全を形成する．また，高二酸化炭素血症は，肺胞低換気と換気血流不均等分布が原因となる．①吸入気酸素分圧低下：高地では，気圧が低下し吸入気酸素分圧は低下するため低酸素血症となる．②換気血流不均等分布：低酸素血症の最も頻度の高い原因である．③シャント：ガス交換されていない静脈血が動脈血に混入するもので，肺炎や無気肺などで換気のない領域の血流は肺内シャントとよばれる．100％酸素を吸入しても低酸素血症の改善は乏しい．④拡散障害：拡散能の低下は，間質性肺炎などの肺胞壁肥厚や COPD (慢性閉塞性肺疾患)など肺毛細血管床の減少によって生じる．⑤肺胞低換気：中枢性呼吸抑制や呼吸筋麻痺などによって肺胞換気量が減少すると，P_aO_2 は低下するが P_aCO_2 は上昇するため，肺胞気-動脈血酸素分圧較差 (A-aDO$_2$) の開大はみられない．

原因

肺や気道に原因がある原発性呼吸不全と，肺以外の心臓や神経，呼吸筋，胸郭などに異常がある続発性呼吸不全に分けられる．障害部位別に分類すると，脳血管障害，脳炎，薬物などによる中枢神経障害，筋萎縮性側索硬化症，Guillain-Barré 症候群，重症筋無力症

表 5-2-3 ARDS の診断基準(ARDS Definition Task Force, 2012)

新しい ARDS の診断基準(The Berlin Definition)	
発症時期	1 週間以内 (既知の臨床的侵襲もしくは呼吸器症状の出現・増悪から)
胸部画像所見	両肺野の陰影 (胸水や無気肺, 結節では説明のつかないもの)
肺水腫の成因	呼吸不全(心不全や体液過剰では説明のつかないもの) リスク因子がない場合は静水圧性肺水腫を除外するために客観的評価(心エコーなど)を要する
酸素化	軽症:200 mmHg < P_iO_2/F_iO_2 ≦300 mmHg(PEEP/CPAP ≧5 cmH$_2$O) 中等症:100 mmHg < P_iO_2/F_iO_2 ≦200 mmHg(PEEP ≧5 cmH$_2$O) 重症:P_iO_2/F_iO_2 ≦100 mmHg(PEEP ≧5 cmH$_2$O)

表 5-2-4 酸素吸入器具

器具	酸素濃度(F_iO_2)	酸素流量(L/分)	特徴
鼻カヌラ	流量(L/分)×0.04 + 0.2	6 以下	低濃度酸素吸入に適しており, 酸素を吸入しながら会話や食事ができる. 口呼吸の場合は不可.
簡易酸素マスク	0.4〜0.6	5〜8	流量 5 L/分以下では呼気を再呼吸して P_aCO_2 が上昇する可能性ある.
ベンチュリーマスク	0.24〜0.5	4〜12	1 回換気量に左右されず, 一定の酸素濃度が吸入できる. Ⅱ型呼吸不全患者に適している
リザーバー付きマスク	0.6〜1.0	6〜10	流量 6 L/分以上としバッグ内に酸素を貯め, 呼吸と同調し膨張収縮するようにさせる. 要加湿.
ネーザルハイフロー	0.21〜1.0	〜60	酸素ブレンダーを使用し加湿, 加温により高流量酸素を鼻カヌラから設定 F_iO_2 で投与できる. 解剖学的死腔洗い流しによる CO_2 除去効果と PEEP 効果がある.

などの末梢神経障害, 筋ジストロフィや側弯症などの胸郭変形, 胸水など筋・胸郭異常, 喉頭浮腫, 声帯麻痺, 異物誤嚥など上気道病変, 肺炎や間質性肺炎, COPD, 喘息, 肺癌などによる下気道・肺胞障害, 肺血栓塞栓症など血管系障害が原因となる. 肺実質に異常があるガス交換障害型ではⅠ型呼吸不全を, 肺実質に異常がない換気障害型ではⅡ型呼吸不全を呈する.

さまざまな基礎疾患をもとに肺に高度でびまん性の炎症を起こし, 画像上両側肺の浸潤影を呈する急性呼吸不全を急性呼吸促迫症候群(acute respiratory distress syndrome:ARDS)という(表 5-2-3). ARDSは, 死亡率が 40〜50%ときわめて予後不良な病態であり集学的な治療が必要となる.

COPD や肺結核後遺症などによる慢性呼吸不全症例では, 気道感染などを契機に呼吸不全が急速に悪化することがしばしばあり急性増悪とよばれる.

症状

低酸素血症は, 中枢神経系, 特に脳の高次機能に重大な影響を及ぼし, 判断力低下, 意識障害, 運動失調をきたす. その他, 呼吸困難, 不整脈, 頻呼吸, 血圧低下などがみられる. 高二酸化炭素血症が伴うと, 意識障害, 頭痛, 譫妄, 皮膚紅潮, 縮瞳などがみられる.

治療

1)酸素療法: 呼吸不全では, まず酸素投与を行い, P_aO_2≧60 mmHg あるいは S_pO_2≧90%を維持する. この場合, Ⅰ型呼吸不全かⅡ型呼吸不全かの判別が重要であるため可及的に動脈血液ガス分析を行い, P_aCO_2 を測定する. 測定できない場合, COPD や肺結核後遺症の有無, 慢性呼吸不全の有無, 神経筋疾患, 胸郭変形の有無などからⅡ型呼吸不全のリスクを判断する.

Ⅰ型呼吸不全では, P_aO_2>80 mmHg を目安に酸素投与を行う. 酸素化の程度によって鼻カヌラ, 簡易酸素マスク, ベンチュリーマスクなどを選択する(表 5-2-4). 高流量が必要な場合は, リザーバー付きマスクやネーザルハイフローを用いる. ネーザルハイフローは加湿にすぐれ, CPAP 効果も期待できるため有用である.

Ⅱ型呼吸不全では, P_aCO_2 増加による呼吸刺激が低下しており, 主として P_aO_2 低下による呼吸ドライブで換気している状態のため, 高濃度酸素投与によって低酸素血症を改善させてしまうと, 呼吸ドライブが働かなくなり, 肺胞低換気から P_aCO_2 が増加し, CO_2 ナルコーシスに陥る. これを避けるため, 低流量(0.5 L/分)から投与開始する. 酸素化が不十分な場合は, 人工呼吸管理に切り替える.

表 5-2-5 NPPV の選択基準と除外基準（日本呼吸器学会 NPPV ガイドライン作成委員会，2006）

選択基準
(1) 高度の呼吸困難
(2) 酸素療法，薬物療法に反応不良
(3) 吸気補助筋の著しい活動性，奇異呼吸を認める
(4) 呼吸性アシドーシス（pH＜7.35），高二酸化炭素血症（P_aCO_2＞45 mmHg）
(5) X 線検査で自然気胸を除外していること

除外基準
(1) 呼吸停止
(2) 循環動態が不安定（ショック，不整脈，心筋梗塞）
(3) 不穏，意識障害，患者の協力が得られない
(4) 誤嚥のリスクが高い，去痰不全
(5) 頭部・顔面もしくは胃・食道の手術の実施
(6) 当該顔面に外傷，鼻咽頭の異常
(7) 極度の肥満

2) 人工呼吸管理：人工呼吸管理は，低酸素血症あるいは高二酸化炭素血症の悪化，努力性呼吸による呼吸筋疲労進行がみられた場合行う．NPPV か気管内挿管下人工呼吸を選択して行う．

a) 非侵襲的陽圧換気（non-invasive positive pressure ventilation：NPPV）：NPPV は，気管内挿管を行わず，顔あるいは鼻マスクによって人工呼吸を行う．導入や離脱が容易であることや人工呼吸関連肺炎（ventilator-associated pneumonia：VAP）や人工呼吸器関連肺障害（ventilator-associated lung injury：VALI）が回避できることから積極的に行われるようになっている．NPPV の選択基準と除外基準を表 5-2-5 に示す．自発呼吸があり意識障害がなく協力が得られる症例が適応となる．

急性呼吸不全では，通常，自発呼吸を感知し補助換気するが，一定時間自発がない場合に強制換気を行う ST モード（spontaneous timed mode）で開始し，吸気圧 7〜8 cmH₂O 程度の低い圧から始めて患者の状況をみながら増加する．呼気圧は，4〜5 cmH₂O 程度にする．

b) 気管内挿管下人工呼吸：NPPV の適応のない症例や NPPV を開始しても改善がみられず悪化する場合は，挿管下に人工呼吸を行う．意識障害やショックなどがあれば気管内挿管して行う．人工呼吸には従量換気と従圧換気がある．COPD や肺腫性嚢胞のある症例では気道内圧が高くなると気胸を発症するリスクがあるため従圧換気が選択される．調節呼吸では，通常は 1 回換気量 8〜10 mL/kg，呼吸数 12〜15 回/分，F_IO_2 1.0 で開始し，患者の状態や血液ガスデータにより調節していく．換気モードは，患者の病態に合わせて選択する（表 5-2-6）．

c) ARDS の呼吸管理：ARDS の肺は，びまん性肺胞傷害に伴う肺水腫によってコンプライアンスが低下し，拡張しうる肺容量が減少して baby lung といわれる状態であるので，通常の 1 回換気量で換気すると圧による肺損傷（barotrauma）をきたしてしまう．一方で，肺が完全虚脱すると shear stress によって肺損傷をきたすため適切な呼気終末陽圧（PEEP）が必要である．したがって，1 回換気量 6 mL/kg（標準体重）程度の低容量換気とし，吸気プラトー圧＜30 cmH₂O とする肺保護戦略で行う．吸気プラトー圧が高くなるほど予後は悪化するため吸気プラトー圧はできるだけ低く維持する方が転帰の改善に寄与すると考えられる．ARDS の呼吸管理において volume control ventilation（VCV）と pressure control ventilation（PCV）の優位性は示されていないが，初期設定としては原則として VCV より PCV を選択した方が管理しやすい．適正な PEEP の目標値の設定も現時点ではエビデン

表 5-2-6 呼吸不全に対する人工呼吸管理における各種換気モード

換気法	内容	利点	注意点
調節換気（controlled mechanical ventilation：CMV）	自発呼吸がない状態，鎮静薬や筋弛緩薬で抑制している場合．循環動態が不安定な場合．	管理しやすい．	状態が改善したら早期に自発呼吸を生かしたモードに変更する．
自発呼吸補助換気（assisted mechanical ventilation：AMV）	自発呼吸の換気量が十分でない場合，自発呼吸時の陰圧を検知し，トリガーとして不足する換気量を陽圧換気で補う．	すべての自発呼吸が補助される．	
間欠的強制換気（intermittent mandatory ventilation：IMV；synchronized IMV：SIMV）	自発呼吸に一定量の強制換気を追加する．自発呼吸と同期させる場合を SIMV という．	設定された分時換気量を維持するよう強制換気が行われる．ウィーニングしやすい．	
圧支持換気（pressure support ventilation：PSV）	自発呼吸をトリガーとして吸気相で気道に一定の陽圧を加え自発呼吸を支持する．	同調性がよく患者の抵抗が少ない．ウィーニングしやすい．	1 回換気量は保証されないので 1 回換気量をモニターしながら圧を設定する．
持続的気道陽圧（continuous positive airway pressure：CPAP）	自発呼吸の吸気・呼気相に持続的に陽圧をかける．	3〜10 cmH₂O の圧をかけて肺胞の虚脱を防ぐ．	換気が十分でない場合は，SIMV や PSV を用いる．

表 5-2-7 急性呼吸不全の薬物療法

疾患	薬物療法など
心原性肺水腫	利尿薬，カテコールアミン製剤，心房性利尿ペプチド
肺炎	抗菌薬
急性間質性肺炎	ステロイド，免疫抑制薬
急性好酸球肺炎	ステロイド
薬剤性肺障害	ステロイド
ARDS	原因疾患の治療，ステロイド，好中球エラスターゼ阻害薬など
びまん性肺胞出血	ステロイド，免疫抑制薬，血漿交換
肺血栓塞栓症	ヘパリン，ワルファリンなど
肺癌（気道狭窄，癌性リンパ管症など）	抗癌薬，放射線療法，気管支鏡下レーザー治療，ステント留置，ステロイドなど

スが明確でないため困難である．F_1O_2 が 1.0 であっても酸素化が改善しない場合は，PEEP を増やして対応するが，プラトー圧が 30 cmH$_2$O 以上となってしまう場合は，換気モードを変更する．その場合，airway pressure release ventilation（APRV）や high frequency oscillatory ventilation（HFOV）などが試みられることもある．さらに改善が得られない場合は，体外式膜型人工肺（extracorporeal membrane oxygenation：ECMO）も試みられる．

腹臥位療法は，ARDS 患者の酸素化能を改善するばかりでなく，人工呼吸器関連肺傷害を軽減する効果もあり，生命予後を改善しうる治療法として期待されてきた．P_aO_2/F_1O_2 比の低い重症例では，1 日の腹臥位時間を 17〜18 時間にし，さらに，呼吸管理における肺保護換気を厳密に行うことで，死亡率の有意な低下が示されている．しかし，人工呼吸中に腹臥位療法を行うためには，マンパワーとスタッフのトレーニングが必要である．

3）**薬物療法**：肺炎が原因であれば適切な抗菌薬を使用するなど急性呼吸不全の原因に応じた薬物療法が必要である（表 5-2-7）． 〔石井芳樹〕

■文献
- ARDS Definition Task Force: Acute respiratory distress syndrome: the Berlin Definition. JAMA. 2012; 307: 2526-33.
- 日本呼吸器学会 NPPV ガイドライン作成委員会：日本呼吸器学会 Noninvasive Positive Pressure Ventilation（NPPV）ガイドライン，2006．

4）腹痛（急性腹症）
abdominal pain（acute abdomen）

定義・概念
腹痛とは腹部に自覚される疼痛を意味する．腹痛は消化器疾患に由来することが多いが，それ以外の要因により発症することもある．疾患の緊急性を判断し診療を行うことが重要である．急性腹症は激しい腹痛を呈する状態であり，従来は緊急開腹手術の適応とされていた．最近は画像診断機器などが進歩し，病態を正確に把握することで，不要な緊急開腹手術が回避される症例が多くなった[1]．

分類
痛みの病態生理により，腹痛は体性痛，内臓痛，関連痛，神経因性疼痛などに分類される．また，腹痛の部位による分類は臨床上有用である．腹部は通常 9 つの部位，右季肋部，心窩部，左季肋部，右側腹部，臍部，左側腹部，右下腹部，下腹部，左下腹部に分けられ，それぞれの部位の腹痛は，たとえば右季肋部痛のように表現される[2]．表 5-2-8 に部位による鑑別疾患を示す．

成因・病因
腹痛の成因・病因として，腹膜炎，管腔臓器の閉塞，血管障害，非特異的腹痛がある．それぞれを痛みの病態生理で分類すると，腹膜炎は体性痛であり，管腔臓器の閉塞は内臓痛である．血管障害は内臓痛と体性痛の両方，非特異的腹痛は内臓痛と関連痛の両方の場合がある（表 5-2-9）．

疫学
腹痛は医療機関を受診する最も一般的な症状の 1 つである．メタ解析の結果では，一般の診療のなかで腹痛を訴える患者の占める割合は 2.8% と報告されている[3]．腹痛の原因は，胃腸炎（7.2〜18.7%），過敏性腸症候群（2.6〜13.2%），泌尿器系疾患（5.3%），胃炎（5.2%），胆膵疾患（4.0%），憩室炎（3.0%），急性虫垂炎（1.9%）などであり，約 1/3 は原因不明であった[3]．

病態
腹部の痛みは病態生理学的な分類から，体性痛，内臓痛，関連痛の 3 つにおもに分類される．腹部疾患の多くは，これらが混在し症状を形成している．腹痛の緊急性を判断するために，痛みの性質と随伴する症状については十分な理解が必要である[4-6]．

1）**体性痛（somatic pain）**： 体性痛は持続的で局在のはっきりした強い痛みである．キリキリした鋭い痛みであり，ときに拍動性に痛む．圧痛の局在も明瞭で，腹膜刺激症状を呈する．体性痛を現す病態では腹膜炎を伴っており，緊急手術の適応を第一に考慮する．

壁側腹膜，腸間膜および横隔膜には知覚神経が密に存在し，その自由終末に侵害受容器が存在する．捻転

表 5-2-8 腹痛の部位による分類

右季肋部痛	心窩部痛	左季肋部痛
胆嚢結石症 急性胆嚢炎 急性胆管炎 十二指腸潰瘍 急性肝炎 横隔膜下膿瘍	胃十二指腸潰瘍 急性胃炎 急性膵炎，慢性膵炎 急性虫垂炎初期 胃癌 膵癌 急性胆管炎 狭心症 心筋梗塞 大動脈瘤破裂	急性胃炎 胃潰瘍 急性膵炎，慢性膵炎 脾弯曲症候群 脾梗塞 脾膿瘍
右側腹部	**臍部**	**左側腹部**
急性腸炎 右腎・尿管結石 上行結腸憩室炎	急性腸炎 急性虫垂炎初期 イレウス 過敏性腸症候群 腸間膜動脈血栓症 大動脈解離 腹部大動脈瘤破裂	急性腸炎 左腎・尿路結石 虚血性大腸炎
右下腹部	**下腹部**	**左下腹部**
急性虫垂炎 Crohn 病 卵管炎 異所性妊娠破裂 卵巣膿腫茎捻転	膀胱炎 子宮付属器炎 卵管炎 異所性妊娠破裂 卵巣腫瘍茎捻転	虚血性大腸炎 便秘症 S 状結腸憩室炎 卵管炎 異所性妊娠破裂 卵巣膿腫茎捻転

などの物理的刺激あるいは消化液や血液，細菌などによる化学的刺激，虚血あるいは炎症を侵害受容器が感知すると，その侵害刺激は求心経路により脊髄後根神経節を介しておもに外側脊髄視床路を上行し，視床を経て大脳皮質の体性感覚野に投射され，局在性のある痛みとして知覚される．知覚神経は腹壁にも分布するため，体性痛は筋性防御や反跳痛（はんちょうつう）（Blumberg 徴候）などの腹膜刺激症状を呈する．体動により悪化するため，患者は動かないことが多い．高齢患者や精神疾患患者の場合には体性痛であっても，症状が軽度のことがあり，明らかな腹膜刺激症状を認めないことがあるので注意が必要である．体性痛には非オピオイド系鎮痛薬やオピオイドが有効である．

2）**内臓痛（visceral pain）**：内臓痛は腹部の正中線上に自覚される部位感の乏しいびまん性の痛みである．疝痛（colic pain）のように差し込むような強い痛みのこともあれば，鈍痛である場合もあり，不快感や膨満感として自覚することもある．周期的，間欠的に生じ，悪心（おしん），嘔吐，発汗，頻脈などの自律神経反射症状や情動的な反応を伴うことが多い．

内臓には侵害受容器がまばらに存在し，管腔臓器（胃，腸，胆道，尿管など）の急激な収縮，強い伸展，虚血，炎症などによる侵害刺激を感知する．感知された刺激はおもに脊髄無髄神経により求心性に伝達され，おもに内側系の脊髄視床路や脊髄網様体路を通って伝達される．この経路はおもに，視床下部や大脳辺縁系，中脳水道周辺灰白質などに投射される．

内臓痛は前述のように局在性のはっきりしない痛みであるが，一般には胃十二指腸や胆道系の疾患は上腹部に，小腸や結腸の疾患は臍周囲に，直腸や骨盤内臓器の疾患は下腹部に痛みを自覚する．体動によって軽快する場合があり，鎮痙薬が奏効する．

3）**関連痛（referred pain）**：関連痛は，内臓痛や体性痛を発する病巣とは離れた場所に感じる痛みである．放散痛や投射痛ともよばれる．内臓痛が強くなると，その痛みを伝達する神経が脊髄後核で皮膚の知覚神経と干渉し，脊髄分節のデルマトーム（皮膚分節知覚帯）上の痛みとして間違えて知覚する．たとえば，胆石の疝痛発作のときに右肩甲骨や右上腕に痛みが放散することがある．

4）**その他**：末梢神経や中枢神経の直接的な障害により発生する痛みを神経因性疼痛といい，腹痛を呈することがある．痛みは，灼熱痛や電撃痛として感じられるが，腹部の触診や食事により増強することはない．帯状疱疹による痛みや，腫瘍による神経障害性疼痛などがある．

臨床症状

1）**自覚症状**：体性痛であれば，持続的かつ局在のはっきりした痛みで，体動時に痛みが増悪する．炎症を伴う場合は発熱を認める．内臓痛は，間欠的な激痛で局在があまりはっきりしない．体動時に痛みが増強することはなく，痛みでむしろ体動が強くなる場合がある．発汗，悪心，嘔吐，頻脈などの症状が出る場合がある．神経因性疼痛は焼けるようなあるいは裂けるような痛みである．

腹痛の部位により想定される疾患がある程度絞られる（表 5-2-8）．発症の状況，たとえば急激な発症であれば，消化管穿孔，心筋梗塞，大動脈解離，胆石性急性膵炎，尿路結石などがあり，徐々に強くなる場合は炎症を示唆する．時間経過で症状がどのように変化しているか，限局していた痛みが広がる，あるいは移

表 5-2-9 疾患の病態による分類(Dang ら, 2002 を改変)

病態	疾患	疼痛の種類	治療法
腹膜炎	消化管穿孔 急性虫垂炎 急性胆囊炎 大腸憩室炎 急性膵炎	体性痛	緊急手術を考慮(ただし急性膵炎は早期手術を行わない)
管腔臓器の閉塞	1)イレウス 　単純性イレウス 　絞扼性イレウス 　腸重積症 2)胆管閉塞 　急性胆管炎 3)尿路閉塞 　尿路結石症	内臓痛	1)ドレナージ 　腸管の血流障害を認める場合緊急手術を考慮 2)内視鏡的ドレナージ 3)保存的治療
血管障害	大動脈瘤破裂 大動脈解離 上腸間膜動脈血栓症 異所性妊娠破裂	内臓痛 体性痛	緊急手術または IVR 治療を考慮
非特異的腹痛	急性胃腸炎 便秘 急性心筋梗塞 急性肺炎	内臓痛 関連痛	保存的治療 専門科へコンサルト

動していないか. たとえば急性虫垂炎では発症当初は心窩部から臍を中心とした痛みであるが, 時間の経過とともに右下腹部に限局する. 血管障害による痛みは突発し激烈な場合もあるが, 上腸間膜動脈血栓症では軽度の持続性または間欠性のびまん性疼痛であることもある.

2)他覚症状: 腹部の診察の手順は, 視診, 聴診, 打診, 触診の順に行う. 視診では出血斑や皮疹の有無, 手術痕, 平坦か膨隆しているか, 腸管の蠕動などに注意する. 鼠径ヘルニアや大腿ヘルニア嵌頓の有無を確認するためには十分に腹部を露出することが重要である. 次に聴診を行うが, 機械的イレウスでは典型的には金属性有響性雑音(metallic sound)が聴取される. 次に打診であるが, 打診や聴診を行う際には腹痛の部位を確認し, そこを最後に診察する. 打診は腸管内ガスの局在や, 多量の腹水の有無, 肝腫大や脾腫大の有無などを鼓音と濁音の境界を調べることにより知ることができる. また, 腹膜刺激症状がある場合には軽い打診により, 反跳痛類似の所見を得ることができる. 触診は浅い触診をまず行う. 重要な所見は, 筋性防御, 圧痛点, 腫瘤の触知, 反跳痛の有無である. 筋性防御(defense musculaire, muscular defense)は腹膜炎の存在を示す所見で, 軽度の触診で反射的に腹壁の緊張がみられることをいう. 炎症が高度になると腹部全体の筋性防御が著しくなり板状硬(board-like rigidity)を呈する. 反跳痛は腹部を手で圧迫し, その後急に手を離したときに生じる痛みであり腹膜刺激症状を意味する. 通常は浅い触診を行った後で, 深い触診を行うが腹膜刺激症状がはっきりしている場合には, いたずらに患者の苦痛を増悪させる深い触診を行う必要はない. 直腸診はときに有用で, 触診にて明確とならない骨盤内の炎症が診断できる.

痛みの自覚には個人差があり, 病状と訴え・所見との間に乖離がみられることもある. 特に高齢者の場合は, 訴えや腹部所見が軽度であっても, 腹部大動脈瘤破裂や上腸間膜動脈血栓症のような重篤な病状の場合があり, 注意が必要である[1,7].

検査所見

1)血液検査:

a) 血算:貧血の有無や白血球数や白血球分画(核の左方移動)から炎症の程度を知ることができる. しかし, 出血直後ではヘモグロビンやヘマトクリットが低下しないことや, 重症感染症では白血球数がむしろ減少することもある.

b) 生化学的検査:血清アミラーゼは急性膵炎のみならず, 急性胆囊炎, 消化管穿孔, イレウスでも上昇するため, 急性膵炎の診断には特異性の高い血清リパーゼの測定が有用である. 肝機能検査(ビリルビン, AST, ALT, ALP など), 血糖値, 電解質(Na, K, Cl, Ca), 腎機能(血液尿素窒素, クレアチニン)は全身状態を評価するために必要である.

c) 動脈血ガス分析:呼吸状態と酸塩基平衡を調べるために必要である. 強度の代謝性アシドーシスは広範な腸管壊死など循環障害を伴う場合に認められ, その経時的変動をチェックすることは重要である.

d) 凝固系検査:緊急手術に必要とされるが, それ以外に播種性血管内凝固症候群(DIC), 肝予備能の評価にも重要である.

2）尿検査： 沈渣に赤血球を認める場合は，尿路系結石や尿路系外傷を疑う．また，尿アミラーゼ値の上昇は急性膵炎の存在を示唆する．急性ポルフィリン血症では，尿中のポルホビリノーゲンの増加がみられる．女性では，妊娠反応検査も必要に応じて行わなければならない．

3）画像診断： 近年の画像診断装置の進歩により，急性腹症診療における画像診断法の用い方，重みづけは変わりつつある．

　a）腹部超音波検査：簡便かつ非侵襲的であり，ベッドサイドで腹部触診とほぼ同時に行われる．特に有用なのは右上腹部痛を呈する患者に対してであり，急性胆嚢炎や胆管拡張などを迅速に診断できる．その他，小腸の拡張と液体貯留からイレウスの診断も容易であり，腸重積や急性虫垂炎，卵巣嚢腫，大動脈瘤，上腸間膜動脈血栓症などさまざまな疾患を診断可能である．さらに，腹水穿刺を超音波ガイド下で安全に行い，その性状を確認することで腹腔内出血，腹膜炎，消化管穿孔などの鑑別を行うことができる．

　b）CT（computed tomography）：腹部超音波で十分な診断を得ることができない場合には，次にCT検査を行う．近年進歩した多列検出器CT（multi detector-row CT：MDCT）装置により，空間分解能や解像度が上がり，急性腹症診断への有用性は最も高い画像検査である．たとえば，腹腔内の遊離ガスの検出は腹部単純X線撮影より感度が高い．また，腸管の炎症の場合には壁肥厚や周囲脂肪織の炎症所見，炎症性滲出液，周囲膿瘍などを明瞭に判別でき，穿孔部分についても同定される場合がある．胆道や尿路などの石灰化結石も明瞭に描出される．さらに，造影CTを行うことで，血管病変や膵臓などの実質臓器の虚血所見を診断できる．

　c）単純X線検査：従来急性腹症の画像診断の中心的検査であったが，CT検査と比較し腹腔内遊離ガスや腸閉塞を示唆するニボー所見などの検出感度が低く，かつ立位や側臥位など体位変換が必要である．しかし，すぐにCT検査を行えない場合には積極的に行われるべき検査である．また，胸部X線撮影などは患者の全身状態を評価する目的のために必要である．

　d）血管造影検査：腸間膜動脈血栓症の診断と治療には必須である．また，肝癌破裂などによる腹腔内出血時の血管塞栓術による止血なども可能である．

　e）消化管内視鏡検査：上部消化管内視鏡検査は吐・下血を伴う腹痛の患者の診断と治療，胃・十二指腸穿孔疑い症例の診断．大腸内視鏡は大腸イレウスの診断と経肛門的減圧管挿入目的やS状結腸軸捻転症に対する整復術のために積極的に行われる．

診断

　腹痛の診断では，緊急性の見きわめ，鑑別診断，治療法の選択などを短時間に判断しなければならない．そのためには注意深い問診と身体診察が正しい診断へ到達するために最も重要である．問診と診察で疾患の緊急性を把握し，診療に必要な検査と処置を迅速に判断する[1,2]．

　問診の要点を◉表5-2-Aに示す．急性腹症で全身状態が不良な患者，小児や精神疾患で患者本人との意思疎通が困難な場合には，同居家族から情報を得る場合もある．

　既往歴，手術歴，服薬歴，アレルギー歴，飲酒歴，家族歴などを聴取する．女性の場合は月経の状況や妊娠の有無を聴取する．これまでに同じような症状で治療歴があるか，基礎疾患に何があり，どのような治療をしていたのかなどを具体的に聴取する．腹部臓器以外の疾患でも腹痛が起こることを念頭に注意深い聴取が必要である．

　手早く問診を終えた後に身体診察を行うが，腹部の診察に入る前に，全身状態の評価を行う．意識レベル，体温，血圧，脈拍数，呼吸数などをチェックすることで疾患の緊急性を判断する．ショック状態やそれに近い状態の場合はまず全身状態の改善をはかることを優先しつつ，並行して診察と検査を進める．患者の表情，姿勢，歩行できるかどうかなどは疾患の重症度を判断する目安となる．眼瞼結膜や眼球結膜に貧血や黄疸がないか，脱水の有無，口臭，甲状腺腫大の有無，心雑音や不整脈の有無，肺雑音や呼吸音減弱，身体各所の動脈の触診などは手早く行う．全身状態を把握したうえで，身体診察，生化学検査，画像診断へと進み診断へと至る．

　各種検査を行っても，診断や手術適応の判断がつかない場合がある．そのような場合は，繰り返し問診，診察，検査およびその評価を行い，慎重に経過観察しながら診療を継続する．

鑑別診断

　腹痛は腹部臓器以外の疾患でも起こる．急性腹症の診療にあたる際は常に以下のような疾患を頭の片隅におきながら，慎重な鑑別診断を行う（◉表5-2-B）．

1）循環器・呼吸器系疾患： 急性心筋梗塞が上腹部の激痛で発症することはまれではない．急性心筋梗塞や肺梗塞は関連痛として腹痛が起き，通常腹部触診にて圧痛は認めない．

　大動脈瘤破裂，大動脈解離，上腸間膜動脈血栓症はまれであるが致命的な疾患である．救命のためには迅速な診断・治療が必須である．腹部大動脈瘤破裂は急激な腰背部の引き裂かれるような激痛で発症し，急性腹症から短時間でショック状態となる．上腸間膜動脈血栓症や大動脈解離は強い自覚症状のわりに腹部圧痛が軽度である．

2）全身性疾患： 腹痛を呈する疾患は多岐にわたる．

頻度は高くないが，全身性エリテマトーデスでは腹膜炎を起こし急性腹症となることがある．急性ポルフィリン症や急性鉛中毒では，消化管蠕動が亢進し腸閉塞との鑑別が困難である．IgA血管炎は出血斑が出現する前に激しい腹痛を起こすことがあり，急性虫垂炎などとの鑑別が困難な場合がある．

3）脳脊髄・神経疾患：脳腫瘍などによる中枢神経系への障害あるいは帯状疱疹などによる脊髄神経や神経根に由来する神経因性疼痛である．

4）寄生虫症：胃アニサキス症は虫体へのArthus反応などのアレルギー反応が主因と考えられている．非常に強い上腹部痛を呈するが，内視鏡による虫体の除去により速やかに症状が消失することが多い．

治療・予防・リハビリテーション

急性腹症診療の要点は，直ちに何らかの処置を行う必要がある患者，待機的に処置を行う患者，保存的治療を行う患者を的確に判断し，初期治療とモニタリングを行いながら緊急手術やドレナージ術，IVR（interventional radiology）治療などを選択し行うことである（表5-2-9）．

全身状態が悪い場合，特にショック状態の患者の場合にはまず初期治療を行い，それと並行して診察・検査を行う．初期治療は呼吸・循環管理とモニタリングである．具体的には必要に応じて酸素投与や場合によってはレスピレーター管理，静脈ラインを確保し細胞外液を中心とした輸液を行うが，必要に応じて昇圧剤の投与も行う．中心静脈圧測定が必要な場合などは中心静脈カテーテルを留置する．また，尿路カテーテルを留置し正確な尿量を測定する．意識レベル，血圧，脈拍，血液酸素飽和度，尿量，体温などのモニタリングを行う．細菌性腹膜炎などの感染症が疑われる場合は広域スペクトラムの抗菌薬を投与する．鎮痛薬は，その投与により腹部所見がマスクされるため，診断が下されるまで使用しないことが従来推奨されてきた．しかし，最近鎮痛薬の投与によっても腹部所見が影響を受けないという結果が報告されており，むしろ積極的に除痛を推奨する意見がある[8,9]．

急性疼痛に対しては，アセトアミノフェンと非ステロイド系抗炎症薬の座薬が通常使用される．それで不十分な場合はオピオイド鎮痛薬が用いられる．

〔廣田衛久・下瀬川　徹〕

■文献（e文献5-2-4）

Dang C, Aguilera P, et al: Acute abdominal pain: Four classifications can guide assessment and management. *Geriatrics*. 2002; 57: 30-42.

Stoker J, van Randen A, et al: Imaging Patients with Acute Abdominal Pain. *Radiology*. 2009; 253: 31-46.

寺野　彰，平石秀幸，他：最新内科学大系3 内科総論3，主要症候─症候から診断へ，pp73-81，中山書店，1996．

5）消化管出血
gastrointestinal bleeding (hemorrhage)

概念

消化管出血は一般に吐血，下血，血便といった症状を有する場合を指すが，健診にて便潜血陽性である場合も含まれる．吐血とは口腔から新鮮血やコーヒー残渣様吐物を嘔吐することで，Treitz靱帯より口側の上部消化管からの出血によるものとされる．食道からの出血は新鮮血となるが，胃内に血液が貯留すると胃酸と混合し，ヘモグロビンが還元されヘマチンとなり暗赤色を呈する．この色調の変化により排出された吐物をコーヒー残渣様吐物と表現する．

下血は血液により黒色やタール様になった便を肛門より排泄することと定義される．血便とは糞便中に新鮮血が混入あるいは便の表面に付着したり，新鮮血そのものを排出することである．臨床的には下血は血便を包括して用いられる．黒色便は上部消化管からの出血で血液が胃酸による影響を受け，黒色の血液が混じった便を排出するものである．左側結腸・直腸あるいは肛門からの出血は新鮮血となる．

消化管出血の60～70％を上部消化管出血が占める．上部消化管出血のうち半数は胃・十二指腸潰瘍からの出血である．消化性潰瘍のほか原因疾患としては食道静脈瘤の破裂，急性胃・十二指腸粘膜病変（AGMLあるいはADML），Mallory-Weiss症候群，胃癌，吻合部潰瘍などが高頻度である（表5-2-10）．

下部消化管出血の原因疾患としては虚血性腸疾患，抗生物質起因性腸炎，大腸憩室出血，痔疾・裂肛，大腸癌・ポリープ，感染性腸炎，潰瘍性大腸炎，放射性腸炎などがあげられる（表5-2-11）．また下血の原因として上部消化管出血も念頭におかねばならない．その他吐血・下血の原因疾患として肝・胆道・膵といった消化管と隣接する臓器の疾患，白血病・血友病や凝固異常などの血液疾患，Rendu-Osler-Weber病などの血管疾患，アミロイドーシス，サルコイドーシスな

表5-2-10 上部消化管出血の原因となる疾患

1. 食道疾患
   食道静脈瘤破裂，逆流性食道炎，食道潰瘍，食道癌，Mallory-Weiss症候群，特発性食道破裂，食道異物
2. 胃疾患
   胃潰瘍，急性胃粘膜病変，胃癌，吻合部潰瘍，胃静脈瘤破裂，胃粘膜下腫瘍，門脈圧亢進性胃症，胃前庭部毛細血管拡張症，迷入膵
3. 十二指腸疾患
   十二指腸潰瘍，急性十二指腸粘膜病変，乳頭部腫瘍
4. 胆・膵疾患
   胆管炎，胆道腫瘍，急性膵炎

表 5-2-11 下部消化管出血の原因となる疾患

1. 小腸疾患
   Crohn 病，腸間膜動静脈血栓症，小腸癌，悪性リンパ腫，感染性腸炎，腸管 Behçet 病，単純性潰瘍，腸結核，Meckel 憩室
2. 大腸疾患
   虚血性大腸炎，抗生物質起因性腸炎，大腸癌，潰瘍性大腸炎，大腸憩室出血，感染性腸炎，放射線腸炎，悪性リンパ腫，大腸ポリポーシス，腸管嚢胞性気腫症
3. 肛門疾患
   痔核，裂肛

表 5-2-12 消化管出血の原因となる全身性疾患

1. 血液疾患
   白血病，悪性リンパ腫，多発性骨髄腫，血友病，真性多血症，播種性血管内凝固症，血小板減少性紫斑病，凝固因子欠損症
2. 血管疾患
   Rendu-Osler-Weber 病，IgA 血管炎，血管異形成，弾力線維性仮性黄色腫，Ehlers-Danlos 症候群
3. その他
   アミロイドーシス，サルコイドーシス，膠原病，尿毒症

どがある（表 5-2-12）．

病態の把握・鑑別診断

1) 全身状態の把握と管理： 吐血・下血の重症度を判定するのに身体所見による全身状態の把握，特にショック状態の有無を調べるのは急務である．顔面蒼白，意識低下，冷汗，過呼吸，血圧低下，頻脈，乏尿，脈拍触知困難，base excess の低下などを認めたらショック時の対応をとる．ショック時の全身管理として循環動態の安定のために血管の確保，輸液，輸血を行う．また気道の確保，酸素吸入などの必要な治療を行う．貧血の有無，眼球結膜・皮膚の黄染，腹水の有無なども重要である．触診により腹部圧痛，腹膜刺激症状の存在，腫瘤・リンパ節腫張の有無を確認する．下血の場合，その性状を確認するため直腸診が必要である．

その他，全身状態の把握のため血液ガス検査，酸素飽和度測定，心電図検査などを行う．

胸部 X 線撮影は free air の存在を確認し，消化管穿孔を否定するために実施しておかねばならない検査である．

2) 病歴の聴取： 吐血・下血患者に対する病歴の聴取は重要である．出血の量・色調により，出血源を推定する．吐血の場合，新鮮血はまず食道静脈瘤破裂が考えられる．黒色の場合は胃・十二指腸潰瘍からの出血を考える．下血については黒色便は上部消化管からの出血，鮮紅色～新鮮血は結腸・肛門からの出血が疑われる．随伴症状（腹痛，下痢，悪心・嘔吐，発熱）も原因疾患を推定するのに重要である．また喀血した血液を飲み込み，それを嘔吐した場合に吐血と鑑別が難しいことがあり，咳などの症状がないかも確認する．

既往歴，服薬内容，生活習慣，家族歴などを確認する．消化管疾患の既往はもちろん，肝硬変などの肝疾患の既往，NSAIDs（non-steroidal anti-inflammatory drugs）・副腎皮質ステロイドあるいは抗菌薬の服用，飲酒の有無などを聴取する．最近では脳血管障害や虚血性心疾患の予防のために抗凝固薬・抗血小板薬が用いられる症例が増加しており，消化管出血の原因となることがあるため問診にて確認する．抗菌薬服用後の新鮮下血は抗菌薬による出血性腸炎を疑う．大量飲酒後の嘔吐に伴う出血は Mallory-Weiss 症候群を考える．慢性的な飲酒歴がある場合，肝疾患による食道・胃静脈瘤の破裂なども疑う．

3) 血液・生理学検査： 血液一般検査として赤血球数・ヘモグロビン（Hb）・ヘマトクリット値を測定し，貧血の有無を確認する．急激に大量出血した場合は Hb 値が正常域にとどまることがあり，注意を要する．白血球数・血小板数なども調べる．血液生化学検査を行い，肝・胆道系酵素の異常や腎機能の異常などを把握する．上部消化管出血では血液が小腸を通過するために尿素窒素（BUN）値の上昇が早期にみられる点が特徴である．電解質を測定することで体液バランスを推定することも輸液量の決定に必要である．

4) 緊急内視鏡検査： ショック時には循環動態の安定がまず必要であるが，出血源を特定するためや内視鏡治療により止血できることもあるため，緊急内視鏡検査は積極的に行う．検査中には心電図やパルスオキシメーターなどにより全身状態をモニターする．上部消化管出血における重症度を客観的に判定するスコアとして Glasgow-Blatchford bleeding score（出血スコア）がある（Blatchford ら，2000）（表 5-2-13）．収縮期血圧，BUN・Hb 値，心拍数，下血・失神の有無，肝疾患・心不全の合併を評価し，スコアが 0 点であれば内視鏡的治療の必要性はきわめて低いとされる．

吐血であれば上部消化管内視鏡検査を行うが，下血でも黒色便であれば上部消化管内視鏡検査を先に行う．鮮血調の下血を認める場合は下部消化管内視鏡検査を行うが，消化管穿孔を疑う場合や炎症性腸疾患に伴う中毒性巨大結腸症を疑う場合は下部消化管内視鏡検査は禁忌である．また急性の腸管における炎症により，炎症反応が高値を示す場合は，下部消化管内視鏡検査を行うと炎症が悪化する可能性があるため，できるだけ避ける方が望ましい．

5) 血管造影・出血シンチグラフィ： 内視鏡検査で出血源が同定されずかつ出血が持続する場合，血管造影

表 5-2-13 Glasgow-Blatchford bleeding score（出血スコア）(Blatchford ら，2000)

リストマーカー		スコア成分値
尿素窒素(mmol/L)	mg/dL 換算	
6.5〜7.9	117〜143	2
8.0〜9.9	144〜179	3
10.0〜24.9	180〜449	4
>25.0	>450	6
成人男性(g/L)のヘモグロビン量(g/L)		
120〜129		1
100〜119		3
<100		6
成人女性(g/L)のヘモグロビン量(g/L)		
100〜119		1
≦100		6
収縮期血圧(mmHg)		1
100〜109		2
90〜99		3
<90		
その他のマーカー		
心拍数≧100/分		1
下血		1
失神		2
肝疾患		2
心不全		2

表 5-2-14 内視鏡的止血法

1. 機械法
    a. クリップ法
    b. 結紮法
    c. バルーン圧迫法
2. 薬剤局注法
    a. 高張食塩水＋アドレナリン局注法(HSE)
    b. 純エタノール局注法
    c. エトキシスクレロール局注法
    d. シアノアクリレート局注法
3. 熱凝固法
    a. 高周波凝固法
    b. レーザー照射法
    c. ヒータープローブ法
    d. アルゴンプラズマ凝固法(APC)
    e. マイクロ凝固法
4. 薬剤散布法
    a. トロンビン
    b. アルギン酸ナトリウム
    c. スクラルファート
    d. フィブリン糊

あるいは出血シンチグラフィを行う．血管造影では出血部位において造影剤が血管外に漏出する．出血部位が同定されればコイルやスポンゼル®による動脈塞栓術を実施する．血管造影は 0.5 mL/分以上の出血が持続している場合に検出可能であるが，シンチグラフィでは 0.1〜0.2 mL/分以上の出血で検出が可能である．^{99m}Tc シンチグラフィが通常用いられる．

治療

治療の方針としてはショック時にはまず輸液などを行い，循環動態の安定をはかる．状態が落ち着いたら止血処置を並行して行う．緊急内視鏡検査を行い，出血源が同定できれば内視鏡的止血術を実施する．内視鏡的止血術によっても止血できない場合は IVR(interventional radiology)もしくは緊急手術を考慮する．

1) 内視鏡的止血法：内視鏡的止血法は薬物療法単独に比して止血効果がすぐれていることが多い．また，外科的治療に比して侵襲が少ないため，第一選択として行われている．通常は循環状態が安定した後に行うが，止血が得られないかぎり全身状態の回復が望めない場合には厳重な全身管理を行いながら止血を行うことがある．

内視鏡的止血法の対象となる疾患は上部消化管出血では胃・十二指腸潰瘍，食道・胃静脈瘤，Mallory-Weiss 症候群，胃癌，食道潰瘍などである．下部消化管出血では大腸憩室，血管異形成などで内視鏡的止血術が行われる．

内視鏡的止血法は①機械法，②局注法，③熱凝固法，④薬剤散布法に大別される(表 5-2-14)．

機械法は出血病変の露出血管を直接クリップなどで圧迫止血する方法である．血管に対して直接作用するため高い止血効果が得られる．噴出性出血，露出血管を有する例に対して用いられる．局注法や熱凝固法と異なり，組織傷害性がほとんどない点ですぐれた方法といえる．

局注法は，組織凝固能のある薬剤を止血部位に注入する方法である．高張食塩水＋アドレナリン局注法(HSE)あるいは純エタノール局注法が用いられる．HSE による止血はアドレナリンによる血管収縮作用に加え，高張食塩水によるアドレナリン作用時間の延長，血管壁のフィブリノイド変性などの作用により最終的に血管内腔の血栓形成へ導き，止血を得る方法である．純エタノール局注法は純エタノールの脱水・固定作用を利用し，血管を収縮させ血管壁の凝固・壊死，血栓を形成させ止血する方法である．

熱凝固法は出血部位を熱凝固させて止血する方法で，ヒータープローブ法，アルゴンプラズマ凝固法(APC)および止血鉗子によるものなどがある．ヒータープローブ法は電気熱による組織の蛋白凝固作用を利用し止血する方法である．アルゴンプラズマ凝固法はイオン化したアルゴンガスを放出し，高周波電流を放電することで組織を凝固する非接触型の高周波凝固止血術である．広範囲に均一の深さで組織凝固がで

き，びまん性の出血や前庭部毛細血管拡張（gastric antrial vascular ectasia：GAVE）の治療に有効である．止血鉗子による止血は接触型の高周波凝固止血である．出血点を確認し，止血鉗子で把持して凝固する．

薬剤散布法は凝固作用のある薬物を出血病変に散布する方法である．トロンビン，アルギン酸ナトリウムなどが用いられ，湧出性出血やほかの止血法に併用して用いられることが多い．

2）薬物療法：内視鏡的止血術後の再出血予防または内視鏡検査により出血源が同定できない場合に薬物療法を行う．酸分泌抑制薬（プロトンポンプ阻害薬（PPI），ヒスタミン（H_2）受容体拮抗薬）は胃・十二指腸潰瘍，Mallory-Weiss症候群，食道潰瘍，その他の胃疾患からの出血に対して用いられる．酸分泌を抑制することにより胃液pHが6.4以上の環境になると出血時間が短縮し，pH 6.8以上になると血小板凝集が促進される（Greenら，1978）．さらに，出血時の胃・十二指腸粘膜は線維素溶解活性が亢進状態にあるために，酸分泌を抑制することで蛋白分解酵素を含む線維素溶解活性が低下して，かつプラスミン依存性線維素溶解活性も低下する（Valenzuelaら，1989）．Helicobacter pyloriが陽性の出血性胃潰瘍にはH.pyloriの除菌が再発予防に有用である．除菌治療薬としてわが国ではPPI，アモキシシリン（AMPC），クラリスロマイシン（CAM）を用いた3剤併用療法や，除菌不成功例に対して二次除菌治療としてPPI，AMPCにメトロニダゾールを加えた3剤療法が保険適用となっている．NSAIDs潰瘍についてはNSAIDsを中止する．NSAIDsの中止が不可能ならばPPIあるいはプロスタグランジン製剤を投与する．抗凝固薬・抗血小板薬による消化管出血については休薬が可能なら，これらの薬剤を休薬する．再度内視鏡により止血を確認した後に内服を再開する．

食道・胃静脈瘤からの出血に対してバソプレシン，β受容体遮断薬が用いられる．抗プラスミン薬としてはトラネキサム酸の静脈投与や，凝固因子様作用薬としてトロンビンの経口投与が用いられる．

3）上部消化管出血：

a）食道：

i）食道静脈瘤の破綻：食道静脈瘤破綻は出血点に対して内視鏡的静脈瘤結紮術（endoscopic variceal ligation：EVL）を行う．止血が確認された後，再発防止処置として内視鏡的硬化療法（endoscopic injection sclerotherapy：EIS）を実施する．EVLは静脈瘤を結紮し，虚脱させる手技で簡便であり，緊急時に用いられる．EISは静脈瘤の内部あるいは周囲に硬化剤を注入する治療法である．静脈瘤のなかに直接注入する薬剤として5％オレイン酸エタノールアミンが，静脈瘤の周囲に注入する薬剤として1％エトキシスクレロー

ルが用いられる．出血が多量で視野が得られないなど出血点が同定できない場合はSengstaken-Blakemore tubeを挿入し一時止血を試みる．止血後に待機的に内視鏡治療を行う．薬物療法としては門脈圧を低下する目的でバソプレシン，β受容体遮断薬，ニトログリセリンが用いられる．バソプレシンは上腸間膜動脈領域を中心とした腹腔内細動脈の収縮を生じ，門脈流入量を減少させて門脈圧を低下させる．

ii）Mallory-Weiss症候群：Mallory-Weiss症候群は嘔吐時に食道・胃接合部付近の粘膜の縦走する裂創により粘膜下の動脈が破綻し，突然の消化管出血を起こす病態である．本症は自然止血することが多く，酸分泌抑制薬などの薬物療法を行う．大量出血する場合は内視鏡的止血術を実施する．

b）胃・十二指腸：

i）胃・十二指腸潰瘍：胃・十二指腸潰瘍といった消化性潰瘍に対する内視鏡的治療は2015年に日本消化器病学会が発表した消化性潰瘍診療ガイドラインではForrest分類における噴出性出血（Ⅰa），湧出性出血（Ⅰb）および露出血管を有する潰瘍（Ⅱa）がよい適応であるとしている（日本消化器病学会，2015）．血餅が付着のみ（Ⅱb）の症例はあえて内視鏡止血の必要はない．消化性潰瘍診療ガイドラインはⓔコラム1参照．

内視鏡的止血術で止血できれば，数日の絶食・安静にて経過を観察する．その間は酸分泌抑制薬の静脈内投与を実施する．止血部位を被覆する効果を有する薬剤を用いることもある．再出血のおそれがある場合には，再度内視鏡検査を実施し，再出血がないことを確認したうえで酸分泌抑制薬の内服治療に移行する．

ii）胃静脈瘤：胃静脈瘤に対してはシアノアクリレート系薬剤（ヒストアクリル）を注入して止血を行う．IVRではバルーン下逆行性経静脈的塞栓術（balloon-occluded retrograde transvenous obliteration：B-RTO）が行われる．腎静脈短絡路を有する胃静脈瘤に有用である．

iii）急性胃粘膜病変（AGML）：急性びらん性胃炎，急性潰瘍，急性出血性胃炎については酸分泌抑制薬の投与による薬物療法を行う．上部消化管内視鏡検査にて出血源を認めた場合には内視鏡的止血術を行う．本症は心理的ストレスや薬剤，アルコール，香辛料といった誘因を問診により明らかにし，除去することが治療として重要である．

4）下部消化管出血：

a）小腸：近年，ダブルバルーン式小腸内視鏡，カプセル内視鏡などが開発され，小腸からの出血についても確認できるようになった．出血源が同定できればダブルバルーン式小腸内視鏡により止血術を行う．小腸出血の原因となる疾患としては薬物性（NSAIDs）腸

炎，小腸癌，粘膜下腫瘍，血管異形成などがある．

b）大腸：大腸における出血については原疾患の治療を行う．また大腸憩室における出血は出血源である憩室が同定できれば，クリップによる縫縮を行う．血管異形成が見つかれば熱凝固法などの内視鏡的止血術を行う．

〔小坂俊仁・芳野純治〕

■文献

Blatchford O, Murray WR, et al: A risk score to predict need for treatment for upper gastrointestinal haemorrhage. Lancet. 2000; 356: 1318-21.

Green WF Jr, Kaplan MM, et al: Effect of acid and pepsin on blood coagulation and platelet aggregation. Gastroenterology. 1978; 74: 38-43.

日本消化器病学会編：消化性潰瘍診療ガイドライン，pp2-10, 南江堂，2015.

Valenzuela GA, Spotnitz WD, et al: Pepsin fibrinolysis of artificial clot made from fibrinogen concentrate and bovine thrombin. Surg Endosc. 1989; 3: 148-51.

6）昏睡（意識障害）
coma (disturbance of consciousness)

(1) 臨床診断

昏睡は単なる症候ではなく，それ自体が臨床診断である．意識障害が存在しないにもかかわらず，その反応の乏しさから，あたかも昏睡であるかのように誤診されやすいものには，閉じ込め症候群(locked in syndrome)と心因性無反応(psychogenic unresponsiveness)がある．心因性無反応の症例のなかには補助診断検査による診断に頼らざるをえない症例もあるが，閉じ込め症候群は全症例で臨床診断可能である．閉じ込め症候群の患者には意識障害がなく，逃避反応ができないばかりか，疼痛を含むすべての不快な刺激を感じることができることを理解すれば，閉じ込め症候群の除外が昏睡の初期医療においていかに重要であるかは明白であろう．閉じ込め症候群を見落とさないためには，医療関係者のすべてが，昏睡と思われる患者に接するときは，常に，大きな声をかけ，まぶたの開閉による返事を求め，その反応を待つ，という基本姿勢を忘れないことが大切である．閉じ込め症候群の患者に傾眠傾向がある場合も少なくなく，昏睡から閉じ込め症候群に移行する場合も皆無ではない．したがって，医療のどの段階においても，常に同様なコミュニケーションをはかる努力を忘れてはならない．

(2) 救急—CAB + ABC

昏睡は救急疾患(medical emergency)である．したがって，その初期医療は診断と治療との統合実践を原則とする．

救急はCABから始まる（eコラム1）(Fieldら, 2010)．胸骨圧迫(chest compression)，気道確保(airway)，呼吸(breathing)，である．そして，昏睡の救急では，その後にABCが続く．静脈の確保(access line)，採血(blood sample)，盲目的薬物療法(coma cocktail)である．CAB-ABまでは通常の救急処置であるから，その詳細は「救急治療」の他の項目に譲る．

昏睡においては，さらなる脳障害を予防する目的で，たとえ病歴が明らかでない場合でも，3つの疾患の治療を盲目的に行う．それは，Wernicke脳症(Wernicke encephalopathy)，低血糖症(hypoglycemia)，および，アヘン系薬剤過剰投与(narcotic overdose)である．チアミン(thiamine, vitamin B_1)100 mg，デキストロース(dextrose)1 g/kg，ナロキソン(naloxone)0.01 mg/kgの静注を，この順番に行う（一般に，coma cocktailとよばれている）．

(3) 記載とstaging

覚醒(arousal)がまったく得られなくなった状態を昏睡(coma)，覚醒は得られないものの，不快刺激に対する回避行動などの反応がみられる状態を昏迷(stupor)，刺激により覚醒可能で大脳皮質機能も確認できるが，自分自身では覚醒状態を維持できない状態を傾眠傾向(drowsiness, somnolence)，とよぶ．記載法として便利な点もあるが，臨床実践では，むしろ，「どのような刺激に対してどのような反応をしたか，または，しないか」といった，叙述的記載が大切とされる．

統計学的な立場からつくられた分類法がComa Scaleである（表5-2-15, 5-2-16）．わが国では診断学の一部として多用される傾向にあるが，記載学における概念的な理解や経過観察の標準化に役立つ反面，数値評価の臨床的意義は薄い．現場の臨床医は，あくまでも，叙述的記載を大切にする必要がある．臓器移植が重要性を増し，脳死判定におけるあいまいさを払拭するために使われる用語に深昏睡(deep coma)があるが，外的刺激に対してまったくの無反応であることを強調した用語で，Japan Coma Scaleで300，Glasgow Coma Scaleで3の評価に相当する状態を表す．

(4) 各論

昏睡とは大脳皮質の賦活障害であり，大別して，①意識の座である大脳皮質の機能が広範囲に侵された場合，と②網様体賦活系の機能が障害された場合，に起こる．

大脳皮質全体の機能不全から昏睡を起こしやすい疾患とは，大脳の表面全体に急速に病変が波及しやすい

表 5-2-15 Japan Coma Scale (JCS)

Ⅲ．刺激をしても覚醒しない状態
　300 痛み刺激にまったく反応しない
　200 痛み刺激で少し手足を動かしたり顔をしかめる
　100 痛み刺激に対し，払いのける動作をする

Ⅱ．刺激すると覚醒する状態
　30 痛み刺激を加えつつ呼びかけを繰り返すとかろうじて開眼する
　20 大きな声または体をゆさぶることより開眼する
　10 普通の呼びかけで容易に開眼する

Ⅰ．刺激しないでも覚醒している状態
　3 自分の名前，生年月日が言えない
　2 見当識障害がある
　1 意識清明とはいえない

表 5-2-16 Glasgow Coma Scale (GCS)

E：開眼 (eye opening)
　4 自発的に開眼 (spontaneous)
　3 呼びかけにより開眼 (to speech)
　2 痛み刺激により開眼 (to pain)
　1 なし (none)

V：最良言語反応 (best verbal response)
　5 見当識あり (oriented)
　4 混乱した会話 (confused)
　3 不適当な発語 (inappropriate)
　2 理解不明な音声 (incomprehensible)
　1 なし (none)

M：最良運動反応 (best motor response)
　6 命令に従う (obeying)
　5 疼痛部へ (localizing)
　4 逃避反応として (withdrawal)
　3 異常屈曲 (abnormal flexing)
　2 伸展する (extending)
　1 なし (none)

正常では E，V，M の合計が 15 点．深昏睡では 3 点となる

特徴をもつ疾患である．その代表は，くも膜下腔を介して病変の広がる細菌性髄膜炎やくも膜下出血，大脳全体に非選択的に効果が波及する代謝疾患や薬物中毒，そして，電気的にニューロンネットワーク全体に波及して大脳皮質機能不全を起こす痙攣疾患である．

網様体賦活系の機能不全から昏睡を起こしやすい疾患とは，中脳上部から間脳の器質性疾患である．その代表は，脳底動脈上端部付近から分岐する貫通枝の閉塞による脳幹梗塞，脳底動脈閉塞，高血圧性橋出血・小脳出血に伴う脳幹圧迫，などである．大脳皮質の器質性局所障害だけでは昏睡を起こさないが，急速に増殖する脳腫瘍，広域梗塞や外傷に伴う脳浮腫，大きな血腫などによるテント切痕ヘルニア (tentorial herniation) で脳幹が圧迫されると意識障害を併発する (図17-3-2)．

昏睡を起こしうる疾患は多岐にわたり，それぞれに対する治療法も異なる．したがって，まずは昏睡を起こしている基本疾患をきちんと判定することが大切である．鑑別疾患のすべてを網羅することは不可能であるが，ここでは，その主要疾患を，緊急性を考慮しながら概説する．

a. 代謝，薬物疾患

正常な脳機能の維持には正常な代謝環境が必須である．どの因子のどのような偏倚も，必ず，何らかの脳機能不全をもたらし，進行すれば，昏睡に至る．原因因子が内因性か外因性かにかかわらず，この疾患群は，代謝性脳症 (metabolic encephalopathy) と総称される．その臨床的特徴は，大脳皮質全体の非特異的機能不全で，特殊例を除き，局所神経症状を示さないことを原則とする．また，それぞれの疾患に特異的な臨床所見は存在せず，同時に複数の代謝異常や薬物効果が重なり合っている場合も少なくない．したがって，その鑑別診断には，すべての代謝因子を網羅すること

が必要で，呼吸，脈拍，血圧，体温，血糖，電解質など，系統立てた診察を実践することが大切である．

代謝性脳症における昏睡の前駆症状とされるものが，急性錯乱状態である．可逆性の高い代謝性脳症においては，この時点での迅速な処置による二次障害の防止が重要な意味をもつ．小児，高齢者，大脳皮質の広範囲な器質障害を抱えている発達障害，変性疾患患者など，脳の代謝環境変化に対応する許容範囲が狭まった症例では，錯乱状態を呈するまでの閾値が低いことの理解も大切である．膀胱炎に伴う軽度の発熱だけで惹起された錯乱状態も，少なからず経験される．

意識障害の軽度な代謝性脳症では特徴的な神経症状を呈することがある．両側性の羽ばたき振戦 (asterixis) は，主として，肝性脳症 (hepatic encephalopathy)，まれに，腎性脳症で観察される (eコラム 2)．眼振，眼球運動障害，小脳失調は，Wernicke 脳症，フェニトイン系薬物中毒にみられる．

代謝性脳症による昏睡でありながら，局所神経症状を呈するものに，テオフィリン (theophylline) 中毒によるてんかん性脳症がある[1,2]．単純部分発作，もしくは，その重積状態を呈することを原則とし，脳波に周期性片側性てんかん様放電 (periodic lateralized epileptiform discharges：PLEDs) がみられる (図 5-2-7) (eコラム 3)．

コカイン，アンフェタミンなどの覚醒系麻薬中毒では，脳血流動体態に影響を与え，多発性の貫通枝梗塞や，それまで無症候であった動静脈奇形からの出血など，脳血管障害合併症を伴うことが多い．アヘン系麻

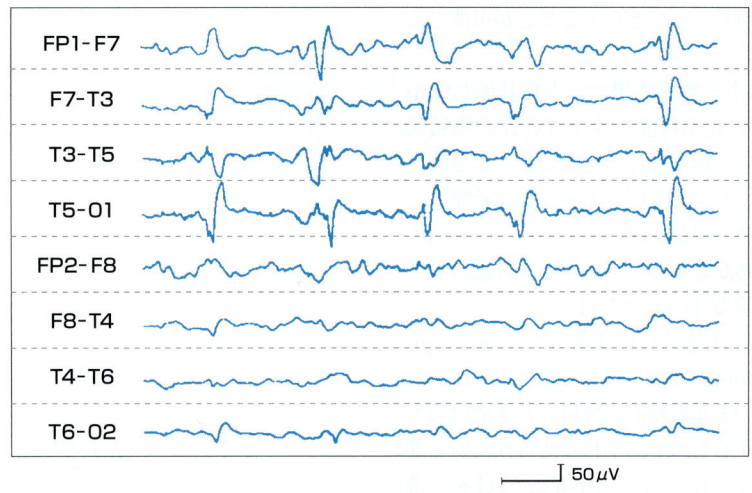

図 5-2-7 periodic lateralized epileptiform discharges(PLEDs)

薬中毒では，寝返りをせずに一定の体位を保ったままの長期睡眠による筋肉の圧迫壊死と末梢神経障害（compartment syndrome）[3]，横断性脊髄炎（transverse myelitis）[4,5]が合併する．

b. 髄膜刺激疾患

正常な意識の維持にとって大脳皮質の表面の部位が重要な役割を果たすことは，経験的によく知られている．したがって，くも膜下腔に沿って脳表全体に急速に伝播する炎症性疾患は，その病初期から意識障害を起こしやすい．これらの疾患群は，髄膜刺激症状を呈することを共通の特徴とする．細菌性髄膜炎（bacterial meningitis），および，くも膜下出血（subarachnoid hemorrhage）がその代表疾患である．脳脊髄液検査と画像診断で確定診断が得られる（eコラム 4）．

c. 中脳圧迫疾患

網様体賦活系の障害は，中脳の圧迫障害で顕著に現れる．その代表疾患が，テント切痕ヘルニアと小脳出血である．これらの疾患は，画像診断により容易に確定診断が得られ，緊急減圧手術（decompression surgery）の対象となる（eコラム 4）．

大脳片側の mass lesion（脳腫瘍，血腫，浮腫，など）により側頭葉前内側部の海馬傍回（parahippocampal gyrus），鉤（uncus）が下方に押され，テント切痕と脳幹との間に嵌まり込むように押し出されるものが，鉤ヘルニア（uncal herniation）である．動眼神経（oculomotor nerve）障害から始まり，中脳の圧迫障害により昏睡に陥る．動眼神経の最も外側を走る副交感神経線維の障害として，初期から病側の散瞳が起こることが特徴である．脳幹が大きく変位するために対側の大脳脚が反対側のテント切痕に圧迫されて，動眼神経麻痺と同側の片麻痺を起こすことは，Kernohan-Woltman 症候群とよばれ，偽局在神経所見（false localizing sign）の 1 つとして名高い．

両側性の硬膜下血腫，脳浮腫などにより，視床上部が左右対称的にテント下に押し出されるものが，中心ヘルニア（central herniation）である．鉤ヘルニアとは対照的に，視床下部障害による交感神経不全による，両眼の縮瞳を特徴とする．

小脳出血（まれに，小脳半球梗塞に伴う浮腫でも）は，脳幹の圧迫障害が急速に進展する疾患の 1 つである．第 4 脳室後方からの圧迫障害であるため，橋の機能障害から始まることを原則とし，したがって，中脳障害を意味する意識障害を呈し始めた状態ではすでに進行形と判断され，短時間の間に延髄障害をも引き起こす可能性が高い．

d. 脳幹器質性疾患

網様体賦活系は中脳から中脳吻側にかけての網様体近辺のニューロンネットワークによる統合的な神経機構と考えられている．したがって，中脳被蓋からその吻側にかけての，出血，梗塞，腫瘍，外傷などによる器質性疾患は意識障害を起こしやすい．橋の器質性疾患は意識障害を起こさないことが原則であるが，橋出血（pontine hemorrhage）の場合はその障害範囲が中脳まで及び，昏睡に至ることも多い．確定診断は画像診断による（eコラム 4）．

e. 痙攣疾患

全般発作（generalized seizure）は，大脳皮質全般に異常な神経発火が起こる疾患であり，その結果，意識障害を呈する．発作後，しばらくの間，正常な大脳皮質機能が回復しきらずにいる状態は，発作後もうろう状態（postictal confusional state）とよばれ，錯乱状態の一亜型である．また，複雑部分発作（complex partial seizure）に伴う行動異常は，辺縁系での異常神経発火による，網様体賦活系の機能不全であるとされ，こ

れも錯乱状態の一亜型としてとらえることが可能である．

　昏睡状態が継続する痙攣疾患は，重積状態（status epilepticus）である．観察可能な痙攣性発作の重積状態の場合は鑑別診断に窮することはないが，ときに，痙攣性発作が観察されない症例もあり，脳波診断による鑑別が必須となる．重積状態は，そのものが救急疾患であり迅速な対応が必須となるが，その詳細は「てんかん」の項目に譲る【⇨17-17-1】．

　単純部分発作重積状態は持続性部分てんかん（epilepsia partials continua：EPC）ともよばれ，身体の一部に限局したピクつきが数時間〜数日，ときには数カ月にわたって持続するもので，多彩な器質性疾患の部分症状として現れる．10歳以下の小児にEPCを主徴として発症し，進行性の片麻痺と知能低下を合併する特異的脳疾患はRasmussen症候群とよばれ，ウイルス感染などで惹起される自己免疫疾患と考えられている[6]．成人では，PLEDsとよばれる特異的な脳波（図5-2-7）を発現する症例が多く，急性の広域半球梗塞，単純ヘルペス脳炎，既存器質脳疾患と代謝性脳症合併などでみられる．年齢を問わず，EPCを引き起こす原因疾患には難治性のものが多く，治療過多の対象となりやすい．唯一の例外が，テオフィリン中毒である．既存器質脳疾患が存在しないにもかかわらず，中毒症状として同様の脳症が惹起され，投与量補正により速やかに回復する．

(5) 非定型治療法と医療倫理

　近年，意識障害患者における非定型的治療法が提唱され，症例報告がなされている[7,8]．しかし，現時点では，「臨床実験」の域を出ておらず，その試行には，医療倫理を考慮した適切な手続きを必要とする．現場の臨床医による，慎重で的確な判断が大切である．

〔中田　力〕

■文献（e文献5-2-6）

Field JM, Hazinski MF, et al: 2010 American Heart Association Guidelines for Cardiopulmonary Resuscitation and Emergency Cardiovascular Care Science. *Circulation*. 2010; **122**: S640-56.

6. 感染症

1. 内科学総論
2. 老年医学
3. 心身医学
4. 症候学
5. 治療学
6. 感染症
7. 循環器
8. 血圧の異常
9. 呼吸器系
10. 消化管・腹膜
11. 肝・胆道・膵
12. リウマチ・アレルギー
13. 腎・尿路系
14. 内分泌系
15. 代謝・栄養
16. 血液・造血器
17. 神経系
18. 環境要因・中毒

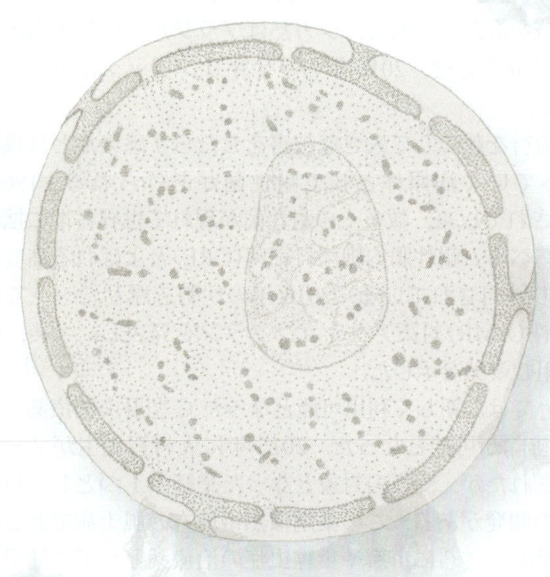

感染症

- 6.1 総論 ……………………………… 213
- 6.2 各種感染性疾患 ………………… 228
- 6.3 細菌感染症 ……………………… 243
- 6.4 抗酸菌症 ………………………… 285
- 6.5 真菌症 …………………………… 289
- 6.6 マイコプラズマ感染症 ………… 299
- 6.7 クラミジア・クラミドフィラ感染症 ……………………………… 300
- 6.8 リケッチア感染症 ……………… 303
- 6.9 スピロヘータ感染症 …………… 307
- 6.10 ウイルス感染症 ………………… 309
- 6.11 原虫疾患 ………………………… 345
- 6.12 線虫症 …………………………… 354
- 6.13 吸虫症 …………………………… 357
- 6.14 条虫症 …………………………… 360
- 6.15 外部寄生虫感染症 ……………… 363

感染症・寄生虫疾患における新しい展開

　感染症はこれまでの歴史の中で何度も人類に大きな脅威を与えてきた．これらに対して人類は努力を重ね，病原体の発見，診断法の確立，治療薬の開発，予防法の発見などの成果をあげたが，現在においても多くの感染例が発生し，世界の4人に1人は感染症で死亡している．

　最近起こった大規模な感染症としては，エボラウイルス感染症がまずあげられる．2014年に西アフリカで発生したアウトブレイクでは世界各地で感染者が発生してパニックに陥った．MERSウイルスによる感染症は中東に端を発し，2015年に韓国に入国したたった一人の感染者から起こったアウトブレイクは韓国の医療や経済を混乱に陥れた．ジカ熱はブラジルをはじめ南アメリカで多くの水頭症患者を発生させ，2016年のリオオリンピックと重なって人々に不安や恐怖を与えた．

　上記のように急に流行を起こして大きな被害をもたらす感染症とは異なり，時間をかけて広がっていく病原体として耐性菌があげられる．1961年にMRSAが最初に報告されて以来，数多くの耐性菌が現れて世界各地に拡散してきた．最近ではカルバペネム耐性腸内細菌科細菌（CRE）とよばれる高度な耐性菌が問題となっており注目されている．2016年の伊勢志摩サミットではホスト国の日本は薬剤耐性（AMR）対策アクションプランを発表し，今後，積極的に耐性菌対策に取り組む姿勢を示した．

　治療薬の開発については，新しく利用可能となったC型肝炎治療薬によってC型肝炎ウイルスの排除が可能となった．2015年に大村智先生がノーベル生理学・医学賞を受賞されたが，受賞の対象となった業績の1つとして抗寄生虫薬のイベルメクチンの開発がある．この薬剤は熱帯地方の風土病であるオンコセルカ症の撲滅に貢献し，さらに疥癬や糞線虫症の治療薬としても活用されている．

　予防の面では，国内におけるワクチンの開発は海外に比べて遅れていることが指摘されてきたが，近年は改善傾向が認められている．小児を対象に肺炎球菌ワクチンとb型インフルエンザ（Hib）ワクチンが定期接種化され，これらの菌による髄膜炎などの侵襲性感染症は激減した．また，高齢者の肺炎予防を目的として2014年10月から定期接種化された肺炎球菌ワクチンによって，今後の肺炎患者の減少が期待されている．

　感染対策面では，新たな抗菌薬の開発に期待できない状況においては，既存の抗菌薬を適切に使用する取り組みとして，抗菌薬適正使用推進プログラム（antimicrobial stewardship）が注目を集めている．また，医療機関だけでなく介護施設においても感染対策の充実の必要性が認識されるようになってきた．

　このように感染症をめぐる状況は現在でも大きく変化しており，医療の現場でもその変化に合わせた対応がこれからも求められると思われる．〔松本哲哉〕

6-1 総論

1）病原体の分類

　病原体とは病気を引き起こす微生物や構造物を指している．微生物とは，一般に顕微鏡を用いなければ見えないような微小な生物の総称であり，この「微生物」は分類学的な群に与えられた学名ではない．微生物とよばれているものは大別して，①細菌（真正細菌），②古細菌（アーキアあるいはアーケア），③真菌（酵母，カビ，キノコを含む），④微細藻類，⑤原生動物，⑥ウイルス，⑦プリオンの7つの群である．これらの微生物はウイルスとプリオンを除き，いずれも細胞から構成されている．その細胞体制からみると，細菌と古細菌は原核微生物であり，真菌と原生動物は真核微生物に属する．一方，ウイルスは電子顕微鏡でのみ観察可能な超微小な生命体であり，非細胞性であるため，厳密には微生物の範疇に入らないが，「病原体」としてはきわめて重要な位置を占めているので広義の微生物として扱われることが多い．

　これら微生物全体の命名を総括するような1つの命名規約は存在しない．おのおのの微生物群の命名法は以下のような国際命名規約に準拠しているのが現状である．

1）細菌および古細菌：　国際原核生物命名規約（International Code of Nomenclature of Prokaryotes：ICNP）．
2）真菌（菌類）および微細藻類：　国際植物命名規約（International Code of Botanical Nomenclature：ICBN）．
3）原生動物および寄生虫：　国際動物命名規約（International Code of Zoological Nomenclature：ICZN）．
4）ウイルス：　国際ウイルス分類委員会（International Committee on Taxonomy of Viruses：ICTV）．

　本項では分類学の概念と細菌の分類体系や表現法のみ言及したい．

（1）分類学（分類・命名・同定）

　分類学（taxonomy）の語源はギリシャ語の taxis＝整理（arrangement）と nimina＝配列（distribution）に由来するとされている．では，分類学とは何か．歴史的にはさまざまな見解があるが，著名な分類学者であるCowan博士は，分類学を3つの概念に分けた．すなわち，①分類（classification）：単位を群のなかに秩序正しく配列すること，②命名（nomenclature）：①によって定義された単位に名前をつけること，そして③同定（identification）：①および②によって定義され命名された単位によって，未知のものを同定することである．そして，この三位一体の総合が分類学であるとした．したがって，日常検査における「細菌の同定」は，未知の分離菌株が既に記載されたどの菌種に最も近いかを決定する作業である．

（2）細菌の分類体系

　細菌を分類する最も基本的な単位は株（strain）である．しかし，分類学上の最小単位は，株ではなく菌種（species）である．実際，国際原核生物命名規約では，種（ときに亜種（subspecies））以上の細菌を取り扱い，種を細分する血清型（serovar），ファージ型（phagovar），病原型（pathovar），生物型（biovar）は規約の対象外である．

　菌種名は二命名法（binomial nomenclature）によりラテン語で記載される．本命名法では，最初の名は属名（genus）で，最初の文字は大文字で示される．第2の名は，種形容語（specific epithet）とよばれている．属名と種形容語を一緒にすることにより1つの種名を表している．よって，種形容語の部分のみを指して種名というのは誤りなので注意が必要である．なお，植物や動物命名規約では種形容語ではなく，種小名（specific name）とよぶ．

　細菌は下位から種（species）＜属（genus）＜（科 family）＜目（order）＜綱（class）＜門（phylum）＜ドメイン（座）（domain）と上位に向かって分類される．分類の基本原理として，より上位のグループは下位のグループに比べて少数の特徴しか共有しない．各階層の定義はすべてにおいて定められているわけではない．種の定義に関しては，「全染色体DNAの定量的なDNA/DNAハイブリッド形成が最適条件下で70％以上あり，かつハイブリッドの熱安定度が5℃以内におさまる菌株の集まり」としている（Wayneら，1987）．

〔大楠清文〕

■文献

Wayne LG, Diaz GA: Report of the ad hoc committee on reconciliation of approaches to bacterial systematics. *Int J Syst Bacteriol*. 1987; **37**: 463-4.

2）病原体の病原性

　病原体の病原性は大きく分けて，①病原体の構成要

素，②毒素，③毒素以外の産生物質，④病原体の増殖性，⑤各種臓器との親和性，などが重要な要因となる．個々の病原体によって発揮される病原性は異なり，その強さはこれらの要因の総和によって決まる．また病原因子といっても毒素のように直接的に宿主側にダメージを与える因子もあれば，莢膜のように宿主側には直接作用せず病原体みずからを守るための因子まで用途はさまざまである（Pirofskiら，2015）．さらに，同じ病原体であっても個々の株によって病原因子の種類や発現量は異なることがあるため，注意が必要である．

(1) 病原体の構成要素

病原体を構成する構造の一部が何らかの作用を有し，病原性に関与している場合がある（表 6-1-1）．なかでもエンドトキシン（内毒素）は代表的な病原因子であり，リポポリサッカライド（lipopolysaccharide：LPS）ともよばれるリポ多糖である．LPS は Gram 陰性菌の外膜の一部を構成し，菌の表面に表出している．LPS が血中の LPS 結合蛋白質（LBP）に結合してできた LPS-LBP 複合体は，マクロファージなどの細胞表面の CD14 や TLR4 に結合し，シグナル伝達により TNF-α，IL-1 などの炎症性サイトカイン産生が誘導される．これにより強い炎症反応が誘導されるが，多量の LPS が存在し過剰なサイトカインが産生されるとエンドトキシンショックを引き起こす．Gram 陽性菌は LPS はもたないが，細胞壁に存在するリポ蛋白は TLR2 を介してサイトカイン産生を誘導することが知られている．

肺炎球菌や肺炎桿菌など各種の病原菌が有する莢膜は好中球やマクロファージによる貪食に抵抗し，補体の活性化を妨げ，抗体の結合を阻害することでオプソニン効果を抑制する．

(2) 毒素

病原体は各種の毒素（菌体外酵素を含む）を産生し，それによって宿主側の細胞にダメージを与える（表6-1-2）．毒素の種類によってターゲットとなる細胞の種類や障害のメカニズムは異なるが，その多くは宿主の防御能を低下させることで病原体の排除機構を妨げる（Pier，2013）．また，炎症が惹起されると血流障害も伴って各臓器の機能障害を引き起こす．

毒素のなかには特定の疾患と深くかかわりのある毒素もあれば，疾患の種類にかかわらず広く関与している毒素も存在する．特定の疾患と関連がある毒素として，たとえば黄色ブドウ球菌の場合は，表皮剥脱毒素（exfoliative toxin）は伝染性膿痂疹（とびひ）や熱傷様皮膚症候群（staphylococcal scaled skin syndrome：SSSS）の原因となる．トキシックショック症候群毒素（toxic shock syndrome toxin：TSST-1）はトキシックショック症候群を引き起こし，エンテロトキシン（enterotoxins）は食中毒の原因となる（Otto，2014）．O157 などの腸管出血性大腸菌（enterohemorrhagic *E. coli*：EHEC）が産生するベロ毒素（verotoxin）は出血性腸炎や溶血性尿毒症症候群（hemolytic uremic syndrome：HUS）の原因となる．ボツリヌス菌や破傷風菌は神経部位に作用する毒素を産生し，それぞれ筋肉の弛緩性および痙性麻痺を生じる．

一方，疾患の種類に限定されず広く病原性に関与する毒素として，黄色ブドウ球菌の溶血毒素であるヘモリジン（hemolysin），ロイコシジン（leucocidin）などがあり，生体の組織へのダメージや防御機構に障害を与える．緑膿菌が産生する外毒素 A（exotoxin A）は細胞傷害性が強く，好中球などの貪食細胞を死滅させる．また，緑膿菌はエラスターゼ，プロテアーゼ，ホスホリパーゼなど各種の酵素を産生して宿主の細胞を傷害し菌の排除機構を妨げる[1]．

(3) 毒素以外の産生物質

病原体は上記の毒素のように，直接的に宿主側にダメージを与える要因以外に，間接的に病原性を発揮させる仕組みももっている（表 6-1-3）．細菌が増殖して集合体になると，産生されたアルギネートなどの成分が菌体の周囲を取り囲み，バイオフィルムが形成される．厳密にいうと生体内でのバイオフィルムは宿主由来の細胞成分や滲出物も含めた混合物であるが，

表 6-1-1 細菌の病原性に関与する細菌の構成要素

病原因子	病原体	特徴	関連する疾患
エンドトキシン（LPS）	Gram 陰性菌全般	細胞壁構成成分，炎症性サイトカインの強力な誘導	エンドトキシンショック
タイコ酸	Gram 陽性菌全般	組織への付着	各種感染症
リポ蛋白	細菌全般	炎症性サイトカインの誘導	各種感染症
線毛	各種細菌	細胞への付着	各種感染症
鞭毛	各種細菌	運動性，炎症惹起	各種感染症
莢膜	各種細菌	貪食への抵抗	各種感染症

表 6-1-2 細菌の代表的毒素

病原因子	病原体	特徴	関連する疾患
表皮剥離毒素（エクスフォリアチン）	黄色ブドウ球菌	細胞間デスモソームの破壊	伝染性膿痂疹，熱傷様皮膚症候群（SSSS）
エンテロトキシン	黄色ブドウ球菌	腸管上皮細胞の水，電解質の透過促進	食中毒
ロイコシジン	黄色ブドウ球菌	白血球傷害	各種感染症
TSST-1	黄色ブドウ球菌	スーパー抗原	トキシックショック症候群
志賀毒素	赤痢菌	蛋白質合成阻害	細菌性赤痢
ベロ毒素	腸管出血性大腸菌	蛋白質合成阻害，志賀毒素と類似	出血性大腸炎，溶血性尿毒症症候群（HUS）
外毒素A	緑膿菌	細胞傷害	各種感染症
ボツリヌス毒素	ボツリヌス菌	神経筋接合部のアセチルコリン放出阻害（弛緩性麻痺）	ボツリヌス中毒
破傷風毒素（テタノスパスミン）	破傷風菌	シナプス終末の抑制性神経伝達物質の放出阻害（痙性麻痺）	破傷風
トキシン A, B, binary toxin	Clostridium difficlie	腸管上皮細胞の傷害	抗菌薬関連下痢症，偽膜性腸炎
ジフテリア毒素	ジフテリア菌	細胞の蛋白合成阻害	ジフテリア

表 6-1-3 細菌の病原性に関与するその他の要因

病原因子	病原体	特徴	関連する疾患
アルギネート	各種細菌	バイオフィルム形成	各種感染症
プロテインA	黄色ブドウ球菌	IgGのFc部分と結合	各種感染症
Ⅲ型分泌装置	緑膿菌，ほか	抗貪食作用，細胞傷害	各種感染症

バイオフィルム内へは抗菌薬が浸透しにくくなり，好中球の侵入も難しくなるため，バイオフィルム内の菌は周囲から守られた状態で生存可能となる[2]．

Ⅲ型分泌装置（type Ⅲ secretion system）は細菌の病原性発現システムであり，菌の表面にある注射器のような突起を宿主の細胞に差し込み，そこを通じて各種のエフェクター（毒素や酵素）を細胞内に送り込む．たとえば緑膿菌の場合，このシステムにより exotoxin S などの毒素をマクロファージに送り込むと，細胞としての機能を効率的に阻害することが可能となる[1]．

(4) 病原体の増殖性

病原体は増殖し，その数を爆発的に増加させることで感染力を強めることができる．通常，病原体は対数的に増殖するため，宿主内でも環境が整えば短時間で膨大な数に達し，宿主に大きなダメージを与える．増殖を可能にする条件は病原体の種類によって異なる．多くの細菌は水分，温度，栄養成分などの条件が整えばみずから独立して増殖できるため，宿主の外でも増殖が可能である．ウイルスは宿主の細胞に依存して増殖し，クラミジアやレジオネラ，結核菌も細胞内で増殖する．増殖した病原体はその数に応じてより強い組織傷害や炎症反応を惹起させ，やがて重症感染症に陥る可能性もある．

(5) 各種臓器との親和性

病原体はその種類によって感染を起しやすい臓器や部位に一定の傾向が認められる．肝炎ウイルスは肝細胞への親和性が高く，単純ヘルペスウイルスは皮膚や神経細胞，ノロウイルスは消化管上皮細胞内で増殖しやすい．インフルエンザウイルスは気道上皮細胞との親和性が高く上気道炎を起しやすいが，肺胞細胞でも増殖が可能なタイプは肺炎を起こしてさらに強い病原性を示す[3]．クリプトコックスは肺に親和性を有しているが，さらに中枢神経系にも感染を起しやすく髄膜炎を発症しやすい．一般的に血中に侵入しやすい病原体は菌血症を起こしやすく，各種臓器での感染や敗血症のような重症感染を招きやすい．

〔松本哲哉〕

■文献(e文献6-1-2)

Otto M: *Staphylococcus aureus* toxins. *Curr Opin Microbiol.* 2014; **17**: 32-7.

Pier GB：微生物の病原性の分子機構（堀井俊伸訳）．ハリソン内科学 第4版（福井次矢，黒川 清監），pp886-96，メディカル・サイエンス・インターナショナル，2013.

Pirofski LA, Casadevall A: What is infectiveness and how is it involved in infection and immunity? *BMC Immunol.* 2015; **16**: 13-8.

3）宿主の感染防御機構

(1) 感染防御機構の概念

ヒトを始めとする宿主は環境中に存在するさまざまな微生物に常に曝露されており，さらに体内にも多くの微生物を常在菌として保有している．これらの微生物のなかには宿主に感染症を発症させる可能性を有する微生物も含まれている．しかし，環境や体内の微生物による感染症が普段起きないのは，宿主が各種の防御機構を駆使して，微生物の深部への侵入を防いでいるからに他ならない．

宿主の感染防御機構は大きく分けて，病原体の種類を選ばず対応できる自然免疫と，特定の病原体にのみ反応する獲得免疫に分類される（表6-1-4）．自然免疫は基本的に感染防御の初動部隊として重要な働きをし，微生物が侵入してきた際にその排除にあたる．獲得免疫はその病原体に特有の抗原を認識して成立するため，個々の病原体に特異的な防御反応であり，通常，初感染の初期段階ではその機能は発揮されない．

(2) 自然免疫

自然免疫を構成する各要素はからだの各部位において，普段から接触している微生物の体内への侵入や増殖を防いでいる（e表6-1-A）．たとえば，皮膚の角質層は体表面のバリアとして重要な働きを示し，皮膚の常在菌などによる感染を防いでいる（Tramontら，2014）．胃液は強力な酸によって殺菌的に作用し，涙液などに分泌されるリゾチームやラクトフェリンなどは抗微生物作用を有する．常在細菌叢は病原菌が異常に増殖することを抑制している．

しかしこれらの防御機構が何らかのきっかけで障害された場合は感染が起こりうる．たとえば，切創，裂創などの傷やカテーテルなどの異物が挿入されることで皮膚のバリア機能が障害される．障害された部位から菌が深部に侵入すると，菌は組織に定着し，やがて増殖を始める．増殖した菌は毒素などを産生して周囲の組織を傷害し，生体側の反応として炎症が引き起こされる．損傷した細胞が分泌するプロスタグランジンなどのエイコサノイドは局所の血管透過性を亢進させ，体液が滲出し，そのなかに含まれる補体は菌など異物の刺激を受けると一連のカスケードにより活性化され，細菌表面に結合し穴を開ける．さらに菌が増殖すると炎症局所から産生されたIL-8などのケモカインに反応して好中球やマクロファージが局所に遊走してくる．補体はさらに好中球の受容体と結合し貪食を促す作用（オプソニン化）を有し，貪食の効率を高める．貪食されてファゴソーム内に取り込まれた菌は，殺菌物質を含むリソソームと融合することで殺菌され処理を受ける．その後，菌は消化されて細胞外に排出される．

菌がうまく処理されなかった場合は，マクロファージはTNF-α，IL-1などの炎症性サイトカインを産生しみずからおよびほかの炎症細胞の貪食や殺菌能を高めて菌の処理を強化する．菌を処理した好中球などの細胞はやがて死滅し，炎症部位に膿として蓄積し，化膿性病変を形成する．その後，組織に吸収されるか，自壊し膿が外部に排泄されると，感染創部は炎症が軽快し，修復されていく．

ウイルスによる感染症の場合は，感染細胞が産生するインターフェロン-αがほかの細胞に刺激を与えて，ウイルスの増殖ができない状況に変化させる．NK細胞はウイルスが感染した細胞を破壊することでウイルス増殖の場を奪う．しかしそれでもウイルスが増殖した場合は，後述する獲得免疫が生体防御の中心的な役割を担い，ウイルスの排除を行う．

(3) 獲得免疫

獲得免疫は自然免疫に対応する概念として用いられている用語であり，適応免疫ともよばれる．獲得免疫の主要な担当細胞はリンパ球であり，おもにB細胞とT細胞に分けられる（Birdsall，2014）．B細胞は液性免疫に関与し，T細胞は細胞性免疫に関与する．自

表6-1-4 自然免疫と獲得免疫に関与する各要素

【自然免疫】
1. 物理化学的防御機構
  ・皮膚のバリア（角質層）
  ・体液・分泌液（涙液，唾液，胃液，胆汁など）
  ・物理的排出（気道の線毛運動，消化管の蠕動，尿排泄など）
  ・常在菌（皮膚，口腔・消化管，膣など）
2. 非特異的感染防御機構
  ・血清成分（補体など）
  ・貪食細胞（マクロファージ，好中球）
  ・NK細胞，$\gamma\delta$ T細胞，NKT細胞

【獲得免疫】
1. 液性免疫
  ・B細胞（プラズマ細胞）
2. 細胞性免疫
  ・T細胞（ヘルパーT細胞，細胞傷害性T細胞など）

然免疫によって感染が終息しない場合は獲得免疫が誘導される．獲得免疫は病原体に感染するなどして，その病原体の抗原を認識することで成立する免疫反応である．獲得免疫は認識した病原体以外には作用しないため，その病原体に特異的な防御反応である．特定の病原体に作用するため，その作用は効率的である．しかし病原体の曝露後，獲得免疫がその機能を発揮するまでには一定の時間を要するため，初感染後すぐに作用できるわけではない．ただし過去にその病原体による感染の既往がある場合は，免疫の記憶によって2回目以降の感染には比較的早期に対応が可能である．ワクチンは意図的に弱毒化した病原体や，病原体の抗原を体内に接種して免疫反応を起こさせる方法であり，能動免疫を誘導する．

a. 液性免疫

液性免疫の作用を主に担っているのは抗体である．抗原を認識したB細胞が活性化すると，形質細胞（プラズマ細胞）に形を変えて抗体を産生する．1つのB細胞は1種類の抗体しか産生できない．抗原が多様な場合は異なるB細胞がそれぞれ別の抗原に特異的な抗体を産生して対応する．液性免疫においてもT細胞が関与し，ヘルパーT細胞はTh1とTh2の2つのタイプに分かれるが，Th2タイプのリンパ球はIL-4, IL-5, IL-6などのサイトカインを産生しB細胞を活性化して抗体産生を促す．

病原体表面の抗原に抗体が結合すると，病原体が宿主の細胞に接着できなくなる．細菌などに結合した抗体は補体を活性化して溶菌させたり，マクロファージなどによる貪食を効率的に行えるようにする（オプソニン作用）．毒素に対する抗体は，毒素に結合してその作用を中和する働きを有している．

ワクチンによって産生が誘導された抗体により，病原体が入ってきても発症しないか，発症しても重症化させないことが可能となる．ワクチンによる免疫獲得の有無は一般的に抗原に対する抗体価が指標となっている．抗体は受動免疫として臨床的に用いられる場合がある．免疫グロブリン製剤は重症感染症の治療に用いられ，破傷風抗毒素などのように特定の抗原に高力価の抗体は抗毒素作用を期待して投与される．また，B型肝炎ウイルスの曝露後の感染予防として抗HBs人免疫グロブリン（HBIG）が用いられることがある．

b. 細胞性免疫

細胞性免疫はおもにT細胞が司令塔としての役割を担っている．樹状細胞などの抗原提示細胞が微生物などの外来抗原を主要組織適合遺伝子複合体（major histocompatibility complex：MHC）分子とともにT細胞に提示して，抗原が認識される（Hohl, 2014）．CD8 T細胞（細胞傷害性T細胞）はMHC Class I分子を介して，CD4 T細胞（ヘルパーT細胞）はMHC Class II分子を介してそれぞれ抗原を認識する．またNKT細胞はCD1分子を介して抗原を認識する．抗原提示を受けたこれらの細胞は活性化し増殖する．

細胞傷害性T細胞はパーフォリンやグランザイムなどの細胞傷害性物質を産生して感染細胞を直接攻撃し，病原体の増殖の場を奪う．ヘルパーT細胞の中でTh1タイプのリンパ球はIL-2, TNF, IFN-γを産生し細胞傷害性T細胞を活性化する． 〔松本哲哉〕

■文献

Birdsall HH: Adaptive Immunity. Mandell, Douglas, and Bennett's Principles and Practice of Infectious Diseases 8th ed（Bennett JE, Dolin R, et al eds）, pp34-49. Elsevier, 2014.

Hohl TM: Cell-Mediated Defense against Infection. Mandell, Douglas, and Bennett's Principles and Practice of Infectious Diseases 8th ed（Bennett JE, Dolin R, et al eds）, pp50-69. Elsevier, 2014.

Tramont EC, Dieffenbach CW: Innate（General or Nonspecific）Host Defense Mechanisms. Mandell, Douglas, and Bennett's Principles and Practice of Infectious Diseases 8th ed（Bennett JE, Dolin R, et al eds）, pp26-33. Elsevier, 2014.

4）感染症の診断

(1) 感染症診断と治療

感染症の診断と治療をするうえで，おさえておくべきポイントがいくつかある（表6-1-5）．以下に，診断における手順を概説する．

(2) 患者背景

患者に起こる疾患はその背景に強く依存しているため，臨床医学の他分野と同様に，感染症診療においても患者背景を知ることは重要である．

どの疾患にも疾患発症以前・発症後の病歴に，ある一定の典型的な型がある．したがって患者が病気の状態に至るまでの経過を知ることによって，原因疾患を想起することができる．

同じ臓器の感染でも市中発症と院内発症では原因微生物の傾向がまったく異なるように，診療の場によって想起すべき感染症は異なる．

表6-1-5 感染症診断と治療の流れ

- 患者背景を理解する．
- どの臓器の問題かを見きわめる．
- 原因となる微生物をつきとめる．
- 抗菌薬を選択する．
- 適切な経過観察を行う．

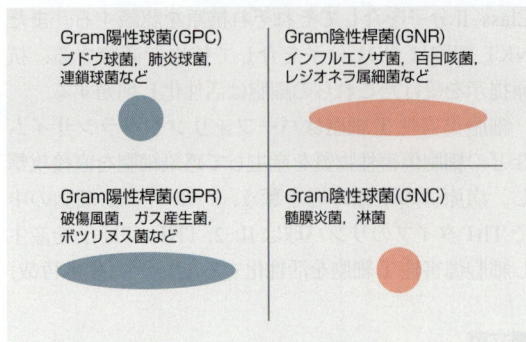

図 6-1-1 Gram 染色による菌の分類

また，患者の基礎疾患から発症しやすい臓器感染症・原因微生物の傾向を知ることができる．感染症の流行状況の情報は有用である．感染症は病原体への曝露で起こるものが多く，感染症を有する病人との接触，動物との接触，海外渡航による風土病的感染症を起こす病原体への曝露などの情報は重要である．

(3) どの臓器の問題かを見きわめる

1) 問題臓器をつきとめる： 患者の病歴を聞き，病の過程を連続した1つの像として描いていくなかで，問題の生じている臓器・系統のありかを突き止める（❷コラム 1）．問題臓器・系統がわかれば，具体的な鑑別診断をたてることが可能となる．

2) 病因を検討する： 問題臓器がわかったら，次に血管性，腫瘍性，代謝性，薬物性，ホルモン性，変性性などの病因を推論する．特定の病因の疾患はきわめて特徴的な発症様式を有するため，患者の病歴の像を把握することで推定が可能である．一般的に感染症は発症から急速な経過をたどることが多いが，一方で結核などのように慢性的に患者に消耗をもたらしながら発症する場合もある．よって各感染症ごとの典型的な自然経過を日頃から把握するようにつとめることが必要である．

3) 症状や所見の乏しい場合の対処法：「熱はあるが原因がはっきりしない」という，問題の局在が明確でない場合には，症状所見がはっきりしない疾患をあえて想起する．感染症ならば前立腺炎や腎盂腎炎などの尿路感染と，胆管炎・憩室炎などの腹腔内感染，心内膜炎などである．また輸入感染症のなかでも重大性の高いマラリア・デング熱・腸チフス，人畜共通感染症や，腸炎，肝炎などはその発症早期には「熱だけ」ということも多い．

(4) 原因となる微生物をつきとめる

1) 原因微生物を推定する： 感染症治療が開始される時点では，原因微生物は同定されていない．そこでまずは原因微生物を推定する．原因微生物の推定のために参考となるのは，それまでに得られた疫学的知見に基づく，各臓器に感染症を起こしうる微生物の傾向である．推定される原因微生物に対して有効と考えられる抗菌薬を選択する（経験的治療，empiric therapy）．

2) 原因微生物を同定する： 適切な検体採取なしには，原因微生物の情報は得られないので，empiric therapy 開始前に必ず検体を採取する．まず臨床検体を用いて Gram 染色などの顕微鏡検査を行う．これにより感染症の原因菌の色（Gram 染色性）および形態（球菌か桿菌か）などの微生物の視覚的情報が得られる（図 6-1-1）．この情報は経験的治療の選択上きわめて有用である．

次に一般細菌培養検査を行う．約 24 時間程度で培地にコロニーが生じ，このコロニーを菌名同定・感受性試験機器にて解析することで，さらに 24〜48 時間後に原因微生物の菌名と抗菌薬感受性試験結果が得られる（❷図 6-1-A）．原因微生物とその感受性試験結果をもとに選択される，患者にとって最適な治療を標的治療（definitive therapy）とよぶ（❷図 6-1-A）．

一般培養検査では菌名同定までに少なくとも 48〜72 時間が必要である．加えてウイルスなどの微生物の培養は，時間がかかる，培養が難しいなど一般の臨床に導入するには馴染まない．そこでイムノクロマトグラフィ法などを用いた検査が臨床現場で導入されている．具体的にはインフルエンザ迅速検査，肺炎球菌尿中抗原検査などがある．さらに迅速で感度の高い方法として PCR 法などの遺伝子関連検査があり，臨床現場で導入されつつある．また，病原体によっては微生物の培養や検出が困難な場合もある．この場合，血中の微生物に対する抗体を測定することで診断に至ることも可能である．　　〔大曲貴夫〕

5) 感染症の治療

(1) 感染症の治療を行う前に

感染症の治療には抗菌薬が用いられるが，抗菌薬を使う前に，まず感染症の診断が必要である．診断には，まず十分な問診が必要となり，問診で得られる情報だけで診断できる感染症もあり，問診の手間を省いてはいけない．診察所見も重要で，感染病巣に応じて，局所の診察所見が得られるばかりでなく，重症度の判断には，この診察所見は大変重要となる．一見して，重症感があると思われる患者では，医学的根拠に乏しくても，急速に悪化する危険性を含んでいる．その後，検査を実施するが，感染症に特異的な検査所見は少ないことを念頭におく．すなわち，感染症の患者

に認めやすい発熱や倦怠感などの所見は感染症以外の疾患でもしばしば認められることを忘れてはならない．そして，診断に不可欠な微生物学的検査を行う．微生物学的検査は最初の時点が最も肝心で，検査に供される検体が，正しい方法で採取され，搬送され，検査されることが欠かせない．

このような感染症の診断が臨床の現場ではなおざりにされていることも多く，起因病原体の推定もないままとりあえず抗菌薬が投与され，無効な場合，再度診断することになり，抗菌薬の選択が後手後手となり，難治性となることも多く経験される．

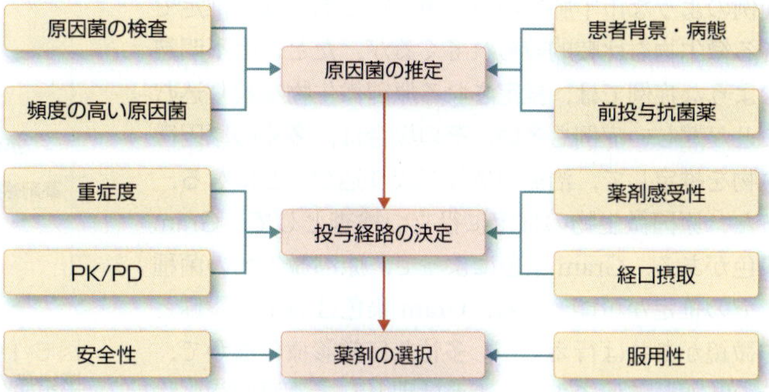

図 6-1-2 感染症の治療において抗菌薬を選択するときのプロセス
感染症の治療に抗菌薬を使用するときには，まず，その感染症の感染臓器・感染経路などから原因となる微生物を推定し，その微生物に対して抗菌力を有する抗菌薬を選択する．次に，患者の状況や重症度から投与経路や投与量を決定し，さらに副作用や薬物相互作用など安全にその抗菌薬が投与できるかを確認する．

(2)感染症治療のための原則

感染症は高血圧や悪性腫瘍などの疾患と異なり，宿主(ヒト)と疾患の間に原因微生物が存在する．そのため，感染症治療の原則として，その原因微生物を確定することはきわめて重要である．しかし，日常臨床では多くの症例で原因微生物が確定できない．それは，微生物学的検査の限界であり，たとえば最新の遺伝子学的検査を用いても，成人市中肺炎の原因微生物が確定される症例は全体の7割程度で，残りは臨床的に市中肺炎であるが，原因微生物は確定できないことになる．さらに，実際の症例では，培養・同定を中心とした微生物学的検査によって原因微生物を確定するには，数日間の時間が必要となり，その間に治療を待つことはできない．そのため，感染症の治療においてはまずその症例の原因微生物を推定し，治療を開始することが必須となる．また，原因微生物が"生き物"であることが感染症の治療を困難とする理由の1つとなる．"生き物"である原因微生物は絶えず変化し，たとえばインフルエンザウイルスは抗原性を変化させ，ヒトの免疫系から逃れようとするし，薬剤耐性菌は抗菌薬の攻撃に対抗するためにたえず遺伝子変異を繰り返している．そのことは，変化する原因微生物に対して感染症の治療を行わなければいけないことを示唆している．そのため，常に原因微生物に関する最新かつ身近な情報を入手しておく必要がある．この作業には疫学的情報の収集が欠かせない．常に，感染症の治療に必要な疫学的情報が地球規模から日本国内規模さらには地域規模，そして施設(病院)規模で収集され，報告されている．

このような感染症の病態を考えると感染症治療の原則として，①原因微生物を推定する，②疫学情報から推定した原因微生物を把握する，③推定した原因微生物に対して有効な抗微生物薬を選択する（図6-1-2），そして最後に④賢く抗菌薬を使い薬剤耐性菌を生み出さないという視点が必要となる(前﨑，2013)．

(3)感染症の原因微生物の推定

感染症の治療は原因微生物を推定することから始まる．もちろん，原因微生物を推定する前に，その患者がどのような感染症に罹患しているかを正しく判断することが重要となる．たとえば，30歳代の健康な男性で，数日前から発熱，咳を認めた．診察にて，左下肺野に湿性ラ音を聴取し，胸部X線検査で左下肺野に浸潤影を認め，血液検査では白血球数増加とCRPの上昇が確認された．このような症例は健康成人に発症した市中肺炎と診断され，その感染症が容易に診断できる．このような症例では原因微生物の推定も比較的容易に行える．しかし，不明熱のように，感染部位や感染臓器が不明であり，さらに感染症以外の疾患も念頭におく必要がある場合では原因微生物の推定が困難なこともある．

原因微生物の推定には，その感染症の原因として頻度の高い微生物を想定することが原則である．前例の成人市中肺炎の原因微生物は，肺炎球菌，インフルエンザ菌，肺炎マイコプラズマ，肺炎クラミドフィラの4つで大多数の例を占めるため，この4つの原因微生物を想定する．もちろん，まれな原因微生物には，レジオネラ菌やインフルエンザウイルスなども考えられるが，きわめて確定的な何らかの証拠がある場合を除いては，頻度の高い原因微生物から推定することが原則である．近年，ベッドサイドで検査結果が得られる迅速検査が臨床的に広く使用され，それらが実施できれば，推定の精度はさらに高くなる．しかし，迅速検査が実施できない場合は，病態に応じて頻度の高い原因微生物を把握しておくことが重要である．

推定した原因微生物は必ずしも1つとは限らない．

前例のような市中肺炎の原因微生物であれば，推定できる微生物も比較的絞られてくるが，たとえば不明熱のような症例では，推定される原因微生物を絞り込むことが難しい症例も多い．その場合は，多くの原因微生物を推定して，治療の過程で絞り込むことになる．また，原因微生物の推定に役立つ検査として，Gram染色がある．Gram染色によって，原因微生物の菌種までの推定が可能となる．Gram染色は簡単な設備と顕微鏡があれば行えるが，多忙な日常診療のなかで，その時間が確保できるか否かは別として，原因微生物の推定にはすぐれた補助となることは間違いない．

(4)疫学情報から推定した原因微生物を把握

原因微生物を推定したら，疫学的な情報からその特徴を把握する．そのため，感染症の治療においては常に疫学的な情報に気をつけておくことが大切である．たとえば，毎年冬場に流行するインフルエンザでは，感染症法上で定点観測の対象疾患となっているため，1週ごとに患者の発生状況が各都道府県の保健所管轄レベルで報告される．その情報をもとに，自分の医療機関におけるインフルエンザ患者数を推察することが可能となる．また，感染症の治療において最も重要な疫学的情報は各種抗菌薬に対する薬剤感受性の動向である．この動向は時間的・空間的に変化する．たとえば，1990年前半と2000年前半のインフルエンザ菌に対するアンピシリンの感受性は大きく異なっており，またその変化は米国とわが国でも大きく異なっている．そのため，抗菌薬の選択のために，その原因微生物に関する身近でかつ，最新の薬剤感受性の動向を把握することが理想的である．しかし，現実的には無理なことが多いため，地域の大規模な医療機関や，検査機関からの疫学的情報を把握しておく．特に，薬剤耐性菌の動向は経年的に大きく変化することがあるため，検査部門を持つ医療機関では自施設における薬剤耐性菌の変化を把握するためにアンチバイオグラム（ⓔコラム1）を経時的に作成すれば，抗菌薬の選択に際して有用な情報となる．さらに，新興感染症が発生すれば，世界規模での疫学的情報が収集され，発信されることになる．

(5)推定した原因微生物に有効な抗菌薬の選択

推定した原因微生物に対して有効な抗菌薬を選択し，患者に投与し，感染症治療が行われる．有効な抗菌薬の選択に際して，その薬剤における次の3つのポイントを正確に理解しておく必要がある（図6-1-3）．その3つのポイントは，①抗菌力，②体内動態，③安全性である．この3つの項目は新しい抗菌薬が研究開発され，実際の診療で使用可能となる際に，国からの製造承認認可を得るときに必須とされる事項で

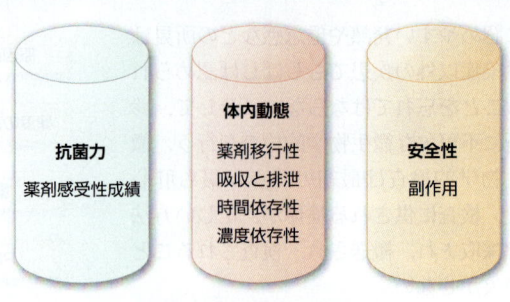

図6-1-3 抗菌薬を考えるときの3本の柱
感染症の治療に使用される抗菌薬を選択する際には，常にその抗菌薬に関する3本の柱を確認する．その3本の柱は①抗菌力，②体内動態，③安全性である．目前の感染症の患者に投与する抗菌薬を選択するときには，この3本の柱のバランスが最もよいと考えられる薬剤を選択することが重要である．

あり，抗菌薬の添付文書にはこの項目がすべて記載されている．そのため，その抗菌薬の特性を知るには，この3つの事項を正確に理解しておくべきである（前﨑, 2010）．

抗菌力は試験管内で測定された薬剤感受性試験と臨床試験成績から判断される．薬剤感受性試験は，それぞれの菌に対してその発育を阻止できる薬剤の最小濃度を最小発育阻止濃度（minimum inhibitory concentration: MIC）で表記し，ほかの薬剤と比較する．MICの値が小さいほど抗菌力が強いと考えられるが，最もMICの小さい薬剤を選択することが正しいとは限らない．その理由として，臨床的に有効となる薬剤濃度はブレイクポイントとして評価され，必ずしもMICとは一致しない．すなわち，MICがブレイクポイントより小さい値であれば，よりMICが小さい薬剤と比較しても同等の臨床効果が得られると判断される．そのため，単にMICの値のみでそれぞれの薬剤の抗菌力を比較してもあまり意味がない．そのため，試験管内の抗菌力はあくまでもその薬剤の抗菌力の目安と考え，特にその薬剤が抗菌力を示さない菌種を把握し，そのような菌種が原因微生物の感染症では無効であることを理解しておく．

臨床試験成績もその薬剤の抗菌力のよい判断材料となる．多くの臨床試験成績は，これまでその感染症の治療に一般的に用いられてきた抗菌薬と比較した無作為二重盲検試験であり，科学的に信頼のおけるデータとなっている．多くの抗菌薬は感染症の治療に高い有効率を示すため，新しい薬剤の臨床試験成績も既存の薬剤と同等の効果を示す非劣勢を証明する結果となるため，既存の薬剤と比較してほかの2つのポイントにおいて特にすぐれた特徴がなければ，あえて新しい薬剤を使用する必要は少なく，むしろ既存の抗菌薬が耐性化した際に使用できるように，社会的資源として温存し，使用を控えることが望まれる．

体内動態にも押さえておきたいいくつかのポイントがある．多くの抗菌薬は，経口薬と注射薬があり，注射薬は点滴静注，静注，筋注，局所投与などの投与経路がある．体内動態を考えるうえで，まず組織移行性を確認する．抗菌力がいかにすぐれた薬剤であっても，感染病巣に到達しない薬剤は無効である．そのため，感染臓器を把握し，抗菌薬の組織移行性を確認する．次に，血中半減期を確認する．このことは抗菌薬の投与方法すなわち用法・用量の根拠となる．さらに，抗菌薬の代謝経路を確認する．このことは3つ目のポイントである安全性に関係し，たとえば腎排泄性の抗菌薬は，腎機能低下例に投与すると，血中濃度が高くなり，血中半減期も長くなるため，副作用が発現しやすくなる．そのため，腎機能低下例に投与するときには，あらかじめ投与量を減量しておく必要がある．近年開発された抗菌薬は臨床試験の段階から，PK（pharmacokinetics）/PD（pharmacodynamics）理論に基づく用法・用量が設定されているため，添付文書で指示された用法・用量で投与することが望ましい．さらに，経口薬では，吸収されて血中に移行するか否かも重要となり，注射薬と同等の血中濃度が確保できる薬剤では，あえて注射薬を使用する必要はなく，早期に外来治療に移行するswitch療法なども可能となる．

いかに有効な抗菌薬でも，副作用によって病態が悪化しては適切な治療薬の選択とはいえない．抗菌薬の副作用は承認時における臨床試験成績から，その薬剤の使用時に発生した副作用とその発生頻度が添付文書に記載されているため，使用前に必ずその情報を確認しておく必要がある．しかし，一般的に新規薬剤の承認時の臨床試験はきわめて限られた症例数で実施され，かつ治療対象となる患者像は標準的な症例が選択されているため，たとえば超高齢者や治療結果に影響を与える可能性のある基礎疾患を有した患者は臨床試験の対象から除外される．しかし，その抗菌薬が承認され，実際の臨床の場で使用される際には，むしろそのような除外された症例に使用されることも少なくなく，臨床試験で得られる安全性情報が，実際に承認された後に大きく変わることがある．行政的には，そのような安全性を確認するために，市販後調査が実施され，ある程度の年月または症例数が集積された時点で，改めてその薬剤の安全性が確認される．そのため，市販された直後の新薬では，予期されぬ副作用が起こる可能性も念頭におくことが必要である．一般的に抗菌薬の副作用は，投与量や血中濃度に依存するものと，依存しないものに区別される．投与量や血中濃度に依存する副作用は，多くの場合血中濃度が異常に高値になったり，これまでに累積した投与量が過量となった時に認められる．このような副作用は血中濃度を測定すること（therapeutic drug monitoring：TDM）によって，未然に防止できる薬剤もあるため，投与量や投与期間を慎重に考慮した投与計画を実施する．投与量や血中濃度に依存しない副作用としては，アナフィラキシーショックがある．以前は，抗菌薬の投与前に皮内反応を行っていたが，この結果でアナフィラキシーショックは予期できないため，現在は行われないことが多い．そのかわり，投与歴が明確であれば，問診によって確認し，不明確な場合は，アナフィラキシーショックに対処できる準備をして，初回投与時の約1時間程度は慎重な観察をすることが肝心である．

（6）耐性菌を生み出さない賢い抗菌薬の使い方

現在，新規抗菌薬の開発はきわめて停滞している．その反面，高齢者やさまざまな治療に伴う免疫不全患者など，感染症に罹患する患者は増加している．そのような患者に投与できる抗菌薬が限られる状況で，薬剤耐性菌が生み出され，蔓延しつつある．そのため，

表6-1-6 米国感染症学会のantimicrobial stewardshipのガイドラインの概略

1. 多職種からなるantimicrobial stewardshipチームの構成
2. antimicrobial stewardshipチームと感染管理，薬剤部門，治療委員会との協力
3. 病院経営者，医療スタッフリーダーシップ，部署ごとのプログラム策定および維持担当者のサポートと協力
4. 臨床感染症医，薬剤部門長が，期待される結果，仕事に対する代償と適切な権限を得るために病院経営者と十分に話し合いをすること
5. 抗菌薬使用の測定と追跡をするために必要なインフラに対する病院経営者のサポート
6. プログラムの基礎となる事前に策定される2つの戦略
   A. 介入とフィードバックを伴う前向きの監査
   B. 抗菌薬使用制限と許可制
7. 病院ごとの習慣とリソースに基づく，中核となるプログラムを補完する要素
   A. 教育
   B. ガイドラインとクリニカルパス
   C. 抗菌薬サイクリング
   D. 抗菌薬オーダーフォーム
   E. 併用療法
   F. 処方の合理化またはde-escalation
   G. 投与量の適正化
   H. 経静脈投与から経口投与への変更
8. 電子カルテによるIT化，オーダーシステム，コンピュータによる臨床判断サポート
9. コンピュータベースのサーベイランス
10. 微生物検査室の役割
11. プロセスの評価と結果の評価

有効な抗菌薬の選択と同時に，薬剤耐性菌を生み出さない選択も必要となっている．抗菌薬を処方する医師は目前の患者の治癒が最大の目標であり，抗菌薬が原因微生物に無効である状況を避けたいというのは当然の心理であり，その結果，広域スペクトルの抗菌薬を選択することはある意味やむをえない．また，微生物学的検査の結果から有効な抗菌薬が判明した後に，より狭域な薬剤に変更する de-escalation に心理的な抵抗があることも多い．そのことが耐性菌を生み出す大きな要因の1つといえる．抗菌薬の選択は目前の患者を治すばかりでなく，明日の患者，10年後の患者のことも考慮に入れなければならない．

このような考えから，2007年に米国感染症学会（IDSA）から antimicrobial stewardship のガイドラインが提案されている（Dellit ら，2007）（表6-1-6）．米国と日本では病院の形態や人員，コストなどに大きな違いがあり，そのまま導入できない面はあるが，antimicrobial stewardship の意義や導入の効果，方法論などについては参考になることも多い．このガイドラインにも記載されている目的を達成するためにはまずは処方する医師の教育が重要である．処方する医師は原因微生物を推定するための知識，抗菌薬のスペクトラム，標準的に使用すべき第一選択薬などの医学的知識を得ることが必須となる．教育手法には院内でのレクチャー，カンファレンスなどの方法があるが，時間がかかり，行動は容易には変わらないことや，医師の交代やプライドなどの問題もある．教育は基本であるが，能動的な処方への介入がなければ，効果は限定的である．

臨床感染症に精通した医師と薬剤師が抗菌薬の適正使用にはきわめて重要な役割を演じる．その他，臨床微生物，情報システム，病院疫学の専門家もそれぞれの役割があるが，わが国の医療機関ですべての人員をそろえることは容易ではないが，感染症の治療について具体的に相談できる医師と薬剤師によって，病院全体として不適切な抗菌薬使用が減り，antimicrobial stewardship が達成されると考えられる．〔前﨑繁文〕

■文献
Dellit TH, Owens RC, et al: Infectious Diseases Society of America and the Society for Healthcare Epidemiology of America guidelines for developing an institutional program to enhance antimicrobial stewardship. *Clin Infect Dis.* 2007;**44**: 159-77.
前﨑繁文：抗菌薬はこう使え，中山書店，2010．
前﨑繁文：感染症はこう叩け，中山書店，2013．

6）感染症の予防（予防接種）

(1) 定義・概念

予防接種（immunization）は，感染症の予防と制御に非常に重要な役割を果たしてきた．ワクチンの開発と世界中への普及により，世界から根絶された天然痘のような感染症がある一方で，現在では，科学技術の進歩によって，新しいワクチンが次々と開発され，22のワクチンで予防できる病気（vaccine preventable diseases：VPD）が存在する．VPD を社会から減らすためには，予防接種を積極的に行い，VPD をワクチンで予防するという姿勢が重要である．

(2) 分類

現在，22の VPD が知られており，細菌感染症とウイルス感染症にわけてまとめることができる（表6-1-7）．ワクチンは，生ワクチンと不活化ワクチンに分類される（表6-1-8）．生ワクチンは，細菌やウイルスを弱毒化したものである．したがって，ワクチンのなかには生きた微生物が存在し，それぞれの感染症に軽く罹患した形で免疫をつけることができる．した

表6-1-7 ワクチンで予防できる病気

- ●細菌感染症
  - ・百日咳
  - ・ジフテリア
  - ・破傷風
  - ・肺炎球菌感染症
  - ・インフルエンザ菌 b 型(Hib)感染症
  - ・重症結核感染症
  - ・髄膜炎菌感染症
  - ・コレラ
  - ・腸チフス*
- ●ウイルス感染症
  - ・麻疹
  - ・風疹
  - ・ムンプス
  - ・水痘
  - ・帯状疱疹
  - ・A 型肝炎
  - ・B 型肝炎
  - ・ポリオ
  - ・ロタウイルス感染症
  - ・黄熱病*
  - ・日本脳炎
  - ・インフルエンザ感染症
  - ・ヒトパピローマウイルス感染症（子宮頸癌，尖圭コンジローマなど）
  - ・狂犬病

＊：国内で承認されていないワクチン

表 6-1-8 生ワクチンと不活化ワクチンの比較

	生ワクチン	不活化ワクチン
抗原	弱毒化した病原体	全粒子，多糖体，トキソイド，など
接種回数	少ない（1〜2回）*	多い（3〜4回）
効果の持続期間	長い	短い
ワクチン接種後に疾患の発症する可能性	あり	なし
母体からの移行抗体による干渉	大きい	小さい
免疫	自然感染と同様，細胞性免疫と液性免疫	おもに液性免疫

＊：5価のロタウイルスワクチンは，3回接種

表 6-1-9 接種方法による各種ワクチン一覧

	生ワクチン	不活化ワクチン
皮下接種	麻疹・風疹ワクチン 水痘ワクチン ムンプスワクチン*2	ヒブワクチン 肺炎球菌結合型ワクチン（13価）（小児） 4種混合ワクチン B型肝炎ワクチン（10歳未満）*2 日本脳炎ワクチン 肺炎球菌多糖体ワクチン（23価）*2 インフルエンザワクチン 2種混合ワクチン
筋肉内接種		ヒトパピローマウイルスワクチン B型肝炎ワクチン（10歳以上）*2 肺炎球菌結合型ワクチン（13価）（成人）*2 A型肝炎ワクチン（皮下接種も可）*2 髄膜炎菌ワクチン*2
皮内接種	BCG	
経口接種	ロタウイルスワクチン*1	

＊1：5価のロタウイルスワクチンは，3回接種
＊2：任意接種のワクチン

がって，通常接種回数は少なく，その効果の持続期間も長い．一方でまれではあるが，実際の疾患に罹患する可能性がある．不活化ワクチンは，細菌やウイルスを不活化し，抗原として微生物の一部や毒素などを使用し，製造したワクチンである（ⓔコラム1）．接種回数は，3〜4回と，生ワクチンと比べるとより多くの接種回数を必要とする．また，ワクチンの効果の持続期間は限られており，追加接種が必要となる．この欠点を解消するために，新しい不活化ワクチンは，アジュバント（免疫賦活剤）を加えワクチン効果を増強している．不活化ワクチンの接種によって，実際の疾患に罹患することはない．

また，日本の制度上の分類で定期接種のワクチンと任意接種のワクチンがある．ワクチンの重要性という観点からは，両ワクチンに差はなく，任意接種のワクチンも定期接種のワクチン同様に重要なワクチンである．

(3) ワクチンの接種方法

ワクチンの接種方法には，さまざまな方法がある．国内で接種可能なワクチンを接種方法でまとめた（表6-1-9）．

a. 経口接種

経口的に抗原を接種し，腸管内で免疫をつくる．ロタウイルスワクチンがその代表例である．

b. 注射による接種

注射による接種は，皮下接種と筋肉内接種がある（ⓔコラム2）．最近の新しいワクチンのなかでも，特にアジュバントを含むワクチンは，原則筋肉内接種が基本であり，今後，多くのワクチンが皮下接種されている国内では，筋肉内接種を標準的接種法として認めることが必要である．生ワクチンは，皮下接種する．

c. 経鼻ワクチン

鼻腔内に噴霧するワクチンで，海外では，インフルエンザウイルスに対する生ワクチンが市販されている．粘膜での液性免疫を誘導するため，感染を予防する効果が期待され，一般の不活化インフルエンザワク

チンに比べ効果が高いことが知られているが[1]，近年その効果が十分でなかったことで，米国での推奨の度合が下がっている．今後，ほかの呼吸器感染症をきたす微生物に対するワクチンにおいて，この投与方法による接種が期待されている．

d．皮内ワクチン

ワクチンを皮内に接種することによって，免疫を誘導するもので，海外では，その接種のためのデバイスがすでに開発され，インフルエンザワクチンで実用化されている．この大きな特徴は，ワクチンの接種量が通常のワクチンの1/5で済むということ，そして，免疫原性も通常の不活化ワクチンに比べ，同等か，高いことが知られている[2]．今後，幅広い臨床応用が期待できる領域である．

接種部位（eコラム3）と同時接種（eコラム4）についてはそれぞれのコラム参照．

（4）予防接種の効果

予防接種の効果は，ワクチンの直接効果と間接効果に分けることができる．直接効果とは，ワクチンを接種した人が疾患に罹患しない，あるいは，重症化しないことを指し，間接効果とは，ある理由でワクチンを接種できない人をまわりの人が接種をして社会全体の接種率を高め，VPDから守ることを指す．各地域での接種率を上げて，集団免疫を獲得することが重要である．

（5）ワクチンによる有害事象と副反応

ワクチン接種後に起こるすべての負の事象を有害事象（adverse events）とよぶのに対し，ワクチン接種後に起こる，ワクチン接種と明確に関連のある反応をワクチンの副反応（adverse reaction）とよぶ．ワクチンの副反応は，過去の膨大なデータをもとに，一定の頻度で確認されている反応のことを指す．その判定に際しては，接種からどのくらいの時間が経過してからその反応が起こったのかという時間経過が重要である．一方，有害事象は，ワクチンとの関連性がないことを直接証明することは困難であるため，その判断は難しい．しかしながら，ワクチン接種後に起こった事象を解釈するうえで，きわめて重要な判断となるので，関連が示唆される事象に関しては，ワクチン接種前後での経時的なモニタリングが必要である．

a．一般的なワクチン接種後の副反応

ワクチン接種後に一般的に起こる副反応として，接種部位の腫脹，発赤，疼痛，発熱，倦怠感，食欲不振などがあげられるが，これらは，一過性のものである．また，頻度は低いものの，最も重篤で重要なものが，ワクチンに含まれる成分に対するアナフィラキシーである．アナフィラキシーは，接種直後，通常，15分以内に起こることがほとんどで，じんま疹，口腔内や咽頭の腫脹，意識消失，喘鳴，低血圧，呼吸困難，ショックなどを呈し，適切な処置がされないと後遺症を残したり，死亡することもある危機的な病態である．必要に応じて，救急蘇生，エピネフリン筋注などが必要である．したがって，ワクチン接種後は，特に初めてのワクチン接種後は接種した施設で30分程度は様子をみて，帰宅させる方が安全である．

b．それぞれのワクチンに特異的な副反応

一方で，それぞれのワクチンに特徴的な副反応が知られている．特に生ワクチンにおいては，特徴的なものがみられる．代表的なものとして，BCG接種後のリンパ節腫脹，骨炎，骨髄炎，ロタウイルスワクチンによる腸重積，下痢，風疹ワクチン接種後の関節炎，麻疹・風疹，水痘ワクチン接種後の発疹，ムンプスワクチン後の無菌性髄膜炎，耳下腺の腫脹などがあげられる．

（6）ワクチン接種の禁忌

ワクチン接種の禁忌は，各ワクチンによって定められているが，原則，過去に同じワクチンでアナフィラキシーを起こした者，また，生ワクチンは，妊婦，免疫抑制患者で原則禁忌である．

〔齋藤昭彦〕

■文献（e文献6-1-6）

American Academy of Pediatrics: Report of the Committee on Infectious Diseases, 29th ed, American Academy of Pediatrics, 2012.

Centers for Disease Control and Prevention (U.S.): National Immunization Program (Centers for Disease Control and Prevention). Epidemiology and prevention of vaccine-preventable diseases, 12th ed, Public Health Service, 2012.

Plotkin SA, Orenstein WA, et al: Vaccines, 6th ed, Saunders/Elsevier, 2012.

7）感染症法と類型分類

（1）感染症法

現行の感染症法は従来の「伝染病予防法」（1897（明治30）年制定）を廃止するとともに，「性病予防法」，「後天性免疫不全症候群の予防に関する法律」も統合して1998年9月に制定された「感染症の予防及び感染症の患者に対する医療に関する法律」のもとで，1999年4月から施行されている．感染症法の柱の1つとして感染症発生動向調査が含まれており，感染症に関する情報の収集および公表，感染症発生動向の把握そして原因の調査として医師の届け出に基づく感染症サーベイランスシステムの強化が示された．

表 6-1-10 感染症法上の類型別届け出疾患

一類感染症 （直ちに届け出）：感染力，罹患した場合の重篤性からみて危険性がきわめて高い感染症	エボラ出血熱，クリミア・コンゴ出血熱，痘瘡，南米出血熱，ペスト，マールブルグ病，ラッサ熱
二類感染症 （直ちに届け出）：感染力，罹患した場合の重篤性からみて危険性が高い感染症	急性灰白髄炎，結核，ジフテリア，重症急性呼吸器症候群（病原体がベータコロナウイルス属 SARS コロナウイルスであるものに限る），中東呼吸器症候群（病原体がベータコロナウイルス属 MERS コロナウイルスであるものに限る），鳥インフルエンザ（H5N1），鳥インフルエンザ（H7N9）
三類感染症（直ちに届け出）：感染力，罹患した場合の重篤性などからみて危険性は高くないが，特定の職業への就業によって集団発生を起こしうる感染症	コレラ，細菌性赤痢，腸管出血性大腸菌感染症，腸チフス，パラチフス
四類感染症（直ちに届け出）：ヒトからヒトへの感染はほとんどないが，動物や飲料物を介して感染する感染症	E 型肝炎，ウエストナイル熱，A 型肝炎，エキノコックス症，黄熱，オウム病，オムスク出血熱，回帰熱，キャサヌル森林病，Q 熱，狂犬病，コクシジオイデス症，サル痘，ジカウイルス感染症，重症熱性血小板減少症候群（病原体がフレボウイルス属 SFTS ウイルスであるものに限る），腎症候性出血熱，西部ウマ脳炎，ダニ媒介脳炎，炭疽，チクングニア熱，つつが虫病，デング熱，東部ウマ脳炎，鳥インフルエンザ（鳥インフルエンザ（H5N1 および H7N9）を除く），ニパウイルス感染症，日本紅斑熱，日本脳炎，ハンタウイルス肺症候群，B ウイルス病，鼻疽，ブルセラ症，ベネズエラウマ脳炎，ヘンドラウイルス感染症，発疹チフス，ボツリヌス症，マラリア，野兎病，Lyme 病，リッサウイルス感染症，リフトバレー熱，類鼻疽，レジオネラ症，レプトスピラ症，ロッキー山紅斑熱
五類感染症：国が感染症発生動向調査を行い，その結果などに基づいて必要な情報を一般国民や医療関係者に提供・公開していくことによって，発生・拡大を防ぐべき感染症	【全数届け出 [7 日以内に（麻疹・風疹はできるだけ早く）届け出]】 アメーバ赤痢，ウイルス性肝炎（A 型肝炎および E 型肝炎を除く），カルバペネム耐性腸内細菌科細菌感染症，急性脳炎（ウエストナイル脳炎，西部ウマ脳炎，ダニ媒介脳炎，東部ウマ脳炎，日本脳炎，ベネズエラウマ脳炎およびリフトバレー熱を除く），クリプトスポリジウム症，Creutzfeldt-Jakob 病，劇症型溶血性連鎖球菌感染症，後天性免疫不全症候群，ジアルジア症，侵襲性インフルエンザ菌感染症，侵襲性髄膜炎菌感染症，侵襲性肺炎球菌感染症，水痘（入院例に限る），先天性風疹症候群，梅毒，播種性クリプトコックス症，破傷風，バンコマイシン耐性黄色ブドウ球菌感染症，バンコマイシン耐性腸球菌感染症，風疹，麻疹，薬剤耐性アシネトバクター感染症 【小児科定点届け出（週単位で届け出）】 RS ウイルス感染症，咽頭結膜熱，A 群溶血性レンサ球菌咽頭炎，感染性胃腸炎，水痘，手足口病，伝染性紅斑，突発性発疹，百日咳，ヘルパンギーナ，流行性耳下腺炎 【インフルエンザ定点（週単位で届け出）】 インフルエンザ（鳥インフルエンザおよび新型インフルエンザなど感染症を除く） 【眼科定点（週単位で届け出）】 急性出血性結膜炎，流行性角結膜炎 【性感染症定点（月単位で届け出）】 性器クラミジア感染症，性器ヘルペスウイルス感染症，尖圭コンジローマ，淋菌感染症 【基幹定点（週単位で届け出）】 感染性腸炎（病原体がロタウイルスであるものに限る），クラミジア肺炎（オウム病を除く），細菌性髄膜炎（髄膜炎菌，インフルエンザ菌，肺炎球菌を原因として同定された場合を除く），マイコプラズマ肺炎，無菌性髄膜炎 【基幹定点（月単位で届け出）】 ペニシリン耐性肺炎球菌感染症，無菌性髄膜炎，メチシリン耐性黄色ブドウ球菌感染症，薬剤耐性緑膿菌感染症 【疑似症定点】 (1) 摂氏 38 度以上の発熱および呼吸器症状（明らかな外傷または器質的疾患に起因するものを除く） (2) 発熱および発疹または水疱
指定感染症（直ちに届け出）	該当なし

(2) 類型分類

感染症は当初は一～四類感染症の4類型に分類されていたが，2003年に見直しが行われ，5類型に分類されることとなった．2007年には「結核予防法」もこれに統合され，結核が二類感染症に加えられた．この類型分類は，ヒト-ヒト感染伝播の有無，病原体の感染力や罹患した場合の疾患の重篤度や生命のリスクなどから規定されている．

また，一類感染症の患者（疑似患者，無症状病原体保有者を含む）は特定感染症医療機関および第一種感染症指定医療機関において，同様に二類感染症の患者（疑似患者，無症状病原体保有者を含む）は第二種感染症指定医療機関において医療が提供（原則入院）される．

(3) 感染症発生動向調査の目的

感染症法の下に実施する発生動向調査の目的は，系統的，継続的に感染症情報を収集し，その解析・解釈を通じて，①集団発生の探知，②感染症発生動向の監視，③予防接種を含む感染症対策の評価，④発生動向の予測をすることである．

(4) 現在の感染症法上の類型別届け出疾患

表6-1-10には2016年2月時点での，一～五類感染症までの111の届け出疾患を示した．すべての医師に対してこれらの対象疾患の届け出が求められている．

一～四類感染症は全数届け出の対象で，診断後直ちに届け出が求められている．五類感染症には全数把握，定点把握疾患があり，全数把握疾患は診断後7日以内の届け出，定点把握疾患には，週単位の届け出，月単位の届け出がある．これらの医療機関の医師からの届け出情報は感染症サーベイランスシステム（NESID）により収集・解析され，国民に情報が還元されている．また，麻疹，侵襲性髄膜炎菌感染症は五類感染症であるが，2015年5月からは診断後直ちに届け出が求められている．また，風疹についても「風しんに関する特定感染症予防指針」に基づき，できるだけ24時間以内の届け出が求められている．インフルエンザウイルスをはじめとしたさまざまな病原体サーベイランスも実施されているが，とりわけ2016年4月からは改正感染症法の施行により，一類，二類感染症等，季節性インフルエンザウイルスの検査提出，検査情報収集体制が強化される．

(5) 2013年以降に新たに加わった届け出疾患

新たに国内で確認された重症熱性血小板減少症候群（病原体がフレボウイルス属，SFTSウイルスによるものに限る）が，2013年3月に四類感染症に加えられた．また，2013年4月からは侵襲性肺炎球菌感染症，侵襲性インフルエンザ菌感染症が五類全数把握疾患として加えられ，これまで五類全数把握疾患であった髄膜炎菌性髄膜炎は，同じく五類全数把握疾患として侵襲性髄膜炎菌感染症にあらためられた．2013年10月からは感染性胃腸炎（病原体がロタウイルスであるものに限る）が五類感染症（基幹定点把握疾患）に追加された．また，2014年9月には，カルバペネム耐性腸内細菌科細菌感染症，薬剤耐性アシネトバクター感染症，播種性クリプトコックス症，水痘（入院例）が五類全数把握疾患となり，2015年1月から鳥インフルエンザ（H7N9）と中東呼吸器症候群が二類感染症になり，2016年2月からジカウイルス感染症が四類感染症になった． 〔大石和徳〕

8) 伝播予防策・院内感染対策

(1) 伝播予防策の意義

ヒトの感染症の原因となる病原体の多くは，病原体を保有するヒトから，その病原体に対して免疫をもたないヒト（感受性宿主）に伝播し，感染する．市中で感染するさまざまな病原体に対してはワクチンや衛生行動により防御するが，医療施設においては，感染経路の遮断が最も重要である．

医療現場における病原体のおもな伝播経路として，①空気感染（airborne transmission），②飛沫感染（droplet transmission），③接触感染（contact transmission）があげられる（表6-1-11）．空気感染は，飛沫核（径≦5μm）の吸入により感染するものであり，感染性飛沫核粒子は長時間にわたり空中を浮遊し，広い範囲に感染が広がる．結核，麻疹，水痘などが該当する．飛沫感染は，飛沫（径≧5μm）の吸入により感染するものであり，到達距離は1～2m以内と比較的短い．インフルエンザ，百日咳，A群溶血性連鎖球菌，インフルエンザ菌，肺炎マイコプラズマ，風疹，流行性耳下腺炎，などが該当する．接触感染は，病原菌で汚染した医療環境や医療従事者（おもに手指）を介して感染するものである．空気感染で伝播する病原体を除き，ほとんどの病原体は接触感染するが，感染伝播のリスクが高く，隔離など特別な対策を必要とする病原体として，薬剤耐性菌（メチシリン耐性黄色ブドウ球菌，多剤耐性緑膿菌，バンコマイシン耐性腸球菌など），ノロウイルスやロタウイルスなどウイルス性胃腸炎，*Clostridium difficile*，水痘（空気感染も引き起こす）などがあげられる．

表 6-1-11 感染経路別予防策が必要となるおもな病原体

感染伝播経路	細菌	ウイルス	真菌，原虫ほか
空気感染	結核	麻疹，水痘(播種性帯状疱疹)*1	
飛沫感染	百日咳，A群溶血性連鎖球菌，インフルエンザ菌，肺炎マイコプラズマ，ジフテリア，髄膜炎菌	インフルエンザ，風疹，流行性耳下腺炎，RSウイルス*2	
接触感染	薬剤耐性菌*3(MRSA, MDRP, VRE など)，Clostridium difficile, 感染性胃腸炎(病原性大腸菌，サルモネラ，カンピロバクターなど)	ウイルス性胃腸炎(ノロウイルス，ロタウイルス)，流行性角結膜炎(アデノウイルス)	疥癬

すべての感染経路の感染予防策において，標準予防策は必須である．
重症急性呼吸器症候群(SARS)では，空気・飛沫・接触予防策が必要である．
ウイルス性出血熱(エボラ出血熱，ラッサ熱など)では，飛沫・接触予防策(エアロゾル発生時は空気予防策も加えて)が必要である．
*1：水痘では，空気・接触予防策が必要である．
*2：RSウイルスは，飛沫・接触予防策が必要である．
*3：MRSA：メチシリン耐性黄色ブドウ球菌，MDRP：多剤耐性緑膿菌，VRE：バンコマイシン耐性腸球菌

(2) 院内感染対策の実際（e表 6-1-B）

a. 標準予防策 (standard precaution)

さまざまな感染症の原因となる病原体は，一般的に活動性の感染症を発症しているときが最も感染伝播のリスクが高い．一方，薬剤耐性菌やヒト免疫不全ウイルス(HIV)，B型肝炎ウイルスのように感染症を発症していなくても，保菌状態としてあるいは潜在的にヒトの体内に存在し，感染伝播の原因となる病原体もある．このため，未知あるいは潜伏状態の病原体を含めて，感染経路を遮断するための基本的な対策を標準予防策とよぶ．

標準予防策には，医療者をさまざまな病原体から防御する予防策が含まれる．感染症の有無にかかわらず，血液や体液，排泄物，傷のある皮膚や粘膜は潜在的に病原体が存在するものと考えて，これらに接触する際には，手袋や耐水性のエプロンなどで防御する．また，吸引処置など体液の飛散が発生する手技を行う際には，マスクやアイシールドを着用する．

さらに，医療者自身がおもに接触感染で伝播する病原微生物を媒介することを防ぐために，手指衛生の遵守が重要である．患者の診察やケア前後，手袋の着用前後には手指衛生を行う．手指衛生1)は，アルコール性手指消毒薬の使用を基本に，目に見える汚れがある場合や，Clostridium difficile などアルコール抵抗性病原体に接触後には流水と石けんによる手洗いを行う．

また，咳やくしゃみなどをする場合には，手以外の布やマスクで口を覆い，病原体の周囲への拡散を最小限にする行為(咳エチケット)も標準予防策に含まれる(eコラム1)．

b. 感染経路別予防策

感染経路別予防策は，標準予防策では感染経路の遮断が不十分な場合に行うものであり，上記のそれぞれの感染経路に対して，空気(感染)予防策，飛沫予防策，接触予防策が必要となる．空気予防策は，飛沫核粒子の拡散を防ぐために，患者は陰圧空調(室内圧を下げて，病室内の空気に含まれる感染性飛沫核粒子の流出を防ぐ)の個室で管理する．患者の病室に入る際には，医療者は感染性飛沫核粒子の吸入を防ぐため，専用の呼吸器防護具(N95マスクなど)を着用する．飛沫予防策は，飛沫の吸入を防ぐために，患者は個室で管理する(常圧でよい)，あるいは多床室では，カーテンによる間仕切りなどを行う．医療者は，一般的な医療用マスク(サージカルマスク)を着用し診療ケアを行う．接触予防策2)は，病原体による環境の汚染，また医療者による病原体の拡散を防ぐことが重要となる．患者は個室で管理する(常圧でよい)，あるいは同じ病原体に感染した患者との多床室管理も可能である．医療者は，手袋とガウンを着用し，診療後は，ただちに破棄し，十分な手指衛生により手の汚染を除去する．これらは，すべて感染期間(感染症発症期間あるいは病原体排出期間)適応される(eコラム2)．

c. 針刺し・切創防止対策

血液で汚染された鋭利器材による針刺し切創は，血液媒介病原体による医療者への感染の最大のリスク要因となる．このため，近年針刺しを防ぐための機能がついた器材(安全器材)が開発され，医療現場で広く使用されている．また，使用後の針のリキャップは，針刺しの危険が高いため，行ってはならない．

血液媒介病原体：針刺し切創や傷のある皮膚や粘膜へ血液体液が接触することにより，ヒトの体内に侵入して感染症を引き起こす可能性のある微生物．特にB型肝炎ウイルス，C型肝炎ウイルス，HIVは，医療現場での対策が必要とされる．B型肝炎については，すべての医療者に対してワクチンによる免疫の獲得が望ましい．このほかに，成人T細胞白血病ウイルス，Creutzfeld-Jakob病の原因となるプリオンや，マラリア，回帰熱ボレリア，ブルセラ，レプトスピラ，アルボウイルスなども，血液曝露による感染リスクがある．

〔飯沼由嗣〕

■文献(e文献 6-1-8)
CDC: Guideline for Isolation Precautions: Preventing Transmission of Infectious Agents in Healthcare Settings 2007(日本語和訳あり).
http://www.cdc.gov/ncidod/dhqp/pdf/guidelines/Isolation2007.pdf

6-2 各種感染性疾患

1) 気道感染症

概念

気道は，解剖学的に鼻腔から喉頭までの上気道と喉頭から終末細気管支までの下気道とに分かれている．また，呼吸細気管支は中間(移行)領域とよばれているが，臨床的には下気道として考えた方が理解しやすい(日本呼吸器学会呼吸器感染症に関するガイドライン作成委員会，2003)．中耳，副鼻腔は気道との交通があるため，広義の気道として考えられていることが多い．これらの部位で起こる感染症を気道感染症とよび，解剖学的部位によって上気道炎，鼻副鼻腔炎，中耳炎，気管支炎とよばれている．さらに，急性感染症と慢性感染症とに区別する(図6-2-1)．

病因

急性上気道炎，急性気管支炎はウイルス感染が80〜90%といわれており，その他マイコプラズマ，クラミドフィラ，細菌が原因となることがある．急性上気道炎の原因ウイルスとしてはライノウイルス，コロナウイルスによるものが多く，RSウイルス，インフルエンザウイルス，パラインフルエンザウイルス，アデノウイルス，ヒトメタニューモウイルスがこれに続く．急性気管支炎はインフルエンザウイルス，ライノウイルス，アデノウイルスによるものが多い．ウイルス以外ではマイコプラズマ，クラミドフィラ，百日咳菌が原因になることがある．

急性鼻副鼻腔炎は，「急性に発症し，発症から4週間以内の鼻副鼻腔の感染症で，鼻閉，鼻漏，後鼻漏，咳嗽といった呼吸器症状を呈し，頭痛，頬部痛，顔面圧迫感などを伴う疾患」と定義されている(急性鼻副鼻腔炎診療ガイドライン作成委員会，2010)．急性中耳炎は「急性に発症した中耳の感染症で，耳痛，発熱，耳漏を伴うことがある」と定義され，小児例が圧倒的に多い(日本耳科学会，日本小児耳鼻咽喉科学会，日本耳鼻咽喉科感染症・エアロゾル学会，2013)．急性鼻副鼻腔炎，急性中耳炎ともにウイルス感染が発端となり，その後細菌性に移行することが多い．原因菌としては肺炎球菌，インフルエンザ菌，*Moraxella catarrhalis* などが主である．

臨床症状

急性上気道炎は鼻汁，咳，咽頭痛，微熱などの症状を呈し，多くは軽症で自然に治癒することが多い．急性気管支炎は咳が主症状であり，細菌感染を合併すると膿性痰を伴うようになる．まずは，ウイルス性の気道感染症と他疾患とをしっかり区別することが重要である．ウイルス感染と細菌感染の鑑別を表6-2-1に示す．

急性鼻副鼻腔炎は膿性の鼻漏，後鼻漏，鼻閉，頭痛，頬部痛，顔面圧迫感などが主症状であり，急性中耳炎では耳痛，発熱，耳漏などが主症状である．

診断

細菌を直接検出する検査として，痰などを用いた塗沫・培養検査がある．ウイルスの分離・培養検査は困難な場合が多い．そのため間接的に検出する方法として抗原検査と抗体検査がある．抗原検査は鼻腔・咽頭拭い液など呼吸器検体を用いる場合と尿を用いる場合とがある．前者ではインフルエンザウイルス，RSウイルス，アデノウイルス，ヒトメタニューモウイルス，A群β溶血性連鎖球菌，後者ではレジオネラがあり，肺炎球菌は尿と痰，咽頭ぬぐい，耳漏などを用いて検出するキットが使用可能である．また，血清抗

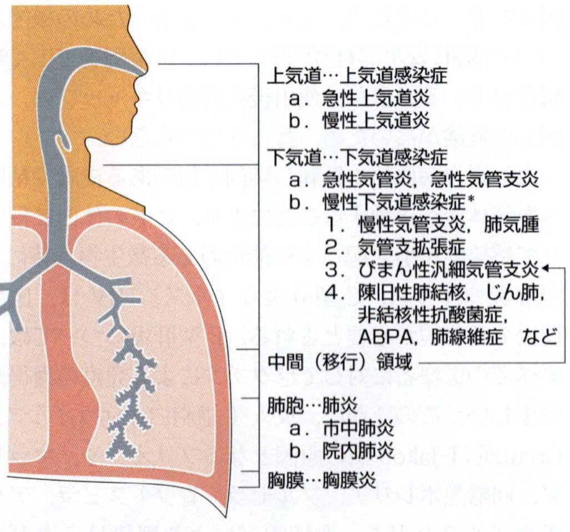

上気道…上気道感染症
　a. 急性上気道炎
　b. 慢性上気道炎
下気道…下気道感染症
　a. 急性気管支炎，急性気管支炎
　b. 慢性下気道感染症*
　　1. 慢性気管支炎，肺気腫
　　2. 気管支拡張症
　　3. びまん性汎細気管支炎
　　4. 陳旧性肺結核，じん肺，非結核性抗酸菌症，ABPA，肺線維症　など
中間(移行)領域
肺胞…肺炎
　a. 市中肺炎
　b. 院内肺炎
胸膜…胸膜炎

*急性増悪と慢性持続感染．
図6-2-1 呼吸器感染症の分類(日本呼吸器学会呼吸器感染症に関するガイドライン作成委員会，2003)

表 6-2-1 ウイルス感染と細菌感染の鑑別(日本呼吸器学会呼吸器感染症に関するガイドライン作成委員会, 2003)

		ウイルス感染		細菌感染
		普通感冒	インフルエンザ	
臨床症状	発症 症状分布 発熱	緩徐 局所的 通常は微熱	急激 全身的 高熱	通常は緩徐 全身的～局所的 微熱～高熱
	咳 痰 咽頭痛	軽度～高度 白色・粘液性 多い	通常は軽度 白色・粘液性 少ない	軽度～高度 黄色・膿性 少ない
	悪寒 倦怠感 筋肉痛	少ない 少ない 少ない	高度 高度 あり	あり あり 少ない
臨床検査	白血球数 好中球数 リンパ球	正常～減少 正常～減少 相対的増加	正常～減少 正常～減少 相対的増加	増加 増加（桿状核球） 相対的減少
	CRP	陰性～軽度上昇	陰性～軽度上昇	中等度～高度上昇

表 6-2-2 急性気道感染症での抗菌薬適応(日本呼吸器学会呼吸器感染症に関するガイドライン作成委員会, 2003)

① 高熱の持続（3日間以上）
② 膿性の痰，鼻汁
③ 扁桃肥大と膿栓・白苔付着
④ 中耳炎・副鼻腔炎の合併
⑤ 強い炎症反応（白血球増加，CRP 陽性，赤沈の亢進）
⑥ ハイリスクの患者

急性鼻副鼻腔炎および急性中耳炎の場合も発症当初はウイルス感染が主体であるため，軽症例では抗菌薬は投与せず経過観察を行い，中等症・重症に移行すれば抗菌薬治療を開始する．

細菌性気道感染症における第一選択薬はペニシリン系抗菌薬である．重症例やハイリスクの患者ではレスピラトリーキノロンを考慮する．小児においては経口カルバペネム系抗菌薬が選択される場合もある．抗菌薬を使用する場合は常に菌の耐性化を念頭におき，適切な投与量・投与期間を心がける．〔山本善裕〕

■文献(e文献 6-2-1)

急性鼻副鼻腔炎診療ガイドライン作成委員会：急性鼻副鼻腔炎診療ガイドライン 2010 年版．日本鼻科学会誌．2010；49：143-247．
日本耳科学会，日本小児耳鼻咽喉科学会，日本耳鼻咽喉科感染症・エアロゾル学会編：小児急性中耳炎診療ガイドライン 2013 年度版，金原出版，2013．
日本呼吸器学会呼吸器感染症に関するガイドライン作成委員会編：「呼吸器感染症に関するガイドライン」成人気道感染症診療の基本的考え方，日本呼吸器学会，2003．

体検査ではマイコプラズマ，クラミドフィラ，レジオネラ，真菌，ウイルスなどが検出可能である．急性期と回復期（約 2～4 週後）のペア血清で 4 倍以上の抗体価の上昇を有意として診断する．

治療

治療における最も重要なポイントは大半を占めるウイルス感染症に対して，割合は少ないが抗菌薬による治療が必要な細菌感染症を見いだすことである．日本呼吸器学会の成人気道感染症診療の考え方(日本呼吸器学会呼吸器感染症に関するガイドライン作成委員会, 2003)では，抗菌薬の適応を，①高熱の持続（3日間以上），②膿性の痰，鼻汁，③扁桃肥大と膿栓・白苔付着，④中耳炎・副鼻腔炎の合併，⑤強い炎症反応（白血球増加，CRP 陽性，赤沈値の亢進），⑥ハイリスクの患者(表 6-2-2)としている．ハイリスクの患者とは 65 歳以上の高齢者，感染症に影響を及ぼす基礎疾患を有する場合などと考えてよい．これらをエビデンスとして確立させるため全国規模の検証試験[1]が行われた．その結果，基礎疾患をもたない若年者の気道感染症に対して抗菌薬投与は勧められないが，上記 6 項目中 3 項目以上該当すれば，抗菌薬治療を考慮すべき症例が存在すると考えられた．

2）肺炎

【⇨ 9 章】

3）尿路感染症

【⇨ 13 章】

4）消化管感染症

定義・概念

消化管感染症は，病原体がおもに小腸・大腸粘膜に感染することによって起こる感染症で，下痢や嘔吐を主症状とする．広義には，カンジダ食道炎や胃の *Helicobacter pylori* 感染症なども含まれる．食中毒（food poisoning）・食品媒介疾患（foodborne disease）

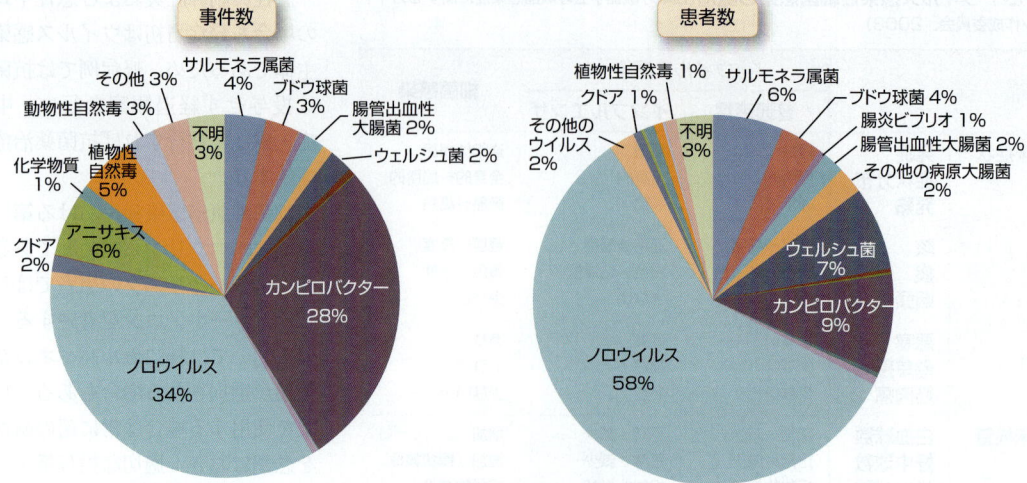

図 6-2-2 わが国の 2011 年〜2015 年の食中毒病因物質別報告数の割合（厚生労働省，2015 より作図）

は，食品の摂取によって引き起こされる感染性または毒性の疾患と定義される．ほとんどは消化管感染症であるが，自然毒・化学物質を原因とするものも含まれる．

疫学

世界で年間 150 万人が下痢症で死亡している．低所得国では死亡原因の第 3 位であり[1]，死亡者のほとんどは 5 歳未満の小児である．先進国では下痢症による死亡は比較的少ないが，乳幼児を中心に患者数は多い．

わが国では感染症法により，三類感染症のコレラ・細菌性赤痢・腸管出血性大腸菌感染症・腸チフス・パラチフス，五類感染症のアメーバ赤痢・クリプトスポリジウム症・ジアルジア症の全数報告が行われている．また五類感染症の感染性胃腸炎は小児科定点から，特にロタウイルスによる感染性胃腸炎は基幹定点からも報告されている（報告数はⓔ表 6-2-A 参照）．

食中毒は食品衛生法で医師の届出が義務づけられており，事件数は 1998 年をピークに減少傾向にある（ⓔ図 6-2-A）．2011〜2015 年の病因物質別食中毒発生状況を図 6-2-2 に示す．ノロウイルスが事件数・患者数ともに第 1 位で，カンピロバクターがそれにつぐ．食中毒による死亡者は，毎年 10 人未満であり海外諸国に比べてきわめて少ない（ⓔ図 6-2-B）[2]．死亡原因物質は，腸管出血性大腸菌，植物性自然毒，動物性自然毒，サルモネラ属菌の順に多い．

病態生理

a. 宿主防御因子（LaRocque ら，2015）

胃酸が最初のバリアであり，胃酸分泌抑制薬は感染リスクを高める．腸管の常在細菌叢は病原体の侵入を防いでおり，抗菌薬投与による常在細菌叢の抑制は危険因子となる．腸蠕動運動も病原体の排出に必要で，止痢薬をむやみに使用してはならない．免疫系では，自然免疫・粘膜下の細胞性免疫・分泌型 IgA などの液性免疫が重要である．

b. 病原体のビルレンス（LaRocque ら，2015）

ウイルスは小腸粘膜細胞に侵入し増殖する．細菌は特有の線毛によって，大腸や小腸遠位部の粘膜細胞に付着し増殖する．チフス菌やエルシニアは粘膜下組織に侵入し，腸管リンパ組織で増殖する．毒素には，小腸粘膜細胞に働き水様性下痢を起こすエンテロトキシン（enterotoxin），粘膜細胞を障害・壊死させる細胞障害毒素（cytotoxin），神経系に働く神経毒素（neurotoxin）がある．

分類・鑑別

病態機序による消化管感染症の分類を表 6-2-3 に示す[3]（Steiner ら，2011）．市中感染では，症状から非炎症性（小腸型）と炎症性（大腸型）を鑑別することが重要である．免疫不全者の 7 日以上の持続性下痢では原虫を鑑別する（Guerrant ら，2001）．院内発症では抗菌薬関連下痢症を考えるが，嘔吐下痢症の流行期にはウイルス性胃腸炎も鑑別にあがる．

(1) 食中毒・食品媒介疾患

ウイルス・細菌・寄生虫によって起こる．細菌性食中毒は毒素型と感染型に分けられる．毒素型では，食品中で細菌が産生した毒素を摂取することで起きるため，患者からは原因菌が検出されないこともある．感染型は，腸管内で毒素が産生される生体内毒素型と腸管侵入型に分けられる（ⓔ表 6-2-B）．

潜伏期間の違いによって原因病原体を推定できる．自然毒・化学物質は摂食直後から，毒素型食中毒は数

表 6-2-3 消化管感染症の病態機序による分類(Steinerら, 2011)[3]

	非炎症性(小腸型)	炎症性(大腸型)	侵入性
機序	エンテロトキシンによる分泌物増加, 神経毒による嘔吐, 粘膜付着・増殖	粘膜付着, 細胞障害毒素, 腸管粘膜の破壊	細胞侵入, 粘膜下組織・腸管リンパ節内での増殖
部位	小腸近位部	大腸・小腸遠位部	小腸遠位部
症状	悪心・嘔吐, 水様性下痢	粘液便, 血便, 赤痢様下痢, テネスムス(裏急後重), 腹痛, 発熱	発熱, 下痢, 消化管出血, 腸管穿孔
便検査	白血球なし, ラクトフェリンなしか少量	多核白血球, ラクトフェリン大量	単核球
病原体	ノロウイルス, ロタウイルス, 黄色ブドウ球菌, ボツリヌス菌, セレウス菌, ウェルシュ菌, コレラ菌, 毒素原性大腸菌(ETEC), 腸管病原性大腸菌(EPEC), 腸管凝集性大腸菌(EAEC), ランブル鞭毛虫, クリプトスポリジウム	赤痢菌, 非チフス性サルモネラ, Campylobacter jejuni, 腸管出血性大腸菌(EHEC), 組織侵入性大腸菌(EIEC), 腸炎ビブリオ, Clostridium difficile, 赤痢アメーバ	チフス菌, パラチフス菌, Yersinia enterocolitica(腸炎エルシニア)

ETEC : enterotoxigenic *Escherichia coli*, EPEC : enteropathogenic *E. coli*, EAEC : enteroaggregative *E. coli*; EHEC : enterohemorrhagic *E. coli*, EIEC : enteroinvasive *E. coli*.

時間, 感染型では非チフス性サルモネラ 12～36 時間, ノロウイルス 16 時間～3 日であるが, カンピロバクターは 1～5 日, 腸管出血性大腸菌は 3～5 日と比較的長い(e表 6-2-C).

a. ウイルス性食中毒

ほとんどがノロウイルスによって起こる. ウイルスを中腸腺内に貯留したカキなどの二枚貝を摂食することで発症する. 加熱処理には 85～90℃ 90 秒が必要である[4]. 感染している調理従事者によって汚染された食品が原因で起きる大規模な集団食中毒が増えている【⇨ 6-10-2-12】.

b. 毒素型細菌性食中毒

黄色ブドウ球菌のエンテロトキシンは耐熱性で 100℃ 30 分でも失活しない. エンテロトキシンという名称だが, 神経毒の作用がある. 調理師の手指によって食材が汚染する. 激しい嘔吐で始まり, 腹痛・下痢を伴う. セレウス菌(*Bacillus cereus*)食中毒は, 調理したごはんや炒飯などの食品を長時間放置して起こる. セレウス菌が食品中で産生した嘔吐毒(耐熱性)による食中毒は毒素型だが, 体内で産生するエンテロトキシンによる食中毒(下痢型)は生体内毒素型である. ボツリヌス中毒は他項参照【⇨ 6-3-2-3】.

c. 感染型細菌性食中毒

カンピロバクターは鶏肉・鶏卵に付着しており, 腸管内で増殖して細胞障害毒素を産生する. 腹痛が強く, 血便もみられる【⇨ 6-3-4-12】. 非チフス性サルモネラはあらゆる動物が保菌するが, 特に鶏肉・鶏卵が原因となる. 鶏卵には卵殻形成前に侵入するため, 卵殻外だけでなく卵内にも存在する. ペットの爬虫類からの感染も知られている【⇨ 6-3-4-7】.

腸管出血性大腸菌(enterohemorrhagic *Escherichia coli* : EHEC)は, ウシなどの家畜の腸管に常在し, 便で汚染された食材を摂取して発症する. 感染者からの伝播による二次感染も多い. 志賀毒素によって出血性大腸炎を呈する【⇨ 6-3-4-5】.

ウェルシュ菌(*Clostridium perfringens*)は, 芽胞を形成するため加熱で死滅しない. 腸管内で芽胞を形成する際にエンテロトキシンを産生し発症する. 食肉・魚介類などの加工食品や煮込み料理などが原因となる. 腹痛と下痢がみられるが, 比較的軽症である. 食中毒では事件あたりの患者数が多い.

その他, コレラ【⇨ 6-3-4-11】, 腸炎ビブリオ【⇨ 6-3-4-11】, 毒素原性大腸菌【⇨ 6-3-4-5】, 赤痢菌【⇨ 6-3-4-8】, *Vibrio vulnificus*【⇨ 6-3-4-11】は所定の箇所を参照. その他の細菌・原虫・寄生虫による消化管感染症についてはeコラム 1 を参照.

(2) 流行性嘔吐下痢症(ウイルス性胃腸炎)

発症者の便や吐物に排泄されるウイルスが接触感染で伝播し, 冬季に流行がみられる. トイレなどの環境を介した糞口感染が多い. ノロウイルス【⇨ 6-10-2-12】は小児・成人ともに, ロタウイルス【⇨ 6-10-2-13】は小児に流行する. 悪心・嘔吐・水様性下痢を主症状とし, 腹痛は細菌性腸炎に比べて軽度である. 2～3 日で治癒するが, ロタウイルスの初感染は重症化する. その他サポウイルス, アデノウイルス, アストロウイルス, エンテロウイルスなども原因となる.

(3) 抗菌薬関連下痢症

病院内で発症する抗菌薬関連下痢症の多くは *Clostridium difficile*(CD)感染症である【⇨ 6-3-2-4】. ほかに *Klebsiella oxytoca* も原因となる. MRSA(メチシリン耐性黄色ブドウ球菌)腸炎の報告もわが国ではあるが, 原因菌として確立はしていない[3].

臨床検査

ウイルス性胃腸炎では，ロタウイルスとノロウイルスのイムノクロマト法による迅速抗原検査が利用できる．感度は RT-PCR 法がすぐれている．

細菌性下痢症を疑った場合は，抗菌薬投与前に便培養検査を行う．カンピロバクターは 42℃・微好気培養，エルシニアは低温培養が必要となるため検査室に連絡する．EHEC 感染症を疑ったら，志賀（ベロ）毒素検査を行う．EHEC の O 抗原は O157, O26, O111, O121 などが多いが，それ以外の血清群にもみられる．EHEC 以外の下痢原性大腸菌の検査は一般の検査室では行われておらず，地方衛生研究所などに依頼する．

便の塗抹検査で白血球を観察することは，炎症性・非炎症性の鑑別に有用である（メチレンブルー染色）．カンピロバクター腸炎では，便の塗抹 Gram 染色で細いらせん状のグラム陰性菌が観察でき，迅速診断が可能である（e図 6-2-C）．

入院患者の下痢症では，CD トキシンの迅速検査を行う．感度を高めるために便の嫌気培養も併用する．入院 3 日目以後に発症した下痢症では通常の便培養検査は原則として不要である（Guerrant ら，2001）．

治療

a. 対症療法

脱水症に対する補液療法が主体となる．Na，K を含む等張性の経口補水液が用いられるが，脱水が著明な場合は経静脈的輸液を行う．乳酸菌製剤（整腸薬）や制吐薬を併用してもよいが，腸運動抑制薬などの止痢薬は使用しない．

b. 抗菌薬療法

細菌性でも，軽症であれば抗菌薬を使用せず自然に軽快する．重症例では病原体によって抗菌薬を選択する．経口投与が基本である．

赤痢菌・腸管侵入性大腸菌（EIEC）・毒素原性大腸菌（ETEC）・コレラ菌などによる中等症から重症の腸炎に対して抗菌薬が推奨されている（Guerrant ら，2001）．詳細は各項目を参照．カンピロバクター腸炎では，重症例・遷延例に耐性菌の少ないマクロライド系薬を 5 日間用いる．非チフス性サルモネラ感染症では，抗菌薬により保菌化が助長される可能性があるため，乳児・高齢者・免疫不全者以外では使用しない．

EHEC 感染症における抗菌薬使用の是非については定まっていない[5,6]．欧米では，抗菌薬は志賀毒素の遊離を促すため使うべきでないとされている．わが国では，下痢発症早期（1～2 日）でのホスホマイシンの有効性が報告され小児で投与されることが多い[7]．

予防

食中毒の予防には，調理従事者の手指衛生の徹底が大切である．家庭でも手指衛生，食材の冷蔵管理，適切な加熱を心がける．発症者からの二次感染予防には，手指衛生や環境の清拭・消毒が重要である．エンベロープのないノロウイルス・ロタウイルスや芽胞を形成する CD ではアルコールの効果が落ちるため，流水と石けんによる手洗いと次亜塩素酸ナトリウムによる環境消毒を行う．ロタウイルス感染症は，ロタウイルスワクチンで予防可能である． 〔西　順一郎〕

■文献（e文献 6-2-4）

Guerrant RL, Van Gilder T, et al: Practice guidelines for the management of infectious diarrhea. *Clin Infect Dis*. 2001; 32: 331-51.

LaRocque RC, Calderwood SB: Syndromes of Enteric Infection. Mandell, Douglas, and Bennett's Principles and Practice of Infectious Diseases, 8th ed（Bennet JE, Dolin R, et al eds），pp1238-47, Elsevier Saunders, 2015.

Steiner TS, Guerrant RL: Principles and Syndromes of Enteric Infection. Mandell, Douglas, and Bennett's Principles and Practice of Infectious Diseases, 7th ed（Mandell G, Bennet J, et al eds），pp1335-51, Churchill Livingstone Elsevier, 2010.

5）中枢神経系感染症（髄膜炎，脳炎）

【⇨ 17 章】

6）菌血症・敗血症
bacteremia・sepsis

定義

菌血症は循環血流中に細菌が存在する状態である．通常，血液は無菌であるが，何らかの原因によって血液中に細菌が侵入すると菌血症となる．菌血症は短期間で血中の菌が排除される一過性菌血症，菌血症を複数回認める間欠的菌血症，および菌血症の状態が継続する持続的菌血症の 3 つのパターンに分類される．血液中に侵入した菌は通常，肝臓や脾臓などの網内系で捕食され，殺菌，処理される．ただし，それを逃れた菌はほかの臓器に侵入して増殖し新たな感染巣をつくる可能性がある（図 6-2-3）．

通常，菌血症という用語は一般細菌が原因の場合に用いるが，その他の病原体が血中に存在する場合，真菌血症（fungemia）やウイルス血症（viremia）などの用語を用いる．また，Gram 陰性菌による感染症では，菌体の構成成分であるリポポリサッカライド（LPS）が血中に存在するエンドトキシン血症（endotoxemia）を起こし，エンドトキシンショックを誘発する．

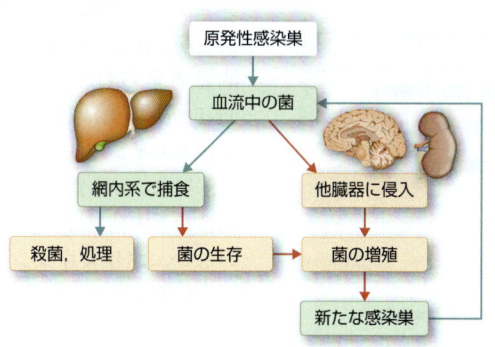

図6-2-3 菌血症発症とその後の経過

表6-2-4 菌血症・敗血症を起こしやすい患者背景

基礎疾患	医原性要因，ほか
白血病	抜歯
悪性腫瘍	臓器移植
先天性免疫不全	外科手術
AIDS	血管カテーテル留置
糖尿病	透析
肝硬変	侵襲的検査
腎不全	抗癌薬・ステロイド投与
低栄養	麻薬常用

敗血症は2016年に新しい診断基準が提唱され，「感染症に対する制御不能な宿主反応に起因した生命を脅かす臓器障害」と定義されるようになった．それまでは，感染症が原因となって全身性炎症反応症候群（systemic inflammatory response syndrome：SIRS）を引き起こした状態を敗血症と定義し，体温，脈拍数，呼吸数，末梢血白血球数の4項目のうち2つ以上が基準を満たせばSIRSと判定され，さらに感染症がその原因となっていれば敗血症と診断された．

新しい敗血症の診断基準においては，SIRSとしての基準は用いられなくなり，代わりにquick SOFA（Sequential Organ Failure Assessment）のscoreとして，①呼吸回数22回/分以上，②精神状態の変化，③収縮期血圧100 mmHg未満，の3項目を基準に判断することになった．すなわち，感染症が疑われ，上記3項目中2項目以上該当した場合を敗血症と診断することが提唱されている．

また，従来，敗血症の重症型として分類されていた重症敗血症（severe sepsis）の概念はなくなり，敗血症性ショック（septic shock）は「適切な輸液負荷にもかかわらず平均血圧65 mmHg以上を維持するために循環作動薬が必要で，かつ血清乳酸値の2 mmol/L（18 mg/dL）をこえるもの」という新しい定義が用いられるようになった（Singerら，2016）．

原因・病因

一般的に菌血症はからだのどこかに感染部位が存在し，そこから血中に菌が侵入して起こる．ただし感染巣がなくても菌血症が起こることがあり，抜歯や内視鏡検査など侵襲を伴う医療行為や麻薬など薬物の静注などで一過性の菌血症を認める．肺炎，髄膜炎，腎盂腎炎，熱傷部位感染，胆嚢炎・胆管炎，体内深部の膿瘍，術後創部感染，感染性心内膜炎など各種の疾患が菌血症の原因となりやすく，重症例では敗血症に至る場合もある．また，血管カテーテルの長期留置や管理上の不備などによって，カテーテル関連血流感染症（catheter related blood stream infection：CRBSI）を起こし菌血症や敗血症の原因となる．

菌血症や敗血症に陥りやすい患者背景として，感染抵抗性の低下がある．悪性腫瘍，糖尿病，広範囲熱傷，先天性あるいは後天性の免疫不全など感染防御能を妨げる各種の基礎疾患が誘因となりうる（表6-2-4）．また，抗癌薬や副腎皮質ステロイドの投与，外科手術，血管カテーテルの留置など医原性の要因もリスクを高める．

感染抵抗性が低下した患者における敗血症の起因病原体は，患者みずからが体内に保有する常在菌など弱毒の病原体の場合が多い．一方，チフス菌や髄膜炎菌，炭疽菌，エボラウイルスなど高病原性の病原体による感染例では，宿主の感染防御能が正常でも敗血症を発症する場合がある．

臨床症状・診断

菌血症の症状はその原因や程度によって異なる．一過性の菌血症の場合は，発熱などを認めたとしても軽微である．間欠的菌血症では，発熱や悪寒，戦慄などを認めるが，感染部位や重症度などによって程度は異なる．感染性心内膜炎では持続性菌血症を伴いやすく，長期間の発熱や倦怠感とともに，有痛性のOsler結節や無痛性のJaneway斑が手指や四肢などに認められる．髄膜炎菌による菌血症では皮下出血斑を認めやすい．

菌血症は血液培養などによって血液中に菌の存在が証明されれば，診断が確定する．そのため，菌血症の診断には血液培養検査が最も重要である．しかし血液培養の陽性率はそれほど高くないため，少なくとも2セット（4本）の採取を行い，感度を高める必要がある．また，皮膚常在菌の汚染による偽陽性の可能性を明確にするためにも2セット以上の検査が望ましい．

敗血症は発熱，悪寒，戦慄，頻脈，頻呼吸，倦怠感など全身の炎症に伴う多彩な症状を認め，さらに呼吸困難，血圧低下（ショック），乏尿，意識障害などを認める．

感染症の存在が明らか，あるいは疑われる患者にお

表 6-2-5 敗血症の原発病巣とおもな原因菌

原発病巣	おもな原因菌
呼吸器	肺炎球菌,インフルエンザ菌,黄色ブドウ球菌,肺炎桿菌など
尿路系	大腸菌,その他の腸内細菌科細菌,緑膿菌,腸球菌など
肝・胆道系	大腸菌,肺炎桿菌,その他の腸内細菌科細菌,腸球菌など
腹腔内	腸内細菌科細菌,嫌気性菌,腸球菌など
皮膚・軟部組織	黄色ブドウ球菌,A群溶連菌,緑膿菌など
熱傷	黄色ブドウ球菌,緑膿菌,カンジダなど
骨・関節	黄色ブドウ球菌,CNS*,腸内細菌科細菌,緑膿菌,淋菌など
心血管系(含む心内膜)	黄色ブドウ球菌,CNS*,緑色連鎖球菌など
血管留置カテーテル	CNS*,黄色ブドウ球菌,カンジダなど

*:コアグラーゼ陰性ブドウ球菌(表皮ブドウ球菌を含む).

いて,前述の基準を満たしていれば,敗血症と臨床的に診断される.敗血症の患者において血液培養検査は重要な検査であるが,血液培養陽性が敗血症診断の必須項目ではない.

敗血症の診断に有用な検査マーカーとしてプロカルシトニンやプレセプシンがあり,重症の細菌感染症の症例で上昇しやすい.なお,敗血症患者では末梢血白血球数の増加あるいは減少,CRP 高値を認める場合が多く,臓器障害に伴って乳酸値やクレアチニンの上昇を認めやすいが,いずれも敗血症に特異的な検査所見ではない.Gram 陰性菌による敗血症では血中エンドトキシンが陽性となる場合がある.

菌血症は血液培養で陽性となった菌が原因菌と判定される.しかし敗血症において血液培養が陰性の場合は原因菌不明であるが,感染部位や症状などからある程度の推測が可能である(表 6-2-5).

治療

菌血症,敗血症いずれにおいても,原因菌に対して有効な抗菌薬を選択し,基本的に点滴静注による十分量の投与を行う.敗血症で原因菌不明の場合は経験的治療の考え方に基づき,推定される原因菌に有効性の高い抗菌薬が選択されるが,通常はターゲットとなる原因菌をはずさないように広域抗菌薬の投与が基本となる.抗菌薬の投与だけで治療効果が期待できない場合は免疫グロブリンを投与する場合もある.

感染部位に対する抗菌薬以外の治療も必要であり,血管留置カテーテルが原因の場合は抜去,深部の膿瘍にはドレナージ,壊死組織を伴う皮膚病変はデブリドマンなどを積極的に行う.

敗血症における治療は感染症への治療以外に,輸液や昇圧薬による循環動態の改善や酸素投与,アシドーシスの補正,血糖コントロール,尿量の確保など,全身管理が必要である.

敗血症患者へのステロイドの大量投与については,ショックの早期離脱効果はあるが予後改善効果は否定的と考えられている.抗TNF 抗体を始めとする抗サイトカイン療法については,残念ながら臨床での有効性を示す結果は得られていない.ポリミキシン B-固定化カラムを用いたエンドトキシン吸着療法(PMX)や持続緩徐式血液濾過透析(CHDF)については,まだ十分なエビデンスはそろっていないが有効性を示すデータもある.

予防

基本的に菌血症や敗血症の予防として確立した方法はなく,感染リスクの軽減が重要である.抗菌薬の適正使用や,手指衛生の徹底などを含めた標準予防策の遵守,血管カテーテルの適切な管理,抗癌薬投与後の好中球減少に対する G-CSF 製剤の投与などが重要である.なお,選択的消化管除菌(SDD)は非吸収性抗菌薬の内服により腸管内の菌を減少させ,選択的口腔除菌(SOD)は抗菌薬含有軟膏を口腔内粘膜に塗布して口腔内の菌を減少させる方法であり,敗血症などの予防効果を示す報告も認められる. 〔松本哲哉〕

■文献(e文献 6-2-6)

Singer M, Deutschman CS, et al: The Third International Consensus Definitions for Sepsis and Septic Shock (Sepsis-3). JAMA. 2016; 315: 801-10.

7)循環器系感染症

【⇨7 章】

8)肝・胆道系感染症

【⇨11 章】

9）皮膚・軟部組織感染症

定義・概念
皮膚（表皮，真皮，皮下脂肪組織）の細菌感染症で，臨床的に種々のものに分類されている．

分類
原発性（単純性）と続発性（複雑性）に分類され，前者は直接皮膚に細菌が感染したもので，化膿球菌によるものが多いことから膿皮症（pyoderma）とよばれることが多い．後者は創傷，熱傷，褥瘡などすでに皮膚損傷があった部位に細菌感染を起こしたものである．

原因・病因
表皮ブドウ球菌と黄色ブドウ球菌が全体の7割近く分離され，特に黄色ブドウ球菌が優位を占めるが，黄色ブドウ球菌の2～4割を市中MRSAが占める．化膿連鎖球菌やGram陰性桿菌は10％前後である．

病態・生理
病変の場が皮膚付属器か否か，皮膚のどこかによって以下のような病名がつけられている．

臨床症状
1）癤，癤腫症，癰：おもに黄色ブドウ球菌による毛嚢の感染症で，癤は毛孔一致性の発赤を伴う紅色小丘疹で始まり（毛嚢炎），圧痛を伴うかたく浸潤を触れるしこりとなる．次第に中心部が膿瘍化し，波動を触れるようになり，膿瘍内の膿汁は毛孔を開大して膿栓を形成する．膿栓は通常2～3日で自己融解し，膿汁の排泄が起こると，症状は急速に軽快し，治癒する．また病巣より線状にリンパ管の走行に沿って潮紅が走り，軽度の圧痛と浸潤を触れたり（リンパ管炎），所属リンパ節が痛みを伴って孤立性に腫脹し，皮下結節として触れることもある（リンパ節炎）．

癤腫症は癤が比較的長期にわたって消長出没を繰り返す場合をいう（図6-2-4）．癰は相隣接する数個以上の毛嚢が同時に侵されて大きな1つの局面を形成したもので，集合性癤ともいうべきものである（e図6-2-D）．

2）伝染性膿痂疹（俗称：とびひ）：皮膚表層の細菌感染症で，歴史的に黄色ブドウ球菌性の水疱性膿痂疹と連鎖球菌性の痂皮性膿痂疹に分類されている．しかし現在本症から連鎖球菌が単独で分離されることはきわめてまれである．0～7歳の乳幼児に多いが，生後2～3カ月までの0歳児には少なく，成人はまれ．暑い夏に頻度が増す．症状としては鼻孔部周辺，口周辺，四肢などの露出部位に初発し，顔面，四肢，体幹に好発するが，頭部にはあまりみられない．水疱性膿痂疹は，水疱が生じ，次第に膿性混濁を呈し，水疱が破れるとびらん局面となる（e図6-2-E）．遠隔部にも同様の皮疹を次々と生ずる．痂皮性膿痂疹は大水疱となることはなく痂皮を形成する傾向が強い（e図6-2-F）．

3）丹毒：おもにβ溶血連鎖球菌による特に真皮浅層を侵す浮腫性化膿性炎症で，顔面，頭部，耳介や外傷を受けやすい四肢，臍部，陰部などが好発部位で，リンパ液のうっ滞しやすい部位に多い（e図6-2-G）．皮膚病変は境界鮮明で，深紅色を呈し，水疱，膿疱がみられることがある．疼痛と灼熱感を伴う．しばしば悪寒，発熱などの全身症状を伴う．

4）蜂窩織炎（蜂巣炎）：真皮深層から皮下組織に及ぶびまん性急性化膿性炎症である．最初限局性の浮腫性紅斑が生じ，次第に病変は拡大し，境界は不鮮明で，かたく浸潤を触れるようになり，局所熱感，圧痛，潮紅が増大してくる（e図6-2-H）．全身症状を伴うこともあるが，丹毒よりはまれで，その程度も軽い．しばしばリンパ管炎，リンパ節炎を伴う．

5）壊死性筋膜炎：A群溶連菌や混合感染による感染症で，その主たる病変は真皮～皮下脂肪織にあり，浅層筋膜を中心として周辺に急速に拡大していく．初期には丹毒や蜂窩織炎に類似し，びまん性の潮紅（e図6-2-I），腫脹，浮腫が認められるが，急速に水疱，血疱，表皮剝離，紫斑，点状出血，壊死などの多彩な皮膚症状を呈する．また強い腐敗臭が生じ，切開するとクリーム状の粘稠な排膿が多量に生ずることがある．嫌気性菌や一部のGram陰性桿菌では，皮下にガスを発生し触診にて捻髪音が生ずることがある（ガス壊疽）．皮膚症状に比べ全身症状が強く，さらに譫妄などの精神症状を生ずる．速やかにデブリドマンを行い，大量の抗菌薬と注意深い全身管理を行う必要がある．

治療
経験的療法としてはβ-ラクタム系薬（ペニシリン系薬，セフェム系薬）の投与で，通常は経口薬で十分であるが，リンパ管炎，リンパ節炎を起こした重症例には注射薬が必要である．これらの薬剤で効きが悪い場合はMRSAの可能性がある．皮膚・軟部組織感染症

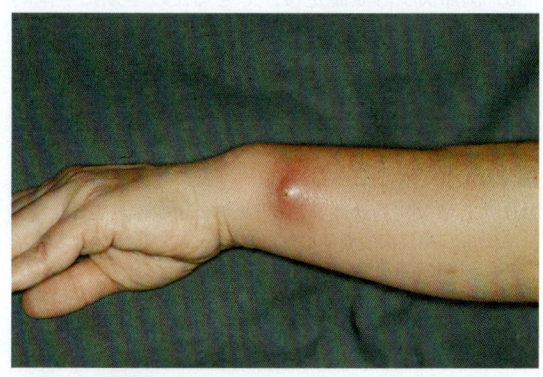

図6-2-4 癤腫症

から分離される MRSA の多くは市中 MRSA であるので，ST 合剤か，8 歳以上の場合はミノマイシン，16 歳以上ならばニューキノロン系薬を用いる．重症例では抗 MRSA 薬が必要になることもある．膿瘍を生じた場合は必要に応じて切開，排膿する．〔渡辺晋一〕

■文献

公益社団法人日本化学療法学会・一般社団法人日本感染症学会 MRSA 感染症の治療ガイドライン作成委員会編：MRSA 感染症の治療ガイドライン 2014 年改訂版．感染症学雑誌．2014; **88**: 597-668.

渡辺晋一：市中感染型 MRSA 感染症の治療．化学療法の領域．2014; **30**: 813-8.

渡辺晋一：皮膚感染症．臨床と研究．2015; **92**: 179-84.

渡辺晋一：皮膚・軟部組織感染症．抗菌薬パーフェクトガイド（渡辺　彰編），pp279-86，ヴァンメディカル，2016.

10）骨・関節感染症

概念

細菌が血行性に骨組織に侵入した場合，最初に感染が起こる部位は骨髄である．その後，感染は海綿骨や皮質骨へ波及する．したがって骨組織の感染症を総称して化膿性骨髄炎（以下骨髄炎と略す）という名称が使われている．化膿性関節炎（以下関節炎と略す）は感染性滑膜炎として発症し，関節腔内に滲出液が貯留して軟骨や骨の破壊へと至る感染症である．

病因

細菌感染によるが，感染経路は①血行性感染，②外傷，手術などによる直接感染（関節炎では関節内注入による医原性を含む），③隣接感染巣からの波及によるものに大別される．

起炎菌

わが国では，骨髄炎の原因菌としてメチシリン感性黄色ブドウ球菌（MSSA），緑膿菌，メチシリン耐性黄色ブドウ球菌（MRSA）の頻度が高く（川嶌ら，2003），関節炎の原因菌としては，MSSA，MRSA，ストレプトコッカス属の頻度が高い（Okano ら，2011）．

診断

診断は，臨床所見，血液検査での炎症所見，画像所見による．骨髄炎で単純 X 線像上の骨萎縮像，骨破壊像，骨膜反応などの初期変化が出現するまで 10 日以上かかるとされている（e図 6-2-J）[1]．X 線像では，進行すると関節軟骨が破壊され消失することにより関節裂隙は狭小化して見え，軟骨下骨に炎症が波及すると骨萎縮像が出現し，やがて骨破壊像を生じる．MRI は骨髄炎の早期診断[2]や関節液の貯留の診断に有用である．

骨・関節組織は無菌組織であり，細菌が証明されれば診断は確定する．膿瘍や関節液の貯留が疑われる場合は，積極的に穿刺し検体を採取する．血液培養も診断に重要である[1]．

治療

早期に適切な抗菌薬の投与を開始することが治療上重要である[3]．

1）抗菌薬の選択，用法用量： 細菌培養の結果が出る前に行う経験的治療（empiric therapy）および細菌培養の結果をみて行う標的治療（definitive therapy）における抗菌薬の選択，用法用量は文献を参照されたい（JAID/JSC 感染症治療ガイド・ガイドライン作成委員会，2014）．経験的治療として骨髄炎，関節炎ともに MSSA を標的として抗菌薬を選択する．易感染性宿主，敗血症などの合併症が重篤で細菌培養の結果を待つ余裕がない症例，最近抗菌薬が投与された症例は，MRSA を標的として抗菌薬を選択する．起炎菌判明後は薬剤感受性結果を参考に抗菌薬を変更する．

2）投与期間： 病巣掻爬後の骨が血行のある組織で覆われるのに約 4〜6 週間を要すると考えられることより，成人の骨髄炎では症状出現後あるいは病巣掻爬後 4〜6 週間の静脈内投与が必要とされてきた[4]．関節炎では，感染が骨髄炎まで進展しなかった場合は 3〜4 週間の投与[5]，骨髄炎が併発した場合は骨髄炎に準ずる．

3）手術：

a）骨髄炎：膿瘍や血行が途絶した腐骨を形成した場合は，抗菌薬の投与や排膿のみで治癒することは困難で，病巣掻爬術が必要となる．病巣掻爬後に生じた死腔へ抗菌薬を移行させることは困難であり，いかに死腔をコントロールするかがポイントとなる．そのため，抗菌薬の局所への delivery system が考案された．持続洗浄療法[6]，抗菌薬含有セメントビーズ[7]やセメントスペーサー[8]は，死腔をコントロールし補助療法として有用である．

骨欠損が大きい場合は，病状が改善した後，骨の再建が必要になる．

b）関節炎：診断確定後，できるだけ早期に手術的に洗浄する[9]．関節鏡が可能な部位では関節鏡視下に洗浄する[9]．進行した場合は滑膜切除も必要となる．

〔松下和彦〕

■文献（e文献 6-2-10）

JAID/JSC 感染症治療ガイド・ガイドライン作成委員会編：JAID/JSC 感染症治療ガイド 2014, pp157-74, 日本化学療法学会/日本感染症学会，2014.

川嶌眞人，田村裕昭，他：化膿性骨髄炎に対する高気圧酸素療法．日本骨・関節感染症研究会雑誌．2003; **17**: 41-5.

Okano T, Enokida M, et al: Recent trends in adult-onset septic arthritis of the knee and hip: retrospective analysis of patients treated during the past 50 years. *J Infect Chemother*. 2011; 17: 666-70.

11) 腹腔・骨盤内感染症

定義・概念
　腹腔・骨盤内感染症は，消化管系由来，肝胆道系，泌尿生殖器系のいずれかの感染症に由来し，腹膜炎や腹腔内膿瘍形成をきたすものである．由来により起因微生物が異なる．診断や重症度により経過や治療，予後は異なるが，いずれも緊急外科治療の必要性について判断が必要である．

分類
　腹腔・骨盤内感染症は，消化管系由来，肝胆道系，泌尿生殖器系のいずれかの感染症に由来する．細菌性腹膜炎は，穿孔や明らかな隣接感染巣のない原発性細菌性腹膜炎と，それ以外の続発性細菌性腹膜炎に分類される．

原因・病因
　消化管系由来と肝胆道系由来における感染症は，消化管内に存在する微生物が原因である．大腸菌などの腸内細菌群やバクテロイデス属などの偏性嫌気性菌が主で，腸球菌や嫌気性連鎖球菌もみられることがある．

　泌尿生殖器系では，婦人科系領域由来では多彩なGram陰性嫌気性菌や連鎖球菌のほか，性感染症であればクラミジアや淋菌も原因となる．腎泌尿器系由来の場合，起因菌はおもにGram陰性の腸内細菌群であるが，尿路に閉塞や人工物留置などの問題がある場合や先行抗菌薬使用歴がある場合には，緑膿菌や腸球菌といった薬剤耐性度の高い菌が原因となることがある．

　続発性細菌性腹膜炎では上記の細菌が原因となる一方，原発性細菌性腹膜炎では腸内細菌群が主体で，嫌気性菌の関与は低く10%以下とされている．

　疫学については e ノート1参照．

病態生理
1) 消化管系由来： 急性虫垂炎，大腸憩室炎，Meckel憩室炎，急性回腸炎，大腸癌，直腸癌など，おもに空腸より肛門側の消化管が由来となる．
2) 肝胆道系由来： 化膿性胆管炎，胆嚢炎，肝膿瘍，膵炎などから続発性腹膜炎をきたすことがある．肝硬変患者では，明らかな穿孔がない原発性細菌性腹膜炎（奇異性細菌性腹膜炎）をきたすことがある．消化管粘膜からの bacterial translocation が関与すると考えられている【⇨11-1-8】．
3) 泌尿生殖器系由来： 女性では卵巣・卵管膿瘍，卵管を経由しての骨盤内膿瘍，骨盤内炎症症候群および肝周囲炎（Fitz-Hugh-Curtis症候群）などがある．腎周囲膿瘍が腹腔内に穿破することもある．

臨床症状
1) 自覚症状： 腹膜炎のおもな自覚症状は腹部に生じる急性の自発痛や圧痛である．部位は限局性のこともあれば広範なこともある．膿瘍を形成している場合は腹痛の部位はより限局的である．発熱の程度もさまざまである．高齢者では自覚症状が非典型的となりやすい．
2) 他覚症状： 汎発性腹膜炎では腹部全体に，また限局性腹膜炎では局所に圧痛や反跳痛，腹壁の筋性防御を認める．虫垂炎や憩室炎では当初は限局的な所見を認めることが多いが，穿孔をきたすと有所見範囲は拡大する．腸管蠕動は一般に低下している．婦人科系に由来する骨盤内炎症症候群では，直腸診による子宮頸管の動揺痛が診断に有用といわれている．高齢者では他覚症状も非典型的となりやすい．

検査所見
1) 血液・尿検査： 白血球数やその分画，CRPといった炎症反応の指標は，体温と同様にさまざまな値を示す．肝胆道系酵素の上昇は肝胆道系由来の原因を示唆する．尿一般検査やGram染色で膿尿や細菌尿を認める場合は，泌尿器系感染症が原因である可能性が示唆される．
2) 腹水検査： 腹水が採取できれば診断と起因菌の特定に有用である．好中球数，蛋白量，グルコース値，LDなどに異常が認められる．嫌気培養も含めた細菌検査の提出は必須である．
3) 血液培養： 深部感染巣ですぐに検体採取ができない場合，血液培養だけでも採取しておくと起因菌がつかまることがある．
4) 画像： 腹部単純X線においては，炎症部位付近の腸管壁浮腫や腸管腔拡大，腹水が貯留する状態であれば腸腰筋陰影や腹膜脂肪陰影の消失を認める．超音波検査は侵襲が少ないが，検査施行者の技術により感度・特異度が左右され，異常所見を取り逃すおそれがある．CTスキャンは超音波検査と比較し所見のばらつきが少なく，特に右上腹部，後腹膜および骨盤内の異常を検出する力にすぐれている．一方，費用や放射線被曝の問題を勘案しなくてはならない．

診断
　上記から，原因を含めて診断をつける．詳細は各論に譲る．

〔上原由紀〕

■文献
Bennett JE, Dolin R, et al eds: Mandell, Douglas, and Bennett's Principles and Practice of Infectious Diseases, 8th ed, pp935-59, Saunders, 2015.

Bennett JE, Dolin R, et al eds: Mandell, Douglas, and Bennett's Principles and Practice of Infectious Diseases, 8th ed, pp982-5, Saunders, 2015.

Bennett JE, Dolin R, et al eds: Mandell, Douglas, and Bennett's Principles and Practice of Infectious Diseases, 8th ed, pp2154-70, Saunders, 2015.

12）性感染症
sexually transmitted infection：STI

性行為によって粘膜や皮膚に感染する疾患は性病（venereal diseases）とよばれていた．近年の概念では，狭義の性行為，すなわち性交のみではなく，広義の性的接触によって感染するあらゆる感染症を性感染症（STI）と総称する．つまり，性感染症には性器と性器，性器と口唇，性器と肛門，口唇と肛門などの接触によると思われる疾患が含まれる．さらに，無症状であっても，性感染症の病原体が検出される病態も性感染症に含む（表 6-2-6）．

疫学・病因

わが国での患者数は，1980年代に増加後，1990年代前半に減少，その後再度増加に転じ2002年をピークに減少している[1]（熊本ら，2004）．男性では尿道炎，女性では子宮頸管炎の症例が多く，原因微生物はChlamydia trachomatis が最も多く，ついで淋菌（Neisseria gonorrhoeae）である．患者の年齢分布は，男性では20歳代前半〜30歳代前半が，女性では10歳代後半〜20歳代前半がピークとなる（eコラム1）．

症状

STIの症状は多様である．おおまかに性器・付属器の炎症症状，性器周囲の皮膚症状，性器外の症状，および全身疾患を呈する（表 6-2-7）．梅毒のように病期により多彩な症状を呈するものが含まれる．以下，症状から鑑別すべき性感染症を示す．診断，治療に関しては日本性感染症学会によるガイドラインに準ずる（守殿ら，2011）．

鑑別

a. 尿道炎（外尿道道口から排膿，排尿時痛）

尿道炎とは，尿道分泌物と排尿痛とを主訴とする疾患である．STI以外の原因でも起こるが，一般には性行為が原因のものを指す．男子尿道炎は，N. gonorrhoeae の検出の有無により，淋菌性尿道炎と非淋菌性尿道炎とに分類される．C. trachomatis が検出可能となり，C. trachomatis が検出されるものをクラミジア性尿道炎とよぶ．いずれも分離されない尿道炎は，非クラミジア性非淋菌性尿道炎とよび，多くの病原体の関与が示唆されている．このなかで Trichomonas vaginalis と Mycoplasma genitalium の病原性が確立している（Taylor-Robinson ら，2011）．淋菌性尿道炎症例の約20〜30％から C. trachomatis が同時に検出される．女性でも子宮頸管に合併して，尿道からの排膿をみることがある．

淋菌性尿道炎と非淋菌性尿道炎では，潜伏期間，発症，排尿痛の程度，尿道分泌物の量と色調など臨床症状に違いがみられる．一般に非淋菌性尿道炎は淋菌性尿道炎に比べ比較的緩徐に発症し，排尿痛は軽く，排膿も少量で薄い．N. gonorrhoeae と C. trachomatis それぞれに有効な抗菌薬は異なるため，両者の鑑別は重要である．尿道分泌物のGram 染色による N. gonorrhoeae の確認が重要である．同時に C. trachomatis を核酸増幅法や酵素抗体法などで検査する．N. gonorrhoeae が確認されたら N. gonorrhoeae に対する治療を開始し，その後検査結果をみて C. trachomatis の治療を開始する方が望ましい．しかし，尿道炎患者の再診率は低く，両者の同

表 6-2-6 おもな性感染症の病原微生物

	病原体	疾患
スピロヘータ	Treponema pallidum	梅毒
細菌	Neisseria gonorrhoeae Haemophilus ducreyi 赤痢菌，サルモネラ菌，カンピロバクターなどの腸管系病原菌	淋菌感染症 軟性下疳 腸内感染症
マイコプラズマ	Mycoplasma genitalium Ureaplasma urealyticum	尿道炎，子宮頸管炎 尿道炎*
クラミジア	Chlamydia trachomatis（D-K） Chlamydia trachomatis（L1-3）	性器クラミジア感染症 性病性リンパ肉芽腫症
ウイルス	単純ヘルペスウイルス（HSV） ヒトパピローマウイルス（HPV） 伝染性軟属腫ウイルス ヒト免疫不全ウイルス（HIV） 肝炎ウイルス（HAV, HBV, HCV など） サイトメガロウイルス（CMV） Epstein-Barr（EB）ウイルス	性器ヘルペス，口唇ヘルペス 尖圭コンジローマ 性器伝染性軟属腫 AIDS（後天性免疫不全症候群） 肝炎（A型，B型，C型など） サイトメガロウイルス感染症 伝染性単核球症
原虫	Trichomonas vaginalis Entamoeba histolyca	膣トリコモナス症 赤痢アメーバ症
真菌	Candida albicans	性器カンジダ症
節足動物	Phthirus pubis Sarcoptes scabiei	ケジラミ症 疥癬

＊：病原性に関するエビデンスが不足している．

時治療を考慮することがある[2]．近年，N. gonorrhoeae の薬剤耐性化が大きな問題となっており，尿道分泌物の培養，薬剤感受性検査の重要性は増している[3-5]．

非クラミジア性非淋菌性尿道炎の病原体である T. vaginalis は，尿沈渣の直接検で，白血球とほぼ同じ大きさで，波動性のある原虫を観察する．M. genitalium は核酸増幅法にて検出可能であるが，わが国では保険未収載である（Taylor-Robinson ら，2011）．

b. 精巣上体炎，前立腺炎

急性精巣上体炎および前立腺炎は，C. trachomatis, N. gonorrhoeae によっても起こりうる．未治療の尿道炎患者では，病原体が尿道から前立腺へ，さらに精管を上行して精巣上体に炎症を起こす．急性精巣上体は精巣上体の腫脹，局所の疼痛を主訴とし，悪化すると陰嚢内容は一塊となり，大きく腫脹する．発熱を伴うことがある．35歳以下で合併症のない男性の急性精巣上体炎は C.trachomatis によるものを考慮する．急性前立腺炎では直腸診にて前立腺の腫大，著明な圧痛を認める．高熱を呈することが多く，急性期での前立腺への強い圧迫は，菌血症を起こすことがあり禁忌である．

c. 直腸炎

男性同性愛者のみならず，異性間性交渉でも肛門性交を行う場合には，N. gonorrhoeae や C. trachomatis による直腸炎を発症しうる．下痢，腹痛，発熱など消化器症状を呈するが，無症状の症例もある．病歴とともに，肛門性交の有無を確認する．N. gonorrhoeae や単純ヘルペスウイルスによる直腸炎は，排便時，肛門性交時に強い疼痛を訴える．単純ヘルペスでは，肛門周囲の皮膚に水疱や潰瘍を形成する．クラミジア性直腸炎は，直腸に限局する円形～類円形の顆粒状小隆起が特徴である．HIV 感染者では梅毒の合併例が多く，肛門部，直腸の潰瘍や腫瘤性病変をみた場合には，第1期梅毒を疑う．梅毒疹は一般に無痛性だが，二次感染により有痛性となる．このほか，肛門と口との接触より，赤痢アメーバ，サルモネラ，カンピロバクターなどの消化器感染症が発症する．

d. 膣疾患

感染性帯下は，女性の性感染症の重要な症状であり，膣疾患と子宮頸管炎が原因となる．膣トリコモナス症は T. vaginalis 感染症で，泡状の悪臭の強い帯下の増加，外陰，膣の刺激感，瘙痒感を訴える．20～50％は無症候性である．診断は帯下の生鮮鏡検にて波動性のある原虫を観察する．膣カンジダ症は，カンジダ属による性器感染症で，強い瘙痒感と帯下を主訴とする．女性では日常頻繁にみられる疾患である．抗菌薬投与後または性交後に発症することが多い．膣内容の生鮮鏡検，外陰皮膚の落屑の 10% KOH 下の検鏡，膣内容の培養により診断する．細菌性膣症は，膣内の細菌叢のうち，乳酸桿菌が減少し，好気性の Gardnerella vaginalis や嫌気性のバクテロイデス属，モビルンカス属などが異常に増殖した状態である．軽度の帯下感を訴えるが，半数は無症状である．上記疾患はすべてが性感染症ではなく，STI 関連疾患の1つと認識する．

e. 子宮頸管炎

子宮頸管炎は女性の STI のなかで，最も頻度の高い病態である．N. gonorrhoeae, C. trachomatis が検出されるものをそれぞれ淋菌性子宮頸管炎，クラミジア性子宮頸管炎とよぶ．M. genitalium の病原性はほぼ確立されているが，核酸増幅法はわが国では保険未収載である（Taylor-Robinson ら，2011）．クラミジア性子宮頸管炎の頻度が最も高い．局所症状は帯下の増加と不正出血が一般症状であるが，約半数以上の患者で自覚症状を感じない．膣鏡診では子宮頸管粘膜は易

表 6-2-7 STI の主症状と鑑別疾患

	性感染症
性器・付属器の炎症症状を主とするもの	尿道炎 精巣上体炎・前立腺炎 子宮頸管炎 骨盤内炎症性疾患 膣トリコモナス症 細菌性膣症
潰瘍を形成するもの	性器ヘルペス 梅毒（硬性下疳） 軟性下疳 性病性リンパ肉芽腫症 外陰皮膚粘膜カンジダ症，外陰膣カンジダ症 淋菌感染症 膣トリコモナス症
腫瘤を形成するもの	尖圭コンジローマ 梅毒（初期硬結），扁平コンジローマ 性器伝染性軟属腫 疥癬
瘙痒感を主症状とするもの	ケジラミ症 疥癬
性器外の症状を呈するもの	直腸炎 咽頭炎 結膜炎 Reiter 症候群 Fitz-Hugh-Curtis 症候群 播種性淋菌感染症 関節炎
全身症状を呈するもの	梅毒（晩期梅毒） HIV 感染症

出血性で，発赤，びらんを呈し，子宮頸管からの分泌物を認める．診断は子宮頸管スワブを用いた *N. gonorrhoeae* の培養または *N. gonorrhoeae*，*C. trachomatis* の核酸増幅法，酵素抗体法による．

e. 骨盤内炎症性疾患

女性が下腹部痛を訴えて来院した場合，骨盤内炎症性疾患（pelvicinflamatory disease：PID）の鑑別が必要である．PID 小骨盤腔にある臓器の細菌感染症の総称で，付属器炎，卵巣膿瘍，Dauglas 窩膿瘍，骨盤腹膜炎が代表的疾患である．子宮頸管に感染した *N. gonorrhoeae*，*C. trachomatis* が上行性に感染するほか，一般の好気性菌，嫌気性菌によっても発症する．38℃以上の発熱，白血球増加，CRP 上昇などの炎症所見を認め，子宮頸管からの分泌物を認めることが多い．分泌物の *N. gonorrhoeae*，*C. trachomatis* の検査のほか，細菌培養も行う．腹膜内へ進展すると肝周囲炎を発症し上腹部痛を呈することがある（Fitz-Hugh-Curtis 症候群）．

g. 陰部・性器の潰瘍性疾患

陰部，性器に潰瘍またはびらんを生ずる疾患はさまざまであり，STI の可能性を考慮すべきである．男性の性器ヘルペスは亀頭部，陰茎体部などに水疱を生じ，破れて浅い潰瘍となる．一般に症状は軽度で，ときに発熱，鼠径部リンパ節の腫脹を伴う．女性では，初感染時に強い症状を呈する．大陰唇，小陰唇，膣前庭，会陰部にかけて水疱が多発し，破れると潰瘍となる．高熱を伴うことがあり，鼠径部リンパ節の腫脹と圧痛，排尿時痛を伴う．疼痛にて歩行困難となることがある．男女とも再発例では症状は軽いことが多く，陰部から大腿，臀部などに小水疱，潰瘍を生ずる．梅毒は，感染部位に硬い硬結（初期硬結）を生じ，潰瘍化する（硬性下疳）．男性では亀頭，冠状溝周囲，女性では大・小陰唇周囲に生ずる．肛門性交にて肛門周囲に病変を生ずる．

わが国ではきわめてまれだが，*Haemophilus ducreyi* による軟性下疳も，潰瘍性病変を呈する．アフリカ，東南アジア，南米に流行地があり，わが国では，国外からの持ち込み例が報告される．男性では亀頭部，冠状溝周辺に，女性では大・小陰唇，膣口に辺縁が鋸歯状の深い強い疼痛を伴う潰瘍を生ずる．

h. 陰部・性器の腫瘍性疾患

陰部，性器の腫瘍性病変を見た場合，STI である可能性を考慮する．視診による診断するが，ときに癌の除外診断も含め組織検査が必要となる．尖圭コンジローマはヒトパピローマウイルスによる感染症である．感染部位は外陰部，肛門および周囲，尿道口，膣，子宮頸管などで，乳頭状腫瘍が多発する．梅毒の初期硬結，硬性下疳や扁平コンジローマ，伝染性軟属腫なども鑑別が必要である．

性感染症（STI）の性器外感染

性器外臓器からも STI の病原体が分離されることがある．特に口腔と性器との関連が感染源として重要である．*N. gonorrhoeae* や *C. trachomatis* は咽頭より分離される．男性同性愛者や性風俗従事者からの分離頻度が高いが，一般男女からも分離される．咽頭痛や嗄声を呈するが，多くは無症状であり感染源となりうる．口唇ヘルペスをもつパートナーから，単純ヘルペスウイルスが性器に感染する．初期梅毒が口腔内や口唇に生ずることがある．伝染性単核球症は Epstein-Barr ウイルスによる感染症で，kissing disease とよばれ，若年者の症例が増加している（ⓔコラム 2）．

眼疾患のなかにも，性感染症と考えられる症例がある．淋菌による新生児結膜炎（新生児膿漏眼）は *N. gonorrhoeae* に感染した妊婦からの感染例である．成人の淋菌性結膜炎症例もみられる．症状は強く，多量の膿性眼脂，眼瞼腫脹，結膜の著明な発赤をきたす．結膜穿孔を起こすこともある．*C. trachomatis* による結膜炎（成人型封入体結膜炎）の報告もみられる．結膜の充血，粘液性の眼脂，眼瞼腫脹などを呈する．

〔濱砂良一〕

■文献

守殿貞夫，小野寺昭一，他：性感染症 診断・治療ガイドライン 2011．日本性感染症学会誌．2011; **22**: 1-163.

熊本悦明，塚本泰司，他．日本における性感染症サーベイランス 2002 年度調査報告．日本性感染症学会誌．2004; **15**: 17-45.

Taylor-Robinson D, Jensen JS: Mycoplasma genitalium: from Chrysalis to multicolored butterfly. *Clin Microbiol Rev*. 2011; **24**: 498-514.

13）輸入感染症
imported infectious disease

国境間の移動が安価かつ迅速に可能な現在において，古典的輸入感染症は旅行者医療（travel medicine）に統合されつつある．しかし輸入感染症という発想で対象とすべき疾患群が存在する．輸入感染症という発想が明確化するのは，感染症における「微生物との遭遇」という事象の重要性である．健常な人間でも免疫のない状態で麻疹ウイルスと遭遇すると麻疹を発症する．健常な成人は，成長の過程である社会（たとえば日本）で遭遇すべき微生物と遭遇している．しかしその健常成人がアフリカで熱帯熱マラリアに蚊刺咬を経て *Plasmodium falciparum* と遭遇すると熱帯熱マラリアを発症する．旅行に伴い遭遇する病原性微生物の地域的分布差が輸入感染症の本態である．病原性微生物の地域的分布差は常に存在するが，それを「輸入感染

表 6-2-8 旅行者において発症する世界的に重要な感染症の頻度(Freedman ら, 2006)

	全体	東南アジア	インド周囲	アフリカ（サハラ以南）	南米
症例数（例）	17353	2793	2403	4524	1326
原虫性下痢症	9%	5%	15%	6%	8%
細菌性下痢症	6%	8%	10%	4%	6%
熱帯熱マラリア	5%	<1%	<1%	18%	<1%
ブラストシスティス症*	3%	3%	4%	3%	3%
デング熱	3%	8%	3%	<1%	2%
幼虫移行症	2%	4%	1%	1%	3%
消化管線虫症	2%	3%	2%	2%	2%
マラリア（熱帯熱以外）	2%	3%	2%	5%	1%
住血吸虫症	1%	<1%	<1%	4%	<1%
急性肝炎	1%	<1%	<1%	<1%	<1%
腸チフス・パラチフス	<1%	<1%	3%	<1%	<1%
フィラリア症	<1%	<1%	<1%	2%	<1%
リケッチア症	<1%	<1%	<1%	2%	<1%
リーシュマニア症	<1%	<1%	<1%	<1%	4%

＊：ブラストシスティス症：便中に認められても疾患を発症しないと考えられることが多い．

症」として顕在化させるのが旅行者の存在である．そのため旅行者数とその目的地の変動は輸入感染症の頻度を変化させる．

(1) 疾患分布の世界的傾向

患者の滞在した地域で鑑別診断を変える必要がある．旅行者あたり約1％以上の頻度で発症する世界的に重要な感染症を表 6-2-8 に示してあるが，その結果は「病原性微生物の地域的分布差」を明確に示している．特に重要な熱帯熱マラリアはサハラ以南アフリカに突出して多く認められ，同地域から帰ってきた感染症想定患者の 18％が熱帯熱マラリアであった．マラリアに対する予防内服が勧められる理由である．腸チフス・パラチフスはインド周囲に多く，同地域から帰ってきた感染症想定患者の 3％が罹患（りかん）していた．デング熱はほかの地域でも認められたが，東南アジアでは感染症想定患者の 8％が罹患していた．またほかの地域では認められなかったリーシュマニアは南米では感染症想定患者の 4％が罹患していた．

(2) 日本での疾患分布

地理的背景より，日本の輸入感染症は東南アジア，インド，インドネシア地域との関連が強く中南米との関連は乏しい．日本において頻度と重症度から重要な輸入感染症は①マラリア，②デング熱，③チフス性疾患の 3 疾患であり，さらに追加するとすれば④レプトスピラ症，⑤リケッチア感染症となる（eコラム 1）．

(3) 重要疾患と潜伏期間

輸入感染症は「潜伏期間」という重要な臨床因子を再確認させてくれる疾患である．熱帯熱マラリアの潜伏期間は 8～25 日（平均 12 日）である．アフリカ帰国後 2 カ月以上過ぎた患者での原因不明の発熱では，「潜伏期間より，三日熱マラリアは低い可能性で残るが，致死的疾患として注意すべき熱帯熱マラリアの可能性はない」こととなる．腸チフスの潜伏期間は 7～21 日であり，インド滞在 3 日目の発熱では腸チフスは鑑別診断には含まれない．

表 6-2-9 には重要疾患と潜伏期間を示すが，多くの重篤になりうる疾患が初期には「感冒様症状」であることを念頭におくべきであり，そのため患者の旅行歴は非常に重要になる．

(4) 顧みられない熱帯病

2000 年以降国連は「顧みられない熱帯病（neglected tropical diseases）」という考え方を提唱した．恣意的ではあるが，WHO が選択した疾患を表 6-2-

表 6-2-9 代表的疾患とその潜伏期間（N は顧みられない熱帯病に該当する疾患）

疾患（微生物）	N	潜伏期間
全身発熱性疾患		
肺ペスト（Yersinia pestis）		1～3日
クリミア・コンゴ出血熱（Crimean-Congo hemorrhagic fever virus）		2～9日
広東住血線虫症（Angiostrongylus cantonensis）		2～35日（平均16日）
黄熱（yellow fever virus）		3～6日
トリパノソーマ感染症（アフリカ眠り病）（Trypanosoma*1）	◎	3～10日
デング熱（dengue virus）	◎	3～15日
ラッサ熱（Lassa virus）		3～21日（多くは7～10日）
チクングニア感染症（chikungunya virus）		4～7日
ニパウイルス感染症（Nipah virus）		4～18日
ヘンドラウイルス感染症（Hendra virus）		4～18日（～1年）
発疹チフス（Rickettsia prowazekii）		4～21日
エボラ出血熱（Ebola virus）		5～11日
バベシア症（Babesia*2）		5日～6週
日本脳炎（Japanese encephalitis virus）		6～16日
レプトスピラ（Leptospira interrogans）		7～12日（2～21日）
腸チフス・パラチフス（Salmonella enterica serovar Typhi, Salmonella enterica serovar Paratyphi）		7～21日
ブルセラ症（Brucella*3）		7～21日
糞線虫症（Strongyloides stercoralis）		7日～数週間（～数年）
熱帯熱マラリア（Plasmodium falciparum）		8～25日
三日熱マラリア（Plasmodium vivax）		12～40日（ときに1年以上）
内臓リーシュマニア（Leishmania*4）	◎	10日～数年
住血吸虫（Schistosoma*5）		14～84日（～数年）
フィラリア症*6		3カ月～1年
下痢性疾患		
赤痢（Shigella spp.）		12時間～3日（7日）
コレラ（Vibrio cholerae）		1～3日（6日）
ジアルジア（Giardia lamblia）		3～20日
糞線虫症（Strongyloides stercoralis）	◎	7日～数週間（～数年）
赤痢アメーバ（Entamoeba histolytica）		2週～数カ月
住血吸虫（Schistosoma*5）	◎	14～84日（～数年）
無鉤条虫（Taenia saginata）		5～12週
回虫症（Ascaris lumbricoides）		数週～数カ月
肝関連疾患		
包虫症（Echinococcus*7）	◎	数カ月～数年
呼吸器関連疾患		
肺ペスト（Yersinia pestis）		1～3日
重症急性呼吸器症候群（SARS-associated coronavirus）		2～10日
鳥インフルエンザ（influenza virus A, H5N1）		3～5日（～9日）
結核（Mycobacterium tuberculosis）		2～10週（ツ反陽性化）
包虫症（Echinococcus*7）	◎	数カ月～数年
皮膚関連疾患		
腺ペスト（Yersinia pestis）		2～6日
皮膚リーシュマニア（Leishmania*8）	◎	7日～数カ月
Chagas 病（Trypanosoma cruzi）	◎	7日～不定期
イチゴ腫（Treponema pallidum pertenue）	◎	数週間
Buruli 潰瘍（Mycobacterium ulcerans）	◎	?～数カ月
リンパ系フィラリア症*6	◎	6～12カ月
メジナ虫症（Dracunculus medinensis）	◎	10～14カ月
Hansen 病（Mycobacterium leprae）	◎	5年
眼科疾患		
トラコーマ（Chlamydia trachomatis）	◎	7～21日
オンコセルカ症（Onchocerca volvulus）	◎	9～24カ月
中枢神経関連		
髄膜炎菌性髄膜炎（Neisseria meningitidis）		2～4日
広東住血線虫症（Angiostrongylus cantonensis）*9		2～35日（平均16日）
黄熱（yellow fever virus）		3～6日
アカントアメーバ脳炎（Naegleria fowleri）		3～7日
トリパノソーマ感染症（アフリカ眠り病）（Trypanosoma*1）	◎	3～10日
ニパウイルス感染症（Nipah virus）		4～18日
日本脳炎（Japanese encephalitis virus）		6～16日
有鉤条虫症（嚢虫症）（Taenia solium）	◎	10日～10年
狂犬病（rabies virus）	◎	3～12週（4日～2年）

*1：Trypanosoma brucei gambiense, Trypanosoma brucei rhodesiense.
*2：Babesia microti, Babesia divergens.
*3：B.abortus, B.melitensis, B.suis, B.canis, B.pinnipedialis, B.ceti.
*4：L. donovani, L. infantum, L. chagasi.
*5：S. japonicum（日本住血吸虫），S. mansoni（マンソン住血吸虫）．
*6：Wuchereria bancrofti（バンクロフト糸状虫），Brugia malayi（マレー糸状虫），Brugia timori（チモール糸状虫）．
*7：E. granulosus, E. multilocularis.
*8：南米では L. braziliensis が中心．L. mexicana（メキシコ，中南米），L. major と L. tropica（南ヨーロッパ，アジア，アフリカ）．
*9：好酸球性髄膜脳炎を発症する．

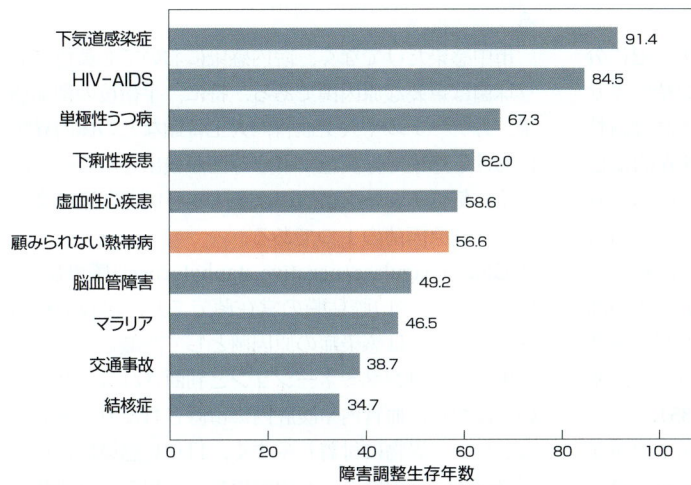

図 6-2-5 「顧みられない熱帯病（neglected tropical diseases）」が世界的な健康被害に占める程度（Hotezら，2007）
世界規模での疾患により影響を受ける時間（年）や早産によって影響を受ける時間（年）を比較した表．顧みられない熱帯病を含めた10疾患を比較．顧みられない熱帯病は疾患の合計では脳血管障害より大きな健康被害を与えていることが認められる．当然ながら計算方法で結果は異なるが，熱帯病がいまでも世界的には大きな課題であることが明示されている．この図では「顧みられない熱帯病」として回虫症，ヒト鞭虫症，鉤虫症，住血吸虫症，リンパ系フィラリア症，トラコーマ，オンコセルカ症，リーシュマニア症，Chagas病，Hansen病，アフリカ眠り病，メジナ虫症，Buruli潰瘍が選択されている．

9に示した．これらの疾患は「単なる衛生状態の悪い環境で起こる古い病気」ではなく，いまなお，多くの患者が苦しんでいる疾患である（図6-2-5）．

〔立川夏夫〕

■文献

Freedman DO, Weld LH, et al: Spectrum of disease and relation to place of exposure among ill returned travelers. *N Engl J Med*. 2006; **354**: 119-30.

Hotez PJ, Molyneux DH, et al: Control of neglected tropical diseases. *N Engl J Med*. 2007; **357**: 1018-27.

6-3 細菌感染症

1）Gram 陽性球菌による感染症

(1) ブドウ球菌感染症 （staphylococcal infection）

ブドウ球菌は Gram 陽性菌の1つで，顕微鏡下では菌が不規則に配列して「ブドウの房」状に見えることからブドウ球菌と名づけられた．健常人の20～30％ほどが保菌している．ブドウ球菌は典型的には皮膚感染症を起こすが，それ以外にも肺炎，心内膜炎，骨髄炎などを起こし，膿瘍形成することもある．また，MRSA（methicillin-resistant *Staphylococcus aureus*）や MR-CNS（methicillin-resistant coagulase-negative staphylococci）などの薬剤耐性菌が院内感染において大きな問題となっている．

分類

ブドウ球菌は血漿を凝集するコアグラーゼの有無で大きく分類され，コアグラーゼ陽性で病原性が強い黄色ブドウ球菌（*S. aureus*）と，コアグラーゼ陰性で病原性の弱い CNS（coagulase-negative staphylococci）に分けられる（表6-3-1）．また，最近では16s rRNA による遺伝子学的な分類も行われている．

薬剤耐性

黄色ブドウ球菌を中心として，ブドウ球菌は各種薬剤に対する耐性化が進んでいる．薬剤耐性としてはさまざまなものがあるが，ここでは臨床で遭遇する機会の多い2つの薬剤耐性について記載する．

1）ペニシリナーゼ産生：ペニシリンGが1940年代に実用化されてからブドウ球菌による化膿性疾患は激減した．しかし，1940年代半ばには，ペニシリンのβラクタム環を分解するペニシリナーゼ産生能を獲得した耐性菌が出現した．現在では臨床で分離されるブドウ球菌の多くがプラスミド依存性にペニシリナーゼを産生するため，βラクタマーゼ阻害薬との配合薬以

表6-3-1 ヒトで分離されるおもなブドウ球菌の分類

コアグラーゼ	菌種
陽性	*S. aureus*
陰性	*S. epidermidis*
	S. haemolyticus
	S. lugdunensis
	S. saprophyticus

外のペニシリンは無効であることが多い．

2）メチシリン耐性ブドウ球菌： ペニシリナーゼに分解されにくい半合成ペニシリン（メチシリンやオキサシリン）が開発されたが，そのメチシリンに高度耐性を示す MRSA が出現し，1980 年代以降世界的に広がっている．MRSA の耐性メカニズムは，ペニシリンやセフェム系の標的であるペニシリン結合蛋白質（penicillin binding protein：PBP）の変化である．PBP1〜4 の 4 種類に加えて PBP2' が PBP1 と 2 の間に合成されるが，この PBP2' は，βラクタム系抗菌薬に対する結合親和性が非常に低いため，βラクタム系抗菌薬に耐性となる（Ubukata ら，1985）．この PBP2' をコードする mecA 遺伝子を含む遺伝子領域がトランスポゾンなどによりブドウ球菌に持ち込まれ，染色体上に挿入されたものが広がったと考えられている．

病態

1）黄色ブドウ球菌感染症： 黄色ブドウ球菌は皮膚，鼻腔，咽頭の常在菌である．皮膚では，膿痂疹，フルンケル，カルブンケル，蜂窩織炎【⇨6-2-9】，毛囊炎などさまざまな化膿性疾患を引き起こす．高齢者など嚥下機能が低下している状態では誤嚥性肺炎を起こすことがある．重症化して血行性に播種すると，菌血症，骨髄炎，関節炎，心内膜炎などさまざまな臓器で膿瘍を形成する．近年では，市中感染型 MRSA（community-acquired MRSA：CA-MRSA）とよばれ，市中で健常人において皮膚の接触で感染が拡大し，重症化感染を起こす強毒型も欧米を中心に報告されている．

市中感染だけでなく，院内感染においても黄色ブドウ球菌は重要な原因菌である．特に，手術後の創部感染，カテーテルや人工血管，人工骨頭などの体内異物における感染では黄色ブドウ球菌が検出されることが多く，気管チューブ留置による人工呼吸器関連肺炎でもおもな原因菌の 1 つである．

2）CNS（coagulase-negative staphylococci）感染症： CNS は皮膚や口腔粘膜の常在菌であり，培養で検出された場合には感染症の原因菌として認識されることは少なく，コンタミネーションと判断されることも多い．ただし，血管内や腹腔内に留置されたカテーテルなどの人工異物に付着しやすく，日和見感染症として尿路感染症，腹膜炎，心内膜炎などを起こす可能性がある．

3）食中毒： 食品内で増殖したブドウ球菌が産生した外毒素のエンテロトキシンによって食中毒が起こる．ブドウ球菌は室温や食塩濃度が高い食品内でも発育可能であり，さらにエンテロトキシンは耐熱性のため加熱によって食品中のブドウ球菌が死滅してもエンテロトキシンは残る．症状としては，下痢，腹痛，悪心，嘔吐などの消化器症状を訴えるが，毒素型であるため，接触後早期に症状が出現するのが特徴的である【⇨6-2-4】．

4）毒素： 食中毒以外にも毒素による特徴的な病態を引き起こす．表皮剥脱毒素（exfoliative toxin）は，表皮顆粒層を損傷し，表皮剥脱や水疱を形成することで，ブドウ球菌性熱傷様皮膚症候群（staphylococcal scalded skin syndrome：SSSS）および新生児皮膚剥脱性皮膚炎（Ritter 病）を発症する．また，TSST-1（toxic shock syndrome toxin-1）は，T 細胞の MHC クラス II 抗原と結合して大量のサイトカインを産生することで，毒素性ショック症候群（TSS）を引き起こす．その他にも先述した CA-MRSA による肺炎では，Panton-Valentine 型ロイコシジンによって壊死性肺炎が引き起こされる．

表 6-3-2 TSS の診断基準（Center for Disease Control and Prevention（CDC），2011 case definition of TSS より引用・和訳）

疑い例：laboratory criteria を満たし，かつ clinical criteria のうち 4 項目満たす	確定例：laboratory criteria および clinical criteria のすべてを満たす
clinical criteria 1 38.9℃以上の発熱 2 びまん性の紅斑性発疹 3 発症 1〜2 週間後の落屑 4 血圧低下：収縮期血圧 90 mmHg 以下（成人） 5 多臓器障害（3 臓器以上） 　1）消化器：嘔吐，下痢（発症時） 　2）筋・骨格：激しい筋肉痛，CPK が正常値の 2 倍以上上昇 　3）粘膜：膣，口腔，咽頭もしくは結膜充血 　4）腎臓：BUN あるいはクレアチニンが正常値の 2 倍以上上昇もしくは	尿路感染症を伴わない膿尿 　5）肝臓：総ビリルビン，AST，ALT が 2 倍以上上昇 　6）血液：血小板 10 万/μL 以下 　7）中枢神経系：発熱，血圧低下がないときに神経学的巣症状を伴わない失見当識・意識障害 **laboratory criteria** 陰性結果：以下が陰性であること 　1）血液，咽頭，髄液培養（血液で黄色ブドウ球菌検出は可） 　2）ロッキー山紅斑熱，レプトスピラ病，麻疹血清反応

疫学（厚生労働省院内感染対策サーベイランス事業，2014）

　厚生労働省院内感染対策サーベイランス（JANIS）の報告（2013年）によると，検体が提出された全患者の14.6％で黄色ブドウ球菌，4.4％で表皮ブドウ球菌が分離されていた．また，血液検体では全分離菌のうち黄色ブドウ球菌が14.1％，CNSが20.8％を占め，髄液検体でも黄色ブドウ球菌19.2％，表皮ブドウ球菌34.1％とブドウ球菌が検出される割合が非常に高い．また，ブドウ球菌における薬剤耐性菌の割合としては，黄色ブドウ球菌の51.1％がMRSAで，メチシリン感性ブドウ球菌（MSSA）では59.0％がペニシリンG（PCG）耐性であった．また，MSSAにおいてもゲンタマイシン20.2％，エリスロマイシン24.0％，レボフロキサシン10.6％と，βラクタム系抗菌薬以外に耐性を示す菌株が認められる．また，CNSでもPCG耐性が86.3％であるが，オキサシリン（MPIPC）耐性も75.0％あり，その多くがMR-CNSであることが予想される．

診断

　ブドウ球菌感染症の診断のゴールドスタンダードは検体からの菌の検出である．そのため，感染症を疑った時点で早期に検体を培養検査に提出する．まずは検体のGram染色を行い，ブドウ球菌の存在を確認する．その後，培養を行い，分離培養後に生化学的手法，特異的核酸検出法や質量分析を応用したTOF-MS（time of flight-mass spectrometry）などを用いて菌の同定を行う．また，MRSAやMR-CNSの薬剤耐性菌は，オキサシリンもしくはセフォキシチンの感受性試験や，PCR法による*mecA*遺伝子の検出などによって評価する．ただし，ブドウ球菌は常在菌でもあるため，保菌しているだけの場合もある．そのため，菌の検出だけでなく臨床症状も加味して診断を行う．食中毒については，嘔吐物や便，食品などからの菌の検出を行う．また，TSSは表6-3-2に示す診断基準で診断するが，発症早期の段階では診断基準を満たさないこともあるため，疑った時点で治療開始することが望ましい．

治療

　ブドウ球菌が薬剤耐性かについては，感染症発症時点では不明である．そのため，初期治療では患者背景（基礎疾患，これまでの抗菌薬投与歴）や感染症の重症度，感染症のフォーカスに応じて抗菌薬を選択する．重症の場合は，バンコマイシンなどの抗MRSA薬を使用し，感受性判明後に感受性のある狭域の抗菌薬へ変更するde-escalationという治療戦略をとることもある．そして，抗菌薬の選択においては薬剤の組織移行性や有害事象なども考慮することが重要である．ブドウ球菌の治療薬を表6-3-3，抗MRSA薬の使い分けを表6-3-4に示す．抗菌薬以外にもTSSでは，TSST-1などのスーパー抗原を中和するために免疫グロブリンを使用することがある．また，カテーテル感染など人工異物による感染の場合には感染の原因となっている異物を取り除くことも重要である．

表6-3-3 ブドウ球菌感染症の治療薬

薬剤感受性	使用抗菌薬
非ペニシリナーゼ産生菌	ペニシリンG，アンピシリン，アモキシシリン
ペニシリナーゼ産生菌	セファゾリン，クリンダマイシン，ST合剤，マクロライド系抗菌薬
メチシリン耐性菌	バンコマイシン，テイコプラニン，リネゾリド，アルベカシン，ダプトマイシン

表6-3-4 抗MRSA薬の使い分け（MRSA感染症の治療ガイドライン（日本化学療法学会・日本感染症学会）2014より引用）

疾患	第一選択薬	代替薬
肺炎，肺膿瘍，膿胸	LZD, VCM, TEIC	ABK
菌血症	DAP, VCM	ABK, TEIC, LZD
感染性心内膜炎	DAP, VCM	TEIC, ABK
深在性皮膚感染症・慢性膿皮症	DAP, LZD, VCM	TEIC, ABK
外傷・熱傷および手術創の二次感染	VCM, LZD, DAP	TEIC, ABK
びらん・潰瘍の二次感染	DAP, VCM, LZD	TEIC, ABK
骨・関節感染症	VCM, DAP	LZD, TEIC
腹腔内感染症	VCM	TEIC, LZD, DAP, ABK
中枢神経感染症	VCM, LZD	TEIC
尿路感染症	VCM	TEIC, DAP, ABK, LZD

VCM（バンコマイシン），TEIC（テイコプラニン），LZD（リネゾリド），ABK（アルベカシン），DAP（ダプトマイシン）．

予後

皮膚感染症では適切な治療を行えば予後は良好である．ただし，初期治療が不十分な場合や免疫力低下している症例や菌血症や肺炎などを起こした症例では，治療に難渋し死亡することもある．

〔柳原克紀・賀来敬仁〕

■文献

Ubukata K, Yamashita N, et al: Occurrence of a beta-lactam-inducible penicillin-binding protein in methicillin-resistant staphylococci. Antimicrob Agents Chemother. 1985; 27: 851-7.
厚生労働省院内感染対策サーベイランス事業：検査部門公開情報 2013 年 1～12 月年報．2014 年 8 月 8 日公開．http://www.nih-janis.jp/report/open_report/2013/3/1/ken_Open_Report_201300.pdf

(2) 肺炎球菌感染症

定義・概念

肺炎球菌（Streptococcus pneumoniae）は Gram 陽性の双球菌で，鼻咽腔の常在菌の 1 つである．小児および高齢者の細菌性肺炎および髄膜炎で最も分離頻度が高く，ほかに中耳炎や副鼻腔炎などの起因菌としても重要である．

病因・分類

肺炎球菌は直径 0.5～1.0 μm の Gram 陽性球菌で 2 個ずつ並んだ形態を示し，双球菌とよばれる．血液寒天培地に発育し，α 溶血性のコロニーを呈する．長時間培養すると，コロニーの中央が次第に陥凹し，クレーター状の特徴的なコロニーを形成する．同定にはオプトヒン試験や胆汁酸溶解試験が行われる．肺炎球菌は細胞壁外に有する莢膜多糖体の抗原性に基づき，92 種類以上の血清型に分類されている．莢膜は好中球やマクロファージによる貪食に抵抗性を示す原因となるほか，肺炎球菌ワクチンの作用部位としても重要である．

疫学

肺炎球菌はヒトだけが保菌し，健常者の保菌率は小児で 20～40％，成人で 10％程度である．市中の細菌性肺炎および細菌性髄膜炎で肺炎球菌は最も頻度の高い微生物であり，わが国の報告では市中肺炎の原因菌の 23％を肺炎球菌が占める（Ishida ら，1998）．2011 年から小児に対する肺炎球菌ワクチンの公費助成が始まり，肺炎球菌性髄膜炎の罹患率は公費助成前（2008～2010 年）の人口 10 万人あたり 2.81 から 2012 年には 0.76 へと減少している（菅ら，2014）．また 65 歳以上の高齢者に対しても 2014 年から肺炎球菌ワクチンが定期接種となり，今後の罹患率の減少が期待される．

感染経路

肺炎球菌を含む飛沫への暴露により，肺炎球菌の鼻咽腔への定着が起こる．保育施設など保菌者が過密に存在する場所への滞在は肺炎球菌定着の危険因子である．鼻咽腔への定着持続期間は 1 週間～6 カ月とさまざまであり，このうち一部の症例で中耳炎や肺炎，髄膜炎などを発症する．

病態生理

肺胞マクロファージや肺胞上皮細胞は，肺胞腔に侵入する病原体の貪食を行う．菌体の最外層に存在する莢膜多糖は肺炎球菌の代表的な病原因子の 1 つで，貪食への抵抗性を示す．90 種類以上の莢膜型が存在するが，莢膜型の種類と分離頻度や重症度には相関があり，6B，19F，23F などの莢膜型の分離頻度が高く，また 3，6B，19F などの莢膜型の肺炎球菌では患者の死亡率が高い（Weinberger ら，2010）．

増殖した肺炎球菌は pneumolysin や autolysin，neuraminidase といった細胞毒素や蛋白分解酵素を産生し，感染巣を拡大する．さらに肺炎球菌の細胞壁構成成分であるテイコ酸やリポテイコ酸は強い炎症惹起作用を有し，炎症性サイトカインの誘導や好中球の遊走，補体の活性化や血小板活性化因子の産生を誘導する．血小板活性化因子は肺炎球菌の接着に関係している．

臨床症状

肺炎，慢性気道感染症の急性増悪，副鼻腔炎，中耳炎，髄膜炎，感染性心内膜炎等の起因菌となる．肺炎では，発熱，悪寒戦慄で発症し，咳，膿性痰がみられる．痰の色はときに鉄さび色と表現される．その他の症状は各疾患の項を参照．

診断

確定診断は培養同定検査で肺炎球菌を分離することによる．Gram 染色で Gram 陽性の双球菌を認めれば，肺炎球菌感染症を疑う根拠となる．また迅速検査としては尿を用いた肺炎球菌尿中抗原検査や痰や咽頭拭い液，耳漏などを用いたイムノクロマトグラフィー法による肺炎球菌細胞壁抗原検出検査などがある．

鑑別診断と合併症については e コラム 1 を参照．

経過・予後

肺炎球菌性髄膜炎の発展途上国における死亡率は約 8％である．重要な後遺症としては難聴や精神発達遅滞，認知機能の低下などがある．肺炎球菌性肺炎の死亡の危険因子としては両側病変，ショック，HIV 感染，腎不全，高い重症度などがあげられる．

治療

肺炎球菌は髄膜炎と非髄膜炎で抗菌薬の感受性判定基準が異なる．すなわち抗菌薬の髄液移行は不良のため，髄膜炎患者から分離された肺炎球菌の感受性判定にはより厳しい基準が適応される．非髄膜炎ではほぼ

すべての株がペニシリン感受性と判定されるため，ペニシリン系薬が第一選択となる．髄膜炎では薬剤感受性結果が得られるまでは第3世代セフェム系薬とバンコマイシンの併用投与を行う．

予防

肺炎球菌ワクチンには23価肺炎球菌莢膜ポリサッカライドワクチン（23-valent pneumococcal polysaccharide vaccine：PPSV23）と肺炎球菌結合型ワクチン（pneumococcal conjugate vaccine：PCV）の2種類がある．PPSV23は1988年にわが国で承認され，2014年10月から高齢者を対象として定期接種化された．また7種類の血清型の肺炎球菌をカバーするPCV7は2013年4月に小児を対象に定期接種化され，対象となる莢膜型を13種類に増やしたPCV13が2013年11月から定期接種化された．

法的対応

「感染症の予防及び感染症の患者に対する医療に関する法律（通称：感染症法）」により侵襲性肺炎球菌感染症（髄液または血液から肺炎球菌が検出されたもの）は，五類感染症に指定されており，診断後7日以内に届け出なければならない．またペニシリン耐性肺炎球菌感染症は基幹定点医療機関の届け出疾患となっている． 〔三笠桂一・笠原　敬〕

■文献

Ishida T, Hashimoto T, et al: Etiology of community-acquired pneumonia in hospitalized patients: a 3-year prospective study in Japan. Chest. 1998; 114: 1588-93.

菅 秀，庵原俊昭，他：小児における侵襲性インフルエンザ菌，肺炎球菌感染症－2013年．IASR. 2014; 35: 233-4.

Weinberger DM, Harboe ZB, et al: Association of serotype with risk of death due to pneumococcal pneumonia: a meta-analysis. Clin Infect Dis. 2010; 51: 692-9.

(3) 連鎖球菌感染症

定義・概念

連鎖球菌による感染症である．連鎖球菌はLancefield分類や溶血性によって分類される．β溶血性連鎖球菌は毒性が高く，A群β溶血性連鎖球菌は咽頭・扁桃炎，丹毒，蜂窩織炎，壊死性筋膜炎などの皮膚・軟部組織感染症や毒素性ショック症候群（streptococcal toxic shock syndrome：STSS）などを起こす．B群β溶血性連鎖球菌は妊婦の保菌に続発する新生児の敗血症・髄膜炎が問題となる．α溶血性連鎖球菌は口腔内の常在菌であり，脳膿瘍，縦隔膿瘍，誤嚥性肺炎や感染性心内膜炎を起こす．

病因・分類

連鎖球菌は，直径1μm程度のGram陽性球菌で，血液寒天培地上のコロニーの溶血性からα溶血（不完全溶血，緑色不透明環），β溶血（完全溶血，透明環），γ溶血（非溶血）の3群に分けられ，さらに細胞壁の多糖体抗原の差異に基づくLancefield分類によって細分化される．α溶血の連鎖球菌には緑色連鎖球菌（viridans group streptococci）や肺炎球菌がある．γ溶血の連鎖球菌の多くは口腔内に常在する連鎖球菌で病原性を有することは少ない．β溶血性連鎖球菌にはLancefield分類でA群に属するA群β溶血性連鎖球菌（Streptococcus pyogenes），B群に属するB群β溶血性連鎖球菌（S. agalactiae），そして近年増加しているG群β溶血性連鎖球菌（S. dysagalactiae equisimilis）などが重要である．

疫学

A群β溶血性連鎖球菌咽頭炎は小児では年齢を重ねるとともに増加し，5歳での発症が最も多い（IDWR, 2012b）．劇症型溶血性連鎖球菌感染症はわが国で感染症法により届け出られた症例は2006～2010年の5年間に500例（男性280例，女性220例，年齢中央値65歳）で届け出時の死亡率は35%と高率である（IDWR, 2012a）．検出されたβ溶血性連鎖球菌はA群が71%，G群が19%，B群が3%などであった．B群溶血性連鎖球菌感染症の疫学に関するわが国のデータは乏しいが，分娩時の垂直感染が原因となる新生児敗血症および新生児髄膜炎と，高齢者に発症する尿路感染症や敗血症など，発症年齢は二極化している．

感染経路

A群溶血性連鎖球菌は，ヒトからヒトへの飛沫感染や接触感染が主である．新生児のB群溶血性連鎖球菌感染症は保菌母胎からの分娩時の垂直感染がおもな感染経路である．

病態生理

連鎖球菌は皮膚の常在菌で，外傷など皮膚の解剖学的バリアの破綻により組織内に侵入する．A群溶血性連鎖球菌が莢膜の内側にもつM蛋白はC3bの菌表面への結合を阻害し，補体によるオプソニン作用を抑制する．その他にストレプトリジンなどの細胞障害毒素やT細胞を活性化するスーパー抗原を有し，さまざまな感染症を惹起する．

臨床症状

1）A群連鎖球菌，G群連鎖球菌：A群連鎖球菌の咽頭炎は，5～15歳の青少年の咽頭炎の約15～30%を占める．突然の発熱や咽頭痛で発症し，扁桃の腫大や膿苔，頸部リンパ節腫大などを認める一方，鼻汁や咳，痰などの感冒症状は少ない．咽頭・扁桃炎に罹患して2～5日後に鼠径部や肘窩などの間擦部位を中心に1～2 mmの点状丘疹を認めることがあり，猩紅熱（scarlet fever）とよぶ．原因はA群連鎖球菌が産生する毒素（erythrogenic toxin，発赤毒）に対する遅発型アレルギー反応である．皮疹はその後，全身に拡大

し，その性状から紙やすり状（sandpaper rash）と形容され，灼熱感やかゆみを訴える．手掌や足底には病変は出現しない．

A群連鎖球菌が原因となる皮膚軟部組織感染症（癤や癰，丹毒や蜂窩織炎，壊死性筋膜炎）のうち，壊死性筋膜炎は特に致死的な感染症である．病変部位に発赤，浮腫，壊死，水疱を形成し，視診上正常な部位にも疼痛を認める．時間単位で皮膚所見が進行し，しばしば病変部位の切断を余儀なくされることもある．バイタルサインの異常を伴うことも多い．

STSSは血圧低下，腎機能障害，肝機能障害，皮疹や急性呼吸不全などを特徴とし，スーパー抗原活性を有する連鎖球菌性発熱性外毒素（streptococcal pyogenic exotoxin：SPE）が原因となる．G群連鎖球菌でも類似した病態がみられる．

2）B群連鎖球菌：妊婦の膣に定着し，産褥熱や新生児の髄膜炎・菌血症の原因となる．また，高齢者や免疫抑制患者の皮膚・軟部組織感染症や敗血症，尿路感染症をきたすこともある．

3）緑色連鎖球菌グループ（S. bovis sp. groupを除く）：口腔内常在菌であり，感染性心内膜炎の重要な起因菌である．S. anginosus sp. groupはかつてS. milleri groupとよばれていたもので，化膿性感染を引き起こし，扁桃周囲膿瘍，肺炎，肺化膿症，膿胸，脳膿瘍などをきたす．

4）S. bovis species group：Lancefieldの分類ではD群に分類される．S. bovisによる感染性心内膜炎では，菌種によって大腸癌との関連が報告されているものや胆道系感染症との関連が報告されているものがある．

診断

確定診断は感染を疑う臓器から採取された検体の塗抹培養検査で連鎖球菌を検出することによる．また迅速検査法として咽頭拭い液によるA群連鎖球菌抗原検査も行われる．劇症型溶血性連鎖球菌感染症では必ず血液培養を採取する．

合併症

A群連鎖球菌感染症罹患後の非感染性の合併症として重要なものに急性リウマチ熱【⇨12-19-2】と急性糸球体腎炎【⇨13-3-2】がある（詳細はⓔコラム1を参照）．

治療

連鎖球菌に対するペニシリン耐性の頻度は少なく，特にA群連鎖球菌やB群連鎖球菌ではペニシリン系薬の耐性はまれである．一方マクロライド系薬やキノロン系薬への耐性が増加している（奥野ら，2012）．これらの薬剤は連鎖球菌感染症における第一選択薬ではないが，使用する場合は薬剤感受性の確認が必要である．

A群連鎖球菌による咽頭・扁桃炎に対してはペニシリン系抗菌薬の10日間投与が基本となるが，代替治療としてセフェム系抗菌薬5日間投与も用いられる．A群連鎖球菌による皮膚・軟部組織感染症に対しては重症であればペニシリン系抗菌薬の点滴静注が使用され，さらに壊死性筋膜炎やSTSSでは毒素の中和を目的としてクリンダマイシンが使用される．同時に感染巣の切開排膿やデブリドマンなどが必要になる．

予防

A群連鎖球菌の咽頭炎，猩紅熱，肺炎，重症な侵襲性疾患の場合には，効果的な治療開始後24時間を経過するまで飛沫予防策が推奨されている．

妊娠33～37週にB群連鎖球菌の保菌調査が推奨されている．前児がGBS感染症の既往，GBS陽性妊婦，GBS保菌状態不明妊婦の場合には，経腟分娩中あるいは前期破水後，ペニシリン系薬剤静注による母子感染予防を行う（日本産科婦人科学会，2011）．

法的対応

溶連菌感染症は学校保健安全法で三種感染症であり，適正な抗菌薬開始後24時間が経過し，一般状態が良好なら登校可能．A群溶血性連鎖球菌咽頭炎は，感染症法上における定点把握五類感染症に指定されている．劇症型溶血性連鎖球菌感染症は，感染症法上における全数把握五類感染症に指定されている．

〔三笠桂一・笠原　敬〕

■文献

IDWR：劇症型溶血性レンサ球菌感染症2006年～2010年．Infectious Diseases Weekly Report, 12, 2012a.

IDWR：〈注目すべき感染症〉A群溶血性レンサ球菌咽頭炎．Infectious Diseases Weekly Report, 20, 2012b.

日本産科婦人科学会：産婦人科診療ガイドライン－産科編2011，日本産科婦人科学会事務局，2011．

奥野ルミ，貞升健志，他：A群溶血性レンサ球菌（*Streptococcus pyogenes*）の薬剤感受性，2007～2010年．IASR Infectious Agents Surveillance Report. 2012; **33**: 214-5.

（4）腸球菌感染症（enterococcal infection）

定義・概念

腸球菌はヒトの腸管や外陰部の常在菌である．基礎疾患のない健常人に感染症を起こすこともあるが，市中感染よりも医療関連感染の原因菌として重要である（Fisherら，2009）．代表菌種は，*Enterococcus faecalis*と*E. faecium*である．腸球菌による感染症として頻度が高く重要な疾患として，尿路感染，腹腔内・骨盤内感染，創部感染，血管留置カテーテル関連血流感染，感染性心内膜炎がある．近年，国内でもバンコマイシン耐性腸球菌（VRE）（富田ら，2014）の集団感染

事例が散発的に報告されている.

形態的には，Gram 陽性で長短の連鎖状を呈する球菌であるが，分類学的にその他の連鎖球菌と区別され，抗菌薬感受性や臨床的特徴も異なる．国内では β-ラクタマーゼ産生株の報告はない．通性嫌気性菌であり，酸素濃度の低い状態でも増殖できる(eノート1)．医療施設における環境中では 1 カ月程度生存することもある．アルコールやポビドンヨード，次亜塩素酸など病院で使用される消毒薬に耐性を示さず，熱消毒(65℃，10 分)も有効である．

病因・診断

腸球菌は 15 以上の種からなるが，臨床分離株は 80％以上が E. faecalis で，E. faecium が 10〜15％である．ほかの Gram 陽性菌である化膿性連鎖球菌や肺炎球菌，黄色ブドウ球菌と比較して病原性は高くなく激しい臨床経過を呈することは少ない．また，腹腔内・骨盤内感染でみられるように，単一菌種ではなく腸内細菌や嫌気性菌，カンジダなどとともに複数菌の 1 つとして分離されることが多く，実際の起炎性(治療の標的とするかどうか)がはっきりしない場合も多い．病原因子として，バイオフィルム形成に関係する因子やコラーゲン結合能，腸管粘膜侵入性，腎尿細管接着分子，心内膜炎発症に関連する因子などがある[1]．

院内では術後患者や ICU 患者，担癌患者，移植患者での発症が問題となり，術後の腹腔内感染や胆道感染，バルーン留置に関連した尿路感染，カテーテル関連血流感染など医療デバイスに関連した発症が少なくない．痰から検出されても菌血症を呈している場合を除いて肺炎と診断されることは少ない．

腸球菌は，病院における血液培養分離菌の 10％前後を占める(eノート 2)．約 20％は侵入門戸不明である．E. faecalis による市中発症の菌血症では，25％が心内膜炎によることもあり，心エコー図による確認が必要である[2]．菌血症を呈した症例の 30 日死亡率は 20〜30％で，E. faecium の死亡率は 30％をこえる(eノート 3)．VRE は予後不良因子の 1 つでオッズ比 2.5 倍と高くなる[3]．

また VRE は感染対策上非常に厄介な耐性菌で，集団感染事例のコントロールは容易でない．米国では腸球菌感染症の 30％が VRE によるが，国内では 1％以下にとどまっている(eノート 4)．なお VRE 感染症症例は，感染症法によって全例報告が義務づけられている．

治療

腸球菌は多くの抗菌薬に耐性を示し選択肢は限られる(eノート 5)．

第一選択薬はアンピシリンやペニシリン G で，アレルギー患者ではバンコマイシンやテイコプラニンを選択する[4]．セフェム系薬は単剤で有効なものはない．キノロン系薬も一部感受性を示すが，十分な臨床効果は期待できない．カルバペネム系薬も同様である．抗 MRSA 薬であるダプトマイシンが選択されることもある(保険適用外)．VRE にはリネゾリドおよびキヌプリスチン，ダルホプリスチンが有効である．感染性心内膜炎ではアンピシリンにゲンタマイシンの併用が基本であり，分離株(E. faecalis)がアミノグリコシド系薬に高度耐性であったり腎機能の点から使用できない場合はアンピシリンとセフトリアキソンの併用も行われる(eノート 6)．　〔光武耕太郎〕

■**文献**(e文献 6-3-1-4)

Fisher K, Phillips C: The ecology, epidemiology and virulence of Enterococcus. *Microbiol*. 2009; **155**: 1749-59.

富田治芳，野村隆浩，他：バンコマイシン耐性腸球菌．日本臨床微生物学雑誌．2014; **24**: 10-24.

2）Gram 陽性桿菌による感染症

(1) 破傷風(tetanus)

定義・概念

偏性嫌気性，芽胞形成性の Gram 陽性桿菌である破傷風菌(*Clostridium tetani*)が原因菌で，菌が産生する神経毒素(テタノスパミン)が，全身の強直性痙攣をきたす．破傷風菌は，1889 年に北里柴三郎博士が世界ではじめて純培養に成功した．

原因・病因

破傷風菌は芽胞の形態で土壌中に広く棲息しており，汚染した創傷部位から体内に侵入する(創傷性破傷風)．特に釘や棘が突きささった場合など，創傷部が嫌気的な条件を満たす場合は，感染が成立しやすい．日本では少ないが，分娩時に感染する新生児破傷風や手術侵襲による感染も起こりうる．また近年はピアス，刺青，麻薬や注射による薬物乱用などが感染原因になることがある．

疫学

感染症法による報告患者数は年間 120 人程度で，ここ 10 年間は大きな増減がない．多くは創傷性破傷風で，ジフテリア百日咳破傷風混合ワクチン(DPT)定期予防接種開始以前に出生した 40 歳代後半より上の年齢層の患者が多い．新生児破傷風は，わが国では非常にまれで，2006 年に 11 年ぶりに患者が発生して以来報告がない．

病態生理

破傷風菌は末梢の感染部位で神経毒素であるテタノスパミンを産生する．この毒素は，血行性に神経筋接合部へ運ばれ，その後，運動神経軸索内を逆行し，脊

髄前角や脳神経核前シナプス部位に作用する．毒素による運動神経系の亢進が中枢性の痙性麻痺を起こし，さらに自律神経の過剰な反応が起こり，破傷風の病態を形成している．

臨床症状・経過・予後

3〜21日の潜伏期の後に発症する．臨床経過から，次の4期に分けられる．

1）**第Ⅰ期（前駆症状期）**：肩こり，歯ぎしり，寝汗，舌のもつれ，顔の歪み，歩行障害などが初発症状．軽い開口障害のため食物の摂取が困難になる．1〜2日程度．

2）**第Ⅱ期（onset time）**：次第に咬筋の硬直による開口障害が強くなり牙関緊急とよばれる状態になる．発語・構音・嚥下障害が出現する．さらに顔面筋の緊張，硬直により痙笑（ひきつり笑い）を呈する．開口障害出現から痙笑（または全身性痙攣）に至るまでの時間を onset time という．通常数時間〜1週間程度だが，48時間以内だと予後不良とされている．

3）**第Ⅲ期（痙攣持続期）**：最も生命が危険な時期であり，頸部筋肉の緊張によって頸部硬直をきたし，次第に背筋にも緊張，強直をきたして全身痙攣，後弓反張（弓なりの痙攣）が持続する．自律神経の過剰反応もみられ，人工呼吸などの全身管理が必要である．通常2〜3週間である．

4）**第Ⅳ期（回復期）**：全身性の痙攣は消失しているが，局所の筋の強直，腱反射亢進は残存している．症状は徐々に快方に向かう．

破傷風の生命予後は悪く，致死率は成人で15〜60％，新生児では90％程度である．

検査所見

血液・生化学的検査で特徴的なものはない．毒素は血中に検出されず，感染によって抗体価が上がることもない．細菌学的検査としては，創分泌物，組織洗浄液，組織片などの塗抹顕微鏡検査，培養検査が行われるが，破傷風菌が検出される症例は数％程度と少ない．破傷風菌は芽胞を形成する Gram 陽性桿菌であるが，実際の検体中では桿菌と太鼓ばち状の芽胞が混在して観察される．Gram 染色では芽胞は染色されず，芽胞染色（Wirtz 法，Moeller 法）も合わせて行う（図6-3-1）．培養検査は検体を熱処理して芽胞以外

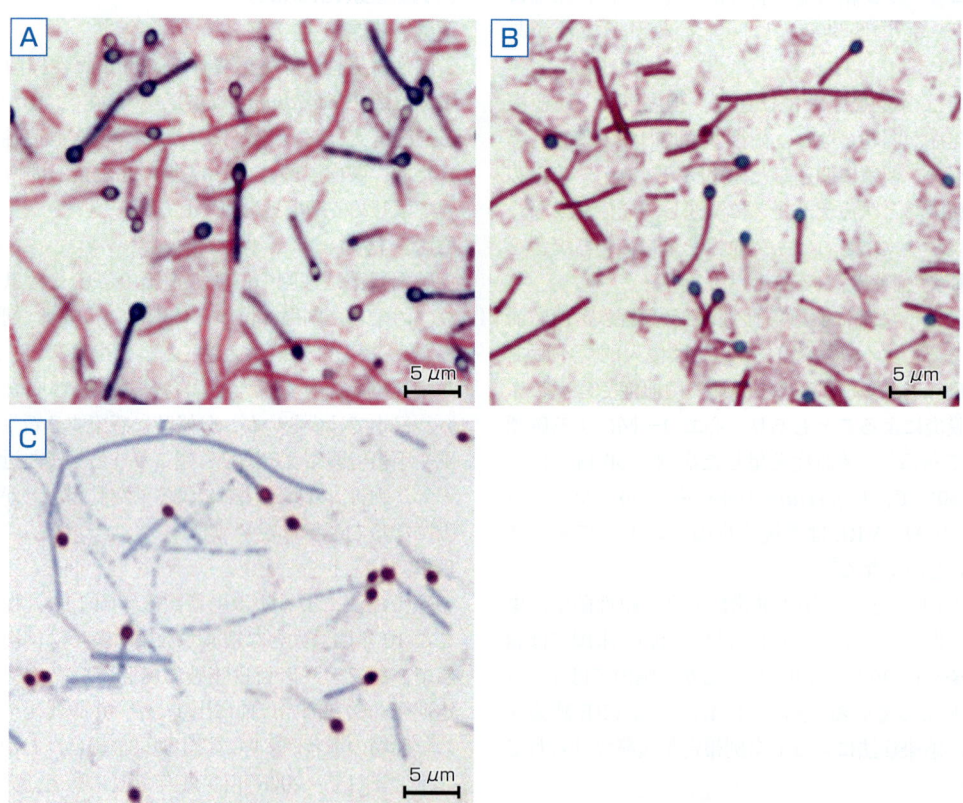

図6-3-1 破傷風菌の染色像（聖マリアンナ医科大学病院臨床検査部 大栁忠智撮影）
破傷風菌は芽胞を形成する，大きさ0.4〜1.2×3〜8μmのGram陽性桿菌である．芽胞は菌体の先端にあり，太鼓のばちのような形状をしている．分類学上 Gram 陽性桿菌だが，実際に染色すると Gram 陰性に染まりやすい．Gram 染色では芽胞は染色されず，菌体内で円形または楕円形の透明帯に見える（A）．診断のためには，Wirtz 法（B），Moeller 法（C）などの芽胞染色を同時に行う．芽胞は Wirtz 法ではマラカイトグリーンで水色〜緑色に，Moeller 法では石炭酸フクシンにより赤色に染色される．

の細菌を死滅させ，液体培地（クックドミート培地，チオグリコール酸培地など）で増菌し，顕微鏡で特徴的な菌体を確認した後に嫌気性菌用血液寒天培地で分離培養を行う．

診断
破傷風は五類感染症全数把握疾患に定められているが，報告基準に破傷風菌の検出は含まれておらず，多くは臨床経過のみで診断される．

鑑別診断
開口障害から顎関節脱臼や膿瘍などの口腔感染症，頸部硬直から髄膜炎や急性脳炎，痙攣から低カルシウム血症や過呼吸症候群など．まれではあるが狂犬病（痙攣，脳幹部障害がみられる）も除外する必要がある．

予防
1968年以降定期予防接種として，DPT三種混合ワクチンが用いられてきたが，2012年11月よりDPTに不活化ポリオワクチン（inactivated polio vaccine）を加えた四種混合ワクチン（DPT-IPV）が採用された．1期接種として生後3カ月〜12カ月の間に3回，初回接種後12〜18カ月に追加接種を1回の計4回接種し，さらに11〜12歳に2期接種として沈降ジフテリア破傷風混合トキソイド（DT）を1回接種する．多くの場合ワクチン接種により，発症を防ぐ抗体価を獲得できる．

一方受傷後の予防処置は，予防接種歴に応じて沈降破傷風トキソイドの接種が行われる（定期予防接種後10年以内は不要）．さらに創傷の程度により，抗破傷風人免疫グロブリン（TIG）250〜1500単位の静脈内投与も行われる．TIGを筋注する場合は，沈降破傷風トキソイドワクチンとは別の腕の上腕部に注射する．

治療（e表6-3-A）
治療の基本は，①感染創部のデブリドマン，②TIG療法（1500〜4500単位を1回できるだけ早期に点滴静注する），③破傷風菌に対する抗菌化学療法（ペニシリンGを1000万〜2400万単位/日を10〜14日）である．その他に痙攣のコントロール，呼吸器・循環器などの全身管理が必要である．〔竹村　弘〕

■文献
福田　靖，岩城正昭，他：感染症の話　破傷風とは．感染症発生動向調査週報（IDWR）．2002; 15: 8-13. http://www.nih.go.jp/niid/ja/kansennohanashi/466-tetanis-info.html
厚生労働省：医師及び指定届出機関の管理者が都道府県知事に届け出る基準　破傷風，ボツリヌス症．http://www.mhlw.go.jp/bunya/kenkou/kekkaku-kansenshou11/dl/02g.pdf

(2) ガス壊疽（gas gangrene）

定義・概念
ガス壊疽はガス産生菌による進行性の皮膚軟部組織の感染症のことで，狭義にはガス壊疽菌群とよばれるクロストリジウム属（*Clostridium perfringens* など）の感染によるものをいうが，広義にはクロストリジウム属以外のガス産生菌（ストレプトコッカス属，大腸菌など）によるものも含まれる．ここでは狭義のガス壊疽菌群による感染症として記述する．

原因・病因
クロストリジウム属は偏性嫌気性，芽胞形成性のGram陽性桿菌で，芽胞の形態で土壌中に広く棲息しており，汚染した創傷部位から体内に侵入する．原因菌は，ウェルシュ菌（*C. perfringens*）が最も多いが，ほかのガス壊疽菌群として *C. novyi*，*C. septicum*，*C. histolyticum* などがあり，これらが混合感染している場合もある．

病態生理
土壌汚染などを伴った外傷後24〜72時間後に，侵入したガス壊疽菌群が産生する組織障害性の外毒素（レシチナーゼ，プロテアーゼ，コラゲナーゼなど）によって蜂巣炎，筋膜炎，筋壊死などが起こる．ウェルシュ菌は，産生する毒素（α，β，ε，ι）の産生性からA，B，C，D，Eの5つの毒素型に分類されるが，ガス壊疽の原因菌の多くはA型菌である．A型のウェルシュ菌のなかにはエンテロトキシンを産生する菌があり，感染型（感染毒素型）の食中毒をおこすことがある．

臨床症状・経過・予後
初期には感染局所の皮膚発赤，紅斑，腫脹，圧痛，その後に急激な疼痛の悪化，悪寒，発熱，血圧低下をきたし，ガス発生が進むと病変部の触診時に皮下の握雪感がある．さらに感染箇所の皮膚は茶褐色，黒色に変色し，水疱，表皮剥離などがみられる．病期が進むとやがて播種性血管内凝固症候群（DIC），多臓器不全，毒素による心原性ショックなどに進展する．

検査所見・診断
感染局所の分泌物，組織洗浄液，壊死組織などの塗抹顕微鏡検査，培養検査，血液培養検査が行われる．血液・生化学検査では白血球増加などの炎症反応，DIC，多臓器不全の所見などがみられる．

臨床経過と感染部位の単純X線，CT像における皮下軟部組織，筋肉内のガス像が診断の決め手になる．

予防・治療
本症のリスクがある外傷患者に対して，創部のデブリドマンは予防効果がある．治療においても外科的処置が重要で，嫌気的な環境をなくす意味からも創部の広範囲なデブリドマンが必要である．外科的処置後の創部の高圧酸素療法も有効と考えられている．抗菌化学療法は初期には経験的にカルバペネム薬が使われるが，クロストリジウム属と判明後はペニシリン薬に変更する．また菌の毒素産生を抑制する効果を期待して

クリンダマイシンが使われる．　　　　〔竹村　弘〕

(3) ボツリヌス中毒
定義・概念
　ボツリヌス菌(Clostridium botulinum)，C. butyricum，C. baratii が産生するボツリヌス毒素による中毒．食餌性ボツリヌス症，乳児ボツリヌス症，成人腸管定着ボツリヌス症，創傷ボツリヌス症などの病型がある．

原因・病因
　ボツリヌス菌は土壌，海水などの自然環境中に芽胞として棲息する．真空パック，発酵食品，缶詰，レトルトパックなど嫌気的条件を満たした食品中で増殖し，産生された毒素を含んだ食品を食べた人に毒素型食中毒を起こす．毒素の抗原性により A～G 型の 7 型に分類される．わが国では 1984 年に発生した辛子レンコン由来の A 型ボツリヌス食中毒が有名だが，その後は数年に 1 例程度となっている．創傷ボツリヌス症は，創傷部で菌の芽胞が発芽し，菌増殖に伴って産生された毒素によって起こる．またハチミツなどの食品に芽胞が含まれていることがあり，腸内細菌叢が不安定な乳児などでは，芽胞が腸管内で定着し，産生された毒素によって神経麻痺を起こすことがある(乳児ボツリヌス症，成人腸管定着ボツリヌス症)．

病態生理
　体内に入ったボツリヌス毒素は，神経・筋接合部，自律神経節，神経節後の副交感神経末端からのアセチルコリンの放出を抑制し，全身に末梢性の弛緩性麻痺を起こす．

臨床症状・経過・予後
　5～72 時間(通常 12～24 時間)の潜伏期の後，顔から順に上肢，下肢へと弛緩性麻痺による症状，すなわち複視，眼瞼下垂，嚥下困難，口渇，便秘，脱力感，全身の違和感，筋力低下，呼吸筋麻痺による呼吸困難などが起こり，重症例では死に至ることもある(致死率 5～10％)．食餌性ボツリヌス症では，悪心，嘔吐，下痢などの消化器症状が麻痺による症状に先行する．乳児ボツリヌス症は乳幼児突然死症候群の一因と考えられている．

検査所見・診断
　ボツリヌス症は感染症法で四類感染症に定められている．症状経過から本症を疑い，確定診断のために血液，便，吐物などの検体や食品から，ボツリヌス菌の培養やボツリヌス毒素の検出が行われる．

予防・治療(ⓔ表 6-3-B)
　ボツリヌス菌の芽胞は熱や乾燥に強く 100℃の加熱に数時間は耐えるが，毒素は熱に不安定で 80℃の加熱で不活化されるため，食品の加熱調理によって予防可能である．乳児にはハチミツなど芽胞汚染の可能性がある食品を与えない．一般に抗菌薬は無効だが，乳児ボツリヌス症では抗菌薬による腸内除菌が試みられる場合がある．対症療法が治療の中心で，呼吸器などの全身管理が重要である．食餌性ボツリヌス症では，乾燥ボツリヌスウマ抗毒素が有効な場合があるが，血清病の発生に注意が必要である．　　〔竹村　弘〕

■文献
厚生労働省：医師及び指定届出機関の管理者が都道府県知事に届け出る基準 破傷風，ボツリヌス症. http://www.mhlw.go.jp/bunya/kenkou/kekkaku-kansenshou11/dl/02g.pdf
高橋元秀，岩城正昭：感染症の話 乳児ボツリヌスとは. 感染症発生動向調査週報(IDWR). 2001; 46: 8-11. http://www.nih.go.jp/niid/ja/kansennohanashi/451-infant-botulinum.html

(4) クロストリジウム・ディフィシル感染症
定義・概念
　Clostridium difficile は，1935 年に健常新生児の糞便から分離されたのが最初で(Hall ら，1935)，培養が困難であったことから"difficile"と名づけられた．1978 年に抗菌薬関連の偽膜性大腸炎の原因菌として報告され(Bartlett ら，1978)，現在でも抗菌薬関連腸炎の原因の 1 つとされる．治療は原因抗菌薬の中止，必要に応じてメトロニダゾールもしくはバンコマイシンが投与される．

病態生理
　C.difficile は Gram 陽性の芽胞形成性偏性嫌気性菌で，トキシンを産生する菌株と産生しない菌株が存在する．C.difficile 感染症(C.difficile infection：CDI)の発症病態においては本菌の産生するトキシン A，トキシン B が重要である．腸管内腔で産生されたトキシンは，細胞傷害を引き起こすとともに，多数の炎症細胞遊走を惹起し，本症に特徴的な偽膜形成を引き起こす(ⓔ図 6-3-A)．通常，病原性を発揮する C. difficile は両方の毒素を産生する(ⓔコラム 1)．CDI 発症の危険因子としては腸内細菌叢の撹乱，環境要因，宿主側要因の 3 つが重要であり，そのなかでも特に抗菌薬の長期投与，高齢，制酸薬やステロイドの投与，炎症性腸疾患の存在などとの関連が強いとされる(表6-3-5)．欧米で広がっている強毒株はキノロン系薬に耐性であり，これらの抗菌薬の不適切な使用が特定のクローンの伝播蔓延を助長した可能性が指摘されている．

臨床症状・検査所見
　C. difficile に感染しても無症状である場合があり，発症した際には軽い下痢から偽膜性腸炎を合併する例(図 6-3-2)，トキシックメガコロンといった致死的な重症例までさまざまな病態を呈することがある(ⓔ表 6-3-C)．多くの症例は，5～10 日間の抗菌薬投与後

表 6-3-5 CDI 発症の危険因子(文献 2, 6 より引用)

カテゴリー分類		危険因子
リスク 1	腸内フローラ・免疫の撹乱	・抗菌薬治療 ・キノロン系薬耐性の BI/NAP1/027 株 ・プロトンポンプ阻害薬・H_2受容体遮断薬投与 ・化学療法 ・ステロイド使用 ・放射線治療 ・抗蠕動薬投与 ・消化管手術 ・経鼻胃管，注腸
リスク 2	環境要因	・長期入院，もしくは長期療養施設滞在 ・(可能性として)食事，ペット，家畜
リスク 3	宿主要因	・65 歳以上 ・複数の基礎疾患 ・周産期の女性と子供 ・炎症性腸疾患 ・HIV ・透析患者

に下痢症を発症するが，抗菌薬投与の翌日から発症する症例，あるいは抗菌薬投与終了ののち 1〜2 カ月してから発症する症例も報告されている．下痢・腹痛に加えて発熱，白血球増加もみられることが多く，典型例では末梢血白血球数が 1 万 5000/μL 以上を示す．画像所見として，腹部 CT 所見で腸管壁の肥厚や腸管の拡張がみられることがあり(図 6-3-2)，重症例ではアコーディオンサインを呈することがある(@コラム 2)．また，内視鏡検査で大腸に白色偽膜が観察された場合には，その 90％以上で C. difficile が関与していたという報告もみられる．再燃がしばしばみられるため，注意を要す．

診断

C. difficile が培養で分離されてもトキシン産生を示すとは限らないことから，その病原性については慎重に判断する必要がある．CDI は，以下の基準のうち①を満たし，さらに②もしくは③を満たした場合に診断される[1-4]．

① 1 日 3 回以上の下痢の存在(軟便または水様便)
② 便からのトキシン産生 C. difficile の検出，もしくは C. difficile トキシンの検出
③ 内視鏡あるいは病理組織による偽膜の証明

便中 C. difficile トキシンの迅速検査法としては，イムノクロマトグラフィ法が一般的である．近年，C. difficile が共通で保有する GDH 抗原(glutamate dehydrogenase，グルタミン酸脱水素酵素)とトキシン B の両方を検出する迅速診断法が開発されている．GDH 抗原検査の感度は良好であるが，トキシン検出の感度は 75〜95％と幅があるため，トキシン検査の結果を解釈する際には臨床症状も勘案したうえで慎重に判断する．

治療(@表 6-3-D)

まずは原因・リスクとなっている薬剤の投与中止を検討する[1-4]．近年のガイドラインでは，軽症〜中等症に対する薬物療法はメトロニダゾール経口投与，重症例や合併症がみられる場合にはバンコマイシン経口投与やメトロニダゾール経静脈投与が推奨されている．メトロニダゾール投与後 5〜7 日しても症状の改善がみられない場合にはバンコマイシンへの変更を考慮する．近年，難治症例に対する糞便注入法(fecal microbiota transplant)が欧米で着目されている[5]．こ

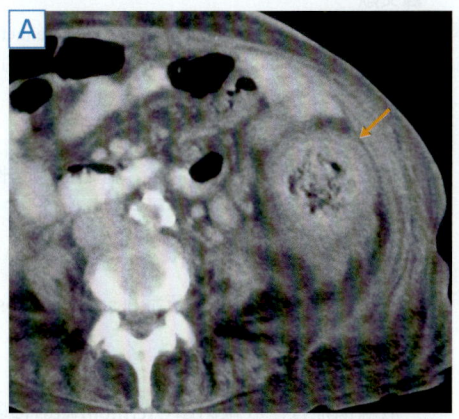 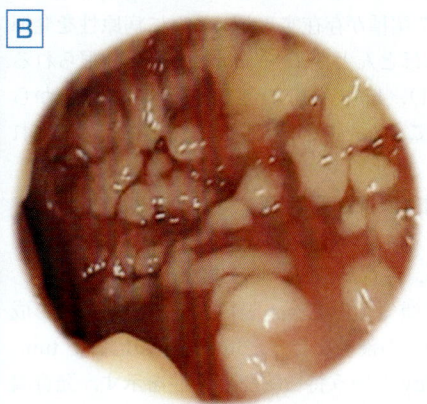

図 6-3-2 CDI の画像所見(文献 7, 8 より引用)
A：腸管浮腫像，B：偽膜性腸炎．偽膜性腸炎がみられた場合，C. difficile の関与は 90〜100％とされる．

れは健常人の腸内細菌叢を移植するといった治療法であるが，高い有効性が報告されている．手技や倫理上の問題を考慮する必要があり，一般的に行われる治療法ではない．

予防・感染対策

　C. difficile は，芽胞を形成することにより手指消毒薬を含め通常の消毒薬や熱処理に耐性を示すため，手洗いの励行や次亜塩素酸を用いた器具の消毒などが必要である．また，芽胞は乾燥環境下で数カ月にわたって生存することがある．療養環境は個室であることが望ましいが，困難な場合はコホーティング(集団隔離)を行い，ベッドサイドでの接触感染防止対策(手袋・ガウン着用)を徹底する．日頃から抗菌薬適正使用に努め発症を防止することと，患者の早期発見・早期対応を行うことが重要である．　　　　〔吉澤定子〕

■文献（e文献6-3-2-4）

Bartlett JG, Chang TW, et al: Antibiotic-associated pseudomembranous colitis due to toxin-producing clostridia. *N Engl J Med*. 1978; **298**: 531-4.

Hall IC, O'Toole E: Intestinal flora in new-born infants with a description of a new pathogenic anaerobe, Bacillus difficilis. *Am J Dis Child*. 1935; **49**: 390-402.

(5)リステリア感染症

定義・概念

　リステリア感染症はほとんどが *Listeria monocytogenes* により引き起こされる．土壌や植物，動物の糞便に汚染された水など自然界に広く存在し，人畜共通感染症の原因として重要である．垂直感染による流死産・胎児敗血症性肉芽腫症を呈する場合と，成人に髄膜炎や敗血症を発症する場合のおもに2つの病態がある．

病態・病態生理

　リステリア属菌には *L. monocytogenes, L. ivanovii, L. innocua, L. welshimeri, L. seeligeri, L. grayi,* and *L. marthii* の7菌種が存在するが，ヒトに病原性を発揮するものはほとんどが *L. monocytogenes* に限られる（eコラム1）．1％前後の割合で健常者の糞便中から検出されることがあり，健康保菌者の存在も示唆されている．

　人畜共通感染症の原因の1つであるが，生野菜，生乳，チーズ，食肉などの食品の汚染がしばしば問題となるため，注意が必要である(Bennettら，2009)．本菌は通性嫌気性の Gram 陽性桿菌で，芽胞は形成しない．少数の鞭毛を有し，30℃以下の培養で tumbling motility という特徴的な運動性を示す．発育温度域は0〜45℃と広く冷蔵室温(4〜10℃)でも発育し，食塩耐性も有することから，自然界での広範な分布が可能となっている．また，細胞内寄生菌であり，細胞性免疫不全宿主に発症しやすいといった特徴がある(Bennettら，2009；Hernandez-Milianら，2014)．

臨床症状

　健常人が感染しても発熱を伴う下痢症を発症する程度でしばしば無症状であるが，ステロイド使用者や担癌患者などの細胞性免疫不全宿主や高齢者が感染すると髄膜炎・敗血症を発症することがあり，約10％の症例で脳膿瘍を形成する．一方，妊婦では妊娠後期における発症が比較的多くみられる．胎児敗血症性肉芽腫症は，母胎からの垂直感染により胎児が敗血症を発症した病態で，致死率が高い．出生した新生児は皮膚に膿痂疹様の発疹を認め，肝・脾臓をはじめとする全身の臓器に微小膿瘍や肉芽腫が形成されている．母胎の症状は軽微であることが多い(Bennettら，2009)．

検査所見・診断

　髄液の細胞は多核球増加を認めることが多い．ほかの一般細菌による髄膜炎と同様に糖の低下も認められ，臨床所見でも特異的な症状はないため，診断は，血液，髄液，関節液，羊水，胎便，子宮頸管粘液などからの菌の同定や PCR 法による．Gram 染色所見は Gram 陽性の短桿菌様であるため，Gram 陽性球菌と見間違わないように注意が必要である．

治療・予防

　アンピシリンが第一選択薬とされ，相乗作用目的にゲンタマイシンをしばしば併用する．アンピシリンの代替薬としては，ST 合剤やバンコマイシン，メロペネムを考慮する．髄膜炎に頻用されるセフェム系薬は無効なので，50歳以上の髄膜炎ではアンピシリンを併用する必要がある(Bennettら，2009；日本神経学会ら，2014)．特異的な予防法はないが，ハイリスクの宿主では十分な殺菌が行われていない乳製品や食肉製品の摂取や取り扱いに注意する必要がある．

〔吉澤定子〕

■文献

Bennett JE, Dolin R: Mandell, Douglas, and Bennett's Principles and Practice of Infectious Diseases, 7th ed, pp2383-90, Saunders, 2009.

Hernandez-Milian A, Payeras-Cifre A: What Is New in Listeriosis?. *Biomed Res Int*. 2014; 358051.

日本神経学会，日本神経治療学会，他監修：細菌性髄膜炎の診療ガイドライン2014，南江堂，2014．

(6)放線菌症・ノカルジア症（actinomycosis・nocardiosis）

定義・概念

　放線菌症は，放線菌属(*Actinomyces*)による亜急性もしくは慢性の肉芽腫性疾患であり，膿瘍を形成する

(Russo，2005).

　ノカルジア症は，放線菌目，ノカルジア属による同じく亜急性もしくは慢性の肉芽腫性疾患である (Sorrellら，2005).

　ともに気道内に吸入されて，肺に初感染巣を形成し，中枢神経などの全身臓器へ伝播して内臓性病変を呈する場合と，外傷などによって皮膚病変を呈する場合がある．いずれも近年のステロイドや免疫抑制薬などの使用頻度の上昇とともに，日和見感染の1つとして増加傾向にある．

病態生理

　放線菌症のおもな原因菌は *Actinomyces israelii* である．偏性嫌気性菌であることが特徴で，Gram 陽性桿菌である．齲歯や口蓋扁桃などに腐生的に常在しており，非衛生的な口腔で増殖し，齲歯や歯周炎が発症原因となりうる（Russo，2005）.

　一方，ノカルジア属は Gram 陽性の好気性菌であり，土壌などの自然界に存在する．代表菌として肺ノカルジアでよくみられる *Nocardia asteroides* がある (Sorrellら，2005).

　放線菌属もノカルジア属も，ともに真菌にも類似した，微細な分岐状菌糸の形態をとるため，形態のみでは鑑別は難しい（図 6-3-3）.

臨床症状

　放線菌症，ノカルジア症ともに，臨床経過はさまざまであるが，一般に基礎疾患のない患者では慢性の経過をとり，無症状のことが多いが，免疫不全者では急性の経過をとり，症状を伴うことが多い．

　放線菌症は，顔面頸部，肺胸部，腹部，そして女性生殖器（避妊リングやタンポンによることが多い）や腎臓，骨などに直接あるいは血行性に感染する．いずれもおのおのの臓器に膿瘍を形成し，自壊すると瘻孔化するため注意が必要である（Russo，2005）.

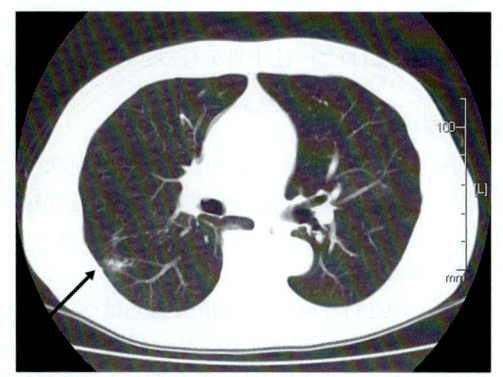

図 6-3-4 肺ノカルジア症の CT 所見
右下葉にすりガラス影を伴った淡い結節影として認められる（矢印）.

　ノカルジア属も肺と皮膚を中心に感染を成立させる．内臓ノカルジア症として，肺ノカルジア症では，症状は特異的なものはなく，発熱，咳，血痰，胸痛，全身倦怠感などがある．画像所見も多彩で浸潤影，単発または多発性結節影，空洞影，胸水，膿胸などの所見を呈する（図 6-3-4）．一般には，慢性の経過をとることが多いため，肺結核や肺化膿症，肺癌など腫瘍との鑑別が必要となる．また，脳ノカルジア症の合併が肺ノカルジア症の 30% にみられるとされ，頭部 CT や MRI 検査と，巣症状や脳圧亢進症状の確認は重要である．播種性ノカルジア症といわれる全身型も特に免疫不全者では注意する (Sorrellら，2005).

　皮膚ノカルジア症は菌腫型（mycetoma）といわれる足関節や足背に皮下膿瘍を形成し，慢性に経過して瘻孔化するものと，限局型といわれる瘻孔や硬結を形成までではみられない型に分けられる．またリンパ管に沿って，飛び石状に小潰瘍を形成する型もある．

診断

　特異的な症状や画像所見はないため，病変部への直接のアプローチからの培養検査での菌同定が最も重要となる．ただし，菌の検出率は低く，特に嫌気性である放線菌属の培養，同定には注意が必要である．放線菌属は brain heart infusion 血液寒天培地または brewer thioglycollate 培地で，35〜37℃で約 2 週間の嫌気培養が必要となる．口腔内常在菌であるので，痰から分離されただけでは診断できない．病理学的に証明する場合も，病巣部の組織（膿瘍）のなかに棍棒状の構造を示す菌塊がみられ，Gram 染色や Giemsa 染色で，1μm 前後の微細な分岐状菌糸を確認する (Russo，2005).

　ノカルジア属の場合もほぼ同様であるが，好気性であり，分離には血液寒天培地，sabouraud 培地，小川培地などが用いられる．周辺が寒天中に食い込むようなコロニー形成が特徴で，少なくとも 3〜5 日を要す

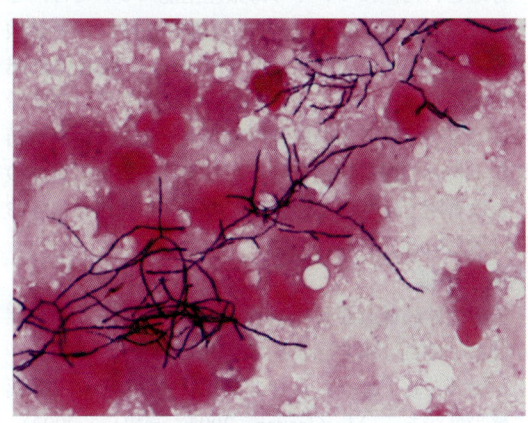

図 6-3-3　ノカルジア属の顕微鏡所見
Gram 陽性の微細な分岐状菌糸が認められる（Gram 染色，1000倍）.

るため，やはり2週間程度の培養が必要となる．なお，典型的なコロニーは土臭をもつとされる（Sorrellら，2005）．

治療・予後

一般に放線菌症，ノカルジア症ともに予後良好とされるが，慢性に経過し，膿瘍形成するため，抗菌薬の移行は不良である．したがって，外科的アプローチ，ドレナージの適応をまず考慮する．

抗菌薬治療を行う場合，放線菌症ならばペニシリンGやアンピシリン，アモキシシリンが第一選択薬となる．ノカルジア症の場合はST合剤が，髄液移行の面からも第一選択薬としてあげられており，ほかにカルバペネム系薬やミノサイクリンが使用される．

なお，両者ともに，長期の抗菌薬投与が推奨され，6～12カ月を治療の目安とする．〔関　雅文〕

■文献

Russo T: Agents of Actinomycosis. Principles and Practice of Infectious Diseases, 6th ed (Mandell GL, et al eds), pp2924-34, Churchill Livingstone, 2005.

Sorrell T, Mitchell D, et al: *Nocardia* species. Principles and Practice of Infectious Diseases, 6th ed (Mandell GL, et al eds), pp2916-24, Churchill Livingstone, 2005.

（7）ジフテリア（diphtheria）

定義・概念

ジフテリアはジフテリア菌（*Corynebacterium diphtheriae*）の感染によって生じる上気道粘膜疾患であり，咽頭ジフテリアが最も多い．その他，眼瞼結膜・中耳・陰部・皮膚ジフテリアがある（MacGregor, 2005）．感染，増殖した菌から産生された毒素により気道閉塞や心筋炎などが起こり，致死的となりうる．

現在わが国ではトキソイドワクチンの接種により患者は激減し，年間数例が散発的に報告されるだけである．感染症法では二類感染症に指定されている（高橋ら，2002）．

病態生理

ジフテリア菌はGram陽性桿菌であり，患者や無症候性保菌者の咳などによって，飛沫感染する．毒素産生菌，非産生菌とも重症化の可能性がある．また，ジフテリア菌は3種類のバイオタイプ（gravis型，mitis型，intermedius型）に分類されているが，病原性との間に密接な関係はないと考えられている（MacGregor, 2005；高橋ら，2002）．

Corynebacterium ulcerans はジフテリア様の臨床像をきたす人獣共通感染症の原因菌であり，一般にウシやヒツジとの接触，または生の乳製品などを摂取することにより感染することが知られている．*C. ulcerans* はウシの常在菌であるが，ジフテリア毒素遺伝子をもったファージが溶原化して，ジフテリア毒素産生能をもつ菌となることがある．ジフテリアの類似疾患を起こす病原体として注意が必要である（高橋ら，2002）．

臨床症状

2～5日間程度の潜伏期を経て，発熱・咽頭痛・嚥下痛などが初発症状となる．鼻ジフテリアでは血液を帯びた鼻汁，鼻孔・上唇のびらんがみられる．扁桃・咽頭ジフテリアでは扁桃・咽頭周辺に白～灰白色の偽膜が形成されるのが最も特徴的である（MacGregor, 2005）．

ジフテリアの偽膜は厚く，その境界は鋭利で剝がれにくく，剝がすと出血しやすいといわれている．頸部リンパ節炎も特徴的であり，高度に腫張すると牛頸（bull neck）状となる．喉頭ジフテリアは咽頭ジフテリアから発展する場合が多く，嗄声・犬吠性咳嗽が特徴的である（真性クループ）．気道にも偽膜が形成されるため，呼吸困難が生じる．膜形成が声門，気管支まで進展すると，気道閉塞をきたし窒息死に至ることがあるため十分な注意が必要である（高橋ら，2002）．

また，合併症としては早期（1～2病週）および回復期（4～6病週）に現れる心筋炎が最も重要である．この間は突然死に対する厳重な警戒が必要となる．したがって，主症状が改善した後も慎重な観察を要する．末梢神経炎による神経麻痺は合併症の頻度として高いが，予後は比較的良好とされる．

診断

ジフテリアの確定診断は，患者の病変部位からジフテリア菌を分離することが重要である．患者に抗菌薬や抗毒素の投与前に，病変部位（偽膜，咽頭変色部位，潰瘍部位など）のGram染色と異染小体染色を行う．PCR法によるジフテリア毒素遺伝子の検査，およびチンスダール培地，亜テルル酸塩加血液寒天培地，レフレル培地などで分離培養も行われる（MacGregor, 2005；高橋ら，2002）．

分離された菌についての毒素産生能については，寒天内沈降反応法（Elek法）や培養細胞法，ウサギ試験法，モルモット試験法などが行われる．PCR法は迅速性があり，スクリーニングに適しているが，確定診断にはジフテリア菌の培養同定が望ましく，各試験結果を総合して最終判定を行う．なお，感染後の抗体の上昇は著明ではないといわれており，抗体価による診断は難しいとされる．

治療・予後

治療開始の遅れが致死的になるので，臨床的に本症が疑わしければ確定診断を待たずに治療を開始する．

抗菌薬としてはペニシリン系薬，マクロライド系薬に感受性がある（MacGregor, 2005；高橋ら，2002）．

また，治療には動物（ウマ）由来の血清療法が行われるが，アナフィラキシーに対して十分な配慮をする必

要があり，治療によって予測不能なショック症状およびショック死の可能性もあり得る．

予防としては，世界各国でDPTワクチンの普及が進められている．わが国では1948年にジフテリア単独ワクチン，1958年にジフテリア・破傷風混合ワクチン，1968年以降にDPTワクチンとなり，さらに1981年から現行のDPTワクチン（百日咳ワクチンが無細胞ワクチン）となっている（高橋ら，2002）．

〔関　雅文〕

■文献
MacGregor R: *Corynebacterium diphtheriae*. Principles and Practice of Infectious Diseases, 6th ed (Mandell GL, et al eds), pp2457-65. 2005.
高橋元秀，小宮貴子，他：感染症の話，IDWR，2002．

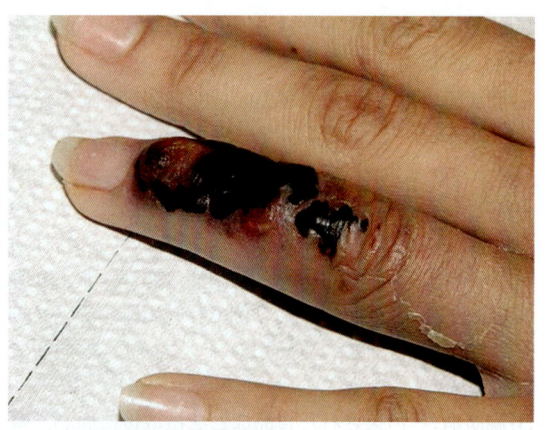

図6-3-5 皮膚炭疽の皮膚所見
黒色の痂皮と発赤を認める．写真はCDC（http://www.cdc.gov/ncidod/EID/vol12no03/05-1407-G.htm）より．

(8) 炭疽 (anthrax)

定義・概念
炭疽は炭疽菌（*Bacillus anthracis*）による感染症である．炭疽は人畜共通感染症で，本来は家畜にみられる疾患である．感染症法で四類感染症に分類されている．

分類
炭疽は，①皮膚炭疽，②肺炭疽（吸入炭疽），および③腸炭疽の3種類に大きく分類される（Laneら，2013）（表6-3-6）．そのなかで多くみられるのは皮膚炭疽であり，肺炭疽および腸炭疽を発症することはまれである（ⓔコラム1）．

原因・病因
炭疽菌は好気性のGram陽性桿菌で，芽胞を形成し，土壌中に存在する[1]．ヒトは一般的に炭疽菌に感染した家畜を介して感染する場合が多い．炭疽に罹患した動物との接触やその食肉を食べることで感染することが多い．また皮革の加工業者が感染した動物の皮を扱う際に感染することもあり，職業病と考えられている．一方，炭疽菌はバイオテロに利用されるリスクの高い病原体と考えられており，これまで実際に炭疽菌を粉末状に加工してテロに利用された事例も発生している[2]．

疫学
本疾患は世界的に分布がみられるが大半は散発例である．わが国では1965年に炭疽の集団発生がみられたが，最近では年間あるいは数年に1例程度のきわめてまれな疾患となっている．炭疽菌を生物兵器として用いる研究を旧ソビエト連邦が行っていた事実も明らかとなっており，米国では2001年にバイオテロ目的で本菌を郵便物で送る事件が発生し数名が死亡した．米国CDCは，生物兵器に使用される可能性のある微生物のなかで，炭疽菌を最も危険度の高いカテゴリーAに分類している．

病態生理
炭疽菌は本菌が有する莢膜によりマクロファージなどの貪食に抵抗性を示す．本菌が産生する浮腫因子（edema factor）や致死因子（lethal factor）とよばれる毒素や，防御抗原（protective antigen）とよばれる蛋白は，出血，浮腫，および壊死などを引き起こし，その強い病原性によって重症感染症に陥りやすい[3]．本菌は芽胞を有するため菌が生体内で長期間定着する可能性も示唆されており，菌曝露後，発症までの期間は通常1〜7日とされているが，最長60日という報告もある（WHO，1998）．

臨床症状
1）皮膚炭疽：皮膚の傷口に菌が付着し，侵入して発症に至りやすい．無痛性の膿疱を形成し，やがて中央部は壊死を起こす（図6-3-5）．さらに病変部は外見上，炭のように黒褐色の痂皮を形成し，皮膚炭疽に特徴的な

表6-3-6　炭疽の分類とおもな特徴

疾患	感染経路	潜伏期間	症状	致死率*
皮膚炭疽	感染動物などとの接触	1〜12日	・無痛性の膿疱→黒褐色の痂皮 ・所属リンパ節腫脹	10〜20%
肺炭疽 （吸入炭疽）	菌の吸入	1〜7日（あるいはさらに長期）	・インフルエンザ様症状→胸痛，呼吸困難，ショック，意識障害	45〜90%
腸炭疽	汚染食品の摂取	1〜7日	・悪心，嘔吐，腹痛，発熱 ・吐血，血便，激しい下痢	25〜50%

＊：致死率は早期診断の有無や治療開始時期・治療内容などによって大きく影響を受ける．

病変ができる[4]．さらに感染部位の所属リンパ節炎を合併しやすい．

2) 肺炭疽（吸入炭疽）： 芽胞の状態で空気中を浮遊している菌を吸入して発症することが多い．ただし皮革の加工などリスクが高い状況を除けば本菌が空気中に存在する可能性は低く，バイオテロが原因となっている可能性もある．最初は微熱，倦怠感などの感冒様症状から始まり，さらに頭痛，筋肉痛，悪寒，および胸痛を訴える．その後，多くの例で呼吸困難，チアノーゼ，胸水などを伴い，さらにショック状態へと急激に進展する[5]．

3) 腸炭疽： 汚染された食品などを摂取後に悪心，嘔吐，腹痛，発熱などで発症する．さらに吐血，血便や下痢を訴える．さらに菌血症を合併して重症化することがある．なお炭疽菌が咽頭部で感染を起こす場合があり，咽頭痛や嚥下障害，発熱を訴えるとともに，頸部のリンパ節腫脹を伴う．

検査所見

末梢血白血球は好中球優位の増加を示す．肺炭疽では胸部X線で高度なリンパ節腫脹を伴う縦隔の拡大が特徴的であり，さらに胸水貯留や肺水腫，および肺出血を伴うことがある．

診断

家畜を扱う職業に従事している人などに特徴的な皮膚病変を認めた場合は，皮膚炭疽の推定が可能である．肺炭疽は感染早期では肺門部の拡大を認め（e図6-3-B），その後，肺野の浸潤影を伴うことが多い．重症の炭疽では多数の菌による菌血症あるいは敗血症を伴いやすいので，血液培養とともに末梢血の直接塗抹標本をGram染色し観察する．病変部位から採取した検体のGram染色で，竹を接いだような大型の桿菌が連鎖状に観察されれば炭疽の可能性が高くなる（e図6-3-C）[6]．炭疽菌はほかのバチルス属の菌と異なり，鞭毛がないために運動性を示さず，さらに血液寒天培地で培養しても溶血性を示さない（e表6-3-E）．一般の細菌検査室において炭疽菌と確定するのは難しい場合があり，国立感染症研究所など専門の機関に依頼する必要がある．

鑑別診断

肺炭疽の場合はほかの病原体による激症型の肺炎が鑑別診断にあげられる．ただし肺炭疽では縦隔の炎症が主体であり，典型的な肺炎像を呈して発症することはまれである．腸炭疽は血便を伴う腸管感染症や腸炎などとの鑑別が重要である．

合併症

炭疽菌性髄膜炎は炭疽発症から数日以内に突然，髄膜炎症状で発症し，急激な意識障害が起こり高い頻度で死亡する．

経過・予後

皮膚炭疽の場合，適切な治療をすれば予後は良好である．しかし腸炭疽や肺炭疽では急激に病状が進展し重篤な状態に陥りやすく予後は不良である．

治療・予防・リハビリテーション

炭疽菌は本来，ペニシリン系，カルバペネム系，キノロン系，テトラサイクリン系など多くの抗菌薬に良好な感受性を示す[5]．ただしバイオテロではペニシリンなどへの耐性が付加された菌を使用される可能性がある．肺炭疽では救命率を上げるため，診断が確定する前の早期の段階からキノロン系やテトラサイクリン系抗菌薬とほかの薬剤を併用し大量に投与する[7]．また病状の進行に伴って，脱水，呼吸不全，ショックなどに陥りやすいため，補液，酸素吸入，昇圧薬など全身管理を含めた治療も必要である．炭疽菌のワクチンは米国で承認された製品があるが，おもに軍の関係者などリスクの高い人にのみ使用されている．炭疽菌に曝露された可能性がある場合は，発症の予防を目的としてシプロフロキサシンなど抗菌薬の予防内服が行われる（Laneら，2013）．

〔松本哲哉〕

■文献（e文献6-3-2-8）

Lane HC, Fauci AS：炭疽．ハリソン内科学 第4版（福井次矢，黒川 清監），pp1545-6，メディカル・サイエンス・インターナショナル，2013.

WHO：Guidelines for the Surveillance and Control of Anthrax in Humans and Animals, 3rd ed, 1998. http://www.who.int/csr/resources/publications/anthrax/WHO_EMC_ZDI_98_6/en/

3) Gram陰性球菌による感染症

(1) 髄膜炎菌感染症（meningococcal infection）

疾患概念・疫学

Neisseria meningitidisは $0.6 \times 0.8\,\mu m$ のGram陰性双球菌であり，本菌が流行性髄膜炎の原因菌であることは，1887年にWeichselbaumらにより確立された．本菌には少なくとも13の血清群（A，B，C，D，E，H，I，K，L，W-135，X，Y，Z）が存在するが，このうち6つの血清群（A，B，C，W-135，X，Y）がほとんどの侵襲性感染症を起こす．今日においても流行性髄膜炎は世界における公衆衛生上の重要な問題であり，とりわけサハラ以南のアフリカ（特に髄膜炎ベルトとよばれるアフリカ中央部）の乾季に多く発生する．先進国においても局地的な小流行がみられている．分子疫学的手法はグローバルな髄膜炎菌感染症の疫学解析に有用である．multilocus sequence typing (MLST)解析により，ST-5，ST-7（血清群A），ST-

41/44，ST-32，ST-18，ST-269，ST-8，ST-35（血清群B），ST-11（血清群CあるいはW-135），ST-23とST167（血清群Y）とST181（血清群X）の髄膜炎菌がほとんどすべての侵襲性感染症を起こすとされている．

血清群Aでは最も発生頻度が高く，アフリカ，アジア，ロシア，中東においてみられる．集団接種を実施する2010年以前には，髄膜炎ベルトのすべての症例の80〜85％が血清群Aであったが，その後は血清群Aの割合は減少している．一方，血清群Bの流行は通常先進国においてみられる．血清群Cの流行は世界中でみられ，年長の小児，思春期，若い成人に多く発症する．最近では2000年と2001年にメッカへの巡礼者における血清群W-135による流行例が知られている．日本においては第2次世界大戦前後が本症患者数のピークで，1960年以降は激減している．

2013年4月から侵襲性髄膜炎菌感染症は，感染症法上の五類全数把握疾患となり[1]，2015年5月からは患者の住所・氏名を含め，直ちに保健所に報告しなければならないと，その取り扱いが変更された．2013年4月〜2014年12月の期間に59症例が届け出られ，これらの症例の原因菌の血清群の分布は，Y 42％，C 12％，W 3％，YもしくはW 5％，B 7％，不明31％であった．この結果から，わが国における侵襲性髄膜炎菌感染症の10万あたりの報告数は0.028（2014）であり，米国0.28（2009），ヨーロッパ0.92（2009），オーストラリア1.2（2009）と比較して，10〜40倍低い．

病態生理

流行性髄膜炎の発症の第1ステップは髄膜炎菌の鼻咽腔への接着である．菌伝播は保菌者からの気道分泌物の直接接触もしくは経気道的な飛沫感染によるとされている．また，髄膜炎菌のエンドトキシンであるlipooligosaccharide（LOS）は，本菌の宿主細胞への付着，侵入や補体殺菌に影響する病原性因子である．敗血症を伴う例では血中LOS濃度は高値を示し，髄液中濃度は低い．一方，髄膜炎例では髄液中LOS濃度は高く，血中は低値となる．

健常者の鼻咽頭における髄膜炎菌の保菌率が人口の20％をこえると，市中における感染流行の危険性が高くなる．わが国における健常者の髄膜炎菌の保菌率は1％未満とされている．

鑑別診断

本症の鑑別疾患としては，ほかの細菌性髄膜炎，結核性，ウイルス性，真菌性髄膜炎，脳マラリア，腸チフスなどがあげられる．

臨床症状・経過・予後

上気道への定着後に，本菌はときに粘膜を貫通し，髄膜腔や循環血中に侵入する．平均潜伏期間は4日（最大2〜10日まで）とされている．

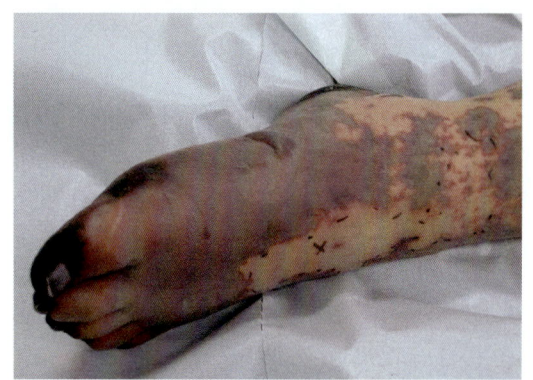

図6-3-6 急性劇症型の髄膜炎菌感染症にみられた足背の広範な出血斑，水疱形成，壊死病変（櫻田政子，原嶋由佳理，他：電撃性紫斑病を呈した髄膜炎菌（Neisseria meningitidis）による敗血症の1例．臨床微生物学雑誌．2006；16：8-12）

侵襲性感染症としては，菌血症（敗血症なし），髄膜炎を伴わない敗血症，髄膜炎，髄膜脳炎の4つの病型がある．急性劇症型として副腎出血や全身のショック状態を呈するWaterhouse-Friderichsen症候群が知られている．非侵襲性感染症として，肺炎，尿道炎などの多彩な病像がある．

先進国の血清群BあるいはCによる侵襲性感染症では，37〜50％が髄膜炎症状，10〜18％がショックを伴うが髄膜炎のない劇症型敗血症，18〜33％がショックや髄膜炎を伴わない敗血症を呈する．侵襲性感染症は健常者にも起こるが，その発症を早期に検出することは困難である．本症の特徴的所見として，点状出血が眼球・眼球結膜や口腔粘膜，皮膚に認められる．また，急性劇症型では出血斑が体幹や下肢の皮膚に認められる（図6-3-6）．これらの皮疹は血小板減少症と相関し，播種性血管内凝固症候群（DIC）の指標として重要である．

1998〜2007年の米国における調査では，高齢者（23.2％）では若年者より致命率が高く，病型別では孤立性菌血症（13.2％），肺炎例（15.9％）の致命率が髄膜炎例（9.0％）より高い[2]．また，血清群別では，W-135（16.3％），C（14.7％）による症例の致命率はB（8.8％）より高いとされている．

検査所見

髄液，血液から本菌を分離培養することが診断の基本である．また，髄膜炎の場合は，髄液検査で多数の好中球，蛋白質濃度の増加，グルコース濃度の低下を認める．臨床検体のGram染色では，Gram陰性双球菌が確認できる（図6-3-7）．髄液中の本菌抗原をラテックス凝集試験で検出することもできる．

治療・予防

ペニシリン系注射薬（ペニシリンGカリウム®を5万単位/kgを4時間ごと）や第3世代セファロスポリ

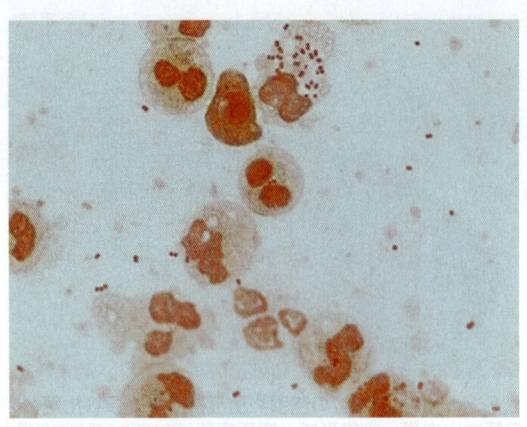

図 6-3-7 髄膜炎菌肺炎例の喀痰 Gram 染色所見（佐田竜一：髄膜炎菌肺炎の 1 例．IASR. 2013; 34: 368-70）
多数の好中球と Gram 陰性双球菌の貪食像を認める．

ン系注射薬（セフトリアキソンを 3 カ月以上の小児で 50 mg/kg を 12 時間ごと，3 カ月未満の小児で 50 mg/kg を 6〜8 時間ごと，成人では 1〜2 g を 12 時間ごと）が用いられる．これらの β-ラクタム系にアレルギーのある場合は，髄液移行性の高いクロラムフェニコールも使用できる．

二次感染の予防のために，侵襲性髄膜炎菌感染症患者との濃厚接触者に対する抗菌薬予防投与が重要である．濃厚接触者には，患者発症前 7 日間における患者の家庭内同居者，患者の保育所での接触者，患者の口腔分泌物に直接的に曝露した者が含まれる．

予防投与は，リファンピシン（1 カ月未満の小児には 5 mg/kg，1 カ月以上の小児には 5 mg/kg，成人には 600 mg）を 12 時間ごと，2 日間，あるいはセフトリアキソン（15 歳以下の小児には 125 mg，成人には 250 mg）を 1 回筋注，あるいはシプロフロキサシン（成人のみ）を 500 mg 1 回内服させる．

また，2015 年 5 月から国内で四価髄膜炎菌ワクチン（A/C/Y/W 群）が販売されている．　〔大石和徳〕

■文献（e 文献 6-3-3-1）

Cohn AC, MacNeil JR, et al: Prevention and Control of Meningococcal Disease: Recommendation and Control of the Advisory Committee on Immunization Practice（ACIP），MMWR, 2013.
侵襲性髄膜炎菌感染症の発生動向，2013 年第 13 週〜2014 年第 52 週．IASR 2015; 36: 179-81. http://www.nih.go.jp/niid/ja/id/738-disease-based/sa/bac-megingitis/idsc/iasr-news/5864-pr4271.html
Stephens DS, Apicella MA: *Neisseria meningitidis*. Principles and Practice of Infectious Diseases 8th ed（Bennet JE, Dolin R, et al eds），pp2425-45, Elsevier Saunders, 2015.

(2) 淋菌感染症 （gonococcal infection）

定義・概念

淋菌を原因菌として発症する尿道炎を主とするが，免疫低下状態での播種性淋菌感染症，咽頭への感染なども含まれる．

原因・病因

淋菌は，Gram 陰性球菌であり，ヒトは唯一の宿主である．淋菌は乾燥に弱く体外では長く生存しないため，経腟性交または口腔性交，つまり，感染粘膜の直接的接触にて感染する．

疫学

2002 年の 9 道府県でのサーベイランスでは，淋菌感染症（主として，男性の淋菌性尿道炎と女性の子宮頸管炎）の 10 万人・年対罹患率は，男性で 160.4，女性で 51.3 であった（熊本ら，2004）．男性では，20〜34 歳代で，女性では，15〜29 歳代で，最も罹患率が高かった．男性では，クラミジア性尿道炎と同様に，最も罹患率の高い性感染症である．

臨床症状

淋菌性尿道炎の典型的な臨床症状は，強い排尿痛，亀頭部の発赤，外尿道口から排出する混濁した白色，もしくは黄白色の尿道分泌物である．

検査所見

診断には，淋菌の同定・検出が必須である．最も有用な迅速診断法が外尿道口からの分泌物塗抹または初尿沈渣標本の Gram 染色・鏡検であり，好中球内外の Gram 陰性球菌（双球菌）を観察する．次に，分離培養法にて淋菌を分離し，抗菌薬感受性試験を行う．現状では，淋菌に対する有効な抗菌薬はきわめて限られてきていることから重要な検査である．本来は，Gram 染色・鏡検と分離培養法で十分あるが，症状の程度が強くない症例では，鏡検による診断が困難な場合がある．診断に苦慮するようであれば，核酸増幅法を用いた検出キットにて淋菌の検出を行う．核酸増幅法を用いた検出キットは感度がきわめて高いことから淋菌が存在していれば診断は可能である．検尿沈渣・鏡検では，通常は高度の膿尿を認める．採血などは，急性精巣上体炎に進行していないかぎり不要である．

治療

以前は，ペニシリン系抗菌薬が有効であったが，耐性化し，さらに，フルオロキノロン系抗菌薬にも耐性化したため，有効な抗菌薬は限られている（Takahashi ら，2013）．現状では，ペニシリン系とフルオロキノロン系抗菌薬は治療に用いるべきではない．淋菌性尿道炎に対する推奨治療法は，いずれも単回投与である（JAID/JSC 感染症治療ガイド・ガイドライン作成委員会，2014）．特に，セフトリアキソン（1 回 1 g，静注）は咽頭感染にも有効であるとされており，最も推奨される．ほかに，スペクチノマイシンも尿道炎に

は有効であるが，咽頭淋菌には有効ではない（eコラム1）．

治療不成功時の対応： 世界的にもセフトリアキソン耐性淋菌が数例程度で分離されてきており問題となっている[1,2]．推奨治療での治療不成功時には，菌の保存と詳細な分析が必要である．　　　　　〔髙橋　聡〕

■文献（e文献6-3-3-2）

JAID/JSC感染症治療ガイド・ガイドライン作成委員会編：性感染症．JAID/JSC感染症治療ガイド2014, pp229-40, ライフサイエンス出版，2014.

熊本悦明，塚本泰司，他：日本における性感染症サーベイランス—2002年度調査報告．日本性感染症学会誌．2004; **15**: 17-45.

Takahashi S, Kurimura Y, et al: Antimicrobial susceptibility and penicillin-binding protein 1 and 2 mutations in *Neisseria gonorrhoeae* isolated from male urethritis in Sapporo, Japan. *J Infect Chemother*. 2013; **19**: 50-6.

4）Gram陰性桿菌感染症

(1) インフルエンザ菌およびその他のヘモフィルス感染症

定義・概念

インフルエンザ菌（*Haemophilus influenzae*）は，ヘモフィルス属のGram陰性通性嫌気性桿菌である．*H. parainfluenzae*, *H. ducreyi* などのヘモフィルス属も感染症を惹起するが，インフルエンザ菌に比べその頻度は低い．ヘモフィルス属は発育に赤血球中に含まれているX因子（haemin）とV因子（NAD）を必要とする．ヘモフィルスは，ギリシャ語でblood-lovingを意味する．

分類

インフルエンザ菌は，莢膜の有無により有莢膜株と無莢膜株に分けられ，有莢膜株はさらにa〜fの6つの血清型に分類される．一般的に莢膜株の方が無莢膜株に比べ病原性が強く，そのなかでも特にb型（Hib）株は最も病原性が強いとされる．

病因・疫学

Hibを主体とする莢膜株は，5歳未満の小児に細菌性髄膜炎，急性喉頭蓋炎，化膿性関節炎，菌血症など侵襲性感染症（血液，髄液など無菌部位から細菌が検出される感染症）を惹起する．Hibワクチン普及前の日本では，小児細菌性髄膜炎の原因菌のなかでインフルエンザ菌は最も頻度が高かった[1]．一方，無莢膜株は，小児の呼吸器感染症のおもな原因である[2]．また，成人の市中肺炎や慢性閉塞性肺疾患の急性増悪の原因菌としても重要である[3]．

インフルエンザ菌の抗菌薬耐性の主体は，β-ラクタム系薬剤耐性であり，耐性機序により以下の3つに分類される．1つ目は薬剤不活化酵素であるβ-ラクタマーゼ産生によるβ-ラクタマーゼ産生アンピシリン耐性（BLPAR），2つ目はペニシリン結合蛋白（PBP）の変異が主体であるβ-ラクタマーゼ非産生アンピシリン耐性（BLNAR）である．3つ目はβ-ラクタマーゼを産生しかつPBPに変異をきたした，β-ラクタマーゼ産生クラブラン酸アモキシシリン耐性（BLPACR）である．日本では，2000年代に入ってからBLNAR, BLPACRが急増し，問題となっている[4,5]．

病態生理

Hibを主体とした莢膜株は，上気道に定着した菌がウイルス性上気道炎などを契機として血液中に侵入し，菌血症から全身に散布し，侵襲性感染症を惹起する．一方，無莢膜株は，上皮細胞への付着因子を多く発現していることから，気道上皮などに定着，侵入しやすい特徴があり，呼吸器感染症を惹起しやすい[6]．

臨床症状

各感染症に対応した臨床症状を呈する．

診断

感染部位からのインフルエンザ菌の分離，培養により診断する．血液，髄液，関節液など無菌部位からの検出は原因菌としての可能性が高い．Hibについては，髄液などから迅速抗原診断が可能である．呼吸器検体からのインフルエンザ菌の検出は，本菌が気道の常在菌の1つであることから，原因菌かどうかの判断には臨床症状や治療経過などを参考に総合的に判定する必要がある．なお，侵襲性インフルエンザ菌感染症は，2013年4月から感染症法の五類全数届出疾患となっている．

治療

侵襲性インフルエンザ菌感染症に対する治療薬剤を考えるにあたっては，BLPAR, BLNAR, BLPACRすべてに対して感受性良好な薬剤選択が必要となる．現在，これらの条件を満たすものとしてはセフトリアキソンとメロペネム，タゾバクタム・ピペラシリン，ニューキノロン系薬がある．なお，Hib髄膜炎に対しては，治療初期において抗菌薬を投与する前に，デキサメタゾンを併用することが，難聴などの後遺症を軽減させるとして推奨されている[7]．

気道感染症に対する経口抗菌薬としては，気道移行がよいアモキシシリンが推奨される．クラブラン酸アモキシシリン1：14製剤や，セフテラムピボキシル，セフカペンピボキシル，セフジトレンピボキシルなどのセフェム系薬も使用可能である．注射薬に関しては，アンピシリン，アンピシリン・スルバクタム，セフォタキシム，セフトリアキソンなどが推奨される[8]．

予防

2008年12月からHibワクチンが導入され，日本でもHib感染症の予防が可能となった．公費助成制度の導入，定期接種化により接種率が上昇し，Hib感染症は激減している[9]．　　　　　〔石和田稔彦〕

■文献（e文献6-3-4-1）

Ledeboer NA, Doern GV：*Haemophilus*. Manual of Clinical Microbiology, 10th ed (Versalovic J, Carroll KC, et al eds), pp588-602, ASM Press, 2011.
日本感染症学会編：インフルエンザ菌感染症．感染症専門医テキスト第I部—解説編, pp965-9, 南江堂, 2011.
Ward JI：*Haemophilus influenzae*. Text Book of Pediatric Infectious Diseases, 5th ed (Cherry F, Kaplan D eds), pp1636-55, Saunders, 2004.

(2)百日咳（whooping cough, pertussis）

定義・概念

好気性Gram陰性短桿菌である百日咳菌（*Bordetella pertussis*）による気道感染症である．パラ百日咳菌（*B. parapertussis*）は，百日咳菌と同じボルデテーラ属の細菌で，百日咳に類似した症状を呈する．

病因・疫学

百日咳のおもな原因菌は百日咳菌であり，日本の百日咳患者におけるパラ百日咳菌の検出率は1％程度と推測されている．百日咳菌は，接着因子や毒素などさまざまな生物活性物質を産生している．日本では感染防御抗原だけを精製した無細胞百日咳ワクチンを含む3種混合（DTaP）ワクチンが開発され[1]，1981年から導入され百日咳患者は激減した．百日咳は感染症法で五類感染症・定点把握疾患であり，全国約3000の小児科定点から報告がなされており，2001〜2007年の百日咳患者の報告数は0.4人未満であった．しかし，2008年以降報告数が増加しており，そのなかで成人患者の占める割合が増えている[2]．

病態生理

百日咳菌の感染経路は飛沫感染であり，潜伏期間は7〜10日間とされる．体内に侵入した百日咳菌は，線維状赤血球凝集素（FHA），線毛，パータクチンなどを介して，まず気道線毛上皮に定着する．その後，百日咳毒素（PT），アデニル酸シクラーゼ毒素，気管上皮細胞毒素などの毒素活性により気道上皮細胞を障害し，感染を成立させる[3]．

臨床症状

百日咳は軽度の上気道炎症状（カタル期）から始まる．カタル期は通常1〜2週間続く．その後乾性咳嗽が出現し，さらに激しい発作性の咳へと進展する（痙咳期）．しばしば特徴的な吸気性笛声（whoop）とそれに引き続く嘔吐を伴う．また，チアノーゼ，無呼吸，顔面紅潮・眼瞼浮腫（百日咳顔貌）などの症状も認められる．その後2週間以上かけて症状は徐々に改善する（回復期）．百日咳は年齢やDTaPワクチン接種歴，抗菌薬投与などの影響により典型的な症状を呈さないことも多い．パラ百日咳菌は，PTをもたないため，症状は百日咳菌によるものより軽いとされる．

診断

14日間以上続く咳に，発作性の咳込み・吸気性笛声・咳込み後の嘔吐のいずれかの症状を伴う場合，臨床的百日咳と診断する[4]．確定診断は，培養法あるいは核酸増幅法（PCR法，LAMP法）での百日咳菌検出により行う[5]．百日咳菌の培養には，Bordet-Gengou培地やcyclodextrin sodium培地などの特殊培地を要する．発症後4週間以上経過している場合には，血清診断（EIA法によるPT-IgG抗体価測定）を行う．DTaPワクチン未接種者では10 EU/mL以上，ワクチン既接種者では，94 EU/mL以上あるいは，対血清で2倍以上の上昇を陽性とする[6]．

治療

カタル期であれば，抗菌薬投与により咳嗽発作の軽症化が期待できる．百日咳特有の咳が出現してからの治療効果は低いが，除菌することによる周囲への感染予防という点から重要である．マクロライド系抗菌薬が治療の基本となる．エリスロマイシン14日間，クラリスロマイシン7日間投与などを行う[7]．

予防

2012年11月から，DTaPワクチンからDTaPワクチンと不活化ポリオワクチンの4種混合ワクチンに切り替わった．4種混合ワクチンは，定期接種ワクチンとして0歳児に対する3回の初回免疫と1歳児に対する追加免疫1回のスケジュールで実施されている．欧米諸国では成人での流行予防のため，青少年および成人への百日咳を含むワクチンの追加接種が行われており，日本でも追加接種の導入が望まれている．
　　　　　　　　　　　　　　　　　　〔石和田稔彦〕

■文献（e文献6-3-4-2）

Cherry JD, Heininger U：Pertussis and Other *Bordetella* Infections. Text Book of Pediatric Infectious Diseases, 5th ed (Cherry F, Kaplan D eds), pp1588-608, Saunders, 2004.
日本感染症学会編：百日咳．感染症専門医テキスト第I部—解説編, pp985-90, 南江堂, 2011.
von König CW, Riffelmann M, et al：*Bordetella* and Related Genera. Manual of Clinical Microbiology, 10th ed (Versalovic J, Carroll KC, et al eds), pp739-50, ASM Press, 2011.

(3)レジオネラ症（legionellosis）

概念・疫学

レジオネラ症は，細胞内寄生性を示すGram陰性ブドウ糖非発酵菌であるレジオネラ属細菌を原因とす

る感染症であり，本菌で汚染されたエアロゾルの吸入で発症する肺炎としてみられることが多い（市中肺炎の3〜5％）．ヒトに病原性を示すレジオネラ属細菌としては現在までに40菌種以上が知られているが，病原性が最も強いのは *Legionella pneumophila* であり，レジオネラ肺炎全体の60〜70％を占める．本菌は自然界の水系・土壌に広く存在しており，クーリングタワー，温泉，循環式浴槽，噴水，加湿器などの水が本菌で汚染され，そのエアロゾルを感受性宿主が吸入することによりレジオネラ肺炎が発症する．レジオネラ症は，1976年米国フィラデルフィアのホテルのクーリングタワーを感染源とする集団肺炎事例を契機に見つかった．日本では斉藤らが1981年に *L. pneumophila* 肺炎の第1例目を報告している（斉藤ら，1981）．尿中抗原検査や遺伝子診断法の普及に伴い，近年ではわが国においても年間1000例をこえるレジオネラ症が報告されている．レジオネラ症としては肺炎が最も重要であるが，それ以外にポンティアック熱（インフルエンザ様症状のみで肺炎を伴わない），免疫不全宿主における化膿性疾患の原因となることもある．

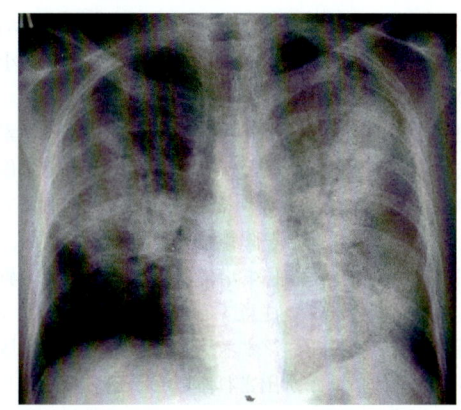

図 6-3-8 レジオネラ肺炎患者の胸部X線像

臨床症状（Demirjianら，2015；Mercanteら，2015）

レジオネラ肺炎の臨床症状は，軽い咳，微熱程度のものから意識障害を伴う劇症肺炎まで多彩であり，臨床症状だけから本症を診断することはできない．通常，潜伏期間は2〜10日と長い．病初期においては発熱，全身倦怠感，筋肉痛，食欲不振などの非特異的症状から始まり，次第に咳，痰，胸痛などの呼吸器症状が全面に出てくる．レジオネラ肺炎患者にしばしばみられる症状として頭痛，傾眠，昏睡，脳炎症状などの精神神経症状があり，本菌肺炎を疑った場合には意識レベルの変化を注意して観察する必要がある．身体所見としては，肺野におけるラ音，胸部X線における肺炎の存在に加え，相対的徐脈，低血圧などもしばしばみられる．

胸部X線所見として本症に特徴的なものはないが，多発性陰影，胸水貯留を示す頻度が高く，膿胸へと進展する症例もある（図6-3-8）．検査値所見としては，軽度の肝機能障害を示す症例が多く，CPK上昇，低ナトリウム血症，低リン血症，尿潜血などもみられる．また，胸部X線所見に比し低酸素血症が強いことが多く，重症例においてはARDS，DIC，MOFへと進展する頻度が高い．

診断

レジオネラ症の診断法としては，培養法，血清抗体価，尿中抗原，遺伝子診断があるが，いずれもルーチンで行われる検査ではない．したがって，確定診断にはまず本症を疑うことが第一であり，そのうえで以下に示す検査を行う必要がある．

1）塗抹・培養検査： 検体中のレジオネラはGram染色では染色されにくい．逆にGram染色では優位な細菌が観察されず，Gimenez染色あるいはアクリジンオレンジ染色などで細胞内増殖を示す細菌が観察された場合にはレジオネラ感染症を強く疑う．本菌の培

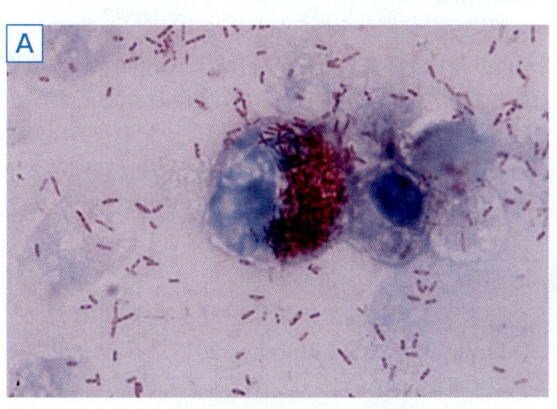
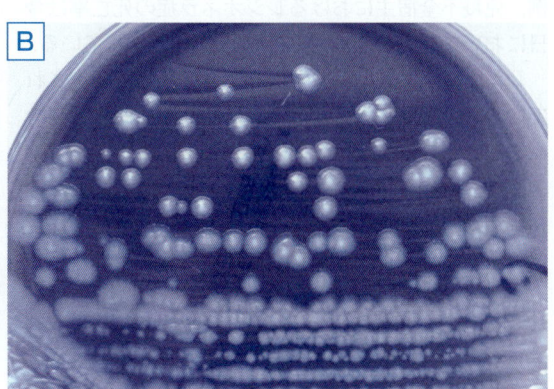

図 6-3-9 レジオネラのコロニーと細胞内増殖
A：マクロファージ内で増殖するレジオネラ（Gimenez染色像）．
B：BCYE-α寒天培地に発育したレジオネラのコロニー．乳白色で大小不動が特徴

養には BCYE-α 培地や WYO 培地といった特殊培地の使用が不可欠であり，通常 4〜7 日で灰白色大小不同のコロニーが観察される（図 6-3-9）．

2）**血清抗体価測定**：間接蛍光抗体法（IFA），酵素抗体法（ELISA），凝集法などがある．ペア血清で 4 倍以上の抗体価の上昇がみられる，あるいは単独血清では 256 倍以上を示す場合を陽性と判断する．ただし，重症症例，免疫不全宿主においては有意な抗体価上昇がみられないことがあり注意する必要がある．

3）**尿中抗原検出**：レジオネラ症患者においては尿中に多量の菌体抗原が排出されることが知られており，患者尿を用いてその診断が可能である．現在，免疫クロマトグラフィ法を用いた迅速診断法が普及している．これを用いると特別な機器を用いることなく約 15 分で肉眼判定による診断が可能である．ただし，本検査法は基本的に $L.\ pneumophila$ 血清型 1 を対象とした検査法である（レジオネラ肺炎の 40〜50％は本血清型が原因）．レジオネラ尿中抗原が陰性であったとしてもレジオネラ症を完全には否定できない．

4）**遺伝子診断**：$L.\ pneumophila$，あるいはレジオネラ属に特異的なプライマーが報告されており，PCR 法を用いた遺伝子診断が可能となっている．本法の感度・特異度は良好であるが，現在のところ一般施設で実施できる検査法とはなっていない．また，症例によっては偽陰性を示すものもあることから，可能なかぎり上記検査法を併用して実施することが望ましい．

抗菌薬療法・感染対策

レジオネラ属細菌は，ヒトのマクロファージ/単核球内での増殖を特徴とする細胞内寄生菌である．したがって，本菌感染症に対しては細胞内移行性の低い $β$-ラクタム，アミノグリコシドは無効であり，抗菌活性が強く細胞内移行性の高いマクロライド系抗菌薬，フルオロキノロン系抗菌薬が第一選択となる．その他に，リファンピシン併用療法，ST 合剤などの有効性も報告されている．適切な抗菌薬療法の開始が遅れた症例，免疫不全宿主におけるレジオネラ症の死亡率は今日においても 10〜20％と高いことが報告されている．

レジオネラ属細菌のヒトからヒトへ伝播は報告されていない．本症がみられた場合には，感染源の特定を試みるとともに，集団感染が発生していないか疫学的視点からの観察が重要になる．長期入院患者にレジオネラ症が発生した場合には，院内の水系が本菌で汚染されている可能性も考えて対応する必要がある．

〔舘田一博〕

■文献

Demirjian A, Lucas CE, et al: The importance of clinical surveillance in detecting legionnaires' disease outbreaks: a large outbreak in a hospital with a legionella disinfection system, Pennsylvania, 2011-2012. *Clin Infect Dis*. 2015; **60**: 1596-602.

Mercante JW, Winchell JM: Current and emerging *Legionella* diagnostics for laboratory and outbreak investigations. *Clin Microbiol Rev*. 2015; **28**: 95-133.

斉藤　厚，下田照文，他：本邦ではじめての Legionnaires' disease（レジオネラ症）の症例と検出菌の細菌学的性状．感染症学雑誌．1981; **55**:124-8.

(4) モラクセラ・カタラーリス感染症

定義

Gram 陰性球菌である *Moraxella catarrhalis* により生じた感染症（eノート 1）．

病態・疫学

上・下気道の感染症が中心で，健常人の鼻咽腔にも常在し，特に小児においてその頻度が高い．小児では，上気道のウイルス感染後などに引き続いて発症する急性中耳炎の原因菌であり，その頻度は，肺炎球菌，インフルエンザ桿菌につぐ第 3 位である[1]（Murphy ら，2009；Murphy，2015）．しかし，米国では結合型肺炎球菌ワクチンの導入後，上気道に常在する肺炎球菌の頻度が減少しており，本菌の原因菌としての頻度は今後，変化する可能性がある（Murphy ら，2009；Murphy，2015）．また，鼓膜の発赤腫脹や発熱は，肺炎球菌が原因菌である場合よりも軽いとされる[2]．さらに本菌は，副鼻腔炎の原因菌ともなる．成人の場合は，肺炎球菌，インフルエンザ桿菌とともに COPD 症例の急性増悪の原因菌となり，このような病態下では，下気道に先行して常在する株とは異なる新たな株の感染を示す報告もある（Murphy ら，2009；Murphy，2015）．肺炎の原因となる頻度は低く，菌血症などの侵襲性感染症に至る症例はさらに少ない．補体による殺菌作用への抵抗性は，本菌の病原因子の 1 つであるが，この抵抗性には株による差異もあることが報告されている[3,4]（Bootsma ら 2000；Murphy，2015）．

検査所見

感染症発症例から得られた痰や中耳滲出液中では，Gram 染色で多数の好中球を背景に Gram 陰性双球菌として観察される（図 6-3-10）．2 個の本菌は，わずかに平坦な部分で向かいあっており，ナイセリア属の髄膜炎菌や淋菌などの鏡検所見とは形態的に区別がつかない．また，好中球による貪食像が認められれば感染症の原因菌としての判断材料となる（e図 6-3-D）．

治療

大半の株が $β$-ラクタマーゼを産生するため[1]（Murphy ら，2009；Murphy，2015），$β$-ラクタマーゼ阻害薬配合のペニシリン系薬もしくは高世代セファロスポリン系薬，マクロライド系薬，ニューキノロン系薬を用いる必要がある．

〔宮良高維〕

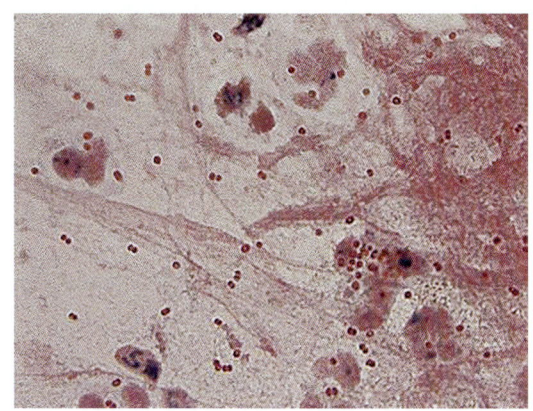

図 6-3-10 Gram 陰性双球菌

■文献（@文献 6-3-4-4）
Bootsma HJ, van der Heide HG, et al：Analysis of *Moraxella catarrhalis* by DNA typing：evidence for a distinct subpopulation associated with virulence traits. *J Infect Dis*. 2000; **181**: 1376-87.
Murphy TF, Parameswaran GI: *Moraxella catarrhalis*, a Human Respiratory Tract Pathogen. *Clin Infect Dis*. 2009; **49**: 124-31.
Murphy TF: *Moraxella catarrhalis*, *Kingella*, and other Gram-negative cocci. Principles and Practice of Infectious Diseases, 8th ed, pp2463-70, Elsevier Saunders, 2015.

(5) 大腸菌感染症（*Escherichia coli* infection）
定義・概念
　Gram 陰性桿菌の大腸菌（*Escherichia coli*）は腸内細菌叢を構成し，通常病原性をもたないが，一部は病原性を有して感染症を起こす．尿路感染症などの腸管外感染症と腸管感染症に大別される．
原因
　尿路感染症は，尿路病原性大腸菌の逆行性感染によって生じる．腸管感染症を起こす下痢原性大腸菌は，腸管毒素原性大腸菌（enterotoxigenic *E. coli*：ETEC），腸管病原性大腸菌（enteropathogenic *E. coli*：EPEC），腸管出血性大腸菌（enterohemorrhagic *E. coli*：EHEC），腸管侵入性大腸菌（enteroinvasive *E. coli*：EIEC），腸管凝集性大腸菌（enteroaggregative *E. coli*：EAEC）の病原型があり，菌が混入した飲食物を介して経口感染する．EHEC では，血清型 O157:H7 が有名である（@コラム 1）．
疫学・統計的事項
　大腸菌は，尿路や胆道感染症で最も分離される菌である．また，腹膜炎，蜂巣炎や新生児の髄膜炎などの重要な起炎菌である．下痢原性大腸菌では，EHEC がわが国で年間 3000 人前後の有症者がみられる．
病態生理
　尿路病原性大腸菌は，尿路上皮に付着する．下痢原性大腸菌は，腸管上皮に付着・侵入して各種毒素を産生する（@表 6-3-F）[1-3]．特に，EHEC はベロ毒素（志賀毒素）を産生して出血性腸炎をきたす．
臨床症状
　尿路感染症では発熱や膀胱刺激症状，胆道感染症では発熱，腹痛や黄疸，腹膜炎では発熱や腹膜刺激症状を呈する．下痢原性大腸菌は，水様性下痢と腹痛をきたし，特に EHEC と EIEC は血便と激しい腹痛を起こす．
検査所見
　末梢血の白血球数や血清 CRP 値が上昇する．さらに，尿路感染症では膿尿，胆道感染症では胆道系酵素の上昇，菌血症では血液培養陽性を認める．腸管感染症では，画像検査で腸管壁の肥厚を認める．
診断
　各種臨床検体からの菌の分離同定と血清型別で診断する．さらに各種毒素を酵素抗体法で，毒素産生遺伝子を PCR 法で確認する．
合併症
　尿路や胆道感染症は，敗血症をきたしやすい．EHEC 感染症では，ベロ毒素により有症者の 5％に重篤な溶血性尿毒症症候群（hemolytic uremic syndrome：HUS）がみられる．血栓性微小血管障害が本態で，溶血性貧血，血小板減少と腎機能障害が 3 主徴であり，脳症も生じる．
治療・予後
　腸管外感染症では，第 1～2 世代セフェム系抗菌薬を用いる．重症例では感受性に応じて，第 3 世代セフェム系，アミノグリコシド系薬やカルバペネム系薬を用いる．EHEC 感染症では，抗菌薬による HUS 発症への影響に関して賛否両論あるが，感染早期のニューキノロン系薬やホスホマイシンが有効との見解がある（厚生労働省）．
法的対応
　感染症法では，EHEC 感染症は三類感染症に指定されており，保健所へ直ちに届け出る．〔外間　昭〕

■文献（@文献 6-3-4-5）
厚生労働省：一次，二次医療機関のための腸管出血性大腸菌（O157 等）感染症治療の手引き（改訂版）．http://www1.mhlw.go.jp/o-157/manual.html

(6) クレブシエラ属菌による感染症
疾患概念・疫学
　クレブシエラ属は腸内細菌科の Gram 陰性桿菌であり，ヒトで疾病を起こすのは，肺炎桿菌（*Klebsiella pneumonia*），*K. oxytoca* および *K. glanulomatis* である．肺炎桿菌はヒト，動物の大腸で正常細菌叢を構成

する細菌の1つで自然界からも広く培養される(Donnerberg, 2014). 肺炎桿菌は健常者においても尿路感染症, 肝膿瘍, 肺炎の起炎菌となり, 市中肺炎の頻度としては全体の5%前後である[1]. しかし肺炎桿菌や K.oxytoca は院内感染や免疫能の低下した患者において, 単純性・複雑性尿路感染症, 手術部位感染症, カテーテル感染症, 胆道系感染症, 腹膜炎や髄膜炎などの原因菌となる. 特に院内発症の尿路感染症では, 大腸菌についで多い. 入院患者の敗血症の原因菌としても重要で厚生労働省の院内感染対策による検査部門サーベイランス部門(2013年)では肺炎桿菌が第5位(6.2%), K.oxytoca が第13位(1.5%)で, 中心静脈カテーテル留置と深く関連する(厚生労働省, 2013). K.glanulomatis はドノヴァン症(鼠径部肉芽腫症)(eコラム 1)の原因で, 本症は風土病の性格をもつ進行性の性感染症であり, 非常にまれな疾患である[2-5](Donnerberg, 2014). K.oxytoca は尿路感染症, カテーテル関連血流感染症などさまざまな院内感染症の原因となる.

病態生理

クレブシエラ属は広く自然界に分布し, 水面, 土壌, 植物, 哺乳類の粘膜表層に存在する. 本菌の病原性因子にはリポ多糖体, 線毛, 莢膜抗原などがある. また本菌には多量の莢膜多糖体を産生する株が多く, 莢膜は多核白血球からの貪食に抵抗し, 補体成分による殺菌作用にも抵抗する. 肝膿瘍患者の危険因子として肺炎桿菌のK1抗原やK2抗原が重要とされる.

鑑別診断

グルコース非発酵 Gram 陰性桿菌による尿路感染症, 胆道感染症, 肺炎, 敗血症との鑑別が必要となるが, 症状からでは鑑別できない.

臨床症状・経過・予後

肺炎桿菌による肺炎は従来から大酒家にみられる重症肺炎としてよく知られ, Friedander 肺炎といわれる. 典型例では咳, 発熱とともに濃厚な"干しブドウゼリー状"の血液を混じた痰を認める. 胸部X線写真では"bulging fissure sign"(eコラム 2)が浮腫状となった肺のために認められ[6], 肺に膿瘍を形成する傾向にある. 基礎疾患のコントロールが不良な宿主における重症肺炎の予後は不良である. 肺炎桿菌は胆嚢炎や胆管炎などの胆道感染症の原因菌として大腸菌とともに重要で, 嫌気性菌との混合感染を起こしやすい. 肺炎桿菌は特に糖尿病患者で肝膿瘍を発生し, 敗血症や眼内炎を合併することが知られている(Donnerberg, 2014).

検査所見

尿, 胆汁, 痰, 胸水, 血液などの検体から K.pneumonia や K.oxytoca を分離, 同定することで本菌感染症を診断できる. 喀痰検体などの Gram 染色所見で

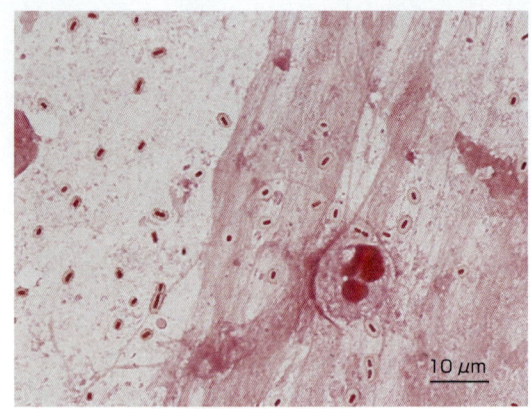

図 6-3-11 肺炎桿菌の Gram 染色像
肺炎桿菌が分離された喀痰の Gram 染色像で, 莢膜を有する太めの Gram 陰性桿菌として認められる.

莢膜を有する Gram 陰性桿菌として認められることがあり, コロニーはムコイド型を呈する(図 6-3-11, e図 6-3-E).

予防

肺炎桿菌と K.oxytoca のおもな感染経路は接触感染で, 入院患者の便と湿潤環境, 病院職員の手指などを介すると考えられ, 手洗いの励行, ガウン, 手袋の着用を行う. カルバペネム耐性菌などに対しては, 入院時にその有無を調べるアクティブサーベイランスを行うこともある[7].

治療

肺炎桿菌は染色体上にペニシリナーゼ産生に関与する遺伝子を保有するため, ペニシリン系薬は無効であり, セフェム系, タゾバクタム・ピペラシリン, ニューキノロンなどが用いられる. さらに院内感染の原因菌となる肺炎桿菌や K.oxytoca は基質拡張型 β-ラクタマーゼ(extended spectrum β-lactamase:ESBL)やカルバペネマーゼなどの耐性遺伝子がプラスミド伝播する代表的な菌であり, 治療不成功と関連する[8,9]. 近年 ESBL が増加しており, わが国における分離頻度は海外より低く数%であるが増加傾向にあり[10,11](eコラム 3), カルバペネム薬が使用される. カルバペネム耐性肺炎桿菌はわが国では海外より少なく1%以下である. 2014年に厚生労働省はカルバペネム耐性腸内細菌科(carbapenem-resistant enterobacteriae:CRE)による感染症を CRE 感染症として五類全数把握疾患に追加した(厚生労働省, 2013). CRE(eコラム 4)のほとんどは ESBL を同時産生し感受性の抗菌薬は限定される[12-14].

〔浮村 聡〕

■文献(e文献 6-3-4-6)

Donnerberg MS: Enterobacteriaeae. Principles and Practice of Infectious Diseases, 8th ed (Mandell Gl, Bennet JE, et al eds).

pp 73, 442, 2514, 2664, 2738-39, Churchill Livingstone, 2014.
国立感染症研究所厚生労働省健康局結核感染症課：病原微生物検出情報（IASR）Vol.35 No12（No.418）．http://www0.nih.go.jp/niid/idsc/iasr/35/418j.pdf
厚生労働省院内感染対策サーベイランス検査部門公開情報 2013年 1〜12 月年報．http://www. nih-janis. jp/report/open_report/2013/3/1/ken_Open_Report_201300.pdf

(7) サルモネラ感染症 (salmonellosis)

定義・概念

サルモネラ属菌（*Salmonella* sp.）による感染症で，原因菌と発症様式から急性胃腸炎を主症状とする非チフス性のサルモネラ症と，発熱などの全身症状を主症状とする腸チフス（typhoid fever）やパラチフス（paratyphoid fever）などのチフス性のサルモネラ症に分けられる．

病因・分類

サルモネラ属菌は $0.5 \times 2\,\mu m$ 程度の腸内細菌科の Gram 陰性桿菌で，腹痛・下痢などを主症状とする急性胃腸炎の原因となる非チフス性サルモネラ属菌とチフス・パラチフスを起こすチフス性サルモネラ属菌に分類される．細胞壁リポ多糖体である O 抗原と，鞭毛蛋白質である H 抗原の組み合わせから血清学的に 2500 種類以上に分類され，また生物学的性状から *S. enterica* と *S. bongori* の 2 菌種に分類される．さらに 6 種類の亜種（enterica（I），salamae（II），arizonae（IIIa），diarizonae（IIIb），houtenae（IV），indica（VI））に分類され，2005 年に制定された分類法では，ほとんどの病原性サルモネラは *S. enterica* subsp. *enterica* に属し，たとえばチフス菌の正式な学名は *Salmonella enterica* subspecies *enterica* serovar Typhi となる．*S. enterica* serovar Typhi，あるいは *S. Typhi* と略して表記されることもある．

疫学

非チフス性サルモネラ属菌感染症はわが国の食中毒統計では年間 2000〜3000 名前後が発生している．ただしこれは食中毒による届け出数であり，実際の患者数は不明である．血清型では *S. Enteritidis* が多いが，その他に *S. Infantis*, *S. Thompson*, *S. Typhimurium* などが多い．また時期は 7〜9 月の夏場が多い．

腸チフスは 2010 年で国外感染例 26 例，国内感染例 5 例が報告されている．また 2013 年には国内感染例が増加し疫学調査も行われたが感染源は不明であった（国立感染症研究所，2011）．またパラチフスは年間 25 例前後報告されており，ほとんど国外感染例であるが，国内感染例も数例報告されている．腸チフス・パラチフスの国内感染経路については，汚染された輸入食品の関与が考えられている．

感染経路

サルモネラ属菌に感染した患者または保菌者の糞便による経口的な二次感染や，サルモネラ属菌に汚染した飲食物によって感染する．非チフス性のサルモネラ属菌はペット（イヌやカメ）も高率に保菌しており，低年齢層ではこれらからの接触感染にも注意が必要である．

病態生理

1) 非チフス性のサルモネラ属菌感染症：サルモネラ属菌は細胞内寄生菌であり，腸管粘膜上皮細胞に侵入して増殖することで急性の腸炎症状が出現すると考えられている．発生機序は不明な部分が多い．

2) 腸チフス・パラチフス：チフス菌，パラチフス A 菌は腸管の Peyer 板の M 細胞へ侵入して増殖し，初期病巣を形成する．増殖した菌の一部はマクロファージにとらえられるがマクロファージ内で増殖し，リンパ管を経由して血中に入り第一次菌血症を起こす．その後，菌は肝臓，脾臓，骨髄などのマクロファージに貪食されるが，そのなかで増殖し，さらに血中に入って第二次菌血症を起こして発症する．また，菌は胆汁中で増殖して腸管へ至り，便に混入し排菌される．

臨床症状

1) 非チフス性サルモネラ属菌感染症：腸炎の潜伏期は 8〜48 時間で，発熱，下痢，血便，腹痛，悪心，嘔吐などがみられるが，症例によって軽症から重症までそれらの程度はさまざまである．菌血症を起こして心内膜炎，関節炎，髄膜炎，大動脈瘤などを発症することがある．

2) 腸チフス・パラチフス：症状は類似しており，パラチフスがやや軽い傾向にある．潜伏期は 5〜21 日間で，発熱や悪寒，腹痛などを認める．未治療の典型例では第 1 病週前半に体温が上昇し 39〜40℃ となる．第 1 病週後半になると，比較的徐脈（発熱の程度に比べて脈拍数が少ない状態）や胸腹部にバラ疹（淡紅色のわずかに隆起する小斑）が出現する．第 2 病週には最高体温が 40℃ 前後の稽留熱が続き，下痢あるいは便秘となる．腸管病変部のリンパ組織が壊死を起こし，痂皮を形成する．第 3 病週には発熱は弛張型を示し次第に解熱する．この時期は腸管病変部の潰瘍形成期に相当し，腸出血，まれに腸穿孔を起こし，腹膜炎に注意する．第 4 病週には解熱し症状は改善する．最近は早期に抗菌薬が投与される症例が多く，上記のような経過を示さない患者も多い．

診断

非チフス性サルモネラ属菌感染症の確定診断は糞便微生物検査によりサルモネラ属菌を検出することによる．腸チフス・パラチフスでは患者の 40〜80％ で血液培養からチフス菌・パラチフス菌が検出される．腸チフス・パラチフスでは便培養の菌検出感度は血液培

養よりも低いことに注意する[1]．菌検出感度の最も高い検査は骨髄の培養検査である（Gilman ら，1975）．

鑑別診断
感染症としてはカンピロバクター腸炎，細菌性赤痢，腸管出血性大腸菌感染症，アメーバ赤痢などを考える．非感染性疾患としては，潰瘍性大腸炎やCrohn 病などの炎症性腸疾患を考える．

合併症
非チフス性サルモネラ症の敗血症合併率は5％以下であるが，敗血症を合併した場合，尿路感染症や呼吸器感染症，関節炎や骨髄炎，中枢神経系感染症など多彩な臨床像を呈する．特に感染性動脈瘤などの血管内病変は動脈硬化病変を有する高齢者に多く，注意が必要である．チフス性サルモネラ症では，腸管穿孔がよく知られている．成人に多く，発症した場合致死率が高い．

治療
1）非チフス性サルモネラ属菌感染症： 脱水対策が重要で経口的に水分摂取を勧め，経口摂取が不良な例や重症例では点滴で経静脈補液を行う．抗菌薬は必ずしも必要ではなく，無投薬あるいは乳酸菌製剤や酪酸菌製剤のようないわゆる整腸剤投与で経過を観察してもよい．一般的に予後は良好である．
2）腸チフス・パラチフス： 感染者には抗菌薬を投与する．東南アジアを中心にフルオロキノロン系抗菌薬への耐性菌が増加しており，特に重症患者では第一選択薬として第 3 世代セファロスポリン系薬が推奨される[2]．感受性であることがわかればフルオロキノロン系抗菌薬を使用してもよい．

経過
腸チフス感染患者の約 1〜6％が慢性的な保菌（感染後 12 カ月以降に便または尿中からチフス菌が検出されること）に至る（Parry ら，2002）．慢性保菌は女性や胆石保有者に多くみられる．慢性保菌者は他者への感染リスクを有する．

ワクチン
腸チフスには不活化ワクチンと弱毒生ワクチンがある．いずれもわが国では未承認であるが，自費で接種を行っている医療機関があり，日本国内でも接種を受けることは可能である．

法的対応
「感染症の予防及び感染症の患者に対する医療に関する法律（通称：感染症法）」により，腸チフス，パラチフスは三類感染症に指定されている．腸チフス，パラチフスの患者あるいは無症候性病原体保有者を診断した医師はただちに保健所へ届け出を行うこととなっている．さらに，非チフス性サルモネラ，腸チフス，パラチフスともに食中毒と診断した場合には，食品衛生法の規定に従いただちに（24 時間以内）保健所へ届け出る必要がある．

〔笠原　敬〕

■文献（ⓔ文献 6-3-4-7）
Gilman RH, Terminel M, et al: Relative efficacy of blood, urine, rectal swab, bone-marrow, and rose-spot cultures for recovery of Salmonella typhi in typhoid fever. Lancet. 1975; **1**: 1211-3.
国立感染症研究所：腸チフス 2010 年（2011 年 3 月 25 日時点）．IDWR Infectious Diseases Weekly Report，国立感染症研究所，2011．
Parry CM, Hien TT, et al: Typhoid fever. N Engl J Med. 2002; **347**: 1770-82.

(8) 細菌性赤痢（bacillary dysentery，shigellosis）
定義・概念
赤痢菌（Shigella sp.）が大腸粘膜細胞に侵入し増殖することに起因する急性の腸炎である．志賀毒素を産生する S. dysenteraie 1 は重症化しやすく，溶血性尿毒症症候群（hemolytic uremic syndrome：HUS）を起こすこともある．赤痢菌は胃酸に抵抗性を示し，10〜100 個のきわめて少ない菌量で感染が成立する．症例の過半数は東南アジアを中心とした海外感染事例であるが，赤痢菌に汚染した輸入食材による国内発生例もあり，海外渡航歴がなくても否定はできない．

病因・分類
赤痢菌は大きさ 0.5×1〜3 μm 程度のグルコース発酵性およびオキシダーゼ反応陰性を示す腸内細菌科のGram 陰性桿菌で，Shigella dysenteriae，S. flexneri，S. sonnei，S. boydii の 4 菌種に分けられる．大腸菌やサルモネラとの生化学的鑑別は，リジン脱炭酸を行わない点や，大部分がラクトース非分解性であること，鞭毛がなく運動性を示さないことなどによる．1897年に志賀潔が発見し，その名前にちなんで Shigella と命名された．

疫学
感染症法により届け出られた症例数は 2000 年前後は年間 800 例前後であったが，その後漸減し，2009年には 181 例まで減少した（国立感染症研究所，2012）．症例の過半数は東南アジアを中心とした海外感染例であるが，海外渡航歴のない症例や日本国内での集団発生も起きている．起因菌としては S. sonneiが最も多く，ついで S. flexneri が多い．

感染経路
赤痢菌感染患者・保菌者の糞便に含まれる赤痢菌を経口的に摂取することによる二次感染や，赤痢菌に汚染した飲食物による感染が多い．国内の感染事例は赤痢菌に汚染した輸入食品による食中毒が多い．

病態生理
赤痢菌はほかの細菌と比較すると，きわめて少ない菌量（10〜100 個）で感染が成立する．これは赤痢菌が胃酸に抵抗性を示し，経口的に侵入した赤痢菌のほと

んどが腸管まで到達するからである．腸管まで到達した赤痢菌はおもに M 細胞を介していったんマクロファージに貪食されるが，マクロファージに細胞死を誘発した後に脱出し，腸管上皮細胞にその基底膜側から侵入する．侵入した赤痢菌は細胞外に出ることなく，隣接する腸管上皮細胞に移動し，やがて広範囲の腸管上皮障害をきたす(Ashida, 2011)．赤痢菌はさまざまな毒素を産生するが，そのなかでも S. dysenteriae 1 が産生する志賀毒素は，腸管出血性大腸菌が産生するものとほぼ同一のもので，溶血性尿毒症症候群の原因となる．

臨床症状

潜伏期間は平均 3 日間で，典型的には発熱や食欲不振などの全身症状から始まり，その後に腹痛や下痢，嘔吐が続く．さらにしぶり腹(テネスムス，裏急後重ともいい，腹痛を伴う便意が頻回にあるにもかかわらず，便が出ないこと)や膿粘血便がみられる．志賀毒素産生菌の場合，腸管出血性大腸菌のように HUS を発症することがある．S. sonnei による赤痢菌感染症は水様性下痢のみで治癒するなど比較的軽症であるが，S. dysenteriae 1 や，S. flexneri によるものでは血便などの頻度が多い(Khan ら, 2013)．

診断

確定診断は糞便微生物検査により赤痢菌を検出することによる．近年抗菌薬耐性も出現・増加しており，薬剤感受性検査も行う．

鑑別診断

感染症としてはカンピロバクター腸炎，サルモネラ腸炎，腸管出血性大腸菌感染症，アメーバ赤痢などを考える．非感染性疾患としては，潰瘍性大腸炎や Crohn 病などの炎症性腸疾患を考える．

合併症

赤痢菌感染症では局所性の合併症として直腸炎や直腸脱，中毒性巨大結腸や腸閉塞，腸管穿孔がある．また全身性の合併症としては敗血症，反応性関節炎や HUS などがある．HUS の原因となるのはおもに志賀毒素を産生する S. dysenteriae 1 である[1]．志賀毒素による毛細血管内皮細胞障害のために，微小血管性溶血性貧血，急性腎不全や血小板減少などをきたす．

経過・予後

無治療でも 7 日間前後で治癒し，一般的に予後は良好であるが，発熱や下痢のため著明な脱水をきたし，十分な補液が行われない例では予後不良の場合もある．

治療

抗菌化学療法によって発熱や血便などの症状が平均 2 日間短縮される[2]．また感染性のある期間の短縮も期待されるため，通常抗菌薬が投与されることが多い．抗菌薬としてはシプロフロキサシンなどのキノロン系薬が第一選択として用いられ，その他にアジスロマイシンなどのマクロライド系薬が使用される．東南アジアではキノロン系薬の耐性が増加しており，重症であれば第 3 世代セファロスポリン系薬の経静脈的投与を行う[3]．その他にマクロライド系薬に対する耐性も報告されており，薬剤感受性検査の結果を確認する[4]．

法的対応

細菌性赤痢は以前は二類感染症に分類されていたが，2007 年 4 月施行の法改正により三類感染症に変更され，患者および無症状病原体保有者が届け出対象となった．疑似症患者の届け出は対象外となり，勧告による入院もない．学校保健安全法では第三種の学校感染症に指定され，出席停止の基準は「病状により学校医その他の医師において感染のおそれがないと認めるまで」とされている．

〔笠原 敬〕

■文献 (e 文献 6-3-4-8)

Ashida H, Ogawa M, et al: Shigella are versatile mucosal pathogens that circumvent the host innate immune system. Curr Opin Immunol. 2011; 23: 448-55.

Khan WA, Griffiths JK, et al: Gastrointestinal and extra-intestinal manifestations of childhood shigellosis in a region where all four species of Shigella are endemic. PLoS One. 2013; 8: e64097.

国立感染症研究所：〈速報〉細菌性赤痢．IDWR Infectious Diseases Weekly Report, p25, 国立感染症研究所，2012.

(9) エルシニア属菌感染症 (Yersinia species infections including plague)

概念

エルシニア属菌はグラム陰性桿菌で，腸内細菌科に分類される．ヒトに病原性を示すものとして Yersinia pestis, Y. enterocolitica, Y. pseudotuberculosis の 3 菌種が知られている．これら 3 菌種は，Y. pestis によるペストと Y. enterocolitica や Y. pseudotuberculosis によって引き起こされる腸炎やリンパ節炎を主体とする感染症に大別される．ペストは一類感染症に指定され，Y. enterocolitica や Y. pseudotuberculosis は食中毒の原因となる．いずれもリンパ組織に親和性が強いことが特徴である．

病因・疫学

ペストは Y. pestis に感染した齧歯類などの動物からのノミを介した感染や感染動物との接触などにより感染する．病型は腺ペスト，肺ペスト，敗血症ペストの大きく 3 つの病型に分けられ，腺ペストが最も多く認められる．日本ではおよそ 90 年間ペスト患者は認められていないが，世界ではアフリカを中心に毎年 500〜1000 人前後の患者が発生している[1]．

Y. enterocolitica や *Y. pseudotuberculosis* はブタやイヌ，ウシなどの動物の腸管内に存在し，その便で汚染された水や食物を介して感染する．低温でも増殖可能であることが特徴で，食中毒の原因となり，ときに大規模な感染事例となることもある[2-8]．*Y. enterocolitica* 感染症では5歳未満の子どもでは腸炎を呈することが多く，それ以上の年齢層では腸間膜リンパ節炎や回腸末端の炎症症状を呈することが多い．また感染後に免疫応答が関連する関節炎や結節性紅斑が出現することがある．*Y. pseudotuberculosis* 感染症は冬季に多いことが知られ，おもに腸間膜リンパ節炎や回腸末端の炎症の病像を呈するが，腸炎や菌血症を呈することもある．猩紅熱様の皮疹や発熱を呈する泉熱は，*Y. pseudotuberculosis* 感染によるものと考えられている．

臨床症状

腺ペストでは，主として病原体を有するノミの刺咬部から菌が侵入し，2～6日の潜伏期の後，所属リンパ節の炎症が引き起こされる．強い痛みを伴うリンパ節腫脹，悪寒，戦慄を伴う発熱，頭痛などを主症状として発症する．ノミの刺咬部は下肢に多いことから鼠径部のリンパ節腫脹が多く，その他腋窩，頸部のリンパ節腫脹を認める場合もある．適切な治療が行われれば，3～5日で全身症状の改善を認めるが，適切な治療が行われないと敗血症などとなり，半数以上で死亡する．腺ペストでは化膿性リンパ節炎や猫ひっかき病などの急性のリンパ節腫脹を呈する疾患との鑑別が必要になる．

肺ペストは病原体を含むエアロゾルを吸入し，肺への感染が起こる原発性と敗血症から肺病変を併発する二次性の肺ペストがある．原発性の肺ペストでは1～3日の潜伏期の後，発熱，頭痛，咳，痰などの症状で発症し，急速に呼吸困難，低酸素血症など重篤な病態となる．

敗血症ペストは腺ペストなどから敗血症となる二次性がほとんどであり，早期に適切な治療が行われないと多臓器不全となり死亡する．肺ペストや敗血症ペストの場合は，肺炎球菌など急速に増悪する肺炎や敗血症をきたす病原体による感染症との鑑別が必要になる．

Y. enterocolitica 感染症では1～10日の潜伏期の後，腸炎の場合は下痢，腹痛，発熱などの症状を呈する．腸間膜リンパ節炎や回腸末端の炎症では右下腹部痛や圧痛，発熱などを認める．症状は1～3週間持続し，まれに菌血症となる．*Y. pseudotuberculosis* 感染症では腸間膜リンパ節炎や回腸末端炎を呈することが多い．

腸炎の場合にはほかの食中毒や感染性腸炎を呈する病原体との鑑別が必要であり，腸間膜リンパ節炎や回腸末端炎を呈する場合には虫垂炎との鑑別が重要な場合がある．

検査所見・診断

ペストの診断では，ペスト発生国におけるノミ咬傷の有無や動物との接触歴が重要な情報となる．血液検査所見では白血球数の著明な上昇を認め，病状に応じて播種性血管内凝固症候群（disseminated intravascular coagulation：DIC）や多臓器不全の血液検査所見となる．病原診断は血液培養やリンパ節穿刺液からの *Y. pestis* の検出やペア血清による抗体価の上昇で行う．また穿刺液を用いた蛍光抗体法によるF1抗原の検出やPCR法による遺伝子検出でも診断可能である．

Y. enterocolitica や *Y. pseudotuberculosis* による感染症では末梢血白血球数は軽度の上昇を認める．病原診断は各種穿刺液の培養や菌血症では血液培養から菌を検出することによる．腸炎症状を呈する場合は便からの菌の検出を行う．また血清抗体価の上昇による診断も有用である．

治療

ペストに対してはできるかぎり早期に抗菌薬の投与を開始する．アミノグリコシド系薬，ニューキノロン系薬，テトラサイクリン系薬が有効で，第一選択薬としてはストレプトマイシンやゲンタマイシンが推奨されている[9]．ペストの治療においては急速に全身状態が悪化することがあり，全身管理が重要である．治療に際しては肺ペスト患者では飛沫感染の可能性があり，厳重な飛沫感染対策が必要である．また腺ペスト，敗血症ペストでも接触感染対策を行う．

Y. enterocolitica や *Y. pseudotuberculosis* の感染症では抗菌薬を投与しなくても改善することも多く，対症療法が主となる．一方で菌血症や症状が強い場合は *Y. enterocolitica* は β-ラクタマーゼを産生するためアミノグリコシド系薬，テトラサイクリン系薬，ST合剤，ニューキノロン系薬の投与を行う．*Y. pseudotuberculosis* に対してはアンピシリン，テトラサイクリン系薬，アミノグリコシド系薬の投与を行う．

〔平松和史〕

■文献（e文献6-3-4-9）

Mead PS: *Yersinia* species（including plague）, Mandell, Douglas and Bennett's Principle and Practice of Infectious Diseases, 8th ed, pp2607-18, Elsevier Churchill Living Stone, 2014.

(10) その他の腸内細菌科細菌による感染症（other Enterobacericeae infections）

概念

腸内細菌科細菌の特徴として，通性嫌気性のGram陰性桿菌であり，ブドウ糖を発酵し通常の培地によく発育することなどがある．前述されている大腸菌，クレブシエラ，サルモネラ，赤痢，エルシニア以外の腸

内細菌科細菌としては，セラチア，エンテロバクター，シトロバクター，プロテウス，プロビデンシア，モルガネラなどがヒトへの病原菌として重要である（e表6-3-G）．ヒトや動物の腸管内に常在したり，環境に存在する．いずれも健常者に病原性を示すことは少なく，おもに院内感染症として発症する．

病因・疫学

多くは入院中の患者のカテーテル関連尿路感染症の原因となり，人工呼吸器関連肺炎などの院内肺炎や腹部の手術部位感染症，さらにこれら感染症に引き続く菌血症の原因となることもある．腸内細菌科細菌は細胞壁外膜にリポ多糖体（lipopolysaccharide：LPS）を有し，TLR（Toll-like receptor）などを介して炎症を誘導する．LPSが過剰に放出されると敗血症性ショックの一因となる．

腸内細菌科細菌はヒトの腸管内などに常在し，易感染宿主に対して各種感染症を引き起こす内因性感染をとる場合が多い．一方で，セラチアはヒトの便中から検出されることは少なく，環境中に存在し，消毒が不十分である場合などに，注射液や血管内留置カテーテルの汚染による院内感染事例が発生している[1,2]．また近年はカルバペネム系薬に対して耐性を示す腸内細菌科細菌の院内感染事例が報告され，今後もその増加が懸念されている[3-5]．現在，カルバペネム耐性腸内細菌科細菌による感染症は五類感染症に指定されている．

臨床症状

腸内細菌科細菌による尿路感染症，院内肺炎，敗血症や手術部位感染症での臨床症状は，それぞれの感染症と同様であり，菌によって特徴的な症状はない．MRSA（メチシリン耐性黄色ブドウ球菌）や緑膿菌などほかの院内感染症の原因菌による感染症との鑑別が重要である．

検査所見・診断

ほかの菌による感染症同様，血液検査では白血球数やCRPの上昇など炎症反応を認め，一般的な検査所見からの原因菌の鑑別は困難である．病原診断は尿培養，血液培養などの培養検査で各種細菌を検出することによる．

血液などの無菌材料から菌が検出された場合は原因菌と評価できる．一方で尿や気道材料では常在菌として検出されることや複数の菌が検出される場合もあり，検出された菌が原因菌であるかどうかを十分に検討する必要がある．

治療

エンテロバクター，シトロバクターやセラチアなどではAmpC β-ラクタマーゼ産生遺伝子を有し，ペニシリンや第1世代，第2世代セフェム系薬に耐性を示す．第3世代，第4世代セフェム系，カルバペネム系，アミノグリコシド系，ニューキノロン系薬などが通常有効である．また，プロテウスではESBL産生菌が検出され，第3世代セフェム系薬にも耐性を示す場合がある．近年メタロβ-ラクタマーゼ産生などによりカルバペネム系薬に対して耐性を示す腸内細菌科細菌が検出されるようになっている．さらに分離される菌によって，アミノグリコシド系やニューキノロン系薬に対しても耐性を示す場合もある．腸内細菌科細菌による感染症の場合には，細菌の同定結果とともに薬剤感受性試験の結果を参考に抗菌薬の選択を行う必要がある．

〔平松和史〕

■文献（e文献6-3-4-10）

Donnenberg MS: Mandell, Douglas and Bennett's Principle and Practice of Infectious Diseases, 8th ed, pp2503-17, Elsevier Churchill Living Stone, 2014.

（11）ビブリオ属菌感染症（infection with *Vibrio* spp.）

ビブリオ属（*Vibrio* spp.）細菌はGram陰性桿菌で，代表的なものにコレラ菌（*V. cholerae*），腸炎ビブリオ（*V. parahaemolyticus*），*V. vulnificus*，non O1・non O139 *V. cholerae*，*V. mimicus*，*V. fluvialis* などがある．

a. コレラ（cholera）

定義・概念

コレラ毒素を産生する血清型O1またはO139のコレラ菌が，腸管腔内で産生した毒素が原因で起こる急性腸管感染症である．

原因・病因

コレラ菌は菌体表面のO抗原により多くの血清型に分類されるが，コレラの原因となるものは，血清型O1またはO139に属し，かつコレラ毒素を産生するコレラ菌である．O1型は古典型（アジア型）とエルトール型の2つの生物型に分けられ，さらに，抗原性の違いにより小川，稲葉，彦島の3血清型に分けられる．コレラ毒素を産生しないコレラ菌の感染症はコレラと診断されない．コレラ菌が小腸の粘膜上皮に接着し増殖する際に産生するコレラ毒素（エンテロトキシン）がコレラの主原因である．

疫学

わが国では2013年に4人（全例海外感染），2014年に5人（全例海外感染）のコレラ患者が報告されており（国立感染症研究所，2015年10月25日現在），コレラは日本人臨床医にとってめずらしい疾患である．しかし，世界的にみれば重要な感染症で，WHOの報告によれば，2013年には中南米，アフリカ，アジア地域を中心として約13万人の患者発生があり，

約2000人が死亡したとされている（World Health Organization, 2014）．しかし，実際はこれらの数字を上回っていると推測される．

病態生理

コレラ毒素はAとBのサブユニットから構成されている．Bサブユニットで小腸粘膜細胞の受容体に結合し，Aサブユニットが細胞膜のアデニル酸サイクレースを活性化することで細胞内のサイクリックAMP（cAMP）濃度が高くなる．細胞内のcAMP濃度が上昇すると，Na^+とCl^-の吸収が抑制され，さらに腸管腔へのCl^-分泌が亢進する．それによって水分が腸管腔へ移動し下痢となると考えられているが，コレラ毒素がプロスタグランジンE_2，セロトニン，vasoactive intestinal peptide（VIP）の産生あるいは分泌促進に関与して下痢を起こすとする考えもある．

コレラ菌を含めビブリオ属細菌は経口感染する．菌に汚染された海産魚介類が，原因食として頻度が高い．

臨床症状

水様下痢，嘔吐を主症状とするが，症例によってこれらの程度はさまざまである．有名なものに「米のとぎ汁様の下痢」がある．重症例では頻回・大量の水様下痢と嘔吐で水分や電解質が失われ，重篤な脱水状態となる．最近はエルトール型によるコレラが主流で軽症例が多いが，胃切除を受けた人や胃酸分泌抑制薬服用者では重症化することがある．血便はなく，腹痛はないかあっても軽度で，通常，発熱は伴わない．潜伏期は1～3日である．

検査所見

一般的な血液検査でコレラに特異的な検査所見はない．

診断・鑑別診断

コレラ菌以外の病原生物による感染性腸炎との鑑別が必要である．臨床症状から診断はできない．患者の便や吐物から，コレラ毒素産生能のある，あるいはコレラ毒素遺伝子を保有する，血清型O1またはO139のコレラ菌を検出することで診断する．

経過・予後

現在の日本において，一般的なコレラの予後は良好である．

治療

脱水対策が重要で，中等症や重症例では経静脈的輸液を行う．特に重症例では大量の輸液が行われる．海外の流行地では，軽症や中等症例に対し電解質にグルコースを加えた経口補液（ORS）の投与が行われ有用性が高い．

抗菌薬による治療として，フルオロキノロン系やテトラサイクリン系抗菌薬を3日間経口投与する方法が一般的である．

法的対応

感染症の予防及び感染症の患者に対する医療に関する法律（通称：感染症法）により，コレラは三類感染症に指定されている．医師には，患者を診断した場合や無症状病原体保有者を診察した場合，コレラ死亡者の死体やコレラで死亡した疑いがある者の死体を検案した場合は，直ちに最寄りの保健所へ届け出る義務がある．コレラ菌による食中毒と診断した場合にも，食品衛生法により24時間以内に医師は最寄りの保健所へ届け出る義務がある．

b. その他のビブリオ属菌感染症

i）腸炎ビブリオ感染症

腹痛，嘔吐，下痢を主症状とし，粘血便を呈することもある．症状が激しい症例もあるが，通常は2～4日で自然治癒する．まれに耐熱性溶血毒による心筋障害で死亡する例がある．潜伏期は6時間～1日（6～12時間が多い）で，海産の魚介類を原因食とする症例が多い．かつてわが国では食中毒として，6～9月にかけ多数の発生件数と患者数が報告されていたが，最近はそれらの報告数は激減している．患者の便から腸炎ビブリオを検出して診断する．

ii）*Vibrio vulnificus* 感染症

健康な人では下痢，腹痛程度で自然に治癒する．しかし，肝硬変や糖尿病患者，鉄剤服用者では急激に増悪する敗血症様症状や壊死性筋膜炎状態となり，抗菌薬の投与を行っても短期間で死亡することがある．抗菌薬投与法として，カルバペネム系にミノサイクリンを併用投与する方法がある（小野ら，2005）．菌に汚染された海産，汽水産魚介類の経口感染のほかに，菌を含む海水が創部に付着して感染する経路もある．潜伏期間は数時間～2日くらいである．

iii）non O1・non O139 *V. cholerae*, *V. mimicus* 感染症，*V. fluvialis* 感染症

これらの菌もヒトに感染して下痢，腹痛を起こすが，一般的には自然治癒する傾向が強い．これらは国内感染症に加えいわゆる輸入感染症としての報告も散見される．いずれも便から原因菌を検出することで診断する．

食中毒と診断した場合

上記 i）～iii）のビブリオ属菌感染症を食中毒と診断した場合には，24時間以内に最寄りの保健所へ届け出る義務がある． 〔大西健児〕

■文献

国立感染症研究所：発生動向調査年別報告数一覧（全数把握）．
http://www.nih.go.jp/niid/ja/survei/2085-idwr/ydata/6043-ydata2014.html

小野友道，井上雄二，他：ビブリオ・バルニフィカス感染症の診断と治療．厚生労働科学研究研究費補助金新興再興感染症研究事業報告書，2005．

World Health Organization: Cholera, 2013. *Wkly Epidemiol Rec*. 2014; **89**:345-55.

(12) カンピロバクター感染症 (infection with *Campylobacter* spp.)

定義・概念
カンピロバクター属(*Campylobacter* spp.)の細菌による感染症である．

原因・病因
カンピロバクター属は Gram 陰性のらせん状桿菌(かんきん)で，*C. jejuni*, *C. coli*, *C. fetus* がヒトに感染する代表的な菌である．*C. jejuni* と *C. coli* は主として腸管感染症，*C. fetus* はおもに腸管外感染症を引き起こす．

疫学
C. jejuni は食中毒の主要病原体で，少量の菌量でも感染が成立する．*C. jejuni* と *C. coli* を合計したカンピロバクターは 2014 年および 2015 年の細菌性食中毒の病因物質として，患者数は 2 位と 1 位，発生件数は両年ともに 1 位となっている(厚生労働省)．

病態生理
C. jejuni と *C. coli* の発症機序は不明で，細胞内侵入説，毒素産生説などが提唱されている．しかし，血中から抗体が検出されることや腸管組織に炎症所見があることなどから，*C. jejuni* と *C. coli* は腸管組織へ侵入することで病原性を発揮していると推測される．

C. jejuni, *C. coli*, *C. fetus* はそれぞれ菌で汚染された肉類の経口摂取で感染することが多い．特に *C. jejuni* が鶏肉で感染する確率が高いことはよく知られており，*C. coli* はブタでの保菌率が高いことも知られている．

臨床症状
1) **腸管感染症**： *C. jejuni*, *C. coli* が原因菌のことが多い．腹痛，下痢，発熱を主症状とするが，症例によりこれらの程度はさまざまで，血便を認める症例も多い．腹部の触診で，右下腹部を中心に圧痛を認める症例が多い．潜伏期は 2〜8 日といわれている．

2) **腸管外感染症**： *C. jejuni*, *C. coli* が原因菌のこともあるが，*C. fetus* が主要原因菌である．*C. fetus* は敗血症，髄膜炎，心内膜炎，心外膜炎，胆嚢炎，腹膜炎，虫垂炎，蜂窩織炎，壊死性筋膜炎(えし)，骨髄炎，関節炎，尿路感染症などさまざまな腸管外感染症を引き起こす．特に悪性腫瘍，糖尿病，肝硬変，HIV 感染症などの基礎疾患がある人に多く発生する傾向がある．

検査所見
一般的な血液検査でカンピロバクター感染症に特異的な検査所見はない．

診断・鑑別診断
1) **腸管感染症**： カンピロバクター属以外の病原生物による感染性腸炎との鑑別が必要である．臨床症状から診断はできない．患者の便から *C. jejuni* や *C. coli* を検出することで診断する．

カンピロバクター食中毒と診断した医師には，24 時間以内に最寄りの保健所へ届け出る義務がある．

2) **腸管外感染症**： 臨床症状から確定診断はできず，患者由来の検体(血液，髄液，心嚢水，関節液，骨髄など)から原因菌を分離することで診断する．

合併症
C. jejuni 腸炎発症 1〜3 週後に Guillain-Barré 症候群を発症する症例が存在する．神経系の GM_1-ガングリオシドは *C. jejuni* の外膜リポ多糖体と共通する構造を有しており，*C. jejuni* 感染で産生された IgG 抗体が神経系の GM_1-ガングリオシドに結合する説が提唱されている(古賀ら，2003)．その他にブドウ膜炎，溶血性貧血，脳炎，HLA B27 を有する患者における関節炎などが，*C. jejuni* 感染症に関連した合併症として知られている．

経過・予後
現在の日本において，カンピロバクター腸炎の予後は良好である．しかし，基礎疾患をもつ人に発生した *C. fetus* による腸管外感染症では，抗菌薬投与にもかかわらず予後不良のことがある．

治療
1) **腸管感染症**： 脱水対策が重要で，中等症や重症例では経静脈的輸液を行う．軽症例には経口的な水分摂取を勧める．自然治癒傾向があり抗菌薬は必ずしも必要とは限らないが，抗菌薬を投与する際には，*C. jejuni* や *C. coli* によるカンピロバクター腸炎と判明していたなら，あるいはその可能性がきわめて高いと判断したならば，エリスロマイシンやクラリスロマイシンなどのマクロライド系抗菌薬を経口投与する．

2) **腸管外感染症**： *C. fetus* によるものがほとんどであり，アンピシリン，第 3 世代セフェム，カルバペネム系の投与が有効とされ，症例によってはこれらの併用投与が行われている．

〔大西健児〕

■文献
古賀道明，結城伸泰：*Campylobacter jejuni* 腸炎とギラン・バレー症候群．感染症学雑誌．2003; **77**: 418-22.

厚生労働省：食中毒事件一覧速報．http://www.mhlw.go.jp/stf/seisakunitsuite/bunya/kenkou_iryou/shokuhin/syokuchu/04.html

(13) ヘリコバクター・ピロリ (*Helicobacter pylori*) 感染症

定義・概念
H. pylori は急性および慢性胃炎を引き起こすとともに，非ステロイド系抗炎症薬(NSAIDs)投与とは関

係しないほとんどの胃十二指腸潰瘍の原因となる(eノート1).また，本菌感染と胃癌，胃 MALT(mucosa-associated lymphoid tissue)リンパ腫，特発性血小板減少性紫斑病などの発症との関連性も報告されている．世界保健機関(WHO)の国際癌研究機関(IARC)は 1994 年に *H. pylori* が確実な発癌因子(group 1)であると認定した(NIH Consensus Development Panel, 1994)(eコラム 1).

細菌学的特徴・病原因子

H. pylori は 0.5〜1.0 μm × 3〜5 μm 大の Gram 陰性らせん状細菌で，一端に 2〜6 本の鞭毛をもつ(e図 6-3-F, 6-3-G).鞭毛の断端は球状に膨らみ terminal bulb とよばれている．らせん状の菌体と複数の鞭毛により *H. pylori* は胃粘液層を活発に運動する．

37℃，3〜7 日間の微好気培養(O_2 5%，CO_2 10%，N_2 85%)により，血液加スキロー培地にて 1〜2 mm 大の透明なコロニーが形成される(e図 6-3-H).本菌は強力なウレアーゼ活性をもち，尿素を分解し，アンモニアを産生する．このアンモニアは胃酸を中和して，*H. pylori* の胃内定着を可能にする(*H. pylori* の至適 pH は 6〜8 である).

H. pylori の病原因子を表 6-3-7 に示す．細菌側病原因子としてウレアーゼ，アドヘジン(付着因子)，VacA(細胞空胞化毒素)，*cag* pathogenicity island (PAI)(病原因子遺伝子の集合領域)，CagA をはじめとする多数の因子が明らかとなっている(eコラム 2).

本菌による感染病態に関与する宿主側病原因子としてサイトカイン産生，活性酸素・一酸化窒素産生，DNA/RNA 編集酵素などがあげられる．*H. pylori* の胃上皮細胞への付着や胃内定着は胃上皮細胞および免疫担当細胞より TNF-α，IL-6，IL-8 などのサイトカイン分泌を誘導する．また本菌感染は活性酸素や iNOS(誘導性一酸化窒素合成酵素)を介した NO 産生を誘導する[9,10].活性酸素や NO には DNA 傷害作用が認められ，胃粘膜傷害の一因となる．DNA/RNA 編集酵素として知られている activation-induced cystidine deaminase(AID)と胃癌との関連性が提唱されており，*H. pylori* 陽性の胃癌組織には高率(78%)に AID 蛋白が発現されていることが報告されている[11].これらの知見より本菌が関与する疾病の病態は多因子的に誘導されるものと考えられる．

感染経路

H. pylori は口-口感染(oral-oral transmission)および糞-口感染(fecal-oral transmission)によりヒトへ伝播される．同一食品を複数の人が同一の食器を使用して摂食する場合や食品中に汚染した菌および感染者の唾液中の菌が未感染者に経口的に感染することにより，口-口感染が起こる．本菌感染者の糞便中に存在する *H. pylori* が水や食品に汚染し，これらを摂食することにより糞-口感染が起こる．*H. pylori* は胃内に定着するが多くの菌は下部腸管に運ばれ，その形態をらせん状菌(helical form)から球状菌(coccoid form)へと変化させる．球状菌の生物学的意義は不明であるが，環境中で生残型(survival form)として機能することが想定される．

疫学

H. pylori の感染率は開発途上国で高く，先進国で低い．アルジェリア，象牙海岸，ペルー，パプアニューギニアなどでの本菌感染率は 10 歳までに 50〜70% を示し，成人で 80% 以上の高値を示す．一方，米国，フランス，オーストラリアなどでは 10 歳での本菌感染率は 10〜20% と低く，40 歳でも 30〜40% 程度である．わが国の *H. pylori* 感染率は近年の衛生環境の

表 6-3-7 *H. pylori* の病原因子

病原因子	作用
細菌側病原因子	
鞭毛	菌の運動性を司る
ウレアーゼ	尿素を分解してアンモニアを産生し，胃酸を中和する
アドヘジン	胃上皮細胞への菌の付着に関与する
カタラーゼ	抗食食作用
superoxide dismutase (SOD)	抗食食作用
VacA	胃上皮細胞の空胞化，タイトジャンクションの脆弱化，T 細胞抑制作用
cag pathogenicity island (PAI)	サイトカイン産生の誘導，Type IV 分泌装置の形成
CagA	細胞骨格の変化，タイトジャンクションの機能不全，細胞の伸長化，細胞運動性の変化
OipA	oipA "on" 状態が胃粘膜障害と関係する可能性
LPS	胃上皮細胞との免疫交差反応を惹起する
熱ショック蛋白(HSP)	付着因子としての作用および免疫交差反応の惹起
NapA	白血球活性化因子
DupA	十二指腸潰瘍の発症に関与する可能性
宿主側病原因子	
サイトカイン (IL-6，IL-8 など)	炎症惹起
活性酸素	胃粘膜細胞の傷害
一酸化窒素(NO)	O_2 と反応しパーオキシナイトレート(DNA 障害あり)が生成される
DNA/RNA 編集酵素(AID*)	発癌抑制遺伝子の変異の誘導

*：activation-induced cystidine deaminase.

表 6-3-8 H. pylori 感染診断と除菌判定（日本ヘリコバクター学会ガイドライン作成委員会, 2016）

> 1. **検査法**：除菌治療前および除菌治療後の H. pylori 感染の診断にあたっては，下記の検査法のいずれかを用いる．複数であれば感染診断の精度はさらに高くなる．それぞれの検査法には長所や短所があるので，その特徴を理解したうえで選択する．
>   a) 内視鏡による生検組織を必要とする検査法
>   ① 迅速ウレアーゼ試験
>   ② 鏡検法
>   ③ 培養法
>   b) 内視鏡による生検組織を必要としない検査法
>   ① 尿素呼気試験
>   ② 抗 H. pylori 抗体測定
>   ③ 便中 H. pylori 抗原測定
> 2. **除菌判定**：除菌治療薬中止後 4 週以降に行う．

表 6-3-9 H. pylori 感染症の治療法（日本ヘリコバクター学会ガイドライン作成委員会, 2016）

> 1. **一次除菌法**
>   ・プロトンポンプ阻害薬（PPI）＋アモキシシリン（AMPC）＋クラリスロマイシン（CAM）を 1 週間経口投与する 3 剤併用療法（朝，夕食後に服用）．
>   補足：
>   ① PPI：ランソプラゾール（30 mg），1 カプセル（錠）を 1 日 2 回またはオメプラゾール（20 mg），1 錠を 1 日 2 回またはラベプラゾール（10 mg），1 錠またはエソメプラゾール（20 mg），1 カプセルを 1 日 2 回またはボノプラザン（20 mg），1 錠を 1 日 2 回
>   注：エソメプラゾールの使用は 2011 年より，ボノプラザンの使用は 2015 年より追加承認された．
>   ② AMPC（250 mg），3 カプセル（錠）を 1 日 2 回
>   ③ CAM（200 mg），1 錠または 2 錠を 1 日 2 回
> 2. **二次除菌法**
>   ・一次除菌に失敗した症例に対して，CAM のかわりにメトロニダゾール（MNZ）を使用する PPI ＋ AMPC ＋ MNZ を 1 週間経口投与する 3 剤併用療法（朝，夕食後に服用）．
>   補足：
>   ① PPI：ランソプラゾール（30 mg），1 カプセル（錠）を 1 日 2 回またはオメプラゾール（20 mg），1 錠を 1 日 2 回またはラベプラゾール（10 mg），1 錠またはエソメプラゾール（20 mg），1 カプセルを 1 日 2 回またはボノプラザン（20 mg），1 錠を 1 日 2 回
>   注：エソメプラゾールの使用は 2011 年より，ボノプラザンの使用は 2015 年より追加承認された．
>   ② AMPC（250 mg），3 カプセル（錠）を 1 日 2 回
>   ③ MNZ（250 mg），1 錠を 1 日 2 回

改善により，従来に比べて低下傾向を示している．本菌感染率は約 40％ であり，小児・若年者では 0〜10％，30〜50 歳で 10〜20％，50 歳以上で 30〜55％ を示す[12,13]．両親が H. pylori 陽性の場合の子どもの本菌感染率は高いことが報告されており，本菌が親（特に母親）から子へ家族内感染することが明らかにされている．

診断

H. pylori の診断には胃内視鏡検査による生検材料を用いる検査法（侵襲的検査法）と胃生検材料を必要としない検査法（非侵襲的検査法）とがある[14]（日本ヘリコバクター学会ガイドライン作成委員会, 2016）（表 6-3-8）．

1）侵襲的検査法：迅速ウレアーゼ試験は胃生検中の H. pylori のウレアーゼを検出する検査法である．本菌のウレアーゼにより尿素がアンモニアに変化し，培地を変色させる．鏡検法では組織の HE 染色，アクリジンオレンジ染色，鍍銀染色などによりらせん状の本菌の存在を確認する．本菌に対する抗体を用いた免疫染色は特異的な鏡検法となる．培養法では本菌分離のため選択薬（バンコマイシン，ポリミキシン B，トリメトプリムなど）を含んだ培地（スキロー培地など）を使用する．

2）非侵襲的検査法：尿素呼気試験（urea breath test）では生体に無害な ^{13}C でラベルした尿素が被検者に経口投与される．H. pylori による尿素の分解後，$^{13}CO_2$ は呼気に排出されるため，呼気中の放射活性を測定し，本菌の存在を判定する．胃粘膜全体における H. pylori の存在を診断できる利点をもつ．抗 H. pylori 抗体測定として血清および尿が使用され，同抗体を免疫学的手法により迅速に検出される．便中 H. pylori 抗原検出測定では糞便中の本菌（ほとんどが球状菌）の存在を酵素結合免疫吸着法（ELISA）にて調べる．除菌判定は除菌治療薬中止後 4 週以降に行う．

治療

本菌感染症の治療法を表 6-3-9 に示す（日本ヘリコバクター学会ガイドライン作成委員会, 2016）．一次除菌法および二次除菌法，いずれも 1 週間の治療薬の経口投与が行われる．一次除菌薬として胃酸分泌阻害作用をもつプロトンポンプ阻害薬（PPI）（オメプラゾール，ランソプラゾール，ラベプラゾール，エソメプラゾール，ボノプラザン）と 2 種類の抗菌薬（アモキシシリン（AMPC），クラリスロマイシン（CAM））が使用される．一次除菌法による除菌率は 80〜90％ と高いが，一次除菌に失敗した患者には二次除菌法が適用される．二次除菌薬として，PPI ＋ AMPC ＋ メトロニダゾール（MNZ）が使用される．近年 CAM をはじめとする抗菌薬への耐性菌が増加しており（CAM 耐性率 39.2％，日本ヘリコバクター学会耐性菌サーベイランス委員会 2011 年報告），除菌率の低下がみられ問題となっている．これらの除菌法は 2000 年に H. pylori 陽性の胃潰瘍・十二指腸潰瘍患者に保険適用された．加えて，2010 年より保険適用疾患として胃 MALT リンパ腫，特発性血小板減少性紫斑病

(ITP), 早期胃癌に対する内視鏡的治療後胃，2013年にはヘリコバクター・ピロリ感染胃炎が追加された[15]．副作用として下痢，軟便，味覚異常，舌炎，口内炎，皮疹などが報告されており，重篤な場合には除菌治療を中止する． 〔神谷　茂〕

■文献（e文献 6-3-4）

NIH Consensus Development Panel. *JAMA*. 1994; 272: 65-9.

日本ヘリコバクター学会ガイドライン作成委員会：*H. pylori* 感染の診断と治療のガイドライン 2016 改訂版．日本ヘリコバクター学会ガイドライン作成委員会（委員長：加藤元嗣），先端医学社，2016．

Warren JA, Marshall BJ: Unidentified curved bacilli on gastric epithelium in chronic gastritis. *Lancet*. 1983; **1**: 1272-5.

(14) 緑膿菌感染症

定義・概念

緑膿菌（*Pseudomonas aeruginosa*）による感染症の多くは日和見感染症であり，感染防御能が低下したコンプロマイズドホストにみられることが多い．また，本菌は多くの抗菌薬に耐性を示すため難治性感染を起こしやすく，院内感染の起炎菌として重要な菌である．なお，本菌は健常者には通常病原性は示さないが，一部の例では局所的な感染を起こしうる．

原因・病因

緑膿菌は好気性のブドウ糖非発酵 Gram 陰性桿菌である．本菌は自然環境に広く存在し，ヒトの腸管内などにも常在している場合がある．緑膿菌感染を起こしやすい宿主側の要因として，易感染性に陥りやすい各種の基礎疾患と，医療行為に伴う医原的要因がある（大野，2014）．

疫学

緑膿菌感染の多くは院内で発生し，特に ICU など重篤な患者が多い病棟で高い頻度で分離される．検体別では，呼吸器，尿路，および血液分離菌の上位を占めている．緑膿菌は，薬剤不活化酵素（β-ラクタマーゼ）の産生，膜透過性の低下，薬剤作用点の変異，および薬剤の排出（efflux pomp）などさまざまなメカニズムによって各種の抗菌薬に耐性を示す．なかでもカルバペネム系，ニューキノロン系，およびアミノグリコシド系の 3 系統すべての抗菌薬に耐性を示す菌は多剤耐性緑膿菌（multiple-drug-resistant *Pseudomonas aeruginosa*：MDRP）とよばれ（図 6-3-12），一部の抗菌薬を除くほとんどの抗菌薬に耐性を示し，感染症法により五類感染症に指定されている．国内における MDRP の分離頻度は，臨床で分離される緑膿菌全体の数％未満であるが，感染対策上重要な菌である．

病態生理

感染症は，病原体が外部から患者に伝播して感染を引き起こす"外因性感染"と，患者みずからが保菌していた病原体に感染する"内因性感染"の 2 つの形態がある．抗菌薬の投与によって常在細菌叢が撹乱されると，本来は少量しか存在していなかった緑膿菌が患者の体内で選択的に増殖しやすい環境がつくられる．さらに手術や熱傷，人工呼吸器管理，各種カテーテルの挿入などで菌が体内深部に侵入して増殖しやすい状態がつくられると，緑膿菌による内因性感染を発症する．本菌は通常は弱毒であっても，エキソトキシン A など各種の外毒素を産生し，さらにⅢ型分泌装置（type Ⅲ secretion system）とよばれ，注射器のような分泌装置でエキソトキシン S などの病原因子を細胞

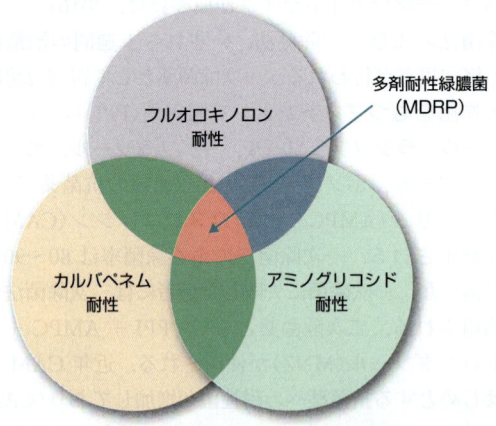

図 6-3-12 多剤耐性緑膿菌（MDRP）の薬剤耐性
【対象薬剤】
・カルバペネム系：イミペネム（IPM），あるいはメロペネム（MEPM）
・アミノグリコシド系：アミカシン（AMK）
・フルオロキノロン系：レボフロキサシン（LVFX），シプロフロキサシン（CPFX），ほか 4 薬剤

表 6-3-10 緑膿菌感染症のリスク因子

【宿主の基礎疾患】
・糖尿病
・悪性腫瘍
・慢性閉塞性肺疾患
・熱傷
・HIV 感染症
・先天性免疫不全症候群

【医原性要因】
・広域抗菌薬投与
・抗癌薬治療
・手術，侵襲的処置
・免疫抑制薬投与
・副腎皮質ステロイド薬
・人工呼吸器管理
・カテーテル留置（血管内，尿路，その他）
・長期あるいは繰り返す入院

内に直接注入する仕組みをもちあわせている[1]．また，体内に人工異物が存在する状況では，定着した緑膿菌がバイオフィルムを形成し，菌の排除が困難となり感染のリスクが高まる[2,3]（e図6-3-I）．また，抗癌薬投与後など好中球減少状態においては血中に菌が侵入しやすく，菌血症から敗血症，やがて敗血症性ショックなどの重篤な感染症に陥りやすくなる．

臨床症状

1) 呼吸器感染症： 緑膿菌は市中肺炎の原因となることはまれであるが，慢性閉塞性肺疾患（COPD）など呼吸器系に何らかの基礎疾患を有する患者においては，緑膿菌による持続感染を起こしやすい．慢性的な感染によって気道の障害が進行していくが，経過中，急性増悪に陥ると喀痰量の増加や微熱，倦怠感などを認める．入院患者の場合，人工呼吸器管理下の患者や，化学療法後などの好中球減少症合併例などに肺炎を発症しやすい（表6-3-10）．

2) 尿路感染症： 緑膿菌による尿路感染は，尿路系の基礎疾患を有する患者や尿路カテーテル挿入例および術後患者など，自然な尿流が妨げられている例に慢性複雑性尿路感染として発症することが多い．膀胱炎や腎盂腎炎などの感染症を起こすが，感染の原因が取り除かれないかぎり持続し，いったん軽快しても再発しやすい．

3) 菌血症，敗血症： 免疫不全患者，特に好中球減少症例において高い頻度で合併しやすい．肺炎や尿路感染などが原因となって二次的に発症する場合もあるが，明らかな原発性の感染病巣を認めないにもかかわらず菌血症などを認める例がある．このような症例では腸管内に定着していた緑膿菌が bacterial translocation を起こして血管やリンパ組織内へと侵入し，さらに肝臓や胸管を経て全身循環系へと菌が到達している可能性が高い．本菌が有するエンドトキシンが炎症性サイトカインの産生を促し，ショックやDICを高率に合併し予後不良となりやすい．

4) ほかの部位の感染症： 緑膿菌による中枢神経系の感染は，隣接臓器の感染の波及や外傷，手術などの侵襲的行為に伴って髄膜炎および脳膿瘍を発症しやすいが，ときに菌が血流を介して運ばれることもある．心内膜炎は麻薬使用者に多く，右心系の感染は敗血症性肺塞栓を合併しやすく，左心系の感染は難治性の心不全あるいは全身性の塞栓症を合併することがある．皮膚および軟部組織の感染としては，熱傷，外傷，褥瘡あるいは手術部位など，皮膚の防御バリアが障害されている例に多くみられる．なお，緑膿菌敗血症に関連した皮膚症状として壊疽性膿瘡（ecthyma gangrenosum）が知られている（Ramphal, 2013）．耳鼻科領域の感染では外耳道炎の原因菌となりやすいが，ときに糖尿病合併例では悪性外耳道炎とよばれる破壊性の感染を起こす場合がある．眼科領域の感染症としては，特にコンタクトレンズ装着例に角膜炎を発症しやすく，角膜潰瘍を伴うことがある．整形外科領域の感染症としては，外傷や術後の骨髄炎および関節炎が起こりやすい．

検査所見

緑膿菌感染時の血液検査では，一般的に末梢血の白血球数は増加することが多いが，もともと患者が好中球減少状態にある場合は白血球数が低下したままの例も多い．また好中球減少状態では肺炎例でも胸部X線などで浸潤影を認めにくいなど典型的な所見を示さない場合がある．DICや多臓器不全合併例では血小板減少や肝機能酵素の上昇，BUNやクレアチニンの上昇などが認められる．

診断

緑膿菌感染症の診断は，ほかの細菌感染症と同様に各種臨床検体から菌を分離・同定することによってなされる．血液培養で緑膿菌が検出されれば起炎菌として考えやすいが，ほかの検体から緑膿菌が検出されても，単なる定着か真の起炎菌なのか判別が難しい場合もある．

鑑別診断

免疫不全患者において感染症を発症した場合は，本菌が原因となっている可能性を考慮しなければならない．なお，本菌による感染症は本菌が単独で感染症の原因となる場合もあるが，MRSAなどの耐性菌や *Candida* などの真菌が緑膿菌とともに混合感染を起こすこともあるため，診断上，注意が必要である．

合併症

患者の免疫不全の状態が高度になればなるほど，敗血症，DIC，ショック，多臓器不全などを合併する可能性が高くなる．

経過・予後

適切に抗菌薬療法がなされた場合には，一定の効果が期待できる．しかし免疫不全が高度な例や，耐性度が高い菌による感染例では難治化し，予後不良となる場合がある．

治療・予防・リハビリテーション

緑膿菌は一般的にカルバペネム系薬，第3，第4世代セフェム系薬の一部，抗緑膿菌ペニシリン系薬，キノロン系薬，およびアミノグリコシド系薬などが有効とされているが，耐性を示す菌が少なからず存在するため，分離された菌の薬剤感受性成績をもとに抗菌薬を選択することが望ましい．MDRPによる感染症に対しては，コリスチンなど本菌に有効な薬剤を使用するか[4]，抗菌薬の併用を考慮する[5]．なお，抗菌薬療法以外にカテーテルの抜去や病巣部位のドレナージ，G-CSFや人免疫グロブリンなど抗菌薬以外の対処も必要となる．びまん性汎細気管支炎やCOPD症例な

どを対象としたマクロライド少量長期療法も用いられている．　　　　　　　　　　　　　　　〔松本哲哉〕

■**文献** <u>e</u>文献 6-3-4-14）

大野　章訳：シュードモナス属．イラストレイテッド微生物学　原書 3 版（松本哲哉，舘田一博監訳），pp152-4, 丸善出版，2014.

Ramphal R: *Pseudomonas* および類縁菌種による感染症．ハリソン内科学　第 4 版（福井次矢，黒川　清監），pp1101-8, メディカル・サイエンス・インターナショナル，2013.

（15）その他のブドウ糖非発酵性 Gram 陰性桿菌感染症

定義・概念

臨床的に問題となるブドウ糖非発酵性 Gram 陰性桿菌は，緑膿菌 *Pseudomonas aeruginosa* に代表されるが，その他のシュードモナス属菌（*P. putida*, *P. fluorescens*, *P. stutzeri* など）やかつてシュードモナス属に分類されていたブルクホルデリア属やステノトロホモナス属（*Stenotrophomonas maltophilia* ; 旧称 *Xanthomonas maltophilia*）などがある．海外ではブルクホルデリア属菌によりメリオイドーシス（類鼻疽）（*Burkholderia psedomallei*）や鼻疽（*B. mallei*）の市中感染症を認めるが（<u>e</u>コラム 1），国内では *B. cepacia* による医療関連感染症が問題である．

さらに加えて医療関連感染症の原因で高度耐性となることでも知られる *Acinetobacter baumannii* も重要である（<u>e</u>コラム 2）．その他にもやはり医療関連感染症が中心であるが，*Achromobacter xylosoxidans*（旧称 *Alcaligenes xylosoxidans*）や *Elizabethkingae meningosepticum*（旧称 *Chryseobacterium meningosepticum*, *Flavobacterium meningosepticum*）がある．

原因・病因

ブドウ糖非発酵性 Gram 陰性桿菌は，栄養要求性が低いため，栄養成分の乏しい湿潤環境で増殖して病院環境を汚染することから医療関連感染症の原因となる．一般的には乾燥に弱く数時間で死滅するが，*Acinetobacter baumannii* は乾燥環境でも長期間にわたり生存するために感染防止対策が最も困難な微生物の 1 つである（<u>e</u>コラム 3）．

一般的にブドウ糖非発酵性 Gram 陰性桿菌は多彩な β-ラクタマーゼを産生することから本来的に有効な抗菌薬の選択肢が少ない．さらにバイオフィルムを形成して抗菌薬の浸透性を低下させて治療に難渋することが多いうえに，菌株によってはさまざまな耐性機構を獲得して高度耐性菌となることもある．

疫学・病態生理

基本的に医療関連感染症の起因菌であるが，病院環境に広く存在することから，免疫不全例や担癌患者，重症症例や新生児のような易感染性宿主のみならず，その他でも医療行為に関連して発症することがあるので注意が必要である．人工呼吸器やネブライザーのような湿潤性の医療器具の使用や手術創部や熱傷，血管内留置カテーテルなどの侵入門戸に注意しなければならない．特に *B. cepacia* は消毒薬に耐性となることも報告されている．

臨床症状

ブドウ糖非発酵性 Gram 陰性桿菌は一般的に人工呼吸器関連肺炎，中心静脈カテーテル関連血流感染症，創部感染症，尿道留置カテーテル関連尿路感染症のような医療関連感染症を発症する．まれであるが，*Acinetobacter baumannii* による脳外科手術後髄膜炎，置換弁心内膜炎や眼科手術後眼内炎，さらに担癌患者で *S. maltophilia* が壊疽性膿瘡を生じることがある．また，わが国ではきわめてまれであるが，白色人種に多い線維囊胞症の患者では *B. cepacia* により菌血症を伴う急速進行性呼吸不全から致死的になることが知られている（いわゆるセパシア症候群）．

診断

細菌感染症の診断は，基本的に関連した臨床検体から起因菌を分離・同定することによるが，特にブドウ糖非発酵性 Gram 陰性桿菌は単なる保菌にとどまっていることも多く，真の起因菌であるか慎重に検討する必要がある．また，さまざまな耐性を呈することが多いため，起因菌と判断した場合には特に感受性検査の結果が重要となる．

なお，耐性アシネトバクター感染症は五類感染症に指定されているため，診断した医師は 7 日以内に届け出る義務がある（2011 年 1 月改定）．

治療・経過・予後

ブドウ糖非発酵性 Gram 陰性桿菌感染症の治療は難渋することが多く，エンピリックに投与されている抗菌薬を起因菌の感受性試験の結果に基いて至適に変更することが必要であるが，選択肢は限られている場合が多い．

Acinetobacter baumannii 感染症に対してはカルバペネム系を第一選択とする場合が多かったが，近年は耐性株の増加が問題であり，β-ラクタマーゼ阻害薬であるスルバクタムや感受性があればアミノグリコシド系やトリメトプリム・サルファメトキサゾール（TMP/SMX, ST 合剤）も検討される．高度耐性の場合にはポリミキシン系（コリスチン，ポリミキシン B），チゲサイクリンなどを選択するが，臨床経験に乏しく，チゲサイクリンはすでに耐性株が報告されている．

S. maltophilia 感染症に対しては TMP/SMX やキノロン系，*B. cepacia* 感染症には TMP/SMX, カルバペネム系，テトラサイクリン系が選択肢となるが，いず

れも感受性によって検討しなければならない．

　ブドウ糖非発酵性Gram陰性桿菌感染症は，基礎疾患を有する患者の医療関連感染症として発症することが多く，抗菌薬耐性化の問題もあり，一般的に予後は芳しくない．将来的にはより有効性の高い抗菌薬や治療法の開発が必要である．　　　　〔森澤雄司〕

■文献

Currie BJ: *Burkholderia pseudomallei* and *Burkholderia mallei*: Melioidosis and glanders. Principles and Practice of Infectious Diseases, 8th ed (Mandell GL, Bennett JE, et al eds), pp2541-51, Elsevier Churchill Livingstone, 2015.

D'Agata E: *Pseudomonas aeruginosa* and Other *Pseudomonas* species. Principles and Practice of Infectious Diseases, 8th ed (Mandell GL, Bennett JE, et al eds), pp2518-31, Elsevier Churchill Livingstone, 2015.

Phillips M: *Acinetobacter* species. Principles and Practice of Infectious Diseases, 8th ed (Mandell GL, Bennett JB, et al eds), pp2552-8, Elsevier Churchill Livingstone, 2015.

Safdar A: *Stenotrophomonas maltophilia* and *Burkholderia cepacia*. Principles and Practice of Infectious Diseases, 8th ed (Mandell GL, Bennett JE, et al eds), pp2532-40, Elsevier Churchill Livingstone, 2015.

(16) 鼻疽（glanders）・類鼻疽（melioidosis，メリオイドーシス）

定義・概念

　鼻疽は鼻疽菌（*Burkholderia mallei*），類鼻疽は類鼻疽菌（*B. pseudomallei*）による感染症である．いずれも人獣共通感染症を起こし，四類感染症に指定されている．

原因・病因

　鼻疽菌，類鼻疽菌はいずれもバークホルデリア属の好気性Gram陰性桿菌である．2つの菌は細菌学的に類似した菌種であり，東南アジアなどの熱帯・亜熱帯地域に分布する．鼻疽菌はおもにウマやロバに感染し，ヒトはそれらの動物に接触することで感染する（Ramphal，2013）．類鼻疽菌は土壌や池の水など環境中に多く存在し，ときに動物にも感染するが，ヒトは動物を介さず感染することが多い（Ramphal，2013）．なお細菌学的な特徴として，鼻疽菌は運動性がなく，類鼻疽菌は鞭毛を発現し運動性を有する．

疫学

　鼻疽・類鼻疽はアジア，オーストラリア，アフリカ，中東地域などにおいて散発的に発生している[1]．いずれの菌も生物兵器への応用を目的に研究が行われた過去があり，米国CDCはバイオテロ目的で使用される可能性が高い菌に分類している（Foongら，2014）．

臨床症状

1）鼻疽：　鼻疽は通常1～14日の潜伏期を経て化膿性感染（創部感染，鼻粘膜などの潰瘍，多関節炎）を起こし，肉芽腫性の病変を形成し，区域性のリンパ節炎を伴うことが多い[2]．また肺炎や肺膿瘍を発症することもある．局所感染に引き続いて敗血症を発症した場合，しばしばショックや多臓器不全に陥る．なお，本菌による感染後，数年の潜伏期間を経て発症する例もある．慢性感染としてみられる鼻疽では多発性の皮下，筋肉，および内臓の膿瘍を伴う．

2）類鼻疽：　類鼻疽菌に汚染した土壌の菌を吸い込んだり，皮膚の傷口から入ることで感染を起こし，通常3～21日の潜伏期を経て，肺炎・気管支炎や皮膚感染を発症する（e図6-3-J）．肺炎では咳，痰，高熱，胸痛を認め，重症例では血痰を伴う[1]．皮膚感染では結節性病変とともにリンパ節炎を伴う．糖尿病やHIV感染者など免疫不全に陥りやすい基礎疾患を有する例では，さらに敗血症に進展することがある．なお，類鼻疽は無症候のまま感染が持続し，胸部X線の陰影をきっかけとして肺感染が発見されたり，免疫不全の状態で顕性感染を発症する例がある（e図6-3-K）．

検査所見

　鼻疽，類鼻疽ともに血算では軽度～中等度の白血球数増加を認める．肺感染例では胸部X線にて浸潤影，結節影，空洞性の変化などさまざまな所見が認められる．深部膿瘍がある場合は腹部超音波検査やCTで確認可能である．

診断

　まず東南アジアなど流行地域への渡航歴を確認する．血液，痰および膿分泌物などの培養で菌を分離できれば確定診断につながる（図6-3-13）．なお抗体価の測定による血清診断も可能である．

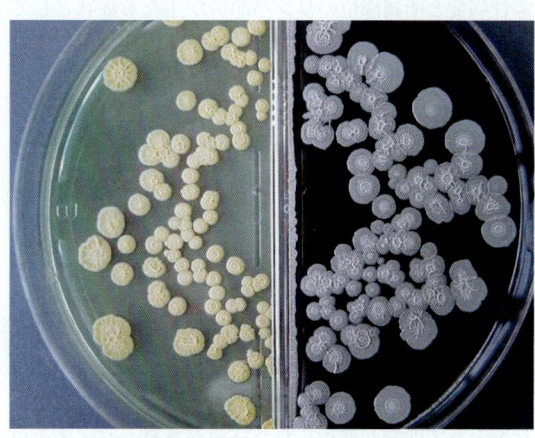

図6-3-13　**類鼻疽菌（*Burkholderia pseudomallei*）のコロニー**（東邦大学　舘田一博教授提供）
写真に示した培養4日目において特徴的な不整な形状のコロニー形態が顕著に観察されるようになる．

鑑別診断

敗血症を伴う病型では，マラリア，ペストおよびほかの菌による敗血症との鑑別を要する．肺感染の場合は，ほかの細菌による肺膿瘍や結核と鑑別すべきである．

経過・予後

感染防御能が低下している例では重篤な感染に陥りやすい．敗血症の場合，予後は不良である．ほかの病型は早期から適切な治療を受ければ予後は良好とされている．

治療・予防・リハビリテーション

鼻疽に対してはアミノグリコシド，テトラサイクリン，ST 合剤が有効である．類鼻疽にはカルバペネム，クロラムフェニコール，テトラサイクリン，ST 合剤が推奨されているが，ST 合剤への耐性株も報告されている．膿瘍のドレナージなど外科的処置も重要である．なおこれらの菌に有効なワクチンはまだ開発段階であり，菌曝露後の発症予防に ST 合剤などが推奨されている[3]．　　　　　　　　　　　　〔松本哲哉〕

■文献（e文献 6-3-4-16）

Foong YC, Tan M, et al: Melioidosis: a review. *Rural Remote Health.* 2014; **14**: 2763-78.

Ramphal R：類鼻疽菌．ハリソン内科学 第 4 版（福井次矢，黒川清監），pp1107-8，メディカル・サイエンス・インターナショナル，2013.

Ramphal R：鼻疽菌．ハリソン内科学 第 4 版（福井次矢，黒川清監），p1108，メディカル・サイエンス・インターナショナル，2013.

(17) 野兎病 （tularemia）

定義・概念

野兎病は野兎病菌（*Francisella tularensis*）による感染症である．本菌は本来，野生の動物に感染するが，人獣共通感染症としてヒトに感染する．感染部位の潰瘍性病変と所属部位のリンパ節炎が主たる症状としてみられる．野兎病は感染症法で四類感染症に指定されている（吉川ら，2002）．

原因・病因

野兎病菌は Gram 陰性の多形性を示す小桿菌で通性細胞内寄生菌である（大野，2014）．ウサギ，マウス，ラット，リスなどさまざまな種類の動物が保有しており，国内では野ウサギが主要な感染源となる．ヒトは保菌動物との直接接触や調理の際の肉との接触，あるいはダニやアブなど吸血性の節足動物などを介して感染する場合が多い．ヒトからヒトへの直接の感染は通常みられない．本菌は感染力が強く，過去に生物兵器として開発が進められた経緯があり，バイオテロに使用される可能性も指摘されている[1]．

疫学

野兎病は，北米や北ヨーロッパに広くみられる[2]．その多くは散発的に発生するが，ときに流行がみられる[3]．わが国ではおもに東北，関東，北海道などで発生が確認され，狩猟期の冬季とマダニが活動する晩春に集中して発生する．農・牧畜業者は蚊，サシバエやマダニによる夏季の媒介感染と，農作業中に起こる病原菌飛沫の吸引感染であり，狩猟者やペットを扱う場合には，感染動物の血液暴露や咬傷からの感染が多い．その他にも感染動物の肉を調理不十分で摂取，汚染水の飲水，実験室内での飛沫吸引などがある．

臨床症状

本疾患は潰瘍リンパ節型，リンパ節型，眼リンパ節型，口咽頭型，胃腸型，肺炎型などに分類され，病型により臨床症状も異なる（Jacobs ら，2013）．2〜21日間の潜伏期を経て，悪寒，発熱，頭痛などの症状で発症する．リンパ節型はリンパ節の有痛性腫脹を認め（e図 6-3-L），潰瘍リンパ節型ではリンパ節腫脹に加えて皮膚の潰瘍性病変を伴う（図 6-3-14）．眼リンパ節型は流涙，有痛性眼部腫脹，結膜充血などを認める（e図 6-3-M）．口咽頭型，胃腸型は経口感染により起こり，咽頭炎や下痢，嘔吐などを認める．また，呼吸器系の感染では肺炎や胸膜炎を認めるが，縦隔リンパ節の腫大として観察される場合もある．本菌は血中に侵入しやすく，菌血症を合併した野兎病をチフス型とよぶ場合がある．血流によって散布された菌は各臓器の感染を起こし，髄膜炎，骨髄炎，肝炎などの合併や敗血症に至る場合もある．

検査所見

白血球増加，赤沈亢進，CRP の上昇が認められるが本疾患に特徴的な検査所見はみられない．

診断

リンパ節の膿汁などを培養して野兎病菌が分離されれば診断が確定する．血清抗体価の測定や PCR など

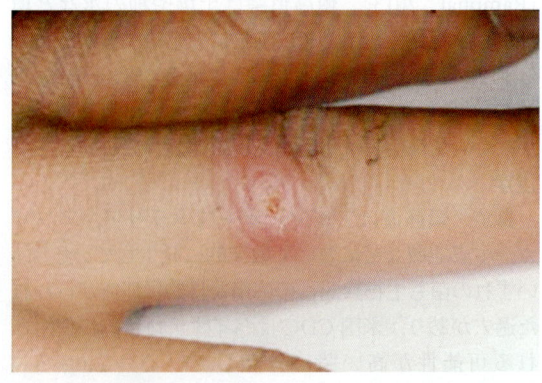

図 6-3-14 **潰瘍リンパ節型野兎病**（大原綜合病院附属大原研究所　藤田博己先生提供）
菌の侵入部位に小膿瘍を形成．

の遺伝子診断も用いられる．

鑑別診断
リンパ節腫脹を伴う皮膚感染という点で，一般細菌による化膿性感染や猫ひっかき病などとの鑑別を要する．

経過・予後
適切な治療が施されないと症状は継続し，肺炎や敗血症を合併すると予後不良の場合がある．

治療・予防・リハビリテーション
野兎病菌はβ-ラクタム系抗菌薬に耐性を示し，アミノグリコシド系，テトラサイクリン，ニューキノロン系抗菌薬が有効である[4]．腫脹したリンパ節の穿刺排膿も症状の改善に有効であるが，切開排膿は瘻孔を形成する可能性がある． 〔松本哲哉〕

■文献（e文献6-3-4-17）

Jacobs RF, Shutze GE：野兎病．ハリソン内科学 第4版（福井次矢，黒川 清監），pp1131-5，メディカル・サイエンス・インターナショナル，2013．

大野 章訳：野兎病菌．イラストレイテッド微生物学 原書3版（松本哲哉，舘田一博監訳），pp156-8，丸善出版，2014．

吉川泰弘，本間守男，他：野兎病．日本医師会雑誌，2004; **132**: 170-1．

(18) ブルセラ症（brucellosis）

定義・概念・病因
ブルセラ症はブルセラ属の菌による感染症であり，人畜共通感染症の1つである．ヒトにおける急性期の熱型から波状熱，あるいはマルタ熱あるいは地中海熱ともよばれる．ブルセラ属の菌は種によって感染する動物が異なる．*Brucella melitensis* はヤギなどの小型の反芻動物，*B. abortus* がウシ，*B. suis* がブタ，*B. canis* がイヌに主として感染し，ヒトにも病気を引き起こす．大多数の人の症例は *B. melitensis* である．これらは遺伝子的に96％以上の相同性を示し，分類学的には同一の菌種とみなされる．

本菌はヤギやウシなど感染動物の尿，ミルク，胎盤から排出されるため，感染動物由来の非殺菌の乳製品（チーズやミルク）や加熱不十分な肉の摂取および尿や胎盤などの接触（Bosilkovskiら，2007），汚染された塵やエアロゾルの吸入によってヒトに感染する（Doganayら，2003）．

疫学
本疾患は地中海地方，中南米を中心に世界中に広く分布している．原因となる動物と生活をともにする社会においては依然として重要な感染症である．職業としては，動物と接触する機会が多い酪農家や獣医師などに感染率リスクが高い．また流行地域への渡航者にも発症することがある．日本国内ではまれな疾患であるが，米国でメキシコからの輸入非殺菌乳製品が原因となっていることは留意すべき点である．ヒト-ヒト感染はまずないが，海外では輸血や移植，院内感染の報告もある．

細菌学的特徴・病態生理
本菌はGram陰性の球桿菌で，細胞内寄生菌である．好中球やマクロファージに貪食されるが，細胞内殺菌を逃れることができ，リンパ行性あるいは血行性に全身の臓器に散布されて持続感染を起こす[1]．

臨床症状
通常，潜伏期間は1～3週間であるが数カ月となる場合もある．軽症では感冒様症状にとどまるが，おもな急性期症状は発熱である．午後から夕方にかけて発熱を認めることが多く，ときに40℃以上となるが，著明な発汗により朝は平熱に戻る．症状は数週間続き，1～2週間症状が改善し再び発熱を繰り返す（波状熱）．これが数週間～数カ月以上持続する．発熱以外の症状としては，筋肉，骨格系の症状が強く，全身の疼痛や倦怠感を認める．その他，悪心・嘔吐，下痢症などの消化器症状や咽頭痛，乾性痰などの呼吸器症状，リンパ節腫脹や肝脾腫，関節腫脹さらに体重減少やうつ症状を訴えることもある．ときに関節炎，心内膜炎，骨髄炎，泌尿生殖器の感染および脳炎，髄膜炎を併発する．心内膜炎はブルセラ症の死因となりうる[2]．

妊婦が本症を発症した場合，流産および子宮内感染の可能性がある．治療後の再発率はおよそ5～15％である[3]．慢性ブルセラ症は，脊椎炎，骨髄炎，膿瘍やブドウ膜炎など年余にわたり持続する．

診断・検査所見
本疾患は特徴的な症状に乏しい．流行地域への渡航歴やヤギやウシなどとの接触歴や乳製品や肉の摂取歴の聴取は重要である．

検査所見では，末梢血白血球数は正常あるいは減少し，リンパ球数はやや増加傾向を示す．血小板の減少や肝機能異常を認めることがあるが非特異的である．

血液培養で本菌を分離できれば診断が確定する．血液培養陰性の場合でも本症を強く疑う場合は骨髄穿刺やリンパ節生検標本からの培養を考慮する．血清抗体価測定はほかの菌種との交差反応も報告されているが，検査診断のほか再発の指標としても有用である．特異的PCRは迅速かつ正確で有用な診断法である[4]．

局所感染の診断には骨シンチグラム，CTスキャン，MRIや心エコーが有用である

なお，本菌は研究室感染の危険が最も高い病原体の1つであるため，材料はbiosafety level 3（BSL3）基準を満たす条件で取り扱うべきである．

鑑別診断
あらゆる不明熱疾患（マラリア，腸チフス，結核，

野兎病，悪性腫瘍，膠原病など）との鑑別が必要である．形態的にはさらに，染色や培養の結果をもとにモラクセラやインフルエンザ菌などと誤認されることもある．

治療・予防

本疾患の治療には，ドキシサイクリン6週間＋アミノグリコシドの併用を2～3週行うことが推奨されている[5]．心内膜炎や脊椎炎においては長期の治療が必要である．

ワクチンは家畜には用いられているが，副作用が強いのでヒトには応用されていない．現段階では動物の感染をコントロールすることが優先される．

〔大石　毅〕

■文献 (e文献 6-3-4-18)

Bosilkovski M, Krteva L, et al: Brucellosis in 418 patients from the Balkan Peninsula; exposure-related differences in clinical manifestations, laboratory test results, and therapy outcome. *Int J Infect Dis.* 2007; **11**: 342.

Doganay, M, Aygen B, et al: Human brucellosis; an overview. *Int J Infect Dis.* 2003; **7**: 173.

(19) バルトネラ感染症 (bartonellosis)

ヒトに感染症を引き起こすバルトネラ属種はこれまで10菌種報告されているが，重要なものは *Bartonella henselae*，*B. quintana* と *B. bacilliformis* の3種である．Gram染色では染まりにくく陰性で表現され，Warthin-Starry銀染色で暗緑色に染まる．培養速度が遅く，少なくとも7日間の培養を必要とする．各菌種の同定は16SリボソームRNA解析によって行われる．ヒトに感染症を起こすバルトネラ属は共通して血管内皮細胞に侵入して血管腫を起こす．また血液培養陰性心内膜炎の重要な原因菌の1つである[1]．

a. 猫ひっかき病 (cat-scratch disease：CSD)
定義・概念・病因・疫学

B. henselae がおもな原因菌であるが，近年 *B. clarridgeiae* も原因での1つであることが明らかとなった．ネコが重要なリザーバーで，保菌ネコのひっかき傷や咬傷で感染するが，まれに同菌を保有するイヌやノミからも感染する．ネコ－ネコ間の感染伝播にはネコノミ (*Ctenocephalides felis*) が重要なベクターとなる (Bassら, 1997)．

世界中に広く分布し，秋から冬にかけて発症することが多い．日本において本症の全国統計はないが，動物由来感染症として臨床現場で遭遇する機会は少なくない．

細菌学的特徴・病態生理

本症の病態生理はまだ不明な点がある．*B. henselae* および *B. clarridgeiae* はネコにおいては血液から分離されるが，不顕性感染と考えられている．一般的に *B. henselae* はヒトが感染すると，内皮細胞に侵入し局所のリンパ節腫脹が持続するが，予後は良好である．

臨床症状

典型的なCSDの経過としては，ネコによる受傷から3～10日後に受傷部位の皮膚に小水疱，紅斑，発丘疹（primary inoculation lesion）が出現し1～3週間持続する．その後受傷部位の所属リンパ節腫脹がみられる．リンパ節腫脹はときに鶏卵大以上にも達する．皮膚表面は発赤し疼痛を伴うことが多い．多くは片側性で，腋窩部，鼠径部，頸部の順に多い．リンパ節腫脹は数週間で治癒する．38℃以上の発熱を認めることがあるが数日で解熱する．全身倦怠感や頭痛，関節痛なども解熱とともに自然軽快する．まれに合併症として，Parinaud症候群，心内膜炎，脳炎，視神経網膜炎，肝機能障害，血小板減少性紫斑病の報告がある (Bassら, 1997)．

一方で，進行したHIV感染者においては，上記のほか，皮膚にKaposi肉腫に似た細菌性血管腫 (bacillary angiomatosis) や肝臓，脾臓に細菌性紫斑病 (bacillary peliosis)，さらに菌血症や骨炎など重篤化することが知られている[2]．

診断・検査所見

診断には，ネコとの接触歴とリンパ節腫脹が重要である．末梢血血液検査では白血球増加，CRP上昇などの炎症所見を示す．血清学的診断もなされるが，ほかのバルトネラやクラミジア，コクシエラとの交差反応性がある．病理組織では，炎症性肉芽腫を呈するも特異的でない．Warthin-Starry銀染色が陽性となるが菌種の特定はできない．組織からの本菌の分離は困難である．血液，組織や拭い液からPCR法にて本菌を証明することは有用な診断法となりうる．

鑑別診断

感染症としては抗酸菌感染症，トキソプラズマ症，細菌性リンパ節炎 (*Streptococcus aureus* や *Streptococcus* sp.)，ノカルジア症，ウイルス感染との鑑別を要する．非感染性疾患では悪性疾患のほか菊池病やサルコイドーシスも鑑別に入れる．

治療・予防

免疫正常者で中等度までのリンパ節腫脹には無治療でよいとの意見[3]もあるが，早期の抗菌薬投与により症状の軽減や病期の短縮が期待できる．抗菌薬はマクロライド（アジスロマイシン，クラリスロマイシン），リファンピシン，ニューキノロン，ST合剤，テトラサイクリンが有効である．

b. 塹壕熱 (trench fever)
定義・概念・病因・疫学

B. quintana および *B. henselae* を起炎菌とする急性感染症である．*B. quintana* はヒトが唯一の感染動物

である．ベクターであるヒトシラミの排泄物が皮膚の擦過傷や結膜に接触することで伝播する（Foucaultら，2006）．第2次世界大戦中の塹壕で流行したことが名前の由来であるが，その後は世界の複数の地域で散発的に発生していた．1990年代からは欧米で再び増加し，その中心は路上生活者や慢性アルコール中毒者である[4]．HIV感染者が本症を発症すると重症化することがある．

臨床症状

古典的な塹壕熱では，2～4週間の潜伏期間の後，発熱，下腿骨の痛み，頭痛，脾腫と，ときに麻疹に似た発疹で発病する．発熱と解熱がほぼ5日の間隔をおいて繰り返される（5日熱ともよばれる）[5]．現代のB. quintana感染は非HIV感染者においては古典的塹壕熱と同じだが，HIV感染者では細菌性血管腫症を起こし，菌血症に心内膜炎を合併すると予後不良となる．

診断・検査所見

血液からの病原体の分離は確定診断となるが，培養が難しいため，PCR法や血清学的診断を組み合わせて診断する．血清診断は間接蛍光抗体法（IFA）や酵素抗体法（EIA）が用いられるが，近縁の菌との交差反応性がある．

治療・予防

本症に対する最適な治療薬に関する知見は少ないが，テトラサイクリン（ドキシサイクリン）にアミノグリコシド（ゲンタマイシン）を加えた治療が有効である[6]．

c. 南米バルトネラ症（South American bartonellosis）
（Oroya熱，Peru疣症，Carrion病）

定義・概念・病因・疫学

*Bartonella bacilliformis*による感染症であり，ヒトが唯一の感染動物である．南米アンデス山脈域（ペルー，コロンビア，エクアドル）の風土病である．本症はサシチョウバエ属の吸血昆虫により媒介伝播される．発熱と貧血を主とする急性期のOroya熱と慢性感染となり血管腫様皮膚病変のPeru疣症（verruga peruana）の二相性を呈する疾患である．両者を合わせてCarrion病とよぶ．

細菌学的特徴・病態生理

*B. bacilliformis*は複数の鞭毛をもち，ヒトの赤血球内に侵入し，溶血性貧血を起こす．さらに慢性期には血管内皮細胞に侵入し，内皮の増殖と血管新生により血管腫様の小結節を形成する．

臨床症状

潜伏期間は1～30週（平均8週）で，軽い発熱や頭痛で始まり溶血性貧血，肝脾腫，リンパ節腫脹を認める．急性期は2～4週続き，早期に治療を受けた場合は回復するが，無治療の場合の死亡率は90％近い[7]．Oroya熱患者の最大で70％に感染性あるいは非感染性の合併症を発症する．合併する感染症はサルモネラなどの腸内細菌や真菌，マラリアなどでありいずれも重篤化する．非感染性合併症としては全身浮腫，神経学的症状，眼症状，心血管合併症などがある．特に心合併症は重要である．Peru疣はOroya熱から回復した2～8週後にみられるが，大部分は発熱の先行がなく発症する．疣は通常は皮膚に丸く，3mm以下の小さくやわらかい乳頭状の特徴的な疣であるが，無治療では5mm以上の結節となる．

診断・検査所見

Oroya熱の急性期には70％が血液培養陽性となるが，*B. bacilliformis*は発育が遅いため培養陽性までは14日以上かかる．Peru疣は特徴的な臨床徴候あるいは生検によって診断される．慢性期の血液培養陽性率は10～15％にとどまる．

鑑別診断

初期はデング熱やマラリア，レプトスピラなどとの鑑別を要する．消化器合併症においては二次感染との鑑別が必要である．

治療・予防

Oroya熱に対しては，クロラムフェニコールとβ-ラクタム系などの併用やフルオロキノロンが有効である．重症例ではフルオロキノロンとセファロスポリンの併用が有用である．一方でPeru疣に対してはマクロライド（アジスロマイシン）が選択される（Minnickら，2014）．

〔大石　毅〕

■文献（e文献6-3-4-19）

Bass JW, Vincent JM, et al: The expanding spectrum of *Bartonella* infections; II. Cat-scratch disease. *Pediatr Infect Dis J*. 1997; **16**: 163.

Foucault C, Brouqui P, et al: *Bartonella quintana* characteristics and clinical management. *Emerg Infect Dis*. 2006; **12**: 217.

Minnick MF, Anderson BE, et al: Oroya fever and verruga peruana; bartonelloses unique to South America. *PLoS Negl Trop Dis*. 2014; **8**: e2919.

（20）バクテロイデス属を含む無芽胞嫌気性菌感染症
（nonsporulating anaerobic infection）

定義・概念

バクテロイデス属などの無芽胞嫌気性菌によって引き起こされる感染症である．好気性菌との複数菌感染症の形態をとることが多い．

原因・病因

嫌気性菌感染症は，皮膚や粘膜のような正常な物理的バリアに，ある種の外傷が加わったことが契機となり発症する．その際に，嫌気性菌は，通性嫌気性菌とともに物理的バリアをこえて組織の奥深く侵入する．

表 6-3-11 無芽胞嫌気性菌感染症と分離頻度が高い菌種

感染症	分離頻度が高い代表的な嫌気性菌
放線菌症	アクチノミセス属，ある種のプロピオニバクテリウム属（*P. propionicus*），ある種のエガーセラ属など
菌血症	バクテロイデス属，フソバクテリウム属，嫌気性球菌などが多い．レプトトリキア属，カプノサイトファガ属などもある．
脳膿瘍	プレボテラ属，フソバクテリウム属，嫌気性球菌など
口腔あるいは歯科領域感染症	嫌気性球菌，ポルフィロモナス属，プレボテラ属，フソバクテリウム属，エガーセラ属など
耳鼻咽喉科領域感染症（慢性中耳炎，慢性副鼻腔炎，扁桃腺炎など）	プレボテラ属，嫌気性球菌，フソバクテリウム属，プロピオニバクテリウム属，アクチノミセス属など
心内膜炎	バクテロイデス属，フソバクテリウム属，嫌気性球菌，プロピオニバクテリウム属など
眼科領域感染症	嫌気性球菌，プロピオニバクテリウム属など
嚥下性肺炎，膿胸，肺膿瘍	バクテロイデス属，ポルフィロモナス属，嫌気性球菌，フソバクテリウム属，アクチノミセス属，ビフィドバクテリウム属，ストレプトコッカス属など
肝膿瘍	バクテロイデス属，フソバクテリウム属など
壊疽性虫垂炎，腹膜炎，腹腔内膿瘍，消化管手術後感染症，消化器の穿孔などに続発する感染症など	バクテロイデス属，フソバクテリウム属，バイロフィラ属，嫌気性球菌など
子宮内膜炎，卵管・卵巣膿瘍，Bartholin腺膿瘍，細菌性膣症	嫌気性球菌，プレボテラ属，バクテロイデス属など
肛門周囲膿瘍	バクテロイデス属，フソバクテリウム属，嫌気性球菌など

代表的な嫌気性球菌には，ペプトストレプトコッカス属，ペプトニフィルス属，パルビモナス属，ファインゴルディア属などがある．

ヒトや動物による咬傷，誤嚥があった場合，抜歯後，口腔，泌尿・生殖器，消化器などの手術後感染の過程には常に嫌気性菌が関与している可能性を考えるべきである．嫌気性菌活性が低い抗菌薬使用中の感染遷延症例も嫌気性菌の関与を強く考慮する．

嫌気性菌は粘膜の破綻などを契機に好気性菌との混合感染（複数菌感染）として感染症を発症することが多い．好気性菌による感染症の感染部位では，酸素分圧が低下，酸化還元電位の低下が認められ，嫌気性菌による感染症が惹起されやすい状況となる（二相性感染）．

Bacteroides fragilis については e コラム 1 を参照．

疫学

表 6-3-11 に無芽胞嫌気性菌感染症と分離頻度が高い菌種を示した．

診断

嫌気性菌の分離には，適切な検査材料の採取，輸送および処理が重要である．正常細菌叢の細菌が混入しないように，皮膚粘膜を十分消毒した後，できるかぎり滅菌綿棒を使用せず，針とシリンジで採取するのが基本である．また，輸送にはやむを得ずスワブ検体では必ず嫌気性菌輸送容器を使用し，採取後遅くとも 2 時間以内に検査室に届いていることを確認する．検査室では，材料の培地への接種を可能であれば嫌気性環境下で実施する．

嫌気性菌の分離については e ノート 1 を参照．

治療

嫌気性菌感染症へのアプローチは，①膿瘍のドレナージや壊死組織のデブリドマンなどにより嫌気性菌が増殖できない環境をつくる，②好気性菌との複数菌感染が多いため，両者に活性を有する抗微生物薬を用いて感染の周囲への進展および遠隔部位への拡散を防止するなどが基本となる．

1）嫌気性菌感染症の治療の原則： 嫌気性菌感染症の治療法の原則を以下に示す．

a）嫌気性菌が増殖できない環境をつくる：壊死組織の除去（デブリドマン），排膿，閉塞機転の除去，組織の圧迫からの解放，ガスの除去，循環の改善などがあげられる．高圧酸素療法による組織の酸素化も実施される場合がある．

b）嫌気性菌が健康な周囲の組織あるいは遠隔の組織へ拡大するのを防ぐ：抗菌化学療法は前述の目的を達成するために有効な方法である．毒素が存在する場合には毒素を中和する目的で特異抗毒素が有効となる．

2）抗嫌気性菌化学療法： 一般的に，嫌気性菌培養結果が得られるまで 3〜5 日を要するため，経験的抗菌薬療法を開始する．外科的壊死組織切除および排膿が十分に施されている場合には，一般的に嫌気性菌の病原性が低いこともあり，混合感染している細菌種の一

部が抗菌薬耐性であっても奏効することがある.

　嫌気性菌はアミノ配糖体を除き，菌種にもよるが，一般的に，ペニシリン系薬(特に，β-ラクタマーゼ阻害薬配合ペニシリン系薬)，セファマイシン系薬，マクロライド系薬，一部のキノロン系薬，クリンダマイシン，ミノサイクリン，メトロニダゾールに感受性が高い.

　バクテロイデス属は，ほとんどがβ-ラクタマーゼを産生し，セファマイシン系薬，オキサセフェム系薬，カルバペネム系薬を除いたβ-ラクタム系薬に強い耐性傾向を示す. *Bacteroides. fragilis* グループに対するクリンダマイシンやセフメタゾールの耐性率は30〜50％以上と高くなっている. このほか，β-ラクタム系薬以外にテトラサイクリン，マクロライド系薬，キノロン系薬の多くの薬剤にも耐性も増加している. *B.thetaiotaomicron* などの *B. fragilis* 以外の菌種(non-*B.fragilis*)は *B. fragilis* よりも元来耐性傾向が強く， *B. fragilis* グループは薬剤耐性の観点から *B. fragilis* と non-fragilis *Bacteroides* 属に区別すべきである. *B. fragilis* はときにみられる高度耐性株を除き，セファマイシン系薬に感性であるが，non-fragilis *Bacteroides* 属は多くが耐性である. 経験的治療を行う際に，これらの菌群に対して抗菌力が期待できる薬剤はカルバペネム系薬，β-ラクタマーゼ阻害薬配合型β-ラクタム系薬，メトロニダゾール，抗嫌気性キノロン系薬の一部である. 最近では， *B. fragilis* において，メタロβ-ラクタマーゼ産生によるカルバペネム耐性菌も報告されている. プレボテラ属についてはⓔノート2も参照.

〔三鴨廣繁〕

■文献

Japanese Society of Chemotherapy Committee on guidelines for treatment of anaerobic infections, Japanese Association for Anaerobic Infection Research: Drug-resistant anaerobes. *J Infect Chemother*. 2011; **17**: 162-4.

日本臨床微生物学会検査法マニュアル作成委員会，嫌気性菌検査ガイドライン委員会：嫌気性菌検査ガイドライン2012. 日本臨床微生物学雑誌. 2012; **22**: 1-142.

Takesue Y, Watanabe A, et al: Nationwide surveillance of antimicrobial susceptibility patterns of pathogens isolated from surgical site infections (SSI) in Japan. *J Infect Chemother*. 2012; **18**: 816-26.

6-4　抗酸菌症

1）結核 tuberculosis

定義・概念

　結核はおもに結核菌(*Mycobacterium tuberculosis*)により引き起こされた感染症である. 日本は依然として結核の中蔓延国であり，あらゆる診療科で遭遇する可能性があり，結核については十分な知識を習得しておく必要がある.

原因・病因

　抗酸菌(マイコバクテリウム属，*Mycobacterium*)のなかにヒト結核症を起こしうる結核菌群(結核菌，ウシ型抗酸菌，ネズミ型抗酸菌，アフリカ型抗酸菌)がある. 日本の結核症のほとんどは結核菌により引き起こされている.

疫学

　日本の2014年の結核罹患率は人口10万対15.4となり，減少のスピードもやや速まっているが，欧米先進国の結核罹患率が3〜6前後の現状と比較すると依然として高率であり(図6-4-1)，年間約2万人の結核患者が新たに登録されている(結核予防会，2015). 日本は結核の中蔓延国である.

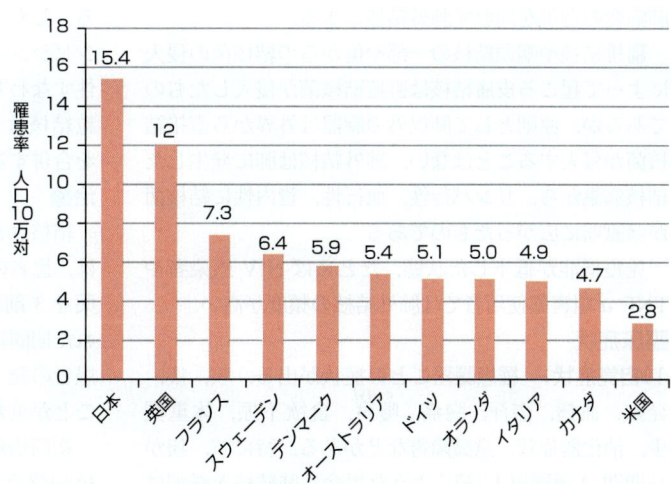

図6-4-1　諸外国と日本の結核罹患率(結核予防会，2015より作成)
日本は2014年データ. ほかは2013年データ. 日本の2014年の結核罹患率は人口10万対15.4であり，欧米先進国の結核罹患率3〜6前後と比較すると依然として高率であり，日本は結核の中蔓延国である.

日本の結核患者の特徴は高齢者が多く，若年者では外国人結核が増加していることである．新登録結核患者のうち70歳以上の患者が占める割合は58.2%に達し，80歳以上は37.7%を占めている（結核予防会，2015）．また，外国出生者の新登録結核患者数は増加傾向にあり，特に若年層の新登録患者における外国出生者の割合が大きく，20歳代では新登録結核患者の43%が外国出生者である（結核予防会，2015）．

結核の中蔓延国である日本では，長引く咳や胸部異常影のある症例では喀痰の抗酸菌培養検査を日にちを変えて3回必ず行うべきである．

病理
結核性病変は病期により変化を示し，滲出性反応，繁殖性反応，増殖性反応，硬化性反応という流れを呈する．典型的な所見は，類上皮細胞性肉芽腫である．

病態生理
1) 結核の感染様式： 結核患者の咳やくしゃみにより，結核菌を含んだ飛沫が空気中に飛散し，これらの飛沫は乾燥して水蒸気を失うと内部にあった菌体が空中に浮遊することになる．これを飛沫核といい，飛沫核が吸入されることによって結核感染が成立する．いわゆる飛沫核感染（空気感染）である．

2) 結核は全身の臓器に発症しうる： 結核感染は飛沫核感染により成立するので，結核病変の代表は，肺結核である【⇨ 9-2-5】．

肺あるいは気管支以外の臓器を主要罹患臓器とする結核症および粟粒結核を肺外結核という．このなかには，従来便宜的に肺結核に含めてきた結核性胸膜炎，胸腔内リンパ節結核，孤立性気管または気管支結核，結核性喉頭炎なども含まれる．肺結核と肺外結核が合併したときには肺結核とする．粟粒結核（*e*コラム1）は結核菌が血行性に全身に播種した重症結核であり，肺病変の合併を問わず肺外結核とする．

扁桃結核や咽頭結核の一部や傷からの結核菌の侵入によって起こる皮膚結核は直接結核菌が侵入したものであるが，原則として肺以外の臓器は外界から直接結核菌が侵入することはない．肺外結核は肺に発生した結核病巣から，リンパ行性，血行性，管内性に結核菌が諸臓器に広がったものである．

免疫機能が低下した状態，たとえばHIV感染者やTNF-α阻害薬使用者では肺外結核の頻度が高い．

臨床症状
1) 自覚症状： 罹患臓器ごとの症状が出る．咳，痰，発熱，血痰，盗汗，胸痛，嗄声，食欲不振，体重減少，消化器症状，意識障害などがある．特に咳，痰が長期間（2週間以上）続くような場合は肺結核を鑑別に入れるべきである．

2) 他覚症状： 罹患臓器ごとの所見がある．肺結核であれば，呼吸音の異常，頸部リンパ節結核であれば頸部のリンパ節の発赤・腫脹および自潰，髄膜炎であれば髄膜刺激所見などを認める．

検査所見
炎症反応は陽性となるが，罹患臓器ごとに異常所見を認める．重症肺結核では低酸素血症，胸膜炎であれば胸水中のADA高値，粟粒結核ではALP高値などである．

診断
肺結核の診断は痰の塗抹・培養検査において結核菌を検出することにより確定する【⇨ 9-2-5】．喀痰検査で結核菌を検出できない場合は，胃液検査あるいは気管支鏡検査を行う．肺外結核では，罹患臓器から得られた検体（胸水，腹水，脳脊髄液，生検組織など）の塗抹培養検査で結核菌を確認する必要がある．菌の同定には，結核菌の核酸増幅法が汎用されている．結核菌の感受性検査は必ず行われなければならない．感受性検査の結果は治療経過に大きな影響を及ぼすからである．

鑑別診断
罹患部位ごとに鑑別が必要になる．肺結核では，結核病変と類似の所見を呈する肺炎，肺膿瘍，肺腫瘍，肺真菌症，過敏性肺炎，転移性腫瘍，心不全，サルコイドーシスなどとの鑑別が必要である．気管支結核と喘息，喉頭結核と喉頭腫瘍，高齢者の肺結核と誤嚥性肺炎，脊椎カリエス（*e*コラム2）と骨粗鬆症・脊椎炎，腸結核（*e*コラム3）と腸炎・Crohn病・腫瘍，関節結核と関節炎，脳結核と脳腫瘍，女性性器結核と卵巣・子宮体腫瘍，頸部リンパ節結核と転移性腫瘍との鑑別が必要になることがある．

経過・予後
結核菌が感受性結核菌であり，副作用がなく，決められた期間の服薬が行われれば，順調に治癒が得られる．しかし，副作用でイソニアジド（INH），リファンピシン（RFP）が使用できない場合，あるいは両剤耐性すなわち多剤耐性菌の場合は，治療に難渋する．粟粒結核はもともと重症結核であるが，DICやARDSを合併すると，さらに予後不良となる．

治療
結核患者の体内に生存する結核菌を撲滅するためには，患者の結核菌に有効な，作用機序の異なる抗結核薬を3剤以上組み合わせた多剤併用療法を，決められた期間継続して投与する必要がある．多剤耐性結核患者の発生を抑止するためには治療を確実に完遂することが重要である．

初回治療患者の標準療法は次の2法である（日本結核病学会治療委員会，2014）．（A）法：RFP＋INH＋ピラジナミド（PZA）にストレプトマイシン（SM）[またはエタンブトール（EB）]の4剤併用で2カ月間治療後，RFP＋INHで4カ月間治療．（B）法：RFP＋

INH + SM (or EB) で 2 カ月間治療後, RFP + INH で 7 カ月間治療.

新しい治療薬デラマニドについては e コラム 4 を参照.

予防

現時点の BCG 接種の評価としては, 小児における結核性髄膜炎や粟粒結核などの重症結核に対しては高い効果があり, 肺結核でも 50% 発病を予防する (Colditz ら, 1994) というものである. しかし, 世界保健機関 (WHO) は, 「結核の罹患率や有病率が高い国においては, 生後可能な限り早い時期に BCG 接種を実施するべきであるが, BCG の再接種は推奨しない」としている (1995 年). 現在, 日本では乳幼児期に BCG の直接接種が行われている.

喀痰塗抹陽性結核患者と最近接触があった者や胸部 X 線上明らかな陳旧性結核の所見がある者のなかで, ツベルクリン反応またはインターフェロン-γ (IFN-γ) 遊離測定法 (interferon-γ release assay : IGRA) (e コラム 5) が陽性で結核の化学療法を受けたことがない者に対して, INH の投与が行われることがある.

潜在性結核感染症 (LTBI) については e コラム 6 を参照.

〔永井英明〕

■文献

Colditz GA, Brewer TF, et al: Efficacy of BCG vaccine in the prevention of tuberculosis. Meta-analysis of the published literature. JAMA. 1994; 271: 698-702.
結核予防会: 結核の統計 2015, 結核予防会, 2015.
日本結核病学会治療委員会: 「結核医療の基準」の見直し—2014 年. 結核. 2014; 89: 683-90.

2) 非結核性抗酸菌症
nontuberculous mycobacteriosis : NTM

定義・概念

NTM は, 細胞内 (マクロファージ) 寄生菌であるマイコバクテリウム属のうち, 結核菌群とライ菌を除く培養可能なものを指す. NTM 症は類上皮細胞からなる肉芽腫を形成し, 慢性経過をたどる消耗性疾患である (Griffith ら, 2007).

原因・病因

NTM は固形培地に発育するコロニーの生物学的性状 (色調, 光沢, 光刺激に対する呈色反応など) により分類される (表 6-4-1)[1]. 遺伝子解析技術の進歩により現在約 170 種が知られているが[2], ヒトに病原性を呈する菌は約 20 種類である (表 6-4-1)[3,4].

NTM は自然界や環境 (土壌, 水系) に常在し (表 6-4-2), ヒトへの感染経路としては経気道のほか, 経腸管あるいは経皮や局所への直接感染もあるが菌種により差異を認める[5,6]. NTM は貪食細胞に取り込まれるが, ①食胞とリソソームとの融合阻害, ②食胞内の pH 低下抑制による食胞内の酵素活性低下, ③活性酸素や NO を介する殺菌作用回避, などの機序により食胞内で持続感染する[6]. またヒトには存在しないミコール酸や結核菌群には含まれない glycopeptidolipid (GPL) などの細胞壁に含まれる特殊な脂質成分に対する免疫反応により特徴的な病理像が形成される[5-7]. また自然環境では細胞内だけでなくバイオフィルムを形成しそのなかで生息する[5]. また最近抗酸菌の細胞内感染にかかわるヒト細胞の受容体が発見され, 抗酸菌感染症の病態のさらなる解明が進め

表 6-4-1 Runyon 分類とヒトに病原性を有する代表的な菌種 (齊藤 肇: 抗酸菌の同定. 新結核菌検査指針 2000, 結核予防会, 2000 より改変)

Runyon 分離による抗酸菌群分類		病因となる主要菌種	まれに病因となる菌種
遅発育菌	Ⅰ群 光発色菌	M.kansasii M. marium	M.simiae
	Ⅱ群 暗発色菌		M.scrofulaceum M. gordonae M. szulgai
	Ⅲ群 非光発色菌	M.avium M. intracellulare M. xenopi	M.nonchromogenicum M. terrae
迅速発育菌	Ⅳ群	M.fortuitum M. chelonae M. abscessus M. massiliense	M.peregrinum

・遅発育菌: コロニー形成に 7 日以上
　Ⅰ群: 光発色菌 光を当てることにより黄色に発色
　Ⅱ群: 暗発色菌 暗所培養でも黄色, 橙色に発色
　Ⅲ群: 非発光色菌 灰白色, 光を当てながら培養して着色する菌もある
・迅速発育菌: コロニー形成に 7 日以内
　Ⅳ群

表 6-4-2 疫学的解析からみた非結核性抗酸菌の特徴 (Falkinham JO Ⅲ : Clin Chset Med. 2015; 36: 35-41)

特徴	性質
不浸透性細胞膜	抗菌薬抵抗性, 消毒薬抵抗性, 金属抵抗性
疎水性細胞表面	親水性分子の取り込み減退, 抗菌薬抵抗性
抗酸性	pH 5～6 の酸性環境で生存, 胃を通って生息水系で増殖する
低い酸素要求性	酸素の乏しい環境で発育, 生物組織内で発育
広い発育可能温度域	環境中 (バイオフィルムなど) で発育
細胞内発育	アメーバやマクロファージ内で発育

られている[8,9]．

疫学
ヒトからヒトに感染しないので公衆衛生学的に注目されにくく，感染と発病の関係を含め不明の点が多い．国，地域により原因菌の頻度は異なるが[10]，肺病変が最も多い【⇨ 9-2-6】．最近わが国ではNTMによる肺感染症が増加傾向にある．その他リンパ節・皮膚・軟部組織，骨など全身に播種性の病変をつくることがあるが，疫学は不明である[10]．

臨床症状
発熱，疼痛や発症臓器に特有の病変を呈する．ホストの免疫能により発熱などの症状や所見が乏しいこともある．

診断
呼吸器感染症については【⇨ 9-2-6】．環境菌であり混入との鑑別に留意する[11]．

基本的に病変部検体の抗酸菌検査（塗抹，遺伝子検査，培養）と病理組織学的所見が重要であるが，全身播種性病変を呈する場合には抗酸菌検出用の培地を用いた血液培養を行う[12]．確定診断には病巣より採取された検体から細菌学的な証明が必要である（培養あるいは遺伝子検出）．培地や培養温度により影響を受ける菌種もあるので留意する．同定には生化学的手法があるが遺伝子プローブ法が用いられる（van Ingen, 2015）（その他の解析手法については🅔ノート1を参照）．

治療
複数の抗菌薬による併用療法を行う（Griffithら，2007；Philleyら，2015）[13,14]．使用薬剤や治療期間は菌種，病態により異なる．病状により病変部のドレナージ，外科的切除などを考慮する[15]．治療期間は最低数カ月に及ぶが，感染臓器，病態（ホストの免疫状態など），再感染の可能性などもあるため定まっていない．

特殊な病態
1）HIV感染者のNTM症： 一般的に末梢血のCD4陽性リンパ球数が50/μL以下になった進行したHIV感染者に発症する．多くは腸管より感染したMycobacterium aviumを原因菌とする[11,12]．マクロライドを基軸とするMAC症に対する治療レジメンはHIV感染者に発症した全身播種性感染症を対象に実施された無作為臨床試験に基づく[16,17]．またCD4細胞が50/μL以下に低下した高度細胞性免疫能低下時にはマクロライドの予防内服が行われる[11,12]．

2）肺外感染症： 外傷，手術（内視鏡手術を含む）やカテーテル関連感染など医療関連感染症としてのNTM感染症がある[18,19]．起因菌としてはM. forutuitm，M. abscessusなどの迅速発育菌が多い．開心術の胸骨縦切開部[20]，角膜など眼科領域の手術[21,22]，内視鏡や腹膜透析カテーテル刺入部[23]や近年では美容整形術や入れ墨などに伴う皮膚・軟部組織感染症が指摘されている[24-27]．また病院飲料水を介する集団発生なども報告されている[28]．魚類や熱帯魚の水槽を扱う者に多い皮膚・軟部組織感染症がありM. marinumを原因菌とするものが多い．本菌は発育温度が低いので培養時には留意する[28]．特殊な皮膚・軟部組織感染症としてBruli潰瘍がある[29]．これはM. ulceranceやその近縁種であるM. ulcerans subsp. shinshuenseを原因菌とし，裸露部である上下肢，顔面の皮膚病変を主症状とし，熱帯，亜熱帯で蔓延するがわが国でもみられる．細胞傷害性および免疫抑制作用を有する外毒素（マイコラクトン）が病態に関与し，神経Schwann細胞の傷害により伝導障害をきたし疼痛が乏しい[30]．

3）免疫低下状態におけるNTM症[12]： 生物製剤，特にTNF-α阻害薬使用に伴う呼吸器系だけでなく皮膚，軟部組織など肺外NTM感染症が報告されている[31]．わが国では集積症例の検討により[32-33]，2014年6月以降の日本リウマチ学会のTNF-α阻害薬使用ガイドラインではNTM感染症は必ずしもTNF-α阻害薬は禁忌ではなくなった[34]．固形癌，臓器移植，骨髄移植などにもNTM感染症の合併が報告されている[12]．

4）免疫不全に伴うNTM感染症： 抗酸菌に対する免疫応答を司るMendel遺伝様式に従うIFN-γ/IL-12免疫軸の先天的な異常により正常な肉芽腫形成能が低下し，幼少時より重症のNTM感染症を呈し，mendelian susceptibility to mycobacterial disease（MSMD）と称される[12,35]．また，後天的に産生されたIFN-γに対する自己抗体によるIFN-γ/IL-12免疫軸の抑制に伴う成人発症の播種性のNTM感染症が注目されている[36,37]．アジアで生まれ成長したアジア系の女性に多いとされている．

〔長谷川直樹〕

■文献（🅔文献6-4-2）

Griffith DE, Aksamit T, et al: An official ATS/IDSA Statement : Diagnosis, treatment, and prevention of nontuberculous mycobacterial diseases. *Am J Respir Crit Care Med*. 2007; 175: 367-416.

Philley JV, Griffith DE: Treatment of slowly growing mycobacteria. *Clin Chest Med*. 2015; 36: 79-90.

van Ingen J: Microbiological diagnosis of nontuberculous mycobacterial pulmonary disease. *Clin Chest Med*. 2015; 36: 43-54.

3）Hansen病

定義・概念
Hansen病は*Mycobacterium leprae*感染によって惹起される慢性疾患であり，おもに皮膚および末梢神経

に病変形成される．*M. leprae* は 1873 年に Hansen によって発見された抗酸菌の一種であり，本疾患名の由来となっている．多剤併用療法が有効であり，臨床的治癒を得ることが可能である．

分類

WHO 分類では，多菌型（multibacillary：MB）と少菌型（paucibacillary：PB）に分類する．WHO 分類は簡明で診断と治療が一体化されており，日本を含め世界中で広く用いられている．各病型に対する標準治療法の治療実績も蓄積されている．Ridley-Jopling 分類は臨床像と病理所見に基づいて，結核腫型，らい腫型，境界型，分類不能型などに細分類するものであり，宿主の免疫状態を反映する．

疫学

WHO の Hansen 病制圧計画により，新規患者数は経年的に減少しているが，2011 年度には今なお約 22 万人の新規患者が発生している．現在の日本国内での新規患者数は年間数名程度と大幅に減少しているが，海外での感染が推測される事例が散発的に発生している．

病態生理

M. leprae は結核菌と比較すると病原性の弱い抗酸菌である．試験管内での培養はできない．DOPA オキシダーゼを有する点がほかの抗酸菌と異なる．感染源は未治療患者の飛沫，鼻汁，皮疹滲出液，などであり，感染経路は飛沫感染および接触感染が推定されている．おもに乳幼児期に感染が成立するものと考えられており，数年～数十年を経て発病する．感染者のほとんどは不顕性感染であり，発病率は低いものと推定されている．

宿主の免疫状態によって多様な病態を呈する．結核腫型は宿主 T リンパ球の反応が強く病変数および菌数が少ない．らい腫型は T リンパ球の反応性が弱く病変の広がりが大きく菌数が多い．

臨床症状

Hansen 病は多彩な皮膚症状と末梢神経障害を呈する．皮膚の白斑または紅斑，皮疹部の知覚脱失または低下，手足の知覚異常，手足および眼瞼の運動低下，末梢神経の疼痛や圧痛，末梢神経の肥厚，顔面や耳朶の腫脹，などがみられる．皮膚温痛覚の低下により，手足の無痛性外傷や熱傷を合併することがある．

診断

①知覚の障害を伴う皮疹，②末梢神経の肥厚や運動障害，③ *M. leprae* の検出，④病理組織学的所見，に基づいて診断がなされる．病変部位から得られた臨床検体の抗酸菌染色は非特異的であり，*M. leprae* の特定には D-DOPA オキシダーゼ活性測定，PCR 法による特異的 DNA 検出法，などが用いられる．

補助診断として，*M. leprae* の菌体成分である PGL-1 に対する血清抗体測定が用いられる．多菌型で陽性率が高い．

鑑別診断

表在性真菌感染症，ほかの抗酸菌感染症，乾癬，全身性エリテマトーデス，サルコイドーシス，などが類似の病変を呈する場合がある．

治療

リファンピシン（RFP），ジアフェニルスルホン（DDS），クロファジミン（CLF）の 3 剤を用いた多剤併用が標準治療である．標準治療法の治療期間は病型によって異なり，6 カ月間（少菌型）～2 年間（多菌型）である．代替薬としてはオフロキサシンなどのキノロン系薬，ミノサイクリン，クラリスロマイシンがある．

経過・予後・合併症

四肢や眼に恒久的な末梢神経障害および関連する身体障害を残す場合がある．早期診断および多剤併用療法の早期導入により，後遺症のリスクは減少する．

本症の治療中および治療後にも破壊された菌体に対するアレルギー反応として急性の炎症性変化がみられることがあり（らい反応），反応の制御と症状緩和にステロイドなどが用いられる． 〔比嘉 太〕

■文献

日本ハンセン病学会：ハンセン病治療指針（第 3 版）．日本ハンセン病学会誌．2013; 82: 141-82.

6-5 真菌症

1） カンジダ症
candidosis, candidiasis

概念

酵母に分類される *Candida albicans*, *C. glabrata*, *C. tropicalis*, *C. parapsilosis*, *C. krusei* などのカンジダ属菌による感染である．このうち *C. albicans* が最も多く検出されるが，近年は non-*albicans* Candida（*C. albicans* 以外のカンジダ属菌）が増加しつつある．*C. albicans* は感染すると酵母から仮性菌糸を伸ばし，糸状菌に類似した形態を示し，このような真菌を二形成真菌という．カンジダ症は日常臨床でよくみられる

真菌症である一方，わが国における病理学的な検討では，剖検された症例で深在性真菌症の頻度としては，アスペルギルス症についで多い．

感染経路・病態・病型

皮膚粘膜カンジダ症(表在型)と内臓カンジダ症(深在型)とに大別される．カンジダ属菌は口腔内，腸管内，膣内，皮膚などの常在菌として生息しており，C. albicans は健常人でも半数近くで検出される．一方，non-albicans Candida は高度の免疫低下宿主や重症患者などにおいて検出されやすい特徴がある．カンジダは皮膚・粘膜バリアの破綻，細胞性免疫の低下，好中球の減少や機能低下などにより感染を呈する．

1) 皮膚粘膜カンジダ症(表在型)：鵞口瘡(thrush)ともよばれる口腔カンジダ症(oral candidiasis)，食道の粘膜に感染する食道カンジダ症(esophageal candidiasis)，外陰膣炎，亀頭炎，乳腺炎などがある．まれな特殊な病態として，カンジダが皮膚，粘膜に慢性的・持続的に感染する慢性粘膜皮膚カンジダ症(chronic mucocutaneous candidiasis：CMCC)がある．食道カンジダ症は HIV 感染に伴う感染症として重要で AIDS の指標疾患の1つである．

2) 内臓カンジダ症(深在型)：カンジダが血流内に侵入しカンジダ血症(candidemia)を呈し，あらゆる実質臓器に播種性病変を形成する．おもな罹患臓器は，腎臓，心臓，肝臓，脾臓，肺，眼，皮膚などである．感染経路は，中心静脈カテーテルなどの血管内留置カテーテルを介して皮膚から感染する場合と，腸管に常在しているカンジダが基礎疾患の治療により破綻した腸管粘膜から感染する2つの経路がある．カンジダ血症のリスクは，日和見状態の患者や集中治療を要する患者で高い．また，慢性播種性カンジダ症(肝脾膿瘍)は，ほとんどが急性白血病患者に発症し，好中球の回復期に顕在化することが多く，肝臓や脾臓に孤立性，または多発性のカンジダ小膿瘍を形成する．

臨床症状・検査所見・診断

口腔カンジダ症や食道カンジダ症では口腔内や食道に白色の隆起性病変がみられる．口腔カンジダ症では，口内痛や味覚障害，食道カンジダ症では嚥下痛，嚥下困難などが認められる．カンジダ血症や播種性カンジダ症は，一般抗菌薬を投与しても解熱が得られないことをきっかけに診断されることが多く，各臓器に応じた諸症状を呈する．カンジダ血症では眼内炎も多く，失明に至る場合もある．診断は血液などをはじめとした臨床検体からのカンジダの培養・同定，病理組織などにより行う．血清を用いたカンジダ特異抗原の検出や(1→3)-β-D-グルカン測定も有用であるが，後者はカンジダ症に特異的ではないことに留意する．

治療

カンジダ症には，アゾール系，キャンディン系，ポリエン系抗真菌薬が有効であるが，菌種により薬剤耐性を示すことがあるので，菌種に応じた治療を行うべきである．フルコナゾールは C. albicans に対して活性を有するが，C. glabrata や C. krusei には活性が弱い．また，臓器への薬物移行も考慮する必要があり，眼内炎の治療には，キャンディン系抗真菌薬は使用しない．口腔カンジダ症や食道カンジダ症の予後はおおむね良好であるものの，カンジダ血症や播種性カンジダ症は予後不良なことが少なくない．カンジダ血症においてはカテーテル挿入が原因であれば抜去することも重要である．

〔泉川公一〕

■文献

日本化学療法学会「一般医療従事者のための深在性真菌症に対する抗真菌薬使用ガイドライン作成委員会」編：抗真菌薬使用ガイドライン，杏林舎，2009.

深在性真菌症のガイドライン作成委員会編：深在性真菌症の診断・治療ガイドライン2014，協和企画，2014.

2) クリプトコックス症
cryptococcosis

定義・概念

クリプトコックス属真菌による感染症であり，基礎疾患の有無とは無関係に発症し，健常者に起こる深在性真菌症としてわが国で最も頻度が高い．肺や皮膚から感染し全身に病変を形成するが，特に中枢神経系に播種し脳髄膜炎と診断される場合が多い．明らかな免疫不全を認めない患者の脳髄膜炎では定型的な症候を欠く場合があり診断に際し注意が必要である．結節性(e図 6-5-A)，あるいは，空洞性病変を認める肺クリプトコックス症では肺腫瘍との鑑別が必要となる．基礎疾患や免疫不全の程度により症状も治療指針も異なる．

分類

罹患部位や臓器により肺クリプトコックス症，皮膚クリプトコックス症，中枢神経系クリプトコックス症(クリプトコックス脳髄膜炎)，骨クリプトコックス症などに分類される．宿主免疫能により経過が異なるため，臨床では特に HIV 感染の有無により分類する．

原因・病因

環境に浮遊する真菌が経気道的，あるいは，創傷などのある皮膚へ感染し，中枢神経系や骨など全身に播種しうる．ヒトからヒトへの感染はない．おもな原因真菌は Cryptococcus neoformans であるが(Kwon-Chung ら，1992，；Perfect，2010；深在性真菌症のガイドライン編集委員会，2014)，従来はオセアニアや東南アジアに限定的にみられた C. gattii の北米でのアウトブレイクが報告され[1]，国内でも散発的に発生

が確認されている[2,3]．

疫学

中枢神経系のクリプトコックス症は肺クリプトコックス症のおおむね10％に合併する[4]．国内に明らかな流行地域はなく全国で診断されている．人口10万人あたり脳髄膜炎が0.1例，肺クリプトコックス症が1例程度と推計されるが，脳髄膜炎などの播種性クリプトコックス症は2014（平成26）年から全数把握疾患となり発生率は近い将来明らかになると期待される．

病理

免疫不全の程度により修飾されるが，肺感染の初期には滲出液を伴う炎症細胞浸潤がみられ肺炎像を呈することがある．細胞性免疫が正常な場合には肉芽腫が形成され病理組織検査で多核巨細胞形成がみられる．原因真菌はGrocott染色などで酵母として確認できる．脳脊髄液の直接鏡検で菌体が確認できる場合もある．cryptococcomaと称される局所腫瘤様病変が脳実質にみられる場合がある．

病態生理

肺に感染した原因真菌は肉芽の中で潜伏感染する場合があり，宿主免疫能の低下に伴い増悪や播種が起こりうる[5]．細胞性免疫が障害された宿主では，肺病変が明らかでない場合でも脳髄膜炎などの播種性病変が形成されやすい．播種の詳細な機構は不明である．脳髄膜炎では脳圧亢進が起こり，HIV感染などのある免疫不全患者では急性症状として頭痛などが自覚されやすいが，明らかな免疫不全を認めない患者では慢性脳圧亢進により症候が自覚されにくい．

臨床症状

1）**自覚症状**：罹患部位に由来する局所症状，皮疹，咳，発熱，頭痛などがみられるが，明らかな免疫不全を認めない患者は自覚症状がない場合が少なくない．

2）**他覚症状**：脳髄膜炎での性格変化などの症状を認めることがある．

検査所見

画像所見で異常が指摘されても血液検査所見は正常な場合もある．脳脊髄液では細胞数増加，糖低下，蛋白増加が認められる．脳脊髄液の墨汁法による菌体確認や（e図6-5-B），各種臨床検体から培養されれば確定診断される．有用な補助診断法として莢膜多糖成分であるグルクロノキシロマンナン（莢膜抗原）があり感度，特異度とも高いが，トリコスポロンなどの担子菌による感染では偽陽性となる．肺クリプトコックス症は胸部異常陰影として見つかることが多いが長径2cm未満では莢膜抗原が偽陰性となりやすい[6]．

診断

症候と画像所見から本症が疑われ，莢膜抗原が陽性であれば臨床診断される．真菌が培養，あるいは，病理組織で確認されれば確定診断となる（深在性真菌症のガイドライン編集委員会，2014）．

鑑別診断

肺や中枢神経系の腫瘤性病変としてみられる場合は腫瘍との鑑別が必要となる．

経過・予後

明らかな免疫異常が認められない患者では，一般に治療により寛解し予後はよい．高齢者や重篤な免疫不全の場合には治療抵抗例や予後不良例がある．

治療

肺や皮膚の病変ではアゾール系抗真菌薬で治療する．脳髄膜炎など播種性病変の場合にはアムホテリシンB製剤とフルシトシンの併用で導入療法を開始し[7]，アゾール系抗真菌薬で維持療法を行う．免疫不全状態が持続する場合には維持療法を長期，ときには生涯にわたり継続する．

〔宮﨑義継〕

■文献（e文献6-5-2）

Kwon-Chung K-J, Bennett JE: Cryptococcosis: Medical Mycology, pp397-446, Lea & Febiger, 1992.

Perfect J: *Cryptococcus neoformans*. Principles and Practices of Infectious Diseases, 7th ed（Mandell GL, Dolin R, et al eds），pp3287-303, Churchill Livingstone Elsevier, 2010.

深在性真菌症のガイドライン編集委員会：クリプトコックス脳髄膜炎．深在性真菌症ガイドライン2014，pp153-4．協和企画，2014．

3）アスペルギルス症
aspergillosis

概念

糸状菌であるアスペルギルス属菌による感染症である．原因菌として *Aspergillus fumigatus* が最も多いが，*A. flavus*，*A. niger*，*A. terreus*，*A. nidulans* などがヒトに病原性を有するとされている．いずれも自然環境中に存在しており，分生子の吸入により人に感染し，宿主の基礎疾患や免疫状態に応じて，異なる病型を呈する．わが国における病理学的な検討では，剖検された症例で深在性真菌症の頻度としては，最も多い疾患である．

感染経路・病態・病型

アスペルギルスが産生する胞子を吸入することにより経気道感染する．アスペルギルスに対する主たる免疫担当細胞は好中球であるため，さまざまな原因で好中球数が減少する，あるいは機能障害に陥ると発症する．一方で，侵入門戸である呼吸器に器質的疾患を有するとアスペルギルスが定着し慢性感染症を呈する．

病型としては，急性に進行する侵襲性肺アスペルギルス症（invasive pulmonary aspergillosis：IPA），慢性の経過をとる慢性進行性肺アスペルギルス症（chronic progressive pulmonary aspergillosis：CPPA）（図6-5-

1)，単純性肺アスペルギローマ (simple pulmonary aspergilloma：SPA)，さらにアレルギー性気管支肺アスペルギルス症 (allergic bronchopulmonary aspergillosis：ABPA) に分けられる．頻度は少ないが，全身の諸臓器にも感染を起こす播種性アスペルギルス症もある．

　IPA のリスクファクターは，好中球減少，免疫抑制薬の使用，慢性肉芽腫症などの免疫不全で，アスペルギルスが肺組織侵襲を起こし発症する．CPPA や SPA は，慢性閉塞性肺疾患，陳旧性肺結核，気管支拡張などの肺の器質的疾患，糖尿病などの基礎疾患を有する患者に発生し慢性に進行する．いわゆる真菌球 (fungus ball) を有することが多い．SPA は原則として孤立性の空洞に fungus ball が形成された疾患である．ABPA はアレルギー性疾患であり，主として拡張した気管支内に腐生したアスペルギルスに対するアレルギー反応を生じて気管支喘息様症状を呈する疾患である．

臨床症状・検査所見・診断

　臨床症状，検査所見は病型により異なる (表 6-5-1)．診断は痰，気管・気管支肺胞洗浄液 (bronchoalveolar lavage fluid：BALF) などからの菌の検出，生検材料からの病理診断によって行われる．菌種の同定は一般の医療機関では行われておらず専門機関での診断が必要であり，病理診断での診断も注意を要する．本菌は，環境中に存在するため，コンタミネーションの可能性があることに留意する．血清診断では，アスペルギルスガラクトマンナン抗原や抗アスペルギルス抗体の検出が比較的有用であり，抗原検出はおもに IPA で，抗体検出は CPPA，SPA，ABPA で有用なことが多い．非特異的であるが，$(1 \rightarrow 3)$-β-D-グルカン測定も有用である．

治療 (表 6-5-1)

　アスペルギルス症には，フルコナゾールを除くアゾール系，キャンディン系，ポリエン系抗真菌薬が有効である．IPA に対しては基礎疾患への治療と並行してボリコナゾールあるいはポリエン系抗真菌薬の積極的な投与を行う．CPPA に対しては，長期にわたる治療が必要で，治療導入としてキャンディン系，アゾール系の注射薬を使用し，病態が安定したら経口アゾール系抗真菌薬を使用する．SPA に対しては，外科的切除が推奨されるが，肺機能低下例や全身状態不良の手術不能例では，CPPA に準じた内科的治療を行う．ABPA に対してはステロイドと抗真菌薬を使用する．

〔泉川公一〕

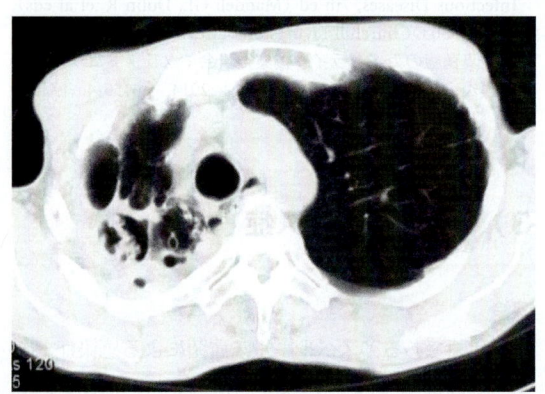

図 6-5-1　CPPA 症例の CT 所見

■文献

日本化学療法学会「一般医療従事者のための深在性真菌症に対する抗真菌薬使用ガイドライン作成委員会」編：抗真菌薬使用ガイドライン，杏林舎，2009．

深在性真菌症のガイドライン作成委員会編：深在性真菌症の診断・治療ガイドライン 2014，協和企画，2014．

表 6-5-1　肺アスペルギルス症の診断と治療

病型	おもな症状・所見	おもな胸部 X 線写真・CT 所見	おもな血清診断法	おもな治療法
侵襲性肺アスペルギルス症 (IPA)	急性の発熱，胸痛，咳，血痰，呼吸困難，胸膜摩擦音	急性に出現した結節影，空洞を伴う浸潤影，胸膜直下の楔状影，halo sign，air-crescent sign	β-D-グルカン，アスペルギルスガラクトマンナン抗原 (血清，BALF，胸水)	抗真菌薬，原疾患の治療
慢性進行性肺アスペルギルス症 (CPPA)	1 カ月以上続く咳，痰 (血痰，喀血など)，発熱，体重減少，呼吸困難	新たな空洞性陰影の出現，空洞性陰影の拡大，胸膜肥厚の進行，空洞壁の肥厚 (空洞周囲浸潤影の拡大)，鏡面形成，真菌球様の陰影の増悪	抗アスペルギルス沈降抗体	急性期は注射用抗真菌薬，維持療法として，経口抗真菌薬
単純性肺アスペルギローマ (SPA)	通常，無症状，まれに喀血など	単一の空洞，菌球	抗アスペルギルス沈降抗体	外科的切除，切除不能例では CPPA に準じる
アレルギー性気管支肺アスペルギルス症 (ABPA)	発作性呼吸困難	肺浸潤影 (一過性または固定性)，中枢性気管支拡張	抗アスペルギルス沈降抗体，血清 IgE 濃度	ステロイドと抗真菌薬

4）ムーコル症（接合菌症）
mucormycosis

定義・概念
ムーコル症は，自然界に広く分布するムーコル属（ムーコル，リゾムーコル，リゾプス，カニングハメラ）による感染症である．かつては接合菌症（zygomycosis）とよばれていたが，近年はムーコル症が用いられる．

疫学
剖検例の検討ではムーコル症は，アスペルギルス症，カンジダ症，クリプトコックス症につぐ第4位の深在性真菌症であるが，近年，特に血液疾患患者で増加している（Kumeら，2011；深在性真菌症のガイドライン作成委員会，2014）．

病因
一般にムーコル属は病原性が弱く，健常人に発症することはない．本症は血液悪性腫瘍，造血幹細胞移植，固形臓器移植，コントロール不良の糖尿病，慢性腎不全，重度の熱傷や外傷，低出生体重児でみられ，好中球減少，ステロイドや免疫抑制薬投与，高血糖，デフェロキサミンや本症に無効な抗真菌薬（例：ボリコナゾールなど）の投与，鉄過剰状態などが危険因子となる（深在性真菌症のガイドライン作成委員会，2014）．

病型
鼻脳型，肺型，皮膚型，消化管型，中枢神経型や全身播種型などがあるが，糖尿病では鼻脳型が多く，肺型が少ないのに対して，血液悪性腫瘍では肺型が最も多い（Skiadaら，2011）．

病態・臨床症状
おもな侵入経路は肺で，経気道的に吸入された胞子が副鼻腔や下気道に定着した後に増殖して血管に菌糸が侵入し，血栓症や出血・塞栓を引き起こす．そのため肺ムーコル症では，発熱や肺血管侵襲や肺血栓症，肺梗塞などに起因する喀血などがみられることが多い．また鼻脳型では，通常は副鼻腔から感染が始まり，眼窩や口蓋，さらに脳へと波及する．そのため，頭痛や発熱，鼻腔や副鼻腔または眼窩の炎症や疼痛，血性膿汁などの症状より発症するが，進行すると顔面浮腫や壊死組織を含む黒色の鼻腔分泌物，視力障害，眼球突出などがみられる．その他，ムーコル属は，皮膚や消化管からも侵入し，消化管型では腹痛や消化管出血，皮膚型では膿疱，潰瘍，壊死などがみられる．

診断
真菌培養と病理組織学的診断で行われるが，患者の全身状態は不良で侵襲的検査が限られるため，生前診断が困難なことが多い．病理組織学的には，PAS染色やGrocott染色にて菌糸の幅が不均一で隔壁を有さず，菌糸壁が非平行で，菌糸の分岐がほぼ直角な糸状菌を認め，アスペルギルスとは形態を異にする．迅速診断法としての血清抗原や抗体検査はいまだ開発されておらず，遺伝子診断も臨床応用されていない．

肺ムーコル症のスクリーニングには胸部CT検査が有用であるが，コンソリデーションや孤立性結節影，腫瘤影，空洞影などさまざまな陰影を呈する．なかには侵襲性肺アスペルギルス症でみられるhalo signや病初期にreversed halo signを呈することも報告されているが，これらはほかの呼吸器疾患でもみられ，必ずしも本症に特異的な陰影ではない．

治療
可能であれば外科的切除もしくはデブリドマンを実施して，高用量のアムホテリシンBリポソーム製剤を投与する（深在性真菌症のガイドライン作成委員会，2014）．国内では未承認のposaconazoleは，その代替薬として位置づけられる．

予後
予後は一般に不良であるが，病型および基礎疾患によって異なる．特に播種型や肺型は鼻脳型や皮膚型に比較して死亡率が高い．また基礎疾患としては，骨髄移植や腎障害，SLE，デフェロキサミン投与例は予後が不良である． 〔掛屋　弘〕

■文献
Kume H, Yamazaki T, et al: Epidemiology of visceral mycoses in autopsy cases in Japan: comparison of the data from 1989, 1993, 1997, 2001, 2005 and 2007 in Annual of Pathological Autopsy Cases in Japan. *Med Mycol J*. 2011; **52**: 117-27.

深在性真菌症のガイドライン作成委員会編：深在性真菌症の診断・治療のガイドライン2014, 協和企画, 2014.

Skiada A, Pagano L, et al: Zygomycosis in Europe: analysis of 230 cases accrued by the registry of the European Confederation of Medical Mycology (ECMM) Working Group on Zygomycosis between 2005 and 2007. *Clin Microbiol Infect*. 2011; **17**: 1859-67.

5）トリコスポロン症

定義・概念
トリコスポロン症は，担子菌系不完全菌酵母であるトリコスポロン属による感染症である[1]．易感染性宿主に発症する日和見型の侵襲性真菌症の1つである[2]．

病型
本菌が関与する病型に，①深在性トリコスポロン症[1,2]，②表在性皮膚トリコスポロン症[1-3]，③夏型過敏性肺炎[4]【⇒9-4-4】がある．①②は感染症だが，③は家屋に発生したトリコスポロンを吸入することに

よって起こるアレルギー疾患である．

原因・病因
トリコスポロン属は自然界に存在し，40種類以上の菌種がある[1]．日本では，感染症の原因菌種のほとんどは *Trichosporon asahii* である．

本症の危険因子は末梢血好中球数の減少[5]，ステロイドの投与[6]，中心静脈カテーテルの留置[7]，トリコスポロン属に感受性のないキャンディン系抗真菌薬の長期投与（ブレイクスルー感染症）[2,5,8]である．

疫学
日本では，剖検例の深在性真菌症の1％程度[9]，真菌血症では6％程度[2]で，トリコスポロン血症はカンジダ血症についで多い真菌血症である．本症の大半は血液疾患で発症している[2]．

病態・病理
本症は発熱性好中球減少症として発症することが多い[2,5]．

感染経路には，気道，消化管，尿路からの内因性感染が多いが，中心静脈カテーテルなど医療デバイス[7]，心臓手術[10]，腹膜透析[11]などの医療処置などによる外因性感染が推測される例の報告もある．

体内に侵入したトリコスポロンは，血流にのって肺，腎臓，肝臓，脾臓，皮膚，眼，中枢神経など全身の臓器に播種し，組織侵襲の強い病変を形成する[2,9,12]．

臨床症状
広域抗菌薬に不応の発熱に加え，呼吸不全，肝機能障害，腎障害など，侵襲した臓器の症状を呈する[2]．

特に，肺は本菌の重要な標的臓器であり，急速に進行する咳・血痰・呼吸困難を呈し，胸部X線写真では，微細粒状影やすりガラス状陰影などが多い（図6-5-2)[13]．

約30％に多発性の丘疹，硬結性紅斑などの皮膚病変がみられる[14]．

検査所見
本症の70％以上で，トリコスポロンが血液から分離される[15]．血中のクリプトコックス抗原検査が陽性になる[6,16,17]．β-D-グルカン検査も陽性になる[18,19]．PCR法による遺伝子診断も有用である[17]．

病理組織学的にはカンジダ症と形態が類似しており，両者を鑑別することは困難である[12]．

なお，皮膚や便，尿，痰から検出された場合は定着菌のことが多い[2]．

鑑別診断・合併症
侵襲性カンジダ症との鑑別が重要である．侵襲性カンジダ症が疑われる状況で，キャンディン系薬が無効な場合やクリプトコックス抗原検査が陽性の場合，本症を疑うきっかけとなる．

侵襲性アスペルギルス症や播種性ムーコル症など，さまざまな侵襲性真菌感染症との合併がみられる[9,12]．

経過・予後
血液疾患に発症したトリコスポロン症の死亡率は60〜80％であり[2,5,12]，血液から本菌分離後2週間以内の死亡が多い．

治療
トリコスポロンはキャンディン系抗菌薬には自然耐性を示す[1]．アゾール系抗真菌薬に対する薬剤感受性はおおむね良好である[20]．

ボリコナゾールが本症の治療に対し有効であったとの報告が多く[21]，国内外の真菌症に関するガイドラインでは，第一選択薬として推奨している[22-24]．

近年では，アゾール系薬に耐性のトリコスポロンが検出されることがあり[25]，薬剤感受性結果も参考にする．

予防
一般的に，本症に対する抗真菌薬の予防投与は行わない．

医療器具[26]や水まわり[27]から感染した事例や，病院内での水平感染が推測された事例も報告されている[25]．適切な手指衛生，医療器具の操作や消毒，環境整備が重要である．　　〔時松一成〕

■文献（e文献6-5-5）

Colombo AL, Padovan AC, et al: Current knowledge of *Trichosporon* spp. and Trichosporonosis. *Clin Microbiol Rev.* 2011; **24**:682-700.

Sugita T: *Trichosporon* Behrend, The Yeasts, A Taxonomic Study, 5th ed (Kurtzman CP, Fell JW, et al eds), pp2015-62, Elsevier, 2011.

時松一成，門田淳一：新興深在性真菌症―トリコスポロン症の臨床．日本感染症学会誌．2006; **80**: 196-202.

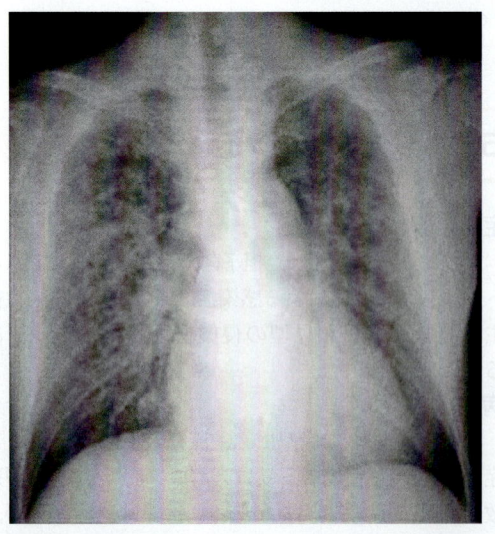

図6-5-2 **侵襲性トリコスポロン症の胸部X線写真**

6）ニューモシスチス肺炎
pneumocystis pneumonia

概念・病因
　子嚢菌門に属する真菌の一種である *Pneumocystis jirovecii* を病原微生物とし，おもに細胞性免疫不全患者に発症する日和見感染症である．

　ニューモシスチスが日常の生活空間に遍在していることは，乳幼児の大部分がその抗体を有していることからも明らかである[1]．最近の知見ではヒト-ヒト間での伝播が起りうることが示唆されており，新たに感染した *P. jirovecii* が免疫不全状態ではクリアできずに顕性感染となるという考え方が有力である[2-5]．

疫学
　HIV 感染者における AIDS 指標疾患のなかで，現在でも国内において最も頻度が高く，年間 250～300 例程度が報告されている[6]．その他，血液悪性腫瘍や，造血幹細胞/固形臓器移植後，自己免疫疾患に対するステロイドや免疫抑制薬の使用などが背景因子として重要である．近年では，関節リウマチなどに対する生物学的製剤の使用が発症リスクとして注目されている[7-11]．

病態生理・病理
　ニューモシスチスは経気道的に侵入し，I 型肺胞上皮細胞上に付着する．CD4 陽性 T リンパ球数の減少や肺胞マクロファージの機能不全などが存在すると，栄養体とシストのステージからなる生活環を形成して増殖する[12]．ただし，菌体自体による組織傷害性は低く，病状の進展には宿主の過剰な免疫反応がおもな役割を演じていると考えられている[13]．病理組織所見としては，肺胞腔内に好酸性の泡沫状滲出物がみられ，重症化に伴って硝子膜形成および間質の浮腫や線維化が認められるようになる（Bennett ら，2014）．

臨床症状
　発熱，乾性咳嗽，呼吸困難が 3 主徴であるが，病初期からすべての症状がみられるとは限らない[14]．特に HIV 感染者においては，比較的ゆっくりとした亜急性の経過で病状が進行する場合が多い[14-16]．非 HIV 感染者の方がより重篤で，予後不良の場合が多い[16]．胸部聴診所見は多くの場合は正常である．

診断
　血液検査では，血清 LDH 値や CRP 値の上昇などの非特異的な所見が認められる．血中 β-D-グルカン測定は非侵襲的補助診断法として有用である[17]．
　典型的な胸部単純 X 線所見は，両側対照性の肺門周辺および中下肺野に優位なびまん性すりガラス状陰影である（e図 6-5-C）．胸部 HRCT（図 6-5-3）では，肺小葉単位で濃淡がみられるモザイク状の分布や胸膜側に正常部位を残したすりガラス状陰影が比較的多く

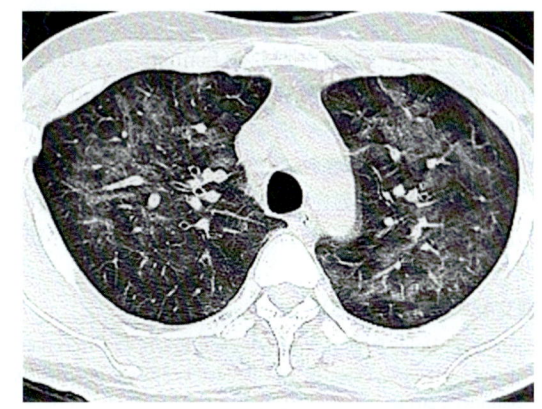

図 6-5-3 **ニューモシスチス肺炎の胸部 HRCT 所見**
両側肺野にびまん性のすりガラス状陰影がみられるが，胸膜側には正常な部分を残している．

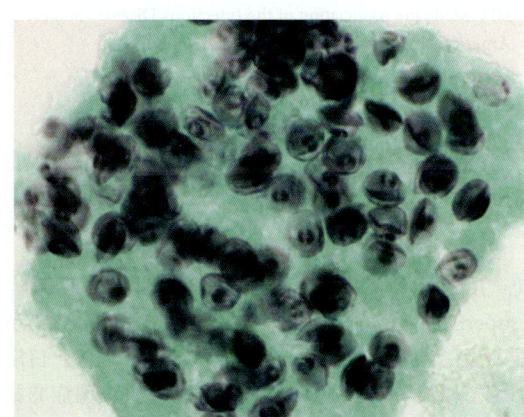

図 6-5-4 **気管支肺胞洗浄液の塗抹標本**
Grocott 染色によって類円形に染まったシストの内部には括弧状構造物とよばれる特徴的な像がみられる．

みられる[18]．
　確定診断は，誘発喀痰もしくは気管支肺胞洗浄液を用いて，Diff-Quik 染色や Giemsa 染色で栄養体を，Grocott 染色や蛍光抗体法でシストを，顕微鏡検査によって直接検出する（図 6-5-4）[12]．人工培地で培養することは不可能である．PCR 法などの遺伝子検査は高感度であるが，定着しているだけの場合にも陽性となりうるため[19]，ほかの所見と合わせて総合的に診断する必要がある．

治療・予防
　治療薬の第一選択は ST（スルファメトキサゾール・トリメトプリム）合剤であり，経口もしくは点滴静注で投与する[20]．ST 合剤の副作用出現時には第二選択薬であるペンタミジンの点滴静注，もしくは，アトバコン経口投与に変更する．室内気での $P_aO_2 < 70$ mmHg もしくは $A{-}aDO_2 > 35$ mmHg（中等症以上）の場合，HIV 感染者では副腎皮質ステロイドの併用が推奨されている[20]．

発症および再発予防法の有用性は確立しており，ST合剤1錠/日を連日内服する（Bennettら，2014）．HIV感染者でCD4陽性Tリンパ球数が200/μL未満の場合や，ステロイドや免疫抑制薬の長期投与などのリスクに応じて実施される（Bennettら，2014）．

HIV感染者以外の免疫不全宿主に対する予防投与の適応と投与期間を ⓔ表6-5-A に示す．〔藤井　毅〕

■文献（ⓔ文献6-5-6）

Bennett JE, Dolin R, et al: Principles and Practice of Infectious disease, Mandell, Douglas, and Bennett's, 8th ed, pp3016-30, Saunders, 2014.

Masur H, Brooks JT, et al: Prevention and treatment of opportunistic infections in HIV-infected adults and adolescents: Updated Guidelines from the Centers for Disease Control and Prevention, National Institutes of Health, and HIV Medicine Association of the Infectious Diseases Society of America. *Clin Infect Dis.* 2014; **58**: 1308-11.

7）皮膚真菌症
dermatomycosis

皮膚真菌症は真菌（fungus）の感染が表皮，粘膜，毛・爪などの皮膚表面に限られる表在性真菌症（superficial mycosis）と真皮以下の深い組織に感染が及ぶ深在性真菌症（deep mycosis）に分けられる．日常診療で経験する症例のほとんどが表在性真菌症である．深在性真菌症は日和見感染として発症することが多い．表在性真菌症の診断には鱗屑中の菌要素の有無を顕微鏡で観察する直接鏡検が必須であり，深在性真菌症の診断には膿汁や組織の培養が重要である[1,2]．ステロイド外用薬が誤用されている場合や免疫抑制状態の患者では皮膚症状が修飾されて典型的な症状を呈さないことがあるので注意が必要である．

（1）表在性皮膚真菌症（superficial dermatomycosis）
a. 白癬（tinea）（皮膚糸状菌症，dermatophytosis）

皮膚糸状菌はケラチンを栄養源にして増殖し，表皮の角層，爪，毛などに感染する．足白癬で蜂巣織炎を発症することがあるが．これは二次的な細菌感染症によるものである．

病原菌

Trichophyton rubrum が最も分離頻度が高く，*T. mentagrophytes* がつぐ．ペットからの感染では *Microsporum canis* の分離が多く，柔道など格闘技競技者からは *T. tonsurans* の分離が多い．

臨床症状

臨床病型として足白癬[3]，手白癬（俗にみずむし），体部白癬[3]（たむし）（図6-5-5A），股部白癬（いんきんたむし）のほか，爪白癬[4]，頭部白癬[5]，強い炎症と脱毛を生じるCelsus禿瘡（頭髪）と白癬菌性毛瘡（髭）などがある．足白癬はさらに趾間型，小水疱型，角化型に分けられる．足では紅斑，小水疱，鱗屑を生じ，体幹四肢では湿疹様で輪状，連圏状となる．強いかゆみを伴う．慢性化した角化型ではかゆみは少ない．爪白癬では爪甲が白濁・肥厚する．

診断・治療

病変部角質片を10〜20% KOH溶液に浸してケラチンを溶解させた後に顕微鏡で菌要素を観察する（直接鏡検）[1]（図6-5-5B）．アルカリ溶液がなくても位相差をつければ観察可能である．視診だけでは足の掌蹠膿疱症，異汗性湿疹や体幹・四肢の湿疹・皮膚炎群との鑑別は困難である．治療は抗真菌薬を外用する[6]．爪白癬，Celsus禿瘡，角化型白癬，広範囲な体部白癬などではテルビナフィンあるいはイトラコナゾールを内服する．爪白癬専用の外用薬は軽症例に使用する．蜂巣織炎を併発している場合には抗菌薬を全身投与する．

b. 皮膚カンジダ症（cutaneous candidiasis）[7]【⇨ 6-5-1】

指間びらん，間擦疹，爪囲炎のように皮膚にできる場合と，口角びらん，口腔カンジダ症，外陰カンジダ症のように粘膜に生じる場合がある．局所の湿潤，宿主の免疫状態，糖尿病，ステロイド外用薬の誤用などが背景にあることが多い．直接鏡検で分芽胞子，仮性菌糸を認めることが重要である．常在菌なので培養陽性だけでは皮膚・粘膜カンジダ症と診断できない．治療は抗真菌薬の外用を行うが，カンジダは乾燥に弱いので

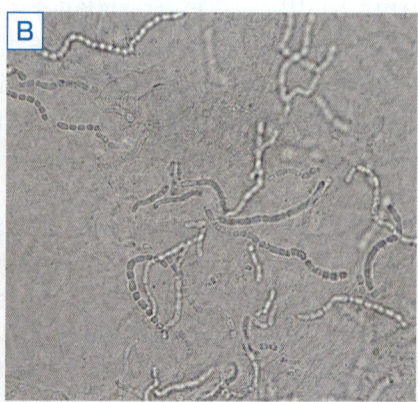

図6-5-5 **体部白癬**(A)**と直接鏡検像**(B)
A：輪状で，辺縁が堤防状に隆起し強いかゆみを訴える．
B：菌糸や分節胞子連鎖を認める．

局所の清潔と乾燥が有効である．

c. マラセチア感染症（Malassezia infection）[8]

マラセチアはヒトや動物の皮膚に常在する脂質要求性の二形性真菌で，現在 Malassezia globosa, M. restricta, M. sympodialis, M. furfur など14菌種が報告されている．酵母形は油滴と区別がつかないのでメチレンブルーなどで染色して鏡検する必要がある．脂質を含む中心静脈栄養を受けている患者では，まれにカテーテル先端から侵入して真菌血症を引き起こすことがあるので，分離培養されたときには考慮する．

i) 癜風（tinea versicolor）
病原菌
M. globosa が主体で，鏡検では短い菌糸形が優勢に観察される．

臨床症状
皮脂腺の分泌が活発な青壮年の胸部，背部〜肩にかけて，円形〜類円形の淡褐色斑が多発，次第に融合して不規則なまだら状の局面を形成する．細かい鱗屑を伴う．自覚症状はないことが多い．夏季に増悪する．

治療
外用抗真菌薬で容易に軽快するが，再発が多い．広範な場合や再発を繰り返す場合にはイトラコナゾールを内服する．

ii) マラセチア毛包炎（Malassezia folliculitis）
病原菌
膿疱の鏡検で M. globosa を主体に酵母形が観察される．

臨床症状
胸部，背部〜肩に毛孔一致性の紅褐色丘疹，膿疱が孤立性に多発する．夏季に多く，通常自覚症状はない．ステロイド痤瘡や夏季痤瘡の多くはマラセチアが発症に関与している．

治療
癜風に同じ．

(2) 深在性皮膚真菌症（deep dermatomycosis）

a. スポロトリコーシス（sporotrichosis）[9]
土壌に生息する二形性真菌 Sporothrix schenckii による慢性感染症である．露出部の小外傷にから侵入し，慢性に結節，潰瘍を生じる．秋〜冬にかけて多い．報告症例は最近減少している．治療はヨードカリウム内服に局所温熱療法を追加する．抗真菌薬の全身投与も可能である．

b. 黒色真菌症（chromomycosis, mycoses by dematiaceous fungi）[10]
病名・菌種命名法に混乱が認められる．Fonsecaea pedrosoi（F. monophora），Exophiala dermatitidis, E. jeanselmei など複数の黒色真菌による慢性感染症である．黒色分芽菌症（chromoblastomycosis）では，菌は小外傷から侵入して疣状局面を形成する．鏡検，病理観察で褐色の胞子状菌要素が認められる．一方，黒色菌糸症（phaeohyphomycosis）では，膿瘍，囊腫を形成し，組織内菌要素は菌糸状である．治療は外科的切除，局所温熱療法のほか抗真菌薬の全身投与も行われる．脳転移で死亡することもある．

その他，カンジダ症（candidiasis），クリプトコックス症（cryptococcosis），アスペルギルス症（aspergillosis），ムーコル症（mucormycosis），輸入真菌症などで皮膚病変が形成される．多くは肺病変から播種して皮膚病変を形成するが，まれに小外傷などから皮膚を原発として発症することがある． 〔坪井良治〕

■文献（e文献 6-5-7）
渡辺晋一，望月 隆，他：皮膚真菌症診断・治療ガイドライン．日本皮膚科学会雑誌．2009; 119: 851-62.
日本医真菌学会疫学調査委員会（清 佳 浩）：2006年次 皮膚真菌症疫学調査報告．Med Mycol J．2012; 53: 185-92.

8) 輸入真菌症
imported mycoses

原因菌はいずれも感染力の強い高度病原性真菌である（表 6-5-2）．このため日和見感染を主体とするわが国の真菌症と異なり，健常者への感染や全身播種，検査中の感染事故が起こりやすいことに注意する．診断上，流行地への渡航歴の確認はきわめて重要だが，再発が多いため，長くさかのぼって聴取する必要がある．絶対数ではコクシジオイデス症，ヒストプラズマ症およびパラコクシジオイデス症が多く，近年はマルネッフェイ型ペニシリウム症の増加が目立つ．

(1) コクシジオイデス症（coccidioidomycosis）

二形性真菌 Coccidioides immitis（あるいは C. posadasii）による．真菌としては最も感染力が強く危険であり，健常者に容易に感染する．米国南西部（カリフォルニア，アリゾナなど）やメキシコなど中南米各地にも症例がみられる．本症は感染症法で四類に，菌は第三種に指定されている．

感染は胞子（分節型分生子）の吸入による．胞子は球状体へと変形していく．病型には急性肺コクシジオイデス症，慢性肺コクシジオイデス症，播種型コクシジオイデス症（髄膜，骨，皮膚など）などがある．危険因子としては，細胞性免疫障害（AIDS，ステロイド・生物学的製剤などの免疫抑制薬投与など），糖尿病，妊娠，COPD などがある．人種差があり黒人やフィリピン系アジア人などは重症化しやすい．

症状は病型，病態により多彩であるが，感冒様症状

表6-5-2 おもな輸入真菌症一覧

疾患名（原因菌）	おもな流行地	危険因子	標的臓器（病態）	潜伏期[*1]	診断法	主たる治療法
コクシジオイデス症（Coccidioides immitis or C. posadasii）	北米（アリゾナ, カリフォルニア, ニューメキシコ, テキサス）, メキシコなど中南米	細胞性免疫障害（AIDSなど）, 糖尿病, 妊娠, COPD, 喫煙, 人種（黒人, アジア人）	肺, 皮膚, 髄膜, 骨など	1～4週	病理, 抗原, 抗体（培養[*2]）	[*3]①急性肺コクシジオイデス症, 播種型：抗真菌薬②慢性肺コクシジオイデス症：切除あるいは抗真菌薬
ヒストプラズマ症（Histoplasma capsulatum, H. duboisii）	北米（オハイオ～ミシシッピー渓谷）, 中南米, 東南アジア（タイ, マレーシア, インドなど）, オセアニア（以上カプスラーツム型）, アフリカなど（ズボアジ型）	細胞性免疫障害（AIDSなど）, COPD（カプスラーツム型）	肺, 肝, 脾臓, 骨髄, 副腎など（以上カプスラーツム型）, 骨, 皮膚, 軟部組織（ズボアジ型）	1～4週	病理, 抗原, 抗体（培養[*2]）	[*3]抗真菌薬
パラコクシジオイデス症（Paracoccidioides brasiliensis）	中南米（ブラジル, コロンビア, ベネズエラなど）	飲酒, 喫煙, 男性	肺（肺炎, 肺線維症）, 皮膚粘膜（潰瘍）, リンパ節, 副腎など	数カ月～数十年	病理, 抗体, 培養[*2]	①抗真菌薬, ②サルファ薬
マルネッフェイ型ペニシリウム症（Penicillium marneffei）	タイ, 中国南部, ベトナムなど	細胞性免疫障害（AIDSなど）	肺, 肝, 脾臓など	不明（3～8週間程度?）	病理, 培養[*2]	抗真菌薬
ブラストミセス症（Blastomyces dermatitidis）	北米（ウイスコンシン, イリノイ, オハイオ～ミシシッピー渓谷）, アフリカ, 中南米など	細胞性免疫障害（AIDSなど）	肺, 皮膚, 骨, 前立腺など	4～6週	抗体, 病理, 培養[*2]	抗真菌薬

[*1]：これらの潜伏期は症例により大きく異なるうえ，再燃により発症する例も少なくない点に注意．
[*2]：これらの原因真菌はいずれも高度病原性であり，原則的に培養は避ける（特にコクシジオイデス症）．
[*3]：病態や病状によっては無治療で経過観察とする場合もある．

（発熱，咳，痰，胸痛など），結節性紅斑，血痰，体重減少などがみられる．検査所見では，一般的な炎症反応に加え，ときに好酸球増加がみられる．血清（髄液）の特異抗体あるいは抗原検査が有用である．胸部画像では，結節，空洞，浸潤影，胸水，びまん性粒状影などがみられる．確定診断はおもに病理検査で行い，培養は危険が伴うため本症が疑われれば原則として施行しない．治療は，病型，重症度に応じて，抗真菌薬（フルコナゾール，アムホテリシンBなど）の投与，あるいは病変部の切除を行う．播種型で中枢神経系などの重要臓器に感染した場合は特に予後不良である．

(2) ヒストプラズマ症（histoplasmosis）

二形性真菌 Histoplasma capsulatum（カプスラーツム型）および H. duboisii（ズボアジ型）による感染症で，前者は南北アメリカ，東南アジアなど，後者はアフリカを流行地域とする．いずれも分生子（胞子）の吸入により感染するが，病像は大きく異なり，カプスラーツム型では，肺から肝，脾，骨髄などの細網内皮系や副腎，前立腺などの諸臓器に播種する．胸部画像ではびまん性粒状影，結節影，肺門リンパ節腫大，胸水貯留（急性肺ヒストプラズマ症），浸潤形，線維化，空洞などが認められる（慢性肺ヒストプラズマ症）．播種型では肝脾腫，貧血，粘膜潰瘍などを呈する．危険因子として，細胞性免疫障害（AIDSや，ステロイド投与など）があり，基礎疾患のある場合は特に致命率が高い．ズボアジ型では皮膚，皮下組織（菌，骨など）などに病変を形成する．診断は菌の培養・同定，病理組織学的検査，血清検査（抗原・抗体検出）などにより行う．治療は抗真菌薬（アムホテリシンB，イトラコナゾールなど）の投与を行う．

(3) パラコクシジオイデス症（paracoccidioidomycosis）

二形性真菌 Paracoccidioides brasiliensis による．流行地域はブラジルを中心とする中南米で，多くの場合は分生子の吸入により肺感染を起こし全身に広がっていく．肺病変は間質性肺炎から呼吸不全を伴う肺線維症に至る．口腔の潰瘍や皮膚の隆起性病変，頸部のリンパ節腫大がみられることなども多い．男性に圧倒的に多いこと，潜伏期がきわめて長い（平均10年以上）点に注意する．診断には病理，抗体検出などを用い，治療はアゾール薬（イトラコナゾールなど）を中心とした抗真菌薬を長期服用するが，再発が多い．

(4) マルネッフェイ型ペニシリウム症

二形性真菌 Penicillium marneffei の吸入により肺から感染して全身に播種する．流行地は東南アジア（タイ，ベトナム，中国南部）など．AIDS など著明な細胞性障害を有する場合が多い．発熱，るいそう，全身性リンパ節腫大，肝脾腫などの症状・所見に加えて，皮膚病変が約 85％に認められるが実際には認められない例も多い．胸部画像ではびまん性網状粒状影，浸潤影，空洞などがみられることがある．診断は菌の分離培養・同定，病理組織検査のいずれかが必要で血培陽性率が高い．治療はアムホテリシン B などを用いる．

〔亀井克彦〕

6-6 マイコプラズマ感染症
mycoplasmal infection

定義・概念

マイコプラズマは自己増殖能を有する現存する最小の微生物であり，最大の特徴は細胞壁をもたず蛋白質，脂質，リン脂質からなる限界膜を有することである．

分類

ヒトへの病原性が確立されているのは，呼吸器感染症を引き起こす Mycoplasma pneumoniae である．その他，M. genitalium, M. hominis, Ureaplasma urealyticum などは性感染症への関与が疑われている．

原因・病因

経気道的に侵入したマイコプラズマは気管支上皮に達すると，細胞吸着器官（tip 蛋白）を介して気道線毛上皮に接着する．その大きな特徴は気道上皮細胞表面を滑走することで，気管支から直角に分岐する側枝に容易に感染し，側枝領域に炎症性変化をきたす．その後，気管支上皮表面（表面感染）での増殖過程で産生される過酸化水素や活性酸素によって直接的に粘膜上皮を傷害するが，その程度は弱いと考えられている．

疫学

マイコプラズマは小集団内で流行を起こすことが特徴の1つで，市中肺炎の原因菌としては肺炎球菌についで多い微生物である．世界的な疫学検討では全市中肺炎の10％以上を占め，非定型肺炎のなかでは最も頻度の高い微生物である．

病態生理

菌体表面に存在するリポ蛋白質が引き起こす免疫反応を主体とする間接的な細胞傷害があり，肺病変の多くは間接反応によると考えられる．この免疫反応はマクロファージなどの貪食細胞の Toll-like receptor 1（TLR1），TLR2 および TLR6 が膜由来のリポ蛋白質を認識し，受容体を介した自然免疫反応によると考えられ，実際には IL-8 や IL-18 などによる多臓器での細胞性免疫反応や炎症反応である．

臨床症状

ほとんどすべての症例に頑固で夜間に激しい咳がみられる．肺炎症例では発熱が必発で多くが 39℃ 以上の高熱である．聴診では副雑音を聴取しにくい．

検査所見

白血球数が上昇する症例は少なく，一過性の肝機能障害が 1/3 程度でみられる．

診断

病原体検出法（PPLO 培地での培養，抗原検出法，遺伝子検出法）と抗体価測定法に大別されるが，実地医家では迅速抗原検出法（リボテストなど）が有用である（e表 6-6-A）．

鑑別診断

日本呼吸器学会の市中肺炎ガイドラインでは抗菌薬選択に際して非定型肺炎と細菌性肺炎の鑑別を試みている（e表 6-6-B）．6つの項目をスコア化し，迅速診断に有用である．細胞性免疫の過剰反応は気管支血管周囲間質への炎症細胞浸潤を増強し，細気管支壁での炎症が強くなる．このため，肺炎球菌性肺炎とは異なった画像を呈する症例が多い（図 6-6-1）．

合併症

肺外発症は独立した疾患と考えられており，代表的なものに Stevens-Johnson 症候群，多形滲出性紅斑，Guillain-Barré 症候群，心外膜炎，自己免疫性溶血性貧血などがある．

経過・予後

本菌による肺炎は比較的軽症であることが多く，入院を必要としない場合が多い．しかし，2～4％に重症呼吸不全や多臓器不全をきたすことが知られている．

治療・予防

β-ラクタム薬とアミノグリコシド系薬は抗マイコプラズマ活性を有さない．テトラサイクリン系薬，マクロライド系薬，ニューキノロン系薬が有効である．2000 年以降にマクロライド系薬とリンコマイシン系薬に耐性を示す株が日本各地で分離されている．マイコプラズマ感染症の病態の中心が宿主の免疫反応であることを考えると，殺菌効果が弱くても宿主免疫反応を抑制することにより肺炎を改善する方向に導くと考えられるため，日本マイコプラズマ学会ではマクロラ

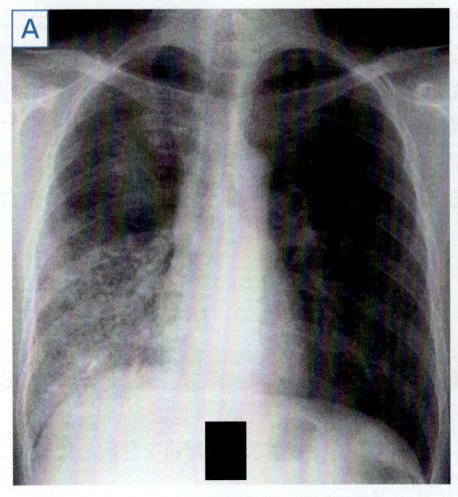
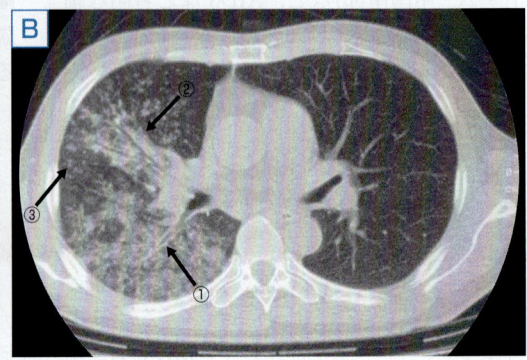

図 6-6-1 マイコプラズマ肺炎の画像所見
A：胸部単純 X 線写真で右中，下肺野優位に非区域性の浸潤影とすりガラス状陰影がみられる．
B：胸部 CT では気管支壁の肥厚（①）と小葉中心性～汎小葉性，細葉性のすりガラス状陰影が右中・下葉領域を中心に認められ，肺門側優位に著明な気管支血管周囲間質の肥厚（②）や小葉中心性粒状影（③）も認められる．

イド系薬を第一選択薬に推奨している．マクロライド系薬に効果が乏しい場合（投与後 48～72 時間で解熱しない場合）は，マクロライド耐性マイコプラズマ感染症を疑い，テトラサイクリン系薬やニューキノロン系薬に変更することを推奨している．予防にはマスクやうがい，手洗いが基本である． 〔宮下修行〕

■文献

Miyashita N, Kawai Y, et al: Clinical potential of diagnostic methods for the rapid diagnosis of *Mycoplasma pneumoniae* pneumonia in adults. *Eur J Clin Microbiol Infect Dis.* 2011; 30: 439-46.

Miyashita N, Akaike H, et al: Macrolide-resistant *Mycoplasma pneumoniae* pneumonia in adolescents and adults: clinical findings, drug susceptibility and therapeutic efficacy. *Antimicrob Agents Chemother.* 2013; 57: 5181-5.

肺炎マイコプラズマ肺炎に対する治療指針策定委員会編：肺炎マイコプラズマ肺炎に対する治療指針, pp1-48, 日本マイコプラズマ学会, 2014.

6-7 クラミジア・クラミドフィラ感染症

1）オウム病・肺炎クラミジア感染症
(psittacosis, *Chlamydophila pneumoniae* infection)

定義・概念

クラミジアとは，RNA と DNA を保有するが純培養系では増殖できず，生きた動物細胞内でのみ増殖可能な一群の偏性細胞寄生性細菌の俗名である．

分類

クラミジアは 16S rRNA と 23S rRNA 遺伝子の全塩基配列に基づき，2 属（クラミジア属とクラミドフィラ属）9 種に分類されているが，このうち肺炎クラミジア（*Chlamidophila pneumoniae*）はおもにヒトを自然宿主とし，ヒト-ヒト感染を起こす．オウム病クラミジア（*Chlamydophila psittaci*）によって起きるオウム病は人獣共通感染症である（eノート 1）．

原因・病因

クラミジア菌体は Gram 陰性菌のリポポリサッカライド（LPS）の O 抗原多糖とコアの一部を欠いたケトデオキシオクトン酸とリピド A からなる LPS，種々の蛋白と脂質で構成された外膜，ペリプラズマ間隙と，これを隔てた内膜の 3 層が核・細胞質を包含した形態をもち，基本的に Gram 陰性菌に類似している．しかしほかの細菌と大きく異なるのは，独特な菌形態の変換を通じて宿主細胞質に形成される膜胞-封入体内で宿主 ATP に依存して増殖することである．すなわち，感染性ではあるが代謝は休眠状態にある基本小体（elementary body：EB）の吸着・侵入，旺盛な代謝活性を発揮して分裂増殖する網様体（reticulate body：RB）への変換，RB から EB への成熟変換，宿主細胞死による増殖菌体の放出という一連の増殖サ

イクルである．このような生活環はクラミジア独特の性状である（図6-7-1）．

疫学

肺炎クラミジアは上気道炎をきたすことが最も多く，ついで気管支炎が肺炎の1～2％に関与する．オウム病は四類感染症に規定され，年間10例未満の症例が届けられている．発症年齢は50～60歳代に多くみられ，30歳以上が全体の80％以上を占めている．

病態生理

肺炎クラミジアは飛沫感染によってヒトからヒトへ，オウム病は罹患鳥の分泌物や乾燥した排泄物，羽毛などを介して菌を経気道的に吸入したり，口移しで餌を与えたりする際の経口感染によって起こる．経気道的に吸入されたクラミジアは上気道粘膜に接着し，宿主細胞内に貪食された後，細胞内で増殖し下気道へ浸潤するか，血行性に肺胞や肝・脾の網内系細胞など全身臓器に広がる．その後，気道や肺における免疫反応によって組織傷害を引き起こし炎症が成立すると考えられている．

臨床症状

肺炎クラミジアはウイルス感染症と鑑別困難で，咳がおもで微熱にとどまることが多い．オウム病は呼吸器症状に加え高熱や筋肉痛，関節痛，頭痛などが出現する．

検査所見

白血球数が増加する症例は少なく，肝機能障害が1/3の症例でみられる．

診断

病原体検出法（分離培養法，直接蛍光抗体法，酵素抗体法，遺伝子検出法）と抗体価測定法に大別されるが，前者は一般的でなく，抗体価測定法が主流である．オウム病の最も重要な診断ポイントは鳥との接触歴や飼育歴を詳細に問診することである．

鑑別診断

日本呼吸器学会の市中肺炎ガイドラインでは抗菌薬選択に際して非定型肺炎と細菌性肺炎の鑑別を試みている（e表6-6-B）．6つの項目をスコア化し，迅速診断に有用性である．

合併症

肺炎クラミジアは気道に持続感染を起こすことから喘息やCOPDへの関与が示唆されている．また，動脈硬化病変部から高率に検出される．オウム病は呼吸不全や髄膜炎，心外膜炎，心筋炎，関節炎，膵炎などの合併症を引き起こすこともある．

経過・予後

肺炎クラミジア肺炎の重症度は軽症例が多く，自然治癒する症例もある．オウム病は肺炎クラミジアより重症化する症例が多く，多臓器不全で死亡する症例もある．

治療・予防

β-ラクタム薬とアミノグリコシド系薬は抗クラミジア活性を有さない．テトラサイクリン系薬，マクロライド薬，ニューキノロン系薬が有効である．予防にはマスクやうがい，手洗いが基本である．鳥籠の掃除や世話をする際には，乾燥糞を吸わないように注意し，鳥に接触した後には手洗いをすること，口移しの給餌などの過度な濃厚接触を避けることなど，鳥との接触や飼育方法に注意を払うことが重要である．

〔宮下修行〕

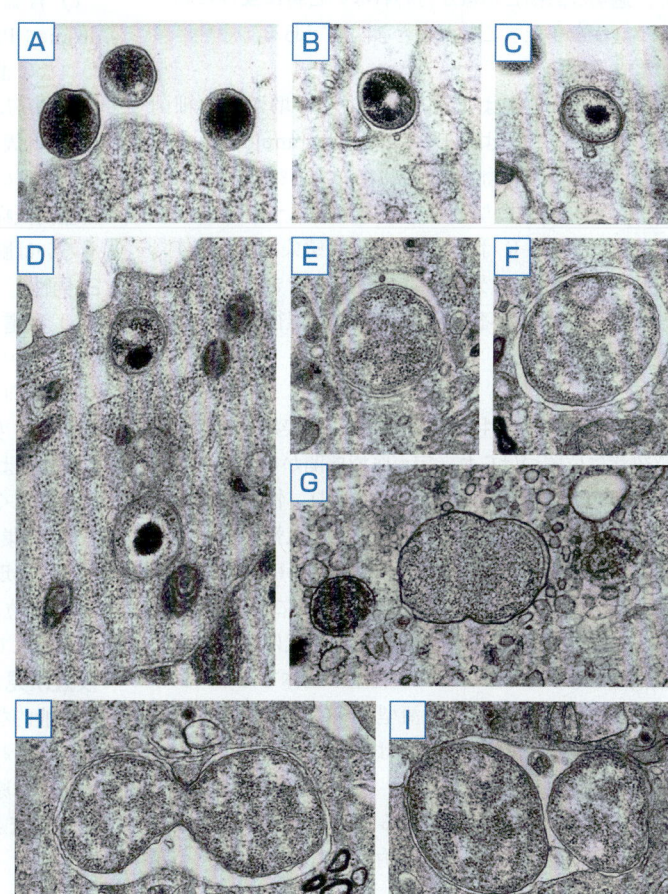

図6-7-1 *Chlamidophila pneumoniae* 基本小体の侵入と菌体変換（感染(A)→吸着(B)→貪食(C)→移行体と網様体への変換(D-F)→増殖(G-I)）スケールバー：1μm

■文献

Miyashita N, Matsumoto A: Morphology of *Chlamydia pneumoniae*. *Chlamydia pneumoniae* Infection and Disease (Friedman H, Yamamoto Y, et al eds), pp11-28, Kluwer Academic/Plenum Publishers, 2004.

Miyashita N, Fukano H, et al: Clinical presentation of community-acquired *Chlamydia pneumoniae* pneumonia in adults. *Chest*. 2002; 121: 1776-81.

Miyashita N, Kawai Y, et al: Influence of age in the clinical differentiation of atypical pneumonia in adults. *Respirology*. 2012; 17: 1073-9.

2) クラミジア・トラコマティス感染症
Chlamydia trachomatis infection

定義・概念

Chlamydia trachomatis はおもに性的活動期の男女に性感染症(sexually transmitted infection：STI)として感染する．また，衛生状態の悪い国々では小児の眼感染症をきたして失明の原因となる疾患である．致死的感染症をきたすことはまれだが，無症候感染者が多く，適切な診断と治療が行われないと特に女性において不妊症をきたすことが大きな問題である．

分類・原因

C. trachomatis は細胞内に寄生して増殖する細菌で，トラコーマおよびLVG(lymphogranuloma venereum)の2つの生物型(biovar)に分類される．

トラコーマ生物型はさらに血清型A～Kに分類され，血清型D～Kは性器クラミジア感染症をきたす．血清型A～Cは眼クラミジア感染症をきたし，後天性失明の原因となる．LVG生物型は鼠径リンパ肉芽腫の原因となる．

疫学

日本で最も多い性感染症である．感染症法では五類感染症に位置づけられ，定点医療機関からの報告が義務づけられている．2000年代に入り，性器クラミジアは年間2万5000～4万人程度の定点報告がある．また，妊婦検診では正常妊婦の3～5%に無症候保菌者が見つかる．年齢層は20～24歳に最も多く，15～40歳にかけての性的活動期の年代に分布する．血清型D～Fのトラコーマ生物型が主体である．日本では眼感染症をきたす血清型A～Cのトラコーマ生物型やLVG生物型の感染症はまれである．

病理

細胞内に感染して増殖するためGram染色では検鏡できない．Giemsa染色や直接抗体法といった方法を用いて検鏡する．

病態病理

トラコーマ生物型は扁平上皮細胞に感染する．外膜蛋白をコードする遺伝子(*omp1*)の多様性により，一度感染しても終生免疫を獲得するわけではなく，再感染をきたしうる．一方，LGV生物型は侵襲性が高く，リンパ球にも感染する．炎症惹起には宿主の自然免疫応答がかかわっているとされ，持続あるいは再燃する炎症は粘膜細胞に損傷を与えて線維化や肉芽形成をきたす．眼感染症から失明に至るには，角膜への白血球浸潤およびパンヌスとよばれる表層の血管増生と，結膜の瘢痕化によって内反した睫毛による角膜損傷とが関与している．

臨床症状

ここでは生物型トラコーマ感染症における自覚・他覚症状について述べる．

1) 女性：

a) 子宮頸管炎：女性の85%が無症状とされる．帯下量増加や不正出血などが認められる場合もあるが，特異性に欠ける症状であるため受診に至らず，妊娠中や定期的検診時に発見されることが多い．腹部診察所見から異常を検出することはきわめて困難である．

b) 尿道炎：尿意頻数を訴えることもあるが，子宮頸管炎と同様に無症状のことがほとんどである．

c) 骨盤内炎症症候群(pelvic inflammatory syndrome：PID)：子宮頸管炎に対して適切な治療が行われないままであると，子宮，卵管を経由して骨盤内に感染が及ぶ．腹痛や骨盤痛が出現する．

d) 肝周囲炎(Fitz-Hugh-Curtis症候群)：骨盤内炎症症候群に続いて腹腔内にも炎症が波及したもので，骨盤内炎症症候群の5～15%に合併する．右上腹部痛あるいは胸膜痛を自覚する．

2) 男性：

a) 尿道炎：感染から5～10日で症状が出現，粘液性あるいは水様の尿道分泌物を自覚する．量は少なく，起床時に下着に付着する分泌物で気づかれることも多い．女性よりは有症状者は多いが，それでも100%ではない．淋菌との混合感染があると症状は出現しやすくなる．

b) 精巣上体炎：片側性の精巣の圧痛，腫脹，水腫などが出現する．やはり淋菌との混合感染がある．

c) 前立腺炎：慢性前立腺炎をきたす原因の1つと考えられているが，まだ定説にはなっていない．

検査所見

一般的な血液・尿検査項目においては特異的な異常は認められない．尿道炎では膿尿を認めるが一般細菌検査では原因菌が検出されない．肝周囲炎においても血液検査上肝逸脱酵素の上昇がみられないことが多い．

診断

病原体の核酸増幅による遺伝子診断が広く使用されている．日本では，DNAプローブ法のほか，より感度が高いPCR法，SDA法，TMA法がある．子宮頸

管擦過物，尿道擦過物や初尿を使用する．PIDやFitz-Hugh-Curtis症候群を疑う場合は腹部骨盤造影CTが必要となる．

合併症

1) **淋菌感染症**：各種の臨床所見が類似する．常にクラミジア感染症と淋菌感染症は合併している可能性を考え，双方をねらった診断および治療が必要である．
2) **不妊症**：骨盤内炎症症候群では治癒後の瘢痕化による卵管狭窄が残り，不妊症や子宮外妊娠の原因となる．
3) **反応性関節炎**：男性尿道炎患者の約1％に起こるとされ，うち約30％が以前はReiter症候群とよばれていた関節炎，ブドウ膜炎，尿道炎の3徴をきたす．尿道炎発症後，反応性関節炎は数日～数週間遅れて発症し，典型的には単関節炎あるいは多発単関節炎となる．

経過・予後

単独の感染症として死に至ることはまれであり，むしろ卵管狭窄や反応性関節炎などの遅発性合併症が問題である．

治療・予防・リハビリテーション

アジスロマイシン，ドキシサイクリン，レボフロキサシンの経口投与が世界的に広く用いられている．同時に淋菌の併存を想定して治療を行うことが多い．
骨盤内炎症症候群に至った例ではドキシサイクリンに，第3世代セフェムかセフェマイシン系薬剤とメトロニダゾールも加え，淋菌や嫌気性菌を含めた細菌を広くカバーする．

禁忌

ドキシサイクリン，レボフロキサシンは妊婦には禁忌である．投与前に必ず妊娠の可能性を確認する．

〔上原由紀〕

■文献

Bennett JE, Dolin R, et al eds: Mandell, Douglas, and Bennett's Principles and Practice of Infectious Diseases, 8th ed, pp2154-70, Saunders, 2015.

Centers for Disease Control and Prevention: Sexually Transmitted Diseases Treatment Guidelines, 2010. 59 (No. RR-12), MMWR, 2010.

厚生労働省健康局結核感染症課，国立感染症研究所感染症疫学センター・感染症発生動向調査事業年報．http://www.nih.go.jp/niid/ja/survei/2270-idwr/nenpou/5279-idwr-nenpo2013.html

萩原敏且，木村幹男：性器クラミジア感染症．国立感染症研究所感染症疫学センター―感染症の話 2004年第8週号．http://idsc.nih.go.jp/idwr/kansen/k04/k04_08/k04_08.html

6-8 リケッチア感染症
rickettsiosis

リケッチアは世界各地の自然界に分布し，ダニ，ノミ，シラミなどの媒介動物（ベクター）を介してヒトに感染する病原体である．リケッチアは細胞内でのみ増殖可能な偏性細胞内寄生病原体であり，人工培地では増殖できない．リケッチア症は急性の発熱と発疹を主徴として，世界各地に特有の分布を示す（e表6-8-A）．リケッチア目・リケッチア科に属する病原体としては，紅斑熱群，発疹チフス群およびつつが虫病群があるが（e表6-8-A），国内では，つつが虫病と，日本紅斑熱が多数を占める．アナプラズマ科もリケッチア目に分類される．Q熱はレジオネラ目・コクシエラ科に分類されるが，便宜上リケッチア症で扱うことも多い．診断には臨床症状とともに疫学的特徴を参考とし，特異的血清反応または遺伝子診断を用いて確定診断する．Weil-Felix反応は補助診断として用いられる．治療は一般的にテトラサイクリン系抗菌薬が有効性を示す．

1) つつが虫病
(tsutsugamushi disease, scrub typhus)

概念・病因・疫学

Orientia tsutsugamushi を保有する小型のダニ（ツツガムシ）の幼虫がヒトを刺咬して感染する．わが国で最も頻度の高いリケッチア症である．ツツガムシが棲息する山野での屋外活動を契機に感染するため，行動歴の問診は重要である．患者は北海道を除く全国都府県から，年間400例前後の報告をみる．フトゲツツガムシによるGilliam型またはKarp型と，タテツツガムシによるKawasaki型またはKuroki型のつつが虫病が秋～初冬さらには翌年の春にかけて発生する．夏に発生し重症例の多いアカツツガムシ媒介性のKato型つつが虫病は近年減少している．

臨床症状

潜伏期は6～18日（平均10日）で，発熱，発疹，刺し口が3主徴である．

1) **発熱**：悪寒，頭痛，全身倦怠感を伴い，39～40℃に達する．

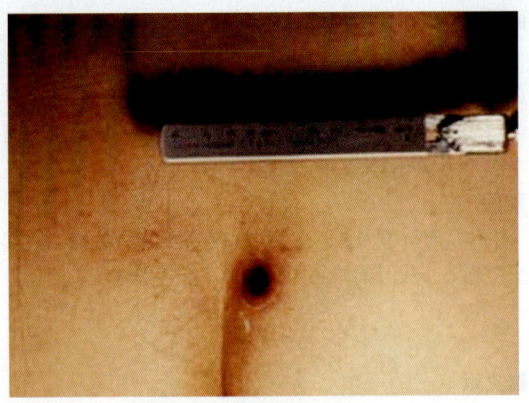

図 6-8-1 つつが虫病にみる典型的刺し口
直径 1～1.5 cm の紅斑で，発症時には中心部に痂皮を形成していることが多い．全身をくまなく探す必要があり，診断的価値の高い所見である．無痛性である．

2）発疹： 四肢に比し体幹部に強く現れる．径 5 mm 前後で不規則な形の紅斑を生ずる．出血性となることは少ない．手掌紅斑はまれに認める．

3）刺し口（eschar）： 発熱時には中心部に目立つ痂皮を有し大きなものは直径 1.5 cm 前後に及び，本症に特徴的な皮膚病変である（図 6-8-1）．痂皮脱落後は色素沈着を残す．視診でわかる重要な所見であるため，頭髪内，陰部周辺を含む全身をくまなく探す必要がある．疼痛は伴わない．

4）リンパ節腫脹： 刺し口近傍の所属リンパ節に加え，全身のリンパ節腫脹をきたすことが多い．有痛性である．

5）その他： 肝脾腫を認めることが多い．重症例では，髄膜炎，心内膜炎のほか，急性呼吸促迫症候群（acute respiratory distress syndrome：ARDS），播種性血管内凝固症候群（disseminated intravascular coagulation：DIC）を合併し，多臓器不全に至ると救命は困難となる．

検査所見

1）血液系： 重症例では白血球減少，血小板減少を示す．白血球分画では，好酸球の消失，異型リンパ球の出現をみる．ときに血球貪食症候群（hemophagocytic syndrome：HPS）[1]を合併する．

2）炎症反応： 発熱とともに，CRP 上昇，赤沈亢進が認められる．

3）生化学： 肝酵素（AST, ALT, LDH）の中等度の上昇が認められ，尿所見にて蛋白尿が出現する．重症例では FDP 陽性，フェリチン上昇，高サイトカイン血症（TNF-α，IFN-γ，IL-8 などの上昇）が認められ（Iwasaki ら，1997），DIC や HPS 発症の背景となっている．

診断

確定診断には血清診断や遺伝子診断が用いられる．

O. tsutsugamushi 特異抗体検出法には，間接免疫ペルオキシダーゼ法と間接蛍光抗体法がある．つつが虫病では Kato，Karp および Gilliam の標準 3 型に加え，Kawasaki，Kuroki，および Shomokoshi[2]の新型を含むすべての血清型を確認する必要がある．血液または刺し口部位の痂皮や皮膚を用いた PCR（polymerase chain reaction）も行われる．Weil-Felix 反応は OXK 株に陽性となるが，補助的な診断にとどまる．わが国では日本紅斑熱との鑑別が重要となる．

治療

テトラサイクリン系抗菌薬は特効的で，治療開始後 24 時間以内に 90％が解熱する．クロラムフェニコールは代替薬となる．β-ラクタム系抗菌薬やアミノグリコシド系抗菌薬はまったく無効である．適切な治療がなされないと，致死的となることがまれではない．

2）日本紅斑熱 (Japanese spotted fever)

概念・病因・疫学

Rickettsia japonica を保有する大型のマダニに刺咬されて感染する．日本紅斑熱は 1984 年に徳島県ではじめて確認され（Mahara，1997），年間 200 例前後の届け出がある．発生時期はマダニの活動期である夏季が中心で，西日本に多く発生をみる．つつが虫病より致死率が高い．

臨床症状

発熱，発疹，刺し口を 3 主徴とし，症状はつつが虫病にきわめて類似するが，潜伏期は 2～8 日とやや短い．発熱は 40℃前後とやや高い傾向にあり，発疹は体幹部に比べ，顔面や手掌・足底を含む四肢末端部に強く出現する．刺し口はやや小さい（図 6-8-2）．リンパ節腫脹は目立たないことが多い．重症例では SIRS，ARDS，DIC などを呈し，急激な進行を認める急性感染性電撃性紫斑病（acute infectious purpura fulminans）の合併もある．

検査所見

検査結果もつつが虫病に類似するが，重症例が多いため検査値異常はつつが虫病より目立つ．つつが虫病と同様，重症化の背景には高サイトカイン血症[3]の関与がある（Tai ら，2014）．

診断

R. japonica 特異抗体を測定する．遺伝子診断も血液または皮膚組織を用い PCR により実施する．Weil-Felix 反応は OX-2 または OX-19 株が陽性となる．つつが虫病をはじめほかのリケッチア症との鑑別が重要である（e表 6-8-A）．

治療

テトラサイクリン系抗菌薬が有効であるが解熱には

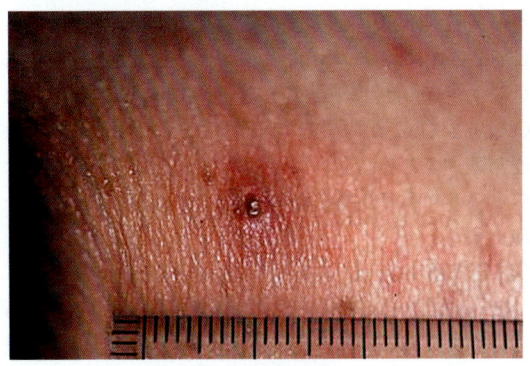

図 6-8-2 日本紅斑熱にみる刺し口
直径 1 cm 前後の紅斑．つつが虫病よりやや小さいが，刺し口だけではつつが虫病との鑑別は困難で，血清診断または遺伝子診断を必要とする（馬原文彦医師提供）．

数日を要することがある[2]．テトラサイクリン系抗菌薬単独では有効性の得られない場合，ニューキノロン系抗菌薬との併用が必要である．β-ラクタム系抗菌薬やアミノグリコシド系抗菌薬はまったく無効である．

〔岩崎博道〕

■文献（e 文献 6-8-1～2）

Iwasaki H, Takada N, et al：Increased levels of macrophage colony-stimulating factor, gamma interferon, and tumor necrosis factor alpha in sera of patients with *Orientia tsutsugamushi* infection. *J Clin Microbiol*. 1997; **35**: 3320-2.

Mahara F：Japanese spotted fever; report of 31 cases and review of the literature. *Emerg Infect Dis*. 1997; **3**: 105-111.

Tai K, Iwasaki H, et al：Significantly higher cytokine and chemokine levels in patients with Japanese spotted fever than in those with tsutsugamushi disease. *J Clin Microbiol*. 2014; **52**: 1938-46.

3）Q熱
Q fever

定義・概念

Q熱は偏性細胞内寄生菌 *Coxiella burnetii* による動物由来感染症である．以前はリケッチアの一種として取り扱われていたが近年ではレジオネラ目に再分類されている．本菌の感染宿主域は広範であり，種々の家畜やペット，野生動物が保菌動物となる（Maurin ら，1999）．ヒトへの感染源としては家畜類が重要であるが，都市部ではイヌやネコなどが感染源となる場合もある．保菌動物の排泄物や分泌物の経気道的吸入がヒトへの主要な感染ルートであり，特に保菌動物の出産時には高濃度曝露が成立する危険性が高い．また国外では未滅菌の乳製品や肉類摂取による経口感染も報告されている．

疫学

本病原菌は世界中に分布しており，Q熱症例もほぼ世界全域から見いだされている．市中肺炎の原因としてQ熱が占める頻度は国内外ともに 1～5％程度であったとする報告が多い（Takahashi ら，2004）．また本菌はヒトからヒトへは感染しないためにインフルエンザのような大規模な流行をきたすことはないが，感染力自体は非常に強いために保菌動物周囲での集団発症がばしば報告されている．

臨床症状

急性Q熱は病原体暴露後 2～3 週間の潜伏期間に続いて発症し，インフルエンザ様上気道炎，肺炎，急性肝炎，不明熱など多彩な病像を呈する．曝露症例のうち半数は不顕性感染にとどまり，40％強はインフルエンザ様上気道炎など軽症例，5％程度が肺炎や肝炎など比較的重症の病態を呈する．急性感染例のうちの一部が後日慢性Q熱に移行するとされるが，慢性Q熱は多くの場合心内膜炎として発症し，治療抵抗性で予後不良である．

診断

Q熱抗体価の測定には通常は間接蛍光抗体法が用いられる．急性Q熱ではコクシエラⅡ相菌 IgG 抗体価の有意上昇を経時的に確認できれば確定診断となる．ペアで抗体価が追跡できない症例ではコクシエラⅡ相菌 IgM 抗体の検出（64 倍以上），あるいは IgG 抗体価の高力価陽性（256 倍以上）が補助的な診断指標となり，感染症法上の診断基準に採用されている．本菌は偏性細胞内寄生菌であることから分離培養は事実上困難であるが，PCR 法による各種検体からのコクシエラ遺伝子断片の増幅は急性期の補助診断法として有用性が高い（Zhang ら，1998）．一方の慢性Q熱ではコクシエラⅠ相菌 IgG 抗体価を測定して持続高値（800 倍以上）を確認できれば有力な診断根拠となる．

治療・予防

急性Q熱治療の第一選択薬はドキシサイクリンなどのテトラサイクリン系薬であり，2 週間程度の投与が推奨されている．ほかにはマクロライド，キノロン薬も比較的すぐれた抗菌力を有している．一方，慢性Q熱は抗菌薬療法への反応は不良であり心内膜炎などで外科的切除が可能な症例では手術が選択される場合が多い．薬物療法としてはテトラサイクリン系薬とクロロキンないしキノロン薬の 2 剤併用を数年間にわたって継続することが推奨されている．〔高橋 洋〕

■文献

Maurin M, Raoult D: Q fever. *Clin Microbiol Rev*. 1999; **12**: 518-53.

Takahashi H, Tokue Y, et al: Prevalence of community-acquired respiratory tract infections associated with Q fever in Japan.

Diagn Microbiol Infect Dis. 2004; **48**: 247-52.

Zhang GQ, Nguyen SV, et al: Clinical evaluation of a new PCR assay for detection of Coxiella burnetii in human serum samples. *J Clin Microbiol.* 1998; **36**: 77-80.

4）その他のリケッチア症

(1) ロッキー山紅斑熱 (Rocky Mountain spotted fever)

*Rickettsia rickettsii*による急性感染症で，マダニをベクターとする世界的に最も知られる米国固有の紅斑熱群リケッチア症である．潜伏期間は2～14日で頭痛，全身倦怠感，高熱などを伴って発症する．刺し口は通常みられない．丘疹状の紅斑が四肢末梢部から求心性に多発し，出血性となる．リンパ節腫脹がときにみられる．CRP陽性，血小板減少，肝機能異常を認め，治療が遅れると中枢神経症状，不整脈，乏尿，ショックなどの合併症を呈し死亡率も高い．発症時期は春～秋に多く，受診直前の米大陸への渡航歴の情報が重要である．血清中の特異抗体の検出，発疹部皮膚生検を用いたPCRなどが実施される．治療ではテトラサイクリン系抗菌薬を使用する．

(2) 地中海紅斑熱 (ボタン熱) (Mediterranean spotted fever (boutonneuse fever))

*R. conorii*による急性熱性感染症である．地中海沿岸を中心に，アフリカ大陸，西インドまで広がる．イヌなどを嗜好するマダニが媒介することから，ヒトの居住環境近くで発生する特徴がある．臨床症状は，ほかの紅斑熱群と同様，発熱，発疹，刺し口を主徴とする．また，診断ならびに治療もほかのリケッチア症と同様であるが，死亡例もある．

(3) 発疹チフス (epidemic typhus)

*R. prowazekii*がシラミの媒介によって感染して起こる重篤度の高い急性熱性疾患である．戦争，天災，飢餓，貧困など劣悪な生活環境で発生する．わが国では1957年以来発生がみられず，世界的にも激減している．ベクターはコロモジラミである．感染様式は，患者または保菌者をシラミが吸血し，リケッチアを保有する．次の吸血時に，ヒトは瘙痒感からシラミの糞などに含まれる病原体を刺し口や皮膚のかき傷に擦り込んで感染する．潜伏期間は1～2週間である．発熱 (39～40℃)，頭痛，悪寒，脱力感，悪心・嘔吐，手足の疼痛を伴って突然発病する．発疹は発熱後2～5日以内で体幹に出現し，数日で全身に広がり，暗紫色の点状出血斑となり，発熱からおよそ2週間後に急速に解熱する．重症例の半数に神経精神症状が出現し，無治療の場合致死率は10～40%と高い．感染後免疫は長期間持続するが，まれに潜伏感染の状態となり，免疫能低下，低栄養などから数年後に再発する (Brill-Zinsser病)．Brill-Zinsser病は軽症で致死率も低いが，新たな感染源となる．Weil-Felix反応はOX19とOX2が陽性となるが，Brill-Zinsser病では通常陰性である．発疹熱との鑑別を要する．治療にはテトラサイクリン系抗菌薬やクロラムフェニコールを使用する．

(4) 発疹熱 (endemic typhus, murine typhus)

*R. typhi*をノミが媒介して感染する熱性疾患である．ネズミとノミの間で病原体が維持されている環境にヒトが侵入してノミの吸血を受けた際，瘙痒によるかき傷がノミに含まれる病原体によって汚染されることにより感染する．発熱，頭痛，発疹を主訴とする．国内では，1950年以降大規模な患者発生は報告されていないものの，近年でも国内感染・発症の散発報告がある (高木ら，2001)．発疹熱は未治療で治癒することも多く，死亡例はまれである．海外ではいまなお，熱帯から温帯の港湾地帯で発生しており，輸入症例が存在する．

(5) ヒト単球エーリキア症 (human monocytic ehrlichiosis : HME)

ヒトの単球に感染する*Ehrlichia chaffeensis*を有するマダニの刺咬5～10日後に，発熱，頭痛，筋肉痛，倦怠感，悪心，下痢，白血球減少，血小板減少などを呈する．発疹はまれである．重症例では，発熱の持続，腎障害，DICを合併し，死亡することもある．特徴的症状がなく，ほかの熱性感染症との臨床的鑑別は難しい．テトラサイクリン系，マクロライド系およびニューキノロン系抗菌薬が有効である．欧米では多数の患者が発生しているが，わが国では*E. chaffeensis*近似のものがマダニなどから検出されているものの，ヒトへの病原性は不明である．

(6) ヒト顆粒球アナプラズマ症 (human granulocytic anaplasmosis : HGA)

1994年，米国で発熱患者の好中球のなかにエーリキア様の病原体感染が認められた．遺伝学的解析から，ヒツジやウマの顆粒球エーリキアと同一種の*Anaplasma phagocytophilum*による熱性感染症とされている．マダニが媒介し，米国での保菌動物はシロアシネズミと考えられている．近年，国内でも*A. phagocytophilum*感染例が確認された (Ohashiら，2013)．

〔岩崎博道〕

■文献

高木和貴，岩崎博道，他：福井県奥越地方で発症した発疹熱．感染症学雑誌．2001; **75**: 341-4.

Ohashi N, Gaowa, et al: Human granulocytic anaplasmosis, Japan. *Emerg Infect Dis.* 2013; **19**: 289-92.

6-9 スピロヘータ感染症

1）梅毒
syphilis

概念
梅毒は Treponema pallidum によって生じる慢性感染症で，感染経路は性行為および垂直感染である．

病因
原因菌は T. pallidum．光学顕微鏡では観察できず，暗視野顕微鏡が必要である．培養はできない．

疫学
梅毒の発生率はペニシリンの出現によって急激に減少したが，世界保健機関（WHO）によると近年再び増加傾向にある．日本でも報告数が増加している．

病態生理
性行為中に目に見えない微小な傷を通して感染する．その後，硬性下疳を形成すると同時に所属リンパ節への感染も生じる．硬性下疳は免疫応答により自然に軽快するが，全身播種は進行し潜伏感染が生じる．

臨床症状・経過（Golden ら，2003；Rompalo ら，2001）（e 図 6-9-A）

1) **第 1 期梅毒**（primary syphilis）：梅毒感染後 2～6 週で，硬性下疳（e コラム 1）が生じる．女性では子宮頸部に生じ，無症状なため自覚することが少ない．通常 3～6 週間で治癒する．

2) **第 2 期梅毒**（secondary syphilis）：硬性下疳出現後 4～10 週間すると，発疹が 70％にみられる．発疹は左右対称の丘疹で，体幹，手掌および足底を含む四肢にみられる．扁平コンジローマも 10％程度みられる．発熱，頭痛，倦怠感などの全身症状が，全身播種に伴い生じる．第 2 期梅毒も自然に改善する．

早期神経梅毒が，第 1 期梅毒後数週～数年で生じ，第 1 期および第 2 期梅毒と並存する．無症状のこと多いが，髄膜炎，脳神経障害，眼症状，髄膜血管性梅毒や脳梗塞などを認めることもある．

3) **潜伏梅毒**：第 2 期梅毒後は無症状の潜伏梅毒に移行する．潜伏梅毒は早期潜伏梅毒と後期潜伏梅毒に区分される．早期潜伏梅毒はおおよそ感染後 1 年以内で，感染性がある．この時期は 2 期梅毒に戻る例も 25％程度認められる．後期潜伏梅毒は，おおよそ感染後 1 年以上経過した時期である．感染性は消失する．

4) **後期梅毒**：未治療の潜伏梅毒患者の 30％が後期梅毒に移行する．通常梅毒罹患後数年～数十年して生じる．皮膚や骨にゴム腫（未治療患者の 16％未満）が生じたり，心血管梅毒（未治療患者の 10％未満）として，大動脈起始部の開大・大動脈弁閉鎖不全・冠動脈疾患が起きる．また後期神経梅毒（未治療患者の 6.5％未満）が認められる【⇨ 17-7-4-1】．

検査所見
1) **非トレポネーマ検査**（rapid plasma reagin：RPR）：カルジオリピン-コレステロール-レシチン抗原に対する抗体価を測定するもの．生物学的偽陽性（e コラム 2）が 1～2％にみられる（Hook ら，1992）．自己免疫疾患，妊娠，ワクチン接種，結核，感染性心内膜炎などでみられる．非特異的検査にもかかわらず疾患活動度と相関する．

2) **特異的トレポネーマ検査**（T. pallidum latex agglutination (TPLA), fluoresent treponemal antibodies (FTA-abs))：疾患特異性が高く，抗体陽性であることは梅毒に罹患したことを意味する．しかし疾患活動度と相関しないため，治療効果判定には使用できない．治療歴，疾患の活動性にかかわらず陽性反応は生涯継続する（例外あり）．偽陽性はほかのスピロヘータ感染，マラリア，Hansen 病および Lyme 病でみられる．

診断
梅毒は多彩な症状を呈するために，他疾患として誤診されやすい．一方，自覚症状が乏しいことも多く，見すごされることも多い．したがって症状からだけでは梅毒診断は難しい．最も重要なのは，梅毒血清反応である．表 6-9-1 に梅毒血清反応の結果と，考えられる状況を示す．

治療（日本性感染症学会，2011）
1943 年からペニシリンが用いられている．世界的にはベンザチンペニシリン 240 万単位の筋注法が標準であるが，国内では使用できない．性感染症学会のガイドラインによると，

① ベンジルペニシリンベンザチンあるいは経口合成ペニシリン薬の内服（第 1 期：2～4 週間，第 2 期：4～8 週間，第 3 期以降：8～12 週間）

② ペニシリンアレルギーの場合は：塩酸ミノサイクリンの内服

表 6-9-1 梅毒検査

RPR	TPLA	考えられる状況
−	+	①梅毒治療後，②梅毒感染初期，③偽陽性
+	−	①梅毒感染初期，②生物学的偽陽性
+	+	梅毒感染

梅毒の診断確定には，rapid plasma reagin（RPR）と T. pallidum latex agglutination（TPLA）法で検査を行い，その両者の結果から診断を行う．

③神経梅毒の場合はベンジルペニシリンの点滴静注が用いられる．

〔味澤 篤〕

■文献

Golden MR, Marra CM, et al: Update on syphilis：resurgence of an old problem. *JAMA*. 2003; **290**: 1510-4.
Hook EW 3rd, Marra CM: Acquired syphilis in adults. *N Engl J Med*. 1992; **326**: 1060-9.
日本性感染症学会編：性感染症診断・治療ガイドライン．日本性感染症学会誌．2011; 22 巻 1 号サプリメント：51-4.
Rompalo AM, Joesoef MR, et al: Syphilis and HIV Study Group Clinical manifestations of early syphilis by HIV status and gender：results of the syphilis and HIV study. *Sex transm Dis*. 2001; **28**: 158-65.

2）レプトスピラ症
leptospirosis

レプトスピラ感染症はわが国ではまれであるが，沖縄では年に数例報告されている．世界的には罹患者の多い人畜共通感染症である．感染症法では四類感染症である．

原因・病因

病原体であるレプトスピラ（*Leptospira*）は，スピロヘータ目に属する好気性の Gram 陰性細菌で，長径 6〜20 μm，横径 0.1 μm のらせん状の細菌である．ギリシャ語で lepto は「細い」，ラテン語で spira は「らせん状」を意味する．分類上，病原性レプトスピラ *L. interrogans* と非病原性レプトスピラ *L. biflexa* に大別される．

レプトスピラは多くの哺乳類に感染し腎臓に定着し尿中に排泄される．特に齧歯類や家畜・イヌは感染しやすく，ネコはまれである．齧歯類では生涯にわたり尿中に菌を排泄し環境を汚染する．菌は土壌や水中で数日〜数カ月生存可能である．菌は皮膚の損傷部分や粘膜から感染すると考えられている．

疫学

わが国では 2009 年から 11 年で年間 16〜31 例が報告されている．開発途上国では毎年 50 万人以上が罹患し死亡率は 5〜10％と報告されている．ペルーで発熱患者 633 例を連続して調べた結果では，50.7％でレプトスピラ症の関与が推定された．ネズミなどの尿に汚染された環境に曝露することがリスクであり，農林業，畜産業，食品加工業，下水処理，土木工事，洪水時では注意しなければならない．

臨床症状

症状は無症状から致死例まで幅があり，約 90％は自然回復する．軽症では感冒様症状のみ（秋やみ）である．

潜伏期間は中央値 10 日（5〜14 日）である．急性期では，突然の高熱と頭痛・悪寒・筋肉痛（75〜100％），悪心・嘔吐・下痢（50％），乾性咳（25〜35％），結膜充血，腹痛，痰，咽頭炎などの症状を合併する．特に結膜充血と腓腹筋痛（把握痛）が有名であるが頻度は高くない．急性期は 5〜7 日間継続する．この時期菌は血液や脳脊髄液から分離可能である．

短期間の症状改善後の免疫期は 4〜30 日間継続する．免疫期では IgM が出現し，菌は尿から数週間分離される．発熱とともに種々の症状を発症し，無菌性髄膜炎は 80％に合併する．Weil 病はレプトスピラ症の最重症病型である．急性期後に 40℃以上の高熱が持続し，急速に肝不全，腎不全，肺出血，不整脈，循環不全を合併する．致死率は 5〜40％である．severe pulmonary hemorrhage syndrome（SPHS）は呼吸器症状，肺出血が顕著な病型であり，肝不全や腎不全を伴わない場合もある．

診断

診断は，菌体分離，抗体検出（顕微鏡下凝集試験法），遺伝子検出（PCR 法）で行われる．菌は血液・脳脊髄液・尿から分離される．

治療

治療は以下が選択されるが，重症例では支持療法が同時に非常に重要である．①ドキシサイクリン 100 mg を 1 日 2 回，5〜7 日間，②ペニシリン 150 万単位を 6 時間ごと点滴，5〜7 日間．ペニシリン使用時には，ほかのスピロヘータ感染と同様に，Jarisch-Herxheimer 反応が起こるので注意が必要である．

〔立川夏夫〕

■文献

McBride A, Athanazio DA, et al: Leptospirosis. *Curr Opin Infect Dis*. 2005; **18**: 376-86.
Segura ER, Ganoza CA, et al: Clinical spectrum of pulmonary involvement in leptospirosis in a region of endemicity, with quantification of leptospiral burden. *Clin Infect Dis*. 2005; **40**: 343.

3）ボレリア感染症
（Lyme 病，回帰熱（relapsing fever））

定義・概念

ボレリア属の細菌はスピロヘータの一種であり，ダニやシラミによって媒介されてヒトに感染する．発症した場合の症状や経過が異なるため，Lyme 病と回帰熱は別の疾患として扱われている．

原因・病因

Lyme 病においては，北米では *Borrelia burgdorferi* が主要な病原体であり，欧州では *B. burgdorferi*, *B. garinii*, *B. afzelii* が原因となっている．日本において

は B. garinii, B. afzelii が主要な病原体である．
　回帰熱の病原体となるボレリアは少なくとも十数種類が確認されており，ダニ媒介性とシラミ媒介性のものに分けることができる．シラミ媒介性では B. recurrentis が，ダニ媒介性では B. duttoni など十数種類が原因となる．

疫学
　Lyme 病は，わが国では 1986 年に初の患者報告があり，その後も発生数は増加している．早春～初夏にかけて，長野県や北海道での発生が多く報告されている．欧米では，現在でも年間数万人もの Lyme 病患者が報告されている[1]．
　回帰熱は，一部の地域を除く全世界に広く存在しているが，わが国には常在していないと考えられていた．しかし最近，過去の患者血清の調査により，国内感染 2 例の存在が証明されている[2]．

臨床症状
1) Lyme 病:
　Lyme 病の感染後の経過は，大きく 3 期に分けることができる．
　a) 感染初期 (stage I)：数日～数週の潜伏期間を経て，マダニ刺咬部を中心とし特徴的な遊走性紅斑 (e 図 6-9-B) を形成し，数日～数週で自然消褪する．倦怠感，発熱，頭痛，筋肉痛，関節痛，リンパ節腫脹などを伴うこともある．
　b) 播種期 (stage II)：数週～数カ月後に病原体が全身に拡散し，神経症状（髄膜炎や脳神経症状など），心疾患（不整脈など），眼症状（ブドウ膜炎），関節炎，筋肉炎などの症状がみられる．
　c) 慢性期 (stage III)：数カ月～数年にわたり，慢性萎縮性肢端皮膚炎，慢性関節炎，慢性脳脊髄炎など慢性症状が出現する．

2) 回帰熱:
　回帰熱は感染したボレリアが菌血症による発熱期（3～7 日）と無熱期を繰り返すことで，特異的な熱型を示す．この周期性の発熱を繰り返し，一般的には症状は軽くなっていくが，肝臓，脾臓あるいは中枢神経などにも侵入し臓器障害などを起こすこともある．

診断
　Lyme 病では，流行地でのマダニ刺咬の有無と特徴的な遊走性紅斑を確認し，紅斑部の皮膚生検から病原体を培養検出するか，血清の抗体検査にて診断する．
　回帰熱においては，発熱時の血液塗抹からの病原体検出や DNA 検出にて診断する．血清反応は，型特異性の相違や経過中の抗原性変異があるため診断価値が低い．

治療・予防
　Lyme 病，回帰熱ともに，テトラサイクリンやドキシサイクリン，あるいはアモキシリンなど多種類の抗菌薬が有効である[3]．髄膜炎などの神経症状を伴う Lyme 病では，髄液移行のよいセフトリアキソンが選択される．いずれも，流行地において媒介するダニやシラミとの接触を避けることが重要である．

〔今村顕史〕

■文献（e 文献 6-9-3）

橋本喜夫：ライム病．ライム病の臨床と診断．化学療法の領域．2001; 17：2103-9.
川端寛樹：ボレリア感染症－回帰熱，ライム病．別冊日本臨牀 感染症症候群 第 2 版上，pp248-56，日本臨牀社，2014.
Steere AC: Lyme disease. N Engl J Med. 2001; 345: 115-25.

6-10 ウイルス感染症

1) DNA ウイルスによる感染症

(1) 単純ヘルペスウイルス感染症 (herpes simplex virus (HSV) infection)

概念
　ヒトを宿主とするヘルペスウイルス (human herpesvirus：HHV) 属には 9 種類（HHV-6 は A，B の 2 種類に分類）のウイルスがある（e 表 6-10-A）．単純ヘルペスウイルスは 1 型と 2 型に分けられ，前者は口唇ヘルペス，後者は性器ヘルペスの原因ウイルスとして知られている．

病因
　アルファヘルペスウイルス亜科に属する HSV の感染によって，初感染と再発（回帰発症）が起こる．1 型 (HSV-1) は口唇ヘルペスの原因ウイルスとして知られ，主として唾液を介した接触感染や飛沫感染によって感染することが多い．2 型 (HSV-2) は性器ヘルペスとして，ウイルス排出者の性器を介した接触感染が原因となることが多い．
　単純ヘルペスウイルスは，口腔や陰部などの粘膜，あるいは潰瘍のある皮膚から侵入する[1]．HSV-1 による初感染の多くは不顕性感染として経過するが，発熱や皮膚粘膜の水疱性病変を発症することがある．局

所病変があるとウイルス量が 100〜1000 倍となり[2]，結果として有症状の患者からは感染する可能性が高まる[2]．一方，性器ヘルペスでは，局所症状がなく無症状でもウイルス排出することがある．このことは，本人も気づかずにパートナーへの感染が起こることを意味している[3]．

初感染したウイルスは，その後も三叉神経節や仙髄神経節などの神経節に潜伏感染を続ける．そして，さまざまな刺激（ストレス，紫外線，発熱，外傷，免疫不全など）が誘因となり再活性化され[4]，再発を繰り返すようになる．

疫学

HSV-1 の多くが幼小児期を中心に不顕性感染して，成長とともに感染率も高まり[5]，開発途上国の感染率は 90％以上となる[6]．しかし，先進国における成人の抗体保有率は約 50〜70％と低くなる傾向があり[7,8]，日本の HSV-1 感染率も 50％以下に低下してきている[9]．一方，性感染症として広がる HSV-2 では，性行為の状況によって感染率が異なり，世界各国の抗体保有率は妊婦で 7〜40％であるが，HIV 感染者や性風俗従事者では 60〜95％にも達する（Gupta ら，2007）．日本における HSV-2 の感染率は 5％程度であるが，性感染症としては性器クラミジア，淋病につぐ頻度である[10]．

病態生理

初感染した HSV-1 と HSV-2 は，全身の知覚神経節に潜伏感染し，その再発（回帰発症）によって，局所に水疱性病変を発症するようになる．オーラルセックスによって HSV-1 が性器に感染，あるいは HSV-2 が口腔に感染することもあるが，再発するときには HSV-1 は口腔領域に，そして HSV-2 は性器領域に発症しやすくなる[11-14]．

臨床症状

HSV-1 による初感染の多くは不顕性の経過をとり，そのまま潜伏感染が持続することになる．しかし，乳幼児の初感染でも，乳幼児にみられるヘルペス性歯肉口内炎，Kaposi 水痘様発疹症，ヘルペス性角結膜炎，そして髄膜炎や脳炎などをきたすこともある．また，成人における HSV-1 の初感染では，比較的重い症状をきたす頻度が高いとされている[15]．

性器ヘルペスは，感染後 2〜12 日間で発症し[16]，性器にかゆみや痛みを伴う水疱性病変が出現する．初発では，発熱や鼠径リンパ節腫脹などを伴うこともあるが，再発（回帰発症）の場合には症状も軽度で，発症期間も短い傾向にある[17]．しかし，悪性腫瘍，HIV 感染症，臓器移植，妊娠，高齢などにおいては，再発する頻度も高まり，重症化することがあるため注意が必要である[18-21]．

診断

臨床症状，皮膚や口腔粘膜疹などの病変により本症を疑う．蛍光抗体法による単純ヘルペスウイルス感染細胞の検出，PCR 法や LAMP 法による核酸増幅法によるウイルス DNA の検出などが確定診断に有用である．ペア血清での抗体価上昇によって血清学的な診断も可能であるが，再発（回帰発症）の診断は難しい．

治療・予防

軽症であれば自然軽快することも多く，対症療法による経過観察も可能である．単純ヘルペスウイルスの治療薬としては，アシクロビルや同剤のプロドラッグ製剤であるバラシクロビルが使用される．脳炎などの重症例や免疫不全例に対してはアシクロビルの静注製剤が選択されることが多い．また，再発を繰り返す性器ヘルペスに対しては，経口薬による再発抑制療法が行われることがある[22]．これらの治療では，症状改善や合併症の予防効果は期待できるものの，潜伏感染している単純ヘルペスウイルスを排除することはできない．

〔今村顕史〕

■文献（e文献 6-10-1-1）

CDC: Sexually Tranmitted Diseases Treatment Guidelines. *MMWR*. 2010; vol. 59: 20-5.

Gupta R, Warren T, et al: Genital herpes. *Lancet*. 2007; **370**: 2127-37.

(2) 水痘・帯状疱疹ウイルス感染症（varicella-zoster virus（VZV）infection）

概念

水痘・帯状疱疹ウイルス（VZV）は，初感染で水痘を発症する．ウイルスは治癒後も潜伏して持続感染し，それがさまざまな誘因によって再活性化することで発症したのが帯状疱疹である．

分類

水痘・帯状疱疹ウイルスによって起こる病気には，初感染で発症する水痘と，再発（回帰発症）による帯状疱疹がある．帯状疱疹は，その発症の状況によって限局型と播種型に分けることができる．

病因

VZV は，単純ヘルペスウイルスと同じアルファヘルペスウイルス亜科に属し，遺伝子的にも近隣ウイルスといえる．初感染として発症する水痘は，感染力が強く，結核や麻疹と同じように空気感染する[1]．帯状疱疹は，潜伏感染したウイルスが再活性化して再発（回帰発症）したものであり，通常は局所に限局した病変となる．しかし，高度の免疫不全がある場合などには，播種性の帯状疱疹となることがあり，この場合には限局した帯状疱疹よりも感染力も強くなる[2]．

疫学

　水痘は感染力が強く，免疫のない家族内では90％以上に二次感染を起こす[3]．そして，不顕性感染とならずに多くが発症する．わが国では，幼小児を中心に，毎年のように水痘の流行が起こり，1年のなかでは冬～春に多くなる傾向がみられていた．米国においては，1996年より水痘ワクチンの定期接種がはじまり，接種率の向上によって水痘の罹患数と入院患者数の減少が報告されている[4,5]．そして，日本でも2014年10月1日より，それまで任意接種であった水痘ワクチンが定期接種となった．この効果により，すでに水痘の発生報告数の減少もみられはじめている．

　一方，潜伏感染からの回帰発症である帯状疱疹は，加齢によって発症しやすくなるため，若年者よりも高齢者に多くみられる．米国においては，生涯累積で人口の約10～20％が帯状疱疹に罹患するという報告もある[3]．帯状疱疹は，免疫不全や加齢などのさまざまな誘因によって起こるため，季節性はなく1年を通じて発症する．

病態生理

　予防接種や既往によって十分な免疫をもたない感受性者では，ウイルスが気道の粘膜などから侵入しウイルス血症を引き起こす．その後，ウイルスは全身に散布されて，皮膚に特徴的な水痘の皮疹を発症する．水痘が治癒しても，ウイルスが脊髄知覚神経節に侵入することで，潜伏感染が持続する．そして，加齢や免疫不全などによる細胞性免疫の低下でウイルスが再活性化される．ウイルスは遠心性に潜伏神経節から神経線維を介して皮膚へ運ばれ，その神経支配領域に帯状疱疹を発症する．

臨床症状

1）水痘：ウイルスに感染してから10～21日程度の潜伏期間の後，全身倦怠感，発熱，発疹などで発症する．皮疹は丘疹，水疱，膿疱，痂皮へと進むが，これら種々の段階の皮疹が同時に存在し，咽頭や頭部にも認められる[3]．

　小児期のウイルス感染症として代表的な流行ウイルス感染症の1つであり，多くの健康小児にとっては比較的良好な経過をとる疾患である．しかし，脳症や脊髄炎，あるいは視神経炎などの多彩な神経合併症をもち，後遺症を残すような重症例も存在する[6-8]．また，HIV感染症，白血病，臓器移植患者など，細胞性免疫が低下している場合の水痘では，経過の遷延や重症化が起こりやすくなることが知られている．母親が水痘に罹患した場合には，出生児に，白内障，低体重，精神発達遅延などの先天性水痘症候群を起こすことがある．

2）帯状疱疹：帯状疱疹は，神経節に潜伏感染していた水痘・帯状疱疹ウイルスの再活性化によって起こる．このため，片側性の支配神経領域に一致した範囲に皮疹が出現する（e図6-10-A）．皮疹は水痘と同様に，丘疹，水疱，膿疱，痂皮へと進み，発症した神経領域の疼痛を伴うことが多い[9]．特に高齢者では，帯状疱疹後神経痛として，激しい神経痛が治癒後も数年以上にわたり持続することもある[10,11]．

　また，顔面神経の膝神経節病変では，外耳道の疼痛と水疱に，顔面神経麻痺も伴うことがあり，Ramsay-Hunt症候群とよばれている[12]．著明な細胞性免疫低下のある患者での発症では，ときに支配神経領域以外へも進展し，播種性帯状疱疹となることもある．

診断

　水痘と帯状疱疹は，特徴的な皮疹や臨床像から本疾患を疑うことは難しくはない．皮膚擦過スメアや水疱内容液などの病巣部からのウイルス分離，免疫組織化学的染色，PCR法によるウイルスDNAの検出などによって確定診断される．血清では，特異IgM抗体の上昇やペア血清による抗体陽転での診断が可能である．

治療・予防

　水痘・帯状疱疹に効果のある抗ウイルス薬として，アシクロビルやバラシクロビルが使用される．また，弱毒性ワクチンがあり予防接種も行われている．免疫グロブリン投与が，水痘曝露時の発病の回避や軽症化のために投与されることがある．また，米国においては，帯状疱疹発症と帯状疱疹後疼痛を抑えるために，50歳以上でのワクチン接種が推奨されている[13,14]．

　水痘は空気感染するため，水疱が痂皮化するまでの間は空気感染予防策をとる必要がある．片側性の神経支配領域に限局した帯状疱疹においては，水痘のような感染力はなく接触感染予防策をとればよい．しかし，細胞性免疫不全患者に生じる播種型の帯状疱疹では，臨床像や感染力が水痘に近くなるため，空気感染予防策をとるのが基本となる[2,15]．〔今村顕史〕

■文献（e文献6-10-1-2）

Cohen JI: Herpes zoster. *N Engl J Med*. 2013; **369**: 255.
Heininger U, Seward JF: Varicella. *Lancet*. 2006; **368**:1365.
Steiner I, Kennedy PG, et al: The neurotropic herpes viruses: herpes simplex and varicella-zoster. *Lancet Neurol*. 2007; **6**: 1015-28.

(3) サイトメガロウイルス感染症（cytomegalovirus（CMV）infection）

定義・概念

　サイトメガロウイルス（CMV）は，健常人に感染しても多くは不顕性感染となり，生涯にわたり体内への潜伏感染を続ける．そして，免疫不全に伴う再活性化によって，さまざまな臓器障害を発症することがあ

る．サイトメガロウイルス感染症は，母子感染，健常者における初感染，そして，免疫不全による初・再感染や再活性化などによって発症する．

分類
サイトメガロウイルスによって起こる病気は，健常人でもみられる伝染性単核球症様症候群や肝炎，母子感染によって起こる先天性サイトメガロウイルス感染症，そして免疫不全に伴い日和見感染として発症するさまざまな臓器病変に分けることができる．

原因・病因
サイトメガロウイルスは，感染者の唾液，尿，血液，便，涙，乳汁，精液，子宮頸部など，さまざまなところから検出される[1,2]．したがって，産道感染や母乳による母子感染，あるいは家庭内や保育所などにおける密接な接触によって伝播していく．また，性行為による感染[3]，輸血・移植臓器などによる感染も起こる可能性がある[4,5]．さらに，デイケアセンターや，医療行為での曝露による感染も報告されている[6,7]．サイトメガロウイルスは初感染後も潜伏感染を続けるため，HIV感染症や移植などにおける免疫不全に伴う再活性化での発病もみられる．

疫学
サイトメガロウイルスは世界的に広く分布するが，地域によって感染率は大きく異なり[8]，先進国よりも途上国において高い傾向がある[9]．わが国の妊婦における抗体保有率調査でも，かつては抗体保有率が90％台と，高い感染率を示していた[10,11]．しかし近年は，その抗体保有率も低下していることが報告されている[12]．そして，若年者を中心に感染率が低下してきたことで[13]，感受性の妊婦が感染して発生する先天性サイトメガロウイルス感染症も増加する可能性が危惧されている．

病態生理
サイトメガロウイルスはヘルペスウイルスβ亜科に属するウイルスである．初感染後にも，唾液腺上皮，血管内皮，リンパ球，多核白血球などに潜伏して持続感染し，その後も再活性化を繰り返す．細胞性免疫が低下すると，再活性化しやすくなり，さらに，細胞性免疫が低下した患者においては，肺，肝臓，消化管，膵臓，網膜，中枢神経系など，さまざまな臓器に病変を発症するようになる．

臨床症状
1）サイトメガロウイルス単核症様症候群および肝炎：サイトメガロウイルスの初感染においては，Epstein-Barrウイルスと似た単核球症を発症することがある．また，持続する肝機能障害で発見される例もある．CMV感染に伴う単核症様症候群においては，Epstein-Barrウイルスの場合よりも，頸部リンパ節腫大や滲出性扁桃炎を伴う頻度が低いことが報告されている[14]．

2）先天性サイトメガロウイルス感染症：妊娠初期における妊婦の初感染によって，胎児にウイルスが感染し，その5～10％が発症するとされる．典型例は，先天性巨細胞封入体症とよばれ，肝脾腫，黄疸，低体重，小頭症，脳室周囲石灰化，難聴，脈絡網膜炎，肝脾腫，黄疸，DICなどをきたし予後不良となる[15,16]．

3）日和見感染症としてのサイトメガロウイルス感染症：癌，血液疾患，HIV感染症，移植，免疫抑制薬やステロイド投与など，細胞性免疫の障害に伴って発症するCMV感染症では，初感染や再感染よりも，潜伏していたウイルスの再活性化に伴う場合が多い．このような免疫不全状態で起こるCMV感染症は，さまざまな臓器に発症し，その症状は標的とされた臓器によって異なる．移植後早期の発症は予防投与によって減少したが，移植100日以降に発症する遅発CMV感染症が増加している[17]．AIDS患者においては，CMV網膜炎が約30％に発症するとされていたが[18]，抗HIV療法の進歩によって発症頻度も低下してきている（e 図6-10-B）．

診断
CMV感染症を診断するための検査には，CMV-IgM抗体，CMV抗原血症，PCR法によるCMV-DNA測定，ウイルス分離などがある．これらの検査は，病態によって適切な検査が選択されなければならない．CMVは初感染すると長期に感染を持続して，さまざまな部位から検出される．したがって，その病的な意義については，臨床的な経過，画像や内視鏡所見，組織病理学的検査なども含めた総合的な評価をすることが重要である．

治療・予防
サイトメガロウイルスに対する抗ウイルス薬としては，ガンシクロビルおよび経口薬のバルガンシクロビル，そしてホスカルネットがある．また，症例によってはガンマグロブリンやステロイドの投与が行われることもある．健常人におけるCMV感染症では，伝染性単核球症様症候群などの多くは対症療法のみで自然軽快するため治療を必要としない．しかし，まれに脳神経合併症，肺炎，大腸炎などを発症することがあり，このような場合にはガンシクロビルなどの投与も検討される．

移植においては，発症後の治療だけでなく，モニタリングしたCMVの増加によって積極的な予防治療も行われるようになっている．HIV感染症においては，予防的な治療は推奨されておらず，臓器病変の発症を証明された場合のみが治療対象となる．その治療期間や維持療法は，発症臓器によって異なる．いずれの場合にも，治療薬による副作用が問題となることが多いため，治療後も注意観察が必要となる．

『内科学 第11版』デジタル付録について

これまで紙数の制約などから掲載ができなかった豊富な情報（本文500頁相当）をウェブ上で提供します．本文のより深い理解や多様なエビデンスの確認など幅広くご活用ください．

- ▶ 動画・音声（約140）
- 📖 図（約700），表（約300）
- 📄 コラム（約580），ノート（約120），文献など

▼以下のような「デジタル付録タイトル一覧」（PDFデータ）が弊社サイトからダウンロードできます．

『内科学 第11版』デジタル付録タイトル一覧

1-2 患者へのアプローチの基本（医療面接と臨床推論）
- コラム1　医療面接の技法
- コラム2　状況によりさまざまな思考パターンを，しかも同時並行で用いる
- コラム3　医療の過誤可能性

1-3 遺伝性疾患
- 図1-3-A　福山型筋ジストロフィー（FCMD）における3kb挿入配列の固定
- 図1-3-B　multiplex ligation-dependent probe amplification（MLPA）法
- 図1-3-C　DMD遺伝子変異解析　シーケンス法
- 表1-3-A　OMIMにおける遺伝子，疾患エントリー数

1-5-4 放射線障害
- 表1-5-A　放射線診断における医療被曝線量

2-1 加齢，老化
- コラム1　加齢に伴う臓器の機能低下
- コラム2　高齢者の疾患の特徴
- コラム3　譫妄の背景
- 図2-1-A　検査値の加齢変化
- 図2-1-B　流動性知能と結晶性知能の加齢変化
- 図2-1-C　譫妄のフローチャート
- 表2-1-A　2011（平成23年）国民健康・栄養調査
- 表2-1-B　高齢者のうつ病の特徴

2-2-2 早老症
- ノート1　アキレス腱石灰化
- 表2-2-A　Werner症候群の診断基準2012年版

2-2-3 老化制御
- 図2-2-A　エネルギー制限，レスベラトロール，および運動の寿命延長機構

2-3 高齢者の保健や診療における目標
- コラム1　フレイル
- コラム2　生活機能障害の国際分類
- コラム3　CGA
- ノート1　運動器の機能向上プログラム

3-2 心身症
- コラム1　薬物治療の留意事項

3-3 摂食障害
- ノート1　DSM-IVとDSM-5
- 表3-3-A　神経性やせ症の診断基準
- 表3-3-B　神経性過食症の診断基準
- 表3-3-C　過食性障害の診断基準

3-4 パニック症/パニック障害
- 表3-4-A　パニック症/パニック障害の診断基準

3-5 PTSD（心的外傷後ストレス障害）
- ノート1　DSM-IV-TRとの違い
- 表3-5-A　心的外傷後ストレス障害の診断基準
- 表3-5-B　6歳以下の子どもの心的外傷後ストレス障害の診断基準

4-2 発疹，皮膚色素沈着
- 図4-2-A　皮疹の定義
- 図4-2-B　表在性炎症性疾患でみられる皮疹の関係

4-7 胸やけ・げっぷ
- コラム1　GERD

4-12 下痢
- 表4-12-A　下痢の病変部位の推測

4-18 浮腫
- コラム1　古典的Starlingの法則と改訂されたStarlingの法則
- 表4-18-A　全身性浮腫の機序

4-19 腹部膨隆
- 図4-19-A　腫瘤の触れる部位により推知する主要臓器の疾患

4-21 腹水
- 図4-21-A　肝硬変（右緊）に伴う腹水の腹部エコー像

4-23 肥満
- 図4-23-A　レプチンの中枢性エネルギー代謝調節作用
- 図4-23-B　脂肪組織から分泌されるアディポサイトカイン
- 図4-23-C　肥満症診断のフローチャート

4-26 Raynaud症状
- 図4-26-A　Raynaud現象の病態生理

表4-39-A 乏尿・無尿の分類と病態

4-40 多尿
- 表4-40-A　浸透圧（溶質）利尿による多尿の原因
- 表4-40-B　水利尿による多尿の原因

4-42 排尿障害
- 表4-42-A　代表的な下部尿路症状
- 表4-42-B　下部尿路障害の原因

4-43 四肢痛
- コラム1　小径線維ニューロパチー
- コラム2　painful legs and moving toes syndrome
- コラム3　視床痛

4-44 関節痛
- 図4-44-A　62歳女性，変形性関節症患者の単純X線
- 図4-44-B　32歳女性，関節リウマチ患者の単純X線
- 図4-44-C　33歳女性，若年性特発性関節炎からのキャリーオーバー症例で関節破壊が進行している
- 図4-44-D　45歳女性，関節リウマチ患者の単純X線
- 図4-44-E　65歳女性，偽痛風患者の膝単純X線写真
- 図4-44-F　57歳女性，関節リウマチ患者の手関節エコー
- 表4-44-A　関節痛をきたすおもな疾患

4-52 成長障害
- コラム1　TORCH

5-1-1-5 非ステロイド系抗炎症薬
- 表5-1-A　化学構造によるNSAIDsの分類

5-1-1-7 ステロイドと使い方
- コラム1　GRステロイド複合体の働き
- コラム2　ステロイドの作用
- コラム3　漸減療法と少量長期間節療法
- コラム4　副作用の発現時期と対策

5-1-2 輸液療法
- コラム1　経口輸液療法
- 表5-1-B　生理的な体液喪失から考えた維持輸液の水分量

5-1-4 輸血・成分輸血
- コラム1　HLA適合血小板輸血時の留意点
- コラム2　赤血球および血小板製剤には放射線照射は必須

5-1-5 呼吸管理
- コラム1　ARDSの新しい定義

5-1-7 リハビリテーションと運動療法
- 図5-1-A　筋力向上トレーニングマシンによる運動
- 図5-1-B　バランスボールを用いた平衡機能のリハビリテーション
- 図5-1-C　身体運動による生活習慣病予防
- 図5-1-D　マイオカインは筋肉で生合成され，分泌される
- 図5-1-E　運動量，運動強度とHbA1cの相関

5-2-1 心肺蘇生
- コラム1　機械的CPR装置
- 図5-2-A　救命の連鎖
- 図5-2-B　AED

5-2-4 腹痛（急性腹症）
- 図5-2-A　問診の要点
- 表5-2-B　腹痛をきたす腹部臓器以外の疾患

5-2-5 消化管出血
- コラム1　出血性消化性潰瘍に対する内視鏡的止血法の成績

5-2-6 昏睡（意識障害）
- コラム1　第一優先事項
- コラム2　片側性の羽ばたき振戦
- コラム3　テオフィリンなどによる部分発作への注意
- コラム4　ERで遭遇するおもな臨床画像

6-1-3 宿主の感染防御機構
- 表6-1-A　宿主が有する物理化学的感染防御機構

6-1-4 感染症の診断
- コラム1　問題の生じている臓器・系統のありかをつきとめる
- 図6-1-A　細菌検査の流れ

6-1-5 感染症の治療
- コラム1　アンチバイオグラム

6-1-6 感染症の予防（予防接種）
- コラム1　不活化ワクチンの抗原
- コラム2　皮下接種と筋肉内接種

コラム　伏期間

6-2-9 皮膚・軟部組織感染症
- 図6-2-D　瘭
- 図6-2-E　（水疱性）伝染性膿痂疹
- 図6-2-F　（痂皮性）伝染性膿痂疹
- 図6-2-G　丹毒
- 図6-2-H　蜂巣炎（蜂窩織炎）
- 図6-2-I　壊死性筋膜炎

6-2-10 骨・関節感染症
- 図6-2-J　急性化膿性骨髄炎（生後3カ月），慢性化膿性骨髄炎

6-2-11 腹腔・骨盤内感染症
- ノート1　疫学

6-2-12 性感染症
- コラム1　性感染症の感染源
- コラム2　性感染症の特徴

6-2-13 輸入感染症
- コラム1　疾患頻度

6-3-1-2 肺炎球菌感染症
- コラム1　鑑別診断と合併症

6-3-1-3 連鎖球菌感染症
- コラム1　重要な合併症

6-3-1-4 腸球菌感染症
- ノート1　腸球菌の性質
- ノート2　血流感染症での菌種の比率
- ノート3　死亡リスク
- ノート4　VREの種類
- ノート5　腸球菌の薬剤耐性
- ノート6　アミノグリコシド系薬への高度耐性

6-3-2-1 破傷風
- 表6-3-A　破傷風の症状と治療

6-3-2-3 ボツリヌス中毒
- 表6-3-B　ボツリヌス中毒の症状と治療

6-3-2-4 クロストリジウム・ディフィシル感染症
- コラム1　C. difficileが産生するトキシン
- コラム2　重症C. difficile感染症
- 図6-3-A　CDIの発症要因
- 表6-3-C　CDIの臨床的特徴
- 表6-3-D　CDIに対する治療

6-3-2-5 リステリア感染症
- コラム1　ヒトに病原性を発揮するリステリア菌の特徴

6-3-2-8 炭疽
- コラム1　injection anthrax
- 図6-3-B　吸入炭疽の胸部X線像
- 図6-3-C　炭疽患者検体のGram染色像
- 表6-3-B　炭疽の微生物学検査法

6-3-3-2 淋菌感染症
- コラム1　淋病感染症の治療法

6-3-4-4 モラクセラ カタラーリス感染症
- ノート1　Moraxella catarrhalisの分類上の位置
- 図6-3-D　好中球による貪食像

6-3-4-5 大腸菌感染症
- コラム1　腸管出血性大腸菌感染症
- 表6-3-F　下痢原性大腸菌の分類と特徴

6-3-4-6 クレブシエラ属菌による感染症
- コラム1　ドノバン症
- コラム2　bulging fissure sign
- コラム3　ESBL産生クレブシエラ属の治療
- コラム4　CRE
- 図6-3-E　肺炎桿菌のGram染色像とコロニー

6-3-4-10 その他の腸内細菌科細菌による感染症
- 表6-3-G　その他のおもな腸内細菌科細菌

6-3-4-13 ヘリコバクター・ピロリ感染症
- コラム1　H. pyloriの除菌
- コラム2　H. pylori感染因子
- ノート1　H. pyloriの発見
- 図6-3-F　H. pyloriのGram染色像
- 図6-3-G　H. pyloriの電子顕微鏡像
- 図6-3-H　血液加スキロー培地上でのH. pyloriのコロニー像

7-7-2 狭心症・無症候性心筋虚血
- コラム 1　抗凝固薬の出血リスク
- 図 7-7-A　虚血性心疾患・狭心症患者数の推移
- 図 7-7-B　高度狭窄
- 図 7-7-C　過換気負荷心電図
- 動画 7-7-A　冠動脈造影
- 動画 7-7-B　冠動脈造影
- 動画 7-7-C　冠動脈造影
- 動画 7-7-D　冠攣縮誘発試験 (右冠動脈)
- 動画 7-7-E　冠攣縮誘発試験 (右冠動脈)
- 動画 7-7-F　冠攣縮誘発試験 (右冠動脈)
- 動画 7-7-G　冠攣縮誘発試験 (左冠動脈前下行枝)
- 動画 7-7-H　冠攣縮誘発試験 (左冠動脈前下行枝)
- 動画 7-7-I　冠攣縮誘発試験 (左冠動脈前下行枝)
- 動画 7-7-J　冠動脈造影 CAG
- 動画 7-7-K　ステント留置術
- 動画 7-7-L　ステント留置術
- 動画 7-7-M　ステント留置術
- 動画 7-7-N　ステント留置術
- 動画 7-7-O　ステント留置術
- 動画 7-7-P　ステント留置術

7-7-3 急性冠症候群
- 表 7-7-A　不安定狭心症非 ST 上昇型心筋梗塞 (UA/NSTEMI) における短期間の死亡・非致死性心筋梗塞のリスク分類

7-7-4 陳旧性心筋梗塞
- 動画 7-7-Q　心室モデリング (1)
- 動画 7-7-R　心室モデリング (2)
- コラム 1　心室リモデリングと BNP
- コラム 2　陳旧性心筋梗塞に対するカテーテル治療
- コラム 3　虚血性心筋症

7-7-5 全身疾患と冠動脈障害
- 図 7-7-D　血管炎の分類と罹患血管
- 図 7-7-E　川崎病発症患者数と死亡率の推移
- 図 7-7-F　結節性多発動脈炎患者の冠動脈病理像
- 表 7-7-B　血管炎の分類・血管炎の名称
- 表 7-7-C　川崎病の診断基準

7-7-6 虚血性心疾患の疫学
- コラム 1　久山町研究と Framingham 研究

7-8-1 心臓の発生と先天性心疾患
- 動画 7-8-A　心房中隔欠損・心エコー四腔像
- 動画 7-8-B　心房中隔欠損・心エコー心室短軸像
- 動画 7-8-C　心房中隔欠損・肺動脈造影
- 動画 7-8-D　心房中隔欠損・経食道エコー心房中隔欠損サイズ

- 図 7-8-S　心室中隔欠損の血行動態
- 図 7-8-T　心室中隔欠損の心雑音
- 図 7-8-U　肺高血圧を伴った心室中隔欠損の乳児の胸部 X 線像 (生後 2 カ月)
- 図 7-8-V　肺高血圧を伴った心室中隔欠損の乳児の心電図 (生後 2 カ月)
- 図 7-8-W　漏斗部伸展を伴った膜様部型 VSD の乳児 (生後 2 カ月, 左室長軸像)

7-8-5 動脈管開存
- 動画 7-8-Q　PDA の断層心エコー
- コラム 1　PDA が合併する疾患
- コラム 2　発生異常
- コラム 3　未熟児・新生児期の PDA
- コラム 4　複雑心奇形での身体所見
- 図 7-8-X　PDA の聴診所見

7-8-6 Eisenmenger 症候群
- 動画 7-8-R　Eisenmenger 症候群の断層心エコー
- コラム 1　出生前後の肺血流量の変化
- 図 7-8-Y　左→右短絡性先天性心疾患が Eisenmenger 症候群に至る肺小動脈の変化の模式図
- 図 7-8-Z　心室中隔欠損から Eisenmenger 症候群をきたした症例の左室長軸像 (ドプラ断層)

7-8-7 肺動脈狭窄症
- コラム 1　純型肺動脈閉鎖症
- コラム 2　カテーテル治療

7-8-10 その他の先天性心疾患
- コラム 3　Fontan 術後症候群
- 図 7-8-AA　上心臓型の心エコー図
- 図 7-8-AB　右冠動脈肺動脈起始症

7-9 成人でみられる先天性心疾患
- コラム 1　心臓カテーテル検査
- コラム 2　extracardiac TCPC 術と 1&1/2 repair

7-10-4 僧帽弁逸脱症
- 動画 7-10-A　非リウマチ性僧帽弁狭窄症 (傍胸骨長軸像)
- 動画 7-10-B　非リウマチ性僧帽弁狭窄症 (傍胸骨長軸像)
- 動画 7-10-C　僧帽弁狭窄症の心エコー検査 (傍胸骨長軸像)
- 動画 7-10-D　僧帽弁狭窄症の心エコー検査 (傍胸骨短軸像)
- 動画 7-10-E　僧帽弁狭窄症の心エコー図検査 (心尖部四腔像)
- 動画 7-10-F　僧帽弁狭窄症患者における経食道心エコー図検査 (1)
- 動画 7-10-G　僧帽弁狭窄症患者における経食道心エコー図検査 (2)
- 動画 7-10-H　僧帽弁狭窄症の

- コラム 1　有病率と臨床症状
- コラム 2　女性の Fabry 病の診断
- コラム 7　家系調査
- コラム 8　予後
- コラム 9　病因
- 図 7-13-A　ヘモクロマトーシス
- 図 7-13-B　ミトコンドリア心筋症

7-13-4 心臓腫瘍
- 動画 7-13-A　経胸壁心エコーによる心腔粘液腫像
- 動画 7-13-B　経胸壁心エコーによる転移性心臓腫瘍像
- コラム 1　Carney 症候群

7-15 先天性結合組織疾患に伴う心血管病変
- 図 7-15-A　Loeys-Dietz 症候群の動脈病変
- 図 7-15-A　改訂 Ghent 診断基準

7-16-2 補助循環・人工心臓
- 図 7-16-A　植え込み型補助人工心臓
- コラム 1　植え込み型補助人工心臓実施基準

7-17-1 動脈系疾患
- コラム 1　コレステロール塞栓症
- 図 7-17-A　動脈硬化による下肢 PAD 症候群の自然経過
- 図 7-17-B　末梢動脈疾患の治療アルゴリズム

7-18 肺性心疾患
- 動画 7-18-A　特発性肺動脈性肺高血圧症例の心エコー (1)
- 動画 7-18-B　特発性肺動脈性肺高血圧症例の心エコー (2)
- 図 7-18-A　特発性肺動脈性肺高血圧症例の心エコー
- 表 7-18-A　右房圧，肺動脈収縮期圧 (右室収縮期圧) の推定

7-19 心臓・血管外傷
- 図 7-19-A　Sauer's danger zone
- 図 7-19-B　交通外傷後に生じた仮性心室瘤
- 図 7-19-C　交通外傷により生じた乳頭筋断裂による僧帽弁閉鎖不全症
- 図 7-19-D　交通外傷によって生じた心膜液貯留, 心嚢内血腫
- 図 7-19-E　外傷後に生じた急性大動脈解離
- 図 7-19-F　転落外傷後に生じた大動脈損傷
- 表 7-19-A　心外傷のおもな原因

8-1 血圧異常のみかた
- 図 8-1-A　2012(平成24)年の厚生労働省による国民健康・栄養調査における性, 年齢階別の高血圧 (≧140/90 mmHg あるいは降圧薬服用) の割合
- 図 8-1-B　性別, 年齢別の国民の血圧

- コラム 1　アルコール分解酵素の遺伝子型と表現型

18-1-4 温熱・寒冷による疾患
- コラム 1　熱中症発生の現状
- コラム 2　熱中症の疫学
- コラム 3　日本救急医学会「熱中症に関する委員会」の推奨する分類: 付記
- コラム 4　労作性と非労作性
- コラム 5　低体温症の疫学
- コラム 6　低体温症の危険因子
- 図 18-1-D　暑さ指数 (WBGT) 測定装置: 基本型, 演算型
- 表 18-1-B　日常生活における熱中症予防指針
- 表 18-1-C　低体温症の危険因子

18-1-7 災害・避難生活における疾患
- コラム 1　東日本大震災
- コラム 2　放射線への対応
- コラム 3　トリアージの微細基準
- コラム 4　NBC 災害のトリアージ
- コラム 5　災害時の栄養確保

18-1-8 化学物質過敏症
- 図 18-1-E　近赤外分光法 (near-infrared spectroscopy: NIRS) を用いた嗅覚反応時の前頭前皮質における脳血流量の変動
- 表 18-1-D　QEESI の評価

18-1-9 VDT による障害
- 表 18-1-E　VDT 作業の作業区分

18-2-2 ガス・その他の工業中毒
- コラム 1　シアン中毒の診断とアーモンド臭
- コラム 2　硫化水素中毒

18-2-3-2 自然毒による食中毒
- 図 18-2-A　スギヒラタケ
- 図 18-2-B　コバイケイソウ
- 表 18-2-A　魚介類の毒

18-2-4 農薬中毒
- コラム 1　胃洗浄と活性炭投与

- コラム 1　世界と日本の寄生虫病の流行

17-10-5 銅代謝異常症
- コラム 1　銅含有酵素

17-11-1 重金属中毒
- コラム 1　江戸時代の日本における鉛中毒
- コラム 2　水俣病 (Minamata disease): 有機水銀 (メチル水銀) 中毒
- コラム 3　森永ヒ素ミルク中毒
- コラム 4　ヒ素中毒事件
- ノート 1　四エチル鉛
- 図 17-11-A　鉛によるヘム合成系の障害
- 表 17-11-A　重金属による神経系障害

17-11-2 有機物質中毒
- コラム 1　サリン中毒
- コラム 2　炭鉱炭じん爆発による一酸化炭素中毒
- コラム 3　スギヒラタケ中毒
- 表 17-11-B　有機溶剤の特異毒性
- 表 17-11-C　有機溶剤曝露の指標としての尿中代謝物など
- 表 17-11-D　毒キノコ中毒

17-13 先天性疾患
- 図 17-13-A　先天性水頭症
- 図 17-13-B　滑脳回
- 図 17-13-C　多小脳回
- 図 17-13-D　皮質下帯状異所性灰白質
- 図 17-13-E　裂脳症
- 図 17-13-F　孔脳症
- 図 17-13-G　神経線維腫症 1 型
- 図 17-13-H　結節性硬化症
- 図 17-13-I　Sturge-Weber 症候群
- 17-13-J　周産期脳障害

17-14 脳腫瘍・脊髄腫瘍
- 図 17-14-A　左前頭葉膠芽腫　造影 T1 強調 MRI, 腫瘍部分の MRS

17-15 頭部外傷・脊髄外傷
- コラム 1　頭部外傷の統計データ
- 図 17-15-A　ポケット SCAT2 日本版
- 図 17-15-B　頭部外傷において推測される病態
- 表 17-15-A　Frankel 分類と ASIA 分類

17-16-1 特発性正常圧水頭症
- コラム 1　特発性正常圧水頭症診療ガイドライン
- コラム 2　iNPH の有病率
- コラム 3　特発性正常圧水頭症診療ガイドライン

症例での運動神経伝導検査

17-20 神経筋接合部疾患: 重症筋無力症と Lambert-Eaton 筋無力症候群
- コラム 1　重症筋無力症の疫学
- コラム 2　MuSK 抗体の作用機序
- コラム 3　AChR/MuSK 抗体
- コラム 4　塩酸エドロフォニウム試験
- コラム 5　免疫抑制薬の副作用
- コラム 6　難治性の重症 MG 患者の治療薬
- コラム 7　分子レベルの研究
- コラム 8　疫学的特徴
- コラム 9　LEMS の自己免疫機序
- コラム 10　LEMS 治療
- 図 17-20-A　正常者と MG 患者の神経筋接合部 (上腕二頭筋) の微細構造
- 図 17-20-B　運動終板における AChR および免疫複合体
- 図 17-20-C　PCD-LEMS 患者・剖検小脳における P/Q 型 VGCC の分布
- 図 17-20-D　Lambert-Eaton 筋無力症候群の治療方針
- 表 17-20-A　神経筋接合部疾患の分類
- 表 17-20-B　Myasthenia Gravis Foundation of America (MGFA) 分類
- 表 17-20-C　AChR 抗体陽性 MG と MuSK 抗体陽性 MG の対比
- 表 17-20-D　重症筋無力症診療ガイドライン 2014 の診断基準案 (2013)
- 表 17-20-E　LEMS の臨床像一日欧の比較

17-21-1 骨格筋の形態と機能
- 図 17-21-A　筋線維タイプ

17-21-2 筋ジストロフィー
- 動画 17-21-A　Gowers 徴候
- 図 17-21-B　分葉線維 (NADH-TR 染色)
- 図 17-21-C　三好型遠位型筋ジストロフィー患者の下腿 MRI (T1 強調像)
- 表 17-21-A　肢帯型筋ジストロフィの分類と臨床的特徴

17-21-4 ミオトニア症候群
- 動画 17-21-B　ミオトニア放電
- 動画 17-21-C　叩打ミオトニア

17-21-5 炎症性ミオパチー
- コラム 1　多発性筋炎と多発筋炎
- コラム 2　壊死性筋炎
- 図 17-21-D　筋炎の病理像, 凍結切片 HE 染色
- 表 17-21-B　PM・DM の診断基準
- 表 17-21-C　厚生労働省診断基準

17-21-7 周期性四肢麻痺

〔今村顕史〕

■文献(e文献6-10-1-3)

Cohen JI, Corey GR: Cytomegalovirus infection in the normal host. *Medicine*（*Baltimore*）. 1985; **64**: 100.
Gallant J, Moore R, et al: Incidence and natural history of cytomegalovirus disease in patients with advanced human immunodeficiency virus disease treated with zidovudine. *J Infect Dis*. 1992; **166**: 1223.
Stagno S, Reynolds DW, et al: Congenital cytomegalovirus infection. *N Engl J Med*. 1977; **296**: 1254-8.

(4) Epstein-Barrウイルス感染症

定義・概念

発熱，咽頭炎，リンパ節腫脹をきたし，末梢血に異型リンパ球を認める infectious mononucleosis（IM）をきたすウイルス感染症である【⇨16-10-16】．初感染後，終生にわたり潜伏感染となるが，細胞性免疫不全を伴う場合，再活性化することがある．

原因・病因

Epstein-Barr ウイルス（EBV）はガンマヘルペスウイルス亜科の 2 本鎖 DNA ウイルスであり，human herpesvirus 4 ともよばれる．

疫学

人口の 95％が感染し，半数は 5 歳までに感染する．既感染者の一部は無症状でも口腔上皮内でウイルスが分裂増殖するため感染源となる．

病態生理

唾液を介して感受性者に伝播されると，EBV は扁桃陰窩上皮などを介しBリンパ球に感染する．この感染細胞に対する CD4 陽性あるいは CD8 陽性 cytotoxic T lymphocyte（これらが異型リンパ球の本体である）などによる免疫反応の結果として IM の臨床像が形成される．viral capsid antigen（VCA），EBV nuclear antigen（EBNA）に代表されるウイルス抗原に対する抗体産生も EBV 感染を宿主コントロール下におく機序を果たす．

臨床症状

幼児期に初感染では無症候，あるいは非特異的である．思春期〜青年期の初感染では IM として顕性感染をきたし，発熱，咽頭炎，リンパ節腫脹をきたす．まれに，溶血性貧血，脾破裂（腫大），髄膜脳炎，激症肝炎などを合併することがある．

検査所見・診断

特徴的な臨床像に加え，VCA-IgM 抗体が陽性であれば診断が確定する．ヒツジやウマ赤血球と反応する異染性 IgM 抗体の確認もサイトメガロウイルスなどEBV 以外の原因による IM との鑑別に有用である（Paul-Bunnell 反応または Monospot test）．回復期の血清には抗 VCA-IgG 抗体および抗 EBNA 抗体が認められる．

鑑別診断

咽頭炎をみた場合に想起すべき病原微生物は EBV 以外にも非常に多い（表 6-10-1）．なかでも急性 HIV 感染症との鑑別が最も重要である．

治療・予後・合併症

IM の病像は自然寛解する．抗ウイルス薬の効果は

表 6-10-1 咽頭炎の鑑別（Luzuriaga ら，2010 より引用改変）

病原体	好発年齢	季節	臨床像
呼吸器ウイルス			
ライノウイルス	全年齢	秋，春	普通感冒
コロナウイルス	小児	冬季	普通感冒
アデノウイルス	小児〜若年性人	夏（集団発生），冬	咽頭結膜熱
インフルエンザ	全年齢	冬〜通年性	インフルエンザ
全身感染型ウイルス			
EBウイルス	青年期〜成人	季節を問わない	単核球増加，頸部リンパ節腫脹，黄疸のない肝炎（AST, ALT, ALP などの上昇）
CMV	青年期〜成人		
HSV	小児に多い		歯肉口内炎
急性 HIV 感染症	青年期〜成人		皮膚粘膜病変，発疹，下痢，頭痛など
細菌			
A 群溶連菌	学童〜若年成人	冬，早春	前頸部リンパ節圧痛や発疹，
C, G 群溶連菌	学童〜若年成人	冬，早春	深頸部膿瘍
口腔内嫌気性菌	成人	季節を問わない	
N. gonorrhea	青年期〜成人	季節を問わない	扁桃炎，尿道炎
Mycoplasma	学童〜成人	季節を問わない	肺炎，気管支炎

全身性ウイルス感染症はいずれも mononucleosis をきたす．
CMV: cytomegalovirus, HSV: herpes simplex virus, N. gonorrhea: Neisseria gonorrhea.

証明されていない．グルココルチコイドの効果も一部の合併症の改善に限定されている．

頻度は低いものの，何らかの免疫欠損によりEBVがNK細胞あるいはTリンパ球に感染するとIMから慢性活動性EBV感染症（eコラム1）へと進展し，間質性肺炎やブドウ膜炎，肝炎などを合併し，予後不良となる．骨髄移植が有効な場合がある．きわめてまれに，X染色体関連遺伝子異常によるX-linked lymphoproliferative diseaseを発症し，重症肝炎や血球貪食症候群をきたす．

EBV感染症と関連する悪性腫瘍として，Burkittリンパ腫，Hodgkinリンパ腫，鼻咽頭癌，胃癌などがある．自己免疫疾患として多発性硬化症との関連も示唆される．

〔青木洋介〕

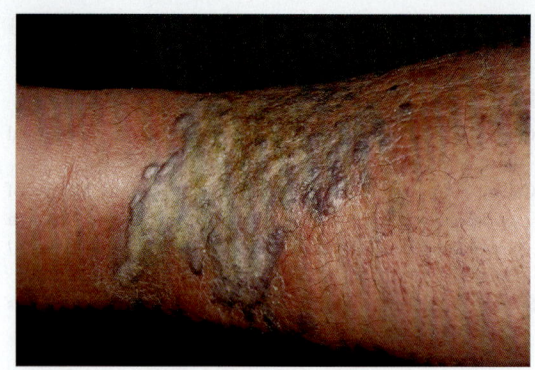

図6-10-1 AIDS患者に認められた下腿のKaposi肉腫

■文献

Johannsen EC, Kaye KM: Epstein-Barr virus (Infectious mononucleosis, Epstein-Barr virus-associated malignant diseases, and other diseases). Mandell, Douglas, and Bennett's Principles and Practice of Infectious Diseases, 8th ed (Bennett JE, Dolin R, et al eds), pp1755-71, Elsevier, 2015.

Longnecker RM, Kieff E, et al: Epstein-Barr Virus. Fields Virology (Knipe DM, Howley PM ed), pp1898-959, Lippincott Williams & Wilkins, 2013.

Luzuriaga K, Sulivan JL: Infectious mononucleosis. N Eng J Med. 2010; 362: 1993-2000.

(5) ほかのヒトヘルペスウイルス

a. HHV-6, 7感染症

定義・概念

human herpesvirus (HHV) 6型，および7型によるウイルス感染症である．

発熱，リンパ節腫脹，皮疹，熱性痙攣などを惹起する．小児では突発性発疹（erythema subitum：ES）を惹起し，成人では単核球症（mononucleosis）を引き起こす．

原因微生物

HHV-6およびHHV-7はともにベータヘルペスウイルス亜科ロゼオロウイルス属の二重鎖DNAウイルスである．

疫学

母体由来の抗体消失後，ほとんどが2歳までに主として唾液や飛沫を介して感染する．わが国および欧米ではHHV-6B感染が多い．季節性流行はない．

病態生理

扁桃組織や嗅神経鞘細胞を介して侵入し，HHV-6はリンパ組織，血管内皮細胞，中枢神経，唾液腺などに，HHV-7はCD4陽性リンパ球に指向性を有する．感染後10日前後で，細胞変性作用を惹起し，気球様細胞，多核細胞などが認められる．T細胞性免疫応答により急性期感染症は終息するが，その後，HHV-6は単球やマクロファージ内に，HHV-7はCD4陽性リンパ球に潜伏する．

臨床症状

ESは，発熱が3日程度持続した後，体幹に斑丘疹が急に出現する．その後，解熱に並行して皮疹は顔面や下肢に拡大する．自然寛解するが，咳，下痢，リンパ節腫脹などを認め，髄膜脳炎，脳炎・脳症を発症する事例もある．熱性痙攣は本感染症において頻度が高く，また，2歳までの熱性痙攣患児の1/3はHHV-6感染によると考えられている．

診断

臨床診断によるが，確定診断はウイルス分離，抗体価上昇，PCRによるHHV検出による．

鑑別診断

小児では麻疹，風疹との鑑別を要する．

関連病態

慢性疲労症候群，多発性硬化症，心筋炎，薬物性過敏症症候群（eコラム2）との関連が示唆されている．

治療・予後

免疫抑制患者で，脳炎，間質性肺炎，血球貪食症候群として再燃した場合はアシクロビルなどの抗ウイルス薬が投与される．

b. HHV-8感染症

定義・概念

Kaposi肉腫（Kaposi sarcoma：KS）を惹起するウイルス感染症である．原発性体腔液リンパ腫，Castleman病などのBリンパ球系統腫瘍性疾患も惹起する．

原因・病因

gamma-herpesvirus亜科のhuman herpesvirus-8型による感染症である．Kaposi sarcoma-associated herpesvirus (KSHV) とも呼称される．

疫学

小児期に唾液を介して無症候性に感染する．感染率には世界的地域差があるが，年齢とともに罹患率が高くなる．HIV患者ではKSの罹患率，死亡率ともに

高い．

病態生理
KSVH は B リンパ球，単球，血管内皮細胞など種々の細胞に感染し，潜伏する．KS は血管新生性サイトカインの作用による血管内皮細胞の腫瘍性増殖病変である．

臨床症状
赤紫色の隆起病変が皮膚に多発する．下腿に多い．AIDS 関連 KS は，皮膚（図 6-10-1, e図 6-10-C），口腔粘膜，肺，消化管，リンパ組織などに病変を認める．

診断
病理組織診断による．

治療・予後
KS に対してはドキソルビシン塩酸塩による治療が推奨される．HIV 患者では抗レトロウイルス療法を併用する．
〔青木洋介〕

■文献
Arora A, Mendoza N, et al: Viral diseases. Infectious Disease of the Skin（Elston DM ed）, ASM Press, pp60-83, 2009.

Cohen JI: Human herpesvirus types 6 and 7 (Exanthema subitum). Mandell, Douglas, and Bennett's Principles and Practice of Infectious Diseases, 8th ed (Bennett JE, Dolin R, et al eds), pp1772-6, Elsevier, 2015.

Damania BA, Cesarman E: Kaposi's sarcoma-associated herpesvirus. Fields Virology（Knipe DM, Howley PM eds）, pp2080-128, Lippincott Williams & Wilkins, 2013.

Kaye KM: Kaposi's sarcoma-associated herpesvirus (Human herpesvirus 8). Mandell, Douglas, and Bennett's Principles and Practice of Infectious Diseases, 8th ed（Bennett JE, Dolin R, et al eds）, pp1777-82, Elsevier, 2015.

岡部信彦：突発性発疹（ヘルペスウイルス 6, 7）．ウイルス感染症の検査・診断スタンダード（田代眞人，牛島廣治編），pp103-5, 羊土社，20111.

Yamanishi K, Mori Y, et al: Human herpesvirus 6 and 7. Fields Virology（Knipe DM, Howley PM eds）, pp2058-79, Lippincott Williams & Wilkins, 2013.

（6）アデノウイルス感染症

定義・概念
アデノウイルス（adenovirus）の感染による疾患である．アデノウイルスには多くの型があるため，多彩な臨床病型がある．

分類
呼吸器感染症，眼感染症，腸管感染症，泌尿器感染症などの病型に分けられる．

原因・病因
アデノウイルスには，中和反応により互いに交差しない血清型として 1～51 型までである．52 型以降は全遺伝子配列の違いにより型分類されている．ウイルスの型と臨床病型にはある程度の関連があるが，これは型による臓器指向性の違いによるものと考えられる（e表 6-10-B）[1]．

疫学
呼吸器感染症の主要な型である 1 型，2 型，5 型の感染は 5 歳までの乳幼児に多く，年間を通して発生がある[2]．成人での発症はまれである．重症肺炎を引き起こす 7 型は 1995～1998 年に全国で流行したが，その後は少なくなっている[3,4]．呼吸器症状に加えて結膜炎を伴うと咽頭結膜熱とよばれるが，これは 3 型によるものが多い[5]．眼感染症の場合は，夏季に学校や集団施設を中心とした地域流行のパターンをとることがある．腸管感染症を起こす 40 型と 41 型は，一年を通して乳幼児の感染性胃腸炎の原因となる．咽頭結膜熱と流行性角結膜炎，感染性胃腸炎は感染症法での定点把握疾患である．

病態生理
最初の感染部位は咽頭と眼結膜である．無症候性に腸管でも増殖し，便中にウイルスが長く排出される[6]．このため，主要な伝播経路は飛沫および糞口感染である．眼感染症では手指や医療器具，プールの水を介した感染がある．泌尿器などのほかの臓器への感染はウイルス血症によるものと考えられている．急性感染の後，扁桃やアデノイドに潜伏感染することも報告されている[7]．

臨床症状
1）呼吸器感染症：抗菌薬不応の発熱が 5～7 日間続く．咽頭発赤を伴う咽頭炎や，口蓋扁桃に線状ないし斑点状の白色滲出物を伴う滲出性扁桃炎を起こすのが特徴である（佐久間，2008）．咽頭後壁にイクラ様のリンパ濾胞の腫脹がみられることもある．乳幼児では腹痛を訴えることもある．

2）眼感染症：

a）咽頭結膜熱：発熱，咽頭炎，結膜炎の 3 つがあるものをいうが，流行時には 3 つがそろわない場合もある．突然の高熱と咽頭痛に加えて，片側または両側の結膜充血と眼脂がみられる．頸部リンパ節炎，鼻炎を伴うこともある．夏季の流行は「プール熱」ともよばれる．

b）流行性角結膜炎：発熱は伴わず，片側または両側の急性濾胞性結膜炎で発症する．感染力が強く，より重症である．結膜の充血，眼瞼の浮腫，流涙，眼脂，眼痛があり，耳前リンパ節の腫脹と圧痛を伴うことが多い．1～2 週間で結膜炎症状は回復するが，炎症が角膜に及ぶと斑点状の混濁がみられ，角膜の混濁は数カ月続くことがある．

3）腸管感染症：3 歳未満の乳幼児がほとんどで，水様性下痢で発症し，1～2 週間持続する．嘔吐や発熱を伴うこともあるが 2 日程度で回復する．

4）泌尿器感染症：出血性膀胱炎を起こす．突然の排

尿障害や頻尿で発症し，肉眼的血尿がみられる．男児に多い．発熱はないことが多く，血尿は数日で回復する．

5）その他：髄膜脳炎，肝炎，心筋炎[8]の報告がある．特に臓器移植や造血幹細胞移植などによる免疫抑制患者では全身感染を起こし，肺炎，肝炎，腎炎，出血性膀胱炎，腸炎，脳炎を発症することがある[9]．

検査所見
発熱を伴う呼吸器感染症では，白血球増加とCRP高値を認める．このため，細菌感染症との鑑別が必要になる．

診断
疫学情報や臨床症状をもとに疑うが，診断には病原ウイルスの検出が必要である．アデノウイルス抗原を検出する迅速診断キットを使用すれば，15分程度で結果を得ることができる．ウイルス分離やPCR法による核酸検出まで行えば，(血清)型別も可能である．

鑑別診断
A群溶血連鎖球菌による咽頭・扁桃炎の診断には，細菌培養検査のほかにイムノクロマト法による迅速抗原検査が可能である．

経過・予後
基本的には予後良好で自然回復する．7型の流行時には，重症肺炎による死亡例も報告された[10]．気管支喘息や先天性心疾患などの基礎疾患がある場合は特に注意が必要である．

治療・予防
対症療法が中心となる．眼症状が強い場合は眼科での治療が必要である．感染力が強いので，家族内感染や集団施設内での伝播を防ぐことが大切である．

〔松嵜葉子〕

■文献（e文献6-10-1-6）

Cherry JD, Nadipuram S: Adenoviruses. Feigin and Cherry's Textbook of Pediatric Infectious Diseases, 7th ed (Cherry JD, Harrison GJ, et al eds), pp1888-1911, Elsevier, 2014.

Rhee EG, Barouch DH: Adenoviruses. Mandell, Douglas, and Bennett's Principles and Practice of Infectious Diseases, 7th ed (Mandell GL, Bennett JE, et al eds), pp2027-33, Churchill Livingstone, 2010.

佐久間孝久：アトラスさくま―小児咽頭所見 第2版，丸善プラネット，2008.

(7) パピローマウイルス感染症

定義・概念
ヒトパピローマウイルス（HPV）は環状2本鎖DNAウイルスでエンベロープをもたない直径52〜55 nmの正二十面体粒子を形成する．HPV感染は尋常性疣贅，扁平疣贅，ミルメシア，尖圭コンジローマなどの良性腫瘍，子宮頸癌，膣癌，外陰癌，肛門周囲癌，陰茎癌など，口腔・咽頭癌[1]などの悪性腫瘍およびその前癌病変である異型上皮や白板症の原因となる（Knipeら，2013；神谷，2015）．子宮頸癌ではほぼ100％に検出されるが[2]，ほかにもヒトの上皮性悪性腫瘍の5〜10％はHPVが関与すると推定される（eノート1）．

分類
培養不可能なため，遺伝子型で100以上に分類される．L1蛋白質の遺伝子の塩基配列を，既知のHPVと比較し，その相同性が90％以下の場合に新規の遺伝子型とする．皮膚指向性HPVと粘膜指向性HPVに大別され発癌リスクにより低リスク群6，11，40，42，43，44，54，61，70，72，81型，高リスク群16，18，31，33，35，39，45，51，52，56，58，59，68，73，82（26，53，66）型に分けられる．

病理
HPVは上皮細胞に親和性が高く，皮膚や粘膜に外傷が生じると侵入したウイルス粒子は基底細胞に感染する．基底細胞ではエピソームとして存在し，表層で細胞が溶解して感染可能なビリオンが放出される．抗原性の高いウイルス粒子は，免疫学的認識を受けにくい粘膜表層あるいは皮膚角化層ではじめて形成されるため，長期間の持続感染が生じやすい（e図6-10-D）[3]．

病態生理についてはeコラム1を参照．

診断
HPVを分離できる細胞や，血清学的診断法がないため，HPV感染を確定診断する唯一の方法は，検体中のDNA検出である．体外診断用医薬品として，現在ハイブリッドキャプチャー法とアンプリコア法が承認されている．これらは国際的にも標準化されているが，13種類の高リスク型HPVを一括して検出するためHPVタイピングは不可能である．タイピングにはPCR産物のシークエンスやRFLPが必要となる[4]．

診断基準
子宮頸部細胞診ではベセスダシステム2001により，HPVのかかわりを考慮した報告様式が一般化している[5]．

予防・治療
子宮頸部におけるHPV感染は性交渉開始後数年以内に起こり，免疫学的認識により，多くの場合は自然消失する．性交渉開始前にHPVワクチン（2価のも

のは type16 と 18，4価のものは type6，11，16，18 に対する抗体を誘導）を接種することで HPV による子宮頸部病変や尖圭コンジローマをほぼ完全に予防できる[6-8]．しかし，注射部位の持続する疼痛や失神発作さらに線維筋痛症に類似した副反応が報道されるに至り，2015年現在わが国では積極的な接種を勧奨していない（eコラム2）．

　HPV が持続感染した状態でも子宮頸部で細胞異型や組織異型の程度が低い場合は積極的な治療適応とはならない．コルポスコープと細胞診で follow up し，組織学的に中等度異型以上では円錐切除やレーザー蒸散を行う（日本産科婦人科学会，2014）．陰茎癌など男性の場合もこれに準じる．口腔咽頭や皮膚・外陰腫瘍もあくまで組織学的検査による腫瘍の悪性度を重視し，HPV 感染だけでは治療適応を決定しない．尖圭コンジローマでは，外科的切除や電気焼灼，冷凍凝固に代わり，イミダゾキノリン系の合成低分子化合物イミキモドの局所投与が第一選択となりつつある．作用機序は不明な点が多いが，TLR-7 を介した細胞性免疫の活性化と腫瘍細胞のアポトーシス誘導と考えられている[9]．妊娠中に尖圭コンジローマ発症をみた妊婦では産道感染による喉頭乳頭腫を防ぐため帝王切開を考慮する[10]．

〔早川　智〕

■文献（e文献 6-10-1-7）

神谷　茂編：標準微生物学 12 版，医学書院，2015．
Knipe DM, Howley P: Fields Virology, Lippincott Williams & Wilkins, 2013.
日本産科婦人科学会編：産婦人科外来診療ガイドライン―婦人科外来編 2014. http://www.jsog.or.jp/activity/pdf/gl_fujinka_2014.pdf

(8) パルボウイルス感染症

概念

　ヒトに病原性を示すパルボウイルス科のウイルスは，長い間ヒトパルボウイルス B19 が唯一と考えられてきた．2005 年ヒトボカウイルスが幼小児の呼吸器感染ウイルスとして同定され[1]，パルボウイルス感染症はヒトパルボウイルス B19 感染症とヒトボカウイルス感染症の

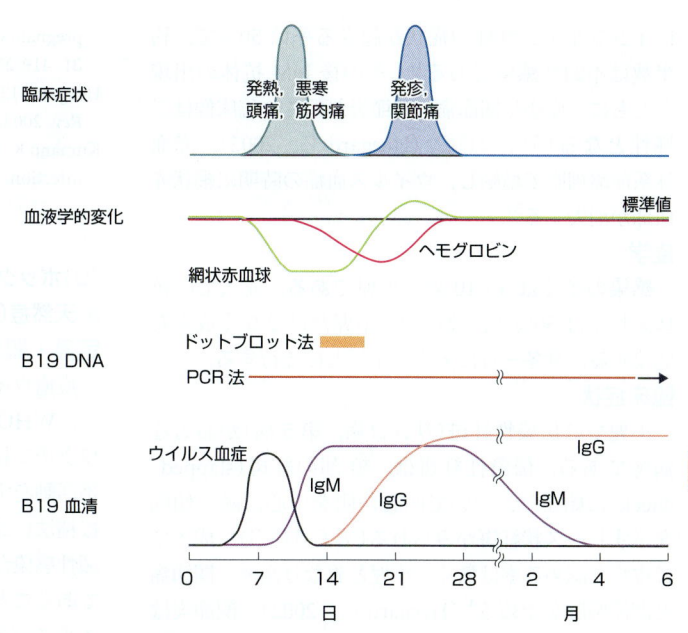

図 6-10-2 臨床経過（文献5より引用）

2つとなった．ヒトボカウイルスはおもに，乳幼児に非特異的な気道症状を呈し一般的に重症化する例は少ない．一方，単独で検出されることが少なく，ほかのウイルスに依存して増殖している可能性や病原性が不明とされる[2]．このため，本項はヒトパルボウイルス B19 感染症について述べる．

病態生理

　ヒトパルボウイルス B19 の感染経路は飛沫感染であるが，輸血や移植による感染も報告されている．ヒトでの感染実験では鼻腔に接種後 6 日目に血中にウイルスが出現，8〜9 日目にピークとなる．11〜12 日目に DNA は検出されなくなる[3]．ウイルス血症の間

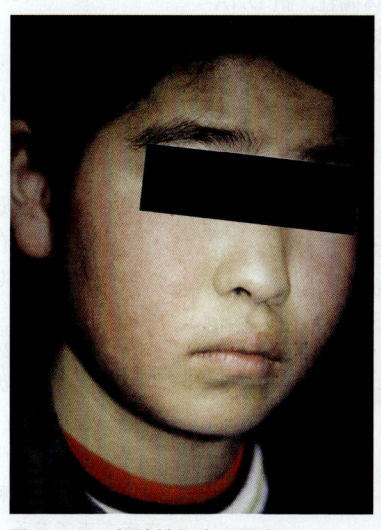
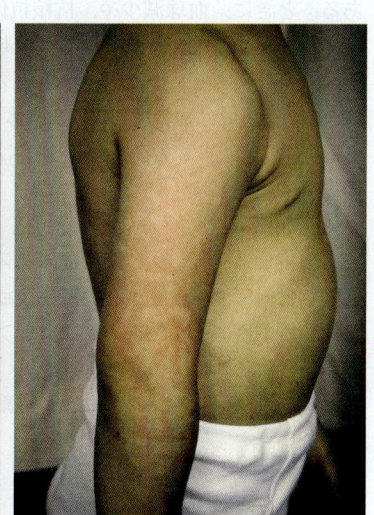

図 6-10-3 伝染性紅斑の発疹

にインフルエンザ様の症状が起きる率は50％で，約半数は不顕性感染である[4]．その後IgM抗体の出現とともに，皮疹や関節痛，関節炎が起こり臨床像は二峰性となる（図6-10-2）(Heegardら，2002)．赤血球系前駆細胞で増殖し，ウイルス血症の時期に網状赤血球が消失する[5]．

疫学

感染の多くは5～10歳の小児である．成人での抗体陽性率は50％で，流行期は小児だけでなく成人も感染する．晩冬～春に多く5年ごとに流行する．

臨床症状

小児では伝染性紅斑（リンゴ病，第5病）がおもな病態である．伝染性紅斑は，頬部の紅斑（slapped-cheek）に始まり，ついで四肢伸側を中心に融合傾向を示すレース状紅斑がみられる（図6-10-3）．成人では皮疹を認める率は低く，小児と異なり高率に関節痛と関節腫脹を認める[4]（Heegardら，2002）．関節炎は対称性多関節炎で，末梢関節に多く，通常1カ月以内に治癒する．遷延や再発を繰り返すことがあるが，関節破壊が起こることはない[6]．

合併症に，溶血性貧血患者におけるaplastic crisis，免疫不全状態における慢性赤芽球癆[7]，妊婦が感染したときの胎児水腫，各種神経障害（脳炎/脳症，髄膜炎，横断性脊髄炎，腕神経叢ニューロパチー，視神経炎）（Kumano，2008）などがある．aplastic crisisは遺伝性球状赤血球症など溶血性貧血患者などで，感染を契機に赤血球産生が停止し，急激に貧血が進行する．胎児水腫は妊娠20週までの感染で最も頻度が高く，貧血から心不全となり，胎児死亡の原因となる（de Jongら，2011）．特に，妊婦での不顕性感染例が問題となる．

検査所見・診断

網赤血球の著減が特徴的でそれ以外に補体の低下がある．ときに，血球減少や，抗核抗体陽性，抗DNA抗体陽性，急性腎炎を呈することもあり，全身性エリテマトーデスとの鑑別が重要となる（Kumano，2008）．診断には血清B19-IgM抗体（3～4カ月継続）あるいはPCR法による血中B19 DNAの検出による．

予後・治療

self-limitingな予後良好な疾患で，必要に応じてかゆみに抗ヒスタミン薬，関節痛に非ステロイド系抗炎症薬など対症療法をする．免疫不全や胎内感染の持続感染例や髄膜脳炎例でガンマグロブリン療法・輸血が施行される[8]（de Jongら，2011）．

発疹出現時には感染性がなく，隔離や出席停止の必要はない．

〔河島尚志〕

■文献（e文献6-10-1-8）

de Jong EP, Walther FJ, et al: Parvovirus B19 infection in pregnancy: new insights and management. *Prenat Diagn*. 2011; **31**: 419-25.
Heegaard ED, Brown KE: Human parvovirus B19. *Clin Microbiol Rev*. 2002; **15**: 485-505.
Kumano K: Various clinilcal symptoms in human parvovirus B19 infection. *Jpn J Clin Immunol*. 2008; **31**: 448-53.

(9) ポックスウイルス感染症

a. 天然痘（痘瘡）(smallpox (variola))

定義・概念

痘瘡ウイルスによる全身感染症を痘瘡（天然痘）という．WHOは1967年から，サーベイランスと天然痘ワクチン接種を基本とした政策に基づく全世界痘瘡根絶活動を実施した．有効な乾燥天然痘ワクチンとその接種法（二股針を用いた多刺法）が開発されたこと，不顕性感染がないこと，痘瘡ウイルスの宿主がヒトだけであることから天然痘患者が存在するところに痘瘡ウイルスが存在すること，これらの特徴により患者周囲の人々にワクチン接種を行うことで流行の拡大を抑制でき，対策がとりやすいという特徴があった．1977年にソマリアでの患者を最後に天然痘は根絶された．地球上から根絶された感染症の1つである．致死率の高い大痘瘡（variola major）と致死率が1％以下の小痘瘡（variola minor）とがある．近年，痘瘡ウイルスがバイオテロリズム兵器として使用される危険性が指摘され，その対策が求められている．

病原体

痘瘡ウイルスによる．痘瘡ウイルスは，塩基配列が約200万にも及び，約200種類の遺伝子を発現するポックスウイルス科オルソポックスウイルス属に分類される2本鎖DNAウイルスである．直径が約300 nmで，ウイルスのなかでは最大級のウイルスである（e図6-10-E）．痘瘡ウイルスの宿主はヒトだけであり，ほかの哺乳動物は痘瘡ウイルスを有さない．

感染経路

皮膚水疱性病変や咽頭，結膜などに存在するウイルスが感染源となり，経気道的に感染する．

疫学

世界中で一部の研究所（米国CDCおよびロシアのVECTOR）に痘瘡ウイルスは保管されているのみであり，自然界には存在しない．保管されているウイルスが自然界に流出しないかぎり，天然痘は流行しない．

臨床症状

潜伏期間は12～14日間．発病後2～4日間の発熱，全身倦怠感などの前駆症状に引き続き，発疹，水疱，膿疱そして痂皮と経過する皮膚症状が現れる（図6-10-4A）．天然痘による皮膚病変は顔，四肢，体幹の順に出現する．軽いものから重症なものまで，病型はさまざまである．特に扁平状皮膚病変（扁平型）や出血

性皮膚病変（出血型）が出現するタイプの天然痘の致死率は高い．肺炎を併発する場合もある．また，骨髄炎，関節炎，結膜炎を伴うことがある．

診断・治療・予防

天然痘の診断を要することは現実的にはない．鑑別すべき疾患には，水痘などのウイルス性水疱性疾患（サル痘ウイルス感染症（ヒトサル痘）を含む），溶連菌による伝染性膿痂疹，ブドウ球菌性熱傷様皮膚症候群があげられる．診断には，電子顕微鏡による水疱性病変中ウイルス抗原検出（ⓔ図 6-10-E）や PCR 法によるウイルス遺伝子増幅法が最も迅速で確実である．また，ウイルス特異的抗体の検出による血清学的診断が有用である．日本では，国立感染症研究所（東京）に天然痘の診断システムが備えられている．特異的治療法はなく，対症療法が主体である．細菌性二次感染が認められる場合には，適切な抗菌薬投与が必要である．痘瘡ワクチン（ワクチニアウイルス）は，天然痘の発症を予防する．日本においては，バイオテロリズムによる天然痘の流行に備えて，高度弱毒化細胞培養痘瘡ワクチン（LC16m8）が備蓄されている[1-3]．このワクチンの高い有効性と安全性は調べられており，世界的にも注目されている痘瘡ワクチンの 1 つである．

b. ヒトサル痘（human monkeypox）

概念

サル痘ウイルスによる全身性感染症である．ヒトにおけるサル痘ウイルス感染症はヒトサル痘とよばれる．

病原体

サル痘ウイルスによる．サル痘ウイルスも，痘瘡ウイルスと同様に，ポックスウイルス科オルソポックスウイルス属に分類される 2 本鎖 DNA ウイルスである．サル痘ウイルスの宿主は中央〜西アフリカに分布するネズミやリスなどの齧歯類である．サルなどの霊長類はサル痘ウイルスの宿主ではなく，ヒトと同様に終末宿主である．サル痘ウイルスには，コンゴ民主共和国などに分布するコンゴ盆地型とリベリア，セネガルなどの西アフリカに分布する西アフリカ型とがあり，前者の病原性が後者のそれより高い[4]．

感染経路

ヒトはアフリカ中央部と西部のサル痘ウイルスを有する齧歯類やその他の感染動物に直接接触して感染する．また患者に直接接触して発症する，いわゆるヒト-ヒト感染事例も報告されている．

疫学

ヒトサル痘は中央〜西アフリカの熱帯雨林地域に限られた風土病である[5]．しかし，2003 年 5〜6 月に，米国でヒトサル痘が流行した（71 名のヒトサル痘患者が報告された）[6]．西アフリカからペットとして輸入された齧歯類が感染源であった．輸入業者の施設で輸

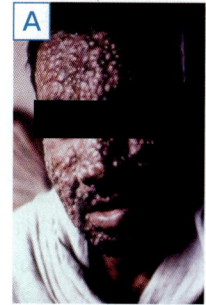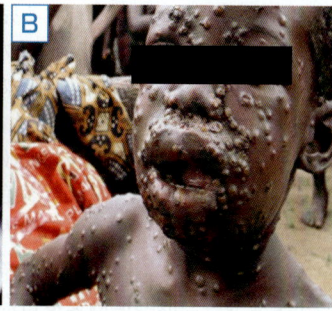

図 6-10-4 天然痘患者（A：国立感染症研究所倉田毅博士提供）とヒトサル痘患者（B：コンゴ民主共和国国立生物医学研究所所長 Muyembe-Tamfum 博士提供）の皮膚病変
皮膚病変だけからは，両感染症を区別できない．

入された齧歯類からプレーリードッグに感染が広まり，ヒトはその感染プレーリードッグからウイルスに感染した．

臨床症状

潜伏期間は 7〜21 日で，発熱，リンパ節腫脹，咽頭痛や咳などの呼吸器症状，発疹が出現する．症状だけからはヒトサル痘を，天然痘と区別できない（図 6-10-4B）．致死率は約 10 %程度であると考えられる．特に乳幼児では重症化することが多い．

診断・治療・予防

鑑別診断は，天然痘と同じである．診断には，ウイルス抗原の検出と同定が重要である．ウイルス分離法，PCR 法，病理組織学的ウイルス抗原検出法が用いられる．特異的な治療法は確立されていない．対症療法が主体となる．天然痘ワクチンが有効である．

c. 伝染性軟属腫（molluscum contagiosum）

概念

伝染性軟属腫は，伝染性軟属腫ウイルスによる良性疣状の丘疹を呈する皮膚感染症である．

病原体

ポックスウイルス科モルスキポックスウイルス属に分類される伝染性軟属腫ウイルスによる．ヒトのみが伝染性軟属腫ウイルスの宿主である．

感染経路

感染は病変に存在するウイルスとの直接的接触による．性行為やタオルなどを介した接触の場合もある．自家接種によっても病変は拡大する．

疫学

ときに保育施設などでの集団発生する場合がある．

臨床症状

潜伏期は 2〜7 週であるが，より長期間の場合もある．発熱などの全身性症状はない．水疱性病変には痛みはなく，直径 2〜5 mm，中央に臍窩（デレ）が存在する．肌色〜半透明の半球状丘疹が散在する．その病変は，体幹，顔面，四肢に多発し，病変数は通常 2〜

20個程度である．湿疹を有する児，HIV感染者を含めた免疫不全者では，病変が多くなり，また長期にわたって続き，いわゆる難治化することがある．

診断・治療・予防

診断は，特徴的な病変部の性状により臨床的になされる．病理学的には，Wright染色やGiemsa染色すると病変中心部に特徴的な細胞内封入体が認められる．電子顕微鏡検査により，ポックスウイルス粒子が同定できる．一般的に病変は自然退縮するが，病変(中心部)を物理的に除去するとより早く治る．小児の単一あるいは散在性病変の治療は不要である．サリチル酸や乳酸などの皮膚剥脱剤，電気焼灼器，液体窒素などが病変除去に有用である．　　〔西條政幸〕

(e文献 6-10-1-9)

2) RNAウイルスによる感染症

(1) インフルエンザ (influenza)

定義・概念

インフルエンザは，インフルエンザウイルスによって起こる気道を中心とした急性感染症である．かぜ症候群(普通感冒)に比べ，発熱や倦怠感などの全身症状が強い．多くは自然治癒するが，ときに重症化することもある．わが国では，迅速診断に基づいた抗ウイルス薬による治療が広く普及している．予防として流行期前のワクチン接種と飛沫予防策が重要である．

原因・病因

インフルエンザウイルスは，オルソミクソウイルス科に属するRNAウイルスである．A型，B型ならびにC型に分類されるが，ヒトに典型的な症状を引き起こすのはA型とB型である(表6-10-2)．A型とB型ウイルスの表面には，ヘマグルチニン(HA)とノイラミニダーゼ(NA)という糖蛋白が突出している．HAは宿主細胞受容体への結合能と膜融合能をもち，NAはウイルスが感染細胞から遊離するときに働く．

インフルエンザウイルスは抗原性が変異しやすい．抗原変異には，連続変異(ウイルス遺伝子の点変異によって起こる小変異)と不連続変異(遺伝子再集合による大変異)とがある．不連続変異はA型にのみみられる (Dolin, 2013；Nicholsonら, 2003)．

分類

さまざまな分類法がありうるが，ここではわが国の感染症法に基づいた分類を示す．

1) 季節性インフルエンザ： 平素みられるインフルエンザは冬，すなわち北半球では1〜2月頃，南半球では7〜8月頃に流行がピークとなる．近年は，A型のH1N1亜型とH3N2亜型ならびにB型ウイルスがさまざまな割合で流行している．感染症法上五類感染症であり，定点医療機関は届け出る[1]．

2) 新型インフルエンザ(パンデミック株インフルエンザ)： 抗原の不連続変異により，A型インフルエンザウイルスの新しい亜型が出現すると，人類のほとんどは免疫をもたないため，世界的大流行(パンデミック)となる．このような新亜型のウイルス株を新型インフルエンザとよぶ．1918年のH1N1(通称スペインかぜ)，1957年のH2N2(アジアかぜ)，1968年のH3N2(香港かぜ)がその例である．近年では2009年にH1N1pdm09が出現してパンデミックとなった．感染症法では新型インフルエンザ等感染症に分類され，診断した医師は直ちに届け出る[1,2]．

3) 鳥インフルエンザ： A型インフルエンザウイルスは種々の動物から検出されるが，動物のウイルスは通常ヒトに感染しない．しかし近年，鳥のインフルエンザH5N1やH7N9がまれにヒトに感染し，重症感染症を起こす例が報告されている．これらのウイルスはヒトへの感染力は弱いが，変異により容易にヒトに感染する能力を獲得する可能性が懸念されている．感染症法では二類感染症に指定されており，診断した医師は直ちに届け出る[1,2]．

疫学

わが国のインフルエンザは，毎年11〜12月頃に発生が始まり，翌年の1〜3月頃に流行がピークとなり，4〜5月に終息する[3]．流行の規模と時期はその年によって異なるが，1シーズンに1000万人以上のインフルエンザ患者が医療機関を受診すると推計される．インフルエンザは一般に，罹患率は小児で高く，死亡率は高齢者で高い傾向がある．国の総死亡者数は一般に冬季に増加するが，インフルエンザが大流行したシーズンにはこの傾向が顕著となる．これを超過死亡といい，インフルエンザの流行被害を示す指標となる．超過死亡には，急性呼吸器疾患のほか，循環器疾

表6-10-2　インフルエンザウイルスの型と特徴

	A型	B型	C型
症状	典型的	典型的	軽症
自然宿主	鳥類(水鳥, 家禽), ヒト, ブタ, ウマなど	ヒト	ヒト
亜型	H1N1, H3N2など (H1〜H16とN1〜N9の組み合わせ)	なし	なし
抗原の連続変異	あり	あり	あり
抗原の不連続変異	あり (新しい亜型が出現する)	なし	なし

患，糖尿病などの慢性疾患の悪化による死亡も含まれ，その多くは65歳以上の高齢者にみられる．

病理・病態生理

インフルエンザウイルスの感染は，感染者の咳やくしゃみによりウイルスを含む飛沫が飛散し，感受性者の上気道粘膜に付着することから始まる．ウイルス粒子は，その表面のHAが宿主細胞表面の受容体であるシアル酸と結合し，細胞内に侵入する．インフルエンザに罹患すると，上気道〜気管・気管支の粘膜発赤，浮腫，線毛上皮の脱落などがみられる．ウイルス感染に対する宿主反応としてIFN-α，TNF-α，IL-6，IL-8などのサイトカインが放出され，これらが筋肉痛や発熱などの全身症状と関連する．サイトカインは通常生体防御的に作用するが，過剰な免疫反応は重症化の原因となる (Dolin, 2013；Nicholsonら, 2003)．

臨床症状

典型的には，ウイルスに感染後，1〜2日間の潜伏期間を経て突然発症する．初発症状は，発熱，悪寒，頭痛，筋肉痛，関節痛，倦怠感などの全身症状であることが多い．発熱は最も特徴的で，38〜39℃以上となる．発熱・全身症状は3〜4日間程持続する．普通感冒が咽頭痛，鼻閉・鼻汁，乾性咳嗽などの上気道（局所）症状を主とするのに対し，インフルエンザは発熱などの全身症状が主である．咳などの呼吸器症状もやや遅れて出現する[4] (Dolin, 2013；Nicholsonら, 2003)．

検査所見

末梢血液検査では，発病直後に軽度の白血球増加をみることもあるが，多くは正常範囲である．CRPも陽性を示すがさほど高値ではない．このような検査値が著しく高値の場合は細菌感染の合併などを考えるべきである．胸部X線写真などの画像にも，合併症がなければ通常は明らかな異常所見は認めない．

診断

流行状況ならびに典型的症状から，臨床診断は比較的容易である．確定診断のために，患者検体からのウイルス分離，血清診断（抗体価の上昇），遺伝子診断（PCR法），抗原検出（蛍光抗体法）などが行われる[5] (Treanor, 2010)．臨床現場では，ほとんどの場合インフルエンザ迅速診断キット（おもにイムノクロマト法）が用いられる．これは鼻腔・咽頭拭い液や咽頭吸引液などからウイルス抗原を検出する方法で，15分程度でA型とB型を診断することができる[6]．

なお，感染症法に基づく届け出基準では，①突然の発症，②高熱，③上気道炎症状，④全身倦怠感などの全身症状，のすべてを満たすか，迅速診断キットにより抗原が検出された場合は，インフルエンザと診断することとされている[7]．

鑑別診断

軽症例では，普通感冒をはじめとするウイルス性上気道炎との鑑別が必要である．中〜重症例では，細菌性咽頭炎，肺炎・非定型肺炎（細菌性，ウイルス性），肺結核，敗血症，熱性疾患などとの鑑別を要す．

合併症

1）呼吸器合併症： ウイルスが直接の原因となって発症する純インフルエンザウイルス肺炎と，二次性細菌性肺炎，ウイルス細菌混合性肺炎に分類される[8]．合併する細菌としては肺炎球菌，インフルエンザ菌，黄色ブドウ球菌の頻度が高い．慢性呼吸器疾患（慢性閉塞性肺疾患，気管支喘息など）の急性増悪の原因にもなる．

2）その他の合併症： 心筋炎，心膜炎，脳炎，脳症，Guillain-Barré症候群，横断性脊髄炎などの報告がまれにある．小児ではアスピリンなどの解熱鎮痛薬投与と関連してReye症候群の合併が報告される．

3）合併症のハイリスク： 小児，妊婦，高齢者，慢性疾患患者，肥満患者は，合併症のリスクが高い．

経過・予後

季節性インフルエンザの予後は良好であり，合併症のない場合は1週間程度で症状は改善し，致死率は0.05〜0.1％以下である．ただし，高齢者や基礎疾患をもつ集団においては高くなり，毎年の超過死亡の原因となる．

新型インフルエンザの致死率は，流行によりまちまちである．1918年のスペインインフルエンザでは2.0％，1957年のアジアインフルエンザでは0.53％，2009年の新型インフルエンザではわが国では0.001％であった[9,10]．

ヒトの鳥インフルエンザ感染症の致死率は，H5N1で約60％[11,12]，H7N9で約40％[13,14]と非常に高い．

治療・予防

1）抗インフルエンザウイルス薬： 現在わが国で使用可能な抗インフルエンザウイルス薬を表6-10-3に示した．ノイラミニダーゼ阻害薬であるザナミビル，オセルタミビル，ペラミビル，ラニナミビルが現在治療の中心である．これら4薬剤は，投与法や投与期間に特徴があり，状況に応じて使い分ける[15-19]．アマンタジンは，ほとんどのウイルスが耐性であることや副作用のため使用の機会は少ない．ファビピラビルは，ほかの抗インフルエンザウイルス薬の効果が不十分な新型インフルエンザなどに限定して使用される．

2）ワクチン： 毎年流行前にワクチンを接種する．特に65歳以上の高齢者や基礎疾患を有する者は感染時の重症化を避けるためワクチン接種が推奨される[20-22]．これまでA型2種類（H1N1，H3N2）とB型1種類を対象とした3価ワクチンが用いられてきたが，2015/2016シーズンからA型2種類とB型2

表 6-10-3　抗インフルエンザウイルス薬

一般名 (商品名)	作用機序	投与経路	対象
アマンタジン (シンメトレル® ほか)	M2 蛋白阻害	経口	A 型
ザナミビル (リレンザ®)	ノイラミニダーゼ阻害	吸入	A 型，B 型
オセルタミビル (タミフル®)		経口	
ペラミビル (ラピアクタ®)		静注	
ラニナミビル (イナビル®)		吸入	
ファビピラビル (アビガン®)	RNA ポリメラーゼ阻害	経口	A 型，B 型 (新型インフルエンザなどに使用限定)

種類(山形系統と Victoria 系統)を含む 4 価ワクチンとなった．

3) **感染対策**：流行期間中は人混みを避け，罹患した場合は仕事や学校を休むことが重要である．学校保健安全法では学校内での流行を抑制するため，インフルエンザに罹患した場合の出席停止期間を「発症した後 5 日を経過し，かつ，解熱した後 2 日を経過するまで」としている[23]．医療の現場においては，標準予防策(手指衛生，咳エチケットを含む)と飛沫予防策が重要である[24]．また近年は，濃厚接触者などへの抗インフルエンザウイルス薬の予防投与も行われる．

〔川名明彦〕

■文献　ⓔ文献 6-10-2-1

Dolin R: Influenza. Harrison's Infectious Diseases, 2nd ed (Kasper DL, Fauci AS eds), pp833-41, McGraw Hill, 2013.

Nicholson KG, Wood JM, et al: Influenza. Lancet. 2003; **362**: 1733-45.

Treanor JJ: Influenza virus, including avian influenza and swine influenza. Principles and Practice of Infectious Diseases, 7th ed (Mandell GL, Bennett JE, et al eds), pp2265-88, Churchill Livingstone Elsevier, 2010.

(2) 麻疹 (measles)

定義・概念
麻疹ウイルスによる急性感染症である．

分類
麻疹と修飾麻疹があり，修飾麻疹は，予防接種後，移行抗体保有乳児，免疫グロブリン製剤投与後などにみられる軽症麻疹である．

原因・病因
原因はパラミクソウイルス科モルビリウイルス属の麻疹ウイルスである．直径約 100 nm のマイナス 1 本鎖 RNA ウイルスで，エンベロープを有する．血清型は単一で，24 種類の遺伝子型がある．土着の遺伝子型とされていた D5 は 2010 年 5 月を最後に検出されておらず，近年は B3，D9，D8，D4，H1，G3 などが海外感染例により国内に持ち込まれている(国立感染症研究所)．

疫学[1]
飛沫核(空気)感染，飛沫感染，接触感染で感染伝播し，発症前日から感染力があり，基本再生産数(R_0)は 11〜18 と高い[1]．潜伏期間は 10〜12 日である．不顕性感染は少ない．1990 年代まではワクチン未接種の乳幼児を中心に大規模な流行を繰り返していた．2001 年はワクチン未接種の乳幼児に加え 10〜20 歳代の若年成人も多く発症した．2007 年にワクチン未接種/1 回接種/接種歴不明の 10〜20 歳代とワクチン未接種の 0〜1 歳児を中心とする大規模な流行が発生した．2007 年 12 月に「麻しんに関する特定感染症予防指針」が告示され，2008 年から診断後速やかな(24 時間以内の)届け出が全例に義務づけられ，2015 年 3 月に WHO 西太平洋地域事務局から日本の麻疹排除が認定された．2015 年 5 月以降は，臨床診断後氏名，住所，職業等の個人情報も含めて最寄りの保健所に「直ちに」届け出ることが義務づけられ，検査診断により確定すれば，検査診断に病型を変更し，検査診断により麻疹が否定されれば，届出を取り下げる．

病態生理
麻疹ウイルスの受容体は SLAM (signaling lymphocyte activation molecule, CD150)であり，リンパ組織に発現する(Tatsuo, 2000)．近年，nectin 4 を受容体として上皮細胞にも感染し，効率よく体外に排泄されることが報告された[2]．

臨床症状

1) **自覚症状**：発熱，咳，鼻汁，眼球結膜の充血，咽頭痛などが数日続き(カタル期)，いったん下がるかのようにみえた発熱は再び 39℃以上となり(二峰性発熱)，顔面・頸部から鮮紅色紅斑が出現し全身に拡大する(発疹期)．高熱は数日間持続し，経口摂取不良，下痢，脱水症状を認める．

2) **他覚症状**：カタル期後半に Koplik 斑(まわりが紅暈に囲まれた白色の粘膜疹)が口腔粘膜に出現し，発

疹が全身に広がる頃には消失する．合併症がなければ7〜10日程度で軽快するが，発疹はときに落屑を伴い，色素沈着を残した後消褪する．

検査所見
白血球数（リンパ球数），血小板数の減少，AST，ALT，LDHの上昇がみられる．細胞性免疫が低下し，ツベルクリン反応が減弱する．

診断
全例の検査診断（血液，咽頭拭い液，尿を地方衛生研究所に提出）が求められている[3]．ウイルス分離，PCR法などを用いた麻疹ウイルス遺伝子の検出，IgM抗体の検出（発疹出現後4〜28日），IgG抗体の陽転あるいは有意上昇を確認する．修飾麻疹（eノート1）の場合，病初期からIgG抗体が高値のため解釈には注意する．

鑑別診断
風疹，伝染性単核球症，溶連菌感染症，川崎病，デング熱，薬疹などがあげられる．

合併症
肺炎が最も多い．ウイルス性肺炎，細菌の二次感染による肺炎，巨細胞性肺炎がある．ほかに中耳炎，腸炎，クループ症候群，心筋炎，脳炎がある．脳炎は1000人中0.5〜1人に合併し，致命率は約15％で，回復しても約20〜40％に重度の後遺症を残す．治癒から数〜10年程度を経て発症する亜急性硬化性全脳炎（subacute sclerosing panencephalitis：SSPE）は，罹患者約10万人に1人程度で発症する．予後不良である．

経過・予後
発症後約1カ月間は細胞性免疫機能低下状態が続く．2大死因は肺炎と脳炎である．先進国であっても致命率は0.1〜0.2％と高い（Atkinsonら，2012）．

治療・予防
特異的な治療法はなく対症療法となる．入院加療が必要になる場合が多い．

1978年から生後12〜72カ月未満児に対する麻疹ワクチンの定期接種が始まった．1989年4月〜1993年4月は麻疹おたふくかぜ風疹混合（MMR）ワクチンの選択が可能であった．1995年4月から生後12〜90カ月未満児に対する麻疹ワクチンの定期接種が始まり，2006年6月に1歳児および小学校入学前1年間の児に対する麻疹風疹混合（MR）ワクチンの2回接種制度が始まり現在に至る．2008〜12年度の5年間は，中学1年と高校3年相当年齢の者に2回目のMRワクチンが実施された．現在，1歳児の接種率は95％以上と高い．

〔多屋馨子〕

■文献（e文献6-10-2-2）
Atkinson W, Wolf C, et al eds: Measles. Epidemiology and Prevention of Vaccine-Preventable Diseases, The Pink Book: Course Textbook, 12th ed, pp173-92, CDC, 2012.
国立感染症研究所感染症疫学センター：麻疹．http://www.nih.go.jp/niid/ja/diseases/ma/measles.html
Tatsuo H, Ono N, et al: SLAM（CDw150）is a cellular receptor for measles virus. *Nature*. 2000; **406**: 893-7.

（3）風疹

定義・概念
風疹ウイルスによる急性感染症である．

分類
風疹のほか，妊娠20週頃までの妊婦が風疹ウイルスに感染すると，胎児にも感染し，児が先天性風疹症候群を発症する可能性がある．

原因・病因
原因は，トガウイルス科ルビウイルス属に属する風疹ウイルスである．直径約60 nmのプラス1本鎖RNAウイルスで，エンベロープを有する．血清型は単一で，E1蛋白質の遺伝子解析によって2つのクレードに分類され，クレード1は10種類，クレード2は3種類の遺伝子型に分類される（森ら，2011）．2004年の流行では1jが主流であったが，2012〜2013年の流行ではアジア諸国で流行中の2B，1Eが多く検出された．

疫学
基本再生産数（R_0）は5〜7と高い．不顕性感染が約15〜30％程度存在する．先天性風疹症候群は1999年4月から，風疹は2008年からすべての医師に届け出が義務づけられた．2012〜2013年にワクチン未接種あるいは接種歴不明の成人男性を中心とする1万4000人規模の流行が発生し，その後先天性風疹症候群が45人報告された．これを受けて，2014年3月に風疹に関する特定感染症予防指針が告示され，早期に先天性風疹症候群の発生をなくすとともに，2020年度までに風疹の排除を達成することが目標に掲げられた．

病態生理
飛沫感染で感染伝播し，鼻咽頭，所属リンパ節で増殖した風疹ウイルスは，ウイルス血症で全身に運ばれる．潜伏期間は平均16〜18日（14〜21日），発疹出現前後1週間に感染力を有する．

臨床症状
1) **自覚症状**：発熱，発疹，頸部・後頭部・耳介後部のリンパ節腫脹が3主徴であるが，3つそろわないことが多い．カタル症状，眼球結膜の充血を伴う．成人が発症すると関節痛を伴う頻度が小児より高い．
2) **他覚症状**：発疹は淡紅色の紅斑で，融合しない．通常，落屑や色素沈着はみられないが，成人が発症すると小児より重症である．

検査所見
特徴的な検査所見はない．

診断
流行時期以外では，臨床症状のみで診断することは困難である．検査診断の方法には，ウイルス分離，RT-PCR法/リアルタイムPCR法などを用いた風疹ウイルスあるいはウイルス遺伝子の検出，IgM抗体の検出（発疹出現後4～28日），IgG抗体の陽転あるいは有意上昇がある．

鑑別診断
麻疹（特に修飾麻疹），伝染性紅斑，伝染性単核球症，溶連菌感染症，エンテロウイルス感染症，薬疹などがあげられる．

合併症
血小板減少性紫斑病（3000～5000人に1人），脳炎（4000～6000人に1人），関節炎（5～30%）がある．

経過・予後
風疹の予後は一般に良好である．一方，先天性風疹症候群は，眼（白内障，色素性網膜炎，先天性緑内障），耳（感音性難聴），心臓（動脈管開存症，肺動脈狭窄など）の1つあるいは複数に障害を有し，ほかに低出生体重，肝脾腫，小頭症，小眼球症，血小板減少性紫斑病，精神運動発達遅滞，髄膜脳炎，X線透過性の骨病変，黄疸など多彩な症状を認める．

治療・予防
特異的な治療法はなく，対症療法となる．風疹含有ワクチンによる予防が重要である．1977年から風疹ワクチンの定期接種が始まったが，女子中学生のみへの接種であったことから，大規模な流行が5～6年ごとに繰り返された．1989年4月から麻疹おたふくかぜ風疹混合（MMR）ワクチンを選択することが可能となったが，1993年4月に中止となった．1995年4月から男女幼児と中学生男女が定期接種の対象になったが，学校での集団接種から医療機関を受診して受ける個別接種になったため，中学生の接種率が激減した．2006年6月から1歳児と小学校入学前1年間の幼児に対する麻疹風疹混合（MR）ワクチンの2回接種制度が始まり現在に至っている．2008～2012年度の5年間限定で，中学1年生と高校3年生相当年齢の者を対象に2回目のMRワクチンが定期接種に導入された．定期接種制度の影響で，成人男性に感受性者が多数蓄積しており，2015年現在，特に30歳代後半～50歳代前半に多い．〔多屋馨子〕

■文献
Atkinson W, Wolfe C, et al eds: Rubella. Epidemiology and Prevention of Vaccine-Preventable Diseases, The Pink Book: Course Textbook, 12th ed, pp275-90, CDC, 2012.
国立感染症研究所感染症疫学センター：風疹．http://www.nih.go.jp/niid/ja/diseases/ha/rubella.html
森 嘉生，大槻紀之，他：風疹ウイルスの遺伝子解析．IASR. 2011; 32: 260-2.

(4) ムンプス（流行性耳下腺炎）（mumps）

定義・概念
ムンプス（流行性耳下腺炎，おたふくかぜ）は，唾液腺（おもに耳下腺）の腫脹を特徴とする小児に多いウイルス感染症である（eノート1）．

原因
パラミクソウイルス科に属する1本鎖RNAウイルスであるムンプスウイルスによる（eノート2）．

疫学
冬の終わり～春に発症のピークがある．感染性のある期間は発症3日前～発症後4日までである．年齢分布では，6歳未満が全体の60%，10歳未満が90%を占めていたが，最近は10歳以上の割合が増加する傾向にある（eノート3）．

病態生理
飛沫感染により伝播し，患者の鼻咽頭と局所のリンパ節で増殖する．感染後12～25日にウイルス血症を発症し，特徴的症状が出現する（eノート4）．

臨床症状・経過・予後
潜伏期間は通常14～18日（14～25日）であり，前駆症状を認めた後に，耳下腺の腫脹・圧痛，嚥下痛，発熱を主症状として発症する．感染者の30～40%に耳下腺の腫脹（両側または片側性）を認め，ほかの唾液腺が腫脹することもある．通常1～2週間で軽快する．感染者の20%は不顕性感染であり，40～50%では呼吸器症状などの非特異的症状のみを認める（CDC, 2012）．

検査所見
白血球数減少（比較的リンパ球増加），血中・尿中での唾液由来のアミラーゼ上昇を認めることが多い．

診断
ムンプス特異的IgM抗体（EIA法）の上昇，ペア血清でのムンプス特異的IgG抗体（EIA法）の上昇，臨床検体からのムンプスウイルス分離またはPCR法によるウイルス核酸の証明による（eノート5）．

鑑別診断
ほかのウイルス（コクサッキーウイルス，パラインフルエンザウイルス，インフルエンザA型，サイトメガロウイルス，EBウイルス，アデノウイルス，HIV）や細菌（おもに黄色ブドウ球菌）による耳下腺炎がある（eノート6）．

合併症（CDC, 2012; Litmanら, 2015）（eノート7）
1) 無菌性髄膜炎：ムンプス患者の50～60%で髄液細胞数増加が認められるが，髄膜炎として発症する者

は15%以下である．男児での発症が多く（女児の3倍），耳下腺腫脹を認めないことも多い（～50%）．神経学的後遺症を残すことなく，通常は3～10日で軽快する（*e*ノート8）．

2）精巣炎： 思春期以降の男性の20～50%に発症する．通常は耳下腺炎発症後に引き続き発症し，30%は両側性である．不妊の原因となることはまれである（*e*ノート9）．

3）感音性難聴： 永続的な障害となるため最も重要な合併症である．ムンプス2万人に1人程度に発症し，80%は片側性である．

治療・予防

治療は基本的に対応療法である．学校保健安全法では，出席停止期間は耳下腺，顎下腺，または舌下腺の腫脹が発現した後5日を経過し，全身状態が良好となるまでとされている．

ワクチン接種が唯一の予防方法である．おたふくかぜワクチンは，任意接種のワクチンであり，1歳時と幼稚園・保育所の年長時の2回接種が勧められている（*e*コラム1）．　　　　　　　　　　〔城　裕之〕

■文献

CDC: Mumps. The Pink Book, 12th ed, pp205-14, 2012. http://www.cdc.gov/vaccines/pubs/pinkbook/mumps.html

国立感染症研究所：流行性耳下腺炎（おたふくかぜ）．IASR. 2013; **34**: 219-20.

Litman N, Baum SG: Mumps virus. Mandell, Douglas, and Benett's Principles and Practice of Infectious Diseases 8th ed (Bennett JE, Doln R, et al eds), pp1942-7, Saunders, 2015.

（5）重症急性呼吸器症候群（severe acute respiratory syndrome：SARS）と中東呼吸器症候群（Middle East respiratory syndrome：MERS）

a. SARS

定義・概念

2002年の暮れから2003年6月にかけて，世界的に（ただし，多くの患者は中国国内で発生）新規コロナウイルスによる重症呼吸器感染症が流行した．2003年3月の原因ウイルスが特定される前に，WHOによりその呼吸器疾患は重症急性呼吸器症候群（severe acute respiratory syndrome：SARS）と命名された．2003年5月には病原体が新規コロナウイルス（SARSコロナウイルス：SARS-COV）であることが証明された[1]．

病原体

SARSはコロナウイルス科βコロナウイルスに分類されるSARS-CoVによることが明らかにされた（*e*図6-10-FのA）．SARS-CoVの宿主は，中国南部に生息するキクガシラコウモリであると考えられている（図6-10-5A）[2]．これまでヒトやハクビシンなどの市場で売られている動物などからSARS-CoVが分離されているが，最近の分離報告例はない．

感染経路

SARSは，これまでの流行では初発患者はハクビシンからSARS-CoVに感染し，ついでヒトの間では飛沫・接触感染経路で感染が拡大したと考えられている（図6-10-5A）．その広がり方は比較的特異的で，SARS患者（特に高齢患者）のなかには多量の感染性SARS-CoVを排出する者（スーパースプレッダーとよばれる）が存在し，スーパースプレッダー周辺で感染が拡大する．

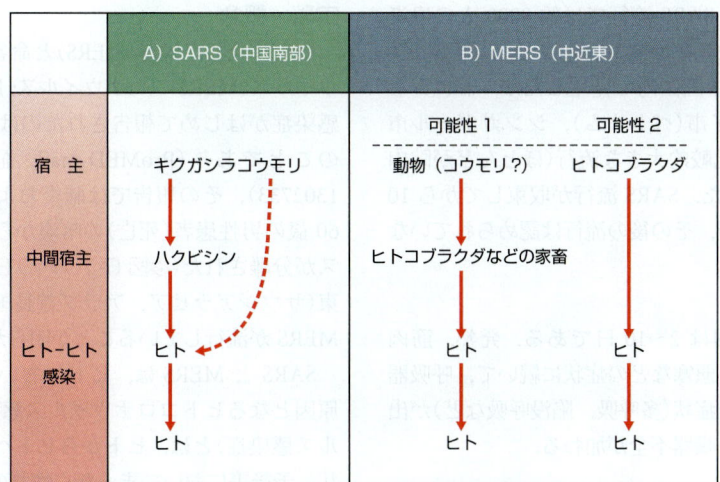

図6-10-5 SARS-CoV（A）およびMERS-CoV（B）のヒトへの感染経路
宿主であるキクガシラコウモリからハクビシンのコロニーにSARS-CoVが広がり，それと直接的な接触のあるヒトがSARS-CoVに感染した．ヒトからヒトの間でも，飛沫感染経路で感染が広がった．

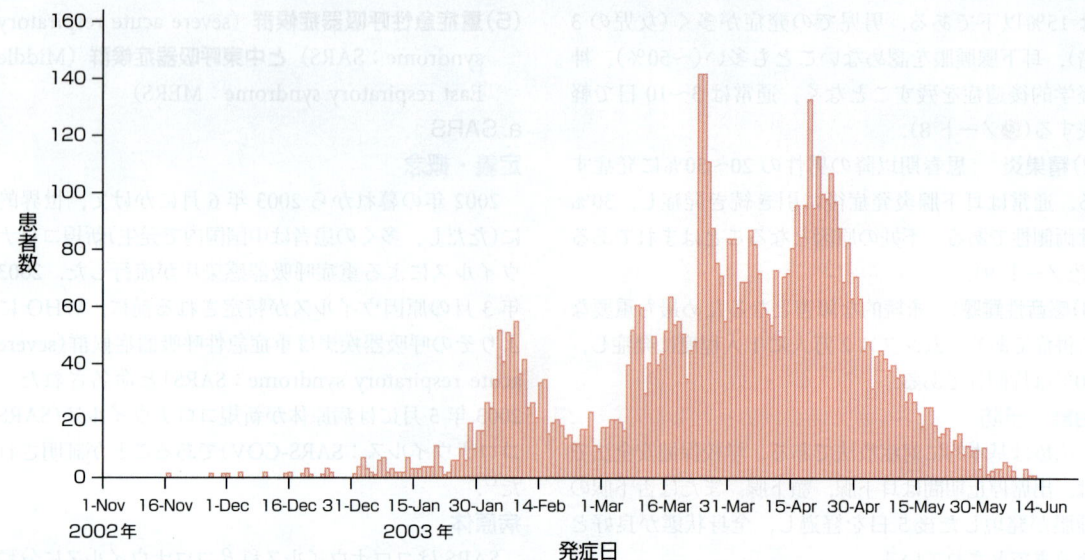

図6-10-6 2002年11月から2003年6月までのSARS患者の週別新規患者発生状況 (WHO, http://www.who.int/csr/sars/epicurve/epiindex/en/index1.html)
この流行では約8000人の患者が報告されているが、5910人の発症週をまとめた図である。発症日時に関する明確な情報のない2577人は含まれていない。

しかし，SRAR-CoVは基本的にヒトからヒトへの感染リスクは低く，季節性インフルエンザウイルス感染症のような世界規模の流行になることはない．

疫学

2002年11～12月に中華人民共和国（中国）広東省でSARSは流行していたと考えられる．2003年2月末，香港経由でベトナム入りした人がハノイ市の病院に肺炎で入院し，その患者の診療・治療，看護に当たった医療従事者が，同じような症状を呈した．この流行がSARS-CoVによるSARSによるものであることが世界ではじめて確認された．2002年11月から2003年6月までのSARS流行では約8000人の患者発生が確認され，致死率は約10％であった（図6-10-6）．多くの患者は中国国内で発生したが，トロント市（カナダ），ハノイ市（ベトナム），シンガポール市（シンガポール）で比較的大きな流行（ほとんどが院内感染事例）が発生した．SARS流行が収束してから10年以上が経過したが，その後の流行は認められていない．

臨床症状

SARSの潜伏期間は2～10日である．発熱，筋肉痛，頭痛，倦怠感，悪寒などの症状に続いて，呼吸器症状（咳），呼吸困難症状（多呼吸，陥没呼吸など）が出現し，重症例では多臓器不全が加わる．

診断・治療・予防

急性期患者の診断には，気道分泌物，便や直腸スワブ，尿，血液からのウイルス分離，SARS-CoVゲノム検出のためのRT-PCR法（定量的リアルタイムRT-PCRを含む）による遺伝子増幅検査が実施される必要がある．回復期患者の診断には，それぞれのウイルスに対するIgM抗体の検出，または，急性期および回復期におけるIgG抗体の有意な上昇を確認する．これらの検査はコマーシャルラボでは実施されていない．国立感染症研究所にて検査が実施可能である．特異的な治療法はない．対症療法が基本である．ヒトからヒトに感染するリスクがあり，また，致死率がきわめて高いことから院内感染予防策の徹底が重要である．有効なワクチンはない．

b. MERS

定義・概念

中東呼吸器症候群（MERS）と命名された新規コロナウイルス（MERSコロナウイルス；MERS-CoV）による感染症がはじめて報告されたのは2012年9月20日のことであり（ProMED-mail，記事番号20120920.1302733），その報告では肺炎および腎不全を患った60歳の男性患者（死亡）の喀痰から新規コロナウイルスが分離された（e図6-10-FのB）[3]．その後，中近東（サウジアラビア，アラブ首長国連邦などにおいてMERSが流行していることが明らかにされた．

SARSとMERSは，ヒトにおいて呼吸器感染症の原因となるヒトコロナウイルス感染症（ヒト由来ウイルス感染症）とは，ヒトからヒトへの伝播性，臨床症状，予後等においてまったく性質の異なる，動物由来ウイルス感染症である．

病原体

MERS-CoVもSARS-CoV同様にコロナウイルス

科βコロナウイルスに分類される．MER-CoV の宿主はヒトコブラクダである可能性が示唆されている（図 6-10-5B）[4]．MERS 流行国で飼育されているヒトコブラクダにおいて MERS-CoV 中和抗体陽性率が高く，MERS-CoV 遺伝子が高頻度で増幅されている[5]．

感染経路

MERS-CoV に感染しているヒトコブラクダからヒトは MERS-CoV に感染する[6]．MERS においても飛沫感染，接触感染経路でヒトからヒトへ感染が拡がる．SARS の場合と同様に 1 人の患者からのヒト-ヒト感染による院内感染事例が報告されていることから，スーパースプレッダーの存在が示唆される[7]．しかし，MERS-CoV も SARS-CoV 同様に基本的にヒトからヒトへの感染リスクは低く，世界規模の流行になることはない．

疫学

MERS については，WHO によると 2016 年 6 月までに，1768 人の患者が報告され，その内 680 人が死亡している．サウジアラビアでの発症例が最も多い．アラビア半島の国々以外でも MERS 患者が発生しているが，すべて流行国で感染した輸入感染患者またはその患者からの院内感染・家族内事例である．

2015 年 5～7 月にかけて，韓国で 185 人の MERS 患者に及ぶ MERS 流行が発生した．致命率は約 20% であった．中近東からの帰国者がその流行の発端であった．MERS 流行は中近東で続いていることから，韓国で MERS が比較的大きな規模で流行したような事例は非流行地で発生するリスクが継続して存在する．

臨床症状

MERS の潜伏期間は 2～15 日である．SARS の場合と同様に，多くの患者で発熱，咳，呼吸困難がおもな症状である．その他喀血，胸痛，筋肉痛などが認められる．消化器症状が約 20% の患者で認められる．

診断・治療・予防

急性期患者の診断には，気道分泌物，便や直腸スワブ，尿，血液からのウイルス分離，MERS-CoV ゲノム検出のための RT-PCR 法（定量的リアルタイム RT-PCR を含む）による遺伝子増幅検査が実施される必要がある．回復期患者の診断には，それぞれのウイルスに対する IgM 抗体の検出，または，急性期および回復期における IgG 抗体の有意な上昇を確認する．特異的な治療法はなく，対症療法が基本である．ヒトからヒトに感染するリスクがあり，また，致死率がきわめて高いことから院内感染予防策の徹底が重要である．有効なワクチンはない．〔西條政幸〕

（e文献 6-10-2-5）

（6）ポリオ

定義・概念

ポリオウイルス感染による神経細胞障害により弛緩性麻痺を起こす急性感染症である．感染症法の二類感染症に分類され診断した場合には直ちに届け出を行う．日本では非常にまれな疾患であり，診断は慎重にすべきである．届け出基準が示され，2006 年からは野生株由来のみならずワクチン株由来による麻痺症例も届け出対象となった．ウイルス分離やその後の分子疫学的解析などの検査は実施し難しく，早めに保健所・衛生研究所と相談することが望ましい．

原因・病因

ポリオウイルスはピコルナウイルス科エンテロウイルス属に属し，直径 30 nm 弱の小型のウイルスで，エンベロープはなくエーテルや酸などへの物理化学的抵抗力が強い．1 型，2 型，3 型があり，野生株ポリオウイルスのみならず，ワクチン株ポリオウイルスやワクチン由来株ポリオウイルス（VDPV）も原因となる場合がある．

1）ワクチン関連麻痺型ポリオ（VAPP）： ワクチン接種 400 万回に 1 人，さらにまれではあるが接種者の周囲の接触者にも発症があり，成人の報告もある．

2）伝播型ワクチン由来ポリオウイルス（cVDPV）によるポリオ麻痺： ワクチン接種率が下がるとワクチン株が地域で伝播する間に変異を蓄積し，野生株と同様の性質をもつようになり，VDPV が地域流行し麻痺患者が多発する場合がある．2000～2001 年にドミニカとハイチで最初の報告があり，その後世界各地で報告がある．

疫学

日本では 1950 年代には年間 1500～6000 人の患者発生があったが，1981 年以降は野生株によるポリオはない．1988 年に WHO により「ポリオ世界根絶計画」が採択され，ワクチン接種などにより確実に減少してきて，日本が属する WHO 西太平洋地域では 2000 年にポリオ排除宣言が出された．世界的には宗教上の理由や紛争，経済的問題のために対策が困難で，排除できない国・地域があり，人の移動に伴って周辺地域，あるいは遠隔地にも野生株ポリオウイルスの拡散が起こっている．野生株によるポリオは 2012 年 223 人，2013 年 416 人，2014 年 359 人の報告数で，パキスタン，アフガニスタン，ナイジェリアが流行国となっている．

病態生理

おもに感染者の腸管から排泄された糞便中のウイルスが経口的に入り，おもに腸管で増殖し，ウイルス血症を起こし，脊髄・延髄の前角の運動神経細胞に感染・破壊することにより，その支配領域の骨格筋に弛緩性麻痺が生ずる．糞便中へのウイルス排泄は発症前

後数日が多いが，3〜6週間と長く，周囲への感染源ともなる．ポリオウイルスの自然宿主はヒトのみで，媒介する動物はいない．

臨床症状

ポリオの典型的な病像は弛緩性麻痺であるが，感染者の90％以上は不顕性感染で，5％程度に発熱や頭痛などの感冒様症状，1％程度に頭痛，悪心，項部硬直など髄膜炎症状・徴候を示す麻痺を伴わない無菌性髄膜炎が起こる．麻痺型は感染者の0.1〜0.5％で，潜伏期3〜12日，初発症状は発熱が多く，典型例は3日程度の発熱，頭痛，不快感などがあり，解熱する頃に突然に麻痺を生ずる．腰髄を侵す頻度が高いため下肢が多く，腱反射は減弱ないし消失するが知覚感覚異常は伴わない．麻痺は非対称性で急速に悪化し数日で完了する．その後は非進行性で，早期に筋萎縮が生じ，生涯にわたり残る．腹筋，胸筋，背筋などの麻痺もあり，特に脳神経が侵されると球麻痺などで呼吸不全となり，死亡することもある．

検査所見・診断

ほかのウイルス感染症と同様に血液・尿の一般検査に特異的所見は乏しい．髄液はリンパ球優位の細胞増加（10〜200/μL），蛋白軽度上昇（40〜50/mL）がある．確定診断はポリオウイルス感染の証明で，ウイルス分離・同定が基本である．血液，髄液，咽頭拭い液からも可能であるが，糞便からが長期に安定して分離が得られる．発症からできるだけ速やかに，24時間以上の間隔をあけて採取した2検体の検査が勧められる．分離ウイルスの遺伝子解析も必要である．血清診断ではペア血清で中和抗体価の上昇をみる．

鑑別診断

臨床的には四肢の急性弛緩性麻痺の鑑別診断となる．

1) Guillain-Barré症候群：各種ウイルス，カンピロバクターなどの感染を契機に，あるいは特発性に起こる．左右対称性の麻痺で，発熱を伴わずに発症し，2〜4週間は麻痺が進行するが，その後に回復することが多い．

2) 横断性脊髄炎を含む急性非ポリオ性脊髄炎：コクサッキー，エコー，エンテロウイルス71型などのエンテロウイルスの感染が多い．麻痺の左右差や筋萎縮，腱反射などは病変部位や病期によりさまざまである．原因は複数あり，病原診断が必要である．

治療・予防

1) 治療：ポリオウイルスに対する特異的な治療法はなく，ワクチンによる予防が有効である．麻痺を発症した場合は対症療法，支持療法を行う．球麻痺による呼吸不全には人工呼吸器管理が必要となる．残存する麻痺に対して長期的な対応が必要で，理学療法，補助具などを整形外科，リハビリテーション科に依頼する．

2) 予防：日本では経口生ポリオワクチン（OPV）が1961年に緊急導入され，1963年から国産ワクチン2回接種法が定期接種となり，長く使用された．しかし，生ワクチンによる健康被害の問題からポリオの流行がなくなった先進諸国を中心にOPVから不活化ポリオワクチン（IPV）への移行が進んできた．日本でも2012年9月に単味のIPVが，11月から国産のジフテリア・百日咳・破傷風混合ワクチン（DPT）と混合されたDPT-IPVの4種混合ワクチンが定期接種に導入され，OPVは中止となった．国産IVPは弱毒化ポリオウイルス（Sabin株）を原材料としており，強毒株を使用するより製造工程の安全管理上すぐれている．

〔青木知信〕

(7) 狂犬病（rabies）

狂犬病はヒトやほかの哺乳類（イヌ，ネコ，オオカミなど）に致死的脳炎を起こすウイルス感染症であり，自然宿主としてはコウモリ，アライグマ，キツネ，スカンクなどが考えられている．1885年には最初の狂犬病ワクチンが開発されているが，現在でも年間5万人以上の患者が狂犬病で死亡していると推定されている（WHO, 2010）．

病因・原因

狂犬病ウイルスはRNAウイルスであり，大きさは約75×180 nm，特徴ある砲弾型の形態をとり，ラブドウイルス科（Rhabdoviridae）のリッサウイルスに属する．ウイルスは末梢神経細胞に侵入し神経索を経由して後根神経節・脊髄に至り，その後は急速に中枢神経に至る．その後中枢神経系に広がったウイルスは運動神経・感覚神経・自律神経系を介して全身に広がり，神経に連続した臓器でウイルス増殖が起こり，その1つとして唾液腺でのウイルス増殖と排出が生じる．ウイルス伝播は感染動物の唾液による場合がほとんどである．

病理学的には脳内のNegri小体が特徴的である．しかしウイルス自体が脳組織に直接の毒性があるかは不明であり，ウイルス感染を契機とした脳内の過剰興奮や自律神経系の障害が二次的に脳障害を起こしているとの推測もされている．

疫学

狂犬病は全世界で認められるが，オーストラリア，ニュージーランド，南太平洋の島々，ハワイ，スウェーデン，ノルウェー，スペイン，日本では認められていない（WHO, 2005）（ⓔコラム1）．

都市型狂犬病は開発途上国に多く，ワクチン未接種のイヌ・ネコによって伝播される．森林型狂犬病はコウモリ，アライグマ，スカンク，オオカミなど野生動物によって伝播される．

臨床症状

臨床症状は，潜伏期，前駆期，急性神経症状期，昏睡期に分けられる．潜伏期は暴露後数日～数年と考えられるが，中央値85日，75％は3カ月以内であり，長い場合には19年との報告もある[1]．この潜伏期の期間に適切に対応することで狂犬病の発症を防ぐことができる．

前駆期は2～10日間程度であり，微熱，悪寒，筋肉痛，倦怠感，食欲不振，咽頭痛，悪心，嘔吐，頭痛，ときに光線過敏症を示すが，症状は非特異的で症状のみで狂犬病が疑われることはない．知覚異常は50～80％に存在し，咬傷痕から中枢側への知覚異常やmyoedema（打腱器で筋を叩くと数秒間筋肉が盛り上がる現象）からは狂犬病が示唆される[2]．

急性神経症状期は2～7日間程度であり，脳炎型（約80％）と麻痺型（約20％）に分けられる．脳炎型は行動の活発化・興奮性の亢進などで始まる．その後急速に錯乱，幻覚，攻撃的行動，不安，噛みつき，筋痙攣，てんかん発作，局所麻痺などに進行する．強い不安感に襲われた錯乱状態と清明状態が交互に出現するが，次第に清明状態は短くなり昏睡に至る．患者の約半数では恐水症（hydrophobia；飲水しようとすると激しい咽頭筋肉痙攣が誘発され，その後は水を見たり水ということばで咽頭筋肉痙攣が誘発される）を発症し，ほかに空気恐怖症（aerophobia；そよ風に対してすら非常に敏感になる）も特徴的である．発熱は40℃以上に及ぶ．瞳孔不正散大・流涙・唾液増加・発汗増加など自律神経失調も患者の25％に合併する．この時期には脳幹不全も出現し脳神経麻痺を合併する．麻痺型はGuillain-Barré症候群様の多発神経炎を特徴とする神経麻痺が起こる．麻痺型狂犬病は診断が難しいため臓器移植によるヒトからヒトへの感染例がまれに起こりうる．

昏睡期は0～14日間程度である．通常昏睡後1～2週で基本的には100％死に至る．直接の死因は筋攣縮や脳全般の痙攣による窒息・呼吸不全である．

検査所見

狂犬病の診断は，①唾液，まれに脳脊髄液，脳組織からのウイルス分離，②血清学的検査，③感染組織（角膜片，皮膚，脳）でのウイルス抗原検出，④遺伝子検出（PCR法），⑤脳組織ではマウス接種へのウイルス分離や病理学的診断である．抗体検査は末期まで出現しないこともあり必ずしも有用ではない．ウイルスは中枢神経系に到達し増殖後に全身組織に広がるため，病初期にウイルスを検出することは難しい．

PCR法による診断の報告では，生前・生後において，皮膚100％・97％，唾液58％・61％，尿8％・16％，血清0％・0％であり，皮膚（後頸部）が最もすぐれていた[3]．

診断

開発途上国では犬咬傷が多く診断には苦慮しない場合が多い．しかし犬咬傷が少なくコウモリ咬傷などが多い先進国では，動物咬傷歴が不明な場合も多く，その場合の診断は非常に難しい．米国での1990年以降に報告された狂犬病症例52例では，約半分は死後に診断されている[4]．診断の困難さゆえに，米国では脳炎死亡者からの臓器提供により狂犬病が伝播した症例が報告されている[5]．

鑑別診断

なお，狂犬病は，特に初期では，ほかのウイルス性脳炎と鑑別することはほとんど不可能であり，以下が鑑別診断となる．日本脳炎，単純ヘルペス脳炎，ウエストナイル脳炎，エンテロウイルス71脳炎，サイトメガロウイルス脳炎，EBウイルス脳炎，リステリア髄膜炎，急性散在性脳脊髄炎（ADEM）．

治療

紀元後1世紀には狂犬病犬に咬まれた場合の対処として傷の焼灼が推奨され，これはワクチンなどが使用可能となる20世紀中頃まで最もすぐれた方法の1つであった．咬傷部位の処置は非常に重要である．直後の対応は，石けんと流水（可能なら消毒薬も）による咬傷部位の十分な洗浄とともに，ほかの感染症の合併を勘案して破傷風ワクチンと抗菌薬の開始が推奨される．

現在でも症状出現後の治療法はなく，発症すると基本的には100％致死的である．"Milwaukee protocol"とよばれる治療法（ケタミン，ミダゾラム，大量リバビリン，アマンタジン）があり狂犬病罹患が疑われた15歳女性に有効であった可能性が報告されているが，その後の追加報告では否定的な報告が多い[6]．

予防

発症後は致死的であり，そのため曝露前または曝露後予防が推奨されている．曝露後予防の方法として抗狂犬病グロブリンとワクチンの2種類の手段がある．曝露前ワクチン歴のある患者では曝露後のワクチンのみでよいが，曝露前ワクチン歴のない患者では，抗狂犬病グロブリンとワクチンの併用が世界的には推奨されている．動物実験の結果や世界的な曝露後対応症例の蓄積より，抗狂犬病グロブリンとワクチン接種の組み合わせが非常にすぐれた方法であるとの認識に至っている（eコラム2）（Bahmanyarら，1976）．

なお，日本では抗狂犬病グロブリンが認可されていないため注意が必要である．また，日本製の狂犬病ワクチンは抗体誘導の効果が弱い可能性があり添付文書どおり使用することが基本となる．〔立川夏夫〕

■文献（e文献6-10-2-7）

Bahmanyar M, Fayaz A, et al: Successful protection of humans

exposed to rabies infection. Postexposure treatment with the new human diploid cell rabies vaccine and antirabies serum. *JAMA*. 1976; **236**: 2751.
WHO Publication: Rabies vaccines: WHO position paper-recommendations. *Vaccine*. 2010; **28**: 7140.
World Health Organization: WHO expert consultation on rabies. *WHO Tech Rep Ser*. 2005; Abstract **931**: 88.

(8) 日本脳炎・ウエストナイル熱 (Japanese encephalitis, West Nile fever)

定義・概念
日本脳炎ウイルス(JEV), ウエストナイル(西ナイル)ウイルス(WNV)による急性ウイルス感染症で, 中枢神経系にウイルスが侵入, 増殖することで脳炎, 髄膜炎を発症する.

病原体・感染経路
JEV, WNV ともにフラビウイルス科のウイルスであり, アルボウイルス(節足動物媒介性ウイルス)である. JEV は主としてコガタアカイエカで媒介され, WNV はアカイエカなど多種のイエカ, ヤブカ類の蚊, ダニでも媒介される. 自然界でのウイルス増幅動物は JEV はブタ, WNV はトリである(ⓔ図6-10-6). WNV の流行期には輸血, 移植による感染も発生する.

疫学
JEV は日本, 中国, 韓国などの東南アジア各国, 西はインド, パキスタン, 南はパプアニューギニア, オーストラリア北部まで広く生息しており患者発生がみられる. 日本では夏季(7～9月)に, アジアモンスーン地域では蚊の多い雨期に多発する. WNV は旧大陸のアフリカ, 中近東, ヨーロッパ, 新大陸では北米に生息しており患者が発生している. オーストラリアにも WNV の亜系が生息している(図6-10-7).

臨床症状・経過予後
日本脳炎の潜伏期は6～16日, 頭痛, 悪寒, 消化器症状, めまい, 傾眠などの自覚症状があり, 2～4日で高熱と中枢神経症状(項部硬直, 意識障害, 反射亢進, 病的反射, 筋硬直, 頭部神経麻痺, 四肢の震え, 麻痺など)が出現する. 重症例では脳浮腫の進行により呼吸不全, 痙攣, 意識混濁状態がみられ致命率は約30%である. また回復した患者でもその半数には重篤な神経・運動機能の後遺症がみられる.

ウエストナイル熱の潜伏期は2～14日, 軽症例ではデング熱様の発熱, 頭痛, 皮疹, 筋肉痛, リンパ節腫脹がみられ1週間ほどで自然治癒する. 重症例では日本脳炎様の脳炎, 髄膜炎症状がみられる. ときに, 四肢の筋力低下やポリオ様四肢麻痺がみられる. 高齢者に重症例が多い(Sejvar, 2014；Takamatsuら, 2013).

検査所見
末梢血白血球の軽度の上昇がみられる. 脳炎・髄膜炎では髄液検査において圧, 細胞数, 蛋白の上昇(50～100 mg/dL 程度)がみられる. MRI 検査において脳脊髄の障害部位に炎症所見を確認できることがある.

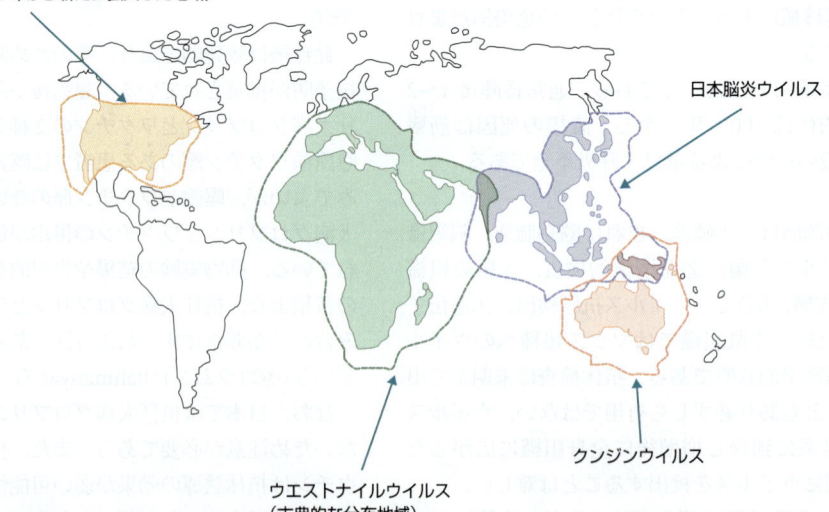

図6-10-7 日本脳炎とウエストナイル熱の流行地域
日本脳炎ウイルスは東アジアから東南アジア, 東アジア, オセアニアの一部まで広く分布している. ウエストナイルウイルスはアフリカ, 中近東, ヨーロッパの一部, 北米大陸に生息している. オーストラリアに生息するクンジンウイルスもウエストナイルウイルスの亜系であり脳炎患者が発生している.

診断

診断にはウイルス検出，抗体検査による実験室診断が不可欠である．発症初期では RT-PCR により髄液からウイルス遺伝子の検出(JEV，WNV)が有用である．WNV は急性期に血清からも検出可能である．発症後1週間以上の時点では抗体検査が有用であり，血清，髄液中のウイルス特異的 IgM の出現，特異的 IgG の上昇(急性期と比較して)を確認する．

日本脳炎，ウエストナイル熱は四類感染症に定められており，診断した医師は直ちに最寄りの保健所に届け出なければならない．

鑑別診断

流行期，および流行地域から帰国後発症した患者において，脳炎症例ではすべてのウイルス中枢神経感染症が鑑別診断の対象となる．軽症のウエストナイル熱ではデング熱，チクングニア熱，麻疹など発疹を呈する急性発熱疾患が鑑別診断の対象である．

合併症

脳炎髄膜炎では誤嚥により嚥下性肺炎を発症することがあるので呼吸管理が必要となる場合がある．

治療・予防

抗ウイルス薬はない．解熱薬，鎮痙薬による対症療法により症状を緩和し，脳髄膜炎では，脳浮腫に対して高浸透圧薬(グリセオール，マンニトール)，副腎皮質ステロイドを投与する．予防に関しては，媒介蚊対策として蚊忌避剤の使用，露出の低い衣服の着用，防虫剤の使用などを流行地域の住人，流行地域への渡航者に指導する．日本脳炎には有効な不活化ワクチン(細胞培養ワクチン)があり，初回は2回接種，翌年1回の追加接種の3回接種を行うことが推奨されている．

〔森田公一〕

■文献

Sejvar JJ: Clinical Manifestations and outcomes of west nile virus infection. *Viruses*. 2014; **6**:606-23.

Takamatsu Y, Uchida L, et al: An approach for differentiating Echovirus 30 and Japanese encephalitis virus infections in acute meningitis/encephalitis: a retrospective study of 103 cases in Vietnam. *Virol J*. 2013; **10**:280.

(9) デング熱・黄熱・ジカ熱 (dengue fever・yellow fever・Zika fever)

a. デング熱・黄熱

定義・概念

デングウイルス(DENV)，黄熱ウイルス(YFV)による急性ウイルス感染症であり，重症例ではウイルス性出血熱となる．

病原体・感染経路

DENV，YFV ともにフラビウイルス科のウイルスであり，アルボウイルス(節足動物媒介性ウイルス)である．ネッタイシマカ，ヒトスジシマカが媒介する．都市部での流行ではヒトと蚊との間で感染が繰り返されることで感染環が維持され，自然界では熱帯森林に棲む類人猿と森林の蚊の間でウイルスが維持されている(e図 6-10-H)．

疫学

DENV は世界の熱帯・亜熱帯地域全域に生息し(図 6-10-8)，年間の感染者は 5000万～1億人をこえると見積もられている．熱帯地域の都市化とともに増加傾向にある．デングウイルスには4つの血清型があり，流行地域では多くのヒトが複数回，デングウイルスに感染する(デングウイルスの二次感染という)．媒介蚊が発生する雨期に大流行が発生するが，温帯地域でも輸入症例が増加しており，ヒトスジシマカが生息する場所では国内伝播が発生する．わが国でも 2014年8月，70年ぶりの国内流行が発生した．YFV は現在では，アフリカと南アメリカの熱帯森林で森林サイクル(e図 6-10-H)によりウイルスが維持され，森に入ったヒトが感染する場合があり，そこからまれに都市部での一過性の流行が発生する．

臨床症状・経過予後

デング熱は数日～7日(最長14日)の潜伏期を経て，高熱，頭痛，発疹，関節・筋肉痛がみられ，軽症例では数日～1週間で治癒する．重症化すると血管の透過性が亢進し血漿漏出により，血液の濃縮(ヘマトクリット値の上昇)，胸水，腹水，肝腫大，循環障害(ショック症状)がみられる．さらに毛細血管での血液凝固による播種性血管内凝固症候群(DIC)へと進行して致死的な大量出血の原因となる．重症例は二次感染時に発症することが多い(World Health Organization (SEARO), 2011；World Health Organization (Switzerland), 2009)．黄熱は3～6日の潜伏期を経て高熱，頭痛，筋肉痛，悪心・嘔吐が出現する．重症例では数日を経て黄疸，出血傾向，蛋白尿(高度の蛋白尿であっても浮腫・腹水をきたすことはまれ)，多臓器不全が出現し死に至る．高熱時の比較的徐脈(48～52/分)を Faget の徴候という．黄疸が発症した場合の致命率は 15～50%に達する(Quaresma ら, 2013)(eコラム 1)．

検査所見

白血球減少，血小板減少，肝酵素の上昇がみられる．デング熱の重症例では血小板減少とヘマトクリット値の上昇が顕著となる．黄熱の重症例では総ビリルビン(直接ビリルビン)の増加，AST の顕著な増加もみられる．ともに重症例では凝固時間，プロトロンビン時間，部分トロンボプラスチン時間などが顕著に延長する．

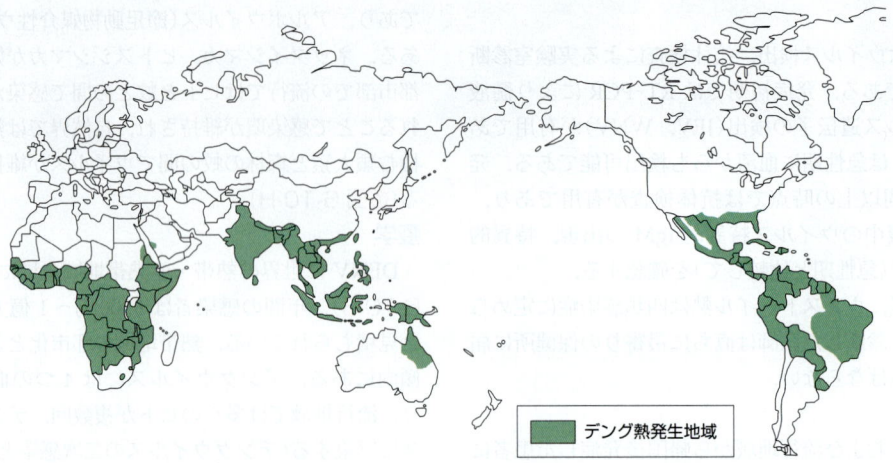

図 6-10-8 デング熱流行地域
今日デング熱は世界のほとんどの熱帯地域で 4 つの血清型のデングウイルスが流行を繰り返している．黄熱ウイルスはアフリカと南米の熱帯森林での類人猿と蚊の感染環でウイルスが維持されているのみである．

診断

診断にはウイルス学的，抗体検査による実験室診断が不可欠である．急性期では血液中のウイルス遺伝子を RT-PCR により検出し，回復期にはウイルス特異的 IgM の出現，特異的 IgG の上昇（急性期と比較して）を確認する．デング熱では近年，NS1 抗原（ウイルスの非構造蛋白質であり感染細胞から血液中に分泌される）を検出するイムノクロマト法の迅速診断薬が開発されベッドサイドでの簡易診断が可能となっている．デング熱，黄熱は四類感染症に定められており，診断した医師は直ちに最寄りの保健所に届け出なければならない．

鑑別診断

急性発熱性の疾患，肝炎など鑑別診断の対象となる．

治療・予防

抗ウイルス薬はない．デング熱の軽症例では経口的に水分，栄養補給をして安静を保てば 1 週間程度で回復する．必要により解熱薬（アセトアミノフェン）を投与する．重症化して，血管透過性の亢進がみられるときには，ヘマトクリット値を指標として，輸液により体液管理が必要である（World Health Organization (SEARO), 2011；World Health Organization (Switzerland), 2009）．流行地へ渡航するヒトには蚊に刺されないように，露出の少ない衣服を着用し，腕などの露出部には蚊の忌避剤を塗布することを指導する．黄熱の治療は対症療法による．デング熱，黄熱ともに DIC を併発した場合には一般的な DIC の治療を行う．黄熱には生ワクチン（17D）があり，1 回の接種で 10 年間有効である．流行地への渡航には世界保健規則により接種が義務づけられている．

禁忌

解熱薬としてサリチル酸系の薬剤は出血とアシドーシスを助長するので禁忌である．黄熱ワクチンはアレルギー（特に卵）のあるヒトには接種しない．

b. ジカ熱

ジカ熱（Zika fever）はジカウイルスによる蚊媒介性の急性熱性感染症である．ウイルスは 1947 年にウガンダの「ジカの森」にいたアカゲザルからはじめて分離され，デングウイルスと同じフラビウイルス科のウイルスである．伝播経路もデングウイルスと同じで，ネッタイシマカ，ヒトスジシマカが媒介する．近年までジカ熱はアフリカとアジアで流行し，軽症のデング熱に酷似した症状（発熱，筋肉・関節痛，結膜炎，発疹）のきわめて軽症の急性熱性感染症と考えられていた．しかし 2007 年にミクロネシアで大きな流行が発生し，その後南太平洋の国々で次々と流行して，ついにブラジルも伝搬して，2015 年には同国では 100 万人をこえる大流行となった．ブラジルでは妊娠中に感染した妊婦で小頭症児など胎児の先天性異常の多発が疑われており，世界保健機関（WHO）は 2016 年 2 月 1 日に「国際的に懸念される公衆衛生上の緊急事態」を宣言した．日本国内にはジカ熱を媒介する蚊（ヒトスジシマカ）が棲息しているため，夏期にはわが国でも輸入症例からの国内流行について注意が必要である．また，ウイルスは精液や母乳からも検出されており，性感染での伝播も確認されている．ワクチンや抗ウイルス薬はない．

〔森田公一〕

■文献

Quaresma JAS, Pagliari C, et al: Immunity and immune response, pathology and pathologic changes: progress and challenges in the immunopathology of yellow fever. *Rev Med Virol*. 2013; 23:

World Health Organization (SEARO): Comprehensive Guideline for Prevention and Control of Dengue and Dengue Haemorrhagic Fever, 2011.
World Health Organization (Switzerland): Dengue Guidelines for Diagnosis, Treatment, Prevention and Control, 2009.

(10) HIV 感染症と後天性免疫不全症候群(acquired immunodeficiency syndrome：AIDS)

定義・概念

AIDS は，HIV（human immunodeficiency virus）の感染により引き起こされる細胞性免疫不全症である．1990 年代後半に確立した多剤併用抗 HIV 療法により HIV 感染症は長期生存可能な疾患となっているが，HIV 感染者において日和見疾患以外にも動脈硬化性疾患や骨脆弱性，悪性腫瘍，認知機能障害などさまざまな疾患のリスクが上昇することが問題となっている．

原因・病因

HIV はレトロウイルス科レンチウイルス亜科に属する 1 本鎖 RNA ウイルスである（e図 6-10-I）．原因ウイルスである HIV には HIV-1 と HIV-2 の 2 種が知られているが，世界的に流行しているのは HIV-1 である．

疫学

1) **世界**：WHO[1] および国際連合エイズ合同計画（UNAIDS）[2] によると，2013 年末時点における全世界の HIV 感染者は 3500 万人，1 年間の新規感染者数および AIDS による死亡者数はそれぞれ 210 万人，150 万人と推定されており，サハラ以南のアフリカにおけるものが約 7 割を占めている．抗 HIV 療法の普及に伴い新規 HIV 感染者数，年間死亡数ともピーク時より減少しているが，依然として重要な感染症である．

2) **日本**：国内では 2015 年末現在，累計で 17909 人の HIV 感染者と 8086 人の AIDS 患者が報告されている（非加熱凝固因子製剤による感染者を除く）[3]．年間の新規報告数は 2007 年以降 1500 人前後で推移している（e図 6-10-J）．HIV は血液，精液や腟分泌液などの体液，母乳などを介して感染するが，現在の日本においては性感染，特に男性同性間性交渉による新規感染が大多数を占める．AIDS を発症した時点ではじめて HIV 感染が判明する例が 1/3 を占めており，早期診断が十分に行われていないのが現状である（e図 6-10-K）．

病態生理

HIV はおもに CD4 陽性 T リンパ球やマクロファージ系の細胞に感染し，結果として CD4 陽性細胞の減少をもたらす．HIV 感染症の進行には，宿主側，ウイルス側双方の因子により大きな個人差がある．

HIV 感染者の体内では持続する HIV 複製に対して炎症が持続している状態にあり[4]，これが近年問題となっている非 AIDS 合併症（動脈硬化性疾患や骨脆弱性など）のリスク増加と関連すると考えられている．

臨床症状（図 6-10-9）

1) **急性感染期**[5]：HIV 感染後から数週間で，約 50〜90％ に発熱，リンパ節腫脹，咽頭炎，発疹などの急性期症状が認められる．伝染性単核症，インフルエンザ，その他のウイルス感染症などさまざまな疾患が鑑別にあがるが，急性 HIV 感染症に特異的な症状・所見はなく[6]，感染リスクに関する問診と，HIV 感染症を疑った場合の積極的なスクリーニングが重要である．急性期の CD4 陽性 T リンパ球数の低下は通常一過性のものであるが，ときに日和見疾患を発症する例がある．

2) **無症候期**：急性期症状の程度や持続期間には個人差があるが，通常無治療でも自然に消失し，無症候期に移行する．この時期にも 1 日あたり 100 億個の HIV 粒子が産生され，未感染細胞への感染と CD4 陽性細胞の破壊が繰り返されている．かつて無症候期は 3〜10 年程度続くとされていたが，より早く進行する例もあることが明らかとなってきた．

3) **症候期**：細胞性免疫不全の進行に伴い，日和見合併症のリスクが上昇する．日本では，HIV 感染者が指標疾患（e表 6-10-C）のいずれかを発症した状態を AIDS と定義している[7]．AIDS 発症前の段階でも合併しやすい疾患として，口腔カンジダ症，帯状疱疹，血小板減少症などがある．高度免疫不全状態において

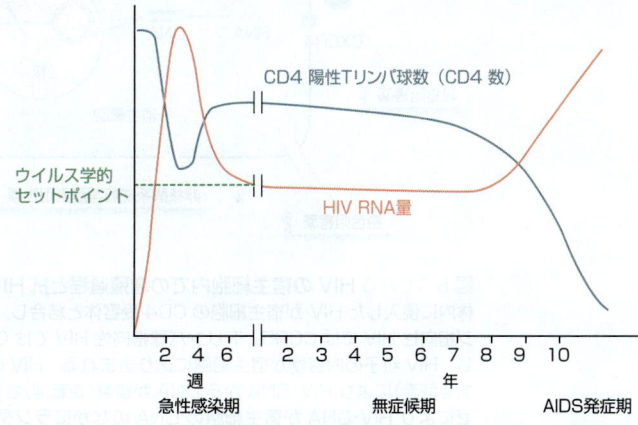

図 6-10-9 **国内の HIV 感染症の臨床経過**（厚生労働省科学研究費補助金エイズ対策研究事業 HIV 感染症及びその合併症の課題を克服する研究班，2016）

は，複数の日和見疾患を同時に発症する場合もあり注意が必要である．

診断

HIV 感染症の診断は，スクリーニング検査（ELISA 法や IC 法など），確認検査（日本ではウエスタンブロット法あるいは HIV-1 PCR 法を用いる）の 2 段階で行われる（e図 6-10-L）[8]．スクリーニング検査の感度は非常に良好であるが，偽陽性を回避できないため，スクリーニング陽性の場合には必ず確認検査を行い真の感染か否かを判断する．現在広く用いられている第 4 世代スクリーニング検査（抗原・抗体同時測定法）では，感染から検査が陽性になるまでの期間（ウインドウピリオド）が短縮しており，急性期にも陽性となりうる．ウエスタンブロット法はウインドウピリオドが長く，急性期には偽陰性となるため，急性期を疑う場合には HIV-1 PCR 法を行う．

検査所見

HIV 感染症の管理において特に重要な検査は，以下の 2 つである．

1) CD4 陽性 T リンパ球数： HIV 感染症の細胞性免疫能の代用指標となる．CD4 陽性 T リンパ球数と発症しやすい日和見疾患には関連がある（e表 6-10-D）．CD4 陽性 T リンパ球数は併存疾患や併用薬剤，生理的変動などの影響を受ける．

2) HIV-1 RNA 量： 血液中の HIV-1 を核酸増幅により定量する．未治療では数千〜数十万コピー/mL と個人差があり，免疫不全の進行速度を予測する参考となる．抗 HIV 療法により HIV-1 RNA を低いレベルに抑制しつづけることを目標とする．

治療

HIV 感染症治療の 2 本の柱は，HIV 自体に対する治療（抗 HIV 療法）と日和見疾患に対する治療である．細胞性免疫能の回復・維持に加え，非 AIDS 合併症のリスク軽減[9] や未感染者への感染リスク軽減[10] も抗 HIV 療法の新たな目的となり，推奨される抗 HIV 療法開始時期は早期化している．免疫不全が進行した例では，抗 HIV 療法開始後に日和見疾患の一時的な悪化（顕在化）をきたす場合があることに注意が必要である（免疫再構築症候群[11]）．

1987 年に承認された最初の抗 HIV 薬ジドブジン以来，現在までに 6 系統（日本では 5 系統）30 種類以上の抗 HIV 薬が使用可能となっている（図 6-10-10，e表 6-10-E）．単剤治療により HIV は容易に耐性化するため，原則として多剤併用療法を行う．現在の標準的な組み合わせは，非核酸系逆転写酵素阻害薬あるいはプロテアーゼ阻害薬あるいはインテグラーゼ阻害薬から 1 剤と，2 剤の核酸系逆転写酵素阻害薬との併用である．この領域の進歩は速く，診療にあたっては最新の治療ガイドラインを参照すべきである（eノート 1）．

日和見疾患に関しては，CD4 陽性 T リンパ球数に応じて活動性病変の検索を行うとともに，推奨されている疾患については適切な発症予防策をとる．各疾患の治療および予防の詳細に関しては，ガイドラインお

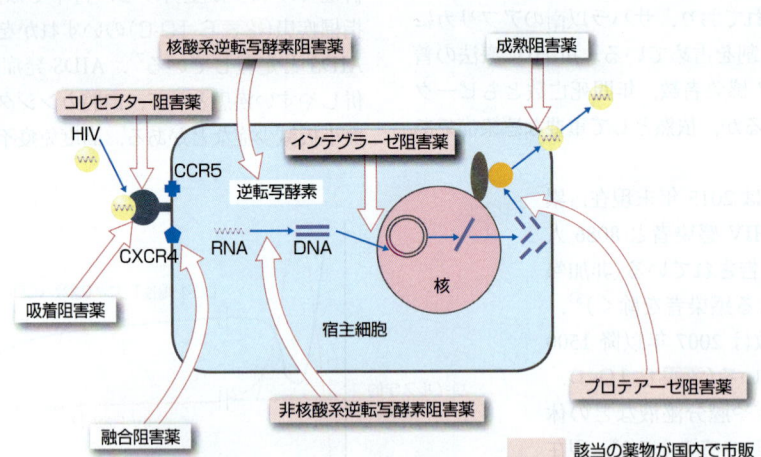

図 6-10-10 HIV の宿主細胞内での増殖過程と抗 HIV 薬の作用部位
体内に侵入した HIV が宿主細胞の CD4 受容体と結合し，さらにコレセプター（マクロファージ指向性 HIV では CCR5，T リンパ球指向性 HIV では CXCR4）と結合すると，膜融合が生じ，HIV 粒子の内容物が宿主細胞に送り込まれる．HIV の逆転写酵素（RNA を DNA に変換する酵素）により HIV-RNA から DNA が複製（逆転写）され，HIV が有する酵素インテグラーゼにより HIV-DNA が宿主細胞の DNA のなかにランダムに組み込まれる．組み込まれた HIV-DNA（プロウイルス）から宿主の転写・翻訳メカニズムを利用して HIV 蛋白が産生され，HIV-RNA とともに細胞膜から出芽する過程で HIV が有する酵素プロテアーゼにより切断され，感染性を有する成熟 HIV 粒子が完成する．

よび成書を参照のこと．

経過・予後
　有効な抗HIV療法を行うことができなかった時代には，生命予後は不良であった．現在では，AIDS発症例であっても，日和見合併症をコントロール可能であり，かつ抗HIV療法を継続することができれば，社会復帰や長期生存が期待できる．早期に診断され合併症や薬物依存のないHIV感染者が有効な抗HIV療法を継続した場合の生命予後は，HIV非感染者と同等と推定されている[12,13]．　　〔塚田訓久〕

■文献（e文献6-10-2-10）

Centers for Disease Control and Prevention, the National Institutes of Health, and the HIV Medicine Association of the Infectious Diseases Society of America: Guidelines for the Prevention and Treatment of Opportunistic Infections in HIV-Infected Adults and Adolescents.

HHS Panel on Antiretroviral Guidelines for Adults and Adolescents—A Working Group of the Office of AIDS Research Advisory Council (OARAC): Guidelines for the Use of Antiretroviral Agents in HIV-1-Infected Adults and Adolescents.

厚生労働省科学研究費補助金エイズ対策研究事業HIV感染症及びその合併症の課題を克服する研究班：抗HIV治療ガイドライン，2016．

(11) HTLV-1（ヒトT細胞白血病ウイルス，human T cell leukemia virus type 1）感染症

定義・概念
　HTLV-1はレトロウイルスに属し，CD4陽性のT細胞に感染する．感染後，HTLV-1は細胞のゲノムに組み込まれてプロウイルスとなり，結果としてすべての感染者がキャリアとなる．通常，キャリアの血漿中にはウイルス粒子はほとんど検出されず，感染成立のためにはプロウイルスをもったT細胞が一定量，体内に持ち込まれる必要がある．感染細胞ではウイルス関連抗原が発現しており，キャリアの血清には関連抗原に対する抗体が認められる．HTLV-1は血液悪性腫瘍である成人T細胞白血病・リンパ腫（adult T cell leukemia-lymphoma：ATL），慢性の神経疾患であるHTLV-1関連脊髄症（HTLV-1-associated myelopathy：HAM）など，さまざまな疾患の原因となっている．しかし，いずれの疾患も感染者のすべてが発症に至るわけではなく，感染者の多くは無症候のキャリアとして存在している．HTLV-1の通常の宿主はヒトのみであり，母乳を介する母親から子どもへの垂直感染が主要な感染経路と考えられるが，性行為感染，輸血などの血液を介した感染も知られている．

疫学
　国内のHTLV-1感染者は2007年時点で107万人と推定されている．女性，高齢者に多く，地域的な分布に偏りがあり，九州・沖縄地方を中心に西日本に多いが，近年の人口移動に伴い大都市圏でも感染者が増えていると考えられている．世界的にみても中東，アフリカ，中南米に多いなど，感染者の分布には偏りがある．

HTLV-1の感染と関連疾患
　HTLV-1は感染後も血中にはウイルス粒子がほとんど同定されない．そのため，感染の診断は，血清学的にHTLV-1関連抗原に対する特異抗体の存在を証明する，あるいは細胞内のプロウイルスを同定することによってなされる（eノート1）．前者では粒子凝集法，酵素免疫法，ウエスタンブロット法などがあり，後者に対してはより感度のよい遺伝子増幅法（polymerase chain reaction：PCR）などがある．ATLの場合にはプロウイルスの単一組み込みをサザンブロット法によって確認することで，HTLV-1感染細胞の単クローン性増殖，すなわち腫瘍性を示すことができる．PCR法ではプロウイルス量の定量も可能である．

　ATL，HAMはHTLV-1感染によって引き起こされる疾患として認識されている．その他，HTLV-1感染との関連が考えられている疾患として，HTLV-1関連ブドウ膜炎，多発関節炎，Sjögren症候群，慢性炎症性肺病変，皮膚病変などが報告されている．ATLはキャリアからの生涯発症率が5％程度とされている．HAMでは0.3％とその割合はさらに低い．ATL以外の疾患では，HAMをはじめとして発症に炎症を含む免疫反応が関連していると考えられている．一方ATLでは感染細胞の増殖とそれに伴う遺伝子異常の蓄積，それに引き続くクローン性の増殖が発症要因と想定されている．

　血液悪性腫瘍であるATLは，HTLV-1に感染したT細胞の腫瘍で，ほとんどは40歳以降に発症し患者年齢中央値は60歳代後半である．臨床的にくすぶり型，慢性型，急性型，リンパ腫型の4型に分けられるが，侵攻性ATL（急性型，リンパ腫型，一部の慢性型）の予後は不良である【⇨16-10-12】．

　神経疾患であるHAMではHTLV-1感染T細胞が脊髄へ遊走することで免疫反応が生じ，発症に至ると考えられている．進行性の痙性対麻痺が特徴で，やはり難治性である．

　診断，治療を含め両疾患については【⇨17-7-1-3】．

予防
　現在のところHTLV-1キャリアからATL，HAMの発症を予防する方策は知られていない．また，いったん発症するといずれも難治性であるため，現状では感染予防が疾患発症に対する根本的な対策となる．

　HTLV-1の主要感染経路である母乳を介した母子

感染については，キャリア妊婦から通常の母乳哺育を受けることで約20％の児がHTLV-1に感染するとされている．ここに母乳遮断の介入を実施すると，児の感染率は約3％まで低下することが明らかとなっており，キャリア妊婦の母乳遮断は感染阻止に大きな効果をもっている．すなわち，妊婦の抗HTLV-1抗体検査の実施とキャリア妊婦に対する適切な保健指導が重要であり，国内では厚生労働省などで実施されているHTLV-1総合対策の一環として対応がとられている．

国内の血液製剤に関してはドナーのHTLV-1抗体検査が実施されており，実質的には輸血を介する感染はなくなっていると考えられる． 〔宮﨑泰司〕

■文献

Ishitsuka K, Tamura K: Human T-cell leukaemia virus type I and adult T-cell leukaemia-lymphoma. *Lancet Oncol.* 2014; **15**: e517-26.

Osame M, Usuku K, et al: HTLV-Ⅰ associated myelopathy, a new clinical entity. *Lancet.* 1986; **327**: 1030-2.

Uchiyama T, Yodoi J, et al: Adult T-cell leukemia: clinical and hematological features of 16 cases. *Blood.* 1977; **50**: 481-92.

(12) ノロウイルス感染症

定義・概念

ノロウイルスによる胃腸炎（下痢症または嘔吐下痢症がほぼ同義語として用いられる）であり，食品がノロウイルスに汚染されていることによって起こるウイルス性食中毒とヒト-ヒト感染の両方の様式をとる．

原因・病因

ノロウイルスはカリシウイルス科に属し，エンベロープを有しない小型球形で正20面体対称のプラス鎖1本鎖RNAウイルスである．5つの遺伝子グループに分かれるが，ヒトから検出されるのはおもにGⅠとGⅡである．

食中毒の原因食物としては牡蠣などの二枚貝が有名だが，種々の惣菜やパン・菓子類など幅広い食品が原因となっている．

疫学

ノロウイルスによるウイルス性食中毒は毎年11～4月にかけて多く発生する．2013（平成25）年の食中毒発生状況によると，発生件数（328件）も患者数（1万2672人）も第1位である（厚生労働省）．

同時期に医療関連施設や老人福祉施設や保育施設などでウイルス性胃腸炎が集団発生するが，散発性の胃腸炎症例の原因となっていることもある．成人ではおそらく最も多い感染性下痢症の原因であり，小児においてはロタウイルスについで多いものである．ロタウイルスワクチンが普及している国々では，小児においても最多の原因となっている．

病態生理

ノロウイルスは環境における抵抗性が強く，室温で1～2週間生き延びる．またその感染性は非常に強く，10～100個程度のウイルス粒子の摂取で感染が成立する．一方で感染者から便のなかに排泄されるウイルス量は1gあたり100億個にも達し，無症候性感染者でも数百万～数億個レベルの排泄がみられるため，ごくわずかに汚染された手でも直接接触やドアノブや手すりなどを介した間接接触による伝播が生じる（森ら，2005）．飲食物を扱う人の手であれば，集団食中毒の原因となる．

その他のウイルス性胃腸炎と同様に糞口感染するが，ノロウイルスの場合はさらに吐物が乾燥してエアロゾルとなり，それを口や鼻から摂取してしまうことでも感染が起こる（広義での空気感染，または塵埃感染）．

感染後は1～2日程度の潜伏期を置いて発症する．ノロウイルスの受容体は小腸上皮細胞に発現しているABO型抗原やLewis抗原などの組織・血液型抗原である．ウイルスは腸管粘膜局所に限局し，ウイルス血症を起こさない．

臨床症状

嘔吐と下痢が主症状である．嘔吐のみの場合もある．下痢は水様で，血液が混じることは原則としてない．腹痛を伴うこともあるが通常強くはない．乳幼児では高熱を伴うこともあるが，学童～成人では38℃をこえる熱はほとんどない．

検査所見

脱水に伴う所見が認められるが，ノロウイルス感染症に特異的なものはない．

診断

ノロウイルスゲノムをリアルタイムRT-PCRで検出する方法が最も高感度であるが，実施できる施設は限られている．近年，イムノクロマト法などを用いた抗原迅速検出キットが市販され，3歳未満の小児，65歳以上の高齢者，悪性腫瘍患者，臓器移植後患者，免疫抑制療法中の患者に対しては保険適用下で実施できるようになった．第1世代のキットでは直腸スワブや新生児便に対応できなかったが，第2世代のキットではそれらの検体でも調べられるようになった．吐物は検体として用いられない．

鑑別診断

その他のウイルス性胃腸炎（ロタウイルス，サポウイルス，アストロウイルス，アデノウイルス）とは臨床像が似通っているため，疫学情報をもとに推定し抗原検査で確定する．細菌性胃腸炎の場合には便に粘液や血液が混じることがあり，培養で原因菌を同定する．ブドウ球菌性食中毒では原因食物摂取からの発症が最も早い．

合併症

高齢者や寝たきりの患者では嘔吐に伴う誤嚥性肺炎や窒息による重篤な病態を引き起こすおそれがある．乳幼児や高齢者では脱水状態にも陥りやすい．

経過・予後

症状の持続は数日程度で自然に回復する．

治療

特異的な治療法はない．嘔吐と下痢によって喪失した水分の補給と電解質の補正が基本である．合併症のない中等症以下の症例では経口補液を行う．強い脱水が認められれば経静脈的輸液療法を行う．

予防

食中毒の予防には，①二枚貝類は十分加熱してから食べる，②生鮮食品は十分に洗ってから食べる，③調理する人は食品を扱う前に十分に手洗い消毒を行うことが必要である．ヒト-ヒト感染を防ぐには，患者の便や吐物の処理にあたり，使い捨ての手袋・マスク・ガウンを着用し，十分な換気のもとで次亜塩素酸ナトリウムを用いて消毒する．　　　　〔森内浩幸〕

■文献

厚生労働省：食中毒事件一覧速報．4 食中毒統計資料．http://www.mhlw.go.jp/stf/seisakunitsuite/bunya/kenkou_iryou/shokuhin/syokuchu/04.html#j4-2

森 功次，林 志直，他：発症者および非発症者糞便中に排泄される *Norovirus* 遺伝子量の比較．感染症学雑誌．2005; 79: 521-6.

(13)ロタウイルス感染症

定義・概念

ロタウイルスを原因とする短い潜伏期の後に胃腸炎を主症状として発症する急性局所感染症である．

病因

起因ウイルスは，レオウイルス科，ロタウイルス属に分類されるロタウイルス A，B および C である（Estes ら，2013）．ワクチンが開発されているのはロタウイルス A に対してであり，臨床的に最も重要である．ロタウイルス A のなかにヒトを宿主とするものと，哺乳類や鳥類を宿主とするものとがあり，種間伝播がまれにみられる[1-3]．また，ロタウイルスのゲノムが分節状の RNA であるため，ときに遺伝子分節再集合により新しい株が出現する[4]．

疫学

ロタウイルスは，糞口経路で感染し，潜伏期は 24～72 時間である．ワクチンが使われていない状況下では，小児の脱水を伴う重症下痢症の原因の約 50%はロタウイルスである[5-7]．わが国では 1～6 月にかけて発生が多い．新生児期の発症は少なく，生後 6 カ月～2 歳までの罹患率が高く，また最も重症化する[5,6]．

成人にみられる感染性胃腸炎の約 10%はロタウイルス A に起因する[8]．また，高齢者の介護施設などで集団発生を起こす．

病態生理

ロタウイルスは経口的に侵入，吸収能力をもった小腸の成熟分化上皮細胞に感染し増殖する．細胞傷害の結果，水分の吸収不全に至り，下痢と脱水が起こる．さらに，ロタウイルス感染による腸管神経系の活性化[9]，非構造蛋白質 NSP4 のエンテロトキシン活性による分泌性下痢の発症[10]が考えられている．

ロタウイルス感染の急性期にはウイルス血症が起こるが[11]，病態との関係は不明である．

臨床症状

無症候性〜軽症〜中等症〜重症と症状の出現の仕方は多様である．典型的な症例では，急激に始まる嘔吐に引き続き下痢と発熱が起こる．下痢便の性状は水様性であり血液が混じることは原則としてない．多くの症例で嘔吐が先行または併発する．

診断

臨床症状から感染性胃腸炎を疑い，ロタウイルス抗原を酵素免疫吸着測定法(ELISA)，イムノクロマト法などの迅速検査によって，下痢便中に証明することにより診断を確定する．また，電子顕微鏡による直接観察やポリアクリルアミドゲル電気泳動法によるゲノム RNA の検出も偽陽性がないため診断価値が高い．

合併症

乳幼児のロタウイルス感染に伴い，脳炎・脳症，肝障害，腸重積症などが起こることが報告されている．

予後

脱水に対する適切な治療を行えば，ウイルス性下痢症は基本的に自然の経過に任せて治癒する．

治療

治療の基本は嘔吐および下痢により喪失した水分の補給と電解質の補正である．嘔吐があっても経口補液の適応である．中等症〜重症例に対しては，点滴補液を行い，その絶対的適応は，重度の脱水，意識障害，ショック状態である．乳幼児における中等症以上の症例では，初期に十分な点滴輸液により脱水状態を回復しておくことが重要である．

予防

入院治療が必要となる重症下痢症や死亡の予防を目的として，経口投与のできる弱毒生ワクチンが開発されている．ヒトロタウイルス株(血清型 G1，P [8])を親株とした単価ワクチン(Ruiz-Palacios ら，2006)とウシロタウイルス株を親株とした 5 価組み換え体ワクチン(Vesikari ら，2006)(血清型 G1，G2，G3，G4 と P [8])との 2 つが使われている．これらのワクチンは，重症下痢症に対して約 90%以上の予防効

果があり，非常にわずかではあるが接種後1週以内に腸重積症を誘発するリスクがあることが確認されている．これらのワクチンを定期接種化している発展途上国では，乳児の下痢症死亡の激減[12]，先進国では小児の下痢症入院が半減している[13]．ロタウイルスは微量で感染が成立するので，患者の便・吐物の処理後，十分な手洗いにより院内，家族内での二次感染防止に努める必要がある．

〔中込 治〕

■文献（e文献 6-10-2-13）

Estes MK, Greenberg HB: Rotaviruses. Fields Virology, 6th ed（Knipe DM, Howley PM eds), pp1347-401, Wolters Kluwer/ Lippincott Williams & Wilkins, 2013.

Ruiz-Palacios GM, Perez-Schael I, et al: Safety and efficacy of an attenuated vaccine against severe rotavirus gastroenteritis. N Engl J Med. 2006; 354: 11-22.

Vesikari T, Matson DO, et al: Safety and efficacy of a pentavalent human-bovine（WC3）reassortant rotavirus vaccine. N Engl J Med. 2006; 354: 23-33.

(14) 重症熱性血小板減少症候群 (severe fever with thrombocytopenia syndrome：SFTS)

定義・概念

SFTSは，2011年に中国の研究者らにより報告されたブニヤウイルス科フレボウイルス属に分類される新規ウイルス（SFTSウイルス，SFTSV）感染症である[1]．マダニ媒介性ウイルス感染症である．2013年には日本および韓国でもSFTSが流行していることが明らかにされた[2,3]．SFTSは致死率のきわめて高い感染症である．

病原体

SFTSVはブニヤウイルス科フレボウイルス属に分類される陰性側鎖の1本鎖RNAウイルスである（e図6-10-M）．日本ではフタトゲチマダニやタカサゴキララマダニがSFTSVのヒトへの感染を媒介する．自然界においては，マダニおよび哺乳動物間において生活環を形成しながら存在している（図6-10-11）．

感染経路

ヒトはSFTSVを保有するマダニに刺咬されることにより感染する．また，ヒトからヒトへも感染する場合があるが，すべて患者体液（おもに血液）との直接的接触による（図6-10-11）．

疫学

これまで中国，韓国，日本で流行が確認されている．日本では西日本（九州，四国，中国，紀伊半島，北陸）で患者発生が報告されている．日本では2013年以降毎年約60人の患者が報告されている．マダニの活動が高まる春～夏および秋に流行する．患者の多くは壮齢・高齢者であるが，小児SFTS患者も報告さ

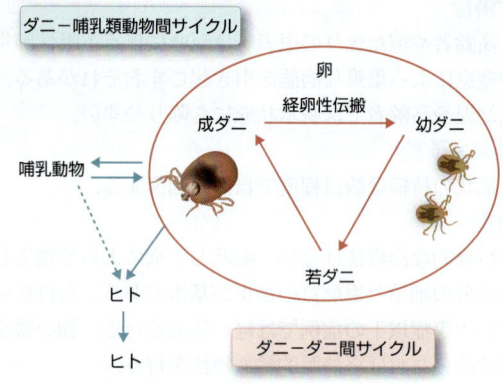

図 6-10-11 自然界における SFTSV の存在様式（生活環）とヒトへの感染経路
マダニ間で維持されるサイクルとマダニと哺乳動物との間でSFTSVが維持されている（マダニ-哺乳動物間サイクル）．ウイルス血症を伴う動物からヒトが直接感染した事例の報告はないので，その経路は点線で示している．

れた[4]．

臨床症状

潜伏期間は5～14日である．発熱，消化器症状（悪心，嘔吐，腹痛，下痢，下血），頭痛，筋肉痛，神経症状，リンパ節腫脹，出血症状などの症状が出現する．出血症状，神経症状が認められる場合には予後不良である．末梢血液検査では血小板減少や白血球減少が認められ，生化学検査では血清酵素（AST，ALT，LDH）の上昇が認められる．重症患者では血球貪食症候群，播種性血管内凝固症候群，多臓器不全の所見が認められる．致死率は5～30％とされているが，日本の2013～2015年までの集計では約30％である．

診断・治療・予防

患者の急性期血液（全血や血清）やその他の体液（咽頭拭い液や尿）中に遺伝子増幅法（RT-PCR法など）によりSFTSV遺伝子を検出する[5]．また，SFTSVの分離・同定による．回復患者における診断には，急性期および回復期におけるSFTSVに対する抗体価の有意な上昇を確認することによる血清学的診断が有用である．特異的な治療法はなく，基本的に対症療法による（eコラム1）．有効なワクチンもない．致死率のきわめて高い感染症であり，かつ，ヒトからヒトへの感染事例の報告もあることから，感染予防策の徹底が重要である．

〔西條政幸〕

（e文献 6-10-2-14）

3）ウイルスによる症候群

(1) ウイルス性呼吸器感染症

本感染症の病因ウイルスは RS ウイルス，パラインフルエンザウイルス，インフルエンザウイルス，アデノウイルス，ライノウイルス，エンテロウイルス，ヒトメタニューモウイルスなどである．

基本病態（市丸，2014）

ウイルスに対し，生体側のマクロファージや好中球などは，Toll 様受容体や RIG-I 様受容体などの受容体により病原体の構成成分（pathogen-associated molecular pattern：PAMP）を認識し貪食する（自然免疫系）．さらに炎症性サイトカインの産生や，樹状細胞を介した抗原提示がなされることにより，リンパ球にまでシグナルが伝達されると，抗原特異的な感染防御が行われる（獲得免疫系）．また感染により刺激を受けたさまざまな細胞から産生・放出されたロイコトリエンをはじめとするさまざまなサイトカイン・ケモカインは，血管透過性の亢進，白血球の遊走，粘液分泌の増加，線毛上皮細胞の脱落・変性も引き起こす．また，気道刺激による平滑筋収縮や気道粘膜の浮腫は，気道の狭窄を引き起こし，脱落した細胞や分泌物は閉塞をもたらすこともある．その他補体も働くなど，それぞれが複雑に関与しあって免疫が機能している．図 6-10-12 に以上の病態生理をまとめた．以下に代表的なウイルス性呼吸器感染症を記す．

a. RS ウイルス感染症（パラミクソウイルス科 RNA ウイルス）（小児呼吸器感染症診療ガイドライン作成委員会，2011）

疫学

冬（11 月頃）から春先に流行し，2 歳未満の乳幼児に多く認められる．飛沫感染，および手指を介した接触感染により容易に感染し，病院・保育所・家庭内における伝播に注意が必要である．成人における感染もまれではない．

臨床症状

漿液性鼻汁を主とする鼻症状が 2, 3 日先行した後，呼気性喘鳴，呼気の延長，多呼吸，陥没呼吸などを呈してくる．重症例ではチアノーゼを認める．乳児の場合 38.5℃以上の発熱を伴うものは少ない．1 カ月未満の乳児（早産児の場合は修正月齢が 1 カ月未満）

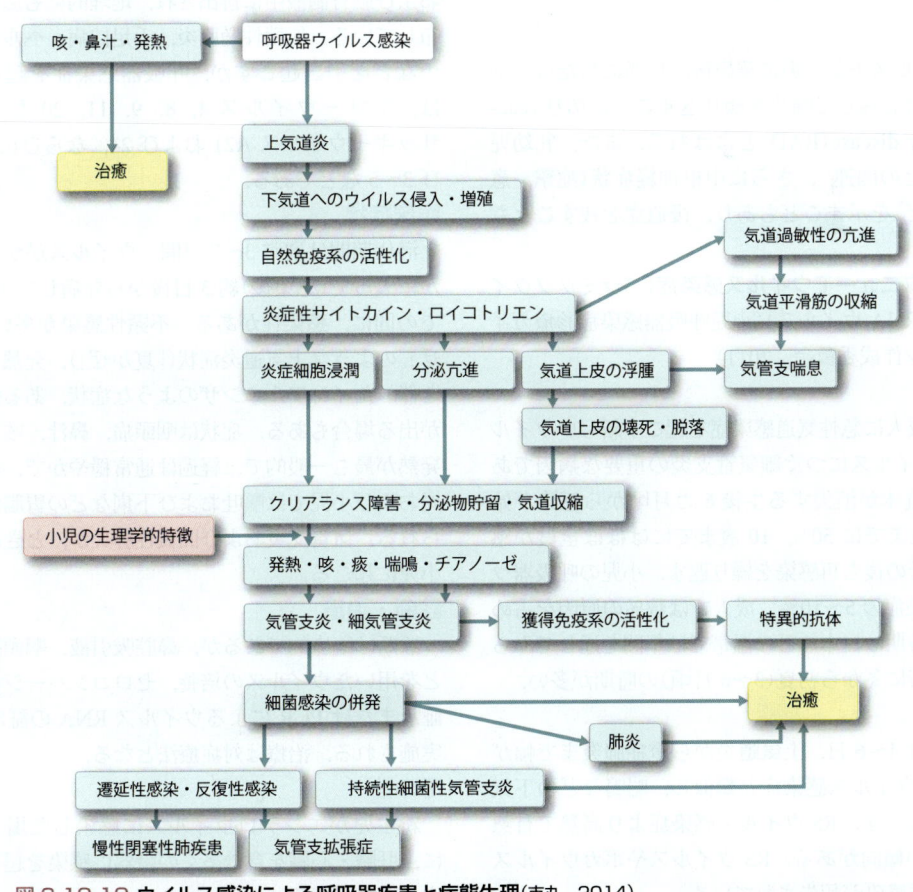

図 6-10-12 **ウイルス感染による呼吸器疾患と病態生理**（市丸，2014）

では，しばしば無呼吸を呈する．胸部聴診上は呼気性喘鳴や吸気性の水泡音を聴取する．胸部 X 線写真では過膨張を呈し，細気管支炎と肺炎に分類される．早産児や慢性肺疾患，先天性心疾患などを有する児は重症化しやすい．

診断・鑑別診断

臨床症状・年齢・胸部 X 線写真，さらに季節性や流行状況などを総合して判断する．乳児喘息との鑑別は困難なことも多い．迅速抗原検査が診断に有用である．

治療

対症療法が中心となる．気管支拡張薬やステロイドの有効性については明らかでない．新生児期の RS ウイルス感染症に伴う無呼吸発作に対してはキサンチン製剤が用いられる．

予防

RS ウイルス感染の予防にはヒト化モノクローナル抗体であるパリビズマブの使用が可能である．流行期に 1 回/月（9，10 月～3，4 月）の筋注投与が推奨されている．従来予防投薬の適応は早産児・慢性肺疾患・先天性心疾患であったが，2013 年からは，免疫不全症児，腫瘍・移植児，免疫抑制を伴う薬剤を使用している児，Down 症候群の児，などにも適応が拡大された．

その他

RS ウイルス下気道炎に罹患後，長期にわたって肺機能の異常を残して喘鳴を繰り返すことがあり reactive airway disease（RAD）とよばれる．また，乳幼児の突然死との関連[1]，さらに中枢神経症状（痙攣，意識障害など）を示すこともあり，後遺症を残すこともある．

b. ヒトメタニューモウイルス感染症（パラミクソウイルス科 RNA ウイルス）（小児呼吸器感染症診療ガイドライン作成委員会，2011）

疫学

小児や成人に急性気道感染症を起こす新しいウイルス．RS ウイルスにつぐ細気管支炎の重要な病因である．移行抗体が消失する生後 6 カ月頃から感染が始まり，2 歳までに 50％，10 歳までにはほぼ全員が感染する．その後も再感染を繰り返す．小児の呼吸器ウイルス感染症の 5～10％，成人では数％の原因を占める．流行時期は日本などの温帯では年間を通してみられるが，特に冬から初夏（3～6 月頃）の時期が多い．

臨床症状

潜伏期は 4～6 日．上気道炎から重症肺炎まで幅が広く，RS ウイルス感染症と類似し，喘鳴などの下気道炎症状を示す．RS ウイルス感染症より高熱で有熱期間が長い傾向がある．RS ウイルスやボカウイルスなどとの重感染が報告されている．

診断

分離培養は可能であるが時間を要するため，診断は鼻咽頭スワブを検体として用いる RT-PCR 法により行う．

治療

治療は対症療法が基本となる．
1 週間程度で症状は改善するが，ウイルス排泄は，1～2 週間持続する．

その他

ヒトメタニューモウイルス感染症は RS ウイルス感染症より高い年齢分布で罹患し，肺炎が多く，高熱の持続と低酸素化血症が入院の理由の多くを占めている，また基礎疾患のない児や年長児でも人工呼吸器などの集中治療管理を要した症例もある，といった報告があり[2]，今後も臨床知見の集積が必要な感染症である．

c. エンテロウイルス感染症（ピコルナウイルス科 RNA ウイルス）

疫学

エンテロウイルスは近年 6 つのグループ（ポリオ，エンテロ A～D，その他）に分けられ，さらにコクサッキー，エコーなどを含み細かく多くの血清型に分けられている．ウイルスは，口腔分泌物，便，血液，および脳脊髄液中に排出され，地理的にも広範囲に分布している．無菌性髄膜炎，手足口病，ヘルパンギーナなどを引き起こすが，呼吸器感染症を起こすものは，エコーウイルス 4，8，9，11，20 など，コクサッキーウイルス A21 および 24，ならびに B1 および 3～5 などである．

臨床症状

潜伏期間は通常 3～7 日間．ウイルスがからだのなかに入って（感染後）約 3 日後から発病して 10 日後までの間に，感染性がある．不顕性感染が多いが，「かぜ」のような上気道炎症状（「夏かぜ」），発熱と筋肉痛を伴ったインフルエンザのような症状，あるいは発疹が出る場合もある．症状は咽頭痛，鼻汁，咳，および発熱が最も一般的で，経過は通常穏やかで，一部の乳児および小児では嘔吐および下痢などの胃腸症状がみられる．気管支炎および間質性肺炎が，ときに成人や小児に起こる．

診断・治療

診断は臨床的であるが，鼻腔吸引液，咽頭拭い液などを用いたウイルスの培養，セロコンバージョンの実証，または PCR によるウイルス RNA の証明などが実施される．治療は対症療法となる．

その他

新生児がエンテロウイルスに感染した場合，まれに，肝臓・心臓を含む多くの臓器に感染を起こし死亡する場合がある．

2014年には，米国においてエンテロウイルスD群68型（EV-D68またはEV68）による重症呼吸疾患の増加がみられた．感染例の大部分は小児で，その多くは喘息か，喘鳴の既往があった[3]．日本では2005年から2014年9月までに，31都府県から272例のEV-D68検出の報告があり[4]，約3/4が呼吸器疾患と診断されていた．

d. ライノウイルス感染症（ピコルナウイルス科RNAウイルス）（泉，2007）

疫学

ライノウイルスはこれまでかぜの病因として知られていたが，従来の方法では検出感度が低かった．しかし近年の病原診断の進歩により臨床上の重要性が大いに増した．

ライノウイルスは宿主の気道上皮細胞のICAM-1分子を受容体とする101種の血清型の大グループとLDL関連受容体を用いる10種の血清型の小グループがある．エンテロウイルスと近縁だが，両者は酸抵抗性が異なる．エンテロウイルスは飲み込まれ胃を通過後，腸管リンパ組織で増殖し一次，二次ウイルス血症をきたすが，ライノウイルスは胃で不活化され，典型的なウイルス血症はみられない．通年性に検出され，特に初秋と中春から終春に流行する．伝播様式は飛沫感染であるが，患者の手から高頻度でウイルスが分離されること，手の消毒により感染が阻止されることなどから，接触感染も多いと思われる．家庭内伝播が多く，子どもから感染が家庭に持ち込まれ，30〜70%で二次感染を起こしている．

臨床症状

乳幼児期に肺炎を起こすことが知られているが，おもな臨床所見は鼻漏，鼻閉，くしゃみなどである．潜伏期は約1〜4日．急性呼吸器系感染症の50%はライノウイルスによるが，症状は軽く一般には数日で軽快する．また，感染者の約1/3が不顕性感染である．このように多くは軽症であり，またこのウイルスは33℃でしか増殖しないとされ，そのため通常ウイルスによる炎症は上気道に限局される．しかし二次的に細菌などによる感染を起こし，気管支炎・肺炎・副鼻腔炎などに罹患することがある．獲得される免疫は，感染したウイルスの血清型に特異的なもので，ほかのライノウイルスの血清型による感染防止には役立たない．

診断・治療

診断は臨床的であるが鼻腔吸引液，咽頭拭い液などを用いたウイルス分離・同定，ウイルス特異遺伝子断片の増幅・検出，特異抗体の検出などを行う．治療は，対症療法である．

その他

児童の喘鳴や喘息の増悪の60〜70%にこのウイルスが関与しているといわれている．最近では*Rhinovirus*-induced asthmaという表現もみられる．この原因は不明だが，ライノウイルスによる気道過敏性の亢進がある場合，鼻腔のみならず下気道でウイルスの長期的な増殖を示すデータもあり，ライノウイルスは単なる"かぜウイルス"ではなく，喘息などのほかの呼吸器疾患との関連もあるとして最近再び着目されつつある．

〔柏木保代〕

■文献（*e*文献 6-10-3-1）

市丸智浩：気管支炎，細気管支炎．小児内科．2014; 46:69-74.
小児呼吸器感染症診療ガイドライン作成委員会：細気管支炎．小児呼吸器感染症診療ガイドライン2011（尾内一信，黒崎知道監），pp26-8，協和企画，2011.
泉 信夫：乳幼児におけるライノウイルス感染症—RSウイルス感染症との比較．島根医学，2007; 27: 172-6.

（2）ウイルス性肝炎

a. 肝炎ウイルスによるウイルス性肝炎【⇒ 11-2】

"肝炎ウイルス"とは"主たる感染臓器が肝臓であるウイルス"の総称であり，hepatitis A virus（HAV），hepatitis B virus（HBV），hepatitis C virus（HCV），hepatitis D virus（HDV），hepatitis E virus（HEV）の5種類がある（表6-10-4）．

ウイルスの分類と性状

ウイルスは基本的にDNA，RNAのどちらか一方を遺伝子としてもっている．肝炎ウイルスの場合，HBVは不完全2本鎖DNAをもつ（マイナス鎖DNAのみが全長をカバーする）が，あとの4つのウイルスはRNAウイルスである（*e*ノート1）．

感染経路

HAV，HEVは経口的にウイルスが侵入し，腸管→上・下腸間膜静脈→門脈→肝臓の経路で感染が成立する．一方HBV，HCV，HDVは非経口的にウイルスが侵入し，血行性に肝臓に到達する．実際の感染経路としては，輸血（血液製剤の使用も含む），針刺しなどによる曝露，麻薬静注，入れ墨，性交渉などがある．

HBVとHCVの詳細については*e*ノート2も参照．

病態

ウイルス肝炎のうち，少なくともHAV，HBV，HCVには肝細胞傷害性はないと考えられている．HBV，HCVに肝細胞傷害性がない根拠として，ウイルスが感染しているにもかかわらず肝機能が正常な状態（無症候性キャリア）が存在することがあげられる．肝細胞傷害はウイルス蛋白に対する免疫応答によるものが主体であり，HAV，HBV，HCV感染症における肝炎の本態は，感染しているウイルスに対する免疫応答と理解できる．

肝細胞に感染したウイルスに対する免疫応答が成立

表 6-10-4 肝炎ウイルス

	A 型肝炎	B 型肝炎	C 型肝炎	D 型肝炎	E 型肝炎
ウイルスの名前	HAV	HBV	HCV	HDV	HEV
ウイルスの分類	ピュルナウイルス	ヘパドナウイルス	フラビウイルス	ウイロイド(不完全)	ヘペウイルス
ウイルス遺伝子	1 本鎖 RNA	不完全 2 本鎖 DNA	1 本鎖 RNA	1 本鎖 RNA(マイナス鎖)	1 本鎖 RNA
受容体	HAV cellular receptor 1 (HAVCR-1)	human sodium taurocholate cotransporting polypeptide (hNTCP)	scavenger receptor BI, tetraspanin CD81, claudin-1, occludin などから構成される	human sodium taurocholate cotransporting polypeptide (hNTCP)	Grp78?
感染様式	経口感染	血行感染	血行感染	血行感染	経口感染
潜伏期	15〜45 日	45〜160 日	15〜150 日	30〜60 日	15〜60 日
劇症化	1%未満	1〜2%	まれ	あり	妊婦では約 50%
急性肝炎からの慢性化	なし	genotype A2 では 8%	約 70%	同時性重感染では 5%, 異時性重感染では 80%	免疫不全例のみ
ワクチン	あり	あり	なし	なし	海外で使用可

するには，ウイルスの種類により違いがあるものの，2 週間〜半年を要する．この間に広範囲に感染が拡大し，免疫応答の成立時に多数の肝細胞が破壊される．これが急性肝炎である（eノート 3）．

急性肝炎に伴う免疫応答，さらに肝細胞の破壊によりウイルスが排除されると急性肝炎は治癒する．ウイルスを排除できない場合は慢性肝炎に移行することとなる．慢性化する場合としては，① B 型急性肝炎で遺伝子型(genotype)A に感染した場合(わが国では約 8%が慢性化する)，② C 型急性肝炎(免疫応答が十分に起こらないため，わが国では約 70%が慢性化する)，③ 免疫寛容状態(肝移植後で免疫抑制薬が投与されている場合)における E 型急性肝炎，などがあげられる．

慢性肝炎のほとんどは B 型と C 型である．B 型慢性肝炎は上記①のほか，④ HBV キャリア妊婦から産まれた児で母子垂直感染予防が不成功だった場合，⑤ 乳幼児期に HBV に曝露し，水平感染からキャリア化した場合，があげられる．C 型肝炎の母児垂直感染は少ないものの報告されており，小児の C 型慢性肝炎の多くは母子垂直感染による（eノート 4）．

治療・予防

ウイルス肝炎のうち，慢性化することのない A 型肝炎，免疫不全例のみが慢性化する E 型肝炎は急性期の対症療法が主体となる．

一方 B 型肝炎，C 型肝炎はともに慢性肝炎から肝硬変，さらに肝細胞癌に移行する可能性のある病気であり，慢性化した場合治療が必要になる．

B 型肝炎の治療目標は① HBe 抗原陰性化，② HBV DNA の抑制，③ ALT の正常化，であった．近年これに加えて④ HBs 抗原の陰性化，が長期予後の改善に重要であることが示されている．

C 型肝炎の治療は HCV の肝細胞からの排除を目標とする．強力な経口ウイルス薬(direct acting antiviral agents：DAA)が次々と登場してきており，DAA を組み合わせることにより，インターフェロンを使わなくとも HCV の排除が可能になってきている．

ウイルス肝炎のうち，A 型肝炎と B 型肝炎にはワクチンがある．E 型肝炎のワクチンも開発されている．A 型肝炎ウイルスは，汚染された水の経口摂取で感染することから，上下水道が完備されていない地域に旅行する場合，A 型肝炎ワクチンの接種が推奨される．また，B 型肝炎ワクチンは HBV の感染力が強いこと，病気の終末像が肝細胞癌であることから，国民全員が接種を受けるユニバーサルワクチネーションが WHO から提唱されており，9 割近い国で導入されており，日本でも 2016 年導入される．

b. 肝炎ウイルス以外のウイルスによる肝炎
i) GBV-C, TTV

これらは肝炎ウイルスを探すなかで発見されたウイルスである．

GBV-C(HGV)は 1995 年に新たな肝炎ウイルスとして海外から報告された RNA ウイルスである．HCV の近縁にあたるフラビウイルス属のウイルスだが，HCV とのアミノ酸相同性は低い．当初輸血後肝炎の原因として発表され，サルの一種である tamarin に肝炎を引き起こすが，ヒトへの病原性に関しては明らかではない．現在 GBV-C は肝炎ウイルスとは考え

られていない．

TTV は 1997 年に新たな肝炎ウイルスとして日本から報告されたウイルスである．アネロウイルス属に属し，エンベロープをもたない 1 本鎖 DNA ウイルスである．輸血後肝炎症例の血清および肝組織からウイルスが分離されたため，当初肝炎ウイルスとして報告されたが，その後の検討で一般の人での検出率が非常に高いことがわかり，現在肝炎ウイルスとはみなされていない．

ii）Epstein-Barr ウイルス（EBV）

EBV は B 細胞に感染する DNA ウイルスであり，成人が初感染した場合には急性肝炎を起こすことが知られている．臨床的には LDH の上昇，末梢血中への異型リンパ球（T 細胞由来）の出現が特徴とされている．リンパ節腫脹，脾腫，咽頭炎，発熱などを伴う．成人の初感染の場合症状の遷延する場合が少なからず認められる．

iii）サイトメガロウイルス（cytomegalovirus：CMV）

CMV（human cytomegalovirus：HCMV）は EBV 同様，成人が初感染した場合に急性肝炎を起こす．臨床的には異型リンパ球の出現と高熱を伴うのが特徴であり，EBV の初感染と類似している．

iv）その他のウイルス

その他にもヘルペスウイルス属に属する単純ヘルペスウイルス（HSV），水痘・帯状疱疹ウイルス（VZV）が肝炎の原因になる．また，アデノウイルスなどの DNA ウイルス，HIV や麻疹ウイルス，風疹ウイルスなどの RNA ウイルスなどが肝炎を起こすことが知られている．乳児におけるヘルペスウイルス属のウイルスがときに大きな肝炎を起こすことを除けば，多くの場合肝細胞傷害の程度は肝炎ウイルスに比べて軽い．

〔四柳　宏〕

（3）無菌性髄膜炎【⇨ 17-5-1-1】

（4）ウイルス性出血熱（viral hemorrhagic fever：VHF）

定義・概念・分類

ウイルス性出血熱は，発熱と血管障害などによる出血傾向（皮下，粘膜，臓器）を主徴とするウイルス感染症であり，原因ウイルスとして 5 ウイルス科 20 種以上が報告されている（表 6-10-5）．代表的なウイルス性出血熱には，エボラ出血熱，マールブルグ病，ラッサ熱，南米出血熱，クリミア・コンゴ出血熱があり，これらは発症した際の致死率がきわめて高いためわが国では一類感染症に分類されている．また，四類感染症に分類される黄熱病，腎症候性出血熱も重症化すると出血熱を呈する．これらのウイルス性出血熱を診断

表 6-10-5　ウイルス性出血熱の原因となるおもなウイルス

- フィロウイルス科
  - エボラウイルス
  - マールブルグウイルス
- アレナウイルス科
  - ラッサウイルス
  - ルジョウイルス
  - フニンウイルス（アルゼンチン出血熱）　｜
  - マチュポ，チャパレウイルス（ボリビア出血熱）　｜南米出血熱
  - グァナリトウイルス（ベネズエラ出血熱）　｜
  - サビアウイルス（ブラジル出血熱）　｜
- ブニヤウイルス科
  - クリミア・コンゴ出血熱ウイルス
  - リフトバレー熱ウイルス
  - 腎症候性出血熱（HFRS）ウイルス
  - 重症熱性血小板減少症候群（SFTS）ウイルス
- フラビウイルス科
  - 黄熱ウイルス
  - デングウイルス
  - オムスク出血熱ウイルス
- ラブドウイルス科
  - バス・コンゴウイルス

した医師は直ちに最寄りの保健所に届け出なければならない．疾患の名前から誤解を受けやすいが，出血による失血が直接の死因ではない．また，ウイルス性出血熱のほとんどは人獣共通感染症である．

ここでは代表例としてエボラ出血熱，マールブルグ病，ラッサ熱，クリミア・コンゴ出血熱，腎症候性出血熱について説明する．

原因・病因・疫学

1）エボラ出血熱，マールブルグ病：それぞれフィロウイルス科に属するエボラウイルス，マールブルグウイルスによる熱性疾患である．致死率は 25～90％ と非常に高い．スーダン，コンゴ共和国，コンゴ民主共和国，ガボン，ウガンダ，ケニア，ジンバブエ，コートジボアール，アンゴラなどアフリカのサハラ砂漠以南の地域でたびたび流行を繰り返してきたが，2014～2016 年にかけてギニア，シエラレオネ，リベリアの 3 国を中心に西アフリカでエボラ出血熱のはじめてのアウトブレイクが発生し，これまでにないレベルの大規模かつ長期のアウトブレイクとなった．この 3 カ国では，2016 年 3 月までに 2 万 8 千人以上が感染し，このうち 1 万 1 千人以上が死亡した（WHO, 2016）．自然界からヒトへの感染経路はほとんどわかっていない．オオコウモリが自然宿主として疑われているが，ヒトへの感染はコウモリだけでなく霊長類などの感染動物を介した例も報告されている．ヒトからヒトへの感染は血液，体液，排泄物などとの直接接

触により起こる．

2）ラッサ熱： アレナウイルス科に属するラッサウイルスによる熱性疾患である．自然宿主であるマストミス（和名：ヤワゲネズミ）が生息するナイジェリアからシエラレオネ，ギニアに至るサハラ砂漠以南の西アフリカ一帯で毎年地的に流行する．特にマストミスが人家に現れる乾季に流行がみられる．感染者の約20％が重症化し，致死率は感染者の1〜2％とされている．毎年10万人以上が感染し，約5000人が死亡しているという推計が報告されている．

ウイルスを保有するマストミスの糞・尿や唾液中には多数のウイルスが排出されるが，自然宿主であるマストミスでは不顕性感染である．ヒトへの感染はそれらとの接触（糞尿を吸い込む場合も含む）や咬傷，および糞尿に汚染された食品の摂取，食器の使用などによると考えられている．ヒトからヒトへの感染は血液，体液および粘膜の接触などで起こる．

3）クリミア・コンゴ出血熱： ブニヤウイルス科ナイロウイルス属のクリミア・コンゴ出血熱ウイルスの感染によって引き起こされる．感染者の発症率は20％と推定されており，致死率は15〜30％である．このウイルスの自然宿主はダニであり，ダニからウサギ，ネズミなどの小動物，シカなどの大動物，鳥類，家畜（ヒツジ，ヤギ，ウシ，ダチョウなど）に感染が伝播する．逆に，感染動物からダニへの感染もある．感染家畜はほとんど無症状である．ヒトへは感染ダニに咬まれたり，感染動物の血液，体液，臓器などに直接接触することにより感染する．ヒトからヒトへの感染も血液，体液および粘膜の接触などで起こる．このウイルスはアフリカ，東ヨーロッパ，中近東，ロシア南部，中央アジアにかけて広く分布している．トルコ，インド，中国の新疆ウイグル自治区でも今世紀に入ってクリミア・コンゴ出血熱の発生報告があり，患者数の増加と発生地域の拡大が危惧されている．このウイルスの感染域は宿主であるダニの生息域が北緯50°以南であることと密接に関連している．北半球ではダニの活動が活発な3〜6月に流行する．

4）腎症候性出血熱： ブニヤウイルス科ハンタウイルス属の腎症候性出血熱ウイルスによる熱性・腎性疾患である．重症型の致死率は3〜15％である．アジア，ヨーロッパで野ネズミの排泄物に接触（糞尿を吸い込む場合も含む）することによりヒトに感染する．特に中国では年間10万人もの患者が発生している．ヒトからヒトへの直接感染はないとされている．

臨床症状

1）エボラ出血熱・マールブルグ病： 潜伏期間は2〜21日で通常は7日程度．発症は突発的で進行も速い．発熱，悪寒，頭痛，咽頭痛，筋肉痛，食欲不振などのインフルエンザ様症状に始まり，その後，顔面・胸部の紅潮，嘔吐，下痢，発疹，肝・腎機能の異常がみられ，さらに重症化すると出血傾向などが現れ，多臓器不全などが原因となり死亡する．致死率は21〜90％と非常に高い．ただし，出血症状はエボラウイルス感染症の重症化例で必ずみられるというわけではなく，少ないときで発症者の数％，多いときで50％程度と報告されている．そのため，WHOをはじめ西欧では現在，「エボラ出血熱」ではなく「エボラウイルス病（Ebola virus disease：EVD）」という疾患名が使用されている（*e*コラム1）．

2）ラッサ熱： 潜伏期間は5〜21日で発症は突発的であるが，進行はエボラ出血熱，マールブルグ病に比べてやや遅い．初期症状は発熱，頭痛，全身倦怠感などで特徴的な症状はなく，インフルエンザ，チフス，マラリアと誤診しやすい．その後，咳，咽頭痛，後部胸骨痛，心窩部痛，悪心，嘔吐，下痢，腹痛などの症状がみられ，重症化すると，顔面，頸部の浮腫，消化管粘膜の出血，腹水，脳症，胸膜炎，心囊炎やショック症状などが現れて死に至る．また，軽快後2〜3カ月で再発し，心囊炎や腹水を生ずる再燃型もまれにみられる．重症化例では不可逆性の知覚神経性難聴がみられることもある．妊婦で重症化傾向がみられ，死産，流早産を起こす．

3）クリミア・コンゴ出血熱： 潜伏期間は2〜9日で発症は突発的である．ほかのウイルス性出血熱と同様に特徴的な症状はなく，初期症状はインフルエンザ様であり，発熱，頭痛，筋肉痛，腰痛，関節痛，腹痛，嘔吐などがみられる．重症化すると出血傾向が現れ，種々の程度の出血がみられる（点状出血から斑状出血，大紫斑まで）．死亡例では多くの場合，肝腎不全と消化管出血がみられる．

4）腎症候性出血熱： 潜伏期間は10〜30日で，軽症型の場合は上気道炎症状と軽度の発熱，蛋白尿，血尿がみられた後に回復するが，重症型の場合は有熱期，低血圧（ショック）期（4〜10日），乏尿期（8〜13日），利尿期（10〜28日），回復期に分けられ，全身皮膚に点状出血がみられることもある．常時高度の蛋白尿，血尿がみられる．

診断・鑑別診断

いずれの場合も患者あるいは近親者の渡航歴が有力な情報となるが，臨床症状や一般的な血液検査などで診断することは不可能である．特に初期症状に特徴的なものはなく，マラリア，腸チフス，細菌性赤痢，コレラ，レプトスピラ症，ペスト，リケッチア症，回帰熱，髄膜炎，肝炎などとの鑑別診断が必要である．

ウイルス性出血熱はいずれも類症鑑別が難しく，正確な迅速診断法としては，血液，尿，咽頭拭い液などの試料に対して，RT-PCR法などでウイルスゲノムを検出する方法がある．血中抗原や抗体をELISA法

で検出する方法もあるが，RT-PCR法に比べ迅速性，感度がやや劣る．

治療・予防

ほとんどのウイルス性出血熱に対して承認済みのワクチンはない．腎症候性出血熱の不活化ワクチンが韓国，中国では一部で使用されているが，わが国では使用されていない．抗ウイルス薬についても同様であり，唯一リバビリンの静注が発症6日以内のラッサ熱に有効とされている．ただし，溶血性貧血などの副作用も報告されている．

そのため，ウイルス性出血熱の患者にはもっぱら体力の温存などを目的とした対症療法（水分補給，点滴，解熱薬，ビタミン投与，鎮痛薬投与など）が施される．水分，電解質の管理は重要である．脱水症状の改善はある程度の効果が期待できるとの報告もあるため，軽症例では経口補液，重症例では経静脈輸液が行われている．しかしながら，これらの対症療法の効果はきわめて限定的である．一部のウイルス性出血熱の患者には回復者の全血あるいは血清（血漿）が投与されて回復したという報告もあるが，一般的な治療法ではない．また，2014〜2016年のエボラ出血熱のアウトブレイクの際には未承認薬であるZMappやファビピラビルが一部の患者に投与され一部の患者には効果があったという報告がある．

いずれのウイルス性出血熱の場合も，患者の退院の指標は血液，尿からウイルスが分離されないこととされている．

〔安田二朗〕

■文献

黒﨑陽平，安田二朗：エボラ出血熱，マールブルグ病，ラッサ熱，クリミア・コンゴ出血熱．感染症辞典，オーム社，2011.
Liu D: Molecular detection of human viral pathogens, CRC press, 2010.

6-11 原虫疾患

1）マラリア
malaria

定義・概念

マラリアは，プラスモディウム属（*Plasmodium*）の原虫が，ハマダラカ属（*Anopheles*）の蚊の刺咬・吸血で伝搬され，ヒトに感染して発症する疾患（名）である．ヒトを固有の中間宿主とするマラリア原虫には，熱帯熱マラリア原虫（*P. falciparum*），三日熱マラリア原虫（*P. vivax*），四日熱マラリア原虫（*P. malariae*），卵形マラリア原虫（*P. ovale*）の4種（species）がある（図6-11-1）．

原因・病因

マラリア原虫の生活環を示す（図6-11-2）．ハマダラカの唾液腺から，吸血時にヒトの血液中に刺入されたマラリア原虫（スポロゾイト，sporozoite）は，いったん肝細胞に侵入し，そこで分裂・増殖を行う（exoerythrocytic schizogony）．

三日熱マラリア原虫と卵形マラリア原虫では，肝細胞内で分裂・増殖を一定期間停止する「休眠体（ヒプノゾイト，hypnozoite）」も形成される．肝内型の「分裂体（シゾント，schizont）」およびヒプノゾイトは，ヒトに症状を及ぼさない．すなわちマラリアの潜伏期のほとんどの時期は，この肝臓のステージである．熱帯熱マラリアの潜伏期はおよそ1週〜1カ月，三日熱マラリアでは数カ月〜年余に及ぶ場合もある．ヒプノゾイトがそれぞれ時期をずらして分裂を開始すると，そのたびごとに患者の「再発（relapse）」につながる（熱帯熱マラリア原虫，四日熱マラリア原虫はヒプノゾイトを形成しない）．

肝内で1万個を超える「分裂小体（メロゾイト，merozoite）」を包蔵するまで増殖したシゾントは（ⓔ図6-11-A），肝細胞を破って血中にメロゾイトを放出する．このメロゾイトが赤血球に侵入して，今度は赤血球内ステージで分裂・増殖を繰り返し，ヒトはマラリアの症状を呈することになる．この赤血球内の増殖周期が患者の発熱の周期性と一致する場合が観察される（表6-11-1）．

赤内型の一部の原虫は，雄性生殖母体（microgametocyte）と雌性生殖母体（macrogametocyte）に分化して蚊に吸血されるのを待つ．雌雄のガメトサイト（gametocyte）がともに蚊に吸血されて移行すれば，蚊の中腸内で接合することができる．

疫学

マラリアは，世界で年間およそ2億1400万人が罹患し，死亡者数は43万8000人と報告されているが（WHO, 2015），患者の88％，死亡者の90％はサハラ以南のアフリカ地域で発生している．そして，死亡者の内の70％は5歳未満の子どもたちであることを特記せねばならない．

一方，わが国では，マラリアは"感染症法"で全数届け出が義務づけられている「四類感染症」に指定され

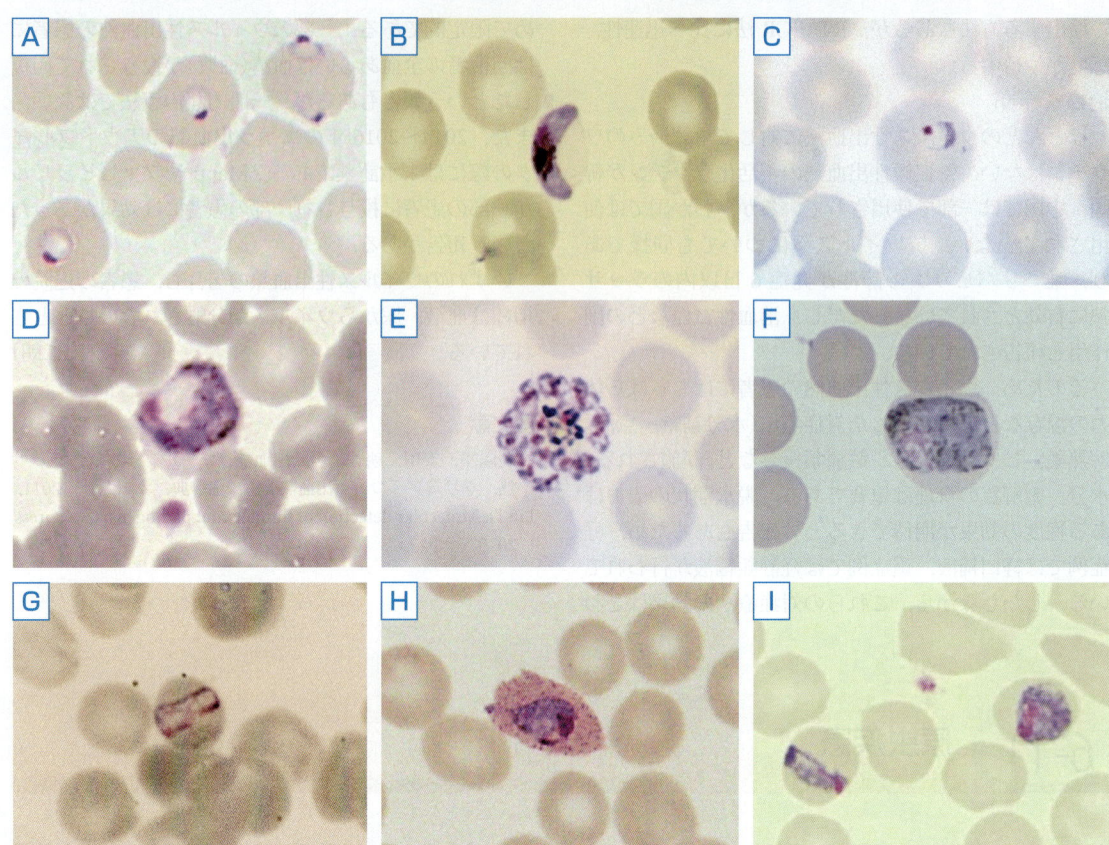

図6-11-1 **各種マラリア原虫の赤内型ステージ典型例**（Giemsa染色，×100）
A：熱帯熱マラリア原虫の早期栄養体（ring form：赤く染まった核と青く染まった細胞質が指輪状を呈する）．感染赤血球が膨化しないのが特徴．複数個原虫が寄生した赤血球が比較的多い．
B：熱帯熱マラリア原虫の生殖母体（gametocyte）．半月状（crescent form）の形態を示すのは，この種だけ．
C：三日熱マラリア原虫の早期栄養体（ring formまたはearly trophozoite）．感染赤血球が膨化しているのが特徴．核のまわりの細胞質が若干肥厚しはじめている．
D：三日熱マラリア原虫の後期栄養体（late trophozoite）．細胞質の非定型的（アメーバ様）な肥厚が著しい．
E：三日熱マラリア原虫の分裂体（schizont）．破裂直後とみられ，寄生していた赤血球膜は不明瞭．
F：三日熱マラリア原虫の生殖母体．細胞質が赤血球の広い面積を占め，Giemsaでべったりと染まるも，粟粒状の顆粒が細胞質に認められる．
G：四日熱マラリア原虫の栄養体．帯状体（band form）とよばれる形態が特徴．
H：卵形マラリア原虫の栄養体．感染赤血球が卵形を呈するのが典型で，長軸端が鋸歯状を示すことがある．
I：サルマラリア原虫 P. knowlesi の栄養体．四日熱マラリア原虫に似て，感染赤血球は膨化せず，原虫は帯状体となるものがある．

ている．日本国内の輸入マラリア（imported malaria）患者数は，今世紀に入って年間100人以下となり，次第に減少する傾向にある．しかし，熱帯熱マラリア患者のなかには診断・治療の遅れから重症化後死亡する例もある．

2004年以来，サルマラリア原虫の一種（P. knowlesi）が，東南アジアの広い地域でヒトに感染していることが報告され[1]，わが国への輸入例も報告されている（Tanizakiら，2013）．P. knowlesiは霊長類のマラリア原虫のなかで，唯一赤血球内での増殖周期が24時間で，赤血球内増殖スピードが最も速く[2]，診断が遅れると患者が死亡することもあるので注意が必要である[3]（表6-11-1）．

さらに，薬剤耐性マラリアの出現と拡散が，世界のマラリア対策を困難にしている．特にメコン川流域国にクロロキン，スルファドキシン/ミリメタミン合剤，メフロキンの多剤耐性マラリアが出現し，世界に広く拡散している[4]．

病態生理

1）マラリアの症状： マラリアの3大徴候は，発熱，貧血，脾腫であるが，免疫をもたない欧州の渡航者が熱帯熱マラリアに感染した場合，その自覚/他覚症状の発症率は，発熱（100％），頭痛（100％），衰弱（94％），夜間の盗汗（91％），悪夢（69％），関節痛（59％），筋肉痛（56％），下痢（13％），激しい腹痛（8％）と報告されている[5]．

2）重症マラリアの合併症： 熱帯熱マラリアは病状の進行が早く，適切な治療が施されないと，意識障害・

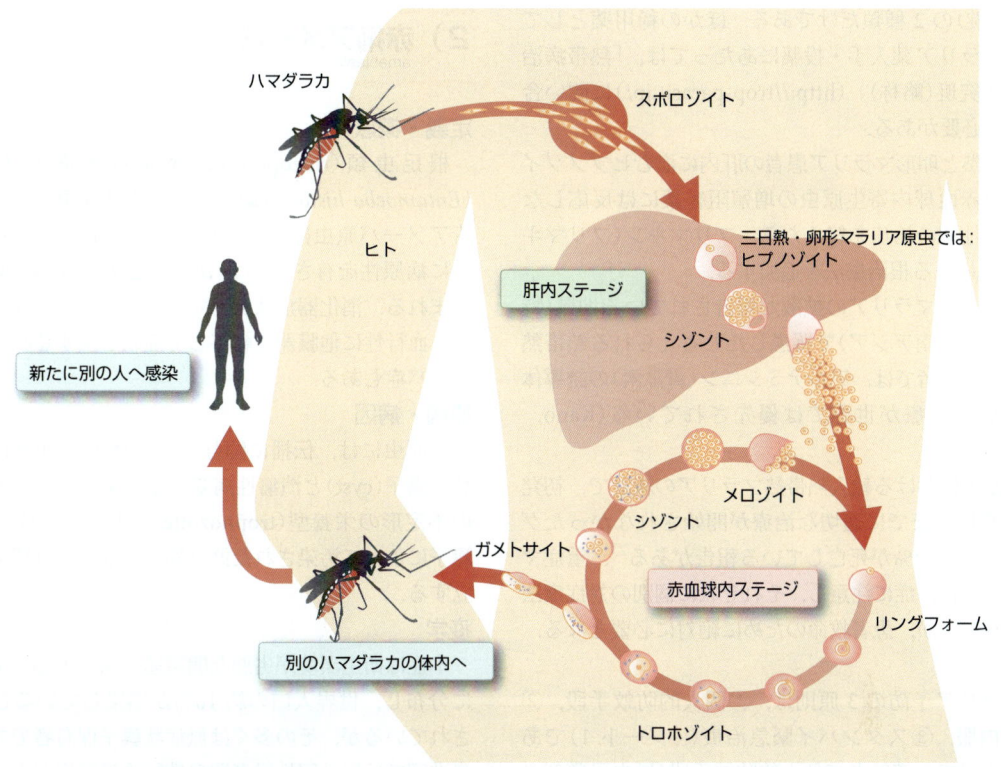

図 6-11-2 マラリア原虫の生活環

表 6-11-1 ヒトに感染するマラリア原虫 5 種のおもな特徴(Kantele ら，2011 より引用し，加筆して改変)

	P. falciparum	P. vivax	P. malariae	P. ovale	P. knowlesi
おもな流行地域	8 割がアフリカ，アジア，西太平洋地域	アジア全域，中南米	アジア全域，中南米，アフリカ	主にアフリカ	東南アジア
致死の危険性	あり	まれにあり	なし	なし	まれにあり
赤血球内の増殖周期	48 時間	48 時間	72 時間	48 時間	24 時間
発熱の周期性	48 時間，不規則	48 時間，規則的	72 時間，規則的	48 時間，規則的	24 時間，規則的
おもな感染赤血球	幼若〜成熟赤血球	幼若赤血球	成熟赤血球	幼若赤血球	幼若〜成熟赤血球
寄生率	高	<2%	<2%	<2%	<2%，まれに高
肝臓内休眠体	なし	あり	なし	あり	なし

昏睡(いわゆる脳性マラリア状態)，重症貧血，虚脱，急性腎不全，肺水腫/急性呼吸促迫症候群，低血糖，DIC 様出血傾向，代謝性アシドーシスなどを合併し[6]，極端に重症化して死亡する場合がある．

特に脳性マラリアでは，毛細血管を感染赤血球が閉塞することで，脳内の血流の阻害が起きて患者は重症化すると考えられている(e図 6-11-B)．

診断・鑑別診断

流行地への渡航歴がある発熱者を診たら，まずマラリア(特に熱帯熱マラリア)を疑うことが診断上最も重要である．それは，あらゆる感染症のなかで，熱帯熱マラリアほど病状の進行が早く，そして致死的な感染症はないからである．

マラリアの確定診断は，Giemsa 染色を施した血液塗抹標本を顕微鏡観察して，原虫種を同定することによる．その他鑑別診断法として，PCR 法による原虫の DNA 検出，イムノクロマト法による迅速診断キット(日本国内未承認検査薬)を用いた原虫蛋白検出，間接蛍光抗体法による血清抗体検出など，有用な補助診断技術が開発されている．

治療・予後

日本国内で薬価収載，保険適用となって流通している抗マラリア薬で急性期の治療薬は，メフロキン(メファキン®錠)とアトバコン・プログアニル合剤(マラ

ロン®錠)の2種類だけである．ほかの稀用薬としての抗マラリア薬入手・投薬にあたっては，「熱帯病治療薬研究班（略称）」（http://trop-parasit.jp/）に問い合わせる必要がある．

三日熱と卵形マラリア患者の肝内に潜むヒプノゾイトは，赤血球内寄生原虫の増殖阻害薬には反応しない．急性期の治療を終えたら，プリマキン（プリマキン®錠）による根治療法を追加する．

多剤耐性マラリアの拡散が報告されている地域（特に大陸部東南アジア）で罹患したと考えられる熱帯熱マラリア患者では，アルテミシニン（青蒿素）の誘導体を用いた治療が世界では優先されている（Kano, 2010）．

わが国における輸入熱帯熱マラリアの統計で，初発から5日目までに適切な治療が開始されなかったグループは，50%が死亡している報告がある[7]．重症マラリアの合併症に注意し，それぞれに個別の対症療法を行うことが，患者救命のために絶対に必要となる．

予防

マラリア予防の3原則は，①個人的防蚊手段，②予防内服，③スタンバイ緊急治療（ⓔノート1）である．すべての渡航者で個人的防蚊手段（昆虫忌避剤の肌への塗布，夜間屋内で就寝するときには網戸や蚊帳，蚊取器/蚊取線香，殺虫剤スプレーの使用など）を講じることが基本となるが，マラリア罹患のリスク，重症化のリスクが高い場合には，薬剤の使用も積極的に考慮する必要がある[8]．わが国では予防内服薬として，メフロキンおよびアトバコン・プログアニル合剤を使うことができるが，渡航者の年齢，性別，渡航地域や期間，渡航中の行動などを勘案して，慎重な適用判断が要求される．　　　　　　　　〔狩野繁之〕

■文献（ⓔ文献 6-11-1）

Kano S: Artemisinin-based combination therapies and their introduction in Japan. *J Infect Chemother*. 2010; 16: 175-82.

Tanizaki R, Ujiie M, et al: First case of *Plasmodium knowlesi* infection in a Japanese traveller returning from Malaysia. *Malar J*. 2013; 12: 128.

WHO: Key points. World Malaria Report 2015, pX, WHO Press, 2015.

2）赤痢アメーバ症
amebiasis

定義・概念

根足虫類（rhizopoda）に属する赤痢アメーバ（*Entamoeba histolytica*）による原虫性疾患である．腸管アメーバ原虫には病原性を有する *E. histolytica* 以外に病原性を有さない *E. dispar* と *E. moshkovskii* も含まれる．消化器症状を呈する腸管アメーバ症のほかに，血行性に他臓器に転移して症状を呈する腸管外アメーバ症もある．

原因・病因

本原虫には，伝播に関与する直径10～20μmの球状の囊子（cyst）と潰瘍性病変を起こす直径15～30μmの不定形の栄養型（trophozoite）とがある．成熟した囊子によって汚染された飲食物の摂取により感染が成立する．

疫学

本症は衛生環境が劣悪な開発途上国を中心に全世界に分布し，世界人口の約10%が感染していると推定されているが，その多くは無症状囊子保有者である．先進国では男性同性愛者間の性行為感染症およびまれではあるが重症心身障害者の糞食行動に伴うヒトからヒトへの伝播リスクもある．流行地からの移民や渡航者にもみられるが，渡航者下痢症の起因病原体としての頻度は高くはない．感染症法では五類感染症に指定されており，診断した医師は7日以内に最寄りの保健所に届け出る．

病態生理

人体に侵入した囊子は小腸下部で脱囊，分裂して小栄養型となり，大腸粘膜組織内に侵入する．この栄養型が分裂増殖して原発病巣の潰瘍を形成し，粘血便を特徴とした赤痢様病状を引き起こす．原発病巣の好発部位は盲腸，上行結腸，S状結腸，直腸などである．腸管内の栄養型は糞便の脱水有形化とともに縮小して囊子となり，体外に排泄される．この囊子が成熟して4核になると感染性を有するようになる．血行性に転移すると腸管外アメーバ症を引き起こす．最も多いのは肝膿瘍であるが，肺，脳，腹膜炎，横隔膜下膿瘍，

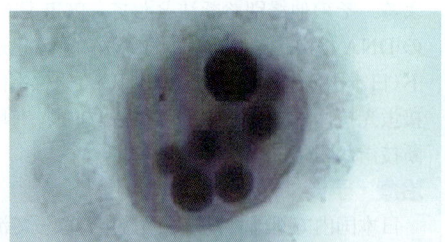 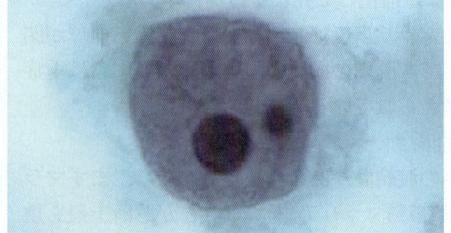

図 6-11-3 赤血球を貪食している *E. histolytica* 栄養体（CDC ウェブサイトより．http://www.cdc.gov/parasites/amebiasis/）

虫垂炎などの病態もある.

臨床症状

感染者の多くは無症状であるが，症状が出現する場合の潜伏期は2～3週間程度で，軽症例から重症例までさまざまである．重症例では1日数～数十回の血液と粘液とが混和した，いわゆるイチゴゼリー状の粘血便の排出に，しぶり腹，回盲部の圧痛，鼓腸を伴うこともある．通常は発熱および末梢血の白血球増加はなく，細菌性赤痢と比較して全身症状は軽度である．腸管外アメーバ症の代表的な病型である肝膿瘍では発熱，右季肋部痛，倦怠感，悪心，食欲不振などで発症し，末梢血の白血球増加を伴う．

診断・鑑別診断

診断は顕微鏡による糞便や膿瘍内容液からの病原体の直接検出のほか，PCR法，抗原捕捉ELISA法により行う．糞便検査では，通常粘血便や下痢便からは栄養型虫体，有形便では囊子が検出される．囊子の検出には集囊子法を用いる．顕微鏡検査では E. histolytica と E. dispar や E. moshkovskii との鑑別はできないが，下痢便中に赤血球を貪食した栄養型（図6-11-3）が観察されれば E. histolytica と推測される．肝膿瘍の場合は，超音波やCT検査などの画像診断に有用性が高く，血清学的検査結果も参考になる．

鑑別診断として腸管アメーバ症では細菌性赤痢をはじめとする腸管細菌感染症，腸管原虫症，潰瘍性大腸炎，過敏性腸炎など，肝膿瘍では細菌性肝膿瘍，肝腫瘍，肝囊胞などがあげられる．

治療

すべての E. histolytica 感染例は無症状であっても治療の適応である．全病型に対して第一選択薬はメトロニダゾールであり，同系統のチニダゾールも有効である．これらの薬剤は感染源となる囊子保有者には効果が低く，パロモマイシンを使用する（表6-11-A）．

予防

流行地では一般的な経口感染症の予防に準ずる．性行為感染症として不潔な性行為を避ける．〔水野泰孝〕

■文献（e文献6-11-2）

Haque R, Huston CD, et al: Amebiasis. *N Engl J Med*. 2003; **348**: 1565.

Peterson KM, Singh U, et al: Enteric Amebiasis. Tropical Infectious Diseases: Principles, Pathogens and Practice, 3rd ed (Guerrant R, Walker DH, et al eds), p614, Saunders Elsevier, 2011.

Tanyuksel M, Petri WA Jr: Laboratory diagnosis of amebiasis. *Clin Microbiol Rev*. 2003; **16**: 713.

3）ジアルジア症（ランブル鞭毛虫症）
giardiasis

定義・概念

鞭毛虫類（flagellata）に属するランブル鞭毛虫（*Giardia lamblia, G. intestinalis, G. duodenalis*）による原虫性疾患である．ヒトだけではなく動物にも下痢を引き起こす人獣共通感染症（zoonosis）である．

原因・病因

本原虫の生活環は栄養型（trophozoite）と囊子（cyst）の2つの形態があり（図6-11-4），栄養型は長径15～17μm，短径5～7μm，軸索を中心に左右対称の洋梨型で2核を有し，4対8本の鞭毛をもち運動性がある．腹側前半部には吸着円盤（sucking disc）があり，十二指腸，空腸上部，胆道，胆嚢粘膜に吸着する．囊子は卵円形で長径8～12μm，短径5～8μm，2～4個の核を有し，鞭毛束や軸索の残存をみることがある．糞便とともに体外へ排出された囊子は感染性を有しており，囊子で汚染された水や食品，手指や食器などを介して感染が成立する．

疫学

本症は世界中に広く分布するが，感染者は熱帯・亜熱帯を中心とした衛生環境が不良な地域に多くみられ，罹患率は20～30％程度である．5歳未満の小児では特に感受性が高い．わが国では渡航者下痢症の代表的な病原体の1つであり，推定感染地はアジア地域が多い．一方で国内での発生もみられ，養護施設内での集団感染や男性同性愛者間の性行為感染症として

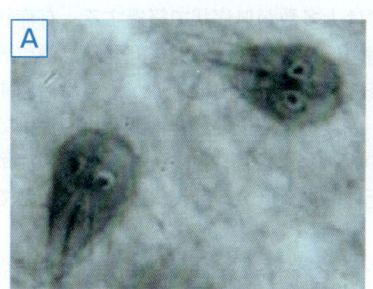 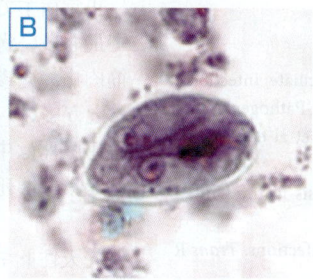 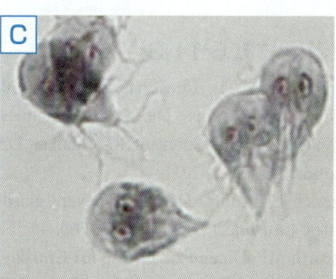

図6-11-4 ランブル鞭毛虫（CDCウェブサイトより．http://www.cdc.gov/parasites/giardia/）
A：栄養体（Kohn染色），B：囊子（Trichrome染色），C：栄養体（培養系）

も重要である．感染症法では五類感染症に指定されており，診断した医師は 7 日以内に最寄りの保健所に届け出る．

病態生理

経口的に摂取された囊子は胃を通過後に脱囊して栄養型となり，十二指腸から小腸上部付近に定着する．栄養型は腸管腔にとどまり組織への浸潤をしないため，通常血便や高熱は認められない．腸管内の栄養型は 2 分裂で増殖し，糞便の脱水有形化とともに縮小して囊子となり，体外に排泄される．慢性化する例では腸管上皮絨毛の平坦化，吸収不良に起因する慢性の脂肪便，乳糖不耐症，体重減少などの原因となる．低グロブリン血症や腸管の分泌性 IgA 欠損症患者では重篤な感染が起こりうるため，再発を繰り返す難治症例では基礎疾患の検索も必要となる．

臨床症状

潜伏期間は通常 1〜3 週間程度で，おもな症状は下痢，上腹部痛，食欲不振，腹部不快感，鼓腸などである．下痢は激しい水様便〜軟便まで程度はさまざまであり，慢性化する例もみられる．胆道感染による胆管，胆囊感染がみられることもある．無症候性の場合もみられるが持続的に囊子が排出されているため，感染源としての注意は必要である．

診断・鑑別診断

診断は糞便の直接塗抹標本を顕微鏡で観察して病原体を検出する．下痢便からは栄養型虫体，有形便では囊子が検出される．囊子の検出には集囊子法，ヨード染色法を併用することで判定が容易になる．虫体の抗原に対するモノクローナル抗体を用いた ELISA 法，蛍光抗体法，十二指腸液の採取，生検による検出法などもある．

鑑別診断として腸管細菌感染症，腸管原虫症などの下痢性疾患は全般的に必要である．

治療

メトロニダゾールまたはチニダゾールを投与する（ⓔ表 6-11-A）．

予防

流行地では一般的な経口感染症の予防に準ずる．性行為感染症として不潔な性行為を避ける．〔水野泰孝〕

■文献（ⓔ文献 6-11-3）

Hill DR, Nash TE: Intestinal flagellate and ciliate infections. Tropical Infectious Diseases: Principles, Pathogens and Practice, 3rd ed (Guerrant RL, Walker DA, et al eds), p623, Saunders Elsevier, 2011.

Lengerich EJ, Addiss DG, et al: Severe giardiasis in the United States. Clin Infect Dis. 1994; **18**: 760.

Heyworth MF: Diagnostic testing for *Giardia* infections. Trans R Soc Trop Med Hyg. 2014; **108**: 123.

4）トキソプラズマ症
toxoplasmosis

定義・概念

胞子虫類（sporozoa）に属し細胞内寄生原虫であるトキソプラズマ（*Toxoplasma gondii*）による原虫性疾患である．病型は先天性トキソプラズマ症と後天性トキソプラズマ症に分けられる．終宿主内では有性生殖を行い，中間宿主内では無性生殖を行う．

原因・病因

ヒトへの感染は終宿主であるネコ科の動物が糞便中に排出するオーシスト（oocyst）や，中間宿主であるブタ，ヤギ，ヒツジなどの食肉中に含まれる囊子（cyst）を経口摂取することにより成立する．中間宿主内では急増虫体（tachyzoite）と緩増虫体（bradyzoite）の 2 つの形態があり，前者がトキソプラズマ症の病因となる．

疫学

感染は鳥類，齧歯類，家畜など温血動物にみられる．ヒトの抗体保有率はヒツジ，ウシ，ブタなどを好んで生食する欧米諸国で高く，日本では 10〜15％前後である．

病態生理

ネコ科の動物にはじめて感染した虫体は，小腸の粘膜上皮細胞に侵入して数段階の分化の後に受精し，オーシストを形成する．オーシストは糞便中に排出され，外界で成熟して感染能力をもつスポロゾイト（sporozoite）が形成される．スポロゾイトは急増虫体に変化し，宿主細胞内で分裂・増殖し，細胞を破壊して放出され，新しい細胞に侵入する（図 6-11-5）．血行性あるいはリンパ行性に中枢神経，筋肉，眼，心筋などに移行した急増虫体は緩増虫体に分化，被囊化して囊子を形成する．潜伏感染の場合，正常宿主では通常無症状のまま経過するが，宿主の免疫機能が低下すると原虫が囊子外に放出されて急増虫体に分化・増殖して臓器病変を生ずる．妊婦が初感染を起こすと経胎盤的に急増虫体が胎児に移行して先天性トキソプラズマ症を起こす．

臨床症状

正常宿主では大多数が無症状で経過する．有症状者で最も多い病型は頸部リンパ節炎で，発熱，倦怠感，筋肉痛，発疹などの症状が出現するが，自然治癒することが多い．免疫不全宿主の場合，非 AIDS 症例での罹患臓器は中枢神経，心筋，肺などで，AIDS 症例では多巣性壊死性脳炎，肝炎，肺炎，脈絡膜炎などである．

先天性トキソプラズマ症では脈絡網膜炎，水頭症または小頭症，脳内石灰化，精神運動障害，肝腫大，貧血，黄疸，リンパ節腫脹などがみられる．

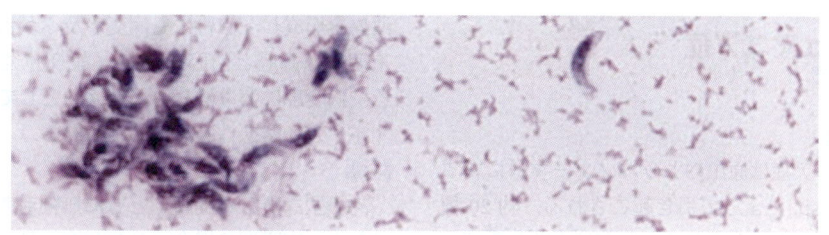
図 6-11-5 トキソプラズマ（CDC ウェブサイトより．http://www.cdc.gov/parasites/toxoplasmosis/）
栄養体（マウス腹水内）．

診断・鑑別診断

ラテックス凝集反応（LA），間接蛍光抗体法（IFA），酵素抗体法（ELISA）など各種血清抗体測定によって行う．生虫体を使用する色素試験（Sabin-Feldman dye test）は特異性が高いが一般的な検査法としては普及していない．

鑑別診断として，伝染性単核球症，悪性リンパ腫，進行性多発性白質脳症などがあげられる．

治療

サルファ薬とピリメタミンを投与する．ピリメタミンは催奇形性をもつために妊婦には禁忌であるため，先天性感染を疑った場合はアセチルスピラマイシンを投与する（e表 6-11-B）．

予防

食肉はよく加熱調理されたものを摂取し，感染の可能性のあるネコとの接触を避ける．特に未感染の妊婦は注意が必要である．

〔水野泰孝〕

■文献（e文献 6-11-4）

Montoya JG, Liesenfeld O: Toxoplasmosis. *Lancet*. 2004; **363**: 1965-76.

Remington JS: Toxoplasmosis in the adult. *Bull N Y Acad Med*. 1974; **50**: 211.

Tenter AM, Heckeroth AR, et al: Toxoplasma gondii: from animals to humans. *Int J Parasitol*. 2000; **30**: 1217.

5）トリコモナス症（トリコモナス膣炎）
trichomoniasis（trichomonas vaginitis）

定義・概念

鞭毛虫類（flagellata）に属する膣トリコモナス（*Trichomonas vaginalis*）による原虫性疾患で，異性間の性行為によって感染する性行為感染症の１つである．

原因・病因

本原虫は囊子をもたず，紡錘形の栄養型のみであり，接触により感染する．性行為による感染が主となるが，下着，タオル，便器，浴槽などでの感染の可能性もありうる．

疫学

世界中に分布し，特に開発途上国での感染率が高い．特に売春婦，HIV 感染者での感染率が高く，ほかの性行為感染症との混合感染が多くみられる．

病態生理

女性の膣粘膜上に寄生して炎症を起こすが，組織侵入性はない．しかし，膣内グリコーゲンを消費するために Döderlein 乳酸菌の発育を阻害する．このために膣内の pH が上昇し，細菌感染とその増殖が促進され膣，外陰部，子宮頸管に炎症を起こす．男性ではおもに尿道に感染して尿道炎を起こすがほとんどが無症状である．

臨床症状

通常は女性のみに症状がみられ，膣炎，子宮頸管炎，尿道炎を起こすが，無症状の場合もある．有臭性で膿性・泡沫状の膣分泌物（帯下）の増加がみられ，炎症が高度になると外陰部瘙痒感，灼熱感を伴う．

診断・鑑別診断

膣，尿道分泌物を直接鏡検して虫体を検出する．Giemsa 染色により虫種の鑑別が容易になる．鑑別診断として細菌性膣炎，カンジダ性膣炎，淋菌感染症などがあげられる．

治療

メトロニダゾールまたはチニダゾールを投与する．内服に加えて膣剤を併用することもある（e表 6-11-A）．

予防

コンドームを正しく使用する．不特定のパートナーとの性行為を避ける．

〔水野泰孝〕

■文献（e文献 6-11-5）

Kissinger P: Epidemiology and treatment of trichomoniasis. *Curr Infect Dis Rep*. 2015; **17**: 484.

Schwebke JR, Burgess D: Trichomoniasis. *Clin Microbiol Rev*. 2004; **17**: 794.

Van Der Pol B, Williams JA, et al: Prevalence, incidence, natural history, and response to treatment of *Trichomonas vaginalis* infection among adolescent women. *J Infect Dis*. 2005; **192**: 2039.

6) リーシュマニア症
leishmaniasis

病原体・分布

　リーシュマニア症は原虫のトリパノソーマ科に属する *Leishmania* sp. によって引き起こされる．約20種がヒトに病原性をもつとされる．分布は南欧から地中海沿岸，アフリカから南アジア，中南米と広範囲にわたっている．感染は旧世界では *Phlebotomus* 属，新世界では *Lutzomyia* 属のサシチョウバエによって媒介される．病型はリーシュマニアの種によって異なり，内臓型(visceral)と皮膚型(cutaneous)，皮膚粘膜型(mucocutaneous)に分けられ，皮膚粘膜型は南米に限局している．原虫を保有する宿主は哺乳類でイヌや齧歯類，ヒトが知られ感染源となっている．

1) 内臓リーシュマニア： 内臓リーシュマニアは *donovani* complex の *L. donovani* と *L. infantum* による．病変部位は単核食細胞系の脾臓，肝臓，リンパ節，骨髄が中心で腸，肺，皮膚にも病変をきたす．感染組織はマクロファージとプラズマ細胞の増殖で肉芽腫を呈する．診断は組織のマクロファージの中の無鞭毛期(amastigote)の虫体を Giemsa 染色で検出する．潜伏期間は2～6カ月であるが10日から2年とばらつきもみられる．症状は発熱，全身倦怠感，食欲低下と体重減少である．他覚的には肝脾腫，リンパ節腫大，汎血球減少である．消化管潰瘍や二次性の肺炎，紫斑などを認めることもある．検査所見では汎血球減少や CRP 高値，低アルブミン血症，ガンマグロブリン高値を認める．

2) 皮膚リーシュマニア症： 旧世界では tropica complex が病原体として知られている．*L. tropica*, *L. major*, *L.ethiopica* が知られている．中南米では *mexicana* complex で *L. mexicana*, *L. amazonensis*, *L. venezuelensis* などが知られている．病変部位はサシチョウバエに刺された部位で皮膚に結節を形成する．その後徐々に病変部位が拡大する．病変が拡大するにつれて中心部が壊死し潰瘍を形成する．痛みはない．1～3カ月で 0.5～10 cm までの病変となる．ここに細菌の二次感染をきたす場合もある．鑑別疾患としては野兎病，炭疽，ノカルジアや皮膚結核などがあげられる．周囲に娘病変も出現し慢性化する．diffuse cutaneous leishmaniasis (DCL) とよばれる広範囲に病変が広がることも何種類かの種によって起こる．南米においては mucocutaneous leishmaniasis (MCL) 皮膚粘膜型リーシュマニア症とよばれる病態も *L. brailiensis* などによって引き起こされる．皮膚粘膜型は2期のステージからなる．鼻粘膜から始まることが多い．鼻閉や鼻出血がおもな症状で鼻中隔の破壊，鼻の平坦化が起こる．口腔粘膜は後期に侵され硬口蓋，軟口蓋が潰瘍を形成し，口唇にも病変が及ぶが舌は保たれる．末期には鼻腔と口腔が1つとなり肺炎などで死亡する．病変部に痛みはなく鑑別診断としてパラコクシジオイデス症や悪性腫瘍があげられる．

診断

　内臓型ならびに皮膚型ともに無鞭毛期を認めることである．内臓型の場合，リンパ節，骨髄，脾臓の吸引生検，皮膚型の場合，病変部位の端あるいは潰瘍底部からの生検を行う．組織は Giemsa 染色，May-Grünwald-Giemsa 染色などで行う．免疫学的診断としては IFAT, ELISA などの抗体検出法がある．また分子生物学的診断法としての PCR もあり有用である．原虫を生検体から分離培養するには Novy-Nicolle-McNeal 培地がある．

治療

　内臓リーシュマニアと皮膚リーシュマニアで基本的には変わりない．しかしその投与量，期間，併用療法などは異なる．また流行地域によってもバリエーションがある．内臓型については WHO の推奨投与方法がある．治療薬としては，5価アンチモン製剤，アムホテリシン B 製剤，miltefosine（ミルテホシン，熱帯病治療薬研究班），sitamaquine, ペンタミジン，パロモマイシン，アゾール系抗真菌薬，INF-γ などが用いられる．

〔春木宏介〕

7) トリパノソーマ症
trypanosomiasis

病原体・分布

　トリパノソーマ症は原虫のトリパノソーマ科に属する *Trypanosoma* sp. によって引き起こされる．分布はアフリカ，中南米であるが媒介昆虫と病状がまったく異なる．感染はアフリカでは *Glossina* sp., ツェツェバエによって媒介されアフリカ嗜眠病の原因となる．ガンビアトリパノソーマ(*T. brucei gambiense*)とローデシアトリパノソーマ(*T. b. rhodesiense*)が存在する．中南米ではサシガメ(*Triatome* sp.)によって媒介され，*T. cruzi* が Chagas 病の原因となっている．

(1) アフリカ嗜眠病

疫学

　ガンビアトリパノソーマは主として西アフリカから東アフリカにかけて分布し慢性型の経過をとる．一方ローデシアトリパノソーマは東アフリカから南部アフリカにかけて分布し急性型の病状をとる．ガンビアトリパノソーマは川や湖周辺に多くみられ乾季の終わり頃に流行する．イヌ，ウシ，ブタや野生動物にも感染する．ローデシアトリパノソーマはサバンナに分布しイヌ，ウシ，ブタや野生動物にも感染する．

病態

ガンビアトリパノソーマ，ローデシアトリパノソーマともに感染初期にはツェツェバエ刺咬部に"chancre"とよばれる硬結が出現する．原虫は静脈とリンパ管を通じて播種する．リンパ節は腫大しリンパ球と単球の浸潤をみる．肝脾腫もみられる．ローデシアトリパノソーマでは心筋が侵される．中枢神経への侵入はローデシアトリパノソーマで週～月単位，ガンビアトリパノソーマでは月～年単位で発生する．中枢神経では白質が浸潤され星状細胞やグリア細胞の増殖をみる．これにより患者は傾眠傾向から嗜眠状態となる．慢性化すれば栄養状態が悪化し死亡する．血液検査では白血球増加，特にリンパ球の増加が目立つ．ガンビアトリパノソーマでは後耳介リンパ節の腫脹がみられる（Winterbottom 徴候）．

診断

トリパノソーマ症の診断には血液，髄液，リンパ節生検の Giemsa 染色で虫体を確認することであるが慢性期では PCR も用いる．

治療

ローデシアトリパノソーマでは初期には suramin（スラミン，熱帯病治療薬研究班），二期では melarsoprol（メラルソプロール）を用いる．ガンビアトリパノソーマでは初期にペンタミジン，二期では eflornithine（エフロールニチン）と nifurtimox（ニフルチモックス）で治療する．

（2）アメリカトリパノソーマ（クルーズトリパノソーマ）

疫学

クルーズトリパノソーマ（*T. cruzi*）は北はメキシコからテキサスの一部，南は南米まで分布し慢性型の経過をとり Chagas 病とよばれる．1700万人が感染していると考えられている．サシガメによって媒介され，サシガメが吸血時に糞をしそれが傷口に入り感染する．また不顕性感染が多いため献血を通じての医原性感染としても重要である．

病態

急性 Chagas 病は感染者の 5% にみられ 95% は不顕性感染である．片側性眼瞼浮腫である Romaña 徴候がみられることがある．4～12週で慢性期あるいは不顕性慢性期に入る．10～30年後に約20～30%に臨床症状が出現する．不整脈を中心とした心疾患や巨大結腸としての腸管病変，脳脊髄膜炎を呈する．心疾患で突然死する場合もある．

診断

クルーズトリパノソーマ症の診断には急性期では血液の Giemsa 染色で虫体を確認することであるが，慢性期では IgG を検出する ELISA や遺伝子を検出する PCR も用いる．

治療

各臓器別の対症療法が中心となる．巨大結腸では手術も行われる．薬物療法では benznidazole とニフルチモックスが用いられる．

〔春木宏介〕

8）クリプトスポリジウム症・サイクロスポーラ症
cryptosporidiosis, cyclosporiasis

（1）クリプトスポリジウム症

病原体・分布

クリプトスポリジウムは全世界に分布し *Cryptosporidium hominis*, *C. paruvum* がヒトの主たる感染源である．

疫学

水系感染で米国では 1993 年にミルウォーキー市で40万人規模の感染が発生し，わが国では 1994 年に神奈川県平塚市の雑居ビル，1995 年には埼玉県越生町，2014 年には東京都府中市の小学校で集団感染が発生している．また HIV 感染者での合併症として重要であり，診断の指標疾患である．五類感染症である．

病態

経口摂取されたオーシストが小腸粘膜に侵入し分裂・増殖することで下痢が発生する．1日数Lの水様性下痢がみられる．発熱はみられることが多いが高熱ではない．免疫状態が正常であれば 10 日前後で自然治癒する．

診断

便からショ糖液浮遊法あるいは抗酸染色でオーシストを検出する．PCR も行われるが一般的ではない．

治療

対症療法が中心となり補液と電解質管理が中心となる．薬剤としてはニタゾキサニドを中心としてパロモマイシン，アジスロマイシンを併用する．

（2）サイクロスポーラ症

病原体・分布

サイクロスポーラ症は胞子虫網コクシジウム類に属する *Cyclospora cayetanensis* によって発生する．

疫学

開発途上国にみられるが輸入果実による米国などでの流行がみられる．旅行者下痢症の原因でもある．

病態

経口摂取されたオーシストが小腸粘膜に侵入し分裂・増殖することで下痢が発生する．粘液性下痢を認める．発熱はみられることが多いが高熱ではない．免疫状態が正常であれば 10 日前後で自然治癒する．

診断

便からショ糖液浮遊法でオーシストを検出する．PCR も行われるが一般的ではない．

治療
ST合剤が有効である． 〔春木宏介〕

■文献

Burri C, Chappus F, et al: Human African Trypanosomiasis. Manson's Tropical Diseases, 23rd ed, pp606-21, Elsevier, 2014.
Franco-Paredes C: American Trypanosomiasis: Chagas disease. Manson's Tropical Diseases, 23rd ed, pp622-30, Elsevier, 2014.
Kelly P: Intestinal Protozoa. Manson's Tropical Diseases, 23rd ed, pp676-81, Elsevier, 2014.
厚生労働科学研究費補助金・創薬基盤推進研究事業：国内未承認薬の使用も含めた熱帯病・寄生虫症の最適な診療体制の確立．寄生虫症薬物治療の手引き，改訂第8.2版，2014.
Roelaert M, Sundar S: Leishmaniasis. Manson's Tropical Diseases, 23rd ed, pp631-51, Elsevier, 2014.

6-12　線虫症
hematodiasis

1）回虫症 ascariasis

回虫が小腸に寄生し腸炎症状などを起こす疾患である．虫卵に汚染された野菜などを経口摂取して感染する．近年の日本国内での感染率は0.01％以下に減少しているが，有機農薬野菜や輸入食品を介する感染例が最近でも散発している（有薗，2011）．さらに海外で感染したケースに遭遇することもある（濱田ら，2003）．

多数の虫卵が感染した場合は，幼虫の移行による肺炎，成虫寄生による腸炎症状（下痢や腹痛）が起こる．しかし近年は少数感染が多いため無症状で経過し，人間ドックの糞便検査や消化管検査などで偶然発見される症例が多い[1]．成虫は時に胆管や膵管に迷入し，急性腹症様の症状を呈することがある．診断には糞便検査（直接塗沫法）で虫卵を検出するか，排出した成虫の鑑定（体長20～30 cmの紐状）を行う．

治療にはパモ酸ピランテルが第一選択薬で，90％以上の治療効果がある（熱帯病治療薬研究班，2016）．メベンダゾールやアルベンダゾールも有効である（保険適用外）．

処方例
パモ酸ピランテル（100 mg），1回 10 mg/kg，1回頓用，小児用にドライシロップ（10％）がある．

〔濱田篤郎〕

■文献（e文献6-12-1）

有薗直樹：日本における蠕虫症と蠕虫研究の近年の動向．Clin Parasitol. 2011; **22**: 9-17.
濱田篤郎，奥沢英一，他：発展途上国に長期滞在する日本人の腸管寄生虫感染状況の変化．感染症誌．2003; **77**: 138-45.
熱帯病治療薬研究班：寄生虫症薬物治療の手引き 2016．日本医療研究開発機構・感染症実用化研究事業．http://trop-parasit.jp/

2）鉤虫症・鞭虫症

(1) 鉤虫症（ancylostomiasis, hookworm infection）

鉤虫が小腸に寄生して起こす腸管感染症である．日本国内での感染者はきわめて少なくなったが，海外で感染した事例に遭遇することがある（有薗，2011）．感染経路には経口感染と経皮感染があり，前者は幼虫の付着した野菜などの摂取で，後者は土壌中の幼虫が足の皮膚などから感染する．少数寄生では無症状であるが，多数寄生すると肺炎や鉄欠乏性貧血を起こす．診断には糞便検査（厚層塗抹法や飽和食塩水浮遊法）で虫卵を検出する．治療にはパモ酸ピランテルやメベンダゾールが有効である（熱帯病治療薬研究班，2016）．貧血が強い場合は，鉄剤の投与を行う．

処方例
パモ酸ピランテル（100 mg），1回 10 mg/kg，1回頓用．

(2) 鞭虫症（trichuriasis, whipworm infection）

鞭虫が盲腸や結腸に寄生して起こす腸管感染症である．虫卵に汚染された生野菜などの経口摂取で感染する．最近の日本での感染率は0.01％以下まで減少しているが，重症心身障害者施設などで時に集団感染が発生する[1]．少数寄生では無症状であるが，多数寄生すると下痢，腹痛，下血などの腸炎症状を起こす．盲腸付近での炎症が強い場合は虫垂炎様の症状を呈する．診断には糞便検査（集卵法）で虫卵の検出を行う．治療薬にはメベンダゾールを用い，70～90％の治療効果がある（熱帯病治療薬研究班，2016）．

処方例
メベンダゾール（100 mg），200 mg/日，分2，3日間連用．体重が20 kg以下の小児には半量とする．

〔濱田篤郎〕

■文献（e文献 6-12-2）

有薗直樹：日本における蠕虫症と蠕虫研究の近年の動向. Clin Parasitol. 2011; 22: 9-17.

熱帯病治療薬研究班：寄生虫症薬物治療の手引き 2016. 日本医療研究機構・感染症実用化研究事業. http://trop-parasit.jp/

3）蟯虫症
enterobiasis, pinworm infection

蟯虫が盲腸に寄生して起こす腸管感染症である．日本国内でも小児を中心に感染者がいまだに多く，全国平均で 0.2～0.3％ の感染率と推定される[1]．患者の肛門周囲に産下された虫卵を経口的に摂取して感染する．消化器症状は少なく，肛門周囲に産下された虫卵の刺激による肛囲の瘙痒感が主たる症状になる．診断にはセロファンテープを肛囲に貼付し，虫卵を検出する．

治療にはパモ酸ピランテルの 2 回投与を行う（熱帯病治療薬研究班，2016）．再発を繰り返すケースではメベンダゾールを用いる．なお，本症の患者が発生したら，同居家族などの検査も行い，虫卵陽性であれば患者と一緒に治療する．また患者の下着や寝具の洗浄，環境の清掃も必要である．

処方例
パモ酸ピランテル（100 mg），1 回 10 mg/kg，2 週間間隔で 2 回頓用．　　　　　　　　　　〔濱田篤郎〕

■文献（e文献 6-12-3）

熱帯病治療薬研究班：寄生虫症薬物治療の手引き 2016. 日本医療研究機構・感染症実用化研究事業. http://trop-parasit.jp/

4）糸状虫症

(1) リンパ系糸状虫症（lymphatic filariasis）

バンクロフト糸状虫とマレー糸状虫が下肢などのリンパ管に寄生して起こす疾患である．蚊によって媒介される．日本ではバンクロフト糸状虫が南日本を中心に流行していたが，1980 年代以降は根絶されている．ただし，この当時までに感染した慢性期の患者が現在も医療機関を受診することがある．また，世界的には熱帯や亜熱帯で流行が続いており，日本人が流行地滞在中に感染する事例も報告されている[1]．症状としては，約 1 年間の潜伏期の後にリンパ管炎，リンパ節炎などの急性期症状が現れる．慢性期になるとリンパ液のうっ滞が起こり，乳び尿，陰嚢水腫などの症状がみられる．リンパ浮腫は細菌などの二次感染を繰り返し，象皮病へと移行する．一部の症例では急性期に肺炎を起こすことがあり，熱帯性肺好酸球増加症とよばれる．急性期の診断には血液中の幼虫を血液塗抹標本にて検出する．幼虫は夜間，末梢血液中に出現するため，採血は午後 10 時以降に行う必要がある．

急性期の患者の治療にはジエチルカルバマジン®の投与を行う（熱帯病治療薬研究班，2016）．本症のリンパ管炎は細菌の混合感染を起こしていることが多く，抗菌薬も併用する．慢性期の患者については対症的な治療が主体となる．

処方例
ジエチルカルバマジン®（50 mg），3～6 mg/kg，分 3，12 日間．

(2) オンコセルカ症（onchocerciasis）

回旋糸状虫が皮下に寄生して起こる疾患である．ブユによって媒介される．アフリカなどで流行しているが，日本人渡航者の感染例もときにみられる．症状は皮下腫瘤や慢性の皮膚炎で，幼虫が眼内に侵入し角膜炎や網脈絡膜炎を併発することもある．診断には皮膚の生検により幼虫を検出する方法をとる．治療にはイベルメクチンの投与を行う（熱帯病治療薬研究班，2016）．

処方例
イベルメクチン（3 mg），150 μg/kg，1 回頓用．
〔濱田篤郎〕

■文献（e文献 6-12-4）

熱帯病治療薬研究班：寄生虫症薬物治療の手引き 2016. 日本医療研究機構・感染症実用化研究事業. http://trop-parasit.jp/

5）糞線虫症
strongyloidiasis

糞線虫（Strongyloides stercoralis）による感染症（Greaves ら，2013）である[1]．熱帯・亜熱帯に広く分布し，わが国では患者のほとんどは沖縄・奄美地方の出身者である．HTLV-1 との重複感染が多い[2]．生活史は，フィラリア（F）型幼虫が土壌より経皮感染後，心・肺・気管・食道・胃を経由して小腸にて成虫となり産卵し，孵化したラブジチス（R）型幼虫が便とともに排出される．消化管内で R 型幼虫が F 型幼虫となり，腸管や肛門周囲の皮膚より再感染する自家感染もある．通常無症状だが，感染虫体数が多くなると腹満感・腹痛・下痢などの消化器症状を呈す．免疫不全状態の患者では，腸内細菌とともに血中移行し播種性糞線虫症を発症し，敗血症・肺炎・髄膜炎などを起こす．便から虫体（R 型幼虫）を証明し診断するが，検出には普通寒天平板培地法がよい[3]．播種例では痰，腹水などから虫体（F 型幼虫）が検出される．イベルメクチンが第一選択である．2 週間隔にて 2 回投与を原則とするが，免疫不全時には連日数回あるいは 1～2 週間隔で数回投与する．
〔吉川正英〕

6）アニサキス症
anisakiasis

　Anisakis simplex, *Pseudoterranova decipiens* などのアニサキス亜科寄生虫の幼虫により引き起こされる．成虫は海生哺乳類の胃壁に寄生し，海中に放出された虫卵が孵化して幼虫となり，オキアミなどの小型甲殻類を経て海産魚類（サバ，タラ）やイカに寄生する．ヒトは海産魚類などの生食にて感染する[4]．病型は胃型と腸型がおもで，食後数時間の心窩部痛にて発症する胃型が約9割を占め，毎年約2000例以上の発生があると推定されている（Yoshikawa ら，2005）．食中毒として取り扱われるべきであるが届け出例は少ない[5]．内視鏡による虫体除去で多くは治癒する（e図6-12-A）．腸型は，食後数時間～数日後に，腸閉塞類似の急性腹症様に発症することが多く，虫垂炎や大腸憩室炎との鑑別も要す．腹痛を訴える患者で「海産鮮魚類の生食」という情報を得た場合には念頭におく．保存的治療にて治癒することがある一方，腸管穿孔や大出血に至り外科的対応を要すこともある．消化管壁内にて死滅し粘膜下腫瘤として観察されることもあり，経過とともに自然消失する（vanishing tumor）．ときに消化管壁を突き抜け，腸間膜・肝臓・リンパ節など消化管外臓器に達することもある．また，いわゆる"サバアレルギー"のなかには，実はアニサキスアレルギーも含まれていると考えられ，まれにアナフィラキシーショックに至ることがある．　〔吉川正英〕

7）顎口虫症
gnathostomiasis

　顎口虫（*Gnathostoma*）属線虫の幼虫移行症である[6]．成虫は野生のイヌ・ネコ・イノシシ・イタチなどの胃壁に寄生する．幼虫は小型淡水魚やカエル・ヘビに寄生し，ヒトはこれらを生あるいは不十分加熱で食して感染する．アジアや中南米に多い．わが国ではドジョウ・ライギョ・カエル・マムシなどが原因食材として報告されている．ヒトには，有棘 *G. spinigerum*，剛棘 *G. hispidum*，日本 *G. nipponicum*，ドロレス *G. doloresi*，二核 *G. binuleatum* の5種の顎口虫寄生が知られている．最も高頻度にみられる症状は皮膚の線状爬行疹（creeping eruption）や移動性皮下腫瘤（mobile erythema）である[7]．一般的に予後は良好であるが，まれに中枢神経系[8]や眼球[9]に迷入し，重篤な症状を呈する．ほとんどの症例で好酸球増加がみられる．確定診断を兼ねた治療は虫体除去であるが困難である．血清診断が有用で，アルベンダゾールやイベルメクチンが試みられる．　〔吉川正英〕

8）幼線虫移行症（トキソカラ症，広東住血線虫症）

　トキソカラ症（toxocariasis）はイヌ回虫（*Toxocara canis*）およびネコ回虫（*Toxocara cati*）による幼虫移行症である[10]（Schantz ら，1978）．ヒトは，幼虫包蔵卵あるいは幼虫を摂取することにより感染する．ペットとの接触や砂場遊び，トリ・ウシのレバーや不完全加熱肉の摂取が要因となる．病型は，肺や肝臓へ移行する内臓型（e図6-12-B），眼や中枢神経へ移行する眼・中枢神経型に大別される[11]．多くは無症状である．前者では，発熱，倦怠感，咳などの症状に加え，末梢血好酸球増加とIgE上昇，肺や肝に多発性に小結節性病変を生ずる[12]．後者では視覚障害や痙攣などを起こし，網膜腫瘍・脳腫瘍との鑑別は重要である．ブドウ膜炎・硝子体炎・脊髄炎として現れることもある．確定診断は組織内虫体確認であるが，その確率は低く，免疫血清学的検査が重要である．眼型では血清抗体価陰性であっても，眼房水や硝子体液中に抗体が検出されることがある．無症状でも高抗体価，好酸球著増例は治療対象と考えられ，アルベンダゾールやジエチルカルバマジンが用いられる．イベルメクチンの使用例もある．虫体崩壊に伴うアレルギー反応の抑止には，ステロイド薬の併用を行う．

　広東住血線虫症（angiostrongyliasis）は，広東住血線虫 *Angiostrongylus cantonensis* による幼虫移行症である[13]．おもな流行地は台湾・東南アジア・南太平洋諸島で，沖縄でも症例が報告されている．成虫は終宿主であるネズミの肺動脈に寄生し，中間宿主は陸産の巻貝やナメクジである．ネズミ体内で幼虫は一度くも膜下腔に集まりその後肺動脈に至る．ヒトは中間宿主や待機宿主（ヒキガエル・ヘビ）の生食により感染する．幼虫はヒト体内では多くは発育停止するが，ときにくも膜下腔に達し好酸球性髄膜炎（eosinophilic meningitis）を発症する．虫体確認は困難で臨床診断が基本である．幼虫はやがて死滅するため，治療の中心は対症療法である．食用アフリカマイマイにも感染幼虫が寄生する．　〔吉川正英〕

■文献（e文献6-12-5～8）

Greaves D, Coggle S, et al: Strongyloides stercoralis infection. *BMJ*. 2013; 347: f4610.

Schantz PM, Glickman LT: Toxocaral visceral larva migrans. *N Engl J Med*. 1978; 298: 436-9.

Yoshikawa M, Ishizaka S: Anisakidosis in Japan. Asian Parasitology Series Vol. 1 Food-Borne Helminthiasis in Asia (Arizono N, Chai JY, et al eds), pp156-61, the committee of Asian unique strategy for controlling Asian Parasitic Diseases by Asian Parasitologists (AAA) and the Federation of Asian Parasitologists (FAP), 2005.

6-13 吸虫症
tramatodiasis

吸虫(trematode)は扁形動物である．生活史には中間宿主としての淡水貝を必要とする．感染はその淡水貝の生息域でみられる．

1) 住血吸虫症
schistosomiasis

定義・概念
住血吸虫(*Schistosoma*)は血管内に寄生する吸虫である．成虫の体長は10〜20 mm程度である．

分類
寄生血管が腸間膜静脈や門脈である日本住血吸虫(*Schistosoma japonicum*)，マンソン住血吸虫(*S. mansoni*)と骨盤内静脈系であるビルハルツ住血吸虫(*S. haematobium*)に大別される．

原因・病因
住血吸虫は淡水産巻貝を中間宿主とする．感染型幼虫であるセルカリアは巻貝から遊出し，ヒトは淡水に接触する際に経皮的に感染する．

疫学
世界78カ国で2.58億人以上の人々が罹患している(WHO, 2016)．かつてはわが国にも流行域があったが，多大なる努力の結果，わが国での流行は1970年代に終息した．

病理・病態生理・臨床症状
病態の主体は虫卵と宿主応答である．雌成虫から産み落とされる虫卵は強いアレルギー反応を誘導し虫卵周囲には好酸球性肉芽腫が形成される．日本住血吸虫やマンソン住血吸虫の場合，虫卵は門脈や腸間膜静脈叢で栓塞し激しい炎症を惹起し，便とともに体外に排出される．急性期の主症状は発熱，下痢，肝機能障害である．慢性期には虫卵結節から線維化が進行し，肝硬変や門脈圧亢進から死に至る場合もある(図6-13-1, e図6-13-A)．虫卵が脳に運ばれるとてんかんや脳腫瘍様の症状を呈することもある．ビルハルツ住血吸虫の場合，虫卵は泌尿器や生殖器粘膜で炎症を惹起し，粘膜組織を破壊し，尿などとともに体外に放出される．急性期の主症状は発熱や血尿である．慢性期には閉塞性尿路障害や膀胱癌が認められる．また粘膜バリア破綻はHIV感染のリスク因子となる．

診断
診断は糞便または尿中に住血吸虫の虫卵を同定することによる．マンソン住血吸虫の場合，尿中circulating carbohydrate antigenを検出する迅速診断キットが有効に機能する(Colleyら，2013)．ビルハルツ住血吸虫症の場合，濾過法が有用である．

治療・禁忌
プラジカンテル(ビルトリシド®600 mg錠)40 mg/kg，分2，2日間(保険適用外)．

副作用は少ないが，まれに消化器症状がみられる．リファンピシンと併用すると本薬の血中濃度が著しく低下するため，リファンピシン投与中の患者には禁忌である．クロロキンとの併用では血中濃度に注意を要する．妊婦への投与は避ける．　　〔濱野真二郎〕

■文献

Colley DG, Binder S, et al: A five-country evaluation of a point-of-care circulating cathodic antigen urine assay for the prevalence of *Schistosoma mansoni*. Am J Trop Med Hyg. 2013; 88: 426-32.

WHO: Schistosomiasis, 2016. http://www.who.int/mediacentre/factsheets/fs115/en/

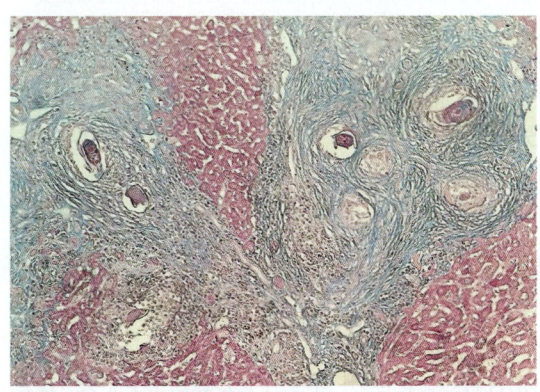

図6-13-1 マウス肝内で塞栓したマンソン住血吸虫卵と虫卵周囲の線維性肉芽腫(山口大学医学部・村田麻耶子，長崎大学熱帯医学研究所・濱崎めぐみ撮影)

2) 肺吸虫症
paragonimiasis

定義・概念
肺吸虫(lung fluke)は野生のイヌ科，ネコ科の動物などを終宿主とする．人体内でも成虫になる人獣共通寄生虫である．

分類
わが国には，ヒトに寄生する肺吸虫として大別してウェステルマン肺吸虫(*Paragonimus westermani*)と宮崎肺吸虫(*P. miyazakii*)が分布する．ウェステルマン肺吸虫には2倍体と3倍体がある．このうち3倍体のものは単為生殖であり2倍体と区別してベルツ肺吸虫とよばれることもある．

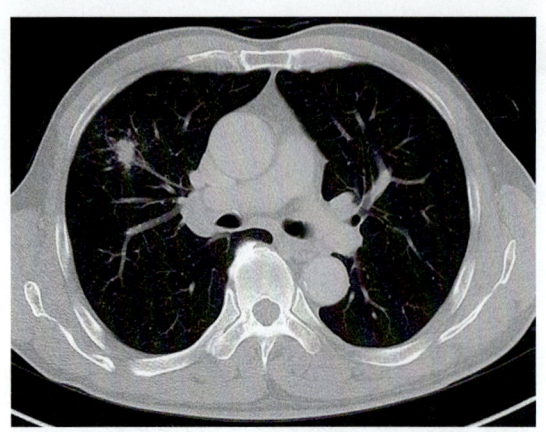

図 6-13-2 ウェステルマン肺吸虫症による結節影，CT 画像（都立府中病院呼吸器科）（丸山治彦博士のご厚意による）（濱野真二郎：蠕虫学．標準微生物学 第 12 版（中込 治，神谷 茂編），pp551-64, 医学書院, 2015)

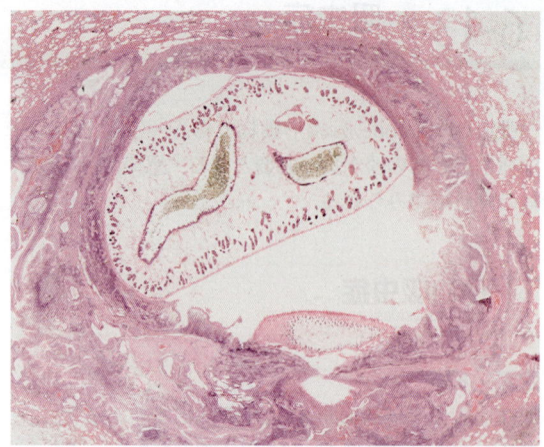

図 6-13-3 ウェステルマン肺吸虫の虫囊腫切片の HE 染色像（濱野真二郎：蠕虫学．標準微生物学 第 12 版（中込 治，神谷 茂編），pp551-64, 医学書院, 2015)

原因・病因

ウェステルマン肺吸虫や宮崎肺吸虫はサワガニを第 2 中間宿主とする．一方，ベルツ肺吸虫はモクズガニを第 2 中間宿主とする．ヒトは直径 0.35～0.40 mm のメタセルカリアを有するサワガニやモクズガニ，待機宿主であるブタやイノシシを生，もしくは不完全調理で摂取した場合に肺吸虫に感染する．

疫学

わが国では少なくとも年間 40 名程度が肺吸虫症と診断されている．九州に最も多いが，全国でみられる（Nagayasu ら，2015）．

病理・病態生理・臨床症状

小腸で脱囊した幼虫は小腸壁を穿通して腹腔・横隔膜・胸腔を通って肺に侵入する．虫体周囲には線維性の虫囊腫が形成される（図 6-13-2）．感染したヒトは自然気胸や胸水貯留を呈し，咳，血痰，胸痛，呼吸困難を訴える（Nagayasu ら，2015；床島ら，2001）．虫体が脳に迷入すると脳肺吸虫症を発症する．宮崎肺吸虫の場合，小腸で脱囊した虫体は胸腔内にとどまる傾向を示す．

診断

肺吸虫症に特異的な胸部画像所見はなく，肺結核との鑑別を要する（図 6-13-3，e図 6-13-B, 6-13-C）（床島ら，2001）．確定診断は痰，糞便，胸水などの検体中に虫卵を検出することによるが，検出率は 20%以下と低い（Nagayasu ら，2015）．国籍，食歴などの患者背景と検査結果を合わせて総合的に判断することが重要である．末梢血または胸水中の好酸球増加や血清 IgE 値の上昇が診断に至る一助となる（Nagayasu ら，2015；床島ら，2001）．肺吸虫特異的な抗体検出は感度・特異度にすぐれるため，診断に有用である．検体から虫卵や虫体が得られれば，遺伝子検査による虫種同定も可能である．

治療・禁忌

プラジカンテル（ビルトリシド®600 mg 錠）75 mg/kg/日，分 3，3 日間．

添付文書によると 40 mg/kg/日，分 2，2 日間投与と指示されているが，効果が不十分な場合もあるため，75 mg/kg/日が推奨される[1-3]．大量胸水貯留例では，投薬前に胸水をできるかぎり除去しておくことが望ましい．安全性，副作用や禁忌については，住血吸虫症の項を参照のこと． 〔濱野真二郎〕

■文献（e文献 6-13-2）

Nagayasu E, Yoshida A, et al: Paragonimiasis in Japan: A Twelve-year Retrospective Case Review (2001-2012). *Intern Med*. 2015; 54: 179-86.

床島眞紀，迎 寛，他：ウエステルマン肺吸虫症 23 例の臨床的検討．日本呼吸器学会雑誌．2001; 39: 910-4.

3）肝吸虫症，肝蛭症，巨大肝蛭症

定義・概念

胆管・肝臓に寄生する吸虫である．

分類

肝吸虫（*Clonorchis sinensis*）の成虫は体長 10～15 mm で柳葉状の形態を示す（図 6-13-4）．終宿主はヒトに加えて，イヌ，ネコ，ネズミなど幅広く，多宿主性を示す典型的な人獣共通感染症である．近縁種としてタイ肝吸虫（*Opisthorchis viverrini*）やネコ肝吸虫（*Opisthorchis felineus*）がある．肝蛭（*Fasciola hepatica*）はウシ，ヒツジ，ヤギなどを終宿主とする．体長 20～30 mm の葉状の形態を示す．巨大肝蛭（*Fasciola gigantica*）はラクダ，ウシ，スイギュウやヒトを終宿

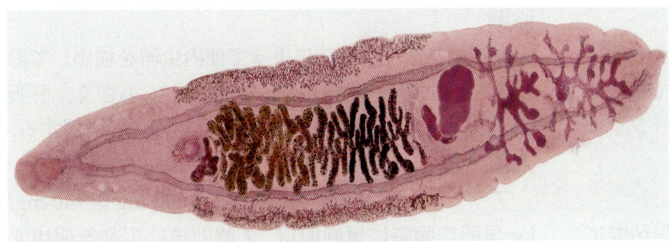

図 6-13-4 肝吸虫成虫の圧平染色標本（濱野真二郎：蠕虫学．標準微生物学 第12版（中込 治，神谷 茂編），pp551-64，医学書院，2015）

主とし，体長は35〜50 mmで肝蛭より細長い．肝蛭と多くの特徴を共有する．臨床的には両者を区別する必要はない．

原因・病因

肝吸虫はコイやフナなどの淡水魚を第2中間宿主とする．ヒトはメタセルカリアを宿すこれら淡水魚の生食で肝吸虫に感染する．肝蛭や巨大肝蛭の場合，草食動物同様，終宿主たりうるヒトもメタセルカリアの付着するクレソンなどの水生植物を摂取して感染する．

病理・病態生理・臨床症状

肝吸虫は近縁種であるタイ肝吸虫やネコ肝吸虫と同様，胆管に寄生し胆汁のうっ滞を引き起こす．胆管癌や肝硬変の発生との因果関係があると理解されている．肝蛭や巨大肝蛭のメタセルカリアは十二指腸で脱嚢し，虫体は小腸壁を穿通して腹腔・肝実質を通って胆管に至り定着する．急性期には肝実質の壊死・出血が誘導されるため，上腹部〜季肋部痛，発熱を主訴とし，しばしば急性胆嚢炎や胆石症を疑われる．慢性期には肝硬変が誘導される．血管，肺，脳，眼など異所寄生が多いことも特徴の1つである．

疫学

肝吸虫はかつて日本全国に分布していたが，近年患者の発生は減少した．韓国や台湾・中国にも分布する．インドシナ半島のメコン川流域ではタイ肝吸虫が蔓延しており，地域をあげての対応が急がれている．肝蛭や巨大肝蛭は牧畜のさかんなところに多く，ヒトの感染も多い．日本での年間症例数は多くて数例にとどまる．

診断

確定診断は便中に虫卵を確認することにある．そのため集卵法を実施する必要があるが，肝蛭の場合は虫卵が検出されることは少ない．著明な末梢血好酸球増加が診断に至る一助となる．免疫血清診断も補助診断として有用である．

治療・禁忌

肝吸虫にはプラジカンテルが第一選択である（Savioliら，1999）．

プラジカンテル（ビルトリシド®600 mg錠）20〜40 mg/kg，分2，3日間または75 mg/kg，分3，1日間．

安全性，副作用や禁忌については，住血吸虫症の項を参照のこと．

肝蛭症や巨大肝蛭症に対しては熱帯病治療薬研究班が保管するトリクラベンダゾール（Egaten®，250 mg錠）の内服が推奨される（Lecaillonら，1998；Savioliら，1999）．

トリクラベンダゾール（研究班保管）10 mg/kg食直後に単回服用する（重症例では20 mg/kg，分2，食直後）．

原則として乳児や妊婦投薬を避ける．これまで重篤な副作用の報告はないが，腹部不快感，一過性肝機能障害などが報告されている．服薬後，虫体死滅によるアレルギー症状がみられることがあり，対症療法を行う．

〔濱野真二郎〕

■文献

Lecaillon JB, Godbillon J, et al: Effect of food on the bioavailability of triclabendazole in patients with fascioliasis. *Br J Clin Pharmacol*. 1998; 45: 601-4.

Savioli L, Chitsulo L, et al: New opportunities for the control of fascioliasis [editorial]. *Bull World Health Organ*. 1999; 77: 300.

4）横川吸虫症
metagonimiasis

定義・概念

消化管に寄生する代表的な吸虫である（図6-13-5）．

分類

横川吸虫（*Metagonimus yokogawai*）は異形吸虫の仲間であり，有害異形吸虫，肥大吸虫，棘口吸虫とともに消化管寄生吸虫を成す．

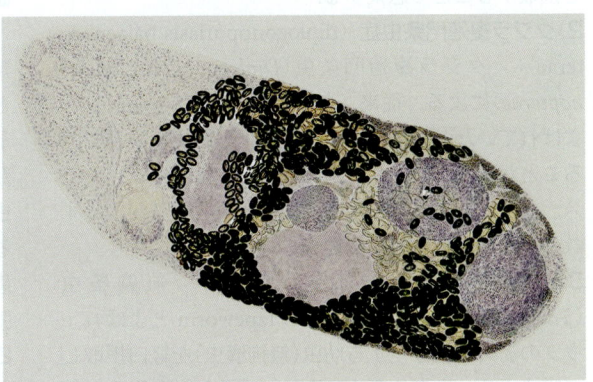

図 6-13-5 横川吸虫成虫の圧平染色標本（濱野真二郎：蠕虫学．標準微生物学 第12版（中込 治，神谷 茂編），pp551-64，医学書院，2015）

原因・病因

ヒトはメタセルカリアの寄生するアユ，シラウオ，ウグイ，コイなどの淡水魚を生や不完全調理で摂取して感染する．わが国では「アユの背ごし」や「シラウオの踊り食い」が原因となることが多い．

病理・病態生理・臨床症状

成虫は体長数 mm の小型吸虫であり，小腸粘膜に吸いつくが組織侵入性はない．100 隻以下の少数寄生では無症状であるが，大量に感染すると下痢や腹痛の原因となる．

疫学

わが国で感染の機会の多い吸虫の 1 つである．

診断

直接塗抹法や集卵法によって便内虫卵を検出して診断する．虫卵は長径 30 μm ときわめて小さく，肝吸虫卵とともに蠕虫卵のなかでは最小の部類に属する．

治療・禁忌

プラジカンテル（ビルトリシド®600 mg 錠）40 mg/kg 早朝空腹時に単回服用，2 時間後に下剤を服用する．

安全性，副作用や禁忌などについては，前述の住血吸虫症の項を参照のこと． 〔濱野真二郎〕

6-14 条虫症
taeniasis

1）腸管内条虫症

定義・概念

ヒトを終宿主とする条虫の成虫が腸管内に寄生して起こる疾患である．日常診療で遭遇する頻度が高いのは，日本海裂頭条虫症，クジラ複殖門条虫症，無鉤条虫症である．有鉤条虫症は頻度が少ないものの，患者を診た場合には後述の有鉤嚢虫症との関連に注意する必要がある[1]．2010〜2011 年にアジア条虫症が相ついで報告されたが[2-4]，その後の発生はみられていない．いずれも感染幼虫で汚染された食品を介して感染する食品媒介性寄生虫症である．

病因・感染経路

1）日本海裂頭条虫症（diphyllobothriasis nihonkaiense）： 日本海裂頭条虫（*Diphyllobothrium nihonkaiense*）による．サケ・マス類（サクラマス，カラフトマスなど）に含まれる感染幼虫（プレロセルコイド）を摂取することで感染する．

2）クジラ複殖門条虫症（diplogonoporiasis balaenopterae）： クジラ複殖門条虫（*Diplogonoporus balaenopterae*）による．従来，大複殖門条虫（*D. grandis*）とよばれていたが，最近の遺伝子解析の結果，同種であることが確定された．患者の食歴からはイワシ，シラス，カツオ，アジなどが感染源と考えられるが，いずれの魚介類からも幼虫は検出されていない[5]．

3）無鉤条虫症（taeniasis saginata）： 無鉤条虫（*Taenia saginata*）による．beef tapeworm とよばれ，ウシの筋肉内に存在する幼虫（無鉤嚢虫）を経口摂取して感染する．患者の多くは海外で感染したと推測されている[6]．

4）アジア条虫症（taeniasis asiatica）： アジア条虫（*T. asiatica*）による．形態は無鉤条虫に似ているが，ブタを中間宿主とする点では有鉤条虫に似る．アジア地域（韓国，中国，フィリピン，台湾，インドネシア，タイ，ベトナム）でヒトの感染例が知られ，これらの地域ではブタの肺や肝臓を生のまま食べる習慣がある．2010〜2011 年までに相ついだ国内感染例は，国内で飼育されたブタのレバーが感染源であると考えられている．養豚場の従業員にアジア条虫感染者がおり，感染者の糞便をブタが経口摂取するような環境が存在したと推測されている[2]．

5）有鉤条虫症（taeniasis solium）： 有鉤条虫（*T. solium*）による．pork tapeworm とよばれ，ブタの筋肉内に存在する有鉤嚢虫を経口摂取して感染する．有鉤条虫症の患者を診た場合には有鉤嚢虫症の合併を考えなければならない．これは腸管内の虫体が何らかの原因で壊れると虫卵が腸管内に遊離し，有鉤嚢虫症の原因となるためである（自家感染）．

臨床症状

本項で概説する 5 種の条虫は擬葉目と円葉目に分類される．分類に従い，症状，診断，治療を理解するとよい．

1）擬葉目条虫： 日本海裂頭条虫とクジラ複殖門条虫が属する．子宮孔をもち，そこから産卵できるため成虫はできるだけ腸管内にとどまるように適応している．体節が切れないように連結しており，ほとんどの患者は「排便時に虫体が肛門から懸垂していた，引っ張り出したら途中で切れた」と訴える．

2）円葉目条虫： 無鉤条虫，アジア条虫，有鉤条虫が属する．子宮孔がなく腸管内で産卵できないため，片節を分断させて体外へ出る．患者の多くは「肛門部に

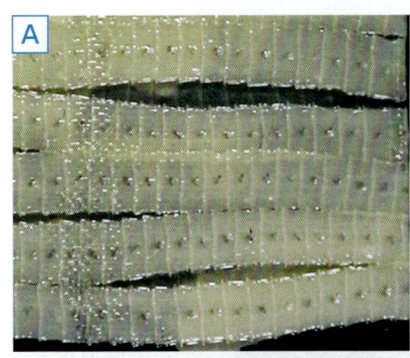
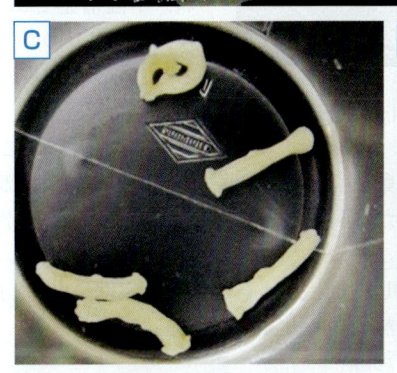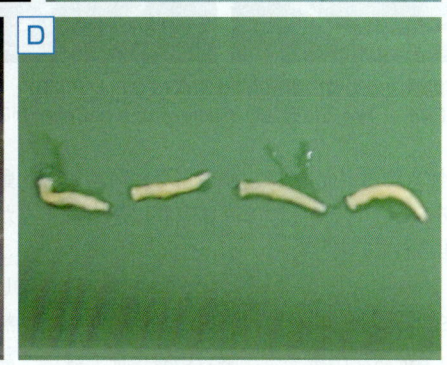

図 6-14-1 患者が持参した排出虫体
A：日本海裂頭条虫，B：クジラ複殖門条虫，C：無鉤条虫，D：アジア条虫．
擬葉目条虫では体節が長く連なって排出され，生殖器の数で区別が可能である（日本海裂頭条虫は1列，クジラ複殖門条虫は2列）．円葉目条虫では体節がバラバラに排出され，形態で区別はつかない．

違和感を感じ，下着を見るとうどんのような虫が動いていた」と言う．有鉤条虫の片節は無鉤条虫，アジア条虫と比べて運動性が低いと言われている．

診断
1）**擬葉目条虫**：排出した虫体を持参した場合には形態的に診断できる．日本海裂頭条虫とクジラ複殖門条虫は生殖器の数で鑑別可能である（図6-14-1A，B）．虫体を持参しなかった場合には糞便検査により虫卵を検出する．
2）**円葉目条虫**：排出した虫体を形態学的に区別することは困難である（図6-14-1C，D）．遺伝子学的同定が望ましい．

治療
プラジカンテルの投与による．駆虫前日に緩下薬で前処置を行い，当日の朝は禁食，プラジカンテルを内服させ，2時間後に塩類下剤を投与する．駆虫された条虫の頭節の有無を確認する．擬葉目条虫では頭節が確認できることが多い（e図6-14-A）．有鉤条虫は駆虫の際に虫体が破損すると虫卵が腸管内へ遊離し，孵化した幼虫が腸管から血行性に散布され有鉤嚢虫症を生じる危険性がある．プラジカンテルの投与で問題はないとされているが，ガストログラフィン法の方が望ましい．
〔中村（内山）ふくみ〕

2）腸管外条虫症

定義・概念
条虫の幼虫がヒトに感染して起こる疾患を指す．ヒト体内では幼虫のままでさまざまな臓器に病変を起こし（幼虫移行症），腸管内条虫症と比較して病害が大きい．ヒト体内で成虫にならないため，糞便検査による虫卵検出は診断の役に立たない．免疫診断が有用であり，症状・食歴・検査所見を合わせて総合的に診断することが重要である．

(1) 有鉤嚢虫症（cysticercosis）
病因・感染経路
有鉤条虫の虫卵を経口摂取することで感染する．通常は虫卵で汚染された水や環境が感染源であるが，有鉤条虫症患者の糞便に含まれる虫卵や腸管内の虫体が何らかの原因で壊れると虫卵が腸管内に遊離し，自家感染を起こす．

病態生理
ヒトに摂取された有鉤条虫卵から六鉤幼虫が孵化すると，腸管粘膜に侵入し血行性に全身に播種する．あらゆる臓器に嚢虫が形成されるが，中枢神経系の頻度が高い（neurocysticercosis）．多数の嚢虫が播種して

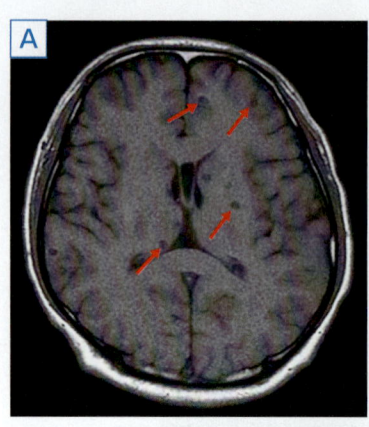
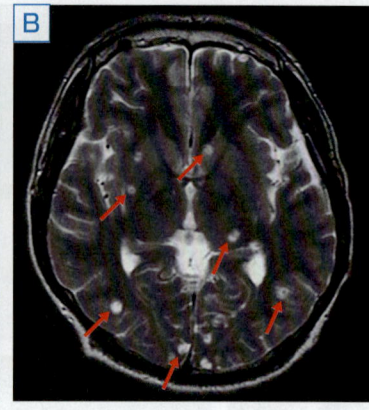

図 6-14-2 脳有鉤嚢虫症患者の頭部 MRI 写真(文献 9 より引用)
A：T1WI，B：T2WI．T1WI では典型的な"hole-with-a-dot"sign がみられている．

いる患者(播種性有鉤嚢虫症)では，患者自身が有鉤条虫の保有者であること[1]，あるいは同居家族に保有者のいることが知られている[7,8]．

臨床症状

嚢虫が形成される臓器に依存し，嚢虫の変性に伴う炎症反応によって症状が出現する．脳有鉤嚢虫症では痙攣，麻痺などの症状が出現する．皮下・筋肉寄生では径 1 cm 大の無痛性の腫瘤を形成する．

診断

脳有鉤嚢虫症では，頭部 CT/MRI 所見(図 6-14-2)[9]と免疫診断による．画像所見は嚢虫の成熟度，変性の程度により違いがみられる．皮下・筋肉寄生例では，摘出した病変の病理診断を行う．

治療

アルベンダゾールあるいはプラジカンテルを投与する．駆虫薬投与による虫体崩壊に伴い，強いアレルギー反応が惹起されることがあるので副腎皮質ステロイドを併用する．

(2) マンソン孤虫症 (sparganosis)

マンソン裂頭条虫(*Spirometra erinaceieuropaei*)の幼虫による．この幼虫はマンソン孤虫とよばれ，中間宿主であるヘビ，カエル，ニワトリの筋肉を生で摂取することで感染する．

臨床症状

皮下に寄生することが多く，移動性の腫瘤が腹壁，胸壁，鼠径～大腿部に生ずる．ほかに脳[10,11]，肺[12,13]などへの侵入が報告されている．このような場合には侵入部位に依存した症状が出現し，たとえば脳寄生では痙攣や麻痺，肺寄生では発熱，咳，胸痛などがみられる．

診断

末梢血好酸球増加を伴うことが多い．皮膚病変の生検により，肉眼的・組織学的に虫体が検出されれば確定診断と同時に治療完了となる(e図 6-14-B)．生検ができない部位では，症状・食歴・検査所見と免疫診断の結果を合わせて総合的に診断する．

治療

外科的切除により虫体を摘出することが最もよい治療法であるが，処置が困難な部位ではプラジカンテルによる内服治療が試みられる．

(3) エキノコックス症 (echinococcosis) (単包虫症 (cystic echinocccosis) および多包虫症 (alveolar echinococcosis))

病因・感染経路

単包条虫(*Echinococcus granulosus*)あるいは多包条虫(*E. multilocularis*)の幼虫による感染症をそれぞれ

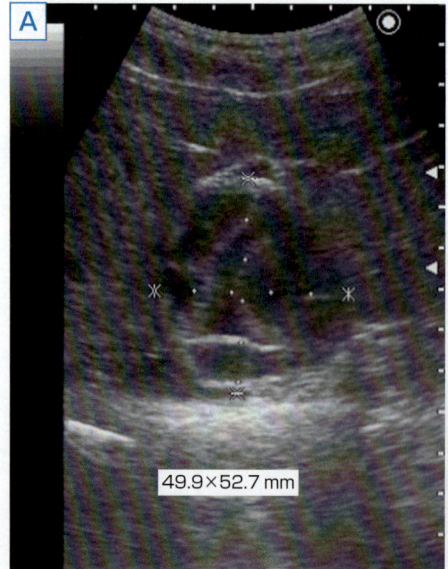
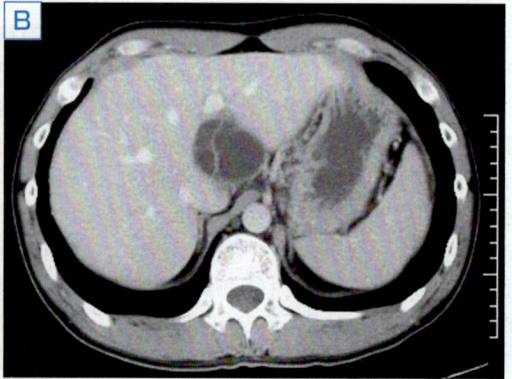

図 6-14-3 単包虫症患者の画像所見
A：腹部超音波所見，B：腹部 CT 所見．肝 S2 に多房性囊胞性病変を認める．

単包虫症，多包虫症とよび，合わせてエキノコックス症という．単包虫症は世界の牧羊地帯に広く発生し，多包虫症は寒冷地帯に流行があり，日本では北海道でみられる疾患である．虫卵の経口摂取により感染する．

臨床症状
主として肝臓に囊胞性病変がみられる．囊胞の増大に伴う圧迫症状が主であるが，無症状で長期間経過し，腹部膨満感，肝腫大，黄疸が出る時期は病状が進行した状態である．また肺や脳に転移性病変を形成する．

診断
無症状で経過する期間が長いため，画像検査（腹部超音波，腹部 CT）で偶然見つかることが多い（図6-14-3）．流行地居住歴の聴取や免疫診断を行う．多包虫症の流行地である北海道では，ELISA による抗体スクリーニング，抗体陽性者に対する確定検査（ウエスタンブロット），腹部超音波検査を実施している．

治療
多包虫症では早期診断による肝切除が根本的治療である．アルベンダゾールの内服治療は遺残病巣や肺転移巣に対して補助的に行われる．単包虫症では PAIR 法（percutaneous aspiration, injection of chemicals and reaspiration），外科的切除，アルベンダゾールによる治療がある．

〔中村（内山）ふくみ〕

■文献（e文献6-14）
中村（内山）ふくみ：条虫症．内科．2014; **113**: 1313-5.
熱帯病治療薬研究班：条虫症．寄生虫症薬物療法の手引き 2014 改訂 8.2 版，pp41-50, 2014.

6-15 外部寄生虫感染症

1）疥癬 scabies

定義・概念
疥癬はダニの一種であるヒゼンダニがヒト皮膚角質層に寄生することにより発症し，ヒゼンダニの虫体，糞，脱皮殻などに対するアレルギー反応による皮膚病変と瘙痒を主症状とする感染症である．

原因・病因
ヒゼンダニの成虫（図6-15-1）は体長 0.2〜0.4 mm で，雌成虫は表皮の角層下に産卵する．多くの場合，介護行為や性行為などに伴う肌の直接接触によって感染する．介護施設や高齢者施設内でしばしば流行する．ダニ刺症およびダニ媒介性脳炎などに関しては e コラム1を参照．

分類
臨床症状から，一般的にみられる通常疥癬と，おもに免疫低下状態でみられる角化型疥癬に分類される．角化型疥癬では多数のヒゼンダニが患者の皮膚角質層内に存在し，感染力がきわめて強い．

臨床症状
皮疹は感染後 1〜2 カ月で出現する．通常疥癬では手指，腋窩，陰部などを中心に瘙痒を伴う丘疹がみられ（e図6-15-A），瘙痒は夜間に増強する．手掌，手関節，指間部などには雌成虫が産卵のために角層内を掘り進むことで作られる幅 0.4 mm，長さ 5 mm 程度の線状の皮疹（疥癬トンネル）が認められる（e図6-15-B）．
角化型疥癬ではおもに手掌や足底に厚い鱗屑を伴う角化性の変化を認め，全身の落屑性紅斑や爪の角質増殖を認めることもある．

診断
顕微鏡検査，あるいはダーモスコピー検査によって，ヒゼンダニの虫体や虫卵（e図6-15-C）を確認すれば診断が確定する．虫体は疥癬トンネルからの検出率が高く，新鮮な皮疹部から検出されることもある．

治療
通常疥癬ではフェノトリン外用あるいはイベルメクチン内服のいずれかを行う．フェノトリン外用薬は頸部以下の全身に広く塗布する．外用後 12 時間以上経過してから入浴して洗浄し，1 週間の間隔をあけて再度，外用する．
イベルメクチンは 200 μg/kg の量で空腹時に1回内服し，1 週間後に効果が乏しい場合は同量を再度，投

図6-15-1 ヒゼンダニ成虫

与する．重症型の角化型疥癬ではフェノトリン外用とイベルメクチン内服を併用する．この病型は感染性が高いので個室管理による感染防止策が必要となる．

〔夏秋　優〕

2）皮膚ハエ症
cutaneous myiasis

定義・概念
ハエ症（ハエ幼虫症，蝿蛆症）はハエの幼虫がヒトに寄生することによって生じる．真性ハエ症は生きたヒトの皮膚組織内に幼虫が寄生し，偶発ハエ症は皮膚や鼻腔，外耳道，消化管などに幼虫が偶然に侵入して寄生する．

原因・病因
真性ハエ症の原因となるハエは日本国内には棲息せず海外（中南米，アフリカなど）からの帰国後に発症する．おもな種はヒトヒフバエ，ヒトクイバエで，ウマバエ，ウシバエも皮膚寄生することがある．

偶発ハエ症はおもに皮膚の潰瘍性病変にクロバエ科，ニクバエ科，イエバエ科などのハエが産卵することで生じる．

臨床症状
1）真性ハエ症：ヒトヒフバエ，ヒトクイバエによる寄生では寄生部位の皮膚に丘疹を生じ，次第に増大して結節を形成して中央部から滲出液が排出される（癤様ハエ症）．

ウマバエやウシバエの幼虫が寄生した場合は，かゆみや疼痛を伴う発赤や線状の皮疹が出現し，不規則に移動する（遊走性ハエ症）．

2）偶発ハエ症：悪臭を伴う皮膚潰瘍，皮膚腫瘍，褥瘡，外傷部などに多数のウジが認められる．

診断
真性皮膚ハエ症の場合は海外滞在歴の有無とその地域を確認し，皮膚の症状から原因を推定する．そして外科的に幼虫を摘出し，同定することで診断が確定する．

偶発ハエ症は，病変部にウジを発見すれば診断確定できる．

治療
皮膚に寄生した幼虫を摘出するのが基本的治療である．内服薬としてはイベルメクチンが有効とされるがハエ症に対して保険は適用されない．　〔夏秋　優〕

3）シラミ症
pediculosis

定義・概念
シラミ症は昆虫の一種であるシラミがヒトに寄生する感染症である．アタマジラミはおもに頭髪に，コロモジラミはおもに衣類に，ケジラミはおもに陰毛に寄生する．

原因・病因
アタマジラミとコロモジラミはヒトジラミという同一種類の生態的亜種で，形態学的には判別困難である．ヒトジラミの成虫は体長2～4 mmで，アタマジラミ（e図6-15-D）は通常，頭髪に寄生して頭皮から吸血し，雌は毛髪に卵を膠着させて産卵する（e図6-15-E）．おもに頭髪の接触，枕や帽子などの共用で感染する．コロモジラミは衣類に棲息し，皮膚から吸血する．卵は衣類の襟や縫い目，折り目などにみられ，衣類の共用で感染する．

ケジラミの成虫（e図6-15-F）は体長約1.5 mmで，おもに陰毛に寄生し，ときに睫毛や胸毛，腋毛などにも寄生する．雌は陰毛に卵を膠着させて産卵する．通常は性行為を介して感染する．

疫学
アタマジラミ症はおもに小児にみられ，幼稚園や小学校でしばしば流行する．コロモジラミ症はホームレスの人達の間で衣類を介して感染が拡大する．ケジラミ症は性活動の活発な世代にみられる．

臨床症状
感染後，1～数カ月を経過してから寄生部位のかゆみを生じ，しばしば掻破痕を伴う．しかし自覚症状を欠く場合もあり，個人差が大きい．

診断
毛髪や衣類から虫体あるいは虫卵を検出すれば確定する．周囲での流行状況の把握も診断の参考になる．

治療
アタマジラミ症，ケジラミ症では毛髪の剃毛が虫卵の排除に効果的である．コロモジラミ症では衣類の熱湯消毒が必要である．

薬剤としてはフェノトリンが有効で，治療には市販の0.4％フェノトリン粉剤あるいはフェノトリンシャンプーが用いられる．1回のフェノトリン処置で成虫，幼虫は死滅するが卵には効果がないので，3～4日に1回，計3～4回の処置を行う必要がある．

〔夏秋　優〕

■文献
夏秋　優：ハエ症．寄生虫症薬物治療の手引き2010（熱帯病治療薬研究班編），pp81-2，2010．
夏秋　優：シラミ症．Derma. 2007; **127**: 199-203.
日本皮膚科学会疥癬診療ガイドライン策定委員会：疥癬診療ガイドライン　第3版．日本皮膚科学会雑誌．2015; **125**: 2023-48．

7. 循環器の疾患

1. 内科学総論
2. 老年医学
3. 心身医学
4. 症候学
5. 治療学
6. 感染症
7. 循環器
8. 血圧の異常
9. 呼吸器系
10. 消化管・腹膜
11. 肝・胆道・膵
12. リウマチ・アレルギー
13. 腎・尿路系
14. 内分泌系
15. 代謝・栄養
16. 血液・造血器
17. 神経系
18. 環境要因・中毒

循環器

- 7.1 循環器疾患患者のみかた ……… 367
- 7.2 心血管代謝と機能 …………… 370
- 7.3 循環器疾患の主要病態 ………… 400
- 7.4 循環器疾患と遺伝子異常 ……… 417
- 7.5 検査法 …………………………… 427
- 7.6 不整脈 …………………………… 478
- 7.7 虚血性心疾患 …………………… 511
- 7.8 先天性心疾患 …………………… 560
- 7.9 成人でみられる先天性心疾患 … 584
- 7.10 後天性弁膜症 …………………… 591
- 7.11 感染性心内膜炎 ………………… 611
- 7.12 心膜疾患 ………………………… 615
- 7.13 心筋疾患 ………………………… 620
- 7.14 大動脈疾患 ……………………… 642
- 7.15 先天性結合組織疾患に伴う心血管病変 …………………………… 648
- 7.16 人工臓器・補助循環・臓器移植 … 651
- 7.17 末梢動脈および静脈疾患 ……… 657
- 7.18 肺性心疾患 ……………………… 663
- 7.19 心臓・血管外傷 ………………… 666

循環器系疾患における新しい展開

　超高齢社会となり心不全をはじめとして，循環器疾患患者数が急増している．わが国の死因のトップは癌であるが，脳卒中を含めた循環器系疾患の死亡者数は癌と変わらず，超高齢者になると癌を上回る．また循環器疾患にかかる医療費は癌の約 1.5 倍であり，社会的にも循環器疾患は大きな問題である．このように循環器疾患は，患者数が急増しており予後も不良であるが，一方において循環器疾患ほどその診断法，治療法が日々進歩している疾患はない．いくつか代表的なものをあげる．

　まず診断法であるが，元来循環器病学は，心電図を始め，心臓超音波，CT，MRI など各種モダリティーを用いた診断法が発達してきたが，現在も続々と新しい手法が開発されている．心電図では，皮膚植え込み型の心電図ループレコーダーが使用されるようになり，頻度の低い不整脈の記録が可能となった．虚血の有無を診断する方法として，運動負荷心電図や核医学検査が用いられてきたが，近年カテーテルを用いた FFR(fractional flow reserve)が頻用されている．さらに最近では冠動脈 CT によって得られた画像から狭窄病変の FFR を推定する方法の開発も進んでいる．心臓超音波の進歩としては，ストレイン法や三次元エコーがあり，より詳細な心機能の評価が可能となり，手術時などに有用な情報を提供している．弁膜症や先天性心疾患のような structural heart disease に対してカテーテル治療が行われるようになり，心臓超音波の有用性はますます高まっている．

　虚血性心疾患に対する治療法で特筆すべきは，冠動脈ステントの進歩である．ベアメタルステントから薬剤溶出ステントとなり再狭窄は大きく減少したが，さらに血栓症の問題を克服すべく，生体吸収性ポリマーなどの開発が進んでいる．不整脈における大きなトピックスは，心房細動のアブレーション治療が確立されたことと新規抗凝固薬が登場したことであろう．ペースメーカに関しては，MRI 対応型が普及し，遠隔モニターも可能になっている．

　心不全の薬物治療としては，新しい利尿薬であるバソプレシン受容体阻害薬が臨床に広く使用されるようになった．デバイスの進歩は著しく，植え込み型補助人工心臓装着患者の 5 年生存率は 80％であり，心臓移植と遜色ない．左室収縮機能低下の治療が可能になるに従い，左室拡張機能や右室機能が注目されている．心不全の原因として，依然弁膜症は重要であるが，高齢者に多い大動脈弁狭窄症に対して，経カテーテルによる弁置換術が可能となったことは福音である．約 100 人に 1 人の割合で，心臓に何らかの異常をもって生まれてくるが，手術の進歩により生命予後が大きく改善した．現在成人に達した先天性心疾患患者数が数十万人になっており，診療体制の整備が重要である．

　本章により，「循環器系疾患の新しい展開」を理解していただき，学習や診療に活用していただければ幸いである． 〔小室一成〕

7-1 循環器疾患患者のみかた

(1) 医療面接

循環器疾患の診断の第一歩は患者からの病歴の聴取である．主訴，現病歴，既往歴，家族歴，生活歴と系統的に病歴をとり，必要な情報を収集することが必要である．一方で，急性冠症候群や急性心不全など，循環器疾患患者では病歴の聴取に十分な時間をとることができない場合も少なくない．したがって，循環器救急の現場では，最低限必要な情報をまず集める場合もある．どのような状況においても，医療面接は正確な診断と治療のために必要なプロセスであると同時に，良好な医師-患者関係の基礎となる．

a. 主訴

主訴は，患者にとって最も重大な身体的あるいは精神的な症状であり，それを聞きとることは，診断や治療方針の決定においてきわめて重要である．医療者は患者が何を訴え，何を解決することを求めているかを十分に認識しておく必要がある．また，主訴と「心臓カテーテル検査」など入院目的は区別すべきで，症状がない場合，主訴は「特になし」とする．

b. 現病歴

循環器疾患の主訴となる症状のなかで，特に重要なものは，胸痛，呼吸困難，動悸，失神である．これらは，それぞれ狭心症・心筋梗塞などの冠動脈疾患，心不全，不整脈などと関連する．

i) 胸痛，胸部圧迫感，胸部絞扼感【⇨ 4-30】

胸痛は，循環器疾患ばかりでなく呼吸器疾患など，さまざまな疾患によって生ずる．しかしながら，循環器疾患が最も重篤かつ緊急性を要することから，まず最初に冠動脈疾患を念頭に詳細な問診を行う（e表 7-1-A）．

狭心症における胸痛は，前胸部の圧迫感，絞扼感，違和感などと表現される．しばしば放散痛を伴い，歯や下顎，上腹部痛として訴えられることがある．さらに，高齢者や糖尿病では，症状が軽度や，非典型的なこともまれではない．したがって，①状況（労作か安静，睡眠中，持続時間，頻度），②部位（前胸部，胸部全体，限局性），③性状（圧迫感，ちくちく感），④強さ，⑤放散痛（左上腕，下顎など），⑥随伴症状（冷汗，悪心，めまい，呼吸困難など），⑦改善法（安静，ニトログリセリンの有効性）を把握する．さらに，虚血性心疾患の既往や高血圧，糖尿病，脂質異常症，喫煙，家族歴などの危険因子の聴取も重要である．

呼吸困難，冷汗，悪心などの随伴症状を伴うときは緊急を要する急性冠症候群を念頭におくとともに，大動脈解離，肺塞栓症，緊張性気胸などの疾患との鑑別も必要となるため，バイタルサインを確認しながら迅速に行う．さらに，狭心症を疑う場合にはカナダ心臓血管協会（CCS）による狭心症の重症度分類を念頭におく（e表 7-1-B）．

一方で，指先で示せるほどの狭い範囲の痛み，呼吸や咳で出現する鋭い痛み，体動や上肢の動きに伴って変化する痛み，数日にわたって続く痛み，数秒程度の瞬間的な痛み，圧痛を伴うなどの場合は胸壁由来の胸痛で，冠動脈疾患の可能性は低い．

ii) 呼吸困難【⇨ 4-31】

呼吸困難を，患者自身は「息切れ」や「息苦しい」，「胸苦しい」などと訴えることが多い．呼吸困難をきたす疾患や病態は多岐にわたるが，循環器疾患と呼吸器疾患が，そのほとんどを占める．循環器疾患のなかでは，心不全による症状を念頭におくが，労作性狭心症でも労作時の呼吸困難として訴えることがあり，その場合は重症虚血の可能性がある．

心不全における呼吸困難は，労作時の息切れから始まるが，重症になると軽度の労作や安静時にも呼吸困難を生じるようになる．COPDなどの呼吸器疾患による呼吸困難との鑑別は病歴やほかの症状や身体所見から可能であるが，困難なことも少なくない．肺うっ血が高度になると，呼吸困難が臥位1〜2分で出現するため，患者は水平に寝ることができなくなり，起座呼吸を呈する．さらに，発作性夜間呼吸困難は，夜間就寝数時間後に発症する高度の呼吸困難で，ピンク色泡沫状痰や喘鳴を伴うこともある（心臓喘息）．

呼吸困難を含む自覚症状の重症度評価にはNYHA心機能分類が用いられる（表 7-3-5, e表 7-1-C）．NYHA心機能分類は，簡便であり，実際の臨床ばかりでなく大規模臨床試験の患者の選択基準なども含め広く用いられているが，あくまで患者の自覚症状の指標であり，客観性・定量性に欠けるという限界がある．

iii) 動悸【⇨ 4-34】

動悸とは，自身の心臓の鼓動を意識するか不快に感ずることと定義される．病歴聴取にあたっては，①いつからか，どれくらい続いたか，②反復するか，③どういうときに起こるのか（労作，安静，食後，睡眠），④突然始まり，突然おさまるか，⑤停止法（深呼吸，息止め，運動など），⑥随伴症状があるか，⑦症状があるときの脈を触れたか（脈拍数，規則的か）などを把握する．さらに，①血行動態の異常（気分不快，悪心，めまい，失神），②虚血性心疾患，心筋症，心不全など基礎心疾患，③服薬中の薬剤，④突然死やBrugada症候群，肥大型心筋症などの家族歴についても確認する（e表 7-1-D）．

iv）失神【⇨ 4-47】

失神とは脳の一過性機能障害により一時的に意識を消失することをいう．しかしながら，失神患者のほとんどは受診時にはほぼ回復しており，その原因診断は容易ではない．診断には病歴が重要であり，本人だけでなく，特に目撃者から直前，直後および意識消失中の様子などできるだけ詳細な情報を得る．心臓性失神は神経調節性失神についで多く，重症不整脈など致命的なことが多く，注意が必要である（ⓔ表 7-1-E）．

c．既往歴，家族歴，生活歴

既往歴では循環器疾患はもちろんのこと高血圧，糖尿病，脂質異常症などについても問診する．家族歴では，冠動脈疾患や心筋症や不整脈など遺伝性疾患について問診し，家族内発症が認められれば詳細な家系図を作成する．また，突然死の家族歴は重要である．生活歴では，飲酒や喫煙，治療薬，職業などを聴取する．

（2）身体診察
a．顔面と頸部

顔色からチアノーゼ，貧血，黄疸を確認する．浮腫状かどうか，眼球突出や眼瞼黄色腫と角膜輪を確認する．甲状腺腫大は必ず確認する．頸静脈拍動の視診と頸動脈触診，血管雑音の聴取も必須である．

頸静脈は通常患者を 45°の半座位として観察する（ⓔ図 7-1-A）．頸静脈の上端は正常では鎖骨の高さであるが，心不全，収縮性心膜炎，心タンポナーデなどにおいて上昇する．頸静脈波の異常所見として a 波の増高は肺高血圧，肺動脈弁狭窄など右室コンプライアンスの低下でみられ，巨大 a 波（キャノン波）は完全房室ブロックなどでみられる．v 波は三尖弁逆流で顕著となる．心タンポナーデでは x 谷は急峻となり，右室コンプライアンスが低下すると y 谷も急峻となる．肝-頸静脈逆流は心窩部を手掌で圧迫している間，内頸静脈が怒張する所見で右心不全に特徴的である．Kussmaul 徴候は，吸気時に頸静脈が上昇するもので収縮性心膜炎，心タンポナーデなどでみられる．

b．胸部
i）触診

触診では，心尖拍動を確認する．正常の左室心尖拍動は左鎖骨中線よりやや内側で第 4 ないし第 5 肋間にある．著明な心拡大があると心尖拍動は外下方に偏位する．振戦は心雑音に伴う触知できる振動であり，僧帽弁閉鎖不全，大動脈弁閉鎖不全では心尖部，心室中隔欠損では第 3 ないし 4 肋間胸骨左縁に触知する．

ii）聴診

心音で I 音はおもに房室弁の閉鎖，II 音は半月弁の閉鎖によって生じる．駆出音は，収縮早期の高調音で半月弁狭窄や大動脈ないし肺動脈の拡張があると聞かれる．収縮中期クリックは，僧帽弁逸脱に伴って聞かれる収縮中期の高調な音で，しばしば収縮後期逆流性雑音を伴う．拡張期過剰心音として僧帽弁開放音（opening snap：OS），III 音と IV 音がある．僧帽弁開放音は，僧帽弁狭窄症で拡張早期の高調で胸骨左縁下部で聞かれ，拡張期ランブルがそれに続く．III 音は拡張早期の左室急速流入期に心室内で発生する低調な音で，左側臥位の心尖部で最もよく聞かれる．小児期には生理的に聞かれるが，40 歳以上で聞かれる場合は病的である．IV 音は前収縮期の低調な音で，心房収縮により拡張能の低下した心室に血液が流入する際に発生し，高血圧，肥大型心筋症，大動脈弁狭窄，虚血性心疾患などで聞かれる．

心雑音は部位，時相，音程（ピッチ）などによって分類される（図 7-1-1，ⓔ図 7-1-B）．心雑音の大きさは Levine 分類（I/IV〜IV/VIの 6 段階）で記載する（表 7-1-1）．

表 7-1-1 Levine 分類

Levine I/VI：	きわめて微弱で注意深い聴診で聞こえる雑音．
Levine II/VI：	弱いが聴診器をあてるとすぐに聞こえる雑音．
Levine III/VI：	振戦を伴わない高度の雑音．
Levine IV/VI：	振戦を伴う高度の雑音．
Levine V/VI：	聴診器の端を当てただけで聞こえる雑音，振戦を伴う．
Levine VI/VI：	聴診器を胸部から話しても聞こえる雑音，振戦を伴う．

1）収縮期雑音：

a）収縮期駆出性雑音：血液が大動脈・肺静脈に駆出されるときに生じる雑音である．I 音から離れて始まり，ダイアモンド型の雑音で II 音の前で終わる．この雑音は重症化すると高調化する傾向がある．大動脈弁狭窄症，閉塞性肥大型心筋症，心房中隔欠損症，肺動脈弁狭窄症などで，心尖部から心基部にかけて聞かれる．機能性心雑音は III/IV 以下であり，収縮早期に聞かれ，過剰心音を伴わない．

b）収縮期逆流性雑音（全収縮期雑音）：血液が心室や心房に逆流するときに生じる雑音で，大きさが増減せず I 音から II 音まで連続して聞かれ，I 音，II 音ともに聞きにくい．僧帽弁閉鎖不全，心室中隔欠損，三尖弁閉鎖不全などで聞かれる．三尖弁閉鎖不全では吸気に増強する（Rivero-Carvallo 徴候）．

2）拡張期雑音：

a）拡張期逆流性雑音：大動脈弁閉鎖不全や肺動脈弁閉鎖不全（Graham Steel 雑音）で聞かれる．II 音に続く漸減する高調性の雑音で，灌水様雑音ともよばれる．

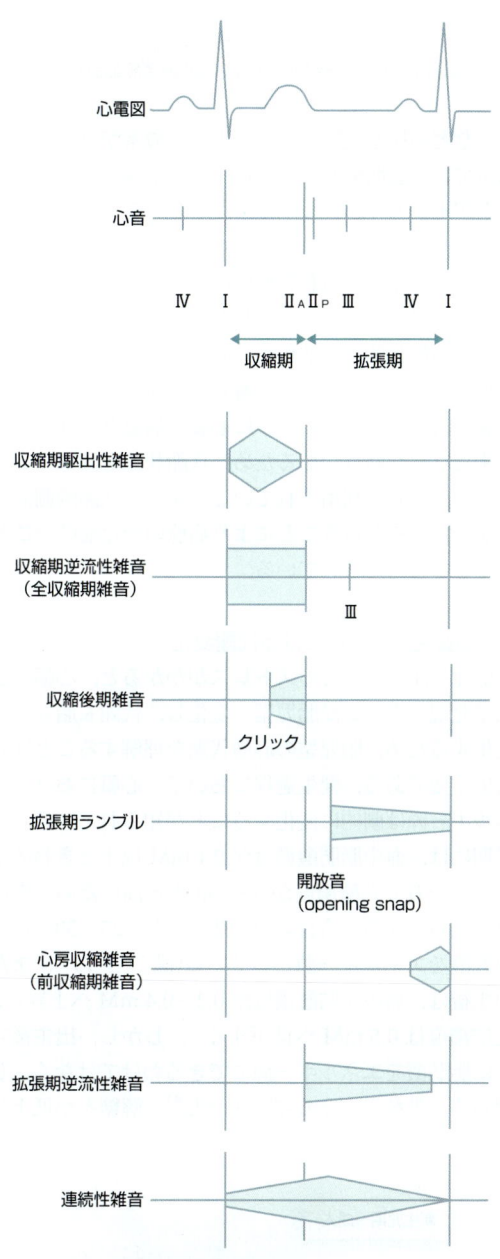

図 7-1-1 心雑音の聴診所見

b)拡張期ランブル：僧帽弁狭窄症などで聞かれる低調な雑音で，Ⅱ音から少し離れて始まり，遠雷様雑音とも表現される．ランブルは，僧帽弁通過血流の増加により重症僧帽弁閉鎖不全（Carey Coombs 雑音）や大動脈弁閉鎖不全（Austin Flint 雑音）でも聞かれる．

c)前収縮期雑音（心房収縮雑音）：洞調律が維持されている僧帽弁狭窄で聞かれる雑音で，心房収縮による血液が僧帽弁を通過するときに生じ，Ⅰ音に向かって漸増する．

3)連続性雑音：収縮期，拡張期を通じて聞かれる雑音で，Ⅱ音付近に雑音のピークがある．動脈管開存症，大動脈縮窄症，Valsalva 洞瘤破裂などで聞かれる．

4)心膜摩擦音：高調の引っかくような音で，雪を握るときのギューッという音のため握雪音ともよばれる．心室と心膜が最も擦れる収縮期と拡張早期ないし前収縮期の 2 つまたは 3 つの成分として聞かれる．

c. 動脈

i)触診（e図 7-1-C）

　動脈の触診にあたっては，脈拍数，リズム，大きさ，左右差を確認する．脈の大きさは触診している指の持ち上がる大きさであり，脈圧が増大すると大脈となり，逆に脈圧が低下すると小脈になる．脈の立ち上がりを早く触れる速脈は大動脈弁閉鎖不全症などでみられる．逆に脈の立ち上がりをゆっくりと触れる遅脈は，左右差がなければ大動脈弁狭窄症が疑われ，左右差があれば大動脈炎症候群や閉塞性動脈硬化症などによる狭窄が疑われる．大動脈弁狭窄症では頸動脈で遅脈だけでなく，shudder を触知する．交互脈とは 1 拍ごとに脈の大きさが変化するもので，重症心不全でみられる．奇脈は，吸気時に血圧が 10 mmHg 以下低下するもので，心タンポナーデや収縮性心膜炎でみられる．

ii)聴診

　動脈の狭窄病変があると血管雑音（bruit）を聴取する．血管雑音は収縮期に聴取するが，重症例では拡張期にも聞かれ連続性雑音となり，頸動脈，腎動脈，腹部動脈で聞かれやすい．

(3)インフォームドコンセント

　インフォームドコンセントは自己決定権として位置づけられており，患者は病態や診療行為について医師から十分な情報を提供される権利を有し，最終的に患者自身が自己の価値観に基づいて意思決定を行う．

　循環器疾患では，常に病状が急変する可能性があり，検査や治療で重篤な合併症を伴う危険性を有することから，詳細なインフォームドコンセントを確実に行う必要がある．提供すべき情報として，①病名，②病態，③検査や治療の内容と必要性，④期待される利益と行わない場合に予測される経過，⑤合併症や副作用の可能性，⑥ほかの検査・治療法の選択の可能性とその比較，⑦自施設における症例数と成績などである．さらに患者や家族の質問に適切に回答する．承諾書には，承諾後にも撤回が可能であること，医療行為を受けなかったり，撤回したりしても不利益を受けないことを明記する．また，提供した情報と説明内容をカルテに記載することが重要である．　〔筒井裕之〕

7-2 心血管代謝と機能

1）心筋代謝

(1) 心臓の特徴

　心臓は1日10万回，一生にすると30億回，たえまなく収縮と弛緩を繰り返すことで，全身に血液を送り続ける特殊な臓器である．1回の拍出量が70 mLとすると，実に一生で2億L以上もの血液が全身に送り出されることになる．心臓がたえず拍動し血液を全身に送り続けるためには，効率のよいエネルギー代謝システムによりATPを産生し続ける必要がある．そのために心臓は大量の酸素を利用しており，その酸素利用率は他臓器と比較しても圧倒的に多く，全身の70～80%に及ぶ．また，心臓はただ機械的に収縮と弛緩を繰り返すのではなく，前負荷や後負荷の変化に対してたえず精密に適応しながら拍動し続けるという特徴をもつ．さらに，心臓へのストレスが長時間に及ぶと，心筋細胞の性質を変化させてその状況に応じたエネルギー代謝パターンをとるようになる．このように心臓はたえまなく全身に血液を送り続けるというポンプとしての機能を果たすために，さまざまな適応力を有している．

(2) 心筋代謝に基づいた病態理解

　心臓は全身に取り込んだ酸素を消費して，毎日35 kgのATPを産生しているが，そのおよそ90%がミトコンドリアにおける酸化的リン酸化により供給される．また，その燃料となるのはおもに脂肪酸やグルコースなどの炭水化物である．十分に酸素が供給される状況では，脂肪酸や炭水化物は心筋細胞に取り込まれるとアセチルCoAへ分解された後，ミトコンドリアにおける酸化的リン酸化によりATPを産生する．

　しかしながら，冠動脈疾患による虚血や運動中のように酸素が不足するような状況では，ミトコンドリアにおける酸化的リン酸化が抑制され，いわゆる嫌気性代謝というグルコースを分解して乳酸に変える解糖系代謝が亢進する．このように心臓の病態と心筋代謝には密接なかかわりがあるため，代謝状態を画像化したものが，診断に利用されている．また，代謝的側面を考慮した治療を行うことにより病態の悪化を防ぐことができると考えられている．

(3) 心臓発生過程における代謝変化

　虚血や圧負荷などのストレスがかかると，心臓の遺伝子発現パターンが胎児型へ変化し，代謝も胎児型へ変化するため，胎児型の心筋代謝を理解することは非常に重要である．発生過程において，心臓におけるエネルギー源は劇的に変化することが知られている．胎児期には，血中脂肪酸濃度が0.1 mM以下ときわめて低く，一方で乳酸濃度が5～7 mMと高いため，脂肪酸を燃料とする割合は非常に少なく[1]，25～50%近くは乳酸をエネルギー源としている（図7-2-1）[2]．また出生後は，血中脂肪酸濃度が0.2～0.4 mMへ上昇し，乳酸濃度は0.5 mMへ低下する[3]．しかし，出生後すぐに脂肪酸をエネルギー源にできるわけではなく，しばらくは乳酸をエネルギー源とし[4]，解糖系が低下し

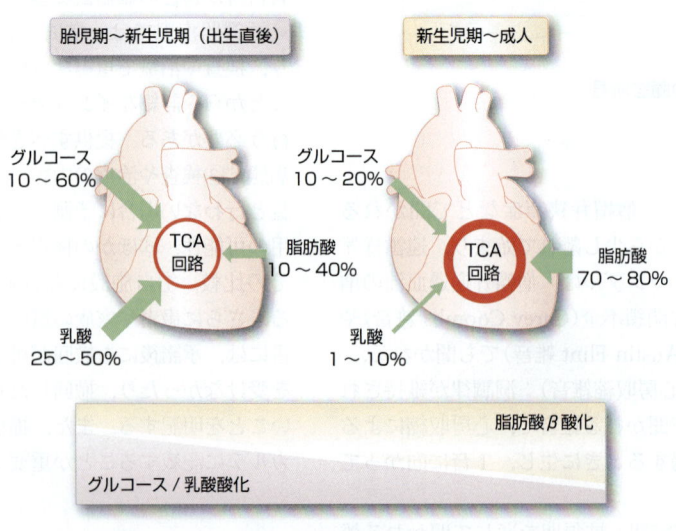

図7-2-1 心臓発生過程における燃料の変化

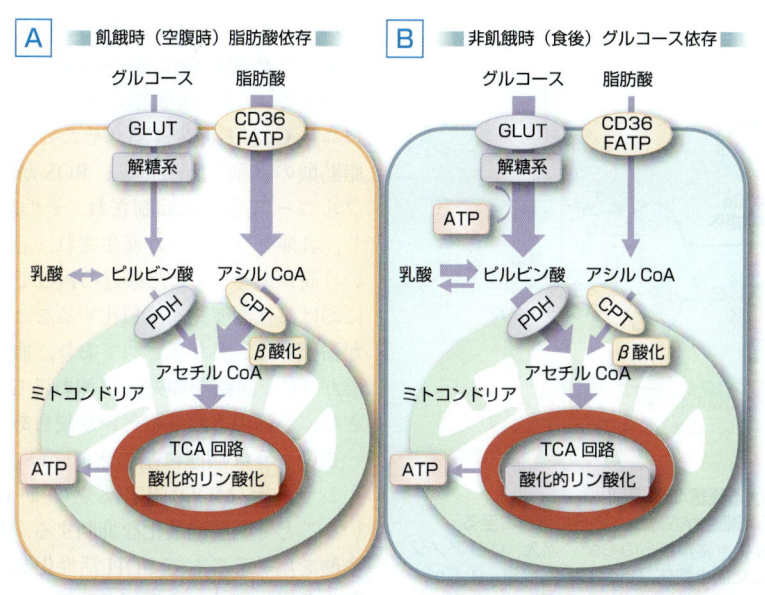

図 7-2-2 飢餓時(空腹時)および非飢餓時(食後)におけるエネルギー代謝の違い
飢餓時には脂肪酸の取り込みが亢進し,グルコース酸化は抑制される一方で,非飢餓時には脂肪酸の取り込みが減少するため,グルコースや乳酸の酸化が増加する.
GLUT:グルコーストランスポーター
FATP:脂肪酸トランスポーター
PDH:ピルビン酸脱水素酵素
CPT:カルニチンパルミトイルトランスフェラーゼ

てくると脂肪酸の β 酸化が劇的に亢進するようになり,最終的に総エネルギーのおよそ 70〜80% を脂肪酸から得るようになる(図 7-2-1).このように心臓は,発生過程において供給される燃料を使い分けて発達していく[5].

(4)心臓のエネルギー代謝
a. 心臓における燃料の使い分け

成人の心臓では,脂肪酸と炭水化物がおもな燃料として用いられているが,その割合に関しては,飢餓状態(空腹時)と非飢餓状態(食後)で大きく異なる.

飢餓時には,血中の脂肪酸濃度が高く,心筋細胞における脂肪酸の取り込みが亢進し,グルコースの酸化は抑制される.その結果,総エネルギーのおよそ 70〜80% が脂肪酸酸化から得られることになる(図 7-2-2A).一方,食後など栄養が十分に存在する際には,血中脂肪酸濃度は低く,心筋細胞における脂肪酸の取り込みが減少するため,グルコースや乳酸の酸化が増加し,総エネルギーのおよそ 50〜75% がグルコースや乳酸から得られることになる(図 7-2-2B).また,激しい運動をした際には血中の乳酸濃度が上昇し,心筋細胞は乳酸を取り込んでピルビン酸へと変換し,酸化的リン酸化を行うことにより,総エネルギーのおよそ 60% が乳酸から得られるようになる.このように,心臓はさまざまな状況に応じて,燃料を使い分けながら拍動を続けるといった特徴を有している.

b. 心臓におけるエネルギー消費

心臓において大量に産生される ATP はおもに熱産生や収縮に利用される.心筋細胞における電気的興奮が引き金となって収縮に至る過程を興奮収縮連関というが,この過程において ATP の消費が大きく関与している.心筋細胞は電気的に興奮すると,細胞外のカルシウムイオンがカルシウムイオンチャネルを介して細胞内に流入する(図 7-2-3 ①②).流入したカルシウムイオンを筋小胞体(sarcoplasmic reticulum:SR)が感知すると,SR 内に貯蔵されていたカルシウムイオンが細胞内に放出される(この現象を Ca-induced Ca release という;図 7-2-3 ③).カルシウムイオンがトロポニン C に結合すると,クロスブリッジの抑制がはずれてアクチンがミオシン ATPase を活性化し,心筋細胞が収縮する(図 7-2-3 ④).ATPase は ATP を分解する酵素であり,ATP 分解よって得られた化学エネルギーを収縮という力仕事に変換することができる.また心筋細胞の弛緩にも ATP が消費される.心筋細胞の弛緩は上昇した細胞内カルシウムイオンを SR 内へ回収することで起こるが,その際に筋小胞体膜に存在するカルシウム ATPase が活性化されることが必要となる(図 7-2-3 ⑤).また,その他のカルシウムイオンは Na/Ca 逆輸送担体を介して細胞外へ放出される(図 7-2-3 ⑥).一方,活動電位や刺激

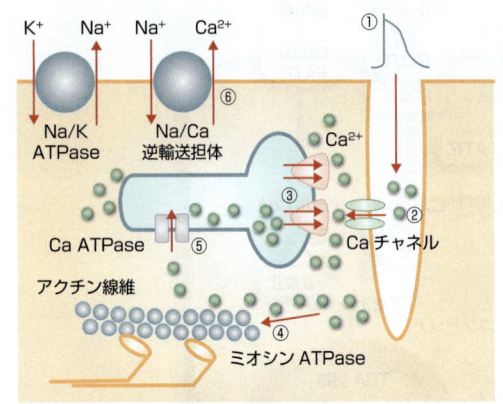

図 7-2-3 心筋における興奮収縮連関
①〜⑥にしたがって心筋細胞が収縮し，さらに弛緩に至る．①脱分極，②L型 Ca チャネルからの Ca^{2+} 流入，③リアノジン受容体活性化を介した筋小胞体からの Ca^{2+} 放出，④ Ca^{2+} のトロポニン C への結合，⑤筋小胞体 Ca ATPase を介した Ca^{2+} の再取り込み，⑥Na/Ca 逆輸送担体による細胞外への Ca^{2+} 放出．

伝導系のために使われる ATP は 5% 以下とされている．このように心筋細胞が収縮弛緩を繰り返す過程において大量 ATP を消費するため，効率よいエネルギー産生システムが必要であると考えられる．

(5) 心筋代謝からみた心臓の病態
a. 不全心における代謝

虚血や圧負荷などのストレス負荷時には，ATP 産生のエネルギー源は脂肪酸からグルコースへと変化することが知られている．虚血時には交感神経系の活性化により血中の脂肪酸濃度が上昇する[6]．脂肪酸濃度の上昇により，脂肪酸の取り込みも亢進し，β酸化を介した脂肪酸化が行われるが，徐々にミトコンドリアにおける機能低下により脂肪酸取り込みと酸化的リン酸化の間に不均衡が生じてくる．その結果，脂肪酸が細胞内に蓄積し，心筋細胞に傷害をきたすことにつながる．また，脂肪酸のβ酸化により生じるアセチル CoA によりピルビン酸脱水素酵素(PDH)が阻害されるため，グルコース由来のピルビン酸は酸化されず，解糖系代謝によりピルビン酸から乳酸脱水素酵素(LDH)により乳酸へと変換される．解糖系代謝ではグルコース 1 分子から 2 個の ATP を産生するが，この反応はグルコースを酸化することで得られる ATP 産生に比べてきわめて効率が悪く，ATP 不足により収縮不全をきたす．

b. 虚血再灌流障害

虚血再灌流障害のおもなメカニズムはミトコンドリアにおいて産生される活性酸素種(ROS)であるされている．上述のように虚血になると，血中の脂肪酸濃度が上昇することが知られているが，酸素の供給が不足するため細胞内における脂肪酸のβ酸化の割合は減少する[7]．また脂肪酸の取り込みを制御しているマロニル CoA も減少する．そこで血流が再開すると，脂肪酸のβ酸化が亢進し，ROS が産生される．またグルコース酸化は抑制され，その結果解糖系が亢進し，乳酸とプロトンが産生され，心筋が傷害されるという説がある[8]．また最近の報告では，虚血時の心臓における代謝産物を定量化することにより，コハク酸が蓄積することが示されており，血流再開時にコハク酸が TCA 回路を順方向に流れることで ROS が産生され，心筋傷害が進むという説もある[9]．

このような病態に基づき，マロニル CoA デカルボキシラーゼ(MCD)阻害薬や CPT-1 阻害薬などを用いることで脂肪酸酸化を抑制する，あるいはジクロロ酢酸を用いることで PDH 活性化を介してグルコース酸化を増加させ，心機能を改善させるなどの報告がなされている．またジメチルマロン酸塩を用いることでコハク酸の蓄積を減らすことにより，再灌流障害を軽減できるといった報告がある[9]．このように代謝調節薬は今後の新たな治療法として期待されている．

(6) 画像診断への応用

虚血などのストレスに暴露した際に脂肪酸代謝が抑制されグルコース代謝が優位になることを利用した検査が ^{123}I-BMIPP を用いた脂肪酸シンチグラフィである．^{123}I-BMIPP は，生体内にある脂肪酸と同様に細胞内へ取り込まれるが，β酸化を受けにくいように工夫されており，心筋細胞内に長時間とどまることができるため，心筋局所の脂肪酸代謝障害を視覚的に知ることができる．心筋の血流を評価することができる ^{201}Tl などのアイソトープと組み合わせることで，血流と脂肪酸代謝のミスマッチ部位を同定することが可能であり，血流トレーサーに比べて ^{123}I-BMIPP 集積が低下している心筋細胞ではバイアビリティがあると考えられるため，血行再建施行するか否かの判断に有用である．また最近では，虚血心筋における糖代謝に注目し，フルオロデオキシグルコース(FDG)を用いた PET 検査が用いられるようになってきている．

(7) 再生医療への応用の可能性

ⓔコラム 1 を参照． 〔遠山周吾・福田恵一〕

■文献 (ⓔ文献 7-2-1)

Opie LH: The Heart: Physiology from Cell to Circulation, 4th ed, Lippincott-Raven, 2003.

2）心筋の収縮弛緩機構と心拍出量の調整

心臓は全身臓器に血液を送り出すポンプ機能をもつ臓器であり，正常心で1日におよそ10万回，休むことなく収縮と弛緩を繰り返している．心筋は三次元的に心臓をらせん状に取り囲んでおり，「雑巾を絞るように」収縮することで力学的に効率よく血液を駆出している[1]．その調節には，whole heartでのマクロレベルから心筋細胞に代表される分子生物学的なミクロレベルの段階まで，多彩な機構が相互に作用し絶妙なバランスのうえで恒常性を維持している．心筋細胞レベルでは心筋細胞内カルシウムイオン（Ca^{2+}）濃度とそれに関連する興奮収縮連関（excitation-contraction coupling：E-C coupling）が，whole heartレベルではポンプ機能の一般的な指標である心拍出量とその影響因子（心収縮性，前負荷，後負荷，心拍数など）がそれぞれ重要であり，それらを中心に概説する．

(1) 心筋の構造（Braunwaldら，2014）（図7-2-4）

成人心臓において心筋細胞（myocyte）は，体積比で約75％，細胞数比で約30％を占めている．心室筋細胞は長さが75〜170μm，直径が15〜30μmで紡錘状の形状を呈して細胞の中央に核があり，ところどころ枝分かれをして隣接する心筋細胞は介在板（intercalated disc）を介して細胞端どうしで接合し，筋線維（myofiber）を形成している．

さらに心筋細胞内では長軸方向に筋原線維（myofibril）による周期的な横紋（縞模様）が観察され，その間隙にミトコンドリアが散在している．収縮装置である筋原線維は，約70％が収縮蛋白質である太いミオシンフィラメントと細いアクチンフィラメントからなっており，このミオシンとアクチンによる収縮単位はサルコメア（sarcomere）とよばれており，Z帯で区切られている．さらに筋原線維を取り囲むように網目状に心筋筋小胞体（sarcoplasmic reticulum：SR）が存在し，心筋細胞を包む細胞膜である筋鞘（sarcolemma）が心筋細胞に陥入しているT管がZ帯ごとにみられる．その筋鞘の脱分極による心筋細胞内への少量のCa^{2+}流入が後述の心筋細胞でみられる興奮収縮連関における心筋収縮へのトリガーとなる．

(2) 心筋細胞における興奮収縮連関（E-C coupling）[2,3]

心筋細胞の収縮は洞結節から起こった興奮が心筋細胞膜である筋鞘に伝わって脱分極を生じることにより開始され，細胞内Ca^{2+}濃度が上昇して収縮し，細胞質内Ca^{2+}濃度の低下とともに弛緩する．この心筋細胞の興奮から収縮までの一連の過程を興奮収縮連関とよび（図7-2-5），心筋細胞膜の興奮がCa^{2+}というセカンドメッセンジャーを介して心筋細胞の収縮という現象に変換される．また，1心周期における心筋細胞の細胞質内のCa^{2+}濃度変化のことをCa^{2+} transientといい，Ca^{2+} transientと心筋の収縮（臨床的には左室圧）とは1：1対応していることがわかっている[4]．つまり，細胞質内のCa^{2+}濃度の上昇と低下はそれぞれ収縮と弛緩に先行し，それぞれの時相におけるCa^{2+}濃度変化の大きさと速さがそれぞれ収縮・弛緩の振幅と速さに比例している．

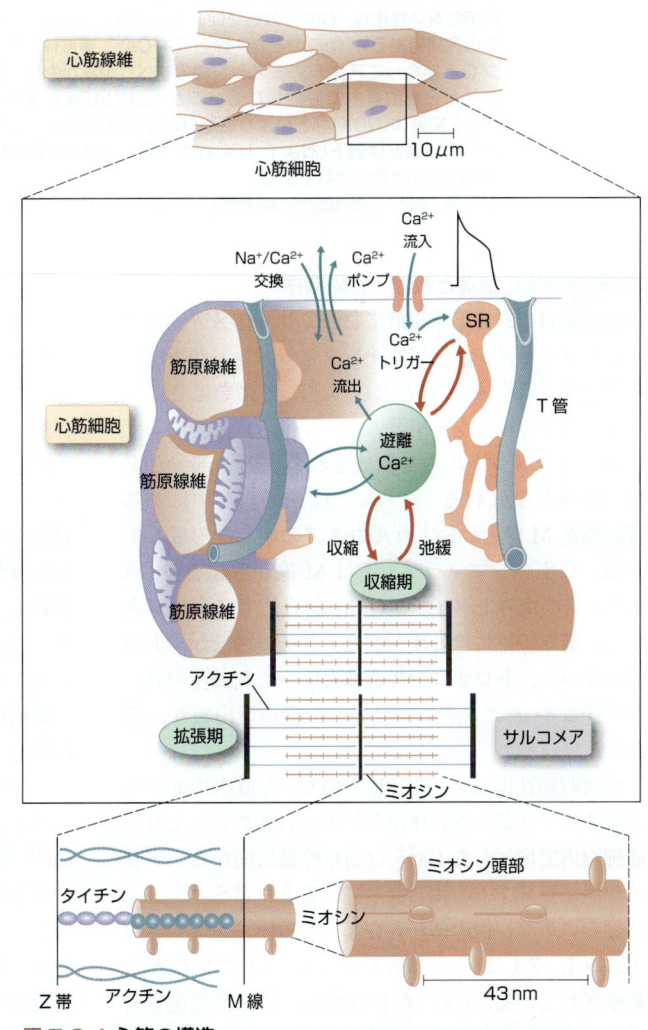

図7-2-4 心筋の構造

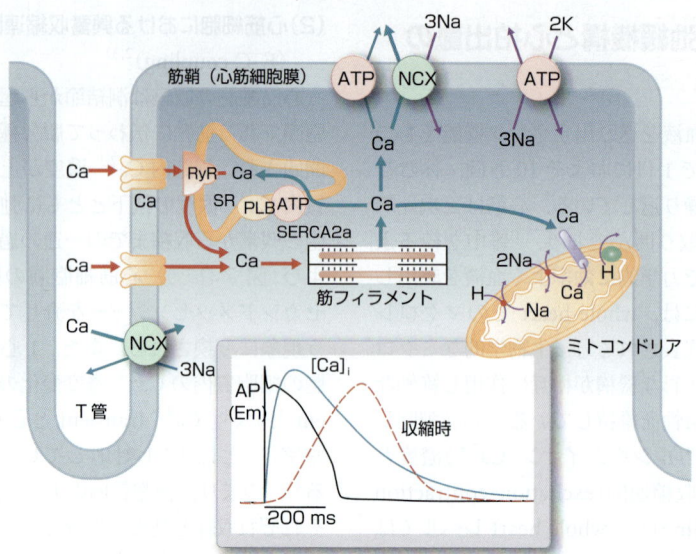

図 7-2-5 正常心筋細胞内のカルシウム(Ca^{2+})動態の模式図(文献 2 より引用)
SR：心筋筋小胞体，RyR2：心筋型リアノジン受容体，SERCA2a：SR Ca^{2+}-ATPase，NCX：Na^+/Ca^{2+} 交換体．
心筋細胞では 1 心拍ごとに，①細胞膜の脱分極に続いて少量の Ca^{2+} が L 型 Ca^{2+} チャネル(LTCC)を通って心筋細胞内に流入する．②流入した Ca^{2+} は細胞膜の T 管と接する SR の RyR2 を活性化し，Ca^{2+} 放出を促進する(Ca^{2+}-induced Ca^{2+} release とよび，心筋細胞に特有の機構である)．③このとき，細胞質内 Ca^{2+} 濃度は上昇し(およそ 1 μM)，Ca^{2+} がトロポニン C と結合してアクチン-ミオシン間のすべり現象が生じ，筋収縮が生じる．④筋弛緩時には筋原線維から細胞質内に遊離した Ca^{2+} が SERCA2a により SR 内に取り込まれ，一部は Na^+/Ca^{2+} 交換体(NCX)などにより細胞外に除去されたり，ミトコンドリアによる調節により細胞質内 Ca^{2+} 濃度は低下(およそ 100 nM)する．SERCA2a 活性は調節蛋白であるホスホランバン(PLB)により制御されている．
囲み図；AP：心筋細胞膜の活動電位，$[Ca^{2+}]_i$：Ca^{2+} transient を示す．

(3)筋原線維の構造と収縮・弛緩機序

収縮装置である筋原線維においてサルコメア内のミオシンフィラメントとアクチンフィラメントが重なり暗く見える部分を A 帯とよび，逆に Z 帯をはさんで明るく見える部分を I 帯という．A 帯の真ん中にミオシンフィラメントのみで構成される明るい部分があり，H 帯とよばれる．さらに，H 帯の真ん中にある暗い線を M 線といい，サルコメアの中心を形成している．ミオシンフィラメントは M 線から起こり，A 帯と I 帯の境界でタイチン(titin)を介して Z 帯に結合する．筋原線維にはミオシンとアクチンのほか，トロポミオシン，トロポニン複合体といった制御蛋白質，タイチンや α-アクチニンといった構造蛋白質がみられる．

興奮収縮連関において SR 上の Ca^{2+} 放出チャネルであるリアノジン受容体から放出されることにより心筋細胞内で増加した Ca^{2+} は筋原線維に向かう．アクチンフィラメントの軸となっているトロポミオシン上にはトロポニン複合体が存在し，トロポニン T，トロポニン I，そして Ca^{2+} 結合部位のトロポニン C から構成されている．Ca^{2+} がトロポニン C を活性化させてトロポニン I と結合した結果(e図 7-2-A)，アクチンとミオシンのすべり運動が起こって，筋原線維は収縮する．拡張期で Ca^{2+} のトロポニン C からの結合が解除されるとトロポニン C はトロポニン I から解離し，トロポニン I はアクチンとミオシン頭部の相互作用を抑制して弛緩する．また，タイチンは筋原線維の進展に関して重要な構造蛋白質であり，ミオシンフィラメントと Z 帯の橋渡しをしており，"バネ"の役割を果たしている．筋原線維の収縮に伴ってタイチンの弾性部分も収縮し，ミオシン頭部がアクチンから解離した際には弾性部分の反動で筋原線維は伸展する．心筋細胞が進展しているときにはタイチンの弾性部分も伸展することから収縮力の増強にもつながる．一般的に筋収縮の大きさは拡張期のサルコメアの長さに依存しており，この現象は Frank-Starling の法則として知られている．

なお，筋原線維における Ca^{2+} に対する反応性は Ca^{2+} 感受性と最大 Ca^{2+} 活性化張力からなっており，いずれの変化でも収縮性は変化する．ミオシン，アクチン，トロポニンなどの収縮蛋白で遺伝子変異が報告され，Ca^{2+} に対する反応性が変化していくつかの心筋症を生じる一因となっており，心筋虚血でも Ca^{2+} に対する反応性が低下している．

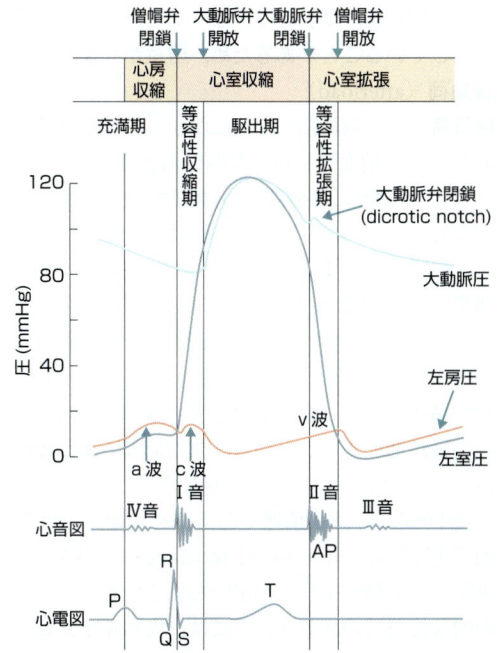

図7-2-6 **正常の心周期**
心室圧については本文参照．大動脈圧は大動脈弁の開放とともに速やかに立ち上がり大動脈弁閉鎖により重複切痕（dicrotic notch）が下行脚に認められる．心房圧は心房収縮によるa波，房室弁閉鎖によるc波，房室弁閉鎖期の心房への急速流入により生じるv波からなる．

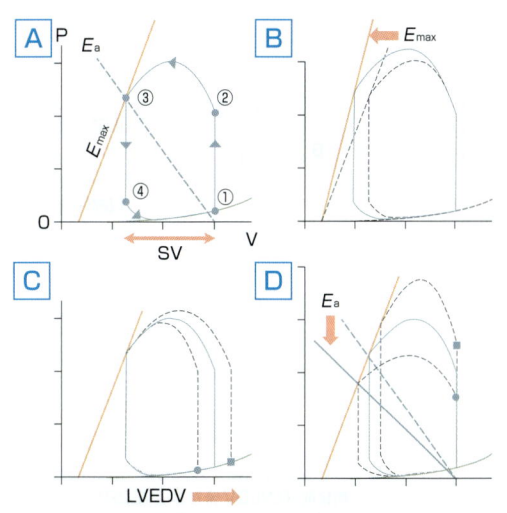

図7-2-7 **圧-容積曲線**（P-V loop）（Katz, 2011）
縦軸に心室圧（P），横軸に心室容積（V）をとると，圧容積曲線は反時計回りに1周し，拡張末期容積（LVEDV）と収縮末期容積（LVESV）の差が1回拍出量（SV）にあたる（A）．左室は僧帽弁が閉じる拡張末期（①）から大動脈弁が開く（②）までの等容性収縮期を経て，駆出期となる．大動脈弁が閉鎖（③）すると等容性拡張期となり，僧帽弁が開いて（④）充満期が続く．負荷を変化させた収縮末期圧の傾きをE_{max}とよび，収縮性の指標となる．また，実効動脈エラスタンス（E_a）は後負荷の指標となる．1回拍出量の増加は収縮性（E_{max}）の増大（B），前負荷（LVEDV）の増加（C），後負荷（E_a）の減少（D）によってもたらされる．

（4）心周期（Levick, 2009）

正常の心周期を図7-2-6に示す．心周期は収縮期と拡張期の2つの相からなり，収縮期は等容性収縮期（僧帽弁閉鎖から大動脈弁開放まで）と駆出期（大動脈弁開放から大動脈弁閉鎖まで）からなり，拡張期は等容性拡張期（大動脈弁閉鎖から僧帽弁開放まで）と充満期（僧帽弁開放から僧帽弁閉鎖まで）からなる．さらに，拡張期の充満期は急速充満期，緩徐充満期（diastasis）と心房収縮期からなっている．心音でみられるⅠ音は房室弁，特に僧帽弁の閉鎖により生じ，Ⅱ音は大動脈弁（Ⅱ$_A$）または肺動脈弁（Ⅱ$_P$）の閉鎖により生じる．Ⅲ音は心室への急速な充満により生じるといわれる．

（5）心機能と心拍出量

心機能には収縮能と拡張能があり，どちらの機能異常も心機能低下につながる（eコラム1，eコラム2）．心拍出量は心臓のポンプ機能を総合的に評価する一般的な指標であり，以下のように定義される．

心拍出量＝1回拍出量×心拍数

1回拍出量は前負荷，後負荷，心筋の収縮性により規定される．つまり，上記の4つの影響因子が変化することにより，心拍出量は影響を受けることから，心拍出量だけの評価ではなく，それらの因子との関係から総合的に評価することが望ましい．そのことを考慮したうえで心機能を評価および理解する際に用いられるのが，圧-容積曲線（pressure-volume loop：P-V loop）である（図7-2-7）．心室（左室）圧と心室（左室）容積が一定の関係を保ちながら変化しており，心周期の各時相をプロットすると，反時計方向に回転するループが描ける．このとき，拡張末期容積と収縮末期容積の差は1回拍出量（stroke volume）に，P-V loopで囲まれる領域の面積は心室の1回仕事量（stroke work）に相当する．仕事量の指標としては，血圧と心拍数の積からなるdouble productでもおおまかに評価できる．以下でそれぞれの影響因子と心拍出量との関連性について述べる．

a．心筋の収縮性（contractility）

心筋の収縮性とは，負荷状態に依存しない心筋のもつ収縮機能のことで，心筋細胞内Ca^{2+}濃度，心筋収縮蛋白のCa^{2+}反応性，張力-刺激頻度関係（force-frequency relationship），心筋量が影響する．上述のP-V loopにおける収縮末期の点を，負荷状態を変化させたうえでプロットさせて得られる回帰曲線を収縮末期圧-容積関係とよび，その傾きはE_{max}といわれ（図7-2-7A），収縮性の指標となる．E_{max}は前負荷や後負荷の影響を受けない鋭敏な指標であり，カテコールアミンなどで心筋の収縮性が上昇すれば，E_{max}

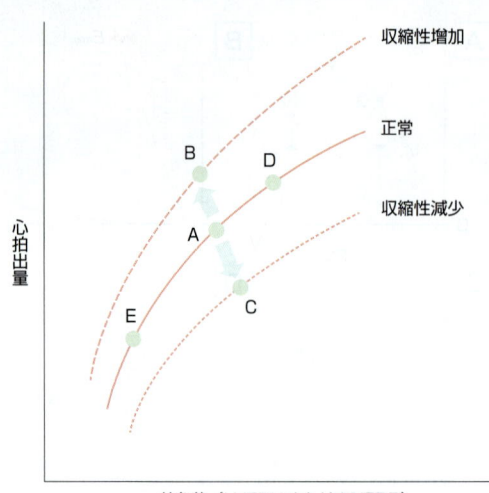

図7-2-8 心機能曲線
縦軸に心機能の指標（心拍出量），横軸に前負荷の指標（左室拡張末期容積（LVEDV）または左室拡張末期圧（LVEDP））をとると，Frank-Starling機序（またはStarling効果）に基づいてコントロール点Aから，以下のように変化する．つまり，前負荷の増加で心拍出量は上昇し（D），減少で低下する（E）．これは，心筋では，心筋の長さが長いほど発生張力が大きく，前負荷の増加により心筋が拡張末期に引き伸ばされて収縮期の発生張力の増加が得られることをさす．また，収縮性の増加で曲線は左上方に（B），収縮性の低下で右下方に移動する（C）．

は増加して1回拍出量が増加する．ただし，計測に負荷状態を変化させる必要があるため，実際の臨床での測定には向いておらず，臨床ではほかの因子を考慮したうえで左室圧の一次微分の最大値である+dP/dt，駆出率（ejection fraction：EF）などが指標として用いられることが多い．なお，心エコー，CTやMRIなどから求められる駆出率は心室拡張末期容積に対する1回拍出量の比から求められ，広く用いられて簡便に非侵襲的に計測できることが利点であるが，その定義から負荷や心拍数など多くの因子の影響を受けることから，厳密には収縮性そのものを表す指標ではないことに留意すべきである．

b. 前負荷（preload）

前負荷とは，拡張末期に心筋にかかっている負荷のことであり，循環血液量，循環血液の分布，左室コンプライアンスや心房収縮などの影響を受ける．後負荷や心筋の収縮性を一定にして前負荷のみを増加させると，1回拍出量は増加する．これはFrank-Starling機序とよばれる（図7-2-8）．また，心筋の収縮性が増加する，または後負荷が減少すると心機能曲線は左上方に移動し，逆に心筋の収縮性が減少する，または後負荷が増加すると心機能曲線は右下方に移動する．臨床上は左室拡張末期容積をはじめ，左室拡張末期圧，中心静脈圧などが用いられる．ただし，左室拡張末期圧は肥大心，心膜・心筋疾患といった拡張能の低下がみられる際には左室のスティフネスの増大により，左室拡張末期容積が増加していなくても左室拡張末期圧が増加していることがあるため，留意が必要である．

c. 後負荷（afterload）

後負荷とは，収縮期に心筋にかかっている負荷のことであり，末梢血管抵抗，動脈壁の弾性（コンプライアンス），大動脈の部分狭窄（大動脈弁狭窄および大動脈縮窄），血液の粘性といった動脈の特性が影響を及ぼす．前述のP-V loopにおける収縮末期圧-1回拍出量関係の傾きであるE_aは後負荷の指標となる（図7-2-7A）．E_aは末梢血管抵抗を反映する動脈系実行エラスタンスを表しており，E_aが上昇すると，1回拍出量が減少する．一般的に後負荷を減少させると，1回拍出量が増加することから，血管拡張による後負荷軽減は心不全治療において重要である．E_aは上記のE_{max}と同様に計測が煩雑であるため，臨床では全末梢血管抵抗（systemic vessel resistance：SVR），左室収縮期圧や大動脈平均圧が用いられている．また，より動的な後負荷の評価を行うには，大動脈インピーダンスという概念を用いた解析が用いられる．

d. 心拍数（heart rate）

心拍数は，神経性の調節を受けており，交感神経活動の亢進により心拍数は上昇し，迷走神経活動の亢進により減少する．また，循環血液量，甲状腺ホルモン，血中の酸素量，体温，薬物などにも影響される．一般的に心拍数が増加すると，拡張期の時間が短縮して拡張期容積（つまり1回拍出量）の減少をきたすが，1回拍出量と心拍数の積からなる心拍出量としてはおおむね一定に保たれる．ただし，著明な心拍数の上昇は1回拍出量の著明な減少をきたして心拍出量を維持できなくなってしまうことが知られている．

（6）強心薬の作用と心拍出量への影響

カテコールアミンなどのβ受容体刺激薬はその投与により陽性変力作用（収縮性増加）と陽性変時作用（心拍数増加）を示して心拍出量が増加する．このとき，心筋細胞レベルでは，β受容体刺激により細胞内サイクリックAMP（cAMP）（adenosine 3′,5′-monophosphate）濃度が上昇する．上昇したcAMPによりPKA（プロテインキナーゼA）が活性化され，上述の細胞内Ca^{2+}動態調節にかかわるさまざまな心筋細胞内の蛋白質（L型Ca^{2+}チャネル，リアノジン受容体，ホスホランバン，トロポニンIなど）がリン酸化される．リン酸化によりL型Ca^{2+}チャネルからのCa^{2+}流入量が増加しリアノジン受容体からの規律あるCa^{2+}放出が促進されて，収縮性が増加する．弛緩期にはトロポニンIのリン酸化がトロポニンCからのCa^{2+}解離を促進させ，また，ホスホランバンのリン酸化はCa^{2+}取り込みを行うSERCA2aからの取り込みを増加させて速やかに細胞質内Ca^{2+}濃度を低下さ

せる．以上の機序でβ刺激薬投与により心筋は収縮・弛緩ともに亢進する．なお，正常心と病的心では心筋細胞レベルおよびwhole heartレベルともに正常心とは異なる構造的・生化学的変化が起こっている．そのため，正常心でみられる薬理学的に有用な効果が病的心でも同じようにみられるとは限らないこと，病的心の機序により薬剤の効果が大きく変化しうることには十分留意すべきである．たとえば，不全心筋において強心薬は一時的に収縮力を上げて心拍出量を増加させる作用があるものの，催不整脈作用を有し，長期間の使用ではその効果が減弱する．〔奥田真一・矢野雅文〕

■文献（ⓔ文献 7-2-2）

Braunwald E, et al: Braunwald Heart Disease: A textbook of Cardiovascular Medicine, 10th ed, WB Sanders, 2014.
Katz AM: Physiology of the Heart, 5th ed, Wolters Kluwer, 2011.
Levick RJ: An Introduction to Cardiovascular Physiology, 5th ed, CRC press, 2009.

3）心筋イオンの動態と心電図波形の成立

(1) 刺激伝導系（心筋）と作業心筋

心筋細胞には作業心筋（固有心筋ともいう）と刺激伝導系心筋がある．心臓の重要な機能はポンプとして血液を全身に送ることであり，これを担っているのが作業心筋である．心臓がポンプ機能を効率よく実行するためには最適な時空間タイミングで収縮/弛緩を行う必要があり，これを可能にしているのが刺激伝導系である（ⓔコラム 1）．

刺激伝導系は次の2つの特徴をもつ．
① 自動的に興奮できる（自動能）．
② 作業心筋（固有心筋）と線維性組織で絶縁されており，電気信号の伝達にすぐれている（ⓔコラム 2）．

刺激伝導系の自動能にはヒエラルキーがあり，自動能の速い順番に洞房結節＞房室結節＞His束＞脚＞Purkinje線維，となっている（ⓔコラム 3）．刺激伝導系はしばしば，中枢型（結節型ともよぶ；洞房結節・房室結節が含まれる）と末梢型（His-Purkinje系ともよぶ；His束，脚，Purkinje線維が含まれる）に分類される．中枢型と末梢型は上記2つの特徴を備えいずれも刺激伝導系に分類されるが，性質はかなり異なる．たとえば伝導速度は，中枢型は心筋細胞のなかで最も遅く，末梢型は最も速い．これは目的に適っており，房室結節の遅い伝導は心房と心室の興奮に時間差をつくるため，His-Purkinje系の速い伝導は面積が広い心室をほぼ同時（約100 msec以内）に収縮させるため，とそれぞれ異なる役割を果たす．

(2) 心筋細胞のイオンの分布とイオン輸送蛋白質

心筋細胞の内側は負に荷電しており（これを「分極」とよぶ），これが一過性に正に荷電し（これを「脱分極」とよぶ），再び負の荷電に戻る（これを「再分極」とよぶ）という電気的イベントが繰り返される．この電気的イベントを「活動電位」とよぶ．活動電位の形成には，細胞膜に存在する3つのイオン輸送蛋白質，イオンチャネル，イオンポンプ，イオントランスポータ，が関与する（ⓔコラム 4）．分極の基盤となる細胞内外のイオン分布は，おもにイオンポンプのNa^+/K^+ポンプとイオントランスポータのNa^+/Ca^{2+}交換体により形成される．Na^+/K^+ポンプはNa^+を細胞外に排出し，K^+を細胞内に取り込む．Na^+/Ca^{2+}交換体は通常，Na^+を細胞内に取り込むのと交換にCa^{2+}を細胞外に排出する（ⓔコラム 5）．この2つのイオン輸送蛋白質の働きによって，

Na^+：細胞外＞細胞内
K^+：細胞外＜細胞内
Ca^{2+}：細胞外＞細胞内

のイオン分布が形成される（図 7-2-9）．あるイオンを通すイオンチャネルが開口すると，このイオン分布に従って濃度の高い方から低い方にイオンが移動し（図 7-2-9），そのイオンの平衡電位【⇨ 7-2-3-3】まで膜電位を変化させて膜電位の移動が止まる．イオンチャネルには，電位変化によって活性化される電位依存性チャネルと電位変化以外の因子（リガンド結合や物理力など）によって活性化される非電位依存性チャネルがある．非興奮状態の膜電位を「静止膜電位」とよぶ．Na/KポンプとNa/Ca交換体によってつくられたイオン濃度分布を基盤とし，非興奮状態で開口しているチャネルの平衡電位に膜電位が移動することで静止膜電位が形成される．作業心筋では非興奮状態で開口しているのは非電位依存性のK^+チャネルであるため，静止膜電位はK^+の平衡電位付近となる【⇨ 7-2-3-3】．活動電位は，脱分極により活性化される電位依存性チャネル（おもに電位依存性Na^+チャネル，電位依存性Ca^{2+}チャネル，電位依存性K^+チャネル）により形成される．

(3) イオンチャネルとイオンの動態

イオンチャネル分子固有の性質としては，イオンの移動方向はイオンの濃度勾配（これを「化学的勾配」とよぶ）と「電気的勾配」の2つの勾配のバランスによって規定される．たとえば，K^+を透過するイオンチャネルが開口すると，K^+濃度勾配（化学的勾配）は細胞内→細胞外であり，細胞内電位は通常負電位なので電気的勾配は細胞外→細胞内となる．この化学的勾配と電気的勾配が等しくなる膜電位のことをあるイオンXの平衡電位E_X（この例ではE_K）とよぶ．主要な

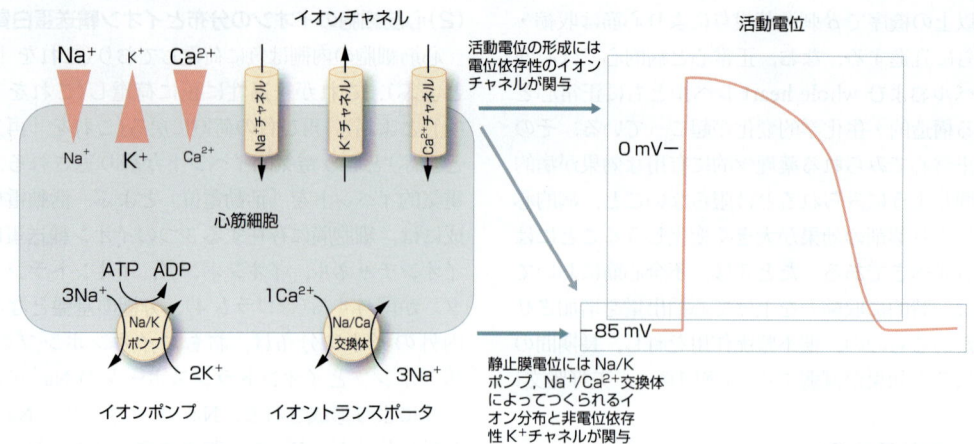

図 7-2-9 イオン輸送蛋白質と活動電位
細胞膜上に3つのイオン輸送蛋白質(イオンチャネル,イオンポンプ,イオントランスポータ)が存在し,細胞内外のイオン分布,静止膜電位,活動電位の形成に関与する.

陽イオンのおおよその平衡電位は下記である.

E_K:約-90 mV
E_{Na}:約$+60$ mV
E_{Ca}:約$+120$ mV

平衡電位より負電位側だと陽イオンは内向きに移動し(内向き電流が流れ),正電位側だと陽イオンは外向きに移動する(外向き電流が流れる)(eコラム6).

(4)活動電位の形成

活動電位の形状は,中枢型刺激伝導系(洞房結節・房室結節)と作業心筋(心室筋・心房筋)で大きく異なる.まず作業心筋の心室筋の活動電位の形成から説明する(図7-2-10).活動電位は5つの相(第0~4相)からなる.脱分極する第0相と第2相ではそれぞれ内向き電流の電位依存性Na$^+$チャネルによるNa$^+$電流I_{Na},電位依存性L型Ca^{2+}チャネルによるL型Ca^{2+}電流I_{CaL}が流れる.再分極する第1相と第3相ではいずれも外向きのK$^+$電流が流れる.K$^+$チャネルには多くの種類があるが,第1相には一過性外向きK$^+$チャネルによる一過性外向きK$^+$電流I_{to},第3相では遅延整流K$^+$チャネルによる遅延整流K$^+$電流I_Kが流れる.遅延整流K$^+$電流には,活性化の速い急速活性化遅延整流K$^+$電流I_{Kr},活性化の遅い緩徐活性化遅延整流K$^+$電流I_{Ks},および活性化のきわめて速い超急速活性化遅延整流K$^+$電流I_{Kur}の3種類があり,心室筋ではこのうちI_{Kr}とI_{Ks}が関与する.第4相は,深い静止膜電位(約-85 mV)を維持するために内向き整流K$^+$チャネルが開口しK$^+$の平衡電位に膜電位を維持することが必要であるが,K$^+$の平衡電位に近いので内向き整流K$^+$電流I_{K1}はほとんど流れない(eコラム7).もう1つの作業心筋,心房筋の活動電位の形状は心室筋とよく似ている.違いは活動電位の持続時間が短いことである.これは遅延整流K$^+$電流として心室筋にあるI_{Kr}・I_{Ks}より速いタイミングで活性化され,再分極をもたらすI_{Kur}の関与が強いためである(eコラム8).

(5)洞房結節の活動電位とイオン電流

次に刺激伝導系の洞房結節・房室結節の活動電位の形成を説明する(図7-2-11).洞房結節・房室結節の活動電位は心室筋の活動電位と比べて次の4つの違いがある.

①第1相・第2相がなく第0相から直接第3相に移行する.

②活動電位の立ち上がり(第0相)は,洞房結節・房室結節は内向きCa^{2+}電流I_{Ca}により形成される.Ca^{2+}電流I_{Ca}の大きさ(約-6 μA/μF)はNa$^+$電流I_{Na}(約-380 μA/μF)に比べてはるかに小さいため,第0相の傾きは洞房結節・房室結節ではゆるやかとなる.

③第4相で緩徐な脱分極がみられる.これを「緩徐拡張期脱分極」あるいは「第4相脱分極」とよぶ.この緩徐拡張期脱分極が刺激伝導系の自動能の本態であり,これには過分極活性化陽イオン(HCN)チャネルを介する過分極活性化陽イオン電流I_h,およびNa/Ca交換体の順方向回転によりもたらされる内向き電流I_{NCX}が関与する(eコラム9).

④静止膜電位が浅い.これは洞房結節・房室結節では深い膜電位の形成にかかわっていた内向き整流K$^+$チャネルの発現が少ないことが原因である.

末梢型刺激伝導系(His-Purkinje系)の活動電位は,結節細胞と心室筋の両方の特性をあわせもつが,どちらかというと心室筋の活動電位に近い.心室筋の活動電位との違いは,第4相で速度は遅いものの緩徐拡張期脱分極が存在することである.このため,His-Purkinje系も遅いながらも自動能を有する.

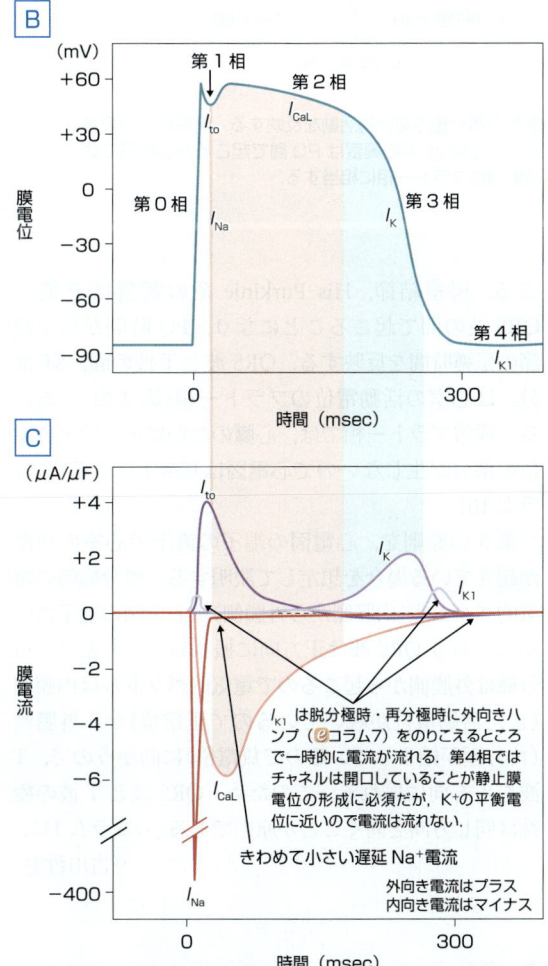

図 7-2-10 心室筋の活動電位とイオン電流
A：活動電位相と各相で流れるイオン電流，B：活動電位，C：活動電位の各タイミングで流れるイオン電流，外向き電流はプラス，内向き電流はマイナスで示す．

(6) 心電図波形の成立

心電図は，心臓に存在するすべての心筋細胞の膜電位の総和を体表面から記録したものである．活動電位

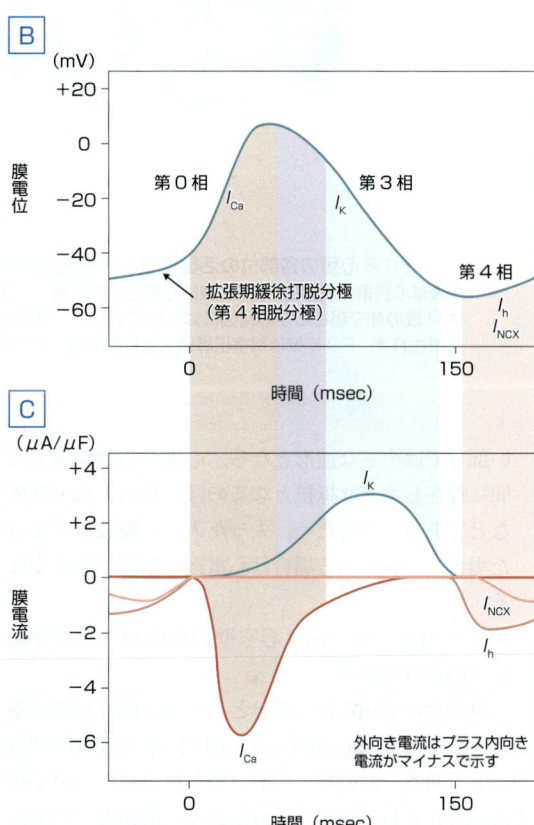

図 7-2-11 洞房結節の活動電位とイオン電流
A：活動電位相と各相で流れるイオン電流，B：活動電位，C：活動電位の各タイミングで流れるイオン電流．外向き電流はプラス，内向き電流はマイナスで示す．

と心電図波形の成立の関係を理解するために，押さえておきたい原則が3つある．

①第1の原則：心臓のなかで電気的に正電位と負電位の部分が存在するとき，心電図の波形が生じる．心臓の正電位の部分から負電位の部分に向かって電気的ベクトルが形成される．電気的ベクトルが心電図の端子に向かっているとき心電図は正方向に振れ，心電図の端子と反対側に向かっているとき負方向に振れる．

②第2の原則：心電図波形の大きさは，起電力に正比例し抵抗に反比例する．起電力は心筋細胞の数を反映し，心筋細胞の多い部分では大きな波形，少な

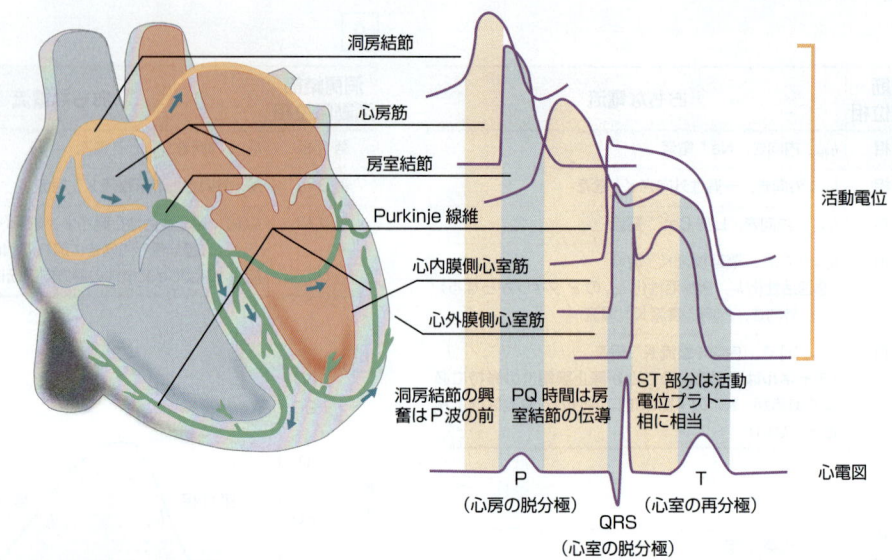

図 7-2-12 心臓の各部位の活動電位と心電図の関係
P波は心房筋の脱分極、QRS波は心室筋の脱分極、T波は心室筋の再分極の電気的活動を反映する。洞房結節の興奮はP波の前で起こるが心電図には反映されない。房室結節・His-Purkinje系の興奮はPQ間で起こるが心電図には反映されず、PQ時間は房室伝導時間と反映する。ST部分は活動電位プラトー相に相当する。

い部分では小さな波形となる。心臓と心電図端子の間に存在し大きな抵抗となるのは、脂肪・水・気体などである。このため、太った人、心膜液がたまった場合、気胸がある場合は心電図の振幅が小さくなる。

③第3の原則：脱分極は心室壁の内側から、再分極は外側から起こる。

心臓のなかで正電位の部分と負電位の部分ができるのは、活動電位の脱分極（第0相）と再分極（第3相）のときである。活動電位の脱分極と再分極には早く起こる部分と遅れて起こる部分がある。活動電位の脱分極がすでに起きた部分は電気的に正電位となり、まだ起きていない部分は静止膜電位の負電位のままなので、この間に電気的ベクトルが生じる。再分極でもすでに起きた部分は電気的に負電位となるが、まだ起きていない部分は活動電位中で正電位なので、この間に電気的ベクトルが生じる。このため、心電図は心房の脱分極と再分極、心室の脱分極と再分極のときに生じることになる。ただし、心房の再分極と心室の脱分極は同じタイミングで起きるので、細胞数が少ない心房の再分極は細胞数の多い心室の脱分極に隠れてしまう。したがって心電図の波形は、

　心房の脱分極→P波
　心室の脱分極→QRS波
　心室の再分極→T波

の3つの波形からなる（図7-2-12）。洞房結節、房室結節、His-Purkinje系は細胞数が少なく、体表面心電図には現れない。洞房結節の興奮はP波の前で起こる。房室結節、His-Purkinje系の興奮はP波とQRS波の間で起こることになり、PQ時間が房室結節の伝導時間を反映する。QRS波とT波の間、ST部分、は心室の活動電位のプラトー相（第2相）にあたる。通常プラトー相では、心臓のなかに正電位と負電位の部分が生じないので心電図は基線上にある（eコラム10）。

第3の原則を、心電図の端子の直下で心室の興奮が起きている場合を想定して説明する。脱分極時の電気的ベクトル（内膜側から外膜側）は心電図の端子に向かっておりQRS波は正方向に振れる。このとき、再分極は外膜側から起こるので電気的ベクトルは内膜側（まだ活動電位が続いているので正電位）から外膜側（再分極が始まっているので負電位）に向かうので、T波も正方向に振れる。このため、QRS波とT波の極性は同じ方向を向くことが原則である（eコラム11）。

〔古川哲史〕

4）心肥大と拡張
cardiac hypertrophy and cardiac dilatation

(1) 生理的心肥大と病的心肥大

心臓を構成するおもな細胞である心筋細胞は、胎児期にはさかんに細胞分裂して増殖するが、出生後に分裂増殖能は急速に低下し、ほとんど消失する[1]。したがって出生後の個体の成長に伴う心臓の成長は、心筋細胞数の増加ではなく、個々の心筋細胞の容積の増大

（肥大）による（生理的心肥大）．成人心臓の容積が出生時心臓の10倍以上もあることを考えると，生理的肥大のもつ重要性が容易に理解される．一方で，高血圧や心筋梗塞，心筋症，弁膜症などさまざまな心疾患に伴う血行力学的負荷の増大にも対応して，心筋細胞は蛋白合成を亢進させて細胞容積を増大させて肥大し，その結果，心室は壁厚が増大し内腔は狭小化する（病的心肥大）（eコラム1）．Laplaceの法則（$T = P \cdot r/M$，T：壁応力，P：内圧，r：内腔，M：壁厚）によると，心室内圧Pが増大した場合，左室の壁厚Mが増し，内腔rが狭小化することで，心室の壁応力Tが軽減されるので，このような求心性心肥大は代償的であるといえる（図7-2-13）．さらに，収縮蛋白質の エネルギー効率のよいアイソフォームへの変換[2]や利尿ペプチドの合成促進などの胎児型遺伝子発現といったリプログラミングも一種の代償機構と考えられる（Komuroら，1993）．しかし，この代償機構も長期的には心筋の酸素需要を増大させ，収縮・拡張能の低下，間質の線維化や心室腔の拡大をきたして心不全の原因となる[3]．さらに，心肥大は心不全の代償性の前段階であるだけでなく，虚血性心疾患や致死性不整脈，突然死などの主要な心血管イベントの独立した危険因子であることがFramingham studyで示されている[4]（図7-2-14）．したがって心肥大の形成や心不全への移行についての分子機構の解明は，循環器領域の研究において非常に重要な研究テーマとなっている．

（2）心肥大形成の分子メカニズム

心肥大を誘導する主要な刺激には，神経液性因子[5]と機械的刺激（メカニカルストレス）とがある[6]（図7-2-15）．カテコールアミンやアンジオテンシンⅡ，エンドセリンなどの血管作動性ペプチド，成長因子，サイトカイン，ホルモンなどの神経液性因子は，心筋細胞に発現するそれぞれの受容体，つまりG蛋白質共役型受容体や受容体チロシンキナーゼ，gp130と複合体を形成するサイトカイン受容体などと特異的に結合し活性化する．これらの多様な受容体の活性化をトリガーとして，複雑な細胞内シグナル伝達系が惹起され，心肥大反応が誘導される．特に心肥大反応の誘導に重要なシグナル伝達系として，MAPK（mitogen-activated protein kinase）系やNFAT（calcineurin-nuclear factor of activated T cells）系，PI3K-Akt-

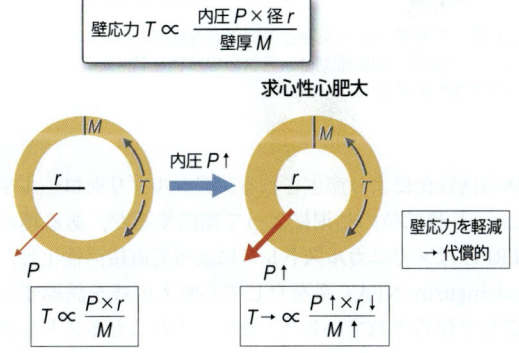

図7-2-13 Laplaceの法則
心室内圧（P）が増大した場合壁厚（M）が増し，内腔（r）が狭小化することで心室の壁応力（ストレス，T）が軽減されるので，このような求心性心肥大は代償的であるといえる．

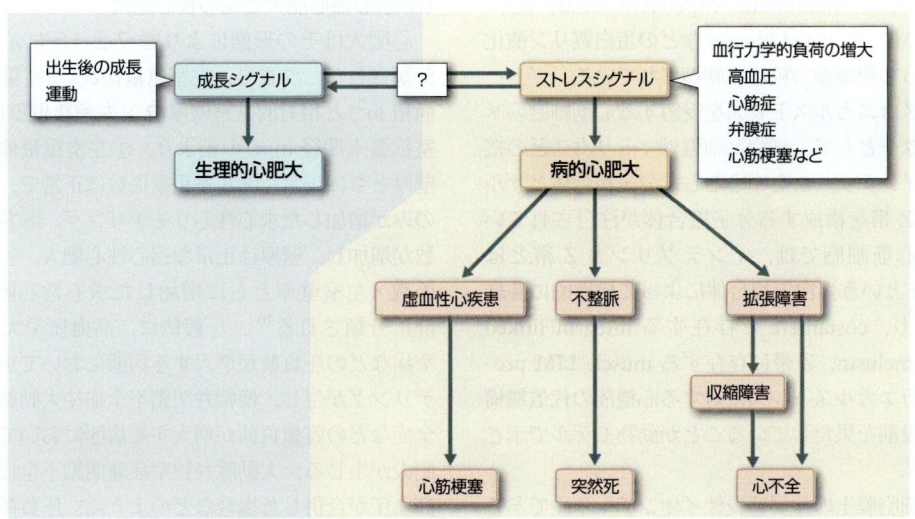

図7-2-14 生理的心肥大と病的心肥大
個体の成長や運動に伴う仕事量の増大に対して心臓の容積は増大するが，これを生理的心肥大という．一方，高血圧や弁膜症といった疾患に伴う血行力学的負荷の増大に対しても，心室の壁厚は増大し内腔は狭小化する（病的心肥大）．病的心肥大は心筋の酸素需要を増大させ，収縮・拡張能の低下，間質の線維化や心室腔の拡大をきたして心不全の原因となる．

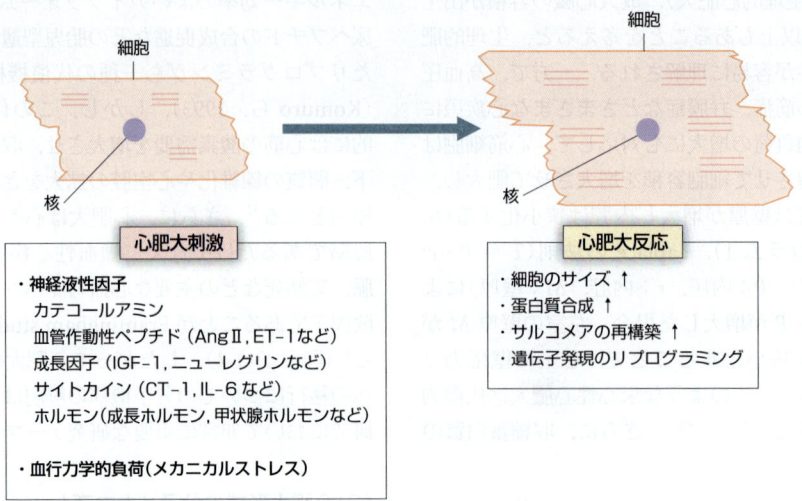

図 7-2-15 心肥大刺激と心肥大反応
心肥大を誘導する主要な刺激には，交感神経系やレニン-アンジオテンシン系などの神経液性因子と圧負荷，容量負荷といった機械的刺激（メカニカルストレス）がある．心筋細胞は，これらの多様な刺激を受容し，複雑な細胞内シグナル伝達系を活性化し，肥大を形成する．

mTOR（phosphatidylinositol 3-kinase）(PI3K)-Akt-mammalian target of rapamycin（mTOR）系，JAK-STAT（Janus kinase- signal transducers and activators of transcription）系があげられる．また，CDK7(cyclin-dependent kinase-7)やCDK9による転写伸長反応の制御やさまざまなリン酸化酵素によるHDAC（class Ⅱ histone deacetylase）の機能修飾も，心肥大反応の誘導に深く関与している（Mailletら，2013）．これらのシグナル伝達系やエフェクター分子の活性は，PKC（protein kinase C）αやPKG（protein kinase G），CaMKⅡ（Ca^{2+}/calmodulin-dependent kinase Ⅱ），AMPK（AMP-activated kinase）などの蛋白質リン酸化酵素によって複雑かつ精巧に制御されている．

一方，メカニカルストレスを受容する心筋細胞のメカノセンサーとして，細胞と細胞外マトリクスとの接着を担うインテグリンを中心とした分子複合体とサルコメアのZ帯を構成する分子複合体が注目されている．特に心筋細胞では，インテグリンとZ帯とはcostamereという蛋白質複合体によって構造的に連結されており，costamereに存在するintegrin-linked kinaseやmelusin，Z帯に存在するmuscle LIM proteinはメカニカルストレスに対する心機能の代償機構に重要な役割を果たしていることが動物モデルで示されている[7]．

また，細胞膜上の伸展感受性イオンチャネルであるTRPC（transient receptor potential canonical）チャネルやG蛋白質共役型受容体であるアンジオテンシンⅡタイプ1(AT₁)受容体もメカニカルストレスにより活性化する．TRPCチャネルはG蛋白質共役型受容体の活性化により産生されるジアシルグリセロールやCa^{2+}貯蔵部位の枯渇によって開口するが，ある種のTRPCはメカニカルストレスによって直接活性化し，calcineurin-NFAT系を介して心肥大形成を誘導することが報告されている[8]．また，メカニカルストレスによるAT1受容体の活性化はAngⅡ非依存的にも生じ，特異的な受容体の構造変化によってG蛋白質やJAK2を介して心肥大形成を誘導することが報告されている[9]．

(3) 求心性心肥大と遠心性心肥大

心肥大はその形態により図7-2-16に示すように分類される．つまり，左室重量係数（左室重量g/体表面積 m²）と相対的左室壁厚（2×左室後壁壁厚 mm/左室拡張末期径 mm）の値より，①左室重量係数・左室壁厚ともに正常，②左室重量係数は正常で，左室壁厚のみが増加した求心性心リモデリング，③左室重量係数が増加し，壁厚は正常な遠心性心肥大，④左室重量係数・左室壁厚ともに増加した求心性心肥大，の4群に分類される[10]．一般的に，高血圧や大動脈弁狭窄症などの圧負荷が増大する病態において求心性リモデリングが生じ，僧帽弁閉鎖不全症や大動脈弁閉鎖不全症などの容量負荷が増大する病態において遠心性心肥大が生じる．大動脈弁狭窄症兼閉鎖不全症や肥満に高血圧が合併した場合などのように，圧負荷と容量負荷が同時に加わると求心性心肥大が生じ，最も予後が不良といわれている．

左室の内腔拡大などのマクロレベルでの構築の変化は，心拍出量が心臓の拡張末期容積に比例して増加す

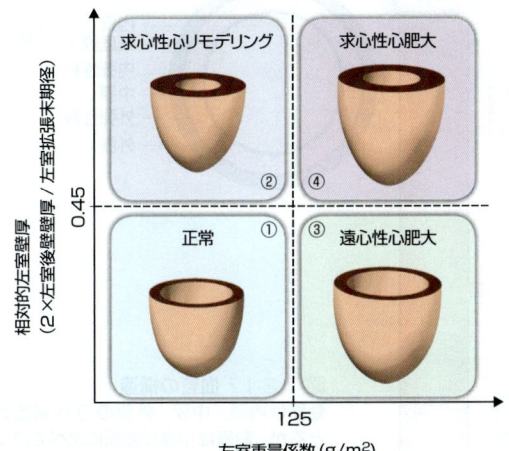

図7-2-16 心肥大の分類(Krumholz HM, Larson M, et al：Prognosis of left ventricular geometric patterns in the Framingham Heart Study. J Am Coll Cardiol. 1995; **25**: 879-84 より改変)

心肥大は左室重量係数と相対的左室壁厚の値より，①左室重量係数・左室壁厚ともに正常，②左室重量係数は正常で，左室壁厚のみが増加した求心性心リモデリング，③左室重量係数が増加し，壁厚は正常な遠心性心肥大，④左室重量係数・左室壁厚ともに増加した求心性心肥大，の4群に分類される．

るというFrank-Starling機構(*e*コラム2)という点からは心機能維持にとって代償的であるが，逆にLaplaceの法則からは，壁ストレスを増大させることになり，心筋の傷害を助長する結果，心不全を進行させる．また心臓の変化は，心筋細胞ばかりでなく，間質の量的，質的変化をも伴う．

(4)心不全への移行

過剰な血行力学的負荷が慢性的に持続すると，心肥大における代償機構が破綻し心不全に移行する[3]．機序に関して，完全な理解が得られているわけではないが，心筋細胞肥大に伴う酸素消費量の増加と，間質および血管周囲の線維化による酸素の拡散障害によって生じる心筋虚血が一因と考えられている．また，生理的心肥大や初期の代償性心肥大ではHIF-1(hypoxia-inducible factor-1)の活性化と，その標的分子であるVEGF(vascular endothelial growth factor)などの血管新生因子の誘導によって毛細血管の増生を伴うために，心筋細胞への酸素供給が保たれている．しかし，非代償期には血管新生因子の発現誘導が阻害される結果，毛細血管新生が相対的に不十分となり，心筋虚血がさらに悪化することがマウスモデルで示されている[11]．このような心筋細胞の相対的虚血は，エネルギー平衡の破綻をきたして収縮能を低下させるとともに，心筋の細胞死や変性脱落により収縮障害を悪化さ

せる(Okaら，2014)．その他に，細胞レベルでは，炎症[12]や筋小胞体の機能障害なども収縮障害を進行させると報告されている． 〔小室一成〕

■文献(*e*文献7-2-4)

Komuro I, Yazaki Y: Control of cardiac gene expression by mechanical stress. *Annu Rev Physiol*. 1993; **55**: 55-75.
Maillet M, van Berlo JH, Molkentin JD: Molecular basis of physiological heart growth: fundamental concepts and new players. *Nat Rev Mol Cell Biol*. 2013; **14**: 38-48.
Oka T, Akazawa H, Naito AT, et al: Angiogenesis and cardiac hypertrophy：maintenance of cardiac function and causative roles in heart failure. *Circ Res*. 2014; **114**: 565-71.

5) 血管の構造と血管細胞の機能

(1)血管の構造(図7-2-17)
a. 動脈の構造

動脈は内膜，中膜，外膜の3層からなり，内膜と中膜の間に内弾性板，中膜と外膜の間に外弾性板が存在する．内膜は1層の内皮細胞，内皮下組織，基底膜，中膜は平滑筋細胞と膠原線維，弾性線維などの細胞外マトリックス，外膜は線維芽細胞，細胞外マトリックス，毛細血管，神経からそれぞれ構成されている．動脈は静脈に比べて中膜が厚いのが特徴で，大動脈など中枢に近い太い動脈(弾性動脈)の中膜は弾性線維が比較的多く，末梢や臓器内の細い動脈(筋性動脈)の中膜は平滑筋細胞が多い．外膜の毛細血管はvasa vasorumとよばれ，中膜の外側2/3と外膜を栄養する．内膜と中膜の内側1/3は動脈内腔からの浸透により栄養される．

b. 静脈の構造

静脈も基本的には内膜，中膜，外膜の3層構造を呈するが，中膜は動脈に比べて薄く弾性線維の発達も悪いため，3層構造が不明瞭な場合も多い．直径1mm以上の静脈には血液の逆流を防ぐための静脈弁がある．下肢静脈の弁は筋肉が収縮するときに開き，筋肉が弛緩するときに閉じることにより，筋肉収縮と協調的に静脈血の心臓方向への還流を維持している．

c. 毛細血管の構造

毛細血管では管腔を形成する血管内皮細胞が周皮細胞(pericyte)に直接接着し，その周囲を基底膜が被覆している．

(2)血管細胞の機能
a. 血管透過性の制御

隣接する血管内皮細胞はタイトジャンクションなどの細胞間接着装置により接着しており，水溶性物質な

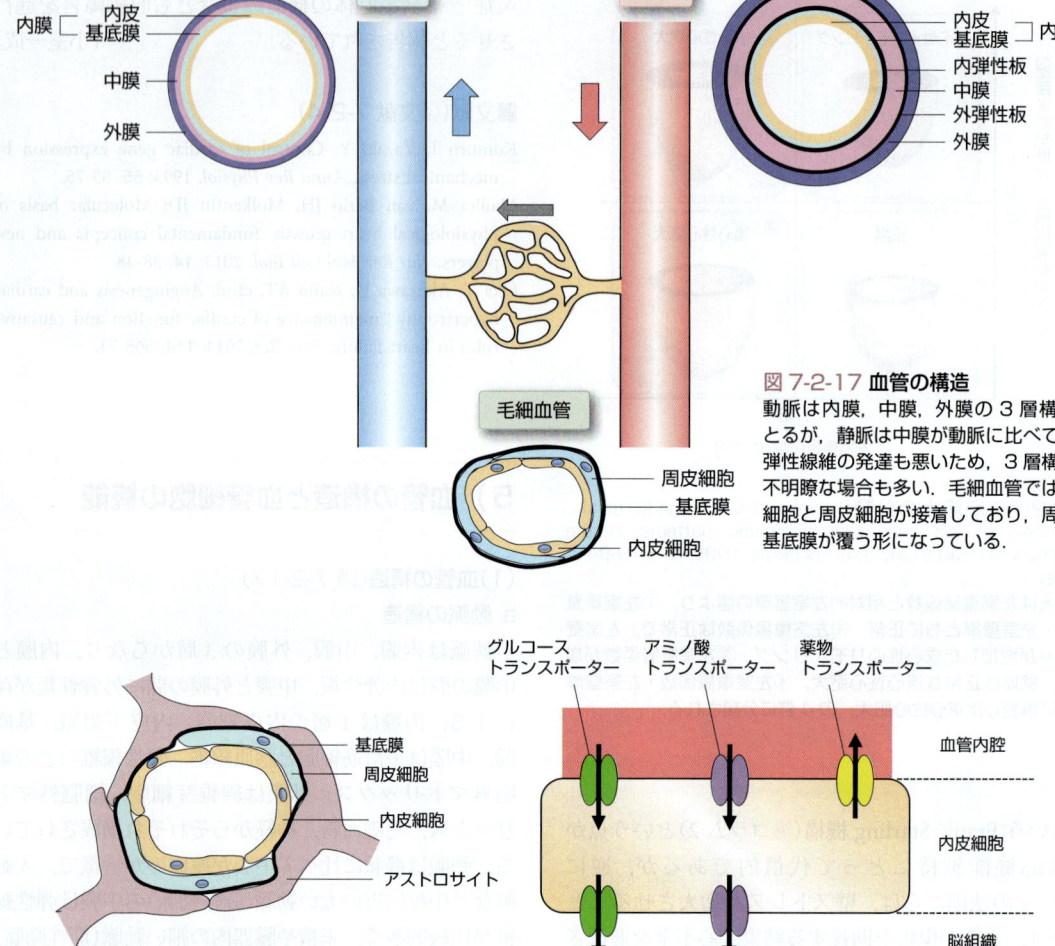

図 7-2-17 血管の構造
動脈は内膜，中膜，外膜の 3 層構造をとるが，静脈は中膜が動脈に比べて薄く弾性線維の発達も悪いため，3 層構造が不明瞭な場合も多い．毛細血管では内皮細胞と周皮細胞が接着しており，周囲を基底膜が覆う形になっている．

図 7-2-18 脳内毛細血管の構造と BBB
脳内毛細血管は内皮細胞，周皮細胞，基底膜からなり，さらにその外側をアストロサイトの足突起に囲まれている．脳内の内皮細胞はさまざまな物質を特異的に輸送するトランスポーターを発現しており，血液と脳実質の間の物質輸送が厳密に制御されていることが BBB の実体と考えられている．

どは内皮細胞の間を通過できるが，血液中の蛋白質や細胞成分は通過できない．炎症が生じるとマスト細胞などから放出されるブラジキニンやヒスタミンが内皮細胞の収縮をきたし，内皮細胞間の間隙が開き，血管内の血漿成分が血管外に漏出することにより浮腫をきたす．また，血管内皮増殖因子(vascular endothelial growth factor：VEGF)も血管内皮細胞どうしの接着をゆるめ血管透過性を亢進させることが知られている．既存の血管から新しい血管が伸長する血管新生の過程においては血球細胞が組織へ侵入することが必要とされており，VEGF のこのような作用は血管新生を促進する方向に機能していると考えられる．

b．物質輸送の制御(図 7-2-18)

脳の血管では非特異的な脳内への物質移行や脳内産生物質の流出が阻害されており，血液脳関門(blood brain barrier：BBB)とよばれている．脳内毛細血管は内皮細胞，周皮細胞，基底膜から構成され，さらにその外側をアストロサイトの足突起に囲まれており，従来は内皮細胞間の接着が密であるために物質の移行が物理的に阻害されていると考えられていた．しかしながら脳内の内皮細胞はさまざまな物質を特異的に輸送するトランスポーターを発現しており，血液と脳実質の間の物質輸送が厳密に制御されていることが BBB の実体であることが最近明らかになってきた．たとえばアミノ酸やグルコースなどは BBB を通過して脳内へ移行するが，これらはそれぞれ特異的なトランスポーターによって血液中から脳内へと移行する．また，薬物のなかには脳内から血液中へと能動的に排出されるために見かけ上の脳内への移行性が低くなるものがあることも知られている．

c. 白血球の接着・遊走の制御（図7-2-19）

生体が微生物などの侵入に対抗するためには，好中球やマクロファージなどが感染・炎症部位でまず内皮細胞と相互作用した後に血管壁を通り抜けて血管外に遊走し，微生物の侵入部位に到達する必要がある．また，このような白血球の組織への遊走は生体防御だけでなく，動脈硬化や血管炎などの病態形成においても重要である．通常白血球は血管の中央部を流れているが，炎症性の刺激が加わると内皮細胞表面に接着分子の1つであるセレクチンが発現し，白血球と内皮細胞が結合と解離を繰り返すようになる．これをローリングとよぶ．さらに炎症性の刺激が持続すると内皮細胞表面に細胞間接着分子-1（intercellular adhesion molecule-1：ICAM-1）や血管細胞接着因子-1（vascular cell adhesion molecule-1：VCAM-1）のような接着因子が発現し，白血球は内皮細胞と強固に接着する．その後の白血球が血管外へと遊走する過程においても接着因子が重要であると考えられているが，具体的に関与する因子については必ずしも明らかにされていない．

d. 血液凝固・血栓形成の制御（図7-2-20）

血管内皮細胞には血液凝固や血栓形成を阻害する作用があり，そのおもな機序は血小板抑制作用，抗凝固作用，線溶系亢進作用の3つであるとされる．まず，内皮細胞から産生される一酸化窒素（nitric oxide：NO）やプロスタサイクリン（prostacyclin I_2：PGI_2）が血小板の活性化を抑制することにより，血小板凝集を阻害する．また，血液凝固カスケードの最終ステップではトロンビンによってフィブリノゲンがフィブリンに変換されるが，血管内皮細胞表面にはトロンビンと結合するトロンボモジュリンが発現しており，トロンビンがトロンボモジュリンと結合するとフィブリン形成能が失われ逆に抗凝固因子であるプロテインCを活性化する機能が増強されるため，結果として血液凝固が阻害される．さらに，血管内皮細胞は組織プラスミノゲン活性化因子（tissue plasminogen activator：t-PA）を産生しており，t-PAはプラスミノゲンを活性化することによりプラスミンを生成し血栓（フィブリン）を溶解する活性（線溶活性）を亢進させる．通常の状態では内皮細胞は上記のような複数の機序により血液凝固・血栓形成を阻害しているが，内皮下の組織には外因系凝固カスケードの開始因子である組織因子（tissue factor）が発現しており，血管が障害されて内皮下組織が露出すると血液凝固が進行するようになっている．

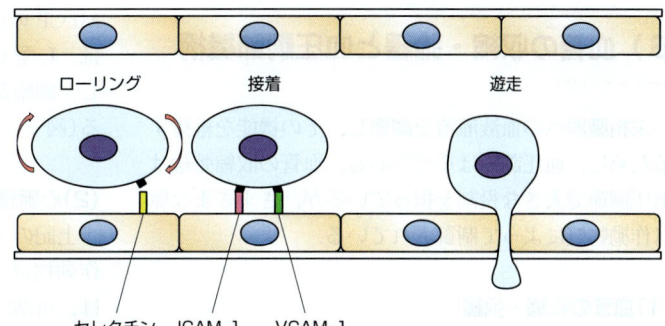

図7-2-19 白血球と内皮細胞の相互作用
炎症刺激により活性化された血管内皮細胞には接着因子が発現して白血球と相互作用を起こし，白血球はローリング，接着の過程を経て血管外に遊走する．ローリングにはセレクチン，接着にはICAM-1，VCAM-1などが関与する．

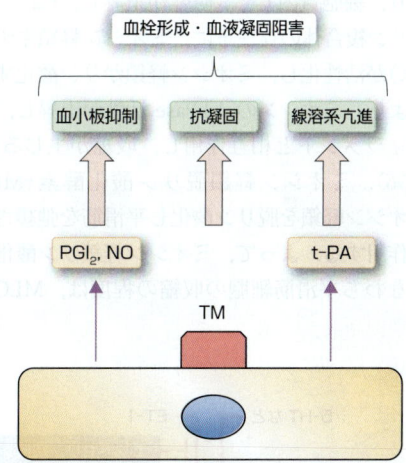

図7-2-20 血管内皮の血液凝固・血栓形成阻害作用
血管内皮細胞には血液凝固や血栓形成を阻害する作用がある．内皮から産生されるNOやPGI_2は血小板抑制作用，内皮細胞表面のトロンボモジュリンは抗血栓作用，内皮由来t-PAは線溶系を亢進する作用をそれぞれ有し，血液凝固・血栓形成阻害をきたす．
TM：トロンボモジュリン．

e. 血管緊張性の制御

血管内皮細胞からはさまざまな血管作動性物質が産生・放出されており，隣接する血管平滑筋細胞に作用して血管緊張性や血圧を制御している【⇨7-2-6】．

〔塩島一朗〕

■文献

Abott NJ, Rönnbäck L, et al: Astrocyte-endothelial interactions at the blood-brain barrier. *Nat Rev Neurosci*. 2006; **7**: 41-53.

Albelda SM, Smith CW, et al: Adhesion molecules and inflammatory injury. *FASEB J*. 1994; **8**: 504-12.

Wu KK, Thiagarajan P: Role of endothelium in thrombosis and hemostasis. *Annu Rev Med*. 1996; **47**: 315-31.

6）血管の収縮・弛緩と血圧調節機構

末梢臓器への血液灌流を調節し、その機能を維持するために、血圧調節は重要である。血管の収縮弛緩は血圧調節で大きな役割を担っているが、さまざまな脈管作動物質によって制御されている。

(1) 血管の収縮・弛緩

血管内腔側は1層の血管内皮細胞で覆われており、その周囲に血管平滑筋細胞層が存在する。平滑筋細胞の収縮と弛緩によって、血管の収縮・弛緩は生じる。血管平滑筋細胞に収縮刺激を与えると、細胞外からのCa^{2+}流入ならびに、細胞内筋小胞体からのCa^{2+}放出により、細胞質内Ca^{2+}濃度が上昇し、Ca^{2+}-カルモジュリン複合体の存在下に、ミオシン軽鎖キナーゼ(MLCK)が活性化し、ミオシン軽鎖がリン酸化する。それにより、ミオシンのATPase活性が上昇し、アクチンフィラメントと相互作用し、収縮が生じる(Sataら、1996)。ミオシン軽鎖脱リン酸化酵素(MLCP)は、ミオシン軽鎖を脱リン酸化し平滑筋を弛緩させるように作用する。よって、ミオシン軽鎖リン酸化の程度、すなわち平滑筋細胞の収縮の程度は、MLCKとMLCPの活性のバランスに依存している。Ca拮抗薬は、L型Ca^{2+}チャネルに作用し、Ca^{2+}流入を阻害し、細胞質内Ca^{2+}濃度を低下させ、血管を弛緩させる(図7-2-21)。

(2) 心脈管作動物質による血管の収縮・弛緩調節

上記のような平滑筋の収縮・弛緩はさまざまな血管作動物質によって制御されている。NO(一酸化窒素)は、可溶性グアニル酸シクラーゼを活性化させ、細胞内サイクリックGMP濃度を上昇させることでサイクリックGMP依存性キナーゼを活性化する。Ca^{2+}ポンプはサイクリックGMP依存性キナーゼによってリン酸化されその活性を高めて、細胞質内Ca^{2+}濃度を低下させ、血管平滑筋細胞を弛緩させる。ナトリウム利尿ペプチドは膜結合性グアニル酸シクラーゼを活性化して、細胞質内サイクリックGMP濃度を上昇させ、平滑筋細胞を弛緩させる。ホスホジエステラーゼ-5(PDE-5)阻害薬はサイクリックGMPの分解を阻害し、サイクリックGMP濃度を上昇させ、血管の弛緩、拡張を起こす。

一方、サイクリックAMPは、サイクリックAMP依存性キナーゼを活性化し、MLCKをリン酸化させ、そのCa^{2+}-カルモジュリン複合体との親和性を低下

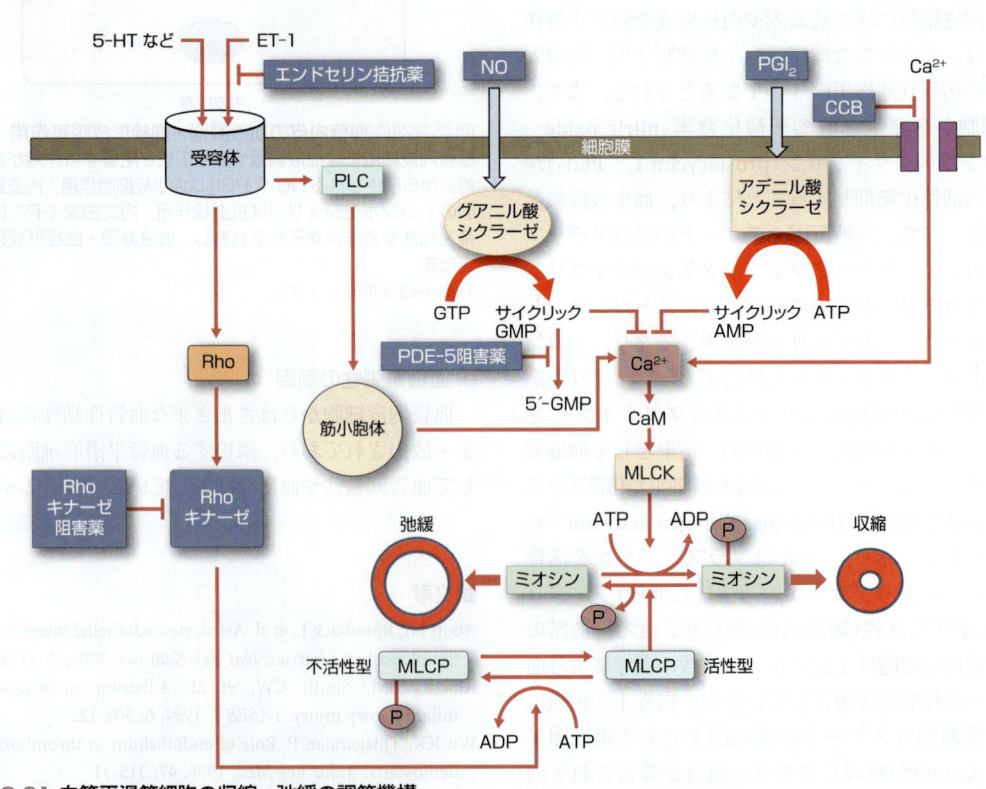

図7-2-21 血管平滑筋細胞の収縮・弛緩の調節機構
CCB：Ca拮抗薬、CaM：カルモジュリン、5-HT：セロトニン、ET-1：エンドセリン-1、PLC：ホスホリパーゼC、PGI_2：プロスタサイクリン。

させる．そのため，細胞内サイクリックAMP濃度が上昇すると細胞質内Ca^{2+}が上昇してもミオシン軽鎖のリン酸化が生じにくくなり，平滑筋細胞は弛緩したままとなる．β_2刺激薬やプロスタサイクリンによって，細胞内サイクリックAMP濃度が上昇すると血管弛緩がもたらされる．

Rhoキナーゼは細胞内Ca^{2+}濃度非依存的に血管平滑筋の収縮・弛緩を制御する．すなわち，収縮性血管作動物質の刺激により，受容体を介して低分子量G蛋白質であるRhoが活性化され，その標的蛋白の1つであるRhoキナーゼを介してMLCPをリン酸化することで，その活性を阻害する．その結果，MLCK/MLCP活性のバランスが崩れ，ミオシン軽鎖のリン酸化レベルが上昇することで血管平滑筋細胞は収縮する．Rhoキナーゼ阻害薬は，MLCPのリン酸化を抑制して，ミオシン軽鎖のリン酸化レベルを低下させることで血管を弛緩させる．

表7-2-1 血圧調節機構

	降圧機構	昇圧機構
神経性調節因子	副交感神経 交感神経(β_2受容体)	交感神経(α_1, β_1受容体)
内分泌性調節因子	カリクレイン-キニン系 内皮由来弛緩因子	レニン-アンジオテンシン-アルドステロン系 内皮由来収縮因子
	NO, EDHF, PGI_2	エンドセリン
	血管拡張性プロスタノイド	血管収縮性プロスタノイド
	ナトリウム利尿ペプチド アドレノメデュリン	カテコールアミン バソプレシン セロトニン
腎・体液調節因子	循環血液量の減少	循環血液量の増加

EDHF：内皮由来過分極因子，PGI_2：プロスタサイクリン．

(3) 血圧調節機構

血圧は，心機能，血管抵抗，血液量によって調整されており，「血圧＝心拍出量×総末梢血管抵抗」のように表現される．血圧の調節は，多数の因子が相互作用するが，おもな機構としては，①神経性調節因子，②内分泌性調節因子，③腎・体液性調節因子があげられる．

神経調節性因子としては，交感神経と副交感神経があげられる．交感神経末端からカテコールアミンが放出され，α_1受容体を介して血管収縮をきたす．また，心臓のβ_1受容体を刺激して，心拍出量が増加し，昇圧に寄与する．また，腎臓の傍糸球体装置からβ_1受容体を介してレニンの分泌が促進され，レニン-アンジオテンシン-アルドステロン系が活性化し，血圧が上昇する．また，交感神経はβ_2受容体によって細胞内サイクリックAMP濃度を上昇させ，血管平滑筋を弛緩させる．一方，副交感神経から放出されたアセチルコリンは内皮細胞のムスカリン受容体に作用し，NOなどの血管弛緩因子を産生させ，血管を拡張させる．血圧の変化は，頸動脈洞と大動脈弓にある受容器により感知され，迷走神経，舌咽神経を介して延髄の心臓血管中枢へ伝えられ，血圧は反射性に調節される．

内分泌性調整因子としては，多くの心脈管作動物質が昇圧性ならびに降圧性に作用する（表7-2-1）．そのなかでも，カテコールアミン系，レニン-アンジオテンシン-アルドステロン系，内皮由来NOは血圧の調節において大きな役割を担っている．NOは血管内皮細胞から放出される内皮由来弛緩因子の代表的な物質であり血管平滑筋細胞を弛緩させる（図7-2-22）．傍糸球体装置から産生されるレニンが血中へ分泌されると，肝臓で産生されたアンジオテンシノゲンがアンジオテンシンⅠに変換され，次にアンジオテンシン変換酵素（ACE）によってアンジオテンシンⅡが産生される．アンジオテンシンⅡは，血管を収縮させると同時に，副腎皮質に働いてアルドステロンの分泌を促し，腎臓でのナトリウムの再吸収を促進して体液量を増加させ昇圧に作用する．副腎髄質はおもにホルモンをつくり出すクロム親和性細胞によって構成されており，アミノ酸のチロシンからカテコールアミンであるアドレナリン，ノルアドレナリン，ドパミンを産生分泌し，昇圧に作用する．

腎・体液調節因子として，血圧が高いときは，腎臓は塩分と水分の排出量を増加させることで血圧を下げ，血圧が低いときは，塩分と水分の排出量を減少させることで血圧を上昇させる．

(4) 血圧調節因子の相互作用

血圧は，中枢による調節系，交感神経，副交感神経系の神経性調節機序，レニン-アンジオテンシン-アルドステロン系，NOなどの内分泌性調節因子，腎臓による体液調節系，動脈圧受容器反射などの，多くの調節機構が相互に関連し，恒常性が維持されている．

圧受容器反射などの神経性調節因子は，非常に迅速に秒単位で作動する．内分泌性調節因子は，それより少し遅れて数分以上かけて作動する．腎機能やアルドステロンの作用に基づく体液調節因子は，数時間から数日してから作動する．

〔佐田政隆〕

■文献

Sata M, Matsuura M, et al: Characterization of the motor and enzymatic properties of smooth muscle long S1 and short

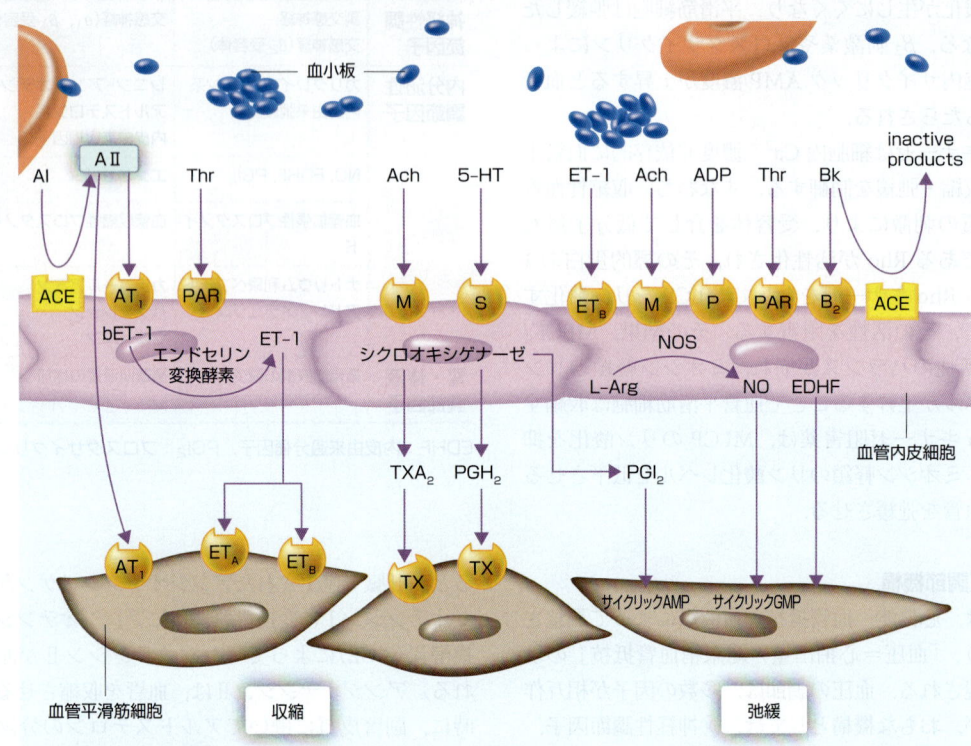

図 7-2-22 内皮由来の血管収縮因子と拡張因子
さまざまな血液ならびに血小板由来の血管作動物質は内皮細胞上の特異的な受容体を活性化し，NO やプロスタサイクリン（PGI_2），内皮由来過分極因子（EDHF）などの弛緩因子を分泌させる（Ruschitzka ら，1999）．内皮細胞は，また，ET-1，アンジオテンシン II（A II），トロンボキサン A_2（TXA_2），プロスタグランジン H_2（PGH_2）といった血管収縮物質も分泌する．
L-Arg：L-アルギニン，NOS：一酸化窒素合成酵素，Thr：トロンビン，PAR：protease activated M ムスカリン受容体 Ach：アセチルコリン受容体，ADP：アデノシン二リン酸，Bk：ブラジキニン，P：プリン受容体，S：セロトニン受容体，AT_1：アンジオテンシン II（Ang II）1 型受容体，ET：エンドセリン受容体，ACE：アンジオテンシン変換酵素．

HMM: role of the two-headed structure on the activity and regulation of the myosin motor. *Biochemistry*. 1996; 35: 11113-8.

Ruschitzka F, Corti R, et al: A rationale for treatment of endothelial dysfunction in hypertension. *J Hypertens*. 1999; 17: 25.

7）心血管系と神経体液性因子

(1) 心血管系に働く神経体液性因子

心臓や血管を含む循環器系は，多くの神経体液性因子で制御されている．神経系は，交感神経系，副交感神経系による調節であるが，体液性因子としては，レニン-アンジオテンシン-アルドステロン（RAA）系，ナトリウム利尿ペプチド（NP）系，エンドセリン系，アドレノメデュリン，バソプレシン，さらには IL-6 や TNF-α などのサイトカインである．交感神経系，RAA 系，エンドセリン系は陽性変力作用，陽性変時作用を有し，心筋肥大作用，血管収縮作用，血管平滑筋増殖作用，線維芽細胞に働き線維化促進性に働く心臓血管刺激因子である．一方 NP 系，アドレノメデュリン系は上記とは反対で，陰性変力作用，陰性変時作用を有し，心筋肥大抑制，血管拡張，血管平滑筋増殖抑制，線維化抑制作用に働く心血管保護因子である．サイトカインは，上記 2 つのグループに単純に分けることはできないが，炎症，アポトーシス，傷害の修復，線維化に関与している．おおまかに炎症惹起性のサイトカイン（IL-1β，TNF-α，IL-6）と炎症抑制性のサイトカイン（IL-10，TGF-β）に分類される（図 7-2-23）．

これらの系は正常状態では，すべての系がバランスよく制御されているが，心臓血管機能低下状態になると，代償的に心臓血管刺激系因子が活性化し心臓血管機能を維持するが，この心臓刺激因子の活性化状態が持続すると心臓や血管のリモデリングが進行し結果的にはさらなる機能低下をきたし，さらなる心臓刺激因子の過剰活性化を招き，悪循環に陥る．

(2)交感神経系

交感神経系としては副腎髄質からアドレナリンが分泌され，交感神経末端よりノルアドレナリンが放出される．受容体は α_1, α_2 受容体，β_1，β_2 受容体が存在しており，心臓，血管に分布している．心臓ではおもに β_1 受容体，血管では α_1 受容体と β_2 受容体が発現している．血管への作用は，アドレナリンは最初 α_1 作用で血管を収縮し，その後 β_2 作用で弛緩するが，ノルアドレナリンは α_1 作用により収縮する．

心臓では，ノルアドレナリンもおもに β_1 受容体を刺激し，アデニル酸シクラーゼを活性化し cAMP を増加させ心筋を収縮，拡張を制御する．cAMP は cAMP 依存性蛋白キナーゼあるいはカルモデュリンキナーゼⅡを活性化させる．その結果細胞膜に存在する L 型カルシウムチャネルをリン酸化し，細胞内へのカルシウム流入を増加させるとともに，リアノジン受容体をリン酸化し小胞体からのカルシウムの細胞内への放出およびホスホランバンのリン酸化により SERCA を介する小胞体へのカルシウムの再取り込みの双方を促進する．この結果収縮期の細胞内カルシウム濃度が上昇し心筋の収縮力と弛緩力を増加させる．また長期に続くと心筋細胞の肥大を惹起する．心筋細胞の肥大は心臓では α 受容体を介して，蛋白キナーゼ C を介する経路も介して誘導される[1]．

β_1, β_2 受容体については e ノート 1 を参照．

正常ではノルアドレナリンが心臓組織に取り込まれるが，心不全ではノルアドレナリンは心臓から放出される．これは，心臓交感神経末端におけるノルアドレナリンの再取り込みが低下しているばかりでなく，分泌も亢進しているからである．結果として心不全では血中ノルアドレナリン濃度は重症度に比例して上昇しており，予後と比例している．

β 遮断薬については e ノート 2 を参照．

(3)レニン-アンジオテンシン-アルドステロン(RAA)系

RAA 系には，全身 RAA 系と局所 RAA 系の 2 種類が存在している．心臓，血管ではその双方が働いている．全身 RAA 系は，肝臓で産生されたアンジオテンシノゲンが腎臓の JG 細胞で産生されるレニンの働きにより，アンジオテンシン I が産生され，さらに肺で産生さるアンジオテンシン変換酵素によって活性型の

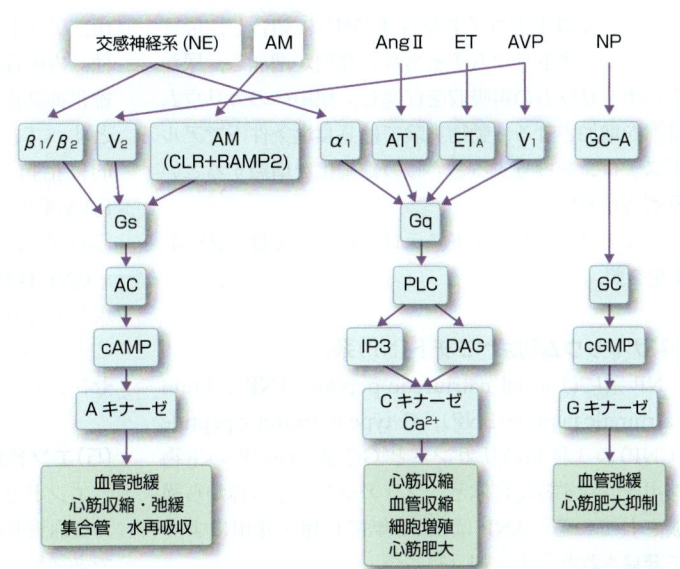

図 7-2-23 神経体液性因子，サイトカインのリガンド，受容体，細胞内シグナル，生物作用の関係
NE：ノルエピネフリン，AM：アドレノメデュリン，ET：エンドセリン，NP：ナトリウム利尿ペプチド，AC：アデニル酸シクラーゼ，PLC：ホスホリパーゼ C, IP3：イノシトール三リン酸，DAG：ジアシルグリセロール，GC：グアニル酸シクラーゼ．

アンジオテンシンⅡが産生される．アンジオテンシンⅡはさらに，副腎皮質に働いてアルドステロンの産生を亢進させる．一方，心臓や血管局所でもアンジオテンシノゲン，レニン，アンジオテンシン変換酵素が発現しており局所活性型のアンジオテンシンⅡが産生されている(e ノート 3)．

アンジオテンシンⅡには 1 型(AT1R)と 2 型受容体(AT2R)が存在するが双方とも 7 回膜貫通型の G 蛋白質共役型の受容体である．成人心臓や血管に存在する受容体はおもに AT1R であり，古典的なアンジオテンシンⅡの作用である，血管収縮作用，血管平滑筋増殖作用，心筋肥大作用，線維化促進作用は AT1R を介している．心臓の圧負荷や容量負荷などの病的状態では心臓局所でのアンジオテンシンⅡの発現は増加し心肥大，心室線維化の心室リモデリングを増悪させる．また，心不全に陥ると全身の RAA 系も活性化するために血中を介するアンジオテンシンⅡの働きも増加する．AT1R に関しては，圧負荷に応じてリガンド非依存性に活性化するとの報告もあり，ストレッチ受容体としても機能している可能性が示唆されている[2]．

アンジオテンシンは腎臓では，AT1R は輸出細動脈に輸入細動脈より密に存在し，輸出細動脈を収縮し，糸球体内圧を上昇させる．また，近位尿細管に働いてナトリウムの再吸収を促進する．また，副腎皮質におけるアルドステロン産生亢進作用も AT1R を介すると考えられている．アルドステロンは集合管に存在す

るミネラルコルチコイド受容体(MR)に結合し，最終的に上皮性ナトリウムチャネルの発現が増加し，尿からのナトリウムの再吸収を促進し，尿中へのカリウム排泄を増加させる．動物実験では高食塩条件下でアルドステロンを投与すると心臓の線維化を増悪するという報告が多い．

コルチゾールとアルドステロンについてはⓔノート4を参照．

(4) ナトリウム利尿ペプチド(NP)系

NP系にはatrial natriuretic peptide(ANP)，brain natriuretic peptide(BNP)，C-type natriuretic peptide(CNP)の3種類のリガンドとGC-A，GC-Bの生物作用を仲介する受容体と，クリアランス受容体から構成されている．ANPは1984年に松尾・寒川によって発見された[3]【⇨14-13】．

ANPは主として心房で，BNPは主として心室で産生され，冠循環を介して全身に分泌される心臓ホルモンであり，循環血中のANP，BNPはほぼ100%心臓由来である．ANPやBNPは心臓胎児遺伝子であり，胎児期には遺伝子発現が高く生後発現レベルは低下しているが，心臓の病的条件によって遺伝子発現が亢進する．BNPの心室での発現は後負荷，前負荷，右心負荷，左心負荷のいずれでも亢進し，負荷が改善されれば発現量は低下する．これに呼応して血中濃度は上昇，下降する．この現象を利用してBNPは心不全の存在診断，あるいは予後診断，あるいは治療効果判定に広く利用されている(図7-2-24)[4]．

ANP，BNPはGC-Aの特異的リガンドであり，ANP，BNPがGC-Aに結合すると細胞内cGMPが産生され，cGMP依存性蛋白キナーゼの働きによりさまざまな生物作用が発現する．血中内に投与すると血管平滑筋弛緩作用，ナトリウム利尿作用，利尿作用，アルドステロン分泌抑制作用が認められる．その他，内因性のANP，BNPは，心室肥大抑制作用，線維化抑制作用を有している．これらの作用はRAA系とすべて反対であり，ANP，BNPはRAA系と機能的に拮抗しており，言い換えると，ANP，BNPはRAA系の内因性の拮抗物質ととらえることができ，心臓保護作用を有している[5]（ⓔノート5）．

CNPは血管内皮細胞や単球，マクロファージで発現しており，GC-B受容体の特異的リガンドである．CNPはGC-Bに結合した後cGMPをセカンドメッセンジャーとして血管平滑筋の増殖抑制作用を示す．

(5) エンドセリン系

エンドセリン(ET)はおもに血管内皮細胞由来の強力な血管収縮物質として発見されたペプチドホルモンである[6]．その後の研究でET-1，ET-2，ET-3の3種類のアイソフォームが発見されたが，循環器系で重要なのはET-1である．受容体はET$_A$受容体とET$_B$受容体の2種類が存在している．ET$_A$受容体は血管平滑筋に存在しておりET-1に特異的であり，血管平滑筋を収縮させる．ET$_B$受容体は血管内皮にも存在していてNOやプロスタサイクリンを産生して血管平滑筋を弛緩させる．ET-1は心筋細胞や心臓の線維芽細胞でも産生しており，ET$_A$受容体を介して心筋細胞の肥大や線維化を増強する．心不全や急性心筋梗塞でET-1の血中濃度は上昇している．

肺動脈性肺高血圧の成因についてはⓔノート6を参照．

(6) アドレノメデュリン(AM)系

AMはヒト褐色細胞腫より発見されたペプチドホルモンであり，血管内皮細胞に多量に発現している．AMの作用はcAMPの増加，一部はNO産生増加作用を介して血管平滑筋弛緩作用を有しているほか，利尿作用も有している．心不全や急性心筋梗塞ではAMの血中濃度が増加している[7]．

(7) バソプレシン(AVP)

AVPは，視床下部視索上核・室傍核内に存在する大神経内分泌細胞で産生され，下垂体茎を経て脳下垂体後葉に貯蔵され，血中に分泌される．浸透圧の上昇，血管内容量の減少，交感神経系の活性化が分泌刺激である．浸透圧の変化に対してはきわめて鋭敏に分泌が増減する．心不全では多くの場合血中濃度が上昇しており，特に低ナトリウム血症を伴う場合には，血漿浸透圧が低下しているにもかかわらずAVP濃度が上昇しており，いわゆる不適合分泌状態がしばしば認められる．

V$_1$受容体とV$_2$受容体が存在しており，心臓，血

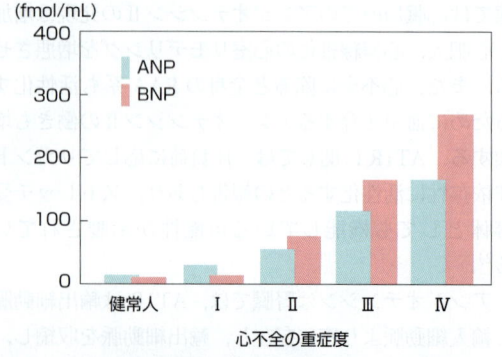

図7-2-24 血中ANP，BNP濃度と心不全重症度の関係
(Mukoyama, et al: Increased human brain natriuretic peptide in congestive heart failure. New Engl J Med. 1990; 323: 757-8)
血中ANP，BNP濃度は心不全の重症度に並行して上昇する．BNPは心不全の存在診断，予後診断のよいマーカーである．

管にはV_1受容体が存在し，心臓肥大や血管収縮作用を有する．V_2受容体は腎集合管の血管側に存在しており，水チャネルであるアクアポリンを尿細管側細胞膜上へ提示し，水の再吸収を促進する．

(8)サイトカイン

心筋細胞の虚血や圧負荷あるいは心筋傷害やその修復過程では活性酸素種が生成され，NF-κB系が活性化される．それに引き続き心筋細胞，線維芽細胞，白血球などでのIL-1β，TNF-α，IL-6の産生が増加し，白血球，リンパ球，単球の浸潤をさらに引き起こし，心室のリモデリングにつながる．一方IL-10やTGF-βは，炎症惹起性の単球や内皮細胞でのサイトカインや接着因子の産生を抑制し，炎症を終息する方向に働く[8]．

動脈硬化の発症には炎症機序が関与しており，MCP-1により単球が血管壁に浸潤する．内皮細胞から分泌されるPDGFは血管平滑筋を血管内膜に遊走させ，VEGFにより動脈硬化巣への血管新生などに関与する[9]．　　　　　　　　　　〔斎藤能彦〕

■文献（e文献 7-2-7）

松崎益徳：慢性心不全治療ガイドライン2010年改訂版，日本循環器学会，2010．http://www.j-circ.or.jp/guideline/pdf/JCS2010_matsuzaki_h.pdf

中尾一和主幹：心臓と腎臓の内分泌代謝．最新内分泌代謝学，p265，診断と治療社，2013．

泰江弘文編：心不全と神経体液因子，医学書院，1999．

8）循環器薬の作用機序

(1)循環器薬の作用点

循環器薬のおもな作用部位は血管と心臓である．血管では体循環と肺循環，心臓では心筋細胞とそれを栄養する冠動脈，および刺激伝導系が治療薬の作用点となる（図7-2-25）．また，心収縮力の調節，前負荷・後負荷の調節にかかわるのか（図7-2-26），あるいは神経体液性調節の観点からは交感神経系，レニン-アンジオテンシン系を作用点とするのかという分類も可能となる．たとえば，アンジオテンシン変換酵素（ACE）阻害薬はレニン-アンジオテンシン系阻害薬に分類され，血管に作用点をもつ血管拡張薬となり，後負荷を減少させ，さらに心肥大抑制作用をあわせもつ．循環器薬の作用機序は，さまざまなレベルで考えると理解しやすい．

(2)レニン-アンジオテンシン系阻害薬

レニン-アンジオテンシン系（図7-2-27）は生体の強力な血圧上昇機構であり，腎血流が減少すると活性化される．動脈硬化などにより腎動脈が狭窄し腎血流量が減少すると，傍糸球体細胞にある圧受容器がこれを感知して，レニン分泌が亢進する．レニンは肝臓でつくられるアンジオテンシノゲンからアンジオテンシンIを産生し，アンジオテンシンIはアンジオテンシン変換酵素（ACE）やキマーゼなどによりアンジオテンシンIIに変換され，血管平滑筋に分布するAT_1受容体に作用して強力な血管収縮作用を発揮する．アンジオテンシンIIはさらに，副腎皮質に作用し，アルドステロンを分泌させる．アルドステロンは腎臓の集合管に作用し，NaClと水の排泄を減らす結果，循環血液量を増やし，血圧を上昇させる．さらにアンジオテンシンIIは交感神経終末からのノルアドレナリン分泌を刺激して，交感神経活性を高める．レニン-アンジオテンシン系阻害薬はこのような多段階のシグナル経路のいずれかに作用点を有している．

a．アンジオテンシン変換酵素（ACE）阻害薬

ACE阻害薬は，アンジオテンシンIからアンジオテンシンIIへの変換を担うACEを阻害する．その結果，アンジオテンシンIIによる血管収縮を抑制して末梢血管抵抗を低下させ（後負荷軽減），さらにアルドステロンのNa再吸収作用を抑制して循環血液量を減少させ（前負荷軽減），血圧を低下させる．同時にブラジキニンの不活性化を阻害することにより，ブラジキニンによって誘導される血管内皮細胞での一酸化窒素（NO）産生を増強して，全身血管抵抗を低下させる．ACE阻害薬の降圧作用は，アンジオテンシンII生成阻害とブラジキニンによるNO産生増強の両メカニズムに由来する．ACE阻害薬を長期間投与すると，投与初期には低下したアルドステロン値が再びもとのレベルに戻ってしまうアルドステロンエスケープ現象がしばしば認められる[1]．これは組織中のキマーゼなどACE以外の酵素によるアンジオテンシンIからアンジオテンシンIIへの変換が代償的に増強するためと考えられている．このような状況でもACE阻害薬の有効性が持続するのは，ブラジキニン貯留による内因的NO産生増強のメカニズムが大きく作用しているからと考えられる．

ACE阻害薬に特有の副作用として空咳があげられ，その他に過度の血圧低下によるふらつき，腎機能障害のある人での腎機能悪化や血清カリウム値の上昇が認められる．空咳の原因については，咳中枢を刺激するブラジキニンが蓄積するためと考えられ，中止により速やかに改善する．ACE阻害薬はほかの降圧薬に比べて心肥大の改善作用が強いことが報告されており，その機序として，心筋細胞の肥大のみならず，膠原線維や線維芽細胞といった間質細胞の増殖を抑制することが指摘されている．その他に，ACE阻害薬には腎

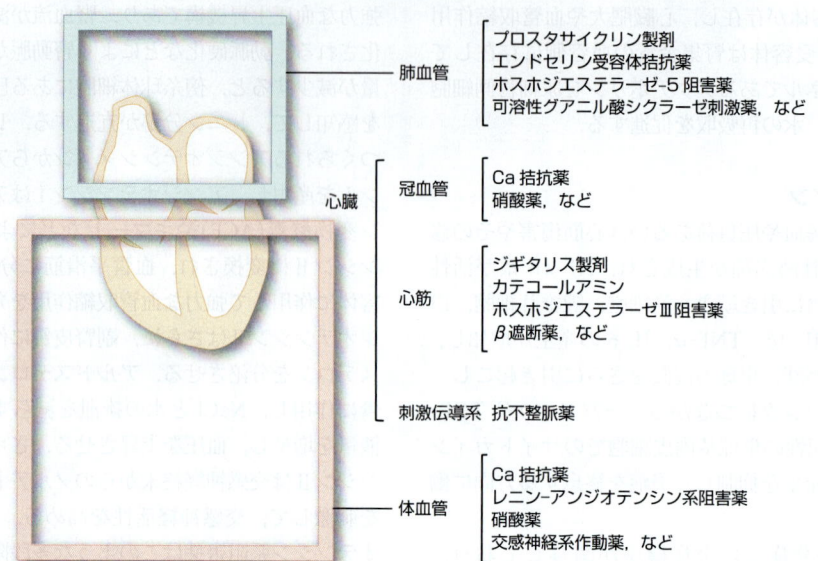

図 7-2-25 循環器薬の作用部位
循環器薬のおもな作用部位は血管と心臓である．血管では肺血管と体血管，心臓では冠血管，心筋と刺激伝導系が治療薬の作用点となる．

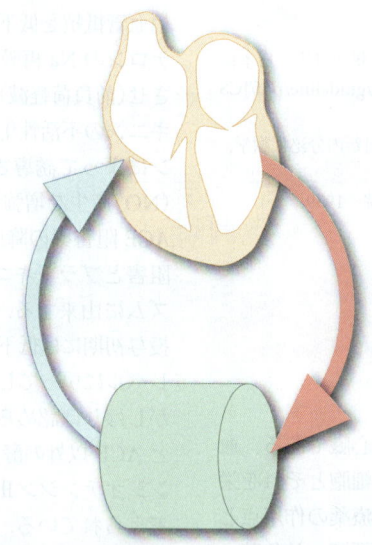

図 7-2-26 心収縮力と前負荷・後負荷の調整
前負荷は「容量負荷」ともいわれ，心臓に戻ってくる静脈血量が多くなるほど大きくなる．「Frank-Starling の法則」は，心臓への還流血液量に応じて，心収縮力が変化することを示している．心室内への血液流入が増大して心室の筋肉が伸展される（心室拡張末期容積が増大）と，心収縮力は高まる．後負荷は「圧負荷」ともいわれ，心臓が血液を拍出する際にかかる抵抗となる．血管壁の弾力性が低下している動脈硬化や末梢血管収縮によって末梢血管抵抗が増大している場合，血液の粘稠度が高い場合に大きくなる．心収縮力が低下している場合に後負荷が大きいと，抵抗に打ち勝ち心臓から十分な血液を駆出できず心拍出量は低下する．後負荷が増すと，心筋の仕事量は増大し，心筋酸素消費量も増大する．一方，後負荷が少ない場合は，心臓は楽に血液を拍出することができ，心筋の仕事量は減少する．

臓器障害の悪化を予防し，尿蛋白を減少させ，さらにインスリン抵抗性を改善する作用があることが認められている．ACE 阻害薬は安全性が高く，QOL を改善し，これまでの大規模臨床試験において，心不全や心筋梗塞の患者の予後延長作用が証明された薬物であり，高血圧の患者においても臓器障害の発生を予防する薬物として広く使用されている．

ただし，これらのエビデンスは海外の臨床試験で得

られたものであり，ACE阻害薬の臨床用量は日本と欧米で大きく異なる．たとえばエナラプリルの場合，欧米で 10〜40 mg/日が承認されているのに対して，日本では 5〜10 mg/日が承認用量となっている．さらに ACE 阻害薬の効果には人種差があり，白人で感受性が高い薬物であることも意識すべきである[2]．

b. アンジオテンシン受容体拮抗薬（ARB）

アンジオテンシンⅡの主要な作用は AT_1 受容体を介して発揮される．ARB はアンジオテンシンⅡと AT_1 受容体の結合を選択的に阻害することにより降圧作用を発揮する．ACE ばかりでなく，キマーゼ由来に産生されるアンジオテンシンⅡの作用も阻害しうる点が，ACE 阻害薬にはない利点とされる．一方，ACE 阻害薬に認められるブラジキニン貯留や，それ

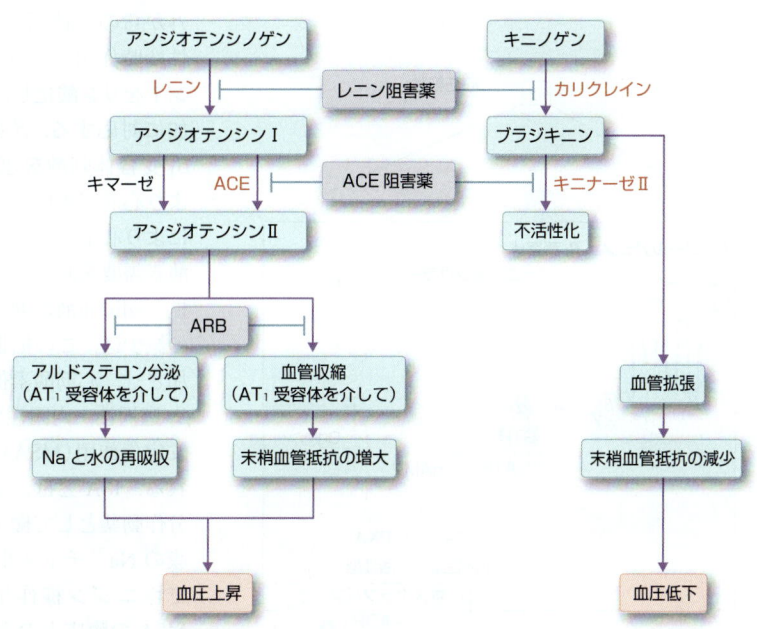

図7-2-27 レニン-アンジオテンシン系とその作動薬
レニン-アンジオテンシン系は生体の強力な血圧上昇機構であり，腎血流量が減少すると，傍糸球体細胞にある圧受容器がこれを感知して，レニン分泌が亢進する．レニンは肝臓で作られるアンジオテンシノゲンからアンジオテンシンⅠを産生し，アンジオテンシンⅠはアンジオテンシン変換酵素（ACE）やキマーゼなどによりアンジオテンシンⅡに変換され，血管平滑筋に分布する AT_1 受容体に作用して強力な血管収縮作用を発揮する．アンジオテンシンⅡはさらに，副腎皮質に作用し，アルドステロンを分泌させる．アルドステロンは腎臓の集合管に作用し，NaClと水の排泄を減らす結果，循環血液量を増やし，血圧を上昇させる．ACE阻害薬は，アンジオテンシンⅠからアンジオテンシンⅡへの変換を阻害すると同時にブラジキニンの不活性化を阻害する．ブラジキニンは，血管内皮細胞での一酸化窒素（NO）産生を刺激して，血管拡張をもたらし血圧を低下させる．

により誘導される内皮細胞での NO 産生増強は期待できない．ARB の投与によりフィードバック的にアンジオテンシンⅡ濃度は上昇するが，このアンジオテンシンⅡが AT_2 受容体を活性化し，AT_1 受容体刺激による血管収縮などを打ち消す方向に作用する可能性が指摘されている．

ARB の臨床用量の日本と欧米での相違は，ACE 阻害薬ほど大きくない．たとえばテルミサルタンの場合には，欧米と日本で 20〜80 mg/日の同じ用量が承認されている．海外での臨床試験結果の日本人への適用を考慮した場合，その外的妥当性は ARB が ACE 阻害薬に優っている．

c. レニン阻害薬

レニン阻害薬であるアリスキレンは，レニンの活性中心であるアンジオテンシノゲン結合部位に結合し，レニン-アンジオテンシン系の起点となるレニンを直接に選択的に阻害する．この結果，アンジオテンシノゲンからアンジオテンシンⅠの変換が遮断されアンジオテンシンⅠ，およびその下流にあるアンジオテンシンⅡの濃度が低下し，降圧がもたらされる．さらに，組織 RA 系の活性化に関与するとされるレニン前駆体であるプロレニンにもレニン阻害薬は結合し，組織 RA 系を抑制することが示唆されている．

（3）交感神経系遮断薬

a. α遮断薬

神経終末からのノルアドレナリン放出により血管平滑筋の $α_1$ 受容体が刺激されると血管収縮を生じる．その機序は，蛋白キナーゼ C（PKC）を介したミオシン軽鎖脱リン酸化酵素の抑制と，それに伴うミオシン軽鎖リン酸化の増強である．これは細胞内 Ca^{2+} 濃度に依存しない Ca^{2+} 感受性増強機構とされる．$α_2$ 受容体は血管平滑筋と神経終末部に認められ，血管平滑筋の $α_2$ 受容体刺激は，$α_1$ 受容体刺激と同様に血管収縮を生じるが，神経終末部の $α_2$ 受容体刺激では，ネガティブフィードバックにより神経終末でのノルアドレナリンの合成と放出が抑制される．$α_1$ 受容体を選択的に阻害するプラゾシンやドキサゾシンなどの $α_1$ 遮断薬は，$α_2$ 受容体の刺激による神経終末での合成と放出の抑制には関係しないため血管を拡張させやすく，強力に血圧を低下させる．また中性脂肪を低下させ，インスリン抵抗性を改善するなど代謝系への有益

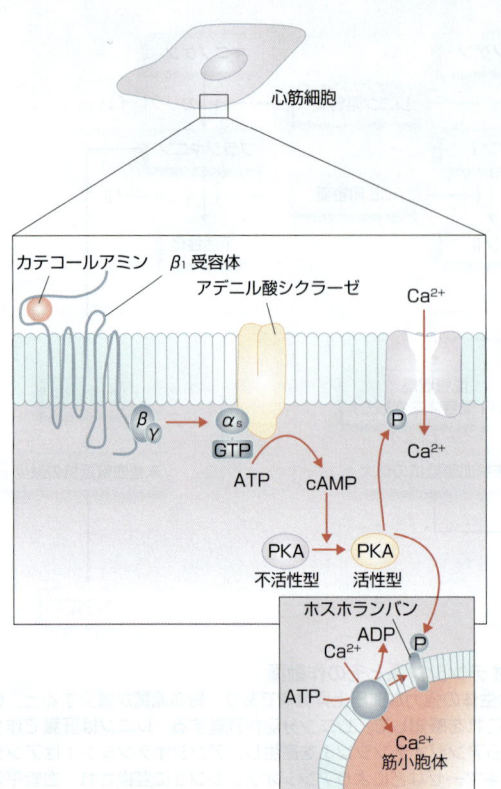

図 7-2-28 β 受容体刺激シグナルと β 遮断薬の作用機序
心筋細胞の β_1 受容体にカテコールアミンが結合すると，促進性の G 蛋白質（Gs）を介してアデニル酸シクラーゼが活性化し，ATP から cAMP への変換が促進される．cAMP はプロテインキナーゼ A（PKA）の活性化を介して，Ca^{2+} チャネルをリン酸化し，Ca^{2+} 流入を促進する．活性化した PKA は同時に筋小胞体の Ca^{2+} ポンプを活性化し，心筋弛緩時の筋小胞体への Ca^{2+} 回収を促進し，筋小胞体貯蔵 Ca^{2+} 量を増加させる．β 遮断薬はこのような心臓に対する β_1 受容体刺激を遮断し，細胞内 Ca^{2+} 濃度の低下により心筋収縮性を低下させ，刺激伝導系の興奮性低下により心拍数を減少させ，結果として心仕事量と心筋酸素需要を減少させる．

な作用を有する．副作用としては，過度の降圧によるふらつきやめまいのほかに起立性低血圧があげられ，特に高齢者や，糖尿病による神経障害を合併する患者で出現しやすい．

b. β 遮断薬

心筋細胞の β_1 受容体にカテコールアミンが結合すると，促進性の G 蛋白質（Gs）を介してアデニル酸シクラーゼが活性化し，ATP から cAMP への変換が促進される．cAMP はプロテインキナーゼ A（PKA）の活性化を介して，Ca^{2+} チャネルをリン酸化し，Ca^{2+} 流入を促進する（図 7-2-28）．活性化した PKA は同時に筋小胞体の Ca^{2+} ポンプを活性化し，心筋弛緩時の筋小胞体への Ca^{2+} 回収を促進し，筋小胞体貯蔵 Ca^{2+} 量を増加させる．この結果生じた細胞内 Ca^{2+} 濃度の上昇により，心収縮力は増強する（陽性変力作用）．また洞房結節のペースメーカ細胞における細胞外からの Ca^{2+} 流入増加は，心拍数を増加させる（陽性変時作用）．さらに PKA は収縮調節蛋白トロポニン I をリン酸化し，心収縮時間を短縮させ，心拍数増加に対応する．β 遮断薬はこのような心臓に対する β_1 受容体刺激を遮断し，細胞内 Ca^{2+} 濃度の低下により心筋収縮性を低下させ，刺激伝導系の興奮性低下により心拍数を減少させ，結果として心仕事量と心筋酸素需要を減少させる．冠動脈には，おもに心周期の拡張期に血液が灌流しており，β 遮断薬による心拍数の減少は，この拡張期時間を延長し，冠灌流時間を増加させ，心筋酸素供給の改善をもたらす．β 遮断薬は β_1 選択性，内因性交感神経刺激作用（ISA）の有無，膜安定化作用（MSA）などの薬理学的特性により分類される．ISA とは，弱いながらも β_1 受容体を刺激し部分作動薬として働く作用を指す．また MSA とは細胞膜の Na^+ チャネルや Ca^{2+} チャネルを抑制する作用でキニジン様作用ともよばれる．ただし，ISA や MSA の臨床上の意義は明らかではない．β 遮断薬は降圧作用や抗不整脈作用も有しており，高血圧や不整脈を合併する労作性狭心症にはきわめて有効な薬物である．さらに，心拍数減少による心筋酸素消費の抑制と Ca 過負荷の軽減，拡張機能の改善，レニン-アンジオテンシン系の抑制などにより慢性心不全にも有効である．しかし，β 遮断薬の陰性変力作用により，心不全症状が増悪することがあり，初期導入時には維持量の 1/5〜1/10 といった低用量から開始し，忍容性を確認しながら漸増する必要がある．β 遮断薬投与により，相対的に α 受容体が優位な状態が生じると，冠血管は攣縮を起こしやすくなる場合があり，攣縮型の狭心症に用いる場合には，Ca 拮抗薬と併用するなどの注意が必要である．また気管支喘息や末梢循環不全を悪化させる可能性があり，このような患者にやむをえず使用する場合には β_1 選択性のある薬物を少量から使用する．血糖降下薬を使用中の糖尿病患者に β 遮断薬を投与した場合，低血糖となっても頻脈，発汗などの低血糖症状が現れないことがあるので注意する．

(4) 交感神経系刺激薬

急性心不全やショックの治療において，交感神経 α_1 受容体刺激による血管収縮を通じた昇圧と，β_1 受容体刺激による心収縮力の増強を目的に使用される．進行する循環不全に対応し，緊急時に選択され，慢性的な投与は通常行われない．ドパミン，ノルアドレナリン，アドレナリンは内因性の交感神経刺激物質であり，合成製剤としてドブタミン，イソプロテレノールが用いられる．

a. ドパミン

ドパミンは，アドレナリン生合成の中間産物であ

り，内因性の交感神経刺激作用を有する．ドパミンは，ドパミン D_1 受容体，D_2 受容体に作用するが，カテコール基を有することから β_1 受容体や α_1 受容体にも作用し，用量が増えるに従い，ドパミン D_1 受容体・D_2 受容体→β_1 受容体→α_1 受容体の順番に作用する．低用量のドパミンは平滑筋 D_1 受容体に結合し，G_s 蛋白と共役してアデニル酸シクラーゼを活性化し，cAMP 産生，PKA 活性化により血管を拡張する．同時に末梢血管の交感神経シナプス前部に存在する D_2 受容体を刺激し，D_2 受容体は G_i 蛋白と共役し，アデニル酸シクラーゼを抑制して cAMP 濃度を低下させることによりノルアドレナリン分泌を抑制して α_1 受容体を介した血管収縮を抑制する．また，低用量のドパミンは腎血流を増加させ利尿効果を示す．中等量では β_1 受容体への効果による陽性変力作用と陽性変時作用を発揮し，心収縮の増強と心拍数増加が得られる．高用量の場合は α_1 受容体への作用が前面に出て，末梢血管は収縮し，血圧が上昇する．

b．ドブタミン

ドブタミンは（−）・（＋）の鏡像異性体からなるラセミ体である．この鏡像異性体は，α_1 受容体，β_1・β_2 受容体に対して異なる作用を示すことが知られているが，ドブタミンとしての作用は，β_1・β_2 受容体刺激作用であり，β_1 受容体刺激による心収縮増強と β_2 受容体刺激による血管拡張作用である．

c．アドレナリン

生体内で副腎髄質細胞で産生され分泌される．α_1 受容体，β_1 受容体に加えて β_2 受容体の刺激作用を有する．低用量では β_1 受容体刺激による心収縮力増大，心拍数上昇作用が主となり，アナフィラキシーショックや心停止時の蘇生に使用される．高用量では α_1 受容体刺激作用が主体となる．また β_2 受容体刺激を介した気管支平滑筋拡張作用により気管支痙攣にも使用される．

d．ノルアドレナリン

ドパミンを前駆物資としてアドレナリン作動性ニューロンで産生される．交感神経節後線維から放出され，交感神経系の刺激伝達物質として作用する．α_1 受容体と β_1 受容体に作用するが，α_1 受容体刺激作用が強力であり，末梢動脈の収縮による昇圧効果を示す．後負荷の増大，心筋酸素消費量の増加，腎血流低下などをもたらすため，心不全治療に用いる場合は，単独で使用せず，ほかの強心薬を投与しても昇圧が得られない場合に併用される．

e．イソプロテレノール

β_1 受容体と β_2 受容体にのみ作用する合成製剤である．β_1 受容体刺激作用による陽性変力作用と陽性変時作用が主たる効果であり，心拍数増加を期待して高度の徐脈（Adams-Stokes 症候群など）に対し使用される．また β_2 受容体刺激を介した気管支平滑筋拡張作用により気管支痙攣や気管支喘息発作にも使用される．

(5) ナトリウム利尿ペプチド

ナトリウム利尿ペプチドは体液の過剰負荷に反応して分泌されるホルモンであり，おもに心房から分泌される A 型（ANP），心室から分泌される B 型（BNP），血管内皮細胞から分泌される C 型（CNP）の 3 種類が存在する．なお，BNP は脳で発見されたため脳性ナトリウム利尿ペプチドともいわれるが，その後，心室を含む多臓器からの分泌が確認され，心不全診断のバイオマーカーとしても有用である[3]．これらのナトリウム利尿ペプチドのなかで，ヒトリコンビナント心房性（A 型）ナトリウム利尿ペプチド（hANP）のカルペリチドは，利尿作用（前負荷軽減）と，血管拡張作用（後負荷軽減）を有し，心不全治療薬として用いられる（欧米では BNP が使用される）．hANP の受容体 natriuretic peptide receptor-A（NPR-A）は膜型グアニル酸シクラーゼであり，hANP が結合することにより GTP から cGMP が産生される．cGMP は PKG を活性化し，細胞内 Ca^{2+} 濃度を低下させるとともに，ミオシン軽鎖ホスファターゼの活性化を通じてミオシン軽鎖を脱リン酸化させ血管平滑筋を弛緩させる．さらに，腎血管拡張作用により腎血流が増加して，Na^+ 利尿効果がもたらされるとともに，間接的にレニン分泌が抑制され，RA 系が抑制される．

(6) ジギタリス製剤

ジギタリスは Na^+-K^+ ATPase の活性を抑制し，Na^+ の細胞外への排出を抑制することにより，間接的に細胞膜の Na^+/Ca^{2+} 交換系を介した Ca^{2+} の細胞外への排出を抑制する．その結果，筋小胞体への Ca^{2+} 取り込みが増大し，心拍ごとの細胞内 Ca^{2+} 濃度上昇が増強して強心作用が発揮される．またジギタリスは，迷走神経の刺激作用と交感神経抑制により房室結節細胞の有効不応期を延長させ，房室伝導を抑制する．このため，上室性頻脈，特に心房細動時の徐拍化に有効である．しかし，ジギタリスは血中濃度の治療域が狭く，過量投与では Purkinje 線維への直接作用により，活動電位の静止電位が浅くなり，脱分極立ち上がり速度が低下し，活動電位持続時間が短縮する．また，振幅電位の発現とこれによる遅延後脱分極によりときに致死的な心室性期外収縮，心室頻拍を発生する．

(7) ホスホジエステラーゼ（PDE）Ⅲ阻害薬

PDE は，cAMP および cGMP の分解酵素であり，PDE 阻害薬はこれらの分解を抑制して，cAMP また

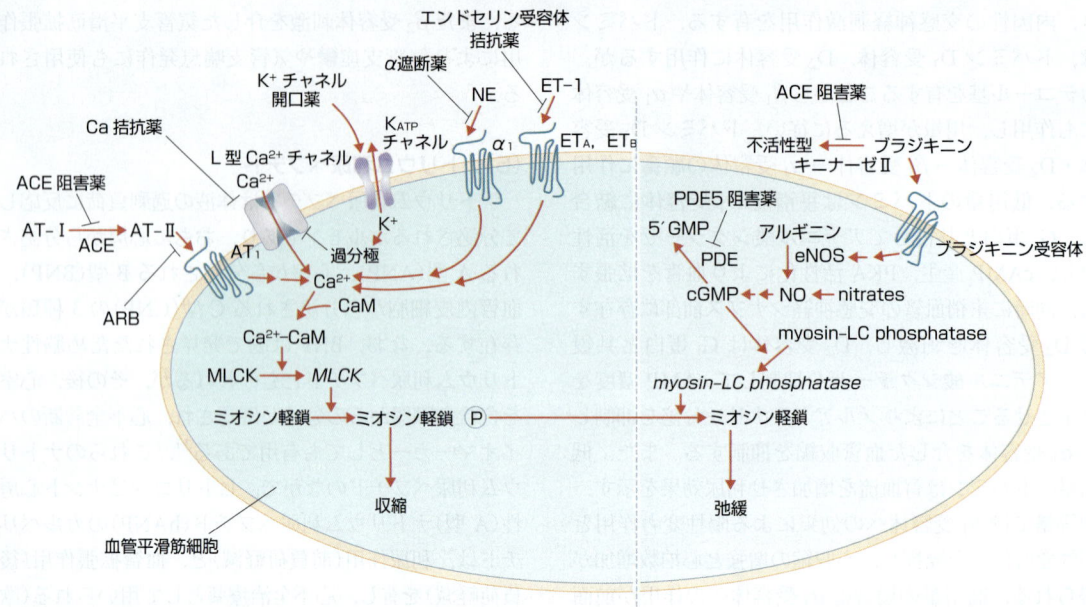

図 7-2-29　血管平滑筋の収縮と弛緩および種々の循環器薬の作用機序
血管平滑筋細胞では Ca^{2+} チャネルの開口による細胞内への Ca^{2+} が，収縮の引き金となる．平滑筋細胞質内の Ca^{2+} 濃度が上昇すると，Ca^{2+} は Ca^{2+} 結合蛋白質カルモデュリン(CaM)と結合する．Ca^{2+} と結合した CaM はミオシン軽鎖キナーゼ(MLCK)を活性化し，ミオシン軽鎖(MLCK)をリン酸化する．リン酸化されたミオシンはアクチンと反応し，ATP のエネルギーを利用して収縮する．リン酸化された MLCK がホスファターゼで脱リン酸化されると収縮反応は停止し，平滑筋は弛緩する．

は cGMP 濃度を上昇させ，種々の効果を発揮する．cAMP 特異的 PDE(PDEⅢ)は心血管系に多く存在し，cAMP 濃度を上昇させ，心臓では PKA を活性化し，細胞内 Ca^{2+} 濃度上昇を介した陽性変力作用を発揮する．一方，血管平滑筋では cAMP 濃度の上昇と引き続く PKA の活性化により，平滑筋細胞内 Ca^{2+} 濃度の低下とミオシン軽鎖リン酸化酵素(MLCK)の不活性化により血管拡張作用がもたらされる．この作用は抵抗血管である細動脈，容量血管である静脈系のいずれも生じ，後負荷，前負荷の両者が軽減される．

(8)硝酸薬

硝酸薬は，血管平滑筋を弛緩させ，血管拡張をもたらす．その機序は，NO 依存的に血管平滑筋細胞のグアニル酸シクラーゼを活性化し，cGMP 量を増加させて細胞内 Ca^{2+} 濃度を低下させることによる．低用量では静脈の，高用量では静脈および動脈の拡張作用を示す．動脈拡張による心臓の後負荷軽減と，強力な静脈拡張による心臓への血液還流量減少(前負荷軽減)によって，狭心症を速やかに改善する．静脈系の拡張作用がより優位であるため，血行動態の均衡を保つよう動脈系の拡張薬であるヒドララジンと併用し，心不全に効果があることも示されている[4]．ニトログリセリンは肝臓を通過するとそのほとんどが急速に代謝され薬理活性を失ってしまうため，経口薬としては用いず，舌下錠，舌下スプレー，経皮吸収製剤あるいは注射薬として用いる．長時間作用型の硝酸薬を慢性的に投与すると，耐性が生じ薬理作用を減弱することが知られている．なお，大量の亜硝酸イオンはメトヘモグロビンを生じ，チアノーゼや機能的貧血の原因となる．

(9)Ca 拮抗薬

Ca^{2+} は細胞膜を隔ててその内外で 1 万倍以上(内＜外)の濃度勾配をもち，微量の Ca^{2+} が細胞内に流入することをきっかけにして，さまざまな細胞機能が調節される．心筋細胞や血管平滑筋細胞の収縮は，細胞外から電位依存性 Ca^{2+} チャネルを通り Ca^{2+} が流入して細胞内 Ca^{2+} 濃度が上昇し，収縮蛋白であるアクチンやミオシンに作用する結果生じる．Ca 拮抗薬は，電位依存性 Ca^{2+} チャネルを通る Ca^{2+} 流入を抑制することにより作用を発揮する(図 7-2-29)．血管の収縮を抑制し，末梢血管抵抗を低下させ血圧を降下するが，おもに血管に作用するジヒドロピリジン(DHP)系と，心筋に対しての作用もあわせもつベンゾジアゼピン(BTZ)系やフェニルアルキルアミン(PAA)系に大別される．DHP 系 Ca 拮抗薬は，Ca^{2+} チャネルへの結合が膜電位に依存しており，膜電位の深い心筋への結合は弱く，膜電位の浅い血管平滑筋への作用が主となる．一方，BTZ 系や PAA 系 Ca 拮抗

薬は，心筋へ作用し，心収縮力の低下を生じ，洞房結節や房室結節などの刺激伝導系にも作用し，心拍数の低下をもたらす．そのため，徐脈や房室ブロックの出現に注意する．房室伝導抑制作用の強いPAA系のベラパミルは心拍数を減少させるが，ニフェジピンなどのDHP系Ca拮抗薬は，強い血管拡張作用に伴う反射性交感神経緊張によりむしろ心拍数は増加することが多い．BTZ系のジルチアゼムはこの中間的な特性を備えており，末梢血管よりも冠動脈に対してより強く血管拡張作用を発揮するため，日本人に多い攣縮型狭心症にはよい適応と考えられる．

(10)利尿薬
a. ループ利尿薬

ループ利尿薬は，Henle係蹄上行脚の管腔側頂端膜の$Na^+/K^+/2Cl^-$共輸送体($Na^+/K^+/2Cl^-$ co-transporter-2：NKCC2)を阻害することにより，Na^+とCl^-の再吸収を抑制し，同時に尿の濃縮機構を抑制する．Henle係蹄上行脚では，糸球体濾過により産生された原尿のうち約30％が再吸収されるため，ループ利尿薬は強力な利尿作用を発揮する．また，プロスタグランジンの生成を促進して，腎血流量の増加とレニン分泌の増加を起こす．この腎血流量増加も，ループ利尿薬の強力な利尿作用の一因と考えられている．ループ利尿薬の利尿作用は，腎機能低下例でも有効であり，静脈拡張作用ももつことから急性心不全治療の第一選択薬として使用されている．

b. サイアザイド系利尿薬

サイアザイド系利尿薬は，遠位曲尿細管細胞の管腔側頂端膜のNa^+/Cl^-共輸送体(Na^+/Cl^- co-transporter-1：NCC1)と競合的に拮抗し，遠位曲尿細管でのNa^+再吸収を阻害する．ヒドロクロロチアジド，トリクロルメチアジドなどのサイアザイド系利尿薬はループ利尿薬に比べて利尿効果は弱いが，血管平滑筋に対する直接弛緩作用があり，特に日本人に多く存在する食塩感受性高血圧症では効果的である．

c. K保持性利尿薬

K保持性利尿薬は，アミロライドやトリアムテレンなどのNaチャネル阻害薬と，スピロノラクトン，カンレノ酸，エプレレノンなどの抗アルドステロン薬に分類される．Naチャネル阻害薬はおもに集合管に作用し，上皮細胞の頂端側Na^+チャネルを阻害する．一方，アルドステロンは副腎皮質のAT_1受容体刺激により産生され，遠位尿細管や集合管の細胞核内に存在するミネラルコルチコイド受容体に作用する．その結果，尿細管管腔側のNa^+チャネルの活性化と基底膜側のNa^+/K^+ポンプの活性化が生じ，Na^+の再吸収によるNa^+および水分貯留と，K^+およびMg^{2+}の排泄が促進される．さらに心筋や間質の線維化を促進し心不全を増悪させる．抗アルドステロン薬は，アルドステロンのこれらの作用に拮抗して利尿効果を発揮する．抗アルドステロン薬スピロノラクトンをACE阻害薬，ループ利尿薬およびジギタリス製剤からなる基本治療薬と併用すると，心不全の死亡率を減少させることが報告された[5]．抗アルドステロン薬は忍容性も良好であり，ACE阻害薬をはじめとする基本治療薬の併用薬物として注目される．

d. V_2受容体拮抗薬

内因性抗利尿ホルモンのバソプレシンは，集合管のV_2受容体に作用し，G_s蛋白と共役して細胞内cAMP濃度を上昇させ，PKAを活性化する．PKAは水チャネルAQP2をリン酸化し，リン酸化されたAQP2は細胞質内の小胞膜から集合管頂端膜に輸送され，水の再吸収を刺激する．V_2受容体拮抗薬のトルバプタンは，バソプレシンの受容体結合を競合的に阻害して，上記のバソプレシンの作用を抑制し，利尿作用を発揮する．水チャネルに作用することが特徴であり，低ナトリウム血症を伴う心性浮腫に効果を発揮する．一方，大量の利尿を生じて，脱水症状や高ナトリウム血症，また急激な血清Na濃度上昇による橋中心髄鞘崩壊症をきたすおそれがある．

(11)肺血管拡張薬(図7-2-30)
a. プロスタサイクリン製剤

プロスタサイクリンは，血管内皮から産生される内皮由来血管拡張因子の1つで，血管平滑筋や血小板のプロスタサイクリン受容体(IP受容体)に結合し，cAMP産生の促進によって，肺血管拡張作用，血管平滑筋増殖抑制作用，血小板凝集抑制作用を発揮する．経口(ベラプロスト)，吸入(イロプロスト)，皮下(トレプロスチニル)および静注薬(エポプロステノール，トレプロスチニル)が存在するが，これらのプロスタサイクリン誘導体と異なり，IP受容体選択的作動薬となる経口薬(セレキシパグ)も開発されている．

b. エンドセリン受容体拮抗薬

エンドセリン-1(ET)は，強力な血管収縮作用と平滑筋の分裂促進作用を有する内皮細胞由来ペプチドである．エンドセリン受容体のサブタイプにはET_A受容体とET_B受容体の2つが確認されており，通常の生理的状況下において，ET_A受容体は血管収縮と血管平滑筋増殖，ET_B受容体はエンドセリンのクリアランスとNO依存的な代償性血管拡張反応に関与している．肺動脈性肺高血圧症(PAH)患者の血漿中や肺組織でエンドセリンの発現と産生が亢進していることが報告され，PAHの発症や進展にかかわるシグナル経路と考えられている．選択的ET_A受容体拮抗薬(アンブリセンタン)と非選択的ET_A/ET_B受容体拮抗薬(ボセンタン，マシテンタン)がPAHの治療薬とし

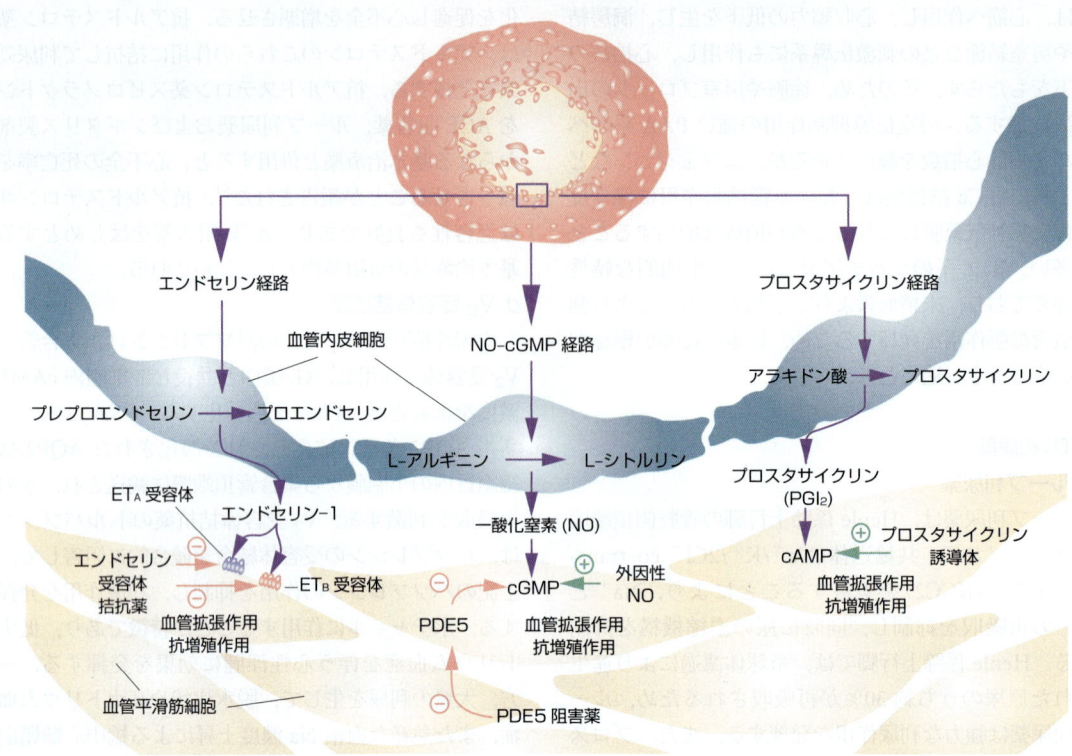

図7-2-30 肺血管拡張薬の作用機序(Humbert M, Sitbon O, et al: Treatment of pulmonary arterial hypertension. *N Engl J Med*. 2004; 351: 1425-36 より改変)

肺動脈性肺高血圧症(PAH)治療薬には，プロスタサイクリン(PGI_2)-cAMP経路，エンドセリン経路，一酸化窒素(NO)-cGMP経路のそれぞれに作用点をもつプロスタサイクリン製剤，エンドセリン受容体拮抗薬，PDE5阻害薬がある．プロスタサイクリンは，血管内皮から産生される内皮由来血管拡張因子の1つで，血管平滑筋や血小板のプロスタサイクリン受容体に結合し，cAMP産生の促進によって，肺血管拡張作用，血管平滑筋増殖抑制作用，血小板凝集抑制作用を発揮する．エンドセリン-1(ET)は，強力な血管収縮作用と平滑筋の分裂促進作用を有する内皮細胞由来ペプチドである．ET_A受容体は血管収縮と血管平滑筋増殖，ET_B受容体はエンドセリンのクリアランスと代償性血管拡張反応に関与し，エンドセリン受容体拮抗薬はこれらの作用を阻害する．PAHでは血管内皮機能不全，NOの産生障害が認められ，さらにcGMPを特異的に分解するPDE5の活性が亢進している．PDE5阻害薬は，cGMPを分解するPDE5を選択的に阻害することにより，血管平滑筋細胞内にcGMPを貯留させ血管拡張作用を発揮する．またsGC刺激薬はsGCを刺激することによってcGMP産生を亢進させ，血管を拡張させる．

て用いられる．

c. ホスホジエステラーゼ(PDE)5阻害薬および可溶性グアニル酸シクラーゼ刺激薬

血管内皮細胞から産生されるNOは，可溶性グアニル酸シクラーゼ(sGC)を活性化し，GTPからcGMPへの合成を促す．生成されたcGMPはPKGを介して強力な血管拡張反応を惹起する．一方，PAHでは血管内皮機能不全，NOの産生障害が認められ，さらにcGMPを特異的に分解するPDE5の活性が亢進していることが報告されている．PDE5阻害薬であるシルデナフィルやタダラフィルは，cGMPを分解するPDE5を選択的に阻害することにより，血管平滑筋細胞内にcGMPを貯留させ血管拡張作用を発揮する．またsGC刺激薬のリオシグアトはsGCを刺激することによってcGMP産生を亢進させ，血管を拡張させる．

(12)抗不整脈薬

表7-2-2はVaughan Williamsによる抗不整脈薬分類で，これは心筋Purkinje線維のイオンチャネルへの作用および活動電位波形に対する作用を基準にしたものである．

I群はNaチャネル抑制薬で活動電位の立ち上がりに急速に細胞内へ流入するNa^+電流を抑制し，活動電位立ち上がり速度を低下させ伝導性を抑制する．I群はさらに活動電位持続時間に対する作用からIa，Ib，Icに細分され，おのおの"延長"，"短縮"，"不変"という作用をもたらす．Ia薬は再分極の延長，Ib薬は再分極の短縮，Ic薬は再分極に影響しないことを特徴とし，再分極過程を規定する主要なイオンチャネルであるKチャネル抑制作用との相互作用によると考えられている．また，同じNaチャネル抑制薬といっても，その遮断作用は，Naチャネルの種々

表 7-2-2 Vaughan Williams 分類

分類		作用機序		薬剤名
I	Ia	Na$^+$ チャネル遮断	活動電位持続時間 延長	キニジン，プロカインアミド，ジソピラミド
	Ib		活動電位持続時間 短縮	リドカイン，メキシレチン
	Ic		活動電位持続時間 不変	フレカイニド，ピルシカイニド
II		β受容体遮断		プロプラノロール，エスモロール，ランジオロール
III		活動電位持続時間延長		アミオダロン，ニフェカラント
IV		Ca^{2+} チャネル遮断		ベラパミル，ジルチアゼム

の状態に結合する親和性の違いにより異なる．Na チャネルの状態には①開く（活性化状態），②閉じていて刺激を与えても開口しない（不活性化状態），③閉じていて刺激を与えると開く（静止状態）の3つの状態がある．I 群薬は，チャネルが開いているときにしかチャネルに結合できず，いったん結合すると不活性化した状態を保とうとする．Ic 群の薬物はチャネルとの結合と解離の遅い slow kinetic drug とよばれ，Na チャネルの抑制の程度が，心周期の間にあまり変化せず，興奮性も低下させる．一方向性伝導や間欠性伝導に基づくようなリエントリー性の不整脈を抑制する．しかし，洞調律のように遅い心拍でも薬剤がチャネルと結合したまま Na チャネル抑制作用が強く出るため，洞調律時の QRS 幅が延長する危険があり，催不整脈作用と関係する．一方，Ib 群薬は fast kinetic drug とよばれ，チャネルとの結合，解離の早い薬物であり，次の活動電位が始まるまでには完全にチャネルから放たれ，通常次の心拍への Na チャネル抑制作用はない．リドカインやメキシレチンは RR 間隔の短い頻拍症や期外収縮の際だけにチャネルをブロックして不整脈を停止させる点ですぐれている．キニジン，ジソピラミドなどの Ia 群薬は，これら両群の中間的であり intermediate kinetic drug と分類される．心室性不整脈にも有効であるが，心房あるいは房室結節に起因する頻脈性不整脈に対してしばしば用いられる．

II 群は交感神経 β 受容体遮断薬で，交感神経活動亢進に伴う拡張期脱分極を抑制して抗不整脈作用を示す．心筋梗塞後の心室性不整脈に対して有効であり，房室結節の伝導も遅延させるため，上室性不整脈の心室応答の頻度を低下させるためにも使用される．

III 群は活動電位の持続時間を延長させ，不応期の延長をもたらすが，伝導性を抑制する作用は持たない．これらの作用は，K チャネル遮断によるものと考えられている．しかし，III 群薬に分類されるアミオダロンは，K チャネルに対する作用以外に，Na チャネルや Ca チャネルにも作用し，β受容体遮断作用も有することが知られている．III 群薬は，心機能障害を伴う難治性心室性不整脈に対して特に有用である．

IV 群は Ca 拮抗薬で，洞結節や房室結節などの Ca^{2+} 電流依存性細胞の関与している不整脈に有効であり，これら細胞の伝導を抑制し，不応期を延長する．ベラパミルなどは心房細動のような上室性不整脈における心室応答頻度をコントロールするために用いられる．また，ジギタリス中毒や虚血時には通常の心房筋や心室筋細胞にも Ca 電流依存性の異常自動能や triggered activity が出現し，不整脈を引き起こすため，これらの不整脈にも有効である．

このほか Vaughan Williams による抗不整脈薬分類には含まれないが，ATP 製剤やジギタリス，ムスカリン受容体拮抗薬なども広く臨床で用いられている．ATP 製剤は代謝されアデノシンとなり，強い陰性変時作用により，リエントリー性頻拍発作の停止に有効である．ジギタリスは，迷走神経を活性化し，房室結節に対する直接作用，交感神経遮断作用などにより房室結節の伝導速度を低下させ，有効不応期を延長させるため，心房粗細動などの上室性頻拍時の心室レートの低下に有効である．

Vaughan Williams 分類の枠組みでは，各薬物の特性を十分表現できない部分もあり，安全かつ有効な抗不整脈薬療法を行うことを目的とした Sicilian Gambit の提唱する抗不整脈薬分類も広く用いられている．　　　　　　　　　　　　　〔渡邉裕司〕

■文献（e文献 7-2-8）

Endoh M: Cardiac Ca^{2+} signaling and Ca^{2+} sensitizers. *Circ J.* 2008; **72**: 1915-25.

Golan DE, Tashjian AH, et al: Principles of Pharmacology. Lippincott Williams & Wilkins, 2012.

Tsai EJ, Kass DA: Cyclic GMP signaling in cardiovascular pathophysiology and therapeutics. *Pharmacol Ther.* 2009; **122**: 216-38.

7-3 循環器疾患の主要病態

1）動脈硬化―粥腫の形成とその破綻
arteriosclerosis

（1）粥腫の発症（initiation）
a. リポ蛋白粒子（おもに LDL）の内膜への浸潤

　プラーク（粥腫）形成は血管内皮機能障害を常に伴っている．糖尿病，脂質異常症，高血圧，喫煙などは炎症性サイトカイン血症，インスリン抵抗性，レニン-アンジオテンシン系の活性化などを通じて血管内皮細胞機能障害を起こすと考えられる．また，過酸化水素，スーパーオキサイドやハイドロキシラジカルなどの活性酸素種（reactive oxygen species：ROS）は，血管内皮細胞機能障害のメディエタとなる．活性酸素種の産生と消去は血管内皮細胞において巧妙に調節され，この調節機構の破綻によって生じる酸化ストレスが血管内皮細胞機能の障害を惹起する．内皮細胞障害部位では，リポ蛋白粒子は内膜下に浸潤し，血管壁内ではプロテオグリカンなどの細胞外マトリックス（extracellular matrix：ECM）に結合して，血管壁内に長時間停滞する．そして，酸化修飾され酸化 LDL に変化する．修飾されたリポ蛋白は酸化ストレスや炎症性サイトカインを産生させ，血管内皮細胞を活性化する（図 7-3-1 ①〜③）．

b. 白血球のリクルートメント（接着，ローリング）

　正常の内皮細胞は白血球が接着しにくくなっているが，動脈硬化の初期には単球，T リンパ球が接着し，血管内皮細胞間を通り抜けて内皮下に浸潤する（図 7-3-1 ④）．この接着に重要なのが VCAM-1（vascular cell adhesion molecule-1）であり，単球や T リンパ球に発現する VLA-4（very late antigen-4）に結合する．

c. 単球や T リンパ球が内皮下に遊走

　血管内皮細胞や血管平滑筋細胞から産生されるケモカインの一種である monocyte chemoattractant protein（MCP-1）は単球の走化性に重要である．単球は MCP-1 に対する受容体 CCR-2 を発現しており，MCP-1 によって遊走が刺激される．また，単球は血管壁内でマクロファージに分化し，スカベンジャー受容体 type A や CD36 を介して酸化 LDL を貪食する．細胞内に蓄積する脂質滴が増加し泡沫化する（図 7-3-1 ⑤）．泡沫化にはスカベンジャー受容体 type A と M-CSF（macrophage-colony stimulating factor）が重要である．

（2）粥腫の進展（progression）

　動脈硬化は血管壁に起こる炎症と理解され，自然免疫（innate immunity）と獲得免疫（adaptive immunity）の 2 種類のメカニズムが粥腫の進展に重要である．前者は抗原に依存しない非特異的な炎症反応であり，おもに泡沫細胞が中心となり，炎症性サイトカイン，ケモカイン，活性酸素種が炎症のメディエタとなる．後者は，抗原特異的な反応であり，マクロファージや樹状細胞がリポ蛋白，熱ショック蛋白，感染性病原体などによって抗原提示細胞となることから開始する．ナイーブヘルパー T 細胞（CD4 陽性）は，抗原提示細胞からの IL-12 のシグナルによって Th1 細胞に分化し，インターフェロン-γ（IFN-γ），リンホトキシン，CD40 リガンド，TNF-α をはじめとする Th1 サイトカイン産生を増加し，血管平滑筋細胞の内膜への遊走と増殖を促進する（図 7-3-1 ⑥，⑦）．Th2 細胞からは炎症を抑制するサイトカイン（IL-4 や IL-10

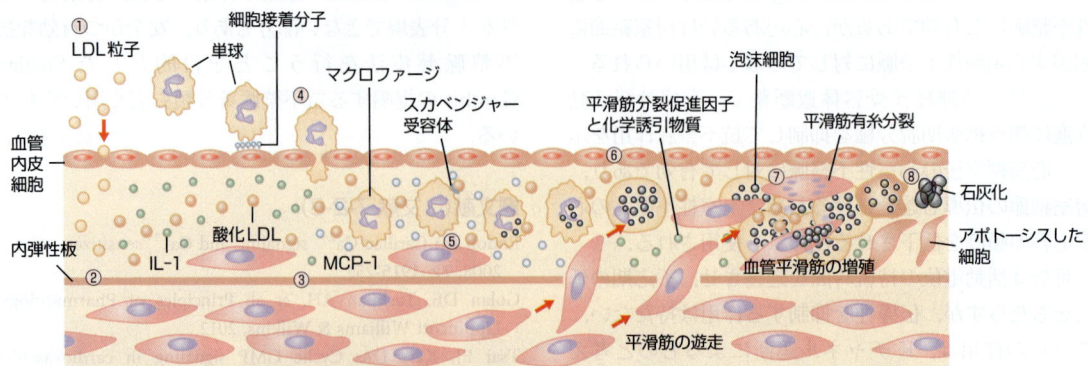

図 7-3-1 動脈硬化プラークの発症と進展（Libby ら，2011）
①リポ蛋白粒子の内膜への蓄積と修飾（修飾された LDL 粒子は暗い色調で示す），②酸化ストレスの産生，③サイトカインの発現，④単球の接着と内皮下への遊走，M-CSF によるスカベンジャー受容体の発現誘導，⑤スカベンジャー受容体を介しての酸化 LDL の取り込み亢進と泡沫細胞への分化，活性酸素種やマトリックスメタロプロテネース（MMP）の発現亢進，⑥内皮中の平滑筋細胞および中膜平滑筋細胞の遊走，⑦血管平滑筋細胞の増殖と細胞外マトリックスの産生増加，⑧石灰化形成と線維化，アポトーシスした平滑筋細胞，脂質コアを示す．

が分泌され，Th1の過剰な活性化が抑制される．

動脈硬化病変には細胞傷害性T細胞（CD8陽性）も存在し，Fasリガンドを発現し，Fas受容体を発現する血管内皮細胞，血管平滑筋細胞，マクロファージのアポトーシスを誘導する．この過程はプラークの進行や合併症に関係する．

(3) 血管平滑筋細胞の遊走・増殖と形質変換
a. プラーク内の血管平滑筋細胞の起源

血管平滑筋細胞は動脈硬化の進展に重要である．血管平滑筋細胞は炎症性サイトカイン，酸化ストレス，低酸素刺激によって，形質が変換し，動脈硬化巣および冠血管形成術後の再狭窄病変では，増殖能を獲得した血管平滑筋細胞が，血管壁構築を改変することにより病変の進展を起こす．プラーク内の血管平滑筋細胞の起源に関して，中膜由来説のほか，骨髄由来の間葉系細胞，血管壁内の間葉系細胞などの関与が報告されたが，マウスの発生工学的手法を用いた研究から動脈硬化病変にみられる血管平滑筋細胞の大部分は中膜平滑筋細胞に由来すると考えられている．

b. 血管平滑筋細胞の形質変換

動脈硬化病変にみられる血管平滑筋細胞は脱分化型または合成型血管平滑筋細胞とよばれ，粗面小胞体に富み，間質コラーゲン（I型コラーゲン，III型コラーゲン），プロテオグリカン（versican, biglycan, aggrecan decorin）およびエラスチンなどから構成される細胞外マトリックスを産生する（図 7-3-1 ⑦）．一方，中膜の血管平滑筋細胞は分化型または収縮型とよばれ，平滑筋型ミオシン重鎖（SM1, SM2）などの収縮蛋白の発現量は多く，増殖能や遊走能は低いという特徴がある．血管平滑筋細胞は，炎症性サイトカインやT細胞由来のFasリガンドにより，アポトーシスを起こす．つまり，プラーク内の血管平滑筋細胞の蓄積は，血管平滑筋細胞の増殖と細胞死の「綱引き」の結果である．また，ECMの分解と合成のバランスがプラークの性状に大きな影響を与える．血管平滑筋細胞の形質変換を調節する因子として，PDGF（platelet-derived growth factor）やTGF-βが重要である．また，転写因子 myocardin, KLF4, KLF5 あるいは Notch などの分化調節因子が重要である．

(4) プラーク破裂（rupture）
a. 急性症候群

心筋梗塞の多くは，狭窄度の軽度な部位がしばしば責任部位となり発症する（図 7-3-2）．プラーク破裂に基づく血栓形成がその基本的な原因であることから，急性心筋梗塞，不安定狭心症，心臓突然死は急性冠動脈症候群（acute coronary syndrome：ACS）として共通メカニズムによる疾患であるという概念が確立してきた．冠動脈硬化の主要な危険因子である脂質異常症，糖尿病，高血圧は，血小板の活性化，血管内皮細胞の機能異常，および単球・マクロファージの活性化を引き起こし，初期病変が形成され，次第にプラークのサイズは増大する．内皮下のマクロファージはTNFやIL-1などの炎症性サイトカインやMMP（matrix metalloproteinase）を産生・分泌する．MMPはプラークの破裂に深く関与している（図 7-3-2）．

b. プラークの不安定化のメカニズム

プラークの不安定化を引き起こす刺激としては，血行動態，傷害，炎症，酸化ストレスがあるがこれらはいずれもMMPの発現と活性を調節する．マクロファージがMMPの源として重要である．マクロファージ内に脂肪が蓄積するとMMPの発現が増加する．また，マクロファージが泡沫細胞化するとプラークにおける酸化ストレスがさらに増加し，MMP酵素顆粒を活性化させる．したがって，プラーク内にマクロファージが存在すると細胞外マトリックスが分解する条件がそろうことになる．実際，泡沫細胞から産生・分泌されるMMPが線維性被膜を部分的に分解することはヒトのプラークの ex vivo での実験で明らかにされている．また，動脈硬化巣におけるプラーク破裂に局所的な線維性被膜の分解が関与していること

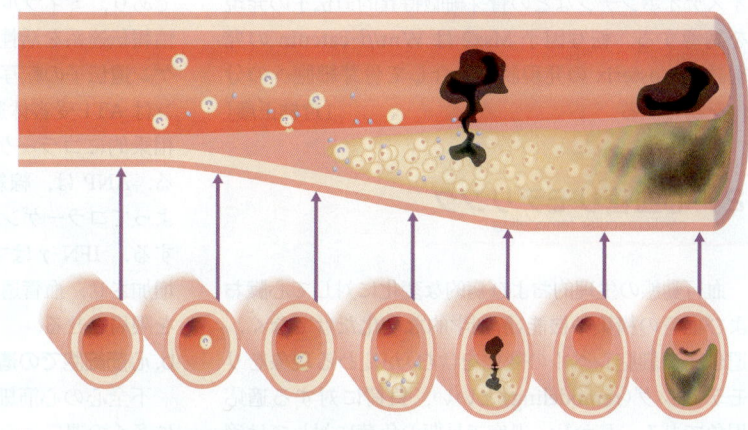

図 7-3-2 冠動脈の動脈硬化の発症と進展
血管内皮細胞機能の異常と単球の接着によって血管壁で炎症が惹起される．マクロファージ，泡沫細胞，Tリンパ球，血管平滑筋細胞は活性化し，その後，アポトーシスを起こし，複雑なプラークが形成される．血管内腔と脂質コアを隔てる線維性被膜が破壊されるとプラーク破裂となって血栓が急激に形成され，急性冠動脈症候群が発症する．プラーク破裂する部では血管径は増大していることが多い．

がウサギのモデルで明らかにされている．さらに，プラーク破裂がプラークの肩（shoulder）領域に多いことと合致して，活性酸素種に依存したMMPの活性化は，同部位のマスト細胞が脱顆粒を起こすことと関連していることも明らかにされている．マクロファージから分泌されるIL-18はTNF-αやIL-1β，IFN-γなどのサイトカインの産生を促進し，プラークの脆弱化を促進する．

破裂しやすいプラーク（脆弱なプラーク，vulnerable plaque）の特徴として①線維性被膜が薄い，②脂質プールが大きい，③マクロファージが豊富に存在する，④壊死コアが大きい，⑤微小石灰化が存在する，⑥ポジティブリモデングしている，などがある．

(5) プラークの石灰化

動脈硬化病変にはほとんどの症例で石灰化が認められる．血管石灰化は，骨形成に類似した能動的な過程であり，血管平滑筋細胞が骨軟骨細胞に分化することが基本的なメカニズムの1つである．また，動脈硬化性プラークにみられる内膜石灰化と糖尿病，CKD，高齢者でみられる中膜石灰化とは異なる分子機構による．石灰化する細胞の起源については，中膜平滑筋細胞，骨髄由来単核球，血管壁に存在する間葉系細胞などである．慢性炎症によって活性化した血管内皮細胞，単球やマクロファージ由来のさまざまな炎症性サイトカイン（TNF-α，IL-1β）やBMP2によって，軟骨内骨化あるいは膜様骨化のメカニズムで石灰化する．

リンあるいはリン・カルシウム含有粒子は内膜および中膜の血管平滑筋細胞を骨芽細胞に分化させる強力な因子である．血清リン濃度の増加は血管平滑筋細胞においてRunx2を活性化させ，オステオカルシンやオステオポンチンなどの骨芽細胞特異的遺伝子の発現を誘導する．転写因子Msx2はWnt/β-cateninの発現誘導，osterixの発現誘導を介して骨芽細胞への分化を誘導する．〔倉林正彦〕

2）心血管リモデリング
cardiorascular remodeling

血行動態の生理的および病的な変化に対して心臓および血管の構築や機能（解剖学的な変化だけでなく，遺伝子や細胞レベルの変化を含む）が変わる現象をリモデリング（remodeling）といい，負荷に対する適応現象である．しかし，過度で長期の負荷に対しては適応不全（maladaptation）となり，臓器障害を増悪させる要因となる．心室リモデリングと血管リモデリングに分けて概説する．

(1) 心室リモデリング（ventricular remodeling）

心不全の進行とともに，心室筋細胞の形態や機能，非筋細胞の性状および心室の構造と形態に大きな変化が起こり，この変化は心臓の機能や患者の臨床所見に直接に影響を与える．心室リモデリングは機械的，神経体液性因子あるいは遺伝的要因が複雑に関係して生ずる．心室リモデリングには，①正常な個体発生の段階に起こる，生理的なもの（適応現象）および②心筋梗塞，心筋症，高血圧あるいは弁膜症によって起こる病的なものがある．

a. 細胞外マトリックス（ECM）の変化

心筋梗塞後の心臓や高血圧性心疾患におけるECMに起こる変化は心室リモデングの重要な特徴であり，"perivascular fibrosis"（心筋内の血管周囲にみられる線維化）と"replacement fibrosis"（筋線維束間に起こる過度のコラーゲン蓄積）の2種類がある．前者はおもに肥大心，後者はおもに心筋壊死後に起こるが，両者ともコラーゲンのⅠ，Ⅲ，Ⅳ，Ⅵ型，フィブロネクチン，ラミニン，ビメンチンが増加する．線維組織が増加することによって心筋のスティフネスが増加し，後負荷に対して心筋短縮速度が減少する．また，コラーゲンのcross-linkingが進行性に低下し，著明な左室拡張が起こる．

ECMの代謝は，傷害心筋細胞あるいは間質細胞から放出されるサイトカインによって調節される（図7-3-3）．間質細胞のなかでも筋線維芽細胞はtypeⅠ，typeⅢコラーゲンを産生する細胞として重要である．TGF-β1，CTGF（connective tissue growth factor），PDGF，アルドステロン，アンジオテンシンⅡおよびET-1などがコラーゲンの産生を促進し，ANP，PGE$_2$，NOなどがこれを抑制する．アルドステロンは血漿中濃度に比較し，心臓中では17倍もの高濃度であり，ミネラルコルチコイド受容体を介して細胞内情報伝達系を活性化し，typeⅠおよびtypeⅢコラーゲン遺伝子の転写を活性化する．また，アルドステロンはAT1受容体遺伝子の転写を活性化し，AngⅡは相乗的にコラーゲン合成を増加させる方向に作用する．ANPは，線維芽細胞の増殖を抑制することによってコラーゲン産生を低下させリモデリングを抑制する．IFN-γはマクロファージを刺激しNO産生を増加させ，血管透過性を亢進し，梗塞領域に炎症反応を限局させる．

b. 心筋細胞での遺伝子発現の変化

不全心の心筋細胞においては表7-3-1に示すように多くの遺伝子の発現レベルが変化する．収縮蛋白は胎児期にみられるアイソフォームの再発現がみられる．胎児期のプログラムの再活性化は心機能低下の原因になっていると考えられている．こうした遺伝子発現の変化を誘導する因子として伸展刺激，ノルアドレ

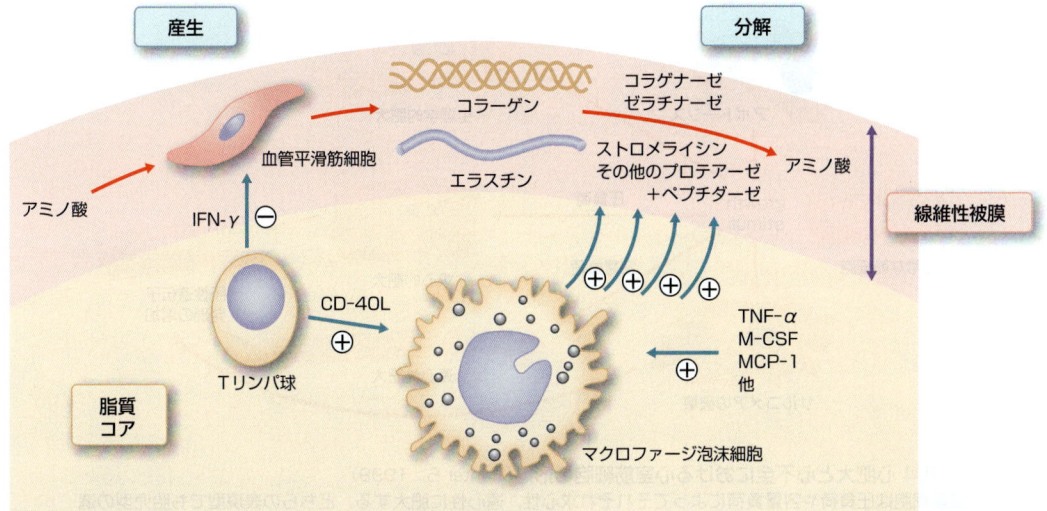

図 7-3-3 内膜の炎症と線維性被膜の ECM 代謝(Libby ら，2011)
線維性被膜中の細胞外マトリックス(ECM)のおもな構成蛋白はコラーゲンとエラスチンであり，これらの産生細胞は血管平滑筋細胞である．T リンパ球が産生する IFN-γ は血管平滑筋細胞に作用してこれらの ECM 蛋白の産生を抑制する．また，マクロファージはストロメライシンやカテプシンをはじめとする ECM 分解酵素を分泌して ECM の分解を誘導する．血管平滑筋細胞がアポトーシスに陥って数が少なくなっているプラークは線維性被膜が薄く，破裂しやすい．

ナリン，アンジオテンシンⅡ，TNFα，IL-6，エンドセリン-1 などがあり，細胞内シグナルとしては MAP キナーゼ，JAK/STAT，PI3 キナーゼ/Akt，カルシニューリン/NFAT などの経路がある．また，細胞骨格蛋白(アクチン，デスミン，タイチン，チュブリン，ビンキュリン，ジストロフィンなど)の発現レベルも変化する．さらに $β_1$ 交感神経受容体の密度の低下，β 交感神経受容体キナーゼ(βARK)の活性化による β 受容体シグナルの抑制が起こる．これらの変化は，$β_1$ 交感神経受容体の感受性の低下につながり，適応現象，非適応現象の両面がある．

c. 心筋細胞の肥大

圧負荷または容量負荷によって心肥大が誘導される．圧負荷型の心肥大では収縮期の壁応力の増加が起こり，サルコメアは平行に追加され心筋細胞の横径が大きくなり，求心性肥大が起こる．一方，容量負荷型の心肥大では拡張期の壁応力が増加し，サルコメアは縦に追加され，長径が増し遠心性肥大あるいは拡張が起こる(図 7-3-4)．心筋細胞肥大の早期では，心筋細胞はサルコメア数やミトコンドリア数が増加し，細胞機能は維持されているが，長期になると，サルコメア構築の破壊や核膜分葉化が進行し，やがて収縮蛋白も消失する．したがって，非梗塞部位の心肥大は心筋梗塞後の早期には適応現象であるが，やがて，心筋細胞は壊死，アポトーシス，オートファジーに陥り，心室機能の低下につながる．

表 7-3-1 ヒト不全心筋での遺伝子発現の変化

遺伝子	ヒト不全心筋での変化（蛋白レベルの変化も含む）
収縮蛋白遺伝子	
ミオシン重鎖(心房筋)	α 型から β 型への変換(β 型は胎児型)
ミオシン軽鎖(心室筋)	胎児型への変換
アクチン	変化なし
トロポニン I	変化なし
トロポニン T	胎児型への変換
トロポニン C	変化なし
筋小胞体遺伝子	
SERCA2A	低下
ホスホランバン	低下
リアノジン受容体	低下
カルセクエストリン	変化なし
細胞膜遺伝子	
L 型カルシウムチャネル	低下
ナトリウム-カルシウム交換系	増加
ナトリウムチャネル	胎児型への変換
$β_1$ 交感神経受容体	低下
$β_2$ 交感神経受容体	増加
$α_1$ 交感神経受容体	増加

注：マウス不全心筋では c-fos, c-jun, egr-1, c-myc, ANP/BNP, アンジオテンシン変換酵素(ACE)，エンドセリン(ET-1)，IGF-Ⅰ(インスリン様成長因子Ⅰ)，TGF-β1 など多くの遺伝子の活性化が起こる．

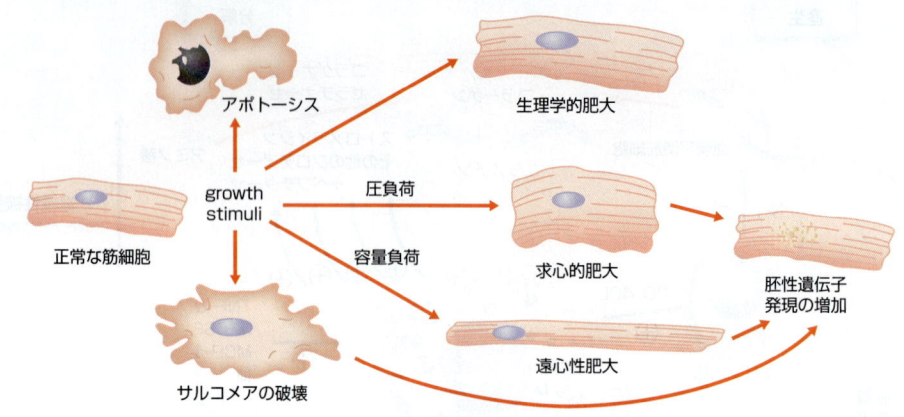

図 7-3-4 心肥大と心不全における心室筋細胞の形態(Hunterら，1999)
心室筋細胞は圧負荷や容量負荷によってそれぞれ求心性，遠心性に肥大する．どちらの表現型でも胎児型の遺伝子プログラムが活性化する．

(2) 血管リモデリング

血管のリモデリングは血行動態の変化に起因するものと血管内皮細胞障害に起因するものに大別される．

a. 血行動態の変化による血管リモデリング

血管内皮には血流によって生じる機械的な力（ずり応力）を感知する機構があり，形態（紡錘形への変化や細胞骨格の変化），血管トーヌス，遺伝子発現がそれに応じて変化し，循環系の恒常性維持に重要な役割をもつ．この機構が異常になると高血圧，血栓症，動脈硬化が起こる．また，ずり応力は血管新生や血管内皮細胞の前駆細胞や幹細胞からの分化に関係する．

血管内皮細胞においてずり応力によって変化する因子は，内皮細胞型 NO 合成酵素（eNOS），抗血栓作用をもつトロンボモジュリン，血管平滑筋細胞の増殖と遊走を促進する因子（PDGF, HB-EGF (heparin binding-epidermal growth factor)），白血球との接着にかかわる因子（VCAM-1），活性化酸素種（ROS），イオンチャネルおよび血管内皮細胞増殖因子受容体（VEGFR2, Tie-2）など多くのものがある．

ずり応力を感知する機構（メカノセンサー）として，イオンチャネル（ATP 作動性の $P2X_4$），細胞膜表面に分布するグライコケーリックス（glycocalyx），血小板内皮細胞接着因子（PECAM-1）および G 蛋白共役受容体などがある．

b. 血管内皮細胞障害による血管リモデング

動脈硬化および冠動脈インターベンション後に起こる血管構造の変化は血管内皮細胞障害による血管リモデングである．動脈硬化については前述のとおりである．冠動脈インターベンション後に起こる血管リモデリングについて概説する．バルーンまたはステントにて狭窄部位の血管を拡張すると，プラークの圧縮とともに，血管内皮細胞傷害，中膜伸展あるいは中膜損傷が起こる．血小板の活性化と炎症の惹起も起こる．それに続いて，ケモカインやサイトカインの刺激による血管平滑筋細胞の増殖と遊走が起こる．それによって細胞外マトリックスの産生亢進と内膜肥厚が生じる．バルーンによる血管形成術後では 6 カ月以内に約 30％の症例で再狭窄が起こり，この場合，内膜過形成のほか，外膜の炎症による血管収縮（ネガティブリモデング）も関与する．一方，ステント留置後の再狭窄は内膜過形成のみで起こり，組織所見として，星形細胞（未分化な血管平滑筋細胞）と細胞外マトリックスからなる「粘液腫様」の特徴をもつ．

薬物溶出性ステント（DES）の使用によって再狭窄は劇的に減少した．ヒトでの DES の第 1 例目は 1999 年にシロリムス溶出ステントである Cypher ステントを用いて行われた．シロリムス（ラパマイシン）はイースター島の土壌から発見された自然界に存在するマクロライド系抗菌薬で，当初は抗真菌薬として使用することが考えられたが間もなく，強力な免疫抑制作用があることが判明し，タクロリムスと同様，免疫抑制薬として FDA の承認を得た．タクロリムスと同様にシロリムスも細胞質蛋白 FK506 に結合する蛋白 FKBP12 に結合するが，FKBP12-タクロリムス複合体が血管平滑筋細胞の増殖を抑制する作用はもたないのに対して FKBP12-シロリムスは強力に細胞増殖と遊走を抑制した．この作用は，FKBP12-シロリムス複合体が細胞周期停止を起こす $p27^{kip1}$ の発現を誘導することによる（図 7-3-5）．現在，DES にはパクリタキセル（TAXUS stent），ゾタロリムス（Endeavor stent），エベロリムス（Xience stent）が使用されている．また，生体吸収性ポリマーのステント臨床治験が行われている．

〔倉林正彦〕

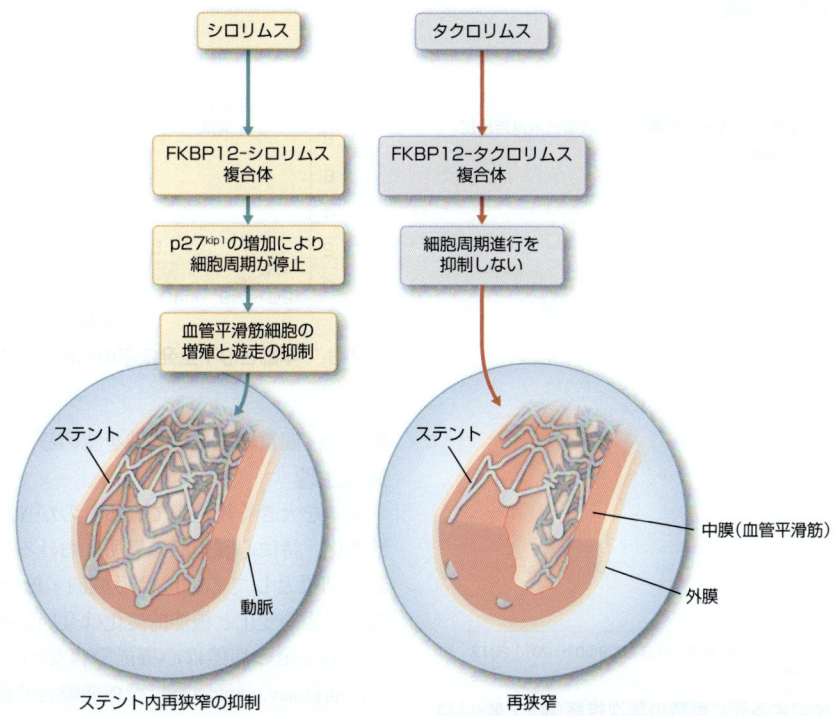

図 7-3-5 **シロリムス溶出ステントによるステント内再狭窄の抑制**(Marks, 2003)
シロリムスは FKBP12 に結合して細胞周期を停止させる $p27^{kip1}$ の発現を増加させることにより細胞増殖を抑制する．

■文献（ⓔ文献 7-3-1～2）

Hunter JJ, Chien KR: Signaling pathways for cardiac hypertrophy and failure. N Engl J Med. 1999; **341**: 1276-83.
Libby P, Bonow RO, et al: Braunwald's Heart Disease: A Textbook of Cardiovascular Medicine, 9th ed, Saunders, 2011.
Marks AR: Sirolimus for the prevention of in-stent restenosis in a coronary artery. N Engl J Med. 2003; **349**: 1307-9.

3）高血圧【⇨ 8 章】

4）心不全
heart failure, cardiac failure

定義・概念
　心不全とは，心臓の構造的ないし機能的異常により，組織が要求するだけの酸素を正常な充満圧のもとでは心臓から供給することが困難な状況にあるために，種々の症状や徴候が出現する病態を指す．

分類
　心不全をどのような視点から見るかによって分類方法が異なる．
1）急性心不全と慢性心不全：急性心不全とは心不全症状ないし徴候の急激な発病や変化を指し，急性非代償性心不全，高血圧性急性心不全，急性心原性肺水腫，心原性ショック，高拍出性心不全，急性右心不全に分けられる（和泉ら，2011）．慢性心不全は症状や徴候に大きな変化がなく経過している病態を指す．
2）左心不全と右心不全：左心不全は左室をはじめとする左心系の機能的，構造的異常に基づく心不全を指し，左室充満圧が過度に上昇すると肺うっ血をきたす．右心不全は右心系の異常により起きる心不全であり，右室充満圧が過度に上昇すると体循環系にうっ血をきたす．心筋症により両心室の機能障害が生じる，あるいは左心不全から肺高血圧を招き右心不全も生じることも少なくなく，これらは両心不全の表現型をとる．
3）収縮不全（heart failure with reduced ejection fraction）と拡張不全（heart failure with preserved ejection fraction）：左室駆出率が低下している心不全を収縮不全，左室駆出率が保持されている心不全を拡張不全とする．両者を分ける左室駆出率の基準値は 40～55％が用いられている．拡張不全は収縮不全の前段階ではなく両者は異なる病態であり，両者の予後には差がない．

原因・病因
　あらゆる心疾患が心不全の原因となる（表 7-3-

表 7-3-2 心不全の原因疾患

虚血性心疾患
高血圧性心疾患
心筋疾患（心筋症，心筋炎，内分泌疾患や膠原病など全身疾患に伴うもの，栄養障害など）
弁膜症
先天性心疾患
不整脈
心膜疾患
肺高血圧

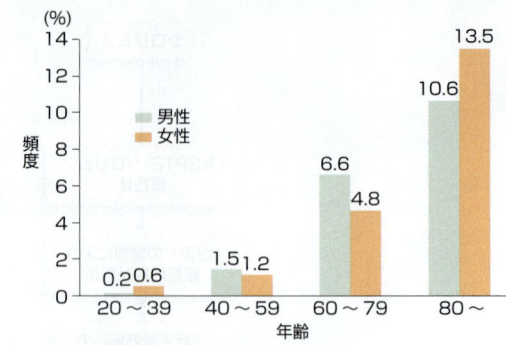

図 7-3-7 年齢と心不全発症率の関係（文献1より改変）

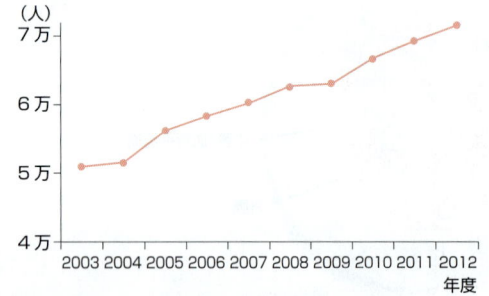

図 7-3-6 心不全による死亡者数の年次推移（厚生労働省人口動態統計より）

2）．心筋疾患など一次性に心筋組織が障害されるもの，高血圧，弁膜症，心膜疾患などによる心房や心室への負荷により二次性に形態的，機能的変化が生じるもの，に分けられる．不整脈による心不全は，心不全症状を伴わない程度の心機能障害を有しているところに不整脈が発生して症状が出現する場合が多いが，頻脈誘発性心筋症のように不整脈が持続して二次的に心機能が低下する場合もある．

疫学

日本循環器学会の調査によると心不全による入院患者数は年間で20万人をこえ，厚生労働省の人口動態統計では心不全による死亡者数は年々増加している（図7-3-6）．心不全の発症頻度は加齢とともに上昇するため（図7-3-7）[1]，高齢化が進むわが国では心不全患者数の増加が続くと考えられる．また，糖尿病や高血圧など生活習慣病は心不全発症の危険因子であり，わが国では生活習慣病の患者数が増加していることから，心不全患者数の増加が加速すると推察される．米国では[1]，成人の心不全患者数は570万人，毎年87万人の新規患者が発生し，心不全による年間入院患者数は100万人をこえている．2030年までに成人の心不全患者は800万人をこすと予想されている．心不全患者の予後は改善傾向にはあるが，5年生存率は50%程度と低い．

病理

心不全の基礎心疾患で異なる．多くの場合，心筋細胞肥大，間質線維化の亢進を認める．

病態生理

病態を大きく規定しているものが神経体液性因子の活性化，特に心臓組織の局所における活性化である．この結果として心臓には形態的・機能的変化が起きる．形態的変化と機能的変化は互いに連関している．また心不全の病態は心機能障害をベースとしているが，血管系の機能障害，腎機能障害や貧血，栄養障害など多くの他臓器機能障害が心不全発症過程，あるいは発症後に出現し心不全の病態形成に寄与する（図7-3-8）[2]．不全発症後は，心不全が他臓器障害を助長し，これが心不全のさらなる悪化を招くという負の連鎖が起きる．心不全は"全身疾患"としてとらえなければならない．

1）神経体液性因子の活性化：圧負荷，容量負荷，虚血など心筋に対する障害により神経体液性因子が活性化される．代表例はレニン-アンジオテンシン-アルドステロン（RAA）系である．心臓組織でアンジオテンシンIIを産生するため，血中アンジオテンシンII濃度が上昇していなくとも，不全心の組織中ではアンジオテンシンIIの濃度が上昇している．心不全では交感神経活性も亢進している．これらの因子の活性化は心臓への負荷や循環動態の変化への代償機転として起きるが，持続すると炎症系サイトカイン，酸化ストレスなど多くの因子も複合的に作用して心不全の病態悪化に結びつく．心筋細胞の肥大，線維芽細胞の活性化による間質や血管壁周囲の線維化亢進，血管壁の平滑筋細胞増殖などをきたし，直接的に心機能を低下させると同時にmicrocirculationの障害を介して心機能をさらに低下させる．一方，これら攻撃因子に対する防御因子も分泌されており，代表的なものが心房性ナトリウム利尿ペプチド（ANP）と脳性ナトリウム利尿ペプチド（BNP）である．

2）リモデリング：心筋細胞の肥大，組織線維化の進行などに伴い，心室壁の肥厚，心室容積の増大（心室の拡大）などを生じ，このような変化を総称してリモデリングとよぶ．なお，心肥大とは心室重量の増加を

指し心室壁の肥厚を指すわけではない【⇨ 7-2-4】．リモデリングも当初は心負荷や心機能低下に対する代償機転として起きるが，リモデリングを必要とする原因を除去できなければリモデリングが進行し，さらなる心機能低下，心不全の病態悪化に結びつく．左室拡大などに伴う僧帽弁のテザリングは僧帽弁逆流に結びつき（機能性僧帽弁閉鎖不全），さらなる左房圧上昇，左室リモデリング促進，予後悪化に結びつく．

3）心機能障害：　心室に焦点をあてて記載する．心室に求められる成果は末梢臓器が必要とするだけの血液量を駆出することにあり，血液の駆出を直接的に規定しているのは心室の収縮機能である．一方，心室は駆出するために必要な血液を心房から受け取らなければならず，これを規定している機能が心室の拡張機能であり，心室の機能とは収縮機能と拡張機能から成り立っている．通常は拡張機能障害が先行する．拡張機能が低下すると，心房からの血液の流入に伴う心室拡張期圧の上昇が大となる．ここに収縮機能障害も合わせて起きる場合と，あまり収縮機能は影響を受けない場合があるため，収縮不全と拡張不全という異なる表現型の病態が出現する（表 7-3-3）．ただし，心機能障害を起こすと必ず心不全症状が出現するわけではない．多くの患者は無症候である．その後，心機能障害の進行，あるいは他臓器障害の進行などにより症状・徴候が出現すると心不全である（図 7-3-8）[2]．

臨床症状

心不全に基づく症状や徴候は，呼吸困難や浮腫のような末梢組織のうっ血に基づくものと，易疲労性のような低心拍出に基づくものに，大きく分けられる（表7-3-4）．

1）自覚症状：

a）呼吸困難：最も一般的な症状である．まずはやや重度の労作時に息切れを自覚し，次第に軽労作でも自覚するようになる．労作時に末梢組織の酸素消費量が増加するため心拍出量増加が求められ，1回拍出量増加と脈拍数上昇が必要となる．心疾患患者では収縮予備能低下のため左室収縮機能を亢進させて1回拍出量を増加させることが難しく，Frank-Starlingの法則に則り左室の前負荷を増大させて1回拍出量を増や

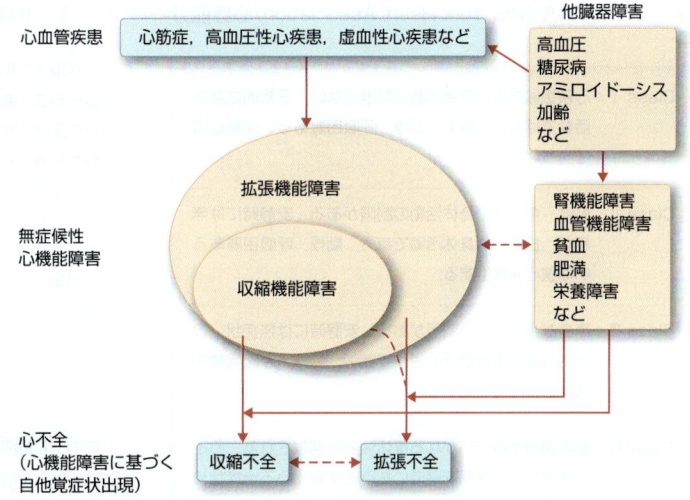

図 7-3-8　心疾患発症から心不全に至るまでの経過（文献 2 より改変）

表 7-3-3　収縮不全と拡張不全の比較

	収縮不全	拡張不全
年齢	特徴なし	高齢者に多い
性	男性に多い	女性に多い
左室容積	拡大	正常～縮小
左室肥大（左室重量増加）	ほぼ認める	半数以下に認める
高血圧の頻度	++	+++
虚血性心疾患の頻度	+++	++
心房細動の頻度	+	+
糖尿病の頻度	+	+
血管の stiffness	特徴なし	亢進

表 7-3-4　心不全の症状，徴候

末梢組織のうっ血
　左心系（肺のうっ血）：労作時呼吸困難，発作性夜間呼吸困難，起座呼吸，ピンク色の泡沫状痰の喀出
　右心系：浮腫，腹水貯留，食後の胃もたれ・腹痛など胃腸症状

低心拍出
　易疲労性，めまい，不穏，四肢冷感，尿量減少，チアノーゼ，脈圧低下

す必要がある．しかし拡張機能低下のため前負荷増大に伴う左室充満圧の上昇が高度となり，肺静脈圧が過度に上昇する．したがって安静時には無症状でも労作時には呼吸困難を自覚する．病態が進行すると安静にもかかわらず仰臥位になると呼吸困難を自覚する．夜間就寝後数時間で呼吸困難のために覚醒し呼吸を容易にするために起座位をとる発作性夜間呼吸困難，仰臥位になるだけで呼吸困難を自覚し座位になることで症状が改善する起座呼吸が該当する．仰臥位になると

表 7-3-5 NYHA（New York Heart Association）心機能分類

Class Ⅰ	心疾患はあるが身体活動に制限はない．日常的な身体活動では著しい疲労，動悸，呼吸困難あるいは狭心痛を生じない．
Class Ⅱ	軽度〜中等度の身体活動の制限がある．安静時には無症状．日常的な身体活動で疲労，動悸，呼吸困難あるいは狭心痛を生ずる．
Class Ⅲ	高度な身体活動の制限がある．安静時には無症状．日常的な身体活動以下の労作で疲労，動悸，呼吸困難あるいは狭心痛を生ずる．
Class Ⅳ	心疾患のためにいかなる身体活動も制限される．心不全症状や狭心痛が安静時にも存在する．心不全症状や狭心痛が安静時にも存在する．わずかな労作でこれらの症状は増悪する．

なお Class Ⅱ はあまりにも範囲が広いので，
　Ⅱs度：身体活動に軽度制限のある場合
　Ⅱm度：身体活動に中等度制限のある場合
と Class Ⅱ をさらに二分して評価することが最近は多い．

表 7-3-6 INTERMACS 重症度分類

レベル 1：重度の心原性ショック
レベル 2：進行性の衰弱
レベル 3：安定した強心薬依存
レベル 4：安静時症状
レベル 5：運動不耐容
レベル 6：軽労作可能
レベル 7：安定状態
レベル 1〜5 が NYHA Ⅳ，レベル 6 と 7 が NYHA Ⅲ に該当する．

静脈還流量が増大し肺静脈圧の上昇に結びつく．さらに立位や座位に比べ仰臥位では下半身の静脈圧が低下し，下肢や腹部臓器の間質から血管内に水分が移行するため静脈還流量が増加する．また，仰臥位になると横隔膜が挙上して肺の換気量も低下し，呼吸困難を自覚しやすくなる．一方，座位になると静脈還流は減少し肺の換気量は増すので，呼吸困難が軽減する．これが起座呼吸，発作性夜間呼吸困難のメカニズムである．

呼吸困難を自覚する身体活動度に基づく心不全重症度評価が NYHA 心機能分類（表 7-3-5），NYHA Ⅲ以上の重症心不全患者を細分化した分類が INTERMACS 重症度分類である（表 7-3-6）．基本的な日常活動と酸素摂取量を対応させた身体活動能力質問表（Specific Activity Scale）（e表 7-3-A）があり，これを用いて症状を自覚する労作のレベルをより客観的に評価することも行う．

b）浮腫：右心系の静脈圧上昇による末梢組織の間質への水分の移行が原因で，足背や下腿で認めやすい．左心不全から右心系の静脈圧上昇に至るには，肺うっ血に伴う肺動脈圧上昇による右心負荷を経るので時間経過を要する．したがって急性心筋梗塞など急性に左心不全を発症する場合は，浮腫が出現する前に高度の肺うっ血による自覚症状が現れる．逆に不整脈原性右室心筋症のように右室機能障害が主たる病態の場合は，浮腫は認めても肺うっ血を認めない．つまり肺うっ血と浮腫は，必ずしもそろって出現する所見ではない．

c）消化器症状：腸管，肝臓，膵臓などの臓器うっ血により，食後の胃もたれ・悪心などを自覚する．肝うっ血が高度になると，非常に強い右季肋部痛や心窩部痛を自覚することがある．

d）易疲労性：心拍出量の低下，特に骨格筋への血流低下が主因と考えられる．

e）尿量減少，夜間多尿：腎血流量の低下により，尿量が減少する．特に昼間に立位で活動している際に減少する．一方，臥位をとり安静にすると腎血流量が増加するので夜間には多尿となる．ただし，尿量減少には心拍出量低下のみならず腎うっ血も大きく関与している[3]．臓器うっ血は臓器の動静脈圧較差低下，つまり各臓器血流の driving pressure 低下に結びつく．臓器の有効血流量低下と心拍出量低下はイコールではない．

2）他覚症状：

a）頸静脈怒張：右房圧，中心静脈圧の上昇に基づく．患者を水平から 45°くらいの半座位とし，胸骨角から内頸静脈怒張の最上部までの高さで評価する．ただし内頸静脈の評価は慣れていないと難しいことが少なくなく，外頸静脈で心周期による拍動が認められる場合や呼吸性変動の明らかな場合はこれを評価に用いてもよい．

b）Ⅲ音：Ⅱ音の直後に心尖部で聴取される．左側臥位の体位で聴取しやすい．心不全増悪により左房圧が上昇すると，僧帽弁開放後の急速流入期における左房から左室への血液の流入が亢進するために生じる．治療により左房圧が低下すると，Ⅲ音は消失する．

c）湿性ラ音：肺うっ血に伴う肺胞への水分の漏出によって生じ，吸気時に粗い低音性の音として聴取される．当初は下肺野で聴取され，心不全が増悪すると全肺野に聴取する．ただし，長期間にわたり肺静脈圧が上昇している重症心不全では，肺静脈圧の上昇にもかかわらず湿性ラ音が聴取されない場合がある．

d）肝腫大，腹水：うっ血肝により肝腫大をきたす．また，浮腫と同様の機序で漿膜腔内にも水分の移行が起きて腹水が貯留する．浮腫，肝腫大，腹水のような

静脈系のうっ血による異常所見は，いずれかの所見を認めるにもかかわらず，ほかの所見を認めないということも少なくない．

e）四肢冷感：心拍出量が低下すると，主要臓器の血流を維持するために四肢の末梢血管は収縮して血流が減少し皮膚温が低下する．簡便に把握できる所見であり，有用である．

f）脈圧低下：心拍出量が低下すると，収縮期血圧と拡張期血圧の差が小さくなる．

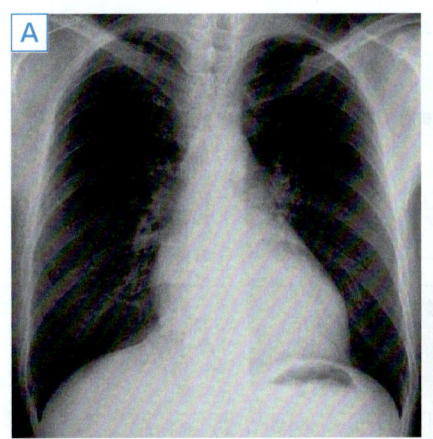 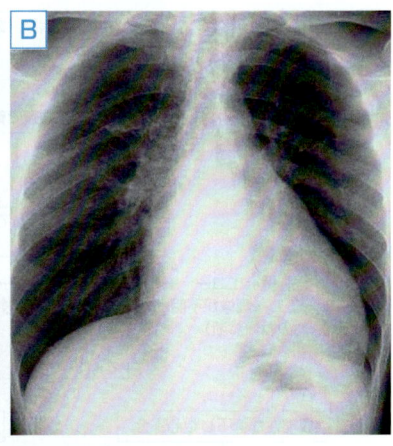

図 7-3-9 心臓移植待機となっている重症心不全症例の胸部 X 線の比較
A：肥大型心筋症拡張相，B：拡張型心筋症．
ともに同程度の左室拡大と左室駆出率低下を認めているが，心胸郭比は大きく異なる．

検査所見

1) **心電図**：調律，QRS や ST-T の変化などを評価する．有用なスクリーニング検査である．

2) **胸部 X 線写真**：心陰影拡大の有無，肺うっ血や胸水の有無などを評価でき，呼吸器疾患の鑑別も行える．しかし，慢性心不全における評価には注意を要する．図 7-3-9 は同程度の左室拡大と左室駆出率低下を有し心臓移植待機をしている 2 名の重症心不全患者の胸部 X 線写真を示すが，心胸郭比は大きく異なる．心胸郭比はおもに右室や右房の長軸径に規定されるため[4]，左室拡大や左室駆出率低下を有する患者であっても心胸郭比の明らかな拡大に至らないことがある．欧州心臓病学会のガイドラインでも慢性心不全の診断における胸部 X 線の有用性は限定的としており（McMurray ら，2012），胸部 X 線の評価だけで慢性心不全を否定してはならない．

3) **血液検査，尿検査**：最も重要視されている検査項目が BNP ないし BNP の前駆物質である proBNP の N 末端（NT-proBNP）である．有用性において両者で差はない．ANP がおもに心房から分泌されるのに対し，BNP はおもに心室から分泌されるため心不全の診断，重症度や予後判定によりすぐれている．症状や徴候は心不全に特異的ではないので，心不全を疑った場合に BNP を測定する．

BNP > 100 pg/mL（あるいは NT-proBNP > 400 pg/mL）であれば心不全を疑い精査を進める（図 7-3-10）（松崎ら，2010）．ただし女性では男性より高めとなり[5]，加齢[5]，腎機能障害[6]，貧血[7]で上昇し，肥満で低下する[8]．心臓以外の要因でも影響を受けるのでデータの解釈には注意を要する．また，肝機能や腎機能の障害は浮腫を生じ，貧血は労作時息切れの原因となり，甲状腺機能亢進症は頻拍性心房細動を誘発

するなど，これら他臓器疾患も念頭に入れて検査を行う．特に外見で先端巨大症が疑われる，サルコイドーシスが他臓器で指摘されているなど，二次性心筋症を疑わせる患者では，その鑑別に必要な検査を合わせて行う．

4) **心臓超音波検査**：心形態や機能，弁膜疾患や先天性心疾患の有無などを評価することができるので，心不全診断では必要不可欠な検査である【⇨7-5-3】．

5) **CT, MRI**：心血管系の形態評価に重要である．特に MRI は心筋組織性状の評価を可能とするため，二次性心筋症の鑑別において有用性が高い【⇨7-5-6】．

6) **核医学**：心筋虚血の評価，心筋 viability の評価，アミロイドーシスやサルコイドーシスなどの二次性心筋症の鑑別などにおいて有用である【⇨7-5-5】．

7) **運動負荷試験**（ⓔコラム 1）：簡便な運動耐容能評価として 6 分間歩行試験が用いられている．これは廊下などを使って直線距離で 20〜50 m の 2 点間を往復し，6 分間の最大努力による歩行距離を測定する．6 分間歩行距離は身長と体重および年齢に関連しており，日本人の正常域（m）は ［454 − 0.87 ×年齢（歳） − 0.66 ×体重（kg）］± 82（2 標準偏差）に身長（m）を乗じたものとされる．より定量性があり標準的な評価法はトレッドミルや自転車エルゴメーターを用いた呼気ガス分析併用下での漸増運動負荷テストであり，最大酸素消費量（peak $\dot{V}O_2$），嫌気性代謝閾値（AT），VE（換気量）/$\dot{V}CO_2$（二酸化炭素排出量）スロープなどを求める．心不全が重症化すると peak $\dot{V}O_2$ や AT は低下し，VE/$\dot{V}CO_2$ スロープは増高する．

8) **心臓カテーテル検査**：圧やシャント率など血行動態の評価，冠動脈病変の評価，心筋生検などを目的として行う．心不全患者では左室拡張期圧のように非侵襲的に評価できないポイントの計測は重要である．心

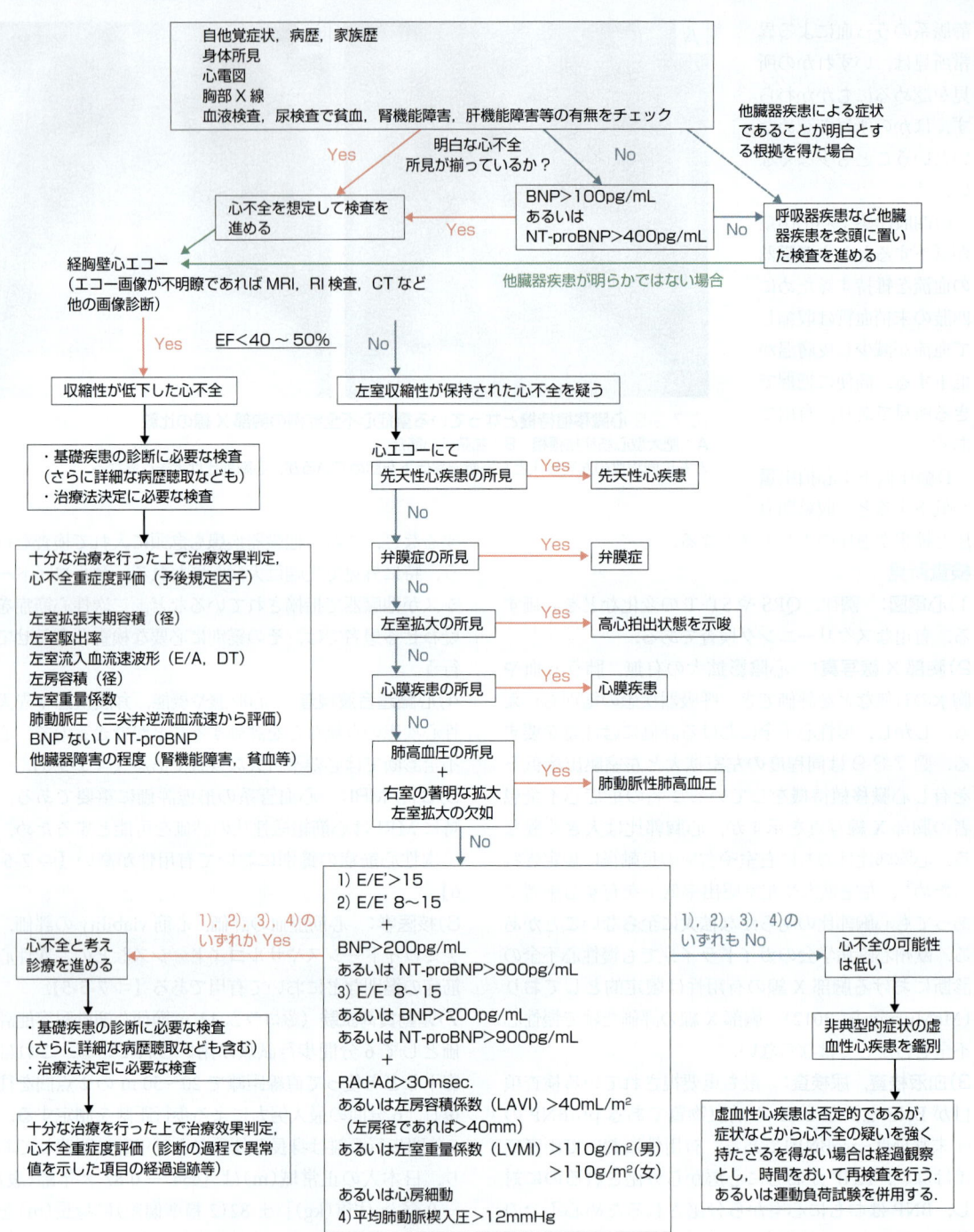

図 7-3-10 心不全診断のフローチャート(日本循環器学会．慢性心不全治療ガイドライン(2010年改訂版)http://www.j-circ.or.jp/guideline/pdf/JCS2010_matsuzaki_h.pdf(2016年11月25日閲覧))
E：左室流入血流速波形の急速流入期ピーク血流速，E'：僧帽弁輪部運動の拡張早期ピーク速度，RAd：肺静脈血流速波形の心房収縮期波の幅，Ad：左室流入血流速波形の心房収縮期波の幅．

筋生検については，左室生検でも右室生検(右室側の心室中隔からの生検)でも，診断能に大きな差異はないと考えられる【⇨ 7-5-7】．

診断・鑑別診断

急性心不全は，診断と治療を迅速に進める必要がある．呼吸器疾患との鑑別を要するケースも少なくないので，問診や身体所見，心電図，胸部X線，血液検査などを手際よく実施しなくてはならない．この際に治療方針決定に最低限必要な心不全の病態分類も行わなくてはならず，急性心筋梗塞時にはKillip分類(表7-3-7)，血行動態指標としてForrester分類(図7-3-11)がある．Forrester分類を行うためにはSwan-

表 7-3-7 Killip 分類

Class Ⅰ：心不全の徴候なし
Class Ⅱ：軽度〜中等度心不全
　　　　ラ音聴取領域が全肺野の 50%未満
Class Ⅲ：重症心不全
　　　　肺水腫，ラ音聴取領域が全肺野の 50%以上
Class Ⅳ：心原性ショック
　　　　血圧 90 mmHg 未満，尿量減少，チアノーゼ，
　　　　冷たく湿った皮膚，意識障害を伴う

表 7-3-8　クリニカルシナリオ(CS)

CS1：収縮期血圧＞ 140 mmHg
CS2：収縮期血圧　100〜140 mmHg
CS3：収縮期血圧＜ 100 mmHg
CS4：急性冠症候群
CS5：右心不全

Ganz カテーテルの挿入が必要となるが，カテーテルモニタリング下での心不全管理の有用性を否定する研究結果がいくつか報告されていることもあり[9]，非侵襲的にうっ血と低灌流の有無を評価する Nohria-Stevenson の分類が広く用いられている(図 7-3-11)[10]．また，来院時の血圧により患者を分類し治療を開始するためのクリニカルシナリオに沿った病態把握も広く利用されている(表 7-3-8)．これらの分類をもとに初期治療を速やかに開始し，並行して心不全の原疾患の診断を進める．

慢性心不全の診断も問診と身体所見から始める(図 7-3-10)．心不全を疑う場合は，心電図，胸部 X 線，血液検査，心エコー検査をはじめとする画像診断を行う．心エコー検査で左室駆出率が低下していれば心不全の診断は容易である．しかし，左室駆出率が保持されている場合は心不全か否かの判断に苦慮することが少なくない．先天性心疾患，弁膜症，脚気心など左室拡大を伴う高心拍出状態，収縮性心膜炎，肺動脈性肺高血圧などをまずは除外する．いずれも否定された場合に，図 7-3-10 にある E/E′ などの項目で異常が検出されれば拡張不全の可能性が高いと考える．以前より拡張機能評価として左室流入血流速波形の E/A が用いられているが，左室駆出率が保持されている場合に E/A はいかなる拡張機能指標とも相関しないので，ワンポイントの検査で得られた E/A の値をもとに拡張不全の有無を診断するのは誤りである[11]．これらの検査を進める間に，肝機能，腎機能，呼吸機能などもチェックし自覚症状の原因としてこれら他臓器障害が主たる原因となっていないか否かを評価する．

経過・予後

わが国の ATTEND 試験のデータによると，急性心不全患者の院内死亡率は 6.4%[12]，退院後の平均追跡期間が約 500 日で死亡率は約 25% であり[13]，収縮不全と拡張不全で予後に差異はない．また心不全患者では再入院率も高く，1 年以内の再入院率は約 20〜25% 程度である．

治療

急性心不全に対する治療は【⇒ 5-2-2】，心不全に伴う不整脈の薬物療法は【⇒ 7-6】．

慢性心不全の基本治療は原疾患に対する治療である．弁膜症では弁置換術ないし形成術，虚血性心疾患では血行再建術，高血圧性心疾患では降圧治療を行う．このような基礎心疾患に対する治療を行ったうえで加えるべき治療について記載する(松﨑ら，2010)(図 7-3-12)．

1) 収縮不全に対する薬物療法：

a) アンジオテンシン変換酵素阻害薬(ACEI)：収縮不全の基礎治療薬との位置づけにあり，左室リモデリング進行抑制が期待される．左室駆出率が低下していれば無症候であっても投与すべきである．効果には用量依存性があり[14]，できるだけ増量をはかる．最も多い副作用が空咳である．しばらくすると落ち着く症例も少なくないので，許容範囲内であればすぐに薬剤

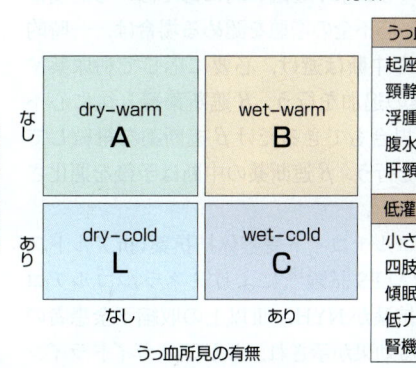

図 7-3-11 Forrester 分類と Nohria-Stevenson の分類

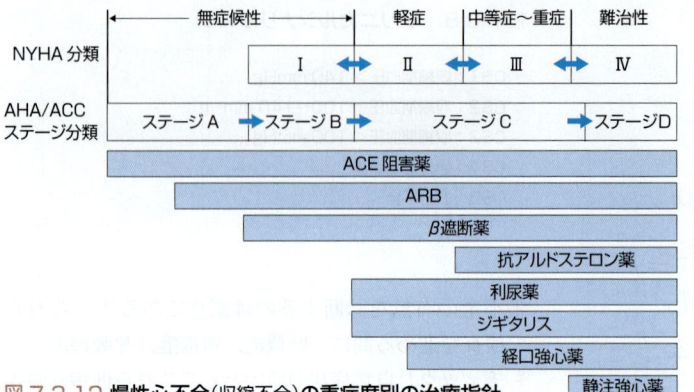

図7-3-12 慢性心不全(収縮不全)の重症度別の治療指針
(日本循環器学会．慢性心不全治療ガイドライン(2010年改訂版)http://www.j-circ.or.jp/guideline/pdf/JCS2010_matsuzaki_h.pdf (2016年11月25日閲覧))

を変更せず，経過をみる．高度となった場合には服薬を中止すると症状は消失する．このほかに腎機能障害，高カリウム血症に注意が必要である．なお，心不全患者において治療介入に伴わない腎機能障害は予後悪化に関連するが，ACEI投与による急性の腎機能障害は予後悪化に結びつかず，1年程度で腎機能も回復することが示されている[15]．許容される腎機能悪化の程度に明確な基準はないので注意深い観察が必要であるが，多少の腎機能悪化で投薬を中止する必要はない．

b)β遮断薬：左室リモデリングの抑制のみならずリバースリモデリングをもたらし，突然死を含む死亡率を低下させ，最も強力な予後改善効果を有する．ACEIとともに無症候性左室収縮機能障害からの投与を推奨しているが，エビデンスとしては確立していない．すべてのβ遮断薬に同等の効果は期待できず，わが国ではカルベジロールとビソプロロールのみが適応となる．予後改善効果には用量依存性が認められており[16]，できるだけ増量を目指す．導入は目標投与量の1/8～1/16程度から開始し，心不全増悪など副作用の出現に注意しながら1～2週ごとに倍量とする．増量中の血圧や脈拍の低下の許容範囲に基準はなく，少なくとも収縮期血圧100 mmHg，脈拍60 bpmなど科学的根拠のない基準を画一的にあてはめる必要はない．増量時に心不全の増悪を認める場合は，一時的に減量をしても中断は避け，必要に応じて利尿薬やPDE III阻害薬の追加を行う．β遮断薬導入後に心不全が増悪した場合もできるだけβ遮断薬を継続して急性期の治療を行う．β遮断薬の中断は予後を悪化させるからである[17]．

c)ミネラルコルチコイド受容体拮抗薬(抗アルドステロン薬)：RALES試験[18]によりミネラルコルチコイド受容体拮抗薬がNYHA III以上の収縮不全患者の予後を改善する効果が示され，わが国のガイドラインでもこの結果に基づいた使用を推奨している(図7-3-12)．ガイドライン発表後にEMPHASIS-HF試験[19]においてNYHA IIの患者においてもミネラルコルチコイド受容体拮抗薬が予後を改善することが明らかとされ，最近ではACEIおよびβ遮断薬を用いてもNYHA II以上の収縮不全患者では用いるべき薬剤とされている．ただし，副作用としての高カリウム血症の発現に注意が必要である．

d)アンジオテンシン受容体拮抗薬：咳などによりACEIに忍容性のない患者に対して用い，その有用性はCHARM-Alternative研究でも示されている[20]．効果には用量依存性があり[21]，できるだけ増量をはかる．

CHARM-Added[22]やVal-HeFT試験[23]などでACEIが投与されている患者に追加投与した場合の有用性も示されているが，全死亡の低下に至っていない．ミネラルコルチコイド受容体拮抗薬は全死亡の低下効果も示したため，最新の海外のガイドラインでは[24](McMurrayら，2012)，ACEIとβ遮断薬が投与されている患者にはミネラルコルチコイド受容体拮抗薬の方を優先して用いるべきとされている．

e)ループ利尿薬：うっ血に基づく自覚症状の改善には必須の薬剤である．プラセボ群を設けて介入試験を行うことが倫理的に許されないため，その有用性に関するエビデンスはない．観察研究においてループ利尿薬が処方されている患者は予後不良であることが示されているが，これはループ利尿薬が予後悪化を招いているというより，ループ利尿薬を用いなければならない患者ほど病態が重篤であることを反映した結果であると解釈する方が理に適っている．ただしループ利尿薬のなかにも相違があるようである．わが国で実施したJ-MELODIC試験において短時間作用型ループ利尿薬のフロセミド投与群に比べ長時間作用型のアゾセミド投与群の方が一次エンドポイント発生率は有意に低下していた[25]．いずれのループ利尿薬でも血中NaやKの低下が起こりうるので，定期的なチェックが必要である．

f)バソプレシン受容体拮抗薬：ループ利尿薬抵抗性のうっ血に対する治療ではサイアザイド系利尿薬の追加が長く行われてきたが，近年になって遠位ネフロンのバソプレシンV_2受容体の拮抗薬であるトルバプタンの使用が可能となった．トルバプタンは水利尿を促進し，急性心不全の患者においてはループ利尿薬抵抗性の場合にも利尿効果が期待される[26]．しかし長期的にはEVEREST試験において明確な有用性は示さ

れておらず[27]，その位置づけについては現在も研究が進行中である．本薬剤では尿量の大幅増加による脱水，血中Na濃度の過度の上昇が危惧されるので，導入は入院患者においてのみ認められている．

g）経口強心薬：多くの経口強心薬は予後を悪化させるが，わが国で行われたEPOCH試験においてPDE III阻害薬であるピモベンダンは死亡率を上昇させず自覚症状を改善することが示されており[28]，QOLの改善をはかる，あるいはβ遮断薬導入中の心不全の悪化に対して対処することなどを目的として用いる．催不整脈作用などには留意しなくてはならない．

h）ジギタリス：心不全患者の予後改善が期待できず[29]，非弁膜症性心房細動患者において予後悪化に結びつくことも示されており[30]，積極的に用いることは少ない．投与する場合には血中濃度が0.8 ng/mL以下となるように投与量を調整する．必ずしも血中濃度が過度に上昇していなくてもジギタリス中毒を起こす可能性はあり，腎機能障害や低カリウム血症などに留意を要する．

2）拡張不全に対する薬物療法：高血圧など原疾患に対する治療，うっ血改善のための利尿薬投与以外に，エビデンスに基づいて推奨される治療法はない．RAA系の阻害薬やβ遮断薬の有用性を示唆する研究成果[31-33]，特に投与開始時期や投与量を考慮するとこれらの薬剤の有用性が明らかとなるとの報告もある[31,34,35]．したがって，拡張不全患者において降圧や心房細動による頻拍抑制をはかる際にはこれらの薬剤を選択することがガイドラインでも推奨されている[24]（松﨑ら，2010；McMurrayら，2012）．

3）非薬物療法：十分な薬物治療を行ってもコントロールができない点について非薬物療法を併用する．

a）心臓再同期療法（cardiac resynchronized therapy：CRT）：十分な薬物療法を行ってもNYHA II以上の収縮不全患者で心室内伝導障害を有する場合，特に左脚ブロックを呈する症例では，CRTによりQOL，生命予後が改善しうる[36-38]．

b）植え込み型除細動器（implantable cardiac defibrillator：ICD）：NYHA II～III程度の心不全患者における死因は過半数が突然死であり，そのほとんどが致死的不整脈である．したがって臨床的に持続性心室頻拍や心室細動が確認されているなど高リスク患者にはICDの植え込みが有用である[39]．

c）運動療法：状態が安定しているNYHA II～IIIの患者では，運動療法は安全に施行できQOLと予後の改善をもたらす[40]．歩行などの有酸素運動と低強度のレジスタンストレーニングを行う．実施する頻度や強度は，各患者の状態に応じて適宜決定する．

d）呼吸補助療法：慢性心不全では睡眠時無呼吸を高率に認め，閉塞性に加え中枢性を高率に合併している．睡眠時無呼吸は予後悪化因子であるが，呼吸補助療法の予後改善効果は不明である．近年，患者の呼吸状態に応じて陽圧の程度を調節できるadaptive servo ventilation（ASV）が使用可能となり，その有用性を示唆するデータがわが国からも発表されている[41]．

e）外科療法：最重症患者では，年齢などの適応を満たせば補助人工心臓植え込みや心臓移植が有用である【⇒7-16】．左室リモデリングおよびこれに伴う機能性僧帽弁閉鎖不全に対する外科治療の有用性についてはエビデンスが得られていない．2014年に発表された介入試験の結果では，虚血性心筋症の患者に対して冠動脈-大動脈バイパス術と僧帽弁形成術を合わせて行ってもバイパス術のみとしても左室リモデリング抑制効果に差を認めなかった[42]．

予防・疾患管理

心不全発症後の治療では効果に限界があり，心不全リスクとなる糖尿病や高血圧などの生活習慣病への早期介入，禁煙，減塩，肥満予防の徹底などによる心不全発症予防が重要である．心不全を発症してしまってからの治療で重要な点は，疾患に対する患者自身の理解を深めることと生活指導である．心不全は放置すると悪化する病態であること，治療は一生必要であることなどを理解していただき，毎日の体重測定や服薬コンプライアンスなど自己管理能力の向上を促しながら，食事の塩分制限（3～7 g/日），禁煙，節酒（必要に応じて禁酒），必要に応じて水分制限などを指導する．この際には医師，看護師，薬剤師，管理栄養士，理学療法士，ソーシャルワーカーなど多職種による介入が重要であると考えている[43]．なお，肥満は心不全発症の危険因子であるが，いったん心不全になるとBMI（body mass index）が高い患者の方が予後良好であり，この現象はobesity paradoxとよばれている．したがって，心不全発症後の栄養および体重管理をどのようにするべきか，今後の研究が必要である．

〔山本一博〕

■文献（e文献7-3-4）

和泉 徹，他：急性心不全治療ガイドライン2011年度改訂版，日本循環器学会，2011．http://www.j-cric.or.jp/guideline/pdf/JCS2011_izumi_h.pdf

松﨑益徳，他：慢性心不全治療ガイドライン2010年度改訂版，日本循環器学会，2010．http://www.j-cric.or.jp/guideline/pdf/JCS2010_matsuzaki_h.pdf

McMurray JJ, Adamopoulos S, et al: ESC Guidelines for the diagnosis and treatment of acute and chronic heart failure 2012: The Task Force for the Diagnosis and Treatment of Acute and Chronic Heart Failure 2012 of the European Society of Cardiology. Developed in collaboration with the Heart Failure Association (HFA) of the ESC. *Eur Heart J*. 2012;33: 1787-847

5）ショック
shock

定義・概念

ショックとは末梢組織への循環灌流が十分でないために生じる一連の症候群を指す．循環不全により末梢組織が必要とする酸素が供給されないと細胞は機能不全に至る．ショックは，早期に適切な治療がなされれば可逆性であるが，遷延すれば重要臓器の障害から生命の危機に至る．このため適切な早期診断および早期治療が非常に重要となる．

ショックは循環不全により定義される．血圧低下（収縮期血圧＜90 mmHg，平均血圧＜65 mmHg など）は多くの例で認められるものの，ショックの診断には必要不可欠な事項ではないとされている（Antonelli ら，2007）．しかし，日常臨床上はショックの主徴候はやはり血圧低下にあると考えてよい．血圧は心拍出量と末梢血管抵抗により規定される．このため，心拍出量が減少するか，末梢血管抵抗が低下するか，あるいは両者が低下した場合に血圧は低下する．ショック患者においては，緊急で治療を開始すると同時にその原因についても精査を同時進行で行う必要がある．

心拍出量が減少すると，体血圧を維持するために体血管抵抗は上昇する．交感神経系が賦活し交感神経末端からノルアドレナリンが放出される．また，アンジオテンシンⅡ，バソプレシン，エンドセリン-1，トロンボキサン A_2 などの血管収縮物質が増加し細動脈を収縮させる．この結果，筋肉，皮膚，消化管などの組織の灌流は犠牲にしても心臓や脳の灌流を保とうとする．しかし，大幅な血圧低下が持続すると心臓や脳への血流量も最終的には減少し，機能は低下する．体血管抵抗を上昇させようとする神経内分泌の活性化は，最終的に末梢組織の灌流低下につながり，細胞を傷害し多臓器不全に至るという悪循環を生じる（図 7-3-13）．このため，ショック患者においては適切な循環を早期に再開させることが肝要である．

分類

体内血液循環を維持するためには，心臓からの心拍出量，循環血液量，末梢血管抵抗の3つの要素が基本となる．このいずれの要素が障害されているかによってショックを分類し，その治療法を考えることが可能となる．多くの場合，ショックは，その血行動態的特徴から，①循環血液量減少性，②心原性，③閉塞性，④血液分布不均衡性に大別される（表 7-3-9）．しかし，ショックの原因については必ずしも厳密な区別ができない場合もあり，いくつかの原因が存在している症例も多く存在する．

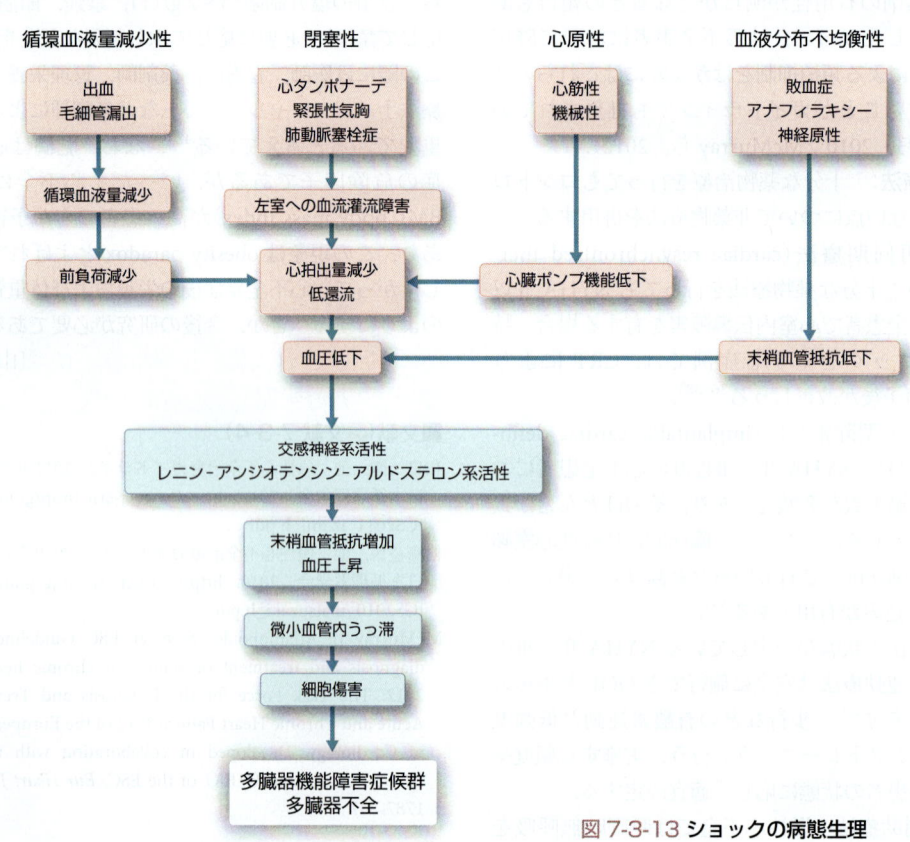

図 7-3-13 ショックの病態生理

1）循環血液量減少性ショック(hypovolemic shock)：血液あるいは血漿が体外あるいは体内に喪失することにより循環血液量が減少することにより生じる．外傷，大動脈瘤破裂，消化管出血などによる血液の喪失と，重症膵炎，下痢，嘔吐，熱傷などによる血漿量の喪失により心臓の前負荷が減少し，心室充満が不十分となり，その結果として心拍出量の低下を認めるようになる．

2）心原性ショック(cardiogenic shock)：心臓のポンプ機能が障害されて生じる．心筋梗塞や心筋症など心筋自体の収縮が障害されて生じる場合と，僧帽弁閉鎖不全や心室中隔穿孔などの機械的障害によって生じる場合が含まれる．

3）閉塞性ショック(obstructive shock)：血流の物理的な障害により循環不全を生じる．重症肺血栓塞栓症，左房粘液腫などによる物理的な閉塞などが原因となる．心タンポナーデや緊張性気胸などは以前は心原性ショックに分類されていたが，病態が異なるため現在は閉塞性ショックと分類されるようになった．

4）血液分布不均衡性ショック(distributive shock)：血液分布の異常により生じるショックである．体血管抵抗の減少，血管透過性の亢進，静脈系の拡張による前負荷減少に伴う心拍出量の低下が血圧低下の主因となる．敗血症，アナフィラキシー，神経原性ショックなどが含まれる．

敗血症性ショックは，感染巣より血中に流入した細菌あるいは菌体成分により種々のメディエータ（エンドトキシン，サイトカイン）が産生され，血管平滑筋の ATP 感受性 K チャネルの活性化や NO の産生亢進などにより末梢血管の拡張が生じる．初期は高心拍出状態のいわゆる warm shock を呈するが，ショック状態が持続すると血管外への血漿漏出や，末梢循環不全から乳酸アシドーシスなどが加わり心拍出量の低下をみるようになる．さらに重症化すると播種性血管内凝固症(DIC)や急性呼吸促迫症候群(ARDS)を引き起こし，多臓器不全に至る．

アナフィラキシーショックは，I 型アレルギー反応を主とした血管拡張と血漿漏出によって生じる．喉頭浮腫，気道平滑筋収縮，じんま疹などの全身症状を認めることもある．

表 7-3-9 ショックの分類

1. 循環血液減少性ショック
   ・出血：外出血，内出血
   ・血漿の漏出：熱傷，急性膵炎など
2. 心原性ショック
   ・心筋性：急性心筋梗塞，心筋症など
   ・機械性：急性僧帽弁閉鎖不全など
3. 閉塞性ショック
4. 血液分布不均衡性ショック
   ・アナフィラキシーショック
   ・神経原性ショック
   ・敗血症性ショック

神経原性ショックは，交感神経系が抑制または遮断されることにより，血管への神経支配が障害され，血管の急激な拡張をきたすために生じる．脊髄横断損傷，交感神経抑制薬の過剰投与，脳ヘルニア，頭部外傷などが原因となる．

臨床症状

ショック患者では血圧低下に基づく症状・徴候や臓器機能の低下が認められる．尿量減少，意識レベルの変化，微弱な末梢の脈拍が循環不全の主症状として現れる．臨床症状として，蒼白(pallor)，冷汗(perspiration)，虚脱(prostration)，脈拍触知不能(pulselessness)，呼吸不全(pulmonary deficiency)の 5p 徴候も広く知られている．

診断・治療

収縮期血圧の低下を認める場合，ショックか否かをまずは診断する．バイタルサイン，尿量，時間尿量，意識レベルなどを把握し，臓器灌流の低下がないかどうかを判断する．ショックスコアが提唱されている(Ogawa ら，1982)(表 7-3-10)．このスコアでは各臨床指標に点数を与え，5 点以上をショックと診断す

表 7-3-10 ショックスコア

スコア	0	1	2	3
収縮期血圧(mmHg)	100 ≦ BP	80 ≦ BP < 100	60 ≦ BP < 80	BP < 60
脈拍数(回/分)	PR ≦ 100	100 < PR ≦ 120	120 < PR ≦ 140	140 < PR
base excess(mEq/L)	−5 ≦ BE ≦ +5	BE：−5〜−10 or +5〜+10	BE：−10〜−15 or +10〜+15	BE > +15 or < −15
尿量(mL/h)	50 ≦ UV	25 ≦ UV < 50	0 < UV < 25	0
意識状態	清明	興奮から軽度の応答の遅延	著明な応答の遅延	昏睡

それぞれの臨床指標に点数を与え，5 点以上をショックと診断する．

表7-3-11 出血量からみたショックの重症度

	Class I	Class II	Class III	Class IV
出血量(%, 循環血液量に対する割合)	<15	15〜30	30〜40	>40
出血量(mL, 体重70 kgで換算)	<750	750〜1500	1500〜2000	>2000
脈拍数(/分)	<100	>100	>120	>140または徐脈
血圧	不変	不変	低下	低下
脈圧	不変〜増加	減少	減少	減少
呼吸数(/分)	14〜20	20〜30	30〜40	>40
意識レベル	軽い不安	不安	不安・不穏	不穏・無気力

る仕組みとなっている．また，重症度評価としては，出血量からみたショックの重症度の判定などが提唱されている(American College of Surgeons Committee on Trauma, 1999)(表7-3-11)．

ショックの治療には，①輸液管理，②呼吸管理，③血管作動薬の3つの治療法が大きな要素となる．バイタルサインに注意を向けつつ，輸液路の確保，気道の確保を行い集中治療室で管理に入る．基本的にはいずれのタイプのショックでも，急性期には太い静脈ラインを確保して急速に輸液を行う必要があることが多い．心拍出量と肺動脈圧をモニターすることが可能となるため，Swan-Ganzカテーテルを留置することもある．中心静脈圧をモニターしたり，心エコーによる下大静脈径およびその呼吸性変動をみたりすることにより適切な循環血漿量の判断材料にすることもある．呼吸管理には酸素投与やNPPV(noninvasive positive pressure ventilation)では管理できず気管内挿管を必要とすることも多い．血管作動薬にはカテコールアミンが多く用いられているが，最近ではバソプレシンの有効性安全性を示唆する報告もある(Russelら，2008)．末梢循環不全が遷延すると臓器障害は不可逆なものとなるため，原因究明の診断を行いつつ同時に迅速に治療を開始しなければならない．

治療

1)循環血液量減少性ショック: 循環血液量減少性ショックでは，出血のコントロールと同時に血管内容量の急速な補正が必要となる．太い静脈ラインから生理食塩水ないしは乳酸リンゲル液などの細胞外液系輸液製剤を用いて急速輸液を開始する．出血が持続し，ヘモグロビン濃度が低下を認める場合には輸血が必要となる．

2)心原性ショック: 救急治療を参照【⇨5-2-2】．

3)閉塞性ショック: 急激な病態を呈する疾患が多く，ほかのショック以上に迅速な診断と治療が必要になる．閉塞をきたす機転となる疾患の治療を行うことが重要になる．肺血栓塞栓症などの重症な閉塞機転のある患者においては，経皮的心肺補助装置(percutaneous cardiopulmonary support : PCPS)などを挿入し循環動態の安定をはかる必要がある．心タンポナーデ，緊張性気胸などは原因の除去により速やかに血行動態を改善できる可能性があるため，鑑別診断にあげることが重要である．

4)血液分布不均衡性ショック: 敗血症性ショックでは，通常時のショックに対する治療と並行して，感染源および起因菌の同定を早期に行い，感受性のある抗菌薬の投与を行う必要がある．ときには外科的治療による感染巣除去が必要になる．循環不全に対しては輸液およびドパミン，ノルアドレナリンを含むカテコールアミンの適切な使用により末梢血管の抵抗を上昇させるような治療も必要である．

アナフィラキシーショックにおいては，気道の確保，酸素投与に加えて循環動態を管理する必要がある．特に，喉頭浮腫や気道平滑筋の収縮により気道が狭窄し呼吸が障害されているときにはアドレナリンの投与を早期に行う必要がある．ステロイド，アミノフィリンも投与を考慮する．また，アナフィラキシーの原因となる物質への暴露を防ぐことも必須となる．

神経原性ショックでは循環不全への対応と原因に対する対応が必要となる．輸液，ドパミン以外にノルアドレナリンもしばしば投与が必要となる．徐脈に対してはアトロピンやアドレナリンの投与が有効である．

〔阿古潤哉〕

■文献

American College of Surgeons Committee on Trauma: Trauma Evaluation and Management (TEAM): Program for Medical Students, Instructor Teaching guide, American College of Surgeons, 1999.

Antinelli M, Levy M, et al: Hemodynamic monitoring in shock and implication for management. *Intensive Care Med.* 2007;**33**: 575-90.

Ogawa R, Fujita T: A scoring for a quantitative evaluation of shock. *Jpn J surg.* 1982;**12**:22.

Russel JA, Walley KR, et al: Vasopressin versus norepinephrine infusion in patients with septic shock. *N Engl J Med.* 2008; **358**: 877-87.

7-4 循環器疾患と遺伝子異常

1）虚血性心疾患

心筋症，遺伝性不整脈などは単一の遺伝子変異が原因となって惹起されるいわゆる「単一遺伝子疾患」であるのに対し，虚血性心疾患（心筋梗塞，冠動脈疾患）は複数の遺伝リスクと複数の環境リスクが相互連関して発症素因を形成する「多因子疾患」である（Morita, 2013）（図7-4-1）．common disease-common variant 仮説（common disease へのかかりやすさは common variant によって規定される）に基づいて考えると，虚血性心疾患発症と連関する遺伝リスクは複数の common variant ということになる．虚血性心疾患の遺伝リスクを明らかにするために，リスク common variant を探索する研究，特にリスク SNP（single nucleotide polymorphism；一塩基多型）の探索研究が進められてきた．SNP は common（一般人口の1％以上）にみられる個人間の一塩基の違いであり，ヒト全ゲノムには1000万カ所あるとされている．

(1) 疾患関連 SNP 検出法—association study

着目する SNP の保有率を疾患群と対照群とで比較検討し疾患群で有意に多くみられる SNP をリスク SNP と判断する（association study）．1つのリスク SNP が一対一対応で疾患発症につながるわけではない．実際にこれまで同定されたリスク SNP のほとんどはオッズ比が1.5未満であり，単独ではその効果は弱い．リスク SNP が複数組み合わさり，さらに環境リスクも加わって発症素因を形成している．

現在，common disease におけるリスク SNP の探索はゲノムワイドで行われる（genome-wide association study：GWAS）．SNP は1000万カ所に存在するが，これらすべての SNP をタイピングする必要はない．近傍の SNP どうしは連動して変化するという特性（連鎖不平衡）を利用することによって，タイピングすべき SNP の数を大幅に減じることができる．GWAS ではまず，各連動範囲（ハプロタイプブロック）の目印になる SNP（tag SNP）だけを各人につき50～100万カ所タイピングし，疾患群と対照群とで比較検討し疾患と有意相関する tag SNP（ハプロタイプブロック）を絞り込む．tag SNP はあくまでハプロタイプブロックの目印にすぎないので，疾患と一番強く相関する SNP とは限らない．そこで次に，そのハプロタイプブロックに含まれる SNPs を各人につきタイピングし，疾患群と対照群とで比較検討し疾患と最も強く有意相関する SNP を割り出す．ハプロタイプブロック地図作成（HapMap プロジェクト）とタイピング技術進歩が common disease における GWAS を加速し，オッズ比が1.1前後の効果の弱い疾患リスク SNP も多数同定されてきた（NHGRI-EBI Catalog）．

(2) 虚血性心疾患関連 SNP

心筋梗塞・冠動脈疾患の GWAS により約70の遺伝子領域が疾患関連領域として同定されている（表7-4-1）．それらのほとんどは9p21領域をはじめとして，欧米人で同定された領域である．日本人での検討においてもその多くに再現性が認められる．心筋梗塞・冠動脈疾患関連領域のなかには，*LDLR*，*APOE*，*APOB*，*ABCG5-ABCG8*，*LPL*，*PCSK9*，*LPA* など脂質代謝関連遺伝子を含む領域が多くみられる．脂質異常症が心筋梗塞・冠動脈疾患の主要リスクであることを考えると，脂質異常症と相関する遺伝要因が心筋梗塞・冠動脈疾患のリスクとして作用するというデータには説得力がある．それ以外では，炎症関連遺伝子（*BRAP*，*IL6R*）領域，NO 代謝関連遺伝子（*GUCY1A3*，*NOS3*）領域，肥満関連遺伝子（*MC4R*）

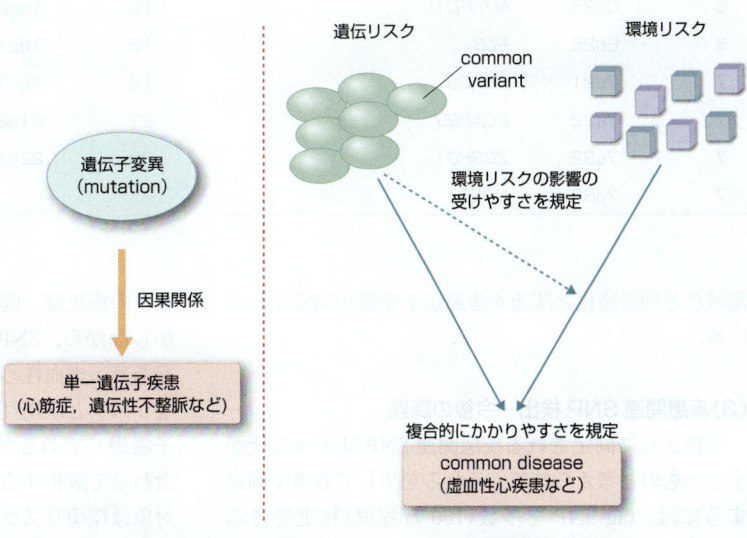

図 7-4-1 遺伝子変化と疾患との関係（Morita, 2013 より改変）

表 7-4-1 心筋梗塞・冠動脈疾患関連遺伝子領域 (Morita, 2013 より改変)

染色体	領域	遺伝子	染色体	領域	遺伝子
1	1p13	CELSR2-PSRC1-SORT1	8	8p22	LPL
1	1p32	BSND-PCSK9	8	8p23	PPP1R3B
1	1p32	PPAP2B	8	8q24	TRIB1
1	1q21	IL6R	9	9p21	CDKN2B-AS1
1	1q32	PPP1R12B	9	9q34	ABO
1	1q41	MIA3	10	10p11	KIAA1462
2	2p11	VAMP5	10	10q11	CXCL12
2	2p21	ABCG5-ABCG8	10	10q23	LIPA
2	2p24	TTC32-WDR35	10	10q24	CYP17A1-CNNM2-NT5C2
2	2p24	APOB	11	11p5	SWAP70
2	2q22	ZEB2	11	11q22	PDGFD
2	2q33	WDR12	11	11q23	ZNF259-APOA5-A4-C3-A1
2	2q36	KIAA1486	12	12q21	ATP2B1
3	3q22	MRAS	12	12q24	ALDH2
4	4q12	REST-NOA1	12	12q24	BRAP
4	4q31	EDNRA	12	12q24	C12orf51
4	4q32	GUCY1A3	12	12q24	HNF1A-C12orf43
5	5p15	IRX1	12	12q24	SH2B3
5	5q31	SLC22A4-SLC22A5	13	13q12	FLT1
6	6p21	ANKS1A	13	13q34	COL4A1-COL4A2
6	6p21	C6orf10-BTNL2	14	14q32	HHIPL1
6	6p21	HLA-DRB-DQB	15	15q22	SMAD3
6	6p21	HLA-C-HLA-B-HCG27	15	15q25	ADAMTS7
6	6p21	KCNK5	15	15q26	MFGE8-ABHD2
6	6p22	BTN2A1	15	15q26	FURIN-FES
6	6p24	C6orf105	17	17p11	RASD1-SMCR3-PEMT
6	6p24	PHACTR1	17	17p13	SMG6-SRR
6	6q23	TCF21	17	17q21	UBE2Z-GIP-ATP5G1-SNF8
6	6q25	LPA	17	17q23	BCAS3
6	6q25	MTHFD1L	18	18q21	PMAIP1-MC4R
6	6q26	PLG	19	19p13	LDLR-SMARCA4
7	7p21	HDAC9	19	19q13	APOE
7	7q22	BCAP29	21	21q22	MRPS6-KCNE2
7	7q32	ZC3HC1	22	22q11	POM121L9P-ADORA2A
7	7q36	NOS3			

領域など動脈硬化と関連する遺伝子領域が同定されている.

(3) 疾患関連 SNP 検出—今後の課題

今後さらに同定される疾患関連 SNP はオッズ比が小さいものと考えられる. それらを少しでも多く同定するには, tag SNP を多数 (100 万程度) 判定できる DNA チップを用いた高密度型 GWAS を少なくとも数千の疾患群, 健常者群を対象に行う必要がある. しかしながら, SNP 情報の正確な獲得だけでは不十分である. 虚血性心疾患は複数の遺伝リスクと複数の環境リスクとが相互連関して発症素因を形成する「多因子疾患」であるから, SNP 情報を環境リスクと組み合わせて解析する必要がある. したがって, 解析する対象は環境リスク・臨床経過に関して明確に記載された症例でなければならない. また, 現行の association study のほとんどが虚血性心疾患発症患者と年齢性別を合わせた健常者とを比較する case-control study であり，発症率 incidence rate は考慮されていない．将来 SNP を疾患リスク予測に用いるためには，コホート研究を行い発症率も考慮して絶対リスクや寄与危険度を評価する必要がある．虚血性心疾患初発リスクだけでなく再発リスクと相関する SNP を同定する研究も必要である．このようなゲノム臨床研究の結果がそろうことで，SNP 情報の組み合わせによる個々人のリスク予測・個別化診断が可能になる．

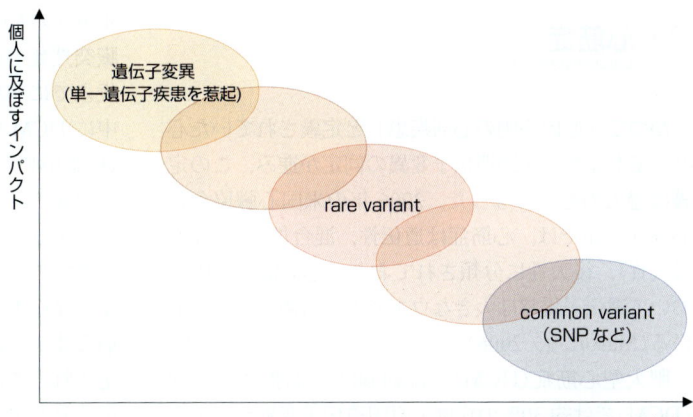

図 7-4-2 遺伝子変異，rare variant，common variant の関係（Morita, 2013 より改変）
rare variant は，mutation に比べて個人に及ぼすインパクトが弱く，ひとつ保有しても発症を惹起するとは限らない遺伝子変化をいう．

(4) SNP 以外の遺伝リスク

単一遺伝子疾患として知られる家族性高コレステロール血症（FH）患者では心筋梗塞若年発症が多く，この場合は FH を惹起する遺伝子変異（mutation）が心筋梗塞のリスクとして作用するということになる．一方，*LRP6* 変異，*DYRK1B* 変異はメタボリックシンドロームをきたし冠動脈疾患のリスクとして作用する，*GUCY1A3* 変異は NO 代謝障害をきたし心筋梗塞のリスクとして作用することが報告された．低コレステロール血症をきたす *NPC1L1* 変異が冠動脈疾患に抑制的に作用することも示された．NPC1L1 は小腸粘膜でコレステロールを体内に取り込む際のトランスポーター蛋白であり，脂質異常症治療薬エゼチミブのターゲット分子である．これら遺伝子変異は，頻度は低いが保有すると高率に疾患発症を惹起するので個人におけるインパクトはきわめて大きい．ほかの単一遺伝子疾患同様，家系における遺伝子解析で検出することができる．

SNP は，頻度は高い（1％以上）ものの個人におけるインパクトは小さい．逆に遺伝子変異は，頻度は低い（0.1％未満）ものの個人におけるインパクトは大きい．頻度も個人におけるインパクトも SNP と遺伝子変異との中間に位置する，いわゆる rare variant に注目が集まっている（図 7-4-2）．SNP と比較するとやや低頻度（1％未満）で一般人口に分布し，個人におけるインパクトはやや大きい variant である．この rare variant を保有すると疾患にかかりやすくなるが，必ずしも発症を惹起するとは限らない．家系内遺伝がはっきりしないので，家系解析で検出するのは困難である．次世代シークエンサーを用いた大規模な包括的遺伝子解析（全エクソームシークエンスあるいはターゲットリシークエンス）により検出可能である．全エクソームシークエンスにより個人のゲノムは数百に及ぶ rare variant を保有することがわかっている．今後はそれらのうち疾患と関連のあるものを判別する研究が必要である．中性脂肪値を低下させる作用を有するアポリポ蛋白 APOC3 をコードする遺伝子は，GWAS で心筋梗塞・冠動脈疾患の疾患関連遺伝子としてあげられているが，その rare variant は中性脂肪値を低下させ，心筋梗塞発症に抑制的に作用することが最近明らかになった．このように，SNP，遺伝子変異，ならびに，この「rare variant」が心筋梗塞・冠動脈疾患など common disease の遺伝リスクを構成していると考えられる．

(5) ゲノム情報に基づいた個別化医療・予防の実現

高密度型 GWAS と次世代シークエンス技術を活用して，効果の弱い（オッズ比の低い）SNP から rare variant まで疾患関連遺伝要因を幅広く同定し，これらゲノム情報と臨床情報とのつきあわせを行い，遺伝要因と環境要因とを含めたリスク予測系を構築する．単に多数の症例からゲノム情報を獲得するだけではなく，臨床情報も正確にとらえ，遺伝子環境連関を解明しデータベース化することが，個別化医療・予測実現に向けてのインフラ整備として不可欠である．

〔森田啓行〕

■文献
NHGRI-EBI Catalog. https://www.ebi.ac.uk/gwas/
Morita H: Human genomics in cardiovascular medicine. *Circ J.* 2013; **77**: 876-85.

2）心筋症
cardiomyopathy

かつて「原因不明の心筋疾患」と定義されていた心筋症であるが，原因遺伝子変異の同定が進み，この定義は過去のものになった．2006年の米国心臓協会の心筋症分類では，心筋症は遺伝性，混合性（遺伝性と後天性），後天性に分類されており，心筋症の病因において遺伝子異常は大きなウエイトを占めるに至っている（Maronら，2006）．

肥大型心筋症（HCM）では約60％，拡張型心筋症（DCM）では約30％の症例に原因遺伝子変異が同定される．多くは常染色体優性遺伝形式をとる．1990年，HCM大家系に心筋ミオシン重鎖遺伝子変異が同定されて以降，家系での連鎖解析により心筋トロポニンT，α-トロポミオシン，心筋ミオシン結合蛋白Cなどサルコメア蛋白の遺伝子変異が次々に報告され，「HCM＝心筋サルコメア病」という概念が提唱された．現在でも，サルコメアの異常がHCMの主たる原因であることは間違いない．しかし，サルコメアの遺伝子異常はHCMにとどまらず，DCM，拘束型心筋症（RCM），左室心筋緻密化障害（LVNC），周産期心筋症などほかの心筋症の原因でもあることがわかっている．

(1) 肥大型心筋症（hypertrophic cardiomyopathy：HCM）（表7-4-2）

心筋の肥大，拡張障害，心筋細胞の肥大，錯綜配列，間質線維化を特徴とする．人口500人あたり1人程度と頻度が高く，循環器領域における遺伝性疾患として最多である．無症状から，流出路圧較差をきたす重症のものまで臨床徴候は多岐にわたる．若年者心臓突然死の原因の第1位である．20％の症例では50歳までにNYHA Ⅲ/Ⅳ度の心不全を発症する．経過中にDCM様になり難治性心不全をきたす例もある（拡張相肥大型心筋症）．

約60％の症例に原因遺伝子変異が同定されている．累計1000種類以上のサルコメア蛋白遺伝子変異が報告されている．常染色体優性遺伝形式をとり，ヘテロ型で発症する．心筋ミオシン重鎖遺伝子（*MYH7*），心筋ミオシン結合蛋白C遺伝子（*MYBPC3*）に変異が同定されることが多い．1人の祖先から代々受け継がれ広く分布するようなfounder変異は少なく，1家系だけにみられるいわゆるprivate変異が多い．これが遺伝子診断の実践を困難にしている一因である．家族性ではなく，孤発する（sporadic）症例にも遺伝子変異が同定されることが多いが，これは，①親からの遺伝ではなくその個人に新規（*de novo*）に発生した変異による場合，または②親も同じ変異を保有しているが親には発症せず，その個人でのみ発症に至る（変異の浸透率が低い）場合にみられる．

サルコメア遺伝子変異がHCMをきたす機序に関して検討が進められている．サルコメア蛋白遺伝子にみられる原因変異のほとんどはミスセンスないしは小欠失である．コードされた変異蛋白は安定的に心筋線維に取り込まれ，サルコメア機能の障害をきたす．単離した変異ミオシン分子を用いた解析では，ATPase活性は亢進，発生する力は大きくなり，アクチンフィラメントのスライディングは速くなる．これらの変化はHCM早期にみられる収縮亢進状態をよく説明する．stiff sarcomere，ストレッチ反応の亢進，Caイオン感受性亢進が病態に関与しているという説が提唱さ

表7-4-2 肥大型心筋症原因遺伝子

	遺伝子
サルコメア蛋白	cardiac troponin T (*TNNT2*) titin (*TTN*) essential myosin light chain (*MYL3*) filamin C (*FLNC*) cardiac myosin binding protein C (*MYBPC3*) regulatory myosin light chain (*MYL2*) cardiac β-myosin heavy chain (*MYH7*) cardiac α-actin (*ACTC1*) α-tropomyosin (*TPM1*) cardiac troponin I (*TNNI3*) など
Z帯関連蛋白その他	α-actinin 2 (*ACTN2*) myozenin 2 (*MYOZ2*) vinculin (*VCL*) cardiac ankyrin repeat protein (*ANKRD1*) cardiac LIM protein (*CSRP3*) telethonin (*TCAP*) など
カルシウム代謝関連蛋白	calreticulin 3 (*CALR3*) junctophilin 2 (*JPH2*)

表 7-4-3 拡張型心筋症原因遺伝子

遺伝子	心筋症以外の症状
サルコメア蛋白	
cardiac α-actin (*ACTC1*)	－
cardiac β-myosin heavy chain (*MYH7*)	－
cardiac troponin T (*TNNT2*)	－
cardiac troponin I (*TNNI3*)	－
α-tropomyosin (*TPM1*)	－
titin (*TTN*)　　など	－
Z 帯関連蛋白その他	
α B-crystallin (*CRYAB*)	－
four and a half LIM protein 2 (*FHL2*)	－
muscle LIM protein (*CSRP3*)	－
telethonin (*TCAP*)	－
Cypher/ZASP (*LDB3*)	－
α-actinin-2 (*ACTN2*)　　など	－
細胞骨格関連蛋白	
δ-sarcoglycan (*SGCD*)	筋ジストロフィー（肢帯型）
β-sarcoglycan (*SGCB*)	筋ジストロフィー（肢帯型）
dystrophin (*DMD*)	筋ジストロフィー（Duchenne/Becker）
desmin (*DES*)	筋ジストロフィー
vinculin (*VCL*)	－
lamin A/C (*LMNA*)	刺激伝導障害/Emery-Dreifuss 筋ジストロフィー
emerin (*EMD*)　　など	刺激伝導障害/Emery-Dreifuss 筋ジストロフィー
イオンサイクリング関連蛋白	
phospholamban (*PLN*)	－
ABCC9 (*ABCC9*)	－
cardiac sodium channel (*SCN5A*)　　など	刺激伝導障害，不整脈
転写制御因子その他	
RAF1 (*RAF1*)	－
EYA4 (*EYA4*)	感音性難聴
cardiac ankyrin repeat protein (*ANKRD1*)	－
ミトコンドリア	
mitochondrial DNA	全身症状を伴う場合が多い

れている．心筋大発症前の早期段階から心筋間質で線維化反応亢進（TGF-β_1の活性化など）がみられ，病態形成に重要な役割を果たすこともわかってきた．これらの結果をふまえて，Ca 代謝を是正する薬剤としてジルチアゼム（Ca 拮抗薬），線維化反応亢進を是正する薬剤としてロサルタン（アンジオテンシン II 受容体拮抗薬）の効果が HCM モデルマウスで検証され有効であることが明らかになっている．米国では HCM 症例を対象にこれらの薬剤の効果を検証する臨床試験が行われ，有効性が示され始めている．
「同じ変異を保有していても臨床徴候には個人差がある」ことに注意が必要である．併存する遺伝要因（genetic modifier）ないしは置かれた環境の違いによると考えられる．しかし，心肥大の重症度やパターン，発症年齢は変異の種類によりある程度類型化できる．late-onset の HCM 例には *MYBPC3* 変異によるものが多い，*TNNT2* 変異陽性例では心肥大が軽度であるわりには突然死が多い，左室駆出率＜50％の HCM 例では 2 つ以上のサルコメア変異を有することが多い，などの所見が報告されている．

サルコメア蛋白遺伝子以外にも HCM 原因変異が同定されているが頻度は低い．

(2) 拡張型心筋症（dilated cardiomyopathy：DCM）（表 7-4-3）

心筋収縮障害，心室内腔拡張，心筋細胞脱落と間質線維化を特徴とする．難治性心不全や不整脈をきたす予後不良の疾患である．連鎖解析，候補遺伝子アプローチを用いて多くの原因遺伝子変異が同定されてきた．サルコメア蛋白だけではなく，Z 帯蛋白，介在板蛋白，中間径フィラメントやジストロフィン関連糖蛋白複合体，核膜構成蛋白などサルコメアで発生した力を伝達する構造物，Ca イオンをはじめとするイオンサイクリング系に関与する蛋白，転写制御因子などきわめて多岐にわたる．「力発生障害」，「力伝達障害」をキーワードに病態の説明が可能である．loose sarcomere，ストレッチ反応低下，Ca イオン感受性低下，代謝ストレス障害が病態に関与しているという説が提唱されている．

(3) 拘束型心筋症 (restricted cardiomyopathy：RCM)

心室充満の障害と拡張容量減少を特徴とするまれな心筋疾患である．右心不全あるいは両心不全をきたす．心室壁厚と収縮能は正常に保たれる．トロポニンI (*TNNI3*) 遺伝子変異などが特発性 RCM の原因として報告されている．

(4) グリコーゲン蓄積性心筋症および心 Fabry 病

グリコーゲン蓄積性疾患は心肥大を主徴とする心筋症をきたす．骨格筋病変も伴うケースは診断がつきやすいが，心筋症単独症例では HCM と診断されがちである．心筋生検での心筋細胞の空胞変性，空胞内のグリコーゲン蓄積 (PAS 染色) 所見をもって正確な診断に至ることが多い．HCM とは異なり，心筋細胞の錯綜配列は少なく，間質線維化も有意でない．WPW 症候群様の刺激伝導障害をきたす．成人において特に問題になるのは AMP キナーゼの γ_2-サブユニットをコードする *PRKAG2* の変異 (AMP キナーゼの持続的活性化をきたす) である．常染色体優性遺伝形式をとる．

心 Fabry 病は心臓限局性のリソソームスフィンゴ脂質蓄積症である．全身性の Fabry 病が α-ガラクトシダーゼ A 活性の完全欠損によって起こる比較的まれな疾患 (約 7000 人に 1 人) であるのに対し，心 Fabry 病は α-ガラクトシダーゼ A 活性の不完全欠損によって起こるものであり，けっしてまれな疾患ではない．わが国では心肥大症例の 3％程度にみられることが明らかにされている．全身性の Fabry 病，心 Fabry 病の原因として α-ガラクトシダーゼ A 遺伝子 (*GLA*) の変異が多数報告されている．X 染色体劣性遺伝形式をとる．α-ガラクトシダーゼの補充により心肥大の改善をみるので，本症はほかの心肥大と明確に鑑別して治療にあたる必要がある．α-ガラクトシダーゼ A 活性の測定 (白血球および血漿) により完全欠損例を確定診断できるが，不完全欠損例では活性が正常範囲低値を示すことも多く，診断確定には遺伝子検査を併用する必要がある．

(5) 不整脈原性右室心筋症 (arrhythmogenic right ventricular cardiomyopathy：ARVC)

右室心筋細胞の脱落，脂肪変性，細胞浸潤と線維化により右室拡大，壁運動低下および左脚ブロック型心室頻拍をきたす心筋疾患．頻度は 5000 人に 1 人，30〜50％が家族性，若年者突然死原因の 20％を占めるとされる．細胞接着に関与するデスモソームを構成する蛋白の遺伝子異常による．その他，心リアノジン受容体遺伝子 (*RyR2*) 変異の報告もある．

(6) 左室心筋緻密化障害 (left ventricular non-compaction：LVNC)

心室壁の過剰な網目状肉柱形成と深い間隙 (trabeculation) を特徴とする，収縮力低下と拡張した肥厚左室 (緻密層菲薄化) を呈する心筋症．心不全，血栓症，不整脈，突然死をきたす．神経筋疾患 (筋ジストロフィーなど) の部分症としてみられることも多く，ほかの先天性心形成異常と合併することも多い．心室心筋緻密化障害だけをきたす例もあり，その原因として tafazzin，Cyper/ZASP (Z 帯関連蛋白)，lamin A/C，サルコメア蛋白などの遺伝子変異が報告されている．

(7) 遺伝子解析の意義と課題

「原因遺伝子は何か」ではなく，「原因遺伝子変異は何か」という視点が必要である．たとえば，タイチン遺伝子は DCM および HCM の原因遺伝子であるが，おのおのの原因となる遺伝子変異は別個である．すなわち，「この変異は DCM をきたすが，別の変異は HCM をきたす」というとらえ方が必要である．別の例をあげる．*SCN5A* は先天性 QT 延長症候群 3 型 (LQT3)，Brugada 症候群の原因遺伝子として知られるが，*SCN5A* の別の変異は DCM の原因として知られるなど変異の部位によって引き起こされる病態が異なる．心筋症の分類は現在形態的分類が主流であるが，遺伝子解析が今後さらに進めばその結果に基づいた遺伝病因学的分類を行うことが可能になる．また，原因遺伝子変異同定に始まる病態解明は将来の診断法改良，治療開発に貢献することが大いに期待される．今後は次世代シークエンサーによる遺伝子解析のさらなる効率化が予想される．ただし，ゲノム情報が詳細にわかっても，正確な臨床情報と統合して genotype-phenotype 連関を確立しないと，ゲノム解析の成果を遺伝子診断に活かすことができない．症例の集積，臨床情報の丹念なファイリングが不可欠である．

(8) 遺伝子検査・診断の現状と課題

ACCF/AHA (米国心臓病学会財団/米国心臓協会) や ESC (欧州心臓病学会) のガイドラインでも HCM 診療における遺伝子検査が推奨されている (Elliott ら，2014；Gersh ら，2011)．遺伝子検査を行う際には日本医学会ガイドラインを遵守し (日本医学会，2011)，検査前に必ず文書によるインフォームドコンセントを得る必要がある．

心筋症における遺伝子診断は，診断確定に貢献するだけでなく，心 Fabry 病など臨床症状は一見 HCM に似る疾患 (phenocopy) を鑑別するのに有用である．また，患者の血縁者に対しては患者と同じ変異を有しているかどうかを調べることになる．血縁者がその変異を有していないことを遺伝子検査で確認すれば，生

涯にわたる不必要な定期検診（心電図，心エコー検査）反復や運動制限を避けることができる．しかしながら，遺伝子検査を進めると未発症例に遺伝子変異が検出されることもまれではない．このような遺伝子変異陽性未発症例に対して発症前から何らかの早期治療（介入）を行えば発症を遅らせることができるのか，予防できるのか，また発症したとしても予後を改善させうるのか，ヒトではいまだエビデンスが得られていない．

　遺伝子検査の結果解釈や患者・血縁者への説明に関しては，遺伝カウンセラーや専門医へのコンサルトが必要である．　　　　　　　　　　　　　　〔森田啓行〕

■文献

Elliott PM, Anastasakis A, et al: 2014 ESC Guidelines on diagnosis and management of hypertrophic cardiomyopathy: The Task Force for the Diagnosis and Management of Hypertrophic Cardiomyopathy of the European Society of Cardiology (ESC). *Eur Heart J.* 2014; **35**: 2733-79.

Gersh BJ, Maron BJ, et al: 2011 ACCF/AHA guideline for the diagnosis and treatment of hypertrophic cardiomyopathy: executive summary: a report of the American College of Cardiology Foundation/American Heart Association Task Force on Practice Guidelines. *Circulation.* 2011; **124**: 2761-96.

日本医学会：医療における遺伝学的検査・診断に関するガイドライン，2011. http://www.jscla.com/g201102guideline.pdf

Maron BJ, Towbin JA, et al: Contemporary definitions and classification of the cardiomyopathies. *Circulation.* 2006; **113**: 1807-16.

3）遺伝性不整脈

　遺伝性不整脈は，心筋の活動電位を形成するイオンチャネルをおもにコードする遺伝子上の変異によりイオンチャネル機能障害をきたし，心電図異常や心室頻拍（VT）/心室細動（VF）などの致死性不整脈を発症して心臓突然死の原因となる疾患である（Shimizu ら，2011；Shimizu，2013；Priori ら，2013）[1,2]．

（1）先天性 QT 延長症候群
定義・概念

　先天性 QT 延長症候群は，QT 時間の延長（図 7-4-3A）と torsade de pointes（TdP）とよばれる多形性 VT を認め，失神や突然死を引き起こす症候群である（図 7-4-3B）（Shimizu ら，2011；Shimizu，2013；Priori ら，2013）[1]．

疫学

　頻度は 2000 人に 1 人とされており[3]，性差は若干女性が多いとされている．

分類・病因・病態生理（分子病態）

　臨床的に，常染色体優性遺伝形式をとる Romano-Ward 症候群と，常染色体劣性遺伝形式をとり両側性感音性難聴を伴う Jervell & Lange-Nielsen 症候群に分類される．K^+，Na^+，Ca^{2+} 電流などのイオンチャネルに関連する遺伝子上に 50～75％の患者で変

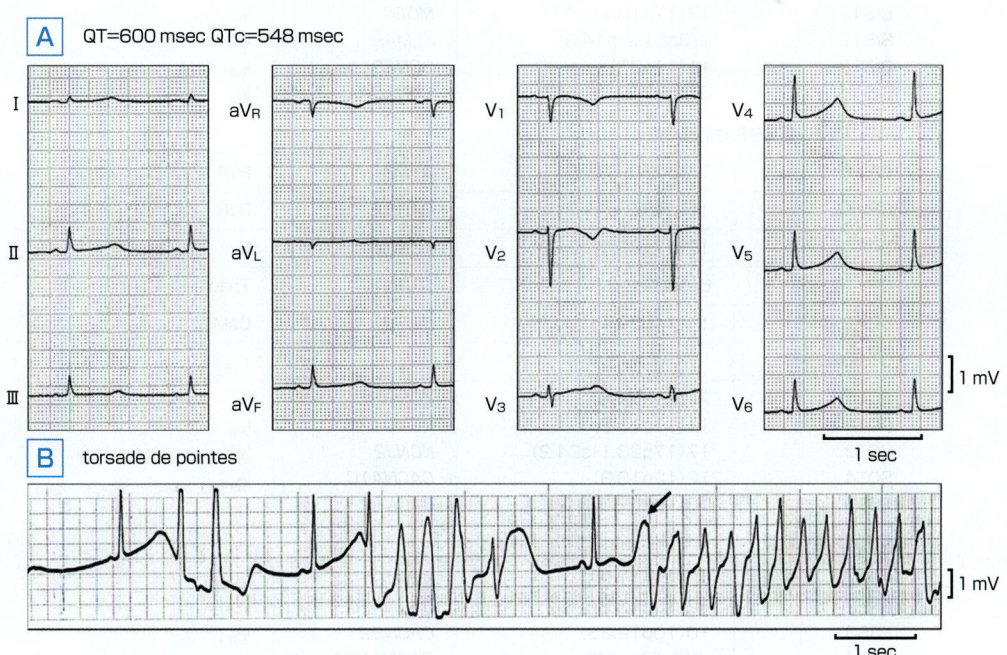

図 7-4-3 **LQT2 型先天性 QT 延長症候群の 12 誘導心電図と torsade de pointes（TdP）**
著明な QT 時間の延長（QT＝600 msec，QTc＝548 msec）を認め（A），心室期外収縮の連発に引き続いて TdP が出現している（B）．

表 7-4-4 遺伝性不整脈疾患の原因遺伝子とイオンチャネル機能

タイプ	遺伝子座	原因遺伝子	イオンチャネル
先天性 QT 延長症候群			
Romano-Ward 症候群			
LQT1	11(11p15.5)	KCNQ1	$I_{Ks}(\alpha)$
LQT2	7(7q35-q36)	KCNH2	$I_{Kr}(\alpha)$
LQT3	3(3p21)	SCN5A	$I_{Na}(\alpha)$
LQT4	4(4q25-q27)	ANK2	Na-K ATPase, I_{Na-Ca}
LQT5	21(21q22.12)	KCNE1	$I_{Ks}(\beta)$
LQT6	21(21q22.12)	KCNE2	$I_{Kr}(\beta)$
LQT7	17(17q23.1-q24.2)	KCNJ2	I_{K1}
LQT8	12(12p13.3)	CACNA1C	I_{Ca-L}
LQT9	3(3p25)	CAV3	I_{Na}
LQT10	11(11q23.3)	SCN4B	I_{Na}
LQT11	7(7q21-q22)	AKAP-9	I_{Ks}
LQT12	20(20q11.2)	SNTA1	I_{Na}
LQT13	11(11q23.3-24.3)	KCNJ5	I_{KACh}
Jervell & Lange-Nielsen 症候群			
JLN1	11(11p15.5)	KCNQ1 (homozygous)	$I_{Ks}(\alpha)$
JLN2	21(21q22.12)	KCNE1 (homozygous)	$I_{Ks}(\beta)$
Brugada 症候群			
BrS1	3(3p21)	SCN5A	I_{Na}
BrS2	3(3p22.3)	GPD1-L	I_{Na}
BrS3	12(12p13.3)	CACNA1C	I_{Ca-L}
BrS4	10(10P12)	CACNB2	I_{Ca-L}
BrS5	19(19q13.1)	SCN1B	I_{Na}
BrS6	11(11q13-q14)	KCNE3	I_{to}
BrS7	19(11q23.3)	SCN3B	I_{Na}
BrS8	12(12p11.23)	KCNJ8	I_{K-ATP}
BrS9	7(7q21-q22)	CACNA2D1	I_{Ca-L}
BrS10	1(1p13.3)	KCND3	I_{to}
BrS11	17(17p13.1)	MOG1	I_{Na}
BrS12	3(3p21.2-p14.3)	SLMAP	I_{Na}
BrS13	11(11q23)	SCN2B	I_{Na}
BrS14	3(3p22.2)	SCN10A	I_{Na}
カテコラミン誘発多形性心室頻拍			
CPVT1	1(1q42-q43)	RYR2	RyR
CPVT2	1(1p13.3-p11)	CASQ2	RyR
CPVT3	17(17q23.1-q24.2)	KCNJ2	I_{K1}
CPVT4	6(6q22.31)	TRDN	Triadin
CPVT5	14(14q32.11)	CALM1	CaM1
QT 短縮症候群			
SQT1	7(7q35-q36)	KCNH2	I_{Kr}
SQT2	11(11p15.5)	KCNQ1	I_{Ks}
SQT3	17(17q23.1-q24.2)	KCNJ2	I_{K1}
SQT4	12(12p13.3)	CACNA1C	I_{Ca-L}
SQT5	10(10P12.33)	CACNB2	I_{Ca-L}
早期再分極症候群			
ERS1	12(12p11.23)	KCNJ8	I_{K-ATP}
ERS2	12(12p13.3)	CACNA1C	I_{Ca-L}
ERS3	10(10p12.33)	CACNB2	I_{Ca-L}
ERS4	7(7q21-q22)	CACNA2D1	I_{Ca-L}
ERS5	3(3p21)	SCN5A	$I_{Na}(\alpha)$

異を認め，心室筋活動電位プラトー相の外向きK^+電流が減少，または内向きNa^+，Ca^{2+}電流が増加して心室筋活動電位持続時間(APD)が延長しQT時間が延長する[1](Shimizuら，2011；Shimizu，2013；Prioriら，2013)．Romano-Ward症候群では，遺伝子診断により8つの染色体上に13個の遺伝子型が報告され[1](Shimizuら，2011；Shimizu，2013；Prioriら，2013)(表7-4-4)，遺伝子診断は保険診療も承認されている．各遺伝子型の頻度は，LQT1が40%，LQT2が40%，LQT3が10%で，この3つで90%以上を占める．Jervell & Lange-Nielsen症候群では2つの遺伝子型が報告され，*KCNQ1*または*KCNE1*のホモ接合体であるため重症のQT延長に難聴を伴う(表7-4-4)．

診断

2013年の遺伝性不整脈のexpert consensus statementでは，心電図所見(QT時間，TdP，交代性T波，ノッチT波，徐脈)，臨床症状(失神発作，先天性聾)，家族歴を点数化し，3.5点以上の場合，また，常にQTcが500 msec以上の場合に臨床診断可能としている(Prioriら，2013)(e表7-4-A)．

鑑別診断

失神をきたすすべての疾患，および薬剤，電解質異常，徐脈などの誘因とする後天性(二次性)QT延長症候群を鑑別する必要がある．

臨床症状

症状は失神，心停止，突然死であり，頻度の多いLQT1，LQT2，LQT3では，遺伝子型により臨床症状や予後が異なる(Shimizuら，2011；Shimizu，2013；Prioriら，2013)(e図7-4-A)[1]．

LQT1では症状の多くは運動中に起こり，特に水泳中に多い[4]．LQT2の症状の多くは情動ストレス(恐怖や驚愕)，音刺激(目覚まし時計など)による覚醒時など，急激に交感神経が緊張する状態で起こる[5]．LQT3では睡眠中や安静時に心事故が多い．

経過・予後

LQT1，LQT2の生涯心事故発生率はLQT3に比べ高いが，致死的心事故発生率はLQT3で高い[6]．

生活指導・治療

遺伝子型特異的治療が実践されている(Shimizuら，2011；Shimizu，2013)．

LQT1では運動制限が必須であり，体育系クラブや競争的スポーツ(マラソン，リレー競技，全力疾走)，競泳，潜水などを禁止する．薬物治療としては，β遮断薬が特に有効である[7-9](Shimizu，2013；Prioriら，2013)．LQT2でも運動制限とβ遮断薬が有効であるが，LQT1に比べて有効性はやや低い[10,11]．K製剤とK保持性利尿薬の併用による血清K値の上昇も有効である[12]．LQT3ではメキシレチンが有効である(Shimizu，2013)(e図7-4-B)[13]．いずれの遺伝子型でも，VFまたは心停止既往例では植え込み型除細動器(ICD)のクラスI(絶対)適応である[14](Prioriら，2013)．LQT3ではペースメーカ治療も有効である．

(2) Brugada症候群

定義・概念

Brugada症候群は，12誘導心電図のV_1〜V_2(V_3)誘導でST上昇を認め，おもに夜間睡眠中または安静時にVFを発症し突然死の原因となる疾患である[2,15-17](Shimizu，2013)．中高年男性が夜間に突然死する「ポックリ病」の少なくとも一部は，Brugada症候群に起因すると考えられている．

疫学

VFの初発年齢は40〜50歳代で，男性に多く(男女比8:2〜9:1)，日本を含めたアジア地域で頻度が高い[16]．わが国の健診ベースの報告によれば，0.1 mV以上のcoved型ST上昇を認める頻度は0.05〜0.16%[18-21]，0.2 mV以上のcoved型ST上昇(type 1心電図)は0.15%[22]と報告されている(eコラム1)．一方で，小児期のBrugada心電図の頻度は低く，0.1 mV以上のcoved型ST上昇の頻度は，0.02〜0.04%[23,24]，0.2 mV以上のcoved型ST上昇は0.005%と報告されている[25]．

病因・病態生理(分子病態)

外的因子や一部遺伝子変異により，一過性外向き電流(I_{to})などの外向きK^+電流が増加，またはNa^+電流，Ca^{2+}電流などの内向き電流が減少すると，右室流出路の心外膜-心内膜細胞間で活動電位第1相に電位勾配が生じ，J波(eコラム2)およびこれに引き続くST部分が上昇する[16]．また，近接する心外膜細胞間で大きな再分極時間のバラツキが生じ，phase 2 re-entryを機序としてVFの引き金となる心室期外収縮が出現する[16]．VFが持続するには軽度の脱分極(伝導)異常が必要と考えられている[26]．*SCN5A*をはじめとする複数の遺伝子型が報告されているが(Shimizu，2013)(表7-4-4)，遺伝子変異が同定されるのは約30%である．

診断

2013年のExpert Consensus Statementでは，Naチャネル遮断薬投与の有無にかかわらず，高位肋間記録(V_1，V_2が第3または2肋間)も含めた誘導のなかで，少なくとも1誘導でJ点またはST部分が基線から0.2 mV以上上昇するcoved型ST上昇(type 1心電図)を認めれば，VFの有無は問わず臨床診断可能としている(Prioriら，2013)(図7-4-4)．

鑑別診断

急性心筋梗塞(特に右室梗塞)，急性心筋炎，解離性大動脈瘤，急性肺塞栓症，催不整脈性右室心筋症を鑑

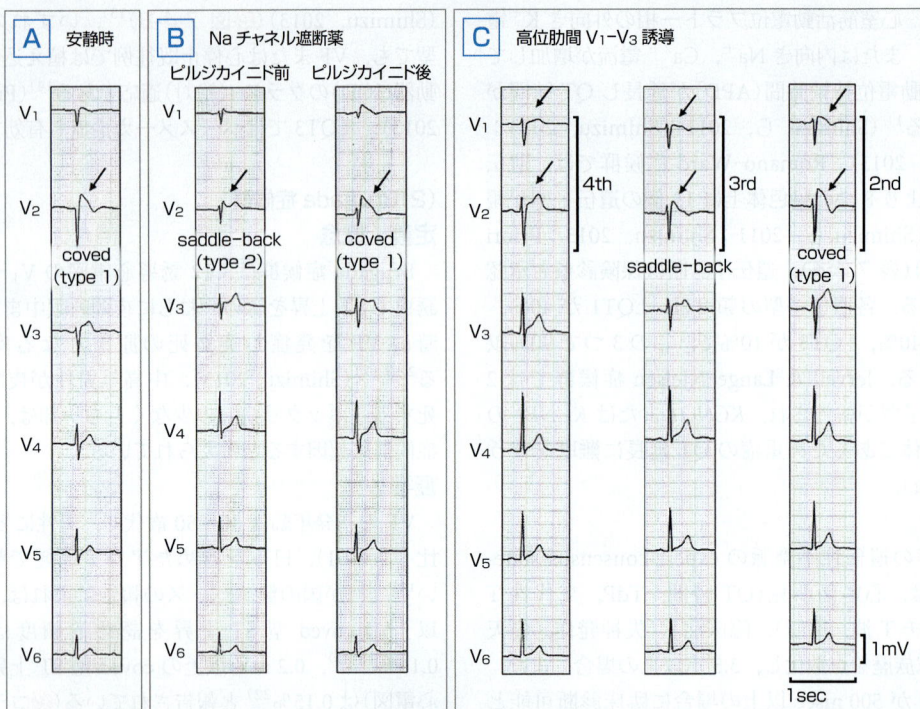

図 7-4-4 Brugada 症候群患者の V_1〜V_6 誘導心電図
A：症例 1．安静時から V_2 誘導で coved 型 ST 上昇を呈する(type 1)．
B：症例 2．安静時には V_2 誘導で saddle-back 型 ST 上昇(type 2)を呈しているが，ピルジカイニド 40 mg の静注により coved 型(type 1)の ST 上昇を認めている．
C：症例 3．安静時心電図で，通常の第 4 肋間における V_1，V_2 誘導心電図記録では ST 上昇を認めないが，第 3，2 肋間で V_1，V_2 誘導心電図を記録すると Brugada 型 ST 上昇を呈している．

別診断する必要がある[2](Priori ら，2013)．

臨床症状
失神，心停止，突然死として発症する．

経過・予後
わが国の VF 既往のある Brugada 患者の年間 VF 再発率は 8.4〜10.7％と高いが，無症状の Brugada 患者の新規年間 VF 発生率は 0.3〜0.4％と低く，失神既往のある患者でも 0.7〜1.7％と欧州の報告に比べ低い[27,28]．

治療
VF，心停止既往例では，ICD のクラス I 適応である[14]．薬物療法は ICD 植え込み後の補助的治療であり，キニジンの有効性が報告されている[29]．VF 急性期にはイソプロテレノールの持続点滴が有効である[30,31]．

(3) カテコラミン誘発多形性心室頻拍(catecholaminergic polymorphic VT：CPVT)

定義・概念
CPVT は，交感神経緊張時に，特徴的な二方向性 VT や多形性 VT が出現し(e図 7-4-C)，VF に移行して小児期の突然死の原因となる疾患である[32]．

疫学
小児期から発症することが多く，性差はない．

病因・病態生理(分子病態)
5 つ原因遺伝子が報告されているが(表 7-4-4)，これらの変異により心筋細胞内 Ca^{2+} 負荷をきたし，遅延後脱分極を機序として VT，VF が発生すると考えられている．

診断・鑑別診断
運動中の特徴的な二方向性 VT や多形性 VT から診断は比較的容易であるが，LQT7 型の Andersen-Tawil 症候群との鑑別が必要である．

臨床症状
失神，心停止，突然死として発症する．

治療
β遮断薬，および Ca 拮抗薬との併用が有効であるが，RYR2 変異陽性例で Na チャネル遮断薬のフレカイニドが有効である[33,34]．VF や心肺停止既往例では ICD の適応である(Priori ら，2013)．

(4) QT短縮症候群（short QT syndrome：SQTS）
定義・概念
SQTSは，QT時間の短縮とVFや心房細動（AF）を認める症候群である[35-37]（e図7-4-DのA）．
疫学
頻度は少なく，性差はない．
病因・病態生理（分子病態）
5つの遺伝子型が報告されており，SQT1，SQT2，SQT3では，遺伝子変異によりK⁺電流の増強をきたしQT時間が短縮する．SQT4，SQT5は，Brugada症候群との合併例である（表7-4-4）．
診断
QTc時間が330 msec以下であればSQTSと診断される（Prioriら，2013）．また，遺伝子変異，家族歴（SQTSまたは40歳以下の突然死），VT/VFのいずれかを認める場合には，QTc時間が360 msec未満でもSQTSと診断される（Prioriら，2013）．
臨床症状
失神，心停止，突然死として発症する．
治療
VFや心停止既往例ではICDが必須治療である（Prioriら，2013）．薬物治療はICDの補助的治療であり，SQT1ではキニジンの有効性が報告されている[37]（e図7-4-DのB）．

(5) 早期再分極症候群（early repolarization syndrome：ERS）
定義・概念
ERSは，器質的心疾患を認めない特発性VFのなかで，12誘導心電図上J波または早期再分極（ER）を認める疾患である[38,39]．
疫学
頻度は不明であるが，男性に多い．

病因・病態生理（分子病態）
5つの遺伝子型が報告され（表7-4-4），変異によるI_{K-ATP}の増加，Ca^{2+}電流またはNa^+電流の減少がJ波の成因とされている．
診断
Brugada症候群を除外した狭義の特発性VFのなかで，12誘導心電図の下壁（Ⅱ，Ⅲ，aVF）および/または前側壁（I, aV_L, V_4〜V_6）誘導の2誘導以上で0.1 mV以上のJ波またはERを認める場合に診断される（Prioriら，2013）（e図7-4-E）．また，J波またはERが過去に記録されている心臓突然死患者で病理所見が正常の場合にも診断可能とされている（Prioriら，2013）．
臨床症状
失神，心停止，突然死として発症する．
治療
VF既往例ではICDのクラスⅠ適応となる（Prioriら，2013）．Brugada症候群と同様にイソプロテレノールやキニジンが有効である（Prioriら，2013）．

〔清水　渉〕

■文献（e文献7-4-3）

Priori SG, Wilde AA, et al: HRS/EHRA/APHRS Expert Consensus Statement on the Diagnosis and Management of Patients with Inherited Primary Arrhythmia Syndromes: Document endorsed by HRS, EHRA, and APHRS in May 2013 and by ACCF, AHA, PACES, and AEPC in June 2013. *Heart Rhythm*. 2013; **10**: 1932-63.

Shimizu W, Horie M: Phenotypical manifestations of mutations in genes encoding subunits of cardiac potassium channels. *Circ Res*. 2011; **109**: 97-109.

Shimizu W: Update of diagnosis and management in inherited cardiac arrhythmias. *Circ J*. 2013; **77**: 2867-72.

7-5　検査法

1) 心電図
electrocardiogram：ECG

定義・概念
1903年にオランダの生理学者アイントーベンは検流計で心臓の微小な電気活動を測定した．この業績によって1924年，ノーベル生理学・医学賞を授与されている．心電図は心臓の電気活動を記録し，心臓病の診断と治療に用いる検査である．狭義には体表12誘導心電図を指すが，広義には24時間心電図記録，運動負荷試験，モニタ心電図など心電波形を含むものも含まれる．

(1) 12誘導心電図
心電図を記録する機器を心電計とよぶ．リアルタイムに心電図波形を提示し，必要に応じプリントアウトできる．解析ソフトの搭載により，波形のパラメータの測定と所見の判読が可能である．通常，横軸25 mmが1秒，縦軸1 cmが1 mVで記録される．必要により，記録速度と感度の設定を変更できる．

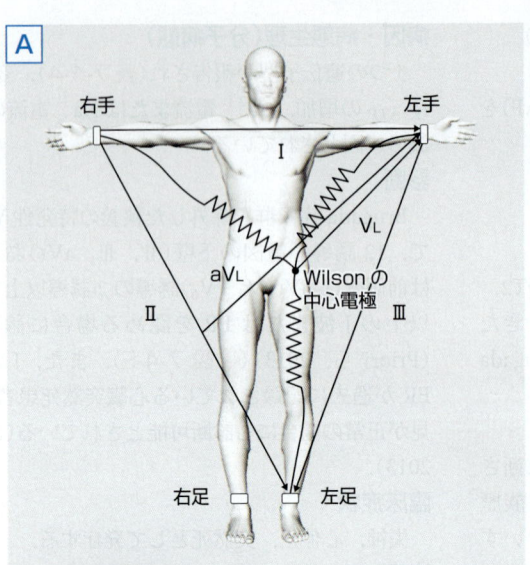
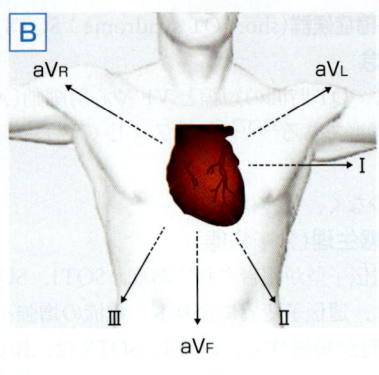

図 7-5-1 肢誘導
A：双極肢誘導と Wilson の中心電極．双極誘導はそれぞれ I，II，III誘導とよばれる．I 誘導は左手と右手，II 誘導は左足と右手，III 誘導は左足と左手の電位差から得られる．左右上肢と左下肢の電位の平均は 0 ボルトに近く，安定性が高いことから単極誘導の基準電位として用いられる．
B：6 個の肢誘導．双極肢誘導と単極肢誘導の計 6 誘導により心臓の電気活動の前額面成分を把握できる．

表 7-5-1 胸部誘導の電極

誘導	電極の位置
V_1	第 4 肋間　胸骨の右縁
V_2	第 4 肋間　胸骨の左縁
V_3	V_2 と V_4 の真ん中
V_4	第 5 肋間と左鎖骨中線上の交わるところ
V_5	左前腋窩線上の V_4 と同じ高さ
V_6	左中腋窩線上の V_4 と同じ高さ

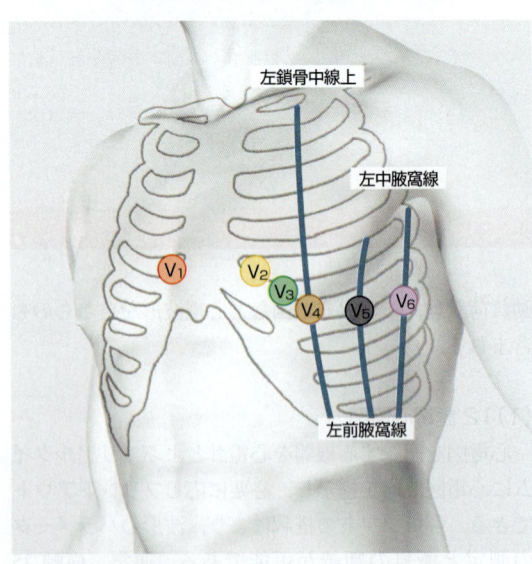

図 7-5-2 胸部誘導の電極
胸部誘導は単極誘導である．Wilson の中心電極と胸部の電極の電位差から胸部誘導は得られる．

a. 電極の配置と誘導

上下肢に 4 個，胸部に 6 個の電極を配置して記録される．これらの電極で得られる電位計測に基づき，12 誘導が得られる．

i) 肢誘導

四肢の誘導から記録される 6 個の誘導を肢誘導とよび，前額面の電気活動を反映する．このうち四肢の 1 対の組み合わせ(図 7-5-1A)から得られる 3 つの双極肢誘導を，第 I 誘導，第 II 誘導，第 III 誘導とよぶ．各誘導は心臓の電気活動を異なる方向から観察する．

双極肢誘導を補完するために，左右上肢と左下肢の平均電位を基準電位(Wilson の中心電極)とした単極肢誘導(V_R, V_L, V_F)が考案された．これらの誘導は I，II，III 誘導とは感度設定に差があった．そこで，標準 12 誘導心電図では双極肢誘導と単極肢誘導が近似した感度をもつように，後者を 1.5 倍に増幅した波形が用いられている(aV_R, aV_L, aV_F)．"a" は augment(増幅)の頭文字である．aV_L は右手と左下肢の平均電位を基準として，左上肢の電位との差からも求められる．aV_R と aV_F も同様な定義が可能である．双極肢誘導と単極肢誘導により心臓を 6 つのベクトルでとらえられる(図 7-5-1B)．

ii) 胸部誘導

胸部誘導は水平面の電位情報を得るための，単極誘導である(表 7-5-1，図 7-5-2)．
基準電位は単極肢誘導と同じ Wilson の中心電極である．肢誘導と胸部誘導を組み合わせて心臓の興奮伝播を三次元の現象として観察できる．

(2) 心電図によって評価できること

心電図に反映される情報は次のようなものである.
① 不整脈，伝導異常など電気的情報
② 肥大や拡張など形態的な情報
③ 虚血や代謝異常など形態の変化は伴わない現象についての情報

心電図は電気現象の異常である不整脈については精度の高い情報をもたらす．一方，肥大や拡張，虚血や代謝については間接的な情報となる．心エコー，冠動脈造影検査，CT スキャンなどの画像検査，生化学データ，自他覚徴候などを加味することで，より信頼性の高い心電図判読が可能となる．

(3) 波形が表すもの

心電図は心筋の脱分極と再分極のいずれも波形に現れる．心電図波形は心筋および興奮伝導にかかわる伝導系の性状も反映する．波形と電気活動との関係は以下のようになる（図 7-5-3）．

1) P 波：心房の興奮．
2) PQ 時間（0.12 秒以上〜0.2 秒未満）：心房心室間の興奮伝導にかかるおよその時間．
3) QRS（幅 0.12 秒未満）：心室興奮．
4) ST 部分：心室全体が興奮している時間帯．
5) T 波：心室の再分極（興奮の終了）．
6) QT 時間：心室の興奮開始から再分極の終末（心拍数により正常範囲は異なる）．
7) RR 時間：心周期．
8) U 波：一部の誘導では T 波に続いて U 波を認める．この波が出現する機序には諸説ある．陽性 U 波の臨床的意義は乏しいが，心筋虚血により陰性 U 波を認めることもある．

(4) 病態と関連する心電図所見

a. P 波

i) 右房負荷

Ⅱ，Ⅲ，aVF のいずれかの誘導の P 波の振幅≧2.5 mm，あるいは V_1 の P 波が先鋭で陽性相の振幅≧2.0 mm のとき右房負荷とする診断基準がある．

右房負荷という用語は右房拡大を意味しているようにみえるが，この所見を認めても右房サイズを論じることはできない．肺気腫などの呼吸器疾患に伴う立位心は，この基準を満たしやすい．心房興奮のベクトルの変化が P 波の変化に貢献している．同じ被検者でも心拍数によって P 波の形や大きさは変化する．

ii) 左房負荷

左房負荷の心電図所見は左房拡大との関連がある．拡大した左房がつくるベクトルは V_1 電極からみて陰性成分が大きく，かつ P 波の幅が延長する．

その他，僧帽性 P 波や肺性 P 波という用語が用いられたこともあるが，心エコーで精細な診断が可能な現在，これらの概念の有用性は低い．

b. QRS

i) 脚ブロックと心室内伝導障害

QRS の幅は心室に興奮が伝播する時間に相当する．心室には発達した刺激伝導系があり，興奮は心室全体に速やかに伝播する．QRS 幅は狭く，尖鋭な振れとなる．心室の興奮ベクトル，すなわち興奮の総和は左下方やや前方に向かう．

QRS 幅の拡大は心室の伝導異常を表す．心室内伝導脚の伝導障害である右脚ブロックと左脚ブロックが多い．虚血性心疾患や心筋症など広範な変性があれば，いずれの脚ブロックとも言いがたい QRS 幅の拡大を認めることがあり，心室内伝導障害とよばれる．QRS の波形は，その成分の大小により，大文字と小文字を組み合わせて表現される（図 7-5-4）．

ii) 電気軸

P 波，QRS，T 波いずれにも興奮ベクトルの総和を得ることは可能だが，電気軸という用語は前額面における QRS の平均ベクトルから求められる．12 誘導心

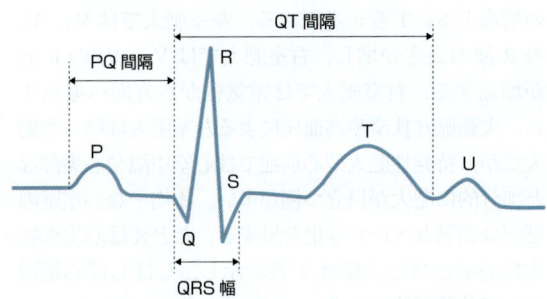

図 7-5-3 波形とおもな測定値
心電図のおもな構成成分を示す．横軸の紙送り速度は 25 mm/秒．縦軸の電位差は 1 cm が 1 mV で記録される．

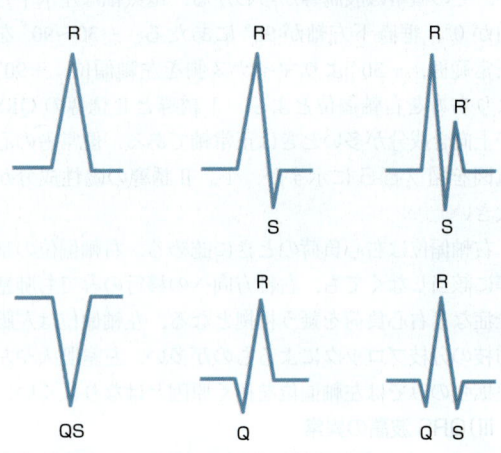

図 7-5-4 QRS のよび方
大きな振れは大文字，小さな振れは小文字で表す．

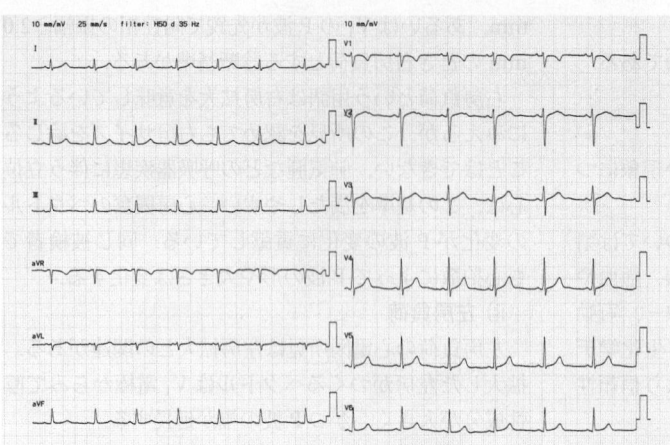

図7-5-5 正常心電図
正常な電気軸であればⅠ誘導とⅡ誘導のQRSは上向き成分が大きい．QRSの振れの主たる成分の方向とT波の方向は同じとなる誘導が多い．

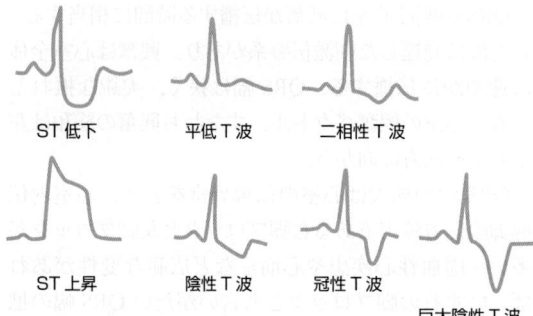

図7-5-6 ST-T変化のよび方
R波高が10mm以上の誘導において，T波の高さがR波の1/10以下のとき平低Tとよぶ．陰性T波のうち，左右対称のものは冠動脈疾患に特徴的であり，冠性T波とよぶ．陰性T波の深さが10mmをこえるとき，巨大陰性T波とよぶが，心尖部肥大型心筋症にみられることが多い．

電図から正確な平均ベクトルを知ることはできないが，その概略は肢誘導からわかる．電気軸は左水平方向が0°，垂直下方軸が90°にあたる．-30～90°を正常範囲，-30°よりマイナス側を左軸偏位，+90°より右方を右軸偏位とよぶ．Ⅰ誘導とⅡ誘導のQRSが上向き成分が多いときは正常軸である．健常者の心電図を図7-5-5に示すが，Ⅰ，Ⅱ誘導の陽性成分が大きい．

右軸偏位は右心負荷のときに認める．右軸偏位の基準に該当しなくても，右軸方向への移行のみでも肺塞栓症など右心負荷を疑う根拠となる．左軸偏位は左脚前枝の分枝ブロックによるものが多い．左室肥大や左室拡張のみでは左軸偏位を招く原因とはなりにくい．

iii) QRS波高の異常

QRSの大きさは心臓の肥大や拡張，心膜液貯留の多寡，胸壁の厚さ，肺の含気など複数の要素によって決まる．上向きのR波高と下向き成分の振れを勘案して，肥大の程度を推測するには限界は大きいが，検診などのスクリーニングでは現在も用いられる．

c. ST部分とT波

ヒト心室の活動電位持続時間は心室内膜側が外膜側より長い．このため，R波とT波はほぼ同じ方向を向く．興奮は上から下へ，内側から外へ進む．心室の再分極の開始と終了には部位により差があり，この時間差がT波の幅に現れる．ST部分とT波は心筋虚血，心筋壊死，肥大，圧負荷，心膜の病変，心室再分極異常，薬剤などによって変化を見せる．図7-5-6にSTとT波の変化のよび方を示す．

(5) 基本的な心電図判読

a. 不整脈

P波の有無，P波とQRSの位置関係は不整脈診断の基本となる．正常洞調律ではP波が周期的に現れ，一定のPQ時間をおいてQRSが出現する．正常な心拍数は安静時では50〜100/分とすることが多い．QRSが正常より低い頻度なら徐脈性不整脈，正常より高い頻度なら頻脈性不整脈という．不整脈の診断や心電図所見の詳細は他項にゆずる．

b. 虚血性心疾患

狭心症状がST部分の変化を伴っていれば診断的である．ST部分の変化はup-slope型，水平型，down-slope型と表現されるが，up-slope型の多くは非特異的である．冠動脈攣縮（スパズム）による異型狭心症ではST上昇を認める．急性心筋梗塞はST上昇の頻度が高いが，ST低下のみのこともある．ST-T変化はその時間経過を観察することにより診断的価値が高まる．

c. 心室肥大

左室肥大と右室肥大では，心筋肥大に応じてQRSの増高とST-T変化を認める．左室肥大ではV₅，V₆のR波の高さが増し，右室肥大ではV₁，V₂のR波が増高する．右室肥大では電気軸が右方向へ偏位する．大動脈弁狭窄や高血圧による左室肥大は均一な肥大だが，特発性肥大型心筋症では心室中隔や心尖部など部分的に肥大が目立つ例が多い．不均一な心室壁の肥厚は顕著なST-T変化を呈する．たとえば心尖部肥大型心筋症は巨大陰性T波を示し，しばしば心電図のみで診断可能である．

d. 電解質異常など

高カリウム血症や低カリウム血症は重篤な病態をも

たらす．T 波増高は高カリウム血症，QT 延長は低カリウム血症を示唆する．呼吸器疾患や脳血管障害なども心電図に変化を認める．

(6) 12 誘導心電図以外の心電図検査

a. Holter 心電図
携帯型の小型心電計により 24 時間あるいは 48 時間の記録が可能である．開発者の名前にちなんで Holter 心電図とよばれる．最近の機器は磁気テープにかわって，IC が用いられ，小型化されている（e 図 7-5-A）．一過性の不整脈や冠動脈攣縮など短時間の 12 誘導心電図では検出が難しい病態に適している．

b. 負荷試験
器質的冠動脈狭窄があれば運動負荷によって虚血性変化を誘発できる．運動負荷心電図は解析システムとトレッドミルもしくはエルゴメーターとによって構成される（e 図 7-5-B）．運動負荷の感度と特異度は，被験者の年齢や冠危険因子の多寡により異なる．冠動脈疾患のほか運動によって誘発される不整脈の検出にも用いられる．カテコールアミン誘発性多形性心室頻拍がその代表的な不整脈である．

c. 加算平均心電図
一般に QRS を対象とし，数百回の心周期のデジタル信号を加算平均する．12 誘導心電図では見いだせない QRS 終末の低振幅で微細な高周波成分を検出する．病的心筋での伝導遅延の有無を知ることができる．伝導性が低下した組織は重篤な心室性不整脈の基質となる．おもに陳旧性心筋梗塞心臓突然死について多くの知見が得られている．

d. 右胸部誘導
右胸部誘導は標準的な左側胸部誘導と対称になる部位に電極を装着する．標準 12 誘導の V_2 と V_1 はそれぞれ V_{1R} と V_{2R} に相当し，これらの右側に V_{3R}〜V_{6R} が連なる．

e. イベントレコーダーとループレコーダー
イベントレコーダーは，24 時間 Holter 心電図でも検出しにくい頻度の低い不整脈を検出できる．装着型イベントレコーダーは持続的に作動するものではなく，症状を自覚した患者の手で操作する．記憶ループにより，起動前後の数秒〜数分間の情報を保存できる．最近になって，皮下植え込み型の心電図ループレコーダーの使用が可能となった．

f. T 波交互現象（T-wave alternans：TWA）
TWA とは T 波の高さが 1 拍おきに交互に変化することを指す．変化の程度が大であれば，重篤な心室性不整脈や突然死のリスクとなる．TWA は心室の再分極異常を反映する．運動負荷時の T 波高について解析が行われてきたが，Holter 心電図でも TWA 計測が可能な機器もある．

〔村川裕二〕

2）心音図・心機図

心臓・血管の収縮・拡張に伴う弁運動と血流動態の周期的変動を聴診所見として客観化したものが心音図で，胸壁，体表から心臓血管に由来する低周波拍動を視診・触診にてとらえ記録した脈波が心機図である．聴く，見る，触るという physical examination はデータ化しにくい経験的な情報であるが，これらを記録することにより習熟とエビデンス化に資してきた歴史がある．身体所見はその他の画像診断とはまったく異なる情報であり，取って代わるものではない．

今日，心エコー検査の普及にてかつて程には利用されなくなっている．

(1) 心音図・心機図記録の基本

心電図検査と同様，上半身の前胸部を裸として四肢誘導の心電図導子を装着する．マイク装着部位は，胸骨右縁第 2 肋間，左縁第 3 肋間，心尖部が標準的記録箇所となる．複数箇所での同時記録は心音・心雑音の解釈に適している．

心音図と脈波の同時記録が心機図である．脈波の記録には部位決定とピックアップの当て方，強さにコツがいる．頸静脈波の記録は鎖骨上窩で右側の胸鎖乳突筋に沿って走行する内頸静脈近位の拍動を見つけて行う．内頸静脈は右房・上大静脈から垂直に走行するので右房圧を反映しやすい．右外頸静脈は右側鎖骨静脈からの分枝なので視診にはすぐれていても記録には適さない．頸動脈拍動も右側で記録するが，高齢者の触診には注意を要する．大動脈狭窄（AS）では立ち上がりが遅く（delayed peak），ときにスリルを触れるが，大動脈弁閉鎖不全や閉塞性肥大型心筋症（HOCM）では急峻となる．心尖拍動は臥位で，触診しづらいときは左側臥位とする．実際の心音図・心機図の模式図は図 7-5-7 のようになる．

(2) 心音の異常と過剰心音

Ⅰ音は僧帽弁と三尖弁閉鎖に起因する心音である．通常は僧帽弁成分が大きく，三尖弁成分は小さく 30 mm 以内で遅れて発生する．胸骨左縁下部で，かつ吸気で目立つ．ドアの閉鎖音ととらえれば理解しやすい．かたくて大きく開いたドア（硬化した弁や PQ 短縮）が速く閉じれば音は大きくなる．逆にやわらかいドアが小さい振幅でゆっくり閉じると（PQ 延長）Ⅰ音は小さくなる．健常者では心基部のⅡ音は呼気で単一であるが，吸気で分裂する．Ⅱ音肺動脈成分の大きさはⅡ音大動脈成分（ⅡA）より小さく，心尖部ではⅡ音分裂は聞こえない．Ⅱ音肺動脈成分（ⅡP）が大きければ（ⅡP≧ⅡA）亢進といい（図 7-5-7），肺血栓塞栓，

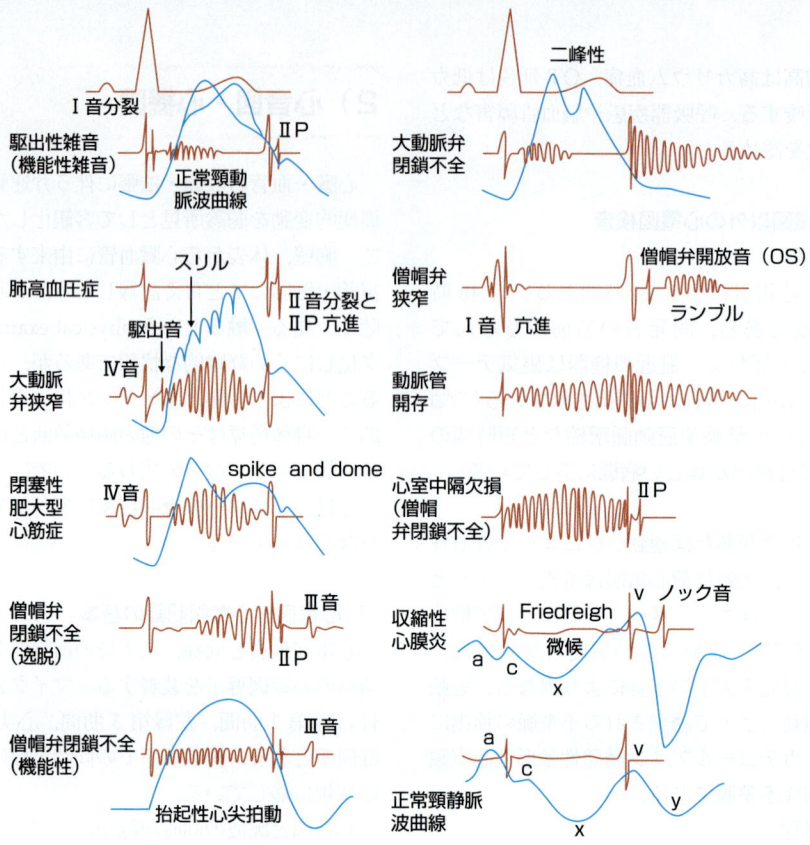

図 7-5-7 種々の心音・心雑音と代表的脈波

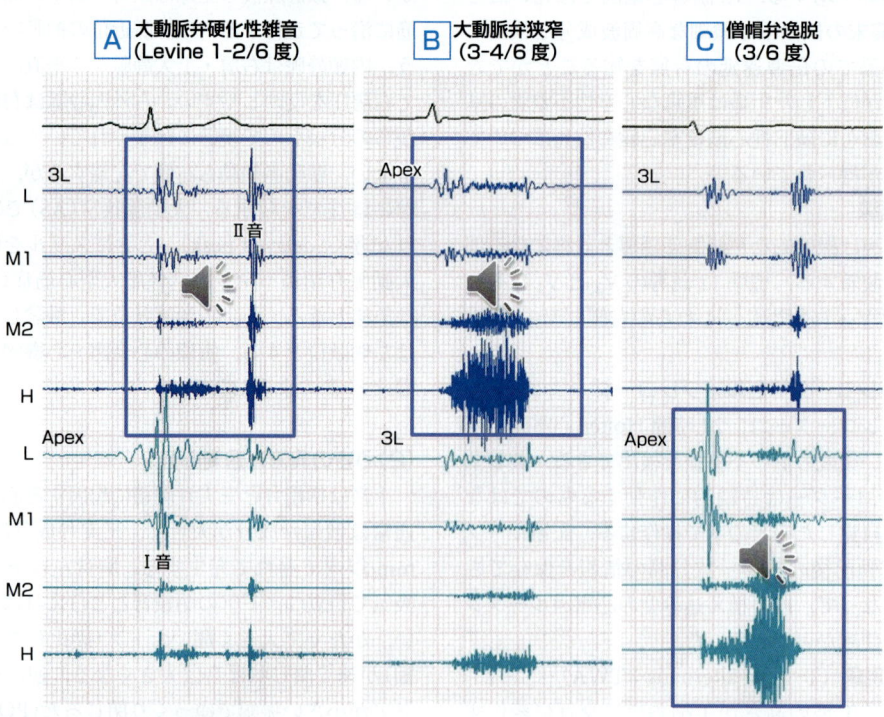

図 7-5-8 3種の収縮期雑音
A：収縮早期性である（e音声 7-5-A）．
B：収縮期雑音で，頸動脈に放散はあるがスリルはなかった．Ⅳ音はなく，Ⅰ音，Ⅱ音は減弱している．心尖部近くでよく聞かれるときは心室中隔欠損，僧帽弁閉鎖不全，閉塞性肥大型心筋症との識別は困難である（e音声 7-5-B）．
C：収縮後期に強くなる僧帽弁閉鎖不全（後尖逸脱）．L, M1, M2, H はそれぞれ低調，中等度，高調フィルターを用いた心音図を示す（e音声 7-5-C）． 3L：胸骨左縁第 3 肋間心音図，Apex：心尖部心音図．

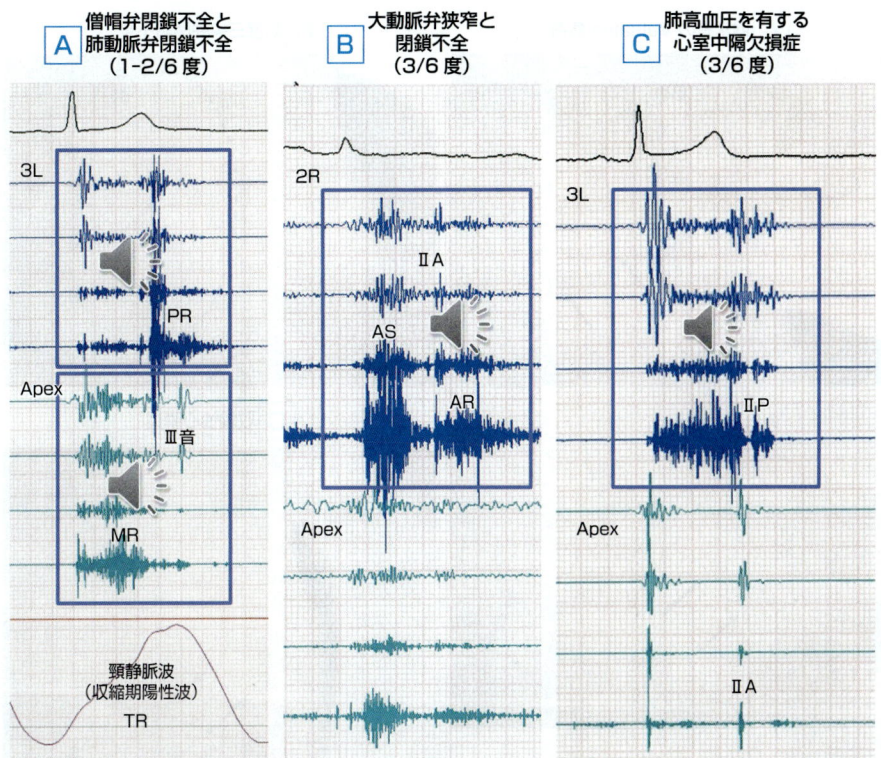

図 7-5-9 4 種の雑音
A：心基部の肺動脈弁閉鎖不全(PR)は大動脈弁閉鎖不全(AR)とは識別できない．心尖部では僧帽弁逆流性雑音(MR)とⅢ音が聞かれた．心房細動があり，合併する三尖弁逆流(TR)による収縮期膨隆を示す頸静脈波曲線を認めた(●音声 7-5-D，7-5-E)．
B：大動脈弁狭窄(AS)と閉鎖不全はいずれも中等度であった(to and fro murmur，ブランコ雑音)(●音声 7-5-F)．
C：聴診では MR と識別できない．Ⅱ音分裂とⅡ音肺動脈成分(ⅡP)の亢進がある(●音声 7-5-G)．
ⅡA：Ⅱ音大動脈成分，2R：胸骨右縁第 2 肋間心音図．

その他の肺高血圧で聞かれる．呼気でも分裂していれば固定性分裂といわれる(心房中隔欠損症)．Ⅱ音分裂間隔の延長は右脚ブロック，肺動脈弁狭窄でみる．過剰心音には駆出音(大動脈弁・肺動脈弁狭窄)，僧帽弁開放音(僧帽弁狭窄)，Ⅲ音(収縮不全，僧帽弁閉鎖不全)，Ⅳ音(拡張障害)，ノック音(収縮性心膜炎)，収縮期クリック(僧帽弁逸脱)，および tumor plop(左房粘液腫)がある．

(3) 心雑音の種類

1) **大動脈弁硬化性雑音と機能性雑音**(図 7-5-8A)：最も多い収縮期雑音である．音量は Levine 1-2/6 である．

2) **大動脈弁狭窄**(図 7-5-8B)**と僧帽弁閉鎖不全**(図 7-5-8C，図 7-5-9A)：前者は持続が短く，後者は長くⅡ音まで続く．前者は前胸壁で胸骨右縁から心尖部まで聞かれるが，後者は心尖部付近で聴取する．その他の収縮期雑音として HOCM(S 字状中隔，左室中部閉塞型心筋症)，心室中隔欠損(図 7-5-9C)，漏斗部・肺動脈弁狭窄，がある．

3) **大動脈弁閉鎖不全**(図 7-5-9B)**と肺動脈弁閉鎖不全**(図 7-5-9A)：前者には高齢者の硬化・変性，二尖弁，大動脈瘤・解離がある．Ⅱ音から続く高調な灌水性(blowing)雑音となる．収縮期雑音は 1 回心拍出量増加のための機能性雑音と合併する狭窄性雑音がある．肺高血圧に合併する肺動脈弁閉鎖不全は高調なために(Graham Steell 雑音)大動脈弁閉鎖不全と識別できない．先天性では原則，音調は低調化する．

4) **僧帽弁狭窄**：前収縮期雑音，Ⅰ音の亢進と開放音，ランブルを聞く．

5) **連続性雑音**：動脈開存，動静脈瘻ほか，多数がある．

(4) 心機図記録と所見

1) **頸静脈波**：右房圧と同様 a，x，v，y からなるが(図 7-5-7 右下)，視診での識別は難しい．健常者の臥位では外頸静脈は観察できても座位では見づらくなる(図 7-5-10A)が Valsalva 負荷では怒張する．二峰

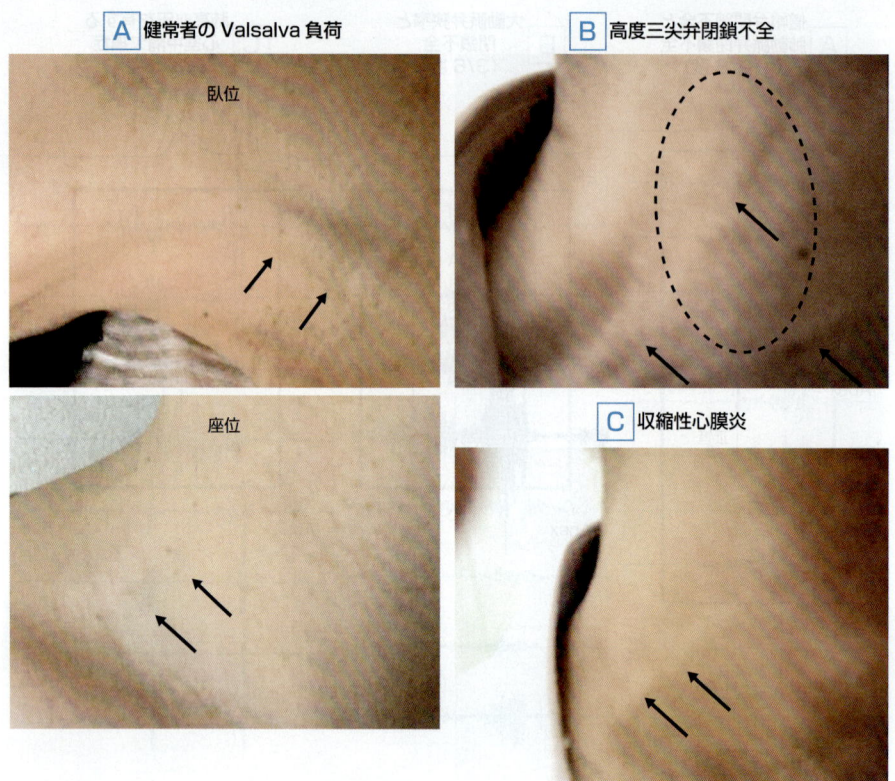

図 7-5-10 外頸静脈と内頸静脈の視診
A：健常者では座位になると静脈は目立たなくなる．臥位でも座位でも Valsalva 負荷にて外頸静脈は怒張してくる．波動しているのがかろうじてわかる（e動画 7-5-A，7-5-B）．
B：高度の三尖弁逆流があると拡張した内頸静脈（破線部領域）に伝達して収縮期膨隆を見る．収縮期の立ち上がりはゆるやかなので頸動脈の拍動ではない（e動画 7-5-C）．
C：収縮性心膜炎では収縮期にやや怒張した外頸静脈は拡張早期に急峻な虚脱（y 谷）をみる（Friedreigh 徴候）（e動画 7-5-D）．
矢印はいずれも右側の外頸静脈である．

性下降（収縮期の x，拡張期の y）で見る習慣をつける．心房細動では a は消失し，x は浅くなる．中等度以上の三尖弁閉鎖不全では x は消失するが，高度になると収縮期膨隆を見る（図 7-5-10B）．健常者では x＞y で，特に y がより深くなるのは高度三尖弁逆流，心房中隔欠損症，収縮性心膜炎（Friedreigh 徴候，図 7-5-7 右下，図 7-5-10C）である．
2）頸動脈波（図 7-5-7 左上）：正常拍動では持続短い拍動を感じるが，高度 AS では立ち上がりがゆるやかでピークが遅れ（遅脈），ときにスリルを触れる．大動脈弁閉鎖不全では大きい脈圧を反映して立ち上がりが急峻となる（速脈）．HOCM は立ち上がりは急峻なので（spike and dome），AS との鑑別に利用できる．
3）心尖拍動：解剖学的心尖部ではなく，左室由来の most lateral impulse である．健常者では胸骨中央より左側 10 cm 以内（胸骨左縁第 5 肋間前後）で限局して持続短く触れる（tapping）．左室拡大や肥厚例では広範囲に持ち上がるように触れる（抬起性＝ sustained，図 7-5-7）．特に左室の著明な拡張例では心尖拍動は左方と下方に大きく偏位する．収縮期の立ち上がり直前にみられる小さい触れは A 波で，左室拡張末期圧を反映し，左室の著明な肥厚例で目立つ．
4）その他の拍動：胸骨左縁では右室の拡張，圧負荷を反映した右室拍動（RV heave），肺高血圧を反映した肺動脈拍動，急性重症僧帽弁閉鎖不全による左房拍動がある．いずれも parasternal heave といわれ，収縮期に持ち上がる拍動となる．
〔羽田勝征〕

■文献
福田信夫，大木 崇：心疾患の視診・触診・聴診─心エコー・ドプラ所見との対比による新しい考え方，医学書院，2002．
羽田勝征：聴診でここまでわかる身体所見，中山書店，2010．
吉川純一監：循環器フィジカル・イグザミネーションの実際，文光堂，2005．

3）心エコー法
echocardiography

　心エコー法はプローブが発した超音波が心血管や血流から反射することにより構築された画像や血流情報をもとに診断を行う方法である．心血管の解剖はMモード法，断層心エコー法，さらには三次元エコー法により評価する．またカラードプラ法，パルスドプラ法，連続波ドプラ法により血流情報，血流速度や圧の推定が可能である．心筋の移動速度を計測する組織ドプラ法や局所心筋のある方向にどれだけ伸び縮みしたかを表すストレイン法が開発され臨床で使用されている．

(1) Mモード法，断層心エコー法，三次元心エコー法

　検査は心血管の解剖，機能を評価するために断層エコー法から行う．経胸壁心エコー法では通常，傍胸骨，心尖部，心窩部，胸骨上窩でプローブを走査する（図7-5-11）．標準的な断面として傍胸骨長軸像，短軸像，心尖部像がある（図7-5-12）．径や容積の定量評価は断層心エコー法，あるいは断層心エコー法をガイドにしたMモード法で行う．また断層心エコー法を用いてカラードプラ法，パルスドプラ法，連続波ドプラ法の血流情報評価を行う．マトリックスプローブを用いてリアルタイムでの三次元画像表示も可能となっている．三次元画像の構築により，解剖を検者間で共通の可視化できる情報として認識できる利点がある（図7-5-13）．

　Mモード法は断面の任意の直線上での構造物の動きを表示することができ，径や時相分析，壁運動の詳細な評価が可能である．Mモード法による心腔計測は標準化されているが，径の計測において心腔を斜めに切ることになればその径を過大評価する．プローブ以外の起点からMモード画像を構築することが可能な機種もある．

(2) ドプラ法，カラードプラ法
a. ドプラ法

　ドプラ効果とは音源が観測者に対してある速度で移動するとき，音源からの音が観測者にとって異なる音として観察される現象である．この効果を利用すれ

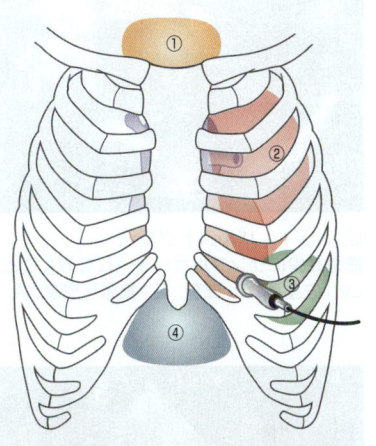

図7-5-11　経胸壁心エコー検査のプローブ位置
①胸骨上窩，②傍胸骨，③心尖部，④心窩部が心臓，大血管を観察するための基本的なプローブの走査部位．

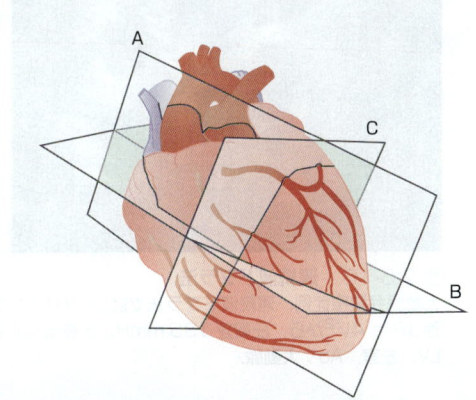

図7-5-12　経胸壁心エコー検査の基本断面
長軸断面(A)，心尖部四腔断面(B)，短軸断面(C)の関係を示す．

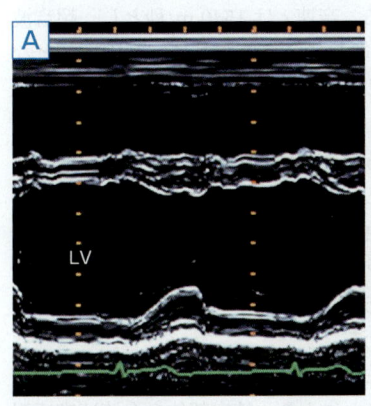
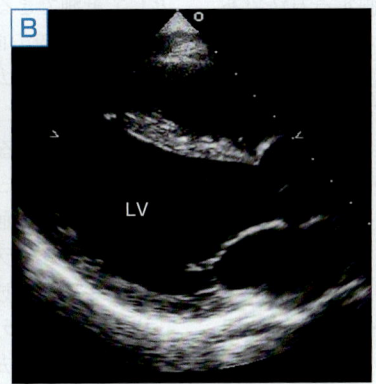
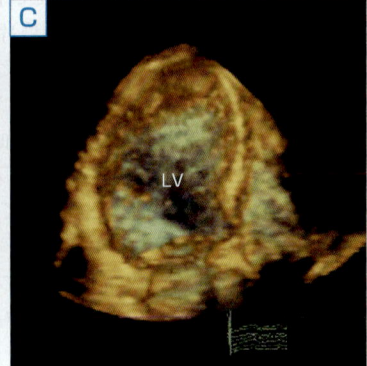

図7-5-13　Mモード法(A)，断層法(B)，三次元心エコー(C)（e動画 7-5-E）
三次元画像は解剖を可視化できる情報として検者間で共通の認識ができる利点がある．

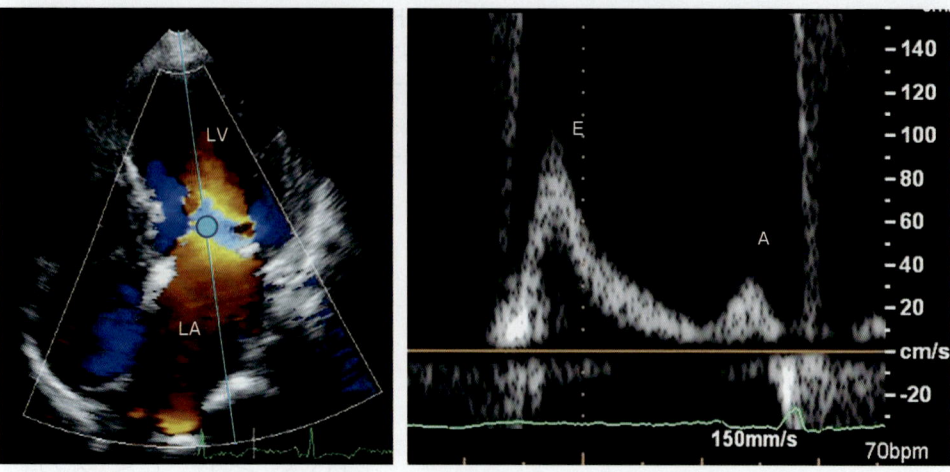

図 7-5-14 パルスドプラ法
僧帽弁尖にサンプルボリュームをおくことにより,左室流入血流速波形が得られ,左室拡張機能の指標となる.
LV:左室,LA:左房,E:拡張早期波,A:心房収縮期波.

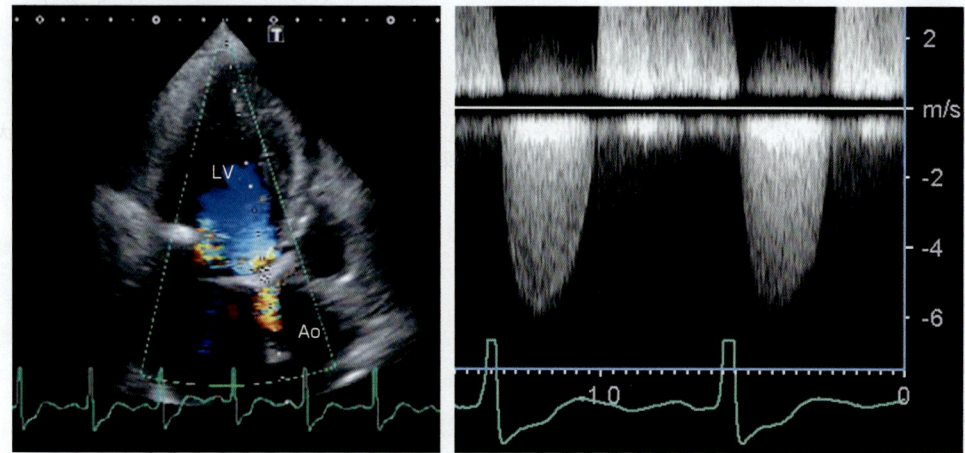

図 7-5-15 連続波ドプラ法
大動脈弁狭窄症例.連続波ドプラ法で計測された弁口部の最大血流速(V)は 5.8 m/秒であり,簡易 Bernoulli の定理 $\Delta P = 4V^2$ から,圧較差 135 mmHg と算出できる.
LV:左室,Ao:大動脈.

ば,音源の移動速度を求めることができる.ドプラ法はドプラ効果をもとに血流速度を計測する方法である.プローブから既知の周波数の超音波が発信され,血球で反射される.反射して得られた周波数が増加していれば,血流はプローブに向かっていることを表し,反射した周波数が減っていれば血流はプローブより遠ざかっていることを表す(e図 7-5-C).発信された超音波周波数と血流から反射して得られた超音波周波数のずれがドプラシフトである.ドプラシフトは発信された超音波周波数(f_0),移動するターゲットの速度(v),超音波ビームと移動するターゲットの方向との角度(θ)に関係し,

$$\Delta f = 2f_0 \times v \times \cos\theta/c$$

の式となる.Δf が求まると,赤血球の速度 v は

$$v = \Delta f \times c/2f_0$$

として計測できる.音速 c は 1540 m/秒とし,超音波ビームと血流の向きが平行であれば $\cos\theta$ は 1 となる.超音波ビームと血流のなす角度 θ が大きくなると,$\cos\theta$ は 1 より小さくなるため,得られた血流速度を過小評価することになる.ドプラ計測の際には血流方向と超音波ビームができるだけ平行になる必要がある.得られた血流速度情報から血行動態の評価が可能となる.ドプラ法にはパルスドプラ法と連続波ドプラ法の 2 種類がある.

i)パルスドプラ法

パルスドプラ法は目的距離からの反射波のみに時間ゲートをかけることにより,特定部位の血流速度情報を得る方法である(図 7-5-14).たとえば,僧帽弁尖

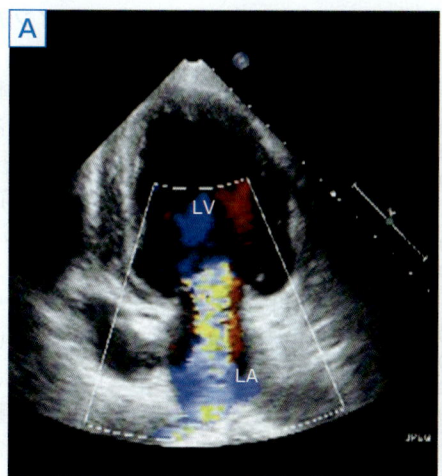 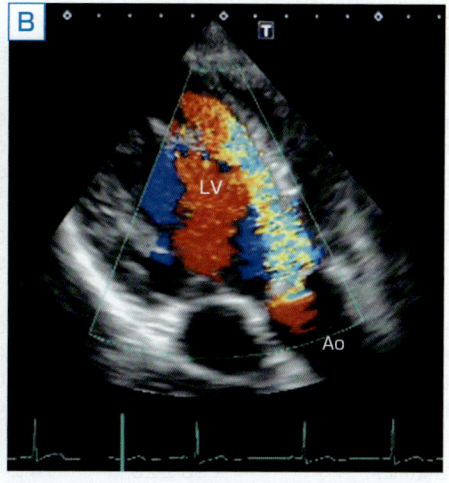

図 7-5-16 カラードプラ法
異常血流は血流の時相，方向，速度，乱流の程度から容易に観察することができる．A：僧帽弁逆流（e動画 7-5-F），B：大動脈弁逆流シグナル（e動画 7-5-G）．
LV：左室，LA 左房，Ao：大動脈．

にサンプルボリュームをおくことにより，左室流入血流速波形が得られ，左室拡張機能の指標となる．パルスドプラ法では最大のドプラシフトはNyquist 周波数とよばれる折り返し周波数の半分となるため，速度計測に限度がある．

ii) 連続波ドプラ法

連続波ドプラ法はプローブから送信と受信の2つのクリスタルを用いてドプラビーム上に連続的に超音波を発信，受信を行うことができ，最大のドプラシフト，速度を計測することができる．超音波ビーム上のすべての速度情報を記録するため，最大速度を計測する際に用いる．実際には7 m/秒程度までの速度が計測可能である．狭窄部位や弁逆流などの高速血流の速度分析に使用される．

大動脈弁狭窄では，狭窄弁により左室と大動脈との間に収縮期圧較差（ΔP）が生じ，駆出血流は狭窄部で加速され，ジェット血流となり弁口部から吹き出す（図 7-5-15）．連続波ドプラ法で計測された弁口部の最大血流速（V）と ΔP との間には，簡易 Bernoulli の定理

$$\Delta P = 4V^2$$

の関係が成り立つ．連続波ドプラ法により最大血流速を計測すれば，圧較差 ΔP の推定が可能となる．

b. カラードプラ法

カラードプラ法はパルスドプラ法によって得られた血流あるいは壁運動情報をもとに画像化される．心血

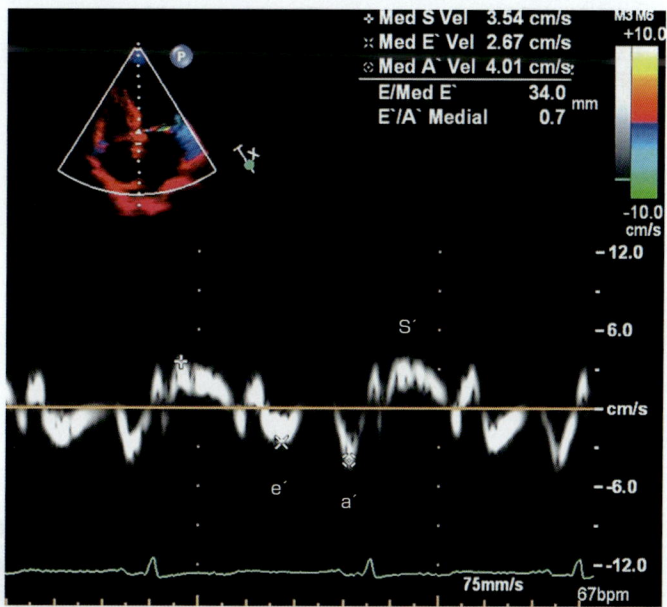

図 7-5-17 組織ドプラ法による僧帽弁輪部運動速度の計測
拡張早期速度（e′），心房収縮期速度（a′），収縮期速度（S′）が記録できる．e′ は左室弛緩能と相関する．

管の血流情報においてはプローブに向かう血流を赤色に，プローブから遠ざかる血流が青色になる．血流速度が Nyquist 周波数限界をこえる速度であれば aliasing が起こり，色が反転することになる．血流が乱流となると赤血球がさまざまな方向へ向かうため，カラー情報は緑色が混じりモザイク状となる．異常血流はカラードプラ法による血流の方向，速度，乱流の程度から容易に観察することができる（図 7-5-16）．血流ジェットの幅や大きさが弁膜症やシャントの重症度診断に用いられる．

表 7-5-2 心腔計測の正常値(Daimonら, 2008)

計測項目	男性	女性
大動脈		
弁輪径(cm)	2.2 ± 0.3	2.0 ± 0.2
Valsalva 洞(cm)	3.1 ± 0.4	2.8 ± 0.3
ST junction(cm)	2.6 ± 0.3	2.4 ± 0.3
左室壁厚		
心室中隔(cm)	0.9 ± 0.1	0.8 ± 0.1
後壁(cm)	0.9 ± 0.1	0.8 ± 0.1
左室径		
拡張末期径(cm)	4.8 ± 0.4	4.4 ± 0.3
収縮末期径(cm)	3.0 ± 0.4	2.8 ± 0.3
拡張末期径/体表面積(cm/m²)	2.7 ± 0.2	3.0 ± 0.2
収縮末期径/体表面積(cm/m²)	1.7 ± 0.2	1.8 ± 0.2
左室容積		
拡張末期容積(mL)	93 ± 20	74 ± 17
収縮末期容積(mL)	33 ± 20	25 ± 7
拡張末期容積/体表面積(mL/m²)	53 ± 11	49 ± 11
収縮末期容積/体表面積(mL/m²)	19 ± 5	17 ± 5
左室駆出率(%)	64 ± 5	66 ± 5
左室重量(g)	133 ± 28	105 ± 5
左室重量/体表面積(g/m²)	76 ± 16	70 ± 14
右室径		
基部径(cm)	3.1 ± 0.5	2.8 ± 0.5
右室流出路(長軸像)(cm)*	2.5 ± 0.3*	
右室流出路近位部(短軸像)(cm)*	2.8 ± 0.4*	
右室流出路遠位部(短軸像)(cm)*	2.2 ± 0.4*	
右室面積変化率(%)	44 ± 13	46 ± 11
左房前後径(cm)	3.2 ± 0.4	3.1 ± 0.3
左房容積(mL)	42 ± 14	38 ± 12
左房容積/体表面積(mL/m²)	24 ± 7	25 ± 8
右房径(横径)(cm)	3.4 ± 0.5	3.1 ± 0.5

＊:Langら(2015)より男女含めた平均値を引用.

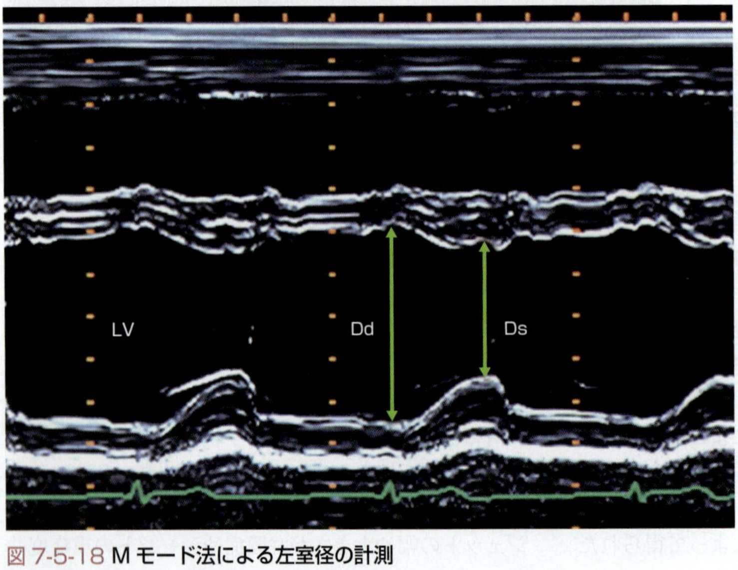

図 7-5-18 M モード法による左室径の計測
LV:左室, Dd:拡張末期径, Ds:収縮末期径.

(3)組織ドプラ法,ストレイン法

a. 組織ドプラ法

組織ドプラ法は血流よりも運動速度の遅い心筋や構造物の速度を計測する方法である.通常血流速度は 20 cm/秒〜,弁膜症では 5 m/秒以上となるが,心筋の速度は 30 cm/秒以下で,振幅が大きいのが特徴である.組織ドプラ法ではパルスドプラ法を用いて遅い速度が記録でき,早い血流の成分を除外するよう工夫されている.心筋の収縮速度,拡張速度の記録に使われる(図 7-5-17).たとえば僧帽弁輪部拡張早期速度(e')から左室弛緩能の推定が行われる.ドプラ法の限界である発信された超音波との角度に精度が依存することと,心臓全体の動きに影響を受ける制限がある.

b. ストレイン法

ストレイン(ε)は心筋が収縮あるいは伸長する割合を計測する方法でありパーセントで表示される.心筋のもとの長さを L_0,収縮あるいは伸長した長さを L_1 とし,ΔL はもとの長さからの変化量である.収縮したときのストレインは負の値,伸長したときのストレインは正の値で表される.

$$\varepsilon = \Delta L/L_0 = (L_1 - L_0)/L_0$$

ストレイン・レートはストレイン値の瞬時の変化量を表す(eコラム 1).

(4)心腔計測・機能評価(正常値は表 7-5-2 を参照)

a. 左室径,壁厚

左室径は傍胸骨左縁の左室長軸あるいは短軸断層エコー像をガイドにし,M モード法により僧帽弁弁尖レベル〜乳頭筋レベルの拡張末期および収縮末期内径を計測する(図 7-5-18).その際,正確な左室長軸断面を設定することが大切である.また,M モード法のビームが左室長軸に対して垂直となるよう注意する.ビームが左室長軸に対して斜めになるような場合は断層法により同じ僧帽弁尖部位の最大内径ならびに最小内径を計測する(図 7-5-19).心室中隔壁厚,左室後壁厚は左室拡張末期,左室内径計測と同じ断面で計測する.

b. 左室容積, 駆出率

左室容積の計測は心尖部四腔像, 二腔像の 2 断面のディスク法(modified Simpson 法)を用いて行う(図7-5-20). 拡張末期および収縮末期の心内膜面をトレースし, 左室容積を計測する. 得られた拡張末期容積(LVEDV), 収縮末期容積(LVESV)より左室駆出率を算出する.

$$左室駆出率(\%) = \frac{(LVEDV - LVESV)}{LVEDV} \times 100$$

三次元心エコー法による左室容積計測は, 左室形態を楕円体とする仮定を必要とせず, 左室形態の異常な症例(左室瘤など)でより正確な計測が可能である(eコラム 2).

c. 左室重量

左室重量は心血管イベントの予測因子として重要な指標である. 左室内腔と左室壁を含めた左室外膜までの容積から左室内腔の容積を差し引くことによってできる左室壁の容積と心筋比重の積で求める. 容量の求め方としては M モード法あるいは断層法により左室内径(LVDd)と壁厚(中隔厚 IVST, 後壁厚 PWT)から算出する方法と断層法による area-length 法がある. いずれの方法も左室拡張末期の時相で計測を行う.

$$左室重量(g) = 1.04 \times [(LVDd + PWT + IVST)^3 - LVDd^3] \times 0.8 + 0.6$$

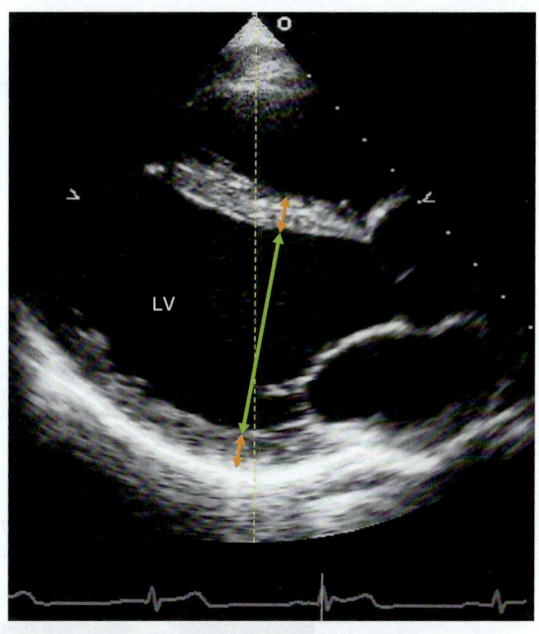

図 7-5-19 断層心エコー法による左室径の計測
M モード法のビームが左室長軸に対して斜めになるような場合は断層法により最大内径(拡張末期径)ならびに最小内径(収縮末期径)を計測する.

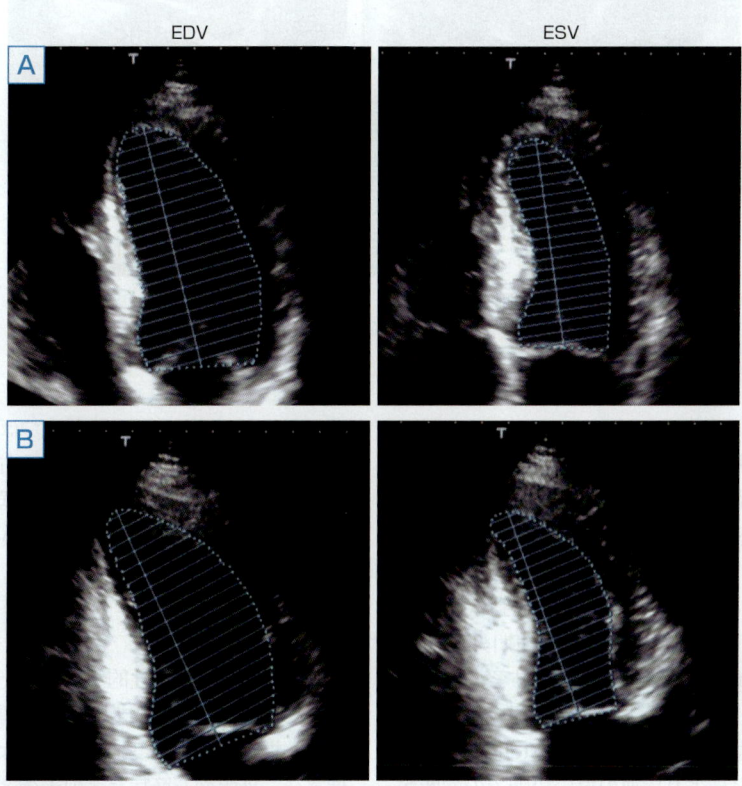

図 7-5-20 左室容積の計測
左室容積の計測は心尖部四腔像(A), 二腔像(B)の 2 断面のディスク法(modified Simpson 法)を用いて行う. EDV: 拡張末期容積, ESV: 収縮末期容積.

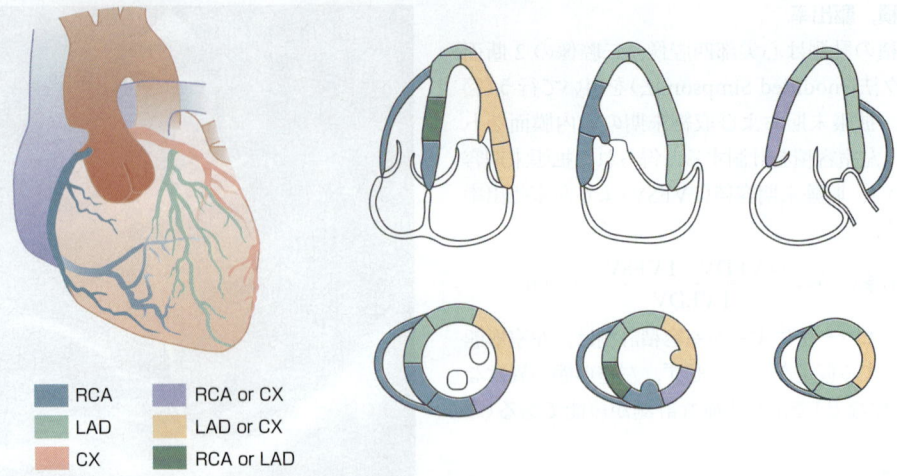

図 7-5-21 **左室壁と冠動脈支配領域**(Lang ら, 2015)
左室の局所壁運動評価は冠動脈支配領域を反映したセグメントごとに行う.
RCA：右冠動脈, LAD：左前下行枝, CX：回旋枝.

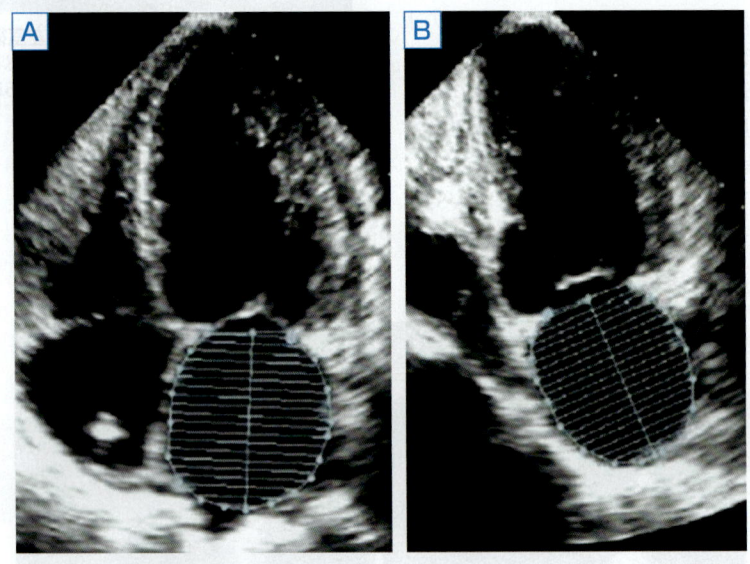

図 7-5-22 **左房容積の計測**
左房容積は心尖部四腔像(A), 二腔像(B)の2断面を用いたディスク法で計測する.

d. 左室壁運動

左室の局所壁運動評価は冠動脈支配領域を反映したセグメントごとに行う(図 7-5-21). 通常, 心尖部四腔像, 二腔像, 左室長軸像, 左室短軸像(心基部, 乳頭筋レベル, 心尖部)から左室を 17 セグメントに分割し, 視覚的に①正常(normal), ②壁運動低下(hypokinetic), ③無収縮(akinetic), ④収縮期外方運動(dyskinetic, aneurysm)の 4 段階で評価する. 視覚的な主観的評価だけでなくストレイン法を用いた評価も可能となり, 特に虚血領域での post-systolic shortening を検出することにより虚血の早い段階での診断が可能と報告されている.

左室の局所壁運動異常は冠動脈疾患以外でも心筋炎, 心サルコイドーシス, たこつぼ型心筋症などで認める. 心臓術後, 左脚ブロック, 右室ペーシング, 右室負荷によっても左室の局所的な壁運動異常が認められる. 収縮性心膜炎の septal bounce, 左室同期不全での心尖部 shuffle という所見にも注意を払う必要がある.

e. 左房径, 左房容積

左房の大きさは慢性的な左房圧上昇を反映し, 左室拡張障害の重要な指標である. 左房の大きさと心房細動や脳梗塞の発症頻度には直接的な関係があり, 心筋梗塞後, 拡張型心筋症などの予後とも関連する.

左房の大きさについて最も広く使用されている計測値は傍胸骨長軸像での左房前後径であるが, 1 断面で

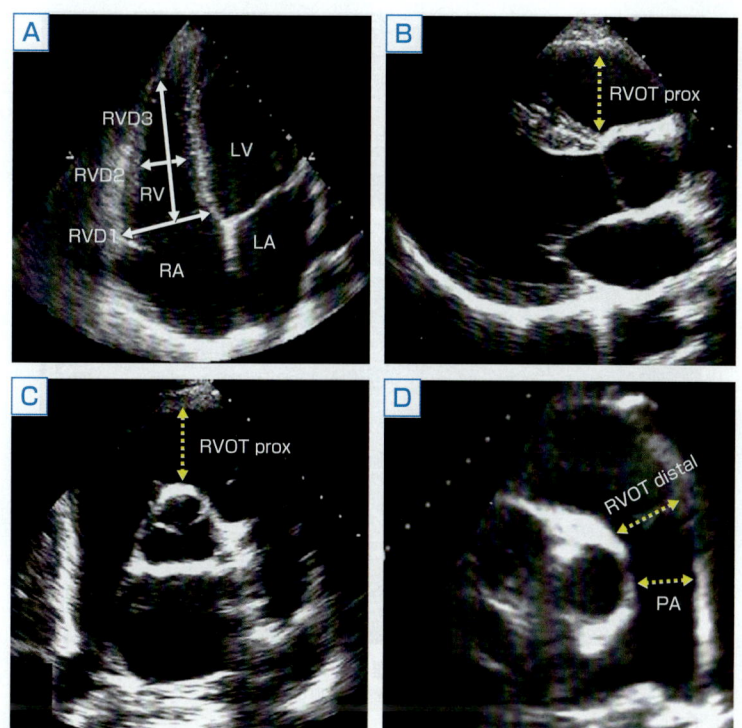

図 7-5-23 右室径の計測
心尖部四腔像で基部(RVD1)，中部の横径(RVD2)を計測する．右室流出路近位部径(RVOT prox)は傍胸骨長軸像，短軸像で計測，遠位部径(RVOT distal)は短軸像で計測する．

の評価であり限界がある．左房の大きさの変化を鋭敏に反映する左房容積を計測することが推奨されている．左房容積は左室容積を計測するのと同様で心尖部四腔像，二腔像の2断面を用いたディスク法で計測する(図7-5-22)．計測する時相は左房が最も大きくなる左室収縮末期，僧帽弁が開放する直前の時相である．左房容積を体表面積で補正した左房容積係数が34 mL/m^{2}以上は左室拡張機能障害の存在を示唆する．

f. 右室・右房径，右室機能

i) 右室・右房径

右室はその複雑な形態から心エコーにより径や機能を評価することが一部の疾患に限られていた．しかし右室がさまざまな心疾患の予後を規定するうえで重要な役割を担うと認識されるようになり，包括的な評価を行うことが推奨される．右室径は心尖部四腔像で基部，中部の横径を計測するが，左室に注目した心尖部四腔像では右室壁が不鮮明となるため，右室にフォーカスした四腔像を描出する．また右室のどの断面を切るかで径が変わってくるため右室基部径が最大となる断面設定が必要である(図7-5-23)．右房径(図7-5-24)は心尖部四腔像により右房の横径で評価する．

ii) 右室機能

右室機能の指標としてMモード法で計測した三尖弁輪収縮期移動距離(TAPSE)(図7-5-25)，右室面

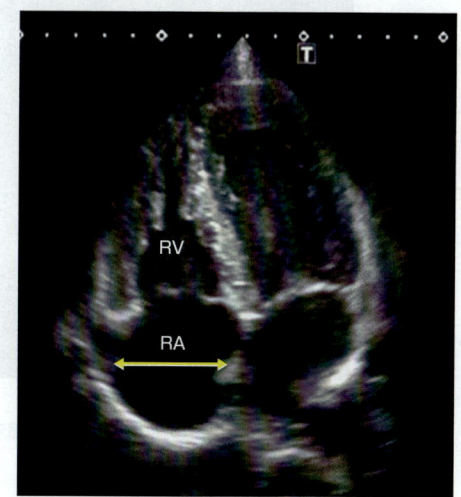

図 7-5-24 右房径の計測
心尖部四腔像により右房の横径で評価する．
RV：右室，RA：右房．

積変化率(図7-5-26)，組織ドプラ法による三尖弁輪収縮期運動速度(S´)(e 図7-5-D)，右心系のtei indexなどがある．心尖部四腔断面から右室自由壁のlongitudinal strainを計測し，予後予測の指標として使用される(e 図7-5-E)．表7-5-3に右室機能の異常と判断される基準値を示す．

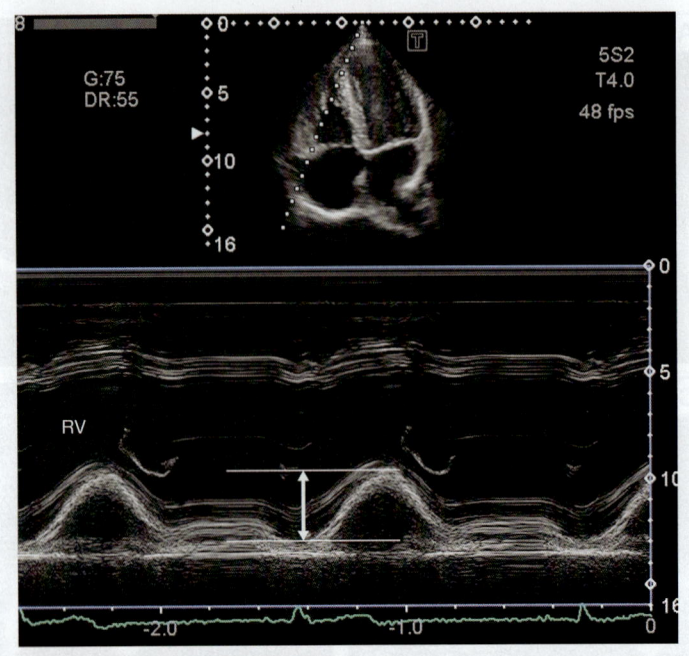

図 7-5-25 三尖弁輪収縮期移動距離
Mモード法で三尖弁輪の収縮期移動距離を計測する．
RV：右室．

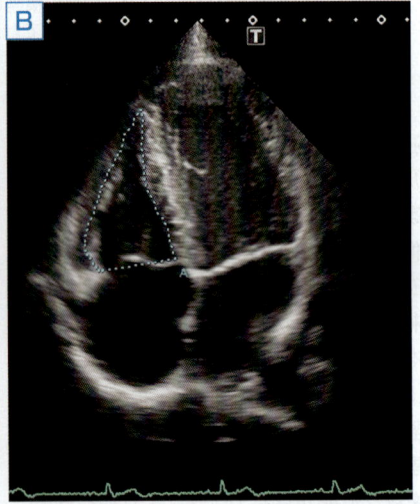

図 7-5-26 右室面積変化率
心尖部四腔像で右室の拡張末期(A)，収縮末期(B)の面積変化率を計測する．
RV：右室，LV：左室．

表 7-5-3 右室機能の異常値

測定項目	異常値
右室面積変化率 FAC(%)	< 35
三尖弁輪収縮期移動距離 TAPSE (mm)	< 17
収縮期三尖弁輪速度 S′ (cm/秒)	< 10
右室自由壁ストレイン(%)	> − 20 (絶対値で20%未満)
右室 TEI index	> 0.43

iii) 右室圧，右房圧の推定

　三尖弁逆流速度から右室－右房間圧較差を推定し，右房圧を加算することにより収縮期右室圧の推定を行う(図 7-5-27)．右房圧は心窩部から記録した下大静脈径とその呼吸(sniff)による変動率から推定できる(図 7-5-28)．下大静脈径は肝静脈入口部近位側(右房入口部から 0.5～3.0 cm の距離)で計測する(表 7-5-4)．

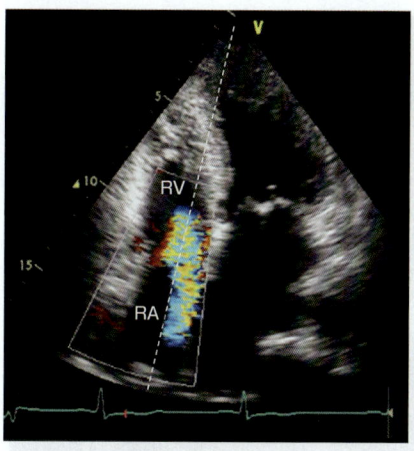
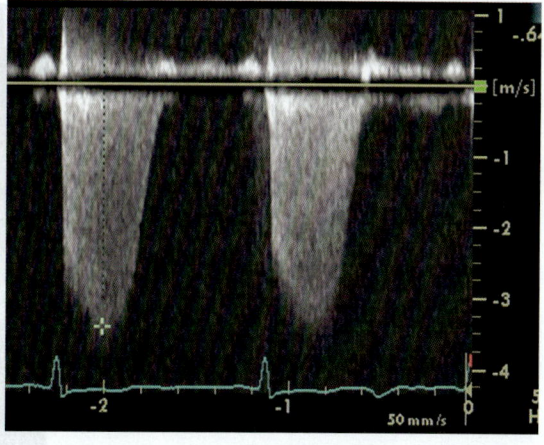

図 7-5-27 収縮期右室圧の推定
三尖弁逆流速度(TR velocity)は収縮期右室-右房間の圧較差を反映し，$TR\ velocity^2 \times 4$ に右房圧を加算することで収縮期右室圧を推定することができる．

g. 大動脈基部，上行大動脈径

傍胸骨長軸像から大動脈基部，上行大動脈近位部の計測を行う(図 7-5-29)．左室長軸断面を観察する肋間よりも上位肋間での記録も行う．大動脈弁輪径は収縮中期に内膜面から内膜面の径を計測する．Valsalva洞，ST junction，近位部上行大動脈径は拡張末期の時相で，長軸に対して垂直になるように注意して計測する．弁輪径の正確な計測は大動脈弁置換術，経カテーテル大動脈弁留置術を行ううえで重要である．

h. 左室拡張機能評価

心不全の約50％の症例において左室駆出率が保持されており(heart failure with preserved EF)，心不全の管理において左室収縮能の指標だけでなく，左室拡張機能の評価を包括的な心機能評価の一部として行う必要がある(e表 7-5-A)．心エコー法は非侵襲的に左室拡張機能，左房充満圧を評価するのに最も適した方法である．以下のステップで評価を行う．

i) M モード法，断層心エコー法による拡張機能評価

左室の弛緩異常は M モード法による左室壁弛緩速度の低下，拡張期僧帽弁輪運動の低下，左房拡大，左室肥大の所見として認められる．

ii) パルスドプラ法による左室流入血流波形

左室流入血流波形は左房-左室間の圧較差を反映し，拡張機能障害の重症度を反映する．左室コンプライアンスは左室拡張早期波(E 波)の減速時間(DT)，肺静脈血流速波形により評価可能である．

iii) 組織ドプラ法による左室弛緩能評価

組織ドプラ法による拡張早期僧帽弁輪速度(e')は左室弛緩能(tau)と相関している．

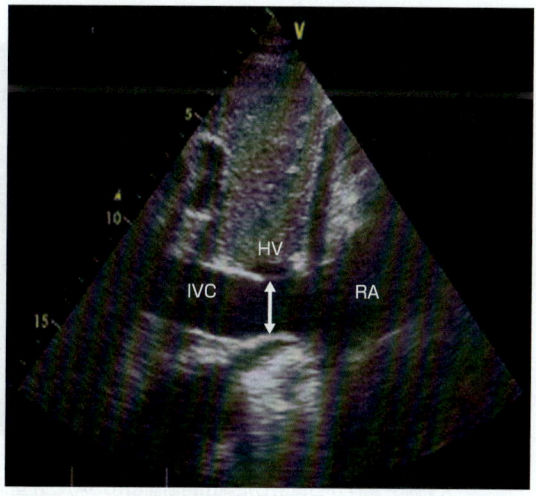

図 7-5-28 右房圧の推定
右房圧は心窩部から記録した下大静脈(IVC)径とその呼吸(sniff)による変動率から推定できる．下大静脈径の計測部位は肝静脈(HV)入口部近位側で右房(RA)入口部から0.5〜3.0 cmの距離．

表 7-5-4 下大静脈径による右房圧の推定

測定項目	右房圧 0〜5(3) mmHg	右房圧 5〜10(8) mmHg		右房圧 15 mmHg
下大静脈径	≦ 2.1 cm	≦ 2.1 cm	> 2.1 cm	> 2.1 cm
呼吸(sniff)による変動	≧ 50％	< 50％	> 50％	< 50％

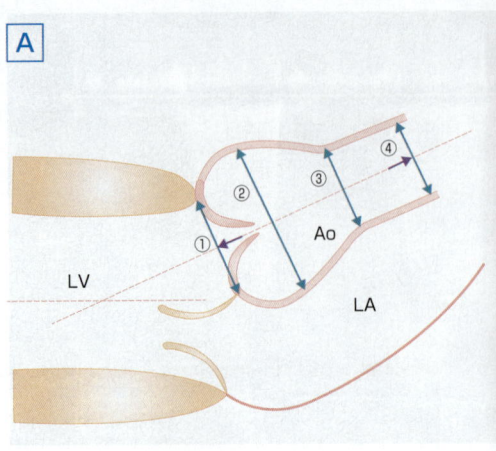
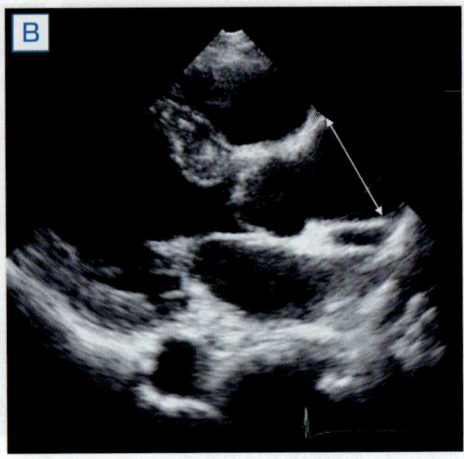

図 7-5-29 大動脈基部，上行大動脈径の計測
A：①大動脈弁輪，②Valsalva 洞，③ST junction，④近位部上行大動脈径を計測する．
B：大動脈二尖弁の症例で，近位部上行大動脈の拡大を認めた．
LV：左室，LA：左房，Ao：大動脈．

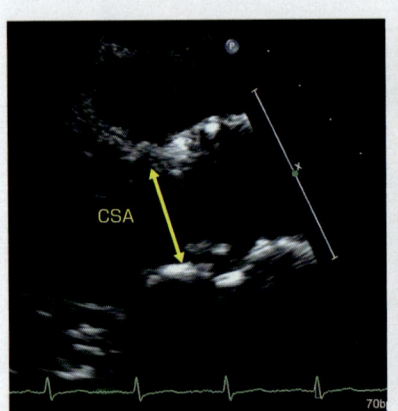
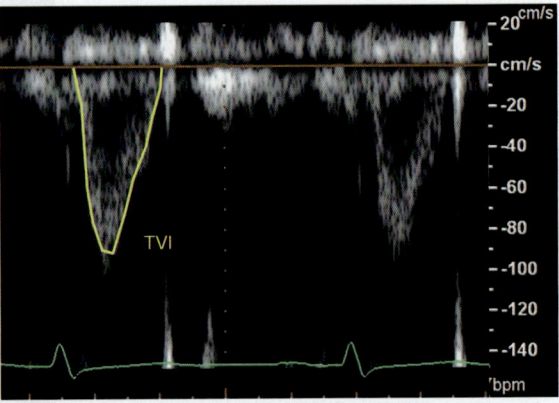

図 7-5-30 1 回拍出量の測定
大動脈弁輪径から算出した流出路断面積（CSA）と左室流出路血流の時間速度積分値（TVI）の積から 1 回拍出量（SV）が計測できる．

iv) 左房圧の評価

左室流入血流速波形（E，A，E/A），E/e' のコンビネーションにより安静時，運動負荷時の左室充満圧（左房圧）を推定することができる（eコラム 3）．

(5) 血行動態の評価

近年，心エコー法による血行動態評価が心臓カテーテル検査による血行動態評価に置き換わってきている．

a. 弁圧較差

簡易 Bernoulli の定理 $\Delta P = 4V^2$ の関係を利用し，最高圧較差，平均圧較差の計測ができる．三尖弁逆流速度（TR velocity）は収縮期右室-右房間の圧較差を反映し，TR velocity^2×4 に右房圧を加算することで収縮期右室圧を推定することができる．右室流出路に狭窄がなければ，右心カテーテル検査を行うことなく収縮期肺動脈圧の評価が可能であり，肺高血圧の診断の契機となる（図 7-5-27，7-5-28）．

b. 心拍出量

断層心エコー図とパルスドプラ法を組み合わせて血流量の算出ができる．単位時間あたりの血流量は断面積×血流速度で計測できる．左室流出路では大動脈弁輪径から算出した流出路断面積（CSA）に左室流出路血流速度積分値（TVI）の積から 1 回拍出量（SV）を計測できる（図 7-5-30）．

$$SV = CSA \times TVI$$

SV と心拍数の積で心拍出量を算出できる．

c. 連続の式

狭窄あるいは逆流弁口を通過する血流量はその上流の血流量と同じである．狭窄あるいは逆流弁口の上流

あるいは既知の断面積を A_1，その部位の血流の時間速度積分値を TVI_1，狭窄あるいは逆流弁口面積を A_2，通過血流速度積分値を TVI_2 とすると

$$A_1 \times TVI_1 = A_2 \times TVI_2$$

の関係が成り立つ（連続の式）（図 7-5-31）．狭窄弁口，逆流弁口面積 A_2 は

$$A_2 = A_1 \times TVI_1/TVI_2$$

で算出できる．大動脈弁狭窄において，左室流出路で計測した 1 回拍出量（$A_1 \times TVI_1$）と連続波ドプラ法で記録した大動脈弁通過血流速度の時間速度積分値（TVI_2）から弁口面積を計算することができる．

d. 逆流量

弁逆流の定量的評価法として volumetric 法，proximal isovelocity surface area（PISA）法がある．

i) volumetric 法

volumetric 法による僧帽弁逆流の逆流量計測は，

僧帽弁逆流量＝僧帽弁流入血流量－大動脈弁駆出血流量

から算出できる．僧帽弁流入血流量（総心拍出量）は，僧帽弁輪面積を心尖部四腔像，二腔像の弁輪径から算出し（$\pi/4 \times a \times b$），僧帽弁輪部の TVI との積で求められる（e図 7-5-F）．

逆流率＝逆流量/僧帽弁流入血流量

有効逆流口面積（ERO）＝逆流量/逆流血流速度の時間速度積分値

でそれぞれ求めることができる．

ii) PISA 法

PISA 法は，弁逆流の上流側に生じる加速血流と逆流ジェットの連続波ドプラ法波形から有効逆流口面積，逆流量を求める方法である．僧帽弁逆流では左室側に生じる加速血流のカラードプラ折り返し速度（V_a）とそれにより形成された半円球の半径（R）（e図

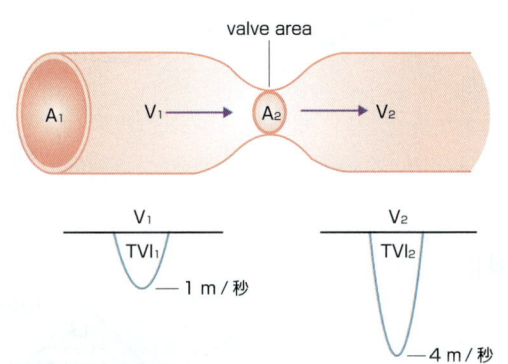

図 7-5-31 連続の式
狭窄あるいは逆流弁口の上流の血流量（$A_1 \times TVI_1$）と狭窄あるいは逆流弁口部の血流量（$A_2 \times TVI_2$）は一定であり（連続の式），狭窄弁口，逆流弁口面積 A_2 は $A_2 = A_1 \times TVI_1/TVI_2$ で算出できる．

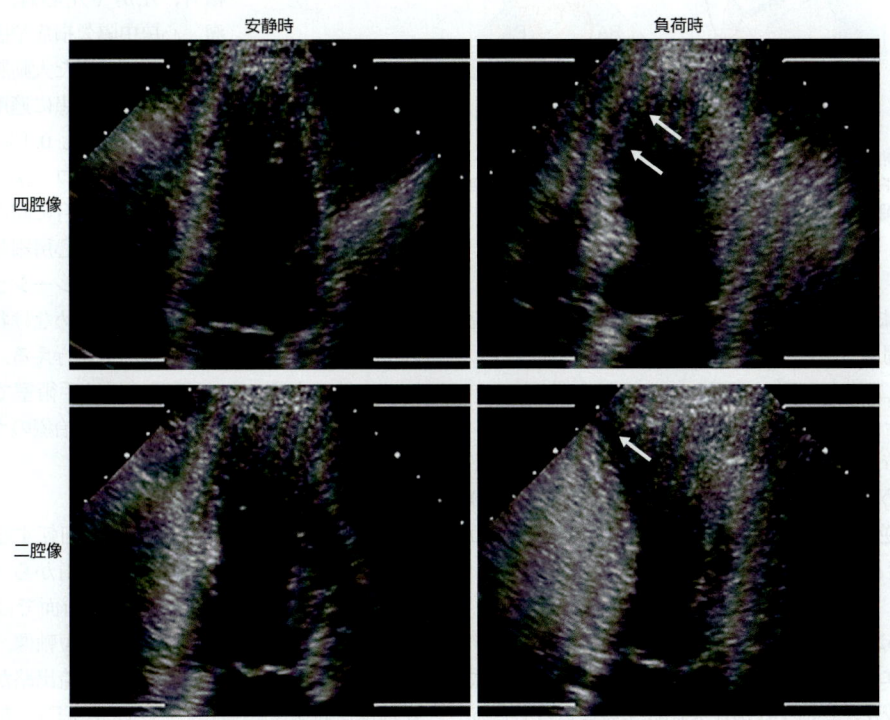

図 7-5-32 ドブタミン負荷前後の左室壁運動
負荷時に左室心尖部の壁運動低下（矢印）が誘発された．運動負荷あるいは薬物負荷による左室壁運動の正常の反応は壁運動が安静時よりも亢進することであり，壁運動の悪化や新たな異常の出現は虚血により誘発された変化と判断できる．

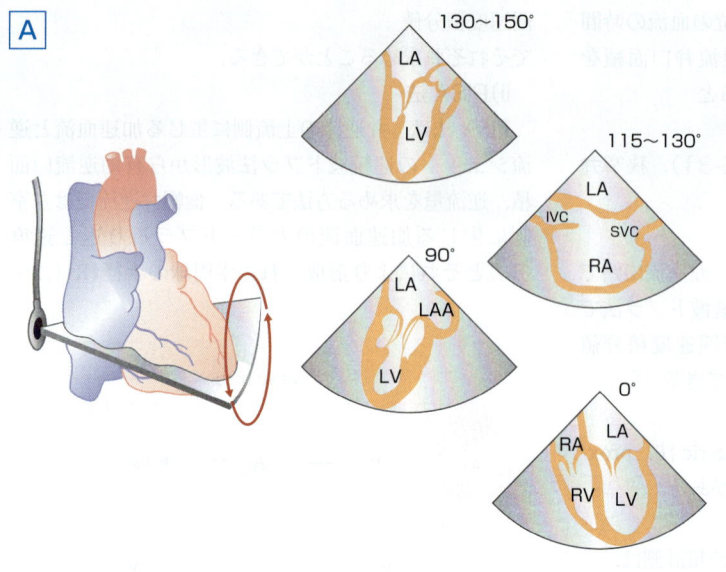

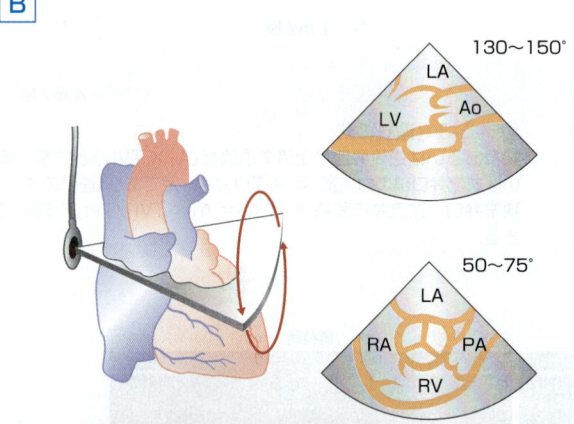

図 7-5-33　経食道心エコー図の基本断面(1)
食道中部の断面(A),大動脈弁描出断面(B)を示す.
LV:左室, RV:右室, LA:左房, RA:右房, LAA:左心耳, SVC:上大静脈, IVC:下大静脈, Ao:大動脈, PA:肺動脈.

7-5-G),および逆流最高血流速度(V_{max})と逆流血流速度の時間速度積分値(TVI_{MR})を用いる.

$$ERO = 2 \times \pi \times R^2 \times V_a/V_{max}$$

逆流量 = $ERO \times TVI_{MR}$

volumetric 法,PISA 法は大動脈弁逆流にも応用できる.求めた逆流量 ≧ 60 mL,逆流率 ≧ 50%,ERO は僧帽弁逆流で ≧ 0.40 cm²,大動脈弁逆流で ≧ 0.30 cm² で高度と診断される.

(6)負荷心エコー法

負荷心エコー法は負荷前後の左室壁運動,肺動脈圧,弁圧較差,逆流や左房圧を比較することのできる検査法として普及してきている.安静時の検査では同定できない労作時症状の説明や虚血の評価が可能となる(図 7-5-32).負荷心エコー法は運動負荷(トレッドミル,エルゴメーター)あるいは薬物負荷(ドブタミン,ジピリダモール,アデノシン)によって行われる.たとえば臥位でのエルゴメーター負荷心エコーでは(e図 7-5-H),25 W 負荷から開始し 2〜3 分ごとに負荷を上げていく.ドブタミン負荷心エコーでは 5 μg/kg/分から開始し,3 分ごとに 10,20,30,40,50 μg/kg/分まで増加し,目標心拍数まで達しない場合はアトロピンを追加投与する.目的とする評価項目について負荷前,負荷中,負荷直後の記録を行い比較する(e図 7-5-I).負荷中止の条件は症状出現,心電図異常,目標心拍数(220 − 年齢の 85%),不整脈,血圧低下,著しい血圧上昇(220/100 mmHg)などである.

(7)経食道心エコー法

心腔や大血管が食道に近接することから,経食道心エコーは鮮明な画像での評価が可能である.僧帽弁,左房や左心耳,心腔内腫瘤,心房中隔欠損症や感染性心内膜炎の評価,また大動脈解離などの胸部大動脈疾患に適用される.合併症の発生も 0.1% 以下であり,経胸壁心エコー法で十分な観察ができない場合に試みる検査法となっている.心房細動の電気的除細動やアブレーション治療前に経食道心エコーで左房内血栓を認めなければ,長期の抗凝固療法を行うことなく治療が行える.経食道心エコー法のもう 1 つの活躍の場は手術室である.弁膜症の手術や形成術後,カテーテル治療のガイドとして重要な役割を担う.

a. 経食道心エコー法の基本断面

経食道心エコー法は先端に 180° 回転する超音波クリスタルを装着したプローブを門歯から 35〜40 cm の食道中部まで挿入する.0°の横断面では四腔像が描出でき,45〜60°では大動脈弁の短軸像,65〜100°で左室の二腔像,125〜140°で左室流出路から左房の長軸像が観察できる(図 7-5-33A,B).左心耳は血栓の好発部位であり(図 7-5-34),複数の房に分かれていることが知られている.75〜90° の左室長軸像からプローブを時計方向(内側)へ回転させると右室流出

路，さらに回転させると胸部上行大動脈近位部，さらに右方向に回転すると大静脈と右房が観察できる．プローブを胃内まで進め，前屈させると0°で左室短軸像が観察できる（図7-5-35）．上行大動脈は120〜135°で観察できる．大動脈弓部と下行大動脈はプローブを後方へ回転させ，引いてくることにより描出できる．大動脈瘤，大動脈解離，動脈硬化性のプラークの観察が可能である．肺動脈主幹部から左右肺動脈近位部は0°で左房を観察した断面からわずかにプローブを引き上げることで観察できる．

カテーテルによる心房細動アブレーション治療が普及し，肺静脈の観察の重要度が増している．45〜60°の大動脈弁短軸像からプローブを時計方向に回転させるとY字型の右肺静脈が観察できる．左肺静脈は120〜130°の大動脈断面からプローブを反時計方向に回転させることにより最も良好に観察できる．

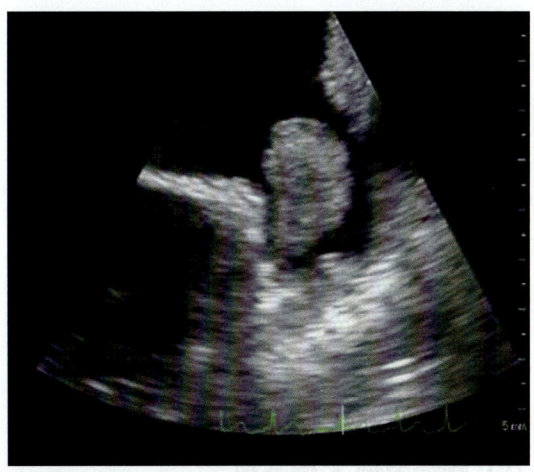

図7-5-34 左心耳血栓（e動画7-5-H）

b. 僧帽弁の評価

僧帽弁の詳細な観察に経食道心エコーは有用である．0°，45〜60°，90°，135°の断面でカラードプラ法も併用しながら，逆流部位，その原因（逸脱，弁の短縮，穿孔など）について観察する（図7-5-36）．僧帽弁形成術を行うためには主病変だけでなく，軽微な病変にも注意する必要がある．左房側から僧帽弁を観察するリアルタイム三次元画像（surgeon's view）が僧帽弁の解剖の理解に役に立つ（e図7-5-J）．

(8) コントラスト心エコー法

微小気泡を混じた造影剤を静注し，超音波が血液中の気泡に反射，あるいは超音波によって壊れるときに発生する音響効果を利用したのがコントラスト心エコー法である．微量の空気を注射器に入れ，ブドウ糖液と撹拌し，肘静脈から注射する方法では，気泡が大きいため肺毛細管を通過できず，右心系の血流シグナル（三尖弁逆流のドプラシグナル）増強や卵円孔開存などのシャントの診断に使用される．肺毛細血管を通過できる微小気泡の懸濁液を静注し，左室造影，心筋染影に用いる方法もある．わが国では心臓用の超音波造影剤が市販されていないが海外では使用されている．〔田邊一明〕

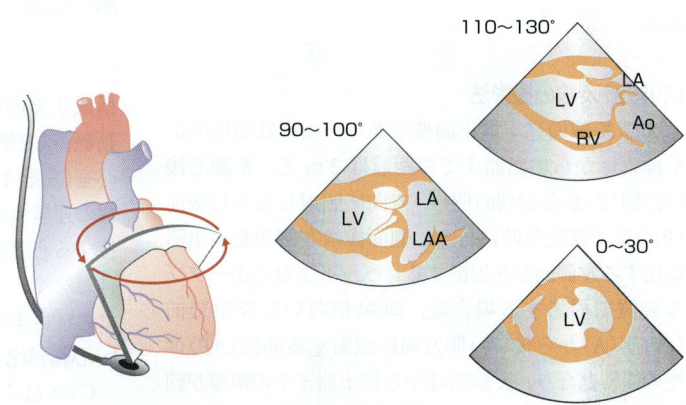

図7-5-35　経食道心エコー図の基本断面(2)
胃内からの断面を示す．
LV：左室，RV：右室，LA：左房，LAA：左心耳，Ao：大動脈．

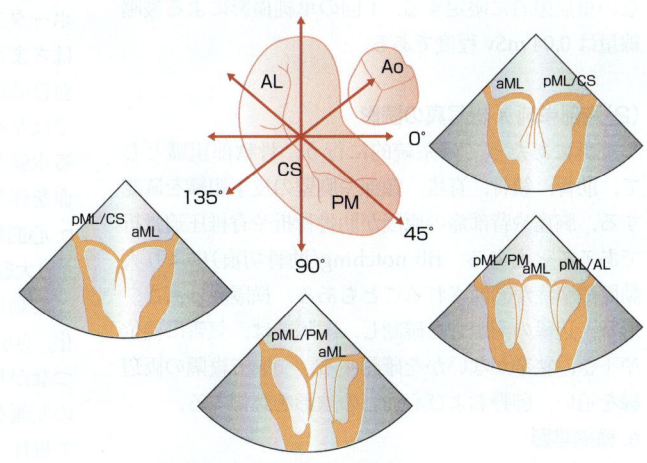

図7-5-36　経食道心エコー図の基本断面(3)
僧帽弁を観察する断面を示す．
Ao：大動脈，aML：僧帽弁前尖，pML：僧帽弁後尖，AL：前交連側 scallop，PM：後交連側 scallop，CS：central (middle) scallop．

■文献(e文献 7-5-3)

Daimon M, Watanabe H, et al: Normal values of echocardiographic parameters and their relation with age in a healthy Japanese population—The JAMP study. *Circ J.* 2008; **72**: 1859-66.

Lang RM, Badano LP, et al: Recommendations for cardiac chamber quantification by echocardiography in adults: an update from the American society of echocardiography and the European association of cardiovascular imaging. *J Am Soc Echocardiogr.* 2015; **28**: 1-39.

Oh JK, Seward JB, et al: The Echo Mannual, 3rd ed, Lippincott Williams & Wilkins, 2006.

4）胸部単純X線写真

循環器領域における胸部X線写真のおもな目的は、①心大血管の全体的な解剖学的情報の把握、②心血行動態の大まかな評価、③合併する肺病変の評価、④CVラインやIABPなど処置・治療後の確認、などである．

(1) 胸部X線の撮影法

胸部X線の基本は正面像であり、撮影は原則的にX線管球から検出器までの距離は2mで、X線を後（背）側（P）から前（腹）側（A）方向に照射した立位後前（PA）像で深吸気時に行う．側面像は左側面を検出器に接する左側面像を撮影する．ベッド上などポータブル装置で撮影する場合は、仰臥位ないし座位で前（腹）側（A）から後（背）側方向に照射する前後（AP）像での撮影となり、X線管球から検出器までの距離が約1mと短い．AP像では前方にある心臓は拡大され、肩甲骨が肺野に重なり評価も難しくなる．ポータブル撮影は、撮影条件も悪く、周囲への被曝も多く、動けない重症患者に限定する．1回の単純撮影による被曝線量は0.04 mSv程度である．

(2) 胸部単純X線写真の読影

読影にあたっては系統的に行う．骨軟部組織として、肋骨、鎖骨、脊椎、頸部や胸壁の皮下組織を確認する．胸痛や背部痛の原因が肋骨骨折や脊椎圧迫骨折であることもある．rib notching（肋骨切痕）により大動脈縮窄症が診断されることもある．横隔膜は高さ、形状、辺縁の明瞭さを確認し、縦隔では、気管に偏位や不整、狭窄がないかを確認する．ついで縦隔の両辺縁を追い、肺野および心血管の陰影を評価する．

a. 縦隔陰影

縦隔陰影で重要なのは大動脈、肺動脈および心陰影である．縦隔の右縁を構成するのは上から上大静脈右縁（右第1弓）、右肺門、右心房（右第2弓）、左縁を

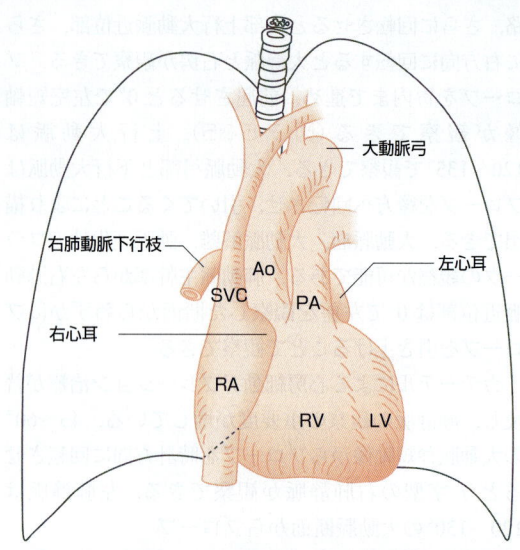

図 7-5-37 正面からみた縦隔および肺門の解剖図（畠中睦郎、池田貞夫、他：めざせ！基本的読影力の向上 胸部X線写真、金芳堂、2003より改変）
Ao：大動脈、SVC：上大静脈、PA：肺動脈、RA：右心房、RV：右心室、LV：左心室．

構成するのは上から大動脈弓部左縁（左第1弓）、肺動脈幹（左第2弓）と左肺門、左心房（左第3弓）、左心室（左第4弓）である（図7-5-37）．縦隔陰影では辺縁の連続性を観察することが重要で、心臓や大動脈に接する心膜嚢胞などの腫瘤の発見につながる．辺縁だけでなく、そのなかの濃度の異なるラインや石灰化像にも注目する．

b. 心胸郭比（cardio-thoracic ratio：CTR）

CTRは心拡大の指標となる（図7-5-38）．成人では50％未満とされているが、種々の影響を受ける．肥満者や浅い吸気では心臓が横位となり、漏斗胸では心臓が外側に圧排されるのでCTRは大きくなる．ポータブル撮影でもCTRは大きくなる．心陰影拡大はさまざまな病態で認められるが、各心腔の同定、肺血管陰影の観察により病態が推定できる．心膜液貯留では左右が比較的対称に拡大し、大動脈弓を頂点とする氷嚢をおいた形のようになるのが特徴的で、肺うっ血を伴うことは少ない．

c. 心血管陰影の評価

i) 大動脈陰影の評価

大動脈は、①走行、②拡大およびうねり、③石灰化、④辺縁の鮮明度、を確認する．大動脈は左心室につながり、心臓の前方やや左から上行し、弓部で気管の左側を左後方に向かい、その後、下行大動脈となって椎体の左側を下行する．上行大動脈は上大静脈の内側にあるが、大動脈瘤や大動脈弁輪拡張症あるいは大動脈弁閉鎖不全があると、上大静脈をこえて上行大動脈が右側に突出する．弓部はaortic knobともよば

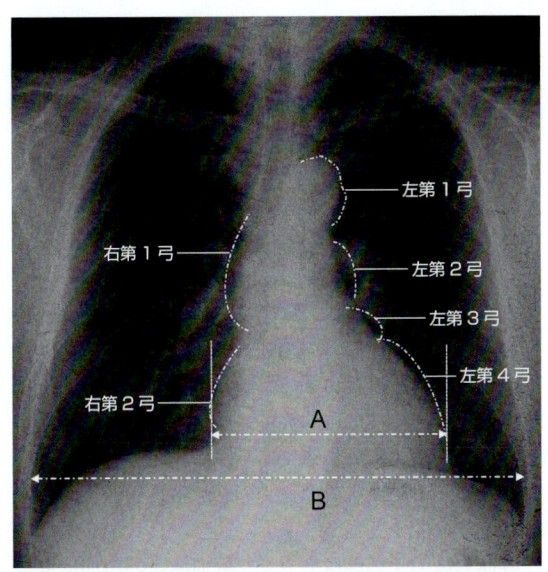

図 7-5-38 健常者の胸部単純 X 線写真と縦隔辺縁
CTR = A/B.

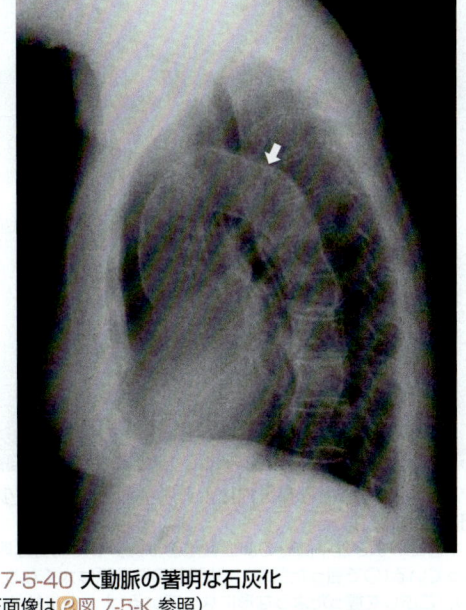

図 7-5-40 大動脈の著明な石灰化
（正面像は e 図 7-5-K 参照）

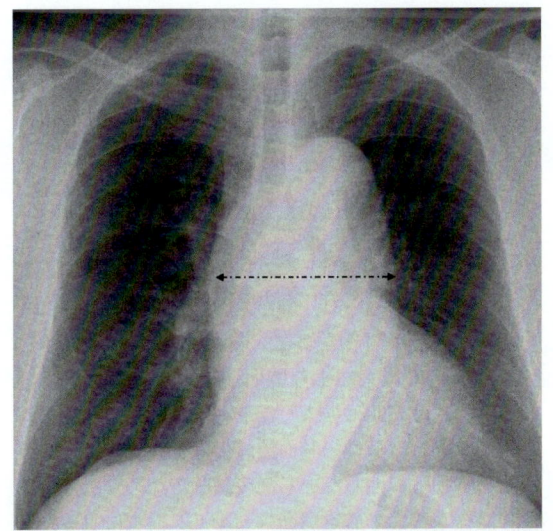

図 7-5-39 Stanford A 型大動脈解離の症例
大動脈の拡大により上縦隔の幅が広くなっている（矢印）．

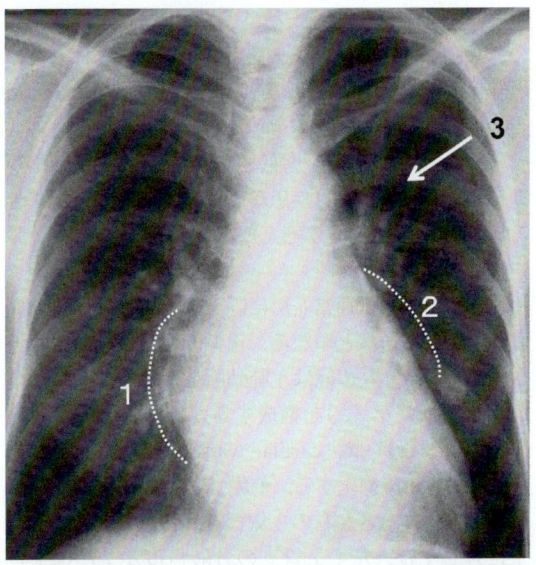

図 7-5-41 僧帽弁狭窄症による左房拡大と心陰影右縁の二重輪郭像
左房と右房がシルエットサインをつくらないので左房辺縁を右房辺縁に重なるように認める（点線 1）．左縁では左房が拡大したため心腰（cardiac waist）が目立たなくなり直線 3 弓の飛び出しとして認められる（点線 2）．左房圧上昇のために上肺野の静脈（3）が目立つ．

れ，気管の左側に認めるが右側に認める場合は右側大動脈ないし重複大動脈である．弓部に大動脈瘤ができると第 1 弓の拡大が著明となるが，大動脈の延長による蛇行でも突出として認められる．下行大動脈は左室の後方を走行し，左外側は肺（左下葉）に接するので辺縁は明瞭に認められる．左側に丸く飛び出すときは大動脈瘤ないし下行大動脈のうねりであり，側面像により鑑別できる．大動脈の辺縁が不鮮明なときは大動脈壁の炎症あるいは隣接する肺の無気肺や肺炎（シルエットサイン陽性）を疑う（e コラム 1，e 図 7-5-K）．

急性大動脈解離の主要所見は，上行部では右上縦隔陰影の拡大，弓部では大動脈弓の拡大と気管の圧排偏位，下行部では下行大動脈左縁の拡大である．胸背部痛を訴える患者で上縦隔の拡大（8 cm 以上）を見たら大動脈解離を疑う（図 7-5-39）．大動脈壁は石灰化を生じやすく，特に大動脈弓部は正面像で接線方向になるので，鮮明に見えやすい．石灰化は内膜側に生じる

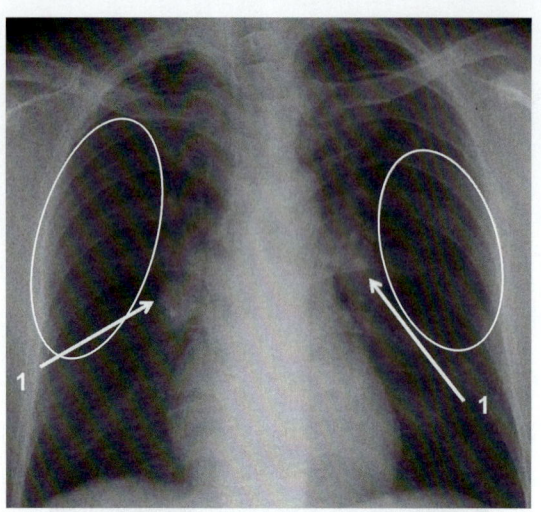

図7-5-42 急性肺血栓塞栓症による肺野血管陰影の減少と肺門部肺動脈の拡大
右上中肺野および左中肺野の肺血管陰影は減少して肺野は明るくなっている(〇で囲った領域). 肺門部の肺動脈は太くなり(矢印1), こぶしを握ったような形になっている(ナックルサイン, knuckle sign).

ので大動脈辺縁陰影と石灰化が1 cm以上離れている場合は大動脈解離を疑う(カルシウムサイン, calcium sign).

下行大動脈の石灰化が強い場合は全身の動脈硬化が進行しており, 心血管疾患が高率に生じると推定できる(図7-5-40, e図7-5-L).

ii)左房陰影

左房の右辺縁は通常右房に隠れて見えないが, 拡大すると右房の辺縁と重なる二重輪郭として認められる(図7-5-41). 左辺縁は左肺動脈と左心室の間のくびれの位置に左第3弓を構成するが, 拡大すると心臓左縁のくびれ(心腰, cardiac waist)がなくなり, 左第2, 3, 4弓が直線化する. 僧帽弁狭窄症などで左房がさらに拡大すると左右の主気管支, 特に左主気管支を上に押し上げ, 左主気管支の分岐角度が75°以下となり, 左右の主気管支の分岐角は開大し100°をこえる.

iii)左室陰影

さまざまな病態で左室は肥大ないし拡大するが, 形から鑑別することは容易でない. 大動脈弁狭窄や肥大型心筋症による求心性左室肥大では丸みをおびて心尖が挙上した形となることが多いが, 僧帽弁閉鎖不全や拡張型心筋症では心尖が外側下方に移動して横隔膜下に隠れるようになる. 心室瘤があると辺縁に限局性の膨隆を認める.

iv)右房陰影

右房の右外縁はなだらかに凸で, 右中葉に接しており, 上方は上大静脈右縁(右第1弓)に移行する. 右房が拡大すると下部心臓の右縁(右第2弓)が右側方に偏位する.

v)右室陰影

右室は正面像では辺縁をとらえられないが, 右室の拡大があると心尖が外側上方に移動(心尖の水平移動)する. 側面像で心陰影の前縁を形成するのは右室であり, 拡大すると心陰影の前縁が胸骨上方まで胸壁に接するようになる.

d. 肺血管および肺野陰影の評価

肺野では, 肺血管をまずみる. 立位では下肺野への血流が多いため, 下肺野の血管径が2倍程度太いが, 仰臥位ではほぼ同等になる. 肺動脈が肺門から始まり気管支と併走するのに対して, 肺静脈は気管支と併走せず, 肺門より低い位置にある左房に流入し, 肺動脈と交差するので, 肺動脈と肺静脈は区別がつく.

i)肺血流量の増加

肺血管床の予備能は大きく, 肺血流量の増加により肺血管の径は中枢から末梢までほぼ一様に太くなる. 心房中隔欠損, 心室中隔欠損, 動脈管開存などの左→右短絡疾患があると肺血流量が増加し肺血管は太くなるが, 肺血流/体血流比が2倍程度の短絡量にならないと所見としてとらえられない. 右肺動脈下行枝基部の径は比較的見やすく, 血流の指標となる. 14 mm以上の拡大ないし隣接する肋骨の幅以上の拡大は肺血管径増大を示唆する所見である(図7-5-42).

ii)肺血流量の減少

両側性の肺血流減少は右→左短絡によるチアノーゼを伴う先天性心臓病などでみられる. 肺血管陰影の数と太さの減少がみられ, 肺血管影を末梢まで追いにくくなり, 肺野は明るくなる. 原発性肺高血圧症では, 肺血管抵抗の増大により肺血流は両側性に減少するが, 肺門には著明に拡大した左右肺動脈幹を認める. 一側性ないし区域性の肺血流減少は肺血栓塞栓症などによる肺動脈の閉塞ないし高度狭窄で認められる. 急性肺血栓塞栓症の確定診断は造影CT検査によるが, 胸部X線写真でも疑うことはできる. 呼吸困難が強いわりに胸部X線写真所見が乏しい場合には肺血栓塞栓症を疑う. 特徴的な所見は, ①閉塞動脈領域の肺野の血管影の減少による透過性の亢進(限局性に明るくなる)と②肺動脈の拡張(knuckle sign)で, 肺動脈が突然途絶する所見をWestermark signとよぶ(図7-5-42). ③肺組織に壊死や出血を生じて肺梗塞を生じると, その領域の透過性が低下し, 楔形の陰影をみることがある.

e. 肺うっ血/心不全の評価(図7-5-43)

i)肺うっ血:肺静脈圧上昇による血流再分布(pulmonary redistribution)

心不全で左房圧および肺静脈圧が高くなると, まず下肺野がうっ血する. うっ血により局所の低酸素血症を生じると, 下肺の肺血流は減少し, 上肺野の血流が

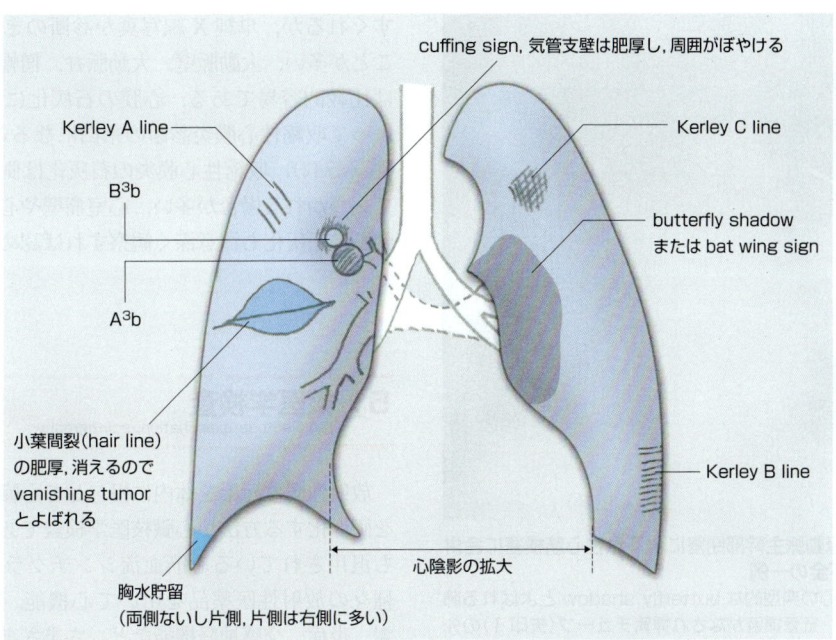

図 7-5-43 肺うっ血でみられる肺野の所見
上葉前区(3b)では，肺動脈(A^3b)と気管支(B^3b)が前方に向かうため，正面像で接線方向に認められる．通常，肺動脈(A^3b)と気管支(B^3b)は同じ太さであるが，血流が増加すると血管(A^3b)が太くなり，気管支周辺の浮腫は気管支(B^3b)の壁を厚くし，しかも輪郭をぼけさせる(peribronchial cuffing)．

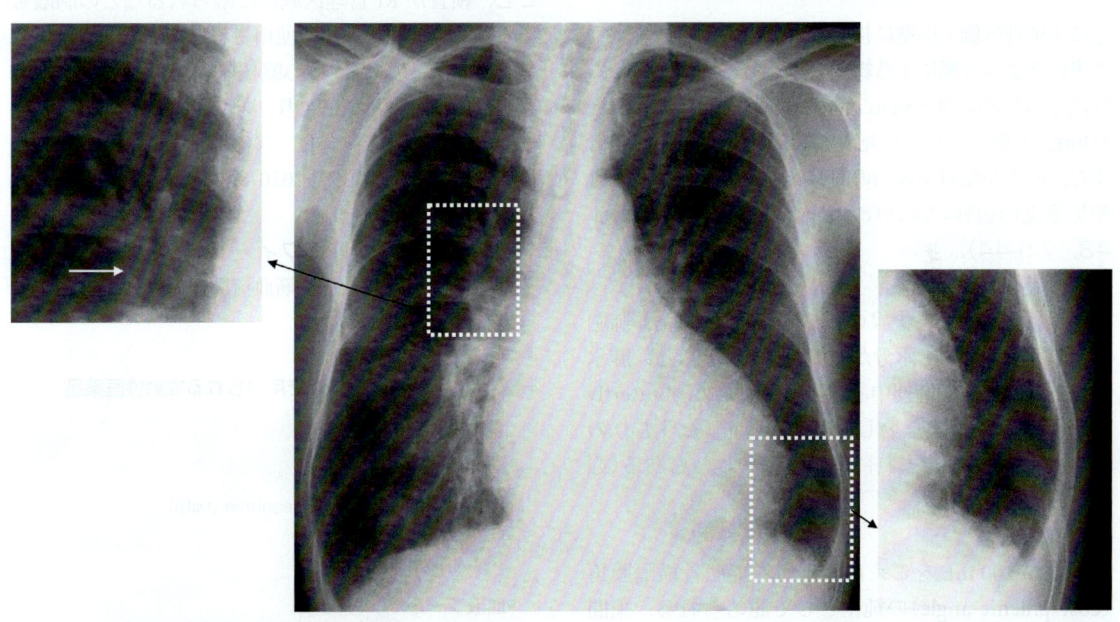

図 7-5-44 拡張型心筋症による肺うっ血
両側に少量の胸水があり，肺野の間質影(Kerley B line)を認め(拡大図右)，上肺野の血管拡張と気管支周囲のぼけ(拡大図左)を認める．

相対的に増加する．正常では下肺野の血流は上肺野の血流の 2 倍程度あるが，肺静脈圧が 15 mmHg 程度になると上肺野と下肺野の血流は同程度(equalization)となり，さらに肺静脈圧が上昇すると上肺野の血管のほうが目立つようになる(cephalization)(図 7-5-44)．

ii) 間質性肺水腫

肺静脈圧がさらに上昇(> 25 mmHg)すると，肺毛細管圧が組織膠質浸透圧をこえ，肺毛細血管から肺胞間質に血漿成分が漏出していく．この状態を間質性肺水腫という．肺小葉間隔壁に漏出液が貯留すると線状陰影(Kerley line)が出現する．Kerley B line は，お

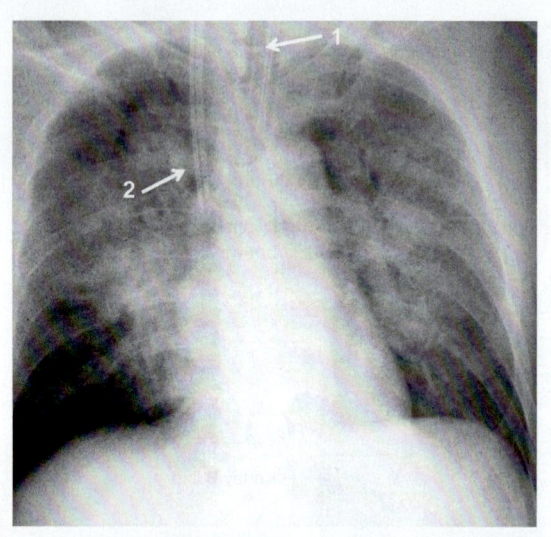

図7-5-45 左冠動脈主幹部閉塞による急性心筋梗塞に合併した急性左心不全の一例

両肺野に肺門中心の典型的な butterfly shadow とよばれる肺うっ血を認める．気管挿管がなされ挿管チューブ（矢印1）の先端は気管内にある．右内頸静脈から中心静脈ラインと持続血液濾過（CHDF）のためのクイントンカテーテル（矢印2）が挿入されているが，いずれも先端は上大静脈内の適切な位置にある．

もに下肺野外側で胸壁に接するように細くて短い刷毛で書いたような横に走る線状陰影である．そのほかに肺門から斜めに4〜5 cm程度の長さで見える Kerley A line，肺野に網目状に見える Kerley C line がある．また，血管や気管支周囲の間質への滲み出しは，血管や気管支の辺縁のぼけ（cuffing sign）となる（図7-5-43，7-5-44）．

iii）肺胞性肺水腫

肺静脈圧がさらに上昇（> 35 mmHg）すると，肺胞間質から肺胞腔にも水分が漏出し肺水腫となる．肺水腫はしばしば両側肺門中心性に生じるため，butterfly shadow（蝶の羽根）ないし bat wing sign（こうもりの翼）とよばれるが，まれに片肺のみのこともある（図7-5-45）．

iv）胸水貯留

胸水が200 mLをこえると正面像で肋骨横隔膜角（cost-phlenic angle）の鈍化として認められる．葉間に貯留すると葉間裂に貯留した胸水として認識できる．特に，右上葉と右中葉の間の小葉間裂（minor fissure）の胸水は接線方向に写るため，腫瘤性病変と似た陰影を呈することがある．この陰影は胸水の消失に伴って消失するため，vanishing tumor とよばれる（e 図7-5-M）．

f. 心血管の石灰化

いろいろな病態で縦隔内に石灰化が認められる．心血管陰影内の石灰化は診断の糸口になることがあり，注意深く石灰化をみる必要がある．CTがその検出にすぐれるが，単純X線写真が診断のきっかけになることが多い．大動脈壁，大動脈弁，僧帽弁輪の石灰化は比較的容易である．心膜の石灰化に気づくことによって収縮性心膜炎診断の糸口になることがある（e 図7-5-N）．収縮性心膜炎の石灰化は側面像ではじめて気づかれる場合が多い．心室瘤壁や心腔内血栓，冠動脈の石灰化も注意深く観察すれば認められる．

〔山科　章〕

5）核医学検査
radioisotope examination, scintigraphy

放射性同位元素を体内に投与して心臓の機能・病態を画像化する方法が心臓核医学検査である．臨床で最も汎用されている心筋血流シンチグラフィのほか，種々の放射性医薬品を用いて心機能，障害心筋，代謝，炎症，交感神経機能など，さまざまな生理的・生化学的機能情報を評価できることが大きな特徴である．一方，解像度はエコー検査，X線CT，MRIに劣り，詳細な形態評価には適していない．薬剤が高価なこと，検査がRI管理区域内に限られるなどの制限もある．心臓核医学検査に使用されるおもな放射性医薬品を表7-5-5に示す．心臓核医学検査はこれまでの豊富なデータの蓄積により，ほかの画像診断法にない多くのエビデンスを有し，診療に不可欠な検査法である（山科，2009；玉木，2010）．

(1) 心筋血流シンチグラフィ

静脈内に投与された心筋血流製剤は，冠動脈から心

表7-5-5 心臓核医学検査で用いられる放射性医薬品

- ●心筋血流
  - ^{201}Tl-chloride
  - ^{99m}Tc-methoxy isobutyl isonitrile (MIBI)
  - ^{99m}Tc-tetrofosmin
  - ^{13}N-NH$_3$（アンモニア）*
- ●血液プール
  - ^{99m}Tc-HSA（人血清アルブミン）
- ●障害心筋（急性心筋梗塞）
  - ^{99m}Tc-pyrophosphate（ピロリン酸）
- ●脂肪酸代謝
  - ^{123}I-β-methyl iodophenyl pentadecanoic acid (BMIPP)
- ●グルコース代謝（心筋 viability，炎症）
  - ^{18}F-fluorodeoxyglucose (FDG)*
- ●交感神経機能
  - ^{123}I-metaiodobenzylguanidine (MIBG)

＊：PET用製剤．

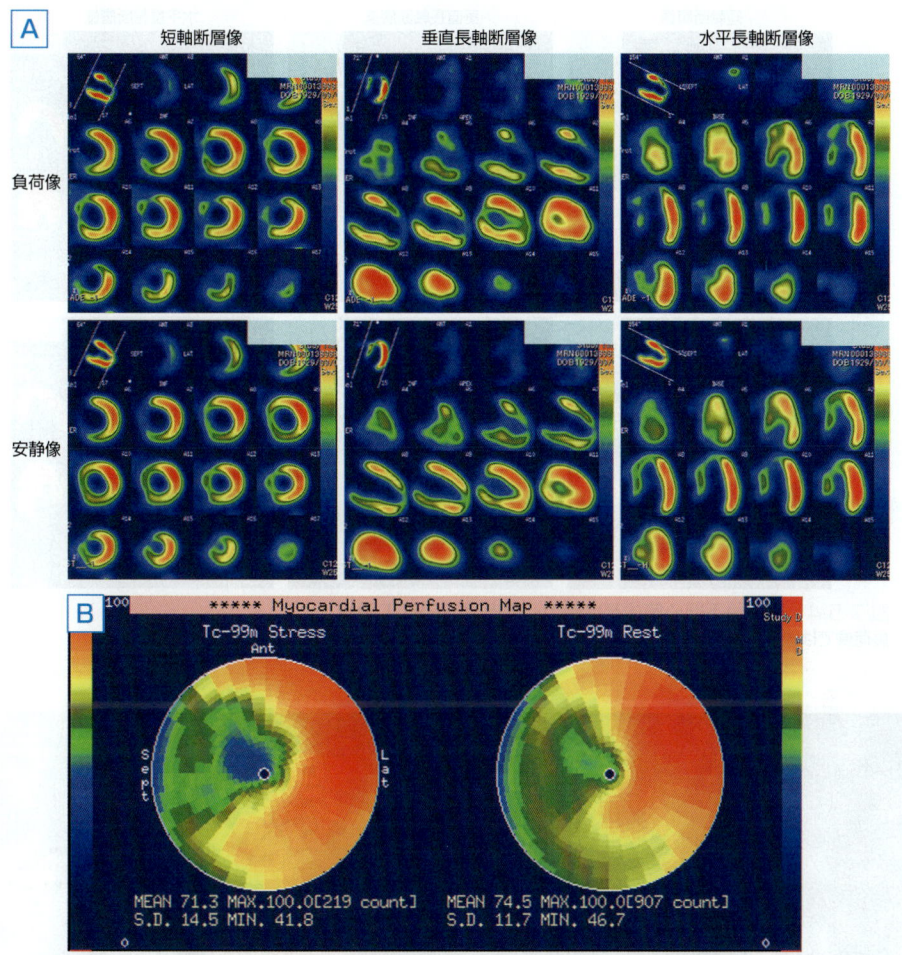

図 7-5-46 陳旧性前壁心筋梗塞症例の運動負荷―安静時心筋血流 SPECT 画像
A：上段が負荷像，下段が安静像，左から短軸断層像，垂直長軸断層像，水平長軸断層像を示す．
B：短軸断層像を，心尖部を中央に，心基部にかけて外側へ同心円状に配置した bull's eye polar map を示す．負荷像では前壁，中隔，心尖部にかけて広範に集積低下があり，安静像では集積の改善(fill-in)があり，心筋虚血と判定される．

筋細胞内に心筋血流量に応じて取り込まれ，その分布をガンマカメラで撮像することにより心筋血流像を得ることができる[1,2]．タリウムとテクネシウム標識の心筋血流製剤が一般的に使用されている（表 7-5-5）．タリウムはカリウム類似の体内動態を示し，心筋細胞内への取り込みは Na-K ATPase に一部依存しており，テクネシウム標識製剤に比し抽出率が高い[3-6]．

心筋虚血の診断には運動負荷ないし薬剤負荷を併用して検査を行う[7-9]．運動負荷はトレッドミルないしエルゴメーターで症候限界性に行い，薬剤負荷には血管拡張薬であるアデノシンを用いる[10,11]．負荷終了 10 分後に回転型ガンマカメラを用いて断層像（SPECT 像）を得る（負荷像ないし初期像）．3～4 時間後に再度撮像し，負荷時に低下した心筋血流の回復を評価する（再分布像ないし後期像）．近年，感度と分解能にすぐれた心臓用半導体 SPECT 装置が使用できる

ようになり，画質の向上と検査時間の短縮が可能になった[12,13]．タリウムでは初期像で集積（血流）の低下した領域で，後期像にて集積の改善（再分布）がみられる領域は虚血心筋，後期像にて分布の改善がみられない領域は梗塞心筋と判定される[14,15]．心筋虚血の範囲と程度を定量的に解析することができ，虚血性心疾患の診断に高い精度をもつ[16,17]．再分布現象の有無により心筋の生存能(viability)を判定するのに有用で，治療方針の決定に役立つ[18,19]．すなわち，viability がある虚血心筋は治療（血行再建）によって機能が回復しうるため，経皮的冠動脈インターベンション（PCI）やバイパス術の適応となる[20]．

テクネシウム血流製剤は受動拡散によって心筋細胞に取り込まれ，停留する[21-23]．再分布がほとんどないため，負荷時と安静時に 2 回の薬剤投与が必要である．どちらを先に行ってもよいが，2 回目は 1 回目の 2～3 倍の量を投与する．撮像は静注 15～30 分後

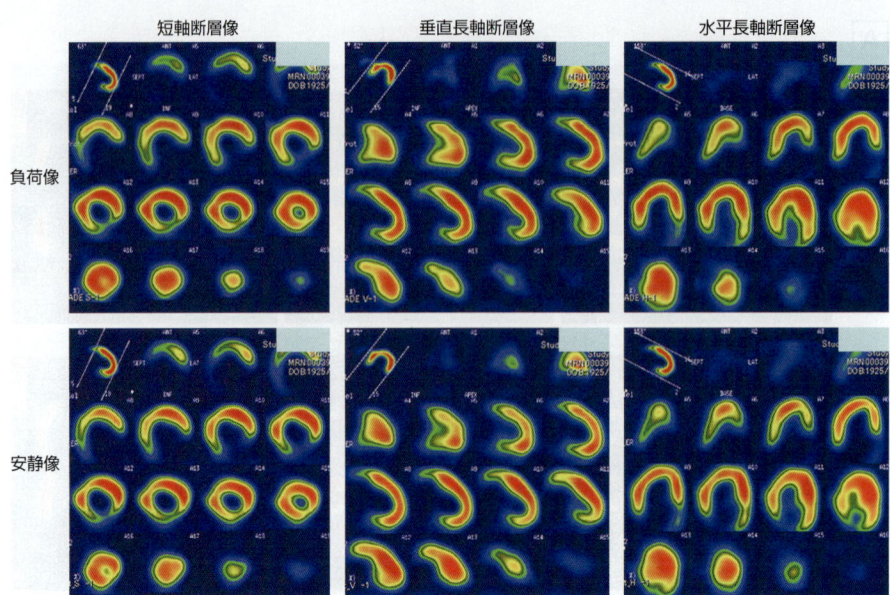

図 7-5-47 陳旧性下壁心筋梗塞症例の心筋血流 SPECT 画像
負荷像では後下壁に集積低下があり，安静像では集積の改善はみられず，心筋梗塞と判定される．

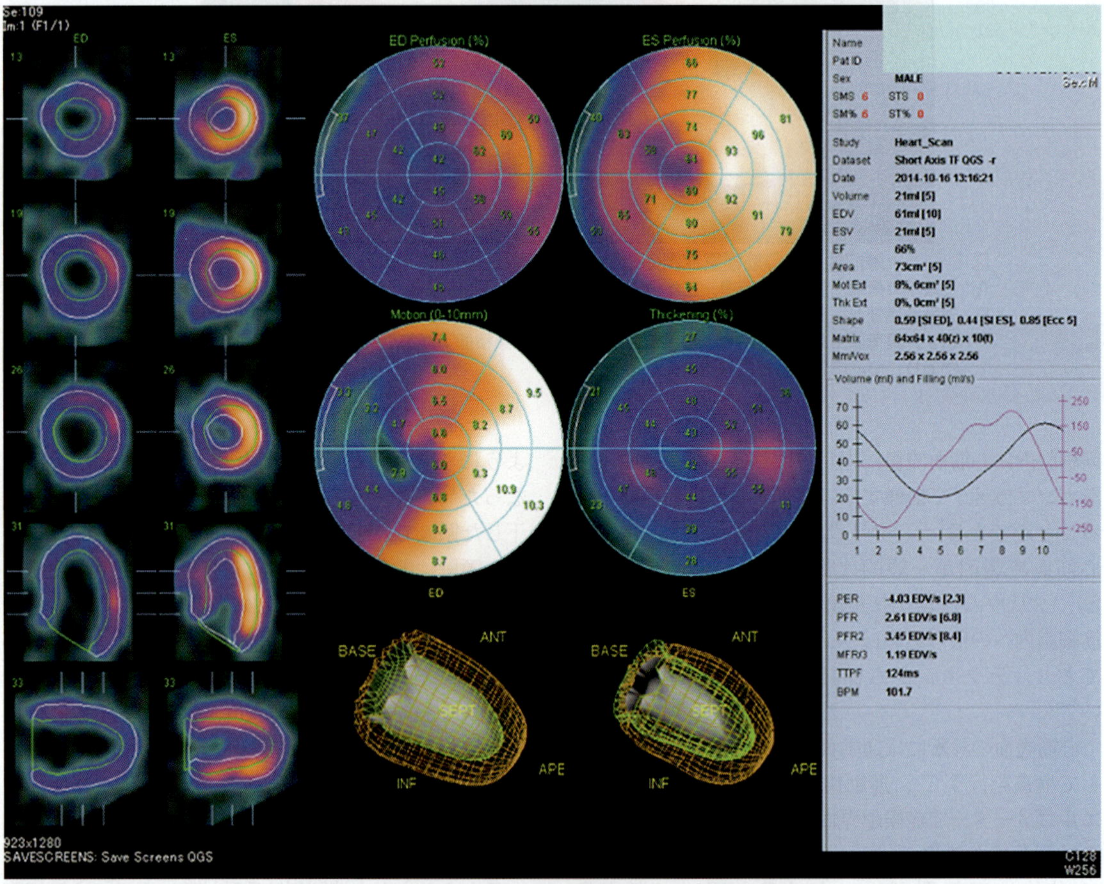

図 7-5-48 陳旧性前壁心筋梗塞症例の Quantitative Gated SPECT（QGS）解析にて得られた心電図同期 SPECT 像の解析結果
中央下段は左心室の三次元立体表示像，右側は左室容量曲線と左室容積，左室駆出率などの各種パラメーターが表示されている．

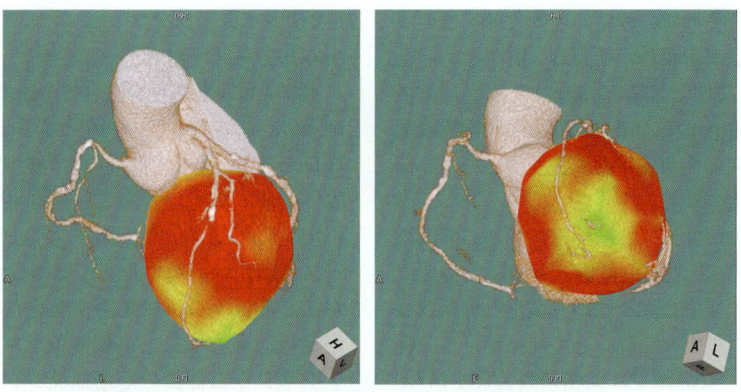

図 7-5-49 冠動脈 CT 画像と心筋血流シンチグラフィの融合画像
左前下行枝の狭窄とその灌流域に一致する部位での血流低下を認める．

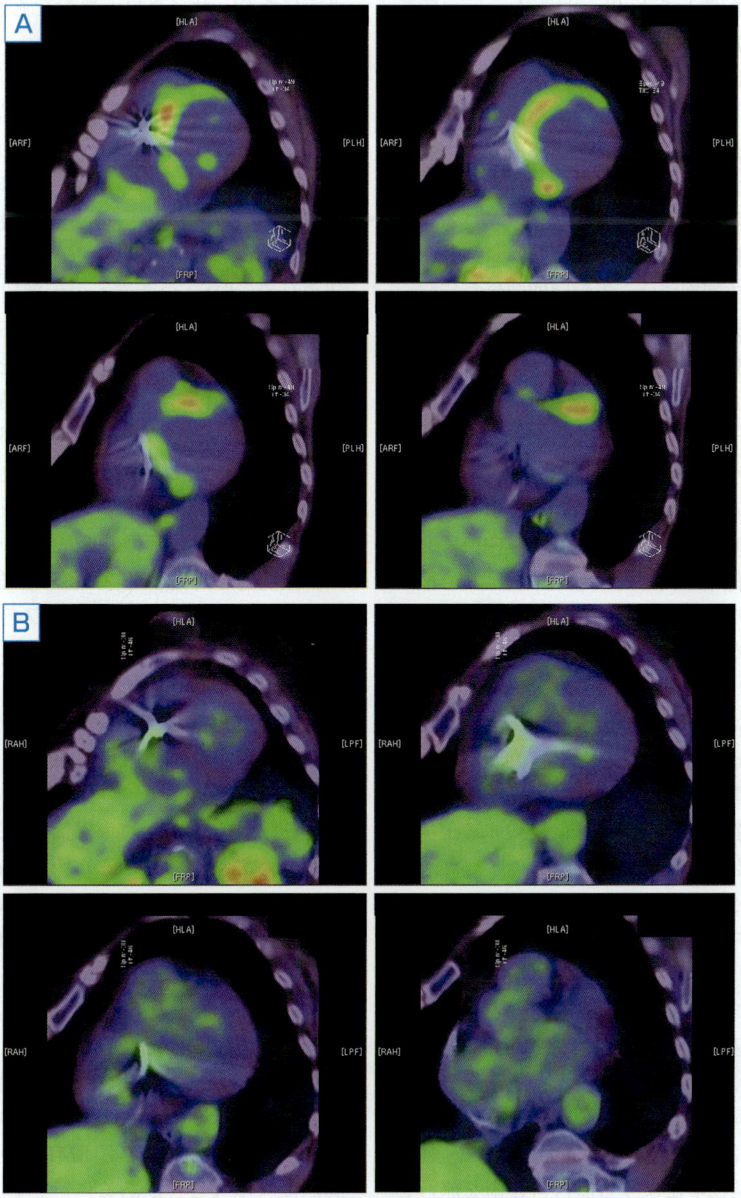

図 7-5-50 心臓サルコイドーシスの FDG-PET/CT 画像
A：心室中隔から心尖部にかけて広範に FDG 集積がある．B：ステロイド治療後の画像で，FDG 集積が低下している．

に開始する．薬剤負荷の際，軽度の運動負荷を併用するとバックグラウンドの集積が低下し，鮮明な心筋像が得られる[24]．負荷像で集積(血流)の低下した領域で，安静像にて集積の改善(fill-in)がみられる領域は虚血心筋，安静像にて血流分布の改善がみられない領域は梗塞心筋と判定される．

図7-5-46Aに陳旧性前壁心筋梗塞症例の心筋血流SPECT画像を示す．上段が負荷像，下段が安静像，左から短軸断層像，垂直長軸断層像，水平長軸断層像である．負荷像では前壁，中隔，心尖部にかけて広範に集積低下があり，安静像では集積の改善(fill-in)があり，心筋虚血と判定される．図7-5-46Bはこの症例の短軸断層像を，心尖部を中央に，心基部にかけて外側へ同心円状に配置したbull's eye polar mapである[25]．1枚の画像表示で左室全体の心筋血流，虚血部位とその範囲を判定できる．この症例は冠動脈造影で左前下行枝近位部に99%狭窄を認めた．図7-5-47は陳旧性下壁心筋梗塞症例の心筋血流SPECT画像である．負荷像では後下壁に集積低下があり，安静像では集積の改善はみられず，心筋梗塞と判定される．冠動脈造影では右冠動脈近位部での完全閉塞を認めた．

テクネシウム血流製剤では心電図同期収集を行い，解析ソフトウエアを用いて心機能の同時評価が可能である[26-29]．左室駆出率，左室容積などの指標を算出することができ，血流画像と心機能データを併用することで，診断能が向上する．図7-5-48に陳旧性前壁心筋梗塞症例のQuantitative Gated SPECT (QGS)解析にて得られた心電図同期SPECT像を示す．左から拡張末期，収縮末期の心筋血流断層像，中央は血流と壁運動，壁厚変化率の同心円表示，下段は左心室の三次元立体表示像を示す．右側は左室容量曲線と左室容積，左室駆出率などの各種パラメーターが表示されている．

冠動脈CT画像と心筋血流画像をfusionして表示することにより，心筋血流低下部位と冠動脈病変の解剖学的な関係が理解しやすくなる[30,31]．図7-5-49では左前下行枝の狭窄とその灌流域に一致する部位での血流低下が明瞭に描出されている．

心筋血流シンチグラフィは高い診断精度で虚血を検出できるのみならず，予後や治療効果の判定，非心臓手術前のリスク評価に有用である[32-37]．集積低下領域が広範なほど，またその程度が重症なほど，その後の心臓死，心筋梗塞といった心イベントが高率に発生する[38,39]．一方で，血流心筋SPECTが正常である症例の心事故発生率は年間1%以下であり，予後はよい[34,40]．虚血の範囲が広範な症例(心筋全体の約10%をこえる)では，薬物療法よりも血行再建術を施行した方が予後を改善できる[41,42]．

(2) 代謝イメージング
a. グルコース代謝

ポジトロン断層撮影法(PET)により心臓の糖代謝を画像化できる．空腹時に^{18}F-fluorodeoxyglucose (FDG)を静注し，1時間の安静後に撮像する．虚血に陥った心筋細胞はグルコースを利用しているため，FDGは虚血心筋に集積するが，梗塞心筋ではグルコースも利用されないため，集積しない．FDGが集積する心筋はviableであり，血行再建術後に機能回復が期待できる[43-47]．心機能低下症例で，タリウムやテクネシウム標識の心筋血流シンチグラフィでviabilityの判定が困難な場合にFDGは有用である[20,48]．FDGが放射性医薬品として供給(デリバリー)されるようになり，サイクロトロンをもたずにPET検査を行うことができるようになった．

一方，心臓サルコイドーシス，大動脈炎症候群(高安病)など，心臓や血管の炎症部位にFDGは集積する[49-54]．心臓サルコイドーシスの診断にFDGはガリウムより空間分解能，バックグラウンドとのコントラストにすぐれており，検出率は高い．炎症部位の検出には，12時間以上の絶食の後，検査を行うことが望ましく，FDGの心筋への生理的集積との鑑別に注意を払う必要がある[55]．図7-5-50Aに心臓サルコイドーシスのFDG-PET/CT画像を示す．心室中隔から心尖部にかけて広範にFDG集積がある．ステロイド治療後には，図7-5-50Bに示すようにFDG集積が低下しており，治療効果判定にも有用である．

近年，PET/MRIが開発され診療で利用できるようになった．2つの画像診断モダリティによる解剖学的，機能的な情報を同時に得られるので今後の臨床応用が期待されている[56-59]．図7-5-51に心臓サルコイドーシスのFDG-PET/MRI画像を示す．MRIでは心室中隔の菲薄化と瘤状化，心室中隔，心尖部から側壁にかけてガドリニウムの遅延造影を認め，PETでは心室中隔と側壁にFDGの集積を認める．

b. 脂肪酸代謝

心筋細胞は好気的状態ではおもに脂肪酸をエネルギー源として利用している．^{123}I-β-methyl iodophenyl pentadecanoic acid (BMIPP)は側鎖脂肪酸で心筋細胞に取り込まれて長時間停留し，SPECT撮像に適している[60,61]．その心臓集積は脂肪酸代謝と関係している．高度の心筋虚血にさらされた心筋では，心筋血流が回復した後にも代謝異常が遷延しBMIPPの集積が低下するため，血流像との乖離が認められ，虚血の既往を判定できる[62-65]．不安定狭心症や攣縮性狭心症では，血流が正常でもBMIPPの集積低下を認め，診断に有用なことがある[66-68]．図7-5-52に急性前壁心筋梗塞で，左前下行枝にPCIを行った症例の心筋血流と脂肪酸代謝画像を示す．血流低下領域よりも

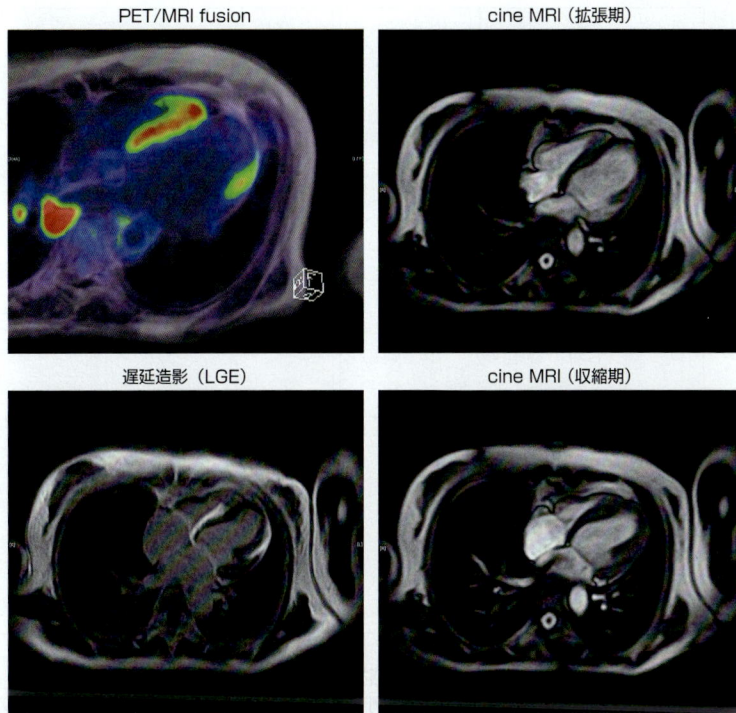

図 7-5-51 心臓サルコイドーシスの FDG-PET/MRI 画像
cine MRI では心室中隔の菲薄化と瘤状化，ガドリウム造影では心室中隔，心尖部から側壁にかけて遅延造影（LGE）を認め，PET では心室中隔と側壁に FDG 集積を認める

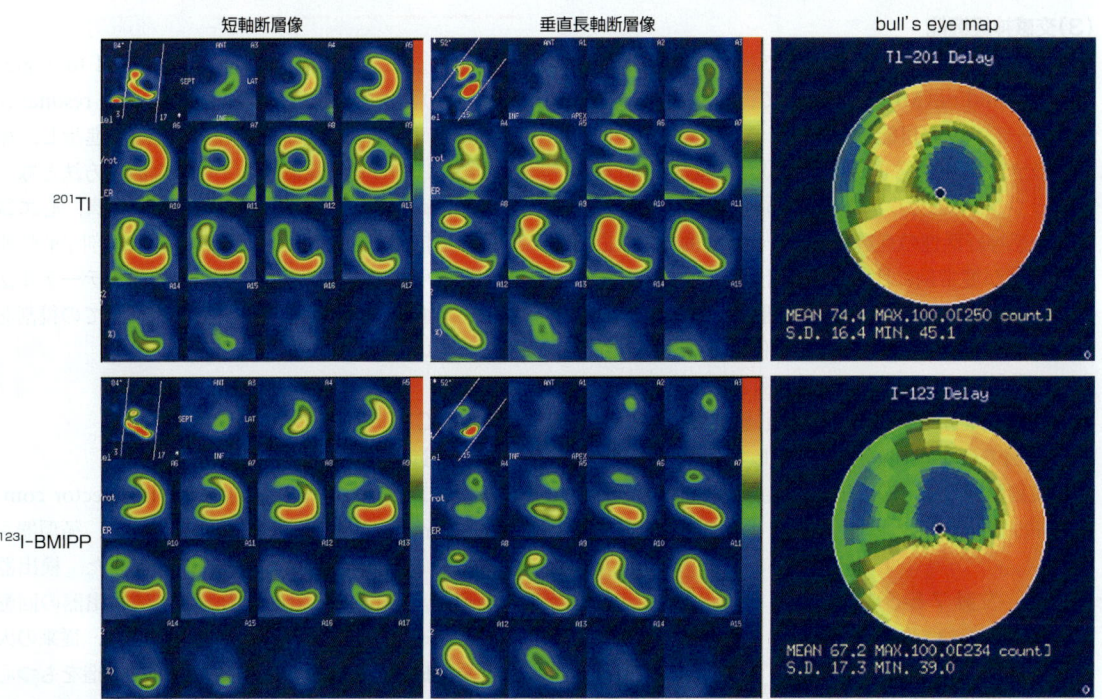

図 7-5-52 急性前壁心筋梗塞で PCI による再灌流を行った症例の心筋血流と脂肪酸代謝画像
血流低下領域よりも広い範囲で脂肪酸代謝が障害されている．

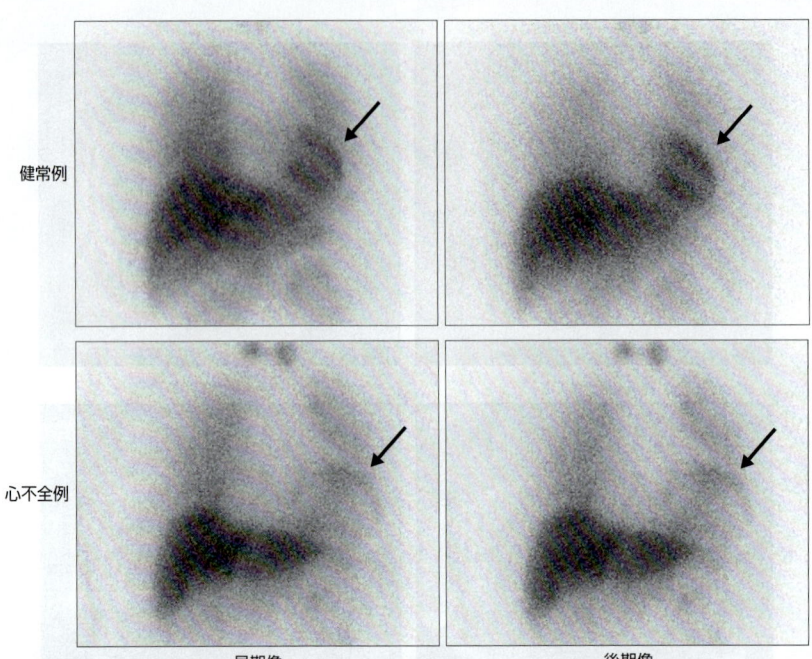

図 7-5-53 健常例と重症心不全例の心臓交感神経イメージング画像
健常例では MIBG の心臓集積は高いが，心不全例では集積が高度に低下し，洗い出しは亢進している．

広い範囲で脂肪酸代謝が障害されている．

(3) 交感神経機能

ノルアドレナリンのアナログである^{123}I-metaiodobenzylguanidine (MIBG) を用いて，心臓交感神経機能イメージングが可能である[69-71]．静注 30 分後に正面プラナー像を撮像する（早期像）．心臓と縦隔（バックグラウンド）のカウントの比を心臓集積の指標とする．交感神経活性の亢進している心不全例では，心臓への集積が健常例に比較して低下する[72]．投与 3〜4 時間後に後期像を撮像し，心臓からの洗い出し (washout) 率を測定する．心不全例では洗い出しが亢進する[73,74]．図 7-5-53 に健常例と重症心不全例の MIBG 画像を示す．健常例では心臓集積は高いが，心不全例では集積が高度に低下している．MIBG の心臓集積が低下し，洗い出しの亢進した心不全例では死亡率が高い[75-78]．

〔竹石恭知〕

■文献（e文献 7-5-5）

玉木長良：心臓核医学検査ガイドライン 2010 年改訂版．
http://www.j-circ.or.jp/guideline/pdf/JCS2010tamaki.h.pdf
山科　章：冠動脈病変の非侵襲的診断法に関するガイドライン（JCS 2009）．Circ J. 2009; 73：1019-89．

6) X 線 CT・MRI

X 線コンピューター断層法 (computed tomography：CT) および核磁気共鳴画像 (magnetic resonance imaging：MRI) は近年急速に診断技術が進歩し，循環器領域における日常診療に不可欠な診断方法となっている．両検査法により胸部単純 X 線写真，心エコー検査で描出できない心大血管の詳細な解剖学的情報の把握を可能にするのみならず，侵襲的カテーテル法による心血管（冠動脈）造影検査の代用としての役割を果たしている (Mark ら，2010)[1]．

(1) X 線 CT
a. 機器の進歩と安全性

多列コンピューター断層装置 (multi-detector computed tomography：MDCT) の開発に伴い，循環器系に対する X 線 CT 検査は飛躍的に進歩した．検出器の多列化，thin-slice での撮影，さらに検出器の回転速度の高速化，心電図同期法の進歩により，従来の大血管系の撮影のみならず，拍動し微細な構造をもつ心臓や冠動脈の詳細な構造を描出することが可能になった．造影 CT にはヨード造影剤の使用が不可欠であり，腎機能障害やヨードアレルギー既往例は本検査を避けるべきである．近年，心血管系 CT における被曝線量の増加が問題となっている[2]．本検査法は電離放射線による被曝による発癌のリスクを考慮し，放射線

感受性の高い小児や若年女性の乳腺組織への照射は極力避けるべきである[3]。

b. 大血管系疾患に対する診断

大血管系の撮影は心電図同期が不要で，短時間に広範囲の撮像が可能であることから，臨床での利用価値は高い[4]．特に循環器系急性疾患である急性大動脈解離，大動脈瘤破裂，急性肺血栓塞栓症に対して救急室での診断には不可欠である．さらに，閉塞性動脈硬化症（末梢動脈疾患），腎血管性高血圧，下肢深部静脈血栓症の診断にも有用である（図 7-5-54）．

c. 心臓 CT

心臓の撮影には，通常心電図同期法を用い撮影を行う[3]．非造影撮影においても，冠動脈，心臓弁，心膜などの石灰化沈着や心筋組織の瘢痕化（図 7-5-55），心筋内や心膜脂肪沈着，心膜水貯留などが描出される．冠動脈壁の粥状硬化病変に沈着した石灰化病変を定量化したカルシウムスコアは冠動脈疾患のリスク評価法としての意義があり，欧米では無症候者の冠動脈疾患のスクリーニング法として用いられている[5,6]．陳旧性心筋梗塞では心筋壊死後の線維化部位に一致して低吸収域が認められることがある．

すべての心時相の画像収集を行うことで心機能解析や弁の機能評価も可能であるが，被曝線量が増加するため，超音波や MRI が優先される．また，心腔内血栓や原発性あるいは転移性心臓腫瘍の診断においても，腫瘍の部位，進展，質的評価は手助けとなる（e図 7-5-0, e動画 7-5-I, 7-5-J）．

d. 冠動脈 CT 血管造影

i) 撮影方法

冠動脈 CT 血管造影には 64 列以上の多列検出器を有する装置の使用が望ましい．近年は多列化が進み 256〜320 列 CT も普及し，心臓全体をほぼ 1 心拍で撮影可能となった．現在の MDCT の空間分解能は 0.5〜0.625 mm であり，時間分解能は約 0.2〜0.3 秒である．複数の X 線管球をもつ CT 装置も開発され，時間分解能は 0.080 秒程度までに短縮している．

冠動脈 CT 血管造影は心電図同期下に経静脈的にヨード造影剤をボーラス投与し，造影剤が大動脈から冠動脈に到達した時点で撮影を行う．撮影中の心臓の動きによるブレを抑えるには，心拍数を 60/分程度に安定させた状態で行うことが望ましい．そのために，検査施行前に β 遮断薬の経口や経静脈的投与による徐

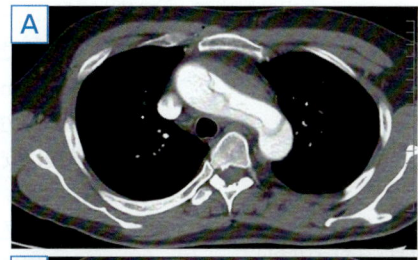
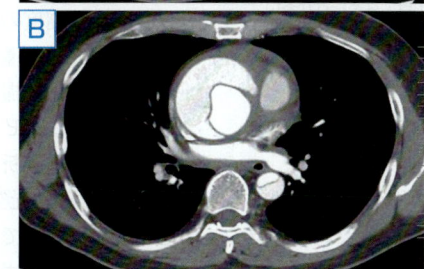
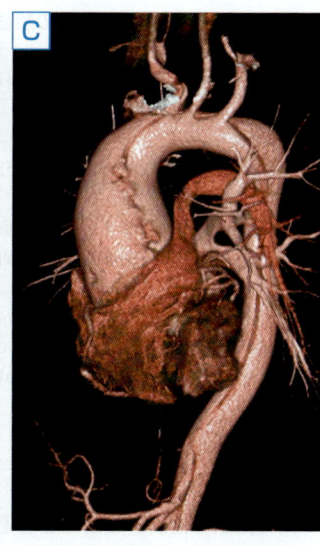

図 7-5-54 大血管の CT 血管造影
Stanford A 型急性大動脈解離．上行から弓部，下行大動脈にかけて解離腔を認める（A：大動脈弓部レベルの体軸水平断，B：大動脈基部レベルの体軸水平断，C：大動脈三次元像）．

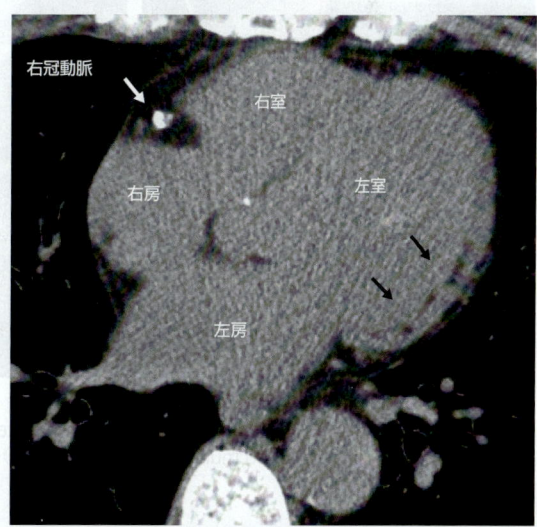

図 7-5-55 虚血性心疾患の非造影 CT
左室後壁心内膜側に梗塞巣を示す低吸収域を認める（白矢印）．右冠動脈には石灰化病変を認める（黒矢印）．

拍化を必要とする（山科ら，2009）[7,8]．

ii) 安全性と患者選択

冠動脈 CT 血管造影を安全にかつ効率よく検査を行うには，適切な患者選択が必要であり，本検査法の禁忌あるいは不適切使用例を示す（表 7-5-6）（山科ら，2009）[7]．

不整脈や頻拍症例では心電図同期不良や motion artifact のため，良好な冠動脈の画像を描出することが困難である．

表7-5-6 冠動脈CT血管造影の禁忌,不適切症例

1. 腎不全例（eGFR＜60 mL/分/1.73 m²で注意）
2. ヨードアレルギー既往例
3. 頻脈例
   撮影時の心拍数は60/分程度以下が望ましい．検査前にβ遮断薬の使用を考慮する．
4. 不整脈症例－アーチファクトによる画像の劣化
5. 高度石灰化症例－冠動脈の内腔評価が困難になることが多い．
6. その他
   ペースメーカ留置後，弁置換後息止め不能例，高度難聴

eGFR：estimated glomerular filtration ratio.

心臓CTはスライス幅が狭く，撮影枚数が多いことに加え，全心時相で撮影を行い，最もすぐれた画質の時相の画像を抽出する後向き心電図同期法を用いた撮影を行うと，X線被曝線量は20 mSv近くに達する[9,10]．近年は一定の時相（通常は拡張期）にのみX線を曝写する前向き心電図同期法を採用することで，被曝線量を3〜5 mSVまで抑制可能となっている．前向き心電図同期法での撮影を可能にするには，心拍数を60/分前後に安定させることが必要である[11]．

X線CTにおいて石灰化病変は膨大現象を起こし，血管内腔の判別を困難にする．一般的に冠動脈カルシウム沈着が高度の場合の検査は不適切である．

iii) 再構成と読影

体軸に水平に撮影された体軸水平断面からワークステーションコンピューターによる三次元立体像を構成することで診断を容易にする．volume rendering (VR)像は三次元空間で立体画像の解剖学的位置関係を把握するうえで有用である．最大値投影法により冠動脈内腔のみを表示することで冠動脈造影と同じような画像を構成するものである．曲面変換表示法

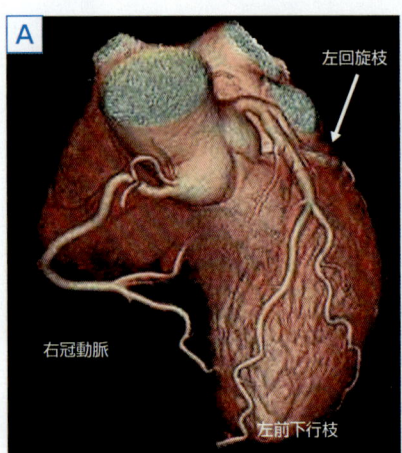 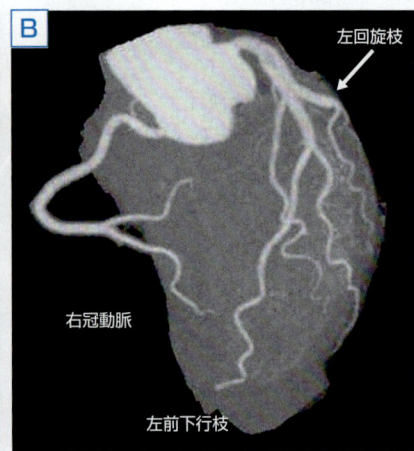 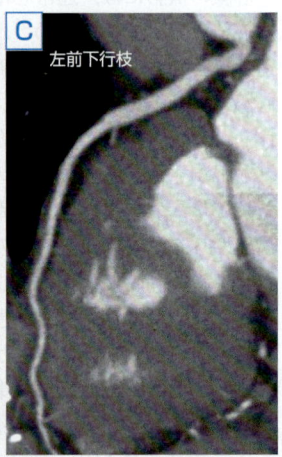

図7-5-56 正常の冠動脈CT血管造影と冠動脈画像表示法
A：volume rendering (VR)法．B：最大値投影 (maximum intensity projection)法，angiographic viewともよぶ．C：左冠動脈前下行枝の曲面変換表示法 (curved multi-planar reformation)像を示す．

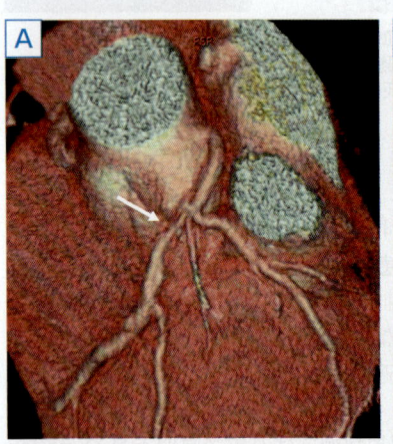 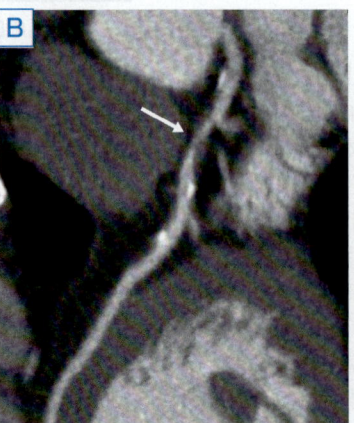 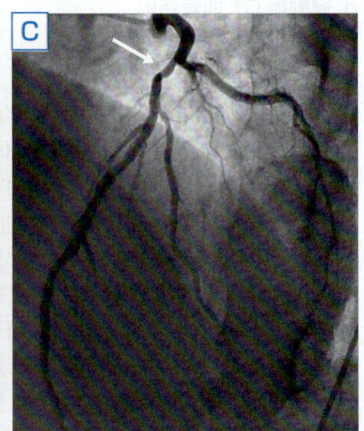

図7-5-57 労作性狭心症患者の冠動脈CT血管造影とカテーテル法冠動脈造影との対比
左冠動脈のvolume rendering法(A)，曲面変換表示法(B)では，近位部に高度狭窄病変を認める（矢印）．左冠動脈造影(C)を示す．

(curved multiplanner reconstruction)は血管の中心線を通る平面を描出したもので，狭窄病変の判定など，日常最も汎用されている（図 7-5-56）（山科ら，2009）[7]．

iv）診断と臨床応用

冠動脈CT血管造影検査において適切な画質の撮像ができた場合，その結果はカテーテル検査による冠動脈造影所見と比べても遜色ないものである（図 7-5-57）（e表 7-5-B）[12,13]．

問診，心電図から冠動脈疾患が強く疑われる場合には，簡便性，費用対効果の面から，運動負荷心電図を最初に選択する．検査結果から判定困難例，運動負荷施行が困難または不適切例に対して，冠動脈CT血管造影が推奨される（図 7-5-58）（山科ら，2009）．50％程度以上の有意狭窄病変をもつ閉塞性冠動脈疾患が否定できない場合や，高度の石灰化やmotion artifactによる内腔の狭窄度判定困難な例に対して，カテーテル検査を考慮する．冠動脈CT血管造影の結果，有意狭窄が否定できれば，閉塞性冠動脈疾患は否定的で，かつ，良好な長期成績が見込めることが示されている（e図 7-5-P）（Wolkら，2014）．

(2) MRI

a. 長所と安全性

心血管MRIはX線被曝がなく，ヨード造影剤が不要である．一般的にペースメーカや植え込み型除細動器植え込み患者は禁忌であり，その他の金属性の医療器具留置例でも撮影には注意を要する．また，閉所空間で長時間の撮影を要するため，閉所恐怖症や血行動態不安定例では検査が困難である（表 7-5-7）．MRIで用いるガドリニウム造影剤のアレルギー反応の副作用の頻度は，1～2％とヨード造影剤と比べて少ない[14]．しかし，腎機能低下例では致死的な副作用として，腎性全身性線維症がありその使用は禁忌である[15]．

b. 大血管MRI

MRIはCT同様，大動脈解離，動脈瘤の診断や頸動脈，下肢動脈などの診断にも用いられる．大血管や末梢動脈内腔の描出には，ガドリニウム造影剤の急速静脈投与後のダイナミック撮影や，造影剤の不要なT2強調画像による血管内腔の評価などが行われている（図 7-5-59）．CTでは内腔判定困難な石灰化病変でも，MR血管造影はその影響を受けにくく，描出しやすいという利点がある．

c. 心臓MRI

心臓の撮影には心電図同期や呼吸同期を行うことで，鮮明な画像描出が可能である．心エコー検査では体格の影響を受けたり，肺などの臓器の影響により観察範囲に死角が生じたりするが，MRIはこのような

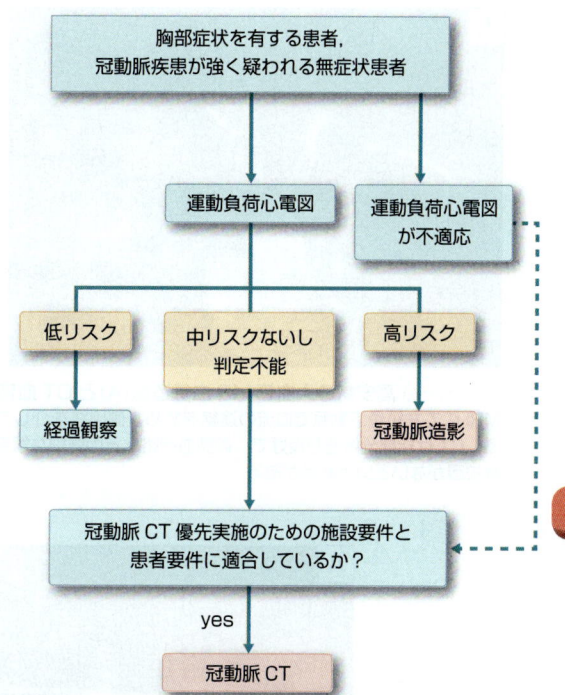

図 7-5-58 安定狭心症の診断フローチャート
運動負荷心電図によるST低下度，症状，運動時間などからリスクを判定する．低リスクでは経過観察，高リスクでは冠動脈造影が推奨される．中等度リスク，運動負荷心電図判定困難例あるいは施行不能例に対して，冠動脈CT血管造影あるいは負荷心筋血流シンチグラフィが推奨される．

表 7-5-7 心臓MRIの長所と短所

長所
三次元構築が可能
高い空間分解能と時間分解能
ヨード造影剤が不要
電離放射線被曝がない
骨・肺による影響を受けない
複数方法の撮影が可能
短所
撮影禁忌例：ペースメーカ類（一般的に撮影禁忌）
動脈瘤クリップなど医療機器の植え込み例（注意を要する）
閉所恐怖症
撮影時間が長い
状態の悪い患者のモニターが困難
心電図，呼吸同期が必要

制限がない．さらに，MRIでは一度の撮影から任意の断面での画像構成が可能である．また，心周期内で多くの画像の収集が可能で心機能解析や，心筋梗塞や心筋疾患に伴う心筋性状評価や心筋血流状態の評価も可能である．CT同様，冠動脈の描出も可能であるが，一般臨床で普及するに至っていない[14]．

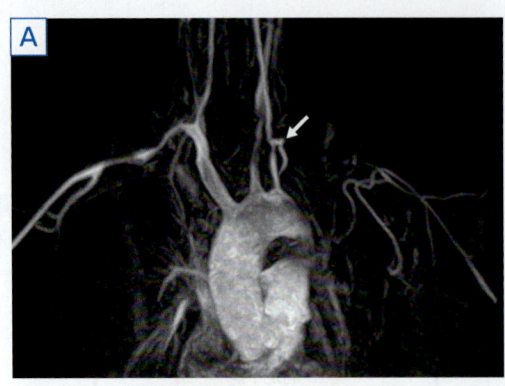 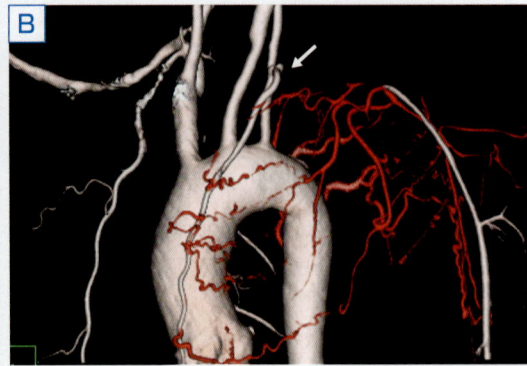

図 7-5-59 高安病の大血管 MR 血管造影(A)と CT 血管造影(B)との対比
MRI にて左鎖骨下動脈で血流の途絶を認め，側副路を介して左上腕動脈が造影される(A)．MRI は CT と同様の所見を認める．CT は空間分解能が良好で，側副血行路などの詳細な解剖学的情報も示されるものの，MRI にはヨード造影剤が不要で X 線被曝がないという利点がある．

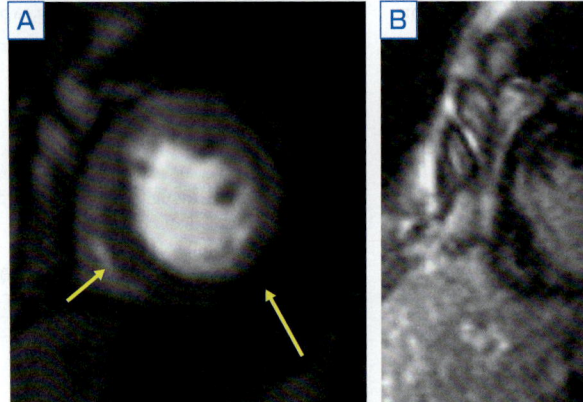

図 7-5-60 陳旧性心筋梗塞の MRI 左室短軸像
A：シネ画像では心室中隔下部から後側壁にかけて低信号領域を認め，右冠動脈領域の血流低下を示唆する．
B：遅延造影 MRI では，左室壁の菲薄化部分に一致してガドリニウム集積による強い濃染を認め，同部位の心筋壊死を示唆する．

i) 撮影方法

MRI はその検査目的によりさまざまな撮影法がある．スピンエコー法(spin echo imaging)は心臓組織を高信号(明色調)，血液を低信号(暗色調)として描出し，主として心臓の解剖学的イメージングを行うことに有用である．gradient echo 法は心腔内を明色調，心筋を暗色調に描出し，主として心腔の大きさ，心機能，心筋重量，心腔内シャント，弁機能，心腔内腫瘤の検出に用いられる(e図 7-5-Q, e動画 7-5-K, 7-5-L, 7-5-M)．

シネ撮影は，各心時相においての撮影を行い，任意の断面における，形態学的評価のみならず心機能評価も可能である[15]．

ii) 心筋性状評価および心機能評価

心臓 MRI による心筋血流状態や心筋性状評価は虚血性心疾患や各種の心筋疾患の鑑別診断に役立っている．虚血性心疾患では虚血部位に一致して心筋血流の低下が検出される[16]．アデノシンなどの薬剤負荷を併用した撮影は，負荷心筋シンチグラフィよりも心筋虚血部位の検出にすぐれているものの[17]，いまだ一般的に普及していない．

ガドリニウム造影剤は非可逆性の心筋壊死組織に緩徐に集積する特徴があり，造影剤注入から約 10〜20 分後の撮影において，高信号領域として示される(ガドリニウム遅延造影, late gadolinium enhancement)．陳旧性心筋梗塞では冠動脈支配領域に一致し，心内膜側あるいは貫壁性のガドリニウム遅延造影を示す(図 7-5-60)．また，肥大型心筋症では，心室中隔の非対称性肥大部位に局所的な遅延造影を示すなどの特徴的所見があげられる．

T2 強調画像では心筋内の浮腫に一致して高信号(明色調)領域を示し(図 7-5-61)，特に心筋梗塞や急性期の心筋炎などの評価に用いられている．

〔山本秀也・木原康樹〕

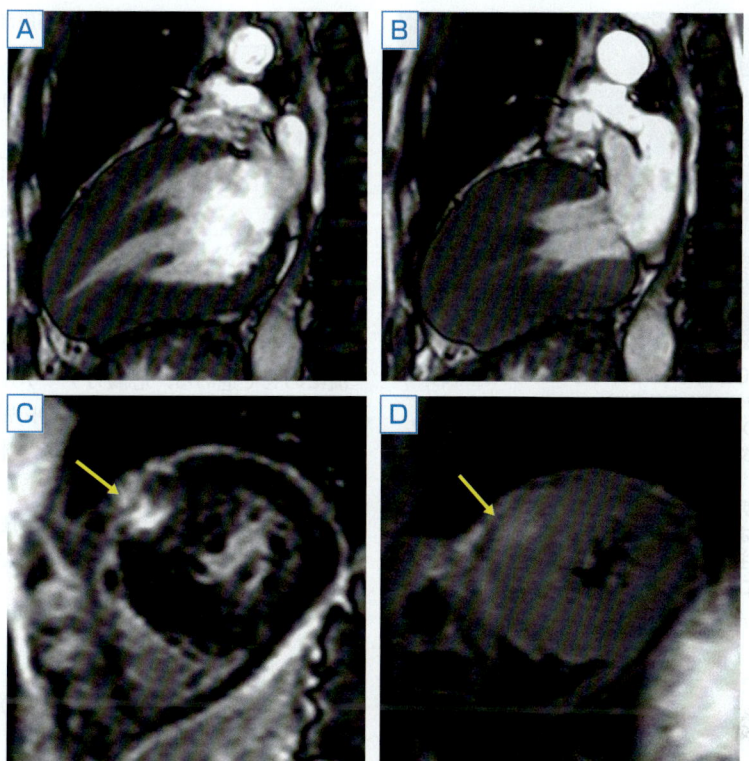

図 7-5-61 肥大型心筋症の MRI 左室短軸像
シネ画像では心尖部の肥厚とスペード状の左室内腔を示す．A：拡張末期，B：収縮末期．C：遅延造影 MRI では，非対称性に肥大した心室中隔に斑状のガドリニウム集積を認める（矢印）．D：T2 強調画像でも同部位に高信号を認め心筋層の浮腫を示唆する（矢印）．

■文献（e文献 7-5-6）

Mark DB, Berman DS, et al: ACCF/ACR/AHA/NASCI/SAIP/SCAI/SCCT 2010 Expert Consensus Document on Coronary Computed Tomographic Angiography：A Report of the American College of Cardiology Foundation Task Force on Expert Consensus Documents. J Am Coll Cardiol. 2010; 55: 2663-99.

Wolk MJ, Bailey SR, et al: ACCF/AHA/ASE/ASNC/HFSA/HRS/SCAI/SCCT/SCMR/STS 2013 multimodality appropriate use criteria for the detection and risk assessment of stable ischemic heart disease: a report of the American College of Cardiology Foundation Appropriate Use Criteria Task Force, American Heart Association, American Society of Echocardiography, American Society of Nuclear Cardiology, Heart Failure Society of America, Heart Rhythm Society, Society for Cardiovascular Angiography and Interventions, Society of Cardiovascular Computed Tomography, Society for Cardiovascular Magnetic Resonance, and Society of Thoracic Surgeons. J Am Coll Cardiol. 2014; 63: 380-406.

山科　章，上嶋健治，他：循環器病の診断と治療に関するガイドライン（2007-2008 年度合同研究班報告）冠動脈病変の非侵襲的診断法に関するガイドライン．日本循環器学会，2009.

7）心臓カテーテル検査

　心臓カテーテル検査は末梢動脈あるいは末梢静脈から心腔あるいは冠動脈へカテーテルを挿入することによりなされる．近年の心エコー検査，心臓（冠動脈）CT 検査，MRI，心臓核医学検査などの非侵襲的画像診断法の進歩はめざましく，心機能，構造に関する詳細な情報がこれらの検査法により得られるようになり，心臓カテーテル検査の意義は以前と比べると薄れつつある．しかしながら心臓カテーテル検査が循環器疾患の診断において中核をなす検査であることに変わりはない．

　心臓カテーテル検査においても進歩が認められる．カテーテル，ガイドワイヤーなどの素材，性能の向上，またカテーテル挿入部位として大腿動脈に代わり橈骨動脈が使用されるなどダウンサイジングも進められており，以前と比べるとより低侵襲かつ短時間に施行することが可能となってきている．また血管内超音波検査，光干渉断層法（OCT）による冠動脈の詳細な評価，プレッシャーワイヤーによる冠血流予備能（FFR）の評価も近年広く施行されるようになり，冠動

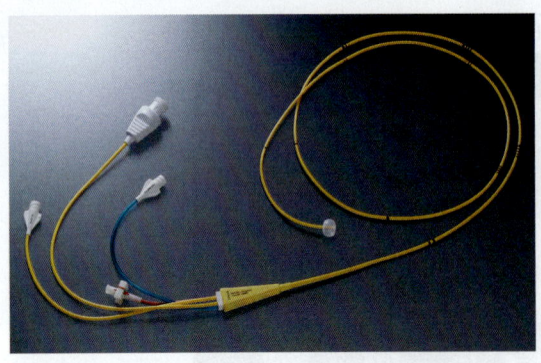

図 7-5-62 Swan-Ganz サーモダイリューションカテーテル(エドワーズライフサイエンス社提供)
側孔につながる青色のライン，先端孔につながる黄色のライン，サーミスターコネクター，赤色のラインにつながるバルーン拡張用バルブからなる．カテーテルの先端には拡張したバルーンがみえ，先端に開孔するルーメンで通常は圧測定を行う．側孔につながるルーメンは熱希釈法による心拍出量を測定する場合の冷却生理食塩水の注入ルートとなるほか，留置した際には右房圧のモニタリングにも使用される．

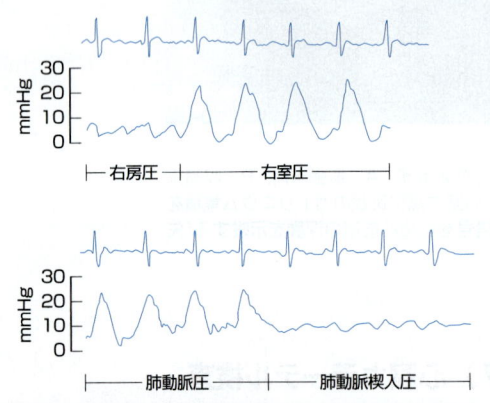

図 7-5-63 Swan-Ganz カテーテルによる心内圧記録の一例(エドワーズライフサイエンス社提供)

表 7-5-8 カテーテル挿入部位と右房までの距離(cm)

内頸静脈	10〜15
鎖骨下静脈	10
大腿静脈	35〜40
右肘静脈	35〜40
左肘静脈	45〜50

脈形成術の適応決定，治療方針決定に重要な役割を果たすようになってきている．本項では診断手技としての心臓カテーテル検査に焦点を合わせ，カテーテルアブレーション，冠動脈形成術など治療に関しては他項に譲る．また冠動脈造影検査，心血管造影検査については別項【⇨ 7-5-8，7-5-9】が設けてあるため概略を述べるにとどめ，本項ではその他の心臓カテーテル検査を中心に検査の目的別に解説する．

(1)圧測定

Swan-Ganz カテーテルは右房圧，右室圧，肺動脈圧，肺動脈楔入圧を評価するのに最も一般的に使用される(図 7-5-62)．また同カテーテルにて熱希釈法を用いて心拍出量の測定も行われる．一般的に造影剤使用の影響を避けるため造影検査に先立って施行される．Swan-Ganz カテーテルを挿入する際はカテーテル先端のバルーンを 1.5 mL ほどの空気で膨らませ血流にのせて進める．心臓カテーテル検査室で施行する場合は X 線透視下にカテーテル先端の位置を確認しながら行い通常は肺動脈楔入圧，肺動脈圧，右室圧，右房圧の順に心内圧の測定を行う(図 7-5-63)．X 線透視を使用しない場合は先端部の圧を観察しながら挿入するが穿刺部から右房までのおおよその距離を把握しておく必要がある(表 7-5-8)．

右房圧は心房収縮に一致する a 波，心室収縮による三尖弁輪の下方への牽引による x 谷，心室収縮に伴う三尖弁輪の心房側への移動と静脈灌流により生じる v 波，房室弁の解放後の心房から心室への血液流出による y 谷により形成される．肺動脈楔入圧は肺毛細血管を介して肺静脈つまり左房圧が伝播されたものでやはり a 波，x 谷，v 波，y 谷から形成される．各成分の異常を観察することで三尖弁逆流や僧帽弁逆流でみられる v 波の増高などの異常所見のみならず，肺高血圧や収縮性心膜炎などに特徴的な所見を得ることもできる．右心カテーテル検査で測定される圧，その他の指標の正常値を表 7-5-9 に示す．

(2)心拍出量測定

心拍出量の測定はサーミスタ付き Swan-Ganz カテーテルで熱希釈法により求める方法が最も汎用される．熱希釈法により心拍出量は以下の式で与えられる．

$$心拍出量(L/分) = \frac{(T_B - T_I) \times 注入液量(mL) \times 53.5}{\int_0^\infty T_B(t)dt}$$

ここで T_B は血液温度，T_I は注入液の温度であり，分母は血液温度変化の積分値である．よって熱希釈曲線の曲線下面積が大きいほど心拍出量が小さくなることがわかる(図 7-5-64)．心拍出量は通常 L/分で表され，体表面積で除して補正したものを心係数とよび L/分/m² で表される．熱希釈法では短絡性心疾患，重症の三尖弁閉鎖不全症などでは正確な評価が困難であり，そのような場合では Fick 法が用いられる．Fick の原理とは"特定の物質がある臓器で摂取または生成される際，流入動脈と流出静脈の血液内のその物質の濃度差と血流量との積が物質の摂取量または生成量に

表 7-5-9 各部位の圧，心拍出量，血管抵抗の正常値（Davidson ら，2011 より改変）

部位	コンポーネント	正常範囲（mmHg）
右房	a 波 v 波 平均	2～7 2～7 1～5
右室	収縮期 拡張末期	15～30 1～7
肺動脈圧	収縮期 拡張期 平均	15～30 4～12 9～19
肺動脈楔入圧	平均	4～12
左室圧	収縮期 拡張末期	90～140 5～12
大動脈圧	収縮期 拡張期 平均	90～140 60～90 70～105
心拍出量（L/分/m²）		2.5～4.0
全身血管抵抗（dyne・秒/cm⁵）		700～1600
肺血管抵抗（dyne・秒/cm⁵）		20～130
心係数（L/分/m²）		2.5～4.0

なる"というものである．これを肺，酸素に適用すると"一定時間における酸素消費量すなわち肺での酸素摂取量は動脈と静脈の酸素含量の差と心拍出量の積に等しい"となる．実際の計測には肺動脈と動脈の酸素飽和度および呼気ガス分析による酸素摂取量が必要である．Fick 法による心拍出量は以下の式で与えられる．

$$\text{心拍出量(L/分)} = \frac{\text{酸素消費量(mL/分)}}{\text{動脈血酸素含有量(mL/L)} - \text{混合静脈血酸素含有量(mL/L)}}$$

ヘモグロビン（Hb）1g/dL あたりの酸素抱合能は 1.36 でありこれを L あたりに直すと酸素飽和度× Hb（g/dL）× 1.36 × 10 となる．したがって

$$\text{心拍出量(L/分)} = \frac{\text{酸素消費量(mL/分)}}{(\text{動脈血酸素飽和度} - \text{混合静脈血酸素飽和度}) \times \text{Hb} \times 13.6}$$

となる．

Swan-Ganz カテーテルによって右心系の圧測定に加え，左房圧の推定値である肺動脈楔入圧および心拍出量を測定できるため同カテーテルを用いて心不全患者の血行動態評価が可能となる．心不全患者の血行動態の評価には Forrester 分類がよく用いられる．Forrester 分類はもともと急性心筋梗塞患者の血行動態に用いられたものであるが心不全患者の血行動態を的確に評価，分類できるため心筋梗塞以外の心不全患者にも広く用いられている．Forrester 分類は肺動脈楔入圧と心係数による分類であり肺動脈楔入圧＜ 18

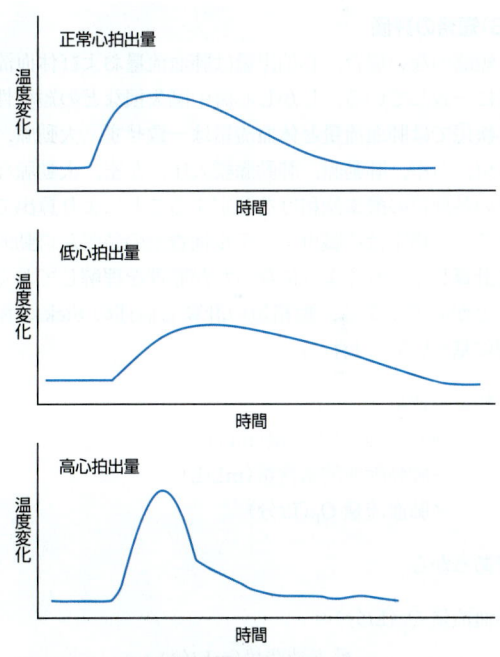

図 7-5-64 熱希釈曲線
正常心拍出量では冷却生理食塩水注入後に鋭い立ち上がりを認める．熱希釈曲線の曲線下面積は心拍出量に反比例する．低心拍出量の場合では立ち上がりも遅く基線に復帰するのにも時間を要し曲線下面積は大きくなる．高心拍出量の場合では立ち上がりも基線への復帰も速い．

mmHg，心係数≧ 2.2 L/分/m² が正常の血行動態である I 型，肺動脈楔入圧≧ 18 mmHg かつ心係数≧ 2.2 L/分/m² が II 型，肺動脈楔入圧＜ 18 mmHg かつ心係数＜ 2.2 L/分/m² が III 型，肺動脈楔入圧≧ 18 mmHg かつ心係数＜ 2.2 L/分/m² が IV 型と分類される（図 7-

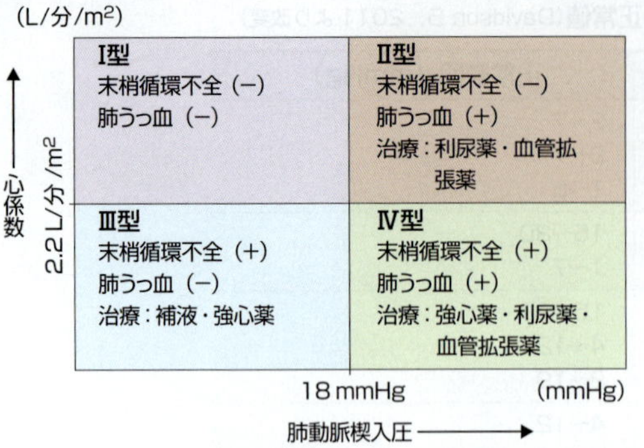

図 7-5-65 Forrester 分類
もともとは急性心筋梗塞による急性心不全の病型分類として提唱された．心係数と肺動脈楔入圧の値によって4つの病型に分けることにより適切な治療法の選択と予後の予測を容易に行うことができる．

（図中）
- Ⅰ型：末梢循環不全（−）、肺うっ血（−）
- Ⅱ型：末梢循環不全（−）、肺うっ血（+）、治療：利尿薬・血管拡張薬
- Ⅲ型：末梢循環不全（+）、肺うっ血（−）、治療：補液・強心薬
- Ⅳ型：末梢循環不全（+）、肺うっ血（+）、治療：強心薬・利尿薬・血管拡張薬

縦軸：心係数（L/分/m²）、2.2 L/分/m²
横軸：肺動脈楔入圧（mmHg）、18 mmHg

5-65）．肺動脈楔入圧は肺うっ血の指標，心係数はポンプ機能障害の指標となり，Forrester 分類に基づいて至適な治療法の選択を行うことが可能である．

（3）短絡の評価

短絡のない場合，心拍出量は肺血流量および体血流量に一致している．しかし心房中隔欠損などの短絡性心疾患では肺血流量と体血流量は一致せず，大動脈，右房，右室，肺動脈，肺動脈楔入圧，左室，大動脈などの各部位の酸素飽和度を測定することにより算出できる．短絡率は心臓カテーテル検査室の装置が自動的に計算してくれるようになったが原理を理解しておくことが必要である．短絡量の計算も前述の Fick の原理に基づいて行われる．

$$\text{酸素消費量(mL/分)} = [\text{肺静脈血酸素含量(mL/L)} - \text{肺動脈血酸素含量(mL/L)}] \times \text{肺血流量} Q_p(\text{L/分})$$

であるから

$$\text{肺血流量} Q_p(\text{L/分}) = \frac{\text{酸素消費量(mL/分)}}{\text{肺静脈血酸素含量(mL/L)} - \text{肺動脈血酸素含量(mL/L)}}$$

と変形でき，さらに

$$\text{肺血流量} Q_p(\text{L/分}) = \frac{\text{酸素消費量(mL/分)}}{(\text{肺静脈血酸素飽和度} - \text{肺動脈血酸素飽和度}) \times Hb \times 13.6}$$

となる．同様に

$$\text{体血流量} Q_s(\text{L/分}) = \frac{\text{酸素消費量(mL/分)}}{(\text{体動脈血酸素飽和度} - \text{混合静脈血酸素飽和度}) \times Hb \times 13.6}$$

となる．肺静脈血酸素飽和度は心房中隔欠損症では肺静脈に直接カテーテルを進めることにより採取可能であるがそれ以外の疾患では困難である．よって右左短絡がないと考えられる場合には体動脈血の酸素飽和度で代用する．右左短絡がある場合には肺動脈楔入部位で最初の 10 mL 程度を捨てた後にさらに採血すると肺毛細管を経て肺静脈血が引けるのでそれを測定するか 0.98 を代入してもよい．混合静脈血酸素飽和度は安静時には上半身からの静脈灌流が下半身のそれよりも多く Flamm の式が用いられる．

$$\text{混合静脈血酸素飽和度} = \frac{3 \times \text{上大静脈血酸素飽和度} + 1 \times \text{下大静脈血酸素飽和度}}{4}$$

算出された肺血流量，体血流量を用いて肺血流量・体血流量比 Q_p/Q_s を算出する．

$$Q_p/Q_s = \frac{\text{体動脈血酸素飽和度} - \text{混合静脈血酸素飽和度}}{\text{肺静脈血酸素飽和度} - \text{肺動脈血酸素飽和度}}$$

Q_p/Q_s では酸素消費量などほかの因子が消去されているため血液の酸素飽和度のみで算出することができる．図 7-5-66 に Q_p/Q_s 計測の一例を示す．Q_p/Q_s は多くの先天性心疾患において手術適応を決める重要な基準となる．Eisenmenger 化による肺血管床障害によって Q_p/Q_s は低下するため肺高血圧を合併した先天性心疾患の手術適応の決定には肺血管抵抗の測定が必要である．肺血管抵抗および全身血管抵抗は心拍出量および各部位の圧から計算される．

$$\text{肺血管抵抗 PVR} = \frac{\text{平均肺動脈圧} - \text{平均左房圧}}{\text{肺血流量} Q_p}$$

$$\text{全身血管抵抗 SVR} = \frac{\text{平均大動脈圧} - \text{平均右房圧}}{\text{体血流量} Q_s}$$

血管抵抗は一般に dynes・秒/cm^5 で表すため係数 80 をかけ，また肺動脈楔入圧を左房圧の代用として用いる．短絡性疾患がないときは Q_p，Q_s は等しいため熱希釈法で求めた心拍出量を用いてよいがシャント性疾患の場合は各循環血流量を測定してそれぞれの抵抗の計算に用いる．心拍出量の代わりに体表面積で除した心係数を用いるとそれぞれ PVRI（肺血管抵抗係数），SVRI（体血管抵抗係数）となる．

（4）弁口面積の計算

弁口面積もコンピュータで自動的に計算されるがその原理を理解しておくことは必要である．弁口面積は

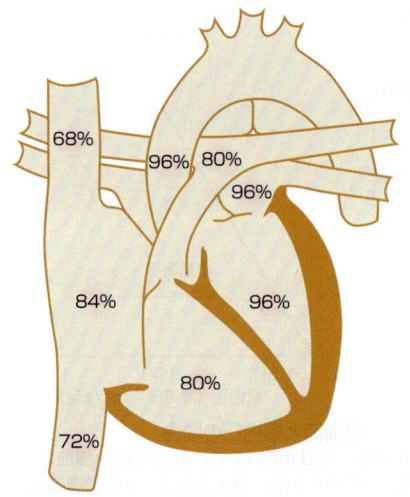

図 7-5-66 心房中隔欠損症患者における Q_p/Q_s の計測

混合静脈血酸素飽和度＝

$$\frac{3\times上大静脈血酸素飽和度+1\times下大静脈血酸素飽和度}{4}$$

であるから混合静脈血酸素飽和度は

$$\frac{3\times 68+1\times 72}{4}=69\%$$

となる．

$$Q_p/Q_s=\frac{体動脈血酸素飽和度-混合静脈血酸素飽和度}{肺静脈血酸素飽和度-肺動脈血酸素飽和度}$$

であるから

$$Q_p/Q_s=\frac{96-69}{96-80}=1.69$$

となる．

Gorlin の式により算出されるが，これは Torricelli の法則に基づく．Torricelli の法則では穴を通って液体が流れるときの流速 V と一定時間あたり流量 F，穴の断面積 A の関係は

$$F=A\times V\times C_1$$

となる．ここで定数 C_1 は弁口収縮の補正係数とよばれ，弁口を通過する流れの断面積が真の弁口面積よりも小さくなるという物理現象を補正するためのものである．また Torricelli の法則では流速 V は弁前後の圧較差の平方根に比例する．

$$V=C_2\times\sqrt{2g\Delta P}$$

g は重力定数で $980\mathrm{cm/s^2}$，C_2 は速度係数であり圧が運動あるいは速度エネルギーに変換される際のエネルギー損失を補正するものである．

これら2つの式をまとめると弁口面積は以下のようになる．

$$A=\frac{F}{C_1\sqrt{2g\Delta P}C_2}=\frac{F}{C_1C_2\sqrt{2\times 980\times\Delta P}}$$
$$=\frac{F}{C\times 44.3\sqrt{\Delta P}}$$

C は実測値との比較から引き出された経験的な補正係数で僧帽弁では 0.85，大動脈弁では 1.0 が使用される．血流量 F は心拍出量 CO と一致しないことに注意が必要である．僧帽弁では拡張期充満時間にのみ血流が通過し，大動脈弁では収縮期駆出時間にのみ血流が通過することを考えると

$$F=\frac{\mathrm{CO(mL/分)}}{HR(拍/分)\times\mathrm{DFP}あるいは\mathrm{SEP}}$$

となる．ここで DFP は拡張期充満時間(秒/拍)，SEP は収縮期駆出時間(秒/拍)でありそれぞれ僧帽弁が開放している時間，大動脈弁が開放している時間に一致する．弁口面積算出のための最終的な公式は以下のようになる．

僧帽弁口面積 $\mathrm{MVA(cm^2)}=\dfrac{\mathrm{CO}}{37.7\sqrt{\Delta P}\times HR\times\mathrm{DFP}}$

大動脈弁口面積 $\mathrm{AVA(cm^2)}=\dfrac{\mathrm{CO}}{44.3\sqrt{\Delta P}\times HR\times\mathrm{SEP}}$

僧帽弁，大動脈弁いずれの場合も高度の逆流を合併する場合には逆流血と有効血流の和が弁を通過するので弁口面積が過小評価されることに留意する必要がある．圧較差は僧帽弁狭窄症では左房圧の代用として肺動脈楔入圧と左室圧を同時測定してそれらの圧波形を重ね合わせることによって計算するが肺動脈楔入圧波形は左室圧より時相的に遅れるために，重ね合わせの際には肺動脈楔入圧波形を時間軸の前方にずらして補正する必要がある．図 7-5-67 に僧帽弁口面積測定の一例を示す．

大動脈弁狭窄症では左室圧と大動脈圧の同時測定を行って圧較差を計算していたがドプラエコーによる評価が一般的となったため最近のガイドラインではカテーテル検査による大動脈弁口面積の評価は推奨されていない．三尖弁狭窄，肺動脈弁狭窄については治療方針決定において弁口面積は通常用いられず圧較差や臨床症状が重要とされる．

(5) 冠動脈造影，左室造影

冠動脈造影，左室造影に関しては別項【⇨ 7-5-8，7-5-9】が設けてあり概略を述べるにとどめる．

冠動脈 CT の著しい進歩によって多くの症例においてきわめて正確な評価をより非侵襲的に行うことが可能となった．現在では冠動脈造影は冠動脈ステント留置術などのインターベンションを前提として行われる

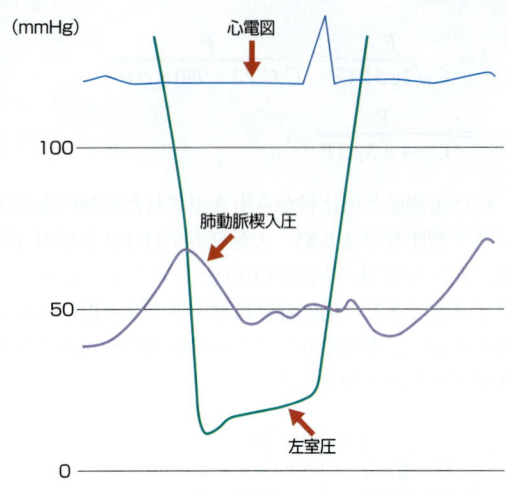

図 7-5-67 僧帽弁狭窄症患者における肺動脈楔入圧および左室圧

この症例における平均圧較差 ΔP は 30 mmHg, 心拍数は 80 拍/分, 心拍出量は 4680 cm³/分であり, 拡張期充満時間は 0.40 秒であった. これらの値を用いると

$$\text{僧帽弁口面積 MVA(cm}^2\text{)} = \frac{4680}{37.7\sqrt{30} \times 80 \times 0.40}$$
$$= 0.70 \text{ cm}^2$$

となる.

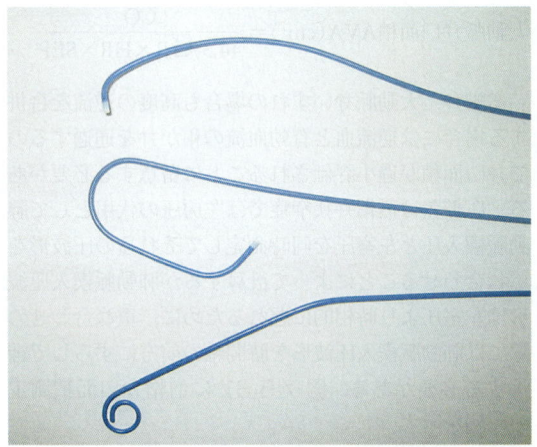

図 7-5-68 Judkins 型左右冠動脈造影用カテーテルおよび pigtail 型血管造影用カテーテル (フクダ電子株式会社提供)
上から右冠動脈用, 左冠動脈用 Judkins 型冠動脈造影用カテーテル, pigtail 型血管造影用カテーテルとなっている.

ことが多くなっている. アプローチ部位は大腿動脈, 上腕動脈が主流であったがイントロデューサーシース, 造影用カテーテルの細径化に伴い現在では橈骨動脈が用いられることが多い. 冠動脈造影には左右冠動脈それぞれの Judkins カテーテル (図 7-5-68) が最もよく用いられるが, ほかにも Amplatz カテーテルや左右冠動脈用のマルチパーパスなどを用いる場合もある. 冠動脈造影は亜硝酸薬を投与後にさまざまな方向から撮像を行い, 冠動脈を各セグメントに分離したうえで狭窄度を評価する. 左室造影は通常 pigtail 型カ

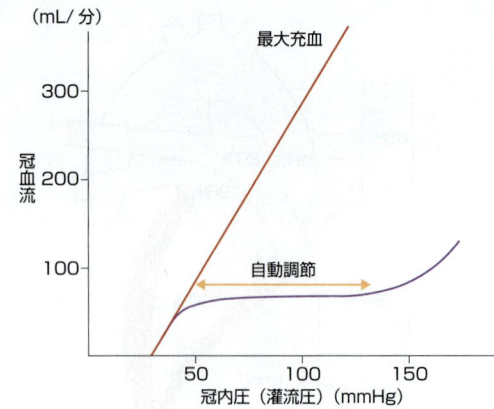

図 7-5-69 冠血流と冠内圧の関係
冠血圧が 40〜130 mmHg では冠血流自動調節能により冠血流が一定に保たれている. 最大充血時では自動調節能は失われ, 冠内圧と冠血流の間に直線的な関係が成立する.

テテル (図 7-5-68) を用いて右前斜位 30° あるいは左前斜位 60° で撮像を行い画像解析装置により局所壁運動の評価と左室容積を求め駆出率が算定される. ほかの造影検査としては大動脈造影, 下肢動脈造影, 肺動脈造影などがあるがいずれも pigtail 型造影カテーテルを用いて施行されることが多い.

(6) 冠動脈内圧測定

冠動脈造影上 75% 前後の中等度狭窄の治療適応判定のためプレッシャーワイヤーを用いた心筋血流予備比 (myocardial fractional flow reserve : FFR_{myo}) の測定が行われることがある. プレッシャーワイヤーは先端から 3 cm のところに高感度圧センサーがついている直径 0.014 inch のガイドワイヤーであり冠動脈インターベンションの際にも使用できる[1]. ATP の持続静注あるいは塩酸パパベリンの冠動脈内投与により冠動脈末梢血管を最大拡張した状態 (最大充血時) では平均血圧の低下は平均血流の低下に比例することが知られている (図 7-5-69). すなわち "平均血圧=平均血流×血管抵抗" という電気回路における Ohm の法則が最大充血下では成立する. 狭窄遠位部の平均冠動脈圧を P_d, 平均動脈圧を P_a, 平均中心静脈圧を P_v, 心筋血管床の抵抗を R とすると

$$Q^N = \frac{P_a - P_v}{R}$$

$$Q = \frac{P_d - P_v}{R}$$

となる (図 7-5-70). FFR_{myo} は最大充血時における正常時心筋血流量 (Q^N) と狭窄存在下での最大充血時心筋血流量 (Q) の比と定義されるため

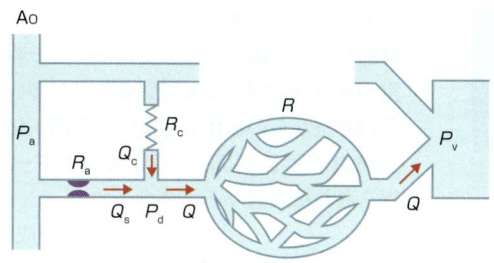 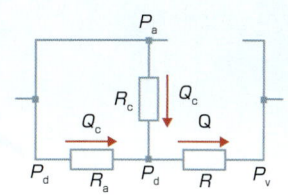

図 7-5-70 冠循環モデルとそれを模した電気回路図

$$FFR_{myo} = \frac{P_d - P_v}{P_a - P_v}$$

となる．

P_v は高値でなければ P_a，P_d に比べ無視できるので

$$FFR_{myo} = \frac{P_d}{P_a}$$

で近似される．すなわち FFR_{myo} は最大充血下での大動脈圧と冠動脈遠位部の平均圧の比となる．FFR_{myo} は側副血行の血流も加味した値となっていることに注意が必要である．FFR_{myo} は①血圧などの血行動態の変化によらず一定の値を示す，②比較的簡便に測定できる，③多くの臨床試験でその有用性が証明されている，などの利点をもち，測定されることが増えている．FFR_{myo} が 0.75 あるいは 0.80 以下であれば通常冠動脈インターベンションの適応とされる[2]．

(7) 冠動脈内イメージング

冠動脈造影で得られる情報は血管内腔に限られ血管壁の状態についての情報は得られない．そのような冠動脈造影で得られない情報を補うため血管内超音波（intravascular ultrasound：IVUS），光干渉断層法（optical coherence tomography：OCT），血管内視鏡などの検査が施行されることがある．IVUS は 20〜45 MHz の高周波数の超音波を発振する端子のついた先端約 3 Fr（1 mm）のカテーテルを冠動脈内に挿入し血管内で超音波を出し血管の 360°の断面像を描出する診断装置である．血管断面積，血管内腔断面積，プラーク断面積など冠動脈造影では得られない情報を得ることができる．OCT は約 1300 nm 波長の近赤外線を用いて光の干渉性を利用し，生体組織から多重散乱した光波を高感度に検出することにより生体の断面画像を描出する．IVUS の空間分解能が 150〜200 μm であるのに対し OCT では 10〜20 μm と解像度が高く，IVUS では観察困難なステント内の薄い新生内膜や不安定プラークの線維性被膜の観察が可能となった（図 7-5-71）．その反面で深達度は IVUS よりも浅く，プラークが厚い場合には血管外膜

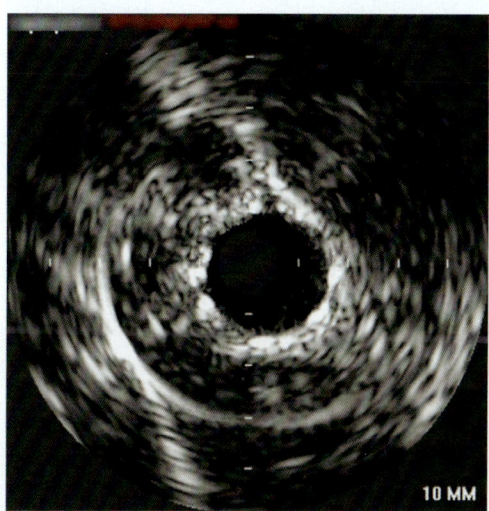
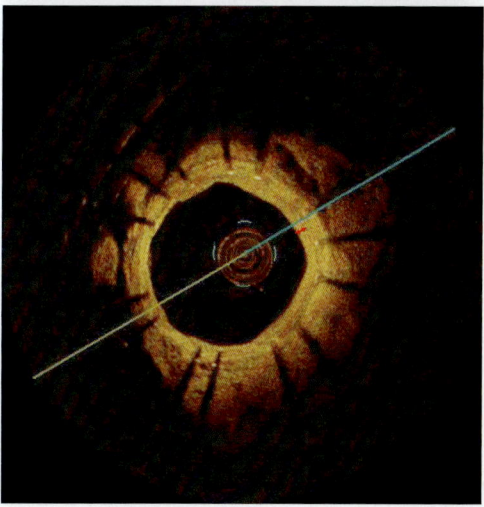

図 7-5-71 薬剤溶出性ステント留置後の新生内膜をIVUS，OCT により観察
上が IVUS により得られた像であり，下が OCT により得られた像である．IVUS では評価困難な薄い新生内膜（小さな赤矢印）が OCT でははっきりと描出されている．

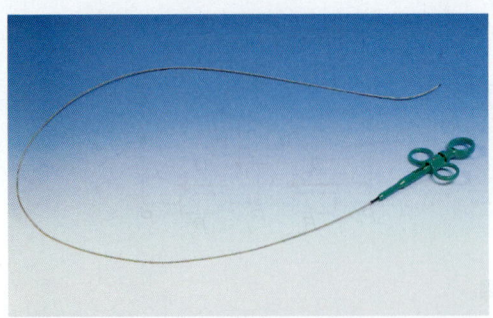

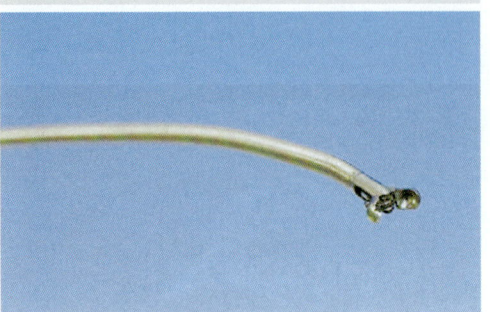

図 7-5-72 心筋生検鉗子
上から生検鉗子，生検鉗子先端部分．

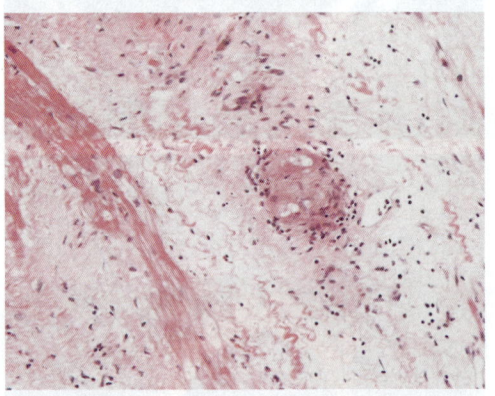

図 7-5-73 心サルコイドーシス患者より得られた心筋生検標本
右室中隔心筋生検標本．心筋生検標本では Langhans 巨細胞および心筋の線維化，リンパ球の浸潤を認めている．

左室へは大腿動脈からのアプローチが，右室へは内頸静脈や大腿静脈からのアプローチが一般的である．通常病変は両心室に及んでいることが多いため左右どちらの心室からの検体でもよい．心筋生検に用いられる生検鉗子図7-5-72 と心サルコイドーシス患者より得られた標本図7-5-73 を示す．

〔齋藤成達・木村　剛〕

■文献（e文献 7-5-7）

Baim DS, Grossman W: Grossman's Cardiac Catheterization, Angiography, and Intervention, 7th ed, Lippincott Williams & Wilkins, 2006.
Bonow RO, Mann DL: Braunwald's Heart Disease: A Textbook of Cardiovascular Medicine, 9th ed, Saunders, 2011.

8）心血管造影検査
cardioangiography

　心血管造影検査とは X 線装置と造影剤（ヨード造影剤）を使用して心臓および血管を撮影し，形態および機能を評価する検査である．心血管造影検査に含まれるものとして左室造影，右室造影，冠動脈造影，大動脈造影，脳血管造影，肺動脈造影，末梢動脈造影などがあげられる．部位により異なるが pigtail カテーテルが使用されることが多い（図7-5-68 を参照）．末梢血管造影でフレーミング（画面移動）が不要の場合は，DSA（digital subtraction angiography）の手法を用いてノイズを除去することが可能である．本項ではおもに左室造影法，大動脈造影法，末梢動脈造影法について概説する．

(1) 左室造影法 (left ventriculography)
a. 方法・目的

　左室造影は，左室機能，局所壁運動異常，僧帽弁逆流の評価をおもな目的として施行される．また，心室中隔欠損症，肥大型心筋症などの評価にも用いられることがある．

　pigtail カテーテルが一般的には使用され，左室内から総量 30〜40 mL の造影剤を 8〜12 mL/秒で注入する．腎機能障害の有無，左室容量により造影剤量は調整する．撮影は右前斜位（right anterior oblique：RAO）30°と左前斜位（left anterior oblique：LAO）60°の 2 方向，あるいは RAO 30°の 1 方向で行う（図7-5-74，e動画 7-5-N，7-5-O）．

　左室造影の長所は，①冠動脈造影と同時に施行可能であり一連のデータとして記録可能であること，②客観性をもった評価が可能であること，③左室内圧，左室-大動脈圧格差などの圧データが同時に記録可能

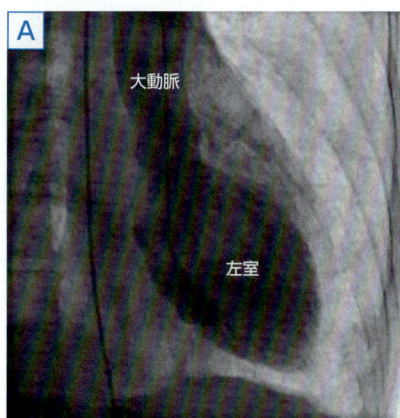
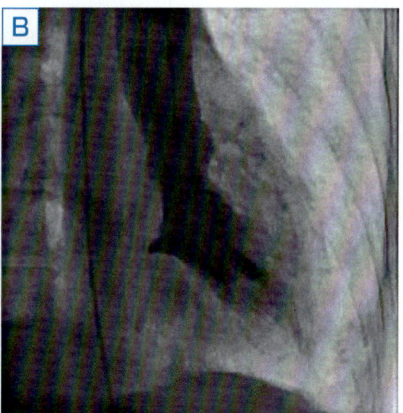

図 7-5-74 RAO 30°での左室造影像
A：拡張期，B：収縮期．

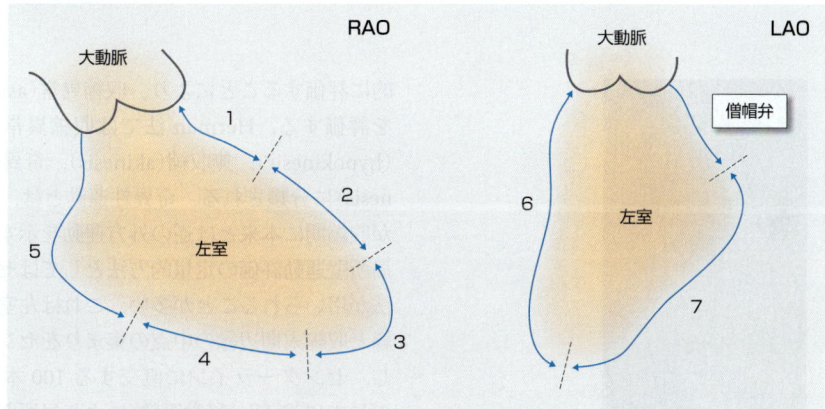

図 7-5-75 左室造影における AHA セグメント分類(Austin WG, Edwards JE, et al: A reporting system on patients evaluated for coronary artery disease. *Circulation*. 1975; **51**: 5)
セグメント1：前壁基部(anterobasal)，セグメント2：前側壁(anterolateral)，セグメント3：心尖部(apical)，セグメント4：下壁(diaphragmatic)，セグメント5：後壁基部(posterobasal)，セグメント6：中隔(septal)，セグメント7：後側壁(posterolateral)．

であること，などがあげられる．欠点としては侵襲性が高いこと，少なからず腎毒性のある造影剤を使用することなどがあげられる．現在では心エコー検査，心臓核医学検査，マルチスライス CT，心臓 MRI などのほかの評価方法の進歩に伴い，左室造影の重要性は薄れており，左室造影が単独の目的で心臓カテーテル検査が施行されることはまずない．

b. 左室壁運動評価

左室造影による左室壁運動評価において米国心臓協会(American Heart Association：AHA)は RAO 30°および LAO 60°で 7 セグメントに分割している（図 7-5-75）．RAO 30°においてセグメント 1 は大動脈弁付着部から始まり，セグメント 5 は僧帽弁後尖付着部に終わる．LAO 60°においてセグメント 6 は大動脈弁付着部から心尖部までであり，セグメント 7 は心尖部から僧帽弁後尖付着部までである．一般的な冠動脈支配はセグメント 1～3 は左前下行枝，セグメント 4，5 は右冠動脈ないしは左回旋枝，セグメント

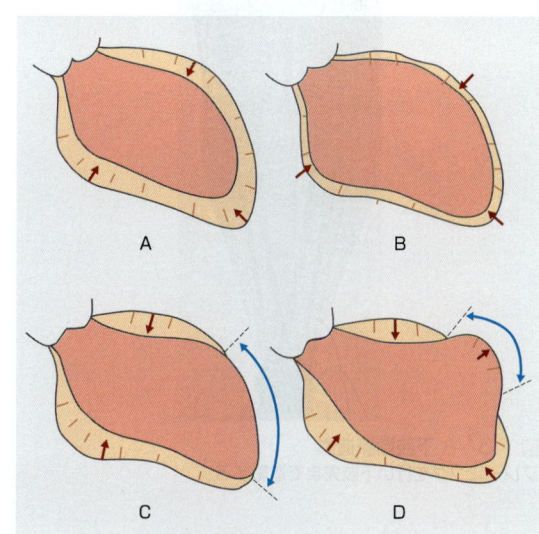

図 7-5-76 左室収縮異常の分類(Herman MV, Heinle RA, et al: Localized disorders in myocardial contraction. *N Engl J Med*. 1967; **277**: 222-32)
A：正常，B：収縮低下(hypokinesis)，C：無収縮(akinesis)，D：奇異性運動(dyskinesis)．

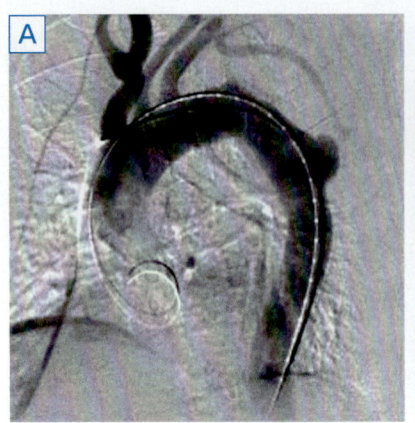
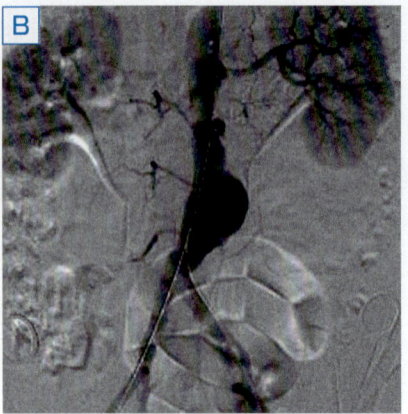

図 7-5-77 **大動脈造影**
胸部下行大動脈瘤症例（A），腹部大動脈瘤症例（B）．マルチスライス CT の進歩により現在は動脈瘤疾患の診断，評価に大動脈造影を用いることは少ない．

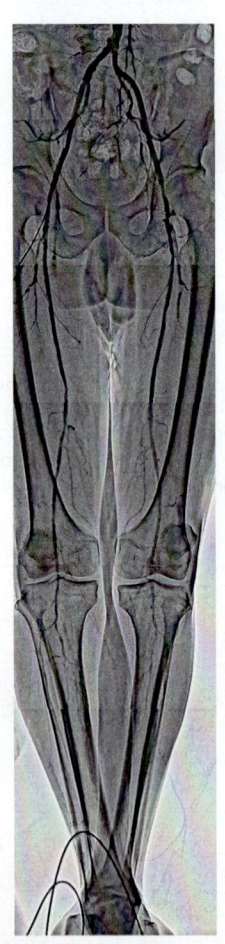

図 7-5-78 **下肢動脈造影**
フレーミングを行い下肢先まで造影する．

6 は左前下行枝～第 1 中隔枝，セグメント 7 は左回旋枝である．左室壁運動の定性的評価は図 7-5-76 に示すように各セグメントにおいて拡張末期（収縮の開始）から収縮末期（収縮の終了）までの内方運動を視覚的に評価することにより，収縮異常（asynergy）の有無を評価する．Herman 法では収縮異常は，収縮低下（hypokinesis），無収縮（akinesis），奇異性運動（dyskinesis）に分類される．奇異性運動とは，左室局所心筋が収縮期に本来とは逆の外方運動を示すことを指す．局所壁運動評価の定量的方法としてはセンターライン法が用いられることが多い．これは左室の拡張末期辺縁と収縮末期辺縁の中点の集まりをセンターラインとし，センターラインに直交する 100 本のセグメントの長さ（収縮期の移動距離）により局所収縮を評価する方法である．

c. 左室容量の計算

左室造影像から左室容積を求めて左室機能を評価することができる．一般的には左室を回転楕円体を見なして area-length 法を用いる．回転楕円体の長軸を L，短軸を D とすると左室容積（V）は，

$$V = \frac{4\pi}{3} \times \frac{L}{2} \times \frac{D}{2} \times \frac{D}{2} = \frac{\pi L D^2}{6}$$

RAO 30°での左室造影から得られた面積を A とすると，$A = \pi \times L \times D/4$ であるから，$D = 4A/\pi L$ を上式に代入すると，$V = 8A^2/3\pi L$ により左室容積を求めることができる．左室造影解析用ソフトウェアでは，左室造影像の辺縁をトレースした後に心基部から心尖部への長軸を指定することにより，左室容積が算出可能である．左室拡張末期像と収縮末期像をトレースし左室容積および駆出率を求めることができる．

d. 弁機能評価

左室造影では僧房弁逆流の評価を行うことができる．Sellers 分類が一般的に用いられる（表 7-5-10）．左房へ流入する造影剤のジェットの太さや左房の濃染の程度により僧房弁逆流の重症度を 4 段階で評価する（e動画 7-5-P）．

表 7-5-10 僧帽弁逆流の重症度分類(Sellers 分類)

Ⅰ度	左室から左房への逆流ジェットがみとめられるが，左房全体は染まらない．
Ⅱ度	左房が薄く染まるが，左室より薄い．
Ⅲ度	左房全体が逆流により染まり，左室と同程度の濃さになる．
Ⅳ度	左房の染まりが左室より濃く，持続する．

表 7-5-11 大動脈弁逆流の重症度分類(Sellers 分類)

Ⅰ度	大動脈から左室へわずかな逆流ジェットがみられるが心拍で拍出され，左室全体は染まらない
Ⅱ度	逆流ジェットはその心拍では拍出されず左室全体が薄く染まる．
Ⅲ度	左室全体が染まり，大動脈と同程度の濃さになる．
Ⅳ度	左室の染まり方が大動脈より濃く持続する．

(2)大動脈造影法（aortography）

大動脈直上の上行大動脈基部においたカテーテル先端から造影剤を注入することにより，大動脈弁機能（大動脈弁閉鎖不全症）および上行大動脈基部の情報を得る．大動脈弁逆流の評価は Sellers 分類を用いて 4 段階で評価を行う（表 7-5-11，◉動画 7-5-Q）．

このほか，大動脈弓部，胸部下行大動脈，腹部大動脈で造影剤を注入し，大動脈および分枝の形態（拡張病変，狭窄病変）を評価する．この場合には DSA を用いることが多い（図 7-5-77）．

(3)下肢動脈造影

末梢動脈疾患(peripheral arterial occlusive disease：PAD)の診断，重症度評価をおもな目的として行う．血管造影検査前には ABI(ankle/brachial index)，血管エコー検査，マルチスライス CT，MRA などの非侵襲的検査でスクリーニングを行っておく．左室造影，大動脈造影と同様に pigtail カテーテルを用いて腎動脈下腹部大動脈から施行することが一般的である（図 7-5-78，◉動画 7-5-R）．撮像範囲が下肢全体にわたるため，フレーミングを行い下肢先まで造影を行う．

〔齋藤成達・木村　剛〕

■文献

Donald SB, William G: Grossman's cardiac catheterization, angiography, and intervention, 7th ed, Lippincott Williams & Wilkins, 2006.
Douglas LM, Douglas PZ: Braunwald's Heart Disease: A Textbook of Cardiovascular Medicine, 10th ed, Saunders, 2014.

9）冠動脈造影検査

(1)冠動脈造影検査開発の歴史

選択的冠動脈造影は 1959 年にクリーブランドクリニックの Sones によってはじめて施行された[1]．Sones は上行大動脈で造影剤を注入し非選択的に冠動脈造影を行う研究をしていたが，カテーテル先端が偶発的に右冠動脈に挿入されたことによりはじめての選択的冠動脈造影がなされたとされる．Sones は前腕動脈切開法により 1 本のカテーテルで左右冠動脈を選択的に造影する Sones 法を完成させた．その後，左右冠動脈に別個のカテーテルを用いる Judkins 法が開発され，アプローチもシースを用いた経皮的な手技が主流となった．穿刺部位も大腿動脈，上腕動脈から橈骨動脈へと広がっていった．選択的冠動脈造影の開発は 1967 年の冠動脈バイパス術の開発，1977 年の経皮的冠動脈形成術(percutaneous coronary intervention：PCI)の開発へとつながっていった．

(2)冠動脈の正常解剖

冠動脈造影を読影するためには冠動脈の走行や灌流域を理解しておくことが必須である．正常な冠動脈起始，走行の理解があってはじめて先天性異常や側副血行による灌流などの解剖学的理解が可能となる．

大動脈起始部は 3 つの冠動脈洞よりなり，右冠動脈洞，左冠動脈洞，無冠動脈洞が存在する．無冠動脈洞が最も低く位置し，3 つの冠動脈洞のなかで最も大きく，左冠動脈洞が最も高く位置する．左冠動脈は左冠動脈洞より，また右冠動脈は右冠動脈洞から起始する．右冠動脈は矢状面より右方に約 10〜20°付近で開口する場合が多く，左冠動脈は左方に約 120°付近で開口することが多い（図 7-5-79）．大動脈内方から見た場合，上行大動脈と冠動脈洞の境界部位は少し隆

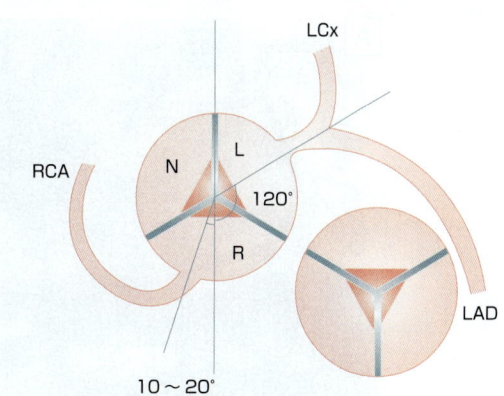

図 7-5-79 左右冠動脈起始
L：左冠尖，R：右冠尖，N：無冠尖，LAD：左前下行枝，LCx：左回旋枝，RCA：右冠動脈

起しており sinotubular ridge とよばれる（図 7-5-80）．左右冠動脈は通常は sinotubular ridge のわずかに下から起始する．sinotubular ridge より頭側から起始する場合は高位起始（high take-off）となり，カテーテルのエンゲージには注意が必要である．

右冠動脈は右冠動脈洞から起始した後，右房室間溝を走行し後室間溝との交点で後下行枝と房室枝に分かれる（図 7-5-81）．右冠動脈近位部からは円錐枝，洞結節枝，右室枝，鋭縁枝が分枝し，これらは主として右室を灌流する．後室間溝を走る後下行枝は多数の中隔枝を分枝する．房室枝は近位部で房室結節枝を分枝し，房室間溝を走行する間に左室後側面への分枝を派生する．右冠動脈閉塞による急性下壁梗塞を発症した場合，房室ブロックを生じやすいこと，右室枝より近位部で閉塞すれば右室梗塞を合併しうることはこのような右冠動脈の灌流域を把握すると理解しやすい．

左冠動脈は左冠動脈洞から起始し，短い左主幹部を経て左前下行枝と左回旋枝に分枝する．左室の大部分を灌流する血液が左主幹部を走行しており，主幹部閉塞は致命的となることが多い．左前下行枝は，前室間溝に沿って心尖部をこえて走行し，その間に中隔へ中隔枝，前壁・側壁に対角枝を多数派生する．一部，小さな右室枝を分枝する場合もある．左前下行枝の灌流域は，左室の前壁・側壁の一部・中隔・心尖部に及ぶ広い範囲であることから，冠動脈疾患の観血的治療において最も重要視されている．左回旋枝は左房室間溝を走行し心臓前面から後面に至る．この間に鈍縁枝・後側壁枝を，側壁・後壁に派生する．近位部からは左房に向かう心房枝や約半数の症例では洞結節枝を派生する．冠動脈の支配域には個人差があるが左室壁と血管のおおまかな関係については把握しておく必要がある（図 7-5-81）．

冠動脈の各分節は米国心臓協会（American Heart Association：AHA）分類による名称でよばれることが多い（図 7-5-82，7-5-83）．右冠動脈は起始部より鋭縁部まで2等分し近位部を#1，遠位部を#2とする．鋭縁部より後下行枝までを#3とし，末梢は#4とする．#4は房室結節枝があるものを#4AV，後下行枝は#4PDとする．左冠動脈は左主幹部を#5，左前下行枝の第1中隔枝までを#6，第2対角枝までを#7，さらに末梢を#8とする．第2対

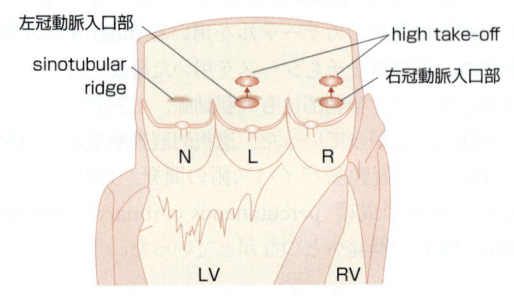

図 7-5-80 左右冠動脈入口部と大動脈

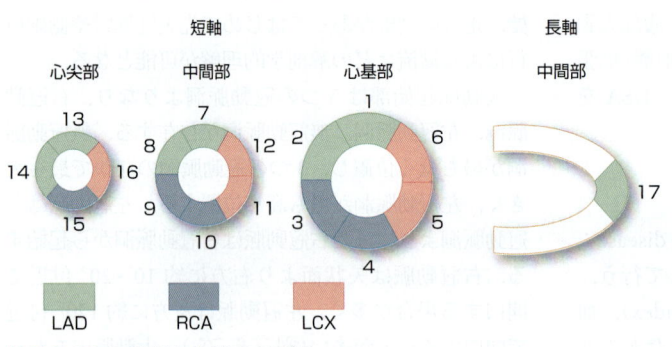

図 7-5-81 冠動脈と心筋の支配域
各分枝の大きさにより境界域の支配血管が異なることがある．

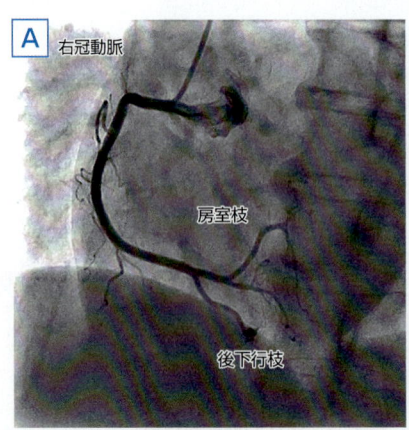
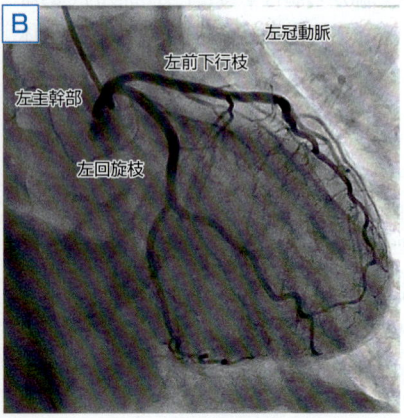

図 7-5-82 正常冠動脈造影像
A：右冠動脈左前斜位像，B：左冠動脈右前斜位尾側像．

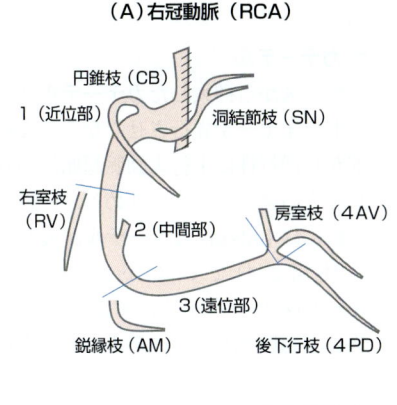
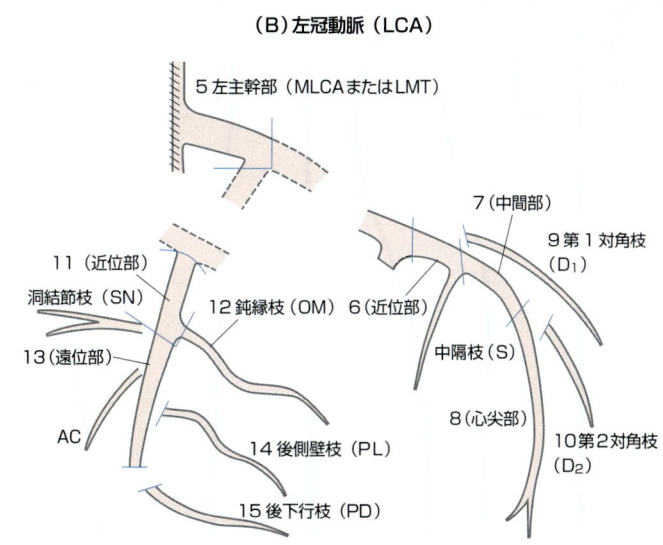

図 7-5-83 冠動脈造影像の米国心臓協会（AHA）分類

角枝がない場合は，第1中隔枝より末梢から心尖部までを2等分し，近位部を#7，遠位部を#8とする．第1対角枝は#9，第2対角枝は#10とよぶ．左回旋枝は鈍縁枝までを#11，鈍縁枝を#12，その後房室間溝を走行するものを#13，後側壁枝を#14，後下行枝を#15とする．

(3)冠動脈造影の特徴，問題点

冠動脈造影の主たる目的は冠動脈狭窄や閉塞による虚血の有無を評価することである．非侵襲的な検査，なかでもマルチスライスCTの進歩は著しいが現在でも冠動脈造影が冠動脈狭窄の評価のゴールドスタンダードである．また不安定狭心症や急性心筋梗塞などの緊急症例では冠動脈造影検査の試行後，直ちにPCIへ移行することが可能である．すなわち検査と治療が一体化しており，迅速に治療に移行することが可能なことは本法の大きな特徴である．冠動脈造影の限界としては①投影像であるため複数の方向から撮像しないと正確な狭窄度の評価が困難であること，②狭窄度の評価は機能的，生理的な重症度を示すものではないこと，③安全性が向上したとはいえ侵襲的な検査であること，④患者および医療従事者双方とも放射線被曝を伴うこと，などがあげられる．

(4)冠動脈造影の手技
a. 検査前準備

冠動脈造影は侵襲的検査でありリスクを伴う．患者には検査の目的や必要性，またリスクを説明したうえで文書による同意を得る必要がある．腎機能障害を伴う患者では術前に十分な補液を施行しておく必要がある．冠動脈造影では近年は絶食を必要としない場合も多い．絶食の際には血糖降下薬の休薬が必要となる．冠攣縮狭心症が疑われエルゴノビンやアセチルコリンによる冠攣縮誘発試験を施行する可能性がある場合はCa拮抗薬，亜硝酸薬の休薬を検討する．また前回検査時の情報があればできるだけ収集し，造影所見，使用したカテーテル，造影剤使用量などを確認しておく．造影ができないカテーテルの使用，病変の見えない角度での撮影を避け，最短時間での検査完了を心がける．

b. 穿刺部位

穿刺部位は大腿動脈，上腕動脈，橈骨動脈のいずれかを使用する．近年，橈骨動脈からのアプローチが選択される頻度が上昇している．橈骨動脈アプローチの利点としては，出血のリスクが少なく，検査後もすぐに歩けるなど患者への侵襲が少ないことがあげられる．反面，欠点としては血管が比較的細いことがあげられる．冠動脈造影のみであれば問題になることはほとんどないが，引き続きPCIへ移行する際に複雑病変などでより大口径のガイドカテーテルを使用したい場合には大腿動脈を穿刺し直す必要が生じることがある．大腿動脈アプローチは，緊急症例など引き続きPCIになる可能性が高い場合に使用されることが多い．上腕動脈アプローチは橈骨動脈に比べれば血管径も太く大口径のシースも挿入可能であり，患者も検査後すぐに歩けるなどの利点がある．欠点としては血腫を生じやすいこと，正中神経と上腕動脈は並走しているため神経障害のリスクがあること，などがあげられ

現在では第一選択となることは少ない.

c. カテーテル

シースから挿入したカテーテルはガイドワイヤーを先行させながら,穿刺部から逆行性に上行大動脈起始部の冠動脈入口部の近くまで進める.冠動脈造影にはJudkinsカテーテルが最もよく使用されているが,ほかにもAmplatzカテーテル,マルチパーパス(左右共用型)カテーテルも使用される(図7-5-84).

d. 撮像角度

冠動脈造影検査は三次元的に走行する冠動脈の一方向への投影像であるため,多方向からの撮像を行う必要がある.右前斜位(RAO)・左前斜位(LAO)を基本とし,それに頭側

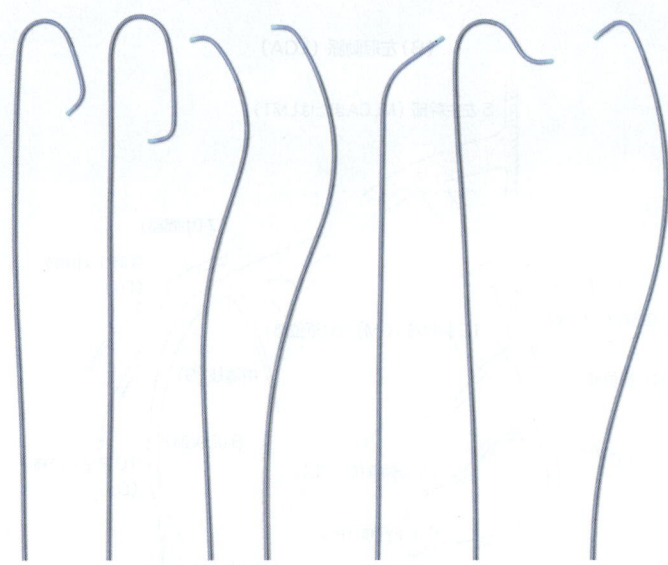

図7-5-84 各種の冠動脈造影用カテーテル

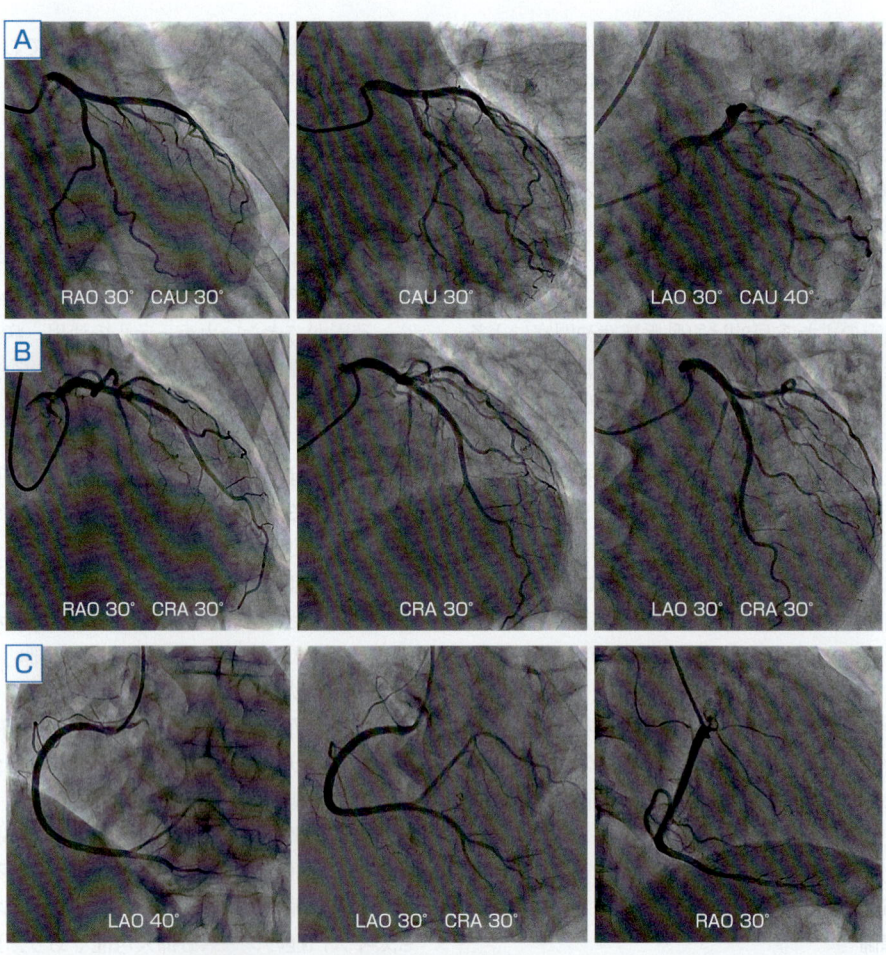

図7-5-85 代表的な撮像角度での左右冠動脈造影(ⓔ動画 7-5-S)
A:尾側方向での左冠動脈造影,左主幹部-分岐部,左回旋枝全体像の観察に適する.
B:頭側方向での左冠動脈造影,左前下行枝の観察に適する.
C:右冠動脈造影.

表 7-5-12 TIMI 分類

グレード 0	造影剤が閉塞部より先に通過しないもの
グレード 1	造影剤が閉塞部を通過するが，末梢が完全には造影されないもの
グレード 2	造影剤が閉塞部を通過し，末梢まで造影されるが造影遅延を伴うもの
グレード 3	造影剤が閉塞部を通過し，末梢まで遅延なく造影されるもの

表 7-5-13 Myocardial Blush Score

グレード 0	造影剤による心筋の染まりが認められないもの
グレード 1	心筋の染まりをわずかに認めるもの
グレード 2	心筋の染まりを中等度認めるが，非閉塞部と比べると薄いもの
グレード 2	心筋の染まりを認め，非閉塞部と同等に濃いもの

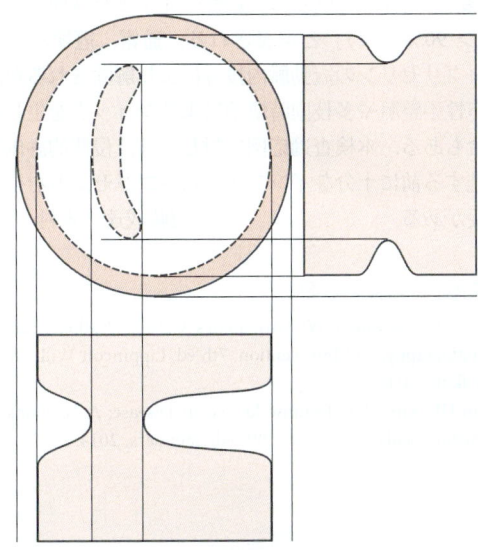

図 7-5-86 撮影角度による冠動脈狭窄度の違い
冠動脈内腔は正円でないため撮影角度により狭窄度は大きく異なる場合がある

(CRA)・尾側(CAU)からの撮影を加える．右冠動脈では 2〜3 方向，左冠動脈では 5〜7 方向程度を撮像し必要に応じて撮像角度を追加する．右冠動脈ではLAO 方向からの撮像で全体像を把握し，RAO 方向からの撮像では右冠動脈中間部の評価を行う．右冠動脈遠位部の評価は LAO-CRA 方向，あるいは正面 CRA で行う．右冠動脈近位部や入口部の病変が疑われる場合は LAO-CAU 方向の撮像を追加する．左冠動脈は入口部，主幹部の評価は浅めの LAO 方向の撮像で行う．左回旋枝の評価は CAU 方向を中心に，左前下行枝の評価は CRA 方向を中心に施行する．図 7-5-85 に左右冠動脈の代表的な撮像角度で撮像した画像を示す(e動画 7-5-S)．

e. 異常所見の評価

異常所見の大部分は動脈硬化を主因とする狭窄ないしは閉塞であるが，拡張，瘤形成を認めることもある．狭窄度の評価に関しては一般的には狭窄が最も高度に見える撮像角度を選択した後，狭窄前後の健常部を対照として視覚的な半定量法により評価し AHA 狭窄度分類で表すことが一般的である．狭窄が 25% 以下であれば 25%，26〜50% を 50%，51〜75% を 75%，76〜90% を 90%，91% 以上であれば 99%，完全閉塞であれば 100% と表記する．99% 狭窄に関しては造影遅延を伴う場合は 99% delay と表記する．また狭窄度に加え壁不正・潰瘍形成・石灰化などの表現を追記することもある．また冠動脈造影は一方向からの投影像を観察したものであるため撮像角度によって狭窄度が異なることにも注意が必要である(図 7-5-86)．個々の病変のみでなくすべての病変を合わせた重症度の評価として近年では SYNTAX スコアが用いられることも多い．SYNTAX スコアでは冠動脈病変の狭窄度のみならず病変長，部位，性状，分岐の有無，側副血行の発達などを組み合わせて総合的な重症度を判定する[2]．

急性心筋梗塞における冠動脈造影では狭窄度だけでなく，造影遅延の程度に基づいた TIMI 分類も用いられる(表 7-5-12)．急性心筋梗塞における再灌流後の血流は TIMI グレード 3 をもって成功とされることが一般的である．TIMI 分類は心外膜血管の冠動脈血流評価であるが微小循環障害の評価方法としては Myocardial Blush Score が用いられることが多い(表 7-5-13)[3]．

f. シース抜去，止血

橈骨動脈アプローチの場合は，バルーンに空気を入れるタイプの圧迫キットやゴムバンドを用いて止血を行うことが一般的である．大腿動脈アプローチでは小口径シースを用いた冠動脈造影の場合では通常は用手的に圧迫を行う．引き続き PCI を施行した場合は刺入部を縫合するものや凝固薬を刺入部付近においてくるものなどさまざまなタイプの止血キットを使用することもある．

(5) 冠動脈造影の合併症

カテーテル操作に伴うものとしては冠動脈入口部損傷・冠動脈塞栓症(空気ないし血栓による)・冠攣縮などがある．カテーテルが走行する血管への合併症としては，動脈解離，穿刺部血腫，動静脈瘻などがある．造影剤によって，アレルギー(重症例ではアナフィラキシーショック)・腎機能障害などがある．カテー

ルが柔軟性に富み細径化したこと，非イオン性低浸透圧性造影剤の導入とX線撮影装置の進歩により，本検査に直接伴う重篤な合併症の発生頻度は，対象患者の高齢化・重症化にもかかわらず減少している．

(6) 負荷冠動脈造影法

冠攣縮薬物誘発試験は異型狭心症における冠動脈攣縮の証明，あるいは非定型胸痛患者における冠動脈攣縮の除外を目的として行われる．エルゴノビンの静脈内，冠動脈投与ないしはアセチルコリンの冠動脈投与によって攣縮に基づく高度狭窄の誘発を行う．試験における診断精度を向上させるため服薬中のCa拮抗薬，亜硝酸薬の術前休薬を検討する．負荷試験時における冠攣縮は「心筋虚血の徴候(狭心痛および虚血性ST変化)を伴う冠動脈の一過性の完全または亜完全閉塞(＞90%狭窄)」と定義される．通常，冠攣縮はニトログリセリンの冠動脈内投与により解除されるが，心室性不整脈や多枝同時攣縮によるショックを生じる場合もある．本検査適応例に対しては，侵襲的評価を実施する前に十分なインフォームドコンセントを得る必要がある．〔齋藤成達・木村 剛〕

■文献(e文献7-5-9)

Baim DS, Grossman W: Grossman's Cardiac Catheterization, Angiography, and Intervention, 7th ed, Lippincott Williams & Wilkins, 2006.

Mann DL, Zipes DP: Braunwald's Heart Disease: A Textbook of Cardiovascular Medicine, 10th ed, Saunders, 2014.

7-6 不整脈

1) 不整脈の発生機序と電気生理学的検査

(1) 正常な興奮生成

心臓には洞房結節にみずから興奮を生成可能な細胞(ペースメーカ細胞)が存在し，そこで発生した興奮が心房筋，特殊刺激伝導系を介して心室筋へと伝達する(図7-6-1)．

a. 生理的自動能

洞房結節から始まる刺激の伝導に特化した非作業心筋組織(特殊刺激伝導系，図7-6-1，7-6-2)が，この能力を有する．これらの細胞は電気的に興奮してない状態から時間経過とともに徐々に細胞が脱分極していき(自動能)，それぞれの閾値に達するといっきに脱分極をする．

洞房結節以外には表7-6-1に示すような刺激伝導系細胞が自動能を有する．これらは洞房結節の機能低下や伝導ブロックで徐脈になったときに，補充調律として機能する潜在的ペースメーカである．ペースメーカの自然発火に要する時間は下位になるほど長くなり，発火頻度は低くなる(図7-6-2，表7-6-1)．潜在的ペースメーカ機能が亢進すると頻脈状態になる．

(2) 正常な興奮の伝達

a. 伝導速度

心臓の規則的な拍動は，電気的興奮が発生してそれがより下位の伝導系に伝わり心房筋，心室筋が興奮することによって可能である．

洞房結節で発生した興奮は心房から心室筋に伝達すると消失する．心臓内の伝導速度は部位によって大きく異なる(図7-6-3)．

b. 減衰伝導特性を有する組織

特筆すべきは，房室結節と洞房結節内の伝導速度がきわめて緩徐(それぞれ0.02〜0.05

表7-6-1 正常心臓のペースメーカ発火頻度(Katz, 2001)

部位	ペースメーカの発火頻度(回/分)
洞房結節	60〜100
心房筋	なし
房室結節	40〜55
His束	25〜40
右脚/左脚	25〜40
Purkinje線維	25〜40
心室筋	なし

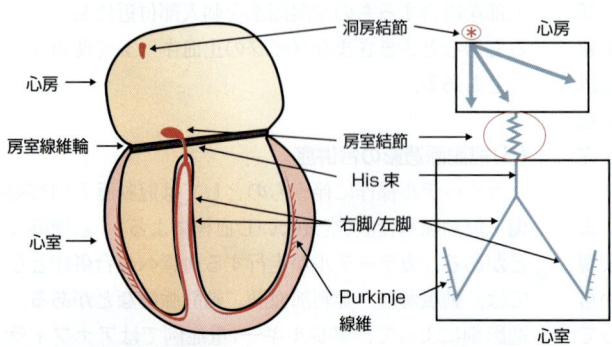

図7-6-1 心臓の特殊刺激伝導系のシェーマ

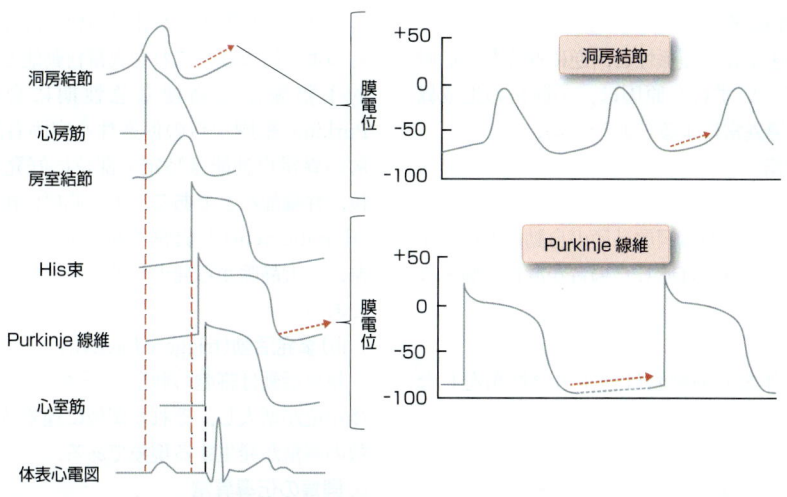

図 7-6-2 心臓各部位における活動電位と自動能

m/秒，＜0.01 m/秒）なことである（Lilly, 1998）．静止膜電位が浅く Ca^{2+} 電流を主体とする活動電位を有しその立ち上がりはなだらかで伝導速度は遅くなる．結果として，この 2 つの組織内ではこの伝導遅延作用と減衰伝導特性を有する．減衰伝導特性とは，組織に進入する刺激に対して，その早期性に応じて組織内の伝導時間が延長することをいう．この伝導特性は，心房細動時など心房の高頻度興奮時に（機能的に房室間に）伝導ブロックを起こし，心室を高頻度刺激から保護する役割を果たしている．

c. 減衰伝導特性のない組織

心房筋，心室筋などの作業心筋と脚，Purkinje 線維は深い静止膜電位を有し，興奮時の活動電位は Na^+ 電流が主体で立ち上がりが速く，伝導速度が速い．房室結節とは異なり減衰伝導特性は示さない．この Na チャネル依存性組織はさらに，興奮伝達に関しては 2 つに分類できる．伝播と伝導である．伝播は心房筋，心室筋の作業心筋内の伝達様式でその速度は遅い．一方，His 束，脚，Purkinje 線維は絶縁されたケーブル（特殊刺激伝導系）であり，その内部を興奮は伝導し，その伝達速度は速い．右房→左房間への伝導は，Bachamann 束のほかに，心房中隔，冠静脈洞を介して行われる．右房内は機能的に速く伝導する部位が存在する．

d. 不応期

心臓のある組織が一度興奮（脱分極）した後に，再び興奮できるようになるまでの（最短）時間をいう．電気生理検査法では心房あるいは心室期外刺激法によって求められる．

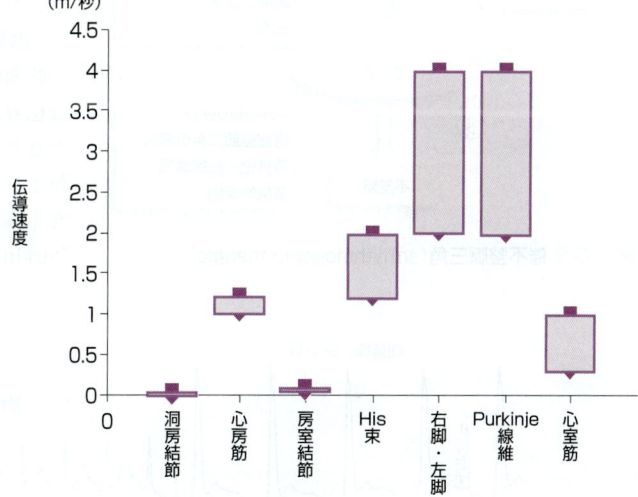

図 7-6-3 部位ごとの興奮伝導速度（Katz, 2001）

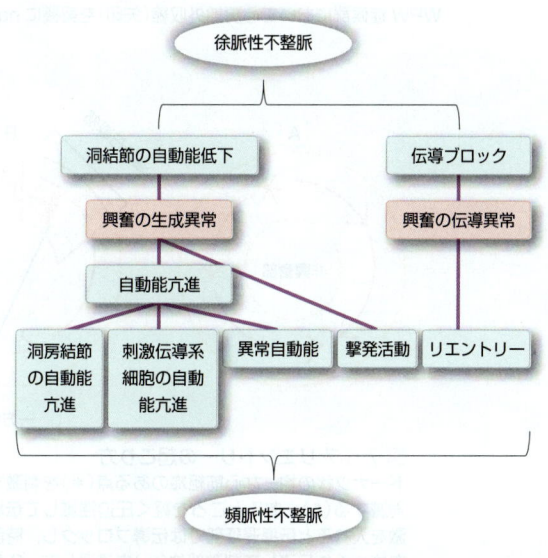

図 7-6-4 不整脈の発生機序（Lilly, 1998 より改変）

（3）不整脈の発生機序

不整脈は脈が速くなる頻脈性と，逆に遅くなる徐脈性に二分される．いずれも原因は，①興奮の生成異常，②興奮の伝導異常による（図7-6-4）．

a. 興奮の生成異常

i）正常自動能
固有ペースメーカである洞房結節の自動能が低下するのが洞性徐脈である．亢進した場合が洞性頻脈となる．

ii）異常自動能
心房，心室の作業心筋細胞は通常自発興奮をしない．種々の病態下で静止膜電位が浅くなると自動能をもつようになり，これを異常自動能とよぶ．この代表的不整脈が心筋梗塞急性期に合併する虚血下Purkinje細胞からの促進性心室固有調律である．心房の異常自動能は特定の部位に好発する．右房分界稜，弁輪部などである．また心房に接続する胸腔静脈（thoratic vein）も異常自動能を有し肺静脈，冠静脈洞，上大静脈から発火して一見心房からの自発興奮様である．

iii）撃発活動（triggered activity）
撃発活動は細胞の興奮（脱分極）に引き続き発生する後電位が増大し，それが閾値に達すると単発または複数の興奮が発生する現象である．

b. 興奮の伝導異常
正常な伝導が抑制されるとブロック部位によっては徐脈が発生し，伝導回路・伝導様式が異常であるとリエントリーが発生し連続すれば頻脈となる．

i）徐脈
刺激伝導系において伝導がブロックされると，正常な伝導が阻害されるため，洞房ブロックや房室ブロックなどの徐脈になる．それに伴って通常はブロック部位より遠位の潜在的ペースメーカが働き補充調律・補充収縮が生じ徐脈を軽減する．脚のブロック，Purkinje線維内のブロックは心室全体の興奮時間を

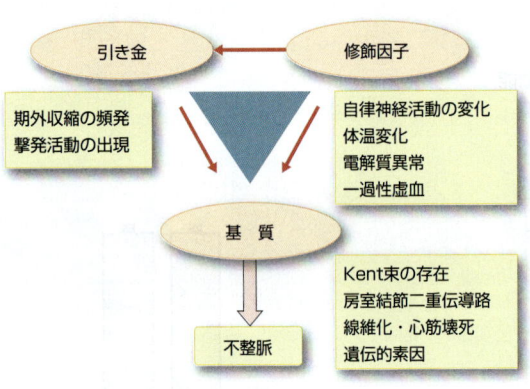

図7-6-5 催不整脈三角（arrhythmogenic triangle）

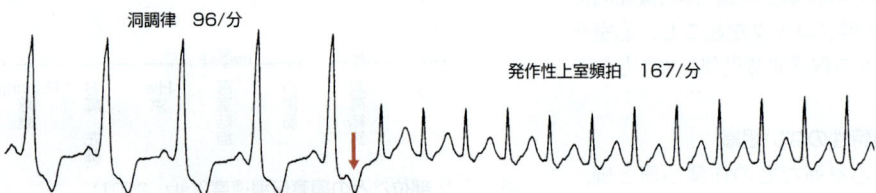

図7-6-6 WPW症候群における発作性上室頻拍
WPW症候群において心房期外収縮（矢印）を契機にnarrow QRS頻拍が発生している．

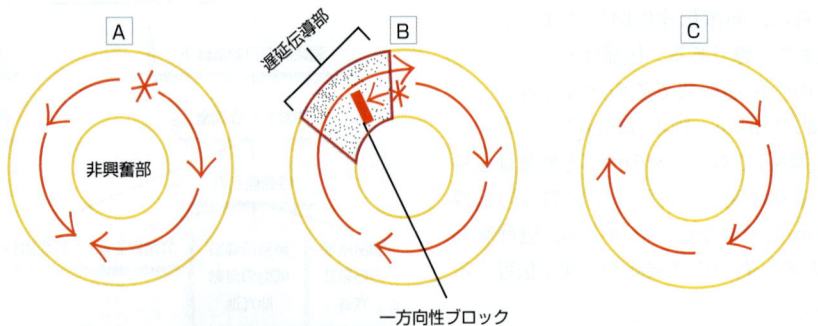

図7-6-7 リエントリーの起こり方
ドーナツ状の均一な心筋組織のある点（＊）を刺激すると，興奮波は両側に伝播し反対側で衝突して消滅する（A）．あるところを軽く圧迫挫滅して伝導不良の場所を（B，遅延伝導部）作成し，＊に刺激を入れると伝導遅延部では伝導ブロックし，時計方向には興奮伝播する．その興奮は伝導遅延部をゆっくり伝導して刺激部位（＊）を通過して，2周目の旋回に入る．これがリエントリーであり，Cのように以降この回路を興奮波は旋回することが可能となる．

延長させるが，徐脈にはならない．

ii) 頻脈

頻脈の最も頻度の高い機序はリエントリーである．刺激伝導系が正常であれば，洞結節から始まった興奮は各部位を興奮させながら伝わり，最後はどの部位においても興奮は消滅する．しかし，この興奮が線維化などの結果異常な伝導を有する正常伝導系や，心臓には本来ない異常な電気回路（副伝導路）に入り込んで伝導する結果1つの伝導回路を形成すると，興奮は消滅せずにこの回路に再進入（リエントリー）する．このリエントリーが繰り返されると頻脈が持続する．

(4) リエントリー性頻脈
a. 発生と維持に必要な要素

臨床的にはリエントリー性頻拍が発生し，持続するには3つの条件がそろっていることが必要である．興奮の生成異常（引き金，trigger）はリエントリーの開始にかかわり，興奮の伝導異常の場（基質，substrate）はリエントリーの開始と維持に必須であり，この2者に影響を与えてリエントリーの発生維持を促進する（修飾因子，modulator）のである（図7-6-5）．

たとえば，顕性WPW症候群例は副伝導路という「基質」をもつが，動悸発作（頻脈）は通常は起きない．運動や飲酒（「修飾因子」）による心臓環境の変化によって，心房から異常興奮である期外収縮（「引き金」）が発生して，それが房室結節を伝導し心室からは副伝導路を逆行して心房に再進入するとリエントリーが成立する．それを繰り返せば，図7-6-6に示すように房室リエントリー性頻拍が成立する．

この際，房室結節や副伝導路の伝導能や不応期などの電気的特性は「修飾因子」によって，房室結節の伝導時間は遅延，副伝導路の不応期は短縮していたと考えられる．

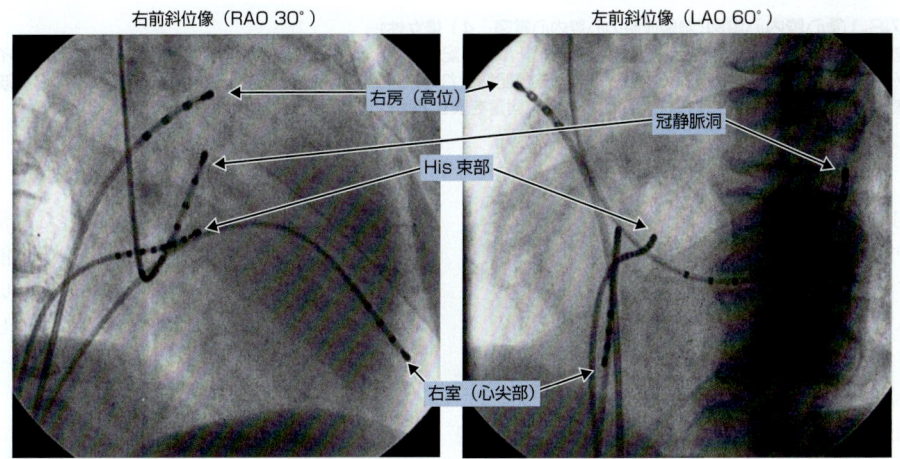

図7-6-8 電極カテーテルの留置部位のX線透視像（シェーマは図7-6-9）

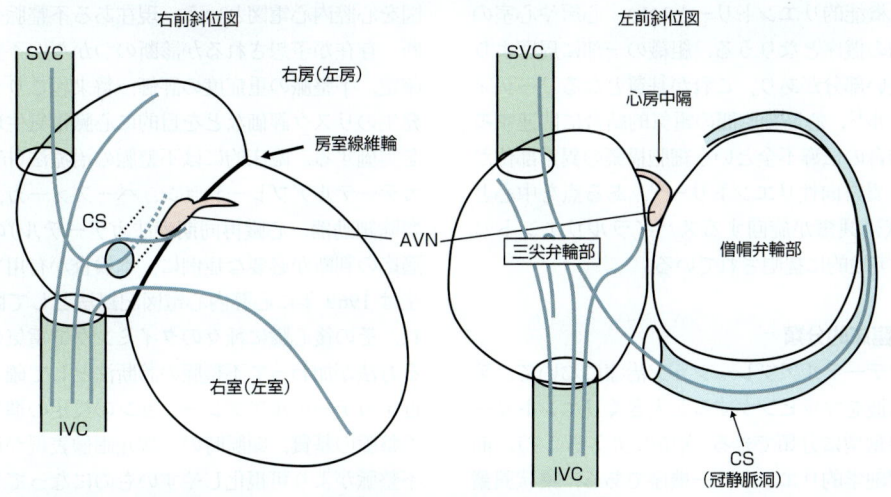

図7-6-9 X線透視像（図7-6-8）における心臓シェーマ

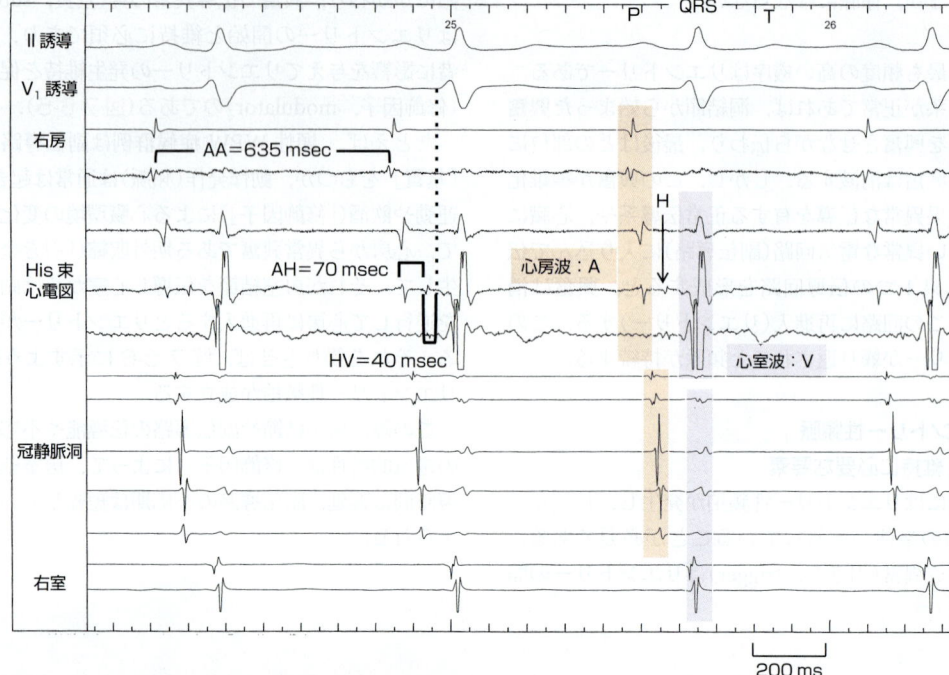

図7-6-10 心腔内心電図(洞調律時の心腔内心電図,41歳女性)
心腔内に留置した図7-6-8の4本の電極カテーテルから記録した心腔内心電図を示す.体表心電図のP波のタイミングで心房波が存在し,QRSに対応して心室波が記録される.His束近傍に留置されたカテーテルからは心房波と心室波の間に小さな棘波が存在し,これはHis束興奮を表すHis束波である.

b. 解剖学的リエントリーと機能的リエントリー

基質が特定の解剖学的構造をもち,興奮波がそれを回路として旋回するものを解剖学的リエントリーという(図7-6-7).

上記の房室リエントリーをはじめとする発作性上室性頻拍や心房粗動,陳旧性心筋梗塞後の心室頻拍など多くの頻拍がこのリエントリーに該当する.

一方,特定の解剖学的基質でなく伝導特性などの機能異常を有する部位を基質としてリエントリーが成立するものを機能的リエントリーといい,心房や心室の細動・頻拍の機序となりうる.組織の一部に周囲より不応期の長い部分があり,これが基質となるリーディングサークル[1],心筋細胞間の電気的結合に関連するギャップ結合の伝導不全という細胞構築の異常部位が基質となる異方向性リエントリー[2],ある点を中心として螺旋状に興奮が旋回するスパイラルリエントリー[3]などが実験的に提唱されている.

(5) 頻脈の臨床的分類

頻脈のカテーテルアブレーション治療において,頻脈時の興奮波をマッピングすると大きくリエントリー型と巣状興奮型に分類できる(次項の図7-6-12).前者はほぼ解剖学的リエントリー機序である.巣状興奮型はある小さな場所から興奮が始まり,周囲に遠心状に興奮波が広がる.興奮の始まる機序は異常興奮,撃発活動,サイズの小さなリエントリーの可能性があるが,臨床的に鑑別が困難なことが少なくない.実際のマッピング図は下記の「電気解剖学的マッピング」を参照していただきたい.

(6) 心臓電気生理学的検査
a. 目的

体表心電図に対して,心臓の内腔から記録する心電図を心腔内心電図という.現在ある不整脈の詳細な診断,存在が予想されるが診断のつかない不整脈の診断確定,不整脈の重症度の評価,将来起こりうる不整脈発生のリスク評価などを目的に心臓電気生理学的検査を実施する.臨床的には不整脈の治療法(抗不整脈薬,カテーテルアブレーション,ペースメーカ,植え込み型除細動器,心臓再同期療法カテーテル)の適応や非適応の判断が必要な症例に,本検査が有用である.本法は1969年に心腔内心電図記録法として臨床導入され,その後心臓に種々のタイミングで電気刺激を加える方法が加わって不整脈の診断法として確立された.近年カテーテルアブレーションの長足の進歩に伴い,不整脈の基質,頻拍時の三次元画像表現が可能となり不整脈がより可視化しやすいものになってきた.

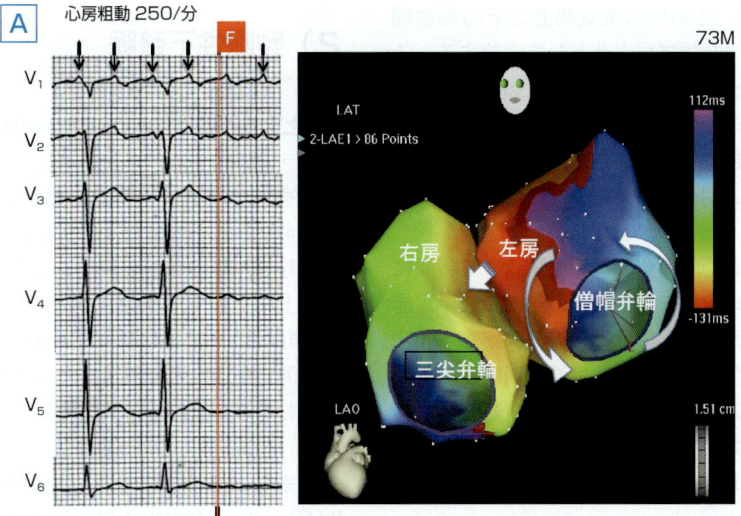

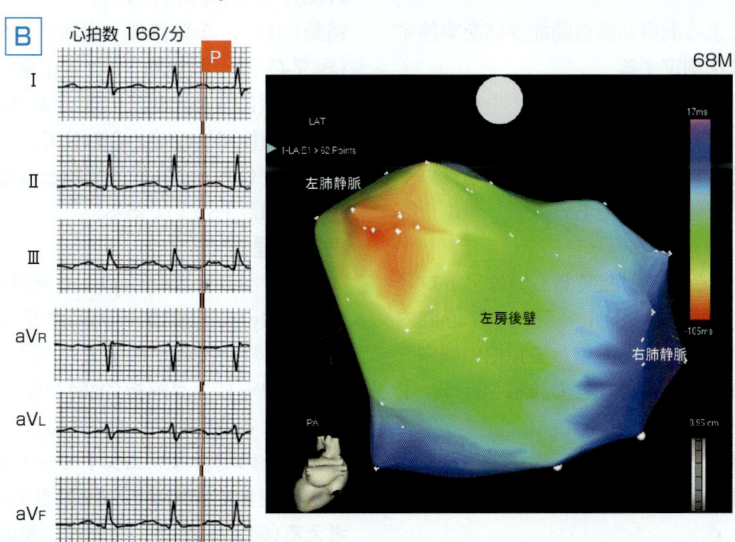

図 7-6-11 頻脈中の興奮マッピング
A：リエントリー型．胸部誘導心電図にて陽性粗動波を認める．この粗動持続中に右房，左房それぞれの activation マッピングを実施すると，興奮波は僧帽弁輪部を反時計方向に回転し，興奮は上部心房中隔より右房に至り三尖弁輪部に沿って興奮波が伝播している．以上より，機序は僧帽弁輪を反時計回転する僧帽弁輪リエントリー性心房粗動（あるいは心房頻拍）と診断できる（ⓔ動画 7-6-A）．
B：巣状興奮型．下壁誘導で陽性の，aVL 誘導で陰性の P 波を呈する心房頻拍中の activation マッピングを示す．左房後面，左上肺静脈の基部の赤い部分より興奮が始まり，そこを中心に左房内を周囲に同心円状に興奮が広がる．巣状心房頻拍である（ⓔ動画 7-6-B）．

b. カテーテル留置

心臓カテーテル検査室において電極カテーテルを経皮的に挿入し，X 線透視下に心腔内に留置する．目的によって電極カテーテルの数，使用血管，留置部位は異なる．通常は刺激伝導系を考慮して留置する．すなわち電極カテーテル 4 本は，洞結節近傍の右房高位，房室結節・His 束近（His 束心電図），左房と左室基部の側壁部を反映する冠静脈洞，右室心尖部に留置する（図 7-6-8，7-6-9）．カテーテルの各電極からその局所の電気興奮を心腔内電位として記録装置にモニターする（図 7-6-10）．外部刺激装置から微弱な電気刺激を発生させてカテーテル電極を介して先端電極接触部位を刺激することが可能である．

c. プログラム刺激

まず，心臓特殊伝導系を評価するために，心腔内電位から各電位間の伝導時間を測定する．その後，心房から刺激をして心房および刺激伝導系の正方向性の，心室刺激により心室およびその逆方向性の伝導時間，

不応期測定をする．この際の電気刺激はその刺激間隔，刺激数などを自在にプログラムして実施する．それによって上記パラメーターのほかに，頻拍基質を有する症例では頻拍の誘発カットができる．また，頻拍機序と頻拍の発生部位や旋回回路の推定などのために頻拍中にプログラム刺激を加える．

d. 電気解剖学的マッピング装置

心臓の電気興奮と心臓の位置情報を統合する装置により，心臓の電気現象はモニター上に三次元表示可能である．誘発された頻拍中にはその旋回回路が可視化できる．頻拍が発生した場合，興奮波の周囲への広がりも可視化可能である(図 7-6-11)．いずれもアブレーションの標的決定に有用である．

e. 疾患ごとの検査項目

i) 洞不全症候群

心房頻回刺激法による洞房結節自動能評価を実施する．洞結節回復時間を測定する．

ii) 房室ブロック

His 束心電図から房室ブロックの正確な部位診断，心房頻回刺激による房室伝導能評価，高度房室ブロック例では補充収縮の評価が可能である．

iii) 頻拍発作例

プログラム刺激（ときに β 刺激薬あるいはアトロピン投与下）を駆使して頻拍を誘発し，頻拍中に心腔内マッピングとプログラム刺激を実施して頻拍の機序，頻拍の興奮回路，興奮発生部位などの診断を行う．上室頻拍，心室頻拍例が該当する．

iv) 原因不明の失神・めまい例

心原性失神の可能性について徐脈の評価，頻脈の誘発性について実施．

v) 突然死リスク評価

植え込み型除細動器の植え込み適応の検査の1つとして，心室プログラム刺激時の心室細動，心室頻拍の誘発の有無をみる．Brugada 症候群，特発性心室細動，QT 延長症候群例などで検査が適応となる場合がある．

〔平尾見三〕

■文献(e文献 7-6-1)

Katz AM: Physiology of te Heart, 3rd ed, Lippincott, Williams & Wilkins, 2001.

Lilly LS: Pathophysiology of Heart Disease: A Collaborative Project of Medical Students and Faculty, Lippincott Williams & Wilkins, 1998.

2）頻脈性不整脈

(1) 上室性不整脈(supraventricular tachyarrhythmia)

定義・概念

上室性(頻脈性)不整脈とは，心室(His 束)より上部，すなわち心房または房室結節が頻脈の発現と維持に関与し，心拍数が一時的あるいは連続的に 100 拍/分以上に上昇する不整脈疾患の総称である[1,2]．心室性(頻脈性)不整脈に比べて一般に良性である．しかし，併発する疾患の種類によってはまれに重篤化することもある．

分類

上室性不整脈は，①心房期外収縮(APC または PAC)，②心房頻拍(AT)，③心房細動(AF)，④心房粗動(AFL)，⑤発作性上室頻拍(PSVT)に分類される(表 7-6-2)．洞頻脈(単なる正常心拍の亢進)も上室性不整脈に含められることがある．APC は，まれな房室結節性期外収縮と合わせて，上室期外収縮と称されることもある．臨床的問題となることが多いのは，AF，AFL，PSVT である．

病態生理

リエントリー(reentry)，異常自動能(abnormal automaticity)，トリガードアクティビティ(triggered activity)のいずれかのメカニズムで発現する[3,4]．近年は，マッピング解析(地図を描くようにして不整脈を解析する方法)によってメカニズムを論じることが多く，その場合はリエントリーと非リエントリー(異常自動能またはトリガードアクティビティ)に分けて考える(図 7-6-12)．上室性不整脈が持続する場合はリエントリー，単発性あるいは非持続性の場合は非リエントリーをメカニズムとすることが多い．

表 7-6-2 **上室性(頻脈性)不整脈の種類と分類**

種類	分類
(洞頻脈)	
心房期外収縮	単源性・多源性
心房頻拍	単源性(異所性)・多源性
心房細動	発作性・持続性・永続性(慢性) 頻脈性・徐脈性 孤立性・弁膜症性など
心房粗動	通常型・非通常型
発作性上室頻拍	房室結節リエントリー性頻拍(通常型・稀有型) 房室回帰性頻拍(順向性・逆向性) 心房リエントリー性頻拍 洞結節リエントリー性頻拍

a. 心房期外収縮（atrial premature contraction：APC または premature atrial contraction：PAC）・心房頻拍（atrial tachycardia：AT）

概念
APC は心房内の異所性の部位から興奮が早期に発せられることで，正常と異なる P 波が早期に出現する不整脈である．AT は APC が連続して一過性に早期に出現する不整脈である．

分類
APC は異所性 P 波の形状によって単源性と多源性に分けられる．AT も同様に，異所性 P 波の形状によって単源性（または異所性）と多源性に分けられる．

原因・病因
心房に何らかの原因で圧・容量負荷がかかると発現しやすい．一方で，原疾患がなく孤立性に単独で生じることも多い．

疫学
健常者を対象にした通常の 12 誘導心電図検査でも，数％で APC が記録される．24 時間 Holter 心電図を記録すると，ほとんどの場合で数発の APC が記録される．AT は APC よりも検出率はやや低いが，同様にありふれた不整脈である．

病態生理
メカニズムは非リエントリーであり，そのなかの異常自動能によることが多い．AT ではまれにメカニズムがリエントリーのことがある．この場合は心房リエントリー性頻拍とよび，PCVT として取り扱われる．

臨床症状
脈の結滞感（脈が跳ぶ感じ）あるいは軽い一過性の動悸を自覚することがあるが，多くは無症状である．症状が強い場合は，これら不整脈自体による症状ではなく，原因となる心疾患に起因した症状であることが多い．

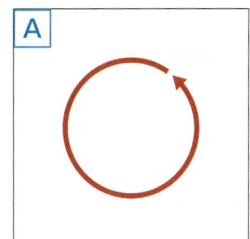 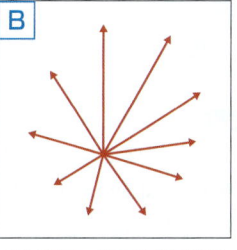

持続性不整脈　　　期外収縮・非持続性不整脈

図 7-6-12 マッピングでの伝播パターンからみた頻脈性不整脈の成立メカニズム
A：旋回興奮（リエントリー性），B：局所巣状興奮（非リエントリー性）．

検査所見・診断
心電図検査で診断がなされる．血液検査，胸部 X 線検査，心エコー検査なども行われるが，これらの検査は，原因となる心疾患を検索するために行われるにすぎない．

1）心電図所見： 正常と異なる P 波（P′波）が早期にみられる（図 7-6-13A）[5]．P′波に続く QRS 波は通常，正常と同じく幅狭くなる．しかし，かなり早期に出現すると心室内変行伝導を呈するため QRS 波は幅広くなる．さらに早期に出現すると今度は房室伝導が完全にブロックされ，QRS 波が出現しなくなる．この場合は blocked APC（PAC）とよばれる．AT は，APC が連続して一過性に出現する（図 7-6-13B）．持続性かつ規則的であれば，後述のリエントリーをメカニズムとする PSVT と診断した方がよい．

鑑別診断
心室内変行伝導で QRS 波が幅広くなった場合は，心室期外収縮あるいは心室頻拍と類似した波形を呈する．鑑別のポイントは，その波形が先行 P′に追従して出現しているかどうかである．P′に追従して出現してれば，APC もしくは AT である．

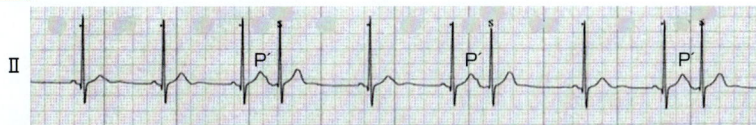

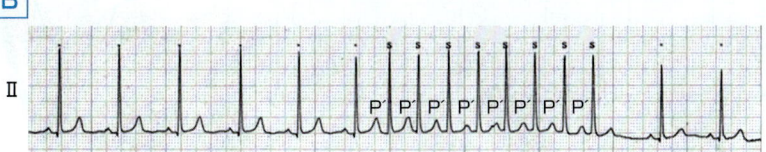

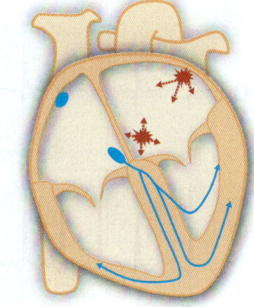

図 7-6-13 心房期外収縮（A）と心房頻拍（B）のモニター心電図記録および発現様式を示したシェーマ
A：P′は異所性の心房波を示す．P′波の形状がいつも同じであるため，単源性の心房期外収縮と判断する．
B：P′が連続して出現している．最初の 3 拍の P′と 4 拍目以降の P′の形状が異なるため，多源性の心房頻拍と判断する．

経過・予後

予後は良好であり，臨床的に問題になることは少ない．

治療

一般に必要でない．症状が強い場合に限り，Ⅰ群抗不整脈薬(slow/intermediate kinetic の Na チャネル遮断薬)もしくは β 遮断薬が使用される．心機能が低下した例においては，slow/intermediate kinetic の Na チャネル遮断薬は禁忌である．

b. 心房細動(atrial fibrillation：AF)

概念

正常 P 波が消失しきわめて迅速で多形態の心房波(細動波)を認め，RR 間隔が不規則(バラバラ)になる不整脈である．頻脈となることが多いが，徐脈となることもある．

分類

いくつかの分類の仕方があるが，最も一般的なのは発作の持続時間と自然停止の有無によって分ける方法である[6]．発症し 7 日以内に自然停止する場合は「発作性心房細動」，7 日以上持続し自然停止しなければ「持続性心房細動」，除細動が不成功あるいは実施なされなかったことにより，永久的に持続すれば「永続性(慢性)心房細動」と分類する．

心拍の速さによって分類する場合は，頻脈性(>100 拍/分)と徐脈性(<50 拍/分)，基礎疾患の有無によって分類することもあり，この場合は孤立性(基礎心疾患なし)，非弁膜症性(弁膜症なし)などのようによばれる(表 7-6-2)．

原因・病因

高齢者に多い不整脈であり，若年者では少ない．心房に何らかの原因で圧・容量負荷がかかると発現しやすい．具体的には，心不全，高血圧，弁膜症(僧帽弁狭窄症，僧帽弁閉鎖不全症)，心筋梗塞，心筋症，心膜炎，先天性心疾患(心房中隔欠損症)など循環器疾患を有する場合である．貧血，脱水，発熱(感染)，甲状腺機能亢進症，糖尿病，呼吸器疾患などの全身あるいは他疾患に伴っても生じやすい．一方で，原疾患がなく孤立性に単独で生じることもある．不眠，過労，ストレスなどの精神的負担で自律神経のアンバランスをきたしている場合などである．自律神経については，交感神経，副交感(迷走)神経のいずれが緊張しても発現しやすくなる．

疫学

罹患率は全人口比で 1〜1.5% であり，80 歳以上では 5〜8% とさらに高率となる．AF は高齢者においてはありふれた不整脈である．

病態生理

メカニズムはリエントリーである．肺静脈内から生じる群発性の自発興奮(APC の連発)がトリガーとなって発生し，それが心房内で小さなリエントリーを形成し，分裂・融合・消失を繰り返しながら，心房内をさまよいながら無秩序に旋回することで維持される．

臨床症状

脈の乱れ(バラバラ)感を伴う動悸を自覚することが多い．しかし，無症状で経過し，健康診断などを受けて偶然に発見されることも多々ある．発作性の多くは症状を有するが，逆に慢性の多くは症状がない．

診断・検査所見

心電図検査で診断がなされる．AF では，ほかの検査法も診断を進めるうえで重要である．

1) **心電図所見**：RR 間隔が絶対的に不規則になるのが特徴である．加えて，基線上に細かな振れ(細動波)を示すことが多い(図 7-6-14)[5]．APC や AT と同じように，AF 中に心室内変行伝導を呈して一時的に QRS 波が幅広くなることもある．

2) **心エコー所見**：(経胸壁)心エコーは基礎心疾患の有無と左房の大きさを評価することにおいて有用であり，左房(短軸)径が 45 mm をこえると血栓形成のリスクが高まる．心房内血栓の有無の評価については，経

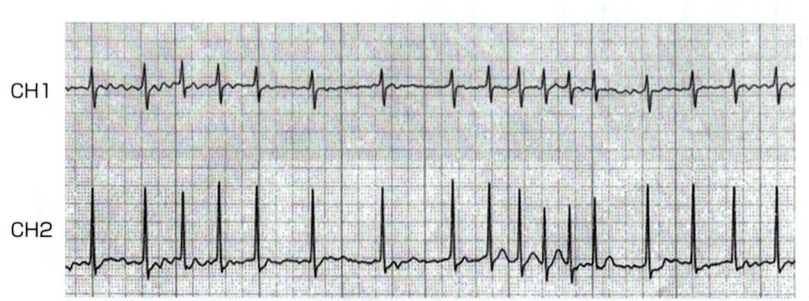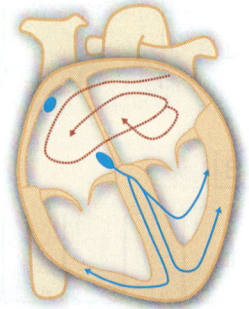

図 7-6-14 心房細動の Holter 心電図記録とその発現様式を示したシェーマ
RR 間隔がまったく不規則(バラバラ)であり，基線で正常 P 波が消失し迅速で多形態の心房波を認めるため，心房細動と判断する．

食道心エコーを行う．経食道心エコーは詳細に左心房内の観察ができるため，（経胸壁）心エコーでは評価できない左心耳内の血栓を検出できる（図 7-6-15）．

鑑別診断

AT，AFL があげられるが，鑑別は容易である．

合併症

AF は血栓塞栓症，特に重篤な（心原性）脳塞栓症を合併しやすいことで知られている（e図 7-6-A）．発作性心房細動がしばらく持続し停止すると，一過性に心房筋がスタニング（電気はスムーズに流すが無収縮の状態）が生じる．この時期に心房内（特に左房の心耳内）に血栓が形成されやすくなる．心房筋の収縮力が改善してくると形成された血栓が遊離し，脳動脈を詰めて脳塞栓症を合併する．慢性心房細動の場合も，長期間の AF の持続で心房筋の収縮力が低下しているため，左房内に血栓を形成しやすくなり，脳塞栓症の危険性がある．発作性と慢性の間で血栓塞栓症の発現率に差はない．脳塞栓症の合併リスクを判定する指標として，$CHADS_2$ スコアが広く用いられている（表 7-6-3）．$CHADS_2$ スコアでは，CHAD が 1 点，S が 2 点として計算し，2 点以上でリスクが高い，1 点でリスクがある程度ある，0 点で少ない，というように判断する．

AF では，頻脈傾向が強く長期間持続すれば，頻脈誘発性心筋症（tachycardia-induced cardiomyopathy）とよばれる病態を呈し，心不全を合併することがある．

経過・予後

AF 自体はありふれた不整脈であり，生活の質（QOL）を損ねることがあるものの，病的意義はそれほど高くはない．予後は脳塞栓症の合併の有無によって左右される．

治療

治療法には，薬物治療，カテーテルアブレーション，外科的手術（メイズ手術）がある（e図 7-6-B）．治療の中心は薬物治療である．

心不全をきたすような速い AF の場合は，まず静脈麻酔下で直流通電（カルディオバージョン）を行い，その後に下記のいずれかの治療を選択する．

1) **薬物治療**：薬物治療は大きく，①抗血栓凝固療法，②洞調律維持（リズムコントロール）療法，③心拍数調節（レートコントロール）療法，④アップストリーム療法の 4 つの方法に分けられる（図 7-6-16）[7]．

薬物治療の中心は，抗血栓凝固療法による脳塞栓症の予防である（井上ら，2013）．以前は抗凝固薬としてはワルファリンを使用するしかなかったが，近年ではトロンビンあるいは第 Xa 因子を選択的に阻害する抗凝固薬（novel/new oral anticoagulant：NOAC または direct—：DOAC）が用いられるようになった[8]．トロンビン阻害薬としてダビガトラン，第 Xa 因子阻害薬としてリバーロキサバン，アピキサバン，エドキサバンがある．NOAC（DOAC）は，頻回の血液検査による用量調節や食事制限（納豆などが禁）などが必要なく，利便性が高いことを背景に，ワルファリンに比べて年々使用率が増している．ワルファリンを使用する場合は，プロトロンビン時間国際標準化比（prothrombin time international normalized ratio：PT-INR）を定期的にチェックし，PT-INR が 70 歳未満では 2〜3 に，70 歳以上では 1.6〜2.6 になるように用量を調節する．

リズムコントロール療法を行う場合は，心機能が正常であれば I 群抗不整脈薬（slow/intermediate kinetic の Na チャネル遮断薬）を選択する（児玉ら，2009）．ピルシカイニド，フレカイニド，シベンゾリン，プロパフェノンなどがそれに相当する．ただし，これら薬剤を投与すると AF が AFL に移行して，症状が悪化することもある．逆に，心機能が低下していれば III 群抗不整脈薬（K チャネル遮断薬）であるアミオダロンが選択される．心機能が低下した例においては，slow/intermediate kinetic の Na チャネル遮断薬は禁

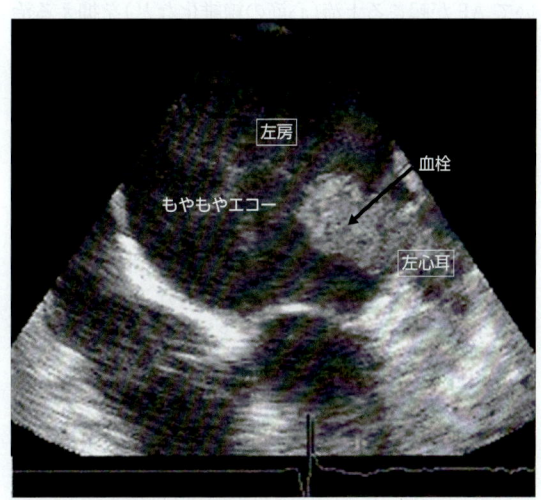

図 7-6-15 心房細動患者の経食道心エコー所見
左心耳内に大きな血栓が認められる．

表 7-6-3 $CHADS_2$ スコアの説明と点数

Congestive heart failure	心不全	1 点
Hypertension	高血圧	1 点
Age ≧ 75y	年齢 ≧ 75 歳	1 点
Diabetes Mellitus	糖尿病	1 点
Stroke/TIA	脳卒中/一過性脳虚血発作の既往	2 点

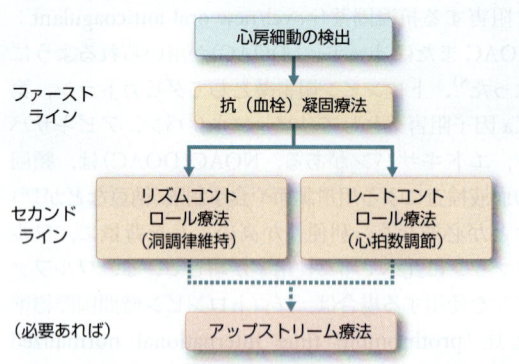

図 7-6-16 心房細動の薬物治療の方針
薬物治療においては，まず抗血栓塞栓症の必要性を吟味する．ついでリズムコントロール療法あるいはレートコントロール療法のいずれが適しているかを考える．

忌である[9]．

レートコントロール療法を行う場合は，β遮断薬（ビソプロロール，ランジオロールなど），非ジヒドロピリジン系 Ca 拮抗薬（ジルチアゼム，ベラパミル），ジギタリス製剤（ジゴキシンなど）が用いられる[10]．近年では心保護作用やレート抑制効果などの点で，β遮断薬が選択されることが多くなっている．長期の予後については，レートコントロール療法とリズムコントロール療法の間で差はない．

アンジオテンシンⅡ受容体拮抗薬（ARB）などを用いて AF が起こる上流（心筋の線維化など）を抑える治療法をアップストリーム療法とよんでいる．近年，その効果を否定する報告が出され，この療法は単独で行われることはなくなっている．

2）カテーテルアブレーション： 近年，カテーテルアブレーションを選択することが増えてきている（奥村ら，2012）．方法としては，AF の起源である肺静脈を電気的に隔離する肺静脈隔離術が一般的である（e 図 7-6-C）．成功率と合併症発生率は PSVT や AFL より劣るが，AF を根治できるという利点は大きい．成功率は，（1回のセッションで）発作性心房細動の場合は約 70〜80％，持続性心房細動の場合は約 50〜60％である．合併症発生率は，ほかの頻拍と比べて 3〜5 倍ほど高い．おもな合併症は，（心房中隔を貫通させる）Brockenbrough 法によって生じる心タンポナーデ，肺静脈内での焼灼による術後の肺静脈閉塞，左房後壁焼灼による心房-食道穿孔などである．

現時点での AF アブレーションのよい適応は，発作性，有症候性，比較的若年者，薬物抵抗性，左房径正常，心機能正常，重症肺疾患なし，のいくつかを満たす患者である．

3）外科的手術： 外科的手術として，心房を迷路のようにメスで切開して縫合するメイズ手術がある．リエントリーの旋回を阻止することができる．開胸術を必要とするため，単独で行われることはない．多くは弁膜症などのほかの手術に付随して行われる．

c. 心房粗動（atrial flutter：AFL）

概念
正常 P 波が消失し単形性の連続した迅速な心房波（粗動波）を認める不整脈である．心拍数は粗動波と心室波の伝導比によって決定される．

分類
通常型と非通常型に分類される．

原因・病因
AF とほぼ同じと考えてよい．

疫学
詳しい疫学は不明であるが，AF よりは罹患率は低い．ただし，AFL と AF を行き来するタイプがあるため，これを含めると比較的頻度の高い不整脈である．

病態生理
メカニズムはリエントリーである．通常型ではリエントリーが三尖弁周囲の心房を旋回し，非通常型ではほかの心房領域を旋回する．通常型は一般に三尖弁周囲を反時計方向に回転するが，まれに時計方向に回転することもある．

臨床症状
心房波と心室波の伝導比が 2：1 以上の場合であれば動悸を自覚する．伝導比が 1：1 の場合は心拍数が 300 拍/分前後となるため，失神発作を呈することもある．逆に，伝導比が 3：1 以下の場合であれば無症状のことが多い．

診断・検査所見
心電図検査で診断がなされる．AF と同様に，血液検査や心エコーが原疾患の検索のため必要となる．

1）心電図所見： 通常型では，下壁誘導（Ⅱ，Ⅲ，aVF）において鋸歯状波（ノコギリ波）と称される大きな粗動波が認められる（図 7-6-17）[5]．その周期は 240〜300 拍/分である．非通常型では小さな粗動波が認められ，その周期は 340〜440 拍/分とやや高い．2：1 あるいは 4：1 のように偶数伝導比となることが多い．AF と行き来するタイプも多い．

鑑別診断
AF，AT，PSVT があげられる．最も困難なのは 2：1（通常型）AFL を呈した場合の PSVT との鑑別である．薬剤などで伝導比を下げて鑑別するしかない．

合併症
血栓塞栓症の合併に注意する．AF よりもその発現率は低いが，同じように取り扱われる．

経過・予後
AF と同様に QOL を損ねることがあるものの，病的意義はそれほど高くはない．臨床的に問題となるのは，血栓塞栓症の合併と 1：1 AFL を呈した場合であ

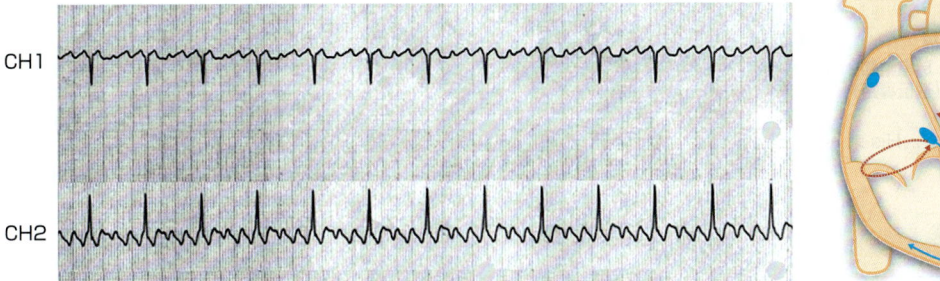
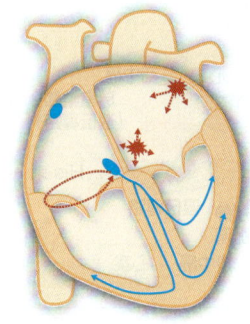

図7-6-17 (通常型)心房粗動のHolter心電図記録およびその発現様式を示したシェーマ
鋸歯状波(ノコギリ波)様の粗動波を認め,4つの粗動波に対して1つの心室波が出現しているため,通常型の4:1心房粗動と判断する.

る.1:1 AFLを呈するとAFを惹起して突然死をきたすことがある.

治療

治療法には,薬物治療とカテーテルアブレーションがあるが,治療の中心はカテーテルアブレーションである.

1:1 AFLを呈する急性期においては,まず静脈麻酔下で直流電流(カルディオバージョン)を行い,その後にいずれかの治療を選択する.

1) 薬物治療: 抗血栓凝固療法の適応は,AFの脳塞栓症合併スコアに準じる.ワルファリンまたはNOACが使用される.リズムコントロール療法を行う場合,心機能が正常であればⅠ群抗不整脈薬(slow/intermediate kineticのNaチャネル遮断薬)が選択される.しかし,その効果はAFに対してよりも低いため,レートコントロール療法が選択されることが多い.おもにβ遮断薬が使用される.

2) カテーテルアブレーション: カテーテルアブレーションが選択されることが多い.成功率がきわめて高く(90%以上),合併症が少ないからである.通常型AFLに対しては,リエントリー回路である三尖弁輪と下大静脈との間の峡部を線状に焼灼することで根治される(e図7-6-D).

d. 発作性上室頻拍(paroxysmal supraventricular tachycardia:PSVT)

概念

心房または房室結節が頻拍の維持に関与し,P波とQRS波が1:1に対応する頻脈性の不整脈である.持続性で突然始まり突然止まることを特徴とする.

分類

PSVTは電気生理学的メカニズムにより,下記の4つに分類される.
① 房室結節リエントリー性頻拍(atrioventricular nodal reentrant tachycardia:AVNRT)
② 房室回帰性頻拍(atrioventricular reciprocating tachycardia:AVRT)
③ 心房リエントリー性頻拍(atrial reentrant tachycardia:ART)
④ 洞結節リエントリー性頻拍(sinus nodal reentrant tachycardia:SNRT)

AVRTはWPW症候群に起因するものである.この頻拍は2つの伝導の間を大きく旋回するため,リエントリー性ではなく回帰性という用語が使用されている.

原因・病因

リエントリーを形成する基盤が存在することによる.心房内の器質的病態との関連性は比較的薄い.

疫学

罹患率は0.1～0.2%程度とされている.AVNRTとAVRTで全体の90%以上を占める.AVNRTの方がAVRTよりもやや多い傾向にある.比較的若い時期(青年期～中年期)に発現することが多い.

病態生理

メカニズムはリエントリーである.個々の頻拍で旋回様式が異なる.
① AVNRT:房室結節部の二重伝導路,つまり伝導速度の速い本来の房室結節(速伝導路,fast pathway)と伝導速度の遅い遅伝導路(slow pathway)との間でリエントリーを形成する(図7-6-18A).遅伝導路を順伝導し速伝導路を逆伝導する通常型(90%以上)と,その逆の稀有型(10%以下)の2つのタイプがある.
② AVRT:WPW症候群に起因する頻拍で,房室結節と房室間に存在する(伝導速度が速い)副伝導路(Kent束)の間でリエントリーが大きく旋回する(図7-6-18B).房室結節を順伝導し副伝導路を逆伝導するタイプ(順向性)が一般的であるが,その逆のパターン(逆向性)を呈することもまれにある.
③ ART:心房内でリエントリーが形成される.開心術後の心房切開創のような解剖学的障害物の周囲を

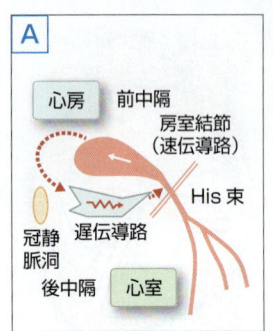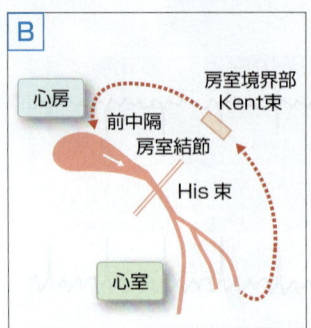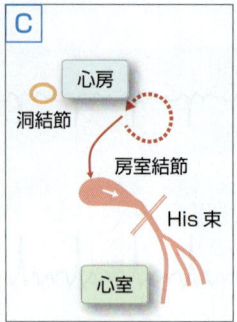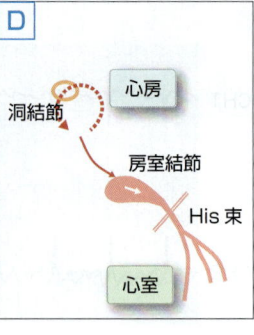

図7-6-18 4種類の発作性上室頻拍でのリエントリー回路を解説したシェーマ
A：房室結節リエントリー性頻拍（通常型），B：房室回帰性頻拍（順向性），C：心房リエントリー性頻拍，D：洞結節リエントリー性頻拍．

旋回することが多い（図7-6-18C）．
④ SNRT：洞結節とその周囲の心房筋でリエントリーが形成される（図7-6-18D）．

臨床症状

規則性のある動悸発作を自覚する．突然発症して突然停止するのが特徴である．

診断・検査

心電図検査で診断がなされる．どのタイプかについては電気生理学的検査で鑑別する[11]．

1) **心電図所見**：P波とQRS波が1：1に対応し，QRS幅が洞調律と同様に狭く，規則的な頻拍を呈する[5]．突然発症して突然停止する．
① AVNRT：通常型では逆行性P波とQRS波がほぼ同時に出現するため，P波がQRS波に隠れてしまい，P波を識別できない（図7-6-19A）．これがこの頻拍の特徴である．稀有型ではRP'間隔がP'R間隔よりも長いlong RP' tachycardiaを呈する．
② AVRT：順向性では頻拍中に逆行性P波をQRS波のすぐ後に認める（図7-6-19B）．P波はⅡ，Ⅲ，aV_F誘導で陰性である．逆向性では副伝導路を順伝導するため，幅広QRS波を呈する．心室頻拍との鑑別が難しい．
③ ART：long RP' tachycardiaを呈する（図7-6-19C）．P波の形状はリエントリーを形成する部位によって異なる．最も多い低位右房を起源とする場合は，Ⅱ，Ⅲ，aV_F誘導で陰性となる．そのため，稀有型のAVNRTとの鑑別が難しい．
④ SNRT：P波の形状は洞調律時のP波と同一である（図7-6-19D）．洞頻脈との鑑別が難しい．

2) **電気生理学的検査所見**：メカニズムがリエントリーであるため，心房からの電気刺激で頻拍の誘発・停止が可能である．
① AVNRT：洞調律中の心房早期刺激で刺激間隔を徐々に短縮していくと，房室結節伝導（AH）時間が突然延長する現象（jump up現象）が認められる（e図7-6-E）．これは房室結節（速伝導路）以外に遅伝導路があること，すなわち二重伝導路の存在を意味する．通常型では頻拍中に心房（A）波と心室（V）波はほぼ同時に出現する．非通常型では室房伝導（VA）時間が房室伝導（AV）時間より長い頻拍となる．
② AVRT：洞調律中の心室早期刺激で心室刺激間隔を徐々に短縮しても，VA時間の減衰特性（延長）がみられない．順向性では頻拍中にA波はV波のすぐうしろに認められる．逆向性では頻拍中にA波はV波のすぐ前に認められる．頻拍中のA波の最早期興奮部位の近傍にKent束が存在する．
③ ART：房室ブロックの存在下でも頻拍が持続する．頻拍中のA波の最早期興奮部位の近傍にリエントリー回路がある．
④ SNRT：頻拍中のA波の最早期興奮部位は洞結節の近傍となる．電気刺激で誘発・停止が可能なため，洞頻脈と鑑別できる．

鑑別診断

AT，2：1 AFL，心室頻拍があげられる．2：1 AFLとは伝導比を下げる薬物を使用することで鑑別する．頻拍中に心室内変行伝導を呈して心室頻拍と類似する場合は，P波とQRS波が1：1に対応しているかを観察することで鑑別する．

経過・予後

予後は良好であるが，発作が多い患者ではQOLが低下する．リエントリーの基盤を消失させれば頻拍を根治できる．

治療

治療法には，迷走神経刺激，薬物治療，カテーテルアブレーションがあるが，治療の中心はカテーテルアブレーションである．

1) **迷走神経刺激**：方法としては，Valsalva手技（深呼吸後の息こらえ），頸動脈マッサージ，顔面浸水などがある．

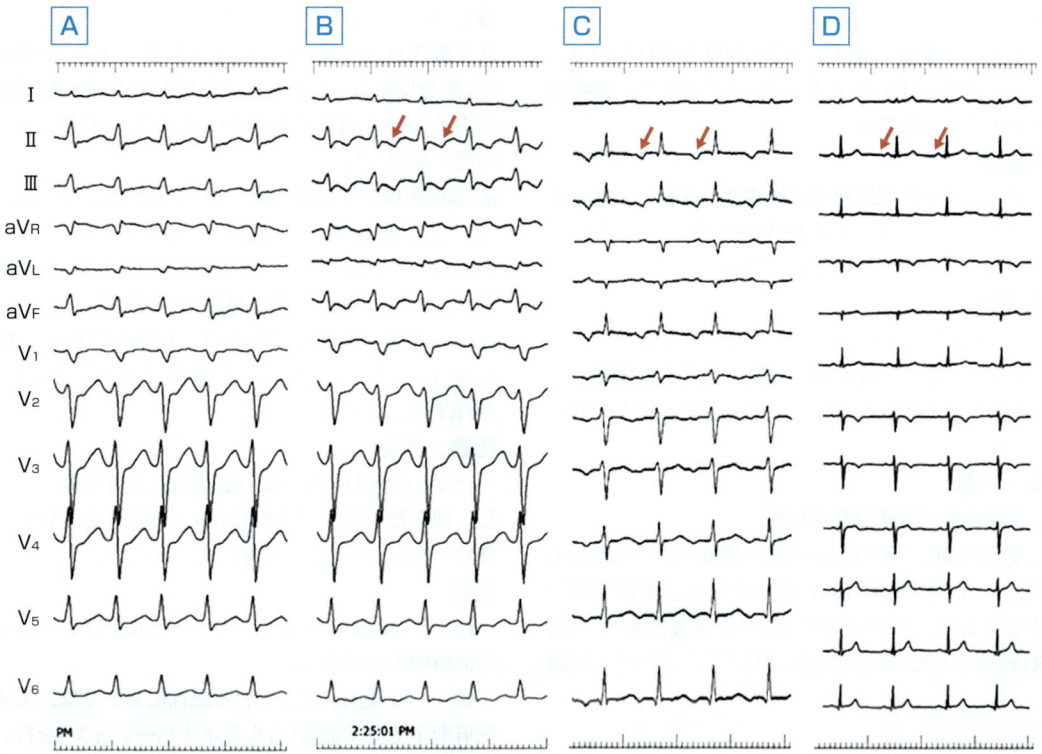

図 7-6-19 4種類の発作性上室頻拍の 12 誘導心電図上の特徴
図中の矢印は P 波の位置を示している.
A：房室結節リエントリー性頻拍（通常型）．逆行性 P 波と QRS 波がほぼ同時に出現する．P 波は QRS 波に隠れてしまい識別できない．
B：房室回帰性頻拍（順行性）．逆行性 P 波を QRS 波のすぐ後に認める（矢印）．P 波は II，III，aVF 誘導で陰性である．
C：心房リエントリー性頻拍（低位右房起源）．RP′ 間隔が P′R 間隔よりも長い long RP′ tachycardia を呈する．P 波の形態はリエントリーを形成する部位によって異なる．
D：洞結節リエントリー性頻拍．洞調律と同じ P 波を認める．洞頻脈のようにみえるが突然始まり突然に停止する．

2）**薬物治療**：頻度の高い AVNRT と AVRT は，ともにリエントリー回路に房室結節を含むため，頻拍を停止させるためには房室結節の伝導抑制が薬物の標的因子となる．治療薬としては，静注薬として使用できるアデノシン三リン酸（ATP）製剤，β遮断薬，非ジヒドロピリジン系 Ca 拮抗薬が選択される．予防目的では経口薬としても使用できるβ遮断薬（ビソプロロールなど）または非ジヒドロピリジン系 Ca 拮抗薬（ジルチアゼム，ベラパミル）が選択される．ただし，WPW 症候群に起因する AVRT においては，予防目的でこれらの薬剤を使用してはならない【⇨ 7-6-2-1-e】．

3）**カテーテルアブレーション**：第一選択治療法はカテーテルアブレーションである．特に，AVNRT と AVRT に対しては，成功率がきわめて高く（95％以上），合併症が少ない（死亡率 0.1％以下，重篤な合併症率 0.5％以下）．AVNRT においては遅伝導路を焼灼する（⊖図 7-6-F）．AVRT においては Kent 束を焼灼する．ART においてはリエントリー回路の一部の心房筋を焼灼する．SNRT においては洞結節周囲の心房筋を焼灼する．

e. **WPW（Wolff-Parkinson-White）症候群**

概念
心房と心室の境界部に副伝導路（Kent 束）が存在する症候群である．PSVT をきたす．AF を併発すれば偽性心室頻拍（pseudo-ventricular tachycardia）を呈し突然死することがある．

分類
Kent 束の存在する部位によって，A 型（左側），B 型（右側），C 型（心中隔）に分けられ，A 型，B 型，C 型の順で多い．Kent 束を逆行性にのみ伝導しデルタ（Δ）波を認めない場合を潜在性 WPW 症候群と称する．これに対して，通常のデルタ波を認める場合を顕性 WPW 症候群と称する．

原因・病因
先天性に副伝導路を有することが原因である（遺伝性ではなく本来消失すべき伝導路が残存する）．心房内の器質的病態との関連性はないが，先天性心疾患である Ebstein 奇形に合併しやすいことが知られている．

疫学

心電図上の罹患率は 0.1〜0.2％程度とされている．ただし，全例が PSVT を呈するのではなく，無症候で経過することもある．

病態生理

房室間に房室結節に比べて伝導性がきわめて速い副伝導路を有するため，PSVT（AVRT）あるいは危険性の高い（AF 併発による）偽性心室頻拍を呈する．

臨床症状

PSVT をきたした場合は，突然発症して突然停止する規則正しい動悸発作を自覚する．偽性心室頻拍を呈した場合は，めまいや失神などの Adams-Stokes 発作をきたす．

診断・検査

心電図検査で診断がなされる．

1）心電図所見： WPW 症候群の洞調律時の心電図の特徴は，（心房興奮が Kent 束を介して心室に早期に達することにより形成される）デルタ波であり，PQ（PR）短縮と QRS 幅延長を伴う（図 7-6-20）[5]．V_1 誘導で A 型は右脚ブロック型（幅広の高い R 波），B 型は左脚ブロック型（幅広の深い R 波），C 型は幅広の QS 型を呈する．ただし，潜在性 WPW 症候群ではこのような変化はみられない．AVRT の所見は PSVT の項で解説した．

2）電気生理学的検査所見： AVRT には，房室結節を順伝導し Kent 束を逆伝導する順向性のタイプと，その反対の逆向性のタイプがあり，前者の方が圧倒的に多い．後者の場合は幅広 QRS 波を呈するため，心室頻拍との鑑別が必要になるが，本検査で P 波と QRS 波が 1：1 に対応するのを確認すれば，逆向性の AVRT と診断できる．

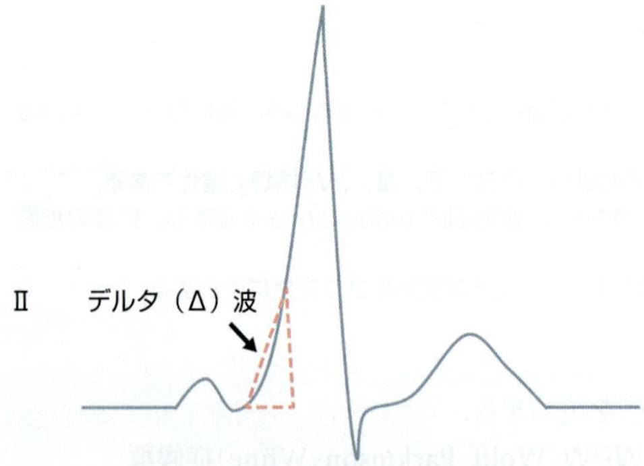

経過・予後

PSVT のみの発現であれば予後は良好である．しかし，何らかの原因で AF（偽性心室頻拍）を併発すると突然死をきたすことがある（図 7-6-21）．

治療

PSVT の治療に準じる．カテーテルアブレーションが治療の中心である．

偽性心室頻拍を呈している急性においては，まず静脈麻酔下で直流通電（カルディオバージョン）を行い，その後に治療を選択する．

1）薬物治療： 予防においては，房室結節の伝導抑制を示すβ遮断薬，非ジヒドロピリジン系 Ca 拮抗薬，ジギタリス製剤は禁忌となる．その理由は，AF を併発すると房室結節の伝導が抑制されていることで心房の興奮波の多くが副伝導路を介して心室に伝達することになり，より重篤な偽性心室頻拍を呈するためである．予防では副伝導路の不応期延長が薬物の標的因子となる．これには K^+ チャネル遮断と Na^+ チャネル遮断の両方の作用を有し，かつ房室結節の伝導抑制作用のない I 群抗不整脈薬が選択される．

2）カテーテルアブレーション： 頻拍発作を有する場合の第一選択治療法は，カテーテルアブレーションで

図 7-6-20 WPW 症候群の心電図の特徴を解説したシェーマ
P 波の後に基線を認めず，すぐに QRS 波が出現している．デルタ波，PR 短縮，QRS 波延長の 3 つの所見が認められる．

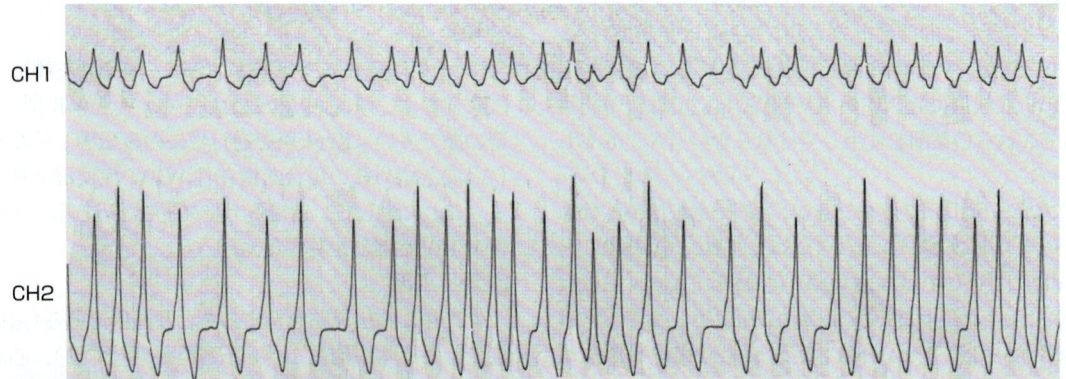

図 7-6-21 WPW 症候群に心房細動を伴って偽性心室頻拍を呈した Holter 心電図記録
幅広 QRS 波が持続的に出現しており，QRS 波の初期成分は鈍な立ち上がりを示しているためデルタ波の存在を疑わせる．RR 間隔が不規則（バラバラ）のため心房細動を呈しており，偽性心室頻拍と判断される．

ある．特に，偽性心室頻拍を呈した場合は突然死予防のため必須となる．Kent束を焼灼する（e図7-6-G）．

f. WPW症候群以外の早期興奮症候群
概念・特徴

副伝導路には，Kent束以外にもJames束とMahaim線維があり，AVRTの発現に関与することがある[1,2]．WPW症候群とこれらを併せて早期興奮症候群と称する．これらの頻度はKent束に比べて明らかに少ない．

James束が関与する場合をLGL（Lown-Ganong-Levine）症候群とよぶ．右房-房室結節下部間に短絡路を有する．LGL症候群では洞調律時の心電図でPR短縮を認めるものの，デルタ波とQRS波延長は認められない．

Mahaim線維は，心房筋または房室結節-脚枝または心室筋間に短絡路を有する．そのなかでも心房筋-脚枝間と房室結節-心室筋間に短絡路を有するタイプが多い．Mahaim線維は長い短絡路ということもあってKent束ほど伝導性は速くないため，洞調律時の心電図は正常のことが多い．しかし，房室結節の伝導性が低下するとデルタ波が顕在化してくる．

伝導速度の遅いKent（slow Kent）束が房室間にまれに認められることがある．この遅いKent束を介して頻拍が反復性に出現する場合を，特にpermanent form of junctional reciprocating tachycardia（PJRT）とよぶ．
〔池田隆徳〕

■文献（e文献7-6-2-1）

井上 博，他：心房細動治療（薬物）ガイドライン2013年改訂版．日本循環器学会，2013．http://www.j-circ.or.jp/guideline/pdf/JCS2013_inoue_h.pdf

児玉逸雄，他：不整脈薬物治療に関するガイドライン2009年改訂版．日本循環器学会，2009．http://www.j-circ.or.jp/guideline/pdf/JCS2009_kodama_h.pdf

奥村 謙，他：カテーテルアブレーションの適応と手技に関するガイドライン．日本循環器学会，2012．http://www.j-circ.or.jp/guideline/pdf/JCS2012_okumura_h.pdf

（2）心室性不整脈（ventricular arrhythmia）
定義・概念

心室性不整脈とは心室（His束分岐部より下部（遠位）の刺激伝導系や固有心室筋）に起源を有する過剰な脱分極興奮を示し，心室期外収縮，心室頻拍，心室細動の3つの種類がある．診断はほとんど体表面心電図によってなされるが，ときに電気生理学検査（His束心電位記録）を要する場合がある．

原因・病因

電気生理的機序としてリエントリー，撃発活動，異常自動能などさまざまな原因が示されている【⇒7-6-1】．原疾患としてはすべての器質的心疾患があげられるが，電気生理的指標や心機能に明らかな異常がない（いわゆる特発性の）場合もある．また，心機能は正常であるが電気生理的異常のみが認められる特殊な病態もある（先天性QT延長症候群，特発性心室細動，Brugada症候群，早期興奮症候群など）．

病態生理

心室から発生した異常な脱分極の伝導はHis-Purkinje系（刺激伝導系）を経由しにくいため，伝導速度が遅延し，体表面上ではQRS幅が120 msec以上に拡大する．心室期外収縮や単形性心室頻拍中のQRSは12誘導心電図上のQRS形態から，その発生起源が推定できる．

a. 心室期外収縮（premature ventricular contraction）
定義・概念

期外収縮とは本来の周期（多くは洞調律周期）よりも早期に脱分極興奮が生じることと定義され，起源によって上室期外収縮（心房（肺静脈や上大静脈を含む），および房室接合部（His束含む）から起源するもの）と心室期外収縮（His束よりも下位（脚以下）から起源するもの）とに分けられる．心室期外収縮が3回（または6回）以上連発する場合は心室頻拍と呼称される．

疫学

心室期外収縮は心室性不整脈のうちで最も多く認められる不整脈である．正常成人に24時間心電図記録を行った臨床試験では約半数の症例に何らかの心室期外収縮が認められたと報告されている．

病態生理

心室期外収縮は，より重症な不整脈（心室頻拍や心室細動）へ発展する可能性がなければ，生命予後に影響を与えない．リエントリーを形成しうる基質（基盤）が心室に存在し，心室期外収縮がその系に侵入して不均一な伝導パターン（一方向性ブロックと伝導遅延）を誘発すると，興奮の回旋（リエントリー性の心室頻拍や心室細動）が形成される．したがってこのような基盤が存在するかどうかの判断が重要となる．何らかの基礎心疾患を有し，左室駆出率の低下や心不全を有する患者はリエントリー基盤を有する可能性がある．一方，洞調律中の心電図，胸部X線写真，心エコー図で異常を認めない場合は，特発性心室期外収縮（原因が明確にできないという意）に分類され，心室筋にリエントリー基盤は存在せず，予後は良好である．

分類

Lownは心筋梗塞に合併した心室期外収縮について，Holter心電図で記録された頻度と出現パターンにより，5つのグレードに分類し，これらと生命予後

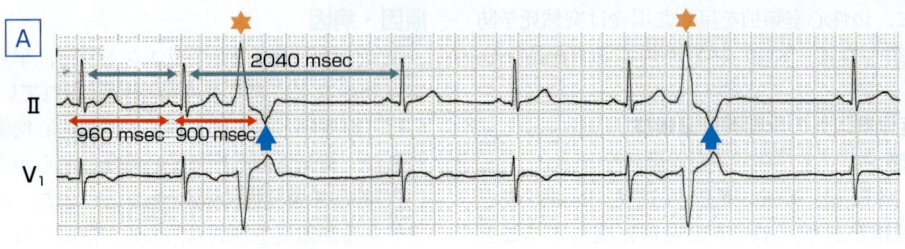

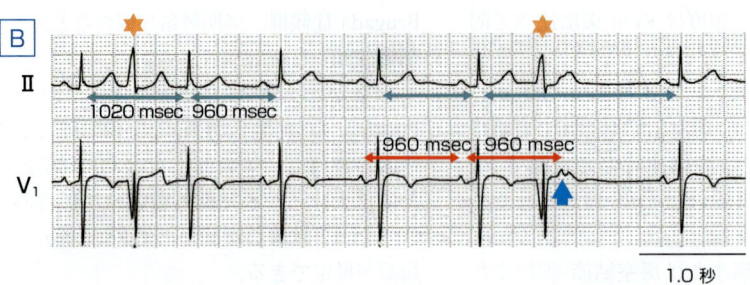

図 7-6-22 心室期外収縮の心電図所見
心室期外収縮は予想よりも早いタイミングで QRS 波が発生し，その形態が洞調律中と比べて大きく異なり，先行する P 波がないことで診断される（★）．
A：心室期外収縮後，期外収縮をはさんだ次の洞調律周期が約 2 倍に延長する代償性パターンを示す．心室期外収縮後，逆行性(室房伝導性)P 波(矢印)が認められる．この P 波は洞周期(960 msec)よりも早期に出現するため(900 msec)，洞調律がリセットされ，次の洞調律発生が約倍の 2040 msec に延長している．
B：1 発目の心室期外収縮は次の心周期に影響を与えておらず，間入性のパターンを呈している．また，2 発目の心室期外収縮ではそのうしろに同じ洞周期 960 msec で P 波(矢印)が認められ，心室起源の期外収縮であることが示されている．この P 波は心室に伝導できず，次の QRS 出現のタイミングが遅れ，代償性パターンを示す．

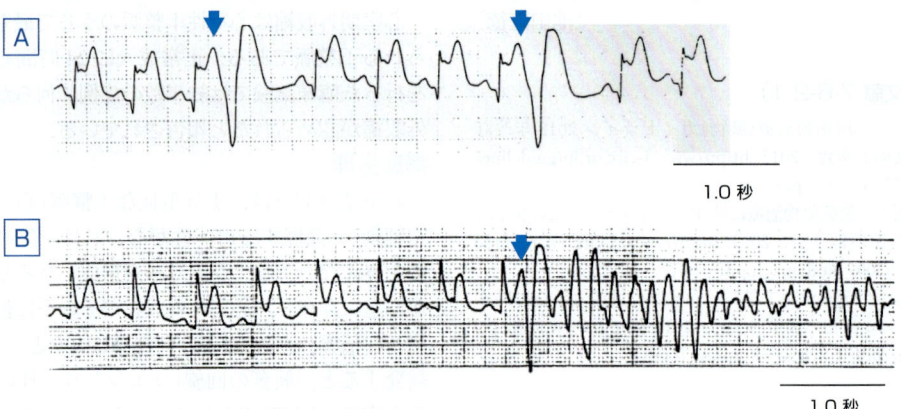

図 7-6-23 R on T 型心室期外収縮の心電図所見
心室期外収縮が先行する T 波のピークから開始するタイプを示す．
A：矢印が心室期外収縮の開始点であり，先行する QRS-T 波と比較すると，T 波のピークに相当することがわかる．
B：R on T 型心室期外収縮(矢印)によって誘発された心室細動．
A, B とも，洞調律中の ST が上昇しており，急性心筋梗塞に合併した現象である．

とが関連すると報告した．しかし，その後の研究結果は必ずしもこれを支持せず，予後の推定にはほかの要因(左室機能など)がより重要であることが示され，Lown 分類は徐々に用いられなくなった．

心室期外収縮は次の心室周期に影響しない間入性と，次の洞調律が抑制またはブロックされて心室期外収縮をはさんだ心室周期が約 2 倍に延長する代償性に分類される(図 7-6-22)．洞調律と心室期外収縮が交互に 1 拍ずつ出現するものを 2 段脈，洞調律 2 拍と心室期外収縮 1 拍のパターンを繰り返すものを 3

表 7-6-4 Vaughan Williams 分類

分類		おもな作用機序	活動電位	Na チャネルとの結合,解離	市販薬
I	a	膜安定化作用 (Na チャネル抑制)	持続時間延長	中間	キニジン ジソピラミド
				遅い	シベンゾリン ピルメノール
	b		持続時間短縮	中間	アプリンジン
				速い	リドカイン メキシレチン
	c		持続時間不変	中間	プロパフェノン
				遅い	フレカイニド ピルジカイニド
II		交感神経β受容体遮断作用			プロプラノロールなど
III		活動電位持続時間延長 (K チャネル抑制)			アミオダロン ソタロール ニフェカラント
IV		Ca チャネル抑制	活動電位持続時間延長		ベプリジル
					ジルチアゼム ベラパミル

段脈という.ただし,これらの分類は重症度とは関係しない.

心室期外収縮が先行する T 波のピークから開始するものは R on T 型心室期外収縮に分類され,高率に心室頻拍,心室細動を誘発する.このような連結期の短い心室期外収縮は急性心筋梗塞に合併することが多く,最も危険性の高いタイプである(図 7-6-23).

臨床症状
1)自覚症状: 訴えは症例によってさまざまである.無症候性のことも多く,健康診断などでたまたま指摘され,専門医を紹介されることがある.医療従事者の不用意な発言により,症候性となった不幸な事例も経験されるので,診療するにあたっては患者を過剰に心配させない配慮も必要である.心室期外収縮による心周期の乱れが血圧の変動,心血管系の伸展を招き,動悸,脈の結滞,胸部不快感,短時間の胸痛,乾性咳嗽などを招来する.心室頻拍合併を示唆する症状【⇨7-6-2-2-b】についても留意する.

2)他覚症状: 心室期外収縮は脈として触知されにくく,脈の結滞が生じる.頻発する場合,特に 2 段脈では心拍数の半分の脈となり,徐脈として自覚される.期外収縮の起源(上室性か心室性か)の鑑別は他覚症状では困難であり,心電図記録によってなされる.

検査所見
診断はほとんどが体表面心電図によって行われる.図 7-6-22 に示すように,洞調律中に予測された時相よりも早期に QRS が出現し,かつ先行する P 波がないこと,QRS 形態が洞調律時と異なる(QRS の幅拡大や軸変化)ことが診断根拠となる.また,逆行性 P 波や伝導しない洞性 P 波の存在も重要な所見である.鑑別診断としては変行伝導を伴う心房期外収縮がある【⇨7-6-2-2-b】.心室期外収縮が 12 誘導心電図記録中に確認されない場合や,長時間での病態を把握したい場合は長時間心電図記録が有用である.

経過・予後
特発性心室期外収縮の予後は良好で,生活習慣の管理(ストレス軽減など)によって自然に消滞することもある.心機能低下,心不全などを有する患者においてリエントリー基盤が存在すると判断されれば突然死の予防を目的とした治療が必要になる.

治療
良性の心室期外収縮に対しては無症候であれば無治療で経過を観察する.症候性の場合は対症療法として抗不整脈薬やカテーテルアブレーションによる抑制をはかる.陳旧性心筋梗塞や心筋症など慢性的な心機能低下患者に合併した心室期外収縮は予後不良を示す要因であるが,抗不整脈薬(特に I 群薬)による心室期外収縮の抑制はむしろ予後を悪化させることが証明されている.一方,急性心筋梗塞などに伴う R on T 型心室期外収縮は心室頻拍,心室細動への移行するリスクが高いため,III 群抗不整脈薬(アミオダロン,ニフェカラント)を用いて積極的に心室期外収縮を抑制せねばならない(図 7-6-23).抗不整脈薬の分類と特徴については表 7-6-4,7-6-5 を参照のこと.

b. 心室頻拍 (ventricular tachycardia)
定義・概念
心室から発生する異常脱分極が 3 回(または 6 回)以上連続し,かつそのレートが 100/分以上のものを

表 7-6-5 Sicillian Gambit 抗不整脈薬分類（抗不整脈薬ガイドライン委員会編：抗不整脈薬ガイドライン，ライフメディコム，2000）

	チャネル						受容体				ポンプ	臨床的作用			心電図にみられる作用		
	Na fast	Na med	Na slow	Ca	K	If	α	β	M2	A1	Na-K ATPase	左室機能	洞レート	心外作用	PR	QRS	JT
リドカイン	●											→	→	●			↓
メキシレチン	●											→	→	●			↓
プロカインアミド		●			●							↓	→	●	↑	↑	↑
ジソピラミド		●			●		●		●			↓	↓	●	↑↓	↑	↑
キニジン		●			●		●					→	↑	●	↑↓	↑	↑
プロパフェノン		●						●				↓	↓	●	↑	↑	→
アプリンジン			●	●	●	●						↓	→	●	↑	↑	→
シベンゾリン			●	●	●				●			↓	↓	●	↑	↑	→
ピルメノール			●		●				●			↓	↓	●	↑	↑	↑→
フレカイニド			●		●							↓	↓	●	↑	↑	→
ピルジカイニド			●									↓→	↓	●	↑	↑	
ベプリジル	●			●	●							?	↓	●	↑		↑
ベラパミル	●			●				●				↓	↓	●	↑		
ジルチアゼム				●								↓	↓	●	↑		
ソタロール					●			●				↓	↓	●	↑		↑
アミオダロン	●			●	●		●	●				→	↓	●	↑		↑
ニフェカラント					●							→	→	●			↑
ナドロール								●				↓	↓	●	↑		
プロプラノロール	●							●				↓	↓	●	↑		
アトロピン									●			→	↑	●			
アデノシン										■		?	↓	●	↑		
ジゴキシン									■		●	↑	↓	●	↑		↓

遮断作用の相対的強さ．●：低，●：中等度，●：高，■：作用薬．

心室頻拍という．心室頻拍は心電図上，QRS 幅の広い連続する心室波形が記録されることで診断される．

分類

1）**心電図所見からの分類**： 心室頻拍は心電図所見により頻拍中の QRS 形態から単型性と多形性に，持続性と非持続性に分類され，これらの組み合わせにより単形性持続性，単形性非持続性，多型性持続性，多形性非持続性の 4 つのタイプに分けられる（図 7-6-24）．頻拍中の QRS 波形が単一なものを単形性心室頻拍，刻一刻と QRS 波形が変化するものを多形性心室頻拍に分類する．持続時間が 30 秒以上のものを持続性，それ未満を非持続性とする．重症度は単形性より多形性が，非持続性より持続性が高い．したがって，単形性非持続性心室頻拍が最も軽症であり，多形性持続性心室頻拍が最も重症ということになる．ただし，多形性持続性心室頻拍はほぼ心室細動と同義であり，分類として用いられることは少ない．非持続性心室頻拍が数拍の洞調律を介して頻繁に繰り返されるものを反復性心室頻拍と呼称することもある．

2）**原因疾患による分類**： 原因疾患は，まったく基礎心疾患がないものから重度の心不全に伴うものまで多岐にわたる．洞調律中の心電図，胸部 X 線写真，心エコー図などで明らかな異常を認めないものは特発性に分類される．何らかの基礎心疾患に起因するものは器質的心室頻拍とよばれる．特発性よりも器質的心室頻拍の方が重症である．心疾患のすべてが心室頻拍の原因となり得るが，心筋梗塞（急性，陳旧性），拡張型心筋症，肥大型心筋症，不整脈源性右室心筋症，心臓サルコイドーシスなどを念頭において原因の検索を行う．

3）**心室頻拍の重症度**： 重症度は心室頻拍の持続時間，QRS 形態，心拍数，基礎心疾患の有無（特に左室駆出率）に依存する．血行動態の破綻を招く心室頻拍の予後は不良である．

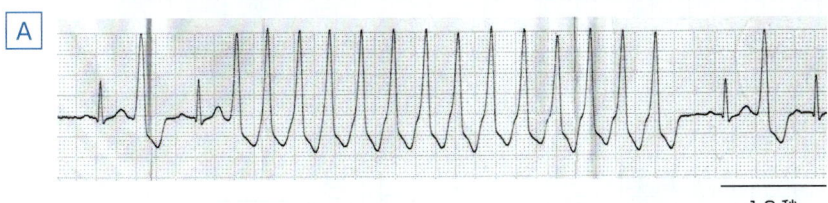
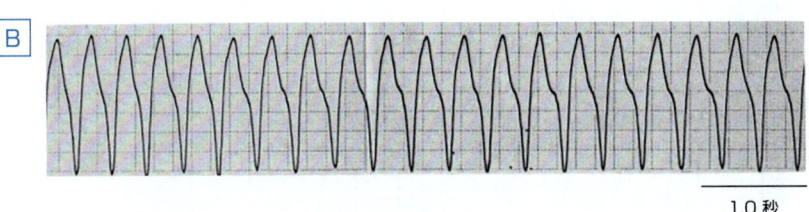
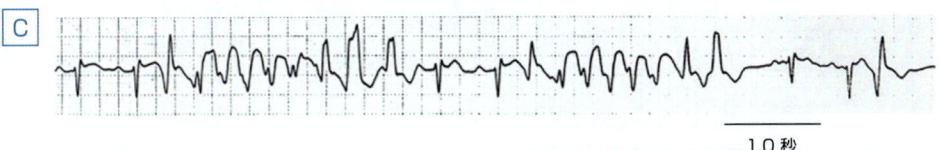

図 7-6-24 心室頻拍 心電図所見からの分類
A：単形性非持続性心室頻拍．頻拍中の QRS 波形が単一であり，30 秒以内に自然停止している．同形の心室期外収縮も認められる．
B：単形性持続性心室頻拍．頻拍中の QRS 波形が単一であり，30 秒以上持続している．
C：多形性非持続性心室頻拍．頻拍中の QRS は刻一刻と変化，10 連発程度で自然停止している．このような頻拍が持続すると心室細動との鑑別が困難となる．

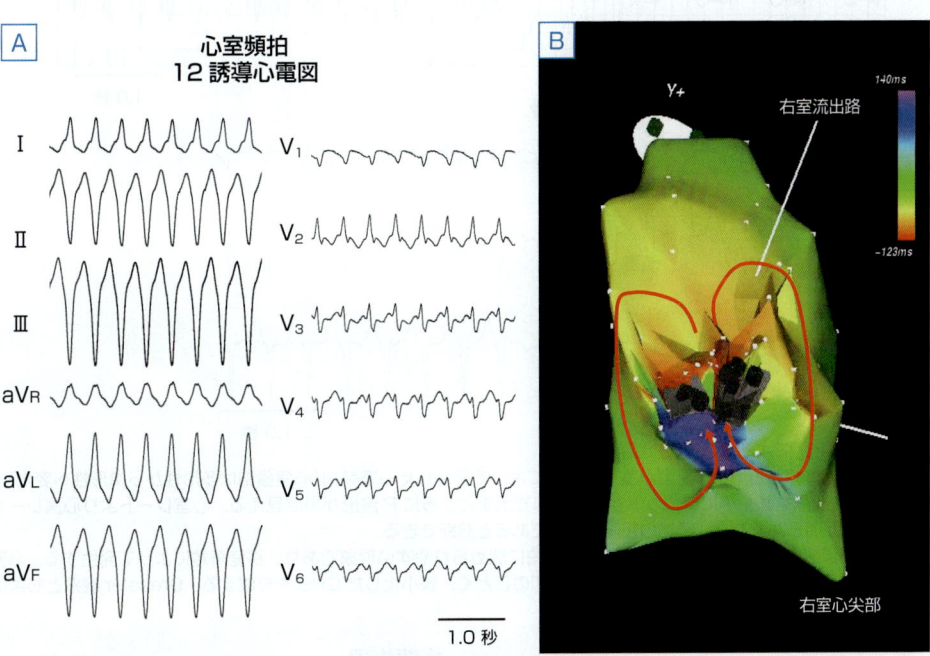

図 7-6-25 単形性持続性心室頻拍におけるリエントリー回路の回旋パターン
A：不整脈源性右室心筋症にて記録された心室頻拍時の 12 誘導心電図（左）と頻拍中に記録された心室の伝導パターンを示す．心電図では自然停止しない持続性心室頻拍を示し，発生機序としてリエントリーが示唆される．
B：3D マッピングシステムを用いて心室頻拍中に描かれた伝導パターン．右室下壁自由壁に灰色で示す 2 つの瘢痕が存在し，その間に存在する心筋を中心にして，赤→黄→緑→青の順で 8 の字型に回旋する経路（赤い曲線で示す回路）が再現されている．瘢痕の間にはさまれた心筋にリエントリーの温床となる伝導遅延部位が存在している．このように頻拍回路が一定のパターンを取ると，心室頻拍は単形性を示す．

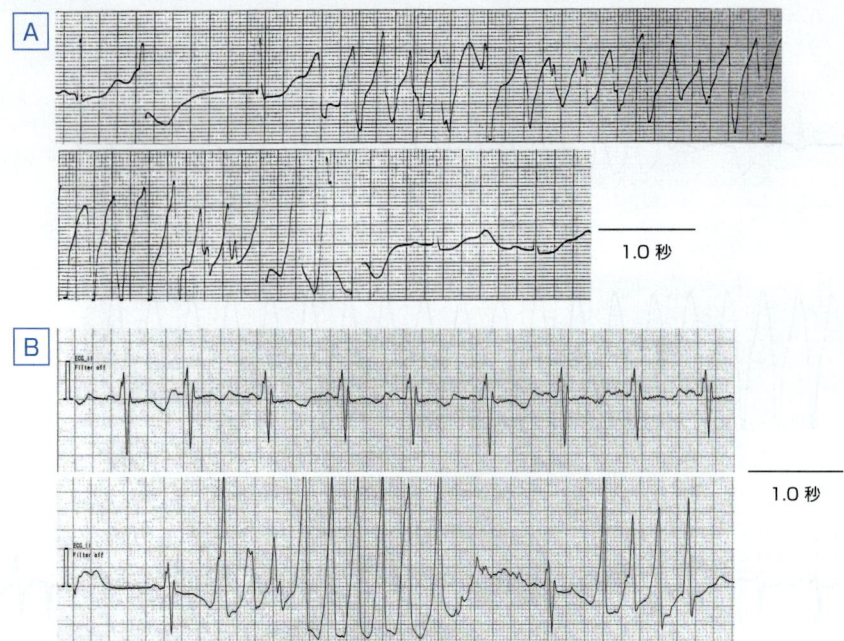

図 7-6-26 QT 延長に伴う多形性心室頻拍 torsade de pointes
多形性心室頻拍のなかでも QT 延長に伴い発生するものを torsade de pointe と称し，ほかの心室頻拍と区別することが多い．先天性，後天性問わず，過剰な QT の延長は共通して torsade de pointes を誘発する可能性がある．A は先天性 QT 延長症候群に，B は Ⅲ 群抗不整脈薬によって発生した後天性 QT 延長症候群に起因する torsade de pointes．いずれも自然停止しているが，ときに持続し，心室細動へ発展し，突然死の原因となる．

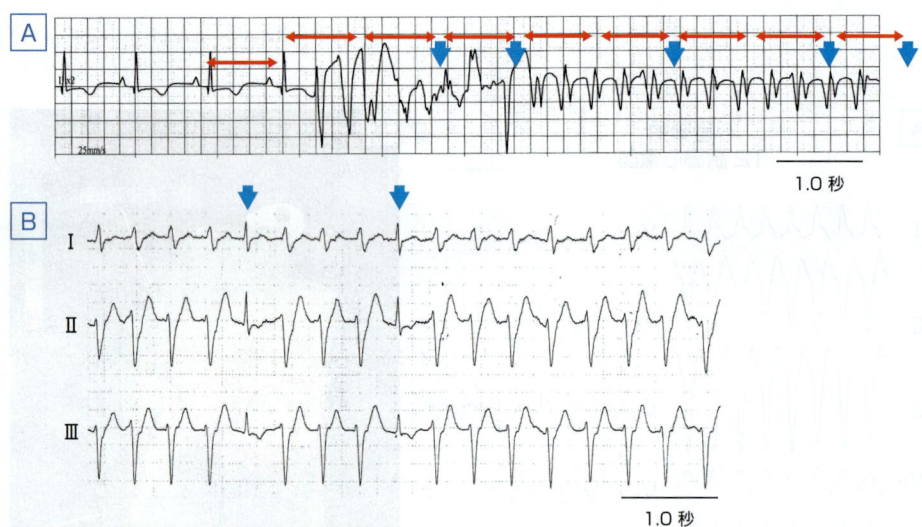

図 7-6-27 心電図所見による心室頻拍の確定診断
A：房室解離現象．洞調律から R on T 型心室期外収縮によって発生した心室頻拍（心室頻拍は多形性から単形性へ変化）を示す．洞調律時の P-P 間隔を頻拍中にプロットすると矢印で示すところに P 波形が垣間見える．心室レートより心房レートの方が遅く，房室解離が明らかであり，頻拍の起源は心室であると診断できる．
B：心室頻拍中の心房補足現象．比較的レートの遅い頻拍に認められやすい現象であり，房室解離によって発生する．心室頻拍中にタイミングよく出た洞調律が心室へと伝導し，矢印のごとく，狭小化した QRS を形成する．Dressler 現象ともよばれる．

疫学

わが国では欧米に比して心室頻拍の発生頻度は低いといわれている．これはおもに心筋梗塞に起因する心室頻拍がわが国では少ないことが原因であり，相対的に特発性や非虚血性心筋症による心室頻拍の割合が高くなっている．

病態生理

持続性心室頻拍はリエントリーに，非持続性心室頻拍はリエントリー以外（非リエントリー性：異常自動能または撃発活動）を機序とすることが多い．リエントリー性心室頻拍では心室筋の線維化，脂肪変性，虚血などの障害が伝導遅延部位（多くはジグザグに伝導

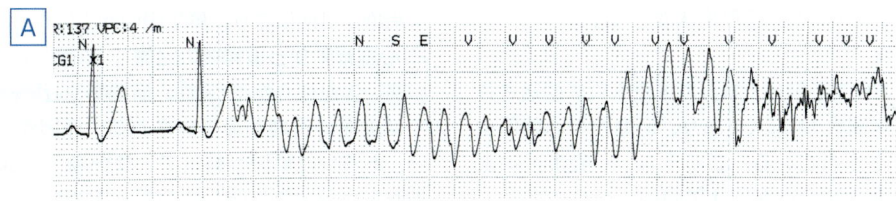
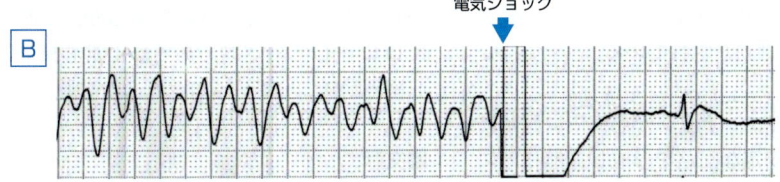

図 7-6-28 心室細動の心電図
A：洞調律から心室細動が出現している．QRS や T 波の判別が不可能で速い無秩序な心室興奮波が観察される．
B：電気ショック（矢印）にて心室細動が停止し，洞調律が回復している．

する部位）を形成し，頻拍回路の温床となる．リエントリー回路が安定していれば単形性に，回路が不安定（迷走するような伝導）であれば多形性になる（図7-6-25）．QT延長に起因する多形性心室頻拍は特殊な病態を呈するため，torsade de pointes（極性のねじれという意）として区別される（図7-6-26）．

臨床症状

1）自覚症状： 動悸，全身倦怠感，眼前暗黒間，失神などを訴える．症状の強さは頻拍時の血行動態と関連し，頻拍レート，持続時間，左室機能が要因となる．したがって，数連発でレートが150/分以下の場合は無自覚のこともある．

2）他覚症状： 頻拍発作時は血圧低下，冷汗，顔面蒼白などが観察される．血行動態の破綻（ショックバイタル，意識レベル低下，無脈など）は重篤な兆候である．

検査所見

心室頻拍中の体表面心電図では 120 msec 以上の幅広い QRS が連続する頻拍が記録される．上室頻拍の変行伝導との鑑別診断が必要であり，体表面心電図にて房室解離現象（心室のレートが心房よりも速い）や心房補足現象があれば心室頻拍と診断できる（図7-6-27）．12 誘導心電図，胸部 X 線写真，心エコー図，カテーテル検査による心筋症（拡張型心筋症，肥大型心筋症，不整脈源性右室心筋症）や心筋梗塞などの原疾患の検索が重要である．伝導遅延部位の存在は体表面加算平均心電図での遅延電位によって同定される．電気生理検査では伝導遅延を示す異常電位の記録や心室頻拍の誘発が試みられ，心室頻拍中の確定診断（房室解離の確認），心室頻拍の発生機序や起源の同定が行われる．

経過・予後

心室頻拍時の心拍数，持続時間，心機能（原疾患）などにより臨床経過や予後は大きく異なる．心機能低下患者に合併した心室頻拍は血行動態の破綻，延いては心室細動を招来し，突然死へ至る可能性がある．

治療

1）発作時の治療： 頻拍時の血行動態が破綻している無脈性心室頻拍では心肺蘇生と体外式電気ショックを行う．心室頻拍が持続していても血行動態が安定している場合や自然停止する心室頻拍が繰り返している場合は静脈点滴ラインを確保し，抗不整脈薬（心機能低下例ではⅢ群薬，正常例ではⅠまたはⅢ群薬）静注での停止をはかる．torsade de pointes では QT を延長させるⅢ群，Ia 群薬は禁忌である．

2）発作停止後の治療： 基礎心疾患を有する場合はその原因に対する治療（急性心筋梗塞に対する再灌流療法など）を優先する．原因が除去できず，突然死リスクが高いと判断された場合は，植込み型除細動器（implantable cardioverter-defibrillator：ICD）を適応し，生命予後の改善をはかる（e図7-6-H）．ただし，ICD は心室頻拍の発生を予防できないため，抗不整脈薬内服やカテーテルアブレーションが併用されることもある．

生命予後が良好な特発性心室頻拍に対しては ICD の適応にはならない．症状を改善させるための治療（カテーテルアブレーションなど）が行われるが，無自覚で突然死リスクのない患者では無治療で経過を観察する場合もある．心室頻拍の各論はeコラム1を参照．

c. 心室細動（ventricular fibrillation）

定義・概念

最も重篤な不整脈であり，きわめて頻度の高い不規則（chaotic）な心室の電気活動と定義される．心電図では図7-6-28のように QRS や T 波の判別が不可能であり，電気的な活動は記録されるが，機械的なポン

プ機能は完全に失われ，心停止状態となる．

疫学
わが国において心肺停止状況で医療施設に搬送される患者数は年間約 11 万人であり，心原性の心肺停止が 6 万人弱とされている．このうち，一般市民による心肺停止発生時の目撃例は年間約 2 万件であり，これがもっとも厳密な意味での心臓突然死発生件数であろう．Holter 心電図を用いた研究によると心臓突然死の 70 % 程度が心室細動とされている．

病態生理
心室細動は複数個のリエントリーが心室内に同時に存在し，それぞれが不安定な回路を形成し，無秩序に回旋する．心拍出量は失われ，心室筋への血流も途絶えるため状況は悪化の一途をたどり，自然停止することは少ない．数秒で失神し，10 分以上放置されると死に至る．

心室頻拍と同様に原因は多岐にわたる．特に急性心筋梗塞や冠攣縮性狭心症など，広範囲で重篤な心筋虚血が原因になることが多い．一方，まったく正常な心機能に心室細動が合併するという極端な病態 (Brugada 症候群や特発性心室細動) も存在する【⇨7-4-3】(ⓔコラム 2)．

臨床症状
幸いに自然停止すれば失神のみで回復するが，多くは心肺停止，突然死に至る．急性心筋梗塞に伴う場合は意識消失の前に激しい胸痛を訴える．わが国に多い Brugada 症候群に合併した心室細動では夜間睡眠中にうめき声を上げて失神するのが特徴とされる．

検査所見
心室細動中は 図 7-6-28 に示すように，QRS や T 波の判別が不可能で速い無秩序な心室興奮波が観察される．心室頻拍から始まったものが心室細動に変貌することもある．心室細動から生還した場合はその原因を検索する．明らかな心疾患が認められない場合は冠攣縮性狭心症，Brugada 症候群，特発性心室細動などを念頭に入れて検査を行う．

経過・予後
心室細動発生後，生存率は 1 分ごとに 10 % 低下するとされており，治療が施されないまま心室細動が 10 分以上続けば，きわめて厳しい状況に陥る．現在，わが国において一般市民に目撃された心肺停止患者の生存率 (1 カ月後) は 10 %，社会復帰率は 6 % である．また，突然死から生還した後の生命予後は，左室機能に大きく依存している．

治療
1) **発作時の治療**： 一刻も早く体外式電気ショックによる除細動を行う (図 7-6-28)．最近では心肺停止の目撃者 (一般市民) が自動体外式除細動器 (automated external defibrillator：AED) を用いて行う電気ショック治療が可能になり，蘇生率の向上に寄与している．

2) **心室細動から復帰後の治療**： 原因として最も頻度の高い虚血性心疾患 (急性心筋梗塞や冠攣縮性狭心症) では虚血の管理が最優先される．原因が除去できない，あるいは原因が特定できない場合は ICD 植込み術が生命予後を改善させる唯一の方法である．β 遮断薬やⅢ群抗不整脈薬 (アミオダロンなど) の抗不整脈薬の有効性を示す臨床試験もあるが，これらの効果は ICD に比して限定的である．正常心機能に合併する心室細動についてはⓔコラム 2 を参照． 〔栗田隆志〕

■文献
小林洋一：心室頻拍，Torsade de pointes (TdP)，心室細動. 内科学書 3 循環器疾患 (小川 聡，藤田敏郎編)，pp137-47, 中山書店，2013.

大江 透：心室性不整脈. 不整脈 ベッドサイドから非薬物治療まで，pp313-424, 医学書院，2007.

3) 徐脈性不整脈
bradyarrhythmia

(1) 洞機能不全
定義・概念
洞機能不全症候群 (洞不全症候群，sick sinus syndrome) とは，洞結節の機能障害や洞結節から心房への興奮伝播障害による徐脈性不整脈の総称であり，著しい洞性徐脈，洞停止，洞房ブロックおよび発作性心房粗細動，心房頻拍などの徐脈と頻脈を合併する病態が含まれる．

1967 年，Lown は心房細動に対する電気的除細動後，心電図上 P 波が多様な変化を示したり，出現せず，結果として正常の洞調律が維持されない症例に対して "sick sinus" という用語をはじめて用い (Lown, 1967)，その後，Ferrer が洞結節とその周囲組織の傷害およびそれに関連した種々の不整脈をまとめて洞不全症候群と呼称した (Ferrer, 1973)．

分類
1) **原因と経過からの分類**： ①特発性 (原因不明) または二次性，あるいは②機能的 (一過性) または器質的 (慢性)．

2) **心電図からの分類** (Runbenstein の分類[1])： 本分類は疾患の病態生理や重症度と必ずしも一致しないが簡便であり，現在においてもしばしば用いられる．下記の 3 群に分類される．

① Ⅰ群：洞性徐脈 (図 7-6-29A)．原因不明の 50 拍/分未満の洞徐脈．

② Ⅱ群：洞停止 (図 7-6-29B) または洞房ブロック

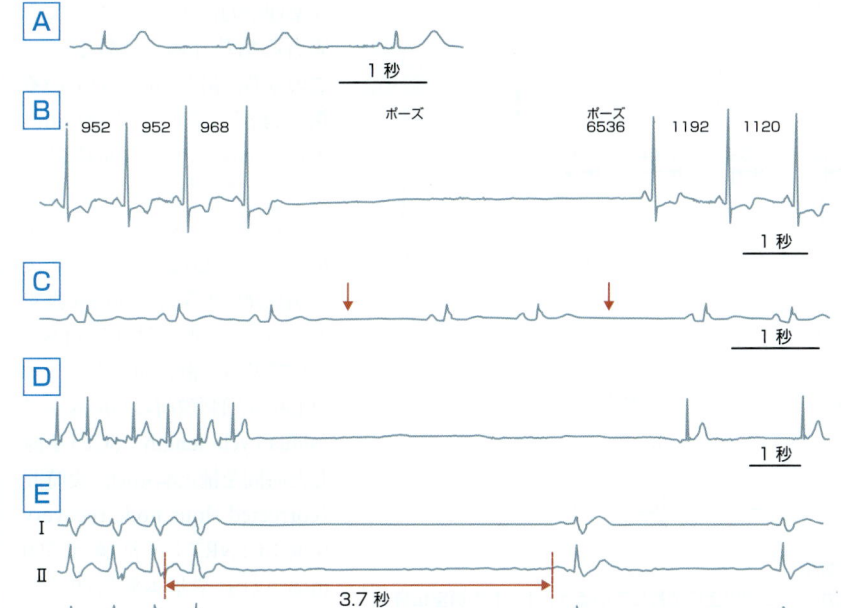

図 7-6-29 洞機能不全症候群の心電図
A：洞性徐脈（洞頻度 36/分）.
B：洞停止. 突然 6.5 秒の洞停止を認める.
C：洞房ブロック. 突然の P 波の脱落を認める（矢印）. 脱落前後の P-P 間隔は, 脱落直前の P-P 間隔の約 2 倍である.
D：徐脈頻脈症候群. 心房細動の停止後に洞停止を認める.
E：洞機能不全症候群における心房頻回刺激法（overdrive suppression test）. 150/分の高位右房頻回刺激後に洞停止が生じ, 3.7 秒後に洞調律が復帰している.

（図 7-6-29C）. 洞停止は洞結節自動能の停止状態. 突然 P 波が欠損し, 房室接合部補充調律を伴うこともある. 洞房ブロックは洞結節の刺激は停止していないが, 洞結節から心房への興奮伝播が障害されている状態.
③Ⅲ群：徐脈頻脈症候群（図 7-6-29D）. 発作性心房粗動, 心房細動, 心房頻拍, 発作性上室頻拍の上室性不整脈の停止時に出現する洞興奮の回復遅延に伴う著明な洞停止.

原因・病因
特発性のものが多いが, 次のようなものに由来して生じる二次的な場合がある[2]. ①一過性：副交感神経緊張状態, 薬物（ジギタリス製剤, Ca 拮抗薬, β遮断薬, 抗不整脈薬など）, 電解質異常（高カリウム血症）, 内分泌異常, 脳圧亢進, 低体温, 低酸素など, ②慢性：虚血性心疾患, 高血圧, 心筋症, アミロイドーシス, ヘモクロマトーシス, サルコイドーシス, 心膜炎, 心筋炎, 膠原病, 特発性線維性変性, 筋ジストロフィー, Friedreich 運動失調症, 外科手術時の機械的圧迫など. 一過性の因子が慢性の洞機能不全を悪化させている場合も多く, 両者の鑑別が難しいことがある. 本症候群の洞結節病変として病理学的に洞結節細胞数の減少, 膠原線維の増生, 脂肪浸潤が報告されている.

疫学
特発性のものでは加齢が重要な因子で, 年齢とともに洞不全例数は指数関数的に増加する. 60～70 歳代の罹患が最も多く, 男女差はない. 家族内発症はまれで 2% 以下とされている. 若年者での発症には遺伝的要因が大きく, 現在, *SCN5A*, *HCN4*, *ANK2* が洞不全と関連すると報告されている[3].

臨床症状
徐脈に伴う自覚症状としては一過性脳虚血によるめまい, 失神（Adams-Stokes 発作）, 眼前暗黒感, 痙攣などの脳虚血症状, および心拍出量低下による全身倦怠感, 息切れなどの心不全症状がある. 脳虚血症状は洞房ブロックや洞停止の場合に多く, 心不全症状は持続性徐脈が原因の場合が多い. 徐脈頻脈症候群では, 頻拍による動悸が停止した後に脳虚血症状を訴えるのが特徴的である. 洞不全症候群の合併症として塞栓症がありこの塞栓による症状が初発であることもある.

診断
1）12 誘導心電図・Holter 心電図・イベントレコーダー：安静 12 誘導心電図にて Ⅰ 群は 50/分以下の持続性洞徐脈, Ⅱ 群の洞停止は PP 間隔が基本調律の PP 間隔の 150% 以上に突然延長した場合に, そして洞房ブロックは PP 間隔が基本調律の PP 間隔の整数倍に延長する場合に疑われる. ただし, 体表面心電図から洞結節の電位そのものを知ることはできないので洞停止との鑑別は困難である. Ⅲ 群の徐脈頻脈症候群の頻脈としては心房細動の合併が最も多く, 治療に抗不整脈薬を開始したところ顕在化することがしばしば

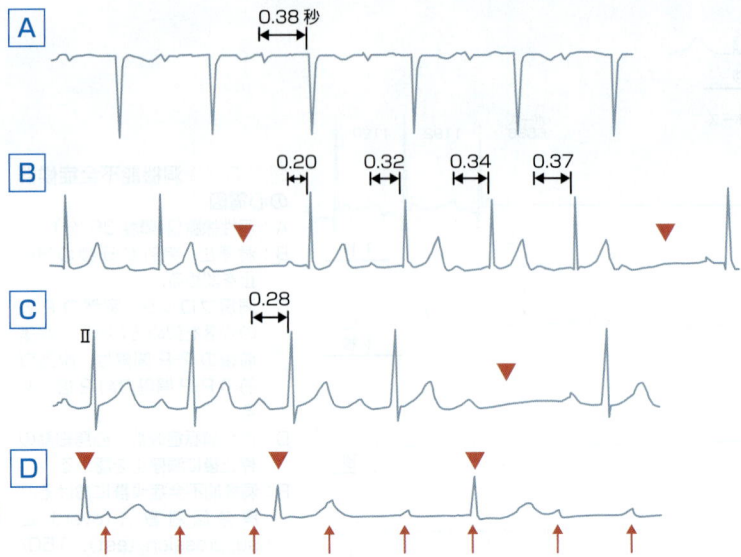

図 7-6-30 房室ブロックの心電図①
A：第1度房室ブロック．PQ時間が0.38秒以上に延長しているが，1：1の房室伝導は保たれている．
B：第2度房室ブロック(Wenckebach型)．PR間隔が徐々に延長した後にQRS波が脱落している(矢頭)．
C：第2度房室ブロック(MobitzⅡ型)．PR時間が一定のまま突然QRS波が脱落している(矢頭)．
D：第3度房室ブロック．心房から心室への興奮伝導が完全に途絶して，P波(100/分；矢印)とQRS波(38/分；矢頭)は互いに独立した周期で出現している．心室興奮はQRS幅が狭く，接合部より発生する補充調律である．

④薬理学的自律神経遮断による固有心拍数評価，がある[4,5]．このうち，最も用いられている指標は洞結節回復時間(sinus node recovery time：SNRT)である(図7-6-29E)．心房頻回刺激(overdrive suppression test)にて，心房ペーシング後の洞調律回復までの時間を表すもので，正常値は1500 msec以内である．洞結節回復時間より心房頻回刺激前の心房周期長(sinus cycle length：SCL)を減じた時間を補正洞結節回復時間(corrected sinus node recovery time：CSNRT；正常値は550 msec以内)や基本洞周期で除したもの(SNRT/SCL(%)，正常値は150%以内)も指標として用いられる．

治療

1)増悪因子(機能的因子)の治療： 一過性の因子(心筋虚血，薬剤，高カリウム血症など)が洞不全の原因となっている場合は，これらの因子の除去を行う．また慢性の洞不全症候群患者でも上記の一過性因子で増悪するため，できるだけ原因を同定し，除去することが重要である．

2)薬物治療： 徐脈に対して，洞機能回復あるいは補充調律レートの増加を目的として交感神経作動薬や副交感神経遮断薬が使用される．しかし，ペースメーカ治療に比べてその効果は不確実であるので，効果不十分の場合は速やかに一時ペーシングを使用すべきである．薬物としては，イソプロテレノールの持続点滴静注や硫酸アトロピンの静注を行う．慢性投与にはアトロピン，硫酸オルシプレナリンの経口投与がある．また，抗徐脈作用があるシロスタゾールを使用することもある．徐脈頻脈症候群の場合は，徐脈に対してペースメーカ治療を行ったうえで，頻脈に対する治療を行うのが原則である．

3)ペースメーカ治療： 原因の根本的解決が困難であり，また，使用薬剤が不可欠であり，徐脈と症状との関係が証明されれば，ペースメーカ植え込みが治療の第一選択である．

後述の表7-6-7に日本循環器学会のペースメーカ適応のガイドラインを示す[6]．

4)塞栓予防： 洞不全症候群のうち，徐脈頻脈症候群は塞栓を合併しやすい．この場合は心房細動と同じ基準で抗凝固療法を行う．

経験される．

Ⅰ群は安静心電図でも診断は可能である．徐脈を認めた場合，それが病的か否かを検討する．たとえば，夜間入眠中のみの徐脈や，安静時は徐脈(特にマラソンランナーなどのスポーツ選手)であっても労作で速やかに心拍数の上昇を認める場合には洞不全症候群と診断できない．また，薬物の影響や神経調節性失神，状況失神などを疑うエピソードに注意し，これらの関与を除外することも必要である．Ⅱ群，Ⅲ群の場合には安静心電図では検出できないことも多く，Holter心電図やイベントレコーダーが有用な場合がある．特に洞停止は夜間に認められることが多いため，日中の心電図記録よりもHolter心電図が有用である．頻回に失神を繰り返す症例で診断が確定できない場合，植え込み型ループレコーダーではじめて診断が確定される場合がある．また，神経調節性失神の除外にはhead-up tilt testが有用である．

2)電気生理学的検査： 症状から洞機能不全が疑われるが，非侵襲的検査にて徐脈と症状との因果関係が証明できない場合に電気生理学的検査の適応となる[4]．洞機能不全の診断および重症度・タイプの評価，および最適なペースメーカ部位とペーシングモードの決定が検査の目的である．洞機能評価の指標には，①洞結節回復時間，②洞房伝導時間，③洞結節有効不応期，

〔多田 浩〕

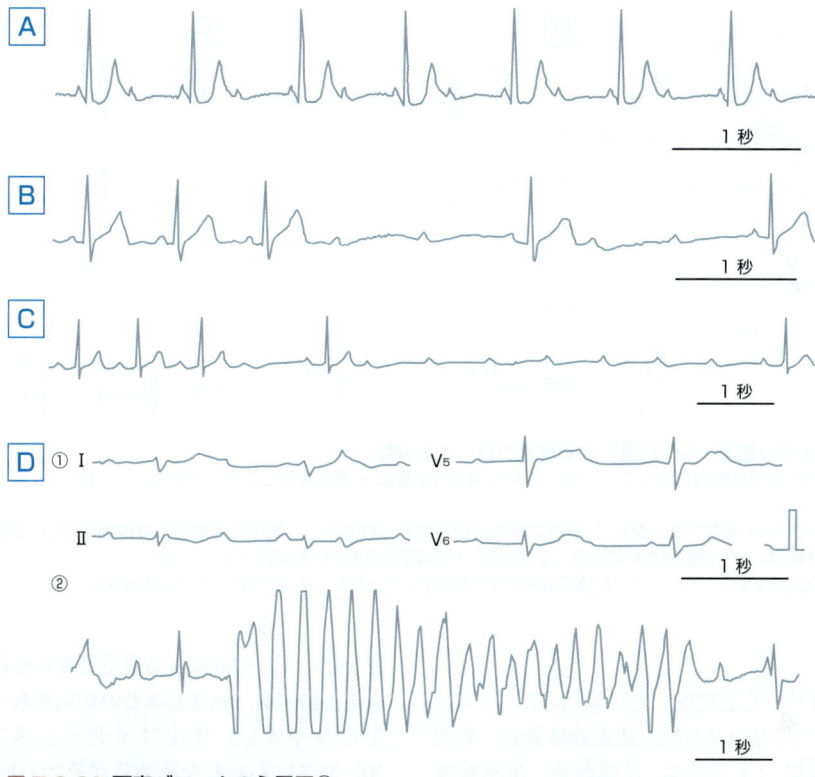

図 7-6-31 房室ブロックの心電図②
A：2：1 房室ブロック．
B：3：1 房室ブロック．第 4 拍目より QRS 波が脱落し，3：1 房室ブロックとなっている．
C：発作性房室ブロック．第 4 拍目に QRS 波が脱落，その次の心拍で房室伝導がいったん回復したが，その後の 7 拍は QRS 波が脱落している．
D：完全房室ブロックを呈したサルコイドーシス症例に出現した torsades des pointes (TdP)．①第 3 度房室ブロック．P 波は 96/分，QRS 波は 38 拍/分で互いに独立した周期で出現している．QT 時間の著明な延長を認める($QTc = 576$ $msec^{1/2}$)．②失神に一致して TdP を認めた．一時ペーシング(90 拍/分)後は TdP と失神発作は消失し，最終的に DDD 型ペースメーカを植え込んだ．

■文献（e文献 7-6-3-1）

Ferrer MI: The sick sinus syndrome. *Circulation*. 1973; **47**: 635-41.
Lown B: Electrical reversion of cardiac arrhythmias. *Br Heart J*. 1967; **29**: 469-89.

(2) 房室ブロック（atrioventricular block）

定義・概念

房室ブロックは心房から心室への興奮伝導が遅延または途絶した病態のことである．したがって，房室伝導系(房室接合部，His 束，脚，Purkinje 線維)の器質的障害によるものばかりでなく，副交感神経活動の過剰状態による機能的障害も含まれる．症状は心室拍数に依存する．ブロックにより心室拍数が減少し，身体活動に見合う心拍数増加が失われると心不全症状をきたし，長い心停止が発生すれば失神などの脳虚血症状(Adams-Stokes 発作)が出現する．また，徐脈による QT 時間の延長から，torsades de pointes (TdP) が発生することもある．

分類

1) **原因と経過からの分類**：①急性または慢性，②機能的(一過性)または器質的，③特発性(孤発性)または二次性．

2) **伝導障害の程度とパターンによる分類**：洞調律時の心電図で第 1 度(図 7-6-30A)，第 2 度(図 7-6-30B,C)，第 3 度房室ブロック(図 7-6-30D)に分類する．さらに房室伝導比が 2：1 の場合には 2：1 ブロック(図 7-6-31A)，伝導比が 2：1 ブロックよりも不良な場合には高度房室ブロックに分類される(図 7-6-31B)．また，発作性に高度あるいは完全房室ブロックを呈し，Adams-Stokes 発作をきたす病態があり，発作性房室ブロックとよばれる(図 7-6-31C)．

3) **伝導障害の部位による分類**：His 束心電図で診断された障害部位または伝導遅延部位に基づいて①房室結節内ブロック(A-H ブロック：図 7-6-32A)，②His 束内ブロック(H-H′ブロック：図 7-6-32B)，③ His 束下ブロック(H-V ブロック：図 7-6-32C)，に分類する．

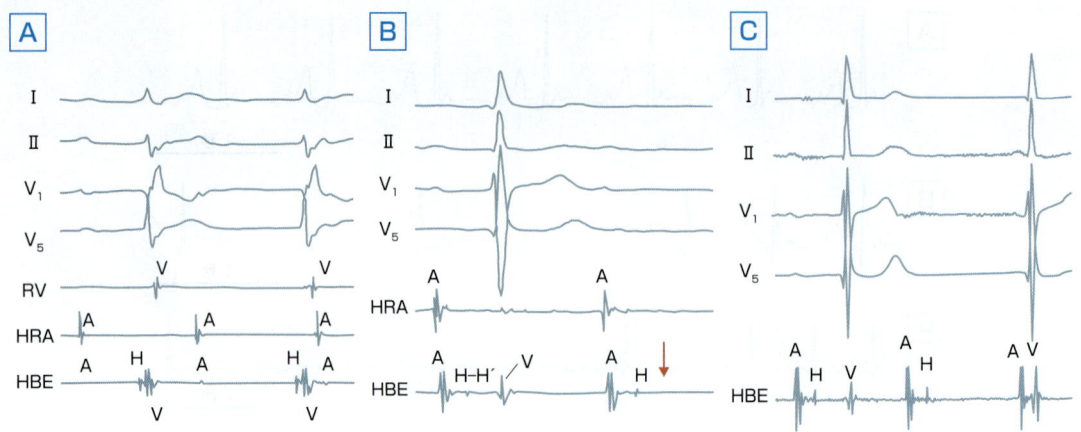

図 7-6-32 His 束心電図(HBE)記録による房室ブロックの分類
A：A-H ブロック(房室結節内ブロック)．HBE の His 波(H)は常に V 波に先行して認められるが A 波は His 波と無関係に出現している．
B：H-H′ ブロック(His 束内ブロック)．1 拍目は房室伝導が認められるが，2 拍目には房室伝導は認めない．HBE では 1 拍目に分裂した His(H, H′)が記録されている．2 拍目は H 波は認めるが H′ 波は認めない(矢印)．
C：H-V ブロック(His 束下ブロック)．A 波には常に H 波が伴っているが，V 波の前に H 波は認めない．

原因・病因

1) **急性(一過性)**： 心筋虚血，心筋炎(ジフテリア，ウイルス性)，急性リウマチ熱，迷走神経緊張，薬剤(ジギタリス製剤，Ca 拮抗薬，β 遮断薬，抗不整脈薬，カルバマゼピン)．

2) **慢性(恒久性)**： 特発性(変性)，心筋症，筋ジストロフィ(筋緊張性，肢帯型，Emery-Dreifuss 型)，慢性虚血性心疾患，石灰化弁，高血圧，浸潤(サルコイドーシス，ヘモジデローシス，アミロイドーシスなど)，ミトコンドリア病(Kearns-Sayne 症候群)，外傷(心臓手術後，カテーテルアブレーション後)，先天性心疾患(修正大血管転位，心内膜床欠損症)，先天性など．このうち特発性(変性)が最も多い．

疫学

急性心筋梗塞では全体で 7%，そのうち下壁梗塞では約 10%，前壁梗塞では約 3% において房室ブロックを合併すると報告されている[1]．下壁梗塞に伴う房室ブロックは大部分が房室結節内のブロックであり，一過性で 24 時間～7 日以内に軽快することが多い．一方，前壁梗塞に合併するものは中隔領域の広範な梗塞を伴い，His 束以下のブロックであることが多い．

急性心筋梗塞で一過性房室ブロックを生じた症例のうち約 5% が慢性房室ブロックに移行することが報告されている．また，急性リウマチ熱では 5.6% に一過性房室ブロックが認められるとされているが，多くは第 1 度房室ブロックで高度房室ブロックはまれである．

慢性の房室ブロックに関して，Harris らは解剖例の検討で刺激伝導系における原因不明の線維化と硬化変性が慢性房室ブロックの約 50% であったと報告している(Harris ら，1969)．これらの変性は冠動脈病変を伴わず，加齢による変化と考えられているが，高血圧，糖尿病，肺心症などの病気をもっている場合に起こりやすい．サルコイドーシスでは剖検例の 20～25% に心病変を認めるがその心病変は心室中隔に認められることが多いので，房室ブロックがサルコイドーシスの初発症状となる場合がある[2]．修正大血管転位症では房室間伝導路が肺動脈弁の前方に迂回し，発育不全や障害をきたしやすいため，高頻度に進行性の房室ブロックをきたす．先天性完全房室ブロックでは全身性エリテマトーデス，Sjögren 症候群などといった母体の自己免疫疾患が背景にあり，SS-A/Ro あるいは SS-B/La に対する自己抗体が約半数に検出されたと報告されている[3]．また，薬剤性房室ブロックにおいては単に薬剤の作用に起因するのではなく，潜在的な房室伝導障害の存在が示唆されており(Zeltser ら，2004)，約半数の症例でペースメーカ植え込みが必要であったとの報告がある[4]．

臨床症状

房室ブロックの症状は，失神，全身倦怠感，息切れである．めまい，失神などの脳虚血症状は発作性房室ブロックまたは TdP(QT 延長を伴う多形性心室頻拍)(図 7-6-31D)によることが多い[5]．一方，全身倦怠感・息切れなどの心不全症状は，第 3 度房室ブロックによる徐脈の場合が多い．第 3 度房室ブロックの身体所見として，頸動脈(左室収縮に対応)と頸静脈(右房収縮に対応)が別々に拍動し cannon 波を認めることがある．また I 音の強さが一定でないことも特徴である．

診断

1) **心電図**：

a) 第 1 度房室ブロック：心電図上 PQ 時間が 0.21

秒以上に延長しているが，1：1の房室伝導は保たれている．

　b）第2度房室ブロック：心房から心室への伝導がときどき途絶するもので，心電図上はP波に続くQRS波が間欠的に脱落する．このうちPR間隔が徐々に延長した後にQRS波が脱落するタイプをWenckebach型，PR時間が一定のままで突然QRS波が脱落するタイプをMobitz II型に分類する．

　c）第3度房室ブロック：心房から心室への興奮の伝導が完全に途絶して，P波とQRS波は互いに独立した周期で出現する．心室興奮は接合部またはPurkinje線維から発生する補充調律である．第3度房室ブロックで注意すべきことは，TdPの出現である．また，慢性心房細動症例で第3度房室ブロックとなった場合は，心拍は規則的な遅い補充調律からなる．

2）**電気生理学的検査**：　失神，めまいなどの原因として房室ブロックが疑われるものの因果関係が不明な場合，あるいは房室ブロックでペースメーカ植え込みがなされた症例で，その後も失神，めまいなどの症状があり，その原因としてほかの不整脈が疑われる場合が検査の適応となる[6]．

　房室ブロック部位の同定は，房室ブロック時のHis束心電図の記録で行う．ブロック部位よりA-Hブロック，H-H'ブロック，H-Vブロックの3つに分類する．H-H'ブロック，H-Vブロックはペースメーカ植え込みの適応となることが多い．

　Wenckebach型第2度房室ブロックは房室結節内の伝導障害による場合が多く，QRS幅が正常であれば，90％がA-Hブロックであり，Mobitz II型第2度房室ブロックはHis束以下の伝導障害（H-H'ブロック，H-Vブロック）であると報告されている[7]．補充収縮のQRS幅が細い場合，その起源はHis束，あるいは房室結節であり，逆に幅が広い場合の起源はHis束よりも下位の刺激伝導系である．また，2度以上の房室ブロックを呈する症例で元来のQRS幅が広い場合，その多くはH-Vブロックであり，脚を含めた房室伝導系の広範囲の障害が示唆される[7]．

3）**運動負荷・薬剤負荷試験**：　機能的な房室伝導の低下（運動選手など），あるいはA-Hブロックの場合は運動やアトロピン負荷によって伝導能が改善する．一方，His束以下の伝導障害の場合は，洞調律の頻度が増すほど伝導障害が生じやすいため，運動やアトロピン負荷によって房室ブロックが悪化することが多い．

治療

　一過性の場合は原因疾患の治療が最も重要であるが，徐脈による症状や突然死の危険性がある場合は房室伝導が回復するまで体外式ペースメーカを挿入する．慢性の場合は，薬剤などの明らかな原因がない場合，徐脈による症状，ブロックの部位・程度，およびブロックが進行する危険性などを総合的に診断して治療を行う．徐脈による症状を呈する場合はペースメーカ植え込みの適応となる（表7-6-6）[8]が，何らかの理由でペースメーカ植え込みができない場合，補足的な手段としてイソプロテレノールの持続点滴静注や硫酸アトロピンの静注を行う．慢性投与にはアトロピン，硫酸オルシプレナリンの経口投与があるがペースメーカに比べ効果は不確実である．

〔矛田　浩〕

■**文献**（e文献 7-6-3-2）

Harris A, Davies M, et al: Aetiology of chronic heart block. A clinico-pathological correlation in 65 cases. *Br Heart J*. 1969; 31: 206-18.

Zeltser D, Justo D, et al: Drug-induced atrioventricular block: prognosis after discontinuation of the culprit drug. *J Am Coll Cardiol*. 2004; 44: 105-8.

表 7-6-6　房室ブロックにおけるペースメーカ植え込みのガイドライン（文献2より改変）

Class I：
1. 徐脈による明らかな臨床症状を有する第2度，高度または第3度房室ブロック
2. 高度または第3度房室ブロックで以下のいずれかを伴う場合
   (1) 投与不可欠な薬剤によるもの
   (2) 改善の予測が不可能な術後房室ブロック
   (3) 房室接合部のカテーテルアブレーション後
   (4) 進行性の神経筋疾患に伴う房室ブロック
   (5) 覚醒時に著明な徐脈や長時間の心室停止を示すもの

Class IIa：
1. 症状のない持続性の第3度房室ブロック
2. 症状のない第2度または高度房室ブロックで，以下のいずれかを伴う場合
   (1) ブロック部位がHis束内またはHis束下のもの
   (2) 徐脈による進行性の心拡大を伴うもの
   (3) 運動または硫酸アトロピン負荷で伝導が不変もしくは悪化するもの
3. 徐脈によると思われる症状があり，他に原因のない第1度房室ブロックで，ブロック部位がHis束内またはHis束下のもの

Class IIb：
1. 至適房室間隔設定により血行動態の改善が期待できる心不全を伴う第1度房室ブロック

Class III：
1. 症状のない第1度房室ブロック

表7-6-7 NBGコード(NASPE/BPEG Generic pacemaker code, 国際ペースメーカコード)

1文字目	2文字目	3文字目	4文字目	5文字目
ペーシング部位	センシング部位	作動モード	プログラミング機能	抗頻拍機能
A：心房 V：心室 D：AとVの両方 O：なし	A：心房 V：心室 D：AとVの両方 O：なし	T：同期 I：抑制 D：TとIの両方 O：なし	P：心拍数,出力のみプログラム可能 M：3種類以上の項目プログラム可能 C：交信機能 R：心拍応答機能 O：なし	P：抗頻拍ペーシング S：電気ショック D：PとSの両方 O：なし

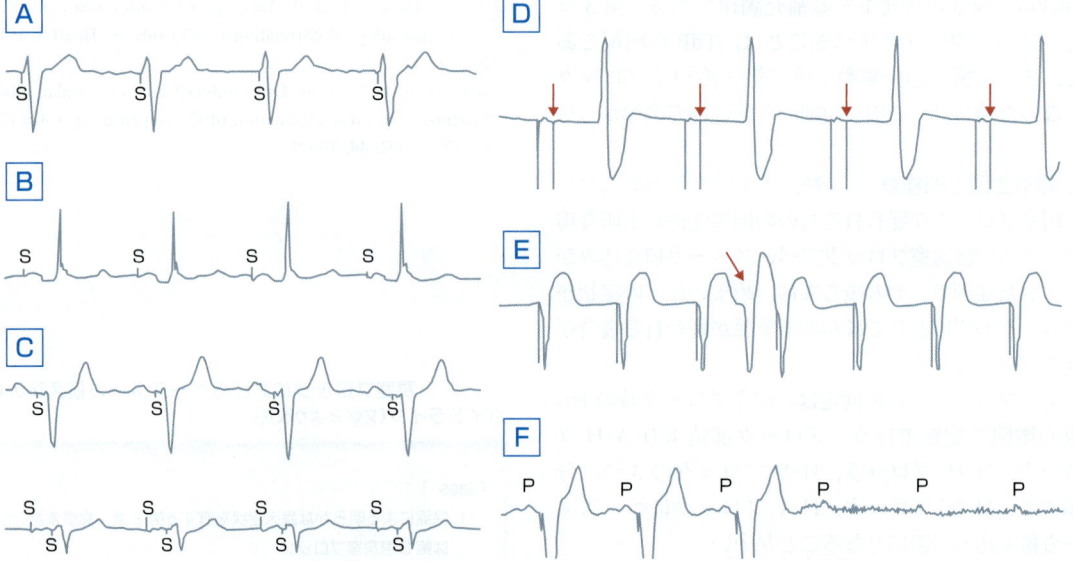

図7-6-33 各ペーシングモードに認める心電図波形(A〜C)とペースメーカ機能不全心電図(D〜F)
A：VVIモード．心室はペースメーカ刺激により興奮している(QRS波直前に刺激スパイク(S)を認める)．
B：AAIモード．心房はペースメーカ刺激により興奮している(P波直前に刺激スパイクを認める)．
C：DDDモード．心房と心室ともにペースメーカ刺激により興奮可能である．自己のP波の興奮頻度が心房刺激設定頻度をこえる場合は心房へのペースメーカは抑制されて刺激は行われない(上段)が，下回る場合には間隙が延びるので心房はペースメーカ刺激により興奮する(下段)．心房興奮後に続いて設定された時間内に自己の心室興奮が起きない場合は心室はペースメーカ刺激により興奮する．
D：ペーシング不全．DDDペーシングの心房刺激はP波をつくっているが，心室刺激(矢印)はQRS波を形成していない．
E：センシング不全(アンダーセンシング)．VVIペーシングでペースメーカは心室期外収縮(矢印)を認識せず，期外収縮直後に刺激を行っている．
F：センシング不全(オーバーセンシング)．DDDペーシングにおいて，心室リードが横隔膜筋電位を心室興奮と誤認識したために4拍目よりP波に続く心室刺激が行われていない．

(3)ペースメーカ（pacemaker）
a. 構造・原理
　基本構造は，電池，回路，リードの3つからなっている．電池は，寿命5〜8年のヨウ素リチウム電池が用いられている．ペーシングリードには，抵抗が少なく腐食しにくい合金(プラチナ，イリジウム，コバルト-ニッケル)が用いられる．ペーシングリードから心筋に電気刺激を与える方法には，双極刺激法と単極刺激法がある．回路としては，IC回路が用いられ，ペーシング機能とセンシング機能(心内電位を認識する機構)がある．近年，MRI検査を施行可能なペースメーカが登場し，広く普及してきている[1]．

b. ペーシングモード
　ペースメーカ機能の表示には，Inter-Society Commission for Heart Diseases Resourcesの提唱した国際コード(ICHDコード)，およびNASPE/BPEG genetic pacemaker code(NBGコード)があるが，デバイスの複雑化に伴い，NBGコードの方が一般的に

表 7-6-8 洞機能不全症候群におけるペースメーカ植え込みのガイドライン(文献 2 より改変)

Class Ⅰ：
1. 失神，痙攣，眼前暗黒感，めまい，息切れ，易疲労感などの症状あるいは心不全があり，それが洞結節機能低下に基づく徐脈，洞房ブロック，洞停止あるいは運動時の心拍応答不全によることが確認された場合．それが長期間の必要不可欠な薬剤投与による場合を含む．

Class Ⅱa：
1. 上記の症状があり，徐脈や心室停止を認めるが，両者の関連が明確でない場合
2. 徐脈頻脈症候群で，頻脈に対して必要不可欠な薬剤により徐脈をきたす場合

Class Ⅱb：
1. 症状のない洞房ブロックや洞停止

Class Ⅲ：
1. 症状のない洞性徐脈

Class Ⅰ：有益であるという根拠があり，適応であることが一般に同意されている，クラスⅡa：有益であるという意見が多いもの，クラスⅡb：有益であるという意見が少ないもの，クラスⅢ：有益でないまたは有害であり，適応でないことで意見が一致している．

なっている(表 7-6-7)．

VVIモード(図 7-6-33A)は，心室電極を介してペーシングおよびセンシングを行うものである．VVIペースメーカは心房収縮と心室収縮の生理的順次性が保たれないため AAI モードや DDD モードに比べて心拍出量は約 20％低下する．AAI モード(図 7-6-33B)は，心房電極を介してペーシングおよびセンシングを行うもので，房室伝導障害がなく，心房細動や心房粗動の既往のない洞不全症候群がよい適応となる．DDD モード(図 7-6-33C)は，心房電極および心室電極の両者を介してペーシングとセンシングを行うもので，P 波が生じなければ心房ペーシングが行われ，R 波が生じなければ心室ペーシングが自動的に行われる．DDDR(レート応答型ペースメーカ)モードは，通常体動を感知してペーシングレートを自動的にコントロールしている．

c. 方法・手技

植え込み型ペースメーカ本体を前胸部皮下に作成したポケットにおき，経静脈的にリードを心内膜に固定する方法と心臓手術時や経静脈的留置が困難な際に心筋電極を心筋に直接，固定する方法がある．経静脈的アプローチでは胸郭外静脈穿刺，あるいは皮膚切開後に静脈を露出してリードを挿入する．心房リードは右心耳に，心室リードは右室心尖部に留置するのが最も一般的である．リード固定後にペーシング閾値，R 波(P 波)高，リード抵抗値の測定を行う．至適なリード留置部位が得られたら，横隔神経刺激がないこと，リードに十分なたるみがあること，深呼吸で先端が移動しないことを確認後に電極リードを穿刺，切開部位に固定する．

d. 適応

どの機種，どのペーシングモードを選択するかは不整脈の種類や病態に応じて，わが国，ならびに欧米のガイドラインを参考に決定する(奥村ら，2011；Epstein ら，2013)．洞機能不全症候群(表 7-6-8)と房室ブロック(表 7-6-6)の適応を表に示した．重要なことは，洞機能不全の場合は，めまいや失神といった，徐脈に伴う症状が必須であるのに対して，房室ブロックの場合は突然死がありうることを考慮して，症状がなくてもペースメーカを植え込む場合があることである．

e. 合併症・作動不全

ペースメーカ植え込みの合併症として，①皮膚壊死，②感染，③静脈血栓，④肺塞栓，⑤ペースメーカ症候群，⑥横隔膜・骨格筋の刺激，⑦ペースメーカ関連性不整脈，⑧新たな不整脈発生，が報告されている．ペースメーカ症候群は，右室ペーシングをしている患者が胸痛，めまい，動悸，冷汗，などを訴えるもので，VVI ペースメーカで起こりやすい．

作動不全(図 7-6-33D〜F)は①リードに関するもの，②ペーシング不全，③センシング不全，に分けられる．リードに関するものとしては，リードの移動，断線，被膜損傷がある．リードの移動は心房や心室が拡張している場合に起こりやすい．リード断線や被膜損傷が生じると，リード抵抗値の増大または低下を認める．ペーシング不全は上記リードの問題のほかにペースメーカ植え込み後のペーシング閾値上昇で起こることがある．センシング不全にはアンダーセンシングとオーバーセンシングの 2 つがある．アンダーセンシングは P 波，R 波の電位が低いため設定感度で感知できていない場合で，誤ってパルスを出力してしまう．一方，オーバーセンシングは P 波，R 波以外の電位(T 波や筋電位など)を誤って感知するためパルスを発生しない場合である．センシング機能に問題が起きたとき，R on T のスパイクが入り心室細動を誘発することがある．

長期の右室心尖部ペーシングが心機能の低下を招くことがある[2]．心室ペーシング率が高い症例，たとえば完全房室ブロック例では，心室リードを心室中隔に留置すること，あるいは不必要な右室心尖部ペーシングを避けるペースメーカアルゴリズムの使用が推奨されている[2]．また，ペースメーカとサーバーを電話回線やインターネットを介してつなぎ，遠隔モニタリングすることが可能となってきた．ペースメーカの不具

合や危険な不整脈の出現などに対する早期対応が可能となり，今後さらに普及すると考えられる（Dubnerら，2012）．

日常生活指導で問題となるものとして電磁干渉がある．各種電波利用機器の電波が植え込み型医療機器へ及ぼす影響を防止するための指針[3]を基に患者の生活環境を調査するとともに，指導，教育を行う必要がある．
〔夛田　浩〕

■文献（e文献 7-6-3-3）

Dubner S, Auricchio A, et al: ISHNE/EHRA expert consensus on remote monitoring of cardiovascular implantable electronic devices（CIEDs）．Europace. 2012; 14: 278-93.

Epstein AE, DiMarco JP, et al: 2012 ACCF/AHA/HRS focused update incorporated into the ACCF/AHA/HRS 2008 guidelines for device-based therapy of cardiac rhythm abnormalities: a report of the American College of Cardiology Foundation/American Heart Association Task Force on Practice Guidelines and the Heart Rhythm Society. Circulation. 2013; 127: e283-352.

奥村　謙，相澤義房，他：臨床不整脈の非薬物治療ガイドライン 2011 年改訂版．循環器病の診断と治療に関するガイドライン（2010 年度合同研究班報告），p11. http://www.j-circ.or.jp/guideline/pdf/JCS2011_okumura_h.pdf

4）突然死
sudden death

定義・概念

突然死は「急性の症状が発症した後，1 時間以内に突然意識喪失をきたす心臓に起因する内因死」と定義され，基礎疾患の有無は問わず，発症の仕方や時期が予測できない突然の死亡である[1,2]（Hayashi ら，2015; Myerburg ら，1999; Zipes ら，2006）．このなかで，心臓疾患によるものは特に心臓突然死（sudden cardiac death）とよばれる．

疫学

救急隊による心肺機能停止患者数による統計では，突然死の年間発生頻度は，欧米で高く（北米 98.1 人/10 万人，欧州 86.4 人/10 万人），アジアでは少ないとされている（52.5 人/10 万人）（Hayashi ら，2015）（図 7-6-34）[3-5]．米国では年間 30 万～40 万人が突然死するとされ，基礎疾患は圧倒的に虚血性心疾患が多く，虚血性心疾患以外の原因は 5～10％とされている（Hayashi ら，2015; Myerburg ら，1999）．わが国の突然死の発症数も年々増加し，2013（平成 25）年度の消防庁による心肺機能停止患者数から，年間およそ 7 万 5000 人と推定されている．

一方，35 歳未満の年間突然死発生頻度は少なく，欧米の報告では突然死全体の 1％以下とされ，1～3 人/10 万人とされている[6-8]．また，突然死の性差や人種差も報告されている．一般に，突然死は女性に比べ男性で頻度が高く[9]，また，白人に比べて黒人で頻度が高いとされている（Hayashi ら，2015）（表 7-6-9，図 7-6-34）[10,11]．

原因・病因

突然死の原因・病因は，突然死患者の解剖所見や心肺停止蘇生患者の検査所見から明らかとなる．35 歳以上の突然死の基礎心疾患として最も多いのは虚血性心疾患で（図 7-6-35），欧米では 70～75％を占めるとされ（Hayashi ら，2015）（図 7-6-34）[12-15]，特に女性（45～50％）に比べ男性（80～90％）で頻度が高い[15]．また，黒人（47％）に比べ白人（63％）で頻度が高いとされている[16]．Framingham 研究では，虚血性心疾患が存在すると突然死のリスクは 2.8～5.3 倍になるとされている[17]（Hayashi ら，2015）．一方わが国では，突然死の基礎心疾患として虚血性心疾患の占める割合は年々増加しているが[18]，欧米に比べると低いとされている（Hayashi ら，2015）（図 7-6-34）[15]．虚血性心疾患で突然死を引き起こす病態としては，急性虚血・梗塞時の多形性心室頻拍（VT）/心室細動（VF）と陳旧性心筋梗塞巣をリエントリー基質とする単形性 VT から VF への移行が考えられる（Hayashi ら，2015）．これらの致死性不整脈以外にも，心室筋破裂，広範囲の再梗塞，急性ポンプ不全，徐脈性不整脈なども突然死の原因となる（表 7-6-9）．

虚血性心疾患以外の突然死の基礎心疾

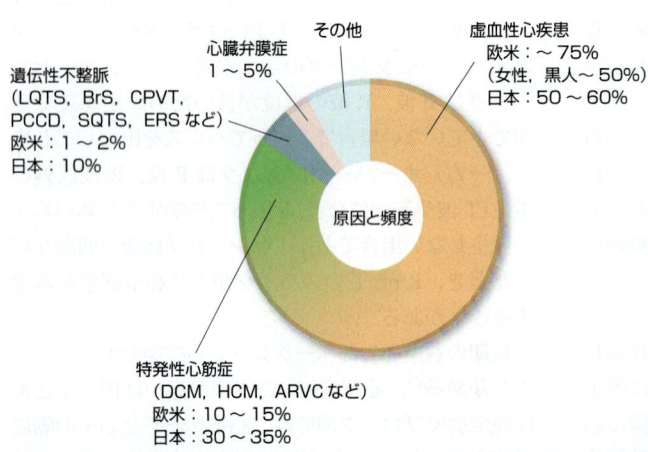

図 7-6-34　心臓突然死の原因と頻度
ARVC：不整脈原性右室心筋症，BrS：Brugada 症候群，CPVT：カテコラミン誘発多形性心室頻拍，DCM：拡張型心筋症，ERS：早期再分極症候群，HCM：肥大型心筋症，LQTS：QT 延長症候群，PCCD：進行性心臓伝導障害，SQTS：QT 短縮症候群．虚血性心疾患と特発性心筋症の頻度は欧米と日本で異なるため，グラデーションで示している．

としては，特発性心筋症（不整脈源性右室心筋症，拡張型心筋症，肥大型心筋症），心臓弁膜症（大動脈弁狭窄症など），心筋炎のほかに，遺伝性不整脈（先天性・後天性 QT 延長症候群，Brugada 症候群，進行性伝導障害，カテコラミン誘発多形性 VT，QT 短縮症候群，早期再分極症候群など）【⇒ 7-4-3】などがある（Hayashi ら，2015）（表 7-6-9，図 7-6-34）．また，動脈瘤破裂や解離性大動脈瘤などの大動脈疾患，急性血栓性肺塞栓症や原発性肺高血圧症などの肺動脈疾患も突然死の原因となる（表 7-6-9）．突然死の基礎心疾患として虚血性心疾患が圧倒的に多い欧米に比べ，わが国においては突然死の基礎疾患として特発性心筋症や遺伝性不整脈の占める頻度がそれぞれ 30～35％，10％と高い（Hayashi ら，2015）（図 7-6-34）[19]．

発症年齢

虚血性心疾患，心臓弁膜症，後天性 QT 延長症候群，大動脈疾患，急性血栓性肺塞栓症などの患者の突然死は 35 歳以上の特に高齢者で頻度が高い（Hayashi ら，2015）．一方，先天性 QT 延長症候群やカテコラミン誘発多形性 VT などの遺伝性不整脈，不整脈源性右室心筋症，肥大型心筋症，原発性肺高血圧症などの患者の突然死は 35 歳未満の若年者に多い（Hayashi ら，2015）．Brugada 症候群，進行性伝導障害，QT 短縮症候群，早期再分極症候群などの遺伝性不整脈，拡張型心筋症患者の突然死は 35 歳以上の壮年期に多いとされる（Hayashi ら，2015）（図 7-6-35）．

病理・病態生理

突然死の病態は，VT/VF を引き起こす電気的不安定さであると考えられる．心肺停止患者で，発症早期に心電図記録がされた場合には，75～80％で VT/VF が記録されるとされている[20-22]．しかし，VT/VF は数分で心停止に移行するため，心電図記録が遅れた場合には心静止・心停止として発見される．院外心肺停止例では，救急隊到着時のリズムが VF である場合には蘇生率が高いとされるが（21％），初期リズムが VF である症例は減少傾向にあり[23,24]，心静止・心停止の症例の頻度が増加している[25]．この傾向には，自宅で発見される心肺停止患者が増加していることや，院外心肺停止の原因として虚血性心疾患が減少していることが関係するとされている[26,27]．また，超高齢化や医療水準の向上による高度心機能低下症例や合併

表 7-6-9 突然死の発症に関与する基礎疾患，危険因子，誘因

基礎心疾患	危険因子	誘因
虚血性心疾患	心機能低下	心筋虚血
特発性心筋症	心不全	心筋ストレッチ
（不整脈源性右室心筋症，拡張型心筋症，肥大型心筋症）	男性	心筋の炎症
	黒人	交感神経の活性化
	高血圧	激しい運動
弁膜症（大動脈弁狭窄症など）	糖尿病	精神的ストレス／不安
心筋炎	高コレステロール血症	うつ状態／統合失調症
遺伝性不整脈	肥満	環境ストレス（地震・震災）
（先天性・後天性 QT 延長症候群，Brugada 症候群，進行性心臓伝導障害，カテコラミン誘発多形性 VT，QT 短縮症候群，早期再分極症候群など）	喫煙	大気汚染
	突然死の家族歴	電解質異常
	多価不飽和脂肪酸・マグネシウムの摂取不足	
	心房細動	
	慢性腎臓病	
徐脈性不整脈	閉塞性睡眠時無呼吸	
動脈瘤破裂	てんかん	
解離性大動脈瘤	心拍数 > 75/分	
急性血栓性肺塞栓症	左室肥大	
原発性肺高血圧症		

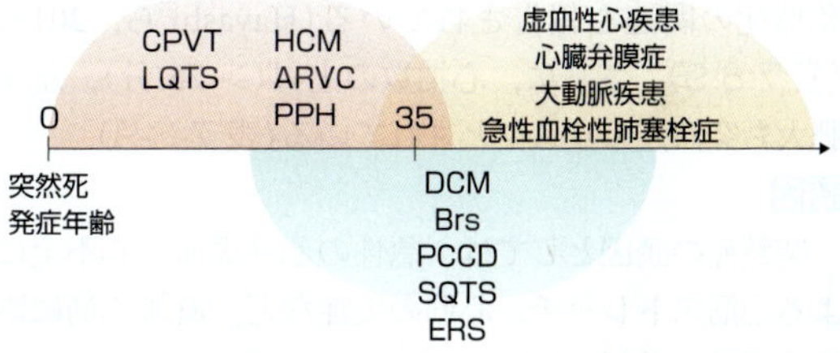

図 7-6-35 心臓突然死の原因となる各疾患の突然死発症年齢
ARVC：不整脈源性右室心筋症，CPVT：カテコラミン誘発多形性心室頻拍，DCM：拡張型心筋症，ERS：早期再分極症候群，HCM：肥大型心筋症，LQTS：QT 延長症候群，PPH：原発性肺高血圧症，PCCD：進行性心臓伝導障害，SQTS：QT 短縮症候群．

疾患を有する症例の増加も関与するとされている[25,28]．

危険因子

心筋梗塞後や虚血性心筋症患者では，心機能低下と心不全が突然死の危険因子となる（Hayashi ら，2015）（表 7-6-9）[29-31]．左室駆出率（LVEF）< 30％で心不全を伴う心筋梗塞後患者の平均 2 年間の突然死発生率は約 10％とされている[32,33]．また，特発性心筋症などの非虚血性心疾患でも，心機能低下は突然死の危険因子となる（表 7-6-9）．一方で，突然死患者の多くは，明らかな器質的心疾患を有さない[17,34,35]（Hayashi ら，2015）．突然死を発症した男性の 44～52％，女性の 59～69％では，突然死発症前に心血管疾患を指摘されておらず，突然死が最初の症状であったとの報告もある．このため突然死の予防には，危険因子の同定と生活習慣の是正が必要である．

突然死の基礎疾患として虚血性心疾患が多いため，虚血性心疾患の危険因子である高血圧，糖尿病，

高コレステロール血症，肥満，喫煙は，突然死の危険因子でもある(Hayashiら，2015)(表7-6-9)[10,17,34,36,37]．喫煙は特に女性において[34]，高コレステロール血症は若年者において危険因子となる[34]．最近のメタ解析では，スタチンでコレステロール値を下げると突然死が減るとの報告もある[38]．突然死の家族歴も危険因子であり(表7-6-9)，遺伝因子(common genetic variants)の突然死への関与も報告されている[39,40](Hayashiら，2015)．

食事や飲酒と突然死との関連も報告されており，多価不飽和脂肪酸(PUFA)摂取[41]，マグネシウム摂取[42-44]，少量のアルコール飲酒[45-47]は，突然死を減少させ，逆にこれらの摂取不足は突然死の危険因子となる(Hayashiら，2015)(表7-6-9)．また，心房細動患者は洞調律患者に比べ，突然死やVFリスクが2.5倍であり(表7-6-9)[48-50]，これには合併する心不全との関連が示唆されている[51]．慢性腎臓病(CKD)[52-54]，閉塞性睡眠時無呼吸[55]，てんかん[56]と突然死の関連も報告されている(Hayashiら，2015)(表7-6-9)．さらに，心拍数の上昇(＞75/分)，左室肥大も突然死のリスクとされている(表7-6-9)．

誘因

突然死の誘因としては，急性の心筋虚血，心不全による心筋ストレッチ，心筋の炎症など，直接心筋に影響するものがある(Hayashiら，2015)(表7-6-9)．一方で突然死は，午前6時～正午にかけての午前中に多く[57,58]，曜日では月曜日に最も多く週末は最も少ないとされ[59,60]，これらのピークはβ遮断薬内服患者ではみられないことから，突然死の誘因として交感神経の活性化が示唆されている(表7-6-9)．また，Brugada症候群や不整脈源性右室心筋症などの例外を除くと[61,62]，一般的に突然死は冬に最も多く，夏に最も少なく[59,63]，この季節変動にも交感神経活性の関与が示唆される．定期的な中等度までの運動は突然死を予防するとされているが[37,54]，激しい運動は特に男性で突然死の誘因になると報告されている(Hayashiら，2015)(表7-6-9)[64,65]．精神的ストレス，不安，特に恐怖症性不安は突然死に関連するとされている(Hayashiら，2015)(表7-6-9)[66,67]．また，うつ状態[68,69]や統合失調症[70]と突然死の関連も報告されている(表7-6-9)(Hayashiら，2015)．地震や戦争体験などの環境ストレスも突然死の誘因となる(Hayashiら，2015)(表7-6-9)[71-73]．さらに，PM2.5，一酸化炭素，窒素酸化物などの大気汚染も突然死に関連する(Hayashiら，2015)(表7-6-9)[74]．

予知・検査法

突然死の予知・予防のためには，まず基礎心疾患の診断が重要であることはいうまでもない(Hayashiら，2015)．そのうえで突然死予知にはいくつかの検査法が用いられる．通常の12誘導心電図では，左室肥大所見[75]，T波異常[76]，左脚ブロック，QT dispersion[77,78]，また，心室筋の貫壁性(心内膜～心外膜)再分極時間のバラツキを反映するとされるT波頂点～T波の終末点までの時間(T peak-end時間)[79,80]が突然死予知に有用であるとされている．自律神経機能評価法として，心拍数変動(HRV)[81,82]，heart rate turbulence(HRT)[83-85]，圧受容体感受性(BRS)[86,87]の突然死予知における有用性も報告されている．また，再分極異常を反映するとされるマイクロボルトT波交代現象(TWA)[88-90]脱分極異常を反映するとされる加算平均心電図(SAECG)による遅延電位(LP)[91,92]の有用性も報告されている．心筋梗塞後の患者では，電気生理学的検査による持続性VTの誘発が突然死の予知に有用とされる[93]．HCM患者の突然死予知においては，運動負荷試験による血圧上昇不良が報告されている[94]．また，先天性QT延長症候群のLQT1型，LQT2型では，遺伝子診断による遺伝子変異部位や変異タイプによる突然死を含む予後の違いが報告されている[95-97]．

予防

突然死の予防には，基礎心疾患に対する治療のほかに，前項で述べた生活習慣の改善による危険因子の是正が必要である(Hayashiら，2015)．致死性心室性不整脈であるVF/多形性VT/持続性単形性VTをすでに発症している患者では，基礎心疾患の有無や種類にかかわらず，明らかに心室性不整脈の誘因を除去できる場合を除いては，原則として植え込み型除細動器(ICD)のクラスI適応となる[98-103]．二次予防においては，薬物療法はあくまでICDなどの非薬物治療の補助療法であるが，アミオダロンやソタロールは不整脈の頻度を減少させてICDの作動回数を減少させると報告されている[104-106]．　　　　〔清水　渉〕

■文献(e文献7-6-4)

Hayashi M, Shimizu W, et al: The spectrum of epidemiology underlying sudden cardiac death. Circ Res. 2015; 116: 1887-906.

Myerburg RJ, Castellanos A: Cardiac arrest and sudden cardiac death. Heart Disease. A Textbook of Cardiovascular Medicine, WB Saunders, 1999.

Zipes DP, Camm AJ, et al: ACC/AHA/ESC 2006 Guidelines for Management of Patients With Ventricular Arrhythmias and the Prevention of Sudden Cardiac Death: a report of the American College of Cardiology/American Heart Association Task Force and the European Society of Cardiology Committee for Practice Guidelines: developed in collaboration with the European Heart Rhythm Association and the Heart Rhythm Society. Circulation. 2006; 114: e385-484.

7-7 虚血性心疾患

1）冠血流量調節と心筋虚血

(1)冠血流量調節
a. 冠循環の特徴
i）冠循環の構造

心臓の循環を司る動脈系は，その解剖学的な特徴（大動脈 Valsalva 洞から起始し心房と心室の間の房室間溝を左右に走り，ちょうど冠のように見えること）から，冠動脈(coronary arteries)と命名され，その受け持つ循環系は冠循環(coronary circulation)とよばれる．

冠動脈は，左 Valsalva 洞から起始する左冠動脈(left coronary artery：LCA)と右 Valsalva 洞から起始する右冠動脈(right coronary artery：RCA)とがあり，LCA は，さらに左心室前壁を下行する左冠動脈前下行枝(left anterior descending coronary artery：LAD)と左房室間溝を走行する左冠動脈回旋枝(left circumflex coronary artery：LCX)に分枝する（図 7-7-1）．左冠動脈が分枝するまでを左冠動脈主幹部(left main trunk：LMT)とよぶ．この3本の冠動脈の灌流域は，主として，LAD が左心室の前壁および心室中隔の前部を栄養するのに対して，RCA が下壁・心室中隔の後部と右心室を，LCX が左心室の側壁から後壁にかけて栄養する（図 7-7-1）．すなわち，心臓のポンプ機能として最も重要な部分を LAD が栄養し，この灌流域には個人差が少ない．これに対して，RCA と LCX の灌流域には個人差が大きい．下壁を灌流する後下行枝が RCA から分枝する場合を右(冠動脈)優位，LCX から分枝する場合を左(冠動脈)優位という．冠静脈は冠動脈に伴走し，左冠動脈血の大半は冠静脈洞に注ぐ．

ii）冠循環の機能的特徴

冠循環は，生体内で最も重要な臓器循環の1つである．心臓が，みずから活発に収縮弛緩を繰り返して全身に血液を送り出すきわめて好気的な代謝をする臓器であるため，冠循環には，ほかの臓器循環にはない多くの特徴がある(Canty, 2012)．

第一に，その重量に比して多くの血流量を必要とする．心臓の重量は体重の約 0.5% であるが，冠血流量

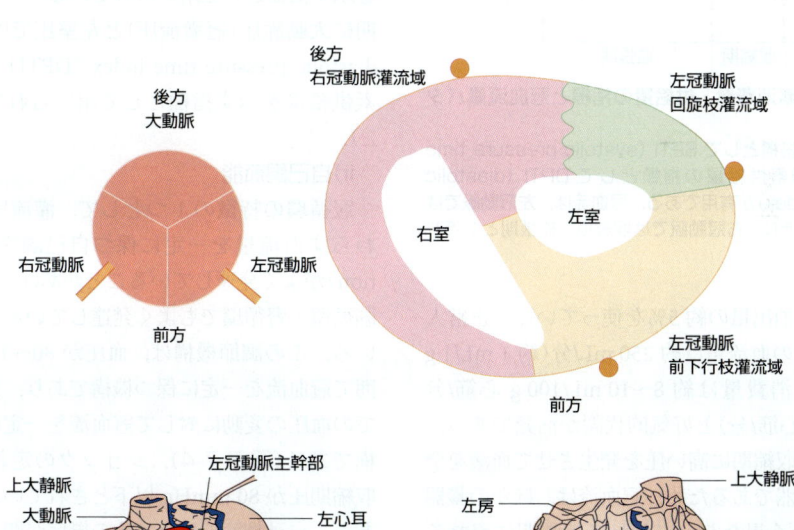

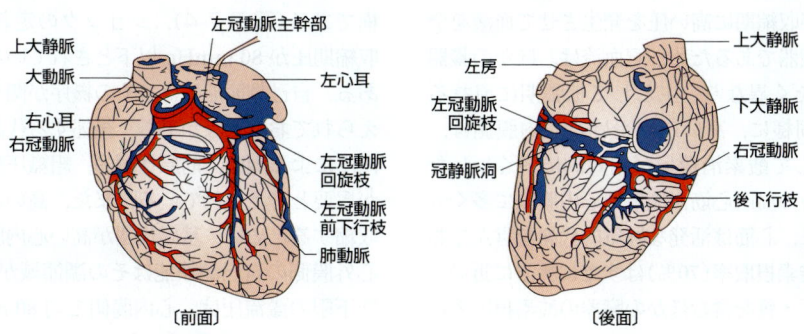

図 7-7-1 冠循環の解剖学的特徴
冠循環は，3本の冠動脈系と静脈系からなる．左冠動脈前下行枝は左心室の前壁および心室中隔の前部を灌流し，右冠動脈は左心室の下壁・心室中隔の後部・右心室を，左冠動脈回旋枝は左心室の側壁から後壁を灌流する．

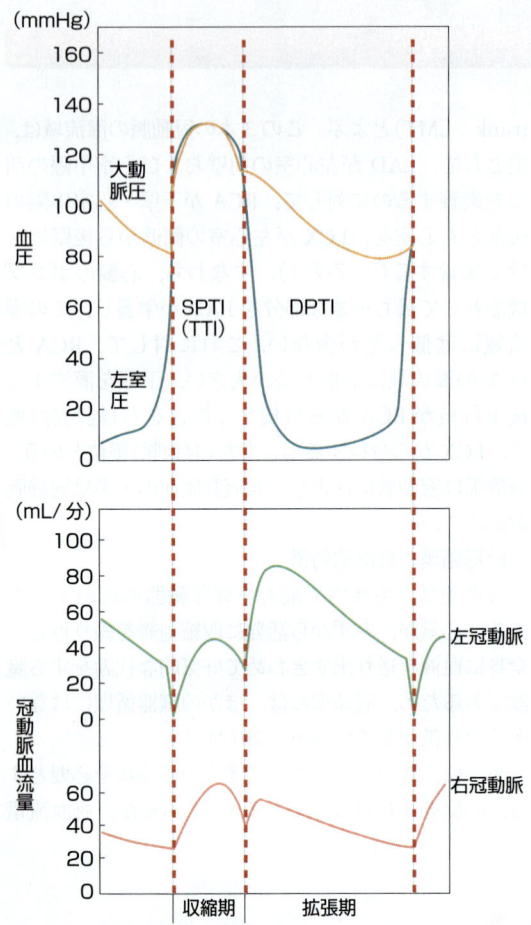

図 7-7-2 心筋酸素消費量・供給量の指標と冠血流量パターン
心筋酸素消費量の指標として SPTI (systolic pressure time index) が，心筋酸素供給量の指標として DPTI (diastolic pressure time index) が有用である．冠血流は，左冠動脈では主として拡張期に流れ，右冠動脈では収縮期・拡張期とも流れる．

は安静時でも心拍出量の約 5% を使っている．正常人の場合，安静時の血流量は約 250 mL/分（約 1 mL/1 g 心筋/分），酸素消費量は約 8〜10 mL/100 g 心筋/分（約 0.1 mL/1 g 心筋/分）と好気的代謝が活発である．第二に，心臓が収縮期に高い圧を発生させて血液を全身に送り出す臓器であるため，冠血流は，ほかの臓器循環とはまったく異なり，主として拡張期に流れる（図 7-7-2）．同様に，高い圧を受ける心内膜側は，心外膜側に比して酸素消費量が相対的に多く，したがって，安静時の局所心筋血流量は心内膜側に多く分布する．第三に，心筋は活発な好気的代謝を営んでおり，安静時の酸素摂取率（70%）はすでに極限に近い．これは，脳・肝・腎を含むほかの臓器の酸素摂取率が 15〜20% であることときわめて対照的である．したがって，冠循環は運動などの酸素需要の増大には主として冠血流量の増大でしか対応できないという余裕のない臓器循環となっている．第四に，しかし，冠血流

量は，最大運動時には安静時の約 5〜6 倍に増加しうるきわめてよく発達した冠予備能（coronary reserve）が備わっている．第五に，以下に記述するように，ほかの臓器循環に比して，多くの血流調節機序がよく発達している．

b. 冠血流量の調節

i) 心筋酸素需要と供給量の均衡

上述したように，冠血流（心筋酸素供給）量は，心筋酸素消費量に均衡するように，非常に巧妙に調節されている（図 7-7-3）．心筋酸素消費量の規定因子として重要な因子は，心筋量・心筋収縮性・心拍数・心室壁張力（左室圧×左室容積）である．その他の因子として，基礎代謝・外部仕事・電気的興奮などがあげられる．

上記の重要な規定因子のうち，体血圧の収縮期圧（左室収縮期圧と同じと仮定して）と心拍数は容易に測定できるので，この両者の積である pressure rate product（PRP または double product）は，心筋酸素消費量を推定するよい指標として臨床の現場で頻用されている．また，左室圧と大動脈圧を重ねた図において，収縮期の左室圧曲線で囲まれる面積（収縮期圧×収縮時間）を systolic pressure time index（SPTI）または tension time index（TTI）とよび，心筋酸素消費量を示す指標として用いられている．さらに，心室拡張期に大動脈圧（冠灌流圧）と左室圧で囲まれる面積を diastolic pressure time index（DPTI）とよび，心筋酸素供給量を示す指標として用いられている（図 7-7-2）．

ii) 自己調節能

冠循環の特徴の 1 つとして，灌流圧の変化にかかわらず血流量を一定に保つ自己調節能（autoregulation）がよく発達していることがあげられる．ほかに，脳循環・腎循環でもよく発達していることが知られている．この調節機構は，血圧が 80〜140 mmHg の範囲で冠血流を一定に保つ機構であり，生理的な範囲内での血圧の変動に対して冠血流を一定に保つ重要な機構である（図 7-7-4）．ショックの定義の 1 つとして収縮期圧が 80 mmHg 以下とされている理由はここにある．自己調節能には多くの機序が関与していると考えられており，なかでも，後述する代謝性調節，血管内皮による調節，筋原性調節，組織圧変化などの関与が重要と考えられている．また，高い心室圧に抗して収縮するために，基礎代謝が高い心内膜側に比較して心外膜側の自己調節能はその調節域が広い（自己調節能下限の灌流圧は，心内膜側で約 80 mmHg，心外膜側で約 40 mmHg である）．

iii) 代謝性調節

冠循環の血管抵抗を規定している微小冠動脈は，周囲の心筋から常に影響を受ける動的な環境にある．こ

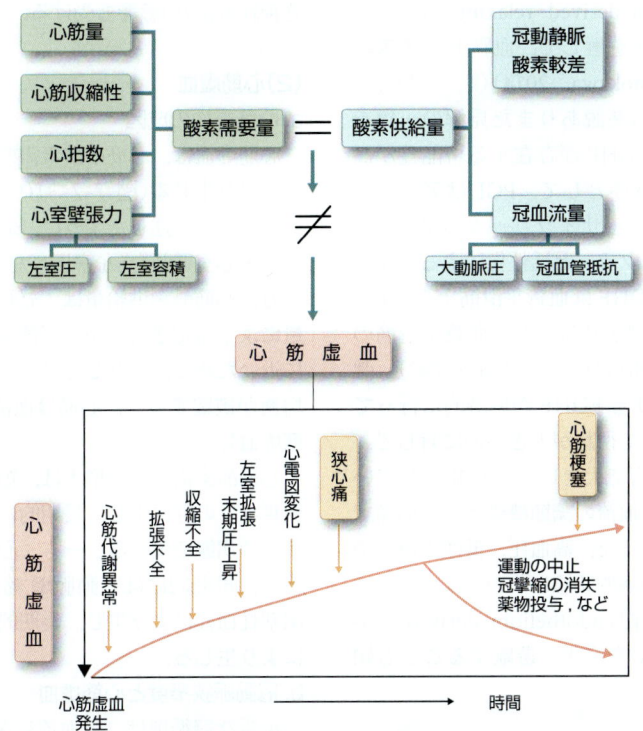

図 7-7-3 心筋虚血をきたす機序とそれに伴う変化
心筋虚血は，心筋の酸素需要量と酸素供給量の均衡が破綻したときに生じる．心筋虚血の発生により多くの変化が生じるが，それらは同時に生じるのではなく，経時的に生じる．

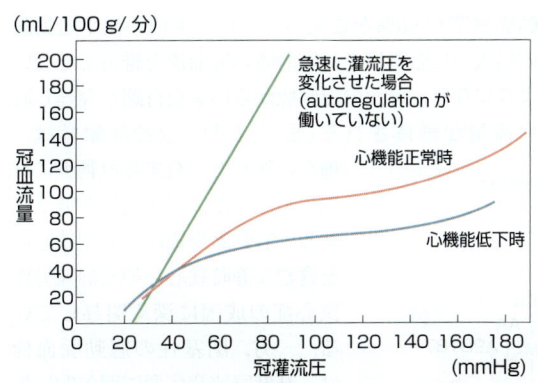

図 7-7-4 冠循環の自己調節能(autoregulation)の模式図
冠循環には，一定の範囲の冠灌流圧に対して冠血流量を一定に保つ自己調節能がよく発達している．

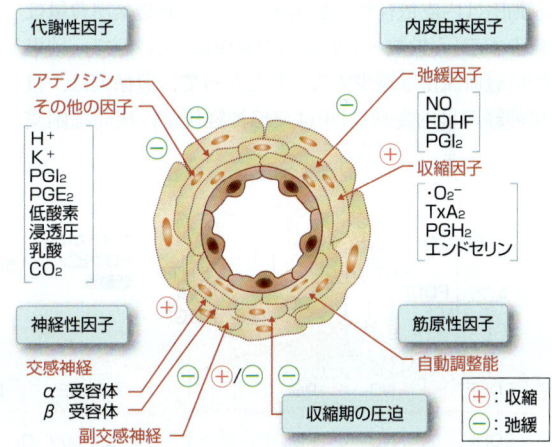

図 7-7-5 冠血流量の調節因子
冠血流量に影響する因子には，代謝性因子，内皮由来弛緩因子，神経因子，筋原性因子(myogenic factors)などがある．代謝性因子のなかで重要な役割を果たす脈管作動物質としてアデノシンがある．

のなかで重要な調節機構が，アデノシンや酸素分圧，浸透圧，プロスタグランジンなどの代謝性・体液性因子である(図 7-7-5)．特にアデノシンは，心筋酸素分圧の低下(心筋虚血)の際に心筋や血管平滑筋から産生・遊離され，強力な血管拡張作用を示す．このほかに，微小冠動脈レベルでは，収縮期の周囲心筋からの圧迫，血管平滑筋自体に内在する筋原反応(myogenic response)なども関与しているが，後者の詳細については十分には明らかにされていない(図 7-7-5)．

iv) 血管内皮による調節

血管内皮は重要な冠血流量の調節を行うことが知られている．血管内皮は，プロスタグランジン I_2 (PGI_2)，一酸化窒素(NO)，内皮由来過分極因子(endothelium-derived hyperpolarizing factor：EDHF)の主として 3 種類の弛緩因子(総称して広義の内皮由来

弛緩因子（endothelium-derived relaxing factors：EDRFs）とよぶ）を産生・遊離して，血管トーヌスの調節を行っている（Shimokawa, 2014）（図7-7-6）．EDHFの本体に関しては諸説ありまだ見解の一致をみていないが，複数のEDHFが存在する可能性が高い．血管平滑筋の弛緩機序として，PGI_2はアデニル酸シクラーゼ活性化によるサイクリックAMPの増加，NOはグアニル酸シクラーゼ活性化によるサイクリックGMPの増加，EDHFは血管平滑筋上のCa活性化型Kチャネルを開口させることで血管平滑筋の弛緩を惹起することが知られている（図7-7-6）．弛緩作用は，主としてNOとEDHFが協調的に行っているが，NOが太い動脈で役割が大きいのに対して，EDHFの役割は微小血管で大きいことが知られている．この血管内皮による血流の調節機構は，冠循環で最もよく発達している．また，高血圧，低酸素血症やサイトカイン刺激などの病的状態においては，内皮は各種の内皮由来収縮因子（endothelium-derived contracting factors：EDCFs）を産生・遊離することも知られている（図7-7-6）．

v）神経性調節

冠循環は，交感神経と副交感神経の二重支配を受けている（図7-7-5）．交感神経が興奮すると，太い冠動脈の収縮と心筋酸素消費量増大による微小冠動脈の拡張が生じる．一方，副交感神経が興奮すると，太い冠動脈は内皮依存性に拡張するが，心筋酸素消費量は減少する（心拍数・心収縮力の減少による）ので，結果的に冠血流量は減少する．したがって，冠循環は，自律神経の日内変動（日中は交感神経優位，夜間は副交感神経優位）の影響も受ける．

（2）心筋虚血
a. 心筋虚血の成因

心筋虚血は，心筋の酸素需要量と酸素供給量の不均衡により生じる（図7-7-3）（Canty, 2012）．心筋酸素需要量は，上述したように，心筋量・心筋収縮性・心拍数・心室壁張力（左室圧×左室容積）で規定される．一方，心筋酸素供給量は，冠動静脈酸素較差と冠流量により規定されるが，冠循環では前者がすでに極限に近いために，主として後者により規定される．この均衡が破綻すると，心筋は血流（酸素）不足に陥る（心筋虚血）．

心筋酸素需要量の増大は，短期的には運動や精神的興奮などの際に生じ，長期的には心肥大や心拡大を伴う各種病態で生じる．一方，心筋への酸素供給量の低下は，短期的には冠動脈攣縮（スパスム，spasm）や閉塞性血栓により生じ，長期的には冠動脈狭窄の進行により生じる．

b. 冠動脈狭窄度と心筋虚血

正常な冠循環は，冠血流量を最大5〜6倍に増加させうる冠予備能を有している．冠動脈狭窄が進行して内径が50％の狭窄（断面積で75％の狭窄）をこえると，安静時の血流を維持するために微小冠動脈は安静時に拡張し，結果的に冠予備能は低下しはじめる．冠動脈狭窄が90％をこえると，狭窄末梢の微小冠動脈の最大の拡張だけでは安静時の冠血流を維持できないようになり，ほかの冠動脈からの副血行路が発達し冠血流量が維持される（図7-7-7）．冠動脈攣縮は，種々の狭窄度を有する冠動脈に突然生じ，急激に冠血流量を低下させる．冠動脈攣縮は，異型狭心症を含む安静時狭心症や安静兼労作狭心症の成因に深く関与している．一方，閉塞性の冠動脈血栓は，高度冠狭窄病変に間欠的に生じたり（不安定狭心症），破綻した粥状動脈硬化病変に持続的に生じて（急性心筋梗塞），冠血流量の低下をきたす．

c. 副血行路

冠動脈の高度狭窄末梢の心筋に対して冠動脈他枝または同枝から血流を供給する血管系を（側）副血行路（collaterals）という．副血行路の本体は，毛細血管〜細小動脈を主体にした血管新生と動脈-動脈間吻合の拡大の2つの機序がある．副血行路により供給される

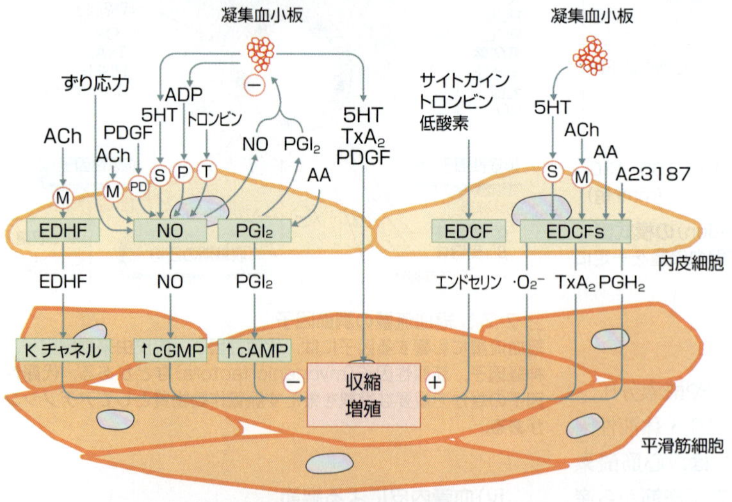

図7-7-6 血管内皮による血管のトーヌスおよび増殖反応の調節
血管内皮は，PGI_2・NO・内皮由来過分極因子（EDHF）の主として3種類の弛緩因子を産生・遊離して，短期的には血管平滑筋を弛緩優位に保ち，長期的には動脈硬化抑制的に調節している．しかし，病態によっては，内皮由来収縮因子（EDCFs）を産生・遊離する場合もある．
EDHF：endothelium-derived hyperpolarizing factor，EDCFs：endothelium-derived contracting factors.

冠血流量には限度があり、近位部狭窄が完全閉塞の場合、安静時の心筋代謝・心機能を支えて心筋壊死を防ぐことはできるが、運動時の増加した心筋酸素需要に対しては十分ではなく、容易に心筋虚血が生じる。副血行路の発達を促進する刺激として、心筋虚血とそれに伴い産生・遊離される液性の各種血管新生促進因子、低酸素、冠動脈間の圧較差などがある。血管新生促進因子としては、VEGF（vascular endothelial growth factor）やFGF-2（fibroblast growth factor-2；basic FGF）などの役割が知られている。

d. 冠動脈攣縮

冠動脈攣縮は、冠動脈硬化病変に生じる一過性の高度の過収縮反応である。狭心症だけではなく、急性心筋梗塞や突然死など虚血性心疾患全般の成因に深く関与していることが知られている。また、その頻度は、欧米人に比して日本人に多いことが知られているが、その人種差の成因はまだ明らかにされていない。冠動脈攣縮の機序として、冠動脈平滑筋の過収縮反応と血管内皮の拡張能の低下が提唱されているが、前者が主体と考えられる。最近、その分子機構として、血管平滑筋のCa感受性増幅機構であるRhoキナーゼが重要な役割を果たしていることが明らかにされた（Shimokawa, 2014）。また、微小血管狭心症（microvascular angina；心表面の冠動脈に異常がないにもかかわらず心筋虚血・狭心痛が生じる）の成因の1つに微小冠動脈の攣縮が関与していることが知られている（Creaら, 2009）。

e. 心筋虚血に伴う変化

心筋酸素消費量に見合うだけの血流（酸素）の供給が、上述した各種代償機転を総動員してもできなくなると心筋は虚血に陥り、心筋に多くの変化が生じる。これらの変化は同時に生じるのではなく、経時的に生じる（図7-7-3）。まず、心筋代謝が嫌気性代謝になり、心筋はATPを産生しはじめ乳酸産生が増す。ついで、心筋の拡張能、さらに収縮能が低下し、虚血性の心電図変化が生じる。狭心痛が生じるのはこのような変化が生じた後であり、加齢・糖尿病・陳旧性心筋梗塞・冠動脈バイパス手術などで痛覚の閾値が上昇している場合には、狭心痛が生じないことがある（無症候性心筋虚血【⇨7-7-2】）。

冠動脈の閉塞が持続すると、虚血に弱い心内膜側から壊死が始まり、次第に心外膜側に波が伝わるように梗塞巣が拡大していく。この現象は、wave-front phenomenonとよばれている。冠動脈の持続的閉塞

表7-7-1 心筋収縮力低下をきたす病態の比較

病態 （検査法）	壁運動 （心エコー）	心筋灌流 （^{201}Tl心筋シンチグラフィ）	心筋代謝 （グルコース-PET）	可逆性 （薬物, 血行再建）
気絶心筋	低下	正常	正常	経時的に回復
冬眠心筋	低下	低下	正常	血行再建により回復
梗塞心筋	低下	低下	低下	不可逆的

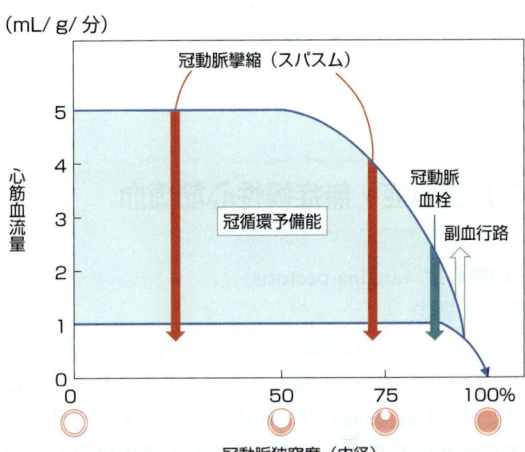

図7-7-7 冠動脈狭窄度と心筋血流量の関係
冠循環には、血流量を最大で約5～6倍に増やす冠予備能（coronary flow reserve）が内在している。しかし、冠狭窄度が50％をこえるとこの予備能が低下しはじめ、約75％をこえると日常の運動などで心筋虚血・狭心症を生じるようになる。約90％をこえると、安静時の冠血流も維持できなくなり、副血行路が発達する。冠動脈攣縮は、種々の狭窄度を有する冠動脈に突然生じ、急激な血流の低下を惹起する。

に先行して短時間の虚血が生じている場合には、心筋に虚血耐性が生じて、心筋梗塞サイズが縮小する。この現象はischemic preconditioningとよばれている。

f. 心筋虚血に伴う心収縮力低下

心筋虚血に伴う心収縮力低下には3種類の病態がある（表7-7-1）。第一に、再灌流により壊死を免れた心筋が、冠血流の正常化にもかかわらず長時間にわたり収縮不全に陥っている病態をmyocardial stunning（気絶心筋, stunned myocardium）という。第二に、高度冠狭窄のため心筋血流が慢性的に低下しているが、その程度は心筋のviabilityを維持できる程度で、この状態で心筋の収縮不全が代償的に慢性に続いている病態をmyocardial hibernation（冬眠心筋, hibernating myocardium）という。第三には、不可逆的な壊死に陥り、心筋の血流も代謝も低下したために収縮力が慢性かつ不可逆的に低下している病態がある（心筋梗塞, myocardial infarction）。この3つの病態は、一見した心収縮力の低下という点では共通するものの冠血流や心筋代謝の面では大きな相違があり、この点を鑑別することが臨床的に重要である（表7-7-1）。

〔下川宏明〕

■文献

Canty JM Jr: Coronary blood flow and myocardial ischemia. Braunwald's Heart Disease: A Textbook of Cardiovascular Medicine, 9th ed (Bonow RO, Mann DL, et al eds), WB Saunders, 2012; 1049-75.

Crea F, Camici PG, et al: Chronic ischaemic heart disease. The ESC Textbool of Cardiovascular Medicine, 2nd ed (Camm AJ, Luscher TF, et al eds), Oxford University Press, 2009; 597-664.

Shimokawa H: 2014 William Harvey Lecture: importance of coronary vasomotion abnormalities-from bench to bedside. *Eur Heart J.* 2014; **35**: 3180-93.

表 7-7-2 狭心症の分類

1. 発症機序の観点から
   a. 器質性狭心症 organic angina
   b. 冠攣縮性狭心症 coronary spastic angina
   c. 冠血栓性狭心症 coronary thrombotic angina

2. 誘因の観点から
   a. 労作性狭心症 effort angina
   b. 安静時狭心症 rest angina
   c. 労作兼安静狭心症 effort and rest angina

3. 経過の観点から
   a. 安定狭心症 stable angina
   b. 不安定狭心症 unstable angina

2）狭心症・無症候性心筋虚血

(1) 狭心症（angina pectoris）

定義・概念

狭心症とは、冠動脈病変により、心筋が一過性に虚血、つまり酸素欠乏に陥ったために生じる特有な胸部およびその隣接部の不快感（狭心痛）を主症状とする臨床症候群である。一過性心筋虚血の発生機序としては、冠動脈病変を基盤として心筋の酸素需要が増加するか、供給が減少するか、あるいは両方の機序の組み合わせにより生じる（Libbyら、2007）。

分類

狭心症は、従来から種々の観点から分類されてきた（表 7-7-2）。

1) **発症機序からみた分類**：器質的狭窄による器質性狭心症、冠攣縮による冠攣縮性狭心症、そして冠血栓性狭心症に分類される。

2) **発作の誘因からみた分類**：労作性狭心症、安静時狭心症、労作兼安静狭心症に分類される。労作性であっても器質的狭窄によることもあれば、労作により誘発された冠動脈攣縮（冠攣縮：スパスム）によることもある。多くは問診から診断可能である。

3) **経過からみた分類**：安定狭心症、不安定狭心症に分類される。安定狭心症はある一定以上の労作によって生じる狭心症で、安定労作性狭心症を意味する。不安定狭心症は発作の頻度、強度が増加してくるもので急性心筋梗塞や突然死に至る可能性があり急性冠症候群として包括される。

4) **微小血管性狭心症**：労作時や安静時に狭心症を疑うような胸痛発作を生じるが冠動脈造影上明らかな器質的狭窄も冠攣縮もないものを指す。冠動脈造影でみえない微小血管レベルでの狭窄や攣縮が原因と考えられている。中年以降の女性にみられることが多い。

原因・病因

原因としては冠動脈危険因子や生活習慣の欧米化による動脈硬化症がベースにあるが、慢性炎症の関与も指摘されている。

1) **冠危険因子**：改善しうる危険因子として、脂質異常症、高血圧症、喫煙、糖尿病、肥満、高尿酸血症などがあり、制御できない因子として、年齢、性（男性）、家族歴、人種があげられる。

2) **生活習慣様式**：喫煙、職業（ストレス）、性格などが動脈硬化の進展と関連する。カロリー過多、脂質過剰摂取、運動不足は肥満、耐糖能異常の大きな要因となり動脈硬化の進展を促進する。

3) **慢性炎症**：冠動脈硬化は多くは粥状動脈硬化によるが、その進展には Russell Ross の血管反応障害説を基礎として、多くの研究がなされ現在では動脈硬化症は血管の慢性炎症性疾患との概念が一般的である[1]。

疫学

厚生労働省の 2011（平成 23）年患者調査によると、虚血性心疾患（心筋梗塞、狭心症）の総患者数は 75 万 6000 人（ただし東日本大震災の影響で宮城県の石巻医療圏、気仙沼医療圏、福島県を除く）、狭心症は約 56 万人で、男性約 31 万人、女性 25 万人と、男性が 55％と多い。昭和初期の年代から比較すれば食生活や生活習慣の欧米化に伴って患者数は増加しているが、最近の 20 年間では微減している（e図 7-7-A）。

病態生理

狭心症は、一過性の心筋虚血が本体であるが、冠動脈病変を基盤として心筋の酸素需要が増加するか、供給が減少するか、あるいは両方の機序の組み合わせによって生じる。

心筋の酸素需要を規定するおもな因子は、心筋の収縮力と心拍数および収縮期の心室壁の張力である。収縮期の心室壁の張力（後負荷）は、心室の容積と収縮期心室圧の積で表されるので、臨床的には心拍数と収縮期血圧の積が rate-pressure product または double product とよばれて心筋の酸素需要量の指標として用

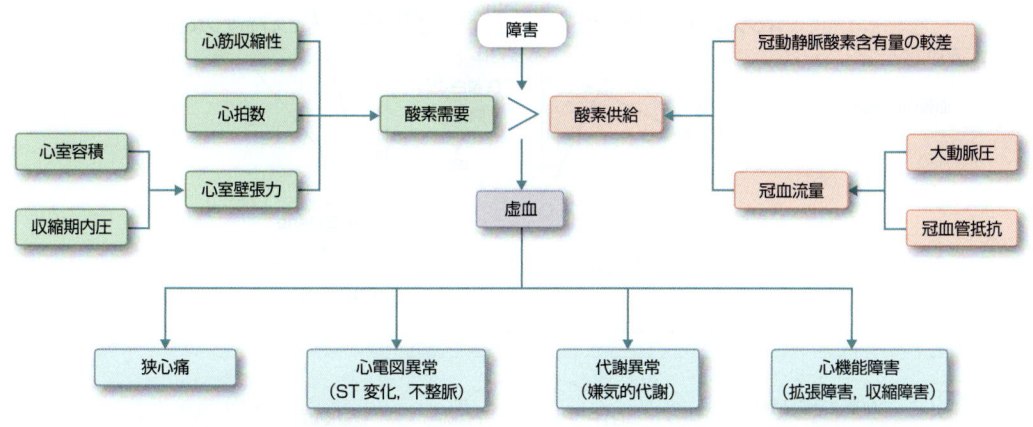

図 7-7-8 心筋虚血発生と病態(文献2より改変)

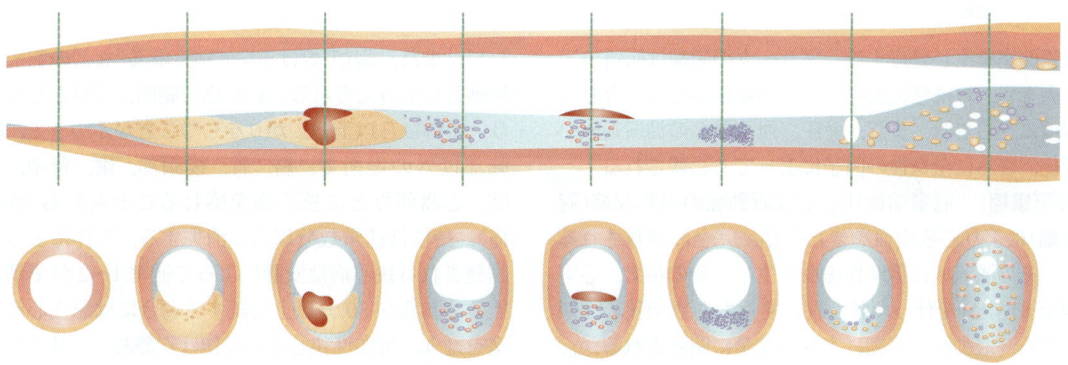

図 7-7-9 冠動脈狭窄(文献3より)
10歳代から動脈壁に悪玉コレステロールが蓄積しはじめる．動脈硬化の初期では血管径が大きくなり動脈内腔は狭くならない．さらに動脈硬化が進行すると動脈の内腔が狭くなる．高度狭窄でなくても，動脈硬化は潜在しており，粥腫が破綻すれば高度狭窄でない部位でも血管閉塞の原因となる(e図 7-7-B)．

いられている．

心筋への酸素供給を規定する因子は，血液の酸素運搬能と冠血流量で，冠動静脈の酸素含有量の較差と冠血流量の積で表される．冠循環においては心筋の酸素摂取率はきわめて高く冠動静脈の酸素含有量の較差は，安静時でも70～75％に達しており，心筋の酸素需要が増加しても，さらに増加することは少ない．したがって，心筋への酸素の供給は実際上，冠血流量によって支配される．心筋虚血とは，心筋の代謝に必要な十分量の血液が供給されない状態であり，灌流低下のために代謝産物の蓄積を伴う．心筋虚血の機序としては，心筋の酸素需要の増大に酸素供給が追いつかなくなる場合（相対的酸素不足）と，酸素供給自体が減少する場合（絶対的酸素不足），がある(図 7-7-8)[2]．

したがって，狭心症の発生には大きく2つの機序が考えられる．1つは冠動脈の器質的狭窄が強いために運動や精神的興奮時などの心筋酸素需要量が増加したときに心筋に必要な酸素が供給されずに心筋虚血が生じる器質性狭心症，もう1つは冠動脈に攣縮が生じることにより心筋への酸素供給量が減少することによる冠攣縮性狭心症（coronary spastic angina：CSAあるいはvasospastic angina：VSA）である．

1) 冠動脈硬化： 冠動脈硬化症が冠動脈狭窄に直ちに連続するものではなく，また冠動脈狭窄がすべて心筋虚血をきたすのではない．冠動脈狭窄は脂質の蓄積したプラーク(粥腫)が蓄積してもある程度まではむしろ血管径は拡大する方向に変形し(positive remodeling)，進行すると内腔の狭窄がはじまる．冠動脈の狭窄と血流の関係は直線的ではなく，安静時で血流が低下しはじめる冠動脈の狭窄は80％以上であり，運動時に相当する最大血流量が減少しはじめるのは50％以上からである．つまり，狭心痛を起こす冠動脈狭窄（有意狭窄）はある程度進行した状態となってはじめて労作性狭心症の症状を自覚する(図 7-7-9)[3]．

不安定狭心症，急性心筋梗塞などの急性冠症候群は，プラーク破綻(破裂・びらん)に伴う血栓形成から

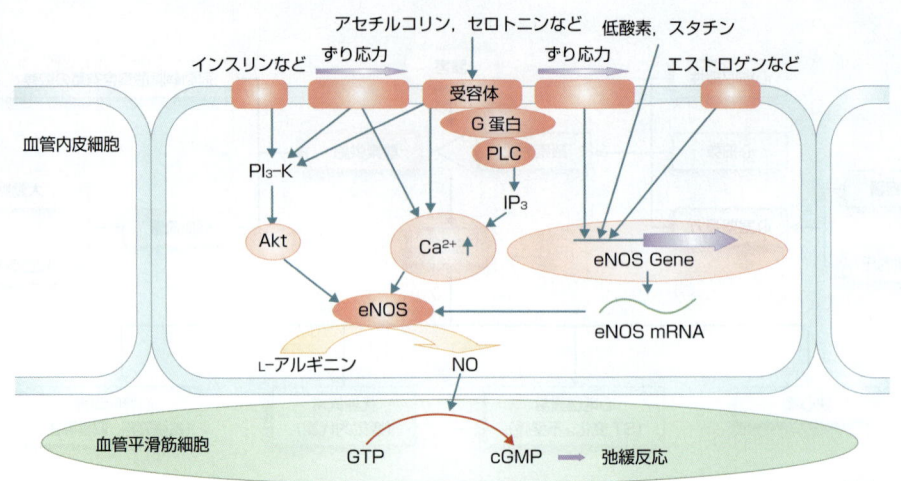

図 7-7-10 血管内皮における一酸化窒素(NO)産生(日本循環器学会．冠攣縮性狭心症の診断と治療に関するガイドライン(2013年改訂版)http://www.j-circ.or.jp/guideline/pdf/JCS2013_ogawah_h.pdf(2016年11月25日閲覧))

血管閉塞を生じ発症する．プラークの破綻は脂質コアの大きさ，線維性被膜の薄さ，炎症細胞浸潤，などの程度に左右され，また，血圧，血流などの循環動態の変化，さらに全身性の因子によっても影響される．

2）冠攣縮：冠攣縮性狭心症は冠動脈の過剰収縮(冠攣縮)により心筋虚血をきたすが，完全に閉塞されると，その灌流域に貫壁性虚血を生じ，その結果，心電図上ST上昇を伴った狭心症，すなわち異型狭心症が起こる．冠動脈が攣縮により不完全に閉塞されるか，またはびまん性に狭小化される場合，非貫壁性虚血を生じST低下を伴った狭心症が起こる．冠攣縮は夜間～早朝にかけて安静時に生じやすく，安静狭心症の臨床像を呈する．冠攣縮は労作によっても誘発されるが，午前中に起こりやすく，多枝冠攣縮は disease activity が高く重篤な症候が出現しやすい．冠攣縮には人種差がみられ，わが国を含めアジア人に多く白人には少ない[4]．

3）血管内皮における一酸化窒素：血管内皮では，一酸化窒素(nitric oxide：NO)は，内皮型一酸化窒素合成酵素(endothelial nitric oxide synthase：eNOS)により生成され，種々のシグナルにより活性化されて放出される．血管内皮は，NOのほかに，プロスタサイクリン(PGI$_2$)，内皮由来過分極因子(endothelium-derived hyperpolarizing factor：EDHF)の主として3種類の内皮由来弛緩因子 endothelium-derived relaxing factor (EDRF)を産生，遊離して，血管トーヌスの調節を行っている．NOはグアニル酸シクラーゼ活性化によるサイクリックGMPの増加により血管平滑筋の弛緩を惹起する(図7-7-10)．

臨床症状

1）自覚症状：狭心症の発作時の症状である狭心痛 anginal pain は，典型的には前胸部が"絞めつけられる"，"圧迫される"などの胸部絞扼感や胸部圧迫感と

して，また，胸が"焼ける"，"熱くなる"などの胸部灼熱感として訴えられる．狭心痛の範囲は漠然としており，手のひら以上の広がりをもつことがふつうで，前胸部以外の場所で，肩，首，後頭部，歯，背中，上肢，心窩部などに狭心痛を感じることもある(放散痛)．持続は通常数分以内に消失する．労作によって誘発される狭心痛は安静によって通常1～2分で消失する．胸痛が30分以上持続する場合には急性心筋梗塞を疑う．労作性狭心症の発作は安静あるいはニトログリセリンの舌下投与により，通常2～3分以内に消失するが，重症の狭心症発作消失にニトログリセリンが3錠くらいまで必要となることもある．ニトログリセリンに反応しない場合は急性心筋梗塞に移行する可能性のある不安定狭心症または急性心筋梗塞などの急性冠症候群の発症，あるいは虚血性心疾患以外の病気である可能性を考慮する．また，労作性狭心症の発作は一定以上の労作または rate-pressure product により必ず誘発され，安静により必ず消失するのを特徴とする．そのため，発作は労作の多い日中に生じることが多い．さらに，狭心症の症状として重要なものに，発作時の息切れ，呼吸困難がある．これは心筋の虚血に起因する左室拡張終期圧の上昇，駆出率の低下など左心室機能の障害によるものと思われる．

冠攣縮性狭心症による狭心痛の性状は，労作性狭心症と変わらないが，労作性狭心症の発作が活動の多い日中に生じることが多いのに対し，特に夜間～早朝にかけての安静時に出現しやすく，午前中には軽度の労作によっても誘発されるが，午後からはかなりの労作によっても誘発されない場合が多い．つまり発作の著明な日内変動および発作を引き起こすのに要する運動閾値の著明な日内変動が認められる．これは冠動脈のトーヌスが夜間から早朝にかけて亢進しており，この時間帯には冠動脈の攣縮(冠攣縮)が出現しやすいこと

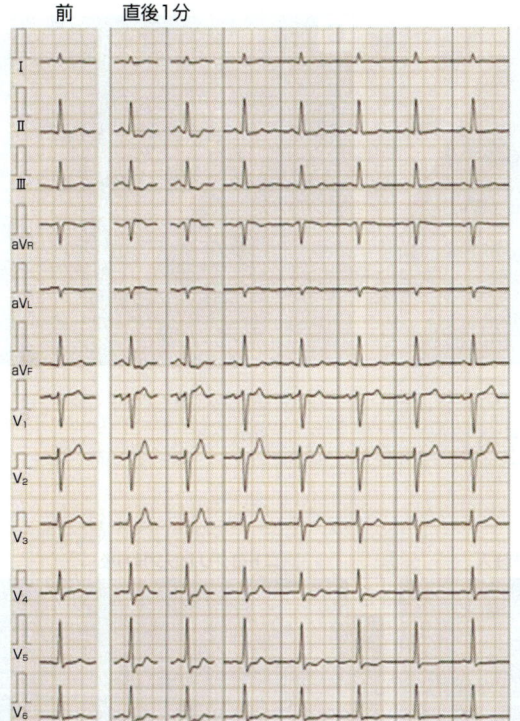

図 7-7-11 トレッドミル運動負荷試験
II，III，aVFでは右下がり型 ST 低下．
V₄〜V₆では水平型 ST 低下．

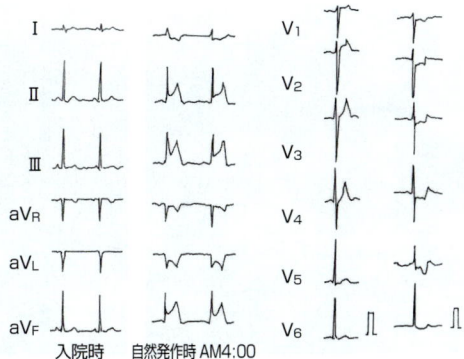

図 7-7-12 冠攣縮性狭心症患者の自然発作
自然発作時にII，III，aVFで ST 上昇，I，aVL，V₁〜V₆で ST 下降がみられる．

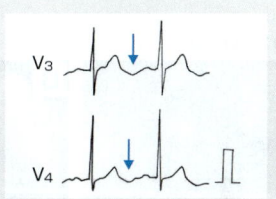

図 7-7-13 陰性 U 波
通常，前胸部誘導特に V₃〜V₅でみられやすい．

による．

2）他覚所見： 非発作時には特別な所見は認められない．冠危険因子である高血圧，肥満，脂質異常症の有無，を疑わせる黄色腫やアキレス腱の肥厚，糖尿病，喫煙を示唆する所見がないかに注意をして診察する．発作時には一過性の左心室機能障害の現れとして，III音やIV音が聴取されることがある．また一過性の乳頭筋虚血により僧帽弁閉鎖不全症をきたし，そのため収縮期雑音を聴取することがある．血圧は一般には発作時に上昇するが，強い心筋虚血の場合は低下することがある．心拍数は通常増加するが左室下壁の虚血の場合は減少することが多い．冠攣縮性狭心症では，脈拍，血圧は正常かむしろ徐脈，血圧低下傾向となる．

検査所見

1）心電図： 非発作時の心電図では，高度の虚血発作直後など特別な場合を除いて特徴的な所見はない．発作時にのみ心電図変化を生じる．発作時の心電図がとらえられていないときは，運動あるいは薬物での負荷検査を行う．特に冠攣縮性狭心症に関しては，症状が頻繁に発生している場合は，発作時と非発作時の 12 誘導心電図を記録することで確定診断がつく．冠攣縮は心臓表面の比較的太い冠動脈に起きるので ST 上昇を伴うが，不完全に閉塞されるか，びまん性に狭小化されるときは，ST 低下を伴った狭心症発作が起きる．Prinzmetal らが報告した異型狭心症は安静時に ST 上昇を伴う冠攣縮性狭心症の 1 つである[5]．

2）Holter 心電図： 携帯型心電計を用いて日常生活時の行動中に長時間連続記録ができ，アナライザにて高速解析する検査法で，狭心症では自然発作時の心電図変化を記録できる．器質性狭心症では心拍数増加時に ST 低下が，冠攣縮性狭心症では夜間から早朝に ST 低下あるいは上昇が記録される．

3）負荷心電図：

a）運動負荷試験：運動負荷により心筋酸素消費量を増加して虚血発作を誘発する方法．心筋酸素消費量の指標として，心拍数×収縮期血圧の rate-pressure product（RPP）が使用される．

i）マスター負荷試験：スクリーニング検査として有用であるが，負荷量が軽度なため心筋虚血検出の感度は低い．

ii）多段階運動負荷試験：エルゴメーターやトレッドミルを用い，心電図モニタ下に狭心痛や呼吸困難，下肢疲労などが出現するまで，または目標心拍数に達するまで負荷を段階的に増加する．最大運動負荷または亜最大運動負荷試験が望ましい．心筋虚血の判定基準として，ST 下降は J 点から 0.06 秒ないし 0.08 秒後の ST 部分を基線（PQ 接合部）からの下降度で測定し，0.1 mV 以上かつ ST 部分の傾きが水平型ないし下降型を陽性とし，また ST 上昇は 0.1 mV 以上を陽性とする（図 7-7-11）．

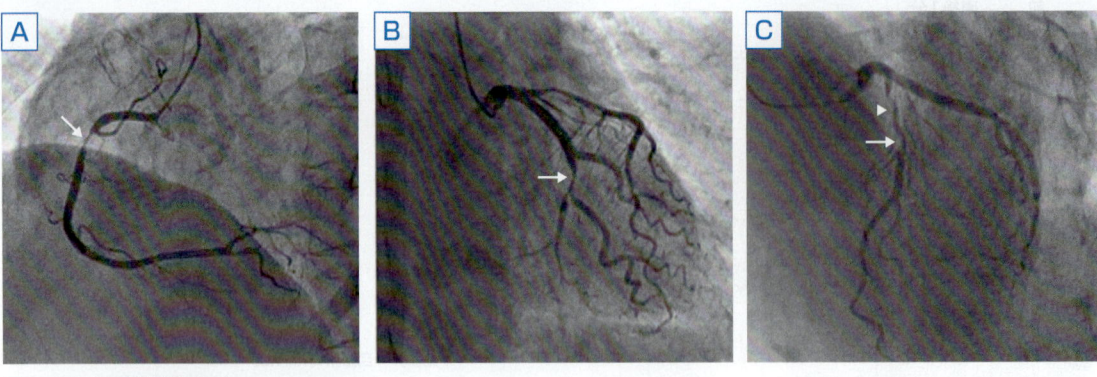

図 7-7-14 冠動脈造影
A：右冠動脈近位部に狭窄を認める（e動画 7-7-A）．
B：左冠動脈回旋枝中間部，左冠動脈前下行枝近位部に狭窄（e動画 7-7-B）．
C：左冠動脈前下行枝近位部に狭窄（e動画 7-7-C）．

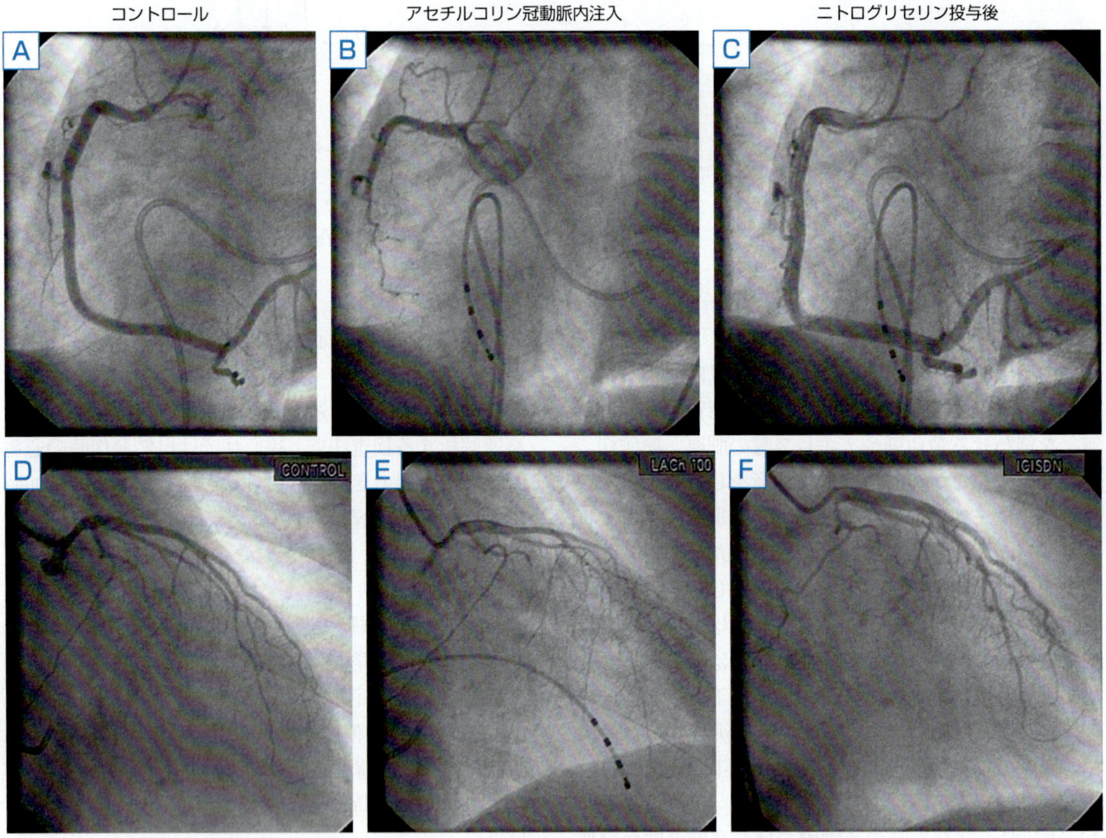

図 7-7-15 冠攣縮誘発試験（薬物：アセチルコリン）
A～C：右冠動脈．A：コントロール造影（e動画 7-7-D），B：アセチルコリン冠動脈内注入により，右冠動脈中間部に完全閉塞のスパスム認める（e動画 7-7-E），C：ニトログリセリン冠動脈内投与でスパスム解除，有意狭窄なし（e動画 7-7-F）．
D～F：左冠動脈前下行枝．D：コントロール造影（e動画 7-7-G），E：アセチルコリン冠動脈内注入により，左冠動脈前下行枝中間部に完全閉塞のスパスム認める（e動画 7-7-H），F：ニトログリセリン冠動脈内投与でスパスム解除，有意狭窄なし（e動画 7-7-I）．

ST 下降は心内膜下の心筋虚血を表し，ST 上昇はより強度の貫壁性の心筋虚血を表す．一過性の ST 上昇発作は冠動脈攣縮が関与している（図 7-7-12）．
一過性の陰性 U 波の出現は器質性狭心症における運動負荷時の発作時でも，冠攣縮性狭心症の発作時でも心筋の虚血を表す（図 7-7-13）．

b）過換気負荷テスト（e図 7-7-C）：冠攣縮誘発を目的として早朝安静時に，過換気（25 回/分以上を目

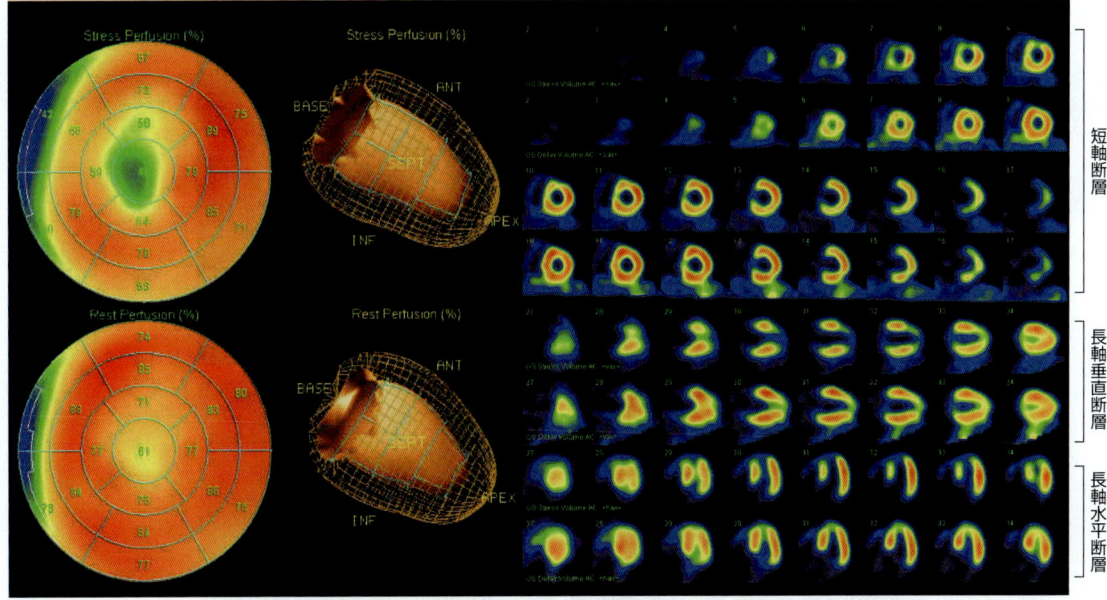

図 7-7-16 タリウム(^{201}Tl)運動負荷心筋シンチ
一番左は横断面．次に縦断面．右の多数の像は2段1組で，4組あり，上2組が心臓の横断面，下2組が心臓の縦断面，おのおの上段が運動負荷時，下段が4時間後の安静時の像．
心尖部を中心に前壁中隔から中隔全体に再分布所見あり．同部の壁運動は低下し，心尖部は不完全再分布．
EF 56％（負荷時），60％（安静時）．

短軸断層
長軸垂直断層
長軸水平断層

安として）を6分間行う．冠攣縮の起きる機序として，過換気による呼吸性アルカローシスを補正するために，イオン交換系である Na^+/H^+ 交換系が働き，細胞内（内皮および平滑筋細胞）H^+ を汲み出す．引き続いて細胞内 Na^+ イオンを汲み出すために，Na^+/Ca^{2+} 交換系が働いて Ca^{2+} イオンが細胞内に流入し，そのために冠攣縮が起きると推測されている．結果的に内皮および平滑筋細胞の Ca^{2+} 濃度が上昇することはアセチルコリンによる作用と同様であり，冠攣縮を起こす場合平滑筋細胞が Ca^{2+} に対して感受性が亢進している．

4）冠動脈造影検査： 器質的狭窄病変や冠攣縮の評価を目的として行われる．

a）器質性狭心症：冠動脈に器質的病変が存在するかどうか，存在するとすればどの程度，どの範囲であるか，経皮的冠動脈インターベンション（PCI）や冠動脈バイパス手術の血行再建術の適応はあるかなどを決めるために冠動脈造影法を行う．左室造影法は冠動脈造影法を行うときに施行し，左心室の機能を評価するのに有用である．

図 7-7-14（⊖動画 7-7-A～7-7-C）に，冠動脈造影の右前斜位 RAO 方向，左前斜位 LAO 方向からの像を示す．造影の方向によっては狭窄の程度が違って見えることがあるので角度をかえて造影することが重要である．

b）冠攣縮性狭心症：冠攣縮薬物誘発試験は，アセチルコリンあるいはエルゴノビンの冠動脈内投与により施行される．アセチルコリンは内皮より NO を放出させて血管を拡張する作用を有するが，同時に強力な血管平滑筋収縮作用も示す．冠攣縮狭心症例では冠動脈内皮からの NO の産生，放出が低下し，血管トーヌスが亢進しており，内皮依存性血管弛緩物質であるアセチルコリンにより冠攣縮が惹起されるのは，アセチルコリンによる内皮からの NO の放出障害と血管平滑筋の過収縮によると考えられている．アセチルコリンの半減期は非常に短いためエルゴノビンによる攣縮とは異なり，自然寛解する．つまり，硝酸薬を必要としないため多枝冠攣縮の診断に有用である．多枝冠攣縮発作はしばしば重篤で冠攣縮性狭心症の予後規定因子の1つである（図 7-7-15，⊖動画 7-7-D～7-7-I）．

5）心エコー図： 発作時に虚血心筋部の壁運動の異常が観察される．冠動脈に器質的な有意狭窄がある場合には，ドブタミン負荷心エコーで心筋虚血が誘発され壁運動異常を評価できる．また，安静時のカラードプラ法で冠血流を描出しパルスドプラ法でその冠血流速度を計測・分析する冠動脈エコーにより，冠動脈狭窄を推定できる．アデノシン負荷心エコーは，運動負荷ができない症例では有用である．アデノシンなどの血管拡張薬を投与し，安静時と負荷時の冠血流速度を測定し，冠動脈予備能（coronary flow reserve：CFR）を計算することで，冠動脈狭窄を推定することができ

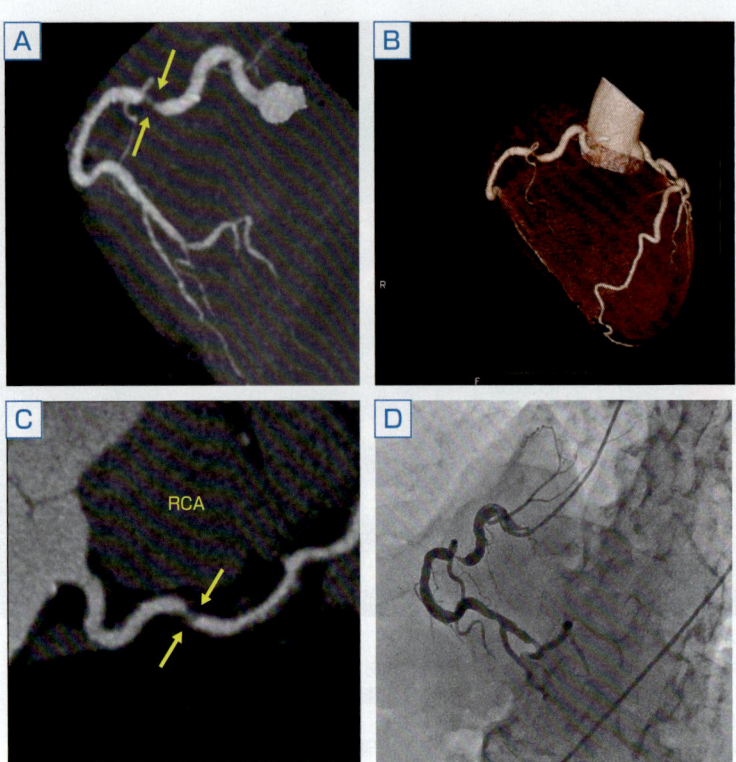

図 7-7-17 心臓CT，冠動脈造影（CAG）
A〜C：右冠動脈近位部に高度狭窄，D：冠動脈造影 CAG（e動画 7-7-J）．

る．ただ，肥大心，糖尿病などの微小循環障害により影響を受けやすい．

6）生化学的検査：狭心症の虚血は一過性であり，心筋は壊死に陥っていないので，血清クレアチンキナーゼ（CK），心筋特異性の高いアイソザイムである CK-MB，心筋トロポニン T や I などの心筋由来の酵素は上昇しない．

7）核医学的検査：心臓核医学検査のなかでも心筋血流イメージングは，心筋血流製剤のタリウム（^{201}Tl）やテクネシウム（^{99m}Tc）を用いて運動負荷や薬物負荷（アデノシン静注法）により，心筋の虚血部位への血流の相対的減少や虚血部心筋の壁運動の異常，駆出率の低下などを検出する（図 7-7-16）．負荷 ^{201}Tl 心筋シンチグラフィにおいては，最大運動負荷時に核種を静注して数分後に患者を安静にして撮影を行う．その像は，負荷時の血流分布を示し，血流欠損像は一過性の血流障害か心筋梗塞を表す．2〜4時間後の安静時像で欠損が消失していれば一過性心筋虚血を意味し，欠損像が残存していれば心筋梗塞を表す．冠動脈疾患の予後推定においては心筋灌流異常があり心機能が低下した患者で有意に心事故発生率が高い．現在臨床で汎用されているのは，心電図同期 SPECT 法（single-photon emission computed tomography）である．

8）心臓CT：マルチスライス CT（multislice CT：MSCT；多検出器列型 CT，multidetector-row CT：MDCT とも表現）により，拍動する臓器である心臓が撮影可能となり，検出器の増加によって装置の機能が充実した．高度石灰化病変でなければ冠動脈疾患にとって有用で，冠動脈狭窄の評価のみならず，動脈硬化性プラークの性状評価にもすぐれている（図 7-7-17，e動画 7-7-J）．CT の利点は低侵襲であり，冠動脈内腔のみならず血管壁の石灰化，非石灰化プラークの組織性状評価も可能である．このため，急性冠症候群などの不安定プラークを検出し治療方針の決定の補助となりうる[6]．

9）fusion 画像：心臓 CT は高い陰性適中率を示し，高い分解能を有することから冠動脈病変を有する症例において解剖学的情報の把握に強みを発揮するものの機能評価は劣る．一方，心筋 SPECT では分解能は劣るが，心筋虚血や，viability など機能描出には非常に有効である．両モダリティの長所を生かすためにこれらの両画像を統合し，三次元の fusion 画像が考えられ最初は腫瘍の分野で臨床応用が進み，心臓，特に冠動脈疾患に対する fusion 画像の有効性が報告されている．

10）心臓 MR：冠動脈狭窄評価のための MRA（MR アンギオグラフィ）のみでなく，シネ MRI による心機能と局所壁運動の診断，遅延造影 MRI による心筋

表 7-7-3 狭心症重症度分類(Campeau L: Letter: Grading of angina pectoris. *Circulation*. 1976; 54: 522-3)

Class Ⅰ	日常の身体活動, たとえば通常の歩行や階段上昇では狭心発作を起こさない. 仕事にしろ, レクリエーションにしろ, 活動が激しいか, 急か, または長引いたときには狭心発作を生じる.
Class Ⅱ	日常の身体活動はわずかながら制限される. 急ぎ足の歩行または階段上昇, 坂道の登り, あるいは食後や寒冷, 強風下, 精神緊張下または起床後2時間以内の歩行または階段上昇により発作が起こる. または2ブロック(200 m)をこえる平地歩行あるいは1階分をこえる階段上昇によっても狭心発作を生じる.
Class Ⅲ	日常活動は著しく制限される. 普通の速さ, 状態での1〜2ブロック(100〜200 m)の平地歩行や1階分の階段上昇により狭心発作を起こす.
Class Ⅳ	いかなる動作も症状なしにはできない. 安静時にも狭心症状をみることがある.

表 7-7-4 不安定狭心症の分類(Braunwald E: Unstable angina. A classification. *Circulation*. 1989; 80: 410-4.)

〈重症度〉
Class Ⅰ: 新規発症の重症または増悪型狭心症
　　　　最近2カ月以内に発症した狭心症
　　　　1日に3回以上発作が頻発するか, 軽労作にても発作が起きる増悪型労作性狭心症, 安静狭心症は認めない
Class Ⅱ: 亜急性安静狭心症
　　　　最近1カ月以内に1回以上の安静狭心症があるが, 48時間以内に発作を認めない
Class Ⅲ: 急性安静狭心症
　　　　48時間以内に1回以上の安静時発作を認める

〈臨床症状〉
ClassA: 二次性不安定狭心症(貧血, 発熱, 低血圧, 頻脈などの心外因子により出現)
ClassB: 一次性不安定狭心症(ClassAに示すような心外因子のないもの)
ClassC: 梗塞後不安定狭心症(心筋梗塞発症後2週間以内の不安定狭心症)

〈治療状況〉
1) 未治療もしくは最小限の狭心症治療中
2) 一般的な安定狭心症の治療中(通常量のβ遮断薬, 長時間持続硝酸薬, Ca拮抗薬)
3) ニトログリセリン静注を含む最大限の抗狭心症薬による治療中

梗塞と心筋viabilityの評価, 負荷心筋パーフュージョンMRIによる心筋虚血の診断などに有用である. 腎機能低下症例, 冠動脈の高度石灰化症例, 放射線被曝を避けたい症例などCT施行が困難な場合の非侵襲的検査として有用である.

診断

①問診にて狭心痛を正しく把握する. 発作時の心電図が記録されれば診断はほぼ確定される. 発作はニトログリセリンの舌下投与により速やかに消失する. 一過性心筋虚血の出現を客観的に証明するために, 運動負荷や薬剤負荷により発作を誘発して心電図を記録する. 不安定狭心症に対して負荷試験は禁忌である. 日中労作時に胸部圧迫感の発作があり, 安静にて消失すれば器質性狭心症であり, 深夜から早朝の安静時に胸部圧迫感が出現すれば冠攣縮性狭心症である.

②心電図に左脚ブロックやWPW症候群などがあり, 心電図上の心筋虚血の判定が困難な場合には ^{201}Tl心筋シンチグラフィを用いて心筋虚血を証明する.

③重症度診断として, Canadian Cardiovascular Societyの重症度分類(CCSC)が(表7-7-3), 不安定狭心症では, Braunwaldの分類(表7-7-4)が用いられる.

④胸痛が強度で持続するとき, 急性心筋梗塞と鑑別するために血清CK, CKアイソエンザイム(CK-MB), トロポニンT, トロポニンIなどを測定する.

⑤冠動脈病変による重症度診断:1枝病変より多枝病変が, 遠位部狭窄より近位部狭窄が, 限局性病変よりびまん性病変が重症である. 狭窄形態としては, 血栓を伴う偏心性狭窄やびまん性不規則病変が重症である.

⑥冠危険因子の評価:高血圧, 喫煙, 脂質異常症, 糖尿病, 肥満, 虚血性心疾患, 突然死の家族歴, 性格, ストレスなどの冠危険因子を評価する.

⑦冠攣縮性狭心症に対しては確定診断が難しい場合もあり, 診断のポイントを示したガイドラインが作成され, 診断のフローチャートが記載されている(図7-7-18)[7].

鑑別診断

胸痛をきたす疾患は鑑別診断の対象となり, 以下のような疾患があげられる.

1) 心疾患:

a) 急性心筋梗塞:発作が狭心症のそれに比べると, より強度で持続時間も長く(30分以上, 多くは1時間以上), ニトログリセリンの舌下投与に対しても無効であり, さらに血清CK, CKアイソエンザイム(CK-MB), トロポニンT, トロポニンIなどが上昇する. 急性心筋梗塞はST上昇型急性心筋梗塞と非ST上昇型急性心筋梗塞に分けられ, 不安定狭心症, 心臓突然死とともに急性冠症候群として包括される. ST上昇型急性心筋梗塞ではない心電図変化のはっきりしない

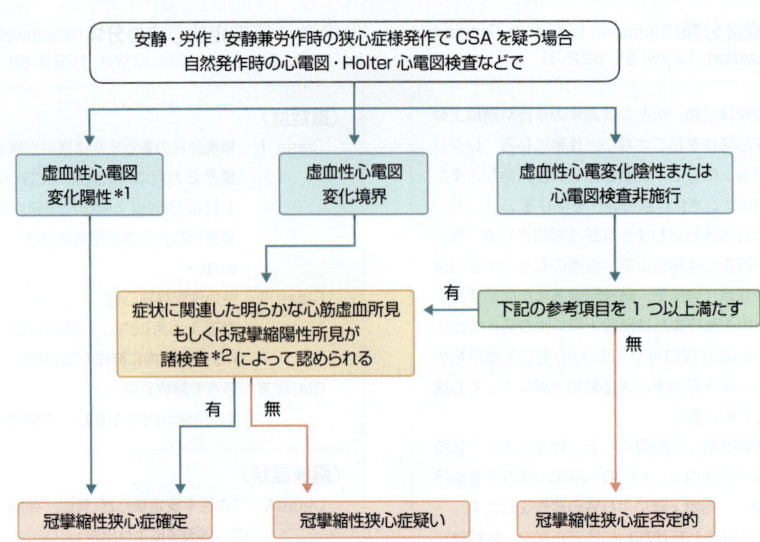

図 7-7-18 冠攣縮性狭心症の診断アルゴリズム（日本循環器学会．冠攣縮性狭心症の診断と治療に関するガイドライン（2013年改訂版）http://www.j-circ.or.jp/guideline/pdf/JCS2013_ogawah_h.pdf（2016年11月25日閲覧））

参考項目：硝酸薬により速やかに消失する狭心症様発作で，以下の4つの項目のどれか1つが満たされれば冠攣縮疑いとする．
①（特に夜間から早朝にかけて）安静時に出現する，
②運動耐容能の著明な日内変動が認められる（早朝の運動能の低下），
③過換気（呼吸）により誘発される，
④カルシウム拮抗薬により発作が抑制されるがβ遮断薬では抑制されない．

*1：明らかな虚血性変化とは，12誘導心電図にて，関連する2誘導以上における一過性の0.1 mV以上のST上昇または0.1 mV以上のST下降か陰性U波の新規出現が記録された場合とする．虚血性心電図変化が遷延する場合は急性冠症候群のガイドラインに準じ対処する．

*2：心臓カテーテル検査における冠攣縮薬物誘発試験，心筋シンチ，過換気負荷試験などを指す．なお，アセチルコリンやエルゴノビンを用いた冠攣縮薬物誘発試験における冠動脈造影上の冠攣縮陽性所見を「心筋虚血の徴候（狭心痛および虚血性心電図変化）を伴う冠動脈の一過性の完全または亜完全閉塞（＞90％狭窄）」と定義する．

場合の，不安定狭心症と非ST上昇型急性心筋梗塞の違いは，心筋傷害マーカー上昇の有無，つまり虚血傷害の程度で決まってくるが，連続した同一疾患スペクトル上の病態としてとらえられ，薬物療法のみで治療可能な比較的軽症のものから早急な血行再建を要するものまで重症度のスペクトルが非常に広い特徴を有し，初期診断鑑別が重要になってくる．

　b）急性心外膜炎，急性心筋炎：発熱などの炎症所見を伴うことが多く，心電図上，冠動脈支配に一致しない広範囲のST上昇を認める．心膜摩擦音を聴取することもある．

　c）心筋症：肥大型心筋症においてときに一過性に胸痛を訴えることがある．

2）肺胸膜疾患：
　a）肺塞栓症：突然の胸痛と呼吸困難を訴えることが多い．肺血流シンチグラムでは区域または肺葉に一致する欠損をみる．造影CTは比較的簡便で診断能は高い．
　b）肺炎，胸膜炎，気胸など．

3）大動脈疾患：
　a）大動脈解離：激しい胸痛で発症する．冠動脈入口部まで病変が及んでいなければ心電図には明らかな虚血性変化は生じない．胸部X線写真で大動脈径の著明な拡大を認め，造影CT検査で確定診断を行う．

4）胸壁疾患：
　a）肋間神経痛，肋軟骨骨折，胸部筋肉痛など．

5）食道疾患：
　a）食道炎，食道裂孔ヘルニア，食道痙攣など．

6）消化器疾患：
　a）胃十二指腸潰瘍，胆石症，膵炎など

鑑別点として特に重要なのは，ニトログリセリンの舌下投与により胸痛が消失するか否かということである．狭心症の場合，舌下投与後2～3分以内で発作が消失するのがほとんどである．

治療

目標は発作の寛解と心筋梗塞を予防し生命予後を改善することである．

心筋の一過性酸素欠乏に対し，心筋への酸素供給を増加させるか，または心筋の酸素需要を減少させる，あるいはこの両方により心筋の酸素欠乏を防ぐことが目的である．

労作性狭心症の場合は，発作の誘因を避けるとともに

に，薬物療法によって，心筋の酸素需要の増加を抑制する．

不十分ならば冠動脈バイパス手術や PCI を行い，冠血流量，つまり酸素の供給を増加するようにする．

1) 一般療法：

　a）発作の誘因の除去ないし制御：身体的労作，精神的興奮，寒冷，過飲，過食などは心筋の酸素消費量を増加させ，労作性狭心症の誘因となるので避ける必要がある．

　b）動脈硬化の危険因子の除去ないし制御：冠動脈狭窄病変はほとんどが動脈硬化に基づくものであり，高血圧，脂質異常症，喫煙，糖尿病および肥満など，動脈硬化を促進する危険因子の除去ないし制御が必要である．

2) 薬物療法：

　a）器質性狭心症：

　i) 発作時の治療：ニトログリセリンが著効を呈する．発作が出現するとすぐに 1 錠(0.3 mg)を舌下に入れて溶解させる．通常 2〜3 分以内に効果が現れる．発作が増強していく場合や 5 分を経過しても発作が消失しない場合には，さらにもう 1 錠追加する．3〜4 錠の舌下投与後も症状の消失しない場合には，モニター可能な coronary care unit(CCU)あるいはそれに準じた施設に移して治療を行う．

ニトログリセリンなどの硝酸薬は静脈系を拡張して心臓へ還る血液量を減少させ，したがって心室の容積を減少させて心室壁の張力を低下させ，心筋の酸素需要量を減少させる．これと同時に冠動脈の太い部分を拡張させる．これらの作用機序のために，労作性狭心症に対しては心筋の酸素需要を減少させることにより発作を消失させる．

　ii) 狭心症の治療薬：ニトログリセリン舌下投与の持続時間は短く，発作の予防のためには長時間有効な薬剤が必要とされる．

① β 遮断薬：β 遮断薬は，心拍数，血圧および心筋の収縮性を低下させることによって心筋の酸素需要を減少させるので広く労作性狭心症の治療に使用されている．しかし，わが国に多い冠攣縮(coronary spasm)を悪化させる可能性があり，夜間や明け方の安静時胸痛の有無を問診することが重要である．

② 抗血小板薬：禁忌でなければアスピリンを使用する．アスピリンは抗血小板薬として，安定狭心症に対し，心血管死，心筋梗塞などの心血管イベントを抑制する．冠動脈インターベンション後は血栓症予防としてアスピリンとチエノピリジン系抗血小板薬の 2 剤を一定期間併用する．

アスピリンは，抗血小板作用を有し，安定狭心症患者において，心筋梗塞，死亡などの心血管イベントを減少させる[8]．副作用として，消化性潰瘍や上部消化管出血があり，予防にはプロトンポンプ阻害薬などの併用が有用である．

心房細動や弁置換術後では，ワルファリンなどの抗凝固薬が必須となる．このような患者が冠動脈ステント留置術を受けると，一時的ではあるが，抗血小板薬 2 剤併用と抗凝固薬 1 剤で合計 3 剤の抗血栓薬(抗血小板薬と抗凝固薬)を内服する必要がある．抗血栓薬の併用療法では，単剤よりも 2 剤，2 剤よりも 3 剤で出血のリスクが上昇する(eコラム 1)．

③ 持続性硝酸薬：心室壁の張力の低下と冠動脈の拡張により有効であるが，耐性の出現が指摘されており，その予防のためには血中濃度を持続的に高レベルに保つのではなく，発作の起こらない時間帯は投与しないことが好ましい．

④ Ca 拮抗薬：Ca 拮抗薬は冠攣縮性狭心症に対し第一選択薬であるが，末梢血管を拡張して血圧を低下させ，また種類によっては心拍数も減少させるので心筋の酸素需要を減少させ，労作性狭心症に対しても有効である．

⑤ スタチン：LDL コレステロール，中性脂肪値を低下させ，HDL コレステロール値を上昇させるとともに，LDL コレステロール低下作用とは独立して多面的効果(pleiotropic effect)を有し，たとえば，抗酸化作用，血管内皮細胞の分化増殖の促進とその内皮機能障害の改善，血栓形成改善作用，抗炎症作用，免疫抑制作用などがみられ，心血管イベント抑制につながる[9]．

⑥ アンジオテンシン変換酵素(ACE)阻害薬/アンジオテンシン II 受容体拮抗薬(ARB)：ACE 阻害薬は，心筋梗塞後の左室リモデリングの抑制や再梗塞の減少などの効果があり，心血管イベントを減少させる．また，心機能が保持された虚血性心疾患患者でも心血管イベントを抑制する[10]．ARB は ACE 阻害薬とほぼ同様の効果があり，最近では，ACE 阻害薬の副作用である咳が多い患者のみならず，ACE 阻害薬の代わりに投与されることも多い．

⑦ ニコランジル：ニコランジルは，K^+ チャネル開口作用と硝酸薬の作用をあわせもっており，硝酸薬と比べて選択的に冠動脈を拡張するため，血圧低下の副作用が少なく，安定狭心症患者の予後を改善する[11]．

　b）冠攣縮性狭心症

　i) 発作時の治療：ニトログリセリンが著効するのは労作性狭心症と同じである．

　ii) 治療薬

① Ca 拮抗薬：血管平滑筋細胞内 Ca 流入を抑制する Ca 拮抗薬は，高い抗攣縮作用を有し，冠攣縮性狭

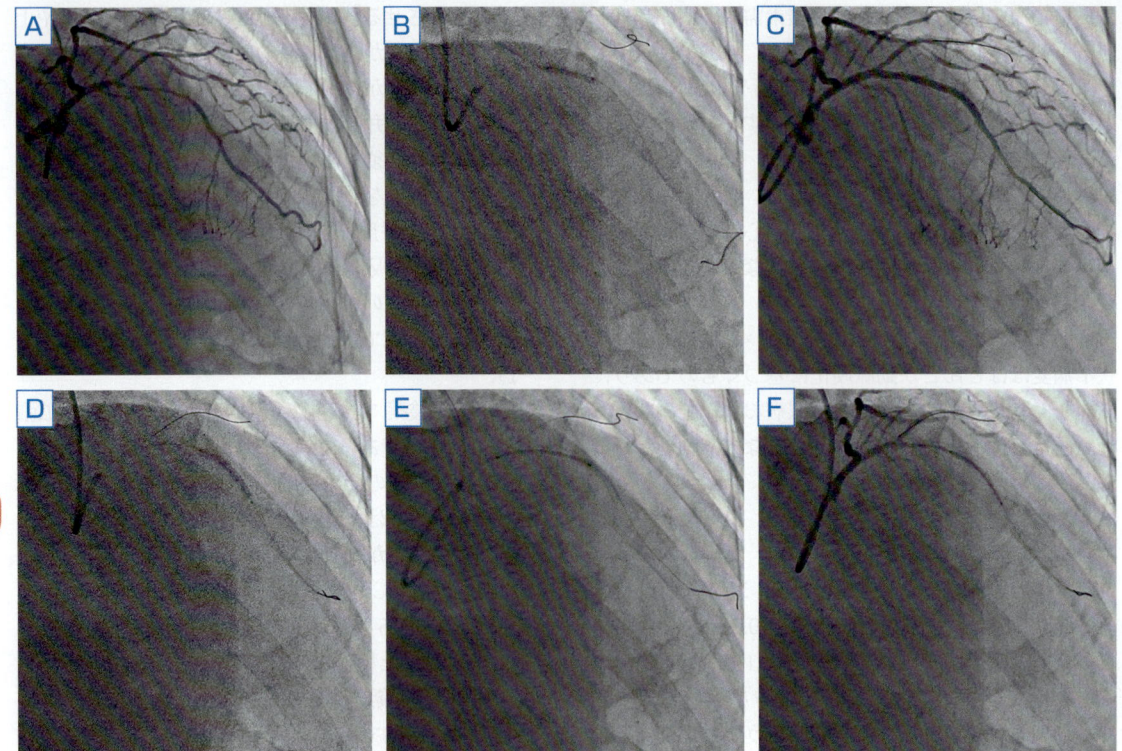

図 7-7-19 ステント留置術
A：左冠動脈前下行枝近位部から中間部に高度狭窄（e動画 7-7-K），B：バルーン拡張（e動画 7-7-L），C：遠位部にステント留置位置決め（e動画 7-7-M），D：ステント拡張（e動画 7-7-N），E：近位部にステント留置（e動画 7-7-O），F：最終造影（e動画 7-7-P）．

心症に対する最も適切な薬剤である．

②β遮断薬：相対的にα受容体優位となり血管収縮を助長し冠攣縮性狭心症を増悪させ予後を悪化させる．器質的狭窄が併存するためβ遮断薬を使う必要がある場合は，Ca拮抗薬や硝酸薬を併用することが推奨される．

③持続性硝酸薬：冠動脈内皮機能の障害によるNO活性の低下を補い，Ca拮抗薬とは異なる作用機序で冠攣縮に有効であり，Ca拮抗薬との併用や症例により使い分けることが重要である．

④ニコランジル：ニコチン酸アミドの誘導体であり選択的な冠動脈拡張作用と冠攣縮抑制作用を有する．Ca拮抗薬と異なる作用機序のため，薬剤抵抗性の症例に併用されることがある．

⑤スタチン：血管内皮機能障害の改善，抗炎症作用などの多面的効果（pleiotropic effect）により，冠攣縮抑制に有効である[16]．

3）経皮的冠動脈インターベンション（percutaneous coronary intervention：PCI）：

a）バルーン拡張術（plain old balloon angioplasty：POBA）：1977年にはじめてGruentzigにより行われたバルーン拡張術は，外科手術に比し侵襲が少なく，成功率も高いので器質性狭心症や冠血栓性狭心症に広く適用されたが，拡張部冠動脈の急性閉塞や解離および高い再狭窄率が問題となり次のステントが登場した．

b）冠動脈ステント留置術（coronary stent implantation）（図7-7-19，e動画 7-7-K〜7-7-P）：特殊な筒状の金属製のワイヤー（ステント）を冠動脈内に留置する方法で急速に普及した．ステント留置により急性冠閉塞が減少し，再狭窄率はバルーン拡張術よりは良好であったが20〜30％であった．その後，免疫抑制薬や抗癌薬でコーティングしたステントdrug-eluting stents（DES，薬剤溶出性ステント）はベアメタルステント（bare metal stent：BMS）に比し，再狭窄には劇的な効果があるが，遅発性血栓症（late thrombosis）の発生，さらには1年以後にも生じるvery late stent thrombosis（VLST）が懸念された[12]．また，長期の2剤併用抗血小板療法の必要性から出血合併症も指摘された．しかし，初期の第1世代DESから現在は第2世代DESが主流となり，BMSに比し，再狭窄のみならず生命予後にも良好で，また2剤併用抗血小板療法も期間短縮可能の報告がされている[13]．さらに，生体適合性ステントなどの開発が進みscaffoldが数年で吸収する"生体吸収型ステント"も臨床試験されている．

c）高速回転式粥腫切除術（rotational atherectomy）

ロータブレーター：ダイアモンド粒子でコーティングされたカテーテルの先端チップが高速回転することにより冠動脈の病変を切削する方法で，高度石灰化病変に有効である．

　d）エキシマレーザ冠動脈形成術：308 nmのレーザ光を，経皮的に冠動脈内病変部に挿入されたエキシマレーザ血管形成用レーザカテーテルを介して狭窄，閉塞病変組織に照射することにより，病変部を蒸散，除去し，血管内腔を拡大するシステムである．

　e）薬剤コーティングバルーン（drug-coating balloon）：バルーンの表面に再狭窄予防薬を塗布し，バルーン拡張時に血管壁に染み込ませることで再狭窄を予防する．

　f）至適内科治療（optimal medical therapy）：安定狭心症患者の初期治療として薬物療法とライフスタイル改善による最適な内科的治療単独群とPCIを併用する群の前向き比較試験では，PCIを併用しても死亡，心筋梗塞などの心血管イベントは抑制されないことが示されている[14]．

4）外科手術（coronary artery bypass graft surgery：CABG）：大部分は，薬物療法，カテーテル治療によってコントロール可能であるが，なかには内科的治療でコントロールしえない症例もあり，このような場合には冠動脈バイパス手術（A-Cバイパス術）が考慮される．左冠動脈主幹部の狭窄，または3枝に内径75%以上の狭窄があり，しかも狭窄の末梢が十分に太ければ，手術の適応となる．バイパスに使われる血管としては内胸動脈，大伏在静脈，橈骨動脈，胃大網動脈がある．最近では，低侵襲による体外循環心停止を使用しない心拍動下吻合によるオフポンプ冠動脈バイパス術（off-pump coronary artery bypass：OPCAB）が普及している．糖尿病患者にみられやすい冠動脈のびまん性病変や高度石灰化病変が多い透析患者に対してはDESによるPCIより，CABGの方が有効であることが示されている[15]．

5）器質的狭窄に攣縮が加わった狭心症：器質性と冠攣縮性の狭心症は独立して存在するのではなく，器質的狭窄と攣縮がさまざまな程度で関与していることがあり，両方の関与の程度を考えながら治療することが重要である．

6）血管新生療法：冠血行再建術が適応とならない重症例において，血管への分化能や血管新生誘導能をもつ細胞を直接移植したり，血管新生促進作用を有するサイトカインを外因性に投与することによって，毛細血管を新生し側副血行路を促進させ，虚血に伴う心機能低下や自覚症状を改善させる．

経過・予後

狭心症の経過と予後は，病態，重症度，心筋梗塞既往の有無，左心機能，合併症（糖尿病，左室肥大）などに左右される．

1）器質性狭心症：多枝病変，左冠動脈主幹部病変，左室機能低下例は予後が悪い．発作の頻度，強度，持続時間が次第に増悪してくる不安定狭心症は，急性心筋梗塞や突然死に至る危険が大きい．

2）冠攣縮性狭心症：Ca拮抗薬の出現により，予後は比較的良好となってきたが，器質的狭窄合併例，攣縮が1枝のみに限局せず，多枝に出現する場合は，発作時に致死的な不整脈を生じ突然死する可能性もあり，確実な内服継続が必要である．

（2）無症候性心筋虚血（asymptomatic myocardial ischemia）

定義・概念

心筋虚血を生じているにもかかわらず狭心痛あるいはそれに類似する症状を伴わない病態を無症候性心筋虚血（asymptomatic myocardial ischemia），あるいは無痛性心筋虚血（silent myocardial ischemia：SMI）とよび，1962年のWHO分類ですでに無痛性虚血性心疾患の項目として記載されている．実臨床では，たとえば高リスク患者に対する手術前検査など何らかの理由で長時間心電図や負荷試験などを行った際に発見されるとか，糖尿病を長期加療された患者が，症状はないものの虚血スクリーニング目的の運動負荷試験で見つかることも多い．また，有症状の狭心症患者でも無痛性の発作を高頻度に生じている．

分類・頻度

Cohnの分類（表7-7-5）を示す[17]．

Type 1は冠動脈疾患がなく，Type 2,3は冠動脈疾患を基礎にもつ患者である．Type 1は欧米に比較するとわが国での頻度は低い．Type 2の無症候性心筋虚血は，負荷試験またはHolter心電図により30〜40%の患者にみられる．Type 3の頻度は，狭心症患者の約50%にHolter心電図上無症候性心筋虚血が認められる．

原因・病因

単一の原因ではなく多くの因子の関与が考えられる．虚血の程度が軽い，範囲が狭いとき，持続時間，進行の速度，また疼痛閾値の個人差あるいは日内変動で痛覚閾値に達しない場合，さらに心筋梗塞領域周辺の虚血で知覚神経求心路終末が障害されているとき，

表7-7-5　無症候性心筋虚血の分類

Type 1：まったく無症状で心筋梗塞や狭心症の既往のないもの
Type 2：心筋梗塞後に胸痛を伴わない心筋虚血を示すもの
Type 3：明らかな狭心症を有し，同時に無症状の心筋虚血を示すもの

内因性オピオイド分泌の個人差の存在，糖尿病性自律神経障害，加齢による無痛など痛覚閾値が上昇する場合などに無症候性心筋虚血を生じる．

検査所見
運動負荷心電図，Holter心電図，心筋血流イメージングで虚血性変化あるものの症状がみられない．

診断
冠危険因子を有する患者の心筋虚血の診断手順を示す（山岸ら，2010）（図7-7-20）．

治療
無症候性のため，症状を改善する項目はないが，症候性心筋虚血つまり狭心症と同じ治療である．

予後
SMIの存在は，冠動脈狭窄の進展度，左心機能とともに冠動脈疾患患者の予後と関連する．糖尿病，高齢者の増加により無症候性心筋虚血は増加することが予想される．ACIP（Asymptomatic Cardiac Ischemia Pilot）研究では冠動脈造で50％以上の狭窄を認めるSMIが指摘された588人を対象に，症状を指標にした薬物療法群，24時間心電図所見を指標とした薬物療法群，血行再建術群に分けて比較検討され，心事故発生率はそれぞれ41.8％，38.5％，23.1％であり，無症候であっても虚血が証明されれば積極的な治療が必要であることが示された[18]．〔小川久雄・掃本誠治〕

■文献（e文献7-7-2）

Libby P, Bonow RO, et al: Braunwald's Heart Disease: A Textbook of Cardiovascular Medicine, 8th ed, Saunders, 2007.
小川久雄，他：冠攣縮性狭心症の診断と治療に関するガイドライン（2013年改訂版），日本循環器学会，2013. http://www.j-circ.or.jp/guideline/pdf/JCS2013_ogawah_h.pdf
山岸正和，他：慢性虚血性心疾患の診断と病態把握のための検査法の選択基準に関するガイドライン（2010年改訂版），日本循環器学会，2010. http://www.j-circ.or.jp/guideline/pdf/JCS2010_yamagishi_h.pdf

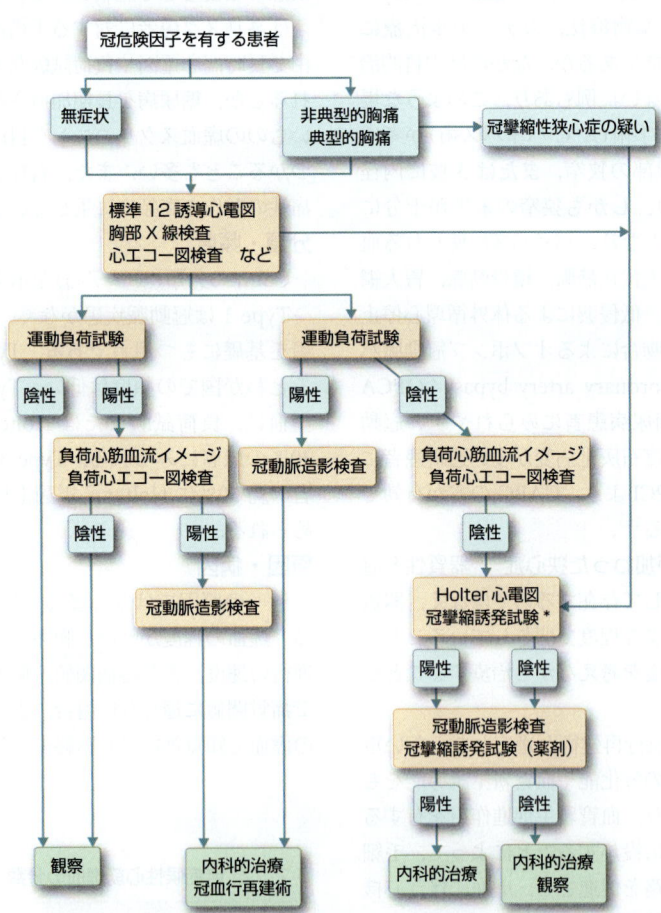

図7-7-20 心筋虚血の診断手順（日本循環器学会．慢性虚血性心疾患の診断と病態把握のための検査法の選択基準に関するガイドライン（2010年改訂版）http://www.j-circ.or.jp/guideline/pdf/JCS2010_yamagishi_h.pdf（2016年11月25日閲覧））
＊：過呼吸，寒冷昇圧試験

3）急性冠症候群
acute coronary syndrome：ACS

(1) 概念・発症

急性冠症候群（ACS）は，心臓の栄養血管である冠動脈が急性閉塞または亜完全閉塞することにより発生する病態の総称であり，歴史的には Fuster や Davies，Horie らが，動脈硬化プラークの破綻とそれに伴う血栓形成により，冠動脈の閉塞や高度狭窄をきたす病態の総称としてこの ACS の概念を提唱したことに始まる．

この ACS の病態には，病理学的に遷延する心筋虚血に起因する心筋細胞の壊死を伴う急性心筋梗塞（AMI）と心筋壊死を伴っていない不安定狭心症（UA）があり，さらに急性心筋梗塞症は心電図変化から ST 上昇型心筋梗塞（STEMI）と非 ST 上昇型心筋梗塞（NSTEMI）に分類されている．

この心筋壊死の指標には，血清心筋障害マーカーとしてクレアチンキナーゼ（CK），CK アイソザイム（CK-MB），心筋特異的トロポニンが臨床現場では使われている．従来日本では，AMI は CK や CK-MB の正常上限の2〜3倍以上の上昇と定義されていたが，近年ヨーロッパ心臓病学会（European Society of Cardiology：ESC）や米国心臓学会（American College of Cardiology：ACC / American Heart Association：AHA）では CK の心筋特異度の低さを克服するため，より特異度の高い心筋特異的トロポニンが健常者の上限値の99％値をこえる一過性の上昇，下降を示す急性変化を示した場合とするという定義に変更され，日本においても最近の研究ではこの定義を用いた大規模研究が発表されはじめている（図 7-7-21）[1-3]．

a. 機序

病理学的には ACS の 60〜70％ はプラーク破綻（plaque rupture）による急性冠動脈閉塞であり，30〜40％ はプラークびらん（plaque erosion）により引き起こされた急性冠閉塞であり，残る数％ は calcified nodule によるものと Shaar, Virmani, Narula らにより報告されている．

このうち，プラーク破綻による ACS（ruptured fibrous cap：RFC-ACS）の責任病変は，薄い線維性被膜（thin cap fibroatheroma：TCFA）で覆われた多量の脂質を含み，その内部にマクロファージや T リンパ球などの炎症細胞が多数存在する不安定プラーク（vulnerable plaque）である（図 7-7-22）．脂質コアは脆弱であり，コレステロールエステルを多量に含んでいることが多い．マクロファージや T リンパ球は蛋白質分解酵素（エラスターゼ，コラゲナーゼ，メタロプロテイナーゼなど）を放出し，これにより細胞外マトリックスが分解され線維性被膜は菲薄化し 54〜84 μm 程度の厚みとされる TCFA が形成されると最近 Narula らにより報告されている[4]．また，このような病変では，動脈硬化の進行に伴いプラークが増大しても，内腔は保持される代償性拡大（positive remodeling；PR）がしばしば認められることが Glagov らにより報告されている．

このような不安定プラーク（vulnerable plaque）にプラーク破裂を促進させる外力が作用し，このプラーク

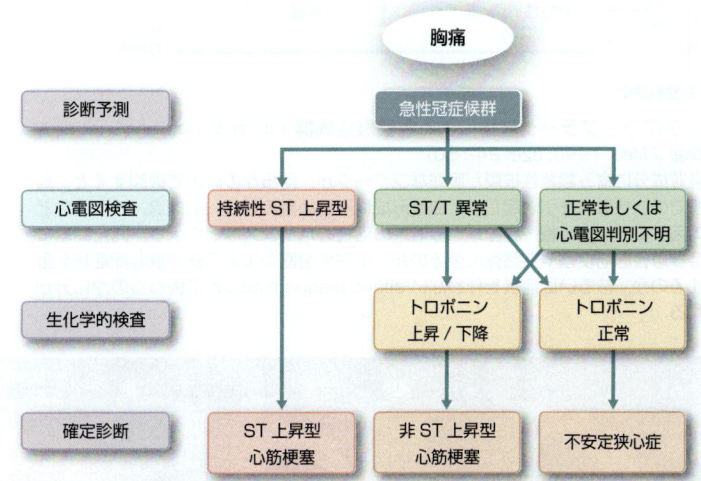

図 7-7-21 ACS 患者に対する診断のフローチャート（Christian WH, et al: *Eur Heart J*. 2011; **32**: 2999-3054）
症状，身体所見より ACS を疑い，心電図，バイオマーカー（トロポニン）などのデータを確認し確定診断に至る．

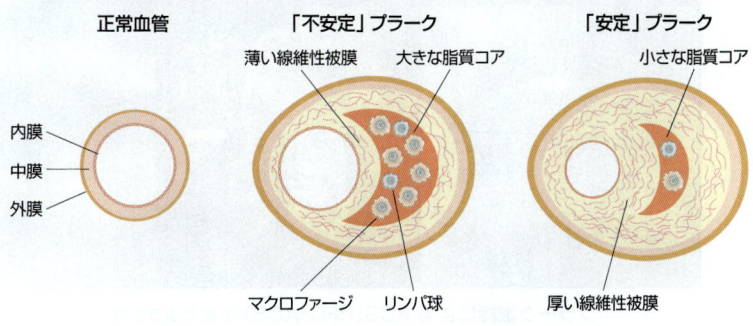

図 7-7-22 不安定および安定動脈硬化性プラークの比較（Libby P: Molecular bases of the acute coronary syndrome. *Circulation*. 1995; **91**: 2844）
不安定プラークに比べ，安定プラークでは厚いびらん（fibrous cap）に覆われている．

の破綻と同時に，マクロファージが多量に産生する組織因子が管腔内に放出され，冠動脈内に急激に血栓性閉塞をきたす(図7-7-23)．

近年，冠動脈イメージング技術の進歩により，これらの病態を in vivo で観察できるようになった．冠動脈内光干渉断層像(OCT)では，プラークの表在を，10〜20μmの解像度で観察ができ，プラークの破綻や血栓形成を視認できるようになった．冠動脈内エコー(IVUS)ではプラークを血管外膜まで全域を観察でき positive remodeling の評価も可能となった．また日本でおもに用いられる冠動脈内視鏡では赤色血栓の同定も可能となり，病理標本ではなく，living human においても病態解明が可能となってきた(図7-7-24)．さらに近年，非侵襲的な冠動脈CTの進歩がめざましく，脂質成分がCTの絶対値が低いことからプラーク内の脂質成分が同定でき(low attenuation plaque：LAP)，血管が外方に拡張するPRと，小さな石灰沈着を合わせれば，不安定プラークの診断が可能で，さらにこれらの因子をもつ病変では，将来ACSの発症予測も可能であることも，Motoyama, Ozaki らにより報告されている[5,6]．

一方，プラークびらんにおいては，プラークの破綻はなく，線維性被膜は厚く，プラークはプロテオグリカンや平滑筋細胞に富んでいるが，血管内皮細胞は欠落しており，血栓が形成されやすくなっている．また脂質成分に富んだプラークの増大は少なく，したがってプラーク破綻に認められるような血管拡大(PR)は認めないのが一般的である．したがって冠動脈イメージにおいてもこのプラークびらんの診断は容易ではなかった．最近OCTと冠動脈内視鏡を用い損傷のない内膜に血栓があるACSの責任病変(intact fibrous cap：IFC-ACS)をプラークびら

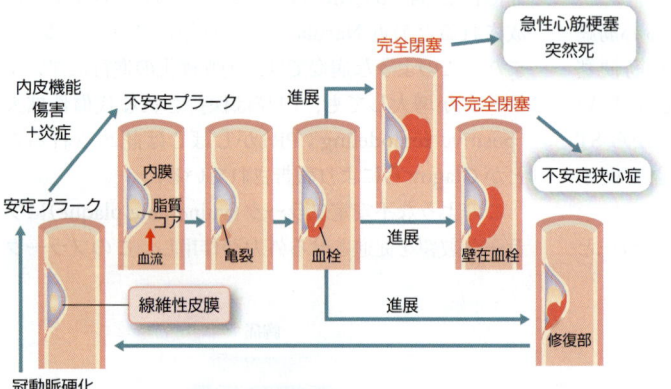

図7-7-23 プラーク破綻による急性冠症候群(Fuster V, Badimon L, et al: *N Engl J Med*. 1992; **326**: 242-50)

脂質成分に富み線維性被膜が脆弱なプラークが，何らかの原因で破裂すると，局所での血栓形成を引き起こす．血栓形成は冠動脈壁の性状，冠血流，狭窄度などの因子に加え血小板・凝固系と線溶系の活性のバランスなどにより，完全閉塞に至り急性心筋梗塞や突然死に至るのか，不完全閉塞のまま不安定狭心症症状を呈するのか，あるいは症状を伴わない silent plaque rupture に終わるのかに分かれる．

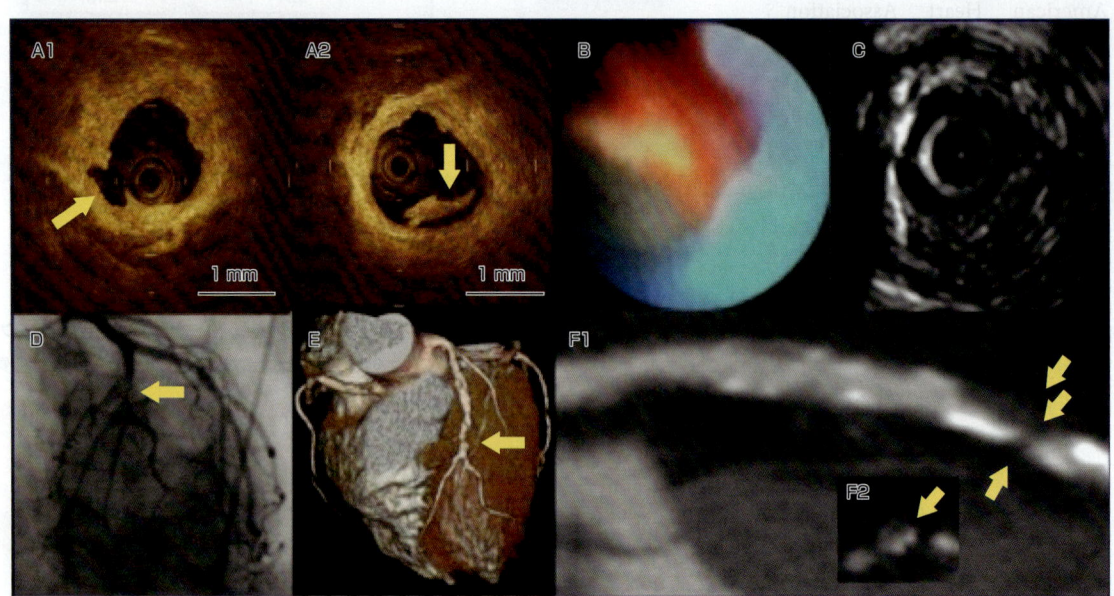

図7-7-24 プラーク破綻によるACS(RFC-ACS)(文献5より引用)
A1，A2：光干渉断層像．プラーク破綻(A1)および血栓形成(A2)を認める．B：冠動脈内視鏡で黄色プラークに血栓形成を認める(青色はカテーテル)．C：血管内エコーで90°以下の石灰化を認める．D：冠動脈造影．左冠動脈前下行枝(LAD)の中央部(矢印)に有意狭窄を認める．E，F1，F2：冠動脈CTアンギオグラフィでは陽性リモデリングとHounsfieldユニット(HU)30以下の低減衰プラーク(LAP)を認める．

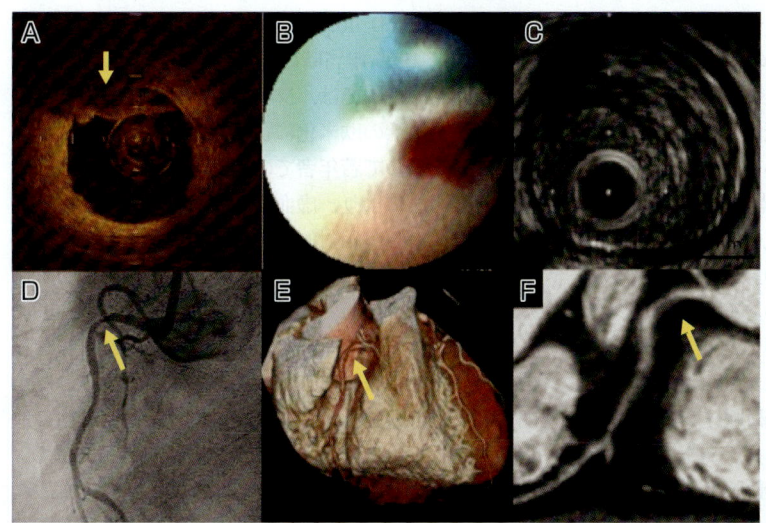

図 7-7-25 プラークの破綻はなく，びらんによると思われる ACS（IFC-ACS）（文献5より引用）
A：光干渉断層像．破綻のない intact fibrous cap（IFC）に血栓（矢印）を認める．B：冠動脈内視鏡で同部位に血栓を認める（青色はカテーテル）．C：血管内エコーで均一な低エコー反射性プラーク（ソフトプラーク）を認める．D：冠動脈造影．右冠動脈（RCA）近位部に有意狭窄を認める．E，F：冠動脈 CT アンギオグラフィでは陽性リモデリングはなく，非石灰化プラークである．

んと定義すればよいとの見解が Ozaki らにより発表され，現在この考えが世界的に広がりつつある（図7-7-25）[5]．ただ，ACS の 20〜40％の原因となるプラークびらんは OCT や内視鏡などの冠動脈内イメージングでは診断可能であるものの，非侵襲的な現状の冠動脈 CT では，診断困難であることも報告されている．なお ACS の残り数％を占める calcified nodule においては血管内皮細胞は欠落あるいは機能を失っており，血栓が形成されやすいことが ACS の原因の1つとされている．

(2) 病態・基礎疾患

ACS の背景には，冠動脈硬化が存在する．この冠動脈硬化の危険因子は従来から，糖尿病，高血圧，脂質異常症，喫煙，高齢者，男性などが知られている．これらの危険因子のなかで，年齢，性別以外は，治療介入が可能である．

興味深いのは，近年の研究で，プラーク破綻やびらんは1カ所だけで発生しているだけではない，つまり vulnerable plaque は単独に存在しているばかりではなく，たとえ ACS の責任病変が1カ所でも，その冠動脈の近位または遠位，あるいは他の冠動脈にプラーク破綻やびらんがすでに起こっているが，血流障害をきたすほどの血栓形成には至らない病変がしばしば存在することも明らかとなってきた．このように ACS 病変は1カ所に留まらずその血管全体に広がり（vulnerable vessel），さらに多枝に病変を複数もつ patient は，vulnerable patient として，ACS 急性期のカテーテル治療のみならず，基礎疾患である，糖尿病，高血圧，脂質異常症に加え，喫煙などのその後の薬物，生活習慣の改善を含む包括的医療が必要とされる理由になっている．

a. 急性心筋梗塞（acute myocardial infarction：AMI）

定義

急性心筋梗塞は，遷延する心筋虚血による心筋細胞の壊死と定義される．このため AMI の診断では，心筋虚血の存在を示唆する胸部症状や心電図変化に加え，心筋壊死を示す生化学的マーカーの一過性上昇（universal definition に基づいた心筋特異性の高い心筋トロポニンの上昇と下降を示す急性変化）を認めることが必須条件である．ESC や ACC/AHA から 2000 年に AMI の universal definition が提唱されて以来，2012 年には世界心臓連合（WHF）からも AMI として以下のような定義を使用することが推奨されている．

心筋の生化学的指標の有意な変化が認められること，および以下のうち1つ以上の所見がみられる場合に，AMI と定義する．
①心筋虚血症状
②新規に起こった有意な ST-T 変化または完全左脚ブロック
③異常 Q 波の出現
④新たな健常心筋の喪失や壁運動異常を示す画像所見
⑤冠動脈造影または剖検所見での冠動脈内血栓の同定

なお，心筋壊死を示す生化学マーカーは従来 CK あるいは CK-MB が用いられてきたが，最近ではより感度・特異度の高い心筋トロポニンが用いられ，通常 AMI を定義するうえで重要な項目になっている．

分類

① AMI は，心電図で持続的 ST 上昇を認める ST 上昇型急性心筋梗塞（STEMI），そして ST 上昇を認めない非 ST 上昇型急性心筋梗塞（NSTEMI）に大別される．また発症からの経過時間によって急性心筋梗塞（AMI）と陳旧性心筋梗塞（old myocardial infarction：OMI）に分類される．

②近年の国際基準（universal definition）では，急性心筋梗塞を5つのタイプに分類することを推奨している．Type 1 の AMI は，冠動脈粥腫（プラーク）の破綻やびらんに伴う冠動脈内の血栓形成により，急激に冠動脈の高度狭窄や閉塞をきたし，心筋壊死を引き起

こす病態で，多くの AMI がこのカテゴリーに入る．Type 2 は心筋への酸素の需要供給の不均衡に起因する心筋梗塞とされ，冠攣縮によるものや，心房細動などで形成された血栓がたまたま冠動脈塞栓をきたした場合，あるいは長時間持続する tachy-/brady-arrhythmias などにより，心筋へ酸素供給が不十分になった場合などがある．Type 3 は心臓突然死である．発症形態や心電図変化から冠動脈の急性閉塞による心臓突然死とされるものの，高感度の心筋トロポニンでも上昇するまでに一定の時間が必要であることから，この心筋トロポニン上昇が感知される前に死に至ったようなケースである．Type 4 は冠動脈インターベンション治療（PCI）後，慢性期も含めステント血栓症などが発生したケース，Type 5 は冠動脈大動脈バイパス手術（CABG）後に発生したものとされる．

③急性心筋梗塞は，後述の心電図の異常 Q 波の出現の有無から Q 波梗塞（QMI），非 Q 波梗塞（NQMI）に分類することができる．異常 Q 波の定義は，原則として幅が 0.04 秒以上で，深さが R 波の 25% 以上とされるが，後壁梗塞では V_1 の R/S が 1 以上で R の幅が 0.04 秒以上の場合，Q 波梗塞と同等として扱われることが多い．以前は，前者は貫壁性，後者は非貫壁性という表現も用いられたが，臨床的な所見から病理組織学的所見を推定することが困難なことがあるため，現在では QMI，NQMI という心電図所見をそのまま使用した表現が一般的である．

④ AMI は発症からの時間経過によって
 (1) 発症 24 時間以前の急性期の AMI
 (2) 発症 24 時間から 1 カ月以内の亜急性心筋梗塞（recent myocardial infarction：RMI）
 (3) 発症 1 カ月以上の陳旧性心筋梗塞（OMI）
の 3 つのステージに分ける場合や，心臓リハビリテーションも考慮して，
 (1) 急性期（発症後数時間から 7 日まで）
 (2) 回復期（7〜28 日）
 (3) 治癒期（29 日以降）
の 3 期に分けることも可能である．

いずれにしろ心筋梗塞を診断，治療，管理する際にはこのような病期のどの時点にいるのかを認識しながら，検査のデータを解釈することが重要である．

疫学

日本における冠動脈疾患の罹患率・死亡率は欧米先進国に比べて，従来低いとされてきた．わが国における 1995 年の AMI の死亡率は人口 10 万人あたり 24.9 人で，米国の 85.4 人の 1/3 以下，オランダ 101.5 人の 1/4 以下であった．しかし，その後米国やオランダにおける evidence based medicine（EBM）に基づいた医療システムの整備，医療資源の投下，啓蒙活動などにより，2010 年の米国の急性心筋梗塞の死亡率は人口 10 万人あたり 40.6 人，オランダ 38.8 人と，それぞれの国で 1995 年当時の半分以下に激減している．それに対し，日本では，ファストフード店の台頭に代表される食生活の欧米化による脂質異常症，糖尿病などの増加を通して若年者での冠動脈硬化の進行，また高齢者の増加により，虚血性心疾患患者は急増している．これに対し，相対的な循環器専門医の不足もあいまって，日本では AMI の死亡率は 1995 年の人口 10 万人対 24.9 人から，2010 年では 33.9 人と 36% 増加しており，欧米との差はなくなる傾向にあり，むしろ数年後には追い抜いてしまうことも危惧される．ただ朗報は最近の冠動脈インターベンション治療技術の進歩や冠動脈疾患集中治療室（CCU）などの整備により，入院前の院外死亡を別にすれば，2009 年の日本の臨床研究 JACSS によると入院後の院内死亡率は 8% を切るレベルに改善されてきており，むしろ慢性期の虚血ベースの心不全が問題になってきている．

i) ST 上昇型急性心筋梗塞（ST elevation myocardial infarction：STEMI）

病態

STEMI の病態生理の特徴として，傷害心筋の範囲が大きければ，左室の急激な機能不全を示すことがあげられる．心臓としてのポンプ機能に影響を与え，心拍出量，血圧などが低下し，ポンプ失調をきたす．低血圧は冠動脈圧，すなわち心筋灌流圧をも低下させ，心筋の虚血をより助長することもある．左室機能不全，充満圧上昇に伴う血行動態の変化は二次性に全身へ波及し，肺においてはうっ血，間質への水分貯留，低酸素血症が生じる．代謝内分泌系においてはレニン-アンジオテンシン-アルドステロン系の亢進，脳性ナトリウム利尿ペプチド（BNP）の分泌が生じる一方，膵血流の低下によるインスリン分泌不全，交感神経活性化に伴う高血糖や遊離脂肪酸の上昇などを認める．

壊死心筋は浮腫，細胞浸潤を経て線維組織に置換されるが，正常な構築を保てなくなる結果，梗塞部位は菲薄化する．一方で梗塞によって生じた血行動態の変化は非梗塞領域にも影響し，1 回拍出量を維持するための代償機転として，Frank-Starling の法則に従い非梗塞領域の拡大が生じる．そして収縮末期容量の増加は予後不良の予測因子になっている．

ii) 非 ST 上昇型急性心筋梗塞（non-ST elevation myocardial infarction：NSTEMI）と不安定狭心症（unstable angina：UA）

ACS のなかで，急性期に 12 誘導心電図にて ST 上昇がみられないものは NSTEMI とよばれ，前述した UA と連続した病態であることが明らかになっており，両者を同一カテゴリーで扱うことが ESC や ACC/AHA のガイドラインでは提唱されている．

病態

多くの STEMI と同様に冠動脈の動脈硬化性プラーク破綻（plaque rupture；RFC-ACS）やびらん（plaque erosion；IFC-ACS）により，局所に血栓が形成されて冠動脈を一時的に閉塞したり，閉塞しないまでも高度狭小化をきたすことが主因である（図 7-7-23）．最近の研究で RFC-ACS は形成される血栓量が多く，冠動脈が完全閉塞しやすく，表現型が STEMI になることが多いのに対し，IFC-ACS では，血栓量が RFC-ACS に比し血栓量が少なく，冠動脈を持続的に完全閉塞させるに至らず，表現型が NSTEMI になることが多いとされている．

また，冠動脈攣縮（coronary spasm）が関与していると考えられる症例もしばしばみられ，日本人は欧米人に比べて冠攣縮性狭心症の頻度が高いとされ，ACS の発症メカニズムの1つとして考慮する必要がある．冠動脈が完全に閉塞し血流が遮断されると ST 上昇が起こるが，完全閉塞に至らなかったり，またたとえ閉塞しても早期からきわめて良好な側副血行路が，対側の冠動脈などから発達しているケースでは STEMI にならず，むしろ心内膜側に限局した心筋虚血にとなり NSTEMI-ACS の病態になる．

不安定狭心症の分類

ACS のなかで AMI でないものは UA に分類される．つまり universal definition では心筋特異的トロポニンが健常者の上限値の 99％値をこえる一過性の上昇，下降を示す急性変化を示さない ACS である．わが国においては冠動脈攣縮が UA の原因となることもしばしばである．以下に Braunwald が提唱した UA の分類（表 7-7-6）がわかりやすく，現在でも重症度判定に有用で治療方針の決定も用いられ，ⅡB，ⅢC のように表記される．ただⅢB に関しては，心筋トロポニンの上昇の有無でⅢB-Tneg，ⅢB-Tpos の表現が用いられる．ACS の分類は欧米のガイドラインの変更に伴い，常に見直されるので注意が必要である．

(3) 急性冠症候群（ACS）の診断

ACS の診断には，症状，心電図所見，トロポニンの上昇，さらに ER では心エコー所見が重要な key になる．STEMI であれ，NSTEMI であれ心筋梗塞の場合は，①心筋虚血症状，②新規に起こった有意な ST-T 変化または完全左脚ブロックおよび，その後の異常 Q 波の出現，③心筋逸脱酵素の上昇，④壁運動異常を示す画像所見，⑤冠動脈造影または剖検所見での冠動脈内血栓の同定のいずれか1つが認められた場合 AMI と診断する（図 7-7-26）．

ただ，胸痛で受診した患者のうち AMI であったのはごく一部であること，また AMI 症例でも定型的な

表 7-7-6 不安定狭心症の分類（Braunwald E: Unstable angina: A classification. *Circulation*. 1989; 80: 410-4. Hamm CW, Braunwald E: A classification of unstable angina revisited. *Circulation*. 2000; 102: 118-22.）

〈重症度〉
クラスⅠ：新規発症の重症または増悪型狭心症
・最近2カ月以内に発症した狭心症
・1日に3回以上発作が頻発するか，軽労作にても発作が起きる増悪型労作狭心症．安静狭心症は認めない．
クラスⅡ：亜急性安静狭心症
・最近1カ月以内に1回以上の安静狭心症があるが，48時間以内に発作を認めない．
クラスⅢ：急性安静狭心症
・48時間以内に1回以上の安静時発作を認める．

〈臨床状況〉
クラス A：二次性不安定狭心症（貧血，発熱，低血圧，頻脈などの心外因子により出現）
クラス B：一次性不安定狭心症（クラス A に示すような心外因子のないもの）
クラス C：梗塞後不安定狭心症（心筋梗塞発症後2週間以内の不安定狭心症）

〈治療状況〉
1) 未治療もしくは最小限の狭心症治療中
2) 一般的な安定狭心症の治療中（通常量のβ遮断薬，長時間持続硝酸薬，Ca 拮抗薬）
3) ニトログリセリン静注を含む最大限の抗狭心症薬による治療中

ST 上昇型の心電図変化を呈する症例は全体の半分程度であることから，これらの疑わしい所見に心筋トロポニンの上昇をもって AMI と診断される例も少なくないのが現状である．

a. 急性冠症候群（ACS）診断と治療のアルゴリズム

ACS が疑われる急性の胸痛患者に対する診断の流れは図 7-7-21 に示した．症状と ST 変化を伴うトロポニン陽性例（STEMI，NSTEMI）では，冠動脈造影や冠動脈インターベンション（PCI）を含む invasive management が直ちに選択され，トロポニン陰性例のうち，胸痛発作発症3時間未満の症例では，トロポニンの再検を行い陽性となれば，invasive management も考慮される．トロポニン陰性例のうち，胸痛発作が6時間以上持続しているものでは，ほかの疾患との鑑別診断が必要となる．安定狭心症を疑うケースでは冠動脈 CT や薬物負荷心筋シンチグラフィなどの負荷試験を後日予定できるケースもある．一方トロポニンは心筋炎などにおいても陽性となることから，トロポニン陽性例で STEMI や NSTEMI が否定的な症例では3時間後にトロポニンの再検を行い，以後鑑別診断を行う（other cardiac disease）（図 7-7-26）．これが ACS を含む急性胸痛症候群の診断のア

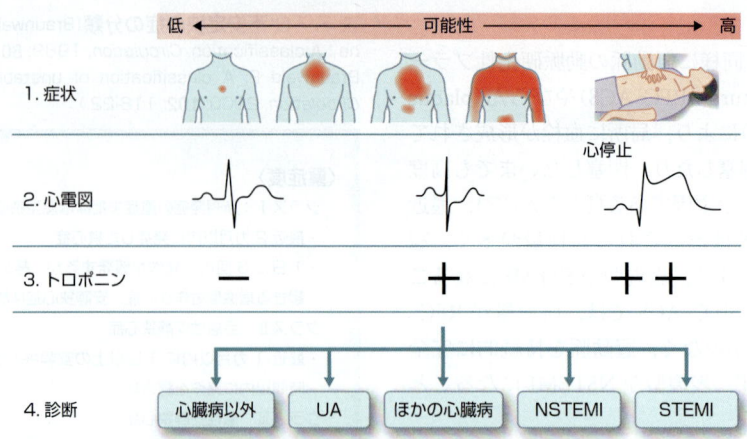

図 7-7-26 ACS が疑われる患者の初期評価 (Roffi M, et al: *Eur Heart J*. 2015; doi: 10.1093/eurheartj/ehv320)
症状，バイタルサインなどの臨床所見，心電図の ST 上昇または低下部位，トロポニン上昇の有無などから，心原性ではない疾患，不安定狭心症 (UA)，他の心疾患，非 ST 上昇型心筋梗塞 (NSTEMI)，ST 上昇型心筋梗塞 (STEMI) に分類される．

ルゴリズムである．

b. 急性冠症候群 (ACS) のリスク評価と予後

ACS の診断とその後の治療に際して，リスク評価は，侵襲的診断治療を行うべきか，また患者の予後を評価するうえできわめて重要である．ヨーロッパ，米国ではリスク評価は過去の大規模臨床研究の結果から導き出された GRACE スコアが用いられることが多い．このシステムでは表 7-7-7 の項目が点数化されており，これを用いれば ACS の入院時死亡率，6 カ月後の予後も予測されている (表 7-7-8)．

c. 急性冠症候群 (ACS) 診断の実際

速やかな診断のためには，AMI の基準を満たしているか否か速やかに判断することである．具体的な，ACS 診断アルゴリズムを以下に示す．

i) 問診 (問診で聞き出すべきこと)

病歴聴取を含む問診は STEMI の診断や治療にきわめて重要な情報であり，治療が遅れることのないよう迅速かつ詳細な聴取が必要である．病歴による評価は，胸部症状，関連する徴候と症状，冠危険因子，急性肺血栓塞栓症や急性大動脈解離の可能性，出血性リスク，脳血管障害および狭心症，心筋梗塞，冠血行再建の既往の有無に重点をおく．以下ではこの診断の流れに沿って述べていく．

半数近くの症例は，AMI 発症前に狭心発作など何らかの症状を呈するといわれている．さらに明らかな不安定狭心症症状の後に AMI を発症している例が，その半数にみられるとされている．急性心筋梗塞発症時の典型的な症状は左前胸部から胸骨下部を中心とした激烈な疼痛で，締めつけられる，焼き火箸を差し込まれる，冷汗が出てくるいやな胸痛などと表現され，30 分〜数時間持続することが多い．左肩，左顎，左奥歯，胸部全体，心窩部への放散痛を伴ったり，この放散痛が初発症状のこともある．特に心窩部痛で発症したものは消化器疾患と誤診されることがある．これは下壁心筋梗塞によるものが多く，解剖学的に心臓と胃が大隔膜を隔て対峙していることによる．随伴症状として，悪心・嘔吐，冷汗，意識障害などを高率に合併し，症状全体が「死の恐怖」や極度の「不安」を伴うことが特徴的である．ただ，一部の糖尿病患者や高齢者では明らかな胸痛発作のない，無痛性心筋梗塞で発症する症例もしばしばあるので，問診には注意を要する．

ii) 身体所見

一部の無痛性心筋梗塞を除けば，発症時には，顔面は蒼白で冷感があり，手足の末梢には冷感があり，直ちにバイタルサインをチェックすべきである．ただ，STEMI の症例でも，必ずしもショック症状を呈するものばかりではなく，血圧・脈拍は正常範囲内にあるものも多い．ただ下壁梗塞の約半数例では迷走神経緊張状態となって徐脈・低血圧傾向を示すことがしばしばあるのに対し，前壁梗塞例ではむしろ交感神経緊張状態にあるため頻脈・血圧上昇傾向を示すこともしばしば認められる．聴診上，心室の収縮・拡張障害により III 音，IV 音を聴取することもあるが，この聴取には経験を要す．僧帽弁乳頭筋の虚血が起こると，心尖部に僧帽弁逆流を示す収縮期雑音が聴かれることもある．左心不全から全身のうっ血症状を呈するようになると，頸静脈の怒張が起こる．肺野，特に右の costophrenic angle に近い部位の肺野では，湿性ラ音が聴取されやすいが，この湿性ラ音は AMI の予後を左右するポンプ失調の合併の診断に欠かせない重要な所見である．静脈の怒張が著明にもかかわらず，聴診上，肺野が清の場合には右室梗塞を疑う．

iii) 心電図，血液検査，画像診断

表 7-7-7 GRACE スコアの算出法 (Christian WH, et al: *Eur Heart J.* 2011; 32: 2999-3054)
年齢, 脈拍, 収縮期血圧, Killip 分類, 血清クレアチニン値, 心停止の有無, ST 上昇の有無, トロポニン・CK-MB の上昇の有無の 8 つのパラメータから算出される.

1. 年齢

年齢(歳)	スコア
≤ 30	0
30〜39	8
40〜49	25
50〜59	41
60〜69	58
70〜79	75
80〜89	91
≥ 90	100

2. 脈拍

心拍数(心拍/分)	スコア
≤ 50	0
50〜69	3
70〜89	9
90〜109	15
110〜149	24
150〜199	38
≥ 200	46

3. 収縮期血圧

収縮期血圧(mm Hg)	スコア
≤ 80	58
80〜99	53
100〜119	43
120〜139	34
140〜159	24
160〜199	10
≥ 200	0

4. Killip 分類

Killip 分類	スコア
I (心不全なし)	0
II (片方の肺の低い異常音)	20
III (肺全体の異常音)	39
IV (心原性ショック)	59

5. 血清クレアチニン値

血清クレアチニン値(μmol/L)	血清クレアチニン値(mg/dL)	スコア
0〜34	0〜0.38	1
35〜70	0.39〜0.79	4
71〜105	0.80〜1.19	7
106〜140	1.20〜1.58	10
141〜176	1.59〜1.90	13
177〜353	2.0〜3.99	21
≥ 354	≥ 4	28

6. 心停止の有無

心停止の有無	スコア
なし	0
あり	39

7. ST 上昇の有無

ST 上昇の有無	スコア
なし	0
あり	28

8. トロポニン・CK-MB の上昇の有無

心筋マーカーの上昇	スコア
なし	0
あり	14

ACS 診断のための臨床検査としては, ①心電図, ②血清心筋マーカー, ③画像診断などがある.

1) 心電図: AMI の心電図所見は, 梗塞部位, 発症からの時間, 冠動脈が完全閉塞または亜完全閉塞か, または側副血行の有無により大きく異なる. 1 回の心電図検査では診断確定に至らず, 経時的に記録することによって診断できる場合も少なくないので, AMI が疑われる患者に接触し, 心電図所見が明らかではないケースは, 血液検査などをオーダーする一方, 血液検査結果を待つ時間を生かし, 心電図の再検査が望まれる.

左冠動脈が血栓により完全閉塞して貫壁性の AMI を発症した症例の, 発症 60 分後の冠動脈造影と定型的な心電図を図 7-7-27 に示す. 冠動脈の急激な閉塞に伴い, ごく初期には虚血部位に相当する誘導で T 波の増高が起こり, 引き続き ST 上昇が認められるようになる. このとき虚血部と解剖学的に対側になる誘導で ST 低下がみられることがある (reciprocal depression). これによって ST 上昇部位での冠動脈のイベントであることがより確実に診断できる. たとえば左冠動脈前下行枝 (LAD) 近位部での閉塞により前壁梗塞をきたすが, この場合, 前下行枝の走行に沿って, 胸部表面では前胸部誘導が設定されていることから, V_2〜V_5 での ST 上昇と, 下壁を表現している四肢誘導 II, III, aV_F で ST 低下が鏡像変化として捉えられる.

表 7-7-8 GRACE スコアを用いた入院中と 6 カ月後の予後予測 (Christian WH, et al: *Eur Heart J.* 2011; 32: 2999-3054)

リスクカテゴリー	GRACE スコア	入院中予後予測(%)
低	≤ 108	< 1
中	109〜140	1〜3
高	> 140	> 3

リスクカテゴリー	GRACE スコア	6 カ月後の予後予測(%)
低	≤ 88	< 3
中	89〜118	8〜3
高	> 118	> 8

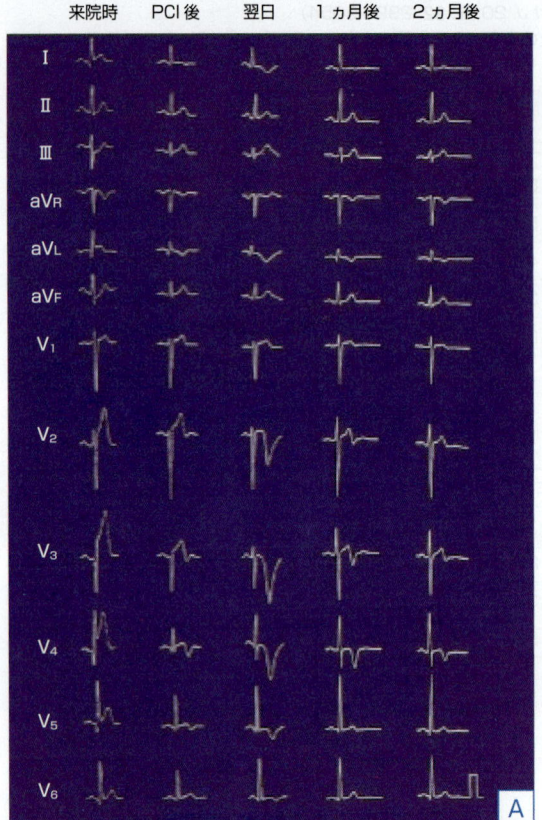

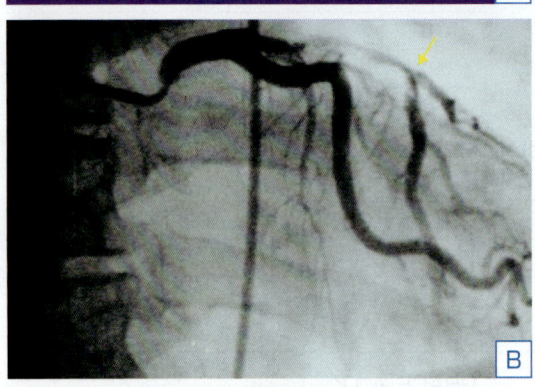

図 7-7-27 急性前壁心筋梗塞症例の心電図の時間的変化Aと発症 60 分後の冠動脈造影図B
左冠動脈前下行枝（LAD）の血栓閉塞による急性前壁心筋梗塞症例の虚血再灌流成功後の心電図の経時的変化（B の矢印は血栓閉塞部位）

a）心電図の経時的変化：

図 7-7-27 に示す AMI 症例では経時的変化も示している．早期の再灌流療法（PCI）が成功し，ST 上昇が急速に改善し，ST 部分が徐々に基線に近づくようになると T 波の終末部から陰転が始まり，後に深い対称性で陰転した冠性 T 波を形成するようになる（coronary T）．その後数週間〜数ヵ月単位で陰性 T 波が徐々に浅くなり，最終的には T 波はもと通りに陽転することもある．今回のケースでは発症 60 分で再灌流が行えたため，急性心筋梗塞による心筋障害は軽く，異常 Q 波の形成に至らなかった幸運な症例である．現在，ESC，ACC/AHA および日本のガイドラインでも 90 分以内の再灌流（door to balloon time < 90 分）を推奨している．

一方，患者が医療機関の受診をためらったなどで，PCI を golden time に施行できなかった症例では，たとえ PCI に成功してもすでにその時点で心筋壊死が進行し，その後 Q 波が形成されるようになる．通常 Q 波は ST 上昇がおさまり，ST 部分の低下が始まってから，その存在がより明らかになる．Q 波発現時期は発症数時間後が多いが，個々の症例の冠動脈の状況によりさまざまである（図 7-7-28，7-7-29）．

表 7-7-9 に一般的な梗塞部位と心電図変化の関連を示す．

STEMI はそもそも ST 上昇が明らかなケースであるが，急性期にこのような定型的な心電図変化を示さない心筋梗塞も存在し，NSTEMI として分類され，全体の 40％近く存在する．また，脚ブロックなど新たな心室内伝導障害の発生も AMI 発症時によくみられる所見であるが，ST-T 変化ばかりでなく，Q 波もマスクされてしまうことがあるため，診断に困難を生じる場合がある．しかしながら右脚ブロックにおける Q 波は前壁・下壁梗塞ともに評価可能であり，一般に心室内伝導障害を伴うような AMI は多枝病変や大梗塞・低心機能を伴う重症例が多いことに注意する必要がある．T 波に引き続く陰性 U 波も強い虚血発作に伴い，しばしば認められる所見である．これは前胸部誘導で認めることが多いが，左冠動脈前下行枝の残余狭窄を示しているケースや，PCI がむしろ successful で前壁領域の心筋の viability が残っているケースなどに認められることが多い．

2）心筋壊死を示す血清マーカー：　急性心筋梗塞の臨床診断で，心筋壊死を示す生化学マーカーの一過性上昇を認めることは必須であるが，発症早期にはいまだ上昇していないことも多く（window period），早期再灌流の重要性からあくまで症状，心電図所見，心エコーなどの画像診断を中心に診断，治療を進める．またトロポニンなどは再検することも必要である．各心筋バイオマーカーの診断精度については，表 7-7-10 に示すように発症から 2 時間未満の超急性期においては高感度心筋トロポニンが最も診断能が高い．一般に CK あるいは CK-MB の有意な上昇を認めるのは発症 4〜6 時間を経過して以後であり，超急性期の診断に用いるには限界がある．

a）心筋特異的トロポニン：AMI の universal definition においても，トロポニンの使用を推奨しており，心筋特異的トロポニンが健常者の上限値の 99％値をこえる一過性の上昇，下降を示す急性変化を示した場合，急性心筋梗塞と診断される．トロポニンには，ト

治療前　　　　　ステント植え込み手技中　治療後（ステント後）

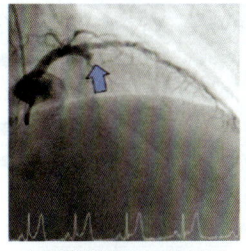
左冠動脈前下行枝付近の完全閉塞を認める

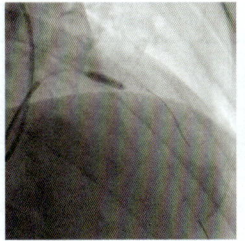

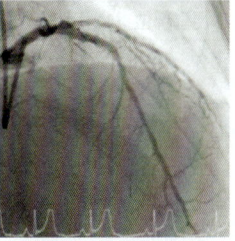
冠動脈の再灌流を確認

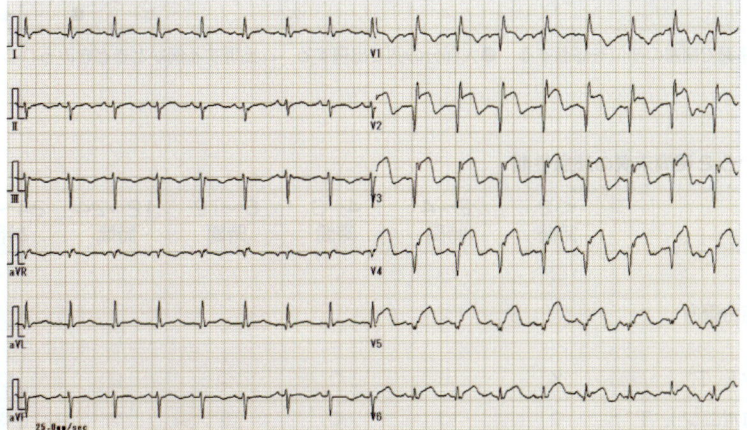

図 7-7-28 急性前壁心筋梗塞症の急性期心電図（発症後 60 分）と冠動脈造影所見，その後の PCI 治療
左冠動脈前下行枝近位部での完全閉塞による急性前壁心筋梗塞，心電図上 V_1〜V_5 で明らかな ST 上昇がみられる．I，aV_L でもわずかに ST 上昇がみられる．急性期に PCI を施行し，ステントを植え込み，虚血再灌流に成功している．

治療前　　　　　ステント植え込み手技中　治療後（ステント後）

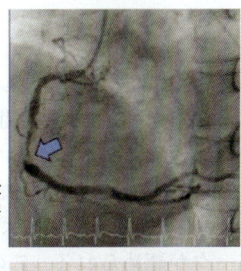
右冠動脈中央部の高度狭窄が責任病変

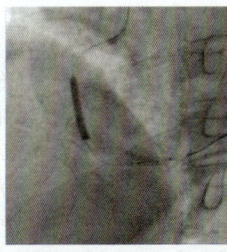

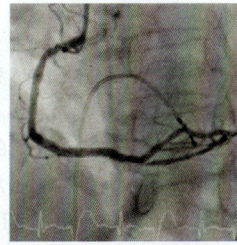

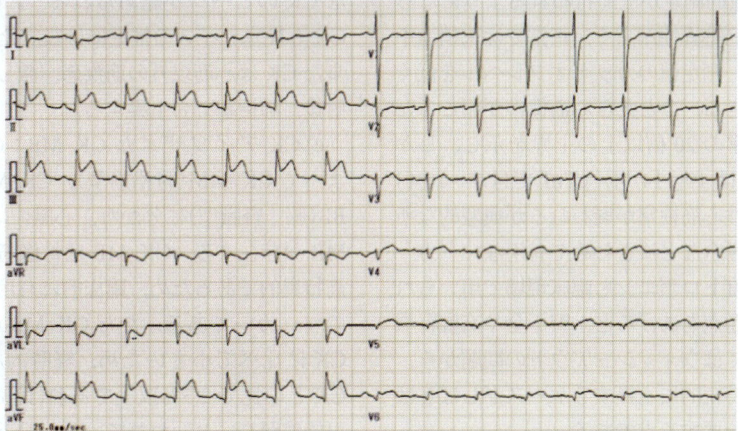

図 7-7-29 急性下壁心筋梗塞症の急性期心電図（発症後 60 分）と冠動脈造影所見，その後の PCI 治療
左冠動脈前下行枝近位部での完全閉塞による急性前壁心筋梗塞，心電図上 II，III，aV_F，で明らかな ST 上昇がみられる．reciprocal depression として I，aV_L，および V_2，V_3 では，わずかに ST 低下がみられる．急性期に PCI を施行し，ステントを植え込み，虚血再灌流に成功している．

表7-7-9 心筋梗塞の部位診断

異常Q波の出現する梗塞部位	I	II	III	aV$_R$	aV$_L$	aV$_F$	V$_1$	V$_2$	V$_3$	V$_4$	V$_6$
狭義の前壁								●	●		
前壁中隔					●	●	●	●	△		
前壁側壁	●				●				△	●	●
広範囲前壁	●				●		●	●	●	●	△
高位側壁	●				●						
側壁	●				●						●
下壁側壁	●	●	●			●					●
下壁		●	●			●					
心尖部		△	△			△		△	●	●	

異常Q波の出現する誘導で閉塞の部位を診断する．●大部分の例で出現する．△出現する例がときどきみられる．

表7-7-10 発症から2時間未満の超急性期

	<2 時間	2~4 時間	4~6 時間	6~12 時間	12~24 時間	24~72 時間	>72 時間
ミオグロビン*	○	○	○	○	○	○	×
心臓型脂肪酸結合蛋白(H-FABP)*	○	○	○	○	○	△	×
心筋トロポニンI, T*	×	△	◎	◎	◎	◎	◎
高感度心筋トロポニンI, T*	◎	◎	◎	◎	◎	◎	◎
CK-MB*	×	△	◎	◎	◎	△	×
CK*	×	△	◎	◎	◎	△	×

◎：感度，特異度ともに高く診断に有用である．○：感度は高いが，特異度に限界がある．△：感度，特異度ともに限界がある．×：診断に有用でない．*全血迅速診断が可能である．

ロポニンT(TnT)とトロポニンI(TnI)がある．トロポニンは心筋および骨格筋に存在するが，心筋特異的なアイソザイムが存在するため心筋に特異的なモノクローナル抗体を産生することが可能になった．この抗体を用いて心筋特異的トロポニンT(cTnT)，トロポニンI(cTnI)の定量的測定が広く行われるようになった．両者ともに心筋特異性が高く，正常では末梢血中に存在しないため，測定値のカットオフレベルを低く設定することができる．ひとたび心筋傷害が起こるとcTnT，cTnIは正常の20倍以上の上昇を示し，しかもこれがcTnTでは10~14日，cTnIでは7~10日持続するため，急性心筋梗塞が疑われるが典型的な所見は認められない場合などにきわめて有用なマーカーで，最近では高感度トロポニンも臨床現場で用いられている．強いて問題点をあげると，腎不全や高度腎機能障害患者においてはウォッシュアウトの問題から，高値ではないが，持続的に上昇するケースがしばしば見受けられ，注意を要する点である．

b）クレアチンキナーゼ(CK)：CKはAMI発症後4時間から上昇しはじめ，冠動脈閉塞が続くと約24時間で最大値となり，2~3日で正常化する．この際のピークCK値や血中CK値を積分して得られるCK総流出量が心筋梗塞サイズとよく相関することが知られており，AMIの予後マーカーの1つとして使用されてきた．ただ再灌流療法などで冠血流が再開すると組織からのウォッシュアウト効果により早期により大きなCKのピークが認められる．この場合にはピークCKも梗塞サイズの推定には役立たないことになる．またCKは心筋以外の筋疾患，激しい運動後，筋肉注射後，肺梗塞でも上昇する．

c）CKアイソザイム CK-MB：CKは電気泳動によってCK-MM(骨格筋型)，CK-MB(心筋型)，CK-BB(脳，腎臓型)に分かれ，心臓にはCK-MMとCK-MBが存在する．CK-MBは骨格筋に存在せずほぼ心筋特異的であるため，臨床的に有用な急性心筋梗塞症のマーカーである．ただCK-MBの上昇の程度は総CKに比べて小さいため，経時的な採血が必要で総CKとの比で2.5%以上であれば心筋傷害が存在する可能性が高いといわれていた．最近は後述の心筋特異的マーカーの出現により，その臨床的意義は小さくなりつつある．

d）その他のマーカー：ミオグロビンは急性心筋梗

塞発症後1〜2時間で上昇し，4時間でピークを迎えるきわめて動態の速いマーカーである．心筋特異的でないためその役割は補助的ではあるが，発症超早期のマーカーとしての有用性が認められる．このほか，ミオシン軽鎖（myosin light chain：MLC），心臓脂肪酸結合蛋白（heart fatty acid binding protein：hFABP）などが心筋特異的マーカーとして使用されているが，高感度cTnT，cTnIに比べて優位性が認められるまでには至っていない．

e）非特異的炎症マーカー：AMI発症後，梗塞部での炎症性変化に伴い，白血球数やCRPなどの非特異的炎症マーカーも上昇し，ときに1週間以上持続することがある．ただ，いずれの生化学マーカーにおいても，発症直後には上昇のみられない，いわゆるwindow periodが存在する．疑いの強い患者においては，心電図や画像診断も参考にしながら，時間をおいた再度の採血も含め，早期の正確な診断を心がけるべきであろう．

3）画像診断：

a）心エコー検査：心エコー検査で，左室収縮能や機械的合併症の評価を行うことができる．左室壁運動異常は責任冠動脈病変の部位に応じて現れるため，AMIでは多くの症例で壁運動異常を観察できる．心筋梗塞の部位や範囲は，心エコーで同定できるようになったが，診断名としての梗塞部位は原則として心電図診断である．しかし，非Q波梗塞でQRSの変化に乏しく，ST低下型の心筋梗塞症例では心電図からの梗塞部位診断がしばしば困難な場合がある．心室内興奮伝導異常（左脚ブロック，WPW症候群など）や心室ペーシングリズムの例でも同様に部位診断は困難である．このような症例では，心エコーによる梗塞部位の判定が有用である．また，壁の厚み，線維化しているかどうかによって壁運動異常が，AMIを含む急性の虚血発作によるものか，OMIの瘢痕によるものか，ある程度診断可能である．臨床的にしばしば遭遇するのは，陳旧性前壁心筋梗塞において左室瘤が形成され，一見前壁誘導でST上昇が持続し，患者は左室拡張末期圧の上昇により呼吸苦から胸部症状を訴えている，いわゆる心不全症状を呈しているケースである．このような場合，心エコー検査で，線維化して菲薄化し，可動性に乏しくなった前壁心筋と左室瘤を観察できれば，鑑別は容易となる．また心エコー検査では，急性期の機械的合併症である心室中隔穿孔，乳頭筋断裂による僧帽弁閉鎖不全なども診断可能である．さらに左室自由壁破裂による心タンポナーデを認めた場合には緊急ドレナージに加え，緊急の外科的手術も考慮しなければならない．その他，胸痛を認める心血管疾患で，急性大動脈解離，急性肺血栓塞栓症，大動脈弁狭窄，急性心膜炎などの疾患との鑑別にも心エコー検

表7-7-11 急性心筋梗塞と鑑別を要する重要な疾患（激しい胸痛を呈するもの）

1. 急性大動脈解離
 「引き裂かれるような痛み」，背部への移動性，血圧差（左右差，上下肢差）
 定型的な急性心筋梗塞のST変化はみられない
2. 肺血栓塞栓症
 側胸部痛，胸膜炎様の特徴，血痰
 定型的な急性心筋梗塞のST変化はみられない
3. 急性心膜炎・心筋炎
 胸膜炎様の特徴：呼吸変動や咳による変化
 心電図上対側性変化を伴わない広範囲のST上昇

査は心電図とともに有用な情報を提供してくれる（表7-7-11）．

b）胸部単純X線：胸部単純X線は鑑別診断のためにも，救急外来では積極的に施行すべきである．発症後，左心不全をきたしている症例では，胸部単純X線上心陰影の拡大，肺うっ血，肺水腫，胸水などがしばしば出現している．さらに急性大動脈解離が疑われるケースでは造影CTが必要となる（表7-7-11）．

(4) 重大鑑別診断

激しい胸痛を起こす疾患のうち，鑑別が必要なのは急性大動脈解離と急性肺血栓塞栓症である．その他胸痛，心電図のST変化，トロポニンの上昇を伴う疾患に急性心膜炎，心筋炎があげられる（表7-7-11）．

(5) 急性心筋梗塞（AMI）管理

1）発症から病院まで（pre-hospital care）：CCU管理の向上と冠再灌流療法の普及により，STEMIの院内死亡率は8％を切るまでになったが，これは現実の死亡率ではない．つまり病院到着前，すなわちSTEMI発症早期に総STEMI患者の約14％が心室細動による心停止に陥り死亡しているとされている．この心室細動は心臓性院外突然死例の60％を占め，より迅速なAEDによる電気的除細動が生存率を有意に改善させることが知られており，多くの公共の場にAEDを設置し，迅速な119番通報と一般市民に対するAED使用を含む迅速な心肺蘇生法（cardiopulmonary resuscitation：CPR）の教育・普及活動が重要である．容易に救急出動を要請できる日本においても，pre-hospital careにおける，治療の最大の遅延因子は，現在でも胸痛症状が出てから患者が助けを求めて連絡するまでの時間（patient's delay）であり，この改善には普段からの心臓発作に対する地域での啓蒙活動の重要性が指摘されている[7]．

2）救急治療室（ER）での初期管理：AMIの疑われ

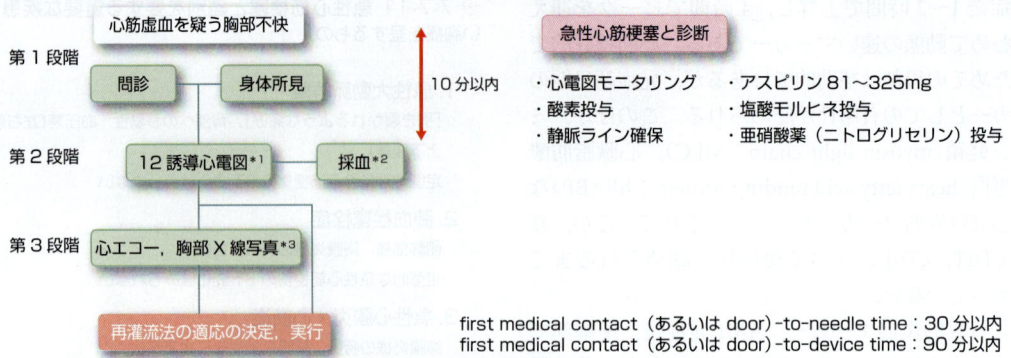

図 7-7-30 救急治療室(ER)でのACS 診断アルゴリズム
(日本循環器学会．ST 上昇型急性心筋梗塞の診察に関するガイドライン(2013 年改訂版) http://www.j-circ.or.jp/guideline/pdf/JCS2013_kimura_h.pdf(2016 年 11 月 25 日閲覧))
*1：急性下壁梗塞の場合，右側胸部誘導(V_{4R})も記録する．
*2：診断確定のために採血結果を待つことで再灌流療法が遅れてはならない．
*3：重症度評価やほかの疾患との鑑別に有用であるが必須ではなく再灌流療法が遅れることのないよう短時間で行う

表 7-7-12 Killip 分類

クラスⅠ	ポンプ失調なし	肺野にラ音なく，Ⅲ音を聴取しない
クラスⅡ	軽度から中等度の心不全	全肺野の 50%未満の範囲でラ音を聴取あるいはⅢ音を聴取する
クラスⅢ	重症心不全，肺水腫	全肺野の 50%以上の範囲でラ音を聴取する
クラスⅣ	心原性ショック	血圧 90 mmHg 未満，尿量減少，チアノーゼ，冷たく湿った皮膚，意識障害を伴う

る患者，または診断された患者が到着した場合には，疼痛のコントロール，初期情報からの重症度評価，および再灌流療法の適応決定がポイントである．救急室における診療の流れを図 7-7-30 に示す．

①初期評価から患者の病状に応じて適切な薬剤の投与を行う．特に心原性ショック例・重症心不全例では，ショック・心不全状態からの早期離脱を最優先とした薬剤の選択を行う．来院時にショック症状を呈しているものは，現在でも死亡率が高い超重症例である．この心原性ショックを含め，ポンプ失調の程度から AMI を分類したのが Killip 分類であり，現在でも AMI の初期情報の 1 つとして重要である(表 7-7-12)．もちろん低酸素血症が存在する場合には酸素投与を開始する．薬剤に反応しないケースでは大動脈内バルーンパンピング(intraaortic balloon pumping：IABP)の挿入が必要であるが，この場合 X 線透視下で行えるアンギオ室で挿入し，引き続き，冠動脈造影(CAG)から PCI を行えるのが理想的である．

AMI が疑われる症例に対する救急室での治療指針禁忌がなければ，原則として全例にアスピリン投与を行う．最初の心電図所見により対処法が決まる．

②胸部症状のある場合には，胸痛が患者の不安を増強させ，心筋酸素需要増加の原因となるため，早急に軽減させる必要がある．舌下またはスプレーの口腔内噴霧で，痛みが消失するか血圧低下のため使用できなくなるまで，3～5 分ごとに数回投与し，梗塞血管および側副血行路の拡張と左室前負荷軽減を試みる．有効であれば静脈内投与も考慮する．ただし，収縮期血圧 90 mmHg 未満あるいは通常の血圧に比べ 30 mmHg 以上の血圧低下，高度徐脈(＜ 50/分)，頻脈(＞ 100/分)を認める場合，下壁梗塞で右室梗塞合併が疑われる場合，勃起不全治療薬服用後 24 時間以内の場合には投与を避ける．

③亜硝酸薬の投与にもかかわらず胸痛が持続するようであれば，塩酸モルヒネをまず 2～4 mg 静脈内投与し，効果が不十分であれば 5～15 分ごとに 2～8 mg ずつ追加投与する．モルヒネはニトログリセリンと同様に静脈性の血管拡張作用を有するため，肺うっ血を有する例では前負荷軽減の効果を期待できるが，それ以外の例では前負荷低下による血圧低下に注意する必要がある．

④アスピリンアレルギーの既往がある患者を除き，STEMI が疑われる全患者に，できるだけ早くアスピリンを投与する(クラスⅠ)．PCI を予定している患者では，冠動脈ステント留置を行うことが予想されるため，ステント血栓症の予防目的でアスピリンとチエノピリジン系抗血小板薬の 2 剤併用療法が推奨されるが，血栓溶解療法を行う患者や，さらに再灌流療法

を予定していない患者にも，アスピリンに加え，クロピドグレル 75 mg あるいはプラスグレル 20 mg あるいはチカグレロル 180 mg の投与が推奨されている．

⑤ β遮断薬は心筋酸素需要を低下させ，梗塞サイズを縮小させると考えられ，β遮断薬の禁忌がなければ，短時間作用型の薬剤の少量投与から開始すべきである．ただ冠動脈スパスム，高度房室ブロック，徐脈性不整脈などをもつ患者に対する投与には慎重にならなければならない．（表 7-7-13）．

⑥下壁梗塞に伴う第 2 度房室ブロック，低心拍出を伴う洞機能不全などの徐脈性不整脈がみられる場合には，迷走神経遮断作用を有するアトロピンが有効である．もちろん無効の場合，体外式ペースメーカの挿入の適応となる．

⑦この間に標準 12 誘導心電図を記録する．ここまでの処置はモルヒネ，β遮断薬，ペースメーカ挿入を除けば目標 10 分以内で行い，ST 上昇が確認されて STEMI と診断されたら，直ちに再灌流療法に向けて準備を行う．

a. ST 上昇型心筋梗塞（STEMI）再灌流治療

STEMI 治療において最も重要なことは，いかに発症から再灌流までの総虚血時間を短くするかである[7]．再灌流治療としては通常，血栓溶解療法と PCI があげられるが，設備や人員の整った施設では通常 PCI がより確実な効果から推奨されている．ただ，いずれの治療法においてもできるだけ早期に再灌流を得ることが予後を改善する．治療目標は，PCI では door-to-device time を 90 分以内に，血栓溶解療法においては first medical contact（あるいは door）-to-needle time を 30 分以内にすることである（図 7-7-31）．

緊急 PCI か血栓溶解療法かの治療の選択に関しては，最近の研究報告から，緊急 PCI が可能な場合には PCI が優先される．特に STEMI 患者では早期に良好な再灌流を得ることができるかが予後を規定する．冠動脈血流の程度を血管造影で分類したものに thrombolysis in myocardial infarction（TIMI）分類があり，良好な冠血流の定義は造影遅延なく冠動脈遠位部まで造影される TIMI 3 である（表 7-7-14，図 7-7-32）．

緊急 PCI の手順は，橈骨動脈または大腿動脈などからカテーテルを挿入し，ガイドワイヤーを閉塞冠動脈に進める．ただ，最近の ESC ガイドラインでは，

表 7-7-13 β遮断薬の相対的使用禁忌

心拍数 60/分以下
収縮期血圧 100 mmHg 以下
中等度から重症の左心不全
末梢低灌流状態
PQ 時間 0.24 秒以上
2 度と 3 度の房室ブロック
重症の慢性閉塞性肺疾患
喘息の既往歴
重症の末梢血管障害
インスリン依存性の糖尿病

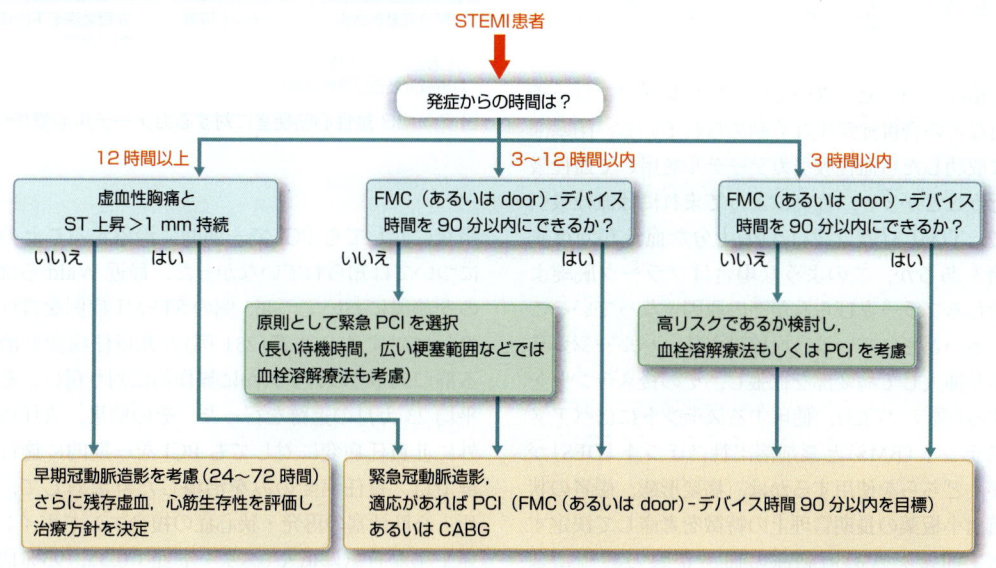

図 7-7-31 緊急 PCI が施行可能な施設における STEMI への対応アルゴリズム（日本循環器学会．ST 上昇型急性心筋梗塞の診療に関するガイドライン（2013 年改訂版）http://www.j-circ.or.jp/guideline/pdf/JCS2013_kimura_h.pdf（2016 年 11 月 25 日閲覧））
心原性ショック（または進行した左心不全）の場合，発症 36 時間以内かつショック発現 18 時間以内は PCI，外科手術を検討する．FMC：first medical contact．

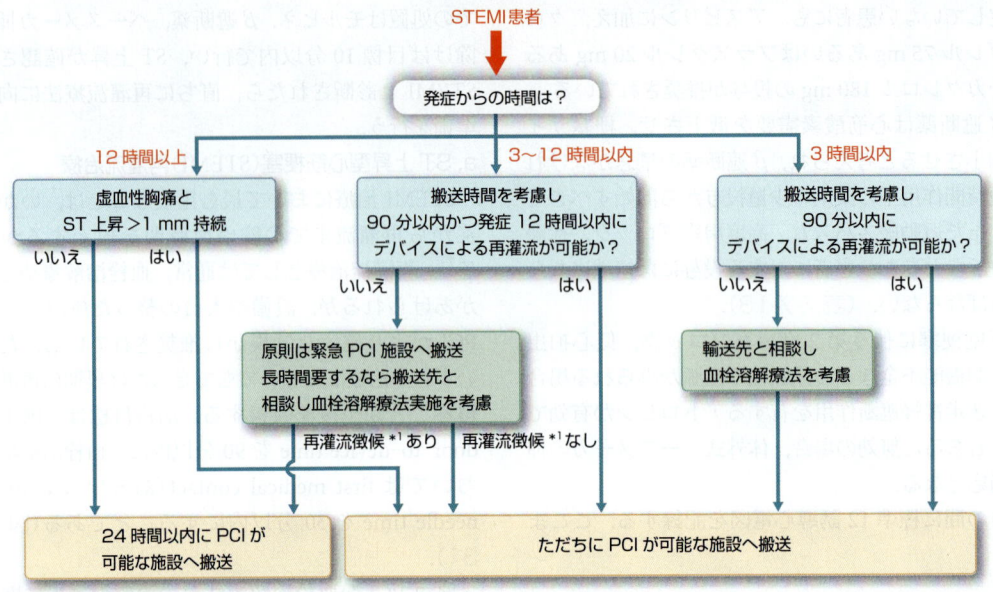

図 7-7-32 緊急 PCI が施行できない施設における STEMI への対応アルゴリズム(日本循環器学会．ST 上昇型急性心筋梗塞の診療に関するガイドライン(2013 年改訂版)http://www.j-circ.or.jp/guideline/pdf/JCS2013_kimura_h.pdf(2016 年 11 月 25 日閲覧))

心原性ショック(または進行した左心不全)の場合，発症 36 時間以内かつショック発現 18 時間以内は PCI，外科手術施行可能施設へ搬送する．

＊1：胸痛の消失，ST 上昇の軽減，T 波の陰転化など．

表 7-7-14 TIMI 分類

0	完全閉塞
1	狭窄部を造影剤がごくわずかしか通過しない
2	狭窄部を通過する際に造影遅延を認めるが，遠位部まで造影される
3	造影遅延なく遠位部まで造影される

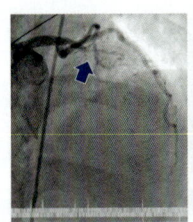 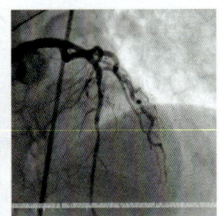

緊急冠動脈造影　　ステント留置　　左冠動脈前下行枝の血流再開
(左冠動脈前下行枝が
対角枝分岐部で急性閉塞)

図 7-7-33 急性心筋梗塞に対するカテーテル治療(PCI)

経験を積んでいるセンターでは，橈骨動脈アプローチが出血などの合併症が少なく勧められている．閉塞部通過に成功したら血栓吸引カテーテルを用いて血栓吸引を行うことが多い．症例によってはまれには血栓吸引のみで，TIMI 3(表 7-7-14)の十分な血流が回復する場合もあるが，このような場合はプラーク破綻より，むしろプラークびらんがその原因となっていることが，多いとされている．血栓吸引後，バルーンカテーテルを挿入して病変部を拡張し，その後ステントを留置する(図 7-7-33)．使用するステントにはベアメタルステント(BMS)と薬剤溶出性ステント(DES)があるが，どちらを使用するかは，病変形態，患者の状態や抗血小板薬の長期管理上の特徴を考慮して決定する．PCI 前後を含め冠動脈の血流状態の評価には TIMI 分類が用いられるが，TIMI 3 flow が得られれば理想的である(表 7-7-14)．

また，現在のガイドラインでは，急性心筋梗塞の責任病変のみに対する PCI が推奨されており，非責任病変に対しても PCI で一期的に治療することの意義については知られていなかった．最近 Wald らは英国の 5 施設において，465 例の STEMI 症例を責任病変のみに対する PCI 群(231 例)と非責任病変も治療する群(234 例)のいずれかに無作為に割り付け，その後平均 23 カ月の追跡を行った．その結果，責任病変以外に非責任病変に対しても PCI を一期的に施行した群では，責任病変のみを治療した群に対して，心臓死・心筋梗塞の再発・狭心症の複合エンドポイントの発生率が有意に低く(ハザード比：0.35，95％信頼区間：0.21～0.58，$p < 0.001$)，多枝病変の場合でも一期的に PCI を積極的に行うべきであるという論文が New England Journal of Medicine に掲載され，この考え方が肯定されつつある[8]．ただ，このような動脈硬

化の進行した複雑病変であることも多い多枝病変に対するPCIを確実に成功させるためには，十分な技術をもったPCIオペレーターが手早くPCI手技を行わないと，造影剤の大量使用により，腎機能障害や心不全をきたすリスクがあり，PCI術者の技術に負うところが大きい．

b. 血栓溶解療法

血栓溶解療法に用いられる薬剤にはウロキナーゼ，組織プラスミノゲン活性化因子（tissue plasminogen activator：t-PA）があるが，静注用には一般に血栓選択性の高いt-PAが使用されている．血栓溶解療法には以下に示す禁忌と注意事項がある（表7-7-15）．前述の通り何らかの理由で緊急PCIが施行できない場合考慮される治療法である．

c. NSTEMI-ACSの管理

NSTEMI-ACSは前述の通りACSのなかでSTEMI以外のものとされ，NSTEMI（非ST上昇型AMI）とUA（不安定狭心症）が含まれている．NSTEMIとUAの違いは前述の通り心筋壊死を伴っているかいないかである．

発作時心電図ではST低下，T波陰転，陰性U波出現など多彩な波形を示すが，ST低下が遷延する例は冠動脈高度狭窄例や，高度狭窄に加え血栓が存在する例が多く，広範なST低下を示す場合には多枝病変や，左冠動脈主幹部病変の場合があるので注意が必要である．

新規の左脚ブロック出現も高リスクのACSを示唆する重要な所見である．生化学的指標としてはSTEMI同様，高感度TnTあるいは高感度TnI測定が，CK，CK-MBより早期から有用である．一定以上のCK上昇があればNSTEMIと診断されるが，CK上昇が明らかでなくUAの範疇であっても，重症3枝病変のこともある．

GRACEリスクスコアに加え，病歴，自覚症状，心電図所見，生化学的マーカーを含めた複数の危険因子の組み合わせから評価するTIMIリスクスコアも病態評価に有用であり，スコアが増加するにつれ相乗的に予後が悪化することが示されている（表7-7-16）．また従来から用いられているUA/NSTEMIにおける短期間の死亡，非致死性心筋梗塞のリスク分類も有用である（ⓔ表7-7-A）．

d. NSTEMI-ACSの治療方針（早期侵襲的治療と早期保存的治療）

リスクに基づいた初期対応が重要であり，リスク評価を行った後，中リスク以上の患者は入院が必要で，高リスク患者は心電図監視が可能なCCUあるいはこれに準ずる病室へ収容する（ⓔ表7-7-A）．心電図モニター下でベッド上安静とし，アスピリン，ヘパリンと硝酸薬，β遮断薬を投与する．高〜中リスク患者に

表7-7-15 心筋梗塞症における血栓溶解療法の禁忌と注意

1. 禁忌
   - 脳出血の既往，1年以内の脳血管疾患
   - 脳腫瘍
   - 活動性の出血性疾患（月経出血を除く）
   - 急性大動脈解離が疑われるとき

2. 注意/相対禁忌
   - 治療抵抗性の高血圧（180/110 mmHg以上）
   - 脳血管疾患の既往あるいは禁忌に含まれない脳内疾患
   - 抗凝固薬を使用中（PT-INRが2〜3以上），出血性素因の存在
   - 2〜4週間以内の頭部外傷を含む外傷，侵襲的で10分以上の心肺蘇生術の施行後，3週間以内の大手術
   - 血管穿刺部の圧迫止血が不能
   - 2〜4週間以内の内出血
   - ストレプトキナーゼ/アニストレプラーゼ：使用歴がある（特に2年以内）かあるいはアレルギーの既往
   - 妊婦
   - 活動性消化管潰瘍
   - 慢性の重症高血圧の既往

表7-7-16 TIMIリスクスコア

① 年齢（65歳以上）
② 3つ以上の冠危険因子（家族歴，高血圧，脂質異常症，糖尿病，喫煙）
③ 既知の冠動脈有意（>50%）狭窄
④ 心電図における0.5 mm以上のST偏位の存在
⑤ 24時間以内に2回以上の狭心症状の存在
⑥ 7日間以内のアスピリンの服用

対する治療戦略は，ST変化が著明でトロポニンの上昇が明らかなケースは直ちに冠動脈造影（CAG）を行い，責任冠動脈病変に対し，多くはPCIによる冠血行再建術を行う"早期侵襲的治療"か，トロポニンの上昇が著明でないケースではいったんCCUで内科的治療を行い，その後症状再燃や，新規虚血の出現があれば直ちに冠動脈造影→冠血行再建を行うという"早期保存的治療"の2つの選択肢がある．後者を選択した場合，抗血栓療法の継続の程度も問題となるが，CABGも治療法の1つとして考慮される．中リスク以上でトロポニンが陽性の場合には早期侵襲的治療が行われることが多くなっている．一方，近年，冠動脈造影CTを早期に，より低侵襲で低リスクに行い，その病変評価から最適の治療法を選択する試みも行われている．

(6) 早期合併症・対策

a. 不整脈

急性心筋梗塞に伴う不整脈は発症後早期から発生

し，病院収容前に心室細動を発生し，致命的になるケースも少なくない．CCU に入院後の救命率の向上は，厳重な心電図モニターによる，致死性不整脈の管理によるところも大きい．

1) 心室性期外収縮：多源性で頻回に発生する，あるいは拡張早期に発生する心室性期外収縮は，心室頻拍，心室細動予防のための薬物療法の適応である．これ以外の場合に予防的な抗不整脈薬の投与は根拠がないとされている．低カリウム血症，低マグネシウム血症などの是正がまず求められる．薬物療法としては急性期には静注のアミオダロンなどが用いられるが，長期的にはβ遮断薬が有効なことが多い．

2) 心室頻拍・心室細動：急性心筋梗塞発症，特に 24 時間以内は，何の警告もなく突然心室頻拍，心室細動が起こりうる（図 7-7-34）．

以前はこの予防にリドカインが用いられてきたが，この予防的投与には根拠がないことが明らかとなり，低カリウム血症，低マグネシウム血症の補正に加え，現在ではアミオダロンやβ遮断薬の投与が一般的である．心室頻拍が起きても血圧など血行動態が安定していれば，抗不整脈薬で洞調律への復帰を期待できるが，血圧低下例や心室細動では速やかに電気的除細動を行う．急性心筋梗塞発症後 72 時間以内に発生する心室頻拍は，長期予後には影響しないとされている．ただ，慢性期に生じた心室頻拍は突然死など予後にかかわる可能性があるため，電気生理学的検査で重症度を判定して植え込み型除細動器の適応も検討する．

3) 上室性不整脈：急性心筋梗塞急性期の交感神経系の活性化に伴う洞性頻脈が最も多くみられ，頻度が多く心筋酸素需要を大きく増加させていると考えられる場合にはβ遮断薬を投与する．また左室機能不全に伴う左房圧上昇が原因で生じる心房粗・細動もしばしば出現するが，急性心不全の状態でなければβ遮断薬投与も有効である．これらが持続して心機能低下の一因となっている場合には電気的除細動を施行する．

4) 洞徐脈：右冠動脈閉塞による下壁梗塞では，迷走神経刺激状態になるためにしばしば認められる．高度の徐脈にはアトロピン静注が用いられるが，持続性の徐脈には一時的ペースメーカを挿入する場合もある．ただ，イソプロテレノールを投与して心拍数を上げることは，重篤な心室性不整脈を誘発することがあり，行うべきではない．

5) 房室ブロック，心室内伝導障害：下壁梗塞に多い不整脈であり，迷走神経緊張および刺激伝導系の虚血の両方が原因となって発生することが多い（図 7-7-35）．一時的ペースメーカを挿入して右室ペーシングを行うことが，最も確実で有効な治療手段である．多くの例では 1 日から数日で回復してペースメーカを抜去することができ，恒久的ペースメーカが必要に

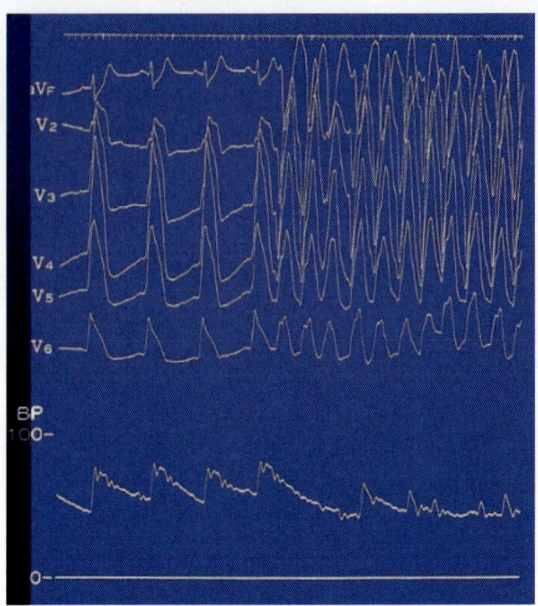

図 7-7-34 急性前壁心筋梗塞に伴った致死性不整脈
直ちに DC が施行され救命した．

なる例はほとんどない．

b. ポンプ失調

AMI 発症後，左室では梗塞部・非梗塞部ともにサイズや壁厚，壁運動に大きな変化が起こり，発症直後から左室は拡張を始めるが，この過程を左室リモデリングとよぶ．最初は梗塞部心筋のロスから壁の菲薄化が起こって膨隆してくるが，その後非梗塞部においても残存心筋に過大なストレスがかかりつづけるために心室の拡大が起こってくる．左室リモデリングは急性期の硝酸薬投与でわずかながら抑制できることが知られており，心筋虚血の改善とともに急性期に硝酸薬の持続静注を行う根拠になっている．しかし長期的には ARB/ACE 阻害薬やβ遮断薬が左室リモデリングを抑えることが知られており，心機能低下のあるなしにかかわらず梗塞後の ARB/ACE 阻害薬やβ遮断薬の投与が推奨されている．

c. 急性心不全治療のための分類

AMI における心機能障害の重症度分類を Killip 分類とよぶ（表 7-7-12）．この Killip 分類は古典的ではあるが簡便で前述の GRACE スコアの算出にも用いられている（表 7-7-7）．

ポンプ失調が原因の心不全は AMI 後急性期死亡の重大な原因の 1 つである．これは心筋壊死を起こした結果残存心筋が減り，生体が必要とするだけの心拍出量を保てないために起こるものである．

心不全徴候が明らかな場合，Swan-Ganz カテーテルのような肺動脈カテーテルを留置して，血行動態をモニターしながらの治療が従来は行われてきた．

d. Forrester 分類

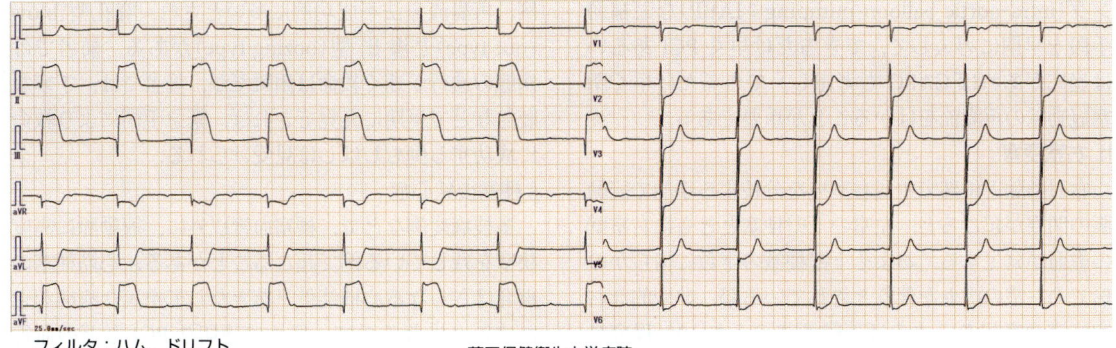

図 7-7-35 急性下壁心筋梗塞による完全房室ブロック
一時的にペースメーカが植え込まれた.

Forrester 分類とは，肺動脈カテーテルから得られた肺動脈楔入圧と心係数から，血行動態からみた AMI の分類である．肺動脈楔入圧とは Swan-Ganz カテーテルで肺動脈を一時的に閉塞させ，肺側からの圧を計量するものであるが，肺動脈は肺を介して左房につながっているため，肺動脈楔入圧は，左房圧も反映している．

サブセット I ではポンプ失調は存在しないが，サブセット II では心拍出量は保たれているものの前負荷が過度にかかっていて肺うっ血症状を呈していると考えられる．この場合の治療原則は「減負荷療法」であり，利尿薬や静脈拡張が主体の血管拡張薬（硝酸薬など）により，PCWP が低下してサブセット I に入ることができるようになる（図 7-7-36 の濃い青の★①）．これに対して PCWP が高値にもかかわらず低心係数であるサブセット IV に血行動態がある場合には，ポンプ失調は重症であり死亡率も高く，減負荷療法だけでは血行動態は改善しない．ドブタミン，ドパミンなどの強心薬を投与して心筋収縮力を上げることで Starling 曲線を左上にシフトさせたうえで利尿薬や血管拡張薬で減負荷療法を行うことが必要である（図 7-7-36 の赤い★②）．

e. Nohria-Stevenson 分類

Forrester 分類は肺動脈カテーテルを挿入しないと計測できなかったが，2003 年に提唱された Nohria-Stevenson 分類（表 7-7-17）は肺うっ血所見の有無（wet/dry）と低灌流所見の有無（warm/cold）という臨床所見からの分類であり，その簡便性・迅速性とすぐれた予後予測効果から，最近では心筋梗塞発症後の心不全を含めた急性心不全の重症度分類にしばしば用いられている（表 7-7-17）．

f. クリニカルシナリオ（clinical scenario：CS）

2008 年に Mebazza らは収縮期血圧に注目したクリニカルシナリオ分類による急性心不全治療のアルゴリズムを提唱した．この分類はあくまで急性心不全の分

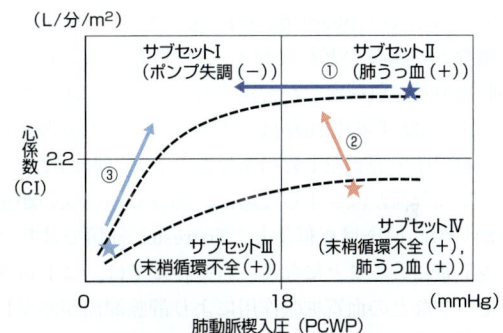

図 7-7-36 急性心筋梗塞症の Forrester 分類

表 7-7-17 Nohria-Stevenson 分類

		〈うっ血所見〉	
		No	Yes
〈低灌流所見〉	No	A warm-dry	B warm-wet
	Yes	C cold-dry	D cold-wet

類であり，CS1 から CS5 までの分類があるが，急性冠症候群による急性心不全は CS4 に分類されている．

g. 心原性ショック

AMI 治療の進歩に伴い心原性ショックに陥った AMI 症例は減少してきているが，いったんこれに陥ると現在でも死亡率の高い（70％に達する）状態である．その 80％は広範な心筋壊死に伴うものであり，残りが心室中隔破裂や乳頭筋断裂など急性心筋梗塞の機械的合併症に基づくものである．低心拍出が病態の中心で，血圧低下，主要臓器灌流障害による意識障害，乏尿，四肢冷感，アシドーシスなどが特徴である．機械的合併症の場合には緊急手術となるが，それ以外の場合にはドパミン，ドブタミンなど強心薬による治療には限界があるので，大動脈内バルーンパンピ

ング（intra-aortic balloon pumping：IABP）など補助手段を早期に導入して，できるだけ早く PCI あるいは適応があれば CABG も考慮し，できるだけ早く閉塞冠動脈の再灌流をはかることが重要である．

h. 右室梗塞

右冠動脈近位部で主要右室枝を分枝する手前で冠動脈の閉塞が起こると，左室の下壁梗塞とともに右室壁の虚血が発生する．およそ下壁梗塞の半数に何らかの形での右室の虚血を伴うとされているが，典型的な右室梗塞の徴候を示すのは下壁梗塞のうち 10％程度である．右室梗塞は，①右側胸部誘導での ST 上昇，②心エコー図での右室拡大とアキネジア，ジスキネジア，③平均右房圧 ≧ 10 mmHg と高値であるが PCWP との差が小さい（＜ 5 mmHg）こと，④右房圧波形の non-compliant pattern（深い Y 谷），⑤ PA 交互脈などの所見のどれかが 1〜2 項目存在し，収縮性心膜炎や右室負荷疾患が否定されたときに診断可能となる．右室からの拍出が低下するために後方障害としての右房圧・静脈圧上昇の所見とともに，肺循環からの左室前負荷が減少するために，肺うっ血はないが左室からの心拍出量も低下し，Forrester 分類ではサブセットIIIに入ることになる．右室梗塞では，ニトログリセリンなどの血管拡張作用により静脈灌流が減少し血圧低下をきたしやすい．むしろ，大量輸液により左室前負荷を上昇させることにより Starling 曲線を押し上げ（図 7-7-36，薄い青の★③），心拍出量の増加を見込めるようになる．これらが右室梗塞の血行動態の特徴であり，治療のポイントでもある．

i. 機械的合併症

AMI 発症後に突然肺うっ血の増強と低心拍出を伴う血行動態変化をみたら，機械的合併症の発生を考えなくてはならない．機械的合併症としては，心室中隔破裂，僧帽弁乳頭筋断裂，左室自由壁破裂があげられるが，これらは急性心筋梗塞発症後 1 週間，特に 3 日以内に起こることが多い．

1）心室中隔破裂： 新たな収縮期雑音の発生と急激な肺うっ血を起こしたときには心室中隔破裂または僧帽弁乳頭筋断裂を考える．前壁梗塞では心尖部よりの中隔，下壁梗塞では心基部よりで破裂することが多いが，診断にはドプラ心エコーが有用である．

2）僧帽弁乳頭筋断裂： 前乳頭筋の断裂は，この領域への血流が多重支配であるためよほど広範な前壁梗塞を起こさない限り発生しにくいが，後乳頭筋断裂はこの部分が左回旋枝あるいは右冠動脈からの 1 本の枝で灌流されているため，この枝の閉塞による小さな後下壁梗塞でも発症しうる．外科的治療は現在のところ僧帽弁置換術・形成術となる．

3）左室自由壁破裂： ひとたびこの合併症が発生すると高い死亡率となる．高齢者，女性，広範な初回梗塞例，再灌流療法不成功例に多いとされ，穿孔型（blow-out type）と滲出型（oozing type）がある．前者では病態の進行が速く救命は困難だが，後者では，丁寧な聴診などで早期に発見できれば，緊急手術により救命に成功する例もしばしば見受けられる．

j. 梗塞後狭心症

多枝病変例などで，梗塞血管以外に，冠動脈に高度狭窄を残している例で起こることがある．心筋梗塞の再発はさらなる心機能低下をきたして重篤な病態をきたすことになるので，早めの適切な PCI などの血行再建が必要になる．

k. その他の合併症

心膜炎は発症後数日で起こってくる．心筋梗塞の拡大や心筋虚血の症状とまぎらわしいが，心膜摩擦音を聴取できると診断は容易である．また，痛みが背部の僧帽筋方向へ広がることともある．多くの場合，アスピリンで治療可能である．

また，左室内血栓が原因で起こる血栓塞栓症も重大な合併症である．大きな前壁梗塞例に多く，心尖部に血栓を形成しやすい．心エコー検査が重要である．抗血小板薬と抗凝固薬による厳重な管理が行われる急性期よりむしろ，亜急性期，慢性期に心エコー検査などで梗塞部に壁在血栓の存在が認められることも多く，存在が疑われたら，早めに抗凝固薬による治療を開始することが，脳梗塞を含む血栓塞栓症予防に重要である．

（7）心臓リハビリテーション

わが国でも，また欧米のガイドラインで，AMI 患者に対して心臓リハビリテーションプログラムを実施することがクラス I の適応として推奨されている．2 回目以降の心筋梗塞の発症はより重症化し，致命的になることも多いことから，心筋梗塞後の心臓リハビリテーションは再発予防を目的とした積極的な治療介入の 1 つと考えるべきである．心臓リハビリテーションプログラムは，①運動トレーニングと運動処方，②冠危険因子の軽減と二次予防，③心理社会的因子および復職就労に関するカウンセリング，などの要素を含み，実施時期から急性期，回復期，維持期の 3 つに分類される．心臓リハビリテーションが虚血性心疾患患者の運動耐容能を改善し，冠危険因子を改善し，QOL を向上させ，心筋梗塞の再発，心血管死亡を低下させるなどの報告も多く，そのエビデンスは確立されている．

（8）慢性期の管理・生活指導

STEMI の予後は，梗塞サイズ，左室機能，多枝病変の有無，合併症の存在などに左右される．心エコー検査による左室機能評価も重要である．

PCIなどにより，急性期に治療を行わなかった，いわゆる残枝病変の治療を行う場合などは，核医学イメージングによる心筋viabilityの評価の有用性が報告されている．急性期治療により病態が安定すれば長期予後を考えた薬物治療を継続する．抗血小板薬（アスピリンなど），β遮断薬，ARB/ACE阻害薬は，心筋梗塞症の再発予防，心室リモデリング予防，心不全予防に有効であることが，多くの臨床試験から報告されており，長期的に継続していくことが推奨されている．

わが国のAMI患者の冠危険因子を欧米と比較すると，高血圧の合併は50～55%程度と同等だが，糖尿病の合併が40%以上と高く，また脂質異常症患者や喫煙者も多い．心筋梗塞発症後の二次予防に関しては，これらの冠危険因子へ包括的な介入が重要である．HMG-CoA還元酵素阻害薬（スタチン）により総コレステロールとりわけLDLコレステロールが低下することが知られているが，日本人を対象としたACS後の二次予防に関するJAPAN-ACS研究では，このスタチンにより，冠動脈プラークが退縮することが，Hiro, Matsuzakiらにより報告された[9]．このスタチン投与群が，非投与群に比し長期の心筋梗塞の再発や心臓死などを有意に減少させることも海外の多くの研究により報告されている．

また運動負荷試験に基づいて，1回30分，週3回程度から徐々に負荷をかけ，最終的に1万歩程度の歩行などの有酸素運動を毎日行えるように指導することや，心筋梗塞後の患者の不安，不眠などのカウンセリング，社会復帰へのアドバイスも積極的に行うべきである．

〔尾崎行男〕

(ⓔ文献7-7-3)

4）陳旧性心筋梗塞
old myocardial infarction：OMI

定義・概念
陳旧性心筋梗塞の定義は，世界的に欧州・米国の学会（European Society of Cardiology, American College of Cardiology Foundation, American Heart Association）と世界心臓連合（World Heart Federation）により以下の所見が1つでもある場合とされている[1]．
①自覚症状の有無を問わず，虚血以外の原因が考えられない異常Q波
②虚血以外の原因が考えられない局所の心筋喪失を示す壁の菲薄化や収縮障害
③陳旧性心筋梗塞を示す病理学的所見

つまり，心筋梗塞の急性期を過ぎて自覚症状や血行動態が落ち着き，心筋生化学マーカーの上昇がなく心電図所見も固定化した状態を示している．明確には時期的な定義をしたものはないが，病理学的に瘢痕形成が起こる発症4週間以降を指すことが多い．

疫学
日本人の心筋梗塞患者を対象とした2009年の臨床研究JACSSによると[2]，急性心筋梗塞の入院患者の80%に冠動脈インターベンションが施行され，院内死亡率は8%，院内心血管系疾患による死亡率は7%であった．平均観察期間412日で心血管系疾患による死亡率は9%，心血管系イベント発生は17%であった．これは欧米に比べてきわめてよい成績であるといえる．しかしながら日本人の冠動脈疾患患者を長期追跡したJCAD研究によると[3]，陳旧性心筋梗塞例は非心筋梗塞例に比べて有意に予後が悪いことが示されており，心筋梗塞後の管理は重要である．

病態生理
梗塞部では，急性期の心筋壊死部位が炎症・浮腫から瘢痕組織に置換され，同部位の菲薄化と機械的伸展を生じるようになる．これは早期リモデリングとよばれる．この際に非梗塞部が心臓のポンプ機能低下を代償しようとして，Frank-Starling法則による前負荷増加およびレニン-アンジオテンシン-アルドステロン系や交感神経系の活性亢進が起こり，左室拡大からひいては非梗塞部を含めた左室収縮障害をきたすことになる．心室内の血流うっ滞に伴う壁在血栓や弁輪拡大による僧帽弁逆流などが生じることもある．これを晩期リモデリングとよぶ．このような心室リモデリングは，慢性心不全への移行や不整脈の起源となり心臓突然死にもつながる（図7-7-37，ⓔ動画7-7-Q，7-7-R）．リモデリングを少しでも抑制する治療法が望まれる．

臨床症状・検査所見
自覚症状は，心筋梗塞の大きさや冠動脈の状態により変わりうるが，急性期以降は無症状の例も多い．心電図では異常Q波，R波減高，T波陰転などから陳旧性心筋梗塞の存在を疑う（図7-7-38）．この時期では，心筋虚血，心不全，不整脈に関する所見の有無が管理上重要である．

1）**心筋虚血**：心筋バイアビリティ（viability）のある部位を灌流する冠動脈に残存狭窄があると心筋虚血が無症候性に進展する場合があるので注意する．運動負荷心電図や心筋シンチグラムなど画像診断，Holter心電図などで心筋虚血の有無とその程度をチェックする．梗塞部など心筋バイアビリティの評価が必要な場合には，ドブタミン負荷心エコーや負荷心筋シンチグラム，最近では負荷心MRIが行われる．

2）**心不全**：心筋梗塞サイズが大きい場合や左室リ

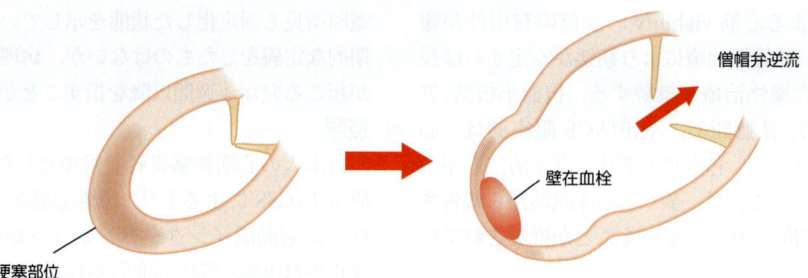

図 7-7-37 心室リモデリング
心室リモデリングにより梗塞部位は薄くなり，生存心筋部位も機能低下して心室の拡大がみられる．リモデリングが高度の場合は心室瘤を形成し，心機能は顕著に低下する．また，心室内に壁在血栓をつくることもある．さらには弁輪拡大に伴い僧房弁逆流症をきたすことがある．治療によりリモデリングを少しでも抑制することが予後の改善につながる．

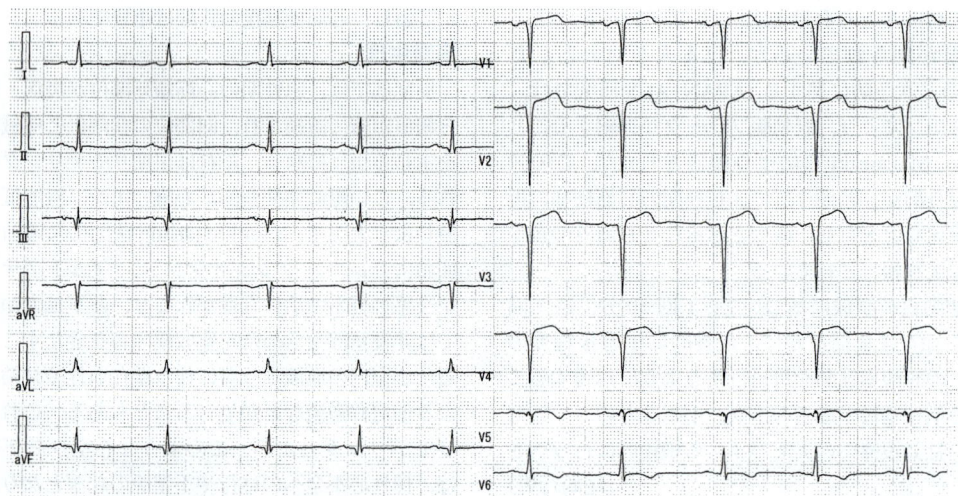

図 7-7-38 陳旧性心筋梗塞の心電図

モデリングが進行した場合には，左室拡大と収縮障害による心不全徴候が出現する．労作時息切れ・呼吸困難から身体所見上の心不全徴候（頸静脈怒張，Ⅲ音・Ⅳ音などの過剰心音，断続性ラ音（湿性ラ音），浮腫など）がみられ，胸部 X 線上の肺うっ血，心エコー検査での左室拡大，壁菲薄化，壁運動異常などが認められる．また，血漿 BNP 濃度は心不全の生化学的マーカーとして汎用されている[4]．詳細は◉コラム 1 を参照．

3）**不整脈**： 慢性期の心筋梗塞後不整脈で重要なのは心室性不整脈，特に心室頻拍の有無である．標準12 誘導心電図に加えて定期的な Holter 心電図が有効である．ハイリスクの不整脈が検出された場合には，加算平均心電図による遅延電位の測定も意義がある．

治療・患者管理

陳旧性心筋梗塞管理のポイントは，急性心筋梗塞の回復期の管理を確実に継続していくことである．長期予後を改善させることが重要であるが，それに加えて QOL の向上も目指すべきである．管理法としては，薬物治療（抗血小板薬，β遮断薬，ACE 阻害薬，スタチンなど），動脈硬化リスクファクターのコントロールのための禁煙，肥満の改善，食事療法，運動療法（心臓リハビリテーション）などがあげられる（小川ら，2011）．

薬物療法では，左室リモデリングの予後を主な目的としてレニン-アンジオテンシン-アルドステロン系と交感神経系の抑制が重要であり，前者には ACE 阻害薬（またはアンジオテンシンⅡ受容体拮抗薬）および抗アルドステロン薬が，後者にはβ遮断薬が使用される．HMG-CoA 還元酵素阻害薬（スタチン）は心血管イベント抑制効果が報告されており，コレステロール低下作用以外の多面的効果（pleiotropic effect）として

抗酸化作用，抗炎症作用，内皮細胞機能改善作用などが期待されている．一般的に虚血性心疾患発症には冠攣縮が広く関与している（小川ら，2013）．特に日本人には冠攣縮が生じやすいがために虚血性心疾患に対して全般的に Ca 拮抗薬を使うことが多い．この点は欧米とはやや異なるところである．日本人においては二次予防としての長期作用型 Ca 拮抗薬の有用性がJBCMI（2004）で示されている[5]．

心筋虚血が残存している場合には，自覚症状の有無，冠動脈病変の重症度と病変形態，心機能低下の程度を総合的に評価して，適切な薬物療法を行ったうえで冠動脈血行再建術の適応を考慮する（eコラム 2）．

心筋梗塞後の心不全の治療もきわめて重要であり，左室収縮不全に対しては慢性心不全の標準的治療である ACE 阻害薬，抗アルドステロン薬，β 遮断薬および利尿薬を中心として薬物療法を行う．

薬物療法だけでは心不全のコントロールが難しい場合には，適応を見定めたうえで心臓再同期療法（cardiac recychronization therapy：CRT）あるいは外科手術（冠動脈バイパス術，左室形成術）が行われることがある．さらに，心筋梗塞後の心室性不整脈治療について，左室駆出率低下例に心室頻拍を合併する場合に植え込み型除細動器（ICD）が予後改善効果をもたらすことが明らかになっている．よって，欧米のみならず最近は国内でも徐々に植え込み症例が増えている．CRT や ICD の適応に関してはガイドラインに詳細に示されているが（小川ら，2011），実際上の適応はそれぞれの症例で異なる．体内に植え込む特殊なペースメーカであることを十分に考慮して，生命予後とQOL のバランスを考えて慎重に考慮すべきである．

重度の心筋梗塞の場合，心室瘤を形成することがある．この場合，左心室内に壁在血栓を伴うことがあり，心エコーにて左心室内にもやもやエコーを認めたら予防として抗凝固薬（ワルファリンなど）を用いる方がよい．

(1) 心筋梗塞後症候群 (post-cardiac injury syndrome)

心筋梗塞後症候群は Dressler 症候群ともよばれる．貫壁性心筋梗塞を発症すると壊死部を中心に炎症が起こるが，壊死細胞由来の自己抗体に対する免疫応答が生じ，これが心表面に波及して線維素性心外膜炎を生じることがある．開心術後に起こる心膜切開後症候群と同様の機序と思われるが，詳細は不明な点が多い．

軽微なものであれば急性期の数時間のみ聴診上心膜摩擦音が聴かれるのみで自然に消滅するが，発症数週間後に急性心膜炎の徴候を呈して発熱，胸痛，呼吸困難などが生じることもある．他覚的所見として，心囊液貯留，胸水貯留，炎症反応陽性（CRP 上昇）などである．

治療は原則として非ステロイド系抗炎症薬を使用するが，炎症が遷延する場合にはステロイド治療が必要なこともある．

(2) 虚血性心筋症 (ischemic cardiomyopathy)

定義・概念

2011 年日本循環器学会ガイドラインでは，「臨床的に類似した心筋症疾患群の基本病態」の 1 つとして虚血性心筋症を定義している（友池ら，2011）．つまり，虚血性心筋症とは「慢性虚血を原因とする拡張型心筋症に類似した左室の拡大と収縮機能の低下を特徴とする重症虚血性心疾患」である．概念についての詳細はeコラム 3 を参照．

病因・病態生理

虚血性心筋症の大部分は，大きな陳旧性心筋梗塞を基盤としてこれによる左室収縮障害や前述の心室リモデリングによる左室拡大を呈する．これ以外には，狭心症など虚血発作を繰り返し起こすことによって惹起された重症心筋虚血が原因になることがある．この場合には強い虚血発作の後に遷延する気絶心筋（stunned myocardium）や慢性的血流不足により生じる（hibernating myocardium）が左室収縮低下の原因となる．

さらには，頻度は少なくなるが貧血や睡眠時無呼吸症候群などによる心筋の低酸素状態も原因となることがある．

臨床症状

自覚症状としては，狭心症などの心筋虚血発作を生じる場合もあるが，むしろ胸痛のない無症候性心筋虚血による虚血エピソードが繰り返し起こった結果，呼吸困難など心不全症状で発症し，後になって虚血性心筋症であったとわかる場合が少なくない．

身体診察や一般検査では，心不全徴候としての上述したうっ血所見および心筋傷害（心電図での Q 波や左室内伝導障害など）が主たるものである．また，心機能低下に伴い心室性不整脈（心室頻拍など）が生じる危険性もあり，動悸を伴うことも少なくない．

過去に明らかな冠動脈疾患の既往がない場合には，拡張型心筋症と診断されてしまうことも多いが，特に動脈硬化の危険因子を有する場合には，Holter 心電図での ST 解析，ドブタミン負荷エコー，心臓核医学検査（脂肪酸シンチグラフィなど）などで心筋虚血の存在を確認するこが必要である．最近は，冠動脈 CT による冠動脈病変の評価が可能になったため，虚血性心筋症と拡張型心筋症の鑑別が比較的容易になった．ただし，冠動脈 CT 所見はあくまで形態学的なものであるため上記のような機能的検査所見を合わせて虚血性心筋症と診断することが重要である．特に，重症の冠

攣縮の場合には冠動脈CTで有意狭窄がなくても左室収縮障害がみられることがある．冠攣縮の可能性を常に念頭において自他覚所見をチェックする必要がある．

治療・患者管理

一般に虚血性心筋症の予後は拡張型心筋症よりも不良であるといわれている．予後予測因子としては，慢性心不全の指標である左室駆出率や血漿BNP濃度などに加えて冠動脈病変（器質的冠動脈硬化，冠攣縮）の重症度が重要な因子となる．

治療は，①心筋虚血改善を目的とした冠動脈病変に対する治療，②慢性心不全に対する治療の2つの軸に分けられる．心筋虚血に対する治療は，慢性冠動脈疾患の治療と同様に適正な内科治療に加えて適応を吟味した冠動脈血行再建術（経皮的冠動脈インターベンション，冠動脈バイパス術）が行われる．特に冠動脈病変より末梢部位の心筋バイアビリティの評価が重要で，血行再建により心機能の改善が見込める部位に対して適切な手段を講じることが重要である．また，冠攣縮による虚血性心筋症と判断された場合は，長時間作用型のCa拮抗薬や硝酸薬を用いる．もう一方の治療の軸である慢性心不全に対する治療は，他項で詳しく述べられているのでここでは詳しくは触れないが，慢性心不全・心筋梗塞後発症に対する多数の大規模臨床試験結果から，ACE阻害薬（またはアンジオテンシンⅡ受容体拮抗薬），抗アルドステロン薬，β遮断薬が薬物療法の基本である．

心臓再同期療法（CRT）や植え込み型除細動器（ICD）などのデバイス治療の適応も昨今広がっているが，個々の症例において生命予後とQOLの観点からその適応を十分に考える必要がある． 〔吉村道博〕

■文献（e文献7-7-4）

小川久雄，赤阪隆史，他：冠攣縮性狭心症の診断と治療に関するガイドライン（2013年改訂版），日本循環器学会，2013. http://www.j-circ.or.jp/guideline/pdf/JCS2013_ogawah.pdf

小川久雄，安達仁，他：心筋梗塞二次予防に関するガイドライン（2011年改訂版），日本循環器学会，2011. http://www.j-circ.or.jp/guideline/pdf/JCS2011_ogawah.pdf

友池仁暢，和泉徹，他：拡張型心筋症ならびに関連する二次性心筋症の診療に関するガイドライン，日本循環器学会，2011. http://www.j-circ.or.jp/guideline/pdf/JCS2011_tomoike_h.pdf

5）全身疾患と冠動脈障害

定義・概念

虚血性心疾患は多くの場合，高血圧，糖尿病，脂質異常症，喫煙習慣などの冠危険因子をもつことによる粥状動脈硬化が原因となる．しかし川崎病や高安動脈炎などの血管炎や，膠原病など全身疾患に合併する冠動脈病変が原因となって発症することもある．この項ではおもに川崎病と膠原病による冠動脈障害について述べる．

分類

血管炎の分類は永らく1994年のChapel Hill国際会議での合意に基づいて行われてきたが，2012年に新たな分類と名称が発表された（e表7-7-B）．大型血管炎は大型動脈が侵襲されることの多い血管炎であり，高安動脈炎と巨細胞性動脈炎が含まれる．中型血管炎は主要な内臓動脈とその分枝である中動脈がおもに侵襲される血管炎であり，川崎病と結節性多発動脈炎（PN）が含まれる．中型動脈炎では炎症性動脈瘤および狭窄がよく起こる．小型血管炎は，実質内の小動脈，細動脈，毛細血管，および細静脈などの小血管をおもに侵襲する血管炎であり，中動脈および静脈が侵される場合もある．小型血管炎はANCA（抗好中球細胞質抗体）関連血管炎と免疫複合体性血管炎に分けられる（e図7-7-D）．さらに新しい分類では，さまざまな血管を侵す血管炎，単一臓器を侵す血管炎，全身性疾患に伴う続発性血管炎，誘因の明らかな続発性血管炎の4つのカテゴリーが加わった．血管炎についての詳細は血管炎症候群の項を参照されたい【⇨12-8】．

これらの血管炎のなかで特に冠動脈障害が問題になるのは，大型血管炎である高安動脈炎，中型血管炎である川崎病とPN，全身性疾患に伴う続発性血管炎のループス血管炎とリウマトイド血管炎である．小型血管炎は心臓内の小血管に病変をきたすため，冠動脈疾患としてよりは，むしろ虚血による心筋障害をきたして心不全の原因として問題になることが多い．

高安動脈炎は基本的には大動脈壁の病変であるため，冠動脈入口部の病変が多い．特に若い女性では通常の粥状動脈硬化による狭心症はまれであるため，狭心症症状が出現した場合は高安動脈炎によるものを疑うべきである．左冠動脈主幹部や右冠動脈入口部の病変が多いため，発見が遅れると重篤な結果になる．高安大動脈炎についての詳細は大動脈疾患の項を参照されたい【⇨7-14】．

（1）川崎病の冠動脈障害

この項ではおもに川崎病の冠動脈障害について述べる．小児期における川崎病の診断と治療の詳細は小児のリウマチ性疾患の項を参照されたい【⇨12-19】．

原因・病因

川崎病は1979，1982，1986年の3回にわたる全国規模の流行があり，また春～夏にかけて患者が多くなる季節変動もあり，感染症の関与が示唆されるが原因

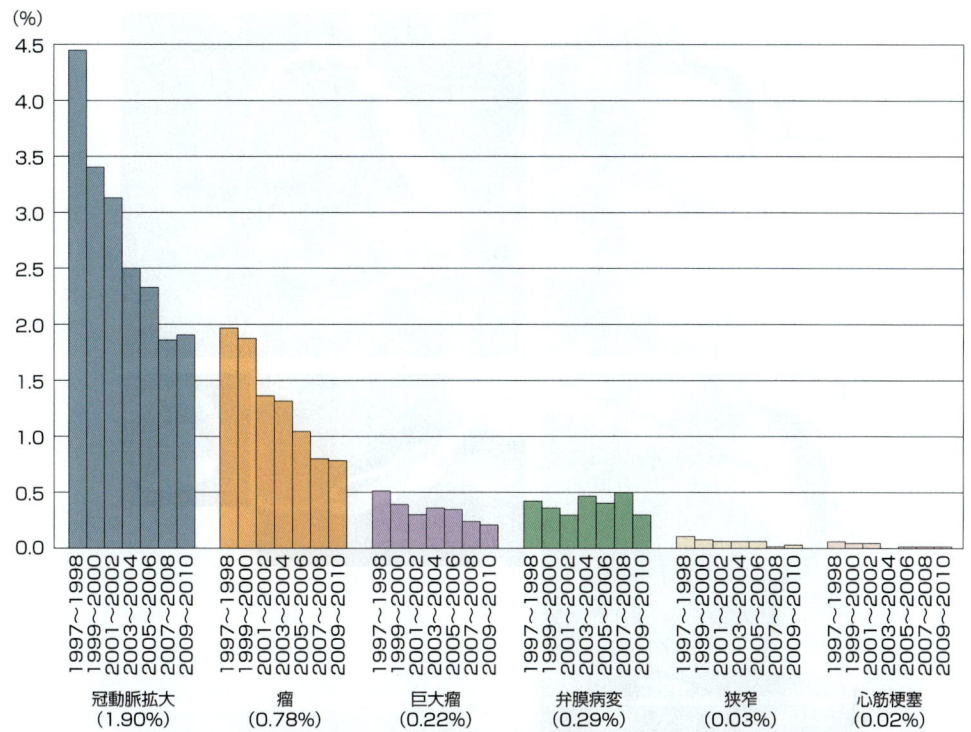

図 7-7-39　川崎病の冠動脈後遺症発生頻度の推移（日本循環器学会．弁膜疾患の非薬物治療に関するガイドライン（2012年改訂版）http://www.j-circ.or.jp/guideline/pdf/JCS2012_ookita_h.pdf（2016年11月25日閲覧））
IVIG治療が行われるようになり，冠動脈後遺症は次第に減少している．

は明らかでない．また民族差があること，家族歴があると発症しやすいことから遺伝の関与も考えられ，実際網羅的な遺伝子解析の結果では疾患感受性遺伝子に関するいくつかの一塩基多型（SNP）が報告されているが，いまだコンセンサスは得られていない．現時点では何らかの免疫反応が関与していると考えられている．

疫学

1970年以降2年に1回川崎病全国調査が行われているが，最近の患者数は年間約1万2000人程度であり漸増傾向にある（e図7-7-E）．男女比は1.32でやや男児に多い．3歳未満の発症が約7割である．以前は致命率が2％程度あったが，アスピリンやIVIG（静注用免疫グロブリン）による治療が行われるようになり，急性期の死亡例はほとんどなくなっている．

発症30日までの急性期の心臓血管合併症は2014年の報告では9.3％に認められ，その内訳は冠動脈病変（拡大6.99％，8 mm未満の瘤0.91％，8 mm以上の巨大瘤0.18％，狭窄0.02％），弁膜病変1.7％，心筋梗塞0.004％であった．発症30日以降の心臓血管系の後遺症は2.8％に認められ，その内訳は冠動脈病変（拡大1.80％，8 mm未満の瘤0.72％，8 mm以上の巨大瘤0.18％，狭窄0.02％），弁膜病変0.37％，心筋梗塞0.004％であった．冠動脈巨大瘤は，男女比が3で男性に多かった．IVIGによる治療が行われるようになり冠動脈の合併症は著明に減少している（図7-7-39）．ただし以前冠動脈後遺症が多かった頃の川崎病罹患者はすでに成人期に移行しており，約1万人が冠動脈後遺症をもっていると推測される．

病理・病態生理

川崎病の本態は血管炎であり，中型血管である冠動脈が最も高頻度に障害される．まず川崎病発症6〜8病日頃に冠動脈の内膜および外膜に炎症細胞浸潤が始まり，その後全層に及ぶ．そして内・外弾性板が浸潤した炎症細胞により破綻すると血管は拡張し，重症例では動脈瘤を形成する．冠動脈の炎症が軽度で終息した場合は2〜3週目には正常化する．30病日以降も冠動脈画像上の異常が残った場合を冠動脈後遺症と定義している．冠動脈後遺症が残った場合でも，小・中サイズの冠動脈瘤の多くは1〜2年以内に退縮して画像上は正常化することが多い．一方，8 mm以上の巨大瘤はほとんど退縮傾向がない．動脈瘤は2〜3年後には著明な石灰化をきたすことが多い．また動脈瘤の前後には狭窄病変を生じやすい．さらに瘤内には血栓が生じやすく，突然急性冠症候群を生じることもある．また瘤内に血栓閉塞と再開通を繰り返し，割面が蓮根のような形状を示すものもある．

臨床症状

川崎病の急性期は皮膚，粘膜，リンパ節に診断基準にもなっている下記の主要症状を呈する．

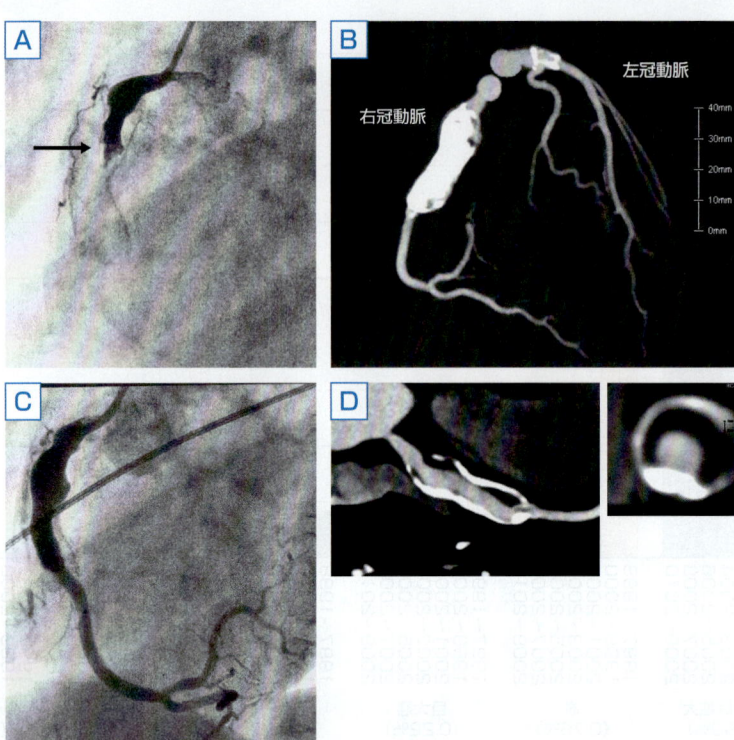

図 7-7-40　川崎病患者の冠動脈造影所見

川崎病の既往のある 27 歳女性．10 mm の冠動脈瘤があり経過観察していたが心筋梗塞を発症した．
A：右冠動脈が石灰化した瘤内で完全閉塞している（矢印），B：冠動脈インターベンションにより再開通，C：慢性期の冠動脈．CT 所見．右冠動脈の瘤と左主幹部に石灰化を認める．D：右冠動脈の縦断像，E：横断像．

① 5 日以上続く発熱
② 両側眼球結膜の充血
③ 口唇，口腔所見：口唇の紅潮，イチゴ舌，口咽頭粘膜のびまん性発赤
④ 不定形発疹
⑤ 四肢末端の変化：（急性期）手足の硬性浮腫，掌蹠ないしは指趾先端の紅斑（回復期），指先からの膜様落屑
⑥ 急性期における非化膿性頸部リンパ節腫脹

さらに冠動脈病変がある場合には胸痛や不整脈が出現することもあるが，乳児での発症が多いため症状がわかりにくい．そのため川崎病の経過中にショック，激しい啼泣，腹痛，嘔吐などを認めた場合は冠動脈障害の合併を疑うべきである．冠動脈後遺症として冠動脈狭窄がある場合は，通常の狭心症の症状と同様であるが，巨大瘤だけの場合は突然血栓閉塞して胸痛を生じることが多い．

検査所見

急性期の心血管合併症では心電図上 PR 延長，Q 波，QT 延長，低電位差，ST-T 変化，不整脈などの所見が認められる．冠動脈の拡張，瘤形成は近位部であれば心エコー図で観察でき，スクリーニング，経過観察に必須の検査である．また慢性期には胸部 X 線で冠動脈に沿った球状の石灰化として認められることもある．冠動脈 CT 検査，心臓 MRI ではさらに詳細に観察できる．確定診断と治療方針の決定のためには冠動脈造影を行う（図 7-7-40）．

狭心症や心筋梗塞発症時の心電図，心筋シンチグラム，心エコー図，心筋逸脱酵素の所見は通常の動脈硬化による変化と同様である．

診断

川崎病自体の診断は厚生労働省川崎病研究班作成の「川崎病（MCLS，小児急性熱性皮膚粘膜リンパ節症候群）診断の手引き」（e表 7-7-C）に基づいて行い，前述した 6 つの主要症状のうち 5 つ以上の症状を伴うものを川崎病とする．ただし上記 6 主要症状のうち，4 つの症状しか認められなくても，経過中に断層心エコー法もしくは，心血管造影法で冠動脈瘤が確認され，ほかの疾患が除外されれば川崎病と診断する．狭心症や心筋梗塞発症時の診断は通常の動脈硬化によるものと同様である．

治療・経過・予後

急性期は IVIG 超大量療法＋アスピリンが初期標準治療である．冠動脈病変を生じさせないためには，汎

冠状動脈炎が生じる前，すなわち第7病日までにIVIGの投与を開始することが望ましい．IVIG療法により冠動脈後遺症は著明に減少したが，依然IVIGへの治療抵抗例があり，治療抵抗例の予測と追加治療の確立が俟たれる．冠動脈瘤を形成した症例では血栓予防目的で抗血小板薬を継続する．中等度以上の冠動脈瘤の退縮例や巨大瘤がある場合は定期的に非侵襲的な虚血の評価を行うとともに，数年ごとに冠動脈CTまたは冠動脈造影を行うことが望ましい．さらに虚血が生じた場合は，冠動脈インターベンションまたは冠動脈バイパス術の適応となる．

近年川崎病の急性期に冠動脈病変を伴わなかった症例，経過中退縮した症例から若年で急性冠症候群を発症することが問題になっている．退縮して冠動脈造影上は正常化した症例でも，冠動脈内は血管内皮機能障害や内膜肥厚があり，通常の粥状動脈硬化に進展しやすい状態であり厳重な冠危険因子の管理を行うべきである．また小児期から青年期への移行時に診療から脱落する患者が多いのが問題になっており，小児科から内科へのスムーズな診療の移行が重要である．

(2)膠原病の冠動脈障害
病因・病態

関節リウマチ(RA)，全身性エリテマトーデス(SLE)，全身性硬化症(SSc)，多発性筋炎/皮膚筋炎(PM/DM)，結節性多発動脈炎(PN)などの膠原病は全身的に組織・臓器を障害し，さまざまな疾患や病態を併発し，心血管も標的臓器の1つである．心臓においては心臓弁膜症，心膜・心筋炎，冠動脈疾患や不整脈を，肺では肺高血圧症などを併発する．膠原病の病因はいまだ不明であるが，自己免疫による機序が考えられている．膠原病で冠動脈障害が起こりやすい機序としては，PNをはじめとしてSLEやRAで認められる血管炎の影響もあるが，膠原病には腎障害，高血圧症を合併しやすいこと，ステロイドなど治療薬により脂質異常や糖代謝異常をきたしやすいことにより，通常の動脈硬化も進展しやすいことが影響している．また全身の炎症により血管内皮障害や粥腫の不安定化をきたしやすくなる機序も提唱されている．さらに抗カルジオリピン抗体陽性の場合は，血栓により冠動脈の閉塞をきたしやすい．

病理・臨床症状・診断

PNでは冠動脈の血管炎を合併しやすいことが知られているが，臨床的に虚血性心疾患として診断ができることは少なく，冠動脈炎または心筋障害の結果としての心不全としてとらえられることが多い．組織的には中型動脈の壊死性動脈炎であり，中膜を中心にしたフィブリノイド変性と炎症性細胞浸潤が存在し，内弾性板の断裂が観察される(⊖図7-7-F)．糸球体腎炎や小血管炎を伴わず，ANCA(抗好中球細胞質抗体)は陰性である．冠動脈造影では微小動脈瘤や冠攣縮(れんしゅく)が認められる．

SLEでは心膜炎の合併が多く，冠動脈疾患は小動脈の血管炎に起因することはむしろ少なく，長期にわたるステロイド治療，合併する腎病変や高血圧，抗カルジオリピン抗体による冠動脈狭窄や閉塞が多い．RAも心膜炎が多いが，悪性関節リウマチの場合，小中血管の壊死性，肉芽腫性の血管炎により内臓病変が強い．SScでは肺高血圧，刺激伝導系の異常が多く，冠動脈病変は小血管に生じ微小循環を障害する．また冠動脈の攣縮も生じやすい．

治療

冠動脈疾患に対する治療は通常の動脈硬化性のものに準ずる．さらに膠原病自体の活動性を低下させることが，合併症の軽減のためにも有用である．原病に対する治療の詳細はリウマチ性疾患の章を参照されたい【⇨12章Ⅰ】．

〔前村浩二〕

■文献

小川俊一，他：川崎病心臓血管後遺症の診断と治療に関するガイドライン2013年改訂版，日本循環器学会．http://www.j-circ.or.jp/guideline/pdf/JCS2013_ogawas_h.pdf

尾崎承一，他：血管炎症候群の診療ガイドライン2008年．Circ J. 2008; 72: 1253-318.

佐地 勉，鮎澤 衛，他：川崎病急性期治療のガイドライン 平成24年改訂版．日本小児循環器学会雑誌．2012; 28: S1-29.

6）虚血性心疾患の疫学

(1)わが国における虚血性心疾患の特徴

心血管病による死亡は，WHOによると2008年の死因の第1位で1730万人，死亡率はおよそ30％で，730万人が冠動脈疾患，620万人が脳血管障害によるものである．日本人では，心血管病(心疾患と脳血管障害)による死亡は，悪性新生物につぐ2位で，この数年は横ばいである．死亡統計は，死に至らない軽症例の実態を反映していないことを鑑み，久山町研究とFramingham研究を比較してみると(⊖コラム1)，久山町における心筋梗塞発症率(対1000人/年)は男性1.6，女性0.7，Framingham研究はそれぞれ7.1，4.2で，Framinghamの方が5～6倍高い．一方，久山町の脳梗塞発症率(対1000人/年)は男性10.8，女性6.4で，Framinghamの2.5，1.9に比べ3～4倍高い．つまり，日本人は脳卒中の発症率が高く，反対に虚血性心疾患のリスクが低いことが特徴である．

米国では，心血管病は1981年以来死因の第1位ではあるが，死亡率は28％から24％に減少した．これ

表 7-7-18 コホート研究における虚血性心疾患の危険因子

	福岡(久山)		広島/長崎		新潟(新発田)	NIPPON DATA	共同研究1	共同研究2		JACC		Honolulu(日系人)	Framingham		ARIC stud	
	男	女	男	女	男女	男女	男	男	女	男	女	男	男	女	男	女
年齢	＋	＋	＋	＋		＋	－					＋	＋	＋		
血圧	＋	＋	＋	＋	＋	＋	＋					＋	＋	＋	＋	＋
喫煙	＋	＋	＋	＋	＋	＋	＋			＋	＋	＋	＋	＋	＋	＋
血清総コレステロール	＋	－	＋	＋	－	＋	＋					＋	＋	＋	＋	＋
HDLコレステロール						－	＋*					＋*	＋*	＋*	＋*	＋*
中性脂肪								＋	＋				＋	－	＋	＋
耐糖能異常	＋	－	－	－		＋	＋					＋	＋	＋	＋	＋
肥満	－	＋				－	－			＋	＋					
心電図以上			＋	＋									＋	＋		
飲酒	－	－				＋*						＋*	＋*	＋*		
フィブリノーゲン						＋†						＋	＋	＋	＋	＋

＋：正の有意な危険因子，＋＊：負の有意な危険因子，－：有意でない危険因子，＋†：男女込みでの解析．
共同研究1：大阪現業を中心とした研究．
共同研究2：井川町(秋田県)，協和町(茨城県)，野市町(高知県)，八尾町(大阪府)の住民による共同研究．
NIPPON DATA：National Integrated Project for Prospective Observation of Noncommunicable Disease And its Trends in the Age.
JACC：The Japan Collaborative Cohort Study for Evaluation of Cancer Risk sponsored by the Ministry of Education, Culture, Sport, Science and Technology of Japan.
ARIC：The Atherosclerosis Risk in Communities.

は，診断技術の進歩と早期治療が奏効したことに加えて，喫煙，高血圧，脂質などに対する介入のためと評価されている．近年日本では，肥満，脂質異常症，耐糖能異常などの大幅な増加があり，久山町研究では，1961〜2000年にかけて虚血性心疾患発症率に有意な時代的変化はないとはいえ，今後，虚血性心疾患発症率が上昇に転じる可能性は高い．

(2)虚血性心疾患の危険因子の疫学

わが国の代表的な疫学調査と[1-6](Kitamuraら，2008)，Honolulu心臓研究(日系人男性)[7,8]，Framingham研究(米国白人)[9-11]ならびにAtherosclerosis Risk in Communities[12-14](ARIC)研究(米国白人・黒人)を比較した表を日本循環器学会による虚血性心疾患の一次予防ガイドライン(2012年改訂版)より抜粋した(日本循環器学会，2012)(表7-7-18)．これによると，年齢，血圧，喫煙，血清総コレステロールは，共通の要因としてとりあげられている．肥満，耐糖能異常などの代謝性疾患は，必ずしも日本では有意な虚血性心疾患の危険因子とはなっていない．これは，これらの代謝性疾患が近年急激に増加していることから，国民全体の暴露期間が比較的短いことが理由として考えられる．しかし，近年のKitamuraらの報告など(Kitamuraら，2008)，HDLコレステロール低値，トリグリセリド高値，肥満などの代謝性疾患と，虚血性心疾患の関連を指摘した報告もある．近年糖尿病者は増加しており，虚血性心疾患とその危険因子は今後も社会情勢に応じて変化していくと考えられる．

(3)高齢者の虚血性心疾患

現在すでに日本は全人口の20％以上が65歳以上であり，高齢者の虚血性心疾患の臨床像を理解することは重要である．しかしながら，多くの臨床試験の対象患者の中央値は60歳前後であり[15]虚血性心疾患の多くが高齢者であるにもかかわらずの高齢者の虚血性心疾患に関しての知見はまだ限定的である．

わが国において，急性心筋梗塞の発症は50歳代より増加し，70歳以降で発症率が最大となる[16]．喫煙は多枝病変との関連が示されている[17]．高齢者では冠動脈疾患における脂質異常症の合併頻度は低くなるといわれているが，それでも非冠動脈疾患患者に比較すると高値であり[18]，また，積極的な脂質降下療法が高齢者においても二次予防効果があるという報告もある[19]．また糖尿病の合併も高齢者虚血性心疾患では高頻度である[20]．高齢者における臨床症状は注意を要する．胸痛がなく，おもな訴えは「労作時息切れ」，「肩凝り」，「咽頭部不快感」といった非典型的な症状であることが多い[21]．さらに，胸痛などの症状を伴わずに心筋虚血が客観的に証明される，いわゆる

無症候性心筋虚血の頻度が高齢者で高いことが知られている（70歳未満：15％，70歳以上：28％）[22]．

加齢に伴い安静時心電図で正常所見を示す頻度は低下する．たとえば，異常Q波やpoor R wave progression は陳旧性心筋梗塞のほか，肺炎，慢性閉塞性肺疾患，左室肥大などでも認められることから，他臓器の合併症が増えてくる高齢患者においては心電図による陳旧性心筋梗塞の正診率は低下する[23]．

高齢者における冠動脈造影所見の特徴としては，石灰化を伴ったびまん性冠動脈病変や左主幹部病変・3枝病変などの重症多枝病変の頻度が高いという報告がある[24]．冠攣縮性狭心症は高齢者でより頻度が高い[25]．

加齢は虚血性心疾患の予後不良因子である[26]．心筋梗塞で入院し，生存退院した患者の平均20カ月追跡した調査において，60歳未満の心臓死が0.3％であったのに対し，70歳以上では2.6％と高かった．

高齢者のうち特に女性は，心血管死の危険因子である．加齢とともに，女性の虚血性心疾患患者の比率は増加する．高齢患者では病歴の聴取が難しいことが多く，また，症状も非典型的であることが多い．そういったことから，心筋梗塞であっても医師が診断することが難しい症例が多く，高齢者の急性心筋梗塞のうち，約3割が unrecognized myocardial infarction といわれている．unrecognized MIの頻度は加齢とともに増加し[27]，女性に多いことや梗塞部位としては下壁に多いことが知られている．また，高齢者は若年者に比して脳血管障害，腎機能障害，肺炎，譫妄といった他臓器障害の合併頻度が高い[28]．こういった他臓器障害の合併は冠動脈造影などの侵襲的検査・治療を躊躇させる要因となり，そのため unrecognized MI が高齢者に多い一因ともなっている．

高齢者の特徴として，心筋梗塞例で若年者と比較して，高度ポンプ失調，心破裂などの合併症が多いことが知られている．特に，高血圧の既往がある高齢女性の初発の心筋梗塞は心破裂のリスクとして知られている．

急性心筋梗塞の予後は年齢，左室収縮能や，冠動脈病変の重症度，合併症の有無，再灌流療法の有無などによって規定されるが，そのうち年齢が最も予後を規定する因子である．報告では，加齢とともに入院死亡率は高くなり，再梗塞例の予後が不良になる[29]．また，加齢とともに心不全，心原性ショック，心破裂による死亡率も増加する[30,31]．

(4) 虚血性心疾患における性差

女性の虚血性心疾患の臨床的特徴として，男性と比較しその発生年齢が10歳ほど高い（図7-7-41）[32,33]．エストロゲンが動脈硬化に対して保護的に作用しているのではないかと推測されているが[34]ホルモン補充療法による冠疾患の一次予防，二次予防いずれに関しても動脈硬化予防効果は現在否定的である[35]．

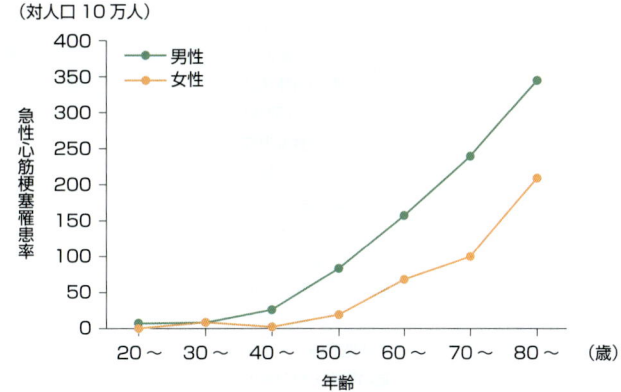

図7-7-41 心筋梗塞の男女別，年齢別罹患率（文献33より）

女性はまた，男性と比較して狭心症の症状が非典型的である[36]．たとえば，更年期障害の症状として見すごされてきた動悸，胸痛，胸部圧迫感，脈の乱れなどは虚血性心疾患でもよく認められる症状である．また，若年や糖尿病の女性患者においてしばしば心筋梗塞が見逃されることがあることを認識する必要がある．

そこで，症状のある患者のスクリーニングが重要になるが，ここにおいても検査ごとの正診率に性差がある．運動負荷試験において，一般に女性の運動耐用能が男性に比較して低い（平均2 Mets 程度）ことから，modality の選択が重要となる．Kwokらのmeta-analysis[37]によると，負荷心電図においては女性のほうが正診率が低い一方，stress imaging（負荷シンチグラフィや，負荷エコー）においては正診率に性差がない．

冠動脈造影を施行した患者においてその所見にも性差があり，女性の方がより正常な冠動脈である比率が高いという報告がある（41％ vs 8％）（Sullivanら，1994）．非ST上昇型心筋梗塞においても女性患者の12〜14％で冠動脈に明らかな狭窄がなかったことが複数の臨床試験で指摘されており[38,39]，その理由として，冠攣縮や冠微小循環障害などが原因と考えられている．

冠攣縮性狭心症[25]においても性差がある．Japan Coronary Spasm Association の報告によると，女性は男性に比して高齢で，喫煙患者の比率が低く，器質的優位狭窄が少ない．若年（50歳以下）女性が最も，5年後の心事故のリスクが高かった．

急性心筋梗塞によって病院に搬送される前の死亡率

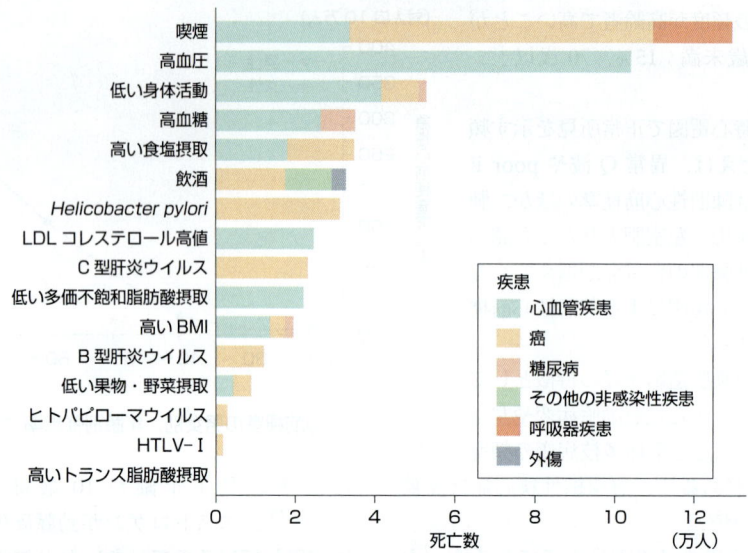

図 7-7-42 わが国の 2007 年の非感染性疾患および外因による死亡数への各種危険因子の寄与（男女計）(Ikeda N, Saito E, et al: What has made the population of Japan healthy? Lancet. 2011; 378: 1094-105)

は男性に比して女性が低いという報告がある一方で[40]，急性心筋梗塞で PCI を施行した患者では女性の死亡率が有意に高いという報告がある[41]．これまで女性は，再灌流後の心不全や，心破裂が男性に比して多いことも報告されており[42]，それらの合併症によって死亡率に性差があると考えられている．

〔李　政哲・山崎　力〕

■文献（*e*文献 7-7-6）

Kitamura A, Sato S, et al: Trends in the incidence of coronary heart disease and stroke and their risk factors in Japan, 1964 to 2003: the Akita-Osaka Study. *J Am Coll Cardiol*. 2008; **52**: 71-9

日本循環器学会．虚血性心疾患の一次予防ガイドライン，2012．http://www.jcirc.or.jp/guideline/pdf/JCS2012_shimamoto_h.pdf

Sullivan AK, Holdright DR, et al: Chest pain in women: Clinical, investigative, and prognostic features. *BmJ*. 1994; **308**: 883-6.

7）虚血性心疾患の予防

虚血性心疾患の危険因子は，加齢（男性≧45 歳，女性≧55 歳），冠動脈疾患の家族歴，喫煙，高血圧，肥満，耐糖能異常・糖尿病，脂質異常症（高 LDL コレステロール血症，高トリグリセリド血症，低 HDL コレステロール血症）であり，近年，メタボリックシンドロームや慢性腎臓病（CKD）も関連すると注目されている．

図 7-7-42 は，わが国の 2007 年の非感染性疾患および外因による死亡数に対する各種危険因子の寄与である．これによると，心血管疾患による死亡に関しては，寄与の大きな順に，高血圧，低い身体活動，喫煙，高血糖，LDL コレステロール高値，低い多価不飽和脂肪酸摂取，高い食塩摂取，高い BMI と続く．虚血性心臓病や脳卒中の予防には，食事や運動およびこれに関連した生活習慣病，喫煙への対策が重要であることがわかる．また，さまざまな疫学コホートから冠動脈疾患への危険因子が明らかとなり，大規模前向き試験などから危険因子への介入による心血管疾患の予防などのエビデンスがあり，それらから，現在，冠動脈疾患を含む心血管疾患の一次予防対策がつくられている．

循環器病に関して，わが国の公衆衛生上の近年の問題としては，依然として塩分摂取量が多いことと，脂肪摂取量（特に不飽和脂肪酸の摂取）が増加していること，男性で肥満が増加していること，などがある．一次予防においては，生活習慣病を発症する前から，集団に対してアプローチを行い，血圧をはじめとする危険要因の国民全体の分布をリスクがより低い方向にシフトさせるというポピュレーション戦略が必要である．したがって，国民レベルでの，減塩や肥満対策を含めた，栄養・食生活の改善，身体活動の増加，飲酒の制限，適切な降圧薬の服用を進めて国民の血圧全体を下げること，また，同様に，脂質異常症，糖尿病に対しても同様なアプローチ，また，禁煙が必要である（図 7-7-43）．また，すでに高血圧，糖尿病，CKD，メタボリックシンドロームなどを発症し，危険因子を有するものに関しては，特定健診などにより適切に拾

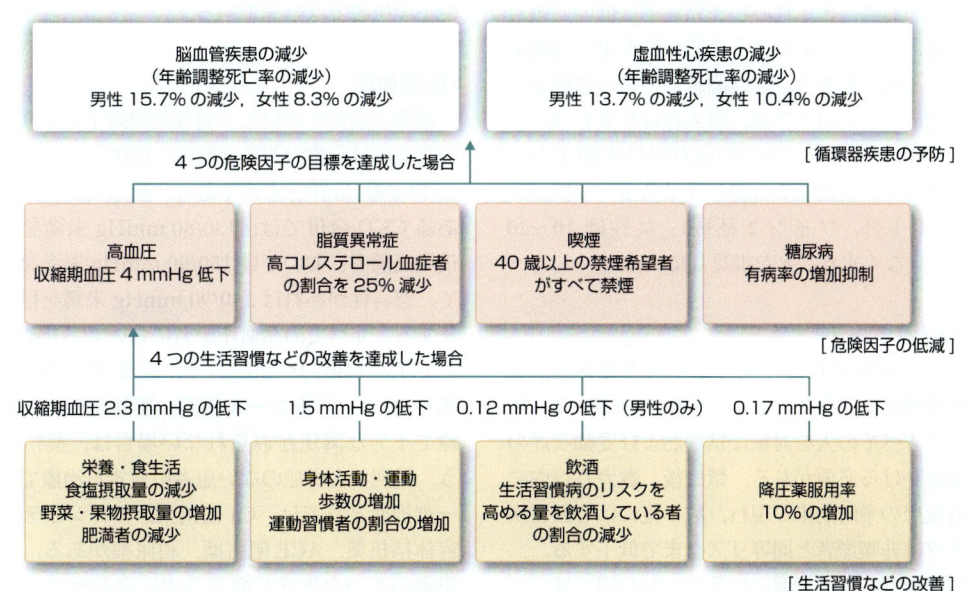

図 7-7-43 健康日本 21（第 2 次）における循環器の目標設定の考え方（厚生科学審議会地域保健健康増進栄養部会・次期国民健康づくり運動プラン策定専門委員会，2012）

い上げ，保健指導や受診勧奨を行い，早期発見，早期治療を行うことが心血管疾患の予防につながる．

(1) 運動

多くの観察研究で日常生活や職業上の活発な身体活動は，冠動脈疾患の発症や死亡の減少と関係があることが示されている．したがって，若い頃から運動習慣を身につけ，継続することが推奨される．2007 年の米国スポーツ医学協会/米国心臓協会勧告では，健康増進および維持のためには，18～65 歳までのすべての健康な成人は中等度の有酸素運動を少なくとも 30 分，週に 5 日間，または，高強度の有酸素運動を少なくとも 20 分，週 3 日間行うことを推奨している．中等度の運動の 30 分以上は，各 10 分間以上のものを合わせて 30 分間以上でもよいとされている．65 歳以上の高齢者でも，基本は健康成人と同じであるが，高齢者の運動能力の個人差，背景となる疾患の有無を考慮する必要がある．

(2) 食事と栄養

欧米では，健康的な食事パターンは，①果物と野菜を多く摂る，②食物繊維を多く摂る（シリアルなど），③血糖インデックス（GI）が低い食物を多く摂る，④一価不飽和脂肪酸を摂り，トランス脂肪酸や飽和脂肪酸を避ける，⑤ n-3 系脂肪酸（青魚に多い）を多く摂る，とされている．これらの食事を多く摂る集団や地域では冠動脈疾患および脳卒中の発症リスクが低いことが知られている．たとえば，果物，野菜，ナッツ類，オリーブ油などをふんだんに使った地中海食

は，冠動脈疾患のリスクを減らす効果があるとされている．なお，抗酸化物質や食品（ビタミン C やビタミン E など）が抗動脈硬化作用をもつ可能性は，実験的または小さな臨床研究で指摘されているが，これまでの大規模な介入試験では，明かな動脈硬化性疾患の予防効果は認められていない．

栄養に関しては，日本人の食事摂取基準 2015 年度（厚生労働省，2014）では，虚血性心疾患を予防し，健康を維持しあるいは増進するために，エネルギー，蛋白質，脂質，糖質（炭水化物），ビタミン，ミネラルなどの栄養素を，バランスよく，適正量を摂取することが必要であるとしている．適正な BMI の範囲は 21.5～24.9 kg/m^2 とされている．また，動脈硬化性疾患の予防のため，脂質のエネルギー比率の目標量は成人で 20% 以上 30% 未満，飽和脂肪酸はエネルギー比率で 7% 未満とされている．また，n-3 系脂肪酸を摂るため，魚を多く食べることが推奨される．ホモシスチンと関連して，葉酸摂取の推奨量は 200 μg/日である．

高血圧対策として，高血圧治療ガイドライン 2014（日本高血圧学会，2014）では食塩摂取量は 6 g/日未満が推奨されている．一方，厚生労働省が出している日本人の食事摂取基準 2015 年度（厚生労働省，2014）では，一般向けの減塩目標は，実現可能性のあるものとして，男性 8 g/日，女性 7 g/日としている．

アルコール摂取量が多いと血圧が高くなること，脳卒中などのリスクが高くなることなどから，多量飲酒は望ましくない．節酒によって血圧が低下することが報告されている．一方，疫学研究では，アルコール摂

取は少量であれば，虚血性心疾患発症率は低いと報告されている．しかし，そのような心血管疾患保護効果はないとする報告もあり，非飲酒者に少量の飲酒を勧めるべきではない．日本では，個人差はあるものの，エタノール換算で男性20〜30 mL/日（日本酒1合，ビール中瓶1本，焼酎1/2合弱，ウイスキーやブランデーダブル1杯，ワイン2杯弱），女性は10〜20 mL/日より少なくすることを推奨している．

(3) 喫煙対策

タバコは虚血性心疾患の明確なリスクであり，また，受動喫煙もリスクであることが知られている．したがって，すべての人を対象に禁煙および受動喫煙の防止を働きかける必要がある．禁煙後，数カ月以内には心血管疾患の予防効果が現れ，数年後には心血管疾患のリスクは非喫煙者と同等リスクまで低下する．

行動療法を含む禁煙指導に加えて，わが国では，ニコチンパッチ，ニコチンガム，$\alpha_4\beta_2$ ニコチン受容体部分作動薬のバレニクリンを用いることができる．

(4) 体重コントロール

肥満およびメタボリックシンドロームは，高血圧，糖尿病，脂質異常症などの生活習慣病のリスクであり，また，冠動脈疾患の発症や死亡のリスクでもある．食事療法や運動による体重のコントロールは，インスリン抵抗性の改善，耐糖能の改善，血圧低下など，メタボリックシンドロームを含む生活習慣病を改善し，冠動脈疾患などの心血管疾患の抑制に有効とされている．

(5) 脂質コントロール

高LDLコレステロール血症では，食事療法と運動療法による生活習慣の改善を行う．3〜6カ月間の生活習慣の修正によっても，LDLコレステロール値が目標以下にならない場合には，薬物治療を考慮する．なお，冠動脈疾患などの心血管疾患のハイリスク群においては，早期に薬物治療を開始してもよい．薬物はHMG-CoA還元酵素阻害薬（スタチン）を中心に投与する．心血管疾患，特に冠動脈疾患の一次予防，二次予防において，スタチンの有用性が確立している．このほか，エゼチミブ，胆汁酸吸着レジン，プロブコールなども用いられる．

中性脂肪150 mg/dL以上に対しては，食事療法より始める．脂肪摂取量を全摂取エネルギーの20〜25％にするとともに，アルコール摂取を1日25 g以下とする．運動療法は，軽い有酸素運動を1日30分以上続けることが進められる．中性脂肪を低下させる薬物としては，フィブラート，ニコチン酸，EPAがある．フィブラートは腎機能低下患者では慎重投与，腎不全患者では禁忌である．

(6) 高血圧

循環器病発症の最も重要な危険因子であり，すべての高血圧は治療の対象となる．原則として，降圧目標は140/90 mmHg未満である．糖尿病合併，蛋白尿のあるCKD合併では，130/80 mmHg未満を目指す．後期高齢者においては150/90 mmHg未満を目標として，忍容性があれば140/90 mmHg未満を目指して降圧する．すべての高血圧患者において，非薬物療法として生活習慣の修正を行う．減塩（1日食塩は6 g未満），減量，アルコール制限，運動を行う．非薬物治療で十分な降圧がみられない場合は，薬物治療を行う．特別な合併症のない患者に対する治療で用いる第一選択薬としては，Ca拮抗薬，アンジオテンシン受容体拮抗薬，ACE阻害薬，利尿薬がある．その他，患者のもつ合併症や臓器障害に合わせて，この4剤に加えてβ遮断薬も用いる．

(7) 糖尿病

糖尿病に関しては，病初期からの血糖コントロールが冠動脈疾患の一次予防に重要である．しかし，厳格なコントロールを目指すあまり低血糖が生じることは適切でない．

適切な血糖コントロールのために，食事療法，運動療法，適正な体重の維持などの一般療法を継続して行い，血糖コントロールが得られない場合薬物療法を行う．糖尿病は，高血圧や脂質異常症との合併も多く，それぞれの目標値は，ほかの患者の目標値より低めに設定されている（たとえば，血圧は130/80 mmHg未満，LDLコレステロールは120 mg/dL未満）．糖尿病患者では，血糖，血圧，脂質などすべての危険因子をコントロールすることが重要である．

(8) 慢性腎臓病（CKD）

CKDの存在は，心血管疾患の発症のリスクの1つとされている．CKDにさせない，CKDを進行させないことが重要である．CKDはさまざまな要因の複合的な病態であるため，介入のポイントは，生活習慣の改善，食事指導（減塩を中心に），高血圧治療，蛋白尿・アルブミン尿を減少させる治療，糖尿病の治療，脂質異常症の治療，貧血の治療，骨・ミネラル代謝異常に対する治療，尿毒素に対する治療，腎疾患への治療など多岐にわたる．詳細は，CKDの管理や治療の項を参照【⇨13-2】．

(9) 血液凝固系

虚血性心疾患の二次予防では，アスピリンなどによる抗血小板治療の重要性が指摘されている．しかし，一

次予防においては，アスピリンは冠動脈疾患の予防には有効である可能性はあるが，脳卒中や心血管疾患による死亡の予防について有効であるエビデンスは得られていない．なおわが国においては，糖尿病患者において，アスピリンによる冠動脈疾患の一次予防が報告されている．しかし，日本では，*Helicobacter pylori* の有病率が高いことや，消化管出血が起きやすいことなどから，アスピリンを投与する際には，リスクとベネフィットを十分に勘案して行う．

(10) 精神保健

ストレスが虚血性心疾患の発症に関連する要因であることは知られている．長時間労働や高い精神的ストレスを減らすような職場環境の改善が必要である．また，タイプA行動パターンが急性心筋梗塞発症の危険因子であることが知られており，この行動パターンをもつものは，それに気づき，コントロールするようにサポートを受けることが望ましい．

(11) 高齢者

高齢者は，すでに動脈硬化を有していることが多い．また，無症候性の心血管疾患を有する場合もあり，評価を十分に行ったうえでの対応が必要である．しかし，生理・代謝機能が低下しているため，薬物治療などでの副作用が出やすいため，注意が必要である．

(12) 小児・若年

近年，生活習慣病や動脈硬化の出現が，より若年化してきている．そのため，早期から，正しい生活習慣を守ることやタバコを吸わないことなどを教育する必要がある．また，胎児期に低栄養にさらされ低体重で生まれた後，過栄養により成人になった際に肥満を生じると生活習慣病や冠動脈疾患を発症しやすいとの報告がある．

〔大屋祐輔〕

■文献

厚生科学審議会地域保健健康増進栄養部会・次期国民健康づくり運動プラン策定専門委員会：健康日本21（第2次）の推進に関する参考資料，2012.

厚生労働省：日本人の食事摂取基準2015年度，第一出版，2014.

日本高血圧学会：高血圧治療ガイドライン2014，ライフサイエンス出版，2014.

日本内科学会，日本疫学会，他：脳心血管病予防に関する包括的リスク管理チャート2015. 日本内科学会雑誌．2015; **104**: 824-60.

島本和明：循環器病の診断と治療に関するガイドライン（2011年合同研究班報告）―虚血性心臓疾患の一次予防ガイドライン2012年改訂版，日本循環器学会，2012.

7-8 先天性心疾患

1）心臓の発生と先天性心疾患

(1)心臓発生の概念

心臓は循環系を担う臓器として胎生期に最初に機能しはじめ，胚発生の段階と要求に合わせて形態変化する．ヒト心臓大血管系の形成は胎生20日頃開始され，胎生50日頃までに完成，出生後の体循環と肺循環の分離が可能となり，身体各臓器に効率よく酸素を供給し，高等な個体を維持するための循環機能が獲得される．さまざまな先天性心疾患が，心臓発生の過程における各特定の段階あるいは領域の異常によって発症する．

(2)心臓発生の過程と先天性心疾患の発症

a. 心臓の初期発生

側板中胚葉細胞の一部が，隣接する内胚葉上皮から分泌される複数の分子の相互作用によって心臓形成細胞として運命づけられ，胚の最前部に三日月型の心原基を形成する（図7-8-1 ①）．心原基に発生した左右1対の心内膜筒（endocardial tube）が正中で融合して原始心筒（primitive heart tube）となり，心拍動を開始し，尾側から頭側に血液を送るポンプとして機能しはじめる（図7-8-1 ②）．原始心筒は，内側の心内膜（endocardium），外側の心筋外套（myocardial mantle）と，それらを隔てる細胞外基質（心ゼリー，cardiac jelly）からなる1本の管状構造で，流出路側を咽頭弓に，静脈洞側を横中隔（septum transversum，臓側中胚葉由来）に固定される．この過程に異常が起こると心臓が発生できず，胎生致死となる．

b. 心房・心室・房室管（房室弁および中隔）の形成

原始心筒が右方へ屈曲（looping）するとともに左右心室原基は急速に発育し，心房の形態も背側上方に明らかになる（図7-8-1 ③）．左右心室の外方への発育により，受動的に筋性心室中隔が形成され，能動的に伸長する．心ゼリーは心房と心室の間の房室管部に限局し，心室では心筋層が形成される．右室では肉柱層と緻密層の比が1：1，左室では緻密層が発達し両層の比が1：2になっていく（図7-8-1 ④）．房室管部では心ゼリーの中に，心内膜-心筋層間の双方向性のシグナル（TGF-βなど）の刺激により上皮-間葉形質転換（epithelial-mesenchymal transformation：EMT）が起こり，心内膜から形質転換した間葉系細胞が心内膜床（endocardial cushion）を形成する（図7-8-1 ⑤）．上・下心内膜床の癒合により房室管は分割され，心内膜床は心房中隔一次孔の閉鎖，房室弁の形成，膜性心室中隔の形成に関与する．房室弁の弁尖が心内膜床のリモデリングにより形成され，腱索および乳頭筋が心筋層のundermining（掘削）により形成される．房室

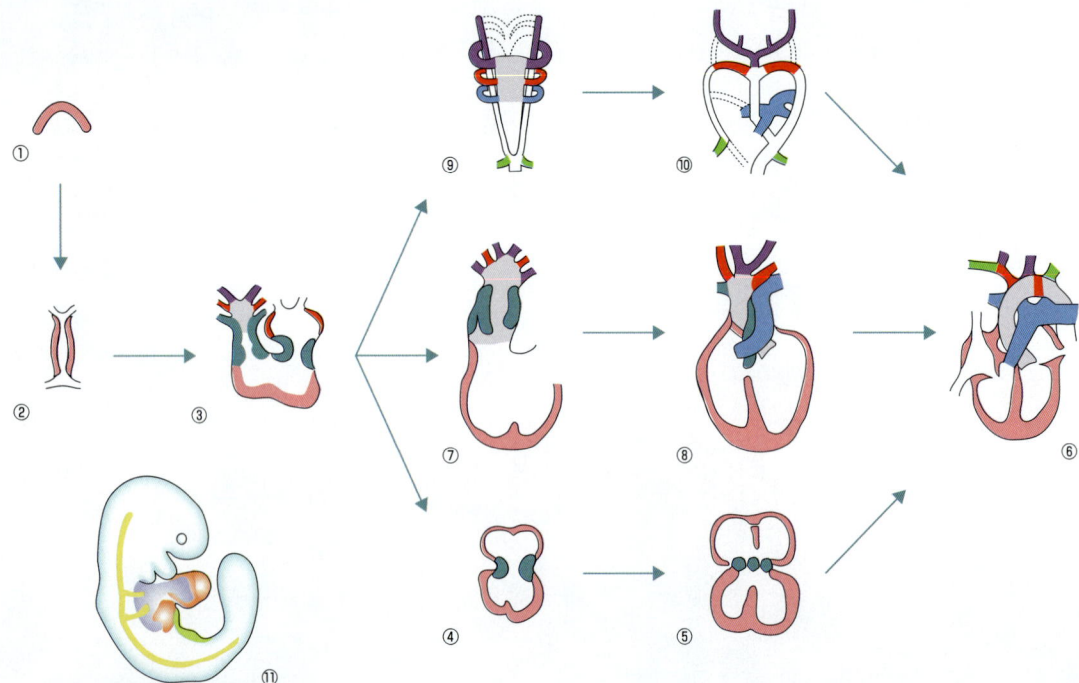

図7-8-1 心臓大血管の発生過程

管の右方移動により心内膜床は円錐動脈幹隆起と連結し，正常な心房心室整列と心室大血管整列が誘導される．心房内では，総心房頂部が円錐動脈幹に圧迫され陥凹した内面に，一次中隔(septum primum)の形成が始まる．一次中隔は心内膜床と接着し，一次孔(ostium primum)を閉鎖する．一方，一次中隔の後上方部に二次孔(ostium secundum)が形成される(図7-8-1⑤)．心房の屋根の部分から発生した二次中隔(septum secundum)が，心内膜床の方向に向かって卵円孔(foramen ovale)を囲み二次孔を閉鎖し，一次中隔と融合する．心房・心室中隔および房室弁が形成され，2心房2心室の形態が完成する(図7-8-1⑥)．原始心筒のloopingの異常は，内臓錯位症候群，修正大血管転位，両大血管右室起始などの成因となる．左右心室と心内膜床の発生異常により，右室低形成(三尖弁閉鎖)，左心低形成症候群，単心室，房室中隔欠損(心内膜床欠損)，Ebstein病などが発症する．心房および心室中隔の形成異常により心房中隔欠損および心室中隔欠損が起こる．

c. 流出路の形成

looping後，流出路の心ゼリー層に，神経管背側から移動してきた神経堤細胞(neural crest cell)により，左側および右側円錐動脈幹隆起が形成される(図7-8-1⑦)．左右円錐動脈幹隆起は"らせん状(spiral)"に発育・癒合して，下部は円錐中隔，上部は動脈幹中隔(大動脈・肺動脈中隔)を形成する．大動脈(Ao)と肺動脈(PA)は，下部(円錐部)ではPA前-Ao後，上部(動脈幹部)ではAo前-PA後の位置関係で分離する．同時に，流出路(円錐口)が左方移動し，円錐中隔と筋性心室中隔が接続し，その間隙が周囲の心内膜床組織から形成された膜性心室中隔により閉鎖される(図7-8-1⑧)．これらの過程により，肺動脈は右室，大動脈は左室に整列し，右心系と左心系が分離する(図7-8-1⑥)．この過程の異常によりFallot四徴症，完全大血管転位，総動脈幹遺残，大動脈肺動脈窓(AP window)や，半月弁の異常(大動脈弁狭窄，肺動脈弁狭窄，肺動脈閉鎖など)が発生する．

d. 大血管系の形成

胎生20〜30日頃にかけて，大血管の原基として大動脈嚢から次々に左右対称の6対の咽頭弓動脈が形成される．このうち，第Ⅰ，Ⅱ，Ⅴ咽頭弓動脈は退縮する．第Ⅲ，Ⅳ，Ⅵ咽頭弓動脈には，神経堤細胞が分布し，血管平滑筋に分化する(図7-8-1⑨)．神経堤細胞により誘導される大血管リモデリングにより(図7-8-1⑩)，第Ⅲ，Ⅳ咽頭弓動脈は大動脈とその分枝を，第Ⅵ咽頭弓動脈は肺動脈と動脈管をそれぞれ形成する(図7-8-1⑥)．この過程の異常には，大動脈弓離断，大動脈弓分枝異常，大動脈縮窄，動脈管開存がある．

冠動脈系は，末梢で心外膜上皮細胞の一部が上皮-間葉細胞転換により心外膜下層から心筋層にもぐり込んで形成され，中枢で大動脈基部に接続する．この過程の異常により冠動脈異常(Bland-White-Garland症候群など)が起こる．

静脈系は，初期には左右対称に発生し，肺原基内に形成される肺静脈叢は体静脈系と交通を有する．その後，血管リモデリングにより左右非対称の体静脈系が形成され，右房との結合が存続・確立する．肺静脈叢は共通肺静脈を形成して左房後壁に結合し，体静脈系との交通を失い，最終的に共通肺静脈が左房後壁に吸収されることにより，肺静脈-左房交通が完成する．この過程の異常により，総肺静脈還流異常，三心房心などが起こる．

(3) 心臓の発生に関与する幹細胞

心臓大血管は元来中胚葉由来であるが，いくつかの前駆細胞群により形成される．原始心筒は側板中胚葉(lateral plate mesoderm)由来の心臓前駆細胞(一次心臓領域，first heart field)により形成された心原基から発生する(図7-8-1⑪赤)．原始心筒には，その背側にある臓側中胚葉領域(splanchnic mesoderm)に由来する心臓前駆細胞(二次心臓領域，secondary heart field)が，前方および後方より流入し，それぞれ心臓の前方部分(流出路・右室)および後方部分(心房・静脈洞)の形成に関与する(図7-8-1⑪濃青)．さらに，上述のように外胚葉由来の間葉系細胞(神経堤細胞)が円錐動脈幹中隔の形成，胸部大血管の発生に関与する(図7-8-1⑪黄)．心外膜は，原始心筒に接続する横中隔の前心外膜組織(proepicardial organ: PEO)に由来する細胞が，静脈洞側から心臓全体を覆うことにより形成される(図7-8-1⑪緑)．心外膜を形成した細胞の一部は，EMTにより間葉細胞に形質転換して心筋層に侵入し，冠動脈の発生に関与する．刺激伝導系の特殊心筋細胞(His-Purkinje細胞)は，エンドセリン刺激などにより心筋細胞から分化する．〔山岸敬幸〕

■文献

髙尾篤良，門間和夫，他編：臨床発達心臓病学 改訂3版，中外医学社，2001．
山岸敬幸，白石 公編：先天性心疾患を理解するための臨床心臓発生学，メジカルビュー社，2007．

2) 心房中隔欠損症
atrial septal defect：ASD

定義・概念

心房中隔に欠損を有する疾患．

分類

欠損口の部位により以下に分類される(図7-8-2)．

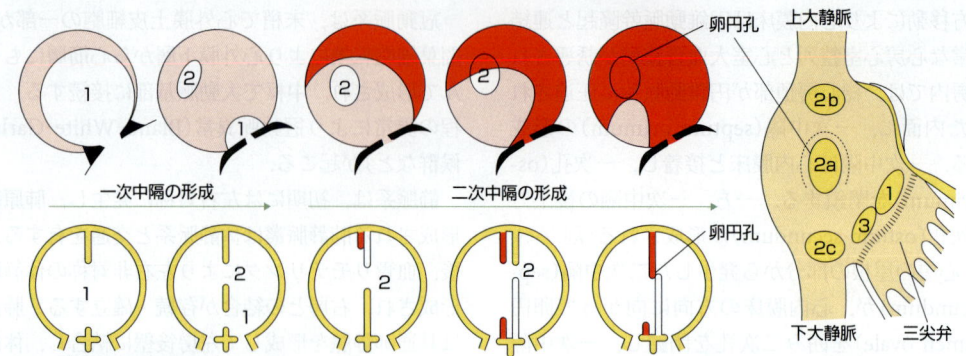

図 7-8-2 心房中隔の発生と心房中隔欠損の分類
上は心房中隔を右心房側から見た図．下は左心房および心房中隔の断面図．
1：一次孔欠損，2a：二次孔欠損，2b：二次中隔上位欠損，2c：二次中隔下位欠損，3：冠静脈洞欠損．

1）**二次孔型**（secundum type）：欠損が心房中隔の中心付近にあり，卵円窩を（少なくとも一部）含む．最も頻度が高い．

2）**静脈洞型**（sinus venosus type）：欠損が卵円窩を含まず，上大静脈（上位静脈洞型），下大静脈（下位静脈洞型）または冠静脈洞（冠静脈洞型）付近にある．

3）**一次孔型**（primum type）：房室弁に接した心房一次中隔部分の欠損．不完全型房室中隔欠損，不完全型心内膜床欠損と同義（病態，臨床症状，検査所見などについては【⇒7-8-3】）．

4）**単心房型**（common atrium type）：欠損口が非常に大きく，右房と左房の間に隔壁が存在しない場合．

原因・病因

二次孔型は，二次中隔ないし卵円孔の形成異常により発症する【⇒7-8-1-2-b】．静脈洞型は，静脈洞が右心房に不完全に吸収されたり，二次中隔の伸長が不完全な場合に起こる．静脈洞型には，肺静脈，特に右上肺静脈の右房への異常還流（部分肺静脈還流異常）がしばしば合併する．

多くの染色体異常症，先天異常症候群でも部分症として認められる．NKX2.5，GATA4，TBX5 などの転写因子をコードする遺伝子の変異に関連する場合がある．*NKX2.5*，*TBX5* 変異例では，房室ブロックなどの不整脈を高率に合併する．

疫学

全先天性心疾患の7～13％を占め，女性に多い（男女比1：2）．

病態生理（循環動態）

左右心室コンプライアンスの差および左右心房間圧較差により，心室収縮期および拡張期に欠損口を介する左→右短絡が生じる．左→右短絡の結果，右房，右室に容量負荷が生じ，肺血流が増加する．

臨床症状

小児期には，ほとんどの症例で無症状．乳児健診や学校心臓検診時に心雑音や心電図異常を契機に発見されることが多く，成人期にはじめて診断される先天性心疾患としても多い．欠損口が小さい場合，生涯無症状だが，欠損口が大きい場合，加齢とともに多くは20歳代以降に心不全，不整脈や肺高血圧が出現する．非常に大きな欠損の場合，染色体異常など全身性疾患に伴う場合には，小児期に心不全や肺高血圧を合併することもある．

身体所見として，右室容量負荷による前胸部突出，傍胸骨心尖拍動，およびⅡ音の固定性分裂，相対的肺動脈弁狭窄による収縮期駆出性雑音（胸骨左縁上部），相対的三尖弁狭窄による拡張期ランブル（胸骨左縁下部）を認める．

検査所見

1）**胸部X線所見**：心陰影では右房拡大による右第2弓突出，肺動脈拡張による左第2弓突出と右室拡大による左第4弓突出，肺野では，肺血流増加による肺血管陰影の増強を認める（e図7-8-A）．

2）**心電図**：右心系容量負荷による右軸偏位，右房拡大（P波増高），不完全右脚ブロックを認める．胸部誘導での孤立性陰性T波は，本疾患に特徴的な所見である（e図7-8-B）．第1度房室ブロック（PQ延長）も認めやすい．加齢により心房性期外収縮，上室性頻拍，心房粗細動などの不整脈を合併しやすい．

3）**心エコー図**：四腔断像像で心房中隔の欠損が描出され，カラードプラ法で左房から右房への左→右短絡血流が検出される（図7-8-3，e動画7-8-A，e動画7-8-B．欠損が大きく右室容量負荷が強い場合，心室中隔の奇異性運動（心室中隔の後方運動の遅延）を認める．静脈洞型などでは，欠損の描出が困難な場合もある．右心系拡大所見が認められたら，本疾患を疑うことが重要である．

4）**心臓カテーテル・造影所見**：右房内で酸素飽和度の step up がある．カテーテルを右房から左房に進めることができる．左房から右房への短絡血流，右心系の再造影と肺血管の拡大所見が認められる（e図7-8-

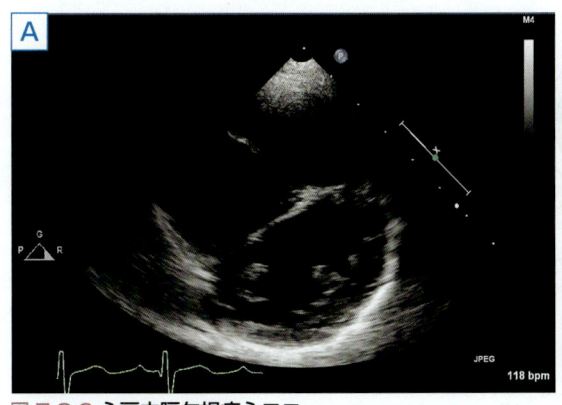 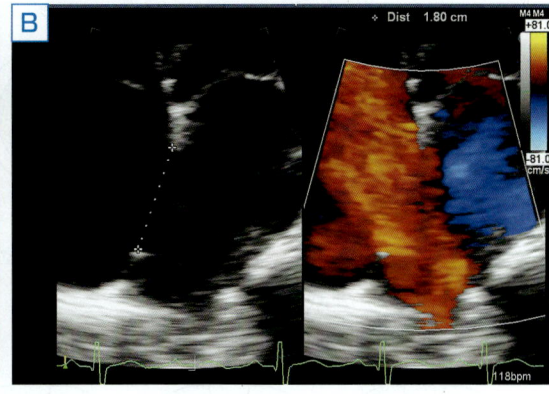

図 7-8-3 心房中隔欠損症心エコー
A：心室短軸，B：心房中隔．

C，7-8-D，ℯ動画 7-8-C）．

診断

上記診察および検査所見により診断する．確定診断に心エコー図，治療方針検討に心臓カテーテルが用いられる．

治療

心エコー図で右室容量負荷所見があり，心臓カテーテルで肺体血流比 1.5〜2.0 以上のとき，治療適応である．ただし，術前に肺高血圧が合併している場合，個々の症例で詳細な検討を要する．治療法として，手術ないしカテーテル治療が選択される．手術は治療適応全例に可能で，通常は直視下に欠損口を直接縫合する．欠損口が塞ぎにくい場合，非常に大きい場合（単心房など），部分肺静脈還流異常を合併している場合には，パッチを用いた閉鎖ないし中隔形成術が行われる．カテーテル治療には，Amplatzer 閉鎖栓（Amplatzer Septal Occluder：ASO）を用いる（ℯ図 7-8-E〜7-8-I，ℯ動画 7-8-D〜7-8-G）．閉鎖栓が欠損口をはさみ込むのに十分な心房中隔の辺縁がある場合（多くの二次孔型）に適応可能である．

予後

治療適応のない小さな欠損の場合，予後良好である．治療後の予後も通常良好で，運動を含めて生活制限はない．肺高血圧の合併により治療適応外の症例，術後肺高血圧が持続する症例は，予後不良である．特に成人期以降の治療例では，術前に心房細動を認めることがあり，術後遠隔期にも洞機能不全や心房性不整脈を認める例がある．感染性心内膜炎の危険性は低く，抗菌薬予防投与は不要である．

〔山岸敬幸〕

■文献

松岡 優，中澤 誠：心房中隔欠損．臨床発達心臓病学 改訂 3 版（髙尾篤良，門間和夫，他編），pp380-8，中外医学社，2001．

豊野学朋：二次孔欠損．先天性心疾患（中澤 誠編），メジカルビュー社，2014．

3）房室中隔欠損症・心内膜床欠損症
（atrioventricular septal defect：AVSD・endocardial cushion defect：ECD）

定義・概念

房室中隔欠損症は，房室弁レベルで左右心房・心室を隔てる房室中隔（図 7-8-4）が欠損した疾患である．房室中隔周囲の構造は胎生期の心内膜床に由来するため，心内膜床欠損症ともよばれる．発生異常の結果と

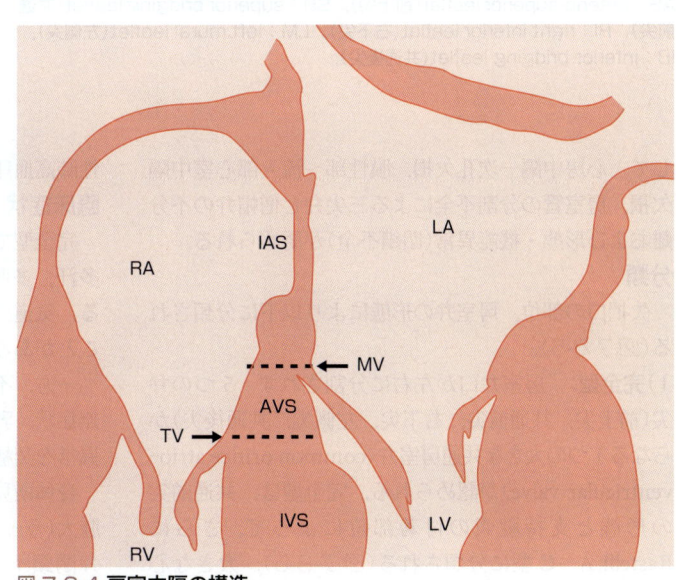

図 7-8-4 房室中隔の構造
房室中隔（AVS）は右房（RA）と左室（LV）を隔て，心房中隔（IAS）と心室中隔（IVS）に連なる．
LA：左房，MV：僧帽弁，TV：三尖弁，RV：右室．

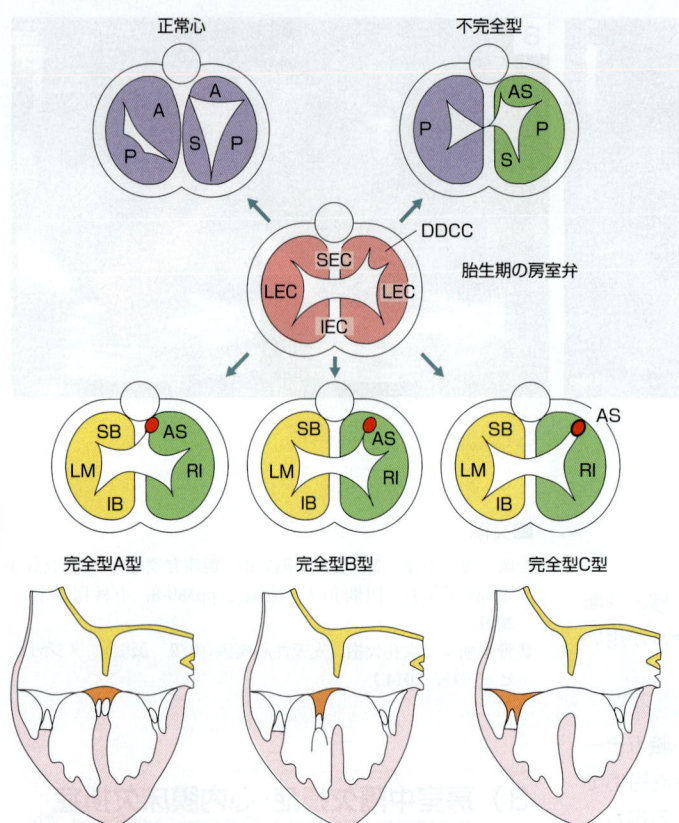

図 7-8-5 房室中隔欠損症の分類
房室弁口の短軸断面（○は乳頭筋）と心臓四腔断面（着色部は共通前尖）を示す．
Rastelli A 型：共通前尖がほとんど右室側に入らず，細かな腱索が心室中隔縁に多数付着する．大動脈弁が前方偏位し左室流出路狭窄を合併しやすい．
Rastelli B 型：共通前尖が右室側にまたがり，左側の腱索が右室側の乳頭筋に挿入するため，二心室修復（心室中隔欠損の閉鎖）が困難．頻度は低い．
Rastelli C 型：共通前尖が大部分右室側に入り，腱索は心室中隔と結合せず（free floating），右室自由壁の乳頭筋に挿入する．Down 症候群に多く，右室流出路狭窄を合併しやすい．
AS：anterio-superior leaflet（前上尖），SB：superior bridging leaflet（共通前尖），RI：right inferior leaflet（右下尖），LM：left mural leaflet（左側尖），IB：inferior bridging leaflet（共通後尖）．

して，心房中隔一次孔欠損，膜性部〜流入部心室中隔欠損，房室管の分割不全による三尖弁と僧帽弁の不分離および形態・機能異常（閉鎖不全）が認められる．

分類

欠損口の部位，房室弁の形態により以下に分類される（図 7-8-5）．

1）完全型： 房室弁口が左右に分割されず，5つの弁尖（前上尖，共通前尖，右下尖，左側尖，共通後尖）からなる1つの大きな共通房室弁（common orifice atrio-ventricular valve）が認められる．完全型は，共通前尖の形態と支持腱索の付着部位によって，さらに Rastelli A〜C 型に分類される（図 7-8-5）．大きな心室中隔欠損を伴う．

2）不完全型： 房室弁口は左右に分割されているが同一平面上に存在し，心房中隔一次孔欠損と僧帽弁前尖の裂隙（cleft）を合併する構造となる．心室中隔欠損は伴わない．一次孔型心房中隔欠損症【⇨ 7-8-2】と同義．

3）中間型： 完全型と不完全型の中間的な病型．房室弁口の形態は完全型であるが，心室中隔欠損が血行動態上有意でない症例を中間型とよぶことが多い．

原因・病因

胎生期の心内膜床のさまざまな程度の発生異常に起因する【⇨ 7-8-1-2-b】．心房一次中隔と心内膜床の癒合，膜性心室中隔の形成，房室弁の形成の異常により種々の病型が起こる．

本疾患の 30〜40% は Down 症候群に合併する．また，Down 症候群の集団では先天性心疾患の約 40% を占め（約 9 割は完全型），一般集団ではほとんどみられない Fallot 四徴症との合併が認められる．内臓錯位症候群に合併する複雑心疾患の部分症として認められる場合も多い．

疫学

全先天性心疾患の約 4〜5% を占める．上述のように特に完全型の場合，Down 症候群に合併する頻度が高い．

病態生理（循環動態）

完全型では，左右心房・心室間の左→右短絡および房室弁逆流により，両心房および両心室に容量負荷を生じ，肺血流が増加する．高肺血流性肺高血圧を合併し，右心室には圧負荷がかかる．不完全型では心室間の短絡がなく，心房中隔欠損症【⇨ 7-8-2】の循環動態に房室弁逆流による容量負荷が加わるが，高肺血流性肺高血圧を合併することは少ない．

臨床症状

完全型では，乳児期から重篤な心不全症状を呈し，多汗，多呼吸，哺乳不良，体重増加不良などを認める．気道感染が重症化しやすく，生命予後を左右することがある．

一方，不完全型では小児期には，ほとんどの症例で無症状．乳児健診や学校心臓検診時に心雑音や心電図異常を契機に発見されることが多い．

身体所見として，完全型では，頻脈，陥没呼吸，肝腫大（うっ血）が認められる．心室中隔欠損ないし房室弁閉鎖不全による高調性汎収縮期雑音（胸骨左縁下部），および肺血流増加と房室弁逆流による相対的房室弁狭窄のための拡張期ランブル（胸骨左縁下部〜心尖部）が聴取される可能性がある．実際には，新生児

期から肺血流増加による心不全と肺高血圧が認められることが多く，Ⅱ音亢進とⅢ音を伴う奔馬調律および短い収縮期雑音と拡張期ランブルの組み合わせが特徴的である．不完全型の所見は，心房中隔欠損症【⇨7-8-2】と同様だが，房室弁閉鎖不全があれば汎収縮期雑音（胸骨左縁下部〜心尖部）を認める．

検査所見

1）胸部X線所見： 完全型では，新生児・乳児期早期から肺血管陰影が増強する．全心腔と肺動脈が拡張し，心陰影は左右に大きく拡大する（e図7-8-J）．不完全型では，心房中隔欠損症の所見に類似する（e図7-8-K）．

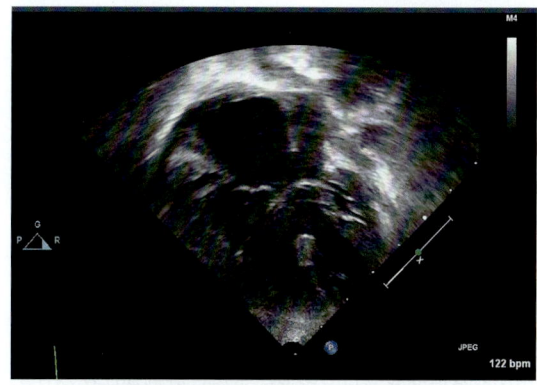

図7-8-6 完全型房室中隔欠損症心エコー四腔像

2）心電図： 左軸偏位と不完全右脚ブロックの組み合わせが特徴的で，右軸偏位を特徴とする心房中隔欠損症と鑑別できる（e図7-8-L）．左軸偏位は，心室中隔流入部欠損（scooping）により房室結節とHis束が後下方に偏位するために発生し，不完全型（一次孔型心房中隔欠損）でも認められる（e図7-8-M）．両心房拡大，第1度房室ブロックの合併もある．心室間短絡が多い場合，左右心室容量負荷と肺高血圧による両室肥大の所見が加わる．

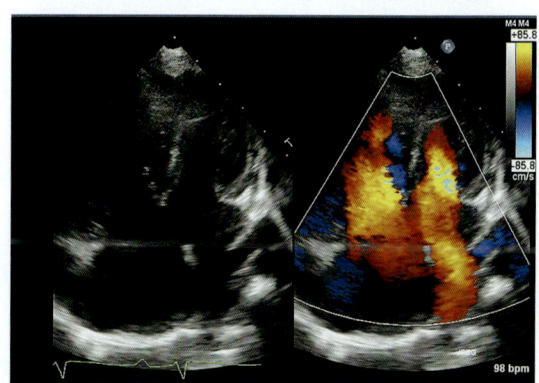

図7-8-7 不完全型房室中隔欠損症心エコー四腔像

3）心エコー図： 四腔断面像で心臓中心部の房室中隔の欠損と，房室弁の形態異常（共通房室弁ないし左右房室弁の高さが同じ）が描出され，カラードプラ法で短絡血流と房室弁逆流が検出される（図7-8-6，7-8-7，e動画7-8-H〜7-8-N）．経胸壁および経食道アプローチで，房室弁の形態・機能を詳細に評価することが，治療方針決定に有用である．

4）心臓カテーテル・造影所見： 肺高血圧・肺血管抵抗・肺血管閉塞性病変，左→右短絡量，房室弁逆流，心室容量などを評価する．完全型で生後4〜6カ月以降の症例では，肺血管閉塞性病変の進行に伴い肺血管抵抗が上昇し，手術適応に影響する．心血管造影ではgoose neck signが特徴的である（図7-8-8，e図7-8-N，7-8-O，e動画7-8-O）．

診断

上記診察および検査所見により診断する．確定診断に心エコー図，治療方針検討に心エコー図と心臓カテーテルが用いられる．

治療

全例外科手術の対象である．完全型では，生理的肺高血圧がなくなり，肺血管閉塞性病変が進行する前（生後3〜4カ月）に一期的心内修復術を基本とする．低体重（2〜2.5 kg未満），重複弁口，弁尖の低形成，大動脈縮窄の合併，肺血管閉塞性病変の進行などで一期的心内修復が困難な症例では，まず肺動脈絞扼術により肺血管床を保護する．不可逆性の肺血管閉塞性病変（Eisenmenger症候群）は，手術適応外である．

心内修復術には，心房と心室の中隔欠損を別々の

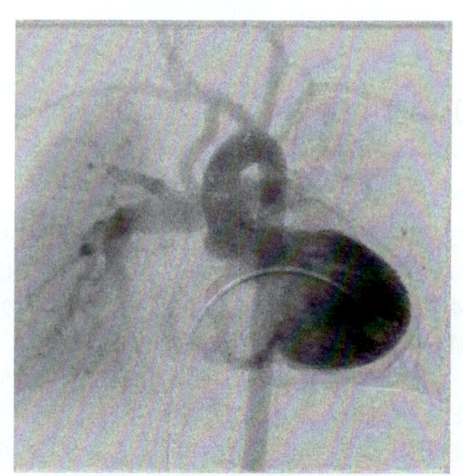

図7-8-8 完全型房室中隔欠損症左室造影 goose neck sign

パッチで閉鎖するtwo-patch法と，1つのパッチで閉鎖するone-patch法がある．房室弁閉鎖不全に対してcleftを縫縮する．弁形成術ないし弁置換術が必要な場合もある．

肺高血圧がなく，肺血管閉塞性病変のない不完全型および中間型では，左→右短絡と房室弁逆流による心不全の程度を考慮し，幼児期（1〜5歳）の一期的心内

修復術（心房中隔一次孔パッチ閉鎖＋cleft縫縮）を基本とする．

予後

完全型の自然予後は不良．無治療で成人に達することはできず，外科治療なしでは12カ月齢までに65％が死亡する．内臓錯位症候群や右室性単心室で，共通房室弁逆流が重度な例は，特に予後不良である．また，Eisenmenger症候群は手術適応外となり予後不良である．手術後の予後はおおむね良好だが，術後房室弁狭窄・閉鎖不全，左室流出路狭窄などにより再手術が必要になる場合もある．また，肺高血圧が残存する場合には予後不良である．

一方，不完全型では小児期以降に症状が現れることが多い．加齢に伴い房室弁逆流が進行し，心不全，心房性不整脈，房室ブロックが出現する．無治療では，20歳代以降の生存率が低下するため，小児期の治療が勧められる． 〔山岸敬幸〕

■文献

鈴木清志：心内膜床欠損症．臨床発達心臓病学 改訂3版（高尾篤良，門間和夫，他編），pp435-42，中外医学社，2001．
鈴木清志：房室中隔欠損完全型．先天性心疾患（中澤 誠編），メジカルビュー社，2014．
豊野学朋：一次孔欠損．先天性心疾患（中澤 誠編），メジカルビュー社，2014．

4）心室中隔欠損
ventricular septal defect：VSD

概念

先天性心疾患のなかで最も頻度が高く，全体の約50％を占める．成人にみられる先天性心疾患では，心房中隔欠損についで多い．心室中隔壁の一部に欠損孔があり，左右心室間で左→右短絡による左房，左室，右室への容量負荷により肺うっ血および心不全をきたす．肺血流の増加により肺血管抵抗が上昇すると肺高血圧により右室への圧負荷が加わる（Allenら，2012；Bensonら，2009）（e図7-8-Q）．

発生異常（eコラム1）

欠損孔の位置による分類（Allenら，2012：Bensonら，2009；Kouchoukosら，2003）（図7-8-9）

1）**膜様部周囲型（perimembranous）**： 最も多いタイプ（約50％）であり，伸展方向により以下の3つに分けられる．
①流出路伸展（outlet extension）
②筋性部伸展（muscular extension）
③流入路伸展（inlet extension）

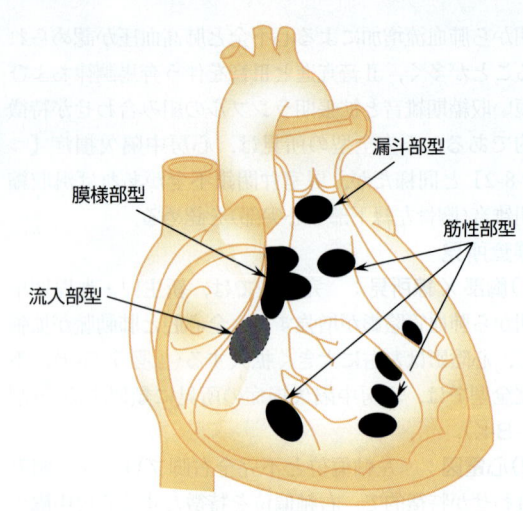

図7-8-9 欠損孔の位置による分類

膜様部欠損のなかには，漏斗部中隔の前方（右方）偏位を伴って大動脈が心室中隔筋性部に対して騎乗する症例や，漏斗部中隔の後方（左方）偏位を伴い大動脈弁および弁下狭窄を合併する症例もみられる．通常，His束および右脚は欠損孔の後下縁を走行する．

2）**漏斗部型（infundibular），両大血管下型（subarterial）**： 日本人（および極東東洋人）に多いタイプ（全VSDの約30％）で，肺動脈および大動脈弁下に欠損がみられる．短絡血流により，大動脈弁右冠尖が欠損孔に逸脱することがある．逸脱が進行すると弁尖（右冠尖が主体）の変形により大動脈弁閉鎖不全が発症する（e図7-8-RのA）．適切な外科治療が行われないで長期間放置すると，弁尖は瘤状に変化し，成人になって先端が破裂し，大動脈右室短絡をきたして急性心不全を呈することがある（Valsalva洞破裂）（e図7-8-RのB）．

3）**流入部型（inlet）**： 比較的まれな欠損（5〜8％）であり，心内膜床組織に由来する流入部組織の欠損で，膜様部の下後方に大きな欠損がみられる．Down症候群にみられる欠損孔がこの範疇に入る．

4）**筋性部型（muscular）**： 漏斗部欠損よりは少なく（5〜20％），欠損孔のタイプにより，①流入部型（inlet），②心尖部型（apical），③流出路型（outlet），④多発型（multiple），の4つに分けられる．ただし心尖部型では，左右心室の肉柱がチャネルを形成して欠損を形成するため小欠損孔がしばしば多発する（eコラム2）．

病態生理・症状（Allenら，2012；Bensonら，2009）

1）**小欠損孔（欠損孔として約3mm以下）**： 左右心室間での短絡量は少なく，肺血管抵抗は上昇しない．

乳幼児期の体重増加や発育は正常で，無症状に経過する．膜様部型の小欠損では，欠損孔周囲の線維性組織が増殖して中隔瘤を形成するか，三尖弁中隔尖が pouch を形成して欠損孔が縮小して自然閉鎖をきたすことが多い．筋性部の小欠損でも自然閉鎖はしばしば認められる．

2) 中欠損孔（約 4～8 mm）（e図7-8-S の A）：出生直後には生理的に肺血管抵抗が高いため，欠損孔を介しての短絡は目立たないが，生後数日して肺血管抵抗が低下するとともに短絡量は増加し，特に生後 1～2 カ月で心不全症状が顕著となる．欠損孔を介しての両心室の容量負荷および肺うっ血が進行し，多呼吸，陥没呼吸，哺乳力の低下，体重増加不良がみられる．肺血管抵抗および右心室圧は，軽度から中等度に上昇する．

3) 大欠損孔（約 8 mm 以上）（e図7-8-S の B）：大きな欠損孔のために乳児期早期から短絡量が著増する．多呼吸，陥没呼吸，体重増加不良が顕著で，易感染性や肺動脈拡張による反回神経圧迫から嗄声も認められるようになる．乳児期中期以降は，肺血管抵抗が高度に上昇するために，短絡量はむしろ減少する．

身体所見

1) 聴診： 欠損孔の大きさと肺血管抵抗の推移により心雑音は異なる（Allen ら，2012；Benson ら，2009）（e図 7-8-T）．

a) **小欠損孔**：膜様部欠損では，胸骨左縁第 3～4 肋間に汎収縮期雑音が聴取される．特に 2～3 mm の小欠損（Roger type）では，前胸壁に振戦（thrill）を触知することがある．漏斗部にみられる小欠損では，胸骨左縁第 2 肋間に汎収縮期雑音が聴取される．大動脈弁逸脱により大動脈弁閉鎖不全が発症すると，胸骨左縁第 2～3 肋間に高調な拡張期逆流性雑音が聴取される．心尖部型の筋性部欠損では，胸骨左縁第 4 肋間に汎収縮期雑音が聴取される．

b) **中欠損孔**：欠損孔を介した短絡量の増大に伴い，汎収縮期雑音は低調になり，相対的な僧帽弁狭窄による低調な拡張期ランブルを心尖部に聴取する．肺血管抵抗が上昇すると，肺高血圧により II 音肺動脈成分が亢進する．

c) **大欠損孔**：高肺血流を呈する症例では心尖部に

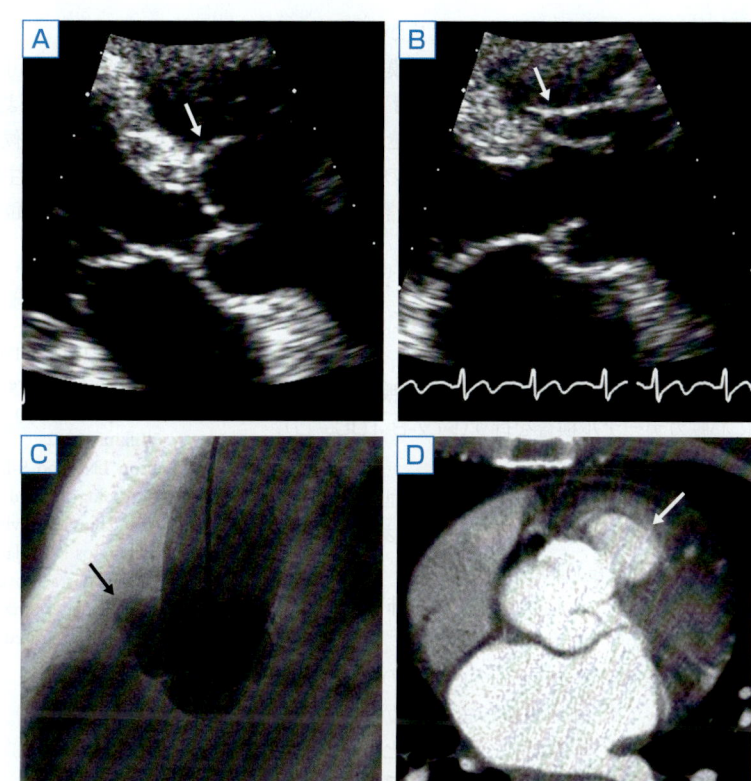

図 7-8-10 成人期にみられた漏斗部型欠損に伴う大動脈右冠尖逸脱
A：拡張期（断層心エコー），B：収縮期（断層心エコー），C：大動脈造影，右室流出路に穿孔した Valsalva 洞（D：マルチスライス CT）．

拡張期ランブルが聞かれるが，経過とともに肺高血圧が進行すると，II 音は亢進して拡張期ランブルは減弱から消失する．高度の肺高血圧を呈する Eisenmenger 症候群では，II 音は著しく亢進し，汎収縮期雑音は減弱から消失する．

検査所見

1) 胸部 X 線： 短絡量の増大に伴って心拡大がみられ，肺野では中心肺動脈の陰影拡大とともに末梢肺血管陰影は増強する（e図 7-8-U）．肺血流が著しく増加した症例では，伴走する肺動脈の拡大のために気管支狭窄を生じ，肺気腫様の所見がみられる．

2) 心電図： 肺高血圧を合併すると両室肥大所見が認められる（V_1 での R 波の増高，T 波陽性（乳児），V_3 での R＋S 波の増大 > 6.0 mV，V_5，V_6 での R 波の増高）（e図 7-8-V）．肺高血圧が進行すると右室肥大が顕著となる．膜様部型の自然縮小例では心電図上左軸偏位がみられることがある．一方，右室内異常筋束による右室 2 腔症を合併する症例では，狭窄の進行とともに，右軸偏位と右室肥大がみられる．

3) 断層心エコー： 異なった 2 つ以上の断面で欠損孔の大きさと広がりを判断する．また連続波ドプラを用いて，心室間の圧較差や三尖弁閉鎖不全血流速から右室圧を推定する．膜様部欠損と両大血管下欠損では，

大動脈基部短軸像でその大きさと広がりを判断する．流入路伸展では 10〜11 時方向に，膜様部流出路伸展では 11〜12 時方向に，また両大血管下型では 12〜13 時方向に欠損孔とジェットが確認できる．筋性部型，特に心尖部の欠損では，心尖部からの四腔断面ならびに左室レベルでの短軸像で欠損孔を診断する（e動画 7-8-P，e図 7-8-W，図 7-8-10A，B）．

4）心臓カテーテル，アンギオグラフィ： 合併する心疾患を伴う症例や肺高血圧合併例では，短絡量の計測，肺血管抵抗値や肺動脈圧の算出，酸素吸入や血管拡張薬による肺血管床の感受性の有無を確認するために心臓カテーテル検査を行う（図 7-8-10C，D）．

治療

1）治療方針： 欠損孔の大きさと肺血管抵抗の推移を見きわめて治療に当たる必要がある（Allen ら，2012；Benson ら，2009）．

 a）小欠損孔：無症状で経過し，肺高血圧がなく肺体血流量比が少量（1.5 以下）の場合，手術適応はなく内科的に経過観察する．両大血管型の欠損では，小欠損孔であっても大動脈右冠尖の逸脱が顕著で大動脈弁閉鎖不全を合併する場合，手術適応となる．

 b）中欠損孔：体重増加不良，多呼吸，陥没呼吸，易感染性などの症状がみられる場合は，まず利尿薬の投与を行う．乳児期後半から 1 歳前後で VSD 閉鎖術を行う．

 c）大欠損孔：肺高血圧が不可逆的となる以前（生後 6 カ月まで）に外科治療を行う．Down 症候群では肺動脈閉塞性病変の進行が速いので，心臓カテーテル検査により肺血管抵抗値を評価して早期に手術を行う．

2）薬物療法：

 a）小欠損孔：通常薬剤の内服の必要はない．

 b）中欠損孔：体重増加不良，多呼吸，陥没呼吸，易感染性などの症状がみられる場合は，利尿薬の投与を行う．乳児では鉄剤を投与して貧血を予防する．

 c）大欠損孔：利尿薬に加えて，症状により血管拡張薬および強心薬を投与する．

3）外科治療：

 a）小欠損孔：両大血管型では，小欠損孔であっても，大動脈右冠尖の逸脱が明らかで，大動脈弁閉鎖不全を合併する場合には手術適応となる．

 b）中欠損孔：心不全症状があり，心臓カテーテル検査で肺/体血流量比が 1.5 以上の場合は手術適応となる．乳児期中期から後半に VSD パッチ閉鎖術を行う．

 c）大欠損孔：肺高血圧が不可逆的となる以前（生後 6 カ月まで）に外科治療を行う．高度の肺高血圧合併例では，術後に重篤な肺高血圧クリーゼを引き起こすことがあるので，一酸化窒素（NO）吸入や十分な鎮静により予防する．（eコラム 3 も参照．）

予後

肺血管病変が可逆的な時期に適切な治療がなされると，一般に予後は良好である．未治療で放置されると Eisenmenger 症候群を引き起こし，外科治療の適応がなくなるので注意を要する．小欠損の心室中隔欠損で内科的に経過観察する場合，感染性心内膜炎に注意が必要である． 〔白石　公〕

■文献

Allen HD, Driscoll DJ, et al eds: Moss and Adams' Heart Disease in Infants, Children, and Adolescents Including the Fetus and Young Adult, 8th ed, Wolters Kluwer/Lippincott Williams & Wilkins, 2012.

Benson LN, Yoo S-J, et al: Ventricular septal defect. Pediatric Cardiology, 3rd ed（Anderson RH, Baker EJ, et al eds）, pp591-624, Churchill Livingstone/Elsevier, 2009.

Kouchoukos NT, Blackstone EH, et al: Ventricular septal defect. Kirklin/Barrat-Boyes Cardiac Surgery: Morphology, Diagnostic Criteria, Natural History, Techniques, Results, and Indications, 3rd ed, pp850-910, Churchill Livingstone, 2003.

5）動脈管開存
patent ductus arteriosus：PDA

概念

胎児期の動脈管は右心室および主肺動脈からの血液の約 90％を下行大動脈に送る重要な血液ルートであるが，生後まもなく動脈血酸素分圧の上昇や血中プロスタグランジンの低下などにより閉鎖する．PDA では動脈管を介して大動脈-肺動脈間に左→右短絡を生じ（図 7-8-11），左心房および左心室の容量負荷と肺血流の増加をきたす．孤立性の動脈管開存は先天性心疾患の 6〜12％を占める（eコラム 1 も参照）．

発生異常（eコラム 2）

病態生理・症状（Allen ら，2012；Benson ら，2009）

PDA を介した左→右短絡は，動脈管の太さと大動脈-肺動脈の圧較差により決まる．出生直後は生理的な高肺血管抵抗の状態にあるので，動脈管を介した短絡は少ないが，生理的な肺血管抵抗の低下とともに短絡量は増加する．病態としては，動脈管を介した左→右短絡によって，左心房および左心室に容量負荷，および肺血流増加による肺うっ血が加わる（図 7-8-12）．

短絡量が少ない場合は，心雑音のみで心不全症状はないが，大量の左→右短絡がある場合，乳児期より多呼吸，哺乳力低下，体重増加不良などの心不全症状がみられる．またこのような症例では，肺血管抵抗が上

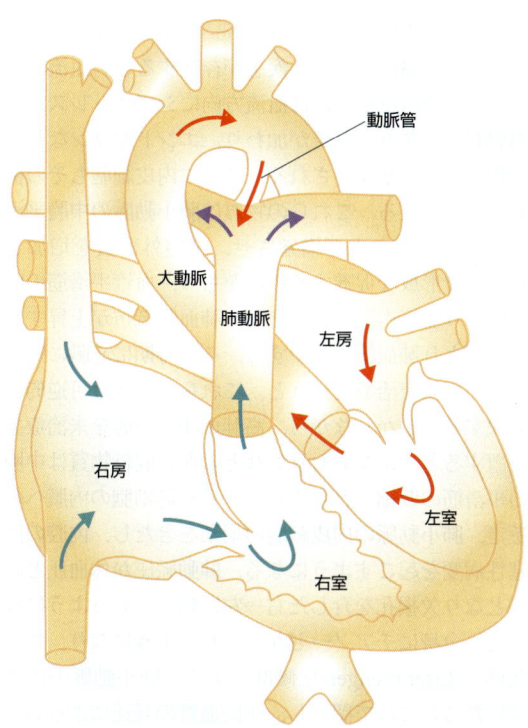

図 7-8-11 動脈管開存

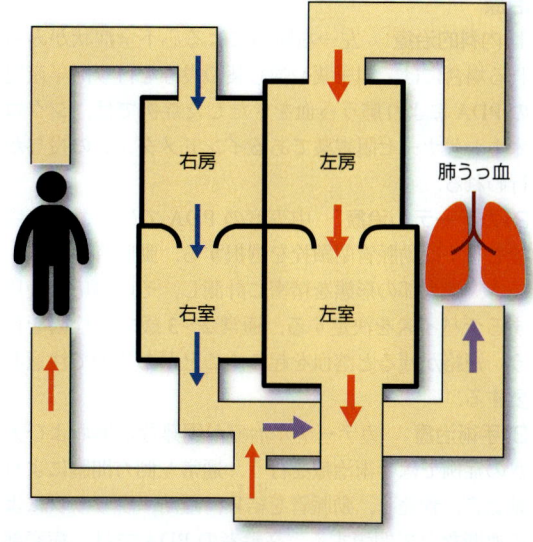

図 7-8-12 PDA の血行動態

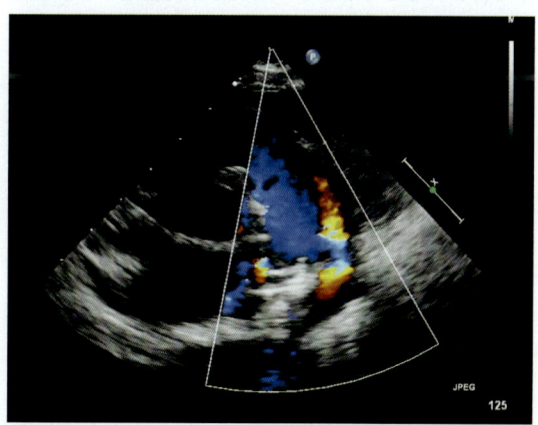

図 7-8-13 PDA の乳児の断層心エコー所見（肺動脈分岐部短軸像）
下行大動脈から主肺動脈に向かって上向きの短絡血流が認められる（1 歳）．

昇して肺高血圧になる．この状態で治療されずに放置した場合には，肺血管閉塞性病変が不可逆化して Eisenmenger 症候群になることがある（eコラム 3）．

身体所見（Allen ら，2012；Benson ら，2009）

典型例では，Ⅱ音にピークをもつ漸増漸減型の連続性雑音を胸骨左縁第 2 肋間に聴取する．生後まもない時期には生理的な高い肺血管抵抗により心雑音が聞かれないことがあるが，肺血管抵抗の低下とともに収縮期心雑音が聞かれ，次第に拡張期雑音が加わって連続性雑音となる．また短絡量の多い PDA では，Ⅲ音や心尖部で低調な拡張期ランブルが聴取される（相対的な僧帽弁狭窄）．また拡張期に大量の血液が肺動脈へ流れ込むために，大動脈拡張期圧は低下し，四肢の脈拍は反跳脈（bounding pulse）を呈する（e図 7-8-X）．

肺高血圧が進行すると，拡張期雑音が聴取されずに収縮期雑音のみとなることもある．さらに進行して右室と左室が等圧になると，動脈管を介した心雑音は消失し，Ⅱ音の亢進のみが聴取されるようになる（eコラム 4）．

検査所見

1) **胸部 X 線**： 短絡量の多い症例では，肺動脈の拡大による左第 2 弓の突出，肺血管陰影の増強，心拡大がみられる．成人では動脈管に石灰化が認められることがある．

2) **心電図**： 短絡量が多いと左房負荷や左室肥大，肺高血圧を合併すると両室肥大となる．

3) **断層心エコー**： 小児では胸骨上窩もしくは胸骨左縁からの矢状断面で動脈管を直接描出できる．ドプラ断層では主肺動脈内へ向かう短絡血流を確認する（e動画 7-8-Q，図 7-8-13）．

4) **MSCT，MRI**： 最近ではマルチスライス CT もしくは MRI で動脈管の形態を三次元的に観察し，動脈管の形態を非侵襲的に判断することが可能である．

5) **心臓カテーテル検査**： 大動脈造影により動脈管の形状と内径を確認し，コイル塞栓治療（後述）の可否および使用するコイルを決定する．高度の肺高血圧を伴う症例では心臓カテーテル検査を行い，肺血管抵抗値を計測し，閉鎖の適応を判断する．

治療

1)内科的治療: 左→右短絡による心不全症状がみられる場合には，利尿薬や強心薬の投与を行う．早産児のPDAにより肺うっ血をきたした症例では，シクロオキシゲナーゼ阻害薬であるインドメタシンの投与が行われる．

2)カテーテル治療: 中等度のPDAでは，コイル塞栓もしくは動脈管閉鎖栓を選択する．動脈管の内径，長さ，膨大部の形態を精密に計測し，その適応と使用するデバイスを決定する．通常2〜3歳で塞栓術を行う．短絡が残ると溶血を起こすことがあるので注意を要する．

3)手術治療: カテーテル治療が困難な形態および太さの症例では手術治療を行う．通常左側方開胸により動脈管に到達し，動脈管を結紮，離断，クリップによる遮断などで閉鎖する．高齢者のPDAでは，病変部が脆弱化や瘤化していることがあるので，体外循環下で行われることがある．成人では胸腔鏡下(内視鏡)手術も行われる．

予後

適切な診断と適切な治療がされた症例の予後は一般に良好である．未治療で放置されると，心室中隔欠損同様にEisenmenger症候群を引き起こし，閉鎖治療の適応がなくなるので注意を要する．　　〔白石　公〕

■文献(e文献7-8-5)

Allen HD, Driscell DJ, et al eds: Moss and Adams' Heart Disease in Infants, Children, and Adolescents Including the Fetus and Young Adult, 8th ed, Wolters Kluwer/Lippincott Williams & Wilkins, 2012.

Benson LN: The arterial duct: its persistence and its patency. Pediatric Cardiology, 3rd ed (Anderson RH, Baker EJ, et al eds), pp875-93, Livingstone/Elsevier, 2009.

6) Eisenmenger症候群
Eisenmenger syndrome

1897年にEisenmengerは全身のチアノーゼを伴い大量の喀血により死亡した32歳の剖検例に心室中隔欠損が合併していたことを報告した．1958年にはWoodは，心室中隔欠損などの左→右短絡性先天性心疾患において，肺高血圧が進行し右→左短絡が出現してチアノーゼを呈する病態をEisenmenger複合と名づけた(Wood, 1958；Ivy, 2012)[1]．原因疾患としては，心室中隔欠損，心房中隔欠損，動脈管開存に合併することが多い(Ivy, 2012；Humpl, 2009)．

病態

出生直後は肺血管抵抗値が高値であるため，肺動脈圧と大動脈圧はほぼ等しいとされている．生後1〜2週間で肺血管抵抗は大きく下がり，生後2〜3カ月で成人のレベルに達する[2] (図7-8-14) (eコラム1)．

左→右短絡の先天性心疾患が存在すると肺血流は増加し，血管内皮細胞には血流方向にシアストレスが，円周方向にストレッチが加わり，エンドセリンなどの血管収縮物質が産生される．同時に内皮細胞もその機能が障害される．これらの物質は肺小動脈の中膜平滑筋細胞を収縮および増殖させ，細胞外器質を増加させ，血栓形成を促進する作用をもつ．血管平滑筋の収縮により血管内腔は狭小化し，肺血管抵抗が上昇することにより肺血流は減少する．この時期に心臓に対して適切な修復治療を行うと，これらの変化は可逆的に軽快する．しかしながら，高肺血流の状態を未治療で放置すると，エンドセリンなどの血管収縮物質は中膜の平滑筋の収縮にとどまらず，平滑筋細胞の内膜への遊走，肺小動脈の内皮細胞の増殖をきたし，内腔の閉塞性病変を起こすようになる．肺動脈圧が体血圧と同等となり欠損孔を介した右→左短絡を認めるようになると，全身にチアノーゼがみられるようになり，この状態をEisenmenger症候群とよぶ．肺小動脈の内腔はいたるところで閉塞し，側副血管の発達によりわずかな血流が保たれる．Eisenmenger症候群の血行動態が完成しチアノーゼが増強すると，心臓および肺だけでなく多臓器に障害が及ぶようになる(e図7-8-Y) (Ivy, 2012；Humpl, 2009)．

臨床症状[2]

小児期には肺血管抵抗の上昇とともに左→右短絡量は減少し，心雑音は次第に聞かれなくなり，心不全はむしろ軽快する．運動時の易疲労を訴える程度で症状は目立たないことが多い．思春期〜青年期にかけて肺血管抵抗が上昇し，チアノーゼを認めるようになる．労作時の易疲労とチアノーゼの増強がみられ，運動能は著しく低下する．成人期になり病像が確立すると，肺内側副血管の破綻による喀血，肺血流減少による失神，右心房負荷による心房頻拍などがみられるようになる．失神発作は，運動による身体的ストレスや怒責による肺血流の減少だけでなく，入浴や食事など体血管抵が低下する際にも発症するので注意が必要である．

聴診所見

左→右短絡に伴う収縮期雑音や連続性雑音は次第に聞かれなくなり，Ⅱ音肺動脈成分が著しく亢進するようになる．右室圧が上昇すると三尖弁閉鎖不全に伴う汎収縮期雑音が胸骨左縁第4肋間から心尖部で聴取されるようになる．肺高血圧が高度になると，肺動脈弁閉鎖不全による高調な拡張期雑音(Graham Steell雑音)が聞かれることもある．

検査所見

1)胸部X線所見: 左右肺動脈の突出が特徴的で，まれに壁在血栓を伴う肺動脈瘤を形成することがあ

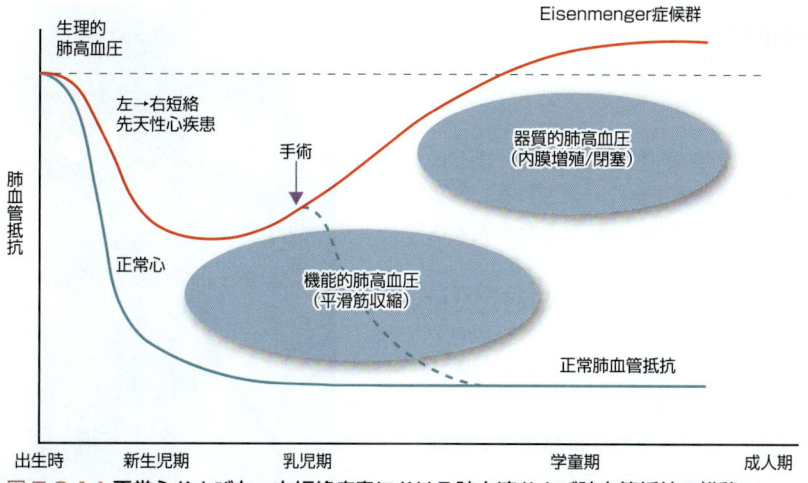

図 7-8-14 正常心および左→右短絡疾患における肺血流および肺血管抵抗の推移

る．病初期には末梢の肺血管陰影は増強するが，病像が進行すると肺血流が減少して末梢肺野は明るくなる（図 7-8-15）．

2）**血液検査**：チアノーゼの進行とともに赤血球増加，血小板減少，血液凝固機能異常，高尿酸血症，高ビリルビン血症，蛋白尿，腎機能障害などがみられるようになる．

3）**断層心エコー所見**：欠損孔を介した両方向性短絡，右室右房および肺動脈の拡大，三尖弁閉鎖不全，肺動脈弁閉鎖不全がみられる（ⓔ動画 7-8-R, ⓔ図 7-8-Z）．

4）**CT および MRI 検査**：拡大した肺動脈の壁在血栓，肺出血の際の病変確認と経過観察に利用される．

治療

高度に肺血管抵抗が上昇した Eisenmenger 症候群では，欠損孔の閉鎖の適応はない．むしろ欠損孔を開けたままにしておいて肺高血圧発作の際に，欠損孔を介した左室への還流血を確保する．Eisenmenger 症候群は，かつては予後不良であったが，新しく開発された肺血管拡張薬（エンドセリン受容体拮抗薬（ボセンタン，アンブリセンタン），ホスホジエステラーゼ 5 阻害薬（シルデナフィル，タダラフィル），プロスタノイド（エポプロステノール，ベラプロスト））の多剤併用療法により，患者の生命予後および生活の質は大きく改善されつつある（D'Alto ら，2014）[4]．

〔白石　公〕

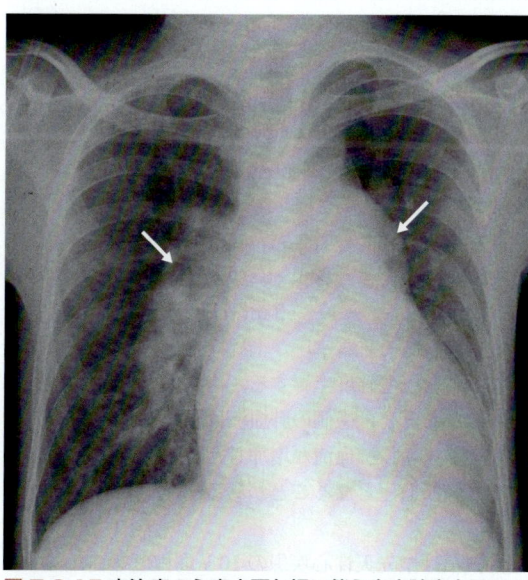

図 7-8-15 未治療の心室中隔欠損に伴う高度肺高血圧により Eisenmenger 症候群をきたした成人症例
左右肺動脈陰影の著しい拡大がみられる（矢印）．

Ivy DD: Clinical management of pediatric pulmonary arterial hypertension. Moss and Adams' Heart Disease in Infants, Children, and Adolescents Including the Fetus and Young Adult. 8th ed（Allen HD, Driscell DJ, et al eds），pp1433-62, Wolters Kluwer/Lippincott Williams & Wilkins, 2012.

Wood P: The Eisenmenger syndrome or pulmonary hypertension with reversed central shunt. *Br Med J.* 1958;**2**:701-9.

■文献（ⓔ文献 7-8-6）

D'Alto M, Diller GP: Pulmonary hypertension in adults with congenital heart disease and Eisenmenger syndrome: current advanced management strategies. *Heart.* 2014;**100**:1322-8.

Humpl T, Schulze-Neick I: Pulmonary vascular disease. Pediatric Cardiology, 3rd ed（Anderson RH, Baker EJ, et al eds），pp1147-61, Livingstone/Elsevier, 2009.

7) 肺動脈狭窄症
pulmonary stenosis：PS

概念
狭窄の部位により，肺動脈弁狭窄，肺動脈弁下狭窄，肺動脈弁上狭窄，肺動脈狭窄に分類される．狭窄により右室から肺動脈への駆出に支障をきたす先天性心疾患である．

軽症から重症まで重症度がある．中等症以上では加齢に伴い心不全，不整脈を呈する．治療は，弁狭窄では，中等症以上でカテーテル肺動脈弁拡張術を行う．弁狭窄治療後の予後は良好である．

弁狭窄では先天的に肺動脈弁の交連部が弁尖に向かって癒合して弁の開口を妨げている（ⓔコラム1）．弁下狭窄は右室漏斗部の異常筋肉による．弁上狭窄，肺動脈末梢狭窄は，先天的に肺動脈の低形成によって肺動脈が部分的ないし広範囲に細くなっている状態である．

病態生理
狭窄があると右室圧は上昇し，右室と肺動脈の間の圧差が生じる．PSの重症度を表7-8-1に示す．右室圧-肺動脈圧間の較差50 mmHg以下の場合は，何ら治療をほどこさなくても患者の寿命は短くならない．したがってそのようなPSに対しての治療の絶対的適応はない．圧較差40〜50 mmHg以上が中等症で，治療適応がある．右室圧が上昇すると，右室肥大をきたす．右房圧も軽度上昇する．片側のみの末梢肺動脈の狭窄があると，患側の肺血流は低下し，対側の肺血流が増加する．肺血流が増加した側の肺動脈圧が上昇して，肺高血圧となることがある．

疫学
弁狭窄は全先天性心疾患の10%弱程度を占める．

予後
肺動脈弁狭窄，肺動脈弁下狭窄，肺動脈弁上狭窄の中等度以上を治療されないと，小児〜成人で右室の収縮機能低下をきたす．中等度以上では，正常の寿命より短い．中等症以上では加齢に伴い重症化する傾向があり，年間自然死亡率が20〜30歳で3%，30歳以降では6〜7%という報告がある．

表7-8-1 **肺動脈弁狭窄症の重症度**（心カテーテルでの圧較差に基づく）

1) 軽症：右室圧50 mmHg以下，右室-肺動脈間の圧較差が30〜50 mmHg以下
2) 中等症：右室圧50 mmHg以上，体血圧まで
3) 重症：体血圧以上．新生児，乳児で，動脈管に肺循環が依存している例では，特に重症である．

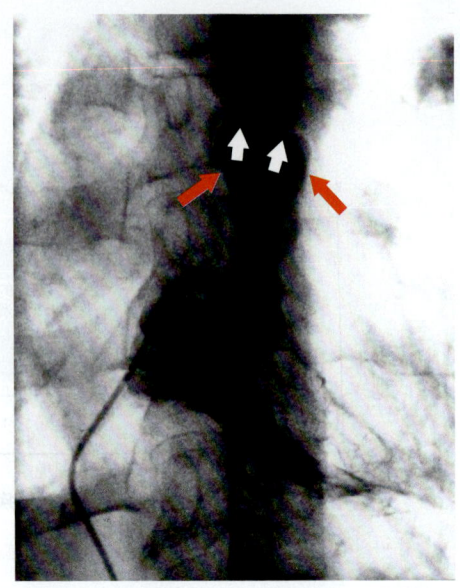

図7-8-16 **肺動脈弁のドーム形成**
赤矢印：蝶形，白矢印：弁のドーム形成．

臨床症状
無症状のことがほとんどである．中等症以上では加齢に伴い心不全，不整脈を呈する息切れ，易疲労などの右心不全が出ることがある．重症例では乳児期に心不全症状を呈し，突然死することもある．

診断
弁狭窄では収縮期駆出性の雑音と収縮期クリックを認める．

1) **心電図所見：** 中等度以上で右軸変異，右室肥大を認める．
2) **胸部X線所見：** 弁狭窄では左第2弓の突出（肺動脈の狭窄後拡張のため），右房拡大を認める．右室の収縮低下で，右室拡大をきたせば，左第4弓が張り出し心拡大を認める．
3) **心エコー所見：** 弁狭窄では肺動脈弁の開口がわるくなり，ドーム形成を認める．右室と肺動脈の圧差は，肺動脈弁の流速 v(m/秒)をドプラエコーで測定し，$4 \times v^2$ が圧較差(mmHg)となる．
4) **心臓カテーテル所見：** 検査のみの目的ではカテーテル検査は施行しない．心臓カテーテルで，右室と肺動脈の間に圧差を認める．

治療
1980年代からは，外科的治療はカテーテル治療（図7-8-16）に取って代わられ，今日では幼児，小児，成人を含めPSに対する手術はほとんど行われなくなったのが現状である．心電図で右室肥大所見の有無などを参考に決定するが，カテーテル治療の適応は圧差30〜40 mmHg以上といえる（ⓔコラム2）．治療後の長期寿命も正常人と変わらない．　〔中西敏雄〕

■文献

Kouchoukos NT, Blackstone EF, et al eds: Kirklin/Barrat-Boyes Cardiac Surgery, Churchill Livingstone, 2003.

高尾篤良, 門間和夫, 他：臨床発達心臓病学, 中外医学社, 2001.

8) Fallot 四徴症
tetralogy of Fallot : TOF

概念

Fallot 四徴症は，①心室中隔欠損(VSD)，②右室流出路狭窄，③大動脈騎乗，④右室肥大からなる先天性心疾患である．発生学的には右室漏斗部中隔が前方(右室側)に偏位することにより VSD と右室流出路狭窄が引き起こされる．両大血管右室起始との違いは，本症では僧帽弁と大動脈弁は線維性に結合している点である．右室流出路〜肺動脈狭窄の程度により幅広い臨床像を示すが，ほとんどの例でチアノーゼを呈する．最重症型として肺動脈閉鎖(極型 Fallot 四徴症)がある．外科治療なしでは生命予後は 1 年生存率は 75%，3 年生存率は 60%，10 年生存率は 30% といわれる．死亡原因としては低酸素発作，脳梗塞，脳膿瘍で，年長児では心不全，腎不全などである．一般に手術例の長期予後は良好で術後 30 年の生存率は 98% と報告されている．しかし，それ以降には，肺動脈弁閉鎖不全や右心機能不全で，再手術が必要になったり，心不全になったりする可能性がある．

疫学

頻度は全先天性心疾患の 5〜10% でチアノーゼ性心疾患の 60〜70% と最も多い．染色体 22q11.2 欠失症候群の合併が多い(20%)．

病態生理

右室の静脈血は肺動脈と大動脈へ駆出される．大きな VSD が存在するので右室と左室は等圧である．肺動脈圧は正常以下ないし正常範囲である．肺体血流比は 1 以下である．

臨床症状

右室流出路狭窄には種々の程度があり，これによりチアノーゼの症度も異なる．チアノーゼの発症時期は，1/3 は生後 1 カ月以内に，1/3 は乳児期である．チアノーゼが目立たないこともあり，ピンク Fallot とよばれる．チアノーゼが 6 カ月以上続くとばち状指を呈する．

通常胸骨左縁第 2〜3 肋間に最強点を有する駆出性収縮期雑音で，Ⅱ音は単一で亢進している．この心雑音は右室流出路狭窄(肺動脈狭窄：PS)に由来するものである．

Fallot 四徴症の低酸素発作(spell)では発作性に強いチアノーゼがみられる．多くは，生後 3〜6 カ月の乳児に発症し，睡眠覚醒後などに不機嫌となり，チアノーゼの増強と多呼吸，心雑音減弱，アシドーシスなどをきたす．持続すると生命の危機がある．

検査所見

1) 心エコー図： 心室中隔欠損 VSD とともに大動脈騎乗が観察される．大きな VSD と漏斗部中隔の前方偏位のため右室流出路の狭小化が観察される．肺動脈も大動脈に比して細く弁性狭窄を伴うことも多い．

2) 胸部 X 線： 心陰影は正常かやや小さい．左第 2 弓陥凹(肺動脈主幹部低形成)と心尖部挙上により木靴型となる．右大動脈弓が 25% に認められる．肺血管影は減少する．正側面で胸腺陰影が欠如していれば 22q11.2 欠失症候群を疑う．

3) 心電図： 右軸偏位，右室肥大を認める．

4) 心臓カテーテル・造影所見： 収縮期右室圧は，左室・大動脈圧と等しい．肺動脈圧は正常ないしそれより低圧である．右室造影で肺動脈と大動脈が同時に造影される(図 7-8-17)．

5) 心臓血管 CT： multiditecter row CT では 3D 画像が構築でき，心臓カテーテルによる圧測定や短絡率以外の形態的なデータはすべて得られる．

治療

1) 内科的治療： 新生児期に肺動脈狭窄が重症で，肺血流が動脈管依存性ならプロスタサイクリン(PGE$_1$)を使用する．これは短絡術(Blalock-Taussig shunt)までのつなぎの意味をもつ．鎖骨下動脈と左右肺動脈を人工血管で吻合することが多く，modified BT shunt とよぶ．

低酸素発作時には酸素投与，アシドーシス補正，鎮静，β遮断薬などを使用する．

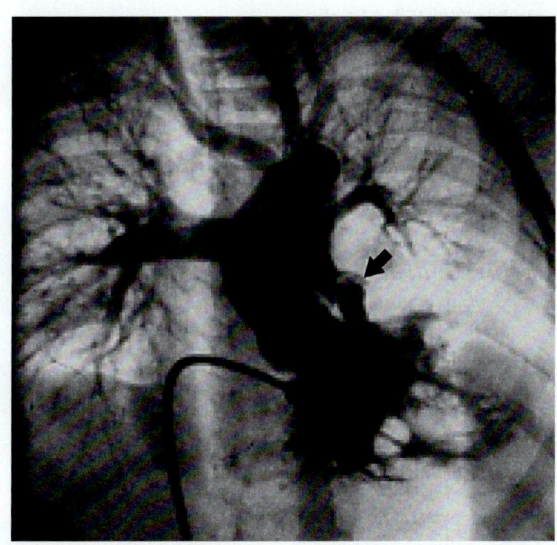

図 7-8-17 Fallot 四徴症
右室造影で肺動脈と大動脈が同時に造影される(矢印)．

2）外科的治療：

a）姑息術：新生児期，乳児期にチアノーゼが強い状態や，プロスタグランジン使用例では姑息術が必要となることがある．人工心肺は使用せずに，心臓拍動下での手術が可能である．Blalock-Taussig shunt は鎖骨下動脈と左または右の肺動脈へのバイパス術である．

b）心内修復術：チアノーゼをなくすための手術で，右室流出路形成術と心室中隔欠損閉鎖術からなる．右室流出路形成術はパッチによる拡大と漏斗部筋肉切除術を行うが，肺動脈弁輪径が小さい場合には右室流出路から肺動脈までを切開して拡張する手術になる．手術は乳児期に実施されることが多い．

予後

外科治療なしでは生命予後は1年生存率は75％，3年生存率は60％，10年生存率は30％といわれる．死亡原因としては低酸素発作，脳梗塞，脳膿瘍で，年長児では心不全，腎不全などである．

一般に手術例の長期予後は良好で術後30年の生存率は98％と報告されている．しかし，それ以降には，肺動脈弁閉鎖不全や右心機能不全で，再手術が必要になったり，心不全になったりする可能性がある．

〔中西敏雄〕

■文献（e文献 7-8-8）

Grotenhuis HB, Mertens LL: Recent evolutions in pediatric and congenital echocardiography. *Curr Opin Cardiol.* 2015; **30**: 118-24.

Mercer-Rosa L, Paridon SM, et al: 22q11.2 deletion status and disease burden in children and adolescents with tetralogy of Fallot. *Circ Cardiovasc Genet.* 2015; **8**: 74-81.

Wald RM, Marie Valente A, et al: Heart failure in adult congenital heart disease: Emerging concepts with a focus on tetralogy of Fallot. *Trends Cardiovasc Med.* 2014; pii: S1050-738.

9）大動脈狭窄症
aortic stenosis：AS

概念

大動脈弁，大動脈弁下，大動脈弁上の先天的狭窄により左室から大動脈への駆出に支障をきたす先天性心疾患．それぞれの部位ごとに個別疾患としてよばれることが多い．

（1）大動脈弁狭窄症（aortic valvular AS：vAS）

大動脈二尖弁の有病率は2～3％ともいわれ，大動脈弁に異常を有する人口は少なくないが，小児期に発症するのはその一部である．重症例では新生児期・胎児期から重症心不全（低心拍出）を呈する．軽症例では無症状であるが，加齢とともに進行することが多い．中等症以上では，運動時息切れ，易疲労感から運動時胸痛，失神を認めることがあり，ときに突然死を起こす．中等症以上に，カテーテル治療か，外科的治療（外科的交連切開術あるいは弁置換術）が必要である．

解剖

大動脈弁交連部が弁尖に向かって癒合している．ひとつの交連部-弁尖が癒合して，二尖弁になっていることもあるし，先端にしか開口のない一尖弁のこともある．

病因

病因不明であるが，人種差があり，白人に多い．

病態生理

弁狭窄があると，左室の圧が上昇し，左室と大動脈の間に圧差ができる．左室の圧負荷をきたす．左室筋肉が厚くなり，左室肥大を認める．左室収縮は正常か正常以上である．さらに狭窄が高度になると，左室収縮が低下してくる．左室筋肉の心内膜下虚血を生じる．

疫学

先天性心疾患の3～6％を占める．大動脈二尖弁の有病率は2～3％ともいわれるが，小児期に発症するのはその一部である．

予後

左室-大動脈圧差が50 mmHg 以上の中等症だと，突然死，心不全がありうる．中等症以上では，寿命は正常より短い．感染性心内膜炎の危険があり，その発生率は年間約1％である．

臨床症状

軽・中等症では心雑音で気づかれることが多い．軽症例では無症状であるが，軽・中等症においても加齢とともに病状は進行することが多く，運動時息切れ，易疲労感から運動時胸痛，失神を認めることがあり，ときに突然死を起こす．

重症例では新生児期・胎児期から重症心不全（低心拍出）を呈し，診断のきっかけとなる．

身体所見

頸部に放散する駆出性収縮期雑音を胸骨右縁に聴取する．駆出性クリックを聴取する．圧較差が25 mmHg をこえるとスリルを触れる．

1）心電図所見：左室肥大所見を呈す．重症では V_5, V_6 の ST 低下をきたすストレインパターンを呈する．

2）胸部X線所見：一般に心拡大は軽度だが，重症例では明らかな心拡大，肺うっ血を呈する．右第1弓に拡張した上行大動脈が認められる．

3）心エコー所見：左室長軸像で大動脈弁肥厚，ドーム形成を認める．短軸像では弁尖の数，交連部の癒着などが観察できる．また大動脈は拡大する（狭窄後拡張）．カラードプラで大動脈弁から乱流パターンを認

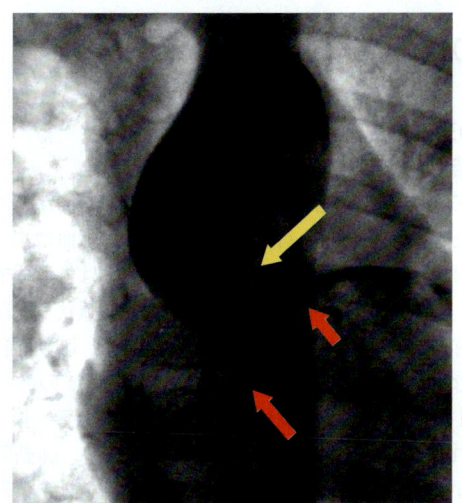

図 7-8-18 **大動脈弁狭窄**
大動脈造影で肥厚した大動脈弁がドーム上に認められ，上行大動脈は拡張している（赤矢印：弁輪径，黄矢印：ドーム形成）．

表 7-8-2 **大動脈弁狭窄症の重症度分類**

軽症：左室-大動脈圧差 50 mmHg 未満
中等症：左室-大動脈圧差 50 mmHg 以上
重症：左室-大動脈圧差 75 mmHg 以上で，ST 変化，有症状
新生児，乳児では，圧差にかかわらず，左室収縮機能が低下していれば，重症である．

表 7-8-3 **重症度による治療**

1) ドプラ検査やカテーテル検査にて 25 mmHg 以下の圧差：運動負荷を含めたほかの検査にても異常のないときはすべての運動を許可できる．
2) ドプラやカテーテル検査で 25〜50 mmHg の圧差あるとき（軽度狭窄，弁口面積 0.8 cm²/m² 以上（正常弁口面積は 2 cm²/m²））：運動部など激しい運動は控えさせ運動負荷心電図，エコーなどで経過観察する．
3) 50〜75 mmHg の圧差あるとき（中等度狭窄，弁口面積 0.5〜0.8 cm²/m²）：軽度の運動以外は禁止し，手術またはバルーン拡大術を考慮する（症状，運動負荷心電図で ST-T 変化があるときは特に）．
4) 75 mmHg 以上の圧差あるとき（高度狭窄，弁口面積 0.5 cm²/m² 以下）：手術またはバルーン拡大術の絶対的な適応である．

め，流速を計測することで圧較差を推定することができる．圧差は簡易 Bernoulli の法則より $4 \times v^2$ で求められる．

4）運動負荷： トレッドミル，エルゴメーターなどの運動負荷テストで，V_5，V_6 の ST 低下をきたすストレインパターンがあれば重症である．

5）心臓カテーテル検査所見： 左室圧の上昇を認め，大動脈圧との圧較差から重症度判定，治療適応の決定が可能である．左室造影で肥厚した大動脈弁がドーム上に認められ，上行大動脈は拡張している（図 7-8-18）．

治療

症状，心電図所見，心エコーで大体の狭窄重症度はわかる（表 7-8-2）．ボーダーラインの人は心臓カテーテルの結果で治療方針を決める（表 7-8-3）．重症度は年齢とともに変化するので経過観察を長期にわたり続ける必要がある．

左室に肥大，虚血に伴う不可逆的な変化がくる前に治療を開始する．

中等症以上では，カテーテル治療か，外科的治療（弁置換術）が必要である．カテーテル治療は外科的介入までの期間を延期できる可能性がある．機械弁置換術の後は抗凝固療法が必要となる．

小児ではまずカテーテル治療し，カテーテル治療が無効であったり，弁の閉鎖不全が存在するときは手術が選択される．6〜8 歳で手術適応とならない中等度圧差でも半数以上は 5〜10 年で治療が必要となる．また小児期圧差のなかった二尖弁でも 50〜60 歳代になって手術が必要となることもある．

手術

弁輪径が大きければ小児，年長児でも 21〜25 mm の人工弁で置換できることもある．小児で人工弁置換術後の生存率は 10 年で 91％である．

自己の肺動脈弁を大動脈弁につけ替える Ross 手術が行われることがある．ただし，Ross 手術にしても，大動脈弁閉鎖不全を残す可能性がある．移植した弁の長期予後が明らかでない．肺動脈弁の位置においた導管や弁の石灰化や狭窄をきたす可能性があることなど欠点もあり，注意深いフォローアップが必要である．

術後は感染性心内膜炎のハイリスクであり，予防が必要である．

(2) 大動脈弁下狭窄 (sub aortic stenosis)

概念

大動脈弁下の膜様または線維筋性の狭窄．

病因

半数以上の症例では合併奇形がないが，大動脈縮窄・離断，心室中隔欠損の組み合わせで漏斗部中隔が後方偏位することにより生じることがある．心内膜床欠損の術後に発症することもある．

臨床症状

小児期にも自覚症状はなく発育も正常のことが多いが，重症例では，易疲労感，労作時呼吸困難，狭心痛，失神などを認めることがある．胸骨右縁上部から

頸部に放散する収縮期駆出性雑音を聴取する．胸骨上窩や頸部にスリルを触知する．収縮期クリックはない．

診断
心雑音または合併心疾患が診断の契機となる．
心エコーで大動脈弁下の左室流出路に膜性または線維筋性の狭窄を認め，狭窄の存在部位，形態などが診断できる．

治療
50 mmHg 以上の圧較差があるときに治療の適応があり，外科的治療が行われる．弁下の膜様ないし繊維性突出が短ければ，切除術のみが行われる．狭窄が長い症例やトンネル状の狭窄に対しては，心室中隔を開き拡大する Konno 法や modified Konno 法が用いられる．

予後
大動脈弁下狭窄は進行性する傾向があり，乳児期に問題となることは少ないが小児期-思春期に問題となることがある．大動脈弁閉鎖不全が進行することがある．

(3) 大動脈弁上狭窄(supravalvular aortic stenosis)
概念
大動脈弁上，Valsalva 洞より遠位の狭窄．砂時計型と上行大動脈全体の低形成型がある．Williams 症候群に合併することも(非家族性)，家族性の場合もある．

病因
Williams 症候群では染色体 7q11.23 領域の点欠失を認める．Williams 症候群，非 Williams 症候群の家族例ともにエラスチン遺伝子の変異が認められる．

臨床症状
聴診上の収縮期雑音．自覚症状はなく発育も正常のことが多いが，重症例では，易疲労感，労作時呼吸困難，狭心痛，失神を認める．

診断
心エコー図で大動脈弁上部の狭窄，狭窄部の乱流(モザイク血流)を認める．

治療
狭窄前後の圧較差が 50 mmHg 以上の症例は手術適応となる．手術は，狭窄部より上から大動脈を冠動脈洞にまで切り込んでパッチ拡大する．低形成型の手術は困難である．　　　　　　　　　　〔中西敏雄〕

■文献
Soulatges C, Momeni M, et al: Long-Term Results of Balloon Valvuloplasty as Primary Treatment for Congenital Aortic Valve Stenosis: a 20-Year Review. *Pediatr Cardiol*. 2015; **36**: 1145-52.

10) その他の先天性心疾患

(1) 三尖弁閉鎖症(tricuspid atresia)
概念
三尖弁口が筋性閉鎖して心房と右室の交通が遮断された先天性心疾患．右房へ還ってきた静脈血はすべて心房間交通を通り左房へ流れる．右心室は低形成である．機能的単心室血行動態となる．肺動脈狭窄・閉鎖の有無と心室大血管の関係で分類される．肺動脈狭窄がないと肺高血圧となる．Keith-Edwards の分類ではⅠ型は正常大血管関係，Ⅱ型は d 型大血管転換で，それぞれ，肺動脈閉鎖を伴うものが a 型，肺動脈狭窄が b 型，肺高血圧になる c 型と分類され，組み合わせでⅠb などと表現する．いずれの型もチアノーゼをなくすには，Fontan 手術しかない．Fontan 手術が成立すれば，その後の生存率は比較的よいが，Fontan 手術 20 年以上経過すると，さまざまな Fontan 術後症候群(eコラム 3 参照)が発症してくる可能性が高くなる．

疫学
全先天性心疾患の 0.3～5.3％を占める．Ⅰ型 69％，Ⅱ型 27％である．

臨床症状
肺血流減少型(a 型，b 型)ではチアノーゼが主体で，肺血流増加(c 型)ではチアノーゼは軽く呼吸障害や心不全となる．Ⅰb 型では心室中隔欠損の狭小化，漏斗部狭窄の進行により，低酸素発作を生じる場合がある．聴診上は c 型ではⅡ音の亢進を認め，b 型では収縮期駆出性雑音を聴取する．

診断
心エコーにて四腔断面で右房から右室へのつながりの閉鎖(多くは筋性閉鎖)を認める．
1) 胸部 X 線： 肺血流減少型では心拡大は少なく，肺血流増加型では心拡大を呈する．
2) 心電図： 心電図で，左軸偏位，左室肥大である．
3) 心臓カテーテル・造影検査： 右房造影では造影剤は右室に流れ込まない．肺動脈の平均圧が 20 mmHg 以上であったり，肺動脈が高度低形成の例では，Fontan 手術が困難なことがある．

治療
1) 内科的治療： 新生児期に肺血流減少が著しいときにはプロスタグランジン E_1 を使用して動脈管開存をはかる．
2) 外科的治療： チアノーゼをなくすためには Fontan 手術しかない．Glenn 手術をまず行い，ついで Fontan 手術を行うことが多い．肺動脈が低形成の場合には短絡術にて肺動脈の成長をはかる．肺血流増加型では乳児期早期に肺動脈絞扼術を施行する．

Glenn 手術や Fontan 手術まで到達できない例もある．

(2) Ebstein 病 (Ebstein anomaly)
概念
三尖弁が右室側にずれて付着する先天性心疾患．三尖弁閉鎖不全を種々の程度に認める．

病因
三尖弁は右室心筋内層より底掘れ (undermining) という行程により形成される．前尖が早期より形成され，後尖・中隔尖は遅れて完成する．Ebstein 病は，この undermining が何らかの原因で阻害されたために起こる．undermining が弁輪まで届かないことにより，弁尖（おもに中隔尖・後尖）は壁に貼りつく (plaster) ようになり，弁尖が右室側にずれて起始する．また弁尖の貼りついた右室部分は右房化右室とよばれ，壁がきわめて薄くなることがある (Uhl 化とよばれる)．

臨床症状
三尖弁の逆流の程度および右室駆出機能により，臨床像はさまざまである[1,2]．

胎児期に診断されるものは，胎児超音波検査で右心系拡大の所見で見つかることが多い．胎児水腫で見つかるものが最重症である．新生児期にチアノーゼ，心不全で発症する例も重症である．乳児期に症状が出現する場合は，三尖弁閉鎖不全による心不全であることが多い．学童期では，学校健診などで副伝導路 (WPW) 症候群の精査で診断に至ることもある．成人期以降では，心不全や不整脈が主要な症状となる．新生児から高齢者まで生涯いつでも，無症状であるが心雑音に気づかれて診断に至ることも少なくない．無症状のまま一生を終わることもある．

検査所見
1) **胸部 X 線所見**：心陰影は，右房拡大により右第 2 弓は突出し，バルーン型の心拡大を認める．
2) **心エコー**：断層心エコー図の心尖部四腔断面により，三尖弁中隔尖の心尖方向への付着偏位（僧帽弁付着部から $8\,mm/m^2$（体表面積）以上偏位）と巨大で動きの大きい前尖を認める．右房拡大，右房化右室と機能的右室を認める．三尖弁の逆流を認める．

治療
軽症は治療適応はなく，重症例は手術が必要である．中等症の治療適応の決定が難しい．

新生児期の重症例では肺循環が動脈管に依存するためプロスタグランジン E_1 を投与し動脈管の開存を維持する．体肺動脈短絡術を施行し，ときに手術で三尖弁を閉鎖する．

小児期以降で弁逆流が高度で心拡大や心不全を呈する場合には，弁形成術や弁置換術が考慮される．弁形成術は，Carpentier 法が一般的だったが，近年 cone 手術が話題となっている[3]．中等症の手術適応は，より軽症でも手術する方向に変化してきている．心房間右→左短絡のためにチアノーゼを呈する場合には，心房間交通を閉鎖する．

予後
胎児期，新生児期に心不全で診断に至る症例の予後は悪い．思春期から成人期で診断される症例の予後は悪くなく，不整脈の管理が重要となる．無症状例の 10 年生存率は 85% という報告もある．

(3) 大血管転換症 (transposition of the great arteries：TGA)
概念
右房と右室，左房と左室が正常につながり，右室から大動脈が，左室から肺動脈が起始している先天性心疾患．低酸素血症があり，経皮酸素飽和度は低い．心室中隔欠損がない型では特にチアノーゼが目立つ．

分類
心室中隔欠損のない I 型，心室中隔欠損を合併する II 型，心室中隔欠損＋肺動脈狭窄合併の III 型，心室中隔欠損のない肺動脈弁ないし弁下狭窄合併の IV 型に分類する．

病態生理
低酸素血症があり，経皮酸素飽和度は低い．心室中隔欠損がない I 型では特にチアノーゼが目立つ．心房間交通や動脈管開存が生存に必要である．体静脈から右房，右室，大動脈へと駆出され，肺循環還流血（酸素化血）は左房，左室から肺循環へ戻る．心房で静脈血と酸素化された血液がいくらか混合する．動脈管で，酸素濃度が低い大動脈血が肺動脈に流れ込む．

II 型では，心室中隔欠損を通して右室→左室短絡があり，右室-左室は等圧となり，肺血流量が増加する．動脈血酸素飽和度は I 型より高くなる．肺高血圧となる．

III 型では，肺動脈狭窄のため左室からの血流は一部が右室経由で大動脈へ駆出され，その分肺血流量は減る．

経過
治療介入なしでは 1 カ月で 50% が，6 カ月で 85% が死亡する．自然歴では I 型が最も予後不良で 1 カ月で低酸素のため 80% が死亡する．II 型では 1 カ月で 10% 死亡し，III 型の自然歴が最もよい．

臨床所見
1) **身体所見**：聴診上，II 音の亢進．心不全例ではギャロップ調となる．I 型は原則として無雑音，II 型は比較的弱い収縮期雑音．III 型では駆出性収縮期雑音がある．チアノーゼ，ばち指を認める．

2）心電図所見：右軸偏位，右室肥大となる．出生直後は正常所見のことが多い．Ⅱ型では左室肥大が加わる．

3）胸部Ｘ線所見：心陰影は，両大血管が前後であることから，心基部は細く，右房右室および左室が拡大して，いわゆる卵型を呈する．肺血管陰影は増加する．Ⅱ型では心拡大と肺血管陰影増強がいっそう強い．Ⅲ型は肺血管陰影が減少する．

4）心エコー所見：心エコーにより診断する．大血管短軸断面で，大血管は右前左後関係で，後方の血管が左右に分枝し肺動脈であることを示す．長軸断面で，並行する大血管のうち前方が大動脈弓へつながる．
　Ⅰ型では心室中隔欠損がなく，生後数日で心室中隔が左室側に凸になる．Ⅱ型では心室中隔欠損を認め，肺動脈は太い．Ⅲ型では肺動脈弁狭窄とともに，円錐中隔が後方偏位して弁下狭窄をつくる例も多い．肺動脈は大動脈より細い．

5）心臓カテーテル検査所見：心臓カテーテルは，通常施行しない．診断に疑問のある場合には施行する．右室圧が体血圧と等しく，大動脈酸素飽和度は低く，その程度は心房間交通量に依存する．Ⅱ型では，肺血流は増加し，左室圧，肺動脈圧が右室圧，大動脈圧と等しい．Ⅲ型では右室圧・左室圧が体血圧と等しく，肺動脈弁ないし弁下で圧較差がある．

治療
　手術までの間，高度の低酸素血症の防止のため，プロスタグランジンE₁により動脈管を開存させる．卵円孔が狭く，低酸素血症が著しい場合に，心房中隔裂開術BAS（balloon atrioseptostomy）を実施することがある．Ⅲ型で低酸素血症が著しい場合には，新生児期〜乳児期早期に短絡術が必要なこともある．心内手術はⅠ，Ⅱ型では大血管スイッチ術（Jatene手術），Ⅲ型ではRastelli手術を実施する．大血管スイッチ術ができないときは，心房内スイッチ（Senning手術，Mustard手術）を行う．

予後
　治療介入なしでは1カ月で50％が，6カ月で85％が死亡する．自然歴ではⅠ型が最も予後不良で1カ月で低酸素のため80％が死亡する．Ⅱ型では1カ月で10％死亡し，Ⅲ型の自然歴が最もよい．
　Ⅰ型，Ⅱ型で大血管スイッチ術の遠隔期の予後は比較的よいが，肺動脈狭窄，大動脈弁閉鎖不全，冠動脈狭窄などを合併することがある．1980年前半までは心房内スイッチ（Senning手術，Mustard手術）を行っていた．心房内血流転換術後は，体循環側が右室であることから，心房性不整脈，三尖弁閉鎖不全，右室機能不全などが問題となる．心房内スイッチ術後遠隔期の成人では，経過とともに，右室の収縮不全で心不全を発症する患者が増える傾向がある．

肺動脈狭窄は10％に，有意な大動脈弁逆流は3％に起こる．大動脈弁逆流で左室容量負荷があれば血管拡張薬投与，進行すれば人工弁置換手術となる．心筋梗塞で死亡する例はきわめてまれであるが存在する．
　Rastelli手術後は，導管の狭窄，閉鎖不全で心機能低下，不整脈などが問題となることがある．5～10年後に，導管狭窄を解除する再手術が必要となることがある．

（4）修正大血管転換症（congenitally corrected transposition of the great arteries）

概念
　右房が解剖学的左室につながりその左室から肺動脈が起始する．左房が解剖学的右室につながりその右室から大動脈が起始する．心内にほかの奇形がない場合，静脈血は肺動脈へ，肺静脈血は大動脈へ流れる．しかし，心室中隔欠損や心室中隔欠損＋肺動脈狭窄の合併が多く，それぞれの血行動態と臨床症状を呈する．房室ブロックや頻拍発作などの不整脈も多い．

病態生理
　解剖学的右室が体心室であり，加齢とともに心機能が低下する．特に三尖弁（この場合，動脈側房室弁；通常の僧帽弁に相当）閉鎖不全の併発は心機能の低下を早め，予後を悪くする．

臨床症状
　心室中隔欠損と肺動脈狭窄合併例ではチアノーゼを示す．大きい心室中隔欠損では乳児期から心不全をみる．心内合併奇形を伴わない例は当初無症状であるが，成人期になって房室ブロック，三尖弁閉鎖不全，右室不全が出現する．
　肺動脈狭窄例では駆出性収縮期雑音，心室中隔欠損例，三尖弁閉鎖不全例では汎収縮期雑音がある．

検査所見
1）胸部Ｘ線：肺血管陰影，心胸比は合併奇形による．心室中隔欠損があれば血管陰影は増え心拡大がある．肺動脈狭窄が加われば肺血流は減少し，心拡大はない．三尖弁閉鎖不全では心拡大を認める．
2）心電図：右側胸部誘導でのQ波が特徴的である．
3）心エコー：右房に左室形態心室がつながり，左房が解剖学的右室につながる．大血管の短軸断面では，左前と右後方に2つの大血管を認め，右後方の血管が左右に分岐し肺動脈と診断できる．

治療
　心内奇形がない場合は治療せず経過観察する．三尖弁閉鎖不全に対しては，三尖弁形成術ないし弁置換術，心室中隔欠損はパッチ閉鎖，肺動脈狭窄合併例に対してはRastelli手術が施行される．小児期までに三尖弁閉鎖不全が有意になれば，肺動脈バンデングを施行後，心房スイッチ＋Jatene手術を施行することが

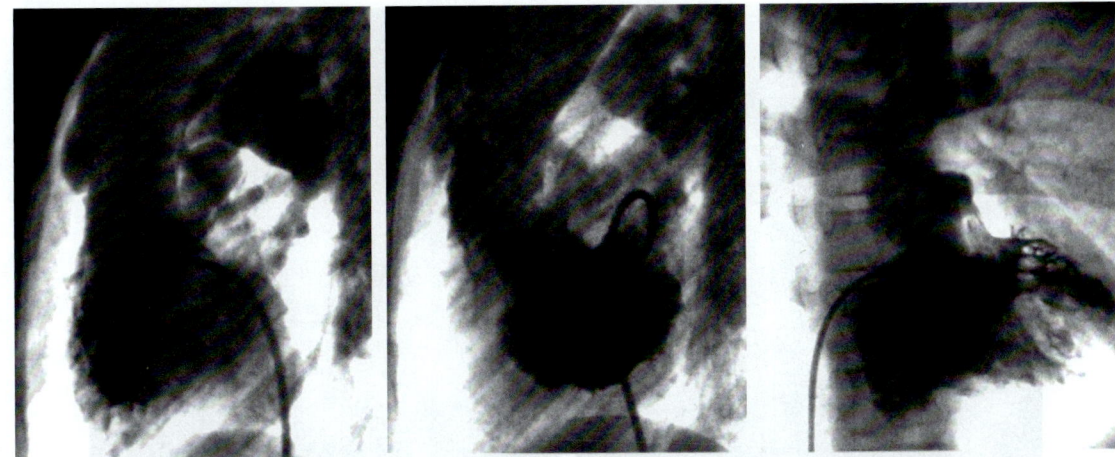

図 7-8-19 両大血管右室起始症
大動脈，肺動脈ともに右室から起始している．

ある．心室中隔欠損＋肺動脈狭窄合併例では，欠損孔閉鎖と心外導管を用いて解剖学的左室と肺動脈を結ぶ Rastelli 手術（conventional Rastelli 法とよぶこともある）または，心房スイッチ（Mustard 手術あるいは Senning 手術）と Rastelli 手術を組み合わせて，左室を動脈側心室とする解剖学的修復術（double switch operation）が施行されることがある[4-7]．

予後

合併奇形を伴わない場合，80 歳代まで生存した報告がある．しかし，多くの例では 50～60 歳代から右室機能不全などによる心不全を認め，生存率は低下していく．

(5) 両大動脈右室起始症（double-outlet right ventricle）

概念

肺動脈と大動脈の両大血管のうち，1 つは右室から完全に起始しており，ほかの 1 つが 50％以上右室から起始している先天性心疾患．全先天性心疾患の約 1.5％を占める．大動脈弁，肺動脈弁は僧帽弁と線維性連続がないのがふつうである．心室中隔欠損 VSD が存在する．本症は心室中隔欠損の部位と大血管相互の位置関係により分類される．心室中隔欠損の部位は ①大動脈弁下（subaortic），②肺動脈弁下（subpulmonic），③両半月弁下（doubly committed）（①＋②），④遠位型（remote（non-committed））に分けられる．Taussig-Bing 奇形は両大血管右室起始（DORV）のなかで，両大血管が side by side に並び，肺動脈弁下の VSD のために肺動脈が中隔に騎乗しており，肺動脈狭窄を伴わない型で，しばしば，大動脈離断や大動脈縮窄を合併することが多い．大動脈弁下・両半月弁下の VSD を有する型で肺動脈狭窄のない型では PH の進行が通常の VSD より速いので乳児期の一期的心内修復術が望ましい．大動脈弁下・両半月弁下の VSD を有する型で肺動脈狭窄がある型では Fallot 四徴症と同様に肺動脈低形成があれば短絡術などの姑息術の後に Rastelli 手術が実施される．肺動脈弁下の VSD を有する DORV では大血管転換症と同様に大血管スイッチ術が施行されることが多い．遠位型 VSD では Fontan 型手術の適応となる（図 7-8-19）．一般に，本症は重症で，術後の問題が発生する率も高く，予後不良の疾患である．

臨床症状

病型にかかわらず，肺動脈狭窄を合併すると肺血流が減少しチアノーゼが強くなる．肺動脈狭窄のない心室中隔欠損症例では，肺血流は増加して肺高血圧を生じる．

治療

肺高血圧があれば乳児期の一期的心内修復術ないし肺動脈バンディングが必要である．肺動脈狭窄がある型では姑息術の後に Rastelli 手術が実施される．

(6) 大動脈縮窄症（coarctation of the aorta）

概念

大動脈峡部と下行大動脈の移行部に生じる狭窄．左室の圧負荷をきたす．狭窄が高度だと，乳児期から心不全をきたす．成人期まで無症状のこともあるが，上半身は高血圧となり，脳出血，冠動脈硬化，心筋梗塞などで，寿命は通常より短い．若年性高血圧では必ず除外診断が必要である．大動脈二尖弁の合併がしばしば認められる．Turner 症候群（染色体 45,X）の約 30％に合併する．

診断

下肢脈の微弱，上下肢での血圧差を認める．心エコ

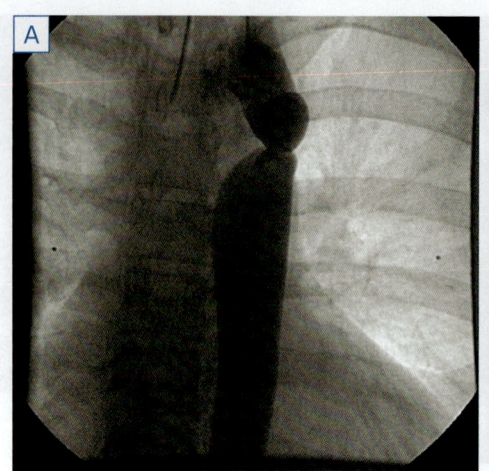
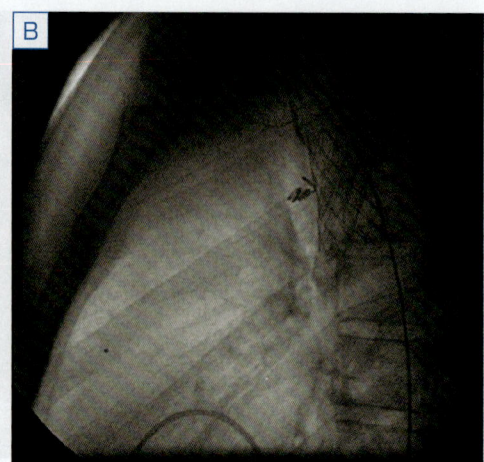

図 7-8-20 大動脈縮窄症
A：拡大前，B：ステントで拡大後．

ー，CT，MRI では大動脈の狭窄が描出される．

治療
大動脈縮窄部を切除して端々吻合する手術を行う．成人ではステントを用いたカテーテル治療を実施することがある（図 7-8-20）[8, 9]．

予後
手術後遠隔期の高血圧が起こりやすく，生涯的な内科的管理を要する．

(7) 総動脈幹遺残症（truncus arteriosus communis：TAC）

概念
総動脈幹遺残は，左右両心室から単一の大血管（総動脈幹）が出て，これより冠動脈，肺動脈および大動脈が出る先天性心疾患である．新生児期または乳児期早期に心不全で発症することが多い．新生児期および乳児期早期に外科治療を行う．

臨床症状
新生児期または乳児期早期に心不全で発症する．

治療
外科治療としては，Rastelli 手術が行われるが，術後遠隔期に導管狭窄が発生し再手術が必要となる．

(8) 総肺静脈還流異常症（total anomalous pulmonary venous return：TAPVR）

概念
すべての肺静脈が左房に直接還流しない状態．4 本の肺静脈がまとまって共通肺静脈腔（common chamber）をつくってから右心系に還流する場合が多いが，肺静脈が別々に右房や上大静脈などに直接還流することもある．肺静脈が還流する部位によって 4 つの型（Ⅰ型：上心臓型，Ⅱ型：心臓型，Ⅲ型：下心臓型，Ⅳ：混合型）に分類される．

病態生理
肺静脈血が左房に還流せずに，右心系に戻る血行動態である．右房に戻った体静脈血と肺静脈血は混合し，右房から右室にいく血液と，右房から左房，さらに左室にいく血液に分かれる．

上心臓型では垂直静脈は通常左気管支の前を上行するが，垂直静脈が左気管支と肺動脈の間を通り両者にはさまれると，肺静脈うっ血をきたす．下心臓型では共通肺静脈から下行する静脈が横隔膜を貫き門脈へ還流する過程で狭窄が発生する．

肺うっ血は生後 1 週以内に起こることが多い．チアノーゼは増強し，アシドーシスとなり，患児の状態は急速に悪化し，手術をしない場合には死亡する．

肺うっ血が軽症のときは，生後数週〜数カ月で，軽度の呼吸症状や体重増加不良などの心不全症状で発症する．

肺静脈還流経路に狭窄がないときは，軽度のチアノーゼ以外には心房中隔欠損症と同じ血行動態となる．

検査所見
呼吸障害，多呼吸，チアノーゼを認める．聴診上はⅡ音の亢進以外に軽度の収縮期雑音を聴取するのみである．チアノーゼが軽い例では，多呼吸，体重増加不良などの非特異的な所見しか認めないために診断が遅れることがある．

1) 心電図所見：右室肥大を認める．
2) 胸部 X 線所見：肺静脈が左無名静脈に還流する場合，垂直静脈が拡大し雪ダルマ状（snowman sign）となるが，この所見は生後数カ月以降に認められる．肺静脈閉塞の強い場合には，肺野はびまん性のすりガラス状陰影となる．

3）**心エコー所見**：心エコーでは，①右心系の著明な圧容量負荷，②左房後方の異常共通肺静脈腔，③異常肺静脈腔から体静脈または右房への流入の3点を認める（e図7-8-AA）．

4）**心臓カテーテル検査所見**：通常は本症に対してカテーテル検査はしない．

治療
治療の基本は外科治療で，診断がつきしだい，手術を行う．手術では，交通肺静脈腔と左房の吻合を行う．

予後
外科治療を行わなかった場合，30％は3カ月以内に，80％は1歳までに死亡する．逆に20歳以上で発見される例もまれに存在する．

外科治療の成績は一般に向上しており，早期死亡は2〜15％，10年生存率は90％である．

（9）部分肺静脈還流異常症（partial anomalous plumonary venous drainage）

概念
4本の肺静脈のうち1，2本が左房でなく右房，上大静脈，下大静脈など右心系に還っている状態．心房中隔欠損を合併することもある．小児期は無症状で，成人になってから症状が出ることがある．右室拡大の所見があるとき治療の適応となる．手術でしか治療できない．下大静脈に還流している場合は，シミター症候群（scimitar syndrome）とよぶ．

病態生理
異常還流分だけ右心系の血流が多くなる．

予後
短絡量による．中高年まで症状がないことがほとんどである．

臨床症状
一般的に小児期は無症状で経過することが多く，心雑音や心電図異常などで健診時に発見されることが多い．しかし加齢とともに心不全症状，不整脈や肺高圧の症状が出現する．

心エコー所見では，肺静脈が右房，上大静脈，または下大静脈に還流することを示す血流を認める．CT検査も診断に有用である．

治療
肺体血流比が1.5以上か，心エコーで右室の容量負荷を認めるとき，手術適応となる．

（10）左心低形成症候群（hypoplastic left heart syndrome：HLHS）

概念
左房，僧帽弁，左室，大動脈弁，上行大動脈，大動脈弓に至る左心系の低形成ないし閉鎖の組み合わせの疾患．生後は，動脈管開存と心房間交通が生命維持に不可欠である．生後，チアノーゼ，高度心不全を伴う．積極的治療をしない場合，大半は1カ月以内に死亡する．手術によっても右室を体心室としたFontan手術でしか修復できない．

解剖
大動脈閉鎖＋僧帽弁閉鎖の組み合わせが最も多く，以下，大動脈閉鎖＋僧帽弁狭窄，大動脈狭窄＋僧帽弁狭窄の順である[10]．

臨床症状
生後まもなく，チアノーゼ，心不全，ショックなどで発症する．脈拍触知減弱，網状チアノーゼなどの末梢症循環不全，呼吸障害などを呈する．

診断
診断には心エコーが重要である．四腔断面にて非常に小さい左室を認める．大動脈弁および僧帽弁は閉鎖または狭窄している．

治療
冠血流を含め，体血流が動脈管に依存していることから動脈管の閉鎖はしばしば致命的となる．プロスタグランジン E_1 により ductal shock を予防することが必要であり，これにより姑息手術まで患児を良好な状態に保てる可能性がある．手術は新生児期に Norwood 手術（＋Blalock-Taussig 短絡術または右室-肺動脈短絡術）を施行することもあるし，両側肺動脈絞扼術＋動脈管開存をプロスタグランジン E_1 で維持，または両側肺動脈絞扼術＋動脈管にステント留置を施行することもある．乳児期に両方向性 Glenn 手術，幼児期に Fontan 型手術を施行する．

予後
近年手術成績は向上しているが，依然予後不良の疾患である[11,12]．

（11）単心房症（common atrium）

概念
心房中隔がほぼ完全に欠損し，右房と左房の間に隔壁が存在しない先天性心疾患．肺血流の著しい増加から，心不全症状が幼児期に出現してくる．

疫学
単心房の大多数は内臓錯位に伴うものであり，無脾症・多脾症と合併し単心室，肺動脈狭窄・閉鎖，両大血管右室起始，肺静脈還流異常などの心奇形を伴うことが多い．出生1万人に1人（0.01％）とされている．

臨床症状
チアノーゼは軽度ないし啼泣時にのみ認めることもあり，常時認めることもある．

診断
心エコーで心房中隔を認めない．

治療

症状が急速に進行する例は，乳児期にパッチ縫着による心房中隔形成術を行う必要がある．単心房症は，その他の合併する複雑心奇形の治療が必要となる．

(12) 単心室症 (single ventricle)
概念

左右1つの心室しか存在しないもの．ただし，低形成～痕跡的なもう1つの心室が存在してもよい．低形成心室が存在する場合には，その心室には房室弁は存在しない．左室型単心室と右室型単心室がある．肺血流の多寡により血行動態は異なる．

臨床的には，肺血流の多少により3群に分けられる．

1) 肺血流増加群：チアノーゼは軽いが，乳児期早期より肺血流が増加して心不全をきたす．大動脈流出路の閉塞性病変（大動脈弁下狭窄，大動脈弁狭窄・閉鎖）や大動脈縮窄・離断があると，新生児期から重篤な心不全症状を呈する．肺動脈絞扼術が必要である．
2) 著しい肺血流減少群：高度の肺動脈狭窄や閉鎖があると，新生児期より著明なチアノーゼが現れ低酸素血症による諸症状が出現する．肺動脈狭窄による収縮性駆出性雑音を聴取する．
3) 適度な肺血流を示す群：中等度以下の肺動脈狭窄を合併し，臨床的にはほとんどチアノーゼを認めないか軽度である．運動能はよく保たれている．予後は，手術無しで中年期まで生存することもある．

以上の3群のどれであっても，基本的には，Fontan型手術が施行される．

診断（心エコー検査）

心室中隔が存在しない．右室型単心室では心内腔が右室形態で痕跡的左室はないかあっても後方に位置する．左室型単心室では前方に痕跡的右室が存在する．1つの心室に両房室弁ないし共通房室弁が流入している．

治療

姑息術として肺血流減少型には大動脈-肺動脈短絡術などの短絡術を行い，肺血流増加型では肺動脈絞扼術が選択される．心内修復には適応例に対しFontan手術が行われる．

(13) 右胸心 (dextrocardia)
概念

心臓が胸郭の右側にある状態．心臓や内臓の位置が正位の場合（心臓だけが右側），心奇形合併頻度は90%，心房内臓逆位（鏡像型右胸心）の場合，心奇形合併頻度は5%，心房内臓錯位の場合は，心奇形合併頻度は100%（無脾症）ないし50%（多脾症）である．

(14) Valsalva動脈瘤 (aneurysm of sinus Valsalva)
概念

支持組織の脆弱性によりValsalva洞の一部が右室もしくは右房に瘤状に突出した状態．漏斗部心室中隔欠損に大動脈弁とValsalva洞が落ち込み，Valsalva洞の拡大と弁の逸脱をきたしたものが多い．心室中隔欠損はValsalva洞で閉鎖されていることもある．大動脈弁の変形から閉鎖不全をきたすことがある．またValsalva洞が右室など交通をつくることがある（Valsalva洞破裂）．破裂すると，突然の胸痛とともに，左→右短絡をきたす．手術適応である．

疫学

75%は男性．

診断

身体所見では，大動脈弁閉鎖不全を伴うと，拡張期雑音を聴取する．破裂した場合は連続性雑音．

心エコー図にて，Valsalva洞の一部が瘤状に拡大した状態を描出できる．漏斗部心室中隔欠損の欠損孔に大動脈弁が落ち込み変形している状態を確認する．

治療

Valsalva洞動脈瘤破裂は短絡量が少量であっても手術適応である．右房あるいは右室経由でValsalva洞動脈瘤の突出部を切除しパッチ閉鎖する．

予後

大動脈弁の変形や，大動脈弁閉鎖不全の程度に依存する．大動脈弁閉鎖不全が高度なら，人工弁置換術が必要なこともある．

(15) 冠動脈起始異常 (anomalous origin of coronary arteries)
概念

左冠尖から左冠動脈が，右冠尖から右冠動脈が出るのが正常であるが，それ以外の形態をすべて冠動脈起始異常という．冠動脈が肺動脈から起始する異常は【⇒7-8-10-16, 17】．単一冠動脈，左冠動脈洞（左冠尖）からの右冠動脈起始，大動脈洞（右冠尖）からの左冠動脈起始がある．起始異常の冠動脈が大動脈と主肺動脈との間を走行することで，心筋虚血，心筋梗塞を起こすことがある．特に，右冠動脈洞（右冠尖）からの左冠動脈起始では運動時の突然死の危険がある．

診断

カテーテル検査による冠動脈造影，冠動脈造影CT，心臓MRIなどで冠動脈起始の異常が描出できる．

治療

冠動脈の手術を行うことがある．

(16) 左冠動脈肺動脈起始症 (abnormal origin of left coronary artery from pulmonary artery)

概念
正常なら，左冠動脈が大動脈から起始するが，左冠動脈が肺動脈から起始する異常をいう．生後は左冠動脈が肺動脈という低圧系から起始することになるため，左冠動脈灌流域は，右冠動脈からの側副血行を介してしか灌流されなくなる．左冠動脈灌流域の虚血のために，心筋梗塞や，僧帽弁閉鎖不全，拡張型心筋症類似の左室機能低下などが起こる．治療されなければ乳幼児期に死亡する型と，右冠動脈からの側副血管が発達して心筋虚血が目立たない型とがある．どちらの型にしても，左冠動脈移植術など手術を行う．左室機能不全などあれば，それに対する内科的治療（利尿薬など）を行う．

臨床症状
乳児の心筋梗塞，僧帽弁閉鎖不全，拡張型心筋症の臨床症状を呈する．

1) **心電図**：左冠動脈還流領域の心筋虚血を生じる．aV_Lに異常Q波，V_1, V_2には前壁の虚血性変化（深いQ波，ST上昇，T波逆転），V_5, V_6には側壁の虚血性変化をみる．

2) **心エコー**：左冠動脈が肺動脈から起始していることが観察される．カラードプラでは左冠動脈から肺動脈に血液が流入するのが見える．左室の収縮機能低下がみられる．しばしば，僧帽弁閉鎖不全を合併する．

3) **心筋シンチグラフィ**：左冠状動脈領域（左室前壁，側壁，心尖部）に還流欠損を認める．

治療
左冠動脈移植術など手術を行う．

予後
左冠動脈移植術後には，ある程度左室機能は回復することが多い．

(17) 右冠動脈肺動脈起始症 (abnormal origin of right coronary artery from pulmonary artery)

概念
右冠動脈が肺動脈から起始する異常をいう．右冠動脈還流域の虚血となることがある．無症状なら経過観察してもいいとの意見もあるが，突然死の報告もあり，無症状でも手術を行うことが多い．右冠動脈移植術ないし結紮術を行う．

臨床症状
心エコーでは，右冠動脈が肺動脈から起始していることが観察されるが，確定できない．確定診断は，心臓カテーテル検査，冠動脈CT, MRIで可能である．（e図7-8-AB）．

(18) 冠状動脈瘻 (coronary artery fistula)

概念
右または左の冠動脈が瘻の血管を介して直接心臓腔や肺動脈に開いている状態．短絡が少ない場合には小児期には心雑音を呈するだけで，特別の症状はない．心内膜炎予防と瘻の破裂リスクが治療適応である．年齢とともに瘻血管は拡大する傾向がある．治療は，カテーテル塞栓術か，手術で閉鎖する．術後，抗血小板薬や抗凝固薬が必要なこともある．術後，冠動脈血栓で突然死することもある．

臨床症状
通常無症状で，連続性雑音が胸骨下部左縁または，右縁にきかれる．

診断
心エコーで，拡大した冠動脈を認める．心臓カテーテル・造影所見，CT所見では拡大，蛇行した冠動脈と還流部位を同定することができる．

(19) 無脾症候群 (asplenia syndrome)

概念
内臓が左右対称性に形成される臓器錯位症候群のうち右側相同を呈する症候群．通常脾臓は欠損している．50〜90％に先天性心疾患を合併する．

疫学
出生1万〜2万人に対して1程度．

合併心奇形
両側上大静脈，単心房，共通房室弁，単心室，心房中隔欠損，心内膜床欠損，肺動脈狭窄，両大血管右室起始症，総肺静脈還流異常，動脈管開存，など．

臨床症状
合併する心奇形によるが，当初は肺血流の状況に大きく影響される．肺血流減少型が多く，その場合チアノーゼが高度．共通房室弁逆流で，高度心不全をきたすことがある．肺血流増加型は，肺高血圧となる．
肺炎球菌，インフルエンザ桿菌による髄膜炎，敗血症に罹患しやすく，ときに致命的で，突然死となる．
感染性心内膜炎のリスクも高い．腸回転異常，総腸間膜症などによるイレウス，胆道閉鎖などを合併することもある．

診断
先天性心疾患患児（ときに伴わないことも）で以下の所見を診断の手がかりとする．

1) **胸部X線**：対称肝を呈する．両側肺にhair lineを認め，気管支は両側eparterial bronchus（肺動脈が気管支と並走する）となる．

2) **心臓カテーテル検査**：心房造影による心耳形態（両側右心耳構造），肺動脈造影により肺動脈と気管支の位置関係（両側eparterial bronchus）を確認できる．

3）造影CT：　肺動脈と気管支の位置関係（両側eparterial bronchus）を確認できる．
4）腹部CTないしエコー：　脾臓を認めない．
5）血液像：　末梢赤血球にHowell-Jolly小体を認める．

治療
合併心奇形に対する治療を行う．最終的には2心室修復は困難で，Fontan手術となることが多い．細菌に対するワクチン接種を行う．

予後
生命予後は合併心奇形による影響が大きい．重症感染症も大きな予後規定因子である．予後不良の疾患である．

(20) 多脾症候群 (polysplenia syndrome)
概念
内臓が左右対称性に形成される臓器錯位症候群のうち左側相同を呈する症候群．通常脾臓は分葉して複数認め，50〜90%に先天性心疾患を合併する．合併心奇形は，奇静脈結合，下大静脈欠損，心房中隔欠損，両大血管右室起始症などが多い．

疫学
出生1万〜2万人に対して1程度．

合併心奇形
両側上大静脈，下大静脈欠損，単心房，単心室，心房中隔欠損，心内膜床欠損，肺動脈狭窄，両大血管右室起始症，肺高血圧，など．

臨床症状
合併する心奇形によるが，当初は肺血流の状況に大きく影響される．すなわち肺血流増加型では多呼吸・哺乳不良などを認め，早期に肺高血圧をきたす．肺血流減少型ではチアノーゼを呈する．心内奇形なしの場合や心房中隔欠損のみの場合があるが，その場合には無症状である．

洞徐脈，房室解離，発作性上室性頻脈などの不整脈を呈することも多い．

腸回転異常，総腸間膜症などによるイレウス，胆道閉鎖などを合併することもある．

診断
先天性心疾患患児（ときに伴わないことも）で以下の所見を診断の手がかりとする．
1）胸腹部X線：　両側肺ともhair lineを欠き，気管支は両側hyparterial bronchus（肺動脈が気管支を乗り越える）となる．
2）心電図：　洞徐脈，房室解離を呈することがある．
3）心エコー：　下大静脈欠損兼奇静脈結合が特徴的である．
4）心臓カテーテル検査：　心房造影による心耳形態（両側左心耳構造），肺動脈造影により肺動脈と気管支の位置関係（両側hyparterial bronchus）を確認できる．
5）造影CT：　肺動脈と気管支の位置関係（両側hyparterial bronchus）を確認できる

治療
合併心奇形に対する治療を行う．洞機能不全などの不整脈に対する治療も必要．

予後
生命予後には合併心奇形による影響が大きい．一般の心奇形のリスクに加えて，感染症や不整脈のリスクが加わる．予後は，一般的に不良である．

〔中西敏雄〕

(e 文献7-8-10)

7-9　成人でみられる先天性心疾患

1970年代に人工心肺・心筋保護液の進歩により，安定した開心術が確立した．これにより，1980年代以降複雑心奇形を含め先天性心疾患（congenital heart disease：CHD）患者の多くが成人期を迎えることが可能となった．2007年には，わが国における成人先天性心疾患（adult CHD：ACHD）患者数は40万人をこえていると推察され（Shiinaら，2011），今後出生率1%の人口比へ向けて増加の一途をたどると予想される．こういった経緯から，ACHD分野はいまだ歴史も浅く治療や予後に関するエビデンスレベルが低く，ACHD診療体制も整備されていない分野である．米国では2012年にACHD専門医制度が制定され，循環器内科専門医と同列の位置づけとなった．2015年に第1期生のACHD専門医が誕生したが，この位置づけは，ACHD診療が小児CHDとも成人循環器病とも一線を画する重要な一分野であることを物語っている．

ACHDとは，修復術・姑息術を施されたか未治療のまま経過したCHD患者といえる．その難解でかつ経験値の低い病態に，さまざまな成人期疾患が合併してくることや，女性の場合は妊娠出産への対処など，ACHD診療にはすべての診療科の協力が必要となるのも重要な点である．

ACHD分類は，もともとの発生学的な括りで考え

るより治療結果の病態生理の括りで分けた方が実践的に有用である．3つの括りとして，修復術（二心室修復）後，未修復・姑息術後，そして，特異な姑息術である単心室修復術（Fontan術）後に分類する．未治療から種々の手術で修飾されたCHDは，多彩な病態を形成する．発生学的な側面からの各CHDの詳細な解説は先天性心疾患の項を参照し，ACHD各論的な治療の詳細は専門的文献（Baumgartnerら，2010；Warnesら，2008）を参照されたい．

1）二心室修復術後成人先天性心疾患

定義・概念

解剖学的左室・右室が，それぞれ体心室（体循環をまかなう心室；大動脈へと血液を送る心室）と肺心室（肺循環をまかなう心室；肺動脈へと血液を送る心室）のいずれかとして個別に機能する形態での修復術を行ったCHD患者のことである．解剖学的右室・左室から肺動脈・大動脈へとそれぞれ連結する正常連結（concordance）を達成した修復を解剖学的修復（anatomical repair）と称し，逆転しているが血行動態的な連結は正常である修復を機能的修復（functional repair）と称する．各CHDに施される二心室修復は表7-9-1を参照．

病態生理・治療

二心室修復術は当時根治術とされたが，一定年数経つと種々の病態を発生することが多く，今や死語となっている．その問題となる病態は，心不全，不整脈，肺高血圧（pulmonary hypertension：PH）である．

(1)心不全

一般に心不全とは，心源性に全身が必要とする血液（酸素や種々の物質）を十分に供給できない状態を指すが，単純にポンプ不全としての側面に加えて，多くの場合，肺機能（肺成育不良など）や肺循環不全（肺高血圧の項参照），肺循環シャント血流の残存・増加といった病態を合併していることがしばしばである．ポンプ不全に関しては，本病態では，一般の心不全と同様の体心室左室不全・肺心室右室不全に加え，CHD特有の体心室右室不全がおもな病態生理である．すべてにおいて長期予後を示す治療エビデンスは皆無に等しいが，ここではACHDに特徴的な右室不全について解説する．

a. 肺心室右室不全

発生学（解剖学）的右室から肺動脈（肺循環）へと続く，正常連結（concordance）を有する右室に生じるポンプ不全である．

原因

術後の右室流出路・肺動脈弁の障害や三尖弁逆流（TR）による右室負荷によることが多い．おもな病態として，trans-annular patch法を用いた右室流出路形成術後のFallot四徴症の肺動脈弁逆流（PR）・狭窄（PS），人工血管を用いたRastelli肺動脈形成術後の人工血管狭窄・逆流といった病態があげられる．手術時期が人工心肺確立前後の1970年代やそれ以前の場合，手術による心筋障害により，体心室左室も障害されていることもある．

臨床症状

1）自覚症状：　初期では静脈うっ血症状のみで，下腿のむくみが生じるまで自覚的には無症状であることが多い．

2）他覚症状：　下腿浮腫，肝腫大，頸静脈怒張のほか，肺動脈弁領域での収縮期駆出性雑音および拡張期逆流性雑音，三尖弁領域での汎収縮期雑音．

検査所見・診断

初期には，BNPの軽度上昇（< 50 pg/mL），肝酵素やビリルビンの上昇などが認められるが特異的ではない．運動耐容能も左室機能依存性に初期は保たれていることが多く，画像的心機能評価が重要となる．心エコー検査によるPS/PR，右室右房の拡大や右室収縮性の評価を行う．TR評価から右室収縮期圧の推定を行い，右室流出路から肺動脈（弁）領域の狭窄性病変の評価により，肺動脈収縮期圧が推定できる．次にPRを評価するが，狭窄病変やPHがない場合のPRの評価は注意が必要である．特に重度PRではその逆流口は大きく，また低圧系である肺動脈-右室の拡張期圧較差は小さいため，層流化が生じ，ドプラモザイク逆流信号はほとんどみられない．このため，むしろ重症であるにもかかわらずPRなしという誤認が生じるおそれがある．右室収縮性評価としてTAPSE（trans-annulus plane systolic excursion；三尖弁輪部の収縮期の心尖部への移動距離，正常値20 mm以上）などの指標があるが定量性には問題がある．

この超音波の欠点を補うのが心臓MRIである．右室収縮期・拡張期の三次元的容積計測により右室駆出率（RVEF）の評価に加えて，各弁輪部や大血管の流速の計測も併用することで，かなり正確な肺・体血流の測定および弁逆流量および狭窄部圧較差の推定が可能である．

以上の非侵襲的な検査において手術適応を決定する必要が指摘された場合，心臓カテーテル検査を行う（eコラム1）．心臓カテーテルでは，各部酸素飽和度測定により，残存シャント有無ならびに体・肺血流量（Q_s・Q_p）測定，圧測定では，静脈・右房・右室・肺動脈圧の測定から，右室-肺動脈や肺動脈内の圧較差の有無（肺動脈狭窄の有無），肺動脈拡張期圧の心室化

表 7-9-1 先天性心疾患に施されるおもな外科手術ならびに経皮的インターベンション

診断名	おもに施行されている外科手術・経皮的インターベンション
大動脈弁上下部狭窄	大動脈狭窄部置換術(修) 弁下部組織切除±弁置換術(Ross-Konno術,modified Konno術)(修)
大動脈二尖弁(bicuspid AV)	弁置換術/交連切開術(修) Ross手術(修)
肺動脈弁狭窄(PS)	経皮的バルーン拡張術(修) 肺動脈弁交連切開術・弁置換術(修)
心房中隔欠損症(ASD)	直接縫合・パッチ閉鎖術(修) 経皮的心房中隔閉鎖術(AMPLTZER™ Septal Occluder)(修)
房室中隔欠損/心内膜床欠損(AVSD/ECD)	中隔パッチ閉鎖＋弁形成術(弁置換)(修) 肺動脈絞扼術(姑)
大動脈縮窄/大動脈離断(CoA/IAA)	大動脈修復＋心室中隔閉鎖＋動脈管離断術(修) 肺動脈絞扼術＋動脈管離断(姑)
先天性修正大血管転位(ccTGA)	ダブルスイッチ術(以下の2法)(修) 　i)Jatane術＋心房スイッチ術(Mustard/Senning術) 　ii)心室中隔パッチ閉鎖(大動脈左室流出路形成)＋肺動脈流出路形成術 　　(Rastelli術)＋心房スイッチ術(Mustard/Senning術) 心室中隔パッチ閉鎖術(機修)
動脈管開存(PDA)	動脈管離断術(修) 経皮的動脈管閉鎖術(AMPLTZER™ Duct Occluder)(修)
総動脈管症(PTA)	Rastelli術(人工血管使用-右室肺動脈流出路形成＋心室中隔パッチ閉鎖)(修) Blalock-Taussigシャント形成術(姑)
肺動脈閉鎖-心室中隔欠損/ Fallot四徴症-肺動脈閉鎖(PA-VSD/TOF-PA)	Rastelli術(修) Blalock-Taussigシャント形成術(姑)
Fallot四徴症(TOF)	肺動脈流出路形成術(Rastelli術)＋心室中隔閉鎖術(修)
大血管転位(TGA)	心房スイッチ術(同上)(機修) 大血管転換術(Jatene術)＋心室中隔閉鎖術(修) Rastelli術(同上)(修) Blalock-Taussigシャント形成術(姑)
三尖弁閉鎖/単心室(TA/SV)	Fontan/TCPC術(右心耳-肺動脈吻合/上大静脈-肺動脈,下大静脈-心外導管 -肺動脈吻合＋心房中隔閉鎖術)(単修) Glenn術(上大静脈-肺動脈吻合術)(姑) Blalock-Taussigシャント形成術(姑)
肺動脈閉鎖(PA)	二心室修復術(修) Fontan/TCPC術(単修) one and half repair(姑/修) Blalock-Taussigシャント形成術(姑)
心室中隔欠損(VSD)	心室中隔パッチ閉鎖術(修)
Ebstein病	三尖弁/右室形成術(Danielson術,Carpentier術)(修) 三尖弁置換術(修) 三尖弁閉鎖術＋TCPC術(単修)

(修):正常の血行動態と体肺心室がそれぞれ解剖学的左室右室である(VA concordance)二心室心内修復術.
(機修):正常の血行動態ではあるが,体肺心室が逆転し(VA discordance)それぞれ解剖学的右室左室である二心室修復.
(単修):通常の肺体循環直列修復なるも肺循環を駆動する心室がなく,体循環のみが左室/右室にて駆動される単心室循環形式.
(姑):循環動態を一部サポートするのみの姑息術.
形態学的病名の両大血管右室起始(DORV)は診断名として使用していない.

(ventricularization;重症PR時にみられる)に注意する.加えて,右室造影(長時間撮影にて左室収縮機能評価,必要に応じて別途左室造影)を施行し,右室機能と房室弁逆流の評価を行う.必要に応じて各種血管撮影にて狭窄,逆流,シャントの評価を行う.

合併症

右室負荷による心室頻拍発生には注意を要する.Fallot四徴症術後PRによる右室不全では心室頻拍からの突然死の報告がある.また,上室性頻拍性不整脈(特に心房頻拍や心房粗動)は,手術瘢痕部周囲をフォーカスとして生じることはしばしばであるが,一方で

通常の三尖弁-冠静脈洞峡部を通る心房粗動の誘発も多い.

経過・予後・治療
人工血管の狭窄や弁狭窄・逆流に対しての治療は，基本的には再手術による再修復である．臨床症状と検査所見から，手術適応を専門家の意見をもとに決定する．Fallot 四徴症術後 PR による右室不全の場合，右室障害が進行しすぎると再手術を施行しても右室機能が回復しないともいわれ，また，心室頻拍による突然死もあるため手術時期を待ちすぎないよう注意する．必要に応じてアブレーションを併用する．運動耐容能の評価は，きわめて重要である．一般的に，肺機能や体心室左室に問題がない場合，右室収縮不全単独では，かなり進行するまで運動耐容能は低下しにくい．しかしながら，最大酸素摂取量（peak $\dot{V}O_2$）が 70％以下に低下する場合は，高度な右心不全の存在・進行を疑う必要があり，手術適応を考慮するきっかけとなることもある．

b. 体心室右室不全
解剖学的右室から大動脈（体循環）へと続く異常な連結（V-A discordance）により，体心室である右室に生じるポンプ不全である．この右室に連結する心房は解剖学的左房であるが，房室弁と冠動脈は心室の発生に従うため，それぞれ三尖弁と右冠動脈の形態をとる．

原因
先天的にこの形態をとるのが修正大血管転位症であり，修正術により矯正された結果として生じるのが，心房スイッチ（Mustard/Senning）術後の大血管転位症である．合併シャントのない修正大血管転位は，当初無症状のまますぎることも多いとされてきたが，現在では成人期に体心室右室不全を生じることがむしろ多いとさえいわれる．また，心房スイッチ術による大血管転位修復術後 7〜8 年の経緯で多くが体血圧に耐えられず収縮不全を生じると報告されている[1,2]．

臨床症状
自覚症状および他覚症状は，一般的な左心不全症状と同様である．房室弁逆流雑音の有無に注意する．

検査所見・診断
体心室右室の場合，通常の左心不全のように BNP が上昇するため，よいマーカーとなる．右室は，その形態的複雑性から心臓超音波による評価は定性的に近いものとなるが，早期診断には不可欠であり，房室弁逆流（TR）評価および PH の有無を肺心室房室弁逆流（MR）により評価することは重要である．定量的な体心室右室機能評価は心臓 MRI 検査による（肺心室右室不全の項参照）．peak $\dot{V}O_2$ は，通常の左心不全同様に早期から低下する．心臓カテーテル検査は，血行動態や心機能評価のみならず，肺高血圧や残存シャントの評価・除外のため，そして何より重症例では心臓移植や人工心臓適応を視野に施行する．

合併症
心房粗動・細動の発生，心室性期外収縮・心室頻拍といった一般の心不全時と同様な不整脈に加えて，各先天性心疾患特異的な不整脈の発生に注意する．心内シャントが残存している場合，チアノーゼの急な出現は体心室不全の増悪を意味することがある．

経過・予後・治療
通常の左心不全の治療に準じた治療指針となるが，β 遮断薬，アンジオテンシン変換酵素（ACE）阻害薬/アンジオテンシン II 受容体拮抗薬（ARB），アルドステロン拮抗薬（MRA）といった左心不全標準治療薬の心機能や予後に関する確固としたエビデンスはない．心臓移植，人工心臓の適応に関しても同様な適応基準となるが，開心術後の影響や解剖学的な問題から移植困難例となることも多い．専門家による個々の症例での個別評価となる．

TR については，通常の心臓における僧帽弁逆流以上に注意が必要である．3 度以上では心拡大や収縮不全が進行する前に積極的な弁修復・弁置換を考慮する．

修正大血管転位に対する成人期ダブルスイッチ術（心房スイッチ術＋ Jatene 手術/Rastelli 手術）は，肺心室左室の発育が一般に不十分でありかつ術後合併症も多く一般的には行われていない．

(2) 成人先天性心疾患（ACHD）に生じる不整脈
原因
伝導系の発生学的異常（各 CHD の項参照）や先天的循環異常による心負荷によりさまざまな徐脈性・頻脈性不整脈を生じる．加えて，手術侵襲による伝導系障害や手術創部周囲の回帰性頻拍性不整脈が発生する．

臨床症状
基礎となる ACHD の血行動態とあいまって種々の症状を呈する．

経過・予後・治療
すべての心房切開術後に心房頻拍の出現リスクがあるが，なかでも心房スイッチ術後大血管転位症では，心房性頻拍はほぼ必発とされ心不全悪化に寄与し，予後不良因子となる[1,2]．同様に，心室頻拍も心室筋切開術後症例に生じるリスクがある．特に，Fallot 四徴症術後における心室頻拍からの突然死には注意が必要で，QRS > 170 msec や右心不全を生じている場合は，Holter 心電図などを用いた注意深い観察が必要である．いずれの頻脈性不整脈もアブレーション治療を考慮するが，心室性頻拍の場合は心不全治療の必要性と ICD 植え込みの適応をまず考える．

表 7-9-2 ACHD における PAH の臨床分類

1. **シャント修復後（残存）肺動脈性肺高血圧**
肺高血圧の原因となったシャントは閉鎖されており有意なシャントは消失しているが，術前生じていた肺高血圧が依然残存・増悪しているもしくはいったん消失した肺高血圧が再度発症した状態

2. **未修復シャント性肺動脈性肺高血圧**
未治療の原病のシャントにより生じた肺高血圧状態
主要大動脈-肺動脈側副血行（major aorto-pulmonary collateral arteries：MAPCA）もしくは動脈-肺動脈シャント術により生じた肺高血圧

3. **小シャント合併肺動脈性肺高血圧**
病態を直接誘発したと考えにくい未治療の小シャントを伴った肺高血圧状態（特発性肺動脈性肺高血圧症に小シャントを偶発的に合併したと考えられる状態）

4. **Eisenmenger 症候群**
シャント性肺動脈性肺高血圧の進行により不可逆性肺動脈病変となり，右左優位のシャントをきたしたシャント性肺動脈性肺高血圧症の終末像

（3）成人先天性心疾患（ACHD）に合併する肺高血圧（PH）

平均肺動脈圧 25 mmHg 以上の病態を PH と定義する[3]．シャント性 PH は，1 群の肺動脈性肺高血圧症（pulmonary arterial hypertension：PAH）に属する．病態の原因は，左右シャントによる肺血流量の上昇により肺動脈の内皮障害から血管平滑筋細胞の増殖など特発性肺動脈性肺高血圧症（IPAH）と同様の機序が働くためとされている．ACHD-PAH 臨床分類を表 7-9-2 に示す．表分類 1～3 について以下にまとめて記載し，分類 4 の Eisenmenger 症候群については【⇨7-8-6】．

疫学
PAH に分類されるこの ACHD 患者総数は，いまだ正確な数字は割り出せていないが，欧州からの報告では ACHD 総数の 4～10％がこの範疇に入るとされている[4,5]．

臨床症状
1）自覚症状：息切れ，胸痛，失神に注意する．腹囲の急な上昇は重症な右心不全の腹水を意味することがある．

2）他覚症状：労作時（シャント口があいている場合）や安静時チアノーゼ（Eisenmenger 症候群）に注意する．心音ではⅡ音の亢進，肺動脈領域での肺血流増加による収縮期雑音，PR 音，TR 音の有無に注意する．心室中隔欠損症による汎収縮期雑音の消失は Eisenmenger 化でみられる．

検査所見・診断
一般的な血液検査での多血症は Eisenmenger 化の所見である．動脈血酸素飽和度の低下（S_pO_2 < 90％も）また Eisenmenger 化を強く示唆するが，大きな（non-restrictive）シャントが存在する場合は容易に静脈血・動脈血の混合が生じるため必ずしもそうではない．BNP は軽度の上昇にとどまるが，100 pg/mL 以上の場合は右心不全の進行を強く疑う．心エコー検査にて推定右室収縮期圧 > 40 mmHg の場合は，心臓カテーテル検査での評価を考える．その際可能であれば造影 CT による心血管系の形態評価（冠動脈も含む），シャント（口）・側副血行に加えて，深部静脈血栓症の有無も評価する．肺血流シンチは，慢性肺塞栓性肺高血圧の関与のほか，左右肺血流比，末梢性肺動脈狭窄，右左シャント率の測定に有用である．確定診断および臨床分類確定のためには，心臓カテーテル検査が必須である．心不全の項でも述べたとおり血行動態の測定を行い，シャント部位，側副血行，その他合併症に応じた造影を追加する．PH 診断基準に基づき PAH の診断をつける．次に，Q_p/Q_s，肺血管抵抗値/体血管抵抗値，左右/右左シャント率により臨床分類（表 7-9-2）を確定する．

合併症
シャント合併症としては，全身への奇異性塞栓症や脳膿瘍発生に注意する．肺動脈瘤，肺出血・喀血，PR や TR による右心負荷にも注意が必要である．

経過・予後・治療
PAH 治療薬（プロスタサイクリン製剤，エンドセリン受容体拮抗薬，ホスホジエステラーゼ 5 阻害薬/可溶性グアニル酸シクラーゼ刺激薬）使用効果は IPAH に準じるが，5 年以上の長期生存率の改善を示した報告は，Eisenmenger 症候群に対してのみ存在する[6]．現在，議論になっている病態は，シャント口が残存している PAH 患者群に対する治療指針である．小シャント合併 PAH 患者群は最も予後不良と考えられており，一般にシャント口閉鎖適応はないとされている．また，未修復シャント性 PAH の場合でもシャント閉鎖後に PAH が残存しない場合，つまりガイドライン上[3]では PVR < 2.3 WOOD の場合のみシャント閉鎖を考慮できるとしているが，PAH 治療薬使用により今後この基準は大きく変化することが予想される．したがって，シャント未修復 PAH に対する PAH 治療薬の使用方法はいまだ定まっていない．

2）未治療・姑息術後の ACHD

定義・概念
未治療のまま経過して成人期に発見される最も多い CHD は心房中隔欠損症である．続いて心室中隔欠損症や動脈管開存などだが，実はほとんどの CHD の未治療例が ACHD として経験されうる．シャント性疾

患の場合，PAH合併の有無が重症度に大きく影響する．また，チアノーゼ性CHD患者においては，肺循環維持のための姑息術(BTシャントなどのAP(動脈-肺動脈)シャント術)後の症例もACHDとしてしばしば経験される．このような未修復症例では，修復術を行うべきかどうかが，最も重要な問題である．APシャント術による過剰な左右シャントによるPAH発生に加え，体肺循環への心拍出による体心室容量負荷や低酸素による体心室不全の進行，チアノーゼ・低酸素による全身合併症，続発的に生じる合併症により重症度が決定される．

病態生理・治療

以下の3つが大きな病態であり，その他シャント残存のため奇異性塞栓症，感染性心内膜炎合併などについては基本的に各CHDで述べられているものに注意する．深部静脈血栓は，成人期になると罹病率が高くなることが考えられ，抗凝固療法は一考の余地がある．

(1) PAH
【⇒ 7-9-1-3】

(2) 容量負荷による体心室不全

未修復・姑息術後のチアノーゼ性CHD患者において，体心室から体・肺循環の両者がまかなわれる病態では，体心室に容量負荷が生じる．多くが肺血流量依存性にそして低酸素症のため，高心拍出量となる．低酸素の程度に比しヘモグロビン値が相対的に不足する貧血(しばしば鉄欠乏性)が合併する場合はさらに注意が必要である．

臨床症状

1) 自覚症状： 息切れの増悪，安静時もしくは軽労作時のチアノーゼなどあるが，特異的症状とはいえない．

2) 他覚所見： 体重の急な増加，低酸素特に労作時低酸素の進行，下腿浮腫など一般的心不全症状の出現・増悪に注意する．

検査所見・診断

BNPは初期には軽度の上昇にとどまるが，病気の進行を反映して高値となる．胸部X線所見では，胸水の貯留や肺うっ血像がみられる．心エコー検査は，残存構造異常や血行病態(心不全，PH，弁機能)の評価には最も簡便で有用である．冠動脈CT/造影CT検査は，残存シャントや副側血行，姑息シャント術評価にきわめて有用である．肺血流シンチは，塞栓有無，左右肺血流比・右左シャント率評価ができる．絶対的評価に欠かせないのが，やはり心臓MRI検査である．心内腔容積と収縮性(EF)の測定が可能であり，肺動脈および大動脈など主要血管の流速から肺血流量と体血流量の計測，および弁逆流量の算出により，心血管系の総合評価が可能となり，病態生理をより正確に把握できる．

合併症

PAHやチアノーゼによる合併症は【⇒ 7-9-1-3，7-9-2-3】．頻脈性の心房性・心室性不整脈を合併し，病態の増悪や失神，最悪突然死を生じうる．その他，シャントによる全身塞栓症，心内膜炎など一般的CHD合併症に注意する．

経過・予後・治療

未修復・姑息治療後のACHD患者における容量負荷・低酸素症による心不全に対しての治療は，安静・酸素投与・利尿薬投与といった対症的な治療のみとなることが多い．相対的な貧血を考える場合は，鉄剤を投与する．心不全治療薬であるACE阻害薬/ARBの使用は，血圧低下からチアノーゼの増悪をきたす可能性があり，注意して使用を考慮する．β遮断薬は，基本的に容量負荷時には導入しない．心抑制作用に加えて，特に血管拡張型であるカルベジロール使用は末梢血管抵抗値を下げるため危険を伴う可能性がある．使用にはかなり慎重であるべきである．もちろん，これら心不全薬剤における使用エビデンスは確立していない．心臓移植・人工心臓適応についても，一般的基準に従うのみとなる．

(3) チアノーゼ

チアノーゼ現象に関しては，PAH(Eisenmenger症候群を含む)合併の有無に注目する．PAHの場合は【⇒ 7-9-1-3】．PAHの合併がない場合には，シャント修復もしくはFontan循環移行の可能性がポイントになる．肺循環維持のため施行されたAPシャント姑息術後の患者が多いが，大きな心室中隔欠損のある未治療患者のなかにはほどよい肺動脈弁(下)狭窄のため安静時に体心室圧と肺心室圧がつりあい心室血の混合がほとんどなく安静時低酸素がみられない症例がある．この場合，軽度の運動ではじめて低酸素が顕在化する．成人期にみられるチアノーゼ症例は，一言でいうならば，単心室・二心室修復術のいずれも施行されていないチアノーゼ性CHDということができる．

臨床症状

1) 自覚症状： 軽労作時による息切れ，多くがWHO Ⅲ以上である．

2) 他覚症状： 安静時チアノーゼもしくはごく軽労作による顕著な低酸素症($S_pO_2 < 85\%$)，ばち指，成長障害による顕著な側弯のある低身長がみられる．

検査所見・診断

安静時動脈酸素飽和度(S_pO_2)は85%以下であることがほとんどで，6分間歩行検査などで著明な低下をきたす．血液データでは赤血球増加症を認めるが，鉄

欠乏の場合には正常範囲内にとどまり小球性で，この場合は相対的貧血と考えられる．蛋白尿や推定糸球体濾過量（eGFR）の低下を認めたらチアノーゼ性腎症を疑う．著明な側弯を認めた場合は，多くは肺発育不全による肺活量の著明な低下を認めることが多い．

合併症

右左シャントのため奇異性塞栓症・脳膿瘍発生に注意を要する．赤血球増加症による粘張度亢進による血栓傾向は，各種塞栓症を誘発しやすい．また，一般的にチアノーゼ患者の免疫力は低下しており，比較的易感染性である．

経過・予後・治療

一般論としてチアノーゼを回避できる外科的治療（心内修復術もしくはFontan手術など）の可能性検討が重要である．可能でない場合は，体心室容量負荷を軽減させる，肺循環維持，低酸素軽減（不要な右左シャントへのコイル塞栓術など）といった目的のための姑息術を行うかどうかを個々の症例で評価する．残存チアノーゼに対する内科的治療は，酸素投与ほか各合併症に対する対症療法となる．チアノーゼ性ACHDに対する修復手術の適応については，肺機能が十分にあるか/肺動脈血管床が十分に発育しているか，APシャントや肺動脈-体静脈シャントといった側副血行路が修復可能・許容範囲かどうかというポイントを，個々の症例で十分に吟味する．そして，最終的に二心室修復なのか単心室（Fontan型）修復（次項参照）なのかを手術リスクを含めて考慮する．

3）単心室（Fontan）型修復術後

定義・概念

1970年代に，三尖弁閉鎖，肺動脈閉鎖，右室・左室低形成といった二心室修復困難例に考案された術式である．上下大静脈が還流する右房の右心耳を直接肺動脈に連結し，左房から右室型もしくは左室型単心室により体循環系をまかなう血行動態再建術を古典的Fontan術（classical/atriopulmonary connection（APC）-Fontan）とよぶ．現代では，上大静脈（ときに左右にある）を直接肺動脈に連結し，下大静脈を人工血管を用いて肺動脈に連結し，不要な心房を除去したうえで，単心室循環を構築するextracardiac TCPC（total cavo-pulmonary connection）術が主流である（eコラム2）．

臨床症状

チアノーゼが残存する場合には，有意な右左シャントの残存する可能性を考える．軽度の労作時による動悸や息切れは，単心室不全（房室弁膜症を含む）や肺動脈圧（静脈圧）上昇を考慮する．頸静脈怒張や肝腫大の程度により，特に下腿浮腫の出現時は，静脈圧上昇-肺循環不全の進行を疑う．一般に，良好なFontan循環ではpeak $\dot{V}O_2$は70％程で，NYHA Ⅲ度以上になることはなく，軽労作時の息切れやS_pO_2の低下はFontan循環不全の存在を示唆する．

合併症

TCPC術時の侵襲による洞不全症候群の発生や，古典的Fontan術やlateral tunnel法TCPC術下では，残存右房からの頻脈性上室性頻拍の発生に注意する．良好なFontan循環といえど，静脈圧は正常値以上であることがほとんどであり，多くの症例が成人期にうっ血性肝硬変を合併するといわれる．まれではあるが，蛋白漏出性腸症や鋳型気管支炎を生じる．これら合併症には静脈圧上昇が関与していると考えられてはいるが，正確な原因・機序は特定されてはいない．

検査所見・診断

過去の手術記録が診断には不可欠である．一般にチアノーゼはないので，安静時動脈血酸素飽和度（S_pO_2）は，良好なFontan循環では90〜96％くらいである．85〜90％に達しない場合には，有意な右左シャントや肺循環不全（換気血流不均等など含む）の存在を考える．血液検査所見では，肝機能障害の有無が重要である．血小板数低下は，うっ血性肝硬変および門脈圧亢進を疑い，腹部エコー検査と食道静脈瘤チェックを行う．腹部エコーでは，肝障害・特に肝線維化の程度，門脈圧亢進所見（脾腫や側副血行の存在）に注意する．線維化評価のファイブロスキャンも有用であるが，その異常値の評価は定まっていない．また，進行性の血中アルブミン低下（< 3.5 g/dL）の場合は，蛋白漏出性腸症の鑑別のため，α_1-アンチトリプシンクリアランス測定や蛋白漏出シンチグラムを施行する．心エコー検査は，体心室機能や房室弁機能評価には必須である．経食道心エコー検査（静脈瘤がない場合）もまた，特に房室弁逆流の程度と原因を考察する上で必要となるほか，下大静脈・右房と左房との人工シャント口（fenestration）の評価に適している．心臓MRIは，さまざまな形態の心室機能評価には必須であるとともに，房室弁逆流の定量ができる．エコーによる定性的な評価ではときとして逆流量を過小評価することがあり注意が必要である．追加手術など，侵襲的な治療が必要な場合は心臓カテーテル検査を行い，静脈圧や心拍出量など血行動態評価と心室造影検査による房室弁逆流の評価を行う．また，残存シャントや新規動静脈シャントが疑われる場合は，造影検査により同定し，必要であればコイル塞栓術などによる低酸素の改善をはかる．

〔八尾厚史〕

■文献(e文献 7-9)

Baumgartner H, Bonhoeffer P, et al: ESC Guidelines for the management of grown-up congenital heart disease (new version 2010). *Eur Heart J.* 2010; **31**: 2915-57.

Shiina Y, Toyoda T, et al: Prevalence of adult patients with congenital heart disease in Japan. *Int J Cardiol.* 2011; **146**: 13-6.

Warnes CA, Williams RG, et al: ACC/AHA 2008 guidelines for the management of adults with congenital heart disease: a report of the American College of Cardiology/American Heart Association Task Force on Practice Guidelines (Writing Committee to Develop Guidelines on the Management of Adults With Congenital Heart Disease). Developed in Collaboration With the American Society of Echocardiography, Heart Rhythm Society, International Society for Adult Congenital Heart Disease, Society for Cardiovascular Angiography and Interventions, and Society of Thoracic Surgeons. *J Am Coll Cardiol.* 2008; **52**: e143-263.

7-10 後天性弁膜症

1）後天性弁膜症の成因

　以前，後天性弁膜症の成因のほとんどは小児期に罹患したリウマチ熱によるリウマチ性弁膜症であった．ほかには梅毒性，感染性心内膜炎などの細菌感染に伴う炎症による弁膜症が多くを占めていた．最近では，リウマチ性弁膜症がほとんどみられなくなり，かわりに動脈硬化性病変による大動脈弁狭窄症や虚血性僧帽弁逆流などの変性・加齢性変化，虚血によるものが多くを占めるようになり，成因が大きく変わっている．

（1）リウマチ性弁膜症（rheumatic valvular disease）

　リウマチ熱に合併して発症する後天性弁膜症である．リウマチ熱の近年 20～30 年の発症率激減に伴い，今では先進国ではリウマチ性弁膜症はまれな疾患になっている．しかし，熱帯や亜熱帯の途上国では今でも多くの患者が存在し，重大な問題となっている．
　リウマチ熱の診断は Jones の診断基準によってなされる（表 7-10-1）（Dajani ら，1992）．
　また最近では，ハイリスク患者の同定，ドプラ心エコー図検査を用いた心病変の同定を考慮に入れた改訂版についても提唱されている（Gewitz ら，2015）．
　リウマチ熱のほとんどが学童期以前に発症する．A群溶連菌の感染 2～3 週間後に 5 つの代表的な臨床像が種々の組み合わせで出現する．
①心炎（carditis）
②移動性多発性関節炎（migratory polyarthritis）
③舞踏病（chorea）
④輪状紅斑（erythema marginatum）
⑤皮下結節（subcutaneous nodule）
　リウマチ熱で心筋炎が生じる原因として，連鎖球菌の一部と心臓組織が分子レベルで似ているために交叉反応が生じ，溶連菌感染に伴い，心臓に対する自己抗体（heart reactive antibody：HRA）が生じ，心臓弁膜を障害すると考えられている．心炎では疣贅を伴うような弁膜の炎症が生じ，弁膜の腫脹，浮腫，変形を生じる．これらの治癒過程において線維性肥厚と交連部や腱索の癒合を生じ，弁狭窄または閉鎖不全の原因となる．
　リウマチ熱による僧帽弁や大動脈弁の病変は弁尖の癒合による狭窄が特徴的である．僧帽弁狭窄症の 95％以上はこのリウマチ熱が原因であるとされる．それに加えて，逆流を合併することが多い．僧帽弁では弁尖の肥厚のみならず弁下部（腱索・乳頭筋）にまで病変が及び，弁の可動性低下，不完全閉鎖をもたらす．右心系の三尖弁や肺動脈の病変はまれである．
　僧帽弁と大動脈弁が同時に侵される連合弁膜症を呈することも多い．たとえば，僧帽弁狭窄症に大動脈弁疾患が合併した場合には，心拍出量の低下により大動脈弁疾患の重症度が過小評価されることがあり，注意が必要である．
　リウマチ性の弁膜症はゆっくりと進行していく疾患である．最初にリウマチ熱に罹患してから弁膜症による症状が顕在化するまでに長期間を要するだけでなく，診断後も徐々に弁膜症の進行がみられ，重症度の変化も認めうるため無症状であっても繰り返し評価，経過観察が必要である．

表 7-10-1　リウマチ熱の診断（Jones の診断基準）

主症状	心炎，多関節炎，舞踏病，輪状紅斑，皮下結節	
副症状	臨床症状	関節痛，発熱
	検査所見	急性反応物質　赤沈，CRP 心電図 PR 時間延長
先行する A 群連鎖球菌感染の証拠	関連抗体の高値または上昇 咽頭培養陽性または迅速反応陽性	
診断	先行する連鎖球菌感染が証明され，かつ主症状 2，または主症状 1＋副症状 2 以上で診断	

(2)動脈硬化性，変性そして膠原病に合併するもの

加齢に伴う退行変性や長期の動脈硬化，虚血性心疾患などの増加により，弁膜症が生じており，新たに大きな問題となりつつある．また血液透析例では弁膜の変性速度が速く石灰化，弁膜症も進行しやすいため問題となっている[1,2]．関節リウマチやSLEなどの膠原病や炎症性疾患などでも弁膜疾患を合併することが少なくない．最近では先天性心疾患患者が続々と成人に達しており，成人になってからはじめて合併する心臓弁膜症が問題になることが少なくない．その場合個々の症例においてその病態や臨床像が大きく異なることも多く，個別に治療方針を考える必要がある．三尖弁疾患のほとんどは逆流であり，左心不全と肺高血圧，右室拡大，心房細動，三尖弁輪拡張などに伴い二次的に生じる場合がほとんどである[3]．このように，現代の心臓弁膜症の原因はさまざまであり，それぞれの弁・成因により病態・経過が異なるため詳細な検討が必要である．

〔麻植浩樹・伊藤 浩〕

■文献（e文献 7-10-1）

Dajani AS, Ayoub E, et al: Guidelines for the Diagnosis of Rheumatic Fever Jones Criteria, 1992 Update. *JAMA*. 1992; **268**: 2069-73.

Gewitz MH, Baltimore RS, et al: Revision of the Jones criteria for the diagnosis of acute rheumatic fever in the era of Doppler echocardiography: A scientific statement from the American Heart Association. *Circulation*. 2015; **131**: 1806-18.

2）僧帽弁狭窄症
mitral stenosis : MS

概念

何らかの原因により僧帽弁口の狭小化をきたし，左房から左室への血液流入が障害される病態である．その原因は僧帽弁弁尖のみならず，僧帽弁輪，腱索，乳頭筋を含めた僧帽弁複合体（mitral complex）の器質的・機能的異常や，塊状の構造物による僧帽弁口の機械的狭窄・閉塞を考える．血行動態学的には左房圧，肺静脈圧の上昇，肺高血圧をきたす．

病因

原因のほとんどがリウマチ熱感染後の心内膜炎である．したがって抗菌薬の普及と社会経済状況の改善したわが国を含む先進国ではその頻度は激減している．それに対し，最近では患者の高齢化により，僧帽弁輪の石灰化に伴う僧帽弁狭窄症が認められるようになってきた．特に慢性腎不全症例や糖尿病症例で多く，僧帽弁弁尖や大動脈弁輪にも石灰化が及び狭窄をきたすことがある[1]（図 7-10-1，e動画 7-10-A，7-10-B）．

この場合，石灰化による僧帽弁輪の狭小化が主たる病変であり，リウマチ性のような交連部の癒合が認められることは少ない．

その他SLE（僧帽弁疣贅に大量の血栓が付着する），関節リウマチ，弁にムコ多糖などの物質が沈着するHurler症候群，Fabry病，Whipple症候群の合併症として生じることがある．またまれに食欲抑制薬（フェンフルラミンなど）の使用，カルチノイド症候群でみられることがある．先天性MSに心房中隔欠損を合併したものはLutembacher症候群とよばれ，左房圧の上昇のため通常より大量の左房血の右房への短絡がみられるが，最近はリウマチ性のMSの合併も本症候群に含むとされる．先天性MSでは弁尖よりも腱索や乳頭筋などの弁下部組織に異常を認めることが多く，典型例ではパラシュート僧帽弁（腱索が1つの乳頭筋につながる）を認める．

病態生理

左房圧，肺静脈圧の上昇をきたし，肺うっ血による左心不全症状が出現する．正常の僧帽弁口面積は4〜6 cm^{2}である．弁口面積が2 cm^{2}程度までの軽度狭窄は無症状のことが多い．労作時呼吸困難などの臨床

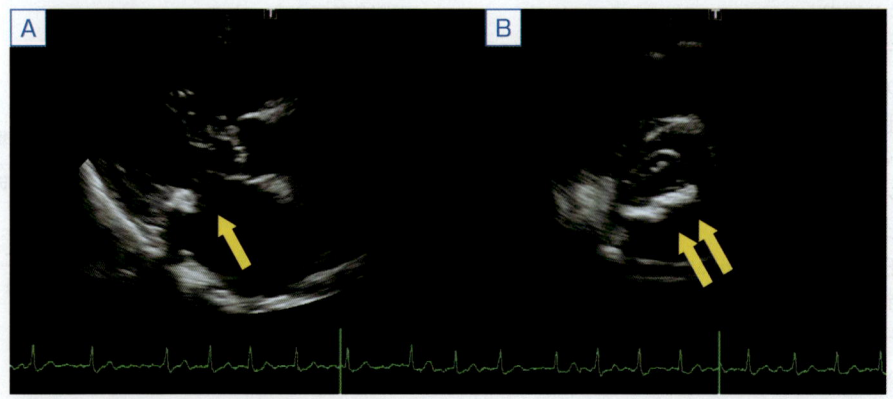

図 7-10-1 非リウマチ性僧帽弁狭窄症
僧帽弁輪石灰化（矢印）．A：傍胸骨長軸像（e動画 7-10-A），B：傍胸骨短軸像（e動画 7-10-B）．

症状を呈するのは弁口面積が1.0〜1.5 cm²以下になってからである．1.0 cm²未満の高度狭窄では安静時の左房-左室圧較差が20 mmHgをこえ，心拍出量の低下が伴い，安静・軽労作時においても心不全症状が認められるようになる．

左房は拡大し，心房細動の合併が高頻度である．左房内の血液滞留により左心耳あるいは左房後壁に血栓を生じることも多い．肺高血圧による右心系の負荷は三尖弁閉鎖不全を生じ，下腿浮腫，肝腫大，消化器症状などの右心不全症状を引き起こす（図7-10-2）．

運動や頻拍性心房細動によりMS患者の心拍数が増加すると，特に拡張期が短縮し，僧帽弁を血液が通過する時間が減少するため，上流にある左房圧が上昇する結果となる．通常MSのみでは左室拡張期圧や駆出率は正常であるが，一部で左室収縮能が低下している例がみられることがある．

病理
リウマチ熱による炎症から僧帽弁膜の浮腫，肥厚が生じる．その治癒過程で弁尖，交連部，腱索の肥厚，癒合，短縮が生じ，弁の漏斗状（fish mouth）の狭窄をきたす．僧帽弁輪石灰化から僧帽弁狭窄をきたす症例では弁の石灰化，短縮，肥厚がみられるが交連部の癒合がみられない．

臨床症状
左房圧の上昇とそれによる肺うっ血，低心拍出による症状がみられる．おもに心拍数が増加すると労作時に息切れや呼吸困難が出現する．さらに進行すると，高度の肺うっ血を生じ，安静時呼吸困難に咳，喀血などを伴うことがある．肺高血圧，三尖弁逆流を伴うと下腿浮腫や肝腫大などの右心不全症状がみられるようになる．高率に心房細動や血栓症を合併し，全身性の血栓塞栓症を合併する．特に脳塞栓を生じた場合は重症で予後不良となることが多い．ここで注意すべき点は，疾患の進行が遅いために患者自身が無意識に行動制限を行っていることがあり，自覚症状がはっきりしない場合があることである．

身体所見
1) 視診・触診：

a) 僧帽弁様顔貌（mitral face）：顔面頬部が出っ張り暗赤色を呈する特異な顔貌で低心拍出，全身の血管収縮によるとされる．

b) 心尖拍動のⅠ音，拡張期thrillの触知：左側臥位でみられることがある特徴的な所見である．

c) 傍胸骨拍動（parasternal impulse）：右室拡大を反映する．

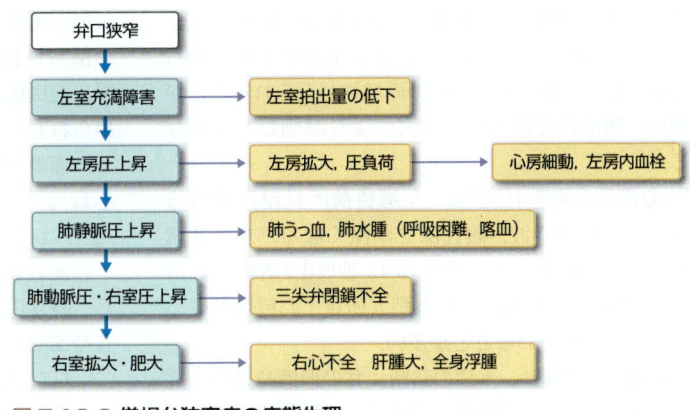

図7-10-2 僧帽弁狭窄症の病態生理

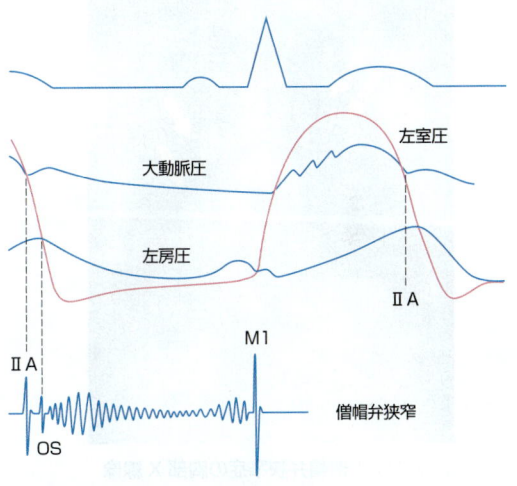

図7-10-3 僧帽弁狭窄症の心音図

d) 頸静脈怒張，肝腫大・浮腫：二次性の右心負荷による所見である．

2) 聴診（図7-10-3）

a) Ⅰ音の増強：僧帽弁閉鎖音が増強して若干遅れる．

b) 僧帽弁開放音（mitral opening snap：OS）：硬化した僧帽弁が開く際の音．

これに引き続き

c) 拡張期ランブル（diastolic rumbling murmur）：ゴロゴロといった拡張期雑音がベル型聴診器を心尖部におくと聴取される．

d) 心尖部心房収縮性雑音（前収縮期雑音（presystolic murmur）：心房細動例では聴取されない．

肺高血圧によるⅡ音の亢進や相対的肺動脈弁閉鎖不全による拡張期雑音（Graham Steel雑音）が聞かれることもある．

検査所見
1) 胸部X線（図7-10-4）：　正面像では左房拡大によ

る右第2弓内側の二重輪郭像(double contour)，気管分岐角の開大，左第2，3弓，肺動脈の拡大が認められる．特に上肺野の血管陰影の増強がみられることが多い．側面像では左房の拡大がより評価しやすくなる．

2) 心電図(図7-10-5)：左房負荷所見がみられる(V_1の二相性P波，陰性部分が深くなる．またⅡ誘導ではP波の幅が広くなり(0.12秒以上)僧帽性P波を呈する)，右軸偏位，右室肥大所見．心房細動や心房粗動となっていることが多い．

3) 心エコー検査：本症の診断，弁の形態や成因の評価，重症度評価，肺動脈圧の推定など治療方針の決定に最も重要な検査である．

傍胸骨長軸断層像では僧帽弁弁尖の肥厚，輝度上昇，石灰化，開放制限，前尖の拡張期ドーミングが認められる．弁下組織である腱索，乳頭筋の輝度も上昇し，癒着，短縮，石灰化をきたすことが多い．左房左心耳は拡大するが左室径は正常である(e図7-10-A，7-10-B，e動画7-10-C〜7-10-E)．

心房細動例では左房，左心耳に血栓を形成しやすく，経食道エコー検査を用いて左房・左心耳内のもやもやエコー，血栓の描出が可能である(e図7-10-C〜7-10-E，e動画7-10-F〜7-10-I)．

左室短軸像では僧帽弁はfish-mouth様に描出され，前交連・後交連の癒合がみられることが多い．この断面で最も僧帽弁口が大きく開放する時相を選択し，トレースすることで僧帽弁口面積(mitral valve area：MVA)を計測する．重症度の判定で最もよく用いられる指標である(e図7-10-A)．

僧帽弁尖の肥厚と交連部の病的変化を評価することで，経皮的バルーン僧帽弁切開術に適しているかどうかの判定が可能である(同時に僧帽弁閉鎖不全の評価も行う必要がある)．

心尖部アプローチでは狭い僧帽弁口を抜けて血液が流入する像がドプラ法で描出されるが，この左室流入血流速波形を連続波ドプラ法で記録し，最高血流速度Vが1/2の平方根となるまでの時間(pressure half time：PHT(msec))を計測すれば，弁口面積は220/PHT cm^2と計算される(e図7-10-B)．

これまでMSの重症度は心エコー図検査による僧帽弁口面積や平均僧帽弁圧較差をもって判断されてきた．2014年にAHA/ACCから新しい弁膜症のガイドラインが提唱され(Nishimuraら，2014)，ここでは症候の進行具合により重症度が4段階のstageに分類された．

すなわちリスク期，進行期，高度無症候期，高度有症候期であり，おのおのは弁形態，血行動態，左房や肺動脈収縮期圧の反応，症状によって分類されている(表7-10-2)．

新しいガイドラインではリウマチ性severe MSの定義がこれまでのMVA≦1.0 cm^2からMVA≦1.5 cm^2へと変更されており，これまでのMVA≦1.0 cm^2の症例はvery severe MSと定義されるようになった．また重症度基準にはMVAの2Dプラニメトリー計測法が重視されており，stage分類には圧較差が含まれていない．PHTは弁口面積でなく，値自体がstagingに使用されている．またmildやmoderate MSは定義

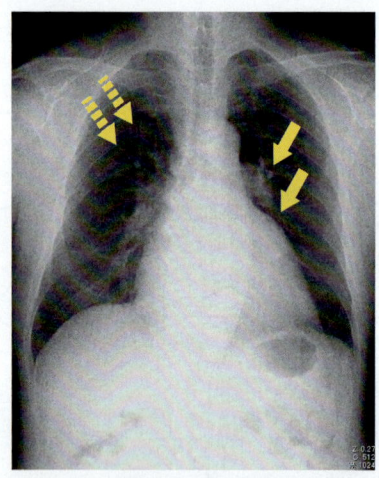

図7-10-4 僧帽弁狭窄症の胸部X線像
CTR 55％．正面像では左房拡大による右第2弓内側の二重輪郭像(double contour)，気管分岐角の開大，左第2，3弓，肺動脈の拡大が認められる．特に上肺野の血管陰影の増強がみられることが多い．

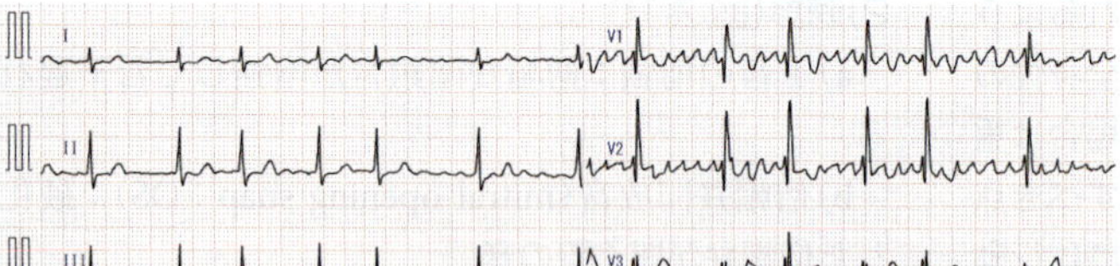

図7-10-5 僧帽弁狭窄症の心電図
心電図所見：心房細動，心拍数81，不完全右脚ブロック，明らかなST-T変化は認めない．

表 7-10-2 リウマチ性 MS の stage 分類(2014 AHA/ACC ガイドラインより引用改変)

stage	弁形態	弁血行動態	血行動態異常の関連	症状
リスク期 (stage A)	・軽度のドーミング	・経僧帽弁血流正常	・なし	・なし
進行期 (stage B)	・交連部癒合 ・ドーミング ・トレースで MVA > 1.5 cm²	・経僧帽弁血流増加 ・MVA > 1.5 cm² ・PHT < 150 ms	・軽度-中等度 LA 拡大 ・安静時肺動脈圧正常	・なし
高度無症期 (stage C)	・交連部癒合 ・ドーミング ・トレースで MVA ≦ 1.5 cm² (≦ 1.0 cm²は very severe)	・MVA ≦ 1.5 cm² (≦ 1.0 cm²is very severe) ・PHT ≧ 150 msec (PHT ≧ 220 msec is very severe)	・高度 LA 拡大 ・収縮期肺動脈圧 > 30 mmHg	・なし
高度有症候期 (stage D)				・運動耐容能低下 ・労作時息切れ

・mild, moderate の定義はない.
・プラニメトリー法での計測を重視.

されなくなった.これによって特定の患者に対するインターベンションを検討するうえでのリスク評価が提示され,適応範囲が拡大された.

経食道エコー検査はルーチンに行う検査ではない.施行するシチュエーションを以下にあげる.
①経皮的経静脈的僧帽弁交連裂開術 PTMC が考慮される場合の詳細な弁性状の評価(e図 7-10-E)
②左房や左心耳血栓の診断[2](e図 7-10-C,7-10-D)
③経胸壁心エコー検査で評価が困難な場合

4)運動負荷試験: 患者の症状は運動時に出現することが多いのに対し,心エコー検査は安静時に行われる.したがって,心エコー検査の所見と患者の症状が乖離することはめずらしくない.そのときに推奨されるのが運動負荷試験である[3](新しいガイドラインでは推奨度 class I).運動時の弁の圧較差の変化は,運動誘発性の肺高血圧の存在を確認するのに有用である.運動によって誘発される肺高血圧はガイドラインでは正式な定義はないが,右室収縮期圧が 60〜70 mmHg 以上なら患者の症状に注意しながら治療を検討していく必要があるとされる.

5)心臓カテーテル検査: 臨床所見と経胸壁心エコー検査所見が食い違う場合や手術前などに血行動態を詳細に評価したい場合にカテーテル検査が行われる.

a)左房-左室圧較差(拡張期)(図 7-10-6): Swan-Ganz カテーテルを用いた肺動脈楔入圧と左心室に留置したカテーテルとの同時圧測定を行うことで左房-左室間の圧較差を証明できる.この圧較差をもとに,僧帽弁口面積は Gorlin の式より算出される.

$$僧帽弁口面積 = \frac{僧帽弁口血液量(mL/秒)}{38 \times \sqrt{拡張期左房 \cdot 左室圧較差(mmHg)}}$$

$$僧帽弁口血流量 = \frac{心拍出量(mL/分)}{1分あたりの拡張期充満時間(秒/分)}$$

僧帽弁口面積は心エコー法,MDCT そして MRI

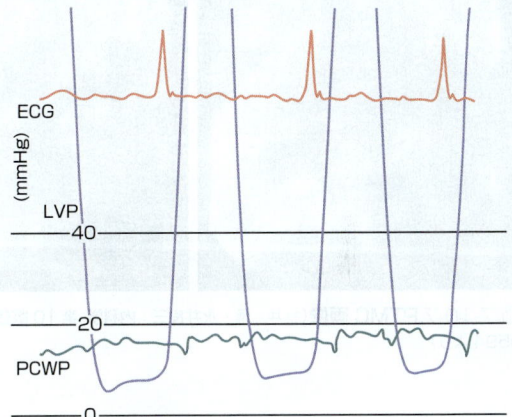

図 7-10-6 僧帽弁狭窄症の心内圧曲線
拡張期に左房-左室圧較差が存在する.
EGC:心電図,LVP:左室圧,PCWP:肺動脈楔入圧(左房圧の代用).

などの画像診断により正確に求めることができるようになってきており,侵襲的なカテーテル検査の機会は減少すると考えられる.冠動脈造影は検査前確率の高い冠危険因子を有する症例で施行され,そうでない症例のスクリーニングには現在ではしばしば冠動脈 CT が用いられる.

6)胸部 CT,MRI: 僧帽弁開口面積の計測とともに,僧帽弁石灰化,左房・左心耳内血栓の描出に有用である.冠動脈についても情報が得られる.

診断・鑑別診断

心エコー検査で本症の確定診断は可能である.聴診所見で拡張期ランブルを聴取する疾患としては有意な僧帽弁閉鎖不全症での相対的僧帽弁狭窄(Carey Coombs 雑音),大動脈閉鎖不全症での Austin Flint 雑音,三心房心での MS 様血行動態を呈した状態,などがあげられる.いずれも心エコー検査で鑑別できる.注意しなければいけないのは巨大左房粘液腫が拡張期に僧帽弁に移動することによる僧帽弁口狭小化で

ある．心エコー法で診断可能であり，緊急手術を要することが多い．粘液腫では体重減少，発熱，貧血，全身性塞栓症など全身疾患を示唆する所見をしばしば有する．心房中隔欠損症（ASD）も右室拡大や肺血管陰影増強の所見があり，MSと誤診されることがある．しかしASDでは左房拡大はみられず，収縮中期雑音を伴うⅡ音の固定性分裂はMSよりもASDを支持する所見である．

合併症

1）心房細動： 高率に左房・左心耳内血栓を合併するため抗凝固療法を要する．血栓の評価については通常の経胸壁エコー検査では検出率が不十分なため，必要に応じて経食道エコー検査を行う．

2）血栓塞栓症： 左房・左心耳内血栓が塞栓源となり，脳塞栓症，末梢動脈塞栓などの血栓塞栓症を引き起こす．

3）感染性心内膜炎： 比較的頻度は少ないとされる．

またリウマチ熱や石灰化などにより，僧帽弁閉鎖不全症やほかの弁膜症を合併する場合は手術適応にかかわってくるため，その評価は重要である．

予後

僧帽弁狭窄は進行性である．

僧房弁口面積は平均 $0.1\ cm^2$/年小さくなるとされている．

軽度の症状が出現後，5〜10年で重症化する．無症状の未治療患者40％以上が10年以内に症状が悪化するか死亡するといわれ，有症状では80％といわれる．心不全によるものが60％，塞栓症に関連した死亡が20％である．したがって，診断時には軽症とされても心エコー検査にて繰り返し評価していく必要がある．

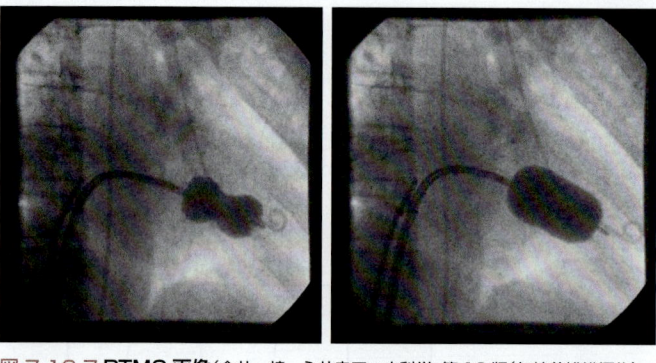

図 7-10-7 **PTMC 画像**（今井　靖・永井良三：内科学 第10版（矢﨑義雄総編集），p594 より）

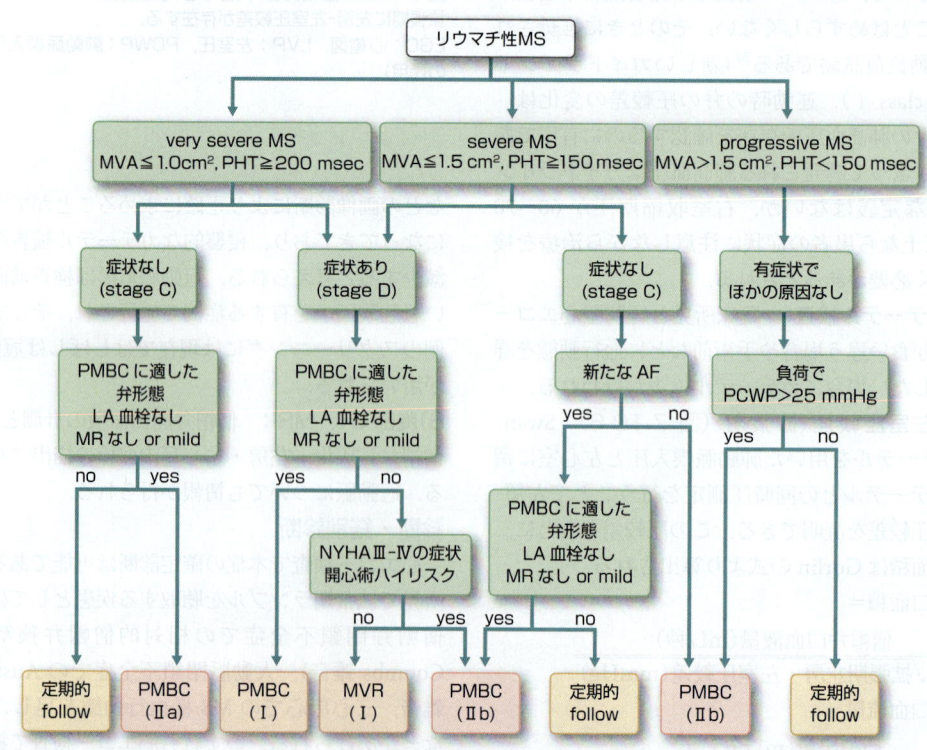

図 7-10-8 **リウマチ性僧帽弁狭窄症に対する侵襲的治療の適応**（2014 AHA/ACC ガイドラインより改変）
MVR：mitral valve replacement，PMBC：percutaneous mitral ballon commisurotomy.

治療

1) 薬物療法:
有意なMSを有する患者に内服薬を必要とするような症状が出現した場合，それはインターベンションの適応であることを意味する．

薬物療法は決して根本治療ではなく，あくまで臨床症状を軽減する治療である．薬物療法が有効であるからといって，無駄に継続して手術時期を逸することがあってはならない．MSの症状に応じて以下のような治療を検討する．呼吸困難，起座呼吸，肝腫大，浮腫などの心不全症状があれば水分・塩分制限などを行い，必要に応じて利尿薬を投与する．心房細動合併例には発作性，慢性のいずれにおいても血栓塞栓症のリスクが高く，ヘパリンやワルファリンによる抗凝固療法を行う．心房細動が認められなくても以前に血栓塞栓症の既往がある場合は抗凝固療法が必要である．頻脈状態では拡張期時間が短縮するため，特に心房細動例では心拍数コントロールが重要である(class Ⅱa)．ジギタリス製剤や徐拍化作用を有するCa拮抗薬，β遮断薬が用いられる．リズムコントロールはMSでは困難なことが多い．

β遮断薬は安静時の心拍数，心拍出量を有意に下げ，僧帽弁通過血流の圧較差，肺動脈楔入圧，平均肺動脈圧の軽減に寄与，運動時の症状悪化を予防するが，運動耐容能に対する効果は明らかでない[4]．

2) 非薬物療法:
経皮的経静脈的僧帽弁交連裂開術(percutaneous transluminal mitral commissurotomy：PTMC)もしくは外科治療が行われる．AHA/ACCガイドラインの改訂で治療法の適応基準に関するガイドラインが示されており，PTMCの適応が拡大されている(図7-10-7)．

a) PTMC(percutaneous mitral balloon commissurotomy：PMBC)か外科治療か(図7-10-8)：まずPTMCの適応について検討し，適応でない場合は外科治療を検討する[5]．Ⅲ度以上の僧帽弁逆流や左房内血栓を伴う場合，ほかに治療を有する弁膜症の存在などがある場合はPTMCの適応禁忌とされている．これらの禁忌がない場合に，弁葉の可動性が良好で，石灰化がないなど僧帽弁がPTMCに適した弁形態であるかどうかの評価を行う．心エコー検査を用いたWilkinsスコア(表7-10-3)が用いられ，合計が8点以下であればPTMCのよい適応であるとされる[6]．

PTMCは有症状性MS(stage C, D)もしくはvery severe MSであるが無症状(クラス2a)の患者に積極的に勧められる．心房細動を合併する無症状severe MS, moderate MSであるが運動時に肺高血圧症を示す患者でも適応になる(クラス2b)．PTMCにより生命予後の改善も報告されている．外科治療は高度MSでPTMCに適切な弁形態ではない場合，ほかの合併する疾患に対して心臓手術が必要な場合に適応になる．手術はNYHA class Ⅲ以上の症状を認めてから検討されるべきとされている(図7-10-8)．

b) 非リウマチ性僧帽弁狭窄症(MS)：明確な手術適応は示されておらず，その適応はリウマチ性MSと異なる．病変が交連部の癒着でないため，PTMCは適応になりにくい．弁輪の石灰化のために人工弁置換が困難であること，加齢による変化であるため，合併症が多い．したがってこれらの鑑別は治療方針を決めるうえでも重要である．

〔麻植浩樹・伊藤 浩〕

表7-10-3 Wilkinsスコア

重症度	弁の可動性	弁下組織変化	弁の肥厚	石灰化
1	わずかな制限	わずかな肥厚	ほぼ正常(4〜5 mm)	わずかに輝度亢進
2	弁尖の可動性不良 弁中部，基部は正常	腱索の近位 2/3まで肥厚	弁中央は正常 弁辺縁は肥厚 (5〜8 mm)	弁辺縁の輝度亢進
3	弁基部のみ可動性あり	腱索の遠位 1/3以上まで肥厚	弁膜全体に肥厚 (5〜8 mm)	弁中央部まで輝度亢進
4	ほとんど可動性なし	全腱索に肥厚 短縮，乳頭筋まで及ぶ	弁全体に強い肥厚 短縮，乳頭筋まで及ぶ	弁膜の大部分で輝度亢進

■文献(e文献7-10-2)

Nishimura RA, Otto CM, et al: 2014 AHA/ACC guideline for the management of patients with valvular heart disease: A report of the American College of Cardiology/American Heart Association Task Force on Practice Guidelines. *Circulation*. 2014; **129**: e521-643.

3) 僧帽弁閉鎖不全症
mitral regurgitation：MR

概念

MRは僧帽弁の機能をなす解剖学的構造，すなわち僧帽弁弁尖，弁輪，腱索，乳頭筋，乳頭筋付着部の左室壁からなる僧帽弁装置(mitral apparatus)の解剖学的・機能的異常によって収縮期の僧帽弁閉鎖が障害され，左室から左房へ血液の逆流が生じる状態である(図7-10-9)(Otto, 2001)．

病因

上述した僧帽弁装置のどの部分であっても，解剖学的・機能的異常により閉鎖不全を生じうる．僧帽弁逸脱や感染性心内膜炎，リウマチ性，左室機能不全とその原因は多岐に渡る．僧帽弁狭窄症とは異なり非リウマチ性疾患によることが多く，先天性心疾患に合併することもある．

1）弁尖の異常： リウマチ性心疾患の場合，弁尖の肥厚，短縮，変形，石灰化により閉鎖不全をきたす．狭窄を併存することも多い．また感染性心内膜炎では疣贅の形成，弁破壊，弁穿孔などにより慢性 MR の悪化や急性 MR を生じる．

2）弁輪の異常： 各種心疾患による左室拡大による弁輪拡大により，弁腹の接合が障害される．高血圧や糖尿病などに伴う弁輪の高度な石灰化は逆流の原因となる．

3）腱索の異常： 感染性心内膜炎，外傷，リウマチ熱，粘液腫様変性（myxomatous degeneration），特発性などの原因により腱索の断裂，延長を生じ，僧帽弁逸脱症などの MR が生じる．

4）乳頭筋の異常： 心筋虚血に伴う乳頭筋不全で僧帽弁を支える力が低下すると逆流を生じる．また，急性心筋梗塞や外傷などにより乳頭筋断裂が生じると高度の急性 MR を生じ，心不全を発症する．

5）左室形態の異常： 左室機能の（局所的）低下あるいは左室の拡大により左室の geometric change が生じ，乳頭筋と腱索の付着する位置が外側に変位するために弁尖が心尖部方向に牽引され（テザリング）MR を生じる（図 7-10-10, 7-10-11, ⓔ動画 7-10-J〜7-10-L）(Levine, 2004)．

病態生理（図 7-10-12）

収縮期に左室から左房に血液が逆流することにより左房圧の上昇が認められる．特に左房圧，肺動脈楔入圧の圧波形をみると陽性波の a, v 波のうち逆流による v 波の増強が認められる．逆流量の増大とともに左房・左室に容量負荷がかかり，拡大する．MR の初期には左房・左室のコンプライアンス

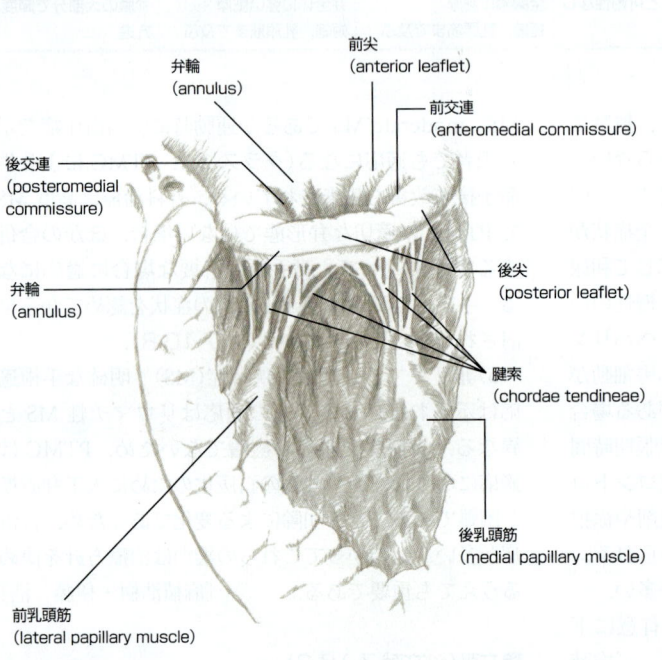

図 7-10-9 僧帽弁複合体（文献 1 より引用改変）
僧帽弁の弁葉だけでなく，弁輪，腱索，乳頭筋，乳頭筋付着部付近の左室心筋から構成される僧帽弁複合体とよばれる立体的構造を理解することが必要である．

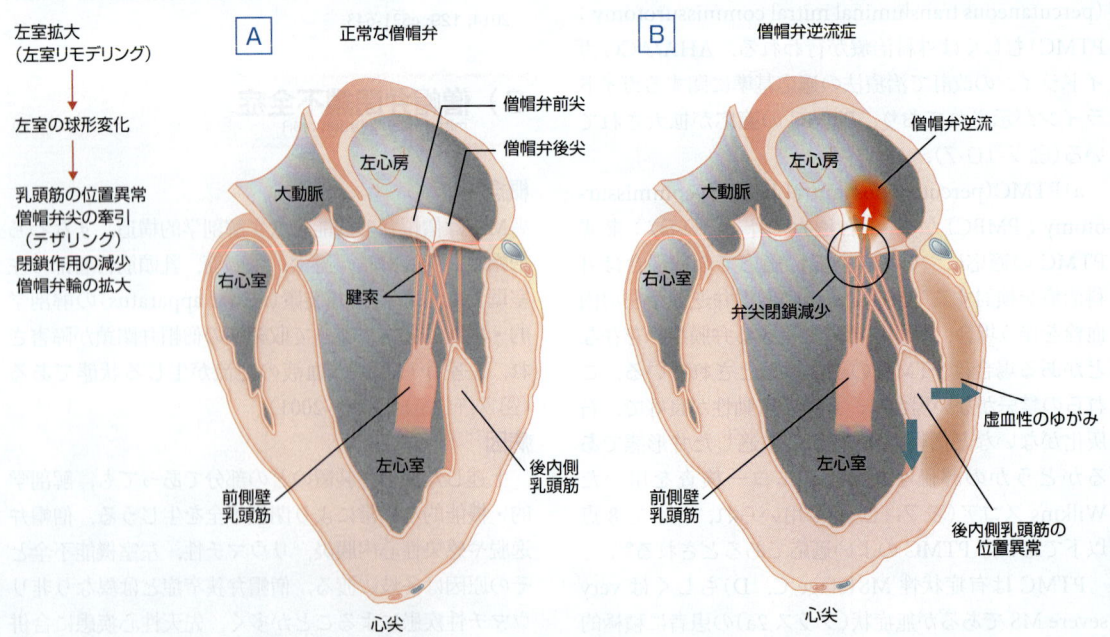

図 7-10-10 機能性（二次性）MR（文献 2 より改変）

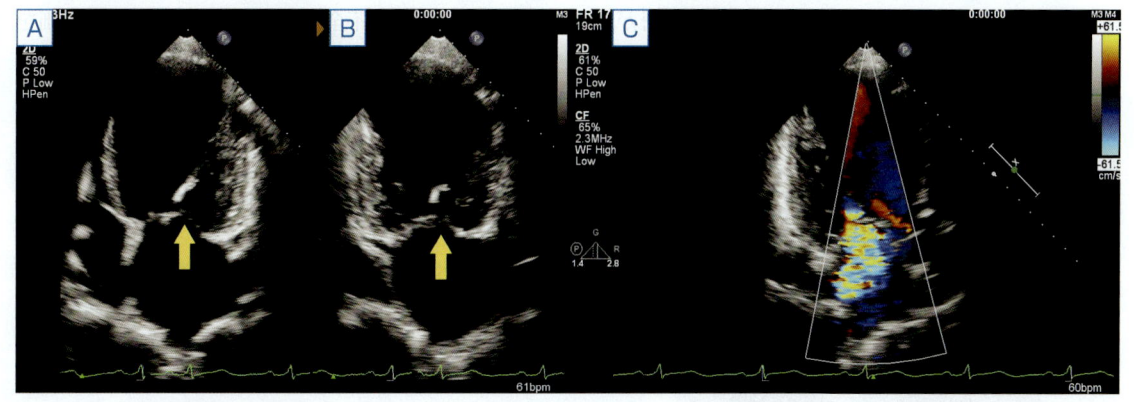

図 7-10-11 機能性僧帽弁逆流(ischemic MR)
A:心尖部四腔像(e動画 7-10-J),B:二腔像(e動画 7-10-K),C:カラードプラ法(e動画 7-10-L).僧帽弁の tenting(黄矢印).

が増加し,容量負荷が代償されるために左房圧や左室拡張末気圧の上昇が抑えられる.そのため心不全症状は左室機能が低下するまで出現しにくい.一方,乳頭筋断裂や腱索断裂により急激に重症逆流が生じた場合には,左房左室のリモデリングによる代償機転が働かず容易に急激に左房圧が上昇し,急性心不全に至る.さらに,重症 MR では収縮期に左房に圧が逃げるため左室後負荷が減少する.そのため,左室収縮末期容積は減少し,それは見かけ上,左室駆出率の上昇となる.そう考えると,重症僧帽弁逆流で左室駆出率が 60% 以下になることは,すでに潜在的に左室収縮能の障害があることを意味する.

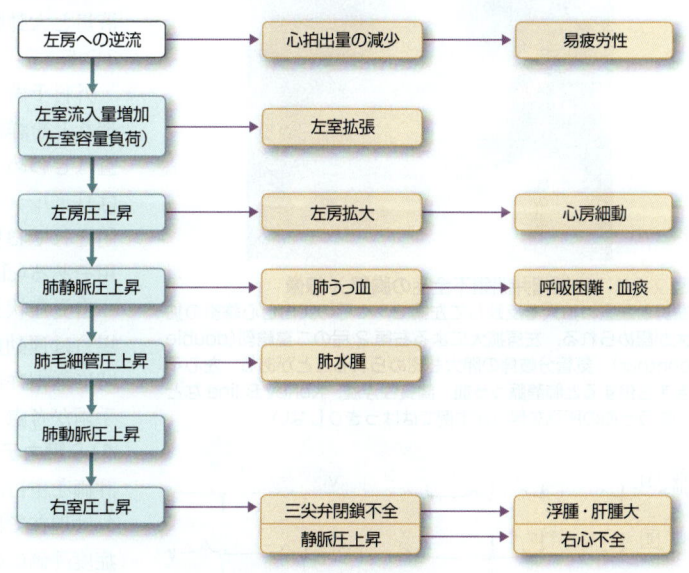

図 7-10-12 僧帽弁閉鎖不全症の血行動態と病態

臨床症状

軽症〜中等症の慢性 MR では無症状であることが多い.慢性の重症 MR では進行するにつれて易疲労,労作時呼吸困難,起座呼吸がみられるようになる.急性の MR では肺うっ血,肺水腫による呼吸困難,起座呼吸を生じ,肺高血圧,右心不全をきたす.

身体所見

心尖拍動は左乳頭線よりもやや外方に位置し,heaved pattern に触知される.逆流量が高度になると急速流入波(rapid filling wave)も触れる.慢性の逆流では左心系の容量負荷を受けて心尖拍動は左下方に偏位する.右心不全を合併すると頸静脈怒張,下腿浮腫,腹水貯留も認める.

1)聴診所見: 心尖部に全収縮期雑音が聴取され,逆流が高度になるとⅢ音と拡張中期雑音 Carey Coombs 雑音(相対的僧帽弁狭窄)が聴取される.僧帽弁逸脱症では心尖部に収縮中期クリックとそれに続く収縮後期雑音が認められるが,中等度以上では全収縮期雑音である.

検査所見

1)胸部 X 線(図 7-10-13): 慢性 MR では左房と左室の拡大を反映して左第 3,4 弓の突出と心陰影の拡大が認められる.左房拡大による右第 2 弓の二重輪郭(double contour),気管分岐角の開大も認められることがある.まれに僧帽弁尖,弁輪部の石灰化が認められる.左心不全を合併すると肺静脈うっ血,間質性浮腫,Kerley B line などの肺うっ血の所見を伴う.

2)心電図(図 7-10-14): 洞調律の場合,Ⅱ誘導で二峰性 P 波,V_1 で二相性の P 波(陰性成分増大)の僧帽性 P 波を呈する.左室容量負荷,左室拡大により QRS は左側胸部誘導で R 波の増高を認める.心房細動を伴うことも多い.

3)心エコー検査: MR の成因と血行動態,重症度の

定量的評価のために必須の検査である．治療方針が大きく異なるため，僧帽弁複合体の構成成分の器質的異常・機能不全により生じる一次性 MR と，僧帽弁に器質的異常は認めないものの心筋梗塞や拡張型心筋症などの左室機能不全が原因となって生じる二次性 MR との鑑別を行うことが重要である（表 7-10-4）．

さらに詳しく原因を精査するために，腱索断裂，僧帽弁逸脱，乳頭筋不全，感染性心内膜炎などの評価を行う．慢性 MR では左房および左室の拡大を認める．左室駆出率は容量負荷のため，亢進あるいは保たれていることが多い．逆に重症 MR では左室駆出率が 60％以下では心機能低下が始まっていると考えられる．肺高血圧や右心機能の評価も同時に行うことが可能である．

カラードプラを用いることで収縮期に左室から左房への逆流ジェットによる僧帽弁逆流の存在診断は可能である．しかし，身体所見の伴わないわずかな逆流は健常者でも認められ，その病的意義は低い．中等症以上の僧帽弁逆流があれば治療方針を決定するために逆流量・逆流率や逆流弁口面積などによる重症度評価を行う必要がある．逆流量や逆流弁口面積は左室流入血液量と大動脈弁駆出血液量などから算出される（表 7-10-5，7-10-6）．

外科手術の適応がある場合には，逆流の成因，弁構造などを詳細に把握する必要がある．経食道エコー検査はきわめて有益な情報を提供してくれる[1]．最近ではリアルタイム三次元経食道心エコー検査も臨床で使用されており，病変部位の評価，治療方針の決定に有用である（class I）．

自覚症状と安静時心エコー所見との間に乖離がある場合は運動負荷心エコーが行われる（class IIa）．負荷時に僧帽弁逆流の重症度や肺高血圧が増悪する場合は手術が考慮される[2]．

4）**心臓カテーテル検査**：外科手術前に冠動脈病変の評価を主目的に行われることが多いが，その目的であれば現在では冠動脈 CT が用いられることが多い．重症度評価にはもっぱら心エコー検査が行われ，カテーテル検査で逆流量を評価することは少ない．左室造影で左房の染影の程度をみることで僧帽弁逆流の重症度評価を推定する Sellers 分類がある（表 7-10-7）．

5）**心臓 MRI**：左室拡張末期容積，収縮末期容積，左室心筋重量などの評価が可能であり，僧帽弁逆流ジェットの描出もすることができる．線維化などの左室壁の異常を delayed enhancement などを用いるこ

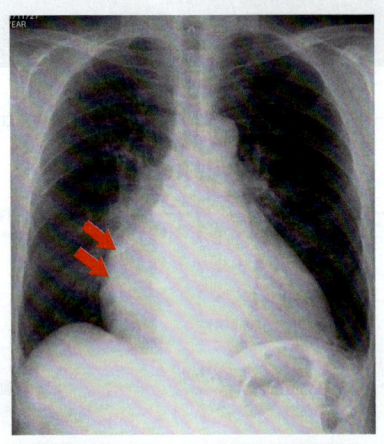

図 7-10-13 僧帽弁閉鎖不全症の胸部 X 線像
左房と左室の拡大を反映して左第 3，4 弓の突出と心陰影の拡大が認められる．左房拡大による右第 2 弓の二重輪郭（double contour），気管分岐角の開大も認められることがある．左心不全を合併すると肺静脈うっ血，間質性浮腫，Kerley B line などの肺うっ血の所見を伴うが本例でははっきりしない．

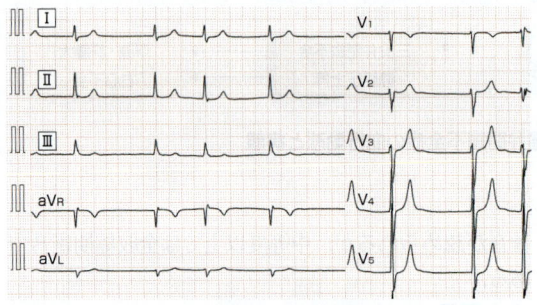

図 7-10-14 僧帽弁閉鎖不全症の心電図
心房細動を認める．

表 7-10-4 一次性・二次性僧帽弁閉鎖不全症の比較（2014 AHA/ACC ガイドラインより引用改変）

	一次性（器質的）MR	二次性（機能的）MR
原因	弁葉，腱索	左室心筋
薬物	有効性が小さい	有効
手術の予後改善効果	確立されている	確立されていない（症例を選べば有効）
血行動態による重症度の変化	小さい	大きい
手術適応	高度 MR＋α（基本的にガイドライン）	中等度 MR＋α（個々の症例で検討）
術式	比較的シンプル	複雑な手技を要することが多い
	（弁葉切除，人工腱索など）	（弁輪形成術＋乳頭筋接合など）

表 7-10-5 一次性僧帽弁閉鎖不全症の stage 分類 (2014 AHA/ACC ガイドライン)

		リスク期 (stage A) mild	進行期 (stage B) moderate	高度 (stage C or D) severe
ドプラ評価	MR ジェット/LA 面積率	＜ 20%	20〜40%	＞ 40%
	MR ジェット方向	中心性	中心性	中心性 or 偏心性
	MR タイミング		収縮後期	全収縮期
	VC 幅	＜ 0.3 cm	0.3〜0.7 cm	≧ 0.7 cm
	逆流量		＜ 60 mL	≧ 60 mL
	逆流率		＜ 50%	≧ 50%
	ERO		＜ 0.4 cm^2	≧ 0.4 cm^2
LA 拡大		なし	軽度	中等度以上
LV 拡大		なし	なし	拡大
LVEF，LVDs			なし	stage C1 ; EF ＞ 60% and LVDs ＜ 40 mm stage C2 ; EF ≦ 60% and LVDs ≧ 40 mm
肺高血圧			なし	あり

stage C：高度無症状期，stage D：高度有症候期．

表 7-10-6 二次性僧帽弁閉鎖不全症の stage 分類

		リスク期 (stage A) mild	進行期 (stage B) moderate	高度 (stage C or D) severe
ドプラ評価	MR ジェット/LA 面積率	＜ 20%	20〜40%	＞ 40%
	MR ジェット方向	中心性	ー	ー
	MR タイミング		ー	ー
	VC 幅	＜ 0.3 cm	ー	ー
	逆流量		＜ 30 mL	≧ 30 mL
	逆流率		＜ 50%	≧ 50%
	ERO		＜ 0.20 cm^2	≧ 0.20 cm^2

stage C：高度無症状期，stage D：高度有症候期，VC：vena contracta，ERO：有効逆流弁口面積．

とで評価が可能である．

診断・鑑別診断

診断は症状や収縮期雑音の存在からその存在を疑い，心エコー検査を施行することで確定診断，機序の検討そして重症度評価から手術適応の検討まで行うことができる．収縮期雑音を呈する疾患としては心室中隔欠損症，三尖弁閉鎖不全症，大動脈弁狭窄症，閉塞性肥大型心筋症などがその鑑別対象となるが，心室中隔欠損の鑑別にはⅢ音の有無，大動脈弁狭窄症，閉塞

表 7-10-7 Sellers 分類

1 度	左房への逆流ジェットが認められるが左房全体は造影されない
2 度	左房全体が造影されるが左室染影よりも薄い
3 度	左房左室の染まり方が同程度
4 度	左房が左室大動脈よりも濃く造影される

現在は重症度評価よりも外科治療前の冠動脈病変の有無を確認するために行われることが多い．

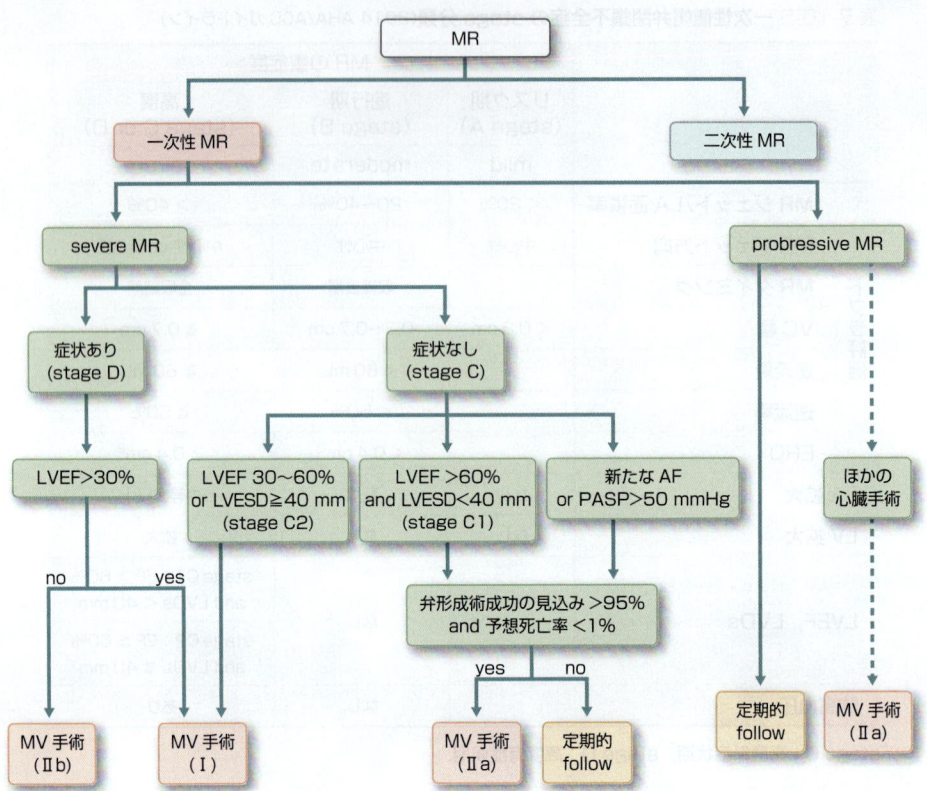

図7-10-15 一次性MRに対する手術適応(2014 AHA/ACCガイドライン)
LVEF：左室駆出率 left ventricular ejection fraction, LVESD：左室収縮末期径 left ventricular end-systolic diameter, PASP：肺動脈(収縮期)圧 pulmonary artery systolic pressure.

性肥大型心筋症との鑑別には頸動脈の触知が有用である．

合併症

進行例では心房細動を伴うことが多い．またMRはほかの心疾患に合併することもよく知られているので注意が必要である．

予後

乳頭筋断裂や腱索断裂による急性かつ重症のMRは緊急外科手術を有する．慢性MRでは逆流の程度，成因，心機能などにより治療方針を決定する．最近改訂されたガイドラインでは慢性MRは一次性と二次性に分けられ，その重症度は stage A～Dの4段階に分類されている(表7-10-4～7-10-6)．

無症状で軽症のものでは比較的予後は良好である．僧帽弁逸脱症の予後は一般的に良好である．重症例では心不全症状の悪化とともに心臓突然死のリスクもあり，薬物療法のみでの予後は不良である．外科的治療の適応となる．一方，二次性MRではその本態が非代償性の左室機能障害に容量負荷が加わった状態であるために，一般的にその予後は不良である．

治療

1)急性MR： 乳頭筋断裂による急性MRの場合は血管拡張薬と利尿薬による後負荷軽減と左室容積の減少は逆流弁口面積・逆流量の減少に有効である．血圧維持が困難な症例ではドブタミンなどの陽性変力作用のある薬剤や大動脈内バルーンパンピングによる補助循環を実施する．いずれにしても，内科治療に固執することなく，早急に外科的治療を考慮する．

2)慢性MR： 症状の有無やMRの重症度，左心機能，心房細動や肺高血圧の合併などの所見などを考慮しつつ治療方針を立てる．左室機能低下・左室拡大を生じてからの手術はリスクが高く，予後不良であるため，いかに左室機能が保たれている時期に外科手術に導くかがポイントとなる(図7-10-15，e図7-10-F)．

3)薬物療法の実際：

a)一次性MR：無症状で左心機能の正常な例では経過観察が行われる．症状のある一次性の重症MRでは僧帽弁閉鎖不全の状態を緩和，心負荷の軽減のため利尿薬，血管拡張薬(ACE阻害薬，アンジオテンシンⅡ受容体拮抗薬(ARB))の投与を行う．心房細動合併例には心拍数コントロールとともにワルファリンや新規抗凝固薬を用いた血栓塞栓症予防を行う．

b)二次性MR：左室駆出率の低下した心不全に伴う二次性MR例においては心不全の治療が中心となる．すなわちACE阻害薬，ARB，β遮断薬，抗アルドス

テロン薬，利尿薬など，基礎疾患に対する積極的な心不全治療をまず行う．適応症例には心室再同期療法をNYHA IIの段階から考慮する[3]．

4）外科的治療：

a）一次性僧帽弁閉鎖不全（図7-10-15）：手術方法としては僧帽弁形成術と僧帽弁置換術に大別されるが，前者は心房細動が合併しなければ抗凝固療法も不要でかつリスクも低いため，腱索断裂，僧帽弁逸脱，弁輪拡大，乳頭筋機能不全，弁穿孔など僧帽弁自体の破壊が少ない患者では弁置換術より優先される[4]．リウマチ性や石灰化弁では弁の変性が強く形成術ができない症例では弁置換術が考慮される．心不全症状がある重症一次性MR（stage D）ではLVEF＞30％の場合，外科手術が推奨される．無症候性であってもLVEF＜60％または左室収縮末期径≧40 mm（stage C2）であれば僧帽弁手術が推奨される．心機能が保たれている症例（stage C1）においても新たな心房細動や肺高血圧（収縮期肺動脈圧＞50 mmHg）の所見を認める非リウマチ性MRに対しては弁形成術の成功の可能性が高い場合，外科的治療が推奨される．

海外では経皮的僧帽弁形成術（MitraClip）も行われている．その適応は症候性重症僧帽弁閉鎖不全であるが外科的治療が困難と判断される症例とされている[5]．

b）二次性MR（e図7-10-F）：低心機能に合併したMRに対する外科手術の生命予後改善効果はいまだ証明されていない．それは，心筋不全が起きてしまうと，僧帽弁逆流のみ制御しても生命予後の改善を得ることが難しいからである．また，弁形成術と弁置換術の優劣も不明である[6]．現在は重症二次性MRで，冠動脈バイパス術や大動脈弁置換術と同時に行われる外科手術，積極的内科的治療によってもNYHA III〜IVの症状を有する例，中等度の二次性MRを有し，ほかの心臓疾患に対する治療が行われる際の弁形成術などが外科手術の適応とされている．

〔麻植浩樹・伊藤　浩〕

■文献（e文献7-10-3）

Otto CM：Evaluation and management of chronic mitral regurgitation. N Engl J Med. 2001; 345: 740-6.

Levine RA: Dynamic Mitral Regurgitation-More Than Meets the Eye. N Engl J Med. 2004; 351: 1681-4.

4）僧帽弁逸脱症
mitral valve prolapse：MVP

概念

収縮期に僧帽弁弁尖の一部あるいは全体が僧帽弁輪レベルをこえて左房内に逸脱する．僧帽弁複合体のさ

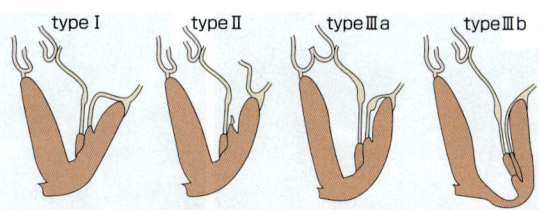

図7-10-16　Carpentierによる僧帽弁閉鎖不全の分類
（Carpentier，1983より引用改変）
type I：弁の動きは正常，弁輪拡大や弁穿孔などによる．
type II：弁の過剰（excessive）な動き，僧帽弁逸脱症（billowing/flail leaflets），心内膜炎（腱索断裂），乳頭筋断裂など．
type IIIa：弁の拡張期の抑制的（restrictive）な動き，リウマチ熱，医原性（放射線，薬剤）など．
type IIIb：弁の収縮期の抑制的な動き，いわゆる虚血性僧帽弁逆流など，僧帽弁のテザリングがみられる．

まざまな病理学的機序により生じる．僧帽弁の動きは過剰となっており，Carpentier分類のtype IIに相当する（図7-10-16）（Carpentier，1983）．

腱索の伸長や過長あるいは断裂が逆流の原因となることが多い．腱索断裂をきたしている例では弁尖はその支持をまったく失い（frail leaflet），大きく逸脱し弁接合不全を呈する．

典型的な粘液腫様変性（myxomatous degeneration）とよばれる例においては弁尖の肥厚が認められる．若年者で高度な粘液腫様変性を伴い，僧帽弁前後尖全体だけでなく腱索の著明な粘液腫様変化と延長，弁輪拡大を認める例があり，Barlow病とよばれる．また別に結合組織の異常により腱索断裂などが生じて起こるfibroelastic deficiency diseaseとよばれる病態も存在するが，これらの鑑別は治療方針の決定に重要である（Dellingら，2014）．

病因

僧帽弁弁尖および腱索，乳頭筋，僧帽弁輪などの僧帽弁機構の障害によって生じる．大部分では原因不明であるが一部遺伝性の膠原病が含まれるとされ，そのような例ではIII型コラーゲンの産生減少が原因と考えられている．Marfan症候群，骨形成不全症，Ehlers-Danlos症候群などの遺伝性結合組織疾患の患者にもしばしば認められる．これらをsecondary MVPもしくはsyndromic MVPとよび，単独で認められるprimary MVPもしくはnonsyndromic MVPと区別することがある．

疫学

MVPは一般人口の約2〜3％と比較的高頻度，30〜80歳代，男女に等しくみられる．ほとんどの経過は良性であるが比較的高齢の男性に認められる症例では僧帽弁閉鎖不全はより重症で外科的治療が必要となることが多い．

MVPは家族性にも散発性にも生じうる．外科的治

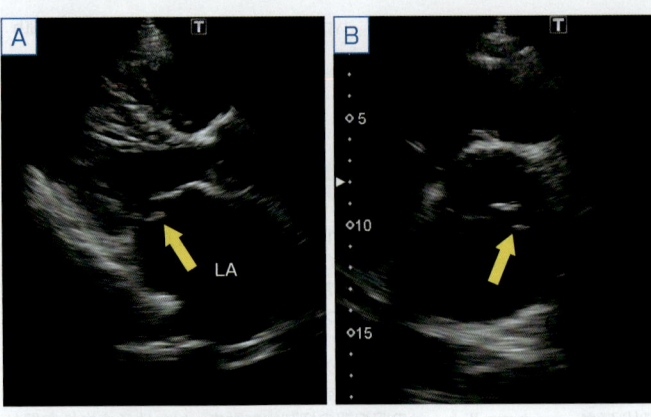

図7-10-17 僧帽弁逸脱症の心エコー図検査
A：傍胸骨長軸像（e動画7-10-M），B：傍胸骨短軸像（e動画7-10-N）。
僧帽弁後尖が収縮期に僧帽弁輪をこえて左房内に逸脱する所見を認める（矢印）。

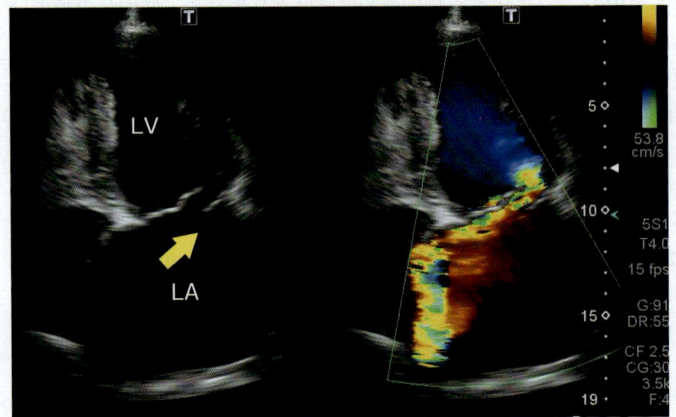

図7-10-18 僧帽弁逸脱症の心エコー検査
心尖部二腔像（カラードプラ法）。カラードプラ法では逸脱した弁の反対方向に向かう偏心性の逆流ジェットを認める。（e動画7-10-O）

三尖弁逆流を伴うと下腿浮腫や肝腫大などの右心不全症状がみられるようになる。

身体所見

胸郭異常（漏斗胸，側弯，straight back症候群）が原因のMVPもあるので，注意して観察する必要がある。Marfan症候群の一表現型として僧帽弁逸脱が認められることがあるので，体型の特徴を観察する必要がある。

聴診ではその特徴的な非駆出性収縮期クリックをⅠ音の後に聴取する。そのクリックに引き続き収縮期中期から後期にかけて収縮後期雑音（late systolic murmur）が聴取されるが，重症僧帽弁逆流では全収縮期雑音が聴取される。雑音やクリックが体位や労作によって大きく変わることにも注意すべきである。

検査所見

1）胸部X線： 正常所見を呈することが多いが，僧帽弁逆流が高度になると僧帽弁閉鎖不全の項目に示したとおりの左房および左室負荷を反映した所見を示す。

2）心電図： 特徴的な所見はないが，僧帽弁逆流が高度になると前述の僧帽弁閉鎖不全に準じる。

3）心エコー： 左室長軸像では僧帽弁尖が収縮期に僧帽弁輪をこえて左房内に逸脱する所見を認める（図7-10-17，e動画7-10-M～7-10-N）。断裂した腱索が認められる場合もある。カラードプラ法では逸脱した弁の反対方向に向かう偏心性の逆流ジェットを認める（図7-10-18，e図7-10-G，e動画7-10-O～7-10-P）。たとえば前尖の逸脱の場合には逆流ジェットは左房後面に向かう。逆流の評価は前述の僧帽弁閉鎖不全に準ずる。逸脱部位，範囲などは多断面から評価しないと見逃す可能性があり注意が必要である。手術前など詳細な逸脱部位，範囲などの評価が必要な際には経食道エコー検査はきわめてすぐれており，三次元心エコー検査も有用である（e図7-10-H，e動画7-10-Q～7-10-S）。

診断

診断は症状や収縮期雑音の存在から疑い，心エコー検査を施行することで確定できる。心エコー検査では左室長軸像で僧帽弁尖が弁輪部をこえて2mm以上落ち込むものと定義される。逸脱に弁尖が5mm以上の肥厚を伴うものをclassic prolapse，そうでないものをnonclassic prolapseとよぶことがある。とき

療を有する重症僧帽弁閉鎖不全症の原因としては頻度が高い疾患である。

病理

MVPの病理学的機序の1つとして弁尖・腱索の粘液腫様変性を示すものがあり，このような例ではある種のグリコサミノグリカンの濃度が上昇しているといわれている。

臨床症状

多くの例で無症状であるが非定型的な胸痛や動悸を訴えることがある。不整脈が合併する場合には，動悸，めまい，息切れ，失神を起こすことがある。突然死は非常にまれな合併症であるが，重症僧帽弁閉鎖不全と左室機能低下を合併する例では注意する必要がある。重症僧帽弁閉鎖不全を伴う例では左房圧の上昇とそれによる肺うっ血，低心拍出による心不全症状がみられる。おもに労作時呼吸困難を訴え，動悸，息切れが認められるようになる。さらに進行すると安静時呼吸困難や咳，喀血などを伴うことがある。肺高血圧，

に弁輪が拡大して接合不全となった症例において僧帽弁前尖や後尖の一部がわずかにずれて左房側に落ち込んでいるように見えることがあるが，これは僧帽弁逸脱ではないので注意が必要である．

合併症

進行する僧帽弁逆流や感染性心内膜炎があげられる．僧帽弁逆流の進行は左室・左房の拡大，心房細動，肺高血圧，心不全をきたす．まれに突然死をきたすともいわれる．

予後

症状，心電図異常，僧帽弁逆流のないあるいは軽度の症例では予後良好である．高度の僧帽弁逆流や僧帽弁の変形を伴った患者では突然死の危険が増すといわれる．僧帽弁逆流が進行したものは僧帽弁閉鎖不全症の項に準じる【⇒7-10-3】．

若年(50歳未満)で無症候性，左心機能正常な内科的治療を受けている症例においては重症僧帽弁逆流を伴ってもその予後は良好である．

治療

上室性，心室性不整脈に基づく動悸症状のある症例ではβ遮断薬が有効である．心房細動または以前の一過性脳虚血発作もしくは脳卒中を有する患者には，血栓塞栓症を予防するための抗凝固薬が推奨される．重症僧帽弁逆流を伴う場合には僧帽弁閉鎖不全症の項に準じた治療を行う【⇒7-10-3】．原則的には重症僧帽弁逆流を伴う MVP は僧帽弁形成術の適応である(治療はガイドライン[3])に準ずる)．

〔麻植浩樹・伊藤　浩〕

■文献

Carpentier A: Cardiac valve surgery-the "French correction". *J Thorac Cardiovasc Surg.* 1983; **86**: 323-37.

Delling FN, Vasan R: Epidemiology and Pathophysiology of Mitral Valve Prolapse New Insights Into Disease Progression, Genetics, and Molecular Basis. *Circulation.* 2014; **129**: 2158-70.

Nishimura RA, Otto CM, et al: 2014 AHA/ACC guideline for the management of patients with valvular heart disease: A report of the American College of Cardiology/American Heart Association Task Force on Practice Guidelines. *Circulation.* 2014; **129**: e521-643.

5) 大動脈弁狭窄症
aortic stenosis : AS

概念

大動脈弁狭窄症(AS)はリウマチ性弁疾患，加齢変性，先天性弁異常などのために大動脈弁の開放が障害され弁口面積が減少したもので弁膜症のなかでは最も多い．最近はリウマチ性 AS はほとんどみなくなり，かわって加齢変性に伴うものが増えてきた．若年者の AS はほとんどが先天性二尖弁であるが，ときに先天性一尖弁をみることもある．AS は進行性の疾患であり，個人差はあるものの年間の弁口面積減少度はおおむね 0.1 cm^2 とされている[1])．

疫学

AS の頻度を病因別にみると，変性に伴うものが 81.9% と最多であり，ついでリウマチ性が 11.2%，先天性が 5.4% と報告されている(Iung ら，2003)．加齢変性に伴う AS は 65 歳以上の 2〜7% に認められ，加齢とともに有病率が上昇する．さらにその前段階と考えられる大動脈弁硬化に至っては，65 歳以上の 26% にみられ，75 歳以上では 37% に認められる[2])．先天性二尖弁の頻度は剖検に基づいた報告では約 1〜2% とされていたが[3])，心エコー法を用いた検討では約 0.5% と従来の報告よりも少ない可能性が指摘されている[4])．

病理

加齢変性に伴う AS では弁の硬化，肥厚，石灰化により弁の開放が障害される．局所には炎症所見，脂質浸潤，骨化などを認め動脈硬化性の変化と考えられている[5])．交連部の癒合は顕著ではない．それに対しリウマチ性は弁交連部の癒合が特徴的である．二尖弁では元来の開口面積が小さいのに加え，次第に生じる石灰化や硬化のために開放障害をきたす．

病態生理

AS では大動脈弁口面積が減少することにより，左室から大動脈への駆出抵抗が増大し，収縮期に左室と大動脈の間に圧較差が生じる．また 1 回拍出量も低下する．狭窄が進行するにつれ左室収縮期圧は増大し，左室は圧負荷のために求心性の肥大を呈する．心肥大により左室コンプライアンスの低下(拡張障害)と相対的心筋虚血が生じる．心筋虚血が恒常化すると，心筋の線維化が進行してきて心機能を低下させ，最終的には後負荷不整合とあいまって心不全となる．

臨床症状

1)自覚症状: 高度 AS でも当初は無症状で経過する．しかし代償機転が破綻すると労作時息切れ，全身倦怠感，狭心痛，失神・めまい，心不全が起こる．いったん症状が始まると予後不良である．ときに突然死をきたす．

2)他覚症状: 胸骨右縁第 2 肋間に最強点を有し頸部に放散する漸増漸減性の荒々しい収縮期駆出性雑音を聴取する．遅脈を認める．

検査所見・診断

1)胸部 X 線写真: 左室求心性肥大のため左第 4 弓が丸みを帯びる．心胸郭比は正常範囲であることが多い(e図 7-10-I)．

2)心電図: 左室肥大を反映して左側胸部誘導での R 波増高，ストレインパターン(ST 低下と陰性 T 波)を

表 7-10-8 大動脈弁狭窄症の重症度(日本循環器学会. 弁膜疾患の非薬物治療に関するガイドライン(2012 年改訂版)http://www.j-circ.or.jp/guideline/pdf/JCS2012_ookita_h.pdf(2016 年 11 月 25 日閲覧))

	軽度	中等度	高度
連続波ドプラ法による最高血流速度(m/秒)	< 3.0	3.0〜4.0	≧ 4.0
簡易 Bernoulli 式による収縮期平均圧較差(mmHg)	< 25	25〜40	≧ 40
弁口面積(cm²)	> 1.5	1.0〜1.5	≦ 1.0
弁口面積係数(cm²/m²)	–	–	< 0.6

表 7-10-9 大動脈弁狭窄症に対する大動脈弁置換術の適応(日本循環器学会. 弁膜疾患の非薬物治療に関するガイドライン(2012 年改訂版)http://www.j-circ.or.jp/guideline/pdf/JCS2012_ookita_h.pdf(2016 年 11 月 25 日閲覧))

クラスI
1 症状を伴う高度 AS
2 CABG を行う患者で高度 AS を伴うもの
3 大血管または弁膜症にて手術を行う患者で中程度 AS を伴うもの
4 高度 AS で左室機能が EF で 50%以下の症例

クラスIIa
1 CABG, 上行大動脈や弁膜症の手術を行う患者で中等度 AS を伴うもの

クラスIIb
1 高度 AS で無症状であるが, 運動負荷に対し症状出現や血圧低下をきたす症例
2 高度 AS で無症状, 年齢・石灰化・冠動脈病変の進行が予測される場合, 手術が症状の発現を遅らせると判断される場合
3 軽度な AS をもった CABG 症例に対しては, 弁の石灰化が中等度〜重度で進行が早い場合
4 無症状かつ弁口面積 < 0.6 cm², 平均大動脈−左室圧格差 > 60 mmHg, 大動脈弁通過血流速度 > 5.0 m/秒

クラスIII
1 上記の Class IIa および IIb にあげられている項目も認めない無症状の AS において, 突然死の予防目的の AVR

認める(e図 7-10-J).

3) 心エコー検査(e動画 7-10-T, 7-10-U): 断層像で大動脈弁の開放制限と弁口の狭小化, 左室の求心性肥大, ドプラ法で大動脈弁通過血流速の増大を認める. 大動脈弁通過血流速から左室−大動脈間の最大圧較差と平均圧較差, さらに連続の式に基づいて弁口面積を求める. 表 7-10-8 に重症度分類を示す[6]. 心エコー検査で確定診断と重症度評価が可能であるため, 昨今では心臓カテーテル検査での評価の必要性は減っており, カテーテル検査は臨床症状と検査所見の乖離がある場合, 冠動脈疾患の評価が必要な際などに行われるにすぎない. なお二尖弁では大動脈病変(拡大, 瘤, 解離)を伴うことがあるので, 心エコー, CT, MRI を用いて大動脈の評価が必要である.

治療

AS の内科的治療には確立したものがない. したがって重症の AS で症状が出現した例, 無症状であっても左室駆出率が 50% 未満の例, 運動負荷により血圧が低下する例では大動脈弁置換術を考慮する(表 7-10-9)(Vahanian ら, 2012;Nishimura ら, 2014)[6]. 手術治療のリスクが高い例では経カテーテル的大動脈弁留置術(transcatheter aortic valve implantation:TAVI)が行われる. 〔中谷 敏〕

■文献(e文献 7-10-5)

Iung B, Baron G, et al: A prospective survey of patients with valvular heart disease in Europe: The Euro Heart Survey on Valvular Heart Disease *Eur Heart J*. 2003; **24**: 1231-43.

Nishimura RA, Otto CM, et al: 2014 AHA/ACC Guideline for the management of patients with valvular heart disease. *J Am Coll Cardiol*. 2014; **63**: e57-185.

Vahanian A, Alfieri O, et al: Guidelines on the management of valvular heart disease(version 2012). *Eur Heart J*. 2012; **33**: 2451-96.

6) 大動脈弁閉鎖不全症
aortic regurgitation:AR

概念・分類

大動脈弁閉鎖不全症(AR)とは, 何らかの原因により大動脈弁尖間の接合が悪くなって拡張期に大動脈から左室へ逆流が生じる病態をいう. その原因にはリウマチ性弁疾患, 先天的弁異常(二尖弁, 四尖弁), 加齢変性, 感染性心内膜炎, 弁尖逸脱など弁自体の器質的変性のために弁尖の接合が悪くなって生じるものと, 弁尖自体に異常がなくても弁輪拡張症, Marfan 症候群, 上行大動脈瘤, 大動脈解離など大動脈基部の拡大に伴って接合が浅くなって生じるものの 2 種類がある. 表 7-10-10 に病因を示す(大北ら, 2012). 感染性心内膜炎や大動脈解離に伴うものなど急性発症の AR とそれ以外の慢性 AR に分けることもある.

疫学

AS と同様にリウマチ性 AR は少なく, 大動脈基部拡大に伴うもの, 高血圧に伴うもの, 二尖弁によるもの, 感染性心内膜炎に伴うものなどが多い[1]. フラミンガムスタディでは AR の頻度は年齢とともに増加し, 軽度の AR は 70 歳以上の男性の 12.2%, 女性の 14.6%に認められ, 中等度以上の AR は男性の 2.2%, 女性の 2.3%に認められたという[2].

病態生理

逆流は左室に対する容量負荷となる．高度逆流が慢性的に持続している場合には，左室は当初肥大を生じ，その後徐々に拡大し心機能が低下する．感染性心内膜炎や大動脈解離などにより急性に発症した AR では，左室拡張期圧が急速に増大し，しばしば激烈な急性心不全症状を呈し緊急手術が行われる．

臨床症状

1）自覚症状： 慢性 AR では無症状に経過する期間が長いが，次第に労作時息切れ，全身倦怠感が出現するようになり，重症になると起座呼吸，夜間発作性呼吸困難が出現する．また冠灌流圧の低下や心肥大に伴う冠動脈予備能低下のために狭心症状を呈することもある．狭心症状を呈する例では年間 10％以上の死亡率，心不全症状を呈する例では年間 20％以上の死亡率とされている．

2）他覚症状： 第 3 肋間胸骨左縁に最強点を有し，心尖部に放散する漸減性高調の拡張期雑音を聴取する．逆流血流のために 1 回拍出量が増加し，そのため駆出性収縮期雑音を伴うことも多い．速脈，脈圧の増大を認める．

検査所見・診断

1）胸部 X 線写真： 左室拡大のために左第 4 弓が突出する．心胸郭比も大きくなる（e図 7-10-K）．

2）心電図： 左室拡大を反映して左側胸部誘導の R 波の増高を認める．進行するとストレインパターンを呈することがある．

3）心エコー検査： 確定診断と重症度評価は心エコーで行う．断層像で大動脈弁尖の接合を障害しうる大動脈弁または大動脈の異常を認める．通常，左室は拡大する（e動画 7-10-V）．カラードプラ法で大動脈弁逆流を認め（e動画 7-10-W），その広がり具合から簡便に重症度の評価を行うことができる．急性の AR では左室は必ずしも拡大していない．心エコーで十分な情報量が得られない場合には MRI 検査を行う．臨床症状と非侵襲的検査結果とが乖離する場合，心内圧を知りたいとき，冠動脈疾患の有無を知りたいときに心臓カテーテル検査を行う．

治療

自覚症状を有するか，または心拡大が著明あるいは心機能が低下している高度 AR は手術治療の適応とな

表 7-10-10 大動脈弁閉鎖不全症の原因（日本循環器学会．弁膜疾患の非薬物治療に関するガイドライン（2012 年改訂版）http://www.j-circ.or.jp/guideline/pdf/JCS2012_ookita_h.pdf（2016 年 11 月 25 日閲覧））

●大動脈弁自体の病変
- 先天性二尖弁・四尖弁
- リウマチ性
- 感染性心内膜炎
- 加齢変性による石灰化
- 粘液腫瘍変化
- 心室中隔欠損症
- Valsalva 洞瘤破裂
- 外傷性
- 開窓部（fenestration）の破綻
- 高安病（大動脈炎症候群）
- 強直性脊椎炎
- 全身性エリテマトーデス
- 関節リウマチ

●大動脈基部の異常
- 加齢による大動脈拡大
- 結合組織異常（Marfan 症候群，Ehlers-Danlos 症候群，Loeys-Dielz 症候群）
- 大動脈解離，限局解離
- 巨細胞性動脈炎
- 梅毒性大動脈炎
- Bechçet 病
- 潰瘍性大腸炎関連の関節炎
- Reiter 症候群
- 強直性脊椎炎
- 乾癬性関節炎
- 再発性多発軟骨炎
- 骨形成不全症
- 高血圧症
- ある種の食欲抑制薬

表 7-10-11 大動脈弁閉鎖不全症に対する大動脈弁置換術の適応（日本循環器学会．弁膜疾患の非薬物治療に関するガイドライン（2012 年改訂版）http://www.j-circ.or.jp/guideline/pdf/JCS2012_ookita_h.pdf（2016 年 11 月 25 日閲覧））

クラス I
1. 胸痛や心不全症状のある患者（ただし，LVEF ＞ 25％）
2. 冠動脈疾患，上行大動脈疾患またはほかの弁膜症の手術が必要な患者
3. 感染症内膜炎，大動脈解離，外傷などによる急性 AR
4. 無症状あるいは症状が軽微の患者で左室機能障害（LVEF 25～49％）があり，高度の左室拡大を示す

クラス IIa
無症状あるいは症状が軽微の患者で
1. 左室機能障害（LVEF 25～49％）があり，中等度の左室拡大を示す
2. 左室機能正常（LVEF ≧ 50％）であるが，高度の左室拡大を示す
3. 左室機能正常（LVEF ≧ 50％）であるが，定期的な経過観察で進行的に，収縮機能の低下/中等度以上の心室拡大/運動耐容能の低下を認める

クラス IIb
1. 左室機能正常（LVEF ＞ 50％）であるが，軽度程度の左室機能を示す
2. 高度の左室機能障害（LVEF ＜ 25％）のある患者

クラス III
1. まったく無症状で，かつ左室機能も正常で左室拡大も有意でない

る（大北ら，2012；Vahanian ら，2012；Nishimura ら，2014）．表 7-10-11 に日本循環器学会が提唱している手術適応を示す．手術治療は，弁尖逸脱例や二尖弁などの特殊な例に対して弁形成術が行われることもあるが，ほとんどが弁置換となる．また大動脈基部拡大による閉鎖不全症では弁と同時に大動脈を置換する Bentall 手術が行われるが，弁に器質的病変がない例では，自己弁を温存した大動脈基部置換術（remodeling, reimplantation）が行われることが多い．心拡大や心機能低下があっても合併症により手術ができない場合には血管拡張薬が投与される．しかし軽症～中等症の大動脈弁閉鎖不全症に対して，血管拡張薬が有効であるというエビデンスは確立されていない．

〔中谷　敏〕

■文献（e文献 7-10-6）

Nishimura RA, Otto CM, et al: 2014 AHA/ACC Guideline for the management of patients with valvular heart disease. *J Am Coll Cardiol.* 2014; 63: e57-185.

大北　裕，他：弁膜疾患の非薬物治療に関するガイドライン 2012 年改訂版，日本循環器学会．http://www.j-circ.or.jp/guideline/pdf/JCS2012_ookita_h.pdf

Vahanian A, Alfieri O, et al: Guidelines on the management of valvular heart disease（version 2012）. *Eur Heart J.* 2012; 33: 2451-96.

7）三尖弁狭窄症
tricuspid stenosis：TS

概念・病因
　三尖弁狭窄症（TS）は何らかの原因によって三尖弁の開放が障害される病態である．病因はリウマチ性弁疾患，カルチノイド症候群（薬物性含む），感染性心内膜炎などであるが，リウマチ性弁疾患自体が減っており，現在日常臨床で TS をみることはほとんどない．

病態生理
　拡張期に右房右室間に過度の圧が発生するため右房は拡大し，さらに静脈系のうっ滞を示す．ときに右房内に血栓を認める．右心系からの駆出が減るため低心拍出量となる．リウマチ性の場合には合併する僧帽弁狭窄症のために左房負荷も併存することになる．

臨床症状
1）自覚症状：　低心拍出量のために全身倦怠感を生じる．また下腿浮腫を自覚し，肝腫大のため腹部膨満感を訴える．

2）他覚症状：　右心不全徴候として頸静脈怒張，肝腫大，腹水，下腿浮腫などを認める．胸骨左縁第 4 肋間に吸気時に増強する拡張期ランブルを聴取する（Rivero-Carvallo 徴候）．

検査所見・診断
1）胸部 X 線写真：　右房の著明な拡大を認める．
2）心電図：　右房負荷所見を認める．
3）心エコー検査：　弁の硬化，肥厚と開放制限を認める．ドプラ法で拡張期血流速の増大と減速時間の延長，圧較差の増大を認める．減速時間が 190 msec 以上，平均圧較差が 5 mmHg 以上，弁口面積 1 cm^2 以下であれば高度 TS である．カテーテル検査は臨床症状と検査所見の乖離がある場合に行われる．

治療
　利尿薬は上昇した右房圧を減少させ浮腫を軽減するのに有効であるが，前負荷の低下に伴って低心拍出量状態を悪化させるので注意が必要である．内科的にコントロール困難な TS に対しては手術治療が選択される．三尖弁逆流が高度でない例ではバルーン拡大術も選択されるが長期成績は不明である．

〔中谷　敏〕

■文献

Nishimura RA, Otto CM, et al: 2014 AHA/ACC Guideline for the management of patients with valvular heart disease. *J Am Coll Cardiol.* 2014; 63: e57-185.

大北　裕，他：弁膜疾患の非薬物治療に関するガイドライン 2012 年改訂版，日本循環器学会．http://www.j-circ.or.jp/guideline/pdf/JCS2012_ookita_h.pdf

Vahanian A, Alfieri O, et al: Guidelines on the management of valvular heart disease（version 2012）. *Eur Heart J.* 2012; 33: 2451-96.

8）三尖弁閉鎖不全症
tricuspid regurgitation：TR

概念・病因
　三尖弁閉鎖不全症（TR）では三尖の接合が不完全なため収縮期に右室から右房へ逆流が生じる．左心系疾患，右室負荷，心房細動などのための弁輪拡大や右室機能不全に伴うテザリングによる機能的閉鎖不全症が多い．器質的弁障害の病因としてはリウマチ性弁膜症，感染性心内膜炎，ペースメーカーリードによる弁閉鎖障害，腱索断裂，弁尖逸脱，Ebstein 奇型，カルチノイド症候群（薬剤性含む）などがあげられる．

病態生理
　逆流血のために右房圧は上昇し，浮腫，肝腫大，腹水などを生じる．逆流血流は右房への容量負荷となり，ますます弁輪を拡大させてさらに逆流が増加することになる．

臨床症状
1）自覚症状：　下腿浮腫を自覚する．肝腫大のために腹部膨満感を訴える．低心拍出量に伴う全身倦怠感を訴えることもある．

2）他覚症状：　右心不全徴候として頸静脈怒張，肝腫

表 7-10-12 三尖弁閉鎖不全症に対する手術の適応（日本循環器学会．弁膜疾患の非薬物治療に関するガイドライン（2012 年改訂版）http://www.j-circ.or.jp/guideline/pdf/JCS2012_ookita_h.pdf（2016 年 11 月 25 日閲覧））

クラス I
1. 高度 TR で，僧帽弁との同時初回手術としての三尖弁輪形成術
2. 高度の一次性 TR で症状を伴う場合（強い右室不全がないとき）

クラス IIa
1. 高度 TR で，弁輪形成が不可能であり，三尖弁置換術が必要なとき
2. 感染性心内膜炎による TR で，大きな疣贅，治療困難な感染・右心不全を伴う場合
3. 中等度 TR で，弁輪拡大，肺高血圧，右心不全を伴う場合
4. 中等度 TR で，僧帽弁との同時再生手術としての三尖弁輪形成術
5. 左心系の弁手術後の高度 TR で症状がある場合．ただし左心不全や右室不全がないとき

クラス IIb
1. 中等度 TR で，弁輪形成が不可能であり三尖弁置換術が必要な場合
2. 軽度 TR で，弁輪拡大，肺高血圧を伴う場合

クラス III
1. 僧帽弁が正常で，肺高血圧も中等度（収縮期圧 60 mmHg）以下の無症状の TR

大，腹水，下腿浮腫などを認める．重症例では頸静脈が収縮期に膨瘤するのが見てとれる．胸骨左縁下部に吸気時に増強する全収縮期雑音を聴取する（Rivero-Carvallo 徴候）．

検査所見・診断

1）**胸部 X 線写真**：右房，右室の拡大のために右第 1 弓，第 2 弓の突出を認める（e図 7-10-L）．
2）**心電図**：右房負荷のために心房細動を示すことが多い．
3）**心エコー検査**：弁輪拡大，右室拡大に伴うテザリング，器質的変化による三尖弁の接合不全を認める．Ebstein 奇型では中隔尖や後尖の右室側への偏位を認める．右房，右室は拡大している．右房圧の上昇を反映して下大静脈は拡大している．カラードプラ法で右室から右房への逆流血流を認める（e動画 7-10-X）．右房内の逆流シグナルの広がり程度で重症度を判定する．連続波ドプラ法で記録される TR 速度は収縮期右室圧を推定するのに用いられる．

治療

機能的 TR は利尿薬の投与によりしばしば軽減する．有症状性高度 TR は手術治療の対象となる．表 7-10-12 に日本循環器学会が提唱している手術適応を示す（大北ら，2012）．　　　　〔中谷　敏〕

■文献

Nishimura RA, Otto CM, et al: 2014 AHA/ACC Guideline for the management of patients with valvular heart disease. *J Am Coll Cardiol*. 2014; 63: e57-185.

大北　裕，他：弁膜疾患の非薬物治療に関するガイドライン 2012 年改訂版，日本循環器学会，2012．http://www.j-circ.or.jp/guideline/pdf/JCS2012_ookita_h.pdf

Vahanian A, Alfieri O, et al: Guidelines on the management of valvular heart disease（version 2012）. *Eur Heart J*. 2012; 33: 2451-96.

9）肺動脈弁狭窄症
pulmonary stenosis：PS

概念・病因

先天性の PS はまれではないが，後天性の PS はきわめてまれである．病因としてはリウマチ性，感染性心内膜炎，カルチノイド症候群があげられる．

病態生理

右室は圧負荷のため肥大および拡大を示す．右房もしばしば拡大する．肺動脈は狭窄後拡張を認める．

臨床症状・診断

労作時息切れを訴える例で，第 2〜3 肋間胸骨左縁に最強点を有する駆出性収縮期雑音を聴取する．心エコー検査で肺動脈弁位で流速の増大を検出し，高度の圧較差を認める．高度 PS は流速 4 m/秒以上，圧較差 64 mmHg 以上である（Nishimura ら，2014）．弁の開放制限が観察されれば診断はさらに確実となる．

治療

バルーンを用いた経皮的拡大術または外科的治療が行われるが，後天性 PS で侵襲的治療が必要とされる例はほとんどない．　　　　〔中谷　敏〕

■文献

Nishimura RA, Otto CM, et al: 2014 AHA/ACC Guideline for the management of patients with valvular heart disease. *J Am Coll Cardiol*. 2014; 63: e57-185.

10）肺動脈弁閉鎖不全症
pulmonary regurgitation：PR

概念・病因

肺動脈弁で逆流が認められることは多くあるが，ほとんどが肺高血圧に伴う機能性弁逆流である．器質的弁逆流を生じるものとしてはリウマチ性，感染性心内膜炎，弁尖逸脱，PS に対するバルーン開大術後，カルチノイド症候群などが考えられる．しかし後天性 PR で臨床的に問題となる例は多くない．小児期に Fallot 四徴症などの先天性心疾患に対して手術を受け，その後 PR が徐々に進行し右心不全をきたす例がある．

病態生理

高度 PR は右室の容量負荷となり，右室は拡大する．長期に持続すれば右心不全を起こす可能性がある．

臨床症状・診断

労作時息切れを訴える．第 2～4 肋間胸骨左縁付近で拡張期雑音を聴取する．肺高血圧に伴う機能性弁逆流の雑音を Graham Steell 雑音ということがある．カラードプラ法で肺動脈から右室への逆流血流を認める．しかし健常人でも軽度の PR を認める例は多く，逆流を認めたからといってすぐに病的 PR と考えてはいけない．右室は拡大する．肺動脈弁の閉鎖を障害するような構築が認められれば診断は確実となる．

治療

単独 PR で加療が必要となる例はまれである．右心不全症状の強い場合や感染性心内膜炎では外科的治療の適応を考える．　　　　　　　　　　〔中谷　敏〕

■文献

Nishimura RA, Otto CM, et al: 2014 AHA/ACC Guideline for the management of patients with valvular heart disease. *J Am Coll Cardiol*. 2014; **63**: e57-185.

11) 連合弁膜症

定義・概念

単弁疾患はほとんどない．AS に MR が合併することはまれではないし，また左心系疾患に TR が合併することもよくある．したがって連合弁膜症の病態や治療を考えるうえでは，どの弁膜症が主たる病変であるかを知らなくてはならない．また連合弁膜症の血行動態を考える際には，他弁の病変が血行動態を修飾することを考慮に入れる必要がある．基本的には狭窄症は弁より近位の心腔に圧負荷を生じ，弁通過血流の低下をきたす．また閉鎖不全症は近位の心腔に容量負荷を生じ，遠位方向に向かう弁通過血流の増大をきたす．おのおのの弁病変の重症度に応じてこれらが互いに影響しあうことになる．連合弁膜症では複数病変のために単弁病変に比べて症状が出やすく，また心機能も低下しやすい．治療は原則として主たる弁膜症の重症度に応じて考慮されるが，手術のタイミングについては個々の例に応じて検討しなければならない．以下に代表的連合弁膜症について記す．なお厳密には連合弁膜症とはいえないが，1 つの弁に狭窄症と閉鎖不全症が併存している例もよくみられる．ここでは AS に AR が合併した例について併せ述べる．

1) **大動脈弁狭窄症（AS）+ 僧帽弁狭窄症（MS）**：リウマチ性弁膜症による MS に同じくリウマチ性 AS または加齢変性 AS が合併したものである．MS のために左室への流入血流が制限され，そのため左室-大動脈間圧較差が実際の AS 重症度から予想されるより低く計測される．MS のために AS 単独に比べて肺うっ血症状が出現しやすい．

2) **大動脈弁閉鎖不全症（AR）+ 僧帽弁狭窄症（MS）**：リウマチ性が多い．MS のために左室への流入血流が制限され，AR の症状が出にくい．MS による肺うっ血症状が出現しやすい．

3) **大動脈弁狭窄症（AS）+ 僧帽弁閉塞不全症（MR）**：リウマチ性のものもあるが，加齢変性 AS に逸脱による MR が合併したり，AS に伴う心不全のため生じたテザリングによる MR が合併することもある．MR のために左室からの前方駆出量が低下し，左室-大動脈間圧較差が実際の AS 重症度から予想されるより低く計測される．機能性 MR の場合には大動脈弁置換術後に MR が軽減することが期待される．

4) **大動脈弁閉鎖不全症（AR）+ 僧帽弁閉塞不全症（MR）**：両者とも左室に容量負荷を生じるため，早期に左室拡大，左室機能不全，肺うっ血を生じやすい．機能性 MR の場合には大動脈弁置換術後に MR が軽減することが期待される．

5) **左心系疾患 + 三尖弁閉鎖不全症（TR）**：リウマチ性僧帽弁膜症にリウマチ性三尖弁疾患が合併する場合と，左心系疾患のために生じた肺高血圧を介して二次性 TR が生じる場合がある．二次性 TR は左心系疾患を手術治療することにより軽減する．三尖弁弁輪が拡大した例では手術の際に三尖弁輪縫縮術を加える．

6) **大動脈弁狭窄症（AS）+ 大動脈弁閉鎖不全症（AR）**：左室は AS のために圧負荷を受け，AR のために容量負荷を受けることになる．AR のため前方駆出量は増え，そのため左室-大動脈間圧較差が実際の AS 重症度から予想されるより大きく計測される．

〔中谷　敏〕

■文献

Nishimura RA, Otto CM, et al: 2014 AHA/ACC Guideline for the management of patients with valvular heart disease. *J Am Coll Cardiol*. 2014; **63**: e57-185.

大北　裕，他：弁膜疾患の非薬物治療に関するガイドライン 2012 年改訂版，日本循環器学会，2012. http://www.j-circ.or.jp/guideline/pdf/JCS2012_ookita_h.pdf

Vahanian A, Alfieri O, et al: Guidelines on the management of valvular heart disease (version 2012). *Eur Heart J*. 2012; **33**: 2451-96.

7-11 感染性心内膜炎
infective endocarditis：IE

定義・概念
IEは，菌血症から，心内膜（主として弁や弁の支持組織）や大血管内膜に細菌や真菌が付着し，疣腫（疣贅，vegetation, verruca）を形成する全身性敗血症疾患である．弁機能不全による心不全，塞栓症，感染性動脈瘤破裂による出血など，多彩な病態を呈する．不明熱の鑑別疾患として重要であり，適切な診断・治療がなされない場合，致死的となる．

分類
1) 発症機転による分類：
　a) 急性心内膜炎（acute IE）：突然の高熱，心拍数の上昇などを伴い，数日〜数週間の間に急速で広範囲の弁破壊をきたす．適切な処置がなされなければ数週間で致死的転機をたどる．原因菌として，黄色ブドウ球菌の頻度が高い．高齢者に多く，健常な弁が侵される例も多い．
　b) 亜急性心内膜炎（subacute IE）：緑色連鎖球菌，腸球菌などの感染によることが多く，数週間〜数カ月にわたり，発熱や倦怠感が持続する．基礎疾患として弁膜異常のある患者に多い．

2) 罹患弁による分類：
　a) 自己弁心内膜炎（native valve endocarditis：NVE）：左心系感染，右心系感染．
　b) 人工弁心内膜炎（prosthetic valve endocarditis：PVE）：早期感染（術後1年以内の感染），慢性期感染（術後1年以降の感染）．

3) 感染状況による分類：
　a) 医療関連感染：院内感染（入院48時間以上の患者における感染），院外感染（院外で医療を受けていた患者の感染）；① 30日以内に在宅で点滴治療，透析治療，経静脈的化学療法を受けていたもの，② 90日以内に急性期病院で治療を受けていたもの，③ 長期滞在型療養施設に入所していたもの．
　b) 市中感染：通常の社会生活の中で感染．
　c) 薬物使用関連感染：静注薬物の乱用などによる感染．

病態
弁狭窄や弁逆流，短絡による血流は，乱流・高速流を生じる．これが弁や心内膜に接することにより，心内膜に炎症が生じ，フィブリン，血小板などが沈着する．この状態は，非細菌性血栓性心内膜炎（nonbacterial thrombogenic endocarditis：NBTE）であり，ここへ菌血症が生じると，フィブリンや血小板に菌が付着・増殖する．その後，周辺組織への浸潤，破壊を伴い，さらに増殖し疣腫を形成する．

原因・病因
発症の要因として，患者の基礎疾患による要因と，菌原因菌の要因とがある．

患者の基礎疾患として，過去にはリウマチ性弁疾患に続発する例が多かったが，近年では弁の変性による大動脈弁疾患や僧帽弁逸脱例，人工弁置換例での発症が増加している．しかし，心疾患の既往のない例も20％に認める（Nakataniら，2013）．発症部位は僧帽弁が最多で，ついで大動脈弁に多い．三尖弁や肺動脈弁など右心系での発症は薬物中毒患者に多い．これは汚染された注射器による静脈注射を繰り返すことによる．中心静脈カテーテルや動静脈短絡，ペースメーカなども原因となる．感染性微生物の侵入経路は半数以上で不明であり，齲歯や歯科的処置によるものは20％程度である．アトピー性皮膚炎も菌血症の誘引として重要である．口腔や皮膚，上気道からの感染は連鎖球菌系（Streptococci），ブドウ球菌系（Staphyrococci）が多い．人工弁の場合の原因菌は表皮ブドウ球菌（*Staphylococcus epidermidis*）などのコアグラーゼ陰性菌，あるいは黄色ブドウ球菌（*S.aureus*）が大部分である（表7-11-1）．

疫学
欧米での報告では10万人年対15〜30例とされている．日本における，277施設から回答のあったアンケート調査では，全入院症例の1/173と報告されている（Nakataniら，2003）．女性よりも男性での発症が多い．

病理
感染巣には血小板，フィブリン，炎症細胞，炎症性滲出物とともに，細菌塊を認める．疣腫は数mmから，大きいものでは数cmにおよび，弁狭窄を生じる場合がある．周辺組織へ波及すると弁輪部膿瘍，Valsalva洞破裂を生じることがある．また，房室結節へ波及すると伝導障害を生ずる．

臨床症状
1) **全身症状**：発熱，全身倦怠感，食欲不振，体重減少などを認める．
2) **罹患弁の障害による心症状**：新たな心雑音の出現や増強は約85％の患者でみられる．心拡大，心不全，弁輪部膿瘍による房室ブロックを生じることがある．
3) **塞栓症状**：脳梗塞，脾梗塞，腎梗塞のほか，冠動脈閉塞による心筋梗塞や，右心系の感染性心内膜炎では肺塞栓を合併する例がある．また，眼瞼結膜，口腔粘膜，手足末梢に微小塞栓による点状出血，爪下に爪下線状出血を認めることがある．Janeway結節（無痛性の手掌足底の出血性小結節）はブドウ球菌感染でみ

表 7-11-1 感染性心内膜炎の原因菌

	自己弁			薬物使用関連	人工弁	
	市中感染	医療関連			早期感染	慢性期感染
		院内感染	院外感染			
黄色ブドウ球菌 Staphylococcus aureus	21%	45%	42%	68%	34%	19%
連鎖球菌群 Viridans group Streptococci	26%	10%	6%	10%	1%	11%
腸球菌 Enterococcus sp.	10%	14%	16%	5%	10%	13%
コアグラーゼ陰性ブドウ球菌	6%	12%	15%	3%	28%	20%
HACEK*	3%	0%	0%	0%	0%	2%
真菌	0%	2%	2%	1%	6%	3%
その他	23%	10%	13%	8%	7%	22%
培養陰性	11%	7%	6%	5%	14%	10%

* HACEK：*Haemophilus* sp, *Actinobacillus*, *Cardiobacterium*, *Eikenella*, *Kingella*.

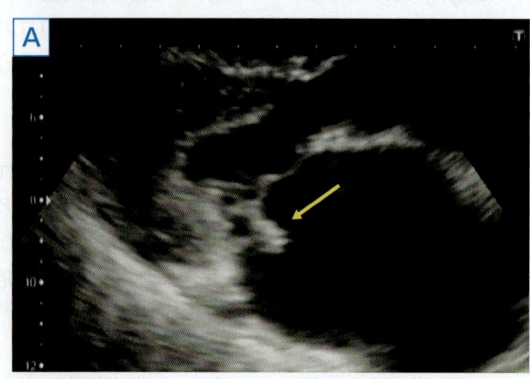 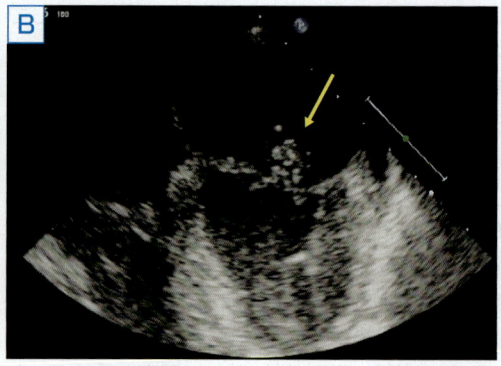

図 7-11-1 感染性心内膜炎の心エコー図
A：経胸壁心エコー図．僧帽弁後尖に付着する疣腫を認める（e動画 7-11-A）．
B：経食道心エコー図．僧帽弁後尖に付着する巨大な疣腫を認める（e動画 7-11-B）．

られやすい．
4) 免疫複合体による症状： 急性糸球体腎炎，関節炎，血管炎をきたすことがある．
　Osler 結節（手指先端の有痛性結節），Roth 斑（網膜の出血斑）は末梢性血管炎によるものであり，感染性心内膜炎のほか，全身性エリテマトーデスなどでも認められる．

検査所見
1) 血液培養： 血液培養による菌血症の証明，原因菌の同定が診断・治療に重要である．24 時間以上にわたり，連続 3 回以上，採血部位を変えて行う．抗菌薬投与前に行うのが基本である．しかし，すでに投与されている場合は，状態が落ち着いていれば，48 時間以上抗菌薬を中止して培養を行うのが望ましい．心不全や塞栓症を伴い，心エコー図検査にて感染性心内膜炎に合致する所見を認める場合には，抗菌薬は中止せずに行う．事前の抗菌薬投与がされている場合には抗菌薬結合レジン入り培地を用いる．

2) 心エコー検査： 心エコー検査は画像診断として最も重要であり，全例で施行する．感染弁に肥厚や疣腫の付着所見を認める（図 7-11-1）．経胸壁心エコー検査で陰性であっても，感染性心内膜炎が疑われる場合には，より感度の高い経食道心エコー検査を施行する（e動画 7-11-A）．経食道心エコー検査は，特に人工弁置換術後や右心系，弁輪部膿瘍などの診断に有用である（e動画 7-11-B）．経胸壁，経食道心エコー検査

のいずれによっても心内膜病変が検出されない場合でも，臨床的に感染性心内膜炎が疑われる場合には，7〜10日後に再度心エコー検査を行う．

3)血液検査所見： 非特異的な炎症反応の上昇を認める．具体的には，白血球数増加，赤沈・CRP亢進，貧血を認める．血清学的検査ではガンマグロブリンの上昇，補体価の低下などを認めることがある．

4)その他： 心電図，胸部X線，CT，MRI，ガリウムシンチグラム，PET検査などは心不全の病態把握，不明熱の鑑別診断に有用である．

診断

診断は，発熱など敗血症に伴う臨床症状，血液培養による菌血症の証明，心エコー検査による心内構造異常の確認に基づいて行われ，Duke診断基準が広く用いられている（表7-11-2）．基礎疾患の有無や，数カ月以内の一時的菌血症を伴う手技の有無は診断の助けとなる．

鑑別診断

不明熱の原因の1つであり，漫然と抗菌薬投与が行われていることが少なくない．結核，悪性疾患，薬剤アレルギーなどとの鑑別が必要である．

合併症

1)心臓内合併症： 弁逆流の増大や，弁輪部膿瘍を認める例がある．急性の弁逆流や弁輪部からの短絡による心不全は血行動態の悪化をきたしやすく，手術適応となる．

2)心臓外合併症： 脳梗塞，腎梗塞などの塞栓症，感染性動脈瘤がある．感染性動脈瘤は抗菌薬治療が奏効すると徐々に縮小し治癒する例もあるが，いったん破裂するときわめて重篤である．

3)治療による合併症： 治療に伴う腎障害，薬剤アレルギーの出現に注意が必要である．

経過・予後

感染性心内膜炎全体としての死亡率は20〜25%とされるが，その予後は原因菌，発症機転によって大きく異なり，診断，治療までに要した期間も予後に影響する．ブドウ球菌の死亡率は20〜40%であり，特にMRSAは予後不良である．真菌，非HACEK Gram陰性桿菌（緑膿菌など）の死亡率は約50%と高率である．これに対し，緑連菌での死亡率は約10%と，比較的低い．人工弁置換術後早期例の死亡率は75%と非常に高い．

治療・予防

治療の原則は，適切な抗菌薬を，適切な期間投与することにより弁破壊の進行を抑え，塞栓症など重篤な合併症を予防することである．しかし外科的治療への切り替え時期を失しないことも重要である．

1)内科的治療：

a)標的治療：起因菌が判明している場合には，必ず

表7-11-2 Duke大学診断基準　改訂版

確診
　臨床的診断
　　大基準2つ，または大基準1つと小基準3つ，または小基準5つ
　組織学的診断
　　1. 病原菌の同定：疣腫，心内膿瘍からの培養，あるいは組織診断による同定
　　2. 病理学的同定：組織学的に活動性心内膜炎の所見を有する疣腫，心内膿瘍

疑診（IEの可能性）
　大基準1つと小基準1つ，または小基準3つ

否定的
　同様の症状を呈する他疾患が明らかになった場合
　4日以内の抗菌薬による諸症状の消失
　4日以内の抗菌薬投与後の手術，または剖検例により病理学的所見陰性

〈大基準〉
1. IEに対する血液培養陽性
   A. 2回の血液培養で以下のいずれかが認められた場合
      (1) Streptococcus viridans, Streptococcus gallolyticus, HACEK群, Staphylococcus aureus
      (2) 市中感染においてEnterococcusが検出され，ほかに感染巣がない場合
   B. 次に定義される持続性IEに合致する血液培養陽性
      (1) 12時間以上間隔をあけて採取した血液検体の培養が2回以上陽性
      (2) 3回の血液培養すべて陽性あるいは4回の血液培養の大半が陽性（最初と最後の採血間隔が1時間以上）
   C. 1回の血液培養でもCoxiella burnettiが検出された場合，あるいは抗phase I IgG抗体800抗体価以上
2. 心内膜が侵されている所見で以下のAまたはBの場合
   A. IEの心エコー図所見で以下のいずれかの場合
      (1) 弁あるいはその支持組織の上，または逆流ジェットの経路，または人工物の上にみられる解剖学的に説明のできない振動性の心臓内腫瘤
      (2) 膿瘍
      (3) 人工弁の新たな部分的裂開
   B. 新規の弁閉鎖不全（既存の雑音の悪化，または変化のみでは十分でない）

〈小基準〉
1. 素因：素因となる心疾患または静注薬物常用
2. 発熱：38℃以上
3. 血管現象：主要血管塞栓，敗血症性梗塞，感染性動脈瘤，頭蓋内出血，眼球結膜出血，Janeway発疹
4. 免疫学的現象：糸球体腎炎，Osler結節，Roth斑，リウマトイド因子
5. 微生物学的所見：血液培養陽性であるが，大基準を満たさない場合，またはIEとして矛盾のない活動性の血清学的証拠

感受性試験を行い，最小発育阻止濃度（minimum inhibitory concentration：MIC）を測定する．MICの5～10倍の高濃度で4～6週間持続的に投与する．高用量を長期間投与することによる副作用発現を最小にするため，測定が可能な薬剤については血中濃度測定によるモニタリングを行う．緑連菌，腸球菌の場合にはペニシリンG，アンピシリン，バンコマイシンなどの単独，あるいはアミノグリコシド系抗菌薬のゲンタマイシンを併用する．ブドウ球菌の場合にはセファゾリンまたはバンコマイシンにゲンタマイシンを併用する．真菌の場合，カンジダ属が大部分をしめる．アムホテリシンBを基本とした抗真菌薬を用いるが，薬剤が奏効する例は少なく，急速に進行し塞栓症を発症する確立が高いため，まず外科的治療を考慮する必要がある．抗菌薬の選択，投与法の詳細については，循環器疾患ガイドラインを参照（宮武ら，2008）．治療効果の判定は血液培養の陰性化，発熱などの臨床症状の改善，心エコー上の疣腫の縮小などによって判定する．

　b）エンピリック（経験的）治療：血液培養の結果が判明する前に抗菌薬治療を開始する場合があり，これをエンピリック治療という．血液培養が陰性の場合にも，これまでの原因菌の分離頻度や患者背景から抗菌薬を選択する．

2）外科的治療：　内科的治療の経過中に，感染性塞栓症，うっ血性心不全，抵抗性感染のいずれかの病態が確認，予測される場合に手術適応を考慮する．感染が弁膜のみにとどまる場合には弁置換術が行われる．僧帽弁の場合には，可能なかぎり，感染巣を切除，隔清し修復する弁形成術も選択される．これは術後死亡率，術後合併症率などが，明らかに形成術ですぐれているからである．弁周囲組織へ感染が波及している例では，弁置換に伴い，弁輪周囲の再建手技も必要となる．外科的治療の適応については表7-11-3を参照．脳合併症を認める場合，手術時のヘパリン使用による脳出血の出現，悪化のリスクが高く，手術時期を2～4週間遅らせる必要がある．しかし，初回脳梗塞で，出血のリスクの低い小梗塞の症例の場合，72時間以内のごく早期手術の予後がよいことが報告されており（Piperら，2001），手術時期は個々の症例において考慮する必要がある．

表7-11-3 外科治療の適応

〈自己弁・人工弁共通〉
　手術有効
　　1. 弁機能障害による心不全の発現
　　2. 肺高血圧（左室拡張末期圧や左房圧上昇）を伴う急性弁逆流
　　3. 真菌・高度耐性菌による感染
　　4. 弁輪部膿瘍，仮性動脈瘤，房室伝導障害の出現
　　5. 適切かつ十分な抗菌薬投与後も7～10日以上持続ないし再発する感染症状
　手術が有効である可能性が高い
　　1. 可動性のある10 mm以上の疣腫の増大傾向
　　2. 塞栓症発症後も可動性のある10 mm以上の疣腫が観察される場合
　手術の有効性がそれほど確立されていない
　　1. 弁形成の可能性がある早期僧帽弁感染
　禁忌
　　上記のいずれにもあてはまらない疣腫

〈人工弁の場合〉
　手術有効
　　1. 急速に進行する人工弁周囲逆流の出現
　手術が有効である可能性が高い
　　1. 弁置換後2カ月以内の早期人工弁感染
　　　抗菌薬抵抗性のブドウ球菌，Gram陰性菌による感染
　　2. 適切かつ十分な抗菌薬投与後も持続する菌血症でほかに感染源がない場合

表7-11-4 感染性心内膜炎予防のための抗菌薬投与を行うべき疾患

重篤な感染性心内膜炎を発症する可能性が高く，予防すべき患者
　1. 人工弁置換患者（生体弁・同種弁を含む）
　2. 感染性心内膜炎の既往のある患者
　3. 複雑性チアノーゼ性先天性心疾患（単心室，完全大血管転位，Fallot四徴症）
　4. 体循環系と肺循環系の短絡造設術を行った患者

重篤な感染性心内膜炎を発症する可能性が高く，予防した方がよいと考えられる患者
　1. ほとんどの先天性心疾患
　2. 後天性弁膜症
　3. 閉塞性肥大型心筋症
　4. 僧帽弁逸脱症

感染性心内膜炎を発症する可能性が必ずしも高くないが，予防を行う妥当性を否定できない患者
　1. 人工ペースメーカ，あるいは植え込み型除細動器植え込み患者
　2. 長期にわたる中心静脈カテーテル留置患者

予防

心臓弁膜症などの感染性心内膜炎発症リスクの高い疾患を有する患者においては，歯科処置などの一過性菌血症を伴う手技を行う際に，抗菌薬の予防投与を行う．人工弁置換後の患者や，二次孔型心房中隔欠損を除く先天性心疾患がこれにあたる．予防投与を行うべき疾患の詳細については表7-11-4を参照．このようなハイリスク例においては，患者と家族へ，感染性心内膜炎予防法について十分に説明することが重要である．口腔や皮膚疾患のケアも予防において重要である．

〔増山 理・合田亜希子〕

■文献

宮武邦夫，赤石 誠，他：感染性心内膜炎の予防と治療に関するガイドライン 2008年改訂版．http://www.j-circ.or.jp/guideline/pdf/JCS2008_miyatake_h.pdf

Nakatani S, Mitsutake K, et al: Recent Trend in Infective Endocarditis in Japan: An Analysis of 848 Cases in 2000 and 2001. Circ J, 2003; 67: 901-5.

Nakatani S, Mitsutake K, et al: Recent Picture of infective endocarditis in Japan-lessons from Cardiac Disease Registration(CADRE-IE) Circ J. 2013; 77: 1558-64.

Piper C, Wiemer M, et al: Stroke is not a contraindication for urgent valve replacement in acute infective endocarditis. J Heart Valve Dis. 2001; 10: 703-11.

7-12 心膜疾患

1) 急性心膜炎 acute pericarditis

定義・概念

心膜疾患は，①急性心膜炎，②慢性収縮性心膜炎，③心膜腫瘍に大別される．そして，心膜液貯留，心タンポナーデは心膜疾患の主要徴候の1つとなる重要な病態である．

急性心膜炎は，感染や悪性腫瘍などさまざまな原因によって引き起こされる心膜の急性炎症である．

分類

心膜炎の分類は以下の通りである．
①急性心膜炎：6週まで
②亜急性心膜炎：6週～6カ月
③慢性心膜炎：6カ月以上

原因・病因

心膜炎の原因疾患を表7-12-1にあげる．

1) 感染性： ウイルス性心膜炎は，コクサッキーA, Bウイルス，エコーウイルス，ムンプスウイルス，アデノウイルス，ヘルペスウイルス，コクサッキーウイルスなどが主である．過去には結核性のものが多かったが，現代では化学療法の発達により激減した．しかしHIV感染者の心膜液貯留に際しては，結核性心膜炎が原因の1つとして重要である．

2) 非感染性： 急性心筋梗塞後の心膜炎は，貫壁性梗塞2～4日後に生ずる．大梗塞，冠動脈再灌流療法未施行例に多い．腫瘍性のものは肺癌，乳癌，造血器悪性腫瘍などの転移によることが多い．ほかの原因が否定的で原因不明である場合に特発性心膜炎と称される．心膜炎のなかでは最多であるが，診断に至らなかったウイルス性心膜炎が含まれると考えられる．

3) 過敏性，あるいは自己免疫性： 自己免疫性のものには，全身性エリテマトーデス，全身性強皮症，関節リウマチによるものが多い．

疫学

心膜炎の疫学について詳細に検討された文献は少なく，剖検例の1%，全入院の0.1%，あるいは非虚血性胸痛患者の5%にみられるなど，報告により一定していない．心膜疾患は種々の疾患に合併することが多く，心膜の異常による症状が認められずに経過することもあるため，詳細な頻度，予後を評価することが困難である．

病態生理

心膜は心臓と心臓につながる大血管の基部とを包み

表7-12-1 心膜炎の原因疾患

1. 感染性：
　ウイルス性，細菌性，結核，真菌，リケッチア，Lyme病

2. 非感染性：
　急性心筋梗塞
　尿毒症・人工血液透析
　腫瘍(原発性，転移性)
　粘液水腫
　放射線治療後
　外傷
　特発性
　その他　アミロイドーシス，サルコイドーシス

3. 過敏性あるいは免疫性：
　リウマチ熱
　自己免疫性疾患
　薬剤性
　心臓障害後(心筋梗塞後，心膜切開術後，外傷後)

込んでおり，その構造は線維性心膜と漿膜性心膜とからなる．線維性心膜は膠原線維に富む構造で，心膜の外層をなし，上方の大血管と下方の横隔膜と結合している．漿膜性心膜は臓側心膜と壁側心膜からなり，壁側心膜は線維性心膜の内面を覆い，大血管基部で反転し臓側心膜となる．漿膜性心膜の壁側心膜と臓側心膜の間が心膜腔であり，少量の心膜液（15～50 mL 程度）を認める．心膜は心臓の位置を保持し，心臓の異常拡大の抑制や，心膜液による他臓器との摩擦の抑制に働いている．また，心膜液には免疫活性物質なども含まれており，肺や胸膜の感染が心臓へ波及することを防いでいると考えられる．しかし，先天性心膜欠損や心膜切除後であっても無症状であることから，生命維持に直接は関与しないとされている．

急性心膜炎は心膜組織の炎症により胸痛などの症状や，心膜液貯留によるタンポナーデなどの徴候を示す．約 15％で心筋炎を合併するが，基本的に左室機能障害の合併はまれである．

臨床症状

1）自覚症状： 最も頻度の高い症状は胸痛であり，痛みは仰臥位，深呼吸時に増強し，座位，前屈位で軽減する．緩徐に発症する結核や腫瘍性の心膜炎ではみられないことも多い．

感染性の心膜炎では発熱を認めることが多い．その他息切れ，咳，ときにしゃっくりなどもみられる．

2）他覚症状： 心膜摩擦音は約 85％の患者で聞かれるとされる．左胸骨左縁下方で，膜型聴診器を強く当てて聞かれる，引っかくような高調性の雑音である．座位，前屈姿勢で，呼気終末に聞かれやすい．雑音の程度は変化しやすく，数時間の間でも消失したり再度出現したりする．

検査所見

1）心電図： 特徴的な心電図変化は 4 期に分けられる．第 1 期には，aV_R と V_1 を除く全誘導で上に凹の ST 上昇を認める．また，aV_R で PR の上昇，その他の誘導で PR の低下を認める．aV_R での PR 上昇は診断特異度が高い．約 1 週間後の第 2 期では，ST と PR は正常化し，続く第 3 期で ST が陰転化する．発症から 1～2 カ月後の第 4 期で完全に正常化する．経過中に不整脈を認める際には心筋炎の合併を疑う．

2）心エコー図検査： 多くの例で心膜液貯留を認める．心膜液貯留は後壁側のエコーフリースペースとして認められる．多量の心膜液貯留例では心臓全体が左右に動く振り子様運動がみられる．

3）血液検査所見： 急性心膜炎の 3/4 の例で高感度 CRP の上昇を認める．多くの症例で 1 週間以内に正常化し，4 週間後にはほぼすべての症例で正常化する．高感度 CRP の上昇は症状の再発と関連しており，このため疾患の活動性評価や治療期間決定の助けとなる．心筋炎合併例では，トロポニン I などの心筋逸脱酵素の上昇を認める．

診断

特徴的な胸痛，心電図変所見，画像検査による心膜液貯留などから診断する．原因疾患が不明の場合，心膜穿刺液の培養検査，生化学的検査，細胞学的検査は診断の助けとなる．結核性心膜炎では心膜液のアデノシンデアミナーゼの上昇（45 IU/L 以上）は診断的意義がある．

鑑別診断

急性大動脈解離，急性心筋梗塞，肺炎・胸膜炎，肺塞栓症，気胸，肋軟骨炎などとの鑑別が必要である．

合併症

心タンポナーデ，心筋炎，続く慢性収縮性心膜炎を合併することがある．

経過・予後

長期的な予後はその原因疾患により異なる．

特発性心膜炎の 15～30％では再発がみられ，女性，非ステロイド系抗炎症薬（NSAIDs）による初期治療抵抗例で，その頻度が高い．

治療・予防・リハビリテーション

薬物治療としては，NSAIDs が基本である．10～14 日の投与により，多くの症例で軽快する．高感度 CRP は治療期間決定において有用である．また，コルヒチンは再発予防に有用であり，併用が推奨されている（Maisch ら，2004）．発症から 3 カ月間投与する．副腎皮質ステロイド薬は，自己免疫性疾患や治療抵抗性，透析で改善しない尿毒症などの場合に限って使用し，中等量で開始し，徐々に漸減する．

心タンポナーデに際しては心嚢ドレナージを行い，繰り返し貯留し心タンポナーデ，心不全をきたす場合には心膜開窓術を行う．

2）慢性心膜液貯留，心タンポナーデ
chronic pericardial effusion, cardiac tamponade

定義・概念

心膜腔内に心膜液が貯留し，静脈還流を障害すると右心不全を生じる．進行して左室充満低下，心拍出量の低下をきたした状態を心タンポナーデという．心タンポナーデや心不全の発症は，心膜液の量，貯留する速度，心膜の伸展性に依存し，多量の心膜液貯留でも自覚症状に乏しい例もあれば，比較的少量であっても急激に貯留した例では心不全，心タンポナーデを呈する．

原因・病因

心膜液貯留の原因は急性心膜炎と同様である．急性のものとして，急性心筋梗塞による心破裂，急性大動脈解離における大動脈基部病変の破裂，外傷，カテー

テル手技による心臓損傷などがある．心タンポナーデの原因として多いものは悪性腫瘍，特発性心膜炎，尿毒症である．

病態生理

心臓外からの圧迫により，心室の拡張障害を生じる．これにより心室拡張期圧の上昇をきたし，静脈還流が障害され，ひいては心拍出量の低下をきたす．当初は血圧低下，心拍出量の低下を，反応性血管収縮，頻脈により代償するが，流入障害が進行すると，ショックとなる．

臨床症状

1）自覚症状： 徐々に進行した慢性心膜液貯留例では，労作時息切れ，食欲不振，胸痛，嗄声などを認める．心破裂などの突然の出血による心膜液貯留例では，ショック状態となり，意識消失を認める例もある．

2）他覚症状： 心膜液貯留により，頸静脈怒張，肝脾腫，下腿浮腫，腹水といった右心不全症状を認める．奇脈（吸気時の 10 mmHg 以上の収縮期血圧低下）は，心タンポナーデでみられる徴候であるが，緊張性気胸や収縮性心膜炎においても認められる．Beck の 3 主徴（静脈圧の上昇，心音減弱，低血圧）は重症心タンポナーデの所見として有用である．

検査所見

1）心電図： 頻脈，低電位，電気的交互脈を認める．これらの所見は心膜液貯留・心タンポナーデに特異的なものではなく，心不全などでもみられる．

2）胸部 X 線： 心膜液貯留により心胸郭比拡大を認めるが，少量の場合には X 線写真による確定は困難である．

3）心エコー検査： 心エコーは心膜液の検出に有用であるだけでなく，心タンポナーデの病態把握にも有用である．心タンポナーデの早期には収縮早期の右房虚脱を認め，進行すると右室の拡張早期虚脱所見を認める（図 7-12-1）．さらに進行すると収縮早期の左房虚脱を認める．心エコー検査は心膜穿刺の際のガイドとしても有用である（e動画 7-12-A）．

4）CT・MRI： 心臓 CT・MRI は心臓周囲の脂肪と心膜液との鑑別に有用である．また，心膜肥厚の有無，腫瘍病変の検索にも有用である．

診断

心膜液貯留は，胸部 X 線の心陰影拡大などから疑われ，心エコー検査にて確定される．心タンポナーデの診断の遅れは致死的であり，急激な心膜液貯留をきたす可能性のある疾患や，カテーテル的手技を行った場合には，常にその発症に注意を払う必要がある．

鑑別診断

心タンポナーデによりショックをきたした症例では，心筋梗塞，不整脈，肺塞栓症，脳血管障害との鑑別が必要である．

心膜液貯留の原因が不明で，特発性心膜炎としての治療にも抵抗性の場合には，心膜液穿刺による心膜性状評価を検討する．

治療・予防・リハビリテーション

心タンポナーデをきたした場合には，速やかに心膜穿刺，心膜液ドレナージを行う．しかし，大動脈解離などの急性の出血による場合には，緊急開胸手術による修復が必要である．心膜穿刺は，心電図，血圧などのモニタリングを行いながら，心エコー図あるいは透視ガイドに行う．心臓前面に 10 mm 以上のエコーフリースペースがみられれば比較的安全に穿刺可能であ

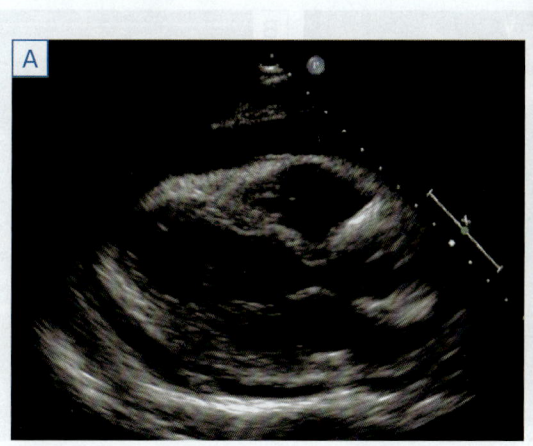
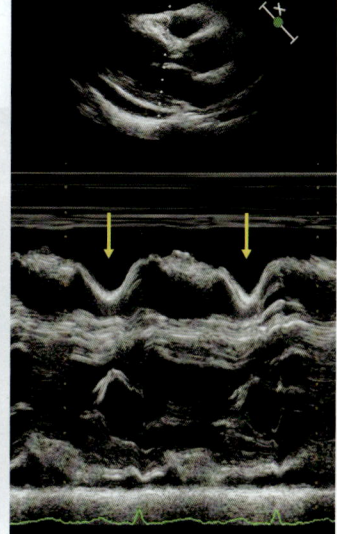

図 7-12-1 心タンポナーデの心エコー画像
断層像（A）で心臓周囲のエコーフリースペースを認め（e動画 7-12-A），M モード画像（B）にて，右室の拡張早期虚脱を認める（矢印）．

る．穿刺が困難な場合には心膜切開を行う．

心膜液貯留により心不全症状を繰り返す場合には，経皮的バルーン心膜開窓術，剣状突起下心膜開窓術が行われる．

3）収縮性心膜炎
constrictive pericarditis

定義・概念
収縮性心膜炎は心膜の器質的変化（炎症による線維性肥厚・癒着，石灰化）が高度に生じることにより心室の拡張障害をきたす疾患である．

分類
慢性心膜炎は，慢性滲出性心膜炎と慢性収縮性心膜炎に分けられる．慢性滲出性心膜炎は非常にまれであり，悪性腫瘍，結核，甲状腺機能低下症を除くと，多くの場合で原因不明である．心膜全体（臓側・壁側ともに）に線維性変化が起こり，心膜液貯留を認める．心タンポナーデを呈する症例の一部にみられるとされる．

原因・病因
原因として，過去には結核性心膜炎が多かったが，最近は開心術後，化学療法・放射線療法後の心膜炎によるものが増加している．急性心膜炎の原因疾患すべてが収縮性心膜炎の原因となりうる．収縮性心膜炎のなかには，心膜の肥厚・硬化が明らかでない例も多く，このような場合，ほかの拡張障害をきたす疾患との鑑別に苦慮する．

病理
収縮性心膜炎は，一般に両心室周囲の心膜に病変が限局（ときに右室あるいは左室に限局）し，心房には及ばない．重症例では心筋にまで病変が及ぶ例もみられ

る．心膜肥厚の程度は病態の重症度を必ずしも反映せず，収縮性心膜炎と診断され手術によって確認された症例においても，約20％の例には心膜の肥厚を認めなかったと報告されている．このため心膜の肥厚の有無で収縮性心膜炎の手術適応を決めることはできない．

病態生理
硬化した心外膜による圧迫により，心室充満が障害される．拡張早期の充満は障害されず，拡張中期から後期で急速に充満障害が生じる．両心室の拡張末期容量，心拍出量は減少し，両心室の拡張末期圧と両心房・肺静脈・体静脈の平均圧は上昇しほぼ等圧となる（差異5 mmHg以下）．

臨床症状
1）自覚症状：前方駆出が減少する傾向は左心系よりも右心系で大きいため，肺血流量が減少し，右心不全症状が出現しやすい．静脈還流障害による浮腫，腹部膨満，食欲不振などを認める．さらに進行すると左心不全症状が出現し，肺うっ血に伴う労作時息切れ，咳，起座呼吸などを生じる．

2）他覚症状：頸静脈怒張，肝脾腫，腹水，胸水などを認める．

聴診所見では心膜ノック音（拡張早期，Ⅱ音の後に聴取される高調性の過剰音）が特徴的である．

検査所見
1）胸部X線：心膜の石灰化像がみられれば収縮性心膜炎が強く疑われる．心膜の石灰化は横隔膜面，房室間溝に多くみられる．正面像では認められず，側面，斜位撮影で明らかな場合も多い．

2）心エコー検査：正常の心膜の厚さは2 mm以下であり，4 mm以上では収縮性心膜炎が疑われるとされている．通常，心膜はエコーでは可視化できないが，

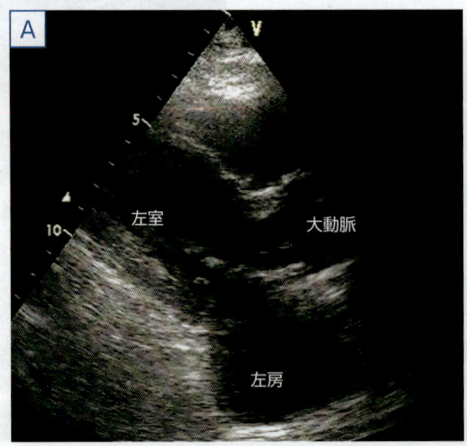 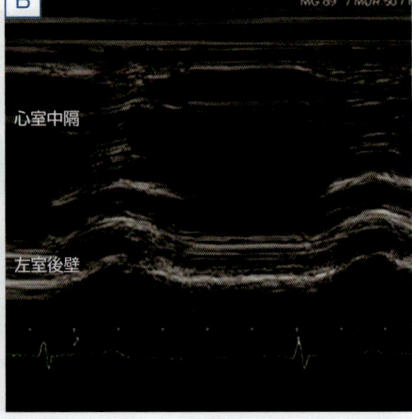

図7-12-2 収縮性心膜炎の心エコー画像
断層像（A）で小さな左室と拡大した左房を認める（e動画7-12-B）．Mモード画像（B）にて左室後壁の拡張期平坦化を認める．

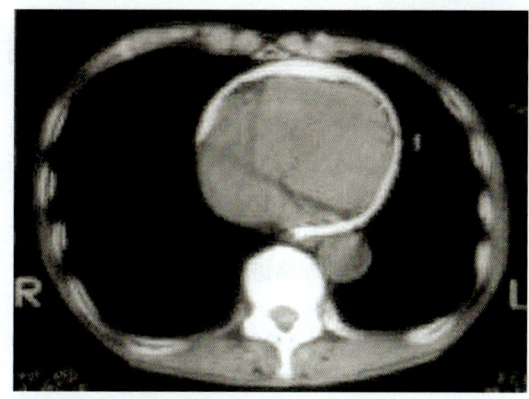

図7-12-3 収縮性心膜炎の胸部CT画像
石灰化，肥厚した心膜を認める．

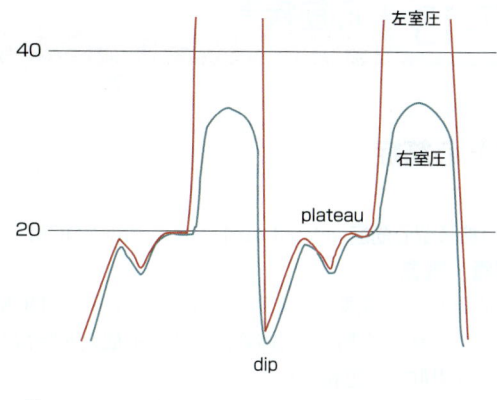

図7-12-4 収縮性心膜炎の心内圧波形

5 mm以上になると観察できる．しかし，収縮性心膜炎であっても必ずしも心膜の肥厚を伴っているとは限らない．小さな心室と拡大した心房は典型像であり（図7-12-2, ⓔ動画7-12-B），収縮能は一般に正常である．また下大静脈，肝静脈の拡張もみられる．Mモード像では，心室後壁の拡張早期後方運動の急峻化，および拡張中期以降の平坦化（dip and plateauを反映）がみられる．心室中隔では拡張早期において，右室有意の心外膜炎では前方運動，左室有意の心外膜炎では後方運動がみられる．左室流入ドプラ波形は，左室の拡張障害を反映して拡張早期波（E波）の増高，E波減速時間の短縮を認める．また，吸気時のE波減高（25％以上）も特徴的である．組織ドプラ法を用いた僧帽弁輪部速度波形の拡張早期波e'は増高し，一般に左房圧を反映するとされるE/e'は収縮性心膜炎ではあてはまらない．

3）CT・MRI：収縮性心膜炎ではCT上心膜の肥厚，石灰化を認める（図7-12-3）．MRIではtagging法により心膜と心筋の癒着を評価できる．さらにスピンエコー法によるT1強調像で肥厚した心外膜が描画される．CT・MRIは病変の広がり，性状の評価に有用である．

4）カテーテル検査：右房圧，左房圧（肺動脈楔入圧），左室・右室拡張末期圧がほぼ等しくなる．特徴的な波形はdip and plateauあるいはsquare root sign（平方根）といわれる所見である（図7-12-4）．収縮性心膜炎では心臓はかたい心膜に覆われているが，心筋の弛緩は正常であるため，一定量までの血液流入は急速に起こり，その後急激に心室のコンプライアンスが低下するため急激に圧が上昇することにより起こる．心房圧波形ではx,y谷が深くなり，M型，あるいはW型を呈する．

診断

症状と心エコー検査，心臓CT・MRIなどにより診断する．心臓カテーテル検査は，ほかの検査で診断困難な例や，手術前診断として行う．

鑑別診断

拘束型心筋症との鑑別は手術適応決定において重要である．拘束型心筋症では，心エコー検査にてe'値の低下を認め，ドプラ波形の呼吸変動は通常みられない．カテーテル検査においては，心室拡張末期圧が左室で右室よりも高くなること（5 mmHg以上）などが鑑別に用いられる．収縮性心膜炎（特に特発性）において，心室機能不全・心室壁の進展により分泌されるBNPは高値を示さない例が多く，拘束型心筋症との鑑別に有用であるとされている（Leyaら，2005；Senguptaら，2008）．滲出性心膜炎との鑑別は難しいが，心タンポナーデにおいて，心膜液ドレナージ後も右房圧の低下がみられない場合，滲出性心膜炎が疑われる．

経過・予後

予後は原因疾患により異なる．心膜切除による症状改善は90％で認められ，約半数では完全に消失する．

治療・予防・リハビリテーション

内科的治療（安静，塩分・水分制限）で症状のコントロールが困難な場合，外科的心膜剝離術が唯一の治療法となる．症状が進行すると手術死亡率が高まることから手術時期決定の診断が重要である．

〔増山　理・合田亜希子〕

■文献

Leya FS, Arab D, et al: The efficacy of brain natriuretic peptide levels in differentiating constrictive pericarditis from restrictive cardiomyopathy. *J Am Coll Cardiol*. 2005; **45**: 1900-2.

Maisch B, Seferović PM, et al: Guidelines on the diagnosis and management of pericardial diseases executive summary. *Eur Heart J*. 2004; **25**: 587-610.

Sengupta PP, Krishnamoorthy VK, et al: Comparison of usefulness of tissue Doppler imaging versus brain natriuretic peptide for differentiation of constrictive pericardial disease from restrictive cardiomyopathy. *Am J Cardiol*. 2008; **102**: 357-62.

7-13 心筋疾患

1）心筋症

(1) 拡張型心筋症 (dilated cardiomyopathy：DCM)

定義・概念

　特発性心筋症調査研究班の手引きにおいて，DCM は「①左室のびまん性収縮障害と②左室拡大を特徴とする疾患群」と定義される．

　米国心臓協会の分類では，原発性心筋症のなかでも遺伝性，後天性双方の要素をもつ混合性の心筋症に分類される（図 7-13-1）．拡張型心筋症の診断がなされているものでも，しばしばほかの心疾患の終末像としてDCM に類似の臨床像を呈することも多く，除外診断に基づき定義される疾患である．

原因・病因

　DCM の原因は不明な部分が多いが，遺伝子異常，ウイルス感染，免疫異常の関与が推測されている．DCM 患者の2～3 割には家族内発症が認められ，心筋細胞骨格，サルコメア蛋白，カルシウム代謝関連蛋白，転写因子などに関連する遺伝子異常が同定されており，一部の遺伝子異常については変異導入によりマウスに DCM 様の病態を惹起することが知られている．また DCM 患者の 1/3～2/3 で心筋細胞内にウイルスゲノムが検出されると報告されている．心筋細胞内にウイルスが侵入すると，自然免疫系の活性化に引き続き，CD8 陽性 T 細胞による直接的な細胞傷害，および CD4 陽性 T 細胞による B 細胞活性化を介したさまざまな免疫応答が誘発される．一方 DCM 患者血清においてしばしば抗ミオシン抗体，β 受容体抗体，トロポニン抗体，Na-K-ATPase 抗体など，心筋構成成分に対する自己抗体がみられることが知られている．抗ミオシン抗体を誘導されたマウスにおいてDCM へ移行することが確認されている．

疫学

　2002 年の全国統計によると有病率は 10 万人あたり 14 人程度とであるとされるが，無症候例を含めると実際の有病率はより多いと考えられている．2009 年の報告では，心不全患者において DCM が占める割合は 24％であり，また中年以降の男性に多いとされている．

病理

　肉眼的に心臓の外形は大きく球状化し，壁は柔軟で重量は増加する（平均重量 500～600 g）．四心腔の拡大がみられ，心房に比しより顕著な左心室腔ないし両心室腔の拡大を示し，僧帽弁や三尖弁の弁輪径が増大する．心腔内にはときに壁在血栓を認め，心筋層内の斑状の線維化や肥厚した心内膜も観察される．網目状の肉柱形成を認める場合もある．組織所見は非特異的である．心筋細胞肥大と核変性像がみられ，筋原線維の粗鬆化や空胞変性を示す．間質性線維化や置換性線維化が認められ，心内膜肥厚や脂肪浸潤を伴うことがある．間質に種々の程度のリンパ球浸潤も観察される．

臨床症状

1）自覚症状：うっ血所見として労作時/夜間呼吸困難，浮腫，消化器症状などが出現する．低心拍出症状

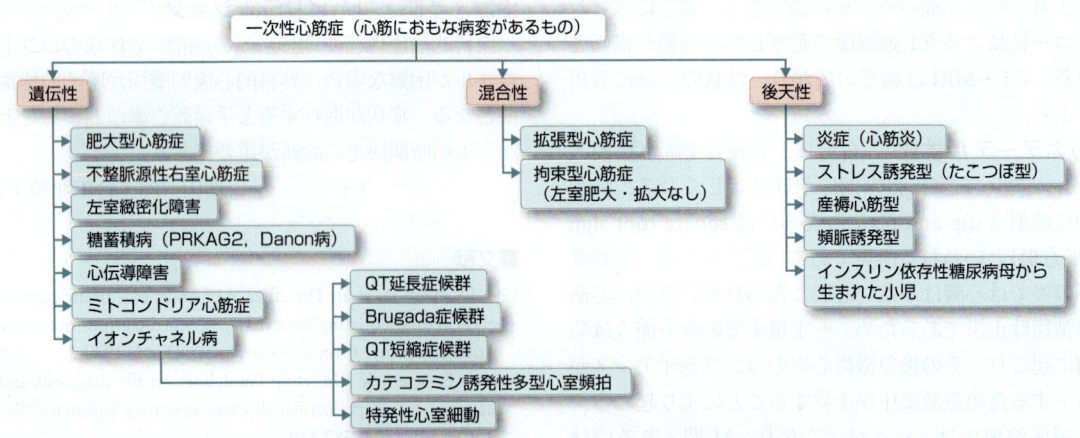

図 7-13-1　米国心臓協会 (AHA) による心筋症の分類（日本循環器学会．拡張型心筋症ならびに関連する二次性心筋症の診療に関するガイドライン http://www.j-circ.or.jp/guideline/pdf/JCS2011_tomoike_h.pdf (2016 年 11 月 25 日閲覧)）
拡張型心筋症の原因には遺伝的素因とウイルス心筋炎後などが混在していると考えられるため，混合性に分類されている．肥大型心筋症と不整脈源性右室心筋症は遺伝子異常によると考えられている．拘束型心筋症は家族内発症もあり遺伝的素因を有する症例もあるが，確定されていない部分も多く混合性に分類されている．

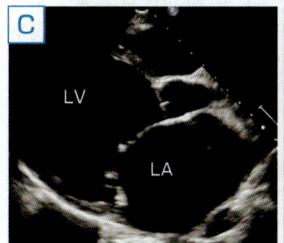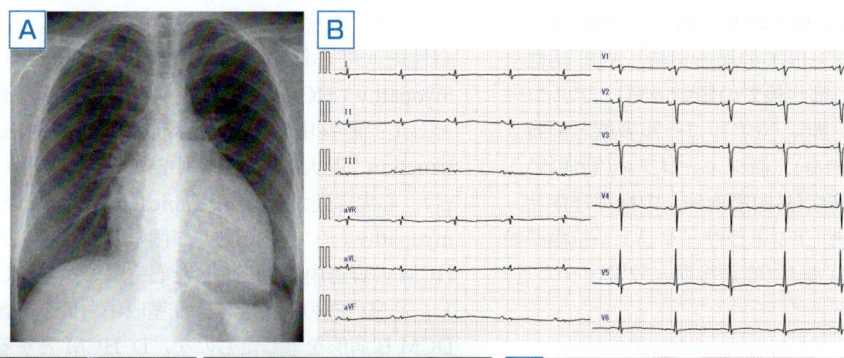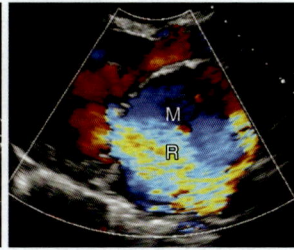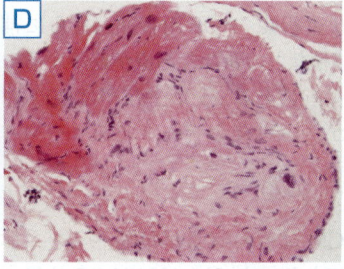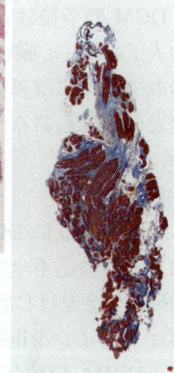

図 7-13-2 拡張型心筋症に特徴的な諸所見
A：胸部 X 線．心拡大と太い肺動脈を認める．
B：心電図．T 波平低と V_1〜V_3 での R 波減高を認める．
C：心エコー．左室(LV)・左房(LA)の拡大(左)と重度の僧帽弁逆流(MR)(右)を認める．LVEF は 18％，LVDd は 82 mm．
D：心筋生検．心筋細胞の肥大と線維化(Azan 染色で青色)を認める(左：HE 染色 100 倍，右 Azan 染色 40 倍)．

として易疲労感，全身倦怠感，乏尿などを伴う．不整脈を合併した場合動悸，失神なども認められる．

2）他覚症状： 心拡大，Ⅲ音，心雑音，肺ラ音，頸静脈怒張，肝腫大・黄疸，胸水・腹水・浮腫，脈拍異常(微弱，頻脈，交互脈，不整脈)などが認められる．

検査所見（図 7-13-2）

胸部 X 線においては左第 4 弓，右第 2 弓の突出により典型的には心胸比の拡大が認められ，心不全を伴う場合肺血管陰影の増強，胸水貯留，Kerley B line などが認められる．心電図において特徴的な所見はないが，心筋障害，収縮力低下を反映して R 波の減高，異常 Q 波，ST-T 異常，脚ブロックなどの所見を認める．また，心筋障害により上室性，心室性不整脈を合併することも多い．心エコーでは心内腔拡大および心収縮低下を認める．僧帽弁逆流や左室内血栓を認めることもある．心筋シンチグラフィにおいては Tl や Tc などの核種により心筋障害の著しい部分に欠損を認めることがある．心筋局所交感神経機能を表すとされる MIBG の取り込み低下が認められることが多い．MRI において心室壁中層を細く縦走する遅延造影パターンを有することがある．バイオマーカーとして BNP または NT-pro BNP の上昇を認める．また，トロポニン T やトロポニン I も上昇することがある．高感度 CRP やテネイシン C の増加を認めることも報告されている．運動耐容能は低下する場合が多く，NYHA 心機能分類，身体活動能力質問表による評価がよく使用される．6 分間歩行距離の低下や心肺運動負荷検査における最大酸素摂取量や嫌気性代謝閾値の減少も認められることがある．心カテーテル検査においてうっ血所見として肺動脈楔入圧(左室拡張末期圧)や右房圧の上昇，低心拍出所見として熱希釈法による心係数の低下や混合静脈血酸素含有量の低下をみることがある．肺うっ血の二次的変化として肺動脈圧の上昇を伴う症例もある．冠動脈造影では正常冠動脈であるか，ごく軽度の冠動脈病変を認めるのみである．

診断

心不全症状から心エコー検査を経て診断に至る例が多いが，心電図異常や胸部 X 線における心拡大から精査を経て無症状でも診断されることもある．

鑑別診断

除外すべき疾患は図 7-13-1 に記載される DCM 以外の一次性心筋症と原因が特定しうる二次性心筋症(WHO では特定心筋症とよぶ)である．鑑別上，特に注意を要する疾患として，虚血性心筋症(有意な冠動脈病変，多くは多枝病変)，高血圧性心筋症(高血圧の既往)，拡張相肥大型心筋症(dilated phase of hypertrophic cardiomyopathy：D-HCM)(心筋生検での錯綜配列，肥大型心筋症(HCM)の既往)，心サル

コイドーシス（心筋生検での非乾酪性肉芽腫，Gaシンチグラフィや FDG-PET の局所集積，ACE 活性上昇），慢性心筋炎（心筋生検での細胞浸潤），アルコール性（多量飲酒歴），脚気心（アルコール多飲と偏食，ビタミン B_1 診断的治療），筋ジストロフィ（筋症状），ミトコンドリア心筋症（外眼筋麻痺，中枢神経症状，糖尿病），薬剤誘発性（アントラサイクリン系抗癌薬投与の既往），周産期心筋症（妊娠後期〜分娩後 5 カ月）があげられる．

経過・予後

DCM の予後は β 遮断薬，ACE 阻害薬，さらに補助人工心臓，心臓移植などの新たな治療が進歩するにつれて徐々に改善傾向にある．5 年生存率は 80％程度との報告もあるが，1999 年のデータでありやや古い．

治療

上記のように DCM はその病態が収縮不全を主体とする慢性心不全であり，すでに AHA/ACC や日本循環器学会をはじめとして各学会から発行されているガイドラインを指針として治療を進めることになるが，NYHA 分類とステージ分類という重症度に基づいた薬物治療指針が記載されている．拡張型心筋症というからには無症候性であれ少なくとも心筋障害は画像などで明らかにされているわけなので，最低限ステージ B 以上ということになる．これらのガイドラインに記載されている内容の多くは大規模臨床試験などにより検証されたいわゆるエビデンスに基づく治療である．全体を通じて塩分制限，電解質異常の補正，睡眠呼吸障害の治療，適切な運動リハビリテーション，貧血の是正なども重要である．ACE 阻害薬・アンジオテンシンⅡ受容体拮抗薬（ARB）・アルドステロン拮抗薬・β 遮断薬の予後改善効果は確立している．必要に応じて利尿薬やジギタリス・強心薬を併用することもある．非薬物治療として植え込み型除細動器（ICD）/心臓再同期療法（CRT）の予後改善効果は適応を選べば確立している．外科的治療として必要に応じて左室形成術・僧帽弁形成術が施行されることがある．最重症の患者に対して生命予後を改善する治療として補助人工心臓・心臓移植がある．

(2) 肥大型心筋症 (hypertrophic cardiomyopathy：HCM)

定義・概念

2005 年の特発性心筋症調査研究班において，HCM は明らかな心肥大をきたす原因なく左室ないしは右室心筋の心肥大をきたす疾患と定義されている．不均一な心肥大を呈するのが特徴である．通常，左室内腔の拡大はなく，左室収縮は正常か過大である．心肥大に基づく左室拡張能低下が，本症の基本的な病態である．また，左室流出路に狭窄が存在する場合，特に閉塞性肥大型心筋症（hypertrophic obstructive cardiomyopathy：HOCM）とよぶ．肥大部位が特殊なものとして，心室中部閉塞性心筋症（midventricular obstruction；肥大に伴う心室中部での内腔狭窄がある場合），心尖部肥大型心筋症（apical hypertrophic cardiomyopathy；心尖部に肥大が限局する場合）がある．HCM の経過中に，肥大した心室壁厚が減少し菲薄化し，心室内腔の拡大を伴う左室収縮力低下をきたし，DCM 様病態を呈したものを，D-HCM とする．その診断は経過観察されていれば確実であるが，経過観察されていなくても，以前に肥大型心筋症との確かな診断がされていれば，D-HCM と診断できる．

原因・病因

多くは家族性の発症形式をとり，特に常染色体優性遺伝を呈する家系が多い．AHA の分類では遺伝性とされている（図 7-13-1）．これまでに数多くの遺伝子変異が同定されており，1990 年のミオシン重鎖にはじまり，家族性のうち 50〜60％の家系で遺伝子が特定されている．心筋線維・サルコメア蛋白，Z 帯の構造蛋白，カルシウムハンドリング蛋白の異常がほとんどであり，特に心筋 β-ミオシン重鎖遺伝子・心筋ミオシン結合蛋白 C 遺伝子の変異が最も頻度が高く，両者で遺伝子異常が確認された例の約 75〜80％を占める．病因遺伝子変異が原因となり肥大を呈する機序はさまざまである．筋収縮のカルシウム感受性の亢進，Z 帯構成要素間の結合親和性の亢進，心筋ストレッチ反応の亢進，心筋エネルギー代謝やカルシウムハンドリングの変化，などが拡張機能障害や心筋肥大に関与していると考えられている．

疫学

有病率はわが国において人口 10 万人あたり 374 人，米国において 170 人と報告されている．2 倍程度男性が多く，年齢別分布は男女ともに 60〜69 歳にピークを示す．中高年男性に心尖部肥大型心筋症が多いことを反映している可能性もある．D-HCM の出現率は約 5〜10％と報告されている．

病理

心筋細胞の肥大と錯綜配列および間質の線維化が認められる．また心筋変性や奇妙な形（bizarrely shaped）の肥大した心筋細胞の所見を示すことがある．

病態生理

多くの症例で左室の弛緩伸展性に障害がみられる．カルシウムハンドリングの異常や asynchrony/asynergy は弛緩異常に，心筋肥大，心室容積減少，心筋線維化，錯綜配列などは心筋スティフネスの増大に関与していると考えられている．その結果，拡張期圧の上昇をきたし，平均左房圧は上昇する．左房の拡大が

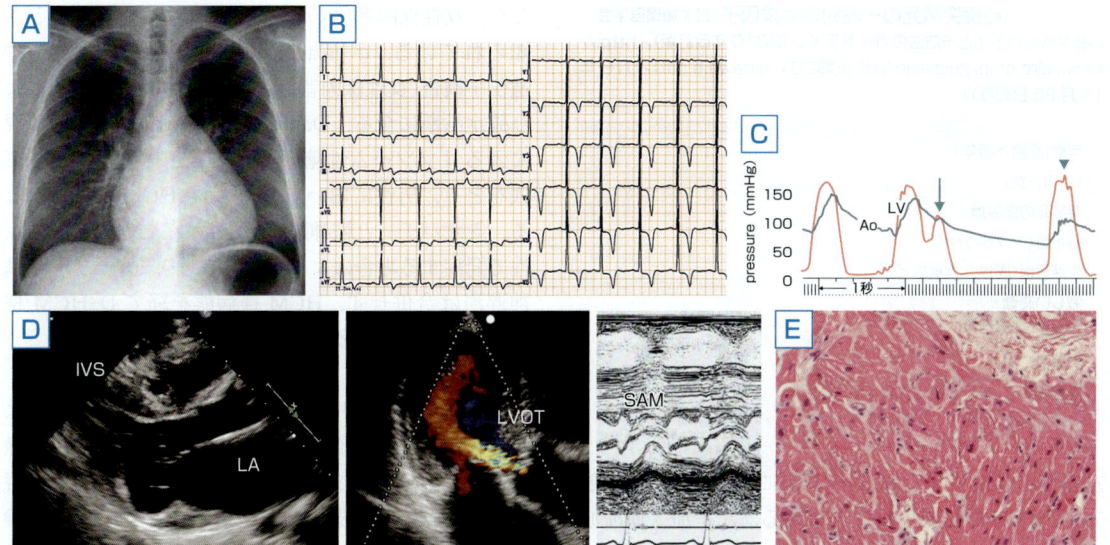

図 7-13-3（閉塞性）肥大型心筋症に特徴的な諸所見
A：胸部 X 線．心拡大を認める．
B：心電図．高電位と $V_3 \sim V_6$ に巨大陰性 T 波を認める．
C：心臓カテーテル．左室（LV）圧と大動脈（Ao）圧の間に圧較差を認め，心室期外収縮（矢印）の後，その圧較差は増強され大動脈圧は減少する（矢印）(Brockenbrough 現象，Criley JM, Goldberg SL, et al：The Brockenbrough-Braunwald-Morrow sign. N Engl J Med. 1994；331：1589-90)．
D：心エコー．中隔（IVS）の肥大と左房（LA）拡大（左），左室流出路（LVOT）における 3.8 m/秒の加速血流（中），僧帽弁の収縮期前方運動（SAM）（右）を認める．LVEF は 78％，LVDd は 40 mm．
E：心筋生検．心筋細胞の肥大と錯綜配列を認める（HE 染色 100 倍）．

進行し，心房細動をきたす例では血行動態の維持が困難な場合もある．約 25％の症例においては平均左房圧の上昇に伴い肺高血圧が観察される．左室内腔狭窄を伴う症例は全体の約 25％程度とされている．最も頻度の多いのは左室流出路狭窄を示すタイプである．左室流出路狭窄は心室中隔の肥厚，僧帽弁の拡大と伸長，僧帽弁前尖に連なる乳頭筋付着部の異常（乳頭筋の前方偏位）と各乳頭筋間の狭小化を特徴とする．左室収縮能の増加，前負荷の減少，後負荷の減少により流出路圧較差は増加する．僧帽弁の収縮期前方運動（SAM）と僧帽弁逆流（MR）をしばしば合併する．心室中部閉塞型では肥大した乳頭筋が収縮期に偏位することにより左室自由壁との間で狭窄をつくることによる．心尖部肥大型心筋症のなかに心尖部心室瘤を形成することがある．冠循環障害をしばしば合併し，心筋虚血が誘発されやすい．その機序としては，①冠小動脈の中膜・内膜肥厚および血管拡張予備能の減少，②心筋内冠血管特に中隔枝の心筋による圧迫狭窄，③左室弛緩障害による拡張期冠血流の低下，④左室流出路狭窄による左室内圧亢進，⑤肥大による毛細血管密度の減少や心内膜下心筋灌流の制限などが想定される．

臨床症状

1）自覚症状： しばしば胸痛や呼吸困難を訴える．動悸は上室性あるいは心室性不整脈に伴うことが多い．立ちくらみ，眼前暗黒感，失神など脳虚血症状は重症不整脈や左室内腔の小さい患者，左室内圧較差のある患者で発生頻度が高い．

2）他覚症状： 心房拡大による心拡大や強い左房収縮による double apical impulse を触れる．Ⅳ音を多くの患者で聴取する．左室流出路狭窄を伴う場合，胸骨左縁第 4 肋間〜心尖部にかけて最強点を有する駆出性収縮期雑音を聴取する．この雑音は Valsalva 手技，立位，期外収縮後，亜硝酸薬などにより増強し，蹲踞，β遮断薬，ハンドグリップ手技などにより減弱する．また僧帽弁逆流による心尖部汎収縮期雑音を聴取する．心室中隔と僧帽弁前尖の接触音である収縮早期過剰心音を認めることがある．心室中部閉塞型患者では心尖部付近で収縮期雑音を聴取することがある．

検査所見（図 7-13-3）

ほとんどの患者で異常 Q 波，ストレイン型 ST-T 変化，陰性 T 波，左室側高電位，左軸偏位，心室内伝導障害，V_1 における陰性 P 波，QT 延長などの心電図異常がみられる．特に $V_3 \sim V_5$ における巨大陰性 T 波は心尖部肥大型心筋症に特徴的である．また心房細動や心室性不整脈の合併も多い．断層心エコー図により心筋肥大部位に壁厚の増大を認める．従来心室中隔壁厚/左室後壁厚比が 1.3 以上を非対称性中隔肥厚（ASH）として重要視してきた．またドプラ法により狭窄部位に高速血流を認める．流速の 2 乗×4 の簡易 Bernoulli 式により狭窄部の圧較差を推定できる．

表7-13-1 心臓突然死の一般的な危険因子（日本循環器学会．心臓突然死の予知と予防法のガイドライン（2010年改訂版），http://www.j-circ.or.jp/guideline/pdf/JCS2010aizawa.h.pdf（2016年11月25日閲覧））

年齢（高齢＞若年）
性（男＞女）
突然死の家族歴
心拍数（＞75/分）
生活習慣（喫煙，食事など）
激しい運動
高血圧
糖尿病
左室肥大

左室流出路狭窄例でMモード法にて僧帽弁収縮期前方運動（SAM）を認めることがある．左室流入血流波形は拡張早期波（E波）の低下と減速の延長，心房収縮期波（A波）の増高を認める．進行すれば偽正常化波形（pseudonormalized pattern）や拘束型波形（restrictive pattern）となる．心臓カテーテル検査において左室圧波形における著明なa波の増高を伴った左室拡張末期圧の上昇をみる．肺動脈楔入圧は上昇する．心拍出量は流出路狭窄の強い例や拡張相にある症例で低下することがある．引き抜き圧曲線あるいは左室圧-大動脈圧の同時記録により左室内圧較差が認められることがある．収縮期圧較差を有する症例では大動脈圧波形は急峻な立ち上がりの後，駆出早期にスパイクを形成後下降し，再び弧状ないしドーム状に上昇し二峰性（spike-and-dome型）となる．心室性期外収縮後長い代償性休止期により前負荷が増大し左室収縮力が増大することにより左室流出路圧較差が増加するため大動脈圧が低下するBrockenbrough現象を認めることがある．左室造影では心尖部肥大型でスペード型の造影所見を認める．冠動脈造影では心筋が収縮期に冠動脈を絞るmyocardial squeezing現象が約1/3で認められる．MRIにおける遅延造影効果は60〜80％の症例で認められ，肥大部位特に中隔右室接合部に多い．組織学的には線維化に相当すると考えられている．

診断

自覚症状により，または検診での心電図異常の精査，というきっかけで心エコー検査を経て診断に至ることがほとんどである．左室壁厚の増大を認め，その原因となる疾患がないことにより確定診断となる．多くは遺伝性であり，家族歴聴取は重要である．

鑑別診断

鑑別を要するものとして頻度の高いものとしては高血圧性心肥大がある．また，心Fabry病はFabry病の一亜型で全身症状がなく心異常のみを合併し，心臓にスフィンゴ糖脂質が蓄積し，HCM様病態をきたす．X染色体劣性の遺伝形式をとり，多くは男性であるが，女性保因者（ヘテロ接合体）でも発症することが知られている．α-galactosidase Aの酵素活性測定や遺伝子検査（女性保因者では酵素活性低下は軽度）により確定診断に至る．Danon病はLAMP-2遺伝子変異によるリソソーム性糖原病でX染色体劣性の遺伝形式をとり，男性において10歳代でHCM様病態となる．ミオパチーと精神遅滞を合併することが多い．女性で発症する場合はより高年齢でありミオパチーや精神遅滞は合併せず，HCM様病態を経てD-HCM様病態となることが多い．

経過・予後

2002年にわが国で行われた大規模疫学調査によれば年間死亡率は2.8％であり，死因としては不整脈31.9％，心不全21.3％であるが，その他心房細動合併例での脳塞栓も重要な死因になりうる．突然死の危険因子は同定されており，表7-13-1に示すとおりである．一方，わが国に多い心尖部肥大型心筋症は，おおむね予後良好である．他方，D-HCMの予後は特に悪く，心臓移植の適応ともなりうる．

治療

表7-13-1に示す突然死のリスクの高い群では運動制限を要する．薬物治療による拡張機能障害の改善，拡張相への移行予防，突然死予防などは確立されていない．左室流出路狭窄による症状を有する患者において陰性変力作用に期待してβ遮断薬，血管拡張作用の強くないCa拮抗薬（ベラパミル・ジルチアゼム），Ia群抗不整脈薬（ジソピラミド・シベンゾリン）が適応となる．心房細動は血行動態を破綻させうるので予防的にアミオダロンが投与されることがある．D-HCMに移行した症例ではDCMに準拠した薬物治療を行う．突然死の多くは心室性不整脈と考えられ，前述のハイリスク群では二次予防はもとより一次予防での植え込み型除細動器の適応も推奨されている．心房細動に対してカテーテルアブレーションが施行される場合もある．左室流出路狭窄が薬剤抵抗性でNYHA Ⅲ度以上の症状があり，かつ安静時に圧較差を50 mmHg以上認める場合，外科的心筋切除術のよい適応と考えられている．また，左室流出路狭窄が薬剤抵抗性でNYHA Ⅲ度以上の症状があり，圧較差を30 mmHg以上認める場合，経皮的中隔焼灼術のよい適応と考えられている．D-HCM患者においては補助人工心臓や心臓移植が考慮されることもある．

(3) 拘束型心筋症（restrictive cardiomyopathy：RCM）

定義・概念

2005年に発表された特発性心筋症調査研究班による診断の手引きによるとRCMは①かたい左心室，②左室拡大や肥大の欠如，③正常または正常に近い左室

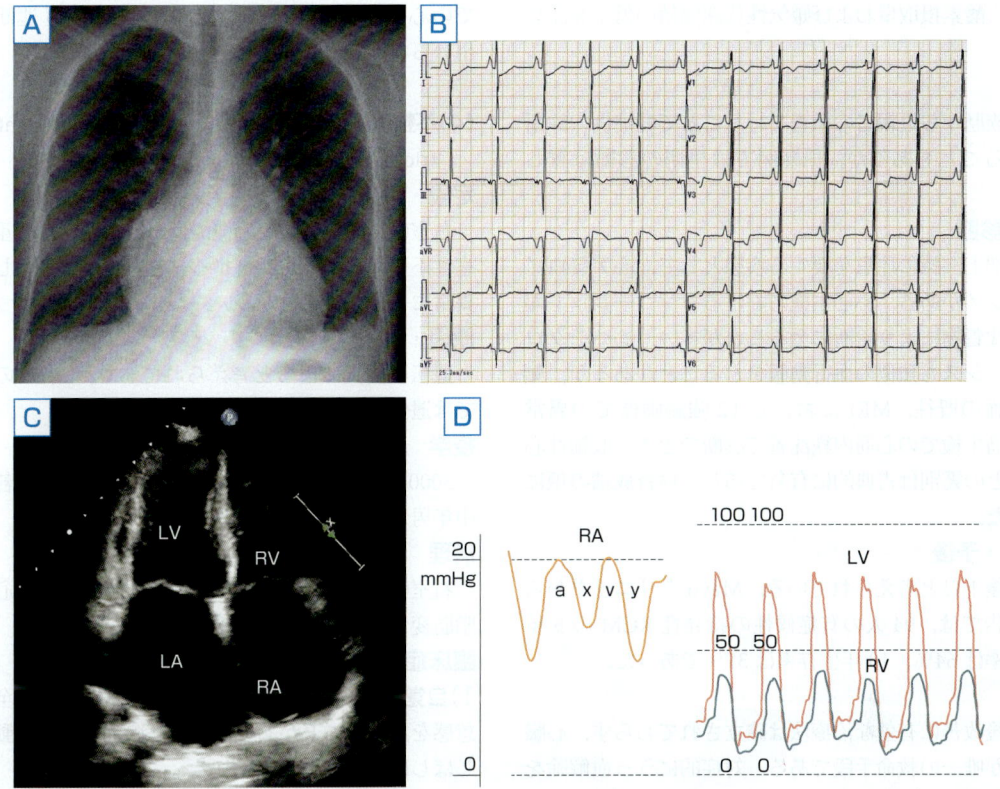

図7-13-4 拘束型心筋症に特徴的な諸所見
A：胸部X線．心拡大（右第2弓と左第3弓），気管分岐部開大，左胸水を認める．
B：心電図．広範囲にST-T変化と深いq波を認める．
C：心エコー．両心房の拡大を認める．LVEFは52%，LVDdは38 mm．
D：右心カテーテル．右房（RA）圧（左）がW型（深いy谷），左室（LV）圧と右室（RV）圧はdip and plateauではないが，LVEDP 30 mmHg > RVEDP 20 mmHg（右）．

収縮能，④基礎疾患が不明，と定義されている．

原因・病因

不明であるが，家族内発症も少なくなく，一部の症例では遺伝子異常が想定される．AHAの分類では混合性である（図7-13-1）．

疫学

まとまった統計はない．DCMやHCMに比して非常にまれな疾患である．

病理

進行した症例では著しい両心房の拡大を認めるが，心室壁の肥大や心腔拡大は末期まで認められないのが特徴である．組織所見として心筋間質の線維化，心筋細胞肥大，心筋線維錯綜配列，心内膜肥厚などを認めるが，いずれも非特異的である．

臨床症状

1）**自覚症状**：拡張機能障害によるうっ血症状として労作時呼吸困難や胸痛などが認められる．進行して低心拍出となれば易疲労感，全身倦怠感を伴う．

2）**他覚症状**：頸静脈怒張（ときにKussmaul徴候），浮腫，肝腫大，腹水を認める．奇脈はほとんどない．Ⅲ音を聴取し，僧帽弁逆流や三尖弁逆流に伴う収縮期雑音を聴取することがある．

検査所見（図7-13-4）

心電図で心房細動，上室性期外収縮，低電位差，非特異的ST-T異常，心室内伝導障害などを認めることがある．胸部X線では心房拡大による心陰影の拡張を認める．心エコーにより心拡大および心肥大の欠如を確認する．またLVEFは50％以上であるが，進行した症例ではLVEFがやや低下する場合もある．両心房はほとんどの症例で拡大し，ときに巨大な心房となる．心腔内血栓を認めることがある．房室弁逆流を伴うことが多い．房室弁口流入波高の呼吸性変動は収縮性心膜炎と異なり25％以下である（奇脈がないことと同じ）．多くの症例で重症化すればBNPの上昇を見る（収縮性心膜炎ではBNPの上昇は100 pg/mL以下にとどまることが多い）．心臓カテーテル検査において心室拡張障害に伴い，心室拡張末期圧上昇（dip & plateau），右房圧・肺動脈楔入圧の上昇と深いy谷，肺高血圧（肺動脈収縮期圧50 mmHg以上が多い）を認める．また，収縮性心膜炎と異なり，左室拡張末期圧と右室拡張末期圧の差は5 mmHg以上である．CTにおいて正常心膜を確認できる．心肺機能検査におい

て最大酸素摂取量および嫌気性代謝閾値の低下を認める．

診断

家族歴から近親者の精査を行うことで軽症例の診断に至ることもあるが，孤発例では早期の診断は難しい．

鑑別診断

鑑別上，特に注意を要する疾患として，心アミロイドーシスがある．心筋生検におけるコンゴーレッド陽性の沈着物により診断に至ることが多い．心ヘモクロマトーシスも類似の血行動態をとることがあるが，頻回輸血の既往，MRI において T2 強調画像での異常や心筋生検での心筋内鉄沈着で診断できる．収縮性心膜炎との鑑別は古典的に有名であり，検査成績の項に述べた．

経過・予後

予後不良と考えられている．Mayo クリニックからの報告では，94 人の有症候性の特発性 RCM の 5 年生存率は 64％，10 年生存率は 37％であった．

治療

予後改善に有効な治療法は確立されておらず，心臓移植が唯一の救命手段である．対症的にうっ血解除を目的として利尿薬を投与する場合がある．また，多くは左房拡大を伴い，心房細動に至る例も少なくなく，塞栓症予防で抗凝固療法を施行する．心房細動合併例での心拍数コントロールにジギタリスやβ遮断薬が用いられることがある．

（4）不整脈源性右室心筋症（arrhythmogenic right ventricular cardiomyopathy：ARVC）

定義・概念

右室優位の心拡大と心機能低下，右室起源の重症心室性不整脈を基本病態とする．左室は正常ないし軽度異常にとどまることが多い．

原因・病因

遺伝子変異によると考えられており，AHA の分類では遺伝性である（図 7-13-1）．

疫学

5000 人に 1 人の発症というデータもある．若年〜中年男性に多い．

病理

右室の著明な拡大をみる．組織所見では右室心筋の脂肪変性や線維化を認める．

臨床症状

1) 自覚症状：右心不全症状として食欲不振，全身倦怠感を認めることがある．不整脈の症状として動悸をしばしば自覚する．

2) 他覚症状：右心不全症状として下腿浮腫，肝腫大を認める．

検査所見（図 7-13-5）

心電図所見は右脚ブロック，V_1〜V_4の陰性 T 波，ε 波（QRS 波の終了直後に出現する結節），心室遅延電位，右室起源の心室性期外収縮・心室頻拍（左脚ブ

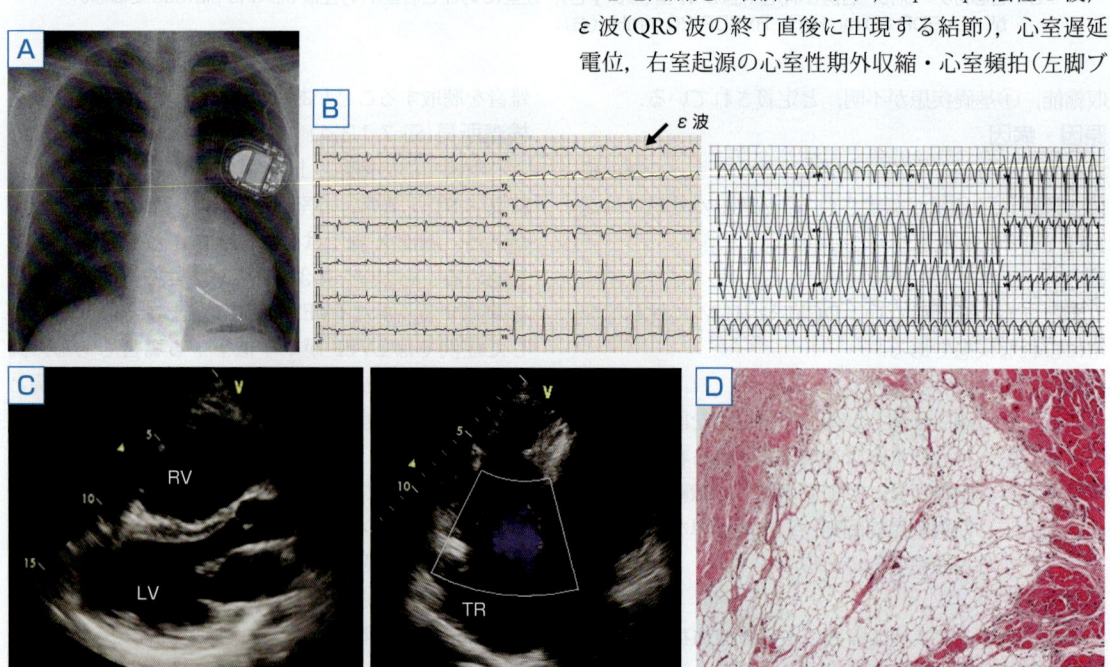

図 7-13-5 不整脈源性右室心筋症に特徴的な諸所見
A：胸部 X 線．心拡大（左第 4 弓）と明るい肺野を認める（ICD 植え込みずみ）．
B：心電図．右脚ブロックと V_1〜V_4にε波（QRS の後のノッチ）（左），左脚ブロック型の心室頻拍（右）．
C：心エコー．右室（RV）の拡大と中隔の左室（LV）側への張り出し（左），三尖弁逆流（TR）（右）．
D：心筋生検．脂肪変性を認める（友池ら，2011）．

ロック型)を示す．心エコーやMRIで右室拡大と右室壁運動異常，三尖弁逆流を認める．CTやMRIにより心外膜側や心筋内に脂肪浸潤を検出する．心臓カテーテル検査で右房圧上昇，右室収縮期圧低下を認めることがある．

診断
家族内発症が多く，無症状のときから近親者のスクリーニングをすべきである．

鑑別診断
著明な右心拡大と右心不全をきたすUhl病があるが，さらにまれな病態である．

経過・予後
心室性不整脈により突然死する可能性があるが，植え込み型除細動器などで適切に治療すれば5年生存率は95％以上と考えられる．右心不全で重症となる例は少ないが，一部の症例では左心機能障害も合併し重症心不全となる場合がある．

治療
二次予防としてまたハイリスク群の一次予防として植え込み型除細動器の適応となる．作動回数減少目的でアミオダロンなどが併用されることがある．カテーテルアブレーションの適応となる場合もある．

〔絹川弘一郎〕

■文献
土居義典，他：肥大型心筋症の診療に関するガイドライン（2012年改訂版），日本循環器学会．http://www.j-circ.or.jp/guideline/pdf/JCS2012_doi_h.pdf
友池仁暢，他：拡張型心筋症ならびに関連する二次性心筋症の診療に関するガイドライン，日本循環器学会，2011．http://www.j-circ.or.jp/guideline/pdf/JCS2011_tomoike_h.pdf
松﨑益德，他：慢性心不全治療ガイドライン（2010年改訂版），日本循環器学会．http://www.j-circ.or.jp/guideline/pdf/JCS2010_matsuzaki_h.pdf

2）その他の心筋症

二次性心筋症(特定心筋症)は，全身性の基礎疾患など原因が明らかな心筋疾患の総称であり，原因不明の特発性心筋症と区別される．二次性心筋症の原因は炎症，代謝，膠原病，神経・筋疾患，腫瘍，薬物など多様である（表7-13-2）．原疾患に対する治療を行うと心筋障害が改善する可能性があり，また，心病変の存在が全身性疾患の診断のきっかけになることもしばしばである．その診断と治療に際しては，循環器領域のみならず多くの専門分野にまたがる幅広い知識と技術が必要である（Falkら，2015；Pinneyら，2011）．

(1)心アミロイドーシス (cardiac amyloidosis)
概念・病態生理
アミロイドーシスは線維構造をもつ不溶性蛋白であるアミロイドが，臓器に沈着することによって機能障害を引き起こす疾患の総称(症候群)として定義される．アミロイドーシスは沈着臓器の分布により全身性と限局性に大別され，さらにその主要構成アミロイド蛋白と前駆体蛋白により分類される．

心アミロイドーシスは心筋にアミロイド線維が沈着し，形態的，機能的異常をきたす病態である．多くは全身性アミロイドーシスによるが，心房のみに沈着する限局性アミロイドーシスもある．異常免疫グロブリン軽鎖が関係する原発性(AL)アミロイドーシス，トランスサイレチンの異常(ATTR)が関与する遺伝性の家族性アミロイドポリニューロパチー(familial amiloidotic polyneuropathy：FAP)，正常トランスサイレチンの沈着が関与する老人性全身性アミロイドーシス(senile systemic amyloidosis：SSA)，慢性炎症性疾患に続発するAAアミロイドーシスなどが代表的である(表7-13-3)．病因により，臨床症状と予後は異なり，一般にALアミロイドーシスの予後は心病変の程度に依存し不良のことが多く，ほかのタイプでは比

表7-13-2 二次性心筋症(特定心筋症)(specific cardiomyopathies)(WHO/ISFC，1995)

虚血性心筋症(ischemic cardiomyopathy)
弁膜症性心筋症(valvular cardiomyopathy)
高血圧性心筋症(hypertensive cardiomyopathy)
炎症性心筋症(inflammatory cardiomyopathy)
　特発性
　自己免疫性
　感染性(ウイルス性，Chagas病など)
代謝性心筋症(metabolic cardiomyopathy)
　内分泌疾患(甲状腺中毒，甲状腺機能低下症，副腎皮質機能不全，褐色細胞腫，先端巨大症，糖尿病)
　家族性蓄積症(ヘモクロマトーシス，糖原病，Hurler症候群，Refsum症候群，Niemann-Pick病，Hand-Schuller-Christian病，Fabry病，Morquio-Ullrich病)
　欠乏症(カリウム代謝異常，マグネシウム欠乏，栄養障害)
　アミロイドーシス(原発性，続発性，家族性，遺伝性，老人性，家族性地中海熱)
全身性疾患(general systemic disease)
　膠原病(SLE，PN，RA，SSc，皮膚筋炎など)
　浸潤性，肉芽腫性疾患(サルコイドーシス，白血病)
筋ジストロフィ(muscular dystrophies)
　Duchenne型，Becker型，筋緊張性
神経筋障害(neuromuscular disorders)
　Friedreich失調症，Noonan症候群，黒子症
アレルギー性，中毒性反応(sensitivity and toxic reactions)
　アルコール，カテコールアミン，薬剤，放射線
産褥性(peripartal cardiomyopathy)

表7-13-3 心アミロイドーシスの主要病型(Falkら，2015より引用改変)

病型	前駆物質	一般発症年齢	主要罹患臓器	未治療時の平均生存期間	治療
原発性(AL)	免疫グロブリン軽鎖	50歳以上	中枢神経系以外全て，50%の患者に心臓病変あり	心不全症例：9カ月未満，非心臓例：24カ月	形質細胞を標的にした化学療法
家族性(ATTR)	異常(変異)TTR	20歳以上(一部，変異の種類による)	末梢神経，自律神経，心臓	7～10年(おもに神経障害のため)	肝臓移植，TTR安定化薬(タファミジスなど)
老人全身性(SSA)	正常(野生型)TTR	70歳以上	心臓，手根幹	5～7年	TTR安定化薬(タファミジスなど)
二次性(AA)	血清アミロイド蛋白A	10歳以上(炎症性基礎疾患による)	肝臓，腎臓，心臓(まれ)	10年以上	炎症性基礎疾患の治療
心房限局性	心房性利尿ペプチド	不詳	心房	予後に影響なし	特になし

較的予後がよい．心アミロイドーシスの診断には心電図，心エコー検査，心内膜心筋生検が有用である．

臨床症状

病型により異なるが，左室拡張障害および収縮障害による心不全症状が主体となる．徐脈性・頻脈性不整脈による症状もある．末梢神経障害や自律神経障害を合併すると，それに起因する種々の症状が出現し，起立性低血圧によるめまいや失神を認める症例も多い．

検査所見・診断

1) **心電図**：心アミロイドーシスにみられる心電図所見として，①前胸部誘導のQSパターンあるいはR波増高不良など心筋梗塞様の変化，②房室伝導障害，③四肢誘導の低電位差，④左軸偏位，⑤脚ブロック，⑥ST-T変化，⑦心房細動などが報告されている．なかでも①～④の頻度が高い(図7-13-6)．①はアミロイドの心筋浸潤の検出に最も優れており心アミロイドーシスの50%に認められるとの報告がある．QSパターンの出現機序は必ずしも明らかではないが，心筋細胞が電気的に不活なアミロイドに置換されるためと考えられる．アミロイド沈着が刺激伝導系に及ぶと②の房室伝導障害が出現すると考えられる．

2) **心エコー図**：典型例では，左室壁，心房中隔，弁の肥厚を認め，左室内腔は正常または減少を示す．肥厚した左室壁に高輝度エコーが不均一に斑点状にみられる所見，いわゆるgranular sparklingが心アミロイドーシスに特徴的とされている．また，心膜液貯留が高頻度に認められる．

左室収縮能は特に早期においては正常に保たれているが，拡張能の低下がみられ拘束型心筋症の病態を呈する．ドプラ法を用いた検討では，僧帽弁流入速波形(transmitral flow：TMF)において，急速流入波(E)の増高と，急速流入波減衰時間(deceleration time：DcT)の短縮がみられ，いわゆる拘束型パターン(restrictive pattern)を呈する(図7-13-6)．DcTが150 msec以下になる心アミロイドーシス症例は予後が悪い(eコラム1)．

3) **心臓カテーテル検査**：左室拡張障害の指標として，左室のa波増高，左室拡張末期圧上昇，左室最大陰性dP/dT低下，左室圧下降時定数(τ)延長などが認められる．また，左室圧曲線にsquare root sign (dip and plateau)を認めることがある．

4) **核医学検査**：心臓にアミロイドの沈着が高度の場合，^{99m}Tc ピロリン酸テクネシウムによる心筋シンチグラムで高度の集積像を認めることがある．心プールシンチグラフィでは心室の拡張障害の検出が可能である．

5) **心臓MRI**(magnetic resonance imaging)：造影MRIが心アミロイドーシスの診断に有用であるとの報告があり今後その有用性が期待される．

6) **病理・心内膜心筋生検**：心臓の肉眼所見は，心房の拡大がしばしば認められる．通常心室の拡大はなく心室壁は肥厚している．組織学的にアミロイドは，心筋間質，心内膜，心筋内血管(動静脈，毛細血管)，弁などに認められる．アミロイドはHE染色では均一無構造で淡いピンク色に染まる．コンゴーレッド染色またはDFS(direct fast scarlet)染色では橙赤色に染色され(図7-13-6)，これを偏光顕微鏡下で観察するとアミロイドはapple-greenの偏光を呈する．また，電子顕微鏡下では，アミロイド線維は通常分枝のない幅約10 nmの細線維として観察される．

治療

1) **心不全の治療**：主に利尿薬が使用される．本症では自律神経障害のため，血圧調節にアンジオテンシンⅡ受容体の果たす役割が大きいとされ，アンジオテンシンⅡ受容体拮抗薬やACE阻害薬で過度の血圧低下が起こることがあり注意を要する．陰性変力作用のためCa拮抗薬は使いにくい．またβ遮断薬の有効性は明らかでない．心アミロイドーシスではジギタリス薬に対する感受性が亢進しており，通常の投与量で重篤な不整脈を誘発することがある．これは，ジゴキシン

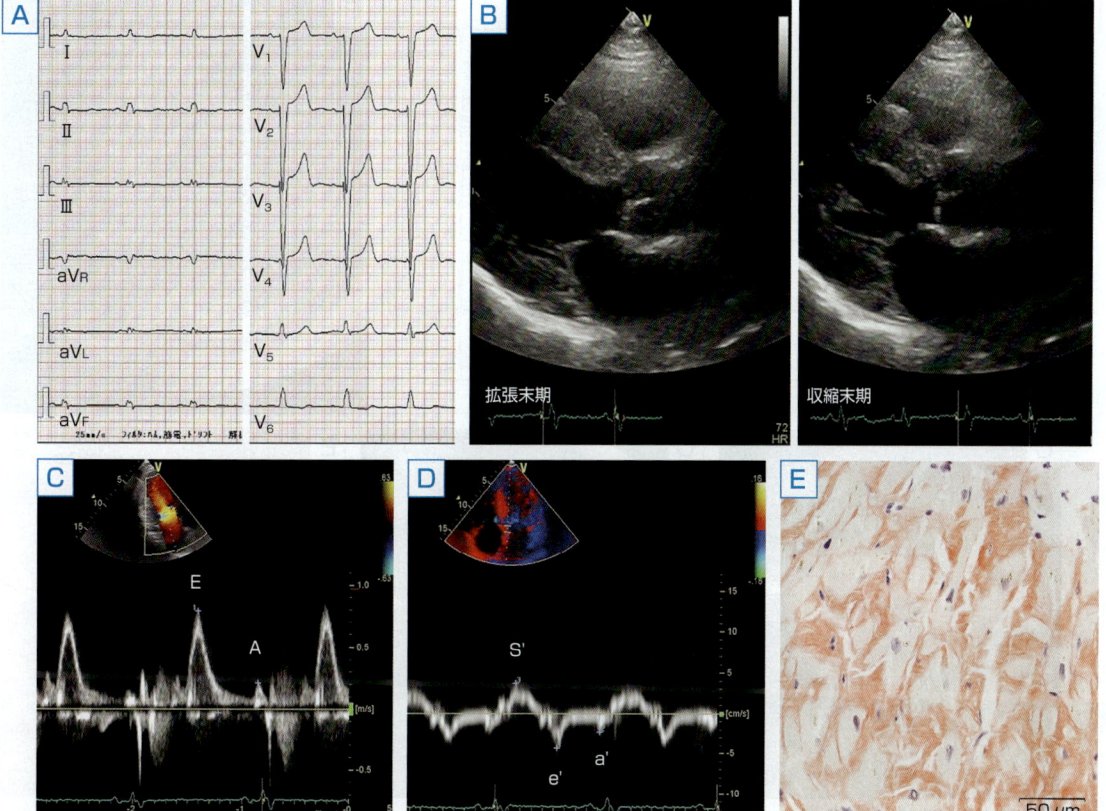

図 7-13-6 心アミロイドーシス
A：心電図所見．四肢誘導の低電位差，前胸部誘導のR波増高不良，心室内伝導遅延を認める．
B：断層心エコー図．びまん性の求心性左室肥大を認める．左室収縮能は保たれている．
C：僧帽弁流入速波形．E波の増高とDcTの短縮を認め拘束型拡張障害パターンを呈する．
D：弁輪部組織ドプラ波形．e′が低下し，E/e′が上昇している．
E：心内膜心筋生検組織像．心筋細胞周囲の間質に橙赤色に染色されるアミロイドの沈着が認められる(DFS染色)．

が心筋内アミロイド線維に選択的に吸着することに関係するといわれている．心房細動がある場合には，血栓塞栓のリスクが高いため抗凝固療法の適応となる．刺激伝導障害による症状がある場合には恒久ペースメーカ植え込みの適応となる．

2)原因療法： ALアミロイド患者に対して，異常免疫グロブリン軽鎖を産生する形質細胞を対象とした治療法があり，いくつかの化学療法が行われている(eコラム2)．

FAPに対しては，肝臓移植が根治的治療となる．近年，トランスサイレチンを安定化させる作用を有する新薬(tafamidis, difulnisal)が報告され，SSAも含めて，その効果が期待されている[1-3]．日本では，2014年より，タファミジスメグルミン(ビンダケル®)がFAPに対して保険適用になっている．

(2)心サルコイドーシス(cardiac sarcoidosis)
概念・病態生理
サルコイドーシスは原因不明の全身性多臓器疾患で，リンパ節，肺，眼，心臓，皮膚，腎臓，神経，肝臓などの臓器における非乾酪性類上皮細胞肉芽腫を特徴とする(eコラム3)．リンパ節，肺あるいは眼病変により発見されることが多い．しかし，欧米と比較してわが国では心臓病変(心サルコイドーシス)の頻度が高く，重症心不全や致死的不整脈により死因としてきわめて重要である．心サルコイドーシスにおいては確定診断に苦慮することが多いが，副腎皮質ステロイド薬など免疫抑制薬による治療をできるだけ早期に開始することが重要であり，原因不明の心不全や不整脈患者の診療においては鑑別診断に本症を念頭におくことが大切である．

臨床症状
おもな臨床像は，①高度房室ブロック，②心室頻拍などの重症心室性不整脈，および③左室収縮不全による心不全症状である．失神発作で発症することもまれではなく，突然死をきたすこともある．

検査所見・診断
他臓器でサルコイドーシスと診断された症例に下記に示す異常所見が認められ診断されることが多い．近年，他臓器に明らかなサルコイド病変を認めない，心

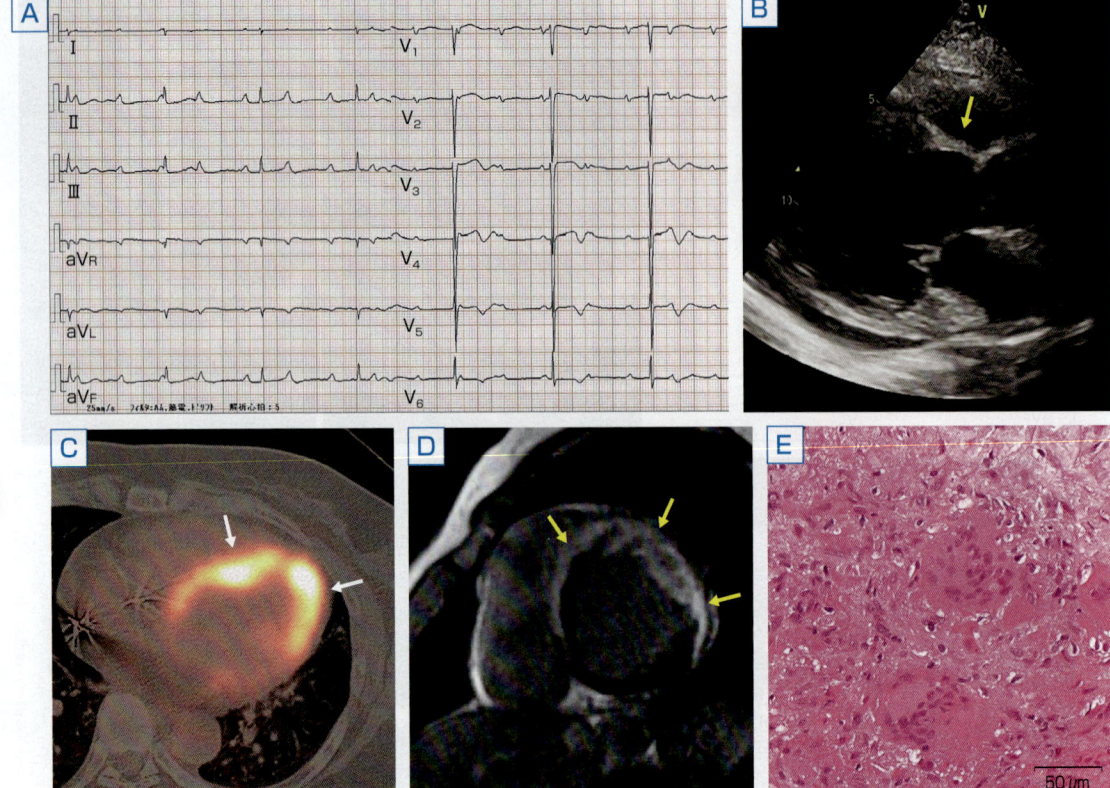

図 7-13-7　心サルコイドーシス
A：心電図所見．完全房室ブロックを認める．
B：断層心エコー図．心室中隔基部の菲薄化(矢印)と心膜液貯留が認められる．
C：^{18}F-FDG-PET/CT．心室中隔，前壁，側壁に局所的な集積亢進を認める(矢印)．
D：心臓 MRI．心室中隔，前壁，側壁に遅延造影像(late gadolinium enhancement：LGE)を認める(矢印)．
E：心内膜心筋生検組織像．多核巨細胞を含む非乾酪性類上皮細胞肉芽腫．

臓限局性サルコイドーシスの存在も明らかとなっている[4,5]．

1) 胸部 X 線，胸部 CT： 両側肺門リンパ節腫脹(BHL)や縦隔リンパ節腫脹，肺病変などを評価する．日本のサルコイドーシス剖検例の検討では，心臓病変を有した症例の 80% 以上に縦隔リンパ節腫脹が認められている．心サルコイドーシスと拡張型心筋症との鑑別に BHL や縦隔リンパ節病変の存在が有力な手がかりになる．

2) 心電図： 心サルコイドーシスの診断に際して心電図異常，特にその経時的変化を見逃さないことが大切である．本症の好発部位の 1 つに心室中隔基部があり，そのため脚ブロックや房室ブロックが重要である(図 7-13-7)．また，心室頻拍や心室細動などの重症心室性不整脈も高頻度に認められる．

3) 心エコー図： 病期や重症度により心エコー所見は多彩な像を示す．一般に局所的な心室壁厚や心室壁運動の異常(心室中隔の菲薄化や心室瘤など)の存在が心サルコイドーシスに特異度が高く(図 7-13-7)，中高年発症の非虚血性心筋症の患者にこのような所見があれば本症を強く疑う．左室拡大とびまん性の壁運動低下を認め，特発性拡張型心筋症との鑑別が困難なことも多い．

4) 核医学検査： ^{67}Ga-クエン酸シンチグラフィは，炎症細胞浸潤や類上皮細胞肉芽腫の活動性と関連があり，ステロイド投与後の治療効果の判定に有用である．^{201}Tl や ^{99m}Tc-MIBI SPECT などの血流シンチグラフィにおいて，線維性肉芽腫の部位が集積低下像として現れる．早期の心サルコイドーシス病変発見やステロイド治療効果判定に ^{18}F-FDG-PET (positron emission tomography)の異常集積像が有用であり，本症診断に際して重要な検査法の 1 つである(図 7-13-7)．日本では，2012 年より，心サルコイドーシス診断への応用が保険適用になった．

5) 心臓 MRI (magnetic resonance imaging)： 心サルコイドーシスと診断された時点ですでに恒久的ペースメーカが植え込まれている場合も多く，常に行えるわけではないが，ガドリニウム(Gd-DTPA)を用いた造影による遅延造影像(late gadolinium enhancement：LGE)は，心筋傷害部位の評価やステロイド治療の効

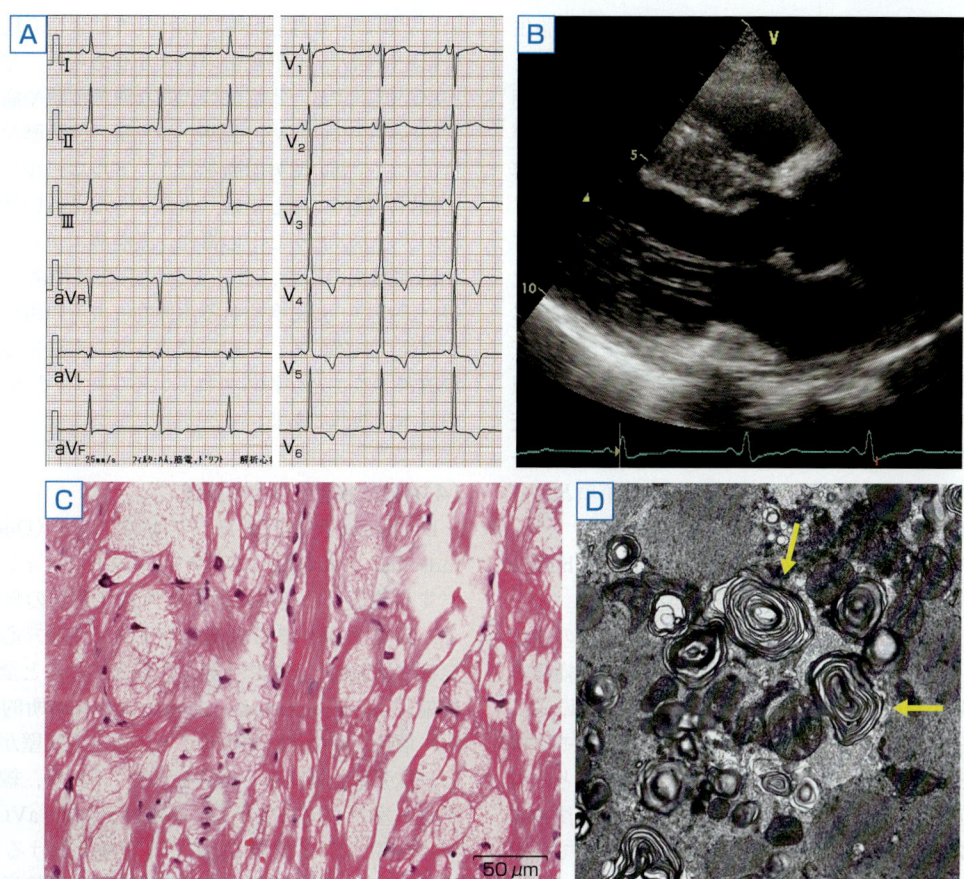

図7-13-8 心Fabry病
A:心電図所見.ST-T変化を伴う左室肥大.
B:断層心エコー図.びまん性の求心性左室肥大.
C:心内膜心筋生検(光顕像).心筋細胞の細胞質に高度の空胞変性を認め,空胞細胞質内に小顆粒状の物質を認める.
D:心内膜心筋生検(電顕像).Fabry病に特徴的なセラミドトリヘキソシドの沈着による年輪状,層状の封入体を認める(矢印).

果評価に有用である(図7-13-7).

6)心内膜心筋生検: 心サルコイドーシスの確定診断は心筋生検で非乾酪性類上皮細胞肉芽腫を証明することにより行われる(図7-13-7).心筋病変が散在性でありサンプリングエラー(偽陰性)が生じやすいため,巨細胞を含む典型的な肉芽腫が認められる頻度は高くない.

治療

サルコイドーシスの死因の2/3以上は心サルコイドーシスによる.したがって心臓病変の存在はサルコイドーシスの予後を左右する要因である.一般に早期の心臓病変にはステロイドが有効であり,心サルコイドーシスの診断がなされた場合,ステロイド治療を行うことが原則である.ステロイド全身投与の適応は,①高度房室ブロック,②心室頻拍などの重症心室性不整脈,および,③局所壁運動異常あるいはポンプ機能の低下である.なお各種病態に応じて循環器的専門治療を併用する.

ステロイド療法の詳細は🄮コラム4.

(3)全身性代謝異常に伴う二次性心筋症
a.Fabry病

Fabry病は,リソソーム病とよばれる疾患群の1つで,遺伝性の糖脂質代謝異常症である【⇨15-6-8】.Fabry病では,リソソーム内の加水分解酵素であるα-ガラクトシダーゼ(GLA)の欠損あるいは活性低下が生じることにより,GLAの基質であるglobotriaosyl-ceramide(Gb3)などのスフィンゴ糖脂質が全身性,進行性に蓄積し,さまざまな臨床症状が発生する(🄮コラム5).心Fabry病患者では,左室肥大を主徴として肥大型心筋症様の病態を呈する.心内膜心筋生検では心筋細胞の細胞質に高度の空胞変性を認める.また電顕像では特徴的な年輪状,層状の封入体を認める(図7-13-8).

Fabry病の診断は,臨床症状,GLA活性の測定,病理診断,血中,尿中の蓄積物の測定などの生化学的診断,遺伝子診断を組み合わせて行う.Fabry病はX連鎖遺伝型式であり,男性ではヘミ接合体となり重篤な症状を呈する場合が多い.ヘテロ接合体女性患者で

は，全身の各細胞に 2 本ある X 染色体の一方が胎生早期に不活性化されるため，各臓器で正常細胞と GLA 活性欠損細胞がモザイク状に混在する．若年期に全身症状が軽く，成人期に心症状が発症することがあり，また，GLA 活性が正常の場合もあり診断が容易ではない(eコラム 6)．

Fabry 病の治療法としては，アガルシダーゼβ，アガルシダーゼα による酵素補充療法の有効性が確立しており[6-8]，可及的早期に診断し，治療を開始することが重要である．ヘテロ接合体女性患者では，症状の出現を待つと診断と治療が遅れる．したがって，遺伝子異常が判明している家系の家族全員に遺伝子検査を行い罹患児を同定すること，および新生児スクリーニングを行うことが早期治療のための推奨事項としてあげられている(eコラム 7)．

b.ヘモクロマトーシス（鉄過剰性心筋症）(hemochromatosis)

ヘモクロマトーシスは，遺伝性または二次性の鉄代謝異常により肝臓や心臓などに鉄が沈着し，組織障害や臓器障害を引き起こす疾患である．遺伝性は欧米に多く，日本では多くが二次性である．二次性ヘモクロマトーシスはサラセミアや骨髄異形成症候群などに対して頻回に輸血をした際に起こり，心臓に鉄が沈着する．このような鉄過剰による心筋障害をまとめて鉄過剰性心筋症とよぶ．本症では初期には鉄が沈着することにより心重量が増すだけであるが，進行すると拘束型心筋症様あるいは拡張型心筋症様の病像を呈するため，心エコーによる定期的な経過観察が重要である．鉄過剰性心筋症に特異的な臨床症状はなく，大量輸血を行っている症例で上室性，心室性不整脈，房室伝導障害，心不全が認められた場合には本症を疑う必要がある．診断のゴールドスタンダードは心筋組織の鉄染色である(e図 7-13-A)．また心臓 MRI の T2* により心臓の鉄量の定量を行うことで鉄過剰性心筋症を早期に診断できると報告されている[9]．ヘモクロマトーシスのおもな死因は肝硬変，肝細胞癌，心不全であり，心臓への鉄沈着を早期に検出し，臓器障害が起こる前に治療を開始し，鉄を除去することが重要である．治療は遺伝性ヘモクロマトーシスには瀉血療法が行われ，輸血による二次性ヘモクロマトーシスではキレート療法が行われる．

c.アルコール性心筋症 (alcoholic cardiomyopathy)

長期かつ大量の飲酒により拡張型心筋症様の病態を呈するもので，中毒性心筋症(toxic cardiomyopathy)に分類される．一般に，エタノール換算で 1 日あたり 90 g のアルコール（日本酒 4～5 合）を 5 年以上摂取すると本症を発症する．全心筋症の 3.8%を占めるとされ，また拡張型心筋症様の病態を呈する患者うちの 40%近くを占めるとする報告もあり比較的頻度が高い．アルコール性心筋症では特発性拡張型心筋症と同様に左室拡大，心筋重量の増大が認められ，左室の駆出率が低下する．本症に特異的な臨床症状や病理組織学的所見はないため，長期かつ大量の飲酒歴がある場合に本症を疑い除外診断を行う．アルコールによる心筋障害の機序に関しては，エタノールあるいは代謝産物のアセトアルデヒドの毒性，脂肪酸エチルエステルや活性酸素の影響，チアミン欠乏などによる栄養障害，アルコールに含まれる添加物による中毒作用などが考えられている．一般に禁酒，薬物療法にて心機能が改善することが報告されている(eコラム 8)．治療の基本は断酒である．

(4)神経筋疾患に伴う心筋症

Duchenne 型進行性筋ジストロフィー（Duchenne muscular dystrophy：DMD)はジストロフィンをコードする遺伝子の変異による伴性劣性遺伝の疾患である．頻度は男性 3500 人あたり 1 人である．心筋症の発症率は加齢とともに上昇し，成人になると全例に心機能障害が認められる．左室後壁から局所的な線維化，壊死，瘢痕化が始まることにより左室壁が菲薄化し，拡張型心筋症様の病態を示す．その後，線維化などは右室や心房に広がる．心電図では I, aV_L, V_5, V_6 誘導における異常 Q 波, V_1 誘導における R 波の増高，PR 時間の短縮，QT 時間の延長が特徴的であり，心筋の線維化が進行すると心房細動，房室伝導障害，心室頻拍，心室細動が起こることもある．DMD による筋力低下の程度と心筋症の重症度は相関しないが，心機能の低下は呼吸機能の低下と並行して進行するため，咳，呼吸困難，起座呼吸，睡眠障害などの症状が認められた場合，心肺機能の低下を疑う．DMD による心筋症の検出には心エコーが有用である．心臓 MRI での LGE による心筋障害の評価は有用であり，局所的な線維化を早期に発見できる．呼吸器の発達により呼吸筋の筋力低下による死亡は減少し，心筋症が死因の主となり，多くの患者は 30 歳までに死亡する．心筋症に対する治療としては ACE 阻害薬やアンジオテンシン II 受容体拮抗薬による一般的な心不全治療を早期に開始することにより，心筋症の進行を抑えることができる．

Becker 型進行性筋ジストロフィー（Becker muscular dystrophy：BMD)ではジストロフィンの部分欠損が認められる．頻度は男性 1 万 9000 人あたり 1 人である．BMD では DMD と比べて，筋力低下の進行は遅いが，DMD と同様に拡張型心筋症様の病態を示し，筋力低下の程度と心筋症の重症度は相関しない．心筋の線維化は右室壁から始まる．心電図では脚ブロック，非特異的な ST-T 変化が認められる．BMD による心筋症の治療にも一般的な心不全治療薬が有用

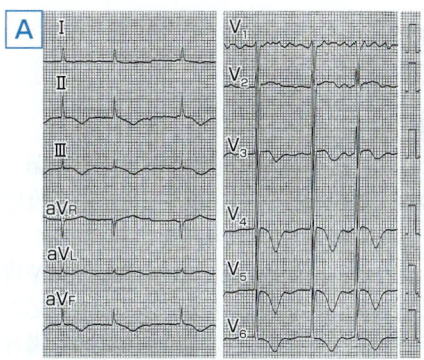 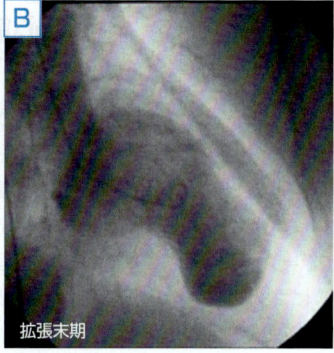 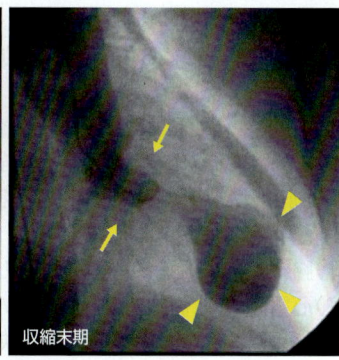

図 7-13-9 たこつぼ心筋症
A：心電図所見．心房細動．陰性T波とQT延長を認める．
B：左室造影．左室心尖部を中心とした無収縮（矢頭）と心基部の過収縮（矢印）を認める．

である．

　筋強直性ジストロフィー（myotonic dystrophy：DM）は常染色体性優性遺伝の疾患であり，約65％の症例で伝導障害が認められる．また頻度は低いが，上室性頻脈や心室性頻脈も認められる．DM患者の約20〜30％が心疾患により死亡するといわれており，そのうちの1/3は突然死である．伝導障害としては第1度房室ブロックから完全房室ブロックまでさまざまであるが，伝導障害や心室性不整脈が死因となるため，早期に電気生理学的検査を施行することが推奨されている．電気生理学的検査で重度の徐脈や伝導障害，致死性の心室性不整脈が認められた場合は，突然死予防の目的でICDの適応と考えられる．

　Friedreich失調症（Friedreich ataxia：FA）は常染色体性劣性遺伝の疾患であり，死因として最も多いのは心筋症である．肥大型心筋症様の病態を呈し，病因の重要なメカニズムとして慢性心筋炎があげられている．

(5) ミトコンドリア心筋症（mitochondrial cardiomyopathy）

　ミトコンドリアのエネルギー産生系の障害による心筋症である【⇨1-3-5，7-21-9】．ミトコンドリアは心臓，腎臓，中枢神経，骨格筋に多量に存在するため，MELAS（mitochondrial encephalomyopathy, lactic acidosis and stroke-like episodes）やKSS（Kearns-Sayre syndrome）など，ミトコンドリア遺伝子の点変異や構築異常に基づくミトコンドリア脳筋症に合併することが多い．多くの病態で異常ミトコンドリアDNAと正常ミトコンドリアDNAは各組織や細胞において，さまざまな割合で混在（ヘテロプラスミー）するため，臓器症状や程度も多彩である．心筋症の表現型としては刺激伝導障害や，肥大型あるいは拡張型心筋症様の病態を呈することが多い．心筋の病理組織学的検索では心筋細胞の空胞変性，ミトコンドリアの増加や形態異常がみられる（e図7-13-B）．

(6) たこつぼ心筋症（takotsubo cardiomyopathy, ampulla cardiomyopathy）

　日本からはじめて報告された疾患概念である．急性心筋梗塞に類似した胸痛症状と心電図変化を認めるが，冠動脈造影で有意な狭窄がなく，左室心尖部を中心とした無収縮と心基部の過収縮（たこつぼ様に見える）を認めることが特徴的である（図7-13-9）．また，心尖部以外の部位が無収縮を呈する亜型もある．急性期にみられる心電図所見として，ST上昇，あるいは陰性T波とQT延長が特徴的である．心電図異常や左室壁運動異常は，数日〜数週間で正常化することが多い．高齢の女性に多く，精神的・身体的ストレスを契機に発症することが多い．成因は不明であるが，突然の交感神経系の過剰亢進状態，冠血管攣縮，微小循環障害などの説がある[10]．近年，本症患者の脳SPECTにおいて，脳血流が海馬，大脳基底核，脳幹で増加し，前頭前皮質で減少したとの報告があり，本症における心脳連関が示唆されている[11]．左室流出路の圧較差や頻脈に対して適応がある場合にはβ遮断薬が治療に用いられる．一般に予後は良好であるが，ときに心原性ショックや心破裂をきたす．

(7) 不整脈原性右室心筋症（arrhythmogenic right ventricular cardiomyopathy：ARVC）

概念・病態生理

　右室優位の心拡大と心機能低下，右室起源の重症心室性不整脈を特徴とし，病理組織学的にはおもに右室自由壁における脂肪浸潤と心筋細胞の脱落ならびに線維化（fibro-fatty replacement）を認める心筋疾患である．拡張型心筋症，肥大型心筋症，拘束型心筋症と並列の特発性心筋症として位置づけられている．本症の20〜30％が家族性に発症し，遺伝的要因の関与が示唆される（eコラム9）．

臨床症状

自覚症状としては，めまい，動悸，失神発作が多く，運動や興奮により生じやすい．突然死をきたすこともある．その他，胸痛，呼吸困難感を認めることがある．他覚所見としては，右心不全症状としての，浮腫，肝腫大，頸静脈拡張などがみられる．

検査所見・診断

1) 胸部X線： 右室が球状に拡大して見える．
2) 心電図： 右側胸部誘導（V_1〜V_3）におけるT波の陰転化は右室の再分極異常を反映し，また，epsilon（ε）波は右室局所の伝導遅延を反映すると考えられ，両者の存在は診断的意義が高い．加算平均心電図では，遅延電位(late potential)を認める．
3) 心エコー図・心臓MRI・CT： 右室拡大，右室壁運動異常，右室局所の形態異常（瘤形成，著明な肉柱など）などが診断に重要である．心臓MRI・CTによる脂肪浸潤の存在は診断に有用であるが，健常人や高齢者においてもみられるため注意が必要である．心臓MRIにおけるLGEは，脂肪線維化を反映して診断に有用と考えられる．
4) 心内膜心筋生検： 心筋への高度の脂肪浸潤と線維化が特徴である．

治療

1) 不整脈に対する治療： 持続性心室頻拍や心室細動に対して，薬物療法，ICD，電気的焼灼術（カテーテルアブレーション）が考慮される．薬物療法としては，一般にβ遮断薬やIII群抗不整脈薬が使用される．左室機能低下例（左室病変の存在），心停止または血行動態の破綻する心室頻拍の既往，右心不全の存在などは突然死のリスクが高く，ICDの適応と考えられる．本症における心室頻拍の機序の多くが脂肪線維化瘢痕組織が関与するリエントリーとされ，これがカテーテルアブレーションの標的となるが，治療後の再発例も多く，病変が進行性であることが原因と思われる．
2) 心不全に対する治療： 右心不全に対しては利尿薬を用いる．左心不全が出現する例では，ほかの疾患に準じた心不全治療を行う．末期的心不全例では心臓移植も考慮される．　　　　　　　　　　　　〔寺崎文生〕

■文献（e文献 7-13-2）

Falk RH, Hershberger RE: The dilated, restrictive, and infiltrative cardiomyopathies. Braunwald's Heart Disease. A Textbook of Cardiovascular Medicine, 10th ed (Mann DL, Zipes DP et al eds), pp1551-73, Elsevier Saunders, 2015.

Pinney SP, Mancini DM: Myocarditis and specific cardiomyopathies. Hurst's The Heart, 13th ed (Fuster V, Walsh RA et al eds), pp876-93, McGraw Hill, 2011.

3）心筋炎
myocarditis

定義・概念

心筋炎とは，何らかの外来抗原（ウイルス，細菌，寄生虫，毒物，薬剤など）や自己抗原に対する免疫応答によって心筋に炎症が生じる病態を指す．過剰な免疫応答により自己の心筋が破壊され，急性心不全や致死性不整脈を発症する場合もあるが，多くは免疫応答の収束に伴い自然治癒に至る．心筋障害が高度な場合やウイルス感染の慢性化，自己免疫応答の遷延化などにより，慢性心不全に移行し，拡張型心筋症様の病態を呈することもある．

分類

1) 臨床病型による分類：
   a) 急性心筋炎：かぜ様症状や消化器症状に引き続いて，徐々に進行する心不全症状，左室の拡大，収縮障害を認める．発症時期は明確でない場合が多く，ほとんどは心不全に対する一般的治療に反応し，自然に軽快する．
   b) 劇症型心筋炎：先行する感染症状の後，短時間で，心原性ショック，重症の左室収縮不全，致死性不整脈などにより重篤な病態をきたす．血行動態の破綻から，アシドーシス，臓器不全の徴候を認める場合が多い．
   c) 慢性心筋炎：心筋の炎症が慢性化するもので，遷延性と不顕性に分けられる．急性心筋炎から移行する遷延性はまれであり，ほとんどは不顕性である．

2) 組織学的分類：
   a) リンパ球性心筋炎：心筋病理組織において，リンパ球を主体とした炎症細胞浸潤を認めるもので，心筋炎のなかで最も頻度が高く，多くはウイルス感染によるものである（図7-13-10A）．
   b) 巨細胞性心筋炎：心筋の炎症巣に多核巨細胞を多数認めるもので，劇症型の臨床病型をとることが多い（図7-13-10B）．病因は解明されていないが，炎症性腸疾患，甲状腺炎，胸腺腫などの免疫異常をきたす全身性疾患を約20％の症例に認めており，自己免疫との関連が考えられている[1]）．
   c) 好酸球性心筋炎：末梢血中の好酸球増加とともに心筋に好酸球が浸潤し，脱顆粒によって放出される好酸球カチオン蛋白などによって心筋細胞の破壊が生じる（図7-13-10C, D）．多くは特発性であるが，アレルギー疾患，薬剤過敏症，寄生虫感染などによって発症する場合もある．
   d) 肉芽腫性心筋炎：ウイルス性心筋炎などに続発して肉芽腫様病変が形成されるまれな病態で，非乾酪性類上皮細胞肉芽腫を認める心サルコイドーシスとの鑑別が重要になる．

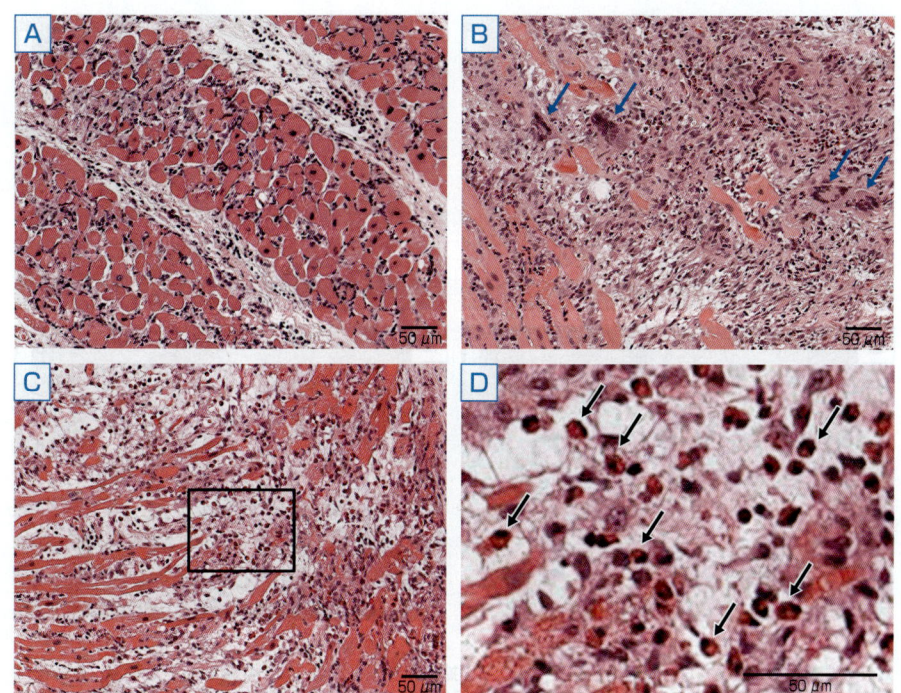

図 7-13-10 急性心筋炎の心内膜心筋生検標本
A：リンパ球性心筋炎，リンパ球を主体とした炎症細胞浸潤を認め，心筋細胞の構造は破壊され，間質浮腫を認める．
B：巨細胞心筋炎，多数の多核巨細胞(青矢印)の浸潤を認める．
C，D：好酸球性心筋炎，好酸球の浸潤と脱顆粒，心筋細胞の破壊を認める．D は C の黒枠部分の拡大像，多数の好酸球浸潤(黒矢印)を認める．

原因・病因

おもに心筋に親和性の高いウイルスや細菌の感染，免疫異常などによって心筋内に炎症が惹起され，心不全を呈する病態である．ウイルス感染によるものの頻度が最も高く，かつてはエンテロウイルスに属するコクサッキー B ウイルスなどが最も多い病原ウイルスとされていたが，最近では，パルボウイルス B19 (PVB19) やヒトヘルペスウイルス 6 によるものが多いといわれている (Schultheiss ら, 2011)．胃腸粘膜や呼吸器から侵入したウイルスは，血液あるいはリンパ管を介して心臓に到達し，ウイルス受容体に結合して細胞内に取り込まれる．コクサッキーウイルスは心筋細胞に感染するが，PVB19 の場合には，心臓の血管内皮細胞に感染することが知られている．

発症には，ホスト側の要因も関与するため，特定の病原体によって必ずしも発症するとは限らず，病原体が明らかになる場合は少ない．薬剤，放射線，熱などの物理的刺激，代謝異常，妊娠なども原因となり，病因不明の場合には特発性心筋炎と称される．

疫学

心筋炎は，心臓突然死，心不全，胸痛症候群などの症例のなかにも多く存在しており，具体的な発生率は不明であるが，わが国において 1958～1977 年までに行われた剖検例 377841 件のうち，心筋炎と診断された症例は 0.11％ と報告されている．また，若年者における心臓突然死の原因のなかでは，肥大型心筋症，冠動脈疾患についで頻度が高く，剖検による検討では，若年者突然死例の 4～12％ を占めるとされている[2]．国際疾病分類 (ICD-9) に基づく死因分類の解析データでは，心不全患者の 0.5～4％ は心筋炎が原因と推測され[3]，男性に多く，生後数年と 20 歳代前半に二峰性の有病率上昇を認める (Cooper ら, 2014)．

病理

急性心筋炎のうち，リンパ球性心筋炎では，多数の大小の単核球浸潤とそれに近接した心筋細胞の壊死を認める．その他，心筋細胞の断裂，融解，消失，間質の浮腫，ときに線維化を認める (図 7-13-10A)．巨細胞性心筋炎では多数の多核巨細胞の浸潤を認め (図 7-13-10B)，好酸球性心筋炎では好酸球の浸潤 (図 7-13-10C，D)，脱顆粒に加え，高頻度で心内膜下の血栓を認める．慢性心筋炎では，炎症細胞浸潤と心筋細胞の大小不同，肥大，配列の乱れなど心筋細胞変性が高度となり，間質の線維化ならびに脂肪化などを認める．

臨床症状

1) 自覚症状: リンパ球性心筋炎の多くは，かぜ様症

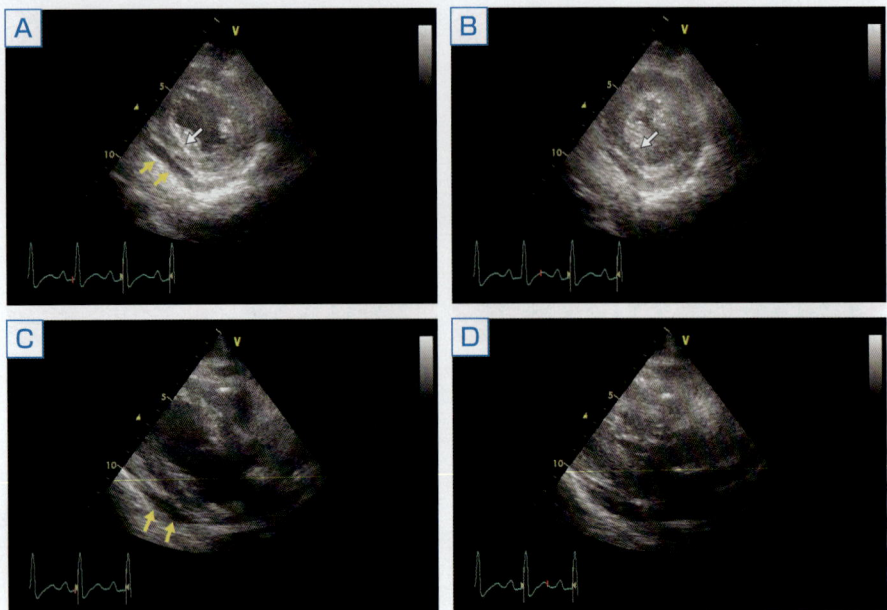

図 7-13-11 急性心筋炎の心エコー図所見
A：拡張期左室短軸像，B：収縮期左室短軸像，C：拡張期左室長軸像，D：収縮期左室短軸像．左室壁はびまん性に浮腫状肥厚し，内腔の狭小化と心膜液貯留（黄矢印）を認める．左室収縮能は全体に保たれているが（左室拡張末期径/収縮末期径＝33/22 mm），下壁に局所的な壁運動低下を認める（白矢印）．

状（悪寒，発熱，頭痛，筋肉痛，全身倦怠感）や消化器症状（食欲不振，悪心，嘔吐，下痢）などに引き続いて，数時間～数日の経過で心症状が出現する．心症状としては，心不全に伴う息切れ，心膜刺激による胸痛，不整脈による動悸，失神などがある．

2）他覚症状：　発熱，脈の異常（頻脈，徐脈，不整脈），低血圧，脈圧減少，心不全徴候（奔馬調律，湿性ラ音，頸静脈怒張，下腿浮腫など），心膜摩擦音などを呈する．心膜液貯留により心タンポナーデをきたす場合もある．

検査所見

1）血液生化学検査：　C反応性蛋白（CRP）の上昇や赤沈亢進などの炎症反応に加え，トロポニン，クレアチンキナーゼMB型（CK-MB）など心筋マーカーの上昇を認める．劇症型心筋炎では，急性心筋炎に比較し，トロポニンIおよびトロポニンTの上昇が高度であり，これらの上昇は左室駆出率の低下と関連することが知られている[4]．また，心不全の発症に伴い脳性ナトリウム利尿ペプチド（BNP）あるいは脳性ナトリウム利尿ペプチド前駆体N端フラグメント（NT-proBNP）の上昇を認め，症状の軽快とともに低下する[5]．

2）胸部X線：　心陰影の拡大や肺うっ血像などを認める場合がある．

3）心電図：　経過中にST-T波変化，R波減高，異常Q波，不整脈，心室内伝導障害などを認める．持続性心室頻拍，心室細動などの致死性不整脈や房室ブロックを認める場合もある．

4）心エコー図：　左室壁運動低下，心筋の浮腫状肥厚，心腔の狭小化，心膜液貯留などを認める（図7-13-11）．

5）心臓MRI（CMR）：　ガドリニウム造影CMRにより，シネモードに加えてT1早期の強調画像や遅延造影において信号強度の増強が心外膜側優位あるいは壁全層に認められる（図7-13-12A）．また，T2強調画像において炎症性浮腫増強を認める（図7-13-12B）．胸痛やトロポニン上昇を認めている急性期に有用性が高く，発症14日以降に施行した場合の診断精度は，感度63％，特異度40％とされている[6]．

6）核医学検査：　^{67}Gaシンチグラフィにおける心筋への異常集積も診断の一助となるが，特異度が高い一方で感度はあまり高くない．^{99m}Tcピロリン酸心筋シンチグラフィは比較的高感度とされるが，急性心筋梗塞との鑑別が必要になる．

7）心臓カテーテル検査（心筋生検）：　症状が許せば急性期に冠動脈造影を行い，冠動脈病変を除外したうえで，心内膜心筋生検を行う．ただし，サンプリングエラーがあるため，特徴的病理所見がなくても心筋炎の存在は除外できない．

8）ウイルス関連診断：　ウイルス抗体価のペア血清における陽性率は，おおむね10％と低い．心筋生検標本を用いたポリメラーゼ連鎖反応（PCR）法による心

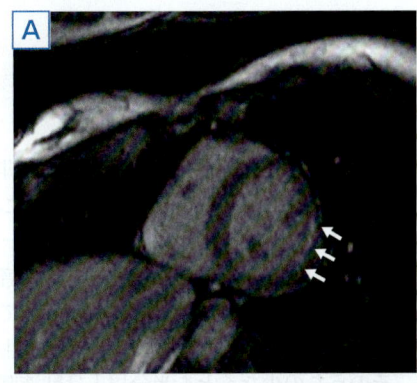
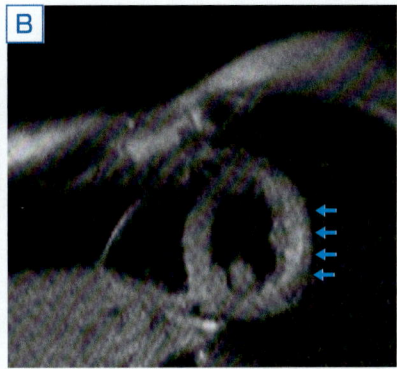

図 7-13-12 急性心筋炎の心臓 MRI 画像所見
A：ガドリニウム（Gd）遅延造影画像，中部側壁に信号強度の増強（late Gd enhancement：LGE，白矢印）を認める．
B：T2 強調画像，LGE を認めた領域の心筋中層に炎症性浮腫を反映して高信号を認める（青矢印）．

筋ウイルスゲノムの検出は，原因の特定に大きく寄与すると考えられるが，一般的な検査法とはなっていない．スクリーニングを行う場合には，PVB19，アデノウイルス，サイトメガロウイルス，エンテロウイルス，EB ウイルス，C 型肝炎ウイルス，1 型・2 型・6 型単純ヘルペス，A 型・B 型インフルエンザウイルスなどの検索を行う．

診断

わが国においては，急性心筋炎の診断手引き（表 7-13-4）に従い，急性心筋梗塞が除外診断でき，心筋生検で活動性病変が確認されれば診断が確定する（和泉ら，2009）．

鑑別診断

類縁疾患として，心サルコイドーシス，膠原病性心筋炎などとの鑑別を要する．また確定診断は病理学的所見に基づくが，心筋の炎症はしばしば局所的であり，陽性率も低いことから，臨床症状，血液生化学的所見，画像所見などを総合的に判断したうえで拡張型心筋症などの特発性心筋症と鑑別する．

合併症

心不全，心原性ショック，高度・完全房室ブロック，心室頻拍，心室細動，心タンポナーデなどを合併する場合がある．

経過・予後

心機能障害は一過性の場合が多く，急激な血行動態の破綻をきたす劇症型心筋炎の場合も急性期を生存できれば長期予後は必ずしも悪くない[7]．心機能の回復が得られず，慢性心不全に移行する場合は，心筋炎に伴う心筋細胞壊死に加え，心筋内ウイルスの排除不良[8]，心筋内自己抗原に対する免疫応答などの関与が考えられている[9,10]．巨細胞性心筋炎は，劇症型の臨床病型をとることが多く，ステロイドや免疫抑制薬の投与が行われるが，発症からの平均生存期間は 5.5 カ

表 7-13-4 急性心筋炎の手引き（和泉ら，2009）

1. 心症状[1]に先行して，かぜ様症状[2]や消化器症状[3]，また皮疹，関節痛，筋肉痛などを発現する．無症状で経過し，突然死にて発見されることもある
2. 身体所見では，頻脈，徐脈，不整脈，心音微弱，奔馬調律（Ⅲ音やⅣ音），心膜摩擦音，収縮期雑音などがみられる
3. 通常，心電図は経過中に何らかの異常所見を示す．所見としては，Ⅰ～Ⅲ度の房室ブロック，心室内伝導障害（QRS 幅の拡大），R 波減高，異常 Q 波，ST-T 波の変化，低電位差，期外収縮の多発，上室頻拍，心房細動，洞停止，心室頻拍，心室細動，心静止など多彩である
4. 心エコー図では，局所的あるいはびまん性に壁肥厚や壁運動低下がみられ，心腔狭小化や心膜液貯留を認める
5. 血清中に心筋構成蛋白（心筋トロポニン T や CK-MB）を検出できる．CRP の上昇，白血球の増加も認める．特に，全血を用いたトロポニン T の早期検出は有用である
6. 上記の第 2～5 の 4 項目所見は数時間単位で変動する．被疑患者では経時的な観察が必要である．また，徐脈の出現，QRS 幅の拡大，期外収縮の多発，壁肥厚や壁運動低下の増強，トロポニン T の高値，トロポニン T 値が持続亢進する患者は心肺危機の恐れがある
7. 最終的に，急性心筋梗塞との鑑別診断が不可欠である
8. 心内膜心筋生検による組織像[4]の検出は診断を確定する．ただし，組織像が検出されなくても本症を除外できない
9. 急性期と寛解期に採取したペア血清におけるウイルス抗体価の 4 倍以上の変動は病因検索にときに有用である．ウイルス感染との証明にはポリメラーゼ連鎖反応（PCR）法を用いた心筋からのウイルスゲノム検出が用いられる．加えて，咽頭スワブ，尿，糞便，血液，とりわけ心膜液や心筋組織からのウイルス分離またはウイルス抗原同定は直接的根拠となる

注 1）心症状：胸痛，失神，呼吸困難，動悸，ショック，痙攣，チアノーゼ
2）かぜ様症状：発熱，頭痛，咳嗽，咽頭痛など
3）消化器症状：悪心，嘔吐，腹痛，下痢など
4）多数の大小単核細胞の浸潤，心筋細胞の断裂，融解，喪失，間質の浮腫（ときに線維化）

月，死亡あるいは心移植に至る頻度は約5年間で89％と予後はきわめて不良である[1,11]．好酸球性心筋炎は，リンパ球性心筋炎に比し長期予後は良好とされている[12]．

治療・予防・リハビリテーション

治療の基本は，入院のうえ，安静臥床と注意深い経過観察を行い，自然回復するまで心不全，不整脈に対する支持療法を行うことである．病状が急激に変化する場合には，Swan-Ganzカテーテルによるガイド下に利尿薬，血管拡張薬，強心薬を用いる．全身性の炎症反応を伴うため，ほとんどの症例で血圧は低下しており，カテコールアミンを要することが多い．高度・完全房室ブロックなどに対しては一時ペーシングを行い，致死性心室不整脈に対しては電気的除細動あるいは着用型の自動除細動器を用いる．数週間経過した慢性期に至ってもこれらの不整脈を認める場合には，植え込み型ペースメーカや植え込み型自動除細動器の適応が考慮される．劇症型心筋炎の場合には，大動脈内バルーンパンピング（IABP）や経皮的心肺補助（PCPS），左心補助装置（LVAS）などの機械的補助循環を要する場合が多く，3～4日を経ても回復が困難な際には，ステロイド短期大量投与や大量免疫グロブリン療法が有効な場合がある．巨細胞性心筋炎では，ステロイドやほかの免疫抑制薬を6カ月以上にわたり投与するが，治療に反応しないことが多い．また，好酸球性心筋炎の場合は，ステロイド投与に加え，壁在血栓予防のため抗凝固療法施行を併用する．慢性心筋炎に対しては，免疫抑制療法の有効性が証明されておらず，心サルコイドーシスや膠原病性心筋炎が除外されれば，おもに心不全に対する対症療法が行われる．小児心筋炎ではウイルスが同定されることが比較的多く，この場合には抗ウイルス薬投与や大量免疫グロブリン療法が行われる．心筋炎後慢性期に至っても重篤な心不全を合併し，各種治療に抵抗性の場合には心移植が考慮される． 〔安斉俊久〕

■文献（e文献7-13-3）

Cooper LT, Knowlton KU: Myocarditis. Braunwald's Heart Disease, A Textbook of Cardiovascular Medicine, 10th ed (Braunwald E eds), Elsevier, 2014; 1589-602.

和泉 徹，他：急性および慢性心筋炎の診断・治療に関するガイドライン2009年改訂版，日本循環器学会，2009. http://www.j-circ.or.jp/guideline/pdf/JCS2009_izumi_h.pdf

Schultheiss HP, Kühl U, et al: The management of myocarditis. Eur Heart J. 2011; 32: 2616-25.

4）心臓腫瘍
cardiac neoplasm

概念・疫学

心臓腫瘍はあらゆる年齢層において非常にまれな疾患である．原発性心臓腫瘍は剖検例において，2000人に1人未満の頻度で認められる．一方で，転移性心臓腫瘍は原発性心臓腫瘍の20～40倍の頻度で認められるとの報告があり検出率が増加している．すべての原発性心臓腫瘍のうち約75％が良性腫瘍であり，そのうちの少なくとも半分以上は粘液腫で，その他に弾性線維腫，脂肪腫，横紋筋腫，線維腫，血管腫などがある．原発性の約25％が悪性腫瘍であるが，そのうち最も多いのが肉腫で，その後にリンパ腫が続く（表7-13-5）．原発性心臓腫瘍は心筋や心内膜に生じるが，弁，結合組織，心膜から発生することもある．

症状・診断

自覚症状の3徴候としては以下の3つがあげられる．

表7-13-5 心臓腫瘍の頻度（Hoffmeierら，2014を引用改変）

	数	％
良性	139	76.8
粘液腫	116	64
弾性線維腫	11	6.1
脂肪様肥大	3	1.7
線維腫	3	1.7
横紋筋腫	2	1.1
脂肪腫	1	0.6
血管腫	1	0.6
傍神経節腫	1	0.6
神経内分泌腫瘍	1	0.6
悪性	25	13.8
血管肉腫	7	3.9
低分化型肉腫	7	3.9
リンパ腫	3	1.7
横紋筋肉腫	2	1.1
脂肪肉腫	2	1.1
平滑筋肉腫	1	0.6
骨肉腫	1	0.6
線維肉腫	1	0.6
褐色細胞腫	1	0.6
転移性	17	9.4

①発熱，悪寒，疲労感，不快感，体重減少などの全身症状：これらの自覚症状は腫瘍もしくは腫瘍壊死による分泌物によって引き起こされると考えられており，粘液腫の症例において，高頻度に血清 interleukin(IL)-6 が上昇する．
②心臓腫瘍の断片や腫瘍に付着した血栓による全身の血管塞栓症状：あらゆる臓器に塞栓が起こりうるが，脳梗塞が最も多く報告されている．また，冠動脈への塞栓により心筋梗塞を発症することもある．
③心腔内腫瘍が心筋や弁に浸潤し，血行動態に影響を及ぼす心腔閉塞症状：心臓腫瘍の大きさや存在している位置により呼吸困難などのさまざまな自覚症状を引き起こす．これらの症状は突然出現し，また消失することもあり，体位により症状が変化することも特徴の 1 つといえる．血管肉腫やリンパ腫などの悪性心臓原発腫瘍では出血性の心膜液貯留が認められ，心タンポナーデや心破裂を引き起こすこともある．腫瘍が刺激伝導系を圧迫，または浸潤することにより伝導障害を引き起こすことがある．

これらが症状の 3 主徴とされるが，心臓腫瘍の自覚症状として特異的なものは乏しく，普段できていることができなくなったなど，漠然とした症状が契機となって診断されることも多い．

心臓腫瘍の診断のためにまず行うべきことは，経胸壁心エコーであり感度は 93％と報告されている．また心房内に腫瘍がある場合は経食道心エコーにより検出率がさらに上昇する．心臓内に構造物が検出された場合，computed tomography(CT)，magnetic resonance imaging(MRI)，positron emission tomography(PET)が心臓腫瘍の鑑別に有用である．近年，良性腫瘍と悪性腫瘍（特に転移性）の鑑別に PET の有用性が期待されている[1]．しかし，これらの画像診断のみで心臓腫瘍の良性，悪性を確定するのはいまだ困難であり，病理組織学的な検索や腫瘍マーカーの検討が必要である．方法としては心膜液の解析や開胸による腫瘍切除などがある．エコーガイド下での生検も報告されているが一般的な方法とはいえない．

治療

良性腫瘍に関しては，可及的早急に外科的切除により摘出するのが原則である．多くの場合に根治可能であるが，心臓粘液腫は再発する場合がある．悪性心臓腫瘍については，腫瘍摘出術による根治は期待できず，化学療法や放射線療法が併用されるが予後不良である．しかし，塞栓症や突然死の予防による延命効果を目的として，外科的切除術を行う場合もある．

(1) 心臓粘液腫

すべての原発性心臓腫瘍のうち約 30～50％が粘液腫である．あらゆる年齢層で認められるが，好発年齢は 30～50 歳代である．男性よりも女性に多く，10％が家族性である（Carney 症候群については e コラム 1 参照）．心臓粘液腫に関して，近年，分子遺伝学的な解析も進められており，病因や予後との関連について新たな知見が期待される[2]．

粘液腫は粘液状，ゼラチン状のやわらかい腫瘤であり，約 75％が有茎性で，卵円窩に付着しているものが多い．多くの粘液腫は mural endocardium（壁性心内膜）から生じるが，弁，肺血管，大静脈に生じた報告もある．大きさは径 5～6 cm くらいのものが多い．病理組織学的には粘液性組織を背景に，紡錘形，星型，多形の腫瘍細胞が認められる．また，腫瘍細胞による管状・リング形成を認め，内腔に赤血球が存在する場合がある（図 7-13-13）．粘液腫は左房に生じることが最も多く，最近のメタ解析では粘液腫の 83％が左房起源と報告されている．左房の次は右房に多く認められ，まれではあるが両心房に認められることもある．心室内に生じることは非常にまれである．粘液腫の 90％以上は孤立性腫瘍である．

粘液腫による自覚症状として特異的なものはないが，粘液腫の大きさや発生部位により症状が異なる．患者の多くで閉塞による症状，塞栓による症状，全身症状のうち少なくとも 1 つが認められる．閉塞による症状は左房粘液腫が僧帽弁に直接障害を及ぼす場合であり，呼吸困難や咳などの心不全症状が認められる．また，失神やめまい，突然死の原因となることもある．体位により症状が軽快する場合は粘液腫の存在を疑う．聴診で僧帽弁開放音(opening snap)に類似した tumor prop や拡張期ランブル音を聞くことがある．腫瘍塞栓はいかなる臓器や組織にも起こりうるが，腫瘍の位置や卵円孔が開存しているかどうかで塞栓症を起こす部位が異なる．表面がもろく不均整な粘液腫は塞栓を起こしやすい．全身症状としては，発熱，体重減少，倦怠感，Raynaud 症候群がある．これらの症状は粘液腫細胞からの IL-6 の分泌が関係しているといわれている．

粘液腫による心電図異常としては，左房拡大による所見が認められることがあるが，上室性の不整脈や伝導障害はまれである．診断に最も有用であるのは経胸壁・経食道心エコーであるが，CT, MRI, PET も腫瘍の範囲を同定するために有用である（図 7-13-13，e 動画 7-13-A）．有症状の粘液腫の治療は早急な外科的切除である．完全切除が最終目標であるが，腫瘍の位置などにより不可能な場合もある．また腫瘍の切除により心房中隔の大部分が取り除かれる場合には心房中隔欠損や不整脈の発症を防ぐために心膜パッチが必要となる．術後の予後は一般的に良好であるが，約 3％で再発が認められ，家族性の粘液腫ではさらに再発率が高くなる．心臓以外の脳や肺などに再発

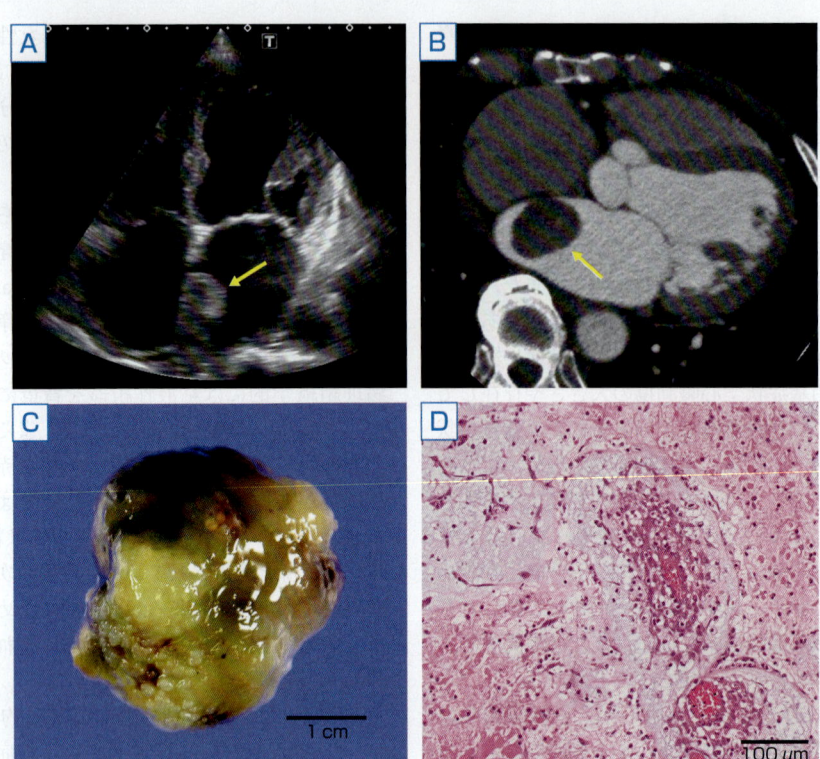

図 7-13-13 心臓粘液腫の画像診断，肉眼所見，病理組織像(病理標本資料は，大阪医科大学病院病理部，辻求教授のご協力により作成)
経胸壁心エコー(A)，および造影 CT 検査(B)で左房内に心房中隔に付着する腫瘤像が認められる(矢印)．摘出標本肉眼像(C)は表面がゼラチン状，房状の特徴的所見である．HE 染色組織標本(D)では，粘液性組織を背景に，紡錘形，星形，多形の腫瘍細胞が存在し，腫瘍細胞による管状・リング形成を認める．

が認められることもある．

(2) その他の良性腫瘍

乳頭状弾性線維腫は剖検の 0.0017～0.33％で発見される．80～90％は大動脈弁，僧帽弁の心内膜で発見され，弁に発生する腫瘍の約 3/4 は乳頭状弾性線維腫である．表面は白色でイソギンチャクのような形をしており，心臓内の血液中に浮いているような状態で存在している．冠動脈や脳動脈への塞栓を起こし，突然死の原因となることもあるため，外科的切除を考慮する必要がある．

横紋筋腫は小児の心臓腫瘍のなかで頻度が高い．心エコーで多発性粘液性の腫瘤の存在により，診断される場合があり，50％で自然退縮するとされる．また結節性硬化症を合併することがある．左室や心室中隔に発生することが多く，先天的欠損症を伴う場合もある．線維腫も小児の心臓腫瘍のなかで頻度が高く，心不全や不整脈，突然死の原因となることがある．孤発例が多く，中心部が石灰化している．血管腫は心外膜や心筋内，心腔内に発症する．

(3) 原発性悪性腫瘍

心臓悪性腫瘍の 75％は肉腫である．右房に発生することが最も多く，適切な治療が施されなければ，予後は数カ月とされる．肉腫のなかで最も多いのは血管肉腫であり，男性に多い．肺に転移する場合が最も多いが，脳や骨に転移する場合もある．次に多い肉腫は横紋筋肉腫であり，10 cm をこえるような大きさになることがある．心臓原発性リンパ腫はまれであるが，移植時の Epstein-Barr ウイルスに関連したリンパ増殖性疾患に合併して発症することがある．腎移植よりも心肺移植の際に心臓原発性リンパ腫が発症する場合が多い．症状としては心タンポナーデ，心不全がある．

(4) 転移性心臓腫瘍

全悪性腫瘍の 10～20％が心臓に転移すると報告されている．悪性腫瘍を有する患者の寿命が延びていることもあり，転移性悪性心臓腫瘍の検出率は増加している．担癌患者で急激な心不全症状や刺激伝導障害が認められた場合は原発巣から心臓への転移を疑う必要

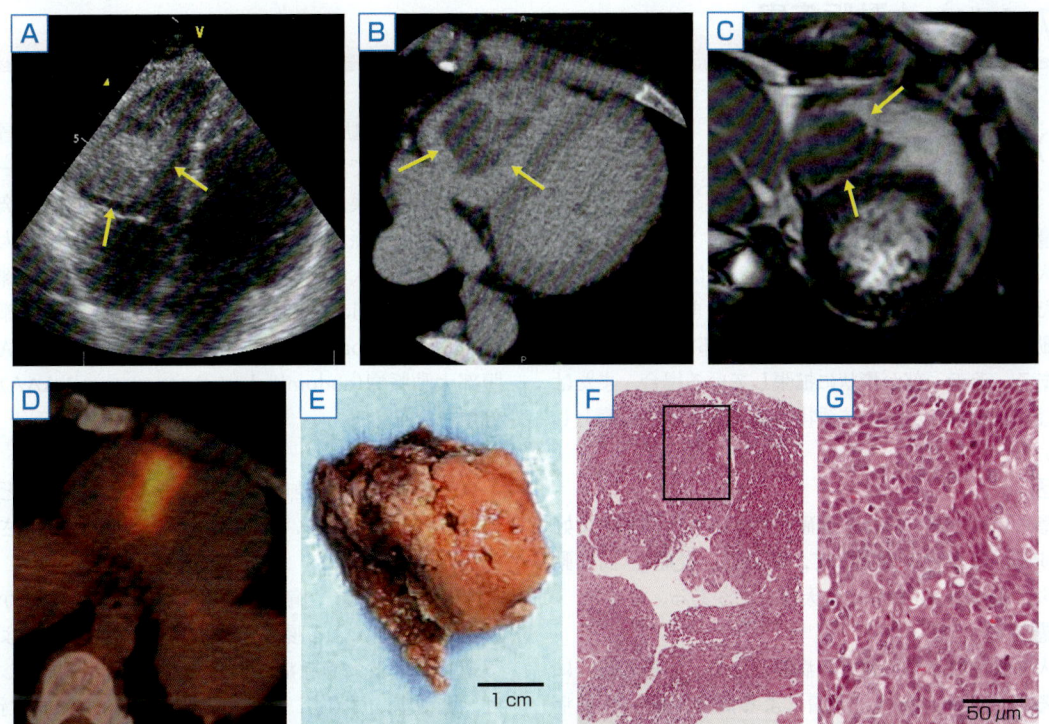

図 7-13-14　転移性心臓腫瘍の画像診断，肉眼所見，病理組織像（病理標本資料は，大阪医科大学心臓血管外科，勝間田敬弘教授のご協力により作成）

経胸壁心エコー(A)，造影 CT(B)，および心臓 MRI(C) で右室内を占拠する腫瘤像が認められる（矢印）。^{18}F-FDG PET(D) で，右室内の腫瘤に一致して高度の異常集積像を認める．摘出標本肉眼像(E) は表面が粗糙な腫瘤である．心筋に浸潤しており完全摘除は不可であった．HE 染色組織標本(F，G；G は F の□部強拡大像)では，原発臓器と同様の扁平上皮癌を認める．

がある．原発巣としては肺癌，乳癌が多く，肺癌の約 30%，乳癌の約 20% が心臓に転移するといわれている．悪性リンパ腫，白血病などがそれに続く．診断および心膜液貯留の評価のために有用な検査は心エコーであるが，腫瘍の範囲や進展具合を把握するためには CT，MRI，PET が有用である（図 7-13-14，ⓔ動画 7-13-B）．治療としては化学療法や放射線療法による原発巣の治療が中心となり，緩和療法が必要な場合もある．転移性心臓腫瘍は悪性腫瘍の終末像としての遠隔転移であり予後は不良である．原発性心臓悪性腫瘍と同様に，繰り返し心膜液貯留が認められることがあり，心膜穿刺，硬化剤投与，開胸による心膜開創術が必要となる場合がある．

(5) 心膜腫瘍

原発性の心膜腫瘍はまれであり，良性の場合も悪性の場合もある．原発性心膜腫瘍の約 50% は中皮嚢腫であり，発症年齢は 2～78 歳と幅広く，男性に多い．転移性心膜腫瘍の方が頻度は高く，肺癌，乳癌，悪性黒色腫，リンパ腫，白血病の転移が報告されている．

〔寺﨑文生〕

■文献（ⓔ文献 7-13-4）

Butany J, Nair V, et al: Cardiac tumors: diagnosis and management. *Lancet Oncol*. 2005; **6**: 219-28.

Hoffmeier A, Sindermann JR, et al: Cardiac tumors-diagnosis and surgical treatment. *Dtsch Arztebl Int*. 2014; **111**: 205-11.

Lenihan DJ, Yusuf SW: Tumors affecting the cardiovascular system. Braunwald's Heart Disease, 10th ed (Mann DL, Zipes DP, et al eds), pp1863-75, Elsevier Saunders, 2015.

7-14 大動脈疾患

1) 大動脈瘤
aortic aneurysm

定義
大動脈の壁の一部が全周性，あるいは局所性に拡大または突出した状態である．原因はさまざまである．大動脈の正常径は胸部で 30 mm，腹部で 20 mm 程度である．その一部が囊状に拡張している場合，または直径が正常の 1.5 倍に紡錘状に拡大した場合に瘤としている．

病因
最も頻度が高いのは動脈硬化性であり，高齢者に好発する．ほかの原因として，感染性，炎症性（高安動脈炎，Behçet 病など），先天性などがある．

病態生理
大動脈瘤によって起きる病態として，①瘤の破裂による疼痛，ショック，②瘤による周囲組織の圧迫症状，③解離や血栓形成による分枝血管の循環障害による虚血症状，が問題となり，それぞれに由来する症候を呈する．

分類
図 7-14-1 に示すように形態的に紡錘状瘤（fusiform type），囊状瘤（saccular type）に分類される．真性大動脈瘤は動脈瘤壁に内膜，中膜，外膜の 3 層構造をもつものであり，仮性大動脈瘤は大動脈壁の一部が断裂した結果血管外にできる血腫による瘤状の突出である．大動脈解離の結果生じる瘤形成は解離性大動脈瘤という．大動脈瘤ができる部位によって，胸部大動脈瘤（thoracic aortic aneurysm：TAA），胸腹部大動脈瘤（thoracoabdominal aortic aneurysm：TAAA），腹部大動脈瘤（abdominal aortic aneurysm：AAA）に分類される．

臨床症状
真性動脈瘤は通常無症候である．最近は検診などで発見されることが多い．症状が生ずる場合は大きさと部位により異なる．

1）胸部大動脈瘤：胸痛や背部痛，嚥下障害のほか，反回神経麻痺による嗄声を訴える．気管の圧迫による気道狭窄，上大静脈症候群が，血栓塞栓症状としては，脳梗塞，腎障害，下肢の血行障害がある．上行大動脈瘤，特に高安動脈炎や Marfan 症候群では，大動脈弁輪部の拡大を伴い，大動脈弁閉鎖不全を合併するため，それによる心不全症状などが生ずる．

2）腹部大動脈瘤：腹囲の増大，腹部膨満感，便秘，拍動性腫瘤，背部痛，腹痛，間欠性跛行などを訴え．切迫破裂に至ると新たに激烈な疼痛を訴え，

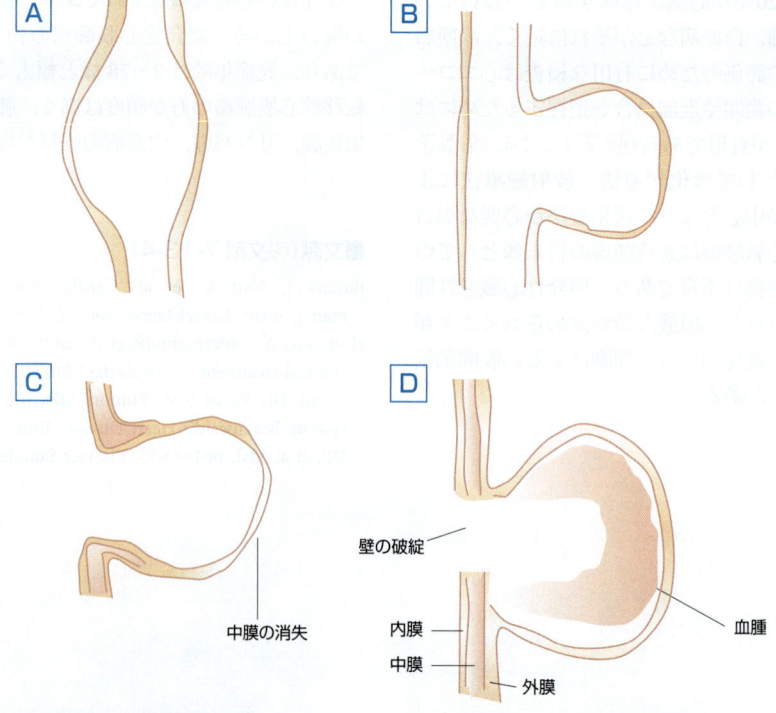

図 7-14-1 大動脈瘤の分類
A：紡錘状大動脈瘤，B：囊状大動脈瘤，C：真性大動脈瘤，D：仮性大動脈瘤．

ショックに至る．

診断

自覚症状は乏しく，胸部大動脈瘤では嗄声などの症状で，腹部大動脈瘤でも，拍動性腫瘤で気づかれることもあるが，ほとんどの例が画像診断で偶発的に発見される．

1) **単純X線**：胸部大動脈瘤では大動脈弓や縦隔の拡大，大動脈陰影の蛇行，気管偏位を確認する．側面像での所見も重要である．腹部大動脈瘤でも大動脈拡大を確認することができる．拡大に伴った石灰化がみられる．

2) **造影CT，MRA**：診断と治療法選択において最も重要な検査である．瘤の範囲，瘤径，形状，血栓形成，主要分枝との位置関係，解離の有無を確認する．MRAでも造影CTと同様の情報を得ることができる．CTに比べて断面を任意に切れる点，石灰化が高度でも内腔の観察が可能などの利点がある（図7-14-2）．

3) **エコー**：動脈瘤の診断には経体表エコーおよび経食道エコーによる評価は非常に有用である．Valsalva洞動脈瘤の破裂の評価，大動脈弁逆流，左心機能が観察できる．

4) **血液検査**：特異的な診断はできない．動脈硬化のリスク因子の同定，炎症性や感染性ではその原因検索に必要な検査を行う．

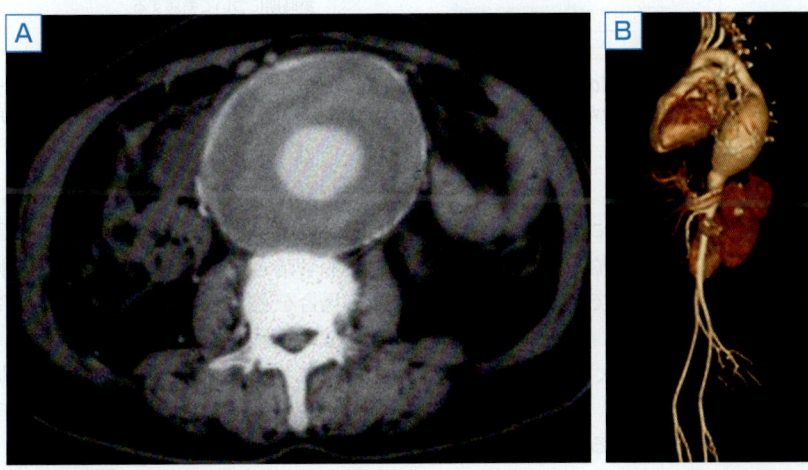

図7-14-2 腹部大動脈瘤の造影CT所見
A：腹部大動脈瘤，B：胸腹部大動脈瘤（高安動脈炎）．

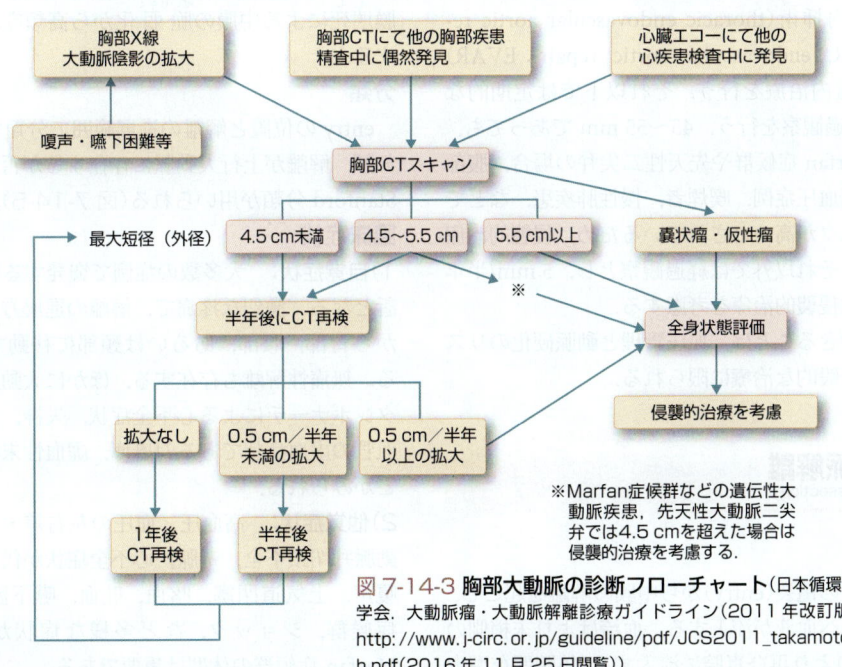

図7-14-3 胸部大動脈の診断フローチャート（日本循環器学会．大動脈瘤・大動脈解離診療ガイドライン(2011年改訂版) http://www.j-circ.or.jp/guideline/pdf/JCS2011_takamoto_h.pdf(2016年11月25日閲覧)）

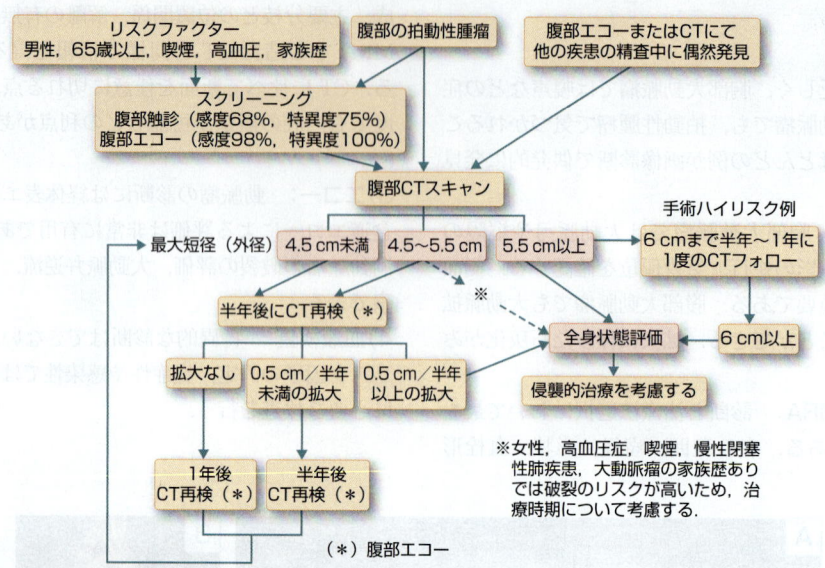

図 7-14-4 腹部大動脈瘤の診断フローチャート（日本循環器学会．大動脈瘤・大動脈解離診療ガイドライン（2011 年改訂版）http://www.j-circ.or.jp/guideline/pdf/JCS2011_takamoto_h.pdf（2016 年 11 月 25 日閲覧））

治療

原則として図 7-14-3，7-14-4 に示すフローチャートを参考にして治療を進める．治療の要点は破裂の予防を念頭においた手術時期の決定である．近年ステントグラフトの器具の進歩が著しく，手術とステント治療，適応の決定は時代とともに大きく変遷している．重症度に加えて，解剖学的条件，患者の耐術能，施設の経験を含めて個別に検討される．

胸部大動脈瘤，腹部大動脈瘤とも最大短径が 55 mm 以上は原則手術適応である．手術リスクを考慮して大動脈人工血管置換術または経カテーテルステントグラフト内挿術（thoracic endovascular aortic repair：TEVAR, endovascular aortic repair：EVAR）を用いた血管内治療を行う．それ以下では定期的な CT による経過観察を行う．45～55 mm であっても，胸部では Marfan 症候群や先天性二尖弁の場合，腹部では女性，高血圧症例，喫煙者，慢性肺疾患，などでは破裂のリスクが高いとされているため，侵襲的治療も考慮する．それ以外では経過観察とし，5 mm/半年以上の拡大は侵襲的治療を考慮する．

内科的にできることは，血圧管理と動脈硬化のリスクに対する一般的な治療に限られる．

2）大動脈解離
aortic dissection

定義・病態

大動脈内壁の亀裂（entry）から中膜の解離を起こし，解離腔（偽腔）へ血液が流入する．血流はより末梢側の亀裂（reentry）より再び真腔に流入する（偽腔開存型大動脈解離）．解離して大動脈腔内にある内膜を intimal flap とよぶ．偽腔が血栓で閉塞する場合は偽腔閉塞型大動脈解離とよぶ．entry 部分から中枢側に解離腔が及ぶ場合を逆行解離とする．亀裂なしに起きる壁内出血，壁内血腫といわれる病態もある．

解離による病態は entry の部位と広がりにより多様である．病態も血管の狭窄・閉塞による四肢などの虚血症状，心筋梗塞，拡張による瘤形成，圧迫症状，大動脈弁閉鎖不全，出血，破裂などさまざまである．

一般に動脈硬化や高血圧を基盤として発症するが，Marfan 症候群や Ehlers-Danlos 症候群では囊胞状中膜壊死による中膜の脆弱化から高頻度に本症を発症する．

分類

entry の位置と解離の進展範囲で分類する DeBakey 分類，解離が上行大動脈に存在するか否かで分類する Stanford 分類が用いられる（図 7-14-5）．

臨床症状

1）自覚症状： 大多数の症例で突発する胸背部痛が主訴となる．激烈な疼痛で，解離の進展方向により胸部から背部，腰部，あるいは頸部に移動することがある．無痛性解離も存在する．ほかに大動脈弁逆流や心タンポナーデによる心不全症状，失神，突然死，末梢血管の虚血症状である対麻痺，虚血性末梢神経障害などがみられる．

2）他覚症状： 高血圧，血圧の左右差・上下肢差，大動脈弁閉鎖不全，奇脈，心不全症状が代表的である．嗄声，上気道閉塞，喀血，吐血，嚥下困難，Horner 症候群，ショック，など多様な症状がみられる．Marfan 症候群の体型は重要である．

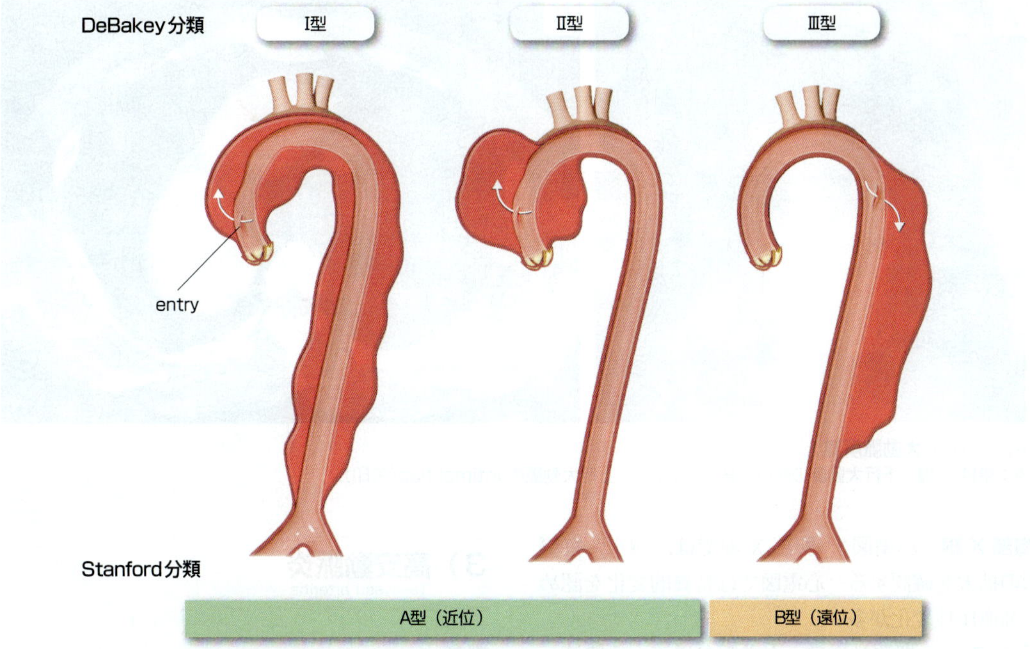

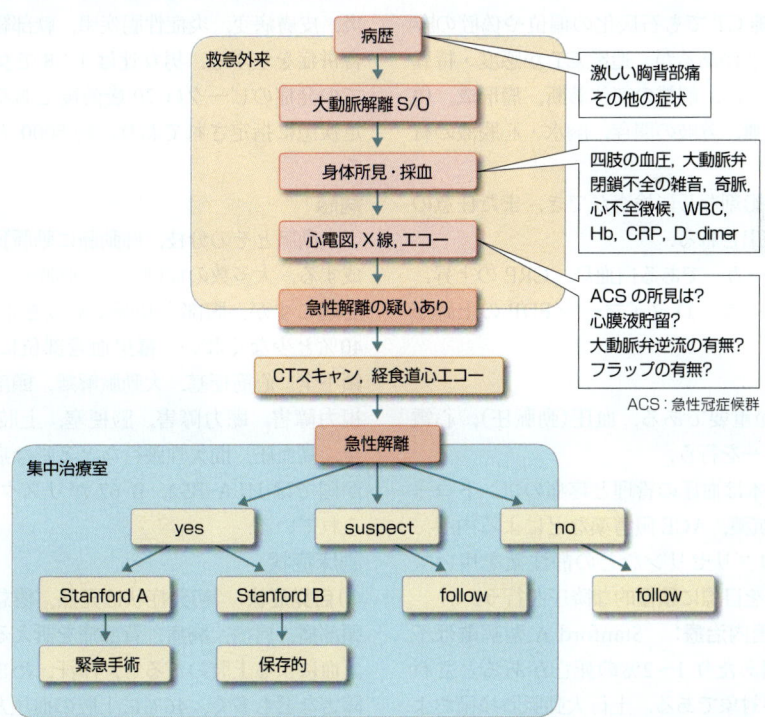

図 7-14-5 大動脈解離の部位による分類
DeBakey Ⅰ：上行大動脈に入口部があり，腹部大動脈まで解離が及ぶ，DeBakey Ⅱ：上行大動脈のみ解離，DeBakey Ⅲa：下行大動脈に入口部があり，腹部大動脈に解離が及ばない，DeBakey Ⅲb：下行大動脈に入口部があり，腹部大動脈に解離が及ぶ．
Stanford A 型：上行大動脈に解離が及んでいる，Stanford B 型：上行大動脈に解離が及んでいない．

図 7-14-6 急性大動脈解離の診断・治療フローチャート（日本循環器学会．大動脈瘤・大動脈解離診療ガイドライン（2011 年改訂版）http://www.j-circ.or.jp/guideline/pdf/JCS2011_takamoto_h.pdf（2016 年 11 月 25 日閲覧））

診断

　診断の第一歩は胸痛，背痛などの多彩な訴えから大動脈解離を疑うことである．手順としては身体所見，血液検査，心電図，エコーでほかの胸痛疾患が否定され，解離の疑いがあれば，造影 CT，経食道心エコーと進み，診断を確定する（図 7-14-6）．

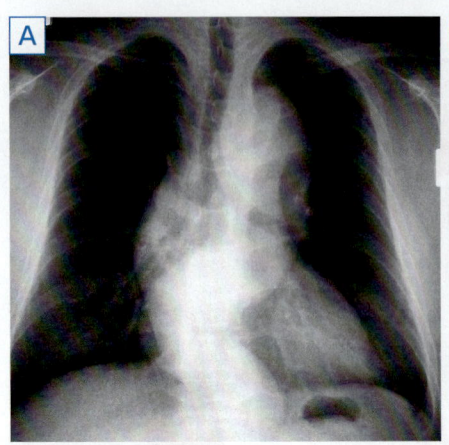
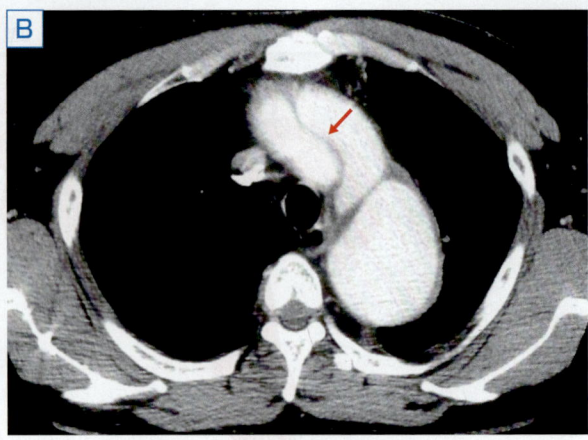

図 7-14-7 大動脈解離
A：単純 X 線，下行大動脈の蛇行．B：造影 CT，上行大動脈の intimal flap（矢印）．

1）胸部 X 線，心電図： 胸部 X 線では，胸水，縦隔陰影の拡大を確認する．心電図では特異的変化を認めず，高血圧性変化が多い．

2）心エコー： 壁運動異常，大動脈弁逆流，心膜液，上行・弓部大動脈の intimal flap の確認を行う．ほかの胸痛疾患の除外診断にも有用である．経食道心エコーはより詳細な情報を得ることができ，造影剤禁忌症例では特に有用である．

3）CT 検査： 単純 CT でも石灰化の偏位や偽腔の存在を診断できることがあるが，造影 CT が感度・特異度に勝る（図 7-14-7）．解離の部位診断，瘤形成，偽腔の血栓閉塞の有無，分岐の開存，胸水・心膜液の有無を確認する．

4）MRI 検査： 造影剤なしに検査ができ，また任意の断面で大動脈が描出される．

5）血液： 炎症マーカーである白血球，CRP の上昇，線溶系亢進を反映して，D ダイマーや FDP の上昇がみられる．

治療

初期救急治療が重要である．血圧（動脈圧），心電図，尿量のモニターを行う．

1）内科治療： 基本は血圧の管理と疼痛のコントロールである．Ca 拮抗薬，ACE 阻害薬などによる内服，β 遮断薬やニトログリセリンなどの静注薬を用いて 100〜120 mmHg を目標に積極的な降圧を行う．

2）外科治療・血管内治療： Stanford A 型解離は予後不良で，1 時間あたり 1〜2％の死亡があるとされるので緊急手術の対象である．上行大動脈置換術および必要に応じて大動脈弁置換術を行う．Stanford B 型解離は内科治療を優先するが，ショック，破裂，治療抵抗性の疼痛，下肢を含めた臓器虚血などの合併症がある症例では外科治療を考慮する．近年 TEVAR が行われることが多い．Stanford A 型でも合併症のない偽腔閉塞型解離では保存的治療をすることがある．

3）高安動脈炎
Takayasu arteritis

概念

高安動脈炎は大動脈およびその基幹動脈，冠動脈，肺動脈に生ずる非特異的大血管炎である．大動脈炎症候群，脈なし病とよばれることもある．原因不明の自己免疫性血管炎と考えられている．全身の炎症，関節炎，皮膚病変，炎症性腸疾患，軟部組織炎など多彩な合併症を生ずる．男女比は 1：8 で女性に多く，女性での発症のピークは 20 歳前後である．わが国では特定疾患に指定されており，約 5000 人が登録されている．

病態

大動脈とその分枝，肺動脈に動脈狭窄，動脈瘤を形成する．大多数の症例では大動脈弓とその分枝に障害を起こすが，腹部大動脈に病変を形成する症例も約 40％と少なくない．罹患血管部位により大動脈弁閉鎖不全，心筋梗塞，大動脈解離，頭部乏血症状による視力障害，聴力障害，脳梗塞，上肢虚血症状，腎不全，高血圧，間欠性跛行など多彩な症状をきたす．わが国では HLA-B52，B-67 がリスクアレルとして知られている．

臨床症状

1）自覚症状： 初発症状は発熱，倦怠感が多く，また頸部痛，肩痛，胸痛，背部痛を訴える．上肢や頭部の乏血による上肢のだるさ，冷汗，めまい，失神，視力障害なども多く，46％に上肢の血圧左右差を認める．大動脈弁閉鎖不全による動悸，息切れなどの心不全症状，高血圧，下肢乏血による間欠性跛行，下痢，腹痛，関節痛，結節性紅斑がみられる．無症候のこともめずらしくない．

2）他覚症状： 頸部における血管雑音は頻度が高い．頸部動脈の圧痛，血圧左右差，胸部・背部・腹部にお

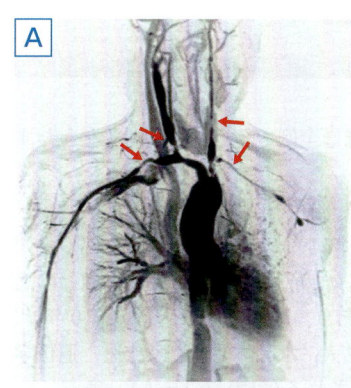
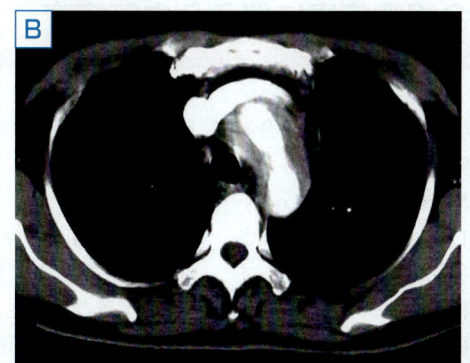
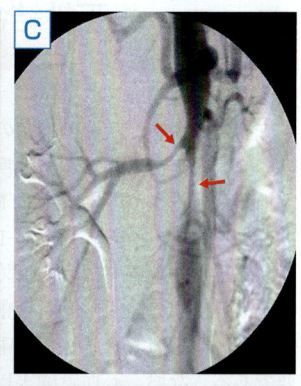
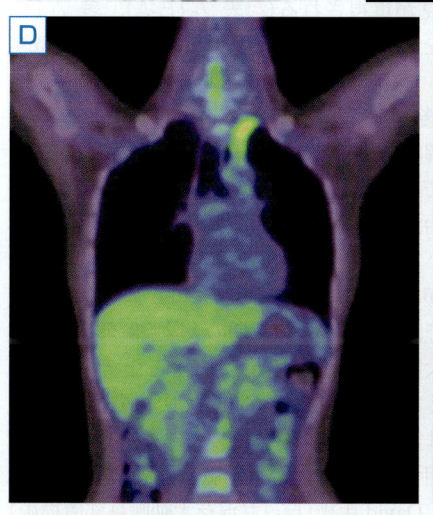
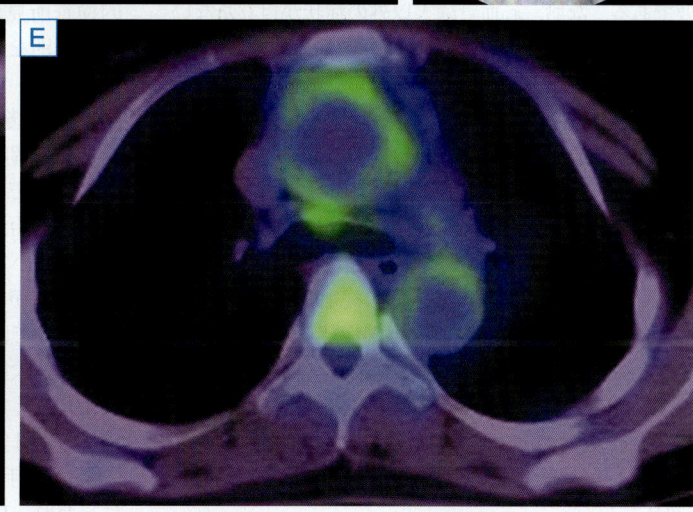

図7-14-8 高安動脈炎
A：MRA（左鎖骨下動脈，内頸動脈，腕頭動脈の狭窄），B：造影CT（弓部大動脈の壁肥厚），C：血管造影（DSA）（腹部大動脈，右腎動脈狭窄），D：^{18}FDG-PET/CT（左鎖骨下動脈の陽性像），E：^{18}FDG-PET/CT（上行，下行大動脈の陽性像）．

ける血管雑音，大動脈弁逆流による拡張期雑音を聴取する．

診断

若年女性で臨床症状から本症を疑うことが重要である．症状が非特異的であることから年余にわたって診断されないことが通例である．診断は血液による炎症の確認と，画像診断による血管病変で行われる（図7-14-8）．

1）血液： 特異的なバイオマーカーはなく，炎症によるCRP，赤沈亢進が重要である．HLA-B52の検出は診断に有効である．慢性炎症による貧血がみられる．

2）画像： 造影CTやMRAで血管の狭窄，壁厚の増加を認める．血管は狭窄と拡張で数珠状に見えることがある．動脈瘤は上行大動脈，腕頭動脈に多い．頸部，胸部，腹部の血管全体のチェックが必須である．大動脈や頸部3血管での壁厚の増加は頸部エコーでも確認できる（マカロニサイン）．^{18}FDG-PET/CTによる炎症の局在診断は感度，特異度も高く，また病勢診断にも有用である．心エコーにて心機能，大動脈弁逆流を確認する．

治療

急性期の炎症にはステロイドが著効する．通常0.8〜1 mg/kgのプレドニゾロンを投与する．ステロイド単剤の寛解導入率は30％程度であり，再燃例が多い．減量速度が再燃と関係するとされている．再燃例には免疫抑制薬やトシリズマブ，インフリキシマブなどが試みられる．抗血小板薬を併用する．

血管狭窄による虚血症状にはバイパス手術を行う．大動脈縮窄症，大動脈瘤，腎血管性高血圧には必要に応じて外科手術が行われるが，炎症急性期の手術は避けるべきであり，特にステントを用いた血管内治療は高率に再狭窄を発症し成績は不良である．

〔磯部光章〕

■文献

Isobe M: Takayasu arteritis revisited: current diagnosis and treatment. *Int J Cardiol*. 2013; **168**: 3-10.

尾崎承一，他：血管炎症候群の診療ガイドライン．*Circulation Journal*. 2008; **72**, Suppl IV: 1253-318.

髙本眞一，他：大動脈瘤・大動脈解離診療ガイドライン（2011年改訂版）．日本循環器学会，2011. http://www.j-circ.or.jp/guideline/pdf/JCS2011_takamoto_h.pdf

7-15 先天性結合組織疾患に伴う心血管病変

先天性結合組織疾患は構造の支持組織である結合組織の機能異常をきたす遺伝性疾患である．そのうち，心血管病変をきたすものに，Marfan 症候群，Loeys-Dietz 症候群，血管型 Ehlers-Danlos 症候群などがある．これらの疾患では心血管障害が生命予後を左右するため，疾患の認識，診断は重要である．このうち，Marfan 症候群は発症頻度が高く，臨床的に認識が重要である．なお，心血管障害以外の症状が目立たないこともあり，家族性大動脈瘤・解離との鑑別も必要である．

(1) Marfan 症候群

概念

Marfan 症候群は 1896 年に Marfan により報告された[1]．骨格系症状（高身長，くも状指，側弯，漏斗胸あるいは鳩胸など胸郭異常など），心血管系症状（大動脈瘤/解離，僧帽弁逸脱など），眼症状（水晶体偏位，近視/乱視など），その他（皮膚線条，ヘルニア，気胸など），全身に多彩な症状を呈する常染色体優性の遺伝性結合組織疾患である[2]．発症頻度はおよそ 5000 人に 1 人と先天性結合組織疾患のなかでは高い．

病因

細胞外マトリックスの主要成分であるフィブリリンをコードする FBN1 遺伝子変異による[3]（Dietz ら，1991）．約 25％は新規遺伝子変異によるため，家族歴を有さない[4]．

病理

大動脈組織は，弾性線維の断片化，平滑筋細胞の減少，中膜の細胞間のコラーゲン/ムコ多糖類の沈着により，特徴的な囊状中膜変性をきたす．大動脈弁，僧帽弁もムコ多糖類の沈着により肥厚をきたすことがある．

臨床症状

骨格系症状，心血管系症状，眼症状などのうち，特徴的かつ生命予後を規定するものは心血管系症状である．とりわけ大動脈基部拡大（annulo-aortic ectasia）は，大動脈解離により突然死をきたしうる．ほかに，大動脈拡張に伴う大動脈弁閉鎖不全，僧帽弁逸脱症や僧帽弁閉鎖不全，大動脈解離に伴う冠動脈入口部閉塞による心筋梗塞，ときに心筋症様の心不全もある．骨格系では手指徴候（リストサイン：手首を握ると母指が小指末節と重なる），親指徴候（サムサイン：母指をなかに入れて拳をつくると母指の爪が尺側から完全に出る），鳩胸，漏斗胸，側弯，後弯などがみられるが，これらは Loeys-Dietz 症候群でも認める．眼症状は水晶体偏位（特に上方偏位）が特徴的であるが全例ではない．近視，乱視はほぼ全例で認め，網膜剝離をきたすこともある．

診断

以前の Ghent 基準（1996 年）[5]では複数器官の主要所見にて診断していたが，Loeys-Dietz 症候群との鑑別が困難なこともあり，改訂 Ghent 基準（2010 年）[6]では，大動脈基部拡大，水晶体偏位，家族歴，遺伝学的検査所見が重視される（e表 7-15-A）．表 7-15-1 に鑑別を要する遺伝性疾患の特徴について記載する．

経過・予後

大動脈解離の危険性は，一般には径 5 cm 以上あるいは半年で 5 mm 以上の拡大（急速拡大）により増大し，手術治療が勧められるが，Marfan 症候群の場合にはより小さな径でも解離の危険性があるとされ，大動脈基部が 4.5 cm をこえる場合には手術適応とされる．女性では，妊娠中と産褥期の大動脈解離の危険性は高く，大動脈基部径が 4 cm をこえるとその危険性はより高くなることから，予防的な血管置換術を妊娠前あるいは安定期に考慮する必要がある．

Bentall 手術（人工弁付き大動脈基部置換術）が安全に行われ，David 手術（自己弁温存大動脈基部置換術）の成績が向上し，手術後の患者の生命予後ならびに QOL の改善はめざましい．死亡率は減少し平均死亡年齢は 70 歳をこえるが，いったん，大動脈解離を生ずると QOL は低下し生命予後に影響する．

治療

大動脈瘤，解離に対しては，血管への負荷軽減が期待される β 遮断薬による薬物療法が有効である．近年，病態の分子機構（原因遺伝子変異同定と機能変化）の解明が進み，病態モデルの研究により，Marfan 症候群の病態の本体が TGF-β の過剰活性化であることが突きとめられた[7]．この病態に効果のあるアンジオテンシン II 受容体拮抗薬（ARB）の投与はモデルで有効性が示され[8]，ARB が治療薬として期待されている[9]．現状は，両薬剤が併用されることが多く，症状に合わせて調整される．なお，妊娠中は腎発生・形成への影響があるため，ARB の投与は避ける．小児例では，大動脈径は，絶対値ではなく年齢体格に応じた径を評価して治療を開始し，大動脈病変の進行を防ぐ必要がある．

大動脈瘤，大動脈解離については，生命予後を考慮して手術療法（人工血管置換術）が考慮される．大動脈基部瘤は，径拡大により大動脈弁閉鎖不全により，心不全の発症，大動脈弁変性の進行をきたすことから，また，症例によっては僧帽弁逸脱により心不全や心筋

表 7-15-1 鑑別すべき先天性結合組織疾患
Marfan 症候群，Loeys-Dietz 症候群および類縁疾患，血管型 Ehlers-Danlos 症候群，家族性大動脈瘤・解離のそれぞれについて鑑別所見を示す．

疾患	Marfan 症候群	Loeys-Dietz 症候群および類縁疾患	Ehlers-Danlos 症候群血管型（Ⅳ型）	家族性大動脈瘤・解離
臨床的特徴	骨格系症状（高身長，くも状指，側弯，漏斗胸あるいは鳩胸など胸郭異常など），心血管系症状（大動脈瘤/解離，僧帽弁逸脱など），眼症状（水晶体偏位，近視/乱視など），その他（皮膚線条，ヘルニア，気胸など）	Marfan 症候群類似の心血管系・骨格系症状，全例ではないが特徴的顔貌（眼間開離，二分口蓋垂・口蓋裂，頭蓋骨早期癒合症）と動脈蛇行などの特徴的血管所見．症例間のばらつきが大きい	皮膚の血管透過性，易出血性，特徴的顔貌，動静・腸管・子宮などの組織脆弱性小児期には症状は顕著でなく，症状の軽い症例もある	全身性結合織異常を伴わない非症候性のまれな遺伝性大動脈疾患であるが，全身所見の少ない先天性結合組織疾患との鑑別が必要．なかには特異な血管所見を呈する例もある
病因遺伝子	FBN1	TGFBR1, TGFBR2, SMAD3, TGFB2, TGFB3, SKI など	COL3A1	ACTA2, MYH11, MYLK など
頻度	およそ 1/5000	およそ 1/30000	1/50000〜1/100000	およそ 1/50000
遺伝様式	常染色体優性	常染色体優性	常染色体優性	常染色体優性が主体，劣性・X染色体劣性も
病態生理	フィブリリンの質的・量的機能異常，TGF-β シグナル異常（亢進）	TGF-β シグナル異常（亢進）	3 型コラーゲンの質的量的機能異常	平滑筋収縮蛋白質機能異常，ほか
診断	Ghent 診断基準（2010）[6]（遺伝子変異検出）	臨床所見，遺伝子変異検出	Villefranche 診断基準[16]，遺伝子変異検出，生化学診断	臨床所見，遺伝子変異検出
予後	生存中央値は 70 歳をこえる	症例ごとのばらつきが大きいが，Marfan 症候群より病変進行は速い	生存中央値は 40 歳代にとどまるが，軽症例もある	手術療法後の予後は比較的良好であるが，長期予後は不明
治療	β 遮断薬，ARB 大動脈基部径 45（40）mm 以上あるいは急速拡大に対し予防的手術	β 遮断薬，ARB 大動脈基部径 40〜45 mm あるいは急速拡大に対し予防的手術	β 遮断薬（セリプロロール），ARB 診断的カテーテル手技，手術療法はできるだけ避ける	β 遮断薬，ARB 大動脈基部径 45 mm 以上あるいは急速拡大に対し予防的手術

収縮障害をきたすことがあり，これらに対して，薬物療法とともに適切な時期に外科的治療が考慮される．

(2) Loeys-Dietz 症候群と類縁疾患
概念

Loeys-Dietz 症候群は，2005 年に Loeys らにより，Marfan 症候群類似の心血管系・骨格系症状に加えて特徴的顔貌（眼間開離，二分口蓋垂・口蓋裂，頭蓋骨早期癒合症）と動脈蛇行などの特徴的血管所見を呈する奇形症候群として報告された（Loeys ら，2005）．常染色体優性の遺伝性結合組織疾患である．発症頻度は Marfan 症候群の 15〜20% 程度と推定される．しかし，症例の蓄積が進み，特徴的な顔貌，骨格症状をほとんど示さず，心血管所見のみ目立つ症例と身体所見の目立つ症例が混在し，病像は多彩であるので，診断には注意を要する．

病因

TGF-β 受容体（1 型あるいは 2 型）の遺伝子（TGFBR1, TGFBR2）の変異が病因と報告されたが，類似の病像[10]が TGF-β シグナルにかかわるほかの遺伝子（リガンド；TGFB2[11,12] あるいは TGFB3[13]，細胞内シグナル伝達因子：SMAD3[14]，細胞内シグナル調節因子：SKI[15] など）の変異でもみられる．病因遺伝子の違いによらず，いずれも Marfan 症候群と同様に TGF-β の過剰活性化を認める．したがって，これらをひとまとめにする考え方もある．

病理

大動脈組織は，Marfan 症候群と同様に囊状中膜変性をきたす．

臨床症状

骨格系症状，心血管系症状は Marfan 症候群に類似するが，骨格系症状は症例により異なり，その幅は Marfan 症候群より大きい．特徴的顔貌（眼間開離，二分口蓋垂・口蓋裂，頭蓋骨早期癒合症）も全例ではなく，身体所見は参考になるが，それのみでの診断は困難である．心血管系症状は Marfan 症候群と同様であるが，大動脈径の拡大は急速な変化を示す例が多く，また，頸動脈，脳動脈，腹部動脈，腸骨動脈など分枝中動脈の拡張，解離，椎骨動脈の高度蛇行を伴うこともあり，注意が必要である（e図 7-15-A）．水晶体偏位は通常認めないが，網膜病変を認めることがある．

診断

身体所見のみで Marfan 症候群と鑑別することは容易ではない．特徴的顔貌は参考になるが，遺伝学的検査所見（原因遺伝子変異の存在）が診断に際して重要な

情報となる（表 7-15-1）．

経過・予後
　動脈解離は生命の危機につながる．Loeys-Dietz 症候群は動脈病変は若年（小児期を含む）でも比較的急速に進行することがあり，大動脈基部径は Marfan 症候群の基準より少し小さめで（4〜4.5 cm）手術適応があるとされる．女性の妊娠時・産褥期の大動脈解離の危険性は Marfan 症候群と同様であり，必要に応じて手術療法を考慮すべきである．解離発症前に大動脈拡大に対して行う手術療法後の経過は短中期的にはよいが，長期予後についての情報は不足している．

治療
　大動脈瘤，解離に対しては，降圧療法が行われるが，病態の本体が TGF-β の過剰活性化であり，ARB の投与を主体に β 遮断薬も併用される．比較的高用量の ARB が勧められるとされるが，薬剤選択，用量については今後の課題である．
　小児期から大動脈の拡大がみられることがあり，年齢体格に応じた評価に基づき治療を開始する必要がある．大動脈病変が進行すれば，適切な時期に外科的治療が考慮される．

（3）血管型 Ehlers-Danlos 症候群（Ⅳ型）
概念
　血管型 Ehlers-Danlos 症候群は，皮膚の血管透過性，易出血性，特徴的顔貌，動脈・腸管・子宮などの組織脆弱性を特徴とするまれな常染色体優性遺伝性疾患である．血管型と命名されるが，病変は血管にとどまらず全身の組織脆弱性を示す．一方，Ehlers-Danlos 症候群のほかの型とは異なり，皮膚や大関節の過伸展を認めることは少ない．

病因
　病因は血管を含め種々の臓器細胞で発現する 3 型コラーゲンの質的あるいは量的変化である．3 型コラーゲン COL3A1 遺伝子の変異（Superti-Furga ら，1988）が同定される．蛋白質の機能異常は血管のみならず種々の臓器に生じる．発症頻度は 5 万〜10 万人に 6 人と推測される．約半数は新規変異が原因であるとされ，家族歴のない例が少なくない．

病理
　組織学的に血管壁の菲薄化が顕著であり，免疫染色にて 3 型コラーゲンの染色性の低下を認める．

臨床症状
　皮膚の血管透過性，易出血性，特徴的顔貌，動脈・腸管・子宮などの組織脆弱性を呈し，特徴的な顔貌（薄い口唇と人中，小顎，細い鼻，大きな眼）を示す．皮膚や大関節の過伸展を認めることは少ないが，手指末節の過伸展がみられることがある．血管系では，大小問わず全身の動脈の解離や破裂を生じうる．カテーテル操作をきっかけに動脈解離を生ずることがあり，腸管，子宮，肺の脆弱性（腸管破裂，子宮破裂，気胸・血胸）が初発症状となることも少なくない．なお，若年での症状は軽度であり，まれな疾患であるが認識すべきである．

診断
　臨床所見大項目（薄く透けて見える皮膚，動脈・腸管・子宮の脆弱性あるいは破裂，易出血性，特徴的顔貌）のうち 2 項目以上があれば診断が疑われ，生化学的検査（3 型コラーゲンの構造機能異常）あるいは遺伝学的検査（COL3A1 遺伝子の病的変異）により確定される[16]．

経過・予後
　血管の破裂や解離，消化管穿孔，臓器破裂は成人患者の 70％の主症状であり，しばしば突然死，脳卒中，急性腹症，後腹膜出血，分娩時の子宮破裂，ショック状態として現れる．最初の重大な動脈または消化管の合併症発症年齢は平均 23 歳，死亡年齢の中央値は 48 歳と報告されている．しかし，小児期にはほとんど合併症がなく，家族歴がなければ小児期には気づかれていない例が多い．

治療
　保存的治療を基本とし，救命救急以外の外科的処置あるいは診断目的でのカテーテル検査はイベント発症の危険があり原則として行わない．なお，選択的 $β_1$ 遮断薬セリプロロールの投与が心血管系イベントを減少させるとの報告がある[17]．

（4）家族性大動脈瘤・解離（平滑筋収縮蛋白質異常による遺伝性疾患）
概念
　家族性大動脈瘤・解離は全身性結合織異常を伴わない非症候群性のまれな遺伝性大動脈疾患である．全身性結合織異常でも身体所見や血管以外の変化の目立たない症例もあることから，鑑別すべき疾患として認識する必要がある．

病因
　これまで，病因変異は平滑筋収縮蛋白質の複数の遺伝子（ACTA2[18]，MYH11[19]，MYLK[20]）に見いだされており，血管平滑筋機能異常をきたすと考えられている．常染色体優性遺伝が多いが，劣性遺伝，X 連鎖性遺伝もあり，また，新規変異による症例もある．

病理
　血管組織に中膜平滑筋細胞の錯綜配列，弾性線維の断裂，プロテオグリカンの集積などを認める．

臨床症状
　全身性結合織異常による変化は認めないが，ACTA2 遺伝子変異では，脳血管障害，冠動脈疾患の合併や，特徴的な脳動脈走行異常・末梢狭小化，もや

もや病類似の症状，そのほかに動脈管開存症，縮瞳異常，虹彩嚢胞，膀胱不全，腸回転異常を合併することがある．

診断
家族歴と原因遺伝子変異の同定によるが，原因遺伝子未同定例も少なくない．

経過・予後
放置すれば大動脈解離・破裂を生じ，生命の危機をもたらす．内科的に降圧療法，大動脈径拡大の進行があれば手術療法を行う．予防的手術療法の短期中期の予後はよいが，長期予後についての情報は少ない．

治療
大動脈径の変化に応じて，内科的にβ遮断薬などによる降圧療法，手術療法を行う．

〔森崎隆幸〕

■文献（e文献7-15）

Dietz HC, Cutting GR, et al: Marfan syndrome caused by a recurrent do novo missense mutation in the fibrillin gene. *Nature*. 1991; 352: 337-9.

Loeys BL, Chen J, et al: A syndrome of altered cardiovascular craniofacial, neurocognitive and skeletal development caused by mutations in TGFBR1 or TGFBR2. *Nat Genet*. 2005; 37:275-81.

Superti-Furga A, Gugler E, et al: Ehlers-Danlos syndrome type IV: a multi-exon deletion in one of the two COL3A1 alleles affecting structure, stability, and processing of type III procollagen. *J Biol Chem*. 1988; 263: 6226-32.

7-16 人工臓器・補助循環・臓器移植

1）心臓移植

(1) 心臓移植の歴史とわが国における心臓移植の現状

1967年に南アフリカ共和国のBarnardらにより心臓移植が世界ではじめて行われた．当初，拒絶反応などの問題により治療成績はけっしてよいものとはいえなかったが，1980年代に免疫抑制薬としてシクロスポリンが心臓移植に導入されると，その後治療成績は飛躍的に向上し，実施数も大幅に増加，1990年代をピークにやや減少傾向とはなっているものの，現在全世界で年間約4000例の心臓移植が施行されている（Lundら，2013）．

一方，わが国においては1968年の札幌医科大学における1例目以降，長らく中断を余儀なくされていたが，1997年の臓器移植法成立により，1999年にようやく心臓移植の再開に至った．再開当初は年間数例から11例であり著しいドナー不足の状態が続いていたが，2010年の法改正以降，増加傾向となっている．それでも人口あたりの心臓提供者数は欧米諸国の1/6〜1/20程度であり十分とはいえない．一方で心臓移植適応評価の新規申請者数はそれを大きく上回る速さで増加しており（図7-16-1），欧米諸国に比して長期間となっている心臓移植の待機期間は今後さらに増加していくものと考えられる．

(2) 心臓移植の適応（表7-16-1）
a. 心臓移植の適応となる疾患および適応の要件

心臓移植の適応となる疾患は，従来の治療法（β遮断薬やACE阻害薬などの薬物療法，虚血性心疾患における血行再建術など）を最大限行っても救命ないし延命の期待がもてない以下の重症心疾患となる．拡張型心筋症，拡張相の肥大型心筋症，虚血性心筋疾患，拘束型心筋症，先天性心疾患，その他日本循環器学会および日本小児循環器学会の心臓移植適応検討会で承認する心臓疾患（心サルコイドーシス，弁膜症などを含む）．

心不全の重症度はNYHA Ⅲ度以上であり，かつⅣ度の既往があることが条件となる．運動耐容能の評価法である心肺負荷試験が客観的なデータとして重要である．

また，わが国においては移植までの待機期間中，カテコールアミン依存状態もしくは補助人工心臓装着下での長期間の待機を余儀なくされるため，患者本人の理解とともに，家族からの十分なサポートを受けられることも非常に重要となる．

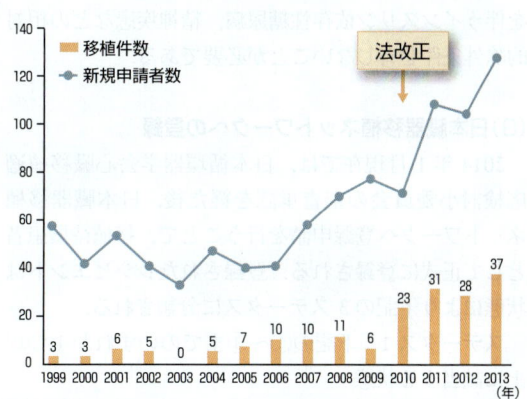

図7-16-1 日本における心臓移植件数と心臓移植適応評価新規申請者数の推移（日本心臓移植研究会より改変）

表7-16-1 心臓移植レシピエントの適応(日本循環器学会 心臓移植委員会より改変)

心臓移植の適応となる疾患
　心臓移植の適応となる疾患は従来の治療法では救命ないし延命の期待がもてない以下の重症心疾患とする.
　Ⅰ. 拡張型心筋症, および拡張相の肥大型心筋症
　Ⅱ. 虚血性心筋疾患
　Ⅲ. その他(日本循環器学会および日本小児循環器学会の心臓移植適応検討会で承認する心臓疾患)

心臓移植の適応条件
　Ⅰ. 不治の末期的状態にあり, 以下のいずれかの条件を満たす場合
　　a. 長期間または繰り返し入院治療を必要とする心不全
　　b. β遮断薬およびACE阻害薬を含む従来の治療法ではNYHA Ⅲ度ないしⅣ度から改善しない心不全
　　c. 現存するいかなる治療法でも無効な致死的重症不整脈を有する症例
　Ⅱ. 年齢は65歳未満が望ましい
　Ⅲ. 本人および家族の心臓移植に対する十分な理解と協力が得られること

心臓移植の除外条件
　Ⅰ. 絶対的除外条件
　　a. 肝臓, 腎臓の不可逆的機能障害
　　b. 活動性感染症(サイトメガロウイルス感染症を含む)
　　c. 肺高血圧症(肺血管抵抗が血管拡張薬を使用しても6 wood単位以上)
　　d. 薬物依存症(アルコール性心筋疾患を含む)
　　e. 悪性腫瘍
　　f. HIV(Human Immunodeficiency Virus)抗体陽性
　Ⅱ. 相対的除外条件
　　a. 腎機能障害, 肝機能障害
　　b. 活動性消化性潰瘍
　　c. インスリン依存性糖尿病
　　d. 精神神経症(自分の病気, 病態に対する不安を取り除く努力をしても, 何ら改善がみられない場合に除外条件となることがある)
　　e. 肺梗塞症の既往, 肺血管閉塞病変
　　f. 膠原病などの全身性疾患

b. 心臓移植の除外条件
　心臓移植の適応評価においては, 肝臓・腎臓の不可逆的機能障害や活動性感染症, 薬物依存や悪性腫瘍などの絶対的除外条件および活動性消化性潰瘍や合併症を伴うインスリン依存性糖尿病, 精神疾患などの相対的除外条件を有しないことが必要である.

(3) 日本臓器移植ネットワークへの登録
　2014年1月現在では, 日本循環器学会心臓移植適応検討小委員会の審査承認を経た後, 日本臓器移植ネットワークへ登録申請を行うことで, 移植待機患者として正式に登録される. 登録されたレシピエントは状態により下記の3ステータスに分類される.
　ステータス1: 下記の①～④までのいずれか1つ以上に該当する状態
　①補助人工心臓を装着中の状態
　②大動脈内バルーンパンピング(IABP), 経皮的心肺補助装置(PCPS)または動静脈バイパスを装着中の状態
　③人工呼吸管理を受けている状態
　④集中治療室などの重症室に収容され, かつカテコールアミンなどの強心薬の持続的な点滴投与を受けている状態
　ステータス2: 待機中の患者で, 上記以外の状態
　ステータス3: ステータス1または2で待機中, 除外条件(感染症など)を有する状態のため一時的に待機リストから削除された状態

　近年ではステータス1の状態での移植待機期間は800日以上となっている. 移植待機期間中の循環管理として, しばしば左室補助人工心臓(left ventricular assist device: LVAD)など機械的補助循環装置が用いられるが, 近年植え込み型LVADが心臓移植の適応のある末期重症心不全患者に保険適用となり, 在宅での心臓移植待機も可能となって待機期間のQOLも著

しく向上している.

(4) 心臓移植手術

以前,心臓移植の手術術式は左右の心房で吻合を行う Lower-Shumway 法がスタンダードとして用いられていたが,現在では上下大静脈および左房での吻合を行う Bicaval 法が主流となっている. Bicaval 法では右房の容積および形態が温存されるため,洞機能不全が発生しにくい.

(5) 心臓移植後の拒絶反応

心臓移植後にはドナー心に対するレシピエントの免疫応答によるグラフト傷害,すなわち拒絶反応が生じうる. このうち急性拒絶反応には細胞性拒絶反応と抗体関連拒絶反応がある.

a. 細胞性拒絶反応

急性細胞性拒絶反応はドナー心を非自己と認識することにより,レシピエントの活性化リンパ球が心筋組織に浸潤し,心筋細胞を直接的に攻撃することで生じる拒絶反応である. 重篤な場合では心不全徴候を呈する場合もあるが,初期ではほとんどの例で無症状であり心エコー図など非侵襲的な検査で特異的な変化を認めない場合も多いため,心筋生検による病理組織診断が重要となる. 心筋組織へのリンパ球の浸潤や心筋細胞傷害の程度をもとに拒絶反応の評価を行う. 中等度以上の細胞性拒絶反応が発生した場合にはステロイドパルス療法など,免疫抑制療法強化を行うのが一般的である.

b. 抗体関連拒絶反応

抗体関連性拒絶反応はドナー心抗原などに対する抗体による拒絶反応で,しばしば血行動態の悪化を伴い,移植後の患者死亡の重要な危険因子となる. 補体の構成成分の 1 つ C4d の免疫染色が感度・特異度の高い検査となる. 抗体を除去するための血漿交換や抗体産生抑制のための代謝拮抗薬投与やステロイドパルス療法,抗リンパ球抗体投与などが行われる.

(6) 心臓移植後の免疫抑制療法

心臓移植後の拒絶反応を抑制するため,免疫抑制療法を行う. シクロスポリンやタクロリムスなどのカルシニューリン阻害薬を基本とし,核酸合成阻害薬(ミコフェノール酸モフェチル(MMF))およびステロイドの 3 剤併用療法が標準的である. 近年, mTOR (mammalian target of rapamycin)阻害薬であるエベロリムスが使用可能となった. mTOR 阻害薬は拒絶反応の抑制効果のみならず,移植後冠動脈病変の進行抑制効果(Eisen ら, 2003)や抗腫瘍効果(Valantine ら, 2007)などの薬理効果も有すること,また腎機能障害例で mTOR 阻害薬併用下にカルシニューリン阻

害薬を減量することで腎機能障害の進行を抑制できたという報告もあり(Gullestad ら, 2010),今後の治療成績向上に寄与することが期待される.

(7) 心臓移植後の合併症

a. 感染症

心臓移植患者では,免疫抑制療法を行うため,感染症は重要な合併症となる. 心臓移植後急性期の感染症は一般の開心術に類似するが,術後急性期をこえた時期での感染症は,免疫抑制療法に関連したサイトメガロウイルス(CMV)やニューモシスチス肺炎,その他の真菌などによる日和見感染が多くなる.

b. 移植心冠動脈病変

移植後遠隔期の合併症として重要な予後規定因子に移植心冠動脈病変(cardiac allograft vasculopathy: CAV)がある. これは移植後経過とともに冠動脈の血管内膜が肥厚することで生じるびまん性の狭窄病変で,慢性拒絶反応ともいわれる. 移植心に虚血が生じても除神経のため狭心症状を示さないことが多いため,定期的な冠動脈造影による評価が重要であるが,びまん性狭窄病変であるため病変をとらえにくい場合もある. CAV に対する確立した治療はなく, CAV の進行した移植心に対しては再移植が唯一の治療法となる.

c. 悪性腫瘍

臓器移植後の免疫抑制療法を受けている患者では悪性腫瘍の合併頻度が増加することが知られており,皮膚癌や移植後リンパ増殖性疾患(posttransplant lymphoproliferative disorder: PTLD)の頻度が高い. PTLD は EB ウイルス感染が誘因となることが多く,全身の臓器やリンパ節で生じうるが,消化管での発症が最も多い.

d. 腎機能障害

カルシニューリン阻害薬をはじめ免疫抑制薬には腎毒性を有しているものがあり,薬物性腎機能障害の原因となる. 移植前および周術期の腎障害や,高血圧,糖尿病などの合併症も腎機能障害の要因となりうる.

(8) 心臓移植の治療成績

心臓移植は現存する内科的・外科的治療を施してもなお重度の心不全症状を呈する末期心不全患者に対する治療として,生存率および QOL を改善させる最も優れた治療法となりうる. 免疫抑制薬や感染症に対する治療など移植後の管理の進歩などにより,世界的に心臓移植後の生存率は改善傾向にあり, 5 年生存率は 70～80%と報告されている(Lund ら, 2013). わが国においては国際的な治療成績に比べてもさらに良好な成績となっている(図 7-16-2). 一方でわが国のドナー不足は深刻であり,移植待機患者は年々増加傾向

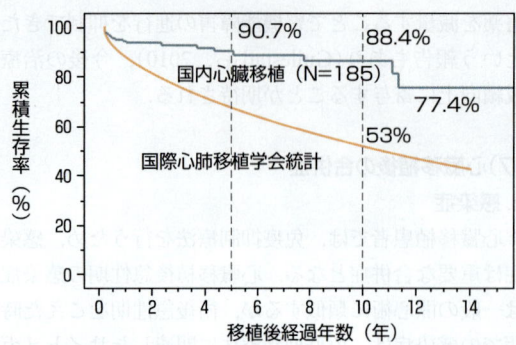

図 7-16-2 心臓移植後の累積生存率（2014 年 7 月 31 日現在）（日本心臓移植研究会より改変）

となり待機期間も長期になっている．日本における諸問題を解決し，より多くの末期心不全患者が移植医療を受けることのできるような社会の構築が望まれる．

〔坂田泰史〕

■文献

Eisen HJ, Tuzcu EM, et al: Everolimus for the prevention of allograft rejection and vasculopathy in cardiac-transplant recipients. *N Engl J Med.* 2003; **349**: 847-58.

Gullestad L, Iversen M, et al: Everolimus with reduced calcineurin inhibitor in thoracic transplant recipients with renal dysfunction: A multicenter, randomized trial. *Transplantation.* 2010; **89**: 864-72

Lund LH, Edwards LB, et al: The registry of the international society for heart and lung transplantation: Thirtieth official adult heart transplant report—2013; focus theme: Age. *J Heart Lung Transplant.* 2013; **32**: 951-64.

Valantine H: Is there a role for proliferation signal/mTOR inhibitors in the prevention and treatment of de novo malignancies after heart transplantation? Lessons learned from renal transplantation and oncology. *J Heart Lung Transplant.* 2007; **26**: 557-64.

2）補助循環・人工心臓
assisted circulation, mechanical heart, arcificial heart

補助循環とは，低下した心機能を補助して生命の維持に必要な全身の血液循環を維持するものであり，大動脈内バルーンパンピング（IABP），経皮的心肺補助装置（PCPS，V-A bypass，ECMO），人工心臓がある．さらに人工心臓には，心臓を切除して完全に埋め込む完全置換型人工心臓（total artificial heart：TAH）と自己の心臓を温存し機能の一部を補う補助人工心臓（VAD）がある．欧米では SynCardia TAH や AbioCor TAH などが用いられるが，現在わが国で使用可能な TAH はない．

補助循環の適応は，NYHA 機能分類Ⅳ度，収縮期血圧 90 mmHg 以下，心係数 2.0 L/分/m² 以下，肺動脈楔入圧 20 mmHg 以上が目安である[1]が，どの装置を用いるかは必要な補助の程度や期間，全身状態などによる（表 7-16-2）．

（1）大動脈内バルーンパンピング（intra-aortic balloon pumping：IABP）

大動脈内のバルーンを心周期に同期して収縮・拡張を行う圧補助手段であり，おもに経皮的に大腿動脈から挿入され胸部下行大動脈に留置される．大動脈弁が閉鎖する拡張期開始時に合わせてバルーンを膨らませることで，大動脈内の拡張期圧を上昇させ冠動脈を含めた各分岐血管への血流の増加をもたらす．冠動脈の血流増加は心筋への酸素化をよくするため，冠動脈疾患が心不全の病態形成に寄与している場合において特に効果的である．拡張期圧が上がるこの効果は，カウンターパルセーション効果または diastolic augmentation とよばれる．一方，収縮期には大動脈弁が開く直前にバルーンを収縮させることによって大動脈内圧を急激に低下させ，心臓がより容易に血液を駆出することができるようにする systolic unloading とよばれる効果がある．その結果，心臓の仕事量および心筋酸素消費量が軽減され，心拍出量の増加だけでなく，障害を受けた心筋の回復につながりうる効果を発揮する．

a. 適応と合併症

補助循環のなかで簡便であることから内科的治療に抵抗性の急性心不全，心原性ショックでまず用いられる．また，急性冠症候群における梗塞領域拡大の予防，狭心痛の寛解，切迫梗塞の予防，虚血および低心拍出による重篤な不整脈の改善に有用で，一方，ハイリスクの冠動脈血行再建術における予防的な使用の有効性が報告されている．しかし，心原性ショックを合併した急性心筋梗塞を対象とした大規模試験（Thiele ら，2013）では経皮的冠動脈形成術や冠動脈バイパス術に IABP を追加しても死亡率の改善は示されなかった．禁忌となるのは中等度以上の大動脈弁閉鎖不全を合併する例や大動脈解離や大動脈瘤を有する例である．また，大動脈に高度の粥状硬化病変や下肢閉塞性動脈硬化症を有する例は慎重な適応検討が必要である．合併症としては，挿入側下肢の血流障害，動脈や神経障害および大動脈の粥腫による下肢動脈や腸間膜動脈への塞栓症がある．

（2）経皮的心肺補助装置（percutaneous cardiopulmonary support：PCPS）

PCPS は遠心ポンプと膜型人工肺を用いた閉鎖回路の人工心肺補助装置である．大腿静脈から挿入した脱血管によって右房から脱血し，人工肺で酸素化した血液を大腿動脈から送血する（図 7-16-3）．人工肺を通

表 7-16-2 補助循環の特徴（和泉　徹，他：急性心不全治療ガイドライン　2011 年改訂版，日本循環器学会，2013 より）

	IABP	PCPS, V-A bypass, ECMO	体外設置型 VAD	体内植え込み型 VAD
挿入方法	経皮的	経皮的，外科的	外科的	外科的
補助流量	CO 最大 40%↑	2～3 L/分	3～5 L/分	機種により異なる．～10 L/分
補助する心室	左心	左心・右心	左心・右心	左心
肺機能補助	効果なし	可能	効果なし	効果なし
補助期間	数日～数週	数日～数週	数カ月（交換により数年も可）	数カ月～数年
使用場所	病院内のみ	病院内のみ	病院内のみ	退院・在宅療養可

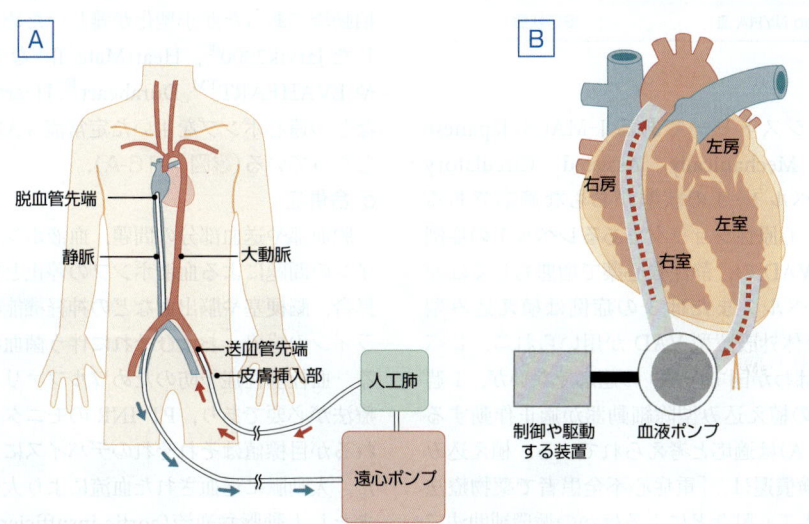

図 7-16-3 経皮的心肺補助装置(A)の左室補助人工心臓(B)構造

して酸素化した血液を送血することより欧米ではおもに VA-ECMO（extracorporeal membrane oxygenation）とよばれる．自己心拍出量の 50～70％ほどの補助が可能で，通常 1 週間ほどの使用であり，回路を交換することで数週間の使用は可能であるが，その間に離脱か補助人工心臓などへの切り替えを検討する．脱血により右心室の前負荷，後負荷は軽減され，左心室の前負荷も軽減されるが，後負荷は逆行性送血のため補助血液量に応じて増加するため，IABP がおもに併用される．

a. 適応と合併症

心肺停止状態，心原性ショック状態での心肺蘇生，難治性心不全での循環呼吸補助，開心術後低心拍出状態，薬剤抵抗性の重篤な不整脈，重症呼吸不全などが適応である．高度の動脈硬化や中等度以上の大動脈弁逆流症，出血傾向を有する患者は使用困難である．合併症としては，送脱血管挿入部の出血や下肢の虚血，感染症および回路内に生じる血栓や送血に伴う大動脈粥腫の塞栓による脳梗塞などの血栓塞栓症がある．

(3) 補助人工心臓（ventricular assist device：VAD）

左心室もしくは右心室のポンプ機能を補助する装置であり，PCPS と比してより生理的な血液の流れで，補助する血流も多いため血液ポンプの耐久性があれば長期使用が可能である．左心室の補助をする左室補助人工心臓（LVAD）は左室または左房から脱血し，血液ポンプを介し大動脈に送血するシステムである（図 7-16-3）．右心室の補助をする右室補助人工心臓（RVAD）は右室または右房から脱血し，血液ポンプを介し肺動脈に送血するシステムであり，両方のポンプを用いる場合は BiVAD とよばれる．また，血液ポンプが体の外に位置する体外設置型 VAD と体のなかに位置する植込型 VAD に分類される．わが国（2016 年 4 月時点）では未承認であるが，一時的な使用を目的とした Impella®，TandemHeart® という経皮的 VAD が海外においては使用されている．

a. 適応と用途

心原性循環不全のため長期間の循環補助が必要な場合や IABP，PCPS で循環維持が困難な場合で，かつ除外条件に該当しないときに用いられる[2]．海外における VAD の適応は国際的レジストリーである INTERMACS（Interagency Registry for Mechanically Assisted Circulatory Support）の profile 1～7 で表現され，わが国においては INTERMACS をモデルに作成

表 7-16-3 INTERMACS profile と J-MACS レベル (http://www.uab.edu/medicine/intermacs/ および http://www.info.pmda.go.jp/kyoten_kiki/track.html より)

	INTERMACS	J-MACS
1	critical cardiogenic shock	重度の心原性ショック
2	progressive decline	進行性の衰弱
3	stable but inotrope dependent	安定した強心薬依存
4	resting symptoms	安静時症状
5	extertion intolerant	運動不耐容
6	exertion limited	軽労作可能状態
7	advanced NYHA Ⅲ	安定状態

された国内レジストリーである J-MACS(Japanese registry for Mechanically Assisted Circulatory Support)のレベル 1~3 の状態がおもな適応である(表 7-16-3).心原性ショックであるレベル 1 の症例は体外設置型 VAD の,静注強心薬で増悪もしくは安定しているレベル 2 または 3 の症例は植え込み型 VAD もしくは体外設置型 VAD が用いられる.レベル 4 より軽症はわが国で VAD の適応でないが,1 週間に 2 回以上の植え込み型除細動器が適正作動する症例(modifier A)は適応と考えられている.植え込み型 VAD の保険償還は,「重症心不全患者で薬物療法や体外式補助人工心臓などによるほかの循環補助法では,治療が困難であって,心臓移植を行わなければ救命が困難な症例に対して,心臓移植までの待機期間の循環改善のみを目的として実施されるもの」であり移植までのつなぎ(bridge to transplantation:BTT)としての使用のみである.詳細な適応基準は,補助人工心臓治療関連学会協議会により提言され日本循環器学会・日本心臓血管外科学会合同の『重症心不全に対する植込型補助人工心臓治療ガイドライン』にも記載されている(e表 7-16-A).また,循環不全に伴う臓器障害などで移植適応判定が困難な状況であり,将来的に移植可能な状態になれば適応評価を行う場合(bridge to candidacy:BTC)や劇症型心筋炎や周産期心筋症など心筋の reverse remodeling により自己の心機能改善による離脱を目指す場合(bridge to recovery:BTR)はおもに体外設置型 VAD が用いられる.なお,体外設置型 VAD は後の植え込み型 VAD への移行までのつなぎとして使用する場合(bridge to bridge:BTB)もある.また,海外では心移植の代替としての永久使用(destination therapy:DT)も行われており,わが国でもその導入について検討されている.

b. 種類

i)体外設置型 VAD

現在,わが国でおもに用いられるものは空気圧によりダイアフラムポンプを駆動する空気駆動式駆動流 VAD であるニプロ VAD(旧 TOYOBO 型 VAD)である.欧米では CentriMag® などの遠心ポンプを用いた補助循環も短期型の体外設置型 VAD として用いられているが,わが国においては off-label use となる.また,小児用の EXCOR®(Berlin Heart 社)が 2015 年国内販売が承認された.

ii)植え込み型 VAD

当初開発使用された Novacor,HeartMate IP・VE・XVE などの VAD は心臓の拍出と同じ生理的な拍動流であったが小型化が難しいため,小型化に成功した Jarvik2000®,HeartMate Ⅱ® などの軸流ポンプや EVAHEART™,Duraheart®,HeartWare HVAD® などの遠心ポンプを用いた定常流 VAD が現在の主流となっている(e図 7-16-A).

c. 合併症

脱血部や送血部分の問題,血液ポンプやドライブラインの問題による血液ポンプの停止といった装置の不具合,脳梗塞や脳出血などの神経機能障害,ドライブラインの感染,およびそれに伴う菌血症,敗血症がある.血栓塞栓症予防のためワルファリンによる抗凝固療法が必要であり,PT-INR のモニタリングで調節されるが目標値はそれぞれのデバイスにより異なる.また,大動脈に送血された血流により大動脈弁の変性をきたし大動脈弁逆流(aortic insufficiency:AI)を認めると全身への送血不良につながり心不全の一因となるため,生体弁置換,弁尖縫合,パッチなどによる弁閉鎖などの外科的治療が検討される[3].また,軸流ポンプの連続流 VAD では消化管出血をきたしやすく[4]上部消化管の血管形成異常と von Willebrand 因子消耗性減少の Heyde 症候群が一因と考えられている.

d. 臨床所見

INTERMACS からの報告(Kirklin ら,2014)によると,年々 VAD 手術は増加しており,これまでに 1 万例以上の症例に行われ,そのなかで 2011~2013 年までの期間では約 4 割が DT として装着されている.用途や profile などにより予後は少しずつ異なるが,2 年生存率はおおむね 7 割ほどと報告されている.一方,2014 年の J-MACS による日本における 1 年生存率は約 9 割,2 年生存率でも 8 割以上である.

〔坂田泰史〕

■文献(e文献 7-16-2)

Kirklin JK, Naftel DC, et al: Sixth INTERMACS annual report; a 10,000-patient database. *J Heart Lung Transplant*. 2014; 33: 555-64.

Thiele H, Zeymer U, et al: Intra-aortic balloon counterpulsation in acute myocardial infarction complicated by cardiogenic shock (IABP-SHOCK II); final 12 month results of a randomised, open-label trial. *Lancet*. 2013; 382: 1638-45.

7-17 末梢動脈および静脈疾患

1）動脈系疾患

(1) 末梢動脈疾患（peripheral arterial disease：PAD）

概念

末梢動脈が，動脈硬化性病変によって内腔狭窄を生じ，虚血に陥った状態をいう．近年，高齢化や生活様式の欧米化を背景に動脈硬化に伴う末梢動脈疾患（閉塞性動脈硬化症）が増加し，末梢動脈疾患の多数を占めるに至った．一方，閉塞性血栓血管炎（thromboangiitis obliterans：TAO または Burger 病）の患者は減少しており，現在の末梢動脈疾患（PAD）は，従来の閉塞性動脈硬化症（arteriosclerosis obliterans：ASO）とほぼ同義的に用いられている．

病因

喫煙，糖尿病，高血圧，脂質代謝異常などの生活習慣に関連した危険因子を背景に，腸骨動脈，大腿動脈，膝窩動脈，前・後脛骨動脈などに粥状硬化性狭窄が生じると，末梢組織が虚血に陥る．狭窄の部位，程度，側副血行路の発達の程度により，無症状から皮膚潰瘍や組織壊死に至る重症例まで種々の症状を呈する．PAD は上肢の末梢動脈に起きることはほとんどないが，その詳細な理由はいまだに不明である．一方，閉塞性血栓血管炎は，上肢・下肢ともに発症する．

疫学

欧米での有病率は 3〜10％であり，70 歳以上では，15〜20％に至る．わが国でも生活様式の変化や高齢化に伴い増加している．現在わが国における罹患患者は，有症候性患者が約 40 万人，無症候性患者を含めると 50 万〜80 万人と推定されている．

臨床症状

1）自覚症状：一般的に末梢が虚血に陥ると，6 つの P とよばれる症状が出てくる．すなわち，pain（疼痛），pallor（蒼白），pulselessness（脈拍消失），paresthesia（知覚鈍麻），paralysis（運動麻痺），prostration（虚脱）などが典型的な症状として出現する．これらの症状は，動脈閉塞の部位や狭窄の程度によってさまざまに混在して現れる．また，一定距離の歩行後に下肢痛が生じ，しばらく休むと再び歩くことができるようになる，いわゆる間欠性跛行（intermittent claudication）も特徴的な症状である．間欠性跛行は患者の主訴の約 70％に上り，早足歩行や坂道・階段歩行などでは組織の酸素消費が増すため，虚血症状が出やすくなる．虚血が進行すれば，安静時にも痛みの症状が出現する．また組織の感染や外傷をきっかけに下肢の潰瘍や壊疽を合併すると症状は急激に悪化するので，注意を要する．よく用いられる Fontaine の重症度分類を表 7-17-1 に，他覚検査所見も参考にされる Rutherford 分類を表 7-17-2 に示す．

表 7-17-1 Fontaine の重症度分類

Fontaine 分類	
I 度	冷感・しびれ・Raynaud 症候など
II 度	間欠性跛行
III 度	安静時疼痛
IV 度	潰瘍・壊死

表 7-17-2 Rutherford 分類（Rutherford RB, et al: Suggested standards for report dealing with lower extremity ischemia. J Vasc Surg. 1997; 26: 517）

度	群	臨床定義	客観的基準
0	0	無症状　循環動態からみても有意な閉塞性病変なし	トレッドミル運動負荷試験あるいは反応性充血試験正常
0	1	軽度跛行	トレッドミル運動負荷試験終了可*，運動後の AP > 50 mmHg，しかし安静時に比して最低 20 mmHg 下降
I	2	中程度跛行	1 群と 3 群の中間
I	3	高度跛行	標準的トレッドミル運動負荷試験終了不能*および運動後の AP > 50 mmHg
II	4	虚血性安静時痛	安静時 AP < 40 mmHg，足関節あるいは中足骨 PVR の平坦化あるいは波高の激減，TP < 30 mmHg
III	5	軽度組織消失　非治療性潰瘍，後半足虚血を伴う限局性壊疽	安静時 AP < 60 mmHg，足関節あるいは中足骨 PVR の平坦化あるいは波高の激減，TP < 40 mmHg
III	6	広範な組織喪失　TM よりも高位に拡大，もはや機能的足部リム・サルベージ不能	5 群と同じ

AP：足関節圧，PVR：容積脈波測定，TP：足趾血圧，TM：中足骨．
Fontaine 分類よりさらに細分化した客観性で再現度の高い分類である．
＊：標準的トレッドミル運動負荷試験は勾配 12％ mph にて 5 分間である．

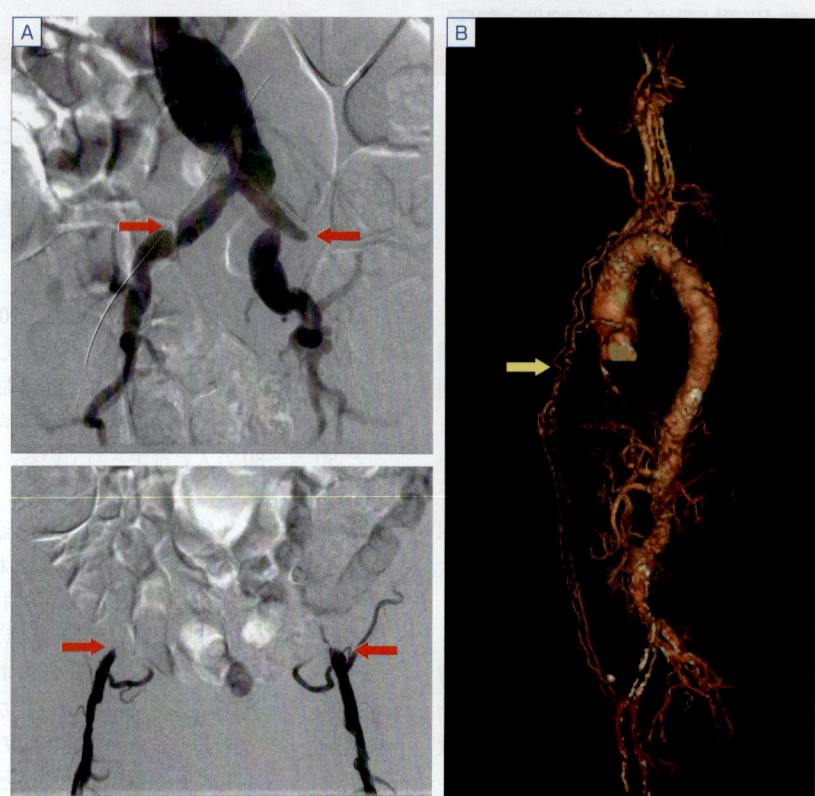

図 7-17-1 末梢動脈疾患の血管造影と三次元CTアンギオグラフィ
A：中枢側からと末梢側からの血管造影にて，両側の外腸骨動脈の閉塞がみられる(赤矢印).
B：両側の内胸動脈から両側大腿動脈への側副血行路が認められる(黄矢印).

2)**他覚所見**：6つのPのうち，pallor(蒼白)，pulselessness(脈拍消失)，paralysis(運動麻痺)などは，他覚所見としても診断に重要である．触診では大腿動脈，膝窩動脈，後脛骨動脈，足背動脈の拍動の減弱や消失が，診断に有用である．血管雑音は動脈狭窄時によく聴取される．虚血が中等度以上になると，皮膚の冷感やチアノーゼ，さらに筋萎縮，爪の変形，脱毛なども認められる．

検査所見

足関節部位の血圧と上腕動脈の血圧の比(ankle brachial pressure index：ABI)が，評価法として最も一般的に用いられており正常値は1.0～1.3である．0.9以下では虚血が疑われ，0.4以下は重症である．動脈石灰化が強い場合は，逆に1.3以上となることがあるので注意を要する．6分間歩行可能距離(6min walking distance：6MWD)が重症度診断や治療効果の判定によく用いられている．経皮的酸素分圧(transcutaneous oxygen tension：TcPO$_2$)や皮膚組織灌流圧(skinperfusion pressure：SPP)も重症虚血肢の診断，治療方針決定に用いられる．レーザードプラ法やサーモメーターも使用されるが，参考程度のデータしか得られない．

画像診断

超音波ドプラ法，CTアンギオグラフィ(コンピュータ断層血管撮影)，MRアンギオグラフィ(核磁気共鳴血管撮影)が初期検査として行われる．これらは空間分解能にすぐれ，石灰化の検討にも有用である．さらに，血管撮影によって病変の部位や側副血行など，より詳細な情報が確認できる．血管撮影では，おもに腸骨動脈や大腿動脈の閉塞や狭窄像，虫食い像を呈する(図7-17-1)．糖尿病患者や高齢者，透析患者などでは下腿動脈にも病変の主座を認めることも多い．

鑑別診断

症状から鑑別すべき疾患として，閉塞性血栓性血管炎(thromboangiitis obliterans, Buerger病)や腰部脊柱管狭窄症に伴う馬尾神経障害があげられる．前者はおもに膝窩動脈や前腕動脈以遠に好発する原因不明の血栓閉塞性血管炎で，30～50歳代の喫煙男性に多い．脊柱管狭窄症は高齢者に多く，間欠性跛行をみるために鑑別に紛らわしいことがあるが，前屈により軽快することが特徴である．ほかに膠原病性血管炎や糖尿病性皮膚潰瘍などを鑑別診断として念頭におくべきである．糖尿病性足病変では，神経障害性，虚血性，両者の合併の3つに大別され，神経障害による例では，

潰瘍を生じていても足部は温かいこともある．この場合，交感神経機能低下に伴う末梢血管拡張の可能性を考慮する．

経過・予後

間欠性跛行を示す患者の場合，全身の動脈硬化性病変は進行しており，心血管イベントによる死亡に注意することが重要である．特に安静時疼痛や潰瘍などを伴う重症虚血下肢の場合，1年後の死亡率が約25％にものぼり，生命予後は進行性の消化器癌のそれと同等であるといわれている（e図7-17-A）．

治療

重症虚血肢（critical limb ischemia：CLI）への進展を予防することが重要である．また心筋梗塞，脳梗塞などのほかの心血管イベントのリスクを減らすことが重要である．そのために生活習慣の改善はもとより，禁煙・高血圧・脂質異常症・糖尿病などの薬物によるコントロールを行う（e図7-17-B）．Fontaine II度以下の患者では，側副血行路発達による下肢血流増加を期待し，定期的な運動療法が勧められる．抗血小板薬，特にアスピリンは，心血管イベントを減少させる．シロスタゾールは跛行出現までの距離を増加させ，QOL（quality of life）を改善させることが知られ，塩酸サルポグレラート，イコサペント酸エチルや血管拡張性プロスタグランジンの下肢血流改善効果も報告されている．

間欠性跛行症状の強い例や安静時痛，皮膚潰瘍などの症例では内科的治療で十分でない場合，血行再建術（経皮的血管形成術や血管バイパス術）を行う．ただし，本症患者では，冠動脈や脳血管の動脈硬化病変例が多く，どの部位の治療を優先させるかの決定が重要である．下肢バイパスグラフトは，大動脈-大腿動脈バイパスグラフトの5年後の開存率は90～95％であるが，膝窩動脈以遠ではこれより劣り，平均50～70％以下である．経皮的血管形成術は病変によりバルーン，ステント，レーザー治療などが選択され，初期成功率は95％以上であり，5年開存率も90％以上である．ただし，膝窩動脈以遠は血管径が小さく，5年開存率は60％以下である．これまで毛細血管新生を目的として多くの遺伝子治療（VEGF，HGF，FGFなど）が試みられ現在も一部の臨床研究が続けられている．現在，重症例に自己骨髄単核球細胞などの患者自身の細胞移植による血管新生治療も施行されている．

(2) 閉塞性血栓血管炎（thromboangiitis obliterans：TAO，Buerger病）

概念

Buerger病（ビュルガー病）ともよばれ，四肢の末梢動脈に閉塞性の血管炎をきたす疾患である．虚血症状として間欠性跛行や安静時疼痛，虚血性皮膚潰瘍，壊疽などをきたす．下肢のみならず上肢血管にも生じ，虚血症状を生じる．

病因

いまだ原因は不明である．特定のヒト白血球抗原（human leukocyte antigen：HLA）との関連性が疑われている．発症には喫煙が強く関与しており，喫煙による血管攣縮が誘因になるとも考えられている．患者の約90％に明らかな喫煙歴を認め，受動喫煙を含めるとほぼ全例が喫煙と関係があると考えられている．

疫学

全国推計患者数は年間約8000人であり，男女比は9.7：1と圧倒的に男性が多い．推定発症年齢は男女とも30歳代から40歳代が最も多い．

臨床症状

四肢末梢動脈に多発性の分節的閉塞をきたすため，動脈閉塞によって末梢の虚血症状を認める．虚血が軽度のときは冷感やしびれ感，寒冷曝露時のRaynaud現象を認め，高度となると間欠性跛行や安静時疼痛が出現し，高度虚血状態では，四肢に難治性の潰瘍や壊死を形成する．遊走性血栓性静脈炎の合併もみられる．

診断

末梢動脈疾患（閉塞性動脈硬化症）や膠原病に伴う血管炎，血小板増加症に伴う血管狭窄，糖尿病性足病変との鑑別が重要である．典型的な症例では，CTアンギオグラフィや血管造影にて前腕や下腿動脈より遠位部の血管の途絶像やコルク栓抜き（cork screw）像を呈する（図7-17-2）．近位部の太い動脈は正常であるが，血栓形成により経過中に近位部にまで閉塞が及んだり，高位動脈に病変がスキップして閉塞が生じることもある．

経過・予後

予後は，末梢動脈疾患（閉塞性動脈硬化症）に比べてよいが，若年発症であり上肢・下肢ともに病変が及ぶ場合も多くQOLを著しく脅かすことも少なくない．禁煙しない場合は病変の進行が速い．虚血の進行に伴い，指趾の切断や下肢病変の潰瘍や感染から下肢の大切断に至る例も多い．

治療

厳格な禁煙指導を行い，間接喫煙を含め禁煙を徹底させる．また患肢の保温，保護に努めて外傷を避け，歩行訓練や運動療法が基本的な治療である．薬物療法としては経口抗血小板薬による血栓形成予防が重要である．重症例に対しては可能であれば，バイパス術などの観血的血行再建を行う．交感神経節切除術やブロックも効果を認める．安静時痛・潰瘍壊疽を伴う重症例では，閉塞部位の観血的血行再建が不可能な例が

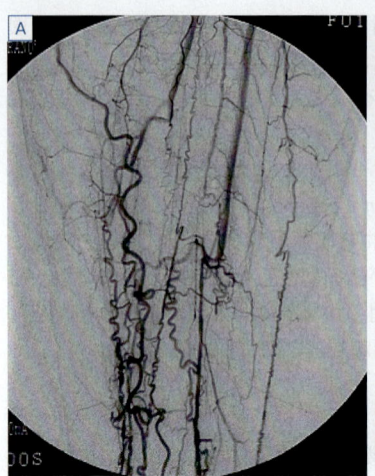
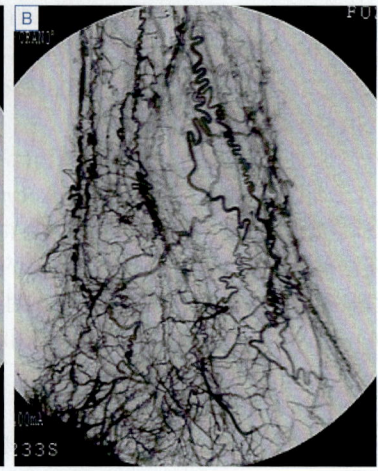

図 7-17-2 Burger 病の血管造影所見
A：膝下部　前脛骨動脈の閉塞とコルク栓抜き状の側副血行路を認める．
B：足首部　同じくコルク栓抜き状の側副血行路を広範に認める．

表 7-17-3 急性動脈塞栓症のおもな原因
（末梢閉塞性動脈疾患の治療ガイドライン，2009 より）

	塞栓症
頻度の高い原因	心原性 　心房細動，不整脈 　僧帽弁膜症 　心筋梗塞後壁在血栓 　左室瘤 　心筋症 　人工弁置換術後 血管性 　大動脈瘤，末梢動脈瘤 　shaggy aorta syndrome
まれな原因	心原性 　心臓腫瘍（左房粘液腫） 　卵円孔開存 血管性 　動静脈瘻 その他 　空気，腫瘍 　カテーテル検査

多く，自家骨髄単核球細胞移植，皮下脂肪組織由来間葉系幹細胞移植などによる血管再生医療が近年試みられている．

（3）末梢動脈塞栓症（arterial embolism）
病因
塞栓源は，心房細動に伴う左房内血栓など心原性であることが多いが，ほかに大動脈壁在血栓，感染性心内膜炎やリウマチ性弁膜症，粘液腫などの心臓腫瘍などがその原因病変となりうる（表 7-17-3）．

臨床症状
末梢動脈の急性閉塞の主要徴候として 6P と称される，pain（疼痛），pallor（蒼白），pulselessness（脈拍消失），paresthesia（知覚鈍麻），paralysis（運動麻痺），prostration（虚脱）が特徴的であるが，これらは虚血の重症度や閉塞部位に応じてさまざまに現れる．重症例では，治療の時期を逸すると切断しか治療手段がなくなり，筋硬直が起きて足関節などの可動性が消失すると，救肢困難である．一般に golden time とされる 6～8 時間以内であれば，筋組織などの末梢組織に不可逆的変化は生じにくいと考えられ，初診時の的確な診断が重要である．一方，脳動脈では広範囲脳梗塞や，出血性梗塞の合併などから予後は不良である．腹部動脈・腸間膜動脈の塞栓症では，腹痛，下血，麻痺性腸閉塞などを起こし，緊急腸切除も必要となる．診断が遅れると死に至る場合もある．

検査所見
急性動脈閉塞の 40～60％が塞栓症であり，塞栓源はおもに心房細動，心臓弁膜症，感染性心内膜炎に伴う心臓内の血栓などであることから，胸部聴診，心電図，心臓超音波検査，特に経食道心臓超音波検査が有用である．右左シャント性疾患や卵円孔開存例では，静脈系の血栓が閉塞を起こす．奇異性脳塞栓症も起こりうるので，注意が必要である．動脈瘤の壁在血栓による塞栓も考慮して画像検査を行う．

治療
急性動脈閉塞治療の目標は，血流の再開と二次血栓の予防による虚血の進展防止である．このため，急性動脈閉塞の診断がついた時点で，血栓の進展を予防するためにヘパリン静脈内投与を行い，重症度に応じて治療を行う．重症例では，救命目的に大切断を選択する．その他，血栓によっては Fogarty カテーテルによる血栓除去が有効である．塞栓後，golden time 以内であれば，血栓除去を行うことで塞栓子を除去できれば，予後は良好である．しかし，虚血時間が経過している症例においては，血行再開後に筋腎代謝症候群（myonephropathic metabolic syndrome：MNMS）に陥り，救命困難になることがあるため，第一選択として罹患肢の大切断を考慮しておくべきである．心房細動による塞栓症の場合は，ワルファリンやビタミン K-非依存性抗凝固剤（NOAC）による術後抗凝固療法は必須である．また塞栓による脳梗塞を起こした場合，生命予後が脅かされることも多く，ノックアウト型脳梗塞とよばれる．

コレステロール塞栓症に関しては ⓔコラム 1 参照．

〔室原豊明〕

■ 文献

小室一成編: 新・心臓病診療プラクティス 15 血管疾患を診る・治す. 文光堂, 2010.

末梢閉塞性動脈疾患の治療ガイドライン. Circulation Journal. 2009; 73 (suppl III).

Norgren L, Hiatt WR, et al: TASC II Working Group. InterSociety Consensus for the Management of Peripheral Arterial Disease (TASC II). J Vasc Surg. 2007; 45 (suppl S): S5 -67.

2）静脈系疾患

(1) 静脈血栓塞栓症 (venous thromboembolism)

定義・概念

静脈血栓塞栓症は，おもに上下肢深部静脈に生じる血栓による血流障害と，その血栓が塞栓源となり生じる肺動脈閉塞症を総称するものである．したがって病態としては深部静脈血栓症 (deep vein thrombosis : DVT) と肺動脈血栓塞栓症 (pulmonary thromboembolism : PE) に分けて考えられる．

病因

静脈系の血栓症は，古くから Virchow の3徴候（血液凝固能亢進，血流の停滞，血管内皮障害）に由来するといわれている．静脈血栓塞栓症のリスクファクターを表 7-17-4 に示す．肺動脈血栓塞栓症の 90% 以上は，下肢深部静脈血栓症からの塞栓であるといわれているので，リスクファクターも重複するものが多い．

疫学

深部静脈血栓症および肺動脈血栓塞栓症はわが国では少ないとされてきたが，近年の調査で年々増加していることが判明しており，肺血栓塞栓症患者は全国で年間 7000 例程度の発症とされている．周術期では 1000 例に 1 例の割合で肺血栓塞栓症が発症し，致死率は 30% 近くに及ぶとされている．

病態生理・臨床症状

片側下肢の腫脹，浮腫，疼痛（緊満感）などが生じた場合，腸骨静脈から太腿・下腿静脈における血栓性閉塞を疑う．このような症状は時間とともに側副血行路の発達により改善してくるが，血栓が静脈壁から遊離し肺動脈血栓塞栓症が生じると急激な胸痛，呼吸困難，冷汗，失神，動悸などが現れる．大きな血栓が一度に中枢側の肺動脈を閉塞すると，心停止に至ることもある．深部静脈血栓症発症後，適切な治療が施されないと深部静脈や表在静脈の慢性的な弁不全が生じ，下肢静脈瘤，静脈うっ滞性下腿潰瘍などを生じてくる（静脈血栓後症候群）．また長期間繰り返し肺血栓塞栓症が生じると肺高血圧症や低酸素血症を生じ右心不全をきたすことがある（慢性血栓塞栓性肺高血圧症；CTEPH）．

検査所見・診断

深部静脈血栓症では血中 D ダイマーが上昇する．また肺動脈の血栓塞栓症を生じると心エコーや心電図上右心負荷所見が現れる．深部静脈血栓症の確定診断を得るために最も有効な検査法は，静脈超音波検査である．カラードプラでの血流の有無，圧迫による静脈の虚脱の有無により血栓症を診断する．また腸骨静脈領域の深部静脈血栓症の場合は造影 CT 検査が有効である．肺動脈血栓塞栓症では，胸部の造影 CT 検査や（図 7-17-3），肺血流シンチグラフィなどを行う．

表 7-17-4 静脈血栓塞栓症のリスクファクター

	深部静脈血栓症	肺血栓塞栓症
背景	年齢 性 人種 肥満 妊婦	年齢 肥満 妊婦 長距離飛行（いわゆるエコノミークラス症候群） 脱水 喫煙
疾患	外傷 心不全 血栓症素因 悪性腫瘍 下肢静脈瘤 血管炎 脂質異常症	外傷 心不全 脳血管障害 血栓症素因 悪性腫瘍 下肢静脈瘤 ネフローゼ症候群 炎症性腸疾患
治療	長期臥床 手術 カテーテル治療 避妊薬投与	長期臥床 手術 カテーテル治療 避妊薬投与 中心静脈カテーテル

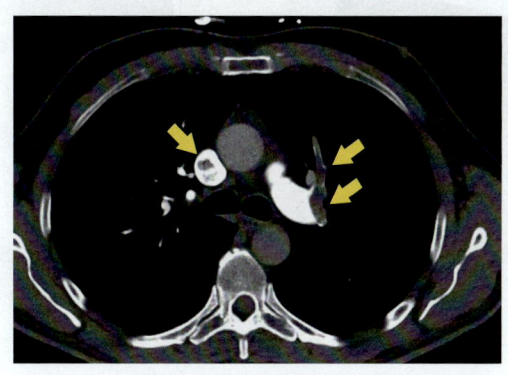

図 7-17-3 肺動脈血栓塞栓症の造影 CT 所見 造影 CT では肺動脈相で肺動脈内の欠損像（矢印）として診断される．

鑑別診断

下肢の腫脹をきたす疾患として最も鑑別が必要なのにリンパ浮腫がある．既往歴や超音波検査所見で鑑別は可能である．また両側の腫脹をきたした際には心不全，腎不全，肝不全，低アルブミン血症，甲状腺機能低下などを考慮する．

治療

静脈血栓塞栓症予防には弾性ストッキングの着用が簡便で有効な方法である，また周術期には抗凝固療法や間欠的下肢圧迫装置の装着なども有効である．深部静脈血栓症の急性期（約1週間以内）には肺塞栓の予防として安静のうえ注射剤での抗凝固療法を早期から開始する．そのうえで経口抗凝固薬（ワルファリン）を投与し PT-INR が 2.0 前後に達する量に調整する．また，ビタミン K-非依存性抗凝固剤（NOAC）の投与も有効である．また早期から弾性ストッキングを着用させて血栓後症候群の予防を行う．原因となる病態が除去された患者では 6 カ月間の抗凝固療法ののち中止することも可能であるが，原因の除去されない患者には出血のないかぎり長期投与が必要となる．急性肺血栓塞栓症では，組織型プラスミノゲンアクチベーターの全身投与やカテーテル治療による肺動脈内血栓溶解療法を施行することがある．またショック状態の患者は救命のために外科的肺血栓除去術を施行する場合もあるが，死亡リスクは高い．抗凝固療法が不可能な患者や周術期発症のリスクの高い患者に対しては下大静脈フィルターの留置を行うこともある．近年，慢性血栓塞栓性肺高血圧症に対して，バルーン・カテーテルによるバルーン肺動脈形成術（balloon pulmonary angioplasty：BPA）も行われるようになった．

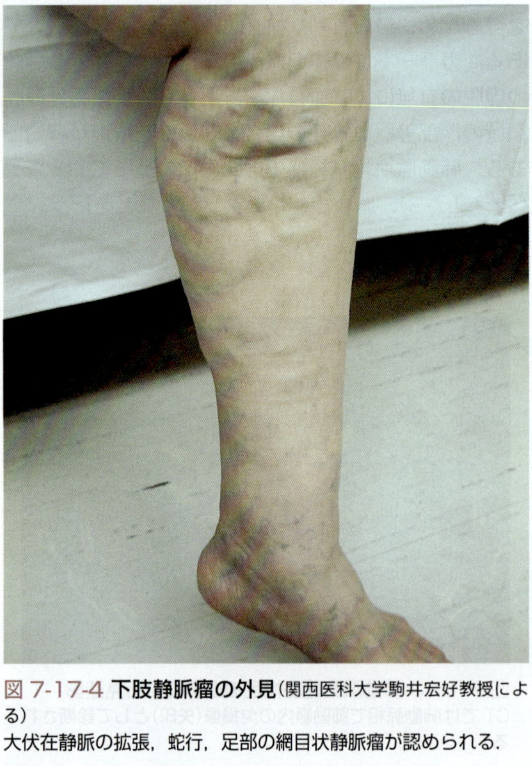

(2) 下肢静脈瘤（varicose vein）

定義・概念

下肢表在静脈に血液がうっ滞し静脈が拡張，蛇行し視認できるようになったものを下肢静脈瘤という（図7-17-4）．

分類

表在静脈自体の機能不全によりうっ滞が生じたものを一次性静脈瘤といい，深部静脈血栓症などで表在静脈の血流が増したため生じたものを二次性静脈瘤という．治療方針が異なるためこの鑑別診断は重要である．

病因

静脈には各所に逆流防止弁が備わっており重力に逆らって血液を心臓まで戻す．しかしこの弁不全から静脈逆流が生じると血液のうっ滞による症状を呈するようになる（一次性静脈瘤）．深部静脈血栓症が起こると下肢の静脈血の多くは伏在静脈により体幹に戻るようになり，その血流量増加により静脈の拡張が生じるのが二次性静脈瘤である．

臨床症状

外観上表在静脈の拡張と蛇行が認められる．皮膚の色素沈着，浮腫，潰瘍なども生じることがある．高度なうっ滞になると色素沈着や浮腫などの皮膚症状が中心となりかえって静脈瘤が目立たなくなることもあ

図 7-17-4 下肢静脈瘤の外見（関西医科大学駒井宏好教授による）
大伏在静脈の拡張，蛇行，足部の網目状静脈瘤が認められる．

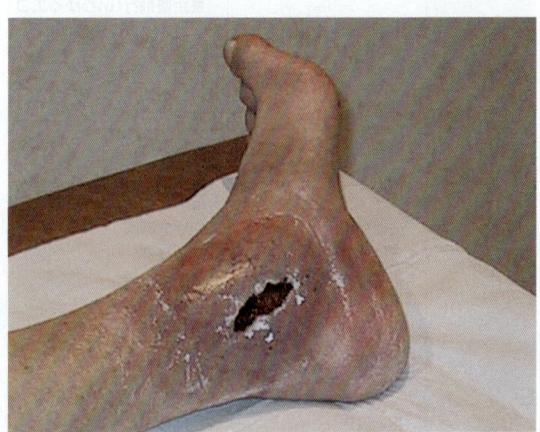

図 7-17-5 うっ帯性皮膚潰瘍
静脈瘤が顕著でないにもかかわらず静脈逆流が高度な例も存在する．潰瘍にまで至る例は多くはないが，長年の静脈うっ滞が原因であることが見逃されてきた症例もある．

り，診断に難渋することもある（図 7-17-5）．自覚症状としては足のだるさ，こむらがえり，かゆみなどが生じる．表在静脈瘤の炎症，血栓形成を伴うと疼痛を生じる．

診断

静脈瘤が視認できれば診断は容易である．ただし，その原因をきちんと知り治療方針を立てるには静脈超音波検査が必要である．表在静脈の逆流の程度，部位を知るとともに深部静脈血栓症の有無も確認しなければならない．

治療

1）保存的治療： 静脈瘤による症状の緩和，進行予防には弾性ストッキングが広く用いられる．足部から膝下，もしくは大腿部までを締め付けて静脈環流をよくする．着用時の症状改善効果はあるが，これだけでは静脈瘤の根治は期待できない．しかし二次性静脈瘤ではこの対症療法が唯一の症状改善策となる．

2）手術療法： 一次性静脈瘤の治療の基本は原因となっている不全静脈の逆流阻止である．古くから根治的で再発率も低いとされてきたのが伏在静脈ストリッピング術（抜去術）である．逆流の高度な伏在静脈を中枢，末梢側で露出させ静脈内にワイヤーを通し，ワイヤーごと抜去する方法である．以前は入院のうえ全身麻酔で行っていたが，最近は局所麻酔の日帰り手術で行われることが多くなった．近年より低侵襲に行うことができるのがレーザー焼灼術である．局所麻酔下に伏在静脈を穿刺しレーザーファイバーカテーテルを挿入して内部よりレーザーで静脈を焼灼して閉塞させてしまう方法で，日帰りで可能な手術として広まりつつある．

〔室原豊明〕

■文献

安藤太三，應儀成二，他：肺血栓塞栓症および深部静脈血栓症の診断・治療・予防に関するガイドライン．Circ J．2004; 68(suppl 4): 1079-134．

星野俊一，平井正文，他編：静脈疾患診療の実際．文光堂，1999．

7-18 肺性心疾患
pulmonary heart disease

定義・概念

肺性心疾患とは，「肺実質，肺血管あるいは肺内ガス交換の障害により生じた肺高血圧により，肥大や拡張などの右室形態異常や機能異常をきたした状態」と定義され，肺性心（cor pulmonale）ともよばれる（Budevら，2003）．原因疾患には，神経筋疾患や胸郭変形などの胸郭外性の換気障害疾患も含むが，左心系の異常や先天性心疾患が原因で生じたものは含めない．

分類

肺性心疾患は，閉塞性あるいは拘束性呼吸器疾患や肺血管疾患などに伴い慢性の経過をたどる慢性肺性心疾患と，急性肺塞栓症に代表される急性肺性心疾患とに分けられるが（Budevら，2003），通常は慢性肺性心疾患を指すことが多く，本項ではおもに慢性肺性心疾患について記載する．

原因・病態生理

原因には肺高血圧症ニース分類の第1群：肺動脈性肺高血圧症（PAH）（ただし先天性心疾患由来のものは除く），第1'群：肺静脈閉塞性疾患および/または肺毛細血管腫症，第3群：肺疾患および/または低酸素血症に伴う肺高血圧症，第4群：慢性血栓塞栓性肺高血圧症（CTEPH），第5群：詳細不明な多因子のメカニズムに伴う肺高血圧症（慢性溶血性貧血由来など）がある（肺高血圧の臨床分類【⇨ 9-10-2-3】）[1]．

慢性呼吸器疾患を基礎疾患とする肺性心疾患の発生機序は図 7-18-1 に示すように，肺胞低酸素による低酸素性肺血管攣縮や二次性多血症による血液粘稠度亢進といった機能的因子の関与と，基礎疾患による肺血管の破壊，肺血管リモデリング（肺小動脈における血管平滑筋の増殖・肥大や内膜肥厚），血栓による閉塞といった構造的因子の関与により肺血管抵抗が増し，右室の構造的変化をきたす（Budevら，2003）．さらに進行すると右心不全症状が出現する．

疫学

欧米の報告によると，肺性心疾患の基礎疾患として慢性閉塞性肺疾患（COPD）が最も多く[2]，入院既往のある COPD 患者の少なくとも 10〜30％に肺性心疾患を有すると推定されている[3]．わが国では，以前は肺結核後遺症によるものが多かったとされるが[4]，現在では，疫学調査は行われておらず正確な割合は不明であるものの，在宅酸素導入療法の原因疾患数から推定すると，肺性心疾患の原因として肺結核後遺症は減少し，慢性閉塞性肺疾患や肺線維症によるものが増加してきていると思われる（中西ら，2012）．

臨床症状

1）自覚症状： 初発症状として，呼吸困難（初期には労作時のみであるが進行すれば安静時にも出現）が多

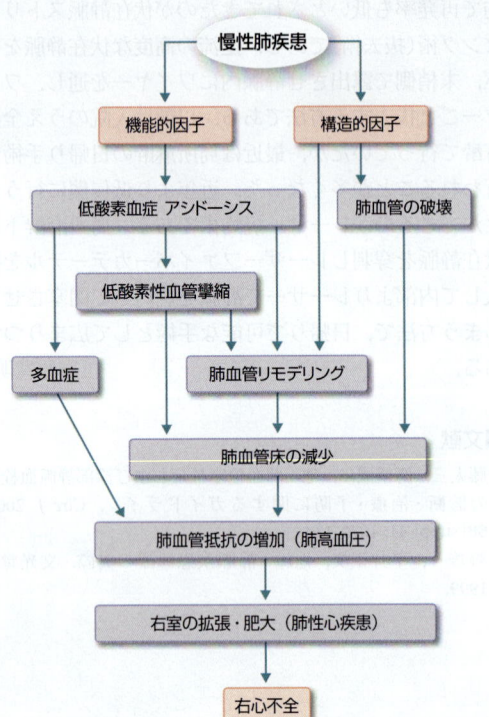

図 7-18-1 慢性肺疾患における肺性心疾患の発生機序
低酸素血症による低酸素性肺血管攣縮や二次性多血症による血液粘稠度亢進といった機能的因子と，肺血管の破壊やリモデリング（血管平滑筋の増殖・肥大，内膜肥厚など）といった構造的因子がともに作用して，肺血管抵抗を上昇させ，右室の構造変化，肺性心疾患をきたす[17]（Budevら，2003）．

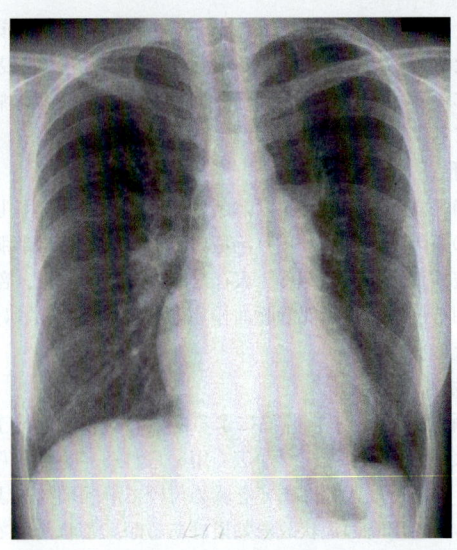

図 7-18-2 特発性肺動脈性肺高血圧症例の胸部X線写真
右第2弓，左第2弓，第4弓の突出と右肺動脈下行枝の拡張が顕著である．本症例では，平均肺動脈圧63 mmHg，肺血管抵抗21 Wood単位であった．

表 7-18-1 右室肥大の心電図基準(文献7より)

1. V_1でのR $\geq$ 0.7 mV
2. V_1でのQRパターン
3. V_1でのR > 0.5 mV かつ R/S > 1
4. V_5またはV_6でのR/S < 1
5. V_5またはV_6でのS > 0.7 mV
6. V_1でのS $\leq$ 0.2 mV かつ V_5またはV_6でのR $\geq$ 0.4 mV
7. QRS電気軸の右軸偏位（> 90°）
8. S_1Q_3パターン（Ⅰ誘導でのS波，Ⅲ誘導での異常Q波）
9. $S_1S_2S_3$パターン（Ⅰ，Ⅱ，Ⅲ誘導でS波）
10. 肺性P波（Ⅱ，Ⅲ，aV_F誘導におけるP波電位の増加）

く，その他に倦怠感，易疲労感，動悸などがみられる．これらは非特異的な症状であり，COPDなど基礎疾患でもみられるため，初期には肺性心疾患と気づきにくい．右心不全が進行し心拍出量が低下すれば，労作時の失神をきたすようになる．また静脈系のうっ滞による下腿浮腫なども認め，重症例では肝うっ血や腸管うっ血をきたし，食欲不振，右上腹部不快感，腹水がみられるようになる．ときに右室心筋の虚血症状として，労作時の胸痛をきたす[5]．

2）他覚症状：低酸素血症に伴うチアノーゼ，右心不全に伴う頸静脈怒張，肝腫大，下腿浮腫，腹水などがあげられる．COPD，間質性肺炎ではばち指がみられることがある．さらに，頸静脈拍動におけるa波（右房収縮亢進を反映），v波（三尖弁閉鎖不全を反映）の増高，頸動脈拍動における小脈，右室肥大に伴う傍胸骨拍動，三尖弁閉鎖不全症に伴う第4肋間胸骨左縁での汎収縮期雑音（吸気時に増強し，Rivero-Carvallo徴候とよばれる），肺動脈弁閉鎖不全症に伴う第Ⅱ肋間胸骨左縁での拡張早期雑音（Graham Steell雑音），Ⅱ音肺動脈成分の亢進，収縮期早期のclick音，右室由来のⅢ音，Ⅳ音を聴取することがある（中西ら，2012）．ただし，重症肺気腫が基礎に存在すれば胸郭の前後径が増加し心音の聴診や心臓の触診が困難になる．

検査所見
1）血液検査：慢性的な低酸素血症に伴い多血症が認められることがある．右室や右房の負荷を反映して，脳性ナトリウム利尿ペプチド（BNP）や心房性ナトリウム利尿ペプチド（ANP）が上昇する．また，右心不全をきたせば，うっ血肝による肝機能異常が認められることがある．

2）胸部X線：基礎疾患による異常所見に加えて，両側主肺動脈，心陰影の右第2弓，左第2弓，第4弓，上大静脈の拡大などがみられる（図7-18-2）．側面像では右室拡大による後胸骨腔の狭小化がみられることがある[6]．しかし，肺気腫では肺の過膨張により心陰影の拡大が目立たないことも多い．

3）心電図：表7-18-1に右室肥大の心電図基準を示す（図7-18-3）[7]．これらの所見には右側前胸部誘導

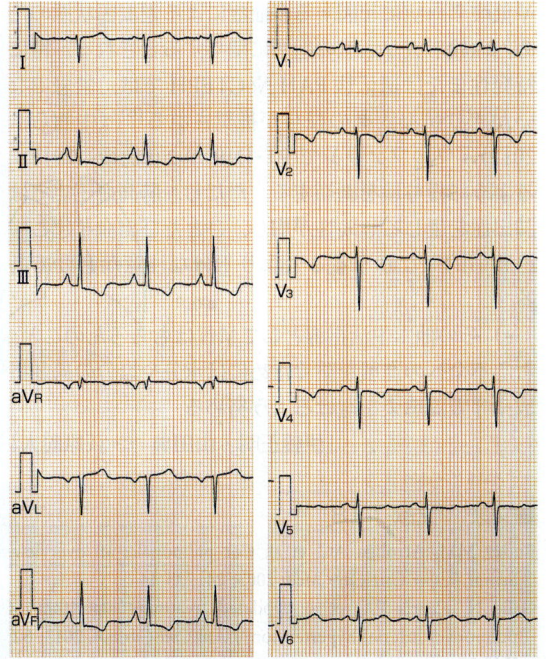

図7-18-3 特発性肺動脈性肺高血圧症例の心電図（図7-18-2の症例）
右軸偏位，肺性P波，V_1のS≦0.2 mV，V_1のR/S＞1，V_5のS＞0.7 mV，V_5，V_6のR/S＜1，移行帯の時計軸回転，II，III，aV_F，V_1〜V_4でのストレインパターンといった右室肥大および右房負荷所見を認める．

でのST低下とT波陰転所見を伴うことが多い．またCOPDが基礎疾患の場合では，肺の過膨張や横隔膜の平坦化などの影響を受け，QRS低電位，高度な右軸偏位（＞110°），電気軸の高度な時計方向回転などがみられる[7]．なお，心電図は簡便かつ非侵襲的ではあるものの，軽症例における感度は低く，肺性心疾患の早期検出には適さない．

4) **心エコー検査**（e表7-18-A，e図7-18-A，e動画7-18-A，7-18-B，e図7-18-B）：肺高血圧症の有無や右室形態・機能異常を非侵襲的に診断する際に有用である．また，左心系異常や心内短絡性疾患の有無も確認できる．Bモード断層法では形態の変化を観察でき，肺高血圧症により右室や右房の拡張と，高度例では収縮期での心室中隔による左室圧排（D-shape）像が認められる．推定肺動脈収縮期圧は，ドプラ法にて三尖弁逆流速度（V）を計測し，簡易Bernoulli式（$\Delta P = 4 \times (V)^2$）から収縮期の右室右房圧較差を求め，さらに推定右房圧を加えることにより求めることができる[8]．肺高血圧症では推定肺動脈収縮期圧が35〜40 mmHg以上に上昇したり，肺動脈収縮期血流速加速時間/右室駆出時間（AcT/ET）＜0.3などの所見がみられる[8,9]．また，右心不全例では，肝静脈，下大静脈の拡張，呼吸性変動の減弱を認める．

5) **胸部CT**：肺実質の変化だけでなく，造影剤を使用することでCTEPHの肺動脈内器質化血栓も観察可能である．

6) **心臓MRI**：右室の肥大や拡張，右房の拡張，肺動脈の拡張といった形態変化だけでなく，右室容積や右室自由壁心筋重量を算出することも可能である．さらに，シネMRI作成により右室壁運動の観察のほか，1回拍出量や駆出率も算出可能で，右室機能評価にも有用である[10]．

7) **右心カテーテル検査**：侵襲的ではあるが，肺性心疾患を診断をするための最も確実な診断方法である．Swan-Ganzカテーテルを用いて肺動脈圧，肺動脈楔入圧，右室圧，右房圧，心拍出量などを測定する．安静仰臥位で平均肺動脈圧が25 mmHg以上の場合を肺高血圧症と定義する[6]．

鑑別診断

僧帽弁狭窄症や拡張型心筋症など，左心系疾患に伴う肺高血圧症や先天性短絡性心疾患に伴う肺高血圧症との鑑別が大切である．左心系疾患による肺高血圧では，心エコー検査で弁膜や左室の形態的あるいは機能的異常の存在とともに，右心カテーテル検査で肺動脈楔入圧の上昇を認める．先天性短絡性心疾患による肺高血圧では，心エコー検査やCTなど画像検査を用いて短絡を確認することで鑑別可能である．

経過・予後

生命予後は基礎疾患により異なるが，いずれも肺高血圧の重症度とある程度相関し，予後を規定する．たとえばCOPDでPHを有した場合，5年生存率はわずか36％であり，その肺血行動態は1秒量などの呼吸機能指標よりも，強力な生存予測因子になると報告されている[11]．

治療

肺性心疾患では基礎疾患に対する治療が優先される．各基礎疾患に対する治療の詳細は関連項に譲り，ここでは肺高血圧や右心不全に対する治療について述べる．治療の目標は右室後負荷の軽減（肺動脈圧の減少），前負荷の軽減，右室収縮力の増強をはかることにある．

1) **酸素療法**：長期酸素療法は，低酸素血症を示すCOPDの肺動脈圧を低下させ予後を改善することが示されており，他疾患においても，低酸素血症をきたしている急性または慢性肺性心疾患には広く使用される[12]．酸素濃度90％以上またはP_aO_2 60 mmHg以上を目標に投与されるが，COPDでは酸素投与によりCO_2ナルコーシスが生じることがあり十分に注意が必要である．また，閉塞型睡眠時無呼吸症候群には持続的気道陽圧法（CPAP）が行われる．

2) **薬物療法**：

　a) 肺血管拡張薬：プロスタサイクリン，エンドセ

リン受容体拮抗薬，ホスホジエステラーゼ（PDE）5阻害薬，可溶性グアニル酸シクラーゼ刺激薬などの薬剤があり，右室後負荷の軽減目的で使用され，肺動脈性肺高血圧症に適応がある（詳細は別項 ⇨ 9-10-3）（Galieら，2013）．それぞれの薬剤で作用機序が異なり，重症例では併用して用いられる．慢性呼吸器疾患に伴う肺高血圧に対しては，その有効性が確立されていない[13]．

　b）利尿薬：前負荷を軽減させ，右心不全の改善をはかる．しかし，利尿薬による右室前負荷の過度の低下は心拍出量を減少させ，低血圧や全身倦怠感の増悪につながることがあり避けなければならない．また，電解質異常や換気抑制をきたす代謝性アルカローシスの出現にも注意が必要である．

　c）強心薬：心原性ショックを呈するような重症の右心不全急性期に，右室心筋収縮力の増強目的で経静脈的強心薬が使用される．ドブタミンやPDEⅢ阻害薬は，心収縮力増強作用のみでなく肺血管拡張作用も有するため，最も使用されている[14]．ジギタリスは右室心筋の収縮力を増強させるが同時に肺血管に対しては収縮作用を有しており，肺性心疾患に対して有効性が示されていない[15]．

　d）抗凝固療法：肺高血圧症では肺動脈血流の停滞や低酸素血症に起因する多血症による過凝固状態のため，血栓形成が病態の増悪に関与するとされる．特に特発性または遺伝性PAHやCTEPHでは，禁忌でないかぎり抗凝固薬の投与が推奨される[16]（中西ら，2012）．ワルファリンでPT-INRが2.0前後に維持するように投与量を調節する．ただし，肺高血圧症では肺出血を生じる危険性が増し，ひとたび出血を起こすと致命的になりうることより十分な注意が必要である．

　e）その他：生活指導として禁煙はもちろんのこと，右心不全への進展を防ぐためには水分や塩分の過剰摂取や呼吸器感染を避けるよう努める．

〔伊藤正明・山田典一・荻原義人〕

■文献（e文献 7-18）

Budev MM, Arroliga AC, et al: Cor pulmonale: an overview. *Semin Respir Crit Care Med*. 2003; 24: 233-44.

Galie N, Corris PA, et al: Updated treatment algorithm of pulmonary arterial hypertension. *J Am Coll Cardiol*. 2013; 62: D60-72.

中西宣文, 他：肺高血圧症治療ガイドライン（2012年改訂版），pp1-69，日本循環器学会，2012．http://www.j-circ.or.jp/guideline/pdf/JCS2012_nakanishi_h.pdf

7-19　心臓・血管外傷

心臓・血管外傷は，重篤で致命的な病態であることが多く，救命のためには迅速で的確な診断と早急な対応が求められる．心臓や血管単独ではなく，胸部外傷や頭部，腹部外傷など，ほかの臓器の損傷による複合的な意識障害や呼吸・循環障害を伴うことも多く，その病態は多彩かつ複雑であることが多い．

心臓・血管外傷はおもに刺創や銃創といった穿通性外傷と，鈍的外力によって生じる鈍的外傷に分けられる（e表7-19-A）．わが国では銃砲刀剣類所持等取締法（銃刀法）により銃剣の所持が厳しく管理されており，穿通性外傷は少ない．一方，心囊穿刺や心臓カテーテル検査，ペースメーカ電極などによる医原性心臓・血管外傷はまれではない．

1) 心外傷
cardial trauma

(1) 穿通性心外傷

穿通性心外傷はナイフや包丁，交通外傷や労働災害においてはガラスや機材などによる刺創や切創，銃創，胸骨や肋骨骨折によって生じる．胸壁そのものよりも，胸腔の心血管損傷による心タンポナーデや大出血が致命的であることが多く，心肺停止や重篤なショックを呈する．胸部の穿通性外傷は，刺入部位と方向によって臓器損傷に特徴がある．鎖骨上窩を上縁，左鎖骨中線を左縁，右鎖骨近位部1/3を右縁，心窩部を下縁とした領域（Sauer's danger zone，e図7-19-A）に囲まれる部位に刺入部があり，ショックを呈している場合は，心外傷を疑うべきである[1]．Wallらは711例の穿通性外傷症例（刺創54％，銃創42％）の報告で右室損傷が40％，左室損傷が40％，右房損傷が24％，左房損傷が3％で，死亡率は48％であったと報告している（Wallら，1997）．心膜内，心内異物により急性化膿性心膜炎を生じたり，慢性収縮性心膜炎，心膜血腫を生じることもある[2]．

(2) 鈍的心外傷

鈍的心外傷は胸部の打撃など直達外力，ハンドル外傷などにより胸骨と脊柱による圧迫，高所からの墜落などによる間接外力によるものがある．鈍的心外傷の

発生頻度は一定ではなく，外傷症例の8～71％と報告されており，心筋挫傷，心破裂（心房・心室・中隔），弁組織・腱索・乳頭筋の損傷や断裂，心膜損傷，不整脈などを生じる．心外傷は受傷直後には異常がみられなくとも，時間経過とともに心外傷が顕性化することがあることを念頭におき，経時的な経過観察を行うことが重要である．

a. 心筋挫傷・心破裂

心筋挫傷は最も頻度が高い鈍的心外傷である[3]．無症状の軽微な挫傷から，心破裂をきたすものまでその重症度はさまざまである．心破裂は右心室に多いとされ，受傷直後に生じるものから，受傷後数日を経過して生じるものがあり，血腫や仮性瘤を形成することもある（e図7-19-B）．心破裂の機序としては，胸腔内圧上昇による心腔への圧力，腹部や末梢静脈への強い圧力による右房への圧力伝播，外力による心筋の挫傷・壊死による破裂，肋骨・胸骨骨折による穿孔などによって生じる．中隔穿孔は無症候性に経過し，経過中に心不全を呈することもある[4]．心破裂は短時間で死亡に至ることが多いが，可能であれば緊急手術を行う．壁運動異常がみられる場合は急性心筋梗塞に準じた治療を行うが，抗凝固療法は禁忌となる．

b. 弁組織損傷

弁損傷は心破裂と同様に弁組織への圧負荷により生じる．拡張期に閉鎖している大動脈弁に急激に圧が加わることで大動脈弁に生じることが多く，ついで僧帽弁に多い[5]．弁組織そのもののみでなく，弁周囲組織である腱索や乳頭筋も心内圧の上昇や心室の圧迫によって断裂をきたし，弁逆流を生じうる（e図7-19-C）．受傷直後にみられなくとも，経過中に顕性化することもあり，経過中に新たに生じた心雑音やスリルが身体所見上重要である．心原性ショックや左室機能不全や肺水腫を呈し，外科的修復が必要となることが多い．

c. 心膜損傷

鈍的心膜損傷はまれであるが，胸部や腹部の圧迫による急激な圧負荷による伸展や圧迫により心膜が損傷する．重篤なものでは心臓が胸腔内や腹腔内に脱出する心臓ヘルニアとよばれる致命的な病態を呈する．大血管の捻転を伴い，心臓への血液の還流障害により心停止から死亡に至るものが多い．体位による血圧変動が心臓ヘルニアを疑う所見であるとされる[6]．また，心膜血腫や心タンポナーデを生じ，心嚢内の血腫は心膜炎や収縮性心膜炎の原因となり，無症候性に経過し，経過中に心膜炎を発症するものもある．

d. 不整脈

鈍的心外傷は心室頻拍や心室細動を生じることがあり，致命的となる．またさまざまな上室性不整脈や伝導障害も生じうる．受傷後24～48時間以内に生じることが多い．また，心室の受攻期とされる心電図上のT波の頂点の前の30 msec前後における強い心臓への衝撃は，心損傷を伴わず心室細動や心室頻拍を生じ，心臓振盪（しんとう）とよばれる．

(3) 診断

まず，受傷機転や外傷の部位や循環動態から心外傷の存在を疑うことが重要である．心タンポナーデの場合のBeckの3徴が重要な所見であるが，外傷の場合は33％程度にしかみられないとされる．心電図，心筋逸脱酵素，FAST（focused assessment with sonography for trauma），心エコー検査が有用である．心筋梗塞では心臓カテーテル検査や抗血栓療法が必要となるため，心外傷と心筋梗塞との鑑別にはCTやMRIの使用が推奨される（Clancyら，2012）．

a. 心電図

鈍的心外傷の場合，洞性頻脈が最もよくみられ，ST-T変化，房室ブロック，右脚ブロック，心房細動，心室頻拍，心室細動などがみられる．12誘導心電図はそのスクリーニングに有用であるとされ，鈍的心外傷が考えられるすべての症例で必須の検査である（Clancyら，2012）．心電図異常がみられた場合には，24～48時間の継続的な心電図モニタリングが推奨される．しかし，心外傷を生じていても心電図変化がみられない場合もあり，注意を要する．

b. 心筋逸脱酵素

CPK，CKMBに関しては心外傷の診断に有用ではないとされている．一方でトロポニンIが心外傷の評価に有用である可能性が報告されている[7]．心電図異常がみられず，トロポニンIの上昇がない場合に心外傷は除外されるとされるが，その測定の適切な時期は明らかではなく，心電図異常がなくともトロポニンIが上昇している場合は入院のうえで経過観察が必要で

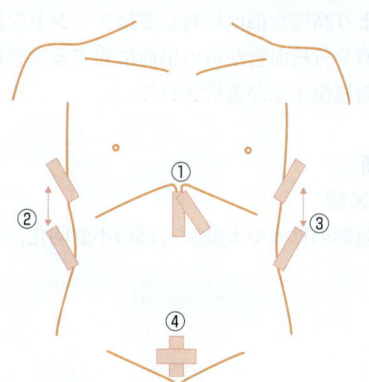

図7-19-1 FASTで調べる部位
①心嚢，②肝腎境界と右胸腔，③脾周囲と左胸腔，④膀胱直腸窩．これらの部位にエコーフリースペースが存在するか否かを検索し，心嚢や胸腔，腹腔内へ液体貯留の有無を確認する．

ある（Clancyら，2012）．

c. FAST
腹腔・胸腔内液体貯留の診断においてFASTは簡便かつ迅速，繰り返し施行可能である有用な検査法で感度も特異度も高く，心膜液の貯留の有無の評価には必須の検査である（図7-19-1・e図7-19-D）．

d. 心エコー検査
心膜液貯留以外の微細な心外傷に関しては心エコー検査が有用である．壁運動異常や弁損傷，中隔穿孔などの評価がその対象となる．また胸壁損傷が強い場合にはその使用は制限され，必要に応じて経食道心エコー検査を検討する．

2）血管外傷
vascular trauma

（1）大血管損傷
鈍的外傷における大血管損傷においては胸部大動脈損傷が多いとされ，鈍的外傷全体としても胸部血管損傷が2番目の死因とされる．約85%は事故現場で死亡し，残る15%の病院へ搬送された症例では6時間以内に30%，24時間以内に40%が死亡するとされており（Parmleyら，1958），その予後は不良であるため，迅速な診断と治療が求められる．受傷機転については交通事故によるものが多く，その他に墜落外傷がそれにつぐ[8]．好発部位は大動脈峡部である鎖骨下動脈分岐部付近に多く，ついで上行大動脈に多い．大動脈はその起始部を心臓で，峡部を動脈管索で固定されており，その固定部位に外力が加わりねじれが生じることによる．その損傷の形態としては破裂・断裂，内膜損傷があり，破裂・断裂の場合は急速に大量の出血から死に至ることも多い．死亡を免れた場合は，血腫による圧迫や解離による血流低下から下肢虚血症状や脊髄や腹部臓器の虚血を生じる．内膜損傷のみである場合には血圧の管理を中心とした保存的加療が選択される．より高度な損傷に対してはステントを用いた血管内治療や分枝血管からの出血に対する塞栓術，外科的な損傷修復手術が選択される．

（2）診断
a. 胸部X線
縦隔陰影の拡大や大動脈弓部の不鮮明化，気管支の偏位などがみられるが，異常を認めないことも多く，疑わしい場合にはCTを検討する．

b. 造影CT
近年のCT検査の精度の向上により，詳細な診断が可能となっており，血管損傷の診断においても最も重要な検査である．造影を行うことで，内膜の剥離や解離（e図7-19-E），仮性動脈瘤・血腫の存在，造影剤の漏出（e図7-19-F）など多くの情報が得られる有用な検査である．

c. 経食道心エコー
ベッドサイドで繰り返し検査が可能である点にすぐれ，縦隔血腫，血管の形態の評価可能であるが，その手技の専門性が高いため，汎用されていない．

3）医原性心臓・血管外傷

近年の医療技術の進歩に伴い，カテーテルなどを用いた血管内治療やCTや超音波を使用した体表面からの穿刺による診断や治療など，より低侵襲な手技が増加している一方，それに伴う心臓・血管外傷が増加している．これは心臓マッサージや中心静脈路確保や心囊穿刺でも生じうる．中心静脈カテーテル留置時の心・血管損傷は左鎖骨下静脈，左内頸静脈からの挿入時に多いとされる[9]．特に上大静脈と心房の接合部と上大静脈-無名静脈接合部がその好発部位とされる．心臓カテーテル検査や冠動脈形成術においては心穿孔や冠動脈穿孔，大動脈解離を生じ，致命的となることがあり，緊急手術を要することもある．その他，胸腔穿刺，心臓近傍の肝腫瘍へのラジオ波焼灼術など心周囲の経皮的な処置，さまざまな血管内治療などでも生じ，それらの危険性を十分に評価・認識し，適切な検査・治療法の選択，心血管損傷を生じた際の素早い診断と対応が求められる． 〔植田晋一郎・福本義弘〕

■文献（e文献7-19）

Clancy K, Velopulos C, et al: Screening for blunt cardiac injury; an Eastern Association for the Surgery of Trauma practice management guideline. J Trauma. 2012; **73**: S301-6.
Parmley LF, Mattingly TW, et al: Nonpenetrating traumatic injury of the aorta. Circulation. 1958; **17**: 1086-101.
Wall MJ Jr, Mattox KL, et al: Acute management of complex cardiac injuries. J Trauma. 1997; **42**: 905.

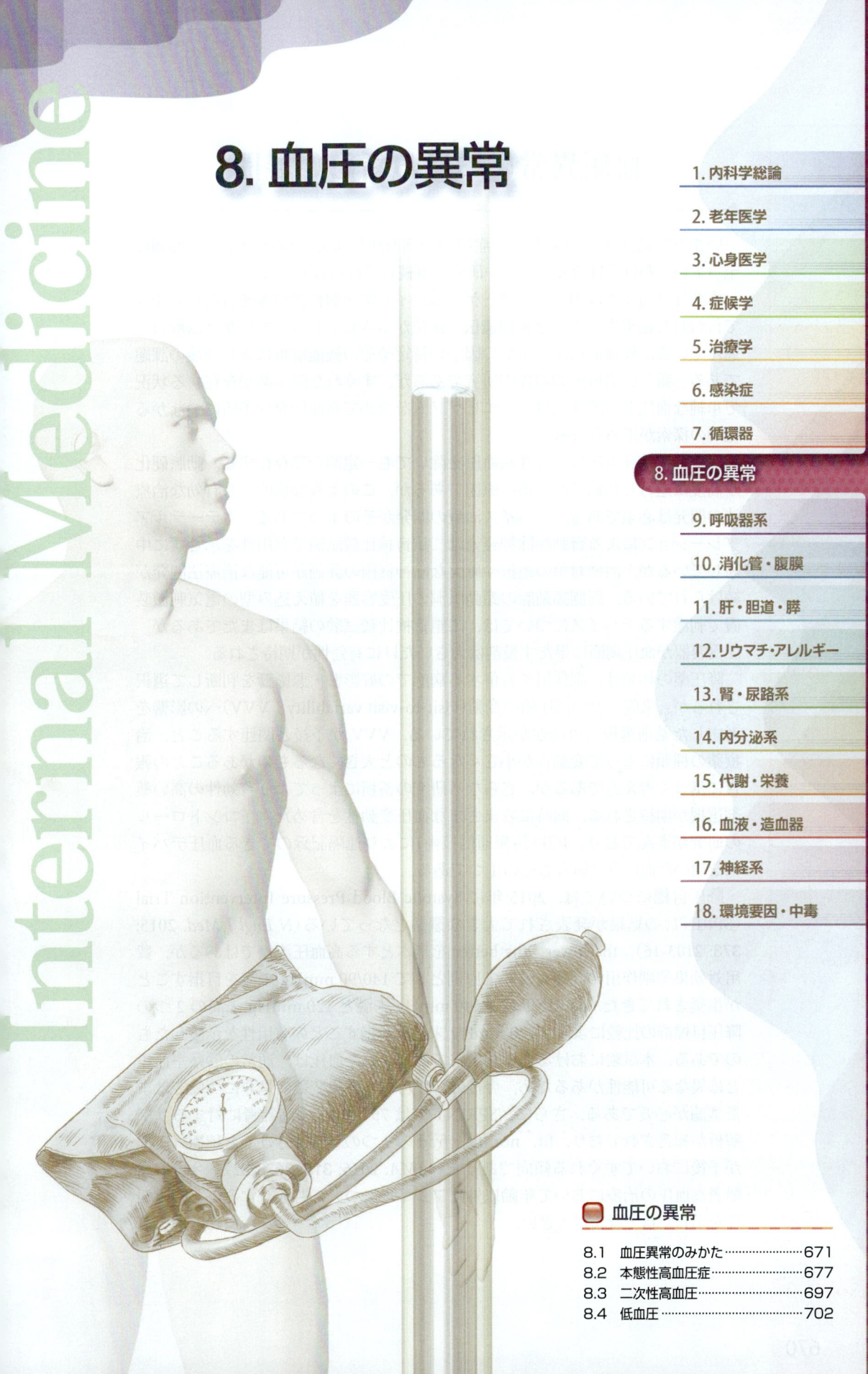

8. 血圧の異常

- 1. 内科学総論
- 2. 老年医学
- 3. 心身医学
- 4. 症候学
- 5. 治療学
- 6. 感染症
- 7. 循環器
- 8. 血圧の異常
- 9. 呼吸器系
- 10. 消化管・腹膜
- 11. 肝・胆道・膵
- 12. リウマチ・アレルギー
- 13. 腎・尿路系
- 14. 内分泌系
- 15. 代謝・栄養
- 16. 血液・造血器
- 17. 神経系
- 18. 環境要因・中毒

血圧の異常

- 8.1 血圧異常のみかた ……………… 671
- 8.2 本態性高血圧症 ………………… 677
- 8.3 二次性高血圧 …………………… 697
- 8.4 低血圧 …………………………… 702

血圧異常における新しい展開

　いまだに高血圧そのものの発症抑制や高血圧による合併症の完全な抑制に至っているわけではなく，新しい研究も継続して行われている．

　本態性高血圧の成因について，ゲノムワイド関連解析が日本を含む世界規模で行われた結果さまざまな候補遺伝子座位が示されており，エピゲノム解析も進んでいる．候補遺伝子座位での因子の特定やその機能解析はまだ今後の課題である．新しい治療標的の探索研究であるが，すぐれた降圧薬が存在する状況で単純な血圧との関連以外に，エピゲノムを含めて高血圧発症予防につながる標的の探索が求められる．

　治療抵抗性高血圧は二次性高血圧を除いても一定割合で存在する．動脈硬化が高度に進行した病態が一番の原因であるが，このような病態でも有効な治療法の開発は必須である．デバイス治療の開発がその1つである．カテーテルアブレーションによる腎動脈除神経術は二重盲検比較試験で有用性を示せずに中断しているが，治療対象の選択や確実な除神経術の評価が可能な治療法開発が続けられている．両側頸動脈の頸動脈洞の圧受容器を植え込み型の電気刺激装置で刺激するデバイスについては，二重盲検比較試験の結果はまだであるが，圧受容器が血圧調節に果たす役割は大きいだけに有効性が期待される．

　降圧薬の種類は，副作用や合併する病態での好影響・悪影響を判断して選択されるが，来院ごとの血圧値の変動(visit-to-visit variability：VVV)への影響を考慮した薬剤選択の可能性が示されている．VVVが予後と関連すること，治療薬の種類によって変動性が小さくなるものと大きくなるものがあることの報告に基づく考え方であるが，さらなる研究の蓄積によってより有効性の高い薬剤選択が期待される．同時にさまざまな血圧変動性を含めた血圧コントロールの研究が進んでおり，ICT(情報通信技術)により遠隔記録のできる血圧デバイスを用いた血圧管理研究もその1つである．

　降圧目標については，2015年にSystolic Blood Pressure Intervention Trial (SPRINT)の結果が発表されて大きな議論となっている(*N Engl J Med*. 2015; **373**: 2103-16)．the lower, the betterを基本とする高血圧治療ではあるが，費用対効果や副作用の問題も含めて原則として140/90 mmHg未満を目指すことが推奨されてきた．SPRINTは，140 mmHg未満と120 mmHg未満の2つの降圧目標群の比較により，120 mmHg未満を目指すことの有用性を示唆したものである．本試験における血圧測定法で測定された血圧は，通常の診察室血圧とは異なる可能性があるため，今後の降圧目標の推奨変更の是非についてはまだ議論が必要である．さらに，SPRINTでは75歳以上の高齢者に対するサブ解析が報告されており，fit, non-fit, frailの3つの状態に分けても積極降圧群が予後においてすぐれる傾向であった(*JAMA*. 2016; **315**: 2673-82)．今後の高齢者高血圧の治療において年齢以外にフレイルについても検討することの重要性を示した点で意義が大きい．

〔楽木宏実〕

8-1 血圧異常のみかた

1）生体の血圧調節と血圧異常

(1) 収縮期および拡張期血圧の成り立ちと加齢による影響

　血圧は心臓が動脈を通して全身に血液を送り出す圧力で，左室が収縮して最も高くなった動脈内圧が収縮期血圧（SBP），逆に心臓が拡張して最も低くなった動脈内圧が拡張期血圧（DBP）である．物理学的には，血圧は，心臓から駆出される血液の量（心拍出量）と全身の血管抵抗により規定され，血圧＝心拍出量×末梢血管抵抗の式で表される．収縮期動脈圧波形の前半部分は左室収縮力と大動脈壁弾性の影響により形成される．加齢により大動脈のコンプライアンス（伸展性）が低下するとSBPが上昇するとともに収縮期血流が増加し，逆に拡張期にはDBPが低下し血流量が減少する．収縮期波形の後半はこれに末梢動脈分岐部から戻る反射波が重なる．動脈壁硬化により脈波伝導速度が速くなると，心臓からの収縮波と末梢からの反射波の重なりが大きくなり，SBPのピークが増大する．したがって，図8-1-1に示すように，加齢に伴いSBPは高齢に至るまで上昇していくが，DBPは50歳代を境に上昇から減少に転じる推移を示し，結果としてSBPとDBPの差である脈圧が増大する．このように血圧は加齢に伴って，特にSBPが上昇し収縮期高血圧の頻度が高くなることから，高血圧の有病率が増加する（e図8-1-A）．若中年時には男性の方が女性よりも血圧値が高く高血圧の頻度も高いが，閉経後は血圧値，高血圧有病率とも男女差が小さくなっていく．

(2) 生体の血圧調節機構

　高血圧の発症・進展にはさまざまな因子が関与すると考えられているが（図8-1-2），それらのなかで血液量の増加と末梢血管抵抗の上昇が主要なものであり，多くの高血圧の成因はこの2大主要要因を介している．主要な降圧薬のなかで，利尿薬はNa排泄を促進し体液量を減じること，Ca拮抗薬は直接的に抵抗血管を拡張することを作用機序とする．また，おもな昇圧系，降圧系の体液性因子を表8-1-1に示すが，血圧調節に与る神経内分泌系因子の中では交感神経系とレニン-アンジオテンシン-アルドステロン（RAA）系が中心的な役割を担う．

　心臓，血管壁そして腎臓には交感神経の終末が多く分布しており，シナプス間隙に放出

されたカテコールアミンに対する受容体は，ノルアドレナリンに強い親和性を示すα受容体とイソプロテレノールに最も高い親和性をもつβ受容体に分けられる．α受容体は，さらにその親和性の違いにより$α_1$および$α_2$受容体，β受容体も$β_1$，$β_2$，$β_3$のサブタイプに分別され，それぞれのカテコールアミン受容体は，身体の各部位に分布し，さまざまな生理活性を媒介する（表8-1-2）．これらのなかで，血圧調節に大きな影響を与えるのは，$α_1$受容体による血管収縮と$β_1$受容体による心筋収縮増強およびレニン分泌促進作用である．そして，α遮断薬は$α_1$受容体，β遮断薬は$β_1$受容体をブロックすることがおもな降圧作用機序である．

　一方，生体内において血圧とともに体液量の調節に

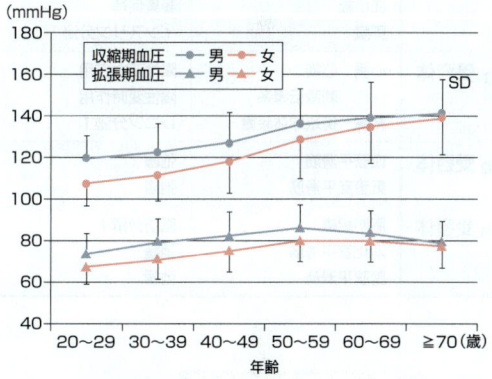

図8-1-1　厚生労働省による2012（平成24）年度の国民健康・栄養調査における性，年齢層別の血圧値
（降圧薬服用者と妊婦は除外）

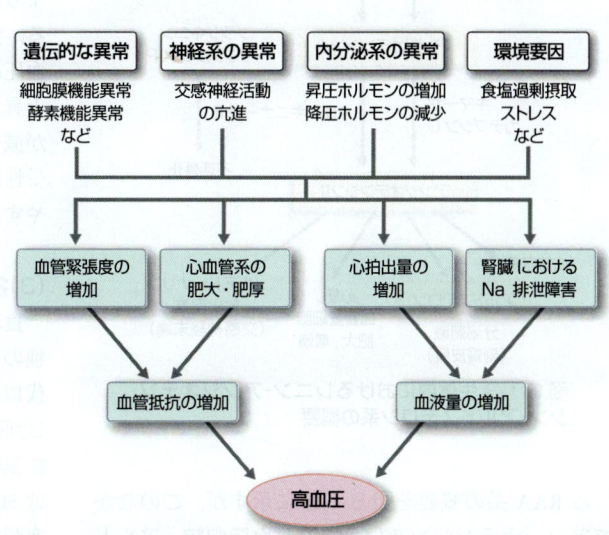

図8-1-2　高血圧の成因に寄与するさまざまな因子の関係

表 8-1-1 血圧調節に関係する主要な内分泌因子

昇圧系ホルモン	降圧系ホルモン
カテコールアミン アンジオテンシンⅡ アルドステロン バソプレシン トロンボキサンA_2 エンドセリン	アドレノメデュリン Na利尿ペプチド ブラジキニン カルシトニン遺伝子関連ペプチド（CGRP） プロスタサイクリン 一酸化窒素（NO）

表 8-1-2 カテコールアミン受容体の局在と機能

	部位	作用
$α_1$ 受容体	心臓 血管平滑筋 腎臓　尿細管 肝臓	陽性変力作用 収縮 Na再吸収↑ 糖新生↑
$α_2$ 受容体	中枢神経（孤束核，青斑核） 交感神経終末 血管平滑筋 腎臓　傍糸球体装置 　　　尿細管 血小板 膵臓	交感神経活性↓ ノルアドレナリン放出↓ 収縮 レニン分泌↓ Na再吸収↑ 凝集促進 インスリン分泌↓
$β_1$ 受容体	心臓　心筋 　　　刺激伝導系 腎臓　傍糸球体装置	陽性変力作用 陽性変時作用 レニン分泌↑
$β_2$ 受容体	血管平滑筋 気管支平滑筋	弛緩 弛緩
$β_3$ 受容体	脂肪組織 消化管平滑筋 膀胱平滑筋	脂肪分解↑ 弛緩 弛緩

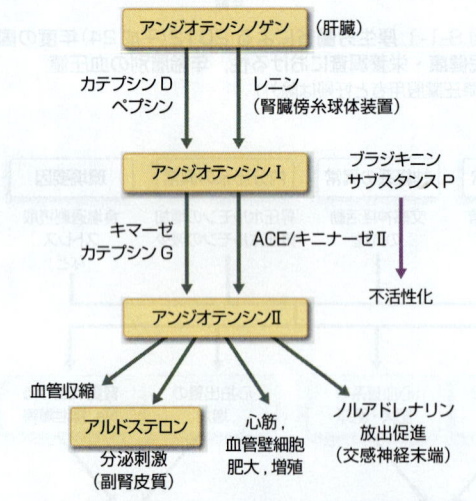

図 8-1-3 生体内におけるレニン-アンジオテンシン-アルドステロン系の概要

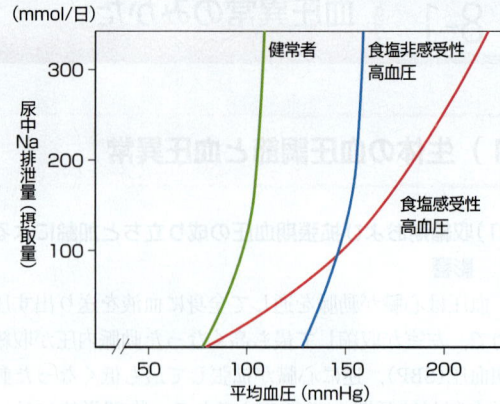

図 8-1-4 食塩（Na）排泄量（摂取量）と血圧の関係を示す圧利尿曲線

ステロンは遠位尿細管～集合管における Na 再吸収により血圧上昇，体液量増加を促進する．Ang Ⅱ受容体は1型および2型のサブタイプがあり，前者を介し血管収縮やアルドステロン分泌が起こる．RAA 系のなかでレニンによるアンジオテンシノゲンからアンジオテンシンⅠ（Ang Ⅰ）の産生が律速段階であり，アンジオテンシン変換酵素（ACE）は最終的に Ang Ⅰを Ang Ⅱに変換する酵素である．RAA 系に作用する降圧薬としては，レニン阻害薬，ACE 阻害薬および Ang Ⅱの1型受容体を遮断する Ang Ⅱ受容体拮抗薬（ARB），そして尿細管のミネラルコルチコイド受容体を遮断して Na 利尿作用を示すアルドステロン拮抗薬などが用いられる．

末梢動脈の収縮やリモデリングによる血管抵抗の増加とともに，腎臓における Na 排泄による体液量の増減は，血圧調節に関係する主要な因子である．血圧が上昇して腎灌流圧が上昇すると RAA 系の抑制などにより尿細管 Na 再吸収が減少し尿 Na 排泄が増加する．食塩感受性高血圧では，健常者や非食塩感受性高血圧に比べ，同じ量の Na 排泄の増加に対する血圧の上昇が大きい（図 8-1-4）．腎機能の低下により GFR が減少したり RAA 系が抑制された状態では，食塩感受性が亢進し，食塩摂取量の増加により血圧が上昇しやすく，圧利尿曲線の傾きが小さくなる．

(3) 疫学的にみた血圧の推移と意義

食塩摂取制限を中心とした生活習慣改善の啓発や各種の有用性の高い降圧薬の導入などにより，1970年代以降，国民の血圧値は各年齢層で低下傾向にある（ⓔ図 8-1-B）[1]．収縮期血圧≧140 mmHg あるいは拡張期血圧≧90 mmHg が高血圧とされるが，男性では50歳代，女性では60歳代になると高血圧の有病率が50%をこえ，わが国では約4000万人が高血圧であると推定される．

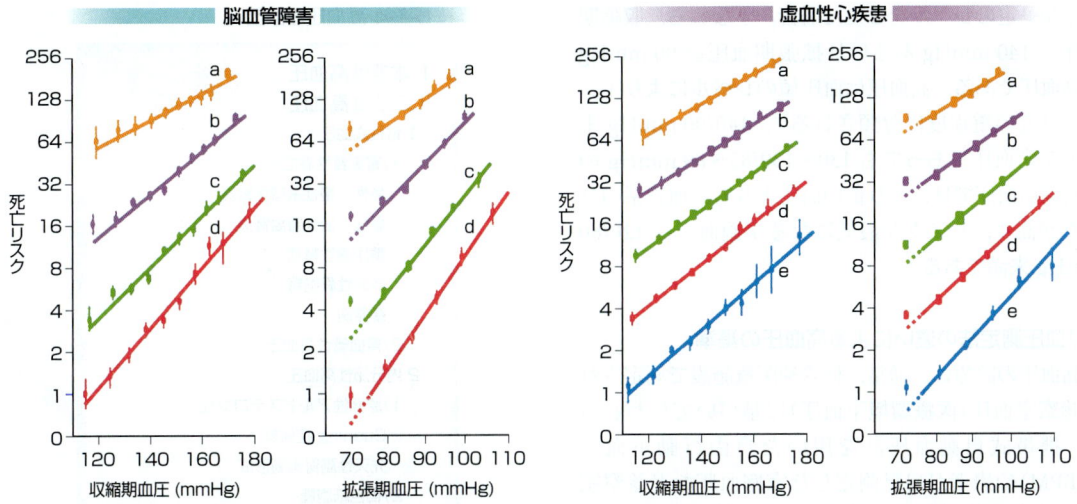

a 80〜89歳, b 70〜79歳, c 60〜69歳, d 50〜59歳, e 40〜49歳

図8-1-5 年齢層別にみた外来診察時血圧と心血管疾患死亡リスクの関係についてのメタ解析（Lewingtonら, 2002）

高血圧は，脳卒中，心筋梗塞などの心血管疾患や心不全，腎不全などの循環器系臓器障害の主要な危険因子であり，高齢化社会が進行するわが国において健康寿命の増進をはかるうえで，血圧の管理は重要な問題である．図8-1-5は，国際的に61の疫学的研究における100万人に及ぶ対象者の追跡調査成績をまとめて解析した結果であるが，いずれの年齢層においても，血圧の上昇とともに心血管疾患（脳血管障害，虚血性心疾患）のリスクが高くなり，この比例的な関係は140/90 mmHg未満の正常値領域においても延長され，疫学的には115/75 mmHgくらいまでは血圧が低値であるほどリスクが小さくなっている[2]．

2）血圧測定法と血圧値の分類

（1）診察室血圧の測定

聴診法では，水銀血圧計，アネロイド血圧計を用い，安静座位にてカフを心臓の高さに保ち，カフ圧を徐々に減じ，コロトコフ音が出現する第1点を収縮期血圧，消失する第5点を拡張期血圧とする．1〜2分の間隔で複数回測定し，安定した2回の測定値の平均を血圧値とする．同様に橈骨動脈の触診による収縮期血圧の測定は，収縮期血圧の目安や動脈壁弾性が低下しコロトコフ音に聴診間隙が生じる高齢者などで用いられる．多くの自動血圧計では，オシロメトリック法により，カフ減圧時にカフ圧の振幅が急激に大きくなる収縮期血圧，最大になる平均血圧，急激に小さくなる拡張期血圧が測定される．なお，2013年に「水銀に関する水俣条約」が採択され2020年以降は水銀血圧計の製造は不可能になる．

（2）診察室外血圧の測定法【⇨8-2-3】

a. 24時間自由行動下血圧の測定

携帯式自動血圧計を用い，15〜30分間隔で測定する．緊張の影響が多い最初の1時間を除き，24時間以上の測定データを用いる．同時に，起床，就寝，食事，排便，服薬などの活動の時間を記録させ影響を評価する．早朝，昼間，夜間の時間帯の診察室外血圧およびその変動が評価される．

b. 家庭血圧の測定

上腕カフとオシロメトリック法による家庭血圧計を用い，朝と晩の1日2機会，1〜2分の安静後に座位にて測定する．週5〜7日の平均値で評価する．

（3）血圧値の分類

表8-1-3に成人における血圧値の分類を示すが，

表8-1-3 成人における血圧値の分類(mmHg)（日本高血圧学会高血圧治療ガイドライン作成委員会, 2014）

		収縮期血圧		拡張期血圧
正常域血圧	至適血圧	<120	かつ	<80
	正常血圧	<130	かつ	<85
	正常高値血圧	130〜139	または	85〜89
高血圧	Ⅰ度高血圧	140〜159	または	90〜99
	Ⅱ度高血圧	160〜179	または	100〜109
	Ⅲ度高血圧	≧180	または	≧110
	（孤立性）収縮期高血圧	≧140	かつ	<90

血圧が一定のレベルをこえた場合，すなわち，収縮期血圧≧ 140 mmHg あるいは拡張期血圧≧ 90 mmHg が高血圧である．高血圧は血圧値のレベルによりⅠ，Ⅱ，Ⅲ度の重症度に分類される[1]．140/90 mmHg 未満の正常血圧であっても 130～139/85～89 mmHg の正常高値血圧では，より低い血圧よりも心血管系のリスクが高く，リスクが最低になる至適血圧は 120/80 mmHg 未満である．

(4) 血圧測定法の違いによる高血圧の基準

高血圧の診療は，通常，検診や医療施設で測定された診察室血圧(医療環境下血圧)に基づいて行われるが，携帯式自動血圧計を用いた自由行動下血圧(ABPM)や患者が自己測定した家庭血圧など診察室外血圧(非医療環境下血圧)は，より密接に臓器障害や心血管疾患のリスクと関連する[3-5]．家庭血圧における高血圧の診断基準値は，診察室血圧よりも低く，135/85 mmHg 以上である．ABPM の 24 時間平均値は 130/80 mmHg，昼間は 135/85 mmHg，夜間は 120/70 mmHg が基準値とされる．

3) 血圧異常の定義・概念と分類

(1) 診察室外血圧による血圧異常の分類

a. 白衣高血圧

診察室で医療スタッフが測定すると高血圧であるが，診察室外血圧は正常である場合で，高血圧患者の 15～30％に相当する．臓器障害や心血管リスクに与える影響は少なく，的確に診断し不必要な降圧薬投与を避けるべきである[6]．長期的には，非医療環境下においても高血圧へ移行が多いことに注意を要する[7]．

b. 仮面高血圧

診察時には正常血圧であるが，非医療環境下において高血圧を呈する状況で逆白衣高血圧ともいわれる．持続性の高血圧と同様に臓器障害や心血管疾患のリスクが増加する[8]．

i) 早朝高血圧

早朝起床時に血圧が上昇し，家庭血圧で 135/85 mmHg 以上となる状態であるが，厳密な定義はなく，覚醒前後における急激な血圧上昇や夜間高血圧からの移行など，病態も単一ではない．臓器障害や心血管疾患のリスクとなる[9,10]．

ii) 夜間高血圧

ABPM において夜間睡眠中の血圧は昼間に比べ 10～20％低下する dipper の日内変動パターンを示すが，この夜間血圧低下が 0～10％である non-dipper および逆に上昇する riser が夜間高血圧であり，臓器障害，心血管疾患のリスクが増加する[11]．

表 8-1-4 高血圧の原因

Ⅰ. 本態性高血圧
Ⅱ. 二次性高血圧
1. 腎性高血圧
1) 腎実質性高血圧
急性・慢性糸球体腎炎
急性・慢性腎盂腎炎
糖尿病性腎症
多発性囊胞腎
膠原病
2) 腎血管性高血圧
2. 内分泌性高血圧
1) 原発性アルドステロン症
Cushing 症候群
先天性副腎過剰形成
2) 褐色細胞腫
3) レニン産生腫瘍
4) 甲状腺機能亢進症・低下症
5) 副甲状腺機能亢進症
6) 先端巨大症
3. 心血管疾患
1) 大動脈弁閉鎖不全
2) 大動脈縮窄
4. 神経性高血圧
1) 脳圧亢進(脳腫瘍, 脳炎)
2) 脳血管障害
3) 睡眠時無呼吸
4) ストレス
5. 妊娠高血圧症候群
6. 外因性高血圧
1) 薬物(ステロイド, 経口避妊薬)
2) 中毒(鉛, タリウム)
7. その他(赤血球増加症, カルチノイド)

iii) 昼間高血圧(ストレス下高血圧)

職場や家庭で精神的・身体的ストレスにさらされることにより，昼間の時間帯の診察室外血圧が再現性よく高血圧を呈する場合である．

(2) 本態性高血圧と二次性高血圧

表 8-1-4 に高血圧の原因となる主要な疾患，病態を示すが，高血圧患者の 90～95％は原因が明らかでない本態性高血圧であり，一部は原因となる基礎疾患や外的要因を有する二次性高血圧である．本態性高血圧症の原因は単一ではなく，血圧の上昇には図 8-1-2 の上段に示すようなさまざまな成因が関与する．これらの成因は遺伝的な素因と環境因子に分けられるが，いずれも，高血圧の 2 大要因である腎臓における Na 排泄障害による体液量の増加，そして血管壁肥厚や血管緊張度の上昇による末梢血管抵抗の増加を介し血圧の上昇に寄与する．本態性高血圧は，通常 30～40 歳代で発症し遺伝的傾向を示すが，その責任遺

伝子は単一ではなく複数の遺伝子座が関与し，酵素・細胞膜機能や神経内分泌系の異常，そして腎臓を含む心血管系臓器・組織の機能・構築の変化をきたすと考えられる．高齢者における孤立性収縮期高血圧は，おもに加齢に伴う動脈壁弾性の低下に基づき，必ずしも遺伝的傾向は認められない．これに対し，食塩過剰摂取，運動不足，肥満，ストレスなどの後天的な環境因子は，糖尿病，脂質異常症そしてメタボリックシンドロームなどほかの生活習慣病と共通するところが多い．

原因が明らかでない本態性高血圧に比べ，原因となる基礎疾患や外的要因を有する二次性高血圧の頻度は低いが，原因に対し外科的，内科的な治療を行うことにより，根治が可能である場合も多い．また，高血圧の原因を明らかにして効果的な降圧治療を行い，臓器障害，心血管疾患の抑制など治療成績を高め予後を向上させるために，二次性高血圧の診断を的確に行うことが重要である．

次のような場合には，何らかの二次性高血圧の可能性を考え，適切な検査を進めるべきである．
①高血圧の家族歴が認められない．
②若年（< 30 歳）あるいは高年齢（> 50 歳）で発症した高血圧．
③高血圧の程度の割には臓器障害（左室肥大，眼底病変，腎障害など）が高度．
④急に血圧コントロールが悪化．
⑤多剤併用にて治療抵抗性を示す重症高血圧．

二次性高血圧のなかで過半数を占めるのが腎実質性高血圧であり，糖尿病性腎症，慢性糸球体腎炎など多くの腎疾患が腎障害をきたすことにより高血圧の原因となる．腎臓における Na 排泄の障害は，末梢血管抵抗の増加とともに，高血圧の主要な成因である．また，腎臓は脳や心臓とともに高血圧の標的臓器の1つでもあり，本態性高血圧においても病期が進み腎機能が障害されると，高血圧の病態に腎実質性高血圧の要素が加味されるようになる．

(3) 低血圧

明確な診断基準は設けられていないが，収縮期血圧が 100 mmHg 未満の場合に低血圧とされるのが一般的である．低血圧に伴い，まったく症状が認められない場合も少なくないが，倦怠感，めまい，悪心など不定愁訴的な症状や立ちくらみ，失神などの症状を呈することがある．

a. 本態性低血圧

特に原因がなく慢性的に低血圧を呈する場合には本態性低血圧とされるが，若い女性に多く，環境因子とともに遺伝的な関係が認められる傾向がある．深刻な症状が認められることは少なく，予後は良好である．

b. 二次性低血圧

何らかの疾患による二次性（症候性）低血圧としては，心機能低下，出血や脱水による循環血液量の減少，下垂体，甲状腺や副腎機能低下などの内分泌疾患，栄養失調，悪性腫瘍や神経性食欲不振症などの代謝異常，降圧薬やモノアミン酸化酵素（MAO）阻害薬などによる薬剤性，血液透析などの原因がある．

c. 一過性低血圧

起立性低血圧は，起立後 1 分と 3 分，あるいは tilting 試験（60°で 10 分間）で収縮期血圧が 20 mmHg 以上低下する場合に診断される．立位における心臓への静脈還流の減少に対しては交感神経系の賦活と副交感神経系の抑制により血圧は維持されるが，高齢者，糖尿病性神経症，Parkinson 病，Shy-Drager 症候群など自律神経系の障害により起立時に低血圧となり立ちくらみや失神が起こる．

食後低血圧には腸管への血流分布増加が関係すると考えられ，やはり高齢者や自律神経障害において起こりやすい．入浴時に体温が上昇し全身的に血管が拡張すると低血圧が起こりやすい．エタノールは血管拡張作用をもつため，飲酒後数時間は血圧が低下するが，翌朝には逆に血圧が上昇する[12]．　　〔石光俊彦〕

■文献（e文献 8-1-1〜3）

Lewington S, Clarke R, et al: Age-specific relevance of usual blood pressure to vascular mortality: a meta-analysis of individual data for one million adults in 61 prospective studies. *Lancet*. 2002; 360: 1903-13.
日本高血圧学会高血圧治療ガイドライン作成委員会：高血圧治療ガイドライン 2014（JSH2014），日本高血圧学会，2014.

4）単一遺伝子異常による血圧異常

頻度は少ないが単一遺伝子変異に起因し，遺伝子解析により診断が可能となる先天性の血圧異常症が複数明らかになってきている．特に尿細管レベルにおける水・電解質の輸送を司るチャネルや共輸送体遺伝子の異常によるものが多く報告されている（表 8-1-5）．最近では Gordon 症候群の原因遺伝子が新たに 2 つ同定されたほか，家族性アルドステロン症 3 型の原因遺伝子も解明された．

(1) 遺伝性高血圧
1) ミネラルコルチコイド過剰症候群：　AME（apparent mineralocorticoid excess）症候群は，2 型 11β-ヒドロキシステロイド脱水素酵素（11β-HSD2）の異常によって発症する遺伝性高血圧症である．本酵素の遺伝子異常によりコルチゾールの代謝が遅延し，アルドス

表8-1-5 遺伝性血圧異常症の原因遺伝子と臨床的特徴(高血圧ガイドライン2014より,一部改変)

遺伝性高血圧	原因遺伝子	臨床的所見
Liddle症候群	上皮型Naチャネルβ,γ-サブユニット(SCNN1B, SCNN1G),常染色体優性遺伝	低PRA,低PAC,代謝性アルカローシス
Gordon症候群(PHA ⅡB,ⅡC,ⅡD,ⅡE)	セリン-スレオニンキナーゼ(ⅡB:WNK4,ⅡC:WNK1),ユビキチン化蛋白(ⅡD:KLHL3,ⅡE:CUL3),常染色体優性遺伝	高K,低PRA,代謝性アシドーシス,PAC正常,サイアザイド反応性
ミネラルコルチコイド過剰症候群(AME)(New症候群)	11β-ヒドロキシステロイド脱水素酵素(HSD11B2),常染色体劣性遺伝	低PRA,低PAC,低K,発育遅延,代謝性アルカローシス,スピロノラクトン反応性
グルココルチコイド奏効性アルドステロン症(GRA)(家族性アルドステロン症1型(FHⅠ)に相当)	11β-ヒドロキシラーゼ(CYP11B1)とアルドステロン合成酵素(CYP11B2)のキメラ,常染色体優性遺伝	低PRA,高PAC,低Kは少ない,グルココルチコイド,スピロノラクトン反応性
家族性アルドステロン症3型(FHⅢ)	G蛋白共役型内向き整流Kチャネル(KCNJ5),常染色体優性遺伝	低PRA,高PAC,高18-オキソコルチゾール,副腎過形成,高18-ヒドロキシコルチゾール
11β-ヒドロキシラーゼ欠乏症(11β-OHD)	11β-ヒドロキシラーゼ(CYP11B1),常染色体劣性遺伝	先天性副腎過形成,低PRA,高DOC,高ACTH,低コルチゾール,男性化
17α-ヒドロキシラーゼ欠乏症(17α-OHD)	17α-ヒドロキシラーゼ(CYP17),常染色体劣性遺伝	先天性副腎過形成,低PRA,高DOC,高ACTH,低コルチゾール,女性化
妊娠時増悪早期発症高血圧	ミネラルコルチコイド受容体(MR)(NR3C2),常染色体優性遺伝	20歳未満発症,子癇発症,プロゲステロンが変異MRに作用し昇圧
代謝異常クラスター(高血圧,高コレステロール血症,低マグネシウム血症)	ミトコンドリアtRNA,イソロイシン(MTTI),母系遺伝	低Mg,低K,浸透率50%,50歳未満発症

テロン標的細胞内で増加したコルチゾールがミネラルコルチコイド受容体(MR)に結合する結果,アルドステロン過剰症と類似の病態を生じる.AME症候群は常染色体劣性の遺伝形式をとる.生下時より異常所見を伴うことが多い.生下時の低体重,重症高血圧,発育障害,多飲多尿などが報告されている.生化学的特徴は小児における高血圧,低カリウム血症,低レニン血症,低アルドステロン血症,代謝性アルカローシスである.重症例は致死的で,生存例でもほかの健常同胞に比べ低体重,発育障害がみられる.

AME症候群の生化学的診断はステロイドの分析による.血中コルチゾール(F)/コルチゾン(E)比または尿中のF/E比を求める.確定診断は11β-HSD2遺伝子を解析する.治療としてはアルドステロン拮抗薬であるスピロノラクトンやエプレレノン,減塩は症状を改善する.その他,アンジオテンシン変換酵素(ACE)阻害薬なども使用されている.

2)グルココルチコイド奏効性アルドステロン症:
11β-ヒドロキシラーゼ(CYP11B1)とアルドステロン合成酵素の遺伝子異常(キメラ遺伝子)によって起こる.本来コルチゾール合成を促進するACTHに反応して副腎束状層においてアルドステロンが異所性に産生される.若年期(小児期)から高血圧を認め,常染色体優性遺伝である.低レニン,高アルドステロンを呈する.治療としてはスピロノラクトンを用いる.

3)17α-ヒドロキシラーゼ欠損症: 17α-ヒドロキシラーゼ欠損症では性ホルモンとコルチゾールの産生が低下する.その結果男性では半陰陽が,女性では無月経,二次性徴の欠如が起こる.コルチゾール産生低下はACTH産生を促し,ほかの副腎でのステロイド産生が刺激される結果高血圧と低カリウム血症が起こる.

4)11β-ヒドロキシラーゼ欠損症: コルチゾールの合成が低下しミネラルコルチコイドの活性を有するデオキシコルチコステロンが増加し高血圧を起こす.またアンドロゲンの産生増加に伴い性徴にさまざまな変化を引き起こす.

5)11β-ヒドロキシステロイド脱水素酵素欠損症:
コルチゾールをコルチゾンに変化する役割を果たすこの酵素が欠損する結果,コルチゾールが増加し,それがアルドステロン受容体に結合し,高血圧と低カリウム血症を起こす.

6)Liddle症候群【⇨13-9-3】: 1963年にLiddleらによってはじめて報告された体液量過剰による高血圧と低カリウム血症および代謝性アルカローシスを主体とするが,レニン-アルドステロン系は抑制されている先天性症候群である.多くは常染色体優性遺伝を呈し,アミロライド感受性の上皮性ナトリウムチャネル(ENaC)遺伝子異常により,発症することが明らかとなった.一般には常染色体優性遺伝形式をとるが,孤発例の報告もある.典型的には,若年(10歳代)で発症の比較的重症の高血圧症患者で,低カリウム血症,

代謝性アルカローシス，低レニン活性などの原発性アルドステロン症に類似した症状を示すが，低アルドステロン症である偽性アルドステロン症患者で本症を疑う．高血圧，低カリウム血症による頭痛，手足のしびれ，筋力低下，多飲，多尿などがみられる．トリアムテレン，アミロライド（日本未発売）で症状は改善する．

7）偽性低アルドステロン症状II型（Gordon症候群）：
常染色体優性遺伝形質をとり，10～20歳代より高カリウム血症，代謝性アシドーシスに加え高血圧を呈する事が特徴である．血漿レニン活性はNaCl貯留傾向を反映して低下していることが多い．この疾患の原因遺伝子としてセリン-スレオニンキナーゼのWNK1，WNK4が同定され，さらに最近WNK4の蛋白の安定性に関与するKLHL3とCUL3も原因遺伝子となることが報告された（Boydenら，2012）

(2) 遺伝性低血圧

Bartter症候群【⇨13-9-3】はHenleの太い上行脚におけるNaCl再吸収が低下しており，過剰のナトリウムイオン，クロルイオンが遠位尿細管に到達する．集合管ではナトリウム再吸収とともにカリウム分泌が促進されて低カリウム血症，代謝性アルカローシスをきたす．一方Gitelman症候群【⇨13-9-3】は，腎接合尿細管におけるナトリウム・カリウム・マグネシウムの再吸収障害により低カリウム血症，低マグネシウム血症，代謝性アルカローシスを呈する先天性尿細管機能異常症である．両者に共通しているのはNaCl喪失傾向（血圧低め），二次性のレニン-アルドステロン亢進症，低カリウム血症性アルカローシスである．

〔寺田典生〕

■文献

Boyden LM, Choi M, et al: Mutations in kelch-like 3 and cullin 3 cause hypertension and electrolyte abnormalities. *Nature*. 2012; **482**: 98-102.

8-2 本態性高血圧症

1）疫学と予後

(1) 集団としての血圧値

人間集団の血圧値はほぼ正規分布を示し，正常血圧者と高血圧者の二峰性の分布を示すわけではない．また，肥満度や血清脂質などと同様，集団における血圧の分布は地域や時代によって大きく異なり，広い意味で集団の栄養状態の1つを示す生体指標といえる（図8-2-1）[1]．地域や時代による血圧分布の違いは，集団全体における食生活，身体活動量などの生活習慣とこれに伴う体格・肥満度の違い，その他の環境要因を大きく反映したものと考えることができる．

また，集団あるいは個人の血圧値は一般に加齢とともに上昇する．しかし，INTERSALT研究において，食塩摂取量がきわめて少ないなどの原始的な生活を送る集団では，加齢に伴う血圧上昇をほとんど認めないことが示されている（e図8-2-A）[2]．加齢による血圧上昇は，高食塩摂取，低身体活動量などの文明化，および，血圧上昇に伴う動脈硬化進展がさらに血圧を上昇させるという悪循環によるものである可能性がある．INTERSALT研究における原始的集団の収縮期血圧平均値は90～100 mmHg程度，チンパンジーなど霊長類の血圧もほぼ同程度であり，人類の本来の収縮期血圧は70～100 mmHgであったと考えられている．

(2) 国民の血圧の推移

2012年国民健康・栄養調査によると，20歳以上の日本人男性の56％，女性の40％が高血圧有病者（収縮期血圧140 mmHg以上または拡張期血圧90 mmHg以上，または降圧薬服用中）とされた[3]．高血圧有病率は年齢が高いほど高く，50歳代以上の男性と60歳代以上の女性では50％をこえる．わが国の

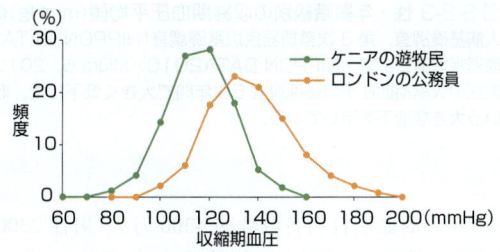

図 8-2-1 ケニアの遊牧民集団とロンドンの公務員集団の収縮期血圧の分布（文献1より引用）
どちらの集団の収縮期血圧もほぼ正規分布を示すが，分布する範囲が大きく異なっている．平均値は10 mmHg以上の差があり，140 mmHg以上の高血圧割合にも大きな差があることが読み取れる．

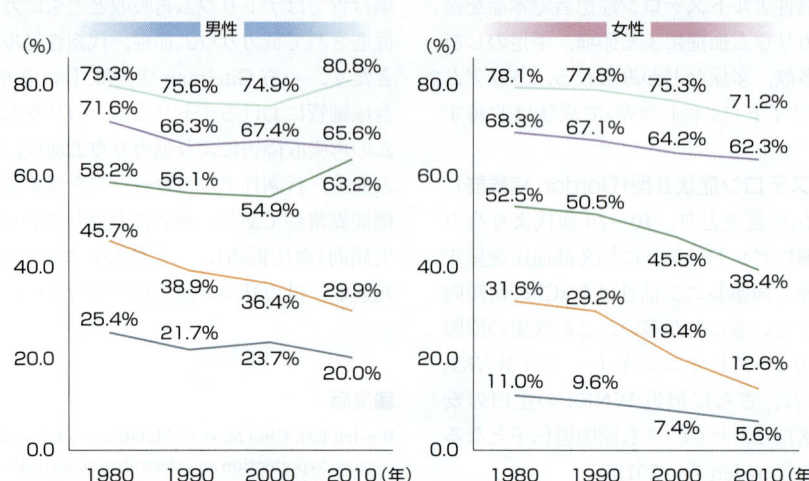

図 8-2-2 性・年齢階級別の高血圧有病率*の年次推移（1980〜2010 年）（第 3 次循環器疾患基礎調査（NIPPON DATA80），第 4 次循環器疾患基礎調査（NIPPON DATA90），第 5 次循環器疾患基礎調査，NIPPON DATA2010）（Miura ら，2013）

過去 30 年間の高血圧有病率は，女性では各年齢階級で低下傾向がみられるものの，50 歳代以上の男性では低下傾向は明らかではない．国民全体での高血圧発症予防対策が重要である．

*：収縮期 140 mmHg または拡張期 90 mmHg 以上または降圧薬の服用（2000 年・2010 年は 2 回測定の 1 回目）．

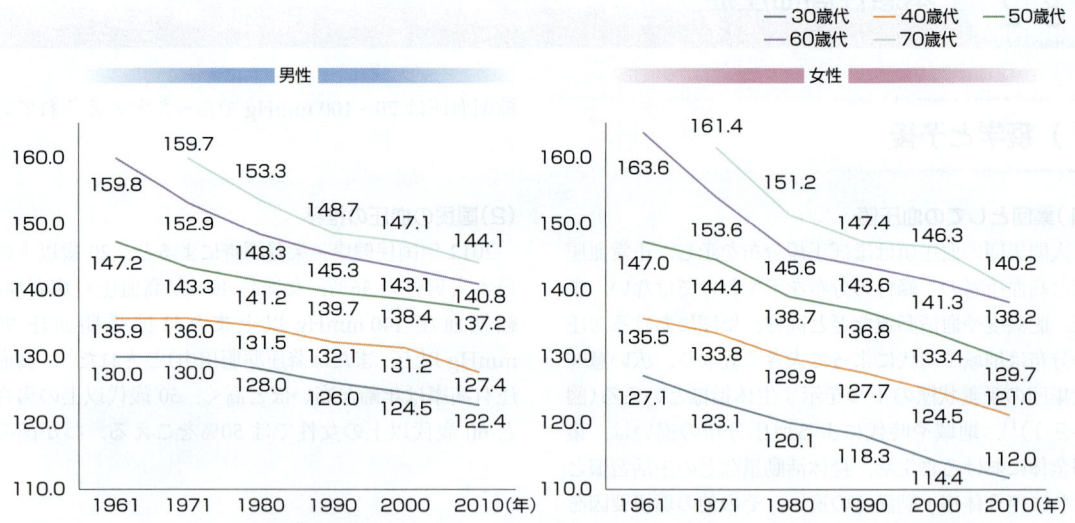

図 8-2-3 性・年齢階級別の収縮期血圧平均値（mmHg）の年次推移（1961〜2010 年）（第 1 次成人病基礎調査，第 2 次成人病基礎調査，第 3 次循環器疾患基礎調査（NIPPON DATA80），第 4 次循環器疾患基礎調査（NIPPON DATA90），第 5 次循環器疾患基礎調査，NIPPON DATA2010）（Miura ら，2013）

国民の収縮期血圧平均値は過去 50 年間で大きく低下した．収縮期血圧平均値は男女とも各年齢階級において 10〜20 mmHg という大きな低下を示している．

2010 年の高血圧有病者数は約 4300 万人（男性 2300 万人，女性 2000 万人）と試算された（Miura ら，2013）．過去 30 年間の高血圧有病率の推移をみると，女性では各年齢階級で低下傾向がみられるものの，50 歳代以上の男性では低下傾向は明らかではない（図 8-2-2）．

一方，国民の収縮期血圧平均値はいずれの年齢階級においても過去 50 年間で大きく低下した（図 8-2-3）．収縮期血圧平均値は男女とも各年齢階級において 10〜20 mmHg という大きな低下を示している．1960 年代以降のわが国の脳卒中死亡率の著しい低下には血圧水準の低下が大きく寄与したと考えられる．

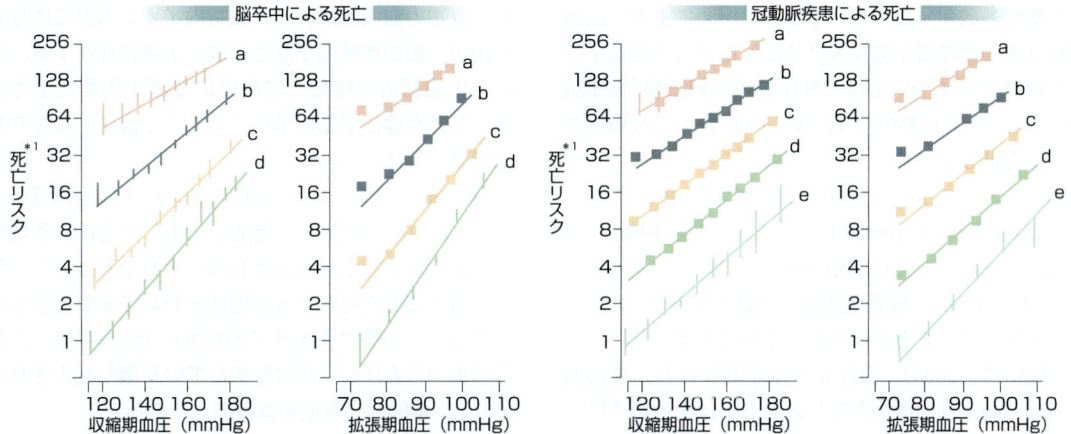

図 8-2-4 脳心血管疾患の既往を有さない 100 万人における年齢別にみた血圧と脳卒中・冠動脈疾患死亡リスクの関係（Lewington ら，2002）
a：80〜89 歳，b：70〜79 歳，c：60〜69 歳，d：50〜59 歳，e：40〜49 歳．
＊1：縦軸は脳卒中 50〜59 歳，冠動脈疾患 40〜49 歳の血圧レベル最小群を1としたときの相対リスクを示す．各年齢群において血圧と死亡率との間に直線的関係を認める．

国民全体における血圧水準の低下には，健診などによる高血圧スクリーニングの普及，降圧薬による高血圧治療の進歩と普及，食塩摂取量低下などが寄与していると考えられる．

高血圧有病者のうちの降圧薬内服者の割合（治療率）は，年齢が高いほど高く，過去 30 年間で上昇傾向である（e図 8-2-B）．高血圧治療率は，2010 年には 60 歳代男女で 50％以上，70 歳代男女で 60％以上に達した．

2012 年に政府が発表した健康日本 21（第二次）では，10 年後までに国民の収縮期血圧平均値を 4 mmHg 低下させることを目標とした．

(3) 高血圧の長期予後

成人の血圧値は将来の循環器疾患リスク（脳血管疾患と心疾患の発症や死亡）と強い関連があり，循環器疾患の最大の危険因子の1つとして確立している．図 8-2-4 に世界的なメタ解析における収縮期血圧と冠動脈疾患・脳卒中死亡リスク（相対危険度）との関連を示す（Lewington ら，2002）．収縮期血圧と将来の循環器疾患死亡リスクとの関連は，血圧の低い方（収縮期血圧 115 mmHg 程度）から高い方に向けて連続的・対数直線的な量・反応関係を示し，閾値は認められない．高血圧と定義される 140 mmHg よりも低い範囲であっても，血圧が高いほどリスクが高い傾向がみられ，140 mmHg をこえると急にリスクが上昇するのではない．わが国の 10 コホートを統合したメタアナリシスにおいても同様であり，40〜89 歳男女において，至適血圧レベルに比べた全循環器疾患死亡リスクは，正常高値で 1.6 倍，I 度高血圧で 2.2 倍，II 度高血圧で 2.8 倍，III 度高血圧で 4.0 倍であった[4]（血圧値の分類は【⇒表 8-1-3】）．傾きは年齢が若いほど強い（e図 8-2-C）[4]．

この関連は全脳卒中死亡，脳梗塞死亡，脳出血死亡，冠動脈疾患死亡を個別にみても同様に認められる[4,5]．関連は特に脳出血死亡で強い傾向にある．各種の循環器疾患の罹患リスクに関しても同様の関連が認められる[6-8]．

全循環器疾患死亡の 50％，脳卒中死亡の 52％，冠動脈疾患死亡の 59％が至適血圧をこえる血圧高値に起因する死亡と評価され，I 度高血圧からの過剰死亡数が最も多い（e図 8-2-C）[4]．循環器疾患罹患についてもほぼ同様である[6]．また，重症高血圧者の減少により，脳卒中の過剰罹患数の中心は重症高血圧者から軽症高血圧者に移りつつあり[8]，正常高値や I 度高血圧における生活習慣修正や高血圧発症予防対策がさらに重要になってきている．

高血圧により総死亡リスクも上昇する[9]．また，全死亡者のうちの約 20％が至適血圧をこえる血圧によって発生するものと推定された．わが国では，高血圧は喫煙についで重要な死亡原因であり，年間約 10 万人が高血圧により死亡しているとされている[10]．また，高血圧による平均余命短縮は男性で 2.2 年，女性で 2.9 年と試算された[11]．

高血圧は，また，末期腎障害発症リスクや高齢期の血管性認知症発症リスクも上昇させる[12,13]．

(4) 降圧治療と予後

高血圧者の血圧を低下させるには，生活習慣の修正と薬物治療の2つの方法がある．血圧を低下させ

降圧薬が多数開発されているが，降圧薬による降圧治療が将来の循環器疾患リスクや総死亡リスクを低下させるかどうかについては，無作為化比較試験（臨床試験）で確認する必要があり，多くの試験からの知見がすでに集積している．

過去の147の無作為化比較試験のメタ解析によると，収縮期血圧10 mmHgまたは拡張期血圧5 mmHgの低下により循環器疾患リスクは脳卒中で41％（33〜48％），冠動脈疾患で22％（17〜27％），それぞれ低下することが明らかにされている（e図8-2-D）（Lawら，2009）．血圧レベルが高いほど，また高齢者ほど降圧薬治療によるリスク低下は大きい[14,15]．わが国では脳卒中罹患率が心筋梗塞罹患率よりも約4倍高いことから，降圧治療の循環器疾患イベント抑制効果は欧米の報告よりも高いと考えられる．

〔三浦克之〕

■文献（e文献8-2-1）

Law MR, Morris JK, et al: Use of blood pressure lowering drugs in the prevention of cardiovascular disease: meta-analysis of 147 randomised trials in the context of expectations from prospective epidemiological studies. *BMJ*. 2009; 338: b1665.

Miura K, Nagai M, et al: Epidemiology of hypertension in Japan: where are we now? *Circ J*. 2013; 77: 2226-31.

Lewington S, Clarke R, et al: Age-specific relevance of usual blood pressure to vascular mortality: a meta-analysis of individual data for one million adults in 61 prospective studies. *Lancet*. 2002; 360: 1903-13.

2）本態性高血圧の成因

血圧調節因子の異常が持続することが高血圧である．単純化すれば電圧が電流と抵抗の積で表されるように血圧も測定する部位における血流量と末梢の血管抵抗で規定される．血流量は循環血液量，収縮期の心拍出量，拡張期の大血管収縮がおもな因子である．血管抵抗は細動脈の形態と血管の緊張がおもな因子である．これらの調節には神経性因子，内分泌因子をはじめとする多因子が相互作用をもって関与しており，それぞれが遺伝的な影響も受けている．高血圧はこれらの形態や機能変化を含む調節異常である．

(1) 遺伝因子

遺伝的な関与は30〜50％程度とされる．ゲノムワイド関連遺伝子解析（genome wide association study：GWAS）によって30近くの血圧調節候補遺伝子座位が明らかになっている（Ehretら，2011）（e表8-2-A）．遺伝子の機能解析までは十分に進んでいないため，血圧調節異常との真の関連は今後の課題であるが，既知の血圧調節因子，細胞内イオン調節に関与する因子，細胞増殖因子などが遺伝子座に存在する．これらの遺伝因子は個々に血圧に及ぼす影響は小さいが，リスク遺伝子型が重積することで臨床的にも有意な影響を及ぼす．

単一遺伝子異常による高血圧や低血圧の原因遺伝子も，1つの原因遺伝子に機能と関連した遺伝子多型が多数あるため疾患自体はきわめてまれであってもヘテロ接合体で変異を有する頻度はきわめてまれとまではいえない．実際にキャリアの頻度が1％程度で，これらの集団の血圧レベルに影響している例が報告されており[1]，本態性高血圧の修飾因子である．

(2) 環境因子

疫学研究に基づく高血圧発症と関連する環境因子は，食塩過剰摂取，内臓肥満，過度の飲酒などで，生活習慣と関連している．地域における高血圧の頻度や血圧値と1日あたりの食塩摂取量の関係はきわめてよい正の相関を示す．一方，地域の人種や個人によって同じ生活習慣でも血圧上昇に違いがあり，環境因子に対する反応性自体が遺伝的に修飾されているといえる．

(3) 神経性因子

脳内の血圧調節領域における酸化ストレス亢進やレニン-アンジオテンシン系（RA系）亢進を介して交感神経活性系が相対的に亢進して血圧上昇に働くとされる．難治性高血圧患者を対象に中枢性の神経性因子に作用して降圧できるとする報告が3つある．

①延髄腹外側野領域の椎骨脳底動脈による拍動性圧迫解除の手術[2]：高血圧持続の機序，手術の有効性に関するエビデンスはまだ不十分である．

②カテーテルによる両側の腎神経焼灼術[3,4]：臨床的有用性は未確定であるが，有効な症例の存在と求心性線維の焼灼が降圧持続に関与していると推定されることから腎神経・中枢神経系が本態性高血圧の発症機序に一部関与していることを支持する．

③両側頸動脈洞の圧受容器を長期に電気刺激する植え込み型装置による降圧治療[5]（日本未承認）：起立時の生理的反応として，大動脈弓や頸動脈洞に存在する圧受容器での圧低下は交感神経系の活性化と副交感神経の抑制によって血圧を上昇させる．本態性高血圧では，この圧受容器や中枢レベルでの反応の閾値が変化しているという仮説を支持する．

(4) 内分泌性因子

血圧調節にかかわる内分泌性因子（ホルモン）は，昇圧系（血管収縮，水・Na貯留）としてアンジオテンシンⅡ，アルドステロン，エンドセリン，アドレナリ

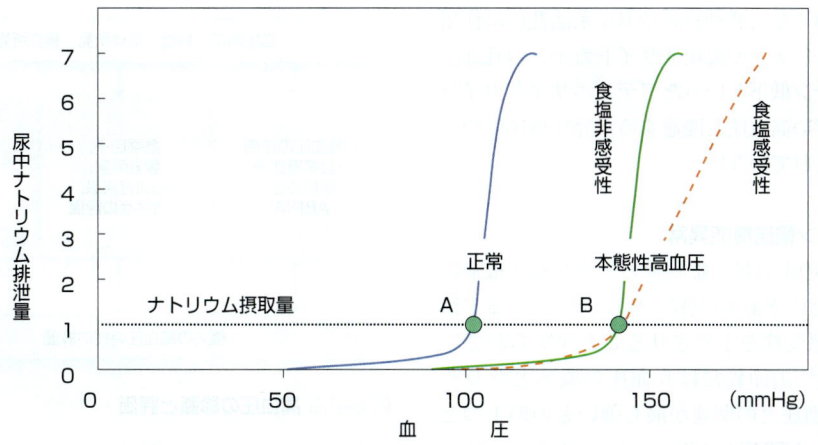

図 8-2-5　腎臓の圧-ナトリウム利尿曲線と高血圧
同等のナトリウム利尿を得るのに高血圧患者ではより高い血圧（A → B）が必要とされる．高血圧患者のなかでも食塩感受性型は，食塩負荷量が多いとその食塩を尿中に排泄するのに，食塩非感受性型と比べてさらに高い血圧が必要となる．食塩感受性型では食塩摂取が増えると体液貯留につながりやすく血圧も上昇することを意味する．

ン，ノルアドレナリンなどが，降圧系として一酸化窒素，ブラジキニン，プロスタサイクリン，ナトリウム利尿ペプチド，アドレノメデュリンなどがある．本態性高血圧の成因である根拠について，GWASによって同定された高血圧関連遺伝子座位にいくつかのホルモンあるいはその受容体の遺伝子座位が存在していること（Ehret ら，2011）（e表 8-2-A），いくつかの因子については阻害薬や刺激薬が本態性高血圧において長期に降圧作用をもたらすことがあげられる．機序については，ある昇圧因子の系の持続的な活性化による水・Na貯留傾向や血管緊張の持続的亢進さらには血管平滑筋細胞増殖や線維化などを介した細動脈レベルでの組織再構築（リモデリング）などが推定される．

(5) 腎性因子

腎臓における水・Na排泄のバランスが体内貯留に傾くと循環血液量の増加を介して高血圧発症に傾くという考え方である．食塩感受性に関係するものでネフロンの数と機能の両方が成因に関与する．Guyton説と食塩感受性の分子機序についての最新の知見を示す．

① Guyton説：平均血圧と腎Na排泄の関係である圧-利尿曲線（図 8-2-5）は輸入細動脈抵抗と関連しネフロン数によって規定される．胎内環境や新生児期環境はエピジェネティクスを介してネフロン数を規定し，出生時低体重でネフロン数が少ないと成人の高血圧発症につながる．黒人，高齢者や糖尿病患者での食塩感受性も対照となる集団よりもネフロン数が少ないことで一定の説明ができる．

② 食塩感受性高血圧の分子機序：食塩過剰に伴う腎臓β-アドレナリン-グルココルチコイド活性化がエピジェネティックにWNK4転写を抑制してサイアザイド感受性Na^+-Cl^-共輸送体活性化を介して食塩貯留に働くこと（Mu, 2011），食塩感受性型でミネラルコルチコイド受容体の活性化に伴うRac1（細胞内 small GTPase）活性化が異常亢進していること[6]，腎性因子とは異なるが，皮下のリンパ管機能調節を介して間質の電解質クリアランスが調整され血圧に影響している可能性があること[7]などが報告されている．

(6) 血管性因子

末梢血管抵抗を規定する血管性因子は，総末梢血管床と細動脈の内径およびその弾性である．細動脈は長期の圧負荷に対して末梢の組織への圧負荷が過剰にならないように，みずからの形態を変化させる（血管リモデリング）．細胞数増加や細胞肥大を伴わずに細胞配列の変化による血管壁肥厚と内腔狭小化で，毛細血管にかかる圧負荷は軽減するが中枢側への血管抵抗は上昇し高血圧増悪に働く．圧負荷が長期化すると，細胞増殖や肥大，血管構成細胞の間質の線維化が進み，高血圧増悪の悪循環を形成する．

(7) 代謝性因子（インスリン抵抗性・内臓肥満）

メタボリックシンドロームにおける高血圧発症機序である．内臓肥満に伴いインスリン抵抗性と脂肪細胞の増殖・肥大が生じる．前者は高インスリン血症を引き起こしインスリン抵抗性が存在しない腎臓での水・Na再吸収亢進を生じる．組織によるインスリン抵抗性の違いはインスリン受容体基質の違いなどによると

される．その他にも交感神経系やRA系活性化に作用する．後者はレプチンや炎症性サイトカインの亢進，アディポネクチン低下といったアディポサイトカインの調節異常を伴い高血圧と関連するが発症機序については十分解明されていない．

(8) 細胞膜イオン輸送機能異常

細胞内 Ca^{2+} の上昇は，細胞膜のイオン輸送機構に影響を与え細胞内 Na^+ の上昇，昇圧因子による平滑筋細胞収縮の感受性を上昇させることが知られている．細胞内 Ca^{2+} 調節異常は高血圧の成因となりうる．GWASで血圧との関連が最も強いものの1つとして発見されたATP2B1 (ATPase, Ca^{2+} transporting, plasma membrane 1) は，細胞膜で Ca^{2+} の汲み出しに関与している．ヘテロ遺伝子欠損で高血圧が生じることも示されている[10]．

〔楽木宏実〕

■文献（e文献 8-2-2）

Ehret GB, Munroe PB, et al: Genetic variants in novel pathways influence blood pressure and cardiovascular disease risk. *Nature.* 2011; 478: 103-9.

Fujiwara A, Hirawa N, et al: Impaired nitric oxide production and increased blood pressure in systemic heterozygous ATP2B1 null mice. *J Hypertens.* 2014; 32: 1415-23; discussion 1423.

Mu S, Shimosawa T, et al: Epigenetic modulation of the renal beta-adrenergic-WNK4 pathway in salt-sensitive hypertension. *Nat Med.* 2011; 17: 573-80.

3）診断・鑑別診断

(1) 問診

高血圧患者は通常，無症状である．しかし，その背景とリスクは千差万別である．したがって，高血圧患者の診療では，①正確な血圧評価に基づく高血圧の診断，②生活習慣の把握，③ほかのリスク（心血管危険因子，臓器障害，心血管疾患，合併症）の評価，さらに④二次性高血圧の除外を行い，徹底した個別診療を行う（図 8-2-6）．

その第一歩となる問診では，高血圧の経過と治療歴，素因と生活習慣，合併症の既往歴，臓器障害や二次性高血圧の存在を疑わせる特異的症状の有無を詳細に確認する（表 8-2-1）．

1) 高血圧歴と治療歴： 高血圧が疑われた時期とその状況（健診，診察時，自己測定など），持続期間，血圧レベルを聴取する．治療歴のある場合は，降圧薬の種類と有効性・副作用歴を確認する．また，低血圧の症状の有無と出現する時間帯と状況を聴く．

2) 素因： 家族歴として，両親（父母別々）と兄弟姉妹

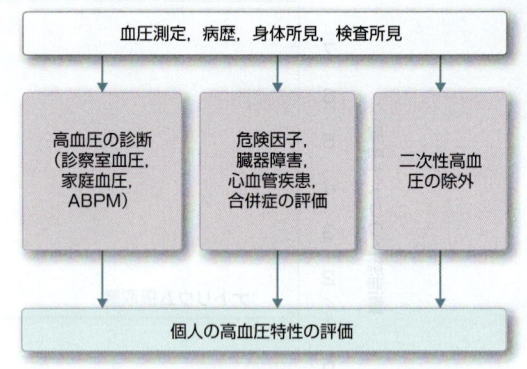

図 8-2-6 高血圧の診断と評価

の高血圧，糖尿病，腎臓病，心血管疾患の有無と発症年齢を聴く．また，高血圧リスクにつながる生下時低体重や幼少時期からの体重増加，体重増加の経過，妊娠歴がある女性では妊娠時の病歴（高血圧，高血糖，蛋白尿を指摘されたかなど）も聴取する．

3) 生活習慣： 運動習慣（強度と頻度），睡眠習慣（睡眠時間と睡眠の質），飲食習慣（食事内容や塩分や甘いものなどの嗜好），飲酒・清涼飲料水ならびに喫煙（量と期間），性格と精神心理状態（不安感や抑うつ傾向），ストレス度（職場，家庭）を聴取し，生活習慣の全体像を把握する．

4) 合併症の既往歴： 心血管リスク因子として，糖尿病，脂質代謝異常，心房細動，慢性閉塞性肺疾患，メタボリックシンドローム，甲状腺機能異常を，脳・心・腎・血管疾患として脳卒中（脳梗塞，脳塞栓，脳出血，くも膜下出血），心臓病（心筋梗塞，狭心症，心不全），腎臓病，末梢動脈疾患，胸腹部大動脈などの既往歴と治療状況を聴く．

5) 臓器障害： 臓器障害や心血管疾患を示唆する症状を聴取する．脳血管障害に関しては一過性脳虚血発作，筋力低下，めまい，頭痛，視力障害，心臓疾患に関しては呼吸困難（労作性・夜間発作），体重増加，下肢浮腫，動悸，胸痛，腎臓病に関しては多尿，夜間頻尿，血尿，蛋白尿，末梢動脈疾患に関しては間欠性跛行や下肢冷感などの症状の有無を確認する．

6) 二次性高血圧を示唆する情報： 体重増加の経過やメタボリックシンドロームの合併に加えて，夜間頻尿や夜間呼吸困難，早朝の頭痛，昼間の眠気，抑うつ状態，集中力の低下などの自覚症状，さらにいびきや無呼吸を家族から指摘されたことがないかなどの睡眠時無呼吸症候群を疑う徴候を確認する．また，これまでの血尿，蛋白尿，夜間頻尿など腎臓病や，非ステロイド系抗炎症薬，漢方薬，経口避妊薬などの使用状況などを確認する．

表 8-2-1 **病歴の要点**

1. 高血圧歴と治療歴	過去の血圧レベル，高血圧の罹病期間
	薬剤治療歴（降圧薬の有効性と副作用）
	起立性低血圧症状
2. 高血圧素因と妊娠歴	
家族歴	両親（父母別々）の高血圧，糖尿病，腎臓病，心血管疾患（発症と発症年齢）
体重	生下時体重，幼少時期の体重増加，最大体重とその時期
妊娠歴	妊娠高血圧，糖尿病，蛋白尿の指摘
3. 生活習慣	
運動習慣	頻度と強度
睡眠習慣	睡眠時間，睡眠の質（入眠障害，熟眠障害，頻回覚醒，早朝覚醒）
飲食習慣	食事内容・嗜好，飲酒，清涼飲料水
喫煙	何本を何年間
性格・精神心理状態	抑うつ傾向，ストレス度（職場・家庭）
4. 合併症の既往歴	
危険因子	糖尿病，脂質代謝異常，心房細動，慢性閉塞性肺疾患，メタボリックシンドローム，甲状腺機能異常
脳心腎血管疾患	脳卒中（脳梗塞，脳塞栓，脳出血，くも膜下出血），心臓病（心筋梗塞，狭心症，心不全），腎臓病，末梢動脈疾患，胸腹部大動脈瘤
5. 臓器障害	
脳血管障害	一過性脳虚血発作，筋力低下，めまい，頭痛，視力障害
心臓疾患	呼吸困難（労作性・夜間発作性），体重増加，下肢浮腫，動悸，胸痛
腎臓	多尿，夜間頻尿，血尿，蛋白尿
末梢動脈疾患	間欠性跛行，下肢冷感
6. 二次性高血圧を示唆する情報	
睡眠時無呼吸症候群	夜間頻尿，夜間頻回覚醒（3回以上），夜間呼吸困難，頭痛，昼間の眠気，抑うつ状態，集中力の低下，いびきと無呼吸（家族からの情報），肥満
腎臓病	夜間頻尿，血尿の指摘，家族歴（多発性囊胞腎）
薬剤	非ステロイド系抗炎症薬，漢方薬，経口避妊薬など
褐色細胞腫	発作性の血圧上昇，動悸，発汗，頭痛，起立性低血圧
低カリウム	脱力，周期性脱力発作，夜間頻尿

(2) 診察（身体所見）（表 8-2-2）

身体所見では，おもに血圧と血圧変動性，血管狭窄の評価，心不全徴候，さらに二次性高血圧となる基礎疾患の有無を診察する．

まず，安静・座位の血圧，脈拍のほか，初診時には血圧左右差や，血圧と脈拍の起立性変動を確認する．

さらに，身長，体重を測定し，BMI（body mass index：体重（kg）/身長（m）^{2}）（kg/m^2）を算出して，全身肥満を評価する．また，腹囲（臍周囲，立位測定）を測定し，腹部肥満を評価する．

局所所見として，皮膚所見では腹壁皮膚線条や多毛（Cushing 症候群），顔面・頸部所見として，貧血・黄疸，甲状腺腫，頸動脈血管雑音，頸静脈怒張の有無や眼底所見を，胸部所見では心尖拍動とスリルの触知（最強点と触知範囲），心雑音，Ⅲ音，Ⅳ音，不整脈，および肺野のラ音の聴診を行う．腹部診察として，血管雑音とその放散方向，肝腫大と叩打痛，腎臓腫大（多発性囊胞腎），四肢は末梢動脈拍動（橈骨動脈，足背動脈，後脛骨動脈，大腿動脈）の触知（消失，減弱，左右差），冷感，虚血性潰瘍，浮腫，四肢の運動障害，感覚障害，腱反射亢進などを診察する．

血管狭窄は，血管雑音の聴取と動脈拍動の触知により評価する．上腕血圧の左右差（再現性のある 10 mmHg 以上の差を有意と考える）に加え，下肢末梢動脈の触知，頸動脈や腹部などの血管雑音より，全身動脈硬化の程度を総括評価する．

(3) 血圧測定と高血圧診断

血圧はたえず変動していることから，高血圧の診断には正しい血圧測定が必要である．診察室血圧測定は安静座位で，心臓の高さにカフを保ち，複数回測定し，安定した 2 回の平均を血圧値とする．

高血圧診断，正常高値血圧，収縮期高血圧，拡張期高血圧，起立性低血圧・起立性高血圧については【⇨ 8-1-3】．

表 8-2-2 身体所見の要点

1. 血圧・脈拍
   安静座位血圧・脈拍
   （初診時は血圧左右差と、起立性血圧・脈拍変動）
2. 全身と肥満度
   身長・体重
   BMI[body mass index：体重(kg)/身長(m)²]：肥満 BMI ≥ 25 kg/m²
   腹囲（臍周囲，立位測定）：腹部肥満 男性＞85 cm 女性＞90 cm
   皮膚所見：腹壁皮膚線条、多毛（Cushing 症候群）
3. 顔面・頸部
   貧血，黄疸
   眼底所見
   甲状腺腫
   頸動脈血管雑音
   頸静脈怒張
4. 胸部
   心臓：心尖拍動とスリルの触知（最強点と触知範囲），
   心雑音，Ⅲ音，Ⅳ音，不整脈の聴診
   肺野：ラ音
5. 腹部
   血管雑音とその放散方向，肝腫大と叩打痛，
   腎臓腫大（多発性嚢胞腎）
6. 四肢
   動脈拍動（橈骨動脈，足背動脈，後脛骨動脈，大腿動脈）の触知（消失，減弱，左右差），冷感，虚血性潰瘍，浮腫，四肢の運動障害，感覚障害，腱反射亢進

表 8-2-4 高血圧定義の血圧閾値

		収縮期血圧（mmHg）	拡張期血圧（mmHg）
診察室血圧		140	90
家庭血圧		135	85
24時間自由行動下血圧	24時間	130	80
	昼間（覚醒時）	135	85
	夜間（睡眠時）	120	70

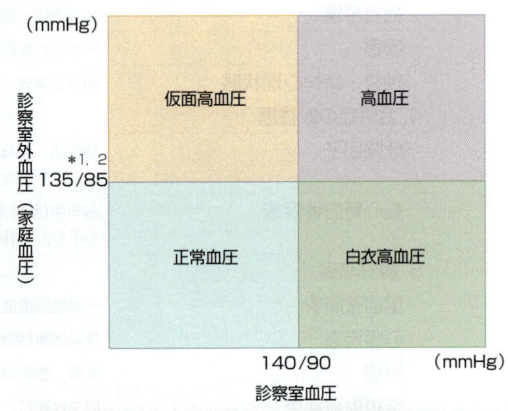

*1：ABPMの高血圧閾値
・24時間血圧 130/80 mmHg
・覚醒時血圧 135/85 mmHg
・夜間時血圧 120/70 mmHg

*2：早朝高血圧
　早朝血圧　135/85 mmHg

図 8-2-7 診察室外血圧と診察室血圧から得られる血圧分類

表 8-2-3 家庭血圧測定の留意点

- 上腕用の血圧計を用いる．
- 推奨される測定方法
  ・座位 1～2 分後
  ・1日2機会（①起床後1時間以内・朝食前，②就寝前）
  ・各2回
  ・3日以上
  測定し、平均値を算出し、記録する．

(4) 診察室外の血圧測定と高血圧診断

　診察室血圧は医療環境下という特殊条件下で測定した血圧である．高血圧の診断と治療指針には，家庭血圧や 24 時間自由行動下血圧（ambulatory blood pressure monitoring：ABPM）など，診察室以外で測定した血圧を活用する．家庭血圧や 24 時間血圧は，診察室血圧よりも心血管危険因子としての価値が高く，左室肥大，アルブミン尿，動脈硬化などの臓器障害や心血管疾患の発症や死亡リスクとより密接に相関する．

1) 家庭血圧測定：　家庭血圧測定は，一定条件下で測定することから再現性はよく，継続により降圧薬の薬効や季節変動などが評価できる．また，自分自身で血圧を測定することから，降圧療法へのアドヒアランスも向上する．

　家庭血圧の測定条件は，上腕カフ・オシロメトリック法に基づく装置を用いて，朝と晩の 1 日 2 機会，安静座位 1～2 分後の血圧を測定する．朝の測定は，起床後 1 時間以内，排尿後，朝食・服薬前に行い，晩の測定は就寝前に行う（表 8-2-3）．降圧療法中の患者では，診察室血圧や晩の家庭血圧が正常でも，翌朝には降圧薬の効果が減弱していることが多く，特に服薬前の早朝血圧の評価が重要である．

2) 24 時間自由行動下血圧測定（ABPM）：　ABPM は，間欠的に一定間隔（通常 30 分間隔）で 24 時間にわたり自由行動下の血圧を自動測定する．ABPM から得られる血圧指標のなかで，臨床的に重要な指標は 24 時間血圧，血圧日内変動，さらに血圧モーニングサージである（e図 8-2-E）．

3) 診察室外血圧による高血圧診断：　家庭血圧による高血圧診断の閾値は，朝・晩の血圧の平均で 135/85

mmHg で，この閾値をこえた場合に，高血圧と診断する（表 8-2-4）．また，降圧療法は，135/85 mmHg 未満を目標にする．

ABPM による高血圧診断の閾値は 24 時間血圧で 130/80 mmHg，昼間血圧（昼間覚醒時の平均）で 135/85 mmHg，夜間血圧（夜間睡眠中の平均）で 120/70 mmHg である．ABPM でこの閾値をこえた場合，高血圧と診断する．家庭血圧または ABPM（起床後 2 時間平均）で測定した早朝血圧が 135/85 mmHg 以上の場合には早朝高血圧と，夜間血圧が 120/70 mmHg 以上の場合には夜間高血圧と診断する．

診察室血圧と，家庭血圧や 24 時間血圧は必ずしも一致せず，診察室血圧と診察室外血圧により，正常血圧，白衣高血圧，仮面高血圧（e図 8-2-F），持続性高血圧の 4 つの分類がなされる（図 8-2-7）【⇒ 8-1-3】．

(5) 血圧変動性の評価

1) 血圧日内変動： ABPM では血圧変動性を評価できる．その内，臨床的意義が最も明確なものが，サーカディアンリズム（日内変動）の異常である（図 8-2-8）．通常の血圧サーカディアンリズムは，就寝後，睡眠時午前 3〜4 時頃に最低となった後，徐々に上昇し，覚醒とともに急峻に増加する日内変動を示す．昼間の血圧に比較して，夜間血圧が 10〜20％ 下降する

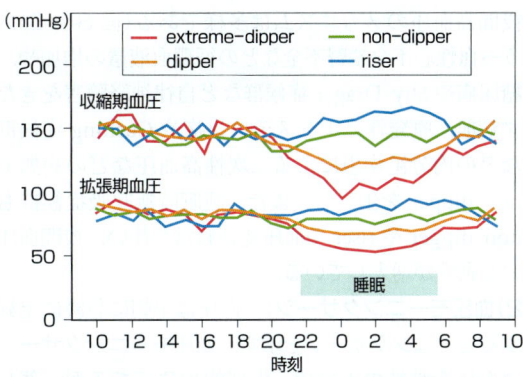

図 8-2-8 **血圧サーカディアンリズムの異常**（Kario K, Pickering TG, et al: Stroke prognosis and abnormal nocturnal blood pressure falls in older hypertensives. *Hypertension*. 2001; **38**: 852-7）

正常サーカディアンリズム型を"dipper"とよぶ．

夜間血圧下降の少ない（10％ 未満）non-dipper や，逆に夜間血圧が上昇を示す riser では，dipper と比較して，脳，心臓，腎臓の全標的臓器障害が進行しており，心血管イベントならびに心血管死亡のリスクが高い．また，夜間 20％ 以上の過度の夜間血圧下降を示す extreme-dipper も無症候性脳梗塞が進行しており，脳卒中発症のリスクも高い．

夜間血圧が下降しない non-dipper や riser を示す

表 8-2-5 おもな二次性高血圧を示唆する所見と鑑別に必要な検査（JSH2014 より）

原因疾患	示唆する所見	鑑別に必要な検査
二次性高血圧一般	重症高血圧，治療抵抗性高血圧，急激な高血圧発症，若年発症の高血圧	
腎血管性高血圧	RA 系阻害薬投与後の急激な腎機能悪化，腎サイズの左右差，低カリウム血症，腹部血管雑音	腎動脈超音波，腹部 CTA，腹部 MRA，レノグラム，PRA，PAC
腎実質性高血圧	血清 Cr 上昇，蛋白尿，血尿，腎疾患の既往	血清免疫学的検査，腹部 CT，超音波，腎生検
原発性アルドステロン症	低カリウム血症，副腎偶発腫瘍	PRA，PAC，負荷試験，副腎 CT，副腎静脈採血
睡眠時無呼吸症候群	いびき，肥満，昼間の眠気，早朝・夜間高血圧	睡眠ポリグラフィ
褐色細胞腫	発作性・動揺性高血圧，動悸，頭痛，発汗	血液・尿カテコールアミンおよびカテコールアミン代謝産物，腹部超音波・CT，MIBG シンチグラフィ
Cushing 症候群	中心性肥満，満月様顔貌，皮膚線条，高血糖	コルチゾール，ACTH，腹部 CT，頭部 MRI，デキサメタゾン抑制試験
サブクリニカル Cushing 症候群	副腎偶発腫瘍	コルチゾール，ACTH，腹部 CT，デキサメタゾン抑制試験
薬物誘発性高血圧	薬物使用歴，低カリウム血症	薬物使用歴の確認
大動脈縮窄症	血圧上下肢差，血管雑音	胸腹部 CT，MRI・MRA，血管造影
甲状腺機能低下症	徐脈，浮腫，活動性減少，脂質，CPK，LDH 高値	甲状腺ホルモン，TSH，自己抗体，甲状腺超音波
甲状腺機能亢進症	頻脈，発汗，体重減少，コレステロール低値	甲状腺ホルモン，TSH，自己抗体，甲状腺超音波
副甲状腺機能亢進症	高カルシウム血症	副甲状腺ホルモン
脳幹部血管圧迫	顔面痙攣，三叉神経痛	頭部 MRI・MRA

PRA：レニン活性，PAC：アルドステロン濃度．

夜間高血圧のメカニズムは多様である（図 8-2-8）．うっ血性心不全や腎不全などの循環血液量の増加や，糖尿病や Shy-Drager 症候群など自律神経障害をきたす病態，原発性アルドステロン症や Cushing 症候群などの内分泌疾患による二次性高血圧などの病態で non-dipper を生じる．また，睡眠時無呼吸症候群も non-dipper や riser 型血圧変動異常を伴い，夜間血圧の変動性が増大している．

2）**血圧モーニングサージ**：血圧は早朝に急峻に上昇するモーニングサージを示す．血圧モーニングサージは血圧変動性の 1 つで，生理的現象であるが，著しいサージは，24 時間血圧とは独立して脳卒中のリスクになる（e図 8-2-G）．血圧モーニングサージは高齢者高血圧患者で増強しており，大血管・小血管血管障害とも関連しており，脳梗塞や脳出血に加えて，心血管死亡や総死亡のリスクとなる．また，血圧モーニングサージには季節変動がみられ，冬季に増強する．

3）**家庭血圧変動性**：家庭血圧の変動性として，早朝と就寝時の差（ME 差），日間変動や季節変動（冬季の上昇と夏季の過降圧）などがあるが，いずれの変動性の増大も臓器障害や心血管イベントのリスク増大に関連していることが知られている．

(6) 鑑別診断

問診，身体所見，一般臨床検査より二次性高血圧が疑われる場合，もしくは，利尿薬を含む降圧薬 3 剤以上を服用中にもかかわらず血圧コントロールが不良の治療抵抗性高血圧においては，積極的に表 8-2-5 にあげる二次性高血圧を除外する．

二次性高血圧について推奨されるスクリーニング検査として，血中レニン-アルドステロン，コルチゾール，ACTH，カテコールアミン 3 分画などのホルモン検査，24 時間蓄尿中のメタネフリン 3 分画，またはカテコールアミン 3 分画などがある【⇨8-3】．血中レニン活性やアルドステロンの評価には，影響を与える ACE 阻害薬やアンジオテンシン受容体拮抗薬，β 遮断薬，利尿薬などは，すべて Ca 拮抗薬に変更してから行うのが望ましい．ただし，内服継続状況での採血結果についても診断に有用な場合もある．

睡眠時無呼吸症候群のスクリーニングとしては，簡易的に夜間の低酸素発作を評価する夜間経皮酸素分圧測定などがある．

二次性高血圧の確定診断に専門医が行う特殊検査として，副腎超音波・CT（造影を含む），腎血流超音波，腎血流シンチグラフィ，副腎シンチグラフィ，副腎静脈サンプリング，睡眠ポリグラフィなどがある．

〔苅尾七臣〕

■ 文献

Kario K: Essential Manual of 24-hour Blood Pressure Management from Morning to Nocturnal Hypertension, pp1-136, Wiley-Blackwell, 2015.

Kario K, Pickering TG, et al: Morning surge in blood pressure as a predictor of silent and clinical cerebrovascular disease in elderly hypertensives: a prospective study. *Circulation*. 2003; **107**: 1401-6.

日本高血圧学会治療ガイドライン作成委員会：高血圧治療ガイドライン 2014（JSH2014），日本高血圧学会，ライフサイエンス出版，2014．

4）高血圧性臓器障害と検査

高血圧は将来の心血管病の発症や死亡の重要な危険因子の 1 つであるため，無症候の場合でも早期に高血圧性臓器障害を発見することが大切である．高血圧性臓器障害には，脳梗塞，脳出血，眼底動脈硬化・狭窄，左室肥大，左室拡張能低下，蛋白尿，腎機能障害，動脈硬化に伴う動脈狭窄，動脈瘤などがある．これらの臓器障害は心血管病および心血管死の予後規定因子である．高血圧診療においては，血圧値のみでなく，ほかの心血管病リスクの有無，高血圧性臓器障害および合併症の有無によって，リスクの層別化を行い，治療方針を決定することが重要である．表 8-2-6 に高血圧性臓器障害の検査指標を示した．

(1) 脳

高血圧の合併症として，無症候性脳血管障害（無症候性脳梗塞，深部皮質下白質病変，微小出血病変）や微小血管障害が生じる．無症候性脳血管障害は，脳卒中発症や認知症の強い危険因子であり，高血圧未治療患者では，血圧が高いほど脳卒中罹患率・死亡率は高くなる（図 8-2-9）．高血圧患者における降圧治療の普及に伴い，脳卒中，特に脳出血は著明に減少した．脳梗塞は，脳内小動脈病変が原因のラクナ梗塞，頸部～頭蓋内の比較的大きな動脈の粥状硬化が原因のアテローム性脳梗塞，心房細動や左心室瘤の患者にみられる心原性脳塞栓に大別される．このなかでも高血圧と強く関連するのはラクナ梗塞であり，穿通枝領域に生じることが多いため穿通枝梗塞ともよばれる．CT や MRI を用いた脳卒中画像診断は重要な役割を果たしており，診断技術の質も向上している．脳卒中の危険因子でもある無症候性脳血管障害の評価には CT より MRI の方が有用である．無症候性脳血管病変は，T1 強調画像で低信号，T2 強調画像で淡い高信号，FLAIR 像で高信号を呈する病変である（図 8-2-10A，e図 8-2-H）．慢性虚血性病変として，T2 強調画像もしくは FLAIR 強調画像で高信号を呈する側

表 8-2-6 臓器障害の検査指標

1. 脳・眼底	頭部 MRI (T1, T2, T2*, FLAIR)	無症候性脳梗塞，深部白質病変，微小脳出血
	MR アンギオグラフィ	主幹脳動脈・頸動脈の狭窄，脳動脈瘤
	認知機能テスト	軽度認知症 (mini-mental state examination (MMSE) スコア ≦ 26 点，長谷川式簡易認知機能検査スコア ≦ 25 点)
	抑うつ状態評価試験	(軽度)抑うつ状態 (GDS スコア ≧ 10 点；BDI > 10 点)
	眼底検査	白斑，出血，乳頭浮腫，動脈壁の形態変化
2. 心臓	心電図	左室肥大 (Sokolow-Lyon 電位基準, Cornell 電位基準, Cornell product ストレイン型)
	心臓エコー	左室心筋重量係数，左室相対的壁肥厚，左室駆出分画，左室拡張能，心房径
	冠動脈 CT, MDCT	石灰化病変，冠動脈狭窄，プラーク評価
	心臓 MRI	左室肥大
3. 腎臓	推算糸球体濾過量〔eGFR(mL/分/1.73m^2)〕	慢性腎臓病 (CKD)
	蛋白尿	蛋白尿(スポット尿) ≧ 0.15 g/g クレアチニン
	尿中アルブミン排泄量	アルブミン尿(スポット尿) ≧ 30 mg/g クレアチニン
4. 血管	頸動脈エコー	内膜中膜複合体厚(IMT)肥厚, max IMT(異常：≧ 1.1 mm)，プラーク，狭窄病変
	足関節上腕血流比(ABI)	末梢動脈疾患 (ABI ≧ 1.4, ABI ≦ 0.9)
	脈波伝達速度(PWV)	頸動脈・大腿動脈(cf)-PWV, 上腕・足首(ba)-PWV CAVI (cardio-ankle vascular index)
	増大係数(AI)	頸動脈 AI, 橈骨動脈 AI
	内皮機能検査	血流依存性血管拡張反応(FMD)
	造影 CT, 3 次元 CT	腹部大動脈瘤，解離

脳室周囲白質病変 (periventricular hyperintensity：PVH)(図 8-2-10B) や深部皮質下白質病変 (deep and subcortical white matter hyperintensity：DSWMH)(図 8-2-10C) などがある．微小出血は，T2*強調画像で確認されるようになり(図 8-2-10D, e図 8-2-I)，高血圧，加齢，動脈硬化との関連が検討されている．また，頭蓋内の主幹動脈や頸動脈の狭窄病変，脳動脈瘤の検出にはMRI アンギオグラフィが有用である．中年期の高血圧は将来の認知症と関連し，高齢の高血圧患者には認知症や抑うつ状態を呈する患者も多い．認知機能テストや抑うつ状態評価試験が用いられる．

(2) 眼底

高血圧の合併症として，網膜動脈には末梢血管抵抗増大を反映した高血圧性変化と硬化性変化が，また，網膜自体には血管壁障害を反映した透過性の亢進や虚血性変化が生じる．網膜は，末梢血管を直接観察することが可能であり，高血圧重症度判定にはきわめて有用である．高血圧重症度判定には内科所見を主として眼底所見との相関を考慮した Keith-Wagener 分類がこれまで広く利用されていた．しかし，最近では，高血圧性変化と硬

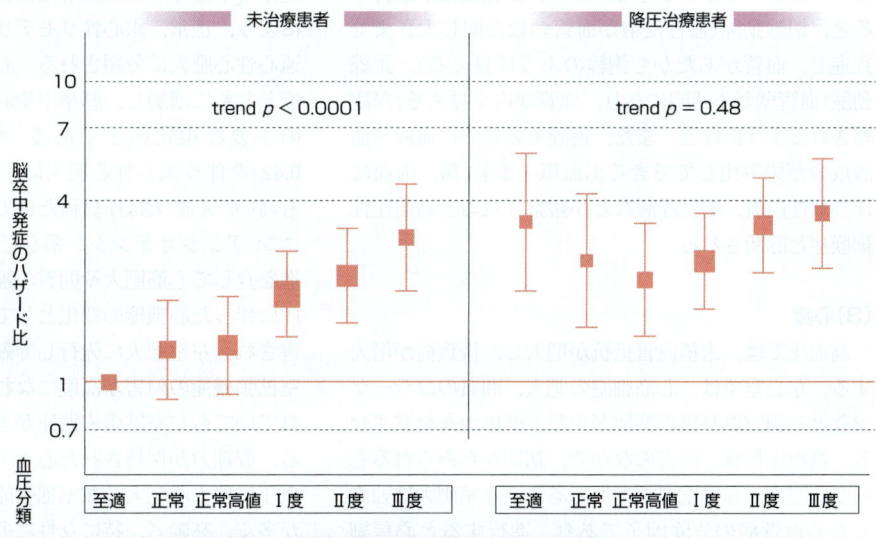

図 8-2-9 高血圧未治療患者と治療患者での血圧値別の脳卒中発症リスク (Asayama ら, 2014)
高血圧未治療群では血圧が高ければ高いほど脳卒中の発症リスクは高まる．一方，降圧治療群では，未治療群と比較して脳卒中のリスクは高く，血圧値は脳卒中の発症には関連しない．

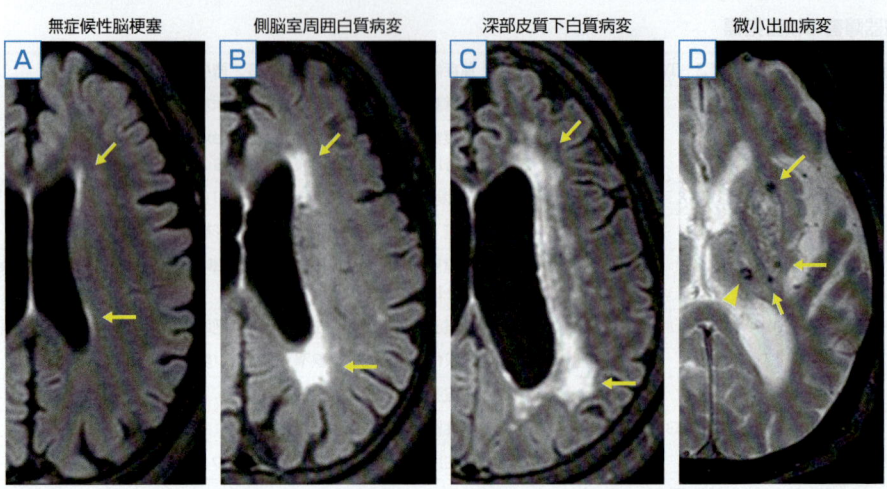

図 8-2-10 高血圧患者の無症候性脳梗塞と慢性脳虚血および微小出血病変
FLAIR 像で，両側側脳室周囲に軽度（A），中等度（B），高度（C）の異常高信号域を認める．T2*強調画像（D）では，両側基底核（矢印），両側視床（矢頭）に点状の低信号スポットを認める．

化性変化を 4 段階で表記する Scheie 分類で評価されることが多い（表 8-2-7）．高血圧性変化として，初期から網膜動脈の狭細化が現れる（e図 8-2-J）．網膜動脈の狭細化の評価には，伴走する静脈を観察し，動静脈比からこれを判定する．狭細化病変があり，硬化性病変がない場合は，機能的狭細の可能性がある．高血圧状態が継続すると，硬化性変化として血柱反射の亢進，動静脈交叉現象が観察される．血柱反射とは，眼底検査で血管を観察した際に，血管内の血液に照明が反射して血管の中央が輝いて見える現象のことである．動脈硬化で血管壁が厚くなると，反射の屈折率が変化するため，反射部分の幅が太くなる．したがって，血柱反射の幅を測定することにより動脈硬化の程度を推測することができる．さらに動脈硬化が進行すると，銅線動脈（血柱反射が血管の幅と同じ太さまで亢進し，血管があたかも銅線のように見える），銀線動脈（血管壁が不透明になり，血管が白く見える）が観察されるようになる．また，網膜そのものに血液や血液成分が染み出してできる出血斑・滲出斑，虚血に伴う軟性白斑，網膜浮腫などが観察されると高血圧性網膜症と診断される．

(3) 心臓

高血圧では，末梢血管抵抗が増大し，後負荷が増大する．左心室では，心筋細胞の肥大，間質のコラーゲンなどの細胞外基質の増加が生じ，壁応力を軽減させる．高血圧性臓器障害のなかで，初期からみられるものが心肥大・左室壁厚の増加である．左室肥大は独立した心血管病の危険因子であり，進行すると心房細動，心不全，心臓突然死につながる可能性がある．また，ACE 阻害薬などによる降圧治療は，左室肥大を

退縮させ，これらの発症のリスクを低下させる．左室肥大の有無のスクリーニングには，12 誘導心電図，心エコー検査，心臓 MRI 検査が用いられる．12 誘導心電図での，$SV_1 + RV_5$ もしくは $RV_6 \geqq 35$ mV（Sokolow-Lyon 電位基準），$SV_3 + RaV_L > 2.8$ mV（男性），> 2.0 mV（女性）（Cornell 電位基準）などが左室肥大の診断基準として使用されているが，12 誘導心電図による左室肥大の検出は，特異度は高いが，感度は低い．心エコー検査は，左室肥大の定量化において 12 誘導心電図よりすぐれており，心機能の評価も可能である．心肥大は，左室心筋重量：$1.04 \times [$（左室拡張末期径＋中隔厚＋後壁厚）$^3 -$（左室拡張末期径）$^3]$ を体表面積で除した左室心筋重量係数と相対的壁厚（[中隔厚＋後壁厚]/左室拡張末期径）の 2 つの値により，正常，求心性リモデリング，求心性心肥大，遠心性心肥大に分類される．心肥大は，高血圧の重症度とともに増加し，脳卒中や心不全を含む心血管疾患の主要な規定因子である．相対性壁厚の増加（＞ 0.42）を伴う求心性心肥大は，心血管病のリスクが最も高い．心肥大は圧負荷だけでなく，交感神経系やレニン-アンジオテンシン系などの神経体液性因子の亢進を介して心筋肥大や間質の線維化を促進する．高血圧に伴った心機能の変化として，左室拡張能がまず障害され，左室肥大に先行してみられる場合もある．左室拡張機能の障害が高度になれば，左室収縮能が保たれていても左室拡張末期圧が上昇し，心不全を発症する．収縮力が保持された心不全は，基礎疾患として高血圧に伴う心肥大や左室拡張能障害が原因であることが多く，高齢者，特に女性に多い．

表 8-2-7 高血圧性眼底変化の分類（Keith-Wagener 分類と Scheie 分類）

Keith-Wagener 分類	
Ⅰ群	軽度の動脈狭細化と交叉現象
Ⅱa 群	中等度の動脈狭細化と交叉現象
Ⅱb 群	Ⅱa 群の所見に加えて，動脈硬化性網膜症，網膜静脈閉塞症
Ⅲ群	高度の動脈狭細化と交叉現象，血管攣縮性網膜症
Ⅳ群	Ⅲ群の所見に加えて，乳頭浮腫

Scheie 分類		
	高血圧性変化（H）	硬化性変化（S）
1 度	軽度のびまん性動脈狭細をみるが，口径不同は明らかでない 動脈第 2 分枝以下で，ときに高度の狭細化	動脈血柱反射の増強 動脈交叉現象は認めても軽度
2 度	びまん性動脈狭細は軽度または高度 限局性狭細も加わり，口径不同を示す	動脈血柱反射はさらに増強 交叉現象は中等度
3 度	動脈狭細・口径不同が著明 網膜出血または白斑を認める	銅線動脈 交叉現象は高度
4 度	さらに乳頭浮腫を認める	銀線動脈

（4）腎臓

高血圧状態が続くことにより，糸球体の硬化や腎間質の線維化が進行し，糸球体濾過値は低下する．高血圧の腎合併症である腎硬化症は，糖尿病，慢性糸球体腎炎についで第 3 番目の血液透析導入の原因疾患である（2013 年の新規血液透析導入患者の 13.0%）．高血圧による腎の組織学的変化は，輸入細動脈の硝子様変化と硬化，糸球体の硬化および尿細管萎縮を伴う間質の線維化である．高血圧により，糸球体内圧は上昇し，血管内皮が損傷されるため，尿中にアルブミンなどの蛋白が漏出する．腎機能の悪化に伴って体液量は増加し，血圧はさらに上昇する．糸球体濾過量（mL/分/1.73 m²）は，18 歳以上の日本人では，男性：$194 \times Cr^{-1.094} \times 年齢^{-0.287}$，女性：$194 \times Cr^{-1.094} \times 年齢^{-0.287} \times 0.739$，で算出される．アルブミン尿の測定には 24 時間蓄尿が正確ではあるが，外来で繰り返し行うことは煩雑であるため，尿中クレアチニンを同時に測定し，クレアチニン比で評価するのが一般的になっている．慢性腎臓病（chronic kidney disease：CKD）は，蛋白尿やアルブミン尿などの腎臓の障害，または，糸球体濾過量の低下（60 mL/分/1.73 m² 未満）が 3 カ月以上持続する状態である．高血圧患者では，糸球体濾過量，蛋白尿およびアルブミン尿の定期的な評価が必要である．CKD は心血管病の重要な危険因子であり，CKD の進行を抑制するためには 24 時間にわたる厳格な血圧コントロールが重要である．減塩により血圧が低下することは明らかであり，すべてのステージの CKD 患者において，塩分制限（食塩摂取 6 g/日未満）が必要である．拡張期血圧が 120〜130 mmHg を呈する悪性高血圧では，急速に腎機能が悪化し，放置すると心不全，高血圧性脳症，脳出血などを発症する．腎組織学的には，細動脈のフィブリノイド壊死や増殖性内膜炎がみられる．最近では，降圧治療の普及，生活環境の改善などから発症頻度は減少している．

（5）血管

高血圧による血管の変化として，機能的異常と形態的異常が現れる．高血圧により，まず血管内皮機能が障害される．高血圧状態が継続すると，太い動脈では，動脈壁へ圧負荷がかかり，その結果，中膜の弾性線維の劣化・変性による動脈硬化が生じる．冠動脈や脳内動脈では，内膜の肥厚を主体とした粥状硬化が生じる．このような異常は加齢，高血圧，脂質異常症，糖尿病などにより促進される．動脈硬化による形態的異常を簡便に検出できる検査は頸動脈エコー検査である．頸動脈エコー検査では，非侵襲的に内膜中膜複合体厚（IMT）肥厚，プラーク，狭窄病変を簡便に測定できる．頸動脈 IMT は全身の動脈硬化の程度を推定する指標でもあり，頸動脈 IMT 肥厚は長期予後と相関する．脈波伝導速度（PWV）や足関節上腕血圧比（ankle-brachial pressure index：ABI）も非侵襲的な検査指標である（e 図 8-2-K）．頸動脈-大腿動脈間 PWV（cf-PWV）が高値であった群は，低値の群と比較して主要心血管イベントの発症率が有意に高い．わが国では，cf-PWV より上腕-足首間 PWV（ba-PWV）が汎用されており，ba-PWV が高値（≧ 1800 cm/秒）であることは，心血管イベントの予測因子とされている．ABI が 0.9 以下の場合，足関節より中枢の動脈の狭窄や閉塞が疑われる．一方，ABI が 1.4 以上の場合，強い石灰化により動脈が加圧されても圧迫されない状態となるため，ABI が 0.9 以下の場合と同

様に強い動脈硬化を示唆する．胸部・腹部大動脈瘤や大動脈解離は高血圧に関連した大動脈疾患であり，造影 CT（MDCT）や MR アンギオグラフィが診断に用いられる．大動脈瘤は無症状である場合が多く，検診や診察時に偶然発見されることが多い．しかしながら，破裂を起こすと致死的であるため，大動脈瘤の拡大を見逃すことなく，外科的手術を考慮することが必要である．急性胸部・腹部大動脈解離は高血圧性緊急症の1つであり，迅速な降圧と鎮静および安静を必要とする．上行大動脈が解離した Stanford A 型の急性大動脈解離の場合は，緊急手術の適応となる場合が多い．　　　　　　　　　　　　〔藤本直紀・伊藤正明〕

■文献

Asayama K, Satoh M, et al: Cardiovascular risk with and without antihypertensive drug treatment in the Japanese general population: participant-level meta-analysis. 2014; *Hypertension*; **63**: 1189-97.

日本高血圧学会治療ガイドライン作成委員会：高血圧治療ガイドライン 2014（JSH2014），日本高血圧学会，ライフサイエンス出版，2014．

5）治療

(1) 降圧治療の基本

高血圧治療の目的は，高血圧の持続による心血管病の発症・進展・再発による死亡や QOL の低下を抑制することである．これまでのさまざまな無作為割り付け試験から，降圧治療は心血管病の発症率と死亡率を低下させることが示されており，たとえば収縮期血圧が 10 mmHg，拡張期血圧が 5 mmHg 低下すると，脳卒中は約 40％，冠動脈疾患は約 20％減少するとされている．治療対象はすべての年齢層の高血圧患者（血圧 140/90 mmHg 以上）である．

降圧の目標は，一般的に 140/90 mmHg 未満を目指す．ただし，患者の背景によって，目標降圧レベルは上下しうる．たとえば，心血管病発症のリスクの高い患者（糖尿病，蛋白尿陽性の慢性腎臓病患者）は，より低めの降圧レベル（130/80 mmHg 未満），また，後期高齢者はより高めの降圧レベル（150/90 mmHg 未満）を目指すことが，わが国の高血圧治療ガイドライン（JSH 2014）で推奨されている（表 8-2-8）．

高血圧の診断や評価において，家庭血圧の有用性はほぼ確立しているが，降圧治療におけるその役割は現在，エビデンスの蓄積が行われているところである．現時点では，診察室血圧で決められた目標血圧レベルから 5 mmHg を引いた値（140→135，130→125，90→85，80→75）が，家庭血圧の目標血圧レベルとされている（表 8-2-8）．

高血圧の治療法は，生活習慣の修正（非薬物治療）と薬物治療に大きく大別される．高血圧患者は生活習慣の修正を行ったうえで，必要に応じて薬物治療を受けるのが原則である（eノート 1）．　　　〔大屋祐輔〕

■文献

日本高血圧学会治療ガイドライン作成委員会：高血圧治療ガイドライン 2014（JSH2014），日本高血圧学会，ライフサイエンス出版，2014．

(2) 高血圧の非薬物療法－生活習慣の修正

生活習慣の修正（非薬物治療）は，高血圧の発症や進展に関する修正可能な環境因子に対するアプローチである．すでに血圧の上昇した高血圧患者のみならず，正常域高血圧レベルの個人に対して，高血圧の発症予防の意味で生活習慣の修正は重要である．また，住民や集団に対して，このような生活習慣の修正をポピュレーションアプローチ（集団全体の）として行い，集団全体の血圧レベルを低下させることは，公衆衛生上の施策としても重要である．

表 8-2-8 高血圧治療ガイドラインにおける降圧目標（日本高血圧学会，2014）

	診察室血圧	家庭血圧
若年，中年，前期高齢者患者	140/90 mmHg 未満	135/85 mmHg 未満
後期高齢者患者	150/90 mmHg 未満 （忍容性があれば 140/90 mmHg 未満）	145/85 mmHg 未満（目安） （忍容性があれば 135/85 mmHg 未満）
糖尿病患者	130/80 mmHg 未満	125/75 mmHg 未満
CKD 患者（蛋白尿陽性）	130/80 mmHg 未満	125/75 mmHg 未満（目安）
脳血管障害患者 冠動脈疾患患者	140/90 mmHg 未満	135/85 mmHg 未満（目安）

家庭血圧では，診察室血圧より 5 mmHg 低い数字を目指す．
注：目安で示す診察室血圧と家庭血圧の目標の差は，診察室血圧 140/90 mmHg 未満，家庭血圧 135/85 mmHg 未満が高血圧の診断基準であることから，この 2 者の差をあてはめたものである．

生活習慣の修正として，国内外のガイドラインで推奨されているものには，減塩，降圧に適した食事パターン，減量，運動，節酒，禁煙などであり，それらを複合的に行うとより大きな降圧が得られることが知られている（表 8-2-9，図 8-2-11）．

a. 減塩

高血圧患者における塩分摂取は1日6g未満にするように推奨されている．減塩と降圧に関する研究のメタ解析から1日1gの減塩により1mmHgの血圧値の低下を生じさせるとされている．わが国の平均1日食塩摂取量は10gをこえており，多くの高血圧患者で6g/日未満への減塩が実現できていない．少しずつ食塩摂取量を減らすことで，徐々に薄味に慣れてくるため，長期的な減塩指導が必要である．加工食品中の栄養表示はナトリウム量表示の場合や食塩量表示の場合があり，その違いも患者や家族に説明する必要がある（ナトリウム量の2.54倍が食塩相当量となる）．

b. 食塩以外の栄養素

試験的な，カリウム，カルシウム，マグネシウムの摂取増加は血圧を少し低下させるが，臨床においては，それぞれの単独摂取が明確な降圧作用を生じさせるとのエビデンスは少なく，実際には，これらを組み合わせ用いることで高血圧の治療や予防が行われている．たとえば，野菜，果物，低脂肪乳製品が豊富な食品パターンであるDASH（dietary approach to stop hypertension）食（飽和脂肪酸とコレステロールが少なく，カルシウム，カリウム，マグネシウム，食物繊維が多い）は，食塩と独立して降圧効果があることが示されており，米国などで推奨されている．なお，重篤な腎機能低下を有する患者では，カリウム摂取増加（野菜や果物の積極的な摂取）は高カリウム血症を生じさせるため，勧められない．

c. 適正体重の維持

肥満は高血圧の重要な発症要因である．また肥満には，たびたび糖尿病，脂質異常症，高尿酸血症などのほかの生活習慣病を合併する．そのため肥満患者においては，血圧を下げるためのみならず，合併するほかの生活習慣病を悪化させないためにも，適正体重を保持することが重要である．なお，過去の研究により，約4kgの減量で，収縮期血圧が4.5mmHg低下することが報告されている．

d. 運動

有酸素運動により降圧が生じる．運動はそれにとどまらず，体重の減少，インスリン抵抗性の改善，糖代謝や脂質代謝の改善など，生活習慣病に関連するさまざまな健康指標を改善させる．血圧値が非常に高い患者では，運動開始は早急には行わず，病態を改善させたうえで運動を開始させる．また，すでに虚血性心臓病や心不全などの心血管病を合併する患者やそれらが疑わしい患者においても，病態の評価および運動能力の評価を行って運動を始める．

e. 節酒

飲酒習慣は血圧上昇の要因である．また大量の飲酒の習慣は，高血圧のみならず，脳卒中，アルコール性心筋症，心房細動，睡眠時無呼吸症候群を生じさせる．少量の飲酒の習慣は，心血管病のリスクを改善す

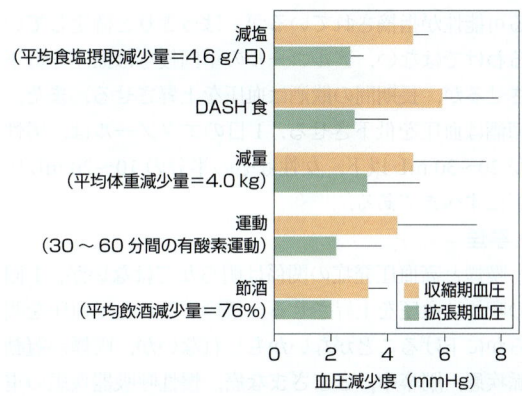

図 8-2-11 エビデンスから推測される生活習慣修正による降圧の程度（日本高血圧学会，2014）
これらの降圧は合わせて行うことにより，複合的により効果があがる．

表 8-2-9 JSH 2014における生活習慣の修正のまとめ

1. 減塩	6 g/日未満
2a. 野菜・果物	野菜・果物の積極的摂取*
2b. 脂質	コレステロールや飽和脂肪酸の摂取を控える魚（魚油）の積極的摂取
3. 減量	BMI（体重（kg）÷［身長（m）］²）が25未満
4. 運動	心血管病のない高血圧患者が対象で，有酸素運動を定期的に（毎日30分以上を目標に）運動を行う
5. 節酒	エタノールで男性20〜30 mL/日以下，女性10〜20 mL/日以下
6. 禁煙	（受動喫煙の防止も含む）

解説は本文を参照．生活習慣病の複合的な修正はより効果的である．
*：重篤な腎障害を伴う患者では高カリウム血症をきたすリスクがあるので，野菜・果物の積極的摂取は推奨しない．糖分の多い果物の過剰な摂取は，肥満者や糖尿病などのエネルギー制限が必要な患者では勧められない．

る可能性が指摘されているが，はっきりと確定しているわけではない．アルコールの単回投与は血圧を低下させるが，長期間の飲酒は血圧を上昇させる．また，節酒は血圧を低下させる．1日のエタノールは，男性が20～30 mL以下，女性はその半分の10～20 mL以下にすべきである．

f. 禁煙

喫煙と高血圧発症の関係は明らかではないが，1回の喫煙は血圧を上昇させる．禁煙することで血圧を明らかに下げることがないかもしれないが，喫煙が冠動脈疾患，脳卒中，さまざまな癌，慢性呼吸器疾患の重要な要因であることを考えると，禁煙は，高血圧患者のみならず，健常者にも勧めるべきである．

〔大屋祐輔〕

■文献

日本高血圧学会治療ガイドライン作成委員会：高血圧治療ガイドライン 2014（JSH2014），日本高血圧学会，ライフサイエンス出版，2014．

（3）降圧薬療法

生活習慣の修正のみで血圧が低下しない場合は，降圧薬による治療が必要となる．現在，降圧薬として，Ca拮抗薬，アンジオテンシン受容体拮抗薬（ARB），アンジオテンシン変換酵素（ACE）阻害薬，利尿薬，β遮断薬（含む$\alpha\beta$遮断薬）の5種類がおもに用いられる．いずれも，これまでの大規模臨床試験により心血管病の抑制効果が認められている．多くの研究のまとめにより，その抑制効果は，おもには降圧薬の種類によらず，降圧度そのものによるとされている．

a. わが国で用いられている主要な降圧薬の降圧機序（図8-2-12）

1) **Ca拮抗薬**：細胞外Caイオンの流入を担っている電位依存性L型Caチャネルを阻害することにより，血管平滑筋を弛緩し，末梢血管抵抗を減じて降圧作用を生じさせる．ジヒドロピリジン系やベンゾチアゼピン系が降圧薬として用いられる．

2) **アンジオテンシン受容体拮抗薬（ARB）**：アンジオテンシンIIタイプ1受容体を特異的に抑制し，アンジオテンシンIIによる血管収縮，体液貯留，交感神経活性を抑制することによって降圧作用を生じさせる．

3) **アンジオテンシン変換酵素（ACE）阻害薬**：ACE阻害薬は，アンジオテンシンIからアンジオテンシンIIを生じさせるACEを阻害し，アンジオテンシンIIを低下させることで降圧を生じさせる．また，ACEはキニンを分解するため，ACE阻害薬によりカリクレン-キニン-プロスタグランジン系も増強させる．また，この作用でブラジキニンが産生され空咳が生じる．この空咳の副作用は日本人など東アジア人に多いとされる．しかし，この副作用のために，高齢者の誤嚥性肺炎を抑制するとの報告がある．

4) **利尿薬**：サイアザイド系利尿薬，ループ利尿薬，K保持性利尿薬がある．サイアザイド系利尿薬は遠位尿細管でのNaやClの再吸収を抑止して，ループ利尿薬はHenle係蹄上行脚でのNaとClの再吸収を抑制して，また，K保持性利尿薬はアルドステロンの作用に拮抗して，利尿作用が生じる．

5) **β遮断薬**：β_1受容体を阻害し，心臓では心拍出量の低下を介して，また，レニン分泌を抑制して，血圧を低下させる．

b. 降圧薬の選び方

降圧薬には作用機序により特徴がある．個々の患者にとって降圧が十分に得られ，禁忌や副作用がない薬物を選択することが重要である．

JSH 2014では，積極的適応として表8-2-10のように，疾患ごとに，予後改善や病態改善のエビデンスを有する降圧薬が示されている．そのような疾患がある場合は，積極的適応のある薬物を優先して使用する．一方，JSH 2014では，積極的適応がない場合に最初に投与すべき降圧薬（第一選択薬）は，Ca拮抗薬，ARB，ACE阻害薬，利尿薬としている．これはβ遮断薬が一部の臨床研究でほかの降圧薬に比べて予後改善（脳卒中の抑制効果）のエビデンスが弱かったと報告

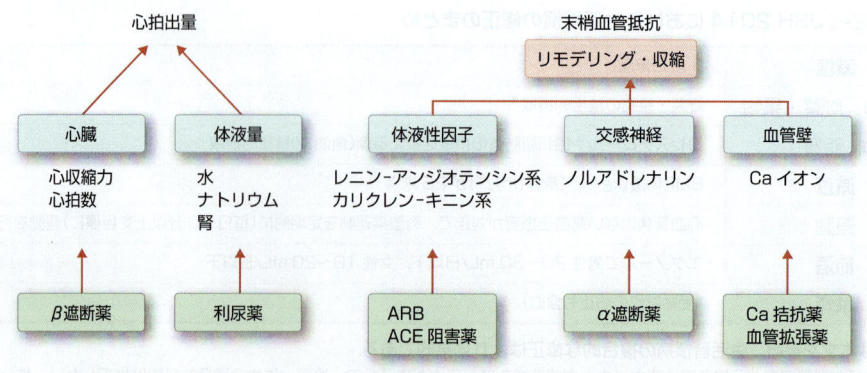

図8-2-12 血圧を規定している因子と降圧薬の関係（血圧＝心拍出量×末梢血管抵抗となる）

表 8-2-10 JSH2014 で示されている主要降圧薬の積極的適応

	Ca 拮抗薬	ARB/ACE 阻害薬	サイアザイド系利尿薬	β遮断薬
左室肥大	●	●		
心不全		●*1	●	●*1
頻脈	● （非ジヒドロピリジン系）			●
狭心症	●			●*2
心筋梗塞後		●		●
CKD 蛋白尿（−）	●	●	●	
CKD 蛋白尿（＋）		●		
脳血管障害慢性期	●	●	●	
糖尿病/MetS*3		●		
骨粗鬆症			●	
誤嚥性肺炎		●		

*1：少量から開始し，注意深く漸増する．*2：冠攣縮性狭心症には注意．*3：メタボリックシンドローム．

されているためである．

なお，JSH 2014 で示されている，おもな降圧薬の禁忌や慎重投与となる病態を表 8-2-11 にまとめた．e表 8-2-B に副作用と適応・不適応病態をまとめた．

c．併用治療

降圧目標値を達成するためには，1 剤では不十分であることも多く，その際には，2 剤，3 剤の薬物を併用する．副作用を打ち消しあう組み合わせ，降圧作用を増強し合う組み合わせ，機序の異なる組み合わせなどがよい．

JSH 2014 においては，利尿薬と RA 系阻害薬（ARB や ACE 阻害薬），RA 系阻害薬と Ca 拮抗薬，Ca 拮抗薬と利尿薬の組み合わせが，第一選択薬の組み合わせとして推奨されている．

d．降圧治療継続への対策

心血管病を予防するため，服薬を継続し，目標血圧レベルを維持する必要がある．血圧が低下したことが高血圧の治癒と誤解され，患者自身の判断で降圧薬が中断されることもある．担当医および医療スタッフは，患者との十分なコミュニケーションをとり，治療の必要性を理解してもらい，みずからが治療に積極的に参加するように配慮することが必要である（コンコーダンスの形成）．そのツールとして家庭血圧計を用い血圧値をみずから記録することが有用とされている．

服薬を含め，治療を続けることについて，以前は，コンプライアンスということばが用いられてきたが，患者の治療への参加の意味では，医師と患者が対等なパートナーシップを意識した，アドヒアランスということばが使われるようになった．

表 8-2-11 JSH 2014 における主要降圧薬の禁忌や慎重投与の病態

	禁忌	慎重使用例
Ca 拮抗薬	徐脈 （非ジヒドロピリジン系）	心不全
ARB	妊娠 高カリウム血症	腎動脈狭窄症*
ACE 阻害薬	妊娠 血管神経性浮腫 高カリウム血症 特定の膜を用いるアフェレーシス/血液透析	腎動脈狭窄症*
利尿薬（サイアザイド系）	低カリウム血症	痛風 妊娠 耐糖能異常
β遮断薬	喘息 高度徐脈	耐糖能異常 閉塞性肺疾患 末梢動脈疾患

*：両側性腎動脈狭窄の場合は原則禁忌．

e．治療抵抗性高血圧およびコントロール不良高血圧

臨床の現場では，降圧治療を受けている患者の血圧レベルが，治療目標値に到達していないことは少なくない．その原因としては，患者側の要因（生活習慣の修正が不十分，服薬遵守が不十分など）に加え，医療側の要因（血圧値の評価が不十分，不十分な降圧薬投与量，不適切な降圧薬の組み合わせなど）もある．

この血圧コントロール不良に対する対策としては，生活習慣の修正の徹底，服薬アドヒアランスの改善へのアプローチ，白衣高血圧や白衣現象の評価，降圧薬の組み合わせの検討，体液過剰への対策，などを行う．十分な降圧薬治療，特にクラスの異なる 3 剤以

上の降圧薬(このうちの1つは利尿薬)を用いても目標降圧レベルに到達しないものが,治療抵抗性高血圧と定義される.治療抵抗性高血圧には,臓器障害を有する患者が多いこと,二次性高血圧が背景になる可能性があることからも,十分な病態の評価と対策が必要である.　　　　　　　　　　　　　　　〔大屋祐輔〕

■文献

日本高血圧学会治療ガイドライン作成委員会:高血圧治療ガイドライン 2014 (JSH2014),日本高血圧学会,ライフサイエンス出版,2014.

(4) 臓器障害を伴う高血圧・合併症を伴う高血圧の治療

高血圧患者にはさまざまな臓器障害や合併症が合併する.その臓器障害や合併症が急性期であれば,その病態を悪化させない,また,短期予後を改善させるために適切な降圧治療が必要となることがある.一方,高血圧に関連するそれらの臓器障害や合併症を有する患者は,将来,心血管病を発症するリスクが高い.そのため,慢性期には,その再発を予防するのみならず,ほかの心血管病の発症を予防するためにも,適切な降圧治療を含めたトータルのリスク管理が必要である.

a. 脳血管障害(表 8-2-10)

わが国では欧米に比較して脳血管障害が多い.また,高齢化社会を迎えて,脳血管障害を有する患者数が増加している.高血圧治療は,脳血管障害の一次予防のみならず,二次予防においても重要である.

超急性期や急性期の血圧管理については,脳血管障害のページを参照されたい【⇨17-5】.原則として,脳梗塞の場合は,急激な降圧は脳の局所循環を低下させるおそれがあるために行わない.しかし,血栓溶解療法を行う患者や行った患者,脳出血急性期では,早期からある程度は降圧させる.くも膜下出血においても早期の降圧が必要とされている.

脳血管障害の慢性期(発症1カ月以降)においては,140/90 mmHg 未満を目標として降圧治療を行う.ラクナ梗塞,抗血栓薬服用患者,脳出血,くも膜下出血では,可能であればさらに低いレベル(130/80 mmHg 未満)に降圧する.脳梗塞で両側頸動脈の高度狭窄や脳主幹動脈閉塞を有する患者では,虚血が生じる可能性があるため下げすぎに注意をする.脳血管障害合併患者に推奨される降圧薬は,Ca 拮抗薬,ACE 阻害薬,利尿薬である.

b. 心疾患合併(冠動脈疾患,心不全,左室肥大)(表 8-2-10)

冠動脈疾患を合併する患者では,冠動脈疾患の再発抑制のみでなく,心血管病全体の発症抑制のため十分な降圧が必要である.原則として 140/90 mmHg 未満を降圧目標とするが,特に心血管イベントリスクが高い患者(糖尿病,CKD,脂質異常症,喫煙,家族歴など)や抗血栓治療(冠動脈ステント留置後の抗血小板治療,心房細動に対する抗凝固治療など)を受けている患者であれば,さらに低いレベル(130/80 mmHg 未満)を目指す.

器質的冠動脈狭窄を有する狭心症患者では,β遮断薬(内因性刺激作用のないもの)や Ca 拮抗薬が適している.冠攣縮性狭心症では Ca 拮抗薬が適している.一方,心筋梗塞既発症の患者では,β遮断薬,RA 系阻害薬(ACE 阻害薬や ARB),アルドステロン拮抗薬に予後改善のエビデンスがある.

心不全で,高血圧がある場合は,降圧を十分に行い予後改善や QOL の改善を目指す.薬物治療の詳細は,心不全の項に譲るが【⇨7-3-4】,RA 系阻害薬,β遮断薬を中心として,必要に応じて利尿薬を投与する.重症心不全ではアルドステロン拮抗薬も併用により予後改善のエビデンスがある.副作用(低血圧,腎機能低下,徐脈,心不全の悪化など)を防ぐため,RA 系阻害薬やβ遮断薬は少量より投与する.

高血圧による心肥大は,いずれの降圧薬を用いても,十分な降圧により退縮しうるが,RA 系阻害薬や Ca 拮抗薬は退縮効果がすぐれているとされる.

c. 腎疾患合併(表 8-2-10)

腎機能低下と高血圧の関係は深い.腎機能低下が高血圧の原因となり,高血圧が腎機能低下の原因となる.また,慢性腎臓病(CKD)は,腎不全のみならず心血管病のリスクである.CKD 合併高血圧の降圧目標は,糖尿病を合併する場合,および糖尿病がなくても蛋白尿がある場合は 130/80 mmHg 未満,糖尿病あるいは蛋白尿がない場合は 140/90 mmHg 未満である.生活習慣修正では,食塩制限が特に重要である.第一選択薬は,糖尿病を合併する場合および糖尿病がなくても蛋白尿がある場合は RA 系阻害薬,糖尿病あるいは蛋白尿がない場合は,RA 系阻害薬,Ca 拮抗薬,利尿薬が推奨されている.また,利尿薬の使用では,eGFR が 30 mL/分/1.73 m^2 未満の場合は,ループ利尿薬,それ以上の場合はサイアザイド系利尿薬を用いる.

d. 糖尿病(表 8-2-10)

高血圧と糖尿病との合併は多い.危険因子として高血圧も糖尿病も重要であり,それらを合併している患者では,血圧と血糖の十分な管理が重要である.糖尿病合併高血圧患者の降圧目標は 130/80 mmHg 未満である.生活習慣の修正が,血圧および血糖管理にとって重要である.リスクが高いため,生活習慣の修正により血圧低下が十分でない場合は 3 カ月をこえないうちに降圧薬を開始する.糖尿病合併高血圧患者には,ARB や ACE 阻害薬などの RA 系阻害薬が第一選

択薬として推奨される．これに，Ca拮抗薬，少量のサイアザイド系利尿薬を追加して用いる．また，積極適応に合わせて，心疾患を有する患者にはβ遮断薬も用いる．

e. 脂質異常症

脂質異常症を有する高血圧患者では，降圧目標達成を優先するが，脂質代謝改善作用を有する，または，脂質代謝増悪作用のない薬物（ARB，ACE阻害薬，Ca拮抗薬，α遮断薬）を中心に選択するのが望ましい．

f. 肥満・メタボリックシンドローム

肥満患者の高血圧の発症率は，非肥満者に比べて2〜3倍である．メタボリックシンドロームは腹部肥満に伴う病態であり，高血圧の合併も多い．これらの病態では，糖代謝異常，インスリン抵抗性，脂質異常症などを含め，複数の心血管病のリスクを合併することが多く，生活習慣の改善により，血圧低下のみならず，減量や腹部肥満の解消を目指すことが重要である．降圧薬の選択においては，降圧目標達成が優先されるが，糖代謝異常/インスリン抵抗性改善の面からは，ARBやACE阻害薬が望ましいとされている．また，肥満には，睡眠時無呼吸の合併も多く，評価と対策が必要となる．　　　　　　　　〔大屋祐輔〕

■文献

日本高血圧学会治療ガイドライン作成委員会：高血圧治療ガイドライン2014（JSH2014），日本高血圧学会，ライフサイエンス出版，2014.

(5) 高齢者高血圧（e表 8-2-C，8-2-D）

高齢者高血圧の特徴的な病態，注意点などを表8-2-12にまとめた．高齢者高血圧でも生活習慣の改善は基本であるが，高齢者は一般に食塩感受性が高く，減塩と肥満者に対する減量が治療の基本となる[1]．高齢者は生理的許容範囲が狭く，過度の減塩や味つけの極端な変化による食事摂取量低下から，脱水や低栄養となる場合があるため，QOLに配慮して個々に方針を決定する．薬物治療の対象は原則として140/90 mmHg以上を対象とするが，75歳以上で収縮期血圧140〜149 mmHgや[2-4]，6m歩行を完遂できない程度の虚弱高齢者（フレイル）[5]では降圧による予後改善効果が不明であり個別に判断する．降圧目標は65〜74歳で140/90 mmHg未満，75歳以上の降圧目標は150/90 mmHg未満とし，忍容性があれば積極的に140/90 mmHg未満を目指すことで，さらに予後改善が期待できる．しかしながらたとえば80歳の糖尿病合併高血圧患者の場合には，年齢による降圧目標（150/90 mmHg未満）を達成することを原則とし，忍容性があれば，個々の症例に最も適した降圧薬を選択

表8-2-12 高齢者高血圧の診断における注意点

高齢者高血圧の特徴
- 血圧動揺性の増大
- 収縮期高血圧の増加
- 白衣高血圧の増加
- 起立性低血圧や食後血圧低下の増加
- 血圧日内変動で夜間非降圧型non-dipperの増加
- 早朝の昇圧（morning surge）例の増加
- 主要臓器血流量や予備能の低下
- 標的臓器の血流自動調節能の障害

血圧レベルの総合的な診断
- 繰り返し測定する
- 家庭血圧測定または24時間血圧測定を併用する
- 治療・薬物治療開始前後，立ちくらみ症状出現時に立位血圧を測定する
- 測定時の条件を考慮する（食後や服薬後など）
- 食事と関連した血圧低下を注意して血圧測定を実施する

潜在的な合併症の診断
- 心房細動，大動脈弁狭窄症，大動脈瘤，腎血管性高血圧，頸動脈狭窄などは，治療方針全般の対応が異なり，診断は重要
- 胸腹部と頸部の聴診，腹部の触診などによりスクリーニングする

して，糖尿病の目標値（130/80 mmHg未満）である低い方の値を目指す．

降圧薬治療の第一選択薬は，非高齢者と同様，Ca拮抗薬，ARB，ACE阻害薬，少量の利尿薬とするが，臓器血流障害，自動調節能障害や代謝機能低下などを考慮して，一般に常用量の1/2量から開始し，副作用の発現や臓器障害に留意し，QOLに配慮しながら，時間をかけて緩徐に降圧する．起立性低血圧を示す患者に対しては，より緩徐なスピードで降圧する．冠動脈疾患合併患者では，拡張期血圧が70 mmHg未満となる場合，心イベントリスクが増大する可能性があるため，有意な冠動脈狭窄が残存していないこと，心筋虚血の症状や心電図変化の出現がないことに注意しながら降圧する[6,7]．

降圧効果が不十分な場合は，高齢者特有の認知機能やADLなどを評価し，服薬管理能力を判断したうえで[8]，第一選択薬の併用をする．特に認知機能については，体調に変わりがないことを確認するだけの問診では，取り繕いを見破って診断に至ることは難しいので注意を要する．また，高齢者に多い合併症である誤嚥性肺炎や骨粗鬆症にも配慮が必要である．副作用としての咳が自制内であればACE阻害薬はむしろ咳反射を亢進することで，高齢者での誤嚥性肺炎の頻度を減らすことが報告されているので[9,10]，不顕性を含む誤嚥性肺炎の既往のある高齢者ではACE阻害薬が推奨される．また，サイアザイド系利尿薬が骨粗鬆症改

善を介して骨折を減少させた[11]という報告もあり，積極的適応となる降圧薬がない場合は推奨される．

〔大石　充〕

■文献(e文献 8-2-5-5)

(6) 女性の高血圧

近年の妊娠・出産の高齢化により，狭義の妊娠高血圧例のみならず，本態性高血圧患者が妊娠する頻度が高くなってきている．狭義の妊娠高血圧は妊娠 20 週以降に血圧が収縮期で 140 mmHg 以上もしくは拡張期で 90 mmHg 以上になり，かつそれが分娩後 12 週までに正常に復する場合とされている[1]．妊娠高血圧症候群では(表 8-2-13)，胎盤血流量を損なわない範囲で母体臓器障害リスクを軽減することが求められる．降圧目標についての確かなエビデンスはないが，通常，薬物治療は 160/110 mmHg 以上をもって開始する．重症高血圧では脳血管，心，腎などの母体臓器障害を生じるため[2]，妊婦あるいは産褥女性に収縮期血圧 ≧ 180 mmHg あるいは拡張期血圧 ≧ 120 mmHg を認めた場合は「高血圧緊急症」と診断し，降圧治療を開始する．妊娠 20 週未満での第一選択薬はメチルドパ，ヒドララジン，ラベタロールとし，妊娠 20 週以降では，3 剤に長時間作用型ニフェジピン[3,4]を加えた 4 剤が第一選択薬となる．2 剤の併用にあたっては交感神経抑制薬（メチルドパとラベタロール）と血管拡張薬（ヒドララジンと長時間作用型ニフェジピン）の異なる降圧作用機序の組み合わせが望ましい．緊急性が高い場合は，胎児の状態に留意し，胎児心拍モニタリングを行って注射薬に切り替えることを考慮する．

本態性高血圧に罹患している妊娠の可能性のある女性と妊婦に対しては ACE 阻害薬，ARB のいずれも原則として使用しないが[5,6]，服用中に妊娠が判明した場合，妊娠と薬情報センターに相談することを勧める．狭義の妊娠高血圧症候群の場合の多くは，出産とともに血圧の正常化を認めるが，本態性高血圧を合併している場合には，授乳中も降圧薬を服用せざるをえない場合がある．この場合表 8-2-14 に示すような薬剤を選択しなくてはならない．また更年期の女性では経口避妊薬により血圧の上昇をみることがあり，注意が必要である．妊娠中毒症の後遺症として高血圧に罹患している例もあるため，母子手帳を参照し[7]妊

表 8-2-13　妊娠高血圧症候群における重症，軽症の病型分類

- ●軽症
  - 血圧：次のいずれかに該当する場合
    - ・収縮期血圧　140 mmHg 以上，160 mmHg 未満の場合
    - ・拡張期血圧　90 mmHg 以上，110 mmHg 未満の場合
  - 蛋白尿：≧ 300 mg/日，＜ 2 g/日

- ●重症
  - 血圧：次のいずれかに該当する場合
    - ・収縮期血圧　160 mmHg 以上の場合
    - ・拡張期血圧　110 mmHg 以上の場合
  - 蛋白尿：蛋白尿が 2 g/日以上のときは蛋白尿重症とする．なお，随時尿を用いた試験紙法による尿中蛋白の半定量は 24 時間蓄尿検体を用いた定量法との相関性が悪いため，蛋白尿の重症度の判定は 24 時間尿を用いた定量によることを原則とする．随時尿を用いた試験紙法による成績しか得られない場合は，複数回の新鮮尿検体で，連続して 3 ＋以上（300 mg/dL 以上）の陽性と判定されるときに蛋白尿重症とみなす．

表 8-2-14　授乳が可能と考えられる降圧薬

	一般名	商品名	妊娠と薬情報センター	LactMed（米国国立衛生研究所）	RID(%)*
Ca 拮抗薬	ニフェジピン	アダラート	可能	可能	1.9
	ニカルジピン	ペルジピン	可能	可能	0.07
	アムロジピン	ノルバスク アムロジン	可能	情報がないため，ほかの薬剤推奨	1.4
	ジルチアゼム	ヘルベッサー	可能	可能	0.87
αβ遮断薬	ラベタロール	トランデート	可能	可能だが，早産児ではほかの薬剤推奨	
β遮断薬	プロプラノロール	インデラル	可能	可能	0.28
中枢作動薬	メチルドパ	アルドメット	可能	可能	0.11
血管拡張薬	ヒドララジン	アプレゾリン	可能	可能	
ACE 阻害薬	カプトプリル	カプトリル	可能	可能	0.02
	エナラプリル	レニベース	可能	可能	0.17

＊：相対授乳摂取量（RID）：10%以下であれば授乳可能であり，1%以下ではまず問題にならないとされる．
LactMed：北米を中心として利用されているウェブサイトで，参考になる．

中の血圧の変動，蛋白尿の有無を確認する．

〔大石　充〕

(e文献 8-2-5-6)

(7) 高血圧緊急症と切迫症

高血圧緊急症は単に血圧が異常に高いだけの状態ではなく，血圧の高度の上昇(多くは 180/120 mmHg 以上)によって，脳，心，腎，大血管などの標的臓器に急性の障害が生じ進行する病態である．したがって，緊急症が疑われる症例には，迅速な診察と検査によって診断および病態の把握を行い，早急な治療開始が必要である．一般的な降圧目標は，はじめの 1 時間以内では平均血圧で 25％以上は降圧させず，次の 2〜6 時間では 160/100〜110 mmHg を目標とする[1]．高血圧性脳症や急性大動脈解離に合併した高血圧，肺水腫を伴う高血圧性左心不全，重症高血圧を伴う急性冠症候群，褐色細胞腫クリーゼ，子癇や重症高血圧[2,3]を伴う妊娠などでは急性の臓器障害が進行するため，入院のうえ，直ちに経静脈的降圧治療を開始する必要がある(eコラム 1)．原則として，関連する臓器別専門医や高血圧専門医のいる施設に治療を依頼する．加速型悪性高血圧も緊急症に準じて対処する．

急性の臓器障害の進行を伴わない，または，進行の可能性が低い持続性の著明な高血圧(通常，180/120 mmHg 以上)は切迫症として内服薬により降圧をはかるが，臓器障害を有する例や治療抵抗性を示す例が多く，高血圧専門医への紹介が望ましい．　〔大石　充〕

(e文献 8-2-5-7)

8-3　二次性高血圧
secondary hypertension

(1) 二次性高血圧の分類

高血圧は原因を特定できない本態性高血圧(essential hypertension)と原因を特定できる二次性高血圧(表 8-3-1)に分類される．頻度は前者が約 90％，後者が約 10％とされる．二次性高血圧の原因のなかで頻度が高いものは，腎実質性高血圧，原発性アルドステロン症，腎血管性高血圧，睡眠時無呼吸症候群などがあげられる．二次性高血圧は一般的に，重症または治療抵抗性高血圧であり，若年発症の高血圧や急激な高血圧発症などが多い．原因を早期に特定して治療することにより，血圧の効果的なコントロールや治癒が可能な例もあり，疑って早期の治療介入が重要である．

(2) 腎実質性高血圧 (renal parenchymal hypertension)
定義

腎実質性疾患に基づく高血圧であり，代表的な疾患として，慢性糸球体腎炎(多くが IgA 腎症)，腎硬化症，多発性嚢胞腎，糖尿病性腎症，虚血性腎症があげられる．高血圧全体の 2〜5％に認める．

病態生理

慢性糸球体腎炎では，Na 排泄障害による体液貯留，レニン-アンジオテンシン系の不適切な活性化，交感神経系の関与などが考えられる．

診断

診断についてはそれぞれの腎疾患の項を参照．

治療

基本的には食事療法(減塩，蛋白制限)，適正体重の維持，禁煙と降圧治療が中心となる．降圧治療は，蛋白尿を認めれば，アンジオテンシン受容体拮抗薬(ARB)，アンジオテンシン変換酵素(ACE)阻害薬を中心として 130/80 mmHg 未満を目標にして降圧治療を行う．蛋白尿を認めない場合は，前述のレニン-アンジオテンシン系阻害薬，Ca 拮抗薬，利尿薬を用いて，140/90 mmHg 未満を目標とする．

(3) 腎血管性高血圧 (renovascular hypertension)
定義

腎動脈の狭窄や閉塞が原因で腎臓に虚血が起こり高血圧となる疾患であり，高血圧患者の約 1％に認める．

分類

中・高年に多い粥状動脈硬化が最も多く，若年者，特に女性では線維筋性異形成がこれにつぐ(前者では腎動脈の起始部に，後者では中遠位部に病変を認める)．若年女性に多い大動脈炎症候群(高安動脈炎)もまれに認める．

病態

腎動脈狭窄により腎臓で虚血が生じレニン分泌が高まり，アンジオテンシン，アルドステロンが増加する．それに伴い，Na 貯留や低カリウム血症が生じる．一方，アンジオテンシン II による血管収縮により血圧が上昇する．

表 8-3-1 二次性高血圧の原因

分類	関連する臓器	名称
1. 腎性高血圧	腎臓 腎動脈	腎実質性高血圧 腎血管性高血圧
2. 内分泌性高血圧	副腎	原発性アルドステロン症 Cushing 症候群 褐色細胞腫 17α-ヒドロキシラーゼ欠損症 11β-ヒドロキシラーゼ欠損症
	下垂体	Cushing 病 先端巨大症
	甲状腺	甲状腺機能亢進症 甲状腺機能低下症
	副甲状腺	原発性副甲状腺機能亢進症
3. 血管性高血圧	大動脈	大動脈炎症候群(高安動脈炎) 大動脈縮窄症,動脈管開存症
	血管	結節性多発動脈炎 全身性強皮症
4. 脳・中枢神経系疾患による高血圧	脳血管, 脳(脊髄)	脳血管障害 脳腫瘍,脳(脊髄)炎,脳外傷
5. 遺伝性高血圧	腎臓	Liddle 症候群,Gordon 症候群,ミネラルコルチコイド過剰症候群(AME)
6. 薬剤性高血圧		非ステロイド性抗炎症薬,甘草,グルココルチコイド,シクロスポリン,エリスロポエチン,エストロゲン

AME: apparent mineralocorticoid excess.

表 8-3-2 腎血管性高血圧の診断の手がかり

- 30歳以下発症の高血圧,または55歳以上発症の重症高血圧
- 増悪する高血圧,利尿薬を含む3剤以上を投与しても抵抗性の高血圧,悪性高血圧
- ACE 阻害薬または ARB 開始後の腎機能の増悪
- 説明のつかない腎萎縮または腎サイズの左右差(1.5 cm 以上)
- 突然の説明のつかない肺水腫
- 腎代替療法患者を含む説明のつかない腎機能障害
- 腹部の血管雑音
- 末梢動脈疾患など他の血管疾患
- 低カリウム血症

診断

表 8-3-2 に診断の手がかりとなる病歴や身体所見を示した.一般に,腹部血管雑音,血漿レニン活性高値,低カリウム血症,血清クレアチニン値の上昇,中等度の蛋白尿を認める.確定診断には,高血圧が存在し,それが腎動脈狭窄に起因することを証明する必要がある(図 8-3-1).スクリーニング検査として,①腎動脈超音波(収縮期最高血流速度を指標にする形態学的診断は精度が高い),②血漿レニン活性高値,③カプトプリル負荷血漿レニン活性高値,④レノグラム(狭窄側腎の取り込み減少,取り込みの遅延,排出の遅延が特徴,カプトプリル 50 mg 負荷下で行うと狭窄側腎と非狭窄側腎の差が顕著になる)などを行う(図 8-3-2).確定診断としては,MR 血管造影(MRA)や CT 血管造影(CTA)で形態学的に確認する.腎機能障害があるときは,非造影 MRA で代用可能である.血行再建術を考慮する場合は腎動脈造影を必要とするが,造影剤の使用は慎重に行うべきである.

治療

治療には2つの選択がある.

1) 降圧薬治療: 片側性の腎動脈狭窄に起因する高血圧に対しては,ACE 阻害薬または ARB を少量から開始して,過剰な降圧や高カリウム血症,腎機能に注意しながら投与する.両側性腎動脈狭窄に対しては,明らかに急速な腎機能増悪を招く危険が高く,レニン-アンジオテンシン系阻害薬は禁忌である.
2) 血行再建術: 線維筋性異形成に対しては経皮的腎動脈形成術(PTRA)の成功率が高い.一方,粥状動脈硬化性の腎動脈狭窄には,PTRA やステントによる血行再建術も可能であるが,薬物治療にまさる治療効果は証明されていない.

(4) 内分泌性高血圧 (endocrine hypertension)

内分泌臓器の腫瘍や過形成によるホルモン過剰により高血圧をきたす疾患群の総称であり,二次性高血圧のなかでは頻度が高い.内分泌性高血圧は血漿レニン活性と血漿アルドステロン濃度の値の組み合わせで鑑別診断や治療選択が可能である(図 8-3-2).

a. 原発性アルドステロン症 (primary aldosteronism)
【⇒ 14-6-8】

定義
副腎皮質腺腫または過形成により,自律性にアルドステロンが過剰分泌される結果,高血圧,高アルドステロン血症,低レニン血症をきたす疾患である.

頻度
高血圧症の 3〜10% を占める.

分類
アルドステロン産生腺腫が 40〜50%,両側副腎皮質過形成による特発性アルドステロン症が 50〜60% を占める.

病態
高アルドステロン血症は,腎尿細管のミネラルコルチコイド受容体活性化により Na 貯留が増加し,循環血液量が増加する.また,高アルドステロン血症が直接,心肥大や血管平滑筋,血管内皮細胞の傷害を惹起して高血圧を増悪させると考えられている.

診断

低カリウム血症合併高血圧,若年者の高血圧,Ⅱ度以上(中等度・重症)の高血圧,治療抵抗性高血圧,副腎偶発腫瘍を伴う高血圧,40歳以下で脳血管障害合併例などで高頻度である.スクリーニング検査は,血中アルドステロン/レニン比高値で行い,アルドステロン抑制試験によりアルドステロンの自律的分泌を証明し,副腎CTおよび副腎静脈サンプリングによりアルドステロン分泌の局在診断を行う(図8-3-2)【⇨14-6-8】.

治療

治療は,高アルドステロン血症による高血圧や心血管合併症の抑制が目的であり,血圧のコントロールに加えて,減塩食,アルドステロン作用の阻害が重要である.

1)**片側副腎摘出術**: 片側性病変では,腹腔鏡下片側副腎摘出術による根治手術が第一選択である.

2)**薬物治療**: 両側性病変や手術が施行できない症例では,ミネラルコルチコイド受容体拮抗薬のスピロノラクトンやエプレレノンが第一選択薬である.

b. Cushing 症候群【⇨14-6-5】

定義

コルチゾールの自律的な過剰分泌により,高血圧や代謝異常をきたす疾患である.副腎性Cushing症候群(副腎皮質腺腫や癌腫),下垂体性Cushing病(ACTH産生下垂体腺腫),異所性ACTH症候群(肺小細胞癌など),医原性Cushing症候群(グルココルチコイド治療)の4つのサブタイプがある.

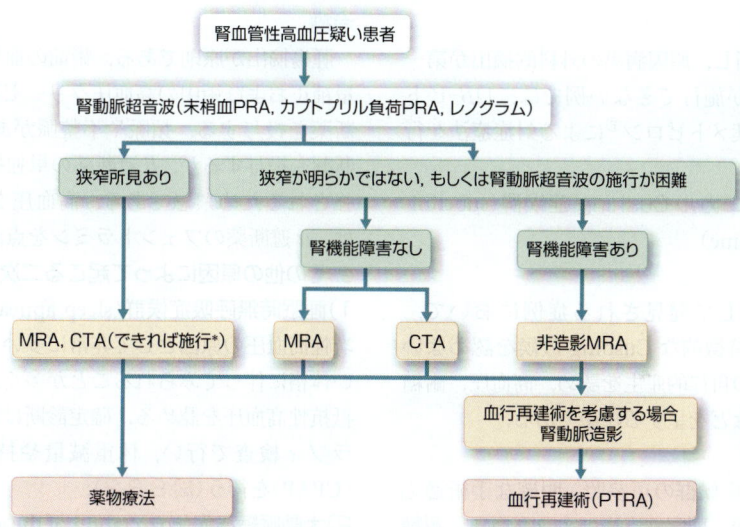

図8-3-1 腎血管性高血圧の確定診断のための検査
PRA:血漿レニン活性,MRA:MR血管造影,CTA:CT血管造影,PTRA:経皮的腎動脈形成術.
＊:腎機能障害のある場合は非造影MRAもしくはCTAを考慮する.

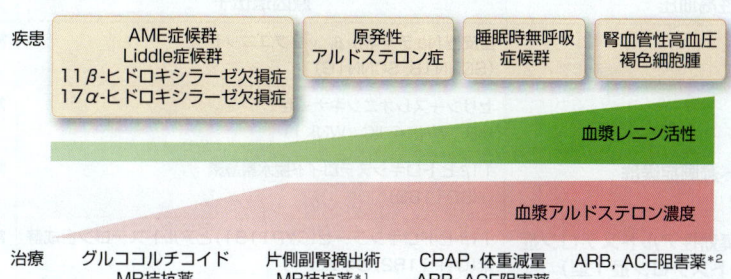

図8-3-2 レニン・アルドステロン値による二次性高血圧の鑑別と治療薬の選択
AME:ミネラルコルチコイド過剰,CPAP:持続性陽圧呼吸,ARB:アンジオテンシンⅡ受容体拮抗薬,ACE:アンジオテンシン変換酵素,MR:ミネラルコルチコイド受容体.
＊1:ARB,ACE阻害薬は効果が弱い.
＊2:両側腎動脈狭窄ではARB,ACE阻害薬で過降圧や腎機能障害の危険がある.

診断

コルチゾール過剰に伴う Cushing 徴候（満月様顔貌，中心性肥満，野牛肩，赤色腹部皮膚線条，皮膚の菲薄化，痤瘡，皮下出血など）が特異的な身体所見である．

24 時間尿中遊離コルチゾール高値，夜間血清コルチゾール高値，デキサメタゾン 1 mg 抑制試験（一晩法）により確定診断し，サブタイプ診断を行う【⇨14-6-5】．

病態

本症の高血圧の機序は，高コルチゾール血症によるミネラルコルチコイド受容体活性化を介した Na 貯留，アンジオテンシノゲンの増加，アンジオテンシンⅡ受容体の増加などの昇圧系の亢進と，NO 産生の低下，ブラジキニンの低下などの降圧系の抑制が多様にかかわっている．

治療

サブタイプを診断し，原因病巣の外科的摘出が第一選択である．手術が施行できない例では，11β-ヒドロキシラーゼ阻害薬メトピロン®による対症療法を行う．

c. 副腎性サブクリニカル Cushing 症候群（subclinical Cushing syndrome）

定義

副腎偶発腫瘍として発見される症例において，Cushing 症候群に特徴的な Cushing 徴候を認めないが，コルチゾールの自律的産生を認め，高血圧，耐糖能異常，骨粗鬆症などを呈する疾患である．

診断・治療

診断は Cushing 症候群の項参照．明確な手術適応は示されていないが，副腎摘出術により高血圧，耐糖能異常などが改善した例が報告されている．

d. 褐色細胞腫（pheochromocytoma）【⇨14-7-4】

定義

副腎髄質由来の褐色細胞腫と傍神経節由来のパラガングリオーマがあり，カテコールアミン過剰による高血圧や耐糖能異常を合併する疾患である．

診断

頭痛，発汗，動悸，顔面蒼白，不安感などの多彩な症状から無症状の例もある．

近年は無症状で副腎偶発腫瘍として発見される例が増えている．持続的な高血圧を示す例と，ふだんは正常血圧で発作性高血圧を示す例がある．24 時間尿中アドレナリン，ノルアドレナリン，メタネフリン，ノルメタネフリン，バニリルマンデル酸の高値が診断に有用である．CT で腫瘍の局在を確認し，^{123}I-MIBG シンチグラフィで機能的診断を行う（図 8-3-2）【⇨14-7-4】．

治療

腫瘍摘出が原則である．術前の血圧管理と循環血液量補正および術中の高血圧クリーゼ防止のため，α遮断薬を投与する．頻脈や不整脈がある場合にはβ遮断薬も投与するが，β遮断薬の単独投与はα作用が増強されるため禁忌である．高血圧クリーゼに対しては，α遮断薬のフェントラミンを点滴静注する．

e. その他の原因によって起こる二次性高血圧

1) **睡眠時無呼吸症候群**（sleep apnea syndrome）： 二次性高血圧の原因として非常に多い．肥満や顎が小さい体格に伴ってみられることが多く，半数以上に治療抵抗性高血圧を認める．確定診断は睡眠ポリソムノグラフィ検査で行い，体重減量や持続陽圧呼吸療法（CPAP）を行う（図 8-3-2）．

2) **大動脈縮窄症**（coarctation of the aorta）： 孤発例や Turner 症候群に合併し，下行大動脈に沿う前胸部〜

表 8-3-3 遺伝性血圧異常症

遺伝性高血圧	原因遺伝子	遺伝形式
Liddle 症候群	上皮型 Na チャネル β，γ サブユニット（SCNN1B, SCNN1G）	常染色体優性
Gordon 症候群	セリンスレオニンキナーゼ（IIB：WNK4, IIC：WNK1）	常染色体優性
ミネラルコルチコイド過剰症候群（AME, New 症候群）	11β-ヒドロキシステロイド脱水素酵素（HSD11B2）	常染色体劣性
グルココルチコイド奏効性アルドステロン症（GRA, 家族性高アルドステロン症 1 型）	11β-ヒドロキシラーゼ（CYP11B1）とアルドステロン合成酵素（CYP11B2）のキメラ	常染色体優性
家族性高アルドステロン症 3 型	G 蛋白共役型内向き整流 K チャネル KCNJ5	常染色体優性
11β-ヒドロキシラーゼ欠損症	11β-ヒドロキシラーゼ（CYP11B1）	常染色体劣性
17α-ヒドロキシラーゼ欠損症	17α-ヒドロキシラーゼ（CYP17）	常染色体劣性
妊娠時増悪早期発症高血圧	ミネラルコルチコイド受容体（NR3C2）	常染色体優性

背部の血管雑音，下肢血管拍動の減弱，上下肢の血圧差（上肢の高血圧，下肢の低血圧，上下肢の収縮期血圧差が20〜30 mmHg以上）で疑われる．小児期の外科治療による狭窄の解除やカテーテルによる血管形成術が適応となるが，術後の高血圧の再燃もある．

3) **甲状腺機能亢進症・低下症**(hyperthyroidism and hypothyroidism)：亢進症は，Basedow病が多く，心拍出量と脈拍数の増加により，収縮期高血圧と脈圧の増大をきたす．低下症は，橋本病が多く，高血圧から診断されることは少なく，甲状腺腫，脂質異常症などで発見され，体液量の増加により高血圧をきたす．

4) **先端巨大症**(acromegaly)：成長ホルモン産生下垂体腺腫が原因となり，約40％に高血圧を認める．

5) **原発性副甲状腺機能亢進症**(primary hyperparathyroidism)：高カルシウム血症，低リン血症，尿路結石などで発見され，約20％に高血圧を認める．

(5) 遺伝性高血圧（表8-3-3，図8-3-2）

a. 17α-ヒドロキシラーゼ欠損症
プロゲステロンから17α-水酸化プロゲステロンへの変換が低下するために，性ホルモンとコルチゾール産生が低下する．その結果，男性では女性化，女性では無月経，二次性徴の欠如が起こる．蓄積するデオキシコルチコステロンによりミネラルコルチコイド受容体が活性化され，高血圧や低カリウム血症をきたす．

b. 11β-ヒドロキシラーゼ欠損症
デオキシコルチゾールからコルチゾールへの変換が低下するために，アンドロゲンとデオキシコルチコステロンが増加して，高血圧や低カリウム血症をきたす．

c. 11β-ヒドロキシステロイド脱水素酵素欠損症
コルチゾールをコルチゾンへ不活化する11β-ヒドロキシステロイド脱水素酵素2型活性が低下し，蓄積したコルチゾールがミネラルコルチコイド受容体を活性化し，高血圧，低カリウム血症をきたす遺伝的疾患である．

(6) 薬剤誘発性高血圧（表8-3-4）

薬剤のなかには高血圧を誘発するものがあり注意が必要である．

表8-3-4 薬剤誘発性高血圧

原因薬物	高血圧の原因
非ステロイド系抗炎症薬(NSAIDs)	腎プロスタグランジン産生抑制による水，Na貯留と血管拡張抑制
甘草	11β-ヒドロキシステロイド脱水素酵素阻害によるコルチゾール半減期延長に伴う作用増強
グルココルチコイド	レニン基質の増加，アンジオテンシンⅡの反応性増強，NO産生抑制，ブラジキニン抑制
シクロスポリン，タクロリムス	腎毒性，交感神経賦活，カルシニューリン抑制血管内皮機能障害
エリスロポエチン	血液粘稠度増加，血管内皮機能障害など
エストロゲン	レニン基質の産生増加
交感神経刺激作用を有する薬物	α受容体刺激，交感神経末端でのカテコールアミン再取り込み抑制
抗VEGF抗体医薬	細小血管床の減少，NO合成低下，腎機能低下

非ステロイド系抗炎症薬(NSAIDs)は，プロスタグランジンの産生抑制により，水・ナトリウム貯留と血管拡張作用の減弱で血圧上昇をきたす．甘草の主成分のグリチルリチンは腎臓での11β-ヒドロキシステロイド脱水素酵素2型の活性阻害を起こし，コルチゾールからコルチゾンへの不活化が妨げられ，蓄積したコルチゾールがミネラルコルチコイド受容体に結合して活性化する偽性アルドステロン症をきたす．グルココルチコイドは大量投与により，Cushing症候群と同様の機序で血圧上昇をきたす．シクロスポリン，タクロリムスは交感神経活性亢進や血管内皮機能障害により血圧上昇をきたす．

〔柴田洋孝〕

■文献

日本高血圧学会高血圧治療ガイドライン作成委員会：二次性高血圧．高血圧治療ガイドライン2014, pp115-30, ライフサイエンス出版, 2014.

Young WF Jr: Endocrine hypertension. Williams Textbook of Endocrinology, 12th ed (Melmed S, Polonsky KS, et al eds), pp545-77, Saunders Elesevier, 2011.

8-4 低血圧
hypotension

定義・概念

低血圧とは，収縮期血圧 100 mmHg 以下の場合を指し，拡張期血圧は通常問題にされない．高血圧には日・米・欧州などのガイドランに基づく国際的な基準が存在するが，低血圧には明確な基準がなく起立性低血圧の定義に関してのみ国際的コンセンサスが存在する．

低血圧の出現頻度は全年齢層では 1.5～7％，性別では男性で 0.5％前後，女性で 2％前後，愁訴や症状のみられる症例は約 10％程度とされている．

分類

病因，発症および経過，症状の有無などにより表 8-4-1 のように分類される．病因による分類では，本態性低血圧と症候性（二次性）低血圧，経過による分類では急性，慢性および一過性低血圧に分類される．単に血圧が低い状態は体質性低血圧として区別され，病的意義は乏しい．急性低血圧は通常ショックを意味するが，自己免疫性自律神経節障害(autoimmune autonomic ganglionopathy)や傍腫瘍性神経症候群では急性もしくは亜急性の起立性低血圧を呈することがある．慢性に低血圧をきたす疾患としては大動脈弁狭窄，不整脈，収縮性心膜炎などの心疾患，Addison 病，下垂体前葉機能低下症，甲状腺機能低下症などの内分泌疾患，Shy-Drager 症候群，Parkinson 病，糖尿病性神経障害などの神経疾患，血液透析中など循環血漿量の低下する病態や薬物性などがあげられる．

一過性の低血圧としては起立性低血圧と食事性低血圧が代表的であり，特に高齢者においてその頻度が高い．低血圧と高血圧は相互に関連し合う場合もある．すなわち，神経原性起立性低血圧における反跳性高血圧や夜間臥位高血圧，高血圧における起立性低血圧，高血圧治療における低血圧の出現などがその例である．

1) 起立性低血圧
orthostatic hypotension

起立性低血圧とは臥位または座位から起立時 3 分以内に収縮期血圧で 20 mmHg，拡張期血圧で 10 mmHg 以上低下する場合と定義され，国際的なコンセンサスが得られている．tilt-table を用いた受動的な起立試験(head up tilt test)を診断に用いる場合もある．起立性低血圧は加齢とともに増加し，65 歳以上では約 20％，75 歳以上では約 30％に認められる．

eコラム 1 も参照．

病態生理・病因

健常者では起立により 300～800 mL の血液が下肢や腹部臓器に貯留する．そのため静脈還流および心室充満量は減少し，一過性に心拍出量と血圧が低下する．これに伴い頸動脈洞と大動脈の圧受容体が作動し，交感神経遠心路が活性化され副交感神経遠心路は抑制される．この代償性の圧受容体反射により，心拍

表 8-4-1 低血圧の分類(稲葉ら，2007 より改変)

1. 本態性低血圧
2. 症候性（二次性）低血圧
   a. 内分泌性(Addison 病，下垂体前葉機能低下症，甲状腺機能低下症など)
   b. 心血管性(大動脈弁狭窄症，不整脈，心筋梗塞，うっ血性心不全など)
   c. 神経原性(Shy-Drager 症候群，Parkinson 病，多発性硬化症，多発性脳梗塞，脊髄障害，糖尿病性神経症など)
   d. 循環血漿量減少（血液透析など）
   e. 薬剤性
3. 一過性低血圧
   a. 起立性低血圧
   b. 食事性低血圧

表 8-4-2 起立性低血圧の分類(中村ら，2007 より改変)

1) 循環器血液量減少または静脈系への血液貯留
   a) 循環血液量減少
      出血，貧血，脱水，過度の利尿，発熱，長期臥床，過度の発汗，アルコール，血液透析，尿崩症，副腎不全，褐色細胞腫
   b) 静脈系への血液貯留
      長時間の起立，静脈瘤，妊娠

2) 薬物
   α遮断薬，利尿薬，Ca 拮抗薬，レニン-アンジオテンシン系抑制薬，交感神経遮断薬，血管拡張薬，硝酸薬，抗不安薬，抗うつ薬，抗精神薬，抗 Parkinson 病薬，中枢神経抑制薬

3) 自律神経不全
   a) 原発性
      純粋型自律神経不全症
      多系統萎縮症(Shy-Drager 症候群)
      Parkinson 病
   b) 続発性
      加齢
      中枢神経疾患（腫瘍，血管疾患，Wernicke 脳症など）
      神経系の感染症
      自己免疫疾患(Guillan-Barré 症候群など)
      代謝性自律神経障害（糖尿病，アミロイドーシス，アルコール中毒，腎不全など）
      癌性自律神経障害
      脊髄障害

表 8-4-3 失神を惹起する起立性不耐症症候群(井上ら, 2012 ; Task Force for the Diagnosis and Management of Syncope ら, 2009 より引用改変)

分類	診断試験	立位から症状発現までの時間	病態生理	最も頻度の高い症状	最もみられる臨床像
初期起立性低血圧	立位試験時の心拍ごとの収縮期血圧測定	0～30秒	心拍出量と末梢血管抵抗のミスマッチ	立位直後の頭重感,めまい,視力障害(失神はまれ)	若年虚弱体質,老年,薬剤(血管拡張薬),頸動脈洞症候群
古典的(進行性)起立性低血圧	立位試験またはtilt test	30秒～3分	自律神経活動不全による末梢血管抵抗増加不全	めまい,失神前駆症状,倦怠感,脱力感,動悸,視力・聴力障害(失神はまれ)	老年者,自律神経不全,薬剤(血管作動性および利尿薬),ほかの合併症
遷延性(進行性)起立性低血圧	tilt test	3～10分	進行性の下肢静脈還流低下,心拍出量低下,末梢血管抵抗増加不全	遷延する前駆症状(めまい,倦怠感,脱力,動悸,視力・聴力障害,多汗,背部・頸部・前胸部痛)に引き続く突然の失神	老年者,自律神経不全,薬剤(血管作動性および利尿薬),ほかの合併症
遷延性(進行性)起立性低血圧＋反射性失神	tilt test	3～45分	迷走神経活動に起因する進行性の下肢静脈血液貯留	遷延する前駆症状(めまい,倦怠感,脱力,動悸,視力・聴力障害,多汗,背部・頸部・前胸部痛)に引き続く突然の失神	老年者,自律神経不全,薬剤(血管作動性および利尿薬),ほかの合併症
立位誘発性反射性失神	tilt test	3～45分	初期代償性反射に続く急激な静脈還流低下,迷走神経活動亢進	典型的前駆症状,誘因に引き続く失神	若年健常者,女性に多い
体位性起立頻脈症候群(POTS)	tilt test	症例により異なる	静脈還流不全および過剰な静脈血液貯留	有症候性の著明な心拍増加,血圧不安定化(失神はまれ)	若年女性に多い

POTS : postural tachycardia syndrome.

数と末梢血管抵抗が増加し,心拍出量と血圧は回復する(e図8-4-A).さらにレニン,アルドステロンなどの液性因子も起立性耐性を高める.このようにして通常,収縮期血圧はわずかの減少にとどまり(5～10 mmHg),拡張期血圧は若干増加し(5～10 mmHg),心拍数は増加する(10～25/分).しかしながら循環血液量減少や過度の静脈還流の減少のため体位変化による静脈還流の減少を自律神経反射で代償しきれない場合,起立性低血圧の症状が現れる.起立性低血圧の原因疾患を表8-4-2に示す.

eコラム2も参照.

臨床症状

起立性低血圧の症状としては脳血流低下に基づく症状(立ちくらみ,脱力,めまい,視力障害,失神),筋肉系症状(肩こり,背部痛),循環器系症状(胸痛),腎臓関連症状(乏尿)などがあげられる.一方,高齢者では無症状の症例も多く,老人福祉施設の入居者や老年病病棟の患者では6割程度に起立性低血圧が認められたとの報告がある.

診断

一般診察所見とともに神経学的所見としてParkinson症状,自律神経症状(陰萎,膀胱直腸障害,発汗異常,瞳孔異常,消化管機能異常),運動障害,感覚障害,小脳失調の有無などを調べる.血圧と脈は,臥位と立位3分後まで繰り返し測定する.自律神経障害合併例では立位で血圧は低下しても脈拍数は増加しない.また,高齢者の症例では臥位の脈圧が高値を示す傾向がある.立位での血圧測定に加えて,疑わしい症例にはhead up tilt(HUT)test を行うことが推奨されている.HUT test は,起立性低血圧と広義の起立性低血圧に属する神経調節性失神との鑑別に有用である.失神を惹起する起立性低血圧の分類としては,初期起立性低血圧(initial orthostatic hypotension),遅延性(進行性)起立性低血圧(delayed (progressive) orthostatic hypotension),体位性起立頻脈症候群(postural (orthostatic) tachycardia syndrome : POTS)などがあり,それぞれ病態,臨床像が異なる(表8-4-3).

慢性の低血圧が疑われれば,薬剤を中止し,血液検査で電解質,血糖,腎機能などを確認し症候性低血圧を除外する.血液検査に異常がなければ,神経原性の疾患を考慮しCT,MRI検査などを施行する.

治療

急性の起立性低血圧は原因に対する治療を行う.慢

性の起立性低血圧は原疾患に対する治療とともに非薬物・薬物療法を行うが，神経原性（自律神経異常）の場合には進行性で治療困難な場合も少なくない．起立性低血圧の治療の目標は①臥位高血圧の合併を回避しつつ起立時の血圧値を上昇させること，②起立時間の延長，③起立時の症状の軽減，④日常生活における起立時活動の改善である．

1) 非薬物療法：すべての患者に以下に示すような非薬物療法をまず試みるべきであり，非薬物療法が無効な場合に薬物療法を試みる．

①起立性低血圧を起こす疑いのある薬剤使用がある場合には中止する．頻度の高い薬剤として硝酸薬，三環系抗うつ薬，向精神薬，α遮断薬があげられる．脱水による急性の起立性低血圧では，十分な補液を行う．

②起立性低血圧の誘因となる急な姿勢変化，高温環境，動作の少ない長時間の起立を回避する．長期臥床患者では下肢への急激な血液貯留を避けるため，ゆっくり立ち上がり，移動することを指導する．咳，いきみによる胸腔内圧の上昇も避ける．

③就寝時に頭部を10～20°挙上すると，レニン-アンジオテンシン-アルドステロン系とバソプレシン分泌が促進され，夜間利尿の軽減と早朝の起立時の急な下半身への血液貯留を回避することができる．

④水分や塩分の保持能力低下のある症例では，適度に水分と塩分を摂取する．

⑤理学的手技として足の背屈，前かがみ姿勢，脚組み，蹲踞などは静脈還流を増やし血圧低下の予防に有用である．また装備として，弾性ストッキングや腹帯も有用な場合がある．

⑥軽い運動は起立耐性を改善し，静脈への血液貯留を減少させ，循環血漿量を増加させる効果がある．

2) 薬物療法：ミドドリンは交感神経興奮性血管作動薬に分類され，$α_1$-アドレナリン受容体を介して抵抗血管である細動脈と容量血管である静脈に作用し血管を収縮させることにより循環血漿量を相対的に増やす．ミドドリンは神経原性起立性低血圧に対する有効性が無作為二重盲検試験により確認されている唯一の薬剤である（ⓔコラム3）．

高齢者高血圧では，血圧の動揺性の増大から起立性低血圧が生じやすい．起立性低血圧を示す症例では，血圧が高いほど低下幅が大きく症状も出現しやすいことから，降圧により起立時の血圧低下度が改善する場合がある．降圧薬を使用する際は，原則としてα遮断薬は用いず，利尿薬も血圧低下を助長する可能性があるため慎重に使用し，転倒に注意しながら緩徐に降圧することが推奨されている．

〔佐藤伸之・長谷部直幸〕

2) 食事性低血圧
postprandial hypotension

食事性低血圧とは，食後2時間以内に収縮期血圧が少なくとも20 mmHg以上低下するか，食前100 mmHg以上あった収縮期血圧が食後90 mmHg以下になる場合をいう．食事性低血圧は自律神経障害を呈する神経疾患以外に，高血圧，糖尿病，高齢者によく認められる．

病態生理・病因

食事により内臓血流が増加し，血管抵抗は低下するが，健常者では神経性，液性などの調節機序により血管抵抗は維持され，心拍出量も増加する．このような生理的代償機序が欠如または低下した場合，食事性低血圧が起こりやすくなる．食事性低血圧を促進する因子として①食事栄養成分（特に炭水化物とブドウ糖），②高温食，③体位（起立），④高血圧，⑤自律神経障害，⑥薬剤（特に降圧薬，抗精神病薬）が指摘されており，胃の伸展状態や消化管ホルモンも病態に関与すると報告されているが，機序についてはいまだ不明の部分も多い．

臨床症状

食後にめまい，失神，転倒，脱力，視力障害などの症状を呈する．特に高齢者で食後の失神や転倒骨折，降圧薬服用時の過度の降圧などがみられた場合，本病態に基づく可能性を考慮する必要がある．

治療

1) 非薬物療法：過剰な内臓血管の拡張を回避し，食事性低血圧を予防するには，炭水化物の多い食事を避け1回の食事量を減らし回数を多くする．また，高温食を控え水分摂取を多くすることが推奨されている．

2) 薬物療法：カフェインはアデノシン受容体拮抗作用を有し，またソマトスタチン類似物質であるオクトレオチドは内臓血管を収縮させ，食事性低血圧予防に有用との報告がある．また糖尿病患者では，αグルコシダーゼ阻害薬が有効との報告もある．しかしながら，慢性効果を含めた有用性は十分に立証されていない．

3) 本態性低血圧
essential hypotension

定義・頻度

本態性低血圧は明らかな原因がなく，血圧が慢性的に低い状態（収縮期血圧<100 mmHg）で，倦怠感などの愁訴はあっても，基礎疾患が特にない低血圧と定義される．

女性に多く，多因子遺伝に生活習慣，食事習慣，運

動習慣が重なって発症すると考えられる．本態性低血圧患者はうつ傾向などの心理的要因を有する場合が多く，日常生活も，リズムのない，運動の乏しい，夜更かしがちの生活などが多い．

臨床症状・診断

低血圧の原因となる基礎疾患のないことを確認する．症状は易疲労感，頭痛，頭重，肩こり，立ちくらみ，失神，めまい，耳鳴り，不眠，動悸，胸痛，胸部圧迫感，食欲不振，便秘，腹部膨満感，悪心などである．うつ傾向を示す場合もある．

診断には随時血圧のほか，24時間血圧計による日内変動の観察も有用である．

治療

基礎疾患がなく，無症状の場合は放置してよい．一方，めまい，ふらつきなどの症状が強く，日常生活に支障をきたす場合には治療が必要である．治療には生活改善，食事療法，運動療法，薬物療法がある．

1)生活改善：　十分な睡眠をとり規則正しい生活を心がける．

2)食事療法：　規則正しい食事と水分摂取を心がけ，合併症がない場合は食塩を十分に摂取する．

3)運動療法：　本症には運動不足などの生活習慣が関係しているといわれ，水泳，ウォーキングなどの運動は有効である．また下肢筋トレーニングも，筋ポンプ力を増すため有効である．

4)薬物療法：　上記の生活指導にて改善がない場合，起立性低血圧に準じた薬物を使用する．

〔佐藤伸之・長谷部直幸〕

■文献（e文献8-4）

稲葉宗通，野口雄一，他：低血圧．循環器症候群Ⅰ，pp120-1213，日本臨牀社，2007．

Low PA, Singer W: Update on management of neurogenic orthostatic hypotension; an update. *Lancet Neurol*. 2008; 7: 451-8.

中村由紀夫，大倉誓一郎，他：起立性低血圧．循環器症候群Ⅰ，pp124-7，日本臨牀社，2007．

9. 呼吸器系の疾患

1. 内科学総論
2. 老年医学
3. 心身医学
4. 症候学
5. 治療学
6. 感染症
7. 循環器
8. 血圧の異常
9. 呼吸器系
10. 消化管・腹膜
11. 肝・胆道・膵
12. リウマチ・アレルギー
13. 腎・尿路系
14. 内分泌系
15. 代謝・栄養
16. 血液・造血器
17. 神経系
18. 環境要因・中毒

呼吸器系

- 9.1 総論 ……………………………… 709
- 9.2 感染症 …………………………… 734
- 9.3 気道・肺胞疾患 ………………… 757
- 9.4 アレルギー・免疫性疾患 ……… 766
- 9.5 間質性肺疾患 …………………… 782
- 9.6 代謝異常による肺疾患 ………… 797
- 9.7 無気肺 …………………………… 802
- 9.8 急性呼吸促迫症候群 …………… 805
- 9.9 囊胞および拡張性気管支・肺疾患 …………………………… 808
- 9.10 肺循環障害 ……………………… 818
- 9.11 呼吸調節の異常 ………………… 829
- 9.12 肺腫瘍 …………………………… 834
- 9.13 胸部リンパ系疾患 ……………… 846
- 9.14 胸膜疾患 ………………………… 848
- 9.15 縦隔疾患 ………………………… 853
- 9.16 横隔膜の疾患 …………………… 858
- 9.17 胸郭の異常（漏斗胸・鳩胸）… 861
- 9.18 発育異常・形成不全 …………… 862
- 9.19 慢性呼吸不全 …………………… 865

呼吸器系疾患における新しい展開

　呼吸器領域における近年の新薬開発は，めざましく進歩している．特発性肺線維症に対する抗線維化薬の登場，肺癌における遺伝子解析に基づく分子標的薬の開発に加えて，新しい癌治療薬としての免疫チェックポイント阻害薬の出現，慢性閉塞性肺疾患(COPD)に対する気管支拡張薬の新規開発を中心とした新しい吸入配合薬，気管支喘息に対する抗サイトカイン治療薬，また，希少疾患であるリンパ脈管筋腫症に対するシグナル伝達阻害薬など，いずれも保険収載されることにより，実臨床の場で治療に用いることができるようになった．

　特発性間質性肺炎は難治性疾患であり，一般内科医にとって診断・治療が難しいと考えられている．新しい流れとして，病理所見のみに頼ることなく，臨床医，放射線診断医，病理医が共同で診断を行う多分野診断(multidisciplinary diagnosis)が今後の方向性として提案された．診断・治療のガイドラインが改訂され，特に難治とされる特発性肺線維症については，2種類の抗線維化薬が市場に登場したことは，これまで治療法のなかった本疾患において，治療介入という新しい局面に入ったことを示している．

　肺癌は，次世代シークエンサーを用いた網羅的遺伝子解析研究により，上皮成長因子受容体(EGFR)遺伝子変異，EML4-ALK，ROS1，RET融合遺伝子など，分子標的薬が著効を示す分子標的の発見とその臨床応用が進み，いわゆる"precision medicine"の代表的なモデルとなった．さらに，腫瘍免疫の発想の転換(免疫制御分子を破壊することにより，相対的に腫瘍免疫を増強するとともに，効率的に腫瘍免疫を誘導する)により免疫チェックポイント阻害薬が臨床の場で使用が可能となった．薬剤の相互作用を含め，これらの薬剤をどのように組み合わせて有効に使用していくのか，今後の新たな課題である．

　人口の高齢化を反映して，日本のみならず世界的にもCOPDによる死亡増加が予想されている．日本の健康作り対策である2013年「健康日本21(第2次)」にはじめて肺の生活習慣病としてCOPDが取り上げられた．COPDはその病態解明と治療薬の進歩により，「予防可能で治療可能な疾患」となり，予防・治療・リハビリテーションを軸とした包括的治療が重要である．さらに，新規の吸入気管支拡張薬の開発が進められたことにより，治療選択肢が増えた一方で，これらの薬剤の使い分けが今後の課題である．

　WHOの2012年における世界のThe Top 10 Causes of Deathでは，第3位COPD，第4位肺炎，第5位肺癌であり，呼吸器疾患が上位を占めている．呼吸器疾患は，いわゆる"common disease"であるが，一方ではいずれも難治の疾患である．さらなる病態の理解と新たな治療展開が期待される分野である．

〔長谷川好規〕

9-1 総論

1）呼吸器疾患患者のみかた

（1）病歴
a. 現病歴

呼吸器疾患を示唆する症状には，咳，痰，呼吸困難，喘鳴，胸痛，喀血などがある．このような症状がある場合，その症状を分析するために分析的な病歴をとると，鑑別診断に役立つ．分析的な病歴をとるときの参考となるチェックリストを表9-1-1に示す．

胸痛を例にあげて分析する．突然発症と急性発症はできるだけ区別するようにする．突然発症は発症後数分以内に症状が最大に達するものであり，患者は発症時の状況を克明に記憶していることが多い．発症様式が突然発症のときは，胸膜組織が「破れる」気胸や，管腔が「詰まる」肺塞栓症などを考える（宮城ら，2009）．

一般論として，症状の程度が強いとき，あるいは時間的経過で持続増悪するときは重篤な疾患を考慮すべきである．自律神経の亢進症状があるときも重篤な疾患を考える．これには，交感神経の亢進である冷感や冷汗，副交感神経の亢進である尿便失禁や悪心・嘔吐がある．

時間的に長期間の症状は慢性の病態となり，急性の病態と区別する．たとえば，咳の鑑別診断では，急性と慢性で原因疾患のスペクトラムが異なるので，アプローチを変える必要がある．咳の患者には咳エチケットとして，サージカルマスクを院内では装着してもらうようにする．

痰を伴う咳は湿性咳嗽とよぶ．喀痰排泄を有するとき，おおよその量，色，におい，血液の混入（血痰または喀血）について確認する．喀痰量が多いときは炎症を示唆する．急性肺炎を疑う場合，鉄錆色では肺炎球菌性肺炎，オレンジゼリー様色ではレジオネラ肺炎を考える．嫌気臭では嫌気性菌感染症を考える．クレブシエラ（肺炎桿菌）肺炎では，粘稠で糸を引く痰が特徴的である．激しい咳があるにもかかわらず痰があまり出ない場合は乾性咳嗽とよび，マイコプラズマやクラミジア非定型肺炎や百日咳を示唆する．

呼吸困難とは，呼吸努力を増加させる必要性を感じること（呼吸努力感）や呼吸時の不快感を自覚することである．臥床により呼吸困難が強くなり，座位または後に寄りかかる姿勢をとると楽になるものを起座呼吸（orthopnea）とよぶ．呼吸困難をきたす患者の診察では，左心不全と呼吸不全（右心不全）の鑑別が重要となる場合が多く，両方ともに起座呼吸を呈しうるが，左心不全では後方に傾いた姿勢の起座呼吸を好み，呼吸不全では前傾姿勢の起座呼吸を好む傾向がある．呼吸困難がある一定の側臥位でのみ起こるものを片側臥位呼吸（trepopnea）とよぶ．臥位では呼吸困難はないが，立位や座位で生じる状態を扁平呼吸（platypnea-orthodeoxia）とよび，肝硬変や卵円孔開存の患者で認めることがある．

呼吸困難や息切れの程度を示す指標として，Fletcher-Hugh-Jones 分類や MRC 息切れスケールがある（表9-1-2，9-1-3）．

Fletcher-Hugh-Jones 分類や MRC 息切れスケールは，慢性呼吸不全の進行程度を医療者が判定するもの

表9-1-1 症状の分析チェックリスト OPQRST

Onset	発症様式
Palliative/Provocative factors	軽快・増悪因子
Quality/Quantity	性質と程度
Region/Radiation	主要部位と放散部位
Symptoms	随伴症状
Time course	時間的経過

表9-1-2 Fletcher-Hugh-Jones 分類

Ⅰ度	同年齢の健康者と同様の労作ができ，歩行，階段の昇降も健康者並にできる
Ⅱ度	同年齢の健康者と同様に歩行できるが，坂，階段の昇降は健康者並にはできない
Ⅲ度	平地でさえ健康者並には歩けないが，自分のペースでなら1.6 km（＝1マイル）以上歩ける
Ⅳ度	休みながらでなければ50 m以上歩けない
Ⅴ度	会話，着物の着脱にも息切れがする．息切れのため外出できない

表9-1-3 MRC 息切れスケール（British Medical Research Council）

Grade 0	息切れを感じない
Grade 1	強い労作で息切れを感じる
Grade 2	平地を急ぎ足で移動する，またはゆるやかな坂を歩いて登るときに息切れを感じる
Grade 3	平地歩行でも同年齢の人より歩くのが遅い，または自分のペースで平地歩行していても息継ぎのため休む
Grade 4	約100ヤード（91.4 m）歩行した後息継ぎのため休む，または数分間，平地歩行した後息継ぎのため休む
Grade 5	息切れがひどくて外出ができない，または衣服の着脱でも息切れがする

で，間接的評価である．呼吸リハビリテーションでの評価には患者自身の直接的評価が必要である．生活動作内での呼吸困難の程度を示す直接的評価スケールとして，修正 Borg スケールがある（表 9-1-4）．

胸痛では，痛みの生じるタイミングを確認する．吸気時に増強する胸痛は胸膜痛（胸膜刺激による痛み）を示唆する．

喀血では，血液排泄量に注意する．一般的に 24 時間以内に 100 mL 以上の喀血を大量喀血とよび，循環不全と呼吸不全のリスクが高い緊急度の高い病態である．ときに，鼻出血や消化管出血を喀血とみなされることがあるので注意を要する．

b. 追加の病歴

現病歴以外の情報も重要であり，これらを表 9-1-5 にまとめた．

内服歴で 5 種類以上の内服薬を服用中の場合はポリファーマシーとよぶ．ポリファーマシーでは，薬剤の副作用のリスクが高まる．ステロイド薬や免疫抑制薬を投与中では免疫不全状態とみなす．治癒した「既往疾患」と現在も罹患している「併存疾患」は，既往症と併存症として区別して考えるべきである．

社会歴には，喫煙歴，飲酒歴，職業歴，家族歴を含める．喫煙歴は，期間と 1 日の本数（箱数）を確認し，禁煙している場合には何年前から禁煙しているかを尋ねる．現在は無職であっても，これまでの職業について具体的に聞く．喫煙は肺癌や慢性閉塞性肺疾患の最大の危険因子である．石綿暴露は肺癌や悪性中皮腫，粉じん暴露はじん肺の危険因子である．じん肺の起因物質と発生職場には特異的な関連がわかっているものが多いので，どのような職場で，どのような種類の粉じんに暴露していたかを注意深く聞いていく．家族歴は遺伝性疾患や感染性疾患を考えるときに重要な病歴である．

c. 感染症を疑うときの病歴

感染症を疑うときには，患者（宿主）と病原体との遭遇についての病歴をとる必要がある．表 9-1-6 に，そのチェック項目をあげた．

インフルエンザや結核の家族内発生はよく知られている．ニューモシスチス肺炎を診たときには HIV 感染を疑うべきであり，男性患者であれば男性同性愛者であるかどうかの情報確認が必要である．西アフリカ渡航直後の発熱であれば，エボラ出血熱を考慮する．ネコとの接触ではパスツレラ症を考慮する．温泉やサウナに出かけた後の肺炎発症ではレジオネラ肺炎を疑う．

d. システムレビュー

現病歴の情報から今回の症状の原因として可能性がある複数のシステムについてはシステムレビューを行うべきである．全身症状については全患者で確認する．入院患者ではすべてのシステムについてレビューを行う．表 9-1-7 にシステムレビューの例を示す．

悪寒がある場合，その程度を確認するとよい．「全身の震えを止めることができないくらいの激しい悪寒」は悪寒戦慄とよび，これは敗血症を示唆する．また，倦怠感の程度が強い場合は重篤な疾患を考える．膠原病肺を疑う場合には，筋骨格系症状と皮膚粘膜系症状を聞くとよい．システムレビューを組み合わせた

表 9-1-4 修正 Borg スケール

0	何も感じない
0.5	非常に弱い
1	かなり弱い
2	弱い
3	中等度に弱い
4	やや強い
5	強い
6	
7	かなり強い
8	
9	
10	非常に強い：最大限

表 9-1-5 追加の病歴 MISIA

Medication	内服歴
Illness	既往症と併存症
Social history	社会歴（家族歴も含む）
Injury/Surgery	外傷・手術歴
Allergy	アレルギー歴

表 9-1-6 感染症を疑うときの病歴チェックリスト STSTAE

Sick contact	発熱や咳を有する人との接触
TB contact	結核患者との接触（家族内・職場内など）
Sexual contact	性的接触
Travel history	渡航歴
Animal contact	動物との接触や特別な肉の摂取
Environmental exposure	特別な環境への暴露

表 9-1-7 システムレビュー（review of systems：ROS）の問診例

全身症状：発熱，悪寒，寝汗，体重変化，食欲低下，倦怠感
呼吸器症状：咳，痰，呼吸困難，喘鳴，胸痛，喀血
心血管系症状：動悸，胸痛，呼吸困難，失神
筋骨格系症状：関節痛，骨痛，筋肉痛
皮膚粘膜系症状：発疹，粘膜疹
（その他のシステムの症状は割愛）

病歴聴取を行うことにより，鑑別診断のリストを絞り込むことが可能になる．

(2) 診察
a. 全身外観

熟練した医師のゲシュタルト（全体像を迅速に評価する認知能力）による外観の評価は貴重な判断根拠となりうる．急性疾患では，呼吸状態の観察を迅速に行う．呼吸補助筋を動員した努力様呼吸は呼吸状態悪化の徴候である．会話では発語可能かどうかに注意し，嗄声の有無も確認する．呼吸困難が強いために会話ができないようなときは重篤な呼吸障害を示唆する．苦痛様または苦悶用表情は，程度の強い疼痛または不快感を意味する．顔面蒼白では貧血または循環障害を疑う．一方，チアノーゼの存在は還元ヘモグロビンが 5 g/dL 以上であることを意味し，低酸素症を示唆する．慢性呼吸不全患者では二次性赤血球増加症となっていることが多く，普段は顔面が紅潮しているが，急性増悪ではチアノーゼも出現しやすい．口すぼめ呼吸があれば，慢性閉塞性肺疾患を示唆する．

身長と体重の評価は必須である．短期間（1 カ月未満）の体重変化は水分の貯留や喪失（脱水）を示唆する．経時的に体重変化をみることにより予後評価の参考となる．

b. バイタルサイン

古典的なバイタルサインは，血圧，心拍，呼吸，体温である．現代的バイタルサインとして，意識レベル，静脈圧，パルスオキシメーター経皮的毛細管酸素飽和度（S_pO_2），尿量が加わる．慢性呼吸器障害患者では，安静時と運動負荷時（6 分間歩行直後など）のバイタルサインの比較も行う．

一般的に S_pO_2 は S_aO_2 の代用として利用できるため，室内気呼吸下で S_pO_2 が 90％のときは P_aO_2 が 60 mmHg を示唆する．それゆえ，S_pO_2 が 90％未満のときは低酸素血症を意味する．しかしながら，S_pO_2 を測定したからといって，呼吸数のカウントを省略してはならない．呼吸障害の早期サインは呼吸数のわずかな変化のみのことがある．また，S_pO_2 の異常値は呼吸数と合わせて評価すべきである．同じ P_aO_2 が 55 mmHg の呼吸不全でも，呼吸数毎分 40 回では，急性呼吸不全を意味し，呼吸数毎分 18 回では，慢性呼吸不全を示唆する．

呼吸数のカウントは 30 秒行い，その結果を 2 倍して毎分値としてもよい．呼吸のリズムに異常があるときは 1 分間測定する．表 9-1-8 に呼吸のリズム異常状態についてまとめた．

顕著な過呼吸を Kussmaul 呼吸とよび，代謝性アシドーシスを代償するときにみられる．過換気と区別が困難なことがあり，必要に応じて血液ガス分析を行

表 9-1-8 呼吸のリズム異常

頻呼吸（tachypnea）：呼吸回数の増加
徐呼吸（bradypnea）：呼吸回数の低下
過呼吸（hyperpnea）：1 回換気量の増加（大呼吸ともよぶ）
多呼吸（polypnea）：呼吸数と 1 回換気量のいずれも増加
低呼吸（hypopnea）：1 回換気量の低下（小呼吸ともよぶ）
無呼吸（apnea）：呼吸運動が一過性に中断するもの
過換気 hyperventilation：代謝の要求以上に換気するもの
Cheyne-Stokes 呼吸：速く深い呼吸を行った後に次第に浅い呼吸になり，その後と無呼吸になった後で再びまた大きく速くなるという状態を周期的規則的に繰り返すもの
Biot 呼吸：呼吸数も深さもリズムもすべて不規則なもの

う．Cheyne-Stokes 呼吸は睡眠時無呼吸症候群や左心不全，脳障害などでみられる．Biot 呼吸は予後不良を示唆する呼吸状態である．

軽度の意識レベル疑いでは，見当識障害の有無をみればよい．代謝性意識障害（CO_2 ナルコーシスを含む）では，アステリキシス（陰性ミオクローヌス）の有無を評価する．両手を背屈位で前方へ差し出してもらい，両手首の動きを観察し，振動数の小さいミオクローヌスがあるかをみる．アステリキシスがあれば P_aCO_2 がベースラインより 15 mmHg 以上上昇していることを示唆する．重度の意識障害でいびきを伴う深い呼吸は，重度の脳障害を示唆する．

静脈圧の評価もバイタルサインに含める．なぜなら，血圧は動脈血圧のことであり，大循環系のうち，動脈圧と合わせて静脈圧もバイタルサインとして評価することが重要だからである．その評価には，内頸静脈，外頸静脈，または手背静脈を用いる．右房を基準（ゼロ点）としてその高さ（静脈怒張の頂点）を測定する（中心静脈圧，central venous pressure）．図 9-1-1 を参照．

実践的には，胸骨角からの垂直距離で測定することが多い（頸静脈圧，jugular venous pressure）．胸骨角から右房までの距離は体位にかかわらず約 5 cm である（体格による差はある）．正常値は，中心静脈圧で約 5～10 cmH_2O（頸静脈圧で約 0～5 cm）である．正常の静脈圧の場合，臥位では，頸部と心臓の高さ（重力方向）がほぼ同じとなるので，外頸静脈は怒張する．座位や立位では，頸上方部の高さが右心房から 10 cm 以上（胸骨角から 5 cm 以上）となるため，頸上方部までは外頸静脈は怒張しない．

呼吸器疾患では右心負荷に伴う三尖弁閉鎖不全を認めることがよくある．その際には，頸静脈波形における v 波の増高があり，cv 結合をみることもある．静脈圧上昇も伴えば，右耳たぶ拍動（earlobe pulsation）として確認することもできる．

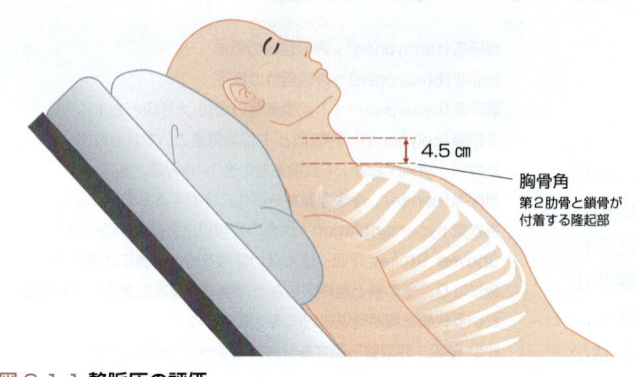

図 9-1-1 静脈圧の評価

c. 視診

呼吸補助筋の発達は慢性呼吸器障害を示唆する．慢性閉塞性肺疾患では胸鎖乳突筋が発達し，拘束性肺疾患では中斜角筋が発達する．慢性閉塞性肺疾患が進行すると，呼吸補助筋以外の全身の筋肉は萎縮する（Tokuda ら，2007）．

胸郭の視診では，変形や拡大をみる．高度の側弯や後弯による胸椎の変形で呼吸機能障害をみることがある．上部胸郭と下部胸郭，横隔膜，背側，胸骨の視診により，呼吸運動の減弱の有無や左右差の有無をみる．進行した慢性閉塞性肺疾患の視診所見を表 9-1-9 に示す．

奇異性呼吸とは，吸気時に腹部が陥凹するもの（正常では前方へ膨らむ）．これは，慢性呼吸不全の急性増悪でみられるもので，横隔膜筋力の低下を示唆する．慢性閉塞性肺疾患の患者でばち指（e図 9-1-D）を認めたときは肺癌合併の可能性を考える．

d. 打診

手首のスナップを用い，利き手の中指で反対側の中指の末節を叩く．左右差を確認することが大切である．肺尖部を打診する際には，直接に鎖骨を打診してもよい．

肺の正常打診音は共鳴音（resonance）である．胸水貯留部位では濁音（dullness）となる．気胸や大きなブラでは鼓音（tympany）となる．

わずかな胸水貯留を検出するには，打聴診（auscultatory percussion）を行う．背部で胸水貯留部位を聴診しながら，前方から胸骨を軽く叩打する．胸水貯留部位では音の伝達が変化するので，反対側の背部も聴診して左右を比較する．

e. 触診

胸壁ラトリングの存在は重度の畜痰を示唆する．声音振盪では，背中を手掌または手刀部で触診しながら，患者に「ひとーつ」などの大きな母音を発声してもらう（e図 9-1-E）．胸水貯留では声音振盪が減弱する．

f. 聴診

上気道，末梢気道の差，末梢気道での左右差に注意しながら聴診を行う．服の外から聴診するのではなく，必ず脱衣や衣服を避けながら聴診を行う．正常呼吸音には，気管気管支呼吸音と肺胞呼吸音がある．気管気管支呼吸音では，呼気がよく聴かれる．肺胞呼吸音では，吸気がよく聴かれる．

異常な呼吸音を呼吸副雑音（肺雑音）とよぶ．呼吸副雑音には断続性と連続性がある．その他として胸膜摩擦音がある．断続性呼吸副雑音にはクラックル（crackles）がある．細かい高調性のソフトなクラックル音を捻髪音，粗い低調性で大きなクラックル音を水泡音とよぶ．捻髪音は間質性肺疾患で聴かれることが多い．水泡音は細菌性肺炎や肺水腫で聴かれることが多い．クラックルはまた，表 9-1-10 のように聴かれるフェーズで分類され，病態を反映している（Norisue ら，2008）．

連続性呼吸副雑音には高調性連続音（wheezes，ウィーズ）と低調性連続音（rhonchi，ロンカイ）がある．ウィーズは末梢気道で生ずる笛様音であり，気道

表 9-1-9 進行した慢性閉塞性肺疾患の視診所見

気管短縮：胸骨上縁より輪状軟骨までの長さが 2 横指以内
吸気時の鎖骨上窩の陥凹
吸気時の外頸静脈の虚脱
樽状胸郭：前後径の開大
胸骨におけるポンプの把手運動（e図 9-1-A）の消失：側方から胸骨角をみる
肋骨におけるバケツの把手運動（e図 9-1-B）の消失：前方正面から肋骨全体をみる
肋骨弓角の開大
吸気時の肋骨弓角の狭角化（Hoover 徴候）（e図 9-1-C）による肋骨弓下の溝（Hoover 溝）
吸気時の肋骨間組織の陥凹
側面下部肋骨と垂線とのなす角の開大

表 9-1-10 フェーズによるクラックルの分類

吸気早期クラックル（early inspiratory crackles）：慢性気管支炎
吸気早中期クラックル（early-to-mid inspiratory crackles）：気管支拡張症
吸気終末期クラックル（late inspiratory crackles）：間質性肺疾患・非定型肺炎
吸気全般期クラックル（holo (pan)-inspiratory crackles）：細菌性肺炎・肺水腫

表9-1-11 高調性連続音 wheezes（ウィーズ）の重症度分類

Ⅰ度：強制呼気時のみ聴取
Ⅱ度：平静呼気時も聴取
Ⅲ度：平静呼吸で呼気・吸気とも聴取
Ⅳ度：呼吸音減弱 silent chest

の狭窄を示唆する．ロンカイは太い気道で生ずるいびき様音であり，分泌物（喀痰など）の存在を示唆する．ウィーズの重症度分類を表9-1-11に示す．

上気道付近で聴かれる高調性連続音をストライダー（stridor）とよぶ．上気道付近の狭窄を示唆するので，緊急な対応が必要である．また，捻髪音とともに，末梢で聴かれる吸気時前半の短い笛様音が聴取されることがあり，スクウォーク（squawk）またはスクウィーク（squeak）などとよばれる．慢性の末梢気道病変や感染を伴った間質性肺炎などで聴取される．その他として胸膜摩擦音（pleural friction rub）がある．これは握雪様音であり，雪を踏むときの「きゅ，きゅ」という音が呼吸に合わせて聴取される．この音の聴診により，胸水貯留が単純X線写真で認めない程度の状態から，胸膜炎を診断できる．　〔徳田安春〕

■文献

宮城征四郎，徳田安春編：疾患を絞り込む・見抜く！身体所見からの臨床診断，羊土社，2009.
Norisue Y, Tokuda Y, et al: Phasic characteristics of inspiratory crackles of bacterial and atypical pneumonia. *Postgrad Med J.* 2008; 84: 432-6.
Tokuda Y, Miyagi S: Physical diagnosis of chronic obstructive pulmonary disease. *Intern Med.* 2007; 46: 1885-91.

2）画像診断

(1) 胸部単純X線撮影

胸部単純撮影は，人体（被写体）にX線を照射しその後方においたフィルムやX線検出器で透過X線を検出し，どの程度人体組織によりX線が吸収されたかを画像化する手法である（eコラム1）．

a. 胸部画像診断における単純撮影の役割，長所，短所

単純撮影の利点は，手軽に撮影できることや安価であることや被曝が少ないことなどがあげられる．単純撮影が断層像でなく重積像であることからは，病変の全体像や上下方向の進展の特徴や肺容積の変化などが直感的に把握しやすく，何回もの写真を比較して経過を比較観察しやすい．欠点としては，濃度分解能がCTに比べて悪く，重積像であることから淡い陰影や小さな病変の検出が不良であることや所見の有無に関しても確信度が低く，その評価により多くの経験を要する点などがあげられる．

胸部単純撮影は，胸部画像診断のなかで第一に試みられる検査法であり，スクリーニングや経過観察の手法としてきわめて有用であるが，上記の利点を積極的に生かせばさらに多くのすぐれた点がある．CTの急速な進歩がみられる今日でも胸部単純撮影の診断的価値にはいささかの低下もないと思われる．

CTから作成した三次元画像（e動画9-1-A～9-1-E）各種撮影方向で，心臓大血管などの構造のどの部分がどのように投影されるかわかりやすい．

e動画 9-1-A　骨性胸郭，肺動脈（青），肺静脈（ピンク），大動脈（赤），気管支（黄）
e動画 9-1-B　大動脈（赤）
e動画 9-1-C　肺動脈（青）
e動画 9-1-D　肺静脈（ピンク）
e動画 9-1-E　気管支（黄色）

b. 種々の胸部単純撮影法

ルーチンに用いられる胸部単純撮影は胸部正面像が中心である．正面像は，通常立位，深吸気位で撮影される．スクリーニングの目的のみでは原則として胸部側面像は必要としない．しかし，疾患の種類や胸部正面像の所見しだいでは，側面像を必要とする．スクリーニングの撮影では，管電圧110～120 kVpの準高圧あるいは高圧撮影を行うのがよい．高圧撮影では画像のコントラストはやや低下するが，骨の陰影が不明瞭になり肺野の病変は見やすくなるとともに白すぎて（濃度が低くて）評価しにくい肺野（低濃度部）の面積が減少する．また皮膚表面線量を減らすことができる．

その他の胸部で利用される撮影法としては，斜位撮影や肺尖撮影，側臥位正面撮影，肋骨撮影などがある．必要によってこれらの撮影方向や撮影法を組み合わせて撮影する．

1) 正面，側面像（図9-1-2, 9-1-3）

ルーチンでは，深吸気位，立位で撮影される．胸部単純撮影の基本となる撮影法である．心胸郭比は50％まで正常である．立位をとれない患者では，臥位撮影が行われる．立位と異なり，心陰影はやや大きめに投影され心胸郭比は55％まで正常である．上肺の血管が拡張するなどの，正常立位では異常とされる所見がみられることや少量の胸水や気胸が見にくいなどの点に注意すべきである．cross-table lateral projectionは，臥位での側面撮影で気胸の診断などに利用される．

2) 肺尖撮影（図9-1-4）：肺尖部は，鎖骨や上位肋骨などの骨陰影に障害されて肺野の陰影が見えにくいため下方からあおって撮影し，鎖骨と肺野の異常陰影の

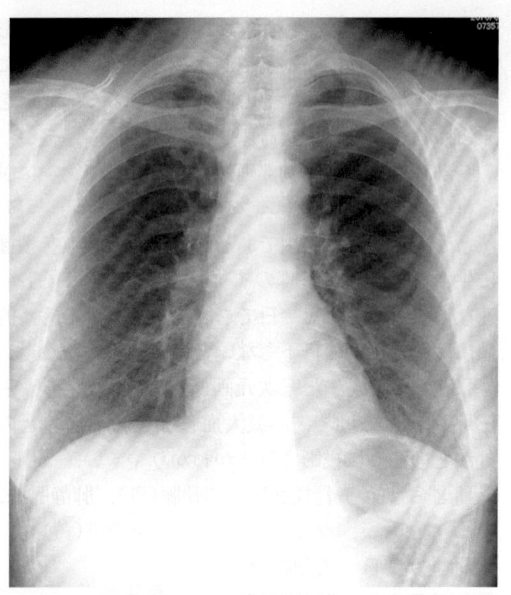

図 9-1-2 正常胸部単純正面像
左右の心陰影，大動脈弓部から下行大動脈のシルエットは明瞭である．左肺門は右肺門よりやや高い．肺野の透過性に左右差はなく，上肺の血管陰影は下肺の血管陰影より細い．また胸壁直下では，肺血管陰影は同定できない．

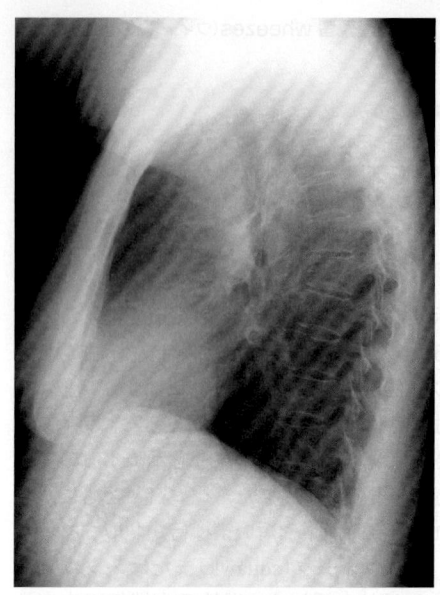

図 9-1-3 正常胸部単純側面像
側面像では，気管，食道，右上葉気管支口，左主気管支，大動脈弓，左右肺動脈が同定できる．横隔膜のシルエットは明瞭である．下肺静脈を腫瘤と誤ってはいけない．側面像では，右室流出路は心陰影の前縁を，左心系は心陰影の背側の辺縁を形成する．

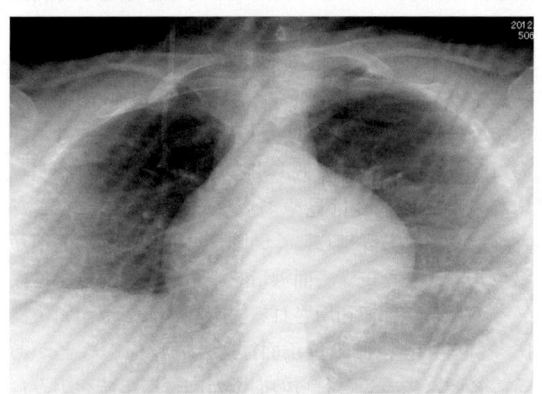

図 9-1-4 肺尖撮影像
肺尖撮影では，鎖骨と肺尖部肺野の重なりを除く目的で，あおって撮影が行われる．

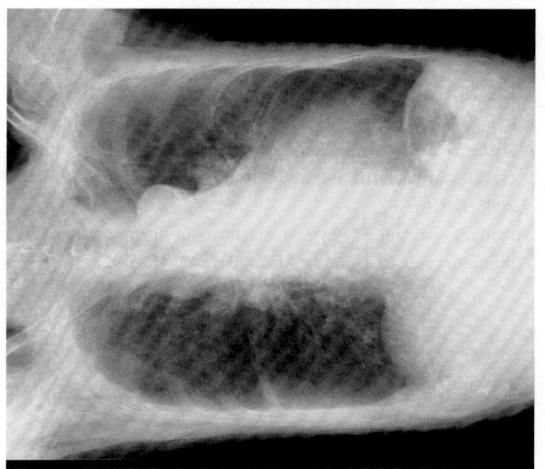

図 9-1-5 側臥位撮影像（右下側臥位）
側臥位正面撮影では，少量の右胸水が明瞭に描出される．

重なりをとる方法である．肺尖部の異常陰影が疑われるときに利用される．逆に肺底部を広く展開する肺底撮影も行われる．
3）**側臥位撮影**（図 9-1-5）：側臥位で正面撮影をする方法で，少量の胸水を検出するのにすぐれる．胸水を疑う側を下にした側臥位で正面を撮影する．気胸の診断では気胸を疑う側を上にした撮影を行うこともある．
4）**呼気撮影**：呼気時の撮影が有用なのは，気胸，中枢気道の狭窄や閉塞による空気とらえ込み現象を疑う

場合あるいは COPD などの末梢気道の閉塞による過膨張を疑う場合などである．
5）**肋骨撮影**：肋骨病変の評価に利用する．正面，両側斜位撮影を行うが，当然撮影管電圧は低電圧を用いる．

c. 正常像

正常の胸部正面像と側面像を示す．心臓を中心とする縦隔陰影は，胸部単純像で中央に位置するので中央陰影とよばれる．中央陰影はおもに心臓と縦隔大血管

からなるが，その辺縁の各部分が心臓や大血管のどの部分に相当するか，あるいは肺のどの部分に接するかは十分に理解しておく必要がある（e図 9-1-F～9-1-I）.

肺門近くの主幹部の肺血管や気管支およびその周囲の間質，リンパ節などからなる陰影を肺門陰影という．肺門陰影は，通常左の方が1肋間高く，形や濃度に大きな左右差はない．肺門部より末梢の肺を肺野と称する．肺は多量の空気を含むために透過性は上昇している（黒く見える）．その内部に肺紋理とよばれる分岐状の陰影がみられるが，これは肺動静脈によるものである．肺血管は，肺門部近くでは，その走行の角度から肺動脈，肺静脈の鑑別が可能であるが，末梢では肺動脈，肺静脈の区別は困難である．正常では胸壁直下1～2 cmの範囲内では血管陰影は見えない．また立位で撮影された胸部単純像では，下肺の血管陰影は上肺の血管陰影に比べて太いが，左房圧の上昇をきたす場合には，上肺の血管陰影が増強する．肺野の濃度（白さ黒さ）は，ほぼ左右対称である．微妙な左右差を見つけることはわずかな異常陰影を発見する契機にもなる．胸壁の軟部陰影は正常では左右差はなく厚みもほぼ左右対称である．

d. 異常所見とその解析，解釈
i）X線単純撮影における組織間コントラストとシルエットサイン

読影にあたって，活用すべき所見にシルエットサインがある．シルエットサインとは，"X線学的に異なった濃度（おもに水濃度）を示す組織がその境界を実際に接している場合にはその境界が見えなくなる"という原理である．シルエットサインの理解にあたって重要なのは，単純撮影では組織間コントラスト（異なった組織を異なった濃度で示す能力）が低いために，人体の組織は4つの濃度（空気（ガス），脂肪，水，骨（重金属））にしか分離できない点である．単純撮影像上の濃度は組織の前後の厚みにも依存するが，組織の前後の厚みが同一であれば同じ条件で撮影した場合には軟部組織と水は同一の濃度を呈し，軟部組織内部の状態を単純撮影で評価することはできない．したがって，軟部組織（水）濃度を示す構造の辺縁が明瞭に見えるということは，その構造が濃度が異なる組織（実際には空気ないしガス）と解剖学的に境界を接していることを示し，正常で見えるべき境界が見えない場合は何らかの病変により本来あるべき空気の濃度が失われたことを示していることになる．例をあげれば，胸部正面像で下行大動脈辺縁が正常で認識できるのは，下行大動脈とこれに接する左肺下葉の空気の濃度差があるためであるが，何らかの病変により左下葉の含気が減少すれば，下行大動脈のシルエットは不鮮明になる（図9-1-6）.

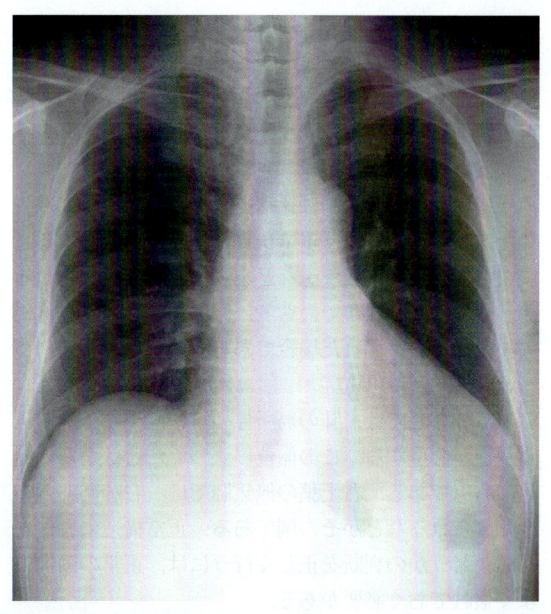

図 9-1-6 中心型カルチノイド腫瘍による高度の左肺下葉無気肺
左肺下葉の高度の無気肺により左肺野は下部を中心に透過性が亢進している．下行大動脈のシルエットは不鮮明となっている．また左主気管支の走行角は正常より垂直に近く，左肺門陰影もやや低位をとるなどの正常構造の偏位を認める．

ii）中央陰影の異常

中央陰影の異常には，心拡大や大動脈瘤などの心大血管の異常，縦隔腫瘍などがある．

通常は中央陰影の輪郭の局所性の突出や消失がその所見の中心になる．これらの所見を正しく意味づけるのには，中央陰影を構成する各辺縁を構成する構造は何かをよく理解しておくことが必要である．

iii）病変部位の表現

単純撮影でも2方向撮影があれば，異常陰影の局在部位を解剖学的（右上葉など）に判断しうるが，1方向のみの撮影の場合，正面像における右中葉と右下葉の重なりなど解剖学的位置関係を正確に決定できない場合も少なくない．このような場合は，正面像では，上肺野，中肺野，下肺野などと表現される．正面像では，上肺野と中肺野の境界は第2肋骨前縁の高さ，中肺野と下肺野の境界は第4肋骨前縁の高さにするのが普通である．

iv）病変の性状

肺野の異常陰影には，病変部の透過性が亢進する場合（黒くなる場合）と透過性が低下する場合（白くなる場合）がある．異常陰影を発見した場合は，これを正しい鑑別診断に導くように所見を正しく記載する必要がある．異常陰影を発見した場合は，その位置，大きさ（最長径と最短径），境界の明瞭さ，辺縁（整，不整），内部の状態（均一，不均一），形状，空洞や石灰化の有無などについて記載する．びまん性肺疾患に関

しては，画像所見の詳細な解析や軽度の所見の検出には，高分解能 CT を必要とするが，前述のように肺容積の変化や陰影の大きな分布などの把握，経過観察などに単純撮影の有用性が高い．

v）肺野の透過性の変化

一側の肺野が反対側に比べて全体に透過性が亢進している状態を unilateral hyperlucent lung と称する．胸壁の疾患，肺胸膜疾患などさまざまな病態で生じるが，日常臨床のなかで最も多い原因は撮影時に軽度に斜位となり撮影された場合である．

vi）正常構造の偏位

無気肺などでは，肺の局所性の容積減少に伴って正常構造が偏位する．この偏位に気づくことは病変の発見に有用である．右上葉の無気肺では，右肺門部の挙上がみられるなどがその例である．正常構造に偏位があるかどうかの判断を正しく行うには，正常の画像によく慣れておく必要がある．

vii）肺血管陰影の異常

左房圧が上昇すると，上肺の血管陰影が増強し，下肺のそれと同様（equalization），さらに左房圧の上昇が高度になると下肺のそれより太くなる（cephalization）．また胸壁直下まで肺血管陰影が見えるなどの肺血管陰影の増強は，左右短絡などでみられる．逆に肺血管陰影の全般的減少は，Fallot 四徴症などの先天性心疾患，局所性の血流減少は肺血栓塞栓症などでみられる．肺高血圧症では，主幹部肺動脈が拡張するのに対して，末梢の肺血管陰影はかえって減弱する．

viii）肺門の異常

肺門陰影の拡大がみられるのは，主幹部肺血管陰影の拡大，肺門部リンパ節の腫大，肺門部腫瘤などである．おのおのの典型的な場合には，胸部単純撮影所見から鑑別可能であるものの，非典型的な所見を示す症例や腫瘤の正確な計測には造影 CT を要する．

〔酒井文和〕

■文献

Goodman RL：Felson's Principles of Chest Roentgenology Text with CD-ROM, 3rd ed, Saunders, 2009.
酒井文和：CT から学ぶ胸部単純撮影，克誠堂出版，2007．

（2）CT，MRI，PET とその読影基礎
a．CT
i）胸部画像診断における CT の役割

CT 装置の技術的進歩を背景に，多臓器の詳細な形態情報が同時に，かつ簡便に得られる CT 検査は，現在の胸部疾患の画像診断において中心的な役割を果たしている．特に多列検出器 CT（MDCT）の登場と画像再構成コンピュータ技術の進歩によって，従来の横断断層像による精密形態診断法という役割から，病変の精密形態診断ばかりでなくスクリーニングの役割も同時に兼ね備え，さらに種々の再構成画像を生かして三次元的評価ができる画像診断法に変化してきている．もちろん，被検者の X 線被曝に留意し，無用な被曝は避けなければならないが，臨床的必要性がある場合には，再構成画像も利用し MDCT の能力を最大限に生かす使い方をすることが大切である．

ii）臨床に用いられる胸部 CT の種類

1）通常 CT： 胸部病変の全体像を把握するために，深吸気位で肺尖から肺底部までの全体をカバーした連続 CT 像で，スライス厚は 5～7 mm が用いられる．最近の MDCT では薄いコリメーションを用いて呼吸停止下に全肺を撮像したスキャン生データから種々のスライス厚の画像が再構成可能で，通常 CT はその 1 つとして作成される．スライス厚の異なる画像を得るには再スキャンが必要であった MDCT 以前の CT とは異なることに留意が必要である．

胸部 CT の画像データは 1 つであるが，ウインドウレベルとウインドウ幅を変えることによって画像は変化する（e図 9-1-J）．日常臨床では，肺野条件と縦隔条件の 2 種類を用いるのがふつうであるが，骨変化の観察には骨条件を追加する場合がある．肺野条件は，ウインドウレベル −500～−700 HU，ウインドウ幅 1000～1600 HU が用いられ，縦隔条件ではウインドウレベル 40～70 HU（造影時は少し高く設定），ウインドウ幅 300～400 HU を用いる．

2）高分解能 CT（HRCT）（e図 9-1-K）： CT のもつ空間分解能を最大限に高めた画像で，①薄いスライス厚（0.5～2 mm），②高分解能アルゴリズム（画像再構成ソフトの 1 つ），③小さな画像再構成領域（FOV）（通常 18 cm 前後で片肺をカバー），の 3 つの条件を満たすものを指すが，③は必ずしも必須条件ではない[1]．

びまん性肺疾患や肺野型肺癌の微細な形態診断が必要な場合に作成され，通常は肺野条件で観察される．MDCT 以前は通常 CT の撮影後に HRCT が再撮影されていたが，MDCT 登場後は，再撮影せずにスキャン生データから HRCT 像を再構成するので，被曝は増えない．

3）薄層造影 CT（e図 9-1-L）： 複雑な軟部組織や血管を含む肺門部や縦隔に生じた病変を詳細に解析するための CT で，造影剤の急速注入下に撮影された，3 mm 以下の薄いスライス厚の連続 CT 像をいう[2]．最近の MDCT では造影 CT のスキャン生データから胸部全体の薄層造影 CT 像を作成することが容易である．

4）吸呼気 CT（e図 9-1-M）： CT は通常深吸気位で撮影されるが，閉塞性肺疾患においては，呼気 CT を

追加することによって，吸気CTではとらえがたいエアトラッピング(air trapping)をCT値の変化が少ない領域として検出可能である[3]．したがって，閉塞性肺疾患のような呼吸機能異常が疑われる患者においては，吸気CTを撮像したあと追加して呼気位でのスキャンを行う場合がある．

5) 種々の再構成画像（e図9-1-N, 9-1-O）：
MDCTで得られる薄層連続横断画像データを用いると，任意の断面で再構成した画像(MPR像，図9-1-7)や複数の連続画像の同一座標最大値を集めた最大値投影像(MIP像)，最小値を集めた最小値投影像(MinIP像)，三次元的な視野表示をした三次元像(図9-1-8，e動画9-1-F)，気管支鏡と同じ視野になるように再構成したCT気管支鏡などの再構成画像もワークステーションで作成可能で，画質も高い(e動画9-1-G)[4]．臨床での必要に応じて横断像で認められた病変の評価がよりわかりやすくなるような再構成画像が追加される．

iii) 胸部CTの読影の基礎

1) 肺野結節性病変： 肺野結節のCT検査でまず評価しなければならないのは，結節の形態変化と縦隔肺門リンパ節腫大の有無である．精密形態評価には，結節全体を含む領域で撮像された連続HRCTを用い，リンパ節評価には通常造影CT(もし可能なら薄層造影CT)を用いる．結節の造影効果をCTで評価する場合は，造影の前後で薄層CTを施行し，同一断面でCT値を比較する．

結節の形態の着目点としては，辺縁の性状(整不整，明瞭さ)，内部の性状(CT値の程度と均一さ，石灰化の有無，気管支透亮像の有無)，周囲気管支や肺動静脈と結節の関係，があげられる．肺癌では辺縁の不整（スピキュラ)や分葉状の発育(ノッチ)がみられる頻度が高く，複数の気管支，肺動静脈が結節に収束し，胸膜の陥入像がみられる(図9-1-9)[5]．一方，良性結節では辺縁が明瞭な球状結節や気道分岐に沿った帯状陰影を示す傾向が強い(e図9-1-P)．ただし，確定診断には気管支鏡やCTを用いた生検による組織診断が必要である．

肺癌におけるリンパ節評価では，短径1cm以上のリンパ節腫大を転移陽性と判断する基準が一般的であるが，正診率は60～70％であるので，手術適応の判断には組織診断を組み合わせて判定する必要がある[6]．

結節の造影効果から良悪性の鑑別が期待されたが，造影効果そのものでは悪性を判断できないことが明ら

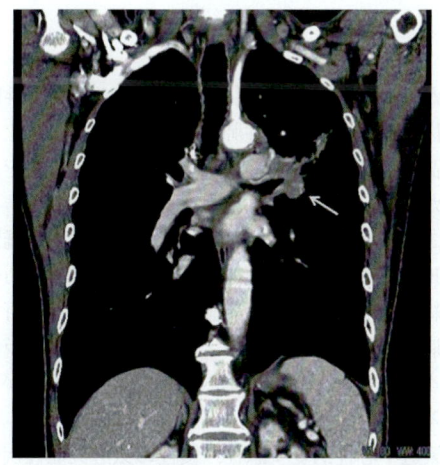

図9-1-7 左肺門部肺癌の薄層造影CTMPR冠状断像
横断像データから再構成されたMPR像であるが，横断像と変わらない画質をもつ．肺門部肺癌(矢印)の頭尾方向への進展が明瞭に描出されている．

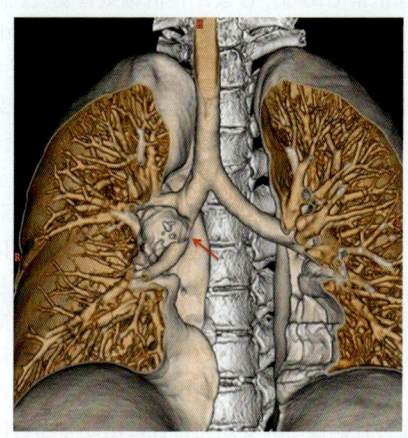

図9-1-8 右肺門部気管支カルチノイドにおける気管支三次元像
右中間気管支に発生した腫瘍(矢印)による気道内腔の狭窄の程度や広がりが一画像上に明瞭に描出されている．

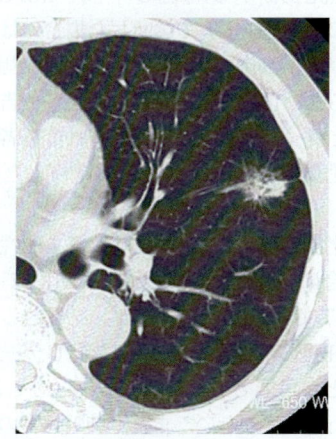

図9-1-9 肺野型腺癌の高分解能CT像
辺縁不整でスピキュラがみられ，充実部とすりガラス状陰影が混在した腫瘍である．複数の気管支肺血管が腫瘍に収束し，胸膜陥入像もみられ，高分化型肺腺癌の特徴がよくとらえられている．

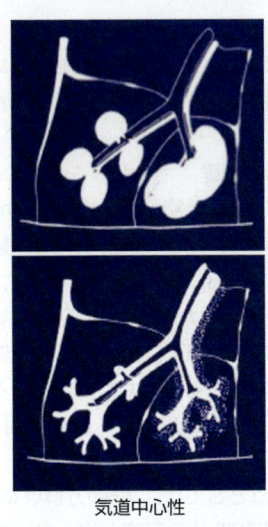
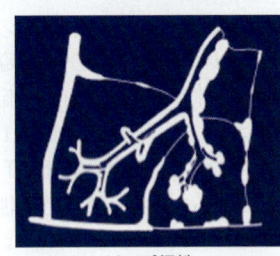
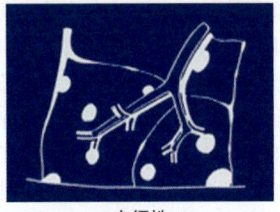
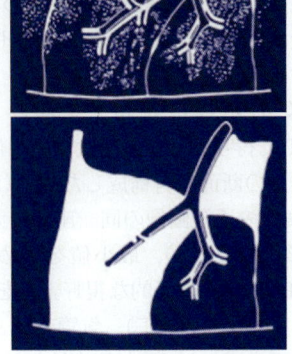

気道中心性　　　　　リンパ行性　　　　血行性　　　　　　肺胞性

図9-1-10 HRCTで評価できる病変の小葉内分布パターン

かになっている．しかし，結節の造影効果がみられない場合には，結核腫などの肉芽腫である可能性が大きい[7]．

2)肺門部病変： 肺門部病変では気管支，肺動静脈の複雑な構造内に病変が存在するので，薄層造影CTを用いて評価を行う．肺塞栓症などの血管病変の診断においても，同様の撮像法を用いる．

肺門部肺癌の評価では，病変の存在部位と病変の広がり，および病変と隣接する縦隔構造，気管支，肺動静脈との関係，の2点について連続画像を観察し，既存構造を確認しながら判断する．必要に応じてMPR画像を用いて三次元的な進展を評価する(図9-1-8, e図9-1-Q)[8]．

肺塞栓症の診断では，十分に造影された肺動脈内の欠損の有無を診断する(e図9-1-R)．MDCTを用いた高画質の薄層造影CTで診断した場合には，区域から亜区域レベルの肺動脈内の塞栓の有無に関して血管造影に劣らない正診率が得られることが報告されている[9]．したがって，肺塞栓症が疑われる患者においては，薄層造影CTが第一選択の画像検査と考えてよい．

3)びまん性肺疾患： 病変が全肺にびまん性に分布している場合には，通常CTに加えてHRCTを作成する．MDCTで薄いコリメーションを用いる場合には撮影後に任意の部位のHRCT像を同じデータから作成することが可能であるので，あらためてHRCTスキャンを行う必要がない．また，肺野病変の評価そのものには造影は不要である．肺内における病変分布と二次小葉レベルの病変分布を評価する．

a)病変の肺内における分布：上下肺，肺内外層による違いに加えて，腹側背側による違い，区域性か非区域性か，といった分布の特徴をとらえる．細菌性肺炎では区域性分布，誤嚥性肺炎では背側肺に分布する頻度が高く，非感染性炎症疾患では非区域性分布を示す場合が多い．

b)二次小葉レベルの病変分布(図9-1-10)と鑑別診断：HRCTでは二次小葉を構成する構造物のなかで，終末細気管支に伴走する肺動脈，小葉辺縁を走行する肺静脈まで描出可能である．これらの構造物をランドマークにすると，二次小葉内の病変分布の評価が可能になる[10,11]．

i)気道中心性病変：急性，慢性の気道炎症性疾患は気管支肺動脈束とその周囲肺胞に病変を形成する．病変の進展に伴って，より広範囲の周囲肺胞に及ぶ．早期病変では，HRCT上，気管支肺動脈束と隣接肺野の変化が主体で，小葉辺縁構造(肺静脈，小葉間隔壁，胸膜)は正常である．びまん性汎細気管支炎(e図9-1-S)，肺結核，気管支肺炎などの病変は小葉中心性粒状影が優位であることが多く，マイコプラズマ肺炎(e図9-1-T)や種々の細気管支炎などは気管支肺動脈束腫大が目立つことが多い．

ii)リンパ行性病変：肺胞壁を狭義間質というのに対して，気管支血管周囲間質，小葉間隔壁，胸膜を広義間質とよぶ．リンパ管を豊富に含む広義間質に沿って進展する病変はHRCTで，気管支肺動脈束と小葉辺縁構造の両者の腫大を生じる．代表疾患として癌性リンパ管症(e図9-1-U)，リンパ増殖性肺疾患，サルコイドーシス，じん肺，肺水腫などがあげられる．

iii)血行性病変：病変が血行性に広がる場合には，肺小葉構造と一定の関係をもたないランダムな分布を示す小粒状影を形成する．悪性腫瘍の血行性転移(e図9-1-V)や粟粒結核が代表的である．

iv）肺胞性病変：HRCT でも肺胞壁の病変と肺胞腔の病変は区別できず，肺胞性病変は基本的に種々の程度の肺野高吸収域として描出される．高吸収域の程度は，軟部組織と空気の比率で決定され，含気が多ければ内部に血管影が残存するすりガラス状陰影，含気が消失すれば浸潤影となる．肺胞性病変には，感染症（e図 9-1-W），肺水腫，非感染性肺炎，肺出血，悪性リンパ腫など多くの病態が含まれ，高吸収域そのものではこれらの区別はできないが，病歴や臨床所見，病変の分布の特徴を合わせて鑑別診断を進める．たとえば，区域性，連続性の肺野高吸収域は感染症の頻度が高く，非区域性斑状分布は非感染性肺炎で高率にみられる．さらに，構造改変の有無も重要で，構造改変があれば慢性の線維化病変の存在を示唆する所見となる（e図 9-1-X）．

4）縦隔病変：縦隔腫瘍性病変では石灰化や脂肪の有無，造影効果の有無，嚢胞成分の性状といった情報が鑑別診断上有用である（e図 9-1-Y）．CT 値は定量的評価が可能で，空気は－1000 HU，水は 0 HU が基準となり，脂肪は－50〜－100 HU の低吸収域，血腫は 50〜100 HU，石灰化は 100 HU 以上の高吸収域となる．したがって，原則として造影前後の通常 CT が必要になる．病変が小さい場合，あるいは病変の血流を評価したい場合には，病変部の薄層 CT を用いる．

縦隔腫瘍は発生部位に特徴があることがよく知られており，病変の局在（前縦隔，中縦隔，後縦隔）は鑑別診断上重要である（e表 9-1-A）[12]．また，辺縁の性状，浸潤性および周囲血管構造との関係は手術の術前情報として重要である．

b. MRI

i）胸部画像診断における MRI の役割

MRI 技術の進歩も著しいが，通常の胸部 MRI は安静呼吸運動下で撮影されるために CT と比べ空間分解能が低く，また，肺野は含まれる水素原子数が少ないことに加えて複雑な含気構造をしているために十分な信号が得られない領域でもある．しかし，一方で，軟部組織の濃度分解能は CT よりすぐれる．したがって，MRI が適応となるのは，軟部組織内の微細構造など CT に付加する情報が得られる場合で，縦隔，肺門，胸壁が中心となる[13,14]．

もう 1 つの MRI の大きな利点は，通常の MRI では一定の流速以上の流れをもった血管は無信号となるので，非造影 MRI において信号をもつ軟部組織と区別できる点である．逆に，血管を高信号に描出する撮像法を用いて得られた薄層の連続画像から，ワークステーションを利用して，MIP 像や三次元像で表示した血管造影に近い画像（MRA）が造影剤を用いずに得られる（e図 9-1-Z）[15]．したがって，ヨード造影剤禁忌で造影 CT ができない患者の場合，種々の疾患の評価において MRI が第一選択の画像診断となる．

ii）臨床で用いられる胸部 MRI の種類

胸部領域の MRI では CT に付加する情報を得ることが目的であるので，胸部全体ではなく，病変部を中心に限られた領域を検査する場合が多い．スキャンは 8〜10 mm のスライス厚の横断像が基本で，T1 強調像と T2 強調像を撮像する．通常は心拍動の影響を除外するために心電図同期を併用して撮像することが多い．ただ，心拍数によって繰り返し時間（TR）が規定されるために，心拍数によっては TR が本来の T1 強調像よりも長くなり，画像コントラストが変化することに注意する必要がある．この横断像に加えて，病変の部位，あるいは評価したい血管と病変との関係などを考慮して，冠状断，矢状断などの画像を追加するのが普通である．また，腫瘍性病変の場合には，ガドリニウム造影剤を投与した後に T1 強調像を撮像すると，病変の血流や内部性状，あるいは周囲構造との関係がより明瞭になることが多い．T1，T2 強調像に加えて，最近では，種々の脂肪抑制画像，灌流画像，拡散強調画像などの臨床応用が検討されている[16]．

一方，胸壁の病変などでは，撮像範囲が限定されるので，表面コイルを用いることによって，高分解能 MR 画像が得られる．

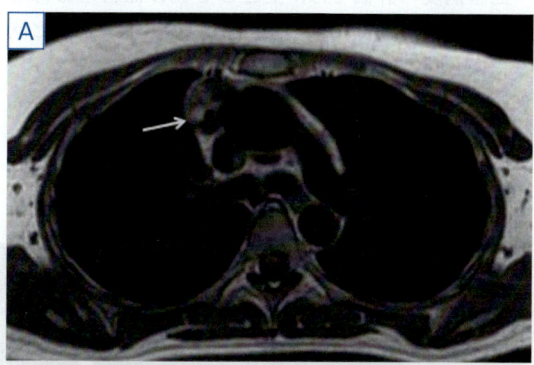
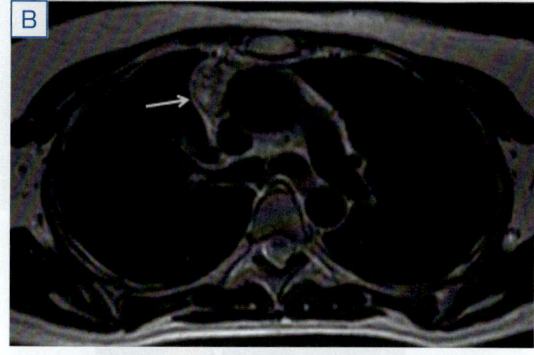

図 9-1-11 前縦隔成熟奇形腫の MRI
前縦隔右側に 3 cm 径の楕円形の辺縁明瞭な腫瘍がみられる．腫瘍内部の信号は不均一で，一部に T1 強調像（A）でも T2 強調像（B）でも高信号の部分がみられ（矢印），脂肪を含む腫瘍と診断できる．

iii) 胸部 MRI の読影の基礎

MRI の形態評価に用いる基準は CT と大きく変わることはない．腫瘍性病変の評価が中心になるが，基本的に複数方向の画像を解析して，病変の存在部位，既存構造との関係をとらえる．リンパ節腫大判定の基準も CT と同様に短径 1 cm 以上を用いる．ただ，MRI を評価するときに注意しなければいけないのは，通常の MRI では大血管は無信号が原則であるが，流速が遅くなったり，乱流が生じると不規則な信号が発生する点である．

MRI では，CT における CT 値のような定量的指標はなく，MRI における信号強度は相対的なものである．したがって，組織ごとの固有の MR 信号強度といったものは存在しないが，T1 強調像および T2 強調像での信号強度の組み合わせから，水，出血，脂肪といった組織を推測することができる．特に，縦隔腫瘍では CT でわからないような内部構造の微細な変化や，出血，脂肪，囊胞の評価が可能で，鑑別に役立つ情報が得られる場合がある（図 9-1-11）．

また，腫瘍性病変の血管浸潤，胸壁や骨への浸潤の評価では，血管や骨構造周囲に存在する脂肪層が保たれているかどうか，血管や骨内部に腫瘍組織の信号がみられるかどうかの評価が重要である（e図 9-1-AA，9-1-AB）．

血管病変の評価では，主として MR 血管造影像を評価することになるが，基本的には CT 血管造影と同様に多方向の画像を評価して欠損像を検出する．

c. PET

i) 胸部画像診断における PET の役割

CT や MRI が主として形態診断法であるのに対して，PET は機能診断法である．PET は陽電子を放出する放射性同位元素で標識された放射性薬剤を患者に投与し，その分布や動態を PET 装置でとらえることにより，体内で生じている代謝変化を診断する．現在最もよく使われているのは，^{18}F で標識した FDG（fluoro-2-deoxyglucose，グルコースの誘導体）を用いた肺癌診断である．^{18}F-FDG はグルコースと同じ経路で細胞内に取り込まれるが，グルコースはグルコース-6-リン酸から解糖系に進むのに対して，^{18}F-FDG-6-リン酸は代謝を受けることなく細胞内にとどまる（e図 9-1-AC）．したがって，^{18}F-FDG の強い取り込みをとらえることによって，形態ではわからない肺癌などのグルコース代謝の高い病変を検出することができる[17]．

ii) 臨床で用いられる PET 画像の種類

当初は PET 単体の装置で空間分解能の弱点があったが，現在は CT 装置を組み合わせた PET/CT が主流であり，CT での形態情報と PET の代謝情報を融合画像として評価できる．最近，PET/MRI 装置が新たに臨床に登場し，臨床応用が始まっている[18]．

iii) 肺癌における PET 読影の基礎

FDG-PET は主として，肺癌などの悪性腫瘍の診断に用いられる．PET 導入当初は，肺野結節の良悪性の鑑別における役割が期待されたが，1 cm 以下の小結節やすりガラス結節では偽陰性が多いこと，また逆に結核腫などの肉芽腫では偽陽性となる場合も多いこ

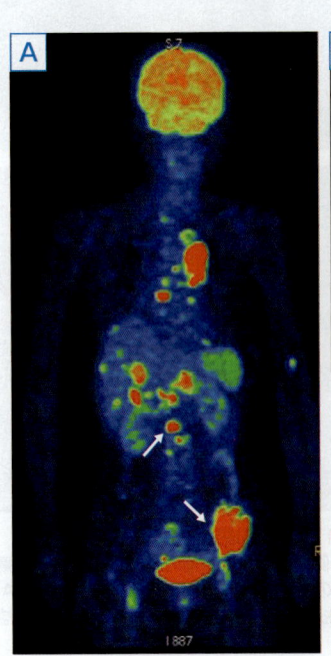

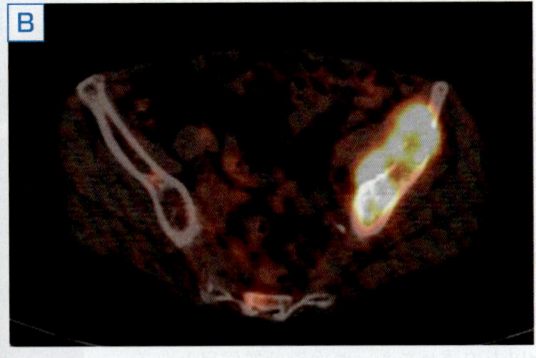

図 9-1-12 左肺門部肺癌の FDG-PET/CT
A：PET では全身転移検索が容易で，肺癌の転移病巣が腹部や骨盤部にもみられる．
B：CT との融合画像では，骨盤部の転移が左腸骨への転移であることがわかる．

とから，この目的で検査が行われることは少なくなっている[18]．しかし，リンパ節転移の診断では，明らかにCTでの大きさによる診断よりも正診率が高いことが報告されており[6,19]，また，PETでは全身の遠隔転移の検索も可能であることから[20]，肺癌が見つかった後の病期診断には不可欠な診断法となっている（図9-1-12，e図9-1-AD，9-1-AE）．さらに，放射線治療や化学療法後の効果判定においても，残存腫瘍や再発腫瘍の検出にも有用である[21]．

視覚評価においては正常で集積があまりみられない部位に強い取り込みがみられた場合に陽性と判定し，CTを参考にその解剖学的部位を判断する．^{18}F-FDGの強い取り込みはグルコース代謝が亢進していることを意味しているので，病変を疑う根拠になるが，正常でも高い集積を示す部位があることを認識しておく必要がある[22]．脳や心臓は，その代謝の特徴から集積が強く，腎尿路系は排出経路として高集積を示す．その他の生理学的集積部位として，口蓋扁桃，喉頭，肺門リンパ節，胃，腸管，筋肉などがある．

PET/CTでは視覚的評価が中心であるが，取り込みの程度を判断する半定量的な指標として，SUV値を用いる．

〔村田喜代史〕

■文献（e9-1-2-2）

日下部きよ子編：がん診療のためのPET/CT．金原出版，2006．
村田喜代史：胸部（呼吸器・縦隔）．標準放射線医学 第7版（西谷 弘，遠藤啓吾編），pp153-248，医学書院，2011．
村田喜代史，上甲 剛編：胸部のCT 第3版，MEDSi，2011．

3）特殊検査

(1) 気管支鏡検査

気管支鏡検査は，呼吸器疾患の病態解析・確定診断のため，肺につながる肺外気管支と肺内にある肺内気管支から気管支内腔を観察し，気管支を介して病変の細胞・組織を回収し，また気道病変の治療に対し気管支腔内から用いる検査である（表9-1-12）．消化器内視鏡という用語に対応するべく，"気管支鏡"から"呼吸器内視鏡"という呼称が用いられるようになってきている（eノート1）．

形状からの気管支鏡の分類では，硬性で直線状の光学視管をもちステント留置などの治療に用いることの多い硬性気管支鏡と，気管支鏡検査の大半を占める診断目的には軟性の挿入部をもつ軟性気管支鏡とがある．用いる光などでの分類により，白色光を用いた通常の気管支鏡，自家蛍光気管支鏡，超音波気管支鏡などに分けられる．軟性気管支鏡は，開発当初から

表9-1-12 気管支鏡検査の適応

診断目的
1) 気管支壁に変化のある病巣の観察
2) 血痰，喀血の原因精査
3) 喀痰細胞診で悪性が疑われるとき
4) 胸部X線やCT像で見いだされる肺内異常影の質的診断（肺末梢病変からの細胞・組織の回収）
5) びまん性肺疾患に対する肺胞洗浄
6) 気管支壁外に接する病変に対する経気管支吸引針生検（transbronchial needle aspiration：TBNA）
7) 超音波気管支鏡による肺門部肺癌の深達度診断，肺末梢病変の位置の確定・内部構造診断

治療目的
1) 気管支内の痰・血液の吸引除去
2) 気管内挿管時の誘導
3) 早期肺門部癌に対する光線力学的治療（photodynamic therapy：PDT），気管支腔内照射
4) 気道異物の診断，摘出
5) 気道狭窄に対するステント留置・気道内治療
6) 気管支瘻・肺瘻に対する気管支腔内充填術
7) 肺胞蛋白症の区域洗浄法

1990年代初頭までは，グラスファイバーを束ねたファイバースコープであったが，以後小型化したCCDが使用できるようになりビデオスコープが登場し現在では広く普及している．

診断または治療において気管支鏡検査が必要であれば適応となるが，検査の結果の重要性が検査のリスクを上回る場合に検査を予定するべきである．

気管支鏡検査の禁忌には，著しい心肺機能低下，著しい全身衰弱，出血が止まりにくい状態，高度な酸素化障害などがある．合併症としては，気道内出血，気胸，キシロカイン中毒・ショック，低酸素血症，不整脈などがあり，注意を要する．合併症を回避するためにも，気管支鏡検査前に既往症，全身状態，血圧，血液・生化学検査，心電図，動脈血液ガス分析，肺機能検査，感染症の有無などを調べておくことが肝要である．また，検査中のパルスオキシメーター，血圧，心電図をモニターしながら，厳重な観察を行うべきである（eコラム1）．

通常の気管支鏡検査で用いる気管支鏡の外径は5〜6mm程度であり，区域気管支から亜区域気管支までの観察が可能である．最近普及してきている外径4mmの気管支鏡では，可視できる気管支の範囲は1〜2分岐程度末梢に広がる．

適応の大部分を占める診断目的の気管支鏡検査では，肺癌を中心とする腫瘍性病変，肺炎，抗酸菌などによる呼吸器感染症疾患などを対象としている．腫瘍性病変に対する気管支鏡検査では，気管支鏡で回収し

た細胞・組織から細胞・組織学的診断を行うことが最も大切であり，多発病変の有無，気道内病変の進展の程度などを観察し，手術適応・術式の判断，病期診断などを行う．気管支鏡で可視できる病変に対しては，観察の後，直視下生検，擦過細胞診，気管支洗浄などを行う．気管支鏡で可視できない病変に対しては，挿入できる部位まで気管支鏡を誘導し，X線透視下に生検鉗子などを病巣に到達させ，経気管支生検，擦過細胞診，洗浄を行う（図9-1-13）．病巣に気管支が入っていない病変，小型病変，すりガラス影などの末梢病変の場合，気管支鏡で細胞・組織学的診断を得ることができないことがあり，CTガイド下生検，開胸・胸腔鏡下の切除が検討されることもある．

びまん性肺疾患や呼吸器感染症の気管支鏡診断に，気管支肺胞洗浄（bronchoalveolar lavage：BAL）が用いられることがある．BALは，気管支鏡の先端を亜区域支などに押し込み気管支壁との間に隙間がないようにした状態で，生理食塩水の注入・回収を繰り返し，末梢肺胞領域に存在する細胞成分や微生物を回収する方法である．生理食塩水の注入量は75～150 mL程度であり，わが国では1回50 mLを3回注入することが多い．陰影の局在が限局していれば，その区域から行うが，中葉，舌区を含めてびまん性に陰影が存在する場合には注入した生理食塩水が回収しやすい中葉，舌区で行う（eノート2）．洗浄液の塗抹標本を作製し細胞診，抗酸菌などの確認と，細菌，真菌培養，リンパ球サブセットなどを提出する．

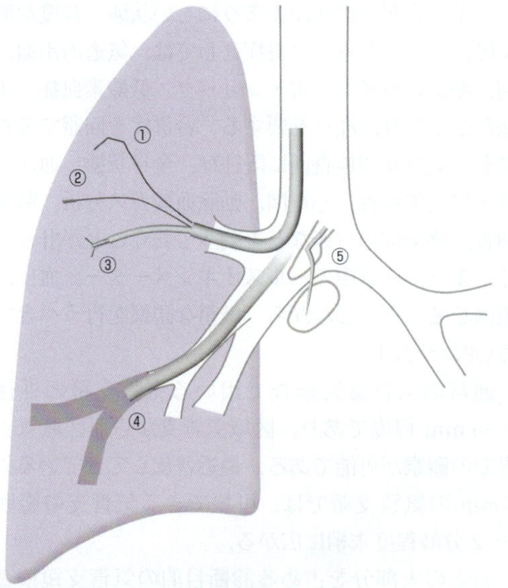

(2) 自家蛍光気管支鏡

重喫煙者，喀痰細胞診ClassⅢ以上，気管支扁平上皮癌の既往のある場合などで，気管支鏡検査で前癌病変，上皮内癌，上皮内浸潤が発見されることがある．通常使用する白色光では，前癌病変や上皮内癌などの丈が低く色調に変化がない病変は発見が困難であるが，気管支表面の凹凸，滑沢の状態，透明感の有無から，気管支上皮から生じた病変を拾い上げようとする心がけは必要である．気管支病変の周辺から病変にかけて，上皮下の浅層に存在する縦走ひだ（弾性線維）の途絶の有無，または縦走ひだが押し上げられているのか，という点に注目して病変がどの層に存在するかを推測するようにする．

自家蛍光気管支鏡は，正常気管支表面に青色波長領域の励起光を照射することで緑色波長領域の自家蛍光が生じる．気道上皮が厚くなっている前癌病変や上皮内癌などでは気管支鏡に返ってくる自家蛍光が病変の領域で減弱しており，正常気管支とのコントラストから前癌病変，上皮内癌，上皮内浸潤などを発見しやすくなる（図9-1-14）．

(3) 中枢気道に対する気管支腔内超音波断層法（endobronchial ultrasonography：EBUS）

扁平上皮癌を中心とする腫瘍性病変での気管支壁深達度診断は，光線力学的治療（photodynamic therapy：PDT）を代表とする気管支内視鏡治療で済むかどうかの判断や手術適応などを決定するうえで大切な所見であり，EBUSにより病変とその近傍の気管支壁の断層像から深達度診断を行うことがある．

また，気道壁を中心とする疾患の病態解析，ステン

図9-1-13 **透視下で行う気管支鏡手技**
①キュレット，②擦過，③ガイドシースを用いた経気管支生検，④気管支肺胞洗浄，⑤EBUS-TBNA．

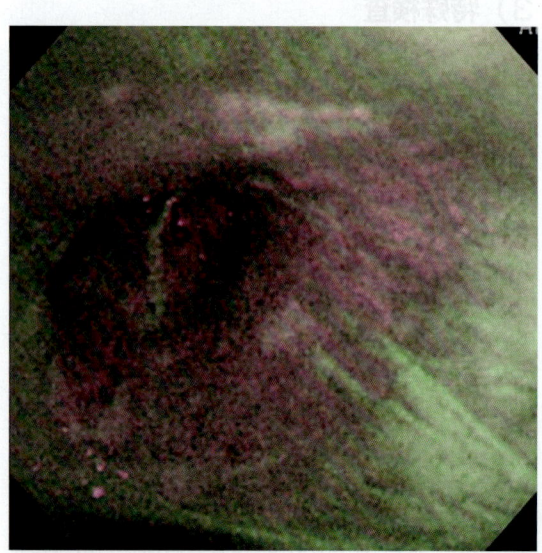

図9-1-14 **自家蛍光気管支鏡**
右上葉扁平上皮癌が，右上葉気管支にマゼンタ調の領域で気管支上皮内進展を生じている．

ト留置などの呼吸器インターベンションを予定する場合で，留置部位の気道壁内の軟骨の状態の把握，気道内径の計測などにEBUSを用いることがある．

これらの臨床例におけるEBUSの手技は，気管から亜区域枝までは，超音波プローブ自体をバルーンシースに挿入した後バルーンシース先端のバルーンを生食で膨張させ，気管支内腔面との間の空気を排除し行う．20 MHzのラジアル型細径超音波プローブでは肺外気管支の軟骨部・肺内気管支では，5層構造を示し，肺外気管支の膜様部は，3層構造を示す(図9-1-15)ことがわかっており，病変部での層構造の変化から深達度診断を行う(Kurimotoら，1999)．

(4) 超音波ガイド下経気管支針生検 (endobronchial ultrasound guided transbronchial needle aspiration：EBUS-TBNA)

convex型超音波プローブを気管支鏡先端に装備した超音波気管支鏡が開発される前には，TBNAはCTなどで対象病変の位置を予想しながら，ガイドなしに針を気管支壁外の病変に穿刺していた．2004年にconvex型超音波気管支鏡が開発され，対象病変の位置を確認し刺入していく針をリアルタイムに観察することが可能になった(図9-1-16)．肺癌の縦隔・肺門リンパ節転移診断，良性疾患，特にサルコイドーシスの診断ではEBUS-TBNAについて多くの報告[1-3]があり，縦隔鏡検査からEBUS-TBNAに置き換わってきている．

(5) ガイドシースを用いた気管支腔内超音波断層法 (EBUS using a guide sheath：EBUS-GS)

本法は，ラジアル型細径超音波プローブのまわりにガイドシース(guide sheath：GS)を被せて肺末梢病変までもっていき，EBUSで病変を描出できたことで病変に到達したことを確認後，超音波プローブのみを抜去し，残したGSに生検鉗子を挿入し生検する手技である(図9-1-17)(Kurimotoら，2004)．含気のある正常肺は超音波の反射が生じるため，EBUSでは観察できないが，細径プローブを気管支に挿入し病変部の近傍までいき，細径プローブの振動子が病変に接すると，病変を明瞭に描出することができる(e図9-1-

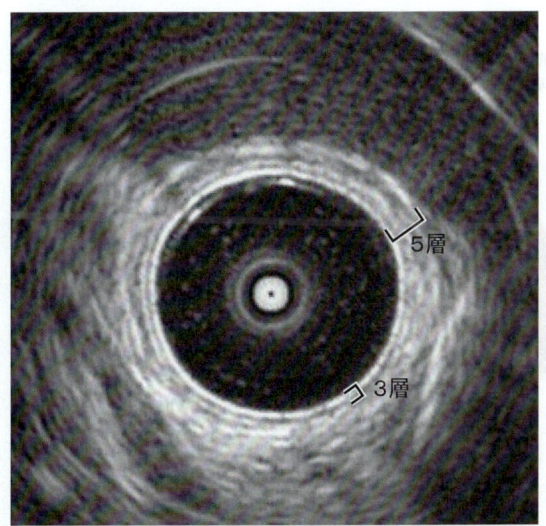

図9-1-15 EBUSによる気管支壁層構造
バルーンを用いたラジアル型細径超音波プローブを用いることで，中間幹気管支の軟骨部を5層構造，膜様部に3層構造に描出している．

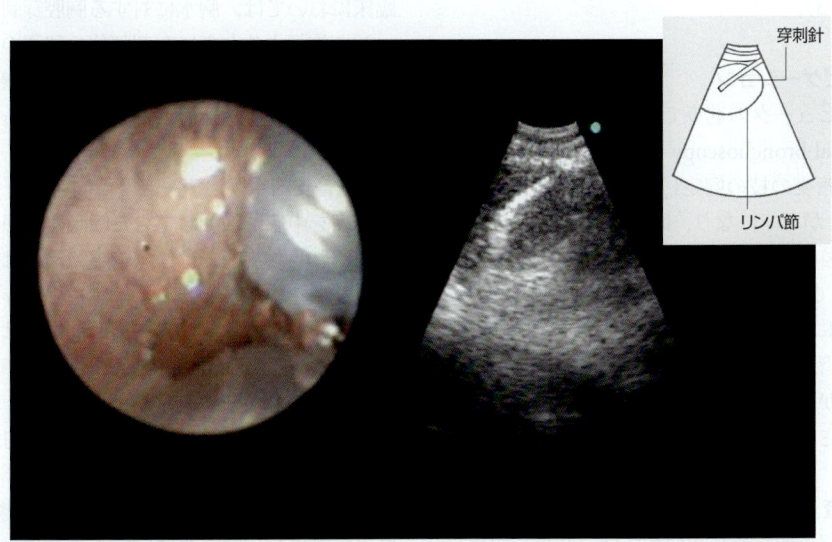

図9-1-16 convex型超音波気管支鏡
気管支鏡先端に装備されたconvex型超音波プローブで，対象病変の位置を確認し刺入していく針をリアルタイムに観察することが可能になった．

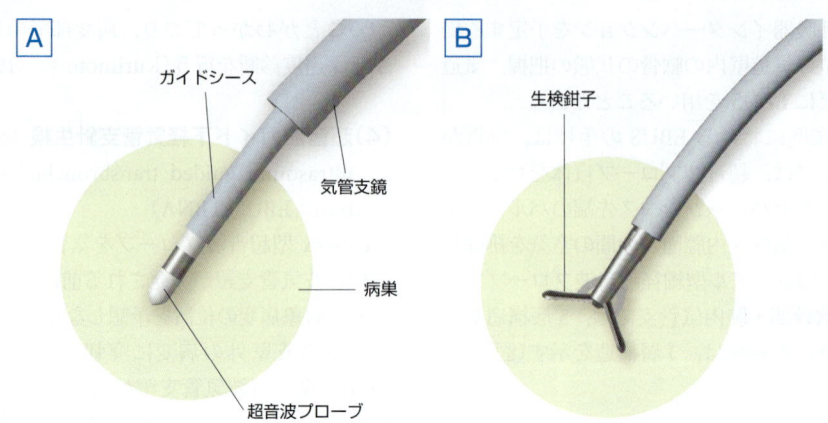

図 9-1-17 EBUS-GS
超音波プローブのまわりにガイドシースを被せて肺末梢病変までもっていき，EBUS で病変に到達したことを確認後(A)，プローブのみを抜去し，残したガイドシースに生検鉗子を挿入し組織採取する(B).

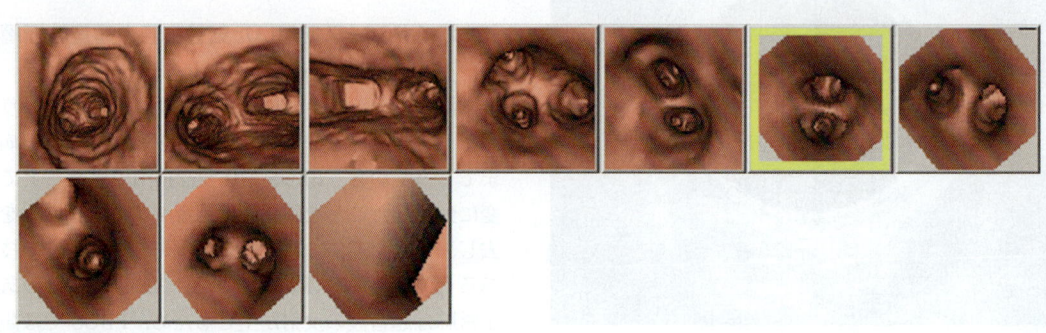

図 9-1-18 気管支ナビゲーション
気管支鏡検査前に，CT 画像から病巣に到達する道を virtual bronchoscopy で示す．

AF)(eノート 3).

(6) 気管支ナビゲーション

近年，コンピュータの進歩で気管支鏡検査前に CT 画像から virtual bronchoscopy を作成し，肺末梢病変につながる気管支の枝の同定（気管支のナビゲーション）を行うことが可能になり，臨床現場で使用されるようになり（図 9-1-18）(Asano ら，2006) 国内外で急速に普及してきている．また，自動車のナビゲーションと同様に仰臥位の患者の背中の下から磁場を発生させ，気管支内の鉗子先端の位置を仮想画像のなかで確認しながら病巣に近づく方法も開発され，海外で普及し報告されている[4-6]．

(7) 超音波検査

体表からの経皮的な超音波検査では，肋骨，肩甲骨などが邪魔になることがあるものの，胸水，血胸，臓側胸膜直下の無気肺・病変などは明瞭に描出される．

臨床においては，胸水に対する胸腔穿刺，胸腔ドレナージを施行するときに穿刺部位の確認のため，超音波検査は不可欠の検査手技である．臓側胸膜直下の病変では，経皮的に超音波ガイド下肺生検も可能である．

(8) 気管支内視鏡治療

肺癌を中心に増加してきた呼吸器疾患のなかで気道を中心とした病変では，気管支鏡治療は効力を発し，特に呼吸を維持するためには気道の開存を確保することは必要である．気管支内視鏡治療には，肺門部早期肺癌に対する光線力学的治療，気道狭窄に対するステント治療などがある．

a. 肺門部早期肺癌に対する光線力学的治療（photodynamic therapy：PDT）

PDT は，腫瘍親和性のある光感受性物質の投与後，腫瘍組織にレーザーを照射することにより光化学反応を引き起こし，腫瘍組織を変性壊死させる治療法である．腫瘍組織にレーザーを照射することで，光感受性

物質が一時的に励起され，再び基底状態に戻る際に癌組織内の三重項酸素から一重項酸素（活性酸素）が発生し癌組織を選択的に変性・壊死させる．保険適用は，早期肺門型肺癌以外に，表在性食道癌，表在性胃癌，子宮頸部初期癌および異形成がある．肺癌に対する適応である中心型早期癌では，気管支鏡で腫瘍の末梢側辺縁が確認できる直径1cm以下の小さな腫瘍で，気管支壁浸潤が軟骨層の内側にとどまるものが最も治療効果が高いとされている．亜区域支より末梢側に浸潤のある腫瘍で末梢側の浸潤範囲の確認ができない場合，また軟骨層をこえている場合では，レーザーが十分に届かない可能性があり治療効果が不確実になるので注意を要する．

b. 気道狭窄に対するステント治療

気管閉塞に対するステント留置は気流制限による呼吸困難を訴える患者の症状を劇的に改善し，QOLを向上させる有用な治療手段である．最近，欧米では呼吸器インターベンション（interventional pulmonology）として注目され，ERS/ATS statementが出されている．臨床的には気道ステント留置の適応は，①腫瘍の進行性局所増大により気道の確保が難しく，その他の治療法が適応でない場合（たとえば頻回にレーザー治療などが必要な場合に最終手段として行われるもの），②不安定な気道状態を呈するもの（気管気管支軟化症なども含む），③狭窄度50%以上で呼吸困難などの呼吸器症状を有するもの，などである．さらに医学倫理的な条件としては，①推定生存期間が4週間以上見込まれるもの，②ステント留置により明らかに気流制限改善などの肺機能的な改善が予測できるもの，③医学経済面でコストベネフィットが期待できるもの，などである．

中枢の気道閉塞は，肺癌，食道癌，種々の癌の縦隔リンパ節転移，転移性気管内腫瘍などにより起こる．気管支内腔腫瘍進展性閉塞，気道壁外圧排性閉塞と混合性閉塞がある．気道壁外圧排性閉塞はステント留置の適応だが，気管支内腔腫瘍進展性閉塞ではNd-YAGレーザー，アルゴンプラズマ凝固法，高周波治療，凍結治療，バルーン拡張や化学療法／放射線治療で内腔の開存が不十分である場合，また再閉塞が予想されるときにステント留置を考える．

気道ステントの種類はシリコンステントと，ステンレスやナイチノールなどの自己拡張性金属ステントがある．さらに新しいハイブリットステント（e図9-1-AG），特に最近フルカバータイプができ，金属疲労が少なく壊れにくく取り出しも可能である．シリコンステントの留置において，自発呼吸を残した全身麻酔下で硬性気管支鏡を用いる手技は臨床的に安全で確実であり，ゴールドスタンダードと考えられる．従来の金属ステントは，気管支ファイバーで留置することは簡単だが，一度留置すると回収および再留置は困難であり，肉芽形成による再閉塞や金属疲労で壊れるという欠点があるため適応が限られている．

〔栗本典昭・宮澤輝臣〕

■文献（e文献9-1-3）

Asano F, Matsuno Y, et al: A virtual bronchoscopic navigation system for pulmonary peripheral lesions. *Chest*. 2006; 130: 559-66.

Kurimoto N, Murayama M, et al: Assessment of Usefulness of Endobronchial Ultrasonography in Determination of Depth of Tracheobronchial Tumor Invasion. *Chest*. 1999; 115: 1500-6.

Kurimoto N, Miyazawa T, et al: Endobronchial Ultrasonography Using a Guide Sheath Increases the Ability To Diagnose Peripheral Pulmonary Lesions Endoscopically. *Chest*. 2004; 126, 959-65.

4）肺機能による評価

(1) スパイロメトリー（spirometry）

吸気と呼気からなる呼吸運動を評価する．吸気では横隔膜と肋間筋が収縮することによって横隔膜が腹側に移動し，胸郭が拡張する．この結果，胸腔内は陰圧となり肺は拡張し空気が肺内に流入する．呼気時には筋肉が弛緩するので呼気終了時には拡張した胸郭は吸気開始の状態に戻るとともに胸腔内圧は上昇し陽圧に傾くので肺内の空気は押し出され呼出される．スパイロメトリーはこのような呼吸運動を評価する機能検査である．

a. 方法

胸郭の運動を妨げないように着衣をゆるめ，最大吸気位から最大呼気位まで間断なく呼気努力を行う．まず，安静に換気し，ついで最大吸気位まで最大限の吸気努力をした後に最大限呼出するが，このときにはゆっくり呼出し速度は意識しない．ついで，努力性肺活量（forced vital capacity：FVC）の検査では最大吸気位から最大呼気位までの呼気を可能なかぎり素早く呼出する．1〜2回の練習の後，3回実施し努力性肺活量と1秒間に呼出される量（1秒量，forced expiratory volume：FEV_1）の最も大きい値を採用する．

b. 肺気量分画と努力呼気曲線（図9-1-19）

スパイロメトリーによって測定可能な肺気量分画は，安静換気による1回換気量（tidal volume：TV）と肺活量（vital capacity：VC），努力性呼気検査時に測定される努力性肺活量とFEV_1である．

努力呼気曲線は最大吸気位からできるかぎり速く最大呼気位まで呼出したときの呼気量をスパイロ上に記録した曲線である．縦軸に呼気量を横軸に時間をと

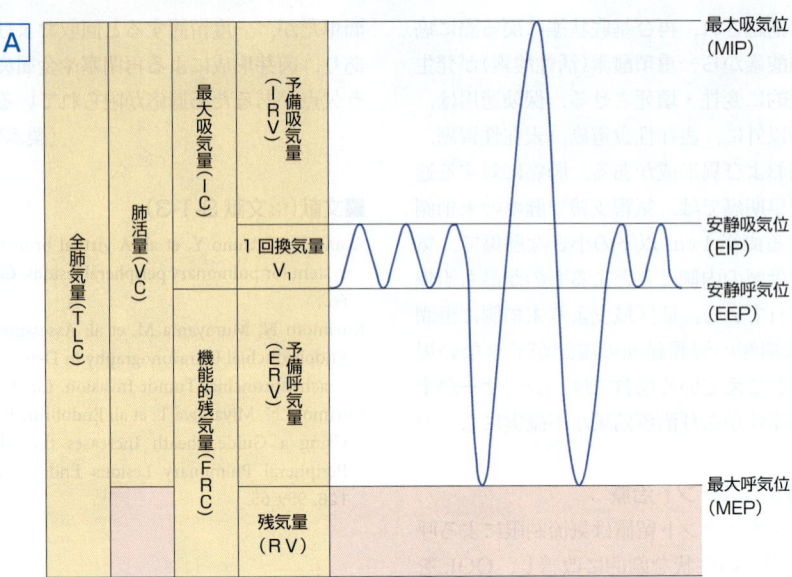

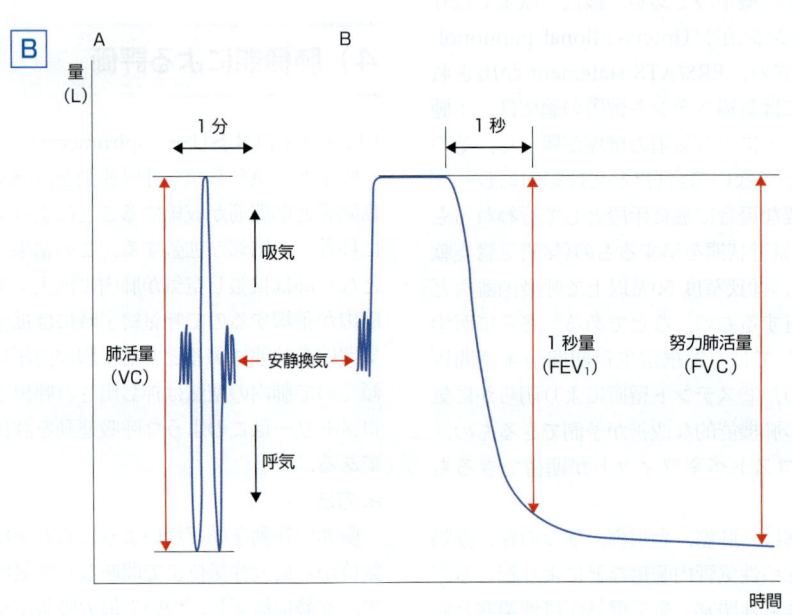

図9-1-19 スパイログラム
A:肺気量の変化と肺気量分画の関係,B:努力呼気曲線.

り,努力性肺活量,FEV_1,FEV_1の努力性肺活量に対する割合である1秒率($FEV_1\% = FEV_1/FVC \times 100$,GaenslerのFEV$_1$%)を求める.TiffeneauのFEV$_1$%はFEV$_1$/VC × 100である.

c. 肺気量分画と努力呼気曲線の評価

拘束性換気障害と閉塞性換気障害を評価する.

肺の換気能力はスパイロメトリーで測定される値,%VCとFEV$_1$%で評価される.VCは性別,年齢,体格,体位によって異なるので,実測VCと予測VCとの割合で算出される%VCで評価する.

$$\%肺活量(\%VC) = \frac{実測肺活量(VC)}{予測肺活量(VC\ predicted)} \times 100$$

予測肺活量は性別・身長・年齢から健常者として予測される肺活量の平均値である.Baldwinの式で求める.

男性:(27.63 − 0.112 ×年齢)×身長(cm)
女性:(21.78 − 0.101 ×年齢)×身長(cm)

%VCとFEV$_1$%の値から閉塞性と拘束性換気障害に分類する(図9-1-20,表9-1-13).

i)閉塞性換気障害

閉塞性換気障害は，気道の狭窄や閉塞で気流が制限された場合にみられる．

慢性閉塞性肺疾患(chronic obstructive pulmonary disease：COPD)で気流閉塞が進行すると残気量(residual volume：RV)が増加し全肺気量が増加する．さらに，RVが増加するとVCが低下し混合性換気障害を示すが，根本は閉塞性換気障害である．

ii)拘束性換気障害

拘束性換気障害は，肺の弾性収縮力上昇あるいは胸郭の弾性収縮力上昇による肺の拡張性が障害された場合，横隔膜神経障害や呼吸筋障害による呼吸筋の収縮力が障害され肺の拡張性が障害された場合にみられる．

d. フローボリューム曲線とその評価（図9-1-21）

フローボリューム曲線(flow-volume curve：F-V曲線)は，横軸に肺気量(ボリューム，L)，縦軸に各肺気量における呼出速度(フロー，L/秒)，をとり，最大努力呼出時の呼気量と気流速度の関係を示す．縦軸は各肺気量位での最大呼出速度($\dot{V}_{max}$)を示し，実際に測定したF-V曲線の縦軸は各肺気量位での最大呼出速度の値である．肺活量の75%以上の肺気量位の最大呼出速度は呼出努力に依存するが，75%以下では努力とは無関係で気道内径や虚脱しやすさと関係する．全肺気量からRVまでの50%肺気量位の呼出速度を$\dot{V}_{50}$，25%肺気量位の呼出速度を$\dot{V}_{25}$という．

(2)残気量，機能的残気量と全肺気量（図9-1-22）

残気量は最大呼気位で肺内に残存する気量，機能的残気量(functional residual capacity：FRC)は安静呼気位で肺内に残存する気量である．FRCは安静呼気位で胸郭が拡張しようとする力と肺が収縮しようとする力が均衡されている肺気量である．スパイロメトリーでは測定できず，体プレチスモグラフ法(body plethysmography)あるいはガス希釈法で測定する．全肺気量(total lung capacity：TLC)は最大吸気位の肺気量である．

(3)コンプライアンスとその評価（図9-1-23）

肺・胸郭の弾性収縮力(硬さ・縮みやすさ)は弾性収縮力の逆数であるコンプライアンスで表される．弾性収縮力が縮みやすさを表すのに対してコンプライアンスは伸びやすさを表す．

コンプライアンスは胸郭コンプライアンス(thoracic compliance：C_{TOR})と肺コンプライアンス(lung compliance：C_L)に分けられる．また，気流のない状態で測定する静肺コンプライアンス

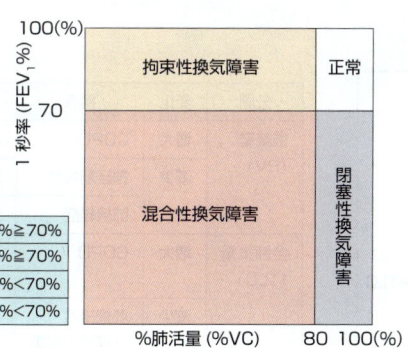

図9-1-20 換気障害の基準と分類

表9-1-13 閉塞性換気障害，拘束性換気障害の代表的疾患

障害	病態	代表的疾患
閉塞性換気障害	気道閉塞	上気道： 口腔内・咽頭・喉頭腫瘍 下気道： 気管支喘息，COPD，びまん性汎細気管支炎，閉塞性細気管支炎，気管内異物，気管・気管支腫瘍，肺脈管筋腫症，肺水腫
拘束性換気障害	肺弾性収縮力増加	肺間質の炎症あるいは線維化： 特発性肺線維症，過敏性肺臓炎，膠原病，放射線肺臓炎，じん肺，サルコイドーシス，肺好酸球症，肺胞蛋白症，肺胞微石症，肺アミロイドーシス
	肺容量の減少	肺葉切除，陳旧性肺結核
	胸膜・胸郭病変	胸膜炎，心不全などによる胸水貯留，気胸，胸膜中皮腫，胸膜肥厚
	胸郭の変形	側弯症，胸郭成形術
	神経・筋肉疾患	重症筋無力症，横隔膜神経麻痺，筋萎縮性側索硬化症
	浮腫	肺水腫
	その他	肥満，妊娠

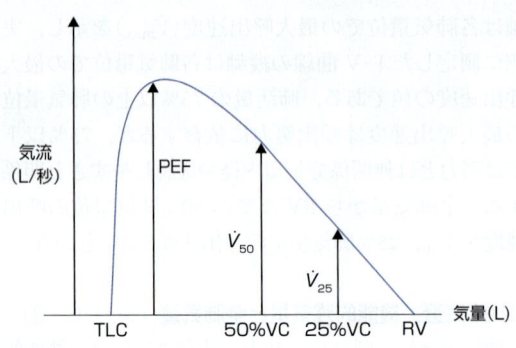
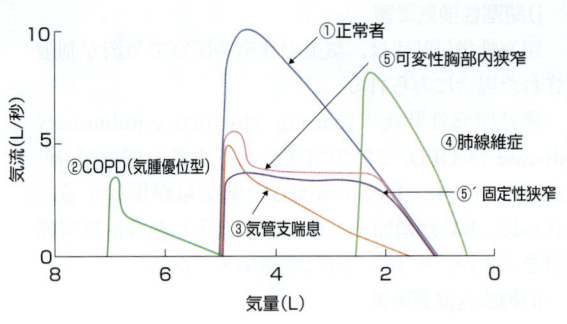

正常		ピークフローから呼気終末までほぼ直線的に呼出速度が減少する
閉塞性換気障害	COPD	特に気腫優位型のCOPDでは排気量が増大しF-V曲線が左方に偏位し，曲線の形も凹状を示す
	腫瘍・炎症・瘢痕などによる気道狭窄	F-V曲線は台形を示す
拘束性換気障害	肺線維症	肺気量が減少しF-V曲線が右に偏位し弾性収縮力増大による呼出速度が増すので曲線は上方に凸となる

図9-1-21 フローボリューム曲線とその結果解釈

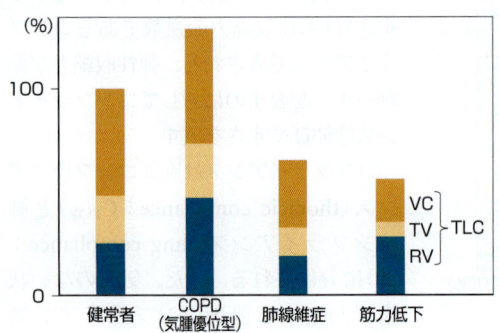

分画	変化	疾患	病態
残気量(RV)	増大	COPD	呼気時の気流閉塞(air trapping)
	減少	神経筋疾患	呼吸筋低下による呼出障害
		肺線維症	肺気量全体が減少し
全肺気量(TLC)	増大	COPD	静肺弾性収縮力低下（静肺コンプライアンス増加）
	減少	肺線維症 神経筋肉疾患	静肺弾性収縮力増加（静肺コンプライアンス低下）

図9-1-22 肺気量分画と残気量・全肺気量の異常

(static lung compliance：C_{st})と，ある状態で測定する動的コンプライアンス(dynamic compliance：C_{dyna})がある．通常は静肺コンプライアンスを測定する．

静肺コンプライアンスは気流のない状態で，肺の容積変化(ΔV)とそれに要した胸腔内圧変化(ΔP)から計算される．

$$静肺コンプライアンス = \frac{肺の容積変化(\Delta V)}{胸腔内圧変化(\Delta P)} \text{(L/cmH}_2\text{O)}$$

静肺コンプライアンスは，肺内外の圧差(口腔内圧－胸腔内圧)と肺気量変化から求めた肺圧量曲線から求める．臨床的には胸腔内圧は食道にバルーンを挿入して測定される食道内圧を用いる．静肺コンプライアンスの正常値は 0.15〜0.30 L/cmH$_2$O 程度である．また，最大食道内圧($Peso_{max}$)は弾性収縮力によって規定される．正常値は 20〜25 cmH$_2$O 程度である．

(4)呼吸抵抗，気道抵抗

気道抵抗(airway resistance)は，口腔と肺胞との間にある気道の粘性抵抗で，呼吸抵抗(respiratory resistance)は気道，肺組織および胸郭の抵抗の総和である．気道抵抗は気道狭窄，肺切除，などで上昇する．

(5)肺拡散能

肺胞に達した大気に含まれるガスと毛細血管中のガスの交換は受動的，物理的な拡散によって行われる．

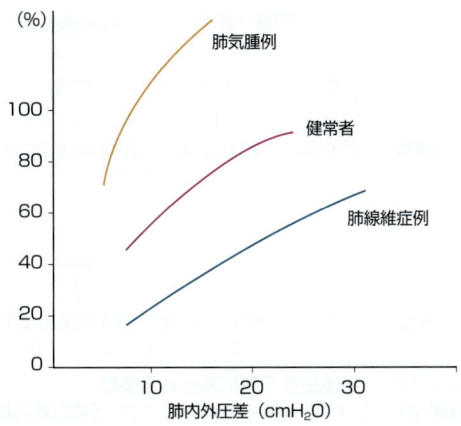

図 9-1-23 肺コンプライアンスとその異常

静肺コンプライアンス上昇 (弾性収縮力低下)	COPD(肺胞破壊)	最大食道内圧は低下
静肺コンプライアンス低下 (弾性収縮力上昇)	肺線維症, 胸膜肥厚	最大食道内圧は上昇

二酸化炭素は酸素と比べて溶解性が高く約 20 倍拡散しやすいので,実際に問題になるのは酸素である.一酸化炭素を用いた肺拡散能が測定される(DL_{CO}).拡散障害は,肺胞と毛細血管が接する面積の減少,肺胞と毛細血管の距離の増大でみられる.
・拡散面積の減少：COPD,肺切除
・拡散距離の増大：肺線維症,間質性肺炎,肺水腫

(6)動脈血ガス分析,酸塩基平衡

動脈血ガス分析では,pH,酸素分圧(P_aO_2),二酸化炭素分圧(P_aCO_2),重炭酸イオン(HCO_3^-)濃度を知る.血液中の酸素は,血漿中に物理的に溶解する溶解酸素とヘモグロビン(Hb)と結合する結合酸素がある.酸素飽和度(S_pO_2)は酸素に結合している Hb の割合を示す.P_aCO_2 は有効肺胞換気量で規定され肺胞低換気で上昇し,過換気で低下する.動脈血酸素分圧(P_aO_2)による酸素化は,大気中の酸素濃度,肺胞換気量,拡散能,換気・血流不均等,シャント,などで規定される.

動脈血中の pH は 7.40 ± 0.05 の範囲に維持されるように調節されている.酸塩基平衡を評価するには,基本的に動脈血 pH と P_aCO_2 で行うが,Henderson-Hasselbach 式によって算出される HCO_3^- を用いる方法がある.

$$pH = 6.1 + \frac{\log[HCO_3^-]}{[\beta \times P_aCO_2]}$$

(β は CO_2 の血漿に対する溶解度で通常 0.03 mEq/L・Torr)

pH の低下はアシドーシス,上昇はアルカローシスを示す.pH の変動が肺の換気に由来する場合には呼吸性アシドーシスあるいはアルカローシス,呼吸ではなく腎機能などの代謝に由来する場合には代謝性アシドーシスあるいはアルカローシスとよぶ(表 9-1-14).

その他の肺機能評価法については e コラム 1 を参照.　　　　　〔橋本　修〕

■文献
日本呼吸器学会肺生理専門委員会編：呼吸機能検査ガイドライン—スパイロメトリー,フローボリューム曲線,肺拡散能力.メディカルレビュー社,2004.

表 9-1-14 アシドーシスとアルカローシス

呼吸性アルカローシス	過換気による P_aCO_2 の低下
呼吸性アシドーシス	低換気による P_aCO_2 の上昇の喪失
代謝性アルカローシス	嘔吐や下痢による HCO_3^- の蓄積
代謝性アシドーシス	糖尿病や腎不全によるケトン産生

5) 呼吸器疾患の分子生物学

(1) 概説

呼吸器疾患の分子生物学は,良性疾患の分子生物学,悪性腫瘍の分子生物学に大きく二分できる.

良性疾患研究は,欧米での α_1-アンチトリプシン欠損症研究,嚢胞性線維症研究が,初期のめざましい成果である.欧米では,多数の人種,民族が混在して暮らしていることが原因で,各人種間,民族間の疾患頻度,疾患罹患性の違いが明らかになりやすかったと考えられる.そのような環境では,人種間の違い,民族間の違い,そして各人種に特徴的な疾患を,遺伝学を通して考察することが,必然的な流れとなったであろう.その結果,欧米では多数の遺伝性疾患と,その原因遺伝子が明らかになった.それらの成果は,遺伝的要素が明確でない疾患の原因,発生病態を考察する基盤としても利用され,今日の良性呼吸器疾患研究に多大な影響を与えている.

悪性腫瘍研究は,癌遺伝子,癌抑制遺伝子が同定されたことが,現在の研究の根幹になっている.癌遺伝子,癌抑制遺伝子が,人にみられる実際の肺悪性腫瘍でも重要な役割を演じていることは基礎医学分野で明らかにされていたが,その臨床応用は限定されてい

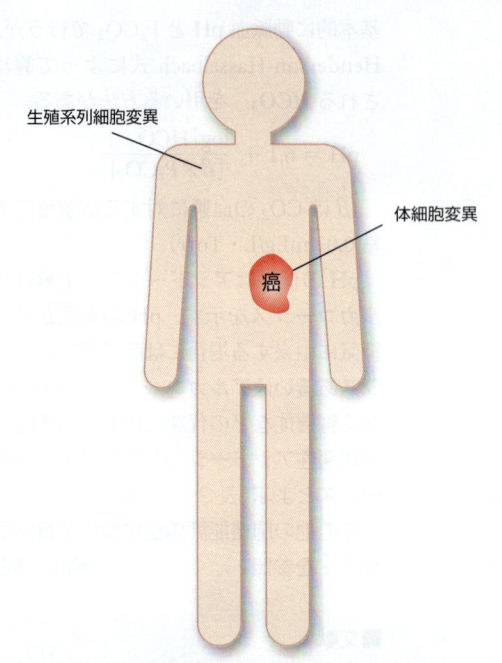

図 9-1-24 生殖細胞系列多型，変異，体細胞変異
生殖細胞系列にみられる多型・変異は，子孫にそのまま伝達される．体細胞変異は悪性腫瘍にみられる変異であり，子孫には伝達されない．

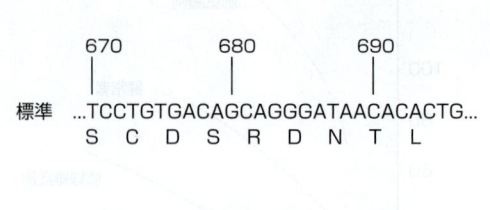
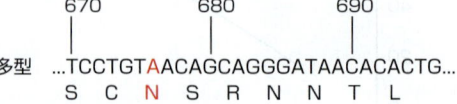

図 9-1-25 生殖細胞系列にみられる多型
TGF-β1 は生体内で重要な役割を演じている蛋白質だが，そのコード領域内にも多型が存在する．遺伝子データベース GenBank で rs202088345 と ID がつけられた多型では，TGF-β1 のコード領域の 676 番目の塩基が変化し，産生される TGF-β1 のアスパラギン酸（D）がアスパラギン（N）に変化している．アスパラギン酸の TGF-β1 を有する個人とアスパラギンの TGF-β1 を有する個人とでは TGF-β1 の違いにより疾患感受性などに差が出てくる可能性がある．

た．状況を劇的に変えたのは，上皮成長因子受容体（epidermal growth factor receptor：EGFR）変異の発見である（Lynch ら，2004）．さらに EGFR 変異を有する非小細胞肺癌には，ゲフィチニブ，エルロチニブで代表される EGFR 阻害薬が有効であることが臨床試験で示された．

(2) 遺伝子多型，遺伝子変異
a. 生殖細胞系列遺伝子多型，遺伝子変異

ヒトゲノムプロジェクトの結果，ヒトゲノムの全塩基配列が決定された．ヒトゲノムプロジェクトに使用されたサンプルは少数の個人に由来するもので，全人類を代表するものではない．よって，ヒトゲノムの塩基配列は，ヒトゲノム参照配列（reference sequence）とよばれる．ヒトゲノム参照配列から推測されたヒトの遺伝子数は約 2 万 2000 個である．

ヒトのゲノムは多様性に富み，個人の正常細胞の塩基配列はヒトゲノム参照配列とかなり異なっている．個人の正常細胞の塩基配列は，個人の生殖細胞（精子，卵子）の塩基配列でもあり，子孫に伝達される塩基配列でもある．そのため，生殖細胞系列（germline）塩基配列といわれる（図 9-1-24）．多数の人間の生殖細胞系列の塩基配列を決定すると，参照配列と異なる配列が特定の部位に集中していることがわかる（図 9-1-25）．ヒトの先祖の 1 人に生じた塩基変化が，多数の現代人に受け継がれているためと考えられている．生殖細胞系列でみられる塩基配列変化を生殖細胞系列多型，生殖細胞系列変異という．個人の体質，さらには子孫の遺伝学的な特徴を決定する重要な個人情報であり，その検査には慎重な倫理的考察と被験者同意が必要である．ヒト集団の 1％以上に共通にみられる塩基変化を遺伝子多型，それ以下の変化を変異とよぶ場合もある．しかし，特定の塩基配列の集団内頻度を決定するのは難しく，また，人種，民族によって集団内頻度は異なるため多型と変異の区別は難しい．そのため，現在では両者を一括してバリアント（variant）と称することも多い．

b. 1000 人ゲノム

遺伝子は蛋白質となるアミノ酸配列をコードしている．アミノ酸配列コード部分の塩基に，生殖細胞系列バリアントを有する人では，ほかの人と配列が異なる蛋白質が作られる．それが原因で，遺伝的な疾患を発症することもあるだろう（図 9-1-25）．

ヒトゲノムプロジェクトの後，1000 人の個人のゲノム塩基配列をすべて決定する 1000 人ゲノムプロジェクトが行われた．その結果，蛋白コード部位の生殖細胞系列バリアントに関し，驚くべきことがわかった．1 人の人間には，平均して蛋白機能喪失性バリアントが 250〜300 カ所あり，さらに遺伝性疾患に関連するバリアントが 50〜100 カ所あるという（The 1000 Genomes Project Consortium ら，2000）．(eコラム 1)

c. 体細胞変異

人間の体内の細胞では，化学物質の影響，放射線の

影響などでゲノム塩基に変化が生じる．これらの変化は，細胞の DNA 修復機構で修復されている．しかし，まれに修復できない変異が蓄積し，その結果，細胞が正常の制御を離れて増殖しはじめることがある．癌はこのようにして生じると考えられている．癌細胞のゲノムを検索すると，多数の塩基変化が認められる．癌細胞にみられるゲノム変化は子孫に受け継がれることはない．癌細胞特異的変異を体細胞変異（somatic mutation）とよぶ．

癌細胞ゲノムの変異のなかには，細胞を癌に変質させる決め手となった変化が残されている可能性が高い．

(3) 疾患と遺伝子多型，遺伝子変異

a. 良性疾患と遺伝子変異

呼吸器疾患の分子生物学を考えるうえで，α_1-アンチトリプシン欠損症と嚢胞性線維症はきわめて重要な疾患である．両方とも日本にはごく少なく，主として欧米の白人にみられる疾患である．しかし，前者は慢性閉塞性肺疾患（COPD）・肺気腫の病因を探るモデルとして，後者は気管支拡張症の病態を理解するためのモデルとして，呼吸器病学ではきわめて重要な疾患である．

α_1-アンチトリプシン欠損症は *SERPINA1* 遺伝子の変異，嚢胞性線維症は *CFTR* 遺伝子の変異で引き起こされる．太古の昔，1 人の個人に起こった遺伝子変異が，欧米の大部分の患者の原因となっている．

疾患遺伝子が集団内に広がる要因はいくつかある．過去の環境が，異常遺伝子をヘテロ接合で保有した方が生存に優位であった可能性もある．ただの偶然で疾患遺伝子が集団内に広がる可能性も十分にある．

現代人類は東アフリカに生じ，ここ数万年で全世界に広がった．e図 9-1-AH に，現在推定されている人類の移動経路を示す．ヨーロッパに移動した後，ヨーロッパ人の先祖の 1 人に生じた変異が，現在の α_1-アンチトリプシン欠損症の原因であり，別の 1 人に生じた変異が嚢胞性線維症の原因とされている．

i) α_1 アンチトリプシン欠損症

欧米の多くの α_1-アンチトリプシン欠損症は，*SERPINA1* の exon 5 の 1 塩基の変異（Z 型と命名されている）が原因である．変異 *SERPINA1* のホモ接合の患者に発生する．臨床的には若年性肺気腫が認められる．変異 *SERPINA1* を有する患者では，α_1-アンチトリプシン酵素活性が消失している．α_1-アンチトリプシンは，肺を含めた各臓器を蛋白分解酵素（プロテアーゼ）から保護する．肺に対する攻撃因子（炎症細胞などから分泌される蛋白分解酵素）が防御因子（α_1-アンチトリプシン）の作用を上回ると肺気腫が発症すると考えられる．

ii) 嚢胞性線維症

多くの嚢胞性線維症の原因は，*CTFR*（cystic fibrosis transmembrane conductance regulator）遺伝子の 508 番目のフェニルアラニンをコードする 3 塩基対の欠失をもった変異 *CTFR* である．ΔF508 変異と称される．変異遺伝子がホモ接合になると疾患を発症する．その結果，塩素イオン，炭酸イオンの輸送が障害され，臨床的には気管支拡張症，緑膿菌の慢性感染など，副鼻腔気管支症候群様の症状がみられる．CFTR 機能欠損がなぜこのような臨床所見を示すのかに関しては不明な点が多い．欧米人の 25 人に 1 人が異常遺伝子の保有者であり，3000 名に 1 人が患者である．

副鼻腔気管支症候群といえば，びまん性汎細気管支炎（diffuse panbronchiolitis：DPB）を想起する．患者の大部分は日本人であり，一部が韓国人である．この東アジア特異的疾患の遺伝子はまだ同定されていない．

b. 肺癌と遺伝子変異

i) 細胞増殖と遺伝子

ヒトの体内では，組織の恒常性を維持するため，常に細胞が分裂している．気道や消化管内腔を覆う上皮細胞は，感染，物理的刺激で損傷されることも多く，活発に分裂，再生している．細胞分裂は，細胞が増えすぎることがないよう，精密に制御されている．悪性腫瘍とは，①細胞分裂を制御する遺伝子が傷害を受ける，②その結果細胞が通常の増殖制御からはずれ，無制限に増殖する，という過程を経て生じるとされる．悪性腫瘍細胞の増殖により，正常の臓器機能が障害され，さまざまな臨床症状が出現する．

ヒトには約 2 万 2000 種類の遺伝子がある．各遺伝子の使用量，すなわち遺伝子の発現レベルは個々の細胞で異なる．どの遺伝子をどの程度使用するかで，細胞の機能，形態が決まり，細胞自身の性格が決まる．気管支上皮の使用している遺伝子群は，食道上皮の使用している遺伝子群とは異なる．よって，細胞を無制限に増殖させるために必要な遺伝子の変化は，気管支上皮と食道上皮とでは異なっていると考えられる．個々の悪性腫瘍にみられる遺伝子変化も，原発臓器によって異なっている．

ii) 癌遺伝子，癌抑制遺伝子

悪性腫瘍に関与する重要な 2 つの遺伝子群がある．癌遺伝子，癌抑制遺伝子である．

癌遺伝子は，細胞増殖を亢進する作用を有する遺伝子である．癌細胞では，細胞増殖亢進作用が異常に増強した変異癌遺伝子（活性化癌遺伝子）がしばしばみられる．

癌抑制遺伝子は，異常な細胞増殖を制御する作用を有する．癌では，癌抑制遺伝子に遺伝子変異が生じ，機能が障害されていることが多い．しかし，癌抑制遺

伝子が機能を喪失しただけでは発癌しない．加えて何らかの変化，おそらく癌遺伝子の活性化が起こり，発癌へと至る．

iii）肺癌臨床と癌遺伝子

癌細胞のゲノムには多数の遺伝子変異がある．ゲノムに傷害を受け，正常の機能を果たせなくなった細胞では，細胞自身の自殺装置が働き，死滅する．これをアポトーシスという．しかし，癌細胞では，自殺装置が抑制され，アポトーシスが起こらなくなっている．

上皮細胞増殖因子受容体（EGFR）は肺癌の代表的な癌遺伝子であるが，L858R（EGFR の 858 番目のロイシン残基がアルギニンに変わる遺伝子変異），exon 19 欠失（EGFR の 729〜761 番のアミノ酸をコードする exon 19 の一部が欠失する変異）などの活性化変異が起こる．活性化変異を有する変異 EGFR は，アポトーシスを抑制するシグナル（生存シグナル）を細胞内に伝達する，その結果細胞はゲノムにキズをもったまま増殖する．EGFR チロシンキナーゼ阻害薬は，変異 EGFR からの生存シグナルを遮断する．生存シグナル遮断の結果，細胞はアポトーシスを起こし，癌が縮小する．

非小細胞肺癌では，変異 EGFR，変異 KRAS，変異 BRAF，ALK 融合遺伝子，ROS1 融合遺伝子，RET 融合遺伝子がみられる．これらの遺伝子変異は相互排他的で，たとえば変異 EGFR を有する癌細胞では，ほかの変異遺伝子は認められない．非小細胞肺癌の約半数は，上記のいずれかの変異遺伝子をもっている．そして，癌細胞は，変異遺伝子から生成された変異蛋白から送られてくる生存シグナルに依存して生存，増殖している（癌遺伝子依存，oncogene addiction）．変異遺伝子に対応する分子標的薬を投与することで，有効な肺癌治療が行える．適切な分子標的薬が投与された患者では，従来の細胞傷害性抗癌薬（cytotoxic antitumor agents）による治療のみを行った患者と比較し，生存期間中央値が 2 倍〜数倍に延長することが示されている．

残念ながら変異 KRAS に関しては，有効な分子標的薬が開発されていない．

iv）肺癌臨床と癌抑制遺伝子

癌抑制遺伝子は，細胞の恒常性を保つために必須の遺伝子である．その遺伝子産物は，細胞生存，細胞増殖が適切に行われることを監視，制御している．肺癌の代表的な癌抑制遺伝子は TP53（p53 とよばれることが多い）であり，肺癌の半数で変異を起こし，機能を失っている．癌抑制遺伝子の機能を回復させることで癌を治療する試みが行われたが，現在までに実用化されたものはない．

v）肺癌臨床と遺伝子変異検査

変異 EGFR を標的とした肺癌治療が確立されるとともに，変異遺伝子を検索し，変異遺伝子を有する患者に対応する分子標的薬を投与するという治療手順が確立された．新たに発見された ALK 融合遺伝子とその阻害薬による治療が臨床に導入された際には，この手順がそのまま使用された．遺伝子変異検査を行ってから適切な薬剤を投与する手順は，今後も変化することはないだろう．

肺癌の治療標的となる新たな分子が同定され，対応する治療薬が開発されるたびに，遺伝子変異検査で検索すべき遺伝子が増えていく．患者から採取可能な検体は限られており，必要な遺伝子検査をすべて行うためには，包括的遺伝子検査が必要なシステムを構築して行く必要がある．この分野には，次世代シークエンサー，デジタル PCR など，さまざまな新技術が導入され，開発が続けられている．

(4) 臨床医学と分子生物学

数年前まで，呼吸器臨床に携わる医師にとって，遺伝子工学の知識は必須の知識とは言い難かった．CRP 診断，ということばが使われることもあったが，C（clinical），R（radiological），P（pathological）による診断のみで，呼吸器臨床を行うことが可能であった．しかし，肺癌治療に遺伝子知識が必須となり，EGFR L858R 変異，exon 19 欠失などが，日常臨床でふつうに使われることばになっている．遺伝子の知識に基づいて診断，治療を行う流れは，今後ますます促進されるであろう．この分野の進歩は速く，わずか 1 年前の知識が通用しなくなっている．正確な知識の習得と，積極的利用が望まれる．〔萩原弘一〕

■文献

Lynch TJ, Bell DW, et al: Activating mutations in the epidermal growth factor receptor underlying responsiveness of non-small-cell lung cancer to gefitinib. N Engl J Med. 2004; 350: 2129-39.

村松正實，木南 凌監：ヒトの分子遺伝学 第 3 版，メディカル・サイエンス・インターナショナル，2005.

The 1000 Genomes Project Consortium, Abecasis GR, et al: A map of human genome variation from population-scale sequencing. Nature. 2000; 467: 1061-73.

6）呼吸器疾患のバイオマーカー

バイオマーカーとは，正常なプロセスや病的プロセス，あるいは治療に対する薬理学的な反応の指標として客観的に測定・評価される項目と定義されている．肺は直接外界と接しているものの，組織診断や切除術のアプローチが容易ではないことから，呼吸器疾患の診断・治療におけるバイオマーカーの意義は大きい．

特に肺癌領域を中心に進みつつある個別化医療の展開をさらに進めるために，薬剤の反応性や有害事象を予測しうるバイオマーカーの開発が重要である．現在，呼吸器疾患診療に使用されているバイオマーカーを中心に概説する（e表9-1-B）．

(1) 呼吸器感染症

血清，尿，痰などの検体を用いた病原体特異的な抗原やDNAおよび抗体価の測定は，病原体診断に重要なバイオマーカーである．真菌壁由来のβ-D-グルカンは深在性真菌症の血清診断に使用される．以下に新たな病原体由来バイオマーカーおよび反応性マーカーを紹介する．

a. プロカルシトニン (procalcitonin：PCT)

PCTはカルシトニンの前駆物質であり，正常状態では甲状腺で産生される．一方，細菌感染症では全身の多くの臓器・組織で産生され，血中濃度が上昇することが知られている．産生機序は明らかではないが，CRP（C-reactive protein）とは異なりウイルス感染では上昇しないことから，敗血症の診断マーカーとして報告され，呼吸器感染症においても細菌感染症との鑑別に有用である．

b. プレセプシン (presepsin)

プレセプシンは，可溶性CD14サブタイプ（sCD14ST）であり，単球・マクロファージの細胞膜に存在するリポ多糖（lipopolysaccharide：LPS）受容体であるCD14由来のポリペプチドである．細菌の貪食により同時にリソゾームに取り込まれるCD14の分解産物である．このためPCTより細菌感染症に特異的であり，PCTより早い時間経過で血中に上昇する．敗血症で最もすぐれた診断マーカーであり，呼吸器細菌感染症における意義も示されている．

c. アデノシンデアミナーゼ (adenosine deaminase：ADA)

ADAは，プリン体の分解と再利用にかかわる酵素で，リンパ球において活性が高い．結核性胸膜炎患者の胸水中で上昇するため診断に用いられる．

d. インターフェロン-γ遊離試験 (interferon-γ release assays：IGRA)

結核菌の特異抗原を用いて末梢血リンパ球を刺激し，遊離してくるインターフェロン（interferon：IFN）-γを測定することで結核菌感染を診断する．IFN-γの総量を測定するクオンティフェロン法と産生細胞をスポット数として検出するT-スポット法の2種類がある．

e. 抗GPL抗体

非結核性抗酸菌のなかで，Mycobacterium avium complex（MAC）であるM. aviumとM. intracellularによる感染症では，これらの菌種の細胞壁の主要糖脂質抗原であるglycopeptidolipid（GPL）-コア抗原に対するIgA抗体が上昇する．MAC症患者の血清中の抗GPL抗体測定が診断に有用である．

(2) 気管支喘息

a. 喀痰中好酸球数

気管支喘息の診断，吸入ステロイドの治療反応性の指標として有用である．

b. 呼気一酸化窒素 (NO)

呼気NOは，気道における好酸球炎症の指標とされており，気管支喘息患者では呼気中NO濃度の上昇が観察される．おもに気道上皮細胞やマクロファージに発現する誘導型一酸化窒素合成酵素により合成されると考えられている．気管支喘息の診断および治療中のモニタリングに使用される．

c. ペリオスチン (periostin)

現在開発中の重要なバイオマーカーとして，ペリオスチンがある．ペリオスチンは，インターロイキン（interleukin）-13によって気道上皮細胞や線維芽細胞に誘導される細胞外マトリックス蛋白質であり，気管支喘息患者における気道上皮基底膜の構成成分である．喘息患者の呼吸機能低下との相関や，抗IL-13抗体医薬の有効性予測バイオマーカーとして報告されている．

(3) 間質性肺炎

間質性肺炎で上昇する血清バイオマーカーとして，KL-6，サーファクタント蛋白（surfactant protein：SP）-AおよびSP-Dがある．KL-6は膜貫通型の非分泌型ムチンであるMUC1ムチンに属する糖蛋白の一種である．これらのマーカーは，細菌性肺炎では上昇しにくいことから，臨床的に間質性肺炎の有無を鑑別できる診断マーカーとして有用である．特発性間質性肺炎のみならず，過敏性肺炎，薬剤性肺障害，放射線肺臓炎，膠原病関連間質性肺炎などで上昇する．

(4) サルコイドーシス

サルコイドーシス患者に認められる非乾酪性類上皮細胞肉芽腫の類上皮細胞からアンジオテンシン変換酵素（angiotensin-converting enzyme：ACE）が分泌される．血清ACE値はサルコイドーシスの診断に使用される．

(5) 肺胞蛋白症

肺胞蛋白症は，肺胞マクロファージの機能・分化異常により肺胞腔内にサーファクタント由来蛋白の異常蓄積をきたす疾患である．肺胞蛋白症の約90%は，肺胞マクロファージの機能分化に重要な増殖因子（granulocyte macrophage-colony stimulating factor：

GM-CSF)に対する自己抗体が原因となる自己免疫性肺胞蛋白症である．血清抗 GM-CSF 自己抗体価は自己免疫性肺胞蛋白症の補助診断に使用される．

(6) 呼吸器悪性腫瘍
a. 腫瘍マーカー
　血清腫瘍マーカーは，肺癌や胸膜中皮腫の診断におけるバイオマーカーである．肺腺癌では carcinoembryonic antigen (CEA) や sialyl Lewis X (SLX)，肺扁平上皮癌ではサイトケラチン 19 フラグメント (CYFRA21-1) や squamous cell carcinoma-related antigen (SCC)，小細胞肺癌では pro-gastrin-releasing peptide (pro-GRP) や neuron-specific enolase (NSE) が使用される．悪性胸膜中皮腫では，血清中の可溶性メソテリン関連ペプチド (soluble mesothelin-related peptides: SMRP) が上昇する．

b. ドライバー癌遺伝子変異
　近年，肺腺癌では腫瘍に選択的に増殖能を付与する遺伝子変異が同定され，ドライバー遺伝子変異とよばれている．上皮成長因子受容体 (epidermal growth factor receptor: EGFR) や，echinoderm microtubule-associated protein-like 4 (*EML4*) 遺伝子と anaplastic lymphoma kinase (*ALK*) 遺伝子の融合遺伝子である *EML4-ALK* をはじめとする *ALK* 融合遺伝子がその代表である．同時に，これらの遺伝子変異を標的とした分子標的治療薬が遺伝子変異を有する肺癌に劇的な効果を示すことが示され，ドライバー癌遺伝子変異の有無は，特異的癌分子標的治療薬の効果予測バイオマーカーでもある．通常，肺癌組織を用いてこれらの遺伝子変異を検出する．

c. UGT1A1
　ウリジル二リン酸 (uridine diphosphate: UDP) のグルクロン酸転移酵素 (uridine diphosphate glucuronosyltransferase: UGT) の 1 つである UGT1A1 には遺伝子多型が存在する．抗癌薬であるイリノテカンの薬物代謝には UGT1A1 が関与しており，その遺伝子多型 (UGT1A1*28 と UGT1A1*6) は酵素活性の低下から薬物代謝の遅延をきたし好中球減少の有害事象と関連する．したがって，UGT1A1 の遺伝子多型はイリノテカンの有害事象の予測バイオマーカーである．末梢血白血球の遺伝子検査で同定する．〔西岡安彦〕

■文献
Broaddus VC, Mason RJ, et al: Murray & Nadel's Textbook of Respiratory Medicine, 5th ed, p704, p902, pp1302-3, p1519, p1730, p1796, Elsevier, 2010.
光冨徹哉：肺癌のバイオマーカー．日本臨牀．2013; **71**: 22-5.
Travis WD, Costabel U, et al: An official American Thoracic Society/European Respiratory Society statement: Update of the international multidisciplinary classification of the idiopathic interstitial pneumonias. *Am J Respir Crit Care Med*. 2013; **188**: 733-48.

9-2　感染症

1) かぜ症候群

定義・概念
　かぜ症候群は，急性上気道炎をきたす急性ウイルス感染症である．わが国では，一般のウイルス性上気道炎を感冒 (普通感冒) とよぶのに対して，インフルエンザのことを流行性感冒 (流感) とよぶことがあり，両者は区別されることが多い (日本呼吸器学会，2003)．

原因・病因
　かぜ症候群の原因微生物は，80～90％がウイルスとされている．おもな原因ウイルスとしては，ライノウイルス，コロナウイルス，パラインフルエンザウイルス，RS ウイルス，アデノウイルス，などがある．
　インフルエンザウイルスは RNA ウイルスでヒトに感染するのは A 型と B 型である．
　ウイルス以外では，A 群 β 溶血性連鎖状球菌 (溶連菌)，百日咳菌や肺炎マイコプラズマ，肺炎クラミジフィラなどが急性上気道炎を起こすが，これらは抗菌薬治療の適応となるため，一般のかぜ症候群からは鑑別するべきである．

疫学
　かぜ症候群は，あらゆる年齢層に発症し，健常人でも大半の人が罹患するきわめて頻度の高い疾患であり，通常成人は 1 年間に 3～4 回罹患する．
　インフルエンザのうち，A 型ウイルスはわずかな抗原性の変異を毎年のように起こし流行し続ける．さらに A 型は数年～数 10 年単位で，大変異を起こし，大流行 (パンデミック) となる (表 9-2-1)．
　わが国では，毎年 11 月下旬～12 月上旬頃に発生し始め，翌年の 1～3 月頃にそのピークを迎え，4～5 月にかけて終息していくというパターンであるが，流行の程度とピークの時期はその年によって異なる．

病態生理
　かぜ症候群は，飛沫中のウイルスが気道内に入って気道粘膜に付着し，細胞内に侵入し増殖して炎症が引

表 9-2-1 インフルエンザのおもなパンデミック

流行年	呼称	亜型	備考
1918年	スペインかぜ	H1N1	世界で約4000万人，わが国で約39万人が死亡
1957年	アジアかぜ	H2N2	
1968年	香港かぜ	H3N2/HongKong	
1977年	ソ連かぜ	H1N1/USSR	
2009年	新型インフルエンザ	H1N1	

き起こされ，局所および全身性症状を起こす．発症するか否かは，宿主の免疫応答によって決定される．

インフルエンザウイルスの感染経路もほかのウイルスと同様であるが，感染力がより強く，細胞内増殖力も高いため，上気道から下気道に至る粘膜に炎症，気道上皮細胞の傷害を引き起こし二次性の肺炎を併発しやすくなる．

臨床症状

1）自覚症状：全身症状として発熱，頭痛，全身倦怠感など，気道症状として鼻症状（鼻水，鼻づまり），咽頭症状（咽頭痛），下気道症状（咳，痰）がみられる．

インフルエンザでは，1〜3日の潜伏期間の後発熱（しばしば39℃以上）・頭痛・全身倦怠感・筋関節痛などの全身性症状が急激に出現し，咳・鼻汁などがこれに続き，約1週間で軽快する．

2）他覚症状：咽頭の発赤・腫脹がみられることが多い．扁桃腫大や発赤がみられる場合は細菌性扁桃腺炎などを疑う．肺野の聴診では所見を認めない．

検査所見

血液検査を行うと軽度の CRP の増加を認めるが白血球増加は認めないことが多い．

インフルエンザを疑うときは抗原検出キットを使う．約20分以内に結果が得られ特異度は高い．鼻腔拭い液の方が咽頭拭い液より感度にすぐれる．また A 型の方が B 型より感度が高く，小児の方が感度は高い．発症から24〜48時間が最も感度が高く約80％である．

診断

かぜ症候群の診断は一般には上記の臨床症状と下記の疾患の鑑別に基づいてされる．

インフルエンザは上記の臨床症状と迅速抗原キットにより行われるが，肺炎や脳症などの合併症に注意する．

鑑別診断

アレルギー性鼻炎，急性副鼻腔炎，急性扁桃炎，急性喉頭蓋炎，百日咳，その他の呼吸器感染症．

合併症

まれだが一次性・二次性気管支炎，肺炎がある．インフルエンザではインフルエンザ肺炎および二次性細菌性肺炎（特に高齢者，循環・呼吸器疾患患者，乳幼児）および脳症（特に乳幼児）に注意する．

経過・予後

かぜ症候群は無治療で通常数日以内に軽快する．インフルエンザでは有熱期間が3日程度で軽快まで5〜7日要する．肺炎および脳症では死亡例がある．

治療・予防

薬物療法は対症療法が主体となり，安静，保温，栄養摂取が重要である．

かぜ症候群と診断した場合には，抗菌薬を使用しないことが重要である．1週間以上症状が遷延する，軽快後再悪化する，38℃以上の発熱が出現するときなどは再度受診を指導する．

インフルエンザでは，わが国ではオセルタミビル（タミフル®），ザナミビル（リレンザ®），ペラミビル（ラピアクタ®），ラニナミビル（イナビル®）の4種の治療薬がある（日本感染症学会，2011）．

薬剤治療は，発症後48時間以内に開始し，10歳以上の未成年は原則タミフル®使用を控える．処方の際は，服薬開始後の患者の観察を指導する．

インフルエンザでは，就学中は学校保健安全法（2012年4月一部改正）により，「解熱後2日間（幼児にあっては3日）は出席停止」かつ「発症後5日間は出席停止」とされる．なお，季節性インフルエンザは感染症法の五類感染症（定点把握疾患）であり，一方鳥インフルエンザ（鳥インフルエンザ（H5N1, H7N9）を除く）は四類感染症に指定されている．

予防については，一般のかぜ症候群ではワクチンは存在しない．インフルエンザワクチンは症状の軽減化，合併症による入院や死亡を減らすことができる．特に65歳以上の高齢者や基礎疾患を有する場合推奨される．

禁忌

乳幼児ではアスピリンをはじめとする鎮痛解熱薬は禁忌であり，成人例でもなるべく避ける．解熱鎮痛にはアセトアミノフェンを用いる．〔滝澤 始〕

■文献

日本感染症学会：提言—抗インフルエンザ薬の使用適応について 改訂版，日本感染症学会，2011．

日本呼吸器学会：呼吸器感染症に関するガイドライン—成人気道感染症診療の基本的考え方，日本呼吸器学会，2003．

2）急性気管支炎
acute bronchitis

定義・概念・分類
急性気管支炎は気管支に炎症を生じ，肺胞に炎症が及ばない，咳を主症状とする疾患である（Wenzel ら，2006）．細気管支炎を伴う場合もあるが，気管支炎に一括される．急性気管支炎のおもな症状は，咳，痰の増加および色調の変化，呼吸困難，発熱である（表9-2-2）（Wenzel ら，2006）．喘息性気管支炎は主として乳幼児に喘息様症状をきたす気管支炎を指す[1]．気管支の炎症に伴い，喘鳴や咳を反復して生ずる．成人に比べて気道内腔が狭く，炎症による気道狭窄が起りやすいために生ずる．

病因・病理・病態
おもにウイルス感染で生ずる．インフルエンザウイルス，ライノウイルス，パラインフルエンザウイルス，RS（respiratory syncytial）ウイルス，コロナウイルス，アデノウイルスなどが検出される[2]（Wenzel ら，2006）．細菌の検出頻度は少ない．他方で，百日咳菌やマイコプラズマ，クラミドフィラが検出されることがある（Wenzel ら，2006）．病原微生物の感染が気道炎症を惹起し，気管支の上皮細胞脱落や炎症細胞浸潤，血管透過性亢進を伴う気道壁の浮腫，気道内腔の過剰分泌，気管支平滑筋収縮性亢進，知覚神経終末や迷走神経の刺激などが生じる（Wenzel ら，2006；日本呼吸器学会咳嗽に関するガイドライン第2版作成委員会，2012）（e図 9-2-A）[3-5]．

臨床症状
典型症例において，咳は通常10～20日持続するが，4週間以上持続することもときにある（Wenzel ら，2006）．咳はマイコプラズマ感染では4週間以上，百日咳菌感染では8週間以上持続することがある（日本呼吸器学会咳嗽に関するガイドライン第2版作成委員会，2012）．半数では膿性痰が生じる（Wenzel ら，2006）．症状は自然に軽快するが[2]，症状の持続のため医療機関を受診する患者も存在する．このなかには，急性気管支炎に伴う気管支喘息や慢性閉塞性肺疾患（COPD）の増悪症例も含まれる[6,7]．急性気管支炎単独では，胸部の聴診で異常がないことが多い．喘息性気管支炎や細気管支炎の合併例では，連続性ラ音（笛音，いびき様音）や断続性ラ音を聴取することもある．

検査所見
末梢血CRPの上昇や，細菌感染では末梢血白血球数の増加を認める場合がある．インフルエンザウイルス感染の診断は，感受性のある細胞を使用したウイルスの検出や遺伝子検査による同定，臨床の場では迅速診断が行われている．百日咳，クラミドフィラ，マイコプラズマ感染では培養，遺伝子検査，ペア血清抗体価などで診断する[8]（日本呼吸器学会咳嗽に関するガイドライン第2版作成委員会，2012）．胸部X線写真では陰影を呈さない．

診断・鑑別診断
診断は臨床的な経過と，他疾患の除外により行う．鑑別すべき疾患として，気管支喘息，COPD，気管支拡張症，気管支肺炎，慢性咳をきたす疾患（咳喘息ほか）などがある（Wenzel ら，2006）．

治療
インフルエンザ感染ではノイラミニダーゼ阻害薬（オセルタミビル，ザナミビル，ラニナミビル，ペラミビル）が使用される（Wenzel ら，2006）．百日咳菌感染やマイコプラズマ，クラミドフィラ感染では第一選択薬としてマクロライド（エリスロマイシン，クラリスロマイシン，アジスロマイシンなど）を使用する（Wenzel ら，2006；日本呼吸器学会咳嗽に関するガイドライン第2版作成委員会，2012）．ほかのウイルスは抗ウイルス薬の使用に該当しない．抗菌薬は，膿

表 9-2-2 急性気管支炎の概要

定義
気管支に炎症を生じ，肺胞に炎症が及ばない，咳を主症状とする疾患．喘息性気管支炎は主として乳幼児に喘息様症状をきたす気管支炎

病因
おもにウイルス感染で生ずる．百日咳菌やマイコプラズマ，クラミドフィラが検出されることもある．

病理・病態
気管支上皮細胞脱落・炎症細胞浸潤，血管透過性亢進を伴う気道壁の浮腫，気道内腔過剰分泌，気管支平滑筋収縮性亢進，知覚神経終末や迷走神経受容体の刺激．

症状
咳，痰の増加および色調の変化，呼吸困難，発熱

診断・検査法
診断は臨床的な経過と，他疾患の除外により行う．末梢血CRPの上昇，末梢血白血球数の増加．インフルエンザウイルス迅速診断．マイコプラズマ・百日咳・クラミドフィラ感染は培養および遺伝子検査，血清抗体価で診断する．

治療法
インフルエンザ感染ではノイラミニダーゼ阻害薬，百日咳菌感染やマイコプラズマ，クラミドフィラ感染ではマクロライドを使用．膿性痰を伴うCOPD増悪症例やインフルエンザ感染で肺炎合併の入院症例では抗菌薬を使用．解熱薬・鎮咳薬などの対症療法．

経過・予後
通常は自然に治癒して予後は良好である．慢性呼吸器基礎疾患合併症例では重症化に注意．

急性気管支炎の定義，病因，病理・病態，症状，診断・検査法，治療法，経過・予後の概要を示す．

性痰を伴うCOPD増悪症例に使用される[9]．これ以外の患者では抗菌薬の適応がない（Wenzelら，2006）[2]．ただし，インフルエンザウイルス感染の肺炎合併症例では重症化が指摘されており[10,11]，入院の必要な肺炎症例には，わが国では抗菌薬を使用する[11]．一般的には，急性気管支炎に対しては鎮咳薬や解熱薬などの対症療法，脱水予防に対する治療や指導などで対応し，症状を緩和させる．持続する咳や夜間の咳は就学や仕事を妨げ，睡眠障害を生じるため，鎮咳薬の処方を行う（日本呼吸器学会咳嗽に関するガイドライン第2版作成委員会，2012）．軽症ではジメモルファンやエプラジノンなどを使用する．中等症以上ではコデイン製剤（コデインリン酸塩，桜皮エキス・リン酸コデインなど）を使用する（日本呼吸器学会咳嗽に関するガイドライン第2版作成委員会，2012）．

急性細気管支炎（狭義）

狭義の急性細気管支炎は乳幼児の細気管支の好中球炎症疾患で，RSウイルスなどのウイルス感染が原因となる（Bushら，2007）．発熱，鼻汁，乾性で喘鳴を伴う咳を主症状とする．重症例ではチアノーゼや無呼吸を生ずることもある（Bushら，2007）．

急性気管支炎・細気管支炎の経過・予後

通常は自然に治癒して予後は良好である[2]．気管支喘息やCOPDなどの基礎疾患合併症例では重症化に注意する[6,7]．　　　　　　　　　　　〔山谷睦雄〕

■文献（e文献9-2-2）

Bush A, Thomson AH: Acute bronchiolitis. *Br Med J*. 2007; **335**: 1037-41.

日本呼吸器学会咳嗽に関するガイドライン第2版作成委員会：咳嗽に関するガイドライン 第2版, pp4-6, 14-19, 20-38, 日本呼吸器学会, 2012.

Wenzel RP, Fowler AA 3rd: Clinical practice. Acute bronchitis. *N Engl J Med*. 2006; **355**: 2125-30.

3）肺炎・肺膿瘍

(1) 肺炎（pneumonia）

定義・概念

肺炎を正確に定義すると，肺の最も奥に存在する肺胞の感染症である（e図9-2-A）．

肺炎の分類には，さまざまなものがある（表9-2-3，e表9-2-A）．市中肺炎とは，日常生活を送っていた人が，病院・医院などの外で感染し発症した肺炎のことで，病院内で発症する院内肺炎と対比して用いられる用語である．医療・介護関連肺炎（NHCAP）の定義は以下の4項目である．①長期療養型病床群もしくは介護施設に入所している，②90日以内に病院を退院した，③介護を必要とする高齢者，身体障害者，④通院にて継続的に血管内治療（透析，抗菌薬，化学療法，免疫抑制薬などによる治療）を受けている[1]．

肺炎は病変の場から3つの型に分類でき，それぞれが画像上，または病理学上に明確に分けられる．すなわち非区域性の肺胞性肺炎（大葉性肺炎），気管支肺炎（小葉性肺炎），および画像パターンとしての（病理所見が必ずしも合致しないという意味で）間質性肺炎である．もちろん基礎疾患の存在によっては，これらの3つの型が重複することがあるものの，実地臨床現場においては，多くの場面で起炎菌を推定する根拠となりうる．

原因微生物（病原体）の種類により，細菌性（細菌性肺炎）と非細菌性（このなかでもマイコプラズマ（*Mycoplasma pneumoniae*）と肺炎クラミドフィラ（*Chlamydophila pneumoniae*）によるものを非定型肺炎とよぶ．

原因・病因

肺炎の病態を考慮する際に，生命の維持のために必須なガス交換の役割を担う呼吸器という臓器の特殊性を理解しておく必要がある．呼吸とは，大気から酸素を取り入れ，体内に生じた二酸化炭素を大気中に放出する営みである．そのために約3億個の肺胞は，約70 m²の総表面積をもって大気と接しており，1回に500 mL，1分間に約7 L，1日には1万Lもの大気を吸入する．ガス交換機能を担うことから，必然的に

表9-2-3 さまざまな観点からの肺炎の分類（詳細はe表9-2-A）

病変の場からの分類	実質性肺炎
	間質性肺炎
	混合型肺炎
割面の性状，色などによる分類	乾酪性肺炎（caseous pneumonia）
	リポイド肺炎（lipoid pneumonia）
	出血性肺炎（hemorrhagic pneumonia）
肺炎の病理学的分類	巣状肺炎（focal pneumonia）
	大葉性肺炎（lobar pneumonia）
肺炎の発症した場所による分類	市中肺炎（community-acquired pneumonia）
	院内肺炎（nosocomial pneumonia, または hospital-aquired pneumonia）
	医療・介護関連肺炎（Nursing and healthcare-associated pneumonia：NHCAP）
発生の環境または条件による分類	沈下性肺炎（hypostatic pneumonia）
	嚥下性（誤嚥性）肺炎（aspiration pneumonia）
	閉塞性肺炎（obstructive pneumonia）
年齢による分類	新生児肺炎（neonatal pneumonia）
	老人肺炎（senile pneumonia）

呼吸器はたえず外界の大気中に含まれる病原微生物にさらされ，結果的にさまざまな病原体による呼吸器感染症が惹起される．

肺炎を発症するためには，病原体が，肺の最も奥まで到達する必要がある．病原体が肺胞に至る経路として，①病原体が咳やくしゃみで感染（飛沫感染）する，②口のなかにもともといた菌が気道の方に落ちて吸い込まれる，または③肺以外のところに病巣をつくっていた細菌の一部が血液に入って肺に流れつく，などが考えられる．一般的には，①の機序が，高齢者では②の機序が加わり，③はまれである．またインフルエンザウイルスやその他のウイルスによって上気道に炎症が起こると，上気道に細菌が定着しやすくなり，二次的に細菌による肺炎（細菌性肺炎）が起こりやすくなる．肺炎の起炎菌を図 9-2-1，e図 9-2-C に示す（Yamasaki ら，2013）．

疫学

人類の歴史は感染症との戦いの歴史であったともいえる．肺炎による死亡率の推移を 100 年単位でみると，1918 年に大きなピークがあることがわかる（e図 9-2-D）．

このピークはスペインかぜによるものであり，この時代にはインフルエンザウイルス感染症，および二次性細菌性肺炎で多数の死者が出たことがわかる．

戦後，抗菌薬が開発され，肺炎による死亡率は低下してきた．ところが 1980 年頃から，肺炎の死亡率は上昇している．この要因は日本が高齢化社会に突入し，「老人の友」ともよばれる肺炎による死亡が増加したことによる．

肺炎（市中肺炎に院内肺炎を合わせたもの）は，過去 50 年以上にわたって，日本人の死因の第 4 位を占め，2011（平成 23）年から日本人の死因の第 3 位となったように，きわめて一般的な病気である．わが国における肺炎の死亡率は，人口 10 万対 75.3 で，高齢になるに従い死亡率は急激に増加し，85 歳以上の男性では死因第 2 位，90 歳以上の男性では死因第 1 位となる．

さてもし日本人の死因から肺炎が除去されると，平均寿命の延長はいかばかりのものであろうか．これについては特定死因を除去した場合の平均余命の延びという，厚生労働省の試算があり，肺炎の死亡が仮になくなったとしても，0 歳，65 歳，75 歳，90 歳のすべての年齢層の男女において，平均寿命の延長は 1 歳以下であることが示されている（厚生労働省，2013）．

病態生理

肺炎を理解するには，その病態を考慮する必要がある．そのためにはまず解剖学的理解，微生物学的理解，および病理学的理解などを考慮することが重要になる．これらの病態への理解に伴って呼吸器感染症にはさまざまな分類が存在することになる．

気管・気管支樹を介した感染は一般的に誤嚥，または病原体の吸入によって起こる．肺の感染症において吸入とは，感染性物質，たとえば真菌，細菌，またはウイルスを含んだ飛沫を含んだ物質を吸い込むことによる．一方，誤嚥は固形物，または液体が肺に入ることを示す．

鼻腔・咽頭の分泌物の誤嚥は病原体が肺に到達する主要な経路である．正常人の鼻腔・咽頭の分泌物には，多くの好気性，および嫌気性菌を含んでいる．さらに上気道に病原細菌である肺炎球菌や，黄色ブドウ球菌が定着することもまれではない（健常人においても起こりうる）．あるいは病原性を有する Gram 陰性桿菌が定着することは入院中の患者，または慢性疾患を有する患者においてはしばしば認められる．

さらに肺に基礎疾患の存在することは呼吸器感染症の重要な要因となる．たとえば慢性閉塞性肺疾患の患者にはウイルス感染，および肺炎クラミドフィラ感染の危険性が高まる．

また同様の症状を示す疾患として，肺結核や肺真菌症があるので，これらの疾患との鑑別が必要になる．また重喫煙者などにおいては，肺癌に合併して気管支が閉塞した結果，二次的に肺炎を発症することもある（閉塞性肺炎）．

臨床症状

1）自覚症状： 典型例では，咳，痰，発熱，悪寒，息苦しさ（呼吸困難），胸の痛みなどが起こってくる．膿

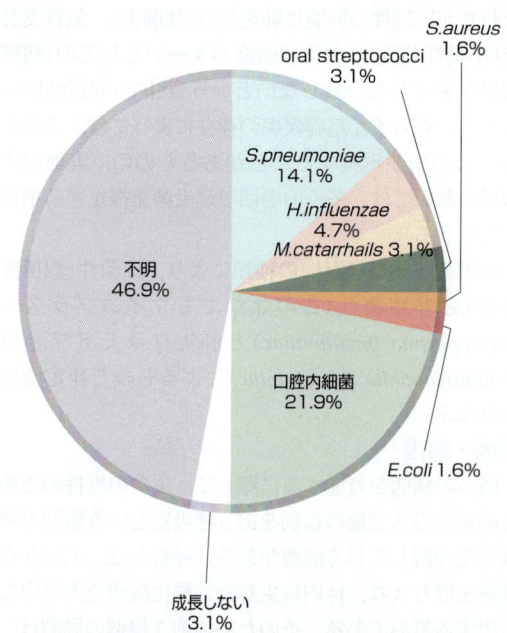

図 9-2-1 市中肺炎の起炎菌の種類と頻度（Yamasaki ら，2013）
痰の培養検査による起炎菌の同定では，起炎菌が不明なものが，46.9%を占めている．

のような色のついた粘りのある痰(膿性痰)がみられる．炎症が肺を包んでいる胸膜にまで及ぶと，胸に水がたまったり(胸水といい，病名は胸膜炎とよぶ)，膿がたまったり(膿胸)する．胸膜まで炎症が及んだ際には，激しい胸痛を伴うことがある．

　後述する非定型肺炎においては，発熱と乾性咳嗽が主訴となる．咳は頑固であることが多く，細菌性肺炎と違って膿性痰を認めることは少ない．一方，頭痛や筋肉痛，関節痛など，肺以外の症状を認めることがある．

　糖尿病をもっている人やアルコール多飲者では，肺に空洞ができて，悪臭を伴う痰が出ることがある(肺膿瘍，肺化膿症とよぶ)．肺炎は，ガス交換を行う肺胞の炎症であるから，もともと肺に病気があった人や，広い範囲に拡大した肺炎においては，呼吸不全から死に至ることもある．肺炎が重症化しやすい要因として，60歳以上の高齢者，男性，喫煙者，および低栄養状態(アルブミン低下)，などがあげられる．肺炎が広範に拡大した際には，呼吸困難が出現する．また高齢者においては，二次的に心不全を合併する頻度が高く，心不全を合併する際には，顔や手足にむくみを伴い，脈拍が増加する．

2)他覚症状： 肺炎を疑うバイタルサインの異常として，発熱(38℃以上)，頻脈(1分間に100回以上)，および呼吸数の増加(1分間に20回以上)がある．身体所見の異常として，crackles，呼吸音の低下，打診で濁音，または wheeze などがある．

検査所見

1)細菌学的検査： 原因となる微生物(病原体)の種類によって，有効な治療薬が異なるので，適切な治療を施すためには，原因微生物を同定することが重要になる．市中肺炎の病原微生物は，細菌では，肺炎球菌(Streptococcus pneumoniae)が最も多く，ついでインフルエンザ桿菌(Haemophilus influenzae)の頻度が高く，その他として，黄色ブドウ球菌(Staphylococcus aureus)，モラクセラ・カタラーリス(Moraxella catarrhalis)などがある．温泉旅行後などでは，レジオネラ(Legionella pneumophila)を考慮する．その他，非定型肺炎の病原体として，マイコプラズマ，および肺炎クラミドフィラがあげられる．インフルエンザの流行期においては，インフルエンザウイルスによる肺炎を発症することがある．

　また，寝たきりの高齢者や意識障害のある症例では，無意識に口のなかの菌(主として嫌気性菌)を気管内に飲み込み，肺炎を起こすことがある．

　原因である細菌を見つけることが細菌性肺炎と診断する有力な証拠になる．一般的には，痰を調べるが，口内にもともといる菌も一緒に検出されてしまうため，原因となっている細菌を決めるには，痰のGram

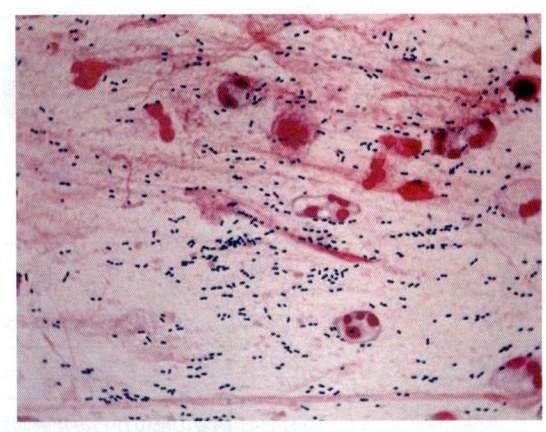

図 9-2-2 痰の Gram 染色
痰中に濃く点状に多数見えるのが肺炎球菌である．肺炎の起炎菌を確定するためには，痰のGram染色，および喀痰培養が有用である．大きく丸く見えるのは，白血球で，肺炎球菌を貪食する．

染色(図 9-2-2)にて，白血球に貪食された細菌の存在を確認することが必要である．

　肺炎球菌とレジオネラについては，尿中抗原診断キットが発売され，尿を調べることにより，診断が確定することがある．肺炎球菌については上気道の検体を用いる迅速診断キットも使用できる．さらにインフルエンザウイルス，RSウイルス，ヒトメタニューモウイルスについても，迅速診断キットが広く活用されており，上気道の分泌物を用いて診断することが可能である．

2)血液検査： 血液検査をすると通常，白血球が増加して，炎症があることを示す急性期蛋白質が増加する．重要なものとして，インターロイキン-6の作用により肝臓から賛成されるC-reactive protein(CRP)があり，CRPは肺炎球菌感染症の防御因子としての機能を有する．血清アミロイドA(serum amyloid A)，およびプロカルシトニン(procalcitonin)も肺炎の際に上昇する．

3)画像診断： 呼吸器感染症の画像診断を行うにあたって最も重要なことは，いま現在問題となっている呼吸器感染症は，解剖学的にどの部位を主体とする感染症であるかを明らかにすることである(図 9-2-3)．すなわち常に病変部位を考えておく必要がある．たとえばきわめて身近な疾患であるかぜは咽頭，喉頭，および上気道の感染症であり，一方，肺炎は肺胞領域の感染症である．このように同じ呼吸器感染症であっても，炎症を起こしている場所は異なる．この病変部位の違いにより，起炎菌は異なるので(図 9-2-3)，抗菌薬の選択の際に有益な情報となる．

　肺炎は，肺胞の感染症であるので，胸部単純X線写真で陰影を認めることが，診断のための最大の根拠

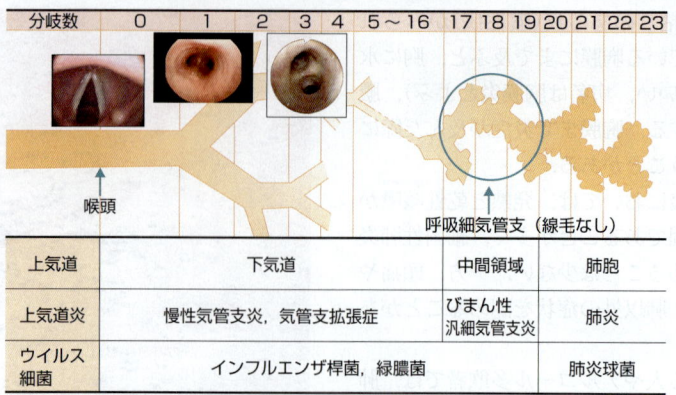

図 9-2-3 病変の部位からみた呼吸器感染症
呼吸器感染症においては病変の部位を正確に把握することにより，病名が決定すると同時に起炎菌を推定することが可能である．声帯より上位は上気道で，この部位の感染症は上気道炎であり，さまざまな細菌やウイルスが関与する．声帯より下方は下気道であり，この部位の感染症は疫学的な病名である慢性気管支炎，および気管支拡張症である．中間領域である呼吸細気管支の感染症はびまん性汎細気管支炎である．下気道，および中間領域の感染症には，インフルエンザ桿菌，および緑膿菌が関与する．肺胞の感染症が肺炎であり，起炎菌としては肺炎球菌が最も多い．

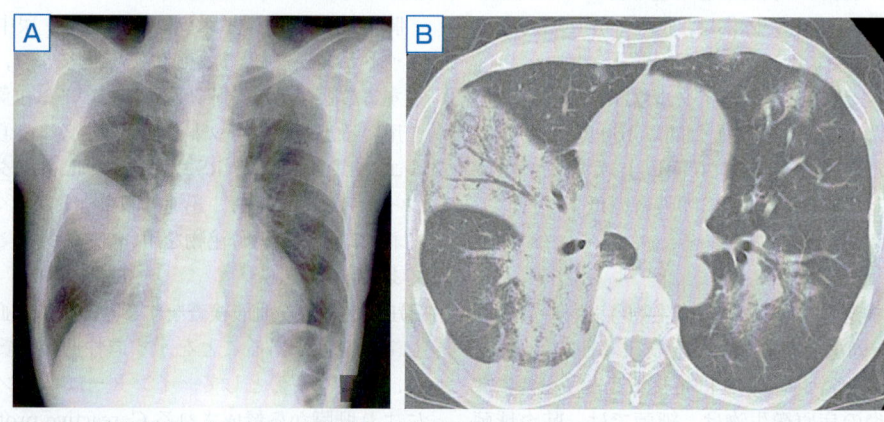

図 9-2-4 肺炎球菌による肺炎の胸部単純X線写真(A)と胸部CT(B)
市中肺炎で最も頻度の高い肺炎で，右肺に白く見える浸潤影が出現している．肺炎の診断には胸部単純X線写真(A)が必須である．胸部CT(B)では，浸潤影，およびすりガラス状陰影が混在している．浸潤影の部分には，気管支透亮像(air bronchogram)が観察される．

となる(図9-2-4)．肺炎の程度，および原因となる微生物の種類により，さまざまな陰影が出現する．

a)画像パターンによる起炎菌の推定：わが国において肺炎の起炎菌として重要なものは，肺炎球菌，インフルエンザ桿菌，モラクセラ・カタラーリス，クレブシエラ(*Klebsiella pneumoniae*)，緑膿菌(*Pseudomonas aeruginosa*)，およびマイコプラズマなどである．胸部画像診断においてもこれらの起炎菌を想定して，鑑別診断を進めることになる．まず画像診断上，大葉性肺炎なのか小葉性肺炎(気管支肺炎)なのかの鑑別が重要なポイントになる．肺炎球菌，クレブシエラは大葉性肺炎のパターンを呈することが多いし，緑膿菌，イ

ンフルエンザ桿菌，およびモラクセラ・カタラーリスは小葉性肺炎のパターンを呈することが多い．肺炎のパターンは菌の毒力とホストの免疫力とのバランスで生じるものと考えられるので例外はあるものの，臨床的には有用な分類である．

b)区域性分布と非区域性分布(図9-2-5)：肺炎の画像診断において特に重要なのは，区域性分布(1つの区域内での経気道分布)を呈しているか，あるいは非区域性分布(胸膜に沿って横に広がる)を呈しているかの鑑別である．区域性分布の例を図9-2-5Aに示す．これは黄色ブドウ球菌による肺炎例であるが，経気管支的に病変が進展していることが示されている．

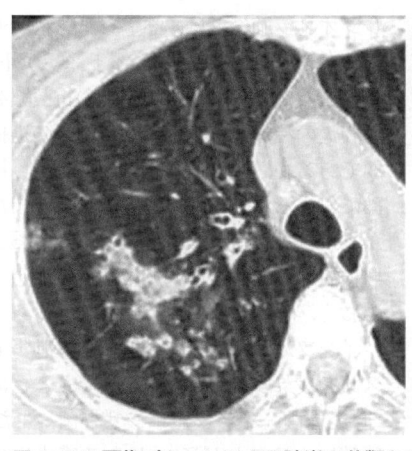 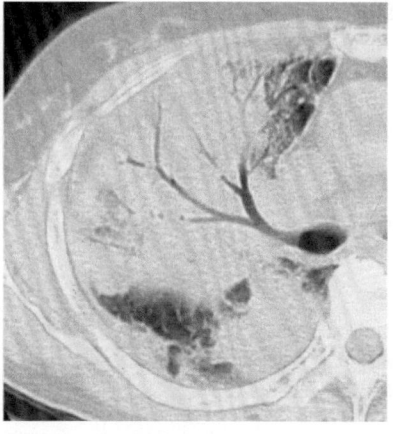

図 9-2-5 **画像パターンによる肺炎の分類**(区域性分布と非区域性分布)
A：区域性分布(黄色ブドウ球菌による肺炎)，B：非区域性分布(肺炎球菌による肺炎)．
肺炎の画像診断において重要なのは，区域性分布(気管支にまとわりつくように陰影が分布)を呈しているか，あるいは非区域性分布(胸膜に沿って横に広がるパターンであり，air bronchogram を伴う)を呈しているかの鑑別である．区域性分布を呈するのは気管支肺炎であり，インフルエンザ桿菌，モラクセラ・カタラーリス，およびマイコプラズマなどがこのパターンを呈する．一方，大葉性肺炎は非区域性分布を呈することにより形成されることから，非区域性分布をみた際には，肺炎球菌，肺炎桿菌，またはレジオネラによる肺炎を考慮する．

一方，非区域性分布の例を図 9-2-5B に示す．この例では滲出液が区域をこえて広がることが特徴である．大葉性肺炎は非区域性分布を呈することにより形成されることから，非区域性分布をみた際には，肺炎球菌，クレブシエラ，またはレジオネラによる肺炎を考慮する．肺炎以外の疾患では特発性器質化肺炎(cryptogenic organizing pneumonia)もこのパターンを呈する．区域性分布，または非区域性分布が生じる病態として，非区域性分布を呈する起炎菌では滲出液の粘度が低いために Kohn 孔，または Lambert 管を通過するためと説明されている．実際に Kohn 孔は，肺炎の病理所見の観察から発見されたものである．

診断

1)細菌性肺炎と非定形肺炎： 肺炎を診断するためには，原因微生物を同定し，その原因微生物の名前を肺炎に記し，マイコプラズマ肺炎，肺炎球菌性肺炎などと表現する．2000 年 4 月に発表された日本呼吸器学会ガイドライン[2]，およびその改訂版[3,4]における細菌性肺炎と非定型肺炎の鑑別は，海外のガイドラインにはないわが国独自の考え方である．肺炎球菌性肺炎の多くは臨床的には β ラクタム系抗菌薬(ペニシリン系薬)の投与で治療可能なこと，またわが国においてマイコプラズマ肺炎は若年層に多く認められること，肺炎球菌のマクロライド耐性が欧米より高度であること，また臨床現場で専門医は現実には鑑別を行って治療していること，などを考慮して，両者の鑑別を行うことは必要と判断されている[2-4]．

レジオネラ肺炎はブドウ糖非発酵 Gram 陰性桿菌であるレジオネラ菌により惹起される肺炎であるので細菌性肺炎に属するが，Gram 染色で検出されず，β-ラクタム系抗菌薬が無効であることなどから，臨床的には非定型肺炎のなかに含まれてきた．ただし，2005 年に発刊された日本呼吸器学会の新ガイドラインではレジオネラ肺炎を細菌性肺炎として取り扱っており[3,4]，非定型肺炎として，頻度の高いマイコプラズマ，および肺炎クラミドフィラを視野に入れ，その診断基準を示している(表 9-2-4)[3,4]．

2)患者背景と画像所見による起炎菌の推定： 一般的に Gram 陽性球菌は比較的免疫の保たれた健常人にも感染するが，Gram 陰性桿菌は免疫抑制患者，気道に器質的病変を有する症例に多い．このため患者の基礎疾患を知ることにより，起炎菌を推定することも可能である．

肺炎球菌性肺炎は，大葉性肺炎のパターンを呈し，肺炎の起炎菌としての頻度も高いことから，肺炎の王者ともいえる．入院患者に大葉性肺炎を認めた場合はクレブシエラによるものを考える．白血球減少患者，アルコール依存症患者，糖尿病患者，肝硬変患者などに認められる大葉性肺炎についてもクレブシエラによるものを考える．また治癒過程で空洞形成を伴うこともクレブシエラによる肺炎の特徴である．

肺炎を起こした家族がいる際にはマイコプラズマ(潜伏期は 2 週間)を，症状の出る直前に温泉などの旅行に行った際にはレジオネラ肺炎の可能性を，または飼っていた鳥が死んだ際にはオウム病クラミジア(Chlamydia psittaci)によるオウム病を考慮する．ま

表 9-2-4 細菌性肺炎と非定型肺炎の鑑別

- 症状・所見
  1. 60歳未満である
  2. 基礎疾患がない, あるいは軽微
  3. 肺炎が家庭内, 集団内で流行している
  4. 頑固な咳がある
  5. 比較的徐脈がある
  6. 胸部身体所見に乏しい

- 検査成績
  7. 末梢血白血球数が正常である
  8. すりガラス状陰影または skip lesion である
  9. Gram 染色で原因菌らしきものがない

新しいガイドラインでは, 下記のものは省略, またはレジオネラは除く.

わが国の市中肺炎ガイドラインにおいては, 細菌性肺炎と非定型肺炎を鑑別することが特色となっている. 欧米ではこの分類は用いられていない. 2000年に出版された「成人市中肺炎診療の基本的考え方」, および2005年に出版された「成人市中肺炎診療ガイドライン」における細菌性肺炎と非定型肺炎の鑑別を示す. 下線で示したものは2005年のガイドラインでは削除されている. またレジオネラ肺炎は非定型肺炎に含まれないことを留意する.

た健康人がかぜを引いた後に小葉性肺炎を呈した際は黄色ブドウ球菌による肺炎を想定する. 黄色ブドウ球菌は組織破壊性が強いため, しばしば空洞を形成し, 胸膜にまで炎症が及んだ際には, 胸膜炎, または膿胸を合併することも多い. 慢性の咳・痰を有する患者においては, 気管支拡張症, びまん性汎細気管支炎などを有していることがあり, 肺炎を合併した際には緑膿菌, およびインフルエンザ桿菌などの起炎菌を想定する. 気道病変の罹病期間が長い患者においては緑膿菌の検出される頻度が高くなってくる. また高齢者に認められる肺炎の多くは口腔内分泌物の吸引による誤嚥性肺炎である. この肺炎は誤嚥によるものであるから, 物理的に肺の後方部(区域2, 6, および10)に好発することから診断を疑うことが可能となる.

経過・予後

肺炎の診断に際しては, その重症度を正確に評価する必要がある. 重症度を判定する指標としては, 年齢, 脱水症状の有無, 呼吸不全の程度, 意識障害の有無, および血圧低下の有無, などがある. これらの指標を参考に, 入院して治療するか, 外来にて治療するかを判定する. 重症度が高いほど, 肺炎の死亡率が高くなる.

治療

微生物による感染症の際には, 抗生物質や抗菌薬を使用する治療が中心となる. 細菌性肺炎には, ペニシリン系やセフェム系といった抗菌薬が使われる. 一方, マイコプラズマやクラミジアによる非定型肺炎やレジオネラ肺炎では, ペニシリン系やセフェム系の薬は無効なので, マクロライド系, テトラサイクリン系, またはニューキノロン系の抗菌薬を用いる.

肺炎の治療に際しては, 抗菌薬の選択もきわめて重要であるが, 抗菌薬の投与回数, 投与量, および併用薬に対する注意, などを考慮する. また抗菌薬の効果が不十分な場合は, 抗菌薬の選択, および投与方法を再検討するとともに, 肺炎以外の疾患の可能性も念頭におく.

インフルエンザウイルスによる肺炎では, 抗ウイルス薬を投与するものの, 前述したように二次的に細菌(肺炎球菌, インフルエンザ桿菌, または黄色ブドウ球菌によることが多い)による感染症を合併することがあるので, その際にはこれらの細菌に有効な抗菌薬を併用する. 特にインフルエンザウイルス感染症に肺炎を合併しやすい背景として, 高齢者, 基礎疾患を有するもの, 介護施設入所者などがあり, これらの症例においては, 抗菌薬の併用が求められる. 重症の肺炎においては, 酸素投与, あるいは場合によっては人工呼吸管理が必要となる.

高齢者や肺気腫, 糖尿病などの基礎疾患がある人は, 肺炎にかかりやすく, 重症になりやすいので, 予防のための注意が必要である. 肺炎の予防には, 日常生活での感染予防と, ワクチン接種の2つの方法がある. 冬のインフルエンザ流行時は人ごみへの外出は避けるか, マスクをするなどの予防が必要である. 帰宅したら, うがいをし, 手を洗うことが勧められる.

またインフルエンザワクチンの接種が, インフルエンザの予防に有効とされていることから, インフルエンザに引き続いて肺炎を起こしやすい高齢者や基礎疾患を有する人は, 必ずインフルエンザワクチンを接種する必要がある. また肺炎球菌ワクチンの予防接種も推奨(2014年10月より定期接種が開始)される.

(2) 肺膿瘍 (lung abscess)

定義・概念

一般的には, 肺炎に引き続き, 中心部に壊死を伴い, 空洞形成に至るものを肺膿瘍とよぶ. 肺膿瘍の大きさはさまざまであり, 顕微鏡においてのみ確認できるものから, 肺葉のかなりの部分を占めるものまである. また空洞のサイズが2 cm以内のものを壊死性肺炎, 2 cm以上のものを肺膿瘍とよぶという考え方もある. 大きなものは気道内に進展し, 結果的に壊死物質が排膿され, 空洞を形成する. 肺膿瘍は1個のこともあれば, 複数のこともある. これが長期間継続すれば, 肺組織の破壊, および線維化を伴う.

原因・病態

臨床的には, 肺膿瘍は先行する肺炎に引き続いて発症することもあれば, 最初から肺膿瘍の形をとるもの

もある．多くは嫌気性菌によることが多く，患者はしばしば高齢者であり，口腔内の衛生状態の悪いもの，また誤嚥を起こしやすいものに多い．発熱を認めるものの，身体所見，および症状は比較的弱い．嫌気性菌以外では，黄色ブドウ球菌，または緑膿菌によるものも多い．血痰を認める例があり，血痰が初発症状であることもあるとともに，ときに大量喀血により死亡することもある．

検査所見

1）細菌学的検査：
表9-2-5に示されるように起炎菌は口腔内常在菌，または嫌気性菌（これも口腔内に存在）であることが多いので（厚生労働省，2013），痰からの培養では正しく起炎菌を同定できないことがある．このため診断のためには，口腔内の常在菌に汚染されないような方法を用いる必要がある．具体的な検査方法としては，気管支鏡を用いる検体保護ブラシ（protected specimen brushed, 図9-2-E）を用いる方法，または超音波ガイド下経皮的肺生検（ultrasonography-guided transthoracic needle aspiration）が必要となる．また胸水が貯留している際には，胸水穿刺により検体を得ることができる．

2）画像所見： 画像所見としては，単発，または複数の腫瘤影を呈し，しばしば空洞形成を伴う（図9-2-6）．独立して存在することもあれば，浸潤影のなかに膿瘍が存在することもある．

治療

表9-2-5に示すように，肺膿瘍の起炎菌の主体は，口腔内の常在菌である連鎖球菌属と嫌気性菌が主体となる（Takayanagi, 2010）．このため治療の選択に際しては嫌気性菌の関与と複数菌感染を視野に入れて抗菌薬を選択する．市中で感染した肺膿瘍に対してアンピシリン・スルバクタムで治療した際には約90％の臨床効果が得られる．またアンピシリン・スルバクタムで治療効果が認められない際には，カルバペネム系抗菌薬を選択する．重症例で，かつアンピシリン・スルバクタムで治療効果が認められない際には，ピペラシリン＋クリンダマイシン，カルバペネム系抗菌薬，フルオロキノロン系抗菌薬なども候補薬となる．なお抗菌薬での治療効果の乏しい際には，ドレナージ，または外科的手術なども考慮する．

肺膿瘍は抗菌薬が効きにくく，初期治療に失敗すると重症化する可能性が高い．また空洞が破れると膿胸へと進展する．また肺膿瘍の起炎菌を決定するための診断手法に専門的な技術が求められることから，専門医による診断，および治療が望ましい．すなわち臨床的に肺膿瘍を疑った時点で専門医に紹介することが求められる．

肺膿瘍の起炎菌として，嫌気性菌の多いことを理解する．またいったん肺膿瘍を形成すると抗菌薬の効果が乏しくなることに留意する．呼吸器学会が作成している医療・介護関連肺炎診療ガイドラインで紹介されている治療方針（図9-2-7）は，基本的に嫌気性菌をカバーすることを意識しているため，肺膿瘍の治療に応用することが可能である．ただし高齢者においては

表 9-2-5 **市中で発症した肺膿瘍の起炎菌の種類**（好気性菌と嫌気性菌別に表示）（Takayanagi, 2010を改変）

好気性菌（107症例より分離）	分離数	嫌気性菌（32症例より分離）	分離数
Streptococcus species	85	Peptostreptococcus species	10
Gemella species*	12	Prevotella species	9
Klebsiella pneumoniae	10	Veillonella species	7
Pseudomonas aeruginosa	6	Fusobacterium species	7
Haemophilus influenzae	5	Actinomyces species	3
Staphylococcus aureus	3	Eikenella corrodens	3
Nocardia species	3	Bacteroides capillosus	1
Neisseria species	3	Propionibacterium acnes	1
Lactococcus cremoris	2	Eubacterium species	1
Escherichia coli	2	Peptococcus species	1
Enterococcus faecalis	2	Porphyromonas species	1
Haemophilus parainfluenzae	1	unidentified Gram-positive rod	1
Haemophilus parahaemolyticus	1	unidentified Gram-negative bacillus	1
Staphylococcus warneri	1	—	—
Enterobacter aerogenes	1	—	—
Sphingomonas paucimobilis	1	—	—
Serratia marcescens	1	—	—
Corynebacterium species	1	—	—
Leuconostoc species	1	—	—
計	141	計	46

＊：Gemella species には，G. haemolysans（n＝6），G. morbillorum（n＝5），および未同定の Gemella species（n＝1）を含む．

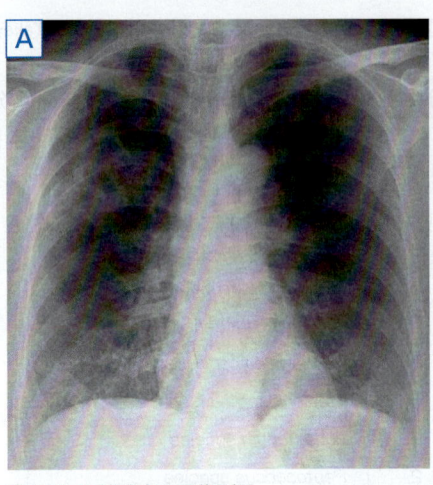
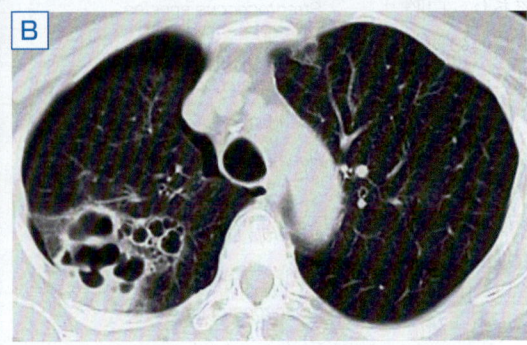

図 9-2-6 肺膿瘍の画像所見
症例は 60 歳の女性．基礎疾患に重症の気管支喘息を有しており，ステロイドを内服中であった．インフルエンザウイルス感染症に続発して肺膿瘍を発症した．起炎菌は黄色ブドウ球菌であった．
A：胸部単純 X 線写真にて，右上・中肺野に空洞を伴う斑状影を認める．
B：胸部 CT でも多発空洞形成が明らかで，一部の空洞が破れたためか気胸を合併している．

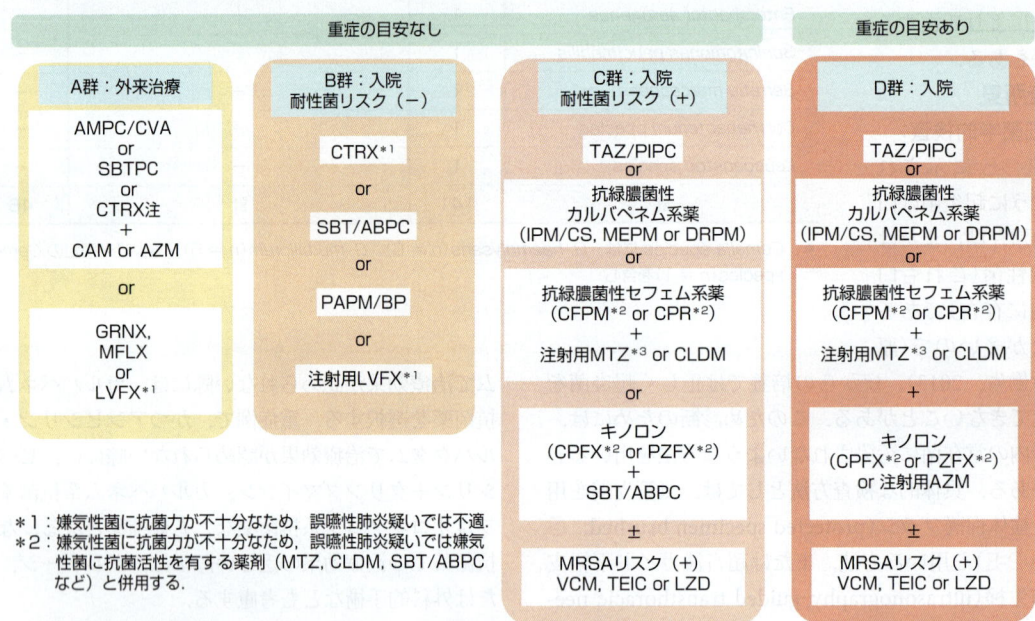

*1：嫌気性菌に抗菌力が不十分なため，誤嚥性肺炎疑いでは不適．
*2：嫌気性菌に抗菌力が不十分なため，誤嚥性肺炎疑いでは嫌気性菌に抗菌活性を有する薬剤（MTZ, CLDM, SBT/ABPCなど）と併用する．

図 9-2-7 医療・介護関連肺炎推奨抗菌薬（文献 1 より）
肺膿瘍の治療方針の選択に際しては，B 群で推奨されている治療を選択することができる．ただし嫌気性菌の関与が強く疑われる際には，*1 のついた治療法は避ける．C 群，または D 群の治療は高齢者では避けることが望ましい．ただし単剤のカルバペネム系抗菌薬は，肺膿瘍に治療に適切な抗菌薬である．

腎機能が低下していることが多いので，C 群，および D 群の治療方針を選択することは可能なかぎり避けることが望ましい．B 群での治療を考慮する．ただし単剤のカルバペネム系抗菌薬は使用可能である．

〔藤田次郎〕

■文献（e文献 9-2-3）

厚生労働省：平成 24 年簡易生命表の概況, 2013. http://www.mhlw.go.jp/toukei/saikin/hw/life/life12/dl/life12-14.pdf
Takayanagi N, Kagiyama N, et al: Etiology and outcome of community-acquired lung abscess. *Respiration*. 2010; 80: 98-105.
Yamasaki K, Kawanami T, et al: Significance of anaerobes and oral bacteria in community-acquired pneumonia. *PLoS One*. 2013; 8: e63103.

4）胸膜炎，膿胸
pleuritis, pleurisy, and pyothorax

概念
　胸膜炎は胸膜腔の炎症の総称であり，感染症，腫瘍，膠原病など種々の原因で発生する．感染症を原因とする胸膜炎は，隣接する感染巣の波及で発生することが多く，最も多い先行感染症は細菌性肺炎である．結核菌による胸膜炎は，臓側胸膜直下の感染巣が胸腔穿破し，結核菌が直接，胸膜腔に入り，感染を起こす病態があるが，多くは明らかな感染巣を形成せず，結核に対する遅延型アレルギー反応として胸膜炎が発生する．寄生虫症では腸管から腹腔を経て経横隔膜的に胸腔に達し，アメーバ肝膿瘍やエキノコックス症（包虫症）では胸腔への穿破で起こる．胸膜炎症とともに胸水が貯留するが，多核白血球を主体とする膿性胸水の貯留した状態を膿胸とよぶ．食道破裂，胸腔内手術後の合併症として，膿胸が発生することがある【⇨9-14-1】．

原因・病因
　起因菌は原疾患で異なるが，2/3 が好気性菌，1/3 が嫌気性菌または嫌気性菌と好気性菌の混合感染である．市中肺炎が原因の場合はミレリ連鎖球菌が最も多く，次が肺炎球菌，ブドウ球菌である．一方，院内肺炎では MRSA が最も多く，次がエンテロバクター，腸球菌である．クレブシエラ肺炎は，アルコール多飲や糖尿病などの高危険群に発生し，肺炎随伴胸膜炎から膿胸に進展しやすい．また，嫌気性菌感染は亜急性の経過をとり，同様に高危険群に多く発生する．胸水には悪臭があり，バクテロイデス属，ペプトストレプトコッカス属が同定される．

臨床症状
　先行感染症の症状に加えて，急性期には胸痛，呼吸困難がみられる．

治療
　抗菌薬の投与と胸腔ドレナージであり，胸膜が肥厚した膿胸では外科治療が必要である．

(1)胸囲結核（pericostal tuberculosis）
概念
　胸囲結核は胸壁結核性膿瘍，肋骨周囲膿瘍などとよばれてきた胸壁軟部組織の結核性病変であり，肋骨の結核性骨髄炎である肋骨カリエスや流注膿瘍とは発生機序の異なる肺外結核の1つである．結核罹患率の低下に伴い，まれな疾患となったが，胸壁腫瘤の鑑別にはあげる必要がある．

病態・原因
　胸壁軟部組織内に結核性膿瘍が形成される機序として，①結核性胸膜炎の発生後，胸膜癒着部位から胸壁軟部組織に菌が到達する，②結核性胸膜炎で限局性膿胸が形成され，肋間筋層を穿破して胸壁軟部組織に結核性膿瘍を形成する，ことが考えられている．

臨床症状
　増大する胸壁皮下腫瘤が受診動機となることが多く，胸痛を伴うことがある．

検査所見・診断
　膿瘍穿刺による結核菌の証明または結核性肉芽腫の病理組織所見で診断する．胸部 CT 画像では卵円形の胸壁軟部組織の膿瘍と連続する胸腔内限局性膿瘍が認められる（図 9-2-8）．

治療
　外科的に膿瘍を掻爬し，抗結核化学療法を行う．

(2)寄生虫を原因とする胸水・胸膜炎
概念
　日本国内に分布するウエステルマン肺吸虫や宮崎肺吸虫は，中間宿主のサワガニの生食によりメタセルカリアが感染し，腸壁・横隔膜を貫通して胸腔に侵入する．その過程で胸水貯留が見られ，ときに気胸を伴う．エキノコックス症では，まれに包嚢が胸腔に穿破することがある．その過半数は同時に気管支にも穿破し，多くの膿汁と包嚢壁を喀出し，気管支胸膜瘻を形成する．

検査所見・診断
　診断は喀痰，便，胸水からの虫卵の検出であるが，検出率は 50% 以下であり，補助診断として抗肺吸虫抗体の検出を行う．滲出性の胸水であり，糖，pH は低く，LDH は上昇している．好酸球性胸水なので，好酸球性多発血管炎性肉芽腫との鑑別が必要となる．しばしばコレステロール結晶を多量に含む乳白色

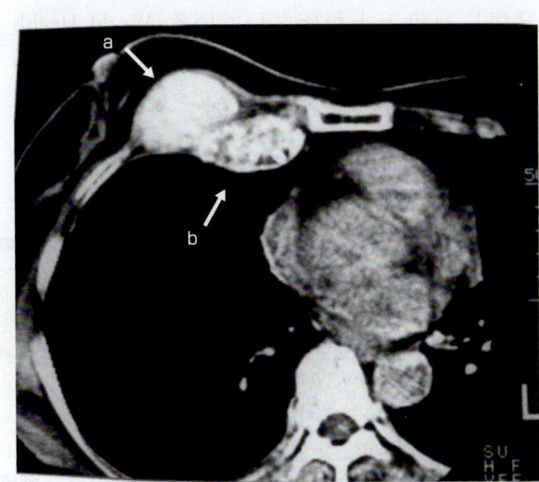

図 9-2-8　胸囲結核の CT 像
右前胸壁軟部組織に卵円形の膿瘍があり(a)，胸腔内に限局性膿瘍が認められる(b)．

状の偽乳び胸を認める．

(3) EBウイルス感染と膿胸関連リンパ腫 (pyothorax-associated lymphoma)

概念
結核性慢性膿胸の膿胸腔から発生する非Hodgkinリンパ腫（びまん性大細胞型B細胞リンパ腫）は，Epstein-Barr (EB) ウイルス感染と関与するまれなEBウイルス関連リンパ腫の一型である【⇒9-14】．

〔中野孝司〕

5) 肺結核症
pulmonary tuberculosis

疫学
肺結核は，社会面，および経済面に大きな影響を与える疾患である．全世界の1/3の人が結核菌に感染しているという推計があるが，この数字の大きさは結核が慢性の感染症であることを示すものである．すなわち結核菌が感染しているが発病していない状態（潜在性結核症）と，臨床的に発病している状態（結核症）の2つの面があることを考慮する必要がある．

肺結核の罹患率，および死亡率の低下が世界中の多くの場所において認められており，さらに1950年頃から有効な治療法が出現したことから，この傾向は加速している．一方で，特に発展途上国において，結核の感染対策の不備，ヒト免疫不全ウイルス (human immunodeficiency virus：HIV) 感染者の増加，および薬剤耐性菌の出現により，結核が復活しつつある．わが国も人口の高齢化により，再興感染症として注目されている．2014年のWorld Health Organizationの推計によれば，全世界で年間900万人が結核症を発症し，150万人が死亡している (World Health Organization, 2014)．発症者のうち13％がHIV感染症を有しており，年間48万人が多剤耐性結核菌に感染している．

原因
肺結核は，結核菌 (*Mycobacterium tuberculosis*) による感染症である．肺結核はヒトからヒトに感染する感染性疾患である．主たる感染経路は経気道感染であり，感染様式は，飛沫核感染（空気感染）である．このため感染対策として，空気感染対策（医療従事者はN95マスクの使用，患者はサージカルマスクの着用）が必要となる．2007年4月からは結核予防法が廃止され，結核対策は改正感染症法により二類感染症として取り扱われている．

感染の危険性は，感染者の感染力の程度，暴露者の抵抗力，および接触の程度による．病変の程度がひどいほど，菌量が多いほど，および咳がひどいほど感染しやすい．一般的に気道検体の塗抹検査で陽性であれば危険性が高いと判断されるが，陰性の患者から感染した事例もある．肺における空洞形成の有無も感染力と関連する．空洞病変の本態は，結核病巣の中心部壊死と壊死物質の気管支からの排出によるものであるから，空洞形成と排菌は密接に関連する（図9-2-9）．

病態生理
*M. tuberculosis*に感染した人のうち，発病するのは，わずか10％と推定されている．いったん感染した人が発病する可能性は一生涯あるものの，多くは感染後2年以内に発病する．肺結核の発症率は年齢によって大きく異なる．発症率は幼少期には高く，青年期では減少し，中・高年で著しく高くなる．

さまざまな疾患と肺結核の発病との関連が示唆されている．糖尿病の患者，透析患者は肺結核を発症しやすい．免疫抑制患者，なかでも最も重要なのがHIV感染による免疫抑制であり，世界中で肺結核の発病，および臨床経過に最も大きな影響を与えている．免疫抑制療法も肺結核の発病に関連する．副腎皮質ステロイドの投与はよく知られた危険因子である．また慢性炎症性疾患の治療として，腫瘍壊死因子 (tumor necrosis factor：TNF) 阻害薬などの分子標的薬を投与中の患者においても，再活性化の危険が高まる．

病型には大きく2つあり，最初に感染した部位から進展するもの（一次結核症）と，初感染巣が治癒した後，数カ月〜数年経って，新たに病変が形成されるもの（二次結核症）の2つである．一次結核症は小児に多いことから小児型結核症ともいわれる．成人の結核症の大部分が二次結核症に属するので成人型結核症といわれる．両者の病像は大きく異なるので別々に記載する．

a. 一次結核症
一次結核症は，結核菌を含んだ飛沫核を吸入することにより発症する．結核菌が定着する肺胞は，各肺葉

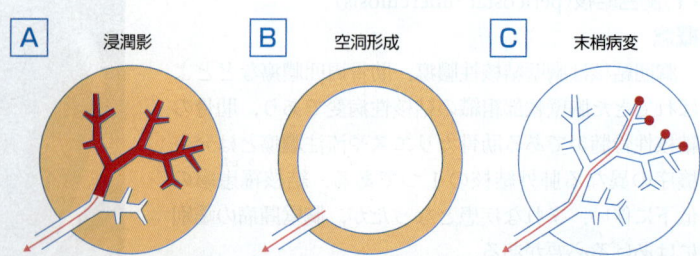

図9-2-9 肺結核症における空洞形成と排菌との関連 (Kosakaら, 2005)
浸潤影(A)，および空洞形成(B)の際には排菌の頻度が高くなる．特に空洞形成と排菌の有無は密接に関連する．一方，細葉単位の末梢病変のみ(C)の際には排菌の可能性は低くなる．

の胸膜直下（換気が最もよく行われる部位）であることが多い．そして，肺胞に定着した結核菌はマクロファージに貪食される．結核菌の多くは，マクロファージ内で増殖し，最終的にはマクロファージを殺してしまう．一方，マクロファージはTリンパ球との相互作用により，インターフェロン-γやTNF-αなどのさまざまなサイトカインを放出するが，これらのサイトカインは，さらにマクロファージの類上皮細胞への分化，および肉芽腫形成に関与することになる．その後数週間の経過で，肉芽腫が形成され，中心部が壊死する．病気が進行するとともに，それぞれの壊死巣は拡大し，融合するようになる．最終的には，類上皮細胞層と多核巨細胞層に囲まれた比較的大きな壊死巣となる．この壊死巣はさらに単核球と線維芽細胞層に囲まれており，この3層構造により炎症巣が形成されている．この時点では，炎症巣は肉眼的にも確認でき，いわゆる乾酪壊死（白くもろい中心部壊死，caseous necrosis）とよばれ，結核の病理学的な特徴である．

最初の実質内の感染巣は，初感染巣（Ghon focus）と名づけられている．結核菌の多くは所属リンパ節まで到達し，初感染巣と所属リンパ節の病変をあわせて，初期変化群（Ranke complex）とよぶ．初感染巣の多くは周囲の線維化，石灰化をきたし自然に治癒するが，結核菌そのものは被膜に覆われた壊死組織のなかで生きており，これが後に再活性化される部位となる．

一次結核症を有する患者は無症状であることが多いが，ときに咳や発熱を認めることがある．一次結核症では，肺胞性浸潤影が約70％に認められ，しばしば右肺に優位である．また肺門リンパ節腫脹も認められることがある．無気肺は小児例の10〜30％に認められ，右上葉に多い．この原因は腫脹した縦隔リンパ節により気管支が圧迫されることによる．一方成人では無気肺の合併はまれである．

b. 二次結核症

二次結核症は，潜在する結核が内因性に再活性化することにより発症する．発病初期には，上葉の肺尖部，背側に限局する傾向がある．これは，肺尖部背側において比較的高いO_2分圧を有すること，換気・血流比が高いこと，肺血流量が乏しいためリンパ流によるドレナージが十分でないことなどが理由とされる．約5〜10％の患者に，肺門・縦隔リンパ節腫脹を認める．

二次結核症のおよそ50〜70％において，限局性の浸潤影を認める．多くの例において，浸潤影は1つの区域に限られているか，1葉のいくつかの区域に存在する．典型的には，上葉の肺尖部，背側や下葉上区に多い．ときに病気は葉全体を占めるようになる（結核性大葉性肺炎，図9-2-10）．浸潤影の部分は，境界が不明瞭であり，融合傾向を示し，周囲に娘病巣を有する．しばしば同側肺の肺門に向かう血管・気管支束陰影の増強を認める．

二次結核症の画像診断として重要な所見は，細葉単位（大きさは5〜7 mm，図9-2-11，9-2-12）で病変が進展することがあげられる．特に重要な画像所見は前述したAschoffが1924年に結核に特徴的な病理所見として記載した細葉性結節（acinar nodule）とよばれる結節が形成する陰影である．

次に重要なことは，前述した病変の分布である．大部分の肺結核症は肺尖領域ないしは背部上肺野（図9-2-12）および下葉S^6を好発部位として始まり，経気道的な菌の散布で上背部に進展する特徴をもっている．

二次結核症において病変は進展しやすく，炎症，および壊死は拡大し，より広範囲に広がる傾向がある．

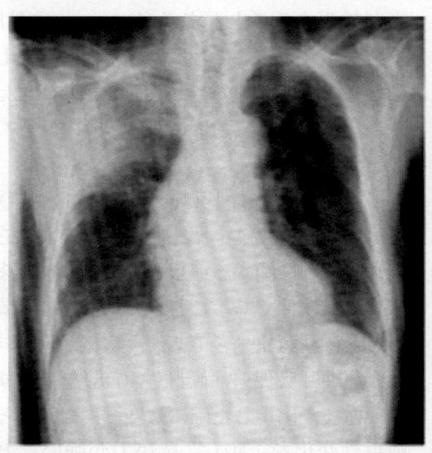 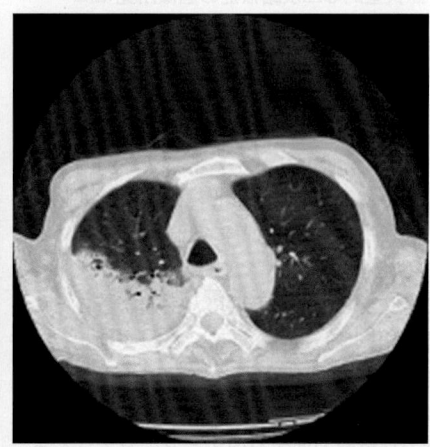

図9-2-10 **結核性大葉性肺炎の症例**（乾酪性肺炎ともよぶ）（画像提供：藤田次郎）
右上葉に浸潤影を認め，また透亮像（air bronchogram）も指摘できる．このような画像所見においては，細菌性肺炎との鑑別は困難である．

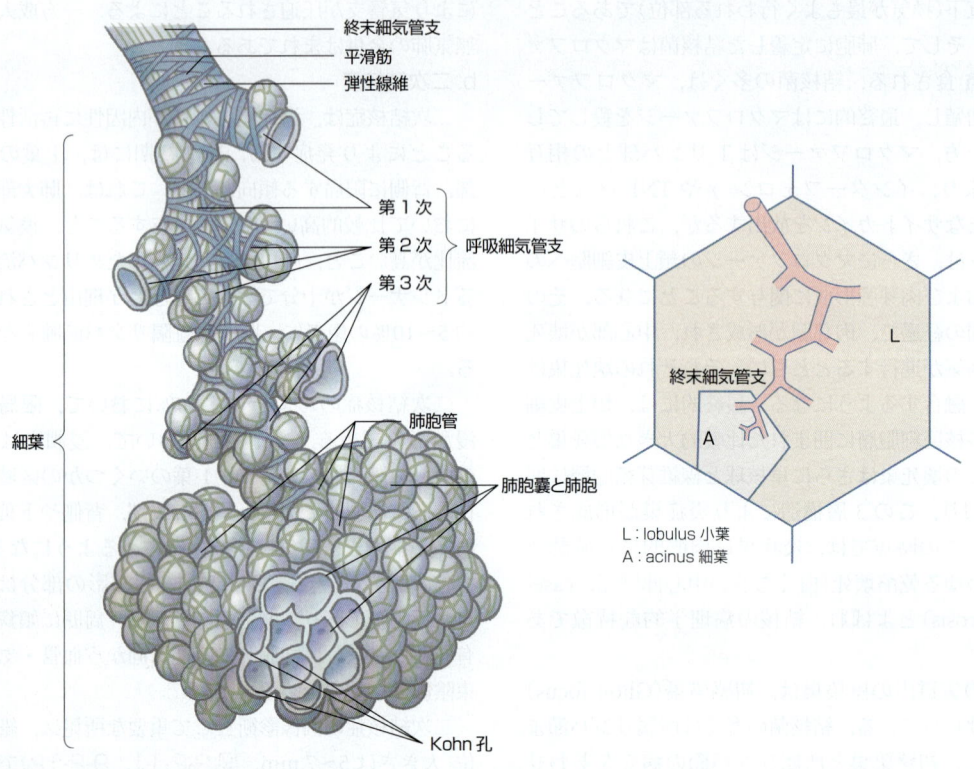

図 9-2-11 肺結核の画像診断に重要な細葉の模式図
細葉は呼吸細気管支より末梢の構造であり，その大きさは数 mm である．細葉構造を理解することにより，肺結核の画像診断の解釈が容易となる．

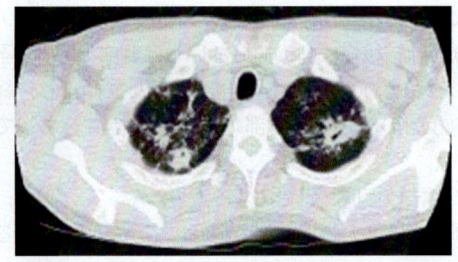

図 9-2-12 典型的な二次結核症の画像所見（画像提供：藤田次郎）
両側肺尖部に空洞性陰影を認める．周囲には散布巣（娘病巣）を認める．病巣周囲の粒状影の単位を細葉単位と理解する．

この経過中，気道との交通をしばしば認め，壊死物質の排出に伴って20～45％の患者に空洞形成を認める（図9-2-12，9-2-13）．

空洞形成の意味として，外の環境と交通することにより病原体を排出することにある．この交通には2つの大きな意味がある．1つは十分に酸素化された空気を継続的に空洞内に取り込むことであり，結果的に細胞外における結核菌の増殖を促すことになる．もう1つは結核菌を肺のほかの部位に広げること，および体外に結核菌を排出すること，つまり他人への感染源

となることである．空洞から排出された液化した壊死物質が経気道的に進展することにより，同一葉のみならず，ほかの葉にまで広がりうる（図9-2-13）．このような機序により細気管支レベルに進展し，典型的な肉芽腫を形成することで，多発性の実質性の結節影を形成する．

ときに，小～中等度の大きさの肺動脈が空洞壁周囲の線維化したカプセル内に接線方向に存在し，この血管が拡張することがある（Rasmussen動脈瘤）．この動脈瘤が破裂することにより喀血をきたし，死に至ることもある．慢性の空洞を形成した際には，アスペルギルス属による真菌球（アスペルギローマ）を形成することがある．

二次結核症の症状は，非特異的であり，全身倦怠感，脱力感，食欲不振，体重減少，および微熱などを認める．肺に関する症状としては，咳が多い．特に臨床経過が慢性であること，発熱などの自覚症状に乏しいことに注意すべきである．病気が進行すると呼吸困難，急性呼吸促迫症候群（ARDS）を合併することがある．血痰が出現した際には空洞形成，あるいは気道の潰瘍性変化を示唆し，感染力が強いことを示す．また，空洞内のアスペルギローマの形成が血痰に関与することがある．

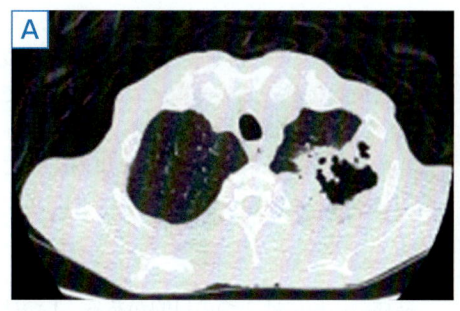
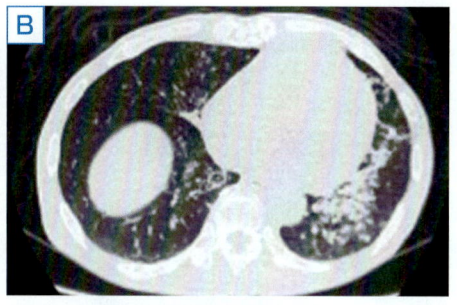

図9-2-13 肺結核による空洞形成(A)と散布巣(B)(画像提供：藤田次郎)
左肺尖部に空洞形成を認める．両側下肺野には経気道散布による病巣を認める．下肺野に認められる小粒状影は細葉単位の病巣と理解する．

身体所見上の特徴として，肉芽腫を形成する結核病巣の際には聴診所見の弱いことがあげられる．胸部X線で広範な陰影が認められるにもかかわらず，聴診所見が弱い際には，肺結核を考える根拠となりうる．

血液検査所見では，軽度の貧血や白血球数増多を認めることがある．抗利尿ホルモン不適合分泌症候群（SIADH）を合併することによる低ナトリウム血症も報告されている．

病原体が血流を介して，全身に散布された際には，粟粒結核（播種性結核）となり，肺，肝臓，脾臓，骨髄，およびその他の臓器に進展する．

画像上，粟粒結核がはじめて認められるようになった際には，径1〜2 mmの無数の小結節としてとらえられる．適切な治療がなされないと，小結節は3〜5 mm大に増大する．胸部CTにおいては，辺縁の明瞭な1〜4 mmサイズの多数の結節としてとらえられる．結節の多くは不規則に分布する（図9-2-14）．

粟粒結核の発症は一般的には緩徐であり，多くの患者は，発熱，体重減少，脱力感，食欲不振，および寝汗などの非特異的症状が8週間以上にわたって続くことがある．またツベルクリン反応は，25〜50%の患者において陰性である．

肺外病変として，リンパ節，胸膜，泌尿・生殖器（卵管炎，または卵巣炎），骨および関節，髄膜，腹膜，心外膜などの病変がある．椎体の結核（Pott病）は骨格への結核としては，最も多く認められ，しばしば下部胸椎，または上部腰椎を侵す．結核性髄膜炎は進行性の一次結核症，または粟粒結核を発症した小児においてしばしば認められる．

検査所見・診断

結核の診療においては，病歴，身体所見，画像所見，病理組織学的所見，免疫学的検査などの結果を総合的に判断して診断し，いかに早く治療を開始することができるかが重要である．

結核の診断の第一歩は，まず「疑うこと」とされている．たとえば，典型的な症状を伴い，空洞を伴う浸潤性陰影が胸部X線で認められるようなハイリスク

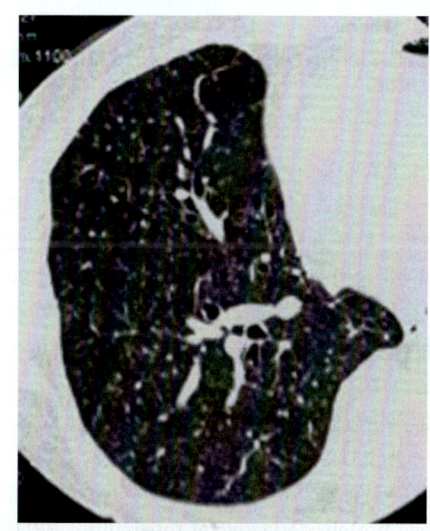

図9-2-14 粟粒結核の胸部高分解能CT所見
（画像提供：藤田次郎）
粟粒結核の症例の胸部高分解能CT所見を示す．小結節の分布がランダムであることが特徴である．

患者の診断は難しくないが，典型的な症状が伴わない高齢者や，細菌性肺炎のようなX線所見を呈した若者は診断が遅れやすい．結核の確定診断は，痰や病変組織から結核菌を証明することが基本であり，後述のように染色法や培養法が異なるため，特に肺炎様症状を呈する患者では鑑別診断にいれておく必要がある．

a. 結核菌検査

結核の診断には必須の検査法である．喀痰や胃液などの気道検体について結核菌の検出を行うが，肺外結核を疑う場合には局所検体も検査を行う．結核菌はほかの多くの一般細菌とは異なる細胞壁構造を有しており，Gram染色では染色されず，Ziehl-Neelsen染色（図9-2-15）や蛍光法が用いられる．培養検査は塗抹検査より感度が高く，抗結核薬感受性を知ることができる重要な検査である．しかしながら，結核菌は遅発育菌であるため，小川培地などの固形培地で3週間〜2カ月，検出効率が高いとされる液体培地でも最長

749

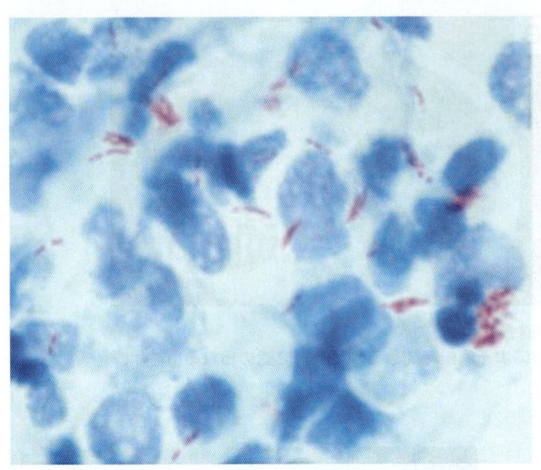

図 9-2-15 Ziehl-Neelsen 染色で検出された結核菌（画像提供：藤田次郎）

4週間までかかることがある．

また，培養検査とともに核酸増幅法を用いて菌の存在を確認したり，あるいは培地に生えた菌の同定を核酸増幅法により行うことができる．特異度は90％以上で，塗抹陽性検体であれば100％近い感度を有するが，塗抹陰性検体では培養法とほぼ同等の感度とされている．

b. 免疫学的検査
i）ツベルクリン反応

結核菌の構成成分である精製ツベルクリン蛋白体（purified protein derivative of tuberculin：PPD）を患者の皮内に注射し，皮膚反応の有無を調べるテストをツベルクリン反応，ツベルクリン皮内試験という．ひとたび患者が結核菌に感染し，過敏反応が形成されたならば，発病していなくてもツベルクリン反応は一般的に陽性となる．しかしながら，ツベルクリン反応が陽性であっても，必ずしも活動性の病変を有するということではない．特にわが国では，BCG接種の影響による偽陽性のために，真の結核感染の判定は困難であり，潜在性結核感染者の診断目的で用いられることはほとんどない．一方でコストが後述のインターフェロン-γ遊離試験よりも安いため，集団を対象にしたスクリーニングとして今後も使われていく可能性がある．

ii）インターフェロン-γ遊離試験

インターフェロン-γ遊離試験は，結核菌に特異的な抗原を用いてリンパ球を刺激し，T細胞から放出されたインターフェロン-γ値を測定する検査法である（ⓔ図9-2-F）．おもに潜在性結核感染症の診断目的で用いられているが，確定診断が難しい結核症の補助診断としても用いられる．この方法はBCG接種による影響を受けず，活動性結核患者との接触者健診などスクリーニング検査に有用である．

予後

無治療の場合，約50％が5年以内に死亡するが，適切な診断と治療により死亡率を劇的に低下させることができる．

治療

結核の治療には2つの目的がある．1つは結核患者を治癒させて合併症を防ぎ死亡率を下げること，もう1つは患者の感染性を少なくして周囲への伝播を防ぐことである．実際には，化学療法を中心とする内科的治療が基本であるが，内科的治療のみでは達成困難な場合に外科的治療を考慮する．自然界の結核菌にはきわめて少数の耐性菌が含まれており，単剤での化学療法により，感受性菌は死滅し，耐性菌を選択してしまうことになる．そこで，結核の治療では感受性のある，異なった系統の抗結核薬を3～4剤併用し，最短でも6カ月間継続して投与する．確実に治療するために，直接監視下短期化学療法（directly observed treatment, short course：DOTS）が行われる．

a. 抗結核薬の種類

現在，わが国で使用されている第一選択薬を表9-2-6に示した．原則としてA法を用いる．ピラジナミドが使用できない場合に限りB法を用いる．A法で治療を開始し，結核菌が薬剤に感受性があることが確認され，副作用なく治療継続可能である場合は，週2回あるいは週3回服用するレジメンである，間欠療法も検討する．

b. 抗結核薬以外の治療

肺結核が重症である場合，特に粟粒結核などで呼吸不全や高熱など全身状態不良な場合には，副腎皮質ステロイドの使用を考慮する．また，結核性髄膜炎での副腎皮質ステロイドの使用は，死亡および神経学的な後遺症のリスクを低下させることが報告されている．

また，多剤耐性で病巣が限局しており，切除が可能な場合には，早期から外科的治療を検討する．適応に

表 9-2-6 抗結核薬の使用法

特性	薬剤名	略号	おもな副作用
最も強力な抗菌作用を示し，菌の撲滅に必要な薬剤	イソニアジド	INH	末梢神経炎
	リファンピシン	RFP	肝障害
	ピラジナミド	PZA	肝障害
上記の薬剤との併用で効果が期待される薬剤	ストレプトマイシン	SM	聴神経障害
	エタンブトール	EB	視神経炎

A法：INH＋RFP＋PZAにSM（またはEB）の4剤併用で2カ月間治療後，INH＋RFPで4カ月間治療する．
B法：INH＋RFPにSM（またはEB）の3剤併用で2カ月間治療後，INH＋RFPで7カ月間治療する．

ついては，結核治療の専門家と相談が必要であるが，切除の時期は有効な化学療法により菌量が減少した状態，おおむね化学療法開始後 3〜4 カ月といわれている． 〔一山　智・藤田次郎〕

■文献

World Health Organization: Global Tuberculosis Report 2014. http://www.who.int/tb/publications/global_report/en/

6）肺非結核性抗酸菌症（非結核性抗酸菌 non-tuberculous mycobacteria(NTM)感染症）

定義・概念

肺非結核性抗酸菌症（nontuberculous mycobacteriosis）は，結核菌とらい菌を除く培養可能な抗酸菌である NTM による慢性経過をたどる肉芽腫性感染症である[1,2]．

原因・病因

NTM は自然界や環境（土壌や水系）に常在し，現在約 170 種が知られている[3-5]．感染と発病の関係は不明だが，経気道感染による呼吸器感染症が最も多い[4]．わが国でヒトに呼吸器感染症を惹起するおもな菌は約 10 種類である[6]（表 6-4-1）．呼吸器系基礎疾患，吸入ステロイド[7]，固形癌や骨髄・臓器移植の治療に伴う免疫抑制は発症のリスク要因である[2,8]．

疫学

ヒトからヒトには感染しないので公衆衛生学的に注目されにくく，その実態には不明の点が多い．世界的に呼吸器感染症の罹患率上昇は指摘されているが，国，地域により原因菌の頻度は異なる[9]．わが国では *Mycobacterium avium* complex（MAC）が原因菌として最も多い（約 90％）．ついで *M. kansasii*（約 5％），*M. abcsessus* comolex が多い．わが国で 2014 年に実施された全国疫学調査によれば肺 NTM 症の罹患率は 15.3/人口 10 万でありほぼ結核に匹敵する[10]．またわが国にはないが，欧米では cystic fibrosis 症例に合併する重要な呼吸器系 NTM 感染症（特に *M. abscssus*）として注目されている[11]．

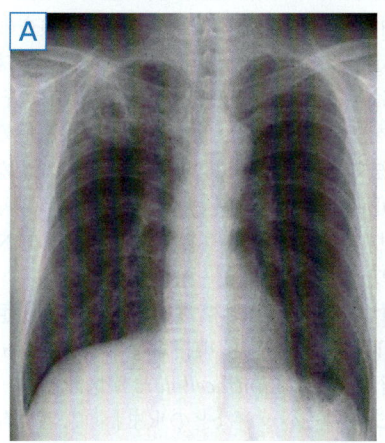
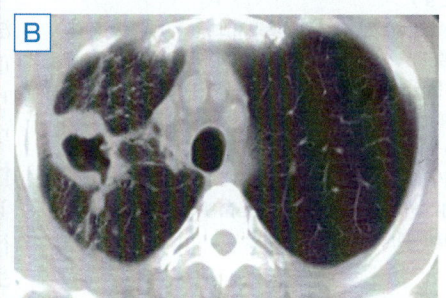

図 9-2-16　線維空洞型（63 歳 男性）
A：胸部単純 X 線，B：胸部 CT．

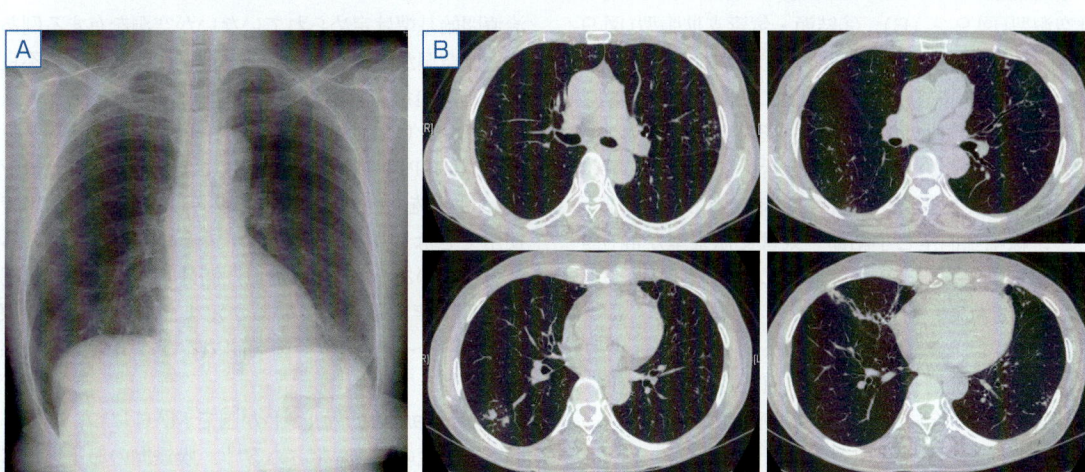

図 9-2-17　小結節・気管支拡張型肺 MAC 症（52 歳女性）
A：胸部単純 X 線，B：胸部 CT．

表 9-2-7 非結核性抗酸菌による呼吸器病変

1)空洞形成型(結核類似型) fibrocavitary disease	男性喫煙者に多い，呼吸器系基礎疾患を有するもの(COPD，気管支拡張症，陳旧性肺結核，じん肺など)，糖尿病，飲酒者が多い．症状，画像所見で結核との鑑別困難．
2)結節・気管支拡張型 nodular・bronchoectasic disease	わが国で最も多い病型．喫煙歴のない中年以降の女性に多い．無症状のまま検診で発見されたり，血痰を契機に発見されることもある．中葉・舌区に病変多いが，CTではびまん性の結節病変，細気管支拡張を呈し，組織学的には細気管支周囲の肉芽腫性変化を示す．
3)孤立性結節型 solitary nodular disease	手術適応について考慮，完全切除できた場合には化学療法不要とされる．術後の病理検索で判明することもある．
4)過敏性肺炎型	室内プールや風呂場など水まわりで繁殖したNTM(主としてMAC)を含むエアロゾルを吸入により亜急性に発熱，咳，呼吸困難などを認める．過敏性肺炎に類似した画像を呈する．(Semi Respir Infect. 2003; **18**: 33-9)

表 9-2-8 肺非結核抗酸菌症診断に関する指針(日本結核病学会・日本呼吸器学会)(文献6より引用)

A. 臨床的基準(以下の2項目を満たす)
1. 肺部画像所見(HRCTを含む)で，
   - 結節性陰影，小結節性陰影や分岐状陰影の散布，
   - 均等陰影，空洞性陰影，
   - 気管支または細気管支拡張所見のいずれか(複数可)を示す．ただし，先行肺疾患による陰影がすでにある場合にはこのかぎりではない．
2. ほかの疾患を除外できる．

B. 細菌学的基準(菌種の区別なく，以下のいずれか1項目を満たす)
1. 2回以上の異なった喀痰検体での培養陽性．
2. 1回以上の気管支洗浄液での培養陽性．
3. 経気管支肺生検または肺生検組織の場合は，抗酸菌症に合致する組織学的所見と同時に組織，または気管支洗浄液，または喀痰での1回以上の培養陽性．
4. まれな菌種や環境から高頻度に分離される菌種の場合は，検体種類を問わず2回以上の培養陽性と菌種同定検査を原則とし，専門家の見解を必要とする．

病型分類

呼吸器感染症の病型は臨床像，画像所見により①線維空洞型(図9-2-16)，②結節・気管支拡張型(図9-2-17)[12,13]，③孤立結節型[14]，④過敏性肺炎[15,16]，に分類される(表9-2-7)．上葉に結節影や空洞病変を伴い結核に類似した病像を呈する線維空洞型と中高年の喫煙歴のない女性の中葉・舌区に好発する小結節・気管支拡張型が多い．特に近年後者の増加が著しい[17]．線維空洞型と小結節・気管支拡張型が混在する症例も多い[17]．過敏性肺炎型には菌側の因子が関連が示唆されている[18]．

臨床症状

無症状の軽症例もあるが，痰(血痰)，咳，進行例では喀血や呼吸不全による息切れ，呼吸困難を認める．体重減少を呈する者が多い[1,6]．

鑑別診断

結核や肺癌，気管支拡張症を惹起する他疾患との鑑別が重要になる[1,2,]．

診断

2008年に日本結核病学会と日本呼吸器学会の合同で提唱された診断基準が用いられる(表9-2-8)[6]．自覚症状の有無にかかわらず相当する画像病変を認め，喀痰検査で菌が複数回あるいは気管支鏡下で病巣より採取された気管支洗浄液，組織の培養で菌が検出されれば診断に至る[6]．胃液の抗酸菌検査の診断的意義は定まっていない．肺MAC症を疑い塗抹陽性の場合には結核との鑑別のため核酸増幅法検査(PCR法など)を実施するが診断的意義はない．治療の主軸は化学療法であるが菌種により用いる薬剤が異なるため[1,19-21]正確な菌種の同定が必要である[22]．病状，経過により外科的治療も考慮する[23-25]．現在NTMに対するワクチンはない．

代表的な肺非結核性抗酸菌(NTM)症

1)肺MAC症： 東日本には *M. avium* が多く，西に行くほど *M. intracellulare* が増える[10]．土壌や浴室，シャワーヘッドなどの水まわりなどに存在する菌が感染源になるともいわれている[5,26,27]．

血清診断法もあり診断的意義が検討されている[28]．診断後，治療開始時期は個別に判断されるため[1,19]，治療開始基準は定められていないが空洞を有する例あるいは空洞が出現した例は非空洞例に比して予後不良であり，治療を考慮する(e図9-2-G)[17]．クラリスロマイシン(CAM)，エタンブトール(EB)，リファンピシン(RFP)を基軸にして病状によりアミノグリコシド(AG)系を併用する(e表9-2-B)．RFPが副作用で使用できない場合にはリファブチン(RBT)が用いられることがある[1,19,29]．治療期間は喀痰培養陰性化達成から1年間とされているが定まっていない．治療終了後30〜50%に再排菌を認めるが，再感染も再燃もある[30]．

2)肺 *M. kansasii* 症： わが国でMACについで多く肺NTM症の約5%を占める[10]．喫煙歴のある男性に線維空洞型を呈するものが多いが一般的に結核より空洞壁厚は薄い[1]．*M. kansasii* 症は治療がよく奏効し，

RFPに耐性のない場合にはRFP，イソニアジド（INH），EBの3剤併用療法を排菌陰性化後1年間実施する．ピラジナミド（PZA）は無効である[31,32]．

3）肺 M. abscessus 症： 近年増加傾向にある．肺MAC症に臨床像は類似するが難治例が多く，CAM，カルバペネム系，AG系，テトラサイクリン系などの併用を試みるが治療法は確立していない[32]．M. abscessusには亜種があり，M. abscessus subsp. massilienseはCAMに感受性であるが，M.abscessus subsp. abscessusはCAM使用によりerm41発現を介する同剤への誘導耐性を認め治療成績が低いことが知られている[33,34]．適宜外科療法の併用を考慮する．

副作用

RFPの肝機能障害，白血球，血小板低下に加えて，EB使用中は定期的に視神経炎の評価を，アミノグリコシド使用中は耳鼻科にて第Ⅷ脳神経障害についての評価を行うことが重要である[35]．

予後

経過には個人差があり菌側因子[36]や宿主因子[2]も想定されるが詳細は不明である．近年死亡例の増加も指摘されている[37]．一般的に空洞を呈する症例は進行が早く10年で約半数が亡くなるとされる[17]．

〔長谷川直樹〕

（e文献 9-2-6）

7）肺真菌症
pulmonary mycosis

臓器移植，造血幹細胞移植術の発達，化学療法の進歩，HIV患者の増加などにより日和見感染症を発症する患者が増加しており，肺真菌症の頻度も増加している．アスペルギルス症【⇒6-5-3】，ニューモシスチス肺炎【⇒6-5-6】，クリプトコックス症【⇒6-5-2】，ムーコル症【⇒6-5-4】などがその代表的疾患である．一方で，グローバル化により，海外で感染しわが国で発症する輸入真菌症も増加傾向にある．輸入真菌症も肺真菌症を呈する場合が多いが，健常人でも感染を起こすことが特徴である．

（1）ニューモシスチス症（Pneumocystis jirovecii pneumonia：PCP）

概念

Pneumocystis jiroveciiによる感染症であり肺炎を呈する．本菌は従来，原虫に分類されていたが，現在は，真菌の一種と考えられている．シストと栄養体の2つの形態で生活環を形成しており，肺の病変部では両者の形態をとる．本菌は人工的に分離，培養できない．

感染経路・病態・病型

分離，培養が不能であり，正確な感染経路は不明である．幼少期に不顕性感染し，免疫低下時に再活性化して発症するとされている．一方で，空気感染，飛沫感染で伝播する可能性も報告されており，病院内での院内集団感染事例もある．病態は，P. jiroveciiに対する宿主の過剰な免疫応答によるものと考えられている．細胞性免疫の低下した宿主に感染，発症し，特にHIV患者に高頻度に合併するが，HIV以外にもステロイド，免疫抑制薬，生物学的製剤などの使用による免疫不全状態が感染危険因子となる．

臨床症状・検査所見・診断

発熱，乾性咳嗽，呼吸困難が3主徴であるが非特異的である．HIV患者におけるPCPに比較すると，非HIV患者PCPはより急速で重症になりやすく呼吸不全をきたすことが多く，死亡率も高い．本症に特異的な血清診断法はない．血清中(1→3)-β-D-グルカン，LDHの測定も診断に有用であるが，いずれも本症に特異的な検査ではない．胸部X線やCT検査では，典型例では肺門部から両側にびまん性に広がるすりガラス状陰影を認めることが多いが（図9-2-18），浸潤影，結節陰影，囊胞や空洞など多彩な陰影を呈する．確定診断は痰，気管支肺胞洗浄（bronchoalveolar lavage fluid：BALF）液，肺組織などの呼吸器検体を用いて，Gimsa染色では栄養体を，Grocott染色ではシストを検鏡により検出する．PCRによる遺伝子診断も可能であるが，気道内のコロニゼーションでも陽性となるため判定は慎重に行う必要がある．

予防・治療

予防ならびに治療薬は，ST合剤（トリメトプリム・スルファメトキサゾール），アトバコン，ペンタミジンを使用する．予防については，HIV患者では，CD4リンパ球数が200/μL以下になった場合，ステロイド薬使用中ではプレドニゾロン換算で20 mg/日以上を1カ月以上投与されている場合に検討する．

予防，治療ともに，第一選択薬はST合剤であるが，ST合剤が使用できない場合は，アトバコン，ペ

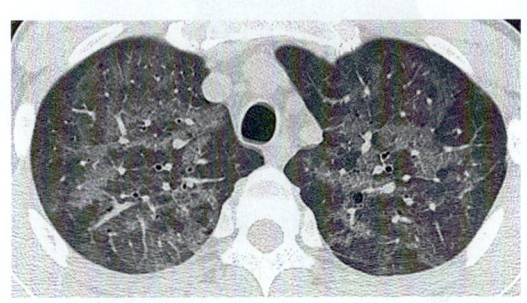

図9-2-18 PCPのCT所見

ンタミジンを選択する．ST合剤による過敏反応を呈した場合は脱感作を行い投与を継続することも可能である．PCP治療時に，重症の呼吸不全がある場合はステロイド薬の併用が推奨される．

(2) クリプトコックス症 (pulmonary cryptococcosis)
概念
酵母である *Cryptococcus neoformans* による感染症である．本菌は鳥類の堆積した糞のなかに多く存在している．日和見状態の患者のみならず，健常人にも感染，発症することがある．

感染経路・病態・病型
C. neoformans の吸入により経気道感染する．血行性に播種し皮膚，リンパ節，網内系などに病巣を形成する．中枢神経系に親和性が高く脳髄膜炎を呈することも少なくない．クリプトコックスは細胞内寄生するために細胞性免疫が免疫の主体をなす．病理学的に肉芽腫を形成する．感染危険因子は，細胞性免疫を中心とする免疫能の低下であり，ステロイド使用，糖尿病，HIV感染などが重要である．一方，健常人にも感染し発症する．病型は，治療期間が異なるために，基礎疾患を有する場合と有さない場合とに分ける．

臨床症状・検査所見・診断
基礎疾患を有さない場合，症状は比較的軽微な場合が多く，咳，痰，発熱などである．無症状で，胸部X線写真による健診で偶然に発見される場合も少なくない．胸部X線写真では結節陰影を呈することが多い（図9-2-19）が，空洞，浸潤影などの陰影も呈し多様な陰影を呈する．診断は痰，BALF液などを用いた菌の分離培養，あるいは肺組織の病理組織検査などにより行う．一般的に血清中(1→3)-β-D-グルカンは陽性とならない．髄液の検体においては，墨汁法による塗抹標本も有用である（図9-2-20）．さらに，血清やBALF液検体中のクリプトコックスグルクロノキシロマンナン抗原の測定は感度，特異度にすぐれている．

治療
脳髄膜炎を合併していない場合は，アゾール系抗真菌薬を投与する．基礎疾患のない患者では3カ月，何らかの基礎疾患があれば6カ月を目安に治療を行う．脳髄膜炎を合併する場合は，アムホテリシンB製剤あるいはアムホテリシンB製剤と5-FC（フルシトシン）の併用治療を行う．

(3) ムーコル症 (pulmonary mucormycosis)
概念
Mucor, Rhizopus, Absidia, Rhizomucor, Cunninghamella などによる感染症であり，最近の分類に基づいて接合菌症ではなくムーコル症と称される．これらの真菌は概して病原性は低いが，コントロール不良の糖尿病，長期間の好中球減少，ステロイド薬投与など，宿主の免疫能が著しく低下したときに日和見感染として感染する．感染，発症した場合は難治になることが多く，早期診断，早期治療が求められる．

感染経路・病態・病型
胞子の吸入により肺あるいは鼻からの経気道感染が主体である．病態は，本菌の血管侵襲による組織の梗塞，壊死により発症する．ムーコル症の病型としては，副鼻腔から中枢神経系へ進展する鼻脳型や肺炎が主体の肺型が多いが（図9-2-21），それ以外に，皮膚型，消化管型，多臓器に及ぶ播種型などがみられる．

臨床症状・検査所見・診断
鼻脳型では，黒色の鼻汁，発熱，頭痛，顔面痛など，肺型では発熱，呼吸困難，血痰などが出現する．本症では，血清中(1→3)-β-D-グルカンは陽性とならず，特異抗原検査もない．感染リスクを有する場合は，積極的に副鼻腔や頭部のCTやMRI検査を施行

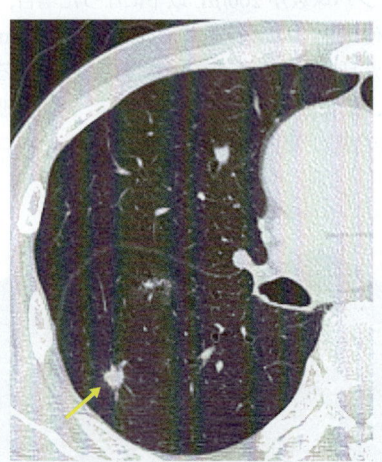

図9-2-19 肺クリプトコックス症の結節影
肺クリプトコックス症の小結節陰影である．

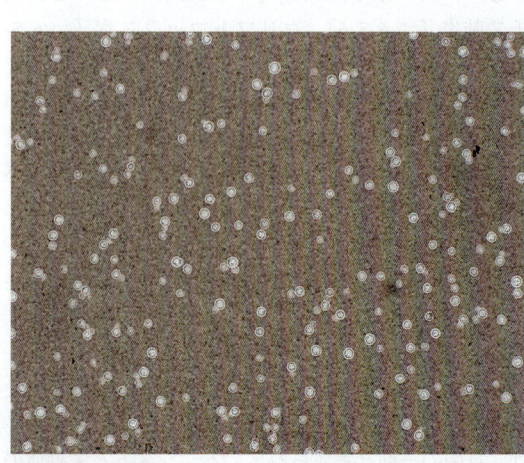

図9-2-20 墨汁法
墨汁によるコントラストで形態学的に莢膜を有する酵母様真菌を認める．

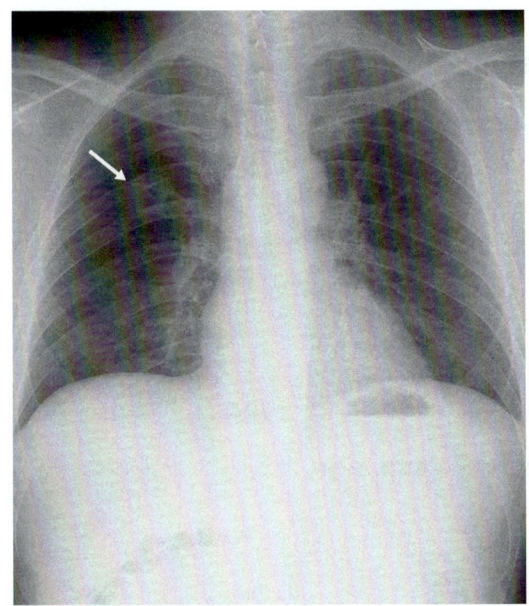

図 9-2-21 肺ムーコル症の胸部 X 線写真

する．病巣部からの検体の培養による検出，ならびに病巣部の生検材料による病理組織学的診断が唯一の診断法となる．病理学的にアスペルギルスとの鑑別は形態学的に鑑別が可能であり，典型例は容易であるが，非典型例では経験を要する．

治療

原則として，病巣部は切除やデブリドマンを行い，抗真菌薬療法を行う．アムホテリシン B 製剤を初期から極量投与する．　　　　　　　　〔泉川公一〕

■文献

日本化学療法学会「一般医療従事者のための深在性真菌症に対する抗真菌薬使用ガイドライン作成委員会」編：抗真菌薬使用ガイドライン，杏林舎，2009．

深在性真菌症のガイドライン作成委員会編：深在性真菌症の診断・治療ガイドライン 2014，協和企画，2014．

8）肺寄生虫症
pulmonary parasitosis

肺病変がみられる寄生虫症の臨床的特徴を表 9-2-9 に示す．これらに共通する所見は呼吸器症状，胸部画像異常に末梢血好酸球増加を伴うことである（JAID/JSC 感染症治療ガイド・ガイドライン作成委員会他，2014；Kunst ら，2011）．特異的な所見は少なく，診断には患者背景や詳細な問診から寄生虫種をあげ適切な検査を行う必要がある（JAID/JSC 感染症治療ガイド・ガイドライン作成委員会ら，2014；Kunst ら，2011）．症状，検査所見などは表 9-2-9 にまとめ，その他，鑑別に必要な情報や注意を要する点について以下に述べる．

(1) 肺吸虫症【⇨ 6-13-2】

肺吸虫症は日本を含むアジア，東南アジア諸国や南米，アフリカなど世界に広く流行する食品媒介性寄生虫症である．肺がおもな標的臓器であるが（e図 9-2-H），皮膚（皮膚肺吸虫症）や中枢神経系（脳肺吸虫症）に侵入して病害を起こすことがある[1]．日本人患者は国内と海外の流行地で感染する場合があり，食歴だけでなく渡航歴の情報は本症を疑う重要な情報となる．流行地出身の在日外国人患者に注意を要する[2]．

(2) トキソカラ症【⇨ 6-12-8】

イヌ回虫（*Toxocara canis*）あるいはネコ回虫（*T. cati*）を原因とする幼虫移行症である．病型は潜在型，肺・肝臓に病変がみられる内臓幼虫移行症（e図 9-2-I），眼（眼幼虫移行症）や中枢神経系病変が知られている[3]．

従来，本症は回虫の幼虫包蔵卵で汚染された環境から感染する子どもに多い疾患と考えられていたが，ウシやトリなど待機宿主の筋肉・肝を生で食べて感染す

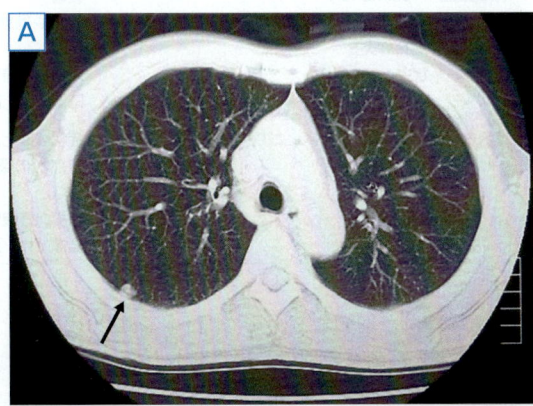

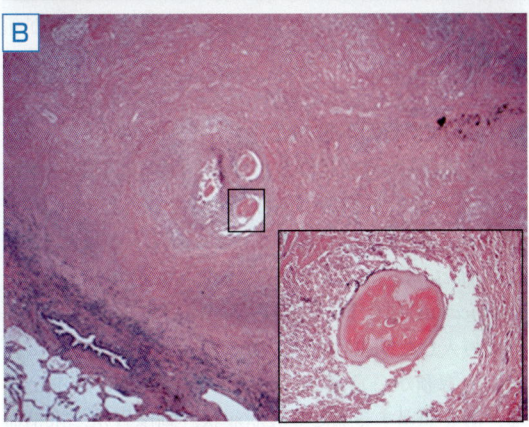

図 9-2-22 イヌ糸状虫症
患者の胸部 CT 写真(A)を示す．腫瘤の摘出術が行われ，病理でイヌ糸状虫症と診断された(B)．肉芽腫の中央に虫体の断面がみられる．

表 9-2-9 おもな肺寄生虫症の臨床的特徴

寄生虫症・原因寄生虫	感染経路	症状・検査・胸部画像所見	診断	治療
肺吸虫症(paragonimiasis) ウェステルマン肺吸虫 宮崎肺吸虫	経口感染 モクズガニ,サワガニの生食 イノシシ肉の生食	咳,痰,胸痛,労作時呼吸困難 無症状のこともある 末梢血好酸球増加 画像所見:浸潤影,結節影,空洞影,胸水,気胸	免疫診断 虫卵検出	プラジカンテル
トキソカラ症(toxocariasis) イヌ回虫 ネコ回虫	経口感染 幼虫包蔵卵 牛レバー・鶏レバーの生食	咳,喘鳴,発熱 無症状のことが多い 末梢血好酸球増加 画像所見:一過性・移動性の浸潤影,多発性小結節影	免疫診断	アルベンダゾール
単純性肺好酸球増加症(simple pulmonary eosinophilia) ヒト回虫	幼虫包蔵卵の経口感染	喘息様あるいは肺炎様症状 末梢血好酸球増加 画像所見:一過性・移動性の浸潤影,多発性小結節影	検便	パモ酸ピランテル アルベンダゾール メベンダゾール イベルメクチン
アメリカ鉤虫	経皮感染が主,経口感染はまれ			
ズビニ鉤虫	経口感染が主,経皮感染が従			
糞線虫症(strongyloidiasis) 糞線虫	経皮感染 自家感染	喘息様あるいは肺炎様症状 末梢血好酸球増加 画像所見:一過性・移動性の浸潤影,多発性小結節影	免疫診断 検便	イベルメクチン アルベンダゾール
熱帯性肺好酸球増加症(tropical pulmonary eosinophilia) バンクロフト糸状虫 マレー糸状虫	蚊媒介	咳,呼吸困難,夜間に増悪する喘鳴が慢性に経過 発熱や倦怠感,体重減少がみられることもある 末梢血好酸球増加 画像所見:両側性の網状結節性病変	免疫診断	ジエチルカルバマジン
イヌ糸状虫症(dirofilariasis immitis) イヌ糸状虫	蚊媒介	症状はほとんどない 有症状の場合には胸痛,咳,血痰,喘鳴,発熱など 末梢血好酸球増加は少ない 画像所見:孤発性腫瘤影	病理診断 免疫診断	多くは不要

る成人の症例が増加している[3]．日本では2012(平成24)年に牛レバ刺しの提供が禁じられたが,牛レバ刺しを好む食文化はアジア諸国に存在する．最近,韓国で牛レバ刺しを食べて感染したと推定される症例が報告されている[4]．

(3) 単純性肺好酸球増加症【⇒ 6-12-1, 6-12-2】

古くは Löffler 症候群とよばれ,現在は PIE 症候群の単純性肺好酸球増加症に分類される．ヒト回虫(*Ascaris lumbricoides*) あるいはアメリカ鉤虫(*Ancylostoma duodenale*),ズビニ鉤虫(*Necator americanus*)による．経口あるいは経皮感染でヒト体内に侵入した幼虫は血流にのって肝臓・肺・気管に移行し,咽頭から食道・胃を経て小腸に達し成虫となる．肺を通過する際に呼吸器症状,画像異常,末梢血好酸球増加がみられる．痰から幼虫が検出されることもあるが,多くは検便で虫卵を検出して診断が確定する．

(4) 糞線虫症【⇒ 6-12-5】

経皮感染した糞線虫(*Strongyloides stercoralis*)の幼虫が肺へ移行して起こる．宿主の免疫力に問題がなければ,ほとんど無症状で経過する．しかし細胞性免疫が低下すると(ATL 患者,HIV/AIDS 患者,免疫抑制薬投与者),自家感染により糞線虫の数が増加して過剰感染の状態となる．さらに幼虫とともに播種された腸内細菌によって肺炎,肺膿瘍,細菌性髄膜炎などを合併し,死亡することもある(播種性糞線虫症)．糞線虫は世界の熱帯・亜熱帯地域に分布し,日本では沖縄・奄美が糞線虫の浸淫地である．この地域で若年者の新規感染はほとんどないが高齢者の感染率が高い[5]．沖縄・奄美に居住歴のある高齢者に免疫抑制薬を投与する際には注意が必要である．検便で診断する際には普通寒天平板培地法の感度が高い(e図 9-2-J)．

(5) 熱帯性肺好酸球増加症【⇒ 6-12-4】

バンクロフト糸状虫（*Wuchereria bancrofti*）あるいはマレー糸状虫（*Brugia malayi*）のミクロフィラリアに対するアレルギー反応と考えられている。単純性肺好酸球増加症と異なり、慢性に経過し治療しなければ増悪する。世界で 1 億 3000 万人が感染しているが、熱帯性肺好酸球増加症を起こすのは 0.5％ 未満である。渡航者のリスクは明らかではなく、患者の多くは流行地からの外国人である[6]。

(6) イヌ糸状虫症

イヌを終宿主とするイヌ糸状虫（*Dirofilaria immitis*）はイヌの右心室および肺動脈に寄生し、ミクロフィラリアを産出する。このミクロフィラリアを摂取した蚊にヒトが刺されることで偶然感染する。健診の胸部異常陰影で肺癌を疑われ、摘出された組織から病理診断されることが多い（図 9-2-22）。

〔三笠圭一・中村（内山）ふくみ〕

■ 文献（e文献 9-2-8）

JAID/JSC 感染症治療ガイド・ガイドライン作成委員会・呼吸器感染症 WG：JAID/JSC 感染症治療ガイド・ガイドライン―呼吸器感染症. 日本化学療法学会雑誌. 2014; **62**: 1-109.

Kunst H, Mack D, et al: Parasitic infections of the lung: a guide for the respiratory physician. *Thorax*. 2011; **66**: 528-36.

9-3 気道・肺胞疾患

1) 慢性閉塞性肺疾患
chronic obstructive pulmonary disease : COPD

定義・概念

COPD は、「喀痰症状が年に 3 カ月以上あり、それが 2 年以上連続して認められる」といった臨床症状から診断された従来の慢性気管支炎と、「終末細気管支より末梢の気腔が肺胞壁の破壊を伴いながら異常に拡大しており、明らかな線維化は認められない」といった形態学的・病理学的所見から診断された肺気腫をあわせた疾患概念である[1]。2013 年に日本呼吸器学会から刊行された「COPD 診断と治療のためのガイドライン 第 4 版」で、「タバコ煙を主とする有害物質を長期に吸入曝露することで生じた肺の炎症性疾患である。呼吸機能検査で正常に復すことのない気流閉塞を示す。気流閉塞は末梢気道病変と気腫性病変がさまざまな割合で複合的に作用することにより起こり、通常は進行性である。臨床的には徐々に生じる労作時の呼吸困難や慢性の咳、痰を特徴とするが、これらの症状に乏しいこともある」、と定義されている[2]。

分類

図 9-3-1 に示すように画像所見から気腫型、非気腫型の分類が可能であるが、気腫病変と末梢気道病変は程度の差はあってもほとんどの症例で混合して存在する。画像所見以外でも、慢性気管支炎症状（痰のあるなし）、増悪の頻度、気流閉塞の可逆性、息切れ、体重減少、呼吸不全、肺高血圧などの有無や重症度によってさまざまな病型に分けられる。呼吸機能的にはスパイロメトリーによって測定した 1 秒量（FEV_1）の対標準予測値（%FEV_1）から表 9-3-1 のような病期分類を行う。COPD の診断には 1 秒率（FEV_1%；FEV_1/努力肺活量（FVC）<0.7）を使用し、病期分類には %FEV_1 を用いる理由は、閉塞性換気障害が進行すると細気管支領域の閉塞から FVC の低下が起こり、FEV_1% が低下から上昇に向かうためである（検査所見の項参照）。

COPD の症状や増悪の頻度は患者個々人さまざまで、気流制限の程度だけでは臨床上の患者重症度を正しく説明できないため、患者重症度に関しては、呼吸機能の病期だけでなく症状（労作時息切れ、運動能力の低下など）や増悪の頻度などを加味して総合的に判断する[2]（治療の項参照）。

原因・病因

タバコ煙やバイオマス燃料の煙などのほかの有害粒子吸入は通常、肺に軽度の炎症を誘発するが、COPD を発症する患者では炎症反応が慢性的に増強され、肺末梢気道の狭小化、胞壁の破壊、過分泌に至ると考えられる（e図 9-3-A）[3]。COPD 患者で炎症反応の増

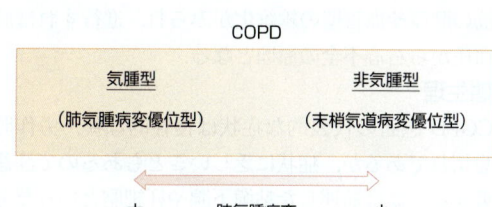

図 9-3-1 **COPD の病型**（文献 1 より）
COPD の気流閉塞は肺気腫病変と末梢気道病変がさまざまな割合で複合的に作用して起こる。その病型として肺気腫病変が優位である気腫型 COPD と末梢気道病変が優位である非気腫型 COPD がある。その関与の割合は個体間で連続性に分布している。

表 9-3-1 COPDの病期分類（文献1より）
ただし，気管支拡張薬投与後の1秒率（FEV_1/FVC）70%未満が必須条件．

病期		定義
Ⅰ期	軽度の気流閉塞	$\%FEV_1 \geq 80\%$
Ⅱ期	中等度の気流閉塞	$50\% \leq \%FEV_1 < 80\%$
Ⅲ期	高度の気流閉塞	$30\% \leq \%FEV_1 < 50\%$
Ⅳ期	きわめて高度の気流閉塞	$\%FEV_1 < 30\%$

強が起こる理由として，プロテアーゼ/アンチプロテアーゼ不均衡や酸化ストレス制御機能の低下などが提唱されているが，詳細は不明である（eコラム1）．

疫学

COPD患者の大部分の発症が長期間の喫煙に由来するため，人口構造の高齢化や喫煙率の高さから日本のCOPD有病率，死亡率は世界的に高いレベルにある．欧米のCOPDの罹患率は10%前後と報告されているが，日本人のCOPD有病率に関しては，大規模COPD疫学調査（Nippon COPD Epidemiology研究：NICE研究）で，40歳以上の10.9%（男性16.4%，女性5.0%）に閉塞性換気障害（$FEV_1\%$ 70%未満）を認め，さらに気管支喘息の可能性のある患者を除くと日本人のCOPD患者有病率は40歳以上の8.6%（約530万人）と推定されている[4]．一方，実際診断され管理されているCOPD患者はその10%に満たなく，大多数が看過されている点が問題である[5]．

病理

中枢気道においては粘膜下腺の肥大と過形成，末梢気道では壁の線維化および杯（さかずき）細胞の過形成，さらに肺胞破壊（気腫化）がCOPDの病理像であり，これらが程度の差こそあれそれぞれが混在する．すなわち，画像による分類を図9-3-1に示したが，病理学的にいって気道病変のみあるいは肺病変のみといったCOPDはまず存在しない．こういった病理像に至るには喫煙などの刺激による炎症細胞浸潤の影響が考えられる（e図9-3-A参照）．

COPD患者では肺血管にも障害がおよび内膜・平滑筋の肥厚や血管壁の線維化がみられ，進行すれば肺高血圧から右心不全の原因となる．

病態生理

COPD患者の代表的な症状は慢性的な痰，労作時の息切れであるが，症状に乏しいこともあるので注意を要する．痰は前述した粘膜下腺や杯細胞といった分泌組織の肥大や過形成による．

労作時息切れ（呼吸困難）は複数の要因によるが，メカニカルな因子として①気道の狭小化による呼吸抵抗の上昇と，②気腫化による肺容量の増大に伴う呼吸仕事量の増加があげられる．気道の狭小化は主として末梢気道（細気管枝領域）の気道壁の肥厚・線維化と肺胞組織の断裂による気道の外側への牽引力低下による呼気時の気道虚脱による．肺容量増加は，肺の気腫化（＝肺弾性収縮力低下）による肺容量の増大（静的肺の過膨張）に加え，気道の抵抗増加や肺の弾性収縮圧低下に起因した換気増大時のair trapping（空気のとらえこみ）による（動的肺の過膨張）．詳細はeコラム2を参照．

肺の過膨張は，横隔膜の平低化をきたす．これは，横隔膜の張力を低下させ（Laplaceの法則），発生胸腔内圧を減少させ，結果，吸気補助筋（胸鎖乳突筋，前斜角筋）を用いた効率の悪い呼吸パターンとなる．

肺容量増加（肺過膨張）の指標として，最大吸気量（inspiratory capacity：IC）が有用である．これは，FRCから全肺気量（total lung capacity：TLC）までの容量であり，一般臨床で簡単に施行できるスパイロメトリーから求められる【⇨ 9-1-4】．

COPD患者の労作時息切れの原因として，肺拡散能の低下もあげられる．健常人の肺胞内径は約1/3 mmで，肺胞総面積は50～100 m^2に及ぶ[5]．COPDにおける肺拡散能低下は，肺胞壁の破壊（毛細血管を含めた破壊）による拡散面積の低下によって起こる．

さらに，COPD患者肺においては，低拡散領域と気道閉塞による低換気領域が不均一に存在することから（換気・拡散不均等），運動時の低酸素血症の原因となり，重症化すれば安静時でも低酸素血症を生じる．

肺血管障害に関しては，以前はCOPDの気道・肺胞病変が進行した結果生じると考えられていたが，最近ではCOPDの早期から気道，肺胞病変と並行して生じるという説もある．

COPD患者の低酸素血症は肺血管収縮から肺高血圧を増強する．

臨床症状

慢性的な咳，痰，労作時呼吸困難が代表的な症状である．しかし，これら症状はCOPDに特異的ではない．さらに無症状のCOPD患者も少なくない点にも注意を払う必要がある[6]．重症度が増せば低酸素血症からチアノーゼをきたす場合もある．臨床上，高齢者の気管支喘息との鑑別がしばしば問題となるが，喘息の呼吸困難が気道径の日内変動から夜間および早朝に出現するのに対し，COPDの呼吸困難は労作時に出現するといったパターンの違いが参考になる．

病態生理の項で記載したように，重症COPDでは，肺の著明な過膨張をきたすことから，胸郭の前後径が増し，ビール樽状胸郭を示す．また，横隔膜平低化に伴い，吸気時に肋間腔が胸腔側に陥凹する所見がみられる（Hoover徴候）．さらに，吸気補助筋，胸鎖乳突筋や前斜角筋の肥大肥厚や，肺コンプライアンス増加による気道の易虚脱性を防ぐ効果がある，口すぼ

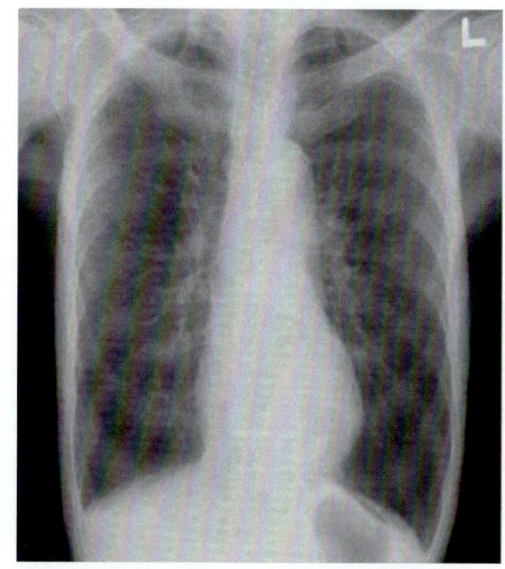

図 9-3-2 重症 COPD 患者の胸部単純 X 線写真
肺の気腫化(肺胞破壊)による透過性亢進が認められる．さらに肺膨張による横隔膜の平低化，心陰影の狭小化も認められる．

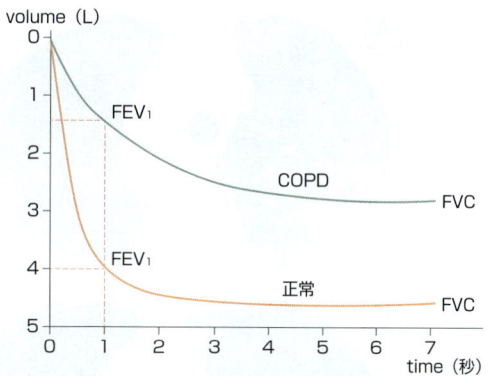

図 9-3-3 健常者および重症 COPD 患者のスパイログラム
(文献 1 より引用)

めで，呼気時間を長くとる呼吸パターン(口すぼめ呼吸)が認められる．

検査所見

COPD 診断には画像検査(胸部単純 X 線写真)と生理検査(スパイロメトリー)が重要である．気道優位か気腫優位かといった表現型を知るためには，精密呼吸機能検査や胸部 CT 検査が役立つ．

①胸部単純 X 線写真では，比較的進行した症例(重症例)で，肺胞破壊や肺の過膨張による肺野の透過性の亢進(hyperlucency)，肺紋理の減少，心陰影の狭小化(small heart)，横隔膜の平低化などを認める(図 9-3-2)．しかし，軽症や中等症の COPD では胸部単純 X 線写真で異常を認めないことが多いことに注意が必要である．COPD 診断における胸部単純 X 線写真の最も大きな意義は，咳，痰，労作時息切れといった症状が COPD と重複する，肺炎，気管支拡張症，肺結核，肺癌，心不全などの疾患の除外にある．

②スパイロメトリーでは TLC から最大呼気位(残気量，residual volume：RV)まで努力呼出を行って得られる FEV_1 を FVC で除した値，$FEV_1\%$ が COPD 診断に重要である(図 9-3-3)．気管支拡張薬(短時間作用性 β_2 刺激薬)吸入 15～30 分後の $FEV_1\%$ が 70% 未満であれば固定性の閉塞性障害が存在し COPD が疑われる．スパイロメトリー検査機器では通常，フローボリューム曲線(最大吸気位から最大呼気位までの努力呼出曲線の微分値(流速)を y 軸，流量を x 軸で表したもの)が同時に表記される(❷図 9-3-B)．$FEV_1\%$ が正常域であってもこのフローボリューム曲線の下行脚が下に凸であれば，閉塞性障害の予備軍と位置づけられる．また，COPD が進行すると，呼出開始後最大呼気速度がえられた後，急速に流速が低下し，低流速で最大呼気位まで続くパターン(dynamic compression)が認められる．

③精密呼吸機能検査では肺拡散能と肺気量分画測定が有用である．COPD では肺胞破壊(肺毛細血管床の減少)による拡散面積の低下から肺拡散能(DL_{CO})の低下をきたす．ただし，気腫化がわずかで気道病変優位の COPD の場合には DL_{CO} の低下は軽度の場合がある．肺気量分画に関しては，病態生理の項で記載したように肺の過膨張から FRC が増加し，細気管支領域の障害(閉塞)から RV も増加する．TLC も増加するが気腫化領域が少ない COPD ではその増加は軽度にとどまる(❷ノート 1)．

④CT 検査，特に高分解能 CT は気腫化の診断に有用である(図 9-3-4)．気腫化部分は低吸収領域として示される．ただし，気腫化の範囲と COPD の閉塞性障害の程度は気道病変の関与もあるため，必ずしも相関しないことに留意が必要である．

診断

40 歳以上で，喫煙歴があればまず COPD を疑うことが重要である．前項(検査所見)で述べたように，胸部単純 X 線写真とスパイロメトリーを行えば診断は比較的容易である．診断基準は①気管支拡張薬後のスパイロメトリーで $FEV_1/FVC<0.7$ を満たし，②ほかの閉塞性障害をきたしうる疾患を除外する，である．疫学調査によれば，喫煙歴のない COPD もわが国で 10% 程度は存在するので留意する[4]．

鑑別診断

スパイロメトリーで閉塞性障害を示す点からは気管支拡張症や気管支喘息が，慢性的な咳，痰といった点からは肺炎，肺結核，肺癌などが鑑別疾患としてあげられるが，ほとんどの疾患は画像検査(胸部単純 X 線

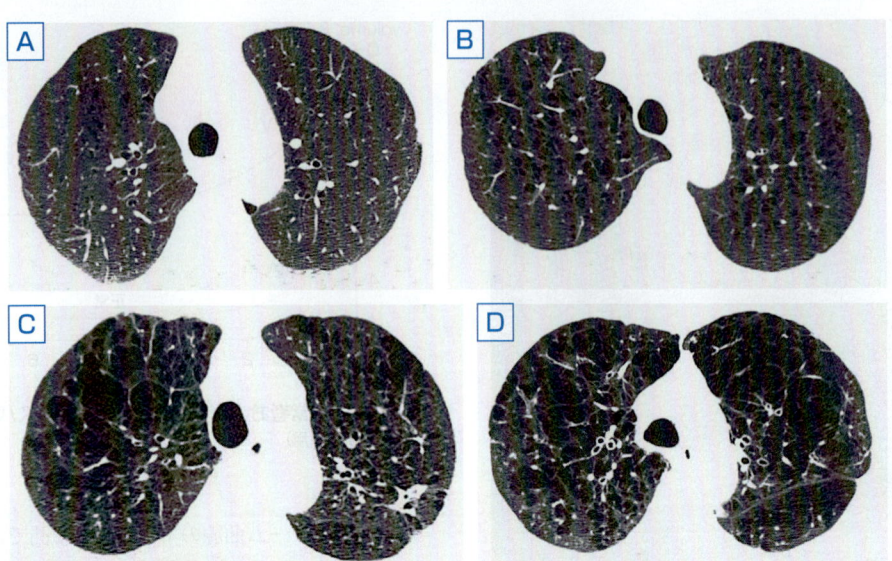

図 9-3-4 COPD 患者の CT 像
提示症例では重症度が増すにつれて気腫化の範囲も増えているが，閉塞性障害の程度と気腫化の範囲は必ずしも相関しないことがあるので注意を要する．
A：69 歳，男性，喫煙歴；41 pack years．1 期 COPD（FVC 4.70 L，FEV_1 3.23 L，FEV_1% 68.7 %，% FEV_1 98.2%）．
B：66 歳，男性，喫煙歴；50 pack years．2 期 COPD（FVC 3.34 L，FEV_1 1.99 L，FEV_1% 59.6 %，% FEV_1 68.5%）．
C：82 歳，男性，喫煙歴；50 pack years．3 期 COPD（FVC 2.33 L，FEV_1 0.72 L，FEV_1% 30.9 %，% FEV_1 33.9 %）．
D：69 歳，男性，喫煙歴；84 pack years．4 期 COPD（FVC 2.10 L，FEV_1 0.72 L，FEV_1% 34.3 %，% FEV_1 25.1%）．

写真）で鑑別可能である．気管支喘息に関しては，アトピー素因（IgE），発作性の呼吸困難（喘鳴），精密呼吸機能検査での DLco（喘息では低下しない），呼気一酸化窒素（NO）濃度測定（喘息では呼気 NO が上昇する）などが鑑別診断に有用だが，COPD と気管支喘息の合併患者も存在する点は留意しておく必要がある[7]．

合併症・併存症

COPD の進行（重症化）とともに，肺炎，呼吸不全，心不全などを合併することがある．また，COPD は喫煙が主たる原因で高齢者に発症する疾患であるため虚血性心疾患，骨粗鬆症，Ⅱ型糖尿病を併発しやすい[8]．最近では，喫煙が原因で全身性の炎症，あるいは加齢の加速が起こり，そのため COPD や虚血性心疾患のような疾患が発症するといった仮説も提唱されている[9,10]（◉図 9-3-C）．さらに，COPD 患者は労作時息切れから身体活動性が低下し，心血管病変や糖尿病，骨粗鬆症の発症や悪化を起こしやすいとも考えられる．

経過・予後

COPD の経過（疾患の進行）は閉塞性換気障害の進行，すなわち FEV_1 の経年低下で評価される．喫煙を続け，未治療であれば FEV_1 の低下速度は大きいが，禁煙し適切な薬物療法を行えば FEV_1 低下は抑制される[1]．

COPD 経過ならびに生命予後に影響を与える因子として，増悪がある．増悪とは気道感染などによって COPD 患者の息切れの増強や痰の膿性化や量の増加をきたす事象を指す．増悪は COPD 患者の疾患進行（FEV_1 の低下の加速）や死亡率の増加をきたすので注意を要する．禁煙やインフルエンザワクチン接種，長時間作用性気管支拡張薬投与は増悪を減らすことからも，COPD 患者の経過や予後に好影響をもたらすと考えられる[2]．

治療・予防・リハビリテーション

1）安定期の COPD 治療（図 9-3-5）： 安定期 COPD に対する治療は薬物療法と非薬物療法からなる（図 9-3-5）．非薬物療法では COPD の主因である喫煙の中止，すなわち禁煙指導が重要である．さらに増悪予防の見地からインフルエンザワクチン接種も行う．また，身体活動性低下が COPD 患者の生命予後を悪化させるので，薬物療法やリハビリテーションで身体活動性を向上するとともにその維持に努める．

薬物療法の中心は気管支拡張薬であり，患者の重症度に応じて段階的に投与する．可能なかぎり呼吸機能検査で患者個々人の反応性を確かめ，それに応じて薬

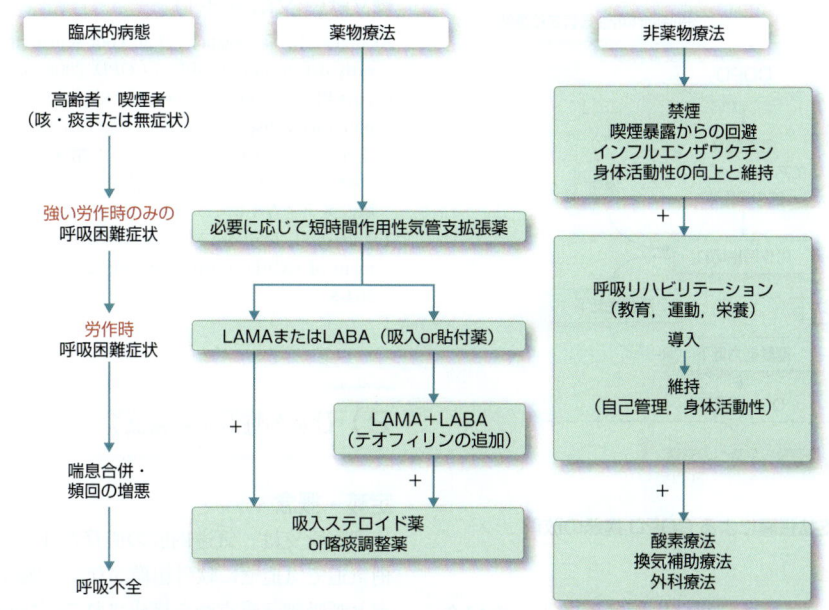

図 9-3-5 安定期の COPD 治療のアルゴリズム(文献1より)
LAMA：長時間作用性抗コリン薬，LABA：長時間作用性 β_2 刺激薬，＋：加えて行う治療．

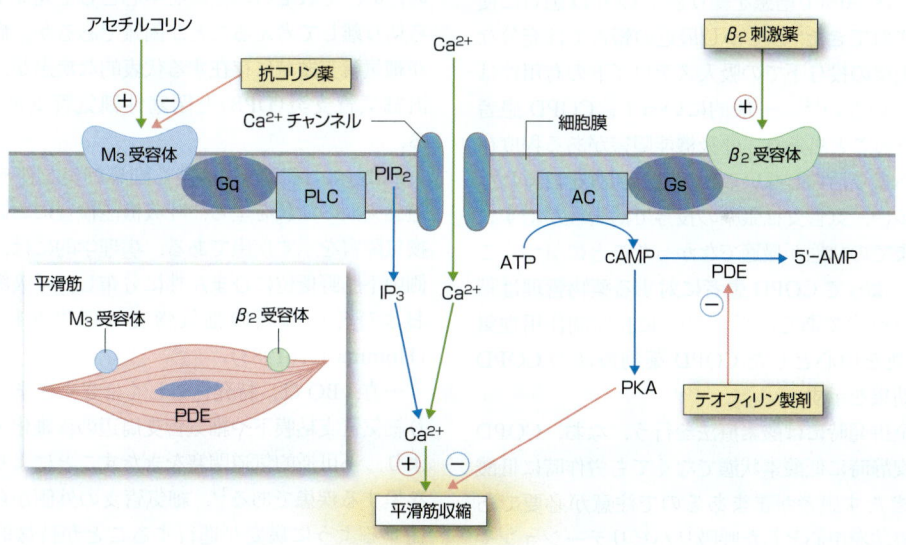

図 9-3-6 COPD に用いる気管支拡張薬の作用点

剤の選択を行い副作用に注意しながら持続的な投与を行う．気管支拡張薬による気流制限（閉塞性換気障害）の改善の指標としては，FEV_1 の変化が最も一般的だが，FEV_1 の変化が軽微であっても，肺の過膨張の解除（肺容量減少）で，労作時息切れや運動耐容能の改善が認められることが多いことが報告されている．実際，COPD 患者に気管支拡張薬を投与した場合の運動耐容能の改善が，FEV_1 の改善率とは関連せず肺過膨張の指標である IC の変化量と有意に相関する．つまり，COPD 患者に対する薬剤の有効性は呼吸機能の変化に加え，患者の症状，QOL，運動能力の改善といった広い視点から評価すべきである．COPD 患者に用いる気管支拡張薬に関しては，抗コリン薬，β_2 刺激薬，テオフィリン製剤の 3 系統がある（図 9-3-6）．抗コリン薬は迷走神経由来のアセチルコリンによる気道収縮に特異的に拮抗することで気管支拡張作用を示す．β_2 刺激薬は気道平滑筋内のサイクリック AMP（cAMP）の増加からプロテインカイネース A を活性化し気管支を拡張させる．テオフィリンは cAMP を分解する酵素（phosphodiesterase：PED）を

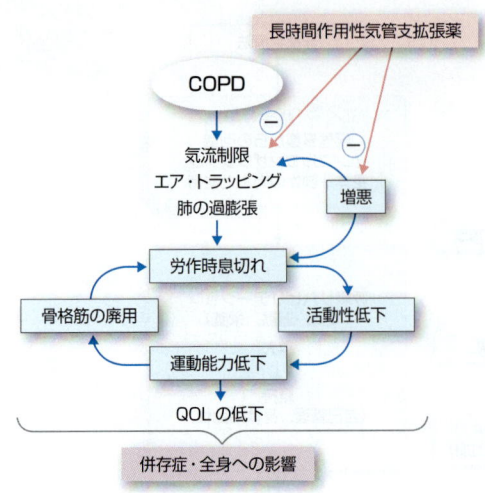

図 9-3-7 気管支拡張薬による COPD 病態の改善

阻害し気管支を拡張させる．治療効果不十分の場合は，単剤の用量増加より多剤併用が効果と副作用のバランスからいって好ましい．吸入ステロイドはこれまで，%FEV$_1$<50%で増悪を繰り返す COPD 患者に使用するとされてきた[2]．しかし最近の報告では充分な気管支拡張薬の投与下での吸入ステロイドの有用性は確認されていない[12]．一般的にいって，COPD 患者は高齢であることもあり，呼吸機能障害がある程度存在してもあまり活動しないことから息切れを自覚しない場合が多い．気管支拡張薬の投与で活動性が増すことでそれまでの状態が最適でなかったことに気づくことも多い．よって COPD 患者に対する薬物管理は積極的に行うべきである．図 9-3-7 に長時間作用性気管支拡張薬を中心とした COPD 薬物療法の COPD 病態改善効果を示す．

呼吸不全併発時には酸素療法を行う．なお，COPD 患者では安静時に低酸素状態でなくても労作時に低酸素血症をきたす患者がままあるので注意が必要である．運動療法を中心とした呼吸リハビリテーションや栄養療法なども組み合わせ，包括的に COPD を管理することが望ましい．

2）増悪期 COPD の治療： 増悪は COPD の疾患進行を加速し，致死的要因となる場合があるので禁煙，インフルエンザワクチン接種，長時間作用性気管支拡張薬使用といった増悪予防策を講じることが重要である．

増悪を起こしてしまった場合は，呼吸困難の悪化に対して作用発現の速い短時間作用性気管支拡張薬の吸入，感染併発例では抗菌薬投与を行う．病期分類で重症以上の COPD 増悪には全身性ステロイドを用いる．低酸素血症に対する酸素投与を行い，心不全併発に対する管理などにも留意する．〔一ノ瀬正和〕

■文献（e文献 9-3-1）

Akamatsu K, Yamagata T, et al: Poor sensitivity of symptoms in early detection of COPD. *J COPD*. 2008; **5**: 269-73.
Barnes PJ: New anti-inflammatory targets for chronic obstructive pulmonary disease. *Nat Rev Drug Discovery*. 2013; **12**: 543-59.
日本呼吸器学会 COPD ガイドライン第 4 版作成委員会：COPD（慢性閉塞性肺疾患）診断と治療のためのガイドライン 第 4 版，メディカルレビュー社，2013．
Takahashi T, Ichinose M, et al: Underdiagnosis and undertreatment of COPD in primary care setting. *Respirology*. 2003; **8**: 504-8.

2）びまん性汎細気管支炎・閉塞性細気管支炎

定義・概念

細気管支は，気道内腔の直径が 1〜2 mm 以下の末梢気道で気道壁に軟骨組織がなく，膜性の終末細気管支と呼吸細気管支から構成される．"small airways"と呼称されるように，中枢側の気管支と末梢側にある肺胞の中間に位置する（e図 9-3-D，e表 9-3-A）．そのため，それぞれの領域を中心として発症する病態から切り離して考えることが困難であるが，病変の主座が細気管支領域に存在する代表的な疾患が，びまん性汎細気管支炎（DPB）と閉塞性細気管支炎（BO）である．

DPB は，臨床的には慢性副鼻腔炎を伴う慢性下気道感染症の症状を呈し，呼吸機能検査において閉塞性換気障害を示す疾患である．病理学的には，病変が両側中下肺野優位にびまん性に分布し，呼吸細気管支炎およびその周囲の細気管支周囲炎を特徴とする（Homma ら，1983）．

一方，BO は，特発性もしくはさまざまな原因により細気管支粘膜下や細気管支周辺の線維化・瘢痕化により，不可逆的気道閉塞をきたすことにより呼吸不全を呈する疾患である[1]．細気管支の外側から内腔を絞扼するように病変が進行することが特徴的であり，DPB と対照的に，乾性咳嗽や労作時呼吸困難などの呼吸器症状としては比較的乾性な症状を示す（長谷川，2008）．

(1) びまん性汎細気管支炎（diffuse panbronchiolitis：DPB）

原因・病因

病因については不明であるが，DPB が慢性副鼻腔炎を合併していることから，臨床的には副鼻腔気管支症候群（sino-bronchial syndrome：SBS）の病態をとる．しかし，SBS では，線毛機能不全症候群や免疫グロブリン欠損・低下症などが原因とされるが，このような異常は DPB には認められていない．一方，DPB

は東アジアに集積し，家族内発症がみられることから，遺伝的素因による人種依存性の高い疾患であると考えられている．これまでに，日本人ではHLA-Bw54，韓国人ではHLA-A11との連鎖が高いことから，DPBの主要な疾患感受性遺伝子がHLA抗原A座とB座の間に存在すると推測されている[2,3]．

疫学

発症は，40～50歳代にピークがみられ，男女差はない．発症率は，1970年代の調査では，人口10万人対11人とする報告がある[4]．現在では患者数が著明に減少し，遭遇することが少ない疾患となってきた．患者数減少の原因として，食生活を含む生活水準の改善とマクロライド治療の普及が推測されている．

臨床症状・検査所見

1）自覚症状： 慢性副鼻腔炎症状としての鼻閉，膿性鼻汁に加えて，下気道慢性感染症としての咳，膿性痰がある．疾患の進行に伴い，呼吸困難が出現し，慢性呼吸不全を呈する．

2）身体所見： 胸部聴診において，拡張した気管支や気道分泌物を反映し，湿性ラ音（crackles）やいびき様低音（rhonchi）を認める．

3）血液検査： 慢性気道感染症を反映して，末梢血白血球数の増加，C反応性蛋白（CRP）の上昇がある．特徴的な検査所見として，マイコプラズマ抗体価の上昇を伴わない，寒冷凝集素価の持続的高値を認める．

4）呼吸機能検査： 閉塞性換気障害を示す．拡散能は正常であることが多い．疾患の進行により，肺活量低下による拘束性換気障害が加わり，混合性換気障害を示す．

5）画像所見： 胸部X線検査では，両側中下肺野優位にびまん性に散布する粒状陰影を示す．胸部CT（高分解能CT，high-resolution CT：HRCT）所見では，びまん性の小葉中心性粒状陰影を認め，粒状陰影の中枢側気管支では拡張や壁肥厚がみられる（図9-3-8）．

6）細菌学的検査： 持続的気道感染により，初期はインフルエンザ桿菌や肺炎球菌であるが，治療により緑膿菌への菌交代現象をきたす．緑膿菌によるバイオフィルム形成や毒素産生により抗菌薬耐性となるとともに，組織破壊が進行する．

診断

表9-3-2に「びまん性汎細気管支炎診断の手引き」の診断要件を記す[5]．臨床所見の必須項目に加えて，参考項目が合致すれば臨床診断が可能である．確定診断のためには病理組織診断が必要であるが，外科的肺生検を必要とすることから，他疾患との鑑別を必要とする症例，呼吸状態の安定している症例など症例が選択されて実施される．

経過・予後

かつては慢性呼吸不全により死亡する予後不良の疾患であったが，エリスロマイシン少量長期投与法が導入されて以降，予後の著明な改善がみられるようになった（Kudohら，1998）．現在では，早期に診断されれば，予後のよい疾患となった．

治療

エリスロマイシン400～600 mg/日を最低6カ月は投与してその臨床効果を判定する．長期投与により臨床症状が改善すれば2年間の投与で終了するが，進行症例で有効な場合は，2年間に限ることなく継続投与する．エリスロマイシンによる副作用や無効症例では14員環マクロライドであるクラリスロマイシンやロキシスロマイシンの投与を試みる[6]．

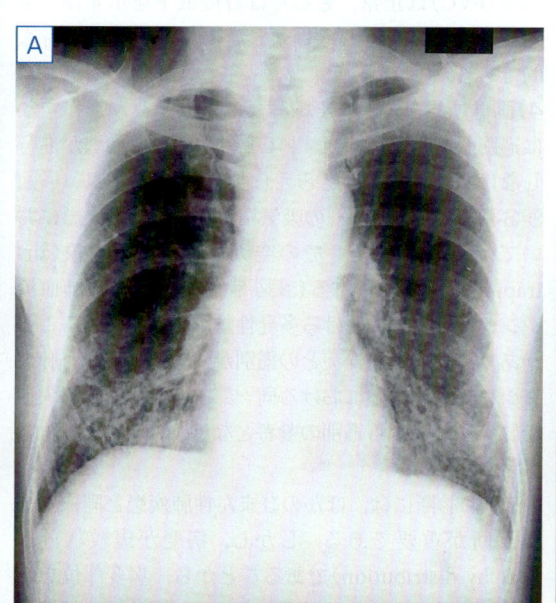
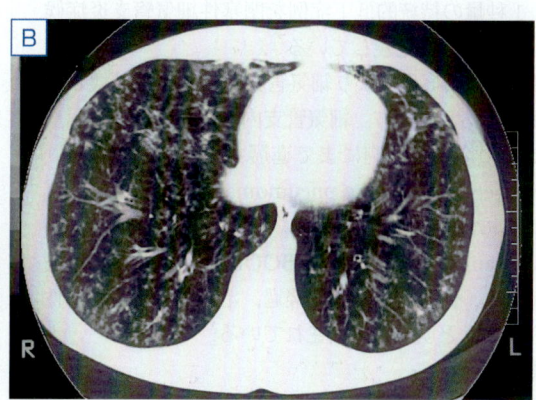

図9-3-8 びまん性汎細気管支炎の画像所見
A：びまん性汎細気管支炎の胸部X線像（杉山幸比古：内科学第9版（2007）より）．両側中下肺野にびまん性粒状陰影を認める
B：びまん性汎細気管支炎の胸部HRCT像（杉山幸比古：内科学第9版（2007）より）．びまん性の小葉中心性粒状陰影を認める．

表9-3-2 びまん性汎細気管支炎の診断の手引き（診断要件を文献5より抜粋）

主要臨床所見
1　必須項目
　①臨床症状：持続性の咳・痰，および労作時息切れ
　②慢性副鼻腔炎の合併または既往
　③胸部X線またはCT所見：
　　胸部X線：両肺野びまん性散布性粒状影
　　胸部CT：両肺野びまん性小葉中心性粒状病変
2　参考項目
　①胸部聴診所見：断続性ラ音
　②呼吸機能および血液ガス所見：1秒率低下（70％以下）および低酸素血症（80 mmHg以下）
　③血液所見：寒冷凝集素価高値
3　臨床所見
　①診断の判定
　　確実　　　上記主要所見のうち必須項目①②③に加え，参考項目の2項目以上を満たすもの
　　ほぼ確実　必須項目①②③を満たすもの
　　可能性あり　必須項目のうち①②を満たすもの
　②鑑別診断
　　鑑別診断上注意を要する疾患は，慢性気管支炎，気管支拡張症，線毛不動症候群，閉塞性細気管支炎，囊胞性線維症などである．病理組織学的検査は本症の確定診断上有用である．

表9-3-3 閉塞性細気管支炎の原因

特発性	原因となる基礎疾患がない
有毒ガス吸入	マスタードガス，窒素酸化物，ジアセチル，火事などの焼却炉灰
感染	アデノウイルス，麻疹ウイルス，マイコプラズマなど
自己免疫疾患	関節リウマチ，Sjögren症候群，SLEなど
臓器移植	心・肺移植，造血幹細胞移植
薬剤や食品	ペニシラミン，アマメシバ
その他	神経内分泌腫瘍，腫瘍随伴性天疱瘡

(2) 閉塞性細気管支炎（bronchiolitis obliterance：BO）

原因・病因
これまでに知られている原因は多岐にわたる．原因不明の特発性から，感染症，職業病としての発症例，また，膠原病や移植などの免疫病態を背景に発症する例などが存在する（表9-3-3）．移植に関連する閉塞性細気管支炎の報告は最も多く，特に心肺移植患者の長期予後を左右する重要な因子である．肺移植患者では，移植後に肺機能検査を定期的に実施することにより，1秒量の持続的低下症例を閉塞性細気管支炎症候群（BOS）として定義している[7]．

BOは，瘢痕化により細気管支が閉塞性に破壊される病変である．一方，細気管支内腔へ肉芽組織がポリープ様に突出し肺胞にまで進展する病態は，現在，cryptogenic organizing pneumoniaとして特発性間質性肺炎に分類される．以前にはbronchiolitis obliterans organizing pneumonia（BOOP）とよばれていた病態であり，臨床症状，臨床経過，治療に対する反応性からもBOと明確に区別されている．

病態生理
BOの詳細な病因はわかっていないが，免疫学的な気道傷害であると推測されている．これまでの移植肺の臨床的な研究から，繰り返す拒絶反応やその程度がひどい患者においてBOの発症リスクが高い．一方，このような非感染性の要因に対して，CMV感染や細菌感染などの感染性要因がBOの発症と相関があるとする報告もあり，現時点では，急性拒絶反応や慢性拒絶反応による免疫学的気道炎症を背景に，感染性や非感染性の上皮傷害が絡み合ってBOのリスクに関与すると考えられている[8]．

臨床症状・検査所見
1）**自覚症状**：数週間〜数カ月の経過で，気がつかない間に発症する乾性咳嗽や労作時呼吸困難で発症する．病勢が進むと細気管支閉塞部位より中枢の気管支拡張や繰り返す気道感染，胸腔内圧の上昇による気胸・縦隔気腫などを合併する．

2）**身体所見**：特徴的な身体的所見はないが，喘鳴（wheeze）を伴うことがあり，進行性の気流制限を特徴とする．

3）**呼吸機能検査**：閉塞性機能障害を示す．努力性肺活量（FVC）は正常，もしくは軽度低下を示すが，気管支拡張薬に反応しない著しい1秒量の低下が特徴的である．

4）**画像所見**：胸部X線写真はほぼ正常か，わずかに過膨張を示すにすぎず，CTにおいても病勢が進行しなければ，異常ととらえられる所見は乏しい（e図9-3-EのA）．HRCTの吸気相・呼気相での撮影において，呼気相HRCTでの空気とらえ込み現象（air-trapping）が認められる（e図9-3-EのB）[9]．肺血流シンチグラフィにおける多発性陰影欠損を認めることがあり，肺血栓塞栓症との鑑別が問題になるが，肺換気シンチグラフィにおける同一部位の多発性陰影欠損を認めることから鑑別の参考となる[10]．

診断
BOの診断には，ほかのびまん性肺疾患と同様に組織診断が重要である．しかし，病変が斑紋状分布（patchy distribution）であることから，病変部位を的確に画像的にとらえる手段がなく，外科的肺生検でもときに組織診断ができないことがある．得られた組織標本の連続切片の作成を含め，丁寧な標本検索が必要

とされる．気管支鏡下の肺生検は，その診断率が低いとされる[11]．

経過・予後

BOの経過はさまざまであり，①急激に発症し，急速に進行するもの，②急激に発症し病初期は急速に進行するが，その後安定した状態で肺機能を保つもの，③ゆっくりと発症し，慢性の経過で進行していくものがある．しかし，不可逆的病変である完成した線維性の気道狭窄を治癒させる治療法がないことから，予後不良の疾患である．

治療

BOの原因となる背景疾患により，さまざまな治療が試みられる（Barkerら，2014）．自己免疫疾患を背景に発症する場合には，自己免疫疾患の治療が効果を示す場合がある．また，肺移植や造血幹細胞移植後のBOでは，慢性拒絶反応の一形態と考えられることから，免疫抑制の強化が行われる．しかし，確立された治療法はなく，治療の目標は，細気管支での炎症を抑制し安定した状態に保つことである．非移植症例では，慢性閉塞性肺疾患（COPD）に準じた治療が行われる．
〔長谷川好規〕

■文献（e文献9-3-2）

Barker AF, Bergeron A, et al: Obliterative bronchiolitis. N Engl J Med. 2014; 370: 1820-8.

長谷川好規：閉塞性細気管支炎の現状．2008; 日本内科学会雑誌．97: 1895-9.

Homma H, Yamanaka A, et al: Diffuse panbronchiolitis. A disease of the transitional zone of the lung. Chest. 1983; 83: 63-9.

Kudoh S, Azuma A, et al: Improvement of survival in patients with diffuse panbronchiolitis treated with low-dose erythromycin. Am J Respir Crit Care Med. 1998; 157: 1829-32.

3）びまん性肺胞出血
diffuse alveolar hemorrhage

定義・概念

びまん性肺胞出血とは，両側肺の広い領域において肺胞毛細血管レベルでの出血が引き起こされ，肺胞内に血液成分が貯留した病理的状態を意味する．肺胞に到達する細肺動脈，肺胞から離脱する細肺静脈，あるいは肺胞隔壁に存在する肺胞毛細血管の破綻が出血の原因となる場合が多いが，血管に破綻はなくとも血液凝固異常や肺胞毛細血管内圧の上昇によって出血が引き起こされることもある．繰り返す出血によって肺胞内に多量のヘモジデリンの沈着を認め，肺胞出血をきたす可能性のある疾患がすべて除外された場合には，特発性肺ヘモジデローシス（idiopathic pulmonary hemosiderosis）と診断されるが，その診断症例の大多数は小児であり，成人してから発症する例はまれである[1]．

原因・病因

びまん性肺胞出血は，肺胞毛細血管ならびに肺胞近傍に存在する肺細動脈，肺細静脈からの出血が引き起こされることが原因となる．出血をきたす機序もさまざまであり，肺胞出血をきたす疾患も多岐にわたるが，基本的には①肺胞毛細血管炎を伴う疾患，②肺胞毛細血管炎を伴わないが血管透過性の亢進を認める疾患，③肺胞毛細血管炎も血管透過性の亢進も認めない疾患，の3つに大別できる．

①肺胞毛細血管炎を伴う疾患として，顕微鏡的多発血管炎，多発血管炎性肉芽腫症，Behçet病，IgA血管炎（Henoch-Schönlein紫斑病）など全身性の血管炎を伴う疾患があげられ，全身性エリテマトーデスや混合性結合組織病などの膠原病やGoodpasture症候群も含まれる．

②肺胞毛細血管炎を伴わないが血管透過性の亢進を認める疾患としては，病理学組織的にびまん性肺胞傷害を呈する急性呼吸促迫症候群がその代表となるが[2]，化学物質の吸入や薬剤が誘発する場合もある．

③肺胞毛細血管炎も血管透過性の亢進も認めない疾患としては，肺毛細血管内圧の上昇を認める僧帽弁狭窄症などの僧帽弁疾患や，抗凝固薬・抗血小板薬の内服による血液凝固異常が含まれる[3,4]．

臨床症状

多くの患者は急性の発症様式を呈し，咳，血痰・喀血，発熱，呼吸困難などが一般的な初期症状となるが，血痰・喀血症状を欠く患者も多い．急性呼吸促迫症候群に伴うびまん性肺胞出血患者は重度の呼吸不全症状を呈する．

検査所見

1）胸部画像：両側肺（まれに片側である場合もある）にびまん性の浸潤陰影やすりガラス状陰影を認める．びまん性肺胞出血の存在を強く疑わせる典型的な胸部CT画像を図9-3-9に示す．

2）気管支鏡検査：複数回の気管支肺胞洗浄回収液のすべてに血液成分の混入を認め，経時的に血液成分の回収が多くなってくることが特徴的所見である（e図9-3-F）．また，気管支肺胞洗浄液中のヘモジデリン貪食マクロファージの存在は，肺胞内に出血があったことを強く示唆する所見となる．ただ，気管支肺胞洗浄はびまん性肺胞出血の診断には有用であるが，その発生機序を鑑別できる情報を提供することはできない．

診断

胸部画像所見と気管支鏡検査所見から診断を確定させることができる．いったん，びまん性肺胞出血の診

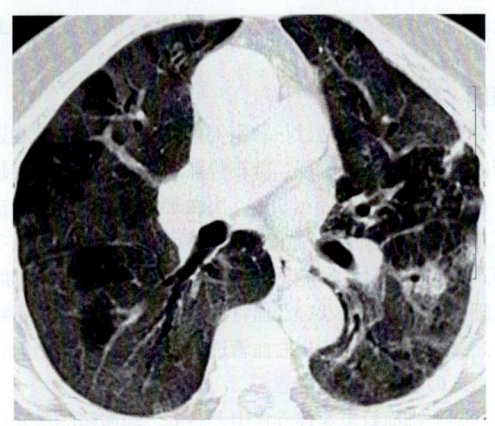

図 9-3-9 びまん性肺胞出血の胸部 CT 画像
両側肺びまん性に広がるすりガラス陰影を主体とし，一部浸潤陰影を認める．すりガラス陰影ではなく，気管支透亮像を伴う浸潤陰影が主体の場合もある．

断が確定すれば，次には原因となる疾患の検索を行う．問題となる化学物質の吸引や薬剤の使用歴，急性呼吸促迫症候群を惹起する病態の有無，僧帽弁疾患の有無，血液凝固異常の有無を確認し，これらの病態がびまん性肺胞出血の原因となっていないかを検討する（e表 9-3-B）．これらの病態が確認されない場合は，肺胞毛細血管炎をきたす疾患群の存在が疑われるため，全身性の血管炎をきたす疾患と膠原病や Goodpasture 症候群も含む自己免疫疾患の有無について検索することが必要となる．原因となる疾患が同定できない場合には特発性肺ヘモジデローシスと診断される．

治療

びまん性肺胞出血の原因となった病態や疾患に応じた治療が必要である．肺胞毛細血管炎を伴うような自己免疫性疾患が原因疾患と考えられた場合には，一般的にステロイドパルス療法を含む大量ステロイド療法が選択され，重症例やステロイドの治療反応性が低い症例には，シクロホスファミドを中心とした免疫抑制薬の使用が必要となる．Goodpasture 症候群に伴うびまん性肺胞出血の場合には，血漿交換療法も行われる[5]．

〔服部　登〕

■文献（e文献 9-3-3）

Collard HR, Schwarz MI: Diffuse alveolar hemorrhage. *Clin Chest Med.* 2004; **25**: 583-92.

De Lassence A, Fleury-Feith J, et al: Alveolar hemorrhage. Diagnostic criteria and results in 194 immunocompromised hosts. *Am J Respir Crit Care Med.* 1995; **151**: 157-63.

Green RJ, Ruoss SJ, et al: Pulmonary capillaritis and alveolar hemorrhage. Update on diagnosis and management. *Chest.* 1996; **110**: 1305-16.

9-4　アレルギー・免疫性疾患

1）気管支喘息
bronchial asthma

概念・定義

気管支喘息は，乳幼児から高齢者に至る発達・加齢のいずれのプロセスにおいても発症しうる呼吸器疾患である．近年，わが国において，治療法の進歩にもかかわらず，気管支喘息の発症頻度および死亡率の増加が指摘されている．また世界においても喘息の発症頻度および重症度が増加している．特に，治療を施す間もなく急激な経過で死亡する例が増加していることも報告されている．気管支喘息はきわめて多数の因子から病像が形成されており，その発症機序についてはいまだ解明されていないことも多い．気管支喘息の病態的・生理学的特徴として，慢性的な気道炎症・気道過敏性・可逆的な気流制限の3つがあげられる．気道炎症・気道過敏性があいまって気流制限が生じ，気管支喘息の症状が発生する．また，炎症が繰り返して起こった結果，上皮化生（杯細胞化），線維増生，平滑筋肥厚，粘膜下腺過形成などが生じ，気道壁リモデリングが進展する．これによって喘息症状の重症化・不可逆化が進むと考えられる（図 9-4-1）．

分類

アレルゲンに対するアトピー型と非アトピー型に大別される．症状や発作要因により，咳喘息や運動誘発性喘息，重症喘息といった分類がなされることもあ

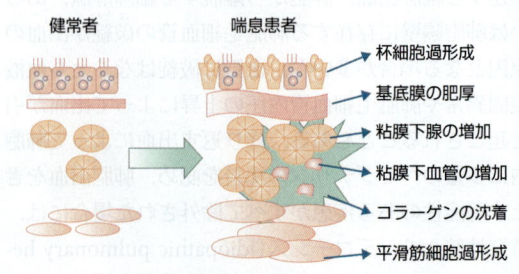

図 9-4-1 気管支喘息患者におけるリモデリング

る.

原因・病因

　気道過敏性の機序はこれまで不明の部分が多かったが，喘息特有の気道炎症に起因していることが明らかになってきた．一方，炎症が完全に鎮まっても気道過敏性は健常人より高い状態が続くことが多いことから，炎症に起因しない気道過敏性の存在も考えられており，研究が進められている．

　気道炎症の機序は活性化T細胞，好酸球，好塩基球，マスト細胞などの炎症細胞と，上皮細胞，線維芽細胞などの気道構成細胞が放出する炎症メディエー

表 9-4-2 気管支喘息の診断のポイント

喘息症状：発作性の咳・喘鳴・呼吸困難の反復

気管支喘息の病態的・生理学的特徴：
1. 可逆性の気流制限
   - ピークフロー・1秒量の低下
2. 気道過敏性
   - アセチルコリン・メサコリン・ヒスタミンに対する気道反応性の亢進（アストグラフ法など）
3. 慢性的な気道炎症
   - 痰・気管支肺胞洗浄液中の好酸球の証明，呼気 NO 上昇など

鑑別疾患の除外

表 9-4-1 気管支喘息関連分子

1. **lipid mediator（脂質メディエータ）**
   CysLTs（LTC$_4$/D$_4$/E$_4$）・TXA$_2$・PGD$_2$ などのエイコサノイド，PAF
2. **アミン**
   ヒスタミン・セロトニンなど
3. **サイトカイン**
   IL-4・5・9・13 など（Th2 サイトカイン）
4. **ケモカイン**
   エオタキシン・RANTES・MCP・lymphotactin・fractalkine など
5. **neuropeptides（神経ペプチド）**
   タキキニン（ニューロキニン A・サブスタンス P）など
6. **ADAM**
   ADAM 33

表 9-4-3 年齢層による特徴

乳幼児
自覚症状の訴えがなく，また定量的検査が困難であるため早期診断が難しい．肺・腸管および免疫組織が成長期であるため食物アレルゲンから吸入アレルゲンへのスイッチが認められることが多い．

学童～青年
思春期になると寛解ないし治癒の状態となる患者が多く，いわゆる"grow-out"がみられる．

成人
長期罹患した成人患者では，しばしば気道上皮下の基底膜肥厚に代表される気道のリモデリングがみられ，非可逆的な気流制限の原因と考えられる．

高齢者
慢性閉塞性肺疾患（COPD）などの合併が病像を複雑化している．

表 9-4-4 喘息治療ステップ

		治療ステップ1	治療ステップ2	治療ステップ3	治療ステップ4
長期管理薬	基本治療	吸入ステロイド（低用量）	吸入ステロイド（低～中用量）	吸入ステロイド（中～高用量）	吸入ステロイド（高用量）
		上記が使用できない場合以下のいずれかを用いる LTRA テオフィリン徐放製剤 （症状がまれであれば必要なし）	上記で不十分な場合に以下のいずれか1剤を併用 LABA （配合薬の使用可） LTRA テオフィリン徐放製剤	上記に下記のいずれか1剤，あるいは複数を併用 LABA （配合薬の使用可） LTRA テオフィリン徐放製剤	上記に下記の複数を併用 LABA （配合薬の使用可） LTRA テオフィリン徐放製剤 上記のすべてでも管理不良の場合は下記のいずれかあるいは両方を追加 抗 IgE 体*2 経口ステロイド*3
	追加治療	LTRA 以外の抗アレルギー薬*1	LTRA 以外の抗アレルギー薬*1	LTRA 以外の抗アレルギー薬*1	LTRA 以外の抗アレルギー薬*1
発作治療*4		吸入 SABA	吸入 SABA	吸入 SABA	吸入 SABA

LTRA：ロイコトリエン受容体拮抗薬，LABA：長時間作用性 β$_2$ 刺激薬，SABA：短時間作用性 β$_2$ 刺激薬．

*1：抗アレルギー薬とは，メディエーター遊離抑制薬，ヒスタミン H$_1$ 受容体拮抗薬，トロンボキサン A$_2$ 阻害薬，Th2 サイトカイン阻害薬を指す．
*2：通年性吸入抗原に対して陽性かつ血清総 IgE 値が 30～700 IU/mL の場合に適用となる．
*3：経口ステロイドは短期間の間欠的投与を原則とする．ほかの薬剤で治療内容を強化し，かつ短期間の間欠投与でもコントロールが得られない場合は，必要最小量を維持量とする．
*4：軽度の発作までの対応を示し，それ以上の発作については「急性増悪への対応」を参照．

表 9-4-5 未治療患者の症状と目安となるステップ

	治療ステップ 1	治療ステップ 2	治療ステップ 3	治療ステップ 4
対象となる症状	（軽症間欠型相当） ・症状が週1回未満 ・症状は軽度で短い ・夜間症状は月に2回未満	（軽症持続型相当） ・症状が週1回以上，しかし毎日ではない ・月1回以上日常生活や睡眠が妨げられる ・夜間症状は月に2回以上	（中等持続型相当） ・症状が毎日ある ・短時間作用性吸収 β_2 刺激薬がほぼ毎日必要 ・週1回以上日常生活や睡眠が妨げられる ・夜間症状が週1回以上	（重症持続型相当） ・治療下でもしばしば増悪 ・症状が毎日ある ・日常生活が制限される ・夜間症状がしばしば

表 9-4-6 コントロール状態の評価

	コントロール良好 （すべての項目が該当）	コントロール不十分 （いずれかの項目が該当）	コントロール不良
喘息症状（日中および夜間）	なし	週1回以上	コントロール不十分の項目が3つ以上あてはまる
発作治療薬の使用	なし	週1回以上	
運動を含む活動制限	なし	あり	
呼吸機能（FEV₁ および PEF）	正常範囲内	予測値あるいは自己最高値の80％未満	
PEF の日（週）内変動	20％未満	20％以上	
増悪	なし	年に1回以上	月に1回以上*

現在薬物治療中の患者であれば，コントロール状態の評価を参考にし，コントロール良好なら現在の治療の継続あるいは良好な状態が3～6カ月持続していればステップダウンを考慮する．コントロール不十分なら現行の治療ステップを1段階アップ，コントロール不良なら現行の治療ステップを2段階アップする．
＊：増悪が月に1回以上あればほかの項目が該当しなくてもコントロール不良と評価する．

タ，サイトカインなどの生理活性物質が相互反応を繰り返す炎症カスケードであると考えられている．この炎症カスケードにかかわる生理活性物質として，表9-4-1 のような候補物質が想定されている．

しかしながら，気管支喘息の発症機序については未解明の部分が多く，その解明には関連遺伝子の探索を含めた研究が必須と考えられる．アレルギー性呼吸器疾患と化学物質との関係は℮コラム1を参照．

診断・鑑別診断

気管支喘息の病態的・生理学的特徴である3つ，すなわち，「慢性的な気道炎症・気道過敏性・可逆的な気流制限」の存在を判断することで診断する．表9-4-2 に，その概要を示す．また気管支喘息は，乳幼児から高齢者に至るいずれの年代においても発症しうるため，鑑別診断は年代によって傾向が異なっている（表9-4-3）．

治療

気管支喘息の治療目標は，①健常人と変わらない日常生活が送れること，②正常に近い呼吸機能を維持すること，③夜間や早朝の咳や呼吸困難がなく十分な夜間睡眠が可能なこと，④喘息発作が起こらないこと，⑤喘息死の回避，⑥治療薬による副作用がないこと，⑦非可逆的な気道リモデリングへの進展を防ぐこと，などである．

これらの目標を達成するために用いる薬物の使用方法・考え方について表9-4-4，9-4-5，9-4-6 に示

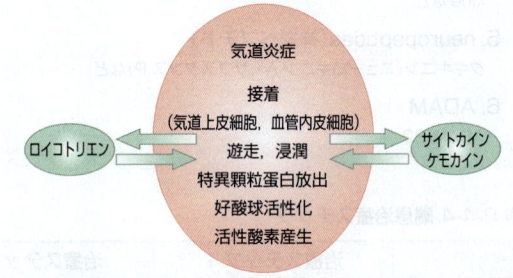

図 9-4-2 気道炎症と抗炎症療法

す．上述したように，生活の質を高めかつ維持するために薬物の選択を行うことが重要である．

「慢性的な気道炎症」をコントロールするため，吸入ステロイド投与が基本となる．またロイコトリエンの作用抑制も，気道炎症をコントロールするために有用と考えられる（図9-4-2）．特に，運動誘発性喘息やアスピリン喘息では，ロイコトリエン作用抑制が治療標的として有効である（℮コラム2）．

なお，これらの治療にもかかわらず，発作を生じた場合の対応を℮表9-4-A，9-4-B に示す．

〔長瀬隆英〕

■文献

日本アレルギー学会：喘息予防・管理ガイドライン2012，協和企画，2012．

2）好酸球性肺炎
eosinophilic pneumonia：EP

肺に好酸球浸潤が認められる疾患の総称であり，表9-4-7のように分類される．

(1) 慢性好酸球性肺炎（chronic eosinophilic pneumonia：CEP）

定義・概念
1969年にCarringtonらによって提唱された疾患概念であり（Carringtonら，1969），亜急性に発症する原因不明の肺の慢性好酸球性炎症．副腎皮質ステロイド治療に速やかに反応するが，再発することが多い．

疫学
男女比1：2で，40歳代の女性に多い．約半数に喘息やアレルギー疾患の既往があり，多くは非喫煙者である．

病理
肺胞への強い好酸球性浸潤を認めるが，線維化はまれで肺胞構造の破壊はない．肺胞腔内にフィブリン様浸出物と器質化，脱顆粒した好酸球を認め，間質には好酸球性微小膿瘍や血管炎も散見されるが，肉芽腫は認めない．

臨床症状
1）自覚症状：咳，痰，呼吸困難，喘鳴，発熱，胸痛，全身倦怠感，食欲不振，体重減少．
2）他覚症状：約1/3の症例では胸部聴診でwheezeやcrackleを聴取．

検査所見
1）血液検査：末梢血白血球および好酸球数（6%以上）の増加，CRP上昇，赤沈亢進，血清総IgE値上昇．
2）気管支肺胞洗浄（BAL）：好酸球は多くの症例で25%をこえ，総細胞数，リンパ球の増加を伴う．CD4/CD8比は2以上で，CD4/CD8比が低下する非特異性間質性肺炎（NSIP）や特発性器質化肺炎（COP）との鑑別に有用である．
3）肺機能検査：閉塞性換気障害を呈する場合と，拘束性障害を呈する場合がある．間質の炎症が強い場合には拡散障害を伴う．
4）胸部単純X線写真[1]：非区域性の浸潤影が肺野末梢の外側優位に分布する（photographic negative of pulmonary edema）．陰影は移動性である．
5）胸部CT：陰影は上葉に比較的多く，両側末梢性に浸潤影を認める．ときに小葉間隔壁の肥厚や胸膜直下の線状帯状陰影，区域性無気肺，胸水，縦郭リンパ節腫大を認める．

診断
特徴的な画像所見と末梢血好酸球増加により本症を疑い，他臓器障害がなく肺に好酸球浸潤が認められれば本症と診断できる．

鑑別診断
表9-4-7に示す疾患が鑑別の対象となる．

経過・予後・治療
軽症例では自然軽快することもあるが，多くの場合副腎皮質ステロイドの経口投与が必要となる．プレドニゾロン0.5 mg/kg/日で開始し，2週間ごとに減量，6カ月程度で中止する．半数以上の症例は2週間以内で胸部異常陰影が消失するが，ステロイドの減量に伴い50%以上の症例で再発する．その場合には経口ステロイドの長期維持量での投与が必要となる．

(2) 急性好酸球性肺炎（acute eosinophilic pneumonia）

定義・概念
1989年にAllenらによって提唱された疾患概念で（Allenら，1989），急性に発症し，強い低酸素血症を特徴とする肺の急性好酸球性炎症．喘息やアレルギー疾患の既往がない，喫煙に関連して発症する若年者の報告が多い[2,3]，などの特徴があり慢性好酸球性肺炎とは異なる病態である．

病理
肺胞隔壁および肺胞腔内への好酸球の浸潤が基本であり，細気管支周囲や小葉間間質，胸膜にまで好酸球の浸潤が及ぶことがある．

臨床症状
1）自覚症状：乾性咳嗽，呼吸困難，発熱，胸痛が突然に出現する．急速に呼吸不全に進行しARDSとの鑑別を必要とする症例も存在する．

表9-4-7 好酸球性肺炎の原因による分類

1. 原因が不明の好酸球性肺炎
   a. 肺限局性の特発性好酸球性肺炎
      慢性好酸球性肺炎（CEP）
      急性好酸球性肺炎（AEP）
   b. 全身症状を伴う好酸球性肺炎
      好酸球性多発血管炎性肉芽腫症（旧Churg-Strauss症候群（CSS））
      好酸球増加症候群（HES）
2. 原因が特定される好酸球性肺炎
   a. 寄生虫由来の好酸球性肺炎
   b. 真菌感染症による好酸球性肺炎
   c. 薬剤性好酸球性肺炎
   d. アレルギー性気管支アスペルギルス症（ABPA）
3. 好酸球浸潤を伴うことがあるほかの肺疾患
   COP（BOOP），特発性肺線維症（IPF），Langerhans細胞組織球症（LCH），サルコイドーシス，悪性腫瘍（肺癌，リンパ腫），AIDS，関節リウマチ，結核，潰瘍性大腸炎

2）他覚症状： 頻脈，頻呼吸，捻髪音．
検査所見
1）血液検査： 慢性好酸球性肺炎と異なり末梢血好酸球増加は顕著ではない．CRP 上昇や低酸素血症（しばしば P_aO_2 は 60 mmHg 以下となる）を認める．
2）気管支肺胞洗浄（BAL）： 好酸球数は 25％以上に上昇し，CD4/CD8 比は 1 以上のことが多い．同時に好中球やリンパ球の増加を認めることがある．
3）胸部単純 X 線写真： 両側びまん性浸潤影，Karley B line や A line，胸水を認める．
4）胸部 CT： すりガラス影，浸潤影，粒状影，小葉間隔壁の肥厚，縦郭・肺門リンパ節腫脹，両側胸水貯留などの所見を認める[1]．
診断
急性発症（1 週間以内），発熱，胸部写真で両側の浸潤影，著明な低酸素血症，肺における好酸球浸潤を認め，薬剤などほかの明らかな原因が認められない場合に本症と診断する．
鑑別診断
好酸球が増加する急性発症の疾患（表 9-4-7）．
経過・予後・治療
ステロイドが著効し予後良好な疾患であるが，急速に呼吸不全に移行する症例ではステロイド大量療法を必要とする．ステロイドは 4 週間程度の漸減で中止可能で，再発することはまれである．喫煙が誘因となっている場合には禁煙指導が重要である．

〔檜澤伸之〕

■文献（e文献 9-4-2）

Allen JN, Pacht ER, et al: Acute eosinophilic pneumonia as a reversible cause of non-infectious respiratory failure. N Engl J Med. 1989; 321: 569-74.
Carrington CB, Addington WW, et al: Chronic eosinophilic pneumonia. N Engl J Med. 1969; 280: 787-98.

3）アレルギー性気管支肺アスペルギルス症
allergic bronchopulmonary aspergillosis：ABPA

定義・概念
肺内に腐生した真菌に対するアレルギー反応による病態であり，喘息患者に発症することが多い．難治性喘息病態の一因である．
原因・病因
原因はおもに *Aspergillus fumigatus* によるが，ほかの真菌（*A. niger, A. oryzae, A. flavus, A. terres, Candida albicans, Penicillium*）が原因のこともあり，本症をアレルギー性気管支肺真菌症（ABPM）とよぶこともある．

病理
気管支粘膜や肺実質に好酸球の浸潤を認める．ときに気腔内の好酸球性粘液栓に分枝状の真菌を認めることもある．肺組織内に真菌の浸潤が認められないのが通常のアスペルギルス感染症とは異なる点である．
臨床症状
1）自覚症状： ABPA 発症前から喘息やほかのアレルギー疾患を有することが多い．喘息発作に加えて発熱や全身倦怠感，夜間の発汗，血痰がみられることもある．
2）他覚症状： wheeze を聴取する．長期罹患進行例では肺の線維化に伴い捻髪音を聴取する．
検査所見
1）血液検査： 総 IgE 値の上昇が疾患活動性と最も関連する．末梢血好酸球も 500〜1000/μL 以上に増加する．
2）喀痰検査： 茶褐色の粘液栓子を認め，約 60％の症例で真菌培養が陽性となる．
3）胸部 X 線写真： 移動性の浸潤影や気管支壁肥厚による tramline，中枢気管支の拡張と粘液栓子による gloved finger shadow や toothpaste shadow を認める．
4）胸部 CT： 複数の肺葉に中枢性気管支拡張像，小葉中心性小結節や粘液栓子を認める[1]．
5）呼吸機能検査： 通常の喘息と同様に閉塞性換気障害や気道過敏性を認める．線維化が進行すると，拘束性換気障害や拡散障害が認められる．
6）アレルゲン検査： アスペルギルス抗原の皮内注射後 20 分で発赤・膨隆の即時型反応，さらに 3〜5 時間後に再び紅斑・腫脹の Arthus 反応を認める．血清学的にはアスペルギルスに対する特異的 IgE 抗体と IgG 抗体（沈降抗体）が認められる．
診断
喘息症状，反復する胸部 X 線での異常陰影，末梢血好酸球増加を呈する患者で ABPA を疑う．古典的には Rosenberg の診断基準がある（Rosenberg ら，1977）（表 9-4-8）．
鑑別診断
ABPA 以外の好酸球性肺炎をきたす疾患が鑑別となる（表 9-4-7）．アスペルギルスによる肺感染症である肺アスペルギルス症との鑑別も必要である．アスペルギルスを主とした気管支内抗原に対するアレルギー反応による非特異的壊死性肉芽腫を気管支中心性肉芽腫症（bronchocentric granulomatosis）と呼称し ABPA の肺病理像の 1 つとも考えられている[2]．
経過・予後
ABPA は早期に発見し適切に治療すれば予後は比較的良好である．再燃を繰り返すと非可逆性の線維化や嚢胞性変化に至ることがある．真菌に対する特異的

表 9-4-8 アレルギー性気管支肺アスペルギルス症の診断基準(Rosenberg ら,1977)

一次基準(7 項目すべてがそろえば確診)
1. 気管支喘息
2. 末梢血好酸球増加
3. アスペルギルス抗原に対する即時型皮膚反応陽性
4. アスペルギルス抗原に対する沈降抗体陽性
5. 血清総 IgE 値の上昇
6. 肺浸潤影
7. 中枢性気管支拡張症

二次基準(診断の参考とする)
1. 喀痰中アスペルギルス真菌の検出
2. 茶褐色の粘液栓子の喀出
3. アスペルギルス抗原に対する Arthus 型皮膚反応陽性

表 9-4-9 わが国のおもな過敏性肺炎

病名	原因抗原
夏型過敏性肺炎	トリコスポロン
住居関連過敏性肺炎	真菌
鳥関連過敏性肺炎,鳥飼病	鳥糞,羽毛
農夫肺	好熱性放線菌
塗装工肺	イソシアネート
加湿器肺	真菌,細菌
キノコ栽培者肺	キノコ胞子,真菌,細菌

IgE 抗体が陽性の難治性喘息患者では,ABPA を念頭におく必要がある.

治療
臨床症状と胸部 X 線所見の改善を指標として,0.5 mg/kg/日のプレドニゾロンで治療を開始する.通常 2 週間ほどで胸部 X 線での異常陰影は軽快する.再発を繰り返し長期に経口ステロイド投与が必要となる症例ではアスペルギルスの持続的発育を阻止する目的で抗真菌薬が併用される[3].粘液栓に対して気管支鏡による洗浄除去も有効である. 〔檜澤伸之〕

■文献(ⓔ文献 9-4-3)

Rosenberg M, Patterson R, et al: Clinical and immunologic criteria for the diagnosis of allergic bronchopulmonary aspergillosis. Ann Intern Med. 1977; 86: 405-14.

4)過敏性肺炎
hypersensitivity pneumonitis

定義・概念
過敏性肺炎は抗原の反復吸入によって感作され,Ⅲ型およびⅣ型アレルギー反応を介して肺胞壁(胞隔)や細気管支に病変をきたすアレルギー・免疫性疾患である.広義には間質性肺疾患に含まれ,また,病変に肉芽腫形成を認めるため肉芽腫性肺疾患に分類される.

分類
過敏性肺炎は歴史的に急性,亜急性,慢性に分類されたが,近年は週〜月単位に経過する急性過敏性肺炎と年単位に経過する慢性過敏性肺炎に分類される.また,慢性過敏性肺炎は臨床経過より再燃症状軽減型と潜在性発症型に亜分類される.再燃症状軽減型では再燃を繰り返す過程で発熱が軽減するが,潜在性発症型では当初から発熱を欠く.

原因・病因
真菌,細菌,鳥糞・羽毛,イソシアネートなどが原因抗原となる.わが国のおもな過敏性肺炎には夏型過敏性肺炎,住居関連過敏性肺炎,鳥関連過敏性肺炎,農夫肺,塗装工肺,加湿器肺,キノコ栽培者肺がある(表 9-4-9).夏型過敏性肺炎はわが国を含む東アジアに特有の疾患であり,高温多湿の気候を背景に,日当たりが悪い古い木造家屋に増殖する真菌(トリコスポロン)が原因である.住居関連過敏性肺炎は家屋の真菌が原因であり,広義には夏型過敏性肺炎を包括する.鳥関連過敏性肺炎は鳥糞や羽毛に含まれる抗原が原因であり,鳥飼育者に発症する鳥飼病に加えて,野鳥や羽毛製品による過敏性肺炎を包括する.農夫肺は牧草に増殖する好熱性放線菌が,塗装工肺は自動車塗料に含まれるイソシアネートが,加湿器肺は加湿器内で増殖する真菌,細菌が,キノコ栽培者肺はキノコ胞子や栽培環境で増殖する真菌,細菌が原因である.

疫学
わが国の調査によると急性過敏性肺炎の内訳は夏型過敏性肺炎(74%),農夫肺(8%),加湿器肺(4%),鳥飼病(4%)であり(Ando ら,1991),慢性過敏性肺炎の内訳は鳥関連過敏性肺炎(60%),夏型過敏性肺炎(15%),住居関連過敏性肺炎(11%)である(Okamoto ら,2013).

病理
急性過敏性肺炎ではリンパ球主体の胞隔炎,100〜150 μm 径の肉芽腫(ⓔ図 9-4-A),肺胞腔内器質化(Masson 体),細気管支炎を認める.慢性過敏性肺炎では小葉中心性線維化と小葉辺縁性線維化,巨細胞,コレステロール裂隙,リンパ濾胞を認める.

病態生理
過敏性肺炎の病態にはⅢ型およびⅣ型アレルギー反応が関与する.Ⅲ型アレルギー反応により抗原暴露 4〜8 時間後の症状出現,気管支肺胞洗浄液と血清中の特異抗体(IgG,IgA),急性期における気管支肺胞洗浄(BAL)液の好中球と補体の増加を示す.一方,Ⅳ型アレルギー反応により抗原に感作された T リンパ球

による肉芽腫性胞隔炎を形成する．

臨床症状

1）自覚症状：咳，呼吸困難，発熱を認め，入院後に軽快し退院後に再発する．夏型過敏性肺炎は夏季に，加湿器肺や羽毛製品による鳥関連過敏性肺炎は冬季に発症・増悪する．

2）他覚症状：胸部聴診で捻髪音（fine crackles）を聴取し，慢性過敏性肺炎の進行例にばち指を認める．

検査所見

1）血液検査所見：間質性肺炎マーカー（KL-6，SP-D）が高値を示し，抗原暴露の増減により変動する．また，軽度ながら赤沈値亢進，好中球増加，CRP陽性を認める．

2）画像所見：

　a）急性過敏性肺炎：胸部X線ではびまん性の粒状陰影，すりガラス陰影を認め，胸部CTでは小葉中心性の粒状陰影とモザイク分布のすりガラス状陰影を認める（図9-4-3）．

　b）慢性過敏性肺炎：胸部X線では網状陰影，容積減少を認め，胸部CTでは牽引性気管支拡張，蜂巣肺，粒状陰影，浸潤影，すりガラス陰影を認める．

3）呼吸機能検査：拘束性障害（VC，FVCの低下）と拡散能障害（DLco，DLco/V_Aの低下）を認める．動脈血ガス分析では低酸素血症（P_aO_2の低下），A-aDO_2の開大を認める．

4）気管支肺胞洗浄（BAL）：BAL液の総細胞数の増加，リンパ球比率の増加を認める．ただし，抗原暴露1～2日後の早期には好中球が増加する．リンパ球のCD4/CD8比は低下し（1.0 >），特に塗装工肺では著明な低下を認めるが，農夫肺ではむしろ上昇する（1.0 <）．慢性過敏性肺炎ではリンパ球比率の増加が軽度

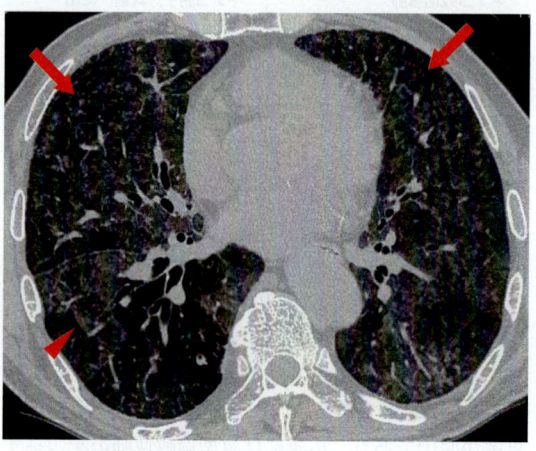

図9-4-3　急性過敏性肺炎のCT所見
小葉中心性の粒状陰影（矢印），モザイク分布の（境界が明瞭な）すりガラス状陰影（矢頭）を認める．

表9-4-10　過敏性肺炎の診断基準

A. 臨床像…臨床症状・所見1）～4）のうちいずれか2つ以上と，検査所見1）～4）のうち1）を含む2つ以上の項目を同時に満足するもの
1. 臨床症状・所見 　1）咳，2）息切れ，3）発熱，4）捻髪音ないし小水泡性ラ音
2. 検査所見 　1）胸部X線像にてびまん性散布性粒状陰影（またはすりガラス状陰影） 　2）拘束性換気機能障害 　3）赤沈値亢進，好中球増加，CRP陽性のいずれか1つ 　4）低酸素血症（安静時あるいは運動後）
B. 発症環境…1）～6）のうちいずれか1つを満足するもの 　1）夏型過敏性肺炎は夏期（5～10月）に高温多湿の住宅で起こる 　2）鳥飼病は鳥の飼育や羽毛と関連して起こる 　3）農夫肺はかびた枯れ草の取り扱いと関連して起こる 　4）空調病，加湿器肺はこれらの機器の使用と関連して起こる 　5）有機塵埃抗原に暴露される環境での生活歴 　6）特定の化学物質と関連して起こる 　注：症状は抗原暴露4～8時間して起こることが多く，環境から離れると自然に軽快する
C. 免疫学的所見…1）～3）のうち1つ以上を満足するもの 　1）抗原に対する特異抗体陽性（血清あるいはBAL液中） 　2）特異抗原によるリンパ球増殖反応陽性（末梢血あるいはBALリンパ球） 　3）BAL所見（リンパ球増加，Tリンパ球増加）
D. 吸入誘発…1），2）のうち1つ以上を満足するもの 　1）特異抗原吸入による臨床像の再現 　2）環境暴露による臨床像の再現
E. 病理学的所見…1）～3）のうちいずれか2つ以上を満足するもの 　1）肉芽腫形成，2）胞隔炎，3）Masson体

【診断基準】…確実：A，B，DまたはA，B，C，Eを満たすもの
　　　　　　強い疑い：Aを含む3項目を満たすもの
　　　　　　疑い：Aを含む2項目を満たすもの

である.

5) 免疫学的検査:
 a) 特異抗体:抗原に対する特異抗体(夏型過敏性肺炎では抗トリコスポロン抗体)が陽性となる.慢性過敏性肺炎では抗体陽性率が低い.
 b) リンパ球増殖反応:抗原添加による末梢血あるいは BAL 液のリンパ球増殖反応が陽性となる.
 c) 吸入誘発:特異抗原吸入や環境暴露(帰宅誘発など)により臨床像が再現される.

診断

過敏性肺炎の診断基準を表 9-4-10 に示す.過敏性肺炎を疑った場合,住居の詳細,ペット飼育歴,羽毛製品使用,加湿器使用など生活歴の問診が重要となる.また,症状の季節性,出張や長期旅行中の症状の変化などが参考となる.自宅周囲の野鳥,家屋の真菌などについては患者本人が十分に認識していないことが多く,抗原暴露を明らかにするために環境調査の実施が望ましい.

鑑別診断

1) 急性過敏性肺炎の鑑別疾患:
 a) 薬物性肺炎:画像ですりガラス状陰影が主所見の場合は鑑別が困難である.薬剤の中止により改善し,再投与により再燃する.
 b) 急性好酸球性肺炎:画像ですりガラス状陰影が主所見だが,少量の両側胸水を伴う点が過敏性肺炎と異なる.若年者の喫煙開始が原因となり,末梢血や BAL 液で好酸球増加を認める.
 c) 剝離性間質性肺炎(DIP):画像ですりガラス状陰影を認めるが,過敏性肺炎で認めるモザイク分布を示さない.ほとんどが喫煙者である.

2) 慢性過敏性肺炎の鑑別疾患:
 a) 特発性肺線維症(IPF):画像で蜂巣肺,牽引性気管支拡張が主所見であり,潜在性発症型の慢性過敏性肺炎と鑑別が困難である.
 b) 非特異性間質性肺炎(NSIP):画像ですりガラス状陰影,牽引性気管支拡張が主所見であり,再燃症状軽減型の慢性過敏性肺炎と鑑別が困難である.

合併症

急性過敏性肺炎では急性呼吸不全を合併する.慢性過敏性肺炎では慢性呼吸不全,肺高血圧症・肺性心,気胸,縦隔気腫,日和見感染を含む呼吸器感染症,肺癌,急性増悪を合併する.

経過・予後

急性過敏性肺炎は抗原回避を含む適切な治療がなされれば軽快する.慢性過敏性肺炎は抗原回避が困難な場合が多く,薬物治療を行っても進行性で予後不良である.

治療・予防

1) 治療: 基本は抗原回避である.急性過敏性肺炎の軽症例は入院のみで軽快するが,中等症以上にはステロイド薬が使用される.慢性過敏性肺炎の進行例・難治例にはステロイド薬や免疫抑制薬が使用される.

2) 予防: 夏型過敏性肺炎では改築や転居を含めた住居環境の改善を行う.鳥関連過敏性肺炎では鳥飼育があれば中止し,住居に残った鳥糞・羽毛を除去する.また,旅行中も含めて羽毛布団使用を中止し,鳥の多い地区(駅前,公園,神社)を回避する.農夫肺,塗装工肺,キノコ栽培者肺では就業中にマスクを着用し,効果が不十分な場合は転職を考慮する. 〔稲瀬直彦〕

■文献

Ando M, Arima K, et al: Japanese summer-type hypersensitivity pneumonitis. Geographic distribution, home environment, and clinical characteristics of 621 cases. Am Rev Respir Dis. 1991; **144**: 765-9.

Okamoto T, Miyazaki Y, et al: A nationwide epidemiological survey of chronic hypersensitivity pneumonitis in Japan. Respir Investig. 2013; **51**: 191-9.

5) 膠原病に伴う肺病変

定義・概念

膠原病は,全身の結合織を系統的に侵す原因不明の慢性炎症性疾患であり,病変は皮膚,関節,心,肺,腎,神経など多臓器に及ぶ.特に呼吸器病変は本症の予後を左右する因子として重要である.膠原病でみられる肺病変は多彩であり,膠原病固有の肺病変に加え,膠原病の治療に用いる薬剤が惹起する薬物性肺障害,そして日和見感染症などの肺感染症などがある(表 9-4-11).本項では膠原病固有の肺病変について概説する.

表 9-4-11 膠原病でみられる肺病変

膠原病固有の肺病変
・間質性肺炎
・気道病変
・血管病変(肺胞出血,肺高血圧など)
・胸膜病変
・その他(アミロイドーシス,結節など)

薬物性肺障害
・膠原病に対する治療薬による薬物性肺障害

感染症
・日和見感染など(ニューモシスチス,サイトメガロウイルスなど)

表9-4-12 膠原病でみられる固有の肺病変の頻度

疾患名	間質性肺炎	細気管支気道病変	胸膜病変	肺高血圧	肺胞出血
強皮症(SSc)	+++	−	+	+++	−
関節リウマチ(RA)	++	++	++	+	−
多発性筋炎・皮膚筋炎(PM/DM)	+++	−	−	+	−
Sjögren症候群(SS)	++	++	+	+	−
全身性エリテマトーデス(SLE)	+	+	+++	+	++
混合性結合組織病(MCTD)	++	+	+	+++	−

−：なし，＋：低頻度，＋＋：中頻度，＋＋＋：高頻度．
SSc：systemic sclerosis, RA：rheumatoid arthritis, PM/DM：polymyositis/dermatomyositis, SS：Sjögren syndrome, SLE：systemic lupus erythematosus, MCTD：mixed connective tissue disease.

表9-4-13 膠原病に合併した間質性肺炎の組織パターンと頻度

疾患名	びまん性肺胞障害(DAD)	通常型間質性肺炎(UIP)	非特異性間質性肺炎(NSIP)	器質化肺炎(OP)	リンパ球性間質性肺炎(LIP)
SSc	−	+	+++	−	−
RA	−	++	++	+	−
PM/DM	++	+	+++	+	−
SS	−	+	++	+	+
SLE	+	+	++	+	−
MCTD	+	+	+	−	−

−：なし，＋：低頻度，＋＋：中頻度，＋＋＋：高頻度．

分類・疫学

膠原病固有の肺病変は，侵される部位によって，間質性肺炎，気道病変，血管病変，胸膜病変など多岐にわたり（表9-4-11），またこれらの肺病変が混在することも少なくない．さらに，原疾患によって合併する肺病変の頻度が異なっており（表9-4-12），間質性肺炎は強皮症(SSc)や多発性筋炎・皮膚筋炎(PM/DM)に多いが，全身性エリテマトーデス(SLE)では少ない．また，気道病変は関節リウマチ(RA)やSjögren症候群(SS)で頻度が高く，血管病変では肺高血圧はSScや混合性結合組織病(MCTD)に，肺胞出血はSLEに多い．

病理

膠原病に合併した間質性肺炎は，組織学的に特発性間質性肺炎(idiopathic interstitial pneumonias：IIPs)の組織分類に準じて組織パターンに分類されることが多いが（表9-4-13），複数の組織パターンや気道病変が混在し，組織分類が難しいこともある．各組織パターンの頻度は膠原病によって異なるが，IIPsとは異なり，全体としては非特異性間質性肺炎(nonspecific interstitial pneumonia：NSIP)が多い．気道病変では，細気管支病変として，単核球が細気管支周囲に浸潤した細胞性細気管支炎(cellular bronchiolitis：CB)

表9-4-14 膠原病でみられる気道病変

病変部位	病名	膠原病
気管支	気管支拡張症 気道乾燥症(bronchial sicca)	RA SS
細気管支	細胞性細気管支炎 (cellular bronchiolitis：CB)	RA, SS
	濾胞性細気管支炎 (follicular bronchiolitis：FB)	RA, SS
	閉塞性細気管支炎 (bronchiolitis obliterans：BO)	RA

や，細気管支周囲にリンパ濾胞形成を伴う濾胞性細気管支炎(follicular bronchiolitis：FB)がRAやSSで認められることが多い（表9-4-14）．また，細気管支の狭窄，閉塞が特徴的所見である閉塞性細気管支炎(bronchiolitis obliterans：BO)はRAでみられる．SLEなどで合併するびまん性肺胞出血(diffuse alveolar hemorrhage：DAH)では毛細血管炎(capillaritis)を認める．

臨床症状

1）自覚症状：間質性肺炎では初期は無症状であるが，進行すると乾性咳嗽，労作時の呼吸困難を認める．RAやSSc, SS, MCTDなどでは緩徐に進行する

慢性型の間質性肺炎が多いが，PM/DM や SLE，特に筋症状に乏しい皮膚筋炎（clinically amyopathic dermatomyositi：CADM）では急速に進行する呼吸器症状で発症することがある．気道病変では咳，痰などがみられるが，BO では強い息切れを訴えることが多い．肺高血圧では呼吸困難を，肺胞出血では血痰をしばしば認める．

2）他覚症状： 間質性肺炎では fine crackles が聴取される．気道病変では coarse crackles が聞かれることが多いが，BO では肺胞呼吸音が減弱する．

検査所見

1）血液検査： 間質性肺炎では KL-6 や SP-D などが上昇する．

2）画像所見： 高解像度 CT（high resolution CT：HRCT）が診断に有用である．間質性肺炎では組織パターンによって HRCT 所見が異なり，IIPs と同様に，通常型間質性肺炎（usual interstitial pneumonia：UIP）は網状影などに加え牽引性気管支拡張や蜂巣肺を呈し，器質化肺炎（organizing pneumonia：OP）では斑状の濃厚影を認める．FB は小葉中心性の粒状影を呈することが多く，BO では低吸収域とすりガラス様の高吸収域が小葉単位で混在するモザイクパターンや，特に呼気相で低吸収域が目立つ air trapping を示す．肺胞出血は，典型例では肺門部優位の広範なすりガラス状陰影を認める．

3）肺機能検査： 間質性肺炎では拘束性換気障害と肺拡散能（DLco）の低下がみられる．細気管支病変では閉塞性換気障害を認め，特に BO は高度の閉塞性換気障害と残気率（％RV）の上昇を呈する．

4）気管支鏡検査： 気管支肺胞洗浄液検査（BAL）はおもに感染症などの除外診断を目的に施行される．肺胞出血では洗浄液は血性の外観を呈し，診断に有用である．TBLB は，間質性肺炎や細気管支病変の各組織パターンを組織学的に診断するうえでは有用性は乏しいが，感染症や悪性疾患の除外診断においては意義がある．

5）外科的肺生検： OP 以外の間質性肺炎の組織パターンや細気管支病変の確定診断には胸腔鏡下肺生検や開胸肺生検などの外科的肺生検が必要である．しかし，IIPs とは異なり，膠原病に合併した間質性肺炎では組織パターンが必ずしも治療反応性や予後と関連しないため積極的には施行されていない．

6）その他： 肺高血圧が疑われる症例には，心エコー検査や右心カテーテル検査などを行う．

診断・鑑別診断

表 9-4-11 に示すように，膠原病患者の肺病変をみた場合は，膠原病の治療に用いる薬物が惹起する薬物性肺障害，そして日和見感染症などの肺感染症を除外して診断を進めることが重要である．そのためには，薬剤服用歴などの詳細な問診に加え，感染症を除外するために血清真菌マーカー（β-D-グルカンやアスペルギルス抗原など）やサイトメガロウイルス抗原血症の検索や，気管支鏡検査などを行う．注意すべき点として，肺病変が先行し，後に膠原病を発症する症例の存在がある（肺病変先行型膠原病）．これらの症例は当初は IIPs と診断されているので，IIPs，特に特発性 NSIP では常に膠原病の発症に注意して経過観察することが重要である．

各膠原病の肺病変の特徴

以下におのおのの膠原病の肺病変について概説する．

1）関節リウマチ（RA）： 間質性肺炎だけでなく，気道病変，リウマトイド結節，アミロイドーシス，胸膜炎など多彩な肺病変がみられる．間質性肺炎の頻度は検索に用いる検査法にもよって 4～68％と幅があるが，最近の HRCT を用いた前向き研究では 20％前後と報告されている．一般に膠原病に合併した間質性肺炎は NSIP が多いが，RA は通常型間質性肺炎（usual interstitial pneumonia：UIP）の頻度が比較的高い（36～56％）．膠原病に合併した間質性肺炎では UIP と NSIP の予後に差がないと考えられていたが，最近，RA においては UIP の方が NSIP より予後不良であるとする報告が多い．また，特発性肺線維症（idiopathic pulmonary fibrosis：IPF）と同様に予後不良の急性増悪を起こす．気管支拡張症や細気管支病変（FB や BO）などの気道病変は 10～30％に認められる．粉じん吸入歴のある RA 患者で，リウマトイド結節を合併するものを Caplan 症候群とよぶ．

2）強皮症（SSc）： 間質性肺炎と肺高血圧が重要な肺病変であり，本症の予後規定因子である．膠原病のなかでも間質性肺炎を合併する頻度が最も高く（70～80％），また肺高血圧も 3～10％に認められる．慢性の経過を呈する間質性肺炎が大部分であり，組織学的には NSIP が最も多く（66～78％），予後は NSIP と UIP で差はない．間質性肺炎は抗 Scl-70 陽性のびまん型 SSc に多く，抗セントロメア抗体陽性の CREST 症候群では少ない．SSc に合併した肺高血圧は，特発性肺動脈性肺高血圧（idiopathic pulmonary arterial hypertension：IPAH）などと比較して予後不良である．

3）多発性筋炎・皮膚筋炎（PM/DM）： 間質性肺炎を合併する頻度は 23～40％と報告され，本症の重要な予後規定因子である．PM/DM に先行して肺病変が発症する症例が 17～19％を占め，膠原病のなかでは肺野病変先行型が多く，また急速進行性の間質性肺炎を合併する頻度が高い．特に DM に特徴的な皮膚所見を認めるものの，筋症状や筋原性酵素の上昇が乏しい CADM において急速進行性の予後不良な間質性肺炎を合併することが知られている．また，抗アミノ

アシルtRNA合成酵素（aminoacyl-tRNA synthetase：ARS）抗体陽性のPM/DM症例は高頻度に慢性型の間質性肺炎を合併する．一方，抗MDA5（melanoma differentiation-associated gene 5）抗体は，DMやCADMの急速進行性の間質性肺炎合併例でしばしば検出され，本症の予後不良因子である．

4）全身性エリテマトーデス（SLE）：間質性肺炎，肺胞出血，胸膜炎，肺高血圧などの肺病変を合併する．ほかの膠原病と比較し，間質性肺炎を合併する頻度は低い．本症に合併する急性発症の間質性肺炎をループス肺炎（lupus pneumonitis）といい，組織学的にはびまん性肺胞傷害（diffuse alveolar damage：DAD）を示す．DAHはループス腎炎を合併する若い女性に多い．血痰，咳，呼吸困難を主訴とするが，血痰がみられないこともある．漿膜炎の一病変として胸膜炎をしばしば合併する．

5）Sjögren症候群（SS）：間質性肺炎と気道病変が主体である．間質性肺炎は種々の組織パターンを示すが，ほかの膠原病と異なりリンパ球性間質性肺炎（lymphocytic interstitial pneumonia：LIP）の合併がみられる．気道が乾燥するbronchial siccaが知られている．細気管支病変はCBのほかに，FBなども合併する．また，薄壁の嚢胞性陰影を伴うことも多く，さらに悪性リンパ腫などのリンパ増殖性疾患やアミロイドーシスなどを合併することもある．

6）混合性結合組織病（MCTD）：間質性肺炎と肺高血圧が重要な肺病変である．わが国では間質性肺炎は約半数に合併するとされ，慢性型が多い．膠原病のなかでは肺高血圧の合併頻度が高く，本症の死因で最も多い．

治療・予後

1）**間質性肺炎**：SScを除くと治療に関するエビデンスはほとんどない．SScではシクロホスファミドの経口あるいは間欠静注投与が有効と報告されている．その他の慢性型の間質性肺炎に対してはステロイド薬の経口投与（プレドニゾロン）が行われることが多く，効果が十分でない場合はシクロスポリンや，シクロホスファミド，アザチオプリンなどの免疫抑制薬の併用が考慮される．PM/DM，CADMなどに合併した急性型の間質性肺炎にはメチルプレドニゾロン大量パルス療法に加え，早期からシクロスポリンやシクロホスファミドなどの免疫抑制薬の併用が行われる．免疫グロブリン大量静注療法の有効性も一部で報告されている．予後については，組織学的にDADを示す症例は不良であり，RAを除けばUIPとNSIPは同等である．

2）**気道病変**：気管支拡張症やFBなどの気道病変に対しては少量マクロライド療法が用いられるが，びまん性汎細気管支炎（diffuse panbronchiolitis：DPB）と比べると有効性は乏しい．BOは予後不良であり，現時点で確立した薬物療法はなく，肺移植が最も有効な治療法である．

3）**肺高血圧**：IPAHに準じて，抗凝固療法，血管拡張療法（Ca拮抗薬，プロスタサイクリン，エンドセリン受容体拮抗薬，ホスホジエステラーゼ5阻害薬など）などが考慮されるが，IPAHと比較し予後不良である．また，ステロイド薬や免疫抑制薬が有効な症例もある．

4）**びまん性肺胞出血（DAH）**：メチルプレドニゾロン大量パルス療法に加え，重症例やステロイドの効果不十分な症例にはシクロホスファミドの間欠静注投与などの免疫抑制薬の併用を行う．本症の予後は不良であり，死亡率は50〜90％である． 〔須田隆文〕

■文献

Fischer A, du Bois R: Interstitial pneumonia in connective tissue disorders. *Lancet*. 2012; **380**: 689-98.
Lamblin C, Bergoin C, et al: Interstitial lung diseases in collagen vascular diseases. *Eur Respir J*. 2001; **18**: 69s-80s.

6）サルコイドーシス
sarcoidosis

定義・概念
サルコイドーシスは両側肺門リンパ節，肺，皮膚，眼，神経系，心臓をはじめとする多臓器に肉芽腫をつくる．しばしば出現する両側肺門リンパ節腫脹は自然消褪することが多いが，多臓器病変を有する例は慢性に進行し，難治化することもある[1]（Valeyreら，2014；長井，2012）．

原因・病因
感受性のある遺伝的素因をもとにして，微生物などの未知の抗原に対する過剰な免疫反応によって発症すると考えられている．従来の抗酸菌説のほかに*Propionibacterium acnes*（アクネ菌）病因説[1-4]（Valeyreら，2014；長井，2012）も注目されている．

疫学
寒冷地に多い．北海道に多く九州に少ない．有病率は人口10万人あたり7.5〜9.3人である[5]．女性に多い．20〜30歳代と50〜60歳代に多く，二峰性を呈している．男性は若年発症，女性は中高年発症が多いが，最近は若年発症が減少する傾向にある．

病理
リンパ流路に沿って乾酪壊死を伴わない類上皮細胞肉芽腫をつくる．肉芽腫は融合する傾向があり大きな結節をつくり，陳旧化すると周囲を膠原線維が取り囲む．肺胞隔壁のリンパ球浸潤は著明でない．多核巨細

胞がしばしばみられ，Schaumann 小体やアステロイド小体が胞体内にみられることがある．

病態生理

原因抗原が体内に入ると，マクロファージや樹状細胞などの抗原呈示細胞に捕捉され，T 細胞は 1 型ヘルパー T 細胞(Th1)へ分化し，Th1 型免疫反応が亢進する結果として肉芽腫が形成される．慢性化していく過程においては抗原刺激による免疫反応が持続していると考えられる[1]（Valeyre ら，2014；長井，2012）．

臨床症状

1) 自覚症状：霧視，羞明，飛蚊症，視力低下などの眼症状が最も多く，ついで皮疹，咳，全身倦怠が多い．発熱，関節痛などもある．約 1/3 は無症状であることから，健康診断により発見されることも多い．胸郭内病変はあっても症状に乏しいことが多い．

2) おもな臓器病変と他覚症状：

　a) 呼吸器：約 90%の頻度で胸郭内病変がある．聴診は正常肺胞音のことが多いが，線維化が進行すると crackles を聴取する．気道病変があると wheezes が聴取されることがある．

　b) 眼：25～70%[6]（長井，2012）にみられる．ブドウ膜炎を起こす．ブドウ膜炎の原因疾患のなかで最も多いのがサルコイドーシスである．

　c) 皮膚：10～30%[6]（長井，2012）にみられる．結節性紅斑，瘢痕浸潤や皮膚サルコイド（結節型，びまん浸潤型，皮下型，苔癬様型）がある．生検が容易なので，多彩な皮疹を見逃さないようにしたい．

　d) 心臓【⇨ 7-13-2】：出現頻度（2～25%）[6-9]が報告により差があるが，肺病変と並んで死因に関連する重要な臓器病変である．刺激伝導障害としての不整脈や心機能の低下に基づく心不全の所見がある．

　e) 神経【⇨ 7-12-6-4】：頻度（5%）は少ないが，あらゆる神経系組織が障害される可能性がある．臨床症状が多彩で診断が難しいうえに，非侵襲的な検査の有用性にも限界がある．血清アンジオテンシン変換酵素(ACE)が高値になるのは神経サルコイドーシスの 1/4 の症例にすぎない[10]．生検できる症例が少ないことも診断を難しくしている．全身所見を参考にして総合的に判断する必要がある．

　　i) 末梢神経サルコイドーシス：脳神経，とりわけ顔面神経が侵されやすい．顔面神経麻痺は神経サルコイドーシスの～50%を占める．両側麻痺であればサルコイドーシスによる可能性が高くなる．ほかの脳神経症状を伴うこともある．

　　ii) 中枢神経サルコイドーシス：サルコイドーシスは髄膜に肉芽腫をつくる．特に脳底部の髄膜炎を起こしやすく，眼神経をはじめとして複数の脳神経症状が現れる．脳実質あるいは脊髄のサルコイド結節は形成する部位によりさまざまな神経所見が現れる．

　f) 骨・筋肉：出現頻度は 5%以下である．関節サルコイドーシスはリウマチ性関節炎に類似する．腫脹・疼痛を伴うことがあるが，変形はない．筋サルコイドーシスでは下肢筋肉内に腫瘤を触知し筋肉痛を伴うことがある．

検査所見

1) 画像：

　a) 胸部 X 線写真：両側肺門リンパ節腫脹（図 9-4-4）が最も特徴的である．肺野陰影は上肺野優位の粒状影や斑状影などがある．

　b) 胸部 CT：胸部 X 線写真でとらえにくい縦隔リンパ節腫脹が確認できる．肺野陰影は気管支血管束に沿った粒状影や小結節影（図 9-4-5）である．また葉間胸膜に一致した粒状影もみられる．線維化が進行すると網状影や牽引性気管支拡張などが出現するが，上肺野に病変が強いことが多い．

　c) ^{67}Ga シンチグラフィ，^{18}F-FDG-PET：^{67}Ga や ^{18}F-FDG は肉芽腫に高率に集積するので病変の広がりをとらえることができる．保険診療上の制約があるが，^{67}Ga シンチグラフィよりも ^{18}F-FDG-PET の方がより鋭敏に病変を検出できる[11]．

2) 生化学・免疫検査：血清 ACE，リゾチーム．可溶性インターロイキン-2 受容体(sIL-2R)，γ-グロブリン，KL-6，カルシウムなどが高値になる．皮膚の遅延型過敏反応が抑制され，ツベルクリン反応が陰性化する．

3) 呼吸機能検査：病初期には異常を示さないことが多い．線維化が進行すると拘束性換気障害が現れ肺活量や DLco が低下する．閉塞性障害は病期に関係なく出現することがあり，喘息と鑑別が難しい場合がある．

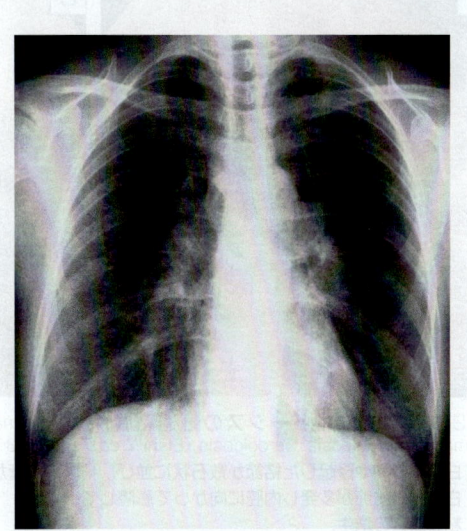

図 9-4-4 両側肺門リンパ節腫脹

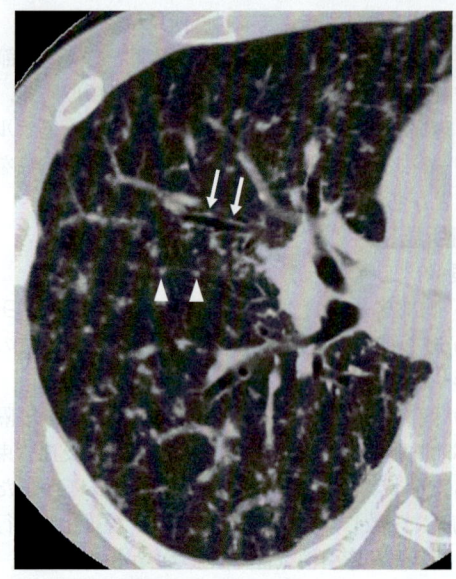

図 9-4-5 小結節
血管壁や気管支壁(矢印)に沿って，あるいは葉間胸膜(矢頭)に沿ってみられる．

4)気管支鏡検査：

a) 肉眼的観察：気道粘膜の発赤，浮腫，結節性隆起や網目状の血管増生(network formation)(図 9-4-6)がみられることがある．

b) 経気管支肺生検(TBLB)：気管支鏡で観察できない肺実質病変検出のために行われる．異常陰影が確認できなくても肉芽腫を検出することがある．

c) 気管支肺胞洗浄(BAL)：BAL 液中のリンパ球が増加し，CD4 陽性 T 細胞/CD8 陽性 T 細胞比が上昇する．

d) 超音波気管支鏡下針生検(EBUS-TBNA)：腫脹した縦隔リンパ節や肺門リンパ節を超音波で確認しながら生検を行うことができる EBUS-TBNA は TBLB よりも肉芽腫の検出率が高いとする報告もあり[12]，臨床現場で急速に普及した．

診断

指定難病としての診断基準が 2015 年 1 月改訂された(表 9-4-15，e表 9-4-C, 9-4-D，図 9-4-B)．多臓器疾患という基本姿勢を踏襲しつつ，全身反応を示す検査所見項目に新たに血清 sIL-2R 値の高値が加わり，ツベルクリン反応陰性やγ-グロブリン上昇が除外された．

鑑別診断

肉芽腫性疾患(肺結核症，非結核性抗酸菌症，過敏性肺臓炎)，気管支血管束に沿った病変(癌性リンパ管症，悪性リンパ腫，IgG4 関連肺疾患)，上肺野優位の病変(過敏性肺炎，じん肺，肺 Langerhans 細胞肉芽腫症)，肺線維症(特発性間質性肺炎)，咳が主症状の疾患(喘息)，など鑑別すべき疾患が多い．

合併症

肺線維症に伴う肺高血圧と肺アスペルギルス症は生命予後悪化させる[13,14]．悪性リンパ腫を含む造血器腫瘍や皮膚癌などの悪性腫瘍を併発する(相対危険度 1.2)ことがある[15,16]．

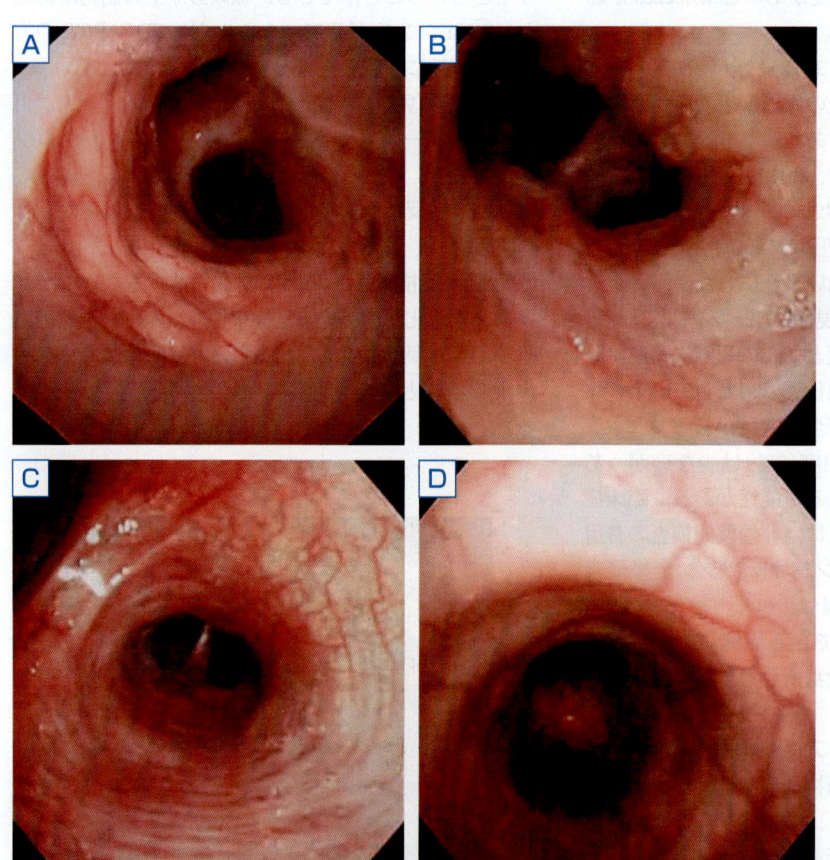

図 9-4-6 サルコイドーシスの気道粘膜病変(Watanabe K: Physiologic manifestation in pulmonary sarcoidosis. Sarcoidosis (Eishi Y ed), pp165-81, Intech, 2013)
A：白色調のやや隆起した結節が敷石状に並び，粘膜の血管が拡張している．
B：白色調の結節が多発し内腔に向かって膨隆している．
C：粘膜血管の増生．
D：粘膜血管の怒張と粘膜の浮腫．

表 9-4-15 サルコイドーシスの診断基準(日本サルコイドーシス/肉芽腫性疾患学会)

組織診断群
全身のいずれかの臓器で壊死を伴わない類上皮細胞肉芽腫が陽性であり,かつ,既知の原因の肉芽腫および局所サルコイド反応を除外できているもの. ただし,特徴的な検査所見および全身の臓器病変を十分検討することが必要である.

臨床診断群
類上皮細胞肉芽腫病変は証明されていないが,呼吸器,眼,心臓の3臓器中の2臓器以上において本症を強く示唆する臨床所見を認め,かつ,特徴的検査所見の5項目中2項目以上が陽性のもの.

特徴的な検査所見
1)両側肺門リンパ節腫脹 2)血清アンジオテンシン変換酵素(ACE)活性高値または血清リゾチーム値高値 3)血清可溶性インターロイキン-2受容体(sIL-2R)高値 4)Gallium-67 citrate シンチグラムまたは fluorine-18 fluorodeoxygluose PET における著明な集積所見 5)気管支肺胞洗浄検査でリンパ球比率上昇,CD4/CD8比が3.5を超える上昇

＊特徴的な検査所見5項目中2項目以上陽性の場合に陽性とする.

経過・予後

2/3近い症例は自然寛解するが,10〜30%は有症状の臓器病変が遷延し難治化する[17].肺線維症,心臓や中枢神経病変があれば予後が悪くなるが,最近の調査では10年生存率は80〜90%である[7](長井,2012).

治療

1)**副腎皮質ステロイド**: 治療の基本になる薬剤である.何らかの症状と臓器機能の低下があればステロイド治療を考慮する.経口プレドニゾロンを20〜40 mg/日薬からスタートし[17,18](Valeyre ら,2014),漸減しながら1〜2年継続する.

2)**免疫抑制薬**: ステロイドの効果が不十分な場合,あるいはステロイドの使用量を少なくする目的でメトトレキサートやアザチオプリンを用いる[18](長井,2012).

3)**生物学的製剤**: ステロイドが第一選択薬,MTXが第二選択薬とすれば,それでもなお難治例に対する3番目の選択薬はTNF-α阻害薬のインフリキシマブであろう(保険適用外)[18].

4)**吸入ステロイド**: 頑固な咳やスパイロメトリーで閉塞性障害の明らかな場合に使用される[1,18].喘息との鑑別を兼ねて使用する場合が多い. 〔渡辺憲太朗〕

■文献(e文献9-4-6)

長井苑子編:3 サルコイドーシス. 最新医学別冊 新しい診断と治療のABC,最新医学社,2012.
日本サルコイドーシス/肉芽腫性疾患学会. http://jssog.com/www/top/shindan/shindan2-1new.html
Valeyre D, Prasse A, et al: Sarcoidosis. Lancet. 2014; 383: 1155-67.

7)その他の免疫関連肺疾患

(1)抗好中球細胞質抗体(antineutrophil cytoplasmic antibody:ANCA)関連血管炎

概念

肺には血管が豊富に存在することから全身性血管炎の主要な標的臓器となっている.特に,抗好中球細胞質抗体(ANCA)が共通の標識抗体として認められる,顕微鏡的多発血管炎(MPA),多発血管炎性肉芽腫症(GPA),好酸球性多発血管炎性肉芽腫症(EGPA)の3疾患はANCA関連血管炎として分類されており,いずれの疾患も気道・肺病変をきたしやすいという特徴をもっている.しかしながら,それぞれの気道・肺病変の臨床病型は大きく異なっていることから,ここでは,ANCA関連血管炎として分類される3疾患の気道・肺病変を中心に解説する.

a. 顕微鏡的多発血管炎(microscopic polyangiitis:MPA)

概念

MPAは,顕微鏡的観察によって諸臓器に分布する毛細血管や細動静脈の血管壁の炎症が認められ,微小血栓や出血を合併することにより壊死性変化も伴う血管炎症候群である.肉芽腫形成を認めないことがほかのANCA関連血管炎との鑑別点としてあげられる.気道・肺病変としては,びまん性肺胞出血と間質性肺炎を呈する頻度が高いことが特徴である[1].

原因・病因【⇒ 12-8】
臨床症状

呼吸器症状としては,咳,呼吸困難,血痰・喀血,低酸素血症などを呈する.間質性肺炎は血管炎症状の出現に数年程度先行して認められることが多い[2].

検査所見

1)**血清学的所見**: 間接蛍光抗体法による染色パターンから検出される核周囲型ANCA(p-ANCA)あるいは抗原特異的検出法によって検出されるミエロペルオキシダーゼ(MPO)に特異的に反応するMPO-ANCAが約70%の症例で陽性となる[3].

2)**画像所見**: びまん性肺胞出血を伴う症例では,びまん性のすりガラス状陰影【⇒ 9-3-3】を呈する.間質性肺炎を伴う症例ではびまん性の網状陰影を呈するが,進行してくると牽引性気管支拡張や蜂巣肺の所見

を認めるようになり，特発性肺線維症に類似した画像所見を呈する(図9-4-7)[4]．

3) 気管支鏡検査：びまん性肺胞出血の場合には，気管支肺胞洗浄にて血液成分の回収が認められる．経気管支肺生検組織による血管炎の証明は困難であることが多いため，肺組織の採取には胸腔鏡下肺生検が必要になる場合が多い．

診断・治療【⇨ 12-8】

b. 多発血管炎性肉芽腫症(granulomatosis with polyangiitis：GPA)

概念

GPAは，病理組織学的に①全身の壊死性・肉芽腫性血管炎，②上気道と肺を主とする壊死性肉芽腫性炎，③壊死性半月体形成性腎炎，を呈する血管炎症候群である．1939年，ドイツの病理学者 Friedrich Wegenerによって，肺と鼻に肉芽腫を形成し，全身の中～小血管の壊死性血管炎を呈する疾患として報告されたのが最初であり，以前は Wegener 肉芽腫症とよばれていた．病型として，上気道，肺，そして腎臓のすべてに病変を呈するものは全身型，腎病変を欠くものは限局型とよばれ，全身型の典型例では，上気道，肺，腎臓の順に病変が出現・進行する．

病因・原因【⇨ 12-8】

臨床症状

上気道の症状として，鞍鼻，膿性鼻漏，鼻出血，嗅覚低下などを呈する．下気道・肺の症状としては，呼吸困難，咳，血痰・喀血，気管・気管支狭窄などを呈する．

検査所見

1) 血清学的所見：欧米では，間接蛍光抗体法による染色パターンから検出される細胞質型 ANCA (c-ANCA) あるいは抗原特異的検出法によって検出される proteinase 3 (PR3) に特異的に反応する PR3-ANCA が90％の症例で陽性となるとされるが，わが国の GPA 症例における PR3-ANCA 陽性率は60％程度と報告されている[5]．

2) 画像所見：鼻腔・副鼻腔 CT では，鼻腔，副鼻腔の粘膜肥厚が認められる．胸部 CT 画像では，しばしば空洞形成を認める多発性の結節陰影と浸潤陰影が特徴的所見であり(図9-4-8)，びまん性肺胞出血を伴った場合には斑状あるいはびまん性のすりガラス状

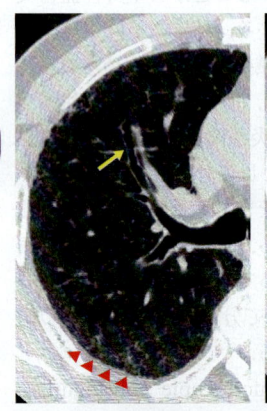
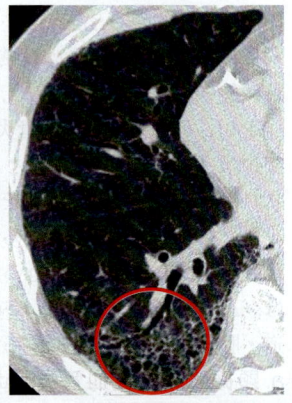

図 9-4-7 顕微鏡的多発血管炎に伴う間質性肺炎の胸部 CT 画像
胸の末梢優位に網状陰影(▲)と蜂巣陰影(○)を認め，一部にはすりガラス状陰影や小粒状陰影も目立つ．さらに牽引性気管支拡張(↑)も認める．

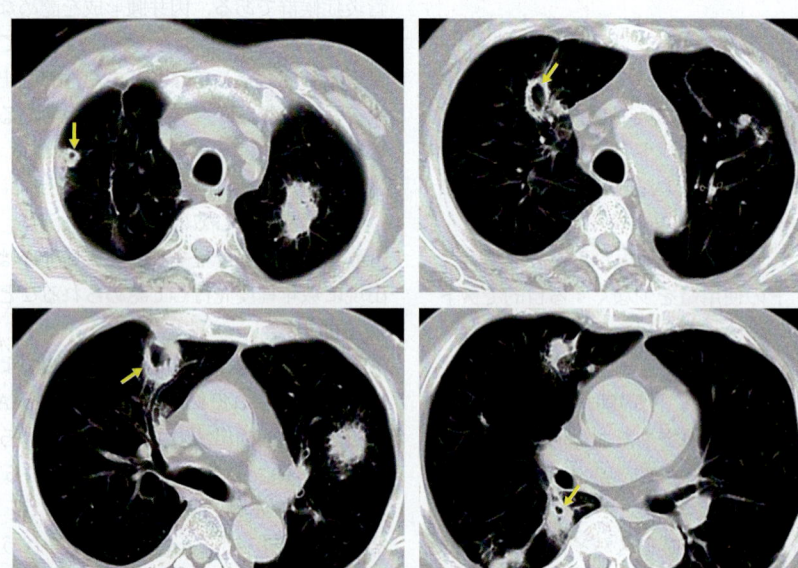

図 9-4-8 多発血管炎性肉芽腫症の胸部 CT 画像
両側肺に多発性の結節陰影や浸潤陰影を認める．一部に空洞形成(↑)を認める．

陰影や浸潤陰影を認める[6]．

3)組織生検：鼻腔あるいは副鼻腔粘膜の生検が行われる場合もあるが，特異的所見を得られる率は低い[7]．肺内の結節陰影に対して，経気管支肺生検が試みられる場合もあるが，特異的所見を得られる可能性が低いため，肺組織の採取には胸腔鏡下肺生検を行うことが推奨される．

診断・治療【⇨ 12-8】

c. 好酸球性多発血管炎性肉芽腫症（eosinophilic granulomatosis with polyangiitis：EGPA）

概念

EGPAは，気管支喘息やアレルギー性鼻炎による症状が先行し，その後に末梢血の好酸球増加を伴った血管炎が惹起される血管炎症候群である[8,9]．1951年にJacob ChurgとLotte Straussによって提唱された疾患であり，以前はChurg-Strauss症候群（Churg-Strauss syndrome：CSS）とよばれていた．血管炎の発症によって，末梢神経炎，紫斑，消化管潰瘍，多発関節炎・筋炎，脳梗塞・脳出血，心筋梗塞などによる多彩な臨床症状も呈するようになる．約50％の症例にMPO-ANCAが検出されることからANCA関連血管炎に含まれる[10]．

病因・原因【⇨ 12-8】

臨床症状

最も頻度の高いものは気管支喘息による症状であり，90％以上の症例に出現する[11]．気管支喘息症状の発症は，血管炎による臨床症状の出現より8～10年ほど先行するとされる[10,12]．上気道では，アレルギー性鼻炎，鼻茸などによる症状を呈することが多い．

検査所見

1)血液検査所見：末梢血好酸球数の増加，血清IgEの上昇を認める．40～60％の症例でp-ANCAあるいはMPO-ANCAが陽性となる[13,14]．

2)胸部画像所見：EGPAに特異的ではないが，典型的な胸部CT所見として，気管支血管束や小葉間隔壁の肥厚，斑状に存在するすりガラス状陰影や浸潤陰影があげられる（図9-4-9）[15]．

3)気管支鏡検査：気管支肺胞洗浄液にて著明な好酸球分画の上昇（25％以上）を認める．経気管支肺生検組織を用いてEGPAの病理組織学的診断を行うことは困難であることが多いため，肺組織の採取には胸腔鏡下肺生検を行うことが推奨される[16]．

診断・治療【⇨ 12-8】

(2)Goodpasture症候群（Goodpasture syndrome）

概念

Goodpasture症候群は，抗糸球体基底膜抗体（anti-glomerular basement membrane antibody，抗GBM抗体）が存在し，急速進行性糸球体腎炎と肺胞出血が発症する疾患と定義されるが，肺胞出血の発症を欠く症例も多い．抗GBM抗体が認識する抗原が腎臓と肺に存在するため，これらの臓器に傷害をきたすものと考えられている．

病因・原因【⇨ 13-6-7】

臨床症状

Goodpasture症候群と診断される症例の約50～70％に肺胞出血を主とする胸部画像異常を認める[17,18]．肺病変の有無は，循環している抗GBM抗体が肺胞の基底膜に到達できるかどうかによると考えられており，喫煙や感染，コカイン吸引，炭化水素化合物への暴露などに伴って引き起こされた呼吸器障害を有している症例に肺病変の発症が多いことがわかっている．

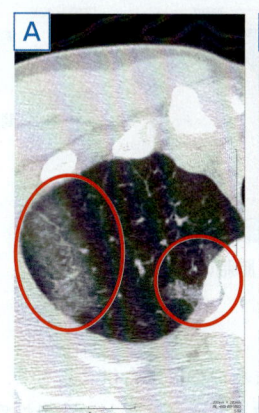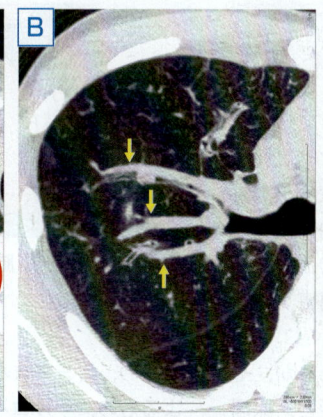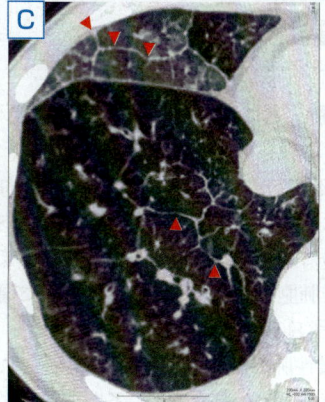

図9-4-9 好酸球性多発血管炎性肉芽腫症の胸部CT画像
斑状に存在するすりガラス状陰影，気管支血管束，小葉間隔壁の肥厚など多彩な画像所見を呈する．同一患者の，A：すりガラス状陰影（〇），B：気管支血管束の肥厚（↑），C：小葉間隔壁の肥厚（▲），の所見が目立つCT画像を提示する．

検査所見【⇨ 13-6-7】
1) **血清学的検査**： 抗 GBM 抗体が検出される．
2) **画像所見**： びまん性肺胞出血の画像所見を参照【⇨ 9-3-3】．
3) **呼吸機能検査**： 肺胞内にヘモグロビンが存在するため，肺拡散能（carbon monoxide diffusing capacity：DLco）は上昇する．
4) **気管支鏡検査**： 気管支肺胞洗浄液に血液が回収される．経気管支肺生検組織の蛍光抗体染色では，肺胞基底膜に沿った線状の IgG 沈着が認められる．

診断・治療【⇨ 13-6-7】

(3) IgG4 関連疾患（IgG4-related disease）
概念
IgG4 関連疾患は，①血清 IgG4 高値，② IgG4 陽性形質細胞の組織浸潤または腫瘤形成，③花莚状と称される線維化病変形成，を共通の特徴とする，近年注目を集めるようになった疾患である．全身の諸臓器に病変をきたしうる疾患であり，従来，Sjögren 症候群，Castleman 病，自己免疫膵炎，硬化性胆管炎，後腹膜線維症，間質性腎炎，間質性肺炎などと診断されてきた症例のなかに本疾患が含まれてきたものと考えられる．肺に病変を呈する本疾患は，IgG4 関連肺疾患ともよばれる．

病因・原因【⇨ 12-20】
臨床症状
無症状であることが多いが，咳，血痰，呼吸困難，胸痛などの症状を呈する場合もある．全身型の IgG4 関連疾患では，約 10％の症例に肺病変，約 5％の症例に胸膜病変を認める[19]．

検査所見【⇨ 12-20】
1) **血清学的検査**： 血清 IgG4 値が高値となる（135 mg/dL 以上）．
2) **胸部画像所見**： いずれも IgG4 関連疾患に特異的とはいえないが，おもな胸部 CT 画像所見として，①結節陰影，②円形状のすりガラス状陰影，③網状陰影，④気管支血管束肥厚，の 4 つのパターンがみられる（e図 9-4-C）[20]．
3) **気管支鏡検査**： 気管支肺胞洗浄液の細胞分画ではリンパ球の増加を認める[21]．経気管支肺生検にて診断に資するだけの組織を得られることが多いが[21]，特に肺腫瘍との鑑別が困難である症例に対しては胸腔鏡下肺生検も含む外科的生検を行うことが望ましい．

診断・治療【⇨ 12-20】
〔服部 登〕

■文献（e文献 9-4-7）
Greco A, Rizzo MI, et al: Goodpasture's syndrome; a clinical update. *Autoimmun Rev*. 2015; **14**: 246-53.
Seo P, Stone JH: The antineutrophil cytoplasmic antibody-associated vasculitides. *Am J Med*. 2004; **117**: 39-50.
Stone JH, Zen Y, et al: IgG4-related disease. *N Engl J Med*. 2012; **366**: 539-51.

9-5 間質性肺疾患

1) 間質性肺炎の分類

(1) 間質性肺炎とは
肺に起きる炎症はその炎症の主座により，実質性肺炎（いわゆる"肺炎"）と間質性肺炎に大別される．実質性の肺炎はウイルスや細菌によって肺胞の内部に炎症が起きるのに対して，間質性肺炎ではおおまかにいって，肺胞と肺胞の境目・壁である"間質"に傷害・炎症を生じる（図 9-5-1）．

この間質性肺炎は大きく 2 つに大別されるが，それは何らかの原因があって生じる間質性肺炎と，原因の特定できない特発性間質性肺炎の 2 つである（表 9-5-1）．原因が明らかな間質性肺炎としては，薬物性のもの，関節リウマチや皮膚筋炎といった膠原病によるもの，さまざまな血管炎に合併するもの，放射線によるもの，サルコイドーシスなどの全身性疾患に合併するもの，さまざまな吸入抗原による過敏性肺炎，さまざまな職業性粉じんの吸入によるじん肺などが知られている．

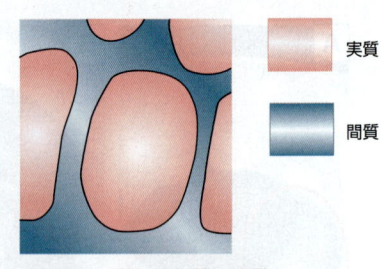

図 9-5-1 肺胞の実質と間質

原因不明の間質性肺炎は特発性間質性肺炎（idiopathic interstitial pneumonias：IIPs）とよばれているが，IIPs の分類は 2013 年，欧米において大きく改訂された（Travis ら，2013）．これは 2002 年以来の改訂であり，この 10 年間のこの分野での大きな進歩を背景として米国呼吸器学会（ATS）と欧州呼吸器学会（ERS）との共同 statement という形で行われた（表 9-5-2）．この 10 年間の進歩をかいつまんで述べてみる

と，まず非特異性間質性肺炎（nonspecific interstitial pneumonia：NSIP）の概念がさらに確固としたものになったことがあげられる．Katzenstein による NSIP の提唱は，従来，特発性肺線維症（idiopathic pulmonary fibrosis：IPF）のなかでステロイドが著効する例がときにあるといったあいまいな部分を明確に異なる疾患単位として明示することにより，IPF の概念の純化に大きく貢献したが，この NSIP の概念の確立と独立性が再確認された．その一方で，外科側の胸腔鏡下肺生検技術の進歩により，病理学的な検索が進み，その過程で，肺傷害のパターンというものが必ずしも均一ではないこと，多様性がありうるということも明らかになって，従来の分類にはどうしても入れることのできないパターンも存在することが認識された．こういった背景から今回の分類では，6 つの主要な間質性肺炎と，2 つのまれな間質性肺炎（図 9-5-2）のほか

表 9-5-1 間質性肺炎の分類

（Ⅰ）原因の明らかなもの
- 薬物起因性
- 放射線
- 膠原病
- 血管炎
- サルコイドーシス
- 吸入抗原による過敏性肺炎
- 粉じん吸入によるじん肺

（Ⅱ）原因が不明なもの
- 特発性間質性肺炎（idiopathic interstitial pneumonias：IIPs）

表 9-5-2 これまでの特発性間質性肺炎の分類（2002 年）

- 特発性肺線維症（IPF）
- 非特異性間質性肺炎（NSIP）
- 特発性器質化肺炎（COP）
- 急性間質性肺炎（AIP）
- 剝離性間質性肺炎（DIP）
- 呼吸細気管支炎を伴う間質性肺疾患（RB-ILD）
- リンパ球性間質性肺炎（LIP）

表 9-5-3 2013 年の新しい特発性間質性肺炎の分類
（Travis ら，2013 より改変引用）

（Ⅰ）主要な IIPs
- 特発性肺線維症（IPF）
- 特発性非特異性間質性肺炎（idiopathic NSIP）
- 呼吸細気管支炎を伴う間質性肺疾患（RB-ILD）
- 剝離性間質性肺炎（DIP）
- 特発性器質化肺炎（COP）
- 急性間質性肺炎（AIP）

（Ⅱ）まれな IIPs
- idiopathic lymphoid interstitial pneumonia
- idiopathic pleuroparenchymal fibroelastosis

（Ⅲ）分類不能型 IIPs（unclassifiable IIPs）

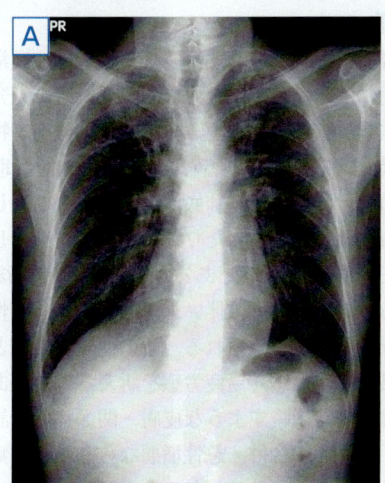
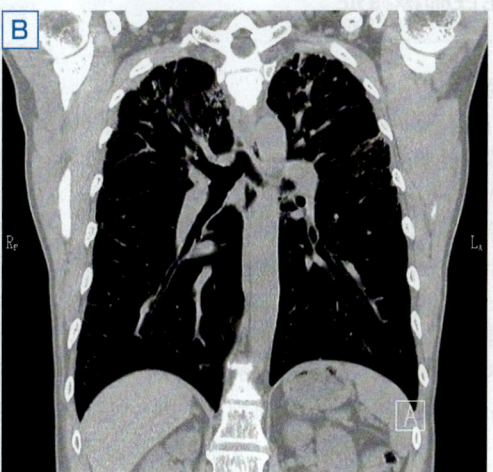

図 9-5-2　上葉優位型肺線維症（idiopathic pleuropareuchymal fibroelastosis：iPPFE）
A：両側上肺に線維化が存在し，上肺が収縮．
B：同じ例の CT 像．両上肺の線維化・収縮がみられる．

表 9-5-4 主要な IIPs のカテゴリー別新分類(Travis ら, 2013 より改変引用)

カテゴリー	CRP 診断	画像・病理の形態像
(Ⅰ)慢性線維化性 IP	・特発性肺線維症(IPF) ・特発性非特異性間質性肺炎(idiopathic NSIP)	usual interstitial pneumonia NSIP
(Ⅱ)喫煙関連 IP	・呼吸細気管支炎を伴う間質性肺炎(RB-ILD) ・剝離性間質性肺炎(DIP)	呼吸細気管支炎 DIP
(Ⅲ)急性/亜急性 IP	・特発性器質化肺炎(COP) ・急性間質性肺炎(AIP)	器質化肺炎 びまん性肺胞傷害(diffuse alveolar damage)

CRP: clinical-radiologic-pathologic.

に,第3のカテゴリーとして分類不能型 "unclassifiable idiopathic interstitial pneumonias" が新たに導入された(表 9-5-3). さらに6つの主要な間質性肺炎については,その特性から慢性線維化 IP,喫煙関連 IP,急性/亜急性 IP の3グループに分類された(表 9-5-4). しかしながら,この6疾患のうち,主要なものは IPF, icliopathic-NSIP, COP の3疾患であり,ほかの3つはまれなものである.

日本でも欧米との整合性をとる必要から,この新分類を取り入れる形で現在,特発性間質性肺炎診療の手引き(第3版)の作成が進行中である. 〔杉山幸比古〕

■文献

Travis WD, Costabel U, et al: An official American Thoracic Society / European Respiratory Society Statement; update of the international multidisciplinary classification of the idiopathic interstitial pneumonias. *Am J Respir Crit Care Med*. 2013; 188: 733-48.

2)特発性肺線維症
idiopathic pulmonary fibrosis : IPF

概念・定義

IPF は,原因不明の慢性進行性の線維化を特徴とする特発性間質性肺炎(idiopathic interstitial pneumonias : IIPs)の一型で,最終的に不可逆的な蜂巣肺を形成し,高度の拘束性換気障害および肺拡散能障害を呈する. その病理組織パターンは通常型間質性肺炎 (usual interstitial pneumonia : UIP)であり,空間的および時相的に不均一な肺胞構造改変をきたす密な線維化病変が特徴である. 種々の遺伝的背景のもとに外因的,あるいは内因的刺激により肺胞上皮または基底膜が傷害され,その修復過程における線維芽細胞・筋線維芽細胞の増殖,細胞外マトリックスの過剰産生により肺正常構造が破壊され,線維化が進行することにより呼吸機能障害が引き起こされる. これまでの IPF の診断は,2000 年の米国/欧州呼吸器学会の statement に準じて,臨床・画像,病理学的に診断されてきた. しかしながら,2011 年の IPF 新ガイドラインでは,胸部高分解能 CT(high-resolution computed tomography : HRCT)における UIP パターンを重視するといった大きな変更点があった. IPF の臨床経過はさまざまで,患者の大多数は緩徐に進行していくが,一部の患者では急速進行性に悪化することが知られている. また,緩徐に進行する患者のなかにも急性増悪をきたし,死亡あるいは段階的に悪化する患者も認められる(図 9-5-3).

疫学・予後

IPF の発症率と有病率に関して,日本のコホート研究調査によると年間発症率は 10 万人対 2.23 人,有病率は 10 万人対 10.0 人とされている. IPF は中年以降の男性に多く,発症時の平均年齢は 64～68 歳である. 平均生存期間は 3～5 年といわれているが,患者間差は大きく,正確な予後予測は困難である. 予後不良因子として急性増悪,肺癌,肺高血圧の合併などがあり,重症度が高くなるほど合併率も高くなる.

診断

1)臨床症状・身体所見: IPF の進行は通常緩徐で,初期には無症状の場合もあるが,一般に初発症状は乾性咳嗽や労作時呼吸困難である. 聴診上,特に背下部に吸気終末時の捻髪音(fine crackles)を聴取する. 病変の進行に伴って,肺底部から上方に拡大していく. ばち指は,数年にわたり肺の線維化が進行していることを示唆する所見であるが,25～50% 前後に認められる. 疾患の進行に伴い,チアノーゼ,肺性心,末梢性浮腫などが認められる. その他全身症状として,体重減少,倦怠感,易疲労感を訴えることがある. 発熱や膠原病を示唆するような皮膚・関節症状を認める場合は,感染症の合併,急性増悪ならびに膠原病に伴う間質性肺炎を疑う必要がある.

2)検査所見: 胸部 X 線でびまん性の陰影を確認し(図 9-5-4A),呼吸機能検査で拘束性換気障害(VC

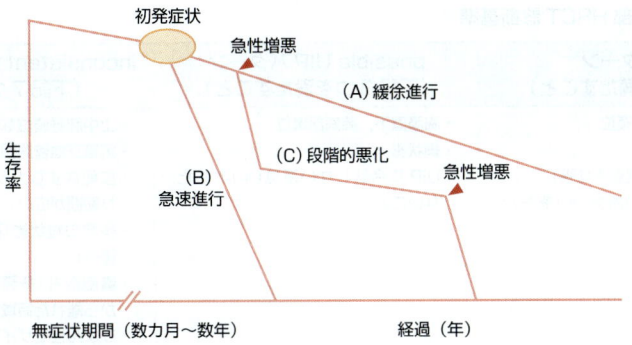

図 9-5-3 IPF の自然経過
患者の大多数は緩徐に進行していくが(A), 一部の患者では急速進行性に悪化することが知られている(B). また, 緩徐に進行する患者のなかにも急性増悪をきたし, 死亡あるいは段階的に悪化する例も認められる(C).

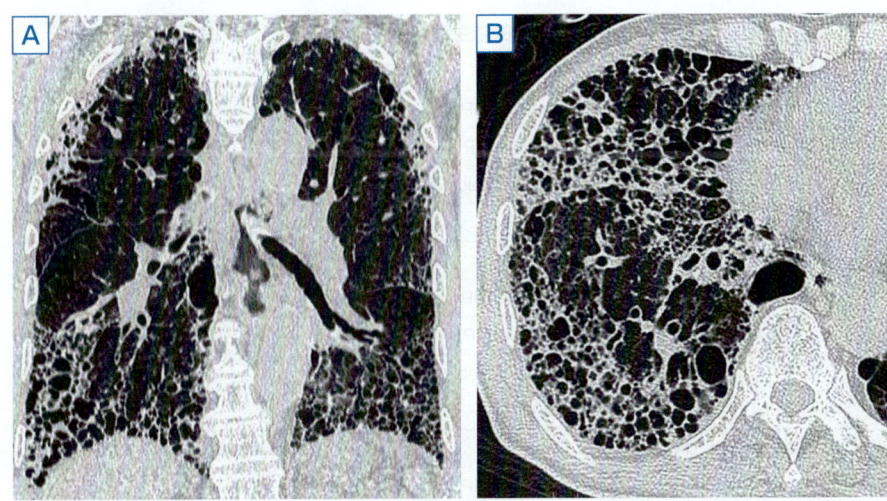

図 9-5-4 胸部 CT 画像
A : 冠状断. 両側下葉, 肺底部胸膜下優位に蜂巣肺形成を認め, 上方に進展している. 肺容積は減少し, 牽引性気管支拡張もみられる.
B : HRCT. 両側下葉胸膜下優位に壁厚の囊胞が重層している(蜂巣肺).

の低下)や拡散能(DLco)の低下, ガス交換障害(A-aDo$_2$ の開大, 安静時または運動時の S_pO_2, P_aO_2 の低下)などの異常を確認する. わが国における IPF の重症度分類では, 安静時の動脈血酸素分圧値と歩行時の desaturation の有無により重症度Ⅰ～Ⅳ度までに分類されている(表 9-5-5)(日本呼吸器学会びまん性肺疾患診断・治療ガイドライン作成委員会, 2011).

3)画像所見: 胸部 HRCT の特徴は肺底部, 胸膜直下優位に数層の数～10 mm 大の囊胞状構造が集まった蜂巣肺の所見が認められる(図 9-5-4). HRCT 所見で 3 つのパターン(UIP, possible UIP, inconsistent with UIP)に分類し(表 9-5-6)(Raghu ら, 2011), UIP パターンであれば外科的肺生検は施行せずに IPF と診断可能である. UIP パターンでない場合には, 可能なかぎり外科的肺生検を施行し, 病理組織学的検討を行う. 病理組織所見は 4 つのパターン

表 9-5-5 IPF の重症度分類

重症度分類	安静時動脈血酸素分圧値	6 分間歩行時 S_pO_2
Ⅰ	80 mmHg 以上	
Ⅱ	70 mmHg 以上 80 mmHg 未満	90%未満の場合はⅢにする
Ⅲ	60 mmHg 以上 70 mmHg 未満	90%未満の場合はⅣにする
Ⅳ	60 mmHg 未満	測定不要

安静時の動脈血酸素分圧値と歩行時の desaturation の有無により重症度Ⅰ度からⅣ度までに分類されている.

(UIP, probable UIP, possible UIP, not UIP)に分類し, HRCT パターンと病理組織パターンの組み合わせにより最終診断する(表 9-5-7)(Raghu ら, 2011). なお, 喫煙者では, 気腫性病変を合併する(combined

表 9-5-6 IPF の胸部 HRCT 診断基準

UIP パターン （下記4つを満たすこと）	possible UIP パターン （下記3つを満たすこと）	*inconsistent with UIP パターン （下記7つのどれか）
・胸膜直下，肺底部優位 ・網状影 ・蜂巣肺（±牽引性気管支拡張） ・UIP に合致しない所見（*）をもたないこと	・胸膜直下，肺底部優位 ・網状影 ・UIP に合致しない所見（*）をもたないこと	・上中肺野優位な分布 ・気管支血管周囲に優位 ・広範なすりガラス状陰影（網状影より範囲が広い） ・多数の粒状影（両側性ないし上肺野優位） ・嚢胞散在（多発性，両側性，蜂巣肺から離れた領域に分布） ・びまん性モザイクパターン（両側性，3葉以上） ・区域，葉に及ぶコンソリデーション

表 9-5-7 胸部 HRCT と病理組織パターンの組み合わせによる IPF の診断

胸部 HRCT パターン	外科的肺生検パターン	IPF の診断
UIP	UIP	yes
	probable UIP	yes
	possible UIP	yes
	nonclassifiable fibrosis	yes
	not UIP	no
possible UIP	UIP	yes
	probable UIP	yes
	possible UIP	probable
	nonclassifiable fibrosis	probable
	not UIP	no
inconsistent with UIP	UIP	possible
	probable UIP	no
	possible UIP	no
	nonclassifiable fibrosis	no
	not UIP	no

pulmonary fibrosis and emphysema：CPFE）ことがあり，呼吸機能検査や画像所見が非典型的となる場合がある．

4）血液検査所見：IPF の確定診断に有用な血液検査はないが，血清 KL-6，SP-A，SP-D の上昇が本疾患の存在を疑わせる契機，病勢のモニタリング，治療反応性の評価などに用いられる．自己抗体では，抗核抗体やリウマトイド因子が IPF 患者の 10〜20％に認められるが，高力価は膠原病の存在を疑わせる．MPO-ANCA 陽性間質性肺炎や抗アミノアシル tRNA 合成酵素抗体陽性の筋炎に伴う間質性肺炎，肺病変先行型の膠原病も存在するため，診断時のみではなく定期的な自己抗体の測定を考慮する．

治療

1）慢性期の治療：IPF の治療薬として，抗炎症作用のみならず，慢性進行性の線維化を抑制する薬剤が望まれ，線維化が顕著となる以前からの早期治療導入が必要であると考えられるようになっている．2000 年の米国/欧州呼吸器学会のガイドラインでは，ステロイド薬と免疫抑制薬が暫定的に推奨治療とされてきたが，治療の主眼が抗炎症から抗線維化へパラダイムシフトし，2014 年に IPF の新規治療薬の大規模臨床試験の結果が報告され，抗線維化薬でおもに TGF-β や血小板由来増殖因子（PDGF）などの増殖因子の産生抑制作用のあるピルフェニドン（King ら，2014），PDGF，線維芽細胞成長因子（FGF），血管内皮増殖因子（VEGF）受容体の拮抗薬（低分子チロシンキナーゼ阻害薬）であるニンテダニブ[1] の有効性が示された．抗酸化作用とともに，抗線維化作用のある N-アセチルシステイン（NAC）単剤経口投与の有効性は示されなかったが，わが国では未治療早期 IPF 患者を対象に NAC 単独吸入療法の有用性を検討する臨床研究が行

われ，有効群が存在することが確認されている．

2）急性増悪期の治療： IPFの経過中に両肺に新たな浸潤陰影，すりガラス状陰影が出現し，著明な低酸素血症をきたすことがあり，その原因が不明な場合は急性増悪と定義される．ステロイド，免疫抑制薬，好中球エラスターゼ阻害薬などが投与されるが，予後はきわめて不良である．

3）その他の治療法：

a）在宅酸素療法：IPFでは安静時に比べ労作時の著明な低酸素血症が特徴である．歩行時$S_pO_2 < 90\%$を目安に導入する．

b）肺移植：これまでのIPFに対する移植後の平均生存期間中央値は4年と報告されている．国内でも肺移植適応疾患として認められており，生体肺部分移植が主である．

4）生活指導：

a）禁煙：喫煙，特に20 pack years以上ではIPFの発症に強く関連しているので禁煙を徹底する．

b）感染予防：IPFの急性増悪は感染が契機になることが多いので手洗い，うがい，インフルエンザ，肺炎球菌ワクチン接種を勧める． 〔本間 栄〕

■文献（e文献 9-5-2）

King TE Jr, Bradford WZ, et al: A phase 3 trial of pirfenidone in patients with idiopathic pulmonary fibrosis. *N Engl J Med.* 2014; 370: 2083-92.

日本呼吸器学会びまん性肺疾患診断・治療ガイドライン作成委員会：特発性間質性肺炎診断と治療の手引き 改訂第2版，南江堂，2011．

Raghu G, Collard HR, et al: An official ATS/ERS/JRS/ALAT statement: idiopathic pulmonary fibrosis: evidence-based guidelines for diagnosis and management. *Am J Respir Crit Care Med.* 2011; **183**: 788-824.

3）非特異性間質性肺炎
nonspecific interstitial pneumonia：NSIP

定義

NSIPは病理診断に基づく疾患名であり，肺間質の炎症性変化と線維化形成がさまざまな程度で存在するが，病変の時相が均一であることを特徴とする間質性肺炎の一型である（Travisら，2008）．

分類

線維化形成の程度によって，細胞浸潤性（cellular）NSIPと線維化性（fibrosing）NSIPとに分類される．

原因・病因

NSIPの組織パターンは，過敏性肺炎や膠原病肺でもみられるが，原因・基礎疾患を特定できない場合に特発性（idiopathic）NSIPと診断される．特発性NSIPは特発性間質性肺炎（idiopathic interstitial pneumonias：IIPs）のなかの一型として，特発性肺線維症（IPF）と同じく，慢性経過の線維化を伴う疾患として位置づけられている（Travisら，2013）．

疫学

IIPsのなかで特発性NSIPはIPFについで多いが，確定診断に外科的生検が必須のため，発生率・有病率の正確な疫学データは得られていない．疑い症例を含む潜在的患者が多く存在すると推定されている．特発性NSIPの平均年齢は50歳前後，男女比は，約3：7で女性に多い．IPFと異なり，非喫煙者が6～7割を占める．特発性NSIPでは，線維化性NSIPの方が多く，細胞浸潤性NSIPは全体の20％未満にすぎない（Travisら，2008）．

病理

細胞浸潤性NSIPの特徴は，軽度～中等度の間質性慢性炎症と炎症領域でのII型肺上皮細胞過形成である．それに加え，線維化性NSIPでは時相の均一な間質の線維化を種々の程度で伴う（Travisら，2008）．

臨床症状

特発性NSIPの臨床経過は，亜急性（1～3カ月）に発症・進行する症例（多くは細胞浸潤性NSIP）から，数年の慢性的経過で発症する症例（多くは線維化性NSIP）までさまざまである．発症から診断までの期間は平均6カ月前後である．呼吸器症状では，乾性咳嗽，労作時呼吸困難を認めることが多い．身体所見では，大部分の症例で捻髪音を聴取する．ばち指の発現は比較的少なく，経過の長い症例に多く，全体の約50％にみられる．特発性NSIPにおいて，膠原病様の症状（関節痛，関節腫脹，Raynaud現象，皮疹，筋肉痛など）を15％前後に認め，潜在的膠原病の可能性が示唆される[1]．

検査所見

末梢血液検査上，亜急性の経過で発症する症例では炎症所見（CRP高値）を認めるが，慢性的経過での発症例では炎症所見に乏しいことが多い．しばしば，LDHが高値を示す．間質性肺炎の特異的血清マーカー（KL-6，SP-A，SP-D）が異常高値を示し，陽性率は60～80％である．また，自己抗体（抗核抗体，リウマトイド因子など）が検出され，その陽性率は10～50％である．

胸部X線所見では，すりガラス状陰影，微細網状影，浸潤影が両側下肺野優位に分布し，下肺野主体に容積減少を伴うことが多い．胸部高分解能CT（HRCT）所見[2,3]は，細胞浸潤性NSIPでは多発性すりガラス状陰影，微細網状影は胸膜面の10 mm程度からさらに内側に分布することが多い．IPFが胸膜直下に広がる蜂巣肺を特徴とすることと対照的である．また，器質化肺炎に類似した多発性浸潤影を伴うことがある．線維化性NSIPでは，上記の所見に加え，線

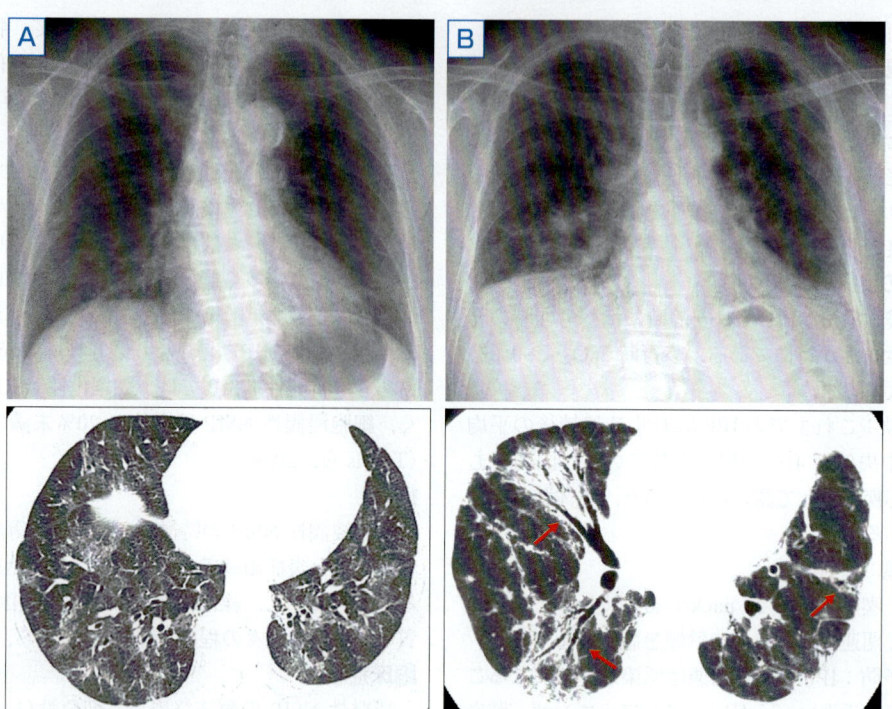

図 9-5-5 NSIP の胸部 CT 画像
A：細胞浸潤性 NSIP．X 線写真では両下肺野優位にすりガラス状陰影を認める．肺容積減少がわずかにみられる．HRCT では，びまん性すりガラス影が胸膜面から 1 層内側を中心に分布している．
B：線維化性 NSIP．X 線写真では両中下肺野優位にすりガラス状陰影と斑状影を認め，下肺野の容積減少が著明である．HRCT では，浸潤影が牽引性気管支拡張を伴ってみられる（矢印）．

維化を示唆する網状影，牽引性気管支拡張を認める（図 9-5-5）．

呼吸機能検査では，拘束性換気障害（肺活量の低下，全肺気量の低下）と肺拡散能の低下がみられる．

気管支肺胞洗浄（BAL）所見[4,5]は，細胞浸潤性 NSIP では総細胞数の増加，リンパ球比率の上昇（30〜60％）を示すことが多いが，線維化性 NSIP では目立った特徴がなく IPF に類似する所見を示すことが比較的多い．リンパ球の CD4/CD8 比は低値を示すことが多い．

診断・鑑別診断

NSIP の診断には原則として外科的生検に基づく病理診断が必要である．また，特発性 NSIP とそれ以外の疾患との鑑別は，病理所見に加え，問診所見，身体所見，臨床検査や画像所見を多面的に考察し総合診断する（multidisciplinary discussion：MDD）．特発性の細胞浸潤性 NSIP と鑑別を要する疾患は，膠原病肺，過敏性肺炎，器質化肺炎，好酸球性肺炎，リンパ球性間質性肺炎（LIP）などである．また，特発性の線維化性 NSIP と鑑別を要する疾患は，膠原病肺，慢性過敏性肺炎，器質化肺炎，サルコイドーシス，Langerhans 細胞組織球症などである．

合併症

呼吸不全進行例では肺高血圧を合併しやすい．ステロイドや免疫抑制薬を連用中の患者では，ニューモシスチス，真菌，抗酸菌などの日和見感染症を併発しやすい．

経過・予後

特発性 NSIP のなかには，経過中に膠原病を発症する患者が存在する．そのうち，細胞浸潤性 NSIP の予後は良好で多くの患者は治療により，軽快・安定化する．治癒例も存在する．しかし，治療の中止に伴い再発することもある．一方，特発性の線維化性 NSIP は，治療効果が一時的で徐々に線維化が進行し予後不良例が多く，約 30％ が原疾患により死亡する[6]．さらに，呼吸機能が低下した線維化 NSIP は IPF と予後に差がない[7]．頻度は低いが，IPF と同様に急性増悪が特発性 NSIP においても発症しうる[8]．

治療

原因の明らかな場合には原疾患の治療方針に従う．特発性の細胞浸潤性 NSIP はステロイド単独投与が有効な場合が多い．ただし，急速な減量は再増悪を招きやすいので，慎重に漸減する．一方，線維化 NSIP では，ステロイド薬による初期治療効果が良好であって

も，経過中しばしば再燃を繰り返す．エビデンスレベルは高くないが，シクロスポリンまたはシクロホスファミドをステロイドと併用する治療法が比較的有効とされている[9]．薬物治療に抵抗性の呼吸不全症例は肺移植の適応となる．　　　　　　　　〔髙橋弘毅〕

■文献（e文献 9-5-3）

Travis WD, Costabel U, et al: An official American Thoracic Society/European Respiratory Society statement: update of the international multidisciplinary classification of the idiopathic interstitial pneumonias. *Am J Respir Crit Care Med.* 2013; **188**: 733-48.

Travis WD, Hunninghake G, et al: Idiopathic nonspecific interstitial pneumonia: report of an American Thoracic Society project. *Am J Respir Crit Care Med.* 2008; **177**: 1338-47.

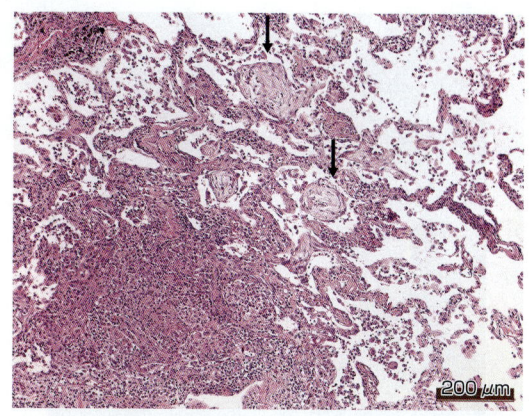

図 9-5-6　特発性器質化肺炎（COP）の胸腔鏡下肺生検組織像
ポリープ型の腔内線維化を認める（矢印）．肺胞壁は慢性炎症細胞の集簇と軽度の線維化を認める．

4）特発性器質化肺炎
cryptogenic organizing pneumonia：COP

定義・概念
　COP は，1983 年に Davison ら[1]により提唱された臨床病理学的疾患概念であり，組織学的には肺胞腔内の器質化病変を主体とし，ステロイド治療によく反応する原因不明の肺炎である．Epler らにより 1985 年に提唱された BOOP（bronchiolitis obliterans organizing pneumonia）と類似の病態と考えられているが（Epler ら，1983），2002 年の ATS/ERS International Multidisciplinary Consensus Classification において特発性間質性肺炎（idiopathic interstitial pneumonias：IIPs）のなかの一疾患として整理され，COP という名称に統一された（American Thoracic Society ら，2002）．COP は市中肺炎様の症状および画像所見を呈するが，抗菌薬に反応せず，ステロイドが有効な疾患と特徴づけられる．

疫学
　50〜60 歳代が好発年齢で，男女差はなく，非喫煙者に頻度が高い[2]（American Thoracic Society ら，2002；日本呼吸器学会びまん性肺疾患診断・治療ガイドライン作成委員会，2011）．

病理
　病変は斑状で，正常肺との境界は比較的明瞭．肺胞管を中心とした末梢気腔にポリープ型器質化病変（ポリープ型腔内線維化）を形成する．周囲の肺胞壁に軽度〜中等度のリンパ球・形質細胞の浸潤がみられ，しばしば肺胞腔内に泡沫状マクロファージの浸潤もみられる（図 9-5-6）．

臨床症状
①経過は急性もしくは亜急性であり，症状として咳，息切れ，発熱，倦怠感，疲労，体重減少などを認める．

②胸部聴診上，吸気時の捻髪音（ねんぱつ）が認められることがあるが，ばち指は認めない．

検査所見
1）血液検査：　赤沈亢進，CRP 上昇，好中球増加を認めることが多い．また，KL-6 については e コラム 1 参照．

2）呼吸機能：　拘束性換気障害，拡散障害を認める．また，症例によっては低酸素血症を呈する場合もある．

3）気管支鏡検査：　気管支肺胞洗浄液では総細胞数，特にリンパ球数の増加および CD4/CD8 比の減少を認める[3]．また，経気管支肺生検にて特徴的な病理所見が得られれば診断可能である．

4）画像所見[4]：　ほかの IIPs と異なり，両側性または一側性の気管支透亮像を伴う浸潤影が特徴である（図 9-5-7，9-5-8）．すりガラス状陰影を伴うことも多く，しばしば経過とともに陰影の移動がみられる（e 図 9-5-A）．通常は気管支血管影に沿った分布を呈するが，胸膜下優位に分布する場合も多い．一部には結節状陰影を呈する症例も認められる．

鑑別診断
　画像所見で COP と鑑別すべき疾患には細菌性肺炎や慢性好酸球性肺炎などがあげられる．IIPs のなかでは，特に非特異性間質性肺炎や急性間質性肺炎が鑑別すべき疾患となる．また，病理組織学的に，器質化肺炎パターンを呈する疾患は，一般細菌やウイルスなどの感染症，膠原病（こうげん），薬剤性肺障害，血液疾患，放射線照射などがあり，これらの原因疾患を除外する必要がある．

治療
　COP の自然軽快はまれであるが，ステロイドの反応は良好で 80％以上の症例が改善する．経口プレド

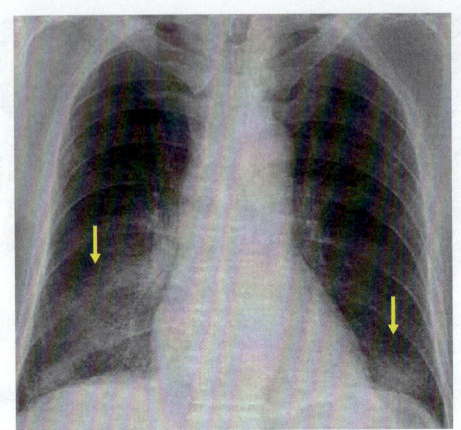

図 9-5-7 COP の胸部 X 線写真
胸部 X 線写真では、両側下肺野に浸潤影を認める(矢印)。

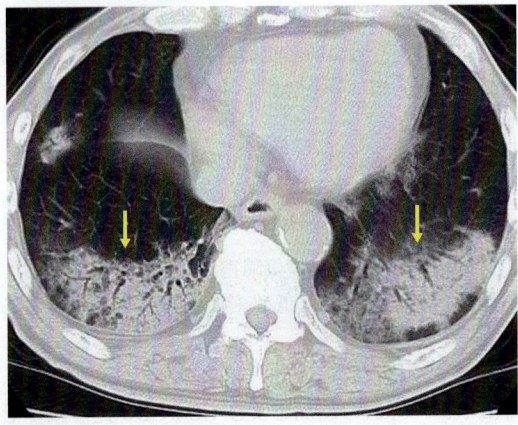

図 9-5-8 COP の CT 写真
両側下葉を中心に気管支透亮像を伴う浸潤影がみられる(矢印)。

ニゾロン 0.5～1 mg/kg/日を 1～2 カ月投与の後、漸減する[4]。ステロイドを減量、離脱後に再発することも多いが、再治療に対する反応性は良好である。また、ステロイド治療に反応が不良な場合は、免疫抑制薬を併用する場合もある。膠原病に関連した器質化肺炎と比べ、COP が治療奏効率は高く、再発率は低い傾向にあったとの報告もある[5]。〔迎 寛〕

■文献(e文献 9-5-4)

American Thoracic Society/European Respiratory Society: International Multidisciplinary Consensus Classification of the Idiopathic Interstitial Pneumonias. *Am J Respir Crit Care Med.* 2002; **165**: 277-304.

Epler GR, Colby TV, et al: Bronchiolitis obliterans organizing pneumonia. *N Engl J Med.* 1985; **312**: 152-8.

日本呼吸器学会びまん性肺疾患診断・治療ガイドライン作成委員会：特発性器質化肺炎(COP)。特発性間質性肺炎診断と治療の手引き 改訂第 2 版, pp88-92, 南江堂, 2011.

5) その他の特発性間質性肺炎

(1) 急性間質性肺炎(acute interstitial pneumonia：AIP)

AIP は急速に進行する低酸素血症で特徴づけられる特発性間質性肺炎で、有効な治療法が確立されておらず、死亡率が 50% 以上として知られる予後の悪い疾患である (Travis ら、2013)。生存者の予後は、急性呼吸促迫症候群 (acute respiratory distress syndrome：ARDS) の生存者と同様に一般に長く良好であるが、なかには再燃を繰り返したり、慢性的に進行する間質性肺炎になることもある (Ichikado ら、2002)[1,2]。急性間質性肺炎は原因が特定されない特発

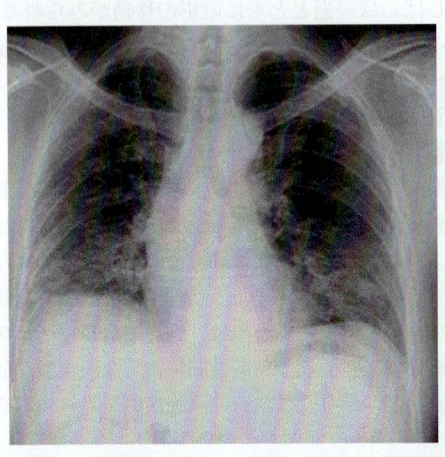
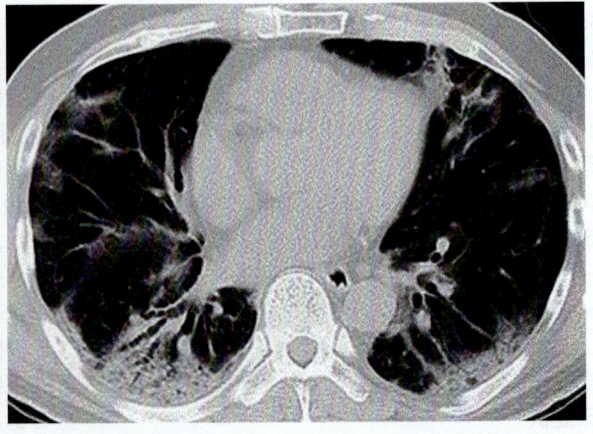

図 9-5-9 器質化期の AIP 症例—受診時の画像所見
次第に増悪する労作時呼吸困難を主訴に受診した 60 歳代男性。当初は両側下肺辺縁性の器質化肺炎を疑うような胸膜直下のコンソリデーションを呈したが、気管支肺胞洗浄液中の細胞分画では肺胞マクロファージが 83%、好中球 12%、リンパ球 3%、好酸球 2% であった。

性間質性肺炎であり，原因が明らかである ARDS と区別しなくてはならない[1]【⇨ 9-8】．

早期段階の滲出期の病変では，胸部 HRCT では両側に部分的に広がるすりガラス状陰影(ground-glass opacities：GGO)として出現し，しばしば片側の肺胞充満像(コンソリデーション)を伴っている[3-5]．次の器質化期には気管支血管束の変形と牽引性気管支拡張を認める(図 9-5-9)(Travis ら，2013)．変形の程度のスコアリングは死亡率と相関する(Ichikado ら，2002)[6]．生検された肺組織病理像では ARDS で認めるびまん性肺胞傷害(diffuse alveolar damage：DAD)の急性期や器質化期と一致する病像を呈する(図 9-5-10)(American Thoracic Society, 2002)．

生検をするほとんどの AIP 患者の器質化期では，硝子膜が不明瞭だったりなかったりすることもあるので，診断の根拠となる病像は，病変がびまん性に広く分布していること，ゆるやかに器質化している結合組織病変で肺胞壁が肥厚していること，それに肺胞上皮細胞が著しく増えていることなどからなる(Travis ら，2013)．

背景として既存の線維化病変が隠れているなら，もともと特発性肺線維症(IPF)で急性増悪となった通常型間質性肺炎(UIP)であった可能性がある[7]．AIP は線維性非特異性間質性肺炎(fibrotic non-specific interstitial pneumonia：f-NSIP)と似たようなパターンに進行することもあるが[8]，あるいは線維化が進行して蜂巣病変類似病態になることもある[9]．

(2) 喫煙関連肺(smoking-related interstitial lung disease)**としての呼吸細気管支炎随伴間質性肺炎**(respiratory bronchiolitis-associated interstitial lung disease：RB-ILD)**と剝離性間質性肺炎**(desquamative interstitial pneumonia：DIP)

RB-ILD と DIP はともに，HRCT でも確認される

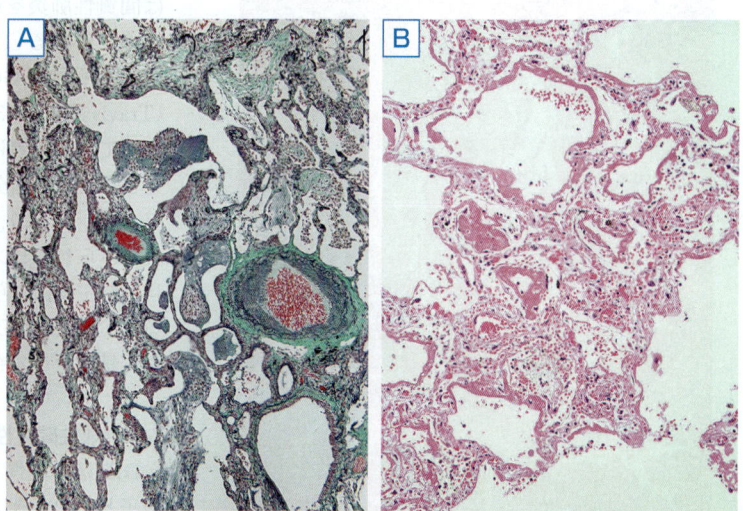

図 9-5-10 器質化期の AIP 症例—胸腔鏡下肺生検による病理所見
A：胸腔鏡下肺生検による病理組織所見(elastica-Masson 染色，200 倍)で肺胞腔内に器質化病変があり肺胞壁が肥厚しており，牽引性気管支拡張像もみる．
B：剖検肺組織所見(HE 染色，400 倍)では典型的な硝子膜形成が広範に分布していた．

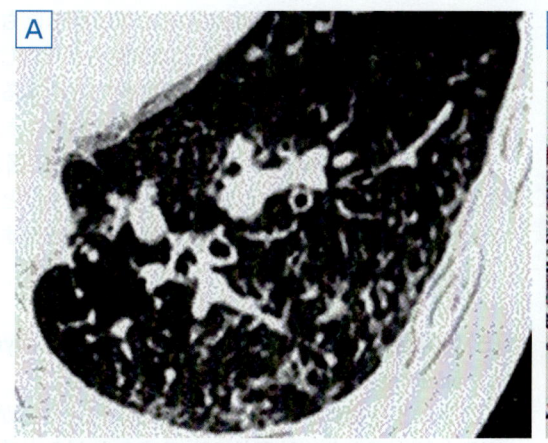
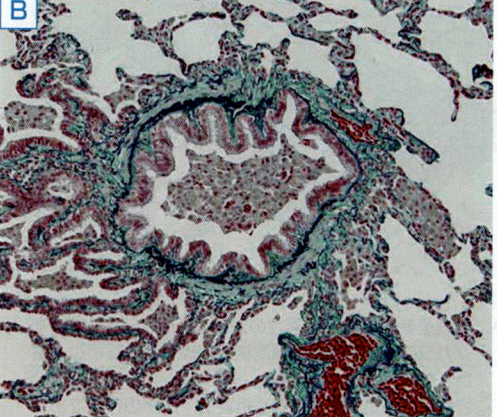

図 9-5-11 RB-ILD の HRCT 所見と病理所見
A：重喫煙者の 30 歳代男性の左肺の HRCT 所見では小葉中心性の粒状と線状陰影が広がっており，すりガラス状陰影を伴っている．
B：外科的肺生検による病理組織像(elastica-Masson 染色，400 倍)では周囲が線維化組織で取り囲まれた細気管支に内腔の上皮は背の高い杯細胞に置き換わり，周囲の肺胞壁が線維化して，肺胞上皮細胞が気道上皮に置き換わる肺胞の細気管支化(alveolar bronchiolization)と，肺胞腔と細気管支腔内に褐色マクロファージが充満しているのをみる．

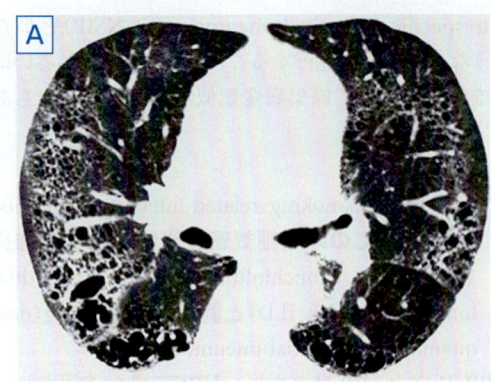

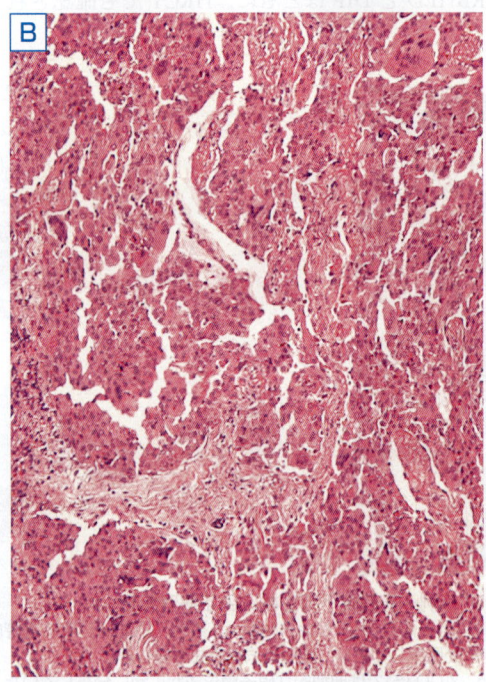

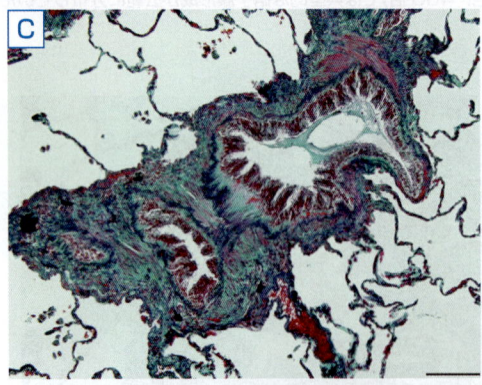

図9-5-12 DIPのHRCT所見と病理所見
A：重喫煙者の30歳代男性の左肺のHRCT所見ではすりガラス状陰影を伴い肺胞構造が破壊された後の「嚢胞」が目立つ．
B：胸腔鏡下肺生検による病理組織で，DIPの特徴である肺胞腔内を充満する褐色マクロファージを認め，その間の肺胞壁は線維化している（HE染色，400倍）．
C：細気管支は重喫煙者肺のRB-ILDで認めたような，周囲が線維化した慢性細気管支炎像をみる（elastica-Masson染色，400倍）．

肺胞マクロファージの浸潤と分布の経過が明確に病理的に示されている（Travisら，2013）．しかし，臨床症状，画像所見，治療の奏効性が異なっていることから，この2つの喫煙関連肺は異なる疾患としてわけられている（Travisら，2013）．最近10年間，多くのDIPや，ほとんどすべてのRB-ILDと肺Langerhans細胞組織球症を指して，この"喫煙関連肺"の診断名が使われることが著しく増えた[10,11]．

(3) 呼吸細気管支炎随伴間質性肺炎（RB-ILD）

病理的な呼吸細気管支炎は常に現喫煙者にあり[12]，喫煙に対する生理学的な反応ともみられ，人によっては間質性肺炎を起こしてRB-ILDを引き起こすほどに強烈になる（Travisら，2013）．HRCTにおける特徴的な所見はGGOと小葉中心性の粒状陰影である（Travisら，2013）（図9-5-11）．実際の臨床の場にあっては喫煙者に認められるHRCT上のRB-ILD所見と気管支肺胞洗浄液で喫煙者にみられる肺胞マクロファージがあり，類似のHRCT所見を示す過敏性肺炎にみられるリンパ球が欠落していることだけで，外科的肺生検によらずに診断されることが多くなっている[10,13]．RB-ILDの進行はさまざまであり，ごくまれに禁煙をしても進行する[14]．

(4) 剥離性間質性肺炎（DIP）

DIPは非喫煙者にも認められていたが[11]，おそらく子どものときに発症したものが成人期に延長したものであろうと考えられている（ちょうどサーファクタント蛋白の遺伝子変異のように）[15,16]．DIPの病理像は肺胞腔内に充満する褐色粒状物を含む肺胞マクロファージ（褐色マクロファージ，あるいは喫煙者マクロファージともよばれる）を特徴としているが（図9-5-12），肺胞上皮細胞が肺胞腔内に剝げ落ちたものと考えられた当初の病名としてこの診断名が残存している[17]．一般に禁煙とステロイド療法で改善することが多いが，胸部HRCTですりガラス状陰影であったところは肺胞破壊像として嚢胞状に残存する（図9-5-12）[17]．10年間生存するDIP患者は70％にとどまっており，ごくまれに難治性の線維化が増悪する（Travisら，2013）．

(5) 特発性リンパ球性間質性肺炎（idiopathic lymphoid interstitial pneumonia：LIP）

ほとんどのLIP患者はほかの疾患を伴っているが，原因を特定できない特発性LIPはまれながらも確かにあるので[17]，2002年の国際コンセンサスでとりきめられたIIPsの7分類（IPF，NSIP，OP，RB-ILD，DIP，AIP，LIP）のうちの1つにされていたLIPは（American Thoracic Society，2002），2013年のIIPs

の新分類ではまれな IIPs として残った(Travis ら, 2013). LIP の臨床, 画像, 病理所見は2002年の診断基準(American Thoracic Society, 2002)と変化はないが, HRCT で驚くような「嚢胞」形成を示す症例があることが明らかになった[18,19]. 以前診断されていた LIP は実は細胞性非特異性間質性肺炎(cellular NSIP)だったと考えられており(Travis ら, 2013; American Thoracic Society, 2002), 2002年以降に LIP と報告された症例はほとんどない[18].

〔海老名雅仁〕

■文献(e文献 9-5-5)

American Thoracic Society, European Respiratory Society: American Thoracic Society/European Respiratory Society international multidisciplinary consensus classification of the idiopathic interstitial pneumonias. Am J Respir Crit Care Med. 2002; **165**: 277-304.

Ichikado K, Suga M, et al : Acute interstitial pneumonia: comparison of high-resolution computed tomography findings between survivors and nonsurvivors. Am J Respir Crit Care Med. 2002; **165**: 1551-6.

Travis WD, Costabel U, et al: An Official American Thoracic Society/European Respiratory Society Statement: Update of the International Multidisciplinary Classification of the Idiopathic Interstitial Pneumonias. Am J Respir Crit Care Med. 2013; **188**: 733-48.

6)放射線肺臓炎・放射線肺線維症
radiation pneumonitis, radiation pulmonary fibrosis

定義・概念・分類

放射線肺臓炎・放射線肺線維症は, 胸部放射線照射によって発生する間質性肺炎, 肺線維症で, 放射線療法完了時点から2～6カ月後に出現する場合が多い. 急性期の炎症反応である放射線肺臓炎と, 慢性に経過した放射線肺線維症に分類される.

原因・病因

原因は完全には明らかにされていないが, 電離放射線によって肺内の H_2O より OH^- が生じ, フリーラジカルが DNA や細胞質, 細胞膜を傷害すると考えられている. 特に, II型肺胞上皮細胞の傷害によるサーファクタントの増加や肺内皮細胞の傷害による血管透過性亢進などが放射線肺臓炎に関与していると考えられる[1]. 加えて, 血小板由来増殖因子(PDGF)-β, 腫瘍壊死因子(TNF), 形質転換増殖因子(TGF)-β, IL-1, IL-6 などのサイトカインの関与も示唆されている. さらに, 間質の線維化による結合組織増生が生じ, 放射線肺線維症となる.

疫学

発生頻度は, 総線量, 照射容積, 分割方法など, 放射線照射に関する因子により変化する. 30 Gy 以下ではまれであり, 40 Gy をこえると高率に発症する(Libshitz, 1993). 多くの場合, 50 Gy 以上で放射線肺線維症となる. 肺癌の治療では, 放射線肺線維症は必発といえる. 1回照射量が 2.67 Gy をこえる場合や, 1日2回照射に比べ1日1回照射で発症頻度は増加する. V20(the percent volume of the total lung exceeding 20 Gy)が重篤な放射線肺臓炎の最もよい指標とされている(Rengan ら, 2013). その他, 発生頻度や重篤度を高める因子として, 既存の間質性肺炎, 膠原病などの患者側の因子, 化学療法の併用, 放射線治療の既往, ステロイド治療の中止などがあげられる.

病理

放射線肺臓炎で, 肺胞腔への線維素の析出, 肺胞管や呼吸気管支における硝子膜形成が認められる. 毛細血管のうっ血や浮腫, その後, 線維芽細胞や結合組織増生などにより肺間質の肥厚が認められる.

肺臓炎が後期の放射線肺線維症となれば, 肺実質である肺胞腔や肺間質の線維化を示す.

臨床症状

1)**自覚症状**: 症状としては, 放射線療法終了2～6カ月後に, 乾性咳嗽, 発熱, 呼吸困難が出現する場合が一般的である. しかし, 多くの患者では画像上陰影が出現しても無症状の場合も多い. 照射中に出現する場合もあるが重症化する傾向がある. 重症例では, 呼吸不全に陥り, 致死的となる場合もある.

2)**他覚症状**: 聴診にて呼気終末の fine crackles を聴取する.

検査所見

胸部 X 線写真や CT では, 肺の解剖学的構造と関係がなく照射部位に一致した浸潤影が特異性の高い所見といえる(図 9-5-13). 初期の陰影は, すりガラス状陰影やまだらな浸潤影を示し, 進行すると air bronchogram を認め, 容積減少を伴う. 重症例では, 照射範囲をこえた範囲に広がる場合もある. 血液検査では, 白血球増加, CRP 上昇, 赤沈値亢進, LDH, KL-6, SP-D 上昇が多くの場合認められる.

範囲が広い場合, 呼吸機能検査における拘束性障害および肺拡散能の低下や, 肺胞気・動脈血酸素分圧較差($A-aDO_2$)の開大が認められる.

診断

放射線照射治療中あるいは後に, 上記症状(乾性咳嗽, 発熱, 呼吸困難)や照射に一致した部位の肺炎像や線維化像が出現した場合, 診断は容易である(McDonald ら, 1995). 上記血液所見や呼吸機能の異常(拘束性障害と肺拡散能低下)は診断の補助となる. ただし, 無症状の場合も多いので, 定期的な胸部 X 線検査や呼吸機能検査を行うことが重要である. 照射野外にも陰影を認める場合などでは, 下記の鑑別診

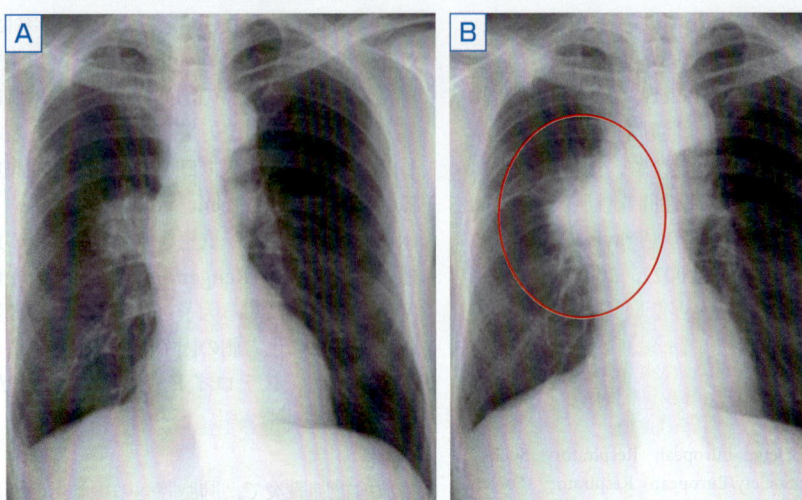

図 9-5-13 照射前と放射線肺臓炎の胸部単純 X 線写真
A：照射前，B：放射線肺臓炎．

鑑別診断

悪性腫瘍の治療を受けている患者では免疫能の低下があり，一般細菌，サイトメガロウイルス，ニューモシスチスといった病原体による感染はしばしば認められる．病原体の分離・同定（喀痰培養や血清学的検査）が重要となる．その他，リンパ管症を含む悪性腫瘍の悪化，薬剤性肺障害，既存肺疾患の悪化などが鑑別の対象となる．

治療・予後・予防

照射範囲にとどまり，軽度の症状の場合には経過観察のみで治療は必要としない．治療が必要とされるのは，照射範囲が広く症状が強い場合と，照射野外に広がった場合である．副腎皮質ステロイド（プレドニゾロン）が用いられるが前向き試験などのエビデンスはない．照射野外に広がった場合，ステロイドパルス療法や免疫抑制薬の投与が行われる場合がある．ステロイドの急速な減量は再悪化をきたす場合があるので，注意を要する．　　　　　　　　　　　〔弦間昭彦〕

■文献（e文献 9-5-6）

Libshitz HI: Radiation changes in the lung. *Semin Roentgenol.* 1993; 28: 303-20.

Rengan R, Chetty IJ, et al: Lung cancer. Perez and Brady's Principles and Practice of Radiation Oncology, 6th ed (Halperin EC, Wazer DE, et al eds), pp968-70, Lippincott Williams & Wilkins, 2013.

McDonald S, Rubin P, et al: Injury to the lung from cancer therapy: Clinacal syndromes, measurable endpoints, and potential scoring systems. *Int J Radiat Oncol Biol Phys.* 1995; 31: 1187-203.

7）薬剤性肺炎
drug-induced pneumonia

定義・概念

薬剤に起因する肺炎である．市販薬や健康食品を含めたすべての薬剤が起こしうると考えた方がよい．しかし，それを予知し回避することは困難であること，薬剤によっては日本人に重篤な薬剤性肺炎が発生しやすいことから，社会問題にもなっている（パラコート肺，リポイド肺炎などの特殊な薬剤性肺炎はeコラム1参照）．

分類・病因

表 9-5-8 に薬剤による肺病変の組織パターン分類を示す．多彩であるが，頻度的に薬剤性間質性肺炎が重要であり，特発性間質性肺炎に準じて分類する．

病態生理

抗癌薬など毒性の薬剤は細胞傷害や遺伝子障害を，ほかの薬剤では直接あるいは反応性の中間代謝産物により過敏反応を引き起こすことが多い．その他，薬剤誘起性ループス，薬剤性血管炎に基づく肺障害がある．

臨床症状

発熱，咳，呼吸困難などの呼吸器症状を呈する．喘鳴，胸痛あるいは血痰を呈することもある．背側胸部のラ音（捻髪音）が初期指標となることがある．

検査所見

薬剤性肺障害の診断チャートを図 9-5-14 に示す．HRCT 画像のパターンは必ずしも病理像と一致しないが，画像から診断名を推定することが多い．死亡例はびまん性肺胞傷害や線維化を伴う間質性肺炎に多く，血清 KL-6，サーファクタント蛋白 D（SP-D）は

このようなより重症の肺障害で上昇することが多い[1]．薬剤リンパ球刺激試験が原因薬剤推定の参考になることがある[2,3]．

単純X線・CT画像の例はⓔ図9-5-B，9-5-C参照．

診断・鑑別診断

新たな肺炎が薬剤と関連して発生（投与開始から4週間以内が多い）し，ほかの原因を除外できれば薬剤性肺炎と診断できる．しかし，実臨床では確定診断できるものはむしろ少なく，疑診にとどまることが多い．

図9-5-14に示すように，日和見感染や原疾患の増悪との鑑別が重要である．

治療・予防

薬剤性肺炎が疑われれば，原則として直ちに原因と考えられる薬剤を中止する．低酸素血症を認める場合は酸素投与に加えステロイド治療を行う．

禁忌

既存の間質性肺炎を有する場合，一部の抗癌薬・インターフェロンは投与禁忌である[4]．

〔横山彰仁〕

表9-5-8 薬剤による肺病変の組織パターン分類（日本呼吸器学会薬剤性肺障害の診断・治療の手引き作成委員会，2012より改変）

障害部位	臨床病型
肺胞・間質	間質性肺炎（interstitial pneumonia） 　1）びまん性肺胞傷害（diffuse alveolar damage：DAD） 　2）器質化肺炎（organizing pneumonia：OP） 　3）通常型間質性肺炎（usual interstitial pneumonia：UIP） 　4）非特異性間質性肺炎（non-specific interstitial pneumonia：NSIP） 　5）リンパ球性間質性肺炎（lymphocytic interstitial pneumonia：LIP） 　6）剝離性間質性肺炎（desquamative interstitial pneumonia：DIP） 　7）好酸球性肺炎（eosinophilic pneumonia：EP） 　8）過敏性肺炎（hypersensitivity pneumonia：HP） 　9）肉芽腫性間質性肺炎（granulomatous interstitial pneumonia） その他 　1）肺水腫（pulmonary edema） 　2）肺胞蛋白症（alveolar proteinosis） 　3）肺胞出血（alveolar hemorrhage）
気道	1）気管支喘息（bronchial asthma） 2）閉塞性細気管支炎（bronchiolitis obliterans：BO）
血管	1）血管炎 2）肺高血圧症 3）肺静脈閉塞症
胸膜	胸膜炎

■文献（ⓔ文献9-5-7）

日本呼吸器学会薬剤性肺障害の診断・治療の手引き作成委員会：薬剤性肺障害の診断・治療の手引き，メディカルビュー社，2012．

横山彰仁：薬剤性肺疾患—診断へのアプローチ．日本内科学会雑誌．2007; **96**: 1097-103．

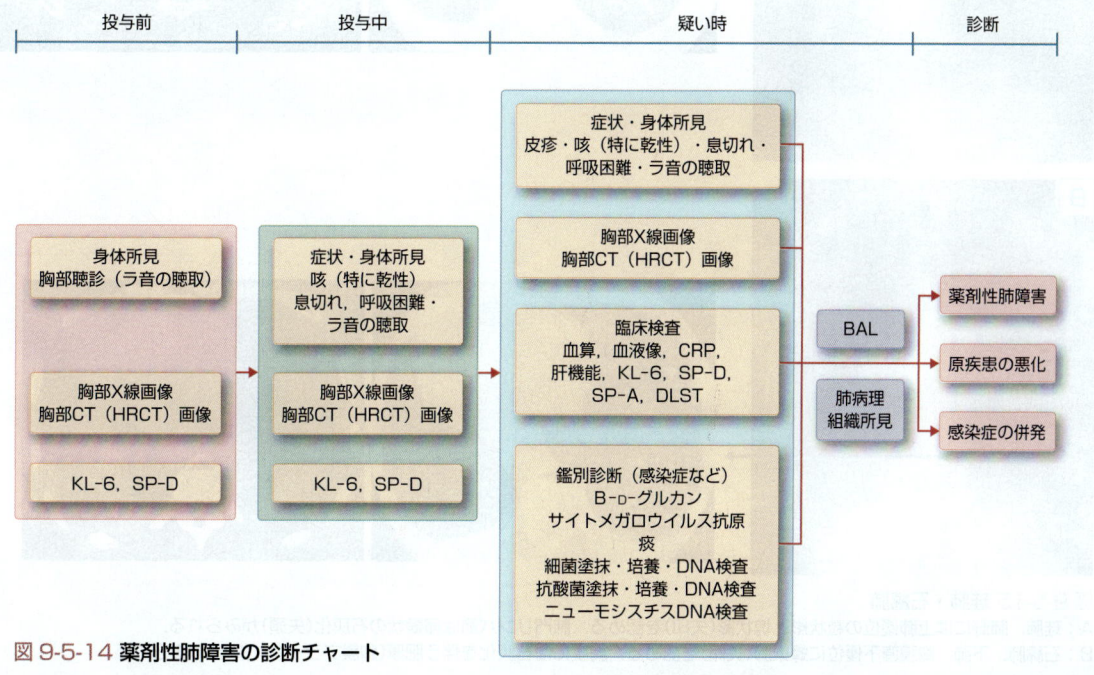

図9-5-14 薬剤性肺障害の診断チャート

8）ガス・粉じんによる肺疾患

ガスや粉じんなどの環境因子は，直接に肺組織を傷害したり，免疫反応を惹起することで，さまざまな肺疾患を引き起こす（❸表 9-5-A）．多くは職業性暴露で生じ，職業歴の確認は重要である．

（1）じん肺（pneumoconiosis）（❸表 9-5-B）

じん肺法では「粉じんを吸入することによって肺に生じた線維増殖性変化を主体とする疾病」と定義される．わが国では珪肺，石綿肺が代表的なじん肺である．肺内の粉じんを取り除くことは不可能であり，防じん対策や，早期発見による進展防止が重要である（❸コラム 1）．

a．珪肺（silicosis）

病因

遊離珪酸（シリカ）の職業性暴露で生じる．大量暴露により数カ月で発症する急性珪肺症と，数十年の軽度暴露で生じる慢性珪肺症があり，ほとんどは慢性珪肺症である．

病理

珪肺結節（silicotic nodule）とよばれるシリカを含む層状同心円状の数 mm 大の線維化巣が特徴である．珪肺結節が成長，融合し，塊状線維化巣（progressive massive fibrosis：PMF）を形成する．急性珪肺症では肺胞蛋白症に類似した病理像を呈する．

臨床症状

初期は無症状であることが多いが，徐々に労作時呼吸困難が出現する．末期には慢性呼吸不全や肺性心に進行する．合併症を併発すると，その疾患による症状が加わる（❸コラム 1）．

画像所見

辺縁明瞭の粒状影（珪肺結節）が，上肺野優位に分布する．進行例では PMF が非区域性の塊状影として認められる（大陰影）．肺門リンパ節の卵殻状石灰化（egg shell calcification）も特徴的所見である（図 9-5-15A）．急性珪肺症では"不ぞろいな敷石（crazy paving）"とよばれる小葉内・小葉間隔壁肥厚を伴うすりガラス状陰影を認める．

診断

職業歴を確認したうえで，珪肺症に合致する画像所

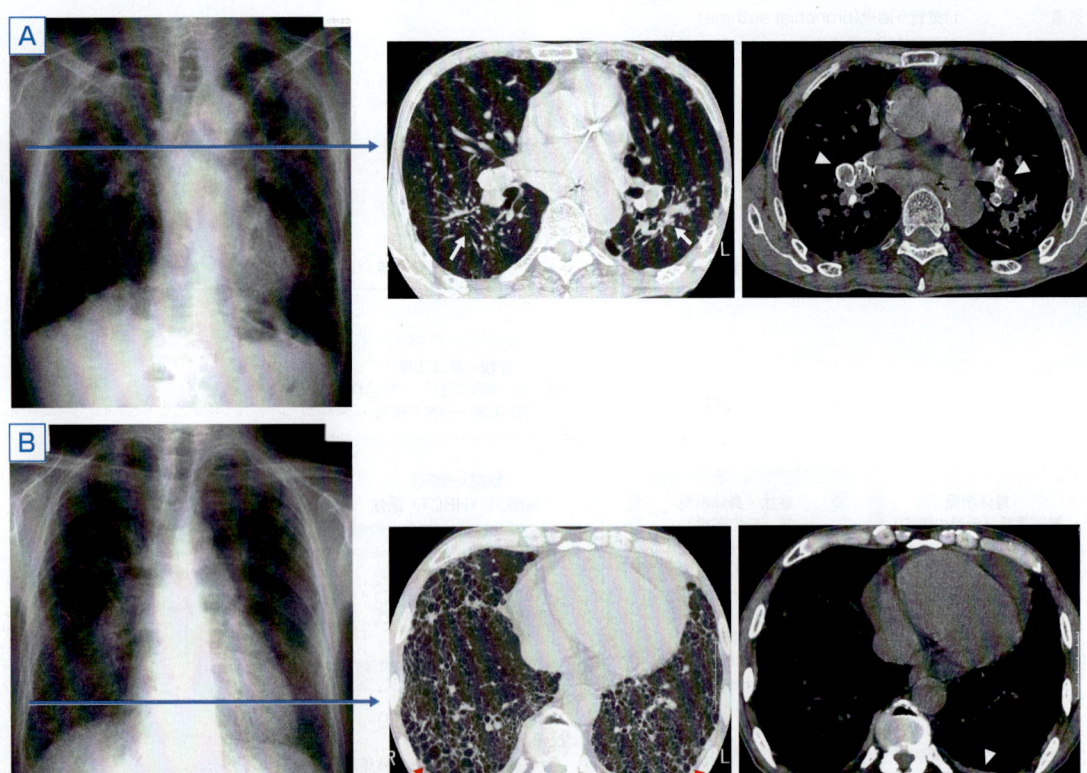

図 9-5-15 珪肺・石綿肺
A：珪肺．肺野には上肺優位の粒状影と塊状影（矢印）を認める．肺門リンパ節は卵殻状の石灰化（矢頭）がみられる．
B：石綿肺．下肺，胸膜直下優位に蜂巣肺（矢印）を認める．胸膜には石灰化を伴う肥厚（胸膜プラーク，矢頭）がみられる．

見を認めれば珪肺症と診断する．大陰影を認める例では肺癌との鑑別が重要である．

治療
対症療法が中心となる．暴露を中断しても線維化は進行しうる．合併症があればその治療を行う．

b. 石綿肺（asbestosis）
原因
石綿（アスベスト）の職業性暴露で生じる．石綿は天然に産出される線維状の珪酸塩鉱物の総称であり，防音・断熱用として建築物，船舶，車両などに使用されてきたが，2006（平成18）年に全面製造禁止となった．

病理
吸入された石綿線維が肺内に停留し肺の炎症および線維化を引き起こす．肺線維症の基本病理像は UIP である．石綿線維が胸膜を刺激すると胸膜プラークとよばれる胸膜肥厚や，胸水貯留が生じる．

臨床所見
乾性咳嗽，労作時呼吸困難，両下肺の fine crackles，ばち指をみる【⇒ 4-25】．肺機能検査では拘束性換気障害，拡散能低下を認める．これらは特発性肺線維症と類似の所見である．

画像所見
両下肺優位に粒状網状影，蜂巣肺を認める．胸膜プラーク，胸膜石灰化，胸水貯留などの胸膜病変を併せて認めることが多い（図 9-5-15B）．

診断
職歴と画像検査より診断する．肺組織や気管支肺胞洗浄液における石綿小体の検出は石綿の職業性暴露を示す重要な所見となる．

治療
珪肺同様根本的治療法はなく，対症療法が中心となる．

そのほか，石綿関連肺疾患はⓔノート1を，石綿に関しての補足はⓔコラム2を参照．

c. 炭鉱夫肺（coal worker's pneumoconiosis）
炭じんの長期暴露で生じる．珪肺に類似した結節影を呈する．

d. 慢性ベリリウム症（chronic berylliosis）
ベリリウムに対する遅延型アレルギーであり，サルコイドーシスに類似した慢性肉芽腫性病変を認める．気管支肺胞洗浄液中の T 細胞，CD4/CD8 が増加する．ベリリウムに対するリンパ球刺激試験はサルコイドーシスとの鑑別に利用される．

e. 超硬合金肺（hard metal lung disease）
超硬合金とは炭化タングステンとコバルトの合金である．超硬合金肺の病型として，巨細胞性間質性肺炎（giant cell interstitial pneumonia：GIP），上葉優位型肺線維症（pulmonary upper lobe fibrosis）が報告されている．

ガスや化学物質による肺疾患はⓔコラム3を，大気汚染物質による肺疾患はⓔコラム4を参照．

〔石井幸雄〕

■文献
労働省安全衛生部労働衛生課編：じん肺診査ハンドブック 改訂版，中央労働災害防止協会，1979．
Rom WN, Markowitz SB: Environmental and Occupational Medicine, (4th ed), Lippincott Williams & Wilkins, 2007.
Tarlo S, Cullinan P, et al eds: Environmental and Occupational Lung Diseases, Wiley-Blackwell, 2010.

9-6 代謝異常による肺疾患

1）肺胞蛋白症
pulmonary alveolar proteinosis：PAP

定義・概念
肺胞蛋白症はサーファクタントの生成または分解過程に障害があり，肺胞腔内，終末細気管支内にサーファクタント由来物質の異常貯留をきたす疾患の総称である．この物質は主としてリン脂質と蛋白質からなる．原則として両側肺にびまん性に病変がみられる．

分類
病因により，自己免疫性，続発性，遺伝性に分類される．かつて特発性あるいは原発性肺胞蛋白症とよばれていた肺胞蛋白症のほとんどが抗顆粒球マクロファージコロニー刺激因子（GM-CSF）自己抗体陽性であることが明らかとなっている（Kitamura，1999）．本抗体が測定され陽性である場合は自己免疫性肺胞蛋白症とよぶ．遺伝性肺胞蛋白症は，遺伝子の異常の結果起こる肺胞蛋白症の総称であり，必ずしも若年発症とは限らない．遺伝性肺胞蛋白症を含めて先天的要因により発症するものを先天性肺胞蛋白症とよぶこともある．自己免疫性肺胞蛋白症と先天性肺胞蛋白症は，国の指定難病である．

疫学
肺胞蛋白症の約90％は抗GM-CSF自己抗体が原因の自己免疫性肺胞蛋白症である．わが国の自己免疫性肺胞蛋白症の有病率は，人口100万人あたり6.02人

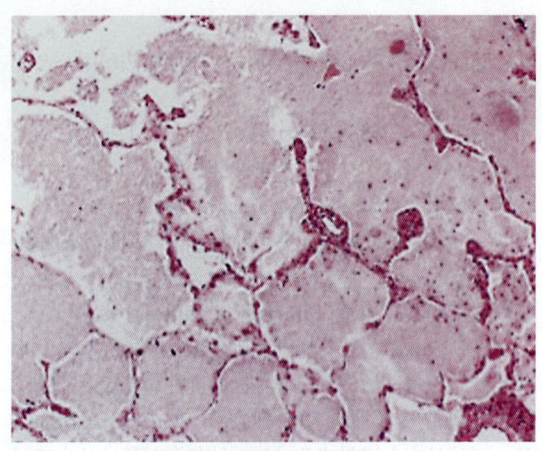

図 9-6-1 肺胞蛋白症の病理像（PAS 染色）
微細顆粒状物質が肺胞内に貯留している．

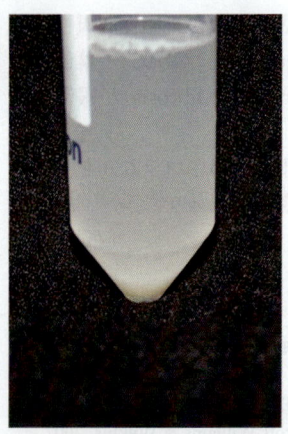

図 9-6-2 肺胞蛋白症の気管支肺胞洗浄液の外観

と推定され，地域差はない．2008 年に報告された 223 例の疫学調査の結果では，喫煙との因果関係はなかったが，何らかの職業性粉じん吸入歴をもつ人が 23％もあった．男女比は，2.1：1 で男性に多く，発症年齢の中央値は男女ともに 51 歳であった（Inoue, 2008）．続発性肺胞蛋白症の有病率は正確な調査が行われていないが，肺胞蛋白症の 8％程度と推定され，男女比は，1.3：1 である．遺伝性肺胞蛋白症の有病率は不明である．

病因

GM-CSF は，肺においては主として II 型上皮細胞から産生され，肺胞マクロファージの GM-CSF 受容体に直接結合することにより，終末分化を促進している．終末分化した肺胞マクロファージは，やはり II 型上皮細胞から産生されるサーファクタントの吸収・分解のほか，微生物の貪食，殺菌を行い，下気道を清浄に保っている．自己免疫性肺胞蛋白症の患者では，GM-CSF に対する自己抗体（抗 GM-CSF 自己抗体）が血中に数〜数百 μg/mL 存在し，肺に移行することにより，肺胞マクロファージの終末分化を障害する．そのため，サーファクタントの代謝分解ができず，細胞内に貯留し，泡沫状マクロファージとなって，やがて細胞が崩壊して，無構造なサーファクタント由来物質が下気道に貯留する．一方，続発性肺胞蛋白症の病因は，よくわかっていない．わが国では，骨髄異形成症候群（MDS）に合併するものが 60％以上を占めることから，骨髄に由来する肺胞マクロファージの分化や機能の異常が想定されている（Ishii, 2011）．遺伝性肺胞蛋白症には，GM-CSF 受容体の変異や欠損，サーファクタント蛋白 B あるいは C，ATP binding cassette（ABC）transporter protein（ABCA3）の欠損あるいは変異が報告されている．

診断

基本的に病理診断による（図 9-6-1）．すなわち，左右肺に肺病変をきたした症例で，
①肺の HE 染色標本で末梢気腔内に 0.2 μm 大の細顆粒状物質が充満する．これらの細顆粒状物質に数十 μm 大の好酸性顆粒状物質と数 μm 幅の裂隙が混在する．
②末梢気腔内の細顆粒状物質は PAS 染色で陽性所見を示す．
③末梢気腔内の細顆粒状物質は免疫染色でサーファクタントアポ蛋白 A（SpA）に陽性所見を示す．
という特徴がある．現実的には，すべての症例で生検が可能であるとは限らないので，次の①と②を満たすときに肺胞蛋白症と診断している．
①肺高分解能 CT で，すりガラス状陰影（GGO）を認める．
②気管支肺胞洗浄（BAL）液で白濁の外観を呈し（図 9-6-2），光顕で，顆粒の外観を呈する好酸性，無構造物質の沈着や，泡沫マクロファージ（foamy macrophage）がみられる．

肺胞蛋白症の診断が確定したら，分類のために血清抗 GM-CSF 自己抗体を測定する．自己免疫性肺胞蛋白症では，血清抗 GM-CSF 自己抗体価が 1.0 μg/mL 以上のときに診断する．1.0 μg/mL 未満のとき，続発性肺胞蛋白症かあるいは遺伝性肺胞蛋白症かを疑い原疾患の検索を行う．わが国の続発性肺胞蛋白症の調査では，血液疾患に合併するものが 70％を占め，さらにそのなかでも MDS に合併するものが，最も多い（Ishii, 2011）．

臨床症状

自己免疫性肺胞蛋白症で最も頻繁にみられる症状は，労作時呼吸困難で，54％の患者にみられる（Inoue, 2008）．ついで，咳，痰がある．無症状のものも，31％にみられる．発熱，体重減少はまれである．在宅酸素療法の適応となる室内気での動脈血酸素分圧が，60 Torr 未満の患者は，22％である．続発性肺胞蛋白症では，労作時呼吸困難が 40％にみられるが，自己免疫性と異なるのは，発熱が 38％にみられることである．

画像所見

胸部単純 X 線写真では，両側対称性に広がる GGO

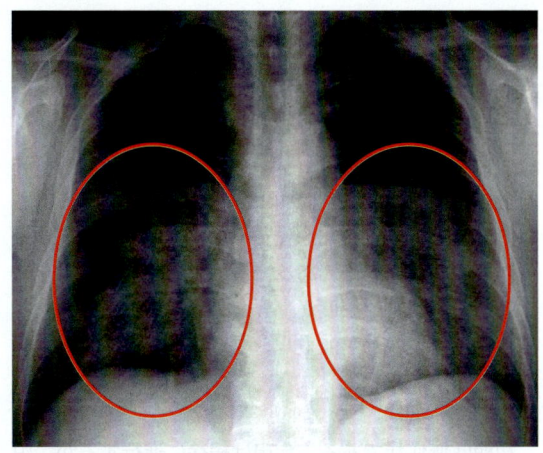

図 9-6-3 自己免疫性肺胞蛋白症の胸部単純 X 線写真
両側中下肺を中心にすりガラス状陰影が広がる．

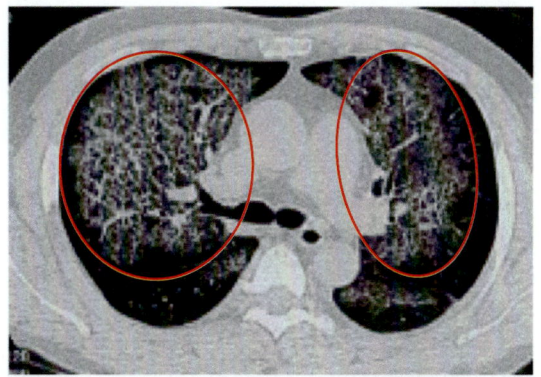

図 9-6-4 自己免疫性肺胞蛋白症の胸部 CT 写真
メロンの皮様の crazy paving pattern を呈する．

が特徴的である（図 9-6-3）．高分解能 CT では，GGO はほぼ 100％にみられるが，さまざまな形状をとる．自己免疫性肺胞蛋白症では，GGO は，71％において散布性，地図状である．crazy paving pattern（図 9-6-4）が典型とされているが，自己免疫性肺胞蛋白症で 71％，続発性肺胞蛋白症では 14％と病型により異なる（Ishii，2009）．GGO 分布は，自己免疫性肺胞蛋白症では下肺野に濃く，上肺野では薄くなっており，胸膜直下，横隔膜直上は GGO がないことが多い．一方，続発性肺胞蛋白症の GGO の分布は一様，びまん性であり，胸膜や横隔膜まで連続している（Ishii，2009）．

治療・予後

自己免疫性肺胞蛋白症の 20％が自然寛解する．また，42％の症例が室内気下で動脈血酸素分圧が 70 Torr 以上であるため，去痰薬の投与など，保存的に治療されていることが多い．しかし，約 20％の症例では呼吸不全が進行し，死亡例もある．動脈血酸素分圧が 70 Torr 未満で，日常生活に支障をきたすような労作時あるいは安静時呼吸困難がある場合，①全身麻酔下の全肺洗浄（🅔動画 9-6-A），あるいは，②気管支ファイバースコープによる反復区域洗浄，あるいは，③ GM-CSF の吸入を試みる．①では，1 年後に 80％の患者が治療前に比べて改善しているが，5 年後では 37％の症例にとどまる．②はわが国ではよく行われているが，効果は明らかではない．③は，GM-CSF がわが国では未承認薬であるため，施設の倫理承認を得て，臨床研究として実施されている．肺胞気-動脈血酸素分圧較差の改善を指標とした奏効率は 62％である．自己免疫性肺胞蛋白症および続発性肺胞蛋白症ともにステロイドの使用は，重症化を促進し，日和見感染症を惹起するため，極力避けるべきである．

〔中田　光〕

■文献

Inoue Y, Trapnell BC, et al: Characteristics of a large cohort of patients with autoimmune pulmonary alveolar proteinosis in Japan. *Am J Respir Crit Care Med*. 2008; **177**: 752-62.

Ishii H, Trapnell BC, et al: Comparative study of high-resolution CT findings between autoimmune and secondary pulmonary alveolar proteinosis. *Chest*. 2009; **136**: 1348-55.

Ishii H, Tazawa R, et al: Clinical features of secondary pulmonary alveolar proteinosis: pre-mortem cases in Japan. *European Respir J*. 2011; **37**: 465-8.

Kitamura T, Tanaka N, et al: Idiopathic pulmonary alveolar proteinosis as an autoimmune disease with neutralizing antibody against granulocyte/macrophage colony-stimulating factor. *J Exp Med*. 1999; **190**: 875-80.

2）肺胞微石症
pulmonary alveolar microlithiasis : PAM

概要

PAM（GenBank データベース OMIM265100）は，リン酸カルシウムを主成分とする肺胞内，層状，年輪状の特徴的な微石の出現を特徴とする常染色体劣性遺伝疾患であり，同胞発生，両親の血族結婚が高頻度である．微石はきわめて緩徐に成長し，最終的には多くの肺胞を埋め尽くす．同時に肺胞壁には慢性炎症と線維化が生じる．小児期に健康診断などで偶然に撮影された胸部 X 線にて発見される症例が多い．世界で 600 例，日本で 120 例が報告され，日本では世界最多の患者が報告されている．疾患原因は現在まで解析した全例でこの特徴的な遺伝子異常が認められている．

病因

II 型肺胞上皮細胞に特異的に発現している IIb 型ナトリウム依存性リン運搬蛋白の機能欠損と考えられている．患者では同蛋白をコードする *SLC34A2* 遺伝子に異常があり，正常蛋白が合成されなくなっている．

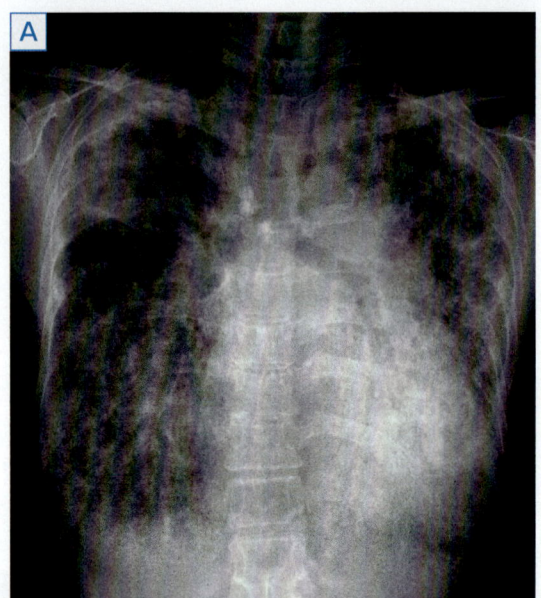

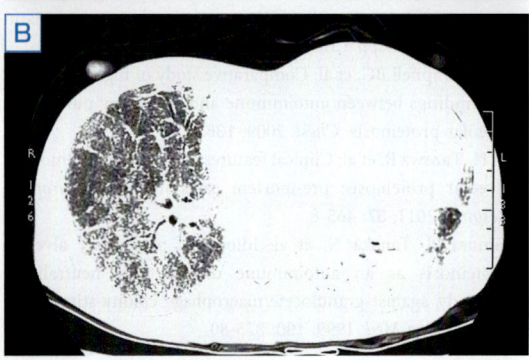

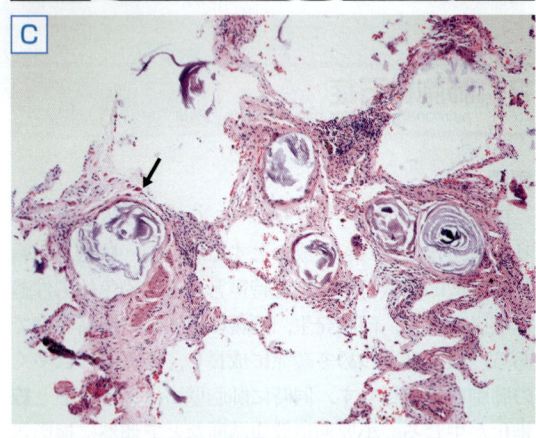

図 9-6-5 胸部 X 線像・胸部 CT 像・肺生検
A：胸部 X 線像．両肺野びまん性に微細粒状の微石陰影と肺性心による心拡大がみられる．
B：胸部 CT 像．気管支血管束，小葉間隔壁に密な石灰化を認める．
C：肺生検．肺胞腔内に層状の微石を認める．

遺伝子機能より，以下のような発症機構が推定されている．肺胞表面活性物質の主構成成分であるリン脂質は，II 型肺胞上皮細胞で産生され，肺胞マクロファージにより除去される．肺胞マクロファージ内で分解されて生じる無機リンは，肺胞腔内に放出され，II 型肺胞上皮細胞により肺胞腔内よりくみ出されると想定されている．このくみ出しを行うのが II b 型ナトリウム依存性リン運搬蛋白である．蛋白機能不全の結果，肺胞腔内の無機リン濃度が上昇し，カルシウムイオンと結合，不溶性のリン酸カルシウムからなる微石を生じる．

臨床症状

初期は無症状である．疾患は緩徐に進行するが，中年に至るまではほとんど症状がない．

診断

特徴的な画像所見，および肺生検または気管支肺胞洗浄液で微石を確認することが必要である．*SLC34A2* 遺伝子異常を確認することで診断の裏づけとなる．また，本症に高頻度な，同胞発生，両親の血族結婚の有無を確認することも必要である．

1）胸部単純 X 線像および胸部 CT 像： 両肺野びまん性に微細粒状の微石陰影が密に分布し，吹雪様（snowstorm appearance），砂嵐様（sandstorm appearance）と称される（図 9-6-5A）．胸部 CT 所見では，気管支血管束，小葉間隔壁に密な石灰化を認める．末期には，肺底部背側，胸膜下に濃厚な融合性石灰化を認める（図 9-6-5B）．

2）肺生検： 肺胞内に層状，年輪状の本症に特徴的な微石形成を認める（図 9-6-5C）．末期には，胸部 CT で濃厚な融合性石灰化を認める部位に相当して骨化を認める．気管支肺胞洗浄液にしばしば微石を認める．

鑑別診断として，転移性肺石灰化症の除外が重要である．高カルシウム血症が存在しないことが本疾患診断の助けになる．

治療

確立された治療法は存在しない．世界では肺移植例もある．

予後

患者は中年期以降慢性呼吸不全，肺性心にて死亡する例が多い． 〔萩原弘一〕

■文献

Hagiwara K, Johkoh T, et al: Pulmonary Alveolar Microlithiasis Molecular Basis of Lung Disease, Insight from Rare Lung Disorders. Hanama Press, 2010.

3）気管支・肺アミロイドーシス

定義・概念
アミロイドとは線維構造をもち生体には異物となる異常蛋白質である．アミロイドーシスとは全身の組織や臓器の細胞外にアミロイドが沈着して臓器障害を引き起こす疾患群の総称である．

病理・分類
病理学的にアミロイドは，無構造硝子様構造のエオジン好性の物質としてHE染色にて観察される．アルカリコンゴ赤染色で橙赤色に染まり，偏光顕微鏡では緑黄色の複屈折を呈する．電子顕微鏡では7〜15 mmの細長い線維の集合が観察される．

アミロイド蛋白（前駆蛋白）の分子生物学的・免疫組織化学的解析により，アミロイドーシスは前駆蛋白の種類によって急性期蛋白である血清アミロイドA由来のAA，免疫グロブリン軽鎖（L鎖）に由来するAL，免疫グロブリンH鎖由来のAHなど少なくとも26種以上に分類される．病変の広がり（全身性と限局性），沈着部位（臓器），基礎疾患の有無（原発性と二次性）による分類もある．

気管支・肺アミロイドーシスの分類は次項に述べる．

分類・特徴
臨床・画像所見の特徴から，①気管気管支アミロイドーシス，②結節性肺アミロイドーシス，③びまん性間質型アミロイドーシスに分類される．①〜③の病型はそれぞれ単独で起こる場合と重複する場合がある．気管支・肺アミロイドーシスには，何らかの基礎疾患を背景に発症する全身性アミロイドーシスの一部分症として肺にも沈着する場合と，基礎疾患の有無にかかわらず肺のみに限局して沈着する限局性アミロイドーシスがある．前者はおもに③の病型，後者は①，②の病型をとることが多い（表9-6-1）．

1）気管気管支アミロイドーシス： 気管〜中枢気管支壁内にアミロイドが沈着する病型である．沈着アミロイドはALがほとんどで，肺限局型が多い．気道狭窄をきたすと咳，喘鳴，血痰・喀血，呼吸困難や無気肺，閉塞性肺炎を生じうるが，無症状例も少なくない．気管支鏡所見では，多発黄色斑状の粘膜下プラーク様病変や，敷石状変化，隆起性病変などがある．CTでは中枢気道の壁肥厚やびまん性石灰化などを認めるが，MRIやFDG-PET/CTでより特異的な所見が得られる[1,2]．臨床的には再発性多発軟骨炎やtracheobronchopathia osteoplasticaが鑑別にあがり，確定診断は気管支生検組織の病理診断による．有症状例は治療の適応であるが，定まったものはない．気管ステント，レーザーが試みられ[3]，また放射線治療が有効との報告もある[4]．

2）結節性肺アミロイドーシス： 肺実質に結節状にアミロイド沈着を起こす病型で，単発と多発の場合がある．ほぼAL由来で，基礎疾患を伴わない限局型が多い．無症状の検診発見例が多いが，咳や血痰を伴うこともある．画像所見は径1〜10 cmに及ぶ境界明瞭な結節性病変で，石灰化を伴いやすく，まれに空洞を呈する．ときにスピキュラを伴うため末梢型肺癌との鑑別は重要で，経時増大例も知られる．PET-CTでも肺癌同様集積を認めることが多い．診断は気管支鏡あるいは胸腔鏡下の生検によるが，肺癌を想定して後者で診断される場合が多い．通常治療は不要で予後は良好である．

3）びまん性間質型アミロイドーシス： 肺胞壁や肺血管周囲などの肺間質にアミロイド沈着する病型で，全身性アミロイドーシスの一部分症として発症する場合が多く，一般に予後不良である．咳，血痰・喀血や，進行性の呼吸困難を呈しやすく，心臓アミロイドーシスを合併すると心不全症状を伴う．画像所見は小葉間隔壁の肥厚や粒状影を呈する場合が多い．診断は肺の病理診断によるが，剖検で診断される場合も少なくない．治療は原疾患により異なるが，原発性ALアミロイドーシスでメルファランを含む化学療法後に末梢血幹細胞移植を行って改善した症例が報告されている[5]．肝移植が試みられることもある．

4）その他の病型： リンパ節アミロイドーシス，胸壁アミロイドーシス，胸膜アミロイドーシス，喉頭アミ

表9-6-1 気管支・肺アミロイドーシスの分類

	沈着するアミロイド蛋白	病変の広がり
①気管気管支アミロイドーシス (tracheobronchial amyloidosis)	AL > AA	限局性 > 全身性
②結節性肺アミロイドーシス (nodular parencymal amyloidosis)	AL > AA	限局性 > 全身性
③びまん性間質型アミロイドーシス (diffuse interstitial amyloidosis)	AA > AL	全身性 > 限局性

ロイドーシス，軽鎖沈着症（light chain disease）などが知られている．また Sjögren 症候群にアミロイドーシスと肺嚢胞の 2 病態が合併しやすいことも知られており[6]，その発生機序はリンパ増殖性疾患を基盤とすると推測されている．

アミロイドーシスの今後については e コラム 1 を参照．　　　　　　　　　　　　　　〔新実彰男〕

■文献（e文献 9-6-3）

北村淳史，櫻井隆之，他：気管支・肺アミロイドーシス．呼吸．2008; 27: 702-6.
小林英夫：気管支・肺アミロイドーシス．医学のあゆみ　別冊　呼吸器疾患-state of arts Ver.6, pp415-7, 医歯薬出版, 2013.
Pinney JH, Lachmann HJ: Amyloidosis and the lung. European Respiratory Monograph 54, pp152-70, European Respiratory society, 2011.

9-7　無気肺
atelectasis

定義・概念

無気肺は英語で atelectasis とよぶが，ateles はギリシャ語で incomplete, ektasis は stretching の意味である．肺胞内の空気が減少したことによって肺容積が減少することをいう．無気肺と虚脱はほぼ同意語で使用されるが，虚脱は完全な無気肺に対して使用される．

分類・原因・発症機序

無気肺は発症機序によって 4 つに分類される．

1) **吸収性無気肺**（resorption atelectasis）：気管支閉塞によって末梢気道および肺胞の含気が減少することによって生じる最も多い無気肺である．閉塞性無気肺（obstructive atelectasis）ともいう．閉塞部位によって全肺，肺葉性，区域性となるが，区域気管支より末梢には肺胞間に Kohn 孔などの気道側副路が存在しているため無気肺は生じにくい．閉塞の原因として粘液栓，異物，悪性腫瘍（肺癌，特に扁平上皮癌），良性腫瘍，気管支結核，気管支周囲の腫大したリンパ節，心拡大などがある．肺癌のように時間をかけて肺の虚脱が進行する場合は粘液栓や炎症細胞，滲出液，線維化によって完全な虚脱に至らない．これが閉塞性肺炎（obstructive pneumonitis）である．

2) **弛緩性無気肺**（relaxation atelectasis）：胸水，気胸，肺腫瘍，ブラなど胸腔内の占拠性病変に接する肺が圧迫され容積が減少することによって生じる．圧迫性無気肺（compression atelectasis），受動性無気肺（passive atelectasis）ともいう．

表 9-7-1　無気肺の画像所見

直接所見	葉間裂の偏位	葉間裂が無気肺によって偏位する．各々の肺葉によって偏位と形状の変化のパターンが存在．
	気管支・血管の集束	早期に認められる所見．濃度上昇に伴って血管陰影は不明瞭化する．気管支透亮像（air bronchogram）は吸収性無気肺以外で認められる．
間接所見	肺野濃度の上昇	虚脱した肺野内に生じた水腫，気管支分泌物の貯留，腫瘍の存在，肺炎の合併などさまざまな因子による．
	胸腔内圧低下を代償する機構	横隔膜挙上，縦隔偏位，肺門偏位，肋間腔狭小化，代償性過膨張．

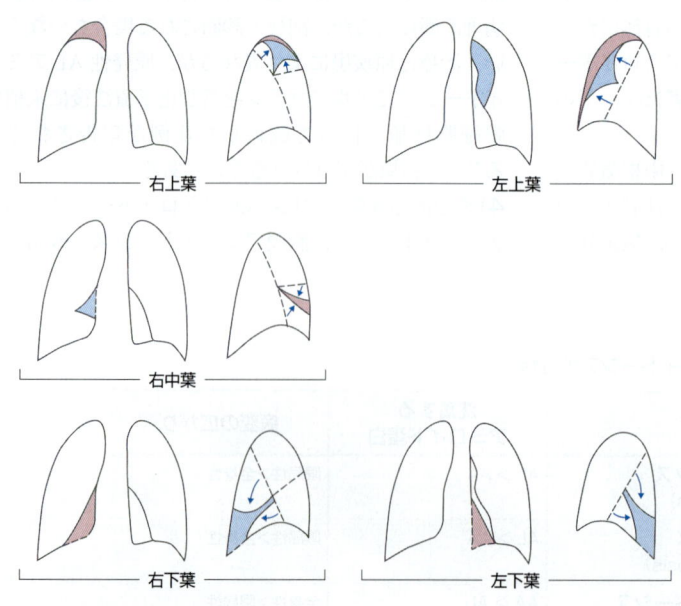

図 9-7-1　各肺葉の無気肺のパターン

荷重部無気肺(gravity dependent atelectasis)は，境界不明瞭な濃度上昇(dependent opacity)または胸膜直下の線状影(subpleural line)，板状無気肺として認める．喫煙者，肥満者に認めやすく，手術中後の呼吸不全の原因ともなる．荷重部の肺胞は小さく，表面活性物質の障害などが加わり肺胞虚脱が生じる．仰臥位と腹臥位を比較することで肺実質病変と鑑別が可能である．

円形無気肺(round atelectasis, rounded atelectasis, folded lung)は，局所的な胸膜肥厚を伴い胸壁直下に末梢性の腫瘤影を呈する．血管，気管支の円弧状の集束(comet tail sign)など構造のねじれが認められる．胸水消失にもかかわらず肺の虚脱が残存したために生じることが多い．石綿暴露，感染性の胸水，うっ血性心不全，肺梗塞，悪性疾患，心臓手術後などで認められる．多くは数年間にわたり変化がない．

3）癒着性無気肺（adhesive atelectasis）： サーファクタント(界面活性物質)は維持表面張力を低く抑え，肺のコンプライアンスを増加させ虚脱を防いでいるため，その不足や不活性化によって肺胞の虚脱が生じる．新生児の呼吸促迫症候群(IRDS)，急性呼吸促迫症候群(ARDS)，急性放射線肺臓炎，肺血栓塞栓症，肺炎などにみられる．

4）瘢痕性無気肺（cicatrization atelectasis）： 肺実質の線維化と破壊による限局性またはびまん性の容積減少をいう．慢性感染症によるものが典型的であり，肉芽腫性疾患や陳旧性肺結核の内部の気管支は，周囲の線維化によって拡張しており，牽引性気管支拡張(traction bronchiectasis)とよばれる．縦隔や肺門の患側への偏位，周囲の肺の代償性過膨張が認められる

臨床症状・検査所見

臨床所見は，原因疾患，およびそれらの病期によって異なる．主訴は，発熱，咳，血痰，気道狭窄による呼吸困難，喘鳴などがある．身体所見としては，片肺

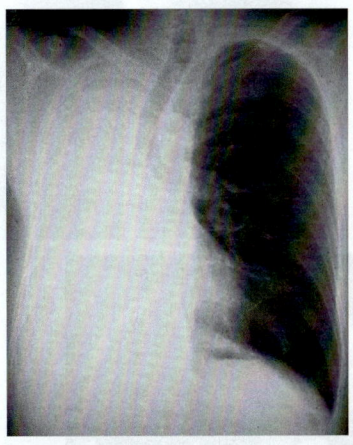

図 9-7-2 右肺全体の無気肺
左肺の著明な過膨張，縦隔，気管透亮像の右側への偏位が認められる．気管支透亮像は認められない．本症例は右主気管支の肺癌による閉塞が原因である．

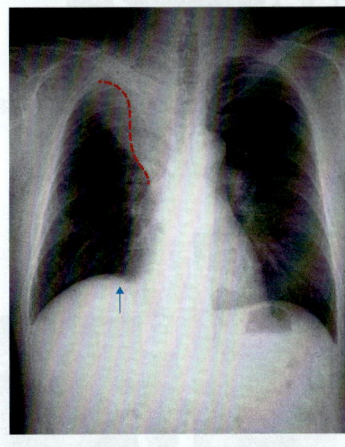

図 9-7-3 右上葉無気肺
右横隔膜が挙上し，小葉間裂は縦隔側へ偏位し中枢側が腫瘤により凸となっているため逆Ｓ字形をとりGolden's S sign (破線)が認められる．

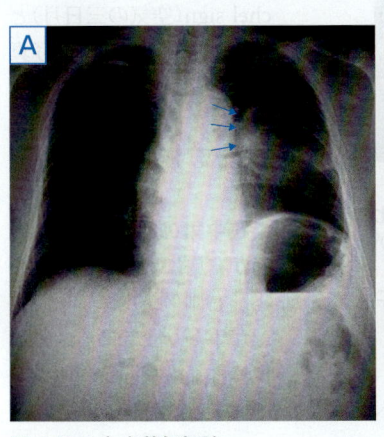
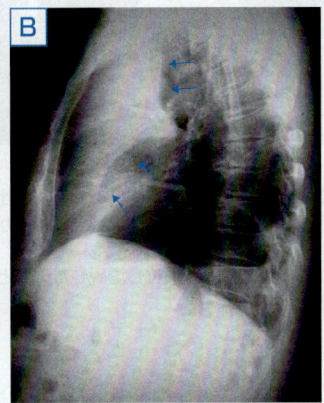
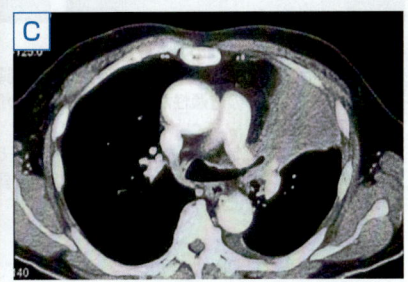

図 9-7-4 左上葉無気肺
A：左肺門，左主気管支が挙上し，肺門に心陰影とシルエット陽性の辺縁不明瞭な濃度上昇を認める．上肺野に luftsichel sign を認める．
B：側面像にて大葉間裂の前方への偏位を認める．
C：CT像は，左上葉気管支の閉塞とS3の無気肺を認める．

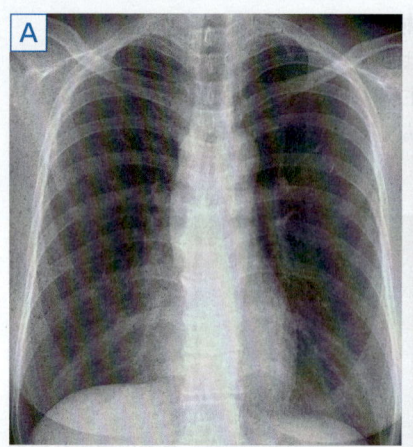
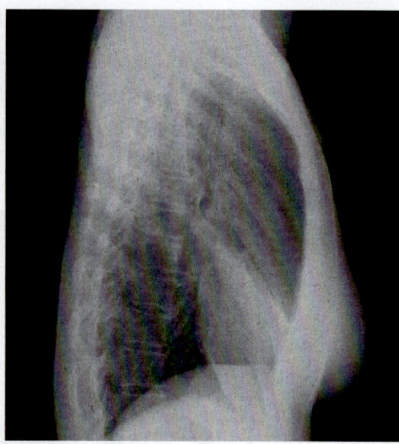

は，気管支や肺胞内の含気の減少そのものによる所見であり，間接所見は含気の減少以外の変化である（表9-7-1）．各肺葉の無気肺には特徴がある．上葉の無気肺は左右で異なり，下葉の無気肺は左右同じパターンである（図9-7-1）．片肺全部の無気肺は主気管支の完全閉塞が原因であることが多い．健常肺は過膨張となり縦隔全体が患側へ偏位する（図9-7-2）．

右上葉の無気肺：正面および側面像における小葉間裂と側面像における大葉間裂の上葉下葉間裂が挙上する．上葉の無気肺が生じると，縦隔側横隔膜面の最上点付近より上方へ伸びる三角形が認められ，傍横隔膜尖頭（juxtaphrenic peak）という（図9-7-3）．

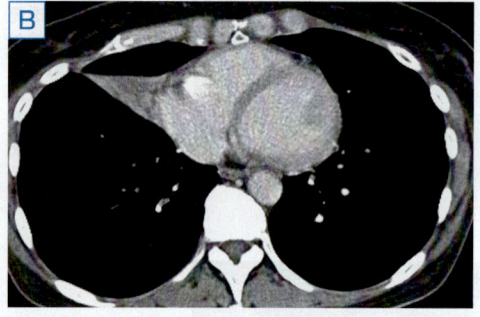

図 9-7-5 右中葉無気肺
A：右第2弓，右房のシルエット陽性の境界不明瞭な濃度上昇を認める．側面像にて虚脱した右中葉が認められる．
B：CT では右中葉 S5 の虚脱を認める．

左上葉の無気肺：右上葉と異なり小葉間裂がなく，大葉間裂が前方縦隔側へ偏位する．無気肺は前縦隔へ偏位するため正面像では心陰影左側のシルエットサインが陽性となる．過膨張した下葉上部は三日月様に見えることから luftsichel sign（空気の三日月）とよばれる．胸部 X 線写真では，左上葉全体の無気肺と上区のみの無気肺は同様の所見を示す（図 9-7-4）．

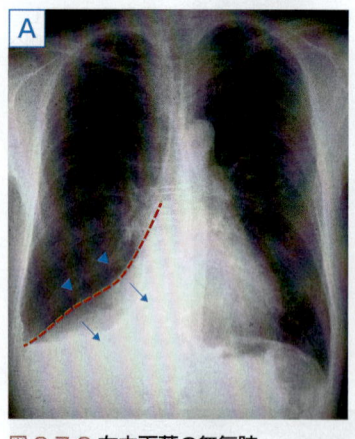
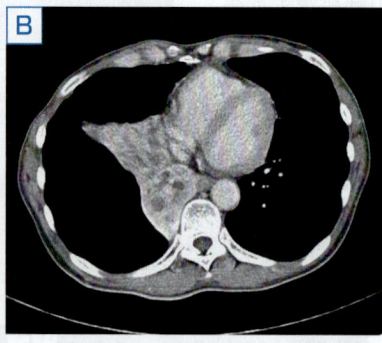

図 9-7-6 右中下葉の無気肺
A：正面像にて小葉間裂が下方へ（矢頭），大葉間裂が後方内側へ偏位する（矢印）．左と比較して右上肺野の透過性が亢進する．中葉の無気肺のため右房のシルエットサインが陽性である．
B：CT では，無気肺となった中葉が三角形を呈し，後方縦隔側へ偏位し虚脱した下葉と一塊となる．内部に粘液栓による低吸収域を認める．

右中葉の無気肺：無気肺が右房に接するため，心陰影右側のシルエットサインが手がかりである．側面像では，大葉間裂の中葉下葉間裂が上方へ小葉間裂が下方へ移動する（図 9-7-5）．

の無気肺であれば呼吸音の減弱と打診にて濁音を認める．肺葉性の無気肺ではほかの肺葉が代償性に膨張するため呼吸音の減弱は認めにくい．

診断

胸部 X 線写真と CT によって診断する．直接所見

下葉の無気肺：側面像では，下葉の無気肺は左右ともに，大葉間裂の上葉下葉間裂は下方へ，下葉中葉間裂は後方へ偏位する．正面像では大葉間裂が肺門か

ら下方側面へ伸びる明瞭な線として認められる．正面像では大葉間裂は縦隔側下方へ偏位する（図9-7-6，9-7-7）．

鑑別診断・治療

胸部X線写真での無気肺のパターンを見逃さないことである．無気肺が疑われれば，原因の精査のために，喀痰検査，胸部CT，気管支鏡など行う．閉塞性であれば，腫瘍，異物，リンパ節腫脹，粘液栓，気管支結核などを疑う．粘液栓や異物であれば気管支鏡を用いて除去する．その他の原因では，原疾患の治療を行う．

〔桑野和善〕

■文献

Fraser RG, Pare PD, et al: Diagnosis of Diseases of the Chest, 4th ed, pp513-60, WB Saunders, 1999.
林　邦昭：無気肺．胸部単純X線診断（林　邦昭，中田　肇編），pp105-15, 秀潤社, 2002.
渡邉秀行：無気肺．胸部CT読影と診断のテキスト 第3版（中田　肇，伊藤春海編），pp282-7, 秀潤社, 2003.

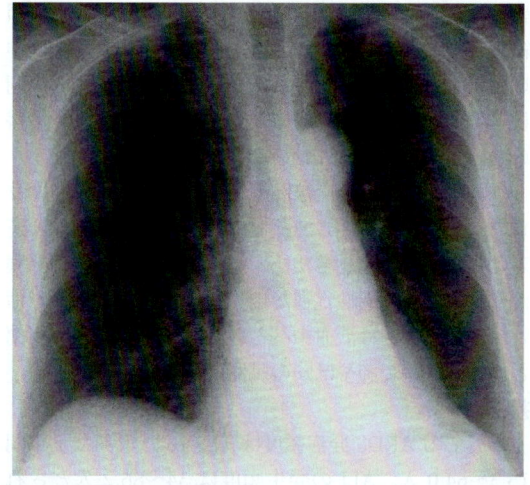

図9-7-7 左下葉の無気肺
正面像では左大葉間裂が後方内側へ偏位する．右上肺野と比較して左上肺野の透過性が亢進する．左横隔膜，下行大動脈のシルエットサインが陽性である．喘息重積発作経過中の粘液栓によって生じた無気肺である．

9-8 急性呼吸促迫症候群
acute respiratory distress syndrome : ARDS

定義・概念

ARDSについては新しい定義（表9-8-1）が提唱された（The ARDS Definition Task Force, 2012）．ARDSは，肺胞領域の広範囲な急性炎症に伴う肺損傷で，肺血管透過性亢進と肺水腫（透過性肺水腫）を特徴とする．臨床的に，急性経過，低酸素血症，胸部X線にて両側性の浸潤陰影を呈し，呼吸不全の原因が心不全や輸液過剰としては説明できないものである．

分類

従来の定義では，酸素化障害の重いものをARDSと定め，軽いものを急性肺損傷（acute lung injury : ALI）と定めていたが，新定義ではALIの名称は用いず，表9-8-1に定義に該当するものはすべてARDSとよび，P_aO_2/F_IO_2の値に従って軽症，中等症，重症と分ける．

原因となる基礎疾患の種類により肺自体を傷害する直接損傷と肺以外の疾患に起因する間接損傷とに分ける（表9-8-2）．通常「○○によるARDS」などと基礎疾患とともに記載する．またいくつかの病態では基礎疾患によって独自の名称が用いられる．高地肺水腫，再膨張性肺水腫，放射線肺臓炎/肺障害，輸血関連肺障害などである（日本呼吸器学会ARDSガイドライン作成委員会，2010）．

原因・病因

Gram陰性桿菌の敗血症を例として発生機序を述べる（e図9-8-A）．敗血症などで細菌の細胞壁のエンドトキシン（リポ多糖，LPS）が血液中に放出されると，LPSは血液中のLPS結合蛋白（LBP）と結合する．この複合体は単核食細胞などの受容体に結合し，さらにトール様受容体などを介して細胞内にシグナルを伝達し，急性期炎症性サイトカインやメディエータの産生を促す．

これらのメディエータは血液を介して肺などの血管内皮細胞に直接作用するとともに，好中球の接着，遊走，活性化をきたし，局所で活性酸素，蛋白分解酵

表9-8-1 ARDSの新しい定義（Berlin定義）（The ARDS Definition Task Fore, 2012）

発症経過	臨床的な傷害や呼吸器症状の発現もしくは増悪から1週間以内の発症．
胸部画像	両側性の陰影で，胸水や無気肺，結節としては説明できない．
肺水腫の成因	呼吸不全が心不全や輸液過剰としては説明できない．危険因子がないときは心エコーなどの客観的方法で静水圧性肺水腫を除外する．
酸素化の障害	PEEP（もしくはCPAP）が5 cmH₂O以上で 軽　症　200 mmHg < P_aO_2/F_IO_2 ≦ 300 mmHg 中等症　100 mmHg < P_aO_2/F_IO_2 ≦ 200 mmHg 重　症　P_aO_2/F_IO_2 ≦ 100 mmHg

素，脂質メディエータなどを放出して透過性亢進と組織傷害を引き起こす．肺は毛細血管網が豊富で，好中球集積もきたしやすいため標的臓器になりやすい．同様の反応がほかの臓器でも起きれば，多臓器障害（multi-organ failure：MOF）を起こす．

一方，肺炎などの直接肺損傷の場合にも，肺胞マクロファージを活性化して流血中から肺内へ好中球の遊走と集積・活性化をきたす．その過程で肺胞毛細間膜が傷害され，透過性亢進が生じる．さらに肺内の炎症性サイトカインは流血中へと放出され，間接的肺損傷と同様の機序で肺やほかの臓器の組織障害をきたす．

疫学

海外でのARDS発症頻度は人口10万人あたり年間15.3～64.0人，ALIの発生頻度は34～86.2人とされる．わが国ではこの頻度より少ないと推定されている

（The ARDS Definition Task Force, 2012；日本呼吸器学会ARDSガイドライン作成委員会，2010）．

病理

ARDSは病理学的にびまん性肺胞傷害（diffuse alveolar damage：DAD）を呈するものが多い．DADは呼吸不全発症からの経過に従って，滲出期（3～7日），増殖（器質化）期（7～21日），線維化期（21～28日以降）に分けられる．それぞれの病期の特徴を表9-8-3に示した（日本呼吸器学会ARDSガイドライン作成委員会，2010）．

病態生理

ARDS初期の病態は透過性肺水腫と肺の炎症であり，肺胞腔への滲出液の貯留と細胞浸潤が起きる．肺水腫は重力効果と静水圧の影響で下肺野や背側に強く発現する（図9-8-1，9-8-2）．一方，肺サーファクタントは浮腫液による希釈，もしくはⅡ型肺胞上皮細胞の傷害による産生低下のために欠乏し，肺胞虚脱が進んで静肺コンプライアンスは低下する．

広範な肺水腫と肺胞虚脱の結果，肺内シャントが発生し，酸素吸入に抵抗性の低酸素血症が生じる．炎症性メディエータの作用や低酸素性血管攣縮も生じるため，換気分布の異常が生じ，気道抵抗の上昇も起こって，さまざまな程度で換気-血流比不均等分布や拡散障害が生じて，ガス交換障害が増悪する．

臨床症状（自覚症状と他覚症状）

患者は呼吸が苦しいために切迫した状態（呼吸促迫）となり，表情は苦悶状，呼吸は努力性となり，チアノーゼを呈する．不安と呼吸困難のためしばしば不隠となる．しばしば起座位をとるが，心不全ほど著明ではない．ピンク泡沫状の痰を喀出し，気管支呼吸音は増

表9-8-2 ARDSの原因となるおもな基礎疾患

直接的肺損傷	間接的肺損傷
呼吸器感染症 　細菌性肺炎 　ウイルス性肺炎 　ニューモシスチス肺炎など 胃内容の誤嚥 肺挫傷 放射線肺臓炎/肺障害 溺水 肺脂肪塞栓 有毒ガス吸入 再灌流障害 　肺移植後 　肺塞栓摘出後	敗血症 重症外傷 　特にショックと多量輸液後 心肺バイパス手術 薬剤性肺障害 　パラコート 　メトトレキサート 　抗癌薬（ゲフィチニブなど） 輸血関連肺障害（TRALI） 急性膵炎

TRALI：transfusion-related acute lung injury.

表9-8-3 ARDSの病変の進行と病理・画像所見の変化

	滲出期	器質化（増殖）期	線維化期
呼吸不全発症からの期間	3～7日	7～21日	21～28日以降
特徴的病態	透過性肺水腫 炎症細胞浸潤と肺胞虚脱	滲出物・硝子膜の器質化 線維増殖性変化	肺の構造破壊 異常修復（リモデリング）
病理像	硝子膜形成 Ⅰ型肺胞上皮細胞壊死 血管内皮細胞傷害	間質・気腔の筋線維芽細胞増生 Ⅱ型肺胞上皮細胞の過形成 軽度の慢性炎症	膠原線維の沈着 顕微鏡的蜂巣肺様変化 Ⅱ型肺胞上皮細胞の過形成
画像所見	胸部X線：両側性浸潤影（蝶形陰影） CT：すりガラス状陰影や浸潤影 　　斑状・びまん性汎小葉性分布 　　背側・下肺野に優位	胸部X線：陰影は次第に拡大 CT：すりガラス状陰影や浸潤影 肺容積減少 牽引性気管支拡張の出現	胸部X線：網状影，肺容積減少 CT：牽引性気管支拡張 肺構造の歪み 囊胞や蜂巣肺

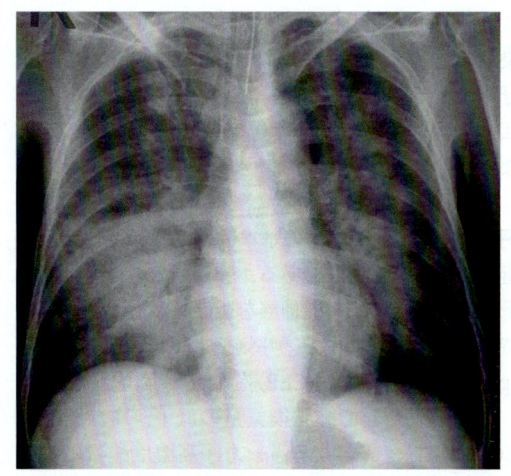

図 9-8-1 ARDS 滲出期の X 線像
両側性の浸潤影，蝶形陰影を示す．

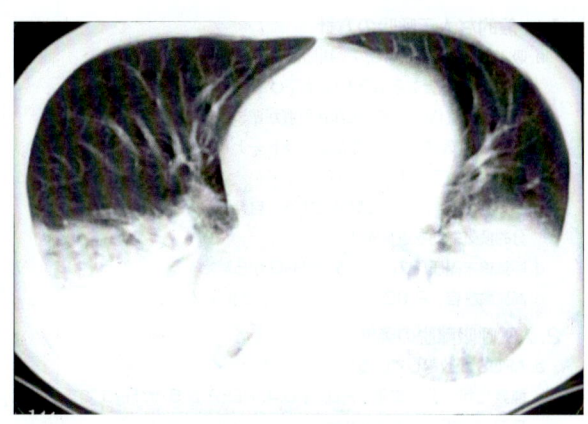

図 9-8-2 ARDS 滲出期の CT 像
しばしば陰影は背側に優位となる．

強し，不連続音が聴取される．

検査所見

低酸素血症は S_pO_2 の低下として認められる．動脈血ガス分析では I 型呼吸不全，すなわち P_aCO_2 の蓄積を伴わない低酸素血症がみられるが，進展すると P_aCO_2 の蓄積も起こりうる．O_2 投与にもかかわらず P_aO_2 の上昇が少ないことが ARDS の特徴である．

血液検査で白血球数の増加，CRP の上昇，LDH の上昇などが全身と肺の炎症を反映する．BNP $\leqq$ 200 pg/mL であれば，心エコーの結果などと合わせて左心不全の否定につながる．

画像検査 (表 9-8-3)

病初期の画像所見は病理の滲出期を反映し，初期の間質性肺水腫の時期では，気管支血管束の腫大 (cuff)，Kerley A，B，C lines (小葉間結合織の浮腫性肥厚) などがみられる．肺胞性肺水腫になると肺胞充満性陰影が肺門を中心として出現し，蝶形陰影となる (図 9-8-1)．またこの時期には CT の濃厚陰影は背側に偏って分布する (図 9-8-2)．

病変が進行して次第に線維化が起こり，肺の容積減少，網状影，牽引性気管支拡張を示しながら肺構造の歪みが出現する．線維増殖性変化の進行とともに陰影は全肺野に広がる．

表 9-8-4 臨床的に鑑別が必要な疾患

疾患	鑑別と治療のポイント
心原性肺水腫	左房圧の上昇，左室の収縮能低下もしくは拡張不全，BNP 高値，利尿薬に反応
肺炎	両側性肺炎で定義を満たせば ARDS，原因病原体検索と抗菌薬投与
急性間質性肺炎	先行する基礎疾患がない，病理は DAD パターン，経過は ARDS より緩徐
特発性器質化肺炎	亜急性経過，BALF でリンパ球増加，ステロイドが有効
過敏性肺炎	吸入抗原暴露，びまん性小粒状陰影，BALF リンパ球増加，抗原回避，ステロイドが有効
急性好酸球性肺炎	喫煙開始が契機，広義間質陰影，BALF での好酸球増加，ステロイドが著効
粟粒結核	全肺野の粟粒陰影，浸潤影と低酸素血症のあるとき ARDS 合併とする，結核菌の証明と抗結核薬投与
びまん性肺胞出血	血性 BALF とヘモジデリンを貪食したマクロファージを確認，ステロイドが有効
癌性リンパ管症	亜急性経過，悪性腫瘍の存在，Kerley A，B，C lines と多角形の線状影，小葉中心の粒状影
薬剤性肺障害	薬剤との時間的関係，薬剤による報告，ほかの原因の否定，原因薬剤中止とステロイド
その他の非心原性肺水腫	高地肺水腫，再膨張性肺水腫，放射線肺臓炎/肺障害，輸血関連肺障害など

診断・鑑別診断

基礎疾患に引き続いて，定義 (表 9-8-1) の項目が満たされれば ARDS と診断する．臨床的に鑑別が必要とされる疾患を表 9-8-4 にまとめた．このなかで，心原性肺水腫と癌性リンパ管症は疾患の定義から鑑別が必須である．過敏性肺炎，急性好酸球性肺炎，びまん性肺胞出血，その他の疾患についても，基礎疾患や原因の治療を考えると鑑別診断が重要である．

合併症

呼吸循環系合併症として，循環不全 (ショック)，人工呼吸器関連肺炎 (人工呼吸開始 48 時間後に発症し

表 9-8-5 呼吸管理の条件

1. 一般的な人工呼吸の方針
   a. 吸入気酸素濃度(F_IO_2)：初期設定は 1.0，その後 $P_aO_2>$ 60 mmHg となるよう F_IO_2 を下げる
   b. 1 回換気量(VT)：6 mL/kg 程度が望ましい 圧規定換気(PCV)様式ではプラトーとなる気道内圧を 30 cmH$_2$O 以下とする
   c. 換気回数：10〜30 回/分とする：自発呼吸がある場合は部分的換気補助を選択する
   d. 呼気終末陽圧(PEEP)：5 cmH$_2$O から開始する
   e. 高炭酸許容：$P_aCO_2<$ 80 mmHg，pH $>$ 7.2 とする
2. 人工呼吸離脱の条件
   a. ARDS が改善している
   b. 酸素化が十分である：$F_IO_2 \leq$ 0.4，PEEP $\leq$ 5 cmH$_2$O で $P_aO_2 \geq$ 60〜100 mmHg
   c. 1 回換気量(VT) $\geq$ 5 mL/kg，呼吸数 $\leq$ 30〜35 回/分，努力性呼吸がない

た院内肺炎)，エアリーク(気圧外傷ともよばれる気胸，縦隔気腫，嚢胞形成など)，人工呼吸器関連肺損傷(人工呼吸による肺胞の過膨張と虚脱再膨張に伴う損傷)，肺の線維化，肺高血圧症などがある．

全身性の合併症として，播種性血管内凝固症候群，MOF，敗血症性ショックなどが急性期合併症としてみられる．

経過・予後

ARDS の死亡率は 40〜50％とされる．肺保護換気の臨床応用が広まった 1990 年頃から徐々に死亡率は低下したとされる．直接死因は呼吸不全でなく，敗血症などの感染症と MOF などが多い．予後因子としては，感染症，MOF，高齢，臓器移植者，慢性肝疾患，HIV 感染，悪性腫瘍の合併などがあげられる．

治療

1) 薬物療法： 現状で生存率の改善を証明した薬物療法は報告されていない．わが国では慣用的にステロイドパルス療法が行われているが，ARDS において有効性は証明されていない．ステロイド治療は糖尿病と感染症を誘発することに注意する．

好中球エラスターゼ阻害薬のシベレスタットは，ARDS に保険適応がある．生存期間の延長には寄与しないものの，ガス交換障害と人工呼吸からの早期離脱に効果が認められた．

2) 呼吸管理： 呼吸管理の基本は人工呼吸関連肺損傷を避ける肺保護換気法である．肺保護の考え方は①低容量換気を用いて肺の過伸展を避け，気道内圧を低く維持する，その範囲内で②呼気終末陽圧(positive end-expiratory pressure：PEEP)を加え肺胞虚脱を避ける，この結果として肺胞換気量の低下，すなわち③P_aCO_2 の上昇は許容する．一方④高濃度酸素による肺損傷を回避する，そして⑤自発呼吸を温存する．酸素化の目標は $S_pO_2>$ 89〜92％，$P_aO_2>$ 60 mmHg であり，一般的な換気条件を表 9-8-5 にまとめた．

呼吸不全が比較的軽症で，一過性の呼吸補助でよいと予測される際は非侵襲的陽圧換気(noninvasive positive pressure ventilation：NPPV)も考慮されるが，ARDS 治療として予後改善効果は一定しない．

ARDS が回復して人工呼吸から離脱する条件を表 9-8-5 に示した．

人工呼吸では随伴して多くの病態がみられ，その管理が ARDS の治療成績を決定するともいえる．人工呼吸関連肺炎(VAP)には口腔内の清潔や閉鎖式吸引カテーテルの使用が推奨される．治療は経験的な抗菌薬投与による．エアリークは陽圧換気に起因するもので，気道内圧を下げて対応する． 〔金澤 實〕

■文献

日本呼吸器学会 ARDS ガイドライン作成委員会編：ALI/ARDS 診療のためのガイドライン 第 2 版，秀潤社，2010.
The ARDS Definition Task Force: Acute Respiratory Distress Syndrome, The Berlin Definition. *JAMA.* 2012; 307: 2526-33.

9-9 嚢胞および拡張性気管支・肺疾患

1) 嚢胞性肺疾患
cystic lung disease

(1) 定義・概念

嚢胞性肺疾患は，肺内に異常な含気性病変を認める疾患の総称である．胸部 CT の普及と撮像技術の発達に伴い，嚢胞性肺疾患はさまざまな病因・病態を含む不均一な疾患群となっている．含気性病変の壁の有無や，厚さのみならず，含気性病変の性状(大きさ，形，数，分布)が病因・病態の違いや鑑別診断に大きな意味をもつ．

「嚢胞」とは，病理学上，単層の上皮に覆われる水や空気を含む球状の病変を指すが，ここでは空気を含む病変として扱う．なぜならば，嚢胞性肺疾患の多くは画像検査で境界明瞭な透過性亢進領域として認識されるものの，多くは病理学的に良性疾患であり，臨床

的観点からも組織学的検査がなされる頻度は非常に低く，放射線画像上の概念や定義が頻用されるためである．

胸膜内あるいは胸膜直下肺組織に認める異常な含気腔は，それぞれ，ブレブ，ブラとよばれ，病因は不明だが，激しい組織破壊により生じる空洞とは異なり，「肺組織の直接的な破壊によらない肺内の異常含気腔」と感覚的に理解され，この延長線上に肺囊胞も想定されている．放射線画像上の定義では，肺実質内の含気性病変(air-filled lesion)を主病変とする疾患群のうち，含気性病変の壁の厚さが2～4 mm未満であるものを囊胞性肺疾患，2～4 mm以上であるものを空洞性肺疾患(cavitary lung disease)とよぶ．

肺気腫(細葉中心性，汎細葉性)は，胸部単純X線やCTでは明確な被膜をもたない透過性亢進領域(CTでは低吸収領域とよばれる)であるため囊胞とは異なるが，しばしば共存するため，あるいは進行すると囊胞様の所見を呈するため，囊胞性肺疾患に含められる場合もある．間質性肺炎では牽引性気管支拡張や肺実質の構造改変が囊胞様を呈し，囊胞性肺疾患に含められる場合もある．

(2) 囊胞性肺疾患の成因と分類

統一された囊胞性肺疾患の分類はないが，画像検査での含気性病変の性状(大きさ，壁の厚さ，部位など)と病因を加味して表9-9-1のように分類する．囊胞を含む肺野内含気性病変の成因は，①胎生期の気管支樹・肺実質の発育異常，②炎症や腫瘍などによる肺実質の破壊性・壊死性変化，③終末細気管支や呼吸細気管支領域の炎症や破壊によるエアトラッピング(air trapping)，④瘢痕組織や病変の弾性収縮力で周辺の肺胞が牽引され退縮し，あるいは病変周囲の正常肺胞組織自身の弾性収縮力による牽引により，気腔の拡大が生じる，⑤血管閉塞と虚血性壊死，⑥肺実質の線維化やリモデリングに伴う牽引性の変化，⑦原因不明，などに分類することができ，いくつかの成因が混在して生じる．

囊胞性肺疾患は表9-9-1に示すように多岐にわたり，独立した項目として記載されるものが多い．ここでは，他領域では一般に記載されない，ブラ/ブレブ，ニューマトセル，巨大肺囊胞症，Birt-Hogg-Dubé症候群について説明する．

(3) ブラ/ブレブ

気腫性肺囊胞ともよばれ，無症状である．自然気胸の発症に深く関与する．ブレブ(bleb)は，胸膜内弾性板の破壊により臓側胸膜内に空気が流入して生じた異常気腔である(図9-9-1)．ブラ(bulla)は胸膜下の肺胞の破壊によって生じた肺内の異常含気腔で，囊胞壁

表9-9-1 囊胞性肺疾患の分類

1. 胎生期の気管支樹・肺の発育異常による囊胞
- 気管支閉鎖症
- 気管支性囊胞
- 先天性囊胞性腺腫様奇形
- 先天性肺葉性肺気腫
- 肺分画症

2. 遺伝性疾患に伴う囊胞
- Birt-Hogg-Dubé症候群
- 皮膚弛緩症(Cutis laxa)
- Down症候群
- Ehlers-Danlos症候群
- Hermansky-Pudlak症候群(*線維化が主体)
- Marfan症候群
- 神経線維腫症1型(neurofibromatosis 1; von Recklinghausen病)

3. 胸膜・末梢肺実質の異常による囊胞
- ブレブ
- ブラ
- 巨大ブラ

4. 腫瘍性の囊胞
- リンパ脈管筋腫症(結節性硬化症に合併するもの，孤発性)
- 原発性肺癌(*空洞(cavity)が主)
- 転移性肺腫瘍(扁平上皮癌，腺癌，子宮内膜間質肉腫，血管肉腫，など)

5. 炎症性疾患に伴う囊胞
- Langerhans細胞組織球症
- リンパ球性間質性肺炎
- 剝離性間質性肺炎
- 感染症
  黄色ブドウ球菌(ニューマトセルpneumatoceleの原因感染症となる)，アスペルギルス，抗酸菌，コクシジオミセス，Pneumocystis jirovecii，敗血症性塞栓(septic emboli)(*空洞(cavity)が主)
- Sjögren症候群
- アミロイドーシス
- 軽鎖沈着症
- 多中心性Castleman病
- サルコイドーシス(bullousサルコイドーシスとよばれる)
- 多発血管炎性肉芽腫症(*空洞(cavity)が主)

6. 外傷・暴露・薬剤など
外傷後，揮発性炭化水素の吸入，薬物経静脈投与常用者(メチルフェニデート，ヘロイン，コカイン，タルク含有製剤など)

注．上記の囊胞性肺疾患との鑑別を要する疾患
- 慢性閉塞性肺疾患($α_1$-アンチトリプシン欠損症を含む)
- HIV感染症
- 囊胞様の気管支拡張症
  先天性，感染後の変化，閉塞による変化，吸入暴露や誤嚥，宿主の免疫能低下や線毛異常，アレルギー性，周囲肺実質の線維化，その他のさまざまな病態を含む．
- 蜂巣肺＝線維化が病態の中心であるもの

は肺胞上皮である（図9-9-2）．ブレブとブラは肉眼的に鑑別困難であり，また，区別する臨床的意義も少ないため，臨床的にはまとめてブラとして扱われる．

ブラ/ブレブの成因は不明であるが，肺尖部に好発することから，胸腔内圧による牽引と組織の脆弱性，喫煙や粉じん吸入による細気管支炎とエアトラッピング，側副換気の障害，傍隔壁性肺気腫からブラが生じる，などが考えられている．解剖学的には，小葉間隔壁が胸膜に連続する部分や隣接する肺胞壁の毛細血管はほかの部位より少なく，結果としてこれらの領域の細葉はコンプライアンスが大きく脆弱である．また，同部の血行障害による組織壊死も関与すると考えられている（図9-9-1）．

(4) ニューマトセル（pneumocele）

チェックバルブ機構によるエアトラッピングにより肺胞が過膨張して生じた異常気腔で，ブラと異なり肺胞壁の破壊がみられない．急速に出現し自然消滅することがある．乳幼児が黄色ブドウ球菌性肺炎に罹患し，その治癒過程に生じることが多い．

(5) 巨大肺囊胞症（giant bulla）

定義・概念

ブラが巨大化して片側肺の1/3以上を占めるようになると巨大肺囊胞症とよばれ，労作性呼吸困難などの自覚症状を認めることが多い（図9-9-2）．ブラと同様の機序で発生すると思われるが，小さなブラとまったく同じものかどうかは不明である．進行性に拡大して周囲の健常肺を圧排し著しい呼吸機能障害を引き起こすに至る場合もある（vanishing lung）．

病理・病態生理

胸膜は保たれ，ブレブを合併するものは少ないとされる．ブラは気道内の陽圧によって生じる，とする考えは懐疑的であり，巨大ブラ内の圧力は胸腔内圧と同じであるとする研究成果がある．したがって，ブラと周辺肺組織が同程度の陰圧にさらされた場合には，ブラの方がより膨らみやすい（"paper bag" 仮説）．

ブラの大きさは，Boyle-Charlesの法則に従い，大気圧により変化する．ブラと気道との交通がなければ，気圧が低く，温度の高く，湿った気体ほど気体の容量は増加する．しかし，毎分約300 mずつ高度が上昇して大気圧が下がるような環境下におかれても，肺内のブラの大きさはほとんど変わらないことが報告されている．すなわち，ブラと気道には交通があり，ブラ形成は，"ball valve（あるいはcheck valve）メカニズム"ではなく"paper bag"仮説のほうであることを支持している（eコラム1）．

臨床症状・検査所見

ブラや嚢胞（胸膜に接することなく肺実質内にある異常含気腔）は，通常は無症状である．多発あるいは巨大化すると肺機能が障害され，進行性

図9-9-1 ブレブ，ブラと胸膜直下肺組織の解剖学的特徴
ブレブは臓側胸膜内に空気が流入して生じた異常気腔である．ブラは，胸膜下肺組織の破壊によって生じた肺内の異常含気腔でブラ胞壁は肺胞上皮である．ブラが伸展・拡大すると胸膜との境界は破綻し，さらには胸膜の内外弾性板は引き延ばされて断裂したようになる．ブラには呼吸細気管支が流入し，チェックバルブ機序(a)，炎症や肉芽組織などによる呼吸細気管支の狭窄(b)，周辺肺組織の弾性収縮力(c)などによって伸展・拡大する．

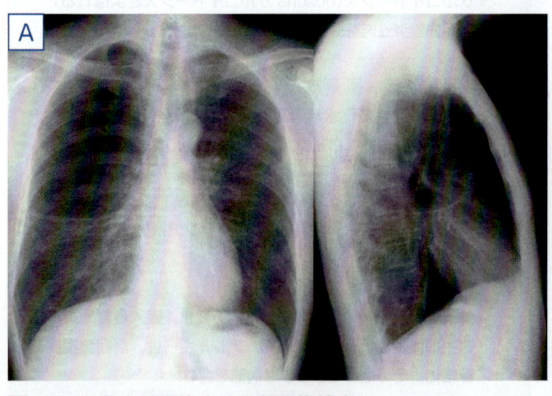
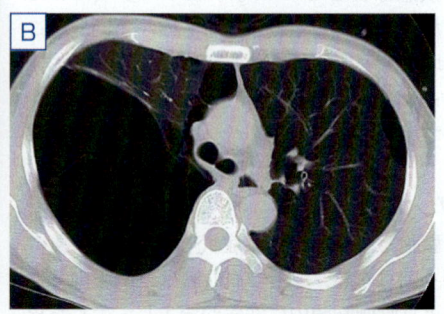

図9-9-2 巨大肺囊胞症の胸部画像検査
A：胸部単純X線では，右上肺野に巨大ブラを認める．
B：CTでは，巨大ブラ内に線状影があり，また，傍隔壁性肺気腫像を両側肺に認める．

の息切れ，胸痛，気胸の合併による突然の息切れや胸痛を経験する．胸痛は，ブラの過膨張や周辺構造の緊張によると考えられ，狭心症様の痛みで胸骨下に感じることが多い．ブラ壁内の血管の破綻により喀血を生じることもある．ブラ内あるいは周辺の感染を伴い，咳や痰ともに倦怠感，あるいは胸膜痛を認めることもある．

胸部X線では，限局性の境界鮮明な肺紋理のない領域として描出される（図9-9-2A）．ブラ内のair-fluid level（鏡面形成）は常に感染によるとは限らず，ブラと肺実質との交通が閉塞したためブラ内の分泌物の貯留による場合もある．その他に，肺膿瘍，結核，真菌感染症，空洞形成性肺腫瘍，ブラ内の出血，心不全，ブラ壁より生じた肺癌，などを鑑別する必要がある．

胸部CTでは，明瞭な境界線で肺実質陰影と区別される透過性の亢進した無血管領域として描出される（図9-9-2B）．ブラ内には遺残組織を示唆する線状・索状影を認めることもある．傍隔壁性肺気腫を伴うことが多い．また，巨大ブラ以外に細葉中心性肺気腫像をびまん性に認める場合もあり，bullous emphysemaとよばれる．慢性的な喫煙に関連して生じた可能性が示唆される．

肺機能検査では閉塞性換気障害，拡散障害がみられる．ブラが大きくなると，ブラ周辺の気道は気道周囲組織弾性収縮力が低下するため閉塞しやすくなる（図9-9-3）．Xe換気シンチグラフィでは囊胞腔内への換気の著しい遅延がとらえられる（slow-in and slow-out space）．

診断・鑑別診断
画像検査より診断可能であるが，自然気胸腔との鑑別が重要である．

治療・予後
無症状でブラの増大傾向がなければ，経過観察が可能である．合併症として，ブラ内感染，胸痛，出血，自然気胸，囊胞壁や周辺部での肺癌，がある．ときにアスペルギルス感染が生じ，菌球（fungus ball）を認めることがある．進行性に増大し呼吸困難を認める場合，感染を合併し内科治療では治療困難な場合，などでは外科的切除の適応となる．

(6) Birt-Hogg-Dubé症候群（BHDS）
定義・概念
17番染色体短腕（17p11.2）に存在するフォリクリン（FLCN）遺伝子の胚細胞遺伝子変異により生じる常染色体優性遺伝性疾患で，多発肺囊胞/気胸，顔面を中心とした線維毛包腫（fibrofolliculoma），腎腫瘍を生じる疾患である（e図9-9-A）．気胸は20歳代以降に発症し，反復しやすい．家族性気胸の基礎疾患として重要である．

診断
胸部CTでの囊胞の性状（大小不同，不整形，縦隔側や肺底部に多く，肺血管に接して存在する），気胸の家族歴，などではBHDSを疑う必要がある．確定診断はFLCN遺伝子検査により胚細胞遺伝子変異を同定することによる．肺病変以外には，線維毛包腫や腎病変を認めない例も多い．

治療・予後
気胸には標準的治療を行うが，再発予防を念頭におく必要がある．腎癌の発症リスクは一般の約7倍とされ，超音波やMRIでの定期的な経過観察が必要である．

〔瀬山邦明〕

■文献（e文献9-9-1）

Hansell DM, Bankier AA, et al: Fleischner Society: glossary of terms for thoracic imaging. *Radiology*. 2008; **246**: 697-722.

Morgan MD, Edwards CW, et al: Origin and behaviour of emphysematous bullae. *Thorax*. 1989; **44**: 533-8.

Murphy DMF, Fishman AP: Bullous disease of the lung. Fishman's Pulmonary Diseases and Disorders, 4th ed. (Fishman AP Editor-in-Chief), pp913-29, McGraw Hill, 2008.

2）気管支拡張症
bronchiectasis

定義・概念
気管支拡張症は，気道の構造的異常により気道内腔が不可逆的に拡張し，その結果として生じる気道クリアランスの障害により慢性的に気道感染を反復し，湿性咳，血痰，喀血などをきたす症候群である．気管支拡張の病変領域は比較的中枢気道であり，多くは亜区

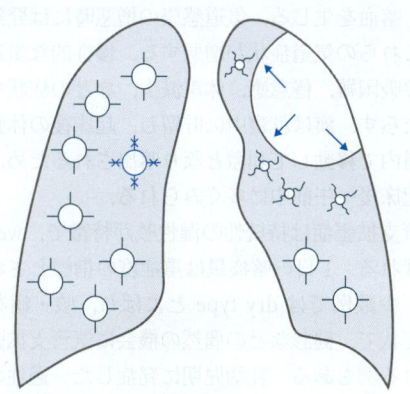

図9-9-3 気道周囲組織の弾性収縮力による気道牽引に及ぼす影響
気道は周囲肺組織の弾性収縮力により牽引されて開存する．しかし，巨大ブラ周辺では周囲肺組織が虚脱して弾性収縮力が低下し，気道は狭くなり気流制限が生じる．

域枝以降の気道が不可逆的に拡張する．下葉に好発し，左側にやや多い傾向にある．病原菌を含む気道分泌物の管内性播種(はしゅ)により，進展すれば複数箇所や両側性に病像は進展しうる．

疫学・頻度

正確な有病率は不明であるが，公衆衛生の向上や抗菌薬治療の進歩に伴い，肺結核後遺症や幼小児期の呼吸器感染症に伴う気管支拡張症の頻度は減少傾向にある．

病因・病態生理

正常な気道には線毛上皮細胞や気管支分泌腺による粘液線毛輸送系による気道クリアランス機構があり，呼吸とともに外界から進入する異物や病原菌が排除される．さらには，分泌型IgA，リゾチーム，デフェンシンなどの先天免疫系により病原菌が排除される．このような仕組みが障害されると気道感染の成立，慢性的に炎症が持続して気道構造の破壊，気道クリアランスのさらなる障害による慢性気道感染の持続，と悪循環に陥り，気管支拡張症の病態が維持される．

気道の拡張に至る要因は，先天的異常，感染症，免疫異常，気道閉塞などさまざまである．病因は，先天性，後天性(遺伝性を含む)，続発性に分けられるが(表9-9-2)，気管支拡張をもたらした原疾患が明らかな場合には，気管支拡張症よりも原疾患名が付せられる．Williams-Campbell症候群は先天性気管支拡張症であり，気管支軟骨の先天性欠損によって生下時から気管支拡張が認められる．

遺伝性疾患には，原発性線毛機能不全症(Kartagener症候群を含む)，囊胞性線維症，α_1-アンチトリプシン欠損症，低ガンマグロブリン血症，などが含まれる．黄色爪(yellow nail)症候群はリンパ管低形成が要因とされ，リンパ浮腫，胸水，爪の黄色変化とともに，約40%の患者に気管支拡張症を合併する．Young症候群は，線毛の超微形態異常や汗の電解質異常はないが，無精子症(粘稠な分泌物による輸精管の閉塞)，気管支拡張症を認める．

さまざまな病原体による下気道感染は，気管支拡張症を生じ得る．組織破壊を引き起こす黄色ブドウ球菌，クレブシエラ菌，嫌気性菌，などは重症化した場合には気管支拡張症の重要な原因となる．小児期の百日咳菌感染も慢性気道感染と関連することが指摘されている．非結核性抗酸菌，結核菌，ヒト免疫不全ウイルス(HIV)などの感染も原因となる．

腫瘍や異物による気道閉塞，毒性ガスの吸入(アンモニアなど)や酸性胃内容物の誤嚥による激しい炎症，などにより生じる気管支拡張症もある．

続発性気管支拡張症は，胸郭形成術後や肺結核後遺症にみられ，気道構造の物理的変化(牽引，屈曲，圧迫など)が気道クリアランスを障害する結果生じると考えられる．

1) 形状による分類：①円柱状拡張，②囊状拡張，③静脈瘤様拡張．

2) 分布による分類：①限局性気管支拡張症，②びまん性気管支拡張症．

臨床症状

慢性的な膿性の痰，咳が主要な症状であり，ときに血痰，喀血を生じる．気道感染の増悪時には発熱とともにこれらの気道症状が増悪する．慢性的な気道炎症は，呼吸困難，倦怠感，体重減少，などの症状や徴候をもたらす．痰は就寝中に貯留し，起床後の体動により気道内で移動して刺激となり喀出されるため，湿性咳は起床後〜午前中に多くみられる．

気管支拡張症は持続性の湿性咳が特徴で，wet typeとよばれる．1日の喀痰(かくたん)量は重症度の指標とされる．一方，少数例ではdry typeとよばれ，咳・痰を認めず無症状で，健診などの偶然の機会に気管支拡張を指摘される例もある．乳幼児期に発症した一過性の呼吸器感染症による限局性気管支拡張が多いとされる．

血痰や喀血は，気管支拡張症の経過中にしばしば認められる．気管支動脈系からの血管増生・拡張・蛇行，気管支動脈系と肺動脈系のシャント，などが形成される．増生した血管は破綻(はたん)しやすく，血痰や喀血の

表9-9-2 気管支拡張症の成因からみた分類

A. 先天性気管支拡張症
- Williams-Campbell症候群

B. 後天性気管支拡張症
- 幼小児期の重症肺炎に続発する気管支拡張症
- 原発性線毛機能不全症候群（Kartagener症候群を含む）
- 囊胞性線維症
- Young症候群
- 黄色爪(yellow nail)症候群
- α_1-アンチトリプシン欠損症
- 低ガンマグロブリン血症
- IgGサブクラス欠損症(特にIgG$_2$)
- 副鼻腔気管支症候群
- びまん性汎細気管支炎
- 非結核性抗酸菌症
- 膠原病(関節リウマチ，Sjögren症候群など)
- アレルギー性気管支肺アスペルギルス症
- HIV感染症
- 腫瘍や異物による気道閉塞
- 毒性ガスの吸入や酸性胃液の誤嚥

C. 続発性気管支拡張症
- 肺結核後遺症
- 胸郭形成術後

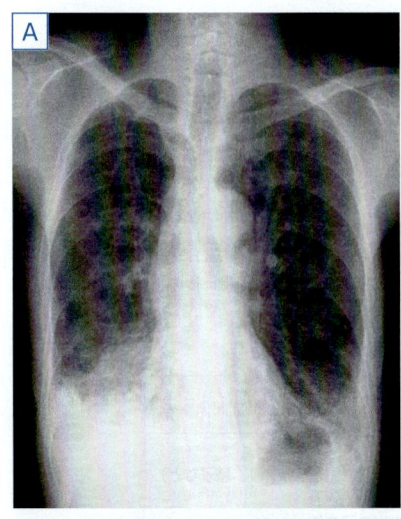
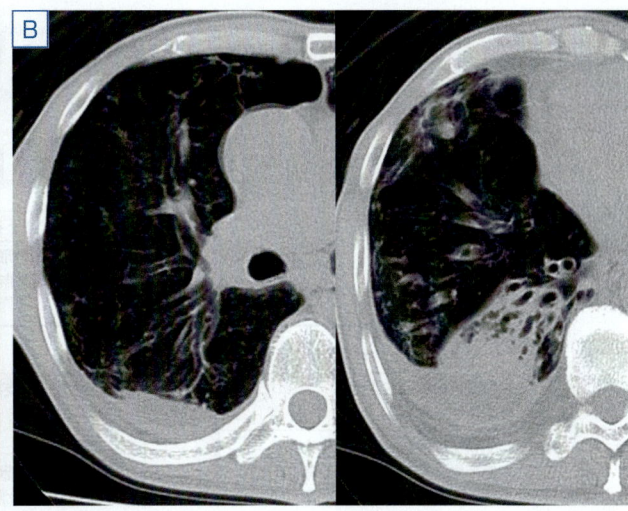

図 9-9-4 気管支拡張症の胸部画像
A：両下肺野の濃厚な陰影，気管支壁の肥厚やトラムライン，肺野全体に粒状影や不整形の透過性低下を認める．
B：CT では気道の拡張と壁肥厚，末梢肺の濃厚な充満像を認める．

原因となる．

　気管支拡張症には，高頻度に慢性副鼻腔炎を合併する．上気道から下気道に至る共通の防御機構の破綻が背景にあると考えられ，副鼻腔気管支症候群（sino-bronchial syndrome：SBS）ともよばれる．びまん性汎細気管支炎，原発性線毛機能不全症などは SBS の疾患概念にも含まれる．

　胸部の聴診では，気管支拡張の部位に coarse crackle や rhonchi を聴取することが多い．罹病歴の長い場合には，ばち指やチアノーゼを認めることもある．

検査所見

1）画像検査： 胸部単純 X 線では，肥厚した気管支壁が，線路のように平行して走る線状影として認められる（トラムライン）（図 9-9-4A）．一方，肥厚した気管支壁や拡張した気管支腔が X 線写真と接線方向になれば輪状影として描出される．気管支内腔に分泌物が貯留していれば，鏡面形成（ニボー形成）や結節状あるいは手指状の粘液栓（mucoid impaction）として認められる．拡張した気管支領域の無気肺を認めることもある．胸部 CT は空間分解能にすぐれ，胸部単純 X 線写真で得られる情報がよりとらえられやすく，気管支拡張を認識しやすい（図 9-9-4B）．気道の内径が伴走する肺動脈径よりも大きい，あるいは tapering（末梢に向かって先細り）していかない場合に気管支拡張があると診断する．加えて気管支拡張をもたらす原疾患や他疾患の鑑別にも有用である．

2）喀痰検査： 喀痰培養では，初期には肺炎球菌，インフルエンザ菌が多く，進行すると緑膿菌の頻度が高くなる．気道感染の増悪時には，これらの菌の増加，複数菌による混合感染，などが生じる．

3）血液検査： 赤沈の亢進，CRP 陽性などの炎症反応が陽性になるが，気道感染の増悪時には炎症反応も増悪し，軽度な場合は陰性な場合もある．慢性気道感染により IgG や IgA の上昇も認められる．

4）気管支鏡検査： 貯留する分泌物の吸引（bronchial toileting），血痰や喀血の際に出血部位の特定や止血目的，などで施行する．

5）肺機能検査： 軽症例ではほぼ正常であるが，気管支拡張の程度や範囲により換気障害が生じる．気道病変や内腔に存在する分泌物は閉塞性換気障害に関与するが，気道病変周囲や末梢の肺実質の炎症も加わり拘束性障害，さらには混合性換気障害パターンも呈する．

診断・鑑別診断

　臨床所見や胸部 X 線より気管支拡張症が疑われれば，図 9-9-5 に示すような手順で限局性かびまん性かを明らかにし，表 9-9-2 に示すような原疾患の鑑別を進める（eコラム 1）．

治療

　気管支拡張症の病態は，慢性に持続する下気道感染症とそれに伴う炎症である．したがって治療目標は，①下気道感染症ならびにその増悪に対する治療，②気道分泌物のドレナージを改善する，③気道炎症の軽減，④基礎疾患や合併病態の治療，に分けられる．

　気道感染に対する治療は抗菌薬である．しかし，感染防御機構の破綻した拡張した気道局所では細菌が常在化しており，感受性ある抗菌薬を長期に投与しても原因菌を排除することはほぼ不可能であり，緑膿菌への菌交代や耐性菌の出現を促すことになる．したがって，喀痰量の増加，膿性度の増加に加えて発熱，倦怠感，食欲不振などの身体症状を認める際にのみ抗菌薬

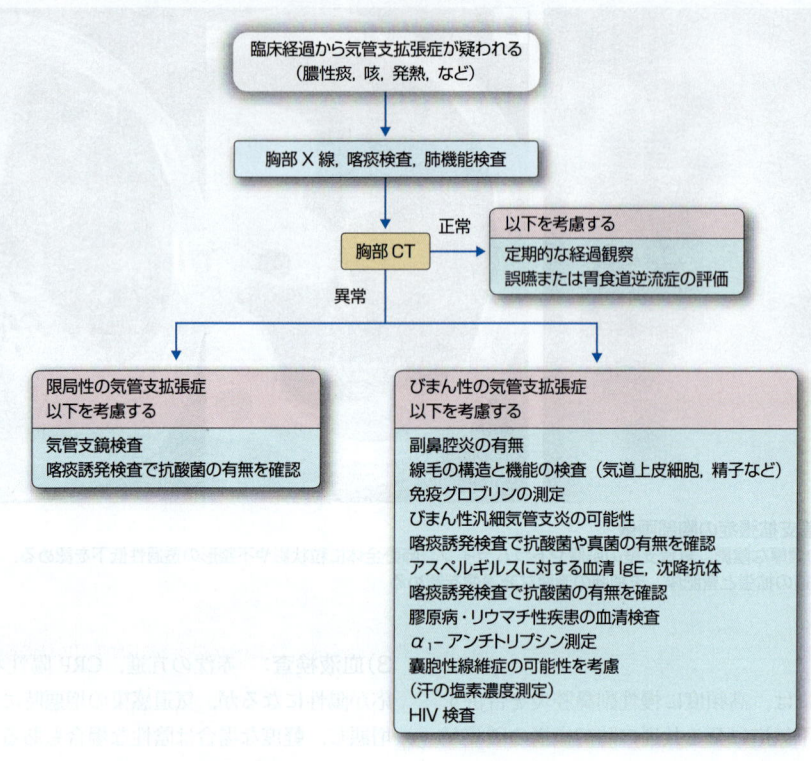

図 9-9-5 気管支拡張症の診断手順

を投与する．気道分泌物への移行が良好なニューキノロン系抗菌薬が多く用いられる．肺炎球菌，インフルエンザ菌，モラクセラ菌，などが増悪時に培養されることが多い．

安定期の治療では，②③を目指した治療が重要である．体位ドレナージ，ネブライザー吸入，フラッター，パーカッショネア，などの理学療法や器具に加え，喀痰調整薬や粘液融解薬を投与し気道クリアランスを促進するよう試みる．気管支拡張薬は，気道閉塞と気道クリアランスを改善する．β_2刺激薬は線毛運動刺激作用があり，抗コリン薬は気道分泌を抑制し喀痰量を減らす作用がある．

マクロライド少量長期投与療法は抗菌薬としての作用ではなく，気道炎症の軽減(好中球遊走因子や気道傷害因子産生の抑制)や粘液過分泌抑制などの作用により気道炎症を緩和すると考えられている．エリスロマイシン(EM) 400～600 mg/日が一般的であるが，EM 無効例や重症例ではクラリスロマイシンやアジスロマイシンも試みられる．

喀血の多くは気道感染増悪時にみられる．少量喀血時には止血薬と抗菌薬により改善しうるが，大量(1日 100 mL 以上は内科的エマージェンシー)あるいは頻回に喀血する場合には気管支動脈塞栓術を行う．病変が限局性で，適切な内科的治療にもかかわらず大量喀血や病態が重篤であれば，罹患部分の外科的切除も考慮する．

〔瀬山邦明〕

(e文献 9-9-2)

3) 原発性線毛運動不全症
primary ciliary dyskinesia：PCD

概念

PCDは，先天的な線毛の超微細構造の異常による"immortile cilia 症候群"ともよばれていた線毛運動不全症である．気道上皮細胞の線毛，卵管の線毛，精子の鞭毛など全身の線毛が機能異常を呈し，特に呼吸器領域では，鼻腔上皮細胞や気管支上皮細胞の線毛のクリアランス異常から慢性の気道炎症を起こし，気管支拡張を形成するところから気管支拡張症の関連病因の1つとして位置づけられている．

病因

PCDは，通常，常染色体劣性遺伝形式をとる遺伝性疾患である．線毛上皮細胞上に直径が 200 nm の線毛が多数存在する．この線毛は 7～20 Hz の周期で吻側方向へたなびいている．これにより気道上皮細胞被覆液を末梢から中枢部へ移動させ，付着した異物を外部へ排除している．この線毛の超微細構造は，図 9-

9-6 に示すように鞭毛などと共通した 9 つの 2 対の微小管と 2 つの微小管からなる「9 + 2」構造をもつ．そしてこの微小管には，外腕ダイニン(outer dynein)と内腕ダイニン(inner dynein)が付着している(図 9-9-6)．ダイニン(dynein)は，分子モーターの 1 つで ATP を加水分解して得られるエネルギーで微小管上を運動する複合蛋白であり，この機構により線毛の動きが生まれている．線毛の超微細構造を構成する蛋白をコードする遺伝子変異が PCD の病因となっている．PCD の臨床的表現型の相違は，線毛の超微細構造を構築している蛋白の欠損や変異の相違から生じる．

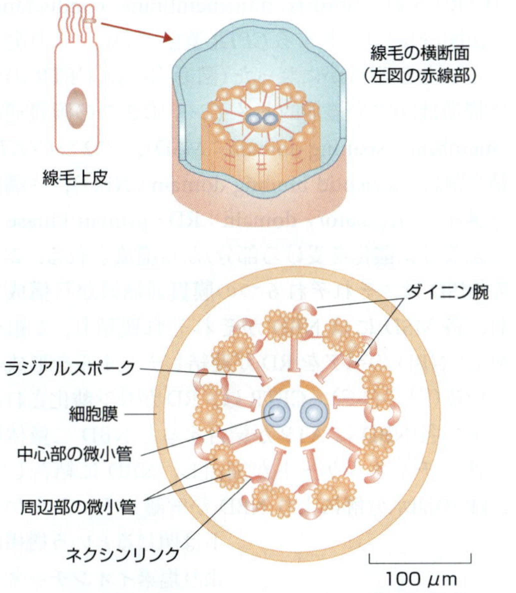

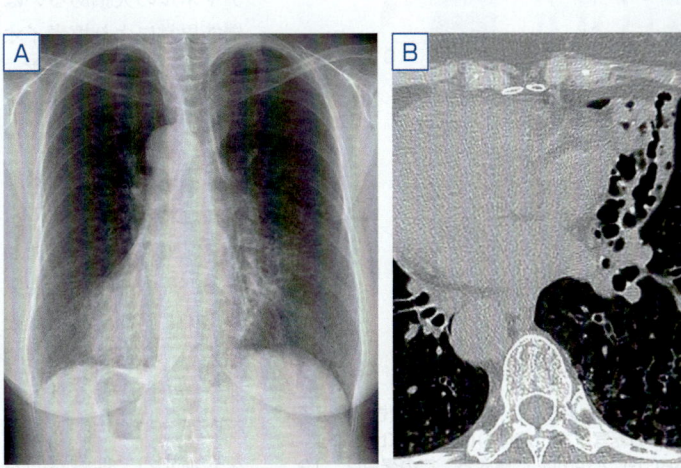

図 9-9-6 線毛の構造
線毛の太さは 200 nm で，その内部には 9 つの周辺微小管と 2 つの中心微小管の「9 + 2 構造」を認める．周辺微小管には，2 本のラジアルスポーク，ダイニン腕，ネキシン-ダイニン複合体が存在する．

ていると推測されている．現在まで線毛の複数のダイニン関連蛋白が明らかになり，なかでも DNAH5 遺伝子がコードするダイニン重鎖が線毛の軸糸全体にわたって欠如した場合，完全な不動線毛となり，遠位部の欠如では，不完全な不動線毛となる．これまで PCD を起こす遺伝子としては，DNAI1，DNAH5，DNAH11，DNAI2，TXNDC3，KTU，RSPH4A，RSPH9，LRRC50 の遺伝子が同定され，複数の染色体に分散している．特に内臓逆位，慢性副鼻腔炎，気管支拡張症をとるものを Kartagener 症候群(報告者にちなんで Afzelius 症候群ともよばれる)とよび，DNAI1，DNAH1，DNAH11 の 3 つの遺伝子は，この症候群で同定された．ダイニンの欠損や機能異常により線毛運動の異常が生じ，気道の場合粘液線毛クリアランスの障害を生じ反復する感染症に伴う慢性の炎症による副鼻腔炎や気管支拡張症が生じる．内臓逆位については，胎生初期におけるノード細胞の線毛の回転運動の異常により生じることが明らかになっている．

疫学

米国においては 2 万～3 万人に 1 人の割合で発症し，男女差はないことが明らかになっている．わが国における有病率は明らかではない．

臨床症状

ダイニンの完全欠損，不完全欠損，これに不随する蛋白の異常により臨床症状も一様ではないが，粘液線毛クリアランスや全身の線毛を有する器官の機能異常に由来する症状が中心となる．慢性上気道感染症(慢性副鼻腔炎，滲出性中耳炎)および慢性下気道感染症(気管支拡張症，慢性気管支炎，慢性細気管支炎)，不妊症(特に男性不妊)が高頻度に認められる．慢性の気道感染症，特に気管支拡張症は，小児期から発症しやすい．異所性妊娠や色素性網膜炎，水頭症などの合併もある．内臓逆位は，約半数の症例で認められる．

診断

胸部 X 線写真，胸部 CT では，右胸心と気管支拡張所見，小葉中心性小粒状影を呈する(図 9-9-7)．臨床症状から本症が疑われる場合，呼気 nasal NO(nNO)と粘液線毛クリアランスを調べることが有用である．PCD の場合，nNO は著しく低値をとることが多

図 9-9-7 Kartagener 症候群の胸部 X 線写真(A)と胸部単純 CT 写真(B)
A：右胸心と両側下肺野を中心に小粒状影と気管支拡張所見．
B：下行大動脈は胸椎の右に存在し，左下葉と中葉には気管支の肥厚像と小葉中心性粒状影，特に中葉の気管支拡張は強く，一部瘤状(varicose)所見も呈している．

く，特異度，感度とも90％以上である．また粘液線毛クリアランスは，サッカリンテストや^{99m}Tcでラベルしたコロイドアルブミンの吸入で調べられる．形態学的異常は，鼻粘膜，気管，気管支粘膜の線毛上皮の光学顕微鏡下の観察や電子顕微鏡を使ったダイニン構造が調べられる．PCDの3％にダイニン構造以上を認めない症例も存在する．家族歴で不妊症や血族結婚の有無も調べることは有用である．内臓逆位については，認めなくとも小児期から反復する気道感染症や気管支拡張症がある場合は疑って検査することも重要である．

治療・予後

去痰薬，気管支拡張薬，急性増悪時には，抗菌薬の投与を行うなどの対処療法が中心となる．増悪の予防としては，肺炎球菌ワクチンの接種，マクロライド系抗菌薬の少量長期投与，禁煙などがあげられる．予後は，比較的良好であるが，長期経過の後に高度の呼吸機能障害を呈することもある． 〔瀬戸口靖弘〕

■文献

Davis SD, Ferkol TW, et al: Clinical features of childhood primary ciliary dyskinesia by genotype and ultrastructual phenotype. *Am J Resir Crit Care Med.* 2015; **191**: 316-24.

Knowles MR, Daniels LA, et al: Primary ciliary dyskinesia. *Am J Respir Care Med.* 2013; **188**: 913-22.

4）嚢胞性線維症
cystic fibrosis：CF

概念

CFは，全身の外分泌腺の塩素イオンチャネルCFTR（cystic fibrosis transmembrane conductance regulator）の機能異常により発症する常染色体劣性遺伝形式を有する予後不良の遺伝性疾患である．

病因

1989年CFは，外分泌腺の上皮細胞の細胞膜に存在する1480個のアミノ酸からなる分子量170 kDaのCFTR（cystic fibrosis transmembrane conductance regulator）をコードする*CFTR*遺伝子変異により発症することが明らかになった（図9-9-8）．CFTRの立体構造は5つの機能的ドメイン；①2つの膜貫通部（membrane spaning domain：MSD），②2つのATP結合部位（nucleotid binding domain：NBD），③調節ドメイン（regulatory domain：RD；protein kinase Aによるリン酸化を受ける部分）から構成される．2つのMSDは，それぞれ6つの膜貫通領域から構成され，各MSDにはNBDがそれぞれ連結し，2組のMSD-NBDのペアをRDが連結しチャネルを形成している（図9-9-8）．CFTRは，RDがリン酸化された状態で各NBDにATPが結合するとNBD二量体化に伴いチャネルゲートが開口し，NBDに結合したATPの加水分解によりNBDが解離しチャネルゲートは閉じるという機構により塩素イオンチャネルとして働いている．CFでは，CFTR遺伝子変異によりサイクリックAMP依存性塩素イオンチャネルの欠損あるいは機能異常により塩素イオンの分泌障害をきたす．気道上皮細胞においては，図9-9-9に示すように塩素イオンの分泌障害と過剰の水分吸収により，気道被覆液が粘稠となる．そのことが慢性気道感染と喀痰排出困難を招来し，気管支拡張症や無気肺の原因となり急性呼吸不全や慢性呼吸不全を発症する．他臓器の外分泌腺においても分泌障害に由来する諸症状が出現する．*CFTR*遺伝子変

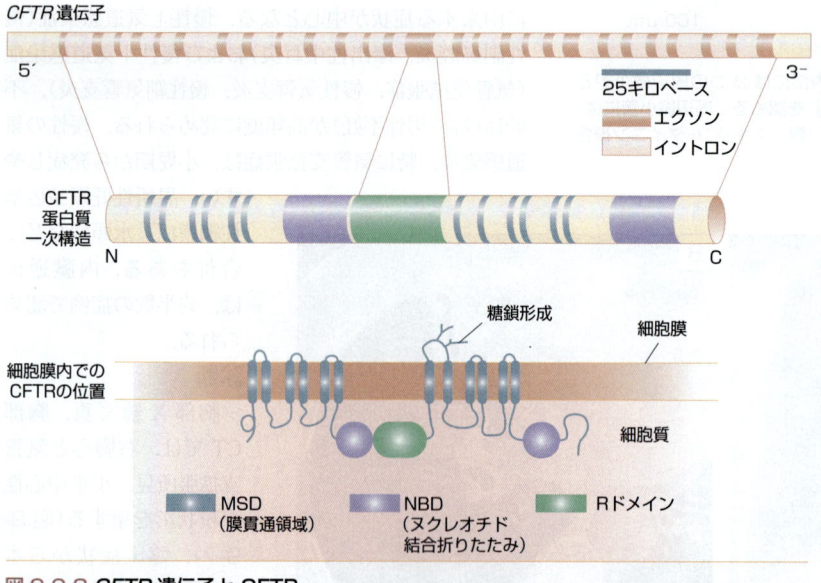

図9-9-8 *CFTR*遺伝子とCFTR
CFTR遺伝子（*CFTR*）は，7番染色体長腕（7q31.2）に位置し，250 kbの大きさの大きな遺伝子である．この遺伝子は，27個のエクソンからなり，その転写産物（mRNA）は，6.5 Kbとなる．CFTRは，ATP-binding cassette transpoter（ABC）-C7 familyに属する．この蛋白は，12個の膜貫通領域（membrane-spanning domain；MSD）をもち，このうち6個ずつが1組となってMSDを構成する．このMSDの細胞質側にATP結合領域（nucleotide-binding domain：NBD）が連結する．c-AMP依存性のリン酸化を受ける調節領域（Rドメイン）が2つのMSD-NBDと向かい合わせの構造をとることによってチャネルが形成される．

異は，これまで1000以上が報告されているが，最も有名なものは，エクソン10の3塩基の欠失により起こった508番目のフェニルアラニンの欠失(*Δ*508)で全*CFTR*遺伝子変異の66%を占めている(eコラム1)．

疫学

CFは，白人においては，2500～3000出生に1人の割で発症し，キャリアは，26人に1人で存在すると推測され，欧米においては日常遭遇する疾患である．わが国においては，詳細な調査は行われていないが，およそ150万人に1人くらいであるという希少疾患となっている．

臨床症状

新生児患者の10～20%がメコニウムイレウスを起こす．ほぼ全患者で乳児期から反復性の気道感染を繰り返し，緑膿菌感染を伴う気管支拡張症を発症し，また，粘稠な痰のために小気道を閉塞し無気肺も発症する．その後呼吸不全に至る．症状は，粘稠な痰による喀痰排出困難，気管支拡張症に伴う血痰，喀血，進行すると低酸素血症も出現する．肺外症状では，膵外分泌障害に伴う脂肪便，胆石，膵炎による膵線維化や糖尿病など多彩である．皮膚においては，汗腺において塩素イオンやナトリウムイオンの再吸収が阻害され，塩素イオンの高い汗となり，診断に応用されている．

診断

特徴的な病歴や家族歴で疑わしい場合，ピロカルピンを用いた sweat test が行われる．小児であれば，塩素イオンが60 mEq/L であれば陽性，40 mEq/L 以下なら陰性とされる．この値は，年齢とともに上昇するので注意が必要である．遺伝子診断は，確実であるが*CFTR*遺伝子変異は，1000以上も存在し迅速に診断することは困難である．

治療・予後

去痰薬，抗菌薬による対処療法が主体となり，低酸素血症や換気不全が出現すれば，在宅酸素療法や人工呼吸管理が行われる．粘稠な喀痰排出困難を改善するために，喀痰中のDNAを切断するヒト遺伝子組み換えDNaseも効果をあげている．根治的治療として肺移植も行われている(eコラム2)．

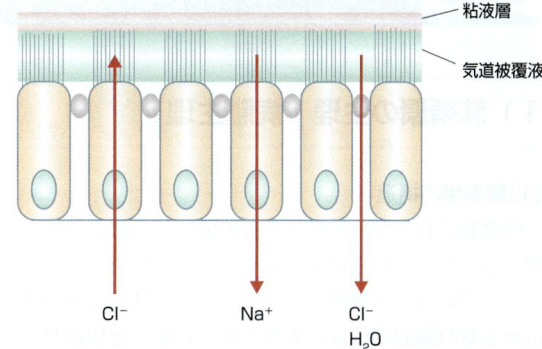

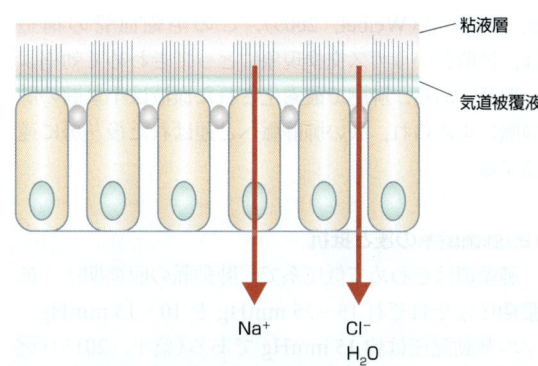

図9-9-9 気道上皮細胞におけるCFTRの機能と障害
正常気道(非CF気道)では，CFTRは塩素チャネルとして機能するだけでなく，Naイオンの吸収調節(CFTRはENaC：epithelial Na channelの機能を抑制)するため気道上皮細胞のNaClの濃度や浸透圧は維持され気道粘液のクリアランスも機能する．一方，*Δ*F508*CFTR*を有する気道上皮細胞(CF気道)では，CFTRは機能していないためENaCを通してのNa吸収が抑制されず，また塩素チャネルとしても機能していないため気道への塩素イオンが分泌されない．このため気道のNaClは減少し，浸透圧を低下させることになり，上皮細胞間のタイトジャンクションを通しての水と塩素イオンの吸収は過剰になり，気道の乾燥化と粘液の過粘稠性を誘導することになる．

他臓器症状については，それぞれ対処療法が行われている．予後は，現在生存期間の中央値は35歳となっている．
〔瀬戸口靖弘〕

■文献

Allen JL, Panitch HB, et al eds: Cystic fibrosis, Lung biology in Health and Disease, pp1-497, Informa Healthcare, 2010.

Cutting GR: Cystic fibrosis genetics: from molecular understanding to clinical application. *Nat Rev Genet*. 2015; **16**: 45-56.

Riordan JR, Rommens JM, et al: Identification of the cystic fibrosis gene: cloning and characterization of complementary DNA. *Science*. 1989; **245**: 1066-71.

Pittman JE, Cutting G, et al: Cystic fibrosis:NHLBI Workshop on the Primary prevention of chronic lung diseases. *Ann Am Thorac Soc*. 2014; **Suppl 3**: S161-8.

9-10 肺循環障害

1）肺循環の生理・病態生理

（1）解剖学的構造

肺動脈は右室から始まり左右の肺に分かれ，分岐を繰り返しながら終末細気管支レベルまで気管支と伴走する．その後，呼吸細気管支から末梢では気管支の走行から離れ肺胞壁に存在する毛細血管床へと広がり，肺胞壁を覆う非常に密なメッシュ構造を形成する（e 図 9-10-A）（Weibel, 2009）．この毛細血管の構造は，拡散というガス交換現象にとってきわめて効率よい形態である．肺胞で酸素化された血液は小葉間の肺静脈に集められ，太い肺静脈へと運ばれた後左房に還流する．

（2）肺循環系の圧と抵抗

肺循環はきわめて低圧系で，肺動脈の収縮期圧，拡張期圧はそれぞれ 15〜25 mmHg と 10〜15 mmHg，平均肺動脈圧は約 15 mmHg である（桑平, 2015）（図 9-10-1）．この低圧系を維持すべく，肺動脈とその分枝の壁は非常に薄く平滑筋も少ない．肺循環系は心拍出量全体を受け入れなければならないが，体循環系と異なり約 30 cm の高さにある肺尖部に血液を供給するだけの圧さえあれば十分である．ガス交換が効率よく営まれれば，必要以上の大きな圧は必要ない．肺血流分布のところで述べるように，肺毛細血管圧は重力による静水圧の影響を受けるため，肺の高さにより異なる値を示すという特色がある．肺血管抵抗については，これを肺胞血管（alveolar vessels）と肺胞外血管（extra-alveolar vessels）に分けて考えると理解しやすい（図 9-10-2）．肺胞血管は周囲をガスに取り囲まれており，血管内外の圧差に影響されながら虚脱や拡張をする．肺胞血管外の圧は肺胞内圧に近く，声門を開けた状態で息こらえをすると大気圧に等しくなる．生理学的に毛細血管内外の圧差を transmural pressure（壁内外圧差）とよぶが，もし肺胞内圧が毛細血管内圧を上回れば肺胞血管は虚脱する．一方，肺胞外血管，これには肺実質を走行するすべての肺動脈と肺静脈が該当するが，これらを取り巻く圧は肺胞内圧と異なり意義が乏しい．肺胞外血管では肺気量が血管径を決める重要な因子となり，肺が拡張する際には，バネのような肺実質が外向きに血管を牽引する．血管に限らず気管支など比較的硬い管を，肺実質のように弾性のあるバネやスポンジが支えていると考えれば機械的特性を理解しやすい．図 9-10-3 は，肺血管抵抗が肺気量によってどのように変化するかを表した成績である．transmural pressure を一定に保ちながら，血管抵抗と肺気量の関係をプロットした実験の結果である（桑平, 2015）．低肺気量では肺胞外血管が狭窄するため肺血管抵抗が高くなる．高肺気量では，肺胞外血管は拡張するが，それ以上に肺毛細血管が伸展され著しく狭窄するため血管抵抗は高くなる．肺循環系では肺動脈と左房の圧較差が 10 mmHg ほどであるのに対し，体循環系では 100 mmHg にも及ぶ．肺循環も体循環も血流量は同じなので，肺血管抵抗は体循環系の 1/10 となる．肺血流量を 5 L/分，平均肺動脈圧と左房圧を 15 mmHg，5 mmHg とすると，肺血管抵抗は（15 − 5）/ 5 すなわち 2 mmHg/L/分ほどしかない．莫大な面積のメッシュ状に広がる肺胞壁全体（e 図 9-10-A B）に血液が十分に分布するよう，

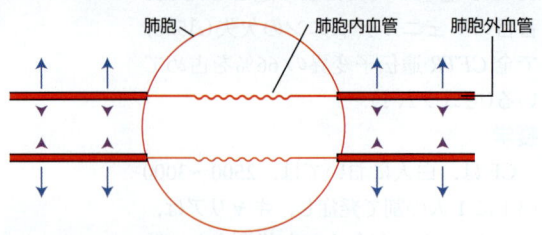

図 9-10-2 肺胞血管と肺胞外血管の模式図（桑平, 2015）
肺血管抵抗については，これを肺胞血管（alveolar vessels）と肺胞外血管（extra-alveolar vessels）に便宜的に分けて考えると非常に理解しやすい．

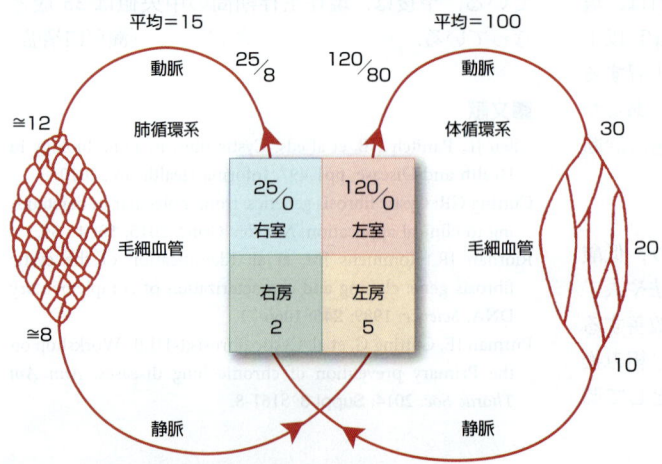

図 9-10-1 肺循環系と体循環系の比較（桑平, 2015）
肺動脈圧は 25/8 とあるが，ある程度の幅があり，収縮期が 15〜25 mmHg，拡張期が 10〜15 mmHg 程度であり，平均が 15 mmHg となる．

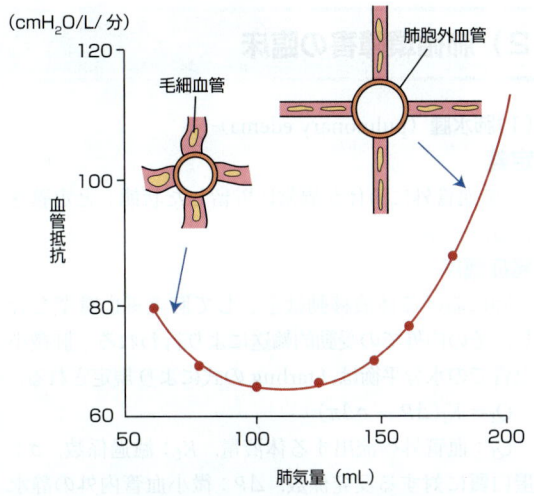

図 9-10-3 肺血管壁内外の圧差(transmural pressure)を一定に保ちながら，血管抵抗と肺気量の関係を検討した成績(桑平，2015)
低肺気量では肺胞外血管が狭窄するために肺血管抵抗が高くなる．高肺気量では，肺胞外血管は拡張するが，それ以上に肺胞毛細血管が伸展され著しく狭窄するために血管抵抗は高くなる．これは，動物から摘出した肺葉での実験結果である．

血管抵抗は限りなく低く抑えられているのである．さらに肺循環には，図 9-10-4 に示すように，圧変化を低く抑える 2 つの機序がある．1 つは疎通(recruitment)とよばれ(桑平，2015)，それまで血流がなかった血管に血流を開始する現象である．肺動脈圧が上昇した際，血管抵抗を低下させることができる．2 つ目の機序は，個々の血管の拡張である．血管径が拡大す

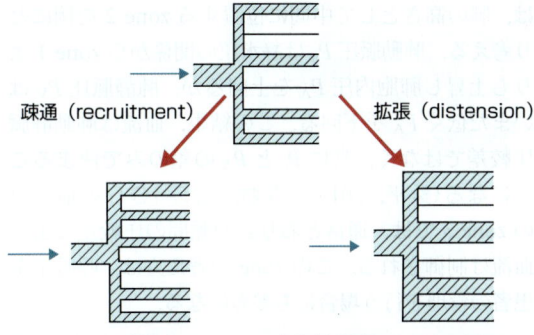

図 9-10-4 疎通(recruitment)と拡張(distension)(桑平，2015)
肺循環系には，圧の上昇に対し，肺血管抵抗の上昇を抑える 2 つのすぐれた機序が備わっている．

る現象は拡張(distension)とよばれる(桑平，2015)．distension は圧が比較的高い状況において血管抵抗を低下させる機序であるが，recruitment と distension は同時に観察される場合も多い(桑平，2015)．

(3) 肺の血流分布

肺の血流分布にはかなりの不均等性が存在する．近年，気管支や血管の解剖学的な分岐様式に対し，分析手段としてフラクタル解析が応用される[1-3](Glennyら，1991)．この手法により肺血流分布を決定する第一義的因子を解析した結果，血管系の解剖学的構造こそが肺血流分布の不均等性を決める最重要因子であることがわかった[4-9]．視覚的には，血流は肺の中心部ほど高く末梢に向かって低下する中心−末梢型分布となることは画像から示されている[4-9]．なお，この血流分布に影響を与える因子として重力はきわめて重要である．

立位では，肺底部から肺尖部に向かって血流分布は減少する(e図 9-10-B)．仰臥位では背部が前胸部より大きく，倒立すると肺尖部が肺底部よりも大きくなる．上述のように第一義的因子ではないにせよ，これらは重力の影響がきわめて大きいことを示す成績である(桑平，2015)．図 9-10-5 は，重力すなわち静水圧の影響を表した古典的な 3 zone モデルである(桑平，2015)．肺動脈から肺静脈までを連続する管と見なすと，肺には重力方向に 30 cm の高さがあるため，この管の肺尖部と肺底部には 30 cmH₂O すなわち 23 mmHg の圧較差が生じる．これは低圧系である肺循環系にとっては相当な圧となる．ここで

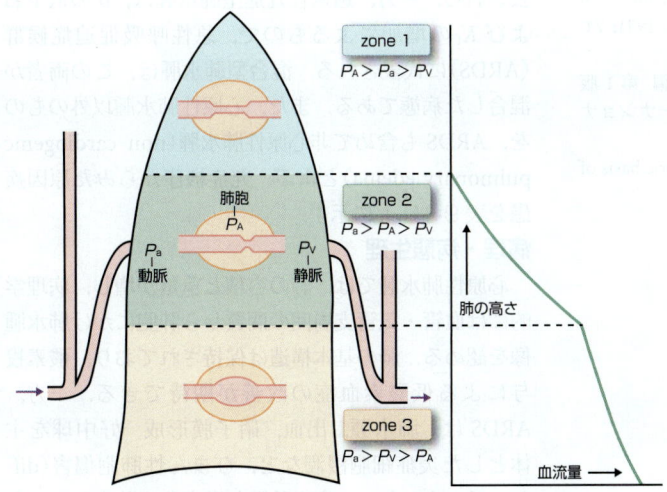

図 9-10-5 肺動脈圧 P_a，肺胞内圧 P_A，肺静脈圧 P_V の関係(桑平，2015)
これは，P_a，P_A，P_V の静水圧の関係から，立位でのヒト肺血流分布の不均等を説明する古典的な 3 zone モデルである．実際，肺動脈には肺尖部の高さまで血流を分布させる圧があるため zone 1 が生じることはなく，ほとんどが zone 2 と 3 である．

は，肺の高さとして中間に位置する zone 2 を例にとり考える．肺動脈圧 P_a は静水圧の関係から zone 1 よりも上昇し肺胞内圧 P_A を上回るが，肺静脈圧 P_V はいまだ低く P_A を下回る．この結果，血流は肺動静脈圧較差ではなく，常に P_a と P_A の差のみで決まることになる（桑平，2015）．なお，図 9-10-5 の最下段の zone 3 では，通常どおり動静脈間の圧較差により血流は制御される．この zone の考え方は，呼吸不全患者の管理を行う場合にも参考になる．

(4) 低酸素性肺血管収縮

　肺胞気酸素分圧が低下するような状態では，肺循環系は能動的に血流を調節する．これが低酸素性肺血管収縮（hypoxic pulmonary vasoconstriction：HPV）である（e図 9-10-C）．肺胞低酸素に反応しその領域の小動脈を収縮させ，血流を疾患肺の低酸素領域からほかの領域に再分布させる効果がある．血流を再分布させることでガス交換への悪影響を減弱でき，換気血流比を改善する．重要な点は，この反応を引き起こすのは肺胞低酸素であり肺動脈血の低酸素ではないことである．このことは実験的にも確認されている．なお，低酸素性肺血管収縮が最も重要な役割を発揮するのは出産時である．胎児の肺血管抵抗は非常に高く，低酸素性肺血管収縮が 1 つの機序であるが，産声をあげると同時に肺胞に酸素が供給され，血管平滑筋の弛緩により肺血管抵抗が著しく低下する．この結果，肺血流量が著明に増加し，胎盤から空気呼吸へと変化するのである（桑平，2015）．　　　　　〔桑平一郎〕

■文献（e文献 9-10-1）

Glenny RW, Lamm WJE, et al: Gravity is a minor determinant of pulmonary blood flow distribution. *J Appl Physiol*. 1991; 71: 620-9.

桑平一郎訳著：ウエスト呼吸生理学入門―正常肺編 第 1 版（West JB 著），メディカル・サイエンス・インターナショナル，2015.

Weibel ER: What makes a good lung? The morphometric basis of lung function. *Swiss Med Wkly*. 2009; 139: 375-86.

2）肺循環障害の臨床

(1) 肺水腫（pulmonary edema）

定義
「肺血管外に液体が異常に貯留した状態」と定義される．

発症機序
　肺における体液移動は主として肺毛細血管壁を介し，その内外での受動的輸送により行われる．肺微小血管での水分平衡は，Starling の式により規定される．

$Q_f = K_f(\Delta P - \sigma \Delta \pi)$

Q_f：血管外へ流出する体液量，K_f：濾過係数，σ：蛋白質に対する反発係数，ΔP：微小血管内外の静水圧差，$\Delta \pi$：微小血管内外の膠質浸透圧差．

　ここで，静水圧は体液を毛細血管から間質へ押し出そうと働き，浸透圧はそれらを毛細血管内に保持しようと働く．血管外の体液は，おもにリンパ系，気管支，胸腔などから排出されるが，排出が間に合わないと肺水腫となる．初期には間質性肺水腫（interstitial edema），ついで肺胞性肺水腫（alveolar edema）へと進展する（e表 9-10-A）．

分類・原因
　Starling の式に基づく発症機序から，
① 静水圧性（hydrostatic）肺水腫
② 透過性亢進型（increased permeability）肺水腫
③ 混合型肺水腫
に分類される．静水圧性肺水腫は，ΔP の上昇および $\Delta \pi$ の低下によるもので，急性左心不全による肺水腫（心原性肺水腫，cardiogenic pulmonary edema）に代表される．一方，透過性亢進型肺水腫は，σ の低下および K_f の増加によるもので，急性呼吸促迫症候群（ARDS）に代表される．混合型肺水腫は，この両者が混合した病態である．また，心原性肺水腫以外のものを，ARDS も含めて非心原性肺水腫（non-cardiogenic pulmonary edema）とよぶ．発症機序からみた原因疾患を表 9-10-1 に示す．

病理・病態生理
　心原性肺水腫では，肺の容積と重量が増し，病理学的には血管・気管支周囲の間質から肺胞にかけ肺水腫像を認める．肺の基本構造は保持されており，酸素投与による低酸素血症の改善が期待できる．一方，ARDS は，肺水腫，出血，硝子膜形成，好中球を主体とした炎症細胞浸潤など，びまん性肺胞傷害（diffuse alveolar damage）の所見を呈する．肺内シャントを伴うことが多く，酸素投与による低酸素血症の改善に乏しい．

臨床症状
　急性に，息切れ・呼吸困難，咳，痰，喘鳴などが出

表 9-10-1 肺水腫の分類

1. 静水圧性肺水腫
   a. 心原性
      左室不全，僧帽弁疾患，左房粘液腫/血栓，三心房
   b. 肺静脈疾患
      肺静脈閉塞症，線維性縦隔洞炎
   c. 血漿膠質浸透圧の低下
      過剰輸液，腎不全，肝硬変
2. 透過性亢進型肺水腫
   急性呼吸促迫症候群(ARDS)
      ⅰ)肺への直接的な傷害によるもの
         肺炎
         胃内容の誤嚥
         有毒ガスの吸入
         肺挫傷
         肺血管炎
         溺水
      ⅱ)肺への間接的な傷害によるもの
         敗血症
         重症外傷
         膵炎
         重症熱傷
         非心原性ショック
         薬物過剰投与
         頻回輸血あるいは輸血関連急性肺障害(TRALI)
3. 混合型肺水腫
   a. 神経原性
      頭部外傷，頭蓋内圧上昇，てんかん発作後
   b. その他
      再膨張性肺水腫，褐色細胞腫，高地肺水腫，重症上気道閉塞

現し，身体所見で努力性呼吸，頻呼吸，頻脈を認め，胸部聴診では水泡音(coarse crackles)を聴取する．

心原性肺水腫では，発作性夜間呼吸困難(paroxysmal nocturnal dyspnea)や起座呼吸(orthopnea)，ピンク色の泡沫状痰が特徴であり，頸静脈の怒張や皮膚の蒼白・冷湿，チアノーゼを認める．

ARDSは，何らかの基礎疾患の経過中に治療抵抗性の急性呼吸不全をきたすもので，原因により特異的な臨床像を呈することが多い．

神経原性肺水腫(neurogenic pulmonary edema)は，頭部外傷，くも膜下出血など急性の重症中枢神経系障害に際してみられる．原因として，交感神経系の活動性亢進が関与している．

再膨張性肺水腫(reexpansion pulmonary edema)は，気胸や胸水により虚脱した肺が，急速に再膨張する際にみられる．虚脱の程度が大きく虚脱の期間が長いと発症の頻度が高まる．

高地肺水腫(high-altitude pulmonary edema)は，心肺疾患のない健常者が海抜2500m以上の高地に急速に到達後，48〜96時間で発症する．高地脳浮腫を合併し重篤化する場合もあるが，大多数は低地移送により速やかに軽快する．

検査所見

1) **胸部画像所見**(ⓔ図 9-10-D〜9-10-G)： 間質性肺水腫では，血管・気管支周囲および葉間陰影の増強・肥厚(cuffing sign)やKerley線を認める．肺胞性肺水腫になると，両側性のすりガラス状陰影(ground glass opacity)〜浸潤影(airspace consolidation)を呈する．心原性肺水腫では，水腫像が両肺門から肺野の中心に広がる蝶形陰影あるいは蝙蝠の羽陰影(butterfly shadow, bat's wing shadow)がみられる．さらに，心拡大，肺血管の拡大，上大静脈や奇静脈の拡張，胸水，限局性の葉間胸水(vanishing tumor)などを認める．一方，非心原性肺水腫では，心拡大や血管陰影の拡大はみられない．

2) **動脈血ガス分析**： 低酸素血症を認め，重症化すると呼吸不全をきたす．代償的に過換気となり，呼吸性アルカローシスを呈することが多い．

3) **血漿 brain natriuretic peptide (BNP)**： 50 pg/mL 以下で心原性肺水腫は否定され，100 pg/mL 以上では心原性肺水腫を疑う目安となる．

4) **右心カテーテル検査**： 肺水腫の診断に必須ではないが，Forresterの分類から，肺動脈楔入圧が18 mmHg以上のとき心原性肺水腫と診断する．

診断

肺水腫は，急性の息切れ・呼吸困難で発症し，胸部聴診で水泡音を聴取し，低酸素血症，胸部画像で両側性浸潤影を認める場合に診断される．

治療

低酸素血症の改善，肺水腫の治療および原因疾患の治療が主体となる．

安静，半座位とし痰の喀出をはかりつつ，酸素投与を行う．重症例では，非侵襲的陽圧換気(NPPV)や気管内挿管・人工呼吸の適応となる．肺水腫に対しては，肺血管内圧を低く保つのが基本である．心原性肺水腫では，利尿薬を投与し，血圧に注意しながら硝酸薬やカルペリチドを使用する．強心作用を有するPDE Ⅲ阻害薬やアデニル酸シクラーゼ賦活薬が有効な場合もある．透過性亢進型肺水腫であるARDSでは，原因疾患の治療に加え，低容量換気と呼気終末陽圧(PEEP)を用いた呼吸管理を行う．〔花岡正幸〕

■文献

ARDS Definition Task Force, Ranieri VM, et al: Acute respiratory distress syndrome: the Berlin Definition. *JAMA*. 2012; **307**: 2526-33.

West JB: Pulmonary Pathophysiology: The Essentials, 8th ed. Lippincott Williams & Wilkins, 2012.

(2) 肺血栓塞栓症 (pulmonary thromboembolism)

定義

肺塞栓症 (pulmonary embolism) は，塞栓子が静脈血中に入り肺でとらえられ肺動脈の血流障害を起こした状態をいう．塞栓子の90％以上は血栓，特に骨盤内や下肢の深部静脈血栓 (deep vein thrombosis：DVT) であり，肺血栓塞栓症となる【⇨7-17-2】．肺血栓塞栓症と深部静脈血栓症をあわせ静脈血栓塞栓症 (venous thromboembolism：VTE) という．肺血栓塞栓症は血栓性塞栓子による急激な肺動脈閉塞に起因する急性肺血栓塞栓症 (acute pulmonary thromboembolism：APTE) と器質化血栓が肺動脈を慢性的に狭窄閉塞する慢性肺血栓塞栓症 (chronic pulmonary thromboembolism：CPTE) に分類され，また CPTE の経過中に APTE 症状をきたす遷延性肺血栓塞栓症がある．CPTE は血栓溶解療法，抗凝固療法にもかかわらず，6カ月以上にわたり肺血流分布や肺循環動態が不変である病態である．なかでも肺高血圧をきたす慢性血栓塞栓性肺高血圧症 (chronic thromboembolic pulmonary hypertension：CTEPH) は特に予後が悪く，厚生労働省にて医療費自己負担分を補助する特定疾患治療研究事業対象疾患として認定されている．

塞栓子によって末梢肺動脈が完全に閉塞し出血性壊死が起こった状態を肺梗塞というが，肺血栓塞栓症のうち10～15％で肺梗塞を起こす．

血栓形成の危険因子

APTE における血栓形成の成因には，Virchow の3徴候として，血管壁の変化 (血管内皮細胞の障害)，血液性状の変化 (血液凝固能の亢進) および血流の停滞，が知られている．それぞれに，先天性および後天性の因子 (ⓔ表9-10-B) がある．

急性期の治療と長期管理の観点から骨盤内や下肢の深部静脈血栓の有無が重要である．静脈血栓塞栓症の発症における付加的な危険因子の強度をⓔ表9-10-Cに示す．

病理

大量あるいは中等量の血栓は肉眼的に診断可能である．小血栓特に微小血栓は組織学的にはじめて診断される．肺動脈には種々の段階の血栓の器質化，血管壁の弾力線維層の増殖肥厚と筋層の肥厚，細胞浸潤がみられる．

肺梗塞の合併は10～15％でみられる．肺動脈と気管支動脈の吻合部より末梢の閉塞で発症しやすい．肺組織は出血性壊死を起こす．経過とともに肉芽組織による器質化，線維化の過程を経て瘢痕化する．

病態生理

急性肺血栓塞栓症では，肺動脈の機械的閉塞，セロトニンなどの血管作動性物質が血小板から放出されることにより，肺動脈圧および PVR (pulmonary vascular resistance) が上昇する．これが急性肺性心や右心不全および重症例での心原性ショックの原因となる．閉塞側より末梢の肺胞は死腔となり換気血流不均等分布が助長され低酸素血症となる．一方，反射性に気管支収縮も起こり気道抵抗が上昇する．肺梗塞を合併すると，血痰，胸痛，胸水や発熱などが出現する．

臨床症状

APTE では突然の呼吸困難が高頻度にみられる．広範囲の肺血栓塞栓症では失神やショック状態となることがある．ときに喘鳴が出現する．胸膜近傍の肺血栓塞栓症では胸膜痛もみられる．呼吸困難，胸痛および頻呼吸は，肺血栓塞栓症の97％にみられ，肺血栓塞栓症の3徴候とされている．診断にはこの疾患を疑うことが重要である．身体所見では，頻脈，頻呼吸，頸静脈怒張，ⅡP成分の亢進，右室拍動などがみられる．

CPTE では症状の特徴は，徐々に増強する労作性呼吸困難である．進行すると右心不全症状がみられる．

検査所見・診断

APTE では動脈血ガス分析では低酸素血症および呼吸性アルカローシスをきたす．FDP，D ダイマーの上昇は肺血栓塞栓症の90％以上でみられ診断に有用である．末梢血白血球数の増加や血清 LDH の高値がみられるが特異的ではない．急性で胸痛を伴う呼吸困難では本症を念頭におく．

胸部 X 線写真では肺門部の肺動脈影の拡大や肺透過性の亢進を認めることもあり，肺梗塞をきたせば楔形の浸潤様陰影を呈する．胸部 X 線写真が正常であっても肺血栓塞栓症を否定する根拠とはならない．局所の乏血所見 (Westermark サイン)，右肺動脈下行枝の拡張 (Palla サイン) や横隔膜上の三角錐の陰影 (Hampton hump) などは有名な所見である．

心電図は頻脈，右脚ブロック，V_1～V_3の陰性 T 波などがみられる．正常所見のこともある．SⅠ，QⅢはまれである．

心エコー検査では右心負荷所見 (右室拡張や三尖弁逆流，心室中隔の扁平化や偏位) を認め，重症度判定や治療方針決定に有用である．並行して下肢静脈エコーで DVT の検索も行う．multi-detector CT (MDCT) による肺動脈造影 CT は，確定診断のゴールドスタンダードとなっている．亜区域肺動脈の血栓まで検出でき，肺動脈の撮像に引き続いて下肢・骨盤腔内の DVT の検索も可能である．

肺換気・血流シンチグラムでは，換気が正常であるにもかかわらず楔状を呈する区域性血流欠損像がみられる．

肺動脈造影では造影欠損 (filling defect) や血流途絶 (cut-off sign) などの所見を認める．最近では，診断のみを目的とした場合には必ずしも必要とされなく

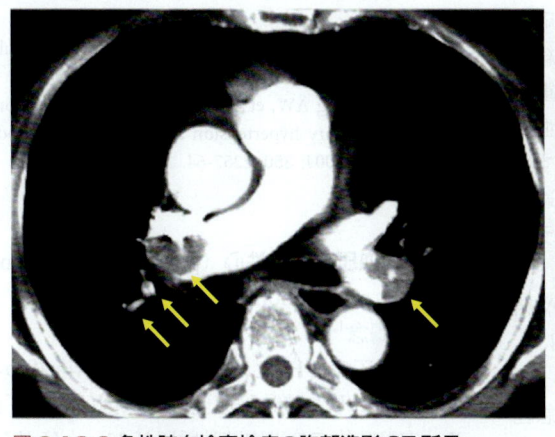
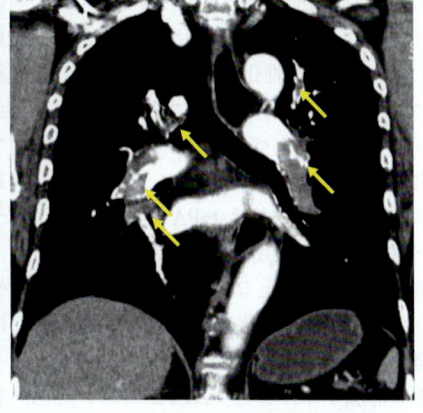

図 9-10-6 急性肺血栓塞栓症の胸部造影 CT 所見
両側肺動脈本幹部およびその末梢部に血栓を認める（矢印）．

なってきている．

胸部造影 CT（図 9-10-6）は機器の性能向上がめざましく，診断における有用性が高い．また造影 MRI も有用である．

CPTE では胸部 X 線写真では肺動脈影，肺動脈幹（左第2弓）の拡大，心陰影拡大をみる．A-aDO$_2$ 開大を伴う低酸素血症を呈し，心電図や心エコー検査で右室負荷所見を認める．肺換気血流シンチグラフィで区域性の血流欠損を呈し，CTEPH では肺動脈性肺高血圧症（pulmonary arterial hypertension：PAH）など，ほかの肺高血圧症との鑑別に有用である．CTEPH の確定診断には，肺動脈造影や造影 CT で pouch defects（小袋状変化），webs and bands（帯状狭窄），intimal irregularities, abrupt narrowing, complete obstruction のうち1つ以上を呈し，また右心カテーテルで平均肺動脈圧の上昇（25 mmHg 以上），肺動脈楔入圧が正常（15 mmHg 以下）を確認することが必要である．

治療

1）APTE の治療： 抗凝固療法，もしくは抗凝固療法と血栓溶解療法の併用にて，血栓溶解，血栓塞栓症の進展防止，再発防止をはかる．同時に急性右心不全やショックに対する呼吸循環動態の改善をはかる．

a）抗凝固療法：

i）未分画ヘパリン（ヘパリンナトリウム）：AT-Ⅲ の抗トロンビン作用を増強し，血栓から遊離される血管収縮物質を抑制する効果もみられ，最も基本的な治療である．活動性の出血がなければ適応となる．一般的には初回 5000～1 万単位を静注し，引き続き 18 単位/kg/時（ただし，1600 単位/時をこえない）を持続静注する．ヘパリンの効果は APTT を基準値の 1.5～2.5 倍に維持するよう使用量を調整する．ヘパリン開始後 5～14 日で血小板減少を認めた場合には，ヘパリン起因性血小板減少症（heparin-induced thrombocytopenia：HIT）を疑う（eコラム 1）．

ii）低分子ヘパリン（ダルテパリン，エノキサパリン）：1日1～2回の皮下投与で，APTT のモニターの必要もない．また，抗トロンビン作用が弱いため出血の危険が少なく，血小板減少や骨粗鬆症に対しても安全とされる．ただしダルテパリン，エノキサパリンともに，わが国では PTE に対しては保険未承認である．

iii）第 Xa 因子阻害薬（フォンダパリヌクス）：非経口第 Xa 因子阻害薬で，1日1回の皮下注ですみモニターが必要ない．欧米では PTE に対して低～中リスク群で第一選択薬とされていたが，わが国でも 2011 年に PTE と DVT の治療への適応が保険承認となり，初期治療の選択肢の1つとなった．腎機能障害時には減量などの注意が必要である．

iv）ワルファリン：ビタミン K に拮抗しプロトロンビン，第Ⅶ，Ⅸ，Ⅹ因子の合成を抑制する．効果発現までに数日を要するためにヘパリン終了の 4～5 日前より投与を開始し，PT-INR を 2.0～3.0 に維持するよう投与量を調節する．投与期間は，手術や外傷などによる一過性のもので少なくとも 3 カ月間，明らかな危険因子のないものでは少なくとも 6 カ月間，先天性凝固異常症や再発例，進行癌患者ではより長期間必要とされる．ワルファリンが使用できない場合，未分化ヘパリンの在宅自己注射が 2012 年 1 月から保険承認となった．

v）経口第 Xa 因子阻害薬：モニタの必要がなく，より簡便で安全性の高い新しい治療薬として第 Xa 因子阻害薬が登場した．2014 年 9 月にエドキサバンの VTE 治療に対する保険適用が承認され，続いてリバーロキサバン，アピキサバンも承認された．

b）血栓溶解療法：広範囲の APTE，ショックを伴

う不安定な血行動態を伴う重症 APTE 例では適応とされ，ヘパリンなどの抗凝固療法を行ったうえで組織型プラスミノゲン活性化因子(t-PA)を用いる．重症例以外では予後改善効果は証明されておらず，出血による合併症のリスクとベネフィットを慎重に検討する必要がある．現在わが国で APTE の治療に保険適応があるのは遺伝子組み換え t-PA であるモンテプラーゼで，ヘパリンとの併用が可能である．

　c）酸素吸入：基礎となる呼吸疾患(COPD や結核後遺症など)がないかぎり P_aCO_2 の蓄積は生じにくいので酸素は十分に投与しうる．

　d）下大静脈フィルター：APTE においては，急性期の再発予防には有効であるが，長期的には静脈血栓塞栓症の頻度が増すことから，永久型のものより一時型や回収可能型が推奨される．CTEPH で深部静脈血栓症を有するものでは永久型を使用する．絶対的適応としては，PTE 再発例，抗凝薬の禁忌例，抗凝固薬で出血などの合併症を呈した例などである．

　e）外科的血栓摘除術，カテーテル治療：重症例で，血栓溶解療法の禁忌例や内科的治療に反応しない場合には肺動脈血栓内膜摘除術(pulmonary endarterectomy：PEA)を検討する．直視下で行うが，経皮的心肺補助装置(percutaneous cardiopulmonary support：PCPS)による循環動態の安定化を図り手術を行うこともある．カテーテルによる血栓吸引除去療法も試みられている．

2) CTEPH の治療： CPTE の再発予防のためワルファリンによる抗凝固療法を終生行い，抗凝固療法禁忌例や反復例には恒久的下大静脈フィルター留置を考慮する．酸素療法や利尿薬などの右心不全治療も補助療法として必要である．CTEPH に対する治療方針としては，すべての症例について PEA の適応を考慮し経験豊富な施設に紹介する．非手術適応と判断された例では，バルーン肺動脈形成術(balloon pulmonary angioplasty：BPA)や肺血管拡張薬を検討する．また PEA の適応でない重症の末梢型慢性肺血栓塞栓症例では肺移植も考慮する．

　肺動脈血栓内膜摘除術，バルーン肺動脈形成術，肺血管拡張薬に関しては ⓔコラム 2 を参照．〔木村　弘〕

■文献

安藤太三，伊藤正明，他：肺血栓塞栓症および深部静脈血栓症の診断，治療，予防に関するガイドライン 2009 年改訂版．循環器病の診断と治療に関するガイドライン(2008 年度合同研究班報告)．http://www.j-circ.or.jp/guideline/pdf/JCS2009_andoh_h.pdf

Fukui S, Ogo T, et al: Right ventricular reverse remodeling after balloon pulmonary angioplasty. *Eur Respir J*. 2014; **43**: 1394-402.

Goldhaber SZ: Pulmonary embolism. *N Engl J Med*. 1998; **339**: 93-104.

Kim NH, Delcroix M, et al: Chronic thromboembolic pulmonary hypertension. *J Am Coll Cardiol*. 2013; **62**: D92-9.

Pengo V, Lensing AW, et al: Incidence of chronic thromboembolic pulmonary hypertension after pulmonary embolism. *N Engl J Med*. 2004; **350**: 2257-64.

(3) 肺高血圧症・肺性心 (pulmonary hypertension：PH, cor pulmonale)

定義・概念[1,2]

　肺高血圧症(PH)とは肺動脈圧の上昇を認める病態の総称であり，肺動脈圧上昇の原因はさまざまである．安静臥位での平均肺動脈圧が 25 mmHg 以上の場合に診断される(ⓔノート 1)．肺動脈楔入圧(pulmonary arterial wedge pressure：PAWP)≦ 15 mmHg は前毛細管性 PH と定義され，この数値よりが高い場合には左心疾患ありの指標と考えられている．肺性心とは呼吸器系の機能的・構造的異常により，PH を呈し(肺動脈圧が上昇し)，右心室が肥大・拡張し機能不全(右心不全)を呈した病態である．

分類[3,4]

　1998 年にフランスのエヴィアンで開催された第 2 回肺高血圧症ワールドシンポジウム以降，病理学的所見，血行動態特性，治療管理に共通点がみられる PH の類型化を目的に臨床分類が策定された(ⓔコラム 1)．

　2013 年にフランスのニースで行われた第 5 回ワールドシンポジウムでは，臨床分類における従来の基本的な考え方は継承された(表 9-10-2)(ⓔノート 2)．さらに，小児 PH のタスクフォースとの合意の下，成人および小児の PH に共通した包括的な臨床分類とすることを目的として，小児 PH に関連するいくつかの特定の項目が追加された．さらに，2015 年の ESC (European Society of Cardiology) /ERS (European Respiratory Society)の PH ガイドラインでも，微調整はなされたが，基本骨格は維持された．

病因[5]

　複数の肺動脈性肺高血圧症(pulmonary arterial hypertension：PAH)症例が存在する家系の 80％において，腫瘍増殖因子(tumor growth factor：TGF)-β スーパーファミリーの一種である *BMPR2* 遺伝子の変異が認められている．さらに 5％の家系には *ALK1*，エンドグリン，*Smad-9* など，TGF-β スーパーファミリーに属するその他遺伝子の希少変異が認められる．なお，20％の家系には，疾患関連遺伝子として現在判明している遺伝子変異は認められない．近年，肺血管内皮細胞内に多数存在する膜蛋白質であるカベオラをコードするカベオリン-1(*CAV-1*)およびカリウムチャネルスーパーファミリー K 属 3 型をコードする

表 9-10-2 肺高血圧症の臨床分類(文献1より，日本語翻訳)

第1群．肺動脈性肺高血圧症(PAH)	2.4 先天性/後天性の左心流入路/流出路閉塞
1.1 特発性肺動脈性肺高血圧症(idiopathic PAH：IPAH)	第3群．肺疾患および/または低酸素血症に伴う肺高血圧症
1.2 遺伝性肺動脈性肺高血圧症(heritable PAH：HPAH)	3.1 慢性閉塞性肺疾患
1.2.1 BMPR2	3.2 間質性肺疾患
1.2.2 ALK1，エンドグリン，SMAD9，CAV1，KCNK3	3.3 拘束性と閉塞性の混合障害を伴う他の肺疾患
1.2.3 不明	3.4 睡眠呼吸障害
1.3 薬物・毒物誘発性肺動脈性肺高血圧症	3.5 肺胞低換気
1.4 各種疾患に伴う肺動脈性肺高血圧症(associated PAH：APAH)	3.6 高所における慢性低酸素暴露
1.4.1 結合組織病	3.7 発育障害
1.4.2 HIV 感染症	第4群．慢性血栓塞栓性肺高血圧症(CTEPH)
1.4.3 門脈圧亢進症	第5群．詳細不明な多因子のメカニズムに伴う肺高血圧症
1.4.4 先天性心疾患	5.1 血液疾患(慢性溶血性貧血，骨髄増殖性疾患，脾摘出)
1.4.5 住血吸虫症	5.2 全身性疾患(サルコイドーシス，Langerhans 細胞組織球症，リンパ脈管筋腫症，神経線維腫症，血管炎)
第1'群．肺静脈閉塞症(PVOD)および/または肺毛細血管腫症(PCH)	
第1"群．新生児遷延性肺高血圧症(PPHN)	5.3 代謝性疾患(糖原病，Gaucher 病，甲状腺疾患)
第2群．左心性心疾患に伴う肺高血圧症	
2.1 左室収縮不全	5.4 その他(腫瘍塞栓，線維性縦隔炎，慢性腎不全，区域性肺高血圧)
2.2 左室拡張不全	
2.3 弁膜疾患	

PAH：pulmonary arterial hypertension, PVOD：pulmonary veno-occlusive disease, PCH：(pulmonary capillary hemangiomatosis, PPHN：(persistent pulmonary hypertension of the newborn, BMPR2：bone morphogenetic protein receptor type 2(骨形態形成蛋白質受容体2型), ALK1：activin receptor-like kinase 1(アクチビン様受容体キナーゼ1), CAV1：カベオリン1, KCNK3：カリウムチャネルスーパーファミリーK属3型, CTEPH：chronic thromboembolic pulmonary hypertension(慢性血栓塞栓性肺高血圧症).

KCNK3 の2種類の遺伝子変異が新たに同定された．これら新規の疾患関連遺伝子は TGF-β シグナル伝達との密接な関連性をもたないため，PAH の発症機序に関する新たな知見につながる可能性もある．

疫学

欧米では REVEAL 登録研究，French 登録研究など，大規模患者登録研究が進行中であり，PAH の患者数は，人口100万人あたりそれぞれ12.4人，15人と報告されている．日本の厚生労働省「呼吸不全に関する調査研究班」の調査では，日本の PAH 患者数は100万人あたり15.6人と推定しており，欧米と比較して有病率に大きな差はないと考えられている．

病理

PH では，肺筋性動脈の中膜肥厚が重要な所見であり，平滑筋の肥大・増殖，細胞外マトリックスの増加が著明である．平滑筋の増殖には遺伝的素因である BMPR2 の変異が関与する．中膜肥厚以外に，内膜肥厚として，筋線維芽細胞などの細胞増殖に伴う細胞性内膜肥厚と線維成分(細胞外マトリックス)の増加が関与する．複合血管病変として，叢状病変(plexiform lesion)，拡張性病変，血管炎所見が認められることもある．

PAH の生物病理学に関する研究は e コラム2を参照．

病態生理

肺血管構造の硬化・狭窄・閉塞・消失により肺動脈抵抗が上昇し，肺血流の流れが障害されるために，右心室に圧負荷がかかる．その結果右室が肥大・拡張(肺性心)し，その機能が破綻した状態が右心不全である．全身への心拍出量が低下するために，組織酸素化が障害され，呼吸不全となる．

臨床症状

PH の自覚症状として，労作時呼吸困難，易疲労感，動悸，失神などがみられる．いずれも軽症 PH では出現しにくく，症状が出現したときにはすでに高度 PH が認められることが多い．他覚所見としては，

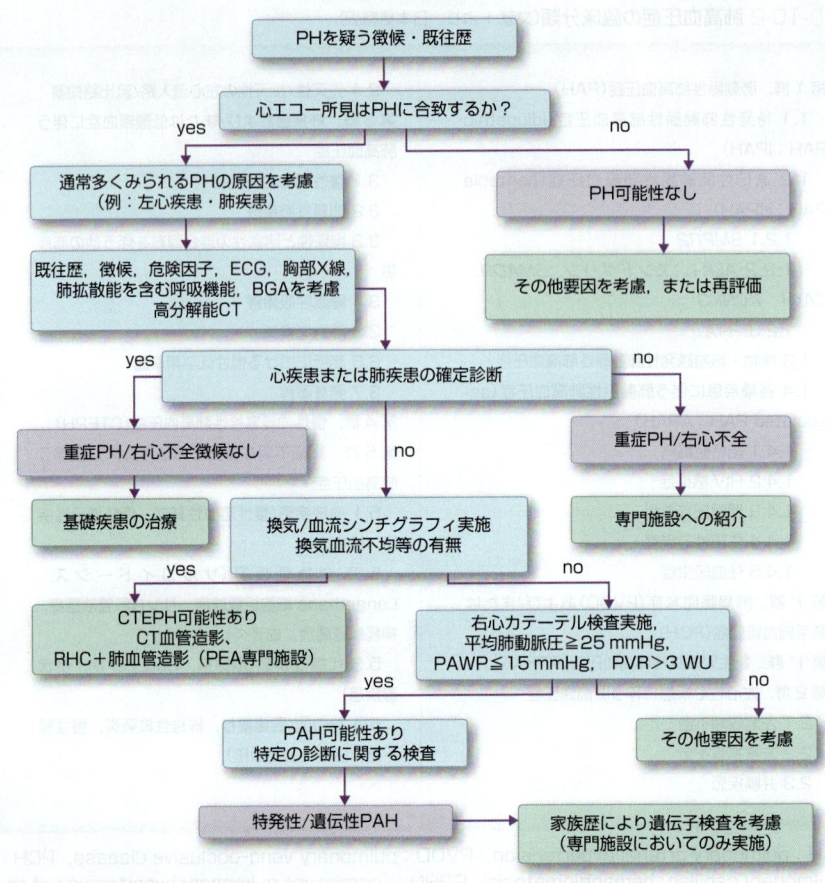

図 9-10-7 肺高血圧症の診断アプローチ（文献 1 より一部改変，日本語翻訳）
BGA：動脈血液ガス分析，RHC：右心カテーテル検査，PAWP：肺動脈楔入圧，PVR：肺血管抵抗，PEA：肺動脈血栓内膜摘除術．

低酸素血症に伴うチアノーゼ，頸静脈怒張，肝腫大，下腿浮腫などがあげられる．さらに，三尖弁閉鎖不全症に伴う第 4 肋間胸骨左縁での汎収縮期雑音（吸気時に増強し Rivero-Carvallo 徴候とよばれる），肺動脈弁閉鎖不全症に伴う第 2 肋間胸骨左縁での拡張早期雑音（Graham Steell 雑音），Ⅱ音肺動脈成分の亢進を聴取することがある．

検査所見

1) **右心カテーテル検査**：PH の存在診断には必須である．
2) **心エコー検査**（e動画 9-10-A〜E）：右室・右房の拡張，PH が高度の場合には心室中隔の左室側への偏位が認められる．心エコー・ドプラ法を用いた肺動脈圧の推定にはいくつかの方法があるが，三尖弁逆流から簡易 Bernoulli 式を用いて推定する方法が最も一般的である．PH 症例では，推定肺動脈収縮期圧＞40 mmHg，肺動脈収縮期流速加速時間/右室駆出時間（AcT/ET）< 0.3 などがみられる．
3) **胸部造影 CT 検査**：右房，右室，肺動脈の拡張を認める．造影剤を使用することで肺動脈内血栓や肺動脈病変の評価が可能である．肺血管の形態変化を観察するためのゴールドスタンダードは肺動脈造影であるが，胸部造影 CT 検査にて特に中枢部の病変の描出は代用可能である．
4) **肺シンチグラム**：肺血流シンチグラムは血流障害部位の検出に用いられるが，肺実質障害部位でも血流欠損を生じ，病態診断には胸部 X 線検査や胸部 CT 検査といったほかの画像や換気シンチグラムを併用する．肺塞栓症や血管炎といった肺血管が原因の場合には，血流障害部位のみが楔状血流欠損像として描出される．
5) **血液検査**：心負荷の指標である BNP，凝固系マーカーである D ダイマーが病態診断・鑑別診断に有用である．
6) **心電図検査**：右室肥大に伴った心電図変化が現れる．
7) **胸部 X 線検査**：両側中枢側肺動脈の拡張と，右房，右室の拡張に伴う心拡大が認められる（e図 9-10-H）．
8) **動脈血ガス分析**：PAH では，低炭酸ガス血症を

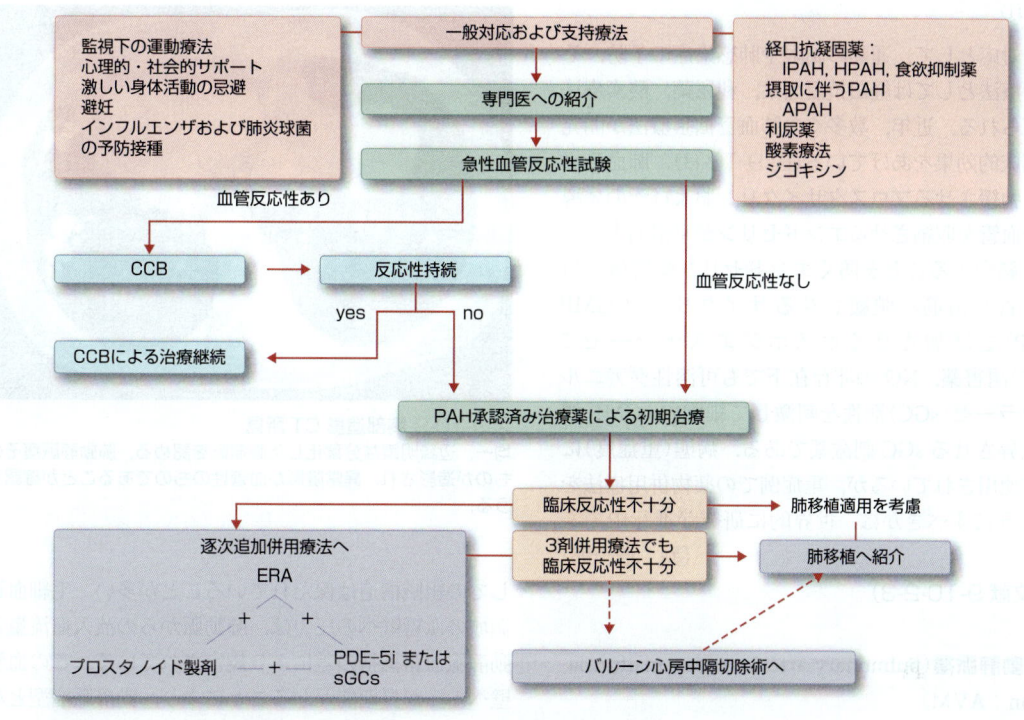

図 9-10-8 PAH の治療アルゴリズム(文献 1 より一部改変，日本語翻訳)
初期治療に関しては勧告の程度，エビデンスのレベルが設定されているので，参考に図をみていただきたい．
1) 勧告の程度
　クラス I：治療の有効性に関する証明がある，見解が広く一致(推奨/適用)
　クラス II：治療の有効性，見解が一致しない場合がある
　　II a：有効である可能性が高い(考慮すべき)
　　II b：有効性がそれほど確立されていない(考慮してもよい)
　クラス III：有効でなく，ときに有害となる可能性あり(推奨不可)
2) エビデンスレベル
　レベル A：複数の無作為化試験/メタ解析によるデータ(post-hoc 解析，サブグループ解析は，レベル A を満たさない場合が多い)
　レベル B：1 件の無作為化試験，大規模非無作為化試験によるデータ
　レベル C：専門家の合意，小規模試験/後ろ向き試験，レジストリーデータ
IPAH：特発性肺動脈性肺高血圧症，HAPH：遺伝性肺動脈性肺高血圧症，APAH：各種疾患に伴う PAH，CCB：Ca 拮抗薬，WHO-FC：WHO 機能分類によるクラス，ERA：エンドセリン受容体拮抗薬，PDE5i：ホスホジエステラーゼ 5 阻害薬，sGCs：可溶性グアニル酸シクラーゼ刺激薬．

伴った低酸素血症を認めることが多い．

9) **肺機能検査**：特発性肺動脈性肺高血圧症(IPAH)/遺伝性肺動脈性肺高血圧症(HPAH)では典型的には拡散障害を認める．6 分間歩行試験が機能評価に有用である[6,7]．

診断

明らかな肺病変，心疾患を認めずに労作時息切れを訴える例，強皮症スペクトラム(全身性強皮症，CREST 症候群，オーバーラップ症候群，混合性結合組織病(MCTD)など)と IPAH/HPAH の家族では，非侵襲的検査方法によるスクリーニング検査が必要である．特に有用な非侵襲的検査法として心エコー法が使用されるが，偽陽性例・偽陰性例の存在に注意が必要である．スクリーニング検査で肺高血圧症の存在が疑われた場合には，精密検査にて右心カテーテル検査を含めての精査が必要である．さらに表 9-10-2 にあげた肺高血圧症のなかでの病態診断が，治療と関係するために必要である(図 9-10-7)．

鑑別診断

労作時呼吸困難を呈する呼吸器疾患・循環器疾患などが鑑別すべき病態である．

合併症

肺高血圧症の結果，右室が肥大・拡張し機能不全を呈した病態が肺性心である．

予後

未治療 IPAH/HPAH の 5 年生存率は，肺血管拡張療法導入前は 40％ と不良であったが，肺血管拡張療法が保険適用になった 2005 年以降は改善しており，治療可能例の 5 年生存率は 70〜80％ まで改善している．死亡例は，突然死ないしは右心不全死が多い．

治療[8-11]

一般対応として，運動の制限や肺感染症の予防，その支持療法としては経口抗凝固薬，利尿薬，酸素療法があげられる．近年，数多くの肺血管拡張療法が開発され臨床的効果をあげている(図9-10-8)．肺血管平滑筋を弛緩させるプロスタサイクリンおよびその誘導体，肺血管を収縮させるエンドセリンが平滑筋上の受容体に結合することを防ぐエンドセリン受容体拮抗薬，血管平滑筋を弛緩させるサイクリックGMP(cGMP)を増加させるホスホジエステラーゼ5(PDE5)阻害薬，NOの非存在下でも可溶性グアニル酸シクラーゼ(sGC)活性を刺激して細胞内cGMP濃度を上昇させるsGC刺激薬である．病態(重症度)に応じて使用されているが，重症例での薬物併用療法をどのようにすべきかは，世界的に研究が進行中である．　　　　　　　　　　　　〔巽　浩一郎〕

(e文献9-10-2-3)

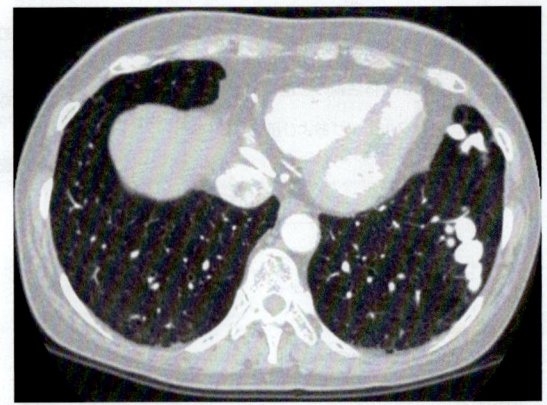

図 9-10-9 胸部造影 CT 所見
均一，辺縁明瞭な分葉化した腫瘤影を認める．肺動静脈瘻そのものが造影され，異常陰影が血管性のものであることが確認しうる．

(4)肺動静脈瘻(pulmonary arteriovenous malformation：AVM)

定義・概念
肺動脈と肺静脈との異常短絡をきたす血管奇形．肺病変のみを呈する場合(単純性肺動静脈瘻)と，Rendu-Osler-Weber病(遺伝性出血性毛細血管拡張症)の一部分症として出現する場合がある．

分類
病理所見から動静脈瘤型と多発性毛細血管拡張型に分類可能である．胸部画像上の分類として，単発型と多発型に分類可能である．

原因・病因
中胚葉性血管形成不全．

疫学
欧米では，肺動静脈瘻は，Rendu-Osler-Weber病と合併する，あるいは，その一部分症であることが多い(40〜70%)．そのため，家族内発生もみられている(8%)．一方，日本においては，Rendu-Osler-Weber病との合併は欧米ほど多くはないが(12〜18%)，詳細は不明である．

病理
多発性毛細血管拡張型は，毛細血管に近い末梢の動静脈間にできる微小の動静脈瘻である．発生段階で動脈と静脈が吻合して動静脈結合ができ，血管隔壁が形成されて毛細血管となるのが正常な発生過程である．その途中で，血管隔壁の発生が十分に生じないと，毛細血管形成不全が起こる．

動静脈瘤型の大部分は胸膜直下に存在しており，毛細血管領域で吻合している．組織学的には，動脈壁は菲薄化しており，筋線維や弾性線維組織は脆弱化している．動脈と静脈との区別は困難であるが，静脈としての組織構造は保たれていることが多い．毛細血管領域の血管壁への圧力は，肺動脈からの流入血流量と動静脈血管抵抗の差により規定されている．この血管壁への圧が長期間かかることにより，動静脈瘤型となり，胸部X線上の腫瘤影が出現する．

病態生理
正常な場合，全身から心臓に戻ってきた血液は心臓を経由して肺動脈に流れ込む．肺の毛細血管はフィルターの役割をしており，たとえば血栓・塞栓などは肺毛細血管に引っかかり，自然溶解してしまう場合がほとんどである．しかし，このフィルターの役目をする毛細血管がないと，血栓・塞栓が肺を通過して脳動脈に飛んでしまう危険性がある．

臨床症状
健康診断時の胸部X線上の異常陰影として発見される場合が多い．10%は小児期に発見されるが，多くは20〜40歳代に胸部X線上の異常陰影として発見される．肺動静脈短絡率が高い場合には，静脈血が酸素化されないため，低酸素血症，チアノーゼ，労作時呼吸困難などを呈することがある．

検査所見
^{99m}Tc肺血流シンチ：正常な場合は，肺以外の臓器が描出されることはないが，肺動静脈瘻では^{99m}Tc-MAAが肺を通り抜け，腎臓・甲状腺・頭部などが描出される．右心と左心の間に短絡がある疾患では，同じように他臓器の描出がみられる．

診断
胸部単純X線(楕円形の，辺縁が平滑な分葉化した結節影)および胸部造影CT(腫瘤そのものおよび流入・流出する腫瘤に連続する屈曲・蛇行した血管影が造影される)(図9-10-9)にて，診断はほぼ確定する．さらに三次元立体画像を作成すると，その形態の視覚的把握がしやすい(図9-10-10)．

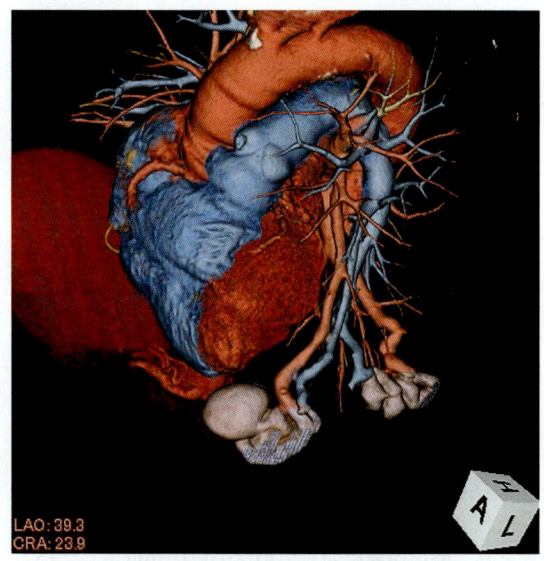

図 9-10-10 肺動静脈瘻の三次元 CT 画像
流入動脈，流出静脈，そして腫瘤状の多発性結節影を認める．

動静脈瘤型における胸部画像上の典型像は，円形/楕円形の，辺縁が平滑（明瞭）な分葉化した結節影である．これに流入あるいは流出する血管を示す帯状の陰影が一緒に認められれば，かなり疑わしい．また，中下肺野にみられることが多い．多発性毛細血管拡張型における胸部単純 X 線写真では，微細顆粒状の肺炎様陰影を呈することがある．

鑑別診断

胸部 X 線にて結節影を形成する疾患（肺腫瘍も含む）．

合併症

肺合併症として，破裂による喀血・血胸を起こすことがある．右左短絡のため，血栓・細菌が左心系に飛び，全身の動脈系に血栓・感染症を起こす可能性がある（奇異性塞栓症，paradoxical embolism）．その一部の脳合併症として，脳塞栓症，脳膿瘍，一過性脳虚血発作が起こることがある．

経過・予後

非手術例の経過観察にて，合併症の発生率が高く，また死亡する症例もあることが判明しているので，積極的治療を考慮する．無症状な場合でも治療をした方がよい場合もある．特に，動静脈瘻の大きさが 2 cm 以上，あるいは流入肺動脈の直径が 3 mm をこえるときには積極的治療をすべき，と考えられている．

治療

治療としては，専門医が行うべき経カテーテル塞栓術と，外科医が行う外科的切除法がある．かつては外科的な肺葉摘除術が標準治療方法であったが，低侵襲であり，また肺機能温存が可能な，経カテーテル的流入血管コイル塞栓術が現在では第一選択となってきている（eノート 1）．経カテーテル的流入血管コイル塞栓術の合併症として塞栓物質の体循環系への逸脱が 1〜2％あるとの報告があり，これを防ぐため最近では各種の離脱式（デタッチャブル）コイルを使用することが多い．

〔巽　浩一郎〕

■文献

Updates in pulmonary hypertension. *J Am Coll Cardiol*. 2013; 62: A1-8, D1-128.

9-11 呼吸調節の異常

1）呼吸の調節

呼吸の大きさやリズムは，延髄や橋を中心とする脳幹部に存在する呼吸中枢により決定されている．呼吸中枢は，図 9-11-1 に示すような 3 種類の呼吸調節系からの情報を得て，自動的に適切な出力を決定し，呼吸筋を働かせる．最も重要な呼吸調節系は化学調節系で，末梢と中枢にある化学受容体が生体内の O_2 と CO_2 レベルを感知して換気量を調節することにより P_aO_2 と P_aCO_2 を一定のレベルに保っている．神経調節系は，上気道や肺，呼吸筋に存在する種々の受容体が換気による機械的刺激を感知して換気量の調節を請け負う．行動調節系とは，呼吸中枢の上位にある呼

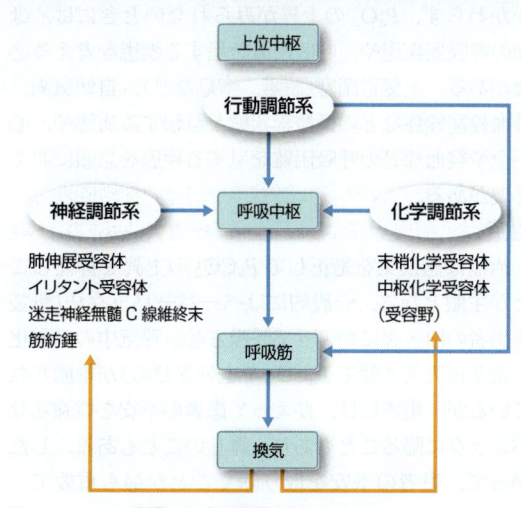

図 9-11-1 3 種類の呼吸調節系

調節系であり，意識的に呼吸を止めたり大きくしたりできる随意性呼吸調節と喜びや悲しみ，怒りなどの情動により呼吸が変化する不随意呼吸調節とがある．睡眠時には，当然，この行動性の呼吸調節は失われるため，化学調節系と神経調節系によって自動的に呼吸が調節されている．

2）過換気症候群
hyperventilation syndrome

病態生理

特に原因となる疾患がなく，主として心理的要因により，突然，頻呼吸，過呼吸が出現し，それに引き続いて，呼吸困難，意識障害，テタニー症状などの多彩な臨床症状を呈する機能異常である．心身症的色彩が強く，比較的若い女性に多い．過去に何度も同様の既往を有していることが多いが，初発の場合は器質的異常の有無を鑑別する必要がある．

臨床症状

強い不安を訴え，突然，呼吸困難感が出現して頻呼吸となる．過換気が重度になると，P_aCO_2 が低下して呼吸性アルカローシスとなり，その結果，電解質異常（血清カルシウムの低下）が惹起され，テタニー症状が出現してくる．また，意識障害，失神，痙攣などがみられることもある．これらの症状が患者の不安感，恐怖感をさらに増幅させる悪循環となり症状が継続する．

診断・鑑別診断

心理的要因に伴う典型的頻呼吸であれば診断は容易であるが，血液ガス分析で，低二酸化炭素血症（P_aCO_2 の低下）と pH の上昇（呼吸性アルカローシス）が認められれば診断が確定する．基本的に呼吸器系は正常のため，P_aO_2 は上昇するのが通常である．もし，過換気（頻呼吸）状態で，P_aCO_2 が低下しているにもかかわらず，P_aO_2 の上昇がみられないときには，ほかの呼吸器疾患や，呼吸困難を呈する疾患を考える必要がある．上気道閉塞（誤嚥，窒息など），自然気胸，肺血栓塞栓症などの低酸素状態を惹起する病態や，心不全や貧血などの呼吸困難を呈する疾患を念頭におく必要がある．

治療

治療は過換気を是正して P_aCO_2 の上昇を抑えることが主眼となる．一般的にはペーパーバック法（紙袋を患者の口・鼻にかぶせて呼吸させ，呼気中の二酸化炭素を再吸入させて P_aCO_2 を上昇させる）が推薦されているが，実際には，かえって患者の不安を増強させパニックに陥ることもあり，難しいこともある．したがって，患者の不安を取り除くことが最も重要で，けっして危険な状態でないことを言い聞かせ，患者を

リラックスさせ頻呼吸を改善させるように努力しなくてはならない．どうしても鎮静が必要なときには薬物投与（ジアゼパム 5〜10 mg 筋注など）が必要となることもある．発作を繰り返す患者に対しては，心療内科や精神科的アプローチが必要である．

3）低換気症候群
hypoventilation syndrome

病態生理

低換気症候群とは，慢性の肺胞低換気の結果，日中に高二酸化炭素血症（$P_aCO_2>45$ mmHg）が認められる病態である．呼吸の調節は上記のように，呼吸中枢により自動的に行われ一定の P_aO_2, P_aCO_2, pH に保たれているが，呼吸中枢に障害があり，特に，低酸素と高二酸化炭素に対して換気の反応が低下しているときには，慢性の肺胞低換気（低酸素血症，高二酸化炭素血症）が出現する．日中覚醒時には，上位中枢による行動性の呼吸調節が働くため，あまり目立たないが，睡眠時には行動調節が失われるため，低換気はより増悪することが多い．

睡眠時に肺胞低換気のため呼吸が小さくなり，日中覚醒時にも明らかな肺胞低換気状態を呈するものが原発性肺胞低換気症候群（primary alveolar hypoventilation syndrome：PAHS）とよばれるが，実際の臨床ではきわめてまれな疾患である．最近の厚生労働省の班研究（厚生科学研究費補助金特定疾患対策研究事業班，2002）において，疾患の診断基準が発表され，全国調査が行われたが，その頻度はきわめて低いことが報告されている．

Pickwick 症候群（Bickelmann ら，1956）は，肥満，

表 9-11-1 原発性肺胞低換気症候群の診断基準

1) 慢性の高二酸化炭素血症（$P_aCO_2≧45$ mmHg）．
2) 睡眠時における低酸素血症の増悪を認める（基準値より 4%以上の S_aO_2 の低下，または $S_aO_2<90$%の時間が 5 分以上，または $S_aO_2<85$%に達する場合を目安として総合的に判断）．
3) 自発的過換気により高二酸化炭素血症の改善がみられる（P_aCO_2 で 5 Torr 以上の低下）．
4) ほぼ正常の肺機能（% VC>60%，および FEV_1%>60%を目安）であり，肺の器質的疾患が血液ガス異常の主体であることが除外されること．
5) 薬剤などによる呼吸中枢抑制や呼吸筋麻痺が否定され，かつ神経筋疾患などの病態が否定されること．
6) 画像診断および神経学的所見により呼吸中枢の異常に関連する中枢神経系の器質的病変が否定されること．
7) BMI<30 kg/m^2 であること．
8) 典型的睡眠時無呼吸症候群を除く．
1)〜8)のすべてを満たす症例であること．

表 9-11-2 肥満低換気症候群の診断基準

1) 高度の肥満（BMI≧30 kg/m^2）
2) 日中の高度の傾眠
3) 慢性の高二酸化炭素血症（P_aCO_2≧45 mmHg）
4) 睡眠呼吸障害の重症度が重症以上（AHI≧30，S_aO_2 最低値≦75%，S_aO_2<90%の時間が 45 分以上または全睡眠時間の 10%以上，S_aO_2<80%の時間が 10 分以上などを目安に総合的に判定する）

1)～4)のすべてを満たす症例であること．

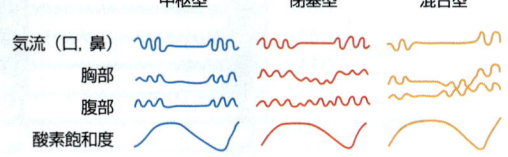

図 9-11-2 睡眠時無呼吸症候群の3型

日中傾眠，痙攣，チアノーゼ，周期性呼吸，多血症，右室肥大を認める特異な病態であるが，日中覚醒時に慢性の肺胞低換気（高二酸化炭素血症と低酸素血症）を認めるのが大きな特徴である．本症候群は，後述する閉塞型睡眠時無呼吸症候群（obstructive sleep apnea syndrome：OSAS）の最重症例と考えられており，現在では，肥満低換気症候群（obesity-hypoventilation syndrome：OHS）とよぶのが一般的である．

診断・鑑別診断

厚生省研究班が作成した，原発性肺胞低換気症候群と肥満低換気症候群の診断基準を表 9-11-1，9-11-2 に示す．いずれも日中覚醒時に高二酸化炭素血症を認め，睡眠中の異常呼吸が認められることが重要である．したがって，確定診断には，夜間睡眠検査（polysomnography：PSG）が必須である．鑑別すべきは日中に高二酸化炭素血症（Ⅱ型呼吸不全）を呈する種々の呼吸器疾患であるが，特に，神経・筋疾患との鑑別が必要である．

治療

PAHS は，呼吸中枢の異常により呼吸筋の働きが障害され吸気が十分できない状態であるため，基本的には人工呼吸が必要である．日中覚醒時には行動性呼吸調節により換気は比較的保たれるため，夜間の睡眠時にのみ人工換気を行えばよい．近年開発された鼻マスクを用いた非侵襲的陽圧換気（non-invasive positive pressure ventilation：NPPV）は，きわめて有用な方法である．横隔膜をペーシングして吸気を補助する方法も試みられているが，その有効性についてはいまだ定まっていない．

OHS は，重症の OSAS であるため，その治療は後述する OSAS の治療に準ずる．

4）睡眠時無呼吸症候群
sleep apnea syndrome：SAS

病態生理

睡眠中に呼吸が頻回に停止し，その結果，ガス交換障害が出現する病態を睡眠時無呼吸症候群（SAS）とよぶ（Guilleminault ら，1976）．無呼吸は 10 秒以上の口・鼻での気流の停止と定義され，この無呼吸が，一晩の睡眠中（7 時間）に 30 回以上出現する病態が SAS である．SAS は PSG により，図 9-11-2 に示すように 3 型に分類されるが，混合型は閉塞型（obstructive SAS：OSAS）の亜型であり，基本的には中枢型（central SAS：CSAS）と OSAS に大別される．CSAS とは，睡眠時に呼吸運動そのものが消失するために無呼吸が起こってくるタイプで，脳幹部にある呼吸中枢が障害されたときに起こってくる．前述の原発性肺胞低換気症候群では，この型の無呼吸がみられ，また，うっ血性心不全患者で認められる Cheyne-Stokes 呼吸が睡眠中にみられれば CSAS に相当する（eコラム 1）．しかし，実際の臨床で CSAS に遭遇することはきわめてまれであり，ほとんどの SAS は後述する閉塞型（obstructive SAS：OSAS）であり，ただ単に SAS という場合には OSAS を意味することが多い．本項では，OSAS に限って詳述する．

OSAS の基本的病態生理は，睡眠時に頻回に出現する上気道（特に咽頭部）の閉塞である．われわれは，通常，仰臥位で就寝するが，このとき，舌根部が沈下して上気道は狭小化する．さらに，睡眠状態に入ると全身の骨格筋は弛緩するが，上気道を構成している筋肉群も弛緩するため，上気道はさらに狭くなる．しかし，健常者においては，この程度の上気道の狭小化は呼吸に何の影響も及ぼさない．いびきは，狭くなった上気道を空気が通過するときに発する呼吸音であり，睡眠時の上気道の狭小化を表す．OSAS 患者では，上気道に形態的・機能的に何らかの異常があるため，睡眠時に容易に上気道が狭小化・閉塞して無呼吸が出現する．したがって，すべての OSAS 患者は著明ないびきの常習者である．

図 9-11-3 に典型的な OSAS 患者の PSG を示す．口・鼻の気流（FLOW）は約 50 秒間停止しているが胸部（CHEST）と腹部（ABDOM）の呼吸運動は継続しているため OSAS とわかる．無呼吸の持続に伴い，酸素飽和度（S_aO_2）は直線的に低下しており著しい低酸素血症を呈している．このような著しい低酸素血症は，すべての臓器に影響を及ぼすが，特に大きな影響を受けるのは循環系である．近年の大規模研究から，SAS は，高血圧，冠動脈疾患，脳血管障害などの心

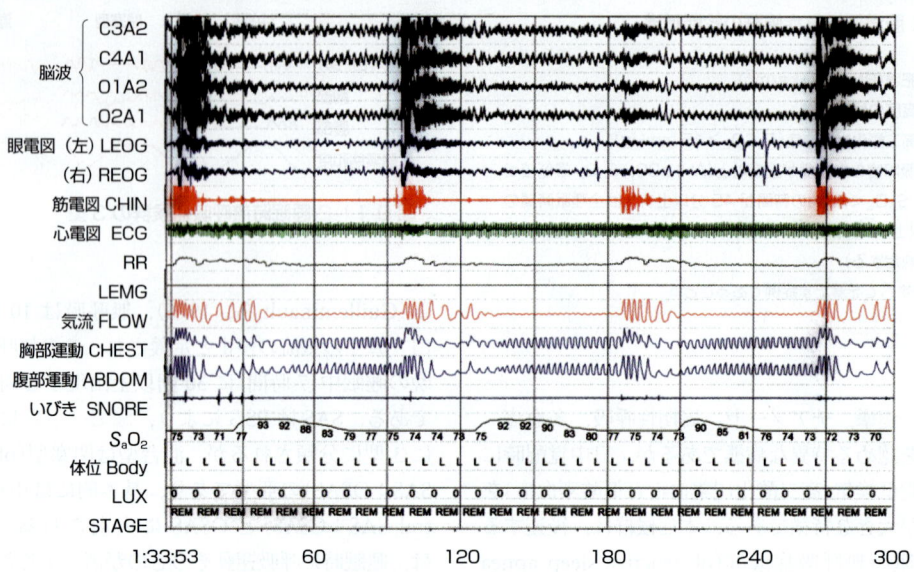

図 9-11-3 閉塞型睡眠時無呼吸症候群患者(OSAS)の睡眠検査

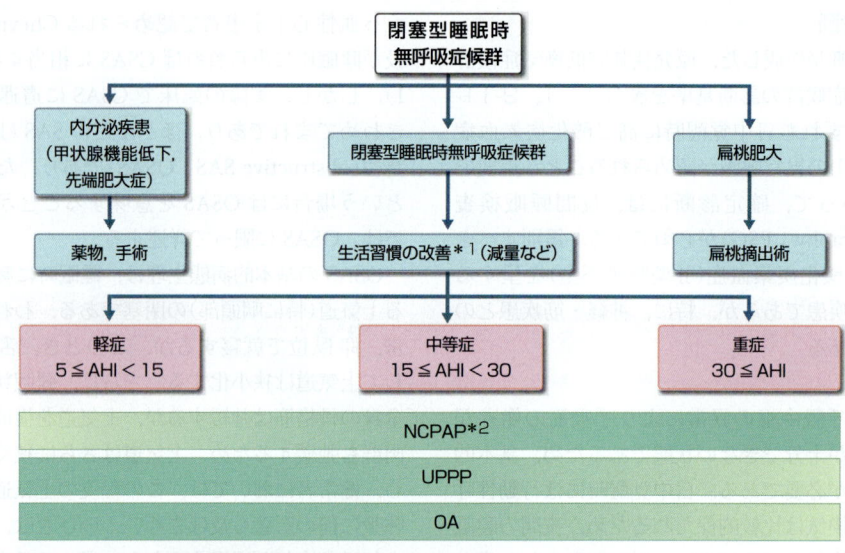

図 9-11-4 閉塞型睡眠時無呼吸症候群(OSAS)の治療
＊1：軽症例が主体だが，中等症以上でも併用する．
＊2：わが国の健康保険適用は，AHI≧40(簡易モニター)，AHI≧20(PSG)．

循環系障害と直接的に関連することが明らかになっている．

OSASにおけるもう1つの大きな問題は，睡眠が障害されることによりもたらされる日中の病的な眠気(過眠)である．図9-11-4のPSG上で，無呼吸時と呼吸再開時の脳波，筋電図の波形が明らかに異なっているのがわかる．呼吸再開(無呼吸消失)時には，脳波と筋電図の活動性が高まっているが，これは覚醒(arousal)を表している．つまり，無呼吸が消失するためには覚醒が必要で，この中途覚醒が一晩中出現するため，患者は良質な睡眠をとることができない．本症に最も特徴的な著しい過眠はこのために生じてくる．この日中過眠は，患者の社会生活に大きな影響を及ぼすだけでなく，交通事故や災害事故の原因となることが明らかにされている．

臨床症状

著明ないびきは本症に必発である．いびきは睡眠時の上気道の狭小化を表すが，肥満者では，普段から上気道に脂肪や軟部組織が発達しているため，上気道が狭小化しておりOSASが起こりやすい．日中の異常な眠気は本症に最も特徴的な症状であり，重要であるが，ときには，患者自身がその異常さに気がついてお

表9-11-3 閉塞型睡眠時無呼吸症候群の臨床像

症状	徴候
いびき	断眠(脳波上)
日中の過眠	肥満
知性の低下	不整脈
性格の変化	肺高血圧症(肺性心)
起床時の頭痛	多血症
幻覚，自動症	高血圧
呼吸困難(特に労作性)	浮腫
不眠症	夜間頻尿

らず，家族や同僚の話で判明することもある．表9-11-3に症状・徴候を示すが，これらのほとんどは，前述した無呼吸に伴う低酸素血症と中途覚醒に起因する症候である．

診断・鑑別診断

肥満した中〜壮年の男性で強いいびきと日中過眠を訴えれば，診断はそう難しくはない．しかし，診断を確定するためには睡眠検査が必要である．PSGは脳波をはじめ多くの睡眠中の生理学的パラメーターを一晩中モニターする方法で，SAS診断のgold standardである．PSG上，最も重要な指標は無呼吸・低呼吸指数(apnea-hypopnea index：AHI)で，1時間あたりの無呼吸と低呼吸の回数の和である．低呼吸とは，換気量がベースラインより50%以上低下し，かつS_aO_2が3%以上低下した状態が10秒以上続く呼吸であり，無呼吸と同等の病的意義がある．AHI>5を睡眠呼吸障害(sleep-disordered breathing：SDB)と定義するが，SASは，このSDBに日中の過眠や，SDBに基づく臨床症状がみられた場合に診断される(睡眠呼吸障害研究会，2005)．したがって，AHIの測定が確定診断には必須である．しかし，PSG検査はどの施設でも可能な診断法ではないので，脳波の測定などを省いた簡易型モニタでAHIを測定し代用とすることもある．日中過眠の判定にはEpworth Sleepiness Scale(ESS)とよばれる簡便な質問表が用いられることが多い．

SASの重症度は，AHIを用いて，軽症(15<AHI<30)，中等症(15<AHI<30)，重症(AHI>30)に分類されるが，本来は，AHIの値だけでなく，臨床症状や低酸素状態の程度などを総合的に勘案して決定すべきである．

鑑別すべき疾患では，甲状腺機能低下症や先端巨大症などの二次性のSASを起こす内分泌疾患がある．ナルコレプシーなど日中過眠を呈する精神疾患が鑑別の対象となるが，PSGを行えば容易に鑑別が可能である．

治療

わが国の睡眠呼吸障害研究会から発行されたSASガイドライン(睡眠呼吸障害研究会，2005)に示されている治療のフローチャートを図9-11-4に示す．扁桃肥大が著明で，それが明らかにOSASの原因となっている場合には手術(扁桃摘出)を優先させる．小児ではしばしばこれが原因となっていることがあり，手術が著効することがある．成人では，肥満している場合が多いので，肥満しているすべての患者に減量を指導する．しかし，減量だけでOSASを完全に治療するのはきわめて難しいのが実情である．治療の中心は，① nasal CPAP(continuous positive airway pressure：NCPAP)，② 口腔内装置(oral appliance：OA)，③ 上気道拡大手術(uvulopalatopharyngoplasty：UPPP)であるが，このうち，治療の有効性が確立されているのはNCPAPのみである．

1) NCPAP: NCPAPは，就寝時に鼻マスクを装着し，マスクを介して空気を吸入し，空気の圧力で上気道の閉塞を防止する治療法である．適切な圧力で施行されればほぼ完全に無呼吸を予防することができる．その効果は劇的で，患者は治療翌朝から熟眠感を得ることができ，日中の過眠は消失する．NCPAPの有効性，安全性は多くの報告で明らかにされており，OSAS治療の第一選択である．ただ，あくまで対症療法であり，また，毎晩装置(図9-11-5)を装着して就寝しなくてはならないなどの問題点があるため，治療の継続をうながす努力が必要である．

NCPAPはすべての症例に有効であるが，特に重症例ではNCPAP治療を最初に行うべきである．わが国の健康保険の適用基準では，PSG上AHI>20，あるいは簡易モニタ上AHI>40で，かつ臨床症状を有する場合に保険の適用が認められている．

2) 口腔内装置(OA): OAは一種のマウスピースで，

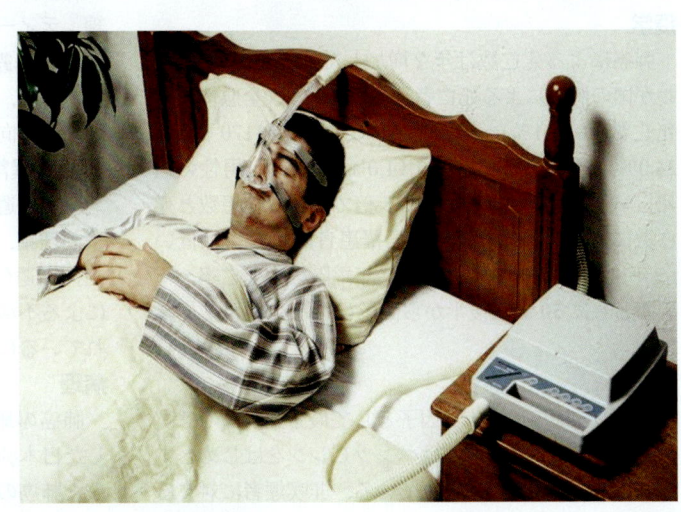

図9-11-5 NCPAP装置

就寝時にこれを装着することにより下顎を前方に引き寄せ，仰臥位になったときの上気道の狭小化を防ぐ方法である．OA 装着により拡大する上気道はほんの数 mm 単位であるが，このわずかな拡大でもいびき・無呼吸に対して有効である場合がある．NCPAP に比べ，装置が簡便・安価であるため，軽症例を中心に普及しつつある．ただ，肥満が強い例や，重症例では効果が不十分であり，肥満の程度が小さい例や軽症～中等症を対象とすべきであろう．また，OA の作成は熟練した歯科医に依頼すべきである．

3）**上気道拡大手術（UPPP）：** OSAS の発症に上気道の形態の異常が関与することは前述した．肥満者や下顎後退症，小顎症の患者はもともと上気道が狭いため，睡眠中には上気道閉塞が起こりやすい．UPPP は，口蓋垂を切除し，咽頭部の脂肪や軟部組織を取り除いて上気道の拡大をはかって OSAS を改善させようとする治療法である．しかし，OA と同様，上気道の形態を是正するだけのため完全に OSAS を予防するのは困難で，特に重症例では効果が乏しい．いびきのひどい例や，軽症～中等症例で有効な場合がある．

4）**その他：** 軽症例では，まず生活習慣を変えるだけで OSAS が改善する場合がある．肥満している例には減量させることが必須である．また，仰臥位になることが舌根部を沈下させ上気道閉塞を助長するため，側臥位で就寝させると舌根部の沈下が起こらず，いびき・無呼吸が軽快する．アルコールは，上気道筋の活動性を低下させ，いびき・無呼吸を増悪させるため就寝前の飲酒は止めさせる．睡眠薬も同様である．

〔赤柴恒人〕

■文献

Bickelmann AG, Burwell CS, et al: Extreme obesity associated with alveolar hypoventilation — a Pickwick syndrome. Am J Med. 1956; 21: 811-8.
Guilleminault C, Tilkian A, et al: The sleep apnea syndromes. Ann Rev Med. 1976; 27: 465-84.
厚生科学研究費補助金特定疾患対策研究事業　呼吸不全に関する調査研究班：平成 13 年度総括研究総括書，pp146-7, 2002.
睡眠呼吸障害研究会編：成人の睡眠時無呼吸症候群　診断と治療のためのガイドライン，メディカルレビュー社，2005.

9-12　肺腫瘍
pulmonary tumor, lung tumor

1）原発性肺腫瘍
primary lung tumor

定義

原発性肺腫瘍では良性腫瘍は少なく，ほとんどが悪性腫瘍であり，肺胞および気管，気管支の上皮細胞を起源として発生する上皮性悪性腫瘍が大部分を占める．非上皮性である肉腫はまれである．

疫学

肺癌による死亡数は年々増加しており，2015 年のわが国の肺癌による死亡者数は 74334 人（全悪性腫瘍死亡数の 20.1％），男女別では，男性 53170 人（同 24.0％），女性 21164 人（同 14.0％）である．男性の粗死亡率・罹患率は女性の約 2.5 倍である．罹患数と死亡数に大きな差はなく，肺癌罹患者の生存率は低い（5 年生存率：15～20％の間）．年齢階級別死亡率・罹患率ともに 50 歳代後半から高齢になるにつれて上昇する．

病因

肺癌の発症を促進する因子として最も重要なのは喫煙である．タバコ煙中にはベンツピレンをはじめとする多くの発癌物質が含まれている．非喫煙者に対する喫煙者の肺癌リスクは，日本人を対象とした疫学研究のメタ解析では，男性で 4.4 倍，女性で 2.8 倍と高い．組織型別では，扁平上皮癌で男性 12 倍，女性 11 倍，腺癌で男性 2.3 倍，女性 1.4 倍と大きな差がある．喫煙が肺癌の発生に寄与する割合は，日本では男性で 68％，女性で 18％程度と推計されている．また，受動喫煙も肺癌リスクを 20～30％程度上昇させる．

石綿，シリカ，ヒ素，クロム，コールタール，放射線，ディーゼル排ガス，ラドンなどへの職業的・一般環境的暴露が肺癌のリスク要因として報告されている．特に，石綿暴露による悪性中皮腫や肺癌の発生は増加の傾向にある．

遺伝子異常

肺癌の遺伝子異常としては，癌遺伝子の MYC 遺伝子の増幅，K-RAS 遺伝子の突然変異による活性化，癌抑制遺伝子の RB 遺伝子や P53 遺伝子の突然変異による不活性化をはじめ，種々の遺伝子異常が報告されている（表 9-12-1）．

病理

肺癌の組織型は多様であり，WHO 分類[1]に準拠した日本肺癌学会分類が用いられている．組織型別にみた肺癌の頻度は，腺癌（ほぼ 40％），扁平上皮癌（30％），小細胞癌（15％程度），大細胞癌（5％程度）の 4

種類で全体の 90〜97％を占めている．

しかし近年，腺癌の比率が年々高くなっている．組織型による肺癌の病理学的ならびに臨床的特徴を表9-12-2 に示した．

表 9-12-1 肺癌のおもな遺伝子異常

異常な染色体，遺伝子	染色体・遺伝子異常の頻度(%)	
	非小細胞肺癌	小細胞肺癌
3番染色体短腕	>50%	>90%
9番染色体短腕（p16^{INK4A}）	80%	<10%
P53	45〜50%	80〜90%
RB	10〜30%	>90%
MYC	10%	30%
BCL-2	20%	80〜90%
FHIT	40〜60%	80〜90%
EGFR	腺癌の 40%	
K-RAS	腺癌の 10〜15%	
ALK 融合遺伝子（EML4-ALK など）	腺癌の 4%	
HER2	腺癌の 2〜4%	
RET，ROS1，BRAF	おのおの腺癌の 1%	

1）小細胞肺癌(small cell lung cancer：SCLC)： 肺門部にも発生するが(図 9-12-1)，末梢肺に原発巣が存在することが多い．気管支壁内に沿って増殖進展することが多く，無気肺，閉塞性肺炎の合併は少ない．小細胞肺癌は細胞増殖が速く，血行性転移やリンパ行性転移を起こしやすいため，診断時に胸部 X 線上小結節影であってもその多くが遠隔転移を起こしており進行癌となっている．

特殊型として，混合型小細胞癌(combined small cell carcinoma)がある．小細胞癌に加え，非小細胞

表 9-12-2 肺癌の組織型からみた臨床的，病理学的特徴

組織型	発生部位	増殖速度（DT）	転移形成	治療反応性	
				抗癌薬	放射線
腺癌	末梢に多い	ゆるやか（4〜36 カ月）	多い	低い	低い
扁平上皮癌	中枢に多い	比較的速い（3〜4 カ月）	比較的少ない	中程度	中程度
大細胞癌	末梢に多い	比較的速い（3〜8 カ月）	多い	低い	低い
小細胞癌	末梢・中枢	速い	非常に多い	高い	高い

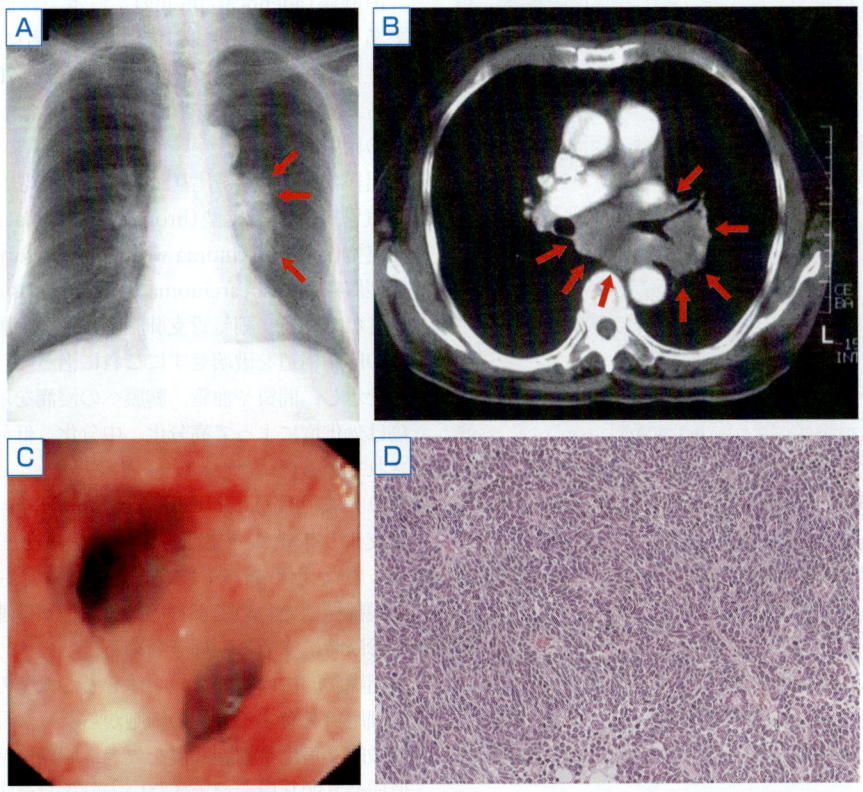

図 9-12-1 小細胞肺癌の画像
A：左肺門部の腫大を認める，B，C：左肺門部，縦隔に肺門・縦隔リンパ節転移が一塊となった異常影があり，気管支圧迫狭窄浸潤像を伴う，D：組織像(HE 染色)．

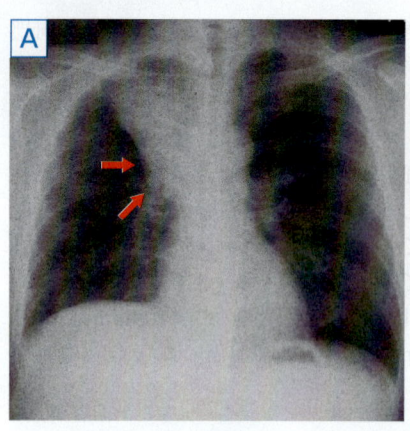
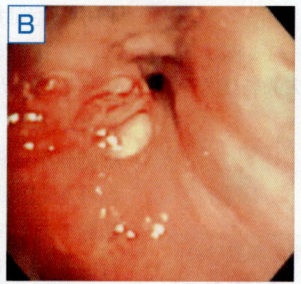
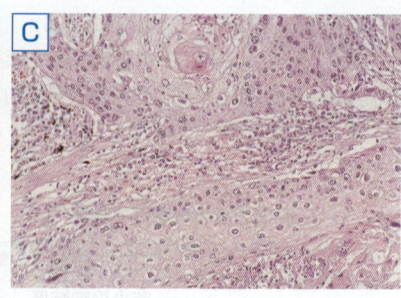

図 9-12-2 肺扁平上皮癌の画像
A：右肺門部腫瘤陰影を認め，右上肺野の透過性低下および右横隔膜挙上を認め，右肺上葉・無気肺が示唆される．
B：右気管支の閉塞ならびに狭窄所見がみられる．
C：組織像（HE 染色）．

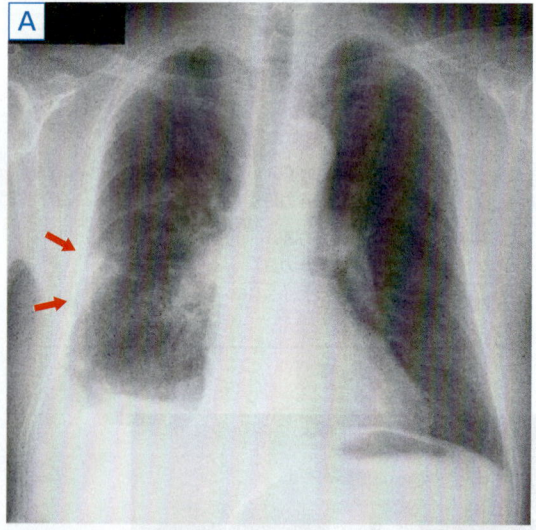

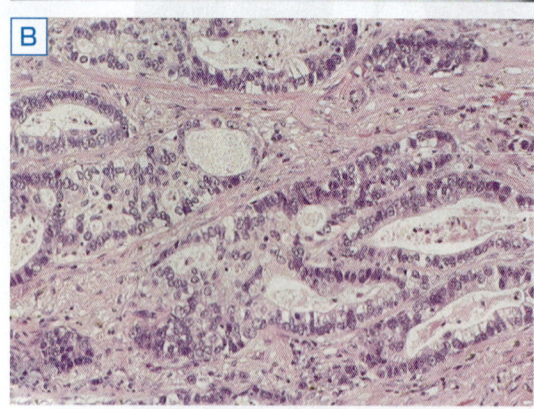

図 9-12-3 原発巣を示す肺腺癌の画像
A：右肺野に腫瘤陰影を認め，癌性胸水を合併し，肋骨横隔膜角が鈍となり胸水貯留の所見．
B：組織像（HE 染色）．

2）非小細胞肺癌（non-small cell lung cancer：NSCLC）：

a）扁平上皮癌（squamous cell carcinoma）：喫煙との因果関係が最も強く，男性に好発する．肺門部に発生することが多く，ポリープや結節様の増殖を示すことから内腔の狭窄や閉塞を伴い二次的な無気肺や閉塞性肺炎を合併する（図 9-12-2）．
組織学的には，角化ないし角化傾向を示す細胞および細胞間橋を示す細胞からなる癌である．角化，細胞間橋の有無，扁平化の程度を指標として，高分化，中分化，低分化に分類している．

b）腺癌（adenocarcinoma）：日本では最も多い肺癌であり全肺癌の 40％以上を占める．男女比は 2：1 と男性に多いが，女性の全肺癌患者の約 70％が腺癌である．腺癌発生は肺末梢部に多く（図 9-12-3），中枢での発生は少ない．
組織学的には腺房型（acinar），乳頭型（papillary），細気管支肺胞上皮型（bronchioloalveolar），粘液産生充実型（solid carcinoma with mucous formation），混合型腺癌（adenocarcinoma with mixed subtypes）に分類されている．細気管支肺胞上皮癌型の腫瘍細胞は既存の肺胞構造を破壊せずにこれに沿って，置換性の増殖を示し，間質や血管，胸膜への浸潤を示さない．腺癌は分化度によって高分化，中分化，低分化と細分類されている（eコラム 1）．

c）大細胞癌（large cell carcinoma）：約 90％は亜区域支より末梢に発生し，周囲肺組織を圧排し増殖する．男女比は 4～5：1 である．末梢発生であるが，胸膜播種はきわめてまれである．増殖は速く，約半数は診断時にすでに転移を認める．
組織学的には明瞭な核小体をもつ大型の核と中～大の細胞質を有する大型の細胞からなり，扁平上皮癌に特徴的な角化や細胞間橋を欠き，腺癌に特徴的な腺腔形成や乳頭状構造を示さない未分化な充実性胞巣を形成する癌である．

d）その他の肺癌：

の成分を含む癌で，合併する組織型としては，腺癌，扁平上皮癌，大細胞癌が多い．肉腫様成分を含む場合もある．

i)カルチノイド(carcinoid)：APUD(amine precursor uptake decarboxylase)系細胞ないしはKultchizky細胞に由来する低悪性度の悪性腫瘍で，全肺腫瘍の1～2％を占める．発生部位は肺門部に多く，約90％にみられる．診断時年齢は40～50歳代が多く，ほかの肺癌に比べて若年発生である．

ii)気管支腺由来低悪性度腫瘍：気管支腺を発生母地とし，発育はゆっくりで気管支腔内にポリープ状に増殖することが多い．局所での進展が中心で，遠隔転移はほとんどない．若年者に好発するが，性差はない．代表的なものとして，腺様嚢胞癌(adenoid cystic carcinoma)と粘表皮癌(mucoepidermoid carcinoma)があげられる．

iii)多形，肉腫様あるいは肉腫成分を含む癌：肉腫様あるいは肉腫成分を含む低分化な非小細胞癌で，紡錘細胞あるいは巨細胞を含む癌(多形癌，紡錘細胞癌，巨細胞癌)，癌肉腫，肺芽腫を含む．上皮と間葉への分化を示す．

臨床症状

症状は原発性肺腫瘍の発生部位に大きく影響され，大きく中枢性(肺門領域)と末梢性(肺野領域)に分けられる．初診時の自覚症状と頻度を表9-12-3に示した．しかし，早期肺癌では症状に乏しく，臨床病期Ⅰ，Ⅱ期では約60％は無症状である．

中枢側に発生する扁平上皮癌は増殖に伴い，上皮層から深部へ浸潤したり，気道腔内へポリープ状に腫瘍を形成して狭窄を起こすので，気道刺激による咳，分泌亢進による痰がみられる．ときに，完全閉塞により無気肺を併発することもある．感染(たとえば閉塞性肺炎)を続発すると発熱が加わる．また，太い気管支内での腫瘍形成は，気道狭窄による喘鳴様症状を訴える．小細胞癌も主として気管支の粘膜下を長軸方向に沿って肺門部へと進展するので，気道の周囲の組織が肥厚し画像上トラムラインの所見としてみられることがある．また，扁平上皮癌と同様に狭窄性病変を形成することもある．

末梢性に発生する肺腫瘍は，中枢性に比べて頻度が高く，腺癌に多い．大細胞癌は末梢部か中間部に発生し，孤立性の大きな結節・腫瘤影として発見されることが多い．

いずれの組織型においても，血管への侵襲，血管透過性の亢進，腫瘍血管の増殖などがあり，さらに咳による気道内圧の変化が加わると血痰，喀血をきたしやすい．

上大静脈症候群では，頸部，上腕などの該当領域の浮腫や表在性静脈の拡張が顕著になる．

腫瘍随伴症候群(paraneoplastic syndrome)

原発腫瘍巣や転移巣の部位から離れた部位に生じる宿主の臓器機能障害と定義される．発症機序としては，①腫瘍が症状を惹起する物質を産生する，②腫瘍による正常物質の代謝ないし消費，③腫瘍に対する宿主の反応，があげられる．

1)骨関節症状：ばち指は，肺，心，肝疾患などでみられるが，原発性肺癌，特に扁平上皮癌や特発性間質性肺炎でよく認められる．また，肥大性骨関節症は長管骨の骨膜増生や骨膜の不整肥厚，上下肢の腫脹疼痛，関節痛，ばち指を主症状とする症候群である．一般に，腺癌，扁平上皮癌に合併することが多い．

2)神経学的腫瘍随伴症候群：腫瘍に随伴する神経筋症状で肺癌に合併することが最も多いが，頻度的には約1％である．腫瘍と神経組織の共通抗原に対する免疫反応(液性免疫(抗体)，細胞性免疫)による．①大脳皮質変性症，②亜急性小脳変性症，③腫瘍随伴性脳脊髄炎，④亜急性知覚ニューロン症，⑤Lambert-Eaton筋無力症候群，⑥皮膚筋炎，などの病型がある．

3)異所性ホルモン産生による症状：通常，ホルモンを産生しない正常な細胞が腫瘍化に伴って産生することがあり，異所性ホルモン産生腫瘍とよばれる．肺癌，特に小細胞癌はその頻度が高く，種々のホルモンを過剰産生して多彩な症状を呈する．たとえば，異所性ACTH産生によるCushing症候群，カルチノイド症候群，また異所性ADH(antidiuretic hormone)産生によるADH不適合分泌症候群(syndrome of inappropriate secretion of ADH：SIADH)は小細胞肺癌でよくみられる．一方，高カルシウム血症は癌患者の10～20％にみられ，機序としては腫瘍のPTHrP(parathyroid hormone-related peptide)産生，融解性骨転移局所のサイトカイン・PTHrP産生，腫瘍のcalcitriol産生が知られている．

4)サイトカイン産生による症状：大細胞癌や腺癌ではG-CSF(granulocyte colony stimulating factor)，M-CSF(macrophage CSF)，GM-CSFなどの造血因子産生を示すことがあり，患者末梢血での著明な白血球増加がみられる．またそれらの肺癌ではIL-6産生を伴うことが多く，フィブリノゲン，CRPの上昇や血小板増加症がみられることがある．

診断

肺癌の診断には，病理組織学的あるいは細胞診断学的診断が必須であり，さらに種々の検査を組み合わせて肺癌の浸潤，転移の広がりを検索し，TNM分類・病期を決定する．肺癌の診断的アプローチは図9-

表9-12-3 肺癌の初発症状

咳・痰	70～80%
体重減少	40～60%
胸痛	40～60%
呼吸困難	20～50%
血痰	20～50%
無症状	5～10%

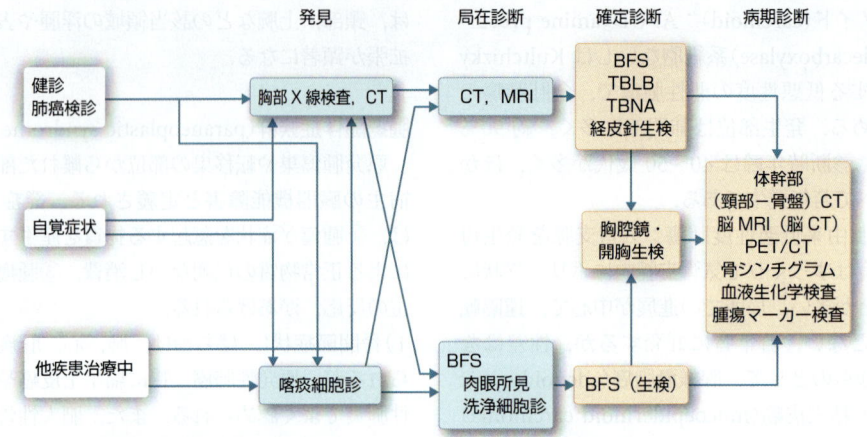

図 9-12-4 肺癌の診断アプローチ
BFS：気管支ファイバースコープ，TBLB：経気管支肺生検，TBNA：気管支鏡下針生検．

12-4のように，非観血的検査から観血的検査へと順次進めていく．

1）画像検査：

a）胸部 X 線検査：肺門，縦隔領域は胸部 X 線像では盲点となりやすい．また，中心性の早期肺癌（たとえば扁平上皮癌）では症状を欠き，胸部 X 線上も無所見であることが多い．早期に肺門リンパ節，縦隔リンパ節に転移し，原発巣と腫脹したリンパ節が集合した陰影としてみられる．一方，末梢発生の肺癌は検診やほかの病気で受診中に発見される場合が多い．高分化型の腺癌では細気管支肺胞上皮置換性の増殖様式を取るため，X 線上は結節・腫瘤影というよりは辺縁不鮮明な淡い濃度上昇を示す斑状影を呈する．末梢型腺癌の進展様式でもう 1 つの特徴は胸膜への浸潤が高い頻度でみられることである．原発性腫瘍が小さいと自覚症状もほとんどなく，胸膜炎として発見される例もある．一般に，癌性胸膜炎症例の 50～70％は肺腺癌が原因である．また，大細胞癌は孤立性の大腫瘤状を呈することが多く，X 線上は境界鮮明で周囲組織への浸潤が比較的少ないのが特徴である．

b）胸部 CT（e 図 9-12-A～9-12-C）：胸部 X 線では発見されない肺野末梢の小型肺癌（10 mm 以内）や中枢発生の肺癌が CT 検査にて診断可能である．縦隔リンパ節や肺門リンパ節の検出や病変部の血流動態なども把握できる．

c）MRI（e 図 9-12-D）：腫瘍の局所進展の検索に用いられる．大動脈などの大血管，胸椎，胸郭入口部への腫瘍浸潤の有無を確かめるのに有用である．

d）PET（e 図 9-12-E～9-12-F）：ラジオアイソトープで標識した FDG（[F-18]-2-fluoro-2-deoxy-D-glucose）を用いた PET（positron emission tomography）が肺癌の診断に用いられ，さらに，CT と同時に撮影できる PET（PET/CT）も登場し，悪性腫瘍の部位・形態診断と性質（悪性度）診断，転移巣や再発巣の

診断に用いられている．また，治療効果判定における有用性も示されている．

2）喀痰細胞診検査：
肺癌検診として，年齢が 50 歳以上で喫煙指数（1 日の喫煙本数×喫煙年数）が 600 以上の者など，肺門部肺癌の高危険群に対して胸部 X 線検査とともに行う．また，胸部 X 線検査で肺癌が疑われた場合，最低 3 日間の蓄痰か 3 日間の連続採痰を行う．喀痰細胞診による陽性率は，肺門部肺癌で 70～80％，肺野型肺癌で 30～50％である．

3）気管支鏡検査：
肺癌診断にとって欠かせない検査である．気管支ファイバースコープで気道内腔を観察し，病巣部より生検鉗子，ブラシなどで検体を採取し，病理組織診および細胞診を行う．気管支鏡結果は，気管支鏡所見分類に従い記載する．腫瘍の増殖形態より，粘膜型（肺門型の扁平上皮癌），粘膜下型（末梢発生の扁平上皮癌，腺癌，大細胞癌，小細胞癌），壁外型に分類されている．また，バーチャルナビゲーションを用いた極細径気管支鏡検査，超音波気管支鏡検査などの開発によって，末梢肺野の微小な病変やリンパ節に対しても生検が可能になっている．

4）経皮的針生検：
腫瘍病巣が肺末梢部にあり，胸壁に浸潤もしくは接していると気管支鏡検査などで確定診断ができないことがある．その場合に胸壁からの針生検を行うことがある．胸部 X 線像，CT 像，超音波像を参考にして穿刺部を決定する．

5）開胸肺生検，胸腔鏡検査：
上記検査法にて確定診断がつかず画像上から肺癌が強く疑われる場合には開胸肺生検を行う．最近では，術中術後の患者負担を軽減する目的に胸腔鏡下での肺切除術が急速に普及しており，末梢部の肺癌の切除・生検が可能になっている．

6）腫瘍マーカー：
肺癌に特異的な腫瘍マーカーは現在のところない．肺癌の腫瘍マーカーは癌進展時期に陽性率が高くなることから，早期肺癌の診断には有用

表9-12-4 肺癌の代表的な腫瘍マーカーの感度と特異度

腫瘍マーカー	感度(%) 全肺癌	扁平上皮癌	腺癌	小細胞癌	特異度(%)
CEA	47～52	47	60	44	75～90
SCC	27～34	61	18	17	85～93
CYFRA	52～58	73	54	33	85～90
NSE	17～32	7～9	6～12	60～70	94
ProGRP	27	2	2	70～75	63

性に乏しい．しかし，異常高値である場合には，治療効果の評価，経過観察による再燃の予知という点で有用性が高い(表9-12-4)．

a) CEA(carcinoembryonic antigen)：腺癌，その他で高値を示すことが多く，臨床で最も汎用される腫瘍マーカーである．

b) SCC(squamous cell carcinoma related antigen)：扁平上皮癌に特異性が高い．

c) NSE(neuron specific enolase)：小細胞肺癌の腫瘍マーカーとして特異性が高い．NSEは神経組織に特異性の高い酵素であり，神経内分泌腫瘍で多量に産生される．血清NSEの異常高値はNSE含有細胞からの酵素逸脱に由来する．

d) CYFRA(cytokeratin 19 fragment)21-1：サイトケラチンは細胞骨格のうち中間径フィラメントを構成する蛋白質群の1つであり，上皮細胞の分化に特異的な蛋白質である．サイトケラチン19の発現は肺癌に特異性が高い．

e) ProGRP(pro-gastrin releasing peptide)：小細胞肺癌細胞から産生される3種類のProGRPを定量する測定系(カットオフ値：46 pg/mL)が確立され，約65.5%と比較的高い陽性率を示し，非小細胞肺癌では10%以下である．

7) 遺伝子検査： 進行(Ⅳ期)非小細胞肺癌では，上皮成長因子受容体(epidermal growth factor receptor：EGFR)遺伝子検査およびALK遺伝子検査を行い，遺伝子変異の有無を検査する．これによって，EGFR阻害薬およびALK阻害薬の効果を予測し，治療適応を検討する．

病期分類

組織診断や各種の画像診断をもとに癌病変の進展範囲を決定し，病期分類を行う．非小細胞肺癌の病期診断は，治療方針の決定や予後の推測に大きな役割を果たしている(eコラム2)．

1) TNM病期分類： TNM病期分類は2017年1月1日にUICC(世界対癌連合)/IASLC(世界肺癌学会)によって第8版改訂がなされ[2]，日本肺癌学会も採用して，日本国内でも広く用いられている(eコラム3)

(日本肺癌学会，2017)(表9-12-5)．

2) 小細胞肺癌の病期分類： 小細胞肺癌は早期に広範囲な遠隔臓器への転移を生じるため，手術適応となることはまれであるが，臨床病期の決定は治療法の選択や予後の判定に最も重要である．小細胞肺癌ではTNM分類よりも，病変の広がり方から一側胸郭内に腫瘍が限局した胸郭内限局型(limited disease：LD)と遠隔転移を伴った全身播種型(extensive disease：ED)とに分類され(表9-12-6)，根治的胸部放射線治療の対象となるLD症例の選択を目的とした分類となっている．

治療・予後

肺癌は，多様な組織型を示し，それぞれが分子生物学的特性を異にするだけでなく，リンパ行性・血行性転移の頻度が高く，診断時にすでに遠隔転移が存在し，進行癌であることも多い．また，発症年齢が高いことから合併症や全身の臓器機能の低下があることも

表9-12-5A 病期分類第8版

病期	T	N	M
潜伏癌	TX	N0	M0
0期	Tis	N0	M0
ⅠA1期	T1a(mi)	N0	M0
	T1a	N0	M0
ⅠA2期	T1b		
ⅠA3期	T1c		
ⅠB期	T2a	N0	M0
ⅡA期	T2b	N0	M0
ⅡB期	T1a	N1	M0
	T1b	N1	
	T1c	N1	
	T2a	N1	
	T2b	N1	
	T3	N0	
ⅢA期	T1a	N2	M0
	T1b	N2	
	T1c	N2	
	T2a	N2	
	T2b	N2	
	T3	N1	
	T4	N0	
	T4	N1	
ⅢB期	T1a	N3	M0
	T1b	N3	
	T1c	N3	
	T2a	N3	
	T2b	N3	
	T3	N2	
	T4	N2	
ⅢC期	T3	N3	M0
	T4	N3	
ⅣA期	Any T	Any N	M1a
	Any T	Any N	M1b
ⅣB期	Any T	Any N	M1c

表 9-12-5B 病期分類第 8 版 要約

TX	潜伏癌
Tis	上皮内癌(carcinoma in situ)
T1	腫瘍の最大径 ≦ 3 cm
T1a(mi)	微小浸潤性腺癌
T1a	腫瘍の最大径 ≦ 1 cm
T1b	腫瘍の最大径 > 1 cm かつ ≦ 2 cm
T1c	腫瘍の最大径 > 2 cm かつ ≦ 3 cm
T2	腫瘍の最大径 ≦ 5 cm, 主気管支浸潤, 臓側胸膜浸潤, 一側部分または全体の無気肺・閉塞性肺炎
T2a	腫瘍の最大径 > 3 cm かつ ≦ 4 cm, あるいは腫瘍の最大径 ≦ 3 cm で臓側胸膜浸潤
T2b	腫瘍の最大径 > 4 cm かつ ≦ 5 cm
T3	腫瘍の最大径 > 5 cm, かつ ≦ 7 cm, あるいは胸壁, 心膜, 横隔神経への浸潤, 同一肺葉内の不連続な副腫瘍結節
T4	腫瘍の最大径 > 7 cm, あるいは横隔膜, 縦隔, 心臓, 大血管, 気管, 反回神経, 食道, 椎体, 気管分岐部への浸潤, 同側の異なった肺葉内の副腫瘍結節
N1	同側肺門リンパ節転移
N2	同側縦隔リンパ節転移
N3	対側肺門, 対側縦隔, 前斜角筋または鎖骨上窩リンパ節転移
M1	対側肺内の副腫瘍結節, 胸膜結節, 悪性胸水, 悪性心膜水, 遠隔転移
M1a	対側肺内の副腫瘍結節, 胸膜結節, 悪性胸水(同側, 対側), 悪性心膜水
M1b	肺以外の一臓器への単発遠隔転移
M1c	肺以外の一または多臓器への多発遠隔転移

表 9-12-6 小細胞肺癌の臨床病期分類

LD : limited disease
　一側胸郭に限局する病変で, 同側または対側縦隔あるいは鎖骨上リンパ節転移の有無を問わない. 同側胸水の有無も問わない(放射線の一照射野に入ること).
ED : extensive disease
　LD をこえる病変.

多い. したがって, 治療法を選択するうえで最も重要な因子は, 臨床病期, 全身状態(performance status : PS), 臓器機能, 合併症, 年齢であり, それらを考慮して治療方針が決定される[3]. 小細胞肺癌と進行・再発非小細胞肺癌の治療は肺癌に有効とされる抗癌薬を組み合わせた併用化学療法が主体となる. 進行・再発肺癌の治療目標は, ①生存期間の延長と②症状緩和や症状出現の遅延・予防をはかり QOL を改善・維持することにある(eコラム 4).

1)小細胞肺癌: 診断時, すでにリンパ行性, 血行性に遠隔転移(微小転移を含む)をきたしていることが多く, 全身化学療法が治療の主体となるが, Ⅰ期症例に限ると, 外科療法に術後化学療法を併用することによ

り 5 年生存率が 50〜70%と良好である. 発見時, 症例の 60〜70%は ED であり, LD 症例は 30〜40%である. しかし, 小細胞肺癌は抗癌薬, 放射線照射に対する感受性が高い. 化学療法による LD 症例の奏効率は 80〜90%であり, ED 症例は約 70%である.

a)LD 小細胞肺癌:治療目標は治癒であり, Ⅰ期を除く LD 症例においては, 化学療法と放射線療法の併用療法が推奨されている. 全身状態が良好(PS 0-1)で呼吸機能, 腎機能をはじめ全身の臓器機能が保たれている 70 歳以下の症例においては, 化学療法として 4 コースの PE(シスプラチン+エトポシド)療法と加速多分割照射による胸部放射線療法(1 日 2 回照射, 45 Gy/30 回/3 週)の同時併用療法が標準治療である[4]. この治療法で現在, 20〜25%の症例が治癒可能となっている. 完全奏効(CR)が得られた症例では, 脳の微小転移巣の根絶を目的に, 予防的全脳照射(prophylactic cranial irradiation:PCI)を追加することによって生存期間の延長が得られる.

b)ED 小細胞肺癌:全身化学療法が第一選択となる. 化学療法で延命効果が得られることから積極的に行われる. 放射線療法は症状緩和目的に使用される. 化学療法として, PI(シスプラチン+イリノテカン)療法 4 コース, あるいは PE 療法 4 コースが標準治療になっている[5]. ED 症例の予後はきわめて不良であり, 中間生存期間は 9〜13 カ月であり, 3 年以上の長期生存率は 1%以下である.

c)再発癌:再発小細胞癌では, 初回化学療法が奏効し, かつ初回化学療法終了から再発までの期間が長い症例(一般に 3 カ月以上)は感受性再発とされ, 初回化学療法と同一の薬剤, または初回治療で用いられなかった薬剤(アムルビシン, イリノテカン, トポテカンなど)で奏効が期待される. 一方, 初回化学療法が無効, または初回化学療法終了から再発までの期間が短い症例(一般に 3 カ月以内)は治療抵抗性再発とされ, 二次化学療法の効果が小さく予後不良である. 二次化学療法としては, 初回治療で用いられなかった薬剤(上記)が用いられる.

2)非小細胞肺癌: 抗癌薬による化学療法, 放射線療法に対する感受性は低く, 根治的な治療法は現時点では, 胸腔内限局例に対する完全切除以外にないとされるため, 治療方針決定では手術療法適応の有無がまず評価される(表 9-12-7). 標準的な術式は, 肺葉切除に肺門・縦隔リンパ節郭清である. しかし, 病期の進行した症例に対しては完全切除が不可能であり, 抗癌薬(化学療法)および分子標的治療薬を含む薬物療法や放射線療法が主体となる. 非小細胞肺癌全体の 5 年生存率は 40%台で, 病期 IA 期症例では良好であるが, 病期の進行とともに低下し, 多くを占めるⅢ, Ⅳ期症例の予後はきわめて悪い(表 9-12-8).

表 9-12-7 非小細胞肺癌の治療方針*

臨床病期	治療方針
IA	手術療法
IB	手術療法→術後補助化学療法(UFT)
IIA, IIB	手術療法→術後補助化学療法(シスプラチン併用化学療法)
IIIA	集学的治療(いまだ確立された治療法はなく,臨床研究が必要.手術療法・化学療法・放射線療法の組み合わせ,化学放射線療法など)
IIIB, IIIC	化学放射線療法
IV(癌性胸水例)	胸水コントロール後,薬物療法
IV	薬物療法

*:患者の臓器機能,全身状態,年齢などの因子が良好な場合の治療方針.

表 9-12-8 肺癌の 5 年生存率 (Sawabata ら, 2010)
(日本の肺癌登録合同委員会の報告. 2002 年登録症例)

臨床病期別 5 年生存率 非小細胞肺癌 12993 症例							
病期	IA	IB	IIA	IIB	IIIA	IIIB	IV
症例数	4020	2133	184	860	1441	1714	2447
5年生存率(%)	79.4	56.9	49.0	42.3	30.9	16.7	5.8

臨床病期別 5 年生存率 小細胞肺癌 1323 症例							
病期	IA	IB	IIA	IIB	IIIA	IIIB	IV
症例数	96	57	20	40	221	356	533
5年生存率(%)	52.7	39.3	31.7	29.9	17.2	12.4	3.8

a) I 期非小細胞肺癌:手術療法が第一選択となる.病理病期 IA 期症例に限れば,手術成績は 5 年生存率 80〜90％となる.病理病期 IB 期では術後補助化学療法(テガフール・ウラシル配合薬 UFT)が標準治療となっている.合併症や年齢(高齢)のために手術不能の場合には肺原発巣に対する定位放射線治療が行われる.

b) II 期非小細胞肺癌:手術療法が第一選択となる.完全切除後の術後補助化学療法によって予後改善が期待できるとする大規模比較臨床試験が複数報告されたことから,病理病期 IB, II, IIIA 期の完全切除例では術後補助化学療法が行われる(病理病期 II, IIIA 期ではシスプラチン併用化学療法).

c) III 期非小細胞肺癌:さまざまな進展様式を呈する症例を含んでいる.集学的治療の対象となるが,いまだ確立した治療法はなく,臨床研究の対象となっている.術前の化学療法(あるいは化学放射線療法)と手術療法を行う集学的治療が研究されているが,確立するには至っていない.IIIA 期と IIIB 期とに分類される.IIIA 期はリンパ節転移の広がりによって予後がかなり異なり,N2 群の予後は悪い.したがって,IIIA 期でも N0・N1 群で完全切除可能であれば手術療法が選択される.手術不能 IIIA 期と IIIB 期で腫瘍進展が根治的放射線照射可能な領域に限局していれば,化学療法と胸部放射線療法との併用療法が行われる.根治的放射線照射が不可能な症例では薬物療法が行われる.放射線照射によって肺臓炎,食道炎などの有害事象を生ずるため,間質性肺炎などを合併する症例では放射線療法の選択には慎重な配慮が求められる.

d) IV 期非小細胞肺癌:すでに遠隔転移を認め,進行期にあることから薬物療法が選択される.癌性胸水を主体とする症例では,胸水コントロール(胸水ドレナージ,胸膜癒着術)を行い,その後に薬物療法を行う.1980 年頃にシスプラチンが導入され,1990 年代には第 3 世代抗癌薬として,ビノレルビン,イリノテカン,パクリタキセル,ドセタキセル,ゲムシタビンなどが登場し,また 2000 年代にペメトレキセドが出現し,生存期間の延長に貢献しているが,成績はいまだ不十分である.これらの抗癌薬はプラチナ製剤(シスプラチン,カルボプラチン)と組み合わせて用いる場合が多い(併用療法).IV 期を対象とした抗癌薬併用療法成績から,奏効率 30〜40％,中間生存期間 11〜15 カ月,1 年生存率 40〜60％との成績が得られ,現時点ではどのような抗癌薬を組み合わせても延命効果にほとんど差がみられないことが判明している[6,7].抗癌薬の組み合わせにより有害事象の種類や発生頻度が異なることから,併存する合併症を考慮し,QOL 保持ならびに生存期間延長効果という観点から評価を行い,最適な抗癌薬を選択する必要がある.ペメトレキセドは,シスプラチンとの併用療法において,腺癌・大細胞癌で扁平上皮癌に比して,有意に生存期間を延長したため,非扁平上皮癌(腺癌・大細胞癌)で用いられる[8](eコラム 4).

2000 年代前半に非小細胞肺癌に対する新しい治療薬として,肺癌の悪性度にかかわる EGFR チロシンキナーゼを標的とする分子標的治療薬ゲフィチニブが登場したが,EGFR 遺伝子に遺伝子変異を有する癌(おもに腺癌)で著効し,奏効率 60〜80％,中間生存期間 25〜30 カ月,1 年生存率 80％程度と,EGFR 遺伝子変異陽性肺癌患者の生存期間を著しく延長した[9-11].一方で重篤な肺障害が数％の頻度で出現し社会問題化した.EGFR 阻害薬としてはエルロチニブ,アファチニブも使用されている.EGFR 遺伝子変異陽性例で,EGFR チロシンキナーゼ阻害薬(EGFR-TKI;ゲフィチニブ,エルロチニブ,アファチニブ)が使用された症例で,EGFR-TKI 耐性変異である EGFR T790M 変異陽性例ではオシメルチニブ単剤が

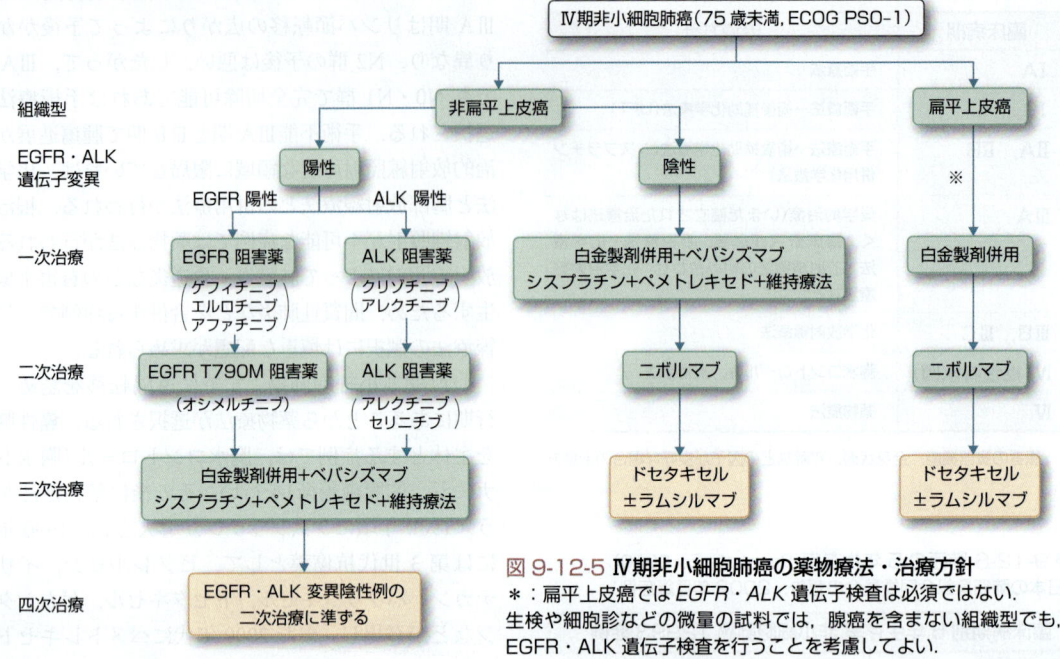

図 9-12-5 Ⅳ期非小細胞肺癌の薬物療法・治療方針
＊：扁平上皮癌では EGFR・ALK 遺伝子検査は必須ではない．生検や細胞診などの微量の試料では，腺癌を含まない組織型でも，EGFR・ALK 遺伝子検査を行うことを考慮してよい．

使用され，効果を示す[12]．ほかの遺伝子異常として，EML4-ALK 融合遺伝子の形成が非小細胞肺癌の 3～5％（おもに腺癌）に認められ，ALK 阻害薬（クリゾチニブ，アレクチニブ，セリチニブ）が著効する[13-15]．その他の分子標的治療薬では，血管内皮増殖因子に対する抗体薬（ベバシズマブ）が開発され，シスプラチン併用化学療法との併用で非扁平上皮癌の標準治療の 1 つになっている[16]．また，血管内皮増殖因子受容体 2 に対する抗体薬ラムシルマブ[17]など新しい分子標的治療薬の開発も進んでおり，今後の展開が期待される．

さらに，免疫チェックポイント阻害薬ニボルマブが 2015 年末にわが国においても承認された．この薬は細胞傷害性 T 細胞の腫瘍免疫能を抑制する PD（Programmed death）-1/PD-L1 シグナルを阻害することによって腫瘍免疫能を不活化することで抗腫瘍効果を示す．進行・再発非小細胞肺癌において，従来の標準二次治療であったドセタキセルに比較して，扁平上皮癌，非扁平上皮癌（腺癌など）を問わず，有意な生存期間の延長を示し，標準的二次治療となっている[18,19]．ただし，奏効率は 20％程度であり，免疫賦活に伴う自己免疫的な副作用があり，また高額な薬であることから，臨床的に有用な効果予測因子の開発が求められている．肺癌細胞の PD-L1 発現や腫瘍浸潤リンパ球数，肺癌細胞の遺伝子変異数などが治療効果に関係することが示されている．

図 9-12-5 に，進行（Ⅳ期）非小細胞肺癌の薬物療法・治療方針を示した．腫瘍組織あるいは腫瘍細胞の EGFR 遺伝子検査および ALK 遺伝子検査を行い，遺伝子変異陽性の場合には，一次治療（または二次治療）で EGFR 阻害薬あるいは ALK 阻害薬を考慮する．EGFR・ALK 遺伝子変異陰性の場合には，非扁平上皮癌（腺癌・大細胞癌）ではシスプラチン＋ペメトレキセド＋維持療法[20]，プラチナ製剤併用化学療法＋ベバシズマブ[16]を考慮する．また，遺伝子変異陰性の扁平上皮癌の場合にはプラチナ製剤併用化学療法を考慮する．

3）肺癌合併症に対する治療：

a）癌性胸水：肺癌の胸腔内への進展により胸水がしばしば貯留する．胸水貯留のコントロールをするかどうかは臨床症状の有無で決定するが，小細胞肺癌の場合は化学療法の効果が期待できるため全身化学療法を優先して行う．非小細胞肺癌の場合は，胸水貯留側に胸腔ドレーンを挿入して低圧持続吸引を行う．急速に排液を行うと長時間虚脱していた肺が急膨張し肺水腫の原因となることから十分な注意を要する．排液後 50 mL/日以下になれば，薬物（OK-432，アドリアマイシン，シスプラチン，ブレオマイシン，タルクなど）を注入し胸膜を癒着させる．

b）癌性心膜炎：癌性心膜炎は心タンポナーデを併発しやすいことから，早期に治療を行う必要がある．治療法は対症的であるが，通常，剣状突起下を切開してドレーンを挿入して心膜液を排液する．排液後再貯留する場合や数日のドレナージによっても排液が持続する場合には薬物を注入する．

c）脳転移：脳転移は種々の脳神経症状や脳圧亢進症

状を呈して問題となる．治療としては，全脳照射や定位照射などの放射線療法が中心となる．特に小細胞肺癌による脳転移に対しては全脳照射の奏効率が高い．条件によって，手術療法も適応となる．脳転移病巣周囲には脳浮腫が生じ，圧迫症状を呈することがあるため，副腎皮質ステロイドの投与やマンニトール，高張グリセリンなどの浸透圧利尿薬を併用する．

d）骨転移：骨転移は疼痛や病的骨折，神経麻痺などのために患者QOLを著しく低下させる．治療としては，放射線療法，骨転移治療薬のビスホスホネート製剤やRANKL抗体薬の投与が行われる．ストロンチウム(^{89}Sr)も用いられる．

e）癌性疼痛：肺癌は難治癌の代表的なものの1つで，症状緩和療法によって患者のQOLを良好に保つことは重要である．そのなかで最も重要なのが疼痛緩和である． 〔秋田弘俊〕

■文献(e文献 9-12-1)

日本肺癌学会：EBMの手法による肺癌診療ガイドライン2016年版，金原出版，2016．
日本肺癌学会：肺癌取扱い規約 第8版，金原出版，2017．
日本肺癌学会：肺癌診療ガイドライン(最新版)．http://www.haigan.gr.jp/modules/guidline
Sawabata N, Asamura H, et al: Japanese lung cancer registry study: first prospective enrollment of a large number of surgical and nonsurgical cases in 2002. J Thorac Oncol. 2010; 5: 1369-75.

2）転移性肺腫瘍 metastatic lung tumor

定義・概念

原発巣を離脱して脈管や気道を通じて肺に転移し，病巣をつくった腫瘍を転移性肺腫瘍とよぶ（転移の分類についてはeコラム1を参照）．転移性肺腫瘍は肺に病巣があるというだけで，腫瘍としての生物学的特徴は腫瘍が発生した臓器の特徴を受け継いでいる．転移という事象に由来するものであることから一般的にその予後は不良であるが，原発腫瘍の生物学的特徴，手術適応の有無，薬剤感受性などが予後に影響を与える．

疫学

肺は転移が多い臓器で，剖検時には肺以外で発生した腫瘍の20〜50％が肺に転移しているといわれている[1-3]．

分類

あらゆる癌は，肺に転移する可能性がある．転移性肺腫瘍として頻度が高いものは，乳癌，大腸癌，腎癌，子宮癌，頭頸部癌，肺癌などであり，絨毛癌，骨肉腫，精巣腫瘍，黒色腫，甲状腺癌などがこれに続く[4,5]．原発性肺癌において，いったん血液の流れにのって全身を循環した後に肺に転移した病巣は，転移性肺癌とされる．

病態生理

肺は，血管内に遊出した腫瘍が肺動脈を経由して最初に遭遇する毛細血管網を有する場である（DeVitaら，2011）．加えて，肺は効率よく酸素化するために微細な網目構造を構築している．これが腫瘍の肺転移が多い主たる理由である．肺への転移は4つの経路から生じる．

1）**肺動脈からの転移：** 最も多い転移機序である．腫瘍は周辺の肺実質へ広がり辺縁明瞭な結節をつくる（実質性増殖パターン）．

2）**リンパ系からの転移（癌性リンパ管症）：** リンパ行性の転移は2つの機序がある．多くのケースでは，肺の毛細血管への血行性播種が生じ，続いて隣接する間質やリンパ系へ浸潤し，リンパ流を介して肺門や末梢肺へ転移する．一方，逆行性にリンパ管に沿って進展するケースがある．この場合，腫瘍はまず胸隔外から縦隔リンパ節へ転移し，続いて肺門や気管支肺リンパ節へ逆行性に広がり，その後，胸膜や肺のリンパ管へ転移する．

3）**胸腔からの転移：** この様式の転移は個々の腫瘍細胞や腫瘍の小断片が胸腔内へ遊離したり，ほかの部位から胸水中へ運ばれたときに生じる．

4）**気道内転移：** 比較的まれである．腎癌などでみられる．

臨床症状

転移性肺腫瘍は通常症状に乏しい．ただし，実質性増殖パターンをきたすものは，サイズの増大や気道の圧迫に伴い，咳，呼吸困難，気道出血をきたす．癌性リンパ管症をきたした場合には，咳と呼吸困難が特徴的である．気管支(気道)内転移をきたした場合は，喘鳴，無気肺や閉塞後肺炎をきたすことがある．臓側胸膜転移の破綻に伴い気胸や血胸をきたすことがある．

診断

1）**画像診断：** 画像検査は胸部X線写真でスクリーニングしCTスキャンで確認することが一般的である（Aquino, 2005）．PET/CTにより診断精度は増すが[6-8]，肉芽腫性疾患をはじめとした炎症性疾患との鑑別が必要である[9]．画像所見としては，次の5つがあげられる．①実質性増殖パターン(多発または単発の結節)，②癌性リンパ管症，③腫瘍塞栓，④気管支内腔の腫瘍，⑤悪性胸水．

肺転移の最も多い所見は肺実質内の結節である（図9-12-6，9-12-7）．結節は通常多発性でランダムに分布するが，重力と肺容量の影響のため肺底区に形成されやすい．大きさはさまざまである．ときに不整な空洞を有する．多発性の場合，結節は通常大小不同が

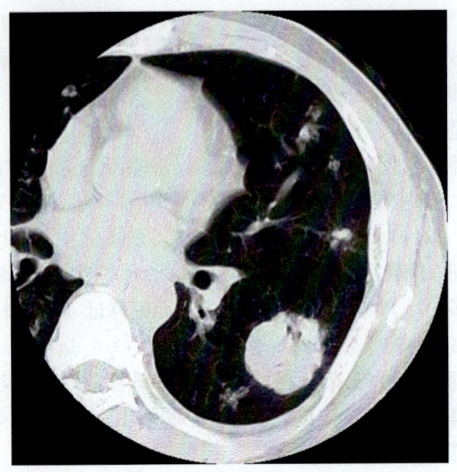

図 9-12-6 大腸癌の肺転(HRCT 像)
大腸癌肺転移に特徴的な canon-ball とよばれる辺縁明瞭で円形の大きな腫瘤陰影と，辺縁不明瞭で一部に空洞性変化を有する陰影が混在している．粘液産生や出血を伴う場合に辺縁が不明瞭となる．

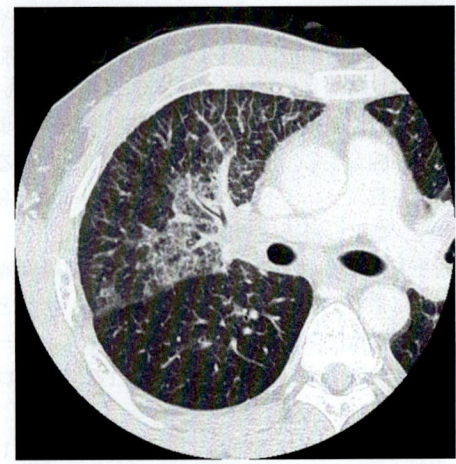

図 9-12-8 癌性リンパ管症(HRCT 画像)
肺底でときにみられる限局性の癌性リンパ管症である．病変部においても正常な肺構造は保たれているが，多角形の線状陰影として認識される小葉間隔壁の肥厚がみられる．

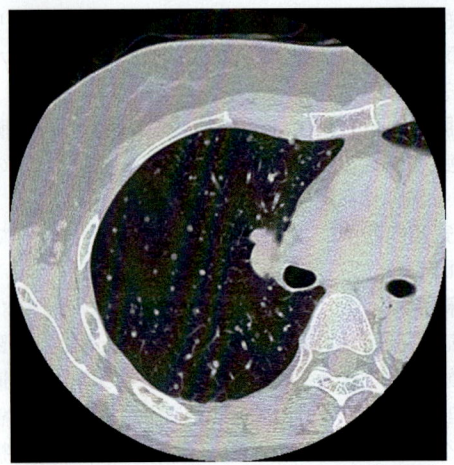

図 9-12-7 甲状腺癌の肺転移(HRCT 像)
大小不同の小粒状影が多発している．分布は不規則である．

ある．
　リンパ系および間質性に散布した場合は間質性増殖パターンをとる．特徴的画像所見は辺縁不整で不鮮明な粗い気管支血管像である．通常は両側肺にほぼ均一に見えるが，下肺野でより明らかな傾向がある．隔壁線(Kerley の B line)がよくみられる．通常両側性であるが，肺癌では異常影が一側肺や一葉に限局することがある．肺門縦隔リンパ節腫脹は胸部 X 線上 20～40％の患者に，胸水は 30～50％の患者にみられる．HRCT 上も特徴的な所見(図 9-12-8)を呈し，正常肺構造を保持したうえでの小葉間隔壁や気管支血管周囲間質の肥厚がみられる．肥厚した小葉間隔壁は多角形の末梢性の線状影として認識され，しばしば結節状やビーズ状に見える．この結節状の肥厚は肺水腫や間質性肺線維症ではみられないもので，これがあれば診断に結びつく可能性が高い．

2)病理診断: 実質性の結節を有する症例で原発性肺癌との鑑別が必要な場合は，経気管支生検や経皮的生検などで診断されることが一般的である．癌性リンパ管症が疑われる症例で原発巣が明らかでない場合には診断確定のために経気管支生検の適応となる．転移性であることの確認のために原発巣の病理像との比較をする．

治療

　治療は，原発腫瘍の性質や薬の感受性で大きく異なる．原則としては，抗腫瘍薬が用いられるが，その場合は原発腫瘍に有効とされる薬剤を使用する．症状を緩和する目的で放射線治療が行われる．以下の条件がそろった場合には手術を行うことがある[10](Hornbech ら，2011)．①原発巣の腫瘍がコントロールされている，②肺だけに転移がある，③手技的に切除可能である，④全身状態良好，かつ機能的に耐術可能である．癌種別では，大腸癌，腎癌，子宮癌，肝細胞癌，頭頸部扁平上皮癌などでは切除が検討される場合がある．一方，乳癌や肺癌で肺転移がある場合には，大半の場合他にも微小転移が存在しており切除による延命が証明されていないため，切除は一般的ではない．
〔中西洋一〕

■文献(e文献 9-12-2)

Aquino SL: Imaging of metastatic disease to the thorax. Radiol Clin North Am. 2005; 43: 481-95.
DeVita VT Jr, Lawrence TS, et al eds: Cancer. Principle & Practice of Oncology, 9th ed, pp113-27, Lippincott Williams & Wilkins,

2011.

Hornbech K, Ravn J, et al: Current status of pulmonary metastasectomy. *Eur J Cardiothorac Surg.* 2011; **39**: 955-62.

3）良性肺腫瘍および腫瘍類似疾患

肺の良性腫瘍は全肺腫瘍の1％以下でまれな疾患であるが，その種類は多く定まった分類もない．多くの症例が無症状で，検診や画像検査で偶然発見される．おもに肺野に発生するものとして過誤腫，硬化性血管腫，inflammatory myofibroblastic tumor（炎症性筋線維芽細胞腫），平滑筋腫，良性転移性平滑筋腫（子宮筋腫肺転移）などがあげられ，主として気管支内に発生するものとして乳頭腫，過誤腫，平滑筋腫，腺腫などがある．またびまん性肺疾患にも分類される肺Langerhans細胞組織球症も日常臨床で重要な疾患である．

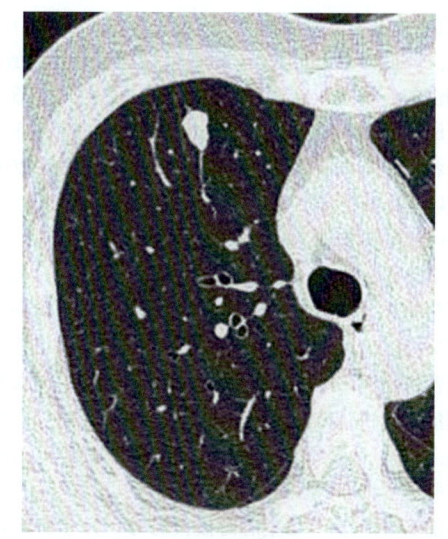

図9-12-9 肺野に発生した過誤腫

(1) 過誤腫（hamartoma）

過誤腫は肺の良性腫瘍で最も頻度が高い[1]．間葉系組織由来の良性腫瘍で男性の発生頻度が女性の3倍程度高く50～60歳代の発見例が最も多い．半数以上の症例で12q14-15あるいは6p21.3の染色体異常が認められhigh-mobility-group proteinに属する*HMGA2*あるいは*HMGA1*遺伝子異常との関連が示されている[2]．組織学的には被膜を欠き，軟骨，線維粘液性組織，脂肪，平滑筋，骨など間葉系組織成分の混在により構成される．構成成分の比率は症例ごとにより異なっており軟骨成分を主体とするものが最も多い（Corrinら，2011）（e図9-12-G）．きわめて緩徐な発育で症状に乏しいため胸部X線写真などで偶然発見されることが多い．X線，CTでは辺縁がわずかに分葉した境界明瞭な腫瘤として認識され（図9-12-9）多くは単発性であるが，約15％は多発性である．ときに腫瘍内部に点在する石灰化がみられる．

悪性転化の報告[3]はきわめてまれであるが，本腫瘍は生検，細胞診などでの診断が困難であり，転移性肺腫瘍などとの鑑別を要する場合には手術適応となる．また肺癌合併率が高いという報告もあり経過観察には注意を要する[4]．過誤腫はまれに気管支内に発生し，その頻度は数％～10％と報告されている[5,6]．軟骨組織成分を主体とするものが最多であるが肺野の過誤腫に比較して脂肪組織成分を主体とする腫瘍の頻度が高い（Corrinら，2011）（e図9-12-G）．気管・気管支内に発生する過誤腫はときに気管支閉塞，狭窄を起こし閉塞性肺炎や咳の原因となる．治療として腫瘍切除が行われるが，末梢肺の変化を伴っていることもあり，肺葉切除や気管・気管支形成術を必要とする場合もあり侵襲の大きな手術となりうる．近年では高周波スネア焼灼術などを使用しての気管支鏡下腫瘍切除術も行われている（e図9-12-H）．

(2) 硬化性血管腫（sclerosing hemangioma, sclerosing pneumocytoma）

本腫瘍は末梢気道上皮への分化を有するII型肺胞上皮細胞（type II pneumocyte）を起源とする腫瘍であると考えられており，sclerosing pneumocytomaともよばれる．50歳代に発生のピークがあり女性がおよそ80％を占める．アジア人女性に多く発症し，わが国では欧米諸国に比較して本腫瘍の発生頻度が高い[7]．80％以上の症例は無症状である．末梢肺野に境界明瞭な孤立性陰影として認められることが多いがまれに多発するものもある．胸部CTでは造影効果が強く，ときとして内部に低吸収域や石灰化を認める．病理学的には境界明瞭ではあるが被膜をもたない腫瘍である．予後は良好でこれまで再発や死亡事例は報告されていない．

(3) 肺Langerhans組織球症（pulmonary Langerhans cell histiocytosis：PLCH）

Langerhans細胞の増殖を特徴とする慢性進行性の疾患で両側肺の間質や気管支周囲に多発性の結節と嚢胞性病変を呈する．Langerhans細胞は皮膚，鼻腔，肺，消化管に存在し，抗原提示細胞として働く組織球の1つである．PLCHはLettere-Siwe病（乳幼児の重篤な全身疾患でLangerhans細胞が腫瘍性に増殖し皮膚，リンパ節，骨，肝臓，脾臓などを侵す），Hand-Schüller-Christian病（主として小児期に発症する多発病変で肺と骨に病変を呈し骨欠損，眼球突出，尿崩症

が3徴)とともに以前はhistiocytosis Xとよばれていたが，現在はLangerhans細胞組織球症（Langerhans cell histiocytosis：LCH)の呼称に統一されている．肺好酸球性肉芽腫症，肺Langerhans細胞肉芽腫症ともよばれる．若年成人，男性優位に発症し95%以上の症例は喫煙歴を有する．無症状で検診発見されるものが多いが気胸を発症して発見される症例もある．症状としては乾性咳嗽，呼吸困難，胸痛，倦怠感，体重減少，発熱などがある．合併症として骨病変（扁平骨病変)(5〜20%)や尿崩症(15%程度)の報告があるが尿崩症合併症例の予後は悪い(Fishman, 2008)．また悪性腫瘍の合併(肺癌，白血病，リンパ腫，前立腺癌，乳癌，膵癌)や喫煙関連間質性肺炎(RB-ILD, DIP)の合併も知られている．

　胸部X線写真では上肺野優位あるいは全肺野にわたって境界不明瞭な結節陰影，輪状，網状陰影がびまん性に分布する一方で，肋骨横隔膜角には異常所見が少ないこと，肺容量の減少はみられないなどの特徴があり，高分解能CT(high resolution CT)では壁の厚い囊胞性陰影と小葉中心性結節陰影を上中肺野中心に認め，疾患特異的な所見である（図9-12-10）．進行すると囊胞性陰影，気腫が優位となる．肺機能検査では，拡散能(DLco)の低下が一般的で閉塞性障害は一部の患者で認められるのみである．重症例では肺高血圧が問題になる．気管支肺胞洗浄では総細胞数の増加，マクロファージ優位(喫煙を反映していると考えられている)の所見を示す．CD1a陽性細胞が5%以上認められる場合PLCHの診断を強く示唆するが40%程度の症例で認められるのみである[8]．

　病理学的な初期像はLangerhans細胞の細気管支，肺胞道周囲での増殖であり，進行すると星状，ヒトデ状病変(stellate lesion)が細気管支周囲の肺胞で認められる．さらに進行して線維化が進行すると，

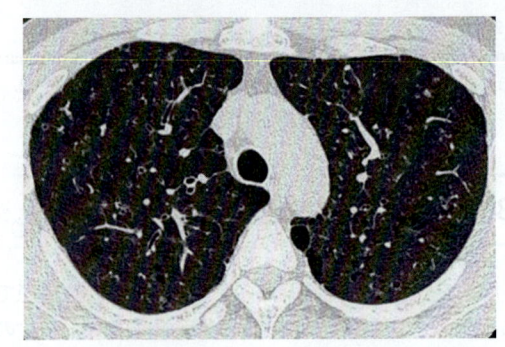

図9-12-10 肺Langerhans組織球症のCT画像(thin section CT)

Langerhans細胞の同定は困難となる．Langerhans細胞は薄い好酸性の胞体に，淡い核をもった細胞でCD1aやS-100蛋白陽性であり，電子顕微鏡では細胞質にテニスラケット状のBirbeck顆粒が認められる．確定診断は病理組織診断であり外科的生検(胸腔鏡下生検)を要することが多い．

　PLCH症例の多くは喫煙関連と考えられており，禁煙あるいは自然経過での軽快例もあるため，喫煙例では禁煙がまず重要である．禁煙後も病状の悪化する例ではステロイド投与を考慮するが，明確なエビデンスは乏しい．多くの症例の予後は良好であるが10%程度の症例は進行性で，診断後早期に呼吸機能障害が急速に進行する症例や肺高血圧を合併する症例が報告されており，これらの症例は予後不良である．

〔今泉和良〕

■文献(e文献9-12-3)

Corrin B, Nicholson AG: Pathology of the Lungs, 3rd ed, pp626-7, Churchill Livingstone, Elsevier, 2011.
Fishman AP ed: Fishman's Pulmonary Diseases and Disorders, 4th ed, McGraw-Hill Medical, 2008.

9-13 胸部リンパ系疾患

(1) リンパ脈管筋腫症 (lymphangioleiomyomatosis：LAM)

概念・病因

　LAMはほぼ女性に限って発症し，肺やリンパ路に平滑筋様細胞(LAM細胞)の増殖をきたす低悪性度の腫瘍性疾患である．日本国内の有病率は約1.9〜4.5人/100万人とされる．常染色体優性遺伝の結節性硬化症に合併する肺病変である場合(tuberous sclerosis complex：TSC-LAM)と非遺伝孤発性(sporadic-LAM：S-LAM)に分類され，それぞれの頻度は90%，10%とされる．本症では*TSC1*あるいは*TSC2*遺伝子異常が認められる．LAM細胞では，mammalian target of rapamycin(mTOR)が恒常的に活性化され，自立増殖能を有する．LAM細胞は全身に病変を形成し，プロテアーゼ産生により臓器を障害するとされる．

臨床症状

　妊娠可能な30歳代の女性に好発するが，閉経後の発症や男性発症もある．症状は，労作時呼吸困難，咳，血痰であるが，無症状での発見例もある．LAM

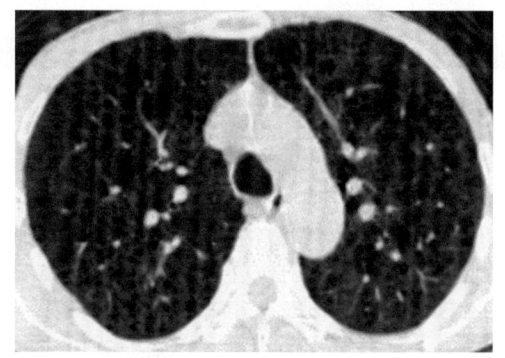

図 9-13-1 高分解能 CT
両肺びまん性に薄壁空洞の多発が認められる.

は気胸(患者の約70％)や乳び胸(約30％)を合併する(中田, 2014). 肺外病変として, 約30〜50％に腎血管脂肪腫(renal angiomyolipoma)を合併する. 結節性硬化症の合併例では, てんかん, 皮膚病変などが認められる.

診断

1) **胸部X線写真**: 両肺の過膨張をきたす. 粒状網状影や気胸による無血管野, 乳び胸による胸水をきたすことがある.

2) **胸部CT**: 高分解能CT(HRCT)による評価が適している. 両肺びまん性に数〜10 mm台のさまざまな大きさの薄壁囊胞が認められる(図9-13-1). 小粒状影, 縦隔リンパ節大, 気胸, 胸水をきたすことがある.

3) **呼吸機能検査**: 閉塞性障害(1秒量, 1秒率の低下), 拡散能障害, 残気量, 全肺気量の増加が認められる.

4) **血液検査**: 特異的な血液検査に乏しい. 最近の研究で, 血清 vascular endothelial growth factor-D (VEGF-D)がLAMの診断に有効であると報告された(Youngら, 2008).

5) **病理検査**: 経気管支肺生検(TBLB)あるいは外科的肺生検にてLAM細胞を検出することで確定診断する. LAM細胞は, 免疫染色ではエストロゲン・プロゲステロン受容体, メラノーマ関連抗原(HMB45)が陽性となる. 胸水, 腹水中にLAM細胞が検出されることもある.

治療

最近, mTOR阻害薬であるシロリムスの臨床試験(MILES試験)が行われ, 血清VEGF値の低下, 1秒量の低下の緩和やQOLの改善などの効果が報告された(McCormackら, 2011). ほかには, エストロゲンの抑制を目的としたプロゲステロン, タモキシフェンの投与やLH-RHアゴニストによる偽閉経療法(GnRH療法)が行われるが, エビデンスに乏しい. また, LAMは肺移植の対象疾患である.

(2)悪性リンパ腫による肺病変

悪性リンパ腫は, 病理学的には大きくHodgkinリンパ腫と非Hodgkinリンパ腫に分類される. Hodgkinリンパ腫は, 肺内原発はまれであり, 縦隔リンパ節原発例はときに認められる. 肺原発リンパ腫はおもに非Hodgkinリンパ腫であるが, その頻度は節外性非Hodgkinリンパ腫の1〜5％, 肺の全悪性腫瘍の0.5〜1％程度である. 多くがB細胞性であり, 低悪性度の粘膜関連リンパ腫(mucosa-associated lymphoid tissue(MALT) lymphoma)がほとんどを占める. まれにびまん性大細胞型B細胞リンパ腫(diffuse large B-cell lymphoma：DLBCL)が認められる. MALT lymphomaの好発年齢は50〜70歳であり, やや男性に多い. 胸部CTでは, 多発性の腫瘤影や浸潤影をきたし, 気管支血管束, 胸膜側などのリンパ路に沿った陰影分布が特徴である. 組織学的には, 小型〜中間型のリンパ球様細胞が粘膜上皮に浸潤するリンパ上皮性病変 (lymphoepithelial lesion：LEL)が特徴である. 治療に関しては, 低頻度の疾患のため, 比較試験でのエビデンスが確立されていない. 化学療法の効果が比較的乏しく, 一般的には単発例では手術が第一選択である. 手術不能例や再発例では, CHOP(シクロホスファミド＋ドキソルビシン＋ビンクリスチン＋プレドニゾロン)療法やCHOP療法とリツキシマブの併用治療が行われる.

その他の肺原発の悪性リンパ腫として, 結核などの慢性膿胸の数十年後に発症する膿胸関連リンパ腫があげられる. また, Epstein-Barrウイルス(EBV)感染が関与し, リンパ腫と血管炎, 肉芽腫の性格をもつリンパ腫様肉芽腫(lymphomatoid granulomatosis：LYG)は, 進行してDLBCLになる可能性があり, 予後不良である. 全身の血管内大細胞型B細胞性リンパ腫(intravascular large B cell lymphoma)はリンパ節腫大をきたしにくいことから診断が難しいが, 肺にも病変をきたし, TBLBや皮膚のランダムバイオプシーが確定診断の手段である.

〔星野友昭・岡元昌樹・東 公一〕

■文献

McCormack FX, Inoue Y, et al: Efficacy and safety of sirolimus in lymphangioleiomyomatosis. *N Engl J Med*. 2011; 364: 1595-606.

中田 光：リンパ脈管筋腫症に対するシロリムスの効果について. Multicenter Lymphangioleiomyomatosis Sirolimus Trial for Safety(MLSTS)厚生労働科学研究費補助金難治性疾患等克服研究事業 平成23年度〜25年度総合研究報告書, pp35-41, 2014.

Young LR, Inoue Y, et al: Diagnostic potential of serum VEGF-D for lymphangioleiomyomatosis. *N Engl J Med*. 2008; **358**: 199-200.

9-14 胸膜疾患

胸膜には壁側胸膜と臓側胸膜がある．胸腔内面を覆う壁側胸膜は，肺門部で翻転して肺を覆う臓側胸膜となり，両者で胸膜腔が形成されている．胸膜腔には正常時にもわずかな胸水があり，壁側胸膜に存在するリンパ管の開口部から吸収されている．分泌・吸収のバランスが崩れると，胸水が貯留する．ネフローゼ症候群などで血清アルブミン値が低下し，膠質浸透圧が下がると胸腔への漏出量が増し，また，心不全などで循環動態に変化が起こると胸水が貯留する．このような胸水を漏出性胸水という．一方，感染性胸膜炎や悪性腫瘍などによる胸水を滲出性胸水とよび区別する．

1）胸膜炎

胸膜炎は胸膜腔に起こる炎症の総称であり，胸水を伴うものを湿性胸膜炎，伴わないものを乾性胸膜炎という．感染症，腫瘍，膠原病など多くの原因がある．

(1) 肺炎随伴胸水（parapneumonic effusion）
概念

肺炎に伴う胸水を肺炎随伴胸水とよぶ．肺炎が胸膜に波及すると血管および臓側胸膜の透過性が亢進し，無菌性胸水が貯留する（単純肺炎胸水）．胸腔内に細菌が侵入すると細菌性胸膜炎となり，胸水中の好中球が増加し，フィブリンが析出する（複雑肺炎胸水）．

病因

起因菌は先行する感染症で異なり，市中肺炎ではミレリ連鎖球菌，肺炎球菌，ブドウ球菌，院内肺炎ではMRSA，エンテロバクター，腸球菌が多い．クレブシエラ肺炎はアルコール多飲や糖尿病などの高リスク群に起こりやすく，肺炎随伴胸膜炎から膿胸に進展しやすい．悪臭のある胸水は嫌気性菌の関与が疑われる．好気性菌の発症は急速であるが，嫌気性菌では亜急性の経過をとる【⇨9-2-4】．

臨床症状

1）**自覚症状**：胸痛，発熱，咳が主である．壁側胸膜には感覚神経が豊富に分布しているので，乾性胸膜では呼吸時の胸膜擦過で鋭い胸膜痛が起こる．そのため浅い呼吸をするようになる．胸水が貯留すると胸膜痛は軽減する．

2）**他覚症状**：胸膜摩擦音を聴取し，打診では胸水貯留部に濁音を認め，濁音の上部に鼓音帯（Skoda 打診音）を認めることがある．音声振盪は減弱する．

診断

滲出性胸水であり，Light の診断基準（表 9-14-1）のうち1項目以上を満たす．細菌の代謝や好中球の貪食亢進で CO_2 や乳酸が産生されると，胸水 pH が 7.2 以下になることが多い．また糖が消費され，血糖値より低くなる（< 60 mg/dL）．細菌性胸膜炎では胸水中に好中球が増加するが，非定型肺炎に伴う胸水では単核球が増加する[1]．

画像所見

胸水が貯留すると肋骨横隔膜角が鈍化し，200 mL 以上貯留すると meniscus sign がみられる（図 9-14-1）．肺底部の胸水貯留（肺下胸水）は，meniscus sign を示さず，横隔膜頂が側方に移動した像となり，判断が難しい．側臥位撮影が役立つが，胸水の診断には超音波検査の方が有用である．

治療

肺炎随伴胸水は先行感染症の治療が奏効すると消失する．複雑肺炎胸水になりフィブリンが析出するようになると，嫌気性菌を含めた抗菌薬治療に加えて，胸水ドレナージが必要となる．

(2) 結核性胸膜炎（tuberculous pleuritis）
概念

胸水貯留をきたす代表的な疾患の1つであり，肺外結核の過半数を占める．

病因

本症には，結核菌による感染症としての胸膜炎と，結核免疫獲得後の遅延型アレルギー反応による胸膜炎の病態がある．前者は胸水から結核菌が同定され，慢性化すると結核性膿胸を形成する．一方，後者は胸水から結核菌が証明されることは少ない．初感染に引き続いて胸水貯留をきたすのは，胸膜直下の初感染巣が胸腔に穿破し，結核菌自体が胸腔感染を起こすことが主因ではなく，結核免疫獲得後の結核菌および菌体成分に対する遅延型アレルギー反応の結果である．一方，免疫力が低下して発症する内因性再燃時の胸水は，血液やリンパを介して胸腔に直接結核菌が広がり，感染を起こして発症することが多い．

検査所見・診断

結核性胸水は滲出性で，リンパ球優位（70%）であ

表 9-14-1 Light の診断基準

- 胸水蛋白/血清蛋白比 > 0.5
- 胸水 LDH/血清 LDH 比 > 0.6
- 胸水 LDH が血清 LDH の正常上限 × 2/3 以上

滲出性胸水では，3項目のうち，1項目以上を満たす．

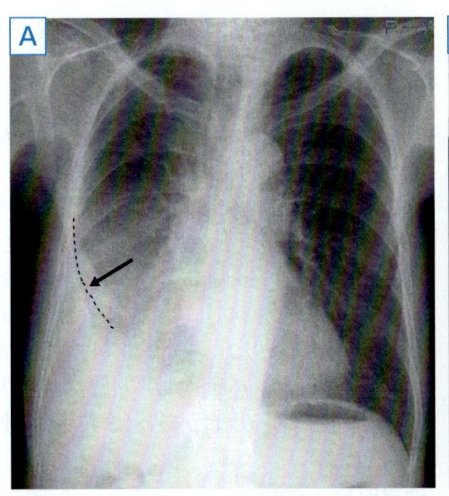
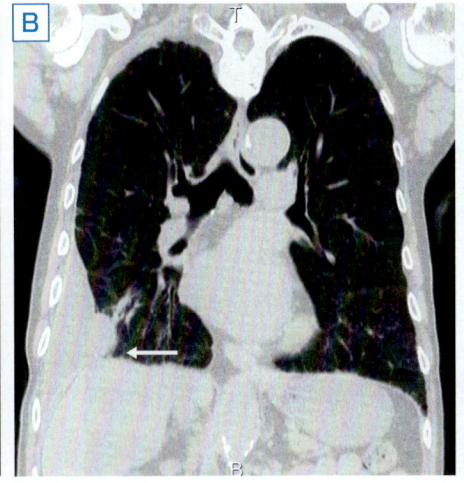

図 9-14-1 肺炎随伴胸水
A：胸部 X 線．右肋骨横隔膜角の鈍化と meniscus sign を認める（矢印，破線）．
B：胸部 CT（冠状断）．肺炎像（矢印）と胸水が確認できる．

る．多くが片側性で，インターフェロン-γ の上昇がみられる．中皮細胞は非常に少なくなり，T リンパ球の活性化に伴い胸水中のアデノシン・デアミナーゼ（ADA）が上昇する．ADA が 40 U/L 以上では結核性胸水の可能性が高い．胸水から結核菌が同定される頻度は低いが（20〜30％），過半数には胸膜生検で肉芽腫が証明される．

画像
胸水は少〜中等量であり，大量に貯留することはまれである．結核性膿胸では早期には被包化胸水がみられ，慢性化すると胸膜肥厚と石灰化がみられる．

臨床症状
比較的急性に胸痛，発熱，咳で発症することが多いが，緩徐に発症して症状の軽い場合もある．

治療
抗結核薬による標準的治療を行う．

（3）膿胸（pyothorax, thoracic empyema）
概念
胸腔に膿性胸水が貯留した状態を膿胸という．急性膿胸と慢性膿胸に分ける．

分類
1）**急性膿胸**：細菌性肺炎に続発することが多く，胸水にフィブリンが析出し，胸水は被包化する．胸腔鏡では多くのフィブリン網が認められる（e図 9-14-A）．肺炎以外の原因には，食道破裂，開胸術後合併症などがある．
2）**慢性膿胸**：結核性胸膜炎が遷延した結核性膿胸と，急性膿胸が遷延した非結核性慢性膿胸がある．慢性膿胸では，滲出液や析出したフィブリンなどが器質

化し，肥厚した胸膜で肺が覆われるようになる．高度になると拘束性換気障害を呈する．

合併症
1）**気管支胸膜瘻（有瘻性膿胸）**（bronchopleural fistula）：瘻孔形成で膿胸腔と気管支が交通したもので，画像では水面形成がみられる（e図 9-14-B）．

治療
起因菌に対する適切な抗菌薬の投与に加え，胸腔ドレナージをして胸腔を洗浄する．3 カ月以上経過した慢性膿胸では外科治療が必要であり，有瘻性膿胸には大網充填術，筋弁充填術を行う．

（4）膿胸関連リンパ腫（pyothorax-associated lymphoma）
概念
長期間にわたる結核性慢性膿胸を背景に，膿胸腔から発生する非 Hodgkin リンパ腫を膿胸関連リンパ腫という．Epstein-Barr（EB）ウイルス感染が関与するまれな EB ウイルス関連リンパ腫の一型である．

病因・病理
高齢の男性に多く，肺結核症に対する人工気胸術（eコラム 1）の治療歴がある[2]．病理像は炎症を伴うびまん性大細胞型 B 細胞リンパ腫であり，EB ウイルスがどのように感染するかは不明であるが，腫瘍化した B リンパ球に EB ウイルス DNA が検出される．

症状
疼痛，発熱を主症状とし，胸壁腫瘤の増大に気づいて来院することが多い（eコラム 2）．

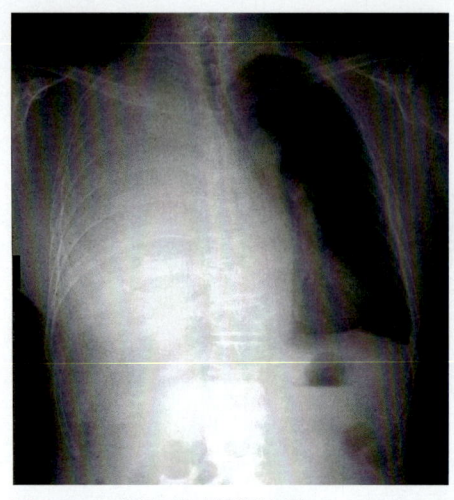

図9-14-2 多量の胸水貯留(右側)
縦隔が健側に偏位している．緊張性胸水(tension hydrothorax)の像である．

(5)乳び胸 (chylothorax)

概念・病態
　胸腔に乳び(chyle)が貯留した状態を乳び胸という．心血管・食道手術や外傷による胸管損傷で発生するものが最も多く，次が悪性腫瘍(75%がリンパ腫)である．上大静脈や鎖骨下静脈の血栓でも起こり，肺リンパ脈管筋腫症では10〜30%に認められる．胸水は乳白色に混濁し，細胞はリンパ球がほとんどである．食後にカイロミクロンが胸水中に出現する．

鑑別診断
偽乳び胸(コレステロール胸膜炎):　結核や関節リウマチなどで胸水貯留が長期に続くと，コレステロール結晶またはレシチン-グロブリン複合体が蓄積し，乳白色状になる．これを偽乳び胸という．乳びは胸膜を刺激しないので肥厚はないが，偽乳び胸では肥厚がみられる．膿胸でも乳び様の外観を呈することがあるが，遠心で上清が清澄化する．

(6)癌性胸膜炎 (cancerous pleural effusion, malignant pleural effusion)

概念
　悪性胸水(細胞診陽性の胸水)の貯留している状態を癌性胸膜炎という．胸膜原発の悪性腫瘍は含めない．原発部位は肺癌(40%)・乳癌(25%)・リンパ腫(10%)・卵巣癌(5%)が多い．

病態
　胸膜に浸潤または転移した癌細胞の産生する血管内皮細胞増殖因子による血管および胸膜の透過性亢進と血管新生促進により，胸水が貯留する．胸水は壁側胸膜のリンパ管の開口部から吸収されるが，浮遊癌細胞で開口部が閉塞されると，胸水クリアランスが悪化し，縦隔偏位をきたすほどの多量の胸水が貯留する(緊張性胸水)(図9-14-2)．

原発部位による特徴
1)**肺癌:**　最も多い原発部位であり，腺癌が多い．
2)**乳癌:**　悪性胸水は原発と同側が最も多く，対側，両側の順である．多くがリンパ行性転移であり，乳癌の発症から20年以上経過して出現することもある．
3)**リンパ腫:**　Hodgkinリンパ腫は20〜30%に悪性胸水がみられ，すべてに縦隔リンパ節腫大がある．一方，非Hodgkinリンパ腫は20%に悪性胸水が認められるが，縦隔リンパ節腫大がなく，胸水が単一の所見として認められる場合がある(原発性滲出性リンパ腫の項を参照)．

検査所見・診断
1)**胸水細胞診，胸腔鏡検査:**　細胞診で診断のつかない場合は胸腔鏡下胸膜生検を実施する．
2)**胸水性状:**　滲出性胸水であり，過半数は血性である．悪性リンパ腫では乳び胸を呈することがある．リンパ球優位であるが，好酸球性胸水でも悪性胸水が15%含まれる．粘稠な胸水は中皮腫の可能性がある．
3)**胸水腫瘍マーカー:**　原疾患の腫瘍マーカー測定が診断に役立つ．

臨床症状
　胸水が少ない場合は無症状であるが，多くなると胸部圧迫感，労作時息切れを自覚する．

治療
　原疾患が化学療法に感受性があれば，胸水ドレナージ後に化学療法を実施する．治療に抵抗する場合は胸膜癒着術を行う．

(7)原発性滲出性リンパ腫(原発性体腔液リンパ腫) (primary effusion lymphoma)

　本症は体腔液中(胸水または腹水)に浮遊する非Hodgkin B細胞リンパ腫であり，腫瘤形成やリンパ節腫大を示さない．まれに顆粒状の腫瘍が認められる場合もある．AIDSなどの免疫不全に関連して発症し，ヒトヘルペスウイルス-8の関与が考えられているが，EBウイルス感染を伴うことが多い．

(8)良性石綿胸水(良性石綿胸膜炎) (benign asbestos-related pleural effusion)

概念・病態
　本症は，石綿暴露の10年後から認められる潜伏期間の最も短い石綿関連病態である．高濃度曝露だけでなく，低濃度曝露でも発症し，一般住民にも認められる．胸水は自然消褪し，数年後に再貯留することがあるが，自然消褪後にびまん性胸膜肥厚がみられる．しばしば肺の折畳み像といわれる円形無気肺(e図9-14-C，comet tail sign)を認める．

診断

石綿胸水は特徴的な所見のない滲出液であり，除外診断が基本である[3]（eコラム 3）．早期の悪性胸膜中皮腫との鑑別が重要で，胸腔鏡検査は必須である．

臨床症状

多くは無症状である．

2）気胸
pneumothorax

概念

気胸とは陰圧の胸膜腔に air が入り，肺が虚脱した状態をいう．誘因なく突発的に発症するものを自然気胸という．

分類

1）**特発性自然気胸**（spontaneous pneumothorax）：呼吸器の基礎疾患がなく，臓側胸膜内の気腫性嚢胞（ブレブ）または胸膜直下の気腫性嚢胞（ブラ）（eコラム 4）の破裂が原因で発症する．15～25 歳の背の高い，やせ形の男性に圧倒的に多い．

2）**続発性自然気胸**：呼吸器の基礎疾患に続発するもので，COPD，じん肺，肺結核，肺線維症，肺化膿症などがあり，脆弱な臓側胸膜が破綻して発生する．まれに，Marfan 症候群，Ehlers-Danlos 症候群，histiocytosis X や，女性では肺リンパ脈管筋腫症による気胸がみられる．

3）**外傷性気胸**：肋骨骨折などに伴って発生する．

4）**医原性気胸**：肺生検や中心静脈穿刺などの合併症として発生する．

5）**月経随伴性気胸**（catamenial pneumothorax）：月経周期に一致し，月経開始 2～3 日目に発症する．横隔膜の欠損孔から子宮内膜組織が迷入した胸膜の異所性子宮内膜症が原因である．右側に多く，15％に血胸がみられる．

病態

胸壁や臓側胸膜が破綻し，陰圧である胸膜腔との間に交通孔ができると，air が一気に流入し，肺が虚脱する．

1）**緊張性気胸**（tension pneumothorax）：交通孔がチェックバルブになり，吸気時に次々と air が流入し，胸腔内圧が異常に上昇して，縦隔を対側に圧迫するようになる．これを緊張性気胸とよぶ．静脈還流が低下し，ショック状態になる．緊急に減圧する必要があり，放置すれば死に至る．

臨床症状

1）**自覚症状**：突然の胸痛と呼吸困難で発症する．緊張性気胸では著明な呼吸困難と頻脈，血圧低下，ショック状態がみられる．

2）**他覚症状**：患側の呼吸音の低下，打診上の鼓音，

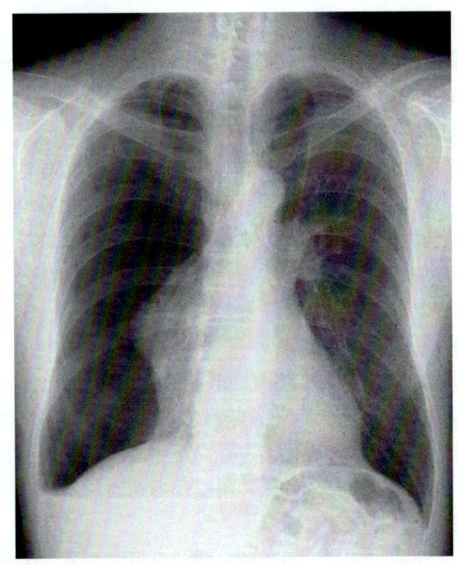

図 9-14-3 気胸の胸部 X 線像
胸腔内の air と虚脱した肺を認める．わずかに胸水貯留が認められる（緊張性気胸になれば縦隔が健側に偏位する）．

音声振盪の減弱を認める．左側の気胸は心拍と一致した雑音を聴取することがある（Hamman 徴候）．

診断

胸部 X 線で虚脱肺と胸腔内の air が認められる（図 9-14-3，e表 9-14-A）．

治療

軽度の気胸は安静のみで胸腔の air は吸収される．中程度以上は胸腔穿刺し脱気する．air leak の止まらない場合や再発例には，胸腔鏡下手術を行う（e表 9-14-B）．特発性自然気胸の 30％は再発する．

治療に伴う合併症

1）**再膨張性肺水腫**：虚脱した肺を一気に再膨張させると，肺水腫が起こることがある．原因は急激な圧の変化による血管の透過性亢進である．

2）**皮下気腫**：脱気時のチェストチューブ挿入部から皮下に air が流入して発生する（e図 9-14-D）．

3）胸膜腫瘍

原発性と転移性がある．原発性腫瘍には臓側胸膜に発生する孤在性胸膜線維性腫瘍と壁側胸膜に初発する悪性胸膜中皮腫がある．

(1) 原発性胸膜腫瘍
a. 孤在性胸膜線維性腫瘍 (solitary fibrous tumor of the pleura)
概念
　臓側胸膜に発生する線維腫を孤在性胸膜線維性腫瘍という．かつて良性限局型胸膜中皮腫，良性線維性中皮腫とよばれていたが，中皮細胞由来ではないことが明らかにされ，現在は中皮腫を冠することはない．石綿暴露との関係はなく，女性にやや多い．
病理・病態生理
　臓側胸膜から胸膜腔内にポリープ状に発育し（e図9-14-E），位置が呼吸で変わることがある．良性の線維腫であり，ときに大きく発育する．無茎性発育を示すものには病理学的悪性所見がみられる．
臨床症状
　多くが無症状で，過半数が健診発見である．大きく発育するとばち指などの肥大性骨関節症を認め，低血糖をきたすことがある（Doege-Potter 症候群）．
画像
　境界明瞭な孤在性の腫瘍で，造影剤増強効果がみられ，大きく発育すると 30％に石灰化がみられる．
治療
　胸腔鏡による切除．

b. 悪性胸膜中皮腫 (malignant pleural mesothelioma)
概念
　胸膜中皮細胞に発生するきわめて予後不良の悪性腫瘍である．ほとんどがすべての胸膜を腫瘍化するように発育するため，"びまん性悪性胸膜中皮腫" ともよばれる．まれに限局性の発育を示す．胸膜以外に腹膜，心膜，精巣鞘膜に発生するが，胸膜発生が最も多い（80～85％）．中皮腫は石綿曝露と密接に関連する職業性腫瘍であるが，一般環境のきわめて低濃度の曝露でも発生する．すべての中皮腫は石綿関連職歴があれば労災として，その他は石綿健康被害救済法により公的に補助される．
病因
　断熱材などに広く使われてきた石綿の吸入が，中皮腫の発生に関係している（eコラム5）．はじめての曝露から発症までの潜伏期間は約 40 年である．わが国では 1995 年に角閃石石綿が，2006 年にはクリソタイルを含むすべての石綿の使用が禁止されている（eコラム6，eコラム7）．
疫学
　世界的な急増傾向がある．わが国では，かつての大量のアスベスト消費の影響により 1995 年の 500 人から 2013 年には 1410 人（男/女= 1121/289）に増えている（e図9-14-F，eコラム8）．
病理
　上皮型（60％）（e図9-14-GのA），肉腫型（10％），

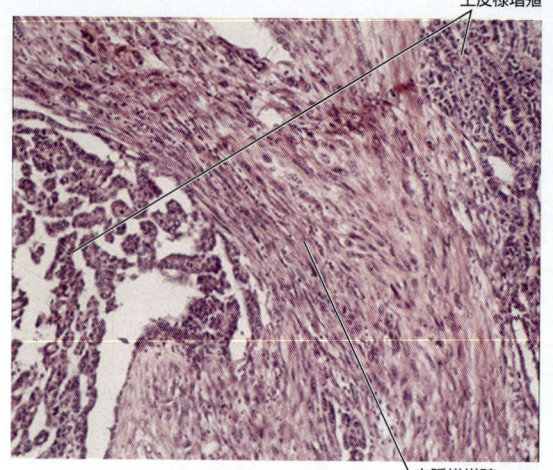

図 9-14-4 二相型悪性胸膜中皮腫の病理所見（HE 染色）
上皮様増殖と肉腫様増殖の混在が認められる．

両者の混在する二相型（30％）（図9-14-4）の病理組織亜型がある．肉腫型は治療の反応が悪く，最も予後が悪い．腫瘍組織の 50％以上を線維組織で占められている肉腫型の特殊亜型である線維形成型中皮腫（desmoplastic mesothelioma）（e図9-14-GのB）は，良性石綿胸膜炎などの良性疾患に病理像が類似するため，注意を要する．線維形成型中皮腫の予後は非常に悪い．
　肉眼的に腫瘍が認められないきわめて早期の悪性胸膜中皮腫（eコラム9）は反応性中皮細胞増生との鑑別が難しい．
発育経過
　本症は壁側胸膜に初発する（e図9-14-HのA）．最も早期には，腫瘍は壁側胸膜に限局し，臓側胸膜には腫瘍が認められない．次に，臓側胸膜に播種され（e図9-14-HのB），その後，葉間胸膜を含むすべての胸膜面を埋め尽くすように発育し，特有の画像を呈するようになる（図9-14-5，e図9-14-I，9-14-J）．同時に横隔膜筋層浸潤が始まり，肺実質や内胸筋膜，縦隔脂肪組織に浸潤するようになる（e表9-14-C）．中皮腫細胞は胸腔穿刺部位や手術創に沿って，高率に播種され，比較的早く播種巣を形成する．これは中皮腫の特徴的な病態である．
臨床症状
1) **自覚症状**：臨床病期（e表9-14-C）により症状は異なる．病初期は無症状であるが，胸水が増加すると胸部圧迫感・労作時息切れを自覚する．T1 期に胸痛はなく，胸壁浸潤の始まる T2 期以降に胸痛，背部痛を自覚する．進行すると疼痛は高度になる．
2) **他覚症状**：胸腔穿刺部位に播種巣を高頻度に触知する．胸膜の腫瘍性肥厚が強くなると，呼吸運動は消失し，患側胸郭は狭小化する．横隔膜下に浸潤すると

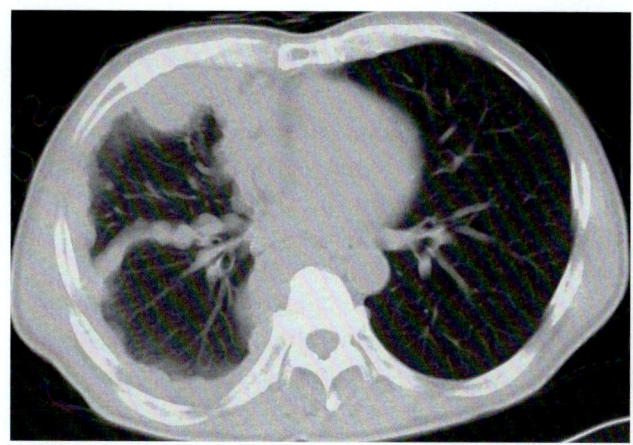

図 9-14-5 悪性胸膜中皮腫（T2 期）の典型的な CT 画像
葉間胸膜を含むすべての胸膜に肥厚像がみられる．

腹水が貯留する．

問診
1) **職業歴**： 建築・解体業などの石綿関連の職歴を聴取する．
2) **居住歴**： 石綿関連工場の近隣の居住歴を聴取する．
3) **家族歴**： 同じ生活環境での中皮腫の発生を確認する．

検査所見・診断
1) **胸水細胞診**： 反応性中皮細胞増生の細胞診は偽陽性所見を呈することが多く，組織診を併せて行う必要がある．
2) **胸腔鏡検査**： 局所麻酔で内科的に行う場合と全身麻酔で外科的に行う場合がある．
3) **血清補助診断**： 可溶型メソテリン関連ペプチド（eコラム 10，基準値 1.5nM/L）は，中皮腫の補助診断として有用である．一方，CEA は，中皮腫腫瘍組織が染色を受けず（eノート 1），血清・胸水ともに上昇しない．
4) **腫瘍随伴徴候**： 中皮腫腫瘍細胞が産生するインターロイキン-6 により，血小板増加，CRP などの急性期炎症蛋白の増加，腫瘍熱がみられる．

治療
化学療法はシスプラチンとペメトレキセドの併用を行う．外科治療には，胸膜・肺・横隔膜・心膜を一塊として切除する胸膜肺全摘術と患側肺を温存させる胸膜切除・肺剝皮術があるが，術後再発は高率である（eコラム 11）．

(2) 転移性胸膜腫瘍
転移性胸膜腫瘍の多くは悪性胸水を伴う【⇨ 9-14-1】．まれに悪性胸水を伴わずに腫瘤形成する場合もある．末梢発生肺腺癌では胸膜に沿って板状に発育し，偽中皮腫様の所見を示すことがある．〔中野孝司〕

■文献
Aozasa K, Ohsawa M, et al: Artificial pneumothorax as a risk factor for development of pleural lymphoma. *Jpn J Cancer res.* 1993; **84**: 55-7.

Epler GR, McLoud TC, et al: Prevalence and incidence of benign asbestos pleural effusion in a working population. *JAMA.* 1982; **247**: 617-22.

Sahn SA: Pleural effusions in the atypical pneumonias. *Semin Respir Infect.* 1988; **3**: 322-34.

9-15 縦隔疾患
mediastinal disease

縦隔（mediastinum）は，上方が胸郭入口，下方が横隔膜まで，前方が胸骨，背側が胸椎，両側が臓側胸膜で囲まれた空間である．解剖学的に正常な縦隔は前（anterior），中（middle），後（posterior）の 3 区画（compartment）に分類（図 9-15-1）され，前縦隔は，胸腺，リンパ節，中縦隔は心臓，心外膜，上行・横行大動脈，腕頭動静脈，上下大静脈，肺動静脈，気管，気管支，リンパ節，後縦隔は，下行大動脈，奇静脈と半奇静脈，食道，胸管，迷走神経を含む[1-3]．

胸部側面写真に基づく伝統的縦隔分類にかわり，実地臨床で汎用されている胸部 CT を利用した縦隔の区画分画が提案されている（e表 9-15-A）（古典的胸部側面による縦隔の区画分類と胸部 CT を基軸にした新しい縦隔の区画分類をeコラム 1 に示した）[4,5]．

〔木浦勝行・市原英基〕

（e文献 9-15）

1) 縦隔気腫
pneumomediastinum

定義・概念
縦隔気腫とは，食道，気管気管支以外の縦隔組織に気体が存在する状態で，気道の狭窄や閉塞，Valsalva

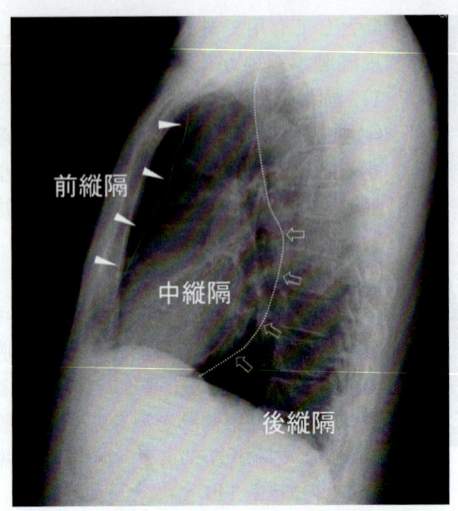

図 9-15-1 胸部側面写真
縦隔は 3 区画に分類され，前縦隔は，前方は胸骨，後方は心膜前面，上行大動脈，腕頭動静脈で囲まれる（矢頭）．中縦隔は前縦隔の後縁と後縦隔の前縁で囲まれている．後縦隔は前方は心膜および大血管（矢印），後方は胸椎椎体によって囲まれている[1]．

法，胸部打撲，肺胞破裂，副鼻腔骨折，抜歯中，小腸破裂でも起こりうる[1]．

原因・病因

Hamman は誘因なく発症する縦隔気腫を特発性縦隔気腫（spontaneous pneumomediastinum）と定義したが[2]，多くの場合，発症時に過激な運動，激しい咳などのエピソードがあり，基礎疾患のない健康な人に病的な誘因なく突然発症したものも広義の特発性縦隔気腫として扱う[3]．

縦隔気腫の原因としては，①通常は気管気管支や食道の破綻で気体が縦隔に侵入，②細菌などの生物による縦隔または隣接臓器でのガス産生，③肺胞破裂がある．肺胞破裂（Macklin 効果，eコラム 2）[4-6]によるものを，特発性として扱う．

疫学

救急部受診患者で外傷による縦隔気腫の頻度は 2.7〜5.9%[7,8]で，穿通あるいは打撲の既往を有する外傷性縦隔気腫の占める割合は 81% であり，そのうちの 74% が交通事故によるものである．外傷の既往のない特発性のものは 19% と報告[9]され，入院患者の 0.001〜0.01%[10,11]，救急部受診患者 3 万人に対して 1 人と報告[12]されている．

臨床症状

特発性縦隔気腫で最も頻度の高い自覚症状は，胸痛（61〜72%）である[9,13]．続いて，呼吸困難感（41〜58%），頸部痛（17〜22%），嚥下障害（11〜14%），嚥下痛（4〜11%）である．誘発症状として，咳（25%），嘔吐（22%），症候として，皮下気腫（58%），白血球増加（39%），発熱（3%）である．胸部聴診では Hamman sign（eコラム 3）を認める（14%）．

診断

食道穿孔，頸部感染症，胸部外科手術，外傷のないことを確認する．若い患者（17〜37 歳）で，喘息，薬物使用，激しい咳，または激しい運動の既往があり，呼吸困難，胸痛，頸部に皮下気腫を認めたとき，特発性縦隔気腫を疑い画像診断を行う[9,13]．

胸部 X 線写真上の縦隔部分に縞状の透過性亢進や限局性の泡状あるいは気体の集合像が認められる．胸部 CT 検査では，胸部 X 線写真で診断困難な小病変の存在を確認できる[9,13]．

経過・予後

画像診断で縦隔臓器に障害を伴わない縦隔気腫のみの患者の予後は良好で，在院期間は 5〜8 日である[9,14]．ただし，器具使用歴（上部消化管内視鏡検査），胸水，嘔吐は食道傷害の予測因子であり，注意が必要である[9]．

治療

縦隔臓器に障害を伴わない縦隔気腫のみであれば治療は安静が基本であり，経過中発熱や炎症反応の上昇を合併した場合は急性縦隔炎を考え，抗菌薬投与などを行う．

鑑別診断

食道傷害が懸念される縦隔気腫の患者では，食道破裂や気管損傷の合併を否定するために，食道造影，上部消化管内視鏡，気管支鏡を施行する必要がある[9]．

合併症

気道損傷，食道損傷，気胸を合併することがある[9]．

〔木浦勝行・二宮 崇〕

■文献（e文献 9-15-1）

Fraser RS, Colman N, et al：Synopsis of Diseases of the Chest, 3rd ed, Saunders, 2005（フレイザー，コールマン，他：フレイザー呼吸器病学エッセンス（清水英治，藤田次郎監訳），西村書店，2009）．

2）縦隔炎
mediastinitis

縦隔での感染症は，急性あるいは慢性いずれのタイプも存在する．

（1）急性縦隔炎（acute mediastinitis）

急性縦隔炎の原因としては，食道穿孔，胸骨正中切開術後，超音波気管支鏡下リンパ節生検（endobronchial ultrasonography guided transbronchial needle aspiration：EBUS-TBNA）後[1-3]などが原因となる．

a. 食道穿孔（esophageal perforation）

食道穿孔の原因は，59％は医原性で大半が上部消化管検査時に起こる．激しい嘔吐時に生じるBoerhaave症候群（eコラム4）によるものは15％，異物誤嚥12％，外傷9％，手術2％，悪性腫瘍1％である[4]．

食道穿孔に伴う縦隔炎は胸痛および呼吸困難を伴い，急激に発症する．診断は臨床症状と，胸部X線写真または胸部CT検査により縦隔に空気を認めることにより確定される．原因によらず食道穿孔は一次的修復および胸膜腔内と縦隔ドレナージを伴う縦隔の緊急開胸術の適応で，24時間以内の迅速診断と早期治療で死亡率が27％から14％に低下するとされる[4]．

b. 心疾患術後縦隔炎

心疾患術後縦隔炎の発症率は0.6％まで低下し，早期死亡の増加はないが，縦隔炎を合併した患者はほかの合併症の罹患率も高く，長期的には有意に死亡率（危険率1.59）が高くなっている[5]．治療は，外科的排膿，壊死組織除去，非経口的広域抗菌薬からなる．

c. EBUS-TBNA後縦隔炎

EBUS-TBNAについても，現在，感染症合併頻度が低いため予防的抗菌薬投与は必要ないとされているが[6]，嚢胞性疾患，血流のない壊死リンパ節では穿刺後の経過観察は大切である．

d. 降下性壊死性縦隔炎（descending necrotizing mediastinitis）

降下性壊死性縦隔炎は2012年に92例が報告され，7例（7.6％）が死亡しており，まれではあるが，致死率は高い[7]．歯科および頸部感染症によって起こる，致死的で緊急を要する病態である．歯科および頸部感染症は一般的にみられるものであるが，頸胸部の臨床所見を認める場合には直ちに頸胸部CTを施行することにより，降下性壊死性縦隔炎を早期に発見することが可能となる．患者を救命するためには，積極的な頸部や縦隔の外科的ドレナージが必要である[8,9]．

（2）線維性縦隔炎（fibrosing mediastinitis）
概念

線維性縦隔炎は縦隔線維症（mediastinal fibrosis），硬化性縦隔炎（sclerosing mediastinitis）ともよばれ，縦隔内の過剰な線維化を特徴とする（疾患概念と用語の相違点をe表9-15-Bに示す）[10]．

原因・病因

原因は，米国ではヒストプラスマ症が多く[10,11]，それ以外の地域では結核，アスペルギルス，ムーコル，クリプトコックスなどの感染症や薬物性，自己免疫性疾患，Behçet病，リウマチ熱，外傷，放射線治療など[10,12,13]があげられ，原因不明のものを特発性線維性縦隔炎（idiopathic fibrosing mediastinitis）[14,15]としている．

疫学

米国では，毎年50万人以上がヒストプラスマに感染し，そのうち1％未満が本症を発症する[16]．わが国では，ヒストプラスマ症は輸入真菌症であり，本感染症に起因する線維性縦隔炎の報告はない．1971年に正岡らによって報告された全国集計によると，縦隔疾患4532例中縦隔炎は302例で，そのなかでも線維性縦隔炎は12例と非常に少ない[17]．

病理・病態生理

縦隔リンパ節における宿主の過剰な反応が線維化を起こしていると考えられている．線維芽細胞の増殖や膠原線維の増生，炎症細胞の浸潤が縦隔に出現し，縦隔臓器の圧迫狭窄ならびに閉塞をきたすものである．その病巣の広がりから限局型とびまん型に分類されるが，限局型が大半を占め，びまん型は約20％で認められるにすぎない[15]．

臨床症状

縦隔の線維化で，上大静脈や気道，肺動静脈，食道などの臓器を圧排もしくは閉塞することにより，咳（41～45％），呼吸困難（14～66％），胸痛（21～27％），喀血（14～33％），嚥下困難（2～14％），嗄声などの症状をきたし，発熱（18～19％）や体重減少（10～14％）のような全身症状を伴う[12,15]．上大静脈症候群（6～59％），繰り返す肺炎（23～27％），無気肺，肺高血圧症，肺梗塞などの原因となる[15]．

診断

胸部X線，CT，CT血管造影，磁気共鳴画像（MRI）で，典型的な画像所見であれば，生検は避けるべきとされている[18]．米国では，心臓カテーテル検査，気管支鏡検査で死亡例が報告され，肺高血圧症/肺出血の可能性があり，侵襲的処置は危険とされている[18]．わが国では，病理学的な非特異的線維化所見の証明と他疾患の除外のために慎重に生検が行われている[19]．

鑑別診断

悪性リンパ腫，浸潤性胸腺腫，胸腺癌，悪性胚細胞腫瘍などの縦隔腫瘍を鑑別する必要がある．

合併症

硬化性膵炎，硬化性胆管炎，後腹膜線維症，Riedel甲状腺炎，眼窩偽腫瘍などを合併する[20,21]．

経過・予後

予後は，比較的良好～死亡率30％までさまざまである[12]．死亡の原因としては，肺性心，喀血，感染などであり，気管分岐部や両側縦隔に病変があると予後不良といわれている[12,21]．

治療

根治的治療法はない．ヒストプラスマ症に対する抗真菌薬も，一般的には効果がないとされる．ステロイ

ドが有効な例も報告されている．気道，大血管，食道閉塞症状に対して，緩和目的で手術も行われている．気管支鏡による気道ステントや血管ステントも試みられている[12,21]．

〔木浦勝行・久保寿夫〕

■文献(e文献 9-15-2)

Fraser RS, Colman N, et al: Synopsis of Diseases of the Chest, 3rd ed, Saunders, 2005.（フレイザー，コールマン，他：フレイザー呼吸器病学エッセンス（清水英治，藤田次郎監訳），西村書店，2009）

野中 誠：稀な肺疾患 特発性線維性縦隔炎．呼吸．2011; 30: 806-9.

3）縦隔内血腫
mediastinal hematoma

定義・概念
縦隔内血腫は，血液が縦隔の脂肪組織に浸潤して，縦隔内に存在する状態として定義されている．縦隔内血腫のいくつかの原因が記載されているが，大きく分けて外傷性と非外傷性がある．まれではあるがその致命的な結果のために外傷性大動脈損傷（traumatic aortic injury：TAI）が最も重要である[1-5]．

原因・病因
1）外傷性（traumatic）： 鈍的胸部外傷，貫通性胸部外傷，医原性の原因に細分することができる．鈍的胸部外傷では，小静脈損傷が最も一般的な原因である[6]．胸骨，椎体の骨折も縦隔内血腫の原因となりうるが，胸骨の場合は前縦隔に，椎体の場合は後縦隔（高速での衝突では T_{11}～L_2 胸腰椎接合部付近）にできる[7]．銃創のような貫通性胸部外傷は，射入口と射出口を決定するだけでなく，縦隔内での出血部位を確認することが重要である[8-10]．医原性原因は，中心静脈カテーテル位置異常[11]と心疾患術後合併症[12]である．

2）非外傷性： 非外傷性大動脈破裂（nontraumatic aortic rupture）の症状としては，突然背部に放散する激烈な胸痛から突然死までさまざまである．病因としては高安病，腫瘍の浸潤，大動脈解離などが考えられる．

ほかに，食道出血[13]，自然出血（出血性素因，縦隔腫瘍内に出血，特発性）[14]がある．

診断
縦隔内血腫は心臓切開手術後の自然軽快するものから，致命的な外傷性大動脈損傷に至るものまで，幅広い臨床結果がもたらされる．血腫の位置，周辺臓器との関係，病歴，付随所見によって，鑑別診断を絞り込むことができる．

一般に胸部X線写真でみられる縦隔の拡大 "widened mediastinum（大動脈弓より上の上縦隔の幅が 8 cm 以上）"は，古典的には縦隔内血腫に関連する非特異的所見であり，大動脈損傷の間接的な徴候である[2,3]．右傍気管線の拡大（5 mm 以上），左肺尖部の apical cap，気管の右側への偏位も縦隔内血腫を示唆する．

造影胸部CT検査は，非侵襲性，迅速性があり，一度に胸部全体を評価できる画像診断法で，感度はほぼ100％である[6]．

鑑別診断
胸腺遺残（the presence of thymic tissue），先天性血管異常（congenital vascular abnormalities），傍縦隔無気肺（pramediastinal atelectasis），胸水が鑑別疾患の対象となる[15]．

経過・予後
無治療TAI患者は30％が6時間以内に，40～50％が24時間以内，90％が4ヵ月以内に死亡する[15-17]．

治療
原因疾患による．

〔木浦勝行・市原英基〕

■文献(e文献 9-15-3)

Fraser RS, Colman N, et al: Synopsis of Diseases of the Chest, 3rd ed, Saunders, 2005.（フレイザー，コールマン，他：フレイザー呼吸器病学エッセンス（清水英治，藤田次郎監訳），西村書店，2009）．

Rojas CA, Restrepo CS: Mediastinal hematomas: aortic injury and beyond. *J Comput Assist Tomogr*. 2009; **33**: 218-24.

4）縦隔腫瘍
mediastinal tumors

定義・概念
縦隔腫瘍とは縦隔内の組織から発生した腫瘍の総称で，先天性囊胞は含めるが，食道，気管，肺，心大血管，胸骨，脊髄などから発生した腫瘍は含めない．その発生部位や発症年齢に特徴があり，悪性度も異なる．初発症状もさまざまであり，また腫瘍随伴症候群も多岐にわたる．

分類
多様性に富む縦隔腫瘍であるが，表 9-15-1 に示すように特徴的な発生部位がある．前縦隔には胸腺腫瘍（胸腺腫や胸腺癌など），胚細胞腫瘍（奇形腫やセミノーマなど），甲状腺腫瘍，中縦隔にはリンパ腫，先天性囊胞，後縦隔には神経原性腫瘍が多い．

疫学
日本胸部外科学会（2012年）の集計での縦隔腫瘍手術は4671件で，胸腺腫瘍が最も多く（2151件），先天性囊胞，神経原性腫瘍，胚細胞腫瘍，リンパ性腫瘍が続く[1]．欧米と比較して，胸腺腫の占める割合が高く（46.1％），悪性胚細胞腫瘍，リンパ性腫瘍が比較的少ない(e表 9-15-C)[1-4]．40歳以上の重喫煙者に対する低線量CT検診の報告では，縦隔腫瘍の有病率は

表9-15-1 発生部位による縦隔腫瘍の鑑別診断

前縦隔	中縦隔	後縦隔
胸腺腫瘍	先天性嚢胞	神経原性腫瘍*
胸腺腫*	気管支嚢胞	神経鞘腫
胸腺癌*	腸嚢胞	神経線維腫
胸腺カルチノイド	心膜嚢胞	神経芽細胞腫
胸腺嚢胞	リンパ性腫瘍*	交感神経芽細胞腫
胸腺脂肪腫		交感神経腫
胚細胞腫瘍		
奇形腫*		
セミノーマ		
非セミノーマ胚細胞腫瘍		
胸腔内甲状腺腫*		
リンパ性腫瘍*		

＊：頻度の高いもの（全縦隔腫瘍の 2.5％以上）．

0.77％，発生率/年は 0.01％，そのうち胸腺癌が 57.7％を占める[5]．Framingham Heart Study では，前縦隔腫瘍の有病率を 0.9％と報告している[6]．

臨床症状

一般的には無症状であることが多く，検診や他疾患の経過観察中に撮影した胸部 X 線写真や胸部 CT により偶然に発見される例が多い[7]．縦隔腫瘍の 2/3 以上は良性であり，前縦隔に悪性腫瘍が多い．また，悪性であれば診断時から 85％以上が症状を伴い，良性であれば有症状者は 50％未満である[3]．腫瘍が周囲臓器を圧迫，浸潤することによって症状は出現し，神経であれば疼痛，横隔神経麻痺，Horner 症候群，血管系であれば顔面・上肢の浮腫（上大静脈症候群），低血圧（心タンポナーデ），呼吸器系であれば咳，喘鳴，血痰，嗄声，呼吸困難，食道であれば嚥下障害などがある．全身症状の原因として，過剰なホルモン分泌，サイトカイン，自己抗体などがあげられる[7]．リンパ腫であれば，発熱，盗汗，体重減少を伴う[8]．胸腺腫では腫瘍随伴症候群として，重症筋無力症や赤芽球癆，低ガンマグロブリン血症[8-11]などの頻度が高い．奇形腫では喀出物に毛髪などが混じることもある．

検査所見

胸腺癌はいくつかの扁平上皮癌のマーカーが反応する場合があるが，胸腺上皮腫瘍に対する有用な腫瘍マーカーはない．胸腺腫の患者で重症筋無力症を伴うときの抗アセチルコリン受容体抗体（eコラム 5），胚細胞腫瘍患者における α-フェトプロテイン（α-fetoprotein：AFP），β-ヒト絨毛性ゴナドトロピン（β-human chorionic gonadotropin：β-HCG）[8,12-15]，非Hodgkin リンパ腫における乳酸脱水素酵素[8,12-15]，可溶性インターロイキン-2 受容体（soluble interleukin-2 receptor：sIL-2R）は補助診断として有用である．

診断

縦隔腫瘍は胸部 X 線正面写真のみでは診断が困難なことが多いが，胸部写真上で局所解剖学の知識を駆使しながら，縦隔の異常を読影し，より正確に縦隔腫瘍の局所存在診断をすることは鑑別診断を絞り込み，次の画像診断の選択に役に立つ[16,17]．局在診断に側面写真も有用であるが，胸部 CT による評価へと移行しつつある[18,19]．

胸部 CT は縦隔腫瘍の局在および質的診断に不可欠な検査で，可能であれば造影 CT も撮像する．腫瘍の正確な位置のみならず，周囲臓器への浸潤や胸膜・心膜播種の有無，さらには腫瘍内容物の性状の鑑別診断にも役立つ[7,8,17]．胸部 MRI は，縦隔腫瘍には嚢胞性病変が一定の割合で含まれるため，充実性の腫瘍との鑑別に有用である[8,17]．

リンパ腫や胚細胞腫瘍の場合は急速な増大を認めるのに対して，胸腺腫の進行は緩徐である．リンパ腫は一般的に，全身性病変として認めることが一般的で，Hodgkin リンパ腫の 50％，非 Hodgkin リンパ腫の 20％が縦隔を侵す[20]が，縦隔を原発巣とするものは Hodgkin リンパ腫の約 3％，非 Hodgkin リンパ腫で 6％にすぎない[21-23]．

鑑別診断

鑑別診断については eコラム 6 を参照．

〔木浦勝行・大橋圭明〕

■文献（e文献 9-15-4）

Berry MF：Evaluation of mediastinal masses (UpToDate. Jett JR, Muller NL, ed). http://www.uptodate.com/contents/evaluation-of-mediastinal-masses? source = search_result&search = MEDIASTINAL%E3%80%80mass&selectedTitle = 1～73

Fraser RS, Colman N, et al: Synopsis of Diseases of the Chest, 3rd ed, Saunders, 2005.（フレイザー，コールマン，他：フレイザー呼吸器病学エッセンス（清水英治，藤田次郎監訳），西村書店，2009）．

9-16 横隔膜の疾患

1）横隔膜の形態と機能

横隔膜(diaphragm)は左右1対の横隔神経に支配される．横隔神経は第3～5頸神経(C_3～C_5)から縦隔を下降して横隔膜に至る[1,2]．横隔膜は胸腔と腹腔を分ける膜状の筋肉で中心部の腱部(腱中心)とその周囲の筋部からなる[3]．

横隔膜には食道裂孔(esophageal hiatus)，大動脈裂孔(aortic hiatus)，大静脈孔(vena caval foramen)があり，食道裂孔には食道，迷走神経が通り，大動脈裂孔には下行大動脈，胸管，奇静脈，半奇静脈が通り，大静脈孔には下大静脈が通る[3]（図9-16-1）．

横隔膜は呼吸補助筋で吸息に関係する．特に安静換気時の呼吸運動に重要な役割をもっている．吸気時に横隔膜が正常に収縮すると横隔膜は下がり腹腔内圧は上昇し腹壁は突き出る．同時に胸腔内圧の陰圧化が増大し吸気時の肺気量が増加する．呼気時には弛緩した横隔膜が上昇する．胸部X線写真上，通常左右ともになめらかな上に凸のドーム状に投影される．ドーム状の形状は換気に重要であり慢性閉塞性肺疾患(chronic obstructive pulmonary disease：COPD)で生じる肺過膨張による横隔膜平坦化は換気効率を低下させる．

2）横隔膜ヘルニア
diaphragmatic hernia

横隔膜の先天的あるいは後天的開裂部を通じて腹部あるいは後腹膜の臓器や組織が胸腔内に脱出した状態である．外傷性と非外傷性に大別される．非外傷性で最も頻度が高いのは食道裂孔ヘルニアである(Fraserら，2005)．

(1)外傷性横隔膜ヘルニア
概念
交通事故あるいは高所からの転落のときに加えられた外傷により生じる．左側に多いとされる[4]．

臨床症状
多くの場合，腹部臓器の脱出があれば何らかの症状を訴える．急性症状として，胸骨下部の強い痛み，嘔吐，肺の圧迫による呼吸困難，ショックなどを認める．嵌頓ヘルニアに陥ると，嘔吐，腹痛などのイレウス症状を呈する．

診断
胸部X線所見として，左側では横隔膜辺縁の消失，胸腔内の腸管ガス像などがみられる．胸部CTは診断に役立つ．

鑑別診断
救急時，左胸腔内に逸脱した消化管による消化管ガス像が増大すると血気胸と診断を誤ることがあるため注意が必要である．

治療
治療は経鼻胃管挿入による消化管内減圧および手術である．

(2)非外傷性横隔膜ヘルニア
非外傷性横隔膜ヘルニアは先天性と後天性に分類される．また，成人期に発症する後天性は，加齢による組織の脆弱化や先天的な横隔膜局所の脆弱性に加えて肥満，妊娠などの腹圧上昇が複合して生じるとされる(Fraserら，2005)．ヘルニア門の違いにより食道裂孔ヘルニア，Bochdalek孔ヘルニア，Morgagni孔ヘルニアに分類される．Bochdalek孔，Morgagni孔の位置は図9-16-1に併記した[5]．幼児ではBochdalek孔ヘルニアが最も多く，食道裂孔ヘルニアがそれにつぎ，Morgagni孔ヘルニアは少ない．一方，成人では食道裂孔ヘルニア【⇒10-3-7】(eコラム1を参照)が圧倒的に多い(Fraserら，2005)．

a. **Bochdalek孔ヘルニア**（hernia through the foramen of Bochdalek）(e図9-16-A)

定義・概念
横隔膜の後方外側に生じた孔(図9-16-1)

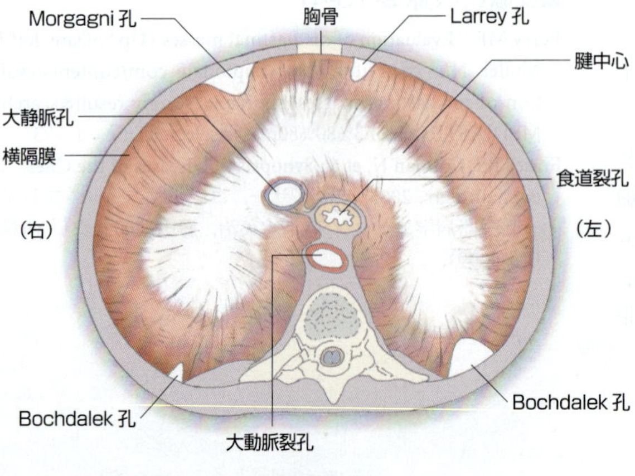

図9-16-1 腹腔側からみた横隔膜裂孔
Bochdalek孔，Morgagni孔，Larrey孔は通常閉鎖している．

を通じて腹部臓器が胸腔へ脱出した状態である(Fraserら，2005)．先天性横隔膜ヘルニアのなかで最も頻度が高く，2000〜5000出生例に1例程度認める[6,7]．Bochdalek孔ヘルニアは，左側に75〜85％生じるとされ左右差が大きい[6,7]．成人例もあり，年代は中高年，性別は女性に多い[8]．原因として先天的な要因に加えて肥満，妊娠などによる腹圧上昇が考えられている．

診断
脱出臓器は横隔膜欠損の程度に依存し，大きな欠損ではほとんどすべての腹腔内臓器が脱出する(e図9-16-B)．しばしばほかの先天異常も合併している．胸部X線写真で消化管ガス像を胸腔内に認める．CT，MRI検査も有用である．

治療
出生直後に重篤な呼吸障害に陥ると外科的処置を必要とする．幼小児期に発見された例も，嵌頓ヘルニアに陥る可能性が高いため手術治療が望ましい．

b. Morgagni孔ヘルニア (hernia through the foramen of Morgagni)

定義・概念
横隔膜の胸骨部と肋骨部の境界に存在する左右の胸肋三角部に生ずるヘルニアを胸骨後部ヘルニア(retrosternal hernia)あるいは傍胸骨ヘルニア(parasternal hernia)とよぶ．そのうち右側に生ずるヘルニアがMorgagni孔ヘルニア(図9-16-1)であり胸骨後部ヘルニアでは頻度が高い．左側はLarrey孔ヘルニア(hernia through the foramen of Larrey)とよばれる．Larrey孔ヘルニアの頻度はMorgagni孔ヘルニアに比較してきわめて少ない[9,10]．

診断
典型的な胸部X線像は右心横隔膜角に存在する境界明瞭で均一な濃度の腫瘤陰影である．陰影内の腸管ガス像の存在は診断に重要である．逸脱臓器が大網の場合，脂肪に近い濃度を示し，CT，MRI検査が診断に有用である．成人例もあり無症状の中高年の女性で偶然，胸部X線写真やCTで発見されることが多い．

治療
治療は外科的処置が中心であり，幼小児例および症状のある成人例が対象となる．

3) 横隔膜位置異常 abnormality of diaphragmatic position

横隔膜の機能障害により，横隔膜の位置あるいは動きの異常が認められる(鰤岡，2009)．横隔膜弛緩症と横隔膜麻痺があり，ともに胸部X線写真で横隔膜の挙上を認める(McCoolら，2012)．

狭義の横隔膜弛緩症は胎生期の横隔膜の筋部発育障害により生じる先天性疾患で，横隔神経障害や脊髄損傷などによる後天性の横隔膜麻痺と区別される．

(1) 横隔膜弛緩症 (eventration of diaphragm)
定義・概念
横隔膜弛緩症は片側あるいは両側横隔膜の筋性発達不全による，おもに先天性疾患である[11,12]．

原因・病因
病理学的に，筋線維が消失した部分は薄い膜様の結合組織で置換される．後天性横隔膜弛緩症として横隔神経障害による二次的横隔膜筋萎縮などがある．

臨床症状
片側横隔膜弛緩症は症状を伴わないことが多い．両側性は呼吸不全を生じることが多い．

診断
胸部X線所見は横隔膜挙上を認めるが病変の広がりの程度に依存する．CT，MRI検査は診断に役立つ．

鑑別診断
片側性の場合，片側横隔膜麻痺と鑑別が必要となる．

治療
先天性の両側横隔膜弛緩症により呼吸不全を生じると人工呼吸器が必要であるが，近年は非侵襲的陽圧換気(noninvasive positive pressure ventilation：NPPV)が適用される[13]．また，先天的な要因で横隔膜弛緩症が生じている場合は，外科的治療を要する[11,12]．

(2) 横隔膜麻痺 (diaphragmatic paralysis)
定義・概念
横隔膜麻痺は，神経筋疾患，頸髄損傷，横隔神経の末梢性障害により生じる．原因不明の特発性も少なくない[13]．

原因・病因
片側横隔膜麻痺は片側の横隔神経の刺激伝導障害により生じる横隔膜機能不全である．頻度の高い原因として肺・縦隔の悪性腫瘍による圧迫や浸潤がある．頸部，胸部，心臓の手術が原因のこともある．ついで頻度が高いのは原因不明の特発性で，特発性横隔膜麻痺は右側横隔膜に生じることが多い[14]．

両側横隔膜麻痺の原因として最も多いのは頸髄損傷，神経筋疾患である．まれに神経炎，先天性の中枢神経あるいは脊髄の異常でもみられる[15]．

臨床症状
横隔膜麻痺が片側性か両側性かで症状の程度が異なる．自覚症状は片側横隔膜麻痺では安静時に症状はなく，労作時に呼吸困難を訴えることがある．両側横隔膜麻痺では安静時呼吸困難，特に仰臥位で症状の増悪を認める．他覚症状として，仰臥位で吸気時，腹壁

が内方へ，胸壁が外方へ動く奇異性呼吸運動をより明確に認めることもある（Fraser ら，2005；鰤岡，2009）．

診断

片側横隔膜麻痺の胸部 X 線写真所見は麻痺側の横隔膜挙上である．透視下で麻痺側の挙上した横隔膜は運動が低下している．口を閉じて鼻から強く吸気させると（sniff test）麻痺がない場合，両側の横隔膜は下降するが片側横隔膜に麻痺があると麻痺側の横隔膜は増大した胸腔陰圧で胸腔側に挙上する奇異性運動を認める（Fraser ら，2005；鰤岡，2009）．横隔膜の動きは MRI 検査や超音波検査でも評価できる（McCool ら，2012）．

両側横隔膜麻痺の胸部 X 線写真所見は両側横隔膜挙上である．しかし，sniff test を行った場合，強く吸気させると両側横隔膜は奇異性運動を示し胸腔側に挙上するが，強く腹壁を膨らませて吸気すると両側麻痺した横隔膜が腹腔側に下降し偽陰性となることがある（Fraser ら，2005；鰤岡，2009）．

呼吸機能検査では呼吸補助筋の横隔膜機能障害により，肺活量が低下し拘束性換気障害を示す．両側横隔膜麻痺では仰臥位になると肺活量低下が大きくなり，動脈血酸素分圧も低下する（Fraser ら，2005；鰤岡，2009）．

鑑別診断

電気生理学的検査の横隔神経電気刺激試験（phrenic nerve stimulation test）が鑑別診断に有用である．頸部の横隔神経を電気刺激し，同側の横隔膜活動電位を側胸部につけた表面電極を用いて記録し，横隔神経伝導時間を測定する．完全横隔神経麻痺では活動電位が消失し，不完全麻痺では横隔神経伝導時間の延長がみられる[13]．

治療

治療は横隔膜麻痺の原因となった肺腫瘍などの疾患があれば原因疾患の治療が必要である．片側横隔膜麻痺に対しては治療は不要のことが多い．一方，両側横隔膜麻痺は治療が必要である．

横隔神経麻痺は呼吸機能の低下をきたすが，横隔膜縫縮術によって機能が改善することが知られている．横隔膜に異常がなく，末梢の横隔神経機能が維持されている C_1，C_2 の高位頸髄完全損傷や脳幹疾患による中枢性睡眠時無呼吸・低換気に対して横隔神経を電気刺激する横隔神経ペーシング（phrenic nerve pacing）が適応になる[16]．

横隔神経機能に障害があると横隔膜を直接刺激して収縮させる横隔膜ペーシング（diaphragm pacing）が有用である[17]．

4）横隔膜炎
infection of diaphragm

定義・概念

横隔膜近傍の炎症が波及することで二次的に生じる．炎症が波及する経路には胸腔側からと腹腔側からがある．横隔膜炎は腹腔の炎症，特に横隔膜下膿瘍に続発する場合が多い．

臨床症状

症状としては，原疾患の症状に加え胸痛，吃逆，上腹部痛，腹部膨満感などが出現する．また，いわゆる横隔膜痛（diaphragmatic pain）を伴うこともある．これは一種の関連痛と理解されており，横隔膜中央部の病変により生じる僧帽筋上縁の痛みと，辺縁部の病変により生じる肋骨弓縁に沿った痛みを指す．

治療

原因となった疾患の治療が必要である．

5）横隔膜下膿瘍
subphrenic abscess

定義・概念

横隔膜直下に形成される膿瘍であり，胸部，腹部および後腹膜の化膿性炎症に引き続いて二次的に生じる．通常膿瘍は右横隔膜と肝上面の間隙に貯留することが多いが，左横隔膜と胃あるいは脾臓の間に貯留することもある．原因としては虫垂炎の穿孔，腹部の手術が多いが，腸管穿孔による腹膜炎，胆囊炎，腎周囲膿瘍，肺炎，肺膿瘍なども原因となる．

診断

胸部 X 線写真では，膿瘍形成による横隔膜の挙上，併発する胸膜炎による胸水貯留および横隔膜の運動制限，膿瘍内ガスを反映する横隔膜下腔のガス像などがみられる．

臨床症状

症状としては，胸部，腹部，後腹膜の炎症性化膿疾患に引き続き起こる長期間の発熱，上腹部痛，食欲不振，体重減少などである．しかし，悪寒戦慄を伴った発熱，悪心，嘔吐，吃逆，胸痛，呼吸困難などで急激に発症する場合もある．また，横隔膜痛が出現することもある．

治療

治療は積極的な排膿と強力な抗菌薬の投与である．

6）横隔膜腫瘍
tumors of the diaphragm

定義・概念

横隔膜の原発性腫瘍はきわめてまれである[18,19]．

他臓器からの浸潤あるいは転移性腫瘍を認めることがある．

分類
1）原発性腫瘍：頻度の高い良性腫瘍は脂肪腫（lipoma）である．線維腫，血管線維腫などの報告もある．悪性腫瘍として線維肉腫が多いとされる．

2）横隔膜浸潤または転移性腫瘍：肺，胃，膵臓，肝臓など近接した臓器から浸潤性の腫瘍を形成することがある．転移性腫瘍は血行性であるが，まれである．

診断
多くの横隔膜腫瘍は胸部X線写真で横隔膜不整像，突出した腫瘤像を呈する．浸潤の程度はMRI，CT検査の矢状断が有用であり組織性状の情報も得られる．

〔鰤岡直人・清水英治〕

■文献（e文献9-16）

鰤岡直人：胸部写真が正常な呼吸器疾患．フレイザー呼吸器病学エッセンス（清水英治，藤田次郎監訳），西村書店，2009；1001-12．

Fraser RS, Neil C, et al: Disease of the diaphragm and chest wall. Synopsis of diseases of the chest, 3rd ed, Elsevier, 2005; 897-911.

McCool FD, Tzelepis GE: Dysfunction of the diaphragm. *N Engl J Med.* 2012; **8**: 932-42.

9-17　胸郭の異常（漏斗胸・鳩胸）

漏斗胸や鳩胸などの胸郭変形は乳児期よりみられ，検診の際に診断されることが多い．しかし，指摘されなかった場合や放置された場合に成人となってから診断されることもある．前胸壁の陥凹がみられるものを漏斗胸，胸骨の突出のみられるものを鳩胸という．

1）漏斗胸
pectus excavatum

概念
漏斗胸は前胸部の中央部が陥凹する疾患で，その変形の主体は肋軟骨の過成長とされるが，明らかではない（図9-17-1）．Marfan症候群などの先天異常に合併することもあり[1]，遺伝的要素の関与も考えられる．また，扁桃やアデノイドの肥大の合併例が多く，直接原因ではないが漏斗胸の悪化因子の1つとされる[2]．側弯の合併も多い．発生頻度としては漏斗胸が800～1000人に1人とされ，男女比は3～4：1で男性に多い．

臨床症状
無症状で経過することも多いが，胸痛，労作時呼吸困難などのほか，外見的な変化に対する精神的な悩みをもつ患者があり，成長とともに増加する[3]．学童期までには喘鳴を伴う呼吸器症状がみられることもある．

検査所見（図9-17-2）
胸郭変形の程度により，心臓の圧迫による運動負荷時の拍出係数の低下[4]や胸郭変形に伴う肺活量の低下[5]が認められ，術後改善が認められる．心電図ではpoor R wave progressionやV_1における陰性または二相性のP波が認められる．

治療
自覚症状のない場合が多く，手術適応については美容上の問題や精神的な訴えから考慮されることが多い．胸郭変形の指標としてはHaller index（Hallerら，1987）が用いられ，3.25をこえると手術適応と考えられる（図9-17-3）．従来，肋軟骨を切除するRavitch手術や，胸骨と肋軟骨を一塊として切除し扁平に形成したものを翻転して再縫合する胸骨翻転術が行われてきた．しかし，最近では侵襲の少ないNuss手術が行われている（Nussら，1998）．

Nuss手術は1998年に報告された術式で，手術創が胸部正面になく，肋軟骨および胸骨への処置が不要で，手術侵襲が少なく，かつ術後の胸郭形成が良好なすぐれたものである．胸郭の柔軟性を利用し，胸骨陥

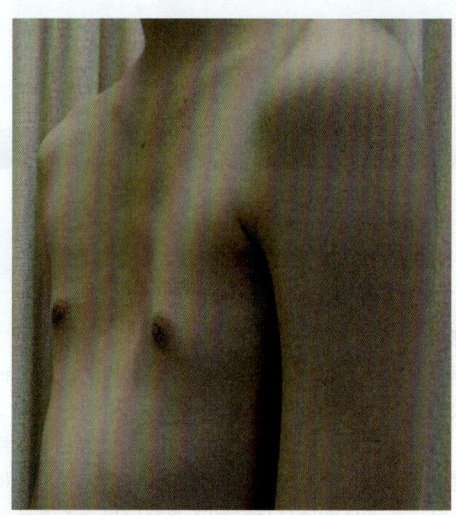

図9-17-1　漏斗胸（10歳男児）
胸部陥凹が認められる．

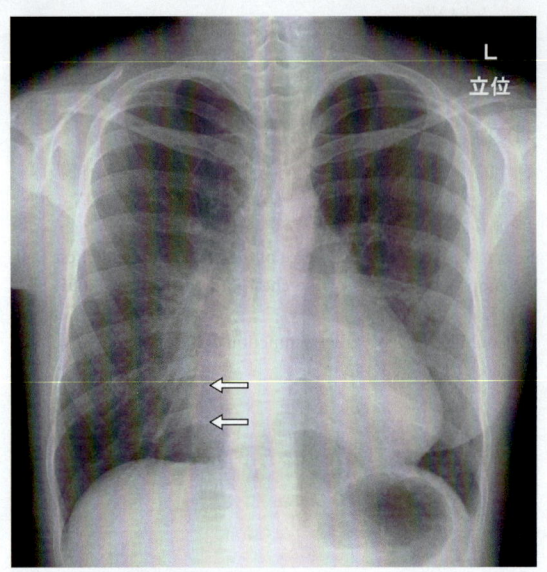

図9-17-2 胸部単純X線写真
23歳女性．心陰影が左に偏位し，右第2弓が消失しており（矢印），シルエットサイン陽性のように見える．

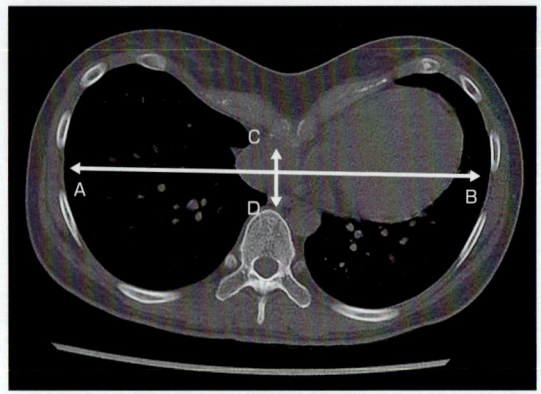

図9-17-3 胸部単純CT（Haller index）
図9-17-2と同症例．心臓が前方より圧迫され左方に偏位している．
Haller index＝A-B/C-D（この症例の場合は，244.28 mm/32.11 mm＝7.61）
A-B：胸郭最大横径，C-D：椎体前縁-胸骨後面距離．

凹部に胸郭の形態に沿って成形された金属のバーを挿入し，胸郭の陥凹を内側から支えることにより胸郭をほぼ正常の形態に戻すことができる．

2）鳩胸
pectus carinatum, pigeon chest

鳩胸は漏斗胸と比較し発生頻度はその1/10以下とされる．漏斗胸と比較すると，心・肺への圧迫がないことより機能的な異常をきたしにくい．

治療については，従来肋軟骨切除や胸骨翻転術などの侵襲的なものが行われていたが，漏斗胸に対するNuss手術の開発後Abramson法が行われるようになっている（Abramsonら，2009）．これは突出した胸骨を圧迫する金属バーを皮下に挿入し固定する方法で，安全性，予後がよい．また，小児期の患児に対しては胸郭の柔軟性を活かして胸郭を圧迫する装具が開発され，手術を考慮する前にまず試みる方法としてFreyらは推奨している[6]．〔西村善博〕

■文献（e文献9-17）

Abramson H, D'Agostino J, et al: 5-year experience with a minimally invasive technique for pectus carinatum repair. J Pediatr Surg. 2009; 44: 118-23.
Haller JA Jr1, Kramer SS, et al: Use of CT scans in selection of patients for pectus excavatum surgery; a preliminary report. J Pediatr Surg. 1987; 22: 904-6.
Nuss D, Kelly RE Jr, et al: A 10-year review of a minimally invasive technique for the correction of pectus excavatum. J Pediatr Surg. 1998; 33: 545-52.

9-18 発育異常・形成不全

肺の発育過程で生じる形成異常は，肺・気管支・肺血管の発生段階で生じる疾患や各種胎生期の代謝障害で呼吸器系に異常を生じる疾患まで非常に多岐にわたる[1,2]（村田，2011）．主要な疾患・疾患群を表9-18-1に示す．

ここでは内科医が知っておくべき発育異常・形成不全について概説する．

1）肺形成不全

概念

肺の形成不全は無発生（agenesis）と無形成（aplasia）と低形成（hypoplasia）に分類される．気管・気管支・肺・血管をまったく認めないものを無発生とし，瘢痕程度の気管は認めるが肺・血管を欠如した無形成に分けるが，両者は明確には区別できない場合もある．低形成（hypoplasia）は肺としての形態は備えているもの

表9-18-1 肺の発育異常・形成不全

1. 気管，気管支，肺の異常
   A. 気管
      1) 気管軟化症
      2) 先天性気管閉塞症
      3) 先天性気管狭窄症
      4) 先天性気管食道瘻
      5) 気管気管支巨大症(Mounier-Kuhn 症候群)
      6) 気管気管支骨形成症
      7) 先天性気管憩室
   B. 気管支
      1) 気管支分岐異常
      2) 気管支軟化症
      3) 先天性気管支嚢胞
      4) 先天性気管支閉鎖症
      5) 先天性肺葉性気腫症
      6) 先天性気管支拡張症
      7) 原発性線毛機能不全
      8) 嚢胞性線維症
      9) William-Cambell 症候群
      10) Swyer-James-Macleud 症候群
   C. 肺
      1) 肺の形成不全(無発生，無形成，低形成)
      2) 肺の分葉異常
      3) 肺分画症
      4) 先天性嚢胞性腺腫様肺奇形

2. 肺の脈管系異常
   A. 動脈の異常
      1) 主肺動脈欠損
      2) 肺動脈近位中断
      3) 左肺動脈起始異常
      4) 肺動脈狭窄
      5) 肺動脈の先天性動脈瘤
      6) 右肺動脈左房結合
      7) 肺底動脈起始異常症
      8) 特発性肺動脈拡張症
   B. 静脈の異常
      1) 先天性肺静脈狭窄あるいは閉塞
      2) 肺静脈瘤
      3) 肺静脈還流異常
   C. 動静脈の異常
      1) 肺低形成症候群(scimitar 症候群)
      2) 肺動静脈瘻
         先天性肺動静脈瘻
         遺伝性出血性毛細血管拡張症(Osler-Weber-Rendu 病)
   D. 肺リンパ系の異常
      1) びまん性肺リンパ管腫症
      2) 先天性リンパ管拡張症

の，気道・血管・肺胞の数やサイズが不十分なものを指す．

病因
肺の形成不全は遺伝的要因によるもの以外に，胎生期の他臓器障害，たとえば横隔膜ヘルニアでの腹腔内容物による胸腔内の占拠や胸郭，横隔膜，胸壁の筋骨格や神経障害で胎生期の呼吸運動が低下することで十分肺胞が形成されないことなどの二次的な要因でも生じることがある．

画像所見
無発生・無形性・重症低形成の場合の放射線学的所見は共通し，1側胸郭の完全な含気肺の消失で鑑別には無気肺・虚脱を伴う重症気管支拡張症などがあがり，鑑別には CT もしくは MRI で肺の形成の有無，未発達な気管支・肺動脈の有無によりなされる．

臨床症状
両側の肺が形成されない場合，母胎からの酸素供給が途絶えた後，生存は不可能である．このような無肺症では，出産後，外見上は正常で胸郭の大きさも普通であるが，心血管系の奇形，骨発育異常，臍帯動脈の欠如，無脾をしばしば合併する．片側の無肺症では，生存しうる例があるが多くは感染で成人になる前に死亡する．

2) 肺分画症
bronchopulmonary sequestration

概念
肺分画症は，その血流を体循環系から受け，肺実質の一部が正常肺から分離された肺の奇形であり，隣接肺との関係から肺葉内分画症と肺葉外分画症に分けられる．肺葉内分画症は分画肺が隣接する正常肺実質とともに同一の臓側胸膜に覆われ(図9-18-1A)，肺葉外分画症は，独自の胸膜に覆われる(図9-18-1B)．頻度は肺葉内分画症が3/4 肺葉外分画症が1/4を占める．好発部位は肺葉内分画症では左下葉の背側基底部に2/3が，ほかの多くが右側の同部位に生じる．肺葉外分画症は，左下葉と横隔膜の間に生じることが多いが，横隔膜下，横隔膜組織内，縦隔や後腹膜に存在することもある．血流は下行大動脈から受け，肺内分画症では肺静脈へ，肺外分画症では下大静脈や奇静脈に還流する．

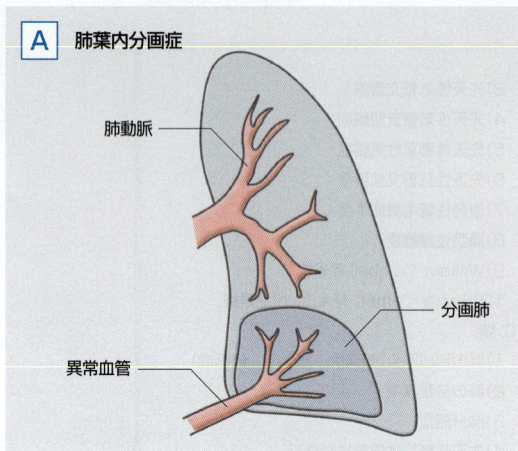
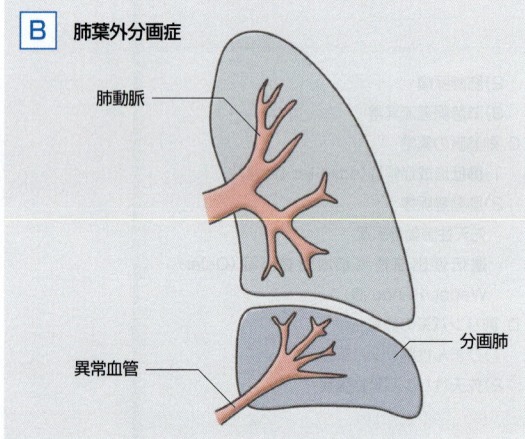

図 9-18-1 肺分画症の分類

画像所見

分画肺は，均一の陰影や多発嚢胞・腫瘤影などさまざまな所見を呈しうる．本疾患の確定診断は異常流入動脈を証明することである．以前は大動脈造影が用いられてきたが，近年の機器の進歩によりマルチスライスCTなどによる多断面再構成画像や血管系の三次元再構成画像で分画肺に流入・流出する血管の走行の描出が容易になった．またMRIを用いることで造影剤を用いずに血管系の再構成を行うことも可能である[3]（近藤，2009）．

臨床症状

肺葉内分画症では，成人になってから感染を機に発見されることが多く，鑑別診断は気管支拡張症や肺膿瘍である．肺葉外分画症は，合併するほかの先天異常を機に新生児期に発見される．分画肺は消化管との交通がなければ感染を起こすことは少ない．

3）気管（気管支）食道瘻

概念

気管・気管支および食道はいずれも前腸から発生し，その過程で閉塞や交通が生じる．本症は気管と食道の交通形態で5型に分類されるが（図10-3-1），A型は食道閉塞のみで気管との交通はなく本来の気管食道瘻ではない．

臨床症状

食道が閉塞し拡張，盲端となるタイプでは，咽頭分泌物やミルクを飲むことができず誤嚥を生じ，咳や肺炎の原因となり，これらの異常は新生児期に必ず見つかる（A〜D型）．E型の場合は，誤嚥や肺炎を小児期に繰り返し早期に見つかるものもあるが，逆流や誤嚥といった症状を欠き成人に至るまで診断されない例もある．

診断・治療

繰り返す肺炎を新生児で生じた際に，食道カテーテルや水溶性造影剤での気管と食道の交通で診断される．診断後は瘻孔の閉鎖と必要があれば食道の再建を行う．

4）気管支閉鎖症

概念

気管支閉鎖症は左上葉で多くみられ，葉気管支，区域気管支，亜区域気管支の内腔もしくは分岐における閉塞・狭窄で生じる．閉塞部から末梢の分泌物が狭窄部を通過できず，粘液栓子や粘液嚢胞を形成することがある．末梢の肺区域には側副路を通じ空気が流入し，過膨張を生じる．そのため胸部X線写真およびCTでは，肺門側の気道分枝に一致する肺内腫瘤影を認め，その末梢側では肺野の透過性亢進像を特徴とする[4]．

臨床症状

多くは無症状だが，感染を伴うと腫瘤影は air fluid level を伴い，肺化膿症との鑑別が必要となる．感染を繰り返す例では外科的切除を検討する必要がある．

〔礒部　威・久良木隆繁〕

■文献（e文献 9-18）

村田喜代史：先天性異常—胸部のCT　第3版（村田喜代史，上甲　剛，他編），pp703-31，メディカルサイエンスインターナショナル，2011．
近藤征史：肺分画症．新領域別症候群シリーズ，呼吸器症候群 II，pp293-6，日本臨牀社，2009．

9-19 慢性呼吸不全
chronic respiratory failure

定義

呼吸不全は「血液ガスが異常な値を示し，そのために生体が正常な機能を営めない状態」と定義される．具体的には，「空気呼吸時の P_aO_2 が 60 mmHg 以下となる呼吸器系の機能障害，またはそれに相当する異常状態」を呼吸不全と診断する．さらにこの状態が1カ月以上続く場合を慢性呼吸不全と定義する．高二酸化炭素血症（P_aCO_2 が 45 mmHg 以上）を伴うものをⅡ型呼吸不全，伴わないものをⅠ型呼吸不全という．

原因

慢性呼吸不全の原因疾患を表 9-19-1 に示す．Ⅰ型呼吸不全は，閉塞性肺疾患，間質性肺疾患，肺循環障害があるが，閉塞性肺疾患や間質性肺疾患は，進行するとⅡ型呼吸不全に移行する可能性がある．Ⅱ型呼吸不全には，呼吸中枢の疾患，呼吸筋障害，胸郭運動障害によるものがある．

病態生理・症状

1）病態生理： 慢性呼吸不全の病態を，動脈血酸素分圧（P_aO_2），動脈血二酸化炭素分圧（P_aCO_2），肺胞気-動脈血酸素分圧較差（A-aDO_2）の3者の関係を用いて解説する．A-aDO_2 は肺胞気酸素分圧（P_AO_2）と P_aO_2 の間の分圧較差であり，P_AO_2 は（$P_IO_2 - P_aCO_2/0.8$）で求められる．P_IO_2 は吸入気酸素分圧であり，室内気では 150 mmHg である．したがって室内気吸入下では，以下の式で求められる．

$$A\text{-a}DO_2 = 150 - P_aCO_2/0.8 - P_aO_2 \quad (A)$$

この正常値は 20 mmHg 未満であり，$P_aCO_2 = 40$ mmHg，$P_aO_2 = 80$ mmHg のときに相当する．A-aDO_2 が開大する原因として，肺気腫による肺毛細血管床の減少や，肺線維症による肺拡散能の低下，換気血流の不均等分布（特に右-左シャント）などがあげられ，A-aDO_2 の開大は肺に病変をもつことを示唆する重要な所見であり，A-aDO_2 を計算することは肺の状態を知るのに大切である．さらに，式（A）を以下に変形する．

$$P_aO_2 = 150 - P_aCO_2/0.8 - A\text{-a}DO_2 \quad (B)$$

この式は，P_aO_2 がどのような因子によって規定されているかを示しており，呼吸不全の原因を理解するのに有用である．表 9-19-2 に各種病態におけるこれらの指標の関係を示す．症例 A は正常例である．P_aCO_2 が 40 mmHg，A-aDO_2 が 10 mmHg である．P_aCO_2 は肺胞換気量（分時換気量から死腔換気量を引いたもので，ガス交換に関与できる生理学的に意味のある換気量）に反比例することに留意し，これが正常値であるから，肺胞換気量が保たれていることを示している．また，A-aDO_2 も正常に保たれているので，肺自体にも拡散異常や右-左シャントなどの異常がないと推定される．式（B）によって得られた P_aO_2 が 90 mmHg と正常であるのは当然の帰結である．症例 B は神経筋疾患患者である．A-aDO_2 は正常に保たれているが，肺胞換気量が正常の半分に減少しているために P_aCO_2 が正常値の2倍の 80 mmHg となり，Ⅱ型の呼吸不全が生じている．症例 C は肺線維症によるⅠ型呼吸不全である．A-aDO_2 の開大による低酸素血症に対して，呼吸努力によって肺胞換気量が増大し，P_aCO_2 はむしろ低下している（代償性過換気）．しかし，肺線維症の重症化に伴って肺胞換気量が減少すると，症例 D のように二酸化炭素が蓄積しはじめる．肺線維症や COPD における肺胞換気量の減少・二酸化炭素の蓄積の原因は，①死腔換気（換気はあるが血流がない部分）の増大，②換気を障害する気道抵抗の増大，③呼吸筋の疲労など多数の原因が重なっていることを銘記すべきである．式（B）でもわかるとおり，A-aDO_2 の開大している症例がⅡ型呼吸不全に陥ると，致死的な低酸素血症を起こすことを銘記すべきである．

2）血液ガス異常の各臓器への影響と症状： 血液ガス異常の各臓器に対する影響にはさまざまなものがある．

表 9-19-1 慢性呼吸不全をきたしやすい呼吸器疾患

Ⅰ型呼吸不全	Ⅱ型呼吸不全
閉塞性肺疾患* （COPD，びまん性汎細気管支炎など）	呼吸中枢抑制 （脳血管障害・原発性肺胞低換気症候群など）
間質性肺疾患* （肺線維症・肺胞蛋白症など）	神経筋疾患による呼吸筋麻痺 （重症筋無力症・筋萎縮性側索硬化症など）
肺循環障害 （慢性肺血栓塞栓症・肺高血圧症など）	胸郭運動障害 （肺結核後遺症・肺膜ベンチ・亀背など）

*：進行するとⅡ型呼吸不全に移行することが多い．

表 9-19-2 各種病態における血液ガス（室内気吸入下）

	A	B	C	D
P_aCO_2	40	80 ↑	32 ↓	56 ↑
A-aDO_2	10	10	60 ↑	60 ↑
P_aO_2	90	40 ↓	50 ↓	20 ↓↓

P_aO_2 の計算式：$P_aO_2 = 150 - P_aCO_2/0.8 - A\text{-a}DO_2$
A：正常，B：神経筋疾患，C：肺線維症，D：肺胞性低換気を伴う肺線維症．

神経系においては，P_aO_2 が 50 mmHg 以下になると脳代謝に異常が認められ，さらに P_aO_2 が 25 mmHg 以下になると神経細胞内のミトコンドリアに酸素が伝播しなくなり，不可逆的障害が起きる．さらに P_aO_2 が減少すると，代償性過換気によるめまいや痙攣が生じる．一方，二酸化炭素は強力な脳血管拡張作用があり，P_aCO_2 の増加により脳血流が増加し，脳神経の興奮性が高まる．頭痛や羽ばたき振戦はこれによるとされる．循環器系への影響としては，低酸素血症では冠動脈血流が低下したり，P_aCO_2 の変動によって不整脈をきたすことがある．さらに肺高血圧のある場合は，右室の拡大・肥大をきたす．高二酸化炭素血症においては，カテコールアミンの上昇による交感神経の興奮により，発汗，皮膚温の上昇，心拍数の増加などが生じる．消化管では，低酸素血症によって，潰瘍，出血性胃炎，腸蠕動異常などをきたしやすい．肝臓においては，低酸素血症や右心不全に伴う肝うっ血により，肝機能障害を発症する．腎臓では，高二酸化炭素血症，低酸素血症により，腎血流量の低下や濾過率の低下が起こり，尿量の低下，Na 排泄の低下などをきたす．さらに，低酸素血症はエリスロポエチンの活性を高め，多血症をきたす．また，慢性呼吸不全においては，肺機能障害による呼吸仕事量が増大している場合が多いが，呼吸不全は食欲の低下をもたらすことが多く，その結果エネルギーバランスが負になって体重減少をきたし，呼吸筋力の低下を助長して悪循環をきたすことが多い．

　低酸素血症に起因する症状は酸素分圧の絶対値に依存し，高二酸化炭素血症による症状は日常の基礎値との差圧に依存する．したがって，慢性安定期であっても低酸素血症は確実に生体に悪影響を及ぼすが，二酸化炭素分圧がかなり高くても，安定していれば症状はあまり出現しないことも多い．その理由として，後者の場合，代償性に腎臓からの HCO_3^- を蓄積することによって，pH が正常近くに戻されることがあげられる．

診断

　慢性呼吸不全の基礎疾患に対する診断は 9-19 で述べられているので，ここでは呼吸不全の直接的な診断である，血液ガス関連の測定について述べる．

1）血液ガス分析： 動脈血酸素分圧測定を正確に行うには，さまざまな注意が必要である．被検者に十分な安静を保たせ，呼吸が安定した状態で行う．体位は通常仰臥位で行う．酸素吸入の条件を変更した場合は少なくとも 20 分後に採血すべきである．測定に影響する因子をよく把握しておくことが大切である．体位の影響としては，座位の方が臥位よりも P_aO_2 は高い傾向がある．採血時に息こらえをすると肺胞低換気になり，P_aO_2 の低下，P_aCO_2 の上昇，pH の低下をきたす．過呼吸をすると逆の結果となる．採血時に気泡が混入すると P_aO_2 が増大する．また，採血後常温で放置すると，ガラスシリンジでは血球の代謝により，P_aO_2 の低下，P_aCO_2 の上昇，pH の低下が起きるが，ディスポーザブルのシリンジでは，密閉性が低いため，外気が侵入して逆に経時的に P_aO_2 が上昇する傾向がある．また，発熱している患者の血液を補正なしで測定すると，P_aO_2，P_aCO_2 は過少評価，pH は過大評価される．

2）パルスオキシメトリー： おもに指尖部の脈波をとらえ，赤外線分析により酸素飽和度を計測する装置で，非侵襲性に連続測定できるということで，臨床に広く供されている．動脈血中の実測酸素飽和度 S_aO_2 と区別して S_pO_2 とよぶが，両者の値は通常ほぼ同じである．S_pO_2 の正常値下限は 95% であり P_aO_2 の約 70 mmHg に相当する．90% が呼吸不全の境界値（P_aO_2：60 mmHg）となり，88% が在宅酸素療法（HOT）開始基準値（P_aO_2：55 mmHg），75% は静脈血酸素分圧（P_aO_2：40 mmHg）であり，50% 以下（P_aO_2：25 mmHg 以下）になると組織障害が起こる．ただし，これは標準状態のヘモグロビン-酸素解離曲線を用いて算定したもので，体温・P_aCO_2 の低下，pH の上昇時には左にシフトするため，S_pO_2 から推定した P_aO_2 より実際の P_aO_2 の方が低いことに注意する必要がある．また S_aO_2 が 80% 以下の状態では測定精度が低下すること，さらに，一酸化炭素中毒，メトヘモグロビン血症，異常ヘモグロビン血症，指尖部の色素沈着，循環不全，室内光，不整脈，体動，静脈血の拍動などが誤差原因になることも留意すべきである．

3）カプノモニター・経皮電極： 呼吸不全のモニターとしてパルスオキシメトリーが広く使用されているが，P_aCO_2 のチェックをときどきする必要がある．動脈血採血にかわって用いられるのがカプノモニターと経皮電極である．

　カプノモニターは，呼気二酸化炭素濃度を連続測定し，呼気終末時の値から P_aCO_2 値を推定しようというものである．これは，患者の呼気終末時の濃度が動脈血酸素分圧に等しいとの仮定に基づいたものである．しかし，1 回換気量の少ない場合や，換気血流の不均等分布の著しい呼吸器疾患患者では，カプノモニターと P_aCO_2 の間の解離が大きくなる．

　経皮電極（$P_{tc}O_2$，$P_{tc}CO_2$）は，患者の皮膚を温めて静脈血を動脈血化して，皮膚を浸透してくる PO_2，PCO_2 を測定する．実際の血液ガスの変動に比べて 1～数分間の時間遅れがある．小児は良好な値が出るが，成人では皮膚の厚みが正確な計測の障害となることがあるが，連続測定で変動をみるには適している．皮膚を 45℃ 程度に温める必要があるため，長期使用により低温熱傷が起きうる欠点があったが，最近

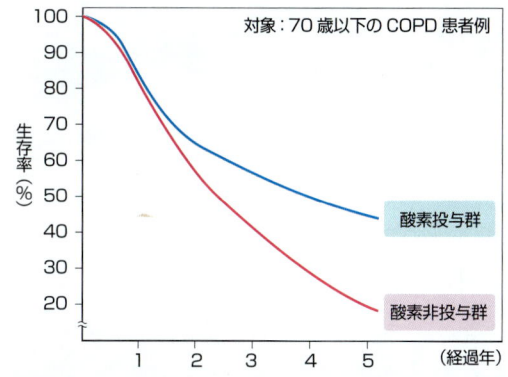

図 9-19-1　COPD 由来の慢性呼吸不全に対する長期酸素投与の効果(MRC working party, 1981 より改変引用)
酸素投与群(酸素 2 L/分, 睡眠時間を含む 1 日 15 時間投与)の方が非酸素投与群より生命予後が有意に良好である．

40℃で測定できる装置が開発され，長期連続使用が可能となった．

治療

慢性呼吸不全の治療には，薬物療法・リハビリテーションなど各疾患の特性を合わせた包括的治療が必要である．ここでは，慢性呼吸不全に共通した治療手段である HOT と非侵襲的陽圧換気療法(NPPV)について解説する．

1)在宅酸素療法(home oxygen therapy：HOT)：わが国では，1982 年に 200 名程度だった HOT の患者数が，1985 年に保険適用になってから急速にその数が増加し，2015 年には 15 万人以上に達している．対象疾患としては，約 50％が COPD であり，間質性肺疾患，肺癌，結核後遺症などがそれに続いている．

慢性呼吸不全に対する HOT の効果としては，予後の改善(図 9-19-1)，運動耐用能の改善，QOL の改善，肺高血圧症の進展の阻止などがあげられる．慢性呼吸不全に対する保険適用としては，「動脈血酸素分圧 55 Torr 以下の者および，動脈血酸素分圧 60 Torr 以下で，睡眠時または運動負荷時に著しい低酸素血症をきたすものであって，医師が HOT を必要であると認めたもの」とされている．さらに，上記の動脈血酸素分圧基準に満たなくても，肺高血圧症の存在があれば HOT の保険適用とされている．その根拠として，肺高血圧症が存在すると心拍出量が低下するために，動脈血酸素分圧があまり低下していなくても，組織の酸素化に重要な意味をもつ混合静脈血酸素分圧の低下が認められることがあげられる．

慢性呼吸不全に対する HOT の留意点として，以下の項目があげられる．①酸素吸入量を増やすと換気が抑制されることがある．② HOT 施行中に喫煙すると引火して，熱傷や火災が発生する可能性がある．③酸素供給装置の取り扱い方法や停電・地震などの緊急時の対応を患者と家族によく説明する．

2)非侵襲的陽圧換気療法(noninvasive positive pressure ventilation：NPPV)：慢性呼吸不全において，肺胞換気量が減少して二酸化炭素が蓄積すると人工呼吸器によって換気を補助する必要がある．わが国での在宅人工呼吸の患者数は 2015 年現在で約 2 万人である．従来は気管切開下陽圧人工呼吸が主流であったが，1980 年代より，マスクを装着して陽圧呼吸を行う NPPV が行われ，これが在宅人工呼吸の主流となっている．NPPV 患者の約 30％は COPD であり，肺結核後遺症，神経筋疾患がこれに続いている．

慢性期における NPPV は，肺結核後遺症・脊椎後側弯症などの拘束性胸郭疾患，神経筋疾患，COPD などで生命予後や QOL の改善が証明されている．さらに，夜間に NPPV を施行すると昼間にも高二酸化炭素血症が改善されることが示されている．この理由として，夜間の呼吸補助による呼吸筋の疲労回復，陽圧呼吸による無気肺の改善，換気を増大させるための呼吸中枢への教育効果(呼吸中枢の resetting)などがあげられる．昼間には高二酸化炭素血症が認められなくても，夜間に低換気が生じて高二酸化炭素血症が生じている患者も多いとされ，中等度の症例でも夜間に低換気が存在する場合は早めに NPPV を開始することが予後の改善につながる可能性がある．

NPPV 施行の留意点としては，以下の項目があげられる．①マスク装着が適正(空気漏れが少なく，皮膚びらんなどが生じないよう)に行えるか常に確認する必要がある．②夜間使用が基本となるが，病態の重症化に伴って，日中への使用時間の延長を検討する．③装置の故障時・停電・地震などの緊急時の対応を患者と家族によく説明する．　〔三嶋理晃〕

■文献

厚生省特定疾患「呼吸不全」調査研究班編：呼吸不全―診断と治療のためのガイドライン，メディカルレビュー社，1996.
日本呼吸器学会 NPPV ガイドライン(改訂第 2 版)作成委員会：Noninvasive Positive Pressure Ventilation (NPPV)ガイドライン 改訂第 2 版，2014.
日本呼吸器学会在宅呼吸ケア白書作成委員会編：在宅呼吸ケア白書，文光堂，2005.

10. 消化管・腹膜の疾患

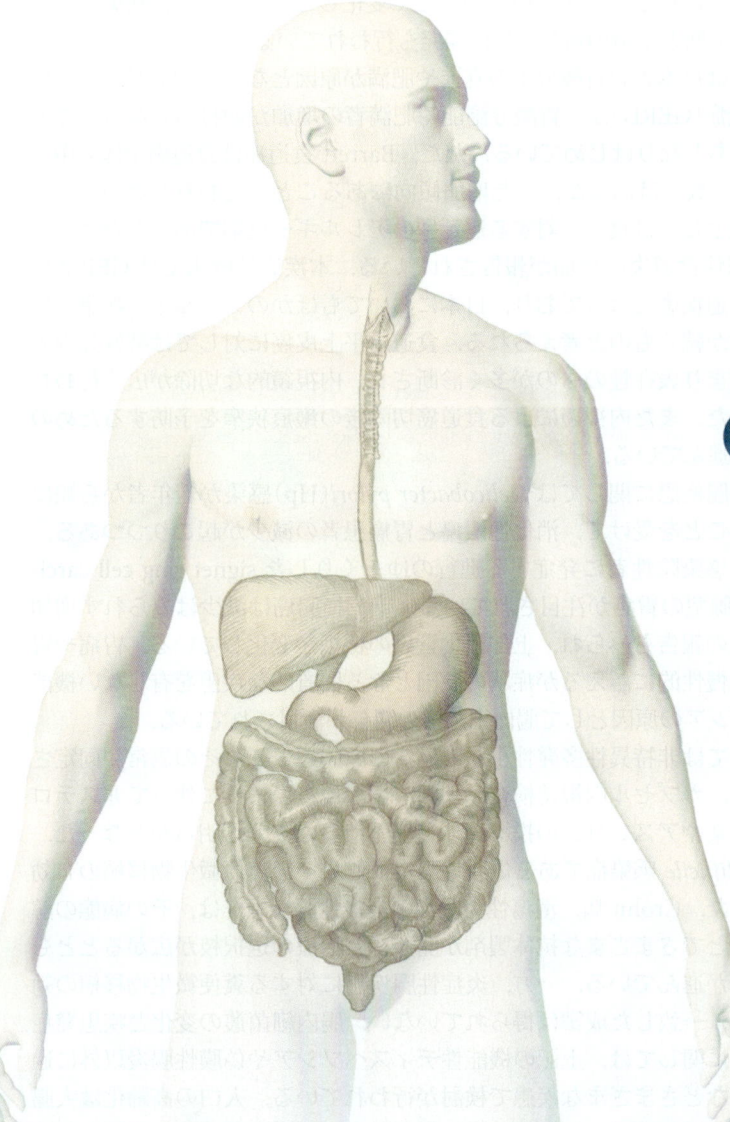

1. 内科学総論
2. 老年医学
3. 心身医学
4. 症候学
5. 治療学
6. 感染症
7. 循環器
8. 血圧の異常
9. 呼吸器系
10. 消化管・腹膜
11. 肝・胆道・膵
12. リウマチ・アレルギー
13. 腎・尿路系
14. 内分泌系
15. 代謝・栄養
16. 血液・造血器
17. 神経系
18. 環境要因・中毒

消化管・腹膜

- 10.1 総論 ……………………………… 871
- 10.2 口腔疾患 ……………………………… 892
- 10.3 食道疾患 ……………………………… 894
- 10.4 胃・十二指腸疾患 ……………………………… 918
- 10.5 腸疾患 ……………………………… 951
- 10.6 蛋白漏出性胃腸症 ……………………………… 1005
- 10.7 消化管ポリポーシス ……………………………… 1006
- 10.8 消化管憩室・憩室炎 ……………………………… 1010
- 10.9 腹膜疾患 ……………………………… 1013
- 10.10 全身疾患と消化管 ……………………………… 1019
- 10.11 薬剤・異物と消化管 ……………………………… 1026

消化管疾患における新しい展開

　消化管疾患では疫学に関する情報が大きく変化している．また，疾患の病態解明が進み，診断と治療の新しい技術開発も行われている．

　食道疾患では日本人の胃酸分泌の亢進や肥満が原因となって増加が続いていた胃食道逆流症（GERD）が，胃酸分泌能や肥満者の増加が頭打ちとなったことに伴って頭打ちとなりはじめている．ただ，Barrett食道癌は食道癌全体の中では5％以下の少数ではあるが，まだ増加傾向にあることに変わりがない．食道の炎症性疾患としては食物に対する遅延型のアレルギー反応であると考えられている好酸球性食道炎の増加が報告されている．本疾患は欧米ではGERDに次いで多い食道疾患となっており，日本においてもほかのアレルギー疾患同様に今後も増加が続くものと考えられる．食道扁平上皮癌に対しては特殊光内視鏡の使用が広まり表在性のものが多く診断され，内視鏡的な切除が広く行われるようになった．また内視鏡による食道癌切除後の瘢痕狭窄を予防するための方法の開発も進んでいる．

　胃・十二指腸疾患に関しては *Helicobacter pylori*（Hp）感染が若年者から順に減少していることを受けて，消化性潰瘍と胃癌患者の減少が起こりつつある．胃癌ではHp感染陰性者に発症する進行のゆっくりしたsignet ring cell carcinomaや胃底腺型の胃癌が注目されている．十二指腸癌は減少はみられず増加傾向にあるとの報告もみられ，上部消化管癌の様相が変化している．胃痛や胃もたれ症状を慢性的に訴えるが症状の原因となる器質的な疾患を有しない機能性ディスペプシアの原因として腸内細菌叢の関与が注目されている．

　腸疾患としては非特異性多発性小腸潰瘍症の原因遺伝子とその異常が同定された．さらに，カプセル内視鏡検査，小腸内視鏡検査の普及に伴って非ステロイド性抗炎症薬やアスピリンの投薬に伴う小腸潰瘍の実態が明らかとなった．*Clostridium difficile*感染症である偽膜性腸炎に対しては糞便微生物移植の有効性が確立された．Crohn病，潰瘍性大腸炎の炎症性腸疾患では，その病態の解析が進んだことでさまざまな抗体製剤が開発され治療の選択枝が広がるとともに予後の改善が進んでいる．一方，炎症性腸疾患に対する糞便微生物移植の効果に関しては，一致した成績は得られていない．腸内細菌叢の変化と疾患発症とのかかわりに関しては，上記の機能性ディスペプシアや偽膜性腸炎以外に過敏性腸症候群などさまざまな疾患で検討が行われている．人口の高齢化は大腸憩室の有病率を増加させ，大腸憩室炎，憩室出血による大量出血で重篤な病状となる患者を増加させている．さらに，抗血栓療法を受けている患者の増加は，この傾向を加速している．大腸癌に関してはendoscopic submucosal dissectionによる内視鏡切除がルーチン化されるとともに化学療法も改善されている．

　消化器疾患全体としては低侵襲治療が一般化し，入院を必要とする患者数は頭打ちとなっているように思える． 〔木下芳一〕

10-1 総論

1）消化器疾患患者のみかた

(1) 消化器症状の評価

消化器疾患の診断には進歩がめざましい内視鏡，CT，MRIなどの画像診断が欠くことができない．しかしながら，詳細な病歴聴取と身体所見の評価が，消化器疾患患者の診断においては重要である．画像診断は，不完全な病歴聴取や身体診察の埋め合わせをするものではない．消化器疾患は，消化器症状だけではなく，消化器外症状を呈することにも留意する必要がある．たとえば，炎症性腸疾患において肝胆道系異常，皮膚病変や関節炎を伴うことがある．さらに全身疾患が消化器症状を伴うことがある．機能性疾患では，検査所見に異常がない場合が多く，詳細な症状と病歴の把握がより重要である．

a. 現病歴

症状発現の仕方は，特定の疾患を示唆している．発症から現在に至るまでの症状の聴取は正確な診断に有用である．年齢層によって疾患の絞り込みも可能であるため，疾患の好発年齢を考慮して鑑別を行う．たとえば，下部消化管の出血は，高齢者では結腸癌，憩室炎，虚血性腸炎などが疑われるが，若年者では炎症性腸疾患や先天的疾患が鑑別にあげられる．

消化器疾患における典型的な症状は腹痛であるが，発症の状況，誘因，疼痛の性状，部位および疼痛の放散，発症のタイミングを聴取する（表10-1-1）．症状が複数あるときには発症した順番が重要である．通常，虫垂炎の症状の発症順序は，①疼痛（心窩部や臍部），②悪心，嘔吐，③圧痛，④発熱，⑤白血球増加で進む（Silen, 2010）．短時間の発症は，感染性疾患，中毒，および虚血性疾患が示唆される．一方，長期間続く症状は，慢性の炎症性疾患，腫瘍性疾患や機能性疾患などが鑑別にあげられる．食事摂取での悪化は，機械的閉塞，虚血，炎症性腸疾患や機能性胃腸疾患でみられる．さらに，悪心，嘔吐，便通，月経，排尿に伴う症状の有無の確認が必要である．

b. 身体診察

i) 全身状態，バイタルサイン

患者の表情や体位に注意を払う．汎発性腹膜炎では患者は，腹部の緊張を和らげるために，膝を曲げている．血圧，脈拍数，呼吸数，体温をチェックして循環不全がないことを確認する．重篤な急性腹症であっても，発症初期の脈拍数は多くの患者で正常であることに留意する．バイタルサインは，診断だけでなく緊急の処置の必要性の判断に必須である．発熱は炎症性疾患，腫瘍で認められる．消化管出血，脱水，敗血症などでは，起立性低血圧の有無を確認することが重要である．呼吸・循環器疾患で腹痛や悪心を呈することがみられるので胸部の診察も必ず実施する．皮膚所見や眼，および関節所見は特定の疾患を示唆する．

ii) 腹部の診察

腹部の診察を始める前に患者から痛みが始まった正確な部位と最も痛い部位を確認する．視診により局所的または全体の膨満の有無をみる．ヘルニアの有無はルーチンに確認する．ついで，呼吸による腹部の動きを観察する．潰瘍の穿孔では，呼吸による腹部の動きは認められない．視診で，腹部膨満，腫瘤，腹水，血管の異常皮下出血の有無を観察する．聴診では，血管雑音，腸管蠕動音を聴取する．触診では，痛みの最強点から最も遠い部位から開始する．触診は穏やかに行うことが肝要である．打診により膨満の有無，肝濁音界を確認するとともに，やさしく打診することにより反跳痛の存在を調べる．反跳痛を引き出すために深く触診している手を離すことは，患者に著明な痛みを誘発して筋の攣縮を引き起こし，以後の触診による情報が得られなくなる．

腹痛は体性痛と内臓痛に分けられるが，内臓痛は全般的な不快感を呈し，体性痛では不随意の筋性防御，反跳痛を呈することがある．腸管の虚血は強い疼痛のわりに圧痛は乏しい．腹水は，波動，shifting dullnessの有無で確認する．さらに直腸指診は，腹痛患者において骨盤内炎症，腫瘍，血便などの診断に必須である．特に，骨盤部に位置する虫垂炎の場合には，腹部に圧痛を認めず，直腸指診で疼痛を認めることがある．

(2) 消化器疾患に用いられる各種検査

消化器疾患では，病歴，身体所見に続き一般検査（尿，糞便），血液・生化学検査が行われ，ついで画像

表10-1-1 腹痛における聴取すべきOPQRST

- Onset：発症の仕方
- Palliating/Provoking factor：寛解・増悪因子
- Quality：性質
- Radiation：広がり方
- Site：部位
- Timing：いつ起きたか

消化器疾患における典型的な症状は腹痛であるが，発症の状況，誘因，食事や便通との関連，疼痛の性状，疼痛の放散の有無，疼痛の部位および，発症のタイミングを聴取する．

診断を行う．腹部単純X線撮影，消化管造影検査，CT，MRI，核医学検査，超音波検査および内視鏡検査が消化器疾患の診断に用いられている．近年では内視鏡検査が消化管疾患の診断，特に生検組織による病理診断とインターベンションに広く用いられている．

a. 一般検査・血液生化学的検査

白血球増加と赤沈の亢進は，炎症性疾患で認められ，白血球減少はウイルス感染を示唆する．鉄欠乏性貧血は消化管出血が原因となり，ビタミンB_{12}欠乏は胃，小腸，膵臓疾患によって引き起こされることがある．嘔吐と下痢は電解質異常や酸塩基平衡の障害，尿素窒素の上昇を引き起こす．肝疾患や胆膵疾患では，肝酵素，膵酵素の上昇がみられる．内分泌疾患の除外には甲状腺ホルモンやコルチゾール，カルシウムなどの測定が必要である．

便潜血反応には，グアヤック法などの化学法と抗ヒトヘモグロビン抗体による免疫法の2種類がある．上部消化管出血では酸性環境下でヘモグロビン（Hb）はペプシンによりヘムとグロビンに分解され，十二指腸で膵酵素によりグロビンが消化されてHbの抗原性が失われ免疫法では検出されない．一方，大腸からの出血は免疫法で検出される．大腸癌のスクリーニングに潜血検査が用いられ，40歳以上の検診で感度は60～90％，特異度は97％と報告されている．脂肪吸収障害では，便中ズダンⅢ染色によって，脂肪便を定性的に検出する．膵疾患には血清・尿アミラーゼ，血清リパーゼ，エラスターゼなどが測定される．

b. 細菌学的検査

腸管の炎症性疾患では，まず腸管感染症を念頭におく必要がある．腸管感染症の原因にはウイルス，細菌，原虫などがあり，症状のみでは診断を確定できない．疾患の頻度からカンピロバクター，サルモネラ，腸管出血性大腸菌，ロタウイルスがおもな対象になる．診断には便培養が用いられるが，迅速診断として，*Escherichia coli* O157抗原とベロ毒素，ロタウイルス・アデノウイルス抗原，抗菌薬起因性大腸炎または院内腸炎の原因菌の *Clostridium difficile* のCD毒素がある．ノロウイルスの集団発生が疑われるときは，保健所に連絡し遺伝子増幅法検査を依頼する．

上部消化管疾患のなかで最も一般的な胃潰瘍，十二指腸潰瘍に関連する *Helicobacter pylori* の非侵襲的診断には，尿素呼気試験，血清，尿中 *H. pylori* 抗体測定，および便中抗原測定が用いられている．近年の海外旅行ブームを背景に寄生虫疾患が増加しているため，海外渡航歴のある患者については注意が必要である．

c. 超音波検査

急性腹症の患者では，超音波検査が有用である．X線検査が十分に行えない環境では重要性が高い．急性虫垂炎が疑われる疾患に対する子宮外妊娠などの婦人科疾患の除外にも有用とされている．腫瘍の存在やリンパ節腫脹の有無も診断可能であり，イレウスは腸管の拡張，腸内容物の貯留で診断され，積極的に活用されるべき検査である．

d. X線検査

i）腹部単純写真

腸閉塞や消化管穿孔，中毒性巨大結腸症などの急性腹症で，特に有用である．しかしながら初期の小腸の絞扼性閉塞は異常を認めないことがあることに留意すべきである．

ii）消化管造影検査

造影剤を経口的に投与して消化管の形態を精査する検査であり，食道，胃，十二指腸疾患が適応となる．上部消化管造影検査は，内視鏡検査がスクリーニングに用いられるようになり，むしろ癌の浸潤範囲や深達度診断などの精査目的に用いられているが，食道蠕動運動障害などの機能の評価にも重要である．小腸造影は小腸腫瘍やCrohn病の診断や小腸の通過状態の診断に用いられる．注腸検査は，腫瘍性疾患と炎症性疾患の診断を中心に用いられる．

iii）CTおよびMRI

CTは空間，時間分解能ともすぐれていて，撮像時間が短いので腹部骨盤の広い範囲を短時間に撮影することができる．多列検出器（multidetector row CT：MDCT）の普及により撮影時間が短縮し造影ダイナミック撮影が可能である．また冠状断や矢状断などの任意断面での評価が可能となっている．MDCTでは消化管悪性腫瘍の他臓器浸潤や転移の評価だけでなく，データ再構築による血管との重ね合わせ像での観察などにより手術のシミュレーションができる画像やバーチャルエンドスコープ（立体視）が可能となっている．MRIは得られる組織コントラストが高く，病変の検出にすぐれる．胆道系のMRIのメリットは，MR cholangiopancreatography（MRCP）である．MRCPはERCPに比べ空間分解能に劣るが，膵管に閉塞がある場合に閉塞部位よりも上流の膵管の描出が可能である点が有利である．結石の描出にも有用であり，90％が描出可能である．消化管においては，腹部の拡散強調像による癌の播種や転移病変の検出が注目されている．

iv）血管造影

出血性病変（潰瘍出血，腫瘍よりの出血，憩室出血，血管性病変）などによる消化管出血，腫瘍の栄養血管の同定，血管浸潤の把握などに適応になる．出血血管の同定は，血管外漏出像によるが，毎分0.5 mL以上の出血で認められる．出血源が確認されたら，血管カテーテルからのマイクロコイルによるinterventional radiology（IVR）が行われる．急性腸間膜動脈閉塞症

表 10-1-2 消化器症状，疾患と内視鏡検査の適応

上部内視鏡	大腸内視鏡	内視鏡的膵胆管造影	超音波内視鏡
ディスペプシア	下部消化管出血	黄疸	癌の深達度診断
繰り返す嘔吐	貧血	胆管炎	粘膜下腫瘍
上部消化管出血	下痢	胆石膵炎	胆管結石
嚥下困難	便秘	膵・胆道・乳頭部腫瘍	慢性膵炎
貧血	大腸癌スクリーニング	膵・胆道ドレナージ	仮性囊胞
体重減少			胃粘膜肥厚
吸収不良			
ポリープ切除			
粘膜切除			
異物除去			
胃瘻造設			

消化管出血では，吐血を伴う場合は，上部内視鏡から検査がなされるが，便の性状が黒色便であるのか新鮮血排泄（血便）であるのかを確認する．黒色便は通常上行結腸より口側の出血で起こるとされ，大腸内視鏡を行い，必要に応じカプセル内視鏡またはダブルバルーン内視鏡を考慮する．

については，腹痛の出現から 6〜8 時間以内で，腸管壊死を認めない症例が経カテーテル的血栓溶解療法の適応となる．

v）核医学検査

出血部位が不明の消化管出血に対して ^{99m}Tc-コロイドまたは ^{99m}Tc-標識赤血球による診断がなされる．0.1 mL/分以下の出血も検出可能とされている．カプセル内視鏡やダブルバルーン内視鏡の進歩でその役割は限定的になりつつある．一方，PET（positron emission tomography）/CT は腫瘍性病変の診断，転移の診断に用いられて，より正確な病期診断，転移・再発の診断が可能となっている．小腸腫瘍の診断にも PET/CT が有用である（Cronin ら，2012）．

e．内視鏡検査

内視鏡検査では，電子スコープが主流となりデジタル情報で記録され，微細な粘膜形態の観察が可能となっている．上部内視鏡検査は，食道，胃，十二指腸の診断に用いられる（表 10-1-2）．特に上部消化管出血，食道炎，消化性潰瘍，悪性潰瘍の診断に有用である．近年では，通常観察に加え，画像強調機能を用いた観察や光学ズーム機能による拡大観察により腫瘍性病変の発見や正確な病変の局在診断にすぐれる（武藤ら，2012）．一方，大腸内視鏡検査は結腸と回腸末端の疾患の診断に用いられる．内視鏡検査は生検下の病理組織診断が行うことができることが大きな利点であるが，癌の深達度診断には超音波内視鏡検査が用いられる．粘膜下腫瘍に対しては超音波内視鏡下の fine needle aspiration（FNA）が有用である．小腸疾患は診断が困難であったが，カプセル内視鏡やダブルバルーン内視鏡の臨床応用がされている．従来では困難であった出血源不明の消化管出血のスクリーニングには，カプセル内視鏡またはダブルバルーン内視鏡が有用とされている[1]．バルーン内視鏡は，血管病変の止血や Crohn 病の狭窄拡張などにも応用されている．

さらにダブルバルーン内視鏡は，大腸内視鏡の挿入困難症例にも有効である．近年では，内視鏡は，診断だけでなく，食道静脈瘤の硬化療法や内視鏡的静脈瘤結紮術（EVL），止血術，内視鏡粘膜切除，ステント留置術などの治療に応用され，その適応は拡大している．内視鏡的膵胆管造影（ERCP）は膵臓，胆道疾患の診断と治療に用いられてきた．内視鏡的膵胆管造影の位置づけとしては，十二指腸乳頭切開，排石，閉塞胆管へのカニューレ挿入などの治療が中心となっている．

f．消化管機能検査

消化管の機能検査は，消化管分泌，消化管運動，消化管吸収などに対してなされる．従来，胃酸分泌は胃管を挿入して測定がなされていたが，侵襲的であることとガストリンの販売が中止されたために用いられなくなった．現在では，24 時間 pH モニタリング法が用いられ，特に内視鏡で逆流性食道炎の所見がない胃食道逆流症の証明に用いられている．食道内圧検査は，アカラシア，びまん性食道痙攣などの食道運動障害の診断に有用である．消化吸収は，3 大栄養素の吸収を測定する．脂肪吸収障害は便中ズダンⅢ染色による脂肪便の証明により，糖質吸収障害は D-キシロース吸収試験が用いられる．蛋白漏出は α_1-アンチトリプシンクリアランスにより測定される．　〔髙木敦司〕

■文献（e文献 10-1-1）

Cronin CG, Scott JS, et al: Utility of positron emission tomography/CT in the evaluation of small bowel pathology. British J Radiology. 2012; 85: 1211-21.

武藤　学，横山　顕，他：咽頭・食道一観察法．消化器内視鏡ハンドブック（日本消化器内視鏡学会卒後教育員会編），日本メディカルセンター，pp143-54, 2012.

Silen W: Appendicitis. Cope's Early Diagnosis of the Acute Abdomen（Silen W ed），pp67-83, Oxford University Press, 2010.

2）症候論

【⇨ 4 章】

3）消化管の画像診断学

(1) 内視鏡診断

消化器診療において，内視鏡の果たす役割は大きい．内視鏡が観察対象とする疾患は，各臓器における腫瘍性病変，潰瘍性病変，炎症性病変，血管性病変などきわめて多岐にわたる．内視鏡の最大の特徴は病変そのものをカラー画像でリアルタイムに直接観察できることである．そのルーツは19世紀後半から登場した硬性胃鏡にはじまり，軟性胃鏡，胃カメラ，ファイバースコープ，電子スコープへと進化し消化器内視鏡診断学を発展させてきた．近年ではカプセル内視鏡も加わり，ますますその診断領域は広がりつつある．そして，従来からの色素散布や超音波内視鏡のみならず，拡大内視鏡や画像強調観察（narrow band imaging (NBI)[1]や blue laser imaging (BLI)[2]など）の機能も活用されるようになり，それらの機能は内視鏡による病理学的診断の領域にも近づこうとしている．

一般的な内視鏡本体の全体像を図10-1-1に示す．内視鏡はおもに挿入部と操作部に区分され，挿入部は先端部と湾曲部，軟性部に分けられる．電子スコープの場合，先端部にテレビカメラに相当する半導体撮影素子（charge coupled device：CCD），光源装置から導かれた光を投射するライトガイドがついている．多くの内視鏡では2つのアングルノブによって湾曲部を上下・左右方向に屈曲させることができ，軟性部の前後・回旋操作も用いて内視鏡を操作する．操作部には送気・送水ボタン，吸引ボタンがついており，腸管の内腔を送気によって拡張したり，CCD前面のレンズを送水によって洗浄したり，腸管内容を吸引したりできる．また，ほとんどの内視鏡は鉗子孔を有しており，さまざまなデバイスを用いての内視鏡的インターベンションが可能である．

各疾患の内視鏡診断については別項に委ねるとして，消化管の内視鏡診断は原則「存在診断」，「質的診断」，「量的診断」の順序で行う．進行癌や活動性潰瘍などの粗大病変の場合，その「存在診断」は比較的容易である．しかし，早期癌をはじめとする微小病変となると容易ではない．微小病変の発見のためには通常観察像で見える粘膜のわずかな凹凸不整や色調の変化，出血などの微細な所見をまず拾い上げることが重要である．そして，それら1つひとつを読解できなければ，病変の存在すら疑うことはできない．存在を疑うことができれば「質的診断」へと進む．病変の存在部位，大きさ，形状，色調，易出血性，周辺粘膜の性状（ひだ集中やひきつれなど）などの通常観察所見に加えて，インジゴカルミンによる色素散布や画像強調観察，拡大内視鏡により総合的に良・悪性を診断する．それらの情報から，病変のなかでも病変性状を反映すると思われる部位に対して狙撃生検を行い，後ほど病理診断を得る．次に具体的治療方針決定のための「量的診断」が必要になる．早期癌か進行癌かを，病変の存在部位，大きさ，形状，周辺粘膜の性状や空気量による病変周囲を含めた腸管壁の伸展性などによって診断する．さらに早期癌であれば内視鏡治療適応の有無について，進行癌であれば手術適応の有無についての診断が必要になる（良性疾患であっても切除を要する場合は同様の評価が必要である）．ちなみに，遠隔・リンパ節転移の有無，腹水の有無には体外式の超音波検査やCT検査が必要になる．

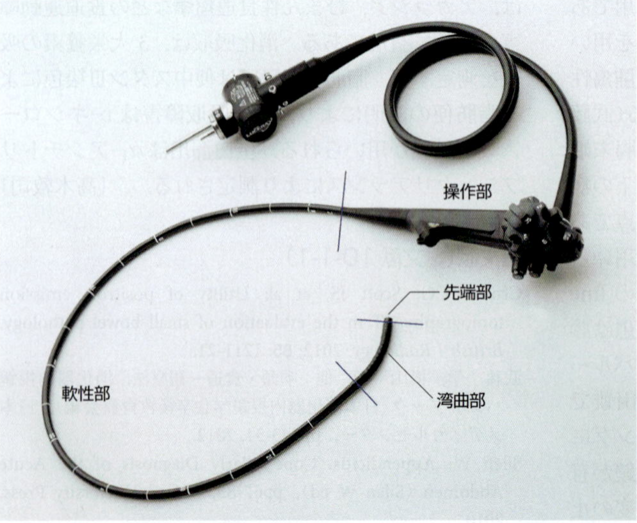

a. 上部消化管内視鏡（esophagogastroduodenoscopy：EGD）

食道・胃・下降脚までの十二指腸をおもな観察領域とする．従来の経口挿入に対して，より挿入時の苦痛が少ない経鼻内視鏡も広く普及している．腹痛や貧血，胃癌検診のX線検査で異常所見を認めた場合などに検査適応となる．近年では人間ドックの一検査項目として行われることも多い．各種内視鏡検査のうちで最も頻回に行われる検査であり，その操作や所見の読解はほかの内視鏡検査の基本となる．

EGDに課せられてきた最も重要な役割である早期胃癌の診断学は，戦後の内視鏡

図10-1-1 一般的な上部消化管内視鏡

学の歴史であるといっても過言ではない．早期の食道癌と胃癌については，内視鏡的切除術の適応病変であるか否かの診断が重要であり，近年では画像強調観察を併用した拡大内視鏡がその診断に活用されている．

b. 小腸内視鏡（enteroscopy）

i）バルーン内視鏡（balloon-assisted endoscopy）

観察対象となる臓器はおもに小腸である．しかし，その挿入性の高さから，癒着などにより通常内視鏡では全大腸を観察できない患者への大腸内視鏡としてや，Roux-en-Y 吻合などで輸入脚を有する患者における内視鏡的逆行性膵胆管造影としても用いられている．

通常の内視鏡との大きな違いは，先端バルーンつきのオーバーチューブを併用して内視鏡挿入を行うことである．そのオーバーチューブ先端のバルーンを拡張させることによって，内視鏡が通過した腸管を内側から把持してその腸管の伸展を防止することができる．それによって複雑な屈曲を有した小腸においても，内視鏡挿入の力が腸管の伸展に費やされることなく，先端部に伝わるようになり深部小腸への内視鏡挿入が可能となる（図 10-1-2）．オーバーチューブの先端のみにバルーンを有するものをシングルバルーン内視鏡といい，内視鏡の先端にもバルーンがついているものをダブルバルーン内視鏡という[3,4]（図 10-1-3）．バルーン内視鏡本体の基本構造は通常内視鏡と同様であり，これによって全小腸における内視鏡観察のみならず内視鏡的インターベンションも可能になった．

ii）カプセル内視鏡（capsule endoscopy）[5]

観察対象となる臓器は小腸であり，保険適用は，小腸疾患が疑われる患者である．従来の内視鏡検査とは大きく異なり，被検者は絶食の後にカメラを内蔵した全長 26 mm のカプセル（図 10-1-4）を飲み込むだけである．カプセルは腸管蠕動によって小腸内を移動していき，内蔵カメラがとらえた連続ビデオ画像が電波信号によって体外に装着したレコーダーに送信され蓄積される．一般には検査終了後にレコーダーから画像情報をダウンロードし専用のソフトウェアで解析し診断する．カプセルは検査終了後に肛門から体外に排出

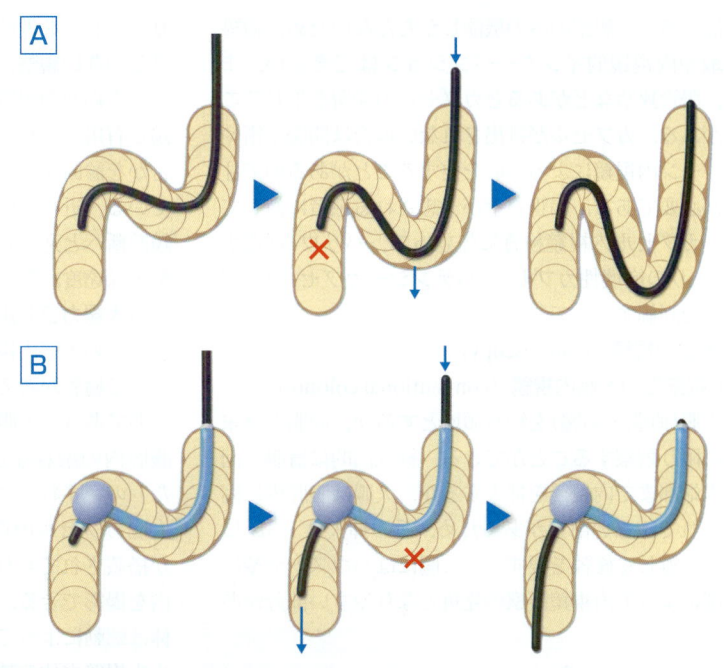

図 10-1-2 バルーン内視鏡の特徴
A：内視鏡にループが形成されてしまうと，内視鏡に加えた前後や回旋の力がそのループに吸収され内視鏡先端に伝わりにくくなってしまう．
B：オーバーチューブ先端のバルーンは腸管を内側から把持し，内視鏡がすでに通過した腸管の伸展を抑制しつつ，オーバーチューブが抜けてくることを抑制する．オーバーチューブに対して内視鏡の前後・回旋動作を加えても，オーバーチューブ自体は内視鏡とともに伸展・短縮や回旋をしないため，オーバーチューブに対して挿入した内視鏡本体の長さや加えた回旋の力を，腸管の伸展やねじれに費やされずに内視鏡先端に伝えることが可能になる．

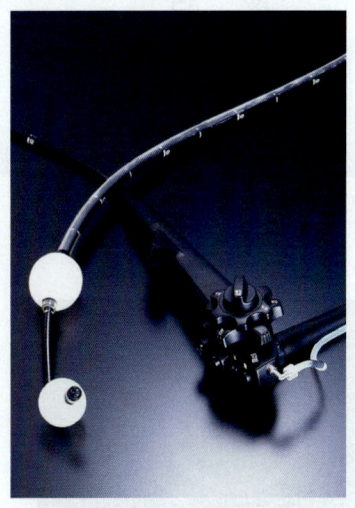

図 10-1-3 ダブルバルーン内視鏡

され廃棄される．カプセル内視鏡の利点は，低侵襲性であることと生理的環境下での小腸観察が可能であるということである．一方，欠点としては現在の技術ではカプセルの移動の意図的なコントロールは実用化されていないので，病変部分を往復しての詳細観察は不

可能である．観察のみの機能しかもたないため，組織採取や内視鏡的インターベンションはできない．また，腸管狭窄などがあるとカプセルの滞留を生じることがある．カプセルが排出されない場合は開腹手術やバルーン内視鏡による回収を要することがあるので注意が必要である．腸管狭窄が予想される患者に対しては，カプセル内視鏡検査に先立って，バリウム（造影剤）入りの崩壊性カプセル（パテンシーカプセル）で開通性を評価すべきである．

c. 大腸内視鏡（colonoscopy）

i）従来型の大腸内視鏡（conventional colonoscopy）

大腸（直腸・結腸）を観察領域とするが，回腸も終末部に限り観察することができる．経肛門的に盲腸や回腸末端部まで内視鏡を挿入するが，大腸は腹腔内に固定されていない部分があるため，その挿入はEGDに比して難しく修練を要する．大腸にはハウストラや屈曲部によって内視鏡観察の死角となりやすい部分があり，それらを理解したうえで内視鏡を丁寧に操作し見逃しのない観察に注意を払わなければならない．大腸腫瘍性病変の組織型・深達度診断においては拡大内視鏡が有用であり，内視鏡的切除術の適応病変であるか否かを診断するにあたって，その根拠として活用されている．近年では，画像強調観察を併用した拡大内視鏡診断へと進化しつつあり，その所見に基づいた組織型・深達度診断学がまとまりつつある[6]．

ii）大腸カプセル内視鏡（colon capsule endoscopy）

通常の大腸内視鏡挿入困難患者（「お腹の手術を行っていて癒着が考えられる」または「大腸内視鏡検査が必要であり，大腸ファイバースコピーを実施したが，腹腔内の癒着などにより回盲部まで到達できなかった」のいずれかに該当）に対して，保険適用となった．大腸カプセル内視鏡は全長32mmで，前後にカメラが搭載されており，両側で360°近くの視野角で大腸内を撮影できる．口から飲み込んだカプセル内視鏡本体は蠕動によって大腸まで運ばれる．ただし，カプセル内視鏡本体の効率的な盲腸到達と，大腸内の良視野を得るためには，通常の大腸内視鏡よりも多くの腸管洗浄液を要することが多い．

d. 超音波内視鏡検査（endoscopic ultrasonography：EUS）

EUSの観察対象は全消化管疾患と胆膵疾患，それらに関連したリンパ節などである．その他の内視鏡が病変や病変周囲の表面構造を観察するのに対し，EUSは深達度診断をはじめとする断面での評価が可能である．診断にあたっては，消化管壁の構造，周囲臓器の解剖学的位置関係の把握が必要である．また，超音波の性質にも精通していなければならない．

機材としてはラジアル型の超音波内視鏡専用機または細径超音波プローブを用いることが多い．消化管EUSの基本壁所見は5層とされている（図10-1-5）．観察は腸管内に脱気水を充満して行う．胆膵臓器に関しては，超音波内視鏡専用機によって胃十二指腸内腔から全体像の観察や，intraductal ultrasonography（IDUS）として胆管内に細径超音波プローブを挿入して胆管・膵管周囲近傍の観察を行う．従来の観察のみの機能に加えて，近年ではコンベックス型の専用機を用いて，超音波内視鏡下穿刺術（endosonography-guided fine needle aspiration：EUS-FNA）による深部組織に対し

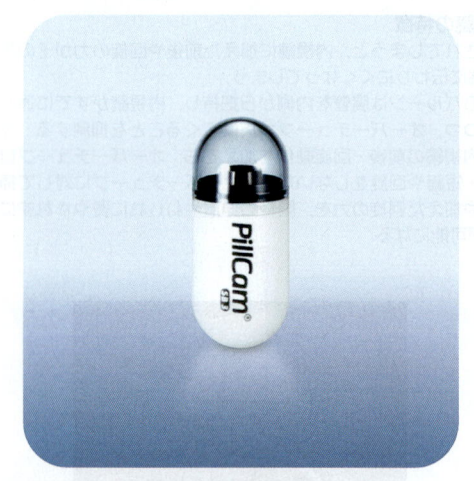

図10-1-4 小腸カプセル内視鏡

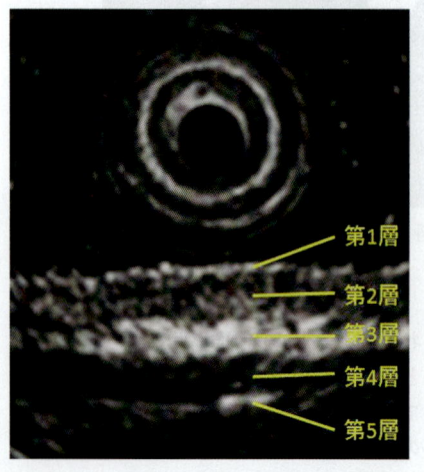
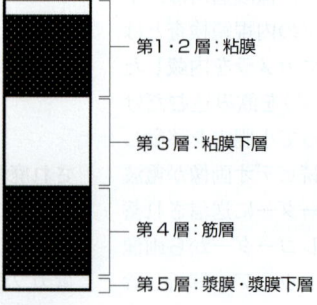

図10-1-5 超音波内視鏡で描出された胃壁の5層構造

ての細胞採取や薬剤注入なども行えるようになってきている．　　　　　　　　　〔林　芳和・山本博徳〕

(e文献 10-1-3-1)

(2)内視鏡微細診断

　消化管(食道・胃・十二指腸・小腸・大腸)の内視鏡診断は，大きく分けて「病変の発見(detection)」と「質的診断(characterization)」の2つのステップからなる．消化管における粘膜病変を，より早期に発見し，より正確な質的診断をするために，さまざまな新しい技術が開発され内視鏡観察に応用されている．

a. 画像強調内視鏡（image enhanced endoscopy：IEE）

　粘膜病変のコントラストを上昇させる技術を用いた内視鏡観察法は，近年，IEEと総称されている(Kaltenbachら，2008)．現在までさまざまな技術が開発され内視鏡機器に搭載されてきた．しかし，一般の日常臨床に応用されているIEEは，消化管粘膜に色素を散布して表面構造のコントラストを上げる色素内視鏡 dye-based IEE (chromoendoscopy)や通常の白色光と異なる特殊な光を投射する光学的手法を用いた画像強調内視鏡(equipment-based optical IEE)である．

b. 拡大内視鏡

　発見した微細な粘膜病変の質的診断のために，内視鏡の先端に可動式レンズを組み込み，光学的に拡大倍率を上げ，粘膜病変の毛細血管や上皮などを顕微鏡レベルで観察できる拡大内視鏡も一般臨床において使用されている．

c. 色素内視鏡

　色素内視鏡に用いる色素は，検査目的や臓器により異なる．食道の重層扁平上皮内にはグリコーゲンが多量に含まれる．内視鏡観察時にヨード液を食道内腔に散布し上皮内でヨード・グリコーゲン反応を惹起させると，食道上皮は褐色に染色される．一方，癌上皮，びらん・潰瘍などの上皮欠損部分，異所性胃粘膜などはグリコーゲンを有さないため，染色されない．ヨード染色は食道表在癌（扁平上皮癌）の発見や質的診断（範囲診断）に汎用されている(図 10-1-6)[1]．胃・十二指腸・小腸・大腸には，インジゴカルミンという非吸収性の青色の色素液を散布し(図 10-1-7)，病変の表面構造のコントラストを上げる方法が日常臨床に用いられている．おもに平坦な病変の発見や質的診断に応用されている．大腸では，孤発性の上皮性腫瘍に対し，吸収性のクリスタルバイオレットを散布し上皮の染色を行い，腺開口部形態(pit pattern)を拡大観察する方法が，質的診断に応用されている(図 10-1-8)[2]．

d. 狭帯域光観察

　光学的手法を用いた画像強調内視鏡には，現在，狭帯域光観察(narrow-band imaging：NBI)（オリンパスメディカルシステムズ株式会社），短波長狭帯域光観察(blue-LASER imaging)（富士フイルムメディカル株式会社）という近年わが国で開発された技術がある．その原理は，毛細血管や細静脈を流れる赤血球中のヘモグロビンに，強く吸収される波長からなる狭い波長帯域の光(狭帯域光)を投射すると，ヘモグロビンに強く吸収され，粘膜表層の毛細血管をはじめとする微小な血管像を明瞭に描出できることにある．さらに，狭帯域光は粘膜で強く反射され散乱も少ないため，粘膜表面の上皮などの微細構造を描出する臨床効果も有している(八尾, 2009)．

　従来の白色光を用いた内視鏡観察法に比較して

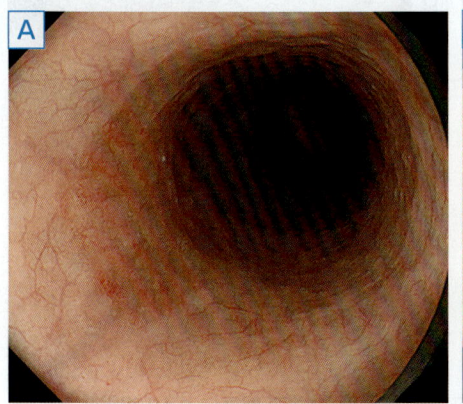 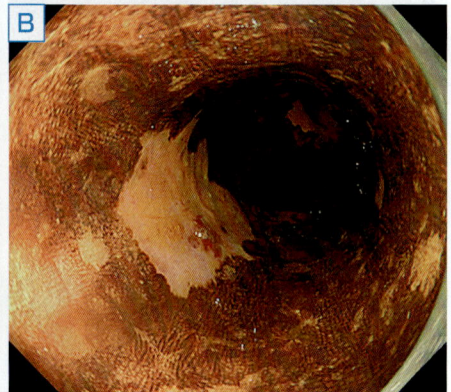

図 10-1-6 食道表在癌(表面陥凹(0-IIc)型)の内視鏡像
A：通常内視鏡像．画像の7時から10時の部分に境界不明瞭な軽度陥凹した発赤した粘膜を認める．
B：ヨード液散布後の内視鏡像．正常な食道粘膜（扁平上皮）は褐色に濃く染色されているが，食道表在癌（扁平上皮癌）はヨードにより境界明瞭な不染域として高いコントラストで描出されている．ヨード染色法を用いると癌の存在診断と質的診断が容易である．

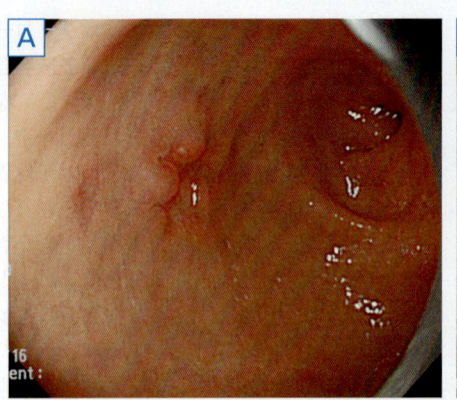 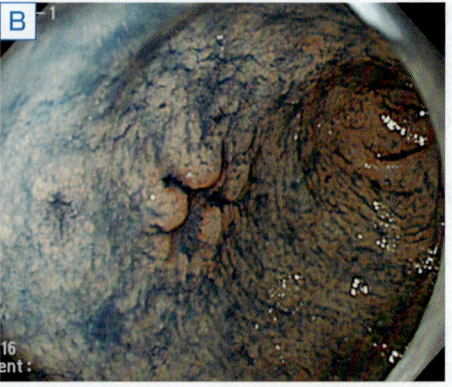

図 10-1-7 早期胃癌(表面陥凹(0-Ⅱc)型)の内視鏡像
A：通常内視鏡像．胃前庭部前壁に粘膜の凹凸を認める．
B：インジゴカルミン色素散布像．色素散布により，粘膜表面の微細な構造が明瞭に観察できる．色素が貯留した陥凹性病変であり，陥凹部の境界は不整であることから癌と診断できる．

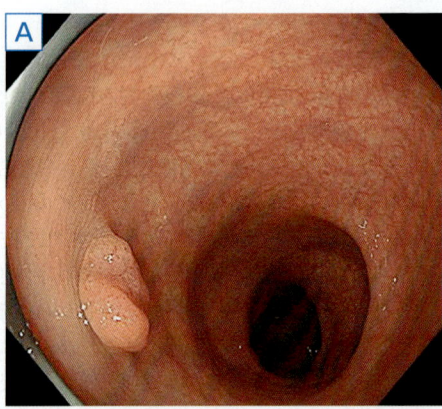 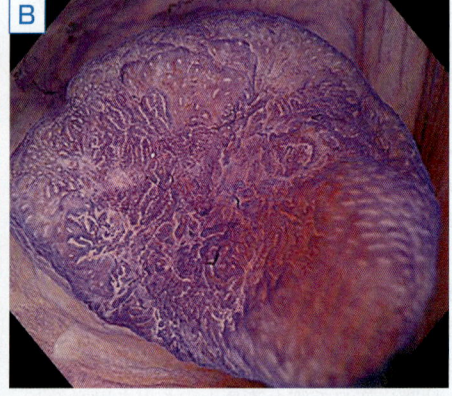

図 10-1-8 大腸早期癌(0-Ⅰs+Ⅱc型)の内視鏡像
A：通常内視鏡像．S状結腸に8 mm大の亜有茎性隆起性病変を認める．表面に不整型の陥凹面を伴っている．本内視鏡像のみからは癌・非癌の診断は困難である．
B：クリスタルバイオレット染色像．腺開口部形態は，配列の乱れや大小不同を認め不規則な多様性に富む構造(工藤・鶴田 pit pattern 分類 ⅤI型)を呈し癌と診断できる．

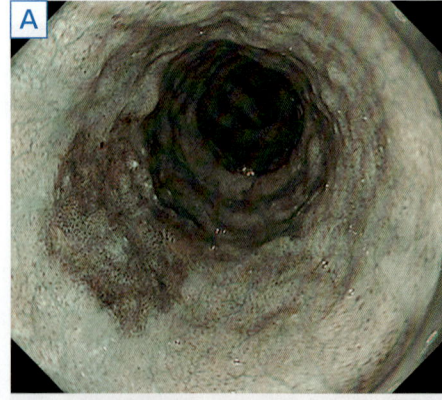 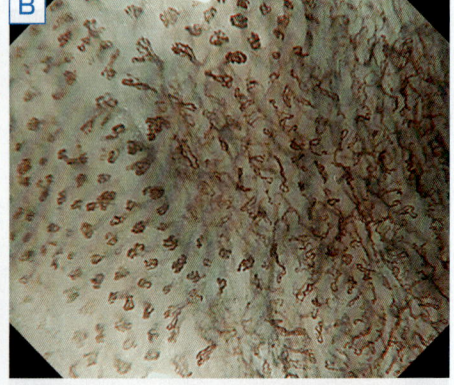

図 10-1-9 図 10-1-6 に示した食道表在癌(表面平坦(0-Ⅱc)型)の NBI 観察による内視鏡像
A：非拡大観察像．扁平上皮癌は境界明瞭な褐色領域(well-demarcated brownish area)を呈し，癌の存在診断が容易である．
B：NBI 併用拡大観察像．拡大観察を行うと癌に典型的な不整な微小血管像(irregular microvascular pattern)を呈し，癌と質的診断ができる．

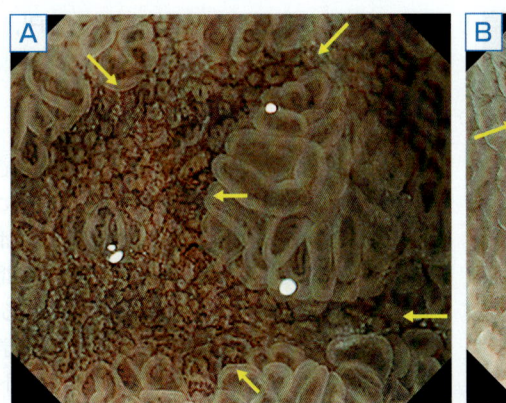 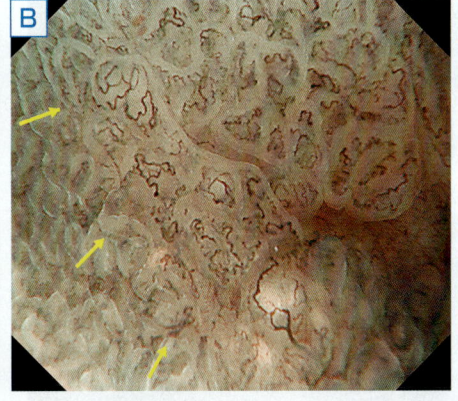

図 10-1-10 NBI 併用胃拡大内視鏡による診断体系 (VS (vessel plus surface) classification system)を用いた早期胃癌の診断
A：胃炎の NBI 併用胃拡大内視鏡像．5 mm 大の陥凹性粘膜病変を拡大観察すると明瞭な境界線 demarcation line(矢印)の内側に規則的な微小血管像(regular microvascular pattern)と規則的な表面微細構造 (regular microsurface pattern)が描出されている．本所見により非癌(慢性胃炎)と診断できる．
B：早期胃癌の NBI 併用胃拡大内視鏡像．10 mm 大の平坦な粘膜病変を拡大観察すると明瞭な境界線(demarcation line)(矢印)の内側に不整な微小血管像(irregular microvascular pattern)と不整な表面微細構造(irregular microsurface pattern)を認める．本所見により癌と診断できる．

NBI がすぐれているという臨床的有用性が以下のように報告されている(八尾ら,2011)．咽喉頭部・食道(重層扁平上皮)においては,NBI による平坦な扁平上皮癌の発見(図 10-1-9)や NBI を拡大内視鏡観察に併用した場合の扁平上皮癌の質的診断である[3,4]．胃や大腸(腺上皮)においては,NBI を拡大内視鏡に併用した場合,平坦で小さな早期胃癌の質的診断(図 10-1-10)[5-9],大腸の平坦な腫瘍性病変の質的診断である[10,11]．これらの微細な粘膜病変の診断は従来の内視鏡観察のみでは不可能であった．

また,NBI に必要な操作は,検査中に内視鏡手元操作部のスイッチを押し内視鏡先端から投射する光を変更するのみなので,本観察法の利点は,人工的な色素などを人体に散布する必要がなく,簡便で侵襲がないことである． 〔八尾建史〕

■文献(e文献 10-1-3-2)

Kaltenbach T, Sano Y, et al: American Gastroenterological Association (AGA) Institute technology assessment on image-enhanced endoscopy. Gastroenterology. 2008; **134**: 327-40.
八尾建史編著：胃拡大内視鏡,pp1-230,日本メディカルセンター,2009.
八尾建史,高木靖寛,他：色素内視鏡,画像強調内視鏡および拡大内視鏡．臨床外科．2011; **66**: 1580-8.

(3) 消化管の超音波診断

内視鏡や X 線造影が消化管の内腔面を観察する方法であるのに対し,超音波は消化管壁の断層像を評価する手法である．ほかの断層診断法に比較して超音波はその簡便性,空間分解能,リアルタイム性さらには非侵襲性においてすぐれている．消化管の超音波診断は消化管の管腔内から走査する方法(超音波内視鏡)と体表から走査する方法(体外式超音波)に大別されるが,本項では後者について述べる．

a. 適応疾患

通常腹部の体外式超音波で用いられる中心周波数は 3～8 MHz 程度であることから,平坦な粘膜内癌のような微細病変の描出は困難である．一方,進行癌などある程度の壁肥厚を呈する疾患であれば超音波のよい適応となり,その描出能・診断能ともにおおむね良好である．特に急性胃粘膜病変,急性虫垂炎(図 10-1-11),大腸憩室炎,一過性型虚血性大腸炎などの急性炎症性疾患における診断能は高く,まず試みられるべき検査法である．またリアルタイムかつ生理的な画像診断法であることから,消化管運動機能の評価にも用いられる．

b. 方法

通常前処置は施行しないが,胃癌の深達度評価や胃

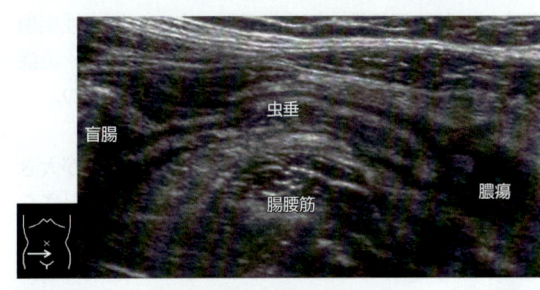

図 10-1-11 急性虫垂炎の超音波像(7 MHz リニアプローブを使用)
腫大した虫垂と先端周辺の膿瘍が描出されている．虫垂壁の層構造は大半で明瞭である．

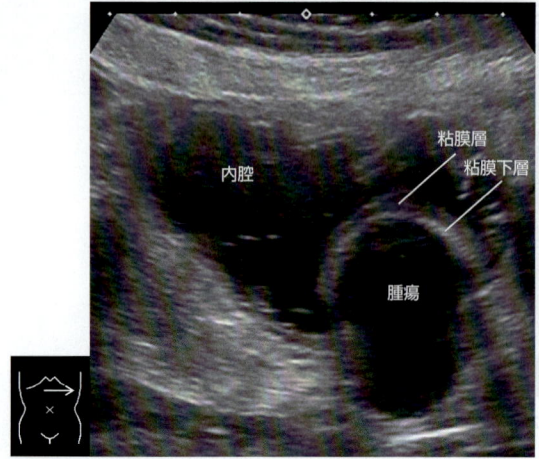

図 10-1-12 胃 gastrointestinal stromal tumor の超音波像（7 MHz リニアプローブ）
第4層の固有筋層に連続する腫瘍が描出されている．

粘膜下腫瘍の評価においては約 200 mL 程度の飲水を行う．消化管の立体解剖を理解することが重要であるが，腹部食道～十二指腸，上行ならびに下行結腸，そして直腸は解剖学的位置に個体差はないため，まずこれらを確実に同定する．原則的に腹部食道は腹部大動脈と肝左葉の間を走行し，十二指腸は膵周囲を取り巻くように後腹膜に固定され，上行結腸と下行結腸は腹腔内で最外側かつ最背側に存在している．

c. 正常な消化管の超音波像

部位にかかわらず，体外式超音波上消化管は内腔側より順に第1層（高エコー，境界ならびに粘膜層の一部），第2層（低，粘膜ならびに粘膜筋板），第3層（高，粘膜下層），第4層（低，固有筋層），第5層（高，漿膜あるいは外膜ならびに境界エコー，しばしば周囲脂肪織との分離が困難）の5層構造を呈する．壁の厚みは壁の伸展状況（内容物の多寡）により異なるが，おおむね 2～5 mm 程度である（図 10-1-5）．

d. 画像解析

異常所見の存在部位と分布，壁の層構造，壁のかたさ（エラストグラフィを用いた評価あるいは圧迫や飲水による可変性），血流（ドプラ法を用いる）などを評価する．特に層構造の観察は重要であり，腫瘍性疾患においては深達度や主座の決定（図 10-1-12），炎症性疾患では病変の活動性評価や鑑別診断に役立つ．

e. 限界と欠点

検者の技量と被検者の体格に影響を受ける点が大きな欠点であり，今後手技の標準化ならびに普及とさらなる機器の改良が望まれる． 〔畠　二郎〕

■文献

Maconi G, Porro GB eds: Ultrasound of the Gastrointestinal Tract, 2nd ed, Springer, 2014.

（4）消化管の放射線画像診断（CT，MRI，核医学診断）

a. 消化管における CT 診断

i）CT 検査の特徴と役割

X線 CT 検査は現在の画像診断学において最も基本となる検査法であるが，消化管疾患の場合には原病変の評価には内視鏡が第一選択であり，CT は精査目的に使用される場合が多い．CT の特徴は空間分解能が高く，客観性に優れた断層画像が得られることである．したがって病変の解剖学的位置や形態学的情報を得るのに有用であるが，単純 CT ではコントラストが悪いため，通常はヨード造影剤を投与する場合が多い．これにより病変が明瞭になり，また脈管も明瞭になるため解剖学的位置の同定も容易になる．

造影剤を血管内にボーラス注入し，経時的に撮影する方法をダイナミック CT とよぶ．動的な血流情報が得られるため，腫瘍の質的診断に有用性が高い．ただしヨード造影剤はアレルギー反応の副作用があるため，使用する際には必ず喘息の有無やアレルギー歴をチェックする必要がある．また腎排泄性であるため腎機能の確認も不可欠である．

最近の CT では技術の進歩により低被曝化が進んでいる．しかしながら良性疾患や患者が若年者の場合には，常に被曝による不利益とのバランスを考慮しながら検査を実施する必要がある．

ii）特殊な CT 撮像法

最新の CT では検出器の多列化と X線管球の回転速度向上により，高速化・高分解能化が進んだ．CT の元データは横断面であるが，これを画像処理により横断面以外の断面に再構成したものを MPR（multi-planar reconstruction）とよぶ．現在では MPR による冠状断像，矢状断像，斜位像などすべての画像を横断像と同じ空間分解能で得ることが可能であり，多方向からの観察には不可欠である．

消化管領域における三次元画像として，空気や二酸化炭素ガスで内腔を拡張させた後に CT を撮影し，画像処理を施した仮想内視鏡モードが臨床応用されている（virtual endoscopy，ⓔ動画 10-1-A）．現時点における仮想内視鏡の役割は粗大病変のスクリーニングと腫瘍性病変の位置確認であり，一部のバリウム検査を置き換えつつある．

CT 血管撮影（CT angiography）はダイナミック CT のデータから血管のみの情報を抽出して画像化したものである．高速に撮影して動脈相と門脈相を別々に画像化することが可能であり，病変と脈管の解剖学的位置の把握に有用である（図 10-1-13）．

b. 消化管における MRI 診断

i）MRI 検査の特徴と役割

MRI の最大の特徴はコントラスト分解能にすぐれ

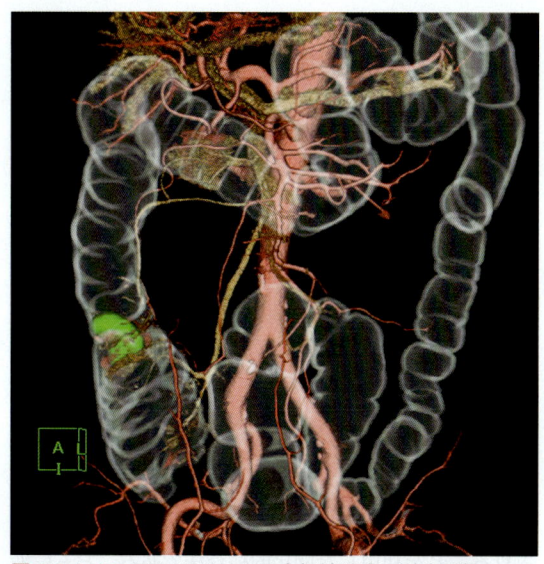

図 10-1-13 PET/CT による上行結腸癌の融合画像
CT 血管撮影(動脈：赤色，門脈：茶色)と CT colonography を融合させ，さらに FDG の集積(緑色)を重ねて腫瘍の位置と血管の関係を明瞭にした．

る点である．したがって脳，肝臓や骨軟部など CT ではコントラストがつきにくい実質臓器の検査に有用性が高い．一方消化管領域においては，蠕動運動や内部の空気が磁化率アーチファクトの原因となるので検査には適さない場合が多い．MRI のおもな役割は壁外病変の評価や他臓器のスクリーニングである．水と脂肪の信号は特異度が高いため，囊胞性疾患や脂肪を含む腫瘍の場合には診断的価値が高い．

MRI は CT に比べて動きや金属などのアーチファクトに弱く，義歯や外科クリップなどの体内金属の近傍は診断に適さないが，最近の医療材料は非磁性体で作成されている場合が多く，MRI 検査自体が禁忌となることは少ない．ペースメーカも最近は MRI 対応の機種が発売されているが，原則は禁忌である．

ii) 特殊な MRI 撮像法

MRI の特殊撮像法として MR hydrography，MR 血管撮影や拡散強調画像(DWI)がある．MR hydrography とは体内の自由水だけを強調して描出する強い T2 強調画像である(代表的な画像が MRCP：MR cholangio-pacreaticography)．MR 血管造影は造影剤を使用せずに血流のみを画像化する撮像法である．造影剤を使用せず放射線被曝がない点で CT 血管造影よりもすぐれるが，空間分解能に劣る，アーチファクトによる画質の劣化が多い，などの欠点を有する．DWI は水の拡散(ランダムな分子運動)の強さを画像化するものであり，悪性腫瘍を高いコントラストで描出することができる．悪性腫瘍では細胞配列の乱れや細胞密度の増加による水分子の運動が制限されるために拡散能が低下し，画像上は高信号領域として描出さ

れることになる．これら MRI の特殊撮像法は肝胆膵領域ではしばしば使用されるが，消化管領域では前述のようにアーチファクトが多いため，使用される機会はそれほど多くない．

c. 消化管における核医学診断

i) PET 検査の特徴と役割

核医学検査は放射性同位元素で標識した薬剤の動態や代謝を画像化する診断法であり，使用する放射性同位元素によって撮像カメラが異なる．^{99m}Tc や ^{67}Ga などの単光子放出核種を用いる断層撮影を SPECT 検査(single photon emission computed tomography)とよび，^{18}F などの陽電子放出核種を用いる断層撮影を PET 検査(positron emission computed tomography)とよぶ．

PET 検査において腫瘍診断に使用される FDG(2-[^{18}F]-fluoro-2-deoxy-D-glucose)はグルコース類似物質であり，腫瘍の糖代謝を反映する．一般に悪性腫瘍は糖代謝が亢進しているので FDG の集積が亢進し，正常組織と比べてコントラストよく描出することが可能となる．しかし活動期の炎症細胞にも集積するために特異性は低い．

PET と CT が一体となった PET/CT 装置は同一寝台で PET と CT の画像をほぼ同時に得ることが可能である．これにより融合画像の解剖学的精度が上昇し診断能が向上する．

消化管腫瘍における PET(PET/CT)の役割は進行癌の転移検索，そして治療後の転移検索や再発診断であり，主病変の診断においては有用性が低い．

ii) SPECT 検査の特徴と役割

代表的な SPECT 検査は骨シンチグラム，ガリウムシンチグラムであり，悪性腫瘍の転移検索目的で使用される．しかし現在はどちらも FDG-PET で代用が可能であり，むしろ PET の有用性がすぐれている．

消化管診断における特異度の高い検査法として出血シンチグラムと Meckel 憩室シンチグラムがある．出血シンチグラムは毎分 0.05 mL 以上の少量の出血でも検出可能であり，内視鏡で検出できないような少量の出血部位の同定に有用である．経時的に撮像するために間欠的な出血でも検出でき，小腸・大腸を問わずに撮像できる．欠点としては空間分解能に劣る点であるが，SPECT と CT が一体型の SPECT/CT であれば SPECT 専用機よりも出血部位の同定にすぐれている．Meckel 憩室シンチグラムは憩室の約 20～50％，そして下血を認める小児の 50～91％に存在する異所性胃粘膜を検出する検査法である．本検査で使用される $^{99m}TcO_4^-$ は静注後に胃粘膜の粘液産生性上皮細胞に取り込まれ，その後胃内腔に分泌される．診断率が高く(81～95％)，臨床的に本疾患が疑われる場合に確定診断的な検査法として実施される．〔村上康二〕

4）生理機能診断

(1) 消化管の運動機能評価

消化管疾患は器質的疾患と機能性疾患に大別される．器質的疾患は癌や潰瘍，炎症など消化管の形態に変化をきたすもので，消化管造影や内視鏡検査，CTなどの現在の進歩した診断方法で比較的容易に診断できる．一方，機能性消化管疾患は，通常の画像検査や血液検査で異常を認めず，慢性・反復性の腹部症状や下痢・便秘，体重減少，栄養障害，貧血などをきたす疾患であり日常診療で遭遇する機会は多い．消化管運動機能異常は，多くの消化器関連症状の主要な原因であり，消化器以外にさまざまな症状を呈することもある．消化管運動機能検査は病態の解明や治療方針決定のために重要であるが，器質的消化管疾患の診断法のように簡便で普及した検査法は少ない．現在，多くの検査法が開発されている．臨床研究レベルのものが多いが，有用性が確認されて日常臨床に普及しつつある検査法もある．表10-1-3に代表的検査法を示す．

表10-1-3 消化器系疾患の生理機能検査

食道運動機能検査
- 食道排泄能検査
  - 一定間隔を空けた食道造影
- 食道内圧測定
- 24時間pH測定
- インピーダンス法

胃腸運動機能検査
1. 胃排出能検査
   - アセトアミノフェン法
   - ^{13}C呼気試験法
   - ラジオアイソトープ法
   - 超音波法
   - X線不透過マーカー法
2. ほかの胃機能検査法
   - 胃内圧検査
   - バロスタット法
   - ドリンクテスト
   - 胃電図

小腸運動機能検査
- シンチグラフィ
- 呼気試験法
- X線不透過マーカー法

大腸運動機能検査
- 大腸内圧検査
- バロスタット法
- 排便造影
- X線不透過マーカー法

a. 食道運動機能検査

i) 食道排泄能検査

一定間隔を空けた食道造影(timed barium esophagogram：TBE)は，食道造影検査時に，バリウム濃度，撮影体位，撮影時間をあらかじめ設定しておきバリウム柱の高さと幅を測定することにより食道排泄能を測定する方法である．

ii) 食道内圧測定

健常者では嚥下時には，まず下部食道括約筋(lower esophageal sphincter：LES)弛緩が起こり，同時に食道上部より蠕動波が出現して下部食道へ向かい移動していく．食道内圧を測定して蠕動波の状態を把握することにより食道運動障害の有無を評価することができる．図10-1-14に飲水による正常な蠕動波の流れを示す．

iii) インピーダンス法

食道腔内のインピーダンス(電気抵抗)の変化を測定して内容物の移動状況を把握する検査法である．空気はインピーダンスが高く，液体はインピーダンスが低いのでインピーダンスによって内容物が判別できる．また，食道内圧測定や24時間食道pH測定と組み合わせることにより，食道運動能や逆流の詳細な診断が可能である．図10-1-15に水嚥下時の食道内圧とインピーダンスの変化を示す．

b. 胃運動能検査

i) 胃排泄能検査

1) アセトアミノフェン法：アセトアミノフェンが胃では吸収されず，十二指腸以下の小腸で速やかに吸収されることを利用した間接的検査法である．おもに液状食の胃排泄能検査に用いられる．アセトアミノフェン(15 mg/kg)内服後，一定時間ごとに採血をし，血中濃度の推移を知ることによって，胃内容物の排出能を評価する．血中濃度が45分にピークを形成すれば正常，ピークが早ければ排出能が高く，遅ければ排出能が低い．肝障害などアセトアミノフェン自体の副作用には注意する必要がある．

2) ^{13}C呼気試験法：炭素(^{12}C)の安定同位体である^{13}Cで標識した化合物を含む試験食を摂取した後，^{13}C標識化合物の胃からの排出，小腸での吸収，肝臓での代謝を経て呼気中に$^{13}CO_2$が排泄されることを利用した検査法である．さまざまな^{13}C標識化合物を用いられるが，固形試験食用には^{13}C-オクタン酸が，液状試験食には^{13}C-酢酸が用いられることが多い．

3) ラジオアイソトープ法：^{99m}Tc-DTPA(diethylene-triamine-pentaacetic acid)や^{99m}TcスズコロイドなどのRI標識化合物を混じた試験食を摂取した後，胃内の放射線活性を測定することにより直接的かつ定量的に胃排泄能や胃停留能を測定できる．最も正確な方法であるがRI標識化合物の取り扱いが煩雑でガンマカメラが必要である．

4) 超音波法：超音波を用い，試験食摂取後に胃前庭部など一定の部位の面積や体積を測定する方法である．無侵襲でリアルタイムに胃の収縮運動を観察できる．また，運動能だけでなく食物の移動状況や十二指腸からの逆流なども観察できる．

5) X線不透過マーカー法：X線を透過しない物質を内服した後に経時的にマーカーの位置を確認することで胃や小腸・大腸などの運動能を検査する方法である．代表的なマーカーとして入った米国Konsyl社のSitzmarks®がある．

ii）ほかの胃運動能検査法

その他の胃運動能検査法として，バロスタット法，ドリンクテスト，胃電図がある（eコラム1）．

c. 小腸運動能検査

i）ラジオアイソトープ法

^{99m}Tc-DTPA や ^{99m}Tc スズコロイドなどの RI 標識化合物を混じた試験食を摂取した後，ガンマカメラで放射線活性を撮影することにより十二指腸から回盲部までの通過時間を測定できる．

ii）呼気試験

健常人でも，摂取した炭水化物の一部は小腸で消化されずに大腸に到達する．大腸では，腸内細菌で分解され，短鎖脂肪酸や水素，CO_2，メタンなどが産生される．経時的に呼気中のガスを測定し，上昇がみられた時間を口-盲腸通過時間（oro-cecal transit time：OCTT）とする検査法である．比較的簡便な方法であるが，吸収不良や小腸内細菌異常増殖のある症例では評価できない．

d. 大腸運動能検査

i）大腸内圧測定

大腸内圧を測定することにより慢性便秘や下痢など機能性大腸疾患の診断・鑑別や治療効果の判定に関する情報を得ることができる．

ii）バロスタット法

直腸など腸管の任意の位置で定圧バルーンを膨らませるバロスタット法では消化管張力の変化が測定できる．張力の変化に対する被験者の感覚や痛覚閾値の測定もできるので過敏性腸症候群（IBS）の知覚閾値も調べることができる．

iii）排便造影

肛門から造影剤を混入した擬似便を注入し，簡易便座に腰かけて透視下に排便状態を観察する検査法である．直腸肛門部の排泄機能異常による便秘の診断に利用される．直腸前壁が膣方向に突出した直腸瘤や直腸重積，直腸脱の診断に有用である

る．

(2) 消化・吸収機能評価

膵疾患，胃・小腸切除例など多くの疾患で脂肪のほか，糖質，蛋白質，ビタミンなど各種栄養素の吸収が障害される．吸収不良症候群の症状は，各栄養素の摂

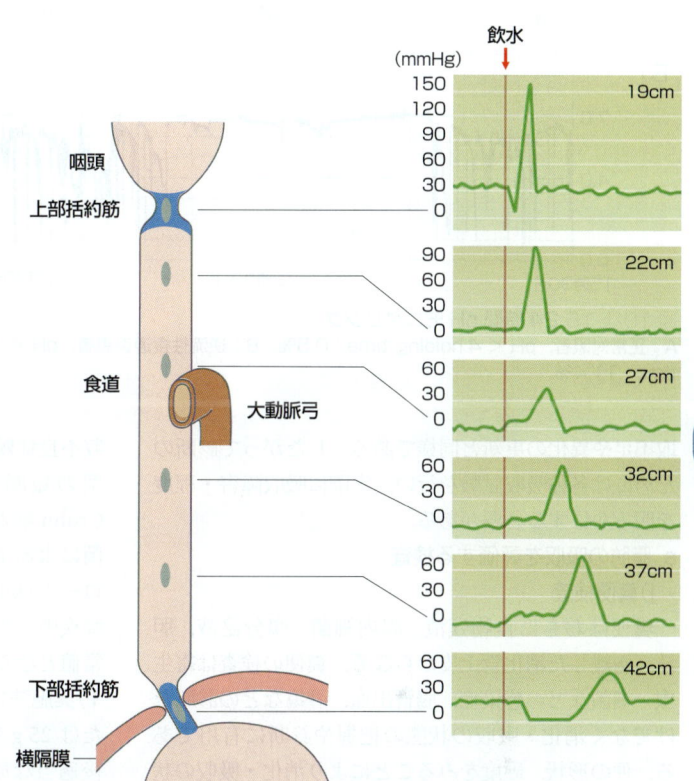

図 10-1-14 飲水により誘発された正常の食道蠕動波
咽頭での蠕動波出現と同時に下部食道括約筋（LES）は一過性に弛緩する．

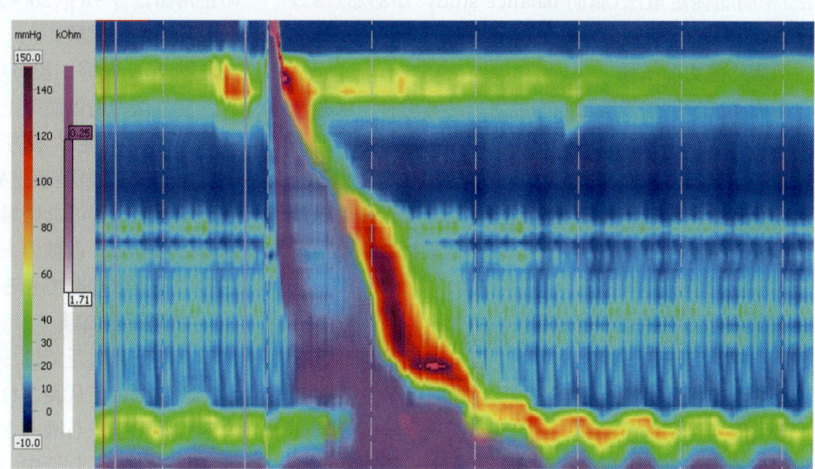

図 10-1-15 飲水に伴う上部食道から下部食道までの食道内圧，電気抵抗の変化
飲水とともに上部食道で発生した収縮（赤で示される高圧部）が次第に下部食道へ移動していく様子を示す（正常の蠕動運動）．蠕動波が通過した後は，食道腔内に水分が通過していく．水のインピーダンス（電気抵抗）は空気より低いので，紫色に変化している．

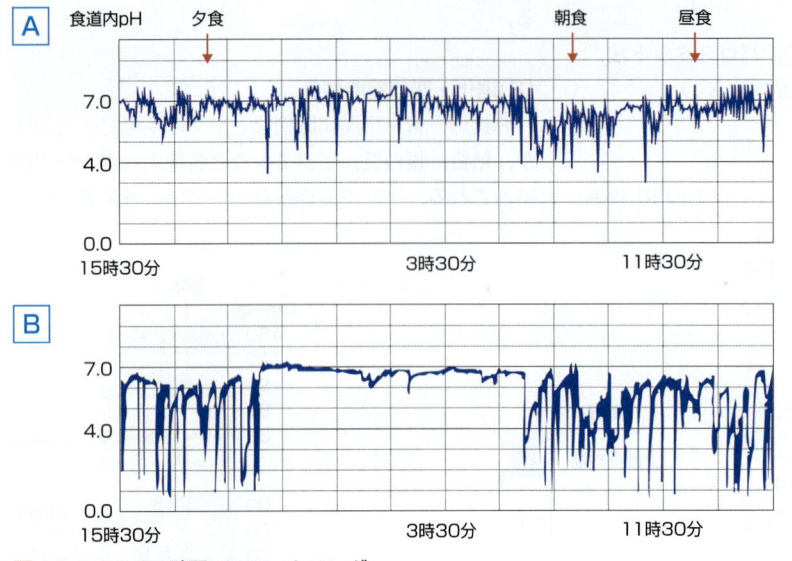

図 10-1-16 24時間pHモニタリング
A：正常対照者，pH<4 holding time：0.5％，B：逆流性食道炎患者，pH<4 holding time：11.4％．

取不足や異化の更新と同様である．したがって診断のためには各種吸収試験を行い，実際に吸収障害・程度を明らかにする必要がある．

a. 脂肪の吸収を評価する検査

i）糞便検査

糞便はおもに食物残渣，腸内細菌，腸分泌液，胆汁，剥離した消化管上皮からなる．糞便の検査は寄生虫・細菌などの感染症，腸管出血，腫瘍などの診断だけでなく消化・吸収の状態の把握や診断に有用である．便の形状，硬度をみることにより消化・吸収の状態や腸管運動，狭窄の有無などを知ることができる．吸収不良や分泌亢進があれば軟便，下痢便となる．おもな検査法としては，糞便脂肪染色法（Sudan Ⅲ 染色法）や脂肪便定量法（脂肪 balance study）がある（⊖コラム 2）．

ii）胆汁酸負荷試験

回腸疾患や切除後など回腸障害のある場合には胆汁酸の再吸収が障害され，胆汁酸を経口負荷しても血清胆汁酸が増加せず血清胆汁酸濃度曲線が平均化する．ウルソデオキシコール酸を経口投与し，その後の血清胆汁酸を測定する．10 μmol/L 以下であれば小腸末端での吸収障害を示唆する．

b. 糖質の吸収を評価する検査

i）D-キシロース試験

D-キシロースは分子量150の五炭糖であり消化を必要とせず空腸からグルコースやガラクトースと同様に吸収される．吸収された血中キシロースの約60％は体内で代謝・分解され，残りの約40％は尿中にそのままの形で排泄される．D-キシロース試験は一定量の D-キシロースを投与してその後 5 時間の尿中排泄キシロース量を測定するもので小腸の吸収機能を判定することができる．ただし，D-キシロースは胃から小腸に至り，吸収されて門脈，肝を経て体循環に入り腎から尿中へ排泄される．このため①胃排泄能低下，②浮腫・腹水，③腎機能低下などの病態では判定に際し注意を要する．D-キシロース投与量は5gまたは25gが用いられる．25g投与では悪心，嘔吐，下痢，腹痛などの副作用がみられる．一方5g投与では軽度の吸収障害の診断には劣る．D-キシロースは消化を必要としないため吸収不良症候群のうち本態性のスプルー，吸収面積減少型の短腸シンドローム（short bowel syndrome），Crohn 病などでは低値を示す．異常増殖した腸内細菌による D-キシロースの分解が起こる盲係蹄シンドローム（blind loop syndrome）では異常低値を示す．膵疾患，胆道疾患など消化障害による吸収不良では正常値となる．

1）実施法：早朝空腹時，排尿後 D-キシロース5gまたは25gを250mLの水とともに服用させる．その後適当な尿量を確保するために直後ないし1時間後にさらに250mLの水を飲ませる．D-キシロース投与後5時間まで蓄尿し尿中の D-キシロース量を測定する．5g法での正常値は1.5g（30％）以上，25g法での正常値は5〜8g（20〜32％）である．

ii）乳糖負荷試験

乳糖20gを経口投与（牛乳2本程度の負荷に相当）し，投与後の血糖値の上昇の程度から間接的にラクターゼ活性を測定する方法である．正常症例では20 mg/dL 以上の血糖値上昇を認める．また，乳糖負荷試験で血糖上昇のない場合，ラクターゼ製剤を乳糖と同時に投与し，血糖の上昇があればラクターゼ欠乏をさらに確実に診断できる．

iii）水素呼気試験

ラクターゼ欠乏では，未吸収で大腸に到達した乳糖が，腸内細菌で代謝されて水素ガスが産生され，水素ガスは腸粘膜から吸収され肺から呼気の一部として排泄される．この呼気中の水素ガスを経時的に測定することにより間接的に乳糖吸収能を評価する．乳糖50 gを経口投与し，未消化乳糖の細菌代謝によって発生した水素を摂取後2, 3, 4時間の時点で呼吸計を用

いて測定する．吸収不良の患者では，呼気中水素はベースラインから20 ppm以上増加する．ただし，腸内細菌叢に水素ガス産生菌をもたない人では無効である．

蛋白質の吸収，ビタミンの吸収，蛋白漏出を評価する検査としては，PFD試験，糞便窒素量，ビタミンB_{12}吸収試験，$α_1$-アンチトリプシンクリアランスがある（ⓔコラム3）．

(3) 胃酸分泌機能検査・24時間pHモニタリング

a. 胃酸分泌機能検査

胃酸分泌機能検査としてゾンデを用いて胃液を採取し酸度を測定する方法や内視鏡を用いてpH指示薬であるコンゴーレッド色素を散布して粘膜色調の変化により胃酸分泌状態を判断するコンゴーレッド法などがある．世界的にはハイデルベルグ社のテレメトリ胃腸内pH測定機が汎用されている（Steinbergら，1965）．本機はラジオカプセルを飲み込むことにより感知したpHを電波に変え発信し体外においたバンドアンテナを装置した受信機でキャッチし自動記録していくものである．日本国内でも少数の施設で行われている（詳細はⓔコラム4参照）．

b. 24時間pHモニタリング

食道腔内にpHセンサーを留置してpHの変動を測定する方法である（Johnsonら，1974）．通常，食道内のpHは6前後の中性に近い状態であるが，胃酸の逆流が起こるとpHは4未満に低下する．24時間継続的に測定することにより，胃酸逆流の状況を把握できる．胸やけなどの典型的な症状があり，また内視鏡的に粘膜傷害の所見を確認できた場合は胃酸の食道内への逆流は確実であり，pHモニタリングは必須ではない．特に内視鏡的に所見のない胃食道逆流症の診断に有用である．pHモニタリングの使用は胃食道逆流を定性，定量的に証明する場合に重要とされる．食道内pHが4未満になる酸逆流時間（pH < 4 holding time：pH < 4 HT），5秒以上の逆流回数，最長逆流時間などが評価に用いられているがpH < 4 HTが酸逆流の指標として重要とされ，逆流性食道炎における内視鏡重症度と有意な相関が認められている．酸逆流は健常人でも起こるものの，その多くはpH < 4 HTが5%前後であることから5%以上を病的な酸逆流とすることが多い（Richterら，1992）．図10-1-16に正常対照者と逆流性食道炎患者の24時間pHモニタリングを示す． 〔藤本一眞・岩切龍一〕

■文献

Johnson LF, Demeester TR: Twenty-four -hour pH monitering of the disatl esophagus. A quantitative measure of gastroesophageal reflux. Am J Gastroenterol. 1974; **62**: 325-32.

Richter JE, Bradley LA, et al: Normal 24-hr ambulatory esophageal pH values. Influence of study center, pH electrode, age, and gender. Dig Dis Sci. 1992; **37**:849-56.

Steinberg WH, Mina FA, et al: Heidelberg capsule I: *in vitro* evaluation of a new instrument for measuring intragastric pH. J Pharm Sci. 1965; **54**:772-6.

5) 消化管ホルモン

消化管ホルモンとして最初に発見されたものは，セクレチンであり，1902年である（Baylissら，1902）．その後今日までに多数の生理活性物質が発見され，従来のペプチドホルモンのほかプロスタグランジンやアミン，NOなども含めて広義の消化管ホルモンとしている．これら消化管ホルモンは，①消化管や膵の神経内分泌細胞（neuroendocrine cell）とともに神経細胞（neuron）にも存在する，②多くは中枢神経系にも存在する，③分泌されて，血中を介して（endocrine）作用するもの以外に，局所で（paracrine）作用，あるいは神経伝達物質として（neurotransmitter）作用するものがある，という共通点をもつ．

多くの消化管ホルモンは，生活習慣や生活習慣病，がんと密接にかかわっている．栄養，すなわち食欲にはじまり，実際の食事摂取・嚥下，消化管運動，消化・吸収，代謝，体組成維持に至るすべての過程に消化管ホルモンは関与している．また，ガストリンやインスリンには細胞増殖作用があり，種々のがんの発症・進展に関与している．

(1) コレシストキニン-ガストリンファミリー

コレシストキニン（CCK）とガストリンはそのC端5個のアミノ酸が共通している．一方，これらの受容体は同じclass IのG蛋白共役型受容体ファミリーに属し，約50%の相同性を有し，特に膜貫通部は約80%の相同性を有するため，CCK-A受容体とCCK-B/ガストリン受容体に分類される[1]．CCK-A受容体はCCKに対し強い親和性をもち，CCK-B受容体はCCKとガストリンに対し同程度の親和性をもつ．これらの受容体の存在する細胞は異なるが，細胞内シグナリングは共通しており，ホルモンが受容体に結合すると，共役するG蛋白の構造が変化し，イノシトール三リン酸が産生され，キナーゼCが活性化し，細胞内Ca流入が上昇し，作用を発揮する．

a. ガストリン (gastrin)

ガストリンは幽門部のG細胞から産生・分泌されるペプチドホルモンで，食物中の蛋白質や胃内pHの上昇が刺激になって分泌される[2]．ガストリンは胃体部の壁細胞のCCK-B受容体に結合し，直接酸分泌を刺激するとともに，ECL（enterochromaffin-like）細胞

上のCCK-B受容体に結合し，ヒスタミン分泌を促進させて間接的にも酸分泌を刺激する．同時に，ガストリンは消化管粘膜あるいは膵島のD細胞にも作用し，ソマトスタチンの分泌を促進させ，過剰な酸分泌を抑制する．

血中ガストリン値が高値を示す代表的な疾患としてガストリン産生腫瘍（gastrinoma, Zollinger-Ellison症候群）がある（eコラム1）．

また，十二指腸潰瘍は一般的に過酸であり，血中ガストリン値もやや高値である（eコラム2）．

b. コレシストキニン（cholecystokinin：CCK）

CCKは上部小腸に存在するI細胞から，酸とともに流入してきた蛋白質や脂質の刺激で分泌される[3,4]．分泌されたCCKは，胃では主細胞のCCK-A受容体を介してペプシノゲン分泌を促進するとともに，D細胞のCCK-A受容体に結合し，ソマトスタチン分泌を促進して，過剰な酸分泌を抑制する．また，膵腺房細胞のCCK-A受容体に結合し，膵酵素の分泌を促進し，同時に胆嚢を収縮させて十二指腸をアルカリ化する．CCK受容体はコリン作動性迷走神経や中枢神経にも広く分布し，胃運動抑制作用や摂食抑制作用，情動などの脳機能の調節にも関与している．

(2) セクレチン-グルカゴンファミリー

セクレチンやグルカゴン関連ペプチド，GIP，VIPの受容体は同じclass IIのG蛋白共役型受容体に属し，細胞内シグナリングのセカンドメッセンジャーはcAMPである．

a. セクレチン（secretin）

セクレチンは上部小腸のS細胞から，酸とともに流入してきた食物（おもに脂肪酸）により分泌が促進される．セクレチンは，膵から重炭酸塩を分泌させて，十二指腸内をアルカリ化するとともに，CCKによる膵酵素分泌を増強させる．また，ソマトスタチン分泌およびガストリンの分泌抑制を介して胃酸分泌を抑制する．セクレチンの異常による疾患は現在でも報告がない．

b. グルカゴン（glucagon），オキシントモジュリン（oxyntomodulin），グリセンチン（glicentin），GLP（glucagon-like peptide）-1，GLP-2

これらはすべてグルカゴン遺伝子から合成されるグルカゴン前駆体が膵や腸で特有のプロセシングを受けて産生される（図10-1-17）[5]．このうちグルカゴンは膵α細胞で，その他はおもに下部小腸で産生される．オキシントモジュリンとグリセンチンが生理活性をもつかは明らかでない．

グルカゴンは肝におけるグリコーゲン分解による血中グルコース維持に重要である．GLP-1は，インクレチン（腸管から分泌されてインスリン分泌を増強する，の意味）の1つで，回腸，結腸のL細胞から産生，分泌されるが，その他延髄孤束核にもGLP-1ニューロンが存在し，広く中枢神経内へ神経線維を送っている．摂食によるGLP-1分泌に関しては，上部小腸内に食物が流入することによる中枢を介した経路でのL細胞からの分泌（食後早期の分泌）とともに，下部小腸でグルコースを主とした栄養素によるL細胞からの分泌（食後後期の分泌），が考えられている．

分泌されたGLP-1は，門脈壁内あるいは肝の迷走神経求心路で中枢神経へ伝達され，遠心路で膵β細胞に伝達され，インスリン分泌を増強しα細胞からのグルカゴン分泌を抑制するとともに，胃運動・胃酸分泌抑制，摂食中枢での抑制の作用を発揮する[6]．その他，腎でのナトリウム排泄増加や心筋保護，肺サーファクタント分泌促進作用などもある．GLP-2は，同じく下部小腸のL細胞から分泌され，小腸上皮の細胞増殖作用を有し，消化管切除後や消化管粘膜障害時の腸管粘膜の増殖，修復など，回復過程において重要な役割を担うとともに，腸管上皮のCD36を介して長鎖脂肪酸の吸収を調節する[7]．

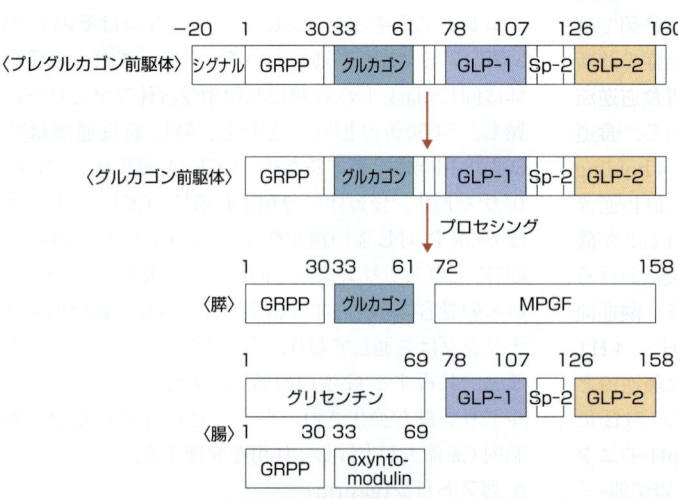

図10-1-17 グルカゴン前駆体からの生成産物
色付きのホルモンはすべてグルカゴン遺伝子から合成されるグルカゴン前駆体から産生され，このグルカゴン前駆体が，膵あるいは腸で特有のプロセシングを受けて，それぞれのホルモンが産生される．
GRPP：glicentin related pancreatic peptide, GLP-1：glucagon-like peptide-1, GLP-2：glucagon-like peptide-2, MPGF：major proglucagon fragment, Sp-2：spacer peptide-2.

c. GIP(glucose-dependent insulinotropic peptide)

インクレチンのうちもう1つがGIPであり，上部小腸のK細胞から産生，分泌されるが，中枢神経系や膵α細胞での産生，分泌もみられる．GIPの分泌刺激は腸管内のグルコースと脂肪酸である．膵β細胞からのインスリン分泌を増強するとともに，脂肪細胞に作用して脂肪蓄積に働き，また骨芽細胞に作用して骨形成に働く[8]．

d. VIP(vasoactive intestinal peptide)，PHM(peptide histidine methionine)，PACAP(pituitary adenylate cyclase activating peptide)

VIPとPHMはともにVIP遺伝子にコードされ，VIP前駆体から産生される[9]．VIPは腸管の粘膜下神経叢，筋層間神経叢，粘膜固有層の神経線維に広く分布するほか，中枢神経にも存在する神経ペプチドである．VIPは消化管では，腸管平滑筋や血管平滑筋細胞に作用し，cAMPを上昇させて筋を弛緩させる．特に幽門部やVater乳頭などの括約筋部はVIPニューロンが多数分布しており，非コリン性の筋弛緩作用に関与している(eノート1)．

PACAPは，VIP，PHMとともに副腎髄質細胞，神経節細胞において，カテコールアミンを産生し分泌を促進するが，その作用はPACAPがはるかに強い．

(3) ソマトスタチン(somatostatin：SST)

SSTは中枢神経系，末梢神経系(一次感覚ニューロン，交感神経，副交感神経)，消化管神経内分泌細胞，膵島，副腎など，広く生体の諸臓器に分布している．SSTは，内・外分泌，腸管運動，吸収機能，内臓血流などの生体機能のほとんどに抑制的に作用する．また細胞増殖抑制作用もある[10]．SSTを分泌する胃粘膜のD細胞は，神経細胞様の突起を出すなどして壁細胞や主細胞，G細胞にparacrine的に抑制的に作用する．Helicobacter pylori感染では胃幽門部のD細胞が障害され，その結果高ガストリン血症が生じる．

SST過剰の症状は，膵島D細胞腫瘍や消化管D細胞腫瘍，その他の消化管神経内分泌腫瘍からSSTが過剰に分泌されるために生じ，軽度糖尿病，胆石症，下痢などを特徴とする(eノート2)．

(4) モチリン-グレリンファミリー

a. モチリン(motilin)

モチリンは，消化管運動を促進する生体内ペプチドとして同定され，マクロライド系抗菌薬であるエリスロマイシンはモチリンと同様の消化管運動を惹起する．ヒト消化管におけるモチリン受容体の発現は，生物活性をもつlong form typeのみが，下部食道から遠位側大腸までの全消化管において，筋層のみでなく筋層間神経叢にも発現している[11] (eコラム3)．

b. グレリン(ghrelin)

グレリン受容体は，下垂体における成長ホルモン(growth hormone：GH)分泌促進合成ペプチドの受容体(growth hormone secretagogue receptor：GHS受容体)として同定されたが，その内因性リガンドは不明であった．その後GHS受容体に結合しGH分泌促進とともに食欲亢進作用をもつグレリンが胃から同定された．グレリンの作用の1つにモチリンと同様の消化管運動促進作用がある．ヒト消化管におけるGHS受容体の発現は，生物活性をもつ1a typeのみが，モチリン受容体と同様に下部食道から遠位側大腸までの全消化管において，筋層，筋層間神経叢のみでなく粘膜層にも発現している[11]．グレリンは，GH分泌促進作用，食欲増進作用，消化管運動促進作用のみでなく，心・血管保護作用や抗炎症作用がある(eコラム4)．

(5) セロトニン(serotonin)

セロトニンは，血管収縮因子として血清中および消化管粘膜細胞内に存在することが報告され[12]，その本体がインドールアルキルアミン誘導体の5-hydroxytryptamine (5-HT)であることが同定された．その後血小板や中枢神経・末梢神経のセロトニン神経でも産生されることが明らかとなり，消化管運動調節や血小板凝集促進，血管壁緊張調節，精神症状，頭痛，嘔吐など，広範囲の作用を有する生体内活性物質であることが明らかになった．

セロトニンは，ナッツ類やバナナ，パイナップルなどの果物類，また動物の胃腸や脳，血中に広く存在する．内因性のセロトニンは，必須アミノ酸であるトリプトファン(tryptophan)からヒドロキシラーゼ(hydroxylase)，脱炭酸酵素(decarboxylase)によって合成される．食物として摂取されたセロトニンあるいは生体内で合成されたセロトニンは，肝臓のモノアミン酸化酵素(monoamine oxydase)，アルデヒド脱水素酵素(aldehyde dehydrogenase)により，5-ヒドロキシインドール酢酸(5-hydroxyindoleacetic acid：5-HIAA)に代謝され，尿中に排泄される．尿中の5-HIAAの排泄には，前述の食事性のセロトニンの影響を受けるため，その測定には注意が必要である．

また，中枢の松果体においては，セロトニンは睡眠ホルモンであるメラトニンへ変換され，睡眠覚醒リズム形成に重要な役割を果たしている(eコラム5)．

セロトニン受容体は現在15種類が同定されている．消化管に発現するセロトニン5-HT_1, 5-HT_3, 5-HT_4受容体は，副交感神経節後神経上に存在し，5-HT_2受容体は平滑筋に存在する．5-HT_1受容体が活性化されると消化管運動は抑制されるが，5-HT_2, 5-HT_3, 5-HT_4が活性化されると消化管運動は促進す

る．クエン酸モサプリドは5-HT$_4$受容体を刺激し，胃運動促進する．その他，生体では，ドパミン受容体やムスカリン受容体，モチリン受容体，グレリン受容体と協調しながら，消化管運動を調節する[13]．

カルチノイド徴候は，セロトニンの作用としての下痢，腸管痙縮，疝痛，気管支喘息など，またヒスタミンやブラジキニンの作用としての血管拡張，顔面紅潮などの症状である（eコラム6）．　　　〔松浦文三〕

■文献（e文献10-1-5）

Bayliss WM, Starling EH: The mechanism of pancreatic secretion. J Physiol. 1902; 28: 325-35.

6）内視鏡的インターベンション

消化器内視鏡は，管腔内の観察を目的に考案されたものであり，当初は診断のためのツールとして使用されていた．しかし，管腔を通って直接病変にアプローチが可能であるため，診断のための組織採取から始まり，その後に腫瘍の切除などの処置が行われるようになった．内視鏡的インターベンションとは，内視鏡を用いた治療を意味しており，内視鏡の改良や処置具の開発に伴い，さまざまな治療が行われるようになってきている．外科的治療とは異なり体幹部や体腔内に侵襲を加えることなく直接患部に到達できるため，現在ではより低侵襲で負担の少ない治療法として定着してきている．広義の内視鏡治療には腹腔鏡手術も含まれるが，これは外科的処置の範疇に入るため，ここでは本来の管腔内からアプローチする内視鏡治療のみを対象として解説する．

（1）消化管腫瘍に対する治療

内視鏡的治療は管腔内からの局所治療であるため，リンパ節転移のない病変が治療の対象となる．しかし現時点では，完璧な術前診断は不可能であるため，治療後に病理組織学的に腫瘍の深達度や脈管侵襲の有無などを確認し，腫瘍の悪性度や治療の根治性を評価しなければならない．したがって，切除した組織を回収し病理学的に評価することが可能な内視鏡的切除が治療の基本となる．切除法には，大きく分けてポリペクトミーや内視鏡的粘膜切除術，内視鏡的粘膜下層剥離術などがあり，病変の状況に応じて使い分けられる．一方で，これらの切除法は多少なりとも出血や穿孔のリスクを伴い，場合によっては処置に多くの時間を必要とするため，状態の悪い患者やリスクの高い患者では治療しづらい場合もある．そのような場合には組織破壊法が用いられるが，組織学的評価が不可能なうえ，焼灼時のムラのため治療の確実性が低下してしまう点が問題である．

a. 内視鏡的切除法

i）ポリペクトミー

有茎性あるいは亜有茎性ポリープに対して，スネアとよばれるループ状のワイヤをかけて通電しながら切除する手技である．比較的容易な手技であるが，切除可能な大きさや形が限られている．

ii）内視鏡的粘膜切除術（endoscopic mucosal resection：EMR）

ポリペクトミーと同様にスネアを使用して切除するが，平坦な病変やより大型の病変でも切除できるよう，生理食塩水などを局注して病変部を隆起させてからスネアをかけて切除する．大腸は粘膜が薄くやわらかいため局注のみでスネアリングを行うが，胃の粘膜は厚みがあるため把持鉗子で牽引したりフード内へ吸引したりしてスネアリングする場合が多い．胃においては早期胃癌の治療手技として普及したが，スネアを使用するため治療可能な大きさに制限があり，胃癌治療ガイドラインでは2 cmまでの病変がEMRの適応とされている（日本胃癌学会，2014）．

iii）内視鏡的粘膜下層剥離術（endoscopic submucosal dissection：ESD）

局注後に病変周囲の粘膜を切開し，その後さらに病変下部の粘膜下組織を剥離して，スネアをかけずに切除する治療手技である（図10-1-18）．出血や穿孔のリスクがやや高めになるが，局注液やナイフ類を工夫することにより安全性を確保している．この手技の登場により切除可能な大きさに事実上制限がなくなり，また潰瘍瘢痕を伴うような病変でも，瘢痕部を剥離して切除することが可能となった．リンパ節転移のリスクに関しては，日本胃癌学会などの検討により明らかになってきており，従来の適応基準をこえた大型の病変や（e動画10-1-B），潰瘍瘢痕を伴う病変などに対して，臨床研究として治療が行われている（日本胃癌学会，2014）．適応拡大病変に対する治療は，まだ長期予後のデータがないため今後のデータ集積が待たれるが，ESDの手技そのものは2006年度より胃癌，2008年度より食道癌，2012年度より大腸癌に対し保険適用となった．

b. 組織破壊法

レーザーやヒータープローブ，アルゴンプラズマ凝固（argon plasma coagulation：APC），高周波（radiofrequency ablation：RFA）プローブなどを用いて，腫瘍組織を焼灼して破壊する方法である．組織学的評価が得られないというデメリットはあるが，より低侵襲で短時間での治療が可能であるというメリットがある．内視鏡的切除後に局所遺残が疑われる場合の追加治療や，状態があまりよくない患者に対する姑息的治療法として使用されることが多い．欧米では急増しているBarrett食道の治療として異型上皮を焼灼する目

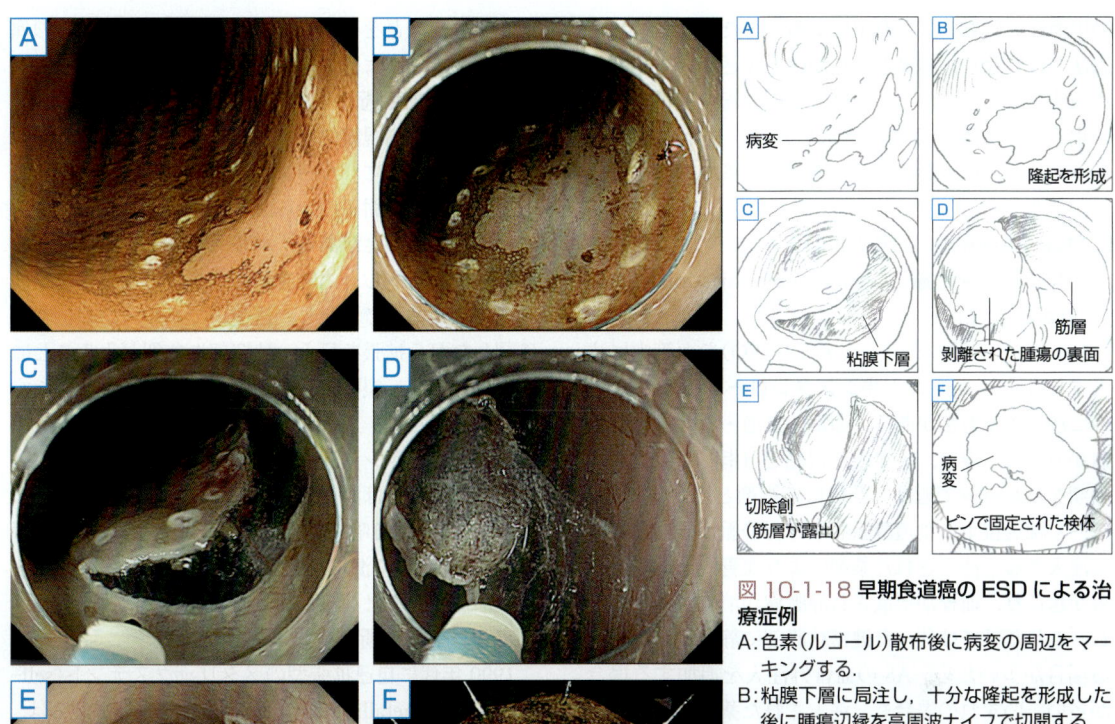

図 10-1-18 早期食道癌の ESD による治療症例
A：色素（ルゴール）散布後に病変の周辺をマーキングする．
B：粘膜下層に局注し，十分な隆起を形成した後に腫瘍辺縁を高周波ナイフで切開する．
C：粘膜筋板まで切開すると，局注液で膨潤した粘膜下層が露出する．
D：筋層を傷つけないように注意しながら，粘膜下層を剥離していく．重力により剥離された粘膜下層がめくれて大きく展開している．
E：腫瘍は完全に一括切除され，筋層が露出している．
F：切除サイズは約 3 cm，2 cm 弱の上皮内癌（T1a-EP）であり，根治的切除であった．

的で RFA が頻用されている．

（2）消化管出血に対する治療

消化管出血の場合，出血部位，原因，出血量によって対処法が異なってくるため，まず出血の状況や患者の状態をきちんと把握して，適切な治療戦略を立てることが重要である．

a. 一般的な消化管出血に対する止血法

i）局注法

純エタノールやアドレナリン添加高張食塩水（HSE）を，出血部位に注入して止血する方法である．純エタノールは，強力な脱水・固定作用があるため血管や血液を瞬時に固定して止血する．ただし固定された組織はやがて壊死してしまうため，過剰な局注は禁物である．HSE はアドレナリンの作用により血管を収縮させるとともに，注入された薬液により膨隆した粘膜下組織が血管を圧迫することや，高張液により血管が変性することにより止血効果が得られる．しかし最近は，より直接的な止血が得られる熱凝固やクリッピングが用いられることが多くなった．

ii）熱凝固法

ヒータープローブや高周波止血鉗子，APC などを用いて血管を熱変性させて止血する方法である．ヒータープローブは出血部位に直接接触させ，高周波止血鉗子は出血している血管を直接把持して通電凝固する．最近ではより確実な高周波止血鉗子が多用される傾向にある．

これに対して APC はイオン化されたアルゴンガスを介して，非接触的に高周波電流により粘膜表層を焼灼する方法である．いずれも消化性潰瘍や腫瘍組織からの出血に対して用いられるが，APC はより広い範囲を比較的均一に焼灼することが可能であるため，広い範囲からの滲出性出血や毛細血管拡張症に伴う出血，特に DAVE（diffuse antral vascular ectasia）などの止血処置に有用である．

iii）クリッピング

鉗子孔から挿入可能なステンレス製のクリップを用いて，責任血管をはさんで機械的に圧迫止血する方法である．血管の太さによらず止血が可能であるため，ほかの方法では止血が困難な，太い血管からの拍動性

の出血などにおいても有用である．また局注法や熱凝固法とは異なり，組織傷害性がほとんどないすぐれた止血法である．しかし，正確に責任血管を把持できない場合には効果が期待できないため，送水しながらしっかりと出血点を確認して確実に血管を把持することが重要である．

b. 食道・胃静脈瘤に対する止血法

i) 内視鏡的硬化療法（endoscopic injection sclerotherapy：EIS）

5％オレイン酸エタノールアミン（EO）を血管内に注入する方法と，1％エトキシスクレロール（AS）を血管外に注入する方法がある．通常，食道・胃ともに静脈瘤がみられる場合，供血路の根絶を目指して，食道静脈瘤をバルーンで遮断した後に造影剤と混合したEOを，X線透視下に食道静脈瘤から胃静脈瘤まで逆行性に注入する．注入された薬剤により血管内皮細胞の傷害が起こり，血栓が形成され静脈瘤が消失する．ただし，これだけでは残った健常粘膜部に静脈瘤が再発する場合が多いため，ASの血管外注入を追加する場合が多い．いずれの場合も，注入された薬液は組織傷害性が強いため，限られた量のみを注入し，1週間程度間隔を開けて複数回の治療を行う．

一方，胃静脈瘤単独の場合は食道側からの注入は行えず，血流も豊富であるうえにバルーンでの血行遮断が不可能である．このような場合，わが国では保険適用とはなっていないが，瞬間接着剤であるシアノアクリレート系薬剤を，胃静脈瘤内に直接注入する方法が行われている．この薬剤は血管内に注入すると瞬間的に凝固するため，注入域の血管が塞栓され結果的に静脈瘤が消失する．

ii) 内視鏡的静脈瘤結紮術（endoscopic variceal ligation：EVL）

先端にゴム製のバンドを装着した透明フードを内視鏡にセットし，食道静脈瘤をフード内に吸引した後に，バンドをリリースして静脈瘤を結紮する方法である．結紮された部分は壊死・脱落し，血行が遮断された下流の静脈瘤も消失する．硬化療法に比べて非常に簡便かつ安全であり，緊急時の対応も容易であるため頻用されているが，再発をきたしやすいため追加治療が必要である．

(3) 消化管狭窄に対する治療

消化管に狭窄がある場合には，その原因や程度に応じて治療法が選択される．炎症後の瘢痕形成がおもな成因である消化管の良性狭窄では，おもにバルーンやブジーによる拡張術が行われる．一方，悪性腫瘍による狭窄に関しては，狭窄が進行性であり一度拡張しても再度狭窄を生ずるため，通常はステント留置術が行われる．いずれの場合も，狭窄の程度や長さ，管腔の曲がり具合などを事前に確認しておき，穿孔などの偶発症を起こさぬよう慎重に処置しなければならない．

a. バルーン拡張術

あらかじめ内視鏡的にガイドワイヤーを留置してから，X線透視下にバルーンダイレーターを挿入するものと，内視鏡の鉗子口から直接バルーンダイレーターを挿入するものとがある．バルーンダイレーターに圧計測器をセットし，内腔を蒸留水または水溶性造影剤を加えた蒸留水で満たし，透視下でバルーンの位置を確認しながら拡張を行う．狭窄部に亀裂が入ることにより広がるが，裂けた粘膜が治る際に再狭窄をきたす場合が多いため，通常は複数回の治療を要する．食道では食道アカラシア，内視鏡治療後の狭窄，術後の吻合部狭窄，胃では消化性潰瘍などによる幽門狭窄，広範なESDによる噴門部や幽門部の狭窄，下部消化管ではCrohn病や潰瘍性大腸炎などによる腸管狭窄などが治療の対象となる．

b. ステント留置術

1990年代に自己拡張型のメタリックステント（self-expandable metallic stent：SEMS）が登場してからは，SEMSを用いた治療が主流である．SEMSは細径のシースを用いて大口径のステントを留置できるため，患者の身体的負担が少なく，高度な狭窄にも適応できる利点がある．従来のアンカバードステントでは腫瘍がメッシュ状のステント内に発育してきて，再狭窄を起こしやすいという問題点があったが，最近はこのステント内増殖を防止するため，シリコン膜などで被覆されたカバードステントが増えてきている．ステント留置術は，通過障害を伴う進行食道癌や，胃癌，十二指腸癌，膵癌に伴う幽門部や十二指腸の狭窄，大腸癌や癌の腹膜播種に伴う大腸の狭窄などが適応となる．

(4) 胆管結石に対する治療

胆管結石の治療法には，経乳頭的治療と経皮経肝的治療がある．経乳頭的治療は，内視鏡的乳頭切開術または内視鏡的乳頭（大径）バルーン拡張術を行ったうえで結石を除去する．経皮経肝的治療では，経皮経肝胆道鏡を用いる．より低侵襲な経乳頭的治療が第一選択となるが，上部消化管術後例など経乳頭的治療が困難な場合には経皮経肝的治療が選択される．

a. 内視鏡的乳頭切開術（endoscopic sphincterotomy：EST）

総胆管に挿入したパピロトミーナイフを用いて，高周波で十二指腸乳頭部を切開する方法である．乳頭切開後，バスケット・バルーンカテーテルを用いて結石を除去する．術後の急性膵炎，出血，穿孔に注意が必要であり，長期的には逆行性胆道感染に伴う結石再発や胆嚢炎が問題となる．

b. 内視鏡的乳頭バルーン拡張術（endoscopic papillary balloon dilation：EPBD）

　乳頭部を切開する代わりに，バルーンで拡張する方法である．術後の急性膵炎のリスクが若干高くなることが問題であるが，出血や穿孔はほとんどなく，乳頭機能も温存できるため，逆行性胆道感染などのリスクを軽減できる．近年，大結石に対してより大口径のバルーンで拡張する内視鏡的乳頭大径バルーン拡張術も普及しつつある（e図 10-1-A）．

c. 経皮経肝胆道鏡（percutaneous transhepatic cholangioscopy：PTCS）

　経皮経肝胆道ドレナージ（percutaneous transhepatic biliary drainage：PTBD）の瘻孔を介して，胆管内に細径内視鏡を挿入して胆管結石を除去する方法である．結石が大きい場合には，電気水圧砕石術（electrohydraulic lithotripsy：EHL）やレーザー砕石術により細かく砕く必要がある．経乳頭的治療が困難な例，肝内結石を合併した例が適応となる．

(5) 閉塞性黄疸に対する治療（内視鏡的減黄術）

　内視鏡的胆管ドレナージ術（endoscopic biliary drainage：EBD）は，閉塞性黄疸の際に内視鏡的に乳頭部から胆管内にドレナージチューブを留置して胆汁うっ滞を解除する方法である．手術治療やPTBDに比べて低侵襲であり，胆道ドレナージの第一選択である．EBDには，胆管内に挿入した細く長いチューブを経鼻的に外瘻化する内視鏡的経鼻胆管ドレナージ術と，胆管にステントを留置して内瘻化する内視鏡的胆管ステント留置術がある．

a. 内視鏡的経鼻胆管ドレナージ術（endoscopic nasobiliary drainage：ENBD）

　ERCPに続いて細径のドレナージチューブを胆管内に挿入し，鼻腔からチューブを出して胆汁の流出路を確保する方法である．患者の不快感は伴うが，ドレナージ効果の確認や，胆管内洗浄，チューブからの胆管造影や胆汁細胞診が行える利点があり，術前精査や急性閉塞性化膿性胆管炎などの際に短期的に用いられる．

b. 内視鏡的胆管ステント留置術（endoscopic biliary stenting：EBS）

　胆管の狭窄部に，プラスチックステントやメタリックステントを留置して，胆汁の流出路を確保する方法である．体外に出るチューブがなく高いQOLが得られ，長期間の留置が可能であるため，切除不能の膵・胆道系悪性腫瘍や良性の胆道狭窄などに用いられる．プラスチックステントは開存期間が短いが安価であり，抜去や再挿入が容易である．一方，メタリックステントは大口径で長期開存が得られるが高価であり，カバードステントは抜去可能であるが，アンカバードステントは抜去できない（e図 10-1-B）．

(6) 膵嚢胞に対する治療（内視鏡的膵嚢胞ドレナージ術）

　急性膵炎や慢性膵炎により形成される，膵膿瘍や膵仮性嚢胞に対する治療として行われる．経乳頭的に膵管を介してドレナージチューブを留置する方法と，胃または十二指腸からEUS（超音波内視鏡）下に嚢胞を穿刺してドレナージチューブを留置する方法とがある．

a. 経乳頭的膵嚢胞ドレナージ

　膵嚢胞が主膵管と交通がある症例が適応となる．事前にCTやMRCPなどで位置や大きさ，交通の有無を確認しておくことが重要である．外瘻術である内視鏡的経鼻膵管ドレナージ術（endoscopic nasopancreatic drainage：ENPD）と，内瘻術である内視鏡的膵管ステント留置術（endoscopic pancreatic stenting：EPS）がある．嚢胞に感染を伴う場合には，まず嚢胞内を洗浄することも可能であるENPDを選択し，炎症消退後にEPSへ変更する．

b. EUS下膵嚢胞ドレナージ

　消化管壁と仮性嚢胞が癒着している場合，経乳頭的アプローチが困難な場合に適応となる．EUSガイド下に嚢胞を穿刺した後に，ダイレーターで穿刺部を拡張して，ドレナージチューブを挿入して内瘻化または外瘻化する．嚢胞内容に壊死物質を伴う場合には瘻孔を拡張し，嚢胞内に内視鏡を直接挿入して壊死物質を除去する，内視鏡的ネクロセクトミーも行われる．

(7) 内視鏡的胃瘻造設術（percutaneous endoscopic gastrostomy：PEG）

　内視鏡を用いて胃壁と腹壁との間に瘻孔を作成し，その部分を介してカテーテルを挿入する方法である．このカテーテルを用いて経管栄養や，消化管内の減圧を行う．脳梗塞後遺症，認知症，球麻痺症状を呈する神経疾患，食道癌や噴門部癌による狭窄などによる嚥下障害に対して栄養を補給するルート確保が必要な場合や，癌性腹膜炎による慢性イレウスなどに対する減圧術が必要な場合が適応となる．外科的胃瘻造設術に比べて，開腹が必要でなく局所麻酔のみでよいこと，手技が容易なことなどの利点がある．

〔矢作直久・木暮宏史〕

■文献

日本胃癌学会編：胃癌治療ガイドライン（医師用）2014年5月改訂第4版，金原出版，2014．

10-2 口腔疾患

1）口腔粘膜・舌の疾患

(1) 天疱瘡
概念
皮膚・粘膜に生じる自己免疫性水疱性疾患で，病理組織学的に表皮細胞間の接着が障害される結果生じる棘融解（acantholysis）による表皮内水疱形成を認める．尋常性天疱瘡（pemphiligus vulgaris），落葉状天疱瘡，およびその他の3型に大別される．

病因
IgG自己抗体が表皮細胞間接着因子に結合し，その接着機能を阻害するために水疱が形成されると考えられる．

疫学
男：女＝1：1.5と女性が多く，発症年齢は50歳代が最も多い．病型は尋常性天疱瘡（65%）が最も多い．

臨床症状
最も多い尋常性天疱瘡の特徴的な臨床所見は口腔粘膜に認められる疼痛を伴う難治性のびらん，潰瘍であり，重症例では摂食不良となる．皮膚では正常な部位に圧力をかけると表皮が剥離し，びらんを呈する（Nikolsky現象）．

診断
天疱瘡の診断基準を用いる（天谷ら，2010）．

治療
副腎皮質ステロイドの局所や全身投与により治療する．

(2) アフタ性疾患
定義・概念
アフタ性口内炎とは粘膜に生じる円形ないし類円型の境界明瞭な潰瘍で，灰白色の偽膜で覆われ周囲に紅暈を有する疾患（図10-2-A）．

病因
疲労，精神的ストレス，胃腸障害，ビタミン不足，機械的刺激などが誘因とされるが，明確な原因は解明されていない．

疫学
中高年以降の女性にやや多い傾向にある．口腔粘膜疾患のうち最も頻度が高いとされている疾患である．

臨床症状
7～10日程度で治癒する．

治療
副腎皮質ステロイド軟膏や含嗽薬を使用する．

(3) 角化性疾患
a. 白板症（leukoplakia）
定義
口腔粘膜に生じた，摩擦により除去できない白斑状の病変である．

疫学・病態
角化が亢進し，上皮の異型性はさまざまである．均一型（homogenous type）と，不均一型（non-homogenous type）に分けられる．均一型には，平坦型，波状型，雛状型，軽石状型に分類され，びらんや紅斑を伴う不均一型には，疣贅型，結節型，潰瘍型，紅斑型に分けられる．前癌病変とされ，その癌化率は均一型が3%，不均一型が20%との報告もある．

臨床症状
口腔内に板状あるいは，斑状の白色病変であり（図10-2-B），自覚症状はない．

原因
慢性機械的刺激，喫煙が誘因となる．

治療
刺激除去，レーザー蒸散，切除などが行われる．

b. 口腔扁平苔癬（lichen planus）
定義
口腔粘膜に生じる原因不明の難治性慢性炎症性疾患である．

疫学・病態
中年以降の女性に好発し，0.4～5.3%が悪性化するため，前癌状態といわれている．基底細胞層が消失し，T細胞の浸潤を認める．多くは特発性であるが，アレルギー，肝疾患，薬剤，感染症などの関与が報告されている．

臨床症状
最も多い症状は接触痛である．白い丘疹と多数の細い白線（Wickham線条）に，発赤やびらんを伴う（図10-2-C）．両側頬粘膜が好発部位である．

治療
副腎皮質ステロイドやビタミンAとその類似化合物のレチノイド，免疫抑制薬などが有効である．

(4) 色素沈着
a. メラニン色素沈着症（melanosis）
生理的沈着症，Addison病，Peutz-Jeghers症候群，von Recklinghausen病などの系統的疾患に関連したもの，および無関係のものに分類される．

b. 色素性母斑（pigmented nevus）
メラノサイトの過誤腫的増殖．

c. 悪性黒色腫（malignant melanoma）
概念
メラノサイトに由来する悪性腫瘍で，種々の大きさの腫瘤を形成し，さまざまな色を呈するが，腫瘤を形成しないものもある．
治療
外科手術，化学療法，放射線療法，免疫療法を含めた集学的治療が行われる．予後はきわめて不良である．

(5) ウイルス性疾患
a. 急性疱疹性歯肉口内炎（acute herpetic gingivostomatitis）
単純疱疹ウイルス（HSV-1）の初感染病変で，乳幼児に好発する．

b. 単純疱疹（herpes simplex）（口唇ヘルペス：herpes labialis）
HSV-1 の再感染によるもので，成人に多い．口唇と皮膚の境界部に小水疱を形成する（e図 10-2-D）．

c. 帯状疱疹（herpes zoster）
水痘・帯状疱疹ウイルス（VZV）の感染症で，幼児期に罹患すると水痘として発症し，後に神経節に潜伏感染し，成人になって帯状疱疹として再燃する（e図 10-2-E）．

d. ヘルパンギーナ（herpangina）
おもにコクサッキーウイルス A 群の感染症で，軟口蓋，咽頭部に小水疱を形成し小児，若年者に好発する．

e. 手足口病（hand-foot-mouth disease）
コクサッキー A16，A10 や，エンテロウイルス 71 型による全身感染症で，足蹠，手掌，口腔に小水疱や発疹を生ずる．おもに 1〜4 歳の小児に罹患する．

(6) 細菌・真菌感染症
a. 口腔カンジダ症（oral candidiasis）
カンジダ属による真菌のカンジダの感染症．多くは口腔に常在し日和見感染である．*Candida albicans* の検出が最も多いが，*C.glabrata* や *C.dubliniens* なども検出されることがある（e図 10-2-F）．

b. 急性壊死性潰瘍性歯肉炎（acute necrotizing ulcerative gingivitis: ANUG）
歯肉辺縁部の壊死性潰瘍を特徴とする急性歯肉炎で，紡錘菌（*Fusobacterium* など）およびスピロヘータと他種細菌との混合感染が原因と考えられている．

(7) 口腔内に症状を現す血液疾患
a. 赤血球の異常
ⅰ) 鉄欠乏性貧血（iron deficiency anemia）
舌炎（平滑舌），嚥下障害，匙状爪（スプーン状爪）などの Plummer-Vinson 症候群がみられる．

ⅱ) 再生不良性貧血（aplastic anemia）
血小板減少に伴い，歯肉の出血や，口腔粘膜の潰瘍などがみられる．

ⅲ) 溶血性貧血（hemolytic anemia）
口腔内では，歯肉出血と潰瘍形成がみられる．

ⅳ) 巨赤芽球性貧血（megaloblastic anemia）
ビタミン B_{12} 欠乏が原因の貧血．口腔症状は，舌乳頭の萎縮を伴った舌炎（Hunter 舌炎），舌の灼熱感，味覚障害がある．

b. 白血球の異常
ⅰ) 顆粒球減少症（leucopenia）
咽頭痛，口腔粘膜の発赤，潰瘍形成，歯肉出血がみられる．

ⅱ) 白血病（leukemia）
歯肉腫脹が著明で，潰瘍形成，歯肉出血が認められ，これらの症状が初発症状となることがある．

ⅲ) 悪性リンパ腫（malignant lymphoma）
口腔領域では，節外性リンパ腫が占める割合が高く，歯肉や顎骨にみられる．

(8) 舌炎
a. 萎縮性舌炎（atrophic glossitis）
舌乳頭の萎縮のため舌表面が平滑となり，発赤や腫脹，疼痛を伴い，摂食障害を引き起こすこともある．

b. 地図状舌（geographic tongue）
舌背部に生じる病変で，舌表面に淡紅色の斑が地図のように観察される．日によって，病変の形態や大きさが変化する．

c. 溝状舌（fissured tongue）
舌背部に切り込んだような溝が認められる．

d. 毛舌（hairy tongue）
舌背の中央から後方部を中心に，黒色の毛が生えたような所見を呈する疾患で，菌交代現象により発症する（e図 10-2-G）．

(9) 口腔癌
口腔癌は組織型では扁平上皮癌が最も多く，分化の程度により高分化型〜低分化型に分類される．また，解剖学的な部位により，口唇癌，口底癌，頰粘膜癌，歯肉癌，硬口蓋癌，舌癌に分類されている．

a. 舌癌
最も多く，口腔癌全体の 50〜60％を占める．初期はびらん，小潰瘍などの症状を呈し，口内炎との鑑別は難しい．進行すると潰瘍が拡大し，その周囲には硬結が認められる（e図 10-2-H）．

b. 歯肉癌
義歯の不適合による潰瘍形成や歯肉の腫脹あるいは歯の動揺などの自覚症状から発覚されることもある．

(10) 唾液腺疾患

Sjögren 症候群や Mikulicz 病をはじめ，唾石による導管の閉塞や細菌感染，放射線照射による炎症や腫瘍が発生する．良性腫瘍である多形性腺腫は唾液腺腫瘍全体の 60〜70％を占める．このほか単形性腫瘍として好酸性腺腫や腺リンパ腫（Warthin 腫瘍）などがある．

〔髙戸　毅〕

■文献

天谷雅之，谷川瑛子，他：天疱瘡ガイドライン．日本皮膚科学会雑誌．2010; **120**: 1443-60.
榎本昭二，岡野博郎，他編：最新口腔外科学 第 4 版，医歯薬出版，2000.
玉置邦彦総編集：最新皮膚科学大系第 17 巻　付属器・口腔粘膜の疾患 第 1 版，中山書店，2002.
戸塚靖則，髙戸　毅監：口腔科学，pp682-3，朝倉書店，2013.

10-3　食道疾患

1）先天性食道疾患
congenital esophageal disease

概念

発生学的に上部消化管と気管とは前腸を原基として分離していくので，先天性食道疾患の多くは気管と関連した先天奇形として発現する．このうち最も重要なものは先天性食道閉鎖症と先天性食道狭窄症である．両者はときに合併することもある．

（1）先天性食道閉鎖症（esophageal atresia）

食道が途中で中断している先天異常である．食道と気管は前腸から発生し，胎生 8 週以前に分離が進んでいくが，その過程の異常により，食道閉鎖が発生する．食道閉鎖症の 90％以上に気管と食道との間の交通（気管食道瘻，tracheoesophageal fistula：TEF）がみられる．発生頻度は 5000〜1 万の出生に 1 例とされており，やや男児に多い．食道閉鎖症は合併奇形を伴うことが多く，50％以上の症例に何らかの重篤な奇形を合併することが知られている．心奇形，消化管奇形，泌尿器系奇形，染色体異常などがおもなものである．また，低出生体重児であることが多い．一連の合併奇形には VATER 連合とよばれるものが有名で，これは V：椎骨奇形（Vertebral），A：直腸肛門奇形（Anal），TE：気管食道瘻（Tracheo-Esophageal fistula），R：腎奇形（Renal）もしくは橈骨欠損（Radial defect）の頭文字を合わせたものである．

分類

わが国では Gross の分類（Gross, 1953）が広く用いられている（図 10-3-1）．最も多いのが C 型で約 90％を占める．これは上部食道が盲端となり，下部食道は気管食道瘻を形成し気管分岐部付近の気管膜様部と交通している．気管食道瘻を形成せず，上下食道が盲端となる A 型がそれにつぐ．E 型はその形態から H 型ともよばれ，食道閉鎖はなく，頸部に気管食道瘻のみが認められる．B 型・D 型はまれである．以上から，食道閉鎖で腹部にガス像が認められれば気管食道瘻のある C 型，なければ A 型と診断してまずよい．

臨床症状・診断

出生前から羊水過多が多くの症例で認められ，これは羊水の嚥下ができないためと考えられている．胎児超音波検査で羊水過多と拡張した上部食道が認められれば本症が強く疑われる．出生直後からの呼吸障害

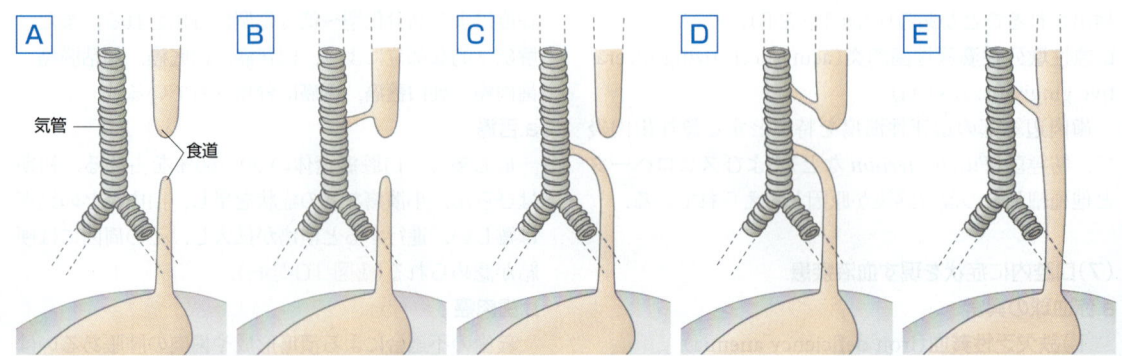

図 10-3-1　先天性食道閉鎖症の Gross 分類（Gross, 1953）

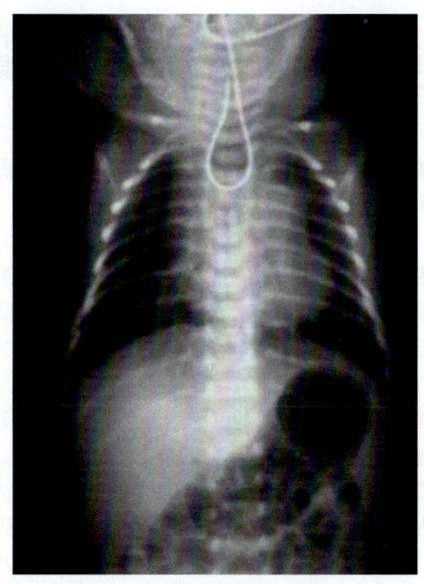

図 10-3-2 先天性食道閉鎖症のコイルアップサイン像

表 10-3-1 先天性食道閉鎖症の治療成績(Spitz,1996)[4]

出生体重	合併奇形	生存率
体重＞1500 g	先天性心疾患合併なし	96%
体重＜1500 g	または先天性心疾患の合併	60%
体重＜1500 g	および先天性心疾患の合併	18%

と，口腔から泡沫状の唾液の流出を認める．経鼻的に挿入された胃チューブが胃内まで到達せず，口腔内にUターンしてくる（coil-up）ことから食道閉鎖の診断が確定する（図10-3-2）．前述のように消化管のガス像の有無で，C型もしくはA型と診断できる．引き続き合併奇形の検索を行う．

治療
心奇形や消化管の奇形などを術前に評価し，重症度を判定する．可能なかぎり一期的に根治手術（気管食道瘻閉鎖，食道食道吻合）を試みるが，上下食道の距離が長い場合（long gap）や低出生体重児でほかの重篤な心奇形を合併している場合はいったん胃瘻のみもしくは気管食道瘻の閉鎖を行い，体重増加を待って根治手術を行う．またこの間に種々の食道延長を試みることもある．

合併症
①食道吻合部の縫合不全，②術後吻合部狭窄，③胃食道逆流症（gastro-esophageal reflux），④気管食道瘻の再開通，⑤気管軟化症．

予後
食道閉鎖症は手術の難易度が高く，その治療成績が小児外科施設の治療水準を示すといわれてきた．現在

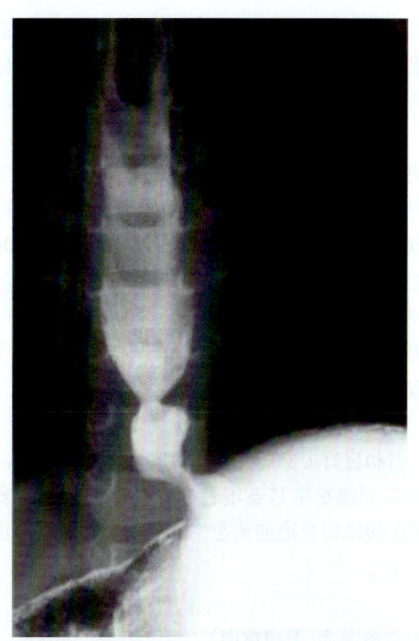

図 10-3-3 先天性食道狭窄症の造影所見
下部食道に abrupt narrowing が認められる．気管原基迷入型の食道狭窄症である．

では，合併奇形を伴わない成熟児例ではほぼ100％の治癒率が期待される．1500 g 未満の低出生体重児例や重症心奇形合併例ではなお治療成績は不良である（日本小児外科学会学術・先進医療検討委員会，2010；Spitz，1996）（表10-3-1）．

(2)先天性食道狭窄症（congenital esophageal stenosis）

発生頻度は低く，食道閉鎖症の10％程度の発生率と考えられている．ほとんどが下部食道に認められ，①気管原基迷入型（tracheobronchial remnant），②線維肥厚型（fibromuscular），③膜様狭窄（web）の3型に分けられる．50％以上が気管原基迷入型で，線維肥厚型は40％程度，膜様狭窄はまれである．

臨床症状
新生児期にはほとんど無症状であるが，離乳食が開始され固形物を摂取するようになると食道の通過障害を呈する．嘔吐，食道異物，呼吸器感染症，発育障害などを呈する．高度の狭窄ではミルクが通りにくいこともある．

診断
食道造影を行うことで容易に診断できる．気管原基迷入型では下部食道に限局型のいわゆる abrupt narrowing の所見がみられる（図10-3-3）．線維肥厚型では下部食道に向かう緩やかな狭窄（tapered narrowing）の所見が特徴的である．膜様狭窄は中部食道にみられることが多いとされている．最近では超音波内視

鏡を用いて食道壁内の構造を観察することが可能となり，狭窄の範囲や原因を的確に診断できるようになった．

治療
病型により治療法が異なる．気管原基迷入型では食道壁内に迷入した軟骨組織を摘出または軟骨組織を含めた食道壁の切除が必要となる（Maedaら，2004）．線維肥厚型ではバルーンカテーテルによる狭窄部の食道内腔からの拡張が有効である．バルーン拡張のみでは効果がない場合はHellerの筋層切開術を行うことがある．鏡視下手術のよい適応となる．

予後
おおむね良好である．狭窄の範囲が長い場合には食道機能に問題を生じる場合もあるが，頻度は多くない．拡張後に胃食道逆流を生じる場合は逆流防止手術を追加する．

(3) 食道重複症（重複食道）
消化管重複症は回腸に最も好発するが，ついで食道に多く，10～15％を占めるといわれている．嚢状のものがほとんどで，管状のものは少ない．病因としては上皮の食道壁内迷入と考えられており，下部食道に好発する．診断には内視鏡検査や上部消化管造影が用いられるが，造影CT検査やMRI検査にて診断されることが多くなっている．治療は外科的摘出術で，近年は鏡視下手術の適応となることも多い．

(4) 食道外因性圧迫による狭窄
最も多いのは右鎖骨下動脈起始異常による動脈性の圧迫による狭窄で，嚥下障害，嘔吐などを伴うことがある．成人になり動脈硬化が進むことで症状が明らかになることもある．食道造影にて上部食道に後方からの拍動性の圧迫像が認められる．鎖骨下動脈の離断術が行われる．
〔前田貢作〕

■文献
Gross RE: Surgery of Infancy and Childhood, WB Saunders, 1953.
Maeda K, Hiamatsu C, et al: Circular myectomy for the treatment of congenital esophageal stenosis due to tracheobronchial remnant. J Pediatr Surg. 2004; **39**: 1765-7.
日本小児外科学会学術・先進医療検討委員会：我が国の新生児外科の現況―2008年新生児外科全国集計．日本小児外科学会雑誌．2010; **46**: 101-14.
Spitz L: Esophageal atresia; past, present, and future. J Pediatr Surg. 1996; **31**: 19-25.

2）食道裂傷（Mallory-Weiss症候群）・特発性食道破裂（Boerhaave症候群）

定義
急激な腹圧上昇により食道・胃接合部近傍に裂創をきたす疾患を指す．

原因
Mallory-Weiss症候群は，急激な腹圧上昇に伴い，胃粘膜の一部が噴門をこえて食道内へ滑脱し，食道胃接合部粘膜が過伸展されることにより生じる裂傷と想定されている．

腹腔内圧亢進因子（嘔吐（飲酒後が最多），乗り物酔い，腹部打撲，妊娠悪阻，咳，排便時のいきみ，上部消化管内視鏡検査，心マッサージなど）が誘因となる．食道内に胃粘膜の脱出が起こりやすい状態・胃粘膜の脆弱性が背景として存在し，食道裂孔ヘルニア，胃粘膜萎縮が関与すると推測されている．

Boerhaave症候群は急激な食道内圧上昇により，食道壁に破裂を生じる疾患である．

激しい嘔吐（飲酒後が最多），出産，咳，喘息発作，てんかん発作，排便時のいきみなどが誘因となるが，原因を特定できない場合も多い．異物，医原性（内視鏡検査・治療の合併症），外傷，悪性腫瘍・潰瘍など疾患を原因とする場合は本症から除外される．

疫学
30～50歳代の男性に多い．
Mallory-Weiss症候群は上部消化管出血の約5～15％を占める．
Boerhaave症候群は比較的まれな疾患（食道破裂の15％）である．

分類
Mallory-Weiss症候群は食道限局型・胃限局型（最多）・食道胃併存型に，Boerhaave症候群は縦隔内限局型・胸腔内穿破型に分類される．

病理
Mallory-Weiss症候群の裂傷は，食道・胃接合部から噴門部の胃粘膜に生じ，胃粘膜の食道内脱出時に伸展負荷のかかりやすい小弯側に多く，縦走傾向がある．長さ10～20 mm，幅2～3 mmで，深さが粘膜層までの場合は線状，粘膜下層以深になると紡錘形を呈する．

Boerhaave症候群の裂傷は食道下部1/3で左側に多い．下部食道は筋層が脆弱で血管・神経の流入部であり，左側は隣接臓器による防御機構が弱い，嘔吐による胃内圧上昇を最初に受ける部位であるなどの解剖学的要因が関与する．長さ20～40 mm，縦長の形状が多い．

病態生理
嘔吐時に上昇した胃内圧は幽門緊縮により噴門部へ

と向かい，下部食道括約筋の弛緩・腹部筋肉の強縮・横隔膜の下降により下部食道へと流出する．150 mmHg の食道内圧が持続的に作用する場合に粘膜裂傷をきたし，350〜700 mmHg では筋層に裂創を生じ食道粘膜が膨出・破裂することにより破裂が形成されると想定されている（図 10-3-4）．通常，嘔吐時には輪状咽頭筋が弛緩し食道内圧は 30〜50 mmHg 程度に保たれるが，上記に失調をきたした場合は容易に食道裂創を生じる．

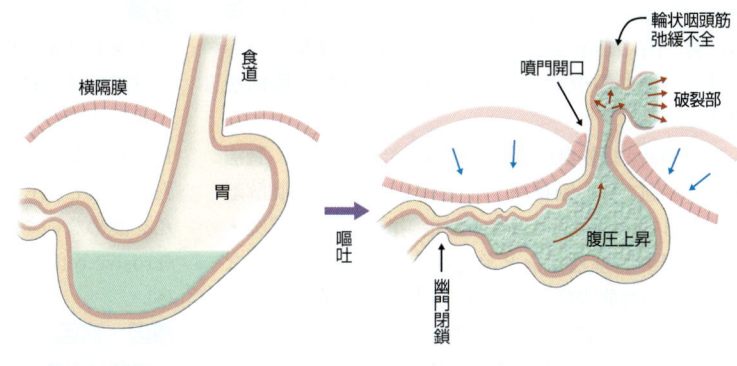

図 10-3-4 腹圧上昇による食道破裂のメカニズム

臨床症状

Mallory-Weiss 症候群の主症状は頻回の嘔吐後の吐血で，通常痛みは伴わない．下血は約 10% にある．

Boerhaave 症候群の初発症状は，嘔吐後に突然発症する激烈な胸痛や心窩部痛が最も多く，通常吐血はない．破裂部から縦隔内へ空気が流入することにより，呼吸困難・チアノーゼ・皮下気腫を呈する．皮下気腫は 6 時間以上経過後に出現するのが一般的であり，頸部，鎖骨上窩，胸骨上縁に観察される．

診断

Mallory-Weiss 症候群では，嘔吐に続く吐血の病歴より本症を疑うことが比較的容易である．上部消化管内視鏡検査が確定診断に有用であり，X 線造影検査は裂傷を描出することが困難のためほとんど行われない．

Boerhaave 症候群では，本症が念頭にない場合の正診率はきわめて低い．病歴より本症を疑うことが重要である．身体所見として触診で皮下気腫，縦隔部聴診で心拍動に一致した捻髪性雑音（Hamman sign）を認めることがある．

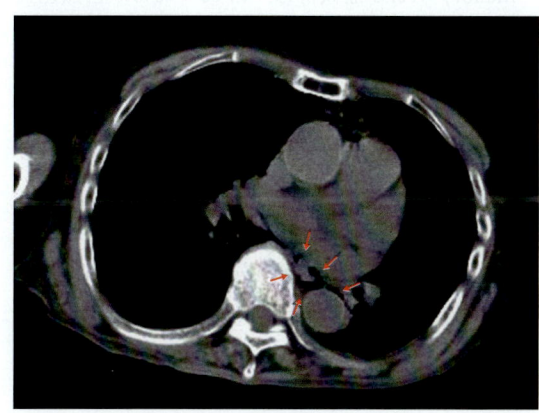

図 10-3-5 特発性食道破裂の胸部 CT 画像
食道・大動脈周囲の気腫像と胸水（矢印）．

胸部単純 X 線・CT で縦隔気腫・胸水（図 10-3-5）を呈する．発症初期の胸部 X 線では縦隔や心陰影に薄い線状の X 線透過像，その後に縦隔の air fluid level の拡大を認める．胸腔内に穿破した場合は気胸を合併する．食道造影で水溶性造影剤の縦隔内漏出を確認することにより破裂部を同定する．内視鏡検査は，緊張性気胸を助長し心肺停止が惹起されることがあるので注意を要する．

鑑別診断

Mallory-Weiss 症候群と鑑別を要する病変として噴門部の線状びらん・潰瘍がある．前者は粘膜襞の谷間にでき辺縁は

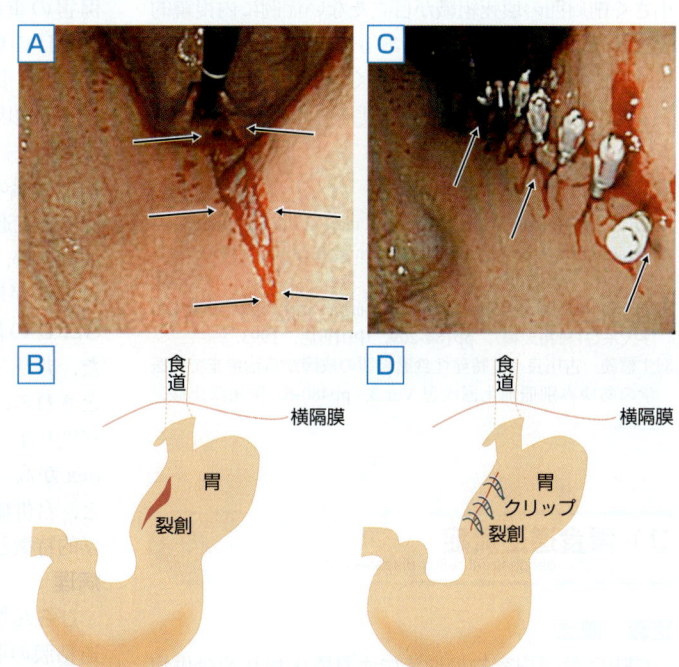

図 10-3-6 Mallory-Weiss 症候群の胃内視鏡画像
A, B：治療前，C, D：治療（クリップ法）後．

鋭角で発赤が少ない（図10-3-6A, B）のに対し，後者は襞の山にできることが多く辺縁はやや不整で発赤を伴う．深い裂傷ではBoerhaave症候群との鑑別を要する．

Boerhaave症候群の鑑別疾患は多岐にわたる．胸痛を伴う症例では心筋梗塞・肺梗塞・気胸・大動脈解離が，腹痛を伴う症例では胃十二指腸潰瘍・急性膵炎・上腸間膜動脈塞栓症など急性腹症が鑑別の対象となる．特に急性膵炎は，飲酒歴，上腹部痛，胸水貯留を呈することより鑑別上まぎらわしいが，胸水中の唾液アミラーゼ測定が診断に有用である．

経過・合併症・治療

Mallory-Weiss症候群は，約75〜90％が自然止血する予後良好な疾患である．

粘膜下血管破綻による大量出血例では輸血を要することがあり，活動性出血や露出血管が認められる場合は，内視鏡的止血術（クリップ法（図10-3-6C, D）など）を施行する．

Boerhaave症候群の治療は，手術による食道破裂部閉鎖と縦隔・胸腔ドレナージが原則である．本疾患は異物や医原性の食道破裂とは異なり，食物残渣や攻撃因子（胃酸やペプシン）を含む大量の胃内容物が縦隔・胸腔内へ流入するためドレナージの成否が治療効果を大きく左右する．縦隔炎から胸膜炎に進展するものの予後は不良で時間の経過とともに死亡率は上昇する．24時間以上未治療で経過したものの死亡率はきわめて高い．

縦隔内限局型は保存的に治癒することがあり，創が小さく創周囲の壊死組織が目立たない症例に内視鏡的食道ステント留置が有効であるとの報告が散見される．胸腔内穿破型は重篤例が多く手術適応である．

〔井上　泉・一瀬雅夫〕

■文献

Atkinson M, Bottrill MB, et al: Mucosal tears at the oesophagogastric junction (the Mallory-Weiss syndrome). *Gut.* 1961; 2: 1-11.

狩野　毅：Mallory-Weiss症候群．Boerhaave症候群．最新内科学大系（井村裕夫編），pp184-209，中山書店，1993．

羽生信義，古川良幸：特発性食道破裂の成因から治療まで．医学のあゆみ別冊消化器疾患Ver.3, pp480-6, 医歯薬出版，2006.

3）胃食道逆流症
gastro-esophageal reflux disease : GERD

定義・概念

GERDは胃内容物の逆流により臨床症状や合併症を生じた病態の総称と定義されている．

分類

モントリオール定義により，食道症候群，食道外症候群に分けられ，幅広い症候群として定義されている（e図10-3-A）[1]．わが国では内視鏡所見に基づき，食道粘膜にびらんを認めるものをびらん性GERD，胸やけなどGERD症状を認めるが，食道粘膜にびらんを認めないものを非びらん性GERD（いわゆるnon-erosive reflux disease：NERD）に分類されることが多い．

原因・病因

胃酸や胃酸以外の物質を含めた胃内容物の食道への逆流によって起こる．逆流のおもな機序は，嚥下を伴わない一過性下部食道括約筋弛緩（transient lower esophageal sphincter relaxation：TLESR）である[2]．その他の機序として，咳や前屈に伴う腹圧上昇によるstrain reflux, LES圧が低いために自由な逆流が起こるfree refluxがあげられる．食道裂孔ヘルニアの存在はLES圧低値による酸逆流の増加および食道内の酸排出遅延をきたし，食道内の酸曝露時間を延長させる．その他にもさまざまな病因が関与する．*Helicobacter pylori*非感染は胃粘膜萎縮を起こさず胃酸分泌が保持されていることから逆流内容物中の胃酸の程度を規定する因子の1つである．食道内酸排出の重要な因子である食道一次蠕動波の障害は食道内酸曝露の原因となる．また食道粘膜防御機構の低下，胃排泄能の低下なども病態に関与する．びらん性GERDでは，胃酸逆流による食道内の過剰な酸曝露が食道粘膜傷害のおもな原因であり，その程度は粘膜傷害の重症度に伴い増加する．一方，非びらん性GERDの病態は必ずしもびらん性GERDとは同一ではなく，弱酸やアルカリ逆流の関与，食道知覚過敏，精神的要因の関与などが示唆されている．

疫学

食生活の欧米化，*H. pylori*感染率の低下，胃酸分泌能の亢進，体重増加，疾患概念の変化や認知度の増加に伴い，1990年代後半よりわが国におけるGERD有病率が増加してきている[3]．現在では，びらん性GERDの有病率は成人の10％と推測されている．また，非びらん性GERDはびらん性GERDよりも多いとされる．ほかにも，びらん性GERDのなかでも軽症例が多いこと，びらん性GERDではbody mass indexが高いこと，食道裂孔ヘルニアと関連があること，合併症としての狭窄や出血はまれであることが疫学的特徴としてあげられる．

病理

びらん性GERDでは，基底細胞の過形成を伴う食道粘膜の肥厚，乳頭延長，炎症細胞浸潤が認められる．非びらん性GERDでは上皮内間隙の拡大（dilated intercellular space）が比較的特徴的とされる．また色

表 10-3-2 GERD の診断

1	症状診断：詳細な問診（胸やけ，呑酸），自己記入式問診票（QUEST, F スケール, Gerd Q など）
2	内視鏡診断：改訂ロサンゼルス分類
3	機能的診断：食道 pH モニタリング，食道インピーダンス・pH モニタリング
4	治療的診断：プロトンポンプ阻害薬の試験的投与

調変化型のうち，白色混濁はアカントーシスや一部ケラチン化を示し，発赤は乳頭内血管拡張を示す．

臨床症状

1）自覚症状： 胸やけが最も特異度の高い症状とされている．しかし，胸やけ症状は患者に正しく理解されているとは限らないことから，詳細な問診が重要とされている．胸やけは，みぞおちから胸骨後部にかけて，こみあげてくる熱い感じであり，過食，高脂肪食摂取，前屈位などにより誘発される特徴がある．すっぱいものが口の方へ逆流する症状（呑酸）も特異的な症状である．その他，胸痛，心窩部痛，嚥下痛がみられる．また咽頭痛，慢性咳嗽，喘息，睡眠障害などさまざまな食道外症状のみを呈する症例がある．

2）他覚症状： GERD に特徴的な他覚症状はない．

診断

診断は症状診断，内視鏡診断，機能的診断，治療的診断に分けられる（表 10-3-2）．なかでも問診による胸やけ，呑酸の存在が最も重要である．客観的評価方法として自己記入式問診票も汎用されている．QUEST（e図 10-3-B），F スケール（e図 10-3-C），Gerd Q（e図 10-3-D）などの問診票があり，いずれも感度，特異度は 70％ 前後である．内視鏡診断は，改訂ロサンゼルス分類にて評価される（図 10-3-7）[4]．Grade M は色調変化型，Grade A，Grade B は軽症型，Grade C，Grade D は重症型とされるが，必ずしも内視鏡重症度と症状は相関しない．さらに Grade M については客観的診断，臨床的意義に関しては検討が十分でないことが問題点としてあげられている．

機能的診断は食道 pH モニタリングがゴールドスタンダードである．食道内 pH 4 以下を酸逆流とし，24 時間における割合が 4％ をこえた場合は病的と判断される．近年では，気体逆流，弱酸やアルカリ逆流も評価できる食道インピーダンス・pH モニタリングが有用とされている．治療的診断であるプロトンポンプ阻害薬（proton pump inhibitor：PPI）テストは，高用量の PPI を 1〜2 週間投与して GERD 症状の消失を認めるかどうかを調べる検査である．PPI テストは，24 時間 pH モニタリングによる診断をゴールドスタンダードにすると，感度 78％，特異度 54％ であり，やや特異度は低いがその簡便性から GERD の診断に有用

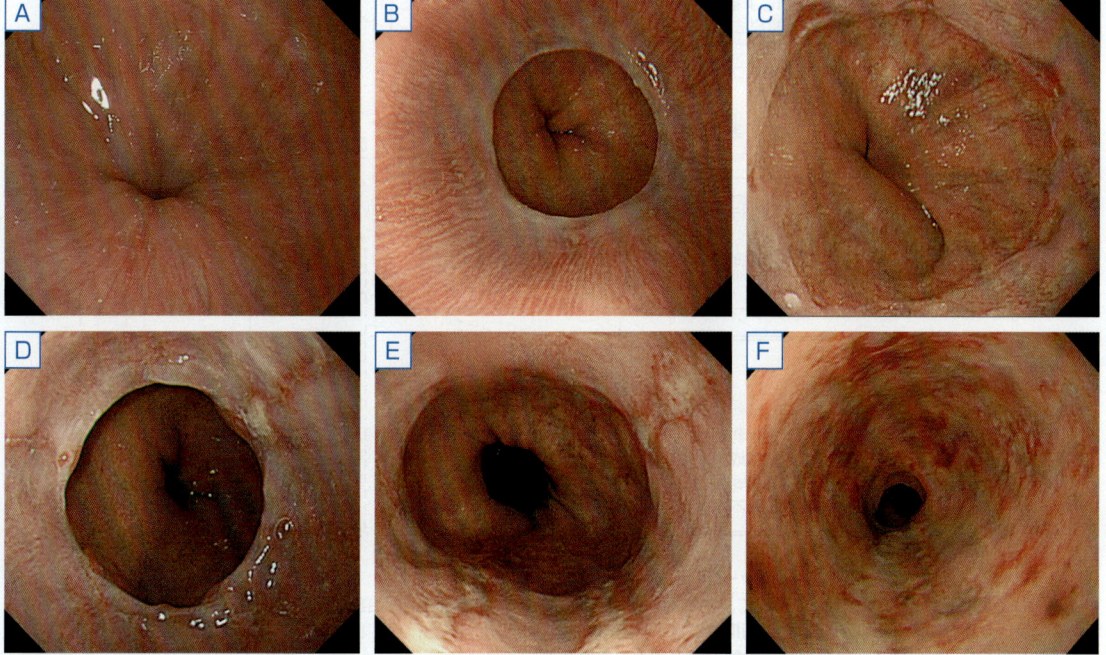

図 10-3-7 GERD の内視鏡診断（改訂ロサンゼルス分類）
Grade N（A：正常粘膜），Grade M（B：色調変化型，発赤を主体とするものと白濁を主体とするもの），Grade A（C：粘膜傷害が 5 mm 未満），Grade B（D：粘膜傷害が 5 mm 以上でひだをこえない），Grade C（E：ひだをこえる粘膜傷害で 2/3 周をこえない），Grade D（F：2/3 周以上）に分類されている．

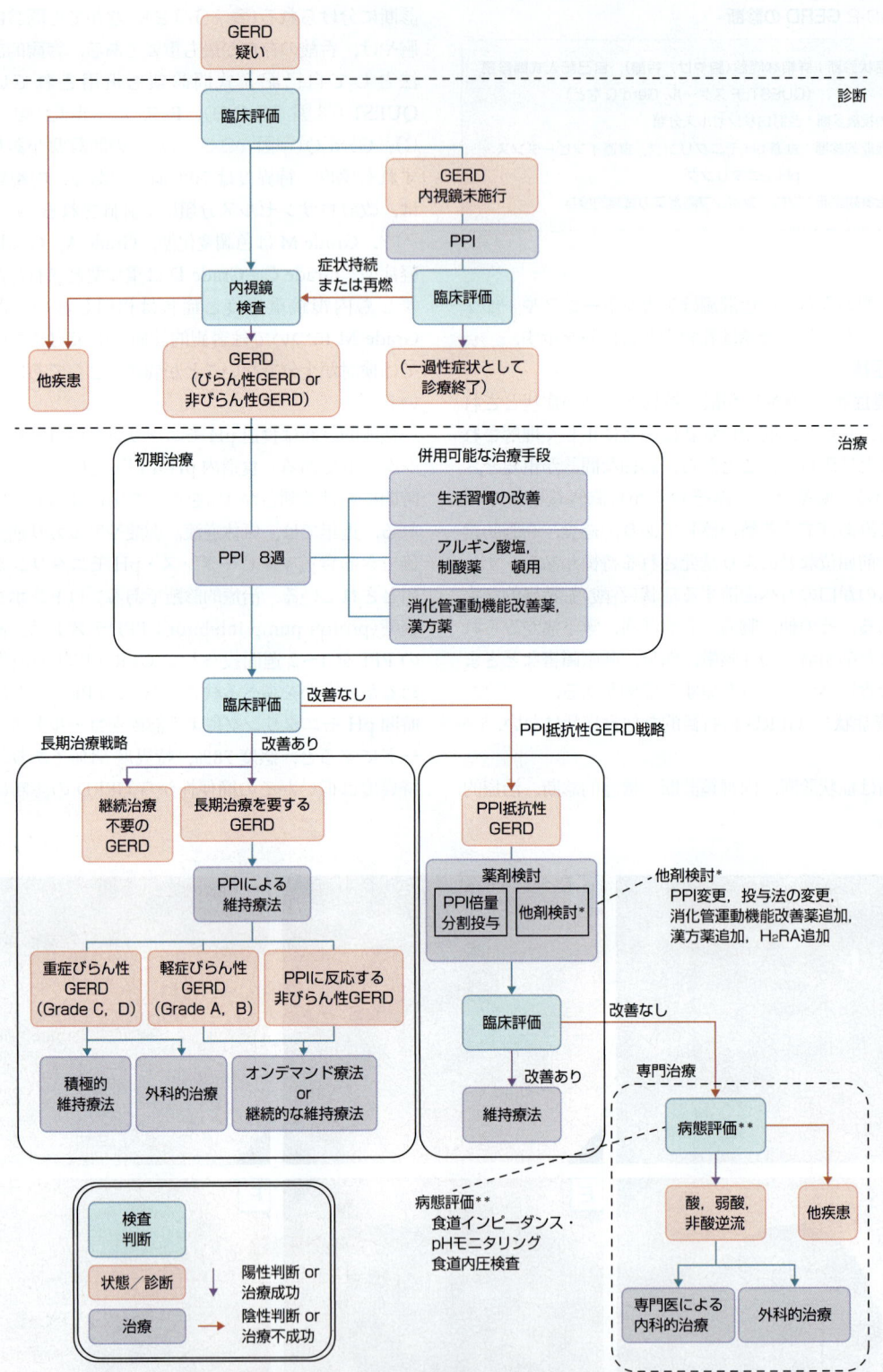

図 10-3-8 GERD 治療のフローチャート
GERD を疑う症状があった患者に対して，内視鏡検査設備をもたない GP でも初期治療が可能なように，定型症状のみで初期治療が行えるフローチャートとした．初期治療は PPI を第一選択とした．なお，無症状の重症びらん性食道炎患者がいることは事実であり，合併症予防の観点から治療対象とするべきである．

である．

鑑別診断
アカラシアなどの食道運動異常疾患，好酸球性食道炎，機能性胸やけなどの鑑別診断があげられる．内科的治療に抵抗する症例では，食道生検，食道内圧測定検査，食道インピーダンス・pHモニタリングが必要である．

合併症
合併症として，狭窄，出血，Barrett食道，食道腺癌があげられる．高齢者ではGERD症状を認めずに，吐下血で発症する症例があり，注意が必要である．狭窄はいったん起こると拡張術を頻回に必要とする症例が多い．長期的にはBarrett腺癌のリスクの1つとされている．

経過・予後
自然史を検討した論文では，軽症びらん性GERDから重症びらん性GERDへの進展は約10％程度と報告されている．一般的には治療に反応性が高く予後はよい．

治療・予防
治療の長期管理の主要な目的は，症状のコントロールと生活の質(quality of life：QOL)の改善に加え，合併症の予防であるとされている．高脂肪食や下部食道括約筋圧を低下させる食品(チョコレート，炭酸飲料)を避けることや，就寝時の頭位挙上や左側臥位，過食を避けダイエットを行うなどの生活指導は，初期より内服治療とともに行う．びらん性GERDの治癒速度および症状消失の速さは，薬剤の酸分泌抑制力に依存するため，その治療には強力な酸分泌抑制薬を使用することが推奨されている．また，非びらん性GERDの治療も同様である．メタ解析によると，びらん性GERDの粘膜傷害治癒率や非びらん性GERDの症状消失率に関してPPIはH_2受容体拮抗薬よりも有意に高いことが報告されている[5]．したがって，初期治療はPPIが第一選択薬である．ほかの薬剤としては，GERDの一時的症状改善に効果がある制酸薬やアルギン酸塩，PPIとの併用により症状改善効果が得られる可能性がある消化管運動機能改善薬や漢方薬があげられる．一方，常用量のPPIの1日1回投与にもかかわらず粘膜傷害が治癒しない，もしくは強い症状を訴えるPPI抵抗性GERD症例にはPPIの倍量・1日2回投与を行う[6]．その他のオプションとしては，PPIの種類の変更，モサプリドまたは六君子湯の追加投与，就寝時のH_2受容体拮抗薬追加投与を行う方法があげられる．維持療法についてはPPIが最も効果が高く，費用対効果にすぐれており第一選択である．現状，PPIによる維持療法の安全性は高いが，長期投与に際しては，大腿骨頸部骨折，感染症(市中肺炎，腸管感染症)，ビタミン・ミネラル吸収障害との関連

が報告されており，注意深い観察が必要である．PPI内服は必要に応じた最小限の用量で治療することが重要である．したがって，症状出現時に内服するオンデマンド療法を症例に応じて行う．一方，内科的治療抵抗症例，合併症を有する症例，若年者では腹腔鏡下噴門形成術の適応である．なお，2015年にPPIとは異なる機序の酸分泌抑制薬であるPCAB(potassium competitive acid blocker)が使用可能となった．図10-3-8に消化器病学会改訂ガイドラインの治療フローチャートを示す(日本消化器病学会，2015)．

〔藤原靖弘〕

■文献(e文献10-3-3)
日本消化器病学会編：胃食道逆流症(GERD)診療ガイドライン2015，改訂第2版．南江堂，2015

4) 特殊な食道炎

(1) 好酸球性食道炎 (eosinophilic esophagitis)
定義・概念
好酸球性食道炎は，食道上皮への過剰な好酸球浸潤を特徴とする慢性アレルギー性疾患である．アレルゲンとして食物が重要であり，消化管のなかで食道のみに限局した好酸球浸潤をきたす．炎症の持続によって，食道の機能障害を生じ，食物のつかえ感や嚥下困難を訴える．長期の経過で食道壁の肥厚や狭窄を生じる．

分類についてはeコラム1を参照．

原因・病因
成分栄養や抗原除去食が好酸球性食道炎の病態を改善させることから，嚥下された食物を抗原とする食道局所のアレルギー反応がおもな原因と想定されているが，まだ不明な点が多い．遺伝子多型などの遺伝的要因・生活環境などの環境的な因子が発症に複雑にかかわっていることも想定されている．

疫学についてはeコラム2を参照．

病理
食道上皮はほかの消化管と異なり，生理的な好酸球浸潤を認めない．したがって，少数の好酸球浸潤であっても病的状態と考えられる．高倍率(400倍)視野あたり15個以上の好酸球浸潤を認める場合，好酸球性食道炎を考慮する(e図10-3-E)．ほかに乳頭の延長や基底層の肥厚，細胞間隙の開大，粘膜固有層の線維化などの所見も認められる[1]．

病態生理についてはeコラム3を参照．

臨床症状
1) **自覚症状**：成人では，食物のつかえ感や嚥下困

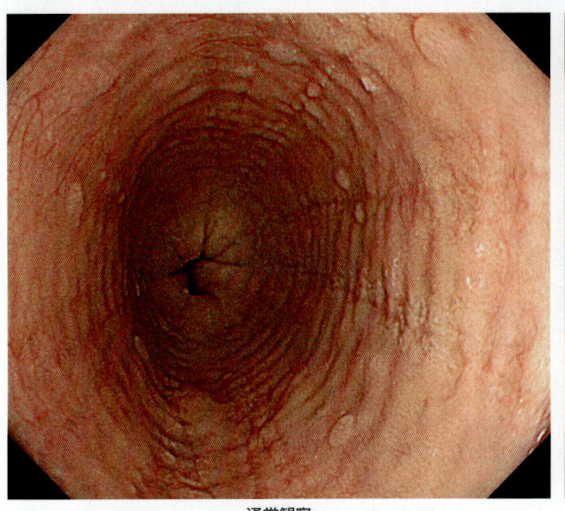
通常観察

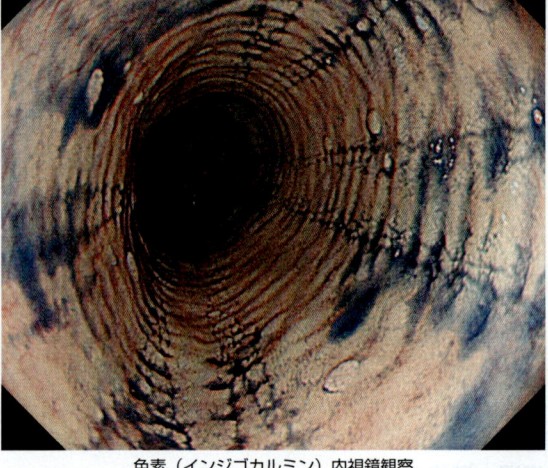
色素（インジゴカルミン）内視鏡観察

図 10-3-9 好酸球性食道炎の内視鏡像
溝状のわずかな陥凹所見（縦走溝）を認める．色素（インジゴカルミン）撒布すると縦走溝が強調されて観察される．

難，胸やけを主訴とすることが多い．欧米では食物が食道に嵌頓する food impaction が本疾患に特徴的な症状であることが示されているが，日本ではまれである．小児においては，哺乳障害や嘔吐，腹痛などの非特異的な症状を呈する．

2）他覚症状： 本疾患に特徴的な診察所見はなく，食道の内視鏡所見および病理所見が診断に必須となる．

検査所見

末梢血好酸球数の増加をきたす例は 30％程度とされている．IgE は約 70％の症例で増加を認めるが，併存するアレルギー疾患の関与が大きく，本疾患に特異的なものではない[2]．

特徴的な内視鏡所見として，縦走溝，リング，白色滲出物，狭窄があげられ，9 割以上でいずれかの所見を認める．なかでも，縦走溝が診断に最も有用な所見であることが報告されている（図 10-3-9）[3,4]．胸部 CT や超音波内視鏡で食道壁の肥厚が認められることがある．

診断

本疾患は，診断の決め手となる特異的なマーカーは存在せず，症状，内視鏡所見，病理所見および他疾患の除外によって総合的になされる（e図 10-3-F）．わが国で作成された診断基準を示す（表 10-3-3）．嚥下障害などの症状を有し，食道からの生検で高倍率視野あたり 15 個以上の好酸球浸潤をきたすことが診断に必須となる（eコラム 4）．

鑑別診断

食道に好酸球浸潤をきたす疾患は多岐にわたる（e表 10-3-A）．症状からは胃食道逆流症（gastroesophageal reflux disease：GERD）やアカラシア，食道癌などとの鑑別は困難であり，内視鏡検査や 24 時間食

表 10-3-3 好酸球性食道炎の診断（2015 年）（難病情報センターHP（http://www.nanbyou.or.jp）より抜粋）

必須項目	
1.	食道機能障害に起因する症状の存在
2.	食道粘膜の生検で上皮内に好酸球数 15 以上/HPF が存在（数カ所の生検が望ましい）

参考項目	
1.	内視鏡検査で食道内に白斑，縦走溝，気管様狭窄を認める．
2.	プロトンポンプ阻害薬（PPI）に対する反応が不良である．
3.	CT スキャンまたは超音波内視鏡検査で食道壁の肥厚を認める．
4.	末梢血中に好酸球増加を認める．
5.	男性

道 pH モニタリング検査，食道内圧検査などで鑑別を行う．

合併症

狭窄によって食道の通過障害をきたす場合がある．

経過・予後

治療介入しなければ，自然経過で治癒することは少ないとされている．長期間の慢性的な炎症の持続によって線維化や狭窄をきたす例が増加することが報告されているが[5]，まだ多数例での報告は少ない．

治療

原因となる食事抗原を除去した抗原除去食による食事療法および薬物療法が中心となる．成分栄養食や，原因として頻度の高い 6 種類（牛乳，卵，小麦，大豆，ナッツ類，魚介類）の抗原を除去した食事療法が治療に用いられており，高い有効率が示されている（Arias ら，2014）．ただし，成人では長期間の継続が困難であることが指摘されている．

第一選択として用いられる薬剤はプロトンポンプ阻害薬（proton pump inhibitor：PPI）である（欧米ではPPIに反応する食道好酸球浸潤は好酸球性食道炎と区別する）．PPIに反応しない症例においては，局所ステロイドの投与が行われる．喘息に用いられる吸入ステロイド（フルチカゾン，ブデソニド）を口腔内に含み，徐々に嚥下していく方法が用いられる．これらの治療が有効でない場合は，全身作用ステロイドの投与が行われる．食道狭窄を生じた場合は，バルーン拡張術が選択される．

(2) 感染性食道炎

感染性食道炎は，真菌，ウイルス，細菌などの感染によって生じる食道炎である．食道は物理的な刺激に対して強い重層扁平上皮に覆われており，ほかの消化管に比して，感染を生じにくい．しかし，悪性腫瘍や臓器移植後，HIV感染症などの免疫不全状態やステロイド・抗癌薬などの免疫を抑制する薬剤を内服中の場合に，日和見感染として，カンジダやサイトメガロウイルス，ヘルペスウイルス感染などを生じる．症状として嚥下困難や胸痛が診断の契機となるが，無症状の場合もある．診断には，内視鏡検査が必要であり，病変から生検を行い，病理所見，培養検査，PCR法などで原因となる病原体を同定する．カンジダ感染では，内視鏡検査で食道の厚みのある白苔を認める（e図10-3-G）．サイトメガロウイルス感染では，打ち抜き様，深掘れ様の潰瘍を呈する．カンジダ感染に対しては，抗真菌薬（フルコナゾール，イトラコナゾール），ヘルペスウイルス感染に対してはアシクロビル，サイトメガロウイルス感染に対してはガンシクロビルが用いられる．

(3) 薬物性・腐食性食道炎

薬物性食道炎とは，治療を目的として服用された薬剤が，食道粘膜に接触，付着して，食道粘膜局所が高濃度の薬剤に曝露されることによって生じる食道炎である．あらゆる薬剤が原因となりうるが，頻度の高いものとしてテトラサイクリン系抗菌薬，ビスホスホネート製剤，非ステロイド系抗炎症薬，鉄剤があげられる．胸痛や嚥下痛を主訴とする．服用時の体位（仰臥位）や服用の際の水分摂取が不十分であることが原因となることが多いが，高齢者では，食道の蠕動運動が低下し，唾液の分泌量も低下していることから，十分に服薬指導を行うなどの対応が必要である．内視鏡所見としては，薬剤の接触の程度により，浅いびらんから円形，不整形の多発潰瘍を示す例など，多彩な所見を示す（e図10-3-H）．治療としては，起因薬剤の中止が第一であり，胃酸分泌抑制薬や粘膜保護薬を投与する．一般に予後は良好であり，2～3週間で潰瘍は治癒する．

腐食性食道炎は，組織傷害性の強い酸・アルカリなどの化学物質の飲用によって生じる食道炎であり，重篤な病態となるため，薬物性食道炎と区別して扱われる．小児では，家庭用洗剤などの誤飲が大半を占め，成人例では，自殺目的用の飲用または認知機能の低下による誤飲が原因となる．トイレ用洗剤などには塩酸，硫酸が含まれており，漂白剤や配管洗浄剤には水酸化ナトリウム（苛性ソーダ），次亜塩素酸ナトリウムが含まれており，これらの化学物質が口腔内から咽頭を経て食道組織に接触すると，これらの部位に多発性・連続性にびらんや潰瘍を形成する．特にアルカリは，組織融解壊死を起こし，傷害が深部まで及びやすく，瘢痕狭窄をきたしやすい．瘢痕による狭窄を生じた場合は，内視鏡的拡張術が選択されるが，治療効果が不十分の場合，手術が必要となる．晩期合併症として，食道癌の発生が重要であり，定期的な内視鏡検査によって，長期間の経過観察が必要である．

〔石村典久〕

■文献（e文献10-3-4）

Arias A, Gonzalez-Cervera J, et al: Efficacy of dietary interventions for inducing histologic remission in patients with eosinophilic esophagitis: a systematic review and meta-analysis. *Gastroenterology*. 2014; **146**: 1639-48.

Dellon ES, Gonsalves N, et al: ACG clinical guideline; evidenced based approach to the diagnosis and management of esophageal eosinophilia and eosinophilic esophagitis (EoE). *Am J Gastroenterol*. 2013; **108**: 679-92.

Kinoshita Y, Furuta K, et al: Clinical characteristics of Japanese patients with eosinophilic esophagitis and eosinophilic gastroenteritis. *J Gastroenterol*. 2013; **48**: 333-9.

5) 食道良性腫瘍

定義

主として食道内腔に向けて発育する良性腫瘍を指す．

分類

食道上皮に由来する腫瘍としては乳頭腫，腺腫，囊腫が代表的である．間質系組織に由来する非上皮性腫瘍には平滑筋腫，顆粒細胞腫，線維腫，血管腫，脂肪腫などがある．

原因

乳頭腫は食道裂孔ヘルニアや逆流性食道炎の合併頻度が高いことから，食道炎などの慢性刺激が病態に関与することが想定されている．またヒトパピローマウイルス（human papillomavirus）との関連も報告されている．

腺腫の報告例は非常に少ないが，食道固有腺や異所性胃粘膜から発生すると考えられている．

嚢腫はほとんどが先天性のものであり，胎生期消化管より発生する憩室様突起物の遺残によるとする説，肺芽組織の食道壁内迷入によるとする説などがある．後天性では食道粘液腺の排泄管が炎症などにより閉塞することに起因するとの説がある．

平滑筋腫は粘膜筋板あるいは固有筋層から発生するが，特に内輪筋層から発生する壁内発育型が最も多い．

顆粒細胞腫の発生由来は，神経原性（Schwann 細胞由来）であるとする考えが支持されている．

疫学

食道の良性腫瘍は全食道腫瘍の約 1％を占める．男女比は約 2：1 であり，30〜50 歳代に発見される頻度が高い．平滑筋腫が最も高頻度で約 60〜80％を占める．

病理

乳頭腫は重層扁平上皮が乳頭状に増殖する組織像を示す．乳頭上皮の表層への延長・上皮の過形成性肥厚・血管増生を伴う．

嚢腫は粘膜・粘膜下組織・筋層で構成される壁を有し，内部に透明な液体を貯留する像を呈する．一般に食道筋層内に存在する．

平滑筋腫は紡錘形の平滑筋細胞が規則的に束状をなして錯綜する組織像を呈し，核の異形・分裂像は認めない．

顆粒細胞腫は豊富な好酸性顆粒状胞体を有する円形または多角形の大型細胞が胞巣状・リボン状に増殖する組織像を呈する．

線維腫は粘膜下結合組織の増殖像を呈する．結合組織より発生するものはきわめてまれで，平滑筋腫の線維化の強いものを線維腫と診断することが多い．

血管腫は海綿状血管腫の頻度が最も多い．

脂肪腫は粘膜下脂肪組織が増殖する像を呈する．

臨床症状

無症状の場合がほとんどで，検診での X 線造影検査・内視鏡検査により偶然発見される．腫瘍径が 5 cm をこえる場合は，悪心・嘔吐・嚥下困難など，通過障害に伴う症状を呈する場合が多い．血管腫は小さいサイズの症例では出血の合併頻度は低い．

診断

食道 X 線造影検査・内視鏡検査により診断する．上皮性腫瘍は X 線検査では境界鮮明・辺縁平滑な陰影欠損を呈し，内視鏡では顆粒状・粗糙化・分葉化などの表面性状が観察される．病変の主座が粘膜下層以深に存在し粘膜下腫瘍の形態を呈する嚢腫や非上皮性腫瘍は，食道 X 線造影で表面平滑な陰影欠損，内視鏡で表面平滑な隆起像として観察される．また嚢腫や非上皮性腫瘍では，造影 CT 検査・超音波内視鏡検査による腫瘍の質的診断や局在部位の確認が重要である．

上皮性腫瘍の場合，生検による確定診断が可能である．粘膜下腫瘍の形態を呈する病変では組織の採取が困難であるため，ボーリング生検や超音波内視鏡下生検などの組織採取法が必要となる．

乳頭腫は白色調の乳頭状小隆起を呈するものが多く，平滑隆起・分葉状・両者の混合の形態を呈する（e図 10-3-I）．大きさはほとんどが 1 cm 以下で下部食道に多いが，上〜中部食道にも見つかる．

嚢腫は白色調で半球状隆起を呈し，超音波内視鏡検査では粘膜下層に無エコー像として描出されることが多い．

平滑筋腫は超音波内視鏡検査では低エコー像を呈し，内部に石灰化を示す点状高エコーを認めることが多い．

顆粒状細胞腫は立ち上がりの境界が明瞭で，黄白色調，頂部に表面凹凸をみる特徴的な形態を有する隆起であることが多い．その色調と形態から「大臼歯様」と表現される．腫瘍組織は上皮直下に存在するため，生検で容易に診断可能である．大部分が 20 mm 以下の良性腫瘍であるが，大きいものではリンパ節転移を伴うものがある．

血管腫はやわらかく不整形で，色調は腫瘍が存在する深さにより異なり白色・黄白色・青色調などを呈する（e図 10-3-J）．

脂肪腫はやわらかく黄色調で，超音波内視鏡検査では高エコー像を呈する．

鑑別診断

鑑別を要する病変として食道癌，肉腫，消化管間質腫瘍（gastrointestinal stromal tumor：GIST）などがある．壁外発育型の場合は縦隔腫瘍，動脈瘤，リンパ節腫脹などが鑑別の対象となる．内視鏡検査時に鉗子で押すことにより粘膜筋板由来の腫瘍は容易に可動するが，筋層由来のものは可動性に乏しく鑑別に有用である．粘膜下腫瘍の形態をきたすもので，増大傾向が認められるもの，出血や潰瘍形成を伴うものでは悪性の可能性が高い．

経過・治療

経過は良好で増大することは少ないが定期的な経過観察を要する．閉塞症状を有するもの，悪性を否定できないものは治療対象となる．腫瘍の大きさと形態を考慮し可能であれば内視鏡的治療を選択する（有茎性のものや上皮性腫瘍はよい適応である）．平滑筋腫では粘膜筋板由来のものは内視鏡的治療が可能である場合もあるが，筋層由来のものは外科的治療（腫瘍核出術・食道切除術）が必要である．

〔村木洋介・一瀬雅夫〕

■文献

Odze R, Antonioli D, et al: Esophageal squamous papillomas. A clinicopathologic study of 38 lesions and analysis for human papilloma virus by the polymerase chain reaction. Am J Surg Patol. 1993; **17**: 803-12.

高安博之, 三輪 剛: 食道良性腫瘍. ベッドサイド消化器病学 (丹羽寛文, 中澤三郎, 他総編集), pp430-2, 南江堂, 1996.

6) 食道悪性腫瘍

(1) 食道癌 (esophageal cancer)

定義・概念

食道に発生する上皮性の悪性腫瘍である. 原発性食道癌と転移性食道癌があるが, 転移性食道癌はまれである.

分類

1) 占居部位: 原発巣の占居部位は下記のように定義されている (e図 10-3-K).

　a) 頸部食道 (cervical esophagus: Ce): 食道入口部より胸骨上縁まで.

　b) 胸部食道 (thoracic esophagus: Te):

　　i) 胸部上部食道 (upper thoracic esophagus: Ut): 胸骨上縁より気管分岐部下縁まで.

　　ii) 胸部中部食道 (middle thoracic esophagus: Mt): 気管分岐部下縁より食道・胃接合部までを2等分した上半分.

　　iii) 胸部下部食道 (lower thoracic esophagus: Lt): 気管分岐部下縁より食道・胃接合部までを2等分した下半分の中の胸腔内食道.

　c) 腹部食道 (abdominal esophagus: Ae): 食道裂孔上縁から食道胃接合部まで.

2) X線・内視鏡・肉眼型分類: 食道癌取扱い規約第10版補訂版 (2008年4月) から引用して示す (表10-3-4). 表在型は病変の深達度が粘膜下層までの病変であり, 進行癌は固有筋層以深に及んでいる病変とする.

3) 壁深達度分類・リンパ節転移分類・進行度分類: 食道癌取扱い規約第10版補訂版 (2008年4月) から引用する (表10-3-5). 癌腫の原発巣が粘膜内にとどまる食道癌を「早期食道癌 (early carcinoma of the esophagus)」, 粘膜下層までにとどまるものを「表在癌 (superficial carcinoma)」とよぶ. いずれもリンパ節転移の有無を問わない. リンパ節群分類は原発巣の占居部位によって頸部・胸部・腹部のリンパ節の転移範囲で1～4群に分けられる. 進行度 (ステージ) は壁深達度 (T), リンパ節転移の範囲 (N) および他臓器への転移 (M) の3つの因子にて分類されている (e表10-3-B).

原因・病因

食道扁平上皮癌では飲酒および喫煙が危険因子として重要であり, その両者を併用することで危険性が増加する. 飲酒の要因としてはアルコールの代謝産物であるアセトアルデヒドを分解するアルデヒド脱水素酵素2 (ALDH-2) の遺伝子多型が関与しているとの報告がある. また, ニトロ化合物を含む肉や魚のコゲ, 山

表 10-3-5 壁深達度 (日本食道学会, 2008)

TX	癌腫の壁深達度が判定不可能
T0	原発巣としての癌腫を認めない
T1a	癌腫が粘膜内にとどまる病変
T1a-EP	癌腫が粘膜上皮内にとどまる病変 (Tis)
T1a-LPM	癌巣が粘膜固有層にとどまる病変
T1a-MM	癌腫が粘膜筋板に達する病変
T1b	癌巣が粘膜下層にとどまる病変 (SM)
SM1	粘膜下層を3等分し, 上1/3にとどまる病変
SM2	粘膜下層を3等分し, 中1/3にとどまる病変
SM3	粘膜下層を3等分し, 下1/3に達する病変
T2	癌腫が固有筋層にとどまる病変 (MP)
T3	癌腫が食道外膜に浸潤している病変 (AD)
T4	癌腫が食道周囲臓器に浸潤している病変 (AI)

表 10-3-4 食道癌のX線・内視鏡・肉眼型分類 (日本食道学会, 2008)

病型分類 (tumor type)		
0型	表在型	superficial type
1型	隆起型	protruding type
2型	潰瘍限局型	ulcerative and localized type
3型	潰瘍浸潤型	ulcerative and infiltrative type
4型	びまん浸潤型	diffusely infiltrative type
5型	分類不能型	unclassified type
5a	未治療	unclassified type without treatment
5b	治療後	unclassified type after treatment

○表在型 (0型) (superficial type)		
0-Ⅰ型	表在隆起型	superficial and protruding type
0-Ip	有茎型	pedunculated type
0-Is	無茎型 (広基性)	sessile (broad based) type
0-Ⅱ型	表面型	superficial and flat type
0-Ⅱa	表面隆起型	slightly elevated type
0-Ⅱb	表面平坦型	flat type
0-Ⅱc	表面陥凹型	slightly depressed type
0-Ⅲ型	表面陥凹型	superficial and excavated type

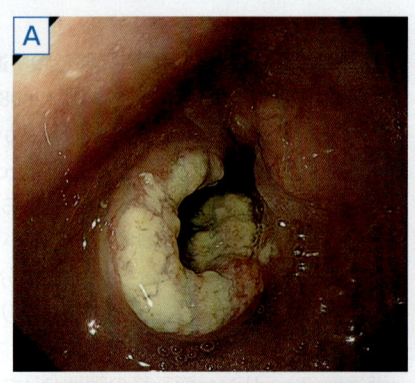
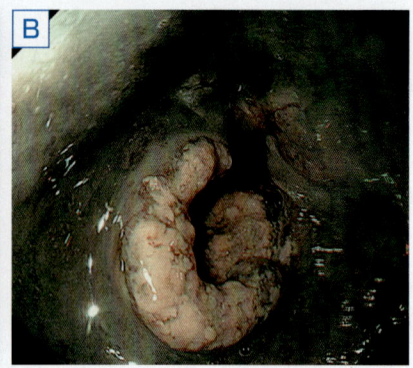
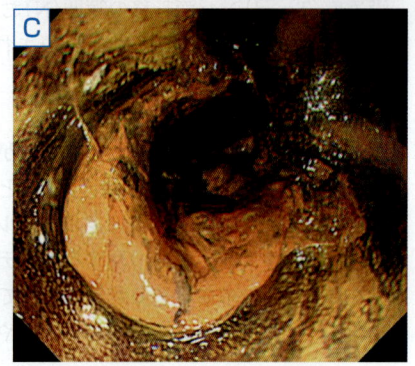

図10-3-10 食道進行癌の内視鏡所見
A：通常観察，B：NBI観察，C：ヨード染色像．

菜（ワラビ），食品添加物（防腐剤，色素剤），食生活（熱い食物摂取，栄養状態低下，ビタミン欠乏）放射線などが危険因子とされる．また，緑黄色野菜や果物は予防因子とされる．腺癌では胃食道逆流症（gastroesophageal reflux disease：GERD）による下部食道の持続的な炎症に起因するBarrett上皮がその発生母地として知られている．

疫学

食道癌の罹患率（粗罹患率）は2010年の推計によると男性が29.1人（人口10万人対），女性が5.0人（人口10万人対）であった（国立がん研究センターがん対策情報センターの集計による）．罹患率の年次推移では男性は増加傾向にあり，女性は横ばいかやや増加傾向である．厚生労働省の人口動態調査によると2013年の食道癌死亡者数は11543人であり，全悪性新生物の死亡者数の約3.2%に相当する．

病理（e表10-3-C）

扁平上皮癌が90%以上を占める．腺癌は3%程度であり，わが国ではBarrett食道癌は少ない状況である．

病態生理

食道癌の好発部位は胸部中部食道であり，ついで胸部下部食道に多い．特徴として多発することが多く上皮内進展や壁内転移を有することがある．また，頭頸部癌や胃癌などとの重複癌が多い．表在癌の段階で容易にリンパ節転移をきたし粘膜下層に深く入った癌では50%程度の転移率を示す．進行癌では腫瘍占拠部位によって異なるが解剖学的に周囲の重要臓器（気管・気管支，大動脈）に浸潤をきたしやすい．また，肝・肺・骨に遠隔転移をきたし治療困難となることが少なくない．

臨床症状

1）自覚症状： 初期には自覚症状がないことが多く，比較的初期の段階では嚥下時のしみる感じや胸やけ感などの症状を訴えることがある．さらに進行すると嚥下困難，胸部痛，嗄声などの症状が出現する．

2）他覚症状： 体重減少，水様物を多く摂取し，やわらかい，通りやすい食事を好む．

診断

問診，視触診を行ったうえで，各種画像診断により腫瘍の壁深達度，リンパ節転移および遠隔転移診断による進行度診断を行う．

1）癌病巣に関する診断：

a）スクリーニング：X線造影，内視鏡，FDG-PET（^{18}fluorodeoxyglucose-positron emission tomography），腫瘍マーカー（SCC，CEA，CYFRA）．

b）食道局所の診断：X線造影，内視鏡，生検，超音波内視鏡（EUS），CT，MRI，FDG-PET．

c）転移病巣の診断：超音波，EUS，CT，MRI，骨シンチグラフィ，FDG-PET，その他．

2）全身状態の診断：

a）活動状態（performance status：PS）の評価，心機

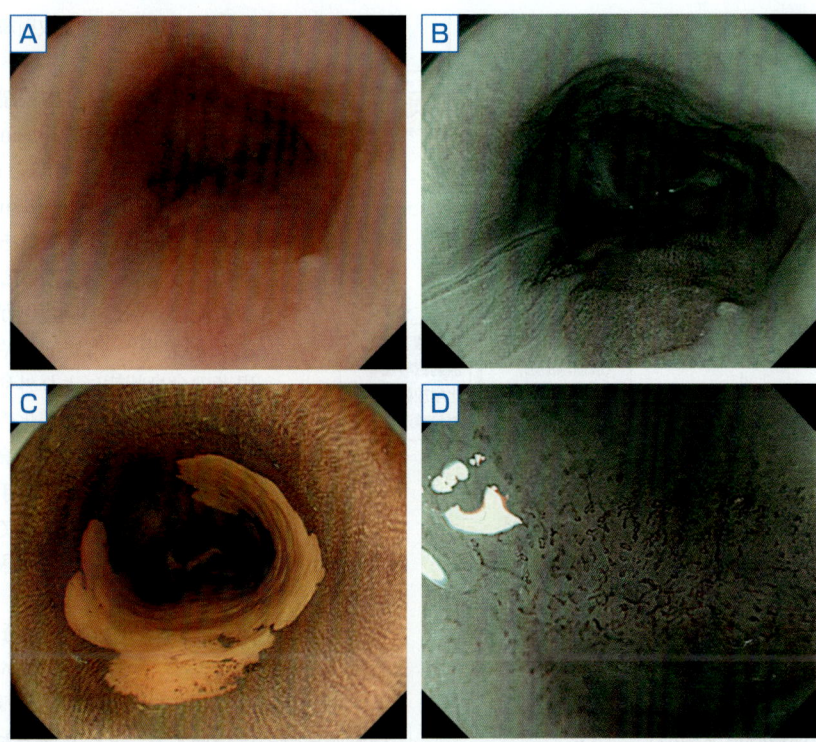

図 10-3-11 食道早期癌の内視鏡所見
A：通常観察，B：NBI 観察，C：ヨード染色像，D：拡大内視鏡像，微細血管（上皮内乳頭内ループ状血管）を示す．

能検査，肺機能検査，肝機能検査，腎機能検査，耐糖能検査，中枢神経機能検査

b）他臓器重複癌の診断：

i）頭頸部癌，胃癌，大腸癌，その他

ii）耳鼻科的診察，上部・下部内視鏡検査，その他：食道癌の発見は上部消化管内視鏡検査が有用でありその確定診断は生検による病理組織診断でなされる．発見，病変範囲の同定にヨード染色を用いた色素内視鏡や画像強調内視鏡が有用である（図 10-3-10，10-3-11）．正常食道の重層扁平上皮にはグリコーゲンが含まれていて，ヨードと反応して褐色に染色される．癌細胞はグリコーゲンが乏しいため染色されずに白色を呈する．画像強調内視鏡にはデジタル法の FICE（flexible spectral imaging color enhancement）や光デジタル法の NBI（narrow band imaging）などがあり，拡大観察と併用することで微細血管（上皮内乳頭内ループ状血管，intra-epithelial papillary capillary loop：IPCL）を観察し，表在癌においては内視鏡，EUS とともに壁深達度診断の有用なツールとなる（図 10-3-11）．進行癌では X 線造影，CT（図 10-3-12），MRI が有用である．リンパ節転移診断・遠隔転移診断として EUS，CT，FDG-PET，骨シンチグラフィが有用である．

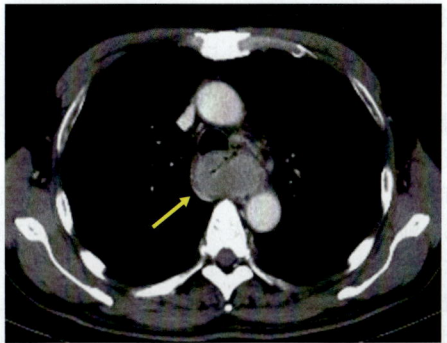
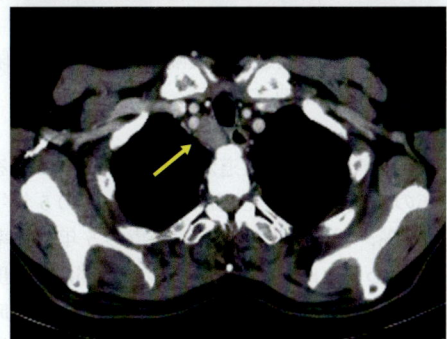

図 10-3-12 進行食道癌の胸部 CT 画像
胸部中部食道に著明な壁の肥厚を伴った進行食道癌および右反回神経リンパ節の転移を認める．

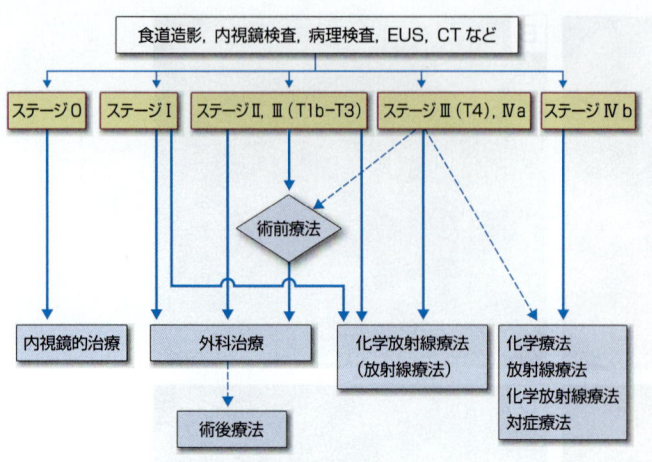

図10-3-13 食道癌治療のアルゴリズム(日本食道学会，2012)

鑑別診断
1) **逆流性食道炎**：食道胃接合部に限局するびらんや潰瘍で鑑別困難な症例があり，組織生検の病理診断でも癌と誤るものがあるため注意が必要である．
2) **良性腫瘍**：大きな乳頭腫や顆粒細胞腫では形態的に未分化癌や腺様嚢胞癌と類似している．
3) **食道潰瘍**：薬物性潰瘍や熱傷性潰瘍などがある．
4) **食道狭窄**：逆流性食道炎の狭窄や食道アカラシアとの鑑別は臨床症状から容易なことが多いが，一部に難しいものがある．

合併症
1) **気管狭窄**：癌が気管および気管支を圧排し狭窄をきたすことがある．
2) **食道気道瘻**：癌が気管・気管支に浸潤し，瘻孔を形成する．咳や血痰が出現する．
3) **肺炎**：上記の瘻孔から消化管内容物が気道に流入すると肺炎を生じる．また，食道の狭窄や反回神経麻痺により誤嚥し嚥下性肺炎をきたす．
4) **出血**：癌の浸潤により気管支動脈，腕頭動脈，食道固有動脈から出血をきたす．大動脈からの出血の場合大量出血により頓死することがある．
5) **縦隔炎・膿瘍**：食道癌が縦隔に穿通すると縦隔炎を併発し，膿瘍を形成する．

経過・予後
日本食道学会の全国食道がん登録の調査によると2006年の症例を対象として手術切除症例の5年生存率は48.0%，根治的化学放射線治療の5年生存率は25.7%であった．内視鏡治療の5年生存率は深達度で異なるものの，81.5〜85.6%であった．これらの成績は各治療の対象となる病期が異なるため直接比較はできない．

治療
食道癌の治療法はその進行度により選択される(図10-3-13)．おもに内視鏡治療，外科手術，放射線療法，化学療法，化学放射線療法が行われる．

1) **内視鏡的治療**：内視鏡的切除術には内視鏡的粘膜切除術(endoscopic mucosal resection：EMR)と内視鏡的粘膜下層剝離術(endoscopic submucosal dissection：ESD)の方法がある．技術の進歩によりESDの適応が広がり一括切除が可能な早期食道癌症例が増えている．

2) **外科治療**：占居部位や転移の有無，患者の全身状態により外科治療の内容も多様である．ほかの消化管癌と比べ高侵襲であり合併症発生率が高い．

　a) 頸部食道癌に対する手術：頸部食道癌はその病変範囲によっては咽頭喉頭を合併切除する必要があり，その際には永久気管孔を造設する．

　b) 胸部食道癌に対する手術：胸部食道癌は頸部・胸部・腹部の3領域にリンパ節転移がみられることも多く，右開胸を行い，3領域のリンパ節郭清とともに胸腹部食道は全摘することが必要である．再建臓器は胃が第一選択で用いられ，ついで，結腸，空腸が用いられる．再建経路は胸壁前経路，胸骨後経路，後縦隔経路があるが，最近は後縦隔経路がよく用いられる．

　c) 腹部食道癌に対する手術：腹部食道から噴門に限局する食道癌では，頸部，上縦隔リンパ節の郭清意義が少ないため左開胸・開腹法や左胸腹連続切開法で下部食道噴門側胃切除や下部食道胃全摘術が行われる．

　d) その他の外科治療：

　ⅰ) 非開胸食道切除術：非開胸的に頸部と腹部からの操作で胸部食道を剝離し抜去する方法で，通常の食道切除術に比べ侵襲は低いが，上〜中縦隔の郭清は困難である

　ⅱ) 体腔鏡補助下食道切除術：近年，胸腔鏡および腹腔鏡を用いた手術を行っている施設も増えてきているが，その利点および欠点に関してはまだ結論が出ていない．

3) **放射線療法**：全身状態が許せば化学療法の併用が行われる．放射線単独では体外照射法で2 Gy/日，5回/週，合計60 Gy以上を照射する．

4) **化学療法**：単独治療としての適応は遠隔転移症例であるが，補助療法として手術前後に化学療法が行われる．多剤併用化学療法が主流でありシスプラチンと5-FUの組み合わせが標準的である．

5) **化学放射線療法**：非外科的治療を行う場合の標準的な治療として施行される．治療レジメンは前述のシスプラチン・5-FUに放射線照射量(50〜60 Gy)を同時に併用する方法が一般的である．(eコラム1)

表10-3-6 食道肉腫およびその他の悪性腫瘍

1. 非上皮性悪性腫瘍
   平滑筋肉腫
   横紋筋肉腫
   細網肉腫
   線維肉腫
   悪性リンパ腫
   悪性顆粒細胞腫
   悪性神経性腫瘍
   脂肪肉腫
   その他・カルチノイド
2. その他の悪性腫瘍
   悪性黒色腫
   その他

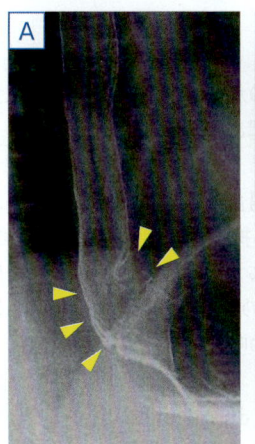 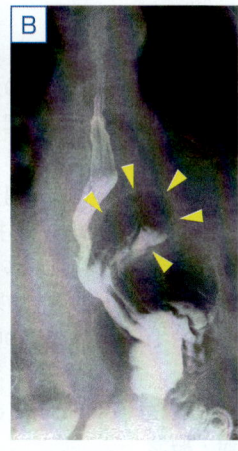

図10-3-14 食道裂孔ヘルニアのX線像
▽がヘルニア嚢．A：滑脱型，B：傍食道型．シェーマは
e 図10-3-L を参照．

(2) 食道肉腫（esophageal sarcoma）およびその他の食道悪性腫瘍

定義・概念
食道原発の非上皮性悪性腫瘍である．頻度はきわめてまれで食道悪性腫瘍の1％に満たない．

分類
食道肉腫およびその他の悪性腫瘍の分類は表10-3-6のとおりである．

1) **平滑筋肉腫（leiomyosarcoma）**：食道原発性の肉腫のなかでは最も頻度が高い．粘膜下腫瘍の形態をとるものが多く，腫瘍径が大きなものが多い．割面は白色で出血や変成，潰瘍を伴うことがある．

2) **悪性黒色腫（malignant melanoma）**：メラニン産生細胞から発生し，肉眼的に黒色大型の隆起性腫瘍として認められることが多い．予後はきわめて不良である．
〔宗田　真・桑野博行〕

■文献
日本食道学会編：臨床・病理．食道癌取扱い規約 第10版補訂版，金原出版，2008．
日本食道学会編：食道癌診断・治療ガイドライン，金原出版，2012．
田久保海誉：食道の病理第2版，総合医学社，1996．

7）食道裂孔ヘルニア，食道憩室，食道良性狭窄

(1) 食道裂孔ヘルニア（hiatus hernia）

定義・概念
食道裂孔ヘルニアは横隔膜にある生理的に存在する開口部である食道裂孔をヘルニア門として，腹腔内臓器（おもに胃の一部）が胸腔内に脱出した状態をいう（Kahrilasら，1999）．

分類
食道裂孔ヘルニアは滑脱型（sliding type），傍食道型（paraesophageal type），混合型（mixed type）に分類される（図10-3-14）．ほとんどが滑脱型である．

原因・病因
外傷，先天性，医原性のものもあるがほとんどが後天的であり，滑脱型では食道裂孔の開大と横隔食道靱帯の脆弱化が原因とされる．

疫学
日本人の食道裂孔ヘルニアは，初回内視鏡検査施行例の49.3％（草野ら，2005）に認められた．食道裂孔ヘルニアの大きさの定義や検査方法（内視鏡かX線）などにより，頻度は報告により大きく異なる．頻度に関しては，一般に男性は女性よりも多いとされているが，特に高齢者に限ると女性に多く，骨粗鬆症や亀背との関連が報告されている．

病態生理
滑脱型では加齢や妊娠，肥満など腹腔内圧の上昇が原因とされ（Marchand，1959），胃食道接合部の位置と横隔膜食道裂孔の位置にずれが生じる．傍食道型ヘルニアは横隔食道靱帯の局所的な欠損によって生じるとされている．ヘルニアの先進分は穹窿部で徐々に進行することがあり，up-side down stomach とよばれる胸腔内に胃の大部分が脱出した状態となることもある．

臨床症状
滑脱型はそれ自体による症状はほとんどないが，横隔膜脚による逆流防止機構の破綻により，続発的に生じる胃食道逆流現象による症状を訴えることが多い．大型の食道裂孔ヘルニアが存在する場合には，嚥下障害や食後に心臓の圧迫症状が出現することもある．

診断
上部消化管内視鏡やX線（バリウム造影やCT）検査

にて診断される.
合併症
　胃食道逆流症を伴うものが多い．逆流性食道炎は食道狭窄や，誤嚥性肺炎を起こすこともある．
治療
　無症状や合併症のない場合には治療の必要はない．胃食道逆流症には酸分泌抑制薬を用いる【⇨ 10-3-3】．薬物治療に反応しない症例や，胸部臓器への圧迫症状が強い場合，胃の捻転が生じる場合にはNissen や Toupet 法などの噴門形成術が行われる．

(2) 食道憩室 (esophageal diverticulum)
定義・概念
　食道憩室は食道壁から管外に囊状に突出した状態のことである．消化管壁のすべての構造を伴うものを真性憩室，筋層を欠くものを仮性憩室とよぶ．
原因・病因
　ほとんどが後天的なものである．加齢とともに頻度が高くなる傾向がある．消化管内圧の上昇によって押し出される圧出性憩室と食道の周囲の炎症などによって食道壁が牽引されて起こる牽引性憩室がある．好発部位により成因が異なり，咽頭食道憩室(Zenker 憩室)は圧出性の仮性憩室であり，横隔膜上憩室も圧出性の仮性憩室であることが多い．中部食道のRokitansky 憩室は気管分岐部周囲の組織の炎症や瘢痕化によって起こる牽引性の真性憩室である．
臨床症状
　通常は無症状であることが多いが，大きい場合には嚥下障害や胸痛，吐逆による夜間の咳嗽も伴う．
診断
　食道 X 線造影検査が最も有用である．内視鏡も憩室自体の確認が可能であり，炎症や癌の合併などが診断できる(e図 10-3-M，10-3-N)．
合併症
　出血，穿孔，瘻孔形成，吐逆による誤嚥性肺炎，食道癌(Zenker 憩室で 0.4％[2])の合併などの報告もあるが，まれである．
治療
　無症状のものは治療の必要はない．症状や合併症を伴う症例では外科的切除を行う場合もある．食道アカラシアなどの食道運動障害に伴う憩室には，両者に対しての治療が同時に行われる．

(3) 食道良性狭窄 (benign esophageal stricture)
定義・概念
　おもに後天的な炎症による瘢痕狭窄のために通過障害をきたす疾患群である．
原因・病因
　食道に炎症を引き起こすすべての疾患が原因となる

表 10-3-7 食道良性狭窄の原因

逆流性食道炎
食道感染症
カンジダ，ヘルペスウイルス，サイトメガロウイルス，結核，梅毒など
腐食性食道炎
放射線性食道炎
薬物性食道炎
骨代謝改善薬，鉄剤，NSAIDs，カリウム製剤，テトラサイクリンなど
食道ウエブ
Crohn 病
内視鏡治療後
粘膜切除術後，硬化療法後など
その他
類天疱瘡，外傷など

が，最も頻度の高いものは逆流性食道炎による狭窄である(表 10-3-7)．腐食性食道炎は誤飲や自傷目的に酸，アルカリ，重金属塩を服用した際に生じる．薬剤の停滞による薬物性食道炎は(表 10-3-7)，中部食道の大動脈弓付近の第 2 生理的狭窄部に起こることが多い．
臨床症状
　食道内腔径が 10～13 mm 以下になると嚥下障害が生じる．初期には固形食，進行すると流動物もつかえる．進行すると栄養障害や，体重減少が出現する．逆流性食道炎に伴うものは先行して胸やけなどの逆流症状をもつものが多い．頸部食道の膜性狭窄(食道web)に鉄欠乏性貧血，舌炎を伴うと Plummer-Vinson 症候群(Patterson-Kelly 症候群)とよばれる．
診断
　服薬歴，逆流症状など，病歴の聴取が重要である．バリウム造影は狭窄部位，範囲，程度などの判定のために不可欠である．内視鏡検査では，逆流性食道炎，食道裂孔ヘルニアの有無，感染症の診断や，組織検査を行うことにより特異的な炎症や，悪性腫瘍の除外に有用である(e図 10-3-O，10-3-P)．
合併症
　長期の嚥下障害により，栄養障害，食道内の真菌感染症，吐逆により誤嚥性肺炎を生じることがある．
治療
　狭窄に対する原因に対する治療が最も重要である．逆流性食道炎には十分なプロトンポンプ阻害薬やカリウムイオン競合型アシッドブロッカー(P-CAB)などの投与が必要となることが多い．好酸球性食道炎では

ステロイド投与などが奏効する．保存的治療で改善しない狭窄には，内視鏡下バルーン拡張術が行われる．内科的治療で狭窄の解除が得られない場合には狭窄切除術，食道再建術などの外科的処置が行われる．

〔保坂浩子・草野元康〕

■文献(e文献10-3-7)

Kahrilas PJ, Spiess AE: Hiatus Heria. The Esophagus, 3rd ed（Castell DO, Richter JE eds), pp381-396, Lippincott Williams and Wilkins, 1999.

草野元康，神津照雄，他：日本人の食道裂孔ヘルニアの頻度．*Gastroenterological Endoscopy*. 2005; **47**: 962-73.

Marchand P: The anatomy of esophageal hiatus of the diaphragm and the pathogenesis of hiatus herniation. *Thorac Surg*. 1959; **37**: 81.

8）食道運動障害

(1) 疾患概念

食道運動障害は上部消化管内視鏡検査や食道造影検査にて明らかな異常所見を認めないにもかかわらず，食道運動障害の存在によりつかえ感，胸痛をきたす疾患である．最も代表的な食道運動障害はアカラシアである．

(2) 正常な食道運動機能

健常者では，嚥下後に食道上部より一次蠕動波が出現するとともに，下部食道括約筋(LES)の弛緩が起こる．LES弛緩は蠕動波がLESに到達し終了する．その後LESは胃内容物の逆流を防止するため15〜20 mmHgの圧で収縮している．その他LESは食道内の拡張刺激（胃液，空気の食道内逆流）によっても弛緩を起こす[1]．

(3) 食道運動障害の分類

食道運動障害は一次性食道運動障害と糖尿病，膠原病などによる二次性の食道運動障害に分類される．

(4) 一次性食道運動障害の診断

食道運動障害にはLESの運動障害と食道体部の運動障害に分類され，LESの運動障害としてはLES弛緩障害とLES圧の障害（高値または低値）を示すものがある．食道体部障害としては蠕動波高の異常（高値または低値）と蠕動異常（同期性収縮，非伝達性収縮波，収縮波が出現しない）を示すものがある．臨床上問題となるのはLES弛緩障害，頻回の同期性収縮波の出現，蠕動波の著しい高値を示す場合である．一次性食道運動障害の確定診断は食道内圧検査により行われ，アカラシア，diffuse esophageal spasm (DES)，nutcracker esophagus (NE)，hypertensive LES，non-specific esophageal motility disorder(NEMD)に分類される．conventional manometryによる食道運動障害の分類を表10-3-8に示す(Katzら，1999)．

NEMDは原因不明な「つかえ感」や「胸痛」の原因の30〜40%（草野ら，2003）を占めるものであるが，これらのNEMD患者の内圧所見を詳細に調べるとほとんどは30 mmHg未満の波高低下または30%以上の非伝達性の蠕動波であることから，近年ではNEMDをより正確な名称であるineffective esophageal motility (IEM)として取り扱われることが多い(Leiteら，1997)．

(5) アカラシアを除く食道運動障害の治療

原因不明であった症状の原因が食道運動障害による可能性があることを患者に説明することにより安心し症状が軽快することも多い．また，ゆっくりとした食事摂取を指導することも有効である場合が多い．薬物治療としてはDES，NEの多くの患者が胃食道逆流症

表10-3-8 一次性食道運動障害の食道内圧検査所見

	必須項目	付記項目
アカラシア	一次蠕動波の消失 LES不完全弛緩	LESP上昇(> 45 mmHg) 食道体部静止圧の上昇
diffuse esophageal spasm(DES)	同期性収縮(水嚥下時> 10%) 間欠的な正常蠕動波	反復性収縮(> 2ピーク) 振幅または蠕動波高の上昇 自発性収縮，LESの不完全弛緩
nutcracker esophagus (NE)	下部食道の蠕動波高の増加(> 180 mmHg) 蠕動波正常	蠕動波の振幅の延長(> 6秒)
hypertensive LES	LES圧の上昇(> 45 mmHg)	正常蠕動波 LES弛緩正常
nonspecific esophageal motility disorder(NEMD)	正常な食道運動ではないが，上記一次性食道運動障害の定義を満たさないもの（右項目のいずれかの組み合わせ）	非蠕動波の増加(水嚥下> 20%) 振幅の延長(> 6秒)，3相波 蠕動波高の低下(< 30 mmHg) LESの不完全弛緩，逆行性蠕動

LES = lower esophageal sphincter

を合併していることから，まず，プロトンポンプ阻害薬（PPI）の投与を行い PPI の有効性を確認する．有効でない場合には，DES，NE 患者の食道平滑筋の弛緩を目的として亜硝酸薬，Ca 拮抗薬，抗コリン薬が使用される．薬物を使用しても治療効果がない DES 患者に対しては外科的な筋層切開術を必要とすることもある．

(6) アカラシア

概念
アカラシアは嚥下，食道内拡張に伴う LES の弛緩不全および食道体部の蠕動障害を有することにより，液体，固形物の食道からの胃への通過障害をきたす疾患である．

疫学
発症年齢は成人に多くみられるが，小児～高齢者の幅広い年齢層にみられ特に好発年齢はない．性別では男女差はないとする報告が多い．海外での年間の発生率は 0.4～0.6 人/10 万人/年であると報告されている．

病態
アカラシアの病態において最も重要な所見は，筋層間神経叢の変化である．アカラシア進行例においては，筋層間神経叢の神経節細胞数は消失または著明に減少している（Goldblum ら，1994）．筋層間神経叢の炎症はアカラシアの早期の段階から存在し，何年もの経過において神経節細胞を減少させ，筋層間神経叢の線維化をきたすと考えられている[2]．

臨床症状
アカラシアの主症状は LES 弛緩障害に基づくものであり，食道内の液体，固形物貯留によるつかえ感，食道内の貯留物の口腔内逆流による咳，誤嚥性肺炎である．しかし，逆流性食道炎患者でみられる胃酸の口腔内逆流とは異なり，胃酸の混在はなく逆流液に酸味はない．この口腔内逆流は特に就寝中に多く，アカラシア患者では逆流液の流出により枕が汚れることが多い．また LES 弛緩不全が高度の場合には体重の減少もみられる．その他の症状としては，食道の異常収縮波出現によると考えられる胸痛がある．

診断
1) **X 線診断**：食道造影検査は早期のアカラシア患者では困難である場合もあるが，それ以外のアカラシア患者では食道造影検査のみで診断することが可能である．アカラシアの食道造影の特徴は下部食道の鳥のくちばし状のスムーズな狭窄，バリウムの排出遅延，通過障害に伴う食道の拡張，および食道内のバリウム層上部の唾液，残渣の貯留である（岩切ら，2012）．

2) **内視鏡検査**：食道アカラシアの内視鏡所見は，食道内腔の拡張，食物残渣の貯留，噴門部の巻きつき像，めくれこみ像（岩切ら，2012），下部食道狭小部への放射状のひだ像などがおもな所見である[3]．またアカラシアの鑑別診断としての噴門部癌を除外することからも必要な検査である．アカラシア患者では食道癌を合併するリスクが高いことからも，診断後も内視鏡による定期的な観察が必要である．

3) **内圧検査**：アカラシアの病態の本質が LES の弛緩障害であることから，アカラシアの診断のためには LES 弛緩を評価することが最も重要である．アカラシア患者では嚥下後の LES の完全弛緩はみられず，一次蠕動波もみられない．また，健常者での食道静止内圧は陰圧であるが，アカラシア患者では，食道内の液体貯留に伴い食道静止圧が陽圧になっていることが多い．

治療
アカラシアの治療は，病態の本質である LES 弛緩障害を回復する方法がないため LES 圧を低下させ，重力により液体，固形物が食道内から胃内に少しでも多く通過できるようにすることに主眼がおかれており，おもに内科的治療であるバルーン拡張術もしくは外科的手術および近年開発された経口内視鏡的筋層切開術（per-oral endoscopic myotomy：POEM）がある．

1) **バルーン拡張術**：バルーン拡張術により，患者の 74～90％の寛解が得られる（岩切ら，2012）（eコラム 1）．有効例に関連する因子は年齢であり，40 歳以上での寛解率は 80～90％である．30 歳未満の症例では有効例はなく，30 歳未満の症例では経口内視鏡的筋層切開術または外科的治療の適応である（岩切ら，2012）．

2) **腹腔鏡下筋層切開術＋噴門形成術（Heller-Dor 手術）**：アカラシア患者に対する Heller-Dor 手術の良好な成績が報告されていることから[4]，バルーン拡張術の効果を認めない若年者では最初から外科的治療が行われる．

3) **経口内視鏡的筋層切開術（POEM）**：POEM はあらゆるタイプのアカラシア患者に有効であるとともに，腹腔鏡下筋層切開術に比べ長い距離の筋層切開が可能であることから，つかえ感のみならず胸痛を有するアカラシア患者に対しても有効であり，同治療法がアカラシアの標準的根治術となる可能性がある[5]．

4) **その他の治療法**：LES 圧低下作用のある Ca 拮抗薬，亜硝酸薬が使用される．これらの薬剤により，食事中の LES 圧を低下させる必要があるが，そのためには，薬物の効果が瞬時に出現する薬剤，すなわち，舌下投与が可能である薬剤が必要となる．これらの薬剤として，ニフェジピン，硝酸イソソルビドがある．

〔岩切勝彦〕

■文献（e文献 10-3-8）
Goldblum JR, Whyte RL, et al: Achalasia: a morphologic study of

42 resected specimens. *Am J Surg Pathol.* 1994; **18**: 327-37.

岩切勝彦, 川見典之, 他：アカラシアの診断とバルーン拡張術. 日本消化器病学会雑誌. 2012; **109**; 710-21.

Katz PO, Castell JA. Nonachalasia motility disorders. The Esophgagus, 3rd ed (Castell DO, Richter JE, eds), Lippincott Williams & Wikins, 1999

草野元康, 前田正毅, 他：食道運動機能とアカラシア関連疾患. 日本消化器病学会雑誌. 2003; **100**: 1095-105,

Leite LP, Johnston BT, Barrett J, et al. Ineffective esophageal motility (IEM): The primary finding in patients with nonspecific esophageal motility disorder. *Dig Dis Sci.* 1997: **42**; 1859-65.

9）食道・胃静脈瘤

定義・概念

食道・胃静脈瘤とは，食道および胃上部の粘膜下層に静脈が腫瘤状に拡張したものであり，門脈圧亢進症によって生じた門脈-大循環側副血行路の一部である．食道・胃静脈瘤は門脈圧亢進症の重篤な合併症であり，いかに出血をコントロールし，出血再発を防止するかが重要であり，その結果として予後の向上が得られる．

原因・病因

門脈は胃・小腸・大腸・膵臓などの内臓からの静脈が肝臓へ流入する経路で毛細血管まで分岐した後，再び集合・合流して肝静脈として大循環（下大静脈）へ合流する．門脈血流は肝臓流入血液全体の70〜80％を占める．何らかの理由で門脈血流が妨げられ門脈圧が亢進して200 mmHg以上になると，左胃静脈，後胃静脈，短胃静脈を介する門脈への流入が障害され，それぞれ逆方向の血流が増加して食道下部の静脈を介して大循環静脈系へ流入するようになる．肝臓を迂回し上大静脈への副血行路として食道や胃体上部静脈叢が拡張・蛇行した状態が食道・胃静脈瘤である（図10-3-15）（豊永ら，2001）．門脈圧亢進をきたす基礎疾患には，肝硬変，特発性門脈圧亢進症，肝外門脈閉塞症，Budd-Chiari症候群の4つがあり，このうち肝硬変が最多であり，門脈圧亢進症全体の約80％を占める（日本門脈圧亢進症学会, 2013）．特殊な場合として，慢性膵炎，膵腫瘍などによる門脈狭窄や閉塞例で，脾静脈領域の局所性門脈圧亢進（左側型門脈圧亢進症）のために，短胃静脈を介した遠肝性副血行路として胃静脈瘤が形成されることがある．

臨床症状

唯一の症状は出血であり，突然大量の吐血をきたし下血を伴う．出血量が多いとショック状態となり，高度肝障害例では少量出血でも容易に二次性肝不全をきたし致命的となる．

診断

診断には上部消化管内視鏡（EGD）が不可欠である．そのほかに，上部消化管X線検査，超音波内視鏡検査（EUS）がある．EGDやEUSは食道・胃静脈瘤の早期診断や治療方針の決定，治療効果判定に有用であ

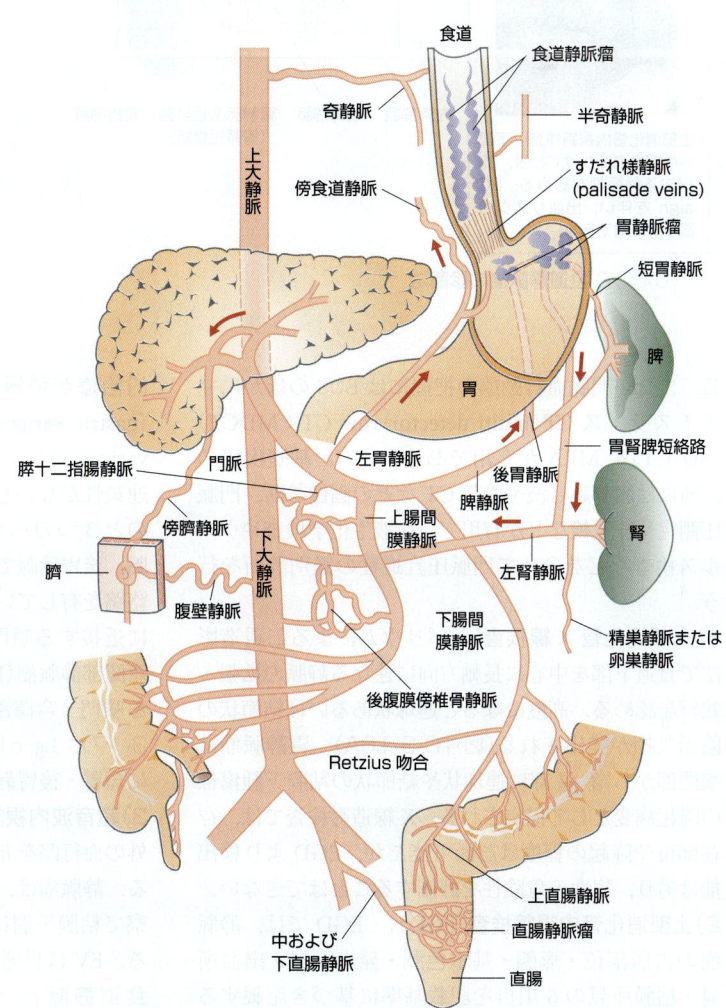

図10-3-15 **食道・胃静脈瘤の発生する血行異常**（豊永ら, 2001）
何らかの理由で門脈圧が亢進し，肝内血流が妨げられると血液は左胃静脈，後胃静脈，短胃静脈などの側副血行路に集中し，奇静脈を経由して大循環に戻ろうとする．この結果，経由血管である食道・胃壁の静脈が腫脹，蛇行して静脈瘤を形成する．そのほか，さまざまな側副血行路が形成される．

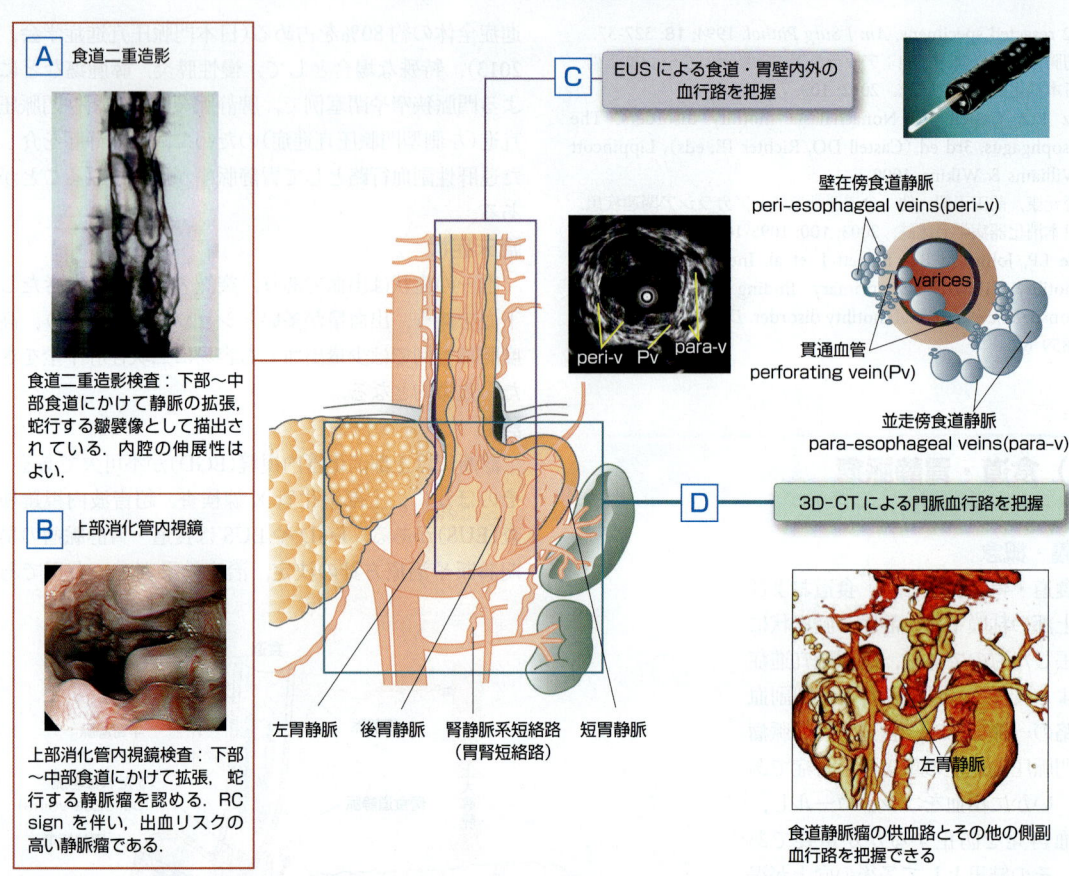

図10-3-16 食道静脈瘤の診断法

る．また，門脈血行動態の把握にはEUSのほかにマルチスライスCT（multi detector-row CT：MDCT）（3D-CT）やMRAが有用である．一方，基礎疾患の診断には腹部超音波や腹部CTなどの画像診断，門脈圧測定や肝生検などが有用で，血液生化学検査やウイルス検査などを含めて門脈圧亢進症の鑑別診断を行う．

1）上部消化管X線検査： バリウムによる二重造影法で食道下部を中心に長軸方向に連なる静脈の拡張・蛇行を認める．高度になると連珠状あるいは結節状の陰影欠損が描出される（図10-3-16A）．胃静脈瘤は噴門部から穹窿部に連珠状や結節状の粘膜下腫瘍様の隆起病変として描出される．X線造影検査では，存在部位や隆起の程度は診断可能だが，EGDより検出能は劣り，出血の危険性を評価することはできない．

2）上部消化管内視鏡検査（EGD）： EGDでは，静脈瘤の占居部位・形態・基本色調・発赤所見・出血所見・粘膜所見の6項目を記載基準に基づき記載する（表10-3-9）（日本門脈圧亢進症学会，2013）．記載所見から静脈瘤出血の危険度が把握でき，形態が大きいほど，発赤所見が高度なほど出血の危険性は高まる（図10-3-16B）．これらの所見をもつ静脈瘤は予防

的治療が積極的に行われている．一方，胃静脈瘤（gastric varices：GV）には，食道静脈瘤（esophageal varices：EV）と連続するもの，EVはあるがGVとの連続性がないもの，EVはなくGVのみが存在するものと3つのパターンがある．おもな供血路は短胃静脈，後胃静脈であり，排出路として高率に腎静脈系短絡路を有している．GVは，その占居部位から噴門輪に近接する噴門部静脈瘤（Lg-c），穹窿部に孤在する穹窿部静脈瘤（Lg-f），そして噴門部から穹窿部に連なる噴門・穹窿部静脈瘤（Lg-cf）に分類される（図10-3-17）．Lg-cはおもに左胃静脈，Lg-cf, Lg-fはおもに短胃・後胃静脈から供血されている．

3）超音波内視鏡検査（EUS）： EUSは食道・胃壁内外の血行路を非観血的に把握する手段として有用である．静脈瘤は，20MHz細径超音波プローブによる観察で粘膜下層に無～低エコー管腔像として描出される．EVは貫通静脈を介して壁在傍食道静脈や並走傍食道静脈と交通していることが多い（図10-3-16C）．中部食道ではEVの排出路として奇静脈が観察される．

4）マルチスライスCT（MDCT）： EUS同様に門脈血行動態を把握するうえで重要な検査である．

表 10-3-9 食道・胃静脈瘤内視鏡所見記載基準（日本門脈圧亢進症学会, 2013）

	食道静脈瘤（EV）	胃静脈瘤（GV）
占居部位 location(L)	Ls：上部食道にまで認められる Lm：中部食道にまで及ぶ Li：下部食道のみに限局	Lg-c：噴門部に限局 Lg-cf：噴門部から穹隆部に連なる Lg-f：穹隆部に限局 （注）胃体部にみられるものは Lg-b，幽門部にみられるものは Lg-a と記載する
形態 form(F)	F0：治療後に静脈瘤が認められないもの F1：直線的な比較的細い静脈瘤 F2：連珠状の中等度の静脈瘤 F3：結節状または腫瘤状の静脈瘤	食道静脈瘤の記載法に準じる
色調 colror(C)	Cw：白色静脈瘤 Cb：青色静脈瘤	食道静脈瘤の記載法に準じる
	（注）ⅰ）紫色・赤紫色に見える場合は violet(v) を付記して Cbv と記載してもよい． ⅱ）血栓化された静脈瘤は Cw-Th，Cb-Th と付記する	
発赤所見 red color sign(RC)	RC にはミミズ腫れ（red wale marking：RWM），チェリーレッドスポット（cherry red spot：CRS），血マメ（hematocystic spot：HCS）の3つがある．	
	RC0：発赤所見をまったく認めない RC1：限局性に少数認めるもの RC2：RC1 と RC3 の間 RC3：全周性に多数認めるもの	RC0：発赤所見をまったく認めない RC1：RWM，CRS，HCS のいずれかを認める
	（注）ⅰ）telangiectasia がある場合は Te を付記する．ⅱ）RC の内容 RWM，CRS，HCS は RC の後に付記する．ⅲ）F0 でも RC が認められるものは RC1-3 で表現する．	
出血所見 bleeding sign(BS)	出血中所見： 　湧出性出血 gushing bleeding 　噴出性出血 spurting bleeding 　滲出性出血 oozing bleeding 止血後間もない時期の所見： 　赤色栓 red plug，白色栓 white plug	食道静脈瘤の記載法に準じる
粘膜所見 mucosal finding(MF)	びらん erosion(E)：認めれば E を付記する 潰瘍 ulcer(Ul)：認めれば Ul を付記する 瘢痕 scar(S)：認めれば S を付記する	食道静脈瘤の記載法に準じる

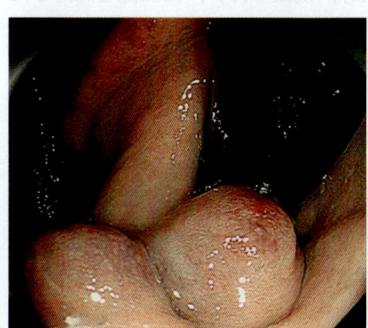 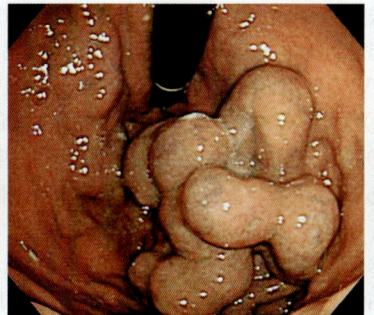 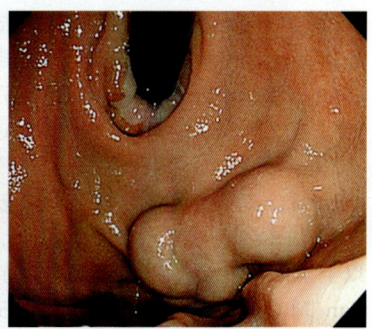

Lg-c　　　　　Lg-cf　　　　　Lg-f

図 10-3-17 胃静脈瘤の内視鏡所見

MDCT による三次元構築（3D-CT）は EV・GV の供血路や排出路などの側副血行路の発達程度の把握や治療後の血行動態評価に有用である．3D-CT は侵襲的検査である腹部血管造影に取って代わる非侵襲的な検査法である（図 10-3-16D）．

5）腹部血管造影（門脈造影）： 静脈瘤の血行動態を把握のために経動脈的門脈造影や経皮経肝門脈造影が行われる．侵襲の大きい検査法であるが，供給静脈の選択的造影が可能でそのまま治療（塞栓術）に移行しうるという長所がある．

鑑別診断・併存病変

食道中部から上部にみられる孤立性血管病変は EV ではなく血管腫である．食道血管腫は出血することはなく経過観察でよい．GV，特に腫瘤様静脈瘤（F3）では粘膜下腫瘍との鑑別が重要であり，けっして生検してはいけない．

肝予備能，凝固能，腎機能，肝癌合併の有無や Vp（門脈腫瘍塞栓）因子などの評価も必要である．

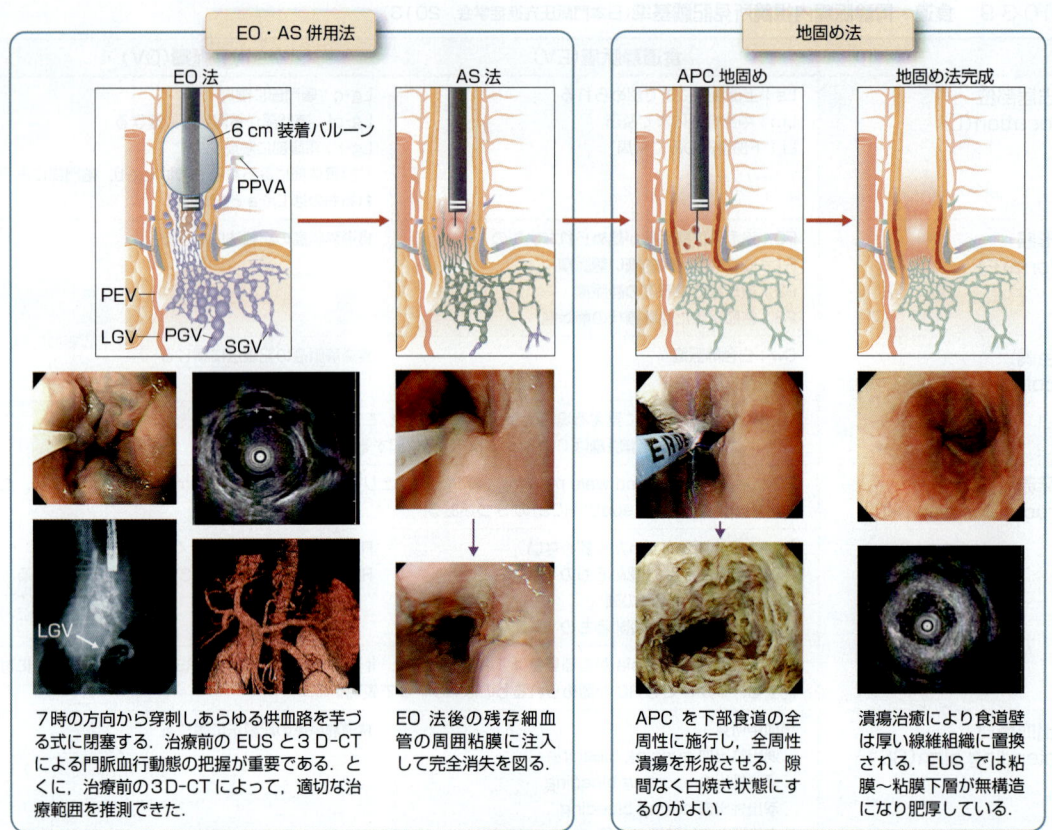

図 10-3-18 内視鏡的硬化療法(EO・AS 併用法および地固め法)
PPVA：portopulmonary venous anastomosis(門脈肺静脈吻合)，PEV：paraesophageal veins(傍食道静脈)，LGV：left gastric vein(左胃静脈)，PGV：posterior gastric vein(後胃静脈)，SGB：short gastric vein(短胃静脈).

治療

EV では内視鏡治療である硬化療法(endoscopic injection sclerotherapy：EIS)や静脈瘤結紮術(endoscopic variceal ligation：EVL)が，GV では組織接着剤(シアノアクリレート系薬剤：CA)(ヒストアクリル，α-シアノアクリレートモノマー)注入法(CA 法)が行われ，特に急性出血例に有用である．

出血・待期例は絶対的適応であり，予防例では F2 以上または F 因子に関係なく発赤所見(red color sign：RC sign)陽性 GV，瘤上にびらんを認めるものや瘤が急速に増大したもの，そして EV 治療後に残存あるいは新生した GV が適応となる．

EIS の禁忌は高度の黄疸(T.Bil 4 mg/dL 以上)，低アルブミン血症(2.5 g/dL 以下)，高度の血小板減少(2 万以下)，全身の出血傾向(播種性血管内凝固症候群：DIC)，大量の腹水貯留，高度脳症，末期肝癌(Vp3，4)，腎不全，心不全などである．高度肝障害例(Child-Pugh C，T.bil 4 mg/dL 以上)では EIS 禁忌であるが，EV 出血なら EVL で，GV 出血なら CA 法で対処できる．これら EVL と CA 法は肝機能に悪影響を及ぼさない治療法である(小原ら，2006)．

1)食道静脈瘤(EV)の治療(図 10-3-18)： 出血例では全身管理下に緊急内視鏡を行い，出血源を確認したら直ちに EVL にて止血する．待期・予防例の基本的治療法は供血路閉塞を目的とした 5% ethanolamine oleate(EO)の血管内注入法(EO 法)と細血管の消失を目指す 1% aethoxysklerol(AS)の血管外注入法(AS 法)を異時的に併用する EO・AS 併用法が行われている．さらに長期間の再発防止効果を得るためには EV の完全消失だけでなく，より徹底した地固め法が有用である．EO・AS 併用法後にアルゴンプラズマ凝固法(APC)による地固めを加えると効果的である．

EIS の重大合併症には，出血や食道穿孔などの局所的なものと，ショック，門脈血栓，肝不全，腎不全などの全身的なものがあるが，これらは X 線透視下で造影剤添加 EO を注入する静脈瘤造影下 EIS で未然に防止できる．一方，EVL 単独では再発率が高く，待期・予防例の治療法として限界がある．EVL 後の再発率を低下させるために，EIS(AS 法)との併用や EVL 後に APC 地固めを追加する工夫がされている．

EVL の重大な合併症には O リング脱落による大量出血や出血死，オーバーチューブによる食道損傷や穿孔などの報告がある．

2)胃静脈瘤(GV)の治療： 出血例は全身管理下に緊

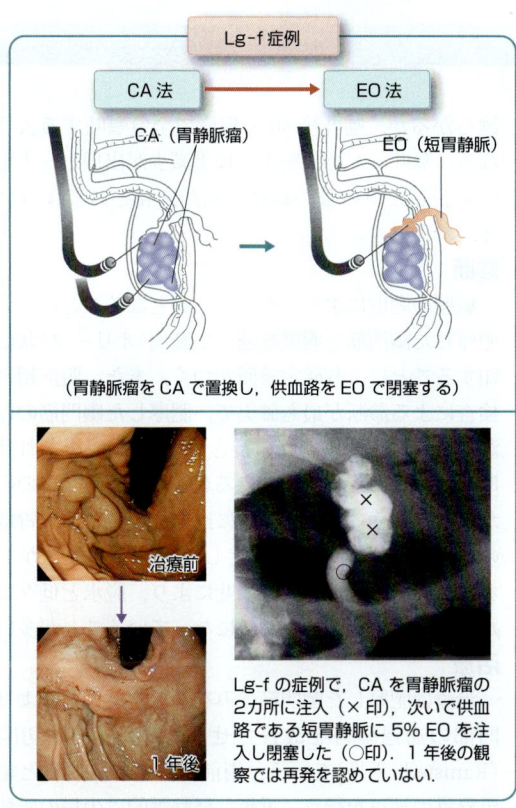
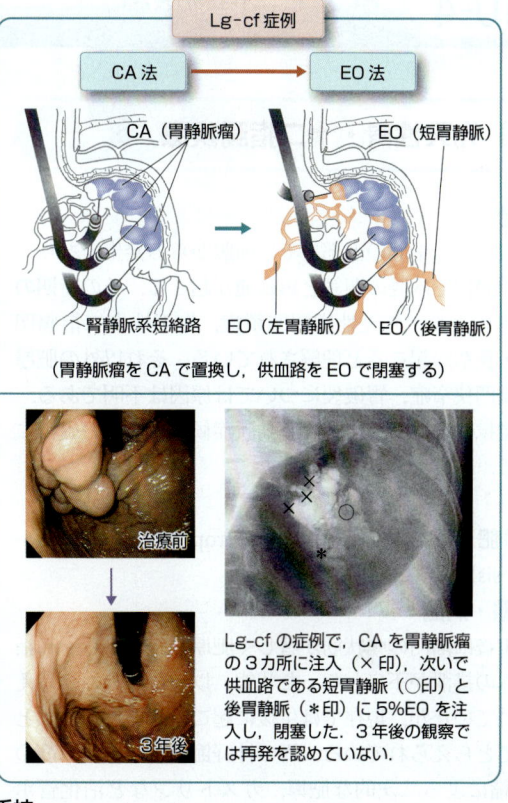

図 10-3-19 孤立性胃静脈瘤に対する CA・EO 併用法の手技

急内視鏡にて出血源を確認し，CA 法にて止血する．待期・予防例では内視鏡的治療か IVR 応用治療が行われている．内視鏡的治療では GV を CA 法で閉塞し，それらの供血路を EO 法で閉塞する CA・EO 併用法が有用である（図 10-3-19）．CA 法の合併症には，CA が排出路（胃腎短絡）から大循環へ流出したり，肺塞栓を起こすことがある．

a）IVR を応用した治療：バルーン下逆行性経静脈的塞栓術（balloon-occluded retrograde transvenous obliteration：B-RTO）は GV の待期・予防例の治療法として広く行われているが，胃腎短絡を有する症例に有用である．急性出血例では CA 法で一時止血後に B-RTO を行うことが多い．B-RTO は胃腎短絡をバルーンカテーテルで制御し，逆行性に硬化剤（EO）を GV とその供血路まで注入し閉塞する手技である．多くは 1 回の B-RTO で GV を消失でき，GV の再発を防止できる．ただし，治療後の EV 出現は高率であり，定期的な観察が必要である．また，一部の施設では経頸静脈的肝内門脈大循環短絡術（transjugular intrahepatic portosystemic shunt：TIPS）が行われている．

b）外科手術：直達手術（食道離断術，Hassab 手術）と選択的シャント手術がある．Hassab 手術は GV に対して有効性が高く，外科手術のなかでは侵襲性の低い手術である．最近では腹腔鏡を利用した hand-assisted laparoscopic splenectomy（HALS）や laparoscopic splenectomy（LS）が行われている．

予後・経過

自然経過例での静脈瘤出血率は 15〜40％で，その初回出血時の死亡率は約 50％ときわめて高率であり，また死亡しないまでも肝予備能の低下をきたすこと，そして EIS が安全かつ効果的に施行できることから，予防的治療が積極的に行われている．EV・GV 出血例に対する内視鏡的止血率は 90％以上と高く，さらに EV に対する EO・AS 併用法と地固め法によって再発防止効果が得られる．GV に対する CA・EO 併用法で完全治療が得られた場合にも同様に再発防止効果が得られる．治療後の予後は，肝障害の程度や肝癌合併の有無に依存する．

〔小原勝敏〕

■文献

日本門脈圧亢進症学会編：門脈圧亢進症の病因・病態，門脈圧亢進症取扱い規約 第 3 版，金原出版，2013．

小原勝敏，豊永 純，他：食道・胃静脈瘤内視鏡治療ガイドライン．消化器内視鏡ガイドライン 第 3 版（日本消化器内視鏡学会監），pp215-33，医学書院，2006．

豊永 純，於保和彦，他：食道・胃静脈瘤の発生機序．食道・胃静脈瘤 改訂第 2 版（鈴木博昭監），pp21-7，日本メディカルセンター，2001．

10-4 胃・十二指腸疾患

1) 先天性胃・十二指腸疾患

概念

胃・十二指腸の上部までは前腸からの発生であり，その過程で内腔の閉鎖と再疎通が起こる．その時期の障害により，先天性幽門閉鎖症，先天性十二指腸閉鎖・狭窄が起こると理解されている．それ以外の肥厚性幽門狭窄症，胃破裂については原因は不明である．胃軸捻転症および上腸間膜動脈症候群は形態の異常による．

(1) 肥厚性幽門狭窄症（hypertrophic pyloric stenosis）

病態・病因

生後に幽門の輪状筋が著しく肥厚し，胃から十二指腸への排泄が不良となった状態．以前は先天性と考えられていたが，現在では生後に起こる機能的な病態としてとらえられている．胃の神経節細胞の異常，筋の攣縮による二次的な肥厚，ガストリンなど消化管ホルモンの異常などが考えられているが，いまだその病因は明らかでない．

頻度

出生500〜1000人に1人で，比較的頻度の高い疾患である．男女比は4〜5：1で男児に好発する．家族性が認められることから，多因子遺伝が推定されているが原因遺伝子は明らかでない．

臨床症状

病歴や症状は典型的であり，生後2週頃より始まる非胆汁性の嘔吐が次第に増強し，ついには哺乳ごとに噴水状になる．患児は嘔吐後も空腹のためミルクを欲しがるが，哺乳後30分程度で全量嘔吐するようになる．嘔吐のため，脱水・体重減少が出現し，上腹部に拡張した胃の強い蠕動運動が透見されるようになる．

診断

病歴の聴取により診断が明らかとなることが多い．肥厚した幽門筋を腹壁を通して腫瘤（オリーブ）状に触知することにより確定診断がつく．また，腹部超音波検査による診断が最も確実で，肥厚した幽門筋の厚さが4 mm以上，幽門管の長さが15 mm以上あれば肥厚性幽門狭窄症と診断できる（図10-4-1）．胃の内容が幽門をこえて十二指腸内に進まないことや，胃蠕動の亢進なども陽性の所見としてとらえることができる．血液検査上は頻回の嘔吐により，脱水と低クロール性代謝性アルカローシスになっていることが多い．

治療

治療は肥厚した幽門筋のみを切開することにより幽門部の通過障害を改善させる，粘膜外筋層切開術（Ramstedt手術）を行う．術前管理として脱水と電解質異常の補正を行う．近年，経静脈的に少量の硫酸アトロピンを哺乳に合わせて頻回投与することで，幽門筋の緊張を改善させる治療法が注目されている．しかしながら，入院期間が1週間以上と長くなることと，有効率が80％程度であることから，わが国以外ではあまり実施されていない．最近は外科手術による手術創の醜悪を軽減させるために，臍周囲を切開して開腹するようなさまざまな工夫がなされている．

予後

粘膜外筋層切開術の術後成績はきわめて良好で，通常術後2〜3日で退院でき，その後の体重増加も良好である．症状の再発はまず認められない．

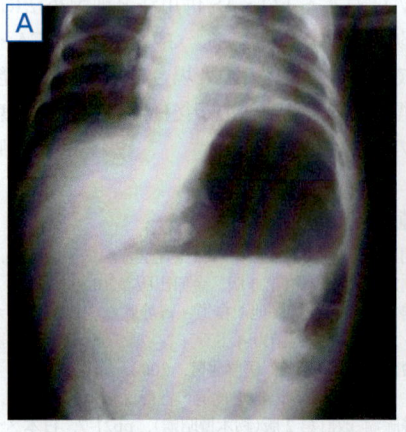
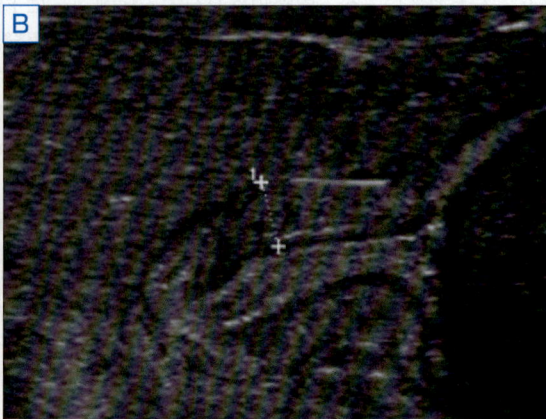

図10-4-1 肥厚性幽門狭窄症の画像診断
A：single bubble sign，B：超音波検査像．肥厚した幽門筋が確認される．

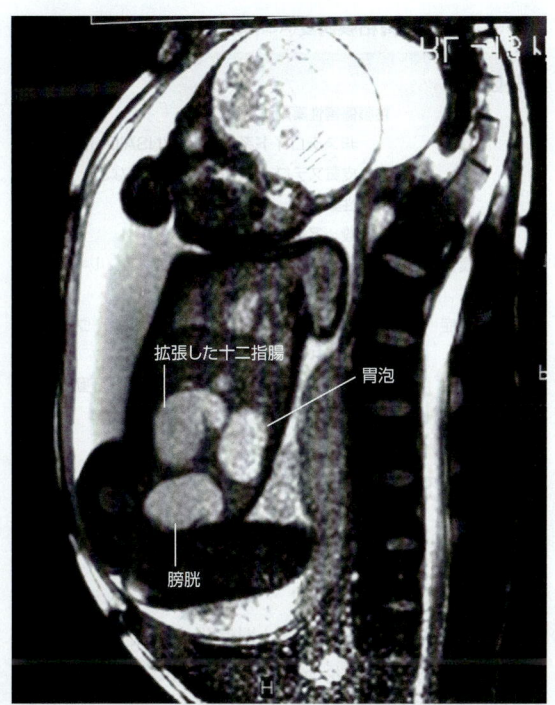

図 10-4-2 先天性十二指腸閉鎖症の胎児 MRI 像
胃泡と拡張した十二指腸による double bubble sign がみられる．

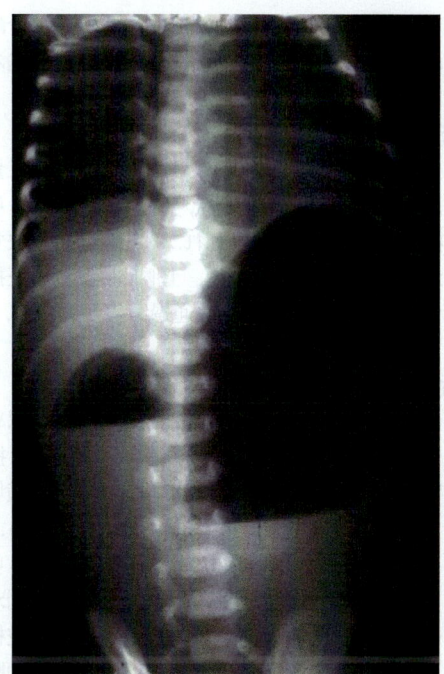

図 10-4-3 先天性十二指腸閉鎖症の X 線写真
—double bubble sign

先天性幽門閉鎖症，新生児胃破裂，胃軸捻転症については，それぞれⓔコラム 1～3 を参照．

(2) 先天性十二指腸閉鎖・狭窄症 (congenital duodenal atresia and stenosis)

病因

先天的に十二指腸が閉鎖もしくは狭窄しており，高度の通過障害を呈する．7000 の出生に 1 例といわれ，先天性腸閉鎖症のなかでは最も頻度が高い．十二指腸の内腔は粘膜の過増殖によりいったん閉鎖し，胎生 8～10 週に再疎通が完成すると考えられている．この発生過程の障害が本症であるとされ，離断型や膜様閉鎖などさまざまな病型を呈する．同様の症状を呈する輪状膵の形成もこの病態に含むこともある．また，この時期は，ほかの重要臓器の発生時期に一致するため，本症には合併奇形が多く，食道閉鎖症，直腸肛門奇形，心奇形，腎泌尿器奇形などが多い．また，Down 症 (21trisomy) の合併が多い．

臨床症状

胎児期より羊水過多が認められ，胎児超音波検査にて拡張した胃と十二指腸が上腹部に認められる (double bubble sign；図 10-4-2)．生後まもなくからの嘔吐と腹部単純 X 線写真での double bubble sign で診断される (図 10-4-3)．嘔吐は胆汁が排泄される Vater 乳頭と閉鎖部位の関係で，非胆汁性であったり，胆汁性であったりする．十二指腸狭窄症では狭窄が高度であれば閉鎖症と同様に新生児早期に診断されるが，中等度以下の狭窄では診断が遅れ，固形物を摂取する幼児期以降に発見されることも少なくない．

治療

上部消化管の閉塞であるので，まず経鼻胃管にて減圧を行い，輸液後全身状態の改善を待って待機的に手術を行うことが可能である．手術は十二指腸-十二指腸吻合 (木村のダイヤモンド吻合 (Kimura ら，1990)) を行う．膜様閉鎖に対しては狭窄部の縦切開，膜切除，横縫合を行う．本症の術後の予後は良好であるが，むしろ合併する他の奇形が予後を決定する．手術のアプローチとして，臍上部弧状切開法 (Tan ら，1986) や，臍スライディングウインドー法に (Tsuji ら，2014) よる開腹法が好んで用いられ，整容性にすぐれている．

(3) 上腸間膜動脈症候群 (superior mesenteric artery syndrome：SMA syndrome)

病因

上腸間膜動脈は膵臓の後方を下行した後，十二指腸水平脚の前方を走行する．この部分は椎体の前面にあたるため，十二指腸水平脚は前方を上腸間膜動脈，後方を椎体にはさまれるように走行することになる．この部分で十二指腸の通過障害をきたしたものが本症候群である．やせた女児や若い女性に多く認められ，内

臓が下垂することにより上腸間膜動脈が鋭角に分岐するために，十二指腸をはさみ込むような形態に陥ると説明される．

臨床症状

十二指腸水平脚の通過障害であるので，嘔吐，食欲不振，胃部膨満，胆汁性嘔吐，体重減少が認められる．症状には自然消褪がみられ，体位により軽快することが知られている．つまり，上腸間膜動脈の圧排がとれる腹臥位や左側臥位では通過障害が軽快し，仰臥位で増悪する．

診断

腹部単純X線写真で胃と十二指腸の拡張が認められる(double bubble sign)．上部消化管造影では拡張した胃・十二指腸と，十二指腸水平脚が椎体を横切る部分で垂直に途切れ(cut-off sign)が認められる．この手前で消化管内容が to and fro する所見がみられる．また，体位を変換し腹臥位にすると，造影剤が小腸側へ通過していくのが認められる．腹部超音波検査や，造影CT検査では腹部大動脈から上腸間膜動脈が鋭角(30°以下)に分岐するのがとらえられる．

治療

嘔吐・脱水・栄養不良の補正をまず行う．輸液と体位による通過障害の軽減を試みる．栄養状態の改善のみで症状が経過することをしばしば経験する．外科治療はTreitz靱帯をはずして，腸管を non-rotation の形態にする手術法と，十二指腸空腸吻合を行うバイパス手術とが用いられる．手術の予後は良好であるが，学童以降の本症では神経性食欲不振症がベースにあることが多く，原因治療も必要となる．〔前田貢作〕

■文献

Kimura K, Mukohara N, et al: Diamond-shaped anastomosis for duodenal atresia; an experience with 44 patients over 15 years. J Pediatr Surg. 1990; 25: 977-9.

日本小児外科学会学術・先進医療検討委員会：我が国の新生児外科の現況—2008年新生児外科全国集計．日本小児外科学会雑誌．2010; 46: 101-14.

Tan KC, Bianchi A: Circumumbilical incision for pyloromyotomy. Br J Surg. 1986; 73: 399.

Tsuji Y, Maeda K, et al: A new paradigm of scarless abdominal surgery in children; transumbilical minimal incision surgery. J Pediatr Surg. 2014; 49: 1605-9.

2) 急性胃炎, 急性胃・十二指腸粘膜病変
acute gastritis and acute gastroduodenal mucosal lesion：AGDML

概念

急性胃炎は外因性あるいは内因性の刺激により，急激に胃にびらん，潰瘍などの病変が生じた状態を指す．急性胃炎は，その原因が消失すれば比較的短期間に治癒するため，基本的には慢性化することはない．一方，急性胃粘膜病変(acute gastric mucosal lesion：AGML)は突発的に発症する心窩部痛，悪心・嘔吐などの上腹部症状と胃粘膜所見から提案された疾患概念である(Katzら，1968)．急性胃炎とAGMLは基本的には同一の疾患概念と考えてよいが，日常診療において上部消化管内視鏡検査で，胃内に広範な出血性びらんを認めた場合にはAGMLと診断することが多い．また，病変が食道粘膜に及んだ場合もAGMLと診断するが，十二指腸まで及ぶ場合には，急性胃・十二指腸粘膜病変と診断することが多い．

病因・分類

病因は大きく外因性と内因性に分けて考えられるが，重複する例もある．外因性には，非ステロイド系抗炎症薬(non-steroidal anti-inflammatory drugs：NSAIDs)，抗悪性腫瘍薬などの薬剤，高濃度のアルコールや香辛料などの飲食物，アニサキス症，Helicobacter pylori，サイトメガロウイルスなどに代表される感染症だけでなく，上部消化管内視鏡検査，放射線治療，肝動脈塞栓術後などの医原性も報告されている(表10-4-1)．内因性の病因には，ストレスがあげられる．ストレスは精神的ストレス(不安，緊張，焦燥など)と身体的ストレスに分けられるが，いずれも病因となりうる．身体的ストレスとして代表的なものに熱傷後のCurling潰瘍，頭部手術後にみられるCushing潰瘍がある．

疫学

ストレスと薬剤によるものが多い．薬剤別では，NASIDsによるものが多い．ストレスによるAGMLは青壮年に多くみられるのに対して，薬剤性AGMLは高齢者に多い[1]．近年の高齢化に伴い整形外科的疾患，循環器疾患を合併した患者が増加しており，以前

表10-4-1 急性胃粘膜病変(AGML)の原因分類

外因性		
	薬剤	粘膜傷害性薬剤
		非ステロイド系抗炎症薬(NSAIDs)，副腎皮質ステロイド，抗悪性腫瘍薬など
		腐食性薬剤
		酸，アルカリ，農薬
	飲食物	高濃度アルコール，香辛料，食物アレルギーなど
	感染症	アニサキス症，Helicobacter pylori，ウイルス感染症など
	医原性	上部消化管内視鏡検査，放射線治療，肝動脈塞栓術後など
内因性		
	ストレス	精神的ストレス(不安，緊張，焦燥など)
		身体的ストレス—Curling潰瘍，Cushing潰瘍

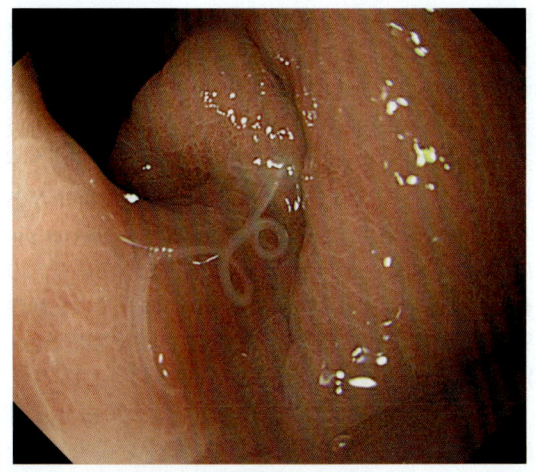

図 10-4-4 胃アニサキス症
胃体中部大弯側にアニサキス虫体と，周囲のひだの腫大を認める．虫体は鉗子で除去した．本症例は問診の際，イカの刺身の摂食歴が判明していた．

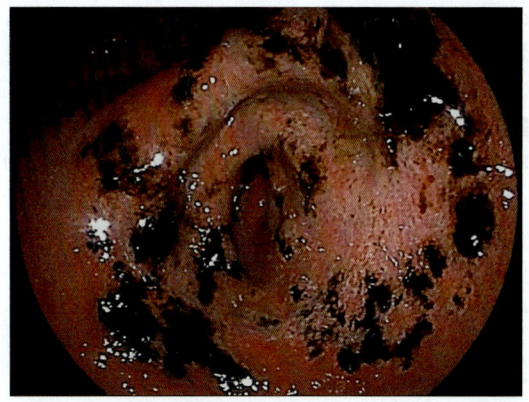

図 10-4-5 急性胃粘膜病変（AGML）
胃前庭部に黒苔を伴う多発不整形びらん，浮腫，不整形急性潰瘍を認める．典型的な AGML の内視鏡像である．本症例は，H. pylori 初感染による AGML と診断された．

に比較して薬剤による上部消化管出血も増加している[2]．

病理
病理学的には激しい急性炎症であり，好中球を主体とした細胞浸潤，浮腫，出血，びらんがあり，潰瘍を形成する場合もある．サイトメガロウイルスによるものでは胃粘膜組織に封入体が観察される．

病態生理
AGML に共通する最も重要な病態は胃粘膜微小循環障害であり，虚血・再灌流によって遊離される活性酸素，ロイコトリエン，フリーラジカルなどのさまざまな生理活性物質が炎症反応を誘導することで，粘膜傷害が発症すると考えられている[3]．特にフリーラジカルは，胃粘膜傷害の最終段階にかかわるきわめて重要かつ強力な組織障害因子であり，虚血・再灌流の際に生じた活性化好中球による NADPH（還元型ニコチンアミドアデニンジヌクレオチドリン酸）酸化酵素から，いくつかの化学反応を経て次亜塩素酸を生じ，H. pylori の産生するアンモニアと反応してモノクロラミンとなり，強い粘膜組織の傷害を引き起こすことが明らかになっている．高濃度のアルコールや薬剤は，直接作用として胃粘膜内のロイコトリエンやヒスタミンなどの生理活性物質を遊離し，粘膜毛細血管のうっ血を生じ炎症反応を惹起する．また，胃粘膜内のプロスタグランジン（PG）は胃粘膜の粘液分泌や微小循環の維持に重要であるが，NSAIDs などの薬剤には PG の合成抑制作用があり，胃粘膜防御機構を障害し粘膜傷害を発症する機序も存在する．

臨床症状
突発する心窩部痛と悪心で発症し，ときに嘔吐，吐下血を伴うが通常臨床経過は速やかである．高齢者における薬物性の場合は，心窩部痛などの疼痛の訴えが比較的少なく，突然吐下血で発症することもあり注意を要する．胃アニサキス症（eコラム 1）の場合はイカ，サバなどの生食に続いて 10 時間以内に激しい上腹部痛，悪心で発症する場合が多い．疼痛症状は激しく周期的であるが，内視鏡下に粘膜面に刺入している虫体をすべて除去すると，症状は速やかに改善する（図 10-4-4）．

診断・内視鏡所見
臨床症状から AGML を疑った際には，市販薬を含む服薬歴，精神的または身体的ストレスの有無などを詳細に問診し，誘因を明らかにする姿勢が重要である．その後，上部消化管内視鏡検査で胃粘膜に著明な発赤・充血，浮腫，ひだの腫大，ヘマチンの付着，びらん，不整形の急性潰瘍を認めれば診断される（図 10-4-5）．なお，胃だけでなく食道や十二指腸にも病変を併発することがあるため，内視鏡観察時には注意を要する．

鑑別診断
心窩部痛，悪心，嘔吐，吐下血をきたすさまざまな疾患との鑑別が必要となるが，特徴的内視鏡所見から診断に苦慮することは少ない．しかしながら臨床症状に乏しい例や，胃粘膜の浮腫やびらんの程度が強い場合には胃癌や悪性リンパ腫との鑑別を要する場合もある．病理検査が診断の一助となるが，治療開始 1〜2 週間後，AGML であれば病変は著明に改善しており，上部消化管内視鏡による経過観察も重要である．

治療・予後
消化管出血がなければ，誘因の除去，安静，食事療法，薬物（酸分泌抑制薬）投与による外来治療が一般的である．しかしながら，自覚症状が強い場合や，消化管出血を伴っている場合には必要に応じて入院治療となる場合もある．一般に予後は良好であるが，合併症

の有無や消化管出血の多寡により予後不良となる例もある．　　　　　　　　　　　　　　　〔眞部紀明〕

■文献（e文献10-4-2）

Katz D, Siegel HI: Erosive gastritis and acute gastric mucosal lesion. Progress in Gastroenterology (Glass GB ed), pp67-96, Grune and Stratton, 1968.

3）機能性ディスペプシアと慢性胃炎
functional dyspepsia(FD) and chronis gastritis

定義・概念

胃の痛みや胃もたれなどの心窩部を中心とした上腹部症状はディスペプシア（dyspepsia）とよばれている．ディスペプシアは日常診療でしばしば遭遇する症状の1つであるが，意外にも症状の原因となる器質的，全身性，代謝性疾患がなく，ディスペプシア症状を呈している場合が多い．このような疾患を機能性消化管疾患の一つとして機能性ディスペプシアと定義している．

これまではFDという病名が存在しなかったため，日常診療ではこのような患者を，便宜的に慢性胃炎に伴う上腹部症状を有する患者としてFDと分けずに一括りに治療してきた．この背景には，機能性ディスペプシアという保険病名が存在しなかったことに加え，慢性胃炎があればディスペプシア症状があるもの，もしくはディスペプシア症状があれば慢性胃炎もあるはずという思い込みもその要因の1つとして考えられる．つまり，本来は組織学的胃炎を意味する慢性胃炎が，症候性胃炎や形態学的（内視鏡的）胃炎も含めた一括りの概念として便宜的に解釈されてきた経緯がある．しかし，組織学的胃炎の主因が Helicobacter pylori 感染であることが明らかとなり，これらの概念の整理が進んでいる．すなわちFDはこれまでの症候性胃炎に該当するものと考えられ，これは慢性胃炎と区別して診断治療される必要がある（図10-4-6）．

このような背景のなか，わが国では，2013年5月に機能性ディスペプシアという保険病名が誕生し，それに続き2014年4月に日本消化器病学会より機能性ディスペプシア診療ガイドラインが上梓され（日本消化器病学会，2014），ディスペプシアをめぐる診療体系は急速に整理されつつある．

原因・病因

胃や十二指腸に器質的疾患がないにもかかわらずディスペプシア症状を生じる原因として，消化管の生理機能異常が考えられている．特に，消化管運動機能異常と内臓知覚過敏が直接症状と関連するものとして想定されている．このほかに精神心理的因子や胃酸分泌過多，H. pylori 感染，遺伝子異常や幼児期の環境，食事・生活習慣など多因子の関与が報告されているが，それぞれが症状の発現を修飾し，ディスペプシア症状の発現にかかわっているものと考えられている．また最近ではストレスに対する過剰応答が病態の本質であるとの考えも出されている（Miwa，2012）．一方で，慢性胃炎（組織学的胃炎）は H. pylori 感染が主因であることがわかっている．H. pylori が胃粘膜に感染することにより，好中球浸潤を伴う慢性活動性胃炎が生じ，数年〜数十年の経過のなかで萎縮性胃炎に進行していくと考えられている（図10-4-7）．

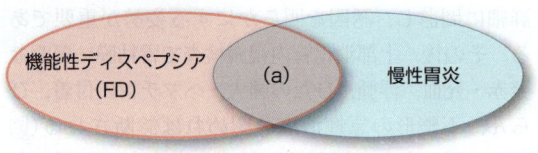

(a) H. pylori 関連ディスペプシアなど

図10-4-6 機能性ディスペプシアと慢性胃炎

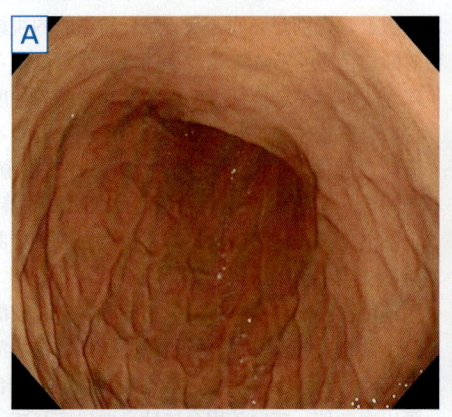 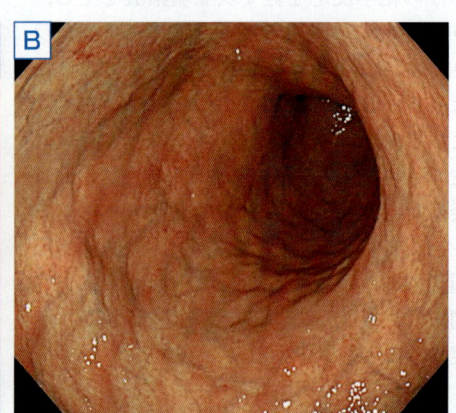

図10-4-7 正常胃と慢性胃炎の内視鏡像
A：正常な胃，B：慢性胃炎（萎縮性胃炎）．

疫学

日本人で，Rome Ⅲ基準（後述）に合致する FD の有病率は，上腹部症状を訴え病院を受診した患者の約半数とされ，日常診療で遭遇する最もありふれた消化器疾患の 1 つであると考えてよい．一方で，慢性胃炎の頻度は H. pylori の感染率にほぼ一致し，加齢とともに増加する．H. pylori 陽性の慢性胃炎の頻度は日本人の約半分といわれているが，衛生環境の改善に伴いわが国では急速に H. pylori 感染率が低下していることが知られ，慢性胃炎の頻度は徐々に低下するものと考えられている．

分類

わが国での FD 診療ガイドラインが登場するまでは，FD の診断基準に Rome Ⅲ基準がよく用いられてきた．Rome Ⅲ分類は 2006 年に発表されたもので「器質的疾患がないにもかかわらず，わずらわしい食後のもたれ感，早期膨満感，心窩部痛，心窩部灼熱感の 4 つの症状のうち 1 つ以上の症状を有し，その症状が 6 カ月以上前からあり最近 3 カ月間は症状を認めるもの」と定義されている（Tack ら，2006）．さらに主症状によって食後愁訴症候群（postprandial distress syndrome：PDS）と心窩部痛症候群（epigastric pain syndrome：EPS）に分類されている．2014 年 4 月に日本消化器病学会より発表された FD 診療ガイドラインのなかでは，「症状の原因となる器質的，全身性，代謝性疾患がないにもかかわらず，心窩部痛や胃もたれなどの心窩部を中心とする腹部症状が慢性的に続く疾患」とよりわかりやすく定義されている．

一方で，慢性胃炎に関しては，1990 年にさまざまな胃炎の分類を統合し，世界共通の診断基準を目的につくられたシドニー分類がある．その後 1996 年に改訂シドニー分類も提唱された．この分類では大きく分けて胃生検による組織診断と内視鏡所見で分類しており，胃炎の組織学的な評価にすぐれている．その他，日本独自の分類として木村・竹本分類があり，胃の萎縮粘膜の広がりを内視鏡的に分類している．またまれではあるが萎縮性胃炎は，H. pylori 以外にも自己免疫性の胃炎で生じることが知られている．Strickland らは，自己免疫性の慢性胃炎を A 型胃炎，H. pylori 菌感染などにより生じる胃前庭部に存在する胃炎を B 型胃炎に分類した．A 型胃炎では壁細胞抗体や内因子抗体が陽性で，B 胃炎は通常の萎縮性胃炎の初期像と考えられている．

診断

FD は自覚症状で定義される症候群的な疾患であるため，診断は症状の評価と器質疾患の除外診断が基本になる．したがって，診断のいずれかの段階で内視鏡検査を行い器質的疾患を除外する必要がある．また，症状が慢性的に認められることが FD を診断するうえで重要である．ここに FD 診療ガイドラインでの診断と治療のフローチャートを示す（図 10-4-8）．また，FD の補助診断についてはⓔコラム 1 参照．

一方，慢性胃炎の存在は，内視鏡検査もしくは胃 X 線検査で明らかになるが，最終診断には生検の病理組織学的所見が必要となる．

鑑別診断

FD の鑑別には，逆流性食道炎，急性胃炎，胃十二指腸潰瘍などの消化性潰瘍，胃癌，膵癌といった上部消化管悪性腫瘍，イレウスなどの消化管閉塞を伴う疾患，また胆石症や胆嚢炎，膵炎などの炎症性疾患，内分泌疾患や精神疾患など，上腹部症状を生じうる疾患は多岐にわたる．FD は除外疾患であるため，注意深い問診が必要となる．また精神科的疾患，特に身体表現性障害や軽度のうつ病などは鑑別が困難となることがあり注意が必要である．

なお，アラームサイン（原因が特定できない体重減少，再発性の嘔吐，出血徴候，嚥下困難，高齢者）を有する患者では，器質的疾患が隠れている可能性が高いため，まずは除外診断を採血，内視鏡検査などで行う必要がある．

一方，慢性胃炎の主因は H. pylori 感染であるが，それ以外に組織学的胃炎の原因となるものとしてサイトメガロウイルス，結核，梅毒といった感染症，Crohn 病を始めとする炎症性腸疾患，自己免疫性胃炎（A 型胃炎），さらに NSAIDs を代表とする薬剤性胃炎がある．

治療

FD はそれ自体が命にかかわることはない．しかし，胃の不快感などから患者自身の日常生活が制限されることで生活の質（QOL）が低下し，さらに労働生産性の低下も指摘されていることから，FD を適切に診療し治療することが必要とされている．FD の治療薬として，酸分泌抑制薬であるプロトンポンプ阻害薬，H_2 受容体拮抗薬はともに有効である．また消化管機能改善薬の有効性も報告されている．最近わが国で開発されたアセチルコリンエステラーゼ阻害作用を有するアコチアミドは消化管運動改善薬に分類され，厳密な臨床試験で FD の症状改善への有意な効果が示されている．また漢方薬の一部も有効であることが報告されている．ただ，FD ではプラセボ効果が大きいことが知られており，薬効評価には注意を要する．上記で効果がみられない場合には，抗不安薬や抗うつ薬が用いられることもある．また，FD はストレスに対する過剰応答が病態の一部と考えられており，認知行動療法や催眠療法といった心理学的アプローチも FD の治療法として有効とされている．

FD 患者の H. pylori 陽性者に対する除菌治療は有効とされているものの，必ずしも大きいものではな

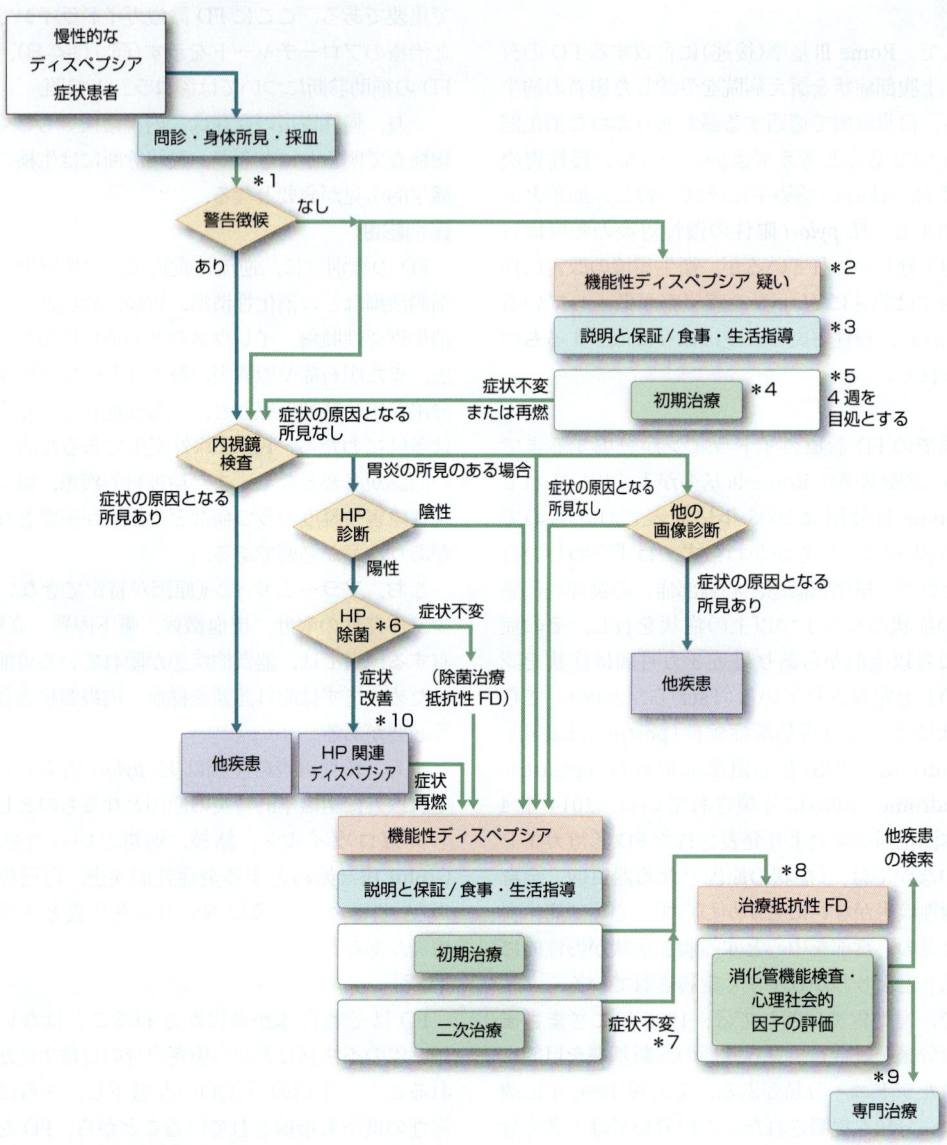

図 10-4-8 診断と治療のフローチャート（日本消化器病学会，2014）

* 1：警告徴候とは以下の症状をいう．
原因が特定できない体重減少，再発性の嘔吐，出血徴候，嚥下困難，高齢者
また NSAIDs，低用量アスピリンの使用者は機能性ディスペプシア患者には含めない．
* 2：内視鏡検査を行わない場合には機能性ディスペプシアの診断がつけられないため，「機能性ディスペプシア疑い」患者として治療を開始してもよいが，4週を目途に治療し効果のないときには内視鏡検査を行う．
* 3：説明と保証
患者に機能性ディスペプシアが，上部消化管の機能的変調によって起こっている病態であり，生命予後に影響する病態の可能性が低いことを説明する．主治医が患者の愁訴を医学的対応が必要な病態として受け止めたこと，愁訴に対して治療方針が立てられることを説明することで，患者との適切な治療的関係を構築する．内視鏡検査前の状態にあっては，器質的疾患の確実な除外には内視鏡検査が必要であることを説明する．
* 4：二次治療の薬剤も状況に応じて使用してもよい．ここでは推奨の強さ1（使用することを推奨する）のものを初期治療に，それ以外を二次治療とし，使用してもよい薬剤とした．
* 5：これまでの機能性ディスペプシアの治療効果を調べた研究では効果判定を4週としている研究が多く，また治療効果が不十分で治療法を再考する時期として多くの専門家が4週間程度を目安としていることから4週を目途とした．
* 6：H. pylori 除菌効果の判定時期については十分なコンセンサスは得られていない．
* 7：H. pylori 未検のとき
H. pylori 診断へ戻る
* 8：H. pylori 除菌治療，初期・二次治療で効果がなかった患者をいう．
* 9：心療内科的治療（自律訓練法，認知行動療法，催眠療法など）などが含まれる．
* 10：H. pylori 除菌治療を施行したあと，6〜12カ月経過しても症状が消失または改善している場合は HP 関連ディスペプシア（H. pylori associated dyspepsia）という．

く，H. pylori 陽性 FD 患者のうち除菌によりディスペプシア症状が改善するのは 14 人に 1 人と報告されている．しかし除菌治療は癌や潰瘍を予防するという社会的適応の側面も大きいため，積極的な除菌治療が推奨されている．FD の治療目標は患者が満足しうる症状改善が得られることであるが，実際の臨床現場では投薬だけで症状が改善することはむしろ少なく，良好な患者-医師関係を構築し，患者の信頼を得て疾患に対する説明や予後に対する保証を行うことが治療において有効である．

一方で，慢性胃炎の本態は H. pylori 感染による組織学的胃炎であるので，除菌療法が基本である．2013 年より H. pylori 感染胃炎に対する除菌治療が保険適用となっており，すべての H. pylori 感染者への除菌治療が可能となっている．積極的な H. pylori 感染胃炎の治療が求められる．〔三輪洋人・近藤 隆〕

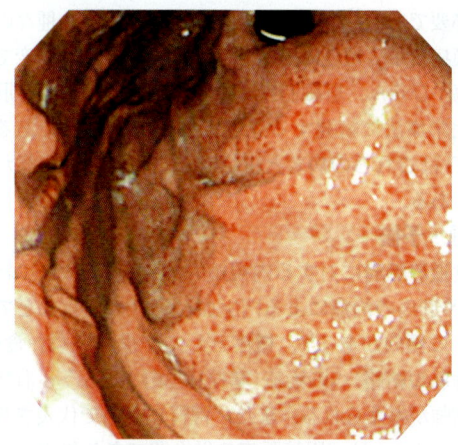

図 10-4-9 PHG
snake-skin appearance (mosaic-like pattern)（McCormack 分類，mild PHG）．局在は主として胃上部（胃底部，胃体部）であり幽門前庭部はまれである．

■文献

Miwa H: Why dyspepsia can occur without organic disease: pathogenesis and management of functional dyspepsia. J Gastroenterol. 2012; 47: 862-71.
日本消化器病学会：機能性消化管疾患診療ガイドライン 2014—機能性ディスペプシア（FD），南江堂，2014．
Tack J, Talley NJ, et al: Functional gastroduodenal disorders. Gastroenterology. 2006; 130: 1466-79.

4）門脈圧亢進症性胃症
portal hypertensive gastropathy : PHG

概念

肝硬変などの門脈圧亢進症を背景に，肝障害の重症度，門脈血行動態の変化が関与する胃粘膜ないし粘膜下層のうっ血，血管拡張，浮腫を主体とする非炎症性疾患であり，内視鏡所見では発赤，浮腫を特徴とする．出血頻度は低いが食道・胃静脈瘤と同様に致命的な出血をみることがある（eコラム 1）．

内視鏡所見・分類

McCormack ら[1]の分類が最も汎用されており，mild PHG として fine pink speckling, superficial reddening, snake-skin appearance（mosaic-like pattern）（最多，図 10-4-9），severe PHG として cherry red spots, diffuse hemorrhagic lesion がある（eコラム 2）．

病態生理

門脈圧亢進が病態に最も関与していると考えられている．一方，ガストリン・エンドセリンなどの液性因子が関与する胃微小循環障害，胃粘膜プロスタグランジン含有量の低下あるいはニトロオキサイド合成酵素の活性化など血管拡張因子の関与も想定されている

が，いまだ明解な結論は得られていない[2]．また，臓器反射スペクトル法やレーザードプラ法を用いたPHG と胃粘膜血流量に関する研究などもある[3]．

疫学・発生頻度

肝硬変（Child-Pugh C）症例，肝外門脈閉塞症例，大きな側副血行路のない症例，左胃静脈遠肝性血流症例，高度の食道静脈瘤症例などで認めることが多い．門脈圧亢進症における発生頻度については種々報告があるが，豊永ら[4]は mild PHG 49％，severe PHG 14％と報告している．

病理

炎症所見はなく胃粘膜にびまん性に拡張した毛細血管や細静脈，細胞間隙性浮腫，細動脈壁の肥厚，直線化や非らせん化，さらに静脈の動脈化や胃粘膜下層の動静脈シャントを認める．なお，拡張した毛細血管（capillary ectasia）の破綻や赤血球の漏出により粘膜内出血が起こり，引き続き消化性機序による粘膜破綻で胃腔内に出血すると推測されている[5]．

臨床症状

貧血症状のみのことが多い．おもに severe PHG による出血が原因と考えられるが，mild PHG で 27％，severe PHG で 75％との報告もある[6]．潜在的，間欠的，あるいは大量とさまざまであるが，ときに致命的となる．

診断・鑑別診断

内視鏡検査で診断可能である．局在は主として胃上部（胃底部，胃体部）であり幽門前庭部はまれである．ときに PHG と表層性胃炎との鑑別が困難なこともある[7]．食道・胃静脈瘤に比較すると，出血の原因としての認識が低いために観察を怠りがちであるが，PHG は胃粘膜出血の準備状態ともいわれており注意

が必要である[5]．また，門脈圧亢進症では，種々の胃粘膜病変が高頻度に出現する．たとえば，肝硬変での潰瘍やびらん，肝細胞癌に対する肝動脈塞栓術や肝動注化学療法に続発する急性胃粘膜病変などである．PHGはこれらの病変と併存することも多く注意が必要である．

経過・予後
食道静脈瘤に対する内視鏡的治療（硬化療法や結紮（けっさつ）術）や肝癌の治療による門脈血行動態の変化などで増悪する傾向がある[8]．機序として，供血路（胃-食道-奇静脈短絡路）への治療（塞栓）効果によるうっ血状態の増強が考えられる．また，胃腎短絡路で代表されるmajor shuntは，胃静脈瘤の供血路である後胃・短胃静脈系の内圧上昇を緩和し，PHGに対して抑制的に働いているためバルーン下逆行性経静脈的塞栓術後にPHGの増悪を認めることがある[9]．

治療
治療対象は出血を伴うPHGである．H_2受容体拮抗薬やプロトンポンプ阻害薬は無効であり[10]，門脈圧降下（プロプラノロール，バソプレシン，ソマトスタチンなど）や胃粘膜破綻予防，胃排泄能改善など複雑な病態に対する治療が基本となる[11-14]．プロプラノロールは$β_2$遮断作用による内臓血管収縮作用を有し，門脈圧降下作用と胃粘膜うっ血緩和作用が期待されるが，十分な根拠は示されていないのが現状である．また，大量出血後の循環動態が不安定な症例には，代償作用を抑制（心拍出量低下を惹起）して肝血流量減少の可能性があるため注意が必要である．一方，門脈大循環吻合術は手術による侵襲や肝性脳症，肝機能増悪などが危惧され[15]，経頸静脈的肝内門脈静脈短絡術は静脈瘤や難治性腹水のほかPHGにも有効とされるが，短期間での短絡路閉塞や肝性脳症が問題となる[16]．
〔長嶺伸彦〕

■文献（e文献 10-4-4）

Curvêlo LA, Brabosa W, et al: Underlying mechanism of portal hypertensive gastropathy in cirrhosis: a hemodynamic and morphological approach. J Gastroenterol Hepatol. 2009; 24: 1541-6.

Negreanu L, Buşegeanu C, et al: Portal hypertensive gastropathy. Rom J Intern Med. 2005; 43: 3-8.

Thuluvath PJ, Yoo HY: Portal Hypertensive gastropathy. Am J Gastroenterol. 2002; 97: 2973-8.

5）胃前庭部毛細血管拡張症
gastric antral vascular ectasia：GAVE

概念
GAVEは1984年にJabbariらにより提唱された疾患概念であり（Jabbariら，1984），臨床的には消化管出血による貧血の一要因となる非腫瘍性，限局性血管性病変である．内視鏡所見が特徴的で胃前庭部で長軸方向に放射状に配列する発赤像（毛細血管拡張像）を呈する．同年にLeeら[1]は胃前庭部で点状，びまん性に配列する発赤像を diffuse antral vascular ectasia (DAVE)として報告したが，病理学的には両者に差はなく表現型の違いのみと考えられるためGAVEに含められている（eコラム1）．

病因・発生機序
門脈圧亢進症（肝硬変），自己免疫疾患（強皮症），高ガストリン血症（血管拡張作用），慢性腎不全，大動脈弁狭窄症，機械的刺激（幽門部粘膜の十二指腸側への逸脱），骨髄移植などの疾患や病態に合併するという報告がなされ種々の病因説があるが[2,3]，その発生機序はいまだ不明である．

疫学
中年以降の女性に多く後天的な血管変性疾患である可能性が示唆されている．発生頻度は上部消化管内視鏡検査施行例の0.03〜0.09％との報告がある[4]（Novitskyら，2003）．

病理
胃壁の中小（毛細）血管の著明な拡張，粘膜固有層の毛細血管拡張とフィブリン塞栓の存在，粘膜の萎縮，粘膜固有層の線維化と線維成分の増量などがあるが[5,6]，必ずしもこれらをすべて確認できるわけではない．

臨床症状
貧血を80％以上に認めるが，消化管出血を自覚するのは約30％である．GAVEは少量の慢性的出血が続く病態と考えられる[4]（Novitskyら，2003）．

診断・鑑別診断
特徴的な内視鏡所見から容易に確定診断が可能であるが，鑑別すべきものとして，腫瘍性（血管腫，血管肉腫）や先天性（Rendu-Osler-Weber病）の消化管での血管異常がある[4]（Novitskyら，2003）．GAVEの内視鏡所見はスイカの表面模様に似ているため"watermelon stomach"[2,5]（Jabbariら，1984；Novitskyら，2003）と，DAVEは蜂の巣に似ているため"honeycomb stomach"とよばれる（図10-4-10）．両者の発赤像は幽門部から胃角部に向かって進展し，その分布は幽門側ほど密に，また，胃角部に近いほど疎になる傾向がある．また，発赤像は胃体部や十二指腸などでも認めることがある．易出血性粘膜を有する疾患のため，生検組織診は積極的には行わず，内視鏡所見と臨床所見とで診断することが多いが，近年では画像強調内視鏡（NBIやFICEなど）やカプセル内視鏡[7]などを用いた診断も試みられている．

治療
本症の治療は，エタノールやアドレナリン加高張生

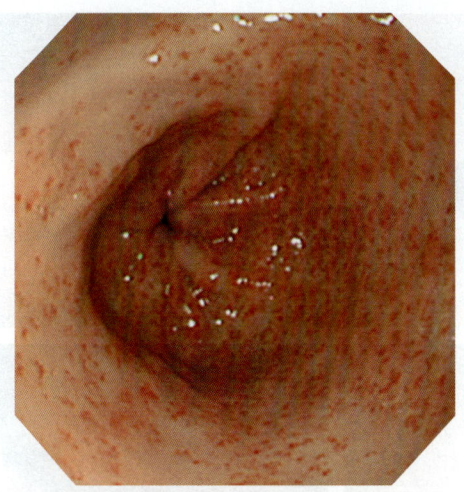

図10-4-10 GAVE
honeycomb stomach. 胃前庭部の点状，びまん性に配列する発赤像（毛細血管拡張像）であり，幽門部から胃角部に向かって進展し，その分布は幽門側ほど密に，胃角部に近いほど疎になる傾向がある．

理食塩水の局注法，ヒートプローブ凝固法，YAGレーザー照射法，ラジオ波焼灼法，アルゴンプラズマ凝固法（APC）などの内視鏡的治療が第一選択である[8-13]（Boltinら，2014）．近年ではAPCが簡便さ，安全性，効果などから多用されている．内視鏡的治療が奏効しない場合は，腹腔鏡的幽門側胃切除術[14]などの外科的治療も考慮される．保存的治療としては，胃粘膜保護薬や制酸薬，鉄剤などの処方，エストロゲン・プロゲステロン療法[15,16]などがある．

〔長嶺伸彦〕

■文献（e文献10-4-5）

Boltin D, Gingold-Belfer R, et al: Long-term treatment outcome of patients with gastric vascular ectasia treated with argon plasma coagulation. Eur J Gastroenterol Hepatol. 2014; 26: 588-93.

Jabbari M, Cherry R, et al: Gastric antral vascular ectasia: the watermelon stomach. Gastroenterology. 1984; 87: 1165-70.

Novitsky YW, Kercher KW, et al: Watermelon stomach: pathophysiology, diagnosis, and management. J Gastrointest Surg. 2003; 7: 652-61.

6）消化性潰瘍（胃・十二指腸潰瘍）
peptic ulcer (gastroduodenal ulcer)

定義・概念

消化性潰瘍は胃酸やペプシンなどにより消化管壁が傷害を受けて組織の欠損が生じた良性疾患であり，一般的には胃潰瘍および十二指腸潰瘍を指している．胃・十二指腸粘膜に対する攻撃因子と防御因子のバランスが失われて潰瘍が生ずるとされていたが，1983年に発見された Helicobacter pylori の出現により消化性潰瘍の概念も大きく変わり，最近では H. pylori 感染と非ステロイド系抗炎症薬（NSAIDs）が消化性潰瘍の2大成因であることが判明している（日本消化器病学会，2009）．

分類

以下に示すように，消化性潰瘍にはさまざまな分類法があり，一般的には単独ないしは組み合わせて用いられる．

1）**急性潰瘍と慢性潰瘍**：消化性潰瘍を急性潰瘍と慢性潰瘍に分類するもので，前者は一般的に急性胃十二指腸粘膜病変（AGDL）と称されているもので，H. pylori の初感染ないしは NSAIDs により生ずる．一方，後者は再発や再燃を繰り返す従来の「潰瘍症」を呈する．

2）**ステージ分類**：内視鏡的に観察される潰瘍の活動性による分類であり，潰瘍が形成されて急性期すなわち潰瘍周辺に浮腫を認める活動期，潰瘍の周囲に組織修復を表す再生上皮の出現を認める治癒期，潰瘍底において白苔の消失を認める瘢痕期に分類される．専門的な分類では，活動期を A1，A2，治癒期を H1，H2，瘢痕期を S1，S2 と細分類し，白色瘢痕である S2 を完全治癒としている（崎田分類[1]）（図10-4-11）．

3）**潰瘍の部位による分類**：潰瘍病変の存在部位により，一般的には，胃潰瘍，十二指腸潰瘍，胃十二指腸潰瘍および吻合部潰瘍に分類される．

4）**原因による分類**：消化性潰瘍の原因で分類する方法で，H. pylori 陽性潰瘍，NSAIDs 潰瘍，非 H. pylori・非 NSAIDs 潰瘍と呼称されている．わが国で発表されている「消化性潰瘍診療ガイドライン」（日本消化器病学会，2009）では，この分類を基盤とした治療方針が推奨されている．

5）**合併症を考慮した分類**：消化性潰瘍のおもな合併症を考慮した分類法で，合併症を有さない通常潰瘍，出血性潰瘍，穿孔性潰瘍，狭窄性潰瘍に分類され，治療方針の指標として用いられる．

成因

消化性潰瘍の成因については，胃十二指腸粘膜に対する攻撃因子と防御因子のバランスが失われて生ずるという天秤説[2]がいまも主体である（図10-4-12）．胃酸分泌の相対的な亢進およびストレスや喫煙などの生活習慣が消化性潰瘍の発症や再発に重要な因子とされ，潰瘍治療の主役は胃酸分泌抑制薬に加えて安静や喫煙など生活習慣の改善であったが，現在では，Zollinger-Ellison 症候群や Crohn 病に伴う特殊なものを除外すれば，攻撃因子である胃酸の存在に加えて，H. pylori 感染と NSAIDs 内服に伴う粘膜防御能

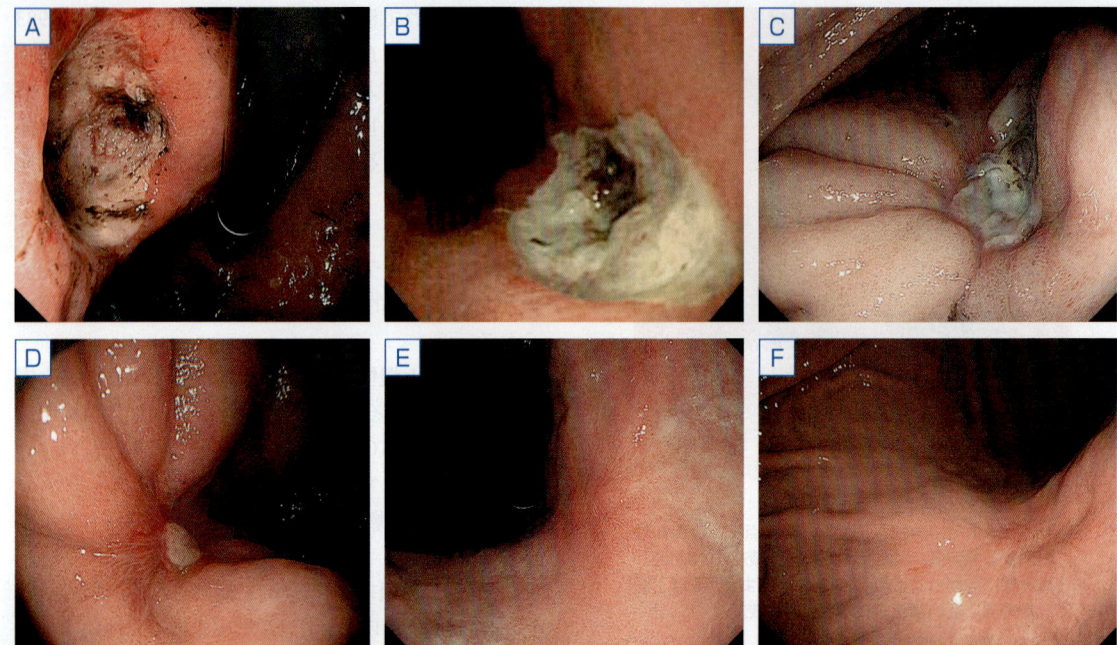

図 10-4-11 各種ステージにおける消化性潰瘍の内視鏡像
A：活動期で潰瘍底は白苔により被覆され，辺縁には浮腫を認める(A1)．
B：潰瘍辺縁の浮腫が改善してきた状態(A2)．
C：治癒期で潰瘍底に白苔は認めるものの辺縁に再生上皮が出現している(H1)．
D：潰瘍の治癒期で辺縁の再生上皮が目立ってきている(H2)．
E：潰瘍底の白苔の消失を認める瘢痕期であるが，まだ再生上皮が赤みを帯びている(S1：赤色瘢痕)．
F：再生上皮が白みを帯びている(S2：白色瘢痕)．

の低下に関連するものが大部分と判明している(日本消化器病学会，2009)．

疫学

1)消化性潰瘍による死亡率の推移： 年次別の人口動態統計[3]による消化性潰瘍の死亡者数は，1950年から経年的に著しい減少を示していたが，死亡者数の推移は潰瘍の合併症である出血や穿孔の動向を反映しており，死亡者数の減少は内視鏡による診断および治療技術の進歩に加えて，ヒスタミン受容体拮抗薬(H_2-RA)やプロトンポンプ阻害薬(PPI)など強力な胃酸分泌抑制薬の登場による治療法の進歩によるものである．しかし，1990年以降は人口の高齢化に伴う合併症の増加を反映して死亡者数が横ばいとなっている(胃潰瘍ガイドラインの適用と評価に関する研究班，2007)．

2)消化性潰瘍の有病率： 正確な有病率は不明であるが，医療機関に対する調査では1日あたりの消化性潰瘍患者受診率は1970年から1996年まで増加傾向にあったが，最近では減少傾向にある．また，胃集団検診による胃潰瘍の発見率は，1年あたり約1〜2%で(胃潰瘍ガイドラインの適用と評価に関する研究班，2007)，最近ではわずかながら漸減傾向がみられている．このように，全体での消化性潰瘍患者の有病率はH. pylori感染率の低下に伴う潰瘍の発症自体の低下と除菌治療の普及に伴う潰瘍再発の減少により低下しているものと思われる．しかし，最近では入院を要する出血性潰瘍患者の約30%がNSAIDsあるいは低用量アスピリン(LDA)の常用者であり，このような患者では，さらに別の抗血栓薬を併用されている場合も多く，重篤な消化管出血をきたす可能性のあるハイリスク患者の増加に注意が必要である．

3)非ステロイド系抗炎症薬(NSAIDs)起因性潰瘍の推移： 今後，増加が危惧されているNSAIDsの影響については，わが国での関節リウマチ患者を対象とした1990年の検討でNSAIDsの長期投与による潰瘍の発見率は胃潰瘍15.5%，十二指腸潰瘍1.9%であった[4]．さらに，最近，LDA常用者1500例を対象として内視鏡を用いて行われた実態調査(MAGIC研究[5])ではLDA常用者の6.5%に消化性潰瘍が認められており，心血管系の血栓症を有する高齢者に対する診療における大きな課題として注意が必要である．

病理および病態生理

1)病理学的な「潰瘍」と「びらん」： 胃・十二指腸壁は，内腔側から粘膜，粘膜下層，筋層，漿膜により構成されているが，病理組織学的には粘膜下層より深い部分まで組織欠損を生じたものが「潰瘍」と定義されている．一方，粘膜内の組織欠損については潰瘍ではなく「びらん」とされている．しかし，最近は，欧

米の規定に準じて最大径3mm以上の白苔を有する粘膜欠損を潰瘍と定義する臨床研究報告が多くなっており，研究論文を吟味にする際には『潰瘍の定義』に注意する必要がある．

2) 病態生理： 消化性潰瘍はH. pylori感染やNSAIDsの関与が深いことが判明しているが，従来から「no acid，no ulcer」といわれたように攻撃因子として胃酸分泌の役割も大きい（図10-4-12）．壁細胞で産生される胃酸の分泌は，食事やストレスなどにより影響を受けるガストリンやソマトスタチンなどの消化管ホルモン[6]や迷走神経により調節されているが，PPIなどの胃酸分泌抑制薬が潰瘍治癒に有効であることからも，潰瘍形成には胃酸分泌の相対的な亢進が必須であるといえる．一方，H. pylori感染による胃粘膜の炎症は血流の低下などによる粘膜防御能の低下をきたし，NSAIDsによる内因性プロスタグランジン（PG）の低下も胃・十二指腸粘膜の脆弱性を惹起して潰瘍が発症しやすい母地を形成する．すなわち，攻撃因子である胃酸の存在に加えて，H. pylori感染やNSAIDs内服に伴う粘膜防御能の低下を生ずる機序が発生した場合に消化性潰瘍が生ずるものと思われる．

臨床症状

自覚症状として典型的なものは空腹時の心窩部痛ないしは背部痛であり，食物の摂取により痛みが軽快することが特徴的であるが，不定愁訴のみの場合や無症状の場合も多い．なお，出血や狭窄などの合併症を伴う場合には嘔吐，吐下血，貧血やタール便などを認め，穿孔性潰瘍では急激な痛みが突然に出現することが特徴といえる．LDAを含むNSAIDs起因性潰瘍の場合には，痛みではなく黒色便ないしはタール便で発症することが多い．他覚的な特徴は心窩部の圧痛である．

診断

消化性潰瘍は上部消化管のX線検査ないしは内視鏡検査により診断されるが，確定診断のためには内視鏡検査が必要である．特に，出血性潰瘍は診断と同時に治療が必要な緊急性を有する疾患であり，吐血や下血といった明らかな自他覚症状を伴う場合は緊急内視鏡検査が必要である．

通常の消化性潰瘍については，治療方針を決定するために，内視鏡検査により病期（活動期・治癒期・瘢痕期）を的確に診断することが重要である．さらに，正確なH. pylori感染の診断のために種々の感染診断法に熟知しなければならない（表10-4-2）．NSAIDsに起因しない消化性潰瘍の90%以上はH. pylori陽性であることから，出血性潰瘍や高度の萎縮性変化を認める胃潰瘍症例では偽陰性を考慮して複数の検査法による確認が必要である．

鑑別診断

消化性潰瘍の鑑別すべき疾患は胃癌や悪性リンパ腫などの悪性疾患であり，良性潰瘍と診断するためには

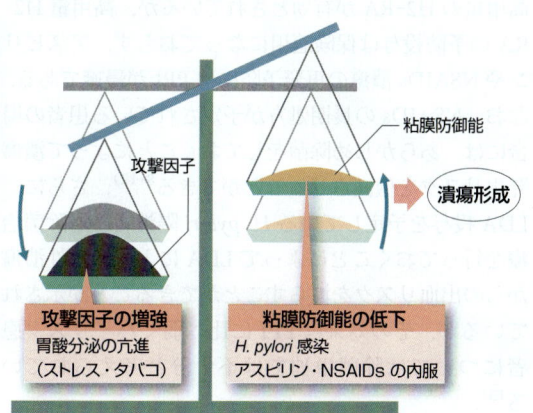

図10-4-12 消化性潰瘍の成因に関する考え方（天秤説）
2大要因であるH. pyloriやNSAIDsによる胃・十二指腸粘膜の粘膜防御能低下と攻撃因子である胃酸のバランスが破綻することにより潰瘍が形成される．

表10-4-2 さまざまなH. pylori感染診断法

検査方法	各検査法の特徴
A) 内視鏡的生検組織を用いる判定法	
1. 培養法	抗菌薬の感受性検査に必須だが，判定に時間を要する
2. 組織鏡検法	組織学的胃炎の評価が可能であるが，判定に時間を要する
3. 迅速ウレアーゼ試験	短時間で判定可能であるが，偽陰性の可能性に注意を要する
B) 内視鏡を用いない検査法	
1. 血中・尿中抗体法	簡単であり多数のヒトを対象とする検診などに有用，偽陰性に注意
2. 便中抗原	簡便で除菌後にも使用可能であるが，便の採取が難点
3. 尿素呼気試験	除菌判定に最も使用されているが，偽陰性には注意を要する

内視鏡的な生検組織を用いる方法と内視鏡を用いない非観血的な方法に分かれるが，それぞれ検査法原理と特徴に精通し，さらに単独検査による偽陰性に注意することが重要である．

内視鏡検査が必須である．さらに，内視鏡的にもまぎらわしい病変において良性潰瘍の確定診断を行うには，生検組織を用いた病理組織診断により胃癌や悪性リンパ腫などの悪性疾患を除外することが重要である．したがって，内視鏡的な良性潰瘍の確定診断は消化器の専門家への紹介が必要である．

合併症

消化性潰瘍合併症としては，突然の発症および緊急的な処置を特徴とする上部消化管出血および胃・十二指腸壁の穿孔が重要である．慢性的な合併症としては幽門狭窄がある．

初期治療と再発予防

消化性潰瘍の治療として，臨床的に重要なのは出血や穿孔および狭窄の合併症をコントロールすることであり，さらには活動性潰瘍を瘢痕期へと改善し，潰瘍の再発を予防することが最終目標である．日常診療における具体的な治療方針として日本消化器病学会が提唱する「消化性潰瘍診療ガイドライン」（日本消化器病学会，2009）が汎用されている．

1) 合併症を有する消化性潰瘍に対する治療：

a) 出血性潰瘍：吐・下血などの出血症状を伴う場合には，ショックなど全身状態を把握した後，緊急内視鏡検査を行い，内視鏡的治療を先行する．内視鏡的止血治療の適応となるのは噴出性出血，湧出性出血，露出血管を有する症例であり，内視鏡治療24時間後に内視鏡による経過観察を行う．内視鏡止血後の再出血予防に対しては，胃酸分泌抑制薬の投与が有効であり，絶食の期間は急性期の48時間が妥当である．

b) 潰瘍穿孔：潰瘍穿孔の場合，内科的治療の適応になるのは，発症後24時間以内，合併症がなく全身状態が安定し，腹膜刺激症状が上腹部に限局し，腹水が少量の場合とされている．内科的治療としては，絶飲食，補液，経鼻胃管留置，抗菌薬およびPPIまたはH₂-RAの経静脈的投与が必要となる．

上腹部に限局しない腹膜炎，多量の腹水ないしは胃内容物を有する場合は外科的手術の適応となる．さらに，経時的なCT検査で腹腔内ガスや腹水の増量を認める場合や腹部筋性防御が24時間以内に改善しない際も手術適応となる．

c) 幽門狭窄：潰瘍に伴う幽門狭窄により嘔吐，体重減少，内視鏡の通過が不能などの通過障害による症状が認められる場合には絶食およびPPIを用いた内科的治療を行うが，内科的治療に抵抗性の場合には内視鏡的バルーン拡張術を行い，内視鏡的治療に対しても改善しない場合には外科的手術の適応を考慮する．

d) 合併症がコントロールされた後の治療：内視鏡的な止血成功後には，通常の潰瘍治療を施行するが，出血性潰瘍の長期的な再出血予防には H. pylori 除菌治療に加えてPPIの投与が有用とされており，内科的治療により改善する穿孔例や狭窄例および外科的手術後症例に対しては引き続き通常の潰瘍治療を行う．

2) 合併症のない通常の消化性潰瘍に対する治療（図10-4-13）：

a) NSAIDs 潰瘍の治療と再発予防：通常の消化性潰瘍と診断された場合，詳細な問診により NSAIDs 服用の有無を明らかにする．NSAIDs の内服が確認された場合，NSAIDs を中止可能な場合は H. pylori 除菌治療を中心とした潰瘍治療を行う．一方，NSAIDs 内服の継続が必要な場合は，PPI ないしは PG 製剤による治療が推奨されているが，PG 製剤には腹痛や下痢などの副作用が多いため PPI が第一選択薬となる．H. pylori 除菌治療は NSAIDs 潰瘍の治癒を遅らせる可能性があり，除菌が必要と判断される場合は潰瘍の治癒後に施行する[7]．

LDA を含む NSAIDs 潰瘍は出血や穿孔など重篤な合併症を伴う再発が多いため再発予防が重要である．NSAIDs 潰瘍の再発予防には PPI，PG 製剤ないしは高用量の H2-RA が有効とされているが，高用量 H2-RA の予防投与は保険適用になっておらず，アスピリンや NSAIDs 潰瘍の再発予防には PPI が最適である．なお，NSAIDs の長期処方が予定されている患者の場合には，あらかじめ除菌をしておくことによって潰瘍発生リスクを低減させることができる[8-12]．さらに，LDA 投与を予定している H. pylori 陽性者にも除菌治療を行っておくことによって LDA による消化性潰瘍からの出血リスクを減らすことができることが示されているが，その効果は PPI に比べ弱くハイリスク患者については除菌単独では不十分と考えられている[13]．

b) NSAIDs の内服がない場合の H. pylori 感染のチェック：NSAIDs を中止できる場合や NSAIDs 内服のない場合，H. pylori 感染の有無により治療法を設定する．H. pylori 感染の診断法には種々あるが，すべての検査法に"偽陰性"が存在する点に注意が必要である（Asaka ら，2010）（表10-4-2）．特に，出血性潰瘍や PPI を使用している場合，さらには高度の萎縮性胃炎を有する胃潰瘍症例では"偽陰性"を示す例が多く，複数の感染診断法を使用した正確な判定が重要である．

c) H. pylori 陽性潰瘍の治療と再発予防：H. pylori 陽性の場合，潰瘍治癒および再発予防の有用性から除菌治療が第一選択である．NSAIDs が関与していない消化性潰瘍は，H. pylori 除菌によって潰瘍再発が抑制され潰瘍症からの離脱が可能となる．すなわち，H. pylori 陽性の胃潰瘍・十二指腸潰瘍は，除菌治療によって再発が抑制されること，出血などの潰瘍合併症が減少することが，複数のメタ解析論文を含むレベルの高い内外のエビデンスに基づいて示されてい

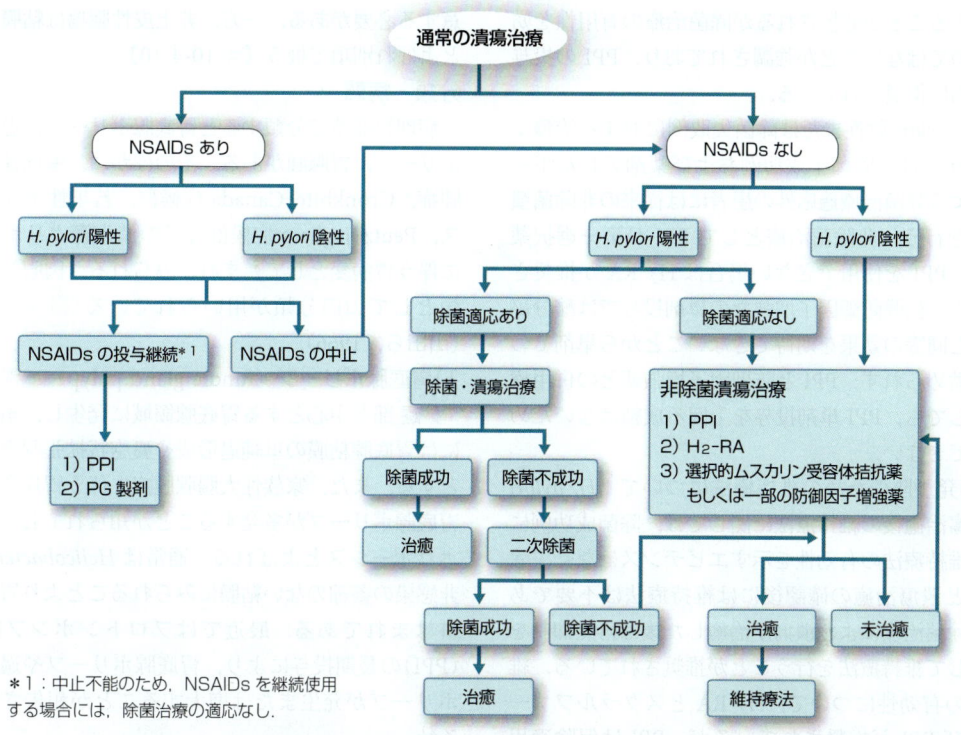

図 10-4-13 通常の胃・十二指腸潰瘍に対する診療のフローチャート（文献 1 より改変使用）
最初は問診による NSAIDs 使用の有無により，次に H. pylori 感染の有無による治療方針および除菌の成否による方針が示されている．

る[14-20]．したがって，薬剤アレルギーなど除菌治療不適応例に対しては PPI を中心とした胃酸分泌抑制を主体とした潰瘍治療を選択するが，除菌の妨げとなる重篤な合併症を伴わないかぎり，除菌治療を H. pylori 陽性の消化性潰瘍治療の第一選択とすべきである（日本消化器病学会，2009）[21-27]．胃潰瘍・十二指腸潰瘍は，たとえ治癒しても易再発性であり，いわゆる潰瘍症からの離脱をはかるために，潰瘍が治癒した瘢痕であっても H. pylori 陽性の場合には除菌治療を行うべきである．

ⅰ) H. pylori 除菌治療について：除菌治療のレジメンは，PPI とアモキシシリン（AMPC）およびクラリスロマイシン（CAM）による 3 剤併用療法が一次治療として推奨されており保険適用にもなっている．除菌成否の判定は除菌治療が終了してから 4 週間以後に行うことが推奨されている．除菌の判定で除菌が不成功であった場合，CAM をメトロニダゾール（MNZ）にかえた二次除菌治療を行う．一次除菌治療の除菌成功率は 80％程度であり，MNZ を用いた二次除菌療法の除菌成功率は 90％であるが，一次除菌失敗例に対してのみ保険適用となっている．なお，ごく最近，保険適用となった新たな PPI を用いた除菌治療の除菌成功率は 90％と報告されている．

ⅱ) 除菌治療後の潰瘍治療について：活動性潰瘍に対しては 1 週間の除菌治療に引き続き十二指腸潰瘍の場合 6 週間，胃潰瘍の場合には 8 週間の潰瘍治療を行う．除菌治療後の早期に生ずる潰瘍再燃を予防するために，除菌の判定時までは H_2-RA などによる胃酸分泌抑制薬の投与が必要である．除菌成功例のうち瘢痕期にまで治癒した後は潰瘍の再発がまれであるので，その後の投薬は必要ない．二次除菌療法でも除菌に失敗した場合の治療法については，研究目的での種々のレジメンが検討されているが，保険適用でなく自由診療となる．

ⅲ) 除菌治療に伴う副作用に関して：AMPC の副作用として重大なのはアナフィラキシーであり，ペニシリンアレルギーの有無を聴取することは必須である．さらに，頻度が低いものの出血性大腸炎は注意すべき合併症であり，腸内細菌の変化に伴って生ずる軟便と下痢はよくみられるので事前の説明が重要である．一方，CAM は唾液に分泌されるために苦みや味覚異常の出現について説明すべきで，さらに相互作用を有する薬剤が比較的多いために併用薬には注意する必要がある．MNZ で注意すべきことは飲酒の禁止と肝機能障害である．「ヘリコバクターピロリ感染症の診療ガイドライン」（日本ヘリコバクター学会，2009）[28]で

は，除菌治療後に逆流性食道炎またはGERDの症状が出現することが危惧されるが除菌治療の有用性を妨げるものではないことが強調されており，PPIの投与が一般的に推奨されている．

　d) *H. pylori* 陰性または除菌失敗例に対する治療：*H. pylori* 陰性や除菌不成功例および薬剤アレルギーなどによる除菌治療適応外の患者には従来の非除菌潰瘍治療を行う．非除菌治療としてPPIが第一選択薬であり，PPIを使用できない場合はH$_2$-RAが推奨されている．粘膜防御因子増強薬の単剤投与では酸分泌抑制薬と同等の効果を期待できないことから単剤での使用は勧められず，PPIと防御因子増強薬との併用療法に関しても，PPI単剤投与を上回る成績はないために推奨できない．

　e) 再発予防のための維持療法について：*H. pylori* 陽性潰瘍治癒後の維持療法に関しては，除菌成功例における維持療法の有効性を示すエビデンスはなく，除菌成功と潰瘍治癒の確認後には維持療法は不要である．非除菌治療により潰瘍が治癒した後は再発抑制を目的として維持療法を行うことが推奨されている．維持療法の有効性について，H$_2$-RAとスクラルファートおよびPPIが推奨されているが，PPIは保険適用となっていない．　　　　　　　　　　〔上村直実〕

■文献(e文献10-4-6)

Asaka M, Kato M, et al: Guidelines for the management of *Helicobacter pylori* infection in Japan: 2009 revised edition. Helicobacter. 2010; 15: 1-20.
胃潰瘍ガイドラインの適用と評価に関する研究班：EBMに基づく胃潰瘍診療ガイドライン第2版 －*H. pylori* 二次除菌保険適用対応－．じほう，2007．
消化性潰瘍診療ガイドライン委員会：消化性潰瘍診療ガイドライン（日本消化器病学会編），南江堂，2009．

7）胃良性腫瘍
benign gastric tumor

定義・概念
　胃良性腫瘍は転移浸潤能を有さない腫瘍で，上皮組織に由来する上皮性腫瘍と間質組織に由来する非上皮性腫瘍に分類される．上皮性の多くは胃粘膜上皮の異常増生により胃内腔へ突出する隆起性病変であり，胃ポリープとよばれている[1]．日常診療で高頻度に遭遇するのは過形成性ポリープと胃底腺ポリープであり，そのほとんどが良性であるが癌化をきたす危険性のあるものも存在するので，大きさ，形状などに注意する必要がある．一方，非上皮性腫瘍は粘膜下腫瘍とよばれ別項で扱う【⇒10-4-10】．

分類・病態
　病理組織型で分類すると胃底腺ポリープ，過形成性ポリープ，胃腺腫がある．そのほかに，家族性大腸腺腫症，Cronkhite-Canada症候群，若年性ポリポーシス，Peutz-Jeghers症候群などの消化管ポリポーシスに伴う胃病変としてもまれにみられる．肉眼的形態分類として山田分類が用いられている(図10-4-14)（山田ら，1966）．

1）**胃底腺ポリープ**（fundic gland polyp）：胃体部や穹窿部を中心とする胃底腺領域に発生し，組織学的には胃底腺粘膜の単純過形成や嚢胞状拡張腺管を特徴とする．また，家族性大腸腺腫症に伴う胃病変として胃底腺ポリープが多発することが知られており胃底腺ポリポーシスとよばれる．通常は *Helicobacter pylori* 非感染の萎縮のない粘膜にみられることより胃癌の合併はまれである．最近ではプロトンポンプ阻害薬(PPI)の長期投与により，胃底腺ポリープや過形成性ポリープが発生または増大することが報告されている[2]．

2）**過形成性ポリープ**（gastric hyperplastic polyp）：胃のポリープのなかでは最も頻度が高い．過形成性ポリープは *H.pylori* 感染による慢性的な炎症に伴う強い萎縮粘膜を背景とする．組織学的には胃腺窩上皮に過形成変化を示し，間質には慢性活動性炎症，浮腫や肉芽組織の増生を認める．また，自己免疫性胃炎にも合併することはあるがまれである．

3）**胃腺腫**（adenoma）：胃腺腫は組織学的には粘膜表層部に小腸上皮型の異型腺管の増生を認め，粘膜深部には非腫瘍性腺管が残存する2層構造を呈する[3]．異型上皮の増殖による腫瘍性ポリープで，背景には過形成性ポリープと同様に *H.pylori* 感染に伴う高度の萎縮性粘膜や腸上皮化生がみられる．良性上皮性腫瘍であるが，少なくとも10％は癌化すると考えられており注意を要する[4]．癌化危険因子として腫瘍径が大

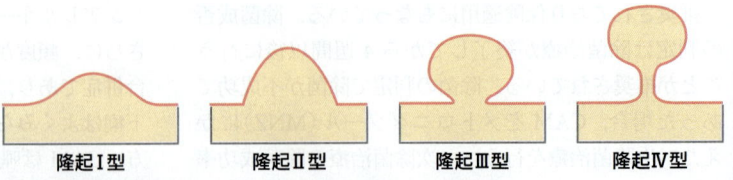

図10-4-14　胃隆起性病変の肉眼分類（山田ら，1966）
Ⅰ型：隆起の起始部がゆるやかで，明瞭な境界を形成しないもの．
Ⅱ型：隆起の起始部に明らかな境界が観察されるが，くびれや茎を有さないもの（無茎性）．
Ⅲ型：隆起の起始部に明らかなくびれを認めるが，茎を有さないもの（亜有茎性）．
Ⅳ型：隆起の起始部に茎を有するもの（有茎性）．

表 10-4-3 それぞれのポリープの特徴

	胃底腺ポリープ	過形成性ポリープ	胃腺腫
肉眼形態	Ⅱ, Ⅲ型	Ⅱ, Ⅲ型 大きくなるとⅣ型	Ⅱ型
発生部位	胃底腺領域 (穹窿部や胃体部)	胃粘膜全体	胃粘膜全体
背景粘膜	健常胃粘膜	萎縮性胃炎	萎縮性胃炎
色調	正色調	発赤調	褪色調

きいもの,組織学的異型度の高いものや増大傾向があるものなどがいわれている[5]).

臨床症状

無症状の場合が多い.上部消化管内視鏡検査や上部消化管造影検査時に偶然発見されることが多い.過形成性ポリープは出血を伴うこともあり,慢性的に出血を繰り返すと貧血の原因となる.

診断・治療

通常,上部消化管内視鏡検査での肉眼形態と生検検体を用いた病理組織検査により確定診断を行う.ポリープの大きさや形状,色調は鑑別診断に有用である(表 10-4-3).また,近年では狭帯域内視鏡(narrow band imaging:NBI)を用いた拡大観察により粘膜微細構造や粘膜表層の毛細血管像を観察することが可能になり,癌との鑑別や腺腫内癌の発見に威力を発揮する.

1) **胃底腺ポリープ**(図 10-4-15): 形態的特徴として山田Ⅱ型が主体であるが,Ⅲ型もみられる.胃底腺領域である胃体部や穹窿部に分布し 5 mm 以下のものが多い.家族性大腸腺腫症に伴わない胃底腺ポリープは,基本的に萎縮を認めない背景粘膜に発生し,胃癌の低危険群と考えられ,通常は経過観察が不要なポリープである.

2) **過形成性ポリープ**(図 10-4-16): 過形成性ポリープは山田Ⅱ型やⅢ型が多く,大きくなると有茎性のⅣ型を呈する.表面は発赤調で分葉を形成するものや,びらんや白苔を伴う腐れ苺様を呈するものもある.H.pylori 除菌によりポリープが縮小,消失することが報告されており(Ohkusa ら,1998),H.pylori 陽性の場合,第一に除菌療法が推奨される.一方で,経過観察で増大傾向にあるものやポリープより出血がみられるものは内視鏡的切除の対象となる.また,過形成性ポリープや胃腺腫はともに萎縮性粘膜を背景にしているため,ポリープの癌化だけではなく(e図 10-4-A),他部位の胃発癌にも十分な注意が必要である.

3) **胃腺腫**(図 10-4-17): 内視鏡的には色調は褪色調あるいはやや白色調を呈し,ほとんどは扁平隆起性病変であり,山田Ⅱ型が多く,0-Ⅱa 型早期癌との鑑別が重要となる.陥凹型を示す腺腫の報告もあるがまれである.胃生検組織学的分類では Group 3 と診

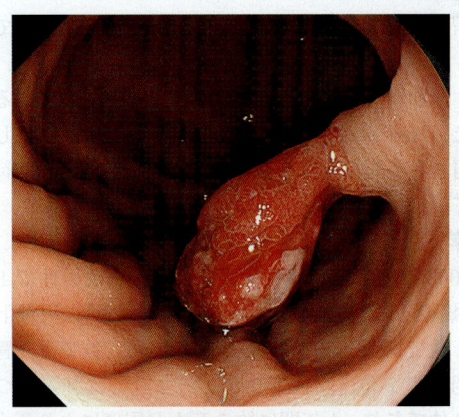

図 10-4-16 過形成性ポリープ
発赤を呈した有茎性の山田Ⅳ型ポリープ.

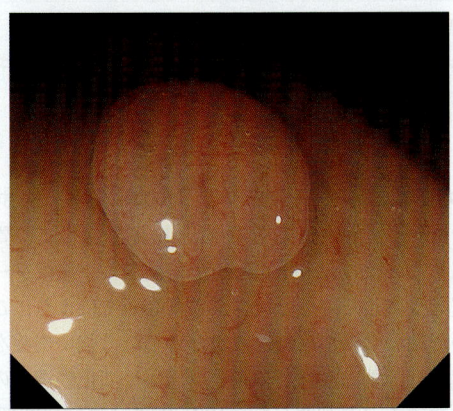

図 10-4-15 胃底腺ポリープ
萎縮していない粘膜に正色調の山田Ⅲ型ポリープとしてみられる.

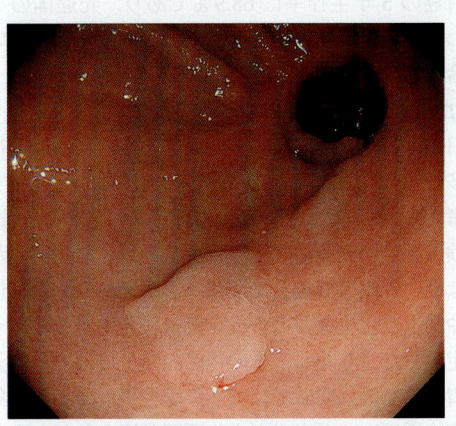

図 10-4-17 胃腺腫
褪色調の扁平隆起性病変.背景粘膜は萎縮している.

断される．しかし，腺腫は低異型度の高分化型腺癌との鑑別は容易ではなく，生検では腺腫であったとしても内視鏡的に切除を行うと最終的に癌と診断されるものがある．そのため，2 cm以上，増大傾向にあるもの，発赤・陥凹がある，不整結節があるなどの所見があるものは腺腫内癌の可能性が高く[5,6]，正確な診断と治療を兼ねて内視鏡的切除が勧められる．これらの所見がなくても，胃腺腫はその経過中に一定の頻度で癌化をきたすため，継続的な経過観察が重要である．

〔吉﨑哲也・東　健〕

■文献（e文献10-4-7）

Ohkusa T, Takashimizu I, et al: Disappearance of hyperplastic polyps in the stomach after eradication of *Helicobacter pylori*. A randomized, clinical trial. Ann Intern Med. 1998; 129: 712-5.
山田達哉，福富久之：胃隆起性病変．胃と腸．1966; 1: 145-50.

8）胃悪性腫瘍・胃癌
gastric cancer, cancer of the stomach

概念

胃癌は胃粘膜から発生する上皮性の悪性腫瘍であり，日本を含む東アジアでは胃癌の頻度は高い．近年，早期胃癌に対する内視鏡治療が確立されている．また，*Helicobacter pylori* 感染症が胃癌の原因として注目されており，除菌による胃癌発症の抑制が期待されている．

疫学

2008年の部位別癌罹患数では，胃癌は男性で1位（全癌の19.2%），女性で3位（同12.4%），男女計では1位である．2012年の部位別癌死亡数では，胃癌は男性で2位，女性で3位，男女計では肺癌についで2位であり，1年間に約5万人が胃癌により死亡している．罹患数，死亡数とも男性の方が多く，男女比は約2：1である．

胃癌の5年生存率は68.9%であり，先進国のなかでわが国は高い生存率である．癌が胃に限局している場合は90%以上の良好な生存率を示す．

H. pylori と胃発癌

日本は古くから胃癌の多い国であり，当初は進行癌が多かったこともあって，胃癌は胃潰瘍から発生すると考えられていた．その後，内視鏡機器の開発・進歩や検診制度の充実で，早期胃癌が発見される機会が多くなり，胃癌は潰瘍とは関連はまれであり，萎縮性胃炎や腸上皮化生などの胃炎を背景に発生するという説が定着した．しかし，この胃癌の発生母地である萎縮性胃炎の原因は明確ではなく，塩分摂取，加齢現象，発癌物質摂取などさまざまな要因が複合したものとされていた．

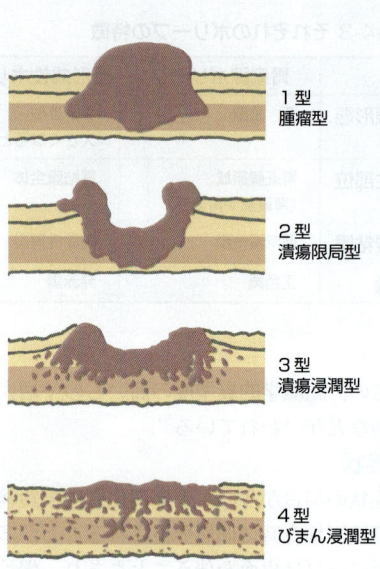

図10-4-18　進行型胃癌の肉眼分類

表10-4-4　進行型癌の分類

0型	表在型	癌が粘膜下層までにとどまる場合に多くみられる肉眼形態
1型	腫瘤型	明らかな隆起した形態を示し，周囲粘膜との境界が明瞭なもの（図10-4-25）
2型	潰瘍限局型	潰瘍を形成し，潰瘍を取り巻く胃壁が肥厚し周囲粘膜との境界が比較的明瞭な周堤を形成するもの（図10-4-26）
3型	潰瘍浸潤型	潰瘍を形成し，潰瘍を取り巻く胃壁が肥厚し周囲粘膜との境界が不明瞭な周堤を形成するもの（図10-4-27）
4型	びまん浸潤型	著明な潰瘍形成も周堤もなく，胃壁の肥厚・硬化を特徴とし，病巣と周囲粘膜との境界が不明瞭なもの（図10-4-28）
5型	分類不能	上記0〜4型のいずれにも分類しがたいもの

1983年にオーストラリア人の病理学者であるWarrenと，内科医であるMarshallによって，胃に生息する*Helicobacter pylori*が発見され，後にノーベル賞を受賞した．その後さまざまな研究により，この菌が胃粘膜に慢性活動性胃炎といわれる強い炎症を引き起こし，萎縮性胃炎や腸上皮化生や消化性潰瘍の原因になることが判明した．1991年には疫学研究で *H. pylori* と胃癌との関連が相ついで報告され，1994年にはWHOが *H. pylori* が胃癌の強い原因であること

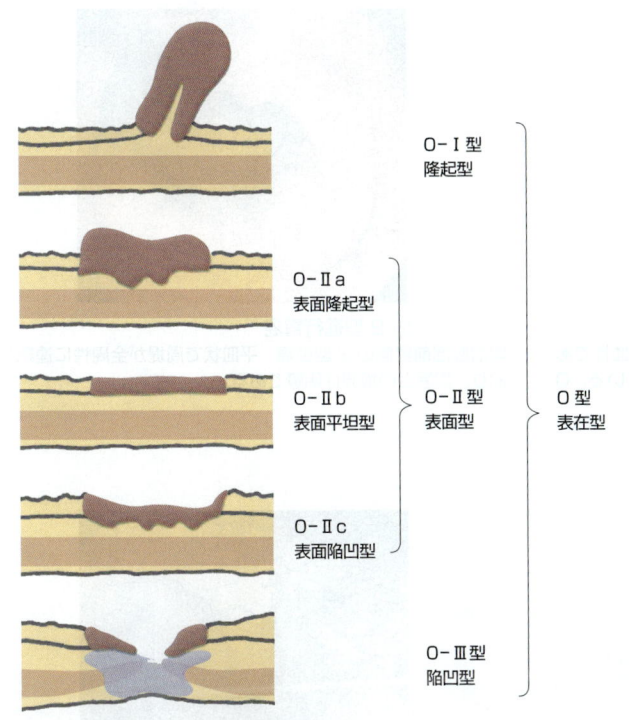

図10-4-19 表在型胃癌の亜分類

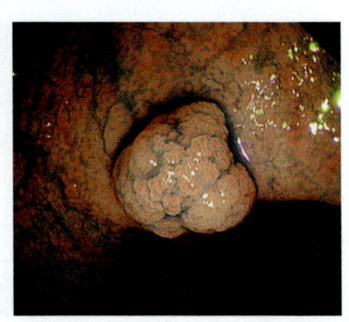

図10-4-20 O-Ⅰ型早期胃癌
胃角小弯側のO-Ⅰ型病変．隆起の表面が結節状あるいは粗大顆粒状を呈し，しばしば易出血性である．

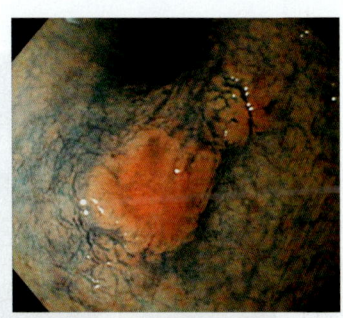

図10-4-21 O-Ⅱa型早期胃癌
胃角小弯前壁側のO-Ⅱa病変．軽度発赤調の平皿状の扁平隆起として認められ，インジゴカルミン散布にて病変はより強調された．

を認定した．その後，動物実験で，H. pylori感染単独で胃癌が発症することが証明され，2001年には，胃癌の発生はH. pylori陽性者からのみで，陰性者からはまれであることが日本から報告された．さらに，H. pylori除菌により，炎症は速やかに改善し，胃癌の発生母地の萎縮性胃炎も改善することが近年報告されている．

これまでの研究で，H. pyloriの持続性感染は乳幼児期に成立し，時間の長期経過とともに萎縮や腸上皮化生が進行し，その過程のなかから胃癌が発生すると考えられている．しかしながら，H. pylori感染による胃癌の発生機序については，菌体の病原因子による直接作用と，炎症を介した間接作用の大きく2つが考えられるが不明な点が多い．H. pylori感染は胃癌発生の大きなリスクファクターであるが，胃酸分泌などの宿主側因子や塩分摂取などの環境因子も胃癌発生機序に関連している．

🅔コラム1「組織発生」も参照．

分類

日本胃癌学会による胃癌取扱い規約（日本胃癌学会，2010）を中心に述べる．

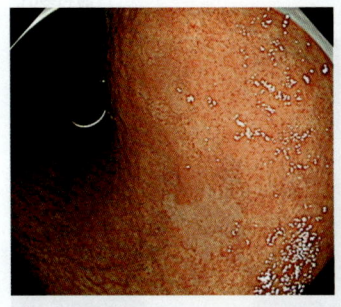

図10-4-22 O-Ⅱb型早期胃癌
胃体中部小弯後壁側のO-Ⅱb病変．白色光観察のみでは，癌の存在診断，範囲診断がきわめて難しいことが多い．色素内視鏡や特殊光観察，拡大観察などを併用することが，診断の助けとなることがある．

1）肉眼型分類：
　a）基本分類：癌腫の深達度が粘膜下層までにとどまる場合を「表在型」とし，固有筋層以深に及んでいる場合を「進行型」とする．胃癌を粘膜面から見て，その形態を0〜5型に分類する（図10-4-18，表10-4-4）．0型については，日本内視鏡学会分類（1962）の早期胃癌の肉眼分類を参考とし，よりわかりやすいように改変された（図10-4-19〜10-4-28，表10-4-5）．

2）組織型分類：　組織型分類は，高頻度に出現する腺

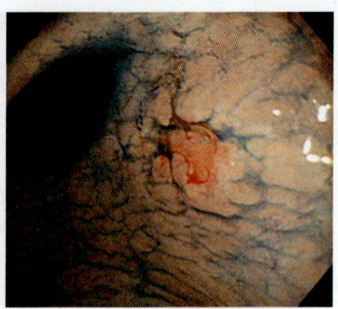

図 10-4-23 O-IIc 型早期胃癌
胃前庭部小弯側の O-IIc 病変．浅い陥凹を認め，易出血性である．陥凹部辺縁は不整であり，ひだの蚕食像を呈している．O型のなかでは O-IIc 型が最も頻度が高い．

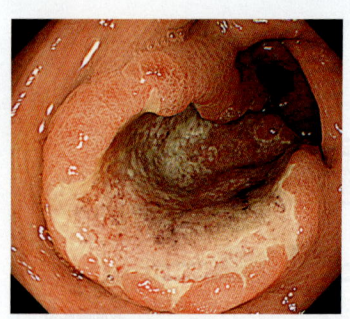

図 10-4-26 2 型進行胃癌
胃前庭部前壁側の 2 型腫瘍．平皿状で周堤が全周性に連続しており，周囲との境界は明瞭である．

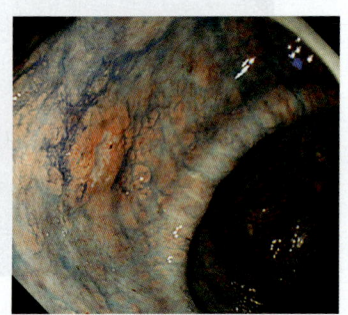

図 10-4-24 O-IIa＋IIc 型早期胃癌
形態が混合する表在癌は，より広い病変から順に「＋」記号をつないで記載する．前庭部前壁側の O-IIa＋IIc 病変．軽度発赤調の扁平隆起中央に，浅い陥凹を認める．

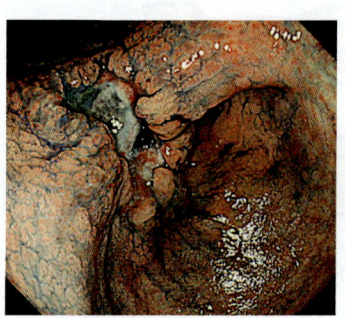

図 10-4-27 3 型進行胃癌
胃角小弯前壁側の 3 型腫瘍．周堤が崩れ，全体として富士山型の広がりを呈し，周囲粘膜との境界が不明瞭化している．胃壁の伸展性が損なわれている．進行胃癌の肉眼型ではこの 3 型が最も多い．

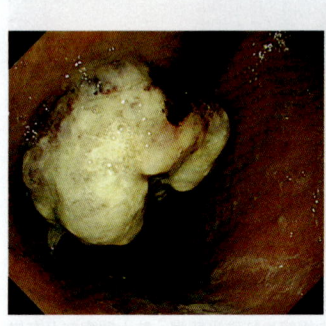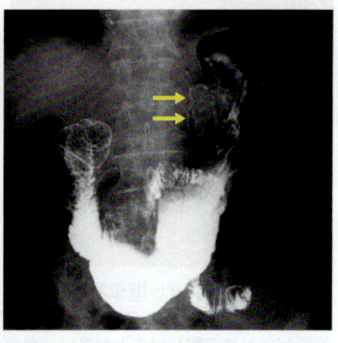

図 10-4-25 1 型進行胃癌（腫瘤型）の内視鏡像と X 線透視像
胃体上部後壁の 1 型腫瘍．O-I 型早期胃癌と類似しているが，サイズが大きく表面は凹凸不整で壊死物質が付着している．

癌を一般型とし，その他を特殊型としている（表 10-4-6）．腺癌の組織型は，腺管への分化の度合いによって判断され，腺管構造を有する分化型腺癌と，腺管構造を有さない未分化型腺癌とに分けられる．最近では，粘液の免疫組織化学染色により胃型，腸型，胃腸混合型に分ける方法も提唱されている．

3）**進行度分類**(stage 分類)：癌の壁深達度（T），リンパ節転移（N），その他の転移（M）の 3 つの因子を組み合わせにより（表 10-4-7），stage IA〜IVにまで分類している（表 10-4-8）．

eコラム 2「発育と進展」，eコラム 3「転移と再発」も参照．

臨床症状

早期癌では臨床症状を呈することはほとんどない．進行癌では特徴的な症状はないが，心窩部不快感，食欲低下，体重減少などを呈する．病変から出血した場合は，吐血，黒色便やふらつきなどの貧血症状を認める．大きな進行癌では，触診で上腹部に凹凸不整なかたい腫瘤を触知する場合がある．さらに進行すると腹水貯留や左鎖骨上窩リンパ節への転移（Virchow 転移）や Douglas 窩への転移（Schnitzler 転移）を触知する場合もある．

診断

存在診断，質的診断，範囲診断，転移診断などを行って治療方針を決定する．また近年では胃癌リスク診断が注目されており，胃癌検診の対象集約の効率化に貢献することが期待される．

1）**存在診断**：存在診断には X 線造影検査や上部消

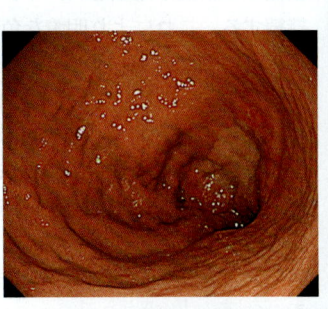
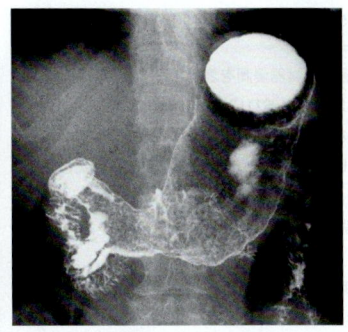

図 10-4-28　4 型進行胃癌の内視鏡像と X 線透視像
スキルス胃癌がその大半であり，予後はきわめて不良である．上記症例では，びらんなどを認めるが明らかな潰瘍形成はなく，胃壁の肥厚・硬化を認める．X 線透視像にて胃体下部から前庭部にかけて粘膜不整を認め，壁伸展も不良である．

表 10-4-5　0 型（表在型）の亜分類

0-Ⅰ型	隆起型	明らかな腫瘤上の隆起が認められるもの（図 10-4-20）
0-Ⅱ型	表在型	隆起や陥凹が軽微なもの，あるいはほとんど認められないもの
0-Ⅱa	表面隆起型	表面型であるが，低い隆起が認められるもの（図 10-4-21）
0-Ⅱb	表面平坦型	正常粘膜にみられる凹凸を超えるほどの隆起・陥凹が認められないもの（図 10-4-22）
0-Ⅱc	表面陥凹型	わずかなびらん，または粘膜の浅い陥凹が認められるもの（図 10-4-23）
0-Ⅲ型	陥凹型	明らかに深い陥凹が認められるもの

表 10-4-6　組織型分類

1）一般型　common type（略号）
　乳頭腺癌 papillay adenocarcinoma（pap）
　管状腺癌 tubular adenocarcinoma（tub）
　　高分化型 well diff erentiated type（tub1）
　　中分化型 moderately diff erentiated type（tub2）
　低分化腺癌 poorly diff erentiated adenocarcinoma（por）
　　充実型 solid type（por1）
　　非充実型 non-solid type（por2）
　印環細胞癌 signet-ring cell carcinoma（sig）
　粘液癌 mucinous adenocarcinoma（muc）
2）特殊型　special type
　カルチノイド腫瘍 carcinoid tumor
　内分泌腫瘍 endocrine carcinoma
　腺扁平上皮癌 adenosquamous carcinoma
　扁平上皮癌 squamous cell carcinoma　　など

従来のⅠ型とⅡa型の区別は，隆起の高さが正常粘膜の 2 倍以内のものを 0-Ⅱa 型，それをこえるものをⅠ型としていたが，現実には隆起の高さが 2〜3 mm までのものを 0-Ⅱa 型，それをこえるものをⅠ型とするのが一般的である．また，混合型の表在癌は，より広い病変から順に「+」記号でつないで記載する（例：0-Ⅱc+Ⅲ）（図 10-4-24）．

化管内視鏡検査が用いられる．X 線造影検査では，腫瘤形成型は腫瘤陰影，陰影欠損として描出される．潰瘍形成型では，不整形のニッシェ，粘膜襞の不規則化，肥大・断裂・硬化などが特徴とされる．また癌の浸潤として，壁の硬化，伸展不良が認められる．早期胃癌では二重造影法や圧迫法が有効であり，陥凹型では淡い不整な陰影斑・周囲粘膜の不整隆起，平坦型では胃小区模様の乱れ，隆起型では腫瘤陰影が描出されるが，早期胃癌の診断においては内視鏡検査の方がすぐれている．

内視鏡検査は，現在の胃癌の存在診断において，中心的な役割を担っている．

進行胃癌の視認は比較的容易であるが，早期胃癌については，色調変化や壁の不整，血管透見の乱れなどを的確にとらえて，質的評価を行っていく．特に萎縮性胃炎，腸上皮化生，皺襞肥大型胃炎，鳥肌胃炎などの H.pylori 感染に伴う背景胃粘膜については，癌発生母地のリスクであるため，注意深く観察を行う．

2）質的診断：　胃癌の最終診断は生検の病理組織学的診断による．また免疫染色は，粘液形質分類同定[1]）や抗 HER2 ヒト化モノクローナル抗体であるトラスツズマブの効果予測となる HER2 遺伝子検査が可能となり，癌組織の分化度や化学療法などの治療法の選択に大きく貢献する（日本胃癌学会，2014）．

3）範囲診断：　後述する内視鏡治療の発達，腹腔鏡下縮小手術の普及に伴い，病変の範囲診断・深達度診断は重要性を増している．

病変の範囲診断は，通常内視鏡ではインジゴカルミン散布によるコントラスト強調を利用した色素内視鏡

表10-4-7 進行度分類（stage分類）

a) 壁深達度（T）：胃壁各層や他臓器浸潤を表すM，SM，MP，SS，SE，SIに分け，以下のとおりに分類する．また，リンパ節転移の有無にかかわらず，粘膜下層までにとどまっている癌を早期胃癌，筋層以深に及んでいる癌を進行癌と定義している．
TX：癌の浸潤の深さが不明なもの
T0：癌がない
T1：癌の局在が粘膜（M）または粘膜下組織（SM）にとどまるもの
　T1a：癌が粘膜にとどまるもの（M）
　T1b：癌の浸潤が粘膜下組織にとどまるもの（SM）
T2：癌の浸潤が粘膜下組織をこえているが，固有筋層にとどまるもの（MP）
T3：癌の浸潤が固有筋層をこえているが，漿膜下層にとどまるもの（SS）
T4：癌の浸潤が漿膜表面に接しているかまたは露出，あるいは他臓器に及ぶもの
　T4a：癌の浸潤が漿膜表面に接しているか，またはこれを破って遊離腹腔内に露出しているもの（SE）
　T4b：癌の浸潤が直接他臓器まで及ぶもの（SI）
b) リンパ節転移（N）：領域リンパ節に転移した個数により以下のとおりに分類する．
NX：領域リンパ節転移の有無が不明である
N0：領域リンパ節に転移を認めない
N1：領域リンパ節に1〜2個の転移を認める
N2：領域リンパ節に3〜6個の転移を認める
N3：領域リンパ節に7個以上の転移を認める
　N3a：7〜15個の転移を認める
　N3b：16個以上の転移を認める
c) その他の転移（M）：領域リンパ節転移以外の転移をM1とした．なお，M1であればほかの因子にかかわらずstage IVとなる．
MX：領域リンパ節以外の転移の有無が不明である
M0：領域リンパ節以外の転移を認めない
M1：領域リンパ節以外の転移を認める

が一般的である．さらに酢酸散布を併用することにより，より病変範囲を明確に描出できる場合がある．これは癌部と非癌部の，酸による粘液の産生性が異なることを利用している．すなわち癌部は粘液産生がないためインジゴカルミンは付着しないが，非癌部は正常組織より粘液が産生され，インジゴカルミンの付着が持続する．これにより明瞭な色調の差が得られ，病変の境界部がより明瞭に描出される（図10-4-29〜10-4-31）．また近年の画像描出技術の発達により，狭帯域光観察（narrow band imaging：NBI）や拡大内視鏡観察で胃粘膜の詳細な診断が可能になった．すなわちNBI＋拡大内視鏡観察によりdemarcation lineの同定，表面微細構造，微小血管構築像の観察で，より正確に病変境界を同定できるようになった．

病変の深達度を評価するには超音波内視鏡検査が有用である．

4）転移診断：遠隔・リンパ節転移の有無を評価するために，胸部X線，CT，腹部超音波検査が施行される．周囲臓器への浸潤が疑われる場合はMRI検査を行う．PET検査は胃癌の場合は検出率が低く，あまり有用ではない．腫瘍マーカーとして特有なものはないが，CEA，CA19-9が基本的であり，これにAFPやCA72-4を加えて，AFP産生性腫瘍や未分化型胃癌の診断補助とする．

5）リスク診断：胃癌検診の精度向上，効率化を目的とし，H.pylori感染の有無（抗H.pylori抗体）と胃粘膜の萎縮の程度を表す血中ペプシノゲン（PG）測定を組み合わせたABC検診による胃癌のリスク評価が行われつつある．すなわちH. pylori（−），PG（−）をA群とし，H. pylori（＋），PG（−）をB群，H. pylori（＋），PG（＋）をC群，H. pylori（−），PG（＋）をD群とすると，A群はH. pylori未感染健常者，B群はH. pylori陽性軽度萎縮性胃炎群，C群は高度萎縮性胃炎群，D群は萎縮性胃炎進展高度腸上皮化生合併群となる．この分類を用いた10年間の観察研究では，各群の胃癌発生年率は，A群からは胃癌の発生はなく，B群0.1％（ハザード比（HR）：7.1），C群0.24％（HR：14.5），D群1.3％（HR：61.9）と胃粘膜萎縮の段階に伴い，胃癌発生リスクが上昇していくことが明らかとなった[2]．

また近年の分子生物学の進歩により，エピジェネティック修飾であるDNAメチル化の変化を胃癌リス

表10-4-8 進行度分類（日本胃癌学会，2010）

	N0	N1	N2	N3	T/NにかかわらずM1
T1a(M), T1b(SM)	IA	IB	IIA	IIB	IV
T2(MP)	IB	IIA	IIB	IIIA	
T3(SS)	IIA	IIB	IIIA	IIIB	
T4a(SE)	IIB	IIIA	IIIB	IIIC	
T4b(SI)	IIIB	IIIB	IIIC	IIIC	
T/NにかかわらずM1					

ク診断に応用しようとする取り組みがなされており，今後の臨床応用が期待される．

鑑別診断

1) **胃ポリープ，胃腺腫**：1型進行胃癌と過形成性ポリープ，0-Ⅱa型早期胃癌は腺腫との鑑別を要する．過形成性ポリープは頂部を中心に発達した毛細血管が明瞭に見え，癌の場合の不明瞭な発赤とは異なる．腺腫の場合は全体的に蒼白色調で比較的平滑で，隆起も均一である．ポリープや腺腫の一部が癌化することも少なくないので，生検あるいは内視鏡的切除による最終診断も検討する．

2) **胃びらん**：0-Ⅱc型早期胃癌との鑑別を要する．びらん面における発赤の色合いや陥凹面の星芒状変化が特徴とされるが，通常内視鏡による鑑別は困難な場合が少なくない．NBI＋拡大内視鏡観察による不規則な微小血管構築像や表面微細構造の描出により鑑別することができる．良性の胃びらんは胃炎症性変化を表すので多発することが多いため，単発性の胃びらんを見たら，癌を疑って生検することも重要である．

3) **胃潰瘍**：2型進行胃癌，0-Ⅱc型，0-Ⅲ型早期胃癌との鑑別を要する．集中するひだの性状や陥凹面の形状を観察して診断する．急性期胃潰瘍の場合，潰瘍治療を行った後に内視鏡検査再検し診断すべきである．

4) **悪性リンパ腫**：MALTリンパ腫と2型，3型進行胃癌，陥凹早期胃癌すなわち0-Ⅱc型，0-Ⅱc＋Ⅲ型早期胃癌との鑑別を要する．潰瘍は比較的浅く，周縁は比較的平滑で，胃壁の伸展が良好であることが特徴である．隆起型悪性リンパ腫と2型進行胃癌との鑑別を要する場合があるが，前者は潰瘍辺縁が比較的平滑で，周堤も均一に粘膜下から盛り上がるような印象で，いわゆる耳たぶ様の所見を呈する．

5) **胃粘膜下腫瘍**：0-Ⅰ型早期胃癌，1型進行胃癌との鑑別を要する．胃粘膜下腫瘍では表面が周囲粘膜と同様で，押し上げられたひだが架橋（bridging fold）を呈することが特徴的である．超音波内視鏡検査も鑑別に有用である．

治療

胃癌の治療の選択にあたっては，日本胃癌学会が編集している「胃癌治療ガイドライン」（日本胃癌学会，2014）に沿って行う（図10-4-32）．治療法としては，内視鏡的切除，手術，抗癌薬による化学療法がある．

内視鏡的切除と手術により原発巣を含めて切除が行われた場合，治療結果の評価として根治度にかわりその程度を腫瘍の遺残（residual tumor：R）で表し，R0は治癒切除，R1，R2は非治癒切除となる．また，粘膜切除標本の切除断端評価として，水平断端（horizontal margin：HM），垂直断端（vertical margin：VM），手術標本の切除断端評価として，近位断端

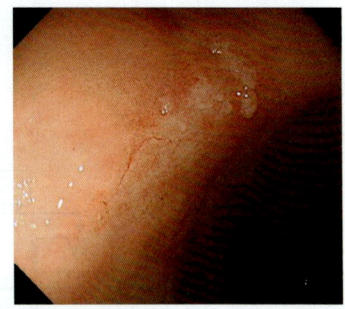

図10-4-29 通常光観察
発赤調の不整な粘膜を認めるが，病変の範囲ははっきりしない．

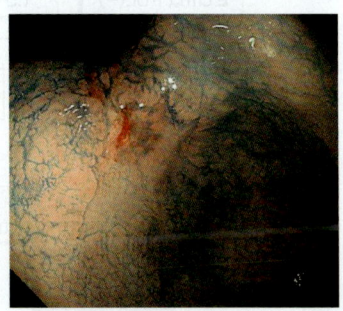

図10-4-30 インジゴカルミン散布
凹凸は通常光のときよりもわかりやすいが，病変範囲はやはり不明瞭である．

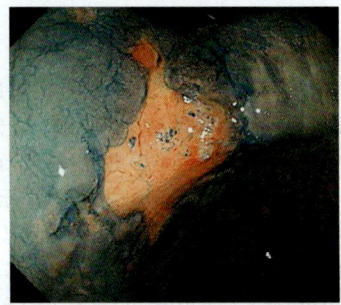

図10-4-31 1.5％酢酸＋インジゴカルミン散布
1.5％酢酸を散布した後にインジゴカルミンを散布した．通常光観察，インジゴカルミン散布のみと比較し，病変の境界が明瞭に観察することができる．

（proximal margin：PM），遠位断端（distal margin：DM）があり，それぞれ0：断端に癌浸潤を認めない，1：断端に癌浸潤を認める，として表す．

1) **早期胃癌に対する治療法**：病巣の切除が基本であり，その方法として内視鏡的切除と胃切除術とがある．内視鏡的切除の適応はリンパ節転移の可能性がきわめて低い粘膜内癌（M癌）であり，大きさ2cm以下，分化型であり，肉眼型は問わないが潰瘍がないものとされている．方法としては，EMR（endoscopic mucosal resection）法とESD（endoscopic submucosal

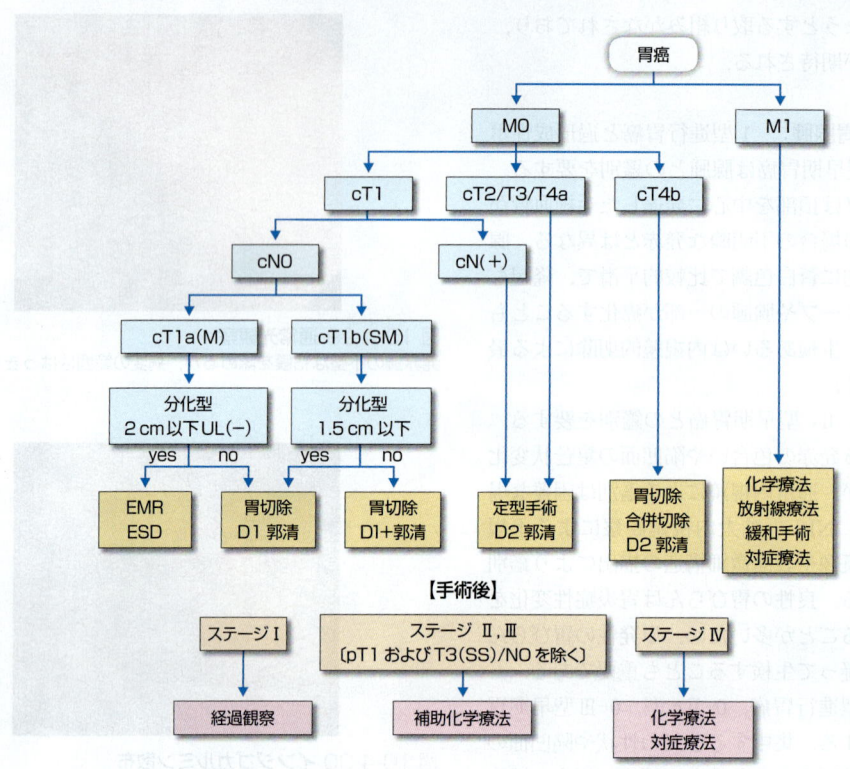

図 10-4-32 日常診療で推奨される胃癌の治療法の選択（日本胃癌学会，2014）

dissection）法とがある．ESD 法では大きさに関係なく胃粘膜切除が可能であるため，①分化型 M 癌で大きさ 2 cm 以上で潰瘍を伴わない場合，②分化型 M 癌で潰瘍を伴うが 3 cm 以下の場合，③ 2 cm 以下の潰瘍を伴わない未分化型であればリンパ節転移がほとんどないため，適応拡大病変とされている（ただし適応拡大病変に対する ESD にはまだ十分なエビデンスがなく，臨床研究として位置づけられている）．
内視鏡的切除における根治性の評価は，適応基準をすべて満たし，腫瘍が一括切除され HM0, VM0, ly (−), v (−) である場合を治癒切除，適応拡大病変において，一括切除され①〜③もしくは 3 cm 以下の分化型かつ深達度が SM1（粘膜筋板から 500 μm 未満）のいずれかであり，かつ HM0, VM0, ly (−), v (−) である場合を適応拡大治癒切除，上記以外は非治癒切除と評価する．
　胃切除術の場合は，リンパ節郭清と胃切除範囲を縮小し，手術侵襲の低減と機能温存による術後の QOL 向上を目的とした縮小手術が行われる．最近では，腹腔鏡（補助）下に縮小手術が行われており，良好な成績を得ている．
2）進行胃癌に対する治療法：手術が基本であり 2 群までのリンパ節郭清と，幽門側胃切除では胃の 2/3 以上の切除を行う定型手術が治癒手術として行われる．

また，高度進行胃癌で治癒が望めない症例に対しては，非治癒手術が行われる．非治癒手術としては，出血や狭窄などの切迫症状を改善する緩和手術（姑息手術，palliative surgery）と，切除不能の肝転移や腹膜転移などの非治癒因子を有する場合に腫瘍量を減らし集学的治療により延命をはかる減量手術（reduction surgery）がある．
3）胃癌に対する化学療法：化学療法としては大きく分けて，根治的治療を目的にリンパ節転移の縮小を目指した術前化学療法（neoadjuvant chemotherapy），術後の再発予防を目的とした術後補助化学療法（adjuvant chemotherapy），そして手術不能・再発胃癌に対する化学療法の 3 つがある．抗癌薬としては 5-FU 系薬剤，カペシタビン，シスプラチン（CDDP），イリノテカン（CPT-11），タキサン系薬剤，トラスツズマブが単独あるいは組み合わせて投与されている．増殖因子の受容体である HER2 陽性胃癌におけるトラスツズマブを含む化学療法が標準治療として位置づけられたことから，一次化学療法前に HER2 検査を行うことが強く推奨されている．HER2 陽性胃癌では，カペシタビン（または 5-FU）＋ CDDP ＋トラスツズマブ療法が推奨されるレジメンである．一方，HER2 陰性胃癌では，国内臨床試験の結果 S-1 ＋ CDDP が推奨される．化学療法による延命効果は明らかであるが，

癌の奏効率と延命効果とは必ずしも一致しないことが問題であり，二次化学療法，三次化学療法を含め，どの薬剤，どの組み合わせが効果的であるかについては現在RCTなどにて検討されている．

治療成績

日本胃癌学会全国登録委員会による2002年度症例の集計報告によると，切除率95.4％，手術死亡率(術後30日以内死亡)0.48％で，胃切除後のステージ別累積5年生存率は，Ⅰ：90.3％，Ⅱ：70.0％，Ⅲ：41.2％，Ⅳ：15.2％，全体で68.9％である[3]．

予防

胃癌の発生に大きな役割を果たしているのが H. pylori の感染であることは，疫学的および動物実験でも示されている．動物実験では，H. pylori 感染後早期の除菌により発癌リスクを低下させたが，後期の除菌では有意差を認めなかった[4]．

臨床的には，除菌による胃癌発生予防効果に関しては国内外で多くの報告があり，相反する意見も認められる[5-7]．

中国の無作為比較試験では，H. pylori 除菌群と持続感染群で胃癌発症率に有意差は認めなかった．しかし，胃粘膜の萎縮，腸上皮化生，dysplasiaといった前癌病変を伴わない場合は除菌による胃癌発症抑制が認められた[8]．若年のH. pylori 感染者への除菌は胃癌予防に有効である可能性が高い．除菌後発見胃癌の問題を考慮すると，H. pylori 除菌後も早期発見を心がけたスクリーニングが重要である．〔村上和成〕

■文献(e文献10-4-8)

がん研究振興財団：がんの統計'13, がん研究振興財団，2014.
日本胃癌学会：胃癌取扱い規約 第14版, 金原出版，2010.
日本胃癌学会：胃癌治療ガイドライン医師用 2014年5月改訂 第4版, 金原出版，2014.

9）胃悪性リンパ腫・胃肉腫
gastric malignant lymphoma, gastric sarcoma

(1)胃悪性リンパ腫 (gastric malignant lymphoma)

定義・概念

悪性リンパ腫はリンパ組織を発生母地とする腫瘍の総称であり，造血器腫瘍全般の分類として，現在，2008年に改訂された新WHO分類(第4版)では，①B細胞性リンパ腫，②TおよびNK細胞性リンパ腫，③Hodgkinリンパ腫に三分された(Swerdlowら，2010)．消化管悪性リンパ腫は節外に発生する悪性リンパ腫のなかで最も頻度が高い．そのなかで胃に多い悪性リンパ腫としては粘膜関連リンパ組織(mucosa-associated lymphoid tissue：MALT)リンパ腫, びまん性大細胞型B細胞性リンパ腫(diffuse large B-cell lymphoma：DLBCL), 濾胞性リンパ腫(follicular lymphoma：FL), およびマントル細胞リンパ腫(mantle cell lymphoma：MCL)があげられる(表10-4-9)．(本項ではMALTリンパ腫, DLBCLを中心に記載し, FLおよびMCLについてはeコラム1, 2を参照．)

疫学

胃の悪性リンパ腫は大多数がB細胞性リンパ腫である．B細胞性では，1983年にIsaacsonらによって提唱されたMALTリンパ腫の概念が広く普及し, 胃の場合，全体の40％をMALTリンパ腫が占め, 20％をDLBCLが占める(Isaacson, 1983)．一方, T細胞性リンパ腫では消化管のなかで胃が最も多く, 6割を占めており, そのなかでも末梢T細胞性リンパ腫(periferal T-cell lymphoma)の頻度が高い．

病態

B幹細胞は免疫グロブリン重鎖(IgH), 軽鎖(IgL)の順に再構成を受け抗原刺激を受けて, リンパ節中でマントル層に到達し, 胚中心に入り, 分裂・増殖し, marginal層を経てmemory cellとなるとともに形質

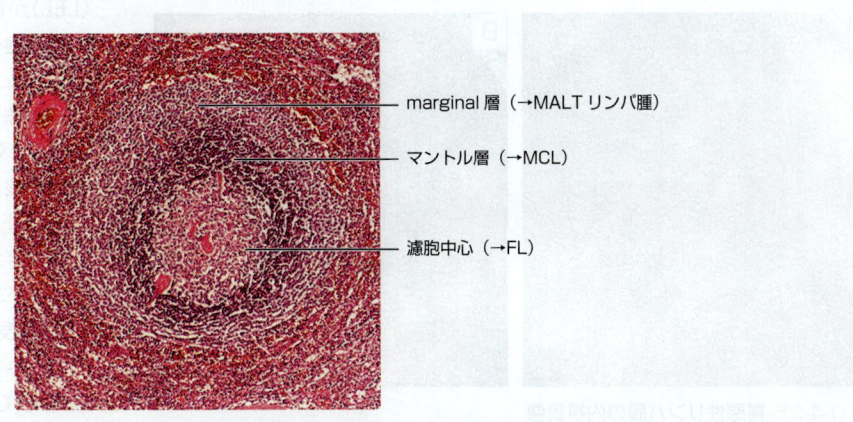

図10-4-33 胃悪性リンパ腫の発生起源(リンパ濾胞)

— marginal層（→MALTリンパ腫）
— マントル層（→MCL）
— 濾胞中心（→FL）

細胞に分化していくと考えられる．このB細胞の各分化段階に相当する腫瘍が存在する．すなわちマントル層由来のMCL，胚中心細胞由来のFL，そしてmarginal層からMALTリンパ腫が発生する．また，DLBCLはさまざまの部位から発生すると考えられている（図10-4-33）．

1) **MALTリンパ腫**：約90％の症例が *Helicobacter pylori* 感染陽性であり，H.pylori 感染が H.pylori に特異的な CD4 陽性 T 細胞の増殖と活性化を誘導し，その産生するサイトカイン刺激によってB細胞が増殖し，ゲノム異常の頻度が高くなることで腫瘍化していくものと考えられる．

染色体 11q21 上にアポトーシス抑制遺伝子 *API2* が存在し，一方，18q21 上には BCL10 と結合して NF-κB を活性化する *MALT1* 遺伝子が存在するが，それぞれ単独では不安定であるが，染色体 t(11;18)(q21;q21) の転座が起こると両者が融合し，キメラ遺伝子 *API2-MALT1* を形成する．それによって安定化し，恒常的にアポトーシスは抑制され，また BCL10 の働きなしで NF-κB が活性化される（図10-4-34）．この転座は MALT リンパ腫に特異性が高く，DLBCL

の一部を除いて，ほかの組織型ではみられない．

2) **びまん性大細胞型B細胞性リンパ腫（DLBCL）**：*de novo* 発生したものと MALT リンパ腫や FL から転化したものがある．*de novo* に発生するものは t(3;14)(q27;q32)，t(14;18)(q32;q21)，t(8;14)(q24;q32) などの転座が報告されている．

臨床症状

1) **自覚症状**：胃に限局している場合には無症状の場合が多い．びらんや潰瘍を形成した場合は胃痛，胃部不快感，まれに吐血，下血，また幽門近傍に大きな腫瘤を形成した場合には悪心，嘔吐や閉塞症状を呈することがある．小腸や大腸に病変が広がった場合には腸閉塞を呈することもある．腹腔内に腫瘍が浸潤した場合には腹部膨満感，腹痛を呈する場合もある．

2) **他覚症状**：胃に限局している場合には明らかな身体所見は認めない．進行した場合には表在リンパ節を触知することがある．まれに増大した腫瘤を触知することがある．

診断

通常，X線，内視鏡検査で病変が発見され，組織生検で診断される．その後，病期決定のため諸検査を行う．

1) **X線，内視鏡診断**：肉眼分類として，わが国では表層型，潰瘍型，隆起型，決壊型，巨大皺襞型などに分類されているが，国際的に統一されたものはない．MALT リンパ腫では，粗糙粘膜，発赤，不整形地図状の浅いびらんを呈する表層型が典型である（図10-4-35）．DLBCL では，進行胃癌 type 2 に類似した周堤を有する潰瘍病変（決壊型）が特徴的である．胃癌に比べて周堤はかたくなく，表面は平滑で，いわゆる耳介様を呈する（図10-4-35）．

2) **病理組織診断**：

a) **MALT リンパ腫**：小型～中型の中心細胞様（centrocyte-like：CCL）細胞と呼称される異型リンパ球が増殖する．腫瘍細胞が腺管上皮に浸潤する，いわゆる lymphoepithelial lesion（LEL）が特徴的である．ときに大型細胞への組織学的進展が認められる．

b) **びまん性大細胞型B細胞性リンパ腫（DLBCL）**：正常組織球の核と同等かそれ以上，あるいは正常リンパ球の2倍以上の大きさの核をもつ大型異型B細胞がびまん性に増殖する．

3) **免疫表現型**：病理組織学的所見のみで，MALT リンパ腫，FL および MCL を確実に鑑別することは困難であり，免疫組

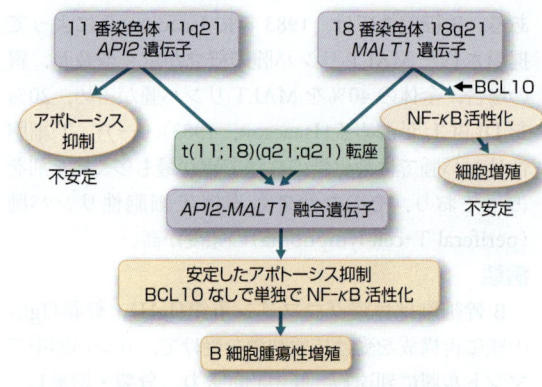

図10-4-34 MALTリンパ腫の遺伝子異常

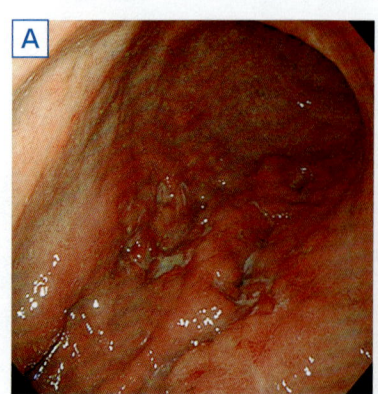
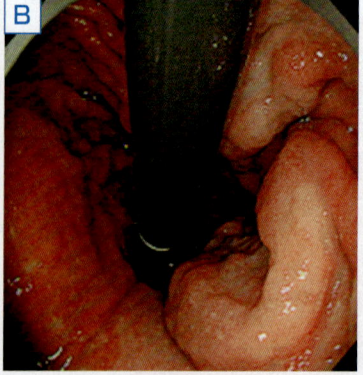

図10-4-35 胃悪性リンパ腫の内視鏡像
A：MALTリンパ腫（表層型），B：びまん性大細胞型リンパ腫（決壊型）．

表 10-4-9 胃悪性リンパ腫の特徴像

	主たる肉眼像	リンパ濾胞内発生部位	リンパ腫細胞	転座	転化	進行	治療 限局期	治療 進行期
MALTリンパ腫	表層型	marginal層	小型〜中型	t(11;18)(q21;q21)	あり	緩徐	H.pylori除菌, 放射線	R-CHOP
濾胞性リンパ腫	隆起型	胚中心細胞	小型〜中型	t(14;18)(q27;q32)	あり	きわめて緩徐	watch and wait, リツキシマブ	R-CHOP
マントル細胞リンパ腫	多彩	マントル層	小型〜中型	t(11;14)(q13;q32) t(3;14)(q27;q32)	なし	進行性	R-CHOP	hyper-CVAD/MA
びまん性大細胞型リンパ腫	決壊型		大型	t(14;18)(q32;q21) t(8;14)(q24;q32)		進行性	R-CHOP+放射線	R-CHOP+放射線, 幹細胞移植

R：リツキシマブ，CHOP：シクロホスファミド，ドキソルビシン，ビンクリスチン，プレドニゾロン
hyper-CVAD：シクロホスファミド，ドキソルビシン，ビンクリスチン，デキサメタゾン)/MA：メトトレキサート，シタラビン

表 10-4-10 免疫組織染色によるB細胞性リンパ腫の鑑別

	CD20 (B cell marker)	CD5	CD10	cycline D1	bcl-2
MALTリンパ腫	+	−	−	−	+ or −
濾胞性リンパ腫	+	−	+	−	+
マントル細胞リンパ腫	+	+	−	+	+ or −
びまん性大細胞型リンパ腫	+	+ or −	+ or −	−	+ or −

織学的検査が有用である(表 10-4-10).

4) **臨床病期診断**: 消化管悪性リンパ腫の臨床病期分類には Lugano 分類が一般的に用いられている．すなわち消化管に限局したものは非連続性病変も含めⅠ期とし，所属リンパ節にとどまるⅡ₁期，腹腔内，遠隔リンパ節浸潤を含めるⅡ₂期，隣接臓器浸潤を認めるⅡE期，横隔膜をこえたリンパ節病変を有する場合はⅣ期とし，Ⅲ期はない[1]．病期診断のために，骨髄検査，CT 検査，PET あるいはガリウムシンチグラフィを行う．

5) **その他の検査**: 消化管病変の範囲診断のために大腸内視鏡検査および小腸病変が多い FL の場合にはカプセル内視鏡検査やダブルバルーン内視鏡検査も必要である．また，MALT リンパ腫と関連が深い H.pylori 感染検査は必須である．除菌療法の効果予測に有用な染色体転座検索も必要であり，深達度診断のための超音波内視鏡検査も行われることが多い．

鑑別診断

表層型の場合には胃炎，0-Ⅱc 型早期胃癌，消化性潰瘍，決壊型の場合には進行胃癌，隆起型の場合には平滑筋腫，GIST などほかの粘膜下腫瘍や 0-Ⅰ型早期胃癌，進行胃癌との鑑別が必要である．

治療

1) **MALT リンパ腫**:

a) 限局期(Ⅰ/Ⅱ₁期)：H.pylori 除菌療法が第一選択となる(Wotherspoon ら，1993)．除菌による寛解率は 60〜95％[2-4]である．除菌療法が無効の因子としては，染色体転座陽性，隆起型，粘膜下層深部浸潤などがあげられる．わが国の多施設共同研究では，420 例中 323 例(77％)が寛解となり，10 年後の全生存率は 95％，無イベント生存率は 86％であった[5]．

除菌療法抵抗例に対して，わが国の診療の手引き[3]および米国 NCCN (National Comprehensive Cancer Network) ガイドライン[4]では放射線治療が推奨されている．寛解率はきわめて良好であり，100％を示す報告もある[6,7]．しかし，放射線治療は局所療法であり，他部位再発に注意する必要がある．

b) 進行期：抗 CD20 抗体であるリツキシマブ併用 CHOP (シクロホスファミド，ドキソルビシン，ビンクリスチン，プレドニゾロン)：R-CHOP 療法が選択される場合が多い．最近ではリツキシマブとフルダラビンあるいは，ベンダムスチンとの併用効果が報告されてきている．

2) **DLBCL**:

a) 限局期：外科治療＋非外科治療(放射線治療と化学療法との併用)群と非外科治療群との比較で非外科治療は外科治療と同等であるという認識がされるようになっている．外科的治療は穿孔，出血など内科的治療でコントロール困難な例に限定される．わが国での多施設共同研究の結果[8]や NCCN ガイドライン[4]で

は，R-CHOP 3 コース＋放射線治療が標準的治療である．I/II$_1$ 期の一部の例で H.pylori 除菌療法により寛解が得られた症例が報告されてきているが，有効例は限定されている．

　b）進行期：基本的に節性 DLBCL と同様であり，R-CHOP 6～8 コースが標準的治療である．さらに高用量化学療法とリツキシマブの併用や，幹細胞移植や放射線治療の追加が行われる場合もある．

(2) 胃肉腫（gastric sarcoma）

胃肉腫とは胃における悪性の非上皮性腫瘍の総称である．悪性リンパ腫が最も多く約 60％を占め，ついで悪性の消化管間質腫瘍（gastrointestinal stromal tumor：GIST）があげられる．GIST の悪性度評価についてはリスク分類が用いられる．また，筋原性腫瘍のなかに平滑筋肉腫があるが頻度はまれである【⇨ 10-4-10】．
〔岡田裕之〕

■文献（e文献 10-4-9）

Isaacson P, Wright DH: Malignant lymphoma of mucosa-associated lymphoid tissue. A distinctive type of B-cell lymphoma. *Cancer*. 1983; **52**: 1410-6.

Swerdlow SH, Campo E et al: WHO classification of tumors of haematopoietic and lymphoid tissues, 4th ed, IARC Press, 2008.

Wotherspoon AC, Doglioni C et al: Regression of primary low-grade B-cell gastric lymphoma of mucosa-associated lymphoid tissue type after eradication of Helicobacter pylori. *Lancet*. 1993; **342**: 575-7.

10) 胃粘膜下腫瘍
gastric submucosal tumor：SMT

定義・概念

胃粘膜下腫瘍は，主病変が粘膜層よりも下層に存在する隆起性病変の総称である．腫瘍性病変だけでなく非腫瘍性病変や炎症性隆起も含まれる．頻度が高く，悪性病変の可能性を有する消化管間質腫瘍（gastrointestinal stromal tumor：GIST）であるか否かが臨床において重要である．

分類

明確な分類は存在しないが，腫瘍性病変と非腫瘍性病変に分けられる．腫瘍性病変はさらに間葉系腫瘍や血管原生腫瘍などを含む非上皮性腫瘍と，神経内分泌腫瘍や粘膜下腫瘍様の形態を呈する癌腫などの上皮性腫瘍に分類している（表 10-4-11）．

原因・病因

胃 SMT は多くの病変によりなっているため，この項では GIST について述べる．

GIST は，消化管壁内に存在する KIT を発現し将来 Cajal 細胞に分化する能力のある間葉系細胞に由来すると考えられている．発生の原因は *c-kit* 遺伝子や，*PDGFRA* 遺伝子の機能獲得性突然変異であり，それを契機に Cajal 細胞の自律性増殖を生じ，腫瘍化するものと考えられている[1]．

疫学

胃癌検診の内視鏡検査では 1000 人に 2～3 人の頻度で胃 SMT が指摘され，その半数以上が病理学的に GIST である．一方で腹痛，出血などの有症状の GIST の頻度は 10 万人に 1 人程度とされている．また，中高年は胃内に顕微鏡的な GIST を 3 人に 1 人の割合で有するという報告もある[2]．

病理

胃 SMT の多くを占める間葉系腫瘍は紡錘状の形態を示す．そのなかで免疫染色を追加し，KIT 陽性，CD34 陽性となるものは GIST と診断され，デスミン

表 10-4-11 胃粘膜下腫瘍の分類

1. **腫瘍性病変**
   a. 非上皮性腫瘍
   　間葉系腫瘍（GIST，平滑筋腫や平滑筋肉腫，神経系原性腫瘍など），血管原性腫瘍（血管腫，グロムス腫瘍，血管肉腫，Kaposi 肉腫など），脂肪腫，脂肪肉腫，悪性リンパ腫，悪性黒色腫など
   b. 上皮性腫瘍
   　カルチノイド，粘膜下腫瘍様形態を呈する癌腫（リンパ球浸潤性髄様癌，未分化型または低分化腺癌，膠様腺癌，異所性胃腺から発生した癌，内分泌細胞癌，胃型形質をもつ管状腺癌など），転移性腫瘍など

2. **非腫瘍性病変**
   　異所性膵，炎症性線維性ポリープ（IFP），粘膜下層の異所性腺管や嚢腫

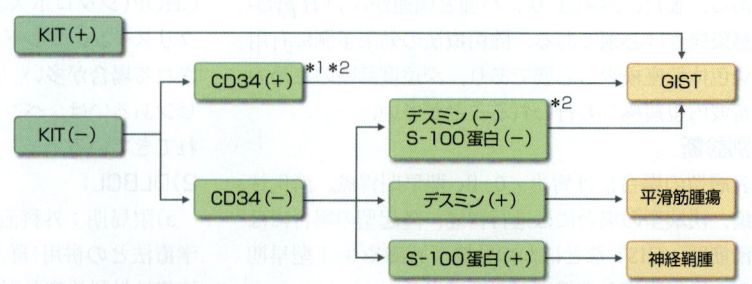

図 10-4-36 病理組織診断　免疫染色によるおもな消化管間葉系腫瘍の鑑別（GIST ガイドライン委員会，2014）
＊1：このようなパターンを示す腫瘍には solitary fibrous tumor があり，鑑別を要する．
＊2：このようなケースの診断には *c-kit* や *PDGFRA* 遺伝子の突然変異検索が有用となる．

が陽性であれば平滑筋腫，S-100 蛋白が陽性であれば神経鞘腫と診断される（図 10-4-36）．

臨床症状

SMT はその原疾患によらず，腫瘍径が大きく，噴門や幽門近傍など解剖学的に狭い部位に生じれば狭窄症状が生じる．また，古典的には胃 GIST の 3 大徴候は腹痛，消化管出血，腫瘤触知である．一方，日本では胃癌検診が普及しているため，5 cm 以下の状態で発見されることが多く，それらの症例の多くは無症状である．

診断

胃透視，もしくは上部消化管内視鏡にて表面が正常粘膜に覆われている隆起性病変として認識されれば胃 SMT と診断できる．特徴的な所見である bridging fold（粘膜ひだが隆起性病変の辺縁に橋をかけるようにみられる所見）を伴うものもある（図 10-4-37）．

鉗子で腫瘍を圧迫することでかたさや可動性を調べる．やわらかく陥凹すれば cushion sign 陽性として嚢腫や脂肪腫などの診断の一助になる．悪性の粘膜下

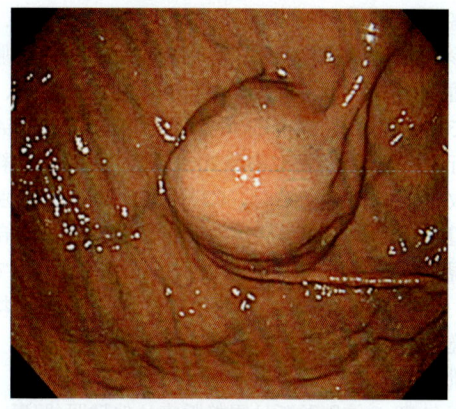

図 10-4-37 胃粘膜下腫瘍の内視鏡像
穹窿部に発生した 20 mm 大の胃粘膜下腫瘍である．潰瘍を有さず，bridging fold を伴っている．

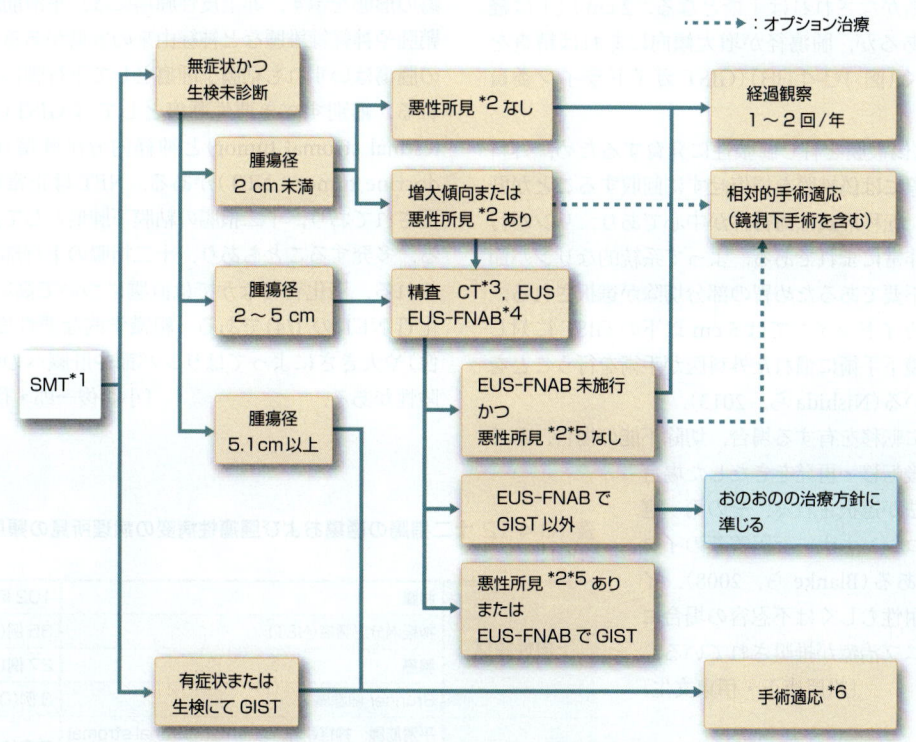

図 10-4-38 胃粘膜下腫瘍の治療方針（GIST ガイドライン委員会，2014）
＊1：内視鏡下生検の病理組織診断により，上皮性病変等を除外する．漿膜側からの生検は禁忌（エビデンスレベルⅥ，推奨度 C1）．
＊2：潰瘍形成，辺縁不整，増大．
＊3：経口・経静脈性造影剤を使用し，5 mm スライス厚以下の連続スライスが望ましい（エビデンスレベルⅥ，推奨度 C1）．
＊4：EUS-FNAB 施行が望まれるが，必須ではない．
＊5：CT で壊死・止血，辺縁不整，造影効果を含め実質の不均一性，EUS で実質エコー不均一，辺縁不整，（リンパ節腫大）（エビデンスレベルⅣa，推奨度 C1）．
＊6：術前組織診断ができていない場合は，術中病理診断を行うことが望ましい．

腫瘍は中心壊死から潰瘍形成をきたすことがある．確定診断は病理組織診だが，潰瘍を伴わない粘膜下腫瘍は通常の鉗子による組織の採取率は5％と低いが，近年では超音波内視鏡下穿刺吸引生検法(EUS-FNAB)を行うことで組織採取率が70％以上とされる．組織採取ができない場合には，CTや超音波内視鏡で腫瘍の辺縁や内部の不均一性，由来している層構造の部位を観察することで診断し，治療方針の決定が可能である．GISTであれば固有筋層から由来する内部不均一な境界明瞭な腫瘍性病変として認識される．

鑑別診断

胃SMTの鑑別診断は胃静脈瘤や他臓器(胆嚢，肝臓，結腸など)からの圧排などである．CTや超音波内視鏡を用いることで鑑別可能である．

治療

SMTはGISTと他疾患の鑑別が重要であり，GISTと診断すれば外科的な手術を選択する．無症状の症例は腫瘍径によって方針が分かれており，5.1 cm以上の病変は手術，2～5 cmは精査(CT, EUS, EUS-FNAB)を行うことで画像的悪性所見，もしくはGISTの病理診断がなされれば手術となる．2 cm以下は経過観察であるが，腫瘍径が増大傾向にあれば精査を行っていく(図10-4-38)(GISTガイドライン委員会，2014)．

GISTは偽被膜を有し膨張性に発育するため，外科的摘除の際には偽被膜を損傷せずに回収することが肝心である．転移形式は血行性が中心であり，リンパ行性転移は非常にまれである．よって系統的なリンパ節郭清は不要であるため胃の部分切除が選択される．わが国のガイドラインでは5 cm以下のGISTに対して，腹腔鏡下手術に慣れた外科医が手術を行うことを推奨している(Nishidaら，2013)．

初診時に転移を有する場合，切除不能の場合，あるいは切除後転移・再発をきたした場合は薬物療法が選択される．その第一選択薬はチロシンキナーゼ阻害薬のイマチニブである(Blankeら，2008)．イマチニブ耐性もしくは不忍容の場合にはスニチニブ治療が推奨されている．

〔松尾康正・伊東文生〕

■文献(e文献10-4-10)

Blanke CD, Demetri GD, et al: Long-term results from a randomized phase II trial of standard- versus higher-dose imatinib mesylate for patients with unresectable or metastatic gastrointestinal stromal tumors expressing KIT. *J Clin Oncol*. 2008; 26: 620-5.

GISTガイドライン委員会：GIST診療ガイドライン2014年4月改訂 第3版，金原出版，2014.
Nishida T, Kawai N, et al: Submucosal tumors: comprehensive guide for the diagnosis and therapy of gastrointestinal submucosal tumors. *Dig Endosc*. 2013; 25: 479-89.

11) 十二指腸良性腫瘍
duodenal benign tumor

原岡らは1990年から2001年までに経験した十二指腸の腫瘍および腫瘍性病変(1207例)における病理所見の頻度について報告している(原岡ら，2001)．

十二指腸の腫瘍および腫瘍性病変について，表10-4-12にまとめた．良性腫瘍のうち上皮性腫瘍では腺腫(図10-4-39)，Brunner腺腺腫がある．腺腫は下行脚に好発し組織学的には大腸腺腫に似た形態を示す．大きくなるに従いその一部に癌を含む頻度が高くなるため，20 mm以上の腺腫や生検で高異型度腺腫の診断がなされた場合は悪性の可能性を念頭において治療対象にすべきである(Okadaら，2011)．

Brunner腺腺腫や過形成は球部に好発し，粘膜下腫瘍の形態を示す．非上皮性腫瘍には，平滑筋腫，神経鞘腫や神経線維腫など神経由来の腫瘍がある．これらの腫瘍はいずれも粘膜下腫瘍として下行脚に多くみられる．鑑別すべき悪性腫瘍としてはGIST(gastrointestinal stromal tumor)と神経内分泌腫瘍(neuroendocrine tumor：NET)がある．NETは正常粘膜で被覆されており，十二指腸の粘膜下腫瘍として認識される．多発することもあり，十二指腸の下行部に多くみられる．消化管のなかでは直腸についで高い頻度(消化管NETの1/4)である．組織学的な悪性度(核分裂像)や大きさによってはリンパ節や肝臓への転移の危険性がある．

〔小澤俊一郎・伊東文生〕

表10-4-12 十二指腸の腫瘍および腫瘍性病変の病理所見の頻度(原岡ら，2001)

上皮性腫瘍	腺腫	102例(8.5%)
	神経内分泌腫瘍(NET)	35例(2.9%)
	腺癌	27例(2.2%)
	Brunner腺腺腫	3例(0.2%)
非上皮性腫瘍	平滑筋腫，神経鞘腫，gastrointestinal stromal tumor(GIST)など広義のGIST	7例(0.6%)
	リンパ腫	11例(0.9%)
	脂肪腫	1例(0.1%)
非腫瘍性病変	異所性胃粘膜	899例(74.5%)
	アミロイドーシス	53例(4.4%)
	Brunner腺過形成	30例(2.5%)
	異所性膵	10例(0.8%)
	リンパ管腫	10例(0.8%)

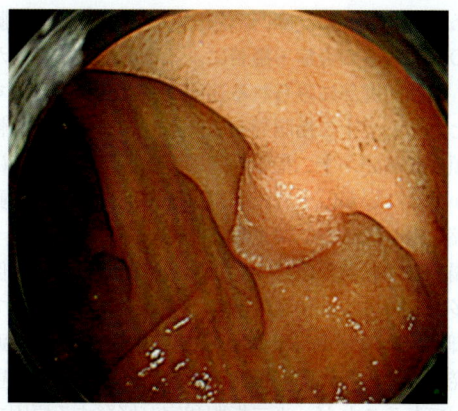
図 10-4-39 十二指腸下行部
5 mm 大の腺腫.

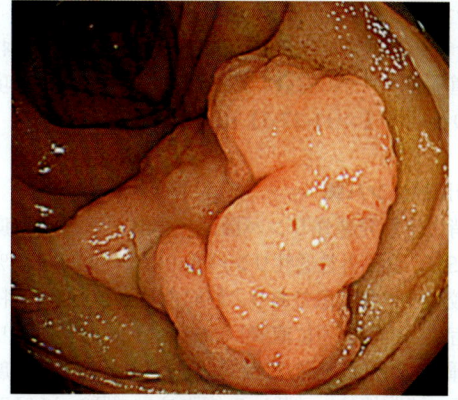
図 10-4-40 十二指腸水平部
25 mm 大の十二指腸癌.

■文献

原岡誠司, 岩下明徳: 十二指腸粘膜の特性と小病変の病理—特に腫瘍および腫瘍性病変について. 胃と腸. 2001; 36: 1469-80.

Okada K, Fujisaki J, et al: Sporadic non-ampullary duodenal adenoma in the natural history of duodenal cancer: a study of follow-up surveilance. AM J Gastroenterol. 2011; 106: 357-64.

12) 十二指腸悪性腫瘍
duodenal malignant tumor

(1) 十二指腸癌 (duodenal cancer/carcinoma)

十二指腸の悪性腫瘍は十二指腸原発の腺癌, GIST, カルチノイド, 悪性リンパ腫がある. その他にも十二指腸乳頭部癌もあり胆道に由来する腫瘍とされている.

分類

十二指腸癌 (非乳頭部癌) はその肉眼形態から, ① polypoid, ②flat-elevated, ③ulcerative-invasive (Arai ら, 1999) に分けられており, ①, ②の多くは早期癌で③の多くは進行癌である.

病理

組織学的には分化型の腺癌が多いが, 未分化型癌も認められる. 十二指腸癌のなかには, ①絨毛腺腫などのような悪性化のポテンシャルをもった腺腫の一部が癌化するもの, ②de novo 型発生, ③FAP (家族性腺腫症ポリポーシス) やGardner 症候群の腺腫から癌化するもの, などがあるとされているが, その多くは①, ②と考えられている.

疫学

十二指腸癌 (図 10-4-40) は消化管原発癌の 0.3% を占めるにすぎないまれな疾患である. また, 小腸に発生する癌の 30〜50% は十二指腸癌である. その多くは乳頭周囲に発生することから, 胆汁や膵液などに直接さらされる特殊な状況が発癌に関与していることが推測されている.

臨床症状

十二指腸癌に特異的な症状はない. 腹痛や体重減少, 貧血など一般的な症状が認められる. また, 腫瘍が大きくなれば十二指腸の通過障害が認められるようになる. 浸潤が胆管に及べば閉塞性黄疸を呈することもある.

診断

上部消化管内視鏡で診断は可能であるが, 乳頭部より肛門側は十分に観察できない場合もあり見落とされることがある. 病期の診断には X 線 CT による壁浸潤度やリンパ節転移や肝転移の検索が必要である. 早期の十二指腸癌に対しては超音波内視鏡が深達度診断に役に立つ. 進行癌の場合は膵臓など周囲臓器から発生した癌が十二指腸に浸潤している場合もあり鑑別が必要である.

治療

十二指腸癌は高率に膵頭部周囲リンパ節に転移したり, 膵臓に転移したりすることから膵頭十二指腸切除術が標準的治療である (斎藤ら, 2004). 特に最近は技術的な改善も著しく, 手術死亡や合併症が減少し, 根治切除可能な症例では 5 年生存率は 60% 以上となっている. また腫瘍が十二指腸水平部や上行部に存在し, リンパ節転移や他臓器への浸潤がない場合は十二指腸部分切除でも根治は可能である. 早期十二指腸癌, 特に粘膜内癌はリンパ節転移率が低いことから内視鏡的切除 (EMR, ESD) が報告されている. しかし, 十二指腸の ESD は食道や胃, 大腸に比較して十二指腸壁は薄く技術的に難易度が高いため穿孔や後腹膜への穿通など重篤な合併症も認められ, 現時点では標準的な治療とはいえない (藤城, 2011). 抗癌薬治療は症例数が少ないため明確なエビデンスはないが, 大腸癌あるいは胃癌に準じた薬剤が用いられている.

(2)十二指腸乳頭部癌

十二指腸乳頭部に発生する癌腫を総称する．これは胆道系解剖区分に由来する腫瘍とされており，別項で取り上げる【⇨11-27-3】．

(3)悪性リンパ腫

消化管原発悪性リンパ腫は，全消化管悪性腫瘍の1〜5％，全節外性悪性リンパ腫のなかでは5〜15％と比較的まれな疾患であり，好発部位は胃＞小腸（特に回盲部）＞大腸（特に直腸）である．十二指腸悪性リンパ腫は，消化管原発リンパ腫の5〜16％以下と頻度は低く，濾胞性リンパ腫＞T細胞リンパ腫＞MALTリンパ腫の順に多い．diffuse large B-cell lymphoma（DLBCL）は消化管リンパ腫のなかでは最も多いが十二指腸では少ない．DLBCLとマントル細胞リンパ腫は予後不良であるが，濾胞性リンパ腫とMALTリンパ腫は予後良好である． 〔小澤俊一郎・伊東文生〕

■文献

Arai T, Murata T, et al: Primary adenocarcinoma of the duodenum in the elderly: clinocopathological and immunestchemical study of 17 case. Phthol int. 1999; 49: 23-9.
藤城光弘：十二指腸(非乳頭部)に対する内視鏡治療．消化器内視鏡．2011; 23: 135-9.
斎浦明夫，山本順司，他：十二指腸癌．癌と化学療法．2004; 31: 327-30.

13) 胃・十二指腸憩室

概念

胃・十二指腸憩室は，胃や十二指腸の壁の一部が限局性に囊状に拡張・突出したものである．消化管憩室のなかでは，大腸憩室（colon diverticulum）や十二指腸憩室（duodenal diverticulum）の頻度が比較的高い．

病因

一般に，消化管憩室は発生時期により先天性憩室と後天性憩室に分類される．また，組織学的所見に基づき，筋層を伴う真性憩室と筋層を欠く仮性憩室に分けられる．成因として内圧亢進に伴う圧出性憩室と，周囲癒着などによる牽引性憩室に分類される．胃憩室の多くは後天性であり，真性憩室である．十二指腸憩室は管腔外型ときわめてまれな管腔内型に分類される．通常みられる管腔外型憩室は圧出性憩室である．

病態

上部消化管憩室のなかでは，十二指腸や食道と比較して胃憩室の頻度はかなり少ない．胃憩室は噴門部に好発し，幽門前庭部に発生することはまれである．噴門部憩室の原因は局所的な筋層の脆弱性による圧出であることが多く，幽門部憩室の原因は胆嚢や膵臓などの周辺臓器の炎症・癒着による牽引であることが多い．幽門前庭部にみられる迷入膵により陥凹形成することもある．十二指腸憩室は，ほかの消化管と比較して頻度が高い．十二指腸憩室の発生原因については明らかではないが，十二指腸壁の脆弱部において蠕動，収縮を繰り返した結果生じるものと考えられる．十二指腸憩室の好発部位は十二指腸下行脚の内側に圧倒的に多く，特にVater乳頭部に多くみられる．ついで水平脚に認める．十二指腸下行脚の内側，Vater乳頭部は発生学的に腹側膵と背側膵が融合するため腸管壁が脆弱であることが，十二指腸憩室が好発する原因であると推察されている．

臨床症状

胃憩室は一般に無症状である．ときに心窩部痛，悪心の原因となる場合もある．潰瘍，憩室炎，憩室穿孔などの合併症も報告されている．十二指腸憩室は一般に無症状であるが，ときに上腹部痛の原因となる．傍乳頭憩室は解剖学的に胆管，膵管の走行に隣接するため，ときに胆汁，膵液の排出障害をきたし，慢性胆汁うっ滞や膵炎を併発することがある（Lemmel症候群）．憩室炎や，憩室出血，カプセル内視鏡の滞留などの報告もある．

検査所見

無症状であることが多いため，上部消化管造影検査や上部消化管内視鏡で偶然発見されることが多い．上部消化管造影検査では，胃や十二指腸に辺縁平滑で円形あるいは卵円形の突出像として描出される．上部消化管内視鏡では，周辺粘膜と同様の粘膜で覆われた円形，卵円形の陥凹部として描出される．

鑑別診断

上部消化管造影検査にて胃潰瘍を胃憩室と誤診しないよう注意すべきである．上部内視鏡検査では，通常診断は容易である．胃憩室や十二指腸憩室に憩室炎や憩室出血などの合併症を伴った場合には，同疾患を念頭においた慎重な診断が必要である．

経過・予後

胃憩室の予後は一般に良好であり，通常は治療対象とならない．外科手術を含めた治療を検討すべきものとし，悪性疾患の合併，幽門狭窄，憩室内潰瘍，憩室穿孔の可能性などがあげられる．十二指腸憩室も大部分が無症状であり，治療対象にならない．十二指腸閉塞，胆管や膵管の閉塞，憩室炎，憩室穿孔などの合併症は治療対象となる．おもに外科治療であるが，十二指腸憩室圧排による総胆管閉塞に対する内視鏡的ステント挿入や，十二指腸憩室出血に対する内視鏡治療も報告されている． 〔喜多宏人〕

14) 胃切除後症候群
postgastrectomy syndrome

胃切除後症候群とは，胃切除に伴う機能的障害と器質的な障害によって起こる障害を総称する．同一の術式でも術後障害には個人差が大きく，また胃癌術後の長期生存例が増加し障害の内容が変化しているため的確に診断し適切に治療をする．

(1)機能的障害

a.小胃症状
胃の容積が 1.5～2 L から減少し食物貯留能が低下するため，膨満感や食欲低下などディスペプシア症状を訴え食事量の低下と体重減少をきたす．残胃の大きさは栄養障害にも影響を及ぼす．

b.ダンピング症候群(dumping syndrome)
ダンピング症候群の発生機序を e図 10-4-B に示す．

i)早期ダンピング症候群
病態生理

症状が食後 30 分以内に発現する．1913 年 Herz[1]により報告され，発生機序としては食物が高張のまま小腸へ流入し，これを等張にするために腸管内へと水分が移動するため循環血漿量が減少して腸間膜動脈領域の血流増加と脳血流の低下をきたすと考えられてきた[2,3]．しかし，この直接的影響は少なく，拡張した小腸が腸運動を亢進させるために血管運動神経反射が生じ，同時に空腸からセロトニン，ヒスタミン，ブラジキニンなどの血管作動性物質や GLP-1(glucagon like peptide-1)などの消化管ホルモンの放出をもたらす．特に腸管粘膜上皮から分泌された GLP-1 が，脳に作用し交感神経が活性化することが注目されている[4,5](eコラム 1)．また急激な高血糖はインスリン分泌を促進し低血糖や低カリウム血症を起こす．これらの作用により多彩な症状を呈する．

発生頻度

食事開始 1 週から出現し数カ月で約 20％の頻度でみられる．再建術式では Billroth-Ⅱ法や Roux-en-Y 法で多く，予防するために幽門保存切除(PPG)が選択されることもある．

臨床症状

食事中や食後 30 分以内，多くは 10 分前後に動悸，顔面紅潮，発汗など全身症状が生じ，腹部症状として腹痛，腹鳴，腹部膨満感，下痢などが 1～2 時間持続する．

診断

消化器病外科学会ではダンピング徴候の 20 症状(表 10-4-13)のうち 1 つでもあれば可能性が高いので精査を勧めている．誘発試験は 50％ブドウ糖 150 mL を空腸チューブから投与し 30 分以内に症状発現の有無をみる．食後の血糖やインスリン(IRI)または C-ペプチドを測定する．

治療

低炭水化物，高蛋白質や高脂肪食を数回に分けて摂取し，水分は控えて夜間にとる．薬物療法として食前に腸管運動促進薬を，食後に健胃消化薬，整腸薬を内服させて横にさせる．抗セロトニン薬(塩酸シプロヘプタシン)やソマトスタチン類似薬(オクトレオチド)[6]，抗ヒスタミン薬(塩酸ホモクロルニクリジン)，漢方薬の六君子湯などを試みるが，年数とともに軽快する．

ii)後期ダンピング症候群(食後低血糖症候群)
病態生理

大量の糖質が上部空腸で急速に吸収されて高血糖となり，GLP-1 が膵β細胞に作用してインスリンが過剰分泌される反応性の低血糖発作である[7-10]．発生頻度は 5％以下と少ない．

臨床症状

食後 2～4 時間して冷汗，動悸，めまい，全身倦怠感，手指の震え，失神などの低血糖症状をきたし，腹部症状は伴わない．自動車を運転する人は特に注意する．

診断

Whipple の 3 徴(食後の低血糖，症状，糖分補給で速やかな改善)があれば確診される．症状発現時の血糖が 50 mg/dL 以下は参考になるが，HbA1c は正常のことが多い．

治療

食事が基本で食事中の水分を減らし高蛋白食を何回かに分けてとる．外出時には糖分を携帯する．小腸の吸収を阻害する α-グルコシダーゼ阻害薬の食前投

表 10-4-13 早期ダンピング症候群の症状(日本消化器外科学会)
食後 30 分以内に A，B のうち 1 つ以上の症状があれば早期ダンピング症候群とする．

- ●全身症状
  A(全身症状で重要なもの)　1)冷汗　2)動悸　3)めまい
  　4)しびれ，失神
  B(A 群につぐもの)
  　5)顔面紅潮　6)顔面蒼白　7)全身熱感　8)全身脱力感
  　9)嗜眠感　10)頭重，頭痛　11)胸内苦悶　12)(その他の症状)
- ●腹部症状
  C(腹部症状で重要なもの)　13)腹痛　14)疝痛　15)下痢
  D(本症に特有ではない症状)
  　16)悪心　17)嘔吐　18)腹部膨満　19)腹部不快感
  　20)(その他の症状)

与[11]は，腸閉塞の副作用報告があり慎重に行う[12]．

iii）輸入脚症候群（afferent loop syndrome）

概念
急性輸入脚症候群は，捻転や癒着などで輸入脚が閉塞すると突然発症し，ときには腸管壁の壊死や穿孔をきたす．慢性輸入脚症候群は，術後の癒着や狭窄，内ヘルニアなどにより輸入脚に通過障害が生じ貯留した胆汁を嘔吐する．

発生頻度
Billroth-Ⅱ法の数％に生じ，急性は1％．近年はRoux-en-Y再建が増加しておりY脚の障害にも注意する[13]．

臨床症状
急性では急激な上腹部痛や上腹部膨隆，嘔吐をきたし，ときに黄疸や高アミラーゼ血症も伴う．慢性では食後に上腹部痛や膨満感が生じ，食物を含まない大量の胆汁を嘔吐する．ときに細菌増殖による盲係蹄症候群として脂肪便，貧血，下痢などを伴う．

診断
急性輸入脚症候群ではCTなど画像診断で拡張した輸入脚と消化液の貯留を証明する．消化管造影では輸入脚へ流入せず胃拡張や輸出脚の通過障害を伴わない．

治療
カテーテルを挿入し減圧をはかることもあるが，重症では腸管壁の壊死や穿孔をきたすため狭窄部切除やBraun吻合の追加，Roux-en-Y吻合への変更なども行う．慢性では抗菌薬による腸内細菌の抑制も有効である．

iv）術後逆流性食道炎
噴門括約筋の欠損やHis角の鈍化，幽門機能の消失によって逆流性食道炎を起こしやすく，頻度は胃部分切除で5％，胃全摘術では約30％である．胸やけ，口苦感，胸痛などの症状を訴え，ときに嚥下障害や心窩部痛もある．逆流液によって胃酸を主とする胃型，膵液や胆汁を主とするアルカリ型，混合型に分類できる．噴門側切除では胃型が，幽門側切除や胃全摘ではアルカリ型が多い．胃型とアルカリ型の鑑別には食道内24時間pH検査を行う．胃型や混合型ではプロトンポンプ阻害薬など制酸薬を，アルカリ型では粘膜保護薬や腸管運動機能促進薬を投与し，膵液逆流が大きいときは膵酵素阻害薬が有効である．夕食は早めにし，就寝時に頭高位を指導する．

v）吻合部潰瘍
迷走神経切離が不十分などの理由で胃酸分泌が残ると吻合部に潰瘍が形成される．内視鏡下のCongo red色素散布で酸分泌領域の遺残を調べたうえで消化性潰瘍と同様の薬物療法を行う．

（2）消化吸収障害
吸収障害は脂肪で著明で，膵外分泌機能の低下，食事の通過と消化液分泌のずれなどによる．脂肪便はまれであるが，下痢，体重減少，貧血，全身倦怠感，浮腫などを生じる．スクリーニングには便中SudanⅢ染色法，膵外分泌をみるPFD試験を用い，消化吸収試験で診断する．治療として良質の高蛋白・高カロリー食を少しずつ摂取させ，経腸栄養剤も利用する．

a．牛乳不耐症，下痢
小腸での乳糖を分解する酵素活性の低下や腸管運動の異常な亢進が原因で，術後1〜2カ月後で約10％にみられる．

b．胃切除後貧血
食品の「非ヘム鉄」は胃酸でイオン化（Fe^{2+}）され「ヘム鉄」として吸収されるが，術後は低酸のためイオン化が悪くなり吸収障害から鉄欠乏性貧血となる．口内炎，スプーン状爪（spoon nail）が生じ，血清鉄，フェリチンが低下しているので，鉄分の摂取に努めたうえで徐放性鉄剤を投与，ときに静注もする．

ビタミンB_{12}は胃底腺からCastle内因子が分泌されなくなると小腸から吸収されずに巨赤芽球性貧血も生じやすい．胃全摘では数年後に30％前後に生じるので注意する．Hunter舌炎，味覚障害，しびれ感など神経症状が生じ，放置すると亜急性連合脊髄変性症による認知症になる．血中ビタミンB_{12}を測定し，補充は年2回の筋注か内服をする[14]．

c．脂溶性ビタミンの欠乏
食物と胆汁や膵液との混和不全に小腸の細菌増殖が加わって脂肪の吸収阻害が20〜30％起こる．これに伴い脂溶性ビタミン（A，D，E，K）とCaや亜鉛の吸収も障害される．ビタミンB_1欠乏によるWernicke脳症やビタミンE欠乏による神経障害[15]にも注意する．

d．胃切除後骨障害
概念
術後障害としては骨軟化症と骨粗鬆症がある．Ca吸収が減少（腸管内pHの上昇，Ca摂取量の低下，胃酸分泌低下によるCaの不溶化），次に脂肪の吸収障害に伴って脂溶性ビタミンD_3の吸収が低下して低カルシウム血症となる．そして血中Caを維持するために二次性副甲状腺機能亢進症を招き，Caが骨から血中に動員されて骨軟化症となる．

発生頻度
術後1年以降の40％以上に骨塩量の減少が認められ，胃部分切除では術後5年後で20〜30％，胃全摘ではより早く術後1年から発症し50％以上と高い．女性に多く，特に閉経期以後に顕著である．

臨床症状
無症状が多いが，進行すると腰背部痛，関節痛，指

のしびれ，四肢の疼痛，齲歯などを生じる．さらに腰椎圧迫骨折や大腿骨頸部骨折などの重篤な障害を伴うこともある．

診断

直接的診断としては骨X線像，骨塩定量，骨シンチグラム，骨生検があげられ，特にMD法による骨密度やDEXA法などによる骨塩量を経時的に比較する．間接的には血清の骨型アルカリホスファターゼ（BAP），オステオカルシン（OC）値も有効である．血清Caとリンは障害が高度になるまで低下しないことが多い．

治療

骨軟化症の治療に準じてCaの補給と活性型ビタミンD_3製剤投与を行う．ビタミンK_2製剤やビスホスホネート製剤やラロキシフェン製剤も期待される[16]．一方，過剰な摂取は亜鉛欠乏を招き味覚障害の原因になる．

(3)胆嚢機能障害，胃切除後胆石

術後に急性胆嚢炎を併発し胆石ができやすい．迷走神経の切離とCCKなどのホルモン分泌の変化により胆嚢収縮能が低下したため，数年後には約20％にビリルビン結石が形成される[17]．胃全摘後では5年間の発生頻度は28％と高い．予防のために迷走神経温存と幽門保存する術式を選択するが，予防的な胆嚢摘出は推奨されていない．

(4)残胃癌

良性疾患の切除後でも癌年齢になると残胃初発癌が，吻合部近傍に発生しやすく胆汁酸の逆流や低酸状態，Epstein-Barrウイルス感染の関与が考えられている．胃癌の根治的切除後にも異時性残胃癌が生じる可能性も高く，*Helicobacter pylori*の除菌治療を勧める考えもある．長期観察では食道癌・大腸癌の重複にも注意する．

(5)胃切除後のQOL評価方法

根治性だけでなく術後QOLが向上する術式の工夫をするために，定量的なQOL評価方法が求められている．わが国の研究者から2013年に胃切除術式と胃術後障害に関する実態調査票（postgastrectomy syndrome assessment scale：PGSAS，45項目）が策定され，機能温存手術の比較評価から術式の改良へつながることが期待される[18]．

〔加藤俊幸〕

■文献（ⓔ文献10-4-14）

福島亮治：胃切除後の諸問題，胃切除後障害―ダンピング症候群の病態と治療．臨床消化器内科．2009; **24**: 1465-70.

前田光徳，平石秀幸：胃切除後症候群（ダンピング症候群，食後低血糖症候群など）．日本臨牀別冊消化管症候群 第2版 上巻，pp369-72，日本臨牀社，2009.

峯 真司，比企直樹：消化器がん手術（上部消化管手術）療法における栄養障害のアップデート．静脈経腸栄養．2011; **26**: 1241-6.

阪 眞：胃術後の栄養障害と栄養補給法．臨床栄養．2010; **117**: 363-7.

10-5 腸疾患

1）先天性腸疾患

小腸・大腸・肛門に，出生時から異常をきたしている先天性疾患を示す．形態的異常もあれば機能的異常もあり，腸管の走行異常もある．すべて良性疾患であるため，適切に対応すれば，特殊な症例を除き予後は良好である．

以下に6つの代表的疾患について述べるが，表10-5-1に各疾患の特徴をまとめて示す．

(1)先天性小腸閉鎖・狭窄症

定義・概念・原因

本症の多くは，一度完成した胎児の小腸に[1]，腸重積・腸軸捻転などのトラブルが発生して血行障害が起こり，阻血部分が壊死・消失して生じる．臓器の発生異常でないため合併奇形が少ない．

分類

閉鎖症は，形態により膜様型，索状型，離断型，apple-peel型，多発型に分類される．膜様型の膜様隔壁に開口部がある場合に，狭窄症となる．

疫学

5000～1万出生に1人の頻度で男女差はない．本症のうち，狭窄症は5％と少ない．

病態生理・臨床症状

胎児期に，閉鎖部の口側腸管が羊水の貯留により拡張する．閉鎖部が口側に近いほど母体に羊水過多が起こりやすい．出生後，ガス・胃液・腸液などが貯留し，腹部膨満，胆汁性嘔吐がみられる．

検査所見・診断

出生前には，胎児超音波検査で腸管の拡張像が認められる．出生後，立位の腹部単純X線で，鏡面像を

表 10-5-1 先天性腸疾患のまとめ

疾患名	腸管の主たる異常[*1]	病変の局在	原因	合併奇形[*2]	主たる発症時期
先天性小腸閉鎖・狭窄症	形態的異常	小腸	発生後の血行障害	特に少ない	新生児
腸回転異常症	走行異常	中腸	配置の異常		新生児(〜小児)
腸管重複症	形態的異常	消化管	発生異常(局所)		小児
Meckel 憩室	形態的異常	回腸のみ	発生異常(局所)		小児
Hirschsprung 病	機能的異常	肛門〜口側	神経節細胞の分布異常		新生児(〜乳児)
鎖肛(直腸肛門奇形)	形態的+機能的異常	直腸肛門部	発生異常	特に多い	新生児

[*1]:形態的異常はその結果として機能的異常を示すようになるし,機能的異常もその結果として形態的異常を呈するようになる.
[*2]:特に少ない疾患と特に多い疾患を記した.

呈する拡張した腸管ループを認め,その様子で閉鎖部の位置が予想できる.注腸造影で細い結腸像(microcolon)を呈する.

経過・治療・予後

新生児期早期からの対応が必要で,手術が必須となる.閉鎖部切除・端端吻合が標準術式である.狭窄の程度が軽度の場合,乳児期以降に発症する.

(2)腸回転異常症

定義・概念・原因

発生学上,十二指腸から横行結腸中部までを中腸とよぶ.中腸は,生理的臍帯内脱出を経て長く発育し,上腸間膜動脈を軸に回転をしながら腹腔内に戻り,後腹膜に固定される.この回転に異常があると,腸管の位置異常と後腹膜への固定不良が起こる.

病態生理・臨床症状

新生児期の発症が多く[2)],中腸が時計方向に捻転して,胆汁性嘔吐がみられる.捻転が高度になると絞扼性イレウスの状態となり,腹痛,血便がみられ,進行すると不可逆性の腸管壊死をきたす.

検査所見・診断

上腹部の超音波検査や造影 CT 検査で,腸間膜根部付近に捻転した血管の所見(whirlpool sign)を認める.上部消化管造影では,十二指腸の走行異常・捻転の所見(corkscrew sign)を,注腸造影では,結腸の走行異常や捻転の所見を認める.

経過・治療・予後

中腸軸捻転発症例には緊急手術を行う.軸捻転解除+腸間膜根部の扇状剝離+虫垂の無菌的切除+腸管配置を,一連の手術として行う.大量腸管壊死例は短腸症候群となるため,治療に難渋する.

(3)腸管重複症

定義・概念・原因

広くは消化管重複症とよび[3)],頸部から肛門までのすべての消化管でみられるが,半数が小腸に起こる.本来の腸管のほかに,内腔を有する腸管構造が存在する疾患で,重複腸管は腸間膜付着部側にみられる.

分類

形態から囊胞状と管状とに分類される.

病理

平滑筋を有する,内腔が腸管粘膜である,腸管の一部に接して存在するなどの条件を満たす.ときに異所性組織の迷入がある.

病態生理・臨床症状

囊胞状では,内部に分泌液が貯留して腫瘤化するため,隣接臓器を圧迫したり,腸重積の先進部になったりする.管状では,本来の腸管内腔と交通があり,無症状で経過することが多い.

経過・治療・予後

囊胞状や短い管状の場合は,病変部を正常腸管とともに切除し端端吻合する.長い管状の場合は,正常腸管の温存を考え重複腸管の粘膜抜去を行う.

(4)Meckel 憩室

定義・概念・原因

消化管発生の正常過程で一時的に生じる卵黄囊管が閉鎖・消失せず,腸管側に遺残して憩室になったものをいう.回腸末端部から 40〜100 cm の範囲で,腸間膜付着部反対側に存在する.

疫学

全人口の 2%前後に存在する.

病理

腸管の全層をもつ真性憩室で,約半数に異所性組織(特に異所性胃粘膜)の迷入を認める.

病態生理・臨床症状

多くは無症状で経過するが,下血,腸閉塞(イレウス),腸重積,憩室炎などの合併症が起こると症状が出現する.下血は,異所性胃粘膜から酸が分泌され,近傍の小腸粘膜に潰瘍ができることにより生じる.

検査所見・診断

小児期の下血では,必ず鑑別にあげる.有用な検査法として Meckel シンチグラフィがあり,異所性胃粘膜の検出目的で行う.

経過・治療・予後

下血以外では術前診断が困難で，急性腹症として緊急手術を行った際にわかることが多い．憩室基部の回腸壁を含めて切除する．

(5) Hirschsprung 病
定義・概念・原因

肛門から連続性に続く腸管壁内に，蠕動運動を調節する神経節細胞が欠如し，機能的腸閉塞を起こす疾患である．壁内神経節細胞は，胎生早期に食道から直腸に向かって下行性に遊走分布するが，その分布が停止すると，それより肛門側が無神経節腸管となる．

分類

無神経節腸管の範囲により病型分類される．

疫学

5000 出生に 1 人の頻度で，男児に多い．無神経節腸管が長くなると女児の頻度が増加する．

病態生理・臨床症状

無神経節腸管の長さや人為的な処置によって，症状の出方が変わる．新生児期の発症が多く，胎便排泄遅延，胆汁性嘔吐，腹部膨満がみられる．

検査所見・診断

以下の検査を行う．
1) 腹部単純 X 線： 著明に拡張した腸管ガス像を認める．
2) 注腸造影： 肛門側腸管が狭く，その口側が急速に拡張している所見(caliber change)を呈する．
3) 直腸肛門内圧検査： 内肛門括約筋の反応である直腸肛門反射が欠如している所見が得られる．
4) 直腸生検： 直腸から標本を採取し，AchE 陽性神経線維が著明に増生している所見を示す．診断の確定に用いる．

経過・治療・予後

肛門ブジー，浣腸，洗腸を行う．治療無効例に人工肛門造設を検討する．根治手術は，無神経節腸管を切除して正常腸管を引き下ろす．近年肛門からアプローチする方法が主流で，腹腔鏡が併用される．病変が小腸に広範囲に及ぶものは，治療に難渋する．

(6) 鎖肛（直腸肛門奇形）
定義・概念・原因

胎生早期の直腸肛門の発生異常で，食道閉鎖や，心臓，泌尿器，椎骨などの奇形を合併しやすい（約50％）．男女別に多くの病型がある．病型により治療方針や機能的予後が異なる．

分類

恥骨直腸筋と直腸盲端との位置関係により，高位・中間位・低位の 3 群に分ける．特殊な病型もある．

疫学

5000 出生に 1 人の頻度で，男児に多い．

病態生理・臨床症状

一部の症例を除き，胎便が十分に排出されないため，出生後早期に何らかの外科的治療を要する．放置すると，腹部膨満が進行する．

検査所見・診断

出生前診断は困難である．まず会陰部周辺の観察を入念に行い，会陰部や膣口背側に瘻孔がないか探す．瘻孔のない症例では，倒立位 X 線撮影を行い直腸盲端の高さを判定する．超音波検査も有用である．

経過・治療・予後

低位型では，新生児期に根治術（会陰式，カットバック手術）を行う．高位・中間位型の多くは，新生児期に人工肛門造設を行い，体重増加を待って乳児期に根治術（排便機能に重要な筋群と正常な位置関係になるよう直腸を引き下ろす）を行う．腹腔鏡下手術も選択される．術後，高位・中間位型では，一部の症例で便失禁などの排便障害が問題となる．〔久守孝司〕

■文献 e 文献 10-5-1）

伊藤泰雄：小腸・大腸他．標準小児外科学 第 6 版（伊藤泰雄監），pp168-223，医学書院，2012.

日本小児外科学会学術・先進医療検討委員会：わが国の新生児外科の現況—2008 年新生児外科全国集計．日本小児外科学会雑誌．2010; 46: 101-14.

和田達雄：小児外科各論—腸管の疾患．新外科学大系（和田達雄監），30C pp173-257，30D pp3-171，中山書店，1990.

2）腸炎
enterocolitis

十二指腸から空腸，回腸，結腸，直腸までの炎症をまとめて腸炎とよぶことがあるが（十二指腸は除かれていることが多い），その成因によって罹患部位，症状，経過が異なる．分類は大きく経過による分類と原因による分類（表 10-5-2）に分けられる．経過による分類では，約 2 週間以内に炎症がおさまる急性腸炎と，炎症がそれ以上続く慢性腸炎に大別される．急性腸炎は頻度が非常に多く，単に腹痛，下痢，発熱といった共通した臨床症状だけから命名されることが多い．対症療法で原因不明のまま治癒することが多い．一方，慢性腸炎は症状の発現，経過がゆるやかであるが，原因不明の疾患や難治性疾患のものも少なくない．この項目ではあえて急性腸炎に絞ることにする．

表 10-5-2 腸炎の原因による分類

1. **腸管感染症**
   a. 急性細菌性腸炎
      生体外毒素産生型：黄色ブドウ球菌，セレウス菌（嘔吐型），ボツリヌス菌，腸管出血性大腸菌
      生体内毒素産生型：コレラ，腸炎ビブリオ，毒素原性大腸菌，ウェルシュ菌，セレウス菌（下痢型），サルモネラ
      組織侵入型：細菌性赤痢，病原大腸菌，組織侵入性大腸菌，エルシニア，カンピロバクター，腸チフス
   b. 慢性細菌性腸炎
      腸結核（Mycobacterium tuberculosis），Whipple 病（Tropheryma whippeli）
   c. ウイルス性腸炎：ロタウイルス，エンテロウイルス，ノロウイルス
   d. 原虫：ランブル鞭毛虫，赤痢アメーバ原虫
   e. 寄生虫：鉤虫，糞線虫，日本住血吸虫
   f. 真菌：カンジダ症
   g. AIDS に伴う腸炎

2. **食品，毒物，薬物**
   a. 過食，アルコール
   b. 食品中毒：有毒魚介類，未熟な果物，毒キノコ
   c. 化学薬品：アスピリンや NSAIDs（非ステロイド系抗炎症薬）による腸潰瘍・膠原線維性腸炎，抗癌薬，下剤（cathartic colitis），貴金属

3. **抗菌薬**
   a. 直接作用または過敏反応（Schwartzmann 反応）によるもの
   b. 菌交代現象によるもの（Clostridium difficile，黄色ブドウ球菌，真菌など）：抗菌薬起因性腸炎，偽膜性腸炎【⇨ 10-5-2-2】

4. **物理的要因**
   a. X 線・アイソトープ：放射線照射性腸炎
   b. 紫外線，寒冷

5. **腸間膜循環不全**：ショック，虚血性腸炎，心不全

6. **アレルギー反応**：アレルギー性胃腸症，好酸球性胃腸炎

7. **非特異性**：潰瘍性大腸炎，Crohn 病，セリアック病，腸型 Behçet 病，単純性腸潰瘍，非特異性腸管潰瘍

8. **その他**：腎不全に伴う大腸炎（尿毒症性大腸炎），移植片対宿主病に伴う腸炎，閉塞性大腸炎（イレウス）

(1) 感染性腸炎(infectious colitis)—感染経路と原因による分類

a. 経口感染による腸炎

感染性腸炎には，毒素原性型（toxigenic type）と菌の組織侵入型（invasive type）の 2 つがある．毒素原性型には，生体外毒素産生型である腸管出血性大腸菌があり後者にはコレラ菌などが含まれる．菌が腸粘膜上皮細胞に定着，増殖する際に毒素を産生することで発症する．一方，組織侵入型には赤痢菌，カンピロバクターがあり，菌は腸粘膜上皮細胞に定着，上皮細胞を破壊し，侵入，増殖し，びらんや潰瘍を形成する（表10-5-3）．

i）病原大腸菌性大腸炎

ヒトに病原性をもつ大腸菌は，組織侵入性大腸菌，毒素原性大腸菌，狭義の病原大腸菌，腸管出血性大腸菌，腸管凝集性大腸菌の 5 種類が知られ，食中毒や旅行者下痢症（特に毒素原性大腸菌）の原因菌となる．通常，ニューキノロン系抗菌薬が有効である．しかし，1996 年に病原性大腸菌 O157 による出血性大腸炎は幼児に集団発生し死亡例も出たために，1999 年より感染症法三類感染症に分類され，患者，無症状病原体保有者について診断後直ちに届け出をしなければならないことになった．大腸菌は細胞壁の O 抗原（O1〜O173）と鞭毛の H 抗原（H1〜H56）により分類されるが，腸管出血性大腸菌は O157:H7 の発生頻度が高い．また症状は志賀毒素によって生ずる．本菌の感染は家畜や感染者の糞便により汚染された食品や井戸水の経口感染がほとんどである．ベロ毒素の関与が

表 10-5-3 腸の細菌性感染症の鑑別

機序	原因菌	潜伏期	腹痛	しぶり	下痢	(粘)血便	悪心・嘔吐	発熱
生体外毒素生産型 発症が早い	黄色ブドウ球菌	2〜5 時間	++	−	++	−	++	−
	セレウス菌(嘔吐型)	1〜5 時間	±	−	±	−	++	−
生体内毒素産生型 発症が中間型	腸管出血性大腸菌		++	+	++	++	++	+
	コレラ	1〜5 日	−		++			
	腸炎ビブリオ	2〜20 時間	++		++	(+)	++	++
	毒素原性大腸菌	12〜24 時間	−		++		++	
	ウェルシュ菌	6〜24 時間	++		++	(+)	++	
	セレウス菌(下痢型)	8〜16 時間	++	+	++		+	
	サルモネラ	8〜48 時間	++		++	(+)	++	++
細胞侵入型 発症まで一般に時間がかかる	細菌性赤痢	1〜3 日	++	++	+	++	+	++
	病原大腸菌	1〜3 日	+	±	++	−	±	+
	組織侵入性大腸菌	3〜5 日	++		++	++		
	エルシニア	3〜7 日	++		++	(+)	+	++
	カンピロバクター	3〜7 日	++		++	−〜++	++	++

知られ,通常 2〜14 日の潜伏期を経て激しい腹痛と水様性下痢で発症する.その後血便も生ずるようになる.発症 1 週間後より約 10% がさらに溶血性尿毒症症候群(hemolytic-uremic syndrome:HUS)を続発して急性腎不全,血小板減少,溶血性貧血を生じ,脳症に至る.重篤な経過をとると 3% は死亡するといわれている.治療は補液で十分に水分補給を行い,HUS を生じたときには透析や全身管理を行う.早期にホスホマイシンなどの抗菌薬を投与すると HUS への移行が少ないという報告もある.

ii) サルモネラ腸炎

サルモネラは哺乳類,爬虫類,鳥類などに広く存在し,動物飼料が汚染し家畜,ニワトリの保菌が起こり,食肉や卵が汚染される.ミドリガメなどのペットより感染することもある.汚染された原因食を摂取後,生体外毒素を産生し 8〜48 時間で悪心,嘔吐,下痢,腹痛,発熱で発症する.ニューキノロン系抗菌薬が有効である.

iii) 細菌性赤痢

発症者の多くが海外(東南アジア周辺)帰国者で,汚染飲料水や食品の経口摂取が原因である.潜伏期間は 1〜3 日で発熱,腹痛,泥状〜水様便,テネスムス,後に膿粘血便をみる.治療にはニューキノロン系抗菌薬あるいはホスホマイシンを用いる.

iv) カンピロバクター腸炎

人畜共通伝染病であり,ウシ,ブタ,ニワトリなどの家畜やペットの腸管に認められ,肉類や牛乳から感染する.特に鶏肉からが多い.潜伏期間は 3〜7 日で症状は水様性下痢,発熱,腹痛で,病悩期間が 1 週間程度である.対症療法で症状の改善をみることが多いが,ときに菌血症,髄膜炎,腹膜炎を生じることもあり,マクロライド系抗菌薬あるいはホスホマイシンを用いる.

v) コレラ

コレラ菌に汚染された食物や飲料水の経口摂取により感染する.米のとぎ汁様の水様便の下痢を呈する.発熱はなく脱水,電解質の喪失を生ずることが多い.治療は補液とテトラサイクリン系,ニューキノロン系の抗菌薬を用いる.

vi) 腸チフス・パラチフス

サルモネラ属のチフス菌およびパラチフス菌の経口摂取により感染する.三類感染症に指定されている.潜伏期間は 1〜2 週間で菌が腸管から侵入し,高熱で発症する.マクロファージに感染してその内部で増殖する.脾腫やバラ疹をみる.病期が進むと腸出血,腸穿孔を生ずることがある.クロラムフェニコールが第一選択で耐性菌にはニューキノロン系抗菌薬を用いる.

vii) その他の細菌による急性腸炎

黄色ブドウ球菌によるものが多い.原因食を食べると生体外毒素を産生して症状を呈する.潜伏期間は 2〜5 時間であり,かなり発症が早い.

viii) ウイルス性腸炎

多くは小児で重要視されてきた.ノロウイルス,ロタウイルスや腸管アデノウイルスなどは成人においても急性下痢症の原因となるが,多くは自然に治癒する.潜伏期は 1〜3 日.

ix) 腸真菌症

消化管真菌症は主として食道,胃にみられるが,まれに小腸,大腸に及ぶことがある.

b. 性行為感染症による腸炎

性行為感染症による腸炎にはアメーバ赤痢，クラミジア，梅毒，ヘルペス，AIDSに伴うサイトメガロウイルスなどがある．日本においてはそれらは異性間でも多くみられるため注意を要する．

i) アメーバ性大腸炎

赤痢アメーバ原虫の囊子を経口摂取することにより感染する疾患で，無症状の保虫者から粘血便を伴う激烈な下痢症を呈するものまである．感染症法四類感染症に分類され，診断後7日以内に届け出をしなければならない．経口摂取された囊子は小腸で脱囊して栄養体になり大腸に寄生して腸炎を起こす．また，腸管から血行性，リンパ行性に肝臓に侵入し肝アメーバ膿瘍を形成する．潜伏期間は1〜3カ月で腹痛，テネスムス，下痢，イチゴゼリー様粘血便などを主症状とする．内視鏡では中心部に黄白苔を有する下掘れ潰瘍やびらんがみられ，このタコイボ様所見が特徴とされている．糞便や生検標本，腸粘液での原虫を証明することで診断は確定する．確定診断困難例や治療効果をみるのに血清アメーバ抗体価の測定が有用である．治療はメトロニダゾールが有効である．

ii) クラミジア腸炎

菌の直腸への直接侵入により感染し，発赤，リンパ濾胞などの直腸炎を呈する．生検組織や擦過診のサンプルから培養や抗原および血中抗体価の測定が有用である．治療はテトラサイクリン，マクロライド，ニューキノロンが有効である．

c. 外傷などの感染―腸放線菌症（intestinal actinomycosis）

放線菌が傷，炎症のある部位から侵入し感染を確立し，慢性，亜急性に化膿性肉芽腫や瘻孔を形成する．回盲部に好発し，ペニシリン系抗菌薬の大量長期投与か外科的切除により治療する．

d. 細菌以外の経口感染によるもの―寄生虫による腸炎

アニサキスは胃壁に刺入し上腹部痛で発症することが多いが，小腸や大腸の腸壁に刺入した場合，虫垂炎，腸閉塞，腸穿孔，腫瘍と誤診され，開腹手術を受けることもある．診断は内視鏡や注腸X線検査による虫体の発見であるが，ペア血清によるアニサキス抗体の上昇も有用である．糞線虫症はHIVや成人T細胞白血病に罹患している人が感染しやすく，下痢を呈し，自家感染を繰り返し重症化することが多い．鞭虫症はほとんど無症状であるが盲腸に寄生し，虫垂炎様症状をきたすことがある．

(2) 薬物性腸炎（drug induced enterocolitis）

薬物性腸炎は主として抗菌薬の投与により大腸細菌叢の変化により引き起こされる抗菌薬起因性腸炎と，薬物が直接大腸粘膜に傷害を与える場合がある．

a. 抗菌薬起因性腸炎

抗菌薬投与中また投与後に発生する腸炎で，菌交代現象に伴う偽膜性腸炎と発生機序が解明されていない急性出血性腸炎に分類される．前者のおもな原因として Clostridium difficile 菌が重要であり，内視鏡的に炎症のない抗菌薬関連下痢症の20％，炎症のある同下痢症の過半数，偽膜性腸炎のほとんどがこの菌によるとされている．なお，広義の偽膜性腸炎は形態学的に偽膜を有する腸の炎症症候群であり，抗菌薬以外の薬物（シタラビン，5-フルオロウラシル，メトトレキサートなど），ウイルス感染，中毒，虚血，尿毒症，リンパ腫でもみられる．

i) 偽膜性腸炎

セフェム系抗菌薬，合成ペニシリン系，リンコマイシン，クリンダマイシンなどの投与により菌交代現象が生じ，Clostridium difficile 菌や黄色ブドウ球菌が増殖，産生された毒素により腸炎を起こす．抗菌薬投与後数日で下痢，腹痛，腹部膨満，発熱で発症し，高齢者や術後および重篤な基礎疾患を有する者に好発し，軽症からショック症状を呈する重症例まである．血便はほとんど生じない．大腸内視鏡では，大きさ数mmの黄白色，円形の偽膜が散在してみられる．重症例では偽膜は癒合傾向を示し，不整形〜地図状となる．診断は内視鏡的に偽膜を証明することに加え，便の嫌気性培養での菌の同定や便中毒素の測定にて行う．原因物質の投与中止で多くは軽快するが，バンコマイシンの経口投与で治療期間が短縮される．原因物質中止後の遷延例には輸液を中心とした全身管理を，また中毒性巨大結腸症やショック，腸管穿孔，腹膜炎をきたした重症例には中心静脈栄養を行い腸管安静と全身状態の改善をはかる．

ii) 急性出血性腸炎

わが国では偽膜性腸炎より圧倒的に多いが，最近は少なくなっている．合成ペニシリンがおもな起因薬物であるが，セフェム系そのほか種々の抗菌薬が誘因となり，投与後数日で水様性下痢，腹痛，血便で発症する．Klebsiella oxytoca や Escherichia coli が原因菌として注目されている．内視鏡では横行結腸を中心ににまん性の発赤，びらん，出血がみられ，直腸病変はまれである．原因薬物を中止し，急性腸炎の一般治療で速やかに改善する．

iii) メチシリン耐性黄色ブドウ球菌（methicillin resistant Staphylococcus aureus：MRSA）腸炎

高齢者や免疫能の低下した胃切除後の患者に第3世代セフェム系抗菌薬を使用すると発症することがある．主として小腸，右側結腸に病変が認められ，水様性下痢や発熱，腹部膨満を呈する．便培養で確認され，誘因となった抗菌薬を中止しバンコマイシンの投

与を行う．診断，治療の遅れにより敗血症から多臓器不全に至ることもある．

b. その他の薬物による腸炎

インドメタシン座薬による直腸炎，メチルドパ，ペニシラミン，5-フルオロウラシル，6-MP ビンクリスチンによる腸炎が知られている．また，浣腸液が刺激となり直腸・S状結腸に炎症，潰瘍，狭窄をきたす場合や，大腸内視鏡の洗浄液，殺菌剤の影響による腸炎も報告されている．

(3) 放射線腸炎 (radiation enteritis)

腹腔内や骨盤内臓器の悪性腫瘍(主として子宮癌，卵巣癌，前立腺癌)に対して放射線治療が行われた場合に生じる腸管の傷害である．傷害の発現は照射線量や照射方法などの物理的因子と生体の個体感受性の因子によって異なる．多くは 30～40 Gy の照射線量から急性傷害が起こる可能性がある．照射後の期間により 3 カ月以内に起こる早期傷害と 6 カ月～25 年にわたって起こる晩期傷害とに分けられる．持続的かつ進行性であることが多い．

病因としては早期傷害は放射線の腸粘膜細胞への直接傷害であり，晩期傷害は放射線照射によって腸管壁細小動脈の内膜の膨化増生などによって動脈内膜炎や血栓形成が進行し，虚血性変化が生ずることが原因で発生すると考えられている．早期傷害では粘膜傷害により粘膜の発赤，浮腫，びらん，出血がみられ(発生頻度は 1～11.6％)，晩期傷害では血管障害による潰瘍や線維化による狭窄・瘻孔形成がみられる．

罹患部位は過半数が直腸・S状結腸で，ついで回腸と続く．症状は早期傷害では下痢，腹痛がみられ，晩期傷害に移行するにつれて出血，便通異常などの狭窄症状をきたす．放射線治療後に症状が現れた場合，本疾患を疑う．内視鏡，注腸 X 線で傷害部位，程度を確認する．

病期は第Ⅰ度：紅斑，毛細血管拡張を伴った易出血性の粘膜，第Ⅱ度：潰瘍形成，第Ⅲ度：狭窄形成，第Ⅳ度：穿孔，膿瘍，瘻孔形成に分類されることが多く，それに応じた治療を行う．治療は第Ⅰ度であれば照射の中断により多くは軽快する．第Ⅱ度ではサラゾスルファピリジン，ステロイド座薬や注腸などの薬物療法，安静，補液を行う．第Ⅲ，Ⅳ度では外科的治療が必要である． 〔峯 徹哉〕

■文献

Cantey JR: Infections diarrhea. Pathogenesis and risk factors. *Am J Med*. 1985; **28**: 65-75.

3) 非特異性腸管潰瘍
nonspecific intestinal ulcer

(1) 腸管 Behçet 病/単純性潰瘍 (intestinal Behçet's disease：BD/simple ulcer of the intestine：SU)

定義・概念

アジア人に好発し，口腔粘膜，皮膚，眼，外陰部の遷延性炎症性病変を特徴とする Behçet 病において，回盲部を中心とした腸管潰瘍が主たる臨床像となる場合を腸管 Behçet 病(BD)とよぶ．一方，腸管 BD に相当する腸管潰瘍が非 BD 患者に発生した場合を単純性潰瘍(SU)と称する．SU の大部分は不全型 BD ないし BD 疑いである．

疫学

BD 患者の 3～16％で腸管潰瘍を合併する(Hisamatsu ら，2014)．30～40 歳代に好発し，明らかな性差はない．

病理

約 70％の患者で定型病変とよばれる腸管潰瘍が回盲部に発生する．円形・類円形で下掘れ傾向の強い潰瘍であり，単発ないし多発性に腸間膜付着対側にみられる(図 10-5-1)．潰瘍辺縁や介在粘膜はほぼ正常である．Ul-Ⅳの潰瘍であり，潰瘍底には壊死組織，肉芽組織，線維化が認められ，全層性の非特異性炎症細胞浸潤が認められる．

臨床症状

右下腹部痛が多く，腹部腫瘤触知の頻度も高い．発熱，全身倦怠感などの全身症状を伴うことが多い．

検査所見

赤沈，CRP，α_2-グロブリンなどの非特異的炎症反応の亢進と貧血がみられ，針反応が陽性となる．わが国では HLA-B51 の陽性率が高い．消化管 X 線・内視鏡検査で定型病変が観察され，長期経過例では強い

図 10-5-1 腸管 Behçet 病の肉眼所見
終末回腸に卵円形の深い潰瘍を認める．

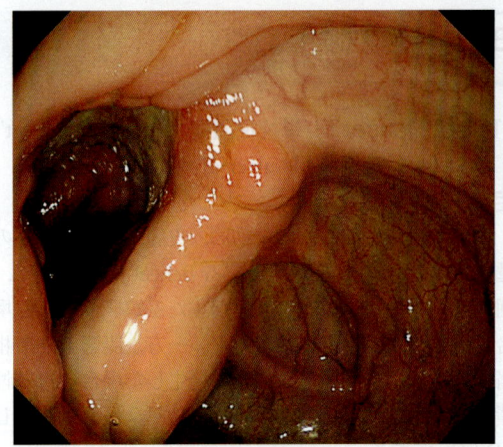

図10-5-2 単純性潰瘍の内視鏡所見

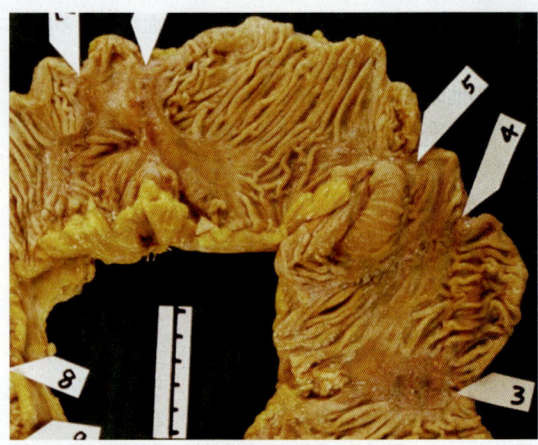

図10-5-3 切除標本
回腸に輪走・斜走する浅い潰瘍が多発し，一部では融合傾向がみられる．介在粘膜は正常である．

ひだ集中と変形を伴うようになる．SUもまったく同じ所見を呈する（図10-5-2）．定型病変以外にも食道，胃，小腸，大腸に口腔内アフタ様の小病変や小類円形潰瘍がみられる．

診断
定型病変確認後，わが国の診断基準（Suzuki-Kurokawaら，2004），あるいは国際診断基準（International study group for Behçet's diseasae, 1990）に従い，主症状（口腔粘膜，皮膚，眼，外陰部潰瘍）と副症状（関節炎，精巣上体炎，血管病変，中枢神経病変など）を検索し，病型診断する．BD確診例は腸管BD，その他はSUとなる．

鑑別診断
定型病変では，癌，悪性リンパ腫，Crohn病，非ステロイド系抗炎症薬による腸管潰瘍，結核菌などの腸管感染症を鑑別する．

治療・予後
副腎皮質ステロイドが第一選択薬である．難治例に対して，抗TNF-α抗体療法が有効であり，アダリムマブがステロイド抵抗性の病変に奏効する．穿孔・穿通例，難治例は手術の適応となるが，60～80％が再発をきたす．本症は難治性に経過し，再発を繰り返すが，生命予後は大血管と中枢神経病変に左右される．

〔松本主之〕

■文献

Hisamatsu T, Naganuma M, et al: Diagnosis and management of intestinal Behçet's disease. Clin J Gastroenterol. 2014; 7: 205-12.
International study group for Behçet's disease: Crietria for diagnosis of Behçet's disease. Lancet. 1990; 335: 1078-80.
Suzuki-Kurokawa M, Suzuki N: Behçet's disease. Clin Exp Med. 2004; 4: 10-20.

(2) 非特異性多発性小腸潰瘍症（nonspecific multiple ulcers of the small intestine：CNSU）

定義・概念
1960年代にわが国で提唱された疾患であり（崎村，1970），回腸に非特異的な組織像の潰瘍が多発し，持続的な鉄欠乏性貧血と低蛋白血症状を特徴的とする．

原因・病因
近年プロスタグランジン関連遺伝子のホモ変異に起因する遺伝性疾患であることが明らかとなった（Matsumotoら，2011；松本，2013）．

病理
終末回腸以外の中部・下部回腸に潰瘍が多発する．境界は明瞭で平坦な潰瘍が輪走，斜走，縦走する（図10-5-3）．潰瘍は粘膜剝離の様相を呈し，偽憩室様外観を伴うことがある．Ul-IないしIIにとどまり，潰瘍に一致してプラズマ細胞，リンパ球，好酸球を主体とする軽度の炎症細胞浸潤がみられる．再生粘膜を伴わず，潰瘍底およびその近傍に限局した線維化がみられる．

臨床症状
1）自覚症状：女性に好発し，幼・若年期に発症する．顔面蒼白，易疲労感，浮腫，成長障害がみられ，無月経もみられる．狭窄例以外は，消化器症状を訴えない．しばしば両親の血族結婚と同胞発症を認める．
2）他覚症状：結膜の貧血，皮膚蒼白，四肢や顔面の浮腫がみられ，無恥毛を伴うこともある．若年発症例では低身長・低体重を認める．男性では，ばち指や皮膚の肥厚性変化を伴うことがある．

検査所見
便潜血は持続的に陽性である．小球性低色素性貧血と血清鉄低値，低蛋白血症と低アルブミン血症がみられるが，CRPは正常値ないし軽度の上昇にとどまる．

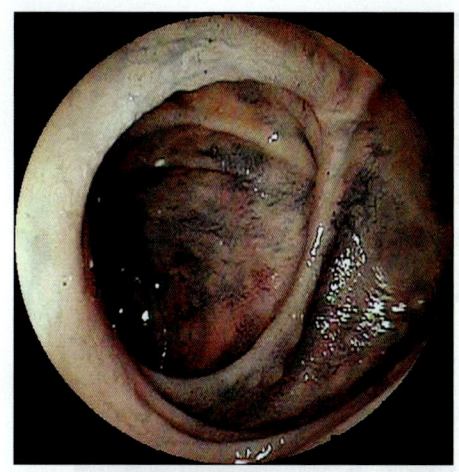

図 10-5-4 小腸内視鏡所見
下部回腸に線状の斜走潰瘍が認められ，管腔の変形を伴う．

小腸 X 線検査では非対称性の辺縁硬化像や偽憩室様所見が描出される．小腸内視鏡検査では，回腸に辺縁明瞭で周囲の隆起を伴わない浅い潰瘍が正常粘膜を介して多発する．潰瘍は輪走ないし斜走し（図 10-5-4），長期罹患例では管腔変形を伴う．

診断
臨床像と小腸病変を確認し，下記疾患を鑑別する．補助診断として，遺伝子解析も有用である．

鑑別診断
腸結核，Crohn 病，腸管 Behçet 病・単純性潰瘍，非ステロイド系抗炎症薬による小腸潰瘍が鑑別となる．

合併症
改善例や手術例は小腸狭窄を合併する．小腸病変に類似した十二指腸潰瘍や大腸潰瘍がみられることがある．

治療
薬物療法は確立されていない．治療の中心は貧血と低栄養状態の改善であり，鉄剤投与，輸血，栄養療法を施行する．中心静脈栄養療法は潰瘍を治癒に至らしめ，貧血と栄養状態を改善する．狭窄に対しては内視鏡的バルーン拡張術が奏効する．

経過・予後
生涯にわたって貧血と低蛋白血症が持続する．狭窄部を切除しても，術後再発をきたす．生命予後は不明であるが，本症が直接の死因となることはない．

〔松本主之〕

■文献

Matsumoto T, Kubokura N, et al: Chronic nonspecific multiple ulcer of the small intestine segregates in offspring from consanguinity. J Crohns Colitis. 2011; 5: 559-65.

松本主之：全エクソンシークエンスによる非特異性多発性小腸潰瘍症の原因遺伝子の同定．厚生労働科学研究費補助金難治性疾患等克服研究事業「腸管希少難病群の疫学，病態，診断，治療の相同性と相違性から見た包括的研究平成 24～25 年度総合研究報告書，pp47-9, 2013.
崎村正弘："非特異性多発性小腸潰瘍症"の臨床的研究—限局性腸炎との異同を中心として．福岡医学雑誌．1970; 61: 318-40.

(3) 急性出血性直腸潰瘍（acute hemorrhagic rectal ulcer：AHRU）

概念
重篤な基礎疾患を有する長期臥床の高齢者に発生し，新鮮血下血と下部直腸の潰瘍を特徴とする疾患である．

病態生理・原因
基礎疾患によるストレスや虚血の関与が推測される．類縁疾患として，便秘を背景とし直腸内に停滞した宿便の圧迫により粘膜傷害を生じる宿便性潰瘍がある．

臨床症状
突発し腹痛を伴わない新鮮血下血がみられる．

検査所見
直腸内視鏡検査で，下部直腸（歯状線直上）の後壁を中心に，横走傾向の帯状潰瘍や不整形潰瘍が単発ないし多発性に認められる．潰瘍底には厚い白苔が認められ，自然出血を伴う．

診断
病歴，臨床像と内視鏡所見から診断は容易である．

鑑別疾患
宿便性潰瘍，非ステロイド系抗炎症薬座剤による直腸潰瘍，直腸 Dieulafoy 潰瘍，直腸粘膜脱症候群などを鑑別する．

治療
全身状態の管理と保存的治療を行う．大量出血時にはアドレナリン含有ガーゼによる局所止血などで対応する．

〔松本主之〕

4) Crohn 病

概念
Crohn 病は主として若年者に好発する原因不明の慢性炎症性腸疾患（inflammatory bowel disease：IBD）である．本症の呼称は，Crohn らの最初の報告（1932）に基づく．その後，本症の概念は 1973 年 WHO の医科学国際組織委員会が統一した．わが国ではこれを厚生労働省難治性炎症性腸疾患研究班が一部改編して次のように定義した．「本疾患は原因不明であるが，免疫異常の関与などが考えられる肉芽腫性

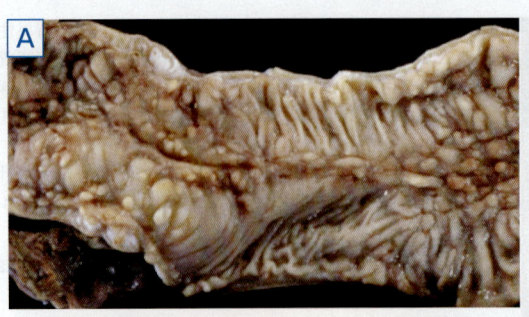
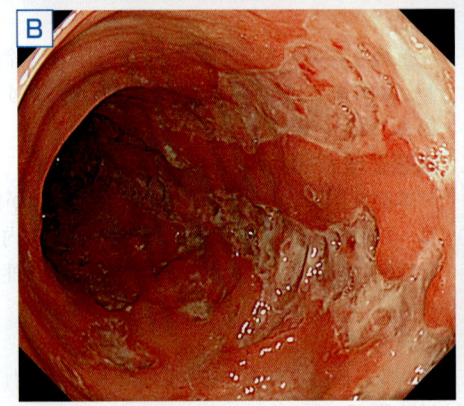
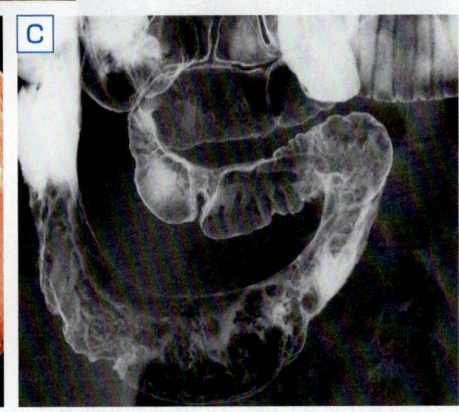

図 10-5-5 縦走潰瘍
A: 肉眼像，B: 大腸の内視鏡像，C: 小腸 X 線像，長大な小腸の縦走潰瘍．

炎症性疾患である．主として若年者に発症し，小腸・大腸を中心に浮腫や潰瘍を認め，腸管狭窄や瘻孔など特徴的な病態が生じる．原著では回腸末端炎と記載されているが，現在では口腔から肛門までの消化管のあらゆる部位に起こりうることが判明している．消化管以外にも種々の合併症を伴うため，全身性疾患としての対応が必要である．臨床像は病変の部位や範囲によるが，下痢や腹痛などの消化管症状と発熱や体重減少・栄養障害などの全身症状を認め，貧血，関節炎，虹彩炎などの合併症に由来する症状も呈する．病状・病変は再発・再燃を繰り返しながら進行し，治療に抵抗して社会生活が損なわれることも少なくない．」

疫学

本症は，欧米では約 60 年前から多数の罹患患者数が報告されてきた．わが国では 1975 年から疫学調査され，医療者受給者証交付件数は，近年著しい増加がみられる．2013 年のわが国の発症率と有病率は 10 万人あたり，それぞれ 1.6 と 33 と増加しつつある．この値は欧米の 1/2〜1/5 と見積もられ，患者数の比較では，わが国で 3 万 9000 人，米国で約 70 万人である（IBD 総数 140 万人）．ただし，男女比はわが国で 2.4：1 程度と男性に多いとされ，欧米でわずかに女性が多いことと対照的である．

病態

本症の原因は不明であるが，腸内細菌や食事抗原，生活環境の衛生度が高い（衛生仮説）などの環境因子，疾患感受性遺伝子の関与，さらに全身の免疫異常と腸管局所のサイトカイン産生異常など多因子疾患と考えられている．免疫学的には，サイトカイン産生異常には，単球・マクロファージ機能異常と CD4 陽性 T 細胞の Th1 型免疫反応，TNF-α 産生，接着因子，IL-6 など多くが関与する．最近では腸内細菌叢の異常が注目されている．その結果，腸管の透過性亢進，炎症の亢進に引き続き，粘膜が破綻し，潰瘍が生じる．また，異常なサイトカインの是正を目標とした生物学的製剤の長期投与と免疫調節薬の治療がさかんになった．

1）**肉眼的所見**：消化管病変は，早期にはアフタないし不整形潰瘍が出現し，典型的には粘膜に縦走潰瘍（longitudinal ulcer）（図 10-5-5）と敷石像（cobble-stone appearance）（図 10-5-6）を呈する．縦走潰瘍は腸間膜付着側に沿って，大腸では結腸ひもに沿って腸管の長軸に平行に走る．敷石像は粘膜下層の浮腫，細胞浸潤，粘膜筋板の引きつれなどによって形づくられた大小不同の密集した粘膜隆起である．また，縦走潰瘍や敷石像は非連続性に健常粘膜をはさんで，とびとびに分布することが多く skip lesion とよばれる．さらに，腸病変は腸壁をこえて腸壁外に病変を形成し，合併症として腸管狭窄，膿瘍，瘻孔形成を特徴とする．好発部位は回腸〜右半結腸であり，主病変の分布によって小腸型，小腸大腸型，大腸型などに分類する．また，合併症により疾患パターンを，炎症型（狭

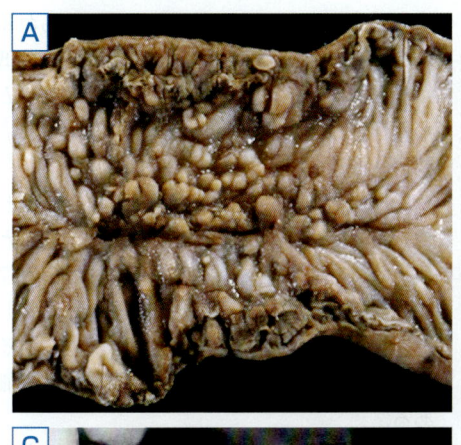
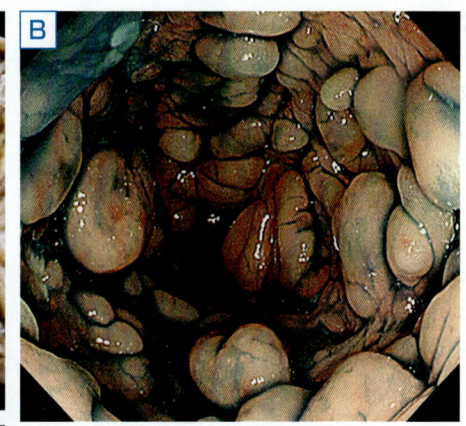
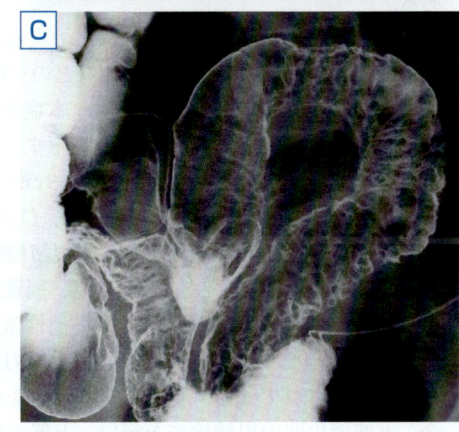

図 10-5-6 敷石像
A: 肉眼像，B: 大腸内視鏡像，C: 小腸のX線像．

窄と瘻孔がない），狭窄型，瘻孔形成型と分類することもある．また，縦走潰瘍と敷石像を欠きアフタ性潰瘍のみからなる腸病変を呈する例もある．このアフタ型では肉芽腫が証明されるとCrohn病と診断できる．この病型は短期間に典型例に移行することがある．

2) **顕微鏡所見**：主としてプラズマ細胞とリンパ球よりなる細胞浸潤，浮腫，線維化などの炎症が，腸壁の全層を侵す（全層性炎症）．通常，炎症は粘膜よりも粘膜下層に強く，いわゆる，不釣り合い炎症（disproportional inflammation）を示す．またしばしば全層性炎症のなかに壊死や好中球浸潤層に囲まれた裂溝（fissure）がみられる．裂溝は腸管壁をこえて脂肪組織，さらに隣接腸管，膀胱，腟などに穿通して内瘻を形成しうる．瘻孔が腹壁に穿通して外瘻を形成し，腹腔内膿瘍や炎症性腫瘤をつくることもある．

腸壁や腹腔内リンパ節にみられる肉芽腫は，結核のときにみられる肉芽腫よりも小型で乾酪壊死を伴わず，癒合傾向にも乏しく，非乾酪性類上皮細胞肉芽腫（図 10-5-7）とよばれ，その証明は本症の診断に重要である．しかし，その存在を生検で診断できる確率は高くない（約30%）．しかも，肉芽腫は腸結核やエルシニア腸炎など他の疾患にも認められることがあるので，この所見だけから本症と確診はできない．

臨床症状

好発年齢は，10歳代後半〜20歳代．自覚的には徐々に発症する腹痛，下痢，体重減少，発熱を主症状とする．その他，肛門病変，口腔内アフタ，貧血，食欲不振，血便などを訴えることもある．このなかで，肛門周囲膿瘍，瘻孔，難治性痔瘻，浮腫性皮垂（skin tag）などの肛門部病変は消化器症状が発現する前に起こることがあり，早期のCrohn病診断のきっかけとなることがある．しかし，診断特異的な症状がないため，診断基準には取り上げられていない．

潰瘍性大腸炎と異なり，全消化管に病変が生じうる．さらに，結節性紅斑，虹彩炎，"腸性"関節症，強直性脊椎炎，壊疽性膿皮症，静脈血栓症，膵炎，など全身性の腸管外合併症を併発することがある．また，発熱や成長障害も腹部症状が発現する前に起こることがある．その他腹部腫瘤を触れ，外瘻や腸蠕動不隠をみることがあるが頻度は少ない．

本症の活動度は，臨床症状の組み合わせで指標として計算する（Crohn's Disease Activity Index：CDAI 表 10-5-4）．150点以下が非活動（寛解）期で，150点以上が活動期である．450点以上が非常に重症とされる．このCDAIは，世界的に治療効果の判定（寛解導入）にも使用されるので重要な指標である．また，

より簡易な活動性指標として IOIBD Index が用いられる(表 10-5-5).10 項目のうち 2 項目以下しか該当せず CRP などの炎症値が正常なら非活動期と判定される.CDAI の活動度に加えて,合併症の有無や治療反応性を考慮して本症の重症度を決め,治療方針の決定に用いる(表 10-5-6).

検査所見

ほとんどの症例で赤沈値促進,CRP 陽性,などの炎症所見を認める.また,体重減少,低アルブミン血症,低コレステロール血症などの栄養障害を示すことも多い.貧血は半数以上の患者に認められるが軽度である.その他,血中葉酸,血中ビタミンの低値,低カルシウム血症,低亜鉛血症,低マグネシウム血症などが報告されている.

診断・鑑別診断

診断は,臨床症状と,炎症所見(赤沈亢進,CRP 陽性)や低栄養状態(低蛋白血症,低コレステロール血症,鉄欠乏性貧血)などの検査所見から本症を疑う.消化管 X 線,内視鏡検査所見に加え,消化管粘膜からの生検で類上皮細胞性肉芽腫が証明されるとより確実となる.さらに重症度と上記合併症の評価が重要である.

病歴と赤沈値促進,CRP 陽性などの炎症所見,低蛋白血症,低コレステロール血症などの一般検査所見,肛門病変などの身体的所見より本症を疑い,X 線,内視鏡,生検所見より確定診断を下す.本症の診断基準(表 10-5-7)では縦走潰瘍(4〜5 cm 以上)(図 10-5-5B,C)と敷石像(図 10-5-6B,C)を有するものは確診とされ,消化管 X 線・内視鏡検査でこれを証明することが重要である.その他,腸管の縦列するアフタ,潰瘍,直視下生検上の非乾酪性類上皮細胞肉芽腫(図 10-5-7)の証明などが本症診断のための重要な所見とされている.腸管に典型的病変がない場合,上部消化器内視鏡検査を行い,上部消化管病変(竹の節状外観,十二指腸多発アフタなど)の観察と生検により肉芽腫が検出されれば診断確定に役立つことも多い.

小腸の検査はこれまで X 線検査が主体であった.

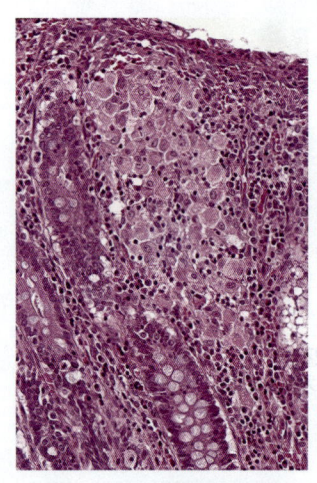

図 10-5-7 **非乾酪性上皮性肉芽腫の組織像**
大腸粘膜表層内の肉芽腫,好酸性の胞体を有する類上皮細胞の結節性集簇からなる.

表 10-5-4　Crohn's Disease Activity Index(CDAI)(Best WR, Becktel JM, et al: Development of a Crohn's disease activity index. National Cooperative Crohn's Disease Study. *Gastroenterology*. 1976; **70**: 439-44 より改訳)

項目	Factor	Total
1. 過去 1 週間の水様または泥状便の回数	×2	
2. 過去 1 週間の腹痛(下記スコアで腹痛の状態を毎日評価し,7 日分を合計する) 　0 =なし,1 =軽度,2 =中等度,3 =高度	×5	
3. 過去 1 週間の主観的な一般状態(下記スコアで一般状態を毎日評価し,7 日分を合計する) 　0 =良好,1 =軽度不良,2 =不良,3 =重症,4 =激症	×7	
4. 患者が現在もっている下記項目の数 　1)関節炎/関節痛 　2)虹彩炎/ブドウ膜炎 　3)結節性紅斑/壊疽性膿瘍/アフタ性口内炎	×20	
5. 下痢に対してロペラミドまたはアヘンアルカロイド塩酸塩・アトロピン硫酸塩水和物の服薬 　0 =なし,1 =あり	×30	
6. 腹部腫瘤 　0 =なし,2 =疑い,5 =確実にあり	×10	
7. ヘマトクリット(Ht) 　男(47 − Ht),女(42 − Ht)	×6	
8. 体重:標準体重 　100 ×(1 −体重/標準体重)	×1	
	合計	

最近，小腸内視鏡検査が発達し，直接観察することが可能となってきた．バルーン内視鏡では，小腸からの生検診断も可能である．ルーチン検査として，カプセル内視鏡がある．本検査は，直径1 cmのカプセル型ビデオ記録装置を経口的に嚥下して，苦痛なく連続的な画像が得られる．しかし，狭窄性病変部位には停留を起こす危険がある．現在，最初に疑似カプセルであるパテンシーカプセルにより開存性判定が行われ，問題がなければカプセル内視鏡検査を行う手順が完成し，より安全に非侵襲的な小腸内視鏡検査が可能となった．

鑑別すべき疾患として腸結核，虚血性腸炎，潰瘍性大腸炎があげられる．虚血性腸炎は臨床像，X線所見が異なり，また急速な病像，X線像の変化を示すので鑑別は容易である．潰瘍性大腸炎は通常直腸に始まる連続性，びまん性病変で，しかも粘膜がおもに侵される疾患であるので，大腸内視鏡を施行して上記所見の有無を調べれば鑑別可能である．しかし，頻度は少ないが一時点では臨床像，内視鏡所見とも潰瘍性大腸炎と鑑別困難な症例があり，欧米ではindeterminate colitisとして取り扱われている．なお潰瘍性大腸炎との鑑別には，生検標本上，粘膜を主体とした病変か，不釣り合い炎症を示す病変かを検討することも有用である．

治療

わが国でも診療ガイドラインが完成したので，この方針に沿って治療を進めることが望ましい．一般的には外科手術後の再発率は高く，若年者が多い本症では，長年月の間に再手術または再々手術が必要となり腸管の吸収面積が減少して栄養維持が難しくなることがあるので，できるかぎり内科的治療が行われる．しかし，内科的治療にも決定的方法がなく，長年月の間には病勢が進行して腸管狭窄，腹部膿瘍などの合併症を起こし，結果的には手術が必要となることが多い．

内科的治療は，患者の一生にわたって病勢をコントロールすることが目標とされるので，患者，またはその両親に疾患の本質を理解させ，治療に対する協力を得ることが大切である．

活動期には，入院安静，高エネルギー，高蛋白，を原則とする食事療法，腹痛，下痢に対する対症療法のほか，以下の治療が行われる．最近では，重症度（表10-5-6）に合わせて，治療選択を行う．まずは臨床症状の鎮静化すなわち寛解導入（CDAI < 150，表10-5-4）を試み，その後寛解の維持をはかる．現在ではさらに腸管病変の治癒である「粘膜治癒」を目標として治療を進めることが一般的である．粘膜治癒状態は，腸管に内視鏡上の潰瘍がない状態と考えられている．そして，腸病変の粘膜治癒が果たせると長期予後が改善されることがわかっている．すなわち，長期的に手術率の低下，入院治療と症状再燃の回避が可能となる．逆に，症状が高度でなく，内視鏡上潰瘍があれば再燃として活動期治療を開始することも勧められる．早期治療により病変治癒が得られやすいからである．さらに，薬物療法と栄養療法を組み合わせる．

1）薬物療法：薬物療法のうち，免疫抑制療法や生物学的製剤は以前より早い時期に，広く使用される．早期の寛解導入が合併症を避ける結果となる．しかし，再燃や無効例には栄養療法が必須である．また，炎症主体の場合，ステロイドも使用される．

a）副腎皮質ステロイド（プレドニン®）：活動期の臨床症状を著明に改善する．しかし，本症が慢性に経過する疾患であるために，長期連用に陥りやすく，離脱が困難となり種々の副作用を起こすことが少なくない．

表 10-5-5　IOIBD Index (Myren J, Lovland B, et al: A double-blind study of the effect of trimipramine in patients with the irritable blowel syndrome. *Scand J Gastroenterol*. 1984; 19: 1-27)

1	腹痛
2	1日6回以上の下痢あるいは粘血便
3	肛門部病変
4	瘻孔
5	その他の合併症（ブドウ膜炎，虹彩炎，口内炎，関節炎，皮膚病状（結節性紅斑，壊疽性膿皮症），深部静脈血栓症など）
6	腹部腫瘤
7	体重減少
8	38℃以上の発熱
9	腹部圧痛
10	ヘモグロビン　10 g/dL 以下

1項目につき1点とする．0点と1点で，同時にCRPかESRかが正常値であれば非活動期とする．それ以上の点数でCRPかESRかが高値であれば活動期とする．

表 10-5-6　Crohn 病の重症度分類—European Crohn's and Colitis Organization(ECCO)の分類 (Stange EF, Travis SP, et al: European evidence based consensus on the diagnosis and management of Crohn's disease: definitions and diagnosis. *Gut*. 2006 ; 55: i1-15)

	CDAI	合併症	炎症（CRP値）	治療反応
軽症	150～220	なし 体重減少 10%以下	わずかな上昇	
中等症	220～450	明らかな腸閉塞なし 体重減少 10%以上	明らかな上昇	軽症治療に反応しない
重症	450 <	腸閉塞，膿瘍，など 高度のやせ	高度上昇	

表 10-5-7 Crohn 病診断基準(松井敏幸:難治性炎症性腸管障害に関する調査研究班(渡辺班)平成 25 年度分担研究報告書, pp41-5, 2014)

1 主要所見	2 副所見
A. 縦走潰瘍 B. 敷石像 C. 非乾酪性類上皮細胞肉芽腫	a. 消化管の広範囲に認められる不整形潰瘍〜類円形潰瘍またはアフタ b. 特徴的な肛門病変 c. 特徴的な胃・十二指腸病変

確診例: 1. 主要所見の A または B を有するもの.
2. 主要所見の C と副所見の a または b を有するもの.
3. 副所見の a, b, c すべてを有するもの.

疑診例: 1. 主要所見の C と副所見 c を有するもの.
2. 主要所見の A または B を有するが虚血性腸病変や潰瘍性大腸炎と鑑別ができないもの.
3. 主要所見の C のみを有するもの.
4. 副所見のいずれか 2 つまたは 1 つのみを有するもの

b) 5-アミノサルチル酸 (5-ASA, ペンタサ®):軽症に有効とされ,自覚症状や炎症所見の改善が認められることがある.

c) 免疫調整薬:アザチオプリンや 6-メルカプトプリン (6-MP) などのプリン体合成阻害薬は以前より広く使用される.副腎皮質ステロイド薬の減量,離脱に有効.また,生物学的製剤との併用が有力視されている.骨髄機能抑制に注意し,欧米人の約半量が適量とされる.

d) 生物学的製剤:抗 TNF-α 抗体インフリキシマブやアダリムマブなどの新しい抗体製剤が寛解導入並びに寛解維持に治療効果をあげている.インフリキシマブは強力な抗 TNF-α 抗体で,即効性があると同時に連続投与で寛解の維持が可能とされている.本剤は,症状のみならず腸病変を治癒させることにより Crohn 病の自然史を変えうる薬物と認識され,広く使用されている.

2) 栄養療法:

a) 完全静脈栄養 (total parenteral nutrition:TPN) および完全経腸栄養 (elemental diet:ED):食物の経口摂取を禁じた 4〜6 週間の TPN や ED は低栄養,脱水,電解質異常の是正に有効なだけでなく,多くの症例で本症の腸病変を治癒させ自覚症状や赤沈値などの炎症所見,X 線・内視鏡所見を改善させて寛解に導くことができる.しかし,中止後しばらくすると病勢の再燃を起こしやすい欠点がある.

b) 在宅栄養療法:再発・再燃防止を目的として,あるいは短腸症候群に用いられる方法で,摂取カロリーの大部分は経腸栄養剤あるいは中心静脈栄養剤でまかなわれる.①在宅経腸栄養:経管法と経口法がある.②在宅中心静脈栄養:上大静脈に挿入したカテーテル付きのポートを皮下に埋め込み,このポートを用いて高カロリー輸液を行う方法である.

3) 内視鏡治療: 内科的治療が奏効して,潰瘍が治癒すれば腸管狭窄が出現するかもしれない.その場合には,狭窄長が短ければ内視鏡による狭窄拡張術を行うこともある.現在では,バルーン内視鏡を用いて大腸のみならず小腸の狭窄も拡張治療可能となった.

4) 外科治療: 以上のような内科的諸治療法を組み合わせても,狭窄,内・外瘻,腹部腫瘤などの合併症を起こし,病勢をコントロールできないものでは外科的治療が行われる.外科治療に際しては切除腸管長を短くすることが基本的な考え方である.狭窄形成術は非切除で狭窄の治療が可能となる手法であるため,短い狭窄が多発する場合に活用が望ましい.術後には高率に再発するので,早期に再発を診断することが望ましい.

予後

再発・再燃を繰り返し,患者の社会生活が阻害されるものが多い.また,長期経過例では,アミロイドーシスが発症し,腸病変部に悪性腫瘍が発生する危険性がある.日本人でも大腸癌の増加傾向がうかがえる.特に直腸と肛門管近傍に癌が好発するため内視鏡や肛門鏡によるサーベイランスが有効と考えられ,積極的な活用が勧められる.最近では,生物学的製剤の長期使用経験が増え,予後のよい患者が増えている.したがって,手術率や入院率の低下により予後が改善されたと考えるものが多い. 〔松井敏幸〕

■文献

Faubion WA Jr, Loftus EV Jr, et al: The Natural history of corticosteroid therapy for inflammatory bowel disease: a population-based study. *Gastroenterology*. 2001; 121: 255-60.
松井敏幸:クローン病診断基準(案)(2011 改訂).難治性炎症性腸管障害に関する調査研究班(渡辺班)平成 22 年度分担研究報告書, pp475-83, 2011.
日本消化器病学会編:クローン病診療ガイドライン,南江堂, 2010.
Frøslie KF, Jahnsen J, et al: Mucosal healing in inflammatory bowel disease: results from a Norwegian population-based cohort. *Gastroenterology*. 2007; 133: 412-22.

5) 潰瘍性大腸炎
ulcerative colitis

概念

潰瘍性大腸炎は大腸に慢性炎症を引き起こす原因不明の疾患であり,血便・下痢がおもな症状である.炎症は主として粘膜および粘膜下層に起こり,直腸から口側に連続性・びまん性に広がる.経過としては,再燃と寛解を繰り返す.治療は炎症や免疫反応を抑制する薬剤が用いられるが,内科的治療に抵抗する場合は大腸全摘が必要になる.関節炎・原発性硬化性胆管炎

表 10-5-8 病変範囲による分類

直腸炎(proctitis)
病変が直腸 S 状結腸部(Rs)より肛門側の直腸に限局しているもの

左側大腸炎(left-sided colitis)
病変が脾弯曲部より肛門側に限局しているもの

全大腸炎(extensive colitis)
病変が脾弯曲部をこえて口側に広がっているもの

表 10-5-9 病期の分類

活動期 (active stage)	血便を訴え,内視鏡的に血管透見像の消失,易出血性,びらん,または潰瘍などを認める状態
寛解期 (remission stage)	血便が消失し,内視鏡的には活動期の所見が消失し,血管透見像が出現した状態

表 10-5-10 臨床的重症度による分類

	重症	中等症	軽症
1)排便回数	6 回以上	重症と軽症との中間	4 回以下
2)顕血便	(＋＋＋)		(＋)〜(−)
3)発熱	37.5℃以上		(−)
4)頻脈	90/分以上		(−)
5)貧血	Hb 10 g/dL 以下		(−)
6)赤沈	30 mm/時以上		正常

注1:重症とは 1)および 2)のほかに全身症状である 3)または 4)のいずれかを満たし,かつ 6 項目のうち 4 項目以上を満たすものとする.軽症は 6 項目すべて満たすものとする.
注2:重症のなかでも特に症状が激しく重篤なものを劇症とし,発症の経過により,急性劇症型と再燃劇症型に分ける.劇症の診断基準は以下の 5 項目をすべて満たすものとする.
① 重症基準を満たしている.
② 15 回/日以上の血性下痢が続いている.
③ 38℃以上の持続する高熱がある.
④ 1 万/mm^{3}以上の白血球増加がある.
⑤ 強い腹痛がある.

など腸管外に合併症を起こすことがあり,長期経過例では大腸癌が合併することがある.

分類(表 10-5-8〜10-5-12)

病因

潰瘍性大腸炎の原因は不明である.しかし,全ゲノム相関解析によって数多くの疾患感受性遺伝子が見いだされたこと,世界的に社会が欧米化するにつれて患者数が増えること,患者において腸内細菌叢の異常や腸管局所での免疫異常を認めることなどから,遺伝的

表 10-5-11 内視鏡所見による分類

重症度	内視鏡所見
軽度(mild)	血管透見像消失 粘膜細顆粒状 発赤,アフタ,小黄色点
中等度(moderate)	粘膜粗糙,びらん,小潰瘍 易出血性(接触出血) 粘膜膿性分泌物付着 その他の活動性炎症所見
強度(severe)	広範な潰瘍 著明な自然出血

注1:内視鏡的に観察した範囲で最も所見の強いところで診断する.内視鏡検査は前処置なしで短時間に施行し,必ずしも全大腸を観察する必要はない.

表 10-5-12 臨床経過による分類

再燃寛解型(relapse-remitting type)
経過中に活動期と寛解期を繰り返す.

慢性持続型(chronic continuous type)
初回発作より 6 カ月以上活動期にあるもの.

急性劇症型(急性電撃型)(acute fulminating type)
きわめて激烈な症状で発症し,中毒性巨大結腸症・穿孔・敗血症などの合併症を伴うことが多い.

初回発作型(first attack type)
発作が 1 回だけのもの.しかし将来再燃をきたし,再燃寛解型となる可能性が大きい.

素因を有するものに衛生環境や食事(高蛋白食・高脂肪食)といった環境因子が加わり,腸内細菌叢の異常が引き起こされた結果,大腸粘膜で異常な免疫反応が惹起されて発症すると考えられている.

疫学

わが国において潰瘍性大腸炎の患者数は急増している.患者数は現在 166060 人(2013(平成 25)年度末の医療受給者証および登録者証交付件数の合計)にのぼり,人口 10 万人あたり 100 人程度である.男女比は 1:1 で性差はない.発症年齢のピークは 20〜30 歳代にあるが,若年者や高齢者でも発症することがある.世界的には欧米の白人種で罹患率・有病率が高いが,社会の欧米化に伴ってアジア諸国を中心に患者数が急増してきている.

病理

活動期には,びまん性の炎症性細胞浸潤を粘膜と粘膜下層に認め,びらんや潰瘍を形成する.陰窩膿瘍(crypt abscess;陰窩の腺管内腔に好中球が充満している像)も認められる(図 10-5-8).ただし,これらの所見は非特異的なものであり,感染性腸炎など他疾患でも認められることがあるので,病理所見のみで本症を診断することはできない.また,腺管の配列異常

（蛇行，分岐）・数の減少・萎縮といった腺管構造の乱れ（crypt distortion）や，陰窩と粘膜筋板の間に形質細胞が密に浸潤する basal plasmacytosis といった像もみられ，これらは慢性炎症を示唆する所見である．寛解期でも crypt distortion は残存することがある．腸上皮細胞の異常として，杯細胞の減少や Paneth 細胞化生がみられる．

臨床症状

1）自覚症状： 潰瘍性大腸炎のおもな症状は，粘血便，血性下痢，腹痛などである．このような症状を持続性または反復性に認める場合に本症を疑う．症状は緩徐に出現し，数週間以上にわたって持続することが多いが，なかには急激に発症することもある．アフタ性口内炎，関節痛，結節性紅斑といった腸管外合併症を伴うこともある．

　症状は，病変範囲や重症度によって変化する．直腸炎では，鮮血便，血液の混じった粘液の排出，便意切迫感，テネスムス（頻回に便意はあってもほとんど排便がない状態）がみられるが，下痢・腹痛の頻度は低い．病変が直腸より口側に広がると，便中への血液の混入や下痢がみられるようになる．特に夜間に下痢をきたすことがあり，これは過敏性腸症候群と異なる点である．重症例では発熱，体重減少，食欲不振といった全身症状を伴い，排便後に攣縮による強い腹痛を認めることがある．

2）他覚症状： 身体所見では異常を認めないことも多いが，腹部圧痛，直腸診での血液付着などを認めることがある．重症例では，発熱，頻脈，貧血が認められることがある．激しい腹痛に加えて，鼓腸や腸管蠕動

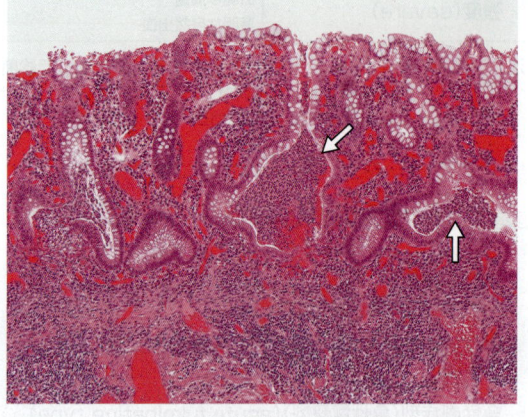

図 10-5-8 活動期潰瘍性大腸炎の病理組織像（手術標本）
粘膜全層にわたって，びまん性に炎症性細胞が浸潤している．腺管密度が減少し，腺管の配列異常や杯細胞の減少を伴っている．陰窩膿瘍（矢印）も認める．

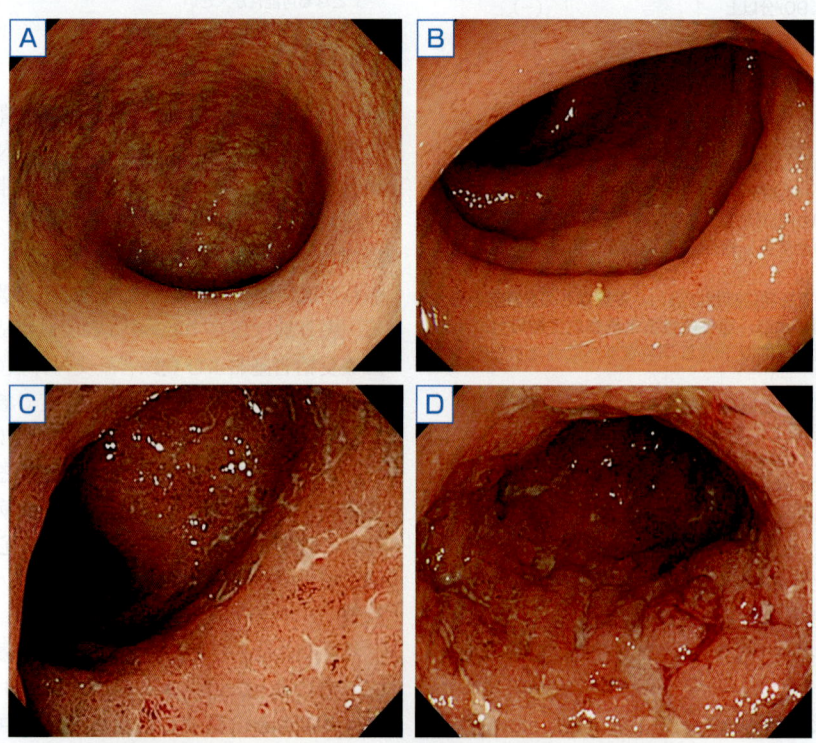

図 10-5-9 潰瘍性大腸炎の下部消化管内視鏡像
A：寛解期．血管透見像がある．
B：軽度．粘膜は浮腫状で血管透見像が消失している．
C：中等度．びらんを認める．
D：強度．潰瘍形成や易出血性を認める．

音の低下・消失を認めた場合は，中毒性巨大結腸症を疑う．腹膜刺激症状が出現した場合には，大腸穿孔を疑う必要がある．腹部所見に加えて，アフタ性口内炎，皮疹（結節性紅斑，壊死性膿皮症），関節炎など腸管外合併症の有無も確認する．

検査所見

1) 下部消化管内視鏡検査： 下部消化管内視鏡検査は，本症の診断および病勢評価のためには必須の検査である．粘膜の発赤・浮腫のために血管透見像は消失し，粗糙な細顆粒状粘膜が広がり，粘血膿性分泌物の付着を認める（図10-5-9）．炎症は直腸から連続性・びまん性に口側に広がる．炎症が強くなると粘膜は脆弱化し，易出血性（自然出血，接触出血）となり，びらんや潰瘍を形成する．重症例では広範な潰瘍や，筋層にまで達する深掘れ潰瘍を認めることもある．寛解期には血管透見像が回復するが，炎症性ポリポーシスや潰瘍瘢痕を認めることがある．

病変範囲の決定のためには全大腸を観察することが望ましいが，特に重症例では穿孔のリスクがあるため，無理に深部へ内視鏡を挿入する必要はない．また，重症例では腸管洗浄剤を用いた前処置を行わずに内視鏡を施行することもある．

2) 血液検査： 本症に特異的な血液検査はなく，軽症～中等症例では血液検査で異常を認めないことも多い．中等症以上の症例では貧血，CRP値上昇，赤沈の亢進，白血球増加，血小板増加が認められることもある．腸管からの蛋白漏出や栄養状態の悪化に伴って，血清アルブミン値が低下することもある．

3) 腹部単純X線写真： 診断における有用性は必ずしも高くないが，巨大結腸症や大腸穿孔の診断には有用なことがある．

4) 注腸造影検査： 診断のために行われる機会は減っているが，大腸のハウストラが消失した鉛管像（lead-pipe appearance）を認めることがある．

5) 便培養検査： 初発時や再燃時には細菌性腸炎との鑑別のために必須の検査である．また，潰瘍性大腸炎の経過中に Clostridium difficile 感染を合併することがあるため，症状が増悪した際には便の嫌気性培養やCD毒素の検索も行う．

診断

持続性の粘血便などの臨床症状から本症を疑い，内視鏡検査や大腸粘膜生検の病理検査で特徴的な所見が確認され，感染性腸炎などが否定できれば，診断が確定する．わが国では表10-5-13の診断基準が頻用されている．

鑑別診断

鑑別すべき疾患として重要なものは，表10-5-13に示したような感染性腸炎である．便培養検査とともに，問診で症状の持続期間を確認することが重要である．感染性腸炎の症状は数日で改善するが，潰瘍性大腸炎の場合は数週間以上続くことが多い．ただし，アメーバ性大腸炎では慢性に症状が持続することがあるので，注意を要する．

その他の鑑別疾患としては，医原性のものとして放射線性腸炎，薬剤によるものとして急性出血性大腸炎，偽膜性腸炎，血管性疾患として虚血性腸炎，全身性疾患に伴う腸管病変としてループス腸炎・血管炎に

表10-5-13 潰瘍性大腸炎診断基準

次の a)のほか，b)のうちの1項目，および c)を満たし，下記の疾患が除外できれば，確診となる．
a) 臨床症状：持続性または反復性の粘血・血便，あるいはその既往がある．
b) ①内視鏡検査：i) 粘膜はびまん性におかされ，血管透見像は消失し，粗糙または細顆粒状を呈する．さらに，もろくて易出血性（接触出血）を伴い，粘血膿性の分泌物が付着しているか，ii) 多発性のびらん，潰瘍あるいは偽ポリポーシスを認める． ②注腸X線検査：i) 粗糙または細顆粒状の粘膜表面のびまん性変化，ii) 多発性のびらん，潰瘍，iii) 偽ポリポーシスを認める．その他，ハウストラの消失（鉛管像）や腸管の狭小・短縮が認められる．
c) 生検組織学的検査：活動期では粘膜全層にびまん性炎症性細胞浸潤，陰窩膿瘍，高度な杯細胞減少が認められる．いずれも非特異的所見であるので，総合的に判断する．寛解期では腺の配列異常（蛇行，分岐），萎縮が残存する．上記変化は通常直腸から連続性に口側にみられる．
b) c)の検査が不十分，あるいは施行できなくとも，切除手術または剖検により，肉眼的および組織学的に本症に特徴的な所見を認める場合は，下記の疾患が除外できれば，確診とする．除外すべき疾患は，細菌性赤痢，アメーバ性大腸炎，サルモネラ腸炎，カンピロバクター腸炎，大腸結核，クラミジア腸炎などの感染性腸炎が主体で，その他に Crohn 病，放射線照射性大腸炎，薬物性大腸炎，リンパ濾胞増殖症，虚血性大腸炎，腸型 Behçet 病などがある．
注1：まれに血便に気づいていない場合や，血便に気づいてすぐに来院する（病悩期間が短い）場合もあるので注意を要する．
注2：所見が軽度で診断が確実でないものは「疑診」として取り扱い，後日再燃時などに明確な所見が得られた時に本症と「確診」する．
注3：indeterminate colitis Crohn 病と潰瘍性大腸炎の両疾患の臨床的，病理学的特徴を合わせもつ，鑑別困難例．経過観察により，いずれかの疾患のより特徴的な所見が出現する場合がある．

表 10-5-14 2013(平成 25)年度潰瘍性大腸炎治療指針(内科)

寛解導入療法		軽症	中等症	重症	劇症
左側大腸炎型	全大腸炎型	経口薬:5-ASA 製剤 注腸薬:5-ASA 注腸,ステロイド注腸 ※中等症で炎症反応が強い場合や上記で改善ない場合はプレドニゾロン経口投与 ※さらに改善なければ重症またステロイド抵抗例への治療を行う ※直腸部に炎症を有する場合はペンタサ座薬が有用		・プレドニゾロン経口あるいは点滴静注 ※状態に応じ以下の薬剤を併用 経口薬:5-ASA 製剤 注腸薬:5-ASA 注腸,ステロイド注腸 ※改善なければ劇症またはステロイド抵抗例の治療を行う ※状態により手術適応の検討	・緊急手術の適応を検討 ※外科医と連携のもと,状況が許せば以下の治療を試みてもよい. ・ステロイド大量静注療法 ・シクロスポリン持続静注療法*1 ・タクロリムス経口 ※上記で改善なければ手術
直腸炎		経口薬:5-ASA 製剤 座薬:5-ASA 座薬,ステロイド座薬 注腸薬:5-ASA 注腸,ステロイド注腸 ※安易なステロイド全身投与は避ける			
難治例		ステロイド依存例		ステロイド抵抗例	
		免疫調節薬:アザチオプリン・6-MP*1 ※(上記で改善しない場合):血球成分除去療法・タクロリムス経口・インフリキシマブ点滴静注・アダリムマブ皮下注射を考慮してもよい		中等症:血球成分除去療法,タクロリムス経口,インフリキシマブ点滴静注,アダリムマブ皮下注射 重症:血球成分除去療法,タクロリムス経口,インフリキシマブ点滴静注,アダリムマブ皮下注射,シクロスポリン持続静注療法*1 ※アザチオプリン・6-MP*1 の併用を考慮する ※改善がなければ手術を考慮	
寛解維持療法		非難治例		難治例	
		5-ASA 経口製剤 5-ASA 局所製剤		5-ASA 製剤(経口・局所製剤) 免疫調節薬(アザチオプリン,6-MP*1),インフリキシマブ点滴静注*2,アダリムマブ皮下注射*2	

*1:現在保険適用には含まれていない.
*2:インフリキシマブ・アダリムマブで寛解導入した場合含
5-ASA(aminosalicylic acid)経口製剤(ペンタサ® 錠,アサコール® 錠,サラゾピリン® 錠)
5-ASA 局所製剤(ペンタサ® 注腸,ペンタサ® 座薬,サラゾピリン® 座薬)
ステロイド局所製剤(プレドネマ® 注腸,ステロネマ® 注腸,リンデロン® 座薬)

伴う腸炎,その他の疾患として大腸型 Crohn 病,腸型 Behçet 病,アミロイドーシス,好酸球性胃腸炎,単純性潰瘍,非特異性多発性小腸潰瘍症などがあげられる.

合併症

1)腸管合併症:

a)大腸癌:潰瘍性大腸炎の長期経過例では大腸癌の合併率が高くなることが知られている[1].大腸癌合併の危険因子として,①10 年以上の長期経過例,②左側大腸炎以上の病変範囲,③組織学的炎症が強い,④原発性硬化性胆管炎の合併,などが報告されている[2].潰瘍性大腸炎に合併する大腸癌の特徴として,同時性もしくは異時性に多発することがあげられる.dysplasia とよばれる異型上皮が前癌病変である.左側大腸炎以上の病変範囲を有する発症 10 年以上の症例には,年 1 回の大腸内視鏡によるサーベイランスが推奨されている.

b)中毒性巨大結腸症:結腸の著明な拡張(腹部 X 線写真で横行結腸径 6 cm 以上)に加え,発熱・頻脈などの全身症状を伴った状態である.穿孔のリスクが高く,緊急手術の適応である.重症例において,腸管蠕動を低下させるような薬剤(抗コリン薬,止痢薬)の投与が誘引となることがある.

2)腸管外合併症: おもな腸管外合併症として,関節病変(末梢関節炎,仙腸関節炎,強直性脊椎炎),皮膚病変(結節性紅斑,壊死性膿皮症),原発性硬化性胆管炎,アフタ性口内炎,眼病変(ブドウ膜炎,虹彩炎)があげられる.潰瘍性大腸炎の病勢と相関して出現するものと,相関せずに出現するものがある.

予後

1)生命予後: 潰瘍性大腸炎の生命予後は健常者とほぼ同等であると報告されている.しかし,大腸癌や中毒性巨大結腸症といった致死的な合併症を併発することがあることや,重症例で外科的治療のタイミングが遅れないようにすることなどに注意が必要である.

2)手術率: 本症における累積手術率は,発症から 5

年で約10%と報告されており，特に発症1年以内に多い．

治療（表10-5-14）
1）治療原則：原因不明であり根治療法はない．炎症を抑える寛解導入療法と，炎症の再燃を予防する寛解維持療法に分けて治療を考える．治療は，臨床的重症度，病変範囲，病期，これまでの治療経過などを総合的に判断し決定する．重症例では外科との密接な連携のもとに治療することが重要である．

2）内科的治療：軽症～中等症例の寛解導入療法の第一選択はアミノサリチル酸製剤（メサラジン，サラゾスルファピリジン）である．アミノサリチル酸で寛解導入が可能であった場合には，アミノサリチル酸製剤を寛解維持療法として継続する．アミノサリチル酸製剤は局所投与も可能であり，左側大腸炎には注腸製剤，直腸炎には座薬を用いる．

中等症から重症例の寛解導入療法には，副腎皮質ステロイド薬を用いる．経口投与ではプレドニゾロン30～40 mg，静注で投与する場合にはプレドニゾロン1～1.5 mg/kgを用いる．局所副腎皮質ステロイドも有効である．副腎皮質ステロイドに寛解維持効果はないため，1～2週間ごとに漸減し，2～3カ月で終了する．副腎皮質ステロイドの漸減に伴って症状が再燃するステロイド依存例には，アザチオプリンもしくは6-メルカプトプリンといった免疫調節薬を寛解維持療法として投与する[3]．

副腎皮質ステロイドの効果を認めないステロイド抵抗例には抗TNF-α抗体製剤，もしくはカルシニューリン阻害薬（タクロリムス，シクロスポリン）を投与する[4,5]．抗TNF-α抗体製剤には，マウスとのキメラ型抗体であるインフリキシマブと，ヒト型抗体であるアダリムマブがある．抗TNF-α抗体は寛解導入効果のみならず，継続投与することで寛解維持療法としても有効である[6,7]．ステロイド依存例・抵抗例に対して，白血球除去療法も有効な治療法である．

3）外科的治療：潰瘍性大腸炎の手術の絶対適応は中毒性巨大結腸症，大量出血，大腸癌の合併である．内科的治療抵抗例は手術の相対適応である．潰瘍性大腸炎に対する標準術式は，大腸全摘および回腸嚢肛門（管）吻合である．大腸全摘後に回腸嚢に炎症が起こることがあり，回腸嚢炎とよばれている．

〔渡辺　守・松岡克善〕

■文献（e文献10-5-5）

難治性炎症性腸管障害に関する調査研究班：エビデンスとコンセンサスを統合した潰瘍性大腸炎の診療ガイドライン，2006．
難治性炎症性腸管障害に関する調査研究班：潰瘍性大腸炎・クローン病診断基準・治療指針 平成25年度改訂版. 平成25年度分担研究報告書別冊，2014．

6）腸結核
intestinal tuberculosis

定義・概念
結核菌（*Mycobacterium tuberculosis*）が腸に侵入し，炎症を起こして潰瘍を形成する病気で，回腸の末端部と盲腸上行結腸に発生することが多い．また，小腸結核と大腸結核を総称して腸結核という．

分類
腸管に初感染巣をつくる原発性（一次性）腸結核と，肺結核病巣の結核菌が痰の嚥下によって腸に達し，直接腸粘膜に侵入して発病する続発性（二次性）腸結核とに分類される．

疫学
eコラム1も参照．

肺結核の46～70%に腸結核が併発されると報告されており，肺結核の減少に伴い腸結核も減少しているが，高齢者，糖尿病，腎不全，臓器移植後，AIDSなどの免疫不全に伴う腸結核が増加している．

病理
乾酪性肉芽腫を伴う潰瘍が特徴であり，その後に広範な線維化がみられることが多い．潰瘍部には炎症性細胞が集簇しており，深い潰瘍をつくって漏孔や肛門部病変も認められることもある．病初期には乾酪性肉芽腫を伴った潰瘍部に多数の結核菌である抗酸菌（Ziehl-Neelsen染色）がみられるが，慢性期になると著明な線維化や狭窄となり，結核結節として腫瘤を形成する．なお，線維化部分には抗酸菌はほとんどみられなくなる．

臨床症状
無症状のこともあるが，症状としては腹痛が多く，発熱，食欲不振，下痢，体重減少，便秘，鼓腸，血便などがみられる．特に小腸の結核では栄養状態が急に悪化し体重減少したり，慢性期になると腸管が狭窄し，悪心や嘔吐といった腸閉塞症状が出ることもある．腹部腫瘤（結核結節）が触知されることもあり，その多くは右下腹部で認められる．

検査所見
検査法としては大腸内視鏡検査が第一選択であり，典型的には回盲部に輪状潰瘍といわれる腸管の横軸方向の潰瘍がみられ（図10-5-10），生検病理組織検査で乾酪性肉芽腫が認められる．そして，Ziehl-Neelsen染色で抗酸性の桿菌がみられれば確定診断となる．しかし，生検組織で典型的乾酪性肉芽腫が認められるのは50%以下であり，診断に苦慮することが多い．PCR法では生検組織から64～86%の感度で結核菌を検出できる．

もちろん，便培養により結核菌を検出する方法もあるが，最低でも1～2週間かかり，かつ陽性率は10%

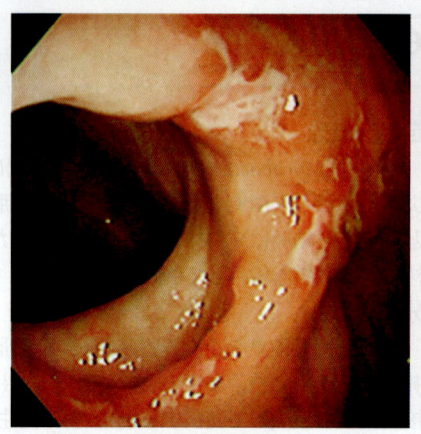
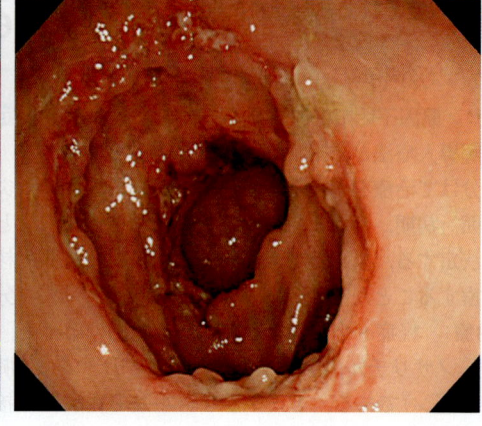

図 10-5-10 腸結核の輪状潰瘍

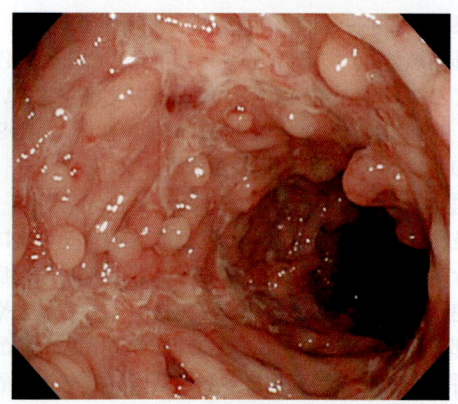

図 10-5-11 Crohn 病の縦走潰瘍

と低いので，生検組織の PCR 法の方が有用である．また，糞便の PCR 法もあるが，培養法よりさらに検出率は低いので勧められない．バリウム注腸検査でも潰瘍，狭窄，漏孔などの特徴的な所見が得られるが，被曝の問題もあるので，生検もできる大腸内視鏡検査が優先される．CT や腹部超音波検査では，肥厚した腸管壁が描出される．

血液検査では CRP や赤沈といった炎症反応の上昇や軽度の貧血，低栄養状態がみられる．最近では，採取した血液から結核感染の有無を診断する，全血インターフェロンγ応答測定法（T スポット®．TB やクオンティフェロン®TB ゴールド）といわれる補助診断法の有用性が認められてきている．

鑑別診断・診断

鑑別診断でまず第一にあげられるのは，最近日本で増加の著しい Crohn 病である．Crohn 病は腸管の長軸方向に縦走する縦走潰瘍が特徴的であり（図 10-5-11），腸結核の輪状潰瘍との鑑別点となる．また，病理組織で腸結核では乾酪性肉芽腫がほとんどであるのに対して，Crohn 病では約半数が非乾酪性肉芽腫である．このほかに鑑別として，エルシニア腸炎，ア

メーバ赤痢，非結核性抗酸菌による腸炎，ヒストプラスマ症，サイトメガロウイルス腸炎，リンパ腫などがあげられる．

治療

抗結核薬による化学療法としてイソニアジド（INH，300 mg/日）とリファンピシン（RFP，600 mg/日）を 6 カ月，ピラジナミド（PZA，15〜30 mg/kg/日）を 2 カ月，エタンブトール（EB，15 mg/kg/日）を 1 カ月間と感受性検査結果が出るまで投与するといった 4 剤併用療法が基本になる（❷コラム 2）．さらに，狭窄，腸閉塞，穿孔，瘻孔形成，腹部腫瘤形成，大出血などの合併症のある場合は手術が必要になることがある．

経過・予後

多剤耐性の結核菌でなければ AIDS などの免疫不全状態の患者でも，抗結核薬の投与により，腹痛・発熱は 2〜3 週間で消失し，潰瘍は 4〜8 週間で瘢痕化し予後は良好である．ただし，診断が遅れ治療が行われなかった場合は致命的となる．また，治療は約半年と長期のため，中途で中断すると結核菌の薬剤耐性のもととなり難治性となるので，中断せず続けさせることも重要である．

結核と診断された場合，二類感染症なので感染症法により，「直ちに」届け出が必要である．また，結核の治療に関する医療費は公費負担となる．腸結核だけで排菌のない場合は隔離せずに外来治療となる．

〔大草敏史〕

■文献

Fantry GT, Fantry LE, et al: Chronic infections of the small intestine, tuberclosis. Textbook of Gastroenterology, 5th ed (Yamada T ed), pp1234-6, Wiley-Blackwell, 2009.

小林清典，佐田美和，他：腸結核．臨床と研究．2004; 82: 1437-42.

7）虚血性腸炎
ischemic enterocolitis

概念・頻度
　腸間膜血管の血流障害に基づき腸管に虚血性変化をきたす疾患の総称として虚血性腸疾患（ischemic bowel disease）があり（表10-5-15），虚血性腸炎はその1つである．このなかで急性腸間膜動静脈閉塞症や非閉塞性腸間膜虚血（NOMI）などは急性腸間膜虚血（acute mesenteric ischemia：AMI）の概念で一括される【⇨10-5-18】．このほかに動脈硬化により慢性的に食後の腸間膜動脈虚血をきたす腹部アンギーナがよくみられる．小腸の豊富な側副血行路により虚血性小腸炎の頻度はきわめて低いので，本項では腸管虚血の75％以上を占め臨床的に頻度が高い虚血性大腸炎について解説する．

　虚血性大腸炎（ischemic colitis）は主幹動脈に明らかな器質的閉塞がなく，可逆的な血行障害に起因した大腸炎である．Boleyらにより1963年に報告され（Boleyら，1963），Marston（1966）が，病型を一過性型，狭窄型および壊疽型に分けた．60歳以上に好発するが，ときに若年者における発症もみられる．便秘の高齢者は女性に多いので女性のリスクが高い．ほとんどは炎症が粘膜から粘膜下層にとどまる一過性型（75％以上）であるが，固有筋層におよび狭窄を残すもの（狭窄型，約20％）や腸管壊死に陥る壊疽型（約2～3％）もみられる．壊疽型は不可逆的な腸梗塞をきたすので，虚血性大腸炎（狭義）の概念から除外することが多い．

原因・病態
　原因として全身循環動態変化や心不全，局所的な塞栓が考えられるが，多くは原因不明で小血管の非閉塞性虚血が考えられる．血流低下はwater shed area（血管支配の分水嶺）である脾弯曲部とS状結腸直腸移行部に高頻度に発生し，85％以上が下行結腸やS状結腸の左側結腸にかけて好発する．右側の結腸のものは頻度は低いが全身の循環動態変化を伴うものが多く，急性腸間膜虚血と同様の病態を呈して重症化しやすい（Longstrethら，2009）．

　発症要因として，血管側因子と腸管側因子に分け，そのバランスが複雑に関与して，腸管の微小循環障害を惹起すると考えると理解しやすい（図10-5-12）．腸管の循環障害をきたす血管側因子として，全身的循環不全や心不全，動脈硬化，局所的な微小な血栓や塞栓が考えられるが，多くは原因不明で血管造影では認識されないような小血管の非閉塞性虚血が考えられる．また大動脈瘤手術後の合併症としても知られ死因の10％を占める．若年者で発症した場合は，血管炎，血栓素因や凝固異常，薬物によるもの（e表10-5-A）[4]，マラソンなどが原因としてあげられる．女性では抗リン脂質抗体症候群やSLEなどの自己免疫疾患の合併や，経口避妊薬などの服用に注意する．やせ薬の大量服用により本症をきたした報告やコカインなどの麻薬による発症も諸外国では注目されている．なお，血管炎に伴うものは，虚血性大腸炎とは別疾患として扱う場合も多い．腸管側因子として，便秘，いきみ，下剤，浣腸などによる腸管内圧上昇が誘発因子となり，その他に腸管の蠕動運動亢進，大腸癌などによる腸管狭窄などがあげられる．

臨床症状
　虚血性大腸炎の症状は，突然に生じ圧痛を伴う左下腹部痛，排便回数の増加（多くは水様下痢便），24時間以内の鮮血便の3徴候は典型的であるとされるが，下血は通常一過性で輸血を必要としない．嘔吐や冷汗を伴う場合が多い．右側結腸型では下血が少なく，腹痛が強い．腹部症状が回復せず腹膜刺激症状が出現した場合は壊疽型を考慮に入れる．狭窄型はいったん自覚症状が改善するが，狭窄の進行とともに腸閉塞症状を認めるようになる．

診断・鑑別診断
　本症を疑った場合，腹部単純X線所見や腹膜刺激症状がないことを確認して48時間以内に大腸ファイバースコープ，あるいはS状結腸ファイバースコープと水溶性造影剤による注腸X線造影の組み合わせによる検査を施行する（図10-5-13）．腹膜刺激症状

表10-5-15　虚血性腸疾患の分類

1. 急性腸間膜虚血
   1）急性腸間膜動脈閉塞（血栓症・塞栓症）
   2）急性腸間膜静脈閉塞（凝固異常など）
   3）非閉塞性腸間膜虚血（NOMI）
2. 慢性腸間膜虚血
   1）慢性腸間膜動脈虚血（腹部アンギーナ）
   2）慢性腸間膜静脈虚血
3. 虚血性腸炎
   虚血性大腸炎
4. その他の虚血性腸疾患
   1）絞扼性イレウス
   2）腸間膜静脈硬化症
   3）アミロイドーシスに伴う腸管虚血
   4）血管炎・膠原病に伴う腸管虚血
   5）腸間膜分節性動脈中膜融解に伴う腸管虚血
   6）放射線腸炎に伴う腸管虚血
   7）抗菌薬起因性出血性大腸炎
   8）急性出血性直腸潰瘍
   9）解剖学的異常による腸管虚血
   　A. 腹腔動脈根部圧迫症候群
   　B. 上腸間膜動脈症候群

がみられた場合には，侵襲の少ないCT検査を選択する．CT所見ではおもに左側結腸に限局した腸管壁の肥厚と浮腫像をみる．注腸X線所見では，急性期に粘膜下層の浮腫により母指圧痕像（thumb-printing）を認め，その後縦走潰瘍や偏側性変形を認める．内視鏡では急性期に浮腫に伴い区域性の粘膜下層よりの出血（hemorrhagic nodule）および縦走潰瘍をみる．母指圧痕像とhemorrhagic noduleは重要所見であるが48時間以内に消失するので，1週間後にもう一度再検する．その際に活動性の炎症や潰瘍が残存していた場合は炎症性腸疾患など他疾患をむしろ疑う．治癒期に潰瘍瘢痕（はんこん）により管状狭窄や小囊形成をきたす狭窄型への移行は急性期には予測困難であり2カ月近い経過の追跡が必要である．腹部血管造影は発症時に通常血流は回復しているので本症診断には役立たないが，右側結腸にも病変を認めた場合には適応となる．

鑑別診断として，薬物性大腸炎（NSAIDs起因性腸炎など），感染性大腸炎（腸管出血性大腸菌，Clostridium difficile 感染症など），大腸憩室炎，潰瘍性大腸炎やCrohn病，大腸癌を鑑別する必要がある．また，血管炎や放射線大腸炎の合併も考慮にいれる必要がある．

治療

絶食とし抗不整脈薬などを中止し，補液，広域抗菌薬の投与を行う．一過性型は通常1〜2日で症状が消え，1〜2週間の治療で大腸所見は改善するが，腹部症状の悪化，特に腹膜炎症状が出現したら手術適応も考慮する．通常狭窄も徐々に解除されるが6カ月以上経過して潰瘍がなく閉塞症状があれば内視鏡的バルーン拡張術が有効である．しかし狭窄距離が長いと手術適応となる．壊疽型も手術適応となる．なかには区域性の潰瘍病変（segmental ulcerating colitis）が持続して発熱，下痢，下血を繰り返し炎症性腸疾患との区別が困難な場合もあるが，これはステロイドの使用で穿孔の危険性を増すので注意すべきである．また他疾患，特に大腸癌を虚血病変の遠位側にみることが多いことも念頭に置く必要がある．〔三浦総一郎〕

■文献

Boley SJ, Schwartz S, et al: Reversible vascular occlusion of the colon. *Surg Gynecol Obstet.* 1963; **116**: 53-60.

Longstreth GF, Yao JF: Epidemiology, clinical features, high-risk factors, and outcome of acute large bowel ischemia. *Clin Gastroenterol Hepatol.* 2009; **7**: 1075-80.

Marston A, Pheils MT, et al: Ischaemic colitis. *Gut.* 1996; **7**: 1-15.

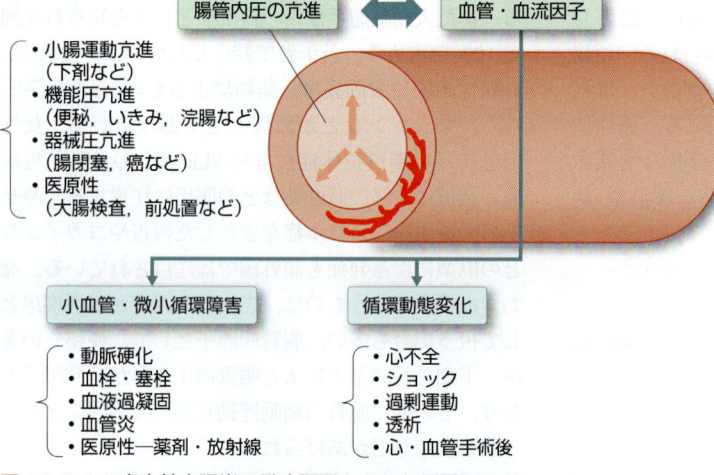

図10-5-12 虚血性大腸炎の発症要因とおもな原因

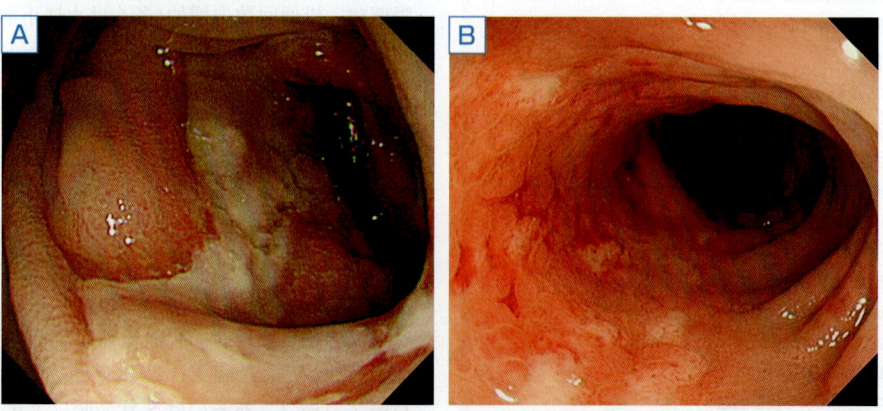

図10-5-13 虚血性大腸炎の大腸内視鏡所見
A：虚血性大腸炎狭窄型のS状結腸に潰瘍と浮腫を伴う狭窄を認める．
B：虚血性大腸炎一過性型の下行結腸に出血を伴う縦走のびらん・潰瘍を認める．

8）小腸腫瘍
tumor of the small intestine, small intestinal tumor

小腸は解剖学的に幽門輪から回盲弁までの消化管であり，十二指腸，空腸，回腸に分けられる．空腸・回腸は長く，腹腔内で比較的自由に存在することから診断が困難で，小腸の腫瘍性病変の頻度は少ないと考えられてきたが，バルーン内視鏡の登場（菅野，2005）や画像診断機器の性能向上などに伴って，小腸腫瘍が診断される機会が増えてきた．

発生頻度・臨床症状

小腸は全消化管のうち，75％の長さを占め，面積でいえば90％を占めるにもかかわらず，小腸の悪性腫瘍は全消化管悪性腫瘍の5％以下にとどまる．小腸悪性腫瘍に関する米国の統計ではカルチノイドと腺癌が多いが（Bilimoriaら，2009），わが国ではカルチノイドはまれで悪性リンパ腫と消化管間質腫瘍（gastrointestinal stromal tumor：GIST）が多い（Mitsuiら，2009）（eノート1）．

小腸の悪性腫瘍の初期や良性腫瘍では無症状のことが多く，正確な発生頻度は不明である．発見される契機となる症状は下血，貧血，腹痛，狭窄症状，腸重積による間欠的腹痛，嘔吐などである．

分類

腫瘍は良性腫瘍と悪性腫瘍に分けられるが，悪性腫瘍には小腸原発のものと他臓器からの浸潤や転移によるものがある．十二指腸の癌は乳頭部に生ずるものが多いが，乳頭部胆管・膵管，膵頭部癌と臨床病理学的共通点が多く，発生母地の同定も困難であるため膵頭部領域癌，乳頭部癌として別に取り扱われる場合が多い．

小腸腫瘍の特徴として腺腫，癌などの上皮性腫瘍に対し，非上皮性腫瘍の占める割合が胃や大腸と比べて高いことが知られている．小腸原発の悪性腫瘍として，わが国では悪性リンパ腫，GIST，癌が主で，この3つの腫瘍で約90％を占める．

1）悪性リンパ腫： 消化管悪性リンパ腫は節外性リンパ腫のなかで最も頻度が高い．消化管のなかで最も頻度の高い臓器は胃であり，小腸がそれにつぐ．一方原発性小腸腫瘍のなかではリンパ腫は癌，GISTよりも高頻度であり，なかでも回腸に多い．性別では男性優位の報告が多く，多発性やびまん性の症例も多く認められる．小腸では胃や大腸に比しT細胞性リンパ腫が多いとされているが，頻度はやはりB細胞性リンパ腫の方が高く，80％以上を占めている．そのなかではびまん性大細胞型B細胞リンパ腫（diffuse large B-cell lymphoma）が最も多く，ついでMALTリンパ腫（mucosa-associated lymphoid tissue lymphoma）と濾胞性リンパ腫（follicular lymphoma）が多い．マントル細胞リンパ腫（mantle cell lymphoma）や濾胞性リンパ腫は原則的に節性のリンパ腫であり，消化管原発のものはまれと考えられてきたが，最近の小腸内視鏡検査の進歩により濾胞性リンパ腫の発見頻度が増加している．肉眼型としては隆起型，潰瘍型，multiple lymphomatous polyposis（MLP）型，びまん型，混合/その他に分けられる．びまん性大細胞型B細胞リンパ腫，MALTリンパ腫は隆起型または潰瘍型を示すことが多く，マントル細胞リンパ腫と濾胞性リンパ腫はMLP型を示す[1]．免疫増殖性小腸疾患（immunoproliferative small intestinal disease：IPSID）はMALTリンパ腫の特殊型であり，地中海周辺諸国に多く，小腸全体にびまん性に病変を認め，吸収不良を主徴とするなど特異的な臨床像を示す疾患である．light chainの欠如した異常α鎖を産生するα鎖病としても知られており，緩徐な臨床経過を示す．T細胞性リンパ腫はびまん型が多く，intestinal T-cell lymphomaもしくはenteropathy-type T-cell lymphomaとよばれ，セリアック病に合併することが多く，進行が速く予後不良である．

小腸悪性リンパ腫の治療としては病変の範囲，組織型および病期に応じて，手術・化学療法・抗菌薬治療・経過観察などが選択される．単発で限局性のものは外科的切除および術後化学療法が一般的であるが，近年では小腸内視鏡を用いた生検による病理組織学的診断に基づいた化学療法単独の治療も試みられている[2]．化学療法のレジメンは6～8コース前後のCHOP（シクロホスファミド（cyclophosphamide），ドキソルビシン（hydroxydaunomycin），オンコビン（oncovin），プレドニゾロン（prednisolone））療法が基本であるが，B細胞性リンパ腫に対しては，抗CD20モノクローナル抗体リツキシマブ（rituximab）を併用するR-CHOP療法が標準的治療として確立されている．IPSIDに対しては，以前から抗菌薬治療の有効性が知られていたが，最近十二指腸MALTリンパ腫に対するHelicobacter pylori除菌療法の有効性も報告されている．

2）消化管間質腫瘍（GIST）： 従来平滑筋腫，平滑筋肉腫として分類されてきた腫瘍のほとんどは近年GISTとして分類されるようになった．GISTは腸管の運動を制御するペースメーカ細胞であるCajal介在細胞由来の間葉系腫瘍であり，消化管に生ずる間葉系腫瘍のうちで最も頻度の高いものである．GISTはc-kit遺伝子産物（KIT）が陽性であることが特徴であり，診断のためのマーカーとしても，また，切除不能の転移性GISTの治療においても重要である．GISTの場合良性，悪性の明確な区別は難しく腫瘍の大きさ，核分裂数によって悪性度が判断される．5cm以上のもの，10/50 HPF（high-power fields；400倍視野）以上

の腫瘍細胞分裂像数を示すもので悪性度が高い．腫瘍径と核分裂数が同等であっても小腸 GIST は胃 GIST に比較して悪性度が高い[3]．

小腸 GIST は空腸に発生することが多い．発育様式として，管内型，管外型，壁内型，混合型があり，管外型の場合には消化管内腔側からの観察では同定しにくいため，注意が必要である．

GIST は血管増生に富み，粘膜下腫瘍の形態をとるが粘膜側に潰瘍を形成することが多く，消化管出血を初発症状とすることが多い．

治療は原則的には病変部を含んだ外科的切除が第一選択である．リンパ節転移は非常にまれであり，通常，リンパ節郭清は行われていない．通常の化学療法，放射線療法は無効である．メシル酸イマチニブは KIT チロシンキナーゼの競合的阻害薬であり，GIST の切除不能例や再発例，姑息切除例に有効である．

3）小腸癌：小腸癌は Crohn 病に伴うものを除き，近位空腸，十二指腸に生ずることが多い．大腸癌同様散発性に生ずるものが多いが家族性大腸腺腫症に伴う小腸腺腫の癌化としても認められる．初発症状としては閉塞症状，出血が多い．治療は完全摘除が唯一の根治的手段であり，大腸癌同様リンパ節郭清も必要である．放射線療法，化学療法の有用性は確立していない．粘膜層に限局する早期癌の場合は内視鏡的粘膜切除術（endoscopic mucosal resection：EMR）やポリペクトミーで根治可能と考えられている．

4）カルチノイド：小腸のカルチノイドは欧米では癌についで2番目に頻度の高い小腸腫瘍だが，わが国では非常にまれな疾患である．消化管カルチノイドの発生頻度は欧米では虫垂，回腸，直腸の順に多いのに対し，わが国では直腸，胃，十二指腸の順で，虫垂，回腸には少ない．カルチノイドは神経内分泌顆粒含有細胞すなわち内分泌細胞で構成され，特徴的な組織構築を示す低異型度の腫瘍である．セロトニンなどの消化管アミン，ペプチドホルモンを産生分泌し，他臓器転移を起こすと特徴的なカルチノイド症候，すなわち顔面紅潮，下痢，喘息発作を呈する．発生部位としては空腸に少なく，回腸に多い．多発例も少なくなく，約 1/3 を占めるとの報告もある．空腸・回腸カルチノイドは直腸，胃のカルチノイドに比して転移率が高く，10 mm 以下であってもそのリンパ節転移陽性率は平均 44％（5〜85％）であり，注意が必要である．直腸，胃（types Ⅰ/Ⅱ；高ガストリン血症に随伴するタイプ）においては 10 mm 以下の場合内視鏡的切除の適応とする考えがあるが，空腸・回腸カルチノイドにおいては腫瘍の大きさにかかわらず，所属リンパ節郭清を伴う手術が必要とされる．

5）二次性の腫瘍：他臓器からの二次性の腫瘍としては直接浸潤，腹腔内播腫，血行性転移によるものがあ

る．膵臓癌はしばしば十二指腸に直接浸潤し，大腸，卵巣，子宮，胃の癌は直接浸潤もしくは腹腔内播腫により小腸に及ぶ．肺癌，乳癌，悪性黒色腫は血行性に小腸転移をすることが知られている．頻度としては特に肺癌が多く，なかでも大細胞癌で認められることが多い[4]．

6）その他の良性腫瘍および腫瘍様病変：小腸の良性腫瘍は無症状のものが多く，正確な有病率を算出できる資料はない．以前は，ほかの疾患の手術時や剖検時に偶然発見されることが多かったが，カプセル内視鏡，ダブルバルーン内視鏡の普及に伴い，内視鏡で発見される機会が増えている．小腸の良性腫瘍のなかで比較的頻度の高いものとしては腺腫，脂肪腫，過誤腫，血管腫，リンパ管腫，炎症性線維性ポリープ（inflammatory fibroid polyp：IFP）などが知られている．散発性に生ずるもののほかに家族性大腸腺腫症に伴う腺腫や Peutz-Jeghers 症候群に伴う過誤腫のようにポリポーシス症候群に伴う多発性のものもある．

良性でも腫瘍が大きくなると内腔が狭小化して閉塞症状を現したり，腫瘍を先進部とした腸重積によるイレウスの原因となったりする．その他，顕性，不顕性の出血の原因となることもある．腺腫と Peutz-Jeghers 症候群に伴う過誤腫は悪性化の危険性がある．出血や腸重積の合併や悪性化の危険性がある場合は治療の適応となり，外科手術が行われる．最近はバルーン内視鏡により深部小腸へも内視鏡的アプローチが可能となり，粘膜もしくは粘膜下層に主座をおく小病変はポリペクトミーや EMR で対処可能となった．

〔山本博徳・矢野智則〕

■文献（e文献 10-5-8）

Bilimoria KY, Bentrem DJ, et al: Small bowel cancer in the United States: changes in epidemiology, treatment, and survival over the last 20 years. *Ann Surg*. 2009; **249**: 63-71.

Mitsui K, Tanaka S, et al: Role of double-balloon endoscopy in the diagnosis of small-bowel tumors: the first Japanese multicenter study. *Gastrointest Endosc*. 2009; **70**: 498-504.

菅野健太郎監・編：ダブルバルーン内視鏡—理論と実際，南江堂，2005.

9）大腸良性腫瘍

定義・概念

大腸良性腫瘍は，組織学的に種々の病変を含んでいる．良性上皮性腫瘍である腺腫以外に，良性非上皮性腫瘍（脂肪腫，血管腫，GIST など）が含まれる．大腸ポリープなどの腫瘍様病変を加えるとさらに多岐にわたる[1-4]．ポリープが多発（通常 100 個以上）するものは，ポリポーシス【⇒10-7】という[1-4]．なお，本項

表 10-5-16 単発性大腸隆起性病変

上皮性病変
　腫瘍：腺腫，早期癌，進行癌
　非腫瘍
　　炎症性ポリープ：良性リンパ濾胞性ポリープ，炎症性ポリープ
　　過形成ポリープ：過形成性結節，過形成ポリープ
　　過誤腫性ポリープ：juvenile(若年性)ポリープ，Peutz-Jeghers ポリープ
　　その他：colonic mucosabmucosal elongated polyp(CMSEP)
　　　　　　iInflammatory myoglandular polyp(IMG polyp)

非上皮性病変
　腫瘍
　　消化管間質腫瘍(GIST)
　　血管性腫瘍：リンパ管腫，海綿状血管腫など
　　リンパ系腫瘍：MALT リンパ腫，悪性リンパ腫
　　カルチノイド
　　脂肪腫
　　顆粒状細胞腫
　　炎症状線維性ポリープ(IFP)
　　転移性腫瘍

非腫瘍
　子宮内膜症
　粘膜脱症候群(隆起型)
　その他
　　静脈硬化性大腸炎
　　腸管嚢腫様気腫症
　　multiple lymphomatous polyposis(MLP)
　　cap polyposis

では非腫瘍性ポリープも含めて解説する．

分類(表 10-5-16)

1) 上皮性腫瘍： 大腸の上皮性良性腫瘍は腺腫である[1-4]．近年，鋸歯状病変の 1 つである SSA/P が注目されている．

2) 非上皮性腫瘍： GIST(gastrointestinal stromal tumor)，脂肪腫，血管腫などの粘膜下腫瘍の形態をとる病変が含まれる．

3) 大腸ポリープ(非腫瘍性)[5,6]：

　a) 炎症性：良性リンパ濾胞性ポリープ，炎症性ポリープなど．

　b) 過形成性：過形成性結節，過形成性ポリープなど．

　c) 過誤腫性：juvenile(若年性)ポリープ，Peutz-Jeghers ポリープなど．

　d) その他：colonic mucosabmucosal elongated polyp(CMSEP)，inflammatory fibroid polyp(IFP)，inflammatory myoglandular polyp(IMG polyp)，肉芽ポリープ，粘膜脱症候群(mucosal prolapse syndrome：MPS)の隆起型病変など．

原因・病因

大多数を占める腺腫は，遺伝子的素因(APC 遺伝子の異常)と食生活などの環境因子の影響が大きい(日本消化器病学会，2014)．炎症性病変は炎症の進展が，過誤腫性病変は分化の異常が，過形成性病変は物理的刺激・加齢・遺伝子的素因が影響している．Peutz-Jeghers 症候群では LKB1/STK11 遺伝子の異常が，juvenile ポリープでは SMAD4(または DPC4)遺伝子の変異が指摘されている(日本消化器病学会，2014)．

頻度・疫学

腺腫は大腸ポリープの約 80％を占める(田中，2013)．報告者，検索方法などによって異なり，数 mm の微小病変を含めると散在性に多数存在することから，正確な頻度は不明である．腺腫の男女比は 2：1 で男性に多い．

病理・病態(表 10-5-16)

1) 腺腫： 組織学的に，管状腺腫(70〜80％)，腺管絨毛腺腫(15〜20％)，絨毛腺腫(1〜2％)の 3 つに分類される(図 10-5-14A)(田中，2013)．鋸歯状腺腫(serrated adenoma)をこれらから独立して取り扱う(表 10-5-17)(日本消化器病学会，2014)．癌との関連については，癌が腺腫を発生母地であるとする adenoma-carcinoma sequence の概念がある．腺腫の癌化は，大きさ・肉眼形態・組織型・異型度・性などが関連する．大きい病変ほど癌化しやすく，管状腺腫＜腺管絨毛腺腫＜絨毛腺腫の順に癌化率が高くなる[7]．陥凹型病変(図 10-5-14B)は隆起型病変と比較して，癌化率が高い[7]．また，女性のほうが男性よりも癌化しやすい．その他，腺腫の癌化ではなく，正常の大腸粘膜から直接癌が発生する(de novo 発生)ルートも存

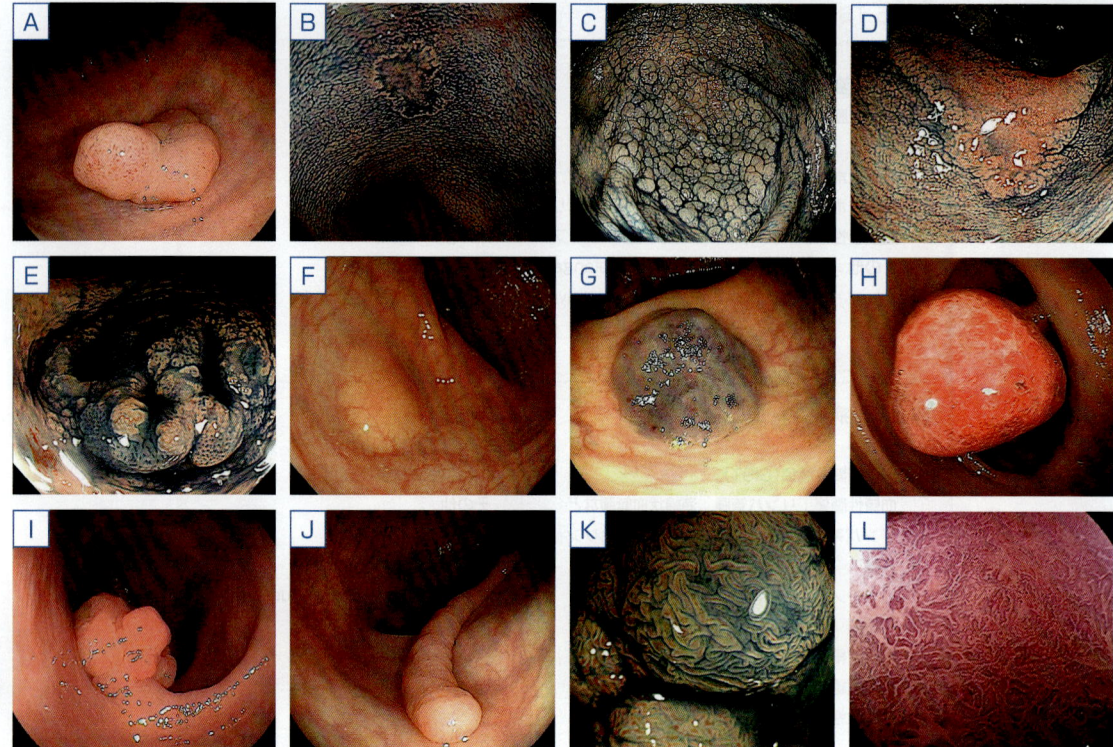

図 10-5-14
A：亜有茎性腺腫，B：陥凹型腫瘍，C：LST-G 顆粒均一型，D：LST-NG 偽陥凹型，E：SSA/P，F：脂肪腫，G：海綿状血管腫，H：juvenile（若年性）ポリープ，I：Peutz-Jeghers ポリープ，J：colonic mucosabmucosal elongated polyp（CMSEP），K：Ⅲ$_L$ 型 pit pattern を呈する大腸管状腺管腺腫（インジゴカルミン散布拡大観察像），L：V 型 pit pattern を呈する早期大腸癌（SM 癌）（クリスタルバイオレット染色拡大観察像）．

表 10-5-17　大腸の鋸歯状障害の WHO 分類

1. hyperplastic polyp
   - 1-1. microvesicular variant
   - 1-2. goblet cell rich variant
   - 1-3. mucin poor variant
2. sessile serrated adenoma/polyp(SSA/P)
3. sessile serrated adenoma/polyp(SSA/P)with cytological dysplasia
4. serrated adenoma (traditional serrated adenoma：TSA)
5. hyperplastic(serrated adenomatous polyposis)polyposis

在する[8]．隆起型腺腫は K-ras の mutation を伴うことが多いが，陥凹型腺腫はほとんどの場合 K-ras の mutation を伴わず，その発育進展過程における遺伝子異常が異なっている[11]．陥凹型腫瘍は悪性度が高く，小さなうちに癌化し SM 浸潤するという特徴がある[10]．腺腫の肉眼形態は，早期大腸癌に準じる（大腸癌研究会，2013）．

最大径 10 mm 以上の表層拡大型大腸腫瘍を LST（laterally spreading tumor，図 10-5-15）と称するが，これは食道・胃の表層拡大型腫瘍と同様のニックネーミングである（大腸癌研究会，2013）．LST は，顆粒（granular）型（G type：図 10-5-14C）と非顆粒（non-granular）型（NG type：図 10-5-14D）に細分類されるが，非顆粒型は大腸癌のメインルートの 1 つとして重要である．

2）SSA/P（sessile serrated adenoma/polyp）：SSA/P は鋸歯状病変の 1 つである（図 10-5-14E）（日本消化器病学会，2014）．WHO における鋸歯状病変の分類を表 10-5-17 に示すが，WHO では過形成性ポリープを 3 つのタイプに分類している（表 10-5-17）[11]．SSA/P は，鋸歯状腺管の①腺底部の異常走行像，②不規則な分岐，③拡張を組織学的な特徴とする（大腸癌研究会，2013）．遺伝子学的には，BRAF 変異，CpG island methylator phenotype（CIMP），MSI が関与しており腫瘍と考えられている．SSA/P は前癌病変の 1 つである．真の癌化率は不明である．おおよそ，2〜5％前後と考えられている[12]．

3）粘膜下腫瘍：主病変が粘膜よりも下層に存在し，表面が周囲粘膜と同様の粘膜に覆われた隆起性病変のうち，GIST，脂肪腫（図 10-5-14F），血管性腫瘍（リンパ管腫，海綿状血管腫（図 10-5-14G）など），

LSTの亜型	パリ-日本分類 type 0 の分類
LST 顆粒型（LST-G）	
均一型	0-Ⅱa
結節混合型	0-Ⅱa, 0-Ⅰs+Ⅱa, 0-Ⅱa+Ⅰs
LST 非顆粒型（LST-NG）	
平坦な盛り上り	0-Ⅱa
偽陥凹型	0-Ⅱa+Ⅱc, 0-Ⅱc+Ⅱa

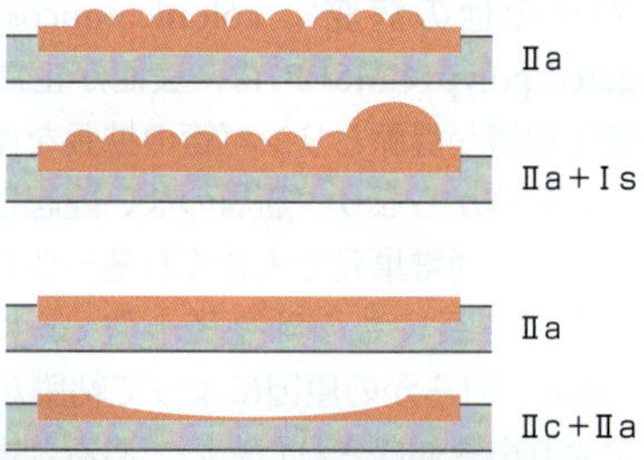

Ⅱa
Ⅱa+Ⅰs
Ⅱa
Ⅱc+Ⅱa

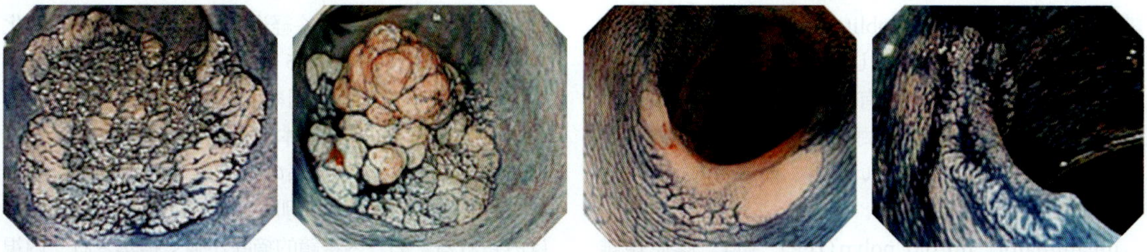

LST-G 均一型　　LST-G 結節混合型　　LST-NG 平坦な盛り上り　　LST-NG 偽陥凹型

図 10-5-15 LST 障害の亜型：形状による分類（パリ-日本による）(Shin-ei Kudo. René Lambert, et al : Nonpolypoid neoplastic lesions of the colorectal mucosa. *Gastrointest Endose.* 2008；**68**：S3-47)

嚢腫，カルチノイド，顆粒細胞腫，子宮内膜症，粘膜脱症候群（隆起型），IFP，cap polyposis などがあげられる．GIST とは間葉系腫瘍のうち KIT 陽性のものをいう．KIT 陰性のものは，神経系原性腫瘍（S-100 陽性）と筋原性腫瘍（SMA, desmin 陽性）に分けられる[4]．脂肪腫は回盲部に，GIST，血管腫，カルチノイド，粘膜脱症候群は直腸に好発する．なお，カルチノイドは粘膜下腫瘍の形態を呈するが，組織発生学的には粘膜から発生する上皮性腫瘍である[1-4]．

4) 炎症性病変[1-4]：　良性リンパ濾胞性ポリープは，大腸粘膜の粘膜筋板上あるいは筋板をはさんで粘膜内と粘膜下に発達するリンパ濾胞の限局性過形成である．多発することが多い．

炎症性ポリープは，一般に亜有茎〜有茎性のポリープで組織学的異型性はなく，正常粘膜がポリープ状に突出隆起した像を呈し偽ポリープ（pseudopolyp）ともよばれる．一般に多発する小潰瘍間の残存粘膜が潰瘍瘢痕化に際して引きつれを起こし腸管内腔側へ突出して形成される．多くは潰瘍性大腸炎などの炎症性腸疾患に多発する．ときに，単発性のこともある．多発性のものは，大腸の腫瘍性ポリポーシスや多発性リンパ濾胞性ポリポーシスなどとの鑑別が必要であるが，内視鏡的に表面性状は光沢のある正常粘膜からなり鑑別は容易である．

5) 過形成性病変[5-6]：　過形成性結節は，大腸粘膜の腺管・上皮の過形成からなる病変で一般に異型性はない．多くは 5 mm 以下の白色調扁平隆起で，直腸に多発することが多い．組織学的に異型を示す腺管が集まった aberrant crypt foci（ACF）は，大腸癌の先駆病変あるいはマーカーになるという報告もあるが異論もある[13]．

腺上皮の過形成がさらに高度で粘液含有細胞の減少，goblet cell の数の減少，そして，腺管上皮の腔内への鋸歯状の増生（serrated feature）を示すポリープを狭義の過形成ポリープ（hyperplastic polyp）とよんでいる．表面の腺管開口部 pit は鋸歯状を呈する．化生性ポリープ（metaplastic polyp）と同意語である．鋸歯状腺腫（serrated adenoma）との鑑別が必要である．

6) 過誤腫性病変[5-6]：　juvenile（若年性）ポリープ（図 10-5-14H）は有茎性のことが多く，表面は平滑で密度の疎なⅡ型 pit pattern を呈し，びらん・発赤を伴うことが多い．出血をきたしやすい．幼小児に好発するため，若年性という名称が与えられているが，成人にみられることもある．癌化はほとんどない．一般に遺伝性はない．組織学的には異型の乏しい非腺腫性上皮の腺管増生からなり，小嚢胞〜大嚢胞状拡張腺管，浮腫と炎症細胞浸潤を伴う豊富な間質を伴っている．しかし，この広い間質には Peutz-Jeghers ポリープにみられるような粘膜筋板からの樹枝状分岐は認めない．炎症が高度で粘膜筋板からの樹枝状分岐を認めないため自然脱落しやすい．

Peutz-Jeghers ポリープ（図 10-5-14I）は，Peutz-Jeghers 症候群【⇨ 10-7】にみられる多発ポリープと組織学的に同様のポリープが皮膚粘膜の色素沈着などの所見を欠き単発で発生するものである．組織学的にはポリープ内部に粘膜筋板筋線維束の樹枝状分岐が著明で，その周囲に腺管および腺上皮の密在する高度の乳頭腺管状増生を認める．粘液産生が著明なことが多く，ポリープ表面に粘液の付着をみることが多い．まれではあるが癌化することもある．

7）その他の病変：colonic mucosabmucosal elongated polyp（CMSEP）は，表面が正常粘膜に覆われ粘膜下組織が静脈とリンパ管の拡張を伴う浮腫状の疎性結合組織からなり，筋層のない隆起性病変である[14]．本病変は通常単発で大きく有茎～亜有茎性のものがほとんどで長いものは長径十数cmに及ぶ（図10-5-14J）．何らかの原因によって粘膜が腸内容物や蠕動により引き伸ばされたものであると推察されるが，組織学的にfibromuscular obliterationは認めない．外力によって容易に形を変えしわをつくりcushion signとは異なるやわらかさを有する．いわゆるmucosal tagとの鑑別は，大きさ，周辺粘膜に多発病変がないこと，炎症の痕跡を伴わないこと，前述の内視鏡所見などから比較的容易である．

　inflammatory fibroid polyp（IFP）[5,6]は，膠原線維の増生を伴う線維芽細胞様紡錘形細胞と小血管の増生，形質細胞・リンパ球などの炎症細胞浸潤を伴う良性病変で粘膜下腫瘍様形態を呈する．好発部位は胃や小腸であるが大腸にもまれに発生する．本疾患は出血や腸重積で発症することが多く，粘膜下腫瘍の鑑別疾患の1つとして知っておくべきである．

　inflammatory myoglandular polyp（IMG polyp）は，1992年にNakamuraら[15]が，既存の分類にあてはまらない大腸ポリープの概念として提唱した．この病変の病理組織学的特徴は，粘膜固有層の炎症性肉芽組織，粘膜筋板の樹枝状増生，囊胞状の拡張を伴った腺管の増生であり，内視鏡的特徴は平滑・発赤調で一部白苔を伴った有茎性ポリープである．Peutz-Jeghersポリープとの鑑別点は腺管と粘膜筋板の配列が正常大腸粘膜と同じである点，粘膜固有層に炎症性変化がない点をあげている．

臨床症状

　多くは無症状である．最も多くみられる症状は出血である．大腸は小腸よりも管腔が広いため，蠕動運動の亢進によって惹起される重積による腹痛や閉塞症状は比較的少ないが，病変が大きくなると腸重積も起こしうる．

検査所見

　便潜血反応検査が陽性の場合は，積極的に大腸内視鏡検査を行うべきである．そして，数，大きさ，表面性状，茎の有無などを確認する．大腸内視鏡検査では，拡大観察によるpit pattern診断がoptical biopsyとして有用である（図10-5-14K, L, e図10-5-A）[16]．非上皮性腫瘍と診断した場合，血管性腫瘍の可能性もあり安易な生検は禁忌である．非上皮性腫瘍の質的診断には超音波内視鏡検査が必須である．診断組織学的確定診断のためには，大腸内視鏡検査による生検，あるいはポリペクトミー・内視鏡的粘膜切除術（endoscopic mucosal resection：EMR）が必要であるが，術前診断にて内視鏡的切除で完全摘除可能かどうかを正確に判定することが重要である．また，早期大腸癌には腺腫のごく一部のみが癌化した腺腫内癌も多く，生検ではポリープのごく一部しか組織を採取できないため病変全体の組織学的診断にはならないことを理解しておく．

治療・予後

　径5mm以下の微小隆起型腺腫は摘除してもよいが，癌化のリスクは低く経過観察でもよい（日本消化器病学会，2014）[17]．径5mm以下であっても陥凹型病変は癌化率やSM浸潤率が高いため，内視鏡的摘除の絶対適応である（日本消化器病学会，2014）[17]．径6mm以上の病変は癌の頻度が高くなり，また形態学的に腺腫と癌との鑑別が困難であることがしばしばみられるため，内視鏡的摘除が強く推奨され，内視鏡的ポリペクトミーあるいはEMRを行う（日本消化器病学会，2014）[17]．それによって，病変全体の組織学的検索が可能である．癌の摘除は一括切除が大原則であるが，大きな病変で良性腺腫と確診できる病変に対しては，計画的分割切除も容認されている（日本消化器病学会，2014）[17]．非腫瘍性ポリープでは，良性で悪性化のポテンシャルのない微小病変は経過観察でよい．大きなポリープは出血や腸重積を起こす可能性があり摘除の適応である．炎症性ポリープは癌化の心配はなく治療は不要である．過形成性結節は良性病変であり治療の必要はない．これら良性腺腫やポリープの内視鏡的摘除後の予後は良好である．〔田中信治〕

■文献（e文献 10-5-9）

大腸癌研究会編：大腸癌取扱い規約 第8版，金原出版，2013．
日本消化器病学会編：大腸ポリープ診療ガイドライン2014，南江堂，2014．
田中信治：大腸良性腫瘍．内科学 第10版（矢﨑義雄総編），朝倉書店，2013．

10）大腸悪性腫瘍（癌，リンパ腫，肉腫）
colorectal malignant tumor

(1) 大腸癌（colorectal cancer）

概念

　大腸癌は大腸粘膜上皮から発生した悪性腫瘍であり，腺腫を経て発癌する経路と腺腫を経ずに正常粘膜から直接発生する経路とがある．

分類

　大腸癌は，発生部位別に結腸癌（盲腸，上行結腸，横行結腸，下行結腸，S状結腸での発生）と直腸癌（直腸S状部，直腸での発生）に分けられる．虫垂癌と肛門管癌を含めて扱う場合もある．大腸を二分して，盲腸・上行結腸・横行結腸を右側大腸，下行結腸・S状

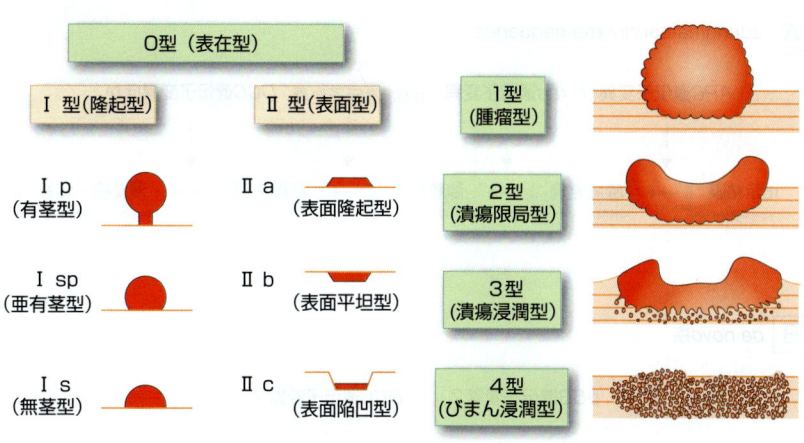

図 10-5-16 大腸癌の肉眼型分類(大腸癌研究会)
0〜4 型の基本分類と 0 型の亜分類を示す．これらの肉眼型に該当しない，分類不能な癌は 5 型に分類する．

表 10-5-18 大腸癌の進行度分類(大腸癌研究会，2013)
進行度（ステージ）は，壁深達度(T)，リンパ節転移の程度(N)，遠隔転移の有無(M)によって分類する．肝転移，腹膜転移，肺転移は M1 であるが，その転移の程度を，それぞれの分類に従って付記する．治療前の臨床所見に基づく臨床分類（clinical classification：cStage）と，病理所見に基づく病理分類（pathological classification：pStage）にて区分する．

T \ N	M0			M1
	N0	N1	N2/N3	Any N
Tis	0			
T1a/T1b	Ⅰ			
T2				
T3		Ⅲa	Ⅲb	Ⅳ
T4a	Ⅱ			
T4b				

壁深達度(T)
TX：壁深達度の評価ができない．
T0：癌を認めない．
Tis：癌が粘膜内(M)にとどまり，粘膜下層(SM)に及んでいない．
T1：癌が粘膜下層(SM)までにとどまり，固有筋層(MP)に及んでいない．
　T1a：癌が粘膜下層(SM)までにとどまり，浸潤距離が 1000 μm 未満である．
　T1b：癌が粘膜下層(SM)までにとどまり，浸潤距離が 1000 μm 以上であるが固有筋層(MP)に及んでいない．
T2：癌が固有筋層(MP)まで浸潤し，これをこえていない．
T3：癌が固有筋層をこえて浸潤している．
　漿膜を有する部位では，癌が漿膜下層(SS)までにとどまる．
　漿膜を有しない部位では，癌が外膜(A)までにとどまる．
T4a：癌が漿膜表面に露出している(SE)．
T4b：癌が直接他臓器に浸潤している(SI/AI)．

リンパ節転移(N)
NX：リンパ節転移の程度が不明である．
N0：リンパ節転移を認めない．
N1：腸管傍リンパ節と中間リンパ節の転移総数が 3 個以下．
N2：腸管傍リンパ節と中間リンパ節の転移総数が 4 個以上．
N3：主リンパ節に転移を認める．下部直腸癌では側方リンパ節に転移を認める．

遠隔転移(M)
M0：遠隔転移を認めない．
M1：遠隔転移を認める．
　M1a：1 臓器に遠隔転移を認める．
　M1b：2 臓器以上に遠隔転移を認める．

肝転移(H)
HX：肝転移の有無が不明．
H0：肝転移を認めない．
H1：肝転移巣 4 個以下かつ最大径が 5 cm 以下．
H2：H1，H3 以外．
H3：肝転移巣 5 個以上かつ最大径が 5 cm をこえる．

腹膜転移(P)
PX：腹膜転移の有無が不明．
P0：腹膜転移を認めない．
P1：近接腹膜にのみ播種性転移を認める．
P2：遠隔腹膜に少数の播種性転移を認める．
P3：遠隔腹膜に多数の播種性転移を認める．

肺転移(PUL)
PULX：肺転移の有無が不明．
PUL0：肺転移を認めない．
PUL1：肺転移が 2 個以下，または片側に 3 個以上．
PUL2：肺転移が両側に 3 個以上，または癌性リンパ管炎，癌性胸膜炎，肺門部，縦隔リンパ節転移を認める．

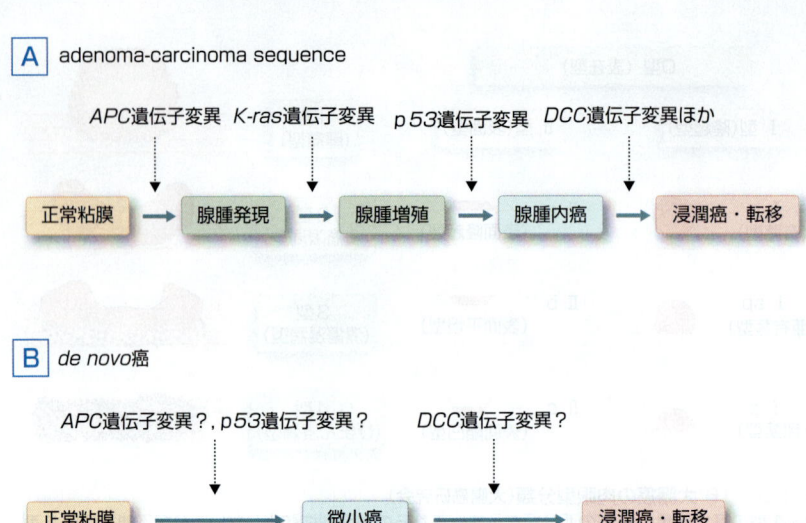

図10-5-17 adenoma-carcinoma sequence(A)と de novo 癌(B)(大腸癌研究会)
adenoma-carcinoma sequence は，腺腫を経て癌が発生する段階的な発癌機転であり，図のごとく種々の遺伝子変異がかかわっていることがわかっている．de novo 癌の発癌過程における遺伝子異常の詳細はわかっていない．

結腸・直腸を左側大腸とよぶこともある．

1) 肉眼型分類： 大腸癌の肉眼型分類は，大腸癌取扱い規約により，表在型(0型)，隆起腫瘤型(1型)，潰瘍限局型(2型)，潰瘍浸潤型(3型)，びまん浸潤型(4型)，分類不能(5型)に分類される．表在型はさらに隆起型(Ⅰ型：Ⅰp/Ⅰsp/Ⅰs)，表面型(Ⅱ型：Ⅱa/Ⅱb/Ⅱc)に亜分類される(図10-5-16)．

2) 組織型分類： 大腸癌(大腸悪性上皮性腫瘍)は腺癌，腺扁平上皮癌，扁平上皮癌，その他の癌に分類される．腺癌は，乳頭腺癌，管状腺癌(高分化/中分化)，低分化腺癌，粘液癌，印環細胞癌，髄様癌に亜分類される．大腸悪性腫瘍のうち，90％以上は腺癌である．虫垂癌では，腺癌と杯細胞型カルチノイドに分類され，肛門管癌では，腺癌(直腸型と管外型(痔瘻癌と肛門腺癌))に亜分類)，扁平上皮癌，腺扁平上皮癌，その他の癌に分類される．

3) 進行度分類(ステージ)： 壁深達度，リンパ節転移の程度，遠隔転移の有無によって分類する．わが国では大腸癌取扱い規約の進行度が広く用いられている(表10-5-18)．ほかに UICC9-TNM 分類[1])，Dukes 分類[2])などがある(⒠表10-5-B, 10-5-C)．

原因・病因

大腸癌は，発生の機序から，次の3つに大別される．

1) 散発性大腸癌： 大部分の大腸癌は非遺伝性であり，環境因子の暴露が主因とされ，大腸粘膜上皮に遺伝子変異が蓄積して発生する．したがって，加齢とともに罹患率が上昇する．発癌機序として，adenoma-carcinoma sequence, de novo 癌, serrated neoplasia pathway が提唱されている．

a) adenoma-carcinoma sequence：良性腫瘍である腺腫(adenoma)から発癌する経路である．粘膜上皮細胞の APC 遺伝子の変異により低異型度腺腫が発生し，K-ras 遺伝子の変異で高異型度腺腫となり，p53 遺伝子の変異で癌となる．さらに DCC 遺伝子が変異して浸潤，転移能をもつ癌になるという段階的な発癌機転である[3-5)](図10-5-17A)．

b) de novo 癌：前癌病変を介さずに正常粘膜から直接癌が発生する機序である．この経路における遺伝子異常の詳細は不明である[6-8)](図10-5-17B)．

c) serrated neoplasia pathway：従来は非腫瘍であると考えられていた過形成ポリープに似た鋸歯状構造をもつ病変(sessile serrated adenoma/polyp)を母地とする経路である[9,10)]．

2) 遺伝性大腸癌： 遺伝的要素が大腸癌発生に決定的影響を及ぼしている疾患を遺伝性大腸癌という．散発性大腸癌と比べ，若年発症の傾向があり，多発大腸癌や他臓器癌を高率に合併する特徴がある．遺伝性大腸癌のなかで頻度が高い疾患として，Lynch 症候群(遺伝性非ポリポーシス大腸癌，hereditary non-polyposis colorectal cancer：HNPCC)と家族性大腸腺腫症(familial adenomatous polyposis：FAP)などがある．

Lynch 症候群は，ミスマッチ修復遺伝子(MLH1, MSH2, MSH6, PMS2)の変異を原因とする常染色体優性遺伝性疾患である[11,12)]．その診断基準を表10-5-19 に示す[13,14)]．FAP は，5番染色体長腕上(5q21-22)の APC 遺伝子変異を原因とする大腸の多発性腺腫を主徴とする症候群である[15,16)]．大腸癌の発生は

表 10-5-19 Lynch 症候群（HNPCC）の診断基準（文献 13, 14 より引用）

アムステルダム基準 II（1999 年）
少なくとも 3 人の血縁者が HNPCC 関連癌（大腸癌，子宮内膜癌，小腸癌，腎盂・尿管癌）に罹患しており，かつ以下のすべてを満たしている．

1. 1 人の罹患者はその他の 2 人に対して第 1 度近親者である．
2. 少なくとも連続する 2 世代で罹患している．
3. 少なくとも 1 人の癌は 50 歳未満で診断されている．
4. FAP が否定されている．
5. 腫瘍は病理学的に癌であることが確認されている．

改訂ベセスダガイドライン（2004 年）
以下の項目のいずれかを満たす大腸癌患者には，腫瘍の MSI 検査[*1]を行うことが推奨される．

1. 50 歳未満で診断された大腸癌．
2. 年齢にかかわりなく，同時性あるいは異時性大腸癌あるいはその他の Lynch 症候群関連腫瘍[*2]がある．
3. 60 歳未満で診断された MSI-H の組織学的所見[*3]を有する大腸癌．
4. 第 1 度近親者が 1 人以上 Lynch 症候群関連腫瘍に罹患しており，そのうち 1 つは 50 歳未満で診断された大腸癌．
5. 年齢にかかわりなく，第 1 度あるいは第 2 度近親者の 2 人以上が Lynch 症候群と診断されている患者の大腸癌．

[*1]：MSI, microsatellite instability（マイクロサテライト不安定性）．ミスマッチ修復機構に異常がある腫瘍細胞では，ゲノム中に存在する 1～数塩基の繰り返し配列であるマイクロサテライトが正常細胞とは異なる反復回数を示すことがあり，この現象を MSI という．Lynch 症候群では，高頻度 MSI（MSI-H）を認めることが多い．
[*2]：大腸癌，子宮内膜癌，胃癌，卵巣癌，膵癌，胆道癌，小腸癌，腎盂・尿管癌，網腫瘍（通常，Turcot 症候群にみられる glioblastoma），Muir-Torre 症候群の皮脂腺腫や角化棘細胞腫．
[*3]：リンパ球浸潤，クローン様リンパ球反応，粘液癌・印環細胞癌様分化，髄様増殖．

40 歳代で約 50％，放置すれば 60 歳頃にはほぼ 100％に達する[17]．

3) **colitic cancer**[18-21]： 炎症性腸疾患（inflammatory bowel disease：IBD）患者においては炎症性粘膜を背景に癌が発生することがあり，潰瘍性大腸炎（ulcerative colitis：UC）に発生する大腸癌が典型である．UC では，① 10 年以上の罹患，②全大腸炎型，に大腸癌が合併しやすい．前癌病変である異型腺管（ジスプラシア）は，low grade ジスプラシアと high grade ジスプラシアに分類され，high grade ジスプラシアが発見された場合には発癌率や担癌率が高いことから，手術適応となる．UC に合併する大腸癌の特徴は，若年発症で，多発傾向があり，びまん浸潤型や低分化腺癌，粘液癌が比較的多い．周辺に異型腺管を伴うことが多い．

疫学[22,23]

わが国の大腸癌罹患率および死亡率は近年著しく増加している．2010 年の大腸癌の罹患数（全国推計値）は，悪性新生物のなかでは女性では乳癌についで 2 番目に多く，男性では胃癌，肺癌についで 3 番目に多く，男女合わせて約 12 万人である．2013 年の人口動態総計によれば，全悪性新生物のなかで大腸癌による死亡は，女性では約 2 万 2000 人と最多であり，男性では約 2 万 6000 人と肺癌，胃癌についで多く，50 年前に比して，大腸癌の死亡率は約 10 倍に増加している．好発年齢は 60 歳代が最も多く，女性より男性の罹患数が多い．

臨床症状

1) **自覚症状**： 初期段階では無症状のことが多く，進行すると症状が出現する．症状は癌の発生部位により異なる．右側結腸は腸内容物が液状であり，腸管径も大きいため，癌が大きくなっても狭窄症状は出にくい．癌からの慢性的な出血による貧血，腹部不定愁訴，軽度腹痛，腫瘤触知などが主訴となることが多い．左側結腸や直腸の癌では，血便，便通異常（便秘，下痢，便柱狭小化，テネスムス），腸閉塞症状などが特徴的である．さらに進行して，直腸周囲の臓器にも浸潤すると，血尿や頻尿，性器出血，仙骨部疼痛なども出現する．

2) **他覚症状**： 腹部の視診や触診により腹部膨満や圧痛，腫瘤がみられることがある．直腸指診では，腫瘤触知の有無，腫瘤の性状，腫瘍からの出血による血液の付着の有無をみる．膀胱直腸窩または直腸子宮窩に腹膜播種結節形成をきたす Schniztler 転移があれば，直腸指診にて可動性のない不整形の硬結を触知することがある．また，体表の診察にて Virchow 転移（左鎖骨上窩リンパ節への転移）の有無も確認する．

検査所見・診断

1) **免疫学的便潜血反応**： ヒトヘモグロビンに特異的に反応する免疫法にて糞便中の血液の有無を調べる．大腸癌検診に用いられている．

2) **血液検査**： 出血によるヘモグロビンの低下，血清鉄の低下などがみられる．また，腫瘍による赤沈値の亢進，肝転移による肝胆道系酵素の上昇などがみられることもある．

3) **腫瘍マーカー**： 大腸癌で用いられる腫瘍マーカーには，血清 CEA（carcinoembryonic antigen）と CA19-9（carbohydrate antigen 19-9）とがある．進行度の予測，再発や化学療法の治療効果のモニタリングとして用いられている．早期癌では陽性率が低く，進行癌でも陰性である場合もあり，大腸癌検診には適していない．

4) **注腸造影検査**： 病変の存在部位，形態，狭窄の有無などを診断する．進行癌では apple core sign がみ

られることもある(図10-5-18).腫瘍の側面像で大腸壁の変形の程度から壁深達度を推定できる.直腸の側面像では仙骨との位置関係を確認し,占拠部位診断を行う.

5)**下部消化管内視鏡検査**(図10-5-19): 腫瘍の形態(肉眼型診断),存在部位,環周率,狭窄の有無などを診断する.腫瘍と非腫瘍の鑑別,早期癌の深達度診断には,色素散布下または特殊光下での拡大内視鏡観察による表面微細構造の観察が有用である.内視鏡下に生検を行い,病理学的な確定診断を行う.内視鏡的摘除(polypectomy)や,内視鏡的粘膜切除(endoscopic mucosal resection:EMR),内視鏡的粘膜下層剝離(endoscopic submucosal dissection:ESD)による治療も可能である.超音波内視鏡検査は腫瘍(特に直腸癌)の壁深達度診断に有用なこともある.

6)**その他の検査**: CTやMRIでは遠隔転移の有無や他臓器への浸潤の有無,リンパ節の腫脹の有無がわかる(図10-5-20).

鑑別診断

大腸腺腫,内分泌細胞腫瘍,非上皮性腫瘍(平滑筋性腫瘍,神経原性腫瘍,消化管間質腫瘍,脂肪腫など),リンパ腫,粘膜脱症候群,放射線照射性大腸炎,子宮内膜症,腸間膜脂肪織炎大腸憩室症などがある.

予後

大腸癌の5年生存率は,全大腸癌で約70%(ステージ0で約94%,Ⅰで約92%,Ⅱで約85%,Ⅲaで約78%,Ⅲbで約60%,Ⅳで約19%)であり,大腸癌

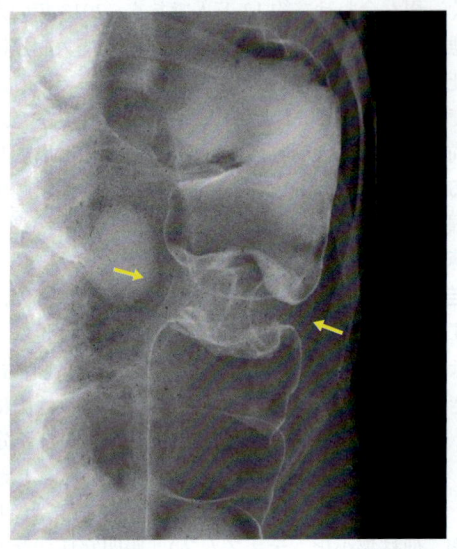

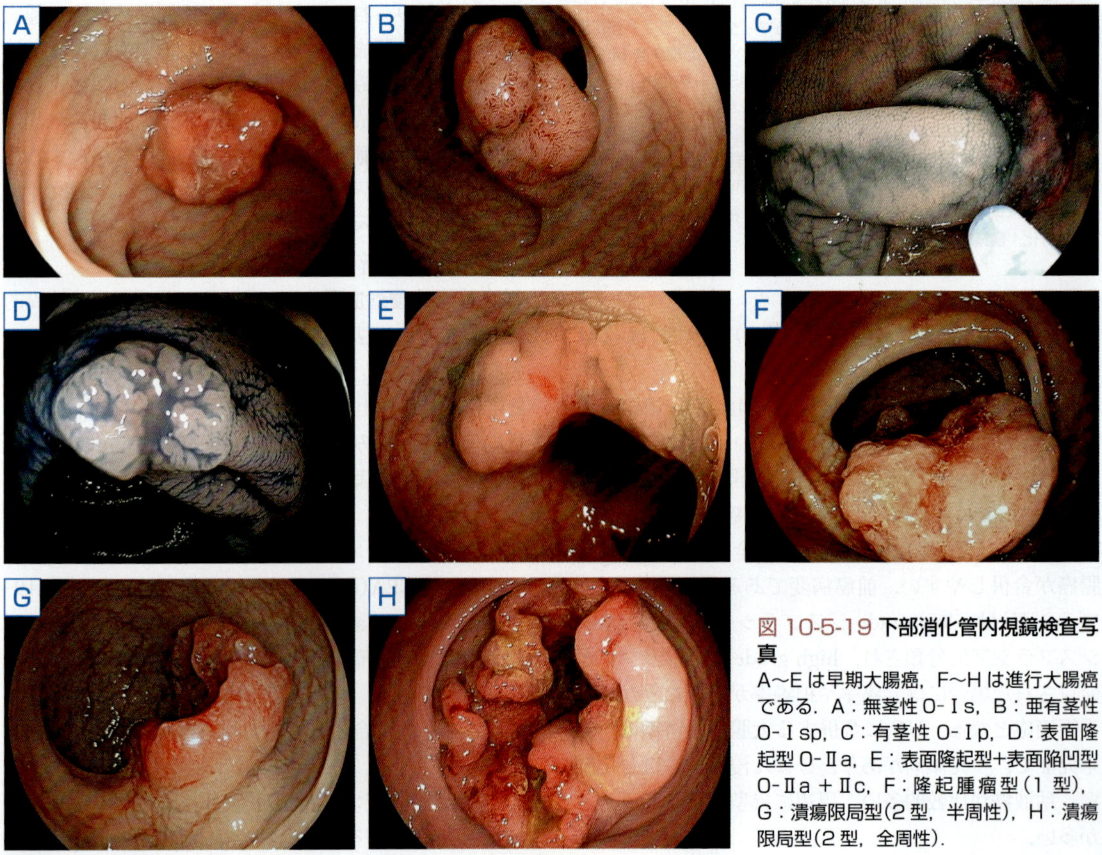

図10-5-18 注腸画像
下行結腸にapple core signがみられる.本症例は2型,全周性,深達度T3の下行結腸癌である.

図10-5-19 下部消化管内視鏡検査写真
A～Eは早期大腸癌,F～Hは進行大腸癌である.A:無茎性0-Ⅰs,B:亜有茎性0-Ⅰsp,C:有茎性0-Ⅰp,D:表面隆起型0-Ⅱa,E:表面隆起型+表面陥凹型0-Ⅱa+Ⅱc,F:隆起腫瘤型(1型),G:潰瘍限局型(2型,半周性),H:潰瘍限局型(2型,全周性).

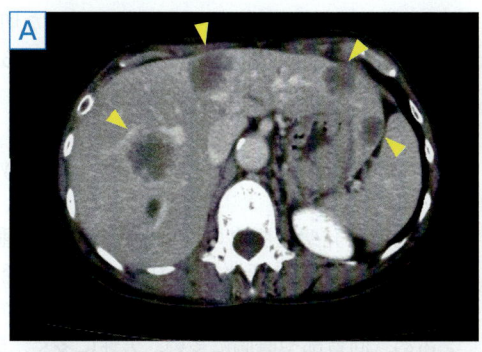
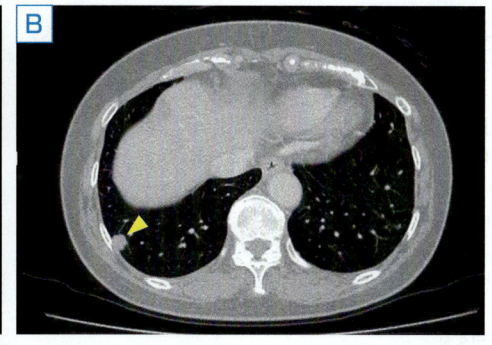
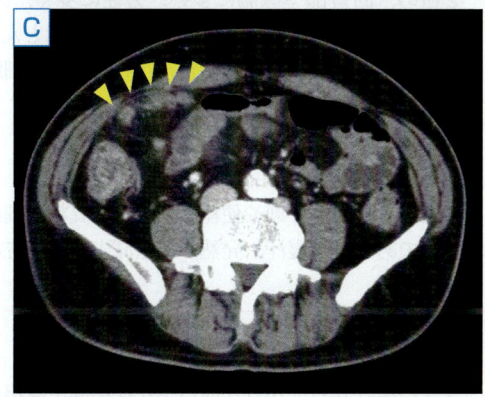

図 10-5-20 **胸腹骨盤部造影 CT 画像**
A：肝両葉にわたり，大小不同の腫瘤陰影が多発している多発肝転移症例．
B：肺転移症例であり，右肺に 1 cm 強の不整形円形腫瘤影を認める．
C：右腹部腹壁直下に不整形の結節陰影の集簇がみられる．手術の際，同部位に一致して腹膜播種がみられた．

の治癒切除率は全ステージ合わせて約 80％である．ステージⅣのなかでも切除不能病変を有する症例や，切除不能再発病変が出現した症例では予後不良である．わが国における大腸癌の手術成績は比較的良好で，5 年生存率は結腸癌で 70〜80％，直腸癌で 60〜70％である．

治療

大腸癌の進行度によって治療方針が異なる（e図 10-5-B）．

1）ステージ 0〜Ⅲ大腸癌の治療方針：

a）内視鏡治療：内視鏡治療の適応は粘膜（M）癌または粘膜下層（SM）軽度浸潤癌で，原則として一括で切除できる病変である．内視鏡治療は摘除生検であり，病理検査にて切除断端陰性，深達度が M であれば治療終了となる．SM 軽度浸潤癌（SM 浸潤距離 1000μ 未満）であれば，切除断端陰性，組織型が乳頭腺癌・管状腺癌，脈管侵襲陰性，簇出（budding）軽度（Grade1）のすべてを満たした場合は治癒と判断する．病理検査で垂直断端陽性（癌が粘膜下層断端に露出しているもの），SM 浸潤距離が 1000μm 以上，脈管侵襲陽性，組織型が低分化腺癌・印環細胞癌・粘液癌，浸潤先進部の簇出高度，の場合は追加治療としてリンパ節郭清を伴う腸切除が推奨される[24,25]．

b）手術治療：基本術式はリンパ節郭清を伴う腸管切除である．リンパ節郭清の程度は術前および術中所見によるリンパ節転移の有無と壁深達度診断によって決定する（e図 10-5-C）．

2）ステージⅣ大腸癌の治療方針： 原発巣と転移巣それぞれが切除可能か否かによって方針が異なる．原発巣，転移巣ともに切除可能であれば，いずれも切除する．原発巣が切除不能であれば，いずれも切除せず化学療法，または放射線療法を行う．転移巣が切除不能であれば，原発巣による症状（出血，狭窄など），遠隔転移の状態，全身状態などに応じて原発巣の切除を検討する[26-28]．

3）化学療法： わが国で大腸癌に対して保険診療として適応が認められている薬剤には，殺細胞性薬剤として，フルオロウラシル（5-FU），テガフール・ウラシル配合薬（UFT），テガフール・ギメラシル・オテラシルカリウム配合薬（S-1），カペシタビン（Cape），ドキシフルリジン，カルモフール，オキサリプラチン，イリノテカン，トリフルリジン・チピラシル塩酸塩配合錠（TAS102），マイトマイシン C などがあり，分子標的治療薬（e表 10-5-D）として，ベバシズマブ（抗 VEGF（血管内皮増殖因子）抗体薬），セツキシマブ（抗 EGFR（上皮成長因子受容体）抗体薬），パニツムマブ（抗 EGFR 抗体薬），レゴラフェニブ（腫瘍にかかわる複数の受容体型チロシンキナーゼに対する阻害作用をもつ経口マルチキナーゼ阻害薬）がある．上記薬剤の単独投与や何種類かを組み合わせた併用療法が行われる．

a）補助化学療法：ステージⅢ大腸癌では術後補助

表 10-5-20 化学療法レジメン
わが国で保険診療として適用が認められている薬剤とレジメンを示す.

補助化学療法における推奨レジメン
- 5-FU + LV：フルオロウラシル/ホリナート
- UFT + LV：UFT/ホリナート
- Cape：カペシタビン
- FOLFOX：5-FU + LV +オキサリプラチン
- CapeOX：カペシタビン+オキサリプラチン

※ホリナートは抗腫瘍効果を増強させる目的でフルオロウラシルと併用する.

切除不能進行再発大腸癌に対して使用されるレジメン
- FOLFOX +ベバシズマブ(Bmab)
- FOLFOX +セツキシマブ(Cmab)/パニツムマブ(Pmab)
- CapeOX + Bmab
- SOX + Bmab：S-1 +オキサリプラチン+ Bmab
- FOLFIRI + Bmab：5-FU + LV +イリノテカン+ Bmab
- FOLFIRI + Cmab/Pmab
- FOLFOXIRI：5-FU + LV +イリノテカン+オキサリプラチン
- 5-FU + LV + Bmab
- Cape + Bmab
- UFT + LV
- IRIS + Bmab：S-1 +イリノテカン
- IRI + Cmab/Pmab：イリノテカン Cmab/Pmab
- Cmab/Pmab
- regorafenib：レゴラフェニブ
- TAS102：トリフルリジン・チピラシル塩酸塩

※分子標的治療薬との併用が適応とならない場合は化学療法単独を行う.

化学療法の再発抑制効果と生存期間の延長が示されている. 推奨される療法を表 10-5-20 に示す. 投与期間は 6 カ月間である[29,30].

b) 切除不能進行再発大腸癌に対する化学療法：化学療法を実施しない場合，切除不能と診断された進行再発大腸癌の生存期間中央値は約 8 カ月とされている. 化学療法を実施した場合，最近の化学療法の進歩により生存期間の中央値は約 30 カ月まで延長してきている. また，切除不能進行再発大腸癌に対する化学療法が奏効して根治切除術可能となることもある. 臨床試験により，生存期間の延長が検証されている治療法のなかで，大腸癌治療ガイドラインに示されたレジメンを表 10-5-20 に示す（e図 10-5-D）. 分子標的治療薬のなかの抗 EGFR 抗体薬（セツキシマブ，パニツムマブ）は RAS 遺伝子野生型において有効性が示されている（eコラム 1）[31].

4) 放射線療法： 放射線療法には，直腸癌において術後の再発抑制や術前の腫瘍量減量，肛門温存を目的とした補助放射線療法と，切除不能進行再発大腸癌の症状緩和や QOL の改善，延命を目的とした緩和的放射線療法とがある. 骨盤内や腹腔内の限局的な切除不能再発病変に対して，重粒子線治療が適応になることもある.

(2) 大腸悪性リンパ腫 (colorectal malignant lymphoma)[32-36]

消化管原発悪性腫瘍のうち，悪性リンパ腫は 1～2％を占め，大腸の悪性リンパ腫は消化管原発悪性リンパ腫の約 15％を，また大腸悪性腫瘍の 0.1～0.5％を占め，回盲部や直腸に多い. 男性に多く，50 歳以上に好発する. 組織学的には B 細胞性がほとんどで，まれに T 細胞性，NK 細胞性が存在する. B 細胞性のなかではびまん性大細胞型リンパ腫と MALT リンパ腫が多い.

臨床症状

出血，腹痛，下痢や便秘などの排便異常，腫瘤触知などであるが，寝汗，発熱，体重減少で発見されることもある.

検査所見

注腸造影検査，下部消化管内視鏡検査では，小さなリンパ腫は立ち上がりがゆるやかな粘膜下腫瘍の所見がみられる. 大きな悪性リンパ腫の特徴として，腫瘤陰影の大きさのわりに壁の伸展性が保たれ，管腔の狭小化が軽度であること，腫瘍表面が比較的平滑であることがあげられる. 内視鏡検査による生検で病理学的に診断する. CT により全身のリンパ節の腫脹の有無の検索も必要である[37].

治療

病期によって治療選択が異なる. 表 10-5-21 に腸管悪性リンパ腫の病期分類として用いられる Lugano 国際分類を示す. 腸管および局所リンパ節に限局しているステージ I，II 1 期では，一般的に外科的切除と術後補助化学療法が選択される. 進行期（ステージ II 2，II E，IV 期）では原則として化学療法を行う. 放射線治療が併用されることもある[38].

(3) 大腸肉腫

消化管に発生する肉腫は，消化管間質腫瘍（gastrointestinal stromal tumor：GIST），平滑筋肉腫，血管肉腫，Kaposi 肉腫などがある.

GIST は消化管筋層の筋間神経叢の神経節細胞周囲に局在する Cajal 介在細胞に分化する細胞から発生するとされている. その発症率は年間 10 万人に 1～2 人で，まれな腫瘍である. 診断は，生検検体の免疫組織学的検査にて KIT または CD34 が陽性であれば GIST と診断する. 治療は，GIST と診断がつき，腫瘍が局所に限局していれば，必要最小限に腫瘍辺縁を確保したうえでの外科的切除が標準治療である. リンパ節転移はまれであり，通常リンパ節郭清は行わない

表 10-5-21 **腸管悪性リンパ腫の病期分類**(Lugano 国際分類)

ステージⅠ	腸管壁に限局しているもの 　1 カ所の原発部位 　隣接しない多発病変
ステージⅡ	原発部位から腹腔内への病変の進展 　リンパ節転移 　　Ⅱ₁ 局所(胃・腸間膜リンパ節) 　　Ⅱ₂ 遠隔(傍大動脈,傍大静脈リンパ節)
ステージⅡ_E	隣接構造物への浸潤(膵,大腸,腹壁など)
ステージⅣ	播種性の節外転移もしくは横隔膜上のリンパ節転移を伴う腸管病変

※ステージⅢはない.

が,術前診断で転移が疑われる場合はともに切除する.手術時診断にて臨床的悪性または,術後の病理診断にて再発高リスクと診断された場合には,術後補助化学療法としてイマチニブの経口投与が行われることもある.腹膜播種,肝転移,局所再発などにはイマチニブの投与を行い,イマチニブ耐性 GIST にはスニチニブを使用する[39)].

　平滑筋肉腫は高齢者に多い.腫瘍径は大きく悪性度は高い.組織学的には核の多型性が目立ち,分裂像が多い.GIST とは免疫組織学的検査にて鑑別可能である.

　血管肉腫では,異型のある紡錘形の内皮細胞が連結し,血管に似た管腔を形成している.血管の内皮細胞から発生するとされている.免疫組織学的検査にて CD31,von Willebrand 因子が陽性のことがある.

　Kaposi 肉腫は,肉眼的には隆起した多発性の赤色または褐色調の粘膜内,または粘膜下層の結節である.潰瘍を伴うこともある.組織学的には,紡錘形の細胞と内皮に囲まれた血管腔とが混在した像を呈する.免疫組織学的検査にて CD31,CD34 が陽性である.また,PCR にてヒトヘルペスウイルス 8 が証明される.

〔杉原健一・山内慎一〕

■文献(e文献 10-5-10)

大腸癌研究会編:大腸癌取扱い規約 2013 年 7 月 第 8 版,金原出版,2013.
大腸癌研究会編:大腸癌治療ガイドライン医師用 2014 年版,金原出版,2014.

11) 吸収不良症候群
malabsorption syndrome

定義・分類

　吸収不良症候群は一義的には栄養素の吸収障害により種々の病態・臨床症状を呈する症候群をいう.栄養素の吸収機構は消化管管腔での処理相,腸管粘膜での吸収相,そして小腸吸収上皮での処理と全身循環への移送相に分けられ,各相での障害から本症候群を分類することができる.病態生理的には,栄養素の消化不良(maldigestion),吸収不良(malabsorption)は異なる機序としてとらえることができるが,消化障害と吸収障害は互いに密接に関連するものであり,臨床的に本症候群は消化・吸収不良を包括して取り扱う.

病態生理

1) 病型分類:　吸収不良症候群の病態生理は,小腸吸収上皮細胞の刷子縁膜輸送担体の先天的な欠損や機能的異常による原発性吸収不良と,後天的な要因による吸収上皮細胞障害による続発性吸収不良,そして管腔内消化・刷子縁膜消化不良に分類される.厚生省(当時)特定疾患消化吸収障害調査研究班によれば,原疾患の頻度は膵外分泌障害(35.1%),Crohn 病(11.4%),小腸切除後(10.9%;うち残存小腸 100 cm 未満の短腸症候群 4.7%),膵切除後(10.0%;うち膵全摘 4.3%),胃切除後(9.0%;うち胃全摘 4.3%)が多くを占め,原発性吸収不良はまれとされる.

　摂取された栄養素は,消化管内での膵酵素による消化,ついで刷子縁膜酵素による膜消化と,それに続く輸送担体による能動輸送あるいは受動拡散による吸収,そして吸収細胞内での代謝を受け,門脈やリンパ管を経て主として肝で代謝される過程を経る.この消化吸収過程の病態から管腔内消化障害型,腸粘膜消化吸収障害型と輸送経路障害型に臨床的には病型分類される(表 10-5-22).

　また,糖質,アミノ酸の腸粘膜消化吸収には腸吸収上皮刷子縁膜に消化酵素,輸送担体の存在することが明らかにされ,その障害による腸粘膜消化吸収障害は刷子縁膜病(brush border membrane disease)と称されている(表 10-5-23).

2) 消化吸収機構:　病態を理解するうえで重要と考えられるのが 3 大栄養素の糖質,蛋白質,脂質の消化吸収機構である.おのおのの栄養素の消化吸収機構について管腔内消化,腸粘膜消化吸収,輸送経路に分けて概説するとともに障害に関して記載する.

　a) 糖質:
　i) 糖質の管腔内消化:ヒトが消化吸収できる糖質はでんぷんなどの多糖類やスクロース,ラクトースなどの二糖類,さらにグルコースなどの単糖類であり,実際に小腸吸収上皮細胞から吸収されるのはグルコース,ガラクトース,フルクトースの単糖類である.セルロースなどの植物性多糖類は小腸では消化されず,大腸で腸内細菌によって発酵を受ける.摂取された糖質は唾液や膵液中のアミラーゼにより小腸管腔内で α-1,4 結合が水解され,デキストリンや二糖類まで分解され,さらに刷子縁膜二糖類分解酵素によって単糖

表10-5-22 吸収不良症候群の病態からみた病型分類(馬場, 1998より一部改変)

管腔内消化障害型	解酵素欠損ないし活性低下, ジペプチダーゼ欠損症)
乳化障害(Billroth I 再建後, 無酸)	輸送担体障害(グルコース・ガラクトース吸収障害, Hartnup病)
消化液と食塊のタイミング不調 (pancreaticocibal asynchrony, Billroth II 再建術後, 胃全摘後, Roux-en-Y 再建術後)	細胞内代謝障害(無β-リポ蛋白血症)
管腔内 pH の低下(Zollinger-Ellison 症候群)	吸収面積減少(セリアック病, H 鎖病, アミロイドーシス, 強皮症, Whipple 病, Crohn 病, 腸結核, 好酸球性腸炎, 短腸症候群, 原虫症, 抗癌薬などによる腸粘膜障害)
膵外分泌機能不全(慢性膵炎, 膵切除後)	
胆汁酸プールの減少(回腸病変, 回腸切除後)	
腸内容通過時間の短縮(カルチノイド症候群, 糖尿病)	輸送経路障害型
管腔内細菌叢異常(盲係蹄症候群, 慢性偽性腸閉塞症)	リンパ管系異常(腸リンパ管拡張症, 腸リンパ管形成不全)
腸粘膜消化吸収障害型	血管系異常(慢性腸間膜静脈血栓症, 慢性腸間膜動脈閉塞症)
刷子縁膜酵素欠損ないし活性低下(二糖類分	

表10-5-23 刷子縁膜病(馬場, 1998より一部改変)

刷子縁膜酵素の欠損ないし低下	刷子縁膜輸送系の障害
糖質の消化障害(選択的二糖類分解酵素欠損症:先天性ラクタマーゼ欠損症, 先天性スクラーゼ・イソマルターゼ欠損症, 原発性成人型ラクターゼ欠損症)	糖質の輸送障害(グルコース・ガラクトース吸収不良, フルクトース吸収不良)
	アミノ酸の輸送障害(Hartnup病, blue diaper症候群, シスチン尿症)
蛋白質の消化障害(エンテロキナーゼ欠損症)	ビタミン(先天性ビタミン B_{12} 吸収障害, 先天性葉酸吸収障害)
	電解質(先天性クロール下痢症)

類に分解された後,それぞれの単糖類に特異的な輸送担体によって吸収される.管腔内消化障害は主として膵外分泌機能不全による.

ii) 糖質の腸粘膜消化吸収:小腸吸収上皮細胞の刷子縁膜には能動輸送を示すナトリウム-グルコース共輸送体(sodium-glucose cotransporter:SGLT)と促通拡散を示す糖輸送担体(glucose transporter:GLUT)の2種類の糖輸送体によって行われ,それぞれ SLC5 (sodium glucose cotransporter family)と SLC2(facilitative GLUT transporter family)に属している.SLC (solute carrier)ファミリーは ABC(ATP binding cassette)ファミリーとともに膜輸送蛋白を構成しており,300種類以上の SLC トランスポーター遺伝子が同定されている.グルコースおよびガラクトースの刷子縁膜での吸収は SGLT1 により,また,フルクトースは GLUT5 により行われる.GLUT7 も GLUT5 と類似の性質を有しており,小腸と大腸の管腔側に発現がみられ,フルクトースとグルコースの輸送を行って

いる.GLUT2 は小腸では吸収上皮の基底膜側に存在し,細胞質から細胞外へ素早いグルコースの拡散を促す.先天性グルコース・ガラクトース吸収不良は生後早期より始まる糖の吸収不良による水様下痢を主症状とするが,SGLT1 機能が先天的に欠損した常染色体劣性遺伝性疾患であることが明らかにされている.

iii) 糖質の輸送経路障害:糖質は門脈から肝に運ばれ代謝されるが,肝障害や門脈系の血管障害は腸管鬱血をもたらして吸収に影響を及ぼすことになる.

b) 蛋白質:

i) 蛋白質の管腔内消化:食事により摂取された蛋白質の大部分は,胃の酸性環境下で活性化されたペプシンで部分消化され,遊離されたアミノ酸は十二指腸・小腸粘膜からのコレシストキニン分泌を刺激し膵酵素分泌を促す.蛋白質は膵液中のトリプシン,キモトリプシン,エラスターゼにより小腸管腔内でオリゴペプチドに分解される.オリゴペプチドは刷子縁膜表面のペプチダーゼにより遊離アミノ酸あるいはジトリ

表 10-5-24 アミノ酸輸送担体とその欠失により起こる障害(Bröer, 2008 を改変)

輸送系	cDNA	SLC	アミノ酸基質	メカニズム	イオン	発現部位	疾患
A	SNAT2	SLC38A2	G, P, A, S, C, Q, N, H, M	symport	Na^+	Ub	
ASC	ASCT2	SLC1A5	A, S, C, T, Q	antiport	Na^+	K, I(AM)	
B^0	BOAT1	SLC6A19	AA^0	symport	Na^+	K, I(AM)	Hartnup 病
$B^{0,+}$	$ATB^{0,+}$	SLC6A14	AA^0, AA+, β-Ala	symport	Na^+, Cl^-	I(AM)	
$b^{0,+}$	$rBAT/b^{0,+}AT$	SLC3A1/SLC7A9	R, K, O, cystine	antiport		K, I(AM)	シスチン尿症
IMINO	IMINO	SLC6A20	P, HO-P	symport	Na^+, Cl^-	K, I(AM)	イミノグリシン尿症
L	4F2hc/LAT2	SCL3A2/SLC7A8	AA^0 except P	antiport		K, I(BM)	
PAT (Imino acid)	PAT1	SLC36A1	P, G, A, GABA, β-Ala	symport	H^+	K, I(AM)	イミノグリシン尿症
T	TAT1	SLC16A10	F, T, W	uniport		K, I(BM)	青いおむつ症候群
X^-_{AG}	EAAT3	SLC1A1	E, D	symport	Na^+, H^+(S), K^+(A)	K, I(AM)	ジカルボキシルアミノ酸症
y^+L	4F2hc/y^+LAT1	SLC3A1/SLC7A7	K, R, Q, H, M, L	antiport	Na^+(S-AA^0)	K, I(BM)	リジン尿性蛋白不耐症
	4F2hc/y^+LAT2	SLC3A2/SLC7A6	K, R, Q, H, M, L, A, C	antiport	Na^+(S-AA^0)	K, I(BM)	

Ub: ubiquitous, I: intestine, AM: apical membrane, BM: basement membrane.

ペプチドまで分解され，それぞれ特異的な輸送担体により吸収される．この際，プロエンザイムとして分泌された膵酵素の活性型への変換には胆汁酸塩によって十二指腸吸収細胞の微絨毛から遊離されるエンテロペプチダーゼ(エンテロキナーゼ)によるペプチド結合の水解を必要とする．

ii) 蛋白質の腸粘膜消化吸収障害：遊離アミノ酸あるいはジトリペプチドの吸収には酸性・中性・塩基性アミノ酸に特異的な輸送担体により吸収される．一方，小腸に達したオリゴペプチドは刷子縁膜上のペプチダーゼによりアミノ酸まで分解されるが，オリゴペプチド輸送担体 PepT1(SLC15A1)は水素イオンとの共輸送によりジトリペプチドを吸収する．刷子縁膜ペプチダーゼはペプチドの N 末端に作用するアミノペプチダーゼと C 末端に作用するカルボキシペプチダーゼに大別される．刷子縁膜アミノ酸輸送担体はSLC ファミリーに属しており，それぞれ基質特異性，輸送形態，Na^+ 依存性・非依存性，発現部位の違いが認められ，いくつかの輸送体の機能異常による疾患が知られている(表 10-5-24)．Hartnup 病では中性アミノ酸輸送系が欠損し，青いおむつ症候群はトリプトファンのみの輸送障害，シスチン尿症はシスチン，リジン，アルギニン，オルニチンの4種のアミノ酸共輸送系の欠損とされる．しかしながら，これらの刷子縁膜酵素，輸送担体の吸収不良症候群の病因・病態への関与についてはまだ不明な点が残されている．

iii) 蛋白質の輸送経路障害：アミノ酸は門脈から肝に運ばれ代謝されるが，肝障害や門脈系の血管障害は腸管うっ血をもたらして吸収に影響を及ぼすことになる．

c) 脂質：糖質，蛋白質，脂質の3大栄養素のなかで最も障害を受けやすいのが脂質である．食事脂肪の大部分は炭素鎖が14以上の長鎖脂肪である．脂肪の消化吸収は糖質や蛋白質とは異なって複雑な消化吸収過程を経る．すなわち，①咀嚼と胃内撹拌によるエマルジョン形成，②膵リパーゼによる消化，③ミセル形成，④腸粘膜への取り込み，⑤腸粘膜細胞内脂肪再合成過程，⑥カイロミクロン形成，⑦リンパ管輸送などの多くの段階を経なければならない．①～③までが管腔内消化，④～⑥が腸粘膜消化吸収，⑦が輸送経路に該当する．

i) 脂質の管腔内消化：脂肪は咀嚼と胃内撹拌によるエマルジョン形成に始まり，酸に対して安定な舌リパーゼと胃リパーゼによる部分水解を受け，ここで遊離された脂肪酸が膵リパーゼ分泌刺激に関与する．長鎖脂肪は膵リパーゼの作用により長鎖脂肪酸とモノグリセリドに分解されて吸収される．この際，膵リパーゼによる効率的な消化には，十二指腸内に流入した水素イオンによるセクレチン分泌を介した膵重炭酸分泌促進による管腔内 pH の上昇(至適 pH 6.5)，胆汁酸塩によるミセル形成，膵コリパーゼの存在が重要である．したがって，膵外分泌機能不全以外にも，胃での撹拌障害，無酸あるいは Zollinger-Ellison 症候群での小腸管腔内 pH の低下，また肝胆道疾患での胆汁酸合成や胆汁分泌障害，回腸病変や回腸切除による胆汁酸腸管循環障害による胆汁酸プールの減少，盲係蹄症候群での細菌異常増殖による胆汁酸の脱抱合などによっても脂肪吸収障害が生じる．

ii）脂肪の腸粘膜消化吸収：管腔内消化された脂肪水解産物は胆汁酸塩とミセルあるいはリポソームを形成し，吸収上皮細胞微絨毛脂質膜の通過を容易にする．この際，胆汁酸塩は吸収されず終末回腸部に至り再吸収され腸肝循環により胆汁酸プールに入る．以前は脂肪酸の吸収は受動拡散によると考えられていたが，近年 human fatty acid transport protein（hsFAT-P）がクローニングされ，長鎖脂肪酸の能動輸送過程の存在が明らかにされた．吸収された脂肪酸は吸収上皮細胞内でトリグリセリドに再合成されコレステロールエステル，リン脂質とアポ蛋白と会合してカイロミクロンを形成して腸管リンパ管を介して全身循環に移送される．この際，細胞内代謝脂肪酸の細胞内輸送に脂肪酸結合蛋白（FABP）が関与する．また，β-リポ蛋白欠損症は腸吸収細胞内脂質代謝障害の要因となると考えられる．これに対して，炭素鎖が6〜12の中鎖脂肪酸は胃粘膜や腸上皮から効率よく吸収され門脈に移送される．コレステロールは空腸粘膜に発現するNPC1L1（Niemann-Pick C1 like 1）という分子がコレステロール吸収のトランスポーターであることが同定されている．

iii）脂質の輸送経路：脂肪は腸吸収細胞内で再合成され，リポ蛋白と結合した形で乳び腔に移送され，腸リンパ管から胸管リンパ管へ流れ，大循環に入り全身に運ばれる．したがって，Crohn 病，Whipple 病あるいはリンパ腫によるリンパ管の閉塞，リンパ管形成不全で脂肪の消化吸収障害を生じる．

臨床症状・診断

本症の診断基準は厚生省特定疾患消化吸収障害調査研究班（1985（昭和60）年度業績集）によって，①下痢，脂肪便，体重減少，るいそう，貧血，無力倦怠感，腹部膨満，浮腫，消化管出血（便潜血を含む）などの症状がみられることが多く，②血清蛋白（6 g/dL 以下），アルブミン，総コレステロール（120 mg/dL 以下）および血清鉄などの栄養指標の低下を示すことが多く，③消化吸収試験で異常を認める場合とされている．淡い色調の油でつやのある悪臭を伴う多量の排便（脂肪便）があり，摂食量に比して体重減少を認める場合は本症を強く疑う．本症の確診には，脂肪が最も消化吸収障害を受けやすいことから糞便中脂肪を検査することが有用である．

脂肪50 g/日前後の常食摂取下で糞便塗抹 Sudan III 染色で100倍率顕微鏡下に1視野10個以上の脂肪滴を認める場合，あるいは常食摂取（脂肪100〜125 g/日まで）で1日糞便中脂肪が van de Kamer 法で6 g 以上の場合に脂肪吸収障害とする．糞便中脂肪の異常を認めると，消化吸収障害が存在することが明らかであり，D-キシロース吸収試験を行い管腔内消化障害によるものか，腸粘膜消化吸収障害によるものかを鑑別する．

D-キシロース5 g を絶食した患者に経口摂取させ，続く5時間，尿を採取する．この用量ではより多い用量（25 g）に比べやや感度が劣るが，悪心や下痢は起こらない．尿量が十分で糸球体濾過率が正常だと仮定すると，5時間に集めた尿内に1.2 g 未満の D-キシロースしか存在しなければ，管腔内消化障害があると考えられ，1.2〜1.4 g であればボーダーラインであると考えられる．D-キシロース試験は，消化障害性の吸収不良症候群では異常とならない．

D-キシロース試験の結果，管腔内消化障害と判定されれば膵外分泌機能試験（PFD：BT-PABA 法）などで膵・胆機能を評価する．腸粘膜消化吸収障害であれば消化管 X 線検査，腹部超音波検査，CT，MRI，内視鏡検査（小腸内視鏡検査やカプセル内視鏡検査を含む），生検などを組み合わせて原疾患を確定する．回腸病変が疑われる場合はビタミン B_{12} 吸収試験，胆汁酸負荷試験が有用である．

ビタミン B_{12} 吸収異常は血清ビタミン B_{12} が低い場合に考えられる．シリングテストは吸収不良の原因を確かめるのに有効である．放射線で標識されたビタミン B_{12} を経口投与し，その尿中排泄が減少（5％以下）していれば吸収不良を示す．内因子と結合した標識 B_{12} により排泄が正常値（9％以上）に修正されれば，吸収不良は胃の内因子活性の喪失によるものである（しばしば真性悪性貧血）．内因子と結合した B_{12} で排泄が修正されなければ，慢性膵炎，薬物（例：アミノサリチル酸），小腸疾患（盲係蹄症候群，空腸憩室，回腸疾患）が疑われる．

腸粘膜消化吸収障害をきたす小腸疾患の代表的疾患としてセリアック病（celiac disease）があり，グルテンが病態に関与し crypt の過形成を伴い正常の絨毛形態が失われ "flat mucosa" を呈するがわが国ではまれである．最近，免疫不全特に AIDS における下痢や吸収不良が注目されており，その多くは日和見感染による．

一方，吸収不良症候群と蛋白漏出性胃腸症は異なった概念であるが蛋白漏出性胃腸症の診断には蛋白漏出試験が用いられる．これには，α_1-アンチトリプシンクリアランスや ^{99m}Tc 標識アルブミンによる蛋白漏出シンチグラフィなどがある．

治療

本症の治療の原則は，まず低栄養状態の改善を行い，さらに消化吸収障害を生じている原疾患・病態を確定して根本的治療を行うことにある．栄養状態を客観的に評価するためには，身体計測，身体構成，血液・尿生化学的検査，免疫能，代謝・筋力を指標とした栄養アセスメントを行うことが重要であり，低栄養状態の改善の指標としてはプレアルブミン，レチノー

ル結合蛋白，トランスフェリンなどの短半減期蛋白の測定が有用である．

消化吸収障害が軽度な場合には，高エネルギー，高蛋白，高ビタミン食とし，食事中の脂肪を1日30〜40gとする．管腔内消化障害型であれば特に高力価の消化酵素製剤は補充療法として有用である．消化器症状や病態により経口摂取が困難な場合には成分栄養剤・半消化態栄養剤による経腸栄養さらには完全静脈栄養を考慮する．この場合，身体活動維持に適切な投与カロリー量の設定と微量元素などの補充を常に留意する必要がある．完全静脈栄養は腸粘膜の萎縮をきたし，bacterial translocationを引き起こす要因となりうる．可能なかぎり早期に経腸栄養へ移行するか，あるいは経腸栄養を併用すべきである．

経腸栄養剤には多くの種類があるが，アミノ酸を窒素源とする成分栄養剤，ペプチドを窒素源とする消化態栄養剤，蛋白質の部分水解物を窒素源とする半消化態栄養剤などに分類され，おのおのの病態により使い分けることが重要である．成分栄養剤は窒素源がアミノ酸にまで分解されており，またきわめて低脂肪であることから，管腔内消化機能が著しく低下した病態にも用いることができる．また，吸収効率にすぐれており，実効吸収面積が減少した病態にも有用である．しかしながら，成分栄養剤でも完全静脈栄養と同様に腸粘膜の萎縮をきたす．さらに長期に用いる場合には，必須脂肪酸や微量元素の欠乏に留意すべきである．またきわめて低脂肪であり，脂肪乳剤の経静脈投与が必須である．　　　　　　　　　　　　　〔安藤　朗〕

■文献（e文献10-5-11）

馬場忠雄：吸収不良症候群．最新内科学大系特別巻3，別冊　内科臨床リファレンスブック疾患編II，pp150-6，中山書店，1998.

Bröer S: Amino acid transport across mammalian intestinal and renal epithelia. Physiol Res. 2008; 88: 249-86.

石川　誠，高橋恒男：疫学調査報告．厚生省特定疾患消化吸収障害調査研究班昭和57年度業績集，pp15-26, 1983.

辻川知之，宇田勝弘，他：小腸の形態と機能．消化器内科．2002; 35: 483-9.

12）乳糖不耐症
lactose intolerance

概念

牛乳の摂取後に腹痛や下痢などの症状を生じる病態を牛乳不耐症（milk intolerance）という．牛乳不耐症の多くは乳糖（ラクトース）不耐症であるが，牛乳アレルギーなども同様の症状をきたす．

乳糖不耐症は，小腸刷子縁膜酵素の1つであるラクターゼ活性が欠乏し，ラクトースの消化・吸収が阻害される，乳糖消化不良（lactose maldigestion），乳糖吸収不良（lactose malabsorption）の状態に起因する消化器症状をきたす疾患である．しかしながら，後述するように一部にはラクターゼ活性が正常の病態も存在することも念頭におく必要がある．

分類・原因

原発性ラクターゼ欠乏症と続発性ラクターゼ欠乏症とに分類される．ラクターゼ遺伝子にも種々の遺伝子多型が存在することが確認されている．

1）原発性ラクターゼ欠乏症：

i）原発性ラクターゼ欠乏症：生下時より小腸のラクターゼ活性が欠乏する疾患であり，Holzelによりはじめて報告された．常染色体劣性遺伝を示す．牛乳の摂取により下痢，鼓腸，腹部膨満，嘔吐などをきたし，脱水症状から致死的になる場合もある．

ii）原発性成人型ラクターゼ欠乏症：生下時はラクターゼ活性が保たれるが，成長につれてラクターゼ活性が低下する病態である（lactase non-persistence）．人種によって頻度は異なり，白人には少ないが，黒人やアジア人には多い．遺伝的な要因によるものと考えられている．

2）続発性ラクターゼ欠乏症：種々の腸管感染症，炎症性腸疾患，薬剤や放射線障害などによる小腸粘膜障害や粘膜損傷により，続発性にラクターゼ欠乏症をきたす病態である．サルモネラ菌や病原性大腸菌による細菌性腸炎，あるいはランブル鞭毛虫症（ジアルジア）などの原虫感染では続発性の乳糖不耐症を生じる．また，Crohn病，潰瘍性大腸炎などの炎症性腸疾患，セリアックスプルーではラクターゼ活性の低下により乳糖不耐症となる．さらには，ダンピング症候群や過敏性腸症候群により通過時間が短縮し，小腸粘膜と接触時間が短縮した場合，あるいは短腸症候群で相対的なラクターゼ欠乏の状態を生じた場合には，乳糖不耐症の要因となる．

病態生理・症候

小腸の刷子縁膜上には膜消化にかかわる分解酵素が存在する．マルターゼやラクターゼなどの二糖類分解酵素は基質特異性が明確であり，乳糖の消化には正常なラクターゼ活性が欠かせない．通常，ラクターゼ活性は出生直前にピークとなり，離乳期以降は活性が低下し，5〜10歳で安定する．安定時のラクターゼ活性が高いレベルで保たれることをlactase persistenceとよび，白人などで多くみられる．一方，ラクターゼ活性が低い状態で安定することをlactase non-persistenceとよび，黒人やアジア人で多くみられる．ラクターゼの遺伝子多型が大きな影響を与えていると考えられており，白人では-13010C/Tの遺伝子多型の関与が示唆されているが黒人では認められない遺伝子多型でありいまだ詳細な機序は不明である．

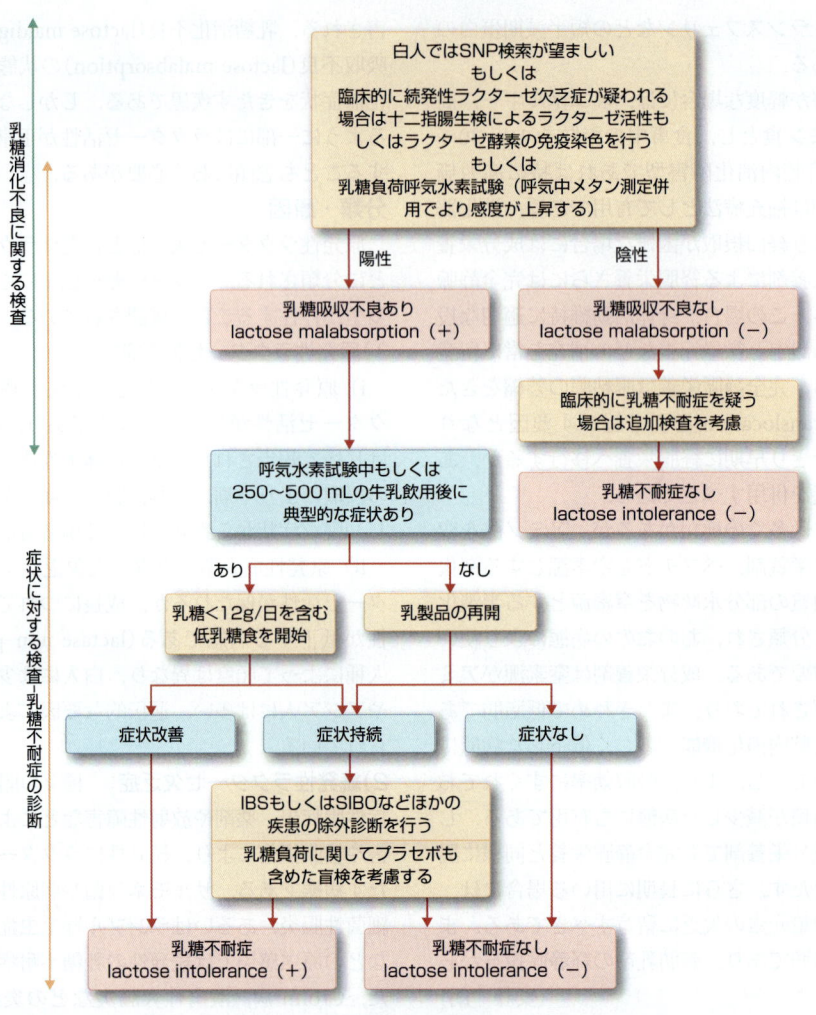

図 10-5-21 乳糖不耐症の診断アルゴリズム (Misselwitz B, 2013 を改変)
IBS：irritable bowel syndrome, SIBO：small intestinal bacterial overgrowth.

先天性ラクターゼ欠乏症では，離乳期にも活性がみられず，乳糖の摂取により著しい症状が発現する．成人型では離乳期以降の活性が著明に低下し，乳糖不耐の症状を呈する．

本症では，未吸収の糖質が腸管内の浸透圧を上昇させ，高浸透圧性の下痢をきたす．また，腸内細菌による発酵が生じ，鼓腸や腹部膨満もきたす．

診断

診断に関して図 10-5-21 を参照されたい．以下は個々の検査法について概説する．

1) 乳糖負荷試験： 乳糖 20 g を水に溶解して経口投与し，投与後の血糖を経時的に 120 分まで測定する．健常人では，20 mg/dL 以上の血糖上昇がみられるが，血糖上昇が 10 mg/dL 以下の場合は異常と判定する．さらにラクターゼ製剤併用により改善がみられれば，ラクターゼ欠乏症の診断は確定する．グルコース・ガラクトース吸収不良症でも，乳糖負荷試験で異常値となるが，グルコース・ガラクトース吸収不良症ではグルコース 10 g，ガラクトース 10 g の経口負荷でも血糖上昇が認められない．

2) 粘膜生検： 一方，十二指腸や小腸粘膜を生検にて採取し，ラクターゼ活性を測定する方法もある．また，小腸粘膜におけるラクターゼの免疫染色も診断に有用である．しかし，ラクターゼ活性やラクターゼ酵素の染色性は採取部位によって大きく異なることに留意する必要がある．

3) 呼気水素試験 (expiratory hydrogen test：EHT)： EHT も本症の検査として有用である．乳糖不耐症では吸収されない乳糖が下部消化管 (おもに大腸) にて腸内細菌による発酵を受ける．これにより生じた水素は腸で吸収され，呼気に排出される．乳糖を経口投与した後，経時的に呼気を集め，呼気中の水素をガスクロマトグラフィにて測定するものである．負荷する乳糖の量や測定時間については定められた共通のものはない．lactase persistent であれば小腸で乳糖は消化・吸収されるが，乳糖不耐症では，乳糖は消化されない状

態(lactose maldigestion)で大腸に運ばれ腸内細菌叢により発酵を受け呼気中水素濃度が高値となる．ただし，小腸細菌増殖(small intestinal bacterial overgrowth：SIBO)を有する症例や，腸内細菌叢に水素ガス産生菌をもたない症例は，それぞれ偽陽性や偽陰性を呈する場合があり注意が必要である．また，呼気中のメタンも同時に測定することにより感度が上昇することが期待できる．

治療

先天性ラクターゼ欠乏症では，乳糖の経口摂取を禁じ，無乳糖乳や無乳糖食とする．成人型ラクターゼ欠乏症では，ラクターゼ活性の程度により症状はさまざまである．低乳糖食，あるいは無乳糖食とすることで症状は緩和される．また，ラクターゼ製剤を使用するのも有用である．続発性ラクターゼ欠乏症では原疾患の治療が基本であるが，症状に応じて乳糖摂取を制限する．　　　　　　　　　　　　　　　　〔安藤　朗〕

■文献

Misselwitz B: Lactose malabsorption and intolerance: pathogenesis, diagnosis and treatment. UEG J. 2013; 1: 151-9.
中村孝司：牛乳不耐症．日本内科学会雑誌．1996; 85: 61-6.

13) 好酸球性胃腸炎・消化管アレルギー
eosinophilic gastroenteritis and gastrointestinal allergy

概念

好酸球性胃腸炎は，消化管壁への好酸球浸潤を特徴とする原因不明のまれな疾患である．病変は胃，十二指腸，小腸などに好発する．食道や大腸にも病変を認める場合もある．消化管アレルギーは，消化管から吸収された特定の抗原に対し消化管および全身性に過剰な免疫反応が生じる疾患である．

病因

好酸球性胃腸炎の原因は不明である．末梢血好酸球増加や血中IgE高値を伴うこと，アレルギー性鼻炎，アトピー性皮膚炎，じんま疹などのアレルギー性疾患の合併例が多いことや，特定の食事摂取により症状が増悪する例のあることより，何らかのアレルギー，免疫機序が病因に関与していると考えられている．ただし，アレルギーの既往のまったくない例に本症を認める場合もある．

消化管アレルギーにおいて最も重要なアレルゲンは食事性であり，食物アレルギーともよばれる【⇒12-30】．Ⅰ型アレルギー反応により，アレルゲン摂取直後より症状が出現することが多い．Ⅳ型アレルギー反応により，数時間〜数日で症状出現する場合もある．

臨床症状

好酸球性胃腸炎では，粘膜層に病変を有すると腹痛，下痢を認める．粘膜層に広範囲に病変を認める場合や長期罹患例は貧血，栄養障害，体重減少を認める．また，蛋白漏出性胃腸症や消化管出血を呈することもある．筋層に病変を有すると腸管壁肥厚，硬化，運動異常をきたし，悪心，嘔吐，腹痛，腹部膨満などの消化管狭窄，閉塞症状を起こす．漿膜に病変を有する場合は全層性病変をきたしていることが多い．典型例では好酸球性腹水を認める．

消化管アレルギーの場合，消化器症状としては腹痛の頻度が高く，悪心・嘔吐，下痢，腹部膨満などを伴う．全身的な随伴症状としては，じんま疹，湿疹，口唇・口腔内浮腫などの皮膚症状や，咽頭浮腫，喘鳴，鼻漏などの呼吸器症状を伴うこともある．

検査所見

好酸球性胃腸炎では，約80％の症例で末梢血好酸球増加を認めるが，末梢血好酸球が正常値を示す例もあり，注意を要する．栄養素の吸収障害や蛋白漏出に伴い鉄欠乏性貧血や血中アルブミン値の低下がみられる．

消化管アレルギーは，食事に起因した症状がないか詳しく問診することが重要である．食物日誌も有効である．アレルゲンの推定ができれば，血清特異的IgE抗体(RAST)や，プリックテストによる皮膚反応を行う．

1) X線検査, 内視鏡検査：好酸球性胃腸炎では，X線検査，内視鏡検査像は多彩であり，疾患に特異的なものはない．内視鏡検査でみられる胃病変としては，びらん，発赤，皺襞肥厚など非特異的な変化が多い．結節状隆起や狭窄を認めることもある．小腸造影では，好酸球の壁浸潤や浮腫により壁肥厚，結節形成などの所見を認める．腹部CTでは腸管壁肥厚，腸間膜リンパ節腫大，腹水などを認める．消化管アレルギーの場合も，X線検査，内視鏡検査像で特異的なものはない．

2) 組織検査：好酸球性胃腸炎では，病変部の粘膜を内視鏡的に生検する．サンプリングエラーを防ぐため，複数個の生検を行う．生検組織は好酸球を主体とした炎症細胞浸潤と浮腫が特徴的である．血管炎の所見は通常認めない．病変の主座が筋層や漿膜下層にある場合，粘膜生検で好酸球浸潤を認めない例もあり注意を要する．

診断

典型例ではアレルギー疾患を有する患者が，腹痛，下痢などの消化器症状を訴え，末梢血好酸球増加を認めた場合，好酸球性胃腸炎を疑う．実際にはアレルギー疾患のない例や，末梢血好酸球増加のない例もある．生検で著明な好酸球浸潤を認めることが，診断上

重要である．消化管アレルギーの場合，発症の誘因となる特定の食事性抗原の同定が重要である．

鑑別診断

好酸球性胃腸炎を診断するにあたり，消化管に好酸球浸潤を認める他疾患との鑑別は重要で特に寄生虫疾患と鑑別は重要である．病歴の詳細な聴取や便の虫体，虫卵検査を行い，鑑別する．特発性好酸球増加症候群は消化管をはじめ，心臓，肺，皮膚などの複数臓器に好酸球浸潤をきたす．また，Crohn 病は腹痛，下痢など好酸球性胃腸炎に若干類似した臨床症状をきたすが，画像診断，組織診断で鑑別可能である．また，膠原病のなかでは，好酸球性多発血管炎性肉芽腫症や結節性多発動脈炎などの血管炎で消化管に好酸球浸潤を認めることがある．臨床症状の違いや，生検で好酸球浸潤が血管周囲に限局していることより鑑別できる．消化管画像上鑑別すべき疾患として，スキルス胃癌，消化管悪性リンパ腫，消化管アミロイドーシス，IgA 血管炎などがある．

消化管アレルギーは通常一過性であり，臨床経過から消化管アレルギーの発症を推測していく．

経過・治療

好酸球性胃腸炎では，保存的療法で自然軽快例の報告もあるが，ステロイドが著効し多くの場合適応となる．成人ではプレドニゾロン 20〜40 mg の経口投与により，多くの場合 1〜2 週間で症状は寛解する．ステロイド治療後のステロイド減量期の再発例もみられるので，ステロイドの減量は数カ月間かけて行う．5〜10 mg の少量維持長期治療が必要な場合もある．腸管狭窄や穿孔による外科手術例も報告されている．

消化管アレルギーと診断された場合，原因となるアレルゲンを除去した食事療法を行うことが重要である．症状出現時には，アレルギー症状を改善させるため対症的な治療や抗ヒスタミン薬，抗アレルギー薬などの投与を行う．アナフィラキシーを起こした場合，昇圧薬などを用いた迅速な対応が必要である【⇨ 12-30】． 〔喜多宏人〕

■文献

Klein MC, Hargrove RL, et al: Eosinophilic gastroenteritis. *Medicine*(*Boltimore*). 1970; **49**: 299-319.

Pratt CA, Demain JG, et al: Food allergy and eosinophilic gastrointestinal disorders: guiding our diagnosis and treatment. *Curr Probl Pediatr Adolesc Health Care*. 2008; **38**: 170-88.

Tally NJ, Shorter RG, et al: Eosinophilic gastroenteritis: A clinicopathological study of patients with disease of the mucosa, mustle layer, and subserosal diseases. *Gut*. 1990; **31**: 54-8.

14）過敏性腸症候群
irritable bowel syndrome：IBS

概念

過敏性腸症候群（IBS）とは，器質的疾患が通常の臨床検査では認められないが，腹痛と便通異常が慢性に持続する状態である．同様に，器質的疾患を欠くが消化器症状が慢性に持続する疾患群を機能性消化管障害（functional gastrointestinal disorders：FGIDs）とよぶ（Drossma ら，2016）（e表 10-5-E）（eノート 1）．IBS は FGIDs の原型である．IBS は主要文明国の人口の約 10〜15％と高頻度であり，女性に多い．IBS は良性疾患であるが，生活の質（QOL）を障害する．このため，IBS の症状を有しかつ QOL 低下に苦痛を感じる者が病院を受診する．IBS には日常臨床でしばしば遭遇し，適切なケアを必要とする．

病態

IBS の原因はいまだ不明である．しかし，中枢機能と消化管機能の関連である脳腸相関を構成する下記の①〜⑩において健常者との相違が認められる（e図 10-5-E，図 10-5-22）．科学の進歩により機能性疾患の分子レベルでの変化が解明されつつあり，機能性疾患に分類されていても，通常検査以上の高精度の方法を使えば異常が検出される．

脳腸相関の代表的な現象は，IBS 症状が①心理社会的ストレスによって発症・増悪する心身症の病態，ならびに，消化管の知覚信号が中枢で増幅される②内臓知覚過敏である．内臓知覚過敏は，大腸にポリエチレンバッグを入れ，バロスタット機器でその圧力を上昇させたときに，健常者より低圧で腹痛を自覚することで検出される．IBS ではストレスや食物摂取などの刺激に対して大腸・小腸運動が亢進し，③消化管運動異常を呈する．大腸を刺激したときの脳画像では健常者よりも大脳辺縁系の④局所脳活性化が大きい．IBS は高率に⑤心理的異常を呈し，抑うつ，不安，身体化が多い．IBS の小腸・大腸粘膜にはマスト細胞増加などの⑥微小炎症があり，⑦粘膜透過性亢進がある．感染性腸炎が回復した後に高率に IBS が発症し，これを感染性腸炎後 IBS とよび，⑧腸内細菌の変容が IBS の病因の 1 つとして重視される．

IBS では 5-hydroxytryptamine（5-HT，セロトニン）や corticotropin-releasing hormone（CRH）（eノート 2）など⑨神経伝達・内分泌応答の関与が報告されている．IBS には弱いながら遺伝性があり，二卵性双生児よりも一卵性双生児の罹患一致率が高く，toll-like receptor-9（TLR-9），E-cadherin-1（CHD-1），インターロイキン-6（IL-6），tumor necrosis factor（TNF）SF15，ナトリウムチャネル Nav1.5 をコードする SCN5A，KDEL endoplasmic reticulum protein

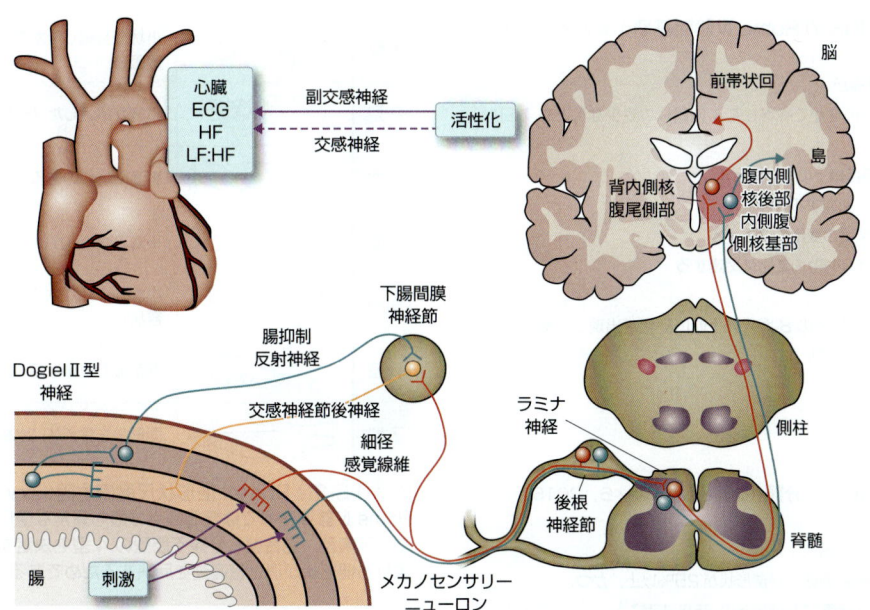

図 10-5-22 IBS の内臓知覚経路(Fukudo S: IBS: Autonomic dysregulation in IBS. *Nat Rev Gastroenterol Hepatol*. 2013; **10**: 569-71)

ストレスによって増悪する消化器症状（脳→腸）と消化器由来の信号による脳機能の変化（腸→脳）を言う．消化管刺激によって，交感神経の中の内臓知覚線維が脊髄後根から脊髄，視床へと信号を伝達し，前帯状回（ACC）を中心とする辺縁系の賦活を招き，腹痛，腹部不快感，情動の変化を引き起こす．また，消化管刺激や心理社会的ストレスは視床下部室傍核の corticotropin-releasing hormone（CRH）分泌を介して大腸運動亢進と消化管知覚過敏を招くと考えられている．5-hydroxytryptamine（5-HT）は脳では情動制御，脊髄では疼痛制御，消化管では消化管運動と分泌に関係している．消化管の $5-HT_3$ 受容体と $5-HT_4$ 受容体を刺激すると推進運動が惹起される．
ECG：心電図，HF：高周波，LF：低周波

retention receptor-2（KDELR-2），glutamate receptor の ionotropic, delta-2（Grid-2）interacting protein（GRID2IP）などの多因子の⑩遺伝子変異が見いだされている．

臨床症状

1）主要症状：腹痛と便通異常（便秘，下痢あるいはその交替）が相互に関連しあい，慢性の病像を呈する．血便，発熱，体重減少は IBS では生じない．

2）その他の消化管症状：腹部不快感，腹部膨満感，ガスの増加，心窩部痛，季肋部痛，悪心，食欲不振，胸やけなどが多い．

3）消化管外身体症状：頭痛，頭重感，顎関節痛，めまい，動悸，頻尿，月経障害，筋肉，四肢末端の冷感，易疲労感をきたすことがある．

4）心理的異常：抑うつ感，不安感，緊張感，不眠，焦燥感，意欲低下，心気傾向をしばしば認める．

身体所見

触診にて下腹部，特に左下腹部の圧痛を示す症例が多い．腹部聴診では腸音の亢進がまれならず認められる．

診断

器質的疾患，おもに大腸癌と炎症性腸疾患の除外が重要である．検査の組み合わせは症例にもよるが，血液生化学検査，末梢血球数，炎症反応，尿一般検査，便潜血検査，大腸造影検査もしくは大腸内視鏡検査を要する例が多い．これらの検査所見はいずれも正常である．そのうえで症状が Rome IV 診断基準を満たすことが必要である（Lacy ら，2016）（表 10-5-25, 10-5-26，図 10-5-23，10-5-24）．IBS の診断基準を満たさない下部消化管の FGIDs は機能性便秘，機能性下痢，機能性膨満，非特異機能性腸障害，中枢性腹痛症候群のいずれかである（eノート 3）．鑑別が必要な消化器疾患として乳糖不耐症, microscopic colitis（eノート 4），慢性特発性偽性腸閉塞（eノート 5），colonic inertia（eノート 6）などがあげられる．また，IBS と高率に合併する病態に機能性ディスペプシア（functional dyspepsia），胃食道逆流症，機能性直腸肛門痛，線維筋痛症，顎関節症，うつ病，不安障害がある．

治療

医師が患者の苦痛を傾聴し，受容することが基本になる．通常の臨床検査で異常がなくとも特殊な検査を行えば脳腸相関の異常が検出されることを念頭におき，患者の症状に関心を示す必要がある．そのうえ

表 10-5-25 IBS の Rome Ⅳ 診断基準 (Lacy ら, 2016)

- ■繰り返す腹痛が
- ■最近 3 カ月のなかで平均して 1 週間につき少なくとも 1 日以上を占め
- ■下記の 2 項目以上の特徴を示す
  ① 排便に関連する
  ② 排便頻度の変化に関連する
  ③ 便形状(外観)の変化に関連する

*：少なくとも診断の 6 カ月以上前に症状が出現し，最近 3 カ月間は基準を満たす．

表 10-5-26 IBS の分類 (Rome Ⅳ) (Lacy ら, 2016)

1. 便秘型 IBS (IBS-C)：
   硬便 or 兎糞状便[*1]が便形状が 25% 以上，かつ，
   軟便 or 水様便[*2]が便形状の 25% 未満[*3]
2. 下痢型 IBS (IBS-D)：
   軟便 or 水様便[*2]が便形状の 25% 以上，かつ，
   硬便 or 兎糞状便[*1]が便形状の 25% 未満[*3]
3. 混合型 IBS (IBS-M)：
   硬便 or 兎糞状便[*1]が便形状の 25% 以上，かつ，
   軟便 or 水様便[*2]が便形状の 25% 以上[*3]
4. 分類不能型 IBS (IBS-U)：
   便形状の異常が不十分であって，
   IBS-C, IBS-D, IBS-M のいずれでもない[*3]

*1：Bristol 便形状尺度 1 型 2 型 (図 10-5-23).
*2：Bristol 便形状尺度 6 型 7 型 (図 10-5-23).
*3：止瀉薬，下剤を用いないときの糞便で評価する．

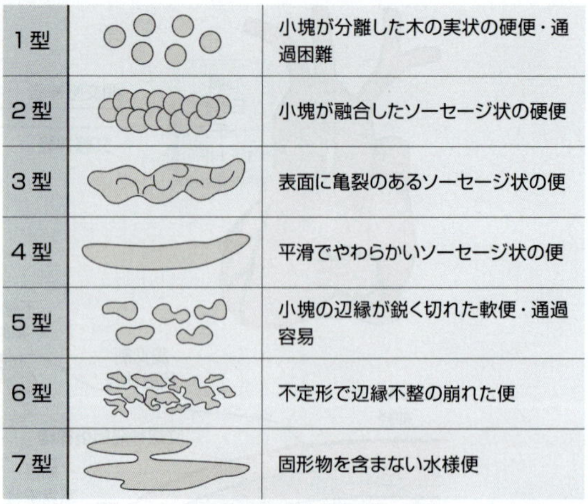

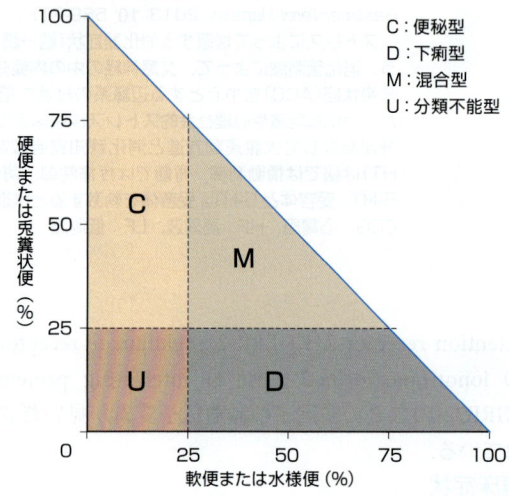

図 10-5-23 Bristol 便形状尺度概念図 (Lacy ら, 2016)
Rome Ⅳ 診断基準では評価時点の最も異常な便形状のみで便秘型，下痢型，混合型，分類不能型の 4 型を決定する．排便頻度よりも便形状が消化管運動を反映するためである．

図 10-5-24 IBS の分類図 (Rome Ⅳ) (Lacy ら, 2016)

で，病態生理を患者が理解しやすいことばで説明する．偏食，食事量のアンバランス，夜食，睡眠不足，心理社会的ストレスは IBS の増悪因子であり，除去・調整を勧める．これらを行ったうえで，薬物療法をまず行う．薬物としては消化管腔内環境調整のために高分子重合体や，消化管知覚過敏とストレス感受性改善のために抗うつ薬を用いる．下痢型 IBS に対しては 5-HT$_3$ 受容体拮抗薬ラモセトロンを用いる．便秘型 IBS ならびに機能性便秘に対しては，chloride channel-2 賦活薬ルビプロストンが使用されており，今後 guanylate cyclase-C 刺激薬 linaclotide も使用可能となる．アントラキノン系下剤の長期投与は，大腸黒皮症，大腸運動異常，下剤への依存などを招きやすいので，行うべきでない．薬物療法が無効なときには心身医学的治療を行う．心身医学的治療には，簡易精神療法，認知行動療法，自律訓練法，催眠療法などがある．

〔福土　審〕

■文献

Drossman DA, Hasler WL：Rome Ⅳ—functional GI disorders: Disorders of gut-brain interaction. *Gastroenterology*. 2016;**150**:1257-61.

Fukudo S, Kaneko H, et al: Evidence-based clinical practice guidelines for irritable bowel syndrome. *J Gastroenterol*. 2015;**50**: 11-30.

Lacy BE, Mearin F, et al：Bowel disorders. *Gastroenterology*. 2016;**150**:1393-1407.

15) イレウス（腸閉塞）
ileus

概念
腸内容の通過が高度に阻害され腹部膨満，腹痛などの症状をきたした状態（表10-5-27）．急性腹症のなかでも最も頻度の高いものの1つである．

表10-5-27 イレウスの分類（成人）

機械的イレウス
　病態
　　1．単純性イレウス
　　2．複雑性（絞扼性）イレウス
　原因
　　a．腹腔内癒着（術後，子宮内膜症，放射線照射後，腹腔内炎症後）
　　b．内・外ヘルニア嵌頓
　　c．腫瘍（大腸癌，小腸腫瘍，腹部腫瘍）
　　d．炎症（Crohn病，癌性腹膜炎，腸結核）
　　e．異物等（硬便，胆石，胃石）
　　f．腸重積
　　g．腸軸捻症

機能的イレウス
　1．麻痺性イレウス
　　a．全身性硬化症，偽性腸閉塞
　　b．炎症（腹膜炎，膵炎）
　　c．長期臥床，中枢神経・精神疾患，諸疾患の重症状態
　　d．術後，外傷後
　　e．Ogilvie症候群（急性大腸偽性腸閉塞症）
　　f．薬剤性（麦角アルカロイド，麻薬，抗コリン薬，向精神薬）
　2．痙攣性イレウス
　　a．鉛中毒
　　b．腹部外傷

閉塞病変の有無により機械的と機能的イレウスに，さらに機械的イレウスは血流障害の有無により単純性と複雑性（絞扼性）イレウスに分けられる．

表10-5-28 単純性イレウスと複雑性イレウス

	単純性イレウス	複雑性イレウス
多い原因	腹腔内癒着，大腸癌	腹腔内癒着，内・外ヘルニア
発症	急〜やや緩徐，ときに反復	急
腹痛	＋，疝痛	＋＋，持続痛
腹痛に対する鎮痙剤の効果	有効	限定的
腹膜刺激症状	−	＋
腸音	↑，金属音	↓（当初↑のこともある）
血便	−	ときに少量＋
腹水	あっても少量，清	中等量，混濁
代謝性アシドーシス	−	＋
CPK上昇	−	＋

おのおのの概略の傾向を示した．

分類・原因・疫学
1）機械的イレウス： 器質的な狭窄・閉塞による．原因病変の部位からは小腸イレウスと大腸イレウスに分けられ，前者では術後腹腔内癒着，後者では大腸癌が多い．

　a）単純性イレウス：腸管の血流障害をきたしていないもの．腹部の術後癒着によるものが多いがほかにも多くのものが原因となる（表10-5-28）．死亡率は5%前後である．

　b）複雑性（絞扼性）イレウス：病変部腸管の高度の血流障害を伴うに至ったもので，機械的イレウスの10〜15％を占め，死亡率は20〜40％である．やはり術後癒着によるものが多く，ヘルニア嵌頓，腸重積，消化管軸捻症なども複雑性イレウスとなりやすい．初めから複雑性イレウスとして発症することが多いが，単純性イレウスから複雑性へと進展することもある．

2）機能的イレウス： 器質的な閉塞部位がないのに腸内容の推進が高度に障害されたもの．大部分は麻痺性イレウスである．

　a）麻痺性イレウス：腸の運動能が障害された結果起こる．表10-5-27のような諸原因による．

　b）痙攣性イレウス：腸が強く収縮した結果強い腹痛と通過障害をきたすものだが，まれである．

病態生理
腸に通過障害が生じるとそこより上流の腸に内容物が溜り圧力が高まって腹部膨満，腹痛，嘔吐をきたす．さらには停滞に伴い腸内細菌が増殖して血中へ菌や毒素が流出し（bacterial translocation），菌血症も生じる．複雑性イレウスでは症状が強く，腸壁の血流障害の結果血管透過性が亢進して血漿が漏出して循環不全傾向となり，播種性血管内凝固症候群，多臓器不全へと急速に進展し，さらに腸壁の壊死，穿孔も併発しうるため緊急の対処を要する．治療などで腸管虚血が解除されたとしても，その後の虚血再灌流腸管傷害で全身性の多臓器障害が生じうる．また嘔吐に付随して誤嚥性肺炎などをきたすこともある．

症状
1）自覚症状： 排便排ガスが止まるが，腸重積や結腸軸捻症では少量の血便がありうる．機械的イレウスでは腹痛などの症状が急性〜亜急性に生じる．単純性イレウスでは発症当初は概して間欠的な疝

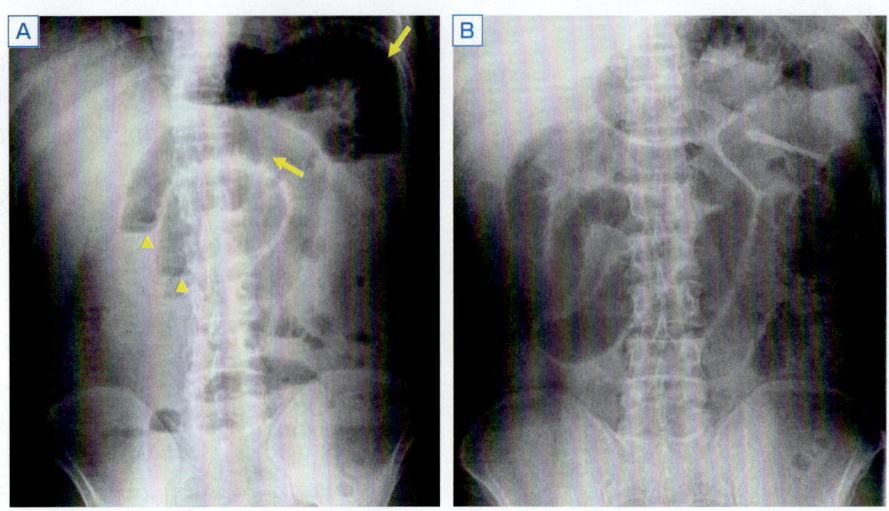

図10-5-25 小腸中部の閉塞による単純性イレウス
閉塞部位より口側の小腸が拡張し（矢印，Kerckring襞あり），ニボー（矢頭）を形成する．大腸ガスはごく少ない（A：立位，B：臥位）．

痛だが進行すると持続性になってくる．複雑性イレウスでは当初から強い持続痛のことが多く苦悶状で重篤感が強い．鎮痙薬は単純性イレウスの腹痛には有効だが複雑性イレウスでは効果は限定的である．嘔吐は，閉塞部位が消化管の下部であるほど発生時期が遅い．吐物は胆汁をまじえ，時間が経つと糞臭を伴ってくる．麻痺性イレウスでは腹部膨満以外の症状は軽度で経過は緩徐である．

2）他覚症状： 鼓腸がみられる．機械的イレウスでは腸音亢進，金属音を呈し，ときに視診で亢進した腸蠕動が見えるが，複雑性イレウスでは進行すると逆に蠕動は減弱する．また，鎮痙薬などの投与後の診察では腸音亢進や金属音がとらえにくくなることに注意する．単純性イレウスでは圧痛はあっても腹膜刺激症状を欠くが，複雑性イレウスでは腹膜刺激症状を伴ってくる．麻痺性イレウスでは腸音はほとんど聞こえず，穿孔しなければ腹膜刺激症状はない．

検査所見

腹部単純X線写真でイレウスの診断と閉塞部位のおおまかな推定ができる．立位（図10-5-25A）と臥位（図10-5-25B）（または側臥位）で撮影する．閉塞部より上流の腸管が拡張しニボーがみられる．細かいKerckring襞の有無で小腸と大腸のガス像が区別できる．ただ，複雑性イレウスでは腸ガスの貯留が目立たない症例（無ガスイレウス）もあるうえ，そうした例では重症例も多いため，注意が必要である．麻痺性イレウスでは腸が全体に拡張する．エコーやCT, MRIも有用である（ⓔ図10-5-F, 10-5-G, 10-5-H, ⓔ動画10-5-A）．エコーでは腸液の充満した小腸にKerckring襞が見えるkeyboard signや，腸内容が前後に動くto-and-fro signを認める．腹水は複雑性イレウスの可能性を示唆する．CTやMRIでは閉塞部位や原因の同定，絞扼の有無も評価できる．特にシネMRIでは絞扼の有無・範囲が造影なしで容易にわかる．イレウスでは経口の洗腸剤を使った大腸検査は不可能だが，大腸癌やS状結腸軸捻症のイレウスでは前処置を略した大腸内視鏡を使っての減圧が診断と治療を兼ねて行われることがある．腸重積では注腸造影で特徴的なカニの爪様所見で診断ができるとともに治療になることがある．イレウスでの手術治療の術前診断にダブルバルーン小腸内視鏡が有用なこともある．血液検査では，初期には白血球・血小板の増加，進行すると脱水に伴うHbやBUNの増加，嘔吐や腸管内への喪失によるK^+やCl^-の低下・代謝性アルカローシスがみられ，絞扼性イレウスでは進行すると代謝性アシドーシスやCPK上昇もみられる．CRPなどの炎症反応は初期には上昇しないので注意する．

診断

イレウスであることの診断，複雑性イレウスを見逃さないこと，原因疾患の診断が肝要である．イレウスであることの診断は比較的容易だが高齢者や意識・認知障害などでは自・他覚症状が不明瞭なことがあるので注意する．機能性イレウスや偽性腸閉塞では腸の拡張が非常に高度でも手術適応ではないので，機械的イレウスと誤診しないことが重要である．　〔松橋信行〕

16）偽性腸閉塞
pseudo-obstruction

定義・概念
腸管内容物の輸送が障害されることにより，機械的な閉塞機転がないにもかかわらず腹部膨満，腹痛，嘔吐などの消化管閉塞症状を引き起こす，消化管運動異常疾患では最も難治性かつ重症な疾患である．

分類
大腸のみ罹患する急性型と小腸を主とした全消化管が罹患する慢性型に分類される．

1）急性大腸偽性腸閉塞症（Ogilvie 症候群）： 機械的閉塞機転がなく大腸が急速に拡張する疾患で，種々の全身疾患，特に術後に続発する．高度の拡張を生じるため適切に減圧されないと穿孔を生じ致命的となる．

2）慢性偽性腸閉塞（chronic intestinal pseudo-obstruction: CIPO）： 原発性と続発性（全身性硬化症（SSc），アミロイドーシス，Parkinson 病やミトコンドリア脳筋症などの基礎疾患に併発あるいは薬剤性などによる）に分類される．小腸が障害される例が多いが，罹患部位は全消化管に及ぶ可能性がある．CIPO は 2015 年より新規に公費助成の指定難病となった．

疫学
厚生労働省研究班の 2011 年の調査ではわが国の CIPO 患者数は約 1300 人とまれな疾患で，新生児より高齢者まで全年齢で発症するが平均年齢 57.8 歳，男女比 1：1.44 でやや女性に多い傾向であった．約 6 割が原発性で，続発性では SSc によるものが多い（厚生労働省，2011）[1]．

病態生理・病理
腸管蠕動低下による腸閉塞症状に加え，ときに bacterial overgrowth（腸内細菌異常増殖）症候群による下痢も認められる．さらに高度腸管拡張による粘膜変性，あるいは頻回の消化管切除術により短腸症候群で消化吸収能が廃絶する（intestinal failure）．病理学的に，腸管平滑筋障害型，神経叢障害型，Cajal 介在細胞障害型があげられるが，未解明な部分も多い．

臨床症状
腹部膨満感が最も多く，嘔吐，腹痛，便秘などの腸閉塞症状が中心であるが，しばしば bacterial overgrowth による下痢を認める．

診断
症状，画像診断（図 10-5-26），生検組織像などをもとに，厚生労働省研究班の診断基準（表 10-5-29）で診断し，重症度分類（eコラム 1）を行う．小腸運動異常の診断には小腸シネ MRI が非常に有効である（Ohkubo ら，2012）．

経過・予後
自覚症状が軽症から中等症までの代償期を過ぎると

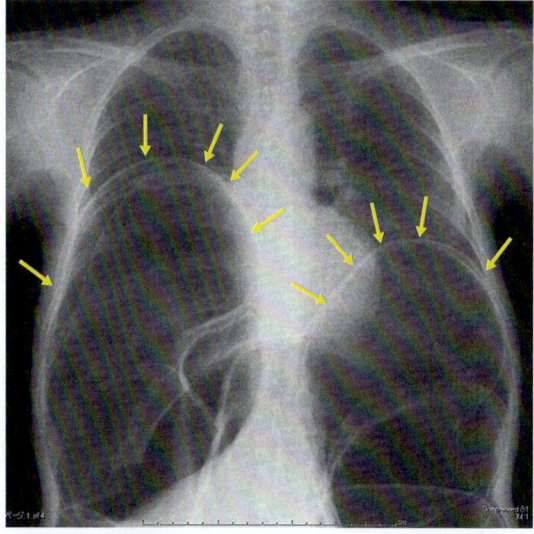

図 10-5-26 CIPO 患者の X 線写真
胸部中央に至るほどの著明な腸管の拡張を認める．

表 10-5-29 診断基準（厚生労働省研究班診断基準）（厚生労働省，2011; Ohkubo, 2012）

以下の 7 項目をすべて満たすもの
1. 腹部膨満，悪心・嘔吐，腹痛などの入院を要するような重篤な腸閉塞症状を長期に持続的または反復的に認める
2. 新生児期発症では 2 カ月以上，乳児期以降の発症では 6 カ月以上の病悩期間を有する
3. 画像診断では消化管の拡張と鏡面像を呈する[*1]
4. 消化管を閉塞する器質的な病変を認めない
5. 腸管全層生検の HE 染色で神経叢に形態異常を認めない
6. 小児では megacystis microcolon intestinal hypoperistalsis syndrome (MMIHS) と segmental dilatation of intestine を除外する
7. 続発性 chronic intestinal pseudo-obstruction (CIPO) を除外する[*2]

[*1]：新生児期には，立位での腹部単純 X 線写真による鏡面像は，必ずしも必要としない．
[*2]：除外すべき続発性 CIPO を e表 10-5-F に示す．

腸管拡張が著明になり自覚症状も高度な非代償期になり，多くは診断がつかずに原因不明の消化管閉塞として手術を受けて本疾患と判明することが多い．体重減少が著明な場合敗血症や栄養不良で死亡することがある．

治療
治療の基本は消化管減圧と栄養療法である（図 10-5-27）．本疾患は代償期を過ぎて非代償期に入ると急速に栄養障害や消化管閉塞による症状の悪化で入院を繰り返し悪化するために，早期より胃瘻造設などを行い消化管減圧を行うことで手術回避，intestinal failure への進展阻止が期待できる．一般的には消化

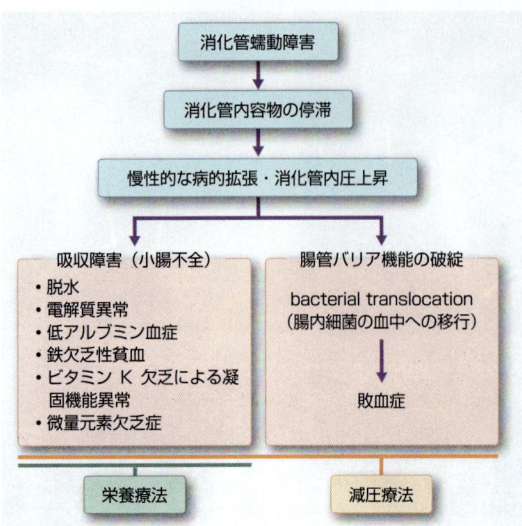

図10-5-27 CIPOの病態と治療戦略（大久保ら，2015）

管運動促進薬や下剤投与に加え，腸閉塞増悪による入院を繰り返すようであれば食事摂取は制限されるため成分栄養や在宅中心静脈栄養を積極的に行う．吸収障害による体重減少は致命的となるため，十分な栄養療法が必要である．外科的切除は効果が期待できず，むしろ胃瘻や小腸瘻による減圧の方が治療効果は高い．急性増悪時はイレウス管による減圧が必要となるが，絞扼性イレウスなどで絶対的手術適応になることもある．intestinal failure の場合，小腸移植が行われることもある（大久保ら，2015）．

〔中島　淳・大久保秀則〕

■文献（e文献10-5-16）

厚生労働省：慢性特発性偽性腸閉塞症（CIIP）の我が国における疫学・診断・治療の実態調査研究班　平成23年度研究報告書（研究代表者　中島　淳）．厚生労働省科学研究費補助金難治性疾患克服研究事業，2011．

Ohkubo H, Iida H, et al: An epidemiologic survey of chronic intestinal pseudo-obstruction and evaluation of the newly proposed diagnostic criteria. Digestion. 2012;86:12-9.

大久保秀則，稲生優海，他：慢性特発性偽性腸閉塞．日本臨牀．2015; 73: 875-83.

17）急性虫垂炎・虫垂腫瘍

(1)急性虫垂炎（acute appendictis）

概念

急性虫垂炎は，虫垂の急性炎症であり，急性腹症のなかでも最も多い疾患である．10～25歳に多いが，あらゆる年齢で発症しうる．手術が必要になることが多いが，抗菌薬の進歩により保存的加療あるいは待機的手術も可能な場合があり，身体所見および画像診断などにより，適切に判断する必要がある．乳幼児，高齢者では典型的症状を欠いたり，妊婦では子宮の増大により虫垂が変位し，疼痛部位が右下腹部ではないことがあり，診断が遅れて重篤化することがあるため，特に注意が必要である．

分類

炎症の程度と分布からわが国では以下のように分類されている[1]．

1) **カタル性虫垂炎**： 軽度の虫垂の腫脹と充血がみられ，時に粘膜にびらんを伴う．好中球を伴う炎症細胞浸潤は粘膜固有層が主体である．保存的加療が可能である．

2) **蜂窩織炎性虫垂炎**： 虫垂の腫脹と充血が目立つ．粘膜にびらんや潰瘍を伴うことが多い．炎症細胞浸潤は虫垂壁の全層に波及している．保存的加療が可能な場合も手術が必要な場合もある．

3) **壊疽性虫垂炎**： 虫垂は高度に腫脹，びらんや潰瘍を伴うことが多く，虫垂壁の一部あるいは全部が壊死に陥っている．穿孔を伴うこともあり，手術が必要である．

原因

虫垂は長径約6～7cm，直径約7mmの細長い管腔臓器であるため，狭窄や閉塞をきたしやすい．狭窄や閉塞をきたすことで虫垂の内圧が高まり，循環障害，うっ血が生じ，二次的に細菌感染が加わって発症すると考えられている．さらに病態が悪化すると虫垂壁の壊死から穿孔をきたしたり，虫垂周囲に膿瘍を形成したりすることになる（Kuster, 1995）．狭窄や閉塞の原因としては，結石，糞石，腫瘍，種子などの異物，ウイルス感染などが考えられているが，実際に閉塞を確認できるのは30～40％にとどまる（Silen, 2011）．

臨床症状

1) **自覚症状**： 内臓痛としての心窩部痛あるいは臍周囲痛が多くの患者の初発症状である．この痛みが4～6時間持続し，徐々に右下腹部に移動するのが典型的な症状であるが，これは50～60％にみられるにすぎない．炎症が進展し，虫垂全層に炎症が波及すると体性痛となり，強い痛みとなる（Silen, 2011）．虫垂の部位には個人差があり，盲腸背側にある場合には右側腹部痛，骨盤内にある場合には恥骨上部痛となる．食欲不振，悪心・嘔吐を約60％に認める．発熱は軽度のことが多いが，穿孔を伴うと高熱になる．

2) **他覚症状**： 炎症が虫垂に限局している場合には，右下腹部に圧痛を認める．代表的な圧痛点と他覚所見を下記に記載する．炎症が腹膜に波及すると腹膜刺激症状を呈する．虫垂が非典型的な部位にあると腹部の

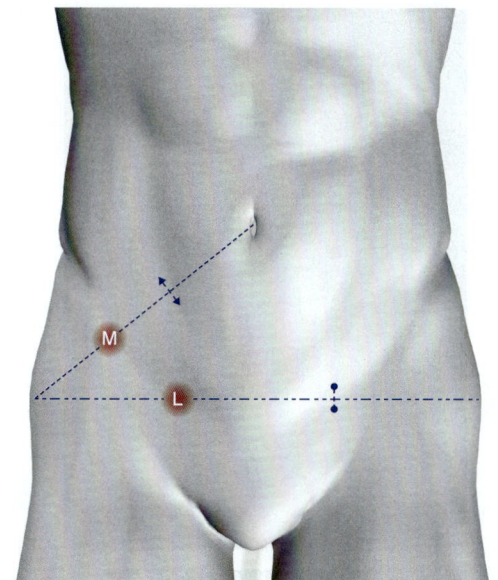

図 10-5-28 McBurney 点と Lanz 点
M：McBurney 点．臍と右上前腸骨棘を結ぶ線上で右から 1/3 の点．
L：Lanz 点．左右の上前腸骨棘を結ぶ線上で右から 1/3 の点．

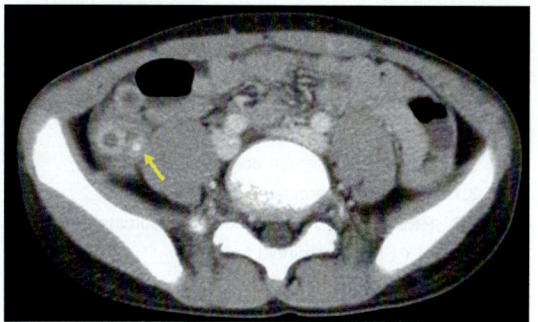

図 10-5-29 急性虫垂炎の腹部骨盤部造影 CT 像
腫大した虫垂のなかに結石（矢印）を認める．

圧痛を認めないことがあるので注意が必要である．盲腸背側にある場合には右側腹部または右腰背部に圧痛を認める．骨盤内にある場合には直腸診で恥骨上部に圧痛を認める．

a）圧痛点（図 10-5-28）
① McBurney 点：臍と右上前腸骨棘を結ぶ線上で，右上前腸骨棘から 1/3 の点．
② Lanz 点：左右の上前腸骨棘を結ぶ線上で，右から 1/3 の点．

以下の 3 徴候は腹膜炎を併発すると認められる．
Blumberg 徴候：圧痛がみられる部を徐々に圧迫し，急に離すと痛みが増強する．
Rosenstein 徴候：左側臥位で圧痛部を押すと仰臥位のときよりも痛みが増強する．
Rovsing 徴候：下行結腸を頭側に押し上げて圧迫すると McBurney 点付近に痛みを感じる．

検査所見
1）**血液検査**：核の左方移動を伴う白血球数の増加，CRP の軽度〜中等度の上昇を認める．穿孔，膿瘍を伴うといずれも高度になる．
2）**腹部超音波検査**：虫垂の腫大とプローブによる圧痛が虫垂直上で最大であることが特徴である．炎症が進行するに従って，虫垂の腫大の程度が強くなり，虫垂壁の層構造が破壊されていく．CT と異なり，被曝の危険性がない．
3）**腹部 CT 検査**：可能であれば造影も行うのが望ましい．急性虫垂炎の場合，虫垂内腔は液体で満たされて拡張することが多く，壁の濃染・肥厚などがみられる．虫垂結石が確認されると，より確実である（図 10-5-29）．超音波検査と異なり，術者の熟練度を要さずに客観的に判断できる利点があるが，被曝を余儀なくされるため小児・妊婦では超音波検査が優先される．

診断
上記の自他覚症状，検査成績，画像診断を総合的に判断して診断する．

鑑別診断
急性胃腸炎，大腸憩室炎，腸間膜リンパ節炎，急性胆嚢炎，尿管結石，女性では骨盤内炎症性疾患などの婦人科疾患などを鑑別する必要がある．

治療
虫垂炎の診断がついたら手術を考慮する．非穿孔例で症状が軽く，臨床所見に乏しい場合には絶食，抗菌薬の投与で保存的に加療できる可能性がある[2]．ただし，保存的に加療しえても約 30％ に再発がみられる[3,4]．また，保存的に加療を開始した後でも，症状の改善に乏しい場合には躊躇することなく手術を施行する．

術式は虫垂切除術であるが，近年腹腔鏡下に施行されることも多くなり，遺残虫垂の虫垂炎（stump appendicitis）が発症する可能性があることを知っておく必要がある[5]．

(2) 虫垂腫瘍（appendiceal tumor）
概念
虫垂は前述のように狭い管腔臓器であるため，内視できないという特徴を有する．そのため虫垂に発生する腫瘍の早期診断は困難であり，虫垂口に露出してこないと大腸内視鏡を施行しても診断することは難しい．また，腫瘍により閉塞をきたすと，急性虫垂炎を併発する．そのため急性虫垂炎として手術された症例のなかには病理学的に虫垂腫瘍が併存していることがあるので，特に高齢者の虫垂炎では注意が必要であ

表 10-5-30 **虫垂腫瘍の分類**

1. 良性上皮性腫瘍　benign epithelial neoplasia
2. 低異型度虫垂粘液性腫瘍　low-grade appendiceal mucinous neoplasm
3. 悪性上皮性腫瘍　malignant epithelial neoplasia
   3.1 腺癌　adenocarcinoma
   3.2 杯細胞型カルチノイド　goblet cell carcinoid
4. カルチノイド腫瘍　carcinoid tumor
5. 非上皮性腫瘍　mesenchymal tumor
6. 悪性リンパ腫　malignant lymphoma
7. 腫瘍様病変　tumor-like lesion
8. その他　others

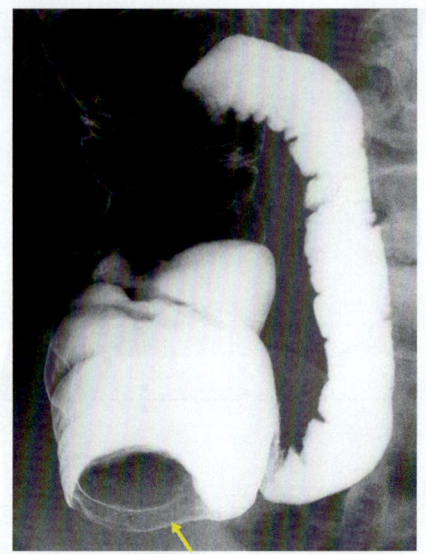

図 10-5-30 **虫垂粘液瘤の注腸造影写真**
70 歳代，男性．盲腸に粘膜下腫瘍様の陰影欠損を認め，虫垂が造影されていない．術後の病理では低異型度虫垂粘液性腫瘍であった．

る．

分類

消化器腫瘍の WHO 分類（第 4 版）との整合性を考慮して，わが国の大腸癌取扱い規約でも虫垂腫瘍は組織学的に表 10-5-30 のように改訂された（大腸癌研究会，2013）．これに伴い，これまで使用されてきた粘液嚢胞腺腫と粘液嚢胞腺癌という診断名は使用されなくなり，低異型度虫垂粘液性腫瘍を用いることとなり，粘液産生の目立つ異型度の高い腺癌は粘液癌に分類されることとなった．なお，この粘液産生性腫瘍は腹膜偽粘液腫（pseudomyxoma peritonei）の原因となりうる．

疫学

切除虫垂 916 例の検討があり，腫瘍性病変は 40 例（4.4％）と頻度は低い．腫瘍性病変のなかでは低異型度虫垂粘液性腫瘍（検討当時の粘液嚢胞腺腫と粘液嚢胞腺癌と記載）が 31 例（77.5％）と最も多く，カルチノイドの多い欧米とは異なる[6]．

一方で，大腸癌手術例を母集団としたわが国の虫垂癌罹患率は 0.2％，剖検例における虫垂癌罹患率は 0.08％とまれである[7]．虫垂癌は一般の大腸癌に比し，T4 症例が多く，腹膜播種率が高い[8]．

病態生理

虫垂口の閉塞により虫垂内腔に粘液が貯留すると虫垂粘液瘤（mucocele）を形成する（図 10-5-30，e図 10-5-l）．その原因は非腫瘍性のものから腫瘍性のものまでさまざまであるが，低異型度虫垂粘液性腫瘍が原因のことが多い．これが腹腔内に穿孔すると腹腔内に多量の粘液が貯留する腹膜偽粘液腫となり，治療に難渋する．したがって，mucocele は診断と治療を兼ねて早期に手術するべきである．

臨床症状

1）**自覚症状**：急性虫垂炎と同様の右下腹部痛，あるいは無症状で他疾患の精査中に施行した腹部超音波検査・腹部 CT などで偶然発見される．

2）**他覚症状**：急性虫垂炎を併発した際には急性虫垂炎と同様の所見を呈する．腫瘍が大きい場合には右下腹部に腫瘤を触れることもある．腹膜偽粘液腫となれば腹腔内の多量の粘液のため，腹部が著明に膨隆する．

検査所見

特徴的なものはないが，進行した虫垂癌では CEA，CA19-9 などの腫瘍マーカーが高値になる．

診断

腫瘍が小さければ術前診断は困難で，急性虫垂炎として手術された後の標本で病理学的に診断されることがある．腫瘍が虫垂口から露出あるいは mucocele を形成すれば，大腸内視鏡・注腸造影，大きな腫瘍であれば腹部 CT などで診断される．

鑑別診断

盲腸原発の粘膜下腫瘍，女性では卵巣腫瘍などを鑑別する必要がある．

治療

術前に悪性腫瘍を疑う所見があればリンパ節郭清を伴う回盲部切除を行うが，前述したように虫垂腫瘍の術前診断は困難である．そのため，急性虫垂炎として手術した後に癌の併存が確認された場合には，組織型，深達度を考慮して追加切除が必要か否かを判断する必要がある．

mucocele を形成している場合には，低異型度虫垂粘液性腫瘍であることを念頭に，穿孔や粘液の漏出により，腹膜偽粘液腫を誘発しないように腫瘍を切除する必要がある．

従来，腹膜偽粘液腫の治療は，多くの場合きわめて困難であったが，近年，腹膜切除を伴う完全減量切除

と腹腔内温熱化学療法を組み合わせることによって長期にわたる良好な成績を期待できるようになってきている[9]． 〔三上達也・福田眞作〕

■文献(e文献 10-5-17)

大腸癌研究会編：大腸癌取扱い規約 第8版，金原出版，2013.
Kuster GG: The appendix. Gastroenterology, 5th ed (Haubrich WS, Schaffner F eds)，pp1790-809, WB Saunder, 1995.
Silen W: Acute appendicitis and peritonitis. Harrison's Principles of Internal Medicine, 18 th ed (Longo DL, Fauci AS, et al eds), pp2516-9, McGraw-Hill, 2011.

18）腹部血管疾患

(1) 腸管虚血

腸管虚血は急性腹症の約1％とまれな疾患だが，迅速な診断・治療の可否が予後を決定する．

a. 閉塞性腸管虚血（occlusive mesenteric ischemia）

i) 上腸間膜動脈閉塞

概念・原因

塞栓症と血栓症に大別される．塞栓症の原因は心原性血栓が多い．血栓症は動脈硬化性病変を基盤とし，腹部アンギーナ（食後数十分で上腸間膜動脈の血流量不足により生じる腹痛）の既往が多い．

臨床症状・診断・治療

突然の腹痛で発症し，発症直後から小腸蠕動が停止する．初期には腹痛の強さのわりに腹部所見に乏しいのが特徴で，採血検査も特異的変化はない．病期の進行に伴い，腹部膨満，血便，代謝性アシドーシス，CPK 上昇や，腹膜刺激症状が出現してくる．

診断には造影 CT が有用（嶺ら，2008）で，上腸間膜動脈・分枝内の造影欠損，腸管壁・腸間膜の造影不良・欠損，上腸間膜動静脈の口径差逆転（smaller SMV sign）が典型的所見である．

早期診断できれば，腹部血管カテーテルからの血栓溶解療法，血栓破砕・吸引療法，血管形成術，ステント留置術などが選択される．早期診断できなければ，緊急開腹手術で血行再建を行う（Acosta ら，2014）が，壊死した腸管はすべて切除となり，短腸症候群を招くことになって予後不良である．

ii) 上腸間膜静脈・門脈閉塞

概念・原因

静脈系還流障害に伴ううっ血，血流停滞により虚血を生じる．原因のほとんどは血栓症である．多くは血栓性素因を有し，過凝固状態にあるか，門脈圧亢進を合併している．

臨床症状・診断・治療

腹痛，悪心・嘔吐，排便回数増加，血便などを生じるが，動脈閉塞に比べると腸管梗塞は少ない．造影 CT，MRI，血管造影で腸間膜静脈内に血栓を認めれば確定診断となる．治療は血栓溶解療法や抗凝固療法を行うが，腸管梗塞に陥った場合は手術となる．

b. 非閉塞性腸管虚血（non-occlusive mesenteric ischemia : NOMI）

概念・原因

心血管イベントに伴う心拍出量低下や循環血液量減少により，末梢腸間膜血管の攣縮が起きて発症すると考えられ，ジギタリス製剤，利尿薬，β遮断薬などの薬剤もリスクとなる．

臨床症状・診断・治療

腹痛のほか，腹満，悪心，下痢を生じる．造影 CT で上腸間膜動脈起始部・本幹の開存にもかかわらず，分枝の狭小化，末梢の造影欠損と腸管壁の造影不良が散見される．腹部血管造影では string-of-sausages sign（攣縮と拡張が交互に並びソーセージ様となる）が特徴的である．治療は血管拡張薬を持続動注するが，腸管壊死が疑われる場合は手術となる．多くは基礎疾患もあるため，予後不良である．

(2) 腹部実質臓器虚血

a. 脾梗塞

概念・原因

血栓症や塞栓症によって，脾動脈が閉塞して生じる．

臨床症状・診断・治療

急激な左側腹部痛を生じる．診断には造影 CT が有用だが，急性期は治療不要で，原疾患（心内血栓，血管病変，凝固亢進状態など）の治療が優先される．遅発性出血や膿瘍形成例では，ドレナージや手術の適応となる．

b. 肝梗塞

概念・原因

限局性の虚血性肝疾患で，肝全体の虚血による虚血性肝炎とは区別される．肝臓は肝動脈と門脈の二重血流支配のため，容易には肝梗塞に至らない．原因は，経皮的動脈化学塞栓療法（TACE），肝移植などの手術後，感染性心内膜炎，腫瘍塞栓，妊娠中毒症などがある．

臨床症状・診断・治療

症状に乏しく，画像所見で偶然発見されることもある．診断には造影 CT，MRI が有用である．無症状例は経過観察でよいが，背景疾患の治療は行う．HELLP 症候群で妊娠中毒症に合併する肝梗塞破裂は予後不良で，緊急手術となる（宗景ら，2010）．

(3) 腹部内臓動脈瘤

概念・原因

動脈壁全層からなる真性動脈瘤と，結合組織からなる仮性動脈瘤に分類される．真性動脈瘤は，動脈硬

化，線維筋性異形成，血管炎，膠原病，妊娠に伴う血流変化，門脈圧亢進症などが原因となる．仮性動脈瘤は，膵炎，外傷，医原性，感染性，消化管破裂などが原因となる．

臨床症状・診断・治療

拍動性腫瘤や圧迫症状，疼痛，破裂で発症する．有症状例，破裂もしくは破裂のリスクがあるもの，仮性動脈瘤は治療適応で，腹部血管カテーテルからの動脈塞栓術が第一選択となる．　〔矢野智則〕

■文献

Acosta S, Bjorck M: Modern treatment of acute mesenteric ischaemia. Br J Surg. 2014; 101: e100-8.
嶺　貴彦，田島廣之，他：ER必携 腹痛の画像診断 急性腹症の画像診断 血管性病変．画像診断．2008; 28: 1320-33.
宗景匡哉，花崎和弘：肝動脈，肝静脈，門脈系異常 肝梗塞．日本臨牀．2010; 10: 99-102.

19）消化管の血管性病変

定義・概念

消化管の血管性病変は，消化管出血の原因として重要だが，分類や用語が統一されておらず，異なる用語が同じ病変に用いられることや，同じ用語が異なる病変に用いられることがあり，混乱している．最近まで頻用されてきたangiodysplasiaという用語は定義があいまいなまま多様な血管性病変に用いられ，混乱のもととなっている．

分類

消化管の血管性病変（静脈瘤や血管腫は除く）を病理組織学的に分類すると，①静脈・毛細血管の特徴をもつ病変，②動脈の特徴をもつ病変，③動脈と静脈の間に吻合ないし移行がみられる病変の3つに分類される（岩下ら，2000）．

1）静脈・毛細血管の特徴をもつ病変： 古くはangio-dysplasia（狭義）とよばれることが多かったが，後天的な原因で生じる病変であることや，用語の混乱を避けるため，近年ではangioectasiaとよばれることが多くなり，日本消化器内視鏡学会の消化器内視鏡用語集第3版[1]でもangioectasiaが採用されている．粘膜下層の正常静脈と，粘膜固有層の毛細血管の拡張からなる点状～斑状の赤い病変で，薄い血管壁からなる内弾性板をもたない異常血管が蛇行している（e図10-5-J）．

2）動脈の特徴をもつ病変： Dieulafoy病変とよばれ，胃の病変としてよく知られているが，小腸や大腸でもみられる（e図10-5-K）．本来そこに存在しない異常に太い動脈が粘膜に近接して粘膜下層を蛇行し，粘膜の機械的圧迫などにより破綻して，微小な粘膜欠損から大出血する．

3）動脈と静脈の特徴をもつ病変： arteriovenous malformation（AVM）とよばれ，比較的大型の動脈と静脈の間に吻合または移行部を有する病変で，粘膜下層にとどまらず漿膜面まで達する比較的大きな病変である（e図10-5-L）．

疫学・原因

臨床的に問題となる症例は，高齢者に多い傾向があり，背景疾患として，肝疾患，腎疾患，心疾患（特に大動脈弁狭窄症との合併はHeyde症候群（Sucker, 2007）とよばれる）をもつことが多い．

原因は解明されていないが，静脈・毛細血管の特徴をもつ病変については，加齢に伴う退行性変性による前毛細血管括約筋の機能不全や，粘膜微小循環における慢性的な低酸素状態の関与などによる後天的変化と推測されている．

臨床症状

顕性の消化管出血で輸血まで要する例もあるが，慢性貧血のみで顕性出血を欠く例や，無症状で他疾患の検査中に偶然みつかる例もある．出血の部位と量によっては腹部不快感や悪心を訴える場合がある．

診断

造影CTや腹部血管造影により，消化管内への造影剤漏出で病変部位を同定できることがある．また，大きな病変では異常血管が描出される場合がある．しかし，多くの場合は診断・治療に内視鏡検査が必要で，病変部位に応じて上部・下部消化管内視鏡が用いられる．小腸に病変がある場合にはカプセル内視鏡かバルーン内視鏡で診断される（矢野ら，2013）．

内視鏡で病変を認めても，自然止血した状態では出血の責任病変かどうかの判断に迷う場合がある．Dieulafoy病変については，自然止血した状態では病変の同定すら困難であり，診断には出血から早いタイミングで内視鏡を行う必要がある．

血管性病変の内視鏡像は多様だが，血管性病変が疑われる病変は出血のリスクがあるため組織生検はすべきでない．拍動性の有無などから動脈成分の有無を判断し，治療方法を選択する．

治療

病変の多くは小さな病変であり，内視鏡治療が有効である．動脈成分を有さない，静脈・毛細血管の特徴をもつ病変は，argon plasma coagulationなどの電気焼灼術で内視鏡治療される．Dieulafoy病変は，拍動性に多量の出血をきたすため，止血クリップで内視鏡治療する．AVMは，小さな病変であれば止血クリップで内視鏡治療できる場合もあるが，大きな病変では外科的切除や腹部血管造影下での塞栓術が選択される[2]．

同時多発，異時多発する場合があり，特に背景疾患をもつ例では治療後も注意深い経過観察を行い，再出血時には内視鏡治療を繰り返すことで長期予後の改善が期待できる[3]．　　　　　　　　　　〔矢野智則〕

■文献(ⓔ文献 10-5-19)

岩下明徳, 尾石樹泰, 他：腸管の血管性病変　限局性腫瘍状病変を中心に　腸管の血管性病変の病理学的鑑別診断. 胃と腸. 2000; 35: 771-84.
Sucker C: The Heyde syndrome: proposal for a unifying concept explaining the association of aortic valve stenosis, gastrointestinal angiodysplasia and bleeding. Int J Cardiol. 2007; 115: 77-8.
矢野智則, 山本博徳, 他：小腸疾患診療のエッセンス　小腸出血の診断と治療. 日本消化器病学会雑誌. 2013; 110: 1198-204.

20）肛門部疾患

(1) 痔瘻，肛門周囲膿瘍 (anal fistula, perianal abscess)

定義・概念
肛門周囲膿瘍は肛門周囲に膿瘍が形成されたものをいい，膿瘍が排膿され直腸・肛門と皮膚との間に瘻管が形成されたものを痔瘻という．

分類
膿瘍は存在部位により分類される．恥骨直腸筋と肛門挙筋より下方に存在するものは低位筋間膿瘍といい，これらの筋の上方にあるものは高位筋間膿瘍という．痔瘻は瘻管の走行と括約筋との位置関係により分類される(図 10-5-31)．

病因・原因
肛門小窩より細菌が侵入し，肛門小窩と連続する肛門腺に感染巣を形成し，さらに脂肪組織や筋層の間に炎症が広がり，膿瘍を形成すると考えられている[1]．Crohn 病の経過中にはこれら肛門病変が高率に出現し難治および複雑化する場合も多いことが知られている．

臨床症状
おもな症状は肛門周囲の痛みと発赤，腫脹であり，座位や体動，排便などにより痛みが増す．痔瘻では二次孔から排膿がみられ，排膿が十分でない場合は腫脹や痛みを伴う．男性に多い．

診断
肛門視診，触診，器具診で発赤や腫脹を認めることで診断できる．エコーや CT, MRI も補助診断として有用である．若年者に膿瘍などの肛門病変を認めた場合には，Crohn 病の可能性を疑い精査が必要である．

治療・予防・リハビリテーション
肛門周囲膿瘍に対して切開による排膿を行う．瘻管が形成されている場合は瘻管の切開開放する切開開放術式(lay open)や，くり抜き術式(coring out)を行う．再発性や深部に及ぶ複雑痔瘻に対しては，肛門保護的手術として紐通し術式(seton 法)を用いる．また補助的に抗菌薬を用いる．

(2) 痔核 (hemorrhold)

定義・概念
上・中・下直腸静脈の持続的なうっ血により静脈瘤ができ，直腸下部の粘膜下部分が増大したもののことをいう．

分類
歯状線より口側に発生する内痔核と，肛門側に生じる外痔核とに分類される．また，進行度によっても分類される(表 10-5-31)．

病因・原因
慢性便秘や下痢，妊娠，骨盤内腫瘍により骨盤内静脈圧が上昇したり，肛門の支持組織が滑脱したりすることにより痔核が形成されると考えられている．

臨床症状
初発症状は出血であることが多く，鮮血が排便後に

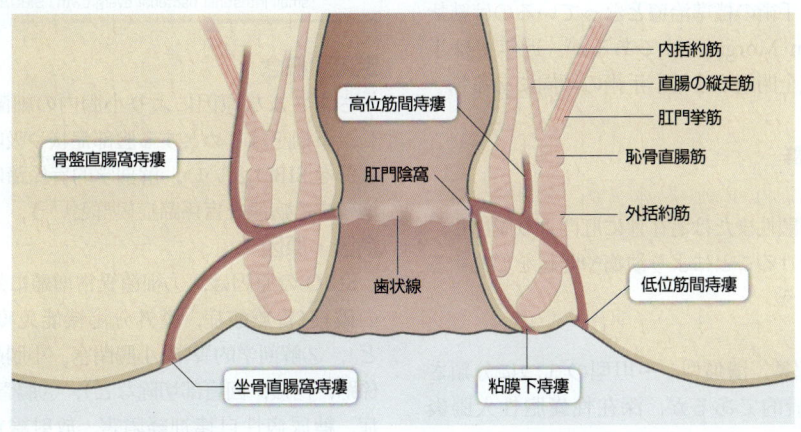

図 10-5-31　隅越分類

表 10-5-31 Goligher の痔核進行度分類

Ⅰ度：排便時肛門管内に突出するが，肛門外に脱出しないもの
Ⅱ度：排便時肛門外に脱出するが，排便後に自然に還納するもの
Ⅲ度：排便時肛門外に脱出し，用手的還納が必要なもの
Ⅳ度：常に肛門外に脱出しているもの

トイレットペーパーに付着したり便器にぽたぽたと落ちる．内痔核では痛みを感じることは少ないが，嵌頓や血栓が生じて歯状線より下方に腫れが及ぶと強い痛みを感じる．病変が進むと脱出がみられるようになる．排便時にのみ肛門外に脱出し自然に肛門内に戻っていたものが，進行すると用手還納が必要となり，さらに進むと常に肛門外に脱出するようになる．

診断
指診では外痔核や血栓性内痔核を診ることもあるが，通常は肛門鏡を用いて診察する．発生部位は肛門の右前方，右後方，左側方であることが多い．

鑑別診断
出血は裂肛，炎症性腸疾患，直腸・肛門の腫瘍でもみられ，またほかに直腸脱では脱出もみられることから，鑑別診断が必要となる．

経過・予後
痔核の約 8 割は保存的治療で軽快する[2]．

治療・予防・リハビリテーション
高繊維質の食事や十分な水分摂取により便通を整え，いきみを防ぐなど生活療法が基本となる．ステロイド薬や局所麻酔薬などを含有した外用薬も用いられる．保存的治療に効果が乏しい場合，おもに出血している痔核に対しては硬化剤を直接痔核に注入する硬化療法や，肛門内で大きく腫れたり，脱出する内痔核ではゴム輪で結紮して粘膜や痔核を壊死脱落させる結紮療法を用いる．近年では内痔核に対し，硫酸アルミニウムカリウム・タンニン酸（ALTA）硬化療法が広く普及している[3]．上記治療で効果に乏しい場合は手術療法を施行する．手術の標準治療となっているのは結紮切除術（Milligan-Morgan 法）であるが，近年では半閉鎖あるいは完全閉鎖する縮小手術の傾向にある[4]．

(3) 粘膜脱症候群
定義・概念
直腸の粘膜が顕性または潜在性に肛門より脱出し，粘膜が刺激を受けることにより潰瘍や隆起を形成する疾患のことをいう．

分類
肉眼型は隆起型，潰瘍型，平坦型の 3 つに分類されることが一般的であるが，深在性嚢胞性大腸炎（colitis cystica profunda：CCP）も含めることもある．

病因・原因
排便時の過度ないきみにより骨盤底筋群が脆弱化し，粘膜脱が生じると考えられている．

疫学
すべての年齢層でみられる．男女差は男性に多いとするものや差はないとする報告もありさまざまである[5,6]．

病理
表層部粘膜固有層に毛細血管の拡張や増生と，平滑筋細胞や線維芽細胞の増殖がみられる．粘膜固有層深層では線維筋症がみられる．

臨床症状
おもに排便時の出血，粘液排泄，腹痛，テネスムス，肛門脱出，残便感などを自覚する．

診断
移行帯直上の直腸粘膜，特に直腸前壁に好発する．肉眼型は隆起型，潰瘍型，平坦型に分類されるが，その内視鏡像は多彩である．また，生検をし，組織学的に線維筋症を証明する．

合併症
粘膜脱症候群の約半数に痔核を合併する[6]．

治療・予防・リハビリテーション
排便習慣の改善が重要である．しかしその改善が難しい場合は，病変自体の摘除や直腸内重積を直腸固定術で治療する．術後も再発予防するために排便習慣指導の継続が必要である．〔中村志郎・宮嵜孝子〕

■文献（e文献 10-5-20）

du Boulay CE, Fairbrother J, et al: Mucosal prolapse syndrome-a unifying concept for solitary ulcer syndrome and related disorders. J Clin Pathol. 1983; **36**: 1264-8.
Weinstein WM, Hawkey CJ, et al ed: Clinical Gastroenterology and Hepatology, pp497-504, Elsevier Mosby, 2005.
Yamada T ed: Textbook of Gastroenterology Textbook of Gastroenterology, pp1990-8 Wiley-Blackwell, 2008.

21）腸内細菌異常増殖症候群/盲係蹄症候群
small intestinal bacterial overgrowth：SIBO/blind loop syndrome

定義・概念
さまざまな原因により小腸内の細菌が異常に増殖し，下痢をはじめとする腹部症状や吸収不良を生じる状態を SIBO といい，解剖学的盲係蹄に細菌が異常に増殖する病態を盲係蹄症候群という．

病因・原因
SIBO の原因は，①細菌異常増殖に対する防御機構の破綻（胃無酸症，膵外分泌機能免疫不全症候群など），②解剖学的異常（小腸閉塞，小腸憩室，術後の盲係蹄，内瘻，回盲部切除など），③腸管蠕動異常（強皮症，糖尿病性自律神経障害，放射線性腸炎，Crohn

病，慢性偽性腸閉塞など）があげられる．

病態生理
　腸内細菌が異常増殖すると胆汁酸が脱抱合され，ミセル化に必要な抱合胆汁酸が減少し，脂肪や脂溶性ビタミンの吸収不良が生じる．また，異常増殖した細菌の産生物（プロテアーゼやグリコシダーゼなど）により冊子縁にある二糖類分解酵素の活性が低下するために炭水化物の不耐が生じ，下痢を生じる．

臨床症状
　腹部膨満感，腹痛，下痢，体重減少など非特異的なものである．

検査所見
　吸収不良をきたすため，低カルシウム血症，低蛋白血症，脂肪便，ビタミン B_{12} 欠乏による巨赤芽球性貧血や神経障害，まれにビタミン D 欠乏に伴う骨軟化症，ビタミン A 欠乏による夜盲症がみられる．

診断
　原病の存在や，手術の既往が参考になる．診断の基本は小腸の管腔液を採取培養し，細菌の異常増殖（10^5 CFU/mL 以上）を証明することである．しかし手技が煩雑であり難培養細菌の扱いが困難など問題点も多いため，管腔内の細菌によって代謝された産物を検出する呼気試験が主流となっている．^{13}C-D キシロース呼気試験が感度・特異度ともに高いが費用がかかるため，より簡便な水素・メタン呼気試験が用いられることが多い．

治療・予防・リハビリテーション
　可能なかぎり背景疾患の治療を行う．一般的には抗菌薬が用いられる．ニューキノロン系抗菌薬やメトロニダゾールの有効性を示した報告が多いが，近年では難吸収性でリファマイシン系抗菌薬であるリファキシミンの有効性も数多く報告されている．

〔中村志郎・宮嵜孝子〕

■文献

Shah SC, Day LW, et al: Meta-analysis: antibiotic therapy for small intestinal bacterial overgrowth. *Aliment Pharmacol Ther*. 2013; **38**: 925-34.

Weinstein WM, Hawkey CJ, et al ed: Clinical Gastroenterology and Hepatology, pp297-303, Elsevier Mosby, 2005.

Yamada T ed: Textbook of Gastroenterology Textbook of Gastroenterology, pp1917-24, Wiley-Blackwell, 2008.

10-6 蛋白漏出性胃腸症
protein-losing gastroenterpathy

概念・病態・症状
　血漿蛋白，特にアルブミンの消化管内への漏出により低蛋白血症をきたすまれな疾患群である．そのため，浮腫を生じ，ときに下痢，胸・腹水（しばしば乳び性）や吸収不良（脂肪便），電解質異常（低カリウム血症，低カルシウム血症）をきたす．

　漏出の機序として，①消化管のリンパ系異常あるいは間質の圧の上昇，②毛細血管の透過性や上皮の透過性の亢進，③粘膜の潰瘍やびらんからの喪失の 3 つが想定されている．原因疾患を有する続発性のものも多い（三浦ら，2005）．①は腸粘膜のリンパ管拡張が組織的に特徴であり，腸管リンパ系の構造あるいは機能的障害が示唆される．原発性の腸リンパ管拡張症が代表疾患であるが，続発性として非代償期の腹水貯留肝硬変症，後腹膜線維症，腸結核，悪性リンパ腫やリンパ管腫があり，収縮性心外膜炎，右心不全，大静脈血栓症，Fontan 手術後など血行動態変化を伴う場合があげられる．②は原発性として胃粘膜の肥厚を伴い胃から漏出をきたす Ménétrier 病があるが，SLE，Sjögren 症候群，IgA 血管炎など膠原病・リウマチ疾患に伴うもの，アミロイドーシスや消化管感染に伴うものなどがある．③腸粘膜びらんや潰瘍としては圧倒的に潰瘍性大腸炎，Crohn 病，非特異的多発性小腸潰瘍など炎症性腸疾患が多い．Crohn 病ではリンパ系異常も想定される．Cronkhite-Canada 症候群，大腸の腫瘍性病変では②，③両者の機序が含まれる（ⓔ図 10-6-A）．

検査所見・診断・鑑別診断
　血液検査では，A/G 比が正常に保たれる低蛋白血症が特徴とされる．免疫グロブリン，特に IgG や IgM の喪失やリンパ球，特に T 細胞の喪失による免疫能低下がみられる．

　低蛋白血症をきたす肝疾患やネフローゼ症候群，あるいは摂取不足や吸収障害を除外する必要がある．蛋白漏出の証明には血清アルブミンを用いたテクネシウムによる経時的シンチグラフィが有用であるが，確定診断には蛋白分解酵素抵抗性の α_1-アンチトリプシン（α_1-AT）の便中クリアランス（正常 14 mL/日以下）で判定する．

$$1\text{日の糞便量(mL)} \times \frac{\text{糞便中の}\alpha_1\text{-AT濃度(mg/dL)}}{\text{血清中の}\alpha_1\text{-AT濃度(mg/dL)}}$$

　ただし胃酸で分解されやすいので，Ménétrier 病を疑う場合は酸分泌を抑制して検査する．

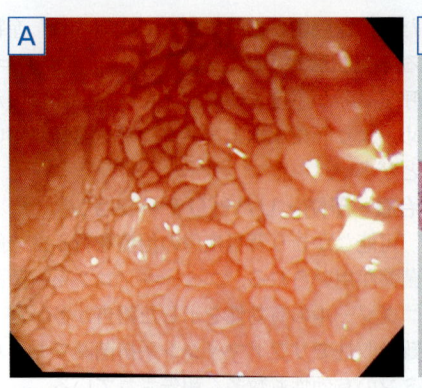
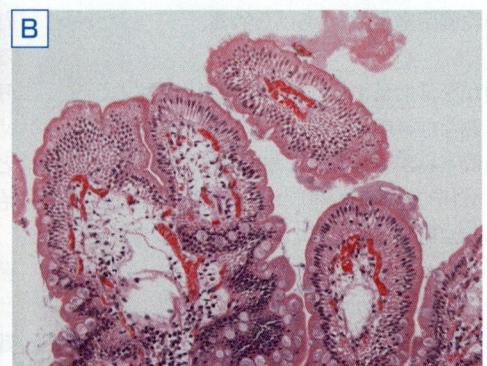

図 10-6-1 蛋白漏出性腸症をきたした腸リンパ管拡張症
A：上部消化管内視鏡所見（拡大観察）．十二指腸に白色絨毛を伴う浮腫状の粘膜を認める．
B：同部の粘膜組織生検像（HE 染色）．十二指腸粘膜絨毛リンパ管拡張を認める．

基礎疾患の検索は重要である．小腸透視検査，大腸内視鏡，造影 CT 検査を施行するが，近年，カプセル内視鏡や小腸内視鏡での組織検査の有用性も報告されている（Takenaka ら，2012）．腸リンパ管拡張症では，中心乳び管が拡張した「散布性白斑」像や，脂肪吸収転送障害を示す「白色絨毛」所見がみられ，組織所見で腸粘膜リンパ管の著明な拡張をみる（図 10-6-1）．必要に応じリンパ管シンチグラフィ，リンパ管造影，血管造影（上・下大静脈造影も含む）を施行する．

治療・予後

対症療法，特に高エネルギー・高蛋白・低脂肪食の食事指導が重要であり，中鎖脂肪酸の補給も有用である．症状に応じ利尿薬投与やアルブミン補給を行う．重症では消化態栄養（成分栄養）や半消化態栄養による管理を行う．長期罹患により免疫不全の合併から感染症（肺炎）や悪性腫瘍の発生率（特に悪性リンパ腫）が高まるので，免疫機能や感染のモニタリングが必要である．

続発性のものは原病により手術などで治癒できる場合もある．原発性のリンパ管拡張症，膠原病・リウマチ疾患，後腹膜線維症や Cronkhite-Canada 症候群では副腎皮質ステロイドが有効な場合があるが，免疫不全状態を悪化させる危険性も高い．抗プラスミン薬やオクトレオチド製剤が有効であったとの報告がみられる．　　　　　　　　　　　　　　　　　〔三浦総一郎〕

■文献

三浦総一郎，穂苅量太，他：蛋白漏出性胃腸症の原因と鑑別診断．日本医事新報．2005; **4238**: 1-6.
Takenaka H, Ohmiya N, et al: Endoscopic and imaging findings in protein-losing enteropathy. *J Clin Gastroenterol*. 2012; **46**: 575-80.

10-7　消化管ポリポーシス
gastrointestinal polyposis

消化管ポリポーシスは，ポリープの組織型により表 10-7-1 のように分類される．腺腫性のポリポーシスは家族性大腸腺腫症（eコラム 1），過誤腫性のものは，Peutz-Jeghers 症候群，若年性ポリポーシス（eコラム 2），Cowden 病（eコラム 3）などで，これらは遺伝性の疾患でもある．非遺伝性のポリポーシスには炎症性ポリポーシス，リンパ濾胞性ポリポーシス，その他として過形成ポリポーシス，Cronkhite-Canada 症候群などがある（牛尾，2001）．

（1）家族性大腸腺腫症（familial adenomatous polyposis：FAP）

概念

FAP は，5 番染色体上の *APC* 遺伝子異常を原因とする常染色体優性遺伝性疾患で，放置すると高率に大腸癌が発生する（大腸癌研究会，2012）．胃・十二指腸，小腸，のほか消化管外臓器に腫瘍性，非腫瘍性の随伴病変を伴う．

分類

密生型（正常の粘膜が観察できないほど腺腫が発生），非密生型（正常粘膜が識別できる）（図 10-7-

表 10-7-1 消化管ポリポーシスの分類と臨床的特徴

ポリープ組織型	疾患名	遺伝性	消化管病変	消化管外病変	癌化
腺腫性	家族性大腸腺腫症	常染色体優性遺伝	胃,十二指腸,小腸,大腸	骨腫,軟部腫瘍	大腸,胃,十二指腸
	Gardner 症候群	常染色体優性遺伝	胃,十二指腸,小腸,大腸	骨腫,軟部腫瘍	大腸,胃,十二指腸
	Turcot 症候群	常染色体劣性遺伝	胃,十二指腸,小腸,大腸	中枢神経系腫瘍	大腸
過誤腫性	Peutz-Jeghers 症候群	常染色体優性遺伝	胃,十二指腸,小腸,大腸	口唇,口腔,手掌,足底色素沈着	多臓器
	若年性ポリポーシス	常染色体優性遺伝	胃,十二指腸,小腸,大腸	奇形など	胃,大腸
	Cowden 病	常染色体劣性遺伝	食道,胃,十二指腸,小腸,大腸	全身臓器の過誤腫	多臓器
炎症性	炎症性ポリポーシス	なし	大腸	なし	なし
	リンパ濾胞性ポリポーシス	なし	大腸	なし	なし
その他	過形成性ポリポーシス	なし	大腸	なし	大腸
	Cronkhite-Canada 症候群	なし	胃,十二指腸,小腸,大腸	脱毛,爪甲萎縮,皮膚色素沈着	胃,大腸

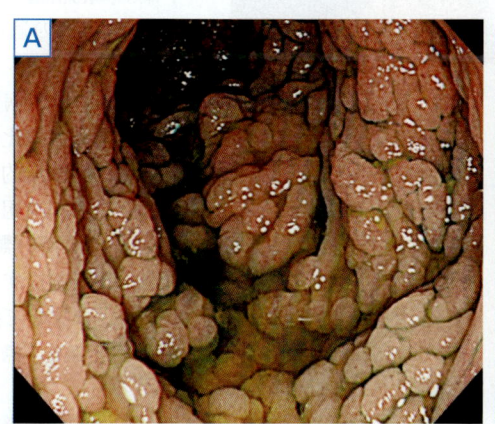 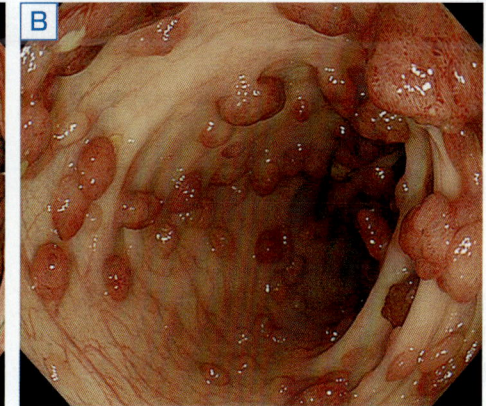

図 10-7-1 FAP の分類
A:密生型, B:非密生型.

1).ポリープ数が 100 個未満の attenuated familial adenomatous polyposis(attenuated FAP)の 3 型に分類される.

病因

APC 遺伝子変異から腺腫発生に至り,腺腫から発癌に関連する遺伝子変異を受け大腸癌が発生する(Vogelstein ら,1988).また,APC 遺伝子とは異なる MYH 遺伝子の変異によって発症する attenuated FAP がある.この例では腺腫が 100 個以下,大腸癌の発生は高齢,右側結腸にポリープ発生が多いのが特徴で,APC 遺伝子変異に起因することから FAP の 1 つの表現型と考えられる.

病理

ポリープの組織は腺腫.

疫学

わが国での全人口における頻度は,1/17400 と推測されている.また,全大腸癌の 1% 未満が FAP と推測されている(大腸癌研究会,2012).

臨床症状

1)自覚症状: 大腸癌が合併すれば血便,貧血,腹痛,便秘,便柱細小化,体重減少など.腺腫のみの時期では無症状のことが多い.

2)他覚症状: 腺腫のみの時期は特記するものなし.大腸癌が合併すれば,貧血,腹部腫瘤触知など.

検査所見

1)大腸内視鏡検査: 多発ポリープ.組織は腺腫,癌を伴うこともある.

2)上部内視鏡検査: 胃病変は約 60%,胃底腺ポリポーシス(e図 10-7-A)が特徴.幽門腺領域では腺腫.十二指腸,Vater 乳頭にも腺腫や癌の発生がみられる.

3)小腸内視鏡検査: 60% で腺腫が併存し,大腸切除後の吻合部回腸粘膜にも 50% の頻度で腺腫が発生する.

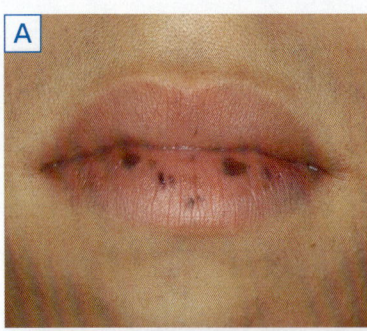
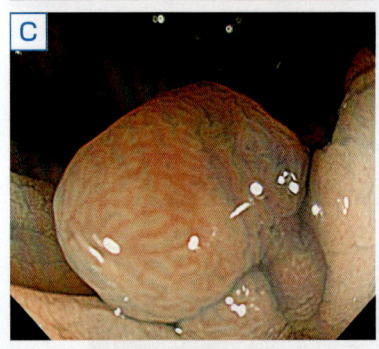
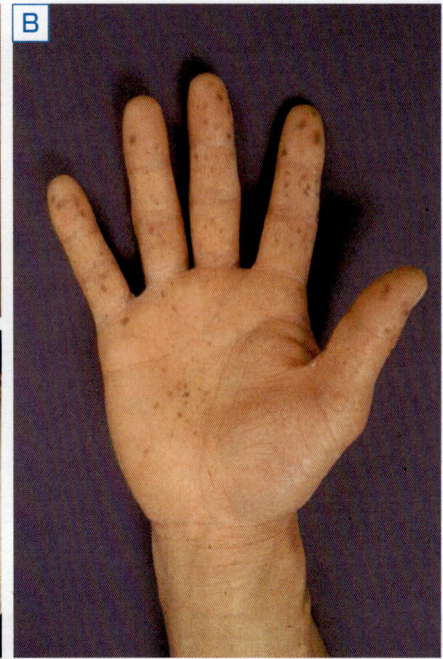

図 10-7-2 PJS の皮膚病変とポリープ
A：口唇の色素沈着，B：手掌の色素沈着，C：大腸ポリープ．

4）**眼底検査**： 網膜上皮の先天性肥厚で眼底に円形ないし楕円形の小色素斑が観察される．

5）**その他**： FAP では約 80％に顎骨内に骨腫がみられ，頭部や四肢にも骨腫や外骨腫などが随伴する．デスモイド腫瘍は筋腱膜組織に由来する良性腫瘍で，体幹，四肢，腹部に好発する．腹膜や腸間膜に発生した場合，浸潤性に発育増殖し FAP の死因となることがある．

診断

臨床的または遺伝子診断により行われる．臨床的診断は，以下の 2 項目で行う．①大腸にほぼ 100 個以上の腺腫を有する．家族歴の有無は問わない．②腺腫の数は 100 個に達しないが FAP の家族歴を有する（大腸外随伴病変は補助診断として参考になる）．臨床的に FAP と診断されても，20～30％程度に APC 遺伝子変異が発見されない例がある（大腸癌研究会，2012）．

鑑別診断

ポリープの組織型や随伴病変により鑑別される．一方，FAP 類似のポリポーシスを呈し病因の異なる MYH gene associated polyposis（MAP）が鑑別すべき疾患で，MAP はポリープ数が少なく劣性遺伝性疾患とされ，遺伝子検査により FAP と鑑別される．

予後

予後は癌の発生によって左右される．FAP の死因の 61～69％が大腸癌，デスモイド腫瘍約 10％，十二指腸癌約 3％と報告されている（大腸癌研究会，2012）．

治療

1）**大腸腺腫例**： FAP では予防的全大腸切除術が第一選択である．

2）**大腸癌合併例**： 進行大腸癌を伴う場合には進行大腸癌に対する標準的治療を行う．

3）**大腸外病変の治療**：

a）胃病変：通常胃底腺領域のポリポーシスは治療の必要がないが，集合した大きなポリープでは癌化の例もあり内視鏡的切除の適応となる．幽門腺領域は腺腫であり内視鏡的摘除の適応となる．

b）十二指腸病変：十二指腸腺腫は癌化の母地となり，内視鏡的治療の適応となるが偶発症も多く，重篤となるので組織異型度やポリープの数による Spigelman 病期分類（e表 10-7-A）[1]などを参考にして治療方針を検討する．

c）十二指腸乳頭部腫瘍：一般集団に比して癌のリスクは高く内視鏡的切除などの適応となる．癌化例では膵頭十二指腸切除術が選択される．

d）デスモイド腫瘍：デスモイド腫瘍の治療法についてのコンセンサスは得られておらず，発生部位や重症度に応じて薬物治療，手術，保存的治療が選択される（大腸癌研究会，2012）．

(2) Gardner 症候群

大腸のポリポーシスに骨腫や線維腫，軟部組織腫瘍を伴うものを Gardner 症候群として区別していたが遺伝子学的に FAP と同一であることが証明され，両者を区別することの意義はないとされている．

(3) Peutz-Jeghers 症候群（PJS）

概念

PJS は，消化管の多発ポリープ（過誤腫）と皮膚，粘膜の色素沈着を伴う常染色体優性遺伝を呈する疾患である．

分類

3 徴候を認めるものを完全型，消化管ポリープのみ認めるものを不全型と分類する．

病因

常染色体優性遺伝の疾患．原因遺伝子の 1 つとし

てSTK11/LKB1遺伝子が同定されている[2]．

疫学
1/2万5000〜30万人の頻度．常染色体優性遺伝であるが孤発例も多い．

病理
PJSにみられるポリープは過誤腫である．平滑筋線維束が樹枝状に増生し，過形成性粘膜によって形成されP-J型ポリープと組織診断される．

臨床症状
1）自覚症状： 無症状のことが多いがイレウス症状や腹痛，血便などがみられる．特に小腸ポリープの頻度が高く半数以上に腸重積を発症している．
2）他覚症状： 幼少時より口唇，口唇周囲，口腔粘膜，手掌，足底に色素沈着を認める．

検査所見
食道を除く消化管にポリープを認める．

診断
①色素沈着（口唇，口腔粘膜，手掌，足底，指趾）（図10-7-2A，B），②食道を除く消化管に過誤腫性ポリープ，③家族歴（常染色体優性遺伝形式）により診断する．

鑑別診断
鑑別は特徴的な色素沈着とポリープの組織診断により他のポリポーシスと鑑別可能である．

合併症
消化器および他臓器の悪性腫瘍の合併が多い[3]．ポリープの癌化は大きさに相関して頻度が高まると報告されており[4]，hamartoma-adenoma-carcinoma sequenceが示唆されている．

予後
悪性腫瘍の合併で予後が左右される．

治療
胃や大腸のポリープは内視鏡的なポリープ摘除術を施行する．また，PJSでは小腸ポリープの頻度が高く，腸重積の原因ともなるので積極的に切除を行う．

(4)Cronkhite-Canada症候群

概念
消化管のポリポーシスに皮膚の色素沈着，脱毛症，爪甲の異常（e図10-7-B）を伴う非遺伝性の疾患で，中年以降に発症し消化管ポリポーシスは非腫瘍性．ポリポーシスからの蛋白漏出により低栄養状態，低蛋白血症なども伴う．

病因
病因は不明であるが，精神的ストレス，ビタミン欠乏，鎮痛薬などの薬剤，甲状腺機能低下症に合併するほか，自己免疫疾患の関連も示唆されている．

疫学
発生率は1/100万人といわれており，50〜60歳代で発症し男性に多い．70％以上が日本からの報告例である．

病理
胃と大腸に頻度が高く組織は囊胞状に拡張した腺管，間質の浮腫，細胞浸潤からなり，若年性ポリープや過形成性ポリープに類似する．

臨床症状
1）自覚症状： 下痢，体重減少，味覚異常，食欲不振，脱毛，浮腫．
2）他覚症状： 爪の異常，指趾末端の色素沈着など．低蛋白血症による浮腫や貧血，電解質異常など．

診断
ポリポーシスは全消化管にみられるが食道はまれ．ポリープは無茎性で発赤が強く介在粘膜に炎症を伴い浮腫状である．組織学的には，非腫瘍性で腺管の囊胞状拡張，過形成，間質の浮腫や炎症細胞浸潤などが特徴で，治療により縮小，消失がみられる．

鑑別診断
特徴的な臨床像と中年以降の発症で遺伝歴がないなどから鑑別できる．

合併症
大腸癌の合併が報告されている[5]．CCS治療後ポリープの消失を確認した後も大腸癌のサーベイランスは必要．

予後
予後は比較的良好である．治療によりポリープや栄養状態が速やかに改善するものが多い．しかし，大腸癌合併の頻度が高いとの報告がある[6]．

治療
栄養改善の目的で高カロリー中心静脈栄養や成分栄養療法のほか，副腎皮質ステロイド，抗線溶療法，NSAIDs，メサラジンの有効例などが報告されている．

〔五十嵐正広〕

■文献（e文献10-7）

大腸癌研究会編：遺伝性大腸癌診療ガイドライン 2012年版，金原出版，2012．
牛尾恭輔：大腸ポリポーシスおよびその類縁疾患・病変の鑑別診断．図説消化器病シリーズ8，大腸癌，大腸ポリープ（飯田三雄編），pp174-97，メジカルビュー社，2001．
Vogelstein B, Fearon ER, et al: Genetic alteration during colorectal tumor development. *N Engl J Med*. 1988; **319**: 525-32.

10-8 消化管憩室・憩室炎

定義・概念

憩室(diverticulum)は消化管壁の一部が嚢状に腸管外に突出したものである．憩室が多発する場合を憩室症(diverticulosis)という．憩室の発生部位別頻度は大腸憩室が最も多く，ついで十二指腸に多く認める．食道や胃，小腸の順でまれになる．大半の憩室は無症状で臨床上問題とならないが，炎症(憩室炎，diverticulitis)や穿孔，出血(憩室出血)などを起こした場合に憩室関連疾患(diverticular disease)として臨床的に問題となる．近年では大腸憩室炎や大腸憩室出血が増加して臨床上問題となっている．

分類・成因

発生部位により分類される(大腸憩室，食道憩室など)．発生時期により先天性(Meckel 憩室など)と後天性(大腸憩室など)に分類される．また，組織学的構造により憩室壁がもともとの消化管と同じ粘膜から漿膜まで全層を保持している真性憩室と筋層を欠く仮性憩室に分類される．発生機序から消化管内圧による圧出性憩室と外部から炎症などで牽引され生じる牽引性憩室に分類されるが，通常前者は仮性憩室で後者は真性憩室であることが多い．通常臨床で問題となる憩室は後天性の仮性憩室が大半を占める．

(1)食道・胃憩室

1) **咽頭食道憩室(Zenker 憩室)**： 咽頭食道移行部直上の後壁に生じ，下咽頭収縮筋下縁と輪状咽頭筋上縁との間から突出する圧出性仮性憩室．

2) **中部食道憩室(Rokitansky 憩室)**： 気管分岐部に，多くは結核性リンパ節炎による瘢痕収縮で食道壁全層牽引されて生じる牽引性憩室．食道憩室のなかでは最も頻度が高い(e図 10-8-A)．

3) **横隔膜上憩室**： 胸部食道の横隔膜上 10 cm 以内に発生し，食道の蠕動運動や食道下端の内圧亢進により形成される圧出性憩室．

4) **胃憩室**： 噴門部小弯側に好発する後天性の仮性憩室．まれである【⇨ 10-4-3】．

臨床症状・診断・治療

比較的まれでいずれも無症状のことが多いが，非常にまれだが憩室に起因する通過障害や悪心・嘔吐が強いときや合併症があるときは外科的治療を行う．

(2)十二指腸憩室

剖検例の 15%に認められ大腸についで頻度が高く，ほとんどは後天性の仮性憩室である．75%が下行脚で，その大半が乳頭部近傍にある傍乳頭憩室である(e図 10-8-B)．一般には無症状であるが憩室炎や出血，穿孔などの合併症がまれに起こる．大きな傍乳頭憩室では乳頭部を圧迫して閉塞性黄疸，胆管炎・膵炎を発症する Lemmel 症候群(傍乳頭憩室症候群)を起こすことがある．憩室炎への治療は抗菌薬投与，憩室出血には内視鏡的止血術が行われる．Lemmel 症候群における閉塞性黄疸に対しては内視鏡的胆道ドレナージ術などによる減黄術を行う．穿孔例などには外科的治療を行う【⇨ 10-4-3】．

(3)小腸憩室

1) **空腸・回腸憩室**： 多くは腸管膜付着側に発生する仮性憩室であり，非常にまれであると考えられていたが近年小腸の検査法の普及により偶然認められることが多くなった．

2) **Meckel 憩室**： 回腸末端から口側 1 m 以内に認められ腸間膜付着部対側にみられる胎生期の卵黄嚢の遺

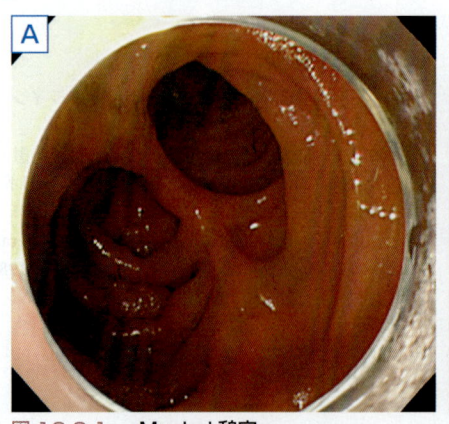
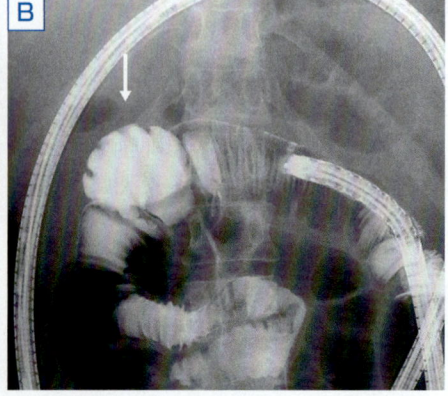

図 10-8-1　Meckel 憩室
A：小腸内視鏡写真，B：小腸内視鏡を用いた透視下造影(矢印)．

残からなる比較的まれな先天性の真性憩室である（剖検例の2%）（図10-8-1A，B）．合併症は，①卵黄嚢管などの遺残が索状物として臍と腸管をつないで残っているためにそこを起点としたイレウスが最も多く，②憩室炎，③腸重積，④胃粘膜の迷入による異所性胃粘膜潰瘍による出血，⑤穿孔の順である．

診断・治療

消化管出血は腹痛を伴わない暗赤色の下血である．診断は上部および下部消化管内視鏡検査を行い，異常がないことを確認して出血源が同定できない消化管出血（obscure gastro-intestinal bleeding：OGIB）として扱う．OGIBの原因精査のためカプセル内視鏡や小腸内視鏡検査を行い出血源の同定をする．異所性胃粘膜の証明のために^{99m}Tcシンチグラフィを行うが欧米に比べわが国では胃粘膜の迷入頻度が低い．出血の治療には酸分泌抑制薬（H_2受容体拮抗薬やプロトンポンプ阻害薬）もある程度有効であるが，基本は合併症を認めたら憩室切除術を行う．予後は良好である【⇨10-5-1】．

（4）大腸憩室

概念・病因・疫学

大腸憩室は大腸の粘膜が，固有筋層を抵抗の弱い血管貫通部を通じて嚢状に壁外に突出した仮性憩室である．大腸憩室は「西欧文化の病」といわれ，元来は欧米やオーストラリアに多くアジア・アフリカには少ないとされてきたが，近年わが国でも増加している．加えて，憩室出血や憩室炎などの合併症が増加してきており，これら大腸憩室関連疾患が臨床上重要である．

これまで，大腸憩室の成因として，繊維分の少ない食品の摂取に伴い腸管の分節運動を増加させることで，分節部の腸管内圧が増加し，壁の物理的脆弱部から粘膜が圧出され形成されると考えられてきた．しかし，近年は低繊維食との関連に否定的報告もある（Peeryら，2012）．また，家族集積性のあることも報告されており[1]，単一要因ではなく，先天的な要因と，後天的な要因の合わさった複合的な要因で形成される可能性がある．大腸は虫垂と直腸を除くと小腸とは異なり外縦筋が消化管壁全周を覆うことなく3本の結腸ひもで覆われるのみであり，外縦筋がないところが物理的に脆弱である（第1の脆弱部）（ⓔ図10-8-CのA）．さらに筋層の血管貫通部にも脆弱性があり（第2の脆弱部），結腸ひも間で腸間膜付着部側の4カ所の血管貫通部に憩室が好発する（ⓔ図10-8-CのB）．したがって外縦筋のある直腸，小腸には大腸と比較すると仮性憩室はできにくい．

わが国では約20%に大腸憩室症を認め，頻度は年齢とともに増加し，40歳以下では10%以下であるのに対し80歳以上になると約70%が大腸憩室を有するとされる．やや男性に多い．また局在については，欧米ではS状結腸を中心とした左側型が非常に多いが（90%），わが国では上行結腸を中心とした右側型が多い（60%），しかし近年，わが国でも左側型，両側型が増加してきている．

臨床症状・診断・治療

憩室患者のほとんどは無症状であり，検診などで施行した大腸内視鏡などで発見される．大腸憩室で臨床上重要なのは憩室炎・出血の合併症であり，近年合併症の増加に加え重症例が増えている．また，これらの合併症以外にも腹痛や，腹部膨満感などの非特異的症状を呈することも知られている．なかでも大腸憩室を有する患者において過敏性腸症候群（irritable bowel syndrome：IBS）に類似した症状を呈する患者が多いことが報告されている[2,3]．

1）憩室出血： 憩室出血の特徴は痛みなどの腹部症状を伴わない突然の暗赤色から鮮血便の下血である．約80%は自然止血するが5%程度は大量出血である．出血部位は右側に多い（Faucheronら，2013）．憩室出

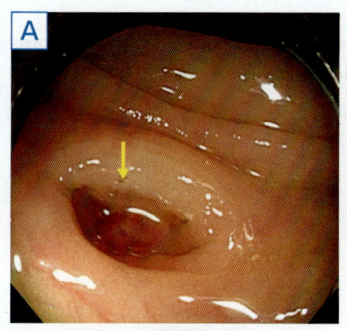 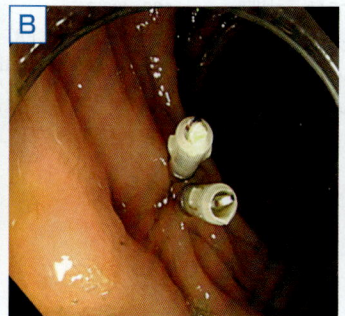 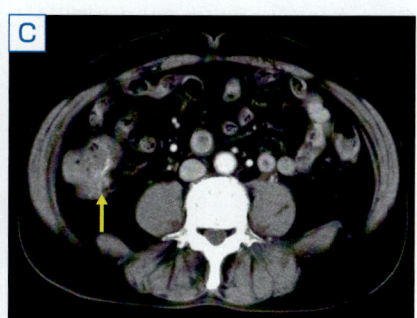

図10-8-2　大腸憩室出血
A：内視鏡像．内視鏡施行時は自然止血していた．憩室底にびらんおよび露出血管を認める（矢印）．
B：大腸憩室出血に対する止血処置．Aの憩室に対して再出血予防のためにクリップを用いて憩室部の完全縫縮を行った．
C：腹部造影CT dynamic study 早期相．A，Bと同一症例．鮮血便を認めた際の腹部造影CT．造影剤の腸管内への漏出（extravasation）を認める（矢印）．

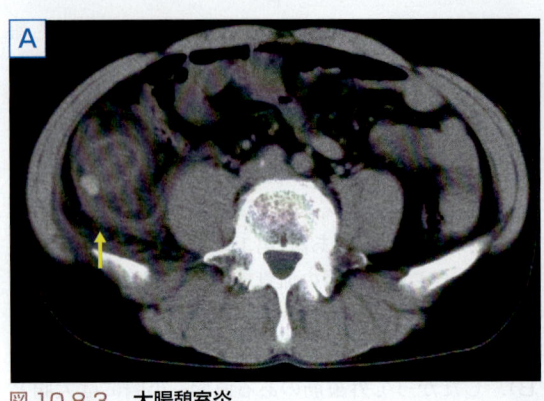
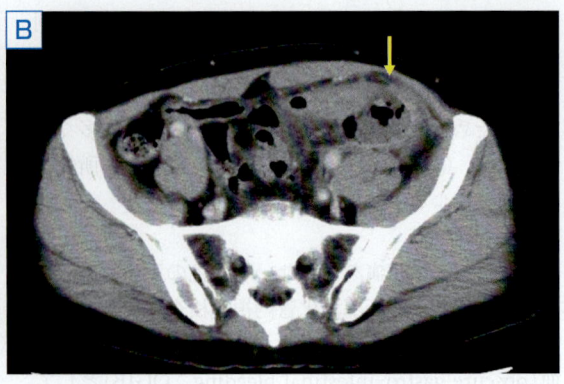

図 10-8-3　大腸憩室炎
A：右側型大腸憩室炎の腹部CT像．上行結腸に糞石を伴う憩室を認め，憩室周囲の腸管壁の肥厚および脂肪織の混濁（dirty fat sign）を認めることがわかる（矢印）．また炎症が強く，後腹膜にまで炎症が波及している．
B：左側型大腸憩室炎の腹部CT像．S状結腸の近傍にガスの混在する膿瘍を認める（矢印）．

血のリスク要因として非ステロイド系抗炎症薬（NSAIDs），抗血小板薬の投与，高血圧や虚血性心疾患の合併，両側憩室症例などが考えられている[4,5]．治療は自然止血を待つことなく，全身状態が許せば大腸内視鏡を行う．出血点が同定できれば内視鏡的止血術（クリップ法や局注法）を行う（図10-8-2A，B）．endoscopic band ligation（EBL）を用いた止血法の有用性も報告されている[6]．一方で，内視鏡では出血部位の同定ができないことも多く，出血部位が同定できない症例においては腸管安静による自然止血を待つ場合が多い．腸管安静のみで，自然止血しない症例に対して，高濃度バリウムの結腸内充填療法の有効性が報告されている（Matsuhashiら，2003）[7]．動脈性出血の場合は血管造影による塞栓術を行う．出血憩室の同定に造影CTの有用性も報告されている（図10-8-2C）．

2）憩室炎： わが国における憩室炎の好発年齢は40～50歳代の中年であり，男性に特に多い．憩室炎はわが国では右側に多いが（図10-8-3A），穿孔や死亡などの重症例および再発例は左側（図10-8-3B）に多いとされる[8]．憩室炎のリスク要因としては，内臓脂肪型肥満，NSAIDsの使用，アスピリンの使用があげられる[9-11]．また，NSAIDsやステロイドは憩室炎の発症リスクだけでなく重症化の因子としてもあげられ

る[12]．臨床症状は発症時より移動性のない下腹部痛で，このため右側憩室炎では虫垂炎との鑑別を要する．微熱や白血球増加を認める．急性期の診断にはCT検査や超音波検査が行われる．CTは感度・特異度が高く憩室炎を憩室周囲の脂肪織の混濁（dirty fat sign）や憩室周囲の腸管壁の肥厚として的確に診断できる（図10-8-3A）．

治療は入院のうえ，絶食・補液・抗菌薬投与を行う．膿瘍形成や穿孔，そして重度の狭窄を伴う場合は手術対象となる．憩室炎の治療指針としてHinchey分類[13]が知られているが，外科治療を前提とした左側型憩室炎が中心の欧米での分類であり，わが国でそのまま適用するのは難しい．高齢者の憩室穿孔は予後が不良である[14-15]．

〔中島　淳・山田英司〕

■文献（e文献 10-8）

Faucheron JL, Roblin X, et al: The prevalence of right-sided colonic diverticulosis and diverticular haemorrhage. *Colorectal Dis*. 2013;**15**:e266-70.

Matsuhashi N, Nakajima A: Barium impaction therapy for refractory colonic diverticular bleeding. *Am J Roentgenol*. 2003, **180**: 490-2.

Peery AF, Barrett PR, et al: A high-fiber diet does not protect against asymptomatic diverticulosis. *Gastroenterology*. 2012; **142**:266-72.

10-9 腹膜疾患
peritoneal disease

腹膜疾患の分類を e表 10-9-A に示した.

1）腹膜炎
peritonitis

定義・概念
腹膜は腸管などの臓器を覆う臓側腹膜と腹壁を覆う壁側腹膜に大別され，薄い漿膜からなっている．この腹膜に何らかの原因により炎症が引き起こされ，腹水が貯留してくる状態を腹膜炎とよぶ．本項では①原発性，②続発性，③癌性，④結核性，⑤硬化性被囊性，⑥その他に大別してその特徴を以下に概説する．

病態生理
腹膜は臓側腹膜（60％），腸間膜および大網（30％），壁側腹膜（10％）で構成されており，それぞれ，臓側腹膜と腸間膜は腸間膜動脈から血流を受け門脈系へ還流し，壁側腹膜は腹壁動脈，肋間動脈などから血流を受け下大静脈に還流する．腹膜は表面より腹膜中皮細胞，基底膜，間質で構成されており，マクロファージや補体などを有する漿液を分泌し，またそれを吸収することにより腹水の定常性を保ち，臓器を保護し感染防御にも働いている．またその大きな表面積（1〜2 m²）と豊富な血流を利用して腹膜透析が行われる．

病因
①細菌性（結核菌を含む），②胆汁，腸管内容物による化学性，③悪性腫瘍，④血管炎などの自己免疫性，⑤血流障害などの因子により生じる．

検査所見
1）腹腔穿刺による腹水の性状，培養など（表 10-9-1）：原発性，続発性では多核好中球が優位に，結核性ではリンパ球が優位に認められ，癌性では癌細胞が腹水中より検出される．原発性で腹水中の好中球の上昇は，肝硬変による単純性腹水貯留との鑑別に有用である．

2）腹部画像（単純X線，CT，超音波など）：続発性，癌性では原因の検索に必須である．また腹膜炎によって生じるイレウスの評価にも有用である．free air の存在は腸管の穿孔を示唆する所見である．

3）血液検査：原疾患による異常所見を認めるほか，炎症を反映し白血球の増加，CRP の上昇をみる．重症例では逆に白血球の低下もありうる．循環不全による意識障害，急激な腎機能の悪化に注意をする．

（1）原発性腹膜炎（特発性細菌性腹膜炎，spontaneous bacterial peritonitis：SBP）

概念
腹腔内に外科的治療を要する疾患（腸管穿孔，腹腔内臓器からの炎症の波及）がないにもかかわらず，感染性の腹水を呈する状態（腹水中の細菌培養陽性かつ分葉好中球数＞ 250 個）．非代償期の肝硬変の患者に多く，重篤なネフローゼ症候群，免疫不全状態の患者にもまれに認められる．

病因
原則的に単一の菌により引き起こされる（続発性の場合は多種類の菌が腹水より検出される）．起因菌として腸内細菌類が多くを占めるため，おもに原疾患による免疫バリアの破綻により腸管内の細菌が腹腔内に移行することによると考えられている．その他，腹腔外臓器から血行性，リンパ行性に細菌が移行することによって発症したものも SBP に含まれる．

臨床症状
特徴的な症状は①発熱，②腹部の痛みと圧痛，③意識障害，④麻痺性イレウスである．腹膜刺激症状として悪心，嘔吐がみられるが麻痺性イレウスによっても起こることが多い．また膿瘍を形成し膀胱や，直腸を刺激することにより頻尿やテネスムスなどの症状を示すことがある．腹膜における血管透過性の亢進により腹水が貯留し，循環血液量が急激に減少する．重症の場合にはショック状態に陥り，意識障害などの精神症状，腎前性の急性腎不全の症状が出現する．

治療
第3世代以降のセフェム系抗菌薬の点滴静注．ただし軽症の SBP に対しては経口ニューキノロン系抗

表 10-9-1 腹水の性状（内科学 第8版，朝倉書店より改変）

疾患	血清-腹水アルブミン濃度差	細胞数（個/mL³）	分画	総蛋白（g/dL）
原発性腹膜炎（SBP）	≧ 1.1	＞ 250	分葉好中球	1〜3
続発性腹膜炎	＜ 1.1	＞ 250	分葉好中球	1〜3*
癌性腹膜炎	＜ 1.1	＞ 1000	癌細胞含む	≧ 3
結核性腹膜炎	＜ 1.1	＞ 1000	リンパ球	≧ 3
肝硬変	≧ 1.1	＜ 250	中皮性	1〜3
ネフローゼ症候群	＜ 1.1	＜ 250	中皮性	≦ 1

＊：腹水中グルコース低値．

菌薬でも改善率は変わらないとされている．治療期間は5日間を目安とし，腹水の好中球数＜250個など，状態の改善がみられれば治療を中止する．最近の研究で非選択的β遮断薬の使用がSBPでの死亡率を1.5倍上昇させるとの報告があり，服用の中止を考慮すべきである（Mandorferら，2014）．

予後
SBPによる死亡率は近年劇的に改善している．ショックや腎不全が起こる前に適切な治療を開始すれば，SBPによる死亡はほとんど防げるという報告もある．しかしSBPを発症する患者は概して基礎疾患の状態が悪いことが多くSBPが改善しても長期予後は悪いことが多い．

予防
①SBPの既往，②静脈瘤からの出血，③腹水の蛋白濃度＜1.0 g/dLがSBPを生じる危険因子とされており，このような危険因子をもつ重篤な肝硬変の患者に対し，経口抗菌薬の予防投与が有効といわれている．

(2) 続発性腹膜炎
概念
原発性腹膜炎と合わせて急性腹膜炎の原因となりその大部分を占める．消化管の穿孔・破裂によって引き起こされることが多く，原因としては①急性虫垂炎，②胃・十二指腸潰瘍，③急性胆囊炎，④憩室炎，⑤卵巣・卵管膿瘍，⑥外傷，⑦糞便による腸管圧迫壊死，⑧急性膵炎，⑨腸間膜動脈閉塞症などがあげられる．発症初期は胃酸，腸液，胆汁などによる化学的腹膜炎を呈し，時間を経るごとに細菌性腹膜炎へと移行する．

臨床症状
炎症が局所に収まる限局性腹膜炎と腹部全体に及ぶ汎発性腹膜炎に大別され，汎発性では激しい腹痛，腹膜刺激による悪心，嘔吐，呼吸促迫，頻脈を呈する．初期では微熱程度のことが多い．他覚所見として腹部の圧痛，反跳痛，筋性防御がみられ，さらに悪化すると腹筋が硬直し板状硬となる．さらに腹腔内の炎症の広がりにより，腸管運動は抑制され麻痺性イレウスを呈する．時間が経つにつれ，血管透過性の亢進や細菌の放出するエンドトキシンによってショック状態となり，systemic inflammatory response syndrome (SIRS) からDIC，多臓器不全を起こし死亡することがある．小児，高齢者など免疫能が低下している患者では症状に乏しい場合があり注意を要する．

診断
上記症状と合わせて各種画像で腹水貯留，free airを確認することにより診断する．腹部造影CTは原疾患の究明に効果的であり，ガストログラフィンを用いた腸管造影は穿孔の場所，程度を確認するのに有用である．腹水の検査では好中球を主体とした細胞成分の上昇を認め，細菌培養にて複数の菌を認めるのが特徴的である（SBPの場合は単一菌のことが多い）．血液検査では高度の炎症を認めるものの腹膜炎に特徴的な所見は認めない．動脈血ガス分析では呼吸性の代償を伴う代謝性アシドーシスを呈する．

治療
原疾患にかかわらず，第一に循環・呼吸管理を行う．早期より抗菌薬による治療を開始する．原疾患が同定された後可及的速やかに原疾患の治療を行う．原疾患の根治術に合わせて腹腔内の洗浄を多量の生理的食塩水で行う．腹腔内に直接抗菌薬を投与することもありうる．必要であればドレーンを留置する．ショック【⇨7-3-5】，DICなどの治療は別項を参照のこと【⇨16-11-5】．

(3) 癌性腹膜炎 (peritonitis carcinomatosa, diffuse peritoneal carcinomatosis)
概念
腹膜に癌細胞が血行性，リンパ行性，播種性に転移し腹膜炎症状を引き起こしている状態．胃，大腸，膵，卵巣癌などの腹腔内臓器を原発とするものが多いが，肺や乳癌などの遠隔転移でもありうる．胃癌の卵巣転移をKruckenberg腫瘍，直腸子宮窩への転移をSchnitzler転移と特有の限局性の転移に対し名前がつけられている．

臨床症状
利尿薬抵抗性の腹水，イレウスによる腹痛，悪心，嘔吐，腹部膨満感などがみられる．初期では腹水，腹部腫瘤ともに触知しないが後期では極度の腹水貯留で生活の質が障害される．しばしば胸水，下肢の浮腫を併発する．

診断
確定診断は原発巣の確定と腹水の細胞診によってなされるが腹水の細胞診の陽性率は高くない．CTなどの画像所見において貯留した腹水のほか，腹膜腫瘤や肥厚，腸管の浮腫が認められる．

治療
癌に対する治療は原発巣によって異なるが原病の治療を優先する．限局性の腹膜転移に対しては手術で切除することもある．癌に対する治療が無効な場合は症状緩和を目的とした治療に切り替える．腹水は水分制限，利尿薬に抵抗性のことが多く，腹腔穿刺にて腹水を除去する．腹水に蛋白，アルブミンが多く含まれている場合，腹水中からエンドトキシン，癌細胞などを取り除き必要なものだけを血中に戻す，腹水濾過濃縮再静注法 (CART) が適応となる．痛みに対してはモルヒネなどのオピオイドの使用，イレウスに対してはオ

クトレオチドの持続注射を行う．器質的な消化管狭窄に対しては予後を考慮したうえでバイパス手術を行うこともある．食事がまったく摂取できないときは中心静脈からの経静脈栄養も考慮される．

予後
原発巣によっても変わってくるが手術，抗癌薬による治療が無効な場合 2～6 カ月間の予後と考えられる．

(4) 結核性腹膜炎（tuberculous peritonitis）
概念
腹膜は肺外結核巣のなかでまれな臓器であり，肺の陳旧性結核巣からの再活性化した結核菌が血行性に散布されて起こることが最も多い．肝硬変，腹膜透析，糖尿病，悪性腫瘍，ステロイド治療中，AIDS を基礎疾患としてもつ患者に多い．

臨床症状
多くにみられる症状は腹水，腹痛，発熱であり，結核性に特徴的な症状はない．本疾患の 90％以上の患者で腹水を認め（湿性型），腹部は全体的に軟であるが，残り数％は腹膜が線維性に癒着をきたし腹水を認めない（乾性型）重症例であり腹部は板状硬となる．ほとんどの患者で中等度の正球性正色素性貧血がみられる．女性の場合は女性生殖器に進展し骨盤腫瘤，不妊，不正性器出血の原因となる．

診断
特徴的な症状に乏しいため診断確定まで時間がかかることが多く，腹水をもつ患者に対して本疾患を念頭において診察する必要がある．確定診断を得るためには腹水からの結核菌の培養または腹膜生検が必要である．盲目的腹膜生検は病変が採取されている可能性が低く，合併症の危険性も高いため腹腔鏡などを用いた直視下の生検が有用である．その他の腹水の検査も診断を導くうえで重要である．リンパ球優位の細胞数の増加，総蛋白 > 3 g/dL，血清-腹水アルブミン濃度差 < 1.1 の所見がみられる場合は結核性を疑う（表 10-9-1）．CT などの画像検査では腹水，腹膜の多発結節，内部壊死を伴うリンパ節腫脹などが認められる（図 10-9-1）．また腹水中のアデノシンデアミナーゼ値（ADA）が 40 IU/L 以上の場合は感度，特異度ともに高く結核性と診断できる．また近年 enzyme-linked immunospot assay（ELISPOT）を用いた診断法が承認された（Tinelli ら，2008）．

治療
肺結核の治療法に沿って治療を行う．はじめの 2～3 カ月のステロイド投与がイレウスなどの合併症を防げるという報告もあるが，感染を悪化させる可能性があるため評価は定まっていない．

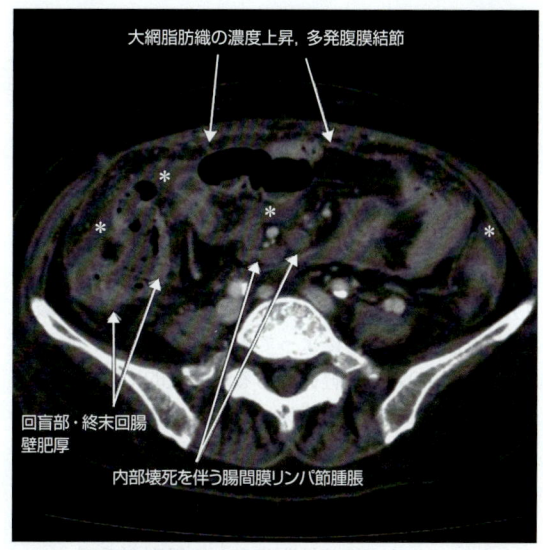

図 10-9-1 結核性腹膜炎（70 歳代女性）
腹膜に小結節が多発，傍結腸溝や腸間膜間に腹水（＊）が貯留し，大網脂肪織が混濁している．回盲部・終末回腸の壁肥厚があり，内部壊死を伴う腸間膜リンパ節腫脹がみられる．

予後
湿性型では抗結核薬によく反応するので比較的予後は良好であるが，高齢，治療開始の遅れ，肝硬変併存で致死率が高くなる．

(5) 硬化性被囊性腹膜炎（sclerosing encapsulating peritonitis：SEP）
概念
腹膜透析患者において，腹膜内の極度の線維化と腸管の被囊化が進行した状態であり，腹膜による限外濾過の低下，水分の貯留による浮腫が引き起こされる．詳細な原因は不明であるが，重度の細菌性腹膜炎，酢酸バッファを用いた腹膜透析，カテーテルなどの異物に対する反応，そして長期にわたる腹膜透析歴がかかわっていると考えられている．

臨床症状
腸管の動きが制限されるため，腹痛，悪心，食欲不振，便秘，下痢，腹部腫瘤，腹水，体重減少，嘔吐，易疲労感などの症状が徐々に進行する．特徴的なのは腹膜透析における溶質と水分のクリアランスの低下である．

診断
確定診断には腹腔鏡を用いた腹膜の確認または生検であるがリスクも伴うため，通常は臨床症状と CT，腹部超音波などの画像所見をあわせて診断する．画像では腹膜の石灰化，腸管壁の肥厚，腸管腔の拡張などが特徴であるが，これらの所見が認められない場合も本疾患を否定はできない．腹膜透析による腹膜炎には本疾患以外にも細菌性腹膜炎，好酸球性腹膜炎などが

あり鑑別が必要である．

治療
血液透析への変更，経静脈栄養を用いた腸管の安静，ステロイドなどの免疫抑制薬の投与を行う．手術法も進歩しており問題となる消化管症状を90％の症例で改善しうるとされている（Kawanishiら，2005）．

(6) その他の腹膜炎
1) **血性腹膜炎**：腹腔内動脈の破裂，脾破裂，肝破裂（特に肝腫瘍の破裂）によって引き起こされる．血液自体は腹膜への刺激は軽微であるが二次的に細菌感染が引き起こされ細菌性腹膜炎へと移行することが多い．
2) **好酸球性腹膜炎**：腹膜透析導入早期に認められる腹膜炎．細菌は認めず腹水内の好酸球が増加する．原因は不明であるが腹膜透析過程でのアレルギー反応と考えられている．細菌性腹膜炎との鑑別が重要．
3) **血管炎に伴う腹膜炎**：好酸球性多発血管炎性肉芽腫（旧名 Churg-Strauss 症候群），悪性萎縮性丘疹症（Degos 病），結節性多発動脈炎などの疾患も腹膜炎を引き起こす．頻度は少ないものの全身性エリテマトーデス（SLE）に伴う血管炎で起こることもある．
4) **家族性地中海熱に伴う腹膜炎**：反復，発作性に腹膜，胸膜，滑膜の炎症を繰り返す遺伝性疾患．地中海を囲む民族の家系に多発する．原因遺伝子の特定が進み，炎症の機序も研究が進んでいる．アミロイドーシスが合併すると予後不良である．

〔松橋信行・藤澤聡郎〕

■文献

Kawanishi H, Watanabe H, et al: Successful surgical management of encapsulating peritoneal sclerosis. *Perit Dial Int*. 2005; **25**: S39.

Mandorfer M, Bota S et al: Nonselective β blockers increase risk for hepatorenal syndrome and death in patients with cirrhosis and spontaneous bacterial peritonitis. *Gastroenterology*. 2014; **146**: 1680.

Tinelli A, Malvasi A, et al: Abdominopelvic tuberculosis in gynaecology: laparoscopical and new laboratory findings. *Aust N Z J Obstet Gynaecol*. 2008; **48**: 90.

2) 腹膜腫瘍
peritoneal tumor

概念・定義
壁側腹膜もしくは臓側腹膜に発生した腫瘍の総称である．腹膜を原発巣とした原発性腹膜腫瘍と他臓器からの転移による続発性腹膜腫瘍とに大別される．原発性腹膜腫瘍はまれであり，多くは続発性腹膜腫瘍に含まれる．前項で概説した癌性腹膜炎は続発性腹膜腫瘍に含まれ，腹水を主とした腹膜炎症状を呈したものである．

(1) 原発性腹膜腫瘍
a. 腹膜中皮腫
概念
腹膜中皮細胞を由来とする腫瘍であるが，上皮成分の優勢な上皮型と間葉成分の多い線維型とに分けられ，頻度の高い上皮型ではヒアルロン酸を多量に分泌し粘稠な腹水が貯留する．

疫学
中年の男性に好発し，石綿（アスベスト）を取り扱う職業の者に多くみられる．高リスク群では生涯の発病率は10％といわれており，石綿曝露から，約30年後に発病するとされている（Selikoffら，1980）．

臨床症状
早期では症状はほとんどなく腫瘍の増大に伴って徐々に症状が出現する．初期には痙攣様の腹痛，便通異常，腫瘤触知，腹部膨満感などの症状を呈し，悪化すると腸管の通過障害，排便痛，食欲低下，体重減少などが出現する．各腹腔内臓器の被膜への浸潤をきたすが他臓器への転移は少ない．

診断
診断には，腹水の検査，細胞診が有用である．その性状は滲出性，淡血性で粘稠度が高いことが多い．腹水中のヒアルロン酸，サイトケラチン-5の上昇を多くに認めるがほかの悪性腫瘍との鑑別は難しい．腫瘍の局在診断には超音波検査，CT，MRI などの画像が効果的であり，粘稠な腹水や板状の腫瘤が描出される．Ga シンチグラフィでは腫瘍部に取り込みを認め，腫瘍の広がりを診断するのに有用である．
血液検査では特異的なものはないが血清 LDH の上昇，腫瘍マーカーでは TPA，CEA，CA125 などが陽性となることがある．

治療
いまだ確立した方法はないが，腫瘍減量術と腫瘍内への浸透率を高めるための温めた抗癌薬の腹腔内投与を合わせた治療が多国籍試験により検討されている（Yanら，2009）．

予後
悪性腹膜中皮腫では予後はきわめて不良で2年生存率は20％以下とされている．

b. 腹膜漿液性乳頭状腺癌（peritoneal serous papillary carcinoma）
定義・原因
卵巣原発の漿液性乳頭状腺癌と同様の病理組織像を示すが，卵巣は正常であり腹膜に腫瘍の主座がある疾患．Müller 管から発生すると考えられており，女性例が圧倒的に多いが少数ながら男性例も存在する．胎生期に存在した Müller 管の遺残組織からの発生が疑われている．

臨床症状
胃重感，腹部膨満感，下腹部痛などで特徴的な症状に乏しい．

診断
腹部 CT，MRI にて多量の腹水と，造影にて大網（omental cake）などに腫瘍を認める．卵巣に病巣を認める場合は卵巣原発が疑わしくなる．腹水を採取し，細胞診にて腺癌細胞を同定する．

鑑別診断
腹膜中皮腫との鑑別が必要．組織を採取後，免疫組織染色検査にて Ber-EP4 や CEA が陽性であれば本疾患を，calretinin や CK5/6 が陽性の場合は中皮腫を疑う．

治療
卵巣原発の漿液性乳頭状腺癌に応じた治療を行う．まず外科的手術により可及的に腫瘍を取り除く減量術（debulking surgery）を行い，パクリタキセルとカルボプラチンによる全身投与などの化学療法を繰り返し行う．

予後
完全治癒は困難であるが，化学療法が効きやすいため比較的長期の予後が期待できる．

c. 尿膜管腫瘍
定義・原因
胎生期の遺残物である尿膜管から発生する腫瘍．胎生期に膀胱と臍の間をつないでいる尿膜はやがて閉鎖されて正中臍索となるが，尿膜腔が閉鎖せずに残存すると尿膜管遺残というまれな奇形となる．遺残した尿膜管から尿膜管瘻，尿膜管嚢胞や尿膜管腫瘍を呈する場合があり，外科的手術が必要となる場合が多い．尿膜管腫瘍のほとんどは粘液産生腺癌である．

疫学
膀胱腫瘍のうち 0.1〜0.6％とまれな疾患．中高年の男性に多く男女比は約 3：1 である．

臨床症状
血尿で発見される場合が最も多く，排尿時痛，頻尿などの症状がみられることもある．大きくなると臍下部に腫瘤を触知し，臍もしくは尿より粘液を認めるようになる．

診断
腹部 MRI，CT にて尿膜管に一致した部位に腫瘍を認める．確定診断のため経皮もしくは経尿道的生検を行う．骨，腸間膜，肝臓，肺などへ転移することが多く，全身の検索が必要である．

治療
遠隔転移を伴わない場合は尿膜管を含めた膀胱全摘術などの外科的手術が有効である．放射線療法，化学療法の有効性は証明されていない．

予後
5 年生存率は 10〜40％と通常の膀胱癌より不良．

(2) 続発性腹膜腫瘍
概念
他臓器からの播種，または血行性，リンパ行性によって形成された転移性の腫瘍．腹水，腹膜炎症状を呈するものを癌性腹膜炎という【⇒10-9-1】．そのなかでも腹膜偽粘液腫は特徴的な臨床症状を呈するため，以下では腹膜偽粘液腫について概説する．

a. 腹膜偽粘液腫（pseudomyxoma peritonei）
定義・原因
粘液またはゼラチン様物質が腹腔，骨盤腔内に貯留し，腹膜にムチンを産生する結節をもつといった特徴をもつ．当初は良性の囊胞性腺腫の破綻によるムチン産生細胞の腹膜播種に限定されていたが，時を経るにしたがって腸管，膵，卵巣，肺原発のムチン産生性腺癌の腹膜播種も含まれるようになった経緯がある．そのため一概に腹膜偽粘液腫といっても，原発巣の性質により経過，予後が大きく異なる．頻度では虫垂腺癌，卵巣嚢胞腺癌によるものが最も多い．

臨床症状
腹膜中皮腫と同様に早期には無症状であるが腹腔内にゼラチン様粘液物質が大量に貯留してくると腹部膨満感が出現．腹痛，発熱，食欲不振，体重減少などをきたす．経過中，男性では鼠径ヘルニア，女性では卵巣囊腫を合併することが多い．

診断
腹水の細胞診にてムチン内に腺腫，腺癌細胞が検出されれば確定診断とされる．ただし内容物がきわめて粘稠であるため吸引が困難な場合があり太めの針で吸引する．CT などの画像では腹腔内に脂肪濃度を示す不均一な貯留物を認め，肝臓，脾臓など実質臓器の表面に scalloping（弧状圧痕）を認めるのが特徴的である（図 10-9-2）．採血で特徴的な所見は認めないが，CEA，CA19-9，CA125 などの腫瘍マーカーが上昇することもある．

治療
第一選択は外科的切除である．原発巣の摘出と並行し腹腔内のムチンを取り除くのが目的である．根治切除できない場合は，再度の粘液の貯留を認め，外科的処置を繰り返すこととなる．最近では根治を目指し腹膜転移巣もすべて取り除く拡大手術が試みられているがいまだ効果は確立していない．腹膜中皮腫と同様に温めた抗癌薬を腹腔内投与する intraperitoneal hyperthermic chemotherapy が検討され比較的良好な成績を示している（McQuellon ら，2008）．

予後
原疾患によって大きく予後は異なり，良性の囊胞腺

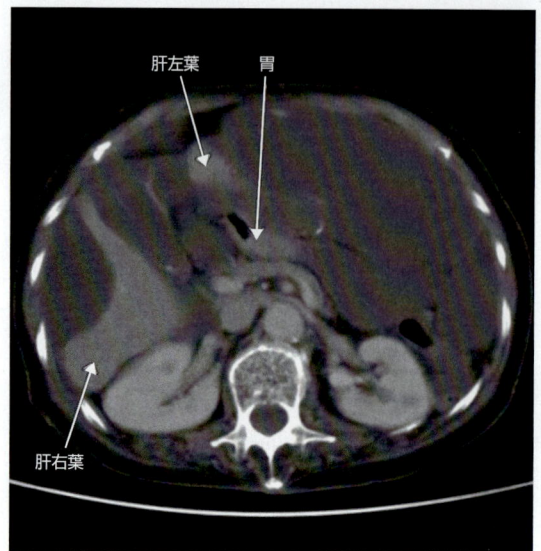

図 10-9-2 腹膜偽粘液腫（70 歳代女性）
内部が低濃度を示す囊胞性腫瘤が腹膜に多発，周囲臓器を強く圧排し肝辺縁に変形（scalloping）がみられる．

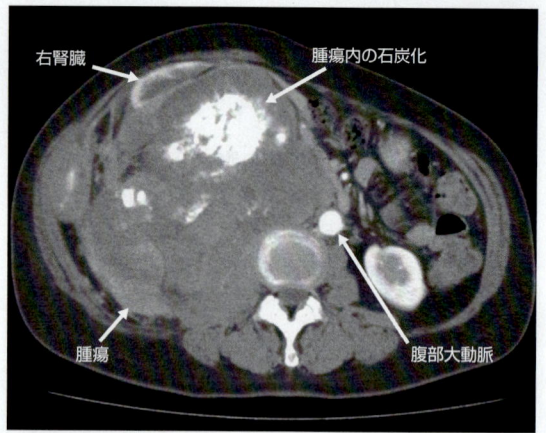

図 10-9-3 脂肪肉腫（60 歳代女性）
右後腹膜の巨大充実性腫瘍．短径 12 cm の大きさで右腎臓を前面に圧排し，腫瘍内部に粗大な石灰化，骨化がみられる．腫瘍はゆっくりと不均一に濃染される．手術標本にて脂肪肉腫と診断された．

腫の破綻によるものは年齢調整後の 5 年生存率が 84% と良好であるが，虫垂や卵巣の腺癌由来のものでは 7% と不良である．

〔松橋信行・藤澤聡郎〕

■文献

McQuellon RP, Russell GB, et al: Survival and health outcomes after cytoreductive surgery with intraperitoneal hyperthermic chemotherapy for disseminated peritoneal cancer of appendiceal origin. *Ann Surg Oncol.* 2008; **15**: 125.

Selikoff IJ, Hammond EC, et al: Latency of asbestos disease among insulation workers in the United States and Canada. *Cancer.* 1980; **46**: 2736.

Yan TD, Deraco M, et al: Cytoreductive surgery and hyperthermic intraperitoneal chemotherapy for malignant peritoneal mesothelioma: multi-institutional experience. *J Clin Oncol.* 2009; **27**: 6237.

3）後腹膜腫瘍
retroperitoneal tumor

概念・定義
後腹膜腫瘍は臓側腹膜の背側で両側腰方形筋に囲まれた後腹膜腔内より発生した腫瘍の総称である．後腹膜に存在する実質臓器より発生した腫瘍は除外される．後腹膜腫瘍の約 80% は悪性腫瘍であるとされてきたが，近年，画像診断の発達により良性の腫瘍が発見される機会が多くなってきている．悪性リンパ腫を除くと，悪性腫瘍では脂肪肉腫が最も多く，平滑筋肉腫，悪性線維性組織球腫と続く．良性腫瘍では奇形腫，神経鞘腫，脂肪腫，リンパ管腫などが比較的多く認められる（Raut, 2006）．

臨床症状
初期にはほとんど症状を示さず，腫瘍が増大して周辺臓器を圧迫，浸潤することにより症状が出現する（発見時の腫瘍の大きさの中央値は 15 cm である）．腹痛，背部痛，腫瘤触知が一般的な症状であるが，消化管の圧迫によりイレウス症状が，血管，リンパ管の圧迫により下腿の浮腫やしびれ，脱力などの症状が現れる．

特徴
ここでは頻度の多い 3 種類の後腹膜肉腫の特徴を示す（Catton ら，1994）．

1）脂肪肉腫：いろいろなタイプに分けられるが，低悪性度の well-differentiated type が最も多い．高悪性度の dedifferentiated type のほか，myxoid type, round cell type, pleomorphic type などがある．低悪性度では転移がまったくみられないのに対し，高悪性度では 20〜30% の確率で遠隔転移をきたす．そのため予後も高悪性度では低悪性度の 6 倍以上悪いとされる（図 10-9-3）．

2）平滑筋肉腫：多くの場合下大静脈とその枝から発生する．脂肪肉腫と異なり肺転移を高率にきたす．片側の下腿浮腫を契機に見つかることが多く，発見時に肺転移を合併している可能性が高い．まれに消化管や子宮から発生する場合がありその場合は腹膜播種や肝転移を起こしやすい．

3）悪性線維性組織球腫（malignant fibrous histiocytoma：MFH）：中高齢者の四肢近位部および後腹膜に多くみられる．組織学的には低分化の多形性の悪性軟部腫瘍である．組織学的には，線維芽細胞様細胞と組織球様細胞を有する低分化の多形性の腫瘍であり，

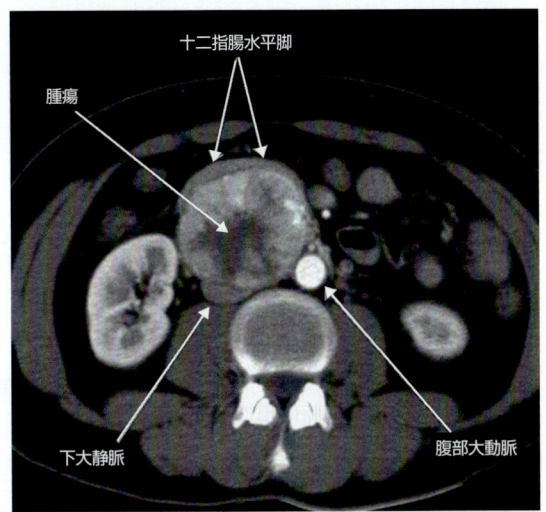

図 10-9-4 後腹膜腫瘍の CT 像（40 歳代男性）
十二指腸水平脚と下大静脈に広く接する後腹膜腫瘍．腫瘍周囲・辺縁部に著明な腫瘍血管の発達がみられ，腫瘍には不均一かつ非常に強い濃染がみられる．手術標本にて傍神経節腫と診断された．

通常型，粘液型，巨細胞型，炎症型，類血管腫型に分類される．2002 年に WHO による病理診断の見直しが行われ，通常型や巨細胞型や炎症型 MFH は未分化多形肉腫の一群へ，粘液型 MFH は粘液線維肉腫へ，類血管腫型 MFH は起源不明の腫瘍群へ再分類された．

診断

確定診断には経皮的針生検などで組織診断を得ることが必要である．CT，MRI などの画像検査も重要であり，大きさ，局在，腫瘍成分の評価に加え周囲臓器，血管との位置関係の把握が可能である（図 10-9-4）．脂肪肉腫などは CT でほぼ診断でき，平滑筋肉腫では壊死や嚢胞性変性を示すことがある．神経由来の腫瘍では石灰化を含む場合がある．

治療

後腹膜肉腫のすべてで外科的切除が完治しうる唯一の治療法である．しかし発見時に手術不能なことが多く，完全切除しうるのは約 50％の症例とされている．完全切除ができなかった症例に対しては術後の補助放射線療法が勧められており再発のリスクが抑えられる．腫瘍減量手術は，低悪性度の脂肪肉腫に対してのみ腫瘍切除を繰り返すことにより予後が改善するがその他の腫瘍においては予後を改善しないため推奨されない．

予後

後腹膜肉腫全体での 5 年生存率は 40～60％である．四肢，体幹原発の肉腫と比べ局所再発が多く一般的に予後が悪い．遠隔転移は多くの場合肺，肝に認められる．

〔松橋信行・藤澤聡郎〕

■文献

Catton CN, O'Sullivan B, et al: Outcome and prognosis in retroperitoneal soft tissue sarcoma. *Int J Radiat Oncol Biol Phys*. 1994; **29**: 1005.

Raut CP: Retroperitoneal sarcomas: Combined-modality treatment approaches. *J Surg Oncol*. 2006; **94**: 81.

10-10 全身疾患と消化管

1）膠原病および類縁疾患

定義・概念

膠原病には，原疾患に起因するさまざまな消化管病変を合併する[1]．ときに初発症状や重篤な合併症として認められることがあり，膠原病の診断・治療において重要な病変である（吉川ら，2001）[2]．消化管病変を伴うおもな膠原病および類縁疾患としては，全身性強皮症（SSc），全身性エリテマトーデス（SLE），結節性多発動脈炎（PN），関節リウマチ（RA），Behçet 病などがあげられる（朝倉，2002）．

(1) 全身性強皮症（systemic sclerosis：SSc）の消化管病変

固有筋層における筋組織の萎縮や変性，結合組織や膠原線維の増生による消化管の拡張と蠕動の低下によって消化管病変が出現する[3]．SSc 患者の 80％以上で消化管に影響が出るといわれ，特に食道に多く，ついで胃，小腸，大腸の順で認められる[3-5]．食道病変では胸やけ，悪心・嘔吐，嚥下障害，つかえ感などがみられ，X 線または内視鏡検査で逆流性食道炎や食道狭窄を認めることがある（図 10-10-1）[3,4]．下部消化管病変では腸管蠕動の低下により，腸管拡張や内容物の停滞による偽性腸閉塞や腸管気腫症を起こすことがあるほか，便秘や下痢・失禁などの便通異常などを認めることがある（吉川ら，2001）[4,5]．生活指導・栄

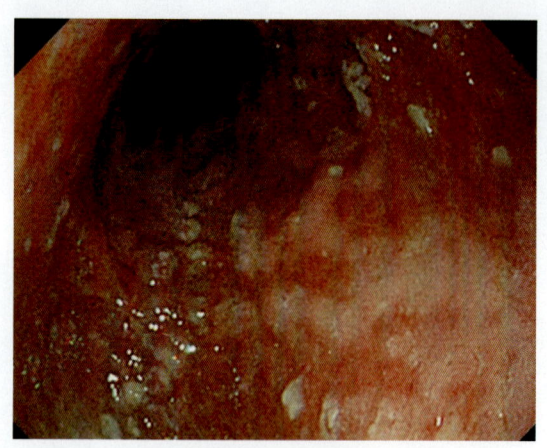
図10-10-1 全身性強皮症の食道病変
拡張した食道と高度な逆流性食道炎を認める．

養指導に加え食道病変に対してはおもにプロトンポンプ阻害薬などの制酸薬が，胃・小腸・大腸病変にはおもに消化管運動賦活薬が用いられる[3,4]．

(2) 全身性エリテマトーデス（systemic lupus erythematosus：SLE）の消化管病変

SLEに起因するとされる消化管病変は，1.3〜27.5%とさまざまな頻度で報告されている[6]．約半数の患者に腹痛，悪心・嘔吐，食欲低下，下痢などの消化器症状が認められる[7,8]．ループス腸炎と蛋白漏出性胃腸症に大別され，ループス腸炎はさらに虚血性腸炎型と多発潰瘍型に分類される[7]．SLEでは免疫複合体の血管壁への沈着による血管内皮細胞障害と好中球活性化により血管炎が生じるため，ループス腸炎は粘膜下層から漿膜下組織における血管炎によるものと考えられている（朝倉，2002）[2,9]．SLEでの蛋白漏出性胃腸症の発生機序は，血管炎や細菌増殖，腸リンパ管拡張，消化管粘膜透過性亢進などの関与が考えられているが明らかではない[6,7]．

a. ループス腸炎
i) 虚血性腸炎型

急激な腹痛，下痢・嘔吐などの症状で発症することが多い[7]．粘膜下層から漿膜側の血管炎によるため，内視鏡検査では伸展不良を伴う浮腫状変化を認めるが粘膜面の変化には乏しく，CT検査では粘膜下層の浮腫による著明な腸管壁肥厚や腹水などが認められる[10]．ステロイドが有効であるが再発を繰り返すことが多い[7]．

ii) 多発潰瘍型

大腸に打ち抜き様の多発潰瘍の形成を特徴とする．おもな好発部位は直腸とS状結腸とされ，男性に多く，ステロイド治療後の寛解期に発症することが多い[9]．ステロイド治療抵抗性の難治性病変が多く，大型・深掘れのため出血や穿孔を起こす危険があり，特に穿孔例では予後不良である[11,12]．

b. 蛋白漏出性胃腸症

下痢を伴って緩徐に発症することが多く，頻度は低いが長期経過例で好発する[7]．腸管からの蛋白漏出に伴う低蛋白血症と浮腫や腹水などの随伴症状を認め，SLEの活動性に相関して発症するためステロイドが奏効する[7,9]．

(3) 結節性多発動脈炎（polyarteritis nodosa：PN）の消化管病変

PNは全身の中径動脈に起こる壊死性血管炎で，腎臓，神経系が好発部位であるが14〜65%に消化管病変を，また剖検例では70%に消化管病変を認めたと報告されている[13,14]．原因は閉塞性血管炎による虚血と小動脈瘤破裂による出血に大別され，消化管の虚血による潰瘍や壊死に伴う出血や穿孔などにより，腹痛，悪心・嘔吐，消化管出血徴候のほか急性腹症所見を認めることがあるが特徴的症状・所見はない[13]．胃・十二指腸では比較的大きな類円形潰瘍を形成し，小腸・大腸では不整形で深く広い潰瘍を形成することが多く，病理組織学的には，消化管粘膜下の中小動脈の血管周囲炎，内膜肥厚，全層性血管炎を認める（吉川ら，2001）[13]．通常の潰瘍治療には抵抗性を示すことが多く，PNの治療に準じステロイドやシクロホスファミドなどが使用される[13,14]．

(4) 関節リウマチ（rheumatoid arthritis：RA）の消化管病変

RAの消化管病変は，非ステロイド系抗炎症薬（nonsteroidal anti-inflammatory drugs：NSAIDs）などの薬剤性のほか続発性アミロイドーシスや血管炎によるものに大別される[15,16]．

a. 非ステロイド系抗炎症薬（NSAIDs）起因性消化管病変

NSAIDs使用RA患者の上部消化管障害に関する疫学調査では，62.3%に何らかの上部消化管病変が存在し，15.5%に胃潰瘍，1.9%に十二指腸潰瘍が認められた[17]．NSAIDs起因性の消化管病変は胃・十二指腸潰瘍に多く認めるが，小腸内視鏡検査やカプセル内視鏡検査の普及に伴いNSAIDs起因性小腸病変も認められるようになった[15]．NSAIDs起因性の上部消化管病変は無症状で経過し，消化管出血や消化管穿孔により発症することがある．下部消化管病変は潰瘍のみの場合は消化管出血や貧血で発症することが多いが，膜様狭窄を呈する場合は腹痛や嘔吐を伴うことがある[18]．治療はNSAIDs起因性消化管病変に準ずる[18]【⇒10-11-1】．

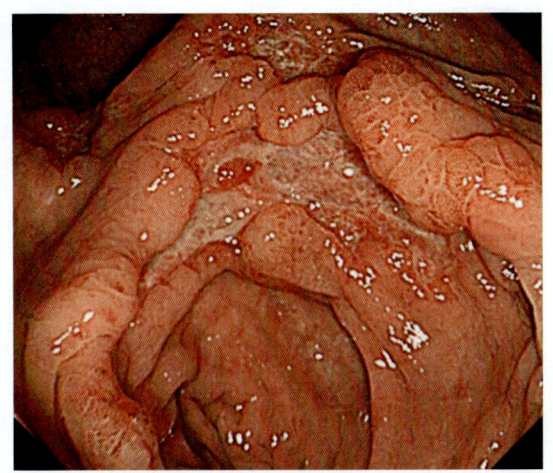

図 10-10-2 Behçet病の回盲部潰瘍
回盲部に深掘れの潰瘍を認める.

b. 消化管アミロイドーシス

　RA に伴う消化管アミロイドーシスは AA（amyloid A）型で，続発性アミロイドーシスの約50％を占める[18]．AA アミロイドーシスはアミロイド A が粘膜固有層および粘膜下層の小血管周囲に顆粒状に沈着するとされ，病変は全消化管に生じうるが十二指腸や空腸に好発し，下痢，腹痛，悪心・嘔吐，食欲低下などで発症することが多い[15,19]．内視鏡検査では微細顆粒状隆起が多発する粗糙な粘膜が特徴的で，十二指腸粘膜からの生検が診断に有用とされる[15]．治療は RA 活動性のコントロールによる[18]．

c. 血管炎による消化管病変

　悪性関節リウマチといわれている全身性血管炎の合併は約1％で，そのうち約10％に血管炎による消化管病変を合併するとされる[18]．病変は全消化管に発症しうるが好発部位は小腸，盲腸，S 状結腸で，典型的な病変は単発または多発する類円形潰瘍や虚血性腸炎などであり，発症が急激で重篤化する場合がある（吉川ら, 2001）[15]．

(5) Behçet病の消化管病変

　Behçet病には4つの主症状と5つの副症状があるが，副症状の1つに回盲部潰瘍で代表される消化器病変があり，腸管（型）Behçet病は特殊型の1つでその頻度は全 Behçet病の約5％といわれる[20]．消化管病変は回盲部が好発部位とされるが，上部消化管から小腸，結腸にも認めることがある[20,21]．典型像は円形または類円形の抜き打ち様や下掘れ様の深い潰瘍とされ（図10-10-2），急性の激しい腹痛や下血，ときに穿孔や腹膜炎を発症することがある[22,23]．中心静脈栄養や経腸栄養療法などによる腸管安静と全身管理のほかメサラジンやステロイド，アザチオプリン，抗 TNF-α 抗体，サリドマイドなどの薬物療法が有効とされる[21,24]．穿孔例は緊急手術の適応となるがしばしば術後再発や再手術を要することがある[21,24]．

〔後藤秀実〕

2) 代謝性疾患

(1) 糖尿病

定義・概念

　糖尿病は，血管障害と神経障害を中心に消化管を含む全身の臓器の機能障害を引き起こすことが知られている．高血糖の持続による自律神経障害は Cajal の介在細胞（ICC）の機能変調をきたし，腸管運動機能の変調を惹起する．主症状は，胸やけ，悪心・嘔吐，腹痛，便秘などである．その他，免疫力低下や薬剤による消化管障害も起こりうる．

分類

1) 胃食道逆流症： 食道蠕動運動の低下と胃内容排泄障害により胃食道逆流症状が起こりやすいとされる．おもな症状は胸やけと嚥下障害である．

2) 胃運動異常： 胃壁の緊張低下と胃内容の排泄遅延を起こし，おもに食後の悪心・嘔吐，腹部膨満，上腹部不快感，腹痛，食欲不振などの症状を生じる．治療は血糖コントロールが重要であるが，メトクロプラミドやドンペリドンなどの投与も有用である．

3) 糖尿病性下痢： 頻度は低いが，血糖コントロール不良で罹病歴の長い比較的若い男性に多いとされる．おもな症状は夜間の大量水様性下痢で，自律神経障害による腸管運動障害，腸内細菌の異常増殖，膵外分泌機能低下などが原因と考えられている．

4) 排便障害： 腸管運動障害による便秘や，糖尿病性下痢に併発して，自律神経障害による肛門括約筋機能障害から便失禁をきたすことがある．

5) 食道カンジダ症： 感染防御機構の低下による．有症状例では，抗真菌薬の投与が行われる．

6) その他： α グルコシダーゼ阻害薬により，糖の吸収障害を起こし，未消化の炭水化物が結腸で分解・発酵することでガスが発生し，放屁，腹部膨満，偽性腸閉塞，下痢，腸管気腫性嚢胞症などの症状をきたすことがある．

(2) 消化管アミロイドーシス

定義・概念

　消化管は全身性アミロイドーシスにおけるアミロイド沈着の好発部位であり，特に十二指腸，小腸および直腸に多く認められる．臨床症状は多彩で，全身倦怠感，体重減少，浮腫，貧血，悪心・嘔吐，食欲不振，下痢，消化管出血，腹部膨満などの消化器症状がみら

れる．沈着するアミロイド蛋白から，おもに以下の4つに分類される【⇨15-3-3】．

分類

1) **AL アミロイドーシス**：従来原発性アミロイドーシスといわれていたもので，免疫グロブリン軽鎖（light chain）由来の Aκ，Aλ を前駆体とした AL（amyloid-light chain）蛋白がおもに粘膜筋板，固有筋層，および粘膜下層の小血管周囲に沈着する．原発性マクログロブリン血症や多発性骨髄腫に伴うものとアミロイド蛋白が同一である．X 線および内視鏡検査では多発する粘膜下腫瘍様隆起と消化管壁の肥厚が特徴的とされる．

2) **AA アミロイドーシス**：従来続発性アミロイドーシスといわれていたもので，炎症時に反応する急性期蛋白である SAA（serum amyloid A）蛋白が，おもに粘膜固有層および粘膜下層の小血管周囲に沈着する．結核や膿瘍などの炎症性疾患に続発して起こることが多く，特に近年では関節リウマチに伴うものが最も多いとされる．X 線および内視鏡検査では微細顆粒状隆起が多発する粗糙な粘膜が特徴的とされる．

3) **TTR アミロイドーシス**：家族性アミロイドーシスや老人性 TTR アミロイドーシスにみられ，トランスサイレチンを前駆体とした ATTR が消化管の血管壁に沈着する．家族性アミロイドーシスの典型例は常染色体優性遺伝である．X 線および内視鏡検査では，特徴的な所見に乏しい．

4) **透析アミロイドーシス**：長期透析例に合併し，透析で除去されない β_2-ミクログロブリンを前駆物質とするアミロイドが固有筋層および粘膜下層の小血管周囲に沈着する．X 線および内視鏡検査では多発びらん，発赤，粘膜下腫瘍様隆起や粗糙粘膜など多彩で特徴的な所見に乏しい．

(3) 急性間欠性ポルフィリン症

定義・概念
ヘム合成に関与する酵素群の活性低下が原因となって生じる代謝性疾患である[25]．

病態生理
ヘム合成経路に関与する8つの酵素のうち，1番目のアミノレブリン酸合成酵素（ALAS）以外の酵素の活性の低下または欠損により，δ-アミノレブリン酸（ALA）およびポルフィリン前駆体ポルホビリノーゲン（PBG）が蓄積することで発症する【⇨15-6-1】．

臨床症状
腹部自律神経障害による突然の激しい腹痛で発症し，便秘・嘔吐などを伴うことがある．ヒステリーのような精神症状や痙攣を伴うこともあり，症状は多彩である．典型例では尿が赤色または赤褐色を呈する．

検査所見
発作中に認められる尿中の δ-ALA および PBG の上昇が特徴的である[25]．

治療
根本的な治療はなく，誘因（薬物，飲酒，喫煙，感染症，飢餓など）の回避と対症療法が中心となる．グルコースは ALAS を阻害して症状を緩和するため，グルコース大量療法が行われる．神経障害または筋力低下例に対してはヘムアルギネート製剤の静注が行われる（ヘム合成経路の律速酵素である ALA 合成酵素活性を低下させ，ポルフィリン前駆体の蓄積を低減する）．

〔後藤秀実〕

3) 血液疾患

血液疾患と消化管病変の関連では，血液疾患の合併症として消化管病変を生じる場合と，消化管病変によって血液疾患が生じる場合とがある．出血性疾患による消化管出血や，悪性リンパ腫など腫瘍の消化管への浸潤などが前者の例，消化管の悪性腫瘍による出血による貧血や回腸切除後の吸収障害による巨赤芽球性貧血などが後者の例である．

(1) 赤血球系疾患
a. 悪性貧血
胃粘膜の内因子分泌不全によるビタミン B_{12} の吸収障害によるものを悪性貧血とよび，自己免疫機序により惹起される．経口摂取されたビタミン B_{12} は胃底腺粘膜内の壁細胞から分泌される内因子と結合して終末回腸粘膜の内因子受容体を介して吸収されるが，ビタミン B_{12} が欠乏すると DNA 合成障害が起こり巨赤芽球性貧血をきたす．臨床症状としては悪心，嘔吐，腹痛，下痢などの消化器症状のほか，一般的な貧血症状や Hunter 舌炎とよばれる舌の乳頭萎縮と発赤などを呈する．内視鏡検査で胃底腺領域優位の著明な胃粘膜萎縮を認める【⇨16-9-3】．

(2) 白血球系疾患
a. 白血病
白血病の消化管病変としては，白血病細胞の消化管への浸潤による病変，化学療法の毒性による病変，免疫力低下に伴う日和見感染による病変などがあげられる．白血病細胞の消化管浸潤は全消化管に生じる可能性があり，多発するびらんや潰瘍を伴う粘膜下腫瘍様隆起，潰瘍，びらんなどその所見は多彩で，ときに致命的な消化管出血を起こすとあり注意が必要である．また化学療法による病変としては，消化管粘膜の破壊に高度な好中球減少が重なり，腸管壁での細菌増

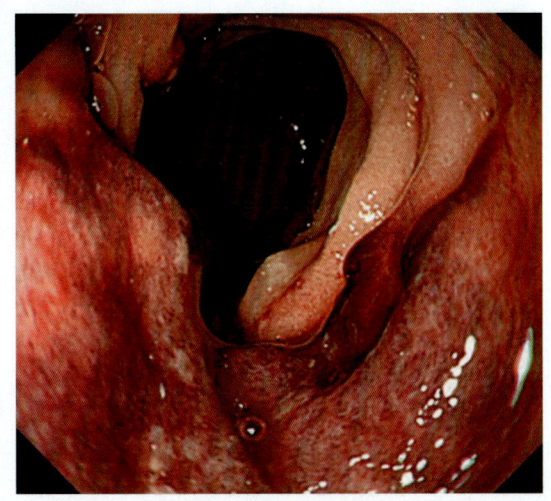

図 10-10-3 IgA 血管炎の十二指腸病変
十二指腸下行脚にびまん性に著明な発赤と浮腫を認める.

殖が起こって腸管壁の壊死および穿孔などを引き起こすことがある. 日和見感染としてはカンジダ症やサイトメガロウイルス感染症などが起こりうる.

b. 悪性リンパ腫

消化管悪性リンパ腫は節外性リンパ腫の約 30％を占め, そのうち 60～80％は胃原発で, 20～30％が小腸・大腸で, 食道は 1％以下ときわめてまれである. 消化管リンパ腫では mucosa-associated lymphoid tissue (MALT) リンパ腫とびまん性大細胞型 B 細胞リンパ腫 (DLBCL) が最もよくみられる. 胃原発では MALT リンパ腫が多く, そのほとんどに *Helicobacter pylori* 感染が関与しており, 除菌治療が有効なものがある. 腸原発では DLBCL の頻度が高く治療は外科手術と化学療法になる.

(3) 血小板/血管系疾患

a. IgA 血管炎

IgA 血管炎の 70～80％に消化器症状が出現し, その病変部位は十二指腸・小腸が最も多く, ついで大腸, 胃と続き, 食道はまれである. 上腹部痛で発症し内視鏡検査では特に十二指腸で, 発赤, びらん, 粘膜浮腫, 潰瘍, 紫斑様病変など多彩な所見を呈する (図 10-10-3). 内視鏡下消化管生検で血管炎を証明できることは少なく皮膚生検で確診となることが多い.

b. 遺伝性出血性末梢血管拡張症 (Osler 病)

Osler 病は常染色体優性遺伝の先天性疾患で, 皮膚や口唇, 口腔, 鼻腔, 消化管粘膜の局所的な毛細血管拡張と同部位からの出血を特徴とする. 出血は鼻出血が最も多く 80％以上の症例でみられ, ついで消化管出血が多い. 消化管内の telangiectasia は 50％以上の

症例にみられ, 13％に消化管出血が発症するといわれている. 粘膜の毛細血管拡張, 繰り返す出血, 家族歴などから診断は比較的容易である. 消化管出血に対しては, 内視鏡的止血術が行われ, 特にレーザー凝固の有用性が報告されている[26].

〔後藤秀実〕

4) 中枢神経疾患

(1) Cushing 潰瘍

1932 年に Cushing が脳腫瘍術後の患者に合併した食道・胃・十二指腸の消化管潰瘍を報告して以来, 頭部外傷, 脳血管障害, 脳腫瘍などの中枢神経障害に合併する消化管潰瘍を Cushing 潰瘍とよぶようになった[27]. 急性胃粘膜病変の 1 つで, いわゆるストレス潰瘍と考えられている. その機序は中枢神経障害に伴う副交感神経刺激あるいは交感神経麻痺から始まり, 視床下部における迷走神経刺激を介した胃酸分泌亢進と, 血管攣縮による胃粘膜血流の低下が潰瘍形成の主因と考えられている. 脳障害の局在をみると, 間脳 (視床, 視床下部) との関連が大きいとされる.

時期は中枢神経疾患発症後 3 日から 1 週間以内と比較的早期に発生し, 頻度は胃が最も多い. そのなかでも特に胃体部に多発することが知られている. 自覚症状を訴える能力が障害されている患者が多いため, 吐血や下血などの消化管出血が初発症状となることが多く, 消化管出血が致命的になることがある. 中枢神経障害の患者では Cushing 潰瘍の可能性を念頭におき, 血液検査にて貧血や BUN/Cr 比などに注意をする必要がある.

治療は活動性出血であれば内視鏡止血術を施行し, プロトンポンプ阻害薬や H_2 受容体拮抗薬などの胃酸分泌抑制薬の投与など, 通常の胃潰瘍治療と同様である. H_2 受容体拮抗薬に予防効果があるという報告がある.

(2) Curling 潰瘍

広範な熱傷後に発生する消化管潰瘍を Curling 潰瘍とよび, ストレスにより生じる機能的な脳の刺激により発症する. 症状に乏しく, 広範な浅い潰瘍が多発する場合が多い. 受傷後 2～3 日以内に消化管出血症状を呈する.

(3) その他

中枢神経障害患者では食物を食道に送り込む機能が障害され, 嚥下障害をきたすことが少なくない. 摂食困難による栄養障害だけでなく, 誤嚥性肺炎のリスクもあり, 経管栄養や胃瘻造設術の適応となる. その他, 腸管蠕動低下によるさまざまな障害が起こりやす

く，便秘や嘔気・悪心・腹痛などの症状を呈しやすい．このような患者では腸管拡張に伴うS状結腸捻転症や，直腸肛門部の血流障害により生じる急性出血性直腸潰瘍症などの下部消化管疾患のリスクも高くなる．これらの疾患の予防や治療には日常からの便秘の改善や，体位変換による血流低下の防止が必要である．

〔後藤秀実〕

5）内分泌疾患

(1) 甲状腺疾患

甲状腺ホルモンが増加する状態では腸管運動が亢進するため排便が促進され，さらに高度な状態では下痢が生じやすくなる．一方，甲状腺ホルモンが減少する状態では逆に腸管運動が低下するため便秘・腹部膨満をきたすことが多い．

(2) 副甲状腺（上皮小体）疾患

副甲状腺機能亢進症では副甲状腺ホルモンにより血中カルシウム濃度が上昇するため高カルシウム血症を伴い，その症状として食欲不振・悪心・嘔吐・便秘などを生じる．また，高カルシウム血症がガストリンの分泌を介して胃酸分泌を促進し消化性潰瘍を起こすこともある．なお，副甲状腺機能亢進症の原因となる副甲状腺腺腫では multiple endocrine neoplasia type 1 として膵内分泌腫瘍を伴うことがあり，その膵内分泌腫瘍からガストリンが産生されていることもあるので注意を要する．

(3) 副腎疾患

皮質からはグルココルチコイドおよびミネラルコルチコイドが産生され，髄質からはアドレナリンなどカテコールアミンが産生される．グルココルチコイドが増加する状態（副腎腺腫，ACTH産生下垂体腺腫）ではCushing症候群が有名であるが，消化性潰瘍を生じやすいともいわれる．一方，グルココルチコイドが減少する状態（Addison病）では食欲不振・悪心・嘔吐・下痢・便秘など多彩な消化管症状が生じるが，これにはミネラルコルチコイド減少による電解質異常（低ナトリウム血症，高カリウム血症）も関与していると考えられる．また，ミネラルコルチコイドが増加する状態（原発性アルドステロン症）では低カリウム血症により腸管運動は低下し便秘が生じやすい．

褐色細胞腫ではカテコールアミンが増加するため腸管運動が抑制され便秘となるが，高度なものでは麻痺性イレウスや巨大結腸症が起こることもある．さらに，急激なカテコールアミン増加が起こる際（褐色細胞腫クリーゼ）には血圧の急上昇とともに血管が収縮し臓器の血流不全が生じるため，腸管虚血により嘔吐・腹痛・便秘や下痢・消化管出血をきたすことがある．

(4) 消化管ホルモン関連疾患

消化管の粘膜には各種の内分泌細胞が散在しさまざまな消化管ホルモンを分泌している【⇨10-1-5】（eノート1）．消化管ホルモンが増加する状態では消化管症状をきたすことがある．ガストリン産生腫瘍では胃酸分泌亢進により難治性消化性潰瘍を起こしZollinger-Ellison症候群といわれ，VIP産生腫瘍（VIPoma）では水様下痢（watery diarrhea）・低カリウム血症（hypokalemia）・無胃酸症（achlorhydria）を起こしWDHA症候群といわれる．ただし，このような場合には消化管の粘膜ではなく膵臓で腫瘍を形成していることが多い[28]．

〔後藤秀実〕

6）免疫疾患

正常の消化管粘膜ではB細胞，T細胞，NK（natural killer）細胞，マクロファージなどの免疫担当細胞が腸管関連リンパ組織（gut-associated lymphoid tissue：GALT）を構成し，腸管内抗原に対するさまざまな応答を行う．経口摂取された食物成分や常在腸内細菌では免疫寛容もしくは免疫系に認識されない状態が保たれるが，病原体に対しては免疫応答が誘導され，粘膜のバリアを守るよう働く．これらは粘膜免疫とよばれ，全身系免疫とは異なる独特な免疫システムである．免疫異常をきたす全身疾患や免疫に関係する薬剤の投与によりこの粘膜免疫が破綻し，さまざまなタイプの消化管病変が出現する．よって本症では粘膜の変化を認めることが多いため，診断には上・下部消化管内視鏡検査が有用であり，小腸の傷害が疑われる場合にはカプセル内視鏡もしくはバルーン内視鏡が用いられる．原発性免疫不全症では原因不明の潰瘍，スプルー様病変や消化管腫瘍の合併を認める．これらは免疫の異常応答が一因とされる．human immunodeficiency virus（HIV）による acquired immunodeficiency syndrome（AIDS），adult T-cell leukemia/lymphoma，移植片対宿主病（GVHD）などの続発性免疫不全症に起こった消化管病変はときに重篤となる．

(1) AIDSによる免疫不全と消化管病変

HIV感染者においては消化管感染症と腫瘍性病変が問題となる．CD4陽性T細胞の減少が進行すると日和見感染症が合併する．それらはサイトメガロウイルス（cytomegalovirus：CMV）感染症，非結核性抗酸菌複合体感染症，ヘルペスウイルス感染症，カンジダ

症，クリプトスポリジウム感染症などが代表的である．本疾患では性感染症を伴うことがあり，赤痢アメーバ症，尖圭コンジローマ，ジアルジア症が発症する．CD4陽性リンパ球数の回復により自然治癒することがある．腫瘍性疾患としてはKaposi肉腫や悪性リンパ腫の合併を認める．

(2) 移植片対宿主病（graft-versus-host disease：GVHD）

同種造血幹細胞移植後に起こり，急性の場合，難治性の水様性下痢や嘔吐，食欲不振で発症する．治療によって傷害を受けた消化管粘膜に取り込まれた宿主の抗原提示細胞が，移植された成熟リンパ球によって非自己と認識されるため粘膜が攻撃され組織傷害が起こるとされる．診断時における内視鏡所見の特徴は，広範囲の浮腫，粘膜脱落，びらん，潰瘍などであるが[29]，同種造血幹細胞移植後ではCMV腸炎や血栓性微小血管障害（thrombotic microangiopathy：TMA）でも同様の臨床像を認めるため，鑑別のため粘膜生検を用いた病理学的評価を行う．本症におけるその特徴はリンパ球浸潤を伴う陰窩上皮のアポトーシスを認めることである．CMV感染では巨大な封入体細胞の検出することによって鑑別診断できるが，TMAは特異的な所見に乏しいため診断に迷うことがある．

〔後藤秀実〕

7）循環器疾患

(1) 循環不全と消化管病変

消化管もほかの臓器と同様に循環不全に伴い臓器障害を受ける．すなわち臓器血流低下による細動静脈の収縮，毛細血管血流の低下，粘膜虚血，フリーラジカル産生，血管透過性亢進が複合的に関与して粘膜および粘膜下層を中心にした障害が生じる．また循環不全が急性か慢性か，局所循環の血流障害（血栓，塞栓，動脈攣縮など）か大循環の血流障害（ショック）かによっても影響はさまざまある．

a. 急性循環不全と潰瘍性病変

敗血症性ショックや血液量減少性ショックの治療中またはその回復後1〜2週間以内に消化管の広範なびらん，潰瘍が出現し，消化管出血をきたすことがある．血液量減少性ショックよりも敗血症性ショックにみられることが多いとされ，単に血流障害のみではなく，フリーラジカルによる組織傷害，防御因子低下の関与が示唆される．胃には急性胃粘膜病変（AGML）を認め，不整形のUL-Ⅱ程度の浅い潰瘍が多発する例が多い．

b. 局所循環不全と消化管病変

局所循環不全による消化管病変の代表として腸間膜動脈閉塞症がある．粥状動脈硬化症が関与する血栓症と心房細動や弁膜症が成因となる塞栓症に分かれ，上腸間膜領域を中心に急激な腸管虚血をきたし進行すると腸管壊死に至る．心血管系疾患発症の危険因子とされる．ほかにはプロテインC，S欠損など血液凝固異常を背景にもつ腸間膜静脈閉塞症や，心拍出量低下や循環血漿量の減少に伴い生じる血管攣縮や薬剤が原因と考えられる非閉塞性腸管梗塞（NOMI）があり，全身状態の悪化例に発症が多く予後も不良とされる．一方，慢性的な循環不全としては慢性腸間膜虚血症である腹部アンギーナがある．通常腸管を栄養する主要血管である腹腔動脈，上腸間膜動脈，下腸間膜動脈の3本のうち2本以上が高度な粥状硬化性狭窄もしくは閉塞をきたすことで発症する．通常は無症状であるが，食事などで腸管運動亢進によって相対的な虚血状態に至り腹痛症状が誘発される．

ⓔコラム1も参照．

(2) 心不全と消化管病変

肺性心，肺梗塞などの右心不全を認める場合は，静脈還流障害により腸管浮腫をきたし吸収不良症候群，蛋白漏出胃腸症の原因となることがある．うっ血性心不全でも悪心，嘔吐，食欲低下，便秘などの消化管症状をきたすことがあり，原疾患のコントロールが重要となる．

(3) 抗血栓薬と消化管病変

心筋梗塞や脳梗塞などの血管閉塞性疾患に対し抗凝固薬，抗血栓薬による抗血栓療法が広く行われており，年々増加傾向にある．それに伴い低用量アスピリンなどによる消化管粘膜傷害が増加している．カプセル内視鏡やバルーン内視鏡の普及により胃以外，特に小腸粘膜で傷害をきたすことが周知されてきた[30]．

〔後藤秀実〕

■文献（ⓔ文献10-10）

朝倉 均：消化器病態の特徴―膠原病の消化管病変．Mod Physician．2002; 22: 1362-7．
吉川敏一，内山和彦，他：膠原病にともなう消化管病変．日本消化器病学会雑誌．2001; 98: 385-9．

10-11 薬剤・異物と消化管

1）薬剤起因性消化管障害

(1) 非ステロイド系抗炎症薬(NSAIDs)/アスピリンによる消化管粘膜傷害

概念

2014(平成26)年度版の高齢社会白書によると、日本の総人口は1億2730万人、65歳以上の高齢化率は25.1%である。厚生統計協会編平成23年患者調査によると、年齢階級別疾病大分類別受療率(外来)は高齢者で高く、特に循環器系疾患や整形外科系疾患による受診が多い。したがって、それぞれ血栓症の二次予防として低用量アスピリン(LDA)などの抗血小板薬、NSAIDsの投与症例は増加すると予測される。詳細はⓔコラム1参照。

NSAIDs および低用量アスピリン(low dose aspirin: LDA)の副作用として、消化性潰瘍と合併症としての上部消化管出血が最も重要である。NSAIDsによる粘膜傷害は、急性疾患としては急性胃炎あるいは急性胃粘膜病変(AGML)、また慢性疾患として消化性潰瘍に分けられる。AGMLの原因は多岐にわたるが、薬剤性のうちNSAIDsを原因とするものが約4割を占めるとされる。

潰瘍のリスクファクターと重みに関するメタ解析によると、*Helicobacter pylori*(−)/NSAIDs(−)の潰瘍危険率を1とした場合、オッズ比は*H. pylori*(＋)で18.1、NSAIDs(＋)で19.4、*H. pylori*(＋)/NSAIDs(＋)では61.1に増大し、合併症としての潰瘍出血はそれぞれ1.79、4.85、6.13に増加する(表10-11-1)。最近のメタ解析でも、NSAIDs内服による上部消化管出血、穿孔のリスクは非内服の4.5倍とされる(ⓔコラム2)。

カプセル内視鏡、小腸内視鏡の普及とともにNSAIDsによる小腸病変も注目されている。健常人を

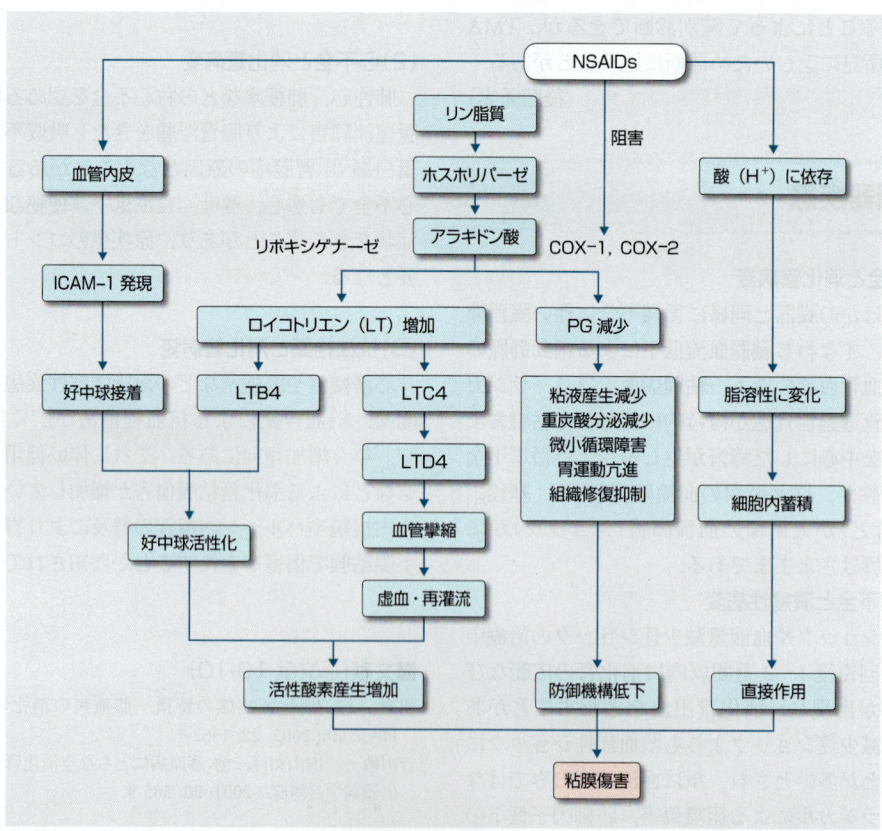

図 10-11-1 NSAIDsによる上部消化管粘膜傷害機序の仮説(胃潰瘍ガイドラインの適応と評価に関する研究班編:EBMに基づく胃潰瘍診療ガイドライン 第2版、p14、じほう、2007より改変引用)
NSAIDは酸に依存した直接作用、COX-1およびCOX-2阻害に伴う胃粘膜防御機構、組織修復機序の破綻により胃粘膜抵抗性を減弱させる作用が主要な機序である。さらに、接着因子の発現から好中球の内皮への接着、好中球の活性化による活性酸素、プロテアーゼの放出による作用も想定される。

対象とした臨床研究では，2週間のNSAIDs内服者で，粘膜発赤，びらん，潰瘍などの小腸病変の発生頻度は55〜71％，低用量アスピリンでも高頻度（20〜71％）に粘膜病変が観察されると報告されているが，いずれも少数例の成績である．一般の内服者における実態と臨床上の重要性は今後の課題である．

疫学・頻度

1991年の日本リウマチ財団の報告によると，3カ月以上のNSAIDs投与を受けている関節炎患者における内視鏡による潰瘍発見率は胃潰瘍15.5％，十二指腸潰瘍1.9％である．同年の日本消化器集団検診学会統計の発見率（胃潰瘍1.04％，十二指腸潰瘍0.49％）と比較しても高率である．Cochrane Libraryのメタ解析から，3カ月以上のNSAIDs投与患者における潰瘍の発見頻度をみると，胃潰瘍16.5％（491例/2972例），十二指腸潰瘍7.0％（169/2427例）と算出された．このように長期のNSAIDs投与による消化性潰瘍の発生頻度は20％前後と考えられる．

一方，欧米の研究で，血管イベントの抑制を目的とした長期のLDA内服者における潰瘍発見率は10.7％であった．わが国におけるLDA潰瘍の実態については，全国規模のMAGIC研究（Management of Aspirin-induced Gastro-Intestinal Complications）の結果，潰瘍予防がなされていない低用量アスピリン内服者では，消化性潰瘍が8.4％にみられている．

病態

NSAIDsの抗炎症作用はシクロオキシゲナーゼ（COX）の阻害により発揮される．アスピリンを含む酸性NSAIDsは，胃酸の存在下で細胞内に蓄積され，エネルギー代謝の抑制から粘膜上皮傷害を起こす．またNSAIDsは内因性プロスタグランジン（PG）低下を介して粘膜防御機構の破綻をきたす．これがNSAIDsの"dual insult hypothesis"とされる概念である．その他に実験的に，NSAIDs負荷により胃血管内皮における接着分子（ICAM-1）の発現および好中球の血管内皮への接着への増強，炎症性サイトカイン産生の誘導がみられ，好中球の内皮への接着および活性化は活性酸素やプロテアーゼの放出を介して粘膜傷害を惹起する機序が想定される（図10-11-1）．しかし，この機序はヒトにおいて臨床的には証明されていない．

臨床症状

一般の潰瘍患者では，食後・空腹時の心窩部痛を2/3以上で認め，無症状は8〜12％である．対照的に，NSAIDs潰瘍では心窩部痛は36％にとどまり，無症状が40％をこえる．NSAIDsの鎮痛効果のため疼痛の自覚が少ないと推定され，出血，穿孔で急性に発症しうることに留意が必要である．

診断

NSAIDs潰瘍の診断は，病歴と消化管内視鏡検査が中心となる．幽門部から前庭部に多発する比較的小さな潰瘍，あるいは前庭部の深い下掘れ潰瘍，不整形の巨大潰瘍などが特徴であるが，特異的ではない．潰瘍，上部消化管出血のリスクは明らかに高まる．NSAIDs潰瘍のリスクファクターとして，出血性潰瘍の既往，合併症のない潰瘍の既往，高用量あるいは複数のNSAIDs，抗血小板薬・抗凝固薬あるいは糖質ステロイドの併用，高齢，H. pylori感染などがあげられる．これらのリスクファクターの重みとリスクの数を考慮して，高・中程度・低リスクに分類する試みも提唱されている（表10-11-2）．なお，H. pylori感染は独立した相加的なリスク因子であり，ほかのリスクファクターとは分けて対処する必要があるとされる．

治療方針（日本消化器病学会，2015）

NSAIDsの主要な傷害機序の観点から，予防および治療方針は酸分泌抑制およびPG投与が中心となる．日本消化器病学会では，消化性潰瘍診療ガイドラインを作成しており，2015年に改訂第2版が発行された．
1）治療法：まず合併症として，噴出性あるいは湧出性出血，露出血管を有する出血性潰瘍では，原因のいかんを問わず内視鏡止血の適応となる．内視鏡止血ができない出血性潰瘍に対してはinterventional radiology（IVR），あるいは外科手術が適応となる．60歳以上の高齢者では外科手術の適応は早期に決定すべきである．

出血のない消化性潰瘍が確認された場合，まずNSAIDsの中止あるいは減量を試みるが，基礎疾患をもつ患者ではNSAIDsの中止が困難である場合が多い．NSAIDsの継続投与が必要な場合には以下の治療選択をとる．

十二指腸潰瘍の8週治癒率は，オメプラゾール（20

表10-11-1 H.pylori感染とNSAIDsの消化性潰瘍の発生および潰瘍出血に与えるオッズ比（OR）
(Huang JQ, Sridhar S, et al: Role of Helicobacter pylori infection and non-steroidal anti-inflammatory drugs in peptic-ulcer disease: a meta-analysis. Lancet, 2002; 359: 14-22 より引用改変)

	潰瘍発症		潰瘍出血	
	H. pylori(−)	H. pylori(+)	H. pylori(−)	H. pylori(+)
NSAIDs(−)	1	18.1	1	1.79
NSAIDs(+)	19.4	61.1	4.85	6.13

表10-11-2 NSAID潰瘍発生のリスクファクターとリスクの層別化(Lanza FL, Chan FK, et al: Guidelines for prevention of NSAID-related ulcer complications. Am J Gastroenterol. 2009; 104: 728-38 より引用改変)

- ● 高リスク
  1. 合併症*1を伴う潰瘍の既往(特に最近の既往)
  2. 多数(3つ以上)のリスクファクター*2の存在
- ● 中等度リスク(リスクファクター1～2つ)
  1. 高齢(>65歳)
  2. 高用量NSAIDsの服用
  3. 合併症を伴わない潰瘍の既往
  4. アスピリン(低用量を含む)とステロイドあるいは抗凝固薬の併用
- ● 低リスク
  1. リスクファクターなし

*1:出血,穿孔など,*2:中等度リスクに示した1～4のリスク因子.

mg/日)で93%,ラニチジン(300 mg/日)で79%,ミソプロストール(800μg/日)で79%とされる.胃潰瘍の8～9週治癒率はPPIで73～87%,ミソプロストール(800μg/日)で62～73%,ラニチジン(300 mg/日)で53～64%,プラセボで19～32%である.これらの薬剤のうち,ランダム化試験(RCT)でプラセボにまさる潰瘍治癒効果が証明されている薬剤はPPIとPG製剤である.

したがって,NSAIDs中止が不可能ならば,PPIあるいはPG製剤の投与を行う.ミソプロストールでは,投与中断に至る腹痛,下痢の頻度が高く,女性では子宮収縮作用に留意が必要である.

2)予防: NSAIDs投与開始予定者(NSAIDs-naïve)でH. pylori陽性例では除菌が潰瘍予防に有効である.前述のように,潰瘍の既往,高齢,グルココルチコイドの併用,高用量のNSAIDsの内服などのリスクファクター(表10-11-2)を考慮し,高リスク者では潰瘍の予防にPPI,PG製剤(ミソプロストール400～800μg/日)を投与する.2010年以降,PPI(ランソプラゾール15 mg/日,エソメプラゾール20 mg/日)が,NSAIDs投与時における胃潰瘍または十二指腸潰瘍の再発抑制の適用を取得しており,潰瘍既往がある患者では,潰瘍再発の予防のため前記のPPI投与を行う.また,NSAIDs潰瘍の予防にCOX-2阻害薬の代替使用は有用である.

LDAを服用する患者は消化性潰瘍の発症率,有病率が高い.潰瘍,消化管出血の治療後のLDA内服患者ではH. pylori陽性の場合除菌が勧められる.しかし,除菌単独では再発予防の効果が不十分であるため,PPIによる維持療法を行うことが推奨される.わが国では,ランソプラゾール(15 mg),エソメプラゾール(20 mg),ラベプラゾール(5 mg あるいは10 mg)がLDA投与時における潰瘍の再発抑制の効能を取得している.

(2)顕微鏡的大腸炎(microscopic colitis:MC)による消化管粘膜傷害

MCは1980年以降疾患概念が確立した疾患で,下血を伴わない慢性の水様下痢を呈する.病理組織学的には上皮下に肥厚したcollagen band(10μm以上)を伴うcollagenous colitis(CC)と,collagen bandを欠き粘膜上皮内にリンパ球の増加を示すlymphocytic colitis(LC)に大別される.欧米の最近のメタ解析では,発生はCCで4.14/10万人/年,LCで1.92/10万人/年と推計され,炎症性腸疾患と同等の発症率とされる.男女比は1:3.05と女性に多く,診断時の中央値年齢はCCで65歳,LCで62歳,加齢ともに発症率は高くなる(Tongら,2015).疫学的には遺伝的素因,橋本病などの自己免疫疾患,糖尿病などとの関連が示唆されているが,病因は不明である.PPI,SSRI,NSAIDsなどの薬剤との関連が示唆されている.典型的なMC患者は長期に続く下痢などの症状をきたす.欧米では内視鏡的および注腸検査では異常所見を認めないことが特徴的であるとされ,MCと命名されてきた.わが国でも,特にCCの報告例が増えており,縦走潰瘍などの潰瘍性病変をみることもある.薬剤起因性では,原因薬剤の中止で症状は改善し治癒する.薬剤の関与が不明あるいは薬剤の中止が不可能の場合には,ステロイド,特にブデソニドの投与が有効とされる.

(3)抗癌薬による消化管障害

抗癌薬は,有効域と毒性域が近接しているため,臨床薬理を理解したうえで,患者状態の把握,画像診断などによる治療効果の評価,血液検査などの定期的な有害事象のモニタリングが必須である(有害事象共通用語規準,2015).

消化器症状のうち,悪心・嘔吐は化学療法を受けている患者の80%程度にみられる合併症である.精神的な苦痛が大きいため,抗癌薬の嘔吐リスクに応じた制吐薬の予防投与が必要である.下痢には,コリン作動性の早発性,数日以降に発症する遅発性の下痢がある.後者は腸粘膜傷害により発症する.また,口内炎は3～10日後に発症し,化学療法の継続に支障をきたすため十分な予防と初期からの管理(口腔ケア)が必要である.

(4)抗菌薬による消化管障害

抗菌薬起因性出血性腸炎(Klebsiella oxytoca),菌交

代現象による MRSA 腸炎【⇨ 6-3-1-1】，*Clostridium difficile* 腸炎（偽膜性腸炎）【⇨ 10-5-2】がある．

〔平石秀幸〕

■文献

日本消化器病学会編：消化性潰瘍診療ガイドライン 2015 改訂第 2 版，南江堂，2015．

Tong J, Zheng Q, et al: Incidence, prevalence, and temporal trends of microscopic colitis: a systematic review and meta-analyis. *Am J Gastroenterol*. 2015; 110: 265-76.

有害事象共通用語規準 v4.0 日本語訳 JCOG 版（CTCAE v4.0 - JCOG）2015 年 3 月 10 日版．http://www.jcog.jp/doctor/tool/CTCAEv4J_20150310.pdf

2）異物・嗜好品と消化管障害

定義・概念

消化管異物は，通常存在しない物質が消化管に停滞する病態である．多くは小児期に発生し，ピークは生後 6 カ月～6 歳にある．成人では精神疾患，精神発達遅滞，アルコール依存症者や高齢者に多い．小児では硬貨，成人では食物塊が多いが，高齢者の義歯，PTP（press through pack）が増えている（ASGE Standards of Practice Committee, 2011）．80％以上は自然に排泄される異物であり治療の適応はないが，形状，大きさ，成分によっては早急に摘出する必要があるため，異物を緊急性の有無により大別する分類が一般的である（表 10-11-3）．場合により潰瘍形成，消化管出血，穿孔，消化管閉塞を引き起こす．また，消化管粘膜障害のリスクのある嗜好品として，高濃度アルコールや激辛食品などは急性胃粘膜病変を起こしうる．

病態生理

鋭利な異物は消化管壁を損傷し穿孔をきたす．ビニール袋，胃石などの大きな異物は消化管での停滞，圧迫により，壊死，潰瘍形成，穿孔をきたし，通過障害によりイレウスを起こす．内容物が消化管に被曝すると，生体に重篤な影響を及ぼす異物として，マンガン電池，アルカリ電池はアルカリを生じ，ボタン電池は内容の漏出をきたす．

臨床症状

異物の嚥下あるいは誤嚥の問診が重要である．嚥下困難，嚥下痛があれば，食道異物を疑う．頸部の腫脹，圧痛，握雪感は，咽頭，食道の穿孔を示唆する．消化管の潰瘍形成により腹痛，消化管出血をきたし，穿孔により腹痛など腹膜刺激症状，イレウスでは嘔吐，腹痛，排ガス・排便の停止をきたす．

診断

頸部，胸部，腹部の単純 X 線撮影（正面像と側面像）を行い，異物の形状と部位，陥入など停滞の状態，穿孔，イレウスの有無を確認する．CT 検査は X 線透過性のある異物でも認識できるため有用である．

治療

食道内異物は何らかの症状を伴うことが多く，内視鏡的摘出を行う．特に鋭利な異物，ボタン電池は穿孔の危険性が高く，緊急に摘出する（岡村ら，2012）．閉塞を起こしうる異物では食道での停滞により圧迫壊死，穿孔に留意する．食道穿孔時は外科手術の適応である．胃に自然に進んだ異物は，時間の経過とともに十二指腸に排出されることが多いが，鋭利な異物，ボタン電池は穿孔の危険があり，胃内にとどまるうちに摘出する．幽門輪を通過すれば自然排出されることが多いが，異物の種類により穿孔，イレウスが出現すれば外科手術の適応である．

〔平石秀幸〕

■文献

ASGE Standards of Practice Committee.Guideline: Management of ingested foreign bodies and food impactions. *Gastrointest Endosc*. 2011; 73:1085-91.

岡村誠介，小澤俊文，他：異物除去，狭窄治療．消化器内視鏡ハンドブック（日本消化器内視鏡学会卒後教育委員会編），pp277-87，日本メディカルセンター，2012．

表 10-11-3 異物の種類と摘出術の適応（赤松泰次，他：異物摘出術ガイドライン．消化器内視鏡ガイドライン 第 3 版（日本消化器内視鏡学会卒後教育委員会編），pp206-14，医学書院，2006 より改変引用）

1．緊急性がある場合 　A．消化管壁を損傷する危険性のあるもの 　　有鉤義歯（部分入歯），針，PTP 包装，魚骨（特に鯛骨），ガラス片，剃刀刃，爪楊枝，アニサキスなど 　B．イレウスをきたす危険性のあるもの 　　ビニール袋，胃石，食物塊（肉片など）など 　C．毒性物質を含有するもの 　　乾電池（マンガン，アルカリ），ボタン電池（水銀，リチウム，アルカリマンガン）など 2．緊急性がない場合 　硬貨，パチンコ玉，ビー玉，碁石，カプセル内視鏡など

11. 肝・胆道・膵の疾患

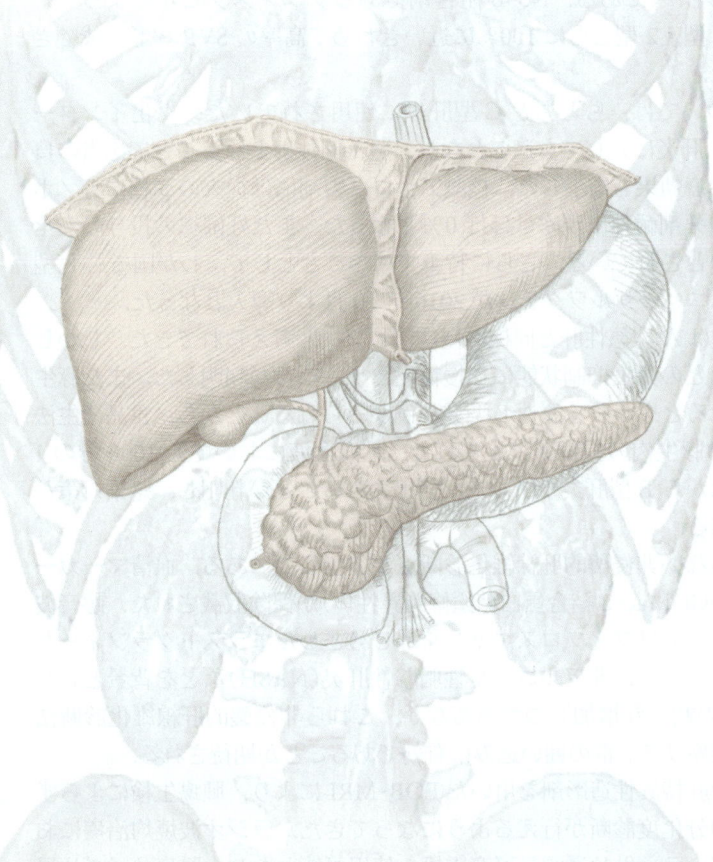

1. 内科学総論
2. 老年医学
3. 心身医学
4. 症候学
5. 治療学
6. 感染症
7. 循環器
8. 血圧の異常
9. 呼吸器系
10. 消化管・腹膜
11. 肝・胆道・膵
12. リウマチ・アレルギー
13. 腎・尿路系
14. 内分泌系
15. 代謝・栄養
16. 血液・造血器
17. 神経系
18. 環境要因・中毒

肝・胆道・膵

11.1 肝疾患総論……………1033	11.10 薬物性肝障害……………1102	11.19 寄生虫による肝疾患……1133
11.2 急性ウイルス性肝炎………1057	11.11 体質性黄疸……………1104	11.20 妊娠と肝障害……………1135
11.3 劇症肝炎・亜急性肝炎……1068	11.12 代謝性肝疾患………【⇒15章】	11.21 新生児黄疸・新生児肝炎…1138
11.4 慢性肝炎……………1075	11.13 肝腫瘍……………1108	11.22 胆道・膵疾患総論……1141
11.5 非アルコール性脂肪性肝疾患…1086	11.14 肝膿瘍・肝嚢胞……………1120	11.23 胆石症および胆道感染症…1150
11.6 肝硬変……………1090	11.15 特発性門脈圧亢進症……1123	11.24 良性胆道狭窄（閉塞）……1159
11.7 原発性胆汁性胆管炎………1095	11.16 肝静脈閉塞症・門脈閉塞症…1126	11.25 膵・胆管合流異常症……1164
11.8 原発性硬化性胆管炎………1097	11.17 循環不全時の肝障害……1128	11.26 先天性胆道拡張症……1165
11.9 アルコール性肝障害………1099	11.18 ほかの疾患に伴う肝障害…1131	11.27 胆嚢・胆道の腫瘍……1167
		11.28 膵疾患……………1175

肝・胆道・膵疾患における新しい展開

　C型肝炎に対しては長年インターフェロンをキードラッグとする治療が行われてきた．C型肝炎ウイルス（HCV）の複製にかかわる非構造蛋白（NS）の機能を阻害する直接作動型抗ウイルス剤（DAA）の登場により，インターフェロンを用いない治療，すなわち「インターフェロンフリー治療」が可能となったことが最大のトピックスである．NS5B阻害剤であるソフォスブビルによって，ジェノタイプ1型・2型ともに100％に近いきわめて高率のSVR率を達成できるようになった．

　B型肝炎については，もともとC型肝炎に使用されていたペグ化インターフェロンがB型肝炎に対しても適応となり，週1回注射となることで患者の負担が軽減し，治療効果も向上した．核酸アナログ製剤には従来の3種にテノホビルが加わり，薬剤耐性出現率はほぼ0％となった．また妊婦への投与の安全性も比較的高いとされている．さらに特筆すべきこととして，わが国でもB型肝炎に対するユニバーサルワクチンが2016年10月より導入となった．

　E型急性肝炎はA型急性肝と同様に慢性化しないと考えられてきた．しかしながら移植後などの免疫抑制状態にて慢性化しうることが判明した．また豚生レバー摂食によると思われる急性E型発生例がみられることから，食品衛生法にて飲食店での豚生肉の提供が禁止された．献血血液においても1000分の1以下の低頻度ながらE型肝炎ウイルスが検出されることが判明し，感染対策が今後の課題である．

　肝生検によらない非侵襲的肝線維化診断法が進歩しつつある．血清マーカーとしてはM2BPGi（Mac-2結合蛋白糖鎖修飾異性体）が保険収載された．超音波を用いる手法としてはフィブロスキャンをはじめとしたエラストグラフィーが広く用いられつつある．非アルコール性脂肪性肝炎（NASH）などを背景とした非B非C肝癌の割合が増加しつつあるなか，これら非侵襲的肝線維化診断法が，新たな肝発癌リスク群の囲い込みに有効であることが期待される．

　造影超音波や肝特異性造影剤を用いたEOB-MRIにより，腫瘍生検によらずとも肝細胞癌の分化度診断が行えるようになってきた．ラジオ波焼灼治療においては，バイポーラー針や通電長可変電極も使用可能となり，腫瘍サイズや局在に応じた治療の選択肢が広がった．また，治療直前の超音波画像と治療中または治療直後の超音波画像を融合するUS-US fusionも新しい手法として登場した．

　胆膵疾患では超音波内視鏡（EUS）を用いた穿刺吸引生検（EUS下FNA），EUS下にソナゾイド造影を行うEUS造影検査，EUSを用いた胆道ドレナージやステント留置などのinterventional EUSが最近活発に行われている．

　膵疾患では慢性膵炎および自己免疫性膵炎の診断基準の確立がトピックスである．また，膵癌の早期診断においてIPMNに併存する膵癌の早期発見のためのEUSによる定期的スクリーニングの重要性が認識されるようになってきた．

〔工藤正俊〕

11-1 肝疾患総論

1）肝疾患患者のみかた（肝機能検査とその評価）

(1) 発見の契機

a. 健康診断，人間ドック，献血

慢性肝疾患は自覚症状のないことが多く，健康診断などの機会に肝機能検査値の異常で発見されることが多い．特に脂肪性肝疾患やアルコール性肝障害はこの傾向が強い．B 型肝炎は健康診断のほか，家族調査や献血などで発見されることも多い．C 型肝炎発見の契機をみると，約 70％は健康診断などで発見され，自覚症状で発見されるのは 10％程度にすぎない．さらに，B 型および C 型慢性ウイルスが持続感染していてもトランスアミナーゼ値が基準値内を示すことが多く，そのスクリーニングには肝炎ウイルスマーカーの検査が必要である．

b. 自覚症状

急性肝炎や慢性肝炎の急性増悪でトランスアミナーゼが急激に上昇する場合は倦怠感，食欲低下などの症状が出現する．これら症状の特異性は低いが，肝胆道疾患発見の契機となる．さらに肝障害度が強くなると黄疸が出現する．黄疸は肝胆道疾患に特異性が高く，重要な症状である．皮膚の黄染ばかりでなく，褐色尿で気がつくことも多い．胆汁うっ滞に伴う黄疸では瘙痒感を伴いやすい．右季肋部を中心とした腹痛は胆石症のみならず，肝胆道系の感染症や悪性疾患発見の契機となる．

(2) 医療面接のポイント

a. 現病歴

急性の肝障害では，発症前 6 カ月間の生活歴や薬物歴を詳細に聴取する．生活歴では，観血的医療行為，海外渡航，性的接触，生の魚介類やブタ・イノシシ・シカの生肉摂取，大量飲酒，薬物乱用の有無などを聴取する．薬物歴では，医療機関で使用するもの以外に，漢方薬や健康食品などにも注意する．慢性の肝障害では，飲酒，肥満，薬物などについての聴取は基本である．症状の出現やその推移を聴取することは当然であるが，このなかで，黄疸，腹水，肝性脳症などの肝不全症状の有無を確認することは肝障害の重症度を判断するうえで重要である．

b. 既往歴

手術歴，輸血歴，薬物乱用歴，刺青歴は肝炎ウイルスの感染経路の推定に役立つ．飲酒歴では機会飲酒，常習飲酒家（日本酒換算 3 合 / 日以上），大酒家（日本酒換算 5 合 / 日以上）などを区別する．日本住血吸虫症，包虫症などの診断には居住地域が関連する．

c. 家族歴

家族集積性の強い B 型肝炎や，血族結婚で頻度が高い遺伝性代謝性疾患では家族歴の聴取が特に重要である．

(3) 身体診察のポイント

a. 意識状態

肝性脳症は肝不全に伴う意識障害でありⅠ～Ⅴ度に分類される（e表 11-1-A）．この脳症に特徴的な羽ばたき振戦はⅡ度とⅢ度でみられやすい．

b. 栄養状態

過栄養は非アルコール性脂肪性肝疾患のおもな原因であり，BMI（body mass index）などで評価して診断の参考にする．非代償性肝硬変では脂肪組織や筋肉量が減少し栄養状態は悪化しやすい．しかし，水分貯留のため体重は減らないことも多い．

c. 黄疸と皮膚症状

眼球結膜は白色であり柑皮症では黄染しないので，皮膚に比較して黄疸の判定がしやすい．血中総ビリルビンが 2.0～3.0 mg/dL 以上になると黄疸を肉眼的に確認することが可能であり顕性黄疸とよばれる．

手掌紅斑，くも状血管腫，女性化乳房などの所見は慢性肝疾患，特に肝硬変の診断に有用である．慢性の胆汁うっ滞では，瘙痒感によるかき傷や高コレステロール血症に伴う黄色腫がみられることがある．

d. 腹部

肝の大きさは肝濁音界の確認と触診により評価する．肝が触知されることは必ずしも異常ではないが，右鎖骨中線上肋骨弓下に 2 横指以上触知する場合や硬度が増している場合は異常所見としてとらえる．肝萎縮では肝濁音界が縮小する．脾濁音界の拡大や脾の触知は脾腫の存在を示唆する．

腹水は重要な肝不全症状であり，腹部は膨隆し体重の増加を伴う．腹壁静脈の怒張は門脈圧亢進症または下大静脈閉塞に伴う側副血行路の発達を示唆する．前者の血流は臍を中心に頭側と尾側に分かれて流れるのに対し，後者の血流はすべて頭側に向かって流れる．

黄疸を伴う無痛性胆囊腫大を Courvoisier 徴候といい，総胆管末端部の悪性腫瘍を疑う．胆囊部を圧しながら深呼吸をさせたとき，痛みのために呼気を急に止める徴候を Murphy 徴候といい，急性胆囊炎が示唆される．

e. 四肢

肝不全の所見として，腹水に先行して浮腫が出現することが多い．

(4) 肝障害と肝機能検査

肝は合成，代謝，解毒，排泄など多彩な機能を営み，かつ旺盛な再生能をもつ臓器である．実臨床では多種類の肝機能検査法が用いられているが，それぞれ特徴があり，これらを理解して使い分ける必要がある（図11-1-1）．実際には，特徴の異なる検査を組合せることにより，肝障害の病態をより正確に把握することが可能となる（e表11-1-B）．

a. 肝炎型肝障害と胆汁うっ滞型肝障害

肝障害の病態は，大きく肝炎型（肝細胞障害型）と胆汁うっ滞型に分けると理解しやすい．両者の鑑別は，逸脱酵素であるAST・ALTの上昇と胆道系酵素であるALP・γ-GTPの上昇の程度を比較することにより行う．ただし，肝炎型の肝障害でも胆道系酵素が軽度に上昇することはまれではなく，逆に胆汁うっ滞型の肝障害でも軽度の逸脱酵素の上昇はみられる．このため，両者の鑑別は，どちらが優位に上昇しているかで判断する．このときに気をつけることは，逸脱酵素はその性格上，基準値上限から10倍以上に上昇することもまれではないが，胆道系酵素は酵素誘導により上昇するため，基準値上限の3倍以上は明らかな上昇，5倍以上は高度の上昇と判断される．なお，両者とも有意に上昇している場合は混合型と判定する．

b. 肝細胞の変性・壊死を反映する酵素（肝逸脱酵素；AST，ALT）

AST（aspartate aminotransferase），ALT（alanine aminotransferase）は肝細胞の変性・壊死により血中に増加する逸脱酵素である．ASTは心筋，骨格筋，血球の破壊によっても上昇するが，ALTは肝細胞障害に対する特異度が高い．一般にAST/ALT比は肝障害の病態判定に役立つので，両者を同時に測定するのがよい．慢性肝炎，肥満による脂肪肝ではALT優位となり，肝硬変，肝癌，アルコール性肝障害ではAST優位の傾向がみられる．急性肝炎の発症早期はAST優位であり，ピーク近傍になるとこれがALT優位に逆転する（e図11-1-A）．このため，この逆転が観察されると，その後ASTとALTは低下しはじめる可能性が高い．

通常，閉塞性黄疸ではAST，ALTの上昇は軽度である．しかし，総胆管結石の嵌頓などで胆道内圧が急激に上昇するとAST，ALTも1000 IU/L以上に上昇することがある．この場合，肝炎とは異なり，胆管閉塞が解除されるとAST，ALTは速やかに低下する．

c. 胆汁うっ滞を反映する酵素（胆道系酵素：ALP，γ-GTP）

肝内および肝外の胆汁うっ滞では，肝細胞の毛細胆管側を主としたALP（alkaline phosphatase）の生成亢進と血中への逆流によって血中ALP値が増加する．病態としては，薬物性肝障害などの急性肝内胆汁うっ滞，原発性胆汁性肝硬変症などの慢性肝内胆汁うっ滞，閉塞性黄疸が代表的なものである．その他，限局性肝疾患，浸潤性肝病変，肉芽腫性肝疾患でもALPの上昇がみられる（e表11-1-C）．ALPにはアイソザイムが存在し，肝胆道系以外の原因を鑑別するのに役立つ．骨性ALPは成長期，癌転移，甲状腺機能亢進症などで骨形成が亢進する場合に上昇する．胎盤性ALPは妊娠後期と一部の癌で上昇する．小腸性ALPは肝硬変や高脂肪食後に上昇する．高脂肪食後の上昇は血液型がB型とO型でみられやすい．

γ-GTP（γ-glutamyl transpeptidase）はALPと同様に胆汁うっ滞を反映する．ただし，ALPに比較して肝胆道系特異性が高いことと，飲酒で上昇しやすいことが特徴である．

d. 合成・代謝機能障害の評価（アルブミン，ChE，PT，総コレステロール）

アルブミンは肝細胞で合成される分泌蛋白であり，慢性肝不全の評価や経過観察に有用である．血清アルブミンの半減期は14〜20日と長いため，リアルタイムに肝の蛋白合成能を評価することはできない．これに対し，半減期の短い第VII因子（4〜6時間）を含むPT（プロトロンビン時間）は肝での蛋白合成能をリアルタイムに評価することが可能であり，急性肝不全の評価に適している．PTにはビタミンK依存性の凝固因子が多く，ビタミンKの不足により延長するので注意する．

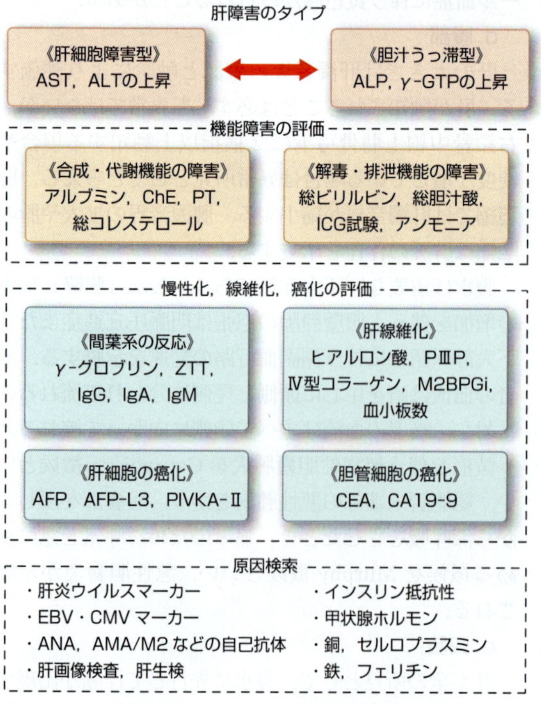

図11-1-1 肝障害の評価とそれに必要な検査項目

ChE（コリンエステラーゼ）は肝細胞において合成され血中に分泌される酵素で，アルブミンと同様に肝の蛋白合成能を反映する．ChEは分子量が大きく，ネフローゼ症候群でも尿中へ漏出しない．このため，アルブミンと異なりネフローゼ症候群では高値となる．

総コレステロールは肝での合成能を反映して重症肝障害で減少する．これに対し，胆汁うっ滞では増加する．肝疾患以外でも増減するので肝障害に対する特異性は低い．

e. 解毒・排泄機能の障害（ビリルビン，総胆汁酸，ICG試験，アンモニア）

各種疾患で血中ビリルビンが上昇すると黄疸として認識される．原因の鑑別には，まず，間接型と直接型のどちらのビリルビン上昇が優位かを判定する（eｅ図11-1-B）．通常，肝胆道疾患の黄疸では直接型が優位となる．総ビリルビン値の上昇に加え，直接/総ビリルビン比の低下は病態の悪化を示唆する．AST，ALT，ALP，γ-GTPが基準値内でビリルビンのみ上昇する場合は溶血か体質性黄疸を考える．

胆汁酸の代謝は肝細胞に特異的な機能であり，血中胆汁酸濃度は肝胆道疾患の障害の程度を反映して上昇する．このため，無黄疸性肝疾患の検出に有用である．

ICG（インドシアニングリーン）試験は肝血流量と肝細胞の色素摂取機能を反映し，肝硬変の診断や肝予備能の評価などに用いられる．肝切除の術前検査として重要である．ICG試験の指標としては，15分停滞率，血中消失率，最大除去率などがある（詳細はeコラム1参照）．

血中アンモニア濃度は，重症の肝細胞障害，先天性代謝異常により尿素サイクルが障害された場合や肝内外の門脈-大静脈短絡がある場合などに上昇する．肝性脳症を惹起する原因物質の1つである．アンモニアは尿素サイクルで代謝され尿素となり腎から排泄される．高度の肝障害では尿素サイクルが機能しなくなるため，劇症肝炎では血中尿素窒素（BUN）が低値となり，重傷度を判定するマーカーとなる．

f. 間葉系の反応（γ-グロブリン，膠質反応，免疫グロブリン）

免疫グロブリン以外の多くの血漿蛋白は肝で合成されるため，血清蛋白の電気泳動分画パターンは肝疾患の病態把握に有用である．必ずしも肝障害に特異的ではないが，アルブミンの減少とγ-グロブリンの増加（多クローン性）は慢性肝障害を示す指標となる．慢性活動性肝炎ではIgGを主とした免疫グロブリンが増加し，特に自己免疫性肝炎では著増する．原発性胆汁性肝硬変ではIgMが，アルコール性肝障害ではIgAが増加しやすい．ZTTなどの膠質反応は，血清アルブミンの減少と免疫グロブリンの増加を反映して上昇するので，慢性肝疾患のスクリーニングに役立つ．

g. 肝線維化マーカー

肝線維化の診断は肝疾患の病態や重症度を把握する上で重要である．肝生検による評価が正確で情報量も多いが，より簡便な診断が必要な場合も多く，ヒアルロン酸，PⅢP（Ⅲ型プロコラーゲンペプチド），Ⅳ型コラーゲン，M2BPGi（Mac-2 binding protein 糖鎖修飾異性体）などの肝線維化マーカーが開発された．いずれの項目も肝線維化の程度を正確に反映するものではなく，臨床的にはそれぞれの線維化マーカーの特徴を理解したうえで使用する必要がある（詳細はeコラム2参照）．

肝線維化が進行すると脾機能亢進症に伴い血小板数が低下するので，血小板数は肝繊維化を反映するマーカーとなる．簡便な検査で，比較的正確な判定が可能であることより臨床的有用性は高い．血小板数が10万μL以下になると肝硬変の合併が示唆される．

h. 肝癌，胆道癌の評価

肝細胞の癌化ではAFP，AFP-L3分画，PIVKA-Ⅱが，胆管細胞の癌化ではCA19-9，CEAなどが腫瘍マーカーとして用いられている．

i. 肝障害の原因検索

肝炎ウイルスマーカーはウイルス肝炎の診断に不可欠である（e表11-1-D）．急性肝炎ではIgM-HA抗体，HBs抗原，IgM-HBc抗体，HCV抗体，HCV RNA，IgA-HE抗体，HEV RNAなどの検査が診断に役立つ．慢性肝炎の診断ではHBs抗原とHCV抗体の検査は必須である．肝炎ウイルス以外にも肝障害を惹起するウイルスは多く，EBウイルスやサイトメガロウイルスがその代表である．抗核抗体，抗ミトコンドリア抗体の測定は自己免疫性肝疾患の診断に必須である．インスリン抵抗性の指標としてHOMA指数などが用いられており，非アルコール性脂肪肝炎（NASH）の診断などに利用されている．内分泌疾患でも肝機能異常を伴うことが多く，特に甲状腺疾患は頻度が高い．銅，セルロプラスミンはWilson病の，鉄，フェリチンなどはヘモクロマトーシスの診断に役立つ．肝生検は原因不明の肝障害の精査のみならず，多くの肝疾患の病期や病態を把握するのに有用な検査である．

〔田中榮司〕

■文献

日本消化器学会：肝疾患における肝炎ウイルスマーカーの選択基準（4版）．日本消化器学会雑誌．2006; **103**: 79-88.

日本消化器学会：肝機能検査法の選択基準（7版）．日本消化器学会雑誌．2006; **103**: 89-95.

田中榮司：肝・胆道機能検査．臨床検査法提要 第33版（奥村伸生，戸塚 実，他編），pp1318-63，金原出版，2010.

2）肝の画像診断

(1) CT・MRI・血管造影

画像診断としては，超音波検査，CT，MRI，核医学検査（eコラム1），血管造影がある．最近では，超音波造影剤やMRI特異性造影剤の登場で，核医学検査と同様に，超音波検査やMRIでも細胞機能を画像化できるようになった．CT，MRI，血管造影の原理，利点と欠点，および適応について述べる．画像所見ならびに鑑別診断については疾患の各論を参照されたい．

a. CT

人体の断面内組織のX線吸収量を測定し，コンピュータを駆使してデジタル画像化する．放射線被曝の欠点があるが客観性と再現性が高い．多検出器型CT（multidetector-row CT：MDCT）の登場で，時間分解能と空間分解能が著しく向上した．さらに多彩な三次元再構成画像により病変の進展範囲診断の精度も高まり，肝の形態診断の中心的役割を担っている．肝では超音波検査（図11-1-2A）に続く検査法と位置づけられている．

i) 単純 CT

CT値（Hounsfield unit：HU）は水を0 HU，空気を−1000 HUとしてX線吸収係数を表示した相対的な値で，脂肪は電子密度が低く負のCT値（−100 HU）を示し，正常肝のCT値は40〜70 HUである．濃度の異常から病変を推測可能で，囊胞，高度の脂肪沈着，石灰化，ガスを伴う異常などは容易に診断できる．ただし，軽度〜中等度の脂肪沈着は，診断に苦慮する場合がある．また，腫瘍，炎症など大部分の病変は軽度の低吸収に描出されるため（図11-1-2B），診断が困難なことが多く造影CTが必要になる．

ii) 造影 CT

1) ダイナミック CT（dynamic CT）：造影剤を急速静注し病変の血行動態を経時的に評価する方法で，全肝の多血性病巣の検出に加え，結節性病変の鑑別診断に有用である．MDCTでは全肝の薄層断面を短時間で同時撮影が可能で，肝腫瘍の検出ならびに鑑別診断にきわめて有用である．

a) 造影早期相（動脈優位相）：動脈性に肝実質が濃染する時相で，肝細胞癌のような多血性病変は正常部よりも高吸収に描出される（図11-1-2C）．

b) 造影後期相（門脈優位相）：造影剤を含む門脈血の還流で肝実質が最も強く濃染する時相である．肝細胞癌や転移性肝腫瘍のように，門脈血流が欠損する病変は低吸収に描出される．

c) 平衡相：すべての脈管系が同一の濃染程度を示

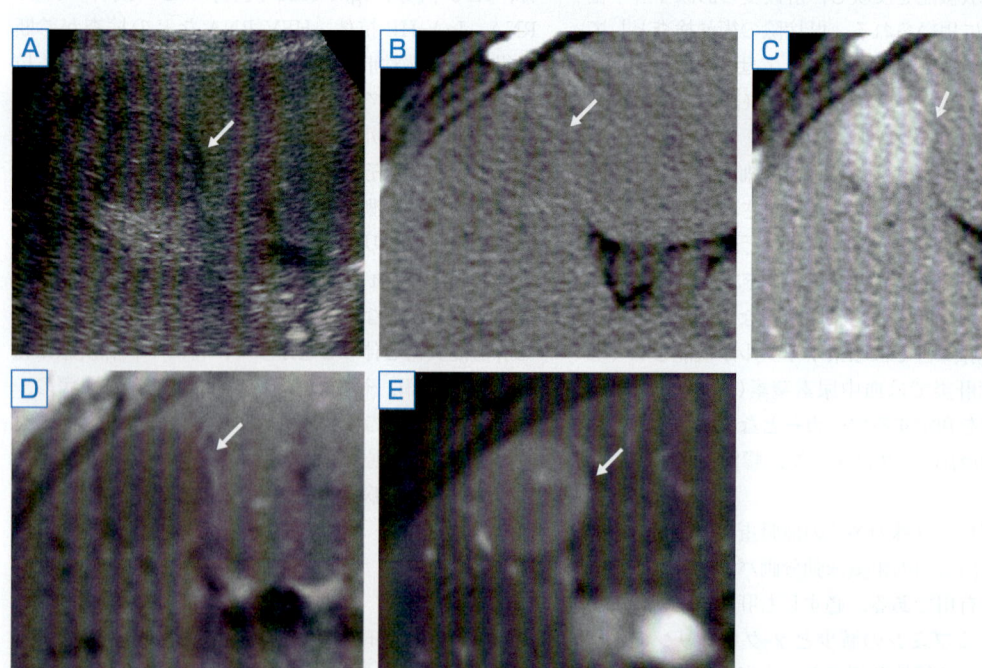

図11-1-2 肝細胞癌
A：超音波検査．病変は低エコーに描出され，辺縁には被膜による無エコー帯を伴っている．
B：単純CT．病変はわずかに低吸収を示すが認識しづらい．
C：ダイナミックCT（造影早期）．動脈性濃染により明瞭な高吸収を示している．
D：MRI T1強調像．病変は低信号に描出されている．
E：MRI T2強調像．病変は高信号に描出されている．

す時相である．海綿状血管腫のような広い血洞や大腸癌の肝転移のような粘液に富む血管外間質は造影剤の停滞で高吸収に描出される．

2）再構成画像表示： MDCT の多列化が進み，当初の 4 列から最近では 64 列が普及している．薄層データが得られるため体軸方向の分解能が向上し，任意断面の再構成表示により，病変の解剖学的広がりや脈管との位置関係も正確に診断できる（e図 11-1-C の A）．

b. MRI

高磁場内におかれた水素原子核が電磁波（ラジオ波）を吸収した後で，放出する信号を取得し画像化する検査法である．水分子や脂肪酸が信号源で，分子運動の速度や方向性が T1 強調像や T2 強調像の信号強度に反映される．さらに水分子の Brown 運動を拡散強調像として評価できる．また，多彩な造影剤が利用でき，その使い分けも重要になる．

最大の利点は被曝がない点である．欠点は体内に強磁性体などの金属や，ペースメーカなどの電子制御機器が存在すると検査ができない点である．

i）単純 MRI

1）T1 強調像： T1 強調像には，呼吸停止下に全肝を撮像できるグラディエントエコー（gradient echo：GRE）法が利用される．病変の多くは T1 強調像で低信号を呈する（図 11-1-2D）．肝実質自体あるいは病変に脂肪を伴うことがあるため，脂肪抑制法を併用した画像に加え，位相コントラスト法で水と脂肪の信号が足し算になる同位相（in-phase：IP）像と，引き算の関係になる逆位相（opposed-phase：OP）像とを撮像し，これらの画像を比較することで脂肪沈着の有無ならびに多寡を評価できる（図 11-1-3）．

2）T2 強調像： 呼吸同期下に 3,4 分で撮像できる高速スピンエコー（fast spin echo：FSE）法が充実性病変で十分なコントラストが得られることから，T2 強調像として推奨される（図 11-1-2E）．1 秒以内に撮像可能な超高速 FSE 法による T2 強調像は，液体が著明な高信号に描出されるため囊胞性病変と脈管などとの解剖学的位置関係の描出に有用である．

3）拡散強調像： 水分子の Brown 運動は局所の温度，水分量，粘稠度，微小構造などの影響を受ける．これらの複合的因子による拡散制限の程度を画像化したものが拡散強調像である．拡散能が信号強度に反映され，液体のように拡散係数の大きい領域は低信号に描出される．一方，拡散が制限された状態は高信号に描出される（e図 11-1-D）．拡散の程度を表す「見かけの拡散係数（apparent diffusion coefficient：ADC）」も信号強度に関与し，これを画像化した ADC map では，拡散の自由度が高い領域ほど高信号に描出される．拡散強調像や ADC map は T1 強調像や T2 強調像の付加的画像として有用で，病変の検出や鑑別に利用される（Ichikawa ら，1998）．

ii）造影 MRI

細胞外液性，網内系および肝細胞胆道系造影剤に大別される．

1）細胞外液性造影剤： 水溶性ガドリニウム（Gd）製剤を使用する．水分子の T1 を短縮するため，造影剤の分布域は T1 強調像で高信号に描出される．呼吸停止下に施行できる GRE 法によるダイナミックスタディは，多血性病変の検出と腫瘍性病変の鑑別に有用である．静注数分後の平衡相では，壊死や囊胞の確認（非造影領域）あるいは間質成分の多寡（遅延性濃染域）の評価が可能である．

2）網内系造影剤： 超常磁性酸化鉄粒子（SPIO）を使用する．Kupffer 細胞に取り込まれた SPIO は局所磁場の不均一をきたし，T2 強調像や T2* 強調像で信号の低下を示す．その結果，Kupffer 細胞を有さない肝

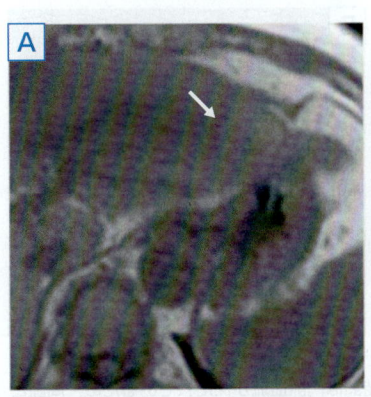 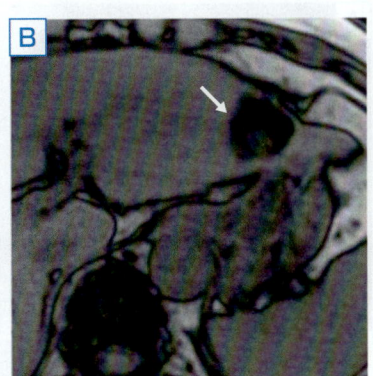 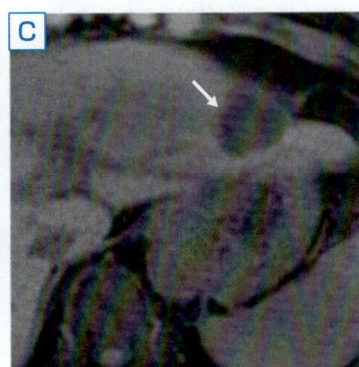

図 11-1-3 脂肪沈着を伴う肝細胞癌の T1 強調像
A：同位相像．病変は軽度高信号に描出されている．
B：逆位相像．病変は著明な低信号に描出される．
C：脂肪抑制像．病変は明らかな低信号に描出される．

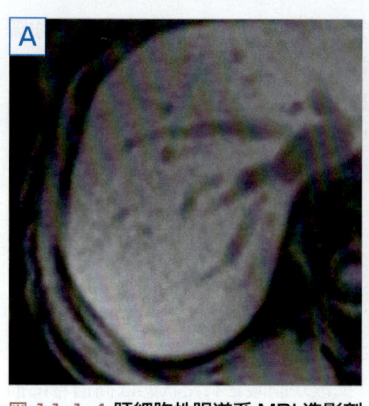 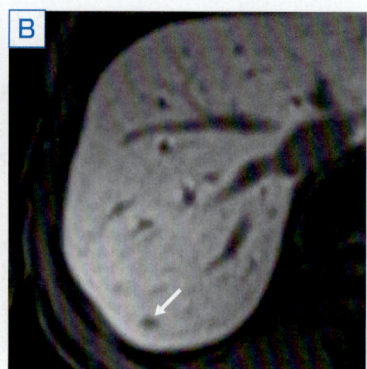 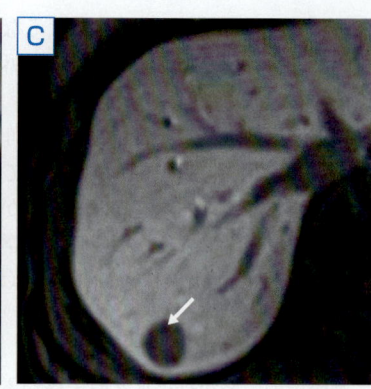

図11-1-4 肝細胞性胆道系MRI造影剤
A：単純T1強調像．病変の指摘は難しい．
B：造影T1強調像．病変が低信号域として描出されている．
C：造影T1強調像（1年後）．病変が増大を示しており，肝細胞癌であることがわかる．

細胞癌や肝転移は相対的に高信号に描出される．転移巣の検出や他診断法での偽病変の評価に有用である．

3）肝細胞胆道系造影剤： 肝細胞に取り込まれ胆汁中に排泄される脂溶性Gd製剤が利用されるが，親水基も有するため尿中にも排泄される．細胞外液性Gd製剤と同様，T1短縮効果を示し分布域はT1強調像で高信号を呈し，ダイナミックスタディによって病変の血流状態を評価できる．造影20分後には肝細胞に取り込まれた造影剤によって肝実質はT1強調像で高信号を示し，肝転移や肝細胞癌の検出能が向上する（図11-1-4）．一方，限局性結節性過形成などの肝細胞性病変では造影剤を取り込むため，限局性病変の鑑別診断にも利用される．肝細胞胆道系造影T1強調像の肝細胞実質相では，胆汁が造影され胆管内も高信号に描出されてくる．病変と肝内胆管との解剖学的位置関係の評価に有用である．

c．血管造影

i）血管造影

血管性病変を除けば，診断目的に血管造影が施行されることはほとんどなく，動脈造影併用下CT，あるいは外傷性出血や肝細胞癌に対する肝動脈塞栓術を目的としたinterventional radiology（IVR）に先立つ検査法として施行される．

ii）動脈造影併用下CT（動注CT）

肝病変の血行動態を評価する検査法としては最も精度が高いが，動脈造影の手技を必要とする侵襲的検査法であるため最終的診断法に位置づけられる．

1）門脈CT（経動脈性門脈造影下CT（CT during arterial portography：CTAP））（Matsuiら，1983）： 上腸間膜動脈あるいは脾動脈造影下に全肝を連続スキャンする方法で，病変の門脈血流欠損（perfusion defect）や低下を評価できる最も鋭敏な方法である（図11-1-5A）．短所は異所性静脈還流を受ける胆囊床や左葉内側区肝門側なども還流欠損像を呈し偽病変となる点である．

2）肝動脈CT（肝動脈造影下CT（CT during hepatic arteriography：CTHA））： 固有肝動脈あるいは総肝動脈から造影しながら撮像する方法で，病変の動脈血流の多寡を正確に評価できる（図11-1-5B）．進行肝癌を筆頭とする多血性結節性病変の検出能が高く，2相撮影での評価は鑑別診断に有用である（Inoueら，1998）．

3）single-level dynamic CTHA： 肝動脈に造影剤を短時間に注入し，造影剤注入前から注入停止後も撮

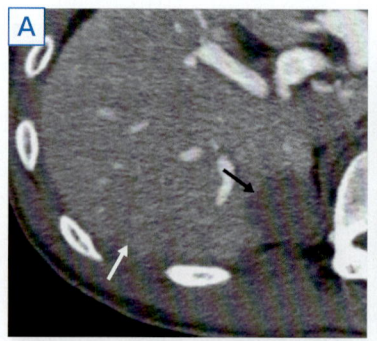 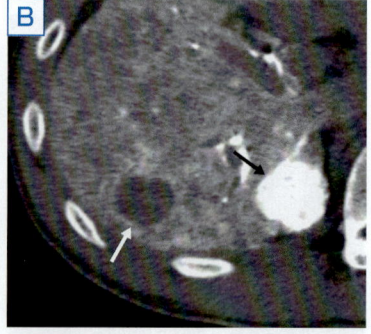

図11-1-5 異型結節と肝細胞癌
A：経動脈性門脈造影下CT（CTAP）．異型結節は門脈血流が保たれているため，周囲と等吸収を示し病変としてとらえられない．肝細胞癌は門脈血流が欠損しているため低吸収に描出されている．
B：肝動脈造影下CT（CTHA）．異型結節（白矢印）は動脈血流低下で低吸収に描出され，肝細胞癌（黒矢印）は動脈血流の増加で著明な濃染像を示している．

影を連続する方法で，動脈血の流入から流出までの動態を高い時間分解能で描出できる．頭尾方向のスライス断面は限定される．多血性結節性病変における造影剤のwashoutを多相で評価できる方法で，進行肝癌とAPシャントとの鑑別にも有用である．〔角谷眞澄〕

■文献

Ichikawa T, Haradome H, et al: Diffusion-weighted MR imaging with a single-shot echoplanar sequence: detection and characterization of focal hepatic lesions. AJR Am J Roentgenol. 1998; 170: 397-402.

Inoue E, Fujita M, et al: Double phase CT arteriography of the whole liver in the evaluation of hepatic tumors. J Comput Assist Tomogr. 1998; 22: 64-8.

Matsui O, Kadoya M, et al :Work in progress: dynamic sequential computed tomography during arterial portography in the detection of hepatic neoplasms. Radiology. 1983; 146: 721-7.

(2) 肝臓の超音波診断 (ultrasonic diagnosis of the liver disease)

肝疾患の超音波診断は，通常Bモード断層法が使用される．経静脈性造影超音波検査を含め，腎障害やヨードアレルギーも問題にならず簡便かつ非侵襲的診断法である．超音波による診断は血流診断や造影剤を使用すると形態診断にとどまらず機能診断も可能である．わが国で使用できる経静脈性超音波造影剤はペルフルブタンであるが，ペルフルブタンは，血管造影剤として使用された後，約数分～20分で肝臓のKupffer細胞に貪食されるため，Kupffer細胞の多寡を反映できる．

また，近年，超音波機器の技術向上も著しくTHI（tissue harmonic imaging）は，組織内部や境界エコーの描出能の向上により病変と正常組織の識別を可能とし，コントラスト分解能に優れる．コンパウンド技術は多方向からの超音波ビームを合成する画像処理で，実質像の均一性が増した（図11-1-6）．これらの技術はびまん性肝疾患腫瘍疾患の診断の向上や治療支援につながっている．

一方，近年超音波を用いて組織硬度を定量的に評価できるエラストグラフィは，最も注目される非侵襲的肝線維化診断法であり肝硬変診断の有用性に関する多くの報告がある．

a. びまん性肝疾患

慢性肝疾患の診断は肝実質のスペックルパターンやその輝度，肝表面，サイズなどにより診断される．

i) 慢性肝炎・肝硬変

ウイルス性慢性肝炎は，わが国ではC型ウイルスによる原因が多い．C型はB型と比較し結節が小さく超音波画像もそれを反映することが多い．線維化が進行するにつれ肝実質のスペックルパターンは粗造化し肝硬変に進展すると再生結節として3～10mm程度の低エコーや高エコー結節を伴うようになる．B型肝硬変ではC型肝硬変と比較して結節が大きくメッシュパターンとしてその特徴を表している（図11-1-7）．大きな結節は異型結節や高分化型肝細胞癌との鑑別が必要である．肝硬変が進行し肝予備能が低下するとDouglass窩やMorrison窩，肝表などに腹水を認めるようになる．その他脾腫（spleen index）や門脈圧亢進症に伴う肝外の血管の側副血行路（短絡）が形成される．これはドプラ検査により明瞭に描出される．ウイルス性肝硬変における肝細胞癌のサーベイランスには3カ月ごとの超音波検査が推奨されている．

エラストグラフィを使用した肝硬度診断は，硬度を用いて肝線維化の程度を診断する方法であり，非侵襲診断法として注目を浴びている．測定原理により2つの方法に分類される（e表11-1-E）．用手もしくは心拍動により組織の歪みを画像化し線維化診断を行うstrain法と，超音波（プッシュパルス）の力により組織を押し剪断波の伝搬速度を測定するshear ware法がある．後者での方法が広く使用されている．いずれの診断法も慢性肝炎や肝硬変の非侵襲的線維化診断に有用である[1]（Ziolら，2005）．

ii) 脂肪肝

近年メタボリックシンドロームの肝の病態として注

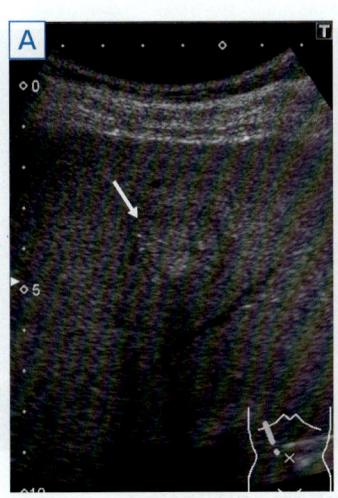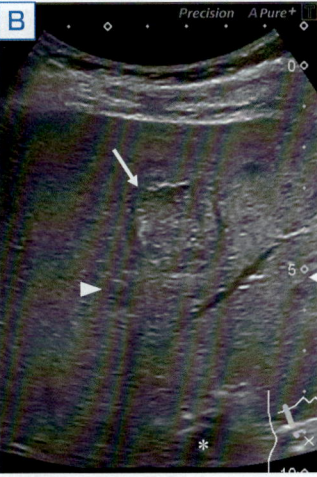

図11-1-6 肝細胞癌の通常のBモード(A)とTHI(B)
Bモードでは境界明瞭な低エコーSOLを認める(矢印)がBのTHIでは腫瘍の輪郭血管の走行などが明瞭に描出される．主腫瘍の背側に10mmの嬢結節を認めるが，Aの通常モードでは描出されていない(矢頭)．＊は下大静脈であるが，BのTHIでは深部であるが描出できる．通常のBモードでは描出は不明瞭である．

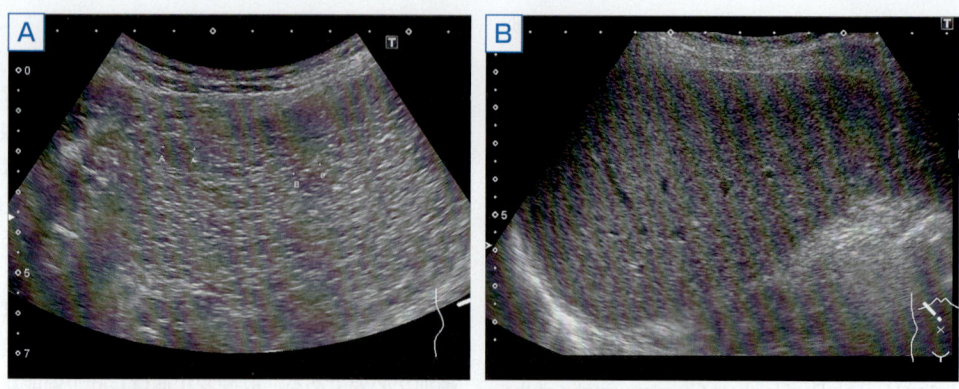

図 11-1-7 肝硬変
A：B 型肝硬変では肝実質の結節は C 型肝硬変と比較して大きい．
B：C 型肝硬変では肝実質の結節は B 型肝硬変と比較して小さい．

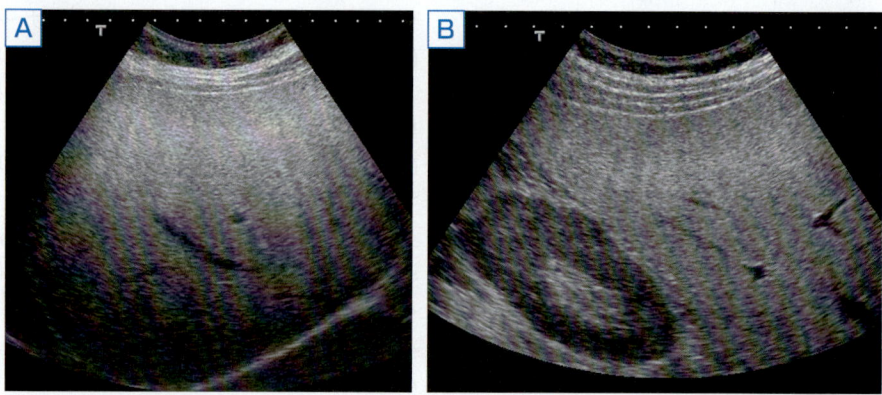

図 11-1-8 脂肪肝
A：B モードでは，肝実質は高エコーで，肝静脈の走行不明瞭化を認める．また深部減衰が著明にみられる．
B：肝腎コントラスト陽性である．

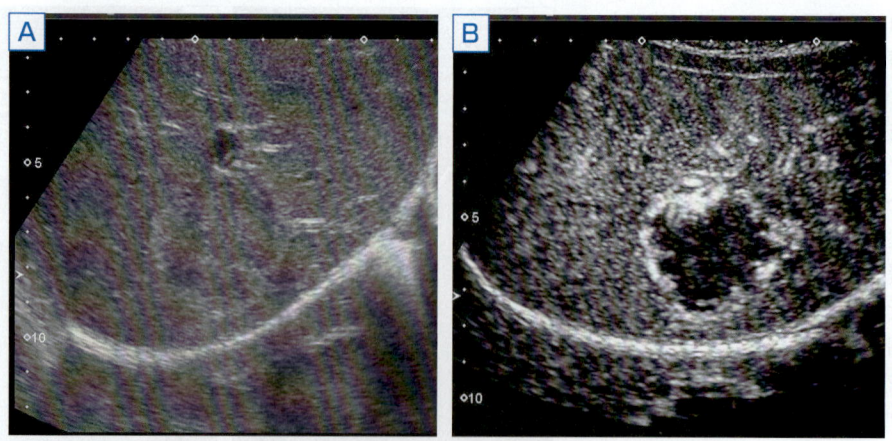

図 11-1-9 肝血管腫
A：B モードでは境界明瞭な高エコーの縁どりがある．
B：ペルフルブタン造影超音波の動脈優位相 22 秒で腫瘍は辺縁から fill-in している．

目を浴びる．超音波では高輝度エコー，肝腎コントラスト陽性，肝内脈管の不明瞭化で診断される（図 11-1-8）．脂肪化が高度になると深部減衰が認められる．非アルコール性脂肪肝炎（NASH）を早い段階から B モードで診断することは現時点では困難である．現在 FibroScan® に CAP（controlled attenuation parameter）が使用可能となり減衰法により脂肪肝の程度を推測できる方法も開発された[2]．

b. 腫瘍性肝疾患

i）肝血管腫（hepatic hemangioma）

肝血管腫はその特徴的所見から B モードでも診断できることが多い．辺縁を拡大してよく観察すると細かいギザギザがみられること，高エコーの縁どり（marginal strong echo）を認めることや体位変換により内部エコーが変化するカメレオンサイン[3,4]や腫瘍内のスペックルのゆらぎ[5]などが特徴的である．結節が 20 mm 以下で小型の場合高エコーであることが多い．これは，基礎疾患に慢性肝炎や肝硬変がある場合，脂肪化を伴う早期肝細胞癌との鑑別が必要である．一方サイズの大きい血管腫では内部は高エコーや低エコーが混在することが多い．境界も不明瞭となりほかの腫瘍との鑑別が問題となる．造影超音波では腫瘍周囲から徐々に内部にしみ込むスポット状の染影（fill-in）が特徴的である（図 11-1-9）．この fill-in 所見はほかの肝腫瘍では認めず，肝血管腫の診断特異性が高い（Dietrichi ら，2007）．カラードプラ法では血管腫の血管は豊富であるが血流速度が遅いものが多いため，血流シグナルは検出され難いか，辺縁にわずかに認められる．

ii）肝限局性結節性過形成（focal nodular hyperplasia：FNH）

FNH は正常肝に発生する多血性良性腫瘍である．B モードでは低エコー〜高エコーまでさまざまであるが低エコーであることが多い．形状は類円形で境界やや不明瞭である．カラードプラ法や造影超音波検査では，腫瘍の中心部に太い血管が流入し，周囲に広がる特徴的な血管構築（spoke-wheel pattern）を呈する（図 11-1-10）．また，肝静脈への流出血管をとらえることもある[6]（Attal ら，2003）．Kupffer 相では周囲肝

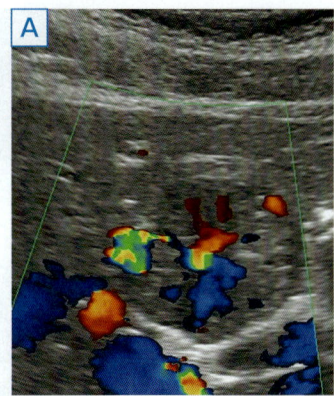
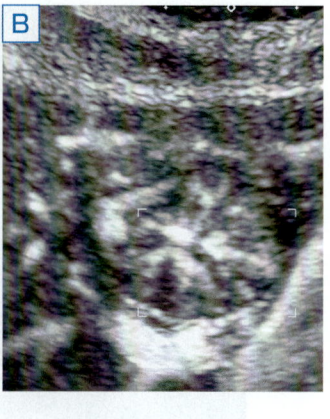

図 11-1-10 限局性結節性過形成
A：カラードプラ法．spoke-wheel pattern を認める．中心瘢痕を矢頭で示す．
B：ペルフルブタン造影 MFI（micro flow imaging）法．微細な spoke-wheel pattern が描出される．

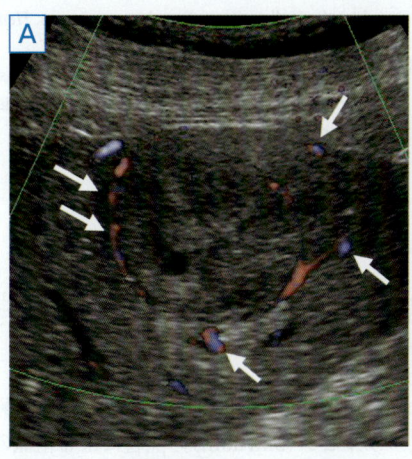
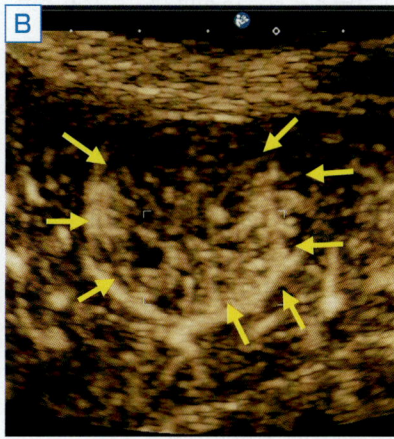

図 11-1-11 肝細胞癌
A：カラードプラ法では腫瘍辺縁にわずかに血流を認める．
B：ペルフルブタン造影 MFI（micro flow imaging）法では辺縁から中心部に向かう腫瘍血管が明瞭に描出される．

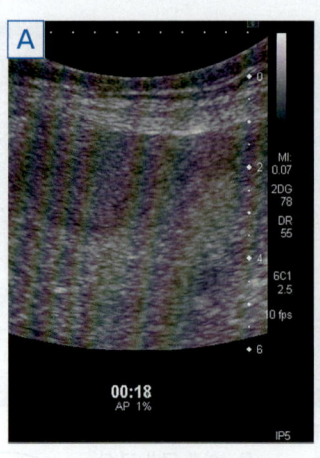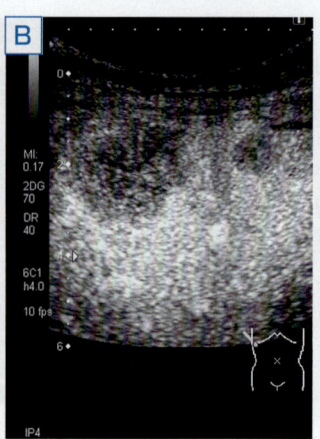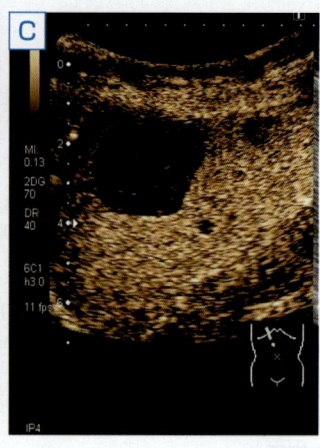

図 11-1-12 転移性肝癌(原発巣：回盲部癌)
A：Bモードでは境界明瞭な低エコーSOL.
B：ペルフルブタン造影動脈優位相では腫瘍は ring enhancement となる.
C：ペルフルブタン造影 Kupffer 相では腫瘍全体の染影が欠損像となる.

と同等か高輝度となることが多くこれは多血性 HCC との鑑別に有用である.

eコラム1，eコラム2も参照.

iii) 肝細胞癌 (hepatocellular carcinoma) (異型結節を含む)

肝細胞癌の超音波画像は，CT などと同様に多段階発癌過程による血流変化や組織学的特徴をよく反映する.

1) **異型結節(境界病変)**：境界不明瞭な 10 mm 前後の低エコーや高エコー結節として描出される.

2) **早期肝細胞癌**：通常腫瘍径は 20 mm 以下である. 境界不明瞭なことが多い. 境界病変同様 B モードのみで鑑別することは困難である.

3) **高分化型肝細胞癌**：腫瘍径は 10 mm 以上 30 mm 程度が多い. 15 mm くらいで脂肪化を最も高頻度(約40％)に認め高エコーとなる. 15 mm 以上になると急速に発育速度が増大する.

4) **中分化型肝細胞癌**：20 mm 以上で辺縁低エコー帯(ハロー)を有し，カラードプラでは，腫瘍辺縁部を取り囲むように走行する腫瘍血管(basket pattern)を認める. 造影超音波では，血管相ではより精度高く動門脈血流の多寡を判別でき，分化度診断に有用である(図 11-1-11). ペルフルブタン超音波造影剤は投与後 10 分以上経過すると肝臓のマクロファージである Kupffer 細胞に貪食される. したがって，Kupffer 相により低輝度となる病変を拾い上げ，ペルフルブタン超音波造影剤を再静注し診断を行う defect re-perfusion 法が，中分化型肝癌で有用である.

iv) 転移性肝癌 (metastatic liver cancer)

肝臓は最も血行転移しやすい臓器である. 転移性肝癌は両葉に多発する腫瘍が基本形であるが，単発でサイズが大きい腫瘍もあり注意が必要である. 個々の結節は，サイズや原発巣によりさまざまであるが，類円形で 20 mm 前後の転移巣は同心円状のパターン(target sign, bull's eye sign)を示すことが多い. 消化管からの転移巣は石灰化を伴うこともある. カラードプラでは血流シグナルを検出できないことも多いが，超音波造影では，多血になることもあるが，多くは ring enhancement を示し Kupffer 細胞の欠如により Kupffer 相は完全な defect となる(図 11-1-12).

〔飯島尋子〕

■文献(e文献 11-1-2-2)

Attal P, Vilgrain V, et al: Telangiectatic focal nodular hyperplasia: US, CT, and MR imaging findings with histopathologic correlation in 13 cases. *Radiology*. 2003; **228**: 465-72.

Dietrich C, Mertens J, et al: Contrast-enhanced ultrasound of histologically proven liver hemangiomas. *Hepatology*. 2007; **45**: 1139-45.

Ziol M, Handra-Luca A, et al: Noninvasive assessment of liver fibrosis by measurement of stiffness in patients with chronic hepatitis C. *Hepatology*. 2005; **41**: 48-54.

3) 黄疸の病態生理

定義・概念

黄疸(jaundice, icterus)はヘムの分解産物であるビリルビン(bilirubin)の沈着による組織の黄色変化のことである【⇒4-3】. 黄疸はビリルビンの産生過剰もしくは排泄障害で起こるが，その原因は肝疾患・血液疾患・悪性腫瘍など多種の疾患による. ビリルビン沈

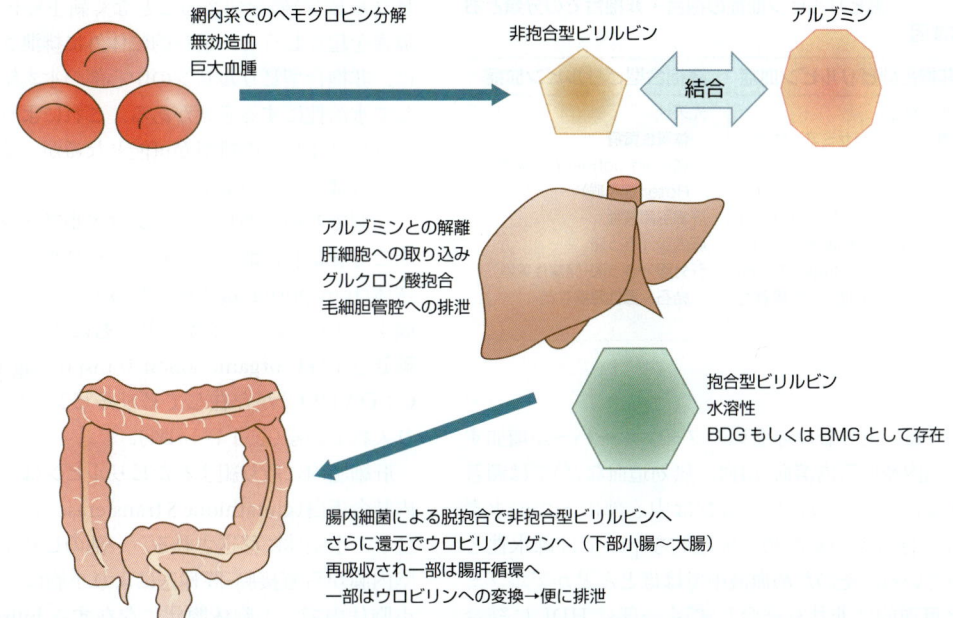

図11-1-13 ヘモグロビンからビリルビンが生成され，肝臓で代謝を受けてその分解物が便中ウロビリンとなるまで
BDG：bilirubin diglucuronide, BMG：bilirubin monoglucuronide.

着を観察しやすいのは，弾性線維が多くビリルビンと親和性が高いとされる眼球の強膜である．皮膚の黄染自体は黄疸のほかにも柑皮症，薬物性などでも生じるが，ビリルビンの沈着による黄染が正しくは黄疸である．

分類

黄疸はビリルビンの産生過剰と排泄障害のどちらかにより起こる．産生過剰については無効造血などによるヘム代謝の亢進などの機序がある．また，排泄障害に関しても，ビリルビンの代謝細胞である肝細胞での取り込みの障害，肝細胞での代謝の異常，肝細胞から毛細胆管への排泄の異常，毛細胆管から総胆管にかけての胆管での排泄の異常がある[1]．また，通常臨床検査では黄疸の指標として血清ビリルビン値を測定することがあるが，ビリルビンは抱合型と非抱合型に大別できることより，抱合型あるいは非抱合型優位の高ビリルビン血症などという分類もなされる．通常臨床検査では直接ビリルビン，もしくは間接ビリルビンを測定するが，これはvan der Bergh試験による色素反応の測定法に基づいている．おもに抱合型ビリルビンは直接ビリルビンを，非抱合型ビリルビンは間接ビリルビンを反映しており，通常正常人では総ビリルビンの濃度は1 mg/dL以下でありそのたかだか3割程度が直接ビリルビンであるとされているが，一部の病態ではこのように簡単には分別できない【⇨4-3】．すなわち，高ビリルビン血症の発症機序のうち，ビリルビンの産生過剰によるものか，排泄障害によるものかという分類のほかに，胆汁の物理的流出障害によるものか，あるいはそれ以外という閉塞性・非閉塞性黄疸という分類もなされている．後者の分類が臨床ではわかりやすく広く用いられている．また非閉塞性黄疸のうち，肝細胞障害を伴わない先天的なビリルビン代謝異常に基づくものを体質性黄疸と称し，近年の分子遺伝学や分子生物学の進歩により疾患機序がかなり解明されてきた（Bosma, 2003; Erlinger, 2014）[2-4]．

原因・病因

黄疸を理解するには，ビリルビンの代謝を理解する必要がある（Roy-Chowdhuryら，2011）．ヒトでは毎日300 mg程度のビリルビンがつくられているが，その7割程度は老化した赤血球のヘモグロビンに由来する．その他骨髄で成熟前に壊れた赤芽球（無効造血）のヘムに由来するものや，ヘム蛋白の代謝産物であるチトクロームやミオグロビンに由来するものもあり，年齢などで比率は異なっている．老化した赤血球は脾臓などの網内系の細胞により貪食されて破壊され，ヘモグロビンからグロビンがはずれてヘムになる（図11-1-13）．ヘムはさらに小胞体ヘムオキシゲナーゼによりヘムのポルフィリン輪のαメテン橋が開環してビリベルジンとCOが生成される．ここで生じた緑色のビリベルジンはさらに細胞質にあるビリベルジン還元酵素によってオレンジ-黄色のビリルビンに変換される．この反応の律速段階はヘムオキシゲナーゼである．黄疸のうち，表11-1-1にあげるビリルビンの産生過剰によるものでは非抱合型のビリルビンが

表 11-1-1 高ビリルビン血症の抱合・非抱合での分類とおもな成因

高非抱合型ビリルビン血症	高抱合型ビリルビン血症
溶血性貧血	先天性
悪性貧血, サラセミア, など	体質性黄疸
巨大血腫	(Dubin-Johnson 症候群,
薬物性 (リファンピシンなど)	Roter 症候群)
先天性 (肝細胞小胞体の UGT1A1 の欠損もしくは活性低下)	肝細胞障害性
体質性黄疸 (Crigler-Najjar I・II 型, Gilbert 症候群など)	肝内胆汁うっ滞
	肝外胆汁うっ滞 (閉塞性黄疸)
	結石, 悪性腫瘍など

増加する．とりわけ赤血球のターンオーバーが増加する骨髄内や血管内溶血 (溶血, 無効造血など) では顕著である．ここでのビリルビンは中心部に 6 つの水素結合を有しているため，生理的な pH では疎水性となっている．そのため血液中ではほとんどがアルブミンと可逆的に非共有結合し，ごく一部は HDL に結合した状態で存在する．流血中で非抱合型ビリルビンはアルブミンと結合することにより肝臓以外の感受性の高い臓器に分布することが妨げられている (脳や糸球体など)．したがって，非抱合型ビリルビンとアルブミンの結合に競合するようなワルファリンやサルファ薬により，非抱合型のビリルビンが増えることにより総ビリルビン (非抱合型と抱合型アルブミンの総和のビリルビン) 値を変えることなく新生児核黄疸などの障害を起こしうる．最終的に体外に排泄されるためには，非抱合型ビリルビンの中心部の水素結合を切り離して水溶性にする必要がある．これにより肝臓や腎臓よりビリルビンの排泄が可能となるが，それを行っているのは肝細胞である．

類洞で非抱合型ビリルビンはアルブミンと解離し，そこで肝細胞に取り込まれる．ビリルビン特異的な輸送体 (transporter) は明確となっていないが，肝細胞の膜上に Cl⁻ などのイオンとともに能動的に取り込む輸送蛋白質 (organic anion transporting polypeptide C：OATP C) が存在してビリルビンを肝細胞内へ取り入れている (図 11-1-14)．

肝細胞内に取り組まれたビリルビンはさらに細胞質内結合蛋白 (glutathione S transferase-α：GST-α) に結合して小胞体に移送される．一部のビリルビンは肝細胞内膜から直接膜-膜輸送により小胞体に移動する．小胞体内で，小胞体膜状に存在する bilirubin UDP-glucuronosyltransferase (UGT1A1) によりグルクロン酸抱合を受け，抱合型ビリルビンになる．抱合を受けたビリルビンは bilirubin diglucuronide (BDG) と bilirubin monoglucuronide (BMG) であるが多くは BDG である．そしてこれらは再び GST-α サブユニットと結合して肝細胞の毛細胆管側の細胞膜に移送される．そこから multidrug resistance associated

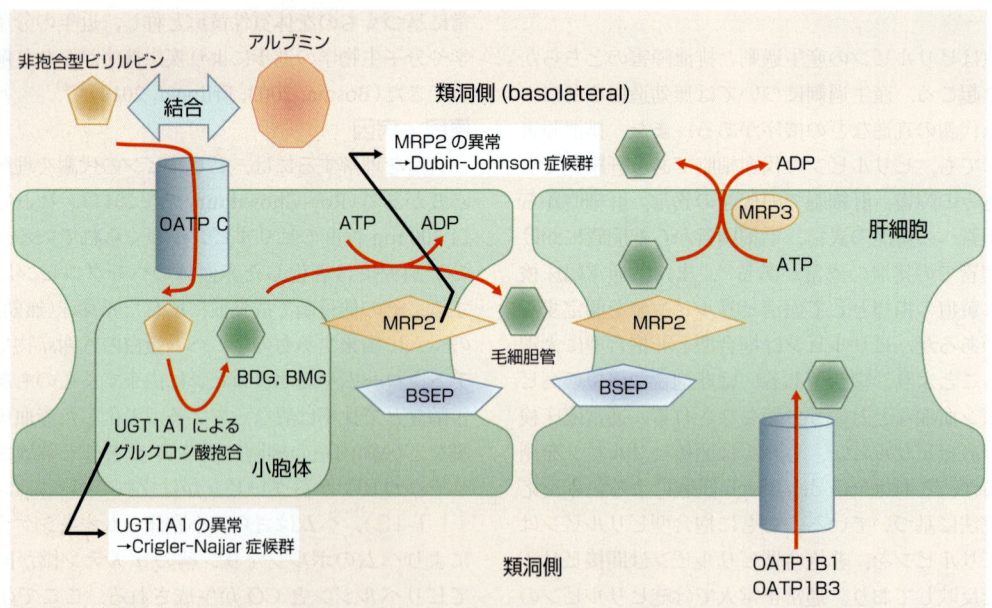

図 11-1-14 類洞から肝細胞へのビリルビンの取り込みと，毛細胆管に排泄されるまでの概略図
特異的なトランスポーターは特定されていないが，肝細胞内の小胞体でグルクロン酸抱合を受け水溶性となった後に MRP2 を介して毛細胆管まで ATP 依存性に輸送される．
MRP：multidrug resistance associated protein, OATP：organic anion transporting polypeptide, BDG：bilirubin diglucuronide, BMG：bilirubin monoglucuronide, BSEP：bile salt export pump, UGT：UDP-glucuronosyltransferase, ATP：adenosine triphosphate, ADP：adenosine diphosphate.

protein（MRP）2によってATP依存性に毛細胆管腔へ能動輸送される．この過程は濃度勾配に反して，ビリルビン濃度が高い胆管腔に輸送することになる．

MRP2はATP-binding cassette（ABC）C2蛋白一部としても知られ，一部の胆汁酸以外ではビリルビンや有機アニオンなどの毛細胆管への排泄に関して最も重要な輸送体である．MRP2の働きが障害された場合は，肝細胞の類洞側にあるMRP3が作用し血液中にやはりATP依存性に抱合型ビリルビンを逆流させる．

BDGはヒト成人では胆汁色素の主要な色素であるが，UGT1A1の活性が落ちている場合はBMGの比率が増大する．毛細胆管から十二指腸までの胆汁排泄障害は胆汁うっ滞といい，毛細胆管から肝内胆管までの間に障害がある肝内胆汁うっ滞と，それより遠位の胆管からVater乳頭までの胆管までの間の閉塞による肝外胆汁うっ滞に分けられる．

肝外胆汁うっ滞はほとんどが閉塞性黄疸である．胆汁のなかでビリルビンはほとんどが抱合型として存在していて水溶性であり，小腸上皮上の脂質膜からは吸収されない．一方，非抱合型の成分は一部再吸収されることにより腸肝循環することになる．小腸から大腸に到達したビリルビンはそこで腸内細菌によって加水分解されて非抱合型となり，さらに還元されてウロビリノゲンとなる．ウロビリノゲン自体は無色であるが，さらにウロビリンに酸化されるとオレンジ～黄色となる．したがって，胆汁が腫瘍などの閉塞によりまったく流れていない場合は，便色が薄い粘土色となる（白色便）．また便中のウロビリノゲンは腸管から再吸収されて腸肝循環に戻り，再び便中もしくは尿から排泄されるが，これも胆汁の完全閉塞では陰性となる．

胆管閉塞などで物理的に胆汁排泄が滞った場合や何らかの肝細胞障害で毛細胆管への排泄が障害されている場合，抱合型ビリルビンはMRP3によって肝細胞の基底側から血液中に排泄される．このときは血中ビリルビンのなかで抱合型ビリルビンの割合が上昇することになり，またアルブミンと結合していないために腎臓から直接排泄される．したがって，この状態で腎不全が合併するとビリルビンは体外に排泄される手段を失う．ビリルビンの測定はⓔコラム1．

病理

CTやMRI，腹部超音波検査などで閉塞機序を認めない肝内胆汁うっ滞の場合には肝生検を行うが，その場合は単なる直接型優位のビリルビンの上昇のみならず胆道系酵素を中心とした肝酵素の上昇を認める．病理組織では毛細胆管の胆汁栓，肝細胞内のビリルビン沈着を認める．さらにはビリルビンを貪食したKupffer細胞の腫大を認めることもある．肝内胆汁うっ滞が長期にわたる場合は反応性の細胆管増生や細胆管周囲炎を認める場合もある．また，胆汁うっ滞の原因として原発性胆汁性肝硬変の進行期や特殊な肝内胆汁うっ滞では胆管消失を認めることもある．

病態生理

非抱合型高ビリルビン血症をきたす異常．

1）ビリルビン生成亢進：赤血球の破壊が亢進した状態ではビリルビン代謝自体が亢進することになる（前負荷亢進）が，通常肝臓での処理機構自体も亢進するため顕性化することは少ない．しかし高度の溶血や巨大血腫が存在するときは純粋な高非抱合型ビリルビン血症を呈する．慢性にこの状態が続く場合は，胆嚢や胆管にビリルビン結石を生じる原因となりうる．また，ビタミンB_{12}欠乏や葉酸欠乏による巨赤芽球貧血や，重症型サラセミア，先天性骨髄性ポルフィリン症，鉛中毒などでは無効造血を生じ，これもビリルビン代謝自体の負荷が亢進するので非抱合型ビリルビン血症を呈する．

2）肝臓でのビリルビン取り込みの低下：最も日常的に遭遇するのは，Gilbert症候群（ⓔコラム2）であるが，その分子機序の詳細はまだ不明の点が多い[5,6]．ただし，その他にも遺伝性のビリルビン抱合能の異常を認めるものがある．Crigler-Najjar症候群（ⓔコラム3）I型は新生児期に非抱合型高ビリルビン血症を呈する疾患で，常染色体劣性遺伝の形式を取り頻度は低い．ビリルビン以外のアミノトランスフェラーゼやアルカリホスファターゼ値は正常である．UGT1A1の欠損が典型的である．

3）抱合型優位，もしくは混合型高ビリルビン血症：肝実質性疾患（急性肝炎など）では抱合型および非抱合型ビリルビンの両方が上昇する．この場合は肝細胞性黄疸とするが血清ビリルビン値の上昇のほかにも肝細胞傷害に伴う逸脱酵素の上昇も認める．しかし，肝細胞からの抱合を受けたビリルビンの毛細胆管への排泄障害についてはMRP2の異常であるDubin-Johnson症候群（ⓔコラム4）が有名である[2,4,8,9]．一方同様に常染色体劣性遺伝の形式を取り抱合型高ビリルビン血症を呈するRotor症候群では分子機構はよくわかっておらず肝生検でも色素沈着を認めない．

胆汁うっ滞

その他，胆汁うっ滞としてビリルビンの排泄異常に加え胆汁の流出障害を伴うものも存在する．これは閉塞機序によるものと，それを伴わないものがあるが，その鑑別には画像診断などで胆管拡張の有無を確認するのが有用である．前者は胆管結石や腫瘍によるものであり【⇒11-22-23】，後者は毛細胆管機能異常によるものが含まれる[10]．代表的なものは進行性家族性肝内胆汁うっ滞症（progressive familial intrahepatic cholestasis：PFIC）であり[7,11,12]，その1型はByler病ともよばれ，FIC1遺伝子の異常で起こる．この疾

患は幼児期のうちに栄養障害，成長遅延などを引き起こし進行性の転帰をとる．また良性反復性肝内胆汁うっ滞症(benign reccurent intrahepatic cholestasis：BRIC)の1型も*FIC1*の遺伝子異常で生じる[13]．一方PFICの2型は胆汁酸の毛細胆管への排出に重要なBSEP蛋白をコードする遺伝子(*ABCB11*)の異常で起こる．同様にBRIC 2型もBSEPをコードする遺伝子異常(*ABCB11*)で起こる[14]．PFIC 3型は同様に*ABCB4*の遺伝子異常で起こるが，その結果MDR3蛋白の異常を生じ，血清胆汁酸の上昇を認める．またこれらのPFIC 3病型は似た臨床症状を呈するものの，このPFIC 3型でのみ血清γ-GTPの上昇を認める．その他の先天性肝内胆汁うっ滞として胆管の形成不全を特徴とするAllagille症候群があるが，これは*JAG1*遺伝子の異常による．

　その他肝内胆汁うっ滞を起こすものとしてはウイルス性肝炎(特に肝移植後にB型肝炎やC型肝炎によって生じるfibrosing cholestatic hepatitis)，薬物性(蛋白同化ステロイド，シクロスポリンなど)，重症感染症(Gram陰性桿菌によるエンドトキシンがトランスポーターを阻害することによると推定される)[15]，中心静脈栄養などが知られている．治療は基本的には原病の治療となる．　　　　　　　　　　〔上野義之〕

■文献(e文献11-1-3)

Bosma PJ: Inherited disorders of bilirubin metabolism. *J Hepatol*. 2003; **38**: 107-17.
Erlinger S, Arias IM, Dhumeaux D: Inherited disorders of bilirubin transport and conjugation: new insights into molecular mechanisms and consequences. *Gastroenterology*. 2014; **146**: 1625-38.
Roy-Chowdhury J, Roy-Chowdhury N: Bilirubin metabolism and its disorders. Zakim and Boyer's Hepatology, 6th ed (Boyer TD, Manns MP, eds), p.1079-109. Saunders Elsevier, 2011.

4) 肝不全・肝性脳症
hepatic failure, liver failure and hepatic coma

(1) 肝不全
病態

　肝不全とは急性または慢性に起こる重篤な肝障害を基盤として，肝性脳症(肝性昏睡)，黄疸，腹水，消化管出血，出血傾向の重篤な症状をきたす症候群である．急性肝不全としては，肝細胞の急激な壊死によって引き起こされる劇症肝炎などがあげられる．急性肝不全をきたす成因は多岐にわたるが，わが国では肝炎ウイルス(特にB型肝炎ウイルス)，薬剤による例が多い．急性肝不全は，発症から8週以内に肝性脳症が発現するものと定義され，それ以降～24週までに肝性脳症が発現したものを遅発性肝不全(late onset hepatic failure)とよぶ．

　慢性肝不全としては肝硬変，進行肝癌による慢性の重篤な肝障害に代表される．また肝細胞壊死型以外に門脈血流の短路のため血流が減少し，結果的に肝不全状態になる疾患がある．門脈圧亢進症の慢性肝不全などがその例である．

　肝不全ではさまざまな臓器障害を合併する．代表的なものとして，肝腎症候群，播種性血管内凝固(DIC)，脳浮腫，感染症などであり，しばしば致死的となることが多い．

(2) 肝性昏睡
概念

　肝性脳症(肝性昏睡)は，高度に進行した肝硬変などの慢性肝不全状態，劇症肝炎などの急性肝不全などの高度に肝機能が低下した時，あるいは門脈-体循環短絡を有する患者に合併して起こる症状の1つである．

　肝性脳症は体内で発生した，もしくは腸管から吸収された中毒性物質が肝臓で解毒されることなく，中枢神経に到達することで生じる．原因物質として，さまざまな物質が考えられているが，なかでも血中アンモニア(NH_3)が最も重要であるとされる．症状の特徴として意識障害，異常行動，羽ばたき振戦(flapping tremor, eコラム1)を呈する多彩な神経症状をきたす症候群である．肝不全状態に蛋白質過剰摂取，便秘などの誘因が加わることによって引き起こされる．

　意識障害は軽度なものから深昏睡に至るまで幅広く含まれる．昨今，意識状態が一見正常と判断される例においても，潜在性肝性脳症とよぶことも提唱されている．潜在性肝性脳症を顕在性肝性脳症の前段階としてとらえるか否かは，いまだにはっきりはしていない．

基礎となる肝疾患(表11-1-2)

　急性型では劇症肝炎【⇨11-3-1】，慢性型では肝硬変および肝癌が代表的な基礎肝疾患である．また，特発性門脈圧亢進症(idiopathic portal hypertension)，明らかな肝疾患の存在がなくとも門脈-大循環短絡路(肝内，肝外以外)の形成がみられる症例にも存在する．また，代謝性肝疾患である，先天性尿素サイクル異常症にも肝性脳症がみられることがある．

原因・病因

　発生機序として，高アンモニア血症と血漿アミノ酸の不均衡などが考えられている．事実，これらを是正すると症状の改善がみられる．反面，高アンモニア血症を伴わない肝性脳症もあり，アンモニア説だけでは説明がつかない．その他の説として，多因子説，アミノ酸代謝異常説，偽性神経伝達物質説，γ-アミノ酪酸(GABA)/ベンゾジアゼピン受容体複合体異常などがあるが，いずれも単一では説明がつかない．最近，

表11-1-2 肝性脳症の臨床病型分類

Ⅰ．急性型：原発性，内因性あるいは実質崩壊型
広範な肝細胞脱落に基づく機能不全による．劇症肝炎が該当する．

Ⅱ．慢性型：続発性，外因性あるいは短絡型（肝硬変など）
シャント型：慢性再発型ともよばれる．門脈-大循環短絡（portal-systemic shunt）によりアンモニアなどの中毒性物質が門脈より直接大循環に流入することによる．多くの肝硬変例，特発性門脈圧亢進症などが該当する．
肝細胞障害型：末期昏睡型ともよばれる．門脈-大循環短絡を伴いかつ肝細胞障害が強い例．肝硬変のうち高度の黄疸や肝機能異常を伴う例，慢性肝炎の急性増悪などが該当する．

Ⅲ．特殊型：先天性尿素サイクル異常症による肝脳疾患

全身の炎症が肝性脳症に深く関与し，脳内の星状膠細胞がアンモニアや炎症により膨化することが肝性脳症に深く関与することが提唱されつつある[1, 2]．

代表的な誘因として，蛋白質過剰摂取，便秘，消化管出血，大量腹水穿刺，脱水，感染症などがあげられる．また鎮静薬，鎮痛薬の過剰投与がある．利尿薬の過剰摂取による電解質異常（特に低カリウム血症）なども原因にあげられている．これら誘因の病態の説明としては，蛋白質過剰摂取は直接的窒素負荷，消化管出血は血球が分解され，再吸収され蛋白源となり，これも窒素負荷の要因となる．便秘は腸内細菌によるアンモニア発生が増え，窒素の増加につながる．また，ループ利尿薬の投与，あるいは腹水穿刺による腹水抜去は電解質の異常を生じる．特に利尿薬の過剰投与は低カリウム血症を引き起こし，腎臓でのアンモニアの発生を促進する．

臨床症状

肝性昏睡は重篤な肝疾患を基盤とし，多彩な神経症状がみられる．神経症状は多彩であり，重症度評価にはわが国では犬山シンポジウムの昏睡度分類を用いる（表11-1-3）．すなわち，肝性脳症の重症度は，昏睡度分類によりⅠ～Ⅴ度の5段階に分類される．ただ，昏睡度の診断は難しく，retrospective にしか判定できない場合が多いが，昏睡Ⅱ度以上になると羽ばたき振戦の有無が診断確定に有用となる．

また肝疾患に起因する症状として，急性型（劇症肝炎などによる肝不全）では黄疸，腹水，浮腫，肝萎縮による肝濁音界の縮小，消失，出血傾向などがみられる．慢性型（非代償性肝硬変，進行肝癌などによる慢性肝不全）では黄疸，腹水，浮腫，出血傾向，肝腫腫，くも状血管腫，手掌紅斑，女性化乳房などがみられる．肝性脳症時には肝性口臭もしばしばみられる．

診断

まず，血液生化学検査ならびに腹部の画像検査から肝疾患の存在があり，血中アンモニア値が高値であるならば，肝性脳症を疑う．ただし肝疾患があっても肝性脳症と確診できない場合，精神疾患，中枢神経系疾患は念頭におかなければならない．肝性脳症であれば昏睡度を判定する．検査値として血中アンモニアの上

表11-1-3 肝性脳症の昏睡度分類

昏睡度	精神症状	参考事項
Ⅰ	睡眠-覚醒リズムの逆転 多幸気分，ときに抑うつ状態 だらしなく，気にとめない状態	retrospective にしか判定できない場合が多い．
Ⅱ	指南力（時，場所）障害，物を取り違える（confusion）． 異常行動　例：お金をまく，化粧品をゴミ箱に捨てるなど ときに傾眠状態（普通の呼びかけで開眼し会話ができる）． 無礼な言動があったりするが，医師の指示に従う態度をみせる．	興奮状態がない． 尿・便失禁がない． 羽ばたき振戦あり．
Ⅲ	しばしば興奮状態または譫妄状態を伴い， 反抗的態度をみせる． 嗜眠状態（ほとんど眠っている）． 外的刺激で開眼しうるが，医師の指示に従わない， または従えない（簡単な命令には応じる）．	羽ばたき振戦あり．（患者の協力が得られる場合）． 指南力は高度に障害．
Ⅳ	昏睡（完全な意識の消失）． 痛み刺激に反応する．	刺激に対して払いのける動作， 顔をしかめるなどがみられる．
Ⅴ	深昏睡． 痛み刺激にもまったく反応しない．	

・劇症肝炎【⇨11-3-1】の診断には，昏睡度Ⅱ度以上の肝性脳症の出現が必要である．
・羽ばたき振戦は，昏睡度Ⅱ，Ⅲ度にみられ，Ⅳ度以上ではみられない．

昇，Fischer 比（分岐鎖アミノ酸/芳香族アミノ酸）の低下がみられる．脳波では徐波化，三相波（脳波で大きなプラスの振れの前後にマイナスの振れを伴う波形）．また潜在性脳症（ミニマル肝性脳症）は定量的神経機能検査で診断できる場合が多い．

治療

治療の基本は高アンモニア血症の是正と感染制御にある．

1）食事指導： 推奨栄養摂取は一般の肝硬変と変わらず，野菜と牛乳蛋白が勧められる．慢性肝不全の代表である肝硬変は，低血糖を起こしやすく，最近，頻回食と就寝前軽食（late evening snack：LES）の重要性が指摘されている．低ナトリウム血症，低カリウム血症は肝性脳症の誘因であり，これら電解質異常時にはゆっくりと補正する．

2）分岐鎖アミノ酸製剤（branched-chain-amino acid：BCAA）： 分岐鎖アミノ酸製剤は BCAA を多く含有し，AAA（aromatic amino acid）およびメチオニンを少なく配合したアミノ酸製剤である．分岐鎖アミノ酸製剤の投与はⅡ度以上の肝性脳症に有効であり，意識レベルの改善，血中アンモニアの低下を期待でき，わが国では顕性脳症に対する第一選択として使用されている．潜在性脳症，脳症覚醒例に対しては高 BCAA 経口栄養剤，BCAA 顆粒製剤が繁用されている．BCAA 製剤は血中アンモニアを低下させ，無イベント生存率と QOL を改善することが報告されている．また BCAA 顆粒製剤投与は C 型肝炎ウイルスによる肝硬変からの癌発生率も抑制することも知られている．

3）二糖類： 二糖類（ラクツロース）を経口投与して 1 日 2～3 回の排便となるようにコントロールする．これによりアンモニアの産生と吸収を抑制し，症状改善につながる．ただし，下痢を起こしすぎると高ナトリウム血症を起こすので注意が必要である．

4）難吸収性抗菌薬： ラクツロースの効果が不十分なときは，カナマイシン，ポリミキシン B などの投与により，血中アンモニアを下げる．欧米では rifaximin が肝性脳症の意識改善，脳症再発予防に効果があると報告されており，rifaximin 投与が一般的となっている．現在，わが国でも肝性脳症に対し rifaximin の治験が行われ，その結果が待たれる．

〔正木　勉〕

■文献（e 文献 11-1-4）

福井　博：肝硬変治療の進歩（1）脳症の診断・治療．臨床消化器内科．2014; **29**: 429-33.

加藤章信，鈴木一幸：肝性脳症：診断・検査．日本消化器病学会雑誌．2007; **104**: 344-51.

5）肝移植
liver transplantation

(1) 定義・概念

a. 肝移植の分類

肝移植は進行性かつ不可逆的肝疾患に対する治療方法であり，肝移植以外の治療方法では患者を救命できない種々の肝疾患に適用される．

肝臓を提供するドナーの種類によって分類すれば，脳死者からの肝臓を用いる脳死（死体）肝移植と健常者ドナーの肝臓の一部を用いる生体肝移植に分けられる．また，肝臓のどの部分を使用するかによって分類すれば，肝臓の全部を使用する全肝移植と肝臓の一部を使用する部分肝移植に分類できる．欧米をはじめ世界的に主流なのは脳死肝移植であり，健康なドナーにメスを入れる生体肝移植は脳死肝移植での臓器不足を補う補助的なものと考えるのは普通であるが，脳死肝移植が普及しないわが国においては生体肝移植が数の上からは主流のままである．

b. 肝移植の歴史

世界ではじめての肝移植は脳死肝移植として 1963 年に米国で行われ，はじめての成功例（長期生存）も米国で 1967 年に得られた．しかしながらその後も生存率 20% 程度の成績であり，一般医療として発展するまでには至らなかったが，1978 年に登場した免疫抑制薬のシクロスポリンの使用によって生存率が劇的に改善することとなり，欧米においては 1980 年代に肝不全患者に対する一般医療としての地位を確立することとなった．

一方，脳死肝移植が行われない 1980 年代のわが国では，海外に行って肝移植を受ける渡航肝移植以外に末期肝疾患患者を救命する方法がなかった．そのような状況のなか，1989 年に小児患者に対する生体肝移植が始まり，次第に成人患者へも応用されるようになった．一方，脳死肝移植は 1997 年に脳死臓器移植を可能とする法律（臓器の移植に関する法律）が制定されたことで可能となった．しかし，当初の法律では脳死ドナーからの臓器提供は生前に文書で意思表示がなされた脳死者に限定された特殊なものであり，脳死肝移植は年間に 10 件未満と少ない状況が続いた．2009 年に臓器移植法が改正され，脳死者の家族の文書による承諾で脳死ドナーからの臓器提供ができるという世界標準の法律になり，脳死肝移植も増加したが，世界的にみると非常に少ない状況に変わりはない．現在は年間に 500 例前後の生体肝移植に対し年間 50 例前後の脳死肝移植が行われている．

c. 拒絶反応と免疫抑制療法

肝移植における拒絶反応は急性拒絶反応と慢性拒絶反応がある．急性拒絶反応は T 細胞を主体とした細

胞性免疫によって引き起こされ，門脈と肝静脈の血管内皮細胞，および小葉間胆管上皮が拒絶のターゲットとなる．移植後数日〜1カ月以内に起こることから急性拒絶反応と命名されているが，移植後1年以降に起こっても同様のメカニズムによる拒絶反応であれば急性拒絶反応とよばれる．一卵性双児以外では免疫抑制薬を使用しなければ急性拒絶反応は必ず生じるものであるから，これをコントロールするために免疫抑制療法が必要となる．免疫抑制療法のキードラッグはシクロスポリンやタクロリムスなどのカルシニューリン阻害薬であり，T細胞核内におけるインターロイキン-2やインターフェロン-γ産生に対する転写を阻害することで免疫抑制作用を発揮する．カルシニューリン阻害薬にステロイド，あるいは核酸合成阻害薬であるMMF（ミコフェノールモフェチル）を加えた併用療法が一般的に行われる．免疫抑制療法を行っても肝移植症例の30％前後には急性拒絶反応が起こるが，治療としてステロイドパルス療法が行われ，多くの症例での治療効果は良好である．

慢性拒絶反応の病態の主体は，腎臓や心臓などのほかの臓器移植と同様に慢性の動脈閉塞にあると考えられている．肝内の小動脈に閉塞が徐々に起こり，動脈血流不全から小葉間胆管の障害が引き起こされ，これらの胆管が消失することから進行性の閉塞性黄疸が出現する．移植後数年を経過してから発症することが多い．治療としては免疫抑制療法の強化を行うが，慢性拒絶反応が進行した状態では治療困難なことが多く再移植が必要となることが多い．一方，小葉間胆管の消失を早期に診断し，黄疸が進行する前の早期に免疫抑制療法強化という治療介入を行えば，慢性拒絶反応の治療が可能な症例もあることが近年わかってきた．

血液型不適合間の肝移植は，血液型抗体による液性拒絶反応が生じ，そのコントロールが非常に困難であったので患者生存率が悪かった．近年，悪性リンパ腫などの治療に使用される抗CD20モノクローナル抗体であるリツキシマブを肝移植前に投与して，移植後の数カ月間にわたってB細胞の抗体産生能を低下させる治療方法の導入で成績は飛躍的に向上している．

(2)肝移植の適応
a. 適応疾患
肝移植の適応疾患は，慢性肝疾患の末期状態，急性肝不全，腫瘍に大別され，脳死肝移植と生体肝移植で同じである．一方，成人と小児では疾患が異なる（表11-1-4）．

成人の慢性肝疾患の多くはC型肝炎ウイルスやB型肝炎ウイルスに起因するウイルス性肝硬変である．肝不全症状が進行したChild-Pugh分類（CP分類）（表

表11-1-4 肝移植の適応疾患

成人	
慢性肝疾患	ウイルス性肝硬変（B型，C型）
	原発性胆汁性胆管炎
	原発性硬化性胆管炎
	アルコール性肝硬変
	続発性胆汁性肝硬変
	代謝性肝疾患
	Budd-Chiari症候群
	先天性肝・胆道疾患
急性肝不全	
腫瘍	肝細胞癌
小児	
慢性肝疾患	胆道閉鎖症
	代謝性肝疾患
急性肝不全	
腫瘍	肝芽腫，肝細胞癌，血管腫

11-6-1）における8点以上が肝移植適応のタイミングとなる．原発性胆汁性肝硬変と原発性硬化性胆管炎における移植のタイミングもCP分類を参考にするが，原発性胆汁性肝硬変は日本肝移植適応研究会モデルでの死亡確率予測も参考にする．アルコール性肝硬変も肝硬変の適応疾患となるが，移植後のアルコール再飲酒は厳しく防止しなければならない．比較的まれな疾患であるが，胆石手術など胆道系手術合併症に起因する続発性胆汁性肝硬変も肝移植の適応となる．代謝性肝疾患では，肝不全が進行して薬物療法が期待できないWilson病，意識障害発作を繰り返すシトルリン血症，全身の末梢神経障害が進行した家族性アミロイドポリニューロパチーなどが肝移植の適応となる．Budd-Chiari症候群はまずインターベンション治療を考慮するが，肝硬変に陥っている場合には通常の肝硬変と同様に肝移植適応を考える．先天性肝・胆道疾患としてはCalori病と多発性嚢胞肝がある．

急性肝不全は保存的治療の効果がない場合には肝性脳症が進行して不可逆性になる前に肝移植の適応を考える．特に，成因不明で亜急性型発症の場合には保存的治療での回復は困難であることが多く，肝性脳症が発症した場合には早期に適応を考える．肝移植適応時期の判定は厚生労働省研究班（難治性の肝・胆道疾患に関する研究）が2012年に作成した劇症肝炎の肝移植適応新ガイドラインが参考となる（Naikiら，2012）．

成人腫瘍のなかで肝移植の適応となるのは肝細胞癌であり，多くはウイルス性肝硬変に合併する．遠隔転移がないこと，門脈や肝静脈への腫瘍浸潤がないことが肝移植適応の原則であるが，さらに肝内の腫瘍進展

の程度が評価される．肝移植後の腫瘍再発を防止するために適応を厳格にしている．肝内腫瘍進展に関しては，ミラノ基準（腫瘍径5 cm以内で1個，あるいは腫瘍径3 cm以内で3個以内）（Mazzaferroら，1996）が保険適用であるが，自費診療で行う場合にはミラノ基準よりも少し広げた適応基準を採用している施設もある．

小児の適応疾患の大部分は胆道閉鎖症である．ほとんどの胆道閉鎖症には生後2～3カ月以内に葛西手術が施行されるが，その後に黄疸が継続，腹水が出現，発育成長が不良な場合など，肝不全症状が出現した場合には肝移植の適応となる．肝移植適応となる小児の代謝性肝疾患にはWilson病，家族性進行性肝内胆汁うっ滞症，Crigler-Najjar病1型，高チロシン血症1型，糖原病などがある．

急性肝不全の肝移植の適応は成人と同様に考えるが，小児の場合には成人症例と比較して肝性脳症が急速に進行する場合が多いので，肝移植のタイミングを失わないように注意する必要がある．

小児の肝移植適応となる腫瘍性疾患は切除不能の進行した肝芽腫である．肝芽腫治療の基本は肝切除と化学療法を併用した集学的治療であり，切除不能の場合にも化学療法を先行させ腫瘍の縮小の後に切除の可能性を再評価し集学的治療での根治性を追求する．しかし，上記の集学的治療で根治性が期待できない場合，遠隔転移がないことを確認して肝移植を考慮する．ほかに肝細胞癌やKasabach-Merritt症候群を伴った巨大血管腫も移植適応となることがある．

b. 適応禁忌（表11-1-5）

肝不全状態が進行すると特発性細菌性腹膜炎や肺炎，さらには敗血症などの感染症を合併する．これらの重症感染症を合併している場合には肝移植を行っても成功率はきわめて低いので，肝移植の禁忌状態である．また，腎機能障害，ARDSによる呼吸障害，心機能低下などの多臓器障害を合併している場合にも肝移植の成功率は低下するので適応を慎重に判定する．一般に腎機能障害は透析や持続濾過透析で乗り切ることができるが，心肺機能が低下した状態での肝移植実施は困難である．

急性肝不全の患者で肝性脳症が進行して不可逆性であると判定されれば肝移植の適応はない．まず，対光反射などの脳幹機能が保たれていることが最低の必要条件であり，さらに単純CTと脳波検査を行う．CTでの脳浮腫所見が明瞭であり脳波がフラットの場合には移植の適応はないが，そこまでは進行していない個々の症例での評価は神経内科専門医や脳外科医と相談しながら総合的に行う．

慢性肝疾患が進行すると肺高血圧症，あるいは低酸素血症の病態が徐々に進行することがあるので注意を要する．いわゆる肝肺症候群とよばれているものであるが，門脈圧亢進症が著明な症例に多い．肺高血圧症，低酸素血症ともにあるレベル以上に進行すると肝移植の適応はなくなる．一般的に平均肺動脈圧が40 mmHg以上の肺高血圧（Ogawaら，2012），肺内シャント率が40％以上の低酸素血症は肝移植適応禁忌とされている．

アルコール依存症は肝移植の適応禁忌である．6カ月以上の断酒を守れることが最低限の適応基準であるが，最近では肝移植後の再飲酒を防止するために術前から断酒会への参加を必須としている施設が多い．

腫瘍性疾患のうち，肝細胞癌においては腫瘍の腹腔内破裂の既往がある症例，遠隔転移のある症例，血管浸潤（肝静脈や門脈）が画像上明らかな症例は肝移植の適応はない．一方，肝芽腫においては血管浸潤のある症例の移植適応は議論の分かれるところであるが，少なくとも肝内に限局する血管浸潤は適応禁忌とはされない．また，肝芽腫で肺転移のある症例においても化学療法で消失すれば移植の適応とする意見もあり，今後のエビデンスの蓄積による評価が待たれている．

〔上本伸二〕

表11-1-5 適応禁忌

活動性の感染症	特発性細菌性腹膜炎，肺炎，敗血症
多臓器不全	
不可逆性の肝性脳症	
重症肝肺症候群	肺高血圧症
	（平均肺動脈圧＞40 mmHg）
	低酸素血症
	（肺内シャント率＞40％）
アルコール依存症	
進行した腫瘍	肝細胞癌
	遠隔転移
	腹腔内破裂の既往
	血管浸潤
	肝芽腫
	遠隔転移

■文献

Mazzaferro V, Regalia E, et al: Liver transplantation for the treatment of small hepatocellular carcinomas in patients with cirrhosis. N Eng J Med. 1996; 334: 693-9.

Naiki T, Nakayama N, et al: The Intractable Hepato-Biliary Disease Study Group supported by the Ministry of Health, Labor, and Welfare of Japan. Scoring system as a useful model to predict the outcome of patients with acute liver failure: application to indication criteris for liver transplantation. Hepatol Res. 2012; 42: 68-75.

Ogawa E, Hori T, et al: Living-donor liver transplantation for moderate to severe porto-pulmonary hypertension accompanied by pulmonary arterial hypertension: a single-center

6）肝腎症候群と肝肺症候群

定義・概念
肝腎症候群（hepatorenal syndrome）と肝肺症候群（hepatopulmonary syndrome）は重篤な肝疾患に合併する機能性腎不全と低酸素血症である．門脈圧亢進と血管作動因子の破綻が疾患の根底をなし，腎や肺の微小循環が障害される．予後不良であるが肝移植により回復する可逆性の変化である．

分類
肝腎症候群は腎不全の進行が急速な1型と，緩徐な2型に分類される．1型は発症から2週間以内に血清クレアチニン（Cre）が初期の2倍以上に増加して2.5 mg/dLをこえる．

肝肺症候群は肺血管の変化で毛細血管拡張型と動静脈短絡型に分類される．両者の混在型もある．

原因
肝腎症候群と肝肺症候群は原因のいかんによらず，非代償性肝硬変や劇症肝炎を背景に発症する．1型肝腎症候群は特発性細菌性腹膜炎（spontaneous bacterial peritonitis：SBP），大量腹水穿刺，消化管出血などが誘因になる．

肝肺症候群はまれに非肝硬変の門脈圧亢進症に合併する．

病理
肝腎症候群では腎の形態は正常または軽度の変化にとどまる．近位尿細管のBowman嚢内の逆行性突出（glomerular tubular reflux）や微細な尿細管障害が観察される場合もある．

肝肺症候群では肺表面のくも状血管腫（spider nevi）や肺毛細血管の拡張が観察される．

疫学
肝腎症候群は腹水を伴う肝硬変で年間8％に発症し[1]，劇症肝炎の合併率は約30％である[2]．

肝肺症候群は肝移植待機患者の5～30％に合併する[3-5]．

病態生理
肝腎症候群は腎皮質血管の攣縮による機能性腎不全である（図11-1-15）．糸球体濾過量の著しい低下とは対照的に尿細管機能は保たれている．肝硬変では門脈圧が亢進すると内臓領域の動脈が一酸化窒素（nitric oxide：NO）の作用で拡張し，血管抵抗が低下して血流が促進される（hyperdynamic circulation）．病態進展とともに全身の有効循環血流量が減少し，血管を収縮させる神経性・体液性因子（レニン-アンジオテンシン，ノルアドレナリン，バソプレシンなど）が活性化される．腎では血管拡張因子の産生低下，交感神経の興奮，血流調節の異常をきたし，最終的に皮質血管の高度な攣縮が形成される．

肝肺症候群の発症機序は不明な点が多いが，胆管結紮ラットで検討されている（図11-1-15）．肝臓で合成されるエンドセリンと腸管由来のエンドトキシンの作用により，肺血管内皮と単球でNOや一酸化炭素（carbon monoxide：CO）が合成される．これらの血管拡張因子と血管内皮増殖因子（vascular endothelial growth factor：VEGF）の相乗作用で肺毛細血管が拡張増生し（intrapulmonary vascular dilations：IPVD），血流増加による換気血流比不均等，拡散能低下，動静脈短絡が生じてガス交換が障害される．

臨床症状
肝腎症候群は乏尿（500 mL/日以下）や低血圧をきたす．1型は全身の臓器障害を伴う．2型は利尿薬に抵

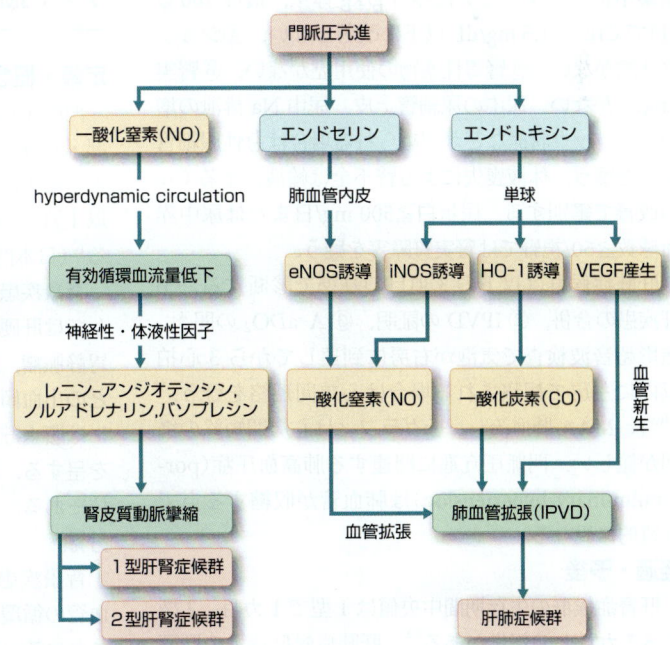

図11-1-15 肝腎症候群と肝肺症候群の病態進展機序
eNOS: endothelial NO synthase, iNOS: inducible NO synthase, HO-1: heme oxygenase-1, VEGF: vascular endothelial growth factor.
重篤な肝疾患では血管拡張因子と血管収縮因子のバランスが破綻し，血流異常による腎や肺の機能性障害をきたす．肝腎症候群では腎皮質血管の攣縮により腎不全が進行する．肝肺症候群では肺胞血流の増加が酸素化を障害する．

抗する難治性腹水がおもな症状である．

肝肺症候群は労作時呼吸困難が徐々に進行してばち指やチアノーゼを呈する．仰臥位から起座位になると呼吸困難(platypnea)や低酸素血症(orthodeoxia)が出現する．

検査所見

肝腎症候群はCreの上昇(>1.5 mg/dL)が糸球体濾過量の低下に対して軽度である．低ナトリウム血症(<130 mEq/L)，濃縮尿(尿/血漿浸透圧比>1)，尿中Na濃度の低下(<10 mEq/L)などが参考になる．超音波ドプラ検査では腎皮質の血管抵抗指数(resistive index)が上昇する．

肝肺症候群では，微小な気泡を混入させた生理食塩水を静脈内に投与すると，気泡による造影効果が左房で観察される．これは気泡が拡張した肺血管を通過するためである．^{99m}Tc-MAA肺血流シンチグラフィでも同様の理由で^{99m}Tc-MAAが諸臓器に集積する．動脈血ガス分析では$P_aO_2 < 80$ mmHg(65歳以上は<70 mmHg)，肺胞気と動脈血の酸素分圧較差(A-aDO_2)>15 mmHgである(65歳以上は>20 mmHg)．動脈血酸素飽和度($<96\%$)はスクリーニングに有用である[6]．肺拡散能(DLco)は低下する．

診断・鑑別診断

肝腎症候群は以下の6項目の基準で診断する．①腹水を伴う，② Cre>1.5 mg/dL，③ 2日間以上の利尿薬中止やアルブミン投与(1 g/kg体重，最高100 g/日)でCreが1.5 mg/dL以下に改善しない，④ショック状態がない，⑤腎毒性薬物の使用歴がない，⑥腎実質障害がない．尿中尿細管上皮，尿中Na排泄の増加，ショック状態などが認められる場合は急性尿細管壊死を疑う．体液喪失による腎不全は輸液によるCreの改善で鑑別する．尿蛋白≥ 500 mg/日または尿中赤血球数≥ 50/視野では腎実質障害を疑う．

肝肺症候群は以下の3項目の基準で診断する．①肝疾患の合併，② IPVDの証明，③ A-aDO_2の開大．造影超音波検査で気泡が右房に到達してから3心拍以内に左房で観察される場合は心房間短絡を疑う．^{99m}Tc-MAA肺血流シンチグラフィは心房間短絡の鑑別が難しい．門脈圧亢進に関連する肺高血圧症(portopulmonary hypertension)は肺血管が収縮する点で本質的に異なる．

経過・予後

肝腎症候群の生存期間中央値は1型で1カ月，2型で6.7カ月との報告がある[7]．肝肺症候群合併の肝硬変患者は5年生存率が23%(非合併例は63%)と報告されている[4]．

治療

肝腎症候群と肝肺症候群は肝移植が根治療法である．肝腎症候群の予防はアルブミン投与による循環血流量の維持が有効である[8]．プロスタグランジン合成を阻害する非ステロイド系抗炎症薬や利尿薬の乱用は慎む．腹水穿刺は慎重を期し，消化管出血は速やかに対処する．SBPなどの感染症は早期に抗菌薬で治療する．血管収縮薬は拡張した内臓動脈を収縮させて腎血流を改善させる．アルブミンとの併用が効果的である．バソプレシンアナログのterlipressin(注：わが国では未承認)は無作為比較試験で40%の肝腎症候群に有効との報告がある[9]．α交感神経作動薬のミドドリンとソマトスタチンアナログのオクトレオチドの併用[10]やノルアドレナリン[11]も有効とされる．経頸静脈的肝内門脈静脈短絡術(transjugular intrahepatic portosystemic shunt：TIPS)は難治性腹水の症例で効果が期待される．肝肺症候群は酸素吸入などの対症療法が中心となる．TIPSが有効との報告もあるが症例報告にとどまる[12]．重篤になれば早期の肝移植が推奨される．

〔光吉博則・伊藤義人〕

■文献(e文献11-1-6)

Ginès P, Schrier RW: Renal failure in cirrhosis. *N Engl J Med.* 2009; 361: 1279-90.

Machicao VI, Balakrishnan M, et al: Pulmonary complications in chronic liver disease. *Hepatology.* 2014; 59: 1627-37.

7) 門脈圧亢進症

定義・概念

門脈圧亢進症とは，何らかの原因により肝内・肝門部・肝外門脈系血管や静脈系血管の閉塞による循環障害の結果，門脈圧の上昇(14.7 mmHg $\fallingdotseq$ 200 mmH$_2$O以上)による症状をきたした疾患の病態的総称である[1](日本門脈圧亢進症学会，2013)．

背景疾患は以下の分類に示すが，わが国での頻度としては肝硬変症が最も多く，吐血・下血を呈する食道胃静脈瘤，脾機能亢進を主とする貧血・血小板減少などの出血傾向を伴う汎血球減少症を呈する脾腫，さらには腹水貯留・肝性脳症などのさまざまな特有の病態を呈する．欧米では，門脈血栓を誘因とする概念が優位である．

分類

背景疾患と閉塞部位を**表11-1-6**に示す．門脈系血管の循環障害の結果，血管抵抗が上昇するには，どこかにその閉塞機転をきたす部位が存在する．その閉塞機転は，肝内と肝外に分類される．そして前者は類洞前と類洞内，類洞後，後者は肝前性と肝後性に細分され，それぞれ原因となる背景疾患が異なる．

表11-1-6 門脈圧亢進症の疾患分類と閉塞部位

	肝前性	肝内性			肝後性
		前類洞性	類洞性	後類洞性	
門脈圧 (PVP)	↑↑	↑↑	↑↑	↑↑	↑～↑↑
閉塞肝静脈圧 (WHVP)	正常	正常	↑↑	↑↑	測定不可
代表疾患	肝外門脈閉塞症 慢性膵炎 脾動静脈奇形	特発性門脈圧亢進症 日本住血吸虫症 原発性胆汁性胆管炎 肝内動脈-門脈短絡	慢性骨髄線維症 類洞閉塞症候群 (SOS)	肝硬変症 ヘモクロマトーシス	Budd-Chiari症候群 うっ血性心不全

PVP : portal venous pressure, WHVP : wedged hepatic venous pressure.

病因

最も頻度が高いのは肝内後類洞性肝静脈閉塞による肝硬変症であり，B/C型肝炎ウイルス・アルコール性・代謝性疾患など原因は多様である．ついで特発性門脈圧亢進症(idiopathic portal hypertension：IPH)・日本住血吸虫症などでみられる肝内前類洞性門脈閉塞があり，原発性胆汁性胆管炎(primary biliary cholangitis：PBC)もこの範疇に入る．

その他Budd-Chiari症候群でみられる肝外肝静脈閉塞，また肝前性には臍帯静脈炎などを含む先天性門脈形成異常による肝外門脈閉塞症(extrahepatic portal obstruction：EHO)がある．また胆管炎や慢性膵炎，悪性腫瘍の門脈浸潤・腫瘍塞栓による二次性EHOがある．脾静脈閉塞が主体の場合は左側門脈圧亢進症ともよばれる．

頻度は少ないものの，類洞内閉塞には慢性骨髄線維症による髄外造血以外に，近年新たな門脈圧亢進症の発症要因として，大腸癌の抗癌薬として標準治療(FOLFOX)に用いられるoxaliplatinの類洞内皮細胞傷害による類洞閉塞症候群(sinusoidal obstructin syndrome：SOS)による脾腫，血小板減少，食道胃静脈瘤破裂が注目されている．

病態生理

1) 病態機序： その第一は門脈域への流入血液量の増加にある．特に肝硬変症では，cardiac output, cardiac indexの著明な増加をきたすhyperdynamic stateに伴う左胃動脈-左胃静脈間圧較差を中心に肺の動静脈短絡など全身の動静脈短絡が生ずる．その結果として門脈域への流入動脈血の増加をきたし，門脈圧は上昇する．その原因の1つとしては内臓領域の末梢動脈壁におけるnitric oxide(NO)の産生亢進があげられる．第二は肝内血管抵抗の亢進である．肝内の門脈周囲には高度の線維化をきたし，門脈の閉塞傾向に陥り，さらに血管収縮性物質であるエンドセリン(ET-1)が一酸化窒素(NO)の産生を上回り，肝星細胞を収縮させ，類洞血流を制御するため，肝内血管抵抗は亢進し，門脈圧が上昇する．その結果肝内に流入できなかった門脈血流が腹腔内の肝外側副血行路に流出し，ときに胸腔内・後腹膜にも及ぶ側副血行路を形成する．

2) 門脈血行動態： 通常，消化管・胆膵脾など腹腔内臓器の静脈血はすべて，門脈に注がれ肝内類洞に至る血流は順行求肝性である．胆汁排泄も，回腸末端で再吸収され，門脈を介する腸肝循環となる．しかし門脈圧亢進症では，逆行遠肝性を示す．代表的なものは脾腫とともに拡張した左胃静脈，短胃静脈，後胃静脈，右胃静脈が供血路となる食道胃噴門部脈瘤の形成である．また孤立性胃静脈瘤は排血路である胃-腎短絡の経路に形成される．肝性脳症では肝内の尿素サイクルの破綻(はたん)に加え，肝外門脈因子としての脾-腎短絡，性腺静脈-下大静脈短絡などが主体となり，症例により肝内動脈-門脈短絡・肝内門脈-肝静脈短絡など，複雑な血行動態が原因となりうる．

臨床症状

門脈圧亢進症状には，まず脾腫・脾機能亢進に伴う白血球減少による全身倦怠感，血小板減少による鼻出血や歯肉出血などの出血傾向，ヘモグロビンの低下に代表される貧血などの汎血球減少症がある．最も緊急性の高い消化管静脈瘤からの吐下血による発症，もしくは肝硬変の経過観察中7割以上にみられる食道胃静脈瘤やびらん性胃炎・門脈圧亢進症性胃症などの上部消化管病変，頻度は低いが十二指腸や直腸・肛門などの異所性静脈瘤からの出血もときにみられる．

ついで下肢の浮腫に始まり腹部膨満感出現により超音波検査で確認される腹水，ときに微熱・腹痛を伴う特発性細菌性腹膜炎(spontaneus bacterial peritonitis：SBP)の併発もある．また羽ばたき振戦や見当識障害(disorientation)を伴い意識障害に至る肝性脳症の出現などがある．これらの出現が急激な場合は，その背景に門脈血栓の生成が関与することもある．

身体所見

前胸部にみられるくも状血管腫（vascular spider）は，圧迫解除によりくもの足状に毛細血管が拡張することが動的に観察できる．左季肋部肋骨下縁における脾腫や心窩部〜胸壁における腹壁静脈の拡張も比較的よくみられる（著明なものでは venous hum が聴取可能であり cruveilhier baumgarten syndrome と命名されている）．さらに腹壁静脈の拡張径が著しく明らかに怒張している場合はメデューサの頭（caput medusae）とよばれる．また腹部膨満例では触診で波動を伴えば腹水と診断できる．腹水の出現以前にみられる初期症状として，圧痕を伴う下腿の浮腫がある．

検査所見

1）血液検査：

a）汎血球減少症：血小板数の低下や白血球の減少により気づかれるが，貧血が診断の契機となる場合もある．

b）高アンモニア（NH_3）血症，総胆汁酸，ICG R_{15}：その上昇は肝性脳症〜門脈圧亢進症を指摘する重要な要因であり，一過性であってもその契機となりうる．

c）アミノ酸分画：Fischer 比（分岐鎖アミノ酸：バリン＋ロイシン＋イソロイシン）/（芳香族アミノ酸：フェニルアラニン＋チロシン）の低下は，急性肝不全では重症度の指標となるが，慢性肝疾患においても門脈圧亢進症による肝性脳症の際，臨床的に有用な治療指標となる．同様に近年ではより簡易的で即日結果の出る BTR（分岐鎖アミノ酸：tyrosine ratio）も，経時的な服薬状況の指標として，また肝予備能の 1 つとしても用いられることが多くなった．

2）腹部超音波検査：脾腫の存在と経時的増大，腹水の有無，門脈血栓の存在を確認できる．またドプラ超音波により門脈の血流量測定が可能であり，カラードプラでは血流方向（順行求肝性か逆行遠肝性か）を確認できる．

3）上部消化管内視鏡検査（gastrointestinal fiberscope：GIF）：食道・胃静脈瘤の存在は，最も簡便かつゆるぎない門脈圧亢進症の診断根拠となりうる．食道胃静脈瘤内視鏡所見記載基準（日本門脈圧亢進症学会，2013）では，主として占拠部位（Ls, Lm, Li），形態（F1, F2, F3），基本色調（Cw, Cb），発赤所見（RC）からなり，出血所見，粘膜所見を付記する．このなかで出血予測・治療適応決定に最も重要なのは発赤所見（RC 0, 1, 2, 3 の 4 段階）であり，ついで形態（太さ）である．また供血路にできる胃噴門部静脈瘤（Lg-c）と，排血路の経路に形成される胃穹窿部静脈瘤（Lg-f）の違いを知っておく必要がある．

4）門脈造影：

a）直接門脈造影：門脈系の血管内に直接造影剤を注入する方法であり，門脈圧を直接測定することができ，最も明瞭な門脈造影所見が得られる．経皮経肝的門脈造影（PTP）で得られる鮮明な門脈像は門脈血行動態診断法の最高峰であり，治療方針の最終決定に最も有用である．しかしコントロール不能な腹水保有例や著明な萎縮を呈する肝硬変例では，侵襲が大きく，以下の間接的門脈造影法や，MRA・MD-CT などにとって代わられることも少なくない．

b）間接的門脈造影：門脈圧の測定は不可能であるが，間接的に門脈血行動態の情報が得られる方法である．血管壁の鮮明度では劣るものの侵襲が少ない点で高頻度に用いられる．

ⅰ）経動脈性門脈造影：動脈造影における門脈相から血行動態を確認する方法である．最も一般的なのは上腸間膜動脈および腹腔動脈造影，脾動脈造影の静脈相であり，食道静脈瘤自体の描出には左胃動脈造影の静脈相が最も有用である．胃-腎短絡・胃静脈瘤の描出には脾動脈造影が有用である．

ⅱ）MD-CT/MRA：近年の多列検出器型 CT による縦断像（coronal 像）は，断面像ではあるが血管造影に近い門脈像が得られることもある．またより空間分解能の高い MRI により三次元再合成を用いる縦断像主体の MRA ではその sequence によっては，非造影 MRI でも MD-CT 以上の門脈情報像が得られることがある．

5）肝静脈カテーテル法：下大静脈から，カテーテルを挿入しバルーン閉塞下に逆行性に門脈を描出する古典的造影法であり，閉塞肝静脈圧（wedge hepatic venous pressure：WHVP）および自由肝静脈圧（free hepatic venous pressure：FHVP）が測定可能である．この両者の差分である肝静脈圧較差（hepatic venous pressure gradient：HVPG）は肝前性と前類洞性の門脈圧亢進症を除き，門脈圧と相関を示すことより従来から，推定門脈圧として臨床的に最も重要である．一方，肝静脈造影における肝静脈枝のしだれ柳状所見は，特発性門脈圧亢進症の画像診断における最も典型像とされている（図 11-1-16）．

診断

初期診断への契機は，触診で認識できない時期の超音波断層法における脾腫であり，日常臨床では血液検査での高アンモニア血症の存在である．また慢性肝炎からの肝硬変移行期は，触診での左葉腫大辺縁鈍，脾臓触知，さらに初回腹水指摘も重要である．

しかし 8 割近くの症例で確認できる最も簡便かつ確実な門脈圧亢進症の臨床的診断法は，上部消化管内視鏡検査（gastrointestinal fiberscope：GF）によって食道胃静脈瘤の存在を指摘することである．

治療（國分，2008）

1）薬物治療：

①門脈圧低下：アンジオテンシンⅡ受容体拮抗薬

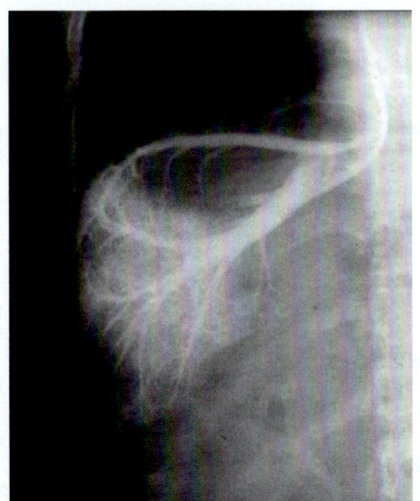

図11-1-16 肝静脈造影
しだれ柳状所見（特発性門脈圧亢進症例）．

（ARB），β遮断薬．
②低アルブミン血症：BCAA製剤．
③腹水：抗アルドステロン薬，ループ利尿薬，両者併用も抵抗性・低ナトリウム血症にはV_2受容体拮抗薬が用いられる．
④肝性脳症：アミノ酸製剤（点滴静注もしくは経口）．
⑤門脈血栓溶解療法：AT-Ⅲ製剤，ダナパロイド．

2）内視鏡治療：
①内視鏡的静脈瘤結紮療法（EVL）
②内視鏡的硬化療法（EIS）：5％エタノールアミンオレート，胃静脈瘤破裂にはヒストアクリル®．

3）カテーテル的治療（IVR）：
①バルーン下逆行性経静脈的塞栓術（BRTO）：孤立性胃静脈瘤，肝性脳症．
②部分的脾動脈塞栓療法（PSE）：血小板低下改善・門脈圧低下．
③経頸静脈的門脈-肝静脈短絡術（TIPS）：門脈圧直接減圧術．

4）外科的治療：
①脾臓摘出術：汎血球減少症．
② Hassab手術（胃周囲血行遮断・脾摘術）：胃静脈瘤．
〔國分茂博〕

■文献

國分茂博：門脈圧亢進症の病態と最新治療．日本消化器病学会誌．2008; **105**: 1588-96.
日本門脈圧亢進症学会編：門脈圧亢進症取扱い規約 第3版，pp1-21, pp37-40, 金原出版, 2013.

8）腹水と特発性細菌性腹膜炎
(cirrhotic ascites and spontaneous bacterial peritonitis: SBP)

定義・概念

腹水は，肝硬変患者において代償期から非代償期への移行を表す代表的な徴候である．有効循環血液量，腎での水・Na再吸収，門脈圧，血漿膠質浸透圧などの多くの因子が関与して発症する．利尿薬に反応性の腹水は，進行とともに次第に反応性が低下し低ナトリウム血症を伴い，最終的には肝腎症候群に至る．腹水への感染である特発性細菌性腹膜炎（SBP）を併発すると致死的となる．

病因・疫学

腹水の原因として，肝疾患以外の腹膜疾患（感染，悪性腫瘍）または遠隔臓器の病変（心不全，低ナトリウム血症，ネフローゼ症候群）などを考慮する必要はあるものの，75％は肝硬変によるものである．また肝硬変の非代償期において，最も高頻度（48％）に認められる合併症である（D'Amicoら，2006）．

病態生理

腹水の機序は多くの要因が関与し複雑であるが，門脈圧亢進症および腎での水・Na貯留が病態の基盤となっている．門脈圧亢進症については，肝組織の再生結節や線維化によって生じた肝静脈の流出障害に由来する肝類洞圧の亢進が原因となって，肝静脈圧較差（HVPG）＞ 10 mmHgとなる[1]．水・Na貯留は，尿中へのNa排泄が5 mmol/日に低下して起こることが多く[2]，機序として血管拡張説（vasodilatation theory）が最も広く受け入れられている[3]【⇨4-21】．つまり，NOなどの血管拡張物質の増加が内臓や末梢血管の拡張をきたすと有効動脈血流・血圧が減少することとなり，RAAS系（renin-angiotensin-aldosterone system），交感神経系，およびバソプレシン系の活性化が誘導される[4]．その結果として産生されたアルドステロンは腎集合管に作用して水・Na再吸収の増加から腹水が貯留することとなる．その他，overfill説，腎由来の atrial natriuretic peptide（ANP），プロスタグランジンなどの関与も提唱されている．

臨床症状

1）**自覚症状**：　中等量以上の腹水において，腹囲や体重の増加，息切れ，腹部膨満感，腹痛などが認められる．

2）**他覚症状**：　肝硬変に伴う所見に加えて，1500 mL以上の腹水貯留によって腹部膨隆，濁音の体位変換現象（shifting dullness），波動（fluctuation），浮球感（ballottement）がみられる．

3）**随伴症状**：　腹水の貯留に伴って，下腿浮腫，肝性胸水，臍ヘルニアがみられることがある．

検査所見

腹水の診断には腹部超音波および CT による画像検査が有用である．少量の腹水は肝や脾の周囲，Douglas 窩にみられる．腹水を認めた場合，特にはじめて出現した腹水では試験穿刺（30 mL）を行い，外観，蛋白（アルブミン）量，細胞数，細菌培養，細胞診，電解質などによって漏出性/滲出性や原因の鑑別診断を行う．総蛋白量＜ 2.5 g/dL であれば漏出性，＞ 4.0 g/dL であれば滲出性が疑われ，血清-腹水アルブミン較差（serum-ascites albumin gradient：SAAG）＞ 1.1 g/dL であれば漏出性，＜ 1.1 g/dL であれば滲出性と判別される．

診断

診断は，画像診断（e図 11-1-E）および試験穿刺によって行われる[5,6]（Runyon ら，2013）．

経過・予後（e図 11-1-F）

肝硬変による腹水の自然経過は，利尿薬反応性の低下→低ナトリウム血症→難治性腹水→肝腎症候群へと進行する．腹水が出現した肝硬変患者の 1 年生存率は 85％であるが，低ナトリウム血症，難治性腹水，肝腎症候群を伴うと 1 年生存率は 25％に低下する[7]（D'Amico ら，2006）．

特発性細菌性腹膜炎（SBP）

肝硬変患者における最も頻度の高い感染症であり，腹腔内の炎症（急性膵炎，胆嚢炎など）や感染源（腸管穿孔，膿瘍など）を伴わずに発症するので特発性（spontaneous）とよばれている．感染源としては腸内細菌（E.coli, group D Streptococci）の translocation が疑われている．症状として，肝硬変の悪化（肝性脳症，黄疸），発熱，腹痛・圧痛，白血球増加があり，診断は腹水中の好中球数＞ 250/mm^3 で行われる[8]（Runyon ら，2013）．

腹水を伴う肝硬変患者が SBP を併発すると，肝腎症候群を生じて致死的となる．1 年以内の再発率は 69％であり，SBP 患者の平均生存期間 9 カ月である[9]．抗菌薬の予防的投与は高リスクの患者（消化管出血，SBP 再発）に用いられる．

治療

肝硬変に伴う腹水の治療は直接的な予後への効果は乏しいものの，QOL の改善作用に加えて，致死的となる SBP，低ナトリウム血症，肝腎症候群という合併症予防という観点からも重要である（Moore ら，2003）．

治療は，腹水が漏出性であることが確認されれば，肝硬変に対する栄養などの一般療法を行いながら塩分制限 5〜7 g/日程度を基本とする．効果が不十分な場合には，利尿薬を用いる（図 11-1-17）．肝硬変は二次性アルドステロン症の状態であり，Na 貯留・K 喪失の傾向を認めることから，K 保持性利尿薬である

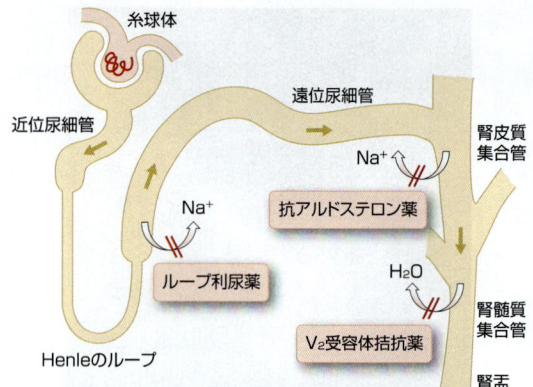

図 11-1-17 腎臓における利尿薬の作用機序
ループ利尿薬は Henle ループ上行脚に作用して Na$^+$ と K$^+$ の再吸収を抑制する．抗アルドステロン薬は遠位尿細管，腎皮質集合管に作用して Na チャネルを抑制する．V$_2$ 受容体拮抗薬は腎髄質集合管に作用して水利尿を促進する．

抗アルドステロン薬（スピロノラクトン）が第一選択となる．効果が不十分な場合にはループ利尿薬（フロセミド）を併用することになるが，体重変化，電解質，腎機能，肝性脳症の出現を注意深く観察する必要がある．また，塩分制限やこれらの Na 利尿薬治療を行っても改善しない腹水には，腎集合管のバソプレシン V$_2$ 受容体への拮抗薬（トルバプタン）の水利尿作用が奏効する場合がある[10]．

アルブミン製剤は膠質浸透圧を上昇させることによって有効循環血液量を補充する目的で用いられる．利尿薬に抵抗性の腹水患者では入院による腹水穿刺が選択されるが，1 L の穿刺排液で 6〜8 g のアルブミンを静脈投与によって補うことが必要である[11,12]．その他，アルブミン投与は SBP や肝腎症候群における循環不全対策として用いられる．さらに，腹水穿刺が頻回となってきた肝硬変患者には，経頸静脈的肝内門脈大循環シャント術（transjugular intrahepatic porto-systemic shunt：TIPS），腹腔-静脈シャント（Le Veen shunt, Denver shunt），肝移植の適応を考慮する．

SBP を合併した肝硬変患者では，第 3 世代セフェム系抗菌薬（セフォタキシムなど）を 5〜7 日間投与する．腎障害を伴うアミノグリコシドは回避する．また，院内発生の SBP は多剤耐性菌による可能性があり，広域のカルバペネム系やタゾバクタム・ピペラシリン配合薬が選択される．予防的投与にはキノロン系が用いられる．

〔中本安成〕

■文献（e文献 11-1-8）

D'Amico G, Garcia-Tsao G, et al: Natural history and prognostic indicators of survival in cirrhosis: a systematic review of 118 studies. J Hepatol. 2006;44:217-31.

Moore KP, Wong F, et al: The management of ascites in cirrhosis:

report on the consensus conference of the International Ascites Club. Hepatology. 2003;38:258-66.
Runyon BA, AASLD: Introduction to the revised American Association for the Study of Liver Diseases Practice Guideline management of adult patients with ascites due to cirrhosis 2012. Hepatology. 2013;57:1651-3.

11-2 急性ウイルス性肝炎

1）肝炎ウイルス
hepatitis virus

　肝炎ウイルス（主として肝細胞で増殖するウイルス）にはHAV，HBV，HCV，HDV，HEVの5種類がある．これらの肝炎ウイルスは肝細胞表面の受容体を介し，肝細胞に侵入する．近年HBV，HCVの受容体が明らかにされ，ウイルスの基礎的研究や創薬が大きく進んできている．受容体がどの細胞に発現されているかにより感染する細胞が，どの動物に発現されているかどうかで宿主が，それぞれ決定されると考えられる．肝炎ウイルスのうち，HEVは多くの動物に感染する人畜共通感染症であるが，ほかの肝炎ウイルスはヒトを含め限られた霊長類にしか感染しない．

　感染経路から考えると，経口的に侵入し門脈系を介して肝細胞に感染するウイルスと，経皮的に侵入し静脈→動脈系を介して肝細胞に感染するウイルスに分けることができる．前者にはHAV，HEVなどエンベロープのないウイルスが，後者にはHBV，HCVなどエンベロープのあるウイルスが含まれる．

　一般に肝炎ウイルス自身には細胞傷害性はなく，ウイルス感染細胞に対する宿主の免疫応答により肝細胞傷害が起こる．これが肝炎の本態である．したがって肝炎の重症度は肝炎が発症する際にどの程度感染が広がっているかに規定される．また，ウイルスの増殖力が強い場合（HBVのbasic core promoter領域に変異がある場合など），免疫応答を抑制する因子がない場合（HBe抗原を産生しないウイルス株など）には重症肝炎を起こす可能性がある．一方これらの因子がない場合は軽い肝炎で終息すると考えられる．

　HBVのうち欧米由来のgenotype Ae（A2），HCVは肝炎発症時に誘導される免疫応答ではウイルスを排除できず，慢性肝炎へ移行することがある．これ以外の場合は（HDVを除けば）宿主が免疫寛容状態になければ慢性肝炎へは移行しない．

(1) A型肝炎ウイルス（hepatitis A virus：HAV）
1）形態と構造および複製：　HAVはエンテロウイルス【⇒11-2-2】に分類される直径27 nm，正二十面体の粒子である．エンベロープはもたず，カプシド蛋白とRNAから構成されている．HAV RNAは全長約7.5 kbの線状1本鎖であり，宿主に感染後その蛋白合成システムを利用して蛋白合成を行う．ポリ蛋白として合成された蛋白は宿主の酵素によって切断され，1個の構造蛋白（P1）と2個の非構造蛋白（P2，P3）がつくられ，それぞれがさらに切断されて機能蛋白ができあがる．これらの蛋白と複製したHAV RNAとによりウイルス粒子が新たに形成されるが，ウイルスは宿主の細胞膜をエンベロープのようにして利用し，肝細胞に再感染することが最近示された．

2）細胞培養と抗原性：　HAVは培養細胞に感染し，増殖することが可能であり，アフリカミドリザルの腎細胞などで培養したウイルスを不活化したワクチンが市販されている．培養細胞における検討からHAVの受容体はHAV cellular receptor 1（HAVCR1）として同定された．

　HAVの血清型は1種類であり，HAV粒子の抗原性は共通である．

3）病原性（感染様式）：　HAVはヒトおよび感受性動物に感染して肝炎を発症する．その潜伏期は2～6週間である．潜伏期後半になり，肝細胞から胆汁，さらに糞便中に多量のウイルスが排泄される．その後肝細胞傷害が起こり，ほぼ同時に血清中IgM-HA抗体が検出される．肝炎の回復期には強い中和抗体であるIgG-HA抗体が血中に出現する．

　A型肝炎の1～2％の症例が急性肝不全を伴う劇症肝炎に進展する．A型肝炎の発症は暴露直後にHAワクチンを投与することで予防が可能である．

(2) B型肝炎ウイルス（hepatitis B virus：HBV）
1）形態と構造：　HBVは"Hepadna"ウイルス科に分類されるDNAウイルスである（e図11-2-A）．表面にエンベロープを有し，その構成成分はHBs抗原，preS抗原の2種類の糖蛋白質と脂質である．エンベロープ内部にはコア粒子がある．コア粒子の表面にはHBc抗原活性があり，粒子内部にはHBV DNAや逆転写酵素などが含まれている．コア粒子をもたない"中空粒子（empty particle）"がウイルス粒子であるビリオン（発見者の名前をとってDane粒子ともよばれる）よりもはるかに多量に存在する．

2) ゲノム産物：HBV ゲノム(DNA)は全長 3.2 kb とウイルスゲノムのなかでも最も短いものの 1 つである．HBV DNA は，ゲノム全長をカバーし HBV mRNA と相補的な配列をもつマイナス鎖 DNA と，全長の約 2/3 長しかもたないプラス鎖 DNA との不完全二重鎖をつくっている(岡本ら，1991)．宿主の核内に入るとこれが完全二重鎖となり，4 種類の mRNA が読み取られる．最も長い 3.5 kb mRNA からはプレコア/コア mRNA とポリメラーゼ mRNA が読み取られる．3.5 kb RNA は mRNA だけではなく，ウイルス自身の複製に必要なプレゲノム RNA としても機能している．2.4 kb mRNA からは large S 蛋白が，2.1 kb mRNA からは middle S および small S 蛋白が，0.8 kb mRNA からは X 蛋白がそれぞれ読み取られる(図 11-2-1)．

コア蛋白はヌクレオカプシド(nucleocapsid)蛋白であり，コア領域のすぐ上流にはプレコア領域がある．コア領域から読み取られた HBc 抗原はエンベロープに内包されるが，プレコア/コア領域から読み取られた蛋白は疎水性残基が切断された後，血中に可溶性蛋白として流出する．これが HBe 抗原である．

ウイルス粒子のエンベロープを構成する蛋白には large S 蛋白(preS1 蛋白＋preS2 蛋白＋S 蛋白)，middle S 蛋白(preS2 蛋白＋S 蛋白)，small S 蛋白(S 蛋白)の 3 種類がある(図 11-2-1)．preS1 蛋白はヒト肝細胞への特異的な結合部位が，preS2 蛋白にはポリアルブミン受容体が存在するが，その意義は不明である．

ポリメラーゼ蛋白はウイルスの複製に必要な酵素である．X 蛋白は宿主遺伝子の転写に影響を及ぼす蛋白で多くの機能を有することがわかっている．また発癌との関連があると考えられる．

3) ウイルスの複製：HBV は胆汁酸のトランスポーターでもある hNTCP(human sodium taurocholate cotransporting polypeptide)を介して肝細胞に取り込まれ複製・増殖する．HBV は DNA ウイルスであるが，その複製に際し RNA の過程を経ることが大きな特徴である．3.5 kb RNA から読み取られたプレゲノム RNA を鋳型にしてマイナス鎖 DNA が，マイナス鎖 DNA を鋳型としてプラス鎖 DNA がそれぞれ合成される．前者は RNA → DNA という逆転写の過程であり，HBV のコードする逆転写酵素の作用が必要である．

4) HBV のサブタイプとゲノタイプ：HBs 抗原の外側を構成する親水性にとんだ部分は major hydrophilic region とよばれるが，このなかに共通抗原基 "a" が存在する．このほかに d, y, w, r の亜型(サブタイプ)特異抗原基が存在し，"d と y"，"w と r" はそれぞれ排他的に存在する．つまり，HBs 抗原には "ayw"，"adr" などいくつかのサブタイプが存在する．

最近ではサブタイプではなく，HBV DNA の配列情報をもとに HBV を遺伝子型(ゲノタイプ)に分類している．現在 HBV は A から J までの 10 種類のゲノタイプに分類される．欧米/南アジアでは A, D, 東/東南アジアでは B, C, 西アフリカでは E, 中南米では F, H など特徴的な分布がある．また，ゲノタイプ C, D は B, A に比べて進展した肝疾患が多い．

5) ゲノムの存在様式：HBV DNA は肝細胞の核内では完全二重鎖の closely covalent circular DNA (cccDNA)として存在する．cccDNA は宿主の DNA とは独立し，小さな染色体(minichromosome)様の形で存在する．HBV DNA はこのほか，宿主 DNA に組み込まれて(integrated)存在する場合がある．特に肝細胞癌では HBV DNA の組み込みが高率に認められる．

6) 病原性(感染様式)：HBV は血液を介して感染する感染症であるが，HBe 抗原陽性例などウイルス量の多い場合には体液に感染性ウイルス粒子を含んでいる．

7) ゲノムの変異と病態：ヒトは DNA の複製エラーを修復する機能を有するが RNA の複製エラーを修復する機能をもたない．HBV は複製過程でプレゲノム RNA からマイナス鎖 DNA への転写過程を経るため，通常の DNA ウイルスより変異が入りやすく，1 塩基，1 年間あたりの変異率は 10^{-5} 個と算定されている．ウイルスの増殖・複製に必須の部分には変異は入

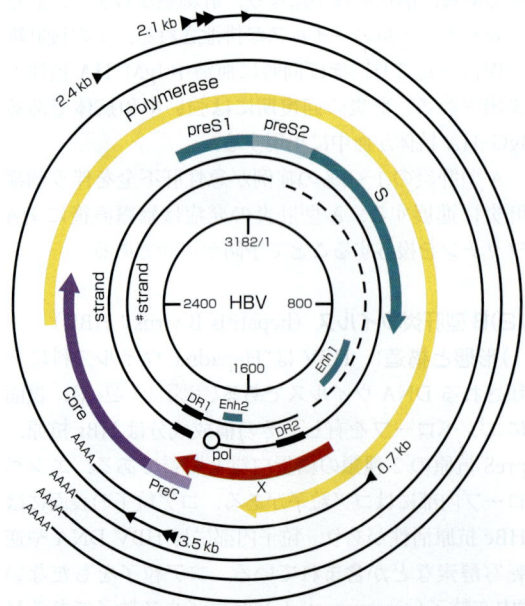

図 11-2-1 B 型肝炎ウイルスの構造 (Morales-Romero J, Vorgas G, et al: Occult HBV infection: a faceless enemy in liver canser development. Viruses. 2014; 6: 1590-611.)

りにくい（入った場合にはそのウイルスは増殖，複製できなくなり，除去される）．

変異のなかにはウイルスの増殖・複製に影響を及ぼす変異，病態に大きな影響を及ぼす変異，抗ウイルス薬やワクチンの効果に影響を及ぼす変異などが含まれている．

(3) C型肝炎ウイルス (hepatitis C virus : HCV)

1) 形態と構造: 1988年に米国カイロン社が輸血後非B肝炎の患者血清からウイルス遺伝子の一部の遺伝子(RNA)を分離し，HCV RNAとして公表した．遺伝子を発現させた抗原を用いた抗体検出系も同時に公表され，HCVが輸血後非B肝炎の原因であることが確認された．金コロイドを用いた免疫電子顕微鏡法により，ウイルス粒子の形状は表面にエンベロープを有する直径55～65 nmの球状粒子であることが確認されている．

2) ゲノム産物: HCVは全長9.5 kbのプラス1本鎖RNAを遺伝子として有するウイルスである．ゲノムの読み取り枠(open reading frame：ORF)は1つであり，約3000アミノ酸からなる蛋白質前駆体(polyprotein)が翻訳される．polyproteinは宿主プロテアーゼ，ウイルスプロテアーゼにより切断（プロセシング）を受け，ウイルス蛋白が生成される．polyproteinの前半からはウイルス粒子を構成する構造蛋白が，後半からはウイルスの増殖に必要な蛋白をコードする非構造蛋白がそれぞれ読み取られる(図11-2-2)．

3) ウイルスの複製: HCVの複製に関する研究は非構造蛋白を用いたウイルス増殖系であるレプリコンシステムや感染性ウイルス産生系(培養系)の構築(Wakitaら，2005)により急速に進歩した．HCVは複数の蛋白から構成される受容体複合体を介して肝細胞に取り込まれる．HCV RNA（プラス鎖RNA）からマイナス鎖RNA，引き続いてプラス鎖RNAの複製が細胞質内で起きる．このプラス鎖RNAと2)で生成したウイルス蛋白とが小胞体膜上でウイルス粒子に組み立てられる．

4) HCVゲノタイプ: HCVは現在までに7種類の遺伝子型（ゲノタイプ）と多種類の亜型（サブゲノタイプ）が報告されている．わが国では1b型（約70％），2a型，2b型が存在する．世界的には1型，2型は全世界に，3型は南アジアに，4型は中近東およびアフリカに，5型は南アフリカに，6型は東南アジアにそれぞれ分布する．インターフェロンに対する感受性は2，3型で良好，1，4型で不良である．

5) HCV関連蛋白と臨床的特徴: HCV構造蛋白のうち，コア蛋白は肝細胞の脂肪化，酸化ストレスに影響を及ぼすことが知られており，発癌と関連するとする報告もある．エンベロープ蛋白はウイルス粒子表面を構成するが，宿主の免疫応答から逃れる（エスケープする）ため，アミノ酸配列が多様である．このことがHCVワクチンの開発を困難にしている．

HCV非構造蛋白のうち，NS5A領域にはインターフェロン感受性と関連する部分があることが知られている．

(4) D型肝炎ウイルス (hepatitis D virus : HDV)

1) 形態と構造: HDVは直径36 nmの球形粒子である．コア部分はHDV RNAとデルタ抗原からなる．また，エンベロープ部分はpreSを含むHBs抗原である．つまり，HDVはHBVの存在下ではじめて増殖可能な不完全ウイルス（ウイロイド）である．

2) 感染様式: HDVはHBVと同時に感染する場合（同時性重感染）とHBVキャリアにHDV単独で感染する場合（異時性重感染）がある．感染経路はHBV同様輸血，暴露事故，性交渉などである．同時性重感染，異時性重感染いずれの場合もHBV単独感染よりは肝炎は重症化する傾向がある．わが国において

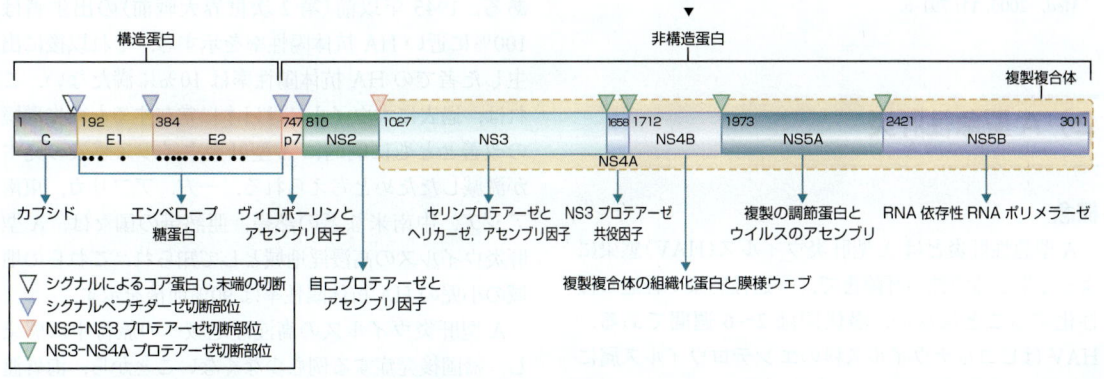

図11-2-2　HCVの構造 (Scheel TK, Rice CM: Understanding the hepatitis C virus life cycle paves the way for highly effective therapies. *Nat Med.* 2013;**19**: 837-49.)

HDV感染症は九州地方の一部でみられるのみである．

(5) E型肝炎ウイルス（hepatitis E virus：HEV）
1) 形態と構造： HEVは直径27〜32 nmの球形粒子である．エンベロープはなく，ヌクレオカプシド（コア）のみからなる．遺伝子は1本鎖のRNAで，3つのopen reading frameをもつ．
2) 感染様式： HEVはもともと東南アジアの大河流域で流行性肝炎を起こすウイルスとして報告された．下水道のない地域では，HAV同様このように飲料水を通じて伝播する．

わが国でのHEVの報告は当初海外渡航歴のある例が多かったが，2000年代に入り，国内で感染したと考えられる症例が報告されるようになった．現在は国内感染例の方が多く報告されている．野生のイノシシ，シカに加えて養豚場で飼育されているブタにもHEVが感染している（人畜共通感染症）ことが明らかになっており，こうした動物の肝臓，腸管，筋肉などを加熱不十分なまま食べることによりヒトにも感染する．

3) HEVゲノタイプ： HEVには現在までに4種類の遺伝子型（ゲノタイプ）が報告されている．このうち1型，2型は東南アジア，南アジアに存在し，ヒトにのみ感染する．3型，4型はわが国を含めた先進国に存在し，ヒト以外に感染を起こす人畜共通感染症である．HEVは上記の動物のほかさまざまな動物に感染することがわかってきており，現在報告されているゲノタイプ以外にも新たなゲノタイプが報告される可能性がある． 〔四柳　宏〕

■**文献**
岡本宏明, 真弓　忠：肝炎ウイルスと肝炎の発症機序, B型. 最新内科学体系 48, ウイルス肝炎-肝感染症（井村裕夫, 尾形悦郎, 他編）, pp12-39, 中山書店, 1991.
Wakita T, Pietschmann T, et al: Production of infectious hepatitis C virus in tissue culture from a cloned viral genome. Nat Med. 2005; 11: 791-6.

2) A型急性肝炎
acute hepatitis A

概念
A型急性肝炎とはA型肝炎ウイルス（HAV）感染によって生じる急性の肝障害で，一過性感染で経過し慢性化することはない．潜伏期は2〜6週間である．HAVはピコルナウイルス科のエンテロウイルス属に分類される全長7500塩基の1本鎖のプラス鎖RNAウイルスである．HAV遺伝子型はⅠ型，Ⅱ型，Ⅲ型の3種類に分類され，さらにそれぞれが，A，Bの亜型に分けられている．わが国に常在するHAVの遺伝子型はⅠA型である．

感染経路
おもな感染経路は経口感染で，肝臓で増殖したウイルスが胆汁，腸管より便中に排出され，これらの排泄物が何らかの経路で口より侵入し感染が成立する．よっておもな感染媒体は汚染された水および食べ物である．以前，わが国では貝類（生牡蠣）の生食後の感染事例が多く報告されていた．国外ではレタス，グリーンオニオンなどの生鮮野菜や冷凍イチゴなどの輸入生食材が感染源となった集団発生例が報告されている．また最近の特異な事例としては，男性同性愛者でのoral-anal-contactによる集団感染事例が国内外から報告されている（WHO，2015）．

発生時期に関しては，かつては冬から春にかけて多発するなど季節性がみられたが，2000年以後は発生頻度の減少とともに，従来ほどの季節性がなくなっている．

疫学・頻度
1980年から2013年までのわが国の起因ウイルス別急性肝炎の発生頻度は，A型34.3％，B型29.2％，非ABC型27.7％，C型8.8％である．特に1983年と1990年には2回にわたってA型肝炎の爆発的流行を認めたが，それ以後は大きな流行はみられず推移していた．

しかし2010年には，西日本を中心とする小流行が認められ，この年のA型肝炎患者のHAV遺伝子型は，わが国には常在しないⅢA型が約30％を占めていた．韓国では2008年からⅢA型のA型肝炎の流行が認められており，2010年の小流行は韓国でのA型感染がわが国へ拡大したものと考えられている．

A型肝炎は一度感染すると再度の感染は起こさない終生免疫が成立する疾患である．わが国のA型肝炎既感染者の年齢分布をみると高齢者で高率，若年者では低いHA抗体陽性率を示しており年齢依存性である．1945年以前（第2次世界大戦前）の出生者は100％に近いHA抗体陽性率を示すも，それ以後に出生した者でのHA抗体陽性率は10％に満たない．これは，過去に本ウイルスは日本に常在するも衛生環境の改善とともに劇的にA型肝炎ウイルス感染の発生が激減したためと考えられる．一方，アフリカ，東南アジア，中南米などの熱帯，亜熱帯の国々は，A型肝炎ウイルスの高浸淫地域として知られ，これらの地域の小児のHA抗体陽性率は90％前後を示す．

A型肝炎ウイルスの高浸淫地域への旅行中に感染し，帰国後発症する例も少なくないことから，海外渡航歴の有無の問診は，急性肝炎の診断上重要である．

病理

A型急性肝炎の肝病理像の所見は，門脈域の拡大，著明な円形細胞浸潤(リンパ球，プラズマ細胞)とともに肝細胞の変性，壊死像が肝小葉周辺部に目立つことである．また胆汁うっ帯は特徴的で，胆汁栓や胆汁色素の沈着が小葉中心部に認められる．

病態

A型肝炎の潜伏期は2～6週間で，この時期から感染患者の便中，血液中にHAV-RNAが検出される．発症直前の時期が最も感染力が高く，肝障害の出現とともにウイルスの減少，排除が始まる(図11-2-3)．

HAVによる肝細胞障害機序もほかの肝炎ウイルス同様，宿主の免疫機構が関与し，肝細胞傷害性T細胞(CTL)とナチュラルキラー(NK)細胞が関与する．またA型肝炎ではエンドトキシン血症を短期間ながら高頻度に認め，これは肝細胞網内系機能，特に肝Kupffer細胞の機能低下が関与している．

臨床症状

A型肝炎の臨床症状は，いわゆるかぜ症状，38℃以上の発熱を前駆症状として発症し，食欲不振，倦怠感などの非特異症状出現後，黄疸を呈する．発症初期のA型肝炎での発熱の頻度は約70%で，B型，C型の20%に比して明らかに頻度が高く，診断の手がかりとなる．発熱以外の症状ではほかのウイルス性急性肝炎と比して特異なものはない．

検査所見

血液検査では，ほかの急性肝炎と同様，ALT値，AST値の著明な上昇，ビリルビン値の上昇，軽度～中等度のALP，γ-GTPなどの胆道系酵素の上昇を認める．検査所見のなかでも急性期～回復期にかけてのTTT値の上昇はA型肝炎の特徴であり，これは血液中のIgMの増加を反映する．

血清学的診断としてはIgM型HA抗体の測定が有用である．IgM型HA抗体は発症後，1週間目から出現し(60～70%)，3～4週間目に抗体価が最高値となり，以後次第に低下する(図11-2-3)．

経過・予後

若年成人A型肝炎感染者での劇症肝炎移行はほかの肝炎に比して頻度は少なく軽症例が多い．A型肝炎の予後は一般的に良好で一過性感染で経過し慢性化することはない．しかし，50歳以上の高齢者では重症例，劇症例，合併症併発例の頻度が若年例に比較して高く注意を要する．

合併症

急性腎不全，ネフローゼ症候群の併発，また回復期の赤芽球癆や再生不良性貧血，溶血性貧血，特発性血小板減少性紫斑病などの血液疾患の合併や自己免疫性肝炎誘発例が報告されている．これらの肝外病変の出現はときに生命に重大な影響を及ぼすことがあり注意が必要である．

感染予防

HAV高浸淫地区におけるHAV感染の一般的予防対策は，経口感染の機会を未然に防ぐことであり，生水，生鮮食物の摂取をできるだけ避けることが重要である．しかし食物に対する注意だけでは予防対策として不完全である．

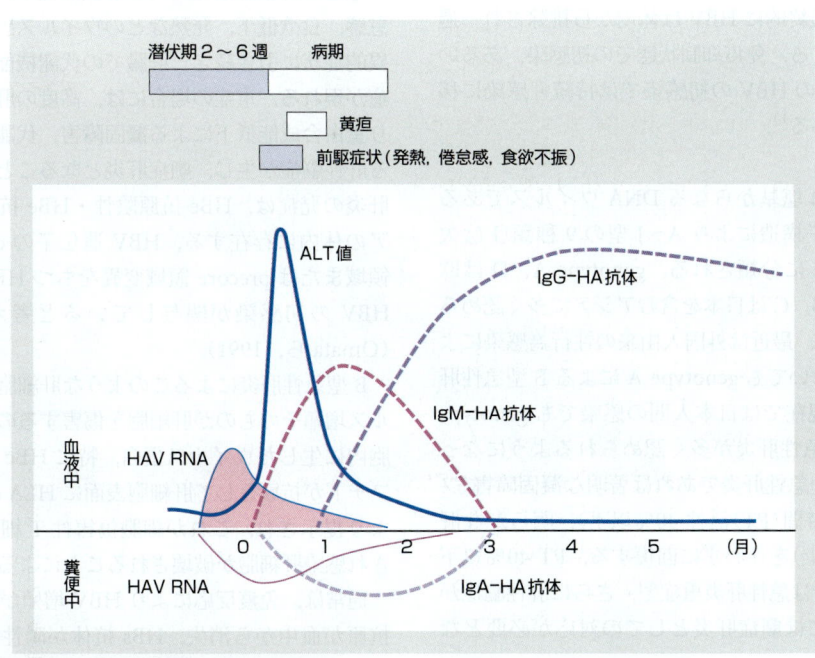

図11-2-3 A型急性肝炎の臨床経過

以前，特異的感染予防法としては免疫血清ヒトガンマグロブリン（ISG）が用いられていたが，現在ではHAワクチンの投与で中和抗体を獲得する方法が主流である．

HAワクチン接種者の抗体陽転率は，ほぼ100％であり，きわめて良好な成績が得られている．HAワクチンの接種方法は，初回，2〜4週後，6カ月後の3回接種で数年間持続する抗体価を得ることが可能だが，海外渡航前など緊急性がある場合には，初回，2週後の2回接種で十分な予防効果が得られる．

なおA型肝炎は四類感染症に定められており，診断した医師は直ちに最寄りの保健所に届け出なければならない．

〔八橋 弘〕

■文献
WHO: Hepatitis A. Fact sheet, Updated July 2016.

3）B型急性肝炎
acute hepatitis B

定義・概念
B型急性肝炎は，B型肝炎ウイルス（hepatitis B virus：HBV）の初感染により引き起こされる肝臓の急性炎症による疾病である．HBV自体は肝細胞を傷害せず，HBVに感染した肝細胞が免疫反応により破壊されることにより肝細胞壊死が惹起され肝機能低下による症状が現れる．新生児期〜乳幼児期にかけての感染ではHBVに対する免疫学的寛容状態のため持続性感染状態（キャリア）となるが，それ以降の初感染では多くの症例で最終的にHBVは体内から排除され一過性感染で終息する．免疫抑制状態での初感染，あるいはgenotype AのHBVの初感染では持続性感染に移行する場合がある[1]．

分類
HBVは3200塩基からなるDNAウイルスであるが，その遺伝子構造によりA〜J型の9種類（Iは欠番）のgenotypeに分類される．genotype A，Dは欧米，genotype B，Cは日本を含むアジアに多く認められる[2]．しかし，最近は外国人由来の性行為感染により日本国内においてもgenotype AによるB型急性肝炎が増加し，現在では日本人間の感染でもgenotype AによるB型急性肝炎が多く認められるようになっている．通常の急性肝炎であれば著明な凝固障害（プロトロンビン時間（PT）活性40％以下），明らかな肝性脳症（2度以上）を伴わずに回復する．PT 40％以下に低下する場合は急性肝炎重症型，さらに肝性脳症が出現した場合には劇症肝炎としての対応が必要となる．

原因・病因
B型急性肝炎は，幼児期以降のHBVの初感染により発症する．新生児期〜幼児期の感染では急性肝炎を発症せずにキャリア化する．B型急性肝炎は主としてキャリア，まれには急性肝炎患者からの血液，体液を介する感染による．歴史的には輸血によるB型急性肝炎が主であったが，現在はHBVスクリーニングが実施されているため急性肝炎が発症することはきわめてまれである（eノート1）．現在，日本国内において最も多い感染経路はHBs抗原陽性のHBVキャリアまたは急性感染後の潜伏期患者からのsexual transmissionである．医療従事者の汚染事故も原因となりうるので，HBワクチンの投与が推奨されている．また，キャリア血液による器具，薬液の汚染による医療機関内感染事故の報告もあり厳重な注意が必要である．

疫学・発生率
B型急性肝炎は，感染症法で全数把握の五類感染症に指定されており，急性ウイルス性肝炎として診断した医師は7日以内に最寄りの保健所に届け出る必要がある．B型急性肝炎からの劇症肝炎の発生率は1％程度とされている．

病理
B型急性肝炎の病理像は，肝臓の小葉内の感染肝細胞の巣状壊死，好酸体（アポトーシスに陥った肝細胞），炎症細胞の浸潤，セロイド貪食マクロファージ，門脈域への反応性炎症細胞浸潤，浮腫，などであり，ほかの急性肝炎と同様の所見をとる．

病態生理
急性の肝細胞壊死による肝機能低下により，全身倦怠感，食欲低下，発熱などのウイルス感染に伴う非特異的症状に引き続き，肝臓での代謝機能低下による黄疸が現れる．重症の場合には，高度の肝機能低下により蛋白合成能低下による凝固障害，代謝機能低下による肝性脳症が生じ，劇症肝炎となることがある．劇症肝炎の発症は，HBe抗原陰性・HBe抗体陽性キャリアの体内に存在する，HBV遺伝子のcore promoter領域またはprecore領域変異をもつHBe抗原非産生HBVの初感染が関与していると考えられている（Omataら，1991）．

B型急性肝炎によるこのような肝細胞壊死は，ウイルス増殖そのものが肝細胞を傷害するのではなく，細胞内に生じたウイルス蛋白，特にHBc蛋白由来のペプチドが抗原として肝細胞表面にHLA class I分子により提示され，これが細胞傷害性T細胞により認識され感染肝細胞が破壊されることによる．

通常は，免疫反応によりHBV増殖が抑制されHBs抗原が血中から消失，HBs抗体が陽性となると感染は終息したと考えられる．終生免疫を獲得し再感染は

しない．しかし，このような HBs 抗体陽性の感染既往者においてもごく少量の HBV は肝臓内に残存しており，感染既往のある患者をドナーとした肝臓移植においては移植後にレシピエントに B 型肝炎が発症しうることが知られている[3,4]．また，B 型急性肝炎の既往感染者において，リツキシマブなどの抗癌薬治療や生物学的製剤治療，および免疫抑制療法の後に HBV の再活性化が起こり，致死的肝炎を発症することが報告されている（*de novo* 肝炎）(Dervite ら，2001)．

臨床症状

1) 自覚症状：HBV に暴露されてから，1〜6 カ月の潜伏期間の後，非特異的なウイルス感染症状(全身倦怠感，発熱)に引き続いて，高度の全身倦怠感，食欲不振が出現する．この頃より，ビリルビン尿により尿の濃染を自覚する．ついで，顕性の黄疸(眼球，皮膚の黄染)が出現し多くの場合，この段階で医療機関を受診することが多い．通常は，黄疸が出現すると全身症状は消失し感染は終息に向かう．黄疸出現後も，全身倦怠感・食欲不振が持続する場合は重症化，劇症化に注意しなければならない．

2) 他覚症状：身体所見上は，黄疸および右季肋部の叩打痛(きろく)(左手のこぶしを右季肋部におき，右手のこぶしでたたくと肝被膜の伸展痛により鈍痛を訴えるもの)を認める．炎症が高度となると，肝臓の萎縮により肝濁音界の縮小・消失を認め，腹水，肝性脳症などの肝不全症状が出現する．

検査所見

肝細胞傷害による ALT, AST 値の上昇が特徴的である．小葉辺縁部の肝細胞に多いとされる ALT 値の優位な上昇を認める．これに対して肝内胆汁うっ滞を示す胆道系酵素(ALP, GGT)の上昇は軽度にとどまる．直接ビリルビンの上昇は，ALT の極期に遅れて，自覚症状が消失した時期にピークとなる．この直接ビリルビンの上昇は通常は肝不全による肝代謝機能の低下を反映しているのではなく，肝細胞壊死により分断された肝細胞索内での胆汁うっ滞を示している可能性がある．肝臓での蛋白合成能の低下により PT の延長を認める．PT 活性 40% 以下では重症型急性肝炎，さらに肝性脳症を発症すれば劇症肝炎の発症を疑う．

B 型急性肝炎は，HBV 関連マーカーにより診断される(図 11-2-4)．HBV の増殖は感染後，症状発現までの潜伏期間中にピークを迎え，患者の免疫反応によるウイルス感染細胞の破壊により，急性肝炎症状が出現する．症状発現時には HBs 抗原陽性であり，体内での HBV の存在を示している．HBs 抗原は B 型急性肝炎が終息後，3〜6 カ月で消失し，HBs 抗体が出現する．体内での HBV の増殖の程度を反映する HBe 抗原は，症状発現時にはすでに低下しており，経過ともに HBe 抗体が出現する．感染時期を示す

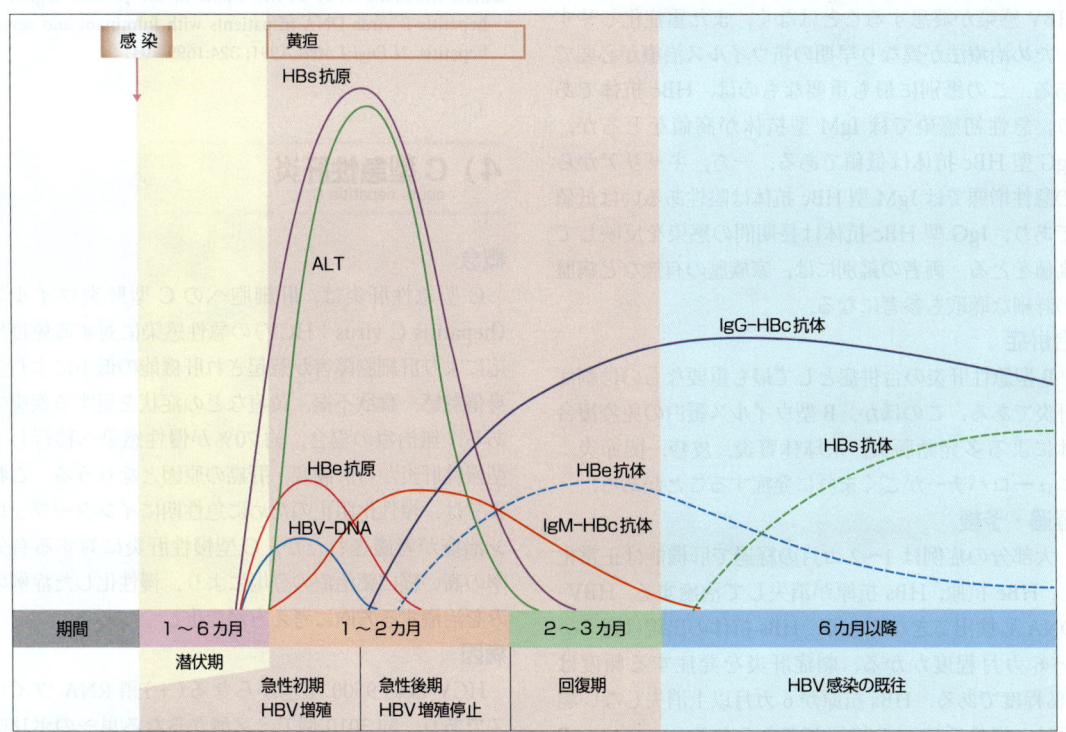

図 11-2-4 急性 B 型肝炎におけるウイルスマーカーの変動 (Medical Practice.13:1367-71,1996)

HBc抗体は，HBVの急性の初感染を反映してIgM型の抗HBc抗体が出現し，IgG型のHBc抗体は低力価である．これが，B型急性肝炎診断のための最も重要な所見である．HBV-DNAは上述のように症状が発現し医療機関受診時には低下していることが多い．

診断

急性の肝機能障害を認める患者で，HBs抗原陽性，IgM-HBc抗体陽性であれば，B型急性肝炎が強く疑われる．HBVキャリアからの急性発症と異なりIgG-HBc抗体は低力価のことが多い．ほかの原因疾患を鑑別し否定されればB型急性肝炎と診断できる．

鑑別診断（詳細は ⓔコラム1）

急性肝障害の鑑別診断は多岐にわたる．胆道系酵素優位の急性肝障害であれば，腹部超音波検査，CTなどにより胆道系の拡張所見を検索し肝外胆汁うっ滞による疾患（胆石，悪性腫瘍）を除外する．急性肝障害をきたす疾患としては，ウイルス肝炎（A，C，D，E），ほかのウイルス感染症に伴う肝障害（EBV，CMV，HSV，VSV，水痘，麻疹，風疹，パルボウイルスB19など），アルコール性肝障害，薬物性肝障害，急性循環障害，成人Still病，血球貪食症候群，Wilson病，自己免疫性肝炎急性発症，妊娠性急性脂肪肝など妊娠に伴う急性肝障害，薬物性過敏症症候群に伴うHHV-6の再活性化などに注目する必要がある．

HBs抗原陽性の急性肝障害と考えられる場合，重要なのはHBVキャリアからの急性発症であるのか，急性初感染であるのかの鑑別である．前者の場合は，HBV感染が終息することはなく，また重症化しやすいため治療法が異なり早期の抗ウイルス治療が必要である．この鑑別に最も重要なものは，HBc抗体であり，急性初感染ではIgM型抗体が高値をとるが，IgG型HBc抗体は低値である．一方，キャリアからの急性増悪ではIgM型HBc抗体は陰性あるいは低値であり，IgG型HBc抗体は長期間の感染を反映して高値をとる．両者の鑑別には，家族歴の有無など病歴の詳細な聴取も参考になる．

合併症

B型急性肝炎の合併症として最も重要なものは劇症肝炎である．このほか，B型ウイルス蛋白の免疫複合体による多発動脈炎，糸球体腎炎，皮疹，関節炎，ニューロパチーがごくまれに発症することがある．

経過・予後

大部分の症例は1～2カ月の経過で肝機能は正常化し，HBe抗原，HBs抗原が消失して治癒する．HBV-DNAも検出できなくなる．HBs抗体の出現は遅く，3～6カ月程度かかる．劇症肝炎を発症する頻度は1％程度である．HBs抗原が6カ月以上消失しない場合は，慢性感染への移行が考えられる．genotype BおよびCでは慢性化はまれと考えられるが，genotype Aでは約10％の頻度で慢性化が起こりうる．HBs抗体陽性となれば再感染は起こらない．ただし，HBVは急性肝炎治癒後も肝内に潜在していると考えられ，HBV感染の既往のあると考えられるHBs抗体またはHBc抗体陽性者を肝臓移植のドナーとした場合にレシピエントにB型肝炎が発症しうる．

治療・予防

大部分の症例は，自然軽快するため経過観察・対症療法のみで特異的な治療は必要ない．一方，高度な肝細胞傷害による肝不全症状・高度の黄疸・直接ビリルビン-総ビリルビン比の低下，HGF（肝細胞増殖因子）高値，PT活性の低下など重症型B型急性肝炎で劇症化の懸念のある場合にはHBVポリメラーゼ阻害薬であるラミブジンを早期に投与しHBV増殖を抑制する（ⓔコラム2）．

医療従事者らの感染予防にはHBワクチンを使用する．3回の接種で90％の例でHBs抗体が陽性化する．HBs抗体陰性者の汚染事故後の感染予防には汚染事故後48時間以内にHBs免疫グロブリンを投与するとともに，1週間以内にHBワクチンの接種を開始する．

ⓔノート2も参照. 〔朝比奈靖浩〕

■文献（ⓔ文献11-2-3）:

Dervite I, Hober D, et al: Acute hepatitis B in a patient with antibodies to hepatitis B surface antigen who was receiving rituximab. *N Engl J Med.* 2001; 344: 68-9.

Omata M, Ehata T, et al: Mutations in the precore region of hepatitis B virus DNA in patients with fulminant and severe hepatitis. *N Engl J Med.* 1991; 324:1699-704.

4）C型急性肝炎
acute hepatitis C

概念

C型急性肝炎は，肝細胞へのC型肝炎ウイルス（hepatitis C virus：HCV）の急性感染に対する免疫反応により肝細胞障害が惹起され肝機能の低下により全身倦怠感，食欲不振，黄疸などの症状を呈する疾患である．無治療の場合，約70％が慢性感染へ移行しC型慢性肝炎から肝硬変・肝癌の原因となりうる．これまでは，慢性化阻止のために急性期にインターフェロン治療が考慮されたが，C型慢性肝炎に対する有効率の高い経口薬治療の登場により，慢性化した症例のみを治療する方向に考え方が変化しつつある．

病因

HCVは約9500塩基からなる（+）鎖RNAウイルスであり，約3010個アミノ酸からなる単一のポリプロテイン鎖から10個のウイルス蛋白が産生され肝細

胞内で増殖する．HCVが増殖した肝細胞は細胞性免疫反応により排除されるためこの際の肝障害による肝機能の低下による倦怠感，食欲低下，黄疸などの症状が一過性に出現する．肝細胞内で増殖したHCVは血液中に放出され主として血液を介して感染するためかつては輸血後肝炎の主要な原因であったが，1990年以降に開始された輸血のHCVスクリーニングにより輸血後肝炎はほとんど認められなくなっている．現在のおもな感染経路は感染者（主として慢性感染）の血液に暴露されることであるが約60％で明らかな原因は不明である．原因が推定可能なもののなかでは，医療行為などに関連するもの（針刺し事故，透析，医療上の検査・処置，歯科治療，感染者検体，院内感染など）（35％），性的接触（21％），静脈違法薬物使用（13％），医療行為以外での針などの刺入（刺青，ピアス，カミソリなど）（11％），輸血・血液製剤関連（5％），鍼治療（3％），家族など感染者との接触（2％），母子感染（1％）と報告されている．

疫学

日本では急性肝炎に占めるC型急性肝炎の頻度は約10％と報告されている．C型急性肝炎は2003年11月の感染症法の改正に伴い五類感染症の「ウイルス性肝炎（E型肝炎及びA型肝炎を除く）」に分類され，その発生動向が監視されている．届け出対象は急性肝炎のみであり，慢性肝炎や肝硬変，肝癌は含まれない．C型急性肝炎と診断したすべての医師に，診断後7日以内に保健所への届け出基準に基づく届け出が義務づけられており，発生報告頻度は年間50例前後であるが不顕性感染ははるかに多く発生している可能性もある．男女差はなく，年齢の中央値は50歳（0〜90歳）である．

病理

病理学的には，肝小葉内に巣状壊死とよばれる感染肝細胞を中心としたリンパ球主体の炎症細胞の集簇が散在性に認められる．傷害された肝細胞は腫大・風船化，さらにアポトーシスに陥った肝細胞が好酸体となって脱落する．門脈域にはリンパ球を中心とした反応性の炎症細胞浸潤が出現し浮腫状となる．完成された慢性肝炎と異なり小葉内および門脈域に線維化を認めない．

病態生理

C型急性感染の70％はHCVに対する免疫反応が不十分で慢性感染へ移行するが約30％は自然治癒しHCVが体内から排除される．その詳細なメカニズムは解明されていないが，HCV感染に伴ってインターフェロンが体内で誘導され，ウイルス増殖を抑制するさまざまなインターフェロン誘導遺伝子群が発現することが重要である．2010年にゲノムワイド関連解析によりC型慢性肝炎に対するインターフェロン治療の効果は19番染色体上のインターロイキン-28B（IL28B, interferon-lambda-3）遺伝子の多型に強く関連することが発見され，抗ウイルス治療によるHCVの排除にはIL28Bがかかわっていることが示唆された．さらにC型急性感染からの自然治癒においてもIL28B遺伝子多型が関連し，IL28Bの遺伝子型により慢性感染への移行率が異なることが明らかとなっている．IL28Bの遺伝子型によりHCVに感染した肝臓内でのインターフェロン誘導遺伝子の発現が異なることが報告されていることから，これらの抗ウイルスシステムの個体差が慢性感染成立に関与すると考えられる．一方，HCV遺伝子は非常に変異しやすく免疫反応から逃避するescape mutationの出現により自然排除を免れている可能性もある．自然治癒においてもHCV再感染が認められることから，感染を防御する中和抗体は出現しないと考えられている．

臨床症状

自覚症状としては食欲不振60％，全身倦怠感54％，黄疸35％，褐色尿19％，嘔吐12％，発熱12％と報告されているが，症状は一般に軽微であり，不顕性感染が60〜70％を占める．自覚症状は黄疸の出現時には軽快する．他覚症状ではほかの急性肝炎と同様に，肝腫大，肝叩打痛（肝腫大による肝被膜の伸展による），脾腫大などが出現する．

検査所見

肝細胞障害により血中のAST・ALTがALT優位に上昇する．総ビリルビン，直接ビリルビンが上昇するが，GGT，ALPなどの胆道系酵素，LDHの上昇は軽度である．ALTの上昇が変動して多峰性となる場合は慢性化する可能性が高くALTが正常化してもHCVは持続感染していることが多い．肝臓の蛋白合成能の低下によりプロトロンビン時間が延長する．CT・超音波などの画像診断では肝臓・脾臓の腫大を認める．まれに広範な肝細胞壊死が起これば地図状肝となる．急性肝炎においては胆汁産生が減少するため胆嚢は収縮し壁が浮腫状となり急性胆嚢炎様の画像所見を呈する．

診断

上述の急性肝炎を示す臨床症状・検査所見を認めた場合には，HCV抗体および血中HCV-RNA検査を行う．HCV抗体は中和抗体ではなくその存在は過去あるいは現在のHCVの体内での増殖を示す．体内のHCVの存在の直接証明はPCRによる血中HCV-RNAの検出による．急性感染において感染初期にはHCV抗体は陰性であり，HCV-RNAのみが陽性となる．HCV-RNAは感染後数日から陽性となりうるがHCV抗体は通常4週以降に陽性となる．したがってHCV-RNA陽性，HCV抗体陰性からの陽性化が確認できればC型急性肝炎と診断できる．しかし，

医療機関受診時にすでにHCV抗体陽性となっている場合には、C型慢性肝炎との鑑別は容易ではなく、感染時期は病歴からの推定（HCV暴露の可能性、過去の肝障害歴など）、肝生検による病理所見で慢性肝炎を示す進展した線維化の確認などが必要となる．HCV遺伝子型および血中HCV-RNA量は治療方針の決定のため重要である．

鑑別診断

急性の肝障害をきたすすべての疾患が鑑別の対象となる．胆道系酵素優位の急性肝障害であればまず画像診断（超音波・CT）により肝内胆管拡張所見を検索し結石・腫瘍などによる肝外胆汁うっ滞を除外する（ⓔノート1）．

合併症

劇症肝炎はまれであり約0.5％と報告されている．肝性脳症の出現およびアンモニア値の上昇、プロトロビン時間の延長に注意する．

経過・予後

HCVへの暴露から症状出現までの潜伏期間は2〜12週であり平均40日である．まずHCV-RNAが陽性化し、続いてALTが上昇、倦怠感・食欲不振が現れ、最後に黄疸が出現する（この時点で医療機関を受診し診断されることが多い）．症状の持続は2〜12週である．自然治癒する場合は通常発症後、12週以内にHCV-RNAが陰性化する．これ以降に自然治癒する可能性は低く慢性感染に移行する．慢性感染に移行した患者の約半数は無治療では20〜40年の経過で慢性肝炎から肝硬変・肝癌へと進展する．

治療

発症後12週までは自然治癒の可能性があるため食欲不振などに対して補液などの対症治療をしつつ経過観察を行う．12週の時点でHCV-RNAが陽性であれば慢性化する可能性が高く、発症6カ月以降でHCV-RNA陽性が確認されればそれ以降の自然治癒の可能性は低く慢性化と判断する．

これまでは慢性化した後のインターフェロン治療の効果が急性期の治療に比べて低かったため、急性期のインターフェロン治療が推奨されてきた．しかし、2014年以降に登場したHCVに対する経口特異的阻害薬による治療（direct antiviral agents, DAA治療）により100％近い治癒率がC型慢性肝炎に対しても期待できるようなったため、発症6カ月以降の時点でHCV-RNA陽性が確認され、慢性感染に移行した時点でインターフェロンを使用しないDAA治療を行うことで高い治療効果が得られることが期待されている．ただし、このような治療方針の有効性に関するエビデンスは2015年の時点ではほとんどないことに注意する必要がある．

急性期治療が考慮されるのは、肝硬変などの基礎疾患があり急性肝炎により肝機能が大きく低下する可能性が考慮される場合、外科医で術中の患者への感染の可能性のある場合、麻薬注射常習・不特定多数との性交渉など急性期においても他人への感染の原因となりうる場合、急性期の治療を強く希望する場合などが想定されている．ただし、日本国内においてはC型急性肝炎に対するインターフェロン治療は保険適用ではないため注意する必要がある．また急性期におけるDAA治療のデータはまったくなく、非常に治療費が高額でもあることから2015年時点では推奨されておらず日本国内における保険適用もない．

現在推奨されている治療は、持続作用型のペグインターフェロンの週1回皮下注射を12〜24週間続けることで、約90％の症例で治癒が得られる．インターフェロン抵抗性のHCV遺伝子型1型では24週治療が、インターフェロン感受性の遺伝子型2型では12〜16週治療が推奨される．血中HCV-RNA量の多い遺伝子型1型では難治性であり、発症後12週まで待たずに8週で治療開始した方が治癒率が高いが、自然治癒しうる例を治療してしまうデメリットがありうる．またIL28B遺伝子多型により自然治癒率が異なることから、IL28B遺伝子型により持続感染への移行が高いと予想される患者では12週の経過観察を待たずに早期にインターフェロン治療を導入することも提唱されている．

C型慢性肝炎の治療で使用されるリバビリン併用peginterferon治療は、HIV感染を合併している場合、peginterferon単独治療でRVR（rapid viral response；治療開始4週までの血中HCV-RNA陰性化）が得られない場合などに考慮する．あるいはRVRが得られない場合には、インターフェロン治療は中止し、慢性化を確認後にDAA療法を行うことも推奨されつつある．6カ月以上のHCV-RNAの陽性が確認された症例について、C型慢性肝炎として治療する場合には、DAA治療を考慮する【⇒11-4-1-2】．

C型急性肝炎からの劇症肝炎への移行率は1％以下と非常に低く、また劇症肝炎の成因としても1％程度を占めるにすぎないが、PT 40％以下、肝性脳症の出現などの肝不全症状を認めた場合は肝臓移植などを考慮して対応する必要がある．

予防

医原性感染の防止、不潔な観血的処置（刺青、麻薬注射の回し打ち、ピアスなど）によるHCV陽性の血液への暴露を避けることが重要である．尿・唾液・便などへのHCVの混入は微量であり家庭内での通常の接触、日常の社会生活で感染が起こる可能性はほとんどない．性交渉による感染リスクは正確には不明であるがごく低いと考えられている．母子感染率は4〜10％、医療従事者の穿刺事故では0.3〜3％と報告さ

れているが感染率はHCVの暴露量により大きく異なり，大量に体内にHCVが侵入した場合には感染が成立する．医療従事者の穿刺事故などでは暴露後1年間は定期的にALT，HCV抗体，HCV-RNAをモニターして感染の早期発見と早期治療に努める．HCVワクチンはいまだに開発されておらず，標準予防策による感染防止が重要である．消毒法はオートクレーブ，乾熱滅菌，15分以上の煮沸消毒，次亜塩素酸，グルタールアルデヒド，エチレンオキサイド，ホルマリンが有効であり，エタノールは無効である．C型肝炎ウイルスへの暴露前または暴露後のインターフェロンによる感染予防の有効性は確認されていない．またDAAによる予防効果についてもデータはなく現時点では予防的投与は推奨されない． 〔榎本信幸〕

■文献

Grebely J, Matthews GV, et al: Treatment of acute HCV infection. *Nat Rev Gastroenterol Hepatol*. 2011; **8**: 265-74.

Maheshwari A, Ray S, et al: Acute hepatitis C. *Lancet*. 2008; **372**: 321-32.

Hepatitis C guidance: AASLD-IDSA recommendations for testing, managing, and treating adults infected with hepatitis C virus. AASLD/IDSA HCV Guidance Panel. *Hepatology*. 2015; **62**:932-54.

5）D型およびE型急性肝炎
acute hepatitis D/E

(1) D型肝炎

病態

D型肝炎は約1700塩基長の環状1本鎖RNAをゲノムとしてもつ直径36 nmの球状で有エンベロープ性のD型肝炎ウイルス（hepatitis delta virus：HDV）によって発症する．本ウイルスは，同一細胞内にB型肝炎ウイルス（hepatitis B virus：HBV）が存在しなければ自己複製しえない特異なウイルスである．そのためHDV感染はHBV感染との共存でしか存在せず，急性肝炎としてのHBV，HDV同時感染（coinfection）あるいはHBVキャリアへの重複感染（super-infection）しかありえない（Rizzetto, 1983）．すなわち，D型肝炎にはHDVとHBVの両ウイルスが関与している．

遺伝子型

HDVには8種類の遺伝子型（genotype）が存在する．南米に局在するHDV-3が最も病原性が高く重症化，劇症化の頻度が高い．わが国での抗HD陽性率は低く，全国調査ではHBs抗原陽性者の0.6%と報告されている[1]．

臨床症状

HDVはHBVと同様に血液，体液を介して感染する．1〜6カ月の潜伏期間の後，発熱，全身倦怠感などの感冒様症状や，食欲不振，嘔吐などの消化器症状が出現する．その後全身倦怠感，黄疸などが出現する．同時感染の際にはHBV感染は通常一過性で経過するため，HDV感染も一過性感染として終息する．重複感染の際にはHBV感染が持続化するため，HDV感染も慢性化する可能性が高い．HDVの検査を施行しなければ，同時感染はB型急性肝炎，重複感染はB型慢性肝炎の急性増悪にしかみえない．

診断

わが国では2003年5月以降HD抗体測定試薬の製造が中止され，HD抗体測定は困難である．そのためHDV RNAの検出が有用であるが，保険適用がなくわが国でのD型肝炎の実態把握への障害となっている．

治療・予防

D型肝炎に対する特異的な治療法はない．HBVに対する核酸アナログ製剤にHDV RNA抑制効果は認められていない．同じRNAウイルスのC型肝炎同様，インターフェロン療法の効果が報告されている[2]．また，HBVワクチンはHBV感染を予防するとともに，HDV感染に対しても有用である．

(2) E型肝炎

病態

E型肝炎は約7200塩基長の単鎖RNAをゲノムとしてもつ直径約30 nmの小型球形粒子で無エンベロープ性のE型肝炎ウイルス（hepatitis E virus：HEV）によって発症する．HEVはアジア，アフリカなどにおける流行性肝炎の重要な病因ウイルスと位置づけられ，先進国では衛生環境未整備の発展途上国からの輸入感染症であると考えられてきた．しかし，2001年に日本土着型のHEV株の存在が報告され[3]，北海道を中心にE型急性肝炎が多数報告された．その後日本固有株は次々と発見され，さらに，これまで原因不明とされてきた急性肝炎の一部はHEVによって引き起こされていることが判明した．また養豚場でのブタ，野生動物のシカ，イノシシへのHEV感染の事実が明らかとなり，人獣共通感染症であると認識されるようになった．

遺伝子型

ヒトから分離されるHEVの遺伝子型は4種類である．日本に土着しているのはHEV-3とHEV-4であり，どちらもヒトのみならずブタなどにも感染する．そのため，本ウイルスに汚染されたブタやイノシシ，シカなどの食肉を十分な加熱処理を行わずに経口摂取することで感染する．本州ではHEV-3，北海道では

HEV-4が多く，HEV-4感染の方が重症化する頻度が高いと報告されている（阿部，2006）．

臨床症状

E型肝炎の一般臨床像は，同じ経口感染のA型肝炎と類似している．臓器移植後などの免疫不全状態でないかぎり，一過性感染で慢性化することはない．また，感染の多くは不顕性感染であり，健常成人のHEV抗体保有率は5.4％で，特に高齢男性で高い（Takahashiら，2010）．顕性感染例では2〜9週（平均6週）の潜伏期間を経て発症する．E型肝炎患者の多くは1カ月以内で軽快治癒するが，劇症肝炎による死亡例や重症化例が10〜20％に認められる（阿部，2006）．

診断

急性期血清中にHEV RNAを証明することが確実な診断法であるが，2011年より簡便なIgA-HEV抗体の測定が保険適用となり早期診断が可能となった．HEV関連マーカーの変動を図11-2-5に示した．

治療・予防

E型肝炎に対する特異的な治療法はなく，多くの症例では安静と食事療法の保存的治療で軽快する．劇症化例における抗ウイルス療法も確立されていない．現在のところHEVワクチンは実用化されていない．

〔坂本直哉〕

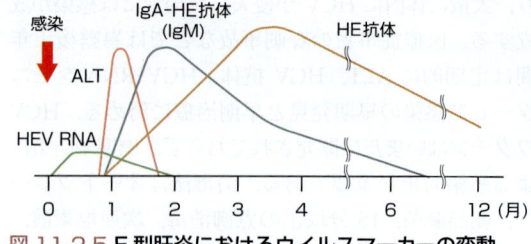

図11-2-5 E型肝炎におけるウイルスマーカーの変動

■文献(e文献11-2-5)

Rizzetto M：The delta agent. *Hepatology*. 1983; 3; 729-37.

阿部敏紀：本邦に於けるE型肝炎ウイルス感染の統計学的・疫学的・ウイルス学的特徴：全国集計254例に基づく解析．肝臓．2006; 47; 384-91.

Takahashi M, Tamura K, et al：A nation wide survey of hepatitis E virus infection in the general population of Japan. *J Med Virol*. 2010; 82; 271-81.

11-3 劇症肝炎・亜急性肝炎

1) 劇症肝炎（急性肝不全）
fulminant hepatitis, acute liver failure

劇症肝炎および急性肝不全の概念

急性肝不全とは急激かつ高度の肝細胞機能障害に基づいて肝性昏睡をはじめとする肝不全症状をきたす予後不良の疾患群である．急性肝不全は症候群であり，種々の原因によるものを含むが（Lee，1993）（表11-3-1），劇症肝炎は，急性肝不全のうちウイルス性肝炎，薬剤アレルギー性肝炎，自己免疫性肝炎（急性発症）を原因とするものに限定される．日本ではウイルス性が大多数と考えられてきたことから，これまで劇症肝炎が急性肝不全の代表として扱われてきた経緯がある．

診断・病型分類と類縁疾患

症候群としての急性肝不全についてはTreyらの定義が広く普及している[1]．すなわち，重篤な肝障害の

表11-3-1 急性肝不全のおもな原因（Lee, 1993）

成因	責任因子
ウイルス性肝炎	A, B, C, D, E型肝炎ウイルス 単純ヘルペスウイルス，ほか
薬剤性肝障害	アセトアミノフェン 過敏反応
毒素	四塩化炭素 毒キノコ（テングタケ） リン化合物
循環障害	虚血 中心静脈閉塞症 熱射病 悪性腫瘍の浸潤
その他	Wilson病 急性妊娠性脂肪肝 Reye症候群

表 11-3-2 急性肝不全の定義（文献3より）

> 正常肝ないし肝予備能が正常と考えられる肝に肝障害が生じ，初発症状出現から8週以内に，高度の肝機能障害に基づいてプロトロンビン時間が40%以下ないしはINR値1.5以上を示すものを「急性肝不全」と診断する．急性肝不全は肝性脳症が認められない，ないしは昏睡度がI度までの「非昏睡型」と，昏睡II度以上の肝性脳症を呈する「昏睡型」に分類する．また，「昏睡型急性肝不全」は初発症状出現から昏睡II度以上の肝性脳症が出現するまでの期間が10日以内の「急性型」と，11日以降56日以内の「亜急性型」に分類する．

注1：B型肝炎ウイルスの無症候性キャリアからの急性増悪例は「急性肝不全」に含める．また，自己免疫性で先行する慢性肝疾患の有無が不明の症例は，肝機能障害を発症する前の肝機能に明らかな低下が認められない場合は「急性肝不全」に含めて扱う．

注2：アルコール性肝炎は原則的に慢性肝疾患を基盤として発症する病態であり，「急性肝不全」から除外する．ただし，先行する慢性肝疾患が肥満ないしアルコールによる脂肪肝の症例は，肝機能障害の原因がアルコール摂取ではなく，その発症前の肝予備能に明らかな低下が認められない場合は「急性肝不全」として扱う．

注3：薬物中毒，循環不全，妊娠脂肪肝，代謝異常など肝臓の炎症を伴わない肝不全も「急性肝不全」に含める．ウイルス性，自己免疫性，薬物アレルギーなど肝臓に炎症を伴う肝不全は「劇症肝炎」として扱う．

注4：肝性脳症の昏睡度分類は犬山分類（1972年）に基づく．ただし，小児では「第5回小児肝臓ワークショップ（1988年）による小児肝性昏睡の分類」を用いる．

注5：成因分類は「難治性の肝疾患に関する研究班」の指針（2002年）を改変した新指針に基づく．

注6：プロトロンビン時間が40%以下ないしはINR値1.5以上で，初発症状出現から8週以降24週以内に昏睡II度以上の脳症を発現する症例は「遅発性肝不全」と診断し，「急性肝不全」の類縁疾患として扱う．

結果，発症から8週以内に肝性脳症を発現した状態で，基本的には回復する可能性のある状態をいう．日本では，この定義に準拠して1982年に劇症肝炎の診断基準が定められ[2]，これを改訂する形で2011年，表11-3-2に示す急性肝不全の定義が定められた[3]．この定義では，「高度の肝機能障害」の客観的指標として，蛋白合成能を表すプロトロンビン時間（PT）を採用し，PT 40%以下またはPT INR 1.5以上を示す急性肝障害を急性肝不全と定めている．従来の劇症肝炎は，肝炎による昏睡型急性肝不全に相当する．

昏睡型の急性肝不全の予後は発症あるいは黄疸の発現から肝性昏睡の発現までの期間により異なることが知られており，この期間によっていくつかの臨床病型に分けられている．わが国では劇症肝炎の全国集計をもとに，初発症状から昏睡までの期間が10日以内の急性型と11日以上の亜急性型に分類している（表11-3-2）．発症～昏睡期間のさらに長い遅発性肝不全は，きわめて予後不良で，急性肝不全の類縁疾患とされる．

頻度

急性肝不全に関するわが国での臨床統計は，2011年までは劇症肝炎に限られており，全国で年間約400例程度発生すると推定され[4]．急性肝炎の約2%とされる[5]．その頻度は，成因によって異なり，A型肝炎では0.14〜0.35%，B型肝炎では1〜4%，成因不明肝炎では2.3〜4.7%と報告されている[6-8]（ⓔコラム1）．

2012年以降，非昏睡型・非肝炎も含めた急性肝不全の全国統計が始まり，年間，約200例が集計されている[9]．

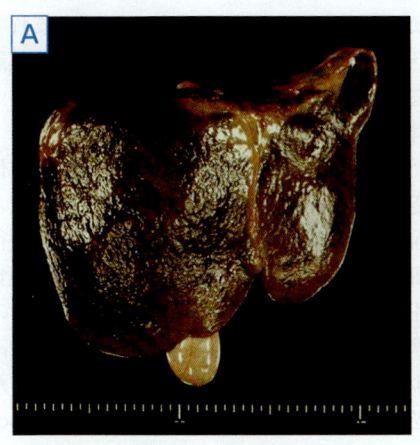 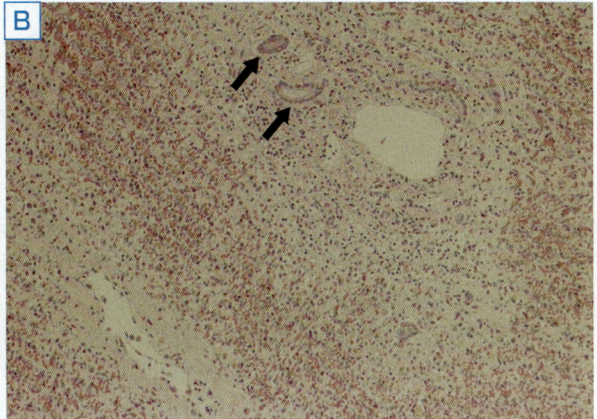

図 11-3-1 急性肝不全の病理所見

A：肉眼的に肝は赤褐色を呈し，重量は275g，横径21cmと著明に萎縮し，これを反映して表面に皮膜のしわが認められる．

B：組織学的に，肝細胞索は認められず，偽胆管（矢印）を形成するごく少数の残存肝細胞が認められるのみで，小葉全体に炎症細胞浸潤と出血性壊死の像を示す．

表11-3-3 わが国における急性肝不全の成因（厚生労働省難治性の肝・胆道疾患調査研究班，2012）

成因	全体 (267)	昏睡型			非昏睡型 (155)
		急性型 (62)	亜急性型 (50)	昏睡型全体 (112)	
A型肝炎ウイルス	3.7	1.6	2.0	1.8	5.2
B型肝炎ウイルス	19.5	24.2	20.0	22.3	17.4
その他のウイルス	4.1	6.4	2.0	4.5	3.8
自己免疫性肝炎疑い	9.4	3.2	12.0	7.1	11.0
成因不明	23.6	24.2	34.0	28.6	20.0
薬物性	12.7	19.4	14.0	17.0	9.7
評価不能	2.2	0	6.0	2.7	1.9
肝炎以外	24.7	21.0	10.0	16.1	31.0

(%)

病理・病態生理

急性肝不全の基本的な病態は肝細胞機能障害，肝再生不全，肝性脳症である．急激かつ高度の肝細胞機能障害の原因は病理組織学的には広範性あるいは亜広範性の肝細胞死による場合がほとんどで，肉眼的に肝は赤色肝萎縮あるいは黄色肝萎縮を呈する（図11-3-1）．しかし，急性妊娠性脂肪肝やReye症候群では肝細胞死はほとんど認められず，細胞死を伴わない肝細胞機能障害でも急性肝不全は起こりうることを示している．また，肝は本来，再生能の強い臓器であるが，急性肝不全においては肝再生障害がみられ，予後を悪くしている重要な要因となっている．さらに，肝性脳症や脳浮腫は急性肝不全の本質的な病態であり予後と深い関連がある．

1) 肝細胞死： 肝炎（ウイルス性，自己免疫性，薬剤アレルギー性）による場合には，肝細胞表面に表出される抗原（ウイルス抗原，自己抗原など）に対する免疫反応およびこれに伴う炎症による局所の循環障害が，肝細胞死のおもな機序と考えられる．急性肝不全では，宿主の過剰な炎症・免疫反応が広範な肝細胞死をもたらす一因とされるが，その他に，変異ウイルス，薬物代謝異常などが関与すると考えられている[10,11]（eノート1）．

2) 肝再生不全： 生体肝移植ドナーにみられる正常肝の再生では，正常の成熟肝細胞の増殖のみで再生が完了するが，重症肝炎の再生には肝前駆細胞が動員されるといわれている．組織学的にみると，軽症肝炎に比し重症肝炎では増殖細胞の割合は少なく，肝再生不全の状態にあると考えられている[12]．

3) 肝性脳症，脳浮腫： 肝性脳症の詳細な機序は解明されていないが，本来，肝で代謝（解毒）・排泄すべき物質が体内に蓄積するために起こる代謝性の脳症と考えられている．昏睡起因物質の多くは腸管由来で，本来門脈を介して肝に到達し，肝細胞により代謝・解毒されるべき物質であり，アンモニアがその代表である．

アンモニアの毒性は，神経細胞内のエネルギー代謝の抑制とともに神経伝達障害と考えられている．特に急性肝不全においてはγ-アミノ酪酸（GABA）共役ベンゾジアゼピン受容体に結合する物質が脳内に増加していることが知られ，これがGABAの作用を増強して神経機能を抑制する方向に作用すると考えられている．

また，脳浮腫の発症機序はいまだ十分に解明されていないが，アンモニア処理のために増加したグルタミンにより浸透圧調節が破綻し，アストログリア細胞の腫脹をもたらす機序などが考えられている[13]．

成因

わが国の急性肝不全の成因を臨床病型別に示す（表11-3-3）．成因不明が最も多いが，ついでB型肝炎ウイルス，薬物性，自己免疫性の順である．B型は急性型，亜急性型ともに20％以上を占めるが，急性型では急性感染がほとんどで，亜急性型では無症候性キャリアからの発症の占める割合が多い．無症候性キャリアからの発症例には，既往感染者からの発症も含まれ，いわゆるde novo B型肝炎とよばれている．自己免疫性肝炎は本来慢性肝炎の病型をとるが，まれに急性発症し劇症肝炎に至るものもある．また，薬物性のなかには市販の健康食品なども多く含まれており，原因として特定されずに成因不明のなかに集計されている例も多くあると考えられている．

臨床症状

発症は急性肝炎と同様に，突然，全身倦怠感，体温変動などの感冒様症状や食欲不振，悪心，嘔吐などの消化器症状が出現し，黄疸と意識障害が急速に進行して短期間のうちにきわめて重篤な状態に陥る．他覚的には，肝性口臭，肝の萎縮を反映して肝濁音界の減少・消失，腹水の出現がみられる．急性肝不全でみられる身体所見とその頻度をe表11-3-Aに示すが，全身炎症反応症候群（systemic inflammatory response syndrome：SIRS）の項目は予後不良の徴候といわれている[14]．

検査所見

急性肝不全における一般臨床検査所見は基本的には

急性肝炎と同様で，肝逸脱酵素の上昇，血清総ビリルビンの上昇などがみられる．その他，蛋白合成能障害により血清アルブミン，コリンエステラーゼや凝固因子が低下，ビリルビン抱合能低下により直接/総ビリルビン比の低下，尿素サイクルの障害により血清尿素窒素の低下と血漿アンモニアの上昇，糖新生低下とインスリン取り込み低下により低血糖，合成能の低下による血清コレステロールの低下などがみられる．わが国の全国集計における昏睡型急性肝不全の臨床検査成績をⓔ表 11-3-B に示す．検査値は臨床病型により大きく異なり，亜急性型では急性型に比しトランスアミナーゼの上昇が軽度で，プロトロンビン時間が比較的保たれる一方，血清総ビリルビンの値が高いという特徴を示す（ⓔ表 11-3-B）．

腹部超音波検査，腹部 CT 検査（図 11-3-2）では広範な肝細胞死を反映して，著明な肝萎縮や腹水を認めることが多い．また，胆囊は胆汁流量の低下から内腔が萎縮あるいは虚脱し，炎症の波及あるいはリンパのうっ滞から壁肥厚がみられる．

昏睡型の脳波検査では高振幅徐波（デルタ波）および特徴的な三相波がみられる．

治療

昏睡型の急性肝不全に対する治療法はこれまで種々のものが試みられてきたが，比較対照試験で単独で救命率を向上した治療法はなく，肝移植が生命予後を改善する唯一の治療法と考えられている（Mas ら，

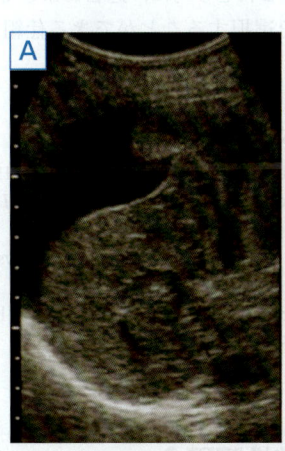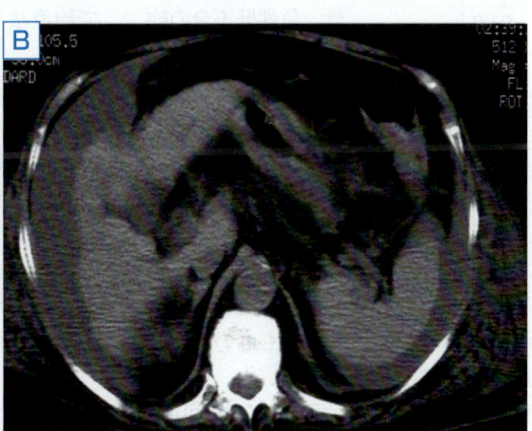

図 11-3-2 急性肝不全の腹部超音波(A)，腹部 CT 所見(B)
肝は著明に萎縮し表面に腹水の貯留を認める．胆囊は内腔が狭小化し壁が肥厚する．

表 11-3-4 昏睡型急性肝不全に対するおもな内科的治療法

- **全身管理**
  1. 安静度：絶対安静
  2. 栄養管理：原則として絶飲絶食，中心静脈栄養管理（グルコースを中心に水分，電解質，ビタミン，微量元素を調節，アミノ酸は分枝鎖アミノ酸を多く含有する特殊組成アミノ酸溶液を使用するが，肝予備能が高度に低下し，尿素サイクル合成能の異常が予測される例では制限または禁止する）
  3. 呼吸管理：必要に応じて気管内挿管，人工呼吸器装着
  4. 循環管理：心・肺・腎機能維持（中心静脈圧測定，アルブミン，カテコールアミン）
- **特殊療法**
  1. 人工肝補助：血液透析濾過，血漿交換，生物学的人工肝補助療法（海外）
  2. 肝細胞保護：グルココルチコイド
  3. 肝細胞移植（海外）
- **合併症対策**
  1. 肝性脳症：ラクツロース，フルマゼニル
  2. 脳浮腫：頭位挙上，マンニトール，水・電解質管理，低体温療法
  3. 腎不全：血液透析
  4. 消化管出血：ヒスタミン H_2 受容体拮抗薬，プロトンポンプ阻害薬
  5. 血液凝固線溶異常：血漿補充，アンチトロンビン製剤，合成蛋白分解酵素阻害薬
  6. 低血糖：血糖値モニタリング，グルコース注射
  7. 感染症：血液・尿・痰の頻回培養，抗菌薬，抗真菌薬の投与

表 11-3-5 急性肝不全の予後予測スコア：肝移植適応判定への応用(Naikiら, 2012より改変)

ポイント	0	1	2
発症〜昏睡期間（日）	≦5	6〜10	11≦
プロトロンビン時間（%）	20<	5<≦20	5≦
総ビリルビン（mg/dL）	<10	10〜15	15≦
直接/間接ビリルビン比	0.7≦	0.5≦<0.7	<0.5
血小板（万/μL）	10<	5<≦10	≦5
肝萎縮	なし		あり

脳症発現時のデータより評価

総得点	死亡割合（%）
9≦	90.0
8	96.3
7	91.3
6	85.5
5	73.8
4	56.3
3	24.0
2	20.0
1	8.0
0	0.0

1997)．わが国では，急性肝不全の約20%に肝移植が施行されているが，そのほとんどは生体肝移植であった．2010年の臓器移植法の改正以来，脳死の臓器提供が増えつつあり，医学的緊急度が最も高い急性肝不全では脳死移植が増える傾向にある[15]．

しかし，急性肝不全は基本的には可逆的(回復可能)な状態であり，内科的治療により救命される可能性をもっている．したがって，急性肝不全の治療は，表11-3-4に示すような内科的集中治療により救命を目指すと同時に，タイミングを逸することなく肝移植ができるよう並行して準備を進めるというのが基本的な方針となる．

内科的治療法では，厳重なモニタリングと一般的治療のうえに，肝炎の鎮静化，人工肝補助と合併症予防・治療を行い，肝の十分な再生を待つのが基本的な方針である．このうち人工肝補助では，血液透析濾過(hemodiafiltration: HDF)を中心にして，必要に応じて血漿交換(plasma exchange: PE)を併用する．前者ではおもに肝の解毒機能の代償，後者では肝合成能の代償を目的として行う．

予後

昏睡型急性肝不全の予後は，臨床病型により大きく異なり，内科的救命率は急性型で30〜40%，亜急性型で10〜20%である．一方，肝移植の救命率は，わが国の生体部分肝移植の成績で10年生存率67.7%と内科治療を大きく上回っている[15]．しかし，内科的治療で救命された場合はほとんど後遺症がなく通常の生活に戻ることができるのに対し，肝移植を受けた場合は免疫抑制薬の服用など日常生活に大きな制限が生じる．したがって，肝移植の適応は慎重であるべきで，その適応基準では高い予後判別の精度が要求される．わが国では，脳死肝移植を念頭に作成された肝移植適応ガイドラインが用いられてきたが，2011年より，新たなスコアリングシステム(Naiki, 2012) (表11-3-5)が定められ，肝性脳症発現時のスコア5点以上を移植適応と判断している．このシステムの特徴は，各点数における内科治療の救命割合が示されていることであり，これを参考に，患者およびその家族の判断で治療法を選択することができる仕組みになっている．

〔滝川康裕〕

■文献(e文献 11-3-1)

Lee WM: Acute liver failure. *New Engl J Med*. 1993;**329**:1862-72.
Mas A, Rodes J: Fulminant hepatic failure. *Lancet*. 1997;**349**:1081-5.
Naiki T, Nakayama N: Novel scoring system as a useful model to predict the outcome of patients with acute liver failure: application to indication criteria for liver transplantation. *Hep Res*. 2012;**45**:68-75.

2) 遅発性肝不全
late onset hepatic failure：LOHF

概念・定義

1970年にTreyとDavidsonが発症から8週以内に肝性脳症を発症する急性肝疾患を「劇症肝不全(fulminant hepatic failure)」と定義した[1]．しかし，肝性脳症を8週以降に生じる症例も，劇症肝不全と同様に予後不良であることから，1986年にGimsonらはこれら亜急性に経過する症例を「遅発性肝不全(late onset hepatic failure：LOHF)」と命名した(Gimsonら, 1986)．一方，わが国では1981年に肝炎症例のみを対象とした「劇症肝炎(fulminant hepatitis)」の診断基準が発表された[2]．その後，2003年の診断基準改訂に際して，発症から8週以降24週以内に昏睡II度以上の肝性脳症を発症する肝炎症例をLOHFと診断し，類縁疾患として扱うことが明記された[3]．

欧米では2005年にfulminant hepatic failureに代わってacute liver failureの用語を用いることが決定した[4]．わが国でも2011年に欧米との整合性を満たした「急性肝不全(acute liver failure)」の診断基準が発表された[5]．これに伴って，LOHFは「プロトロンビン時間が40%以下ないしはINR値1.5以上で，初

発症状出現から8週以降24週以内に昏睡Ⅱ度以上の脳症を発現する症例」と定義されるようになった．なお，急性肝不全は肝炎以外の症例も対象とすることに一致させて，薬物中毒，代謝性疾患など肝炎像を伴わない症例もLOHFに含めることになった．

疫学

厚生労働省研究班の全国集計には，1998～2012年に発症したLOHF 120例が登録された（表11-3-6）[6-8]．2010年以降は肝炎以外の症例も登録するようになったが，該当するのは1例のみで，わが国のLOHFは大部分が肝炎症例である．この15年間に登録された劇症肝炎は1466例であり，その推定患者数が年間約400例であることを考慮すると，LOHFの患者数は年間30～40例と見なされる．

LOHFは急性肝不全に比して女性が多く，年齢は高齢である．なお，患者年齢は年々高齢化する傾向があり，最近の症例では性差がみられなくなっている．また，生活習慣病，悪性腫瘍，精神疾患などの基礎疾患を有する症例が多く，これに対する薬物歴が高率であることも特徴である．

成因

LOHFは30～40％が成因不明である（表11-3-6）．ウイルス性は大部分がB型キャリア例であるが，その頻度は急性肝不全より低率である．一方，薬物性および自己免疫性はウイルス性とほぼ同頻度で認められる．成因不明例では薬物や自己免疫の関与が推定されているが，未知の肝炎ウイルス感染が原因である可能性も否定できない．肝炎以外の症例はまれであり，登録された1例は悪性腫瘍の肝浸潤による症例であった．

臨床症状

LOHFでは初発症状の明らかでない症例が多く，

表11-3-6 わが国の遅発性肝不全の背景因子，成因と予後（1998～2012年の発症例）

		全体（n=120）			
		1998～2003年[*1] （n=64）	2004～2009年[*2] （n=28）	2010～2012年（n=28）[*3]	
				肝炎症例 （n=27）	非肝炎症例 （n=27¹）
男：女		51：69			
		27：37	9：19	14：13	1：0
年齢[*4]		51.9±15.0	58.0±14.4	63.7±10.2	67
基礎疾患[*5]（%）		56.7（68/120）			
		51.6（33/64）[*6]	50.0（14/28）	74.1（20/27）	100（1/1）
薬物歴（%）		60.3（70/116）			
		50.0（31/62）	71.4（20/28）	72.0（18/25）	100（1/1）
成因（%）	ウイルス	24.4（29/119）			
		12.5（8/64）	32.1（9/28）	44.4（12/27）	―
	自己免疫	20.2（24/119）			
		14.1（9/64）	32.1（9/28）	22.2（6/27）	―
	薬物	16.8（20/119）			
		18.8（12/64）	17.9（5/28）	11.1（3/27）	―
	不明例	36.1（43/119）			
		50.0（32/64）	17.9（5/28）	22.2（6/27）	―
	評価不能	2.5（3/119）			
		4.7（3/64）	―	―	―
	肝炎以外	―			100（1/1）
救命率（%）	内科治療	9.0（9/100）			
		11.5（6/52）	13.0（3/23）	0（0/21）	0（0/1）
	肝移植例	82.6（19/23）			
		75.0（9/12）	100（5/5）	83.3（5/6）	―
	全体	23.3（28/120）			
		23.4（15/64）	28.6（8/28）	18.5（5/27）	0（0/1）

[*1]：厚生労働省「難治性の肝疾患に関する研究班」．
[*2]：厚生労働省「難治性の肝・胆道疾患に関する調査研究班」．
[*3]：平均±SD．
[*4]：生活習慣病，悪性腫瘍，精神疾患など．
[*5]：括弧内は症例数．

昏睡出現前から黄疸が出現し，その進行とともに全身倦怠感，悪心，食欲低下などの消化器症状を発症するのが一般的である．昏睡出現時には黄疸が全例で認められ，腹水，下腿浮腫，肝濁音界消失などの所見を伴う症例が多い．肝性脳症に関連した症候としては羽ばたき振戦，肝性口臭などがみられる．

発熱の認められる症例が多いが，これは細菌感染を併発する頻度が高いことによる．その他の合併症としては腎不全とDICが多く，消化管出血，心不全を併発する場合もある．脳浮腫の頻度が急性肝不全に比して低率である．

したがって，LOHFは黄疸，腹水，浮腫など非代償性肝硬変と類似した症候で発症し，これが1～2カ月の経過で徐々に増悪する間に感染症などの合併症を併発し，末期になって肝性脳症を併発するのが一般的な経過と見なすことができる．

検査所見

昏睡出現時におけるLOHFの血液検査成績は急性肝不全亜急性型と類似しており，急性肝不全急性型に比して血清トランスアミナーゼ値上昇，プロトロンビン時間（％）低下は軽度であるが，総ビリルビン濃度上昇が顕著である．血清AST，ALT値は100 IU/L程度の症例が多いが，異常値が長期にわたって持続し，総ビリルビン濃度は徐々に高値となり，直接／総ビリルビン濃度比は低下する．また，血漿アンモニア濃度の上昇も認められる（eノート1）．

鑑別診断

非代償性肝硬変と慢性肝疾患の急性増悪例であるacute-on-chronicとの鑑別が重要である．LOHFは肝萎縮のみならず，腹水，肝表面の凹凸変形など慢性肝疾患に特徴的な所見も認められる場合があり，一時点での血液検査ないし画像検査では，これら疾患と鑑別するのは不可能である．特に問題となるのはB型肝炎キャリア例と自己免疫性肝炎例で，明らかな慢性肝疾患が先行する場合はLOHFから除外しなければならない．なお，アルコール性肝炎は肝硬変を基盤に発症するacute-on-chronicであり，診断から除外する．

治療

肝性脳症を併発する前は経口投与による栄養管理を原則とするが，食欲摂取が低下している場合および肝性脳症を発症してLOHFと診断された後は，輸液ないし経腸製剤による栄養療法を実施する．劇症肝炎では特殊組成アミノ酸製剤は用いられないが，LOHFでは血清分枝鎖アミノ酸／チロシン濃度比を測定し，同比と分枝鎖アミノ酸濃度がともに低値の場合は，栄養管理や肝性脳症の治療目的で投与する場合がある．

治療で最も重要なのは，成因に対する治療と肝庇護療法であるが，LOHFは成因不明例が多いため，特定の治療を選択できない場合が多い．なお，全国集計ではLOHFの50％以上で副腎皮質ステロイドの大量静注療法が実施されているが，血清トランスアミナーゼ低値の症例が多いため，その有用性に関する評価は一定していない．

昏睡Ⅱ度以上の肝性脳症を併発してLOHFと診断された場合は，血漿交換と血液濾過透析を併用した人工肝補助療法を開始する．肝性脳症に対してはラクツロースを注腸で投与し，腸管難吸収性の抗菌薬である硫酸ポリミキシンBを用いた腸内殺菌を実施する．感染症，消化管出血，腎不全，DICなどの合併症の予防と治療も重要である．

LOHFの症例を救命するためには肝移植を実施せざるをえない場合が多い．このため，昏睡出現時には家族に肝移植に関して説明し，移植実施施設には患者情報を提供する．生体肝移植のドナー候補者の精査，臓器移植ネットワークへの脳死肝移植の登録などを，必要に応じて実施する．なお，LOHFでは昏睡出現前から肝移植の適応が検討される症例が多いことに留意する必要がある．

経過・予後

LOHF症例の予後は不良で，内科的治療による救命率は約10％で，特に2010年以降は救命例の登録はない（表11-3-6）．また，肝性脳症が出現した後は，急性肝不全亜急性型よりも経過が急峻であり，短期間で死亡する症例が多い．また，高齢者が多いこともあって，肝移植が実施できる症例は全体の20％程度にすぎない．

〔持田　智〕

■文献（e文献11-3-2）

Gimson AE, O'Grady J, et al: Late onset hepatic failure: clinical, serological and histological features. *Hepatology*. 1986; 6: 288-94.

持田　智，滝川康裕，他：我が国における「急性肝不全」の概念，診断基準の確立－厚生労働省科学研究費補助金（難治性疾患克服研究事業）「難治性の肝・胆道疾患に関する調査研究」班，ワーキンググループ-1，研究報告．肝臓．2011; **52**: 393-8.

持田　智：急性肝不全―概念，診断基準とわが国における実態．日本消化器病学会雑誌．2015; **112**: 813-21.

11-4 慢性肝炎
chronic hepatis

1）ウイルス性慢性肝炎

(1) B型慢性肝炎

定義・概念
6カ月以上のB型肝炎ウイルス（HBV）持続感染者をHBVキャリアとよび、宿主の免疫応答とHBV増殖状態により、病期を免疫寛容期、免疫応答期、低増殖期、寛解期の4期に分類する。慢性肝炎の状態が持続すると、肝硬変、肝細胞癌、肝不全に進展する場合がある。年齢や血中ウイルス量、肝炎の状態を考慮し、IFN製剤や核酸アナログ製剤を用いた抗ウイルス療法を中心とした治療が行われている。

原因・病因
出生時もしくは乳幼児期におけるHBV感染は、おもに産道感染であるが、一部、家族内感染や幼児間の外傷を介した感染の水平感染（eコラム1）も存在する。出生時〜乳幼児期は、宿主の免疫応答が未発達であるため、HBV感染が生じると、90％以上が持続感染に移行する。一方、成人におけるHBV感染は、性交渉、ピアス、刺青、薬物常習、医療事故などの水平感染である。通常、成人感染では、宿主の免疫応答によりウイルスは排除され、一過性感染に終わるが、HBV genotype A感染例や免疫不全例において、慢性化する症例が存在する[1]。

疫学
1986年に開始された母子感染防止事業の推進に伴い、垂直感染（eコラム1）によるHBVキャリア発生が阻止されるようになり、1986年以降に出生した集団での推定キャリア率は0.07％と著しく減少している[2]。しかしながら、母子感染防止事業開始以前に出生した集団（1985年以前に出生した集団）での推定キャリア率は約1％と高い[3]。2011年の報告では、わが国における全人口に対するHBVキャリア率は0.71％程度と推定され、90万人程度のHBVキャリアの存在が推定される（Tanakaら、2011）。

病理
B型慢性肝炎の病理組織像の特徴としては、すりガラス状胞体（ground glass appearance）や肝細胞の核の腫大があげられる。すりガラス状胞体は、HBs抗原の微細線維状構造物の凝集であり、細胞質にびまん性または限局性に認められる。肝細胞の核の腫大は、HBVの核への侵入が関与していると考えられており、HBV感染肝組織では、肝細胞の核に大小不同が認められる場合がある。一方で、C型慢性肝炎の肝組織で認められる肝細胞の脂肪化やリンパ濾胞形成は、ほとんど認められない。組織学的検査は、B型慢性肝炎の診断目的で行うことはまれであり、肝炎の活動性ならびに線維化の評価がおもな目的である。炎症活動性・線維化の程度の評価には、新犬山分類が用いられ、肝炎の活動性をA0〜A3の4段階で、線維化をF0〜F4の5段階で評価する（各評価基準の概要は、e表11-4-A参照）。

病態生理
B型慢性肝炎は、HBV持続感染に伴う肝細胞障害であるが、HBV自身には細胞傷害性がほとんどなく、肝細胞障害の主体は、HBV感染肝細胞を標的とした宿主の免疫応答である。宿主の免疫応答としては、細胞傷害性T細胞による細胞性免疫のほか、抗原特異的ヘルパーT細胞、マクロファージ、NK細胞、NKT細胞が炎症形成に関与していると考えられているが、肝炎の分子メカニズムについては依然として不明な点が多い。

臨床症状
1) **自覚症状**：肝臓は、「沈黙の臓器」ともよばれ、ほとんど自覚症状はない。ただし、肝炎が進行すると、全身倦怠感、食欲低下、浮腫、悪心、嘔吐、発熱などを自覚する場合がある。

2) **他覚症状**：肝炎の進行に伴い、腹水や黄疸、手掌紅斑、腹壁静脈の怒張といった肝硬変症状を伴う場合があるが、慢性肝炎例では他覚症状も乏しい。

診断
B型慢性肝炎は、臨床症状に乏しいことから、血液検査によるB型肝炎ウイルスマーカーや肝機能の測定が重要となる。また、その他の慢性肝疾患と同様、病期診断や肝硬変・肝癌合併の有無を評価するため、肝生検や腹部超音波検査やCT、MRI検査などの画像検査を行う。本項では、B型慢性肝炎の診断という視点から、各種B型肝炎ウイルスマーカーとその意義について解説する。

1) **HBs抗原・HBs抗体**：HBs抗原は、HBV感染のスクリーニングとして利用され、陽性であれば、HBVキャリアと診断される。近年、HBs抗原の定量系が開発され、治療効果の評価や発癌予測などへの有用性も報告されている。一方、HBs抗体は、中和抗体とされ、HBs抗原の消失・HBs抗体出現は、臨床的寛解を意味する。

2) **HBe抗原・HBe抗体**：HBe抗原陽性であれば、HBVの活動性が高く、増殖能・感染能が高い。経過中に、HBe抗原陰性・HBe抗体陽性（HBe抗原のセロコンバージョン）となると、多くの症例はHBVの活動性が低下し、肝炎が鎮静化するが、肝組織内での

ウイルス増殖は持続しており，治癒ではない．HBVキャリアから新生児への経産道感染発生率にはHBe抗原の有無が関与しており，HBe抗原陽性母体からは85%以上であるのに対し，HBe抗体陽性母体からは10～20%程度とされる．

3) **HBc抗体**：HBc抗体にはIgM型，IgG型が存在し，HBVキャリアではIgG型HBc抗体が高力価となる場合が多い．一方，IgM型はB型慢性肝炎では陰性となるが，急性増悪時には陽転する場合があり，注意が必要である．

4) **HBV DNA**：血中のウイルス量を反映し，抗ウイルス療法中の治療効果判定の指標として有用である．また，HBV DNA量と肝発癌率が相関するといった報告もある（Chenら，2006）(e図11-4-A)．

5) **HBコア関連抗原**：血中のHBc抗原，HBe抗原，p22cr抗原（中空粒子）の量を反映している．核酸アナログ治療の際には，肝細胞内のcccDNA量（感染肝細胞の核内に存在するウイルスゲノム）を反映するとされ，核酸アナログ治療中止後の肝炎再燃を予測するマーカーの1つとしても期待されている．

6) **HBV genotype**：HBV遺伝子を比較し，8%以上の違いがある場合，別のgenotypeと判定する．8つのgenotype（genotype A～H）が明らかとなっており，感染しているHBVのgenotypeによって，臨床経過や治療効果に相違が認められる．

病期分類

HBVキャリアは，自然経過において，さまざまな病態を呈することから，本項では，宿主の免疫応答とHBV増殖状態により病期を4期に分類する（図11-4-1）．

1) **免疫寛容期**：宿主の免疫応答が未発達である乳幼児期にHBV感染が生じると，高率に持続感染するが，持続感染後も免疫寛容状態が持続するため，HBVの活動性は高いものの，肝炎の活動性がほとんどない状態となる．この時期，HBe抗原は陽性であり，HBV増殖能は高く，HBVの感染力も強い．感染後数年から20年以上続き，症例によりさまざまである．

2) **免疫応答期**：成人に達すると，HBVに対する宿主の免疫応答が活性化され，活動性肝炎を発症する．HBe抗原陽性（HBVの活動性が高い状態）が長期間持続すると，肝線維化の進展がみられる（HBe抗原陽性慢性肝炎）．

3) **低増殖期**：HBe抗原のセロコンバージョンが生じると，多くの症例では肝炎が鎮静化し，HBV DNA量も低値となる．しかしながら，約10～30%の症例では，HBe抗原のセロコンバージョン後も高いHBV増殖が持続し，肝炎が持続・再燃する（HBe抗原陰性慢性肝炎）．HBe抗原陰性慢性肝炎例の4～20%では，再びHBe抗体が消失し，HBe抗原陽性となる．

4) **寛解期**：HBeセロコンバージョン後，自然経過中にHBs抗原が消失し，HBs抗体が出現する症例が認められ，長期的な予後の改善が期待できる．しかしながら，自然経過にておいてHBs抗原が消失する症例は年率約1%にすぎない[4]．

鑑別診断

HBV関連マーカーは，病態・病期と複雑にかかわっており，各種マーカーの意義を理解し，HBV感染の病態を正確に診断することが重要である．近年では，HBV既往感染者やHBV非活動性キャリアに対して，免疫抑制療法や化学療法を行うことでHBVの再活性化が生じ，B型肝炎の急性増悪や*de novo*肝炎

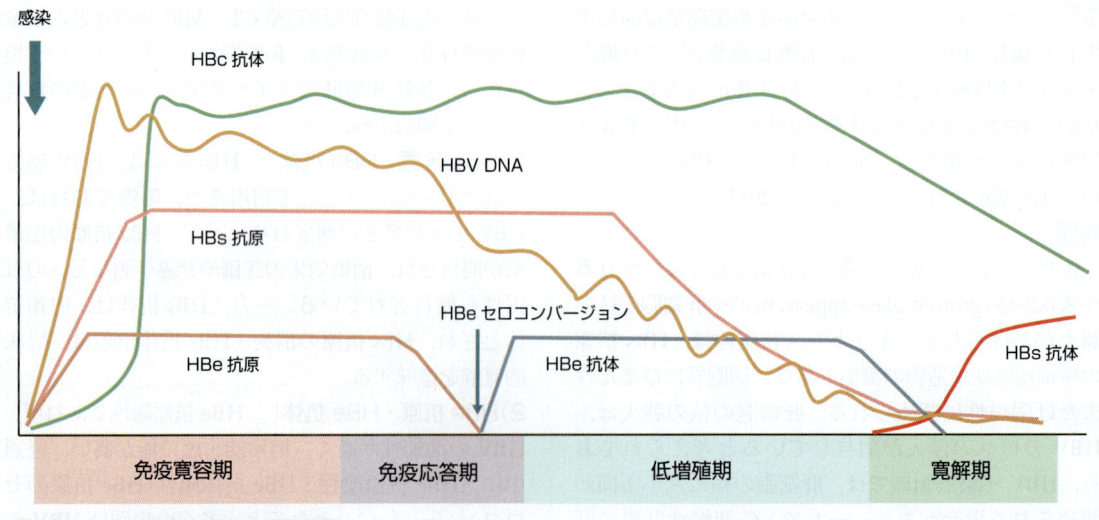

図11-4-1 B型慢性肝炎の病期分類
HBe抗原が消失し，HBe抗体が陽性となっても，10～30%の症例では，慢性炎症が持続する．

が発症することが報告されており，「免疫抑制・化学療法により発症するB型肝炎対策ガイドライン」に準じた対応を行うことが重要である（概略はⓔ図11-4-B）．

合併症

1) **HIV 感染**：　HIV 感染例では，HBV との重複感染例がしばしば認められ，そのなかには B 型急性肝炎からの慢性化例も存在する[5]．

2) **膜性腎症**：　頻度はまれであるが，HBV 持続感染に伴う肝外病変の1つとして膜性腎症を合併する場合がある．

3) **HDV 感染**：　わが国では，非常に低頻度であるが，長崎県の上五島や沖縄県の宮古島では，anti-HD 抗体陽性者の頻度が高いことが報告されている[6, 7]．

経過・予後

図 11-4-2 に HBV キャリアの自然経過を示す．HBV キャリアの約 20％は，慢性肝炎へと移行する（HBe 抗原陽性慢性肝炎）．慢性肝炎を発症した症例では，宿主の免疫応答の活発な期間は肝炎が持続するが，HBe 抗原セロコンバージョン後，HBV DNA 量が減少するに従い，肝炎は鎮静化する（非活動性キャリア）．しかし 10〜20％の症例では，HBe 抗原セロコンバージョン後も，HBe 抗原陰性の状態で HBV が再増殖し，肝炎が再燃する場合がある（HBe 抗原陰性慢性肝炎）．このようにして，慢性肝炎が長期間に持続した場合，肝組織の線維化は進展し，年率 1〜5％で肝硬変へと移行する．肝硬変へと進展した症例では，年率 2〜3％で肝不全に移行したり，年率 3〜8％で肝癌を発症したりするとされる．

治療

HBV 持続感染者に対する治療目標は，「肝炎の活動性と肝線維化進展の抑制による慢性肝不全の回避ならびに肝細胞癌発生の抑止，およびそれによる生命予後ならびに QOL の改善」である（Kumada ら，2010）．近年，B 型慢性肝疾患の治療の向上ならびに HBV 関連マーカーの測定法の進歩により，核酸アナログ製剤やインターフェロン（IFN）による治療介入による HBs 抗原の減少・陰性化率の上昇が報告されるようになり[8-11]，日本肝臓学会による B 型肝炎治療のガイドライン（第2.2版）では，HBs 抗原消失を治療の長期目標としている[12]．B 型慢性肝疾患患者の自然経過における HBs 抗原消失率は年率 1％であり[4]，治療介入による HBs 抗原消失率の向上が期待されている．

B 型慢性肝炎に対する治療には，核酸アナログ製剤や IFN 製剤を使用した抗ウイルス療法とウルソデオキシコール酸やグリチルリチン製剤などを使用した肝庇護療法があるが，肝庇護療法では，十分な肝炎の鎮静化が得られない症例が散見されることから，現在は，科学的根拠に基づくウイルス性肝炎診療ガイドラインの構築に関する研究班より示された B 型慢性肝炎・肝硬変治療のガイドライン（ⓔ表11-4-B）にもあるように，核酸アナログ製剤と IFN 製剤を用いた抗ウイルス療法が推奨されている．

核酸アナログ製剤は，肝細胞内における HBV 増殖に重要とされる逆転写反応や DNA 合成の過程を阻害し，HBV 増殖を強力に抑制することで，肝炎の鎮静化を誘導する薬剤であり，長期的に核酸アナログ療法

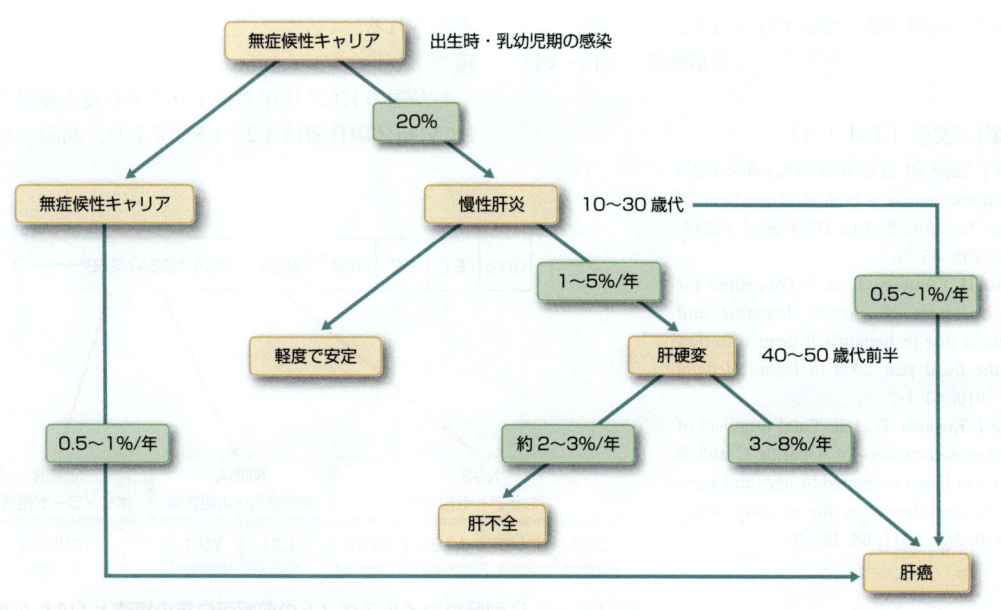

図 11-4-2 B 型慢性肝炎の自然経過

を行うことで，肝炎の長期的な鎮静化が得られ，発癌抑制効果も報告されている[13, 14]．しかしながら，核酸アナログ治療は，完全なウイルス排除はほぼ不可能であるため，長期的な投与が必須であり，その結果，薬剤耐性ウイルスの出現や腎機能障害や低リン血症などの副作用の出現を招く可能性がある[15-18]．さらに核酸アナログ治療を途中で中止した場合には，高率に肝炎が再燃することから[19, 20]，安全に核酸アナログ治療を中止するためのシステムの構築が検討されている[21, 22]．

一方，IFN治療に関しては，これまで，HBe抗原陽性のB型慢性肝炎に対して，24週程度の短期間投与であったことから，治療終了6カ月後にHBe抗原がセロコンバージョンし，ALT正常，HBV DNA < 5 log copies/mLが維持された症例は20%程度にすぎず，十分な治療効果が得られなかった[23]．しかしながら，2011年9月，HBe抗原の有無に関係なく，B型慢性活動性肝炎に対してペグインターフェロンアルファ-2aの1年間投与が保険適用となって以降，B型慢性肝疾患に対するIFN治療の位置づけが変化してきている．わが国で行われた国内第Ⅲ相試験においてペグインターフェロンアルファ-2aにて1年間治療を行った症例では，HBe抗原陰性化率，HBV DNA < 5 log copies/mL達成率はいずれも従来型IFNよりも有意に高く，B型慢性肝炎治療の最終目標であるHBs抗原消失が2.4%で認められ，従来のIFNよりも高い治療効果が期待されている．さらに，近年では，核酸アナログ（特にアデホビル）を併用することによる治療効果の向上も報告されており[24-26]，治療工夫によるさらなる抗ウイルス効果の向上が期待されている．

HBVの感染予防についてはⓔコラム2を参照．

〔柘植雅貴・茶山一彰〕

■文献（ⓔ文献11-4-1-1）

Chen CJ, Yang HI, et al: Risk of hepatocellular carcinoma across a biological gradient of serum hepatitis B virus DNA level. *JAMA*. 2006; **295**: 65-73.

Kumada H, Okanoue T, et al: Guidelines for the treatment of chronic hepatitis and cirrhosis due to hepatitis B virus infection for the fiscal year 2008 in Japan. *Hepatol Res*. 2010; **40**: 1-7.

Tanaka J, Koyama T, et al: Total numbers of undiagnosed carriers of hepatitis C and B viruses in Japan estimated by age- and area-specific prevalence on the national scale. *Intervirology*. 2011; **54**: 185-95.

(2) C型慢性肝炎

定義

C型慢性肝炎はC型肝炎ウイルス（hepatitis C virus：HCV）の感染によって惹起される肝炎をいう．HCVが感染すると，約70%が慢性化し，持続感染を引き起こす．その結果，肝癌，肝不全，食道静脈瘤などの合併症を生じる．慢性肝炎とは，臨床的にはC型肝炎の感染の持続によって6カ月以上肝機能異常が続くことをいうが，肝機能が正常であっても肝の病理組織学的に慢性肝炎と診断された場合も，慢性肝炎と診断される．

原因

HCVは，フラビウイルス科ヘパシウイルス属に分類される1本鎖RNAウイルスである．10種類以上の遺伝子型に分かれ，主として血液を介して感染する．HCVが感染すると，70〜85%が慢性化し，持続感染を引き起こす．HCVのゲノムは約9.6 kbの長さであり5'-untranslated region（UTR）に続いて3000アミノ酸残基からなる1本のopen reading frame，3'非翻訳領域で構成されている．ウイルス前駆蛋白質は，N末端側の1/3の領域にウイルス粒子を構成する構造蛋白質と，残りの2/3にウイルスの複製や粒子形成に機能する非構造蛋白質がコードされている（図11-4-3）[1,2]．

分類

HCVは互いに3割程度の異なる7種類の遺伝子型（genotype）に分けられる．さらに30以上のサブタイプ（subtype）に分類される．遺伝子型1と2型は世界中にみられるが，ほかの遺伝子型は地域性が認められるものもある[1]．遺伝子型によって治療の反応性は大きく異なるが，臨床像や病態には大きな差異はないと考えられる．

疫学

わが国のHCV感染者は120万人程度と推計され，HCV抗体陽性者は1.2〜1.5%であり，高齢になるほ

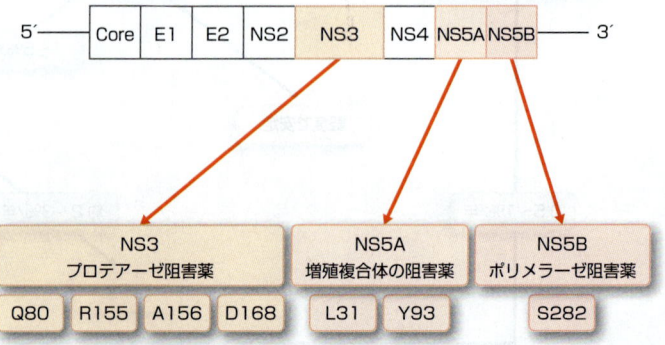

図11-4-3 C型肝炎ウイルスゲノムの前駆蛋白質の構造とDAAの標的蛋白およびその耐性変異

ど，感染率が高い．慢性肝炎や肝硬変，肝癌の70%がHCV感染者であり，肝硬変と肝癌を合わせると，年間3万人が死亡している[3]（田中，2014）．一方，大規模コホート研究では，HCVRNAの自然陰性化率は2.4〜3.7%にみられる[4-6]．人年法で解析すると，0.4〜0.6%/年/人の低い頻度である．世界ではHCV抗体陽性率が3.5%以上の高い国は中央・東アジアと北アフリカ・中東であり，1.5〜3%の中等度の感染がみられるのは，南アジア，東南アジア，サハラ砂漠以南のアフリカ，アンデス，中央・南米，オーストラリア，ヨーロッパと推定されている（田中，2014）．

HCVは血液を介して感染するため，HCV抗体が輸血用血液のスクリーニングとして普及する1992年以前には，輸血による感染が多かった．1992年以前には，米国の輸血後肝炎の90%以上がHCVによるものであった[7]．現在では輸血による感染はなくなっている．しかし，現在でもC型肝炎の新規感染は1年間に65〜136例みられ，針刺しに伴う医療行為，ピアス，刺青，カミソリの共用，覚醒剤があげられる[7]．

病理

C型慢性肝炎ではHCVの持続感染によって，免疫や酸化ストレスが誘導され，壊死と炎症反応が生じ，肝線維化が徐々に進行していく．C型慢性肝炎の早期の段階では門脈域の炎症が主体で，小葉内の炎症は軽度である（中沼，2013）[8,9]．肝炎の持続によって門脈域から肝小葉内に炎症が拡大し，インターフェース肝炎が強くなり，門脈域の線維化が拡大していく．徐々に肝実質の切り崩しが進み，隣接する門脈域との間に架橋性線維化がみられるようになり，小葉改築が進行していく（中沼，2013）．最終的に線維性隔壁が肝実質を分断し，再生結節が形成されて肝硬変へと進行する（図11-4-4）．

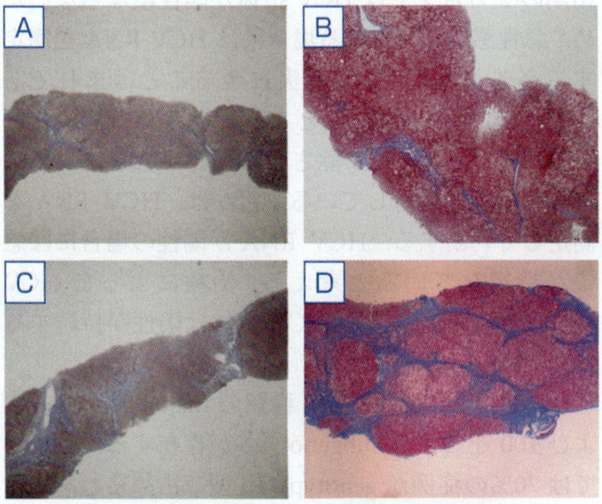

C型慢性肝炎にみられる肝線維化と炎症の活動性を分類するものとして，新犬山分類が用いられている[10]．新犬山分類（表11-4-1）ではウイルス性慢性肝炎の組織所見の線維化と壊死炎症反応を反映して，それぞれを線維化（staging）と活動性（grading）の各段階に分けて表記されている．国際的には，国際肝臓学会によるMetavir分類やhistological activity index（HAI）スコア，Ishak分類（modified HAIスコア）などが用いられている[11]．

肉眼的にC型慢性肝炎の進行を腹腔鏡で観察する（図11-4-5）と，F1に相当する初期の肝線維化の段階では，肝臓はほぼ平滑で点状の陥凹がみられるが，F2の門脈域から線維化が進行すると樹枝状の陥凹が観察される．F3の線維化が進行した状態になると，区域化の陥凹が観察され小葉改築が進行していくのが認められる．さらに進行すると，結節形成が明らかとなり肝硬変に至っているのが観察される．

病態生理

持続感染によって，酸化ストレスや免疫反応を引き起こし，慢性肝炎から肝硬変と進行する．感染からの自然経過について，輸血後C型肝炎131例が報告され，平均20.6年で肝硬変に60例が進行し，平均28.3年で14例が肝癌を発症している[12]．わが国では，欧米よりも肝硬変からの肝発癌率が高く，自然経過をまとめると図11-4-6のようになると考えられる[13]．

C型慢性肝炎ではインスリン抵抗性を合併する頻度が高く，そのため肝細胞癌の発症リスクや肝線維化進行が高まると考えられている[14,15]．HCV感染が肝臓内で脂質代謝に深く影響し，脂肪滴がHCV増殖の重要な増殖部位であり[16]，またHCV感染によってVLDL形成が阻害される[17]．

またC型慢性肝炎では，過剰な肝内鉄沈着が観察されるが[18]，HCV感染によって，小腸上皮基底膜に発現するフェロポルチンを抑制して鉄吸収を抑える調節に作用するヘプシジンの肝臓における分泌が低下していることが示され，これはHCVが排除された後に改善する[19]．肝内の鉄沈着は酸化ストレスを増強させ，肝発癌リスクの上昇に関与する[18,20,21]．

最も重要であるのは肝線維化が徐々に進行して，肝硬変に至り，さらに肝癌を発症するリスクが高くなることである．

臨床症状

1) 自覚症状： C型慢性肝炎においては，自覚症状がない場合が多い．ASTやALTが上昇している場合には，全身倦怠感や食欲不振がみられる場合もある

図11-4-4 C型慢性肝炎における肝線維化の進行
A：初期の線維化は門脈域から始まる（F1），B：門脈域の拡大によって小葉改築傾向がみられる（F2），C：線維性架橋形成（bridging fibrosis）がみられ小葉改築や結節化がみられる（F3），D：再生結節が形成されて肝硬変に至る（F4）．

表11-4-1 慢性ウイルス性肝炎の病理学的分類(新犬山分類, 1995年)(文献10より引用)

慢性肝炎の活動度(activity, granding)	
活動性の評価はインターフェース肝炎(interface hepatitis)と肝小葉炎(lobular hepatitis:小葉内の炎症性細胞浸潤と幹細胞の変性ならびに壊死 [spotty necrosis, bridging necrosis など])で行い,以下の4代間に区分(スコア化)する.	
A0	活動性なし:これらの病変がほとんどみられない.
A1	軽度活動性(軽度の壊死炎症所見):門脈域の炎症に加え,肝実質の軽度の壊死炎症反応があるが,インターフェース肝炎がほとんどみられない.
A2	中等度活動性(中等度の壊死炎症所見):軽度〜中等度の肝小葉の壊死,炎症反応,あるいは軽度〜中等度のインターフェース肝炎をみる.
A3	高度活動性(高度の壊死炎症所見):中等度〜高度の肝小葉の壊死炎症反応あるいは癒合性壊死,あるいは中等度〜高度のインターフェース肝炎をみる.

線維化,病期(fibrosis, staging)	
線維化の程度は,門脈域から線維化が進展し小葉が改築され,肝硬変へ進展する段階を5段階に区分(スコア化)する.	
F0	線維化なし:門脈域の線維化がほとんどない.
F1	門脈域の線維化拡大:門脈域の線維化をみるが,肝小葉辺縁部への線維化の進展がほとんどない.
F2	線維化架橋形成(bridging fibrosis):門脈域の線維化拡大,肝小葉辺縁部への線維化,種々の線維性隔壁形成(ときどき架橋性)をみるが,小葉構造の改変がほとんどない.
F3	小葉のひずみを伴う線維化架橋形成(bridging fibrosis with lobular disarray):種々の線維性隔壁形成や架橋性線維化に加え,小葉構造の改変や結節化をみる.
F4	肝硬変(結節形成傾向が全体に認められる):再生結節の形成と線維化をみる.

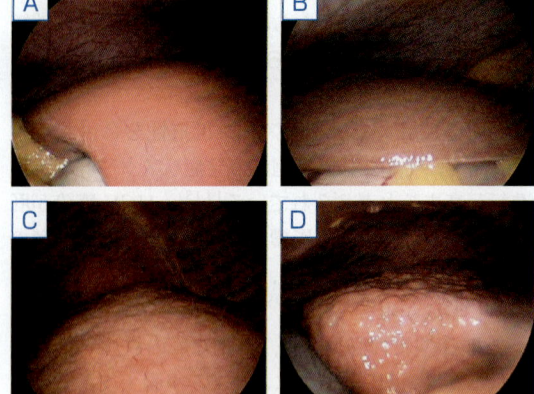

図11-4-5 腹腔鏡によるC型肝炎の進展度の観察
A:F1に相当する肝表面の点状の陥凹,B:F2に相当する樹枝状陥凹,C:F3に相当する区域化の陥凹が観察される,D:F4の肝硬変では再生結節が明らかである.

が,自覚症状を有することはまれである.自覚として多いのは,朝一番の尿が紅茶色になることであり,尿中ウロビリノゲンの排泄が増加するためと考えられる.

2)他覚症状: 身体的な他覚所見はない場合が多い.肝腫大がみられるのは1〜2割であり,腹部触診によって判定できる.肝硬変の近くまで進行すると,前胸部や頸部にくも状血管拡張がみられたり,手掌紅斑や下腿浮腫が観察される.また,腹水の有無に注意すべきであり,触診で判断できない場合には腹部超音波を行うべきである.

検査所見

スクリーニングとして用いられる血清HCV抗体が陽性になるとC型肝炎の可能性が高い.しかし感染初期の2カ月まではHCV抗体が陽性にならないため,急性感染が疑われる場合にはHCV RNAを測定する必要がある.劇症肝炎に至ることはまれである[22].HCVが感染すると75〜85%が持続感染となり自然にウイルスが排除されることは15〜25%である[23].感染が持続しているか否かは,HCV RNAを測定して判断する.HCV RNAが陽性の場合には感染が持続していると考える.治療によってHCV RNAが陰性化しても,HCV抗体は陽性が持続するが,次第に力価が低下する.

HCVには少なくとも7種類のmajor genotypeおよび100をこえるsubgenotypeが存在する.わが国では70%の症例がgenotype 1b型で占められ,20%がgenotype 2a型,10%がgenotype 2b型であり,それ以外のHCVはまれであり,血友病などの輸入血液製剤による感染でgenotype 1a型がわずかにみられる[24,25].genotypeを測定できない場合には,型特異

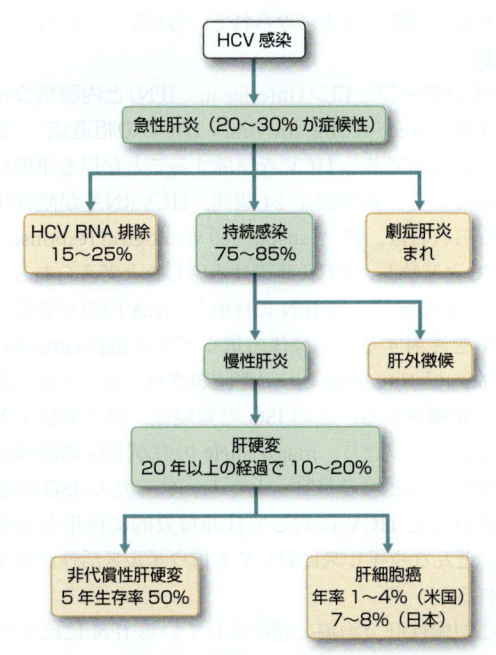

図11-4-6 HCV感染の自然経過(文献13より)

抗体を用いたセロタイプを測定し，1型か2型かを鑑別するが，乖離例が1〜2%存在することに注意を要する[25]．

ASTとALTを測定し，上昇していれば慢性肝炎が疑われる．しかし，HCVの感染者ではALT値が施設内正常値であっても，慢性肝炎でないとはいえない．肝炎ウイルスマーカーが陰性で非飲酒者でその他の肝障害がない人のALT値は男性で30 IU/L以下，女性で19 IU/L以下とされており[26]，これをこえた場合には慢性肝炎を疑う必要がある．

肝線維化の程度を推定するのに血小板数が参考になる．血小板数が12万/μL以下の場合には，肝線維化が進行して肝硬変に至っている場合が多く注意を要する[25]．このほか蛋白合成能の指標として血清アルブミン値やプロトロンビン時間を参考にし，黄疸の有無は血清総ビリルビンと直接・間接ビリルビン値を測定する．肝線維化の指標としては，Ⅳ型コラーゲンやヒアルロン酸が用いられる[25]．

治療効果を予測するためのHCV遺伝子変異の有用性が報告されている．genotype 1b型のHCV感染の場合には，ペグインターフェロンとリバビリン併用治療を行う場合にHCVコア領域のaa70番とaa91番のアミノ酸変異が独立因子として関連し，同部位の変異がnull viral response(NVR)に関連する[27]．さらにIFN単独治療で効果に関連があると指摘されたHCVのNS5A領域のInterferon sensitivity determining region (ISDR)の40個のアミノ酸の変異がペグインターフェロンとリバビリンの治療効果に関連している[28]．genome-wide association study(GWAS)を用いた宿主遺伝子の網羅的解析により，ヒト19番染色体上に存在しインターフェロンλをコードするIL28B近傍の一遺伝子多型(SNP)とペグインターフェロンα・リバビリン併用治療におけるウイルス学的治療効果との関連が明らかとなり，Rs8099917のmajor alleke であるTTの症例では，持続的ウイルス陰性化(sustained virological response：SVR)が得られやすく，minor allele であるTGやGG alleleの症例では治療中のウイルス陰性化が得られにくい(Tanakaら，2009)，という特徴が判明した(Tanakaら，2009)．この成績は欧米と同様の結果である[29]．

インターフェロンを用いない治療を行う場合には，経口抗ウイルス薬であるdirect acting antiviral(DAA)によって治療を行うが，この場合にはHCVに薬剤耐性変異が存在するか否かを調べることが重要である．DAAによる治療歴がない例で解析すると，NS5A阻害薬に対する耐性変異であるL31MやY93Hを有する例が11.2%存在し，V36A，T54S，Q80R，D168Eなどプロテアーゼ阻害薬耐性を有する例も3.7%にみられている[30]．これらの薬剤耐性変異は治療薬を決定する際に重要な情報となる．

診断

HCV RNA陽性で，ASTやALT値が31 IU/L以上の場合には，C型慢性肝炎である可能性が高く，治療を要する場合が多い．肝線維化の進展や炎症の程度を把握する目的で，肝生検を行い確定診断をつける．肝生検を行わない場合には，肝線維化の程度を推定するための検査を行う．エラストグラフィを用いるものとしてTE(transient elastography)(Fibroscan®)が最初に臨床的に用いられるようになった[31]．体表から低周波弾性波を送り，肝内の伝搬速度を計測することによって肝硬度をみるものである．その他剪断弾性波の伝搬速度を算出するARFI(acoustic radiation force impulse)や[32]，組織の歪みから相対的な肝臓のかたさをカラー表示するRTE (real-time tissue elastography)[33]などが用いられている．MRIを用いて肝臓に振動を与え，その伝搬を画像化して肝硬度を測定するMR elastography (MRE)の有用性が報告されている[34]．血液検査によって肝線維化を推定する方法が行われ，線維化マーカーとしてヒアルロン酸，P-Ⅲ-PやⅣ型コラーゲンが用いられている[35]．またレクチンを用いた糖鎖マーカーが肝線維化との相関がよい[36]．

簡便な臨床的に行える検査値を用いて肝線維化予測モデルが作成され，AST to Platelet index (APRI)スコアは簡便であり有用性が高い[37]．また，FIB-4は年齢，AST，ALT，血小板をパラメーターとして算出さ

れ，特に肝硬変を診断するのに有用性が高い[38]．

合併症

　肝硬変に進行すると，浮腫や腹水，食道静脈瘤，黄疸，肝性脳症などの合併症を併発する．また，肝線維化進展例や肝硬変では肝癌を合併することが多い．HCVの肝外病変として，クリオグロブリン血症をきたし，紫斑，関節痛，腎障害を引き起こす[39]．HCVに伴う腎障害としては，膜性増殖性糸球体腎炎（membranoproliferative glomerulonephritis），膜性腎症，メサンギウム増殖性糸球体腎炎などがある[40]．心筋障害や口腔などの扁平苔癬がみられることもある[41]．

経過

　C型慢性肝炎では，ウイルスが排除できない場合には高率に肝発癌をきたす．わが国の肝癌の成因では，64.7％がC型肝炎ウイルス感染由来である[42]．肝発癌のリスクは，治療後のALTとAFPの値ごとに差がみられ，ALT値が80 IU/L以上の場合に肝発癌が最も頻度が高く，次にALT 40 IU/L以上が高い．しかし，ALT値が正常値の40 IU/L未満であっても肝発癌がみられ，ALTが20 IU/L以上と20 IU/L未満を比較すると，有意に20 IU/L以上の方が肝発のリスクが高い[43]．慢性肝炎の経過中に，血清AFP値が20 ng/mL以上であった場合には肝発癌のリスクが高いが，10～20 ng/mLの場合にはついで肝癌の発症が多い．さらに，AFP値は6 ng/mLでも発癌率に差がみられ，6 ng/mL以上の場合には，それ未満の場合

よりも肝発癌が高率にみられている（図11-4-7）．

治療

1）インターフェロン（interferon：IFN）と内服抗ウイルス薬（direct acting antiviral：DAA）の相違点： 基本的に原因であるHCVを排除することが最も重要な治療である．治療終了24週間，HCVRNAが陰性化が得られれば，著効（sustaiened virological response：SVR）と呼称し，HCV感染は治癒したと考えられる．

　HCVの排除にはIFNの注射とDAA内服がある．IFNを注射すると，身体の抗ウイルス蛋白（interferon stimulating gene：ISG）が誘導され，抗ウイルス活性が発揮される．このISGの発現は，宿主遺伝子多型によって異なり，major alleleの方がISGの誘導が効果的に行われる[44,45]．しかし，いったんISGが誘導されるとHCVに対しては非特異的に作用を発揮し，どんなウイルスに対しても抗ウイルス活性が発揮される．

　C型慢性肝炎治療に認可されているIFNにはα型とβ型がある．α型にはポリエチレングリコール（polyethylene glycol：PEG）がIFNに結合しているか否かにより，非ペグ化製剤とペグ化製剤がある．前者には天然型インターフェロンアルファと遺伝子組み換えのインターフェロンアルファ-2bがあり，後者にはペグインターフェロンアルファ-2aとペグインターフェロンアルファ-2bがある．β型は天然型インターフェロンベータで非ペグ化製剤である．

　しかし，内服DAAはHCVの特異的な酵素や蛋白

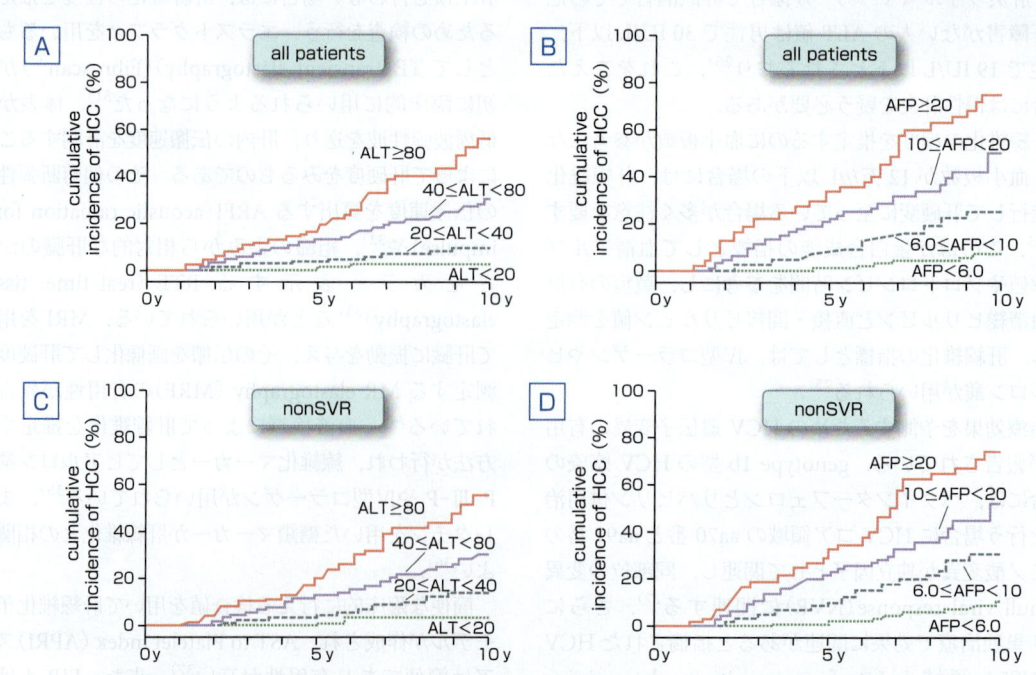

図11-4-7　C型慢性肝炎の肝発癌率（ALTとAFP別）（文献43より）
C型慢性肝炎症例全体でも，インターフェロンで治癒しなかった例でもALTとAFPが高値ほど肝発癌率は高い．

に直接作用することから，体質には効果の差はみられない．したがって遺伝子多型には影響を受けない．しかし，作用するHCVの酵素や蛋白質に薬剤耐性変異が存在すると，DAAの効果が発揮されにくい[46]．INFなしでDAAのみで治療する場合に，十分留意すべきである．

2）内服抗ウイルス薬（DAA）の種類と標的蛋白：
HCV遺伝子にはウイルス粒子の構成蛋白をコードする構造領域と，さまざまな機能を有するウイルス蛋白をコードする非構造領域および非翻訳領域が存在する．それぞれの遺伝子領域が治療薬の標的となりうる．HCVに対するDAAとして開発されているのは，HCVRNAのNS3領域に存在するプロテアーゼと，NS5A領域のウイルス粒子形成にかかわる蛋白，およびNS5B領域に存在するポリメラーゼが標的になっている（図11-4-3）．

3）プロテアーゼ阻害薬： HCVの増殖に重要な役割を果たしているHCV遺伝子非構造蛋白であるNS3-4Aプロテアーゼを直接阻害することにより，ウイルス増殖を強力に阻害する[47]．わが国ではテラプレビル，シメプレビル，バニプレビル，アスナプレビルが用いられている．第2世代プロテアーゼ阻害薬とペグインターフェロンα・リバビリンの3剤併用で，genotype 1b型の80～90％の例でSVRが得られ，副作用が軽減されている．また，プロテアーゼ阻害薬はDAAのみの治療でも使用される．プロテアーゼ阻害薬の投与量を減らすために，HIV感染で使用されているリトナビルを併用する試みも行われている．

4）NS5A阻害薬： HCVのウイルス粒子形成や蛋白二量体構成作用を有するNS5Aの蛋白活性を阻害する薬剤である．1日1回の内服によって抗ウイルス効果が発揮され，副作用が少ない．しかし，Y93Hなどこの薬剤に対する共通耐性変異が認められ，DAA治療を受けたことがない例で約20％が耐性を有しているため，この薬剤を用いて治療するか否かについては，耐性変異の有無を調べる必要がある．

5）ポリメラーゼ阻害薬： HCVの非構造蛋白NS5Bは，RNAポリメラーゼ活性を有し，HCV-RNA複製に重要な役割を果たしている．ポリメラーゼ阻害薬はHCVの複製を直接抑制する作用があり，核酸型，非核酸型の2種類の薬剤がある．このなかで，ソホスブビルが細胞内でchain terminaterとして作用し，genotypeにかかわらず高い抗HCV活性がみられ注目されている．ほかにも核酸型ポリメラーゼ阻害薬が開発されている．

非核酸型ポリメラーゼ阻害薬の開発はやや遅れていたが，PIとNS5A阻害薬を補完するために開発が開始された．有力な薬剤が期待される．〔泉　並木〕

■文献（e文献11-4-1-2）
中沼安二：ウイルス性肝炎―急性肝炎と慢性肝炎/肝硬変．肝臓を診る医師のための肝臓病理テキスト（中沼安二編），pp74-88，南江堂，2013．
田中純子：HCV感染の疫学・感染経路．C型肝炎の診療を極める―基本から最前線まで（榎本信幸，竹原徹郎，他編），pp15-22，文光堂，2014
Tanaka Y, Nishida N, et al: Genome-wide association of IL28B with response to pegylated interferon-alpha and ribavirin therapy for chronic hepatitis C. *Nat Genet.* 2009; **10**: 1105-9.

2）自己免疫性肝炎
autoimmune hepatitis：AIH

定義・概念
AIHは，中年以降の女性に好発し慢性，進行性に肝障害をきたす疾患である．本疾患の原因は不明であるが，肝細胞傷害の成立に自己免疫機序の関与が想定され，免疫抑制薬，特に副腎皮質ステロイド薬が奏効することを特徴とする[1]．臨床的には抗核抗体，抗平滑筋抗体などの自己抗体陽性，血清IgG高値を高率に伴う．診断にあたっては肝炎ウイルス，アルコール，薬物性肝障害およびほかの自己免疫性疾患に基づく肝障害を除外することが重要である[2]．

分類
自己抗体の出現パターンにより1型と2型に分類される[1]．1型は抗核抗体や抗平滑筋抗体が陽性で多くは中高年に発症する．2型は抗肝腎ミクロソーム（LKM）-1抗体陽性で，おもに若年に発症する．わが国では1型が多く，2型はきわめて少ない（厚生労働省，2011）．また，発症には急性と慢性のいずれも存在するが，急性肝炎様発症は慢性肝疾患の経過中に急性増悪し発症したと思われる急性増悪期と，急性肝炎の病理所見が主体の急性肝炎期の2つの病態が存在する[3]．急性肝炎期の症例では，自己抗体陽性やIgG高値の特徴を示さず診断が困難な場合がある．

病因・病態
AIHは，何らかの機序により自己の肝細胞に対する免疫学的寛容が破綻し，自己免疫反応によって生じる疾患である[1,4]．遺伝的素因としてわが国ではHLA-DR4との相関がある[5]．発症誘因として先行する感染症や薬剤服用，妊娠・出産との関連が示唆されており，ウイルス感染や薬物代謝産物による自己成分の修飾，外来蛋白と自己成分との分子相同性，ホルモン環境などが発症に関与する可能性がある[1,6]．肝内に浸潤するリンパ球はT細胞が優位であり，肝細胞に対する自己反応性T細胞の活性化と制御性T細胞の機能障害による細胞性免疫異常が本症の肝細胞障害の主因と考えられている[1,6]．

疫学

わが国の AIH の患者数は詳細な疫学調査が行われておらず，2004 年の年間患者数は約 1 万人と推定され，慢性肝炎の約 1.8％，肝硬変の 1.9％を占めるとされる(厚生労働省，2013)．最近のオランダの調査では 10 万人あたり 18.3 人の有病率と報告されている[7]．また，わが国の 2006～2008 年の新規 AIH を対象とした全国調査では，男女比は 1：6 と女性に多く，診断時年齢は 60 歳を一峰性ピークとする(Abe ら，2011)．近年，男性患者の割合が増加し，高齢化傾向があることが示されている．

臨床症状・身体所見

AIH に特徴的な症候はなく，発症型により無症状から食欲不振，倦怠感，黄疸など急性肝炎様症状を呈するなどさまざまである．初診時に肝硬変へ進行した状態で，脳症や食道静脈瘤出血にて受診する患者も存在する．また，合併する自己免疫性疾患として慢性甲状腺炎，Sjögren 症候群，関節リウマチなどの症状を呈することもある(厚生労働省，2013)．

検査所見

疾患特異的な検査所見はないが，典型例では中等度のトランスアミナーゼの上昇，γ-グロブリンと IgG の増加，抗核抗体や抗平滑筋抗体の陽性が認められる．急性肝炎様に黄疸や高度の ALT 上昇をきたすこともある．わが国の AIH における抗核抗体は HEp-2 細胞を用いた間接蛍光抗体法で測定され，染色パターンは homogenous(均質型)を示すことが多い(厚生労働省，2013)．

病理

AIH に特異的な組織所見はないが，典型例では門脈域の線維性拡大とリンパ球，形質細胞の浸潤を伴う interface hepatitis 所見と肝細胞ロゼット形成が認められる[8](図 11-4-C)．海外では特徴的所見に em-peripolesis(肝細胞内にリンパ球が取り込まれる所見)が報告されているが[9]，評価が難しくわが国では一般化していない．急性肝炎期の AIH では，門脈域に変化が乏しく，小葉中心帯壊死を示す症例もある[8]．

診断

AIH の診断は，わが国の診断指針(表 11-4-2)[2]ならびに International Autoimmune Hepatitis Group (IAIHG)が提唱した改訂版国際診断基準(改訂版，表 11-4-3)が用いられる(Alvarez ら，1999)．しかし，この改訂版は因子が多項目で臨床現場において煩雑性があり，2008 年に簡易版スコアリングシステム(簡易

表 11-4-2 自己免疫性肝炎(AIH)の診断指針・治療指針 (2013 年)(抜粋)
(厚生労働省「難治性の肝・胆道疾患に関する調査研究」班 自己免疫性肝炎分科会自己免疫性肝炎(AIH)治療ガイドラインより抜粋)

診断
1. ほかの原因による肝障害が否定される
2. 抗核抗体陽性あるいは抗平滑筋抗体陽性
3. IgG 高値(>基準上限値 1.1 倍)
4. 組織学的にインターフェース肝炎や形質細胞浸潤がみられる
5. 副腎皮質ステロイドが著効する

典型例
上記項目で 1 を満たし，2～5 のうち 3 項目以上を認める．

非典型例
上記項目で 1 を満たし，2～5 の所見の 1～2 項目を認める．

表 11-4-3 改訂版国際診断基準

項　目		点　数
女性		+2
ALP：AST (または ALT) 比	<1.5	+2
	1.5～3.0	0
	>3.0	-2
血清グロブリンまたは IgG 値正常上限との比	>2.0	+3
	1.5～2.0	+2
	1.0～1.5	+1
	<1.0	0
ANA, SMA あるいは LKM-1 の抗体	>1：80	+3
	1：80	+2
	1：40	+1
	<1：40	0
AMA 陽性		-4
肝炎ウイルスマーカー	陽性	-3
	陰性	+3
薬物投与歴	陽性	-4
	陰性	+1
平均アルコール摂取量	<25g	+2
	>60g	-2
肝組織像	インターフェース肝炎	+3
	リンパ球や形質細胞優位の細胞浸潤	+1
	肝細胞のロゼット形成	+1
	上記いずれかの所見も認めない	-5
	胆管病変	-3
	他の病変	-3
他の自己免疫疾患		+2
付加項目	他の認識された自己抗体陽性	+2
	HLA-DR3 または DR4 陽性	+1
	治療反応性　　寛解	+2
	再燃	+3
総合点数による評価　治療前	AIH 確例 (definite)	>15
	AIH 疑診例 (probable)	10～15
治療後	AIH 確例 (definite)	>17
	AIH 疑診例 (probable)	12～17

版，表 11-4-4）が提唱されている．簡易版は自己抗体，IgG 値，肝組織所見，ウイルス肝炎の否定の4つの因子から疑診，確診を導くものである．2つの国際基準の特徴として，改訂版は感受性にすぐれ自己抗体陽性，IgG 高値などの所見が目立たない非定型例も拾い上げて診断することができ，簡易版は特異性にすぐれステロイド治療の決定に参考となる（厚生労働省，2013）．したがって，診断には改訂版が有用であり，簡易版は日常診療においては利便性が高いが，非定型例の診断には注意が必要である．特に，IgG 低値や自己抗体陰性となりうる急性肝炎期の AIH や肝炎ウイルス陽性の AIH 例などでは基準外となる場合があるので総合的に判断する．なお，本症の診断後には重症度評価を判定基準（表 11-4-5）（厚生労働省，2013）を用いて行うことが重要である．

鑑別診断

ウイルス性肝炎および肝炎ウイルス以外のウイルス感染（EB ウイルス，サイトメガロウイルスなど）による肝障害，健康食品による肝障害を含む薬物性肝障害，非アルコール性脂肪性肝疾患，ほかの自己免疫性肝疾患などとの鑑別を行う（厚生労働省，2013）．特に薬物性肝障害や非アルコール性脂肪性肝疾患では抗核抗体が陽性となる症例があり，詳細な薬物摂取歴の聴取や病理学的検討が重要である．

治療

治療目標は，ALT と IgG 値の正常化，組織学的炎症と線維化の改善，そして持続した寛解状態を得ることである．治療の基本は，副腎皮質ステロイドによる薬物療法である．プレドニゾロン導入量は 0.6 mg/kg/日以上とし，中等症以上では 0.8 mg/kg/日以上を目安とする（厚生労働省，2013）．早すぎる減量は再燃の原因となるため，プレドニゾロン 5 mg/1～2 週を減量の目安とする．プレドニゾロン投与量を漸減し，最低量のプレドニゾロンを維持量として長期投与する．

ウルソデオキシコール酸が副腎皮質ステロイドの減量時に併用あるいは軽症例に単独で投与することがある[10]（厚生労働省，2013）．再燃例では，初回治療時に副腎皮質ステロイドへの治療反応性が良好であった例では，ステロイドの増量または再開が有効である．繰り返し再燃する例ではアザチオプリン 1～2 mg/kg/日の併用を考慮する（厚生労働省，2013）．

重症例ではステロイドパルス療法や肝補助療法（血漿交換や血液濾過透析）などの特殊治療を要することがある．また，非代償性肝硬変例や劇症肝炎例では肝移植が有効な治療法となる場合がある．

予後

わが国における AIH の予後は 10 年生存率 90％以上と良好であるが，急性肝不全の対応が予後の改善に重要である（厚生労働省，2013）．また，肝硬変例は AIH の約 20％を占め，その多くは初診時すでに肝硬変である[11]．特に経過観察中に肝硬変へ進展する例

表 11-4-4 自己免疫性肝炎（AIH）の簡易型診断スコア（国際自己免疫性肝炎研究グループ，2007 年より）

項目	値	点数
抗核抗体または抗平滑筋抗体	40 倍以上	1
抗核抗体または抗平滑筋抗体	80 倍以上	2*
または LKM 抗体	40 倍以上	
または SLA 抗体	陽性	
IgG	正常上限以上	1
	正常上限の 1.1 倍以上	2
肝組織所見（肝炎の存在は必須）	AIH に矛盾しない場合	1
	AIH に典型的	2
ウイルス肝炎の否定		2
合計点：6 点以上疑診，7 点以上確診		

＊：ほかの自己抗体陽性所見も加えるが，統合 2 点が最大である．本スコアで診断が困難な場合は改訂版国際診断スコアを用いる．

表 11-4-5 自己免疫性肝炎（AIH）の重症度判定基準

臨床徴候	臨床検査所見	画像検査所見
①肝性脳症あり	① AST, ALT > 200 U/L	①肝サイズ縮小
②肝濁音界縮小または消失	②ビリルビン > 5 mg/dL	②肝実質の不均質化
	③プロトロンビン時間 < 60％	

重症：次の 1, 2, 3 のいずれかがみられる
 1. 臨床徴候：①または②
 2. 臨床検査所見：①＋③または②＋③
 3. 画像検査所見：①または②
中等症：臨床徴候①，②，臨床検査所見③，画像検査所見①，②がみられず，臨床検査所見①または②がみられる
軽症：臨床徴候①，②，臨床検査所見①，②，③，画像検査所見①，②のいずれもみられない

は，非肝硬変例と比較し有意に再燃率，免疫抑制薬の使用率が高く，治療抵抗性であることが報告されている[11]．肝細胞癌も 3～5％ に合併することから，ウイルス肝炎と同様に線維化進行例では定期的な画像検査が重要である[12]．

〔大平弘正〕

■文献（e文献 11-4-2）

Abe M, Mashiba T, et al: Present status of autoimmune hepatitis in Japan: a national wide survey. *J Gastroenterol*. 2011; 46: 1136-46.

Alvarez R, Berg PA, et al: International Autoimmune Hepatitis Group Report: review of criteria for diagnosis of autoimmune hepatitis. *J Hepatol*. 1999; 31: 929-38.

厚生労働省難治性疾患克服事業「難治性の肝・胆道疾患に関する調査研究」班：自己免疫性肝炎（AIH）診療ガイドライン，2013.

11-5 非アルコール性脂肪性肝疾患

1）脂肪肝 fatty liver

定義・概念

多量の脂質が肝細胞に沈着した状態を指す用語で，非アルコール性脂肪性肝疾患の大部分を占める（日本肝臓学会，2010）．沈着する脂質は中性脂肪がほとんどで，非アルコール性脂肪肝炎を除外した非アルコール性脂肪性肝疾患の総称である（日本消化器病学会ら，2014）．明確な定義はないが，日本では 5～10％ 程度の肝細胞に中滴性ないし大滴性の脂肪滴が観察される場合に，脂肪肝と診断されることが多い．

分類

過食や運動不足，中心静脈栄養などに伴う過栄養性脂肪肝のほかに，膵頭十二指腸切除術や小腸切除術，小腸バイパス術後の低栄養性脂肪肝，糖尿病をはじめとする内分泌性脂肪肝などが知られる（日本肝臓学会，2010）．

原因・病因

脂肪肝のなかでは肥満に伴う症例の頻度が最も高く，誘因で最も重要なものは過食と運動不足である．肝細胞に流入する脂肪酸量と肝細胞が合成する脂肪酸量の合計が，肝細胞で消費される脂肪酸量と肝細胞から分泌される脂肪酸量の合計を上回ると中性脂肪が形成され，肝細胞内に貯留するために脂肪肝が生じる．

疫学

最大の危険因子は肥満で，日本人成人の 20％ から 40％ が罹患している．男性では 30 歳代後半より増加し，女性では閉経期以後増加する．BMI が 22 以下の症例では罹患頻度が 10％ 以下であり，25 をこえる肥満症例では罹患率が 60％ をこえる（日本肝臓学会，2010）．

病理

多くは小葉中心性に中滴性～大滴性の脂肪滴が肝細胞内に貯留する．脂肪滴を有する肝細胞が肝小葉の 1/10 以上を占めることが多い．

病態生理

肝細胞は糖，アミノ酸，脂質の代謝を統合して行う基幹臓器なので，脂肪肝の存在は肝細胞の恒常性の破綻，あるいは恒常性維持に伴う代償作用の結果とみなすことができる．過栄養性の場合，過剰となったエネルギーは中性脂肪として，皮下や腸管周囲に蓄積されるのみならず肝細胞内にも沈着する．低栄養性の場合，夜間に肝細胞内のグリコーゲンが枯渇すると肝細胞はアミノ酸から糖新生を行って血糖値を維持する．糖新生に利用できないケト原性アミノ酸や末梢組織から肝臓へ動員された脂肪酸は心臓のエネルギー源としてケトン体の合成に利用され，余剰の脂肪酸やアセチル CoA から中性脂肪が合成されて肝細胞に沈着する．糖尿病では筋肉での脂肪酸の消費が低下するうえに，肝細胞での糖新生の亢進が生じて脂肪酸の合成増加をきたすために，脂肪肝を生じる．

臨床症状

脂肪肝ではしばしば腫大した肝臓を触知するが，アルコール性肝炎を除き，圧痛を認めることは少ない．ときに，肝腫大に伴う腹部膨満感などを訴えることもある．

検査所見

血液検査では AST や ALT，γ-GTP の高値をしばしば認める．また，肥満症例では ChE やコレステロール，トリグリセリド，空腹時インスリンやレジスチンの高値，アディポネクチンの低値などが観察される．

診断

肝細胞の 1/3 以上に脂肪滴が観察される中等度以上の脂肪肝の検出は，腹部超音波検査や腹部 CT 検査により容易に行うことができる（日本消化器病学会ら，2014）．なかでも侵襲性のない腹部超音波検査は広く行われ，肝実質の輝度上昇に伴う肝腎コントラストの上昇，肝内血管の不鮮明化，深部エコーの減弱などの

変化をもとに脂肪肝の存在診断を行う．腹部CT検査では肝臓のCT値が脂肪の沈着程度に応じて低下するので，ほぼ一定である脾臓のCT値を利用して，肝/脾比を算出する．肝/脾比が0.9の場合には，ほぼ1/3の肝細胞に脂肪滴が貯留している．

鑑別診断

鑑別が必要な病態としては，過量飲酒，肥満や糖尿病を惹起する薬物使用の頻度が高い．Wilson病などの先天性代謝異常や肝細胞毒性を有する抗癌薬の副作用による脂肪肝以外にも，テトラサイクリンなどによる中毒性脂肪肝やNieman-Pick病などまれな疾患も念頭におく．

合併症

肥満を背景とする脂肪肝の多くは高脂血症・高血圧・耐糖能異常などの生活習慣病を伴いやすく，メタボリックシンドロームを呈することも多い（日本消化器病学会ら，2014）．

経過・予後

非アルコール性脂肪性肝疾患の大半を占める非アルコール性脂肪肝では肝臓の線維化進展はゆるやかと考えられており，肝硬変や肝細胞癌の併発よりもむしろメタボリックシンドロームに伴う心・脳血管イベントの高危険群として注目されていて，その予後は必ずしも良好ではない（日本消化器病学会ら，2014）．

治療・予防

BMIが22以下の症例では脂肪肝の罹患率が10％以下なので，肥満症例では食事・運動療法の導入により体重の減量をはかる．生活習慣病を伴う症例では，必要に応じて薬物治療を考慮する（日本消化器病学会ら，2014）．　　　　　　　　　　〔西原利治〕

■文献

日本肝臓学会：NASH・NAFLDの診療ガイド2015，文光堂，2015．
日本消化器病学会，日本肝臓学会：NAFLD/NASH診療ガイド2014，南江堂，2014．

2）非アルコール性脂肪肝炎
non-alcoholic steatohepatitis：NASH

定義・概念

非アルコール性脂肪性肝疾患（non-alcoholic fatty liver disease：NAFLD）は，アルコール性肝障害をきたすほどの飲酒歴のない脂肪肝の総称である．NASHは，NAFLDの10～20％を占める進行性の慢性肝障害で，肝硬変や肝細胞癌（HCC）の発症母地になる（Chalasaniら，2012；日本肝臓学会，2015；日本消化器病学会，2014）（図11-5-1）[1]．肝組織で診断される脂肪肝炎（steatohepatitis：脂肪変性，炎症性細胞浸潤，肝細胞傷害（風船様変性））を呈する．

原因・病因

NASHのおもな病因はインスリン抵抗性で，肥満，メタボリックシンドローム，糖尿病，脂質異常症，高血圧を基盤に発症し，これらの疾患の発症危険因子でもある．内分泌疾患（Cushing症候群，成長ホルモン欠損症，下垂体腫瘍手術後，多嚢胞性卵巣症候群など）や，脂質代謝異常症，薬物（ステロイド，タモキシフェンなど），高度の栄養障害（Crohn病，短腸症候群など）なども病因となる．インスリン抵抗性を基盤に発症する病態のみをNASHとよぶとすることも提唱されているがコンセンサスは得られていない．

疫学

NASHは，肝組織所見で診断されるため，一般住民における有病率は不明である．わが国の健康診断受診者でのNAFLDの頻度は，男性の30～40％，女性の10～20％である．その10～20％がNASHと推定されるので，有病率は2～8％である．肥満，糖尿病ではその頻度は高い．また，女性ではエストロゲンによる抗肥満作用により閉経前では発症が抑えられている．

NASHでの性年齢分布は，若い世代では男性優位，閉経をこえると女性優位となる（e図11-5-A）．性差と重症度では，肝硬変では女性の頻度が高く（男性43％，女性57％），HCCでは男性の頻度が高い（男性62％，女性38％）．NAFLD/NASHでは遺伝的要因や食習慣の影響で家族集積をみる．

病理

病理学的には肝細胞の5％以上に脂肪滴を認めるものを脂肪変性（steatosis）と定義し，steatosisとsteatohepatitisに分類される．steatohepatitisでは，steatosisに加えて，同部位の肝細胞の風船様変性と炎症性細胞浸潤を伴い，pericellular fibrosis, perivenular fibrosisから線維化が進展し肝硬変に至る（図11-5-

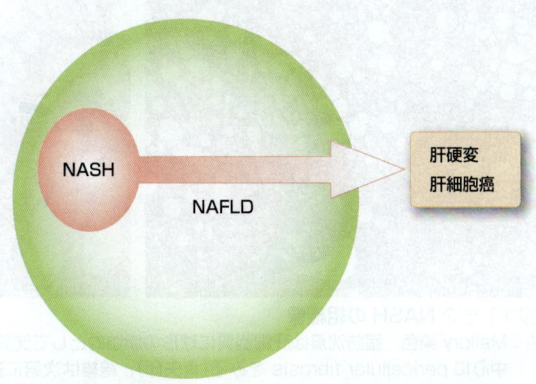

図11-5-1 NASH
NASHは，NAFLDの10～20％を占める進行性の慢性肝障害で，肝硬変や肝細胞癌の発症母地になる．

2).

病態生理

NAFLDの10〜20％の症例がsteatosisにとどまらずNASHへと病態が進行することに関しては，two hit theoryが提唱されてきた[2]．脂肪変性をfirst hitとして，second hitが加わって壊死炎症性変化をきたしNASHとなる仮説である（e図11-5-B）．second hitとしては，①酸化ストレス，②アディポサイトカイン，③インスリンの抵抗性，④小胞体ストレス，⑤腸内細菌叢，⑥鉄などがあげられる．two hit theoryは，病態を理解しやすい仮説であるが矛盾点もあり複数の因子が並行して発症・進展に関与するとするmultiple parallel hits hypothesisが近年提唱されている[3]．遺伝的背景では，Genome Wide Association Studyによる遺伝子解析がなされ，Patatin-like phospholipase 3 geneが有力な疾患感受性遺伝子として報告されている[4]．

HCC発癌に関しては，肝線維化と年齢が最も重要な危険因子であるが，近年，肥満や糖尿病が独立したHCC発癌危険因子であることが明らかとなった．NASHを基盤としたHCCの発癌機序に関しては十分解明されていないが，酸化ストレスによるDNA傷害，脂質過酸化，oval cellの増加，高インスリン血症やサイトカインが成長因子として作用し腫瘍細胞の増殖を促すことなどがあげられている[5]．

臨床症状

1）**自覚症状**：NASHでは，肝硬変に進行するまで多くの症例で自覚症状はない．非代償性の肝硬変に進行すると黄疸，腹水，肝性昏睡，食道静脈瘤出血などの肝不全症状を呈する．

2）**他覚症状**：脂肪肝では肝腫大を認める．

検査所見

1）**血液・生化学検査**：NASH診断の確立された血液診断マーカーはない（eコラム1）．血液生化学検査では，慢性肝障害の病態を判断する．トランスアミナーゼはALT優位の上昇が特徴であるが，正常値を示す症例も少なくない．肝硬変に進行するとAST優位となり，AST/ALTは1以上となってくる（e図11-5-C）．γ-GTPは軽度の上昇にとどまる．線維化がbridging fibrosisまで進行すると，ヒアルロン酸などの線維化マーカーが上昇し，肝硬変では，血小板・アルブミン・凝固因子が低下し，非代償期ではビリルビン・アンモニアが上昇する．

2）**画像診断**：画像診断では，20％以上の肝細胞に脂肪変性を認めた場合に，その重症度を含め脂肪肝と診断される．NASH診断に関しては，造影超音波，キセノンCTなどが検討されているが，今後の検討を要する．肝線維化の診断としては，超音波診断装置（フィブロスキャン）や，MR elastographyなどが診断能が高く有用である．

3）**肝組織診断**：重症度と活動性（grading：脂肪変性，炎症性細胞浸潤，肝細胞の風船様変性で診断）と線維化（staging）で表す．肝組織診断は，肝疾患の診断や重症度判定には最も正確な診断能を有するが，リスクやコストの点から一般的な臨床検査ではない．NAFLDと診断され，さらにNASH診断のため肝生検の適応となる症例は，肥満や生活習慣の改善ができずトランスアミナーゼ高値が継続する症例，肝機能が低下傾向で線維化の進行したNASHが疑われる症例，ほかの肝疾患との鑑別が必要な症例である[6]（eコラム2）．

4）**その他**：インスリン抵抗性指数など糖代謝異常，HDLコレステロール低下，LDLコレステロール上昇，フェリチン・血清鉄の高値，酸化ストレスのマーカーとしての高感度CRP・酸化LDLの上昇を認める．

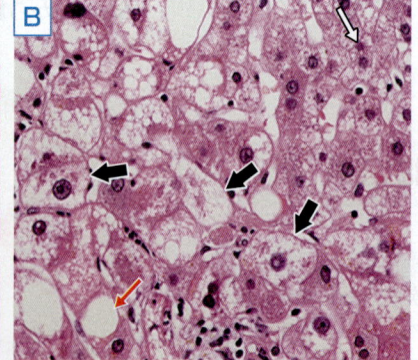

図11-5-2 NASHの組織像

A：Mallory染色．脂肪沈着は肝細胞質に球形の脂肪的として沈着する（黄色矢印）．中心静脈域を中心にpericellular fibrosisをみる（青矢印）．線維は次第に進展しbridging fibrosis，肝硬変へと進行する．図下の門脈域は軽度の線維化にとどまる．

B：HE染色．右上部の肝細胞（白ヌキ矢印）に比較して，図左の肝細胞は，脂肪沈着（赤矢印）と風船様変性（黒矢印）を認める．

診断

 NASHは，NAFLDのうち，肝組織で脂肪変性，炎症性細胞浸潤，肝細胞傷害（風船様変性）を呈しsteatohepatitisと診断される疾患である[1-4]．他の慢性肝疾患は除外する．非アルコール性とする上限の飲酒量は，女性はアルコール性肝障害が男性に比較して少量で発症するため，女性ではエタノール換算20 g/日以下，男性では30 g/日以下とされている．しかし，アルコール代謝能の低いALDH2遺伝子変異型の保有率の高い日本人では，その2/3が妥当とする意見もある．なお，肝組織診断は一般的な検査でなく，実臨床では組織診断を行わず臨床診断でNAFLDとして扱われることが多い．

鑑別診断

 Wilson病やC型肝炎ではsteatohepatitisが特徴的病理所見の1つで，鑑別が必要である．自己免疫性肝炎・薬物性肝障害などで脂肪肝の合併例では，病態把握のため肝組織診断が必要である．

合併症

 NASHの95％以上の症例でインスリン抵抗性を示し，肥満，メタボリックシンドローム，糖尿病，脂質異常症，高血圧などの生活習慣病を合併する．睡眠時無呼吸症候群では無呼吸時の低酸素状態がNASHを増悪させると推測されている．

経過・予後

 NASHは，心血管イベントと肝関連死亡のリスクとなり死亡率が一般住民に比較して上昇する．NASHの自然経過は経時的肝組織の検討から，改善20〜30％，悪化30〜50％，不変40〜50％と報告されている．5年肝硬変進行率は10〜25％，5年生存率は70〜95％である．NASH肝硬変に限ると，5年HCC発癌率は約10％，5年生存率は約75％で，死因は，HCCや肝不全による肝関連死が約80％となる[7-9]．

 NASH肝硬変の末期では，脂肪変性，炎症性細胞浸潤などの特徴が消失し，burned-out NASHとなる[10]．NASHを基盤に発したHCCの特徴は，平均年齢65〜75歳，男性に高頻度で（55〜65％），肝硬変を基盤とする症例が約50％で，多中心性発癌である．

治療・予防・リハビリテーション

 NAFLD全例に対して肝組織診断でNASH診断をすることは不可能で，常にNAFLDではNASHを念頭において治療する．ガイドラインでは，まず，肥満の有無に注目して治療を開始する（図11-5-3）．肥満例では，食事と運動療法を中心とした治療をし，高度肥満例では減量手術も適応となる．肥満が改善しない症例や非肥満例では，生活習慣病の治療，肝庇護薬などが投与される[1,11]（Chalasaniら，2012；日本肝臓学会，2015；日本消化器病学会，2014）．生活習慣病の合併のない症例では抗酸化薬（ビタミンE）が適応となる．

 NAFLDによる末期肝硬変は，移植適応疾患である．移植後NASHが再発する症例は約30％と報告さ

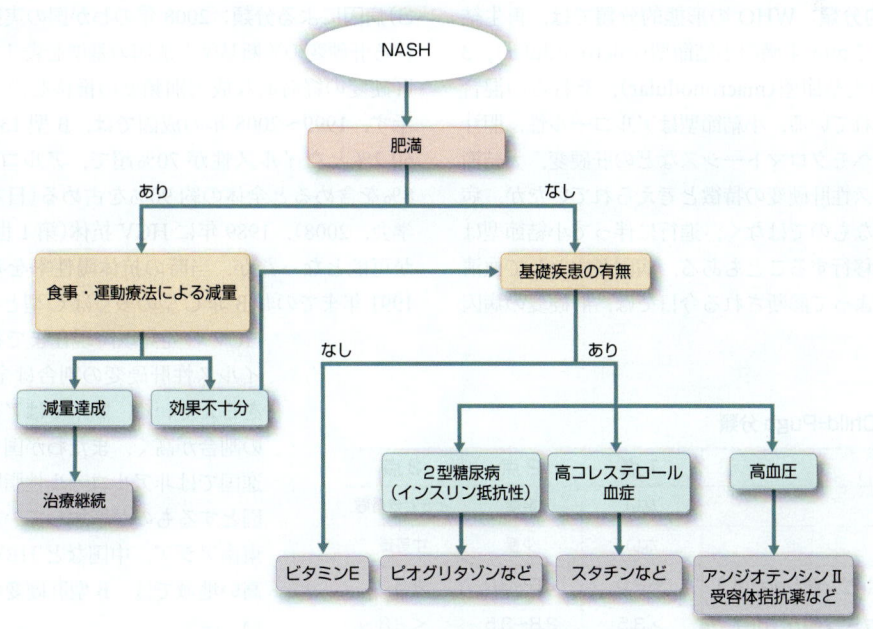

図11-5-3 NASHの治療方針（文献1より改変：日本消化器病学会　NAFLD/NASHガイドライン2014）
肥満の有無で分ける．肥満例では，食事と運動療法を中心とした治療をする．肥満が改善しない症例や非肥満例では，生活習慣病の治療を行う．生活習慣病の合併のない症例では抗酸化薬のビタミンEが適応となる．

れているが，移植後の生存率は良好である．

〔橋本悦子〕

■文献(e文献11-5-2)

Chalasani N, Yunossi Z, et al: The diagnosis and management of non-alcoholic fatty liver disease: practice guideline by the American Association for the Study of Liver Diseases, American College of Gastroenterology, and the American Gastroenterological Association. *Hepatology*. 2012; 55: 2005-23.

肝臓学会編：NASH・NAFDLの診療ガイド2010（肝臓学会編），文光堂，2015.

日本消化器病学会編：NAFLD/NASH診療ガイドライン2014，南江堂，2014.

11-6 肝硬変

1) ウイルス性肝硬変

定義・概念

肝硬変は著明な線維化とともに肝実質の再生結節形成を示す肝障害の最終像である．病理学的な概念であり，肝細胞の壊死・脱落の結果，肝小葉構造が壊れ著明な線維化が起こるとともに，線維性結合組織に取り囲まれた再生肝細胞集団（偽小葉結節）が形成される．ウイルス性，アルコール性，胆汁うっ滞，代謝異常などの病因にかかわらず同様の病態を示す．小葉構造の改変に伴う線維化とそれに伴う肝内血流障害があいまって，種々の程度の肝細胞機能不全と門脈圧亢進症をきたす．

分類・成因

1) **形態学的分類**：WHOの形態的分類では，再生結節の直径が3mm未満の小結節型（micronodular），3mm以上の大結節型（macronodular），それらの混合型に分類されている．小結節型はアルコール性，胆汁うっ滞性，ヘモクロマトーシスなどの肝硬変，大結節型はウイルス性肝硬変の特徴と考えられていたが，病因に特異的なものではなく，進行に伴って小結節型は大結節型へ移行することもある．病因が主として血清マーカーによって診断される今日では，肝硬変の病因診断における形態分類の意義は低くなっている．

2) **機能的分類**：肝機能低下による症状を伴う非代償性（de-compensated）と，症状をほとんど呈さず肝機能の保持された代償性（compensated）に分類されるが，両者の区別は厳密なものではない．非代償性肝硬変は疾患の進行に伴って，黄疸，腹水，肝性脳症などの症状が出現した病期であり，代償性肝硬変は肝の合成能，解毒能が保たれた病期であるため自覚症状に乏しい．門脈圧亢進症の有無，程度も機能分類上重要である．肝硬変の重症度分類としては，Child-Pugh分類（表11-6-1）が汎用されており，肝細胞癌（以下，肝癌）の治療選択や予後推定にも用いられる．一方，非代償性肝硬変患者の予後予測や肝移植適用の判断には，MELD（The model for end-stage liver disease）スコア（表11-6-2）が用いられる．

3) **病因による分類**：2008年のわが国の実態調査における肝硬変の診断基準と成因の基準を表11-6-3に，肝硬変の経時的な成因別頻度の推移を図11-6-1に示す．1999～2008年の成因では，B型13.1%，C型60.2%とウイルス性が70%超で，アルコール性14.8%を含めると全体の約90%を占める（日本消化器病学会，2008）．1989年にHCV抗体（第1世代）の測定が可能となったが，当時の抗体陽性率を考慮すると1991年までの非B非C型の多くはC型と考えられ，HCVの発見以降現在までわが国のウイルス性肝硬変の割合は全体の70%をこえている．欧米ではアルコール性の割合が高く，またわが国を含めて先進国では非アルコール性脂肪肝炎を起因とするものが増加している．一方，東南アジア，中国などHBV感染率の高い地域では，B型肝硬変の割合が高い．

疫学

わが国の肝硬変・肝癌の患者数はB型約2万人，C型約9万人と推計さ

表11-6-1 Child-Pugh分類

	1点	2点	3点
脳症	ない	軽度	ときどき昏睡
腹水	ない	少量	中等量
血清ビリルビン値（mg/dL）	<2.0	2.0～3.0	>3.0
血清アルブミン値（g/dL）	>3.5	2.8～3.5	<2.8
プロトロンビン活性値（%）	>70	40～70	<40

各項目のポイントを加算してその合計点で分類する．A：5～6点　B：7～9点　C：10～15点.

表 11-6-2 MELD スコア

MELD スコア= 3.78 × ln(T-Bil mg/dL) + 11.2 × ln(PT-INR) + 9.57 × ln(Cre mg/dL) + 6.43 ×(etiology*)

スコア 15 以上を肝移植の適応とする.
*：アルコール性肝疾患または胆汁うっ滞性肝疾患では 0, ほかのすべての肝疾患では 1.
T-Bil：総ビリルビン, PT-INR：プロトロンビン時間国際標準比, Cr：クレアチニン.

表 11-6-3 肝硬変の診断基準, 成因の診断基準(日本消化器病学会, 2008 より改変)

1. 肝硬変の診断基準

剖検, 腹腔鏡, 画像検査により形態的に明らかなもの, および臨床的に食道静脈瘤, 腹水, 脳症などを有するか血液, 凝固, 生化学検査で肝硬変と診断できるものとする

2. 成因の診断基準

① B 型：HBs 抗原陽性または HBc 抗体高力価陽性例
② C 型：HCV 抗体かつ HCV RNA 陽性(治療で HCV RNA が陰性化した例を含む)
③ B＋C 型：上記①＋②
④ アルコール性：アルコール性肝硬変の診断基準(案)(肝臓. 1993; 34: 888-96.)を満たす例
⑤ 原発性胆汁性胆管炎：stage IV のもの
⑥ その他の胆汁うっ滞型：原発性硬化性胆管炎とその他の胆汁うっ滞型肝硬変を含む
⑦ 自己免疫性肝炎
⑧ 代謝性肝硬変：Wilson 病, ヘモクロマトーシス, α_1-アンチトリプシン欠損症など
⑨ うっ血性
⑩ 寄生虫感染
⑪ その他：成因が判明しているが上記に含まれないもの
⑫ 非アルコール性脂肪肝炎(NASH)：既知の原因が除外できる肝硬変のうち, 下記の基準を満たすもの
⑬ 原因不明：上記以外

NASH(関連)肝硬変の診断基準(案)

1. エタノール摂取 1 日 20 g 以下
2. 肝障害をきたすほかの既知の原因が明らかでない
3. 肥満(特に内臓肥満), メタボリックシンドローム, 糖尿病の合併など, 脂肪肝をきたしうる状態〜合併症を有している肥満に関しては, BMI 25 以上を目安とする
上記を臨床的疑例として, 組織学的に診断された例については組織診断例とする

れている. 厚生労働省の人口動態統計では, 肝および肝内胆管の悪性新生物による死亡を除いた肝硬変死亡数は, 2000 年以降年間 1 万人を下回り漸減している. 肝硬変の主たる原因であるウイルス性肝炎, あるいは合併症としての肝癌による死亡数のいずれも近年は減少している(e図 11-6-A). その理由は, ウイルス性肝炎の治療・制御の進歩が大きいと考えられる.

合併症・予後

肝硬変の最も重要な合併症は肝癌であり, 90％以上は肝硬変, 慢性肝炎を背景に発生する. 全国の実態調査ではの肝癌合併肝硬変の成因割合は C 型が 73％と最も高く, B 型と合わせたウイルス性は 89％であった. 肝癌非合併肝硬変の成因では, C 型は 49％でアルコール性の割合が 21％と高かった(図 11-6-1)(日本消化器病学会, 2008). アルコール性肝硬変は肝癌以外の死亡が多いのに対して, ウイルス性肝硬変は肝癌の合併率が高く, 最も多い死因であるため, ウイルス性肝硬変に対しては肝癌発生を前提としたサーベイランスが重要である.

その他に特に進行した肝硬変では, 成因によらず経過中にしばしば多くの合併症を伴う. たとえば, 門脈圧亢進症とも密接に関連して, 食道胃静脈瘤, 門脈圧亢進性胃腸症, 脾機能亢進症, 肝性脳症, 胸腹水, 特発性細菌性腹膜炎, 肝腎症候群, 肝肺症候群などがあげられる.

肝硬変の直接的な 3 大死因は, 肝癌, 肝不全, 消化管出血である. なかでも, 肝癌合併例の予後は, 肝癌の進行度と肝予備能の両者が関与するため, それらを統合した JIS(Japan Integrated Staging)スコア(e表 11-6-A)は, 予後とよく相関する. 一方, 肝癌を合併しない肝硬変患者の予後は, 予備能と合併症に大きく依存し, 代償性肝硬変の生存期間の中央値(median survival time：MST)は 12 年以上と長く, 肝機能の低下や合併症の増加によって低下する. Child-Pugh スコア≧12, MELD スコア≧21 の進行した肝硬変の予後(MST)は, 6 カ月以内と不良である. 一般臨床所見として肝硬変の予後に影響する因子としては, アルブミンの低値, プロトロンビン時間の延長, ビリルビンの高値, 腎機能障害, 静脈瘤出血, 難治性腹水の合併などである. また副腎機能低下は, 血清 Na の低値や血圧低下, 腎障害, 易感染性などとも関連して肝硬変の予後不良因子と考えられている(Acevedo ら, 2013).

病態・病理

肝硬変の病態は, 持続する炎症による肝細胞の壊死, 脱落のための肝細胞機能(合成, 代謝, 異化)低下と, 線維増生や肝小葉構造の改築に伴う血行動態の異常(門脈圧亢進)によって生じる. Disse 腔に存在する星細胞(stellate cell)は肝細胞障害によって活性化され, 筋線維芽細胞に変化し, I, III, IV 型コラーゲン, プロテオグリカン, フィブロネクチン, ヒアルロン酸などの細胞外マトリックスを産生する. 活性化星細胞や Kupffer 細胞は, metalloproteinase を産生し, 産生された細胞外マトリックスを分解する. さらに星細胞は metalloproteinase の阻害蛋白(tissue inhibitor

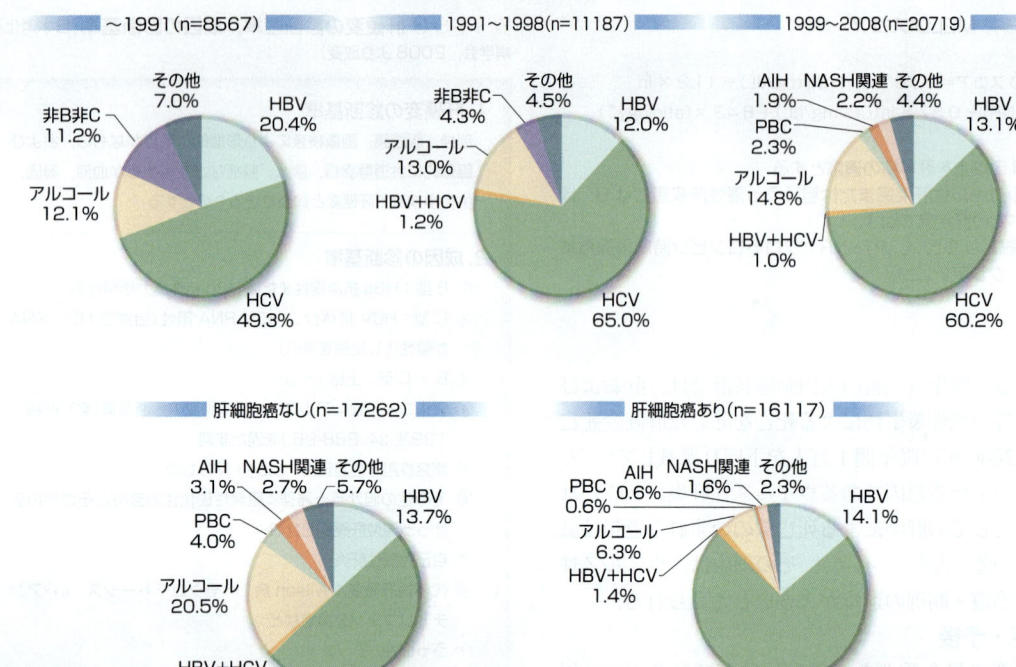

図11-6-1 肝硬変の成因の推移と肝細胞癌の有無別成因
AIH: autoimmune hepatitis, PBC: primary biliary cholangitis, NASH: nonalcoholic steatohepatitis.

of metalloproteinase：TIMP-1）を産生し，細胞外マトリックスの産生，分解の両者にかかわる．産生が分解を上回ると線維性瘢痕が形成される．Disse腔にマトリックスが蓄積すると類洞内皮窓は消失し，毛細管化して類洞の血流障害を生じる．このように線維化の進展は，血流障害から肝細胞障害を引き起こす悪循環を惹起する．肝線維化が進展して小葉改築が進み偽小葉を形成されると，病理学的に肝硬変と診断される．

臨床症状

病態は肝細胞機能不全によるものと門脈圧亢進症によるものに大別され，症状につながるが，現れる症状は両者が関連するものが多い．代償期にはほぼ無症状であり，血液，画像検査所見を含めても慢性肝炎との区別が困難なことが多い．

1）**自覚症状**：進行した状態，特に非代償性肝硬変では，全身倦怠感，易疲労感，食欲不振，性欲減退などさまざまな非特異的な全身症状に加え，浮腫，腹水による腹部膨満感，黄疸，肝性脳症による意識障害，消化管出血による吐・下血，肝性のこむら返りなどの特徴的な症状を認める．

2）**他覚症状**：頸部から前胸部に多い毛細血管の拡張（くも状血管腫），手掌紅斑，女性化乳房，肝性脳症と関連した羽ばたき振戦や昼夜逆転，不穏などの神経症状を特徴的に認める．皮膚は暗褐色調となり皮下脂肪，筋量は減少する．血中ビリルビンが上昇すると眼球結膜や皮膚が黄染する．浮腫は軽度の場合は前脛骨に認めることが多く，腹水に感染を合併すると（特発性細菌性腹膜炎），腹痛や発熱，便通異常などを認める．肝臓は右葉が萎縮して左葉が腫大するため，心窩部に硬化した肝臓を触れることが多いが，進行して両葉とも萎縮すると触知しない．脾腫が増強すると左肋弓下に脾臓を触知する．門脈圧亢進症を反映して，臍静脈を中心とした遠心性の血流の腹壁静脈怒張（caput medusa）を認めることがある．

検査所見

C型肝硬変ではHCV抗体，HCV RNAが，B型ではHBs抗原，HBV DNAが陽性となる．末梢血液像では，脾機能亢進症の程度に応じて汎血球減少が認められる．肝細胞機能低下により血清アルブミン，コレステロール，コリンエステラーゼの低下，プロトロンビン時間の延長，血清ビリルビン値の上昇が認められる．血清トランスアミナーゼは肝炎の活動性を反映して上昇するが，慢性肝炎に比して軽度の上昇のことが多く，ASTが優位となる．ガンマグロブリンは上昇するため，アルブミン/グロブリン比（A/G比）は低下する．肝線維化の進行に伴って，ヒアルロン酸，Ⅲ型プロコラーゲンペプチド，Ⅳ型コラーゲンなどの線維化マーカーは上昇する．アンモニアの上昇，アミノ酸組成の変化（分岐鎖アミノ酸（BCAA：バリン，ロイシン，イソロイシン）の低下と芳香族アミノ酸（AAA：チロシン，フェニルアラニン）の上昇（Fischer比の低下））は，肝性脳症の指標にもなる．インドシアニン

リーン試験では，負荷後15分停滞率が20%以上の場合には肝硬変が疑われる．α-フェトプロテインは肝再生を反映して上昇するが，PIVKA IIとともに肝癌の腫瘍マーカーとしても重要である．

超音波（e図11-6-B），CT（e図11-6-C），MRIでは，肝の右葉萎縮と左葉腫大，表面不整，辺縁の鈍化，内部構造の不均一，脾腫，側副血行路の発達などを認めるが，肝画像検査は肝癌を主とした限局性病変の検索のためにも重要である．肝動脈造影検査では，肝動脈枝の細小化，corkscrew signを認める．肝特異的なアシアロ糖蛋白シンチグラフィは，肝機能に応じた肝への取り込み像を示し，切除前検査としても重要である．

治療
栄養療法，原因療法とともに合併症治療（各項を参照）が必要となる．

栄養療法としては，日常活動強度に応じてエネルギー 25～35 kcal/kg 標準体重/日，蛋白 1.0～1.5 g/kg 標準体重/日とする．血清アルブミン値が低値であれば，分岐鎖アミノ酸製剤の適応であり，低アルブミン血症の改善，肝性脳症の予防のほか，肝不全病態の悪化や肝発癌などのイベント発生を抑止することが示されている．また，夜間の飢餓状態を避けるために，200 kcal 程度の就寝前補食（late evening snack）が推奨されている．

代償性のC型肝硬変に対しては，慢性肝炎と同様に抗ウイルス治療によるHCV排除が望ましい．リバビリン併用を含めて，インターフェロン治療は忍容性と効果の両面で対象が限定される．2014年以降インターフェロンを使用しない経口薬の直接作用型抗ウイルス薬が認可され，慢性肝炎例と同等の高い忍容性とHCV排除効果が示されている．B型肝硬変に対しては，持続する肝炎の鎮静化のためには，核酸アナログによる抗ウイルス治療が適用となる．代償性，非代償性ともHBV DNAが陽性であれば治療の対象となる（日本肝臓学会「B型肝炎治療ガイドライン」を参照）．ウイルス性肝硬変に対する抗ウイルス治療は，肝炎の鎮静化あるいは終息による肝予備能の改善だけでなく，肝癌発生抑止の面からも重要である．

末期肝硬変状態に対しては肝移植が考慮され，一般にMELDスコアが15点以上で肝移植の適応となる．2010年7月の臓器移植法改訂後は脳死移植例が増加しているが，わが国では現在も生体肝移植が主である．　〔田中基彦・佐々木　裕〕

■文献
Acevedo J, Fernandes J, et al: Relative adrenal insufficiency in decompensated cirrhosis relationship to short-term risk of severe sepsis, hepatorenal syndrome, and death. *Hepatology*, 2013; 58: 1757-65.
日本消化器病学会編：肝硬変診療ガイドライン，南江堂，2010．
恩地森一監：肝硬変の成因別実態2008, pp1-10, 中外医学社, 2008．

2）特殊型肝硬変

概念
肝硬変は，病理形態学的に，通常型と特殊型に分類され，特殊型肝硬変は，成因として慢性の肝うっ血，胆汁うっ滞，寄生虫，代謝異常（Wilson病【⇒ 15-6-13】などは他項を参照されたい）など明確な原因があり，それぞれの原因別にそれぞれ特殊な肝硬変への形態発生の過程が明らかで，相互の間に移行がない肝硬変とされる[1]（奥平ら，1994）．

(1) 心臓性肝硬変 (cardiac liver cirrhosis)
概念
うっ血性心不全により肝静脈圧が上昇し，肝うっ血が長期間持続，反復したために中心静脈周囲の線維化が生じ，線維が進展して小葉が改築され，肝硬変へ進展したものである（柳沢ら，1995）．偽小葉が完成した状態まで至ることは少なく，前肝硬変状態でも慣用的に肝硬変とよぶ．

病因
右心不全を起こす三尖弁膜症，肺性心，収縮性心膜炎，リウマチ性心疾患などが原因となる．

病態生理
肝静脈圧の上昇と心拍出量の低下に基づく肝血流量の低下による肝内酸素供給の低下により中心静脈周囲領域を中心に肝障害が生じる．低酸素血症は肝細胞壊死を促すのみならず，類洞を拡張させ，胆汁分泌を遅延させる．長期間持続すると中心静脈周囲の線維化が進行し，中心静脈間，中心静脈-門脈間に線維性架橋が生じ，通常の門脈性肝硬変とは逆の偽小葉形成が起こり，心臓性肝硬変が形成される．

臨床症状
右心不全の症状以外，無症状であることが多い．多くの患者では，ALT, AST, アルブミン値は正常範囲にある．心原性腹水がしばしば認められ，腹水の蛋白量は通常 2.5 g/dL 以上である．うっ血肝では肝腫大を認め，肝被膜の伸展による右上腹部痛を伴うが，肝硬変ではかたく縮小気味となる．

診断
うっ血性心不全が3年以上持続し，腹水，脾腫を認めるが，肝は萎縮した肝硬変の形態を呈し，うっ血肝改善後も肝合成能の改善がみられない場合，心臓性

肝硬変への移行を疑う．CT では下大静脈と肝静脈の拡張，肝表面の不整を認める．
治療
　病因となる心疾患の治療が優先される．心臓性肝硬変自体は予後に関係なく，予後は心疾患の程度に影響される．

(2)胆汁性肝硬変(biliary cirrhosis)
　胆道系の障害を基盤とする肝硬変には原発性胆汁性肝硬変と二次性胆汁性肝硬変がある．前者については【⇨ 11-7】．
概念
　二次性胆汁性肝硬変は，肝外胆管の狭窄や閉塞機転が長期間持続・反復して形成された肝硬変である．狭窄部位により再生結節が肝の一部に限られる場合があり，また，原因の特殊性から再生結節が未完成でも肝硬変とよばれることが多い[2]．
病因
　原因は胆道系手術後の狭窄，胆管結石，胆道系悪性腫瘍である．小児では先天性胆道閉鎖症が原因となる．
病理
　門脈域の拡張した胆管周囲に結合組織が増生し，胆管増生，単核球浸潤を伴って門脈域は拡張する．有毒性胆汁成分の蓄積による小葉辺縁部の肝細胞巣状壊死が著明となり，bile lake もみられる．末期には小結節性の偽小葉形成に至る．
診断
　通常型肝硬変と同様の徴候を伴い，黄疸などの胆汁うっ滞所見が目立ち，肝外胆管閉塞を生じる疾患の既往や手術歴をもつ場合に本症を疑う．診断は一般肝硬変に準じる．
治療
　原因疾患，胆汁うっ滞，肝不全や門脈圧亢進症に伴う合併症に対する治療を行う．

(3)寄生虫性肝硬変(parasitic liver cirrhosis)
概念
　日本住血吸虫や肝吸虫などの寄生虫が原因の肝硬変である．
a. 日本住血吸虫症
病態生理
　日本住血吸虫症は，日本，中国，フィリピンなど東南アジアに広くみられる寄生虫疾患であるが，わが国では環境衛生の改善により激減した．中間宿主ミヤイリガイで形成された幼虫セルカリアが皮膚から侵入して感染する．虫体は門脈末梢枝や腸管壁の毛細血管に棲息して産卵し，多数の虫卵が組織内の門脈系静脈を閉塞したり，アレルギー反応を起こす結果，門脈域の強い炎症と肉芽腫の形成，二次的な肝障害が生じ，肝硬変に進展する(関谷，1994)．また，肝細胞癌を高率に合併する．
診断
　腹腔鏡や生検(直腸・肝臓)による虫卵の証明を行う．腹腔鏡観察では肝被膜は被膜炎によるフィブリン析出がみられ，肝表面は亀甲状粗大結節と虫卵による小黄色点がみられる．超音波検査では肝の線維化と石灰化を反映する隔壁が肝を分断し，亀甲状や網目状，魚鱗状のパターンを呈する．
治療
　プラジカンテルが有効である．
b. 肝吸虫症【⇨ 11-19-1】

〔坂井田　功〕

■文献
奥平雅彦, 中 英男, 他：肝硬変の定義と分類—病理形態学的立場から. 日本臨牀. 1994; 52: 5-10.
関谷千尋：特殊型肝硬変—寄生虫性肝硬変. 日本臨牀. 1994; 52: 234-9.
柳沢伸嘉, 菅谷 仁, 他：心臓性肝硬変. 別冊日本臨牀. 領域別症候分シリーズ No.7, 肝・胆道系症候群—肝臓編(上巻), pp188-90, 日本臨牀社, 1995.

11-7 原発性胆汁性胆管炎
primary biliary cholangitis：PBC

定義・概念

PBCは,中高年の女性に好発する慢性・進行性の胆汁うっ滞性疾患である.その病因はいまだ解明されていないが,種々の自己免疫疾患を合併し,また,種々の自己抗体を認めるため,自己免疫的機序の関与が想定されている.本疾患は,病理学的に肝内の小型胆管の炎症と破壊像を特徴とする.自己抗体である抗ミトコンドリア抗体(anti-mitochondrial antibody：AMA)が約9割の症例で検出され,診断的価値がきわめて高い.従来本疾患は原発性胆汁性肝硬変(primary biliary cirrhosis：PBC)と呼ばれていたが,病態が進行していない時期にあっても肝硬変という名称がつけられていることが誤解を生むため,世界的に名称が原発性胆汁性胆管炎(primary biliary cholangitis：PBC)へと変更された[1]).

病因

本疾患の病因はいまだ明らかになっていない.しかし,前述したように,自己抗体の1つである,AMA(あるいはM2抗体ともよばれる)が高率(90%以上)かつきわめて特異的に陽性となり,さらに,種々の自己免疫性疾患を合併することから,免疫学的機序が想定されている.抗ミトコンドリア抗体の対応抗原はミトコンドリア内膜に存在するピルビン酸脱水素酵素複合体(pyruvate dehydrogenase complex：PDC)である.このため,AMAはPDC抗体ともよばれる.このミトコンドリア蛋白に対する抗体が本症の発症にいかに関与するかはわかっていないが,PBC患者肝の胆管上皮膜上にこの蛋白が発現するという報告がある[2]).また,本症例の家族あるいは一卵性双生児の同胞に本症の発生が高率に見られ[3,4],HLAクラスII抗原のHLA DR8(HLA-DR1*0803)と発症リスクの強い関連が報告されていることから[5],遺伝的素因をもつ人に,何らかの後天的あるいは環境因子が加わり[6,7],発症するものと考えられる.

疫学

わが国に約5万人の患者がいると考えられている.そのなかで,皮膚瘙痒感,黄疸,腹水,食道・胃静脈瘤,肝性脳症などの肝疾患に由来する症状を呈しない無症候性PBC(asymptomatic PBC)で発見される症例が多い(70～80%を占める)が,進行すると上記症状を呈する症候性PBC(symptomatic PBC)に移行していく.

男女比は約1：7～9と女性に圧倒的に多く,発症年齢は50歳代に最も多いが,60歳以降に発見される症例も多い(厚生労働省難治性肝疾患克服事業「難治性肝・胆道疾患に関する調査研究」班,2012)(e図11-7-A).

病理・病態生理

肝内の門脈域に存在する小型胆管(直径100μm以下)の胆管上皮細胞の炎症と破壊像を特徴とし,慢性非化膿性胆管炎(chronic nonsuppurative destructive cholangitis：CNSDC)とよばれる(図11-7-1).胆管障害が持続・進行すると,ついには胆管の消失がみられる.通常,門脈域には,小葉間胆管とほぼ同等の直径の小動脈が伴走する.しかし,胆管が消失した門脈域では,小動脈のみが認められる所見を呈する.

また,変性した胆管上皮下にリンパ球や形質細胞の著明な浸潤を認め,類上皮細胞を含む肉芽腫をみることも本症の特徴である.さらに,門脈域では好酸球の浸潤も多くみられる[8,9].

このような胆管上皮細胞の破壊像にはアポトーシスが関与し,また,アポトーシスにより胆管細胞が完全に消失する前に,すでに胆管上皮細胞間の透過性が亢進して,胆汁成分が胆管内より門脈域へと漏出する[10,11](Kogaら,1997；Sakisakaら,2001).胆管の破壊・消失あるいは,胆汁成分の漏出の胆汁うっ滞に伴い,細胞傷害性が強い胆汁酸(ケノデオキシコール酸など)の肝臓における貯留が,肝細胞傷害を進行させ,最終的には胆汁性肝硬変の病理像を呈してくる.

肝臓の病理像は,その進行度から,I～IV期に分類される(表11-7-1).本症の多くの症例は,I期あるいはII期で発見される.進行すると胆汁性肝硬変(IV期)の像を呈するようになる.

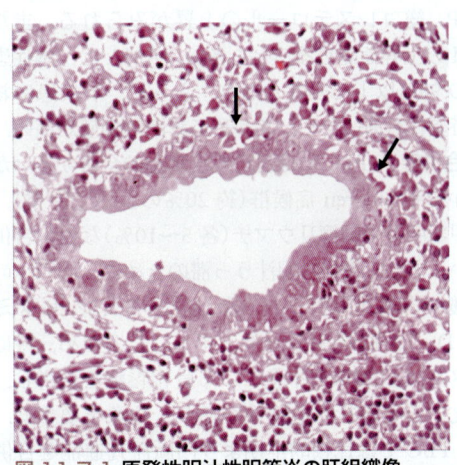

図 11-7-1 原発性胆汁性胆管炎の肝組織像
胆管上皮細胞の変性・破壊像(矢印)とその周囲のリンパ球,形質細胞の浸潤.

表 11-7-1 PBC の病期分類(Ludwig J, Dickson ER, et al. Staging of chronic nonsuppurative destructive cholangitis (syndrome of primary biliary cirrhosis). *Virchows Arch A Pathol Anat Histol.* 1978; 379: 103-12)

I期 portal hepatitis
門脈域にはリンパ球のほか,好中球,好酸球等の炎症細胞の浸潤がみられる.小葉間胆管上皮には,胆管の変性・破壊像,また肉芽腫が認められ,florid duct lesion という特徴的な所見を呈する.肝実質の変化はないか,あっても軽微である.

II期 periportal hepatitis
炎症細胞浸潤はさらに増強し,炎症所見は門脈周辺の肝実質まで及ぶ.胆管は消失,胆管上皮の増生を認める.肉芽腫を伴った胆管炎所見はさらに高頻度にみられるようになる.

III期 septal(bridging)fibrosis
II期の所見は存続するが,門脈域からの線維の伸展像が明瞭になる.肉芽腫を伴う胆管炎所見はむしろ減少するが,胆管消失は増強する.

IV期 cirrhosis
胆汁性肝硬変の所見に特徴的な garland-shaped regenerative nodules と線維性隔壁がみられる.高度の ductopenia が顕著となる.肉芽腫を伴う胆管炎所見は軽減し,門脈域は単に胆管消失の所見を呈するようになる.

表 11-7-2 厚生労働省難治性肝疾患克服事業「難治性肝・胆道疾患に関する長鎖研究」班:原発性胆汁性肝硬変(PBC)の診療ガイドライン(2012年)

1. 血液・生化学検査所見
症候性,無症候性を問わず,血清胆道系酵素(ALP, γ-GTP)の上昇を認め,抗ミトコンドリア抗体(antimitochondrial antibodies:AMA)が約 90%の症例で陽性である.また,IgM の上昇を認めることが多い.

2. 組織学的所見
肝組織では,肝内小型胆管(小葉間胆管ないし隔壁胆管)に慢性非化膿性破壊性胆管炎(chronic non-suppurative destructive cholangitis:CNSDC)を認める.病期の進行に伴い胆管消失,線維化を生じ,胆汁性肝硬変へと進展し,肝細胞癌を伴うこともある.

3. 合併症
慢性胆汁うっ滞に伴い,骨粗鬆症,高脂血症が高率に出現し,高脂血症が持続する場合には皮膚黄色腫を伴うことがある.Sjögren 症候群,関節リウマチ,慢性甲状腺炎などの自己免疫性疾患を合併することがある.

4. 鑑別診断
自己免疫性肝炎,原発性硬化性胆管炎,慢性薬物性肝内胆汁うっ滞,成人肝内胆管減少症など

診断
次のいずれか1つに該当するものを PBC と診断する.
1) 組織学的に CNSDC を認め,検査所見が PBC として矛盾しないもの.
2) AMA が陽性で,組織学的には CNSDC の所見を認めないが,PBC に矛盾しない(compatible)組織像を示すもの.
3) 組織学的検索の機会はないが,AMA が陽性で,しかも臨床像および経過から PBC と考えられるもの.

臨床症状

1) 症状・身体所見: 本症は,中年以降の女性に,胆汁うっ滞に起因する瘙痒感を初発症状として発見される場合が多い.また,症状を欠き,後述するような原因不明の肝機能異常を指摘されて受診することも多い.身体所見としては,多くの場合肝腫大を呈し,合併する高コレステロール血症のために,黄色腫をみることもある.胆汁うっ滞のために瘙痒感を呈するにもかかわらず,黄疸は,胆汁性肝硬変へ進行して初めて出現する.進行すれば,肝硬変の症状として,黄疸,腹水,食道・胃静脈瘤,肝癌の合併などをみる.

2) 臨床検査成績: 慢性の胆汁うっ滞の所見として,血中のアルカリホスファターゼ(ALP)ならびに γ-GTP,総コレステロールの上昇がみられる.また,IgM の上昇を認めることも多い.AMA は,本症患者の 90%以上で陽性となり,さらに,本疾患における特異性も高いため,きわめて診断的価値が高い.

3) 合併症: PBC には自己免疫疾患の合併が多いが,なかでも Sjögren 症候群(約 20%の症例で合併),慢性甲状腺炎や関節リウマチ(各 5〜10%)などの合併が多い.また,慢性の胆汁うっ滞のために,腸管への胆汁酸の排泄が障害され,脂溶性ビタミン(ビタミン A, D, E, K)の吸収が低下する.このため,特に,ビタミン D の吸収不全による骨粗鬆症を合併し,重篤化すると骨折の危険性があり,注意を要する.また,PBC では比較的早期より門脈圧亢進症を合併するため,食道・胃静脈瘤などの合併を念頭におく必要がある.さらに,進行した PBC では肝癌の合併もみ

られる[12].

診断

診断は,腹部超音波検査や MRCP などの画像診断で,胆管の拡張などの変化がみられない症例について,厚生労働省班研究の診断基準(厚生労働省難治性肝疾患克服事業「難治性肝・胆道疾患に関する調査研究」班, 2012)(表 11-7-2)に従って診断を進める.特に①血液所見で慢性の胆汁うっ滞所見(ALP, γ-GTP の上昇),② AMA の陽性,③肝組織で特徴的な所見(CNSDC)が重要である.また,肝生検などにより肝組織が得られない場合も,画像上肝内および肝外胆管の変化を伴わない慢性の胆汁うっ滞があり,AMA が陽性であれば,ほぼ本症と診断できる.

鑑別診断

本症と鑑別診断が必要な疾患として,原発性硬化性胆管炎(PSC),自己免疫性肝炎(AIH),薬物性肝障害,IgG4 関連硬化性胆管炎などがある.AMA が PBC 以外の疾患で陽性となることが少ない点が,上記の疾患との鑑別に役立つ.しかし,まれに PSC,AIH では AMA が陽性になることがあるので,注意

を要する．また，PSC や IgG4 関連硬化性胆管炎では，画像診断による胆管の狭窄，拡張像が鑑別に有用である．

PBC の特殊型については *e* コラム 1 を参照．

経過・予後

本疾患の患者の多くは，10〜20 年をかけて発症し，緩徐に進行すると考えられている．近年，検診などの際に肝機能異常を指摘され，症状を欠く時期に診断される無症候性 PBC が 7〜8 割を占める．無症候性 PBC は年余にわたり良好な経過をたどる一方[13]，その約 20% は症候性 PBC へと移行する．無症候性 PBC の 10 年生存率は約 90% と予後はよいが，症候性 PBC では 35〜70% とされ，症候性 PBC に進行後は，治療の選択肢も限られてくる．

一方，後述する本疾患の第一選択薬であるウルソデオキシコール酸にきわめてよく反応する PBC はその予後がよいことが示されている[14,15]．

黄疸を呈するようになると（s_2PBC），進行性であり，その予後はきわめて不良である．5 年生存率は，血清総ビリルビン値が 2 mg/dL では 60%，5 mg/dL で 55%，8 mg/dL をこえると 35% とされている．

死因は，肝不全あるいは食道胃静脈の破裂によるものが多いが，肝硬変に進行した PBC では肝癌の合併もみられる．このため，進行した PBC では，定期的な上部消化管内視鏡検査および腹部画像検査が必要である．

治療

1) **薬物療法**：

a) **ウルソデオキシコール酸（UDCA）**：第一選択薬として使用され，胆道系酵素の改善のみならず，胆管上皮細胞障害の軽減（Koga ら，1997；厚生労働省難治性肝疾患克服事業「難治性肝・胆道疾患に関する調査研究」班，2012；Sakisaka ら，2001），肝組織の改善，肝移植・死亡までの期間の延長も示されている．通常 1 日あたり 600 mg 投与されるが，効果が不十分の場合 900 mg まで増量する．

b) **ベザフィブラート**：UDCA の効果が不十分な症例に対して本剤（400 mg）が使用される．その作用機序ならびに PBC の長期予後への効果は明らかではない．UDCA との併用により肝機能改善効果を示すことが多い[16]．しかし，本症に対する本剤の保険適用はなされていない．

2) **肝移植**：肝硬変に進行した症例では，上記薬物療法が奏効しないことが多い．さらに，高度の黄疸や著明な腹水をきたすなど，肝不全へ進化した症例では，肝移植が唯一の治療の選択肢となる．血清総ビリルビン値が 5 mg/dL をこえる時期には，移植医に紹介することが望ましい．本疾患に対する肝移植は，生体肝移植ならびに脳死肝移植とも多数の症例で行われ，移植術後の予後もよい．移植後に PBC を再発する症例もみられるが，再発のために再移植が必要となる症例は少ない．

〔向坂彰太郎〕

■ 文献（*e* 文献 11-7）

Koga H, Sakisaka S, et al: Nuclear DNA fragmentation and expression of Bcl-2 in primary biliary cirrhosis. *Hepatology*. 1997; **25**: 1077-84.

厚生労働省難治性肝疾患克服事業「難治性肝・胆道疾患に関する調査研究」班：原発性胆汁性肝硬変（PBC）の診療ガイドライン（2012 年）．肝臓．2012; **53**: 633-86.

Sakisaka S, Kawaguchi T, et al: Alterations in tight junctions differ between primary biliary cirrhosis and primary sclerosing cholangitis. *Hepatology*. 2001; **33**: 1460-8.

11-8 原発性硬化性胆管炎
primary sclerosing cholangitis: PSC

概念・定義

原発性硬化性胆管炎（PSC）は肝内外の胆管の線維性狭窄を生じる進行性の慢性炎症疾患である．PSC は胆汁性肝硬変を経て肝不全に至る予後不良な炎症性疾患である．潰瘍性大腸炎（UC）などの炎症性腸疾患（IBD）を合併することが多く，免疫異常や遺伝的異常の関与が推定される．硬化性胆管病変を呈するものとして，AIDS の胆管障害，胆管悪性腫瘍（PSC 診断後および早期癌は例外），胆道の手術や外傷，総胆管結石，先天性胆道異常，腐食性硬化性胆管炎，胆管の虚血性狭窄，floxuridine 動注による胆管障害や狭窄などがあり，二次性硬化性胆管炎として PSC からは除外される．また，自己免疫性膵炎に伴うものを含めて，IgG4 関連硬化性胆管炎も除外される．

疫学

日本の患者総数は約 1200 人と推定されている．2003 年の全国アンケート調査では，1975〜2003 年の約 30 年間で 388 例[1]，2014 年の同様の調査では 2005 年以降で 197 例が集計されている[2]．頻度は男性にやや多く，発症年齢は 20 歳代と 60 歳代に 2 つのピークがみられる．肝内胆管だけでなく肝外胆管にも異常を認める症例が多い．IBD の合併頻度は 34〜38%[1,2] で，欧米の 60〜80%[3,4] に比較して低率である．一方，IBD 患者における PSC 合併率は 2.4〜4.0

％とされている．UC 患者における PSC 有病率は欧米で 10 万人あたり 8〜14 人，わが国では 1.3 人であり欧米に比較してアジアでは少ない．

病因・病態

PSC が IBD を合併することが多いことから，病因・病態として大腸粘膜における防御機構の破綻による門脈内への持続的細菌流入や免疫異常，遺伝的異常などが推定されているが解明には至っていない．PSC は傷害される胆管の部位により，①胆管造影では確認できない細い肝内胆管に病変を有する small duct type，②肝内外の太い胆管に病変が認められる large duct type，および，③その両者ともに傷害される global duct type に分類される(LaRusso ら，1984)．Large duct type は，自己免疫性膵炎に伴う硬化性胆管病変や IgG4 関連疾患に伴う硬化性胆管炎(IgG4SC)[5]と鑑別する必要がある．

病理組織学的には胆管周囲の輪状線維化と炎症細胞浸潤を特徴としており，onion-skin fibrosis とよばれる玉ねぎ状の求心性巣状線維化を呈する(図 11-8-1)．PSC の疾患概念が報告された当初は肝生検による肝病理組織所見による診断が必要とされていた(LaRusso ら，1984)．病理組織所見から病期分類が提唱されており臨床病態と対比される(表 11-8-1)．

臨床症状

全身倦怠感や瘙痒感などが主症状である．2013 年の全国調査では黄疸 28％，瘙痒感 16％である．閉塞性黄疸や胆道感染合併に伴う腹痛，発熱なども認められるが，無症状で健診や医療機関受診の際に血液検査や画像診断によって偶発的に診断されることも少なくない．わが国では PSC の IBD 合併率は欧米に比較して低率ではあるものの，問診・医療面接では IBD 合併による下痢や腹痛などの症状について聴取する必要

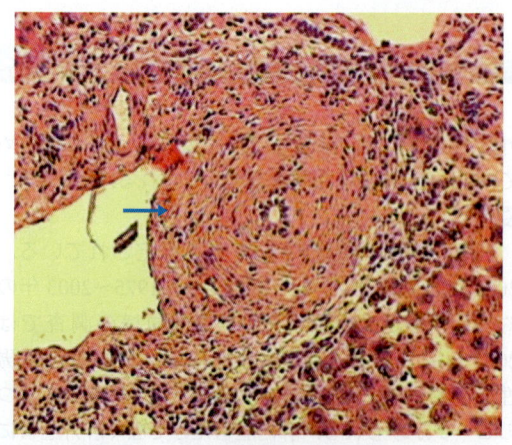

図 11-8-1 PSC の肝病理組織所見(文献 6 より引用)
胆管周囲の輪状線維化と炎症細胞浸潤を特徴としており，onion-skin fibrosis とよばれる．玉ねぎ状の求心性巣状線維化を呈する(矢印)．

表 11-8-1 PSC 病期分類

組織学的所見(肝生検)
ステージ 1：cholangitis or portal hepatitis
ステージ 2：periportal fibrosis or periportal hepatitis
ステージ 3：septal fibrosis, bridging necrosis, or both
ステージ 4：biliary cirrhosis

表 11-8-2 PSC 診断基準(Lindor ら，2003)

1. 胆道造影による典型的な胆管の異常所見
2. 臨床像，血液生化学所見が PSC に矛盾しない
   - IBD の既往，胆汁うっ滞による症状
   - ALP の 2〜3 倍以上の増加が 6 カ月以上持続
3. 除外項目
   - AIDS に伴う胆道病変
   - 胆道の腫瘍性病変(PSC の診断が先行する場合は OK)
   - 胆道の手術，外傷
   - 胆道結石
   - 胆道の先天性異常
   - 腐食性硬化性胆管炎
   - 虚血に伴う狭窄性変化
   - フロクスウリジン(5-フルオロウラシル)の動脈内投与に伴う胆道狭窄

がある．

検査所見

1) **血液検査**：ALP 値が正常上限の 2〜3 倍以上の増加が 6 カ月以上持続

2) **画像検査**：MRCP，ERCP などの胆道画像における典型的な胆管の異常所見

診断基準・鑑別診断

1984 年に Mayo Clinic のグループから肝組織像に基づく診断基準が提案されたが，その後，2003 年には肝生検による病理診断は除外された(Lindor ら，2003)(表 11-8-2)．その基準をもとに厚生労働省難治性肝・胆道疾患研究班(滝川班)・PSC 分科会(田妻ら)で診断基準(案)が検討されている(e表 11-8-A)．

治療

薬物治療，内視鏡治療および肝移植などの外科治療が行われる．PSC は無症状で診断される例が 50％を占めるが，疾患自体は進行性である．急性期に該当する病態はまれであるが，胆道結石が合併すれば急性胆道炎を惹起する場合もある．その際は急性胆道炎診療を行う．

1) **薬物治療**：ウルソデオキシコール酸(UDCA)が第一選択とされている．初期段階の PSC では肝機能検査値の改善をもたらす場合が少なくないが，予後改善に寄与するとのエビデンスは乏しい．UDCA 高用量療法(体重 kg あたり 20〜30 mg)の有効性も報告されているが確定的ではない．

UDCAにより十分な効果が得られない場合，ベザフィブラートの投与が試みられる．単独でも有効な場合もあるが，UDCAとの併用療法が推奨される．自己抗体陽性を示す場合などで副腎皮質ステロイドの併用による改善が報告されており，骨粗鬆症や感染リスクに留意しながらのUDCA併用療法，あるいは一時的な使用は有効性を期待できる可能性がある．ただし，ステロイドの使用時には胆道感染の除外を行う必要がある．胆汁うっ滞による瘙痒感に対しては，血清総胆汁酸高値を呈する場合には陰イオン交換樹脂製剤を投与する．脂溶性ビタミン不足（ビタミンA, D, E, K）を内服薬で補う必要がある．

2）胆道ドレナージ： 胆管の閉塞により黄疸が進行する場合にはドレナージやステント留置が有効な場合がある．内視鏡的乳頭括約筋切開術（EST）や内視鏡的乳頭バルーン拡張術（EPBD），およびステント留置の併用による閉塞性黄疸の解除が行うこともあるが，逆行性胆道感染機会の増加を招来するため推奨しない意見もある．経皮経肝胆道ドレナージ（PTBD）も選択肢の1つであるが肝内胆管の狭窄と拡張が共存するため胆管穿刺が容易ではない場合も多い．

3）外科治療： 肝移植は唯一の根本的治療である．また，狭窄部切除と上流胆管-空腸吻合も選択肢となるが，胆管との吻合が可能であることが条件となる．PSCでは胆道癌や胆石の合併も認められ，適切な外科治療を選択する必要がある．定期フォローアップについては ⓔコラム1を参照．

予後

PSCの診断から死亡または肝移植までの期間は8〜17年とされている．病状経過は多彩だが肝不全への進行を止める方法は現在のところ存在しない（ⓔコラム2）．PSCは脳死肝移植の適応疾患に含まれ，Child Bで移植を検討，Child Cで移植適応となる．胆道癌非合併例では移植成績は比較的良好（5年生存率85％）だが，移植後PSC再発率は12〜37％とされている．

〔田妻　進〕

■文献

LaRusso NF, Wiesner RH, et al: Current concepts. Primary sclerosing cholangitis. N Engl J Med. 1984; 310: 899-903.

Lindor KD, LaRusso NF: Primary sclerosing cholangitis. Disease of the Liver, 9th ed (Schiff ER ed), pp673-684, JB Lippincott, 2003.

Nguyen D: Primary sclerosing cholangitis. Schiff's Disease of the Liver (Schiff E ed), pp477-488, Wiley-Blackwell, 2012.

11-9 アルコール性肝障害
alcoholic liver disease, alcoholic liver injury

定義・概念

長期にわたる過剰の飲酒（1日平均純エタノール60g以上．ただし，女性やアルデヒド脱水素酵素（aldehyde dehydrogenase：ALDH）2活性欠損者では1日40g以上）が肝障害のおもな原因と考えられる病態で，禁酒により血清AST，ALTおよびγ-GTP値が明らかに改善する（表11-9-1，ⓔ表11-9-A）．

分類

病型分類を表11-9-1のIIに示す．アルコール性脂肪肝，アルコール性肝線維症，アルコール性肝炎，アルコール性肝硬変，アルコール性肝癌がおもな病型である（図11-9-1）．

疫学・発生頻度

わが国では，20％以上の肝疾患に大量飲酒が関与している[1]．肝硬変の成因において，アルコール単独のものは近年著明に増加し，その24.6％を占める[2]．アルコール＋ウイルス性の症例は2000年以降10％近く激減したが最近は減少せず6％程度を占め，アルコール性は全体で30％以上を占める（ⓔ図11-9-A）[2]．肝細胞癌の成因についての検討でも，アルコール性がその成因の7〜14％を占め[3,4]，ウイルス性肝炎との合併を含めると，約25％の肝細胞癌に大量飲酒が関与している[5]．

病理組織像

各病型の病理組織所見を表11-9-1に示す（中野，2009）（ⓔ図11-9-B）．

病態生理

アルコールは，おもに肝臓でアルコール脱水素酵素（alcohol dehydrogenase：ADH）によって代謝され，アセトアルデヒドが産生される（ⓔ図11-9-C）．慢性的な飲酒によりミクロソームにチトクロームP450 2E1（CYP2E1）を中心とするミクロソームエタノール酸化系（microsomal ethanol oxidizing system：MEOS）が誘導される．アセトアルデヒドは，ALDHで代謝され酢酸となる．肝内でのアルコール代謝が亢進すると，ADH，ALDHの補酵素であるニコチンアミド・アデニン・ジネクレオチド（nicotinamide adenine dinucleotide：NAD）からNADHへの転換が亢進し，NADH/NAD比が上昇する（ⓔ図11-9-C）．このエタノール代謝に伴うNADH/NAD比上昇によりクエン酸回路が障害され脂肪酸の合成が亢進する機序と，ミトコンドリアでのβ酸化による分解が

表11-9-1 アルコール性肝障害診断基準（抜粋）（アルコール医学生物学研究会，2011）（詳細な表は e 表11-9-A を参照）

Ⅰ．概念
「アルコール性」とは，長期（通常は5年以上）にわたる過剰の飲酒が肝障害のおもな原因と考えられる病態で，以下の条件を満たすものを指す．
1. 過剰の飲酒とは，1日平均純エタノール60 g以上の飲酒（常習飲酒家）をいう．ただし女性やALDH2活性欠損者では，1日40 g程度の飲酒でもアルコール性肝障害を起こしうる．
2. 禁酒により，血清AST，ALTおよびγ-GTP値が明らかに改善する．
3. 肝炎ウイルスマーカー，抗ミトコンドリア抗体，抗核抗体がいずれも陰性である．

Ⅱ．アルコール性肝障害の病型および病理診断
1. アルコール性脂肪肝（alcoholic fatty liver）
肝組織病変の主体が，肝小葉の30％以上（全肝細胞の約1/3以上）にわたる脂肪化（fatty change）であり，その他には顕著な組織学的な変化は認められない．
2. アルコール性肝線維症（alcoholic hepatic fibrosis）
肝組織病変の主体が，①中心静脈周囲性の線維化（perivenular fibrosis），②肝細胞周囲性の線維化（pericellular fibrosis），③門脈域から星芒状に延びる線維化（stellate fibrosis, sprinkler fibrosis）のいずれか，ないしすべてであり，炎症細胞浸潤や肝細胞壊死は軽度にとどまる．
3. アルコール性肝炎（alcoholic hepatitis）
肝組織病変の主体が，肝細胞の変性・壊死であり，①小葉中心部を主体とした肝細胞の著明な膨化（風船化，ballooning），②種々の程度の肝細胞壊死，③Mallory体（アルコール硝子体），および④多核白血球の浸潤を認める．
　a. 定型的：①〜④のすべてを認めるか，③または④のいずれかを欠くもの．
　b. 非定型的：③と④の両者を欠くもの．
背景肝が脂肪肝，肝線維症あるいは肝硬変であっても，アルコール性肝炎の病理組織学的特徴を満たせば，アルコール性肝炎と診断する．
4. アルコール性肝硬変（alcoholic liver cirrhosis）
肝の組織病変は，定型例では小結節性，薄間質性である．肝硬変の組織・形態学的証拠は得られなくとも，飲酒状況や画像所見や血液生化学検査から臨床的にアルコール性肝硬変と診断できる．
5. アルコール性肝癌（alcoholic hepatocellular carcinoma）
アルコール性肝障害で，画像診断，または組織診断で肝癌の所見が得られたもので，ほかの病因を除外できたものをアルコール性肝癌と診断する．

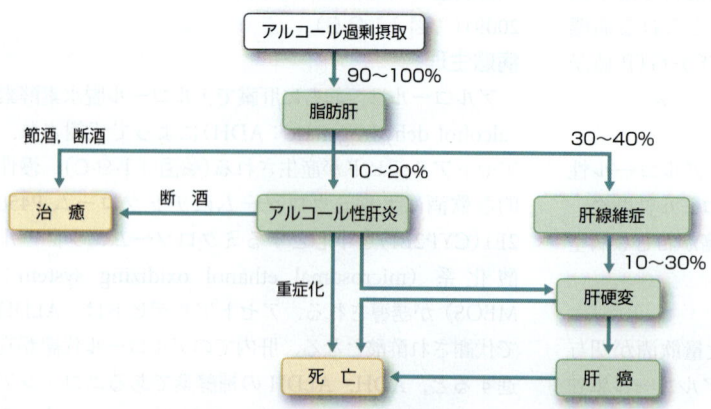

図11-9-1 アルコール性肝障害の病型と相互関係
アルコールの過飲により最初に起こる疾患は脂肪肝であり，大量飲酒者のほとんどに認められる．脂肪肝の状態にある人が連続大量飲酒を繰り返すと，その約20％にアルコール性肝炎が発症する．一部のアルコール性肝炎では，禁酒しても肝腫大などアルコール性肝炎の症状が持続するものもあり，消化管出血や腎不全を合併すると予後不良である．重症化せずに長期に大量飲酒をすると，アルコール性肝線維症からアルコール性肝硬変に至る場合がある．アルコール性肝癌も増加している．

抑制される機序により，脂肪肝が惹起される[6]．

アルコール代謝による酸素消費の増加や誘導されたCYP2E1による活性酸素産生が，アルコール性肝障害に特徴的な小葉中心性の肝障害を惹起する（ⓔコラム1）[7]．腸管のエンドトキシン透過性亢進が，Kupffer細胞を活性化してtumor necrosis factor（TNF）-αなどの炎症性サイトカイン産生し，肝細胞障害を惹起する[8-10]．肝微小循環障害も関与し，アルコール性肝炎では多核白血球の浸潤がその病態進展に深く関与している[11,12]．

アセトアルデヒドは微小管を減少させ，糖蛋白や脂質の分泌障害を引き起こし，肝細胞の泡沫脂肪

化や肝細胞の風船化を伴った障害につながっている[13]．さらに，アセトアルデヒドが種々の蛋白や脂質などと結合したアセトアルデヒドアダクトも，肝細胞の機能を障害し，肝炎や肝発癌に関与している．transforming growth factor（TGF）-β などの発現誘導により星細胞が活性化され，肝線維化を促進する[14]．

臨床症状

アルコールの過飲により最初に起こる疾患は脂肪肝であり，大量飲酒者のほとんどに認められる．症状はほとんどなく，AST，ALT が軽度上昇する例が認められる．脂肪肝の状態にある人が連続大量飲酒を繰り返すと，その約 20％にアルコール性肝炎が発症する．AST 優位の血清トランスアミナーゼの上昇や黄疸を認める．著明な肝腫大，腹痛，発熱，末梢血白血球数の増加，ALP や γ-GTP の上昇を認めることが多い．このような所見を伴う場合，臨床的アルコール性肝炎として取り扱う．一部のアルコール性肝炎では，禁酒しても肝腫大などアルコール性肝炎の症状が持続するものもあり，腎不全，消化管出血などの合併症を伴う場合は予後不良である．表 11-9-2 のアルコール性肝炎重症度スコア（JAS）で 10 点以上の症例は，重症（アルコール性肝炎）であり，積極的な治療介入が必要である．8〜9 点の症例は 10 点以上に移行する可能性があり，注意深い経過観察が必要である．3 点の項目がある場合もその障害に即した早期からの治療介入が望まれる．肝硬変の臨床症状・臨床所見は，ほかの原因の肝硬変と同様である．

診断・検査所見

問診による飲酒歴の把握が重要である．大量飲酒を否認し過少申告するケースが多く，可能なら家族からも飲酒量を調査する．

禁酒による血清 AST，ALT，γ-GTP 活性の改善が診断の条件である．病型分類は組織学的な診断が最も確実である．診断に有用な血液検査項目としては，γ-GTP や AST/ALT 比の上昇が特徴的である．しかし，単一所見でアルコール性肝障害の診断を確定するような有力な検査は存在せず，種々の指標を組み合わせてアルコール性肝障害の診断に至ることになる．診断に有用な検査項目を表 11-9-3 に示す．脂肪肝，肝硬変では，画像診断も有用である．アルコール性肝癌例では腫瘍マーカーが正常範囲内のことが多く，アルコール性肝障害を認める例では，定期的な画像検査が重要である．

鑑別診断

飲酒量が正確に把握できれば鑑別は容易であるが，正確な飲酒量がわからない場合や禁酒しても改善のない場合は血液検査や病理組織での鑑別診断が必要となる．

①ウイルス性肝炎（肝炎ウイルスマーカーが陽性．病理組織学的には，門脈域を中心に，リンパ球主体の炎症細胞浸潤がある）
②自己免疫性肝炎（抗核抗体が陽性．組織学的には著明な形質細胞浸潤を認め，ときに急性肝炎像を呈する）
③原発性胆汁性肝硬変（抗ミトコンドリア抗体が陽性）
④非アルコール性脂肪性肝炎（アルコール摂取量が 1 日 20 g 以下．糖尿病歴，肥満，服薬歴などから本症を疑う）

経過・予後

アルコール性脂肪肝は，2〜4 週間の断酒で消失する．アルコール性肝炎の一部が重症化し重症アルコール性肝炎に至るが，重症アルコール性肝炎の死亡率は，以前は 70％以上であったが，治療法が進歩した

表 11-9-2 **アルコール性肝炎重症度スコア**（Japan Alcoholic Hepatitis Score：JAS）

Score	1	2	3
WBC（/μL）	< 10000	10000 ≦	20000 ≦
Cr（mg/dL）	≦ 1.5	1.5 <	3 ≦
PT（INR）	≦ 1.8	1.8 <	2 ≦
TB（mg/dL）	< 5	5 ≦	10 ≦
消化管出血または DIC	−	+	
年齢（歳）	< 50	50 ≦	

JAS：≦ 7：軽症，8〜9：中等症，10 ≦：重症．

表 11-9-3 **アルコール性肝障害の指標となる血液検査所見**

検査項目	コメント
γ-GTP	肝細胞の小胞体でつくられる．アルコール性のほか薬剤性でも上昇する．
AST（GOT）	肝臓のほか，筋肉，腎臓にも多い．
ALT（GPT）	ほかの臓器より肝臓の細胞に多く含まれる．
AST/ALT 比	アルコール性で上昇し，ウイルス性肝炎や過栄養による脂肪肝との鑑別に有用．
AL-P	胆道系の細胞に多く含まれ，胆道疾患の指標になる．
総ビリルビン	黄疸の状態を調べる．
MCV	アルコール性で上昇，禁酒で低下する．
IgA	アルコール性で早期より上昇
PIVKA II	肝細胞癌のマーカーだが，アルコール性肝硬変では陽性率が高く，アルコール性肝線維症の段階から陽性となる症例もある．
血清トランスフェリンの微小変異*	特異性が高い．

*血清トランスフェリンの微小変異については e コラム 2 を参照．

現在でも約40％あり，特に消化管出血や腎不全を合併すると予後不良である[15]．

重症化せずに長期に大量飲酒をすると，肝の線維化が進み，アルコール性肝線維症からアルコール性肝硬変に至る場合がある．アルコール性肝硬変は日本酒換算で5合程度以上を20～30年以上続けている人に多発する．ただし，女性の場合はその2/3の飲酒量で，飲酒期間も12～20年程度で肝硬変に至る場合が多い．飲酒量が同等の場合には女性においてアルコール性肝障害が進展しやすい．エストロゲンが，アルコール性肝炎の進展を増強する一方で[16,17]，閉経によるエストロゲン低下が女性飲酒者の線維化を促進する可能性も示唆されている[18,19]．大量飲酒者のうち10～30％程度の人に発病する．アルコール性肝硬変において糖尿病や肥満の合併率が高く，糖尿病，肥満の合併例では比較的少量（60～100 g/日）の飲酒で肝硬変に進展している症例が多い（e図11-9-D）[20]．アルコール性肝硬変で飲酒を継続した群は予後不良で，5年生存率は30％程度であるが，断酒した群ではほかの成因による肝硬変症例より予後は良好である[21]．禁酒により改善しない肝不全症例では肝移植も検討すべきであるが，移植後の再飲酒の評価や予防が重要である．脳死肝移植の適応基準では，18カ月以上の断酒が必要である[22]．再飲酒がなければ移植後の成績は良好である[23]．アルコール性肝癌も増加しているが，stageが進行して発見される症例が多い[4,24]．

治療・予防

治療の基本は禁酒であり，その他の療法は補助的である．その予防には，生活習慣病の予防と合わせた生活指導，節酒指導が重要と考えられる．アルコール性肝炎や肝硬変に至るようなアルコール依存症者では，早い段階で肝障害の進展を防止するために節酒ではなく断酒が必要であり，精神科医や専門医への紹介が推奨される．

アルコール性肝障害は栄養障害を伴っていることが多く，ビタミンBの補給が栄養療法と同時に行われる．アルコール性肝硬変の治療法はほかの肝硬変と同様である．離脱症状にはジアゼパムなどの鎮静薬を用いる[25]．

重症アルコール性肝炎では，新鮮凍結血漿を用いた肝補助療法とともに，ステロイドによるサイトカイン産生の抑制や多核白血球除去による救命例の報告が増えている[15]．一般の肝庇護療法では救命率が低く，早期診断と早期からの集学的治療が重要となる．

〔堀江義則〕

■文献（e文献11-9）

中野雅行：アルコール性肝障害の病理・病態生理─病理．最新医学別冊 新しい診断と治療のABC 62，消化器9 アルコール性肝障害（髙後 裕編），pp69-77，最新医学社，2009．
堀江義則，齋藤英胤：アルコール性肝障害．消化器病診療 第2版（日本消化器病学会編），pp173-6，医学書院，2014．
堤 幹宏：アルコール性肝障害の病型─欧米との相違点─．日本消化器病学会雑誌．2015；112：1623-9．

11-10 薬物性肝障害
drug-induced liver injury：DILI

近年，薬の副作用は社会的にも注目されており，その中でも肝障害は劇症化して死に至る場合もあり重視されている．薬物の多くは肝で代謝されるため，薬物にさらされる肝の障害は避けて通れない副作用である．薬物性肝障害（DILI）は，近年では保険収載薬以外にも，民間薬や健康食品によって起こることも多い．

分類

DILIは，成因別には予測可能なものと予測不可能な特異体質によるものに大別される．アセトアミノフェンに代表されるような予測可能で濃度依存性に肝障害を起こす薬物はむしろ例外的であり，多くは特異体質に基づく予測ができない肝障害である．特異体質によるDILIはさらにアレルギー機序によるものと，個体の特異体質のために産生された肝毒性の高い代謝物が肝障害を生じると考えられる代謝性とでもいうべきものに大別される．アレルギー性の診断は発熱，発疹，皮膚瘙痒，好酸球増加などのアレルギー所見が得られれば診断の確実性が増加する．これに対して，代謝性の特異体質によるものは診断しにくく，特定の個人のみで生じる特異な代謝物を同定しないかぎり，あくまで推察に基づいた診断しかできない．

肝障害のタイプ別には肝細胞障害型，胆汁うっ滞型および両者の混合型の3つに分類される（表11-10-1）．

発生機序

DILIの発症機序としては，表11-10-2や図11-10-1に示したものが想定されている[1]（Lueddeら，2014；Stephenssら，2014）．

そのなかで，活性代謝物による肝障害の機序を図11-10-2に示す．肝細胞に取込まれた薬物がチトクロームP450（CYP）やグルクロン酸転移酵素（UGT）で

表11-10-1 肝酵素によるDILIの病型分類（文献4より引用）

肝細胞障害型	ALT＞2N＋ALP≦N または ALT/ALP比≧5
胆汁うっ滞型	ALT≦N＋ALP＞2N または ALT/ALP比≦2
混合型	ALT＞2N＋ALP＞N かつ 2＜ALT/ALP比＜5

N：正常上限，ALT比＝ALT値/N，ALP比＝ALP値/N．

表11-10-2 DILIの発生機序

- 活性代謝物の生成
- 毛細胆管膜の胆汁酸トランスポーターであるBSEPの阻害
- 薬物トランスポーターや代謝酵素の修飾
- ミトコンドリア傷害，酸化ストレス
- 獲得/自然免疫の修飾
- 胆管上皮傷害
- ヒストンのアセチル化

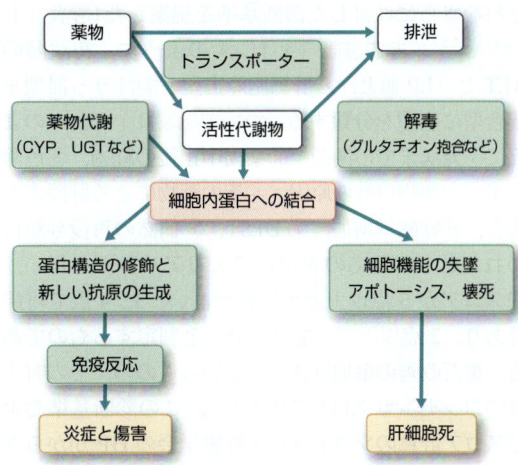

図11-10-1 薬物性肝障害の発症機序

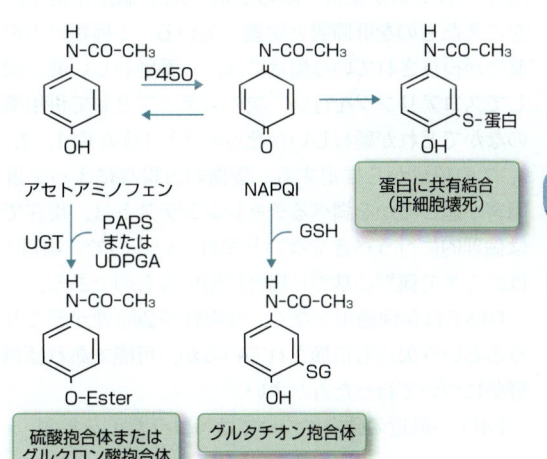

図11-10-2 活性代謝物による肝障害の機序

代謝され活性代謝物が生じた際，グルタチオン転位酵素（GST）などで解毒され肝細胞から排泄されれば問題ないが，これが免疫反応で炎症や傷害を起こしたり，細胞機能の破綻やアポトーシス，壊死により細胞死が起こることによりDILIが生じると考えられている．

診断

DILIの診断には，薬物投与と肝障害の出現と消褪の時間的関係，ほかの原因の除外診断の2つがポイントとなる．なお，民間薬や健康食品などで肝障害が起こる場合もあり，患者が意識していない場合もあるので，これらについても忘れずに聴取する．典型例は，急性肝障害の症状（全身倦怠感や食欲不振など）もしくは肝内胆汁うっ滞（黄疸やかゆみ）を呈するが，症状がなく血液生化学検査値の異常により発見されることも多い．アレルギー性の機序による肝障害が多いことから，発熱，皮疹の有無を聴取するとともに，白血球数と分画（好酸球）を測定する．また，肝細胞障害型では劇症化を早く予知するために，プロトロンビン時間の経時的変化と意識レベルとに注意する．

除外診断としては，急性ウイルス肝炎，アルコール性肝障害，過栄養性脂肪肝，自己免疫性肝炎，原発性胆汁性肝硬変，胆石症，閉塞性黄疸，ショック肝などがあげられ，これらの疾患を念頭において詳細な病歴聴取と検査とを行う．具体的には，海外渡航歴，なま物の摂取，性交渉（以上，急性ウイルス肝炎），飲酒歴（アルコール性肝障害），体重の急激な変化（脂肪肝や悪性腫瘍による閉塞性黄疸），右季肋部痛（胆石症），黄疸が著明な場合の尿と便の色（閉塞性黄疸，急性肝炎，ほか）を聴取し，IgM HA抗体，HBs抗原（IgM HBc抗体），HCV抗体（HCV-RNA），IgM CMV抗体，IgM EB VCA抗体，IgG，IgM，抗核抗体，抗ミトコンドリア抗体の測定と腹部超音波検査を行う．B型肝炎とC型肝炎については，できるだけIgM HBc抗体とHCV-RNAを測定するのが好ましい．さらに最近，保険適用となったIgA HEV抗体測定も行う．なお，肝細胞障害型では劇症化することもあるので，重症例ではほかの急性肝障害と同様，プロトロンビン時間の経時的変化と意識レベルとに注意する．また，重症例ではできるだけ速やかに専門医に相談することが必要である．

2002年に，国際コンセンサス会議の診断基準[2]を日本の現状に合うように改訂した診断基準案を提案した[3]．その後の議論を経て，2004年の日本消化器関連学会週間（JDDW-Japan）2004のワークショップで

それをさらに改訂した診断基準を提案した（e表11-10-A）[4,5]．まずe表11-10-Aのように，初診時のALTとALP値とから肝細胞障害型と胆汁うっ滞型＋混合型に病型を分類する．ついでe表11-10-Aのように①発病までの期間，②薬物中止後の経過，③危険因子，④薬物以外の原因，⑤その薬物による肝障害の報告，⑥好酸球増加，⑦DLST，⑧偶然の再投与が行われたときの反応の8項目でスコアリングを行い，総スコアが5点以上で可能性が高い，3,4点で可能性あり，2点以下で可能性が低いと判定するものである．まだ改善の余地は残されているものの，その有用性のコンセンサスは得られている（この診断基準およびスコア計算のソフトは日本肝臓学会のHPがからダウンロード可能である）．

この診断基準では，国際コンセンサス会議のものと同様，ALT値が正常上限の2倍，ALP値が正常上限をこえたものを肝障害と定義している．2種類以上の薬物が投与されている場合には，一番疑わしい薬に関してスコアリングを行い，次のステップとして併用薬のなかでどれが疑わしいかをe表11-10-Aの1,2,5,7の項目から推定する．薬物の再投与によって肝障害が起こるかを調べるチャレンジテストは，現在では倫理的に行うべきでないとされているので，項目8はあくまで偶然に基づく場合に用いるものである．

DLSTは保険適用でなく，疑陽性や偽陰性が起こりうるという欠点も指摘されているが，可能であれば被疑薬について行った方がよい．

DILIの最近の動向についてはeコラム1を参照．

治療

DILIを疑った場合，起因薬物を現在も服用中であれば直ちに中止するのが基本である．多くの場合は薬物中止により軽快し，薬物療法の必要ない場合が多い．

肝細胞障害型のDILIでグリチルリチンの静注が行われる場合がある．レベルの高いエビデンスは得られていないが，ALT値が高値の場合には現実的に用いられることも多い．また，ウルソデオキシコール酸を投与することもあるが，これもエビデンスは得られていない．

胆汁うっ滞型で黄疸が長期に遷延する場合には，ウルソデオキシコール酸，副腎皮質ステロイド，フェノバルビタールが有効なことがある．

プロトロンビン時間の著明な延長や意識障害など劇症化が認められた場合には，直ちに人工肝補助療法を行うか，可能な施設に転送する．血漿交換＋血液濾過透析により改善がみられない場合は，家族と相談の上，早めに肝移植の行える施設とコンタクトをとる必要がある．

〔滝川　一〕

■文献（e文献11-10）

Luedde T, Kaplowitz N, et al：Cell death and cell death responses in liver disease: mechanisms and clinical relevance. *Gastroenterology*. 2014; **147**: 765-83.

Stephens C, Andrade RJ, et al：Mechanisms of drug-induced liver injury. *Curr Opin Allergy Clin Immunol*. 2014; **14**: 286-92.

11-11 体質性黄疸
constitutional hyperbilirubinemia

定義・概念

体質性黄疸は肝細胞の先天性ビリルビン代謝異常により発症する黄疸である．ビリルビンおよび代謝機構がビリルビンと共通する有機陰イオンの代謝異常をみるが，日常臨床で用いられるビリルビン以外の肝機能検査には異常を認めない．高非抱合型ビリルビン血症をきたすものと高抱合型ビリルビン血症をきたすものに分類される．

(1)高非抱合型ビリルビン血症をきたす体質性黄疸
（表11-11-1）

分類

高非抱合型ビリルビン（間接ビリルビン）血症をきたす体質性黄疸は黄疸の程度から，Crigler-Najjar症候群Ⅰ型（ビリルビン濃度が20 mg/dL以上50 mg/dL程度まで），同症候群Ⅱ型（ビリルビン濃度が6 mg/dL以上20 mg/dL未満）とGilbert症候群（ビリルビン濃度が1.2 mg/dL以上6 mg/dL未満）に分類される．

疫学

Crigler-Najjar症候群Ⅰ型はきわめてまれである（出生100万〜数百万人に1人程度との記載もあるが正確な頻度は不明）．わが国では数家系が報告されている．同症候群Ⅱ型の発生頻度は数十万人に1人とされている．Gilbert症候群はまれではなく人口の2〜7％にみられる．

病理

Crigler-Najjar症候群Ⅰ型，Ⅱ型の肝臓は形態学的に正常であるが，Ⅱ型では組織学的に毛細胆管内に胆汁栓を認めることもある．Gilbert症候群も形態学的に正常であるが，一部の症例に肝細胞内のリポフスチ

表 11-11-1 高非抱合型ビリルビン血症をきたす体質性黄疸

	Crigler-Najjar 症候群 I 型	Crigler-Najjar 症候群 II 型	Gilbert 症候群
頻度	数百万に1人	数十万に1人	人口の2〜7%
診断時期	新生児期に高度黄疸で診断される	生後1年以内に診断されることが多い	若年者に発症が多い
症状	高度黄疸を呈し無治療であれば核黄疸を発症する.	中等度黄疸.核黄疸のリスクは低く,これを回避できれば自覚症状はない.	軽度黄疸.核黄疸のリスクはない.特に自覚症状はない.
UGT1A1 変異（日本人に多いもの）	C280X	G71R+Y486D	G71R, Y486D, L364P, A(TA)$_7$TAA,
UGT1A1 活性[*1]	0%	正常の10%	正常の30%
血清ビリルビン	20〜50 mg/dL 程度	6〜20 mg/dL	1.2〜6 mg/dL
酵素誘導薬による減黄	なし	あり	あり
一般肝機能検査	正常	正常	正常
胆汁中ビリルビン	排泄は著減（極微量のビリルビンを含み,その大部分は非抱合型である）	排泄は減少（排泄されたビリルビンの大部分は抱合型であるが,BDG[*2]の割合は著減し,多くはBMG[*3]である）	排泄は正常（BDGの割合は減少し,BMGの増加をみる）
尿ウロビリノゲン	正常[*4]	正常	正常
肝形態学	形態学的に異常なし	形態学的に異常なし[*5]	形態学的に異常ないが,一部の症例に肝細胞内のリポフスチン沈着をみる
治療	光線療法,交換輸血,肝移植	新生児期のみ光線療法	必要なし

[*1]：UGT1A1：UDP グルクロン酸転移酵素（UGT）1 に属する UGT1A1 によって非抱合型ビリルビンはグルクロン酸抱合を受け抱合型ビリルビンに変化する.
[*2]：BDG：bilirubin diglucuronide.
[*3]：BMG：bilirubin monoglucuronide.
[*4]：Crigler-Najjar 症候群 I 型では胆汁から腸管内にはビリルビンが排泄されないにもかかわらず尿中ウロビリノゲンは正常である.これは腸上皮から腸管内に非抱合型ビリルビンが分泌されることにより腸管内でウロビリン体が生成されることによる.
[*5]：一部の症例において毛細胆管内に胆汁栓を認めるとの報告がある.

ン沈着をみる.

病因・病態生理

Crigler-Najjar 症候群 I 型,II 型と Gilbert 症候群はビリルビンのグルクロン酸抱合酵素活性の低下あるいは欠損により黄疸を呈する.グルクロン酸抱合酵素である UDP グルクロン酸転移酵素群（UGTs）には UGT1 と UGT2 の 2 つのファミリーがあり,UGT1 に属する UGT1A1 によって非抱合型ビリルビンはグルクロン酸抱合を受け抱合型ビリルビンとなる.UGT1A1 遺伝子のさまざまな変異/多型は種々の程度の UGT 活性を作り出す.

Crigler-Najjar 症候群 I 型は先天的に UGT1A1 活性が欠如している.UGT1A1 遺伝子変異としてわが国では 840C>A：C280X のホモ接合体の報告が多い.同症候群 II 型の UGT1A1 活性は正常の約 10% である.II 型の UGT1A1 遺伝子に多くの変異が報告されているが,わが国では 211G>A：G71R と 1456G>A：Y486D の二重ミスセンス変異が多い.Gilbert 症候群は UGT1A1 活性が正常の約 30% である.

Gilbert 症候群は UGT1A1 遺伝子のコード領域のミスセンス変異（211G>A：G71R が多い）とプロモーター領域の TATA box の A(TA)$_6$TAA がホモ接合体の A(TA)$_7$TAA になることが原因とされている（Takeuchi ら,2004）.コード領域の変異は日本人を含む東アジアからの報告が多く,欧米人ではまれとされている.

臨床症状・検査所見

Crigler-Najjar 症候群 I 型は出生直後から高度黄疸（ビリルビン濃度 20〜50 mg/dL 程度）を呈し,放置すれば核黄疸を発症し予後は不良である.胆汁には微量のビリルビンが排泄されるのみで便中ウロビリン体は著減するが,尿中ウロビリノゲンは正常である.同症候群 II 型は新生児期以降の黄疸持続で発症するが,乳児期まで核黄疸のリスクがあるものの光線療法などで回避すれば正常に成長する.血清ビリルビンは 6 mg/dL 以上 20 mg/dL 未満であるが空腹で 40 mg/dL 程度まで上昇する場合があり I 型との鑑別を要することがある.II 型ではフェノバルビタールなどの酵素誘導薬が減黄に効果があり,I 型との鑑別に有用である.

Gilbert症候群では黄疸が思春期以降に気づかれることが多い．多くは無症状だが軽度の倦怠感や右季肋部痛を訴えることもある．血清ビリルビン濃度は1.2 mg/dL以上6 mg/dL未満である．ビリルビン濃度は変動が大きく，基準値のこともあるが空腹時にはビリルビン濃度が上昇する．このため48時間低カロリー試験（400 kcal/日）によりビリルビン濃度が2倍程度の上昇をみることは診断の一助となる．これらの症候群ではほかの一般肝機能検査は正常である．

診断・鑑別診断

成人の高非抱合型ビリルビン血症をきたす病態には，溶血性黄疸，シャント高ビリルビン血症，Crigler-Najjar症候群II型，Gilbert症候群がある．Crigler-Najjar症候群II型とGilbert症候群は溶血性黄疸やシャント高ビリルビン血症を否定すればビリルビン濃度の差で診断する．溶血性黄疸は貧血，LDH上昇，ハプトグロビン低下などを伴うことにより鑑別される．シャント高ビリルビン血症は無効造血に由来するビリルビンが増加した病態で，その原因が不明の原発性と悪性貧血やサラセミアなどが原因の二次性がある．無効造血の原因となる疾患の診断に加え，鉄動態検査結果から診断される．新生児～乳児期のすべての黄疸はCrigler-Najjar症候群I型，II型と鑑別対象となる．

経過・予後・治療

Crigler-Najjar症候群I型では核黄疸予防に交換輸血や光線療法が有効である．継続して光線療法を行うことにより生命予後を改善するが思春期以降は皮膚の肥厚により効果が減少する．肝移植により根治が可能である．同症候群II型に対しては新生児期の光線療法は有効で，成長するとビリルビン濃度は6～20 mg/dLと落ち着き核黄疸のリスクはほぼなくなる．酵素誘導薬の効果があり，美容上の問題があるときには考慮する．Gilbert症候群は治療不要である．

UGT1A1はビリルビン代謝以外にも薬物，生体内物質，発癌性物質の代謝にも関与している．抗癌薬である塩酸イリノテカンはUGT1A1を含むUGTファミリーにより代謝されるが，Gilbert症候群でみられるA(TA)$_7$TAAやG71Rでは血中塩酸イリノテカン濃度が高くなり副作用が出やすいため投与前にUGT1A1遺伝子多型の確認が推奨されている．非抱合型ビリルビンは抗酸化物質であるため，Gilbert症候群においては狭心症などの動脈硬化性疾患，糖尿病，メタボリックシンドロームといった酸化ストレス関連疾患の発症が低いことが知られている．

(2) 高抱合型ビリルビン血症をきたす体質性黄疸（表11-11-2）

分類

高抱合型ビリルビン血症をきたす体質性黄疸にはDubin-Johnson症候群とRotor症候群がある．

疫学

Dubin-Johnson症候群とRotor症候群はともにまれであり，正確な発生頻度は不明である．わが国ではDubin-Johnson症候群は文献的に約400例程度の報告があり，Rotor症候群は約百数十例程度の報告がある．

病理

Dubin-Johnson症候群は肉眼的に黒色肝を呈する．組織学的に肝細胞内に粗大褐色顆粒を認め，この顆粒は肝炎時に消失する．Rotor症候群の肝臓は形態学的異常を認めない．

病因・病態生理

高抱合型ビリルビン血症をきたす体質性黄疸はビリルビン抱合後のビリルビン代謝過程の障害で発症する．抱合型ビリルビンは毛細胆管側肝細胞膜に運ばれ，膜上の輸送蛋白であるmultidrug resistance-associated protein 2（MRP2）により胆汁中に排泄される．Dubin-Johnson症候群はこのMRP2が欠損しており（Kartenbeckら，1996），胆汁中への抱合型ビリルビンの排泄障害のため黄疸を呈する．胆汁酸の排泄は正常であることから胆汁うっ滞と鑑別される．抱合型ビリルビンは類洞側肝細胞膜に存在するMRP3により血中へも排泄され，同じく類洞側肝細胞膜に存在するorganic anion transporting polypeptide（OATP）1B1およびOATP1B3により再度肝細胞に取り込まれる．Rotor症候群ではOATP1B1およびOATP1B3の同時欠損により抱合型ビリルビンの肝細胞への再摂取が障害されているため高ビリルビン血症となる（van de Steegら，2012）．

臨床症状・検査所見

Dubin-Johnson症候群，Rotor症候群ともに黄疸以外の症状がなく，小児期から成人後に軽度の黄疸（血清ビリルビン濃度は2～5 mg/dL程度，Rotor症候群がやや高いという報告もある）で気づかれる．ビリルビン濃度以外の一般肝機能検査は正常である．これらの鑑別には色素排泄試験であるindocyanine green（ICG）試験やbromosulphophthalein（BSP）試験と尿中コプロポルフィリン（CP）排泄の解析が有用である．

Dubin-Johnson症候群ではICG試験はほぼ正常（ないし軽度上昇）である．BSP試験では45分値はおおむね正常であるが60～180分値では特徴的な再上昇現象を認める．BSP再上昇はMRP2の機能異常とその代償機構によるグルタチオン抱合型BSPの血中

表 11-11-2 高抱合型ビリルビン血症をきたす体質性黄疸

	Dubin-Johnson 症候群	Rotor 症候群
頻度	まれ	まれ
診断時期	小児期	小児期
病態	抱合型ビリルビンの胆汁中への排泄障害	抱合型ビリルビンの肝細胞への再摂取の障害
責任遺伝子/異常蛋白	MRP2/MRP2*1	SLCO1B1, SLCO1B3/OATP1B1, OATP1B3*2
血清ビリルビン	2～5 mg/dL	3～6 mg/dL
一般肝機能検査	正常	正常
ICG 試験	ほぼ正常	15 分値高値(血中消失は著明に遅延)
BSP 試験	45 分値は正常, 60～180 分値の再上昇現象あり	45 分値高値(血中消失は著明に遅延)
尿中コプロポルフィリン(CP)	総排泄量正常 CP の I 分画 80% 以上(正常 20～50%)	総排泄量増加 CP の I 分画増加(ただし 80% 以下)
肝形態学	肉眼的に黒色肝 組織学的に肝細胞内に粗大褐色顆粒	肉眼的にも,組織学的にも正常
治療	不要	不要
予後	良好	良好

*1: MRP2: multidrug resistance-associated protein 2.
*2: OATP1B1/1B3: organic anion transporting polypeptide 1B1/1B3.

への逆流を反映している.一方,Rotor 症候群では ICG 試験,BSP 試験ともに高度の排泄遅延を認め,BSP 再上昇現象は認めない.尿中 CP の排泄に関しては Dubin-Johnson 症候群では CP 総排泄量は正常で CP の I 分画が 80% 以上(健常人の CP の I 分画は 20～50% 程度)である.Rotor 症候群では尿中 CP 総排泄量は著増し,I 分画の割合は増加するが 80% 以下にとどまる.

診断・鑑別診断

高抱合型ビリルビン(直接ビリルビン)血症を示すが,ほかの一般肝機能検査や画像検査が正常であれば,体質性黄疸である Dubin-Johnson 症候群,Rotor 症候群の可能性が高いので ICG 試験,腹腔鏡,尿中 CP の排泄を調べる.

治療・予後・治療

Dubin-Johnson 症候群,Rotor 症候群は予後良好で治療不要であるが,MRP2 欠損や OATP1B1/1B3 の欠損のため有機アニオン系薬物の血中クリアランス低下をきたす可能性がある. 〔上硲俊法〕

■文献(e文献 11-11)

Kartenbeck J, Leuschner U, et al: Absence of the canalicular isoform of the MRP gene-encoded conjugate export pump from the hepatocytes in Dubin-Johnson syndrome. *Hepatology.* 1996; **23**: 1061-6.
Takeuchi K, Kobayashi Y, et al: Genetic polymorphisms of bilirubin uridine diphosphate-glucuronosyltransferase gene in Japanese patients with Crigler-Najjar syndrome or Gilbert's syndrome as well as in healthy Japanese subjects. *J Gastroenterol Hepatol.* 2004; **19**: 1023-8.
van de Steeg E, Stránecký V, et al: Complete OATP1B1 and OATP1B3 deficiency causes human Rotor syndrome by interrupting conjugated bilirubin reuptake into the liver. *J Clin Invest.* 2012; **122**: 519-28.

11-12 代謝性肝疾患

(1) ヘモクロマトーシス【⇨ 15-6-2】

(2) Wilson 病【⇨ 15-6-13】

(3) アミロイドーシス【⇨ 15-3-3】

(4) ポルフィリン症【⇨ 15-6-1】

(5) 糖原病【⇨ 15-2-6】

(6) アミノ酸代謝異常【⇨ 15-3】

(7) 脂質代謝異常【⇨ 15-4】

11-13　肝腫瘍
hepatic tumor

1）肝細胞癌
hepatocellular carcinoma

定義・概念・分類

　肝癌は発生母地により原発性と続発性に分けられる．原発性肝癌は肝細胞由来の肝細胞癌（hepatocellular carcinoma）と胆管細胞由来の肝内胆管癌（胆管細胞癌，cholangiocellularcarcinoma），混合型肝癌（combined hepatocellular and cholangiocarcinoma），肝芽腫（hepatoblastoma），未分化癌，胆管嚢胞腺癌（bile duct cystadenocarcinoma），その他に分類される．肝細胞癌は原発性肝腫瘍のなかでは最も頻度が高い．わが国の最新の調査（2006～2007年）では肝細胞癌，肝内胆管癌はそれぞれ原発性肝癌全体の95％，4％を占めるが，ほかの肝腫瘍は全体の1％以下できわめてまれである．肝癌による年齢調整死亡率は男性では人口10万人あたり肺癌・胃癌・大腸癌についで第4位，女性では大腸癌・肺癌・胃癌・乳癌についで第5位である（2013年厚生労働省人口動態統計による）．

原因・病因

　肝細胞癌は主としてB型あるいはC型肝炎ウイルスに伴う慢性肝炎，肝硬変などの持続性壊死・炎症および線維化をベースに発癌をきたす肝細胞由来の悪性腫瘍である．日本ではC型肝炎に基づく肝細胞癌が多いため，その80～90％に肝硬変を併存している．しかしながら，B型肝炎およびC型肝炎ウイルス感染者から高率に発癌するということは逆にハイリスク群の設定が可能ということであり，結果として早期発見が可能であるというのも特徴の1つである．これはほかの臓器の癌腫にはない特徴の1つである．また，近年のスクリーニングシステムの確立および画像診断の進歩により多くの肝癌は小型で発見される傾向にある．また，従来より肝癌は東南アジアならびにアフリカに多い癌腫とされていたが，C型肝炎感染がヨーロッパや北米にも広がり，その結果，肝細胞癌は世界的にも増加傾向にあり，国際的に大いに関心が高まってきている．最近では治療法の進歩あるいは肝移植などの新しい手技の導入などにより，予後の改善が著しく5年生存率や10年生存率もかなり改善してきた．

　最近，糖尿病や肥満などの生活習慣病，非アルコール性脂肪性肝炎（NASH）などからの発癌も増加しており，その結果として非B非C肝癌が増加してきている．

　C型肝炎においては，線維化の程度が軽いF1症例では年率発癌率0.5％，F2症例では年率1.5％，F3症例では年率3％，F4症例では年率7～8％の発癌率であり，線維化が強いほど発癌率が高くなる．一方，ALT，ASTなどが高い炎症の持続例ほど発癌率が高く年齢が高いほど発癌率が高いことも判明している．

病理

　肝細胞癌の病理肉眼形態は①小結節不明瞭型，②単純結節型，③単純結節周囲増殖型，④多結節癒合型，⑤浸潤型の5型に分けられる．組織分類は，①高分化型，②中分化型，③低分化型，④未分化型の4型に分けられる．組織構造については①索状型，②偽腺管型，③充実型，④硬化型の4型に分けられる．

　早期肝細胞癌は慢性肝炎，肝硬変を示す肝臓のなかに肉眼的に背景の肝構築を大きくは破壊していないが，結節として周囲より際立った病変として認識されるもののうち，結節内に門脈域の成分，および偽小葉間質が認められながら，細胞密度が増大し，腺房様あるいは偽腺管構造，索状配列の断裂，不規則化などの構造異型が領域性をもってみられ，ときに間質の浸潤を有するものを早期肝細胞癌として定義している（Kojiroら，2009）．このような早期肝細胞癌は組織学的にもあるいは画像的にも診断が困難である．

病態生理

　肝細胞癌は多段階発癌を示し，前癌病変から境界病変，早期肝癌を経て通常型肝癌へと至ると考えられている．そのうち，肝硬変に伴う大再生結節，low-grade dysplastic nodule（LGDN），high-grade dysplastic nodule（HGDN），早期肝癌の4つが前癌病変および境界病変・早期病変として位置づけられ，早期肝癌は典型的肝細胞癌の前段階の結節として理解されている．このうち，大再生結節は顕微鏡的には周囲肝組織と同様の組織像であり，LGDNは周囲肝組織に比して細胞密度の中等度の増大はあるが，構造異型はみられない結節，HGDNは細胞密度の高度な部分を有する結節である．早期肝細胞癌は細胞密度が，周囲肝組織の約2倍以上で，かつ脂肪化，淡明細胞化を伴うものである．早期肝細胞癌のこのような概念は日本から発信され，現在世界的に受け入れられている概念となっている．なお，LGDNはWHO分類の腺腫様過形成に相当し，HGDNは異型腺腫様過形成に相当する．

スクリーニング

　2013年に改訂された「科学的根拠に基づく肝癌診療ガイドライン」（Kokudoら，2015）ではB型肝硬変，C型肝硬変を肝癌の「超高危険群」と定義し，これらに対しては3～4カ月ごとの超音波検査と腫瘍

マーカー(AFP，AFP-L3分画，PIVKA-Ⅱ)測定にてスクリーニングを行い，さらに6～12カ月ごとのダイナミックCTもしくはダイナミックMRIをoptionalに行うことが推奨されている．また，①B型慢性肝炎，②C型慢性肝炎，③その他の原因による肝硬変を「肝癌の高危険群」と定義し，これらに対しては6カ月ごとの超音波検査と3種の腫瘍マーカー測定を推奨している．このスクリーニング法により肝癌は高率に小型で根治的治療可能な段階で検出する例が増加してきている．

臨床症状・身体所見

肝細胞癌は多くは進行癌になるまではほとんどは症状を有さない．通常は併存する肝硬変の症状や臨床所見を示す．

身体所見としては肝硬変に基づく所見以外に腫瘍が著しく増大すると肝腫大，腫瘤触知，圧痛，動門脈短絡に伴う血管雑音が認められることがある．腫瘍による下大静脈の圧迫がもたらされると下肢のみの浮腫や腹壁の上行性の側副血行路がみられる．いずれにしてもこのような高度進行癌は肝癌全体の5％程度であり，典型的な進行肝癌の症状を呈する患者に遭遇することの方が少ない．

検査所見

進行癌では，LDH，ALP，γ-GTPなどの上昇がみられる．また肝細胞癌の腫瘍マーカーAFP，PIVKA-Ⅱ，AFP-L3分画のいずれかの陽性所見を認めることが多い．

診断

肝癌の確定診断は①B型肝炎ウイルス，C型肝炎ウイルス由来の慢性肝障害もしくは肝硬変の存在，②腫瘍マーカーの持続上昇傾向を伴う異常値，③典型的な画像所見，により確定診断される．早期肝癌の診断については画像診断にて可能な場合もあるが，多くの場合は生検診断が必須である．

画像診断による定期的スクリーニングにより肝癌は早期に発見されることが多くなってきている．約60％の肝癌が根治的治療の可能な段階(3cm，3個以下)で見つかることが多い．

1) **超音波検査**：超音波検査は非侵襲的でかつ時間分解能，空間分解能にすぐれるため，直径数mm程度の腫瘍の検出も可能である．したがって，一般的に最初のスクリーニングには超音波が行われることが多い．その意味で肝細胞癌の早期発見には重要な役割を果たしている．ただし，Bモードの超音波検査のみでは鑑別診断が十分ではないため，造影CTやMRIなどを必要とする場合が多い．しかしながら，超音波のみにて典型的な像を呈せば肝細胞癌と診断される．その特徴的な超音波所見とは①モザイクパターン：腫瘍がさまざまな組織構造から構築されるために高エコー，低エコーなどの混合したモザイク状のエコーを呈する，②辺縁低エコー帯(ハロー，halo)：肝細胞癌に特徴的な被膜構造を反映する所見(図11-13-1A)，③側方音響陰影：腫瘍の側方に超音波ビームと平行してみられる音響陰影(これも被膜に基づくものとされている)，④nodule-in-noduleパターン：1つの腫瘤内にさらに境界明瞭な結節がみられるパターン，⑤隔壁：腫瘍内にみられる隔壁様の線状構造，⑥進行癌の場合：門脈腫瘍栓や肝静脈腫瘍栓などがみられる，などである．従来，超音波検査はスクリーニングのときにBモードのみが行われることが多いが，カラードプラ検査を併用することにより結節内の血流も検出することが可能である．さらに最近では経静脈性造影剤(ペルフルブタン)の登

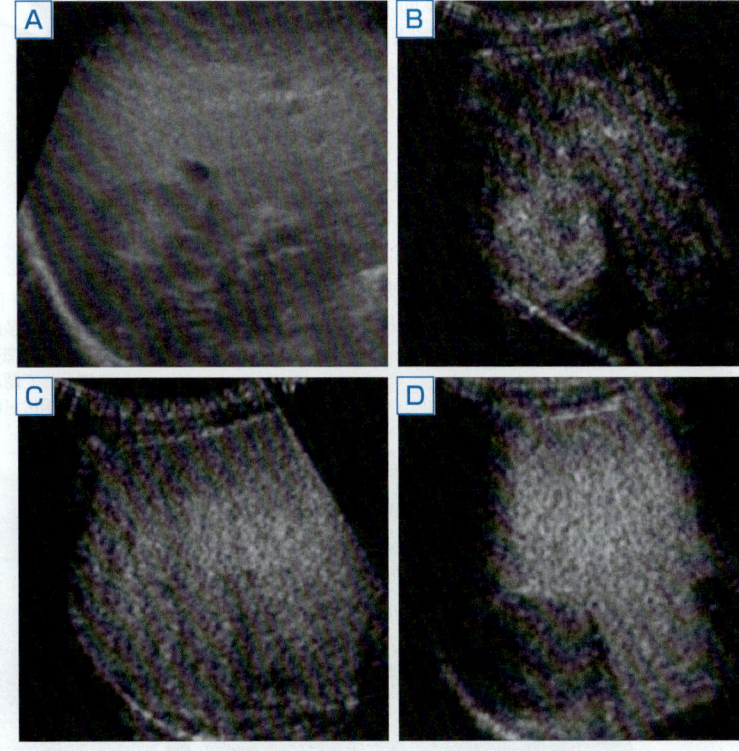

図11-13-1 肝細胞癌の超音波検査
A：Bモード像．ハローを伴い，後方エコーの増強を認める典型的な肝細胞癌の像である．
B：ペルフルブタンによる造影超音波早期血管相．多血性の癌として描出される．
C：後期血管相．wash-outはみられない．
D：Kupffer相．円形のKupffer欠損像として認められる．

場により腫瘍の血行動態からみた鑑別診断能が向上し，CTやMRIと同等の確定診断能を有するまでになってきた(図11-13-1B，C，D)(eコラム1)．

肝細胞癌は静注後速やかに結節内に動脈血流が周囲よりも早期にまた強く流入し(早期血管相)，後期血管相ではCTと同様にwash-outが起こり，Kupffer相ではKupffer細胞に貪食されるため，肝細胞癌は欠損像として描出される．ペルフルブタン造影検査のKupffer相で欠損を示したものに対して再静注を行って診断するdefect re-perfusion image[1,2]はスクリーニング，診断，治療支援などに威力を発揮する．

2) CT： CTは単純CTでは肝細胞癌の診断意義はほとんどない．造影剤を急速静注し，8列，16列，あるいは64列の検出器を備えたmulti-detector row CT (MDCT)によるダイナミックCTが通常行われる．ダイナミックCTでは動脈優位相で腫瘍は高吸収域，門脈優位相および平衡相では造影剤がwash-outされて低吸収域になることが肝細胞癌の特徴的な造影CT所見である(図11-13-2)．しかしながら，腫瘍径2cm以下においては早期肝細胞癌や前癌病変，境界病変も混じってくるため，門脈相や平衡相でのみ低吸収域としてみられることがあり，このような場合にはさらに精密検査が必要である．

3) MRI： 肝細胞癌のMRI診断としては①単純MRI，②ガドリニウム造影剤によるダイナミックMRI，③陰性造影剤である超磁性体鉄造影剤を使ってKupffer細胞を有さない腫瘍を高信号域として描出するSPIO-MRI，④肝細胞膜のトランスポーター(OATP8またはOATP1B3)に取り込まれるGd-EOB-MRI，の4種類がある．典型的肝細胞癌はT1強調像で低信号，T2強調像で高信号を示し(図11-13-3)，ダイナミックMRI所見では動脈優位相で高信号，門脈平衡相で低信号を示すことであり，ダイナミックCTとほぼ同様の造影パターンを示す．SPIO-

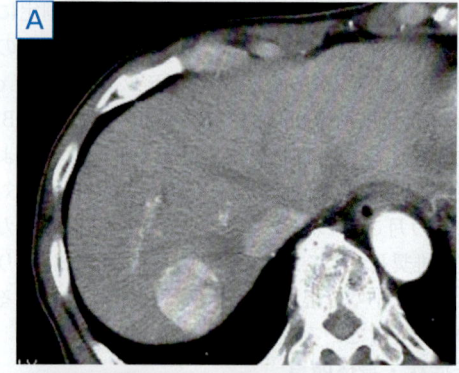
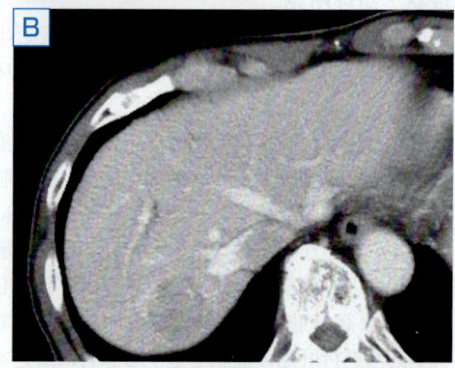
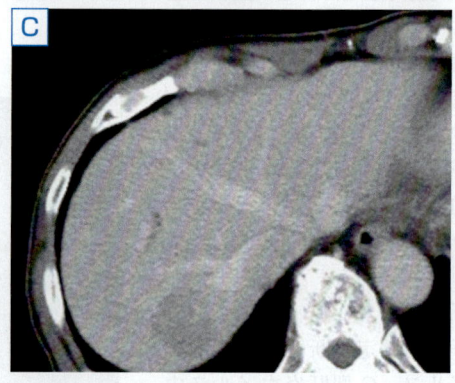

図11-13-2 同一症例の造影CT像
A：動脈相．多血性の腫瘍像として認められる．
B：門脈相．造影剤のwash-outがみられ，円形の低吸収域として認められる．
C：平衡相においても門脈相と同様の所見である．

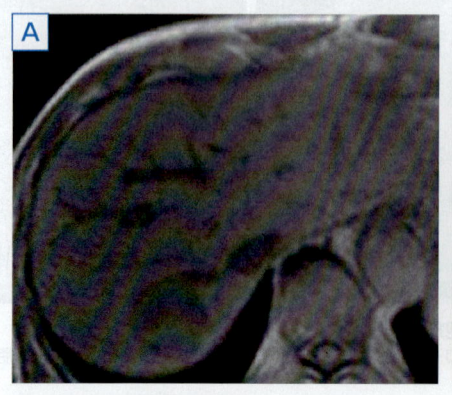
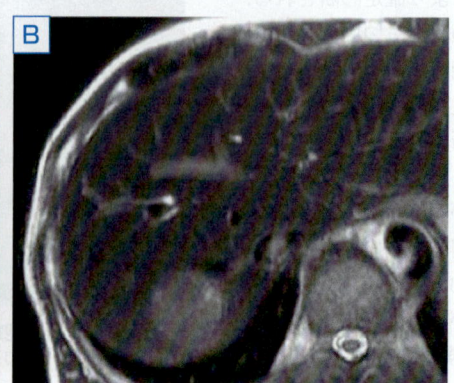

図11-13-3 単純MRI像
A：T1強調像では低信号を示す．
B：T2強調像では高信号として描出される．

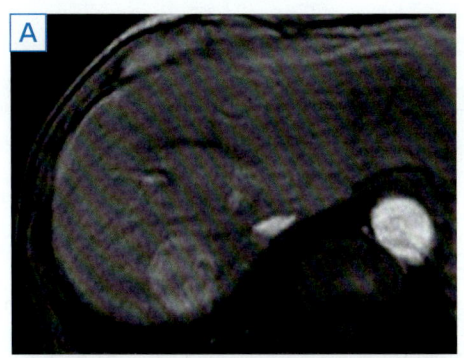
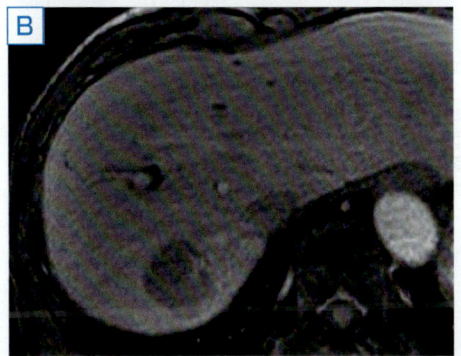
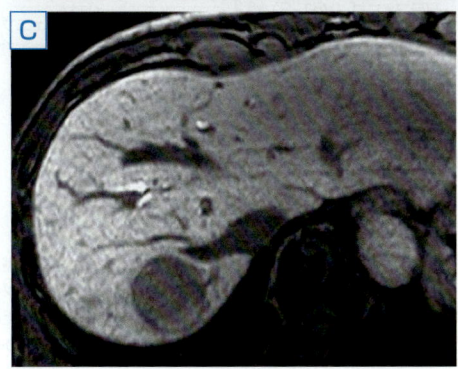

図 11-13-4 EOB-MRI の所見
A：動脈相では多血性病変として認められる．
B：門脈相では wash-out として認められる．
C：肝細胞相では円形の低信号域として描出される．

MRI では古典的肝細胞癌は Kupffer 細胞を有さず，周囲肝に SPIO が取り込まれるために肝癌は高信号領域として描出される．EOB-MRI は blood pool image と 20 分以降の肝細胞相を両方撮像することが可能で血流動態と OATP8 の機能の両方を診断できるきわめてすぐれたモダリティである．典型的肝細胞癌は動脈相で多血性，門脈平衡相で wash-out を示し，肝細胞相で欠損を示す（図 11-13-4）．早期肝細胞癌は乏血性を示すが，肝細胞相では信号低下（欠損像）を示すのが特徴である．

4）**血管造影**：肝動脈造影では肝動脈のかなり末梢側まで選択的にカテーテルを挿入する超選択的肝動脈造影が広く行われている．肝細胞癌は早期肝癌を除き，動脈血支配であるため，ほかの腫瘍との鑑別診断・進展度診断に血管造影はある程度有用である．また経動脈性門脈造影により門脈浸潤の有無の診断が行われる．したがって血管造影は治療法の選択，予後の予測に重要な検査である．ただし，近年検出されるような小病変の検出や鑑別には血管造影のみでは限界があるため，術前評価の目的では動注 CT（肝動脈造影下 CT (CTHA)，および経動脈性門脈造影下 CT（CTAP））が行われることがある．肝細胞癌の特徴的所見としては血管増生，動脈性腫瘍血管，腫瘍濃染，AP シャント，門脈腫瘍栓内の thread and streak sign などがあげられる．近年，EOB-MRI の登場により CTHA，CTAP も次第に行われなくなってきた．

鑑別診断
胆管細胞癌，転移性肝癌との鑑別が重要であるが典型所見を呈した場合は，その鑑別は容易である．

合併症
進行すれば食道胃静脈瘤破裂，肝癌破裂による腹腔内出血，黄疸，腹水，肝不全などを伴うことがある．

経過・予後
肝細胞癌は肝内転移および多中心発癌が多いため 5 年での再発率は根治的に治療しても 80％と高い．肝切除の 5 年生存率は日本肝癌研究会追跡調査報告によるとステージ I 74.3％，ステージ II 62.5％，ステージ III 43.5％，ステージ IV A 25.9％，ステージ IVB 18.7％である[3]．

治療・予防
肝細胞癌の治療法は腫瘍の進行度，肝予備能の 2 点を総合的に判断して決定される．図 11-13-5 に日本肝臓学会のコンセンサスに基づく治療アルゴリズム（Kudo ら，2014）（2015 年改訂版）を示す（Kudo ら，2014）(eコラム 2)．

1）**切除**：肝切除は肝機能が良好で腫瘍個数が単発，もしくは 3 個以内程度で辺縁に限局する場合に選択される．最も確実な治療法ではあるが侵襲が大きい点と，たとえ初回の局在病巣を完全に切除しえても他部位への再発率は局所治療と変わらず，最終的な長期予後は単発小型の場合には局所治療法と大きくは変わらない．

2）**ラジオ波焼灼療法**（radiofrequency ablation：RFA）：超音波ガイド下にラジオ波焼灼のための凝固針を腫瘍内に挿入し，腫瘍を焼灼する方法である（eノート 1）．3 cm 程度の腫瘍であれば完全に 1 回の焼灼で治療することができるため，現在経皮的治療の主流となっている（eノート 2）．RFA は経皮的のみならず腹腔鏡下，胸腔鏡下，術中にも行われることがある．

3）**マイクロ波凝固療法**（percutaneous microwave coagulation therapy：PMCT）：MCT は RFA よりも短い波長（2450 MHz）の高周波を使用して腫瘍を焼灼す

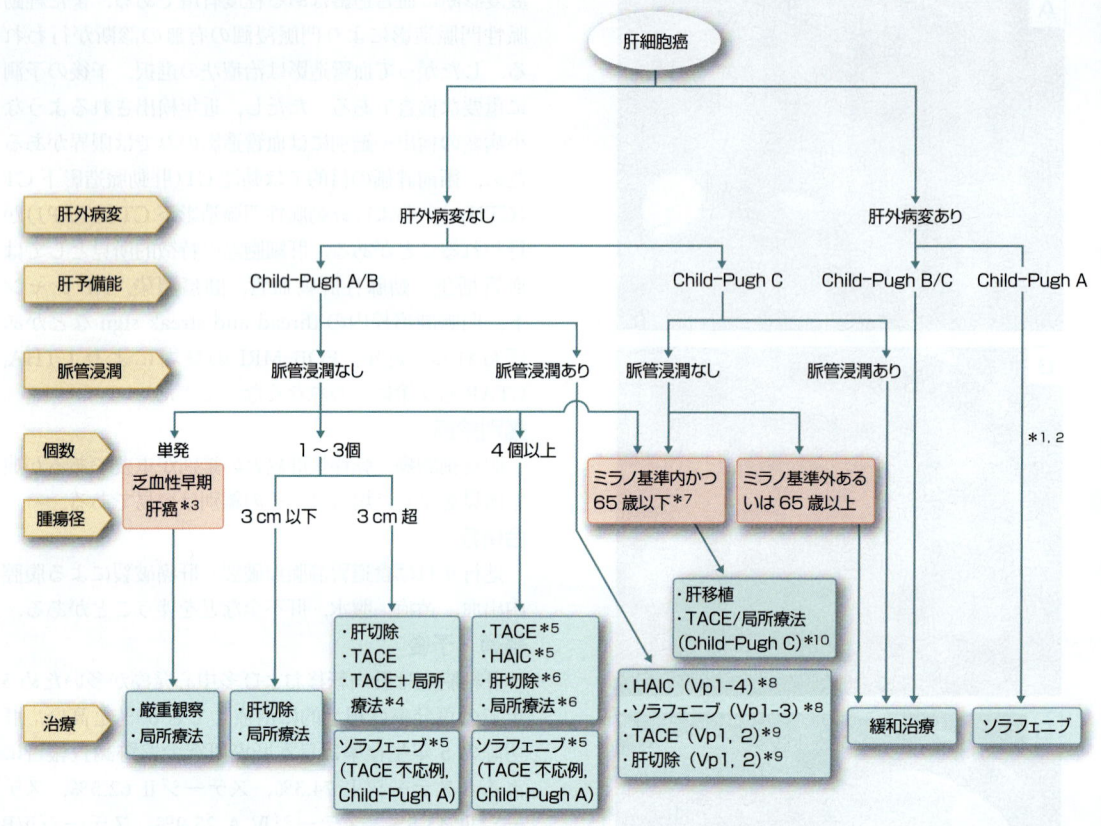

図 11-13-5 日本肝臓学会提唱のコンセンサスに基づく肝細胞癌治療アルゴリズム 2015

*1：Child-Pugh 分類 A/B で肝外病変が予後決定因子とならないものでは通常のアルゴリズムに従って治療する．
*2：この患者群では基本的にソラフェニブが第一選択の標準治療である．
*3：乏血性腫瘍は「エビデンスに基づく肝癌診療ガイドライン」では経過観察が提案されている．しかし，乏血性で，かつ生検診断で早期肝癌と確診できる病変，または乏血性でも Gd-EOB-MRI 取り込み低下や造影超音波 Kupffer 相での取り込み低下，CTAP での血流低下，ソナゾイド造影エコーの Kupffer 相での取り組み低下など画像的に悪性所見を認める病変は高率に多血性肝癌へ変化することが経験的に知られるため，治療対象とする場合が多い．治療は侵襲性の低い局所治療法が選択されることが多い．ただし，治療が lead-time bias 以上に survival benefit があるか否かのエビデンスはない．
*4：腫瘍径 3 cm をこえるものについても TACE を先行させて局所療法を追加すると局所壊死効果が向上するため，現在の日本ではこの併用療法が行われることが多い．
*5：肝動脈化学塞栓療法（TACE）が第一選択の治療である．動注用リザーバーポートを用いた動注化学療法（HAIC：Hepatic arterial infusion chemotherapy）も TACE 不応例に対しては適応となる．化学療法のレジメンとしては low-dose FP（5-FU＋CDDP）もしくはインターフェロン併用 5FU 動注化学療法が推奨される．TACE および動注化学療法の不応・不耐例で Child-Pugh A の患者に対してはソラフェニブも選択肢の 1 つである．
*6：4 個以上でも可能な場合には肝切除が選択されることがある．また，個数が 5〜6 個以内であれば TACE や動注治療を併用して局所治療が施行されることもしばしば試みられている．
*7：ミラノ基準：腫瘍径 3 cm 以下，腫瘍個数 3 個以下もしくは単発で 5 cm 以下，Child-Pugh A/B でも若年例で早期に再発をきたす例（まれに初発例）では生体肝移植が選択されるケースがある．
*8：微小な門脈腫瘍栓（Vp1-2）や主要門脈腫瘍栓（Vp3, Vp4）症例には動注化学療法（HAIC）が推奨される．Vp1-Vp3 症例にはソラフェニブが推奨される．ただし，ソラフェニブは Child-Pugh A の症例でかつ門脈本幹以外の（Vp1-Vp3）症例のみに推奨される．
*9：末梢門脈腫瘍栓例（Vp1, Vp2）では切除や TACE も適応である．
*10：肝移植を施行しない例では肝性脳症（−），難治性腹水（−），Bil＜3.0 mg/dL である場合には試験的に局所療法や subsegmental TAE が施行される場合がある．ただし，survival benefit に関するエビデンスはない．今後，prospective な臨床試験で検証していく必要がある．Child-Pugh A あるいは B の症例についても若年者で，かつ初回治療後，頻回もしくは早期に再発する症例に対しては肝移植が適応となる．

る方法である．RFAよりも凝固範囲は狭く，また合併症も多いため最近ではRFAの登場に伴い一部の施設や開腹術中のMCTを除き，あまり用いられなくなってきた．

4）**経力テーテル肝動脈塞栓療法**（transcatheter arterial chemoembolization：TACE）： Seldinger法によりカテーテルを腫瘍支配動脈に選択的に挿入し，通常リピオドールと抗癌薬を混和させた懸濁液を注入した後ゼラチンスポンジやジェルパートなどで塞栓して腫瘍を虚血壊死に至らせる治療法である．（eノート3）通常，門脈本幹ないし一次分枝に腫瘍栓がなく，難治性腹水や黄疸などの合併症がない症例が適応となる．多発病巣を有する症例に対しても適応となる．大型の肝癌に対してはTACEを行った後RFAを追加することにより治療効果が高まる．

5）**動注化学療法**（hepatic arterial infusion chemotherapy：HAIC）： 門脈腫瘍栓を有するような高度進行肝癌に対して動注化学療法が行われている．肝癌診療ガイドラインでも治療アルゴリズムが4個以上の肝癌に対してはTACEと並んでこの動注化学療法が推奨されている．レジメンとしてはシスプラチン（CDDP）と5-FUを組み合わせるlow-dose FP療法および5-FU動注とインターフェロン皮下注を組み合わせるインターフェロン併用5-FU動注化学療法の2種類が主として行われている．また，頻回に経動脈性に動注を行うリピオドール®TAIも行われている．

6）**全身化学療法**： 通常，殺細胞性の全身化学療法は標準治療としては行われず，試験的治療の域を出ない．しかしながら，近年登場した分子標的薬ソラフェニブは積極的に肝癌にも使用されている．ソラフェニブは血管新生に関与するVEGFやPDGFの受容体チロシンキナーゼと細胞増殖にかかわるMAPキナーゼ系のRAFを選択的に阻害することにより，抗腫瘍効果を発揮し，患者の予後の延長効果がある．ソラフェニブは①遠隔転移や脈管浸潤を伴う進行肝癌，および②TACEや動注化学療法に不応のChild-Pugh Aの肝癌患者が対象となる．2016年，セカンドラインの分子標的薬としてレゴラフェニブの有効性・安全性が確認された．

7）**肝移植**： 欧米では一般に肝癌の治療法として肝移植が定着しているが，日本では脳死肝移植は脳死ドナーの不足によりきわめて少ない．しかしながら，日本においては，生体ドナーによる生体肝移植が積極的に行われている．この点がごく一般の標準治療として脳死肝移植が行われている欧米との大きな差である．日本における生体肝移植は1964～2013年末までの集計で7474例であり，うち脳死肝移植は219例にとどまっている．7474例のうち肝癌に対する肝移植は1568例（21％）である[4]．この生体肝移植は肝癌の発生母地である肝硬変と肝癌を一度に治してしまうことのできるすぐれた治療法であり，日本における5年生存率は75％ときわめて良好である．

8）**肝癌根治後の抗ウイルス治療**： 現在，肝切除やラジオ波治療後のC型肝炎患者に対してはインターフェロンフリーの抗ウイルス経口薬治療によりウイルス排除を行うと予後が改善することが期待されているため積極的に行われている．また，たとえウイルス学的著効が得られなくともインターフェロンを比較的長期投与すると肝癌根治後の患者の予後が改善することも報告されており[5,6]，現在一般診療として行われている．

その他，エタノール注入療法や放射線療法についてはそれぞれeコラム3，eコラム4を参照．

2）肝内胆管癌
intrahepatic cholangiocarcinoma, cholangiocellular carcinoma

定義・概念・分類

肝内胆管から発生する上皮性の悪性腫瘍で通常正常肝から発生する．灰白色でかたい塊状ないし，結節状で八ツ頭状の腫瘍を形成する．日本肝癌研究会の肉眼分類では①腫瘤形成型，②胆管浸潤型，③胆管内発育型の3基本型がある（e図11-13-A）．腫瘤形成型は肝実質に明瞭な類縁形の限局性腫瘤を形成しているもので癌部，非癌部の境界が明瞭である．胆管浸潤型は胆管周囲の血管，結合組織を巻き込みつつ，胆管の長軸方向への樹枝状進展を示しているものであり，しばしば，末梢胆管の拡張がみられる．胆管内発育型は胆管内腔へ乳頭状，顆粒状の発育を示すが，ときに表層拡大進展を示したり，胆管内腫瘍栓の形態を示す．

臨床的には腫瘍が肝門部の太い胆管に由来した肝門部型，肝内末梢胆管に由来した末梢型に分類される．肝門部型はしばしば黄疸をきたしやすいが，末梢型は末期に至るまで症状が出現しないため，発見が遅れることが多い．肝疾患の既往がなく，画像診断で腫瘤として検出されることが多い．

病理

組織学的には腺癌が主体を占め，管状の腺管構造をとることが多いが，ときに乳頭状腺癌の型を示す．線維性間質がよく発達していることも特徴である．C型肝炎ウイルス感染が肝内胆管癌のリスクファクターであるとの報告も最近散見される．

肉眼的に肝内胆管癌に類似するが，細胆管もしくはHering管由来の癌を細胆管細胞癌（cholangiolocellular carcinoma）と呼称する．異型に乏しい小型，類円型の腫瘍細胞が豊富な線維性間質を伴い，増生細胆管に類似する小管腔構造を示し，これらが互いに不規則に吻合するように増殖する．肝内胆管癌と異なり，粘

液産生を認めない．一部には肝細胞癌，あるいは肝内胆管癌類似の組織像を伴うことが多い．

臨床症状
1) **自覚症状**： 小型の肝内胆管癌はまったく症状がない．巨大になると腹部膨満や倦怠感を示す．
2) **他覚症状**： 巨大になると肝腫大，ときにかたい腫瘤を触知する．

検査所見
　血清生化学検査値としては約半数の例で ALP や γ-GTP の高値を伴う胆汁うっ帯所見を示す．肝門部型では肝門部胆管閉塞の程度により種々の程度の黄疸が出現する．腫瘍マーカーでは CEA と CA19-9 が高値をきたしやすい．

診断
　超音波診断で腫瘤形成型では八ツ頭状，もしくは分葉状の辺縁不整な境界を示し，腫瘍末梢側の肝内胆管拡張も高率にみられる（図 11-13-6）．胆管浸潤型では腫瘤そのものの描出は困難であるが，末梢胆管の拡張はかなり高率である．したがって肝内胆管拡張を契機に胆管細胞癌が発見されることが多い．ペルフルブタン造影エコーでは多血性を示すことが多い．

　CT では肝門部型では類円形を呈さず，周囲の胆管拡張所見のみを示すことが多い．一方，末梢型では被膜を有さず，不整な凹凸，あるいは八ツ頭状を示すことが多い．従来は乏血性の腫瘍と考えられていたが，最近ではダイナミック CT で多くが多血性に描出され，早期に辺縁が濃染し，120 秒以降の遅延相で線維化の部分が濃染を呈するいわゆる delayed enhancement の所見を示す（図 11-13-7）．これは血管外に漏出した造影剤が線維化の部分に貯留するためである．この所見は，転移性肝癌の画像所見と類似するために鑑別がしばしば問題となる．鑑別のポイントは腫瘍よりも末梢側の胆管拡張が胆管細胞癌の場合には多いということである．

　MRI では腫瘍は T1 強調像では低信号，T2 強調像では高信号を示し（図 11-13-8），肝細胞癌や転移性肝癌などの一般の腫瘍と同様の MRI 所見を示すことが多い．しかしながら本症で腫瘍の末梢側に胆管拡張を伴うことが多いためにこれが診断のきっかけとなる（図 11-13-8）．MRCP も診断に有用である（e図 11-13-B）．ダイナミック MRI ではダイナミック CT と同様に早期に軽度～中等度に腫瘍辺縁が濃染し，時間経過とともに腫瘍中心部の線維化の部分に染まりが広がってくる．

鑑別診断
　転移性肝癌との鑑別が最も重要である．特に肝細胞癌との鑑別が問題となることもある．

経過・予後
　肝内胆管癌の予後はきわめて不良である．特に切除不能の段階で見つかった肝内胆管癌の予後はきわめて悪い．5 年生存率は日本肝癌研究会の追跡調査報告によると 28.4％である．

治療
　限局した末梢胆管癌では肝切除が唯一の根治的治療法である．胆管浸潤型，あるいは肝門部型では手術が困難な場合が多いが，可能なかぎり手術を試みる．手術が不可能な場合には姑息的治療として減黄術を行う．減黄術は内視鏡的にステントを留置する．内瘻化

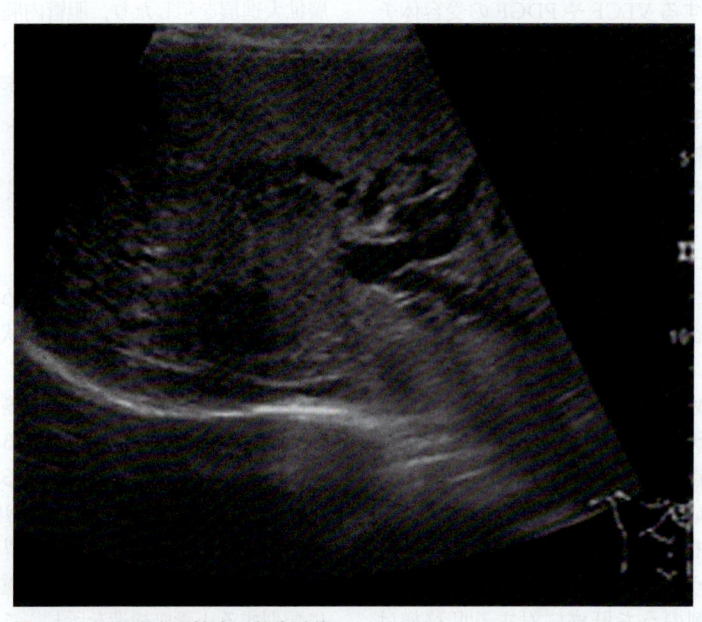

図 11-13-6 肝内胆管癌の超音波像
肝門部に低エコーの巨大な腫瘤を認め，末梢の胆管は拡張している．

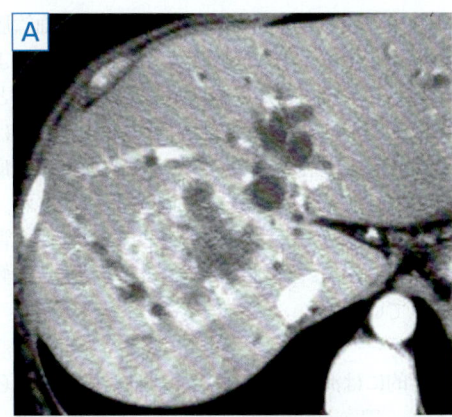

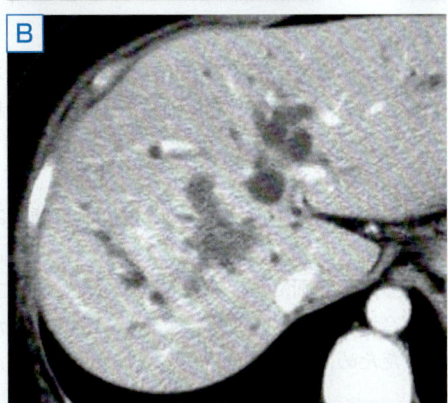

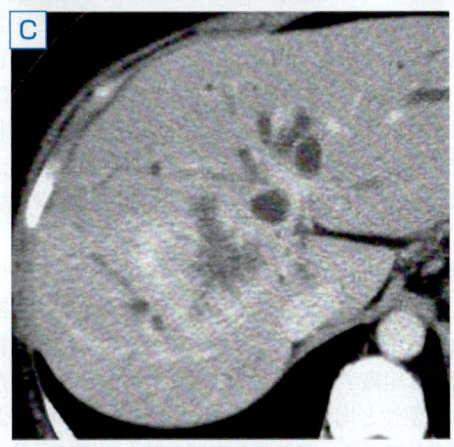

図 11-13-7 同一症例のCT像
A：動脈相．腫瘤は八ツ頭状を呈し，辺縁は多血性であるが，中心は造影効果を受けない．末梢の胆管の拡張は著明である．
B：門脈相．中心部の低吸収域はそのままである．
C：平衡相．平衡相でやや造影剤が中心部に染まり込んで delayed enhancement を示す．もう少し後の遅延相ではより明瞭に造影剤が線維化部分に集積し，delayed enhancement の像を示す．

が困難な場合には経皮的に胆道ドレナージ術（PTCD）を行う．

化学療法ではゲムシタビンを主軸とした化学療法が行われている．ゲムシタビンおよび S-1 が胆道癌で保険適用が認可されたが，わが国の胆道癌取扱い規約では，肝内胆管癌を胆道癌とは別に扱っており厳密な意

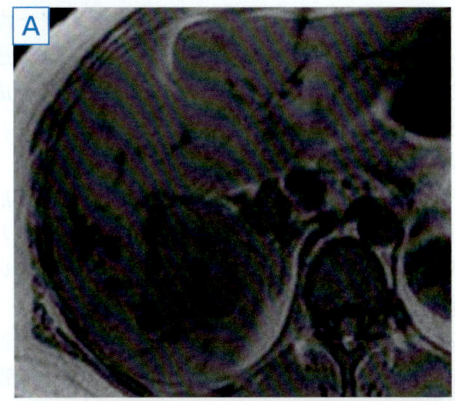

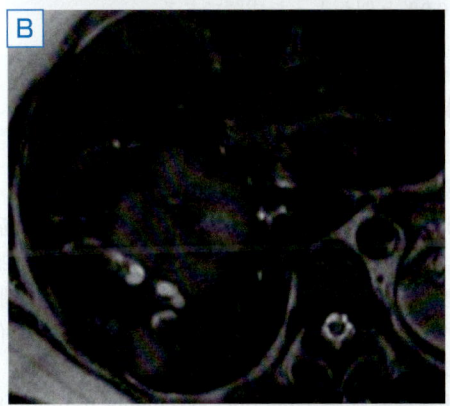

図 11-13-8 同一症例の MRI 単純像
A：T1 強調像では低信号に描出される．
B：T2 強調像では辺縁は高信号に描出される．肝内胆管の拡張は高信号に描出される．

味では保険適用となっていない．しかし，海外では，肝内胆管癌を含めた切除不能胆道癌において，ゲムシタビン単独で 13〜36％の奏効率が，ゲムシタビンとシスプラチンの併用で 28〜38％の奏効率が報告されている．

3）混合型肝癌
combined hepatocellular and cholangiocarcinoma

定義・概念
単一腫瘍内に肝細胞癌と肝内胆管癌とが明瞭に分化した状態で両成分が混じり合っているものを混合型肝癌と定義する．肝細胞癌成分は通常の肝細胞癌成分であるが，肝内胆管癌成分は腺癌であり粘液産生を伴う．近年，これらは肝前駆細胞（hepatic progenitor cell）あるいは肝幹細胞（hepatic stem cell）由来の可能性も指摘されるようになってきた．

診断
画像診断にて，典型的肝細胞癌と肝内胆管癌が混在してみられる所見を呈せば本疾患を疑える（e図 11-13-C）．また，肝細胞癌の腫瘍マーカー（AFP，

PIVKA-Ⅱ, AFP-L3)と肝内胆管癌の腫瘍マーカー(CEA, CA19-9)がともに陽性になることも本疾患を示唆する．最終的には生検や切除標本組織像で両成分を証明することにより確定診断とされる．

治療
肝内胆管癌の治療に準ずる．基本的には切除が最も有効である．小結節であればラジオ波治療も適応となるが，TACEや動注療法は効果がなく一般的でない．

経過・予後
基本的に予後は不良である．日本肝癌研究会の追跡調査報告によれば5年生存率は20.3％と肝内胆管癌の20.9％と似かよった成績である．

4）その他の肝原発性悪性腫瘍

定義・概念・分類
日本肝癌研究会の追跡調査によれば肝細胞癌(95％)，肝内胆管癌(4％)，混合型肝癌(1％)以外の悪性腫瘍はきわめてまれである．頻度は胆管囊胞腺癌(0.12％)，肝芽腫(0.02％)，肉腫(0.02％)，未分化型癌(0.04％)ときわめてまれである．

1)**胆管囊胞腺癌**（bile duct cystadenocarcinoma）：乳頭状増生を示す粘液産生上皮で覆われた囊胞状の悪性腫瘍である．多くは多房性で囊胞内に粘液を含む．女性では上皮直下に間葉系間質を伴うことがある．胆管囊胞腺腫との鑑別は細胞の異型性，核分裂の頻度，周囲組織への浸潤性増殖の有無などが指標となる．しばしば胆管囊胞腺癌内に胆管囊胞腺腫成分が混在する．

2)**肝芽腫**（hepatoblastoma）：胎生期の肝実質に類似する悪性腫瘍で間葉成分を伴うものと伴わないものがある．本腫瘍の分類は①高分化型(いわゆる胎児型)，②低分化型(いわゆる胎芽型)，③未熟型(いわゆる未分化型)の3型に分けられる．切除が可能であれば予後は良好であるが，それ以外の治療法はほぼ無効で試みられない．

5）肝原発性良性腫瘍

(1)肝血管腫（hepatic hemangioma, angioma）

定義
良性非上皮性腫瘍の代表的なもので，肝良性腫瘍の80％以上を占める，この腫瘍は一般に単発性であるが，10％程度は多発性にみられる．血液を充満させた海綿状の血管腔は線維性結合組織を伴う内皮細胞により取り囲まれ，毛細血管様のネットワークを形成し，腫瘍結節として肝臓内に存在する．肉眼的には境界鮮明な暗赤色腫瘤で割面は円形，蜂巣状の血管腔を示す．肝血管腫は大多数は無症状で超音波検査により偶然に発見されることが多い．しばしば悪性腫瘍との鑑別が問題となる．巨大例では，肝の腫大，または肝の一部が隆起し，腫瘤として触知され，ときに腫瘍内血栓形成に，フィブリノゲン，血小板が消費され，また赤血球が破壊される，いわゆるDIC(播種性血管内凝固症)をきたすことがありKasabach-Merritt症候群とよばれている．

分類
組織学的には海綿状血管腫と毛細血管腫に分けられる．

原因・病因
理論的には肝臓を構成する肝類洞内皮細胞，あるいは肝動脈，門脈，肝静脈などの血管内細胞が発生起源と考えられる．

疫学
欧米では剖検のうち約0.25～5％に肝血管腫がみられるとの報告がある．ほかの報告では0.4～20％といわれている．わが国における頻度はまったく不明で，最近の超音波検査などの普及によりその存在診断が容易となったため，血管腫の頻度は増加傾向にある．

病理
その大きさは数mmから20cm以上の大きさまでに及ぶことがあり，10cm以上の血管腫は巨大血管腫と呼称されている．肉眼所見としては，肝表面に認められるものが赤紫色〜青色を呈し，やわらかい性状を呈するが，石灰化や硬化性の血管腫は硬度があり，割面は灰色を呈する．一般的には割面はスポンジ様で，液状ならびに凝血成分が充満している．

組織学的には，海綿状血管腫と毛細血管腫に分けられ，多くは海綿状血管腫である．したがって，厳密には血管腫は臨床診断名で，同義語とされている海綿状血管腫は組織学的名称となる．血液成分が充満した腔は，異型性と増殖性に乏しい1層の内皮細胞により形成されている．腔と腔との間の結合組織は，粘液腫様の変化を示し，さらに大きな結合組織状隔壁には，石灰化や線維化とともに異常動脈や動静脈短絡の形成が観察されることもある．

臨床症状
1)**自覚症状**：血管腫の大きさにより異なるが，おおむね5％以下の症例に症状が認められ，それらは肝外性に発育した症例が多いとされている．妊娠中に増大傾向を示し，さらにホルモンを産生する例や大型の場合，血管腫内での大きな血栓形成(Kasabach-Merritt症候群)による血小板減少症も報告されている．

2)**他覚所見**：大型血管腫の場合は，表面より触知することがある．

検査所見

肝機能検査値を含む血清学的検査はほとんど正常範囲内であり，巨大血管腫でも検査結果で異常を認める症例はまれである．Kasabach-Merritt 症候群を呈した症例では血小板低値や DIC の所見を呈する．

超音波検査では，周囲肝実質との境界は不鮮明で，形状は不定形であり，境界に細かい凹凸を認める．辺縁に低エコー帯を認めず，後方エコーはときに増強する．また，プローブによって腫瘍を圧迫すると，内部エコーパターンが変化することがある（カメレオンサイン）．超音波所見上の 3 つのパターンについては◉コラム 5 参照．

CT では，造影前は低濃度域として描出されるが，大きな病変では，内部により低濃度域を伴う．造影 CT では，早期に腫瘍辺縁より点～斑状の強い濃染部が出現し，中心部に向けて徐々に濃染部は拡大し，血栓部あるいは壊死部を除き腫瘍全体が高濃度域となる．この濃染部は数分以上の長時間にわたる．3 cm 以上の腫瘍では大多数が上記のような特徴所見を示す．

MRI では，腫瘍内にとどまる大量の血液が自由水として作用するため，T1 強調像で低信号，T2 強調像できわめて強い高信号を示す．検出能のみならず確定診断能も高く，小病変においても診断能は高い．

造影超音波でも，造影 CT と同様の所見がみられる（◉ノート 4）．

診断

典型的な超音波像，および造影超音波像，造影 CT や造影 MRI 像で辺縁から徐々に染まり込む所見，あるいは血管造影で cotton wool appearance を呈する造影剤のプーリングが診断の決め手とされる．

現在では，非侵襲的 MRI の検査と造影超音波検査が，血管腫の確定診断に最も有用と考えられている．また，赤血球や血漿蛋白をラジオアイソトープで標識した血液（赤血球）プールシンチグラフィは，時間的経過を追うことにより血管腫の診断に特異性が高い検査法として評価されているが，小型血管腫の場合は感度が低い．

鑑別診断

病理学的には，悪性腫瘍の肝悪性血管内皮細胞腫（malignant hemangioendothlioma，血管肉腫；angiosarcoma）との鑑別が問題となる．

臨床的には，画像診断を中心に鑑別診断を考えるならば，脂肪化の著明な肝細胞癌，転移性肝癌，血管筋脂肪腫が重要で，特に前者は基礎疾患として慢性肝疾患の有無が重要である．

治療

多くは通常，無症状のまま経過し，治療は不要である．しかし，巨大例，圧迫症状などの有症状例経過観察中に増大傾向の認められる場合には切除術の対象となる．本症に対する特別な予防法はない．

(2) 肝細胞腺腫（hepatocellular adenoma）

定義・概念

まれな良性上皮性腫瘍で，正常肝細胞と類似した細胞からなり非硬変肝に発生する．20～40 歳の女性に多く，女性では経口避妊薬，男性では蛋白同化ホルモンの長期服用に関連している．病理学的には，正常肝に発生し，多くは単発性で，比較的やわらかい．腫瘍径は 1 cm 前後から 30 cm に及ぶ．割面は淡赤褐色～灰白色でほぼ均一な性状を示し，周囲肝組織との境界は明瞭で，大きな腺腫は薄い線維性被膜を有する．腫瘍内には門脈や胆管はなく，部分的に壊死あるいは出血巣などを認めることが多い（◉コラム 6）．

原因・病因

経口避妊薬の服用との密接な関係や 1 型糖原病（von Gierke 病）に合併することが報告されている．

疫学

日本ではきわめて少ないが，欧米では比較的多い．

診断

腫瘍内や腫瘍の破裂による腹腔内出血とそれに伴う腹痛で発見されることが少なくない．

腫瘍内出血のない場合は，超音波では内部均一な高エコー，造影 CT や血管造影では均一な多血性病変として描出される．腫瘍割面像は比較的均一で，線維性被膜を認めない．

しかし，腫瘍内出血のある場合は，単純 CT で高吸収域，MRI の T1 強調像で高信号を呈する．若い女性で，しかも B 型・C 型の肝炎ウイルスが陰性で正常肝に発生した場合は，本疾患の可能性を考慮する．

鑑別診断

肝細胞癌および，肝限局性結節性過形成，もしくは血管筋脂肪腫などと鑑別を要する場合がある．特に肝細胞癌との鑑別は画像診断上は不可能である．

治療

経口避妊薬，あるいは蛋白同化ホルモンを服用している場合は中止させ，腫瘍出血がみられる場合は緊急外科的切除適応となる．悪性転化のサブタイプも存在するとされているため，生検にて肝細胞腺腫と診断されれば自然腫瘍破裂のリスクもあるため，基本的には切除の対象である．

(3) 限局性結節性過形成（focal nodular hyperplasia）

定義・概念

WHO 分類では腫瘍類似病変に分類され，20～50 歳の女性で非硬変肝に表在性に単発し，長経 5 cm 以下の腫瘤としてみられる．病理学的特徴は中心に膠原線維からなる星芒状瘢痕（central scar）があり，周辺

に向かう放射状の線維性隔壁により粗大結節性に区分されていることである．組織学的には細胞に異型性はなく，中心の瘢痕部には異常な壁肥厚を示す血管，炎症性細胞浸潤を伴う小胆管の増生をみる．臨床的には無症状である．限局性結節性過形成は肝の新生物というよりは過誤腫ないし血管奇形とそれに伴った反応性の病変と考えられる．肝細胞腺腫と異なって，経口避妊薬の服用は原因とならないとする考え方が最近では一般的である．

疫学
肝細胞腺腫と比較すると日本では圧倒的に高頻度である．

検査所見
画像診断上，超音波検査では，比較的周囲肝実質に近い低〜等エコーを示し，中央部に星芒状瘢痕を疑わせる低エコー域を示すこともある．単純CTでは結節状の低〜等濃度域のことが多く，造影CTでは早期で高濃度域，後期で等濃度域を示し，中心部に星芒状瘢痕に一致して低濃度域がみられる．MRIではT1強調像でほぼ等信号，T2強調像で等信号からやや高信号を示すことが多い．Kupffer細胞を有するため，SPIO-MRIやペルフルブタンを用いた造影超音波Kupffer相では腫瘍内に造影剤が取り込まれ，周囲肝と等信号となる．血管造影では境界明瞭な血流に富んだ腫瘤（hypervascular nodule）として描出され，屈曲・拡張した栄養動脈が腫瘍内部に入り込み，末梢に向かう車幅状血管（spoke wheel appearance）を認めることが特徴である．造影超音波検査では，動脈相で腫瘍の中心に血流を認め，急速に腫瘍辺縁に向かって染まりKupffer相では取り込みがみられるという特徴的所見を呈する．

診断
正常肝を背景として各種画像で車幅状構築を認める多血性腫瘍が検出され，Kupffer細胞の存在がペルフルブタン造影エコーで確認されれば，本症の診断は困難ではない．

治療
以前は肝細胞癌との鑑別が問題となっていたが，最近では画像診断のみで確定診断されることが多い．確定診断がされれば治療は不要である．

(4) 肝血管筋脂肪腫 （hepatic angiomyolipoma）

定義・概念
肝血管筋脂肪腫は脂肪，血管，平滑筋の3成分よりなる良性腫瘍である．血管成分があれば多血性で，脂肪成分があれば単純CTで低信号，超音波で高エコーとなる．典型例ではT1強調像で高信号，T1強調のopposed phase（逆位相）で低信号を呈する．しかし，脂肪成分が少ない場合は診断はやや困難である．生検標本のHMB-45染色は特異的で確定診断の根拠となる．

6) 転移性肝腫瘍
metastatic liver tumor

定義・概念
転移性肝癌とは他臓器の癌が血行性，リンパ行性あるいは浸潤性に肝に転移した病巣をいう．直接性浸潤による癌の転移は胆道系の癌に多い．臓器別には門脈支配領域の消化器癌に圧倒的に多い．転移性肝癌は境界明瞭な白色〜乳黄白色の結節を形成し，巨大になると一般に肝容積は増大する．結節の中心部はしばしば壊死をきたすことが多い．

臨床症状
肝腫大，患部圧痛，黄疸，発熱，全身倦怠などが進行した場合にはみられる．もちろん腫瘍が小さいときには無症状である．

検査所見
原発巣の検査所見以外にALP値，LDH値の上昇，AST，ALT値の上昇がみられる．腺癌の転移ではCEAやCA19-9が異常高値を示す．

診断
一般的に腫瘍径が小さい時点においても多発性のことが多い．

画像診断のポイントとしては転移性肝癌を疑った場合には，EOB-MRIもしくはペルフルブタンによる造影エコーを施行し，診断困難例については肝生検にて確定診断を行うことである．

特徴的超音波所見として，①幅広い辺縁低エコー帯（bull's eye signもしくはtarget sign）を示し，中心部高エコーを示す像で中心部は壊死を示す，②中心無エコー：腫瘍の中心部に不整形の無エコー部を認める．腫瘍中心部の融解壊死を示す，③後方音響陰影：大腸癌などを原発とした腫瘍では腫瘍内に石灰化を伴い，音響陰影を伴った高エコーとして描出される．

ペルフルブタンを静注する造影エコー法の10分以後では安定したKupffer相のイメージが得られ，多数の造影欠損を静注10分後のKupffer相で検出することができる．検出感度はEOB-MRIとほぼ同等であるとされている．

ダイナミックCTで多くの腫瘍は辺縁部のみが濃染する（リング状濃染）像を示す．後期には低濃度領域となる場合が多い．中心部は壊死を示すことが多いため，早期，後期ともに乏血性領域となる．腎癌や膵臓の悪性膵島細胞腫など血管に富む腫瘍の転移病巣では肝細胞癌類似の多血性腫瘍を呈する．

一般に腫瘍はMRI T1強調画像で低信号，T2強調画像で高信号として描出され，特異的な所見はない．

また，転移性肝癌ではしばしば腫瘍中心部に融解壊死をきたすことがある．EOB-MRI の肝細胞相では腫瘍の信号が低下するために小さな転移病巣もきわめて良好に描出され病期分類に有用である．

結果・予後

根治的切除やラジオ波治療が奏効した場合あるいは動注化学療法が奏効すれば予後が良好である．ただし，予後決定因子は肝外転移の進展による悪液質のことが多い．

鑑別診断

腎癌や悪性膵島細胞腫の転移は肝細胞癌との鑑別が困難であることがある．リング状濃染を示す転移性腫瘍は肝内胆管癌との鑑別が必要である．

治療

原発巣が根治的な治療を受けた後，もしくは根治的治療を期待しうる症例で腫瘍が限局している場合にはたとえ多発性であっても外科的な切除が第一選択である．基本的には非癌部肝組織は正常肝であることが多いので広範な切除が可能である．切除が適応とならない場合で腫瘍径，腫瘍個数が限局している（3 cm 以下，3 個以内程度）場合にはラジオ波焼灼療法も試みられている．大腸癌などの場合には同時性異時性を問わず切除をすることにより，予後は確実に延長する．切除が困難な場合には大腸癌などに対しては，動注リザーバー留置による動注化学療法が効果的である．肝以外の遠隔転移を伴う場合には全身化学療法が基本である．

切除不能大腸癌では，全身化学療法（FOLFOX，FOLFIRI）で高い治療効果と延命効果が示されているため，積極的に治療すべきである． 〔工藤正俊〕

■文献（e文献 11-13）

Kojiro M, Wanless IR, et al: The International Consensus Group for Hepatocellular Neoplasia: Pathologic diagnosis of early hepatocellular carcinoma: a report of the international consensus group for hepatocellular neoplasia. *Hepatology*. 2009; **49**: 658-64.

Kokudo N, Hasegawa K, et al: Evidence-based Clinical Practice Guidelines for Hepatocellular Carcinoma: The Japan Society of Hepatology 2013 update（3rd JSH-HCC Guidelines）. Hepatology research : the official journal of the Japan Society of Hepatology, p45, 2015.

Kudo M, Matsui O, et al: JSH Consensus-based Clinical Practice Guideline for the Management of Hepatocellular Carcinoma: 2014 Update by the Liver Cancer Study Group of Japan. *Liver Cancer*. 2014; **3**: 458-68.

11-14 肝膿瘍・肝囊胞

1) 肝膿瘍
liver abscess

肝膿瘍は化膿性（細菌性）とアメーバ性に大別される．

(1) 化膿性肝膿瘍（pyogenic liver abscess）
概念

化膿性肝膿瘍は，脈管や胆管を通じてまたは直接に，細菌が肝に感染をきたして膿瘍が形成されたものをいう．

疫学・頻度

発生頻度は欧米で入院患者の 0.013％，わが国では 0.19％と報告されているが，剖検例ではその頻度は 0.25～0.36％（1976～1984 年）とやや高い．

分類

化膿性肝膿瘍は，その感染経路により，①経門脈性，②経肝動脈性，③経胆道性，④直達性，⑤外傷性，⑥医原性，⑦特発性，の 7 群に分類される．

それぞれの病態生理については℮コラム 1 を参照．

病原菌

大腸菌，クレブシエラ，シュードモナスなどの Gram 陰性桿菌が主体であり，嫌気性菌の検出率も向上している．また，これらが複数菌感染を起こしている場合も多い．

臨床症状

化膿性肝膿瘍の 3 主徴として，発熱，腹痛，肝腫大が知られており，この 3 徴候をほとんどの症例が呈する．自覚症状として，発熱，食欲不振，全身倦怠感などがみられる．発熱は弛張熱または間欠熱で，多くは 38℃以上の高熱で悪寒・戦慄を伴う．右上腹部痛や，右側胸部痛，心窩部痛が 60％前後にみられ，同時に圧痛や叩打痛も認められる．肝腫大は高頻度にみられるが，多発性の胆管炎性肝膿瘍や小型の肝膿瘍では腫大はあまり著明ではない．感染が横隔膜，胸膜，肺に波及すると，右肩痛や刺激性咳が出現する．腹水貯留を認める場合もある．化膿性胆管炎を合併している例では黄疸がみられる．

検査所見

血液検査では，白血球増加，赤沈亢進，CRP 上昇はほぼ全例にみられる．しかし，急性閉塞性胆管炎に伴う肝膿瘍などでは，エンドトキシン血症，播種性血管内凝固症となって白血球や，血小板はむしろ減少し，赤沈も遅延することがある．肝機能検査では一般的に ALP，LAP，γ-GTP，AST，ALT，T-Bil の上昇が認められる．

胸部単純 X 線写真では，横隔膜への炎症の波及があれば横隔膜の挙上，胸水の貯留などを認め，腹部単純 X 線写真では肝腫大，起炎菌がガス産生菌の場合には，肝内ガスの存在を認めることがある．

超音波検査（ultrasonography：US）では，境界不明瞭な囊胞状を呈し，膿や壊死組織を反映する不規則な内部エコーを呈することと短期間で経時的にエコー像の多彩な変化を認める（図 11-14-1A）．ときに早期の段階の肝膿瘍は充実性腫瘍様の像を呈することがある．

CT では膿瘍が完成されていない時期では病巣部は正常肝に比し，やや低い吸収値を示し，辺縁が不鮮明で，内部は不均一な像を呈する（図 11-14-1B）．膿瘍が完成されると境界明瞭で類円型を呈し内部は均一で水と血液の中間の吸収値の膿汁が充満している像が描出される．造影 CT では膿瘍壁がエンハンスメントを受けしばしばダブルレイヤーサイン（図 11-14-2）

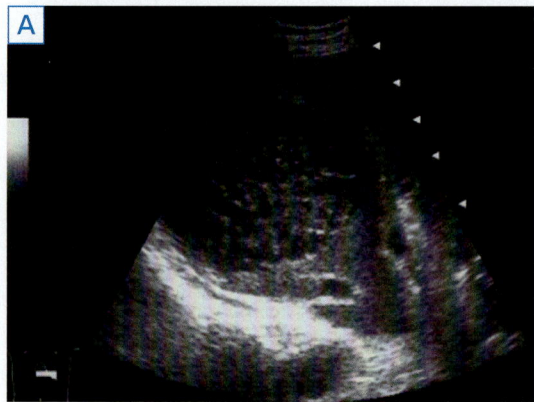

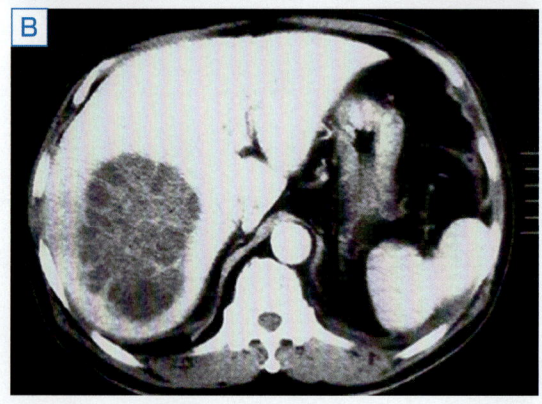

図 11-14-1 肝膿瘍の画像診断
A：肝膿瘍の超音波像．低エコーの結節内に不均一な高エコーの隔壁様構造を認める．
B：造影 CT 像．肝膿瘍の辺縁は不整で膿瘍内部には一部隔壁様に造影効果がある部分が認められる．

を呈する．

経皮経肝胆道造影法（percutaneous transhepatic choangiography：PTC）は，肝内外胆管の拡張や狭窄を伴う胆管炎に続発した肝膿瘍では診断的価値が高い．さらに，ドレナージチューブを挿入することにより治療的処置も可能となる（PTCD）．

診断

①基礎疾患（胆道系疾患）の有無，②腹痛，発熱，肝腫大などの自他覚所見，などから肝膿瘍を疑うことがまず最初のステップである．次に，血液検査，US，CTにより肝膿瘍の診断に至ること，最後に治療的診断を兼ねたUSガイド下ドレナージによって確定診断へと至る．

鑑別診断

US，CT上鑑別を要する疾患としては，原発性肝癌，転移性肝癌，囊胞性肝腫瘍（肝囊胞，囊胞腺腫）などの腫瘍性病変があげられるが，US像，CT像，USガイド下の膿瘍穿刺により鑑別は容易である．

合併症

局所的合併症としては肝膿瘍破裂による腹膜炎，腹腔内出血，横隔膜下膿瘍などである．炎症の二次的波及による合併症として，胸水貯留，膿胸などがある．全身合併症では，菌血症，エンドトキシン血症とそれに伴うショックや播種性血管内凝固症があげられる．

治療

肝膿瘍に対する治療の原則は，迅速な診断とそれに引き続く迅速な治療の開始である．治療法としては適切な薬物の選択と膿瘍穿刺によるドレナージの2点に尽きる．

US，CTで肝膿瘍を疑った場合は，可及的速やかにUSガイド下ドレナージ術を行う．穿刺排膿した膿汁は，細菌培養を行い薬物感受性試験を行った後，最も抗菌力の強い抗菌薬を選択し，化学療法を開始する．原因菌が不明な場合は，大腸菌，クレブシエラ，シュードモナスなどのGram陰性桿菌をおもな目標として薬物を選択する．したがって第一選択としては，これら細菌に対する感受性と肝組織および胆汁中への移行度の高いセフェム系抗菌薬を使用する．

投与中止時期は，血液検査上の炎症所見が正常化することを目安として決定する．ドレナージチューブの抜去は完全に膿瘍腔が狭小化してからの方が望ましいが巨大な膿瘍の場合などは完全に縮小しないことが多く，炎症所見のおさまった時点で抜去しても再発する心配はまずない．膿瘍腔はその後次第に縮小，器質化していく．

通常の化膿性肝膿瘍は経皮的ドレナージと化学療法のみでコントロール可能である．

(2) アメーバ性肝膿瘍 (amebic liver abscess)

概念

経口的に侵入した赤痢アメーバ（*Entamoeba histolytica*）が大腸より経門脈的に吸収されて肝に到達し膿瘍を形成したものをいう【⇒6-11-2】．

疫学・頻度

「赤痢アメーバ症」全体のなかでアメーバ性肝膿瘍の占める割合は約30～40％である．発症年齢は20歳代と40歳代にピークがあり化膿性のものに比し若年に多い傾向がある．男女比では男が84～92％を占め圧倒的に男性に多い．

病態生理・成因・病理

赤痢アメーバ原虫が経門脈性に吸収され肝臓へと到達し類洞周辺でアメーバ塞栓をつくり，蛋白融解酵素で肝細胞を壊死融解することにより膿瘍が形成される．95％が単発性で膿瘍の局在は右葉に多い（90％）．

臨床症状・経過

発熱（100％），肝腫大（80～90％），右上腹部痛（70～80％）の3主徴を呈する．腸管症状を欠いたまま肝膿瘍を形成することもあり，腸管症状は必ずしも合併するとは限らない．不明熱のみで発症することもある．

検査所見

白血球増加，赤沈亢進，CRP陽性などの急性炎症所見を示す．ALP，γ-GTPの上昇を認めることもあるが特異的でない．USガイド下の穿刺によって得られる膿瘍内膿汁はチョコレートミルクないしはアンチョビソース様で粘稠な赤褐色無臭の液体であるが二次感染を起こすと黄白色膿汁となる．膿汁中のアメーバの検出率は一般的には低く，むしろ膿瘍壁からの検出率が高いことが知られている．免疫血清学的検査には，①ゲル内沈降反応（80～100％），②ラテックス凝集反応（96％），③特異的補体反応（84～100％），④赤

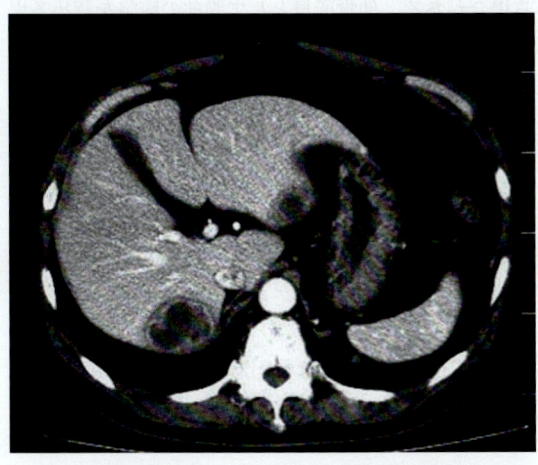

図11-14-2 ダブルレイヤーサインを呈する膿瘍壁

血球凝集反応（88～100％），⑤蛍光抗体法などがある．

アメーバ性肝膿瘍のUS像は細菌性に比較し，壁形成が弱い傾向がある．したがって，US像としては壁エコーは薄いが境界明瞭である，比較的内部エコーが均一で液体が充満している，などが特徴とされるが，発症早期では実質腫瘤様に見えたり高輝度の内容物が描出されることもある．CTではUSと同様，辺縁不整で内部均一な低吸収域として描出される．

診断

赤痢アメーバ性肝膿瘍の確定診断は採取した膿汁あるいは肝膿瘍壁からアメーバを証明するか，血清学的診断によりなされる．

治療

薬物治療の開始が遅れると，いかなる治療も奏効せず予後不良で重篤な合併症をきたすため，確定診断が得られなくとも疑われる症例に対しては診断的治療を兼ねて抗アメーバ薬投与を開始すべきである．

肝膿瘍が疑われれば，まずUSガイド下穿刺およびドレナージを開始する．膿汁の特徴よりアメーバ性が疑われれば直ちにメトロニダゾールの投与を開始し，血清反応も並行して行う．炎症所見，自覚症状などから治療効果をみるが，数日ごとに超音波検査を行いサイズのチェックも行う．炎症所見，自覚症状の消失，膿瘍の消失ないしは縮小をもって治療終了の目安とし，ドレナージチューブを抜去する．治療効果がみられない場合はエメチンやクロロキンの使用も考慮する．汎発性腹膜炎症状を認めれば開腹術の絶対適応であるが，それ以外は外科的ドレナージを考慮すべきでない．

2）肝嚢胞
liver cyst

概念

肝嚢胞は内壁を1層の上皮細胞に覆われ，漿液性の内容液を入れた嚢状病変が肝内にできる先天性の良性疾患である．肝嚢胞は一般に嚢胞性肝疾患（表11-14-1）のなかでも原発性実質性肝嚢胞を指す．単発の場合もあるが，多発性の場合もある．

病理・病態生理

肝嚢胞の原因は不明である．嚢胞内壁は1層の上皮細部に覆われている．内容液の多くは漿液性である．大きさはさまざまで，多発例もしばしば認められる．多発性肝嚢胞（polycystic liver disease：PCLD）は遺伝性疾患であり，肝内胆管の形成異常のために発症すると考えられている．

臨床症状

小さい数cm以下のものはほとんどが無症状で，健

表11-14-1 嚢胞性肝疾患の分類（DeBakeyらによる）

1. 先天性肝嚢胞
   a. 原発性実質性肝嚢胞
      1）孤立性嚢胞
      2）多発性嚢胞
   b. 原発性胆管性肝嚢胞
      1）肝内胆管主枝の限局性拡張
      2）肝内胆管の多発性嚢状拡張（Caroli病）

2. 後天性肝嚢胞
   a. 外傷性肝嚢胞
   b. 炎症性肝嚢胞
      1）胆管の炎症，結石による閉塞に基づく貯留嚢胞
      2）包虫症
   c. 腫瘍性嚢胞
      1）類皮嚢胞
      2）腺腫
      3）悪性腫瘍の変性

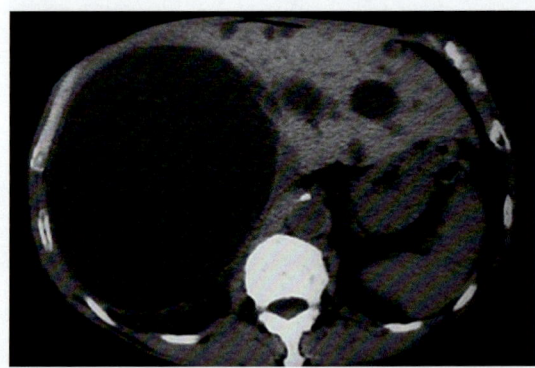

図11-14-3 巨大肝嚢胞のCT像
巨大な肝嚢胞を右葉内に認める．

診で発見される例が増加している．10 cm以上の巨大（図11-14-3）なものや多発性で肝腫大著明なPCLD（図11-14-4）では腹部膨満や右季肋部痛などを訴える場合がある．他覚所見として腹部の膨隆を認める場合がある．

検査所見・画像所見

血液生化学的には異常を示さない．USでは境界明瞭な内部無エコーの像としてみられ，後方エコーの著明な増強を伴う．CTでは円形から楕円形のきわめて強い低吸収域として描出される．MRIではT1強調画像で低信号，T2強調画像ではきわめて強い高信号を呈するため診断は容易である．

診断

腹部USで辺縁平滑な類円形の無エコー領域で後方エコーの著明な増強が認められれば診断は容易である．鑑別診断上，重要となるのが嚢胞性肝腫瘍である．嚢胞性肝腫瘍は比較的まれな疾患であり画像所見

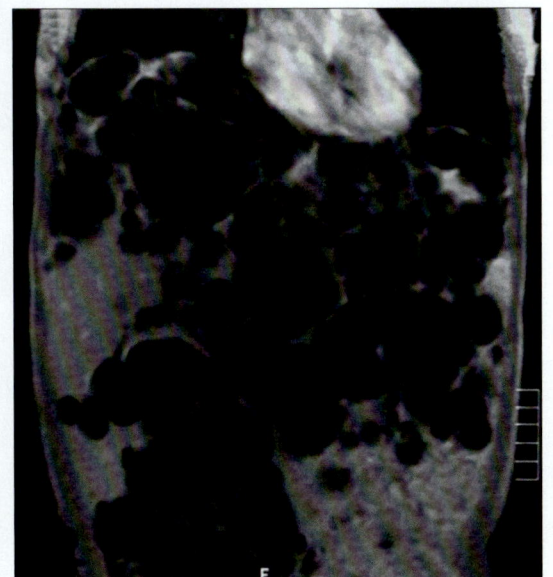

図11-14-4 多発性肝嚢胞にて骨盤腔内まで肝腫大をきたした症例
MRI冠状断にて多発性に肝嚢胞が認められる．

において嚢胞壁の一部に結節状あるいは乳頭状の充実性隆起が認められるが，その診断は困難な場合がある．

経過・予後

予後は良好である．しかしながら徐々に増大する，あるいは症候性肝嚢胞に対しては治療が必要である．PCLDの予後は不良である．

治療

無症状なら治療をせず年に1，2回のUSあるいはCTを勧める．腹部打撲などには注意を促す．腹部の圧迫感などの自覚症状がある場合には治療を行う．治療は，内容液を排除して縮小した嚢胞内をエタノールもしくは塩酸ミノマイシンで洗浄して内皮細胞の分泌能を破壊する方法がある．この方法でも再発を起こす場合がある．最近では硬化剤（オレイン酸エタノールアミン：EO）を使用することにより劇的な効果があることが報告されている（Nakaokaら，2009）．手術はほとんど行わないが，片葉に限局している場合には行う場合もある．PCLDに対しては肝切除，肝移植動脈塞栓療法（TAE），EO注入，肝移植などが奏効する（Ogawaら，2014）． 〔工藤正俊〕

■文献

Nakaoka R, Das K, et al: Percutaneous aspiration and ethanolamine oleate sclerotherapy for sustained resolution of symptomatic polycystic liver disease: an initial experience. *AJR Am J Roentgenol*. 2009; **193**: 1540-5.

Ogawa K, Fukunaga K, et al: Current treatment status of polycystic liver disease in Japan. *Hepatol Res*. 2014; **44**: 1110-8.

11-15 特発性門脈圧亢進症

1）特発性門脈圧亢進症
idiopathic portal hypertension：IPH

定義・概念

厚生労働省門脈血行異常症調査研究班によるガイドラインでは，「特発性門脈圧亢進症とは，肝内末梢門脈枝の閉塞，狭窄により門脈圧亢進症に至る症候群をいう」と定義されている（日本門脈圧亢進症学会，2013）．従来，欧米において non-cirrhotic portal fibrosis や Banti 病などといわれてきた疾患とほぼ同一の病態と考えられる．

原因・病因

従来から，免疫異常，反復する感染症，金属や化学物質への暴露などが考えられてきたが，原因は現在でも明らかでない．最近は，肝内血管の先天異常の可能性も考えられ，さまざまな類縁疾患との異同も考慮されている（近藤，2013）．また，IPHを背景として，限局性結節性過形成（focal nodular hyperplasia：FNH）様病変や，結節性再生性過形成（nodular regenerative hyperplasia：NRH）様病変が存在することもあり（近藤，2013），FNHやNRHとIPHが同様の成因である可能性も検討されている（近藤，1999）（ⓔコラム1）．

疫学

厚生労働省門脈血行異常症調査研究班によるガイドラインによれば，「男女比は約1：2.7と女性に多い．確定診断時の年齢は，40〜50歳代にピークを認め，確定診断時の平均年齢は49歳である（2005年全国疫学調査）．」とされている（日本門脈圧亢進症学会，2013）．

病理

肝内の門脈域（Glisson鞘）にて，門脈の狭小化がみられるのが特徴である．肝硬変と異なり，線維化はみられない．また，門脈域と中心静脈の位置関係の乱れもみられる（図11-15-1A）．

病態生理

肝内の門脈域内の門脈が狭小であるために，類洞前血管抵抗の増大（肝内性前類洞性）の門脈圧亢進症が起こっている【⇨ 11-1-7】．そのため閉塞肝静脈圧は肝硬変と異なり上昇がみられないことが多い．

臨床症状

貧血，脾腫，消化管出血がある．自覚症状に乏しいことも多い．長期に門脈圧亢進症が経過した例では，腹水，肝性脳症，易感染性など肝硬変に類似した症状を示すこともある．

検査所見

1）**血液検査**：血球減少がみられる．肝機能検査値の異常は少ない．

2）**画像検査**：内視鏡検査で，食道・胃静脈瘤を認めることが多い．また，腹部超音波，CTにて脾腫がみられる．また，門脈大循環短絡路の発達も認める．肝外門脈は開存している．腹腔鏡では，肝表面は不規則な波打ち状を呈することが多い（図11-15-1B）．門脈造影では，門脈末梢枝の造影不良（図11-15-1C）や走行異常がある．肝静脈造影では相互吻合やしだれ柳様所見が多くみられる．

診断

問診，身体所見，各種検査所見，病理組織所見を総合して行う．

鑑別診断

門脈圧亢進症を示すすべての疾患．そのうち肝硬変が最も重要である．組織所見や閉塞肝静脈圧などが鑑別に有用である．その他，さまざまな非硬変性門脈圧亢進症がある．先天性肝線維症，肝外門脈閉塞症，Budd-Chiari症候群，結節性再生性過形成などである．これらは，現在個の疾患単位とされている．しかし，肝内血管異常という一連の疾患群という考え方もありうる（eコラム2）．

合併症

長期経過例では，二次的な門脈血栓症を合併し，門脈圧亢進症の増悪をみることがある．肝硬変と異なり肝細胞癌の合併は少ない．

予後

胃・食道静脈瘤の出血を制御できれば，予後はよい．

治療

静脈瘤や脾機能亢進症に対する治療が主となる．静

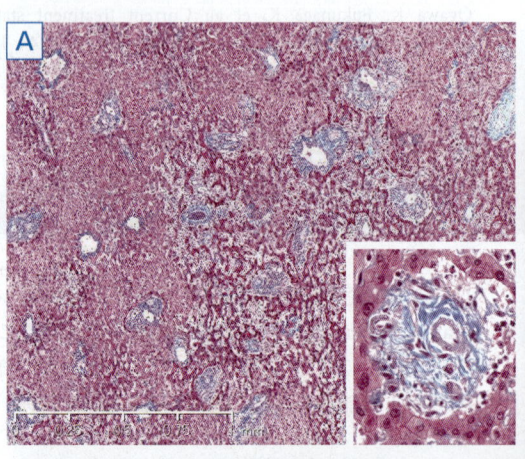
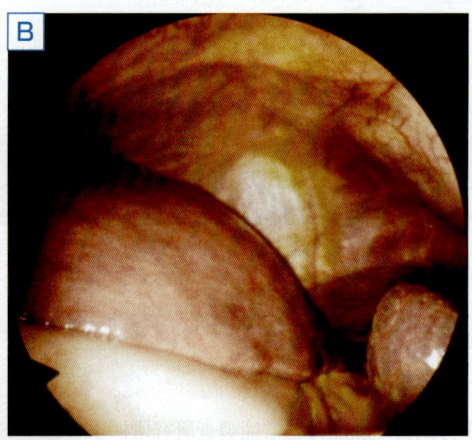
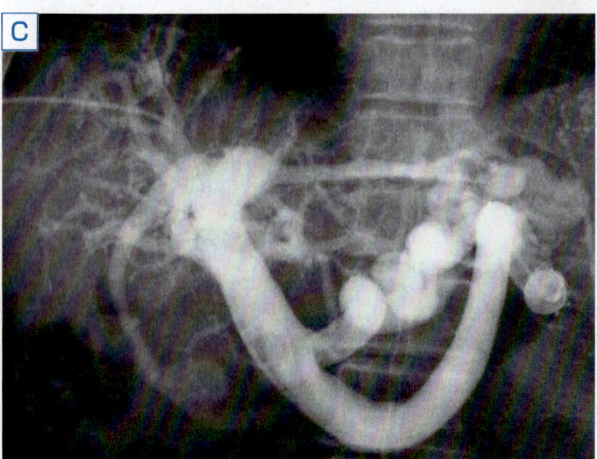

図11-15-1 特発性門脈圧亢進症の肝組織像，腹腔鏡像と門脈造影

A：肝組織 Masson・トリクローム染色．慢性肝炎や肝硬変ほどの線維化はなく，門脈域と中心静脈の位置関係の乱れが明瞭である．挿図は門脈の著明な狭小化と軽度の円形線維化を示す門脈域（Glisson鞘）．

B：腹腔鏡像．肝硬変と異なり肝表面は平滑である．また遠景に腫大した脾臓がみられる．

C：門脈造影．全体的に肝内門脈の造影度や分枝の造影が悪くなっている．

脈瘤出血には内視鏡治療による止血が勧められる．静脈瘤出血予防として，内視鏡治療や IVR 治療（B-RTO など），外科手術などが選択される．高度の血球減少には部分的脾動脈塞栓術や脾摘術を考慮する．

〔近藤福雄・松谷正一〕

■文献

近藤福雄：非硬変性門脈圧亢進症（肝内血行異常）と肝内結節性病変について（第二報）：特に定型例と非定型例の問題解決のために．日本門脈圧亢進症学会雑誌，1999; 5: 247-56.

近藤福雄：代表的な形成異常と肝病変．肝臓を診る医師のための肝臓病理テキスト（中沼安二編），pp165-8, 南江堂, 2013.

日本門脈圧亢進症学会：門脈圧亢進症取扱い規約 第 3 版, 金原出版, 2013.

2）先天性肝線維症
congenital hepatic fibrosis：CHF

定義・概念

先天性遺伝性疾患であり，門脈域の線維化と小葉間胆管の増生・拡張という特徴的組織像を呈する．1966 年 Kerr らが確立した疾患概念である．肝や腎の嚢胞性病変を合併することが多く，また，Caroli 病のように比較的太い肝内胆管の分節性・嚢状の拡張像を合併することもある．

原因

常染色体劣性遺伝の形式をとる先天異常である．しかし，散発例もある．

疫学

きわめてまれで，日本では数十例，外国でも 200 例あまりの報告にとどまる．発症年齢は 20 歳以下である．

病理

門脈域の線維化はあるが，肝硬変には至らない．小葉間胆管の増生・拡張を伴い，門脈は細く，門脈圧亢進症の原因となる．この狭小な門脈枝は線維化による二次的圧迫の可能性もあるが，先天的な低形成の可能性が高い（図 11-15-2A）．

病態生理

狭小な門脈枝のため，門脈圧亢進症を呈する．多発性嚢胞腎合併例では腎障害をきたすことがある．

臨床症状

門脈圧亢進症による症状が基本である．食道，胃静脈瘤，吐・下血，肝脾腫などである．通常，肝機能の低下はないかあっても軽度である．

検査所見

1）**血液検査**：血球減少がみられることがある．肝機能検査値の異常は少ない．

2）**画像検査**：腹部画像（超音波，CT など）にて肝脾腫を認めることがある．腹腔鏡像で肝表面に独特の白色紋理が出ることが多い．門脈造影では，肝内門脈の造影が不良である（図 11-15-2B）．

診断

問診，身体所見，各種検査所見，病理組織所見を総合して行う．

鑑別診断

門脈圧亢進症を示すすべての疾患．肝硬変と特発性門脈圧亢進症が最も重要である．

合併症

肝，腎のさまざまな嚢胞性疾患を合併する．Caroli 病，多発性肝嚢胞，嚢胞性腎疾患などである．

予後

肝硬変へ移行することはなく，肝機能も保たれてい

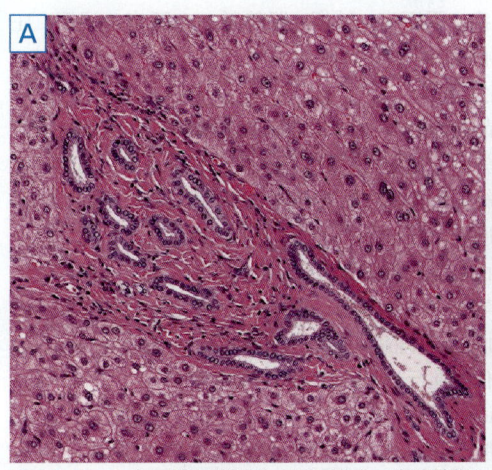
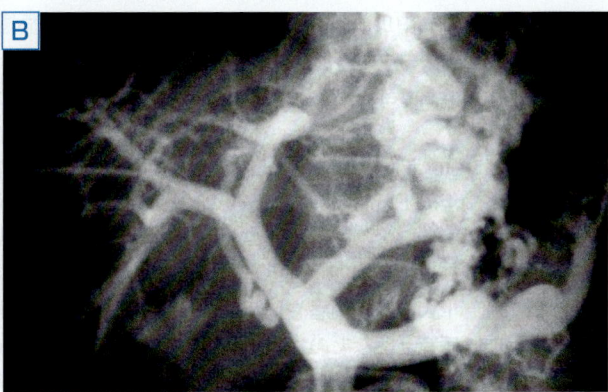

図 11-15-2 先天性肝線維症の肝組織像，腹腔鏡像と門脈造影
A：肝組織 HE 染色．門脈域の線維化と小葉間胆管の増生・拡張がある．門脈はきわめて細い（虎の門病院病理診断科 藤井丈士先生提供症例）．（近藤，2013）
B：門脈造影．肝内門脈の造影度や分枝の造影が悪い．

るため，胃・食道静脈瘤の制御ができていれば予後はよい．

治療
胃・食道静脈瘤の管理が主体である．胆管病変，腎病変合併例では，胆管炎，腎障害に対する治療が必要になることがある．　〔近藤福雄・松谷正一〕

11-16 肝静脈閉塞症・門脈閉塞症

1) 肝静脈閉塞症 hepatic vein occlusion

肝小葉内の小肝静脈〜中心静脈の細い肝静脈が障害される肝静脈閉塞性疾患(VOD)と，肝静脈枝や下大静脈枝などの比較的太い肝静脈が障害されるBudd-Chiari症候群に分類される．

(1) 肝静脈閉塞性疾患（veno-occlusive disease：VOD）

細い肝静脈の閉塞により中心静脈および類洞の狭小化や出血，高度のうっ血などをきたし肝細胞壊死を起こす疾患である．原因として1954年ジャマイカで報告された嗜好品に含まれるセネシオアルカロイドが有名であったが，その後抗癌薬や免疫抑制薬（アザチオプリンなど），ヒ素，抗菌薬などの毒性物質も原因となると推測されている．また肝臓への放射線療法や肝移植，骨髄移植後の移植片対宿主病（graft-versus-host disease：GVHD）の臨床所見として注目されている．静脈閉塞疾患の症状として右上腹部痛，突然の黄疸，腹水，なめらかな肝腫大があり劇症型では予後不良となる．これ以外の症例では経過とともに出現する門脈圧亢進症状が主となり進行例で肝硬変となる．原因疾患がはっきりしていないため腹水が発見動機となることもある．治療法としては原因物質がはっきりしている場合には薬物中止が基本となる．

(2) Budd-Chiari症候群

定義・概念
Budd-Chiari症候群は，1845年にGeorge Budd（イギリス），1899年にHans Chiari（オーストリア）が肝静脈閉塞の剖検例について報告したことが由来とされる（Budd, 1845；Chiari, 1899；鹿毛ら，2005）．
肝静脈，肝部下大静脈の閉塞や狭窄，もしくは両者の併存より門脈圧亢進症などの症状を示す疾患と定義されている[1]．肝内の細い静脈の閉塞であるVODに対し，肝静脈の主幹〜肝部下大静脈枝にかけての比較的太い静脈の閉塞が本疾患とされる．2005年の時点で年間受療患者数の推定は190〜360人であり，男女比は1：0.7でやや男性に多く，確定診断時の平均年齢は約42歳である[1]．原発性Budd-Chiari症候群のほかに肝細胞癌や腎癌などの腫瘍による二次的な肝静脈の閉塞によるものは続発性のBudd-Chiari症候群としている．症状がなく画像診断で偶発的に発見された無症候性のものから門脈圧亢進症を呈し，肝機能障害，食道・胃静脈瘤，異所性静脈瘤，門脈圧亢進症性胃症，腹水，肝性脳症，出血傾向，貧血，脾腫，下腿浮腫，下肢静脈瘤，腹壁の上行性皮下静脈怒張，などの症状を有する症例がある

原因・病因
わが国やアジアでは横隔膜直下の下大静脈の膜様閉鎖が多く，欧米では肝静脈の閉塞例が多い．閉塞の原因はしばしば不明である．アジア型では肝上部での下大静脈の膜様閉塞であり，何らかの原因による血栓の器質化や小児における発達障害などがあげられる．欧米型にみられる原因は，血栓性凝固障害（プロテインCまたはS欠乏，アンチトロンビンⅢ欠乏，妊娠，経口避妊薬の服用），血液疾患（赤血球増加症，発作性夜間血色素尿症，骨髄増殖性腫瘍，白血病），があげられる．
このほか肝疾患（肝膿瘍，腹腔内感染症，血栓性静脈炎），肝囊胞（Caroli病，エキノコックス感染症），肝腫瘍，膠原病，外傷，肝静脈への腫瘍の浸潤，圧迫，心疾患などがある．

病態生理
肝静脈の閉塞により，動脈・門脈の流入血流は流出路を失い肝動脈と比較し圧の低い門脈が流出血管となり，経類洞性の肝動脈門脈短絡が起こる．そして同区域の肝臓は肝動脈のみによって供血されることになり門脈血流を代償するように肝動脈血流が増加する[2]．組織学的には肝実質の変化はうっ血肝に類似する．肝うっ血から肝線維症そして肝硬変へと中心静脈からの線維化が進行し肝硬変症の病態を呈する．
Budd-Chiari症候群では，肝静脈の閉塞により下右肝静脈を介して下大静脈へ流出する場合が多い．

臨床症状
無症候性のものもあるが，症状の進行とともに門脈圧亢進症状を呈するようになる．肝腫大，腹水，黄

症，劇症肝不全や肝硬変に至ることもある．急性閉塞による，右上腹部痛，悪心，嘔吐，圧痛性肝腫大などの症状を有する場合もある．下大静脈の完全閉塞を伴う場合，腹壁および下肢に浮腫をきたし，骨盤から肋骨弓縁にかけて体表に蛇行する腹部静脈がみられる．ほとんどの症状が慢性（6カ月以上）であり非代償性肝硬変とほぼ同様の症状を呈する．

検査所見

臨床検査は診断的ではないが，肝機能の評価に有用である．肝機能検査結果の異常と血栓症の危険因子が同時に認められるときに本症が疑われる．肝機能検査においては異常が軽度にとどまることも多いが，門脈圧亢進症状を有するため進行症例では肝不全徴候を示す．

診断

肝腫大，腹水などの肝硬変の所見としてとらえられることが多いが前述の検査所見とともに画像診断で肝部下大静脈の閉塞や肝静脈の閉塞・狭窄を認めた場合に確定診断となる．直接病変部が描出されない場合でも，下右肝静脈の代償性拡張，肝静脈間の吻合，尾状葉の代償性肥大，奇静脈，半奇静脈などの側副血行路の発達などを認める場合には本疾患を強く疑う．造影CTではうっ血肝を反映し肝腫大とともに斑状の造影効果が特徴的な所見となる（図11-16-1）．MRI検査の冠状断・矢状断により下大静脈の閉塞部位および肝静脈との関係，奇静脈・半奇静脈の発達などの評価が可能である．超音波検査は，臨床症状に乏しい症例の発見動機になることも多い（図11-16-2）．前述した肝静脈の変化をとらえるほか呼吸性の下大静脈の生理的変化の消失なども有用な所見となる．

経過・予後

肝静脈の完全閉塞がみられる患者のほとんどが，肝不全により3年以内に死に至るといわれるが，閉塞が不完全な患者はさまざまな経過をたどる．原因となる肝静脈の閉塞部が手術により治癒した場合には比較的予後は良好であり10年生存率が約79％といわれる[3]．下大静脈の膜様閉塞を呈する症例では肝細胞癌の合併率も高いといわれているが，外科的治療後の予後には関与しないとされている．

治療

手術療法（劇症型または非代償性肝硬変の場合肝移植を含む）が中心となるが，下大静脈閉塞症例に対してはカテーテル用いた血管形成術やステント留置術なども報告されている．また肝静脈閉塞症例では，24〜72時間以内に行う血栓溶解療法も有効とされる．これ以外の症例においては基本的には門脈圧亢進症に対しての合併症（腹水，肝不全，食道・胃静脈瘤など）および減圧に向けた支持療法となる．

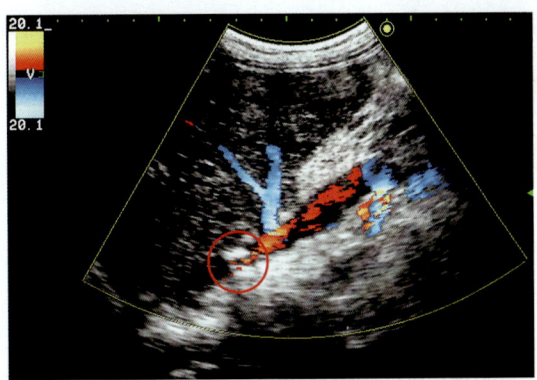

図11-16-2 Budd-Chiari症候群（肝部下大静脈閉塞症例）の超音波画像
正中縦走査（カラードプラ像）．下右肝静脈の発達と肝部下大静脈の石灰化（○）そして下大静脈の逆流と背側の奇静脈へ流出しているのが確認できる．

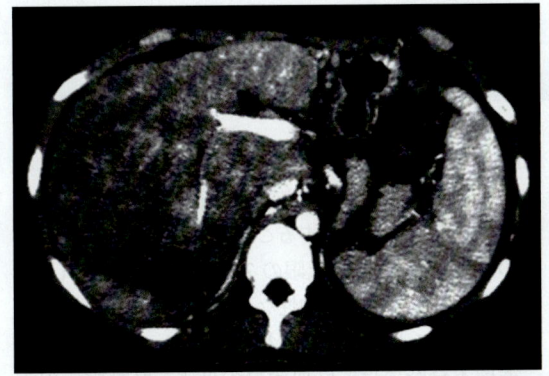

図11-16-1 Budd-Chiari症候群（肝内静脈閉塞症例）の造影CT動脈優位相
肝右葉の著明な腫大とともに斑状の不均一な造影効果を認める．

2）門脈閉塞症
portal vein obstruction

何らかの原因により門脈が閉塞しこれにより門脈圧亢進症に至る症候群[4]．閉塞の部位により肝外門脈閉塞症（EHO）と肝内門脈閉塞症に分けられる．

（1）肝外門脈閉塞症（extrahepatic portal vein obstruction：EHO）

定義・概念

肝外門脈の閉塞により門脈周囲の側副血行路が発達し肉眼的に求肝性の海綿状血管増生（cavernomatous transformation）をきたす疾患である．原発性肝外門脈閉塞症と続発性肝外門脈閉塞症に分類される．

原因・病因

原発性肝外門脈閉塞症の原因としては先天性門脈形成異常，血栓性静脈炎があり，続発性肝外門脈閉塞症の原因としては新生児臍炎，腫瘍，肝硬変や特発性門

脈圧亢進症に伴う肝外門脈血栓，胆嚢胆管炎，膵炎，腹腔内手術などがあげられる．

病態生理

肝外門脈閉塞症の病態の特徴は，著明な求肝性の側副血行路の発達である．門脈本幹閉塞の場合には肝門部に器質化血栓を生じた門脈の血流再開通あるいは近傍の側副血行路として海綿状脈管増生が形成される．組織学的にも多数の薄壁性静脈で構成される海綿状脈管増生が確認される．

臨床症状・検査所見

求肝性の血流が保たれている場合には肝機能もほぼ正常で無症状のものもあり検(健)診などの超音波検査などで偶発的に発見されることも少なくない．基本的に本疾患の特徴的な所見というより門脈圧亢進症状の程度により症状・検査所見が出現する．したがって基本的な臨床症状・検査所見としては門脈圧亢進症と同等である．

診断

肝外門脈閉塞症の診断は，各画像診断で得られた肝外門脈の閉塞の所見とともに肝門部領域の求肝性の海綿状血管増生の所見が確定診断となる（図11-16-3）．

経過・予後

予後は原疾患の予後に左右される．良性疾患が原因の場合には門脈圧亢進症に対する治療効果により予後良好である．

治療

おもに門脈圧亢進症に対する治療となる．門脈圧亢進症に対する内服療法および主たる合併症となる食道・胃静脈瘤，脾機能亢進に対する内視鏡治療，経脈管的治療，手術療法が主となる．

(2)肝内門脈閉塞症

肝内門脈閉塞症の代表疾患として前類洞性の門脈圧

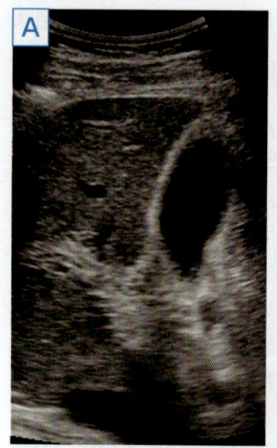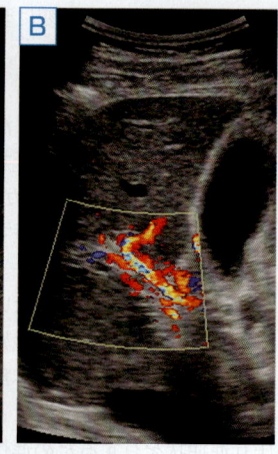

図11-16-3 肝外門脈閉塞症の超音波画像
A：B-mode像，B：カラードプラ併用表示．
門脈本幹は描出されず周囲の海綿状の血管増生が求肝性に流入している病態が把握可能である．

亢進症に分類される特発性門脈圧亢進症があげられる．中年女性に好発し脾腫，門脈圧亢進症を呈し原因となるべき肝硬変症，肝外門脈閉塞症など証明しえない原因不明の疾患とされる．無症状で形態変化がわずかなものもあるが，肝被膜下領域の萎縮，肝内門脈の狭小化が消失およびその周囲の側副血行路の増生が特徴的な所見となる【⇨11-16-1】．　〔小川眞広〕

■文献（ⓔ文献 11-16)

Budd G:Disease of the Liver, 3rd ed, pp136-48, Blanced and Lea, 1845.

Chiari H: Ueber die silbstandinge phlebitis obliterans der hauptstamme der venae hepaticae als todesursache. Beitr Pathol Anat. 1899; 26: 1-18.

鹿毛政義, 谷川健一：Budd-Chiari症候群. 肝胆膵. 2005; 51: 371-8.

11-17 循環不全時の肝障害

肝臓は心拍出量の20～25％(800～1200 mL/分)に及ぶ血液量が流入する人体最大の臓器であり，門脈と肝動脈の二重の血行支配を受けている．肝臓に流入する血液の70～80％は門脈，20～30％は肝動脈を介して供給されているが，酸素供給量としては酸素飽和度の高い肝動脈血流の寄与が大きい．種々の疾患・病態による循環不全時には，虚血性肝炎(ischemic hepatitis)，虚血肝(ischemic liver)，ショック肝(shock liver)などとよばれる低酸素性肝障害(hypoxic liver injury)，低酸素性肝炎(hypoxic hepatitis)が惹起される[1-4]．低酸素性肝障害は，①臨床的に循環不全，心不全，呼吸不全が存在すること，②トランスアミナーゼの急激な上昇(正常上限の20倍以上)がみられること，③ウイルス性や薬物性などのほかの急性肝障害が除外されることから診断される(Henrion, 2012)．

循環不全時には，肝血流量の低下，肝静脈圧の上昇，低酸素状態などにより肝臓への酸素の供給と需要の不均衡が生じることで肝障害が出現するが，この変

化は，肝小葉において血行動態的に下流に位置する中心静脈域（Rappaport の zone 3）の肝細胞に起こりやすい（e図 11-17-A）．これは，上流に位置する門脈域近傍（Rappaport の zone 1）を還流する血液は豊富な酸素を含有しているが，zone 1, zone 2 と通過するにつれ酸素含有量が低下し，その下流の zone 3 では肝内の血流異常による障害を最も受けやすいからである[5]．

循環不全時の肝障害は，急性循環不全に伴う肝障害，うっ血性心不全に伴う肝障害，その他の疾患に分類される．

1) 急性循環不全に伴う肝障害

病因

急性循環不全に伴う肝障害はショック肝（shock liver）とよばれ，ショックによって肝虚血をきたし，zone 3 を中心にうっ血や壊死をきたして発症する虚血性肝障害であり，トランスアミナーゼの急激な上昇を特徴とする．ショック肝は，急性心筋梗塞などによる左心不全，敗血症，エンドトキシン血症，大量出血，外傷，熱傷などのショックを引き起こす種々の疾患が原因となる．肝移植や肝切除術中の一時的な血流遮断などが原因となることもある．また，慢性呼吸不全の急性増悪も低酸素性肝障害の原因となりうる[6]（Henrion, 2012）．頻度としては心不全（39～70％），敗血症性ショック（15～30％），呼吸不全（15％）となっているが，医療機関が対象とする基礎疾患やその重症度によって異なる．

病態生理

急性循環不全とそれに伴う肝動脈血流の減少により，肝組織は低酸素状態となり中心静脈域（zone 3）を中心に肝細胞壊死を生じる．急性心不全における肝細胞壊死の機序としては虚血，うっ血，低酸素があげられる．敗血症性ショックでは細胞での酸素利用が障害されるため低酸素性の肝障害をきたす．また，エンドトキシン血症では，好中球を中心とした白血球や血小板が肝類洞内に集積し，血栓形成などによって肝微小循環が障害されて肝障害をきたす[7]．

病理

ショック後数時間で zone 3 の肝細胞は腫大し，類洞が拡張し，24 時間後には肝細胞の凝固壊死が生じる．zone 3 にはリンパ球などの炎症細胞の軽度の浸潤がみられる．軽度のショック肝ではうっ血を呈するのみであるが，重度のショック肝では広範に壊死が生じることもある．硬変肝では肝小葉構築が改変されているため，zone とは関係なく壊死が広がる[3,4]．通常，1 カ月程度で壊死組織は吸収され，肝細胞が再生して組織が修復される．

臨床症状

基礎疾患による急性循環不全症状が前面に出るため肝障害に伴う症状は乏しく，血圧低下などの循環動態の変化後に実施した血液検査で肝障害が発見されることが多い．低酸素性肝障害の自覚症状としては，呼吸苦，悪心・嘔吐や脱力感，肝うっ血による肝腫大に伴う右上腹部痛などがある．重症疾患の多い集中治療室入室患者の 1％程度で低酸素性肝障害が認められ，特に高齢の心疾患患者に多い[8]．

検査所見

トランスアミナーゼ（AST，ALT），LDH の急激な上昇が特徴的であり，急性循環不全出現後 12 時間から 48 時間でピークとなる．LDH の方がトランスアミナーゼよりも先にピークに達し，循環動態が改善すればトランスアミナーゼ値は 72 時間以内に半減し，7 日前後で前値まで回復する．血清ビリルビン値は T-Bil 5 mg/dL 以下のことが多く，トランスアミナーゼ値の低下後に上昇することが多い．プロトロンビン時間は重症度に応じて延長するが，トランスアミナーゼ値の改善に伴って速やかに改善する（図 11-17-1）[9]（Henrion, 2012）．また，血清クレアチニンの上昇（2～5 mg/dL）がみられることも低酸素性肝障害の特徴である．

診断

急性循環不全時に急激で著しい AST，ALT，LDH の上昇がみられる．ウイルス性や自己免疫性，薬物性

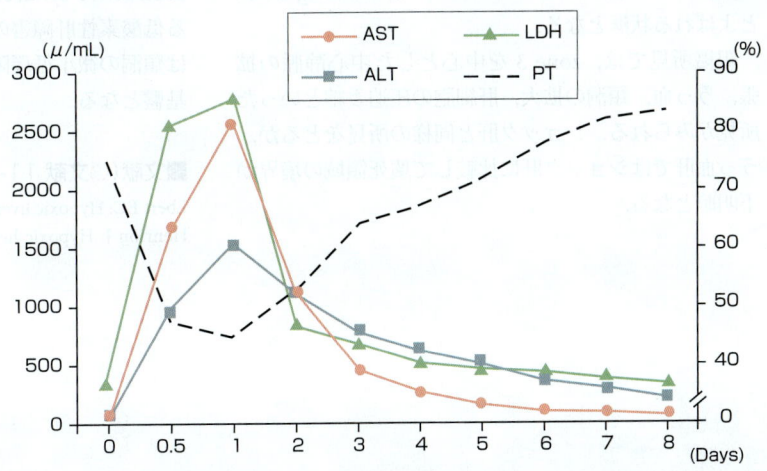

図 11-17-1 低酸素性肝障害時の血液検査値の推移（Henrion, 2012 より一部改変）

肝障害との鑑別が問題となるが，発症早期に急激にLDHが上昇し，LDH値がトランスアミナーゼ値の1.5倍以上となること，高度黄疸例が少ないことなどが低酸素性肝障害の特徴で，循環動態が安定すればトランスアミナーゼ値が速やかに改善する経過からも鑑別が可能である．診断に肝生検を要する症例はまれである．

経過・予後・治療

循環動態の改善に伴い速やかに肝障害の改善がみられることが特徴であり，その治療は原因疾患の治療に準ずる．一般的に低酸素性肝障害を発症する患者では基礎疾患を有する重症例が多く，特に基礎疾患にうっ血性心不全を有する患者では重症化率が高い．予後は不良で，多くは背景疾患による死亡である[10]．

2）うっ血性心不全に伴う肝障害

病因

右心不全による肝静脈圧の上昇に起因するうっ血性肝障害をうっ血肝（congestive liver）とよぶ．肺性心や三尖弁閉鎖不全症による右心不全や，高血圧性心疾患，弁膜症，心筋症などによる左心不全に続発して生じることもある．

病態生理

右心不全によって肝静脈圧および類洞内圧が上昇し，zone 3 を中心とした肝細胞の壊死や類洞周囲の浮腫が生じる．また，うっ血した腸管から門脈系にエンドトキシンが流入し肝細胞障害を助長する（Ebert, 2006）．

病理

肉眼所見では，肝の著明な腫大や辺縁鈍化がみられるが，表面は平滑である．肝の割面は，中心静脈域がうっ血や出血による暗赤色調と門脈域は脂肪化によって黄色調が斑紋状となったニクズク肝（nutmeg liver）とよばれる状態となる．

組織所見では，zone 3 を中心とした中心静脈の拡張，うっ血，類洞の拡大，肝細胞の圧迫委縮といった所見がみられる．ショック肝と同様の所見をとるが，うっ血肝ではショック肝に比較して壊死領域の境界が不明瞭となる．

臨床症状

動悸，息切れといった自覚症状や，頸静脈怒張や肝腫大，下腿浮腫や胸水・腹水の貯留など，うっ血性心不全の症状が主体となるが，肝腫大に伴う右季肋部痛を伴うことがある．顕性黄疸を呈することは少ない．また，肝臓を圧迫するとうっ滞した静脈血が頸部へ逆流し，頸静脈の怒張が著明となる肝頸静脈逆流（hepatojugular reflux）を認める．

検査所見

トランスアミナーゼの上昇がみられるが，通常は100 IU/L 程度の軽度の上昇にとどまり，AST 優位の上昇である．血清ビリルビンの上昇も軽度で 2〜3 mg/dL 以下のことが多い．LDH はトランスアミナーゼの上昇に比して異常高値を示す．うっ血性心不全に伴う，腸管からの蛋白漏出や低栄養などの影響で血清アルブミンは低値となる傾向がある．

診断

右心不全によるうっ血症状を伴い，肝腫大や AST 優位のトランスアミナーゼ上昇，LDH 上昇などを認めた場合に疑う．腹部超音波検査は診断に有用で，肝静脈や下大静脈の拡張や肝腫大を認めた場合にはうっ血性心不全に伴う肝障害と診断される（e図 11-17-B）．

経過・予後・治療

原因となっているうっ血性心不全の治療を実施する．心不全の改善に伴い肝障害は速やかに改善するが，長期間持続，反復するうっ血性心不全（収縮性心膜炎，リウマチ性心疾患，肺性心など）ではうっ血性肝硬変（心臓性肝硬変；cardiac cirrhosis）に進行することがある．

3）Budd-Chiari 症候群や類洞閉塞性症候群

Budd-Chiari 症候群や類洞閉塞性症候群（sinosoidal obstructive syndrome：SOS）なども zone 3 を障害する低酸素性肝障害の原因疾患となる．これらの疾患では類洞の微小循環障害による低酸素状態がその病態の基盤となる．

〔井戸章雄〕

■文献（e文献 11-17）
Ebert EC: Hypoxic liver injury. *Mayo Clin Proc*. 2006; **81**: 1232-6.
Henrion J: Hypoxic hepatitis. *Liver Int*. 2012; **32**: 1039-52.

11-18 ほかの疾患に伴う肝障害

(1) 感染症

　肝炎ウイルス以外に，種々の感染症の全身症候の一部として肝障害を生じうるが，大部分は軽症かつ一過性の経過をとる．Epstein-Barr ウイルス（Epstein-Barr virus：EBV）によって発症する伝染性単核球症（infectious mononucleosis）では約80%の症例で肝障害を認めるが，トランスアミナーゼが著明に上昇することは少なく，黄疸の出現もまれである．サイトメガロウイルス（cytomegalovirus：CMV）感染症は不顕性が多いが，ときに伝染性単核球症の症状を生じる．さらに肝障害を伴う特殊な感染症としては，ほかのヘルペス属ウイルスやアデノウイルスの感染，黄疸出血性レプトスピラ症（Weil病），真菌感染症，マラリア，カラアザール（内臓型リーシュマニア症），結核，梅毒などがあげられる．

a. 後天性免疫不全症候群（acquired immunodeficiency syndrome：AIDS）

　AIDS 症例では低栄養による脂肪肝，あるいは日和見感染症や腫瘍の肝転移などで肝障害を合併する．日和見感染は CMV と非結核性抗酸菌によるものが多い．また日和見腫瘍の肝への浸潤は悪性リンパ腫が最も多く，欧米に多い Kaposi 肉腫はわが国では少ない．ヒト免疫不全ウイルス（human immunodeficiency virus：HIV）と C 型肝炎ウイルス（HCV）は血液を介して感染するため，重複感染の比率が高い，重複感染例では HCV 量が多く肝病変の進行が速い．

b. 敗血症

　敗血症では，しばしば高度の黄疸を伴う肝不全を合併する．原因として，循環障害やショック，DIC，薬物性肝障害などによる肝障害が考えられる．さらにエンドトキシンは胆汁うっ滞をきたすことが明らかにされており，機序として細菌の菌体成分による黄疸が想定されている．

(2) 膠原病

　膠原病に伴う肝障害は膠原病自体による障害，ステロイドによる脂肪肝，免疫抑制薬や抗炎症薬による薬物性肝障害，膠原病類似疾患の合併による障害，アミロイドーシスのような膠原病に続発した病態による障害などがある．

a. 全身性エリテマトーデス（systemic lupus erythematosus：SLE）

　SLE では 30～60% の症例に肝・胆道系酵素の上昇がみられる．肝障害の原因は SLE 自体によるものとステロイドなどの治療薬によるものが多い．肝障害を伴う SLE は，自己免疫性肝炎（autoimmune hepatitis：AIH）との鑑別が問題となる．SLE の肝障害例は中枢神経ループスと関連のある抗リボソーマル P 抗体が高頻度で陽性となり，組織では脂肪肝と門脈域に非特異的なリンパ球浸潤を伴う反応性肝炎が中心で活動性肝炎や肝硬変の所見は少ない．

b. 関節リウマチ（rheumatoid arthritis：RA）

　RA の 20～50% に肝障害を認める．組織では非特異的反応性肝炎を 40% に，脂肪肝を 20% に認め，肝アミロイドーシスを認めることもある．RA に AIH や原発性胆汁性肝硬変（primary biliary cirrhosis：PBC）を合併することは少ないが，AIH と PBC における RA の合併はそれぞれ 10% と 5% 程度とされている．近年生物学的製剤が RA の標準治療に位置づけられているが，その使用に際しては，日本肝臓学会のB 型肝炎再活性化対策ガイドラインに基づく対応が必須である．

c. 成人 Still 病（adult onset Still diseace：AOSD）

　発熱，皮疹，関節痛を 3 主徴とするが，肝機能異常を 85% に認め，診断基準の項目にも含まれている．通常肝障害は軽度で組織学的変化も乏しいが，重症化例では非特異的な肝炎像を生じる．肝障害は薬剤やウイルス感染でも生じうるが，原疾患に起因する場合には病勢を反映する．なおステロイド減量の際に病勢が再燃すると，初発時より重篤な肝障害を生じやすく，劇症化例もあるため注意が必要である．

d. Sjögren 症候群（SjS）

　Sjögren 症候群の 10～30% に肝障害がみられ，約 1/4 の症例に脾腫大を伴う．Sjögren 症候群からみれば PBC や AIH の合併は低率であるが，PBC と AIH における Sjögren 症候群の合併は比較的高く，それぞれ 20% と 10% 程度と報告されている．

e. 全身性強皮症（systemic scleroderma）

　全身性硬化症（systemic sclerosis）は皮膚硬化が全身に及ぶ広汎性と，顔面や手指に限局する限局性に分類される．消化管病変を高率に認めるが，肝障害の頻度は低い．限局型の CREST 症候群では PBC の重複が注目されており，重複例では抗セントロメア抗体の陽性率が 90% 以上ときわめて高い．

f. 血管炎症候群

　血管炎症候群の約 50% に肝障害が認められ，γ-GTP や ALP などの胆道系優位の肝障害のパターンを呈する．肝組織でも血管炎所見が高率に証明され，肝障害の原因の大部分が原病に伴うものであり，その程度は血管炎の活動性を反映する．

(3)内分泌疾患

臨床的に肝障害の頻度が高いのは甲状腺機能亢進症であり，AST，ALT値の上昇を1/3に，ALP値の上昇を2/3に認め，ビリルビンの上昇も5%程度に認められる．また抗甲状腺薬による肝障害もしばしば認められる．一方，甲状腺機能低下症でも軽度の肝腫大と肝障害を認めることがある．粘液水腫でうっ血性心不全や肝腫大を呈するとAST，ALT値も高値を示し，黄疸の出現や肝予備能の低下をきたすことがある．

(4)消化器疾患

a. 炎症性腸疾患（inflammatory bowel disease：IBD）

炎症性腸疾患の肝障害には，低栄養や栄養療法による代謝性，あるいはステロイドなどの治療薬に由来するものが多い．通常は一過性で重篤化することは少ない．IBDにおける肝胆膵疾患の合併として，脂肪肝，胆石，胆管周囲炎，原発性硬化性胆管炎（primary sclerosing cholangitis：PSC）が代表的である．なおPSCは潰瘍性大腸炎での合併率が高く，特に欧米では5～10%の頻度である．

b. 膵頭十二指腸切除後

膵頭十二指腸切除後，1～3カ月の早期から約30%の症例で脂肪肝に伴う肝障害を生じる．原因として膵切除（膵内外分泌機能低下）と再建術に伴う消化吸収障害や腸内細菌叢の変化などが考えられている．

(5)血液疾患

血液疾患における肝障害の原因には，造血器腫瘍の浸潤，骨髄移植，輸血による肝炎ウイルスの感染やヘモジデローシス，化学療法などの治療薬による薬物性肝障害やHBVの再活性化などがある．

a. 悪性リンパ腫（malignant lymphoma）

肝原発のリンパ腫は節外性リンパ腫の0.4%とまれであるが，悪性リンパ腫は高頻度に血行性に肝へ浸潤し，進行例の半数以上に肝病変を有する．AST，ALT値の上昇に比し，LDHとALP値の上昇が著明であるが，アイソザイムではLDH2，LDH3が上昇し肝由来のLDH5の上昇は軽度である．

b. 多発性骨髄腫（multiple myeloma）

肝への浸潤はまれであるが，アミロイドの沈着が数%の症例に認められる．

c. 白血病（leukemia）

白血病では肝腫大をきたすことが多いが，肝機能障害は一般に軽微である．頻回輸血によるヘモジデローシス，白血病治療薬や抗菌薬による薬物性肝障害，輸血によるウイルス性肝炎の発症，免疫低下によるHBVの再活性化などを疑うべきである．

d. 移植片対宿主病（graft-versus-host disease：GVHD）

GVHDは骨髄移植や輸血後に発症する．肝は急性GVHDの主要標的臓器の1つであるが，AST，ALT値の上昇は軽度で，直接型ビリルビンの上昇を主体とする黄疸を生じる．また慢性GVHDでは種々の臓器が標的となる．限局型の症状はかゆみを伴う扁平苔癬様皮疹と肝障害が主である．全身型では皮膚障害と肝障害に加え，Sjögren症候群類似の外分泌腺障害状を呈する．輸血後GVHDは輸血後1～2週間で発症し死亡率が高い．

(6)糖尿病

糖尿病では脂肪肝を伴うことが多く，非アルコール性脂肪性肝炎を発症する危険因子の1つである．一方で，肝疾患患者における糖尿病合併は肝疾患の進展や肝癌のリスク因子として重要視されている．

(7)サルコイドーシス（sarcoidosis）

サルコイドーシスは，原因不明の多臓器を侵す非乾酪性の肉芽腫性疾患である．臨床的に肝障害が問題になることは少ないが，肝にも高頻度に肉芽腫を形成するため結核との鑑別が問題となる．

(8)IgG4関連疾患【⇨ 12-20】

IgG4関連疾患では胆管病変の合併に伴う閉塞性黄疸によって全身倦怠感，瘙痒感，上腹部痛などを呈することがあり，PSCや胆管癌との鑑別が問題となる．

(9)血球貪食症候群【⇨ 16-10-18】

血球貪食症候群では汎血球減少や高LDH血症，高フェリチン血症，高トリグリセリド血症などともに肝機能障害を認める．肝生検での診断率は90%で，骨髄検査で確定診断がつかない場合に有用である．

〔榎本平之・西口修平〕

11-19 寄生虫による肝疾患

わが国でも以前は寄生虫による肝疾患が多く存在していたが，近年衛生状態の改善により激減した．しかしいまだ増えつづけている疾患が存在することも事実である．（胆道寄生虫症については【⇨ 11-23-3】も参照）

1）肝吸虫症
clonorchiasis

【⇨ 6-13-3】

概念・疫学・病因
肝吸虫は哺乳類を終宿主とし肝内胆管に寄生し胆汁うっ滞と慢性胆管炎を引き起こす．ヒトではまれに胆管癌を発症する．岡山県南部，琵琶湖沿岸，八郎潟，利根川流域，吉野川流域などが高浸淫地域であった[1]．現在では第1宿主のマメタニシが激減し患者の発生はほとんどみられない．メタセルカリアが寄生したコイ科を中心とした淡水魚（第2中間宿主）の生食で感染が成立する[2]．

臨床症状・診断・検査所見
無症状の症例が多いが，全身倦怠感，下痢，腹部膨満，黄疸，貧血を呈する場合もある[3]．診断には逆行性膵胆管造影（ERCP），CT，MRCP，腹部超音波検査と虫卵の確認に糞便検査や十二指腸ゾンデ検査が行われる．ELISA 法による免疫学的検査も有効である[4]．

治療
プラジカンテル 40 mg/kg，分 2，2 日間内服が有効．

2）肝蛭症
fascioliasis

【⇨ 6-13-3】

概念・疫学・病因
肝蛭はヒメモノアラガイを中間宿主としウシ，ヒツジ，ヒトの胆管に小腸，腹壁，肝被膜を経て移行する大型の吸虫である[5]．メタセルカリアが付着した水生植物や稲わらからの経口感染と感染牛の肝の生食での感染がある．わが国では約 50 例の報告があるが，近年中国地方や九州中南部での感染が増加している．

臨床症状・診断・検査所見
感染初期には発熱，右上腹部痛，肝腫大，好酸球増加，慢性期には不規則な発熱，好酸球増加，腹痛，黄疸，体重減少がみられる．診断には CT 検査や腹部超音波検査による肝の低密度病変の検出[6]，疾患の初期には抗体検査が有効である．虫卵の検出は産卵数が少ないため有効ではない．

治療
ビチオノール 30～50 mg/kg 内服，1 日おき，10～15 回が有効．

3）日本住血吸虫症
schistosomiasis japonica

【⇨ 6-13-1】

概念・疫学・病因
福岡県筑後川流域，広島県片山地方，山梨県甲府地方，静岡県沼津地方，利根川流域などに高浸淫地域が存在したが，中間宿主であるミヤイリガイの駆除により絶滅した[7]．しかし，慢性期の患者は依然として旧高浸淫地域を中心に残っている．ヒトへの感染はセルカリアが水中で皮膚から侵入することにより起こり，その後肝内の門脈域へ到達する．急性期には門脈炎，門脈周囲炎を起こす．慢性期には門脈域を中心に線維化を引き起こすが，明らかな再生結節の形成は乏しく病理学的には肝線維症の状態である．以前は日本住血吸虫症に高率に肝硬変や肝癌が合併するとされていたが，ほとんどが B 型肝炎ウイルスや C 型肝炎ウイルスの感染を伴っていたことが明らかになった（Uchimura ら，1997）．

臨床症状・診断・検査所見
慢性期には肝脾腫がおもな症状であることが多いが，門脈圧亢進症状を呈する症例もある．慢性期での診断は，腹部超音波検査での高エコー線状陰影による亀の甲様や網の目状パターンといった特徴的な所見によることが多い（図 11-19-1A）[8,9]．CT 検査では肝被膜下に石灰化した虫卵の所見を認める．確定診断は肝生検による門脈域での虫卵の証明だが（図 11-19-1B），低侵襲な内視鏡的直腸生検での石灰化した虫卵の検出でも可能である．血清抗体反応（ELISA）も診断に有用である．日本住血吸虫症で重要なことは，治療に用いられたスチブナール®の静脈注射により高率に感染した C 型肝炎ウイルスによる慢性肝疾患や肝細胞癌の有無を精査することである．

日本住血吸虫症などによる肝硬変については【⇨ 11-6-2-3】．

治療
プラジカンテル 60 mg/kg を 1 日 3 回，2 日間投与が有効である．肝炎ウイルス合併例に対しては抗ウイルス療法，肝硬変例には症状に応じた治療が必要となる．

4）肝包虫症
hepatic echinococcosis

【⇨ 6-14】

概念・疫学・病因
わが国では北海道全域で多包条虫症がよく観察される．単包条虫症は西日本で散発的な報告はあるが一般的に輸入感染症としてとらえられている．多包条虫は成虫に感染したキツネ，イヌなどの糞便や井戸水，河川の水に存在する虫卵の経口摂取で感染する．その後，腸管内で幼虫になり門脈血やリンパ流にのって肝に到達する．本疾患は感染症法四類感染症指定で届け出が義務づけられている．近年でも年間約20例の感染が報告されている．

臨床症状・診断・検査所見
多包条虫症例の98％で肝に囊胞性病変を形成する．初期は無症状だが，数十年を経て囊胞が増大し肝腫大とともに肝内の血管や胆管が障害を受けると右上腹部痛，黄疸，肝機能異常，腹水・浮腫などが出現する．末期には肝不全となり，囊胞が破裂すると腹腔内への播種や他臓器への転移が起こる．また，囊胞内容液の漏出によりアナフィラキシーショックをきたす．診断には流行地域での在住歴や旅行歴の聴取に加え，腹部超音波検査（e図11-19-AのA），CT（e図11-19-AのB），MRI検査（e図11-19-AのC）での壁に石灰化を伴う多房性囊胞性病変の検出，血清抗体反応（ELISA）やウエスタンブロット法によるエキノコックス抗体の検出が用いられる．

治療
外科的切除が唯一の根治術である（水戸ら，1985）．切除不能例にはアルベンダゾール10～15 mg/kg，分3の長期投与が行われるが効果は一定でなく予後不良である．

5）幼虫移行症による肝好酸球性肉芽腫症
eosinophilic granuloma with larva migration in the liver

【⇨ 6-12-8】

概念・疫学・病因
内臓幼虫移行症（visceral larva migrants）はヒトの体内を幼虫が移動し深部臓器に到達することで起こる（吉村，1983）．このうち，肝に好酸球性肉芽腫を形成するのはイヌ・ネコ回虫，ブタ回虫が多い．これらの幼虫は肝以外にも肺，心臓，脳，筋肉，眼球へ移行する．感染は動物の糞便中の虫卵の経口摂取，および幼虫に感染したニワトリやウシの肉や肝の生食で起こる．感染した幼虫は腸管から門脈を経て肝へ移行し幼虫の周囲に好酸球性肉芽腫が形成される．

臨床症状・診断・検査所見
症状は乏しいが，発熱，肝機能異常，好酸球増加を呈し，腹部超音波検査で肝に多発する径10 mm程度の低エコー結節を認める．この結節内部にビーズサインとよばれる2本の線状陰影を認める（図11-19-2A）[10]．これは，肉芽腫内の門脈が描出されたものといわれている．CT検査では，低吸収の結節として認められる．病理学的には壊死組織に好酸球の浸潤を認めCharcot-Leyden結晶[11]の存在が特徴的である（図11-19-2B,C）．幼虫による好酸球性肉芽腫症を疑った場合，ブタ，イヌ，ネコ回虫の血清抗体検査による確定診断が必要である．

治療
アルベンダゾール10～15 mg/kg，分3，14～28日投与を行うが，自然治癒も多い．　〔鳥村拓司〕

■文献（e文献11-19）

水戸廸郎，草野満夫，他：肝エキノコックス．外科治療．1985; **27**: 74-81.

Uchimura Y, Sata M, et al: High prevalence of hepatitis C virus infection in schistosomiasis japonica patients associated with hepatocellular carcinoma. Int J Oncol. 1997; **11**: 1103-7.

吉村裕之：幼虫移行症．病理と臨床．1983; **10**: 1389-1406.

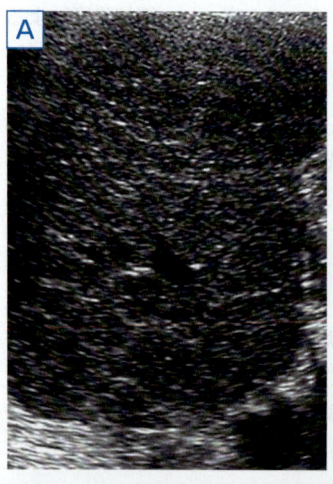 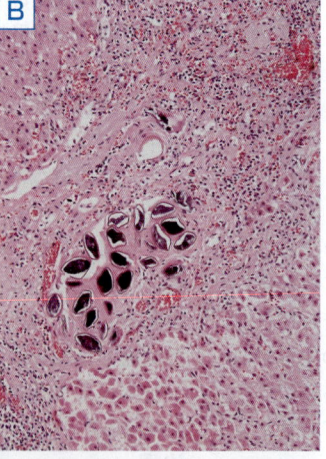

図11-19-1　日本住血吸虫症の超音波像（久留米大学医学部内科学講座消化器内科部門黒松亮子先生提供）と切除病理組織（久留米大学医学部病理学講座秋葉純先生提供）
A：超音波検査．慢性期の超音波検査では，虫卵の石灰化と炎症に伴う線維化で高エコー線状陰影による亀の甲様や網の目状など特徴的な所見を呈する．
B：病理組織．肝の門脈域に石灰化した虫卵の集簇と線維化を認める．

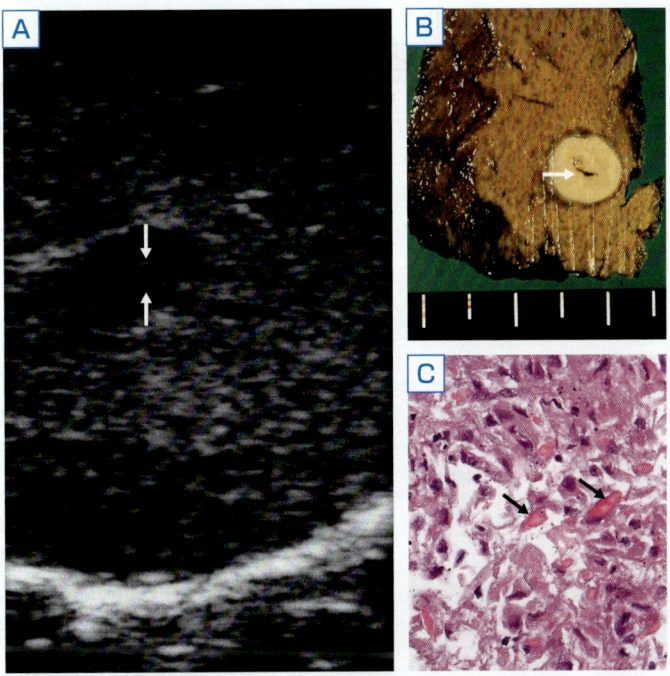

図11-19-2 幼虫移行症による肝好酸球性肉芽腫の超音波像と切除病理組織（神戸朝日病院金 守良先生，久留米大学医学部臨床病理学中島収先生提供）
超音波検査（A）で肝に内部に2本の線状エコーを含有する（矢印）低エコーの結節性陰影を認める．病理組織（B）では内部に線状の囊胞を有する結節を認め（矢印），HE染色にてCharcot-Leyden結晶を認める（矢印）．

11-20 妊娠と肝障害

1）妊娠中の生理学的変化と血液・生化学検査所見

（1）生理学的変化

全妊娠期間中，血圧低下，末梢血管抵抗の減少とともに，心拍数，心拍出量の増加をもたらす．血液量は約50％増加するが，肝血流量は変化しない．高エストロゲン状態を反映して毛細血管拡張，手掌紅斑やくも状血管腫が通常にみられる．また胆囊の収縮能の低下から胆石が生じやすい．

（2）血液・生化学検査（表11-20-1）

正常妊娠では血清アルブミンは20％低下，ALPの上昇（胎盤型，骨型アイソザイム上昇）がみられるがAST，ALT，γ-GTP，T-Bilは変化しない．凝固亢進状態となりフィブリノゲンは約50％増加する．白血球数は増加するが赤血球，ヘモグロビンは妊娠中期から低下する．AFPは妊娠13週から増加し33週で約300 ng/mLまで上昇し，以後減少する（Joshiら，2010）．

2）妊娠中の肝障害

妊娠時の肝障害の分類は表11-20-2に示すように（Joshiら，2010），①妊娠自体と関連する肝障害，②妊娠中に偶発する肝障害，③慢性肝疾患を合併した妊娠，の3つに分類される．妊娠時は胎児および母体の生命予後と密接に関連するので迅速に診断し対処することが大切である．

（1）妊娠自体と関連する肝障害

a. 妊娠悪阻（hyperemesis gravidarum）

妊娠初期によくみられる悪心，嘔吐で，同時にAST, ALTの上昇を伴うが黄疸の出現はまれである．腎機能障害や電解質異常を伴うこともある．妊娠4

表 11-20-1 正常妊娠における肝機能検査値の変化

	変化	変化のピーク
AST	不変	—
ALT	不変	—
ALP	著明上昇	後期
γ-GTP	不変	—
総ビリルビン	不変	—
総蛋白	減少(20%)	中期
アルブミン	減少(20%)	中期
胆汁酸	軽度上昇	中期
コレステロール	著明上昇	中期以降
白血球	増加	後期
ヘモグロビン	低下	中期以降
血小板	不変	—
プロトロンビン時間	不変	—
フィブリノゲン	著明上昇(1.5倍)	中期
AFP	著明上昇	後期

週からみられ 18 週までには改善する．脱水の補正，栄養状態の改善，嘔吐を抑制することで肝障害は改善する．

b. 妊娠性肝内胆汁うっ滞（intrahepatic cholestasis of pregnancy）

妊娠後半にみられる肝内胆汁うっ滞症で瘙痒感と黄疸で発症し，妊娠終了後は速やかに改善する予後良好な疾患である．ヨーロッパ（妊娠の 0.1〜1.5%）に比べ，日本ではまれである．妊娠によって繰り返すことがしばしばである．

病因

毛細胆管膜の胆汁酸輸送障害が関連しており，その原因として遺伝的素因，女性ホルモンがあげられる．約 15% で multidrug resistance protein 3（MDR3）の遺伝子変異が認められる（Joshi ら，2010）．

臨床症状

妊娠後半，特に 25 週頃から強い瘙痒感で発症し，2〜4 週間後に黄疸が出現する．瘙痒感は特に手掌や足底に強い．一般的な全身症状は良好である．

検査所見

胆汁酸の上昇が特徴であり，10 μm/L 以上を示す．ビリルビンは 5 mg/dL 程度にとどまる．ALP は上昇するが γ-GTP は正常値が多い．肝組織では胆汁うっ滞所見を認めるが，炎症所見は認めない．

鑑別疾患

初回妊娠では閉塞性黄疸を，また胆石，胆管炎，急性ウイルス肝炎，胆汁うっ滞型薬物性肝障害を鑑別する．

治療

瘙痒感，黄疸は分娩時まで継続するが出産後 1〜2 週間で消失する．瘙痒感に対してウルソデオキシコール酸（10〜15 mg/kg 体重）が推奨され胎児への影響もない．コレスチラミンはあまり有効ではない．下痢，脂肪便があれば脂溶性ビタミンを補充する．妊娠 33〜34 週以前の妊婦では未熟児出産のリスクが高まり適切な管理が必要である．

c. 妊娠高血圧症候群（PIH）関連疾患

妊娠高血圧症候群（PIH）とは，妊娠 20 週以降，分娩後 12 週まで高血圧がみられる場合，または高血圧に蛋白尿がみられる場合で，妊娠高血圧腎症（preeclampsia），妊娠高血圧（gestational hypertension），加重型妊娠高血圧腎症（superimposed preeclampsia），痙攣発作を起こす子癇（eclampsia）の 4 つに分類される（日本妊娠高血圧学会，2009）．病態の主因は血管攣縮であり，腎血流低下で妊娠高血圧腎症が，脳血管攣縮で子癇が起こる．肝障害を起こす病態として以下が知られている．

i) 妊娠高血圧腎症および子癇

妊娠高血圧腎症，子癇を発症する患者に肝障害がみられる．病態として肝血管床の攣縮が原因とされる．妊娠高血圧腎症の 20〜30% に，右上腹部痛，頭痛，悪心，嘔吐，肝機能障害がみられる．AST，ALT は正常の 10 倍程度の上昇で，ビリルビンは正常内である．肝組織像は類洞のフィブリン沈着，門脈域周囲の出血性壊死，門脈内血栓が認められる．厳重な血圧管理が必要であり，腎障害や肝破裂や肝梗塞，痙攣に注意を要する．通常出産後 2 週間で肝機能は正常化する．

表 11-20-2 妊娠中における肝障害の分類

妊娠と関連する肝障害	妊娠中に偶発する肝障害	妊娠前からの肝障害
妊娠悪阻	急性ウイルス肝炎	B 型，C 型慢性肝炎
妊娠性肝内胆汁うっ滞	胆石，胆管炎	自己免疫性肝炎
妊娠高血圧症候群関連肝疾患	薬物性肝障害	Wilson 病
①妊娠高血圧症候群肝障害	Budd-Chiari 症候群	肝硬変
② HELLP 症候群		アルコール性肝障害
③妊娠性急性脂肪肝		非アルコール性脂肪性肝疾患

ii) HELLP症候群（hemolysis, elevated liver enzyme and low platelet syndrome）

概念
妊娠高血圧腎症や子癇に関連して溶血，肝酵素上昇，血小板減少を呈する予後不良な疾患である．妊娠後期（27〜37週に多い），産褥期（大半は分娩直後で48時間以内）にみられる．発症頻度は全妊娠の0.2〜0.6％，PIHの4〜12％を占める．重症高血圧腎症や子癇で多いが，これらの症状がなくても発症する．妊娠での反復率は約20％である．

診断
蛋白尿，高血圧があり，突然の上腹部痛や心窩部痛，疲労感，倦怠感，悪心，嘔吐，食欲不振がみられる．溶血（破砕赤血球，間接ビリルビン上昇，ハプトグロビン低値（25 mg/dL以下），血小板減少（10万/μL以下），肝障害 AST>70 IU/L，LDH>600 IU/L，T-Bil>1.2 mg/dLで診断する．

合併症
重篤な合併症として，母体死亡率は1％，DIC 20％，胎盤早期剥離16％，腎不全7％，肺水腫6％など，そのほか肝内血腫，肝破裂など伴う．

治療
妊娠34週以降で，胎児機能不全（nonreassuaring fetal status：NRFS），胎児肺が成熟していれば分娩とする．34週以前で母体検査で多臓器障害，肝梗塞，肝出血，常位胎盤早期剥離，NRFSを認めず，胎児肺成熟がなければステロイド投与のうえ48時間以降の分娩を考慮する．しかし48時間を大幅にこえることは推奨されない．34週以前であってもDIC徴候や多臓器不全，肝梗塞，肝出血，常位胎盤早期剥離，NRFSを認める場合は迅速な帝王切開を行う（日本妊娠高血圧学会，2009）．

鑑別
合併症のないAST，ALTの著明な上昇はHELLP症候群以外を鑑別する．

1）肝梗塞： ASTの著明な上昇（2000〜4000 IU/L以上），発熱，肩や頸部の痛みを伴う右上腹部痛で発症する．抗リン脂質抗体症候群のような潜在的易血液凝固状態を有していることが多い．

2）肝血腫（特に肝被膜下血腫）： HELLP症候群ではGlisson鞘の下に血腫が進行し肝破裂に至ることがある．多くは高度の血小板低下症を示す．腹痛，肩の痛み，悪心，発熱がみられる．腹膜内血腫に伴い腹部膨隆，ショック状態となる．ASTの著明な上昇，貧血がみられ画像検査で診断する．

iii) 妊娠性急性脂肪肝（acute fatty liver of pregnancy）

概念
妊娠後期に発症し母体に肝不全，脳症を併発し診断が遅れると母児の死亡に至る予後不良の疾患である．HELLP症候群と臨床所見が共通であるため鑑別が必要である．頻度はきわめて低く7000〜1万3000分娩に1例の発症といわれている．多くは妊娠30〜38週で発症する．初産婦に多く，また多胎妊娠に多い．周産期死亡率9〜23％，妊産婦死亡率7〜18％とされる（日本妊娠高血圧学会，2009）．

臨床症状
初発症状は頭痛，悪心，嘔吐，右季肋部痛がみられる．初期には凝固異常に伴う消化管出血，急性腎不全，膵炎，低血糖，乳酸アシドーシスが合併する．後期には肝性脳症を発症する．多くは分娩後1〜4週で病態の改善がみられる．

病因
不明であるが，胎児のミトコンドリアの脂肪酸β酸化にかかわる LCHAD（long-chain 3-hydroxyacyl-CoA dehydrogenase）の酵素欠損との関連が示唆されている．本症はLCHAD欠損児を出産した妊婦で再発が報告されている．

検査所見
白血球増加（2万/μL以上），AST，ALT（300〜500 IU/L）上昇，ビリルビン上昇，BUN，クレアチニン，尿酸値も上昇する．PT，APTTの延長もみられDICを合併すると血小板数，フィブリノゲンも低下する．肝組織像では小葉構造は保たれており，小葉中心性に微小な脂肪滴を肝細胞内に認め，肝細胞は膨化する．オイルレッドO染色で微細な脂肪滴が観察される．確定診断には肝組織診断が必要であるが，臨床診断のみでも可能であり，検査自体が母体リスクを増加させるためあまり実施されない．

鑑別診断
ウイルス肝炎による劇症肝炎は鑑別が困難である．また重症HELLP症候群も鑑別すべき疾患であるが，低血糖，PT延長，血清クレアチニンが上昇しやすいことが鑑別する手段となる．

治療
本疾患診断後，速やかに帝王切開あるいは妊娠中絶により妊娠を終了させる．母体に劇症肝炎に準じた集中治療管理を行う．出産後に胆汁うっ滞を起こすことがある．

（2）妊娠中に偶発する肝疾患
妊娠中にみられる黄疸の原因として，急性ウイルス肝炎が最も多い．特に妊婦はE型肝炎に罹患すると重症化しやすい．アジアに多いgenotype Ⅰ，Ⅱ型で特に重症化しやすいが，日本でみられるgenotype Ⅲでは重症化は少ない．また，妊娠中期，後期ではコレステロール産生が亢進するため，胆石の頻度が高い．妊婦の10％で胆石もしくは胆泥を生じる．

(3) 妊娠前からの既存肝疾患

肝硬変患者の妊娠はまれである．しかし妊娠した場合は流産や低体重児出生率が増加する．また非代償性肝硬変となるリスクも増加する．循環血液量増加に伴い門脈圧亢進症は増悪し，食道静脈瘤を有する患者の25％は妊娠中に出血が起こる．特に妊娠中期に起こりやすい．

B型肝炎の活動性が高く高ウイルス量の妊婦患者には核酸アナログ薬投与を行うが，テノホビルがFDAでカテゴリーBに認定されている（van der Woudeら，2014）．母児感染を予防するためHBeAgの有無に応じて出生直後からのHBIG，HBワクチン投与を行う．

C型肝炎患者の児への感染率は高くない．リバビリンは催奇形性があり妊娠中は禁忌である（van der Woudeら，2014）．

自己免疫性肝炎は妊娠中も免疫抑制薬が必要であるが，アザチオプリンは動物では催奇形性が報告されている．肝炎増悪の場合はステロイド薬の投与，増量をまず勧める．

Wilson病患者では，D-ペニシラミンは催奇形性が動物で報告されている（van der Woudeら，2014）．亜鉛製剤は妊娠中も胎児に悪影響を及ぼさず安全に使用できる．

〔髙原照美〕

■文献

Joshi D, James A, et al: Liver disease in pregnancy. *Lancet*. 2010; 375: 594-605.

日本妊娠高血圧学会編：妊娠高血圧症候群（PIH）管理ガイドライン2009，メジカルビュー社，2009．

van der Woude CJ, Metselaar HJ, et al: Management of gastrointestinal and liver diseases during pregnancy. *Gut*. 2014; 63: 1014-23.

11-21 新生児黄疸・新生児肝炎

1）新生児黄疸 neonatal jaundice

概念

新生児期のビリルビンの上昇は生理的にも病的にもみられる．新生児期のビリルビン代謝を理解するためには胎児から新生児へのダイナミックな移行過程を知る必要がある．すなわち胎児赤血球の寿命は比較的短く，ヘモグロビンからビリルビン生成の亢進がみられる．さらに肝細胞内ではビリルビン抱合，さらに毛細胆管への排泄などが未発達である．したがって，大部分の新生児においては，生後3～7日頃にかけて軽度の高間接ビリルビン血症を呈し，遷延しても生後2週以内に自然に消失する生理的黄疸が認められる．一方，このビリルビン代謝系には先天性，遺伝性の疾患（状態）が存在し，また低出生体重，低栄養など，多くの要素が加わることにより，黄疸は増強される．新生児期には上記黄疸のほかに，母乳栄養，あるいは病的なものとして溶血機転，感染症，先天性代謝異常などの黄疸を伴う疾患がみられる．黄疸が発現するおもなメカニズムを図11-21-1に示した．

このように新生児黄疸は，複合要因を総称する症候名であり各疾患の鑑別診断のポイントを押さえることがきわめて重要である．

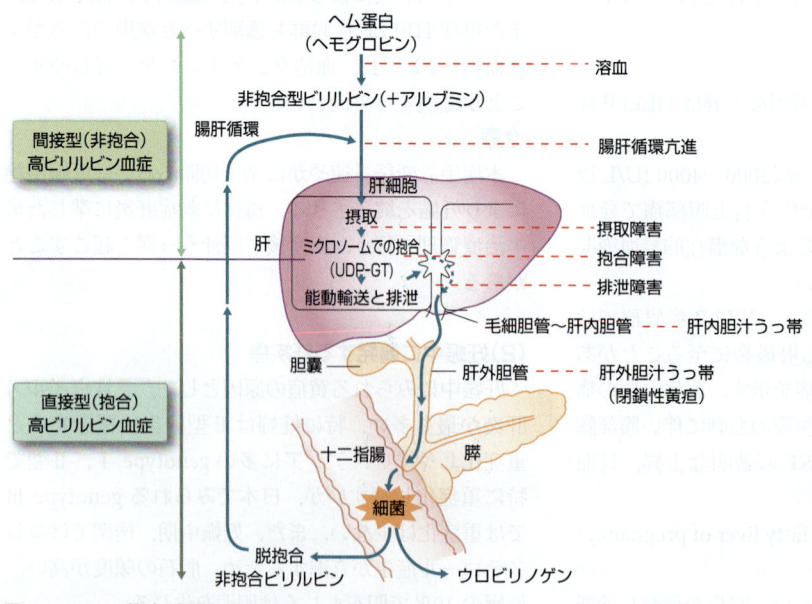

図11-21-1 黄疸が発現するメカニズム
UDP-GT：ビリルビンUDP-グルクロン酸転移酵素．

表11-21-1 新生児病的黄疸を疑う所見

- 生後24時間以内に可視黄疸がみられる（早発黄疸）．
- 血清総ビリルビン値の上昇速度が5 mg/dL/24時間をこえる．
- 生後72時間以降の血清総ビリルビン値が正期産児で17 mg/dL，低体重児で15 mg/dLをこえる．
- 生後2週以降も可視黄疸が残る（遷延性黄疸）．
- 直接ビリルビン値が1.5 mg/dLをこえる．

病因

まず，新生児黄疸が病的か否か，考えることから始める．そのためには病的黄疸を疑う所見を見逃さないことが大切である（表11-21-1）．

1）ビリルビン生成の亢進： 新生児期は，赤血球の寿命が70〜90日と短く，多血である．さらに腸内細菌叢の未発達により，ビリルビンの腸・肝臓循環が亢進し，ビリルビン生成が増加している．これらは生理的新生児黄疸の一因であり，また溶血性貧血や感染症などで黄疸が増強される．

2）ビリルビン・アルブミン結合能の低下： 病的新生児にみられる低アルブミン血症，アシドーシス，低血糖，飢餓，低体温などによる遊離脂肪酸や，薬物などはビリルビン・アルブミン結合を阻害し，遊離ビリルビンを産生する．これは血液-脳関門の未熟な生後1週未満の新生児においてビリルビン脳症（核黄疸）の発症要因となる．

3）ビリルビンの肝細胞への取り込みの低下： Gilbert症候群などで取り込みが低下する．

4）グルクロン酸転移酵素活性の低下： 生理的新生児黄疸，先天性グルクロン酸転換酵素欠損のCrigler-Majjar症候群（Ⅰ,Ⅱ型），低酸素血症，感染症，薬剤などでこの酵素活性が低下し，抱合が阻害される．

5）胆管系におけるビリルビン排泄能の低下： 新生児では毛細胆管の排泄能の未熟性により，血液の間接型ビリルビンが大量に増加した疾患において軽度の直接ビリルビンの上昇を認めることがある．

臨床症状

すべての黄疸は眼球結膜（強膜）から出現し，ついで全身に広がる．間接型高ビリルビン血症では淡黄色〜黄橙色，直接型では暗褐色調を呈するとされるが，微妙な色の変化で重症度を決めるには相当な熟練が必要である．血液検査をしてビリルビン値とその分画を知ることが重要である．間接型高ビリルビン血症は，軽症であれば黄疸以外の症状はみられない．しかし溶血，特に血液型Rh不適合による重症例では，胎児心不全を生ずることがある．また生後1週以内の重症例では核黄疸（脳神経核にビリルビンが沈着する）の危険性があり，嗜眠，易刺激性，痙攣などの神経症状を呈し，脳性麻痺を残し，予後不良のことが多い．高直接型ビリルビン血症の原因は後述する．

鑑別診断

黄疸発症の時期，持続期間，便の色，血清直接型ビリルビンの上昇の有無，全身症状，随伴症状などが鑑別診断を考えるうえで重要である．

1）生後24時間以内の早期黄疸： すべて異常であり，何らかの溶血の存在を示唆する．母児間血液型不適合が最も多い．RhではRhDが主体であるが，C,Eのこともある．ABO不適合はO型の母親とA型またはB型の児の場合で，Rh不適合よりもはるか軽症である．このほか，閉鎖性出血（頭血腫など），胎内および周生期感染がある．ウイルスとしてはサイトメガロウイルス（CMV），風疹ウイルス，エンテロウイルスなど，細菌では大腸菌による髄膜炎，敗血症など，このほかトキソプラズマ感染症がある．

2）生後1週以内の黄疸： ほとんどが間接型ビリルビンの生理的新生児黄疸である．直接ビリルビンがわずかでも（1.5 mg/dLあるいは15%以上）増加していれば明らかに異常であり，胆道閉鎖症，全身感染症，NICCD（neonatal intrahepatic cholestasis caused by citrin deficiency）などを疑う．

3）生後1，2週以後の黄疸： 間接型ビリルビンの場合はほとんどが母乳性黄疸であるが，Gilbert症候群，溶血性疾患，甲状腺機能低下症などがある．

予後・治療方針

病的黄疸であれば，原疾患に対する治療が必須である．生後1週間以内で間接型高ビリルビン血症が著明なときは，核黄疸を防ぐため，高ビリルビン血症に対して，光線療法，交換輸血などの治療を行う．前者は波長420〜470 nmの青色光，または緑色光を皮膚に照射し，光エネルギーによって脂溶性非抱合型ビリルビンを水溶性に変換することにより，胆汁への排泄が促進され，血清ビリルビン値は低下する．直接ビリルビンが増加している場合は，光線療法はブロンズ色に皮膚色が変わるので注意する．

生後2週以降であれば，母乳性黄疸などで血清ビリルビン値がたとえ20 mg/dLをこすようなことがあっても，核黄疸の危険はほとんどないので，高ビリルビン血症自体に対する治療は通常必要でない．しかし，母乳性黄疸の原因もさまざまであり，特にCrigler-Najjar typeⅡでは核黄疸が生じる可能性があるので緊急的に鑑別を要する．生後3，4週以降になると，直接型高ビリルビン血症がよくみられる．この際には先天性胆道閉鎖症をできるかぎり早く診断するため，たとえ黄疸がさほど著明でなく，全身状態がきわめて良好であっても，緊急な検査が必要である．

〔藤澤知雄〕

2）特発性新生児肝炎
neonatal hepatitis

概念
新生児肝炎とは，生後1カ月以内に徐々に始まる肝内胆汁うっ滞(cholestasis)を主徴とする肝炎で，病理組織学的には巨細胞性肝炎の像(giant cell hepatitis)を特徴とする病因不明の疾患と定義されている(田澤，2007)．本症は最初にCraigらにより先天性胆道閉鎖症ときわめて類似した臨床症状を呈しながら，肝外胆道の閉鎖がない疾患として報告されたものであり(Craigら，1952)，必ずしも単一の病因によるものではない可能性が高い．かつて本症とされていたもののなかから，NICCD，肝細胞内トランスポーターの異常，Alagille症候群，先天性胆汁酸代謝異常症などが新生児肝炎とは独立した(表11-21-2)．

表11-21-2 新生児・乳児期における胆汁うっ滞の原因別分類

A. 胆道閉鎖症(biliary atresia)
perinatal type(80〜90%), embryonic type(10〜20%), PSC with neonatal onset

B. 肝細胞内輸送と毛細胆管分泌異常
1. 毛細胆管への分泌異常
   a. 胆汁酸分泌異常 BSEP欠乏(PFIC type 2, BRIC type 2)
   b. リン脂質分泌異常 MDR3欠損症(PFIC type 3)
   c. イオン細胞内輸送異常 cystic fibrosis (CFTR)
2. 多臓器にわたる異常
   a. PFIC1欠乏(PFIC type 1, BRIC type 1)
   b. 新生児硬化性胆管炎
   c. シトリン欠損による新生児肝内胆汁うっ滞(NICCD)
   d. ミトコンドリア肝炎(hepatic mitochondrial DNA depletion syndrome)

C. 胆汁酸代謝異常
1. 3-oxo-4-steroid 5β- reductase deficiency
2. 3β-hydroxy-Δ5-c27-steroid dehydrogenaze/isomerase deficiency
3. oxysterol 7 α-hydroxylase deficiency

D. 胎児期の発生異常
1. Alagille症候群(Jagged 1遺伝子異常)
2. 非症候性肝内胆管低形成症
3. ductal plate malformation(ARPKD, ADPKD, Caroli病)

E. 環境要因
1. TORCHES
2. 新生児ヘモクロマトーシス
3. 非経口栄養による胆汁うっ滞(TPN関連肝障害)

F. 分類不能(特発性新生児肝炎症候群)

PFIC: progressive familial intrahepatic cholestasis, BRIC: benign recurrent intrahepatic cholestasis, ARPKD: autosomal recessive polycystic kidney disease, ADPKD: autosomal dominant polycustic kidney disease.

病因
表11-21-2のように現在，A〜Eにあてはまらない分類不能な乳児期の胆汁うっ滞症候群を特発性新生児肝炎症候群とよんでいる(田澤，2007)．かつては胆道閉鎖症と同様に出生1万人に約1人の割合で存在したが，現在ではほとんどみられなくなった．それでもA〜Eの診断ができない例は残っており，その原因としてウイルス感染が疑われているが，既知の肝炎ウイルスの関与は否定され，トキソプラズマ，サイトメガロウイルス，ヘルペスウイルス，風疹ウイルスなどの全身感染を伴う肝炎は含まれない．欧米では本症の一部がα_1-アンチトリプシン欠乏症によると考えられるが，わが国では本症はきわめてまれで，新生児肝炎の原因とはみなされない．

疫学
低出生体重児で，男児のことが多い．大部分は散発例である．かつては先天性胆道閉鎖症とほぼ同じ出生約1万人に1人の発生があったが，近年では，典型例は明らかに減少している．

病理
約1/3の症例で肝細胞の一部ないし大部分が多核巨細胞化(図11-21-2)し，正常肝細胞の数十倍の膨化，数個(5個以上)〜数十個の核を含む．細胞質は明るく，胆汁色素顆粒の沈着を認める．肝細胞壊死はほとんどみられない．拡張した毛細胆管内に胆汁栓を認め，肝内胆汁うっ滞の像を呈する．類洞内にしばしば髄外造血巣をみる．Kupffer細胞の腫大，動員がみられる．門脈域は主としてリンパ球浸潤によって拡大するが，線維化はまったくないかわずかである．細胆管増生もほとんどみられない．肝外胆汁うっ滞による所見は認められず，肝外胆管も正常である．

臨床症状・検査所見
黄疸，灰白色便〜淡黄色便，濃黄色尿がおもな症状であり，食欲，全身状態などは変わらない．生後1

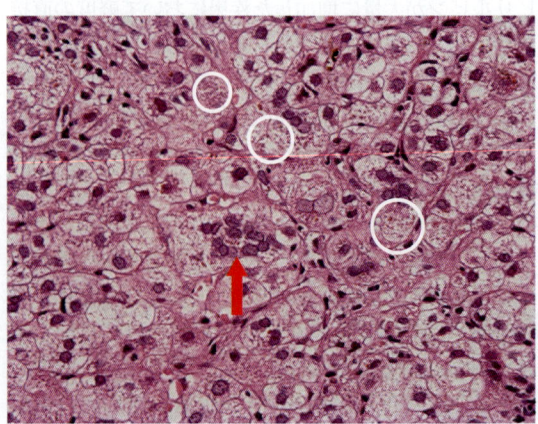

図11-21-2 特発性新生児肝炎症候群(HE染色，強拡大)
巨細胞性変化(↑)がみられる．○は胆汁色素顆粒．

カ月前後から軽度の黄疸に気づかれ，同時に便の色が淡くなる．比較的早期から脂溶性ビタミンK，Dの欠乏が起こり，ときにビタミンK欠乏性出血症による頭蓋内出血で発症することもある．臨床的には黄疸，灰白色便，濃黄色尿，その他には体重増加不良，肝腫大，脾腫がみられる．検査所見では，高直接ビリルビン血症，血中総胆汁酸高値，トランスアミナーゼ上昇，γ-GTP高値，十二指腸液検査（胆道閉鎖ではきわめて薄い十二指腸液が採取されることがあり誤診の原因になる．胆汁酸とアミラーゼを同時に測定するとよい）（田澤，2007）．腹部超音波検査では胆道閉鎖症とは異なり，胆嚢や肝外胆管が観察されるが，胆汁うっ滞の場合は観察されないこともある．

合併症

合併症には先の頭蓋内出血，脂肪便，脂溶性ビタミン欠乏症（くる病，出血傾向），低血糖がある．まれではあるが，肝硬変，肝癌の合併も知られている（田澤，2007）．

経過

多くは生後3〜6カ月以内に黄疸は消失し，1歳前後に肝機能の正常化がみられる．しかし，前述したように壊死による肝硬変，さらに肝癌の発症例も知られている（田澤，2007）．

治療

特異的な治療法はない．表11-21-2のA〜Eを除外し，原因診断に対する治療をすることを最優先する．対症療法には利胆をはかるが，フェノバルビタールは推奨されない（田澤，2007）．ウルソデオキシコール酸（10 mg/kg/日）の投与が行われる．脂溶性ビタミン（A, D, E, K），特にビタミンK欠乏症には注意する．体重増加不良，高アミノ酸血症（チロシン，メチオニン），高ガラクトース血症があれば特殊ミルク（中鎖脂肪酸含有ミルク，乳糖除去ミルク，蛋白質・アミノ酸代謝異常ミルクなど）を選択する．まれであるが慢性肝不全例には肝移植が行われる．

〔藤澤知雄〕

■文献

Craig JM, Landing BH: Form of hepatitis in neonatal period simulating biliary atresia. Am J Clin Pathol. 1952; 54: 321-33.
田澤雄作：新生児胆汁うっ滞．日本小児科学会雑誌．2007; 111: 1493-514.

11-22 胆道・膵疾患総論

1）胆道・膵疾患患者のみかた

(1) 血液生化学検査

a. 胆道疾患

胆道と膵臓は，下部胆管が膵頭部内を走行し，胆汁と膵液がともにVater乳頭から十二指腸に流出するという解剖学的に密接な位置関係にある．そのため，胆・膵疾患では血中の肝胆道系酵素，膵酵素値に異常がみられることが多い．

i) 胆汁うっ滞を反映する検査所見

肝内肝外胆管から十二指腸乳頭部までのいずれかの部位で胆道系の狭窄や閉塞が起こると胆汁がうっ滞する．原因として総胆管結石，良性胆道狭窄，胆道癌，膵頭部癌，胆道の吻合部狭窄などがあげられる．胆管内圧が上昇すると胆道系逸脱酵素であるアルカリホスファターゼ（ALP），ロイシンアミノペプチダーゼ（LAP），γ-グルタミルトランスペプチダーゼ（γ-GTP）が上昇する．それに伴い肝細胞障害を示す逸脱酵素AST，ALTも上昇することがあるが，AST, ALPに比べてALP, LAP, γ-GTPの上昇が優位である．閉塞性黄疸では総ビリルビン，直接ビリルビン，ALP, LAP, γ-GTPが上昇し，胆道ドレナージによって胆管内圧上昇が解除されると速やかに低下する．

ii) 胆管炎の検査所見

胆汁は通常無菌であるが，肝外胆汁うっ滞の状態は細菌感染を伴いやすく急性胆管炎を容易に発症する．発熱，右季肋部または上腹部痛，黄疸の臨床徴候に加えて血液生化学検査で胆道系酵素上昇，WBC数上昇，CRPの上昇を伴う場合には急性胆管炎を強く疑い，腹部超音波検査，CT，MRIなどの画像検査を施行する．循環障害，意識障害，呼吸不全，腎不全，肝不全，血液凝固障害を呈するものは重症と判定され，発熱，WBC数，高齢のほかに高度な黄疸，低アルブミン血症は急性胆管炎の予後不良因子である（急性胆管炎・胆嚢炎診療ガイドライン作成出版委員会，2013）．

b. 膵疾患

膵の消化酵素は膵腺房細胞で産生され，導管から主膵管を通って十二指腸乳頭から十二指腸に流出し，食物の消化吸収を担う．血液中に逸脱した膵酵素には生理学的作用はない．急性膵炎，慢性膵炎急性増悪期，膵管狭窄に伴う閉塞性膵炎など，膵実質細胞傷害や膵

管内圧上昇をきたす疾患によって膵腺房細胞から膵酵素が過剰に逸脱すると血清中の膵酵素値が上昇する．一方，慢性膵炎非代償期や膵切除術後のような膵腺房細胞数が著明に減少する病態ではむしろ低下する．

i) 血中膵酵素（表11-22-1）（急性膵炎診療ガイドライン2010改訂出版委員会，2009）

血清中のアミラーゼ，リパーゼは酵素法で活性を測定し，エラスターゼ1，トリプシン，膵ホスホリパーゼA_2（PLA_2）は免疫学的方法で酵素の抗原量を測定する．前者は迅速性があるが，後者は結果を得るまで数日を要する．

血清アミラーゼ活性には膵型（P型）と唾液腺型（S型）があり，正常血清では膵型が約40%，唾液腺型が約60%である．アミラーゼ測定は迅速性にすぐれているが特異性が低いため，高アミラーゼ血症の場合は膵型アミラーゼあるいはリパーゼを測定する．腹痛などの腹部症状があり，膵型アミラーゼやリパーゼが高値であれば急性膵炎を示唆する所見である．高アミラーゼ血症を呈する疾患と鑑別を図11-22-1に示す

（比良ら，2011）．アミラーゼは尿中から排泄されるため腎不全やアミラーゼにグロブリンが結合したマクロアミラーゼ血症（eコラム1）では高アミラーゼ血症を呈する．アミラーゼクリアランスをクレアチニンクリアランスで補正したアミラーゼクレアチニンクリアランス比（amylase creatinine clearance ratio：ACCR）は腎不全とマクロアミラーゼ血症で低値となる．

リパーゼ活性はアミラーゼに比べ感度・特異度とも高く[1]，膵炎の診断に有用である．また簡便で迅速に測定できることから，アミラーゼについで測定される．

膵エラスターゼ1もアミラーゼに比べて膵特異性が高い．血中半減期が長く[2]，急性膵炎の経過観察や，膵癌の腫瘍マーカーとして用いられる．

トリプシンは急性膵炎診断の感度，特異度とも高い[3]．トリプシンの前駆物質トリプシノーゲン2は急性膵炎の発症早期から尿中に排泄され簡便な検査法として期待される[4]．PLA_2はリン脂質を分解する消化酵素で，膵特異性が高く，重症急性膵炎では高値を示すため重症度の参考となるが迅速性に欠ける[5]．

ii) 急性膵炎の診断と原因

1) 診断と重症度判定：
腹部症状があり，血清アミラーゼ（膵型アミラーゼ），リパーゼなどの血中膵酵素が高値であれば急性膵炎と診断できる[6]．アミラーゼ，リパーゼは急性膵炎の診断には有用であるが，重症度を反映しない．進行した慢性膵炎では膵実質細胞が脱落してい

表11-22-1 血清膵酵素測定の急性膵炎における診断能（急性膵炎診療ガイドライン2010改訂出版委員会，2009）

	測定法	迅速性	感度	特異度
アミラーゼ	酵素法	あり	95～100%	71～97%
P型アミラーゼ	酵素法	あり	84～100%	40～97%
リパーゼ	酵素法	あり	90～100%	82～100%
エラスターゼ1	免疫学的方法	なし	97～100%	79～96%
トリプシン	免疫学的方法	なし	89～100%	79～83%

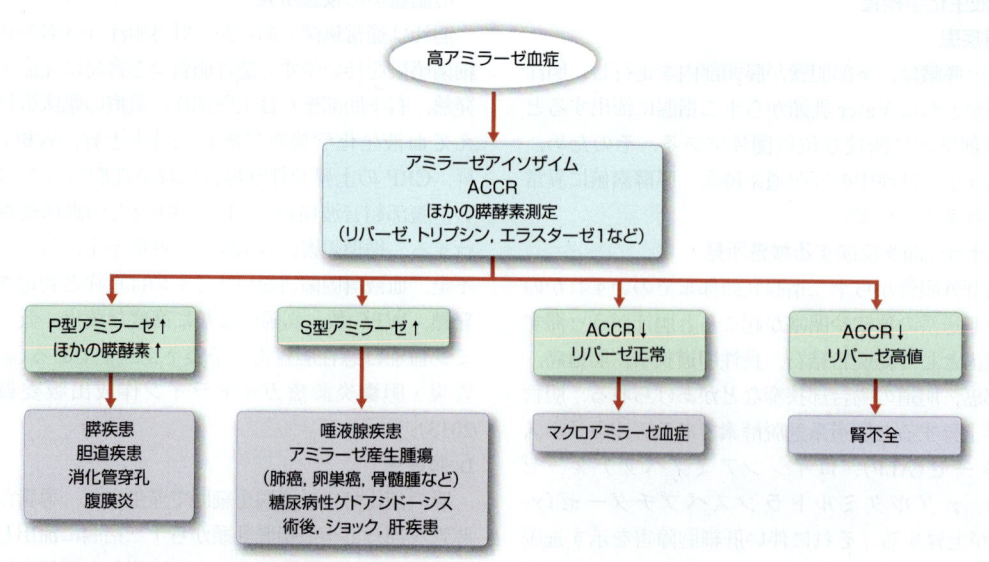

図11-22-1 高アミラーゼ血症の鑑別診断（比良ら，2011より改変）

$$ACCR(\%) = \frac{尿中アミラーゼ \times 血中クレアチニン}{血中アミラーゼ \times 尿中クレアチニン} \times 100$$

表11-22-2 膵胆道癌の腫瘍マーカー（比良ら，2011；胆道癌診療ガイドライン作成出版委員会，2007）

	基準値	膵癌陽性率	胆道癌陽性率	陽性を示す悪性腫瘍	偽陽性を示す疾患
CEA	5.0 ng/mL以下	40～80%	40～70%	消化器癌，肺癌，膀胱癌，卵巣癌，子宮頸癌，乳癌	肺炎，肝炎，膵炎，糖尿病，腎不全，喫煙，加齢など
CA19-9	37 U/mL以下	80～90%	50～79%	膵癌，胆道癌，肺癌，乳癌，卵巣癌	急性膵炎，慢性膵炎，慢性肝炎，肝硬変，胆道閉塞
Span-1	30 U/mL以下	80%		消化器癌，肺癌，乳癌，悪性リンパ腫	慢性肝炎，肝硬変，膵炎
DUPAN-2	150 U/mL以下	60～70%		膵癌，胆道癌，肝癌	急性肝炎，慢性肝炎，肝硬変，腎不全

るため[7]，急性増悪時であっても上昇しにくい．また，アミラーゼ値がピークを過ぎて低下した時期の急性膵炎では，高アミラーゼ血症を示さないこともある．

急性膵炎の重症度の判定には，循環障害，呼吸不全，腎不全，播種性血管内凝固症候群，高度な炎症反応のほか，細胞障害を示すLDH，膵リパーゼ放出による遊離脂肪酸の過剰産生を反映する血清カルシウム濃度，Langerhans島の障害とカテコールアミン過剰分泌を反映する血糖値が用いられる（急性膵炎診療ガイドライン2010改訂出版委員会，2009）．

2）**急性膵炎の原因**：急性膵炎の原因のおもなものとしてアルコール性，胆石性が最も多く，その他に脂質異常症，高カルシウム血症などがあげられる．アルコール性膵炎ではAST，ALT，γ-GTPや高中性脂肪血症を伴うことが多く，肝胆道系酵素の上昇は胆石性膵炎を強く疑う所見である．

iii）慢性膵炎

慢性膵炎が進行した非代償期は膵実質細胞の荒廃と線維化による膵内外分泌不全が病態の中心となる．膵腺房細胞の傷害や減少により血清アミラーゼ，リパーゼなどの膵酵素は低値を示すことがある[8]．栄養状態の指標としてヘモグロビン，血清総コレステロール，血清アルブミンのほか，プレアルブミン，レチノール結合蛋白，脂溶性ビタミン，微量金属などが用いられる．また，膵Langerhans島の減少によってα，β細胞ともに減少し，血糖調節が不安定な糖尿病を呈する．

（2）腫瘍マーカー

腫瘍マーカーとは癌細胞から特異的に産生される腫瘍関連物質の血中濃度を測定したもので，癌の診断や治療効果の評価に用いられる．膵癌，胆道癌の腫瘍マーカーには癌胎児性抗原（CEA），シアリルLewis A糖鎖抗原（CA19-9），DUPAN-2，Span-1がある（表11-22-2）（比良ら，2011；胆道癌診療ガイドライン作成委員会，2007）．これらの腫瘍マーカーが高値であれば膵癌，胆管癌が強く疑われるが，腫瘍が小さく

早期の段階では陽性を示さないことがある．また，良性疾患でも偽陽性を示すことがあり，腫瘍マーカーの上昇は癌を積極的に疑う所見ではあるが，診断の確定には画像診断や病理診断が必要である．エラスターゼ1は膵癌の腫瘍マーカーであるが，膵管狭窄による閉塞性膵炎を反映したものである．

CEAは膵癌，胆道癌以外にも結腸癌，肺癌など最も一般的に用いられる腫瘍マーカーである．喫煙者や糖尿病で偽陽性を示すことがある．

CA19-9は膵癌，胆道癌の陽性率が高く，膵癌の診断や治療の効果判定，再発の指標としてすぐれたマーカーである．糖鎖決定部位はLewis式血液型のLewis A糖鎖にシアル酸が付加したシアリルLewis Aである．日本人の5～10%にLewis A抗原陰性者が存在し，この場合には進行した膵癌，胆道癌があっても陽性とならないので，腫瘍マーカーとして使用できない．胆汁うっ滞や慢性膵炎で偽陽性を示すことがある．Span-1とDUPAN-2はLewis A抗原陰性の影響を受けないので，CA19-9偽陰性の場合でも有用である．

〔清水京子〕

■文献（e文献11-22-1）

比良裕子，清水京子，他：膵疾患に対する血液・尿検査．綜合臨床．2011；60: 690-4.
急性膵炎診療ガイドライン2010改訂出版委員会編：急性膵炎ガイドライン2010，金原出版，2009.
急性胆管炎・胆嚢炎診療ガイドライン作成出版委員会編：急性胆管炎・胆嚢炎の診療ガイドライン2013，医学図書出版，2013.
胆道癌診療ガイドライン作成出版委員会編：エビデンスに基づいた胆道癌診療ガイドライン，医学図書出版，2007.

2）胆道・膵疾患の画像診断

胆道・膵疾患は比較的小さな病変が多く，CTまたはMRCP（MRI）が精査として必要となる場合が多い．ここではCTまたはMRCPの原理，利点と欠点，適

応について述べる．疾患の画像所見については各論を参照されたい．

(1) CT，MRCP
a. CT
X線照射により人体断面像のX線吸収量を測定し，デジタル画像化したものである．多列検出器を搭載したCT装置（multidetector-row CT：MDCT）が登場し，CTの空間分解能，時間分解能が飛躍的に向上している．その結果，さまざまな種類の三次元再構成画像の作成が可能となり，小病変の検出や評価が可能となっている．放射線被曝の欠点はあるが，客観性，再現性にすぐれる．

i）単純CT
単純CTは石灰化，空気，脂肪，出血の有無などの評価に適している．胆石，総胆管結石の描出はCTでは単純相で評価する場合が多いが[1]，結石の成分によっては等〜低吸収となり注意を要する．精査の場合は後述する造影剤を使用したダイナミックCTが必要となる場合が多い．

ii）ダイナミックCT（dynamic CT）
非イオン性ヨード造影剤を急速静注し病変の血行動態を経時的に評価する検査である．胆管炎，膵炎など炎症性疾患の評価のほか，腫瘍性病変の検出，性状評価，進展度評価に適する．

胆道系では通常肝に準じて，動脈優位相，門脈相および平衡相が施行される場合が多い．膵腫瘍が疑われた場合は，早期動脈相，後期動脈相（膵実質相），門脈相，平衡相をねらったダイナミックCTを施行することが推奨されている（図11-22-2）（日本医学放射線学会ら，2013）．

1）早期動脈相： 動脈の評価，病変のvascularityの評価，多血性腫瘍の検出に有用である．
2）後期動脈相（膵実質相）： 膵実質が最大造影効果を有する相で，乏血性腫瘍の検出に有用である（Luら，1996）．
3）門脈相： 門脈系への浸潤評価に適する．肝転移の検出も良好となる[2]．

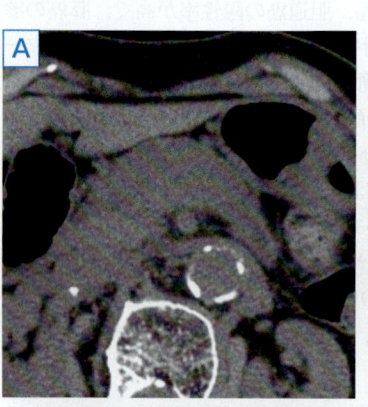
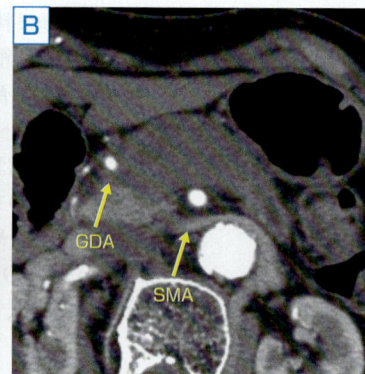
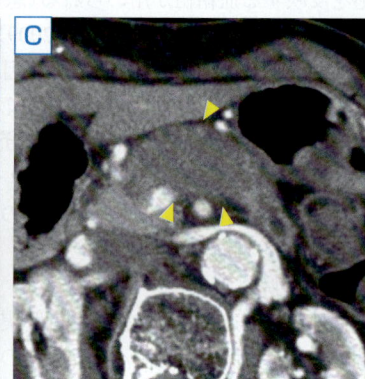
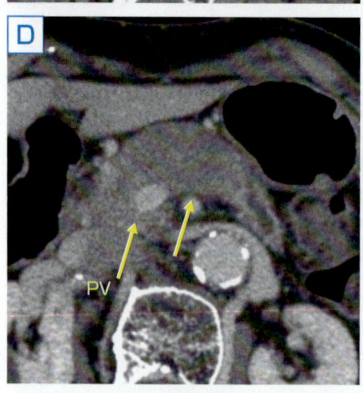
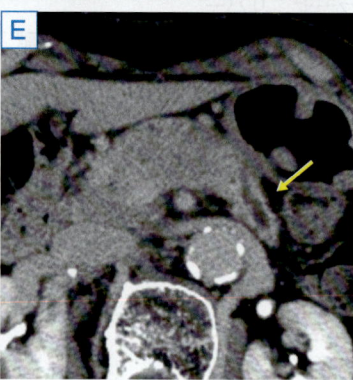

図11-22-2 膵癌の画像
A：単純CT．膵体部の腫大を認めるが，腫瘍の輪郭は認識しにくい．
B：ダイナミックCT（早期動脈相）．膵腫瘍と膵周囲の動脈との関係が明瞭である．
C：ダイナミックCT（膵実質相）．膵体部に45 mm大の乏血性の腫瘤性病変が明瞭である（矢頭）．
D：ダイナミックCT（門脈相）．膵腫瘍と門脈系血管の関係が明瞭．脾静脈は同定できず，閉塞している（矢印）．門脈本幹と腫瘍は接している．
E：ダイナミックCT（平衡相）．腫瘍は平衡相で漸増性に濃染されており，線維成分の多い腫瘍と考えられる．末梢の主膵管拡張と膵実質の萎縮が明瞭である（矢印）．
SMA：上腸間膜動脈，GDA：胃十二指腸動脈．

4）平衡相：線維成分の多い胆管癌や膵癌は平衡相で濃染される傾向があり，病変の検出にも役立つ．

ⅲ）DIC-CT（drip intravenous cholangiography CT）

胆汁排泄されるヨード系造影剤を点滴静注し，胆道に造影剤が排泄されたタイミングで単純 CT を撮像する検査である．DIC-CT の三次元再構成画像は，明瞭な胆道系の解剖学的情報を把握することができ，術前検査法[3]として行われる場合が多い．ただし，高度黄疸例[4]や高度肝機能異常症例では造影率が低下することが欠点となる．

b. MRCP（MR cholangiopancreatography：磁気共鳴胆管膵管造影）

MRI 検査にて液体成分が著明な高信号を示す T2 強調像の一種を利用したもので，胆嚢，肝内胆管，肝外胆管，膵管の全体像を非造影検査にて非侵襲的に評価できる検査である．近年マルチスライス撮像による 3D-MRCP が撮像可能になり，MRCP の画質は向上し[5]（Nandalur ら，2008），膵胆道系の評価の第一選択となっている．3D-MRCP では MIP（maximum intensity projection，最大値投影法）画像のみでなく，元画像を評価することにより，より微小な病変を評価できる（図 11-22-3）．MRCP は胆道系，膵管系の解剖学的評価が可能であるほか，結石や腫瘍による狭窄，閉塞機転の有無，病変範囲の評価が可能である．膵嚢胞性疾患の評価にも適している．

同じく膵胆道系の検査である内視鏡的逆行性膵胆管造影（endoscopic retrograde cholangiopancreatography：ERCP）と比較すると非侵襲的であることが第一の利点である．また，術後症例などで ERCP が施行不能の症例にも検査が可能であること，被曝がないこと，閉塞部より上流の胆管や膵管の情報が得られることも利点となる．ただし，MRCP は診断のみであり，治療の介入や膵液・胆汁採取，細胞診など行えないことが，ERCP に比しての大きな欠点である．

〔米田憲秀・蒲田敏文〕

■文献（e文献 11-22-2-1）

Lu DS, Vedantham S, et al: Two-phase helical CT for pancreatic tumors: pancreatic versus hepatic phase enhancement of tumor, pancreas, and vascular structures. *Radiology*. 1996; **199**: 697-701.

Nandalur KR, Hussain HK, et al: Possible biliary disease: diagnostic performance of high-spatial-resolution isotropic 3D T2-weighted MRCP. *Radiology*. 2008; **249**: 883-90.

日本医学放射線学会，日本放射線科専門医会・医会編：画像診断ガイドライン 2013 年版，pp219-27，金原出版，2013．

（2）超音波・超音波内視鏡
a. 超音波検査

可聴域をこえる音波（超音波）は生体内を伝播し，音響的性質の異なる境界面で反射や散乱をする．これが戻ってくるまでの時間と強度を二次元画像（断層像）として描出する検査法である．非侵襲的で簡単なため，外来やベッドサイドで最初に施行される．骨や空気が介在すると後方の構造が描出困難なことが欠点である．

ⅰ）胆嚢の超音波像

胆嚢は，右季肋部における超音波走査により観察できる．正常の胆嚢では，胆嚢壁は平滑であり，内腔は無エコー領域として描出される（図 11-22-4）．胆嚢壁厚は 4 mm 以上で肥厚とされる（日本超音波医学会用語・診断基準委員会，2014）．食後に収縮するため，絶食で行う必要がある．胆石は反射が強く，深部の超音波信号が検出困難となる．この胆石の特徴的画

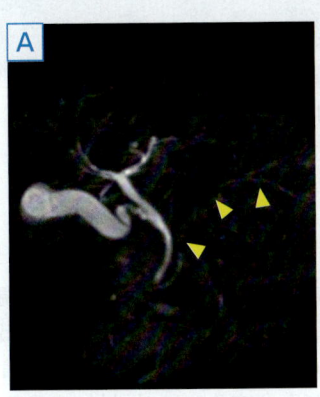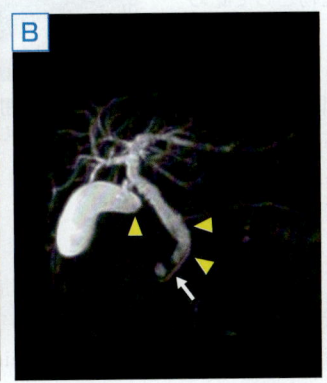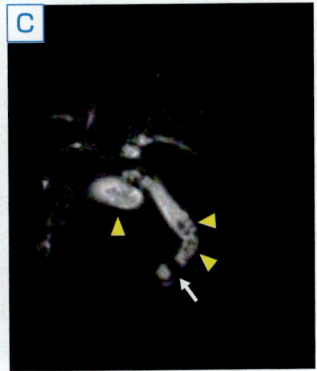

図 11-22-3 3D-MRCP
A：正常例の 3D-MRCP（MIP 像）．肝内胆管〜総胆管，胆嚢管，胆嚢，主膵管（矢頭）の描出が良好である．拡張や狭窄，閉塞は指摘できない．
B，C：B：胆嚢結石，総胆管結石症例の 3D-MRCP（MIP 像），C：B と同一症例の 3D-MRCP（元画像）．下部総胆管と胆嚢頸部に複数の総胆管結石と，胆嚢結石が陰影欠損として認められ，上流の胆道拡張を認める．大きな結石は MIP 像でも指摘が容易（矢印）であるが，微小な結石は元画像を用いると詳細に評価できる（C 矢頭）．

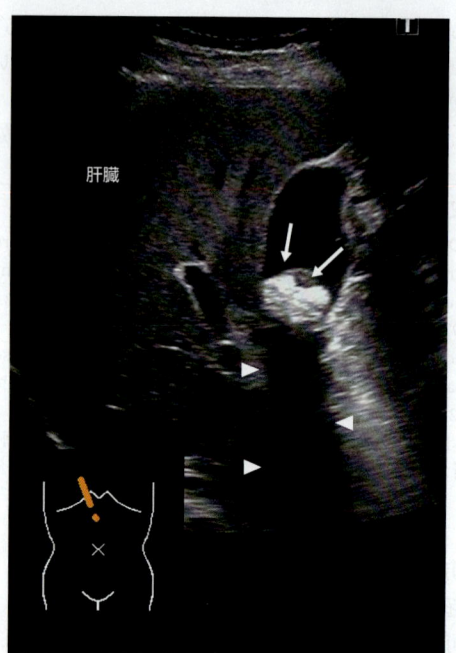

図 11-22-4 胆嚢結石の超音波像
右季肋部縦走査で肝臓の下方に胆嚢を認める。胆嚢壁は平滑で内腔は無エコーである。胆嚢内に音響陰影（矢頭）を伴う結石（矢印）認められる。

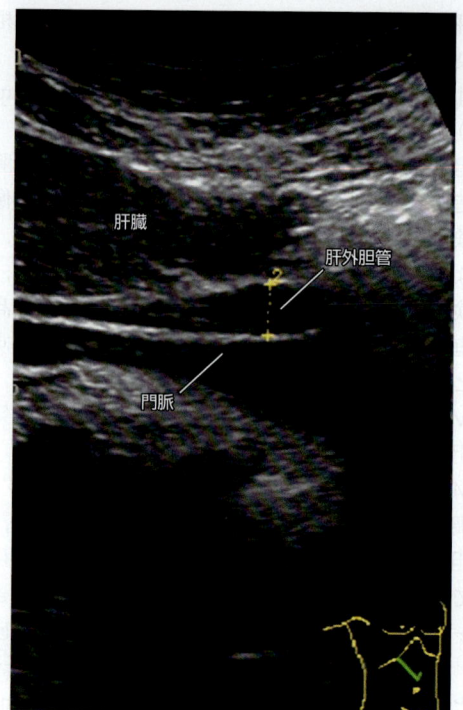

図 11-22-5 正常肝外胆管の超音波像
右季肋部縦走査にて門脈本幹腹側に肝外胆管を認める。

像所見を音響陰影（acoustic shadow）（図 11-22-4）といい，胆嚢内のポリープあるいは腫瘍との鑑別に用いられる．

ii）胆管の超音波像

肝外胆管は右季肋部の走査で門脈の腹側に描出される（図 11-22-5）．肝外胆管径が 8 mm 以上の場合は拡張とし，それより下流の胆管の閉塞を疑う必要がある（日本超音波医学会用語・診断基準委員会，2014）．正常の肝内胆管径は細いため，超音波では観察困難だが，閉塞性黄疸の存在時には拡張するため，超音波画像では，門脈系血管と並行した管状構造物として認められる（図 11-22-6）．

iii）膵臓の超音波像

膵臓は心窩部を中心とした走査で描出される．膵実質は肝よりも高エコーとして描出されることが多く，膵体尾部は脾静脈の腹側にする（図 11-22-7）．膵管は 3 mm 以上で拡張とし（日本超音波医学会用語・診断基準委員会，2014），膵癌，慢性膵炎などの存在を考慮し，さらなる精査を必要とする（図 11-22-7）．膵癌は内部低エコーないし不均一な斑状エコーを呈する腫瘤として描出される．腫瘍より上流の胆管や膵管の拡張所見は膵癌を診断する重要な所見である．

b．造影超音波検査

超音波造影剤として直径 3〜10 μm の microbubble が用いられる．一定の閾値をこえた音圧では，超音波を照射された microbubble は共振あるいは崩壊

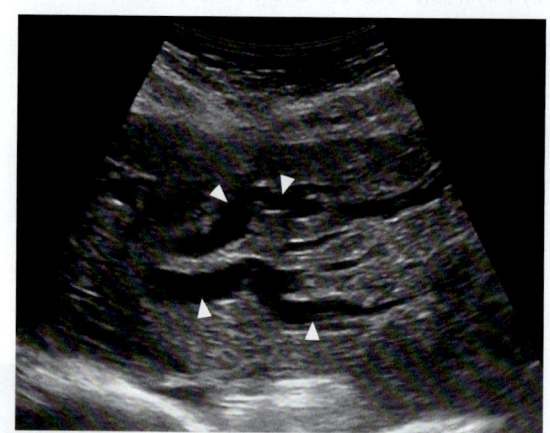

図 11-22-6 閉塞性黄疸の肝内胆管超音波像
肝左葉内に拡張した肝内胆管像（矢頭）を認める．

する．共振・崩壊に伴う発生信号は二次性高調波成分をもち，この二次性高調波成分を選択的に検出することにより，microbubble 以外の組織からの信号を除去し，血管内に存在する microbubble のみを画像化する検査法である．造影超音波検査では，膵癌は乏血性腫瘍として描出され，通常の超音波検査より高感度で存在・鑑別診断を行うことができる（Kitano ら，2004）．

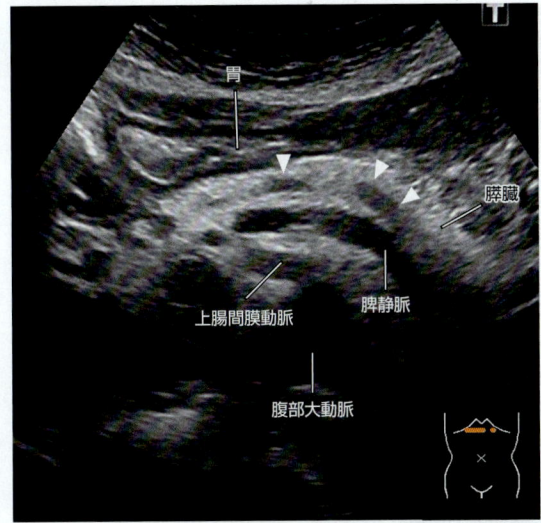

図 11-22-7 膵頭部癌の超音波像
心窩部横走査にて脾静脈の腹側に膵臓を認める。主膵管（矢頭）径が4mmと拡張し，膵頭部癌の存在が疑われる。

c. 超音波内視鏡検査（endoscopic ultrasonography：EUS）

内視鏡の先端部に小型超音波プローブを搭載した消化器内視鏡スコープを用いた検査をEUSという（図11-22-8）．EUSの利点として，消化管に近い胆嚢や膵臓の腫瘍，リンパ節あるいは消化管壁内腫瘍などを超音波画像により観察できる点があげられる．また，対象病変に近接して観察できるため，体外式超音波検査では発見できない小病変がEUSで発見されることがある．

d. 超音波内視鏡下穿刺吸引生検法（EUS-guided fine needle aspiration：EUS-FNA）

EUSの際に，前述の消化管壁内外の病変の組織を内視鏡先端部から出てくる穿刺を用いて採取する検査

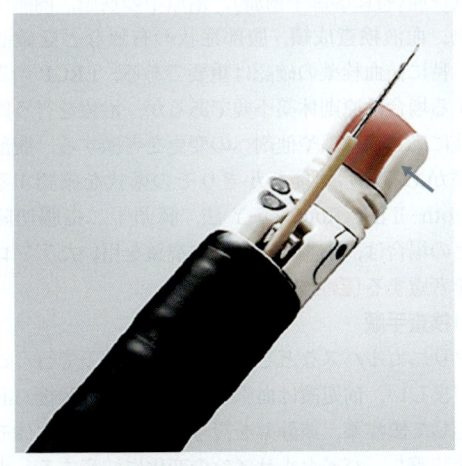

図 11-22-8 超音波内視鏡スコープ
先端部に小型超音波プローブ（矢印）を内蔵している．

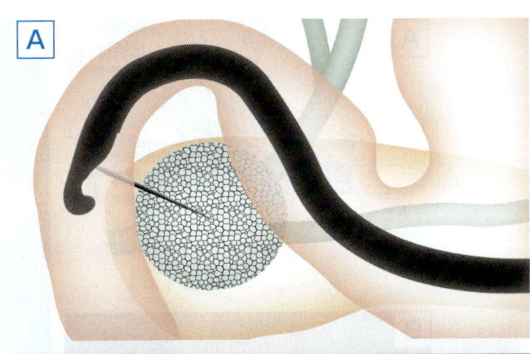

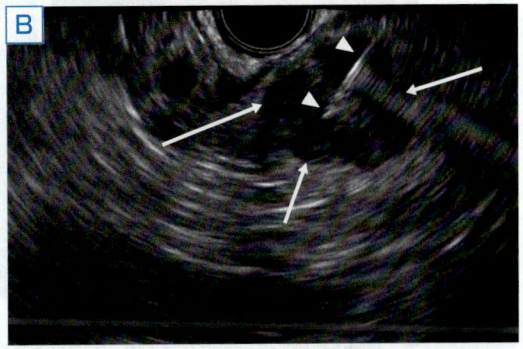

図 11-22-9 膵腫瘍に対する超音波内視鏡下穿刺吸引生検法
A：イメージ図，B：超音波像．
膵頭部に輪郭不整の低エコー腫瘍（矢印）を認める．スコープ先端部より出てくる穿刺針（矢頭）を超音波画像で観察しながら，この膵腫瘍の穿刺・組織採取を行う．

である（図 11-22-9，ⓔ動画 11-22-A，11-22-B）．穿刺針を超音波画像で観察しながら進めるため，血管などを避けることが可能で，比較的安全に行える組織採取法である．適応としては，①膵・膵周囲腫瘤性病変，②消化管粘膜下腫瘍，③消化管周囲リンパ節，などがあげられる（北野ら，2012）．〔北野雅之〕

■文献

Kitano M, Kudo M, et al: Dynamic imaging of pancreatic diseases by contrast-enhanced coded phase- inversion harmonic US. Gut. 2004; **53**: 854-9.

北野雅之，伊佐山浩通，他：超音波内視鏡ガイド下穿刺術．消化器内視鏡ハンドブック（日本消化器内視鏡学会編），pp111-22，日本メディカルセンター，2012．

日本超音波医学会用語・診断基準委員会，腹部超音波がん検診のカテゴリーに関する小委員会，他：腹部超音波検診判定マニュアル（案）．Jpn J Med Ultrasonics. 2014; **41**; 585-608.

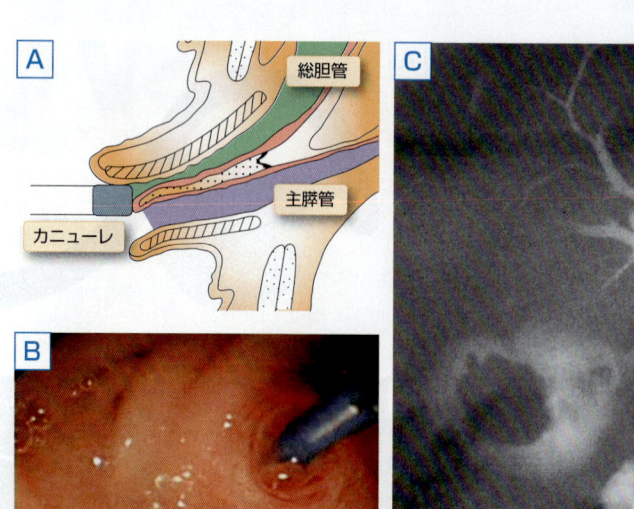

図 11-22-10 ERCP（70 歳代，早期胆嚢癌）
十二指腸下行脚にスコープを挿入後，乳頭を正面視し，造影用カニューレで膵胆管を造影した（A，B）．膵管および総胆管，肝内胆管，胆嚢が造影され，胆嚢内に不整形の腫瘍性病変が描出された（C）．

(3) 内視鏡的逆行性膵胆管造影（endoscopic retrograde cholangiopancreatography：ERCP）

a. 検査の概要

ERCP は，十二指腸内視鏡を用いて十二指腸乳頭開口部からカニューレを挿入し，造影剤を逆行性に注入後，膵管および胆道を X 線透視下に直接造影する検査法である（真口ら，2012）（図 11-22-10）．一方，内視鏡検査のなかでも偶発症の頻度が比較的高くまれに致命的となるため，近年，非侵襲的な磁気共鳴胆管膵管造影（MRCP），超音波内視鏡（EUS）の普及もあり，診断目的に施行される件数は減少傾向にある．適応を考慮し，事前に患者および家族へ十分な説明を行って同意を得ることが重要である．

b. 適応と禁忌

適応は，膵管や乳頭部を含む胆道系に異常所見をきたす腫瘍，炎症，先天異常などで膵胆管像を診断に必要とする病態である．侵襲の少ない EUS や MRCP で診断可能かどうかを検討する．診断目的として，膵液や胆汁の採取による細胞診や細菌培養，膵胆管狭窄例におけるブラッシング細胞診，膵胆管生検などが行われる．近年，内視鏡的経鼻膵管ドレナージ（ENPD）を用いた複数回の膵液細胞診が，膵癌早期診断に有用である可能性が報告されている（e図 11-22-A）[1-3]．また細径プローブを用いた管腔内超音波（IDUS）を鑑別診断や腫瘍の進展度診断の目的で行う場合もある（e図 11-22-B）[4,5]．ERCP の結果，総胆管結石，悪性胆道閉塞と診断された場合は直ちに，内視鏡的経鼻胆道ドレナージ（ENBD），内視鏡的胆道ステント挿入術などの治療に移行する場合がある（e図 11-22-C）．禁忌は内視鏡検査が受容できない全身状態不良，スコープの通過が困難な消化管狭窄などである．造影剤アレルギーによるアナフィラキシーショックの既往がある症例では，ステロイド投与下で施行するかどうかを検討する．また急性膵炎では基本的に禁忌であるが，臨床徴候，血液検査，各種画像診断などから胆石性膵炎が強く疑われる場合には緊急 ERCP の適応となる．

c. 検査の実際

i) 被検者の状態の把握

既往歴（特に腹部手術歴），治療中の疾患，内服中の薬物，血液検査成績，腹部症状の有無などを確認する．特に抗血栓薬の確認は重要である．ERCP のみ施行する場合は原則休薬不要であるが，治療を行う際は手技に応じて休薬や他剤への変更を考慮する．腹部手術歴がある場合可能なかぎりその術式を確認する．Billroth-II 法，Roux-en-Y 法，膵頭十二指腸切除後などの場合は，小腸バルーン内視鏡を用いたアプローチを考慮する（e図 11-22-D）[6,7]．

ii) 検査手順

クリニカルパスなどを用いて入院管理下で行うことが望ましい．前処置は血管を確保し咽頭麻酔後，必要に応じて鎮痙薬，鎮静薬を投与する．術中は生体モニタを装着し，バイタルサインの変化に注意する．十二指腸下行脚にスコープを挿入し，乳頭を正面視した

後，胆管および膵管への挿管を行う．特に胆管挿管は，乳頭の形態に応じて合流形式を推測し，戦略を立案する（猪股ら，2009）．また検査中は，患者，術者，介助者の被曝が最小限となるよう防御を徹底する．

iii）検査後の処置

検査終了後は絶食の上輸液を行い，バイタルサイン，腹部症状の出現に注意する．また3～4時間後に採血を行い，血中アミラーゼ，白血球数，CRPなどを確認することが望ましい．腹痛，背部痛が出現し，急性膵炎を疑った場合は，十分な輸液，蛋白分解酵素阻害薬，抗潰瘍薬などによる治療を開始し，腹部症状が強い場合は速やかに造影CTを撮像し，異常所見の確認を行う[8]．

iv）検査による偶発症

ERCPの偶発症は日本消化器内視鏡学会の第5回報告（2010年）では，診断的ERCPの0.408％，治療的ERCPの0.585％とされている．内視鏡的十二指腸乳頭切開術（EST）や内視鏡的十二指腸乳頭バルーン拡張術（EPBD）に伴う偶発症が多く，慎重な手技と術後管理が必要である（芳野ら，2010）（表 11-22-3）．ERCP後膵炎（PEP）は，最も頻度が高い偶発症である．患者因子として，若年者，女性，PEPの既往，Oddi括約筋機能不全などが，術者および手技因子としてEST，EPBDなどがあげられている．近年，一時的な膵管ステント留置術や非ステロイド系抗炎症薬の直腸内投与がPEPのリスクを減少させる可能性が報告されている[9,10]．〔花田敬士〕

表 11-22-3 治療的ERCPに関連した偶発症（芳野ら，2010より改変）

	治療件数	偶発症数	％	死亡数	％
内視鏡的胆道ドレナージ	52836	211	0.399	5	0.0095
内視鏡的十二指腸乳頭切開術	48172	415	0.861	12	0.0228
ステント留置	22532	79	0.351	1	0.0044
内視鏡的十二指腸乳頭拡張術	13979	80	0.572	3	0.0215

内視鏡的十二指腸乳頭処置に伴う偶発症が多いことがわかる．

■文献（e文献 11-22-2-3）

猪股正秋，小穴修平，他：ERCP関連手技．理論に基づくカニュレーションテクニック．胆と膵 2009；30：1027-35．

真口宏介，平田信人，他：ERCP．消化器内視鏡ハンドブック第3版（日本消化器内視鏡学会監），pp391-400，日本メディカルセンター，2012．

芳野純治，五十嵐良典，他：消化器内視鏡関連の偶発症に関する第5回全国調査報告—2003年より2007年までの5年間．Gastroenterol Endosc. 2010；52：95-103．

3）閉塞性黄疸の病態と診断

黄疸とは，眼球結膜あるいは皮膚が黄色くなることをいう（eノート1）．黄疸になる前に必ず褐色尿を認める（eノート2）．おもに直接ビリルビンが上昇して生ずる黄疸とおもに間接ビリルビンが上昇して生ずる黄疸とに分けられる．前者は肝性・肝後性の機序で生

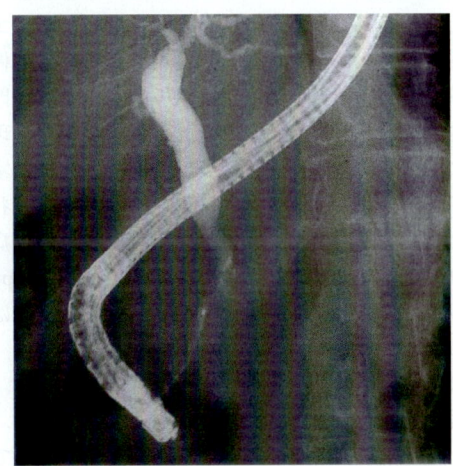

図 11-22-11 下部胆管閉塞のERCP像

じることが多く，後者は肝前性（肝臓以外の原因）の機序で生じることが多い．肝後性黄疸とは，胆管の一部が狭窄することにより胆汁の十二指腸への流出が悪くなり，血中に逆行することにより黄疸をきたすことを指し，これを閉塞性黄疸という．

原因

さまざまな部位で胆管が閉塞し，黄疸を生ずることを閉塞性黄疸という．閉塞して黄疸を呈する胆管は，肝内肝管，総肝管，肝門部胆管，総胆管などに分類される．肝管は左右の肝管のどちらかが閉塞しても必ずしも黄疸は生じない．閉塞している部位の反対側の肝臓が血中のビリルビンや胆汁酸を処理できれば黄疸は生じないし，処理できなければ黄疸を生ずる．総肝管や総胆管では，閉塞が完全なのかどうかで黄疸が出現するかどうかが決まる．閉塞の原因については中部胆管では良性では胆石が多く，悪性では胆管癌が多い．下部胆管でも良性は結石が多く，悪性では胆管癌だけではなく，膵癌や膵癌以外の膵腫瘍も多く，さらに場所的にはVater乳頭癌も多い（図 11-22-11，e図 11-22-E）．

また胆管下部は腫瘍だけではなく，自己免疫性膵炎

や腫瘤形成性膵炎などの炎症でも黄疸を生ずる（e表11-22-A）．

病態
急性胆管炎は，結石の嵌頓（かんとん）や悪性腫瘍による胆管の閉塞や狭窄などによる胆汁流出路障害に伴う胆汁うっ滞に感染が加わり，発症する．Charcotの3徴（腹痛，発熱，黄疸）と，ショック・精神障害を加えたReynoldsの5徴は急性胆管炎の際の特徴的な徴候とされている．ほとんどの症例で閉塞性黄疸を伴っており，網内系や肝予備能が低下しているため胆道内圧の上昇により容易にcholangio-venous reflexを生じる．そして，菌血症に陥りショックDICから多臓器不全（MOF）に至ることもまれではない．胆道感染はエンドトキシンショックを惹起しやすいGram陰性桿菌（かんきん）が多くおもに上行性感染とされていた．しかし，門脈行性やリンパ行性が確認されてきており上行性は現在では否定的となった．胆管炎の分類に関しては諸家の報告があり，胆管閉塞と菌血症の有無から分類されることが多い．閉塞があり菌血症を伴う最も重篤な病態を急性閉塞性化膿性胆管炎（acute obstructive suppurative cholangitis：AOSC）とよび，保存的治療ではほとんど改善しない．

急性胆管炎のうち菌血症のない軽度黄疸例では，抗菌薬投与による保存的療法で軽快することも多い．しかし，AOSCに代表される重症化症例では緊急で減圧操作が必要となる．

その方法としてpercutaneus transhepatic biliary drainage（PTBD），percutaneus transhepatic gall bladder drainage（PTGBD），endoscopic nasobiliary drainage（ENBD），endoscopic biliary drainage（EBD）がある．内視鏡的胆管ドレナージとしては，ESTを行わないでENBDチューブを挿入し，炎症反応改善後，総胆管結石治療や内瘻化を施行する方法と，最初にESTを行い，EBDを施行する方法がある．後者の場合胆管炎によりDICを生じていると，ESTに慎重を期さねばならないことがある．また，感染胆汁は粘稠なのでEBDではつまることもある．その点ENBDは常時洗浄ができるので有利である．現在，急性胆管炎に対してESTを行わないのでENBDチューブを挿入する方法は，ほぼ確立されたといってよい．ENBDチューブに伴う患者の苦痛は3日間で多少慣れるといわれているものの，咽頭反射の強い若年者では1〜2週間経っても苦痛を訴えることが多い（eコラム1）．

経過観察
ENBDの場合は集められた胆汁の色調を見ることによってドレナージがうまくいっているのかうまくいっていないのかその場でわかる．白い胆汁だとかなり感染胆汁が残っており，その後胆汁の色は黒く変わる．炎症が治まると胆汁の色は金色澄明になる．同時に発熱がおさまり，平熱になることも改善の徴候となる．さらに血中のビリルビン値の低下もそれを確かなものとする．1週間でビリルビン値が半分に低下すると減黄効果がうまくいっていると判断する．

ステント留置かドレナージの選択
前述したようにドレナージをするか，ステント留置をするかで悩むことがある．その場合重要なことはその状況において最善の選択をすることである．一般的には急性胆管炎の場合ENBDがいいと考えられる．手術を前提とするならばチューブステントがいいと思われており，手術不能例ではメタリックステントがいいと思われる（e図11-22-F）．メタリックステントもuncoveredメタリックステント（e図11-22-G）とcoveredメタリックステントがある．これについても腫瘍による生存期間とステントの入れ替えとの関係でどちらを選ぶか決まることになる． 〔峯　徹哉〕

11-23 胆石症および胆道感染症

1）胆石症
cholelithiasis

定義・概念
胆石症とは，胆道に結石が存在する状態である．

分類
結石の存在部位によって，胆嚢内にある胆嚢結石，肝内胆管にある肝内結石，肝外胆管にある総胆管結石に分けられる（図11-23-1）．

また，胆石の成分によって，コレステロール胆石，色素胆石，その他のまれな胆石に分類される（表11-23-1）．コレステロール胆石はコレステロール成分を70％以上含む結石であり，色素胆石にはビリルビンカルシウム石と黒色石がある．

病因
結石成分によって成因が異なる．

1）コレステロール胆石：水に溶けないコレステロールは，胆汁酸やリン脂質（レシチン）とともにミセルを形成することによって胆汁中に溶け込んでいる．しかし，何らかの原因によってコレステロール濃度が過剰

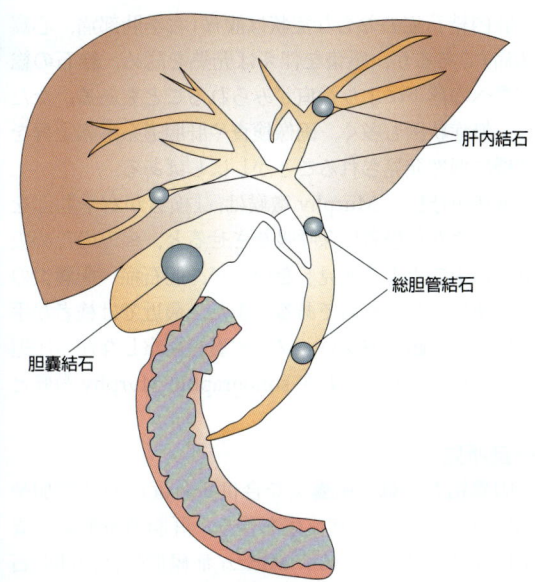

図 11-23-1 胆石の部位と名称

（過飽和）になると結晶が析出し，さらに過飽和胆汁が胆囊内で濃縮・停滞することによって，結晶が成長・凝集して結石を形成する．したがって，ほとんどのコレステロール胆石は胆囊で形成される．コレステロール濃度上昇の原因としては，食事からの過剰摂取，肝での合成亢進（脂質異常症），妊娠（エストロゲンが肝のLDL受容体を増やし，コレステロールの取り込みを増加させる）などがある．また，肝における胆汁酸合成障害に加えて，加齢あるいは回腸疾患・回腸切除などによって胆汁酸の回腸末端での再吸収（腸肝循環）が低下しても胆汁酸濃度の低下（胆汁酸プールの減少）をきたし，相対的なコレステロール濃度上昇（過飽和）を招く．

2）ビリルビンカルシウム石： ビリルビンカルシウム石の形成には胆道感染が関与している．腸内細菌（主として大腸菌）が産生する β-グルクロニダーゼにより水溶性の抱合型ビリルビンが脱抱合され，脂溶性の非抱合型ビリルビンとなる．この遊離した非抱合型ビリルビンがカルシウムイオンと結合してビリルビンカルシウムとなり，さらに遊離脂肪酸のカルシウム塩やムチンなどが加わって結石が形成される（e図11-23-A）．

3）黒色石： 黒色石の主成分はビリルビンカルシウムの重合体であるが，形成機序の詳細は不明である．感染を伴わずに，ほとんどが胆囊で形成される．溶血性貧血，肝硬変，心臓弁置換術後，胃切除後などに発生頻度が高い．

以上の成因からわかるように，胆囊においてはコレステロール胆石，ビリルビンカルシウム石，黒色石のいずれもみられるが，頻度としてはコレステロール胆石が圧倒的に多い．総胆管結石は成因により，胆囊からの落下結石と総胆管で形成される原発性結石に分けられるが，胆管原発のビリルビンカルシウム石が多い．肝内結石の成因も胆汁うっ滞と細菌感染であり，ほとんどがビリルビンカルシウム石である．

疫学

日本における胆石保有率は約10％とされ（谷村ら，

表 11-23-1 胆石の成分による分類（日本消化器病学会胆石症検討委員会：日本における胆石の新しい分類．日本消化器病学会雑誌．1986; 83: 309-16 を一部改変）

種類		外観	割面構造	色調
コレステロール胆石	純コレステロール石	球～卵形		白～黄白色 放射線構造
	混成石	球～卵形		内層：コレステロール石，混成石 外層：ビリルビンカルシウム石，黒色石，その他
	混合石	卵形 接面形成 その他		黄褐色～黒褐色 層状放射状構造 ときに中心部裂隙
色素胆石	ビリルビンカルシウム石	不定形 接面形成		茶褐色～黒褐色 層状～無構造
	黒色石	砂状 金平糖状 球形ほか		無構造
まれな胆石	炭酸カルシウム石，脂肪酸カルシウム石，ほかの混成石，その他の胆石			

1998），近年食生活の欧米化に伴い，特にコレステロール胆石が年々増加傾向とされてきた．ただし，1990年以降については全国的な調査が行われておらず，その後の動向については不明である（厚生統計協会，1993）．成分についてはコレステロール胆石が約70%，ビリルビンカルシウム石，黒色石がそれぞれ15%程度とされ，60歳以下ではコレステロール胆石が多く，高齢者ではビリルビンカルシウム石が増加するといわれている．また部位については，胆嚢結石85%，総胆管結石12%，肝内結石3%程度とされてきたが，肝内結石の保有率は年次的に減少しており，現在では1%程度と推定されている[1]（日本消化器病学会，2009）．

胆嚢結石の危険因子としては，5Fすなわち，Forty（40歳代），Female（女性），Fatty（肥満），Fair（白人），FertileあるいはFecund（多産）がよく知られている（日本消化器病学会，2009）．

病態生理

胆嚢結石が，胆嚢頸部あるいは胆嚢管に嵌頓すると，胆嚢内における胆汁のうっ滞・胆嚢内圧の急激な上昇が起こり，さらに胆嚢粘膜の傷害とそれに引き続きプロスタグランジンなどの炎症性メディエータの活性化が引き起こされる（日本消化器病学会，2009）．こうした状態に細菌感染が加わって急性胆嚢炎が進行する．

総胆管結石が，胆管下部あるいは乳頭部に嵌頓すると，胆管内圧の上昇に伴う痛み，胆汁うっ滞が生じ，さらに細菌感染が加わって急速に急性胆管炎へと移行する．また，胆汁うっ滞・胆管内圧の上昇が続くと，類洞を介した胆汁の血管系への逆流（cholangio-venous reflux）が生じ，黄疸が出現する．

肝内結石は，多くの場合下流に胆管狭窄を伴い，慢性的な胆汁うっ滞により，胆管炎や肝膿瘍，領域肝の萎縮を引き起こす．また，肝内結石は肝内胆管癌の危険因子とされている（日本消化器病学会，2009）．

臨床症状

1) 自覚症状：胆嚢結石の症状出現率は10〜30%程度で，大多数が無症状胆石である．代表的な症状は結石の胆嚢頸部嵌頓による疝痛発作であり，右季肋部〜心窩部に生じ，右肩〜背部に放散痛を伴うことが多い．胆嚢炎を併発しなければ数十分〜数時間でおさまる（胆嚢炎の症状については【⇨ 11-23-2】）．

一方，総胆管結石は，胆管下部・乳頭部に嵌頓すると比較的短時間で感染が起こり，胆管炎（急性閉塞性胆管炎）を発症する．その代表的な症状はCharcot 3徴（腹痛，発熱，黄疸）として知られ，さらに重症化（急性閉塞性化膿性胆管炎）すると，これにショックと意識障害を加えたReynolds 5徴を呈する（詳細については【⇨ 11-23-2】）．

肝内結石症のおもな症状は腹痛（右季肋部痛，心窩部痛）であるが，感染を伴えば発熱を認め，結石の総胆管への落下により黄疸がみられることもある．ただし，無症状例も多く，画像検査や肝胆道系酵素上昇を契機に偶然発見されることがしばしばある．

2) 他覚所見：Murphy徴候は，「検者が右季肋部を押さえながら患者に深呼吸をさせると，痛みのため吸気が途中で止まる所見」をいうが，胆石症・胆嚢炎の他覚所見として有名である．また，最近では検者が手ではなく，超音波プローブで胆嚢を観察しながら圧迫する方法もあり，これをsonographic Murphy徴候という．

検査所見

胆嚢結石では，胆嚢炎を合併すれば白血球増加やCRP上昇などの炎症反応を伴う．肝胆道系酵素の異常は通常は認めないが，Mirizzi症候群や合流部胆石（図11-23-2）においては，総胆管を圧排・狭窄するため，胆道系酵素上昇・黄疸を認める．

1) 合流部胆石：三管（胆嚢管・総肝管・総胆管）合流部に結石が嵌頓し，胆管閉塞をきたした状態．

2) Mirizzi症候群：結石の胆嚢頸部嵌頓により胆嚢炎が起こり，胆管の圧排・狭窄をきたした状態．

総胆管結石は，胆管炎・黄疸を契機に見つかることが多く，血液検査では肝胆道系酵素・総/直接ビリルビン値の上昇や炎症反応を認める．

肝内結石においても，肝胆道系酵素の上昇はしばしばみられるが，ビリルビン値の上昇を伴う例は少なく，黄疸がある場合は総胆管結石の合併（総胆管への結石落下）を疑う．

診断

胆嚢結石を診断するうえで最も簡便で有用な検査は腹部超音波（US）検査であり，通常結石は音響陰影

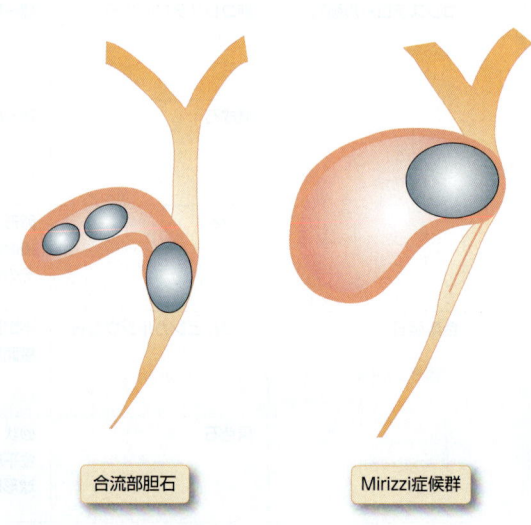

図11-23-2 合流部胆石とMirizzi症候群

(acoustic shadow)を伴う強い高エコー(strong echo)として描出される．腹部CTもよく行われ，USとともに結石の性状のみならず胆嚢の状態(腫大，壁肥厚，腫瘍の合併の有無など)を評価するうえで有用である．なお，CTでは石灰化をまったく伴わない結石の指摘は難しいことが多いが，MRIでは石灰化を伴わない結石も描出可能であり，MR cholangiopancreatography(MRCP)を同時に撮影することにより胆嚢管や胆管の情報を得ることも可能であることから，術前検査として胆嚢管の走行の確認，あるいは総胆管結石の合併を確認するうえでも有用である．

総胆管結石は嵌頓をきたしていると，副所見としての上流胆管・肝内胆管の拡張をUS，CTで指摘することができるが，結石そのものの描出はUSでは60％程度とされ，CTでも石灰化を伴わなければ難しいことが多い．一方，MRI/MRCPは結石の描出能にすぐれ(90%以上)[2]，侵襲もないため，総胆管結石を疑う場合の第一選択の検査法として位置づけることができる．ただし，小結石の描出には限界があるため，必要に応じてより精度の高い超音波内視鏡検査(EUS)や内視鏡的逆行性膵胆管造影検査(ERCP)を行う．ERCPは直接胆道を造影する手技であるため診断精度が高く，引き続き治療へ移行できるすぐれた検査法であるが，膵炎などの合併症に対する懸念があり，また，胃全摘術後などで内視鏡が十二指腸乳頭部へ到達できない場合も適応とはならない．

肝内結石は，US，CT，MRIによって評価されるが，下流の胆管狭窄・腫瘍合併の有無，肝区域の萎縮も併せて評価することが治療方針を決めるうえで重要である．胆管像全体の把握にはMRCPが有用であるが，より詳細な胆管像の把握には直接胆道造影が必要とされる．この際，結石が存在する胆管の下流には胆管狭窄を伴うことが多いため，ERCPよりも経皮経肝胆道造影/ドレナージ(PTC/PTBD)が選択されることが多い．さらに精査・治療を目的として経皮経肝胆道鏡検査(PTCS)が必要に応じて行われる．

鑑別診断

胆嚢結石・胆嚢炎に似た症状を呈する疾患としては，胃・十二指腸潰瘍，急性胃腸炎，急性虫垂炎，急性膵炎，慢性膵炎，膵癌，胆嚢癌，腸閉塞，狭心症，心筋梗塞，腎・尿路結石などが考えられる．血液検査や画像検査などでこれらの疾患との鑑別を行う．

また，画像所見上，腫瘍やポリープとの鑑別が問題となることがあるが，この際には体位変換による移動性や形状の変化が有用な情報となる．

総胆管結石については，痛みが主症状の場合には胆嚢結石・胆嚢炎を含めた上記疾患との鑑別が必要となる．また，黄疸が主で胆管炎症状が軽い場合には，閉塞性黄疸の鑑別(膵癌，胆管癌，転移リンパ節などによる閉塞)を画像所見などから行う．

合併症

胆嚢結石の代表的な合併症は急性胆嚢炎であるが，慢性胆嚢炎として経過したり，長期の経過で磁器様胆嚢を呈する場合もある．また，隣接する消化管(十二指腸，結腸，胃)と癒着し，瘻孔(胆嚢消化管瘻)を形成することもある．この瘻孔を介して結石が排出され，小腸に嵌頓して胆石イレウスを起こすこともある．胆嚢癌患者では結石保有率が11.6〜60.6％と高く[3]，胆嚢結石で切除した胆嚢の5％に胆嚢癌が合併していたという報告もあるため[4]，胆嚢結石がはじめて見つかった場合には，癌の合併がないか精査を行う必要があるが，現時点では胆嚢結石症が胆嚢癌の危険因子とする明らかなエビデンスはない(日本消化器病学会，2009)．

総胆管結石のほとんどが急性胆管炎を発症するが，乳頭部に結石が嵌頓した際に膵管口も閉塞すると急性膵炎を合併することもある．

肝内結石症においては，胆管炎，肝膿瘍などが合併することがあるが，最も注意すべきは肝内胆管癌の合併である(頻度については後述)．

経過・予後

無症状胆嚢結石の有症状化率は15〜40％程度で年率1〜3％とされている[5,6]．また，急性胆嚢炎を起こした症例を保存的に治療した後の再発率は19〜36％と報告されている[7,8](急性胆管炎・胆嚢診療ガイドライン改訂出版委員会，2013)．

総胆管結石は無症状であっても，いずれ必ず症状(胆管炎)を起こすとされている．

肝内結石症における肝内胆管癌の合併は4.0〜12.5％と報告されており[9-14]，無治療経過中，治療後経過中においても発生がみられ，特に胆道手術歴があり，病悩期間が長い症例に合併率が高いといわれている(日本消化器病学会，2009)．

治療・予防

原則として無症状胆嚢結石は，治療する必要はなく経過観察とする．ただし，はじめて見つかった際は，癌の合併がないことを十分に確認する．有症状胆嚢結石に対する治療法は，胆嚢摘出術と胆嚢温存療法に大別される．胆嚢温存療法には，経口胆汁酸溶解療法と体外衝撃波結石破砕療法(ESWL)があり，いずれも純コレステロール石が対象となる．胆汁酸溶解療法は胆汁酸(ウルソデオキシコール酸：UDCA)内服により胆汁中の胆汁酸濃度を上昇させ，コレステロールを溶解する治療法である．ただし，胆嚢温存療法は適応が限られ，再発率も高いため，現在は胆嚢摘出術が原則とされている．胆嚢摘出術には，低侵襲な腹腔鏡下胆嚢摘出術と通常の開腹による胆嚢摘出術があるが，現在は腹腔鏡下胆嚢摘出術が第一選択とされている．

前述したように総胆管結石は必ず有症状化するため，発見した時点で治療の対象となる．内視鏡を用いた経乳頭的な治療法が第一選択とされているが，これには内視鏡的乳頭切開術（EST）と内視鏡的乳頭バルーン拡張術（EPBD）があり，それぞれ十二指腸乳頭の胆管開口部を切開あるいはバルーンで拡張し，結石を取り出す．また，胃切除術後などで，経乳頭的なアプローチが困難な症例に対しては，PTCS下に結石を取り出す方法も行われている．内視鏡的治療が不成功の場合や胆囊結石を合併している場合には腹腔鏡下あるいは開腹による胆囊摘出術，総胆管結石摘出術が行われる．

肝内結石の治療には，手術的な治療（肝区域切除）と非手術的治療（PTCS下の結石除去と狭窄部拡張）があるが，胆管癌を合併している場合，肝萎縮を伴う場合は肝切除の適応であり，PTCS下治療が不成功の場合も肝切除の対象となる．〔安田一朗〕

■文献（e文献11-23-1）

厚生統計協会：患者調査に基づく推計患者数—疾病小分類・年次別．厚生の指標．1993; **39**: 29-35.
急性胆管炎・胆囊炎診療ガイドライン改訂出版委員会—急性胆管炎・胆囊炎診療ガイドライン 第2版—TG13新基準掲載，医学図書出版，2013．
日本消化器病学会：胆石症診療ガイドライン，南江堂，2009．
谷村 弘，石原扶美武，他：1997年度胆石全国調査．胆道．1998; **12**: 276-93.

2）胆道感染症
biliary tract infection

定義・概念
胆道感染症は，主たる感染の部位によって胆囊炎と胆管炎に分類される．いずれも器質的あるいは機能的な胆囊・胆管の閉塞性障害による胆汁うっ滞を背景に胆道内に細菌感染が起こり発症する．下部胆管や乳頭部に閉塞機転がある場合は，胆囊炎と胆管炎は相伴って生じることが多い．

病因・病態
細菌感染の経路としては，腸管内から十二指腸乳頭を経て胆道への逆行性感染をきたすものが最も多いが，腸管から門脈を経て胆道に至るもの，肝動脈を介する血行性感染などもある．

各種胆道感染症における胆汁中細菌はその起源を腸管内細菌叢とするものが多く，*Escherichia coli*，クレブシエラ，エンテロコッカス，エンテロバクターなどが高頻度で分離される．その他には，ストレプトコッカス，シュードモナス，プロテウスなどもみられる．また，嫌気性菌であるクロストリジウムやバクテロイデスもしばしば分離される．

1）急性胆囊炎： 急性胆囊炎は胆囊に生じた急性の炎症性疾患であり，急性腹症の3〜10％を占める．急性胆囊炎の90〜95％は胆囊結石の胆囊頸部嵌頓に起因するが，胆囊頸部や胆囊管に存在する腫瘍が閉塞原因となって胆囊内感染を引き起こす場合もあり，無石胆囊炎では注意が必要である．胆囊管閉塞と胆囊内胆汁うっ滞に引き続き，胆囊粘膜傷害が起こり，炎症性メディエータの活性化が引き起こされることが主たる発症機序である．また，血行障害，薬剤，肝動注化学療法などによる化学的障害，膠原病，アレルギー反応，AIDS，回虫症などが発症要因となることもある．なお，無症候性胆石患者の胆囊炎の年間発症率は1〜2％とされている．

急性胆囊炎の炎症は胆囊局所にとどまることが多いが，炎症の悪化により胆囊穿孔，胆囊周囲膿瘍などをきたすと致死的な経過をたどることもある．また，特殊な胆囊炎として，ウェルシュ菌などのガス産生菌によって胆囊壁内にガス像を伴うもの（気腫性胆囊炎）がある．これは糖尿病に合併しやすく敗血症に移行しやすい．

急性胆囊炎は重症度および病態・病理から，以下のように分類される

a) 重症度分類：

i) 重症急性胆囊炎：急性胆囊炎により臓器障害をきたし，呼吸・循環管理などの集中治療を要する病態である．循環・呼吸障害，肝腎機能障害，中枢神経障害，血液凝固異常のいずれかを伴う．intensive careのもとに緊急胆囊摘出術や緊急胆囊ドレナージを施行しなければ生命に危機を及ぼす．その頻度は1.2〜6.0％である．

ii) 中等症急性胆囊炎：臓器障害には陥っていないがその危険性があり，高度の炎症反応（白血球数＞1万8000/μL）や右季肋部の有痛性腫瘤の触知，重篤な局所合併症（壊疽性胆囊炎，胆囊周囲膿瘍，肝膿瘍，胆汁性腹膜炎，気腫性胆囊炎など）を伴い，速やかに胆囊摘出術や胆囊ドレナージを要するもの．

iii) 軽症急性胆囊炎：上記以外の急性胆囊炎．

b) 病理・病態学的分類：

i) 浮腫性胆囊炎：発症から2〜4日．毛細血管・リンパ管のうっ滞拡張を主体とする変化．

ii) 壊疽性胆囊炎：発症から3〜5日．組織の壊死性出血．

iii) 化膿性胆囊炎：発症から7〜10日．壊死組織に白血球が浸潤し化膿したもの．

慢性胆囊炎については e コラム1参照．

2）急性胆管炎： 急性胆管炎は何らかの原因で閉塞した胆管内に急性炎症が発生した病態であり，その発生には，①胆管内に著明に増加した細菌の存在，②細菌

またはエンドトキシンが血管内に逆流するような胆管内圧の上昇，の2因子が不可欠となる．原因としては総胆管結石症によるものが最も多いが，近年では悪性腫瘍，硬化性胆管炎，良性胆道狭窄，術後の胆道吻合部狭窄などが増加している（悪性腫瘍の割合は10〜30%）．その他，胆嚢炎同様に，薬剤，膠原病，アレルギー反応，AIDS，回虫症なども発症要因になりうる．また，Mirizzi症候群（胆嚢頸部や胆嚢管結石による機械的圧迫や炎症性変化により総胆管に狭窄をきたすもの）やLemmel症候群（十二指腸傍乳頭憩室が胆管あるいは膵管を圧排し，胆道・膵管の通過障害をきたすことにより生じる一連の病態）なども原因となる．

重症例では胆管内圧の上昇に伴い細胆管が破綻し，胆汁中の細菌・エンドトキシンが類洞を介して血中へ移行（cholangio-venous reflux）する．胆管内炎症の進行とともに肝膿瘍や敗血症などの致死的な感染症に進展する．

急性胆管炎は重症度により以下のように分類される．

i）重症急性胆管炎：急性胆管炎により臓器障害をきたし，呼吸・循環管理などの集中治療を要する病態である．循環・呼吸障害，肝腎機能障害，中枢神経障害，血液凝固異常のいずれかを伴う．intensive careのもとに緊急胆道ドレナージを施行しなければ生命に危機を及ぼす．その頻度は11〜12%である．

ii）中等症急性胆管炎：全身の臓器不全には陥っていないが，その危険性があり緊急-早期の胆道ドレナージを必要とするもので，初診時に，白血球≧1万2000または＜4000/μL，体温≧39℃，75歳以上，総ビリルビン≧5 mg/dL，低アルブミン血症の5項目中2つ以上該当する場合．

iii）軽症急性胆管炎：上記以外の急性胆管炎．

臨床症状

急性胆道炎を疑うべき症状としては，発熱，悪寒，腹痛，黄疸，悪心，嘔吐，意識障害などがある．また，胆嚢炎と胆管炎では胆道閉塞部位の違いにより若干症状が異なる．たとえば，結石嵌頓により生じた急性胆嚢炎では一般的には黄疸はみられない．

1）急性胆嚢炎：

a）自覚症状：右季肋部痛，悪心，嘔吐，発熱が主たる症状である．

b）他覚症状：Murphy徴候（炎症のある胆嚢を検者の手で圧迫すると痛みにより呼吸を完全に行えない状態），反跳痛，筋性防御，有痛性腫瘤触知（腫大した胆嚢）などがある．重症例ではショック所見が認められる．

2）急性胆管炎：

a）自覚症状：発熱，黄疸，右上腹部痛が主たる症状で，突然発症することが多い．この3つはCharcot 3徴として知られているが，すべて呈した急性胆管炎は50〜70％程度であり診断的感度は低い．しかしながら，その特異度は高く，この3つがそろえば急性胆管炎といえる．なお，これに意識障害とショックを加えたものがReynolds 5徴であるがまれである．

b）他覚症状：右上腹部圧痛や筋性防御など．重症例ではショック所見が認められる．

検査所見

1）急性胆嚢炎：

a）血液検査：白血球数やCRPの上昇が主体で，下部胆管閉塞による胆嚢炎以外では肝胆道系酵素の上昇がみられることは少ない．また，胆管結石を合併しないかぎりは膵酵素の上昇はみられない．

b）画像検査：超音波検査による診断的感度は88％，特異度は80％ほどであり，診断的有用度はきわめて高い（e図11-23-B）．また，造影ダイナミックCT検査も推奨される．所見としては，胆嚢腫大（長軸径≧8 cm），胆嚢壁肥厚（≧4 mm，不正な多層構造），嵌頓した胆嚢結石，胆泥，胆嚢周囲液体貯留，また，造影CTでわかるものとして胆嚢周囲肝実質濃染や胆嚢壁濃染部の不正・断裂などが特徴的である

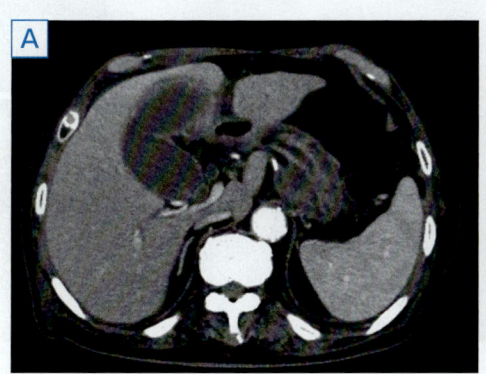 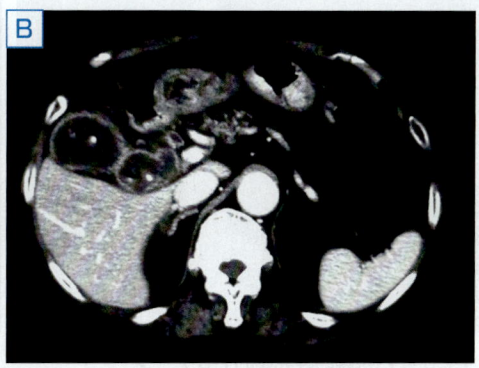

図11-23-3 胆嚢炎のCT像
A：急性胆嚢炎のCT像．胆嚢腫大と壁肥厚，また，胆嚢周囲の肝実質濃染もみられ，高度の局所炎症を示唆する．
B：気腫性胆嚢炎のCT像．胆嚢内にair像が認められる．

表 11-23-2 急性胆嚢炎の診断基準（急性胆管炎・胆嚢炎診療ガイドライン改訂出版委員会，2013）

A：局所の臨床徴候
　A-1．Murphy 徴候
　A-2．右上腹部の腫瘤触知・自発痛・圧痛
B：全身の炎症所見
　B-1．発熱
　B-2．CRP 値の上昇
　B-3．白血球数の上昇
C：急性胆嚢炎の特徴的画像検査所見

確診：A のいずれか＋B のいずれか＋C のいずれかを認めるもの
疑診：A のいずれか＋B のいずれかを認めるもの

表 11-23-3 急性胆管炎の診断基準（急性胆管炎・胆嚢炎診療ガイドライン改訂出版委員会，2013）

A：全身の炎症所見
　A-1．発熱（悪寒戦慄を伴うこともある）
　A-2．血液検査：炎症反応所見
B：胆汁うっ滞所見
　B-1．黄疸
　B-2．血液検査：肝機能検査異常
C：胆管病変の画像所見
　C-1．胆管拡張
　C-2．胆管炎の成因：胆管狭窄，胆管結石，ステント，など

確診：A のいずれか＋B のいずれか＋C のいずれかを認めるもの
疑診：A のいずれか＋B もしくは C のいずれかを認めるもの

（図 11-23-3A）．気腫性胆嚢炎では胆嚢内に air 像がみられる（図 11-23-3B）．
2）急性胆管炎：
　a）血液検査：白血球数や CRP の上昇，ALP や γ-GTP などの胆道系酵素上昇，直接ビリルビン優位の総ビリルビン値上昇，AST や ALT の上昇がみられる．また，胆石性膵炎（胆管結石が乳頭開口部近傍の胆膵管共通管に嵌頓した場合に発症）では膵酵素も上昇する．なお，重症例では，アルブミン低下，クレアチニン上昇・尿素窒素上昇，血小板数低下（DIC による），P_aO_2 低下が認められる．また，重症初期では白血球数の低下が認められるときがある．なお，胆石性膵炎を合併している際には，血中アミラーゼやリパーゼの上昇を認める．
　b）画像検査：肝内外の胆管拡張，胆管狭窄，胆管結石や胆管腫瘍などの閉塞機転がみられる．特に造影ダイナミック CT 検査は原因と病態の把握に有用である．

診断
　急性胆道炎については，胆嚢炎・胆管炎ともに診断基準（表 11-23-2，11-23-3）が示されている．

鑑別診断
　右上腹部の炎症性疾患（胃十二指腸潰瘍，結腸憩室

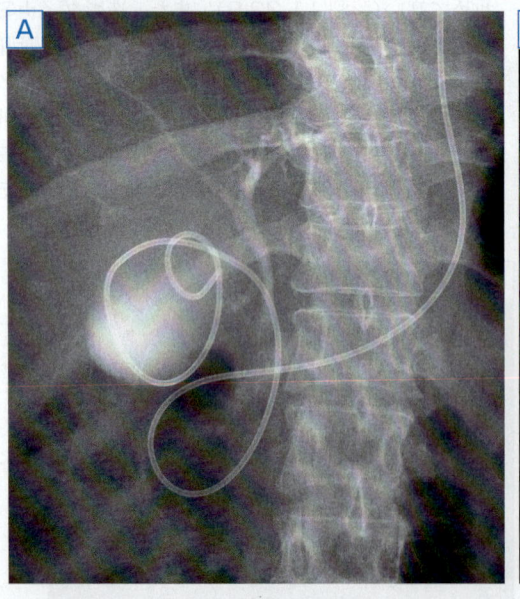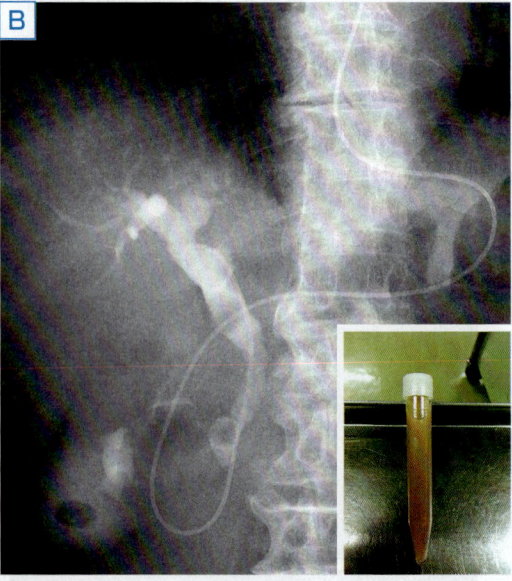

図 11-23-4 内視鏡的経乳頭的ドレナージ
A：胆嚢管腫瘍による急性胆嚢炎に対して，内視鏡的経乳頭的経鼻胆嚢ドレナージチューブを留置．
B：胆管結石による急性胆管炎に対して，内視鏡的経乳頭的経鼻胆管ドレナージチューブを留置し感染胆汁を排出する．ドレナージされた胆汁は膿様を呈している．

炎，急性膵炎など），急性虫垂炎，急性肝炎などがある．その他，心疾患やFitz-Hugh-Curtis症候群，腎盂腎炎，右下葉肺炎などの他領域の疾患も念頭におく．

治療
急性胆道感染症の初期治療の原則は，全身状態の改善と胆汁移行性のよい抗菌薬の投与である．特に重症例においては抗緑膿菌作用薬を初期治療として，ドレナージによる採取胆汁内の原因微生物と感受性が判明するまで使用することが推奨されている．また，適切な臓器サポートや呼吸循環管理とともに，緊急胆道ドレナージを行う（発症後72時間以上経過してからのドレナージ施行は予後不良となる可能性が高い）．軽症例では，緊急処置は必要としないが，保存的治療に反応しない場合は手術やドレナージを検討する．

1）急性胆嚢炎：早期の胆嚢摘出術が基本であるが，重症度に応じて適切な治療法の選択が必要となる．重症例では，直ちに臓器障害の治療を開始し，高度の胆嚢局所の炎症に対しては原則として胆嚢ドレナージを行う．胆嚢摘出術の適応があれば後日に待機的に胆嚢摘出術を行う．中等症・軽症では早期の胆嚢摘出術を行うが，胆嚢局所に高度炎症がある場合はドレナージを先行させる．胆嚢ドレナージには経皮経肝胆嚢ドレナージや内視鏡的経乳頭的胆嚢ドレナージ（図11-23-4A）がある．

2）急性胆管炎：抗菌薬などの保存的治療のみで完治しうる一部の軽症例を除いて重症度にかかわらず胆管ドレナージを考慮する．胆管ドレナージ法には，経皮経肝胆管ドレナージ，内視鏡的経乳頭的胆管ドレナージ（図11-23-4B）の2通りがある．現在では後者が急性胆管炎治療のゴールドスタンダードである．

経過・予後
1）急性胆嚢炎：保存的治療後，あるいは手術待機中の再発率は19〜36%，胆嚢摘出術を施行されずに保存的に治療された例の再発率は22〜47%と報告されている．2000年以降の急性胆嚢炎に起因した死亡率はおおむね1%以下である．

2）急性胆管炎：多くはドレナージや抗菌薬投与により速やかに改善するが，重症例では非可逆性のショックに陥り多臓器不全により死に至る場合がある．かつては比較的高い死亡率（10〜30%）が報告されていたが，診断・治療法の進歩に伴い2000年以降では2.7〜10%程度である．〔入澤篤志〕

■文献
急性胆管炎・胆嚢炎診療ガイドライン改訂出版委員会編：急性胆管炎・胆嚢炎診療ガイドライン2013 第2版．医学図書出版，2013．

3）胆道寄生虫症

定義・概念
蠕虫，原虫のうち，胆道（胆嚢，胆管）に病害を及ぼす寄生虫によって引き起こされる感染症を指す．

分類
胆道系障害を惹起する蠕虫は回虫症，肝吸虫症，肝蛭症，原虫はクリプトスポリジウム症，ジアルジア（ランブリア）症があげられる．

原因・病因
回虫や条虫は胆道系への迷入により大型胆管の閉塞に伴う症状を呈する．たとえば肝吸虫症，肝蛭症，クリプトスポリジウム症は胆道系に寄生感染して小型〜中型胆管を主座とする胆汁うっ滞性肝障害を惹起する（大前ら，2011）．

(1)回虫症【⇒6-12-1】

疫学
国内での感染はきわめてまれである．屎尿を肥料とした有機農業およびその作物から感染する可能性がある[1-3]．寄生部位は空腸が87.2%と多く，胆道系への寄生は0.1%と少ない[4]．

原因・病因
回虫幼虫包蔵卵の経口摂取による[5-8]．

病態生理
消化管で幼虫となり，小腸壁を貫通し，小静脈やリンパ管を経て心肺に至り，再び小腸に到達して成虫となる．アルカリ性を好み，小孔に好んで侵入する習性により，総胆管や肝管への迷入が多いが，胆嚢や膵管へ迷入することもある[5-8]．

臨床症状
胆道炎症状（発熱，腹痛，悪心・嘔吐など）を呈する．成虫の胆管内移動により胆管閉塞機転に伴う反復性腹痛を呈することがある．黄疸を呈することは少ない[5-8]．

診断
検便による虫卵の確認を行う（迷入例では確認不能）[9]．腹部USにより胆道内の音響陰影を伴わない索状エコー像や無エコーの内管を有する2本の線状エコー像（inner tube sign）[10,11]（図11-23-5），横断像では周囲高エコーで内部低エコーを示す輪状エコー像（bull's eye echo）がみられ[12]，運動性が確認されれば確実に診断できる．CTやMRCPでも非侵襲的に診断可能であり，内視鏡的逆行性胆管造影検査では虫体が透亮像として認識される[13]．

経過・予後
胆道内に迷入した成虫は数日以内に死亡し，吸収される．雌の寄生の場合は虫卵のみが残存し，肝臓に異

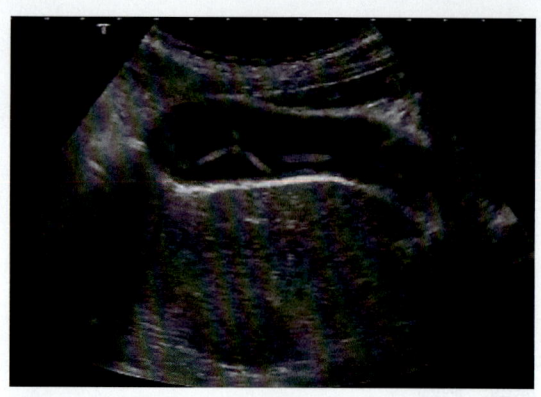
図 11-23-5 回虫のエコー画像
虫体が胆囊内に音響陰影を伴わない索状エコー像として認識できる.

物肉芽反応を伴う膿瘍を形成することがある(野崎ら, 2010).

治療・予防
対症療法により自然排出が得られなければ，内視鏡的あに虫体摘除術を行う[13]．ウログラフィンの刺激により回避行動をとり，自然排泄されることもある．虫体摘出後は駆虫薬の併用を行い[14]，便中の虫体陰性を確認する．

(2)肝吸虫症【⇨11-19-1】
疫学
国内感染者は少ない．近似種のタイ肝吸虫(タイ東北部が好発地域)は長期寄生により肝内胆管癌との関連が疫学的に証明されている[15,16]．

原因・病因
第2中間宿主である淡水魚肉内の幼虫(メタセルカリア)の経口摂取による[15]．

病態生理
十二指腸で脱囊した幼虫がVater乳頭部から胆道系へ到達する．おもに肝内胆管に寄生するが，ときに胆囊，膵管にも寄生することがある．多数かつ10〜20年に及ぶ長期感染により胆道系に炎症・増殖性病変をきたし，胆汁うっ滞性肝障害，肝硬変を惹起する[15]．

臨床症状
少数寄生では無症状のことが多い．まれに腹部膨満，食欲不振，下痢など消化器症状を訴える[15]．多数寄生により硬変肝となり，臨床症状を呈する．

検査所見
好酸球数増加，血清IgE高値，肝・胆道系酵素値上昇を呈する(所，2008)．

診断
検便や十二指腸液・胆汁中の虫卵の確認を行う(寄生数が少ない場合は確認不能)．腹部USにより，虫体(10〜25×3〜5 mm)の確認ができることがある[17]．

肝生検により肝内胆管枝の成虫断面の確認(所, 2008), ERCにより胆管炎性変化(硬化，蛇行，狭窄，拡張など)，虫体による陰影欠損像を呈する．腹腔鏡検査では黄白色斑状変化，胆管拡張所見が認められる[17]．

経過・予後
多数の寄生により胆道炎を惹起し，慢性化すると続発性肝硬変となることがある．また，胆道癌を合併する可能性がある．

治療・予防
プラジカンテル内服．1回20 mg/kg，1日2回，2日間とする．治療後は少なくとも3回の検便を行い，無効例にはあらためて治療を試みる．駆虫後の便より虫体が得られることもある[15,17]．

(3)肝蛭症(fascioliasis)【⇨11-19-2】
疫学
胆道系へは肝内胆管枝から総胆管，胆囊に寄生する．肝吸虫同様，胆道炎，結石形成や肝硬変を惹起するが，胆道癌との因果関係は証明されていない．

原因・病因
中間宿主であるLymnaea属の貝から遊出した幼虫(メタセルカリア)の経口摂取による[18]．メタセルカリアは水生植物に付着する．

病態生理
十二指腸で脱囊したメタセルカリアが消化管壁を穿通し，腹腔内へ移行した後，肝被膜を穿通して肝実質へ到達する．その後，60日前後で胆道系へ到達する．

臨床症状
肝被膜穿通時に激烈な右上腹部痛を伴うことが多い．胆道系移行時には胆管炎症状を反復する[18]．

検査所見
好酸球数増加，血清IgE高値，肝・胆道系酵素値上昇を呈する[18]．

診断
検便や十二指腸液・胆汁中の虫卵の確認を行う．感染約3カ月後までは糞便中の虫卵は偽陰性を呈する．また，胆管に寄生していても虫卵は証明されないことがある．血清免疫学的診断法が有用とされている．画像診断では肝内に多房性囊胞様腫瘤を呈する[18]．腹部超音波検査により胆道系に移行した虫体が認められることや[18]，ERCにより胆管内に虫体による陰影欠損像を呈することもあるが[19]，その頻度は低い．

経過・予後
一般的には予後良好である．慢性化すると胆道閉塞を生じる．

(4) クリプトスポリジウム症，ジアルジア症(ランブル鞭毛虫)【⇨ 6-11-8，6-11-3】

疫学
水道水汚染による感染性下痢症の原因として知られている．クリプトスポリジウム症では肝・胆道系感染は免疫不全状態で報告されている．ジアルジア症(ランブル鞭毛虫)は不顕性感染の場合もある．

原因・病因
感染性幼虫オーシストの経口摂取による．

病態生理
十二指腸，空腸，回腸に感染する病原性腸管寄生虫症であるが，免疫不全状態においては，逆行性感染によって胆道炎を合併することがある．

臨床症状
繰り返す下痢と慢性胆道炎では，免疫学的背景と原虫感染の有無の確認が必須である．なお，クリプトスポリジウム症は慢性化しない．

診断
クリプトスポリジウム症は検便から囊子型(シスト)，十二指腸液，胆汁からは栄養型(オーシスト)が確認される．ジアルジア症は検便から栄養型(オーシスト)および囊子型(シスト)が認められる．

治療
クリプトスポリジウム症はアジスロマイシン内服．600 mg/日，分1，14日間．ジアルジア症ではメトロニダゾール内服．750 mg/日，分3，5〜7日間．

〔河上 洋〕

■文献(e文献 11-23-3)
野崎雄一，藤田浩司，他：肝胆道回虫症．別冊日本臨牀肝・胆道系症候群肝臓編(上) 第2版(井廻道夫，他編)，pp117-9，日本臨牀社，2010．

大前比呂思，千種雄一：肝外胆道寄生虫症．別冊日本臨牀肝胆道系症候群III 肝外胆道編 第2版(井廻道夫，他編)，pp489-96，日本臨牀社，2011．

所 正治：寄生虫性肝胆系疾患．肝胆膵．2008; **57**: 565-70．

11-24　良性胆道狭窄(閉塞)

1) 胆道閉鎖症
biliary atresia

定義・概念
胆道閉鎖症は肝外胆管が先天性あるいは生後まもなくから何らかの原因により閉塞または消失し，胆汁が腸管に排泄されない状態となり，黄疸を呈する疾患である．さまざまなレベルで肝外胆管に閉塞が認められ，放置すれば胆汁性肝硬変となり死に至る小児の難治性疾患である[1,2]．

分類
肝外胆管の閉塞部位により3つの基本型に分けられている(図 11-24-1)．基本型分類 I 型は閉塞部位が総胆管にあるもので12%，このうち閉塞部より肝側の胆管が囊胞状に拡張したものを I cyst 型としている．II 型は閉塞部位が肝管レベルにある肝管閉塞型で2%，III 型は肝門部閉塞を示すもので86%に認める．さらに細かく下部胆管亜型分類と肝門部胆管亜型分類がなされている(葛西ら，1976)．

原因・病因
原因としては先天的要素，器官発生異常説，ウイルス感染説，血行障害説，膵胆管合流異常説，免疫異常説などの説があげられているがいまだ解明はされていない．多くの症例で肝外胆管が存在し，生後しばらくは胆汁排泄を示す黄色便がみられていたにもかかわらず次第に灰白色便となる例があることから，一度形成された胆管が胎生後期から周産期にかけて何らかの炎症により閉鎖が生じるものと考えられている[1,2]．

疫学
1万〜1万2000出生に1人の割合でみられ，わが国では年間に80〜100人発生する．人種差はなく，男女比は約1:2で女児に多い．合併奇形は10%ほどにみられ多脾症候群，腸回転異常症，十二指腸前門脈などがある．低出生体重児や早産児には少なく，遺伝性は確認されていない(仁尾，2012)．1989年から行われている日本胆道閉鎖症研究会による全国登録では2012年までに2792例の全国登録が行われている(日本胆道閉鎖症研究会，2013)[3]．

病理・病態生理
本症の閉塞索状胆管は，病理組織学的には炎症性変化が器質化された瘢痕組織である(図 11-24-2)．肝は胆汁性肝線維化を呈し肝内胆汁うっ滞，巨細胞化を伴う肝実質細胞障害，小円形細胞浸潤を伴った門脈域の線維化，増生胆管とよばれる細い胆管の出現などが特徴的である．月齢とともに線維化は進行し胆汁性肝硬変の状態となる[1,2]．

臨床症状
新生児期から生後2カ月頃にかけて黄疸，灰白色便(図 11-24-3)，肝腫大がみられるようになる．黄疸は生後いったん消失するものもあるが再び現れ

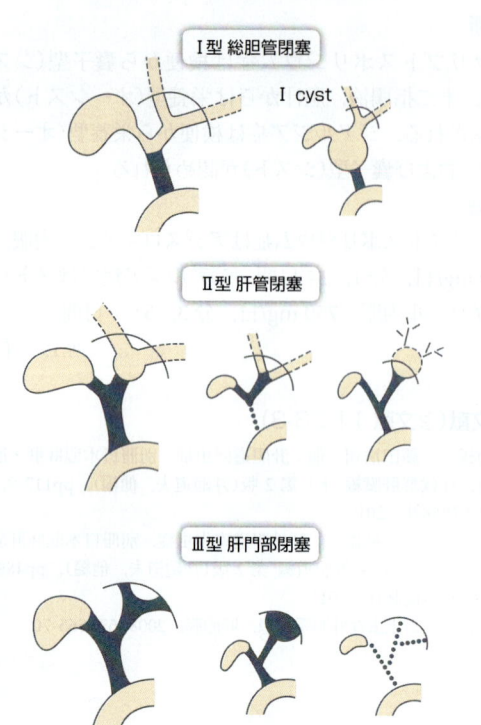

図 11-24-1 胆道閉鎖症の基本型分類（文献1より一部改変）
肝外胆管の閉塞部位により3つの基本型に分類される．Ⅰ型は閉塞部位が総胆管にあるもの，Ⅱ型は肝管レベルの胆管閉塞型，Ⅲ型は肝門部で閉塞しているものである．青い部分が閉塞部を示している．

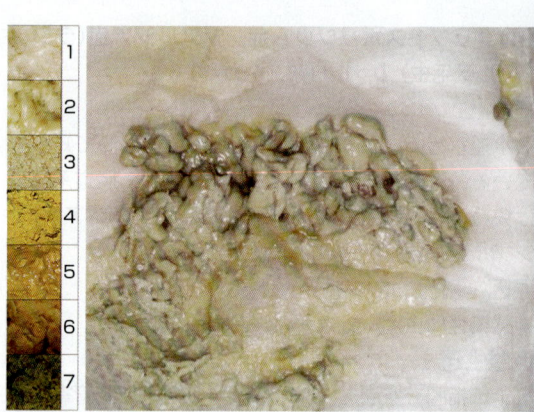

図 11-24-3 胆道閉鎖症でみられる灰白色便
灰白色便は特徴的な症状である．早期診断のために母子健康手帳に綴じ込まれている便色調を表示したカラーカードを左に示してある．

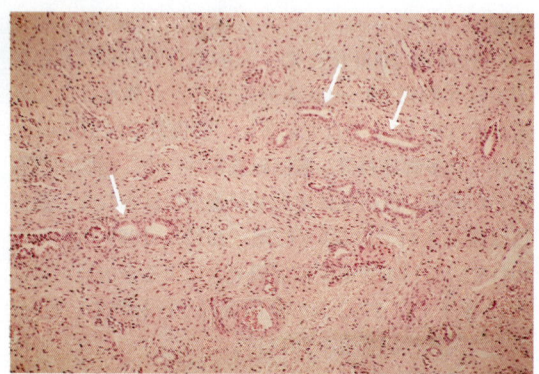

図 11-24-2 切除胆管の病理組織標本（HE染色）
数十～数百µmの微小胆管が線維化した結合組織内に認められる．

日以降も持続する．一般状態は生後2～3ヵ月頃までは良好である．肝は肋骨弓下から心窩部にかけてややかたく触知し，肝線維化の進行に伴って脾腫も認められ腹部は全体に膨隆する．腹圧の上昇により鼠径ヘルニアや臍ヘルニアの合併がみられることが多い．まれにビタミンKの吸収障害に伴う頭蓋内出血や吐下血で発症する場合がある．生後4ヵ月を過ぎると栄養障害や腹水，門脈圧亢進症，出血傾向，くる病などの臨床症状がみられるようになる[1,2]．

検査所見

血清直接ビリルビン，トランスアミナーゼ，アルカリホスファターゼやγ-GTP，膠質反応などの肝機能異常，尿中ビリルビン陽性，ウロビリノゲン陰性，便中ビリルビン陰性となる．リポ蛋白Xが高率に陽性となる．

診断，鑑別診断

生後早期に黄疸を呈する疾患として新生児肝炎や肝内胆管形成不全（Alagille症候群）との鑑別が重要である．Ⅰcyst型では先天性胆道拡張症との鑑別は容易ではない．便色異常は本症に特徴的な症状の1つで，早期診断のために2012年からは便色調を表示したカラーカード（図11-24-3）が母子健康手帳に綴じ込まれることになった．十二指腸チューブ留置による十二指腸液中の胆汁証明は本症の否定のために有用である．超音波検査では胆嚢は描出できないか，または壁が不整である．^{99m}Tc-PMTによる胆道シンチグラムでは，24時間後においても排泄がまったくみられない．MRIでは胆嚢が描出されないか，または小さく壁の不整な胆嚢が存在すれば診断に有用である．またT2強調画像で肝門部における門脈周囲域に不整帯状の高信号像がみられる．

種々の検査で診断が確定できない場合には，試験開腹術を行い，肉眼所見と直接胆道造影で診断を確定する．

治療

薬物療法は効果がなく，生後できるだけ早い時期（60日以内）に手術を行うことが重要である（e図11-24-A）．手術は病型に応じて閉塞胆管切除（e図11-24-B）と胆道再建手術が行われる．胆管吻合が可能であれば肝管空腸吻合術，吻合不能型では肝門部空腸

吻合術(葛西手術)が行われる．肝門部腸吻合術は葛西らによって報告され，肝門部の索状物の切除後，切離面の微小胆管から流出する胆汁を肝門部に吻合した消化管(空腸)内腔に流出させる(図11-24-2)[4])．葛西手術は本症に対して第一に行う減黄手術として世界的に施行されている．この手術の目的は黄疸を消失させ，自己の肝臓で長期生存することにある．日本胆道閉鎖症研究会全国登録によると，葛西手術後の黄疸消失率は6割程度である．手術は生後90日をこえて受けると治療成績は低下する．

経過・予後

放置しておくと胆汁性肝硬変が進行して2～3歳までにほぼ全例が死亡する．手術により良好な胆汁排泄，黄疸の消失と肝機能の正常化が得られた場合には，正常な発育が期待できる．

術後に発症する合併症としては胆管炎と門脈圧亢進症が代表的なものである．発熱，白血球増加，CRP上昇，AST，ALTの上昇，血清ビリルビン値の上昇，便色の淡黄色化などを呈する上行性胆管炎が約40%に認められる．胆管炎は肝障害の進行を速め予後に大きな影響を及ぼす．門脈圧亢進症に伴って消化管静脈瘤と脾機能亢進症が認められる．食道静脈瘤破裂により大量の消化管出血をきたす可能性があり，脾機能亢進症は血小板をはじめとする血球減少をきたす．また門脈圧亢進症に伴い肺血流異常(肝肺症候群や門脈肺高血圧)が起こる可能性がある．葛西手術後に黄疸が消失しても残存する肝硬変のため栄養障害や門脈圧亢進症を呈する症例も少なくない．術後長期経過例において，肝内結石の形成や，妊娠・分娩を契機に急激に病状が悪化する例が認められており長期にわたる厳重な観察が必要である．

手術後黄疸の持続例や黄疸再発例，繰り返す胆管炎，門脈圧亢進症に伴う肝障害のため著しくQOLが障害される場合は肝移植が必要となる．肝移植はおもに親族をドナーとする生体部分肝移植が行われる．

〔廣川慎一郎〕

■文献(e文献11-24-1)

葛西森夫，澤口重徳，他：先天性胆道閉塞(鎖)症の新分類法試案．日本小児外科学会雑誌．1976; 12: 327-31．
日本胆道閉鎖症研究会編：新・胆道閉鎖症のすべて 第4版，胆道閉鎖症を守る会，2013．
仁尾正紀：胆道閉鎖症．標準小児外科学 第6版(髙松英夫，福澤正洋，他編)，pp228-32，医学書院，2012．

2) 後天性胆道閉塞(狭窄)
acquired biliary obstruction (stenosis)

定義・概念

胆道閉塞は，胆道の内腔が完全に塞がれている状態を示す．胆管壁の病変による閉塞をocclusion，胆道内腔に存在する障害物による閉塞をobstructionとよぶが，区別できないこともある．後天性の良性疾患では，胆管の完全閉塞例はほとんどなく，多くは不完全閉塞例(incomplete occlusion)である．それらを臨床的には胆管狭窄(stenosis, stricture)と呼称している．胆管狭窄の病因，病態により治療方法が異なるので，鑑別診断が重要である．

分類

胆道とは，肝細胞から分泌された胆汁が十二指腸に流出するまでの全経路をいう．肝臓内では肝細胞→毛細胆管→細胆管→小葉間胆管→肝内胆管→(左・右)肝管→総胆管→十二指腸へと流れる．胆道は肝内胆管と肝外胆管，胆囊，乳頭部に区分される．胆管狭窄は，部位によって肝内胆管狭窄と肝外胆管狭窄に分類される．頻度の多い肝外胆管狭窄は，肝門部と総胆管上部，中部，下部に分類され，それに乳頭部胆管狭窄が加えられる．肝門部胆管は，左右肝管とその合流部下縁まで，上部および中部胆管は，肝門部胆管下縁から膵上縁までの部分を2等分して区分し，下部胆管は膵上縁から十二指腸壁までの部分と定義される(e図11-24-C)．乳頭部では，胆管はOddi筋に囲まれ，十二指腸壁を貫いた(乳頭部胆管)後に膵管と合流して共通管を形成している．

原因・病態生理

さまざまな原因や病態により後天性の良性胆管狭窄を認めることが知られている(表11-24-1)．

1) 胆管の炎症性病変による胆管狭窄:

a) 原発性硬化性胆管炎(primary sclerosing cholangitis：PSC)：原因不明の進行性の胆道の慢性炎症性硬化性病変であり，肝内，肝外胆管に多発性の線維性狭窄を生じる．病態が進行すると胆管像は特徴的な数珠状変化や偽憩室様所見を呈する(図11-24-4，e図11-24-D)．病理的には，肝組織像で肝内小胆管周囲の線維化や門脈域の炎症像を多く認める．原因は不明であるが，遺伝子の関与が指摘されている．20歳代と60歳代の二峰性であり，男性に好発する．潰瘍性大腸炎の合併が多い．診断基準としては，①典型的胆管像，②臨床像(炎症性腸疾患や胆汁うっ滞)と血液生化学検査(ALP値が正常上限の3倍以上)が矛盾しない，③二次性硬化性胆管炎(結石，外傷，術後など)の除外である．症状としては，黄疸が最も多く，次に全身瘙痒感，腹痛である．肝腫，脾腫も認められる．胆汁うっ滞の結果，肝硬変から肝不全へ至るため

表 11-24-1　後天性良性胆道狭窄の原因

1. 炎症
   原発性硬化性胆管炎
   Mirizzi 症候群
   胆管結石による胆管炎
   IgG4 関連硬化性胆管炎
   慢性膵炎
   放射性治療
   抗癌薬肝動脈注入療法
   など
2. 腹部外科手術
   胆囊摘出術
   肝移植術
   胆管・腸管吻合術
   肝切除術
3. 外傷
4. 感染症
5. その他

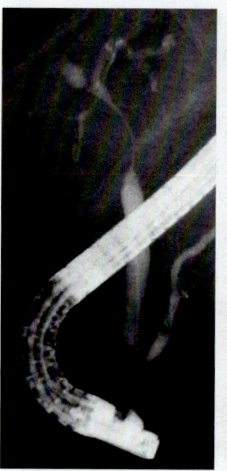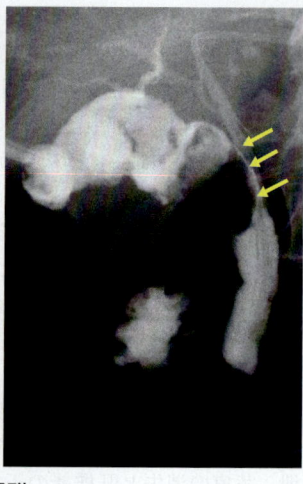

図 11-24-5　Mirizzi 症候群
ERCP：総胆管上部が狭窄している（左）
PTGBD にて胆囊頸部〜胆囊管に結石が嵌頓している（←，右）．

に予後不良であるが，近年では肝移植による根治も期待される．

b）Mirizzi 症候群：胆囊頸部に嵌頓（かんとん）した結石や胆囊管結石により，直接結石が胆管を圧排するか，または炎症性変化によって総胆管に狭窄をきたした病態をいう（Mc Sherry ら，1982）（図 11-24-5，e 図 11-24-E）．症状としては腹痛，黄疸，発熱をきたす．肝内胆管は拡張するが，総胆管は拡張しない．その形態により 2 型に分類される（厚生労働省 IgG4 関連全身硬化性疾患の診断法の確立と治療方法の開発に関する研究班ら，2012）．

① type 1：胆囊頸部または胆囊管にある結石と胆管周囲の炎症性変化により胆管が右方に圧排された病態．

② type 2：胆囊管結石による胆囊管の圧迫壊（え）死により胆囊胆管瘻（biliobiliary fistula）をきたした病態．
　type 1 は外科的胆囊摘出術が，type 2 は内視鏡的結石除去術が実施されることが多い[1]．

c）胆管結石症に伴う胆管狭窄：胆管結石は，存在する部位により肝内結石と総胆管結石に区別される．総胆管結石は胆管狭窄を伴うことが少なく，経乳頭的に内視鏡的に除去される．肝内結石は，結石より下流側に炎症性変化と線維性変化による狭窄を伴うことが多く（e 図 11-24-F，11-24-G），内視鏡的除去や肝切除術が選択される．肝内結石は，PSC に合併することも多い．肝内結石では，胆管癌の合併の鑑別診断が重要である．

d）IgG4 関連硬化性胆管炎：血中 IgG4 値の上昇，病変局所の線維化と IgG4 陽性形質細胞の著しい浸潤などを特徴とする原因不明の硬化性胆管炎である．自己免疫性膵炎（autoimmune pancreatitis：AIP）を高率に合併し，硬化性唾液腺炎，後腹膜線維症などを合併する（厚生労働省 IgG4 関連全身硬化性疾患の診断法の確立と治療方法の開発に関する研究班ら，2012）．高齢の男性に好発する．胆管像は，さまざまな胆管狭窄像を示し（e 図 11-24-H），原発性硬化性胆管炎，胆管癌，膵癌などとの鑑別が必要である[2]．閉塞性黄疸で発症することが多く，ステロイドが著効する（e 図 11-24-I）．

e）膵疾患に伴う胆管狭窄：慢性膵炎，AIP，膵囊胞性疾患などに伴い下部胆管狭窄が認められる（図 11-24-6）．慢性膵炎では，膵の線維化が高度な症例や膵

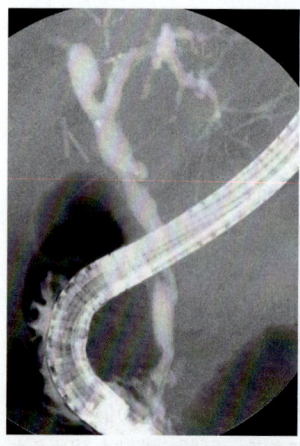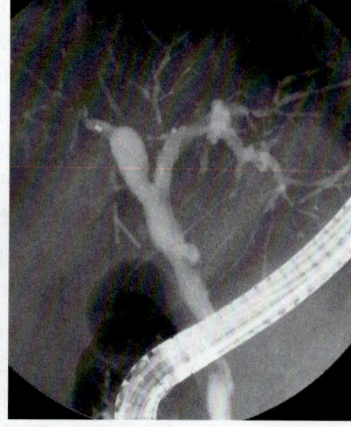

図 11-24-4　原発性硬化性胆管炎
ERCP 像：肝内胆管の数珠状狭窄．

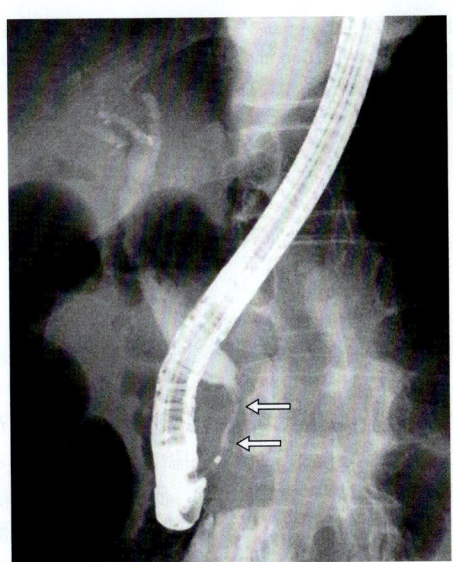

図 11-24-6 **慢性膵炎に伴う胆管狭窄**
ERCP 像：総胆管下部が狭窄している.

管炎で発症することが多い．IgG4 硬化性胆管炎では，高齢の男性が急に黄疸を認めて来院することが多い．

検査所見

胆汁うっ滞に伴い，ALP，γ-GTP などの胆道系酵素の上昇を伴う肝障害を認める．狭窄が高度の場合には，直接ビリルビン優位の高ビリルビン血症を認める．急性胆管炎を伴うと白血球や CRP などの炎症反応が上昇する．IgG4 関連の胆管炎や AIP では高 IgG4 血症（135 mg/dL 以上）を認める．

画像診断

胆管狭窄の診断は，体外式超音波検査や CT 検査により狭窄より上流の拡張した胆管を指摘することが多い．狭窄像を含む胆管像は，MRI や CT による二次元または三次元構築画像，ERCP や経皮経肝的胆道造影による直接造影像で表示される．一般に ERCP による直接胆道造影に引き続いて，胆管細胞診や胆管生検などの組織診断が行われ，また管腔内超音波検査を施行することで狭窄部や胆管壁構造を観察できる．ERCP による胆管造影後に，胆道ドレナージ術も施行することが可能である．超音波内視鏡検査は，肝外胆管病変や胆管周囲の状況を観察することができる．胆道鏡を用いて狭窄部の粘膜像や血管像を観察することは，良悪性の診断に有用である（Itoi ら，2010）．

治療

狭窄に伴う胆汁うっ滞の改善目的に，胆道ドレナージ術を行う．血液検査所見の異常が軽度な場合には，良性疾患が証明されれば経過観察が行われる．胆道ドレナージでは経皮経肝的ドレナージと内視鏡的経乳頭ドレナージがあるが，一般に内視鏡的経乳頭ドレナージが施行されている．内視鏡的経乳頭ドレナージ術には，内瘻法である胆管ステント留置術と外瘻法である内視鏡的経鼻胆管ドレナージとがある．長期に留置する場合には，患者の不快感が少ない胆管ステント留置術が選択される．胆管ステントには，材質によりプラスチックステントと金属ステントに大別されるが，良性胆管狭窄には一般にプラスチックステントが用いられる[3]．また狭窄が限局した場合には，バルーン拡張術なども行われる．しかし狭窄が解除されずに，胆管炎を繰り返す場合や結石の再発が頻回の場合には，外科的手術も考慮される．

薬物療法では，IgG4 関連硬化性胆管炎や AIP では副腎皮質ステロイドの投与が著効する．ほかの疾患では薬物療法が有効な場合は少ない．

経過・予後

PSC などの進行性の疾患を除くと，良性疾患であることより予後は良好である．〔五十嵐良典〕

石合併例に認められる．膵頭部に炎症性腫瘤を形成する例では，膵癌や AIP との鑑別が重要である．

f）医原性：胆管癌などの放射線治療後や肝細胞癌に対する肝動脈塞栓療法，抗癌薬動脈注入療法，ラジオ波焼灼術などの術後に胆管狭窄を認めることがある．

2）**手術，外傷などに伴う胆管狭窄**：胆嚢摘出術，胆管切開術，肝移植術，胆管・腸管吻合術，肝切除術など肝胆道系の術後に，縫合不全，炎症性変化，虚血性変化に伴い胆管吻合部を含めた胆管狭窄をきたすことがある（e図 11-24-J）．外傷後にも胆管狭窄を認めることがある．

3）**その他**：肝囊胞，胆管周囲囊胞，後腹膜線維症などに良性胆管狭窄を伴うことがある．また胆嚢摘出術などの術後に発症する胆管神経腫は，良性腫瘍であり，胆管狭窄を認めることがある．原因として，胆嚢摘出術後などに神経細胞や結合組織が過剰再生することが考えられている．

乳頭炎でも，乳頭内胆管の狭窄などを認める．原発性と続発性に分けられ，続発性では胆石などの胆道疾患に伴う場合や慢性膵炎などの膵疾患に伴うことが考えられる．鑑別としては乳頭部癌や嵌頓結石などがあげられる．

内視鏡的乳頭切開術（EST）などの内視鏡的処置後に瘢痕狭窄を伴う場合がある．その場合には胆管口を追加切開するかバルーン拡張などを施行する．

臨床症状

胆管狭窄に伴う胆汁うっ滞が原因の症状のため，比較的軽い腹痛などの症状が多い．しかし胆管結石や Mirizzi 症候群では，発熱，黄疸，腹痛などの急性胆

■文献（e文献 11-24-2）

Itoi T, Osanai M, et al: Diagnostic peroral video cholangioscopy in an accurate diagnostic tool for patients withbile duct lesions. *Clin Gasroenterol Hepatorol*. 2010; **8**: 934-8.

厚生労働省 IgG4 関連全身硬化性疾患の診断法の確立と治療方法の開発に関する研究班，厚生労働省難治性の肝胆道疾患に関する調査研究班，他：IgG4 関連硬化性胆管炎診断基準 2012. 胆道．2012; **26**: 59-63.

McSherry CK, Ferstenberg H, et al: The Mirizzi syndrome: suggested classification and surgical therary. *Surg Gastroenterol*. 1982; **1**: 219-25.

11-25 膵・胆管合流異常
pancreaticobiliary maljunction

概念
膵・胆管合流異常とは解剖学的に膵管と胆管が十二指腸壁外で合流する先天性の形成異常である．膵胆管共通管が長く，十二指腸乳頭括約筋（Oddi 筋）の作用が膵胆管合流部に及ばないため，膵液と胆汁が相互に逆流することにより，胆道・膵に種々の病態が生じる．先天性胆道拡張症合併例が多いが，胆管非拡張例も存在する．

原因
膵・胆管合流異常の発生機序は解明されていないが，胎生 4 週頃までに起こる 2 葉の腹側膵原基から形成される腹側膵の形成異常とする説が有力である．胆道拡張症の発生機序も不明であるが，原腸の内腔形成の異常によるものとする説が有力である．

頻度
欧米人に比べて東洋人に多い．わが国では約 1000 人に 1 人の頻度である．女性は男性の約 3 倍の高頻度である．先天性疾患であるが，約 2/3 の症例は成人期にはじめて診断されている．

病態生理
合流異常症では膵液・胆汁の相互逆流により，種々の合併症が生じる．

合流異常症の約 80％に先天性胆道拡張症が合併し，残りは胆管非拡張例である．胆道拡張症では肝内・肝外の胆管が紡錘状〜囊状に拡張する．先天性胆道拡張症は戸谷分類で I〜V 型に分けられる．このうち総胆管が限局性に拡張する Ia 型と Ic 型と，肝内と肝外胆管が拡張する IV-A 型の頻度が高く，ほぼ全例に合流異常を伴っており，これが狭義の先天性胆道拡張症とされている．

合流異常症では膵液の胆道内逆流と胆汁うっ滞が起こり，二次性胆汁酸や活性化膵酵素（プロテアーゼ，ホスホリパーゼ A_2），リゾレシチンなどの変異原性物質により胆管粘膜が傷害される．拡張胆管や胆囊では，持続する炎症と再生から細胞周期の回転が亢進し，過形成，異形成，癌が生じうる．

合流異常症では胆道癌を高率に合併する．胆道拡張例では胆囊，拡張胆管に，胆管非拡張例では胆囊に好発する．合流異常症に合併する胆道癌は若年発症が多いことが特徴であり，さらに加齢とともに増加する．胆囊粘膜過形成（絨毛状増生），腺腫は胆囊癌の前癌病変として重要である．また膵液胆管逆流により胆管炎・胆石症が，胆汁膵管逆流により急性膵炎が惹起される．

臨床症状
おもな症状は腹痛，黄疸，発熱などである．10〜20％の症例は無症状である．先天性胆道拡張症合併例の方が胆管非拡張例よりも症状を呈することが多い．腹痛，黄疸，腹部腫瘤が先天性胆道拡張症の 3 主徴といわれてきたが，すべてそろうことは少ない．

診断
合流異常症の確定診断は，直接造影（ERCP，PTCDや術中胆道造影）で膵管と胆管が異常に長い共通管（成人例では 15 mm 程度が目安となる）をもって合流するか，異常な形で合流するのを確認することによる（図 11-25-1）（日本膵・胆管合流異常研究会他，2012）．胆汁中アミラーゼ濃度の高値は有力な補助診断である．

血液検査は，無症状時には多くの場合，異常はない．有症状時にアミラーゼ，ビリルビン，胆道系酵素が上昇することがある．

腹部超音波検査は合流異常のスクリーニングに有用である．先天性胆道拡張症では総胆管や肝内胆管の拡張が合流異常の診断の契機となる．胆管非拡張例では胆囊壁内側の低エコー層のびまん性肥厚（胆囊粘膜過形成を示唆する）が合流異常の存在を疑う所見である（図 11-25-2）．

合流異常が疑われる場合は，直接造影によって合流異常の有無の検索を行う．直接造影のほかに，非侵襲的検査法である MRCP，MD-CT（MPR 像），DIC-CT や超音波内視鏡（EUS）も用いられ，合流異常の診断のみならず，胆道拡張症や合併病変の診断にも有用である．

乳幼児期に発見される症例の多くは先天性胆道拡張症合併例であり，上腹部腫瘤を触知したり黄疸が持続する場合には本症を疑う．超音波検査で胆道拡張症の

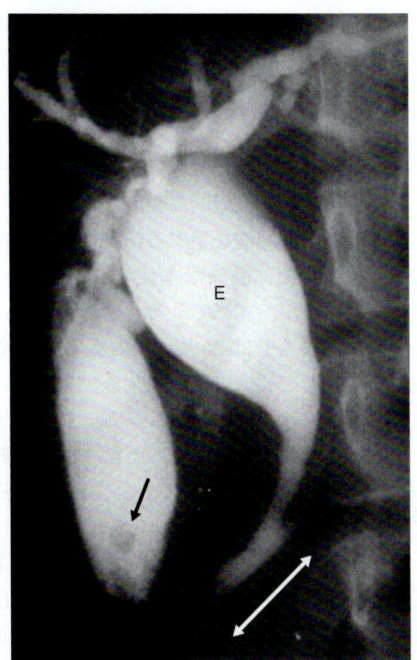

図 11-25-1 先天性胆道拡張症を合併した膵胆管合流異常症（ERCP）
長い共通管（白両矢印），肝外胆管（E）の囊腫状拡張，胆囊腺腫（黒片矢印）を認める．

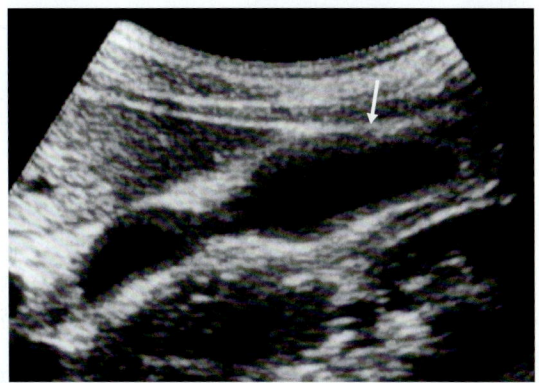

図 11-25-2 膵胆管合流異常症に合併する胆囊粘膜過形成（超音波検査）
胆囊壁（矢印）の内層低エコー層はびまん性に著明に肥厚している．

診断がつくことが多く，血液検査の異常を伴う．成人例では，胆管拡張，胆囊壁異常や原因不明の急性膵炎などから，合流異常症の検索に進むことが多い．

治療

合流異常症は胆道発癌の危険性が高く，発生後の胆道癌の手術成績は必ずしも良好ではない．したがって合流異常症は早期の手術が必要であり，たとえ無症状であっても外科治療の適応である．

胆道拡張症合併例では，分流手術（膵液と胆汁の相互逆流を遮断する）として肝外拡張胆管切除・胆囊摘出・胆管空腸吻合術を行う．内瘻術（胆管空腸吻合術のみを行い拡張胆管を残置する）は胆管炎・胆管癌の合併が多く，禁忌である．胆管非拡張例では，胆汁が濃縮・うっ滞し発癌部位となる胆囊のみの摘出でよいとする意見と，胆管癌がまれに合併するので肝外胆管切除の併施（分流手術）が必要との意見とがあり，統一した見解は得られていない．胆道癌合併例では，肝外胆管切除・胆囊摘出術に加え，通常の胆道癌と同様に癌の存在部位・進展度に応じて合併切除を行う．

予後

胆管非拡張例で予防的に胆囊摘出術のみを行った症例では，合併症はほとんどなく長期成績は良好である．胆道拡張症合併例（胆道癌非合併）では術後長期合併症として胆管炎・肝内結石・吻合部狭窄があげられる．まれに肝内胆管癌が発生する． 〔杉山政則〕

■文献

日本膵・胆管合流異常研究会，日本胆道学会：膵・胆管合流異常診療ガイドライン，医学図書出版，2012.

11-26 先天性胆道拡張症

定義・概念

先天性胆道拡張症は胆道系が限局性に拡張した先天性の胆道形成異常で，膵・胆管合流異常を伴うことが多い．東洋人の若年女性に発生頻度が高く，症状を有することが多い．膵・胆管合流異常を伴う場合，胆道癌の発生率が高いため分流手術など早期の外科治療が必要である．

分類

胆道拡張症は，1959 年に Alonso-Lej により 3 型に分けられ[1]，現在は合流異常の概念を取り入れ 5 型に分けた戸谷分類[2]が広く使われている（図 11-26-1）．戸谷 I 型は肝外胆管拡張型で Ia 型（囊腫状拡張），Ib 型（分節型），Ic 型（円筒状拡張）に亜分類される．II 型は憩室型できわめてまれであり，III 型は十二指腸壁内の総胆管末端部の囊状拡張である．IV 型は多発型で，肝内・肝外とも拡張を認める IV-A 型と，肝外だけに 2 カ所以上の拡張を認める IV-B 型に分けられる．V 型は肝内胆管のみが拡張したものである．

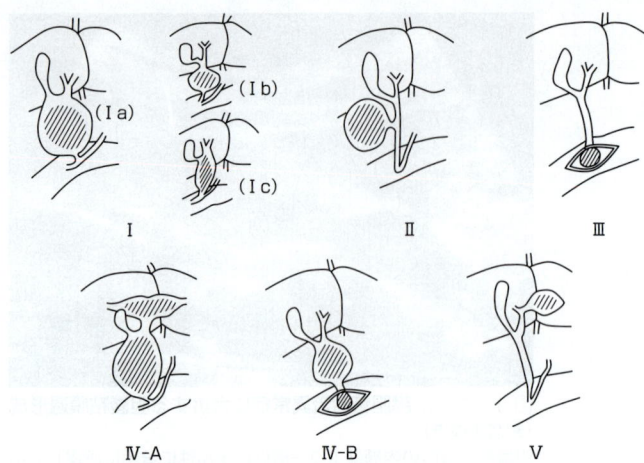

図11-26-1 先天性胆道拡張症の戸谷分類(文献2より)
総胆管が限局性に拡張するIa型とIc型，肝内と肝外胆管が拡張するIV-A型は頻度が高く，ほぼ全例に膵・胆管合流異常を合併する．Ib型，II型，III型，IV-B型，V型は頻度が少なく，多くは膵・胆管合流異常を伴わない．

I型とIV-A型の頻度が非常に高く，またIa型，Ic型とIV-A型はほぼ全例に膵・胆管合流異常を合併するが，ほかのIb，II，III，IV-B，V型では合流異常の合併はほとんどみられない．

疫学

東洋人に多く，女性の発症頻度は男性の約3倍であり小児期に診断される頻度が高い．診断された症例の多くは症状を有しており，小児では94.3％，成人では74％が腹痛などの症状を呈する．胆道癌は本症の21.6％に合併し，健常人の約1500倍の危険率である．癌の発生年齢は50〜60歳で，わが国における胆道癌の好発年齢よりも15〜20歳程度若年である．ま

た，癌以外にも急性膵炎(18.5％)，肝機能障害(25.5％)，胆管炎(14.7％)の合併も高頻度である[3,4]．

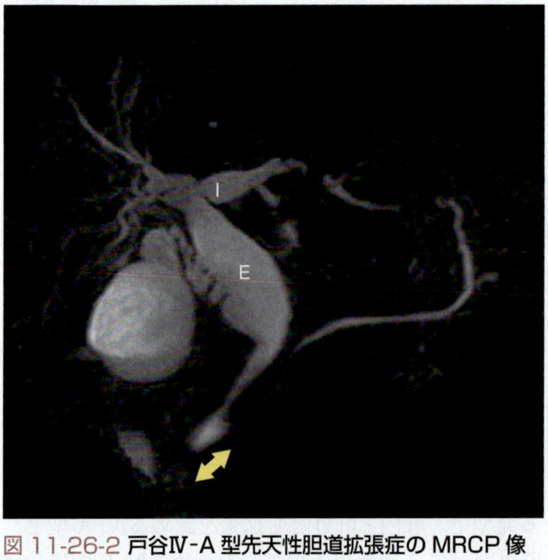

臨床症状

症状は腹痛が最も多く，悪心，嘔吐，黄疸，発熱も比較的高頻度にみられる．小児では腹部腫瘤を呈する頻度も高く，腹痛・黄疸・腹部腫瘤が本症の3主徴といわれてきたが，すべてそろう症例は少ない．また，成人では26％が無症状で胆道癌の発生などを契機に診断される[3-5]．

診断

画像診断で限局性の胆管拡張を証明することで本症と診断できる．胆管拡張は従来，胆管径が成人で10 mm以上，小児で5 mm以上とされてきたが，小児では正常胆管径は年齢と相関することから，近年，年齢ごとに正常胆管径の上限値を規定する試みがなされている[6,7]．診断法として超音波検査は簡便で非侵襲的であり本症のスクリーニングに有用であるが，合流異常の合併を診断するためには内視鏡的逆行性胆管膵管造影(ERCP)や超音波内視鏡検査(EUS)など精度の高い診断法も必要である．近年の画像診断法の進歩により，非侵襲的な検査であるMRCP(磁気共鳴膵胆管造影検査)やMDCT(多重検出器列CT)でもかなりの精度で合流異常の診断が可能になった(図11-26-2，e図11-26-A)[3,8]．

治療

本症は胆道癌の合併頻度が高いため，診断確定後は早期の手術が推奨される[3]．拡張型態により術式は異なるが，合流異常を伴う症例には肝外胆管切除・胆道再建が標準術式であり，可能な限り拡張胆管を切除する[3]．また，術後晩期合併症として胆管炎，肝内結石，膵石や膵炎などがあり，胆道癌の再発例も報告されていることから，術後は長期に経過観察を行うべきである[3,9]．

〔平野 聡〕

■文献(e文献11-26)

森根裕二，島田光生，他：全国集計からみた膵・胆管合流異常．日本消化器病学会雑誌．2014；111：699-705.

日本膵・胆管合流異常研究会，日本胆道学会：膵・胆管合流異常診療ガイドライン，医学図書出版，2012.

戸谷拓二：先天性胆道拡張症の定義と分類．胆と膵．1995；16：715-7.

図11-26-2 戸谷IV-A型先天性胆道拡張症のMRCP像
肝外胆管(E)の嚢腫状拡張と肝内胆管(I)の拡張，長い共通管(両矢印)を認める．

11-27 胆嚢・胆道の腫瘍

1）胆嚢腫瘍（良性・悪性）

（1）胆嚢癌（gallbladder carcinoma）
定義・概念

　胆嚢または胆嚢管に発生する癌腫のことをいう．胆嚢結石や膵・胆管合流異常との関連性が高いとされる．早期発見に超音波検診が有効であるが[1]，進行して発見されることが多い．胆嚢壁の固有筋層が薄いため漿膜下層に浸潤しやすく容易にリンパ節転移をきたす．

分類

　胆嚢は底部の頂点から胆嚢管移行部までの長軸を3等分する範囲で底部，体部，頸部に区分される（e図11-27-A）．形態により進行癌では乳頭膨張型・乳頭浸潤型，結節膨張型・結節浸潤型，平坦膨張型・平坦浸潤型（e図 11-27-B）に，早期癌では隆起型：Ⅰp型（有茎性）・Ⅰs型（無茎性），表面型：Ⅱa型（表面隆起），Ⅱb型（表面平坦），Ⅱc型（表面陥凹），陥凹型：Ⅲ型に分けられる．

原因・病因

　胆石合併率が 50～70％と高いことから，胆石を形成する胆汁組成が影響しているのではないかと考えられている．ただし，胆嚢結石症が胆嚢癌の危険因子とする，明らかなエビデンスはない．膵・胆管合流異常を伴う先天性胆道拡張症あるいは胆管拡張を伴わない膵・胆管合流異常で高率に発生する[2]．これは，胆嚢内に逆流した膵液が発癌に関与していると考えられる．ほかの危険因子に肥満[3]，胆石の家族歴，胆嚢炎の既往，脂っこいもの好き，化学物質など[4]があるが，発癌過程は明らかではない．

疫学

　胆嚢癌は 60～70 歳代の高齢者に多く，男女比は 1：2～4 と女性に多いとされてきたが，最近は男性の罹患（りかん）数が増加している．わが国における胆道癌（胆嚢癌＋胆管癌）による死亡者数は悪性腫瘍による死亡原因中第 6 番目である．年々増加しており，厚生労働省の統計によれば 1975 年に 4484 人であった死亡者数が 1985 年には 9470 人と約 2 倍に，2008 年では 17311 人と約 4 倍になっている[1]．

病理

　ほとんどが腺癌（乳頭腺癌・管状腺癌など）である．進展様式には漿膜浸潤，肝直接浸潤，肝転移，肝外胆管浸潤，門脈・動脈浸潤，腹膜播種，リンパ節転移がある．胆嚢壁は粘膜層（m），固有筋層（mp），漿膜下層（ss），漿膜（s）からなり，早期癌は「組織学的壁深達度が粘膜内または固有筋層内にとどまるもので，リンパ節転移の有無は問わない」とされている．総合的進行度は Stage Ⅰ 21.7％，Stage Ⅱ 29.7％，Stage Ⅲ 17.1％，Stage Ⅳa 18.7％，StageⅣb 12.8％と進行癌が圧倒的に多い（e表 11-27-A）．

臨床症状

　特異な症候がなく，検診や胆石あるいは急性胆嚢炎の症状が発見のきっかけになることが多い．進行癌では胆管浸潤による閉塞性黄疸や体重減少が出現する．

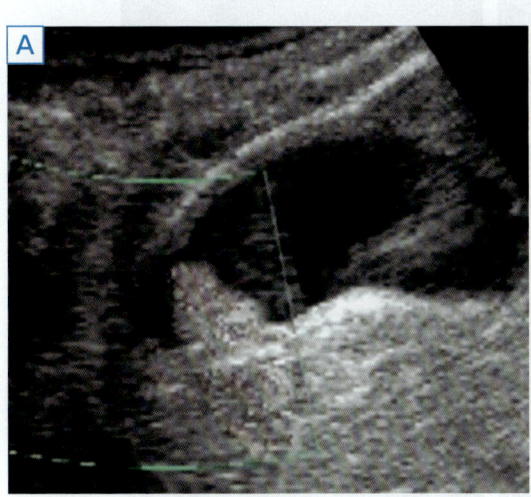 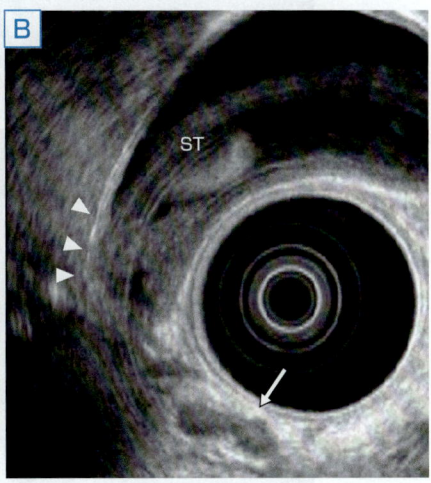

図 11-27-1 胆嚢癌の超音波画像
A：体外式 US 像．胆嚢頸部に 13 mm 径の広基性隆起を認める．表面性状は比較的平滑だが，内部にドプラ信号を認める．
B：EUS 像．肝床部との間にある高エコー層が不連続であり（矢頭），ss 浸潤と診断できる．腫大したリンパ節（矢印）と胆嚢内に結石エコー（ST）を認める．

検査所見

急性胆嚢炎があれば白血球数増加，CRP値上昇など炎症所見を，胆管浸潤例では血清ビリルビンや肝胆道系酵素の上昇など閉塞パターンを示す．腫瘍マーカーとしてCEA・CA19-9があり，進行癌で上昇する．

診断

1) 腹部超音波検査（US）： 拾い上げに最も有用な検査法である．広基性で2cm以上の隆起性病変や不均一な壁肥厚性病変は胆嚢癌の可能性が高い．カラードプラで速い血流信号を認める場合（図11-27-1A）胆嚢癌を強く疑うが炎症との鑑別が問題となる．

2) 超音波内視鏡検査（EUS）： 体外式USと比べて解像力にすぐれ，壁深達度診断や膵・胆管合流異常の診断が可能である．胆嚢壁の層構造は内腔から高・低・高の3層あるいは低・高の2層に描出されるが，最外層の高エコーは漿膜下層に一致することからss浸潤の診断が可能である（図11-27-1B）．ただし，癌の微小浸潤は診断困難であり病理組織診断との一致率は70～80％程度である[5]．

3) 造影CT検査： ダイナミックCTによる血行動態では，癌は早期に濃染し後期まで遷延するが（図11-27-2），良性病変は早期に濃染しても後期にはwash outされるのが一般的である[6]．装置の進歩がまざましく，肝直接浸潤，肝転移，リンパ節転移，肝十二指腸間膜浸潤に有用である．

4) MRI検査： 造影MRIはCTと同様に血行動態による質的診断が行える[7]．MRCPでは胆管浸潤の診断や膵・胆管合流異常の診断が容易に行える．

5) 胆道造影検査（ERCP）： 胆嚢内腔の乳頭状隆起を描出できるが（e図11-27-C），進行癌では胆嚢管閉塞で造影されないことが多い．胆管浸潤の診断に有用であるがMRCPで代用できるようになっており，診断目的でERCPを行うことは少ない．ただし，胆嚢管から胆嚢内にカニューレを挿入して行う胆汁細胞診はERCPでしか行えない．

鑑別診断

鑑別すべき疾患として，隆起を主体とするものでは良性ポリープや胆嚢腺筋腫症（限局型）が，壁肥厚を主体とするものでは胆嚢腺筋腫症（びまん型，分節型），慢性胆嚢炎，黄色肉芽腫性胆嚢炎などがあげられる．

治療

根治的治療は外科的切除しかない．ただし，腹膜播種，肝転移，広範囲リンパ節転移などは適応外であり，化学療法を行うしかないが，著効を示すことが少

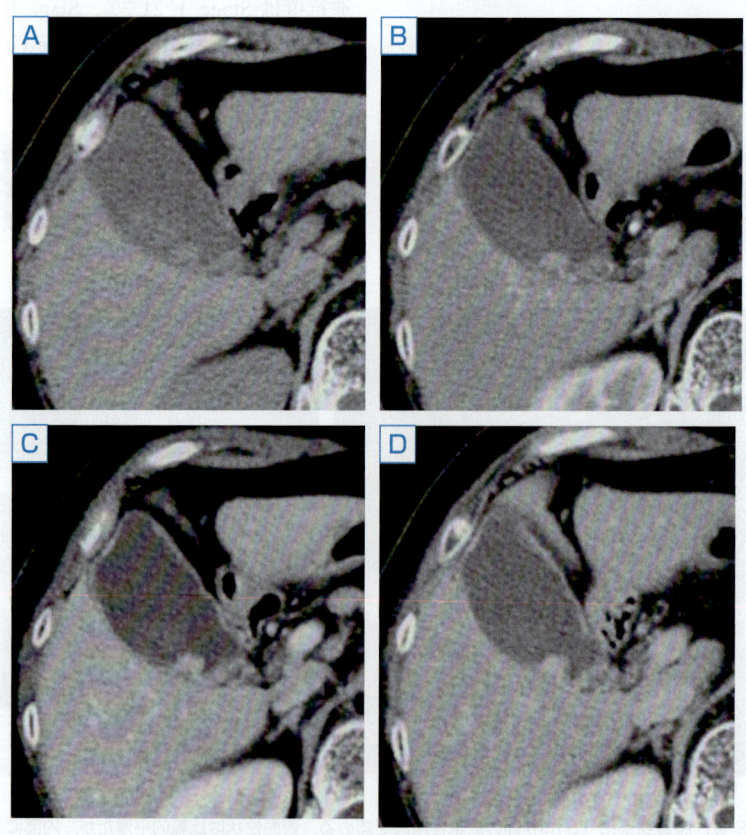

図11-27-2 胆嚢癌のダイナミックCT像
胆嚢頸部に単純像(A)でやや淡い隆起性病変を認めるが，動脈優位相・門脈優位相(B, C)で明瞭に濃染され広基性隆起であることがわかる．平衡相(D)まで遷延して濃染されている．

なく，放射線療法にも限界がある．手術術式は早期癌では（全層）胆嚢摘出術で十分とされている．ss 以深の癌では，癌の占拠部位，進展度により肝床切除，肝中央下区域切除，拡大肝右葉切除などさまざまな術式が選択される．郭清のため肝外胆管切除または膵頭十二指腸切除が行われることもある．

予後

切除率は約 66％で術後の 5 年生存率は 47.6％であり，Stage Ⅰ 82.1％，Stage Ⅱ 69.7％，Stage Ⅲ 37.1％，Stage Ⅳa 25.2％，Stage Ⅳb 11.2％と進行すればするほど予後不良となる．非切除例の予後は 5 年生存率 1.7％ときわめて不良である．

(2) 胆嚢良性腫瘍

a. 胆嚢ポリープ（gallbladder polyp）

US で偶然発見されることが多く，検診での発見頻度は 4.3〜6.9％である（Inui ら，2011）．有茎性にはコレステロールポリープ（e動画 11-27-A），過形成性ポリープ，炎症性ポリープ，線維性ポリープなどが，広基性には限局性腺筋腫症がある．腺腫や腺腫内癌は有茎性あるいは広基性を呈する．コレステロールポリープが最も多く，US で 5 mm 以下の多発する有茎性隆起として描出される．典型例は 10 mm 以上でも高輝度スポットを認め，桑実状を呈するが（e図 11-27-D），内部に低エコー部が出現すると癌との鑑別診断が困難となる（e図 11-27-E）．

良性と診断できれば年に 1 回の経過観察でよい．癌が否定できないときには 3〜6 カ月後に再検査して，増大したときには手術を行う．ただし，大きさが 20 mm 以上のときは癌の可能性が高いのではじめから手術を行う．

b. 胆嚢腺筋腫症（gallbladder adenomyomatosis）

胆嚢壁が限局性あるいはびまん性に肥厚し，腺成分，筋成分，線維性成分が増殖した状態であるが腫瘍ではない．特別な症候はなく，検診で 0.2〜0.4％程度発見される[8]．占拠部位により限局型，分節型，びまん型に分類される．Rokitansky-Aschoff 洞（RAS）の増殖性変化が特徴で，US でコメットサイン（eコラム 1），壁内結石，無エコー部（拡張した RAS）を認めれば診断できる（e図 11-27-F）．RAS の拡張は造影 CT で低吸収域，MRI の T2 強調画像で高信号，ERCP で憩室様突出像として描出される．

腺筋腫症と診断できれば手術を行う必要はない．ただし，胆石が発生することがあるので年に 1 回の経過観察を行う必要がある． 〔乾 和郎〕

■ 文献（e 文献 11-27-1）

Inui K, Yoshino J, et al: Diagnosis of gallbladder tumors. *Intern Med.* 2011; **50**: 1133-6.

中澤三郎, 乾 和郎編：早期胆嚢癌, 医学図書出版, 1990.
日本胆道外科研究会編：臨床・病理―胆道癌取扱い規約 第 6 版, 金原出版, 2013.

2) 胆管腫瘍（良性, 悪性）

(1) 胆管癌（cholangiocarcinoma, bile duct cancer）

定義・概念

胆管に発生する上皮性悪性腫瘍のことをいう．胆管のうち肝内胆管に発生するものを肝内胆管癌（胆管細胞癌，細胆管癌）【⇒ 11-13-2】とよび，肝外胆管から発生するものを肝外胆管癌，いわゆる胆管癌とよぶ．多くは発見時に黄疸や肝障害を伴うため，胆道ドレナージが必要となる．

分類

胆管は肝内から膵内に存在するため，癌の占拠部位によって臨床的特徴や手術術式が大きく異なる．肝外胆管は第 6 版の胆道癌取り扱い規約（日本肝胆膵外科学会，2013）で肝門部領域胆管（Bp）と遠位胆管（Bd）（図 11-27-3）に新しく区分された．肝内胆管癌を含めた部位別発生頻度は肝内胆管癌 5〜10％，肝門部領域胆管癌は 60〜70％，遠位胆管癌は 20〜30％とされる．癌は肉眼型により乳頭型，結節型（e図 11-27-G），平坦型に分類され，それぞれ浸潤様式から膨張型と浸潤型に亜分類される．

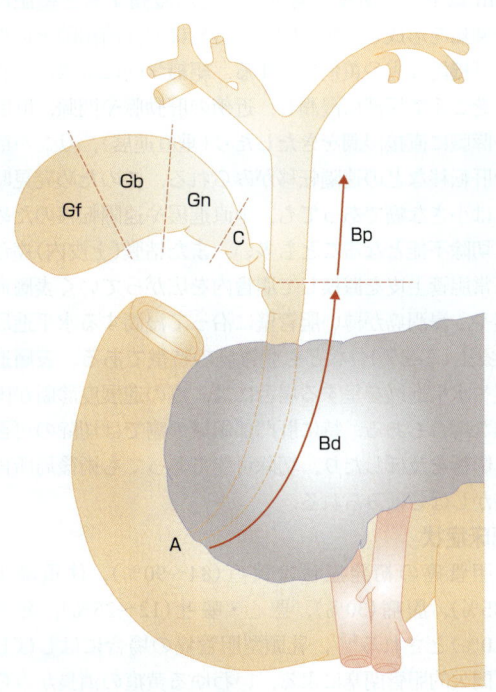

図 11-27-3 肝外胆管の区分

病因

多くは原因不明であるが，発癌には慢性的な炎症を生じる病態の関与が指摘されている．肝外胆管癌のハイリスクとして胆管拡張型の膵・胆管合流異常，原発性硬化性胆管炎があげられる（日本肝胆膵外科学会ら，2014）．また一部の肝内胆管癌は肝内結石症を背景として発生する．近年，印刷業におけるジクロロメタンや1,2-ジクロロプロパンなどの化学物質に長時間，高濃度暴露することによる発癌が報告されており，現在疫学的検討が進んでいる[1]．

疫学

統計上は胆管癌は胆嚢癌とともに胆道癌として扱われる．2014年の胆道癌の予測罹患数および死亡数はそれぞれ26400人（男13700人，女12700人），19200人（男9500人，女9700人）で，それぞれ全悪性腫瘍死亡の3%，5%を占める[2]．胆道癌のうち胆嚢癌は女性に，胆管癌は男性に多い．

病理

癌の組織型は固有の腺上皮から発生した腺癌が最も多くみられる．正常胆管壁は腺上皮を含む粘膜層，線維筋層，漿膜下層，そして漿膜の4層（ただし（膵内など）漿膜がない部分もある）からなるが，線維筋層は疎なため癌はいったん浸潤すると容易に漿膜下層に達する．胆管内では乳頭型などの膨張性発育を示し，漿膜下層では高〜中分化型管状腺癌あるいは低分化腺癌となって浸潤性発育することが多い．

病態生理

正常の胆管壁は1mm程度，最大肝外胆管径は6mm以下[3]であり，癌がいったん浸潤すると壁肥厚や腫瘤を形成し，臨床的には容易に胆汁流出障害に伴う肝機能障害や黄疸を呈する．組織学的には癌は胆管壁をこえて深部に浸潤し，近傍の肝動脈や門脈，肝臓や膵臓に直接浸潤をきたしたり（垂直進展），リンパ節や肝転移などの遠隔転移がみられる．このため発見時には小さな癌であっても，垂直進展や遠隔転移のために切除不能となることも多い．また粘膜（上皮内）癌が正常胆管上皮を置換して胆管内を広がっていく表層進展や，浸潤癌が薄い胆管壁に沿って浸潤する水平進展（e図11-27-H）なども胆管癌の特徴である．表層進展や水平進展を呈する場合には，癌の進展度診断が困難な場合もある．特に肝門部領域の癌では切除の可否に影響を及ぼしたり，切除可能であっても術後局所再発がしばしばみられる．

臨床症状

胆管癌の初発症状は黄疸（84〜90%），体重減少（35%），腹痛（30%），悪心・嘔吐（12〜25%），発熱（10%）とされる[4,5]．乳頭型胆管癌の場合にはしばしば間欠的胆管閉塞による，いわゆる黄疸の消長がみられる．無黄疸症例では肝機能障害や胆管拡張が発見契機となる．胆嚢管より遠位の胆管から発生した癌の場合には閉塞に伴う胆汁貯留により無痛性胆嚢腫大（Courvoisier徴候）を認めることがある．

検査所見

血液生化学検査では胆汁うっ滞に伴うアルカリホスファターゼ，γ-GTP，LAPなどの肝胆道系酵素の上昇を認める．閉塞が高度になるとAST，ALT上昇がみられる．しかしながらこれらは胆管癌に特異的とはいえない（日本肝胆膵外科学会ら，2014）．胆管癌に特異的な腫瘍マーカーはないが，CA19-9（69%）やCEA（18%）が上昇する．ただし，CEAは胆汁うっ滞の影響を受けないが，CA19-9は胆汁うっ滞で上昇することに注意する[6]．

診断

1）画像診断（日本肝胆膵外科学会ら，2014）：

a) 腹部超音波（図11-27-4）：胆管癌を疑った場合に最初に行うべき画像診断検査である．肝外胆管癌の診断は感度89%，正診率80〜90%とされる[7]．通常，胆管癌は腫瘤や壁肥厚として描出されるが，癌そのものをとらえられない場合でも上流の拡張胆管は胆管癌を疑う間接所見となる．

b) 超音波内視鏡（endoscopic ultrasonography：EUS）（図11-27-5）：EUSは高い分解能を有し，近傍の消化管〜胆管を観察することが可能である．解剖学的位置関係からおもに肝外胆管癌の診断に用いられ，血管浸潤や壁進展度診断に有用である．

c) MRI（magnetic resonance cholangiopancreatography：MRCP）（図11-27-6）：造影MRIは病変の局在，血管浸潤，肝浸潤の評価にすぐれている．非侵襲的に胆管膵管像が得られるMRCPは胆管の狭窄部位の同定や進展度診断，そして膵・胆管合流異常の診断が可能である．狭窄のために直接造影では描出されない胆管でも容易に描出可能であり，治療方針決定に

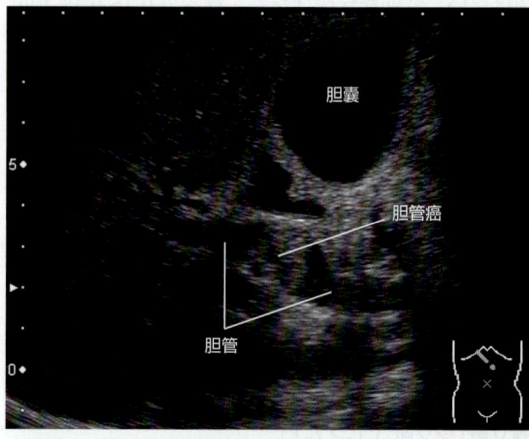

図11-27-4 乳頭型胆管癌の腹部超音波像
肝外胆管内に充満する腫瘤を認める．上流胆管と肝内胆管は拡張している．

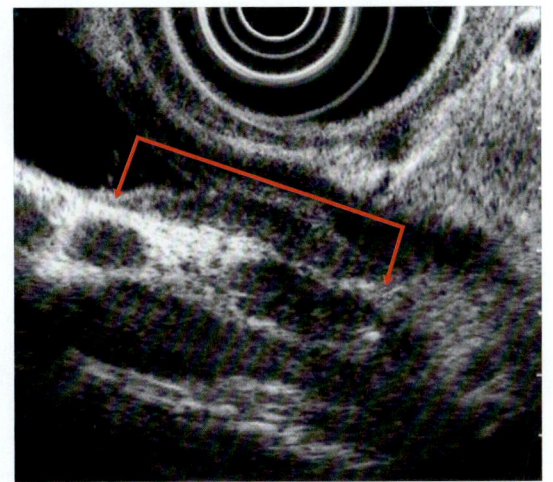

図11-27-5 平坦浸潤型胆管癌のEUS
肝外胆管内に偏側性で限局性壁肥厚を認める．典型的な胆管癌のEUS像である．

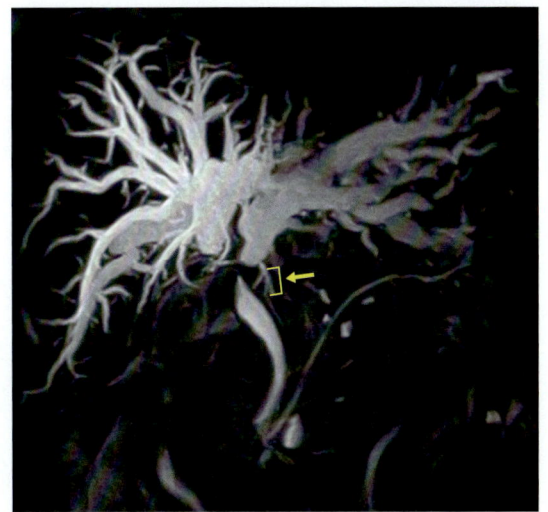

図11-27-6 肝門部胆管癌のMRCP像
肝門部の左右肝管に狭窄を認めるがMRCPでは末梢胆管まで良好に描出されている．

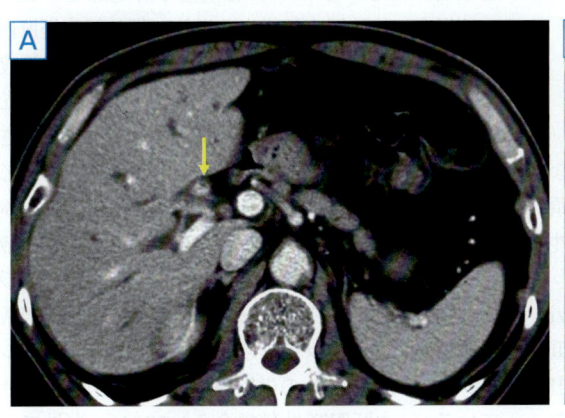

図11-27-7 平坦浸潤型胆管癌の造影CT
A：横断．肝外胆管内に偏側性で限局に造影される胆管壁（矢印）を認める．
B：冠状断．造影効果を有する中部〜上部胆管壁（矢印）が肥厚している．

役立つ．なお体内に金属を有する場合にはMRI（MRCP）は禁忌である．

d) 造影CT（図11-27-7A, B）：造影CTは胆管癌の診断において病変の局在と進展度診断に最も有用な検査である．胆管癌は限局性に造影効果を認める壁肥厚や腫瘤として描出される．血管浸潤，肝・膵浸潤，リンパ節転移，遠隔転移も同時に評価可能である．ただし（ヨード）造影剤を用いない単純CTのみでは診断は不十分である．

e) PET（PET/CT）：PETは糖代謝を画像化した診断法であるが，近年CTと一体化したPET/CTが一般的となっている．リンパ節転移や遠隔転移の診断や再発巣の評価にすぐれている．

f) 直接胆道造影：ERCP（endoscopic retrograde cholangiopancreatography）（図11-27-8）あるいはPTBD（percutaneous transhepatic biliary drainage）により胆管内に挿入あるいは留置したチューブから胆管を直接造影する．その空間分解能の高さから狭窄の局在のみならず胆管壁のわずかな毛羽立ち像から胆管の水平進展の診断に有用である．

g) 管腔内超音波（intraductal ultrasonography：IDUS）：ERCP施行時に直接胆管造影とともに行われる．胆管癌の深達度診断，血管浸潤や壁内進展の診断にすぐれる．

h) 胆道鏡：直接胆管造影やMRCPで描出された胆管狭窄や胆管内透亮像の精査として行われる．内視鏡所見から狭窄部の良悪性診断や上皮内癌の表層進展にすぐれる．また直視下の生検により目的とする病変部からの病理検体の採取も可能である．

2) 病理診断：ERCP施行時やPTBDルートから，生検，ブラシ擦過細胞診や胆汁細胞診を行う．正診率は生検50〜60％，ブラシ擦過細胞診40〜50％，胆汁細

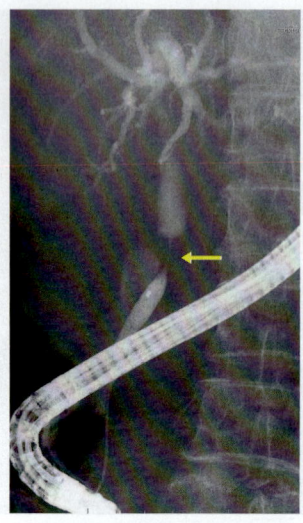

図 11-27-8 中部胆管癌のERCP像
中部胆管内に狭窄像を認める(矢印).

治療

1)胆道ドレナージ: 胆管癌では発見されたときにすでに黄疸がみられることが多く,早期の胆道ドレナージが必要となる.狭窄上流の胆管にチューブを留置することでドレナージを行う.アプローチ法には,内視鏡的ドレナージ,経皮経肝ドレナージ,外科的ドレナージがあるが,現在は内視鏡的胆道ドレナージが最も行われている.肝門部胆管癌では複数の胆管が閉塞していることが多く,複数本のドレナージチューブやステント留置が必要となる.ドレナージに用いるステントにはプラスチックステントとメタルステントがあり(図 11-27-9),後者はより長い開存期間が期待できる.

2)外科手術: 胆管癌に対する根治的治療は外科切除のみである.肝門部領域から発生した胆管癌は尾状葉を含めた肝葉切除,胆管切除,リンパ節郭清が基本術式であり,必要に応じて血管合併切除・再建を行う.右葉切除あるいは50〜60%以上の肝切除を予定している場合には残肝容積増大を目的に術前経皮経肝門脈塞栓術を施行する.遠位胆管から発生した胆管癌は(幽門輪温存)膵頭十二指腸切除,リンパ節郭清を行う.切除率と治癒切除率は67.0%と30.4%[8]とされ発見された時点で多くが進行癌であることがわかる.

3)化学療法: 切除不能胆管癌あるいは術後再発例が適応となる.現在保険適応となっているおもな抗癌薬はゲムシタビン,テガフール・ギメラシル・オテラシルカリウム,シスプラチンである.切除不能胆管癌に対するファーストラインの化学療法としてはゲムシタビンとシスプラチンの併用療法(GC療法)が推奨されている(日本肝胆膵外科学会ら,2014).海外での第Ⅲ相試験ではゲムシタビン単剤と比較してGC療法は有意に良好であることが報告されている(生存期間中央値:11.7カ月 vs 8.1カ月,ハザード比 0.64, $p < 0.001$)[9].わが国での84例の切除不能胆道癌の後ろ向き検討結果でも同様にGC療法の有用性が確かめられた(生存期間中央値:11.2カ月 vs 7.7カ月)[10].

4)放射線治療: 放射線治療はほかの対症療法と比較して延命効果があるとする報告は多いが,大規模なランダム化比較試験は行われていない.また放射線治療は癌に対する治療のほかに留置したステント開存性の維持や疼痛緩和効果が期待できる(日本肝胆膵外科学会ら,2014).

胞診は30〜40%といずれも高いとはいえない.

鑑別診断

肝外胆管に狭窄をきたす疾患がおもな鑑別対象となる.悪性では膵癌,胆嚢癌の胆管浸潤,十二指腸乳頭部癌,リンパ節転移などとの鑑別が必要である.良性では原発性硬化性胆管炎,IgG4関連硬化性胆管炎,自己免疫性膵炎に伴う胆管狭窄,慢性膵炎,Mirizzi症候群や胆嚢摘出後などの術後胆管狭窄との鑑別も重要である.乳頭型胆管癌では胆管内透亮像として描出されることがあり,胆管結石(特に嵌頓例)との鑑別を要する.

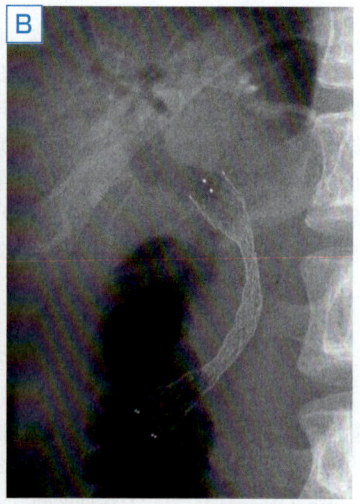

図 11-27-9 中部胆管癌に対するメタルステント留置
A:中部胆管内に狭窄像を認める(矢印).
B:狭窄をまたぐ形でメタルステントを留置した.

予後

 全国胆道癌登録調査報告によれば切除症例の5年生存率は26％に対して，非切除例では1％ときわめて予後不良である[8,11]．しかし切除例においても肝門部領域癌と遠位胆管癌のステージ別5年生存率はStage Iがそれぞれ47％と54％に対して，局所進行や遠隔転移を有するStage IVはそれぞれ12％と15％と低く予後不良である[8,11]．

(2) 胆管良性腫瘍

 胆管の良性腫瘍はきわめてまれである．神経内分泌腫瘍（カルチノイドを含む），神経鞘腫などの報告例がある．従来，乳頭腫，腺腫とされてきた病変の多くは最近，胆管内乳頭状腫瘍（intraluminal papillary neoplasm of the bile duct：IPNB）（e図11-27-IのA，B）（eコラム1）として胆管悪性腫瘍として扱われるようになった（日本肝胆膵外科学会，2013）．〔糸井隆夫〕

■文献（e文献11-27-2）

日本肝胆膵外科学会編：臨床・病理胆道癌取扱い規約 第6版，金原出版，2013．
日本肝胆膵外科学会，胆道癌診療ガイドライン作成委員会編：胆道癌診療ガイドライン 改訂第2版，医学図書出版，2014．

3) 十二指腸乳頭部腫瘍

定義・概念

 胆道癌取扱い規約第6版[1]に記載されている肝外胆道系の区分で（図11-27-10），乳頭部に発生する腫瘍を総称する．病理組織学的には腺腫と腺癌が大半を占める．その原発の区分が問題となる場合は，その占拠部位が前記の乳頭部に主としてあるものを乳頭部腫瘍として扱う．

原因・病因

 Kimuraら[2,3]は576例の高齢者の剖検例における十二指腸乳頭部癌の組織学的検討から，乳頭部を4つの領域（共通管，乳頭部胆管，乳頭部膵管，乳頭部十二指腸上皮）に分けて異形上皮の頻度を検討したところ，胆汁と膵液が生理的に混和される共通管部が，ほかの領域と比較して多かったこと，十二指腸乳頭部癌60例，十二指腸乳頭部早期癌12例の切除標本の検討でも発生部位は共通管と推測される症例が多かったことを報告している．しかし，十二指腸乳頭部癌のハイリスクといえる病態の報告はない．

 十二指腸乳頭部癌の組織発生には古くから*de novo*発生とadenoma-carcinoma sequenceによる発生があるとされ，十二指腸乳頭部腺腫は前癌状態と考えら

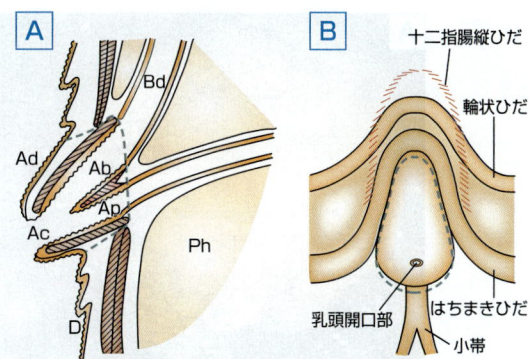

図11-27-10 十二指腸乳頭部の解剖（日本肝胆膵外科学会，2013）
A：十二指腸乳頭部．十二指腸乳頭部はOddi筋に囲まれた部分とするが，その目安は胆管が十二指腸壁（十二指腸固有筋層）に貫入してから十二指腸乳頭部開口部までとし，次のように表記する．乳頭部胆管（Ab），乳頭部膵管（Ap），共通管部（Ac），大十二指腸乳頭（Ad）．本シェーマでは膵頭部はPh，十二指腸はDで示している．
B：破線は大十二指腸乳頭粘膜の範囲を示す．

れている[4]．また十二指腸乳頭部腺腫は家族性大腸腺腫症（familial adenomatous polyposis：FAP）と合併することが多いことも報告されており[5]，FAP症例においては上部消化管の検査を行う際に十二指腸乳頭部まで観察を行うことは必須とされている[6]．

疫学

 十二指腸乳頭部癌および十二指腸乳頭部腺腫に関する疫学の詳細は不明である．

臨床症状

 十二指腸乳頭部腫瘍の臨床症状は，胆管および膵管の閉塞機転と乳頭部腫瘍の潰瘍形成によって生ずる．したがって，前述した発生部位や病理学的悪性度によって所見は多少異なる．最も典型的な例では，胆道閉塞の症状として，黄疸，発熱，腹痛を認め，潰瘍形成例などでは，消化管出血や貧血症状を呈する．また，肝胆道系酵素の上昇や軽度の胆膵管拡張を契機に診断されることもある．胆道閉塞症状の寛解と増悪を繰り返すことが十二指腸乳頭部腫瘍（癌）の特徴とされている．

診断

 上述のごとき臨床症状が認められた場合には，上部消化管内視鏡検査を行い，腫瘍が疑われた場合には組織生検を行う[2]．遠隔転移を伴う十二指腸乳頭部癌は外科的切除の適応にはならないため，CTやMRIを用いて遠隔転移の有無の診断を行う．一方，十二指腸乳頭部癌は切除率が高く，局所進展により非切除となることは少ない[7,8]．したがって，遠隔転移やリンパ節転移が否定された場合，局所進展度診断を行う．膵浸潤や十二指腸浸潤などの局所進展度診断にはEUSやIDUSが有用性である（廣岡ら，2009；廣岡ら，

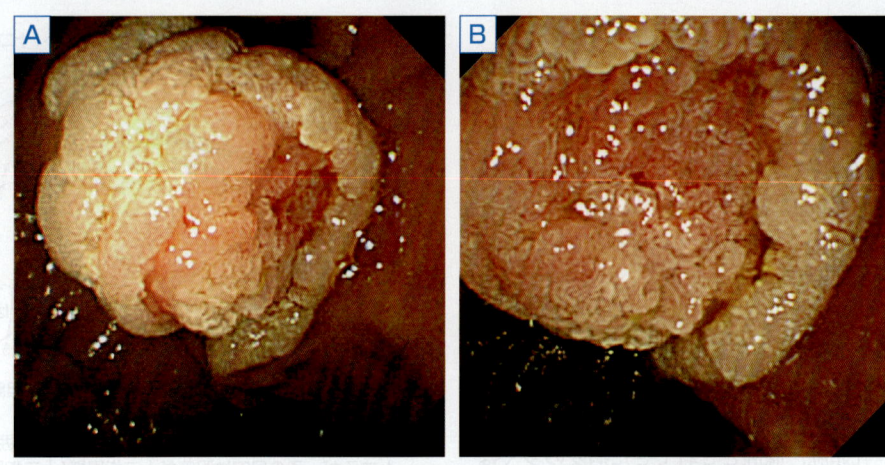

図11-27-11 十二指腸乳頭部癌（T1b, N0, M0, Stage ⅠA）の内視鏡画像（露出腫瘤型）
A：十二指腸乳頭部に立ち上がりが急峻で輪郭は明瞭なやや褪色調の隆起性病変が認められる．
B：腫瘤の中心部は発赤調である．明らかな潰瘍形成はないが，内視鏡画像から癌と診断される．

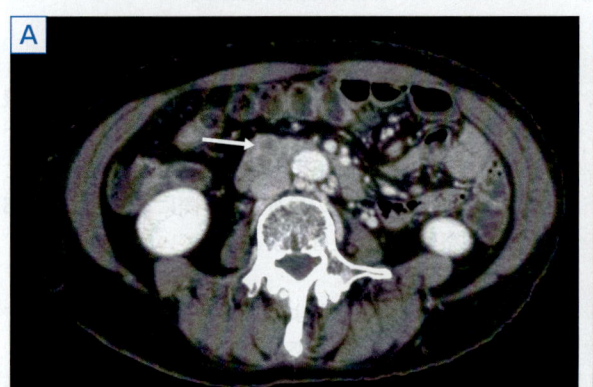 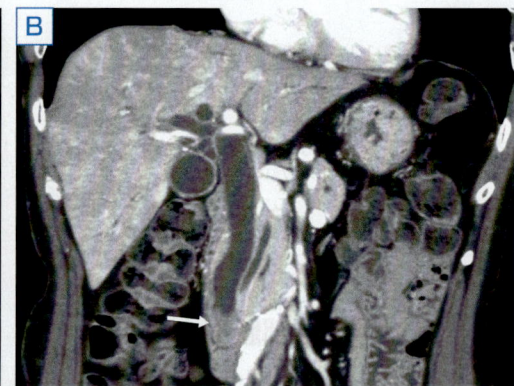

図11-27-12 十二指腸乳頭部癌（T1b, N0, M0, Stage ⅠA）のCT画像（露出腫瘤型）
横断画像（A）および冠状断画像（B）では下部胆管に腫瘤を認めるがその局所進展度の判定は困難である．

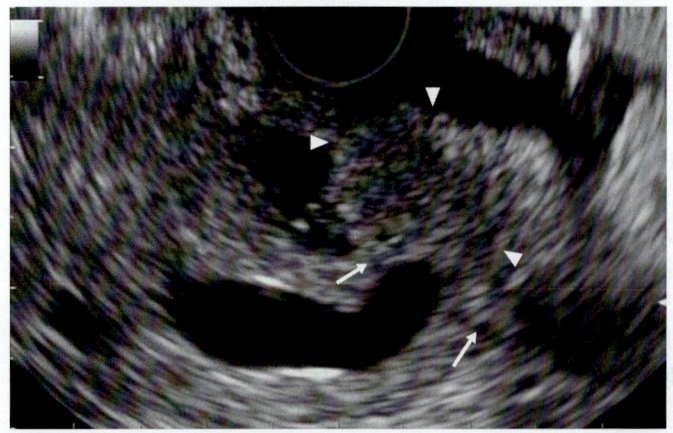

図11-27-13 十二指腸乳頭部癌（T1b, N0, M0, Stage ⅠA）のEUS画像
（露出腫瘤型）
低エコーの腫瘤（矢頭）は胆管内へ進展しているが，十二指腸筋層（矢印）への浸潤を認めない．局所進展度T1bと診断可能である．

2015）[9-11]．

図11-27-11は露出腫瘤型十二指腸乳頭部癌の内視鏡画像である．十二指腸乳頭部に立ち上がりが急峻で輪郭は明瞭なやや褪色調の隆起性病変が認められる．図11-27-12は同症例のCT画像である．横断面および冠状断面では胆管最下流側に腫瘤を認めるが，その局所進展は不明である．CTでは遠隔転移は認めない．図11-27-13はEUSで描出した腫瘤である．低エコーの腫瘤は胆管内へ進展しているが，十二指腸筋層への浸潤を認めない．局所進展度T1bと診断可能である（Sobinら，2009）．

治療

十二指腸乳頭部癌は，胆膵系悪性疾患のなかでは切除率，生存率ともに良好

で，最も外科的治療効果の期待できる癌であり，標準術式としては膵頭十二指腸切除術（PD）あるいは幽門輪温存膵頭十二指腸切除術（PPPD）が行われる．近年，局所的乳頭部切除術（外科的，内科的）が行われるようになってきているが，現時点ではこの治療の可否に関するコンセンサスは得られていない．

切除不能十二指腸乳頭部癌に対してのファーストラインとしての化学療法はゲムシタビンとシスプラチン併用療法（GC両方）が推奨されているが，副作用も強く，症例によっては，ゲムシタビン単独，S-1単独療法も考慮されうる．

経過・予後

十二指腸乳頭部癌は比較的予後良好な癌腫であるが，腫瘍の進展度によりその予後は著しく異なり，Stage IVでは5年生存率も厳しくなる（0～19％）[12-14]．

リンパ節転移例，膵浸潤例，リンパ管浸潤，静脈浸潤，神経浸潤は予後不良の所見と考えられている．

〔廣岡芳樹・後藤秀実〕

■文献（e文献 11-27-3）

廣岡芳樹，伊藤彰浩，他：十二指腸乳頭部癌進展度診断におけるUS/EUSの役割．胆道．2009; 23: 797-805.
廣岡芳樹，川嶋啓揮，他：胆道癌に対するUS・EUS診断．胆道．2015; 29: 189-97.
Sobin LH, Gospodarowics MK, et al: TNM Classification of Malignant Tumours, 7th ed, A John Wiley & Sons, 2009.

11-28 膵疾患

1）膵奇形 congenital anomalies of the pancreas

(1) 膵の発生

膵は，十二指腸の内胚葉上皮に由来する腹側膵原基と背側膵原基の2つの膵原基から形成される（図11-28-1A）．胎生6～7週目に十二指腸の回転とともに腹側膵原基は前腸の右側から総胆管とともに十二指腸の背側へ回り，背側膵原基の後下部に癒着し，膵頭部の後部と鉤状突起を形成する（いわゆる腹側膵）．背側膵原基は前腸の左側に位置し，膵頭部の前部と膵体尾部を形成する（いわゆる背側膵）（図11-28-1B）．膵頸部で背側膵原基の遠位部膵管と腹側膵原基の膵管が癒合し，主膵管（Wirsung管）となり，十二指腸のVater乳頭に開口する．背側膵原基の近位部膵管は萎縮して副膵管（Santorini管）として残り，主膵管より高い位置で十二指腸に開口する（図11-28-1C）．

(2) 先天性膵形成不全 （congenital pancreas hypoplasia）

胎生期における背側膵の無不全，低形成により生じるまれな膵形成異常の1つである（図11-28-1D）．臨床的には，超音波検査（US）やCTなどの画像診断により，膵体尾部の欠損状態として発見され，先天的な背側膵の完全欠損と低形成のものが含まれる．本症は特有の腹部症状に乏しく，ほかの疾患の診断過程や手術時に偶然に発見されることが多い．膵組織の不足により，膵内・外分泌機能不全症状を呈し，糖尿病を合併することが高頻度である．診断は，腹部US，CTならびにMRIで膵体尾部を認めない，十二指腸内視鏡で副乳頭を認めない，内視鏡的逆行性膵胆管造影（ERCP）によって主膵管造影で短小膵管を認め，副膵管が造影されない，血管造影にて膵体尾部への支配血管が認められないことにより診断される．同様に画像診断において膵体尾部欠損状態を呈する病態として慢性膵炎，加齢，糖尿病などによる膵の脂肪変性，萎縮による後天的膵体尾部脂肪置換があり，鑑別が困難なことがある．治療は，糖尿病に対するインスリン治療，膵酵素補充療法などの内科的な対症療法を行う．

(3) 輪状膵 （annular pancreas）

十二指腸を膵組織が完全または不完全に取り囲む発生異常である（図11-28-1E）．原因は腹側膵原基の回転異常と考えられており，十二指腸前面までを完全に取り囲む完全癒合型と間隙がある不完全癒合型がある．近年，ERCPの普及により報告数が増加し，ERCP施行時に輪状膵が発見される頻度は約0.1％である．多くは，新生児，小児期に頻回の嘔吐，上腹部膨満などの十二指腸の狭窄症状で発症するが，成人例では無症状に経過する例も認められる．新生児では腹部単純撮影で胃泡と十二指腸狭窄前部のガス像が連なったdouble bubble signを呈することがある．十二指腸造影では十二指腸下行脚の輪状の陰影欠損が認められ，CTでは，十二指腸下行脚を取り囲むように膵頭部から連続する膵実質が認められる．ERCPにてスコープを取り囲む輪状部膵管が造影されれば診断が確定されるが，MRCPによる診断も可能である．十二指腸狭窄による胃内容停滞が起こり，胃十二指腸潰瘍の合併を認めることがあるほか，急性，慢性膵炎の合併を認めることがあり，輪状部膵管からの膵液の排出

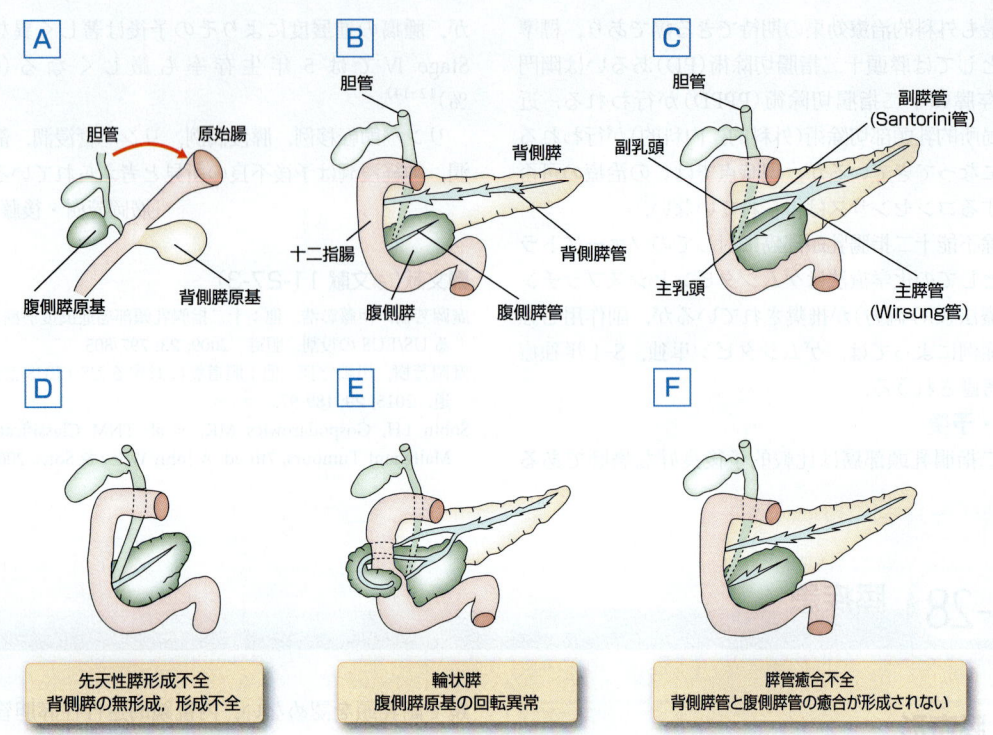

図 11-28-1 膵の発生と膵奇形の発生過程

障害が成因として考えられている．治療は，無症状例では経過観察が可能である．十二指腸狭窄や膵炎などの合併症を繰り返す例に対しては，胃空腸吻合術や十二指腸空腸吻合術などの外科的治療が行われる．

(4) 膵管癒合不全(pancreas divisum)

胎生期に背側膵管 (Santorini 管) と腹側膵管 (Wirsung 管) の癒合が形成されない合流異常である（図 11-28-1F）．わが国における発生頻度は 1％ 前後と報告されている．膵管癒合不全には，膵管非癒合 (complete pancreas divisum) と膵管不完全非癒合 (incomplete pancreas divisum) がある．膵管非癒合は，両膵管の癒合がまったく行われない形成異常であり，膵管不完全癒合は本来は癒合しない分枝膵管により両膵管系が交通をもった場合に生じる例が多く，その交通枝は細いことが多い．膵管非癒合の背側膵管は多くの膵液をドレナージし主導管となっているが，その開口部である副乳頭は，一般に主乳頭に比べて大きさが小さく，膵液排出機能が低下していることが多い．膵管癒合不全の多くは無症状であるが，背側膵管の通過障害により，背側膵に限局した慢性膵炎を合併することがある．また，膵炎とは確定診断できないが，背部に放散する上腹部〜左季肋部痛の膵炎様疼痛を認めることがある．診断は，従来，ERCP により行われていたが，最近では MRCP による診断が可能である．MRCP では，背側膵管が胆管下部を横切り十二指腸に開口し，腹側膵管と交通がない所見を認める．ERCP では，主乳頭からの造影にて馬尾状の短小膵管が造影され，一方，副乳頭からの造影で尾側膵管までの背側膵管が独立して造影され，両者の交通がないことにより診断される．多くは無症状で経過観察が可能であるが，症状を呈する症例，膵炎を繰り返す症例に対しては，食事療法や蛋白分解酵素阻害薬投与などの代償期の慢性膵炎に準じた内科的治療を行う．内科的治療抵抗例に対しては，内視鏡的副乳頭切開術や副乳頭膵管ステント留置術が行われる． 〔伊佐地秀司〕

2) 急性膵炎
acute pancreatitis

定義・概念

急性膵炎は，膵内で病的に活性化された膵酵素により膵が自己消化をきたす膵の無菌的急性炎症である．炎症が膵内にとどまって数日で軽快する軽症例から，炎症が全身に波及し多臓器不全を惹き起こし生命に危険が及ぶ重症例まで，多彩な重症度を示すことが特徴である．ただし，重症であっても大部分の症例では膵

の変化は可逆的であり，後遺障害を残さずに治癒する．

分類

膵腫大を伴うが膵内外に壊死を認めない間質性浮腫性膵炎と，膵実質と膵周囲組織のいずれかまたは両者に壊死を伴う壊死性膵炎に分類される．間質性浮腫性変化は炎症の軽快とともに消退するが，壊死性変化は，時間経過とともに周囲組織と境界が明瞭になり，内部に液体貯留をきたしたりする．急性膵炎は無菌的に発症するが，経過中に壊死に陥った膵および膵周囲組織への感染が生じ予後を悪化させるので，感染性と非感染性を判別することも重要である．

原因・病因

膵酵素は膵腺房細胞で生成され，消化作用のない不活性型として酵素原顆粒（チモーゲン顆粒）内に蓄えられている．摂食により分泌された消化管ホルモンであるコレシストキニン（CCK）や迷走神経の刺激により，膵酵素は膵管内に放出され，やはり摂食により分泌された消化管ホルモンであるセクレチンの刺激により膵管の導管細胞から分泌された水と重炭酸とともに十二指腸内へ一気に分泌される（図11-28-2）．そこで，膵酵素のなかのトリプシノゲンが十二指腸内のエンテロキナーゼの作用により限定分解され活性型であるトリプシンに転換する．そして，トリプシンがほかの消化酵素を次々と活性化して食物消化に働く（図11-28-3）．急性膵炎の本体は，この膵酵素活性化がさまざまな病的要因により膵内で惹起され，膵が自己消化されることである．この膵内酵素活性化の原因としては，アルコール摂取と胆石が2大原因である．

疫学

日本での発生頻度は49/10万人/年で男女比は約2：1であり，現時点では増加傾向にある．わが国における成因としては，アルコール性（33.5％）と胆石性（26.9％）が2大成因であり，成因が特定できない特発性（16.7％）がそれにつぐ（下瀬川，2014）．男性ではアルコール性が多く発症年齢は40歳，50歳代が多く，女性では胆石性が多く発症年齢は60歳以上が多い．その他の成因としては，内視鏡的逆行性胆管膵管造影後，脂質異常症（高脂血症），遺伝性・家族性，膵管非融合，薬物性などがある．また，まれな成因としてムンプスウイルスやHIVによるものなども知られている（eコラム1）．

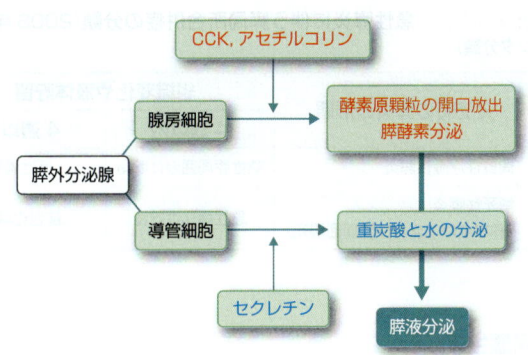

図11-28-2 膵外分泌機構

わが国における急性膵炎の死亡率は2.1％，重症例に限ると10.1％と報告されており（下瀬川，2014），高齢者ほど死亡率は高い．死因としては，約半数が発症2週間以内の循環不全に伴う臓器不全であり，後期の死亡は感染性膵壊死から敗血症をきたしたものが多い．

病理

膵と膵周囲組織の変化により，発症時の状態は間質性浮腫性膵炎と壊死性膵炎に分類されるが，実際はこれらの変化がさまざまに組み合わさっていることが多い．最新の臨床分類では膵に壊死がなく，膵周囲脂肪組織に壊死がある場合も，壊死性膵炎に含めている．最新の分類では，膵局所の形態的変化は時間的経過が重視されている．間質性浮腫性膵炎に伴う変化は，4週以内を急性膵周囲液体貯留と分類するが4週以降では周囲組織との境界が明瞭になるので仮性嚢胞と分類する．また，壊死性膵炎では，4週以内を周囲組織との境界が不明瞭な急性壊死性貯留と分類するが，4週以降では壊死部と周囲組織の境界が明瞭となる被包化壊死と分類される（Banksら，2013）．そしてそれぞれの病態が，感染性と非感染性に分類され，膵および膵周囲の壊死巣に感染をきたすと感染性膵壊死となる（表11-28-1）．

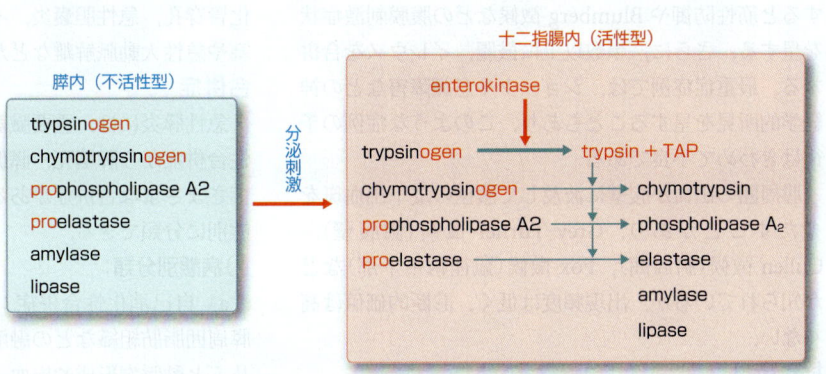

図11-28-3 膵酵素の生理的活性化機構

表 11-28-1 急性膵炎に伴う膵局所合併症の分類（2008年アトランタ分類）

発症時の膵炎の形態	組織変化や液体貯留	
	4週以内	4週以降
間質性浮腫性膵炎	急性膵周囲液体貯留	仮性囊胞
壊死性膵炎（膵および・または膵周囲壊死）	急性壊死性貯留	被包化壊死

病態生理

軽症膵炎では炎症が膵に限局し，全身変化をきたすことは少ない．一方，重症膵炎では，活性化した膵酵素，炎症メディエータやサイトカインが膵から逸脱し，炎症が腹腔内や全身に波及する典型的な全身性炎症反応症候群（systemic inflammatory response syndrome）を呈する．炎症メディエータやサイトカインによる血管内皮障害から全身の血管透過性が亢進し，血管内から水分が血管外へ漏出し，全身浮腫，腹水・胸水貯留をきたす．その結果，血管内の水分量が減少する血管内脱水をきたす（e図 11-28-A）．また，血管内皮障害から血液凝固機構が障害され播種性血管内凝固症候群（DIC）を呈する．血管内皮細胞障害と血管内脱水が高度となると，臓器の血流障害から肝腎肺などの重要臓器障害や非閉塞性腸管虚血をきたし，ショック・重要臓器障害などから発症早期に死亡することがある．その時期を乗り切った数週間後に，膵や膵周囲の壊死部分に感染を併発して感染性膵壊死を合併すると，敗血症を合併し致死的経過をとることがある．その感染源は，発症早期に腸管外に移行した腸内細菌であると考えられている（e図 11-28-B）．

臨床症状

1）**自覚症状**：発症時から高度の上腹部痛を呈することが特徴であり，それが経過とともに増強する．背部痛，悪心，嘔吐を伴うことも多い．

2）**他覚症状**：発症早期から発熱をきたす．腹部所見としては，発症直後には炎症が網嚢内に限局するため腹膜刺激症状は軽度であるが，炎症が遊離腹腔に波及すると筋性防御やBlumberg徴候などの腹膜刺激症状を呈する．さらに，半数以上に鼓腸，イレウスを合併する．最重症症例では，ショックや意識障害などの神経学的所見を呈することもあり，このような症例の予後はきわめて不良である．

膵周囲の出血が腹壁に波及して腹壁の皮下出血斑をきたすことがあり，Grey-Turner徴候（側腹壁），Cullen徴候（臍周囲），Fox徴候（鼠径靱帯下部）などが知られているが，出現頻度は低く，診断的価値は高くない．

検査所見

1）**血液・尿所見**：急性膵炎の診断では血液中のアミラーゼやリパーゼなどの膵酵素上昇が重要である．また尿中アミラーゼの上昇も参考となる．さらに，急性期には高度の血管内脱水からヘマトクリットは上昇していることが多く，白血球増加，CRP増加もみられる．ただし，ヘマトクリットは輸液療法後には減少し，かえって貧血を呈することが多い．

2）**画像所見**：急性膵炎を疑った場合には，胸腹部単純X線を撮影する．腹部単純X線所見として，イレウス，拡張した大腸の急激な途絶（colon cut-off sign），左上腹部の限局的小腸ガス像（sentinel loop sign）を認めることがある（図 11-28-4）．また，胸部単純X線では，胸水貯留，急性呼吸促迫症候群（acute respiratory distress syndrome）像，無気肺，肺炎像などを認める．これらの変化は急性膵炎に特異的な変化でなく，診断的価値は低いが，臨床経過の把握や他疾患との鑑別に不可欠である．

腹部超音波検査は，膵腫大や膵周囲の炎症の程度をとらえることが可能であり有用な検査であるが，膵炎症例では変性した脂肪組織やうっ滞した消化管ガスの存在により膵の描出が困難であることが多く，診断能には限界がある．

一方，腹部CTは消化管ガスなどの影響なく客観的に局所の状態を把握することができる．特に，造影CTでは，膵および周囲臓器の造影程度から，壊死性膵炎の有無が判定可能であり，それのみで重症度を判定可能である（図 11-28-5）．

診断

わが国では，2008年に厚生労働省が制定した診断基準により診断する（表 11-28-2）．そして，急性膵炎と診断されれば，直ちに重症度を判定する．急性膵炎の重症度は，さまざまなものが提唱されているが，わが国では厚生労働省が2008年に制定した急性膵炎重症度判定基準にて判定する（表 11-28-3，eコラム2）．

鑑別診断

腹痛をきたす急性疾患が鑑別診断の対象であり，消化管穿孔，急性胆囊炎，イレウス，急性腸間膜動脈閉塞や急性大動脈解離などがあげられる．

合併症

急性膵炎には，重要臓器不全，腸管虚血などの全身性合併症から膵壊死，膵仮性囊胞などの局所合併症までさまざまな合併症がある．それらを以下のように病態別に分類できる．

1）**病態別分類**：

a）**自己消化性合併症**：活性化された膵酵素が膵や膵周囲脂肪組織などの融解壊死を引き起こし，動脈に及ぶと動脈瘤形成や出血，腸管に及ぶと腸管穿孔などを惹起する．

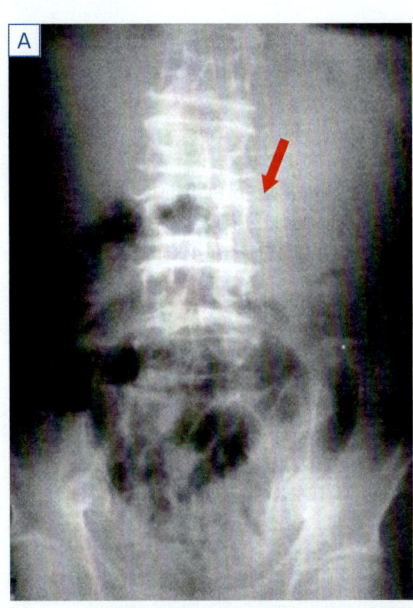
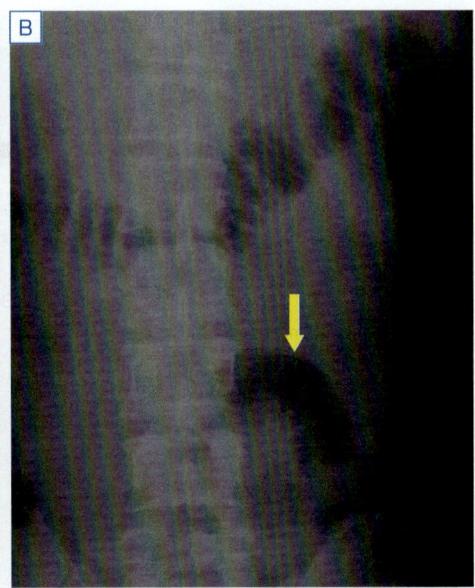

図 11-28-4 急性膵炎に伴う異常腸管ガス像
A：colon cut-off sign（矢印のところで横行結腸ガス像が途絶している）．
B：sentinel loop sign（矢印のところに孤立した空腸ガスを認める）．

b）虚血性合併症：高度の血管内脱水による動脈攣縮から臓器灌流障害を生ずることがあり，膵以外には腸管に生ずる非閉塞性腸管虚血が典型的である．膵周囲の脂肪組織にも同様の変化が生じ，時間経過とともに壊死が完成されると考えられる．

c）臓器障害・不全：重症膵炎では高度の全身性炎症反応症候群により，全身の血管内皮細胞障害と好中球活性化が生ずる．この反応の遷延や，感染などによる再度の侵襲により，活性化した好中球が宿主臓器を傷害する．肺における急性呼吸促迫症候群（acute respiratory distress syndrome）が典型例である．

d）感染性合併症：壊死性膵炎では，膵および膵周囲の壊死巣に感染をきたす感染性膵壊死を併発すると敗血症から治療に難渋する．膵壊死部は感染抵抗力に乏しいうえに，腸管虚血などにより腸管壁が障害されることで腸内細菌が腸管外へ移行する bacterial translocation が容易に起こり，その感染源となると考えられている．

経過・予後

軽症膵炎は数日の絶食による保存的加療で，後遺症なく軽快する．これに対して重症膵炎は，死亡率約10％の重篤な疾患である．発症後3～4週間は，全身への高度の炎症波及により循環障害や重要臓器障害をきたすことが多く死亡例の半数以上が発症後2週間以内に死亡する．その時期を，集中治療にて乗り切った後には，膵および膵周囲壊死巣の感染から敗血症をきたして重篤化する場合があり，適切に治療されなければ致死的となる．

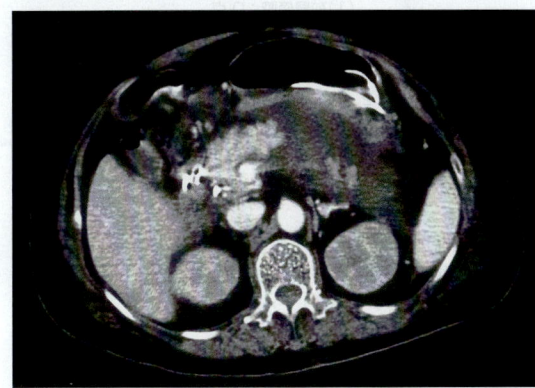

図 11-28-5 急性膵炎発症 1 日後の造影 CT 像
膵体尾部に造影不良域があり，壊死性膵炎である．

表 11-28-2 急性膵炎診断基準

① 上腹部に急性腹痛発作と圧痛がある．
② 血中または尿中に膵酵素の上昇がある．
③ 超音波，CT または MRI で膵に急性膵炎に伴う異常所見がある．

　上記 3 項目中 2 項目以上を満たし，ほかの膵疾患および急性腹症を除外したものを急性膵炎とする．ただし慢性膵炎の急性増悪は急性膵炎に含める．
注：膵酵素は特異性の高いもの（膵アミラーゼ，リパーゼなど）を測定することが望ましい．

表11-28-3 急性膵炎重症度判定基準

A. 予後因子

原則として発症後48時間以内に判定することとし、以下の各項目を各1点として、合計したものを予後因子の点数とする.

1. BE ≦ －3 mEq またはショック
2. P_aO_2 ≦ 60 mmHg(room air) または呼吸不全
3. BUN ≧ 40 mg/dL (または Cr ≧ 2.0 mg/dL) または乏尿
4. LDH ≧ 基準値上限の2倍
5. 血小板数 ≦ 10万/μL
6. 総Ca値 ≦ 7.5 mg/dL
7. CRP ≧ 15 mg/dL
8. SIRS 診断基準における陽性項目数 ≧ 3
9. 年齢 ≧ 70歳

臨床徴候は以下の基準とする.
- ショック:収縮期血圧が80 mmHg以下
- 呼吸不全:人工呼吸を必要とするもの
- 乏尿:輸液後も1日尿量が400 mL以下であるもの

SIRS診断基準項目:
(1) 体温 > 38℃ あるいは < 36℃
(2) 脈拍 > 90回/分
(3) 呼吸数 > 20回/分あるいは P_aCO_2 < 32 mmHg
(4) 白血球数 > 1万2000/μL か < 4000/μL または10%超の幼若球出現

B. 造影CT grade

原則として発症後48時間以内に判定することとし、炎症の膵外進展度と、膵の造影不良域のスコアが、合計1点以下を grade 1, 2点を grade 2, 3点以上を grade 3 とする.

1. 炎症の膵外進展度
   (1) 前腎傍腔:0点
   (2) 結腸間膜根部:1点
   (3) 腎下極以遠:2点
2. 膵の造影不良域:膵を便宜的に膵頭部、膵体部、膵尾部の3つの区域に分け、
   (1) 各区域に限局している場合、あるいは膵の周辺のみの場合:0点
   (2) 2つの区域にかかる場合:1点
   (3) 2つの区域全体を占める、あるいはそれ以上の場合:2点

C. 重症度判定

予後因子が3点以上または造影CT grade 2以上のものを重症とする.

しかし、軽快例では重症例であっても膵は形態学的・機能的に旧に復することが多く、慢性膵炎への移行率は3～15%といわれている.

治療

急性膵炎と診断したら全例入院として、呼吸・循環モニタリングを行い、絶食、輸液、鎮痛の処置を行う.そして、直ちに重症度判定を行う.重症例では、酸素飽和度、中心静脈圧、酸塩基平衡なども含めたより厳密なモニタリングのもとで厳重な呼吸・循環管理を行い、まず、血管内脱水を補正する目的で、細胞外液を用いた初期輸液を開始する.ショックや高度脱水を呈する場合には短時間の急速輸液(150～600 mL/時)を行う場合もある.尿量0.5 mL/kg/時の確保を目標に輸液を行うが、重症例では通常、4～5 L/日の輸液が必要となる.そして、抗菌薬の投与を検討し、経腸栄養を開始する.呼吸不全に対しては人工呼吸療法、腎不全に対しては持続血液濾過透析などで急性期の臓器障害に対応し、早期の高度の全身性炎症反応の鎮静化を待つ.膵および膵周囲の壊死巣に感染をきたした感染性膵壊死を疑う場合には、造影CTなどによる評価を適宜行い、必要であればドレナージや壊死部切除などの侵襲的治療が必要となる(図11-28-6).

蛋白分解酵素阻害薬については❷コラム3を参照.

〔竹山宜典〕

■文献

Banks PA, Bollen TL, et al: Classification of acute pancreatitis — 2012: revision of the Atlanta classification and definitions by international consensus. Gut. 2013; 62: 102-11.

下瀬川徹:厚生労働科学研究費補助金難治性疾患克服研究事業難治性膵疾患に関する調査研究, 平成23年度～25年度総合研究報告書, pp61-73, 2014.

3) 慢性膵炎(膵石症)
chronic pancreatitis(pancreatolithiasis)

定義・概念

1) 定義: 膵臓の内部に不規則な線維化、細胞浸潤、実質の脱落、肉芽組織などの慢性変化を生じ、進行すると膵外分泌・内分泌機能の低下を伴う病態である.膵臓内部の病理組織学的変化は、基本的には膵臓全体に存在するが、病変の程度は不均一で、分布や進行性もさまざまである.これらの変化は、持続的な炎症やその遺残により生じ、多くは非可逆性である.

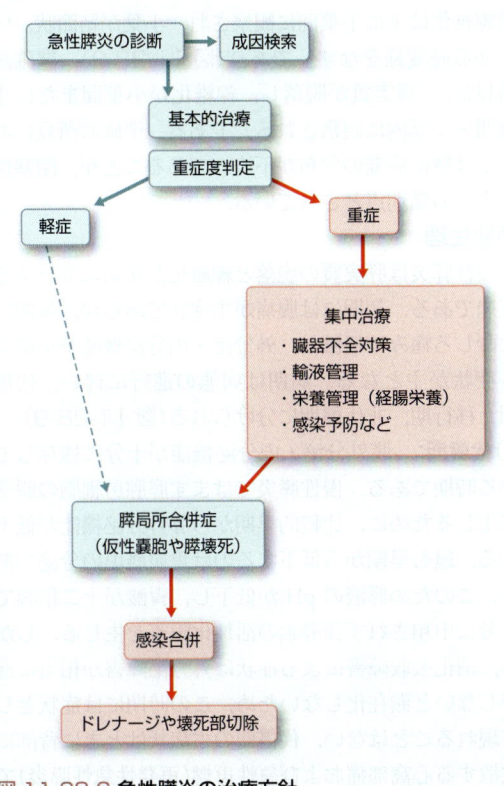

図11-28-6 急性膵炎の治療方針

2)概念： 膵臓の慢性炎症性疾患であり，病期により病態が変化し多彩な症状を呈する．膵外分泌・内分泌機能が保たれている代償期には腹痛や急性再燃（再発性急性膵炎）をおもな臨床症状とするが，病期の進行とともに膵外分泌・内分泌機能が次第に低下する．移行期を経て非代償期に入ると膵外分泌・内分泌機能は廃絶し，脂肪便や栄養障害によるるいそう（膵外分泌機能不全）と，膵性糖尿病（膵内分泌機能不全）が臨床症状の主体となる．

膵石灰化は慢性膵炎全体の約7割に合併する．膵管内に形成された結石（膵石）が，膵液の流出を阻害し腹痛や急性膵炎の原因となる場合には，治療の対象となる（図11-28-7）．自己免疫性膵炎と閉塞性膵炎は，治療により病態が可逆的に改善することがあり，現在用いられている診断基準では非可逆性の病態を呈する慢性膵炎とは別個に扱われている．

分類

慢性膵炎は成因や病期により分類される（表11-28-4）．成因はアルコール性と非アルコール性に大別され，非アルコール性はさらに遺伝性や特発性などに細分類される（成因参照）．また，臨床病期から，代償期，移行期，非代償期に分類される（病態参照）．

疫学

厚労省難治性膵疾患研究班による全国調査の結果では，日本の慢性膵炎患者の2011年の推定数は66980人，人口10万人あたりの推定患者数は52.4人であっ

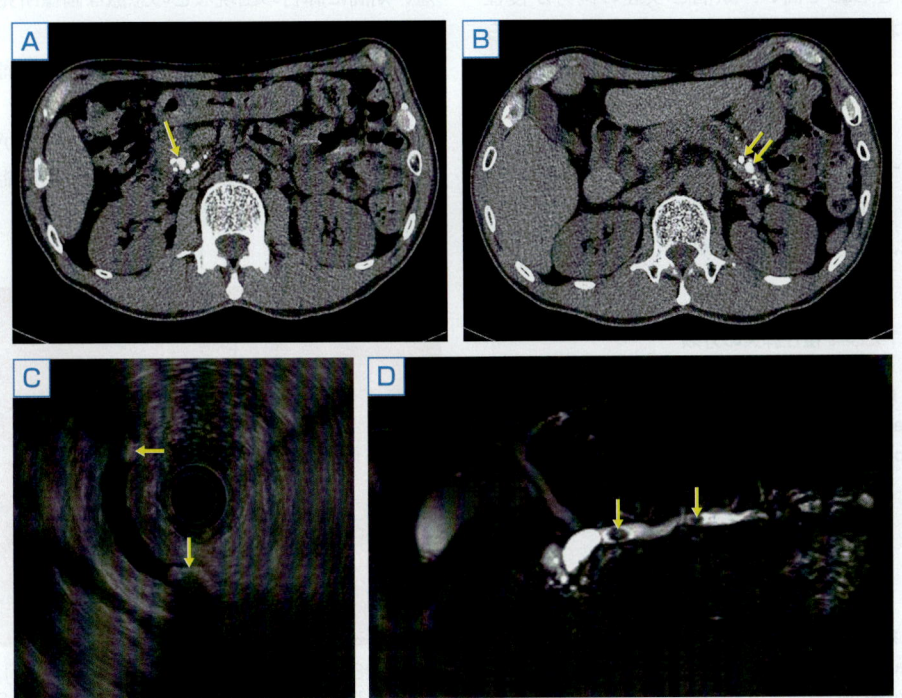

図11-28-7 慢性膵炎（膵石症）の画像所見
A, B：CT画像．C：EUS画像．D：MRCP画像．拡張した膵管と膵石（矢印）を認める．

た．慢性膵炎患者は年々増加している（e図11-28-C）．2011年の新規発症慢性膵炎患者数は推定17830人，人口10万人あたり14.0人であった．男女比は4.6：1と男性が多く，平均年齢は男性が62.2歳，女性が63.3歳，全体では62.3歳であった．慢性膵炎の発症年齢は，男性が平均52.7歳，女性が54.6歳，全体では52.9歳であった[1]．

原因・病因

慢性膵炎の成因分類として，アルコール性と非アルコール性に大別されるが，後者はさらに遺伝性や原因不明の特発性などに細分類される．日本における疫学調査の結果ではアルコール性慢性膵炎は67.5％を占め最も多く，次いで特発性が20.0％である[2]（e図11-28-D）．男性ではアルコール性が75.7％を占め，特発性が13.4％であるのに対し，女性では特発性が最も多く51.0％を占め，アルコール性は29.5％であった[1]．

アルコール性慢性膵炎の定義は，一般に純エタノール換算で80 g/日（日本酒では約3合/日）以上の飲酒を毎日継続し，ほかの原因がないものとされている．飲酒期間は明確に定義されていないが，通常は数年以上飲酒を継続した場合とされる．女性は男性より少ない飲酒量と飲酒期間で慢性膵炎を発症するとされており，アルコールへの感受性に性差が存在する．

喫煙は慢性膵炎発症のリスクを上昇させる要因である．特にアルコール性慢性膵炎患者では，喫煙している患者と過去に喫煙歴のある患者を合わせた喫煙率が80％以上ときわめて高い．飲酒と喫煙の両方が慢性膵炎の発症および病態の進行にかかわる因子と考えられている．

eコラム1も参照．

病理

慢性膵炎では膵組織の慢性炎症により，膵実質が脱落/減少し，線維化が起こる．慢性膵炎の病理組織の確診所見は，「膵実質の脱落と線維化が観察される．膵線維化は主に小葉間に観察され，小葉が結節状，いわゆる硬変様をなす」であり（図11-28-8），準確診所見は，「膵実質が脱落し，線維化が小葉間または小葉間・小葉内に観察される」である．準確診所見においては特に病変の分布が不均一であることが，閉塞性膵炎との鑑別点とされている．

病態生理

慢性膵炎は膵実質の脱落と線維化が次第に進行する疾患である．初期には腹痛が主症状であるが，晩期にはむしろ痛みは軽減し，外分泌・内分泌機能不全による症状が主となる．病期は病態の進行に伴い，代償期，移行期，非代償期に分けられる（図11-28-9）．

1）代償期： 膵外分泌・内分泌機能が十分に残存している時期である．慢性膵炎ではまず膵腺房細胞の脱落が生じるために，比較的早期から膵外分泌機能が低下する．最も早期から低下するのは重炭酸塩の分泌であり，このため膵液のpHが低下し，胃酸が十二指腸で十分に中和されず膵酵素の活性化障害を生じる．しかし，消化吸収障害による症状は外分泌障害が相当に進行しないと顕在化しないため，この時期には症状として現れることはない．代償期の主症状はときに背部に放散する心窩部痛および急性再燃（再発性急性膵炎）である．典型的には複数回の急性再燃とその間の間欠期を繰り返しながら，画像所見として主膵管および分枝膵管の不整拡張や膵実質の萎縮と分葉化，膵石や実質の石灰化が数年からときには十数年の経過で進行する．大量飲酒を継続する場合には2年以内の比較的短い期間に膵石の出現などの急激な画像所見の変化をきたす場合もある．

2）移行期： 代償期と非代償期の中間．腹痛は次第に軽減することが多い．

3）非代償期： 慢性膵炎の病理学的な変化が進行し，膵実質が高度に脱落し膵外分泌・内分泌機能がきわめ

表11-28-4 慢性膵炎の分類

1. 成因別分類
    a. アルコール性
    b. 非アルコール性
        i. 特発性
        ii. 再発性急性膵炎
        iii. 遺伝性
        iv. 家族性
        v. その他
2. 病期による分類
    a. 代償期
    b. 移行期
    c. 非代償期

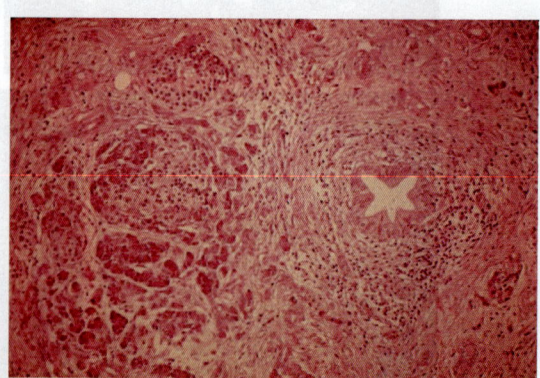

図11-28-8 慢性膵炎の病理組織所見（岡崎和一：慢性肝炎．内科学 第10版（矢崎義雄総編集），p.1048，朝倉書店，2013）
膵実質の脱落と線維化を認める．膵線維化は小葉間を中心に小葉内にも観察される．小葉は結節状，いわゆる硬変様をなす．

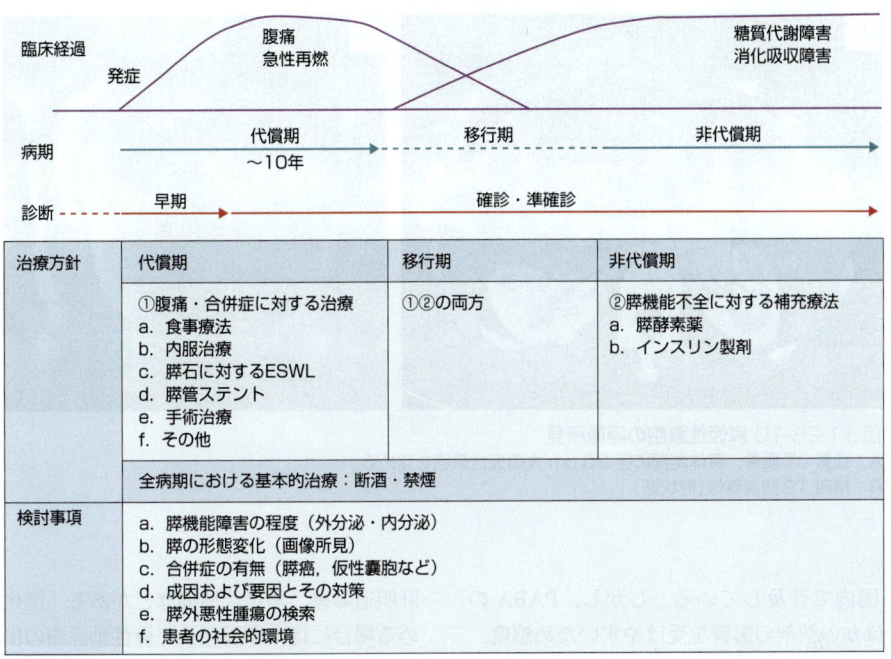

図 11-28-9 慢性膵炎の臨床経過と治療方針

て低下または廃絶した時期．通常，腹痛や急性再燃は軽減し消失する場合もある．この時期には膵外分泌不全による消化吸収障害として下痢や脂肪便および体重減少を認め，膵内分泌不全による糖尿病を発症する．脂肪便では 5 g/日以上の脂肪を便中に認める．臨床上明らかな脂肪便は膵酵素の 1 つであるリパーゼ分泌量が正常の 10％以下とならないと出現しない．膵Langerhans 島が炎症により破壊され減少すると β 細胞が減少することによりインスリン分泌が低下し耐糖能障害が出現する．これが膵性糖尿病である．膵性糖尿病では，α 細胞の減少もあるためグルカゴン分泌も低下し，高血糖と低血糖を繰り返すなど血糖値の日内変動が大きいことが特徴である．

臨床症状

1) **自覚症状**：慢性膵炎の自覚症状として最も多いのが腹痛であるが，背部痛を訴えることも多い．腹痛の部位は，心窩部，左上腹部，左側腹部などに限局する場合と，上腹部から背部まで広範囲の場合などがある．その他の自覚症状として，体重減少，下痢，脂肪便などがある（⒠コラム 2 も参照）．

2) **他覚所見**：腹痛出現時には，通常上腹部の圧痛を認める．大きな仮性嚢胞を形成した場合には腹部触診で球形の腫瘤を触知する場合がある（図 11-28-10）．嚢胞内出血を伴う場合には貧血，胆道狭窄による胆汁うっ滞がある場合には黄疸なども，他覚所見として認める場合がある．非代償期においては，栄養障害によるるい痩を認める．

検査所見

1) **血液検査**：急性再燃時には，血中尿中の膵酵素（アミラーゼ，リパーゼ，エラスターゼ 1，トリプシンなど）の上昇を認め，炎症反応（CRP など）の上昇を認める．しかし，膵実質の脱落の程度が進んでいる場合，急性再燃時にも膵酵素の上昇を認めないことがあり，鑑別診断が困難な場合がある．非代償期にはむしろ血中膵酵素は異常低値となる場合がある．発作時に，血液所見ではまったく異常を認めない場合も多い．

2) **膵画像検査**：慢性膵炎では特徴的な膵の形態変化が起こり，その画像所見が診断の根拠となる．主膵管・分枝膵管の不整拡張，膵石（膵管内の結石，図11-28-7）・膵実質石灰化，膵萎縮，膵実質の分葉化などの変化を，腹部超音波検査（ultrasonography：US），超音波内視鏡検査（endoscopic ultrasonography：EUS），コンピュータ断層撮影（computed tomography：CT），核磁気共鳴画像（magnetic resonance imaging：MRI），MRI による胆管膵管像（MR cholangio-pancreatography：MRCP），内視鏡的逆行性胆道膵管造影（endoscopic retrograde cholangio-pancreatography：ERCP）により診断する．

3) **膵外分泌機能検査**：膵外分泌機能の低下は慢性膵炎に特異的な所見であり，診断に用いられる．N-benzoyl-L-tyrosyl-p-aminobenzoic acid（BT-PABA）試験は，服用後キモトリプシンにより分解され尿中に排泄された BT-PABA を回収し，尿中排泄率を測定することでキモトリプシン活性を間接的に測定する方

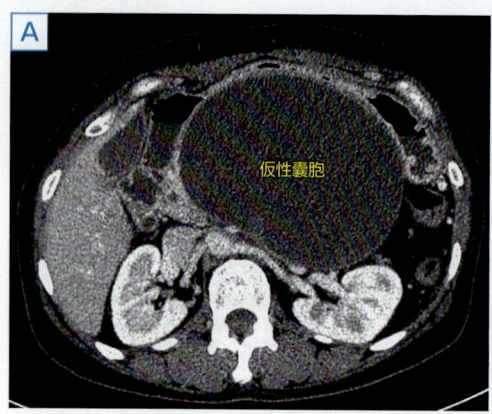
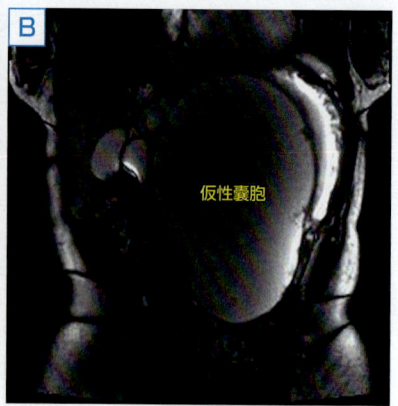

図 11-28-10 膵仮性囊胞の画像所見
A：造影 CT 画像．膵体尾部に径 20 cm 大の仮性囊胞を認める．
B：MRI T2 強調画像（冠状断）．

法であり，国内で普及している．しかし，PABA の代謝経路やほかの薬剤の影響を受けやすいため感度，特異度とも低く，検査を複数回実施し評価する必要がある（eコラム 3 も参照）．

診断

日本では慢性膵炎臨床診断基準 2009 により診断を行う（日本膵臓学会，2009）．慢性膵炎の診断は，従来の診断基準と同様に診断の確実性から，確診，準確診，疑診に分けられる．このほか，より早い病期に診断することが患者の予後改善のために重要であることから，慢性膵炎臨床診断基準 2009 では，従来の診断基準にはなかった，「早期慢性膵炎」の診断基準が加えられた．早期慢性膵炎は，臨床症状，血中尿中の膵酵素異常，飲酒歴，膵外分泌機能異常に加え EUS や ERCP による特徴的な画像所見により診断される（表 11-28-5）（日本膵臓学会，2009）．

鑑別診断

膵管の拡張を伴う膵疾患として，膵癌や膵管内乳頭粘液性腫瘍（intraductal papillary mucinous neoplasm：IPMN）があり，石灰化を伴うことがある膵疾患として膵癌，膵内分泌腫瘍，漿液性嚢胞腫瘍（serous cystic neoplasm：SCN），solid pseudopapillary neoplasm（SPN）などが知られている．膵腫瘍と慢性膵炎は画像所見が類似する場合があり，慎重に鑑別診断を行う．また，膵石灰化は加齢現象でもみられることが知られている．

早期慢性膵炎の診断基準は現時点では確固とした根拠に裏打ちされておらず，機能性胃腸症のような腹部疾患との鑑別が困難な場合がありうる．

合併症

慢性膵炎に伴う合併症は膵内合併症と膵外合併症に分けられる（表 11-28-6）．前者には膵石灰化（膵石），膵仮性囊胞，膵癌，後者には，膵性胸水・腹水，肝胆道障害，消化性潰瘍などがある．消化管出血を認める場合には，原因として仮性動脈瘤の出血が膵管内に及び十二指腸乳頭から出血する場合（hemosuccus pancreaticus），消化性潰瘍からの出血，門脈や脾静脈の血栓形成のため生じた静脈瘤からの出血が考えられる．

膵石灰化は慢性膵炎患者の約 7 割に認められる．合併率はアルコール性慢性膵炎患者では約 72％，特発性慢性膵炎患者では約 63％であり，アルコール性慢性膵炎患者で合併率が高い[1]．膵管内の結石（膵石）は治療の対象となる場合があるが，主成分は炭酸カルシウムであり白くて硬い．大きな膵石ではサンゴ状の形状となり主膵管や分枝膵管にはまり込んで存在する．膵石は慢性膵炎に特異的な所見であり，存在を確認することで確診と診断できる．しかし，病期が進行し膵が荒廃してから出現するわけではなく，一部の患者では早期から生じる場合もある．

経過・予後

慢性膵炎患者の臨床経過および予後は成因により異なる．アルコール性慢性膵炎患者では特発性慢性膵炎患者と比較し，腹痛の頻度および糖尿病合併率が有意に高い．また，喫煙率が高いことや，発症年齢が 50 歳前後と特発性に比べ若いことも，予後と関係する．厚労省難治性膵疾患調査研究班による慢性膵炎患者の追跡調査によると，アルコール性慢性膵炎患者の死亡年齢は 65.1 ± 11.4 歳であったのに対し，非アルコール性慢性膵炎患者の死亡年齢は 72.5 ± 10.5 歳でありアルコール性が約 7 歳若い．慢性膵炎患者のおもな死因は，膵癌を含めた悪性腫瘍である．特に膵癌は慢性膵炎患者への合併リスクが高いことが知られており，主要な死亡原因となっている（大槻，2006）[3,4]．

治療・予防・リハビリテーション

慢性膵炎は進行性・不可逆性の疾患であり進行した

表 11-28-5 慢性膵炎臨床診断基準 2009（日本膵臓学会，2009）

慢性膵炎の診断項目
① 特徴的な画像所見
② 特徴的な組織所見
③ 反復する上腹部痛発作
④ 血中または尿中膵酵素値の異常
⑤ 膵外分泌障害
⑥ 1日80g以上（純エタノール換算）の持続する飲酒歴

慢性膵炎確診：
a, b のいずれかが認められる．
　a. ①または②の確診所見．
　b. ①または②の準確診所見と，③④⑤のうち2項目以上．

慢性膵炎準確診：
①または②の準確診所見が認められる．

早期慢性膵炎：
③〜⑥のいずれか2項目以上と早期慢性膵炎の画像所見が認められる．

注1. ①，②のいずれも認めず，③〜⑥のいずれかのみ2項目以上有する症例のうち，ほかの疾患が否定されるものを慢性膵炎疑診例とする．疑診例には3カ月以内にEUSを含む画像診断を行うことが望ましい．
注2. ③または④の1項目のみ有し早期慢性膵炎の画像所見を示す症例のうち，ほかの疾患が否定されるものは早期慢性膵炎の疑いがあり，注意深い経過観察が必要である．
付記. 早期慢性膵炎の実態については，長期予後を追跡する必要がある．

慢性膵炎の診断項目
① **特徴的な画像所見**
確診所見：以下のいずれかが認められる．
　a. 膵管内の結石．
　b. 膵全体に分布する複数ないしびまん性の石灰化．
　c. ERCP像で，膵全体にみられる主膵管の不整な拡張と不均等に分布する不均一[*1]かつ不規則[*2]な分枝膵管の拡張．
　d. ERCP像で，主膵管が膵石，蛋白栓などで閉塞または狭窄しているときは，乳頭側の主膵管と分枝膵管の不規則な拡張．
準確診所見：以下のいずれかが認められる．
　a. MRCPにおいて，主膵管の不整な拡張とともに膵全体に不均一に分布する分枝膵管の不規則な拡張．
　b. ERCP像において，膵全体に分布するびまん性の分枝膵管の不規則な拡張，主膵管のみの不整な拡張，蛋白栓のいずれか．
　c. CTにおいて，主膵管の不規則なびまん性の拡張とともに膵辺縁が不規則な凹凸を示す膵の明らかな変形．
　d. US（EUS）において，膵内の結石または蛋白栓と思われる高エコーまたは膵管の不整な拡張を伴う辺縁が不規則な凹凸を示す膵の明らかな変形．

② **特徴的な組織所見**
確診所見：膵実質の脱落と線維化が観察される．膵線維化はおもに小葉間に観察され，小葉が結節状，いわゆる硬変様をなす．

準確診所見：膵実質が脱落し，線維化が小葉間または小葉間・小葉内に観察される．

④ **血中または尿中膵酵素値の異常**
以下のいずれかが認められる．
　a. 血中膵酵素[*3]が連続して複数回にわたり正常範囲をこえて上昇あるいは正常下限未満に低下．
　b. 尿中膵酵素が連続して複数回にわたり正常範囲をこえて上昇．

⑤ **膵外分泌障害**
BT-PABA試験で明らかな低下[*4]を複数回認める．

早期慢性膵炎の画像所見
a, b のいずれかが認められる．
　a. 以下に示すEUS所見7項目のうち，(1)〜(4)のいずれかを含む2項目以上が認められる．
　　(1) 蜂巣状分葉エコー（lobularity, honeycombing type）
　　(2) 不連続な分葉エコー（nonhoneycombing lobularity）
　　(3) 点状高エコー（hyperechoic foci; non-shadowing）
　　(4) 索状高エコー（stranding）
　　(5) 囊胞（cysts）
　　(6) 分枝膵管拡張（dilated side branches）
　　(7) 膵管辺縁高エコー（hyperechoic MPD margin）
　b. ERCP像で，3本以上の分枝膵管に不規則な拡張が認められる．

解説1.
USまたはCTによって描出される①膵嚢胞，②膵腫瘤ないし腫大，および③膵管拡張（内腔が2mmをこえ，不整拡張以外）は膵病変の検出指標として重要である．しかし，慢性膵炎の診断指標としては特異性が劣る．したがって，①②③の所見を認めた場合には画像検査を中心とした各種検査により確定診断に努める．
解説2.
[*1]："不均一"とは，部位により所見の程度に差があることをいう．
[*2]："不規則"とは，膵管径や膵管壁の平滑な連続性が失われていることをいう．

[*3]："血中膵酵素"の測定には，膵アミラーゼ，リパーゼ，エラスターゼ1など膵特異性の高いものを用いる．
[*4]："BT-PABA試験（PFD試験）における尿中PABA排泄率の低下"とは，6時間排泄率70%以下をいう．
解説3.
MRCPについては，
1) 磁場強度1.0テスラ（T）以上，傾斜磁場強度15mT/m以上，シングルショット高速SE法で撮像する．
2) 上記条件を満足できないときは，背景信号を経口陰性造影剤の服用で抑制し，膵管の描出のため呼吸同期撮像を行う．

病期に診断された場合には，病変に対する根治的な治療手段はない．早期慢性膵炎が治療により治癒可能な可逆的な病態・病期であるかは，今後明らかにされるべき課題であり，現時点では不明である．慢性膵炎患者に行われる治療は大きく3つに分かれる．それらは，断酒・禁煙を中心とした生活習慣改善，疼痛および合併症に対する治療，膵機能不全に対する補充療法である（図11-28-9）（日本消化器病学会，2015）[5,6]．

1）断酒・禁煙： アルコール性慢性膵炎患者が飲酒を継続すると，腹痛や急性再燃を繰り返し，急速に膵の荒廃が進行する．飲酒継続者は疼痛だけでなく，膵外分泌機能不全による栄養不良，内分泌機能不全による糖尿病の発症率も高く，さらに失業率も高いことが知られており，生活の質が著しく低下する．このようなアルコール性慢性膵炎患者にはアルコール依存症患者に行うのと同様に，「断酒」指導を行う．断酒とは一時的に酒を止めるという意味合いのある「禁酒」とは

表11-28-6 慢性膵炎の合併症（大槻，2006を一部改変）

1. 膵内合併症
   a. 膵石灰化（膵石）
   b. 膵仮性嚢胞（感染，出血）
   c. 膵癌
2. 膵外合併症
   a. 膵性腹水，膵性胸水
   b. 肝障害
   c. 胆道狭窄・閉塞，胆道感染
   d. 消化管狭窄
   e. 瘻孔形成
   f. 消化性潰瘍（出血）
   g. 門脈圧亢進症（血栓，消化管出血）
   h. その他

異なり，永続的に酒を断つという意味で用いられる．

喫煙は，慢性膵炎を進行させる独立した因子である．アルコール性慢性膵炎患者は特に喫煙率が高いが，非アルコール性慢性膵炎患者に対しても禁煙指導が必要である．

断酒・禁煙指導はすべての病期の慢性膵炎患者に対してまず行われるべき治療である．

2) 疼痛および合併症に対する治療：腹痛があるときは食事療法として脂肪制限（30〜35 g/日）を行う．腹痛のないときには十分な脂肪を摂取してよい（40〜60 g/日）．内服治療として，抗コリン薬・鎮痙薬，蛋白分解酵素阻害薬，高力価の消化酵素薬，消炎鎮痛薬（非ステロイド系抗炎症薬）などが通常用いられる．器質的原因により膵液流出障害があり膵管および膵組織内圧が上昇し疼痛の原因となっている場合には，その原因に対する治療やドレナージ術が行われる．たとえば，膵石が原因であれば，体外衝撃波結石破砕療法（extracorporeal shock wave lithotripsy：ESWL）による治療[7]，内視鏡的ドレナージとして膵管ステント療法，Frey手術や膵管空腸側々吻合術などのドレナージ手術，または膵頭十二指腸切除術や膵体尾部切除術などの膵切除術が行われる．

膵仮性嚢胞は疼痛，感染，出血などの臨床症状を呈した場合に治療対象となる[8]．膵仮性嚢胞や，膵性胸水・腹水，胆管狭窄による黄疸や胆管炎に対しては内視鏡的ドレナージ術や手術療法が行われる．

3) 膵内分泌・外分泌補充療法：非代償期では，膵外分泌・内分泌機能不全に対する治療が主となる．外分泌機能不全に対しては消化酵素薬，特に高力価のパンクレリパーゼ製剤の内服治療を行う．この時期は，重炭酸塩も分泌低下するため十二指腸内のpHが低下し酵素活性が減弱する．胃酸分泌阻害薬の併用により，腸内のpHを上げることも重要である．十分量の消化酵素薬を内服したうえで，十分な食事を摂取する．脂肪制限は必要ない．膵内分泌不全による糖尿病（膵性糖尿病）にはインスリン治療を行う．通常，少量の超速効型または速効型インスリンと持効型インスリンの組み合わせなどにより血糖コントロールを行うが，グルカゴン分泌も低下しており低血糖になりやすく，少し高めに目標設定し血糖コントロールを行う．

禁忌

飲酒と喫煙はすべての慢性膵炎患者にとって，禁忌である． 〔廣田衛久・下瀬川　徹〕

■文献（e文献11-28-3）

大槻　眞：慢性膵炎の合併症と長期予後．日本消化器病学会雑誌．2006; 103: 1103-12.
日本消化器病学会：慢性膵炎診療ガイドライン．南江堂，2015.
日本膵臓学会：慢性膵炎臨床診断基準2009．膵臓，2009；24：645-6.

4）自己免疫性膵炎
autoimmune pancreatitis：AIP

定義・概念

AIPの概念は日本から発信され[1]，その後，高IgG4血症[2]の有無による疾患概念の変遷がみられた．2011年に国際的なコンセンサスが得られ[3]（Shimosegawaら，2011），しばしば閉塞性黄疸で発症し，ときに膵腫瘤を形成する特有の膵炎であり，リンパ球と形質細胞の高度な浸潤と線維化を組織学的特徴とし，ステロイドに劇的に反応することが治療上の特徴とされ，1型と2型AIPの2亜型に分類されている（Shimosegawaら，2011）（表11-28-7）[3]．わが国でみられるAIPは主として1型であり，単なる「自己免疫性膵炎」とは1型を意味する（岡崎ら，2012；岡崎ら，2013）（eコラム1）．

病因・病態生理

病因は不明である．家族発症の報告はきわめてまれであるものの，1型AIPでは免疫学遺伝学的背景に自然免疫や後天免疫異常の関与が示唆されている[4]．1型AIPはIgG4関連疾患膵病変とも考えられている（e図11-28-E，11-28-F）．2型AIPでは免疫学的異常の関与は乏しく，病態は1型AIPとは異なる．1型AIPにおける膵外病変を認める罹患臓器には，中枢神経系，涙腺・唾液腺（Mikulicz病），甲状腺，肺，胆管（硬化性胆管炎），肝臓，消化管，胆囊，腎臓（尿細管間質性腎炎），前立腺，後腹膜腔（後腹膜線維症），リンパ節などの報告がある[3,5-7]（岡崎ら，2012；岡崎ら，2013；Shimosegawaら，2011）．

疫学

1型AIPは60歳代にピークがあり，男女比は2：1〜5：1程度と男性に多い（岡崎ら，2013）．慢性膵炎

の約2〜5%程度の頻度とされる(eコラム2).

臨床症状

特異的な症状はない．1型AIPでは腹痛は無〜軽度であり，閉塞性黄疸，糖尿病症状，随伴する膵外病変による症状を呈することが多い[3])(岡崎ら，2012；岡崎ら，2013；Shimosegawaら，2011)．2型では腹痛が多く，しばしば急性膵炎を伴う[3](Shimosegawaら，2011).

検査所見

疾患特異的な血液検査所見はないが，血中膵酵素・肝胆道系酵素・総ビリルビンの上昇が多い(岡崎ら，2013)．1型AIPでは血中IgG高値，非特異的自己抗体(抗核抗体，リウマトイド因子など)の存在は本症の可能性がある．血中IgG4は血清診断法のなかで，単独で最も診断価値が高いが，疾患特異的ではない．2型AIPでは免疫学的検査に異常所見は認めない(岡崎ら，2013).

約80%に膵外分泌障害を，約70%に膵内分泌障害(糖尿病)の合併を伴う(岡崎ら，2013).

腹部超音波，CT，MRIなどによる膵画像検査で"ソーセージ様"を呈する膵のびまん性腫大は自己免疫性膵炎に特異性の高い所見であるが[3](岡崎ら，2012；岡崎ら，2013；Shimosegawaら，2011)，限局性腫大は膵癌との鑑別診断を要する．造影CTでは遅延性増強パターンと被膜様構造(capsule-like rim)を認めれば，自己免疫性膵炎である可能性が高い(岡崎ら，2013)．胆管狭窄や主膵管の狭細像を呈するが，後者については核磁気共鳴胆管膵管像(MRCP)では現段階では正確な評価はできず，逆行性内視鏡的胆管膵管造影検査(ERCP)で判定できる(岡崎ら，2013)．FDG-PETやGaシンチグラムでは膵ならびに膵外病変部位にFDG，Ga-67の集積を認め，ステロイド治療後に速やかに消失するため，ステロイド治療後の判定に有用である(岡崎ら，2013).

診断

膵癌や胆管癌など悪性疾患の否定とともに，膵画像所見，血液所見，病理組織所見，膵外病変，ステロイド反応性などより，総合的に診断する．国際的コンセンサスにより提唱された診断基準であるinternational consensus diagnostic criteria (ICDC)は[3](Shimosegawaら，2011)，1型，2型AIPの診断が可能であるが，専門医向きで一般臨床医には煩雑である(e表

表11-28-7 自己免疫性膵炎の国際分類

亜型	1型AIP	2型AIP
同義語	LPSP IgG4関連硬化性膵炎	IDCP AIP without GEL AIP with GEL
疫学的背景	アジア＞USA, EU 中高年齢 男≫女	アジア＜USA＜EU 比較的若年 男＝女
膵腫大/膵腫瘤	あり	あり
免疫学的血液所見	高IgG/IgG4血症 高ガンマグロブリン血症 自己抗体(ANAなど)	正常
病理組織 　膵管上皮破壊像 　炎症細胞浸潤 　リンパ球/ 　IgG4陽性形質細胞 　好中球浸潤 　花筵状線維化 　(storiform fibrosis) 　閉塞性静脈炎	 なし 著明 少ない あり あり	 あり 少ない 多い なし(ふつうの線維化)
膵外病変合併 　硬化性胆管炎 　硬化性唾液腺炎 　後腹膜線維症など	しばしば	なし
潰瘍性大腸炎合併	まれ	しばしば
ステロイド	有効	有効
再燃	高頻度	まれ

LPSP：lymphoplasmacytic sclerosing pancreatitis, IDCP：idiopathic duct-centric chronic pancreatitis, GEL：granulocytic epithelial.

11-28-A〜11-28-E)．わが国ではほとんどを占める1型AIPを対象に作成された「自己免疫性膵炎臨床診断基準2011」を用いて診断する(表11-28-8).

経過・予後

AIPのなかには自然軽快することもあるが，ステロイドによる寛解導入率は90%以上と高く，短期的には比較的良好な転帰が期待できる(岡崎ら，2013)．しかしながら，投薬中止後，約半数で1年以内に再燃が認められ，膵機能面，悪性腫瘍併発など，長期の予後(転帰)に関してはいまだ不明な点が多い．一方で，通常の慢性膵炎や膵石症合併の報告もある(岡崎ら，2013)(eノート1).

治療(図11-28-11)

AIP患者のうち，胆管狭窄による閉塞性黄疸例，腹痛・背部痛を有する例，膵外病変合併例などがステロイド治療の適応となる(経口プレドニゾロン30〜40mg/日)(岡崎ら，2013)．黄疸例では胆道ドレナージを考慮し，糖尿病合併例では血糖のコントロールをまず行う(eノート2)．国際的なコンセンサスは得られていないが，1型AIPでは再燃率が高いため，低用

表 11-28-8 自己免疫性膵炎臨床診断基準 2011（岡崎ら, 2012）

【診断基準】
A. 診断項目
Ⅰ. 膵腫大：
　a. びまん性腫大（diffuse）
　b. 限局性腫大（segmental/focal）
Ⅱ. 主膵管の不整狭細像：ERP
Ⅲ. 血清学的所見
　高 IgG4 血症（≧135mg/dL）
Ⅳ. 病理所見：以下の①～④の所見のうち，
　a. 3 つ以上を認める．
　b. 2 つを認める．
　①高度のリンパ球，形質細胞の浸潤と，線維化
　②強拡 1 視野あたり 10 個をこえる IgG4 陽性形質細胞浸潤
　③花筵状線維化（storiform fibrosis）
　④閉塞性静脈炎（obliterative phlebitis）
Ⅴ. 膵外病変：硬化性胆管炎，硬化性涙腺炎・唾液腺炎，後腹膜線維症
　a. 臨床的病変
　臨床所見および画像所見において，膵外胆管の硬化性胆管炎，硬化性涙腺炎・唾液腺炎（Mikulicz 病）あるいは後腹膜線維症と診断できる．
　b. 病理学的病変
　硬化性胆管炎，硬化性涙腺炎・唾液腺炎，後腹膜線維症の特徴的な病理所見を認める．

〈オプション〉　ステロイド治療の効果
専門施設においては，膵癌や胆管癌を除外後に，ステロイドによる治療効果を診断項目に含むこともできる．悪性疾患の鑑別が難しい場合は超音波内視鏡下穿刺吸引（EUS-FNA）細胞診まで行っておくことが望ましいが，病理学的な悪性腫瘍の除外診断なく，ステロイド投与による安易な治療的診断は避けるべきである．

Ⅰ. 確診
①びまん型：Ⅰa＋Ⅲ／Ⅳb／Ⅴ（a/b）
②限局型
　　　　　Ⅰb＋Ⅱ＋〈Ⅲ／Ⅳb／Ⅴ（a/b）〉の 2 つ以上
　　　　　または
　　　　　Ⅰb＋Ⅱ＋〈Ⅲ／Ⅳb／Ⅴ（a/b）〉＋オプション
③病理組織学的確診
　　　　　Ⅳa
Ⅱ. 準確診
　限局型：Ⅰb＋Ⅱ＋〈Ⅲ／Ⅳb／Ⅴ（a/b）〉
Ⅲ. 疑診＊
　びまん型：Ⅰa＋Ⅱ＋オプション
　限局型：Ⅰb＋Ⅱ＋オプション

自己免疫性膵炎を示唆する限局性膵腫大を呈する例で ERP 像が得られなかった場合，EUS-FNA で膵癌が除外され，Ⅲ／Ⅳb／Ⅴ（a/b）の 1 つ以上を満たせば，疑診＊ とする．さらに，オプション所見が追加されれば準確診とする．

＊：わが国ではきわめてまれな 2 型の可能性もある．

量経口プレドニゾロン（5～10 mg/日）の維持療法が再燃の抑制に有効とされる（岡崎ら，2013）．その他，再燃例やステロイド抵抗例にはアザチオプリンなどの免疫抑制薬[8]やリツキシマブ（抗 CD20 抗体）[9]などが有効なことがある．
〔岡崎和一〕

■文献（e文献 11-28-4）

岡崎和一，他：自己免疫性膵炎臨床診断基準 2011．膵臓．2012；27; 17-25.

岡崎和一，他：自己免疫性膵炎診療ガイドライン 2013．膵臓．2013; 28: 717-83.

Shimosegawa T, Chari ST, et al: International consensus diagnostic criteria for autoimmune pancreatitis: guidelines of

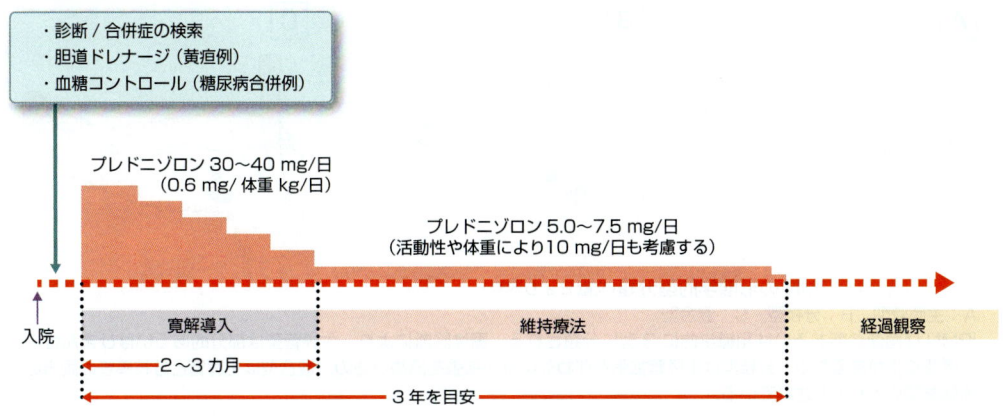

注1．自己免疫性膵炎の診断がつかない時点で，安易にステロイド治療を行ってはならない．また，ステロイド治療の経過から膵腫瘍が否定されない場合，膵癌を念頭においた再評価を行う．

注2．初診時に①1/3以上の膵腫大，②ガリウムシンチにおける膵外臓器へのガリウムの集積，③下部総胆管を除く硬化性胆管炎の合併を示す症例は再燃率が高く注意が必要である．

注3．ステロイド治療の効果判定および再燃についての経過観察には，血清ガンマグロブリン値やIgG, IgG4などの血液生化学検査所見，腹部画像診断，黄疸や腹部不快感などの臨床徴候を参考にする．

図 11-28-11 自己免疫性膵炎の治療についてのコンセンサス

the International Association of Pancreatology. *Pancreas*. 2011; 40: 352-8.

5) 嚢胞性膵腫瘍

(1) 膵管内乳頭粘液性腫瘍 (intraductal papillary mucinous neoplasm：IPMN)

定義・概念

粘液貯留により主膵管もしくは分枝膵管の拡張を特徴とする膵管上皮系腫瘍である[1]．最近では膵嚢胞性腫瘍の1つとして扱われており，粘液性嚢胞腫瘍 (mucinous cystic neoplasm：MCN) とは異なる疾患群とされている (Tanaka ら，2012)[2,3]．通常の浸潤性膵管癌 (以下膵癌) と同様に膵管上皮から発生するが，膵管内で腫瘍が増殖しやすく，膵癌に比べ進展は緩徐である (Tanaka ら，2012)[2,3]．

病理

病理組織学的には高円柱状細胞からなる乳頭腫瘍であり[1]，わが国では過形成，腺腫，腺癌 (非浸潤癌)，浸潤癌に分類されてきたが，国際的にはIPMN with low-grade dysplasia, intermediate-grade dysplasia, high-grade dysplasia, associated invasive carcinomaに分類され[3], high-grade dysplasiaがわが国の非浸潤癌に相当する (Tanaka ら，2012)[3]．

原因・病因

腫瘍発生の成因については明らかにされていない．

疫学

正確な頻度については明らかにされていないが，画像診断の普及により発見頻度は増加している．MRIによる膵嚢胞の発見頻度が19.9%であったとする報告があり[4]，そのすべてがIPMNではないものの相当数の存在が疑われる．年齢は30～90歳代と幅広いが，好発年齢は60～70歳で，男性に多くみられる[3]．

病態生理

形態学的型分類として，主膵管型，分枝型，混合型の3型に分類される (図 11-28-12) (Tanaka ら，2012)[2,3]．主膵管型および混合型は悪性の頻度が高く，分枝型の悪性頻度が低いことから，主膵管型および混合型には手術適応例が多いのに対し，分枝型では悪性リスクを伴う場合は手術適応となるが経過観察可能例が多く存在する (Tanaka ら，2012)[2,3]．

臨床症状

腹痛，背部痛，体重減少，黄疸などの症状を有する例があるが，無症状で検診や画像診断で偶然発見されることが多い (Tanaka ら，2012)[2,3]．

検査所見

アミラーゼ，リパーゼなど膵酵素の上昇を認める例はあるが，腫瘍マーカーは浸潤癌例を除き異常高値を示す例は少ない[3]．

診断

画像検査による嚢胞あるいは主膵管拡張が発見契機となり，嚢胞 (分枝拡張) と膵管との交通および粘液の確認により確定診断となる．IPMNの診断にはCT, MRIと超音波内視鏡 (endoscopic ultrasonography：

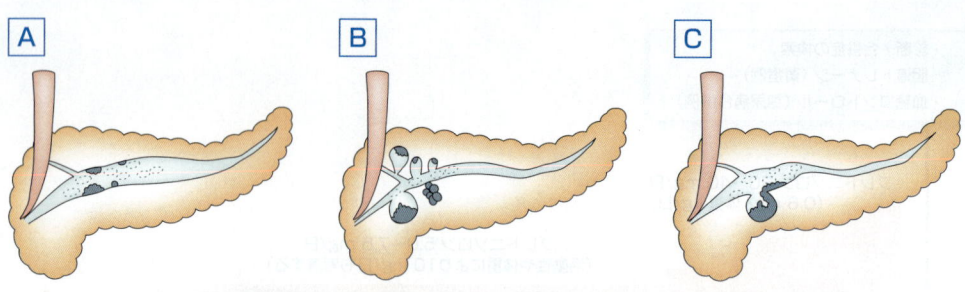

図 11-28-12 IPMN の形態学的型分類(文献2より改変)
A：主膵管型，B：分枝型，C：混合型．
IPMN は画像診断あるいは組織学的に3型に分類される．画像診断により，主膵管型は部分的あるいはびまん性の主膵管拡張があるもの，分枝型は主膵管拡張を伴わない分枝拡張を認めるもの，混合型は主膵管と分枝膵管の両方の拡張を認めるものとされている．

EUS)が推奨されている(Tanaka ら，2012)[3]．CT と MRI は膵全体の病態の把握にすぐれ，なかでも MRCP が囊胞と膵管との交通の確認に適している(Tanaka ら，2012)[3] (図 11-28-13)．IPMN の組織学的な乳頭腫瘍部は画像検査により壁在結節(mural nodule：MN)として描出され，その検出が悪性リスクの1つとして重要となる(Tanaka ら，2012)[5,6] (図 11-28-14)．大きな MN は CT あるいは MRI にて検出できるが(e図 11-28-G)，詳細な判定には EUS を要する(e図 11-28-H)．粘液の存在の確認には，内視鏡による乳頭開口部の開大と粘液排出所見の観察のほか精密検査として ERCP による膵管造影を行うことで判定できる(e図 11-28-I) (Tanaka ら，2012)[2]．また，囊胞液を EUS 下穿刺術(EUS-fine needle aspiration：EUS-FNA)にて採取し，粘液性か非粘液性かの鑑別に用いられているが，わが国では粘液の播種の懸念から推奨されていない(Tanaka ら，2012)[7]．

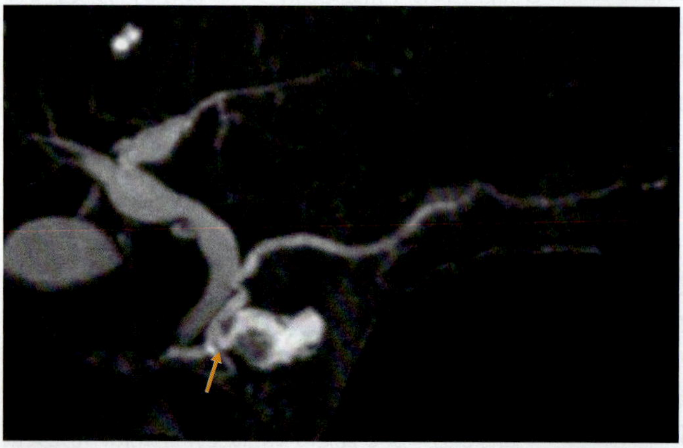

鑑別診断

膵管拡張を呈する疾患として慢性膵炎，膵癌との鑑別に注意が必要である．分枝型 IPMN では囊胞性膵腫瘍である MCN および漿液性囊胞腫瘍(serous cystic neoplasm：SCN)との鑑別を要する(Tanaka ら，2012)[2]．

経過・予後

low から intermediate-grade dysplasia および high-grade dysplasia(非浸潤癌)の切除術後の予後は良好である．浸潤癌(associated invasive carcinoma)の切除後の予後は良好とはいえないが，通常の膵癌に比べるとよい(Tanaka ら，2012)[2,3]．また，分枝型 IPMN を経過観察した報告では，進展はあるが緩徐であり，特に MN を認めない分枝型の進展はさらに緩徐で悪性化率も低い(Tanaka ら，2012；Maguchi ら，2011)[8,9]．

一方，IPMN と離れて膵癌が発生(IPMN 併存膵癌)することが注目されており，IPMN を有する例は膵癌のハイリスクとして慎重な経過観察が必要である(Tanaka ら，2012；Yamaguchi ら，2002)[9,10]．

治療

主膵管径 10 mm 以上を示す主膵管型および混合型は手術適応となるが，5〜9 mm の例には精査を行い，悪性リスクを認めない場合は経過観察とする(Tanaka ら，2012)．分枝型 IPMN の手術適応が問題となっていたが，最近では治療方針選択のアルゴリズムが示されている(Tanaka ら，2012) (図 11-28-15)．膵頭部病変で黄疸がある，造影効果を有する結節がある，主膵管径 10 mm 以上は手術適応とし，拡張分枝径 3 cm，厚い被膜，主膵管径 5〜9 mm，造影効果のない結節，尾側膵実質の萎縮を伴う主膵管径の急激な変化を認める例に

図 11-28-13 分枝型 IPMN の MRCP 像
膵管が拡張を示す IPMN の膵管全体像の把握と膵管との交通の確認には MRCP が適する．矢印に示す交通枝の確認により，分枝の拡張した分枝型 IPMN と診断できる．

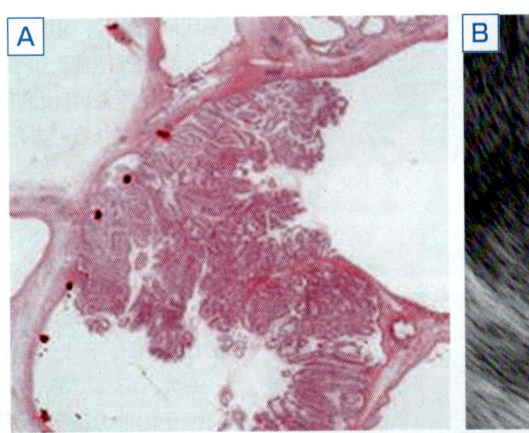 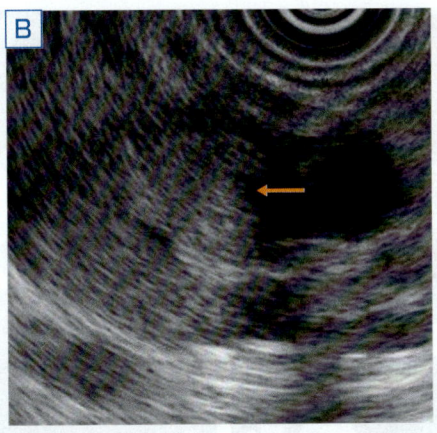

図 11-28-14 IPMN の組織像と EUS 像
A：組織像，B：EUS 像．
IPMN の病理組織の特徴は乳頭腫瘍であり，しばしば高乳頭増殖を示す．高乳頭増殖部は画像診断により，壁在結節（MN）として描出される．MN は EUS によりやや高エコーを呈する隆起（矢印）として検出され，治療方針の決定に際し重要な所見となる．

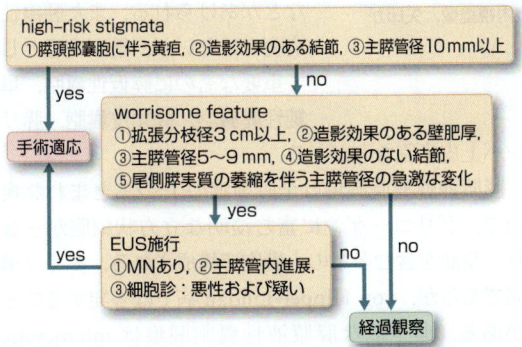

図 11-28-15 分枝型 IPMN の診療方針選択のアルゴリズム（Tanaka ら，2012 より改変）
国際診療ガイドライン 2012 では，悪性を疑うリスクを high-risk stigmata と worrisome feature の 2 段階として診療方針選択のアルゴリズムを提唱している．high-risk stigmata を認める例は手術適応とし，worrisome feature を有する例には EUS を行い，壁在結節（MN）の存在，主膵管内への進展，細胞診で悪性を疑う例には手術適応とし，それ以外は経過観察とする．

は EUS を行い，MN の存在などがみられる例は手術適応とする．ただし，手術適応とすべき MN の大きさ（高さ）についてのコンセンサスは得られていない．これらの所見がみられない例には経過観察とし，病態に変化がみられた場合に手術を考慮する（Tanaka ら，2012；Maguchi ら，2011）[8,9]．〔真口宏介〕

■文献（e文献 11-28-5）

Maguchi H, Tanno S, et al: Natural history of branch duct intraductal papillary mucinous neoplasms of the pancreas: a multicenter study in Japan. *Pancreas*. 2011; **40**: 364-70.

Tanaka M, Castillo CF, et al: International consensus guidelines 2012 for the management of IPMN and MCN of the pancreas. *Pancreatology*. 2012; **12**: 183-97.

Yamaguchi K, Ohuchida J, et al: Intraductal papillary-mucinous tumor of the pancreas concomitant with ductal carcinoma of the pancreas. *Pancreatology*. 2002; **2**: 484-90.

(2) 粘液嚢胞性腫瘍，その他

a. 膵粘液嚢胞性腫瘍（mucinous cystic neoplasm：MCN）

i) 疾患概念と臨床像

MCN は膵外分泌腫瘍の 2～5% とまれな疾患で，中年女性の膵体尾部に好発し，卵巣様間質（ovarian-like stroma）の存在が診断に必須である．わが国からの切除 156 例の報告（Yamao ら，2011）によると女性 153 例（98%），平均発症年齢 48 歳（19～84），有症状 67 例（49%），膵体尾部発症 155 例（99%），悪性 27 例（17%），平均腫瘍径 65 mm，全例単発であり，28 例（18%）で主膵管との交通を認めた．肉眼的に膵外側へ突出する厚い線維性被膜を伴う単房から多房性の球形の外観（夏みかん様）を呈し，嚢胞内に粘液を有する（図 11-28-16A）．腫瘍内部の各嚢胞間に交通はなく，各嚢胞が腫瘍内腔に向かって凸形に存在する（cyst in cyst）．肉眼的に単房性に見えても組織学的には辺縁に小さな嚢胞が存在することも多い．大きい腫瘍径や結節病変（mural nodule）の存在は悪性を示唆する所見である．卵巣様間質の存在や悪性度を含めた最終診断は切除後の病理学的検索でしかつかないため，治療方針決定には特徴的な臨床像と画像所見の理解が必要である．

ii) 画像診断

造影 CT は腫瘍の全体像，周辺臓器との関係，浸潤像，遠隔転移の把握などの治療方針の決定に有用であ

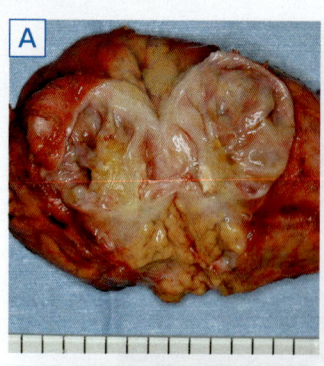
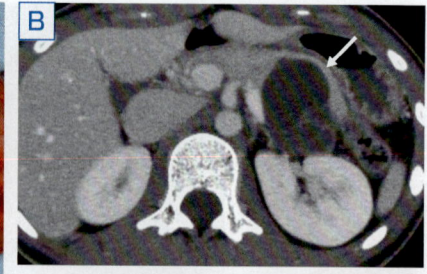
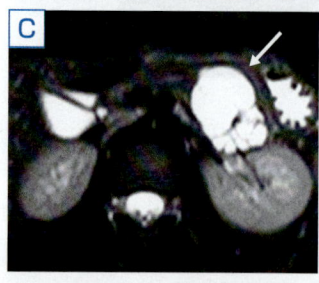
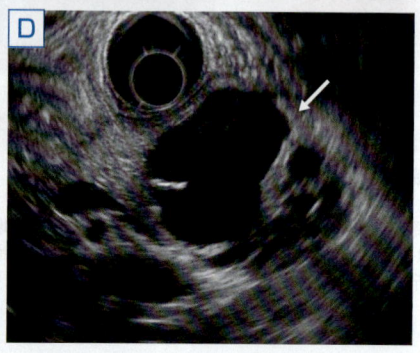

図 11-28-16 粘液囊胞性腫瘍
A：腫瘍割面，B：造影 CT 画像，C：MRI 画像（T2 強調），D：超音波内視鏡像．矢印が腫瘍．

る．線維性被膜は造影効果を有することが多く（図 11-28-16B），部分的に石灰化（卵殻様石灰化）を認める場合もある．MRI では囊胞内は T1 強調画像で低信号，T2 強調画像で高信号を呈し（図 11-28-16C），囊胞内に出血や debris の貯留があると囊胞ごとに異なった信号強度を示す．超音波内視鏡では壁在結節や壁肥厚などの悪性所見を詳細に評価することができる（図 11-28-16D）．超音波内視鏡下穿刺吸引細胞診は腹腔内や穿刺経路への腫瘍細胞播種の懸念があり，わが国では行われない傾向にある．鑑別が必要なほかの囊胞性疾患として膵仮性囊胞，分枝型膵管内乳頭粘液性腫瘍，膵類皮囊胞，膵リンパ上皮囊胞などがあげられる．

iii) 治療

MCN は malignant potential を有するため，画像所見で診断された場合や鑑別疾患として否定できない場合には切除適応となる．悪性を強く示唆する画像所見が得られた場合にはリンパ節郭清を伴う膵切除術を行うが，悪性の可能性が低いときには脾温存膵体尾部切除術，膵中央切除術などの縮小手術を考慮する．特に腫瘍径 4 cm 以下では悪性の可能性がきわめて低く，低侵襲な腹腔鏡下手術も許容される（Tanaka ら，2012）．術後の腹膜播種再発や腹膜偽粘液種予防の観点から，術中に囊胞壁損傷による粘液漏出を起こさないように注意する．

iv) 病理診断と予後

病理学的には立方状から高円柱状の腫瘍細胞が乳頭状に増殖し，組織学的異型性により低異型性，中等度異型性，高度異型性（非浸潤癌），浸潤癌に分類される．また卵巣用間質の約 80％にエストロゲン／プロゲステロン受容体の発現を認める．わが国の報告（Yamao ら，2011）では低～中等度異型性，非浸潤癌，浸潤癌の切除術後 10 年生存率はそれぞれ 99％，95％，63％であった．

b. その他の囊胞性膵腫瘍

その他の囊胞性膵腫瘍として膵漿液囊胞性腫瘍（serous cystic neoplasm：SCN），膵充実性偽乳頭腫瘍（solid pseudopapillary neoplasm：SPN），囊胞変性を伴う膵神経内分泌腫瘍などがあげられる．また腫瘍性病変ではないが，鑑別疾患として重要なものに膵仮性囊胞，単純性膵囊胞，膵類皮囊胞，膵リンパ上皮囊胞などがある．

膵漿液性囊胞腫瘍は全膵腫瘍の 1〜2％とまれな疾患で，グリコーゲンに富む淡明な立方状細胞からなり，漿液を含む多数の小囊胞で構成される．多くは単発であるが，von Hippel-Lindau 病では多発することがある．典型的な膵漿液性囊胞腫瘍は microcystic type で，肉眼的に 1 cm 以下の小囊胞の集簇により蜂巣状の外観を呈し，石灰化を伴う星芒状中心瘢痕がみられることもある（図 11-28-17A〜C）．ほかに 1 cm 以上の囊胞の集簇である macrocystic type，1 cm 以上ないし以下の囊胞が集簇する mixed type，画像や肉眼で囊胞が確認できない solid type がある．macrocystic type では分枝型膵管内乳頭粘液性腫瘍や MCN との鑑別が必要となる．また solid type の漿液囊胞性腫瘍と膵神経内分泌腫瘍はいずれも造影効果のある充実性腫瘍として描出されるため画像での鑑別は困難である．わが国の膵漿液囊胞性腫瘍 172 例の報告（Kimura ら，2012）では，女性 71％，平均発症年齢 61 歳，有症状例 20％，膵体尾部病変 57％，平均腫瘍径 41 mm，microcystic type 58％であった．また切除 90 例中にリンパ節転移例はなく，肝転移を原発腫瘍径 15 cm の 2 例に認めた．悪性の頻度は低く，画像で診断が確定すれば多くの膵漿液性囊胞腫瘍は経過観察可能であるが，他疾患との鑑別困難例，有症状例，腫瘍径 4 cm 以上，増大傾向にあるものは切除適応となる．

膵充実性偽乳頭腫瘍は若年女性に好発し，線維性被

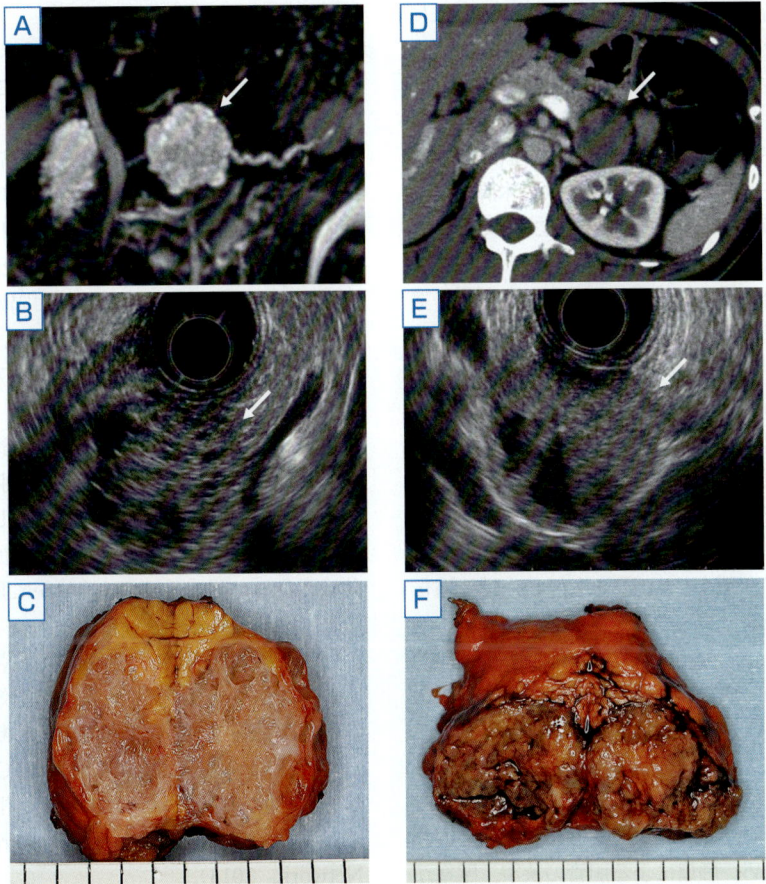

図 11-28-17 その他の囊胞性腫瘍
A：漿液性囊胞腫瘍（microcystic type）の MRCP 画像，B：超音波内視鏡像，C：腫瘍割面．D：充実性偽乳頭腫瘍の造影 CT 画像，E：超音波内視鏡像，F：腫瘍割面．A，B，D，E の矢印が腫瘍．

膜を有する境界明瞭な大きな腫瘍で，内部には充実部分と隔壁のない囊胞部分が混在する（図 11-28-17D，E）．発生部に差はなく，単発である．膵神経内分泌腫瘍，膵腺房細胞癌との鑑別が必要である．malignant potential を有するため，膵充実性偽乳頭腫瘍の診断がついた場合には切除術を行う．〔大塚隆生〕

■文献
Kimura W, Moriya T, et al: Multicenter study of serous cystic neoplasm of the Japan Pancreatic Society. *Pancreas.* 2012; 41: 380-7.
Tanaka M, Castillo CF, et al: International consensus guidelines 2012 for the management of IPMN and MCN of the pancreas. *Pancreatology.* 2012; **12**: 183-97.
Yamao K, Yanagisawa A, et al: Clinicopathological features and prognosis of mucinous cystic neoplasm with ovarian-type stroma. *Pancreas.* 2011; **40**: 67-71.

6）膵癌
pancreatic cancer

(1) 総論および診断・stage 分類
定義・概念

膵癌には広義には膵臓に起こった悪性上皮性腫瘍とした捉え方と，狭義には膵管上皮由来の管状腺癌を指すことがあり，一般には狭義に使われることが多い．

疫学

膵癌は高齢者に多く，性比では男性に多い．発生部位からは膵体尾部より膵頭部に多い[1]．わが国の人口の高齢化とともに膵癌の発生頻度は上昇している．しかし，罹患者数と膵癌死亡者数がほぼ同じで難治性固形癌の代表とされている．部位別の悪性腫瘍の相対 5 年生存率は約 7％，相対 10 年生存率は約 5％と非常に悪い[2]．2013 年の膵癌死亡者数は 30762 名で部位別死亡者数では肺，胃，大腸に次いで肝臓を抜いて第 4 位となった．2014 年に発表された癌の統計予測[2]でも同年の予測膵癌死亡者数は 31900 名（男：16200

名，女：15700名）で3万人をこえ，頻度は1万人に3名ほどの死亡者と年々，上昇している．膵癌患者の予後改善は重要性を増している．

リスク因子

膵癌診療ガイドライン2013では膵癌診断のアルゴリズム（図11-28-18）が示されている（日本膵臓学会膵癌診療ガイドライン改訂委員会，2013）．ガイドラインではリスク因子としては家族歴：膵癌[3]，遺伝性膵癌症候群[4]，合併疾患：糖尿病[6]，慢性膵炎[5]，遺伝性膵炎[5]，膵管内乳頭粘液性腫瘍，膵嚢胞，肥満[7]，嗜好：喫煙[8]，大量飲酒[9]があげられている（日本膵臓学会膵癌診療ガイドライン改訂委員会，2013）．複数の危険因子を有する場合は，膵癌の高リスク群として膵臓の検査することが勧められている．ただ，検診の方法については確立されたものはなく，費用対効果のよいもの，患者の精神的負担が少なく，情報量の多いものが望ましい（eコラム1）．特に遺伝的背景や合併疾患など複数のリスクを有する膵癌のハイリスク群に対して，若年成人からの肥満の予防，禁煙，適量範囲内の飲酒などを指導することが必要である．

臨床症状

症状は発生部位により異なり，膵頭部と膵体尾部で異なる．膵頭部は胆汁の流れ道である胆管が膵臓のなかを通っているため，腫瘍による胆管の狭窄，閉塞が生じ，閉塞性黄疸で発症することが多い[1]．一方，膵体尾部癌は胆管より離れているため，黄疸を生じることは少なく，背部痛，腫瘤触知，体重減少などで気づかれることが多い．原因のよくわからない腹痛，腰背部痛，黄疸，体重減少では膵癌を疑い検査を行うことが勧められる．

検査所見

1）血液検査： 血中膵酵素（膵型アミラーゼ，リパーゼ，エステラーゼ1，トリプシンなど）の測定は膵癌に特異的ではないが，膵癌による膵管狭窄での膵炎を反映することがあり，早期診断に有用であることが認められている[1]．膵癌でよく検索される腫瘍マーカーとしてCA19-9，Span-1，Dupan-2，CEAなどがある．これらはいずれも進行膵癌に陽性率が高く，膵癌の早期検出には有用でない．むしろ，腫瘍マーカーは膵癌切除後の予後の予測やフォローアップに勧められている．

2）画像診断： 超音波検査は膵癌に診断に勧められているが，腫瘍検出率は低い．特に，膵尾部病変は体型にもよるが，検出しにくい．所見としては直接所見として腫瘍，間接所見として主膵管の拡張や嚢胞などに分けられる．間接所見では速やかに膵臓の精査を行うことが勧められる．

CT（造影）は病変の大きさ，位置や広がりがとらえられるばかりでなく，造影剤の造影効果より病変の血流動態が把握できることより質的診断において欠くことができない検査である[10]．単純CTは情報量が少なく，膵臓に特化したMDCTで3相撮影することが勧められている（National Comprehensive Cancer Network, 2013）．

MRIは以前，空間分解能がCTより劣るため，一般的に膵癌診断としてはCTより推奨されなかった．しかし，3テスラのMRIにより描出能が向上し，情報量が増え，その有用性が報告されている．また，MRCPも主膵管の狭窄，拡張など膵癌の間接所見の描出にすぐれている．

しかし，小さい膵癌では腫瘍の描出が困難な場合もあり，そうした場合，EUS（endoscopic ultrasonography）やEUS-FNA（endosonography-guided fine needle aspiration），ときに膵管上皮内癌に対してはERCPとともに膵液や擦過細胞診や組織診による確定診断を専門施設で行うことが望ましい．

リンパ節転移や遠隔転移の検索においては必要に応じてPETを加えることも必要である．膵癌の遠隔転移としては肝臓転移や腹膜播種が多いが，肝臓転移，特に肝被膜下の小さな転移結節や局在した腹膜播種などは画像診断でとらえにくく，画像診断に加え，審査腹腔鏡での直接の観察を勧める施設もある．

先に述べたように，各種の画像診断により膵癌の確定診断がつかない症例では，細胞診・組織診による確定診断が望ましい．種々の画像診断により膵癌と診断された病変において良性疾患が5～10%に存在すること，罹患患者に対する手術侵襲が大きいことを考慮すると，少なくとも画像診断で膵癌の診断に難渋する場

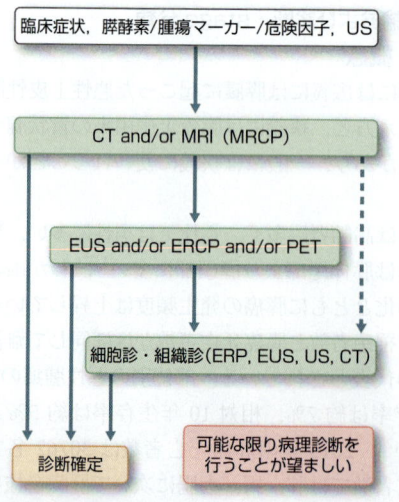

図11-28-18 膵癌診断のアルゴリズム（日本膵臓学会膵癌診療ガイドライン改訂委員会，2013）

合には病理組織学的な確定診断を試みることが望ましい．特に，切除不能膵癌と診断され，化学(放射線)療法を開始する際には，細胞診・組織診による病理診断が勧められる．細胞診・組織診にはEUS-FNA, US-FNA, ERCP下細胞診，膵管ブラッシング細胞診など，さまざまなアプローチによる細胞診が行われている．遺伝子検索は細胞診・組織診の補佐する診断として有用である．遺伝子検索としてK-ras遺伝子変異，MUC, p53, 膵液テロメラーゼ活性などが報告されている．

膵癌のstage

膵癌の診断を得たら，治療法を決定するために進行度(stage)診断を行うことが必要である．stageは腫瘍占拠部位，病巣の数と大きさとともに局所進展因子(T)，リンパ節転移(1群, 2群, 3群)(N)，遠隔転移(M)より分類がなされている(日本膵臓学会，2013)(表11-28-9)．膵癌の病期診断(TNM因子)診断にはMDCTやEUSが勧められる．しかし，正確な病期診断はいまだに困難であるので，MDCT, EUSを中心にUS,MRIなどいくつかの画像診断を組み合わせて総合的に判断する必要がある[11,12]．加えて，遠隔転移の検索にはFDG-PET/CTや小さな転移には審査腹腔鏡などを行うことを勧める施設もある．

最近は，膵癌の治療法はresectabilityで決定されるため，現在では，stageに加え，resecatbilityにより切除可能膵癌，局所進行切除不能膵癌，転移性切除不能膵癌に分類することが多い(National Comprehensive Cancer Network, 2013)(eコラム2)．

〔山口幸二〕

■文献(e文献11-28-6-1)

National Comprehensive Cancer Network: NCCN Clinical Practice Guidelines in Oncology Pancreatic Adenocarcinoma 2013. http://www.nccn.org/professionals/physician_gls/pdf/pancreatic.pdf.

日本膵臓学会：膵癌取扱い規約　第6版補訂版，金原出版，2013．

日本膵臓学会膵癌診療ガイドライン改訂委員会：科学的根拠に基づく膵癌診療ガイドライン2013年版，金原出版，2013．

(2) 膵癌の外科治療

全米総合癌情報ネットワーク(National Comprehensive Cancer Network：NCCN)では，膵癌の切除判定基準として表11-28-10のように"resectable(切除可能)"，"borderline resectable(切除境界)"，"unresectable(切除不能)"の3段階に分類している(National Comprehensive Cancer Network, 2015)．進行度により，手術，化学療法，放射線療法，あるいはこれらの組み合わせによる治療が行われる．

切除可能膵癌に対しては手術が第一選択であり，遠隔転移や局所進行のため切除不能である膵癌に対しては化学療法，放射線療法あるいは放射線化学療法が行われる．切除境界膵癌は手術を施行しても高率に癌が遺残し(組織学的癌遺残：R1，肉眼的癌遺残：R2)，切除による生存期間延長効果を得ることができない可能性があるものと考えられる．このため，最近では，切除境界膵癌に対しては化学療法や放射線化学療法による手術前治療と手術を組み合わせた治療が，切除率の向上および切除後生存率の向上につながる可能性があると期待されている．しかし，切除境界膵癌に対する術前治療の意義はまだ確立されたものではない．膵癌治療のアルゴニズムを図11-28-19に示す(膵癌診療ガイドライン改訂委員会，2013)．

a. 外科治療

膵癌に対する手術として，膵頭部癌では膵頭十二指腸切除，膵体尾部癌では膵体尾部切除，膵臓全域にわたる癌では膵全摘が行われる．

1) 幽門輪温存膵頭十二指腸切除術(pylorus-ring preserved pancreaticoduodenectomy：PpPD)，膵頭十二指腸切除術(pancreaticoduodenectomy：PD)： PDはPpPDとともに膵頭部癌に対して施行される術式であり，腹部手術のなかで最も難易度が高い手術の1つである．PDの場合，胃の一部から十二指腸，胆嚢と下部胆管，膵臓の頭側1/3〜1/2程度を一塊として切除する．最近ではできるだけ胃を温存する術式(PpPD)あるいは幽門輪のみを切除して胃の大部分を温存する幽門輪切除膵頭十二指腸切除術(pylorus-ring resecting pancreaticoduodenectomy：PrPD)が多く選択される．大動脈周囲リンパ節郭清を含めた拡大リンパ節郭清(e図11-28-J)は術後合併症の頻度が増加し，予後延長効果を認めないため，その意義は否定されている．門脈合併切除は癌遺残をなくすR0の

表11-28-9 膵癌のstage 分類(日本膵臓学会，2013)

	M0				M1
	N0	N1	N2	N3	
Tis	0				
T1	I	II	III		
T2	II	III	III		
T3	III	III	IVa		IVb
T4	IVa				

膵内胆管浸潤(CH)，十二指腸浸潤(DU)，膵前方組織への浸潤(S)，膵後方組織への浸潤(RP)，門脈系への浸潤(PV)，動脈系への浸潤(A)，膵外神経叢浸潤(PL)，多臓器への浸潤(OO)より決定される．
T：膵局所進展度
N：リンパ節転移の程度
M：遠隔転移

表 11-28-10 NCCN ガイドラインによる膵癌の切除可能判定基準

切除可能
- 遠隔転移がない
- 画像検査にて門脈および上腸間膜静脈(SMV)に歪みを認めない
- 腹腔動脈,総肝動脈と上腸間膜動脈(SMA)の周囲に明瞭な脂肪層を認める

切除境界
- 遠隔転移がない
- 近位側および遠位側は安全な切除と置換が可能な状態を維持しているが,SMV または門脈に歪みまたは狭小化もしくは閉塞を伴った浸潤を認める
- 安全な切除と再建が可能であり,腹腔動脈および固有肝動脈への進展がない総肝動脈への腫瘍の進展
- SMA に腫瘍が接しているが,血管壁の半周はこえていない
- 腹腔動脈に接しているが大動脈は巻き込んでいない

切除不能
- ●膵頭部
  - 遠隔転移を認める
  - SMA の半周をこえる encasement を認めるか,腹腔動脈に腫瘍が接しているか,IVC の encasement を認める
  - 再建不能の SMV/門脈閉塞を認める
  - 大動脈浸潤または大動脈の encasement を認める
- ●膵体部
  - 遠隔転移を認める
  - SMA の半周をこえる encasement を認める
  - 再建不能の SMV/門脈閉塞を認める
  - 大動脈浸潤を認める
- ●膵尾部
  - 遠隔転移を認める
  - SMA の半周をこえる encasement を認める
- ●リンパ節の状態
  - 切除手術の術野に含まれないリンパ節に転移が認められる場合は切除不能とすべき

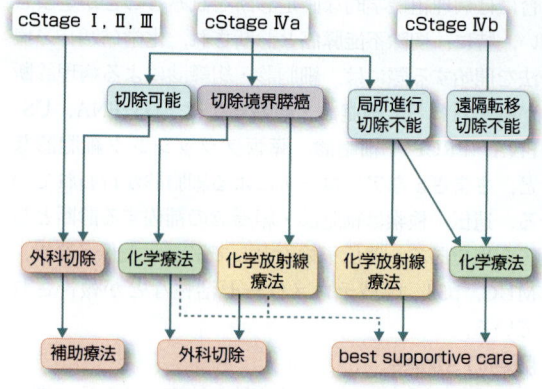

図 11-28-19 膵癌治療のアルゴニズム(膵癌診療ガイドライン改訂委員会,2013 より一部改変)
ステージ分類は膵癌取扱い規約第6版による(eコラム1).
cStage: clinical Stage.

率である.膵臓手術において最も注意すべき合併症は膵液瘻であり,PD に伴う膵液瘻の発生率は 10〜20%,DP 後における膵液瘻の発生頻度は 20〜30% である.膵液瘻が発生した場合,ドレーン長期留置やドレーン再穿刺が必要になることもある(e図 11-28-K).また,膵液瘻によって惹起される腹腔内出血や腹腔内膿瘍は手術関連死亡につながる重篤な合併症である.膵全摘は,インスリンを分泌する膵β細胞がなくなってしまうためにインスリンによる血糖管理が必須である.

5)**術後補助療法**: 膵癌は悪性度が高く,切除後に再発,転移をきたすことが多い.これらを少しでも抑制するために,手術後,約6カ月間,S-1 単独療法による化学療法を行うことが推奨されているが,S-1 に対する忍容性が低い場合は塩酸ゲムシタビン単独療法を行うこともある.

b. 経過予後

膵癌全国登録によると膵癌全体の切除率は 40% 前後と低いが,通常型膵癌の切除症例の生存期間中央値は 18.2 カ月(2001〜2004 年 1538 症例)と手術成績は向上してきている(図 11-28-20).しかし,5 年生存率は 10〜15% といまだ不良である.〔山上裕機〕

■文献

National Comprehensive Cancer Network: Clinical Practice Guidelines in Oncology. Pancreatic adenocarcinoma, Version 1, 2015.
膵癌診療ガイドライン改訂委員会:膵癌診療ガイドライン(日本膵臓学会編),金原出版,2013.

(3)化学療法・放射線療法

a. 切除手術の補助療法

膵癌においては切除手術が唯一の治癒可能な治療法

ための手術としては意義がある.

2)**膵体尾部切除術**(distal pancreatectomy:DP): DP は病変が膵臓の尾側(脾臓側)にある場合の標準術式である.リンパ節郭清のために脾動静脈や脾臓周囲のリンパ節を切除する必要があるため,通常脾臓とともに切除する.腹腔動脈神経叢浸潤の場合は,膵体尾部切除+腹腔動脈合併切除が行われることもある.

3)**膵全摘術**(total pancreatectomy:TP): TP は膵臓全域にわたる癌に対して行われる.膵臓とともに十二指腸・胆管・胆嚢・脾臓を一緒に摘出し,膵全摘後には,胆管空腸吻合,胃(または十二指腸)空腸吻合を行う.

4)**術後合併症**: 膵臓手術は手術手技および周術期管理の発達により手術関連死亡は 1〜3% となってきているが,術後合併症の発生率は 30〜50% といまだ高

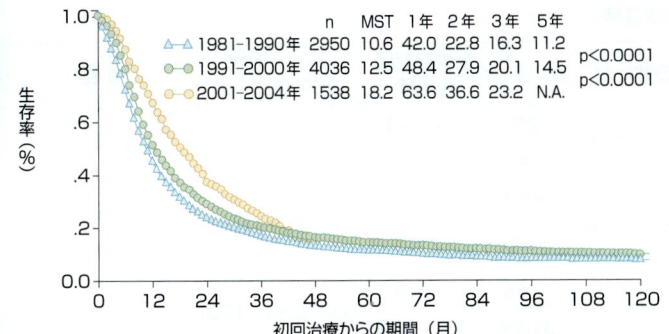

図11-28-20 通常型膵癌の切除症例の年代別生存率（膵癌登録報告2007）
（膵臓. 2007; 22: e39）より

であるが，根治切除ができた患者においても高率に再発を認め，補助療法が必須と考えられてきた．通常，補助療法としては術前補助療法と術後補助療法が行われるが，膵癌においては有効な化学療法が少なかったことから，まず根治可能な切除を実施した後，化学療法あるいは化学放射線療法を行う術後補助療法が多く試みられてきた．一方，最近では抗腫瘍効果の高い治療法が開発されてきていること，また術後補助療法は術後の合併症などで行えない場合もあることなどから，術前補助療法への期待も大きく，国内外で臨床試験が実施されている．

i)術後補助療法（e表11-28-F）

切除不能膵癌に対する標準治療薬ゲムシタビン（GEM）の確立により，GEMによる術後補助療法と切除手術単独とのランダム化比較試験（第Ⅲ相試験）が行われ，GEM術後補助療法による無再発生存期間および全生存期間の延長が確認された．さらに日本を含めGEMによる術後補助療法の比較試験がいくつか行われ，6カ月間のGEM単独治療が標準的術後補助療法として確立した．

その後，S-1により切除不能膵癌に対して良好な抗腫瘍効果が得られたことから，日本単独でGEMとS-1による術後補助療法の第Ⅲ相試験が行われ，GEMに対するS-1の優越性が証明された．それにより現在，わが国では術後補助療法としては6カ月間のS-1単独治療が第一選択となっている．

一方，術後補助療法における化学放射線療法の有用性はこれまでのところ十分確認されていない．

ii)術前補助療法

全身状態が良好な段階で十分な術前治療を行い，治癒切除率を上げ，予後の改善を期待する治療戦略である．一方，術前治療が無効な場合，切除不能になってしまうリスクもあり，術前補助療法の有用性を明らかにする必要がある．GEM＋S-1併用やFOLFIRINOX，GEM＋ナブパクリタキセル併用，あるいは化学放射線療法など抗腫瘍効果のより高い治療法も出てきており，術前補助療法の確立が期待される．

b. 切除不能膵癌に対する治療

切除不能膵癌は局所進展のため切除不能であるが遠隔転移のない局所進行（e図11-28-L）と遠隔転移に分けられる（e表11-28-G）．切除不能例のうち70〜80％が遠隔転移例であり，化学療法が適応となる．一方，局所進行例は20〜30％を占め，化学療法と化学放射線療法が適応となる．しかし，局所進行膵癌に対する化学放射線療法は長期生存が期待されるものの，煩雑で毒性も強いこと，有効な化学療法が開発されてきていること，などから，化学療法が一般的であり，化学放射線療法の具体的な方法も十分確立しているとはいえない．

i)化学療法

切除不能膵癌に対する化学療法は，フルオロウラシルとGEMによるランダム化比較試験の結果，GEMの有用性が証明され（Burrisら，1997），わが国では2001年よりGEMが標準治療として用いられてきている．GEMのおもな有害事象として，骨髄抑制，悪心，食欲低下，倦怠感，皮疹などを認めるが，比較的毒性は少なく，現在も高齢者や全身状態がやや低下した患者では第一選択の治療となっている．

分子標的薬に関してはeノート1を参照．

GEM単独療法をこえる新規治療法として，最近あいついでFOLFIRINOX療法とGEM＋ナブパクリタキセル併用療法が切除不能膵癌に適応となり，GEM単独に比べ高い治療効果が期待できることから，第一選択の治療として汎用されている（表11-28-11）．

FOLFIRINOX療法はフルオロウラシル（5-FU）＋ホリナートカルシウム＋イリノテカン＋オキサリプラチンの4剤併用療法である（e図11-28-M）．遠隔転移例を対象に行われたGEM単独療法との第Ⅲ相試験により全生存期間の著明な延長が得られている（ハザード比0.57）（Conroyら，2011）．しかし好中球減少や発熱性好中球減少などの血液毒性や末梢神経障害，嘔吐，下痢，疲労感などの非血液毒性が多く認められ，65歳以下の非高齢者，全身状態が良好，減黄が十分，感染症のリスクがない，などの適正な適応が必須である．また，高用量のイリノテカンが用いられており，イリノテカンの代謝に影響を与える*UGT1A1*遺伝子多型をあらかじめ確認する必要がある．

ナブパクリタキセルはパクリタキセルにアルブミンを結合させた130 nmのナノ粒子製剤である．従来のパクリタキセルに比べ，生理食塩水に懸濁性のため前

表11-28-11 切除不能膵癌に対する化学療法の治療成績

報告者(年)	レジメン	患者数	対象の進行度	奏効割合	全生存期間中央値	ハザード比(95%信頼区間)	p値
Burris, et al.(1997)	フルオロウラシル	63	局所進行＋遠隔転移	0%	4.41カ月	—	0.0025
	ゲムシタビン	63		5.4%	5.65カ月	—	
Moore, et al.(2007)	ゲムシタビン	284	局所進行＋遠隔転移	6.9%	5.9カ月	0.82(0.69〜0.99)	0.038
	ゲムシタビン/エルロチニブ	285		8.2%	6.2カ月		
Conroy, et al.(2011)	ゲムシタビン	171	遠隔転移	9.4%	6.8カ月	0.57(0.45〜0.73)	<0.001
	FOLFIRINOX	171		31.6%	11.1カ月		
Ueno, et al.(2013)	ゲムシタビン	277	局所進行＋遠隔転移	13.3%	8.8カ月	—	—
	S-1	280		21.0%	9.7カ月	0.96(0.78〜1.18)	<0.001(非劣性)
	ゲムシタビン/S-1	275		29.3%	10.1カ月	0.88(0.71〜1.08)	0.15
Von Hoff, et al.(2013)	ゲムシタビン	430	遠隔転移	7%	6.7カ月	0.72(0.617〜0.835)	0.000015
	ゲムシタビン/ナブパクリタキセル	431		23%	8.5カ月		

投与が不要である．また高分化により腫瘍組織への集積性が増し，抗腫瘍効果の改善が期待できる．GEM単独とGEM＋ナブパクリタキセル併用療法との第Ⅲ相試験により有意な生存期間の延長が得られている（ハザード比0.72）(von Hoffら，2013)．おもな有害事象は骨髄抑制，下痢，末梢神経障害であるが，比較的忍容性は高い(e図11-26-N)．

わが国で開発されたS-1を中心に，GEM単独，S-1単独，GEM＋S-1併用療法による第Ⅲ相試験が行われ，GEM＋S-1併用療法による有用性は確認されなかったものの，GEMに対するS-1単独の非劣性が証明され，S-1は選択肢の1つとしてあげられている．

以上のエビデンスから，現在切除不能膵癌に対する治療としてFOLFIRINOX療法，GEM＋ナブパクリタキセル併用，GEM単独，GEM＋エルロチニブ併用，S-1単独の5つが推奨されている．これらの治療法は効果，副作用の発現，投与法も異なり，個々の患者の進行度，年齢，全身状態などから使い分けることが適当である．

c. 局所進行膵癌に対する化学放射線療法

これまで化学療法単独と化学放射線療法との比較試験はいくつか行われているが，化学放射線療法の有用性は明らかになっていない(eノート2)．しかし，良好な局所コントロールや長期生存例がしばしば認められることから，新しい化学放射線療法の開発が進められている．現在，カペシタビンやS-1の経口フッ化ピリミジン薬併用の化学放射線療法が主流となっている．また，重粒子線治療など新しい放射線治療の臨床試験も進められている．一方，化学療法を先行させて一定期間遠隔転移が認められないより適切な患者を選択して化学放射線療法を行うという治療戦略も試みられている．

〔古瀬純司〕

■文献(e文献11-28-6-3)

Burris HA 3rd, Moore MJ, et al: Improvements in survival and clinical benefit with gemcitabine as first-line therapy for patients with advanced pancreas cancer: a randomized trial. *J Clin Oncol*. 1997; **15**: 2403-13.

Conroy T, Desseigne F, et al: FOLFIRINOX versus gemcitabine for metastatic pancreatic cancer. *N Engl J Med*. 2011; **364**: 1817-25.

von Hoff DD, Ervin T, et al: Increased survival in pancreatic cancer with nab-paclitaxel plus gemcitabine. *N Engl J Med*. 2013; **369**: 1691-703.

(4)内科的姑息治療(疼痛・緩和治療・内視鏡治療)

膵癌は根治例がきわめて少なく，5年相対生存率は男女ともに6％前後にとどまる．すなわち，膵癌患者の大多数が膵癌で死亡することになる．また，切除率も20％前後であるため，内科的治療は膵癌にとっては非常に大きなウエイトを占めていると考えられる．本項では疼痛・閉塞性黄疸・消化管閉塞に対する治療について述べる．

疼痛の病態についてはeコラム1を参照．

a. 疼痛治療

オピオイドを中心とした疼痛治療が行われる．また骨転移については放射線治療が施行され，薬物治療でコントロール不良な症例では腹腔神経ブロックが行われる．主膵管閉塞による疼痛に対しては内視鏡的な膵管ドレナージが奏効し，膵管ステント留置が行われる．消化管・胆管閉塞にはドレナージ，ステント治療が行われるが，通常疼痛以外の閉塞症状も伴っている

(後述).

そのほかの疼痛治療については eコラム 2 を，閉塞性黄疸の病態については eコラム 3 を参照.

b. 閉塞性黄疸に対する胆道ドレナージ術

胆道ドレナージにはいくつかのルートがある．以前は外科的な胆管空腸吻合術が行われていたが，最近は内視鏡治療が主流となっている．内科的には経皮的，内視鏡的の 2 つのアプローチルートがあり，ドレナージ方法には内瘻と外瘻がある．胆汁を体外に流出させるのが外瘻であり，胆汁を消化管へ戻して生理的な流れを復活させるのが内瘻である．どちらの方法でも黄疸の改善は得られるが，外瘻では患者 QOL が不良であるのと，腸肝循環が失われたままなので，脂肪の吸収障害が生じる

i) 経皮的胆道ドレナージ術

経皮経肝胆道ドレナージ（percutaneous transhepatic biliary drainage：PTBD）は腹部超音波ガイド下に，拡張した肝内胆管を穿刺し，穿刺経路を拡張した後にチューブを留置してくる方法である．胆管狭窄部を突破してチューブを留置してくれば内瘻も可能である．確実なドレナージが得られ，管理も容易であるが，体表にチューブが露出するので患者 QOL が不良である．偶発症としては出血や胆汁漏出による腹膜炎がある．肋間からの穿刺では折り返った胸膜を貫くので胸膜炎が起きることもある．ドレナージチューブ刺入部の感染がある．

ii) 内視鏡的胆道ドレナージ術

内視鏡的なドレナージは内視鏡的逆行性胆道膵管造影（endoscopic retrograde cholangiopancreatography：ERCP）に引き続いて行われる．経乳頭的に胆管にアプローチし，狭窄部をガイドワイヤーで突破して，狭窄の上流（肝臓側）にドレナージチューブの先端をおいてくる．経鼻チューブによる外瘻（endoscopic nasobiliary drainage：ENBD），ステントによる内瘻が可能．内視鏡技術の普及，デバイスの改善により，この方法が現在の主流となってきている．偶発症としては，ERCP 関連手技では共通であるが，膵炎，胆管炎，胆嚢炎がある．内視鏡処置なので消化管穿孔の可能性がある．

内視鏡的なドレナージには最近新しい方法が加わった．超音波内視鏡を用いた，経消化管壁的なドレナージである endoscopic ultrasonography（EUS）guided biliary drainage（EUS-BD）である（Isayama ら，2004）(eコラム 4)．手技としては超音波内視鏡で胆管を観察し，穿刺針で穿刺しガイドワイヤーを挿入し，経路を拡張後にドレナージチューブを留置してくる方法である．胃から肝内胆管，十二指腸から肝外胆管（総胆管）を穿刺する 2 つの経路がある．前者は EUS-guided hepaticogastrostomy（EUS-HGS）とよばれ，後者は EUS-guided choledochoduodenostomy（EUS-CDS）とよばれている（eコラム 5）.

iii) ドレナージチューブ，ステント

経皮的には外瘻用のドレナージチューブが用いられるが，狭窄部を通して多孔式のチューブを用いれば内瘻が可能である．内視鏡的なドレナージチューブでは経鼻チューブによる外瘻があり，内瘻のためには短いステントが用いられる．ステントには plastic stent（PS）と self-expandable metallic stent（SEMS）がある．内視鏡の鉗子チャンネルを通るデバイスの太さには限界があるので，PS は通常 11.5 Fr（約 3.5 mm）までが用いられる．一方 SEMS は金属ワイヤーで編んだ網目状の構造で，自己拡張力を有しているので，細く折りたためるのが利点である．細いデリバリーシステムに収納して胆管狭窄部に挿入し，そこで拡張させる．SEMS の太さは 6〜12 mm の各サイズがあり，PS よりも広い腔が確保でき，長い開存期間が期待できる．

ステント閉塞の原因は胆泥・胆石，食物残渣の付着，癌組織の進展などがある．胆泥・胆石は広い腔のステントほど閉塞までの期間が長く，食物残渣の付着は癌浸潤などで腸管運動が不良となった場合などに起きやすい．癌の進展によるものには tumor ingrowth と tumor overgrowth がある．SEMS は網目状の構造をしているので，一度押しのけた癌組織がその隙間から侵入して再閉塞を起こしてしまう（tumor ingrowth）．tumor ingrowth を防ぐには薄い膜をかぶせた covered SEMS が有効であり，膵癌では cover なしと比較して開存期間が長いことが知られている（Isayama ら，2004）．また，癌が胆管に沿って進展し，ステントでカバーしている範囲をこえて癌が進展して胆管が再閉塞するのを tumor overgrowth とよぶ．長いステントを使用することで予防を試みる．tumor ingrowth を予防できる covered SEMS であるが，代わりに逸脱が増加するので，逸脱をしない covered SEMS の開発が望まれている．

c. 消化管閉塞の病態

膵頭部は胃・十二指腸に取り巻かれており，癌浸潤の方向により閉塞部位が異なる．癌の部位が頭部では下行部，頭体移行部では球部から胃前庭部，鉤部では下行部から水平部，体部では水平部から上行部が閉塞する．これらの状態を gastric outlet obstruction（GOO）とよんでいる．GOO の症状は摂食不能になるだけでなく，通過障害による疼痛，悪心，嘔吐が出現し，胃液や腸液を嘔吐するようになる．腹膜播種により多発小腸狭窄，大腸狭窄を呈する場合もある．また狭窄がなくても腸管の蠕動低下により GOO 症状を呈する場合もある．

d. GOO の治療

従来は外科的なバイパス手術が施行されていたが，

近年 SEMS が使用可能となった．外科手術は有効であるが，侵襲が大きく，状態が不良な症例には適さない．内視鏡的な SEMS 留置では状態が不良でも施行は可能である．状態のよい症例ではどちらの治療でも効果が得られる．しかし，状態が不良な症例では外科手術は適さず，SEMS の効果も不良である．適応や使い分けについては，まだコンセンサスがないので，今後の検討が待たれる． 〔伊佐山浩通〕

■文献

Isayama H, Komatsu Y, et al: A prospective randomised study of "covered" versus "uncovered" diamond stents for the management of distal malignant biliary obstruction. *Gut*. 2004; 53: 729-34.

Kawakubo K, Isayama H, et al: Multicenter retrospective study of endoscopic ultrasound-guided biliary drainage for malignant biliary obstruction in Japan. *J Hepatobiliary Pancreat Sci*. 2014; 21: 328-34.

7）インスリノーマ

【⇨ 15-2-5】

8）膵神経内分泌腫瘍

定義・概念

神経内分泌腫瘍（nueroendocrine tumor：NET）は内分泌細胞や神経細胞から発症する腫瘍の総称で，あらゆる臓器から発生する．膵由来のものを膵神経内分泌腫瘍と定義する．以前はカルチノイドとよばれてきたが，2010 年の WHO 分類により NET の範疇に入れられ，カルチノイドという用語はカルチノイド徴候のみに用いるようになった（Bosman ら，2010）．

分類

腫瘍が分泌するホルモンにより特徴的な症状が発現する機能性膵 NET と，ホルモン分泌がない非機能性膵 NET に分類される．機能性膵 NET では腫瘍から産生されるホルモンにより異なったさまざまな症状を呈する（Ito ら，2012）．

病因

膵神経内分泌腫瘍発症の病因は解明されておらず不明である．しかし，multiple endocrine neoplasm（MEN）-1，von Hippel-Lindau 病，von Recklinghausen 病，および tuberous sclerosis などの遺伝子異常疾患と NET との関連が報告されている．また，膵神経内分泌腫瘍の新規癌抑制遺伝子 *PHLDA3* が近年発見され，*PHLDA3* 遺伝子異常が膵神経内分泌腫瘍の発症に関与している可能性が示されている[1]．

疫学

日本では全国疫学調査が 2005 年と 2010 年の患者を対象に施行され，欧米との相違なども知りえてきた[2]（Ito ら，2015）．膵 NET の 2010 年の年間受療者数は 3379 人と推定され，2005 年の約 1.2 倍に増加している（表 11-28-12）．2010 年の有病者数は人口 10 万人あたり 2.69 人，新規発症数は 1.27 人であった．非機能性が全体の 65.5％と多くを占め，ついでインスリノーマ（20.9％），ガストリノーマ（8.2％）の順であった（Ito ら，2015）．2010 年の調査では 2010 年 WHO 分類に基づく低分化型の neuroendocrine carcinoma（NEC）の割合が日本ではじめて報告され，膵 NET 全体の 7.5％を NEC が占めていた．さらに，膵 NET 全体では診断時にすでに 19.9％に遠隔転移を認め，高分化型の NET G1/G2 では 12.9％と低率なのに対し，NEC では 46.3％であり，特に非機能性 NEC では 51.9％と高率であった（Ito ら，2015）．MEN-1 合併は膵 NET 全体で 10.0％に認め，ガストリノーマに最も多く 27.2％であった[2]．

病理

NET の診断には正確な組織診断が重要であり，2010 年に改訂された WHO 分類で判定する（表 11-28-13）．従来の病理組織学分化度や生物学的悪性度分類とは異なり，Ki-67 指数が重要とされた．新 WHO 分類では高分化型の NET と低分化型の NEC に大別され，NET はさらに G1（grade 1：NET G1）と G2（grade 2：NET G2）に識別された．Ki-67 指数は 2％以下を NET G1，2％をこえて 20％までを NET G2，20％をこえる場合に NEC G3 と分類されている（Bosman ら，2010）．また，NET の分化度を知るためには，神経内分泌細胞マーカーの免疫組織の検索が必要である．一般に，NET ではクロモグラニン A（CgA）やシナプトフィジンをびまん性に強発現する．一方，NEC ではシナプトフィジンはびまん性に発現するが，CgA は弱くあるいは局所的に発現する．TNM 分類は ENETS や AJCC/UICC からそれぞれ分類が提唱されている（e表 11-28-H）．しかし，AJCC/UICC 分類では通常型膵癌と同様の分類で行われており，膵 NET においては ENETS 分類を用いて評価することが推奨されている[3]．

病態生理・臨床症状

1）機能性膵神経内分泌腫瘍（NET）：　機能性膵 NET では産生されるホルモンによりさまざまな症状を呈する．インスリノーマでは低血糖症状を呈するが，中枢神経症状（頭痛，めまい，意識障害，痙攣）と自律神経症状（空腹感，発汗，振戦）に分けられる．ガストリノーマでは Zollinger-Ellison 症候群（膵や十二指腸のガ

表 11-28-12 日本における膵神経内分泌腫瘍の疫学の推移

	2005 年[4]	2010 年[5]
pNET の 1 年間の受療者数（人）	2845	3379
機能性腫瘍	1627	1105
非機能性腫瘍	1218	2274
10 万人あたりの有病患者数（人/10 万人）	2.23	2.69
機能性腫瘍	1.27	0.88
非機能性腫瘍	0.95	1.81
10 万人あたりの新規発症数（人/10 万人）	1.01	1.27
機能性腫瘍	0.5	0.41
非機能性腫瘍	0.51	0.87

2000 年の WHO 分類では，転移の有無，Ki-67/MIB-1 指数，病理組織学的な細胞分化度，腫瘍径，浸潤を指標として，高分化型神経内分泌腫瘍（well-differentiated neuroendocrine tumor：WDNET），高分化型神経内分泌癌（well-differentiated neuroendocrine carcinoma：WDNEC），および低分化型神経内分泌癌（poorly-differentiated neuroendocrine carcinoma/small cell carcinoma：PDNEC）に分類されていた．その後，2010 年に改訂された新 WHO 分類では NET の増殖動態である核分裂像（mitosis）および Ki-67 指数を指標とした grading（G）に基づく新しい分類が発表された．新 WHO 分類（2010）では高分化型の NET（neuroendocrine tumor）と低分化型の NEC（neuroendocrine carcinoma）に大別され，NET はさらに G1（grade 1：NET G1）と G2（grade 2：NET G2）に識別された．Ki-67 指数は 2％以下を NET G1，2％をこえて 20％までを NET G2，20％をこえる場合に NEC G3 と分類されている．

注 1：核分裂数：少なくとも高倍視野（2mm^2）を 50 視野以上検討し，10 視野あたりの核分裂像数を計測

注 2：Ki-67 指数：最も核の標識率が高い領域で 500〜2000 個の腫瘍細胞中に占める MIB-1 抗体の陽性率（％）

表 11-28-13 神経内分泌腫瘍の WHO 分類（Bosman ら，2010 を改変）

2000 年　WHO 分類	2010 年　WHO 分類
1. well-differentiated endocrine tumor（WDET） 　高分化型内分泌腫瘍	1. neuroendocrine tumor：NET G1（carcinoid） 　神経内分泌腫瘍　G1
2. well-differentiated endocrine carcinoma（WDEC） 　高分化型内分泌癌	2. neuroendocrine tumor：NET G2 　神経内分泌腫瘍　G2
3. poorly differentiated endocrine carcinoma/ 　small cell carcinoma（PDEC） 　低分化型内分泌癌	3. neuroendocrine carcinoma：NEC 　（large cell or small cell type） 　神経内分泌癌　（大細胞癌あるいは小細胞癌）
4. mixed exocrine-endocrine carcinoma（MEEC） 　複合型内分泌-外分泌癌	4. mixed adenoneuroendocrine carcinoma（MANEC） 　複合型腺神経内分泌癌
5. tumour-like lesions（TLL） 　腫瘍様病変	5. hyperplastic and preneoplastic lesions 　過形成，前腫瘍病変

2010 年　WHO 分類	grade	核分裂像数（/10 HPF）	Ki-67 指数（％）
NET G1	G1	< 2	≦ 2％
NET G2	G2	2〜20	3〜20％
NEC	G3	> 20	> 20％

日本における膵神経内分泌腫瘍の 2005 年の年間受療者数は 2845 人と推定され，人口 10 万人あたりの有病者数は 2.23 人，新規発症率は 1.01 人であった．診断時に遠隔転移が 21％に認められ，非機能性で 32.3％，ガストリノーマ 30.1％と高率であった．2010 年の調査では年間受療者数は 3379 人と推定され，2005 年の約 1.2 倍に増加していた．2010 年の有病者数は 2.69 人，新規発症数は 1.27 人であった．疾患分布を 2005 年と比較すると，2010 年では非機能性膵神経内分泌腫瘍の割合が増えたのも特徴である．

ストリン産生腫瘍により胃酸分泌亢進をきたし，難治性の消化性潰瘍を呈する症候群）としても知られる．難治性潰瘍や胸やけ，悪心・嘔吐，消化管出血が認められる．脂肪性下痢，体重減少などの症状を認めることもある．その他，グルカゴノーマでは遊走性壊死性紅斑，VIPomaではWDHA症候群（水様性下痢・低カリウム血症），ソマトスタチノーマでは下痢，糖尿病を呈する（Itoら，2012）．

2）非機能性膵神経内分泌腫瘍（NET）：非機能性では特異的症状を呈さず，腫瘍増大による症状（周囲への圧迫・浸潤）や遠隔転移によって発見されることが多い．

検査所見・診断

膵NETが疑われた場合，各種ホルモン基礎値を測定する．MEN-1を高頻度に合併することから，初診時スクリーニングで血清Ca値および副甲状腺ホルモンを測定する．インスリノーマやガストリノーマが疑われた場合，負荷試験を加えて存在診断を進める．インスリノーマではWhippleの3徴や，Fajan indexなどが知られているが陰性例も存在する．存在診断のgold standardは72時間の絶食試験である．膵NETの多くは多血性だが，乏血性や囊胞変性を伴うような非典型例では，ほかの膵腫瘍との鑑別が必要となる．正確な局在診断のため，症例に応じて画像を組み合わせる必要がある（e図11-28-O）．また，選択的動脈内Ca注入法は，描出困難な腫瘍の存在領域診断が可能である[3]．診断には正確な組織診断が重要であり，EUS-FNA（超音波内視鏡下穿刺吸引生検）が普及し組織診断を向上させている．

予後

NETの進行は緩徐で予後もよいと考えられているが，進行性NETの5年生存率は約35％である．予後を決定する因子は腫瘍の種類，進展度，腫瘍サイズ，組織型（分化度，Ki-67指数），さらに患者のperformance statusおよび年齢などである．膵NETにおいて欧米では診断時にすでに64％は遠隔転移を認めており，平均生存期間は33カ月であった．日本では遠隔転移を21％に認めている[2]．

治療

膵NETでは腫瘍の機能性，進達度，転移の有無を正確に評価し，腫瘍の分化度および悪性度に合わせた治療が必要である．外科的切除を目指すのが標準だが，切除不能例では腫瘍増殖を抑制し生命予後の改善と，臨床症状改善を目的とした治療が必要である．全身化学療法に関してNET G1/G2に対する化学療法ストレプトゾシンが日本でも適用になり選択肢の1つとなった．一方，NECでは小細胞肺癌に準じて，エトポシド/シスプラチンまたはイリノテカン/シスプラチン併用療法が推奨されている[3]．最近，高分化型膵NETに対し新規分子標的薬であるエベロリムス（mTOR阻害薬）[4,5]とスニチニブ（マルチキナーゼ阻害薬）[6,7]が国内外の臨床試験で有効性が示され保険適応となった．2013年11月に発表された膵・消化管NET診療ガイドラインでも，ともに推奨度グレードBで標準治療薬として用いられる[3]．

一方，ソマトスタチンアナログのオクトレオチドは機能性膵内分泌腫瘍でのペプチドホルモン合成・分泌の阻害作用を有するため，内分泌症状の緩和にはオクトレオチドが推奨される．また，膵消化管NETの肝転移は血流が豊富であり，動脈塞栓療法および動脈塞栓化学療法が肝転移の局所治療としてまたラジオ波などの腫瘍焼灼が有用なことがある[3]． 〔伊藤鉄英〕

■文献（e文献11-28-8）

Bosman FT, Carneiro F, et al: WHO Classification of Tumors and Genetics of the Digestive System, 4th ed, IARC Press, 2010.

Ito T, Igarashi H, et al: Therapy of metastatic pancreatic neuroendocrine tumors (pNETs): recent insights and advances. J Gastroenterol. 2012; 47: 941-60.

Ito T, Igarashi H, et al: Epidemiological trends of pancreatic and gastrointestinal neuroendocrine tumors in Japan: a nationwide survey analysis. J Gastroenterol. 2015; 50: 58-64.

12. リウマチ性疾患および アレルギー性疾患

I. リウマチ性疾患

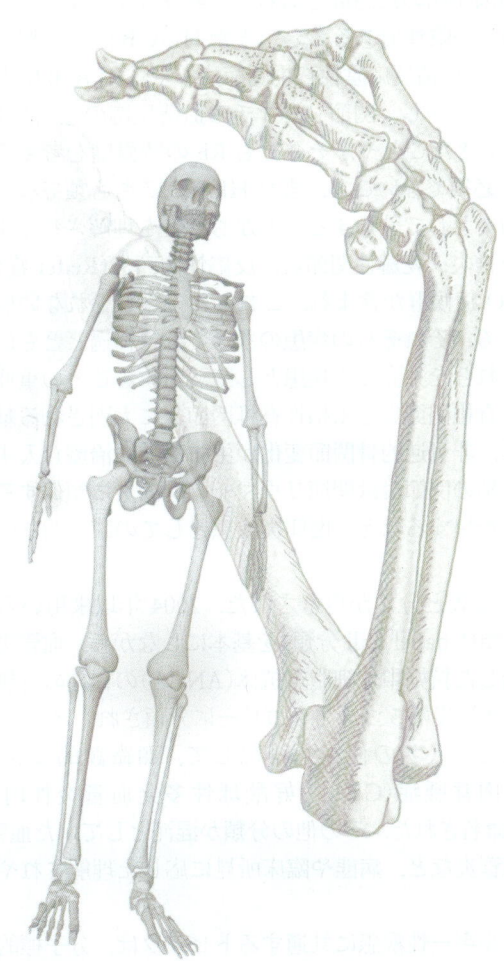

1. 内科学総論
2. 老年医学
3. 心身医学
4. 症候学
5. 治療学
6. 感染症
7. 循環器
8. 血圧の異常
9. 呼吸器系
10. 消化管・腹膜
11. 肝・胆道・膵
12. リウマチ・アレルギー
13. 腎・尿路系
14. 内分泌系
15. 代謝・栄養
16. 血液・造血器
17. 神経系
18. 環境要因・中毒

リウマチ・アレルギー

- 12.1 リウマチ性疾患総論 ……… 1205
- 12.2 関節リウマチおよび類縁疾患 … 1231
- 12.3 Sjögren症候群 ……… 1246
- 12.4 全身性エリテマトーデス … 1250
- 12.5 全身性強皮症 ……… 1254
- 12.6 多発性筋炎・皮膚筋炎 … 1258
- 12.7 混合性結合組織病とオーバーラップ症候群 ……… 1262
- 12.8 血管炎症候群 ……… 1264
- 12.9 サルコイドーシス ……【⇨9-4-6】
- 12.10 抗リン脂質抗体症候群 … 1272
- 12.11 Behçet病 ……… 1274
- 12.12 再発性多発軟骨炎 ……… 1277
- 12.13 Weber-Christian病 ……… 1278
- 12.14 クリオグロブリン血症 ……… 【⇨16-10-19-6】
- 12.15 先天性結合組織疾患 … 1279
- 12.16 線維筋痛症 ……… 1281
- 12.17 結晶誘発性関節炎 ……… 1285
- 12.18 感染性関節炎 ……… 1287
- 12.19 小児リウマチ性疾患 … 1289
- 12.20 IgG4関連疾患 ……… 1293
- 12.21 自己炎症性症候群 ……… 1296
- 12.22 アレルギー性疾患総論 … 1300
- 12.23 気管支喘息 ………【⇨9-4-1】
- 12.24 アレルギー性鼻炎・花粉症 … 1316
- 12.25 好酸球増加症・好酸球増加症候群 ………【⇨16-10-7】
- 12.26 過敏性肺炎 ………【⇨9-4-4】
- 12.27 アナフィラキシー ……… 1320
- 12.28 血清病 ……… 1323
- 12.29 薬物アレルギー ……… 1324
- 12.30 食物アレルギー ……… 1328
- 12.31 職業性アレルギー ……… 1331
- 12.32 昆虫アレルギー ……… 1332
- 12.33 ペットアレルギー ……… 1333
- 12.34 その他のアレルギー疾患 … 1334
- 12.35 原発性免疫不全症候群 … 1341
- 12.36 後天性免疫不全症候群 ………【⇨6-10-2-10】

リウマチ・アレルギー性疾患における新しい展開

　この領域の最近のトピックの1つは，脊椎関節炎の概念の確立である．脊椎や仙腸関節，あるいは大小の末梢関節に炎症と構造的変化をきたし，関節リウマチとの鑑別を要する原因不明の疾患群である．関節リウマチ患者にみられる「リウマトイド因子(RF)」が陰性であること，またHLA-B27との相関が高いことが共通の特徴であり，「血清反応陰性脊椎関節症」や「HLA-B27関連関節炎」などとよばれてきた．しかし，関節リウマチの血清反応の意味がRFから抗CCP抗体にシフトしてきたことや，そもそもRFの特異度を考えるとき，その陰性がこの疾患群に必須でないこと，またHLA-B27も必須でないこと，などから，単に脊椎関節炎として分類することがもっとも理解されやすい．この疾患群には，強直性脊椎炎，乾癬性関節炎，反応性関節炎(Reiter症候群)，腸炎関連関節炎，SAPHO症候群が含まれ，これらに分類しきれない場合は分類不能脊椎関節炎とされる．それぞれの疾患のなかでは，経過とともに移行や合併もみられるので，これらを独立した疾患として診断することの重要性は薄れ，脊椎関節炎が体軸性脊椎関節炎と末梢性脊椎関節炎に大別される基準が示された．これらの基準は，非可逆的骨関節変化が生ずる前に治療介入することが前提になっている．末梢の関節炎は関節リウマチの関節炎に類似するが，付着部炎の存在や非対称性を呈するなど，関節炎疾患としての臨床的な所見が異なっている．

　次に，血管炎症候群の定義と分類が再考された．2004年以来用いられてきた血管のサイズによる分類(Chapel Hill分類)を基本にしながら，血管炎のマーカーとしての意義が定着した抗好中球細胞質抗体(ANCA)の存在の有無が分類に重要視された．原発性血管炎は5つのカテゴリーに分類され，とくにANCAに関連する小型血管炎は，人名の使用を排除して，顕微鏡的多発血管炎(MPA)，多発血管炎性肉芽腫症(GPA)，好酸球性多発血管炎性肉芽腫症(EGPA)とわかりやすく命名された．その他の分類が混沌としていた血管炎も，IgA血管炎や単一臓器血管炎など，病態や臨床所見に応じた理解されやすい命名と分類が行われた．

　リウマチ性疾患とアレルギー性疾患に共通するトピックは，分子標的療法や免疫療法の進歩である．関節リウマチに対する抗TNF療法に端を発する分子標的療法は，そのターゲットをIL-6，T細胞活性化シグナル関連分子，細胞内シグナルであるJAKへと広がっていき，いずれも成功をおさめている．NSAIDs治療が中心であった脊椎関節炎に対しても，TNFのほか，IL-23やIL-17に対する分子標的療法も有効であることがわかった．アレルギー性疾患では，パラダイムシフトとよべるほどの画期的な治療法ではないが，IgEをターゲットにした薬剤，対応抗原の舌下投与による免疫療法の進歩などが注目される．

〔渥美達也〕

12-1 リウマチ性疾患総論

1）免疫・炎症に関与する細胞・分子

生体に病原微生物が侵入したり，物理的侵襲や化学物質により組織の損傷が起こると，生体防御反応として炎症が起こる．上皮細胞や組織に存在する免疫細胞からサイトカインなどが産生され，血管拡張，血管透過性亢進，血漿成分の滲出に続き好中球を中心とした炎症細胞が浸潤する．さらに浸潤した細胞からサイトカイン，プロスタグランジン，ロイコトリエンなどの炎症メディエータが産生されて，発赤，腫脹，疼痛，熱感という炎症の4主徴を形成する．炎症反応には免疫担当細胞が重要な役割を担う．免疫系は，ほぼすべての多細胞生物に存在する自然免疫と，脊椎動物にのみ存在する獲得免疫に大別される．自然免疫は，病原微生物や異物侵入時の初期応答の主役である．自然免疫により侵入物排除ができないと，獲得免疫系が発動される．この2つのシステムは，抗原認識と免疫の記憶という点で異なる．自然免疫は，定型的な分子パターンを認識するパターン認識受容体（pattern recognition receptor：PRR）によって，微生物などの糖鎖構造や核酸などの病原体関連分子パターン（pathogen-associated molecular pattern：PAMP）を認識する．細胞表面に発現するトール様受容体（Toll-like receptor：TLR）やC-type lectinなどは微生物由来のオリゴ糖，多糖類，ペプチドグリカンなどを認識し，エンドソームに存在するTLRや細胞質にあるRIG-1やMAD-5などは核酸を認識する．PRRは，遺伝子再構成を伴わず，単純なパターンを認識するので，抗原特異性は限定的である．獲得免疫では遺伝子再構成を伴う抗原受容体を発現し，抗原認識の特異性が高い．また，一度刺激されるとそれ以降の同一の抗原による再刺激に対し効率的に反応できる．これが免疫記憶とよばれる．免疫記憶を有効利用したものが感染症に対するワクチンであるが，自己免疫やアレルギーにおいてはこの記憶が成立してしまうことが炎症の慢性化につながるという負の側面もある．自然免疫は獲得免疫の発動に寄与し，獲得免疫も自然免疫に関与し，相互に制御しあいながら免疫機能を発揮していく（図12-1-1）．

（1）自然免疫担当細胞

自然免疫を担う細胞は，骨髄球系細胞から分化し，顆粒球や単球・マクロファージなどが含まれる．

a. 多形核白血球（顆粒球）

多形核白血球は，形態的に分葉した核と特徴的な顆粒をもつことから，顆粒球ともよばれる．Giemsa染色による顆粒の染色性により，染色性の弱い顆粒をもつ好中球，赤色の顆粒をもつ好酸球，濃青色の顆粒をもつ好塩基球に分類される．

i）好中球

末梢血中の多形核白血球の90％以上を占め，細菌や真菌の排除に重要な生体防御の主役となる細胞である．好中球は，骨髄にも貯留プールがあるほか，血管

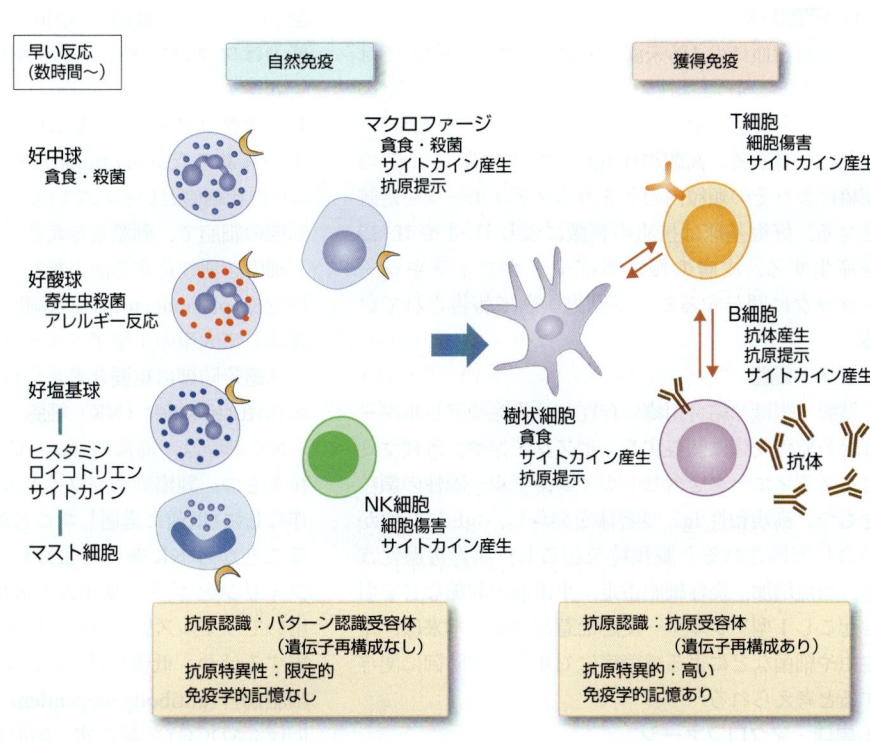

図12-1-1 自然免疫と獲得免疫

壁や組織・脾臓・肝臓などにも辺縁プールがあるため，細菌感染時などには速やかに動員される．食事や運動，ストレスなどのわずかなからだの変化でも，好中球数は変化しやすい．好中球の寿命は血液内では1日以内で，組織内では数日である．好中球は通常は組織にはほとんど検出されないが，感染や炎症局所で産生される菌体成分や補体成分，ケモカイン，ロイコトリエンなどが好中球の活性化因子・走化因子として働き，血管から動員される．好中球は運動性が高く，強い貪食能，殺菌・分解能をもつ．細胞表面に免疫グロブリン受容体や補体受容体を発現し，抗体や補体の結合した（オプソニン化された）細菌を効率よく貪食できる．またこれらの受容体を介した刺激により活性化され，より強い貪食能を発揮するとともに活性酸素を産生し，殺菌能が高まるが組織を傷害することにもなる．

ii) 好酸球

好酸球は，末梢血白血球の数％程度を占め，分化と増殖はIL-5により促進される．貪食能をもつが，顆粒放出により寄生虫の殺虫や，アレルギーに関与する．好酸性の顆粒に含まれるmajor basic protein（MBP），eosinophil cationic protein（ECP），eosinophil peroxidase（EPO）は，寄生虫に対する直接傷害作用をもち，刺激によって細胞外に放出されて強力な殺虫物質として働く．アレルギー反応においては，マスト細胞からのヒスタミン放出を誘導したり，気道上皮細胞を傷害して気道過敏性を亢進させる．

iii) 好塩基球

末梢血白血球の1％未満と末梢血白血球のなかでは最も少ない．好塩基性の顆粒には，血小板活性化因子，ヒスタミン，セロトニン，ヘパリン，プロテアーゼなどを有する．高親和性IgE受容体をもち，IgEの架橋によりその顆粒内のケミカルメディエータを遊離させる．好塩基球は抗原の刺激によりIL-4やIL-13を産生する．皮膚の慢性炎症やアナフィラキシーショックに関与することが動物実験で報告されている．

b. マスト細胞

粘膜下組織や結合組織に存在し，炎症やアレルギーなどの免疫反応に関与する．ヒスタミンや，各種ケミカルメディエータを含むトルイジンブルー陽性の顆粒をもつ．高親和性IgE受容体を発現し，IgEに抗原が結合し架橋されると脱顆粒を起こし，血管透過性亢進，血流増加，炎症細胞遊走，平滑筋の収縮などを引き起こしⅠ型アレルギー反応を惹起する．本来は，寄生虫や細菌などによる感染症に対する生体防御に関与すると考えられる．

c. 単球・マクロファージ

単球は，血管やリンパ組織の洞内に存在する大型（直径15～20μm）で単核の細胞である．末梢組織に移行すると，貪食能の強いマクロファージとなる．定常状態では老廃物除去などのスカベンジャー機能を発揮し，組織の恒常性の維持に貢献する．TLRなどのPRRを発現し，外来微生物由来の外来物質のみならず，ストレス物質などの内因性物質を認識し，ケモカインや，IL-1β，TNF-α，IL-6などの炎症性サイトカインの産生により炎症を引き起こす．さらに，リクルートされたT細胞などの産生するIFN-γによって活性化され，自身がエフェクター細胞として機能する．また，免疫グロブリン受容体や補体受容体を発現し，抗体や補体により貪食作用が促進される．マクロファージは貪食して殺菌するほか，取り込んだものを消化・分解して，Tリンパ球に抗原として提示する．

d. 樹状細胞

樹状細胞は，各種組織に分布する，樹枝状の突起を伸展させていることを特徴とする細胞群の総称であり，表皮のLangerhans細胞，胸腺の樹状細胞，脾臓やリンパ節の濾胞樹状細胞などである．末梢に分布する細胞は未熟で食作用機能をもち，定常状態では，末梢リンパ系組織において免疫寛容を誘導・維持するために働く．主要組織適合性抗原複合体（major histocompatibility complex：MHC）のうちクラスⅡに分類される分子を恒常的に発現し，外来微生物などにより活性化されると，所属リンパ器官のT細胞領域へと移動してT細胞に抗原提示を行い獲得免疫発動の役割を担う．それまで抗原と接触したことのないT細胞（ナイーブT細胞）への抗原を提示して活性化する能力はマクロファージやB細胞より強い．樹枝状の突起をもつこれらの細胞は，骨髄の前駆細胞に由来し，マクロファージと類縁関係にあると考えられ，従来からある（conventional）あるいは古典的な（classical）樹状細胞といわれている．一方，形質細胞に似た形態の細胞で，刺激を与えると樹状細胞様に分化してT細胞を活性化する能力をもつようになる細胞は形質細胞様（plasmacytoid）樹状細胞とよばれ，ウイルスを認識して大量のⅠ型インターフェロンを産生し，ウイルス感染防御に重要と考えられる．

e. natural killer（NK）細胞

NK細胞は，通常のリンパ球より大型で細胞質に顆粒をもつ．腫瘍細胞やウイルス感染細胞を，事前の感作なしに（以前に遭遇したことがなくても），傷害できることからNK細胞とよばれるようになった．パーフォリンとグランザイムの放出や，Fas/FasL経路を用いてウイルス感染細胞や癌細胞などの標的細胞を傷害するほか，低親和性Fc受容体を介して抗体依存性細胞傷害（antibody-dependent cell-mediated cytotoxicity：ADCC）を起こす．細胞傷害活性は，IFN-α，IFN-β，IFN-γ，IL-12などにより増大する．NK細

胞も，IFN-γ，TNF-αなどのサイトカインを産生する．NK細胞は，感染に対する生体防御のほか，癌細胞の免疫監視や移植片の拒絶反応にも重要である．

(2) 獲得免疫担当細胞

獲得免疫の特徴は，多様な抗原を特異的に認識し，一度活性化されると2度目以降の刺激に対して効率的な免疫応答ができる免疫記憶が形成されることであり，抗原受容体を発現するリンパ球がその主役となる．リンパ球には，成熟する器官が胸腺であるT (thymus-derived) 細胞と骨髄であるB (bone marrow-derived) 細胞がある．リンパ球は，分化と成熟の過程で抗原受容体（T細胞受容体：TCR，B細胞受容体：BCR）の遺伝子を再構成することによって，膨大な抗原に対する特異性と多様性を生み出している．1つのリンパ球は1種類の抗原受容体を発現し，抗原刺激によってクローン増殖し，一部の細胞がメモリー細胞として残存することによって免疫記憶を形成する．

a. T細胞

T細胞は，骨髄で造血幹細胞から派生した前駆細胞が胸腺に移動して分化する．分化の過程で，抗原を認識するTCRを発現する．TCRは，抗原となる蛋白質が分解されて生成されたペプチドが抗原提示分子に結合したものを認識する．代表的な抗原提示分子はMHCであり，クラスIとクラスIIがある．胸腺では，自己のMHCを認識できるT細胞のみが生き残り（正の選択），さらに自己の成分に強く反応するクローンは死滅する（負の選択）．自己反応性T細胞が除去されることによって，自己抗原に対する免疫寛容（中枢性免疫寛容）が成立するが，クローン除去は完璧ではないため，末梢でも自己免疫応答は抑制されている（末梢性免疫寛容）．

MHCクラスIは，ウイルスや癌抗原など細胞内蛋白質を分解したペプチドをCD8 T細胞に提示する．CD8 T細胞は，細胞傷害性T細胞ともよばれ，パーフォリンやグランザイムなどの放出や，Fas/FasL経路を介して標的細胞にアポトーシスを誘導する．ウイルス感染，腫瘍細胞のサーベイランス，移植片拒絶反応などに重要である．MHCクラスIIは，貪食などにより取り込んだ抗原となる蛋白質を消化・分解し，ペプチドとしてCD4 T細胞に提示する．MHCクラスIIはおもに抗原提示細胞（樹状細胞，マクロファージ，B細胞）に発現する．CD4 T細胞は，ヘルパーT細胞とよばれ，産生するサイトカインにより，Th1，Th2，Th17，制御性T細胞などのサブポピュレーションに分けられる（(3)で詳細解説）．

T細胞の活性化には，複数の刺激が必要である．TCRによる抗原認識は，反応する相手を特定するのに必須であるが，活性化には共刺激が必要である．活性化に促進的に働く (co-stimulation) 分子，抑制的に働く (co-inhibition) 分子があり，それぞれの分子を抑制することにより免疫を抑制したり，促進することができることから，さまざまな疾患の治療の治療標的となっている．これらの刺激に加えて，どのような免疫応答を起こすかについてはサイトカインが重要な役割をもつ．

b. B細胞

B細胞は，造血幹細胞から分化して抗原とは無関係に膜結合型IgMを発現し，BCRとして機能する．抗体もTCRと同様に遺伝子再構成により多様性を獲得する．自己の成分に反応するB細胞は骨髄で死滅するか，再度抗体の再構成を起こして抗原特異性を変える（受容体編集）ことにより除去され，自己成分に免疫寛容となる．成熟B細胞は，リンパ節などの二次リンパ組織で膜結合型IgMが抗原と結合すると，抗原特異性をもつ分泌型IgMが産生されるようになる．さらにT細胞との相互作用により抗体のクラススイッチが起こり，IgG，IgA，IgEなどの抗体を産生するようになる．その後，抗体産生細胞へと分化する過程で可変領域の遺伝子内に高頻度で突然変異（体細胞超変異，somatic hypermutation）が起こり高親和性抗体が産生される．同じ抗原で免疫が繰り返されると，高親和性抗体が大多数を占めるようになり，これを affinity maturation とよぶ．活性化されたB細胞は，抗体を産生する形質細胞となり骨髄で抗体を産生するが，一部は免疫記憶細胞としてその機能を保持する．また，捕捉した蛋白質抗原を取り込み分解し，T細胞に抗原を提示したり，サイトカインを産生することができる（図12-1-2）．

i) 抗体

抗体の機能は，ウイルスや毒素の中和，補体系の活性化，オプソニン化による貪食促進，マスト細胞や好塩基球からの脱顆粒誘発などの作用がある．抗体は免疫グロブリンともよばれ，2本の重鎖（H鎖）と2本の軽鎖（L鎖）がS-S結合で結ばれた二量体である（図12-1-2）．L鎖もH鎖もN末端は，抗原を認識する部位であり，抗体によって配列が異なる可変領域である．H鎖のC末端は定常領域とよばれ，クラススイッチにより，抗体のサブクラスによってそれぞれ特徴的な構造となり，機能的に変化する．サブクラスは，IgM，IgG，IgE，IgA，IgDの5つがある．

1) **IgM**：免疫応答の初期で産生される免疫グロブリンである．抗原との親和性は低いが，五量体を形成することにより，抗原との結合を高めている．凝集反応や補体結合能をもつ．

2) **IgG**：血清中に最も多く存在する免疫グロブリンで，二次免疫応答の中心的役割を担う．毒素中和性，補体結合性，胎盤通過性をもつ．

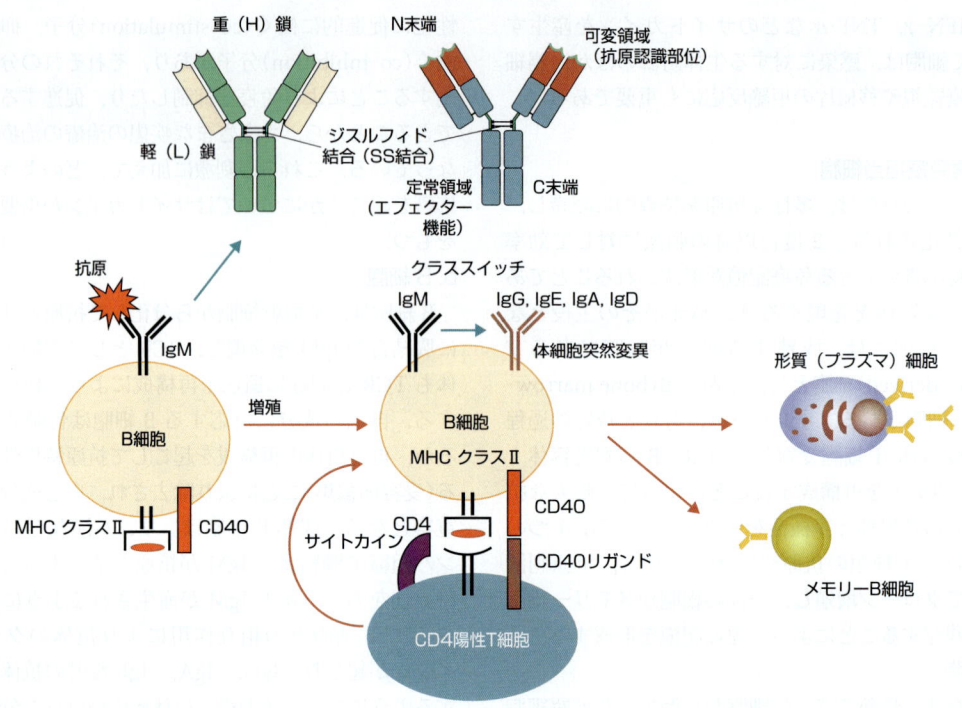

図 12-1-2 抗体の構造と産生

3) IgE: 血中には微量しか存在しないが，マスト細胞や好塩基球の表面にFcε受容体を介して結合している．抗原によりIgEが架橋されるとこれらの細胞から脱顆粒が起こり，寄生虫感染の防御やアレルギー反応に関与する．

4) IgA: 血液中では単体であるが，腸管，唾液，母乳などには二量体として分泌される．粘膜免疫に重要であり，新生児の感染防御に重要な役割を果たす．

5) IgD: B細胞の細胞表面に発現しているが，分化の過程で消失する．抗体の機能については不明な点が多い．

(3) サイトカイン，ケモカイン

炎症反応を調節するメディエータは免疫細胞や血管内皮細胞，組織を構成する細胞から産生される．プロスタグランジン，ロイコトリエンなどのエイコサノイドやサイトカインなど，炎症性メディエータの多くが液性因子であり，局所の炎症反応のみならず，発熱，倦怠感などの症状や急性期蛋白質の増加，高ガンマグロブリン血症などを引き起こす．サイトカインは免疫担当細胞をはじめとする各種細胞が産生する微量生理活性蛋白質の総称で，細胞表面の受容体に結合することで，細胞どうしのコミュニケーションを司り，細胞の増殖・分化・機能発現にかかわり，炎症反応のみならず免疫応答調節に重要である．微量で作用を発揮し，主として産生された局所で作用するが，大量に産生されると血流で運ばれ遠隔臓器に作用することもある．1つのサイトカインは多様な機能をもつ一方，複数のサイトカインの機能が重複することがある．その作用はときに相乗的に，ときに拮抗的に作用することがある．サイトカインの産生は，互いに調節されており，ネットワークをつくっている．免疫にかかわるサイトカインは，白血球から産生されるものが多くこれらはインターロイキンとよばれ，同定された順にIL-1，IL-2などとよばれている．サイトカインのなかでも4つのシステイン残基の位置が保存されている構造をもつケモカインは，細胞の遊走に重要であるほか，ウイルスの受容体や癌細胞の増殖に関与したさまざまな機能をもつ．炎症に重要なサイトカインとして，IL-1β，IL-6，TNF-αなどが知られ，炎症性サイトカインとよばれ協調的に作用している．これらのサイトカインはマクロファージなどから産生され，炎症細胞遊走に必要な接着分子であるセレクチン，ICAM-1，VCAM-1などの血管内皮細胞での発現を高め，ケモカインの産生を誘導して炎症細胞浸潤を促す．肝細胞に作用してCRPなどの急性炎症蛋白質の産生を促し，発熱中枢に作用して発熱を起こす．

サイトカインはリンパ球の分化と機能発揮に重要である．ヘルパーT細胞は，産生するサイトカインと機能の違いからいくつかのサブセットに大別されて，それぞれのサブセットへの分化や増殖には特定のサイトカインが必要とされる．Th1細胞はIL-12やIFN-γなどのサイトカインによって誘導され，IL-2やIFN-γなどを産生し，細胞性免疫を担う．IFN-γは，

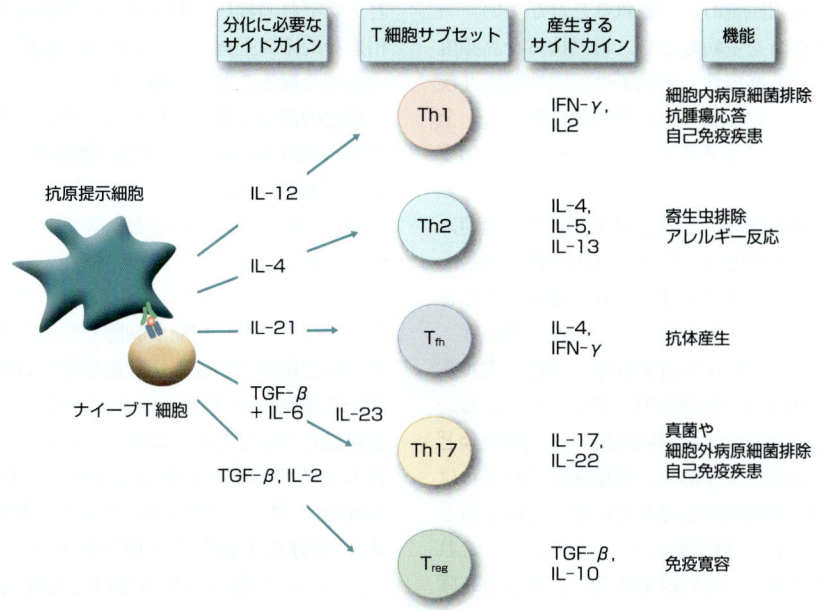

図 12-1-3 ヘルパーT細胞の分化と機能にかかわるサイトカイン

マクロファージを活性化し，貪食した微生物の殺傷を促進することによって細胞内病原体の排除を促すほか，抗原提示分子の活性化にも関与する．また IFN-γ は，B 細胞に作用して特定の IgG サブクラスのクラススイッチを促し，オプソニン化や補体活性化により微生物の貪食を助ける．IL-2 はキラー T 細胞の増殖や細胞傷害性 T 細胞への分化を促進し，ウイルス感染や腫瘍細胞の排除に関与する．Th2 細胞は，IL-4 により誘導され，IL-4，IL-5，IL-13 などのサイトカインを産生し，寄生虫などの感染防御に働くほか，アレルギーに関与する．IL-4 は IgE や特定の IgG へのクラススイッチを促す．IL-5 は好酸球を活性化する．Th17 細胞は，TGF-β と IL-6 により誘導され，IL-23 は Th17 細胞の増殖や維持に重要である．Th17 細胞は IL-17A，IL-17F，IL-22 などを産生し，細胞外細菌や真菌の排除に関与する．濾胞性 T 細胞（T_{fh} 細胞）は IL-21 によって誘導され，抗体産生を助ける．免疫応答を制御する細胞として制御性 T 細胞（T_{reg}）は，TGF-β によって誘導され IL-10 や TGF-β を産生して免疫応答を制御する（図 12-1-3）．

サイトカイン受容体は，多くの場合サイトカインに結合する鎖と細胞内にシグナルを伝える鎖の二～三量体として機能している．また，自身はチロシンリン酸化酵素活性はもたずに Janus kinase（JAK）ファミリーとよばれるチロシンリン酸化酵素が結合しており，signal transducers and activators of transcription（STAT）をリン酸化する．リン酸化された STAT 分子は核内に移行しサイトカインの機能を発揮する遺伝子群の転写を促す．

免疫が関与する病態にはこれらのさまざまなサイトカインが関与し，サイトカイン，またサイトカインに対する中和抗体，サイトカイン受容体の阻害薬，JAK 阻害薬などが治療に応用され高い効果を上げている．

〔三宅幸子〕

■文献

Abbno A：基礎免疫学 原著第 4 版，エルゼビア・ジャパン，2014.
Murphy K, Travers P, et al：免疫生物学 第 7 版，南江堂，2010.
Parham P：エッセンシャル免疫学 第 2 版，メディカル・サイエンス・インターナショナル，2010.

2）自己免疫，リウマチ性疾患と膠原病

(1) リウマチ性疾患と膠原病

膠原病（collagen disease）は 1942 年 Klemperer により提唱された概念であり，全身性エリテマトーデス（SLE）や強皮症の病理学的研究をもとに，結合組織全般に変化がみられ細胞外成分に特徴の認められる急性および慢性の疾患とした．それまでの疾患は，肝臓，肺，心臓などそれぞれの臓器におもな病変があると考えられていたので，新しい概念の提唱でもあった．

膠原病とは単一の疾患を示す臨床診断名ではなく，病因を意味する用語でもない．結合組織がおもな病変であるので，現在，欧米では膠原病より結合組織病

(connective tissue disease)といわれることが多い．一般に結合組織と血管を主病変とし，自己抗体を高頻度に伴う多臓器性の非腫瘍性，非感染性の慢性難治性疾患という概念でとらえられる．病理組織学的には，全身の膠原線維にフィブリノイド変性という共通の病変がみられる．

一方，膠原病は臨床的にはリウマチ性疾患の範疇に入る．リウマチ性疾患とは，関節・筋肉・骨・靱帯・腱などの運動器の疼痛とこわばりを有する疾患のことである．ただしリウマチ性疾患には，変形性関節症，痛風など膠原病以外の疾患も含まれる．また一方，病因論的には膠原病は自己免疫疾患と考えられている．ただし自己免疫性疾患は，膠原病以外の甲状腺炎など臓器特異的自己免疫疾患があり，膠原病はこれらとは異なり全身性自己免疫疾患とされている．免疫応答と病態の関係で，両者には相違がいくつかあるが，これらは明確に区別されているわけではない．すなわち膠原病に関しては，病理学的（膠原病，結合組織病），臨床的（リウマチ性疾患），病因論的（自己免疫疾患）立場からそれぞれの名称がある．

(2) 自己免疫疾患と自己免疫

自己免疫現象とは，B細胞が産生する抗体またはT細胞が自己の抗原と反応する現象である．そして，自己免疫現象の結果引き起こされるのが自己免疫疾患である．ところが，健常人にもこれらの自己反応性の抗体やT細胞が存在することがわかっている．生体には自己との免疫応答を抑制するさまざまなメカニズムがあるが，それらが破綻すると自己免疫疾患が引き起こされる．したがって健常人に存在する自己免疫現象とそれぞれの疾病における自己免疫現象の質的，量的相違を的確に把握し，その原因，病態への関与，修復の方策を探ることが重要である．

自己の抗原に対して免疫応答を生じない状況を免疫寛容（self-tolerance）とよぶ．獲得免疫応答の中心であるT細胞の場合，それが分化する胸腺内で十分量の自己抗原に暴露されると，アポトーシスによりクローン除去を起こす．これが中枢性免疫学的寛容である（図12-1-4）．しかし，このメカニズムにも限界があり，すべての自己抗原が胸腺で発現してはいないことや，自己抗原との反応性はあるがそれほど反応が強くないT細胞は末梢組織に出ていく．しかし，それでも自己免疫反応が顕性にならないのは末梢での免疫寛容のシステムがあるからであり，これにはアナジー（anergy，クローン麻痺），クローン無視（イグノランス），制御性T細胞など種々のメカニズムがある（図12-1-4）．これらの異常で自己免疫現象と自己免疫疾患が引き起こされると考えられている．

免疫反応により引き起こされる病態を理解するためには，GellとCoombsの分類が今でも使われることが多い．即時型すなわちアナフィラキシー型のⅠ型反応，細胞傷害型のⅡ型反応，免疫複合体型のⅢ型反応，そして遅延型細胞性免疫のⅣ型に分類される．いわゆるアレルギー性疾患とされるものの多くはⅠ型によることが多いが，最近ではⅠ型アレルギーを担う代表的な細胞であるマスト細胞が，関節リウマチや接触性皮膚炎などにも関与する可能性が指摘されており，また1つの病態に複数の反応が関与することもある．

自己免疫疾患を大きく分けると，免疫反応の標的抗原と組織傷害が1つの臓器に限局している臓器特異

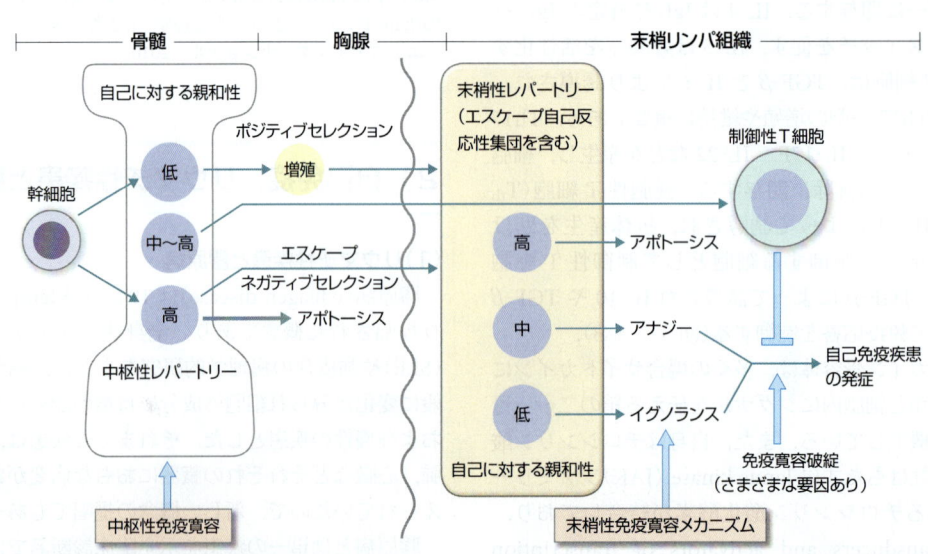

図12-1-4 T細胞性免疫寛容
T細胞は胸腺での分化の過程および末梢において種々のメカニズムで免疫寛容が導入されるが，それらの破綻で自己免疫疾患が発症する．

的自己免疫疾患と，生体に広く分布している抗原，たとえば核内抗原に対しての免疫反応が主として観察され，多臓器にわたり傷害がみられる全身性自己免疫疾患とがある．膠原病は全体としてみると後者の全身性自己免疫疾患の範疇に入る．臓器特異的自己免疫疾患は，本来トレランスになっているはずの特定の臓器にだけ発現している自己の抗原に対してそのトレランスが破綻し，その自己抗原に対して免疫系が積極的に反応した結果であると考えられる．すなわちこの場合，問題となっている自己抗原に特異的な免疫反応が病態形成に重要な役割を果たしていることは明らかである．

一方，膠原病がこのような免疫反応の延長線上にあるか否かはよくわかっていない．膠原病で検出される自己抗体の標的はほとんどが核内物質や細胞質分子なので，自己抗体自体が直接臓器傷害を起こしているとは考えにくい．一部の病態は，上述の Gell と Coombs の分類のⅢ型，すなわち細胞の破壊で細胞外に放出された核内物質や細胞内分子と自己抗体が免疫複合体を形成し，これが全身の血管内皮や腎臓などに沈着して臓器傷害を引き起こすと考えられている．しかし，これだけで説明できない病態もあり，全身性自己免疫疾患では今のところ自己抗原に対する免疫異常と種々の病態とが一元的には理解できていない．

(3) 中枢性免疫寛容とその破綻

自己反応性のB細胞は正常のB細胞レパートリーのなかに存在し，そのいくらかは"natural autoantibodies"を産生する．これらは通常，IgM で低アフィニティ，自己抗原に対して polyreactive であり，初期生体防御や自己抗原のクリアランスに役立っており，自己免疫を防止する役割があるとも考えられている．骨髄で生じる自己反応性B細胞，特に全身に普遍的に発現している細胞表面抗原に対する自己反応性B細胞は，クローン除去かレセプター・エディティング（最初に遺伝子再構成で形成された抗原受容体を，再び遺伝子再構成で別の受容体にすること）のどちらかで，骨髄中で除去される．病態形成性のB細胞も正常のレパートリーのなかに存在するが，これらが活性化されるにはT細胞のヘルプを必要とする．これらを考慮すると，自己免疫疾患に至る免疫寛容の破綻の重要なポイントの1つはT細胞の免疫寛容の破綻にあると考えてもよい．

T細胞の中枢性免疫寛容の異常で自己免疫疾患になる例は多くはない．自己免疫性多発内分泌症候群Ⅰ型（APECED）は，特発性 Addison 病に特発性副甲状腺機能低下症などの自己免疫性内分泌疾患と皮膚カンジダ症を高率に伴う症候群であるが，この原因遺伝子として AIRE (autoimmune regulator gene) が同定された．そして，この AIRE 遺伝子は臓器特異抗原の一部が胸腺で発現する現象に関与していることが判明した．すなわちこの遺伝子異常により臓器特異的抗原に反応するT細胞が胸腺で除去されないことで自己免疫疾患になると考えられている．

(4) 末梢性免疫寛容の種々のメカニズム

多くの免疫寛容の破綻はT細胞の末梢性免疫寛容の破綻によると考えられている．末梢性免疫寛容の異常には多くのメカニズムが示唆されているが，その代表的なものとして，隔絶抗原の免疫系への曝露がある．これは解剖学的構造より，免疫系に提示されていない自己抗原が，外傷や炎症などにより免疫系に曝露される現象である．外傷後の交換性眼炎や精管切断後の精巣炎などの例がある．また自己抗原の修飾も寛容の破綻の原因になりうる．たとえば自己抗原がほかの分子と複合体を形成する場合，抗原提示細胞内で通常と異なるプロセッシングを受ける可能性があり，本来ほとんど提示されていなかった cryptic（隠れたの意味）なエピトープが抗原提示されることがあると考えられる．また蛋白質は翻訳後にアセチル化，脱アミド化，脱イミド化など多くの修飾を受けるが，この異常が生じると生体にとって新しい自己抗原が出現することになる．実際，関節リウマチでは脱イミド反応によりアルギニンがシトルリンに変換された自己抗原に対する自己抗体が，特異的に生じていることが明らかとなりつつある．一方，自己抗原が薬剤により修飾を受け，新しい自己抗原が生じることもある．

分子相同性とは自己抗原と外来抗原の間の免疫学的な交差反応性があることをいう．A群連鎖球菌感染後のリウマチ熱は心炎や関節炎などの症状を呈するが，これはA群連鎖球菌のM蛋白と心筋のミオシンとの交差反応ではないかと考えられている．その他の末梢性免疫寛容の異常としては，制御性T細胞の異常，副刺激の異常発現，抑制性分子の異常，アポトーシスの異常，スーパー抗原など種々の可能性が報告されている．以下にそのおもなものとしてT細胞のアナジーと制御性T細胞について概説する．

a. T細胞のアナジー，機能低下のメカニズム

T細胞のアナジーは末梢のトレランスに重要な働きをしている．T細胞が抗原刺激細胞により刺激を受けるときに，T細胞受容体からの刺激と同時に共刺激分子からの刺激がないとT細胞はアナジーになる．アナジーとは抗原に出合ったときのインターロイキン（IL）-2産生低下と増殖の抑制と考えることができる．持続的な抗原刺激による生体内でのアナジー誘導には，CTLA-4 という抑制性分子の発現増大が一部かかわっている．

またアナジーとの関係では E3 ユビキチンリガーゼ

も注目されている．ヒトゲノムには1000種類ものユビキチンリガーゼE3があると想定されているが，いくつかの分子が抗原刺激からのシグナルを阻害することで免疫抑制に働いていることが明らかにされつつある．C-Cblは最初にアナジーとの関係で報告されたE3ユビキチンリガーゼであり，そのファミリーのCbl-bは，アナジーのT細胞に再刺激が入ったときに，PLC-γやPKC-θの発現抑制に働く．おそらく1つのE3ユビキチンリガーゼではなく，複数のE3ユビキチンリガーゼが共同でアナジーの誘導と維持に関与しているのではないかと考えられている．

b. 制御性T細胞

末梢でのトレランスに制御性T細胞が重要であることは，制御性T細胞を除去された動物で激しい自己免疫が起こることからも明らかである．制御性T細胞にもいくつかのものがある．自然発生制御性T細胞(naturally occurring regulatory T cells)は胸腺で分化するCD4陽性CD25陽性GITR陽性，CTLA-4陽性の細胞であり，Foxp3という転写因子が重要な役割を果たしている細胞である．自己抗原を認識して細胞接触によりエフェクターT細胞を抑制する．これ以外のものはほとんどが，末梢で誘導される制御性T細胞(induced regulatory T cells)である．TGF-βで誘導される制御性T細胞がよく知られているが，これらが炎症の場で病態形成性のT細胞になる，いわゆる可塑性が指摘されており，病態の理解や治療法の開発で注意が必要である．

(5) B細胞と自己免疫，免疫寛容

最近，臨床での治療経験などの蓄積から，自己免疫におけるB細胞の役割が再び注目されている(図12-1-5)．すなわちB細胞を標的とした自己免疫疾患の治療が予想外の効果を発揮していることから，従来考えられていた抗体を産生するというB細胞の役割以上に，免疫寛容，免疫調節に対するB細胞の役割があると推測されるようになっている．たとえばステロイドや脾摘などの通常の治療に反応しなかった特発性血小板減少性紫斑病患者の33～54％が，CD20に対するモノクローナル抗体(リツキシマブ)で改善する．

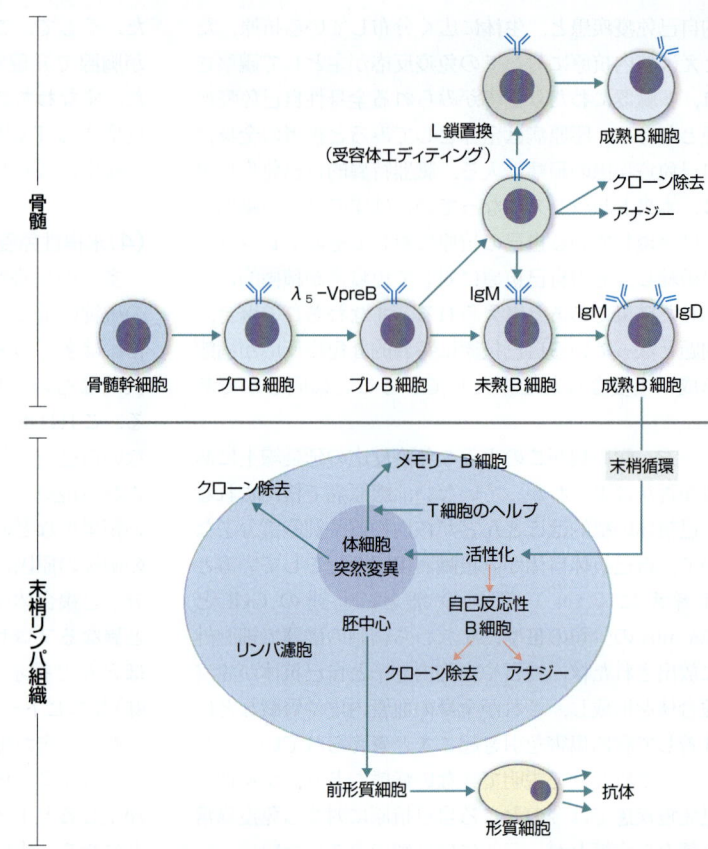

図12-1-5 B細胞性免疫寛容
B細胞は分化する骨髄および末梢のリンパ濾胞で自己反応性を獲得することがあるが，種々のメカニズムでこれを抑制する．

B細胞の免疫記憶は，疾患成立と維持，再燃などに大きな役割を果たしてきている．B細胞は胚中心での反応で抗体遺伝子に突然変異を起こしアフィニティを増す．これはT細胞依存的であるが，形質細胞(plasma cell)になった後はT細胞非依存性になると考えられる．B細胞はまず形質芽細胞(plasmablast)に分化する．この細胞は分裂し，骨髄に移動する力がある．しかし，おそらく新しくつくられた形質細胞のほとんどは，最終的な生存のための的確なニッシェを骨髄などで見つけることができずに，細胞死すると考えられている．抗原を過免疫されたマウスの研究から，骨髄にいる抗原特異的形質細胞は長寿命であることが見いだされた．形質細胞は，DNA合成をせず，分裂をしないので，シクロホスファミドなどの免疫抑制薬に抵抗性である．

長寿命の形質細胞の生存のためのニッシェは骨髄と炎症組織にあると考えられている．骨髄がおもなニッシェであるが，その場所は限られている．そこで炎症組織は，それ以外の場所として重要である．いくつかの自己抗体は免疫抑制療法にもほとんど変化しない．

ステロイド，免疫抑制薬に影響を受けるのは短期生存の形質細胞だけである．ただし，炎症組織で生存していた形質細胞は，炎症が抑制されれば細胞死すると考えられる．

(6) 自然免疫と自己免疫

免疫システムは微生物から生体を防御するために存在していると考えてよい．脊椎動物の体内で増殖する微生物には，ウイルス，細菌，真菌，寄生虫などがある．これらの微生物は細胞内，細胞間隙，細胞表面，血液などで増殖できるが，多くは無害で上皮で宿主と共存している．しかし，この上皮のバリアが破壊され微生物が体内に侵入すると病原体となる．この場合，免疫は感染微生物を認識し，排除するか封じ込めようとする．最初に働く細胞は，樹状細胞とマクロファージなど自然免疫系の細胞である．自然免疫系は，病原体と宿主を区別するための分子と細胞でできており，病原体と接触して数時間以内に活性化される．しかし，その活性化はそれ以前の感染によって増強はされない（免疫記憶はない）．

抗原提示の中心である樹状細胞（dendritic cell：DC）が抗原を取り込むのは，ファゴサイトーシス，ピノサイトーシス，エンドサイトーシスなどによる．これらは抗原抗体複合体に対するFc受容体，糖蛋白に対するCLRs（C-type lectin receptors），微生物のPAMPs（pathogen-associated molecular patterns）を認識するTLR（Toll-like receptor）など介して行われる．この際，DCは自己・非自己の認識をこれらの受容体を介して行っていることになる．すなわち定常状態でのDCは免疫学的には活性化されておらず，自己抗原に対する末梢の免疫寛容は未熟DCによって維持されている．外来微生物の侵入に際しては，DCやマクロファージは迅速に反応して，炎症反応の惹起などにより微生物に対する生体の反応の中心になるだけでなく，効率的に微生物を抗原提示することで，特異的な獲得免疫の誘導を行う．この際，核酸を認識するTLR-7やTLR-9などについては，微生物と自己の核酸を明確に識別できないことから，自己免疫応答が引き起こされる可能性があると考えられている．

〔山本一彦〕

3）リウマチ性疾患の概念・疾患群

(1) リウマチ性疾患の概念

リウマチ性疾患（rheumatic diseases）は，関節，筋肉，骨，靱帯などの運動器における痛みを伴う疾患の総称である．「リウマチ（rheumatism）」ということばは，ギリシャ語の「流れ」を意味し，痛みの原因となる物質が脳から出て体内を流れて関節などに貯留するという古代ギリシャ医学の考えに由来している．

後述の膠原病全般に共通する症状の1つとして全身の関節痛や関節炎が高頻度にみられることから，膠原病の多くはリウマチ性疾患に分類される．また，逆にリウマチ性疾患のなかには膠原病の概念にあてはまる病気が多い．

(2) リウマチ性疾患に分類される疾患群

きわめて多数の疾患がリウマチ性疾患に分類される．米国リウマチ学会の命名分類分科会による分類によれば，100種類以上がリウマチ性疾患に分類されている（Decker，1983）（表12-1-1）．

これらのなかには近年名称が変更された疾患も含まれる（eコラム1）．さらにリウマチ症状を呈する新しい疾患の発見や，その病態の解明により，リウマチ性疾患の名称と分類は今後もさらに追加や修正が行われる可能性がある．

(3) リウマチ性疾患と膠原病の関連

膠原病（collagen disease）は，病理学者Paul Klemperer（1887〜1964）が1942年に提唱した疾患概念であり，多臓器を同時に障害する非感染性・非腫瘍性の全身性炎症性疾患の総称である．

Klempererはそれまで支配的であった臓器病理学的立場（あらゆる疾患は個々の臓器の病理学的変化に由来するとの考え）からは説明できない，全身の結合組織にフィブリノイド変性が共通してみられる多臓器障害性疾患を，膠原線維の変性を原因とする疾患群と考え，「膠原病（collagen disease）」と命名した（Klempererら，1942）．その後，LE細胞現象が発見され（1948年 Hargraves），その原因となるLE因子が抗核抗体であることが明らかにされて（1950年代 Holman, Friou），膠原病は自己免疫疾患であると考えられるようになった．Klempererの考えはさまざまな批判にさらされながらも，新しい知識や修正が加わりつつ，その基本概念は現在に至るまで踏襲されている．びまん性結合組織疾患（diffuse connective tissue diseases）は膠原病の同義語であり，現在の欧米ではむしろこちらの語が用いられることが多い．これらの疾患はすべて関節，筋，靱帯など運動器の疼痛を伴う症状を呈しうることからリウマチ性疾患に分類され，特に全身性リウマチ性疾患（systemic rheumatic diseases）ともよばれる．

Klempererが膠原病に含めた疾患は，全身性エリテマトーデス（systemic lupus erythematosus：SLE），強皮症（全身性硬化症）（sclerodermaまたは systemic sclerosis：SSc），多発性筋炎および皮膚筋炎（poly-

表12-1-1 関節炎とリウマチ性疾患の名称と分類(米国リウマチ学会，1983)

Ⅰ．びまん性結合組織疾患
　A．関節リウマチ
　B．若年性関節炎
　C．ループスエリテマトーデス
　D．強皮症(全身性硬化症)
　E．びまん性筋膜炎(好酸球増加あり/なし)
　F．多発性筋炎
　G．壊死性血管炎およびほかの血管炎
　H．Sjögren 症候群
　I．重複症候群
　J．その他

Ⅱ．脊椎炎を伴う関節炎(脊椎関節炎)
　A．強直性脊椎炎
　B．Reiter 症候群
　C．感染性関節炎
　D．炎症性腸疾患に伴う関節炎

Ⅲ．骨関節炎(骨関節症，関節変性疾患)
　A．原発性
　B．続発性

Ⅳ．感染病原体に伴うリウマチ症候群
　A．直接的
　B．反応性

Ⅴ．リウマチ症状を伴う代謝性および内分泌疾患
　A．結晶誘発性関節炎
　B．ほかの生化学的異常
　C．遺伝性疾患

Ⅵ．腫瘍
　A．原発性
　B．続発性

Ⅶ．神経血管系疾患
　A．Charcot 関節
　B．圧迫症候群
　C．反射性交感神経性ジストロフィ
　D．肢端紅痛症
　E．Raynaud 現象または Raynaud 病

Ⅷ．骨・軟骨疾患
　A．骨粗鬆症
　B．骨軟化症
　C．肥大性骨関節症
　D．びまん性特発性骨格骨化過剰症
　　　(Forrestier 病)
　E．骨 Paget 病
　F．骨融解症・軟骨融解症
　G．無血管性壊死
　H．肋軟骨炎(Tieze 症候群)
　I．腸骨骨化性骨炎・恥骨炎・限局性骨炎
　J．先天性股関節形成異常
　K．膝蓋骨軟骨化症
　L．生物機械的または解剖学的異常

Ⅸ．関節外疾患
　A．関節周囲の疾患
　B．椎間板疾患
　C．腰痛(特発性)
　D．種々の疼痛症候群

Ⅹ．関節症状を伴う種々の疾患
　A．回帰性リウマチ
　B．間欠性関節水腫症
　C．薬物関連リウマチ症候群
　D．多中心性網内系組織球症
　E．絨毛結節性滑膜炎
　F．サルコイドーシス
　G．ビタミンC欠乏症
　H．膵疾患
　I．慢性活動性肝炎
　J．筋骨格系外傷

米国リウマチ学会分類原案1983年改訂版より引用改変．大分類と中分類を示し小分類以下は省略した．また当時の名称で現在では用いられなくなったものがある(Ⅱ-B: Reiter 症候群など)．

myositis：PM/dermatomyositis：DM)，結節性多発動脈炎(polyarteritis nodosa：PN)，関節リウマチ(rheumatoid arthritis：RA)，リウマチ熱(rheumatic fever：RF)の6疾患であり，これらは古典的膠原病とよばれる(Klemperer, 1950)．さらにその後，Sjögren 症候群，混合性結合組織病(mixed connective tissue disease：MCTD)，多発血管炎性肉芽腫症(旧名：Wegener 肉芽腫症)，高安動脈炎，側頭動脈炎，好酸球性筋膜炎，成人 Still 病，強直性脊椎炎，Behçet 病，再発性多発軟骨炎，サルコイドーシスなどの疾患も膠原病の特徴にあてはまることから，膠原病類縁疾患あるいは関連疾患として分類されている(表12-1-2)．

(4) リウマチ性疾患の特徴

すでに述べたとおりリウマチ性疾患には多種多様な疾患が含まれ，それぞれの疾患の病像・病態も多彩であるが，特に全身性リウマチ性疾患(膠原病)には共通する臨床的・病理学的・病態学的特徴が認められ(表12-1-3)，共通の病態基盤として免疫応答の異常が存在する．リウマチ性疾患のうち，その原因が明らかな感染性疾患や外傷性疾患を除くすべての疾患の原因(病因)はいまだに不明だが，多くの疾患で遺伝的要因と環境要因の両方が発症に関係すると考えられる．一定の遺伝的素因(特定の HLA や種々の非 HLA 疾患関連遺伝子)をもつ患者に，誘因として何らかの環境因子(感染，薬物，紫外線，ホルモン環境，喫煙など)が加わって免疫応答が起きると，通常ならば収束に向か

表12-1-2 膠原病と膠原病関連疾患（びまん性結合組織疾患，全身性リウマチ性疾患）の分類

1. 「古典的」膠原病（"classical"collagen diseases: big six）
    全身性エリテマトーデス　systemic lupus erythematosus (SLE)
    強皮症（全身性硬化症）　scleroderma (systemic sclerosis) (SSc)
    多発性筋炎・皮膚筋炎　polymyositis & dermatomyositis (PM/DM)
    結節性多発動脈炎　polyarteritis nodosa (periarteritis nodosa) (PN)
    関節リウマチ　rheumatoid arthritis (RA)
    リウマチ熱　rheumatic fever (RF)
2. 膠原病近縁疾患および関連疾患
    Sjögren 症候群　Sjögren's syndrome
    混合性結合組織病　mixed connective tissue disease (MCTD)
    血管炎症候群　vasculitis syndrome
        顕微鏡的多発血管炎　microscopic polyangiitis
        多発血管炎性肉芽腫症（Wegener 肉芽腫症）　granulomatosis with polyangiitis (Wegener's syndrome)
        好酸球性多発血管炎性肉芽腫症（Churg-Strauss 症候群）
            eosinophilic granulomatosis with polyangiitis (EGPA) (Churg-Strauss syndrome)
        高安動脈炎　Takayasu arteritis
        巨細胞性動脈炎（側頭動脈炎）　giant cell arteritis (temporal arteritis)
        IgA 血管炎（Henoch-Schönlein 紫斑病）　IgA vasculitis (Henoch-Schönlein purupura)
    リウマチ性多発筋痛症　polymyalgia rheumatica (PMR)
    好酸球性筋膜炎　eosinophilic fasciitis (Shulman's syndrome)
    特発性若年性関節炎　juvenile idiopathic arthritis
    成人 Still 病　adult Still's disease
    血清反応陰性脊椎関節症　seronegative spondyloarthropathy
    再発性多発軟骨炎　relapsing polychondritis
    Behçet 病　Behçet's disease
    サルコイドーシス　sarcoidosis

表12-1-3 膠原病（びまん性結合組織疾患，全身性リウマチ性疾患）の特徴

1. 全身性炎症疾患 systemic inflammatory disease
    発熱，体重減少，易疲労感などの全身症状を伴う
2. リウマチ性疾患 rheumatic disease
    関節，筋肉など運動器の疼痛，炎症を伴う
3. 多臓器障害疾患 multi-organ disease
    複数の臓器が同時に障害される
4. 慢性疾患 chronic disease
    再燃と寛解を繰り返しながら，病像が完成される
5. 結合組織疾患 connective tissue disease
    結合組織を病変の主座とし，フィブリノイド変性が認められる
6. 自己免疫疾患 autoimmune disease
    自己抗体など種々の自己免疫異常が認められる

うべき免疫反応が標的を外来抗原から自己抗原に変えて永続化するようになると考えられる．このような免疫異常は自己抗原に対する免疫寛容が破綻するためであり，アポトーシスの異常，T細胞，B細胞，抗原呈示細胞，サイトカイン産生，細胞接着分子発現などのさまざまなレベルでの異常が見いだされている．

多くのリウマチ性疾患・膠原病患者の血液中には，自己の細胞や組織成分と反応するさまざまな自己抗体が見いだされ，それぞれ特定の疾患や臨床病態と密接に関連する．自己抗体の産生は膠原病の発症機序とも深く関与していると考えられ，少なくとも一部の自己抗体はリウマチ性疾患・膠原病の病態形成にも重要な役割を果たしている．　　　　　　　　〔三森経世〕

■文献

Decker JL : American Rheumatism Association nomenclature and classification of arthritis and rheumatism (1983). *Arthritis Rheum*. 1983; **26**:1029-32.

Klemperer P, Pollack AD, et al: Diffuse collagen disease. Acute disseminated lupus erythematosus and diffuse scleroderma. *JAMA*. 1942; **119**:331-2.

Klemperer P: The concept of collagen diseases. *Am J Pathol*. 1950; **26**:505-19.

4）リウマチ性疾患と遺伝子異常・遺伝因子

(1) リウマチ性疾患の遺伝性と遺伝要因の分類

リウマチ性疾患とは，筋骨格系臓器・結合組織に異常をきたす疾患の総称であるが，炎症性・自己免疫性の病理を背景にした疾患を指して用いることもあるので，その内訳は，解剖学的・生理学的・病理学的に多岐にわたる．したがってリウマチ性疾患への遺伝子の関与も多様である．以下，リウマチ性疾患の遺伝要因について，いくつかの側面から分類して説明する．まず，関与遺伝子数で分けると，ほかの疾患群の遺伝因子の場合と同様に，単一遺伝性疾患と複合遺伝性疾患とに分類できる．また，関与遺伝子の特徴によって，結合組織の構造分子の異常による場合と，代謝や炎症・自己免疫反応などの現象に関する機能異常が，筋骨格系・結合組織をおもな場として起きる場合とに大別できる．さらに，まれな疾患か有病率の高い疾患かという観点でも大別できる（表12-1-4）．

(2) 単一遺伝子疾患

Marfan症候群やEhlers-Danlos症候群は，結合組織構成分子の異常を原因とする疾患であるが，浸透率が高く，家族集積性・遺伝形式の確認しやすい単一遺伝性疾患である[1,2]．これらの原因として構造分子遺伝子およびその関連遺伝子の変異が同定されている．また，代謝異常，炎症・免疫異常に起因してリウマチ性病態を呈する単一遺伝性疾患にも，原因遺伝子が特定されているものがある（表12-1-4）．これらの遺伝子は，蛋白質の構造異常をもたらしたり，分子機能に大きく影響するようなアミノ酸配列異常をもたらしたりするような変異であり，浸透率は高いが，集団中の存在率は低いという特徴がある．

(3) 複合遺伝性疾患

多くの単一遺伝子病の有病率はきわめて低いものが多いのに対し，複合遺伝性疾患のそれは比較的高い．リウマチ性疾患のなかで最も有病率の高い疾患の1つである関節リウマチでは，有病率が0.6％程度であると見積もられている．このような有病率が高い複合遺伝性疾患の場合には，集団中に数～数十％という高頻度で存在する遺伝子多型バリアント（コモンバリアント）や，それより低頻度のもの（レアバリアント）が集まって，遺伝的リスクを構成していると考えられている．個々の複合遺伝性疾患リスク多型を保有することで上昇する発病リスクは2倍にもはるかに届かないものが大部分であり，高いものでもせいぜい数倍程度である．このように，個々の遺伝子の相対リスクが高くないのは，リスクバリアントが，分子構造自体に影響するよりは，転写調節やスプライシングバリアント調節などに影響することで，その働きの強弱に影響を与えるからであり，また，バリアントがアミノ酸置換を伴う場合でも，その影響が比較的弱い分子機能変化をもたらすだけだからであると考えられている．

(4) 多数のリウマチ性疾患と関連のある主要組織適合抗原（HLA）領域

リウマチ性疾患のうち，炎症・免疫関連の疾患群の多くは，主要組織適合抗原（HLA）領域に最も強い遺伝因子を有し，その他に数多くの非HLA領域遺伝子が関与しているという構成となっていることがわかっている．HLA領域はゲノム上で最も多型性が高く，連鎖不平衡も高く，また，遺伝子密度が高い領域である．同領域には，HLA分子をコードする遺伝子群とともに，それ以外の免疫系諸分子を含む数多くの遺伝子が集中している．このHLA領域に認められた遺伝リスクは，HLA遺伝子自体に由来する場合もあれば，同領域にある非HLA遺伝子由来の場合もあり，いずれであるのか不明な場合も多いが，関節リウマチのHLA-DRB1遺伝子のように，バリアントが抗原認識性の違いをもたらし，その結果として疾患リスクに影響しているというようなリスクの分子機構のレベルで

表12-1-4 おもなリウマチ性疾患とその遺伝性関連事項による分類

有病率による分類	構造分子		代謝		炎症・免疫機能	
	まれ	高有病率	まれ	高有病率	まれ	高有病率
単一遺伝性疾患	Marfan症候群, Ehlers-Danlos症候群		症候性痛風, 家族性偽痛風		遺伝性血管浮腫, 自己免疫リンパ増殖症候群	
複合遺伝性疾患				痛風[7], 偽痛風		関節リウマチ, 全身性エリテマトーデス, Behçet病, 強直性脊椎炎および脊椎炎症候群, 川崎病[8], Sjögren症候群, 若年性関節リウマチ[9]

リウマチ性疾患を有病率，単一・複合遺伝子疾患，リスク遺伝子の機能タイプで分類し，その代表例を示す．

の解明が進みつつあるものもある．

(5) HLA領域外の遺伝子

　ヒトゲノム全体を対象にして複合遺伝性疾患に関係する遺伝子・遺伝子多型を同定する研究（ゲノムワイドアソシエーションスタディ，GWAS）が，関節リウマチ，全身性エリテマトーデス，Sjögren症候群，強直性脊椎炎，Behçet病を含む多くの疾患で実施され，重要な知見が蓄積している[3-10]．このGWASにより，HLA領域が疾患と関連することが確認されるとともに，自然免疫系・獲得免疫系に属する分子をコードする遺伝子を中心にさまざまな遺伝子がリウマチ性疾患に関連していることが判明してきている．こうして同定された関連遺伝子数は，疾患によって，数個のこともあれば，100をこえるものもある．これら，リウマチ性疾患の発病リスクバリアントを有する遺伝子の機能は炎症・免疫系の遺伝子を中心に多彩である．また，これらの遺伝因子には，特定のリウマチ性疾患に限定して影響するものもあるが，複数のリウマチ性疾患にまたがって影響するものも多く，さらには，非リウマチ系の炎症・自己免疫性疾患との共通遺伝子であるものも少なくない（図12-1-6）[11]．

(6) 遺伝子解析の臨床

　単一遺伝子疾患の臨床においては，遺伝カウンセリング，遺伝子診断が実施されている．一方，複合遺伝性疾患の場合は，臨床上の意義（発症予測，発症予防，診断，治療，再発防止）を理解したうえでの臨床応用を目指して，個々の遺伝子の分子機構の理解に加え，遺伝子どうしの相互作用，環境要因との相互作用に関

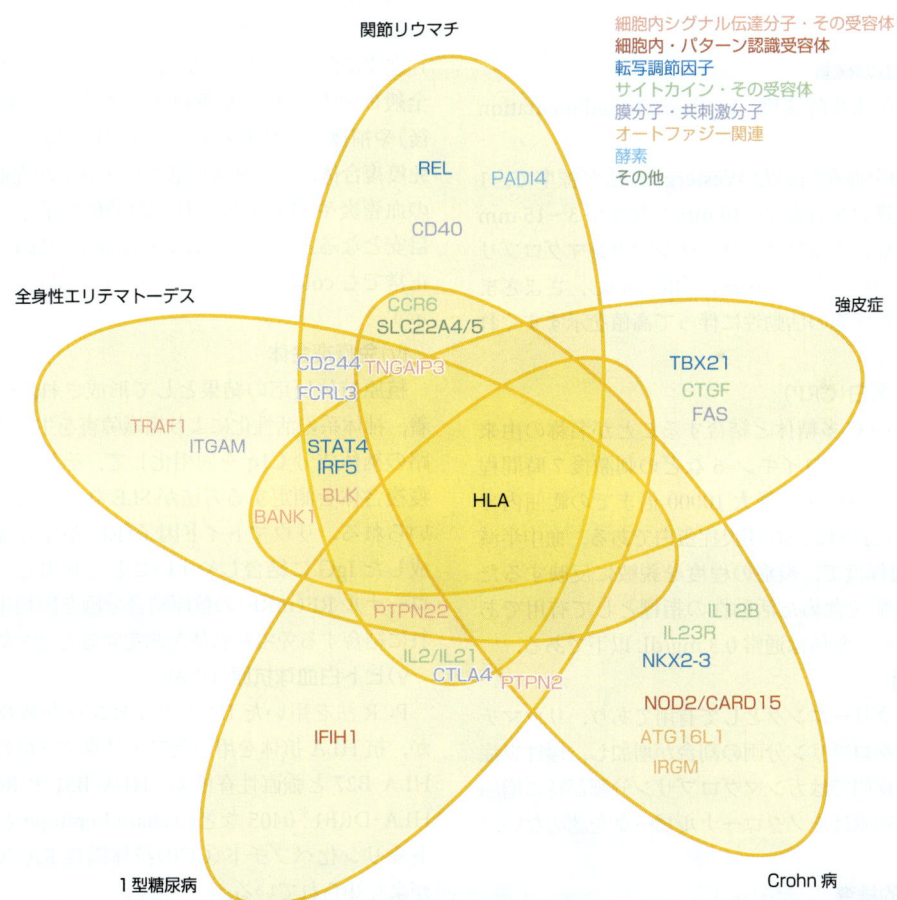

図12-1-6 疾患リスクバリアントをもつ遺伝子と疾患との包含関係
おもなリウマチ性疾患として関節リウマチ・全身性エリテマトーデス・強皮症を，非リウマチ性疾患であって炎症・自己免疫性の疾患としてCrohn病と1型糖尿病を例にとり，リスクバリアントを有する遺伝子が複数の疾患に共有されていたり，特定の疾患にのみ関連していたりする様子を示す．たとえば，HLAは5疾患すべてに関係している．CD244とFCRL3の2遺伝子は，関節リウマチと全身性エリテマトーデスの2疾患にかかわる．また，遺伝子略称（HGNCによる）は機能で色分けしてある．なお，ここに示す遺伝子と疾患との関係は，「複数の遺伝子と複数の疾患とが，相互にオーバーラップをもった関係にある」という概念の理解に資するための図であり，網羅的なものではなく，また，今後の研究の進展に伴って，変わる可能性が大いにあることに注意せよ．

する解明が急がれている． 〔山田 亮〕

■文献(e文献 12-1-4)

Clarke A, Vyse TJ: Genetics of rheumatic disease. *Arthritis Res Ther.* 2009; **11**: 248-56.
山本一彦, 高地雄太, 他：自己免疫疾患の遺伝子解析—ゲノム情報から機能解析へ．最新医学. 2013; **68**: 430-51.

5）リウマチ性疾患の臨床検査

リウマチ性疾患は炎症性疾患と（自己）免疫疾患の側面を有するため，臨床検査においても炎症の指標となる検査と免疫学的検査が重要である．関節リウマチ（RA）の新しい分類基準でも，スコアリングシステムにおいて10点満点中4点をこれらの臨床検査が占める．

(1) 炎症反応の検査

a. 赤沈（赤血球沈降速度，erythrocyte sedimentation rate：ESR）

EDTA加全血を用いたWestergren法が標準で，1時間値の基準は男性が2～10 mm，女性が3～15 mmである．炎症によるフィブリノゲンやガンマグロブリン分画の増加，貧血などを総合的に反映し，さまざまなリウマチ性疾患の活動性に伴って高値を示すすぐれた指標である．

b. C反応性蛋白（CRP）

肺炎球菌のC多糖体と結合することが名称の由来であり，インターロイキン-6などの刺激後7時間程度でおもに肝細胞より最大10000倍までの範囲内で産生される代表的な急性期炎症蛋白である．血中半減期も6時間程度で，炎症の程度を鋭敏に反映するため，急性炎症を含めた活動性の指標として有用である．日本での正常値は通常0.3 mg/dL以下である．

c. 蛋白分画

病態のスクリーニングとして有用であり，リウマチ性疾患ではグロブリン分画の割合が増加し，慢性炎症や自己免疫疾患ではガンマグロブリン分画が特に増加しやすい．通常はモノクローナルピークを認めない．

(2) 免疫学的検査

a. 免疫応答や機能に関する検査

i) 白血球分画とリンパ球サブセット

一般的に炎症性疾患では好中球優位の白血球増加がみられ，好酸球性多発血管炎性肉芽腫症などのアレルギー病態では好酸球増加がみられるが，全身性エリテマトーデス（SLE）やSjögren症候群では軽度の白血球減少とリンパ球減少がしばしばみられる．リンパ球減少は中等量以上の副腎皮質ステロイドやシクロホスファミドの投与などでも生じる．末梢血中リンパ球の70%前後はT細胞であり（CD4/CD8は1.5～2），B細胞が約15%を占め，リツキシマブの投与で末梢血B細胞はほぼ消失，シクロホスファミドの投与でも減少する．

ii) 免疫グロブリン（Ig）

リウマチ性疾患では，B細胞のポリクローナルな活性化に伴い，IgG（通常は900～1600 mg/dL程度）の増加がみられやすい．IgG4関連疾患ではIgG4サブクラスの増加，IgA血管炎（Henoch-Schönlein紫斑病）におけるIgAの増加，Behçet病や自己炎症症候群の一部におけるIgDの増加がそれぞれ認められる．IgGの低下がみられた場合には特に免疫不全に伴うリウマチ性病態を十分に鑑別する必要がある．

iii) 補体

多くのリウマチ性疾患では炎症に伴い補体の産生が亢進するため，CH_{50}（50%溶血を基準とした血清中の全般的補体活性，基準はおおむね30～45 U/mL前後）や補体成分であるC3, C4が増加する．しかし，免疫複合体による補体の活性化・分解が亢進する一部の血管炎やSLEではこれらが低値を示し，活動性の目安となる．クリオグロブリン血症ではC3とC4は正常でもcold activationによりCH_{50}は極端な低値を示す．

iv) 免疫複合体

抗原抗体反応の結果として形成され，組織への沈着，補体系の活性化により組織障害を生じる．古典経路の補体成分C1qを固相化して，それに結合する免疫複合体を測定する方法がSLEなどの臨床でよく用いられる．リウマトイド因子（RF）が免疫複合体を形成したIgGに結合しやすいことを利用して，モノクローナルRF（mRF）の抗原結合分画を固相化して，それに結合する免疫複合体を測定する方法もある．

v) ヒト白血球抗原（HLA）

PCR法を用いたDNAタイピングが普及しているが，抗HLA抗体を用いたフェノタイプ検査もある．HLA-B27と強直性脊椎炎，HLA-B51とBehçet病，HLA-DRB1*0405などのshared epitopeと抗環状シトルリン化ペプチド（CCP）抗体陽性RAなどの関連がよく知られている．

b. 自己抗体検査

i) RF

変性したIgGのFc部分に対するIgM型の自己抗体であり，IgG型の自己抗体の場合はIgG-RFと呼称する．通常は免疫比濁法で測定され，15 IU/mLをこえれば異常値（陽性）とする．RAの80%，Sjögren症候群の70%，その他の膠原病でも20～30%で陽性と

なり，疾患特異性は高くない．血清反応陰性関節炎（関節症）とは RF が陰性であることを意味する．

ii) 抗 CCP 抗体

RA 患者血清中にはシトルリン化されたさまざまな蛋白・ペプチドに対する自己抗体（ACPA）が検出され，シトルリン化ペプチドをジスルフィド結合で環状化した抗原を用いた抗 CCP 抗体第 2 世代キットでは，RA における感度は RF と同様で，早期 RA では 50% 程度にすぎないが，特異性は 90% 程度と良好である．また RA 患者が抗 CCP 抗体陽性の場合には，陰性例に比較して関節破壊が進行しやすく予後不良であることを示唆する．

iii) 抗核抗体（ANA）

HEp-2 細胞を基質とした間接蛍光抗体法による測定が標準的である．患者血清希釈倍数が 40 倍以上で検出されれば陽性と判定されるが，80 倍までは病的意義を認めないことも少なくない．染色パターンは細胞標本作成の条件下における対応抗原の局在に関連する重要な情報を提供し，染色パターンと臨床症状から特定の膠原病・リウマチ性疾患を疑って，次に行うべき疾患特異的抗核抗体（疾患標識抗体）の検査を選択する（表 12-1-5，e図 12-1-A）．

SLE では抗 2 本鎖(ds)-DNA 抗体をはじめとした多様な自己抗体を反映してさまざまな染色型が混在しやすい．抗 U1RNP 抗体は SLE，全身性硬化症（強皮症），混合性結合組織病などで陽性となるが，同じ U1RNP 分子の異なるエピトープなどに反応する抗 Sm 抗体は，抗 U1RNP 抗体陽性 SLE 患者の一部のみに認められる．抗 SS-A/Ro 抗体は本来抗細胞質抗体であるが，対応抗原の一部は核内にも存在し，同抗体は Sjögren 症候群の約 60% にみられるほか，SLE や RA 患者にも認められ，疾患特異性は低い．この抗 SS-A/Ro 抗体には新生児ループスの原因となる病原性抗体としての側面もある．一方，抗 SS-B/La 抗体は抗核抗体であり，抗 SS-A/Ro 抗体陽性 Sjögren 症候群患者の約半数において，比較的特異的に陽性となる．抗 DNA トポイソメラーゼ-I（Scl-70）抗体と抗 RNA ポリメラーゼ-III 抗体はびまん皮膚硬化型の全身性強皮症，抗セントロメア抗体は限局皮膚硬化型の全身性強皮症や Sjögren 症候群などで陽性となる．抗 Jo-1 抗体に代表される抗 tRNA 合成酵素抗体は多発性筋炎・皮膚筋炎や間質性肺炎患者にしばしば認められる．

iv) 抗好中球細胞質抗体（ANCA）

ANCA は好中球を基質とした間接蛍光抗体法によって，半月体形成性糸球体腎炎などを呈する細小血管炎の患者に認められ，染色パターンから細胞質型（C-ANCA）と核周囲型（P-ANCA）に分類された．前者の対応抗原はおもにプロテイナーゼ 3（PR3），後者の対応抗原はさまざまあるが特にミエロペルオキシダーゼ（MPO）であることが判明し，現在は PR3-ANCA と MPO-ANCA の酵素免疫抗体法による測定の方が普及している．前者は多発血管炎性肉芽腫症（Wegener 肉芽腫症），後者は顕微鏡的多発血管炎の診断に有用である．

v) 抗リン脂質抗体

抗リン脂質抗体症候群（APS）の診断に必須，SLE の診断補助ともなる．APS は主として若年女性に脳梗塞や深部静脈血栓症など動静脈に血栓症を生じうる特異な疾患である．抗リン脂質抗体の測定には抗カルジオリピン抗体，β_2グリコプロテイン I（β_2GP I）依存性抗カルジオリピン抗体，ループスアンチコアグラントがあり，後 2 者に比較して β_2GP I 依存性のない抗カルジオリピン抗体の臨床意義は少ない．ループスアンチコアグラントは APTT を延長させる免疫グロブリンの総称であり，なかでもホスファチジルセリン依存性抗プロトロンビン抗体が特に重要な因子である．

〔亀田秀人〕

表 12-1-5 間接蛍光抗体法による抗核抗体（抗細胞質抗体も含む）の染色パターン

染色パターン	対応抗原	関連疾患
辺縁型	ds-DNA	SLE
均質型	ヒストン	SLE
斑紋型	U1RNP, Sm, DNA トポイソメラーゼ-I, SS-B/La	SLE, 全身性強皮症, Sjögren 症候群
核小体型	RNA ポリメラーゼ III	全身性強皮症
散在斑紋型	セントロメア	全身性強皮症, Sjögren 症候群
細胞質型	SS-A/Ro, tRNA 合成酵素	Sjögren 症候群, 筋炎

たとえば Raynaud 現象を主訴に来院した患者の抗核抗体が斑紋型であれば，ほかの臨床症状や検査異常を勘案して SLE を疑ったらまず抗(U1)RNP 抗体（陽性なら次に抗 Sm 抗体），強皮症を疑ったら抗 RNP 抗体と抗 DNA トポイソメラーゼ-I（Scl-70）抗体を測定する．

6）リウマチ性疾患の薬物療法

(1) 薬物療法の基本

多くのリウマチ性疾患は慢性に経過する全身性炎症性疾患で，おもな病変は関節や諸臓器の炎症とそれに伴う組織障害であり，その背景には免疫異常が存在する．いまだにほとんどの病因は不明であり，原因療法は開発されていない．そのため，リウマチ性疾患の薬物療法の目的は，免疫異常および慢性炎症の制御，組織障害進行の抑制，およびそれらに伴う慢性疼痛の管理にある．これらには疾患ごとにガイドラインや推奨が提唱されているが，必ずしもエビデンスが十分ではないものもある．

免疫異常と慢性炎症制御のために副腎皮質ステロイド（GC）が使われる．加えて，種々の免疫抑制薬が用いられている．一方，関節リウマチ（rheumatoid arthritis：RA）を対象疾患として，関節炎の緩和と関節破壊進行の抑制を期待して使用される薬物群は疾患修飾性抗リウマチ薬（disease modifying anti-rheumatic drugs：DMARDs）または抗リウマチ薬に分類される．また，全身性エリテマトーデスの皮膚症状改善を目的にヒドロキシクロロキン，さらに諸疾患における慢性疼痛緩和を目的にアセトアミノフェン，非ステロイド系抗炎症薬（nonsteroidal anti-inflammatory drugs：NSAIDs），オピオイドなど，さまざまな機序の症状改善薬，鎮痛薬，および鎮痛補助薬が用いられている．

(2) 副腎皮質ステロイド（グルココルチコイド：GC）

Henchら[1]が1948年に世界ではじめてGCを臨床使用したのはRA患者であったが，1949年には全身性エリテマトーデス患者にも使われ，その後はリウマチ性疾患の中心的な治療薬となった．GCの生理作用は多様だが，リウマチ性疾患に使用されるときには主として抗炎症作用と免疫抑制作用を利用している．

a. 作用機序[2]

GCは拡散で標的細胞内に入ると，細胞質のGC受容体（GC receptor：GR）と結合する．GRは熱ショック蛋白などと結合しているが，それが解離して活性化されたGC-GR複合体が核内に移行する．GC-GR複合体は二量体でゲノムDNAのGC応答性配列に結合し，関連遺伝子の転写を調節する．多くの生理作用はこの機序で説明されているが，GCに誘導されるアネキシンIなどを介する抗炎症機序だけではGCの強力な抗炎症作用には不十分と考えられている．その他の機序としては，炎症刺激により活性化する転写因子に対してGC-GR複合体が直接干渉し，サイトカインなどの転写を抑制する機序や，免疫担当細胞のアポトーシス誘導作用が報告されている．

b. 有効性

GCの効果は用量によって異なり，抗炎症効果は低用量（プレドニゾロン換算で0.3 mg/kg・日以下）から発揮されるが，免疫抑制作用や組織保護作用は一般に高用量（同0.5～1 mg/kg・日）を必要とする．

プレドニゾロン換算5～10 mg/日のGCには，RA患者の関節炎を改善するとともに関節破壊抑制効果が証明されている[3]．一方，一部のリウマチ性疾患では臓器障害に対して高用量GCが使われている．なお，GCの症状改善効果は明らかだが，長期予後改善効果のエビデンスは必ずしも十分ではない[4]．

c. 副作用

GCの副作用は表12-1-6[5]のようにきわめて多様であり，重症化して死に至るものも少なくない．いずれも用量依存性であるため，GC使用により症状が改善したら，可能な範囲で漸減・中止を目標とする．一

表12-1-6 副腎皮質ステロイドの副作用（浦部晶夫，島田和幸，川合眞一編：今日の治療薬2016，p252，南江堂，2016より引用，一部改変）

- **特に注意すべき副作用（高頻度かつ重症化）**
  - 感染症（全身性および局所）の誘発・増悪
  - 骨粗鬆症・骨折，幼児・小児の発育抑制，骨頭無菌性壊死
  - 動脈硬化性病変（心筋梗塞，脳梗塞，動脈瘤，血栓症）
  - 副腎不全，ステロイド離脱症候群
  - 消化管障害（食道・胃・腸管からの出血，潰瘍，穿孔，閉塞）
  - 糖尿病の誘発・増悪
  - 精神神経障害（精神変調，うつ状態，痙攣）
- **ほかの注意すべき副作用**
  - 生ワクチン*による発症
  - 不活化ワクチンの効果減弱
  - 白内障，緑内障，視力障害，失明
  - 中心性漿液性網脈絡膜症，多発性後極部網膜色素上皮症
  - 高血圧，浮腫，うっ血性心不全，不整脈，循環性虚脱
  - 脂質異常症
  - 低カリウム血症
  - 尿路結石，尿中カルシウム排泄増加
  - ミオパチー，腱断裂，ムチランス関節症
  - 膵炎，肝機能障害
- **高頻度の軽症副作用**
  - 異常脂肪沈着（中心性肥満，満月様顔貌，野牛肩，眼球突出）
  - 痤瘡，多毛，皮膚線条，皮膚萎縮，皮下出血，発汗異常
  - 月経異常（周期異常，無月経，過多・過少月経）
  - 白血球増加
- **まれな報告例・因果関係不詳の副作用**
  - アナフィラキシー様反応，過敏症
  - Kaposi肉腫
  - 気管支喘息，喘息発作
  - ショック，心破裂，心停止
  - 頭蓋内圧亢進，硬膜外脂肪腫

＊：麻疹・風疹・水痘・ムンプス・ロタ・BCG．

部のリウマチ性疾患では低用量GCの維持療法が再燃予防を目的に行われているが，その場合でも可能なかぎり低用量を目指すべきである．なお，感染症については以下に詳述した．

(3) 免疫抑制薬

広義の免疫抑制薬を表12-1-7に分類した．大別すると低分子の狭義の免疫抑制薬と生物学的製剤がある．なお，生物学的製剤を含む一部の免疫抑制薬は，わが国では抗リウマチ薬としてのみ承認されている．

a. 作用機序

いずれもリウマチ性疾患の免疫異常を是正するが，その作用機序は表12-1-7のように異なっている．代謝拮抗薬とアルキル化薬は，おのおの核酸の代謝と複製を阻害して免疫関連細胞の分化および増殖を抑制する．一方，カルシニューリン阻害薬は免疫関連細胞の特異的受容体に結合してカルシニューリンを阻害する[6]．また，ヤヌスキナーゼ阻害薬はサイトカイン受容体のシグナルを伝えるリン酸化酵素のヤヌスキナーゼを阻害する[7]．生物学的製剤は特定のサイトカインまたは細胞表面抗原などを標的分子として作用する．

b. 有効性

RAを除くと免疫抑制薬のエビデンスは十分ではない．たとえばループス腎炎に対しては，寛解導入療法としてGC療法に併用したシクロホスファミドまたはミコフェノール酸モフェチルの有効性と，維持療法としていくつかの免疫抑制薬の有効性が示唆されている[8]．表12-1-8には，わが国で承認されているおもな免疫抑制薬の適応症を示した．これらの積極的な併用によりGCの減量が可能となり，GCの副作用軽減に役立っている．

c. 副作用

一般細菌，真菌，ウイルスなどすべての感染症は共通の副作用である．最近B型肝炎既感染者における再活性化による劇症肝炎が注目されている．GCや広義の免疫抑制薬使用による免疫抑制療法においては，結核(胸部X線写真とツベルクリン反応またはヒト型結核菌に特異的なインターフェロン-γ遊離試験)，B型肝炎(HBs抗原，HBs抗体，HBc抗体)，C型肝炎(HCV抗体)などの潜在感染症のスクリーニングが必須である．また，免疫抑制療法中の弱毒生ワクチン(麻疹，風疹，水痘，ムンプス，ロタおよびBCG)の接種は発症リスクがあり禁忌である．

表12-1-9には免疫抑制薬の特徴的な副作用をまとめた．代謝拮抗薬とアルキル化薬については核酸合成阻害作用を有するため，骨髄抑制が起こることがある．一方，カルシニューリン阻害薬は免疫担当細胞の機能を抑制することから骨髄抑制はみられないが，腎障害，高血圧，糖代謝異常などの特徴的な副作用がある．

表12-1-7 おもな免疫抑制薬(広義)の分類

- **低分子薬**
  - ・代謝拮抗薬
  - 1) プリン拮抗薬：アザチオプリン，ミゾリビン，ミコフェノール酸モフェチル
  - 2) ピリミジン拮抗薬：レフルノミド
  - 3) 葉酸拮抗薬：メトトレキサート
  - ・アルキル化薬：シクロホスファミド
  - ・細胞増殖シグナル阻害薬：エベロリムス
  - ・カルシニューリン阻害薬：シクロスポリン，タクロリムス
  - ・ヤヌスキナーゼ阻害薬：トファシチニブ
- **生物学的製剤**
  - ・サイトカイン阻害薬：インフリキシマブ，エタネルセプト，アダリムマブ，ゴリムマブ，セルトリズマブペゴル，トシリズマブ
  - ・細胞標的薬：リツキシマブ，サイモグロブリン，アバタセプト，ムロモナブ-CD3，バシリキシマブ(a-CD25MAb)

下線は臓器移植のみに適応，赤字は関節リウマチに適応．

表12-1-8 おもな免疫抑制薬のリウマチ性疾患における適応症

	AZ	CY	MTX	MMF	MZ	CA	TA
全身性エリテマトーデス	○*	◎*	△	◎*	△*	△	○*
全身性強皮症	△*	○*	△			△	△
多発性筋炎・皮膚筋炎	○*	△*	○			○	○
結節性多発動脈炎	○*	◎*	△				
ANCA関連血管炎	○*	◎*	△				
Behçet病	△	△	△			◎*	
関節リウマチ	△	△	◎*		△*	△	◎*

AZ：アザチオプリン，CY：シクロホスファミド，MTX：メトトレキサート，MMF：ミコフェノール酸モフェチル，MZ：ミゾリビン，CA：シクロスポリン，TA：タクロリムス．
◎：良好な適応，○：適応，△：一部適応，＊：保険適用．

表12-1-9 免疫抑制薬のおもな副作用

1. すべての免疫抑制薬に共通
- 種々の感染症（弱毒生ワクチンは禁忌）

2. 代謝拮抗・アルキル化薬（共通）
- 骨髄抑制（貧血，白血球減少，血小板減少）
- 間質性肺炎・肺線維症
- 脱毛・皮膚粘膜障害
- 悪性腫瘍（特に悪性リンパ腫など）（特にシクロホスファミド）

3. 代謝拮抗・アルキル化薬（個別）
- シクロホスファミド：出血性膀胱炎，性腺機能不全，消化管出血，心筋障害
- アザチオプリン：肝障害
- ミゾリビン：腎障害，肝障害
- メトトレキサート：肝障害，間質性肺炎，消化管症状
- ミコフェノール酸モフェチル：下痢，消化管出血，精神症状

4. カルシニューリン阻害薬
- 腎障害，高血圧，糖尿病，高カリウム血症，振戦，消化管症状，多毛

5. ヤヌスキナーゼ阻害薬
- 血球減少，貧血，脂質異常症，血清CK増加，肝障害，悪性腫瘍，消化管穿孔

（4）抗リウマチ薬

抗リウマチ薬は，免疫抑制機序の有無にかかわらずRAに対して一定の有効性を示す薬物群で，表12-1-10のように免疫調節薬，免疫抑制薬および生物学的製剤に分類される．

a. 作用機序

免役調節薬は臨床的にRAに有効ではあるが，作用機序は十分には明らかとなっていない．これに対して免疫抑制薬の作用機序は前述のとおりである．なお，生物学的製剤の標的分子は腫瘍壊死因子-α，インターロイキン-6受容体，またはTリンパ球表面抗原のCD80/CD86であり，それぞれの機序で関節炎および免疫反応を軽減する．

b. 有効性

抗リウマチ薬には関節炎の改善効果が認められる．また，推奨度「強」の抗リウマチ薬，およびレフルノミドとトファシチニブには明らかな関節破壊進行抑制効果が認められる[9]．これらの抗リウマチ薬による積極的な治療により寛解または可能なかぎりの低疾患活動性を維持することがRA治療の目標であり，その結果，RA患者の長期予後も改善する．中でもメトトレキサートは単独投与のみならずほかの抗リウマチ薬との併用療法においても有用であり，RA治療のアンカ

表12-1-10 おもな抗リウマチ薬の分類と特徴

一般名	特徴	推奨度*
1. 免疫調節薬		
1）金チオリンゴ酸ナトリウム	注射金製剤，効果発現までに1～3カ月以上を要する	弱
2）ブシラミン	ペニシラミン同様のSH基	弱
3）サラゾスルファピリジン	5-アミノサリチル酸とサルファ剤のアゾ結合体	強
4）イグラチモド	肝障害を避けるために低用量で開始して漸増	弱
2. 免疫抑制薬		
1）メトトレキサート（MTX）	世界的な標準薬，週1～2日で投与し5～6日の休薬が必須	強
2）レフルノミド	活性代謝物の半減期は2～3週間と長い	弱
3）タクロリムス	臓器移植時の免疫抑制薬として世界的標準薬	弱
4）トファシチニブ	強力だが現状では安全性情報不十分	－
3. 生物学的製剤		
1）インフリキシマブ [a]	マウス蛋白を25％含むキメラ型抗TNF-α MAb，MTX併用必須	強
2）エタネルセプト [b]	TNF-α 受容体とIgGのFc分子との融合製剤	強
3）アダリムマブ [b]	完全ヒト型抗TNF-α MAb製剤	強
4）トシリズマブ [ab]	ヒト化抗インターロイキン-6受容体MAb製剤	強
5）アバタセプト [ab]	細胞障害性Tリンパ球抗原-4とIgGのFc分子との融合製剤	強
6）ゴリムマブ [b]	完全ヒト型抗TNF-α MAb製剤	強
7）セルトリズマブペゴル [b]	抗TNF-α 抗体Fab分子のポリエチレングリコール製剤	強

TNF-α：腫瘍壊死因子-α，MAb：モノクローナル抗体．
*：日本リウマチ学会：関節リウマチ診療ガイドライン2014記載の推奨度（－は推奨度未記載）．
a：静注製剤，後続品も承認された．b：皮下注製剤，ab：静注および皮下注製剤．

ードラッグとされている．なお，一般に抗リウマチ薬の併用により有効性は増すが，生物学的製剤どうしの併用は感染症増加のため禁忌とされている．

c. 副作用

免疫調節薬と免疫抑制薬の副作用は，種類によって頻度の差こそあるものの，間質性肺炎，腎障害，肝障害などの臓器障害に注意が必要である．一方，生物学的製剤ではこれらの副作用は少ないが，感染症は増加する．

(5) 鎮痛薬（非ステロイド系抗炎症薬（NSAIDs）を含む）

リウマチ性疾患には筋骨格系の疼痛を伴うものが多い．そうした慢性疼痛にはアセトアミノフェン，NSAIDs，オピオイド，神経障害性疼痛緩和薬，および鎮痛補助薬など多様な鎮痛薬が使われている[5,10]．

a. 作用機序

アセトアミノフェンは中枢性の鎮痛作用があるとされている．NSAIDs はシクロオキシゲナーゼの阻害を介したプロスタグランジン産生抑制により効果を発揮する．オピオイドはオピオイド受容体を介して神経伝達物質の遊離や神経細胞の興奮性を低下させる．神経障害性疼痛緩和薬は末梢神経の神経伝達物質の放出を妨げることにより作用する．さらに抗痙攣薬や抗うつ薬などには鎮痛補助作用が知られている．

b. 有効性

慢性疼痛に対する鎮痛薬は，有効性は低いが安全性が高いアセトアミノフェンか NSAIDs 貼付薬が第一選択薬である．それらが不十分な場合は，NSAIDs 内服薬か非麻薬性オピオイド（トラマドール）が使われるが，ときに麻薬性オピオイドが選択されることもある．さらに，症例によっては神経障害性疼痛緩和薬や鎮痛補助薬が有効である．

c. 副作用

それぞれの薬物群の副作用と使用上の注意を表 12-1-11 にまとめた．副作用は互いに異なっており，それぞれの薬物群の副作用を十分に理解して使い分ける必要がある．

〔川合眞一〕

■文献

日本リウマチ学会・日本リウマチ財団編：リウマチ病学テキスト改訂第2版，診断と治療社，2016．

日本リウマチ学会編：関節リウマチ診療ガイドライン 2014，メディカルレビュー社，2014．

日本リウマチ学会編：関節リウマチ治療におけるメトトレキサート（MTX）診療ガイドライン 2011 年版，羊土社，2011．

Rhen T, Cidlowski JA: Antiinflammatory action of glucocorticoids—new mechanisms for old drugs. *N Engl J Med.* 2005; 353: 1711-23.

表 12-1-11 おもな鎮痛薬の副作用と使用上の注意

アセトアミノフェン：
- 高用量で肝障害（ときに肝不全）
- 2 g/日以上の投与に NSAIDs 併用で消化管障害
- 妊婦とアスピリン喘息でも一般的には安全だが，高用量はリスクあり
- 薬局での市販薬（OTC）も多く，過量投与には特に注意

非ステロイド系抗炎症薬（NSAIDs）：
- 消化管障害は重症化することがあり，特に注意
- 腎障害，浮腫，高血圧も少なくない
- 心血管系障害（選択的 COX-2 阻害薬含むすべての NSAIDs）
- 出血傾向，アスピリン喘息の誘発
- 妊娠後期には胎児の動脈管閉塞による胎児死亡

オピオイド：
- 傾眠，めまい，頭痛，悪心，嘔吐，便秘，食欲不振
- 依存症，嗜癖，過量投与で呼吸抑制
- 妊婦投与により新生児に離脱症状の可能性

神経障害性疼痛緩和薬（プレガバリン）：
- めまい，平衡障害，運動失調，転倒
- 体重増加，便秘，悪心，嘔吐，傾眠，頭痛，視力障害

7）リウマチ性疾患と生物学的製剤

(1) リウマチ性疾患における生物学的製剤の位置づけ

膠原病・リウマチ性疾患は，慢性に経過するとともに患者の QOL を著しく損なう予後不良な疾患である．治療は長らくステロイド薬を含めた対症的治療が中心であったが，近年，病態に重要な役割を果たすサイトカインや細胞分子が積極的に探索され，それを標的とした生物製剤が開発された．現在複数の生物学的製剤が，関節リウマチ（rheumatoid arthritis：RA）のみならず，脊椎関節炎，炎症性腸疾患，血管炎症候群，尋常性乾癬などさまざまな疾患に対して多数の大規模臨床試験で有効性が証明され，承認されている．以下，生物学的製剤の概要について解説する．

(2) 生物学的製剤とは

生物学的製剤とは，表 12-1-12 に示すように，生物から産生される抗体などの蛋白質を利用して作製された薬剤で，標的とする分子と特異的に反応するよう

表 12-1-12 生物学的製剤とは

- 生物から産生される物質を利用した薬剤
- 自然界にある抗体などの蛋白質
- 化学的に合成された薬剤ではない
- 標的分子と特異的に結合し活性を抑制
- バイオ医薬品ともよばれる

にデザインされたものである(Rader, 2008).作製過程ではバイオテクノロジー技術が駆使されており,バイオ医薬品ともよばれている.経口無機化合物が,代謝経路である肝臓・腎蔵に対して副作用を生じやすいのに対して,生物学的製剤そのものによる臓器障害は少ないとされる.標的分子のみの活性を抑制することができることも利点である.その構造は,抗体製剤と受容体関連製剤に大別される(図12-1-7).抗体製剤は,標的分子をマウスに免疫して産生させたモノクローナル抗体をもととし,マウス成分を減少させることで安全性を高める工夫がされ,キメラ型,ヒト化,完全ヒト型に分類される.モノクローナル抗体の抗原結合部位のみを残してほかをヒト由来にしたマウス-ヒトのキメラ抗体,抗原結合部位のなかでも結合にかかわる超可変部位のみを残してほかをヒト由来にしたヒト化抗体は,マウス蛋白をそれぞれ約25%,約10%程度含み,完全ヒト抗体製剤はマウス部分を含まない.さらに最近では,ヒト抗体遺伝子から得られた完全ヒト型,ヒト化抗体フラグメントにポリエチレングリコール(PEG)を付加させたPEG化製剤など,さまざまな工夫がこらされている.一方,受容体製剤は,標的とする分子の受容体や表面分子と免疫グロブリンFc部位を結合させたIgFc融合蛋白である.

(3)生物学的製剤の種類と作用機序

炎症性疾患で承認されている生物学的製剤は,病態に重要な役割を果たす特定の炎症性サイトカインや細胞分子を標的とする分子標的薬で,現在tumor necrosis factor(TNF)阻害薬,インターロイキン(IL)-6阻害薬,IL-12/23阻害薬,T細胞共刺激分子阻害薬,B細胞阻害薬として9種類の薬剤がさまざまな疾患で承認されている(表12-1-13).炎症性サイトカインであるTNF,IL-6,IL-12/23に対する製剤は,標的であるサイトカイン活性を阻害するが,さらに膜結合型サイトカインとして存在するTNF-αでは,補体依存性細胞傷害や抗体依存性細胞傷害の機序,アポトーシス誘導などによって直接的にサイトカイン産生を抑制する作用も報告されている.細胞表面分子を標的とする製剤としては,T細胞,B細胞に対して開発されており,それぞれT細胞上のCD28分子からの副刺激経路を阻害しT細胞活性化を抑制する作用,B細胞表面上に発現されたCD20に結合してB細胞を除去する作用によって,有効性を発揮する.

(4)生物学的製剤の有効性・安全性

生物学的製剤の有効性は,標的となる分子が,対象疾患においてどのような病態で,どの程度重要な役割を果たしているかに依存する.また製剤として,標的分子活性の中和可能な程度,中和活性の持続時間,病変局所への移行性,抗製剤抗体を惹起する免疫原性などによっても規定される.たとえばRAにおいては,TNF阻害,IL-6阻害によって疾患活動性がコントロールされるが,ほかの低分子抗リウマチ薬と比較して疾患活動性低下度以上の関節破壊抑制効果があることがわかっている.また,マウス部分が多く残存する薬剤は抗製剤抗体を惹起しやすく,二次無効が多いなどの特徴も指摘される(Takeuchiら,2010).

一方,安全性は,標的分子の生理学的役割を阻害することに関連するもの,抗製剤抗体などの蛋白質製剤に対する生体反応に関連するもの,標的活性を抑制することによって二次的に惹起される現象,などに分けて考えることができる.TNFやIL-6などの炎症性サイトカインは,本来生態防御にかかわる分子であり,それを阻害する生物学的製剤で,有害事象として感染

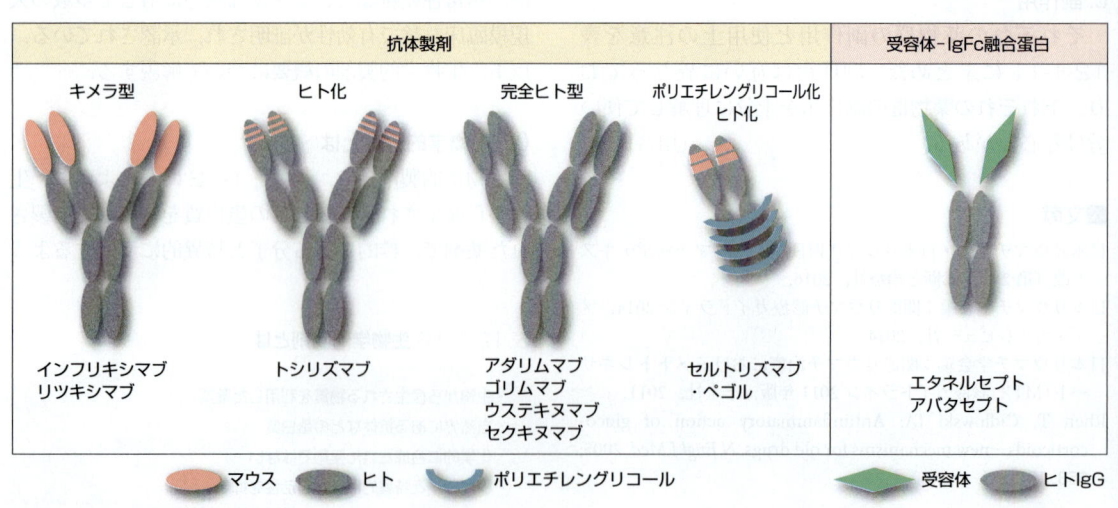

図12-1-7 生物学的製剤の構造

表 12-1-13 現在使用可能な生物学的製剤とそのおもな適応

標的	サイトカイン・サイトカイン受容体								細胞表面機能分子	
	TNF					IL-6	IL-12/23	IL-17	T細胞共刺激分子	B細胞
構造	キメラ型抗TNFモノクローナル抗体	ヒト型抗TNFモノクローナル抗体	ヒト型抗TNFモノクローナル抗体	PEG化ヒト化抗TNFモノクローナル抗体	TNF受容体-Fc融合蛋白	ヒト化抗IL-6受容体抗体	ヒト型抗IL-12/23p40抗体	ヒト型ヒトIL-17Aモノクローナル抗体	CTLA4-Fc融合蛋白	キメラ型抗ヒトCD20抗体
一般名	インフリキシマブ	アダリムマブ	ゴリムマブ	セルトリズマブ・ペゴル	エタネルセプト	トシリズマブ	ウステキヌマブ	セクキヌマブ	アバタセプト	リツキシマブ
投与経路	点滴	皮下注射	皮下注射	皮下注射	皮下注射	点滴,皮下注射	皮下注射	皮下注射	点滴,皮下注射	点滴
関節リウマチ	○	○	○	○	○	○			○	
尋常性乾癬	○	○					○	○		
炎症性腸疾患(一部)	○	○								
血管炎症候群(一部)										○

症が問題となるのは具体例である.

(5)今後の展望

リウマチ性疾患領域においては,多数の生物学的製剤が開発途中にあり,標的もGM-CSF,BAFF,IL-17など多種にわたり,作製過程もマウスではなくラクダ類に産生させることによるナノ製剤など,さらなる工夫がなされている(Semeranoら,2016).また,IL-17阻害はRAに対しては不十分だが乾癬には奏効するなど,生物学的製剤開発途中での試験結果から,リウマチ性疾患に対する新たな病態解明に対する理解が得られつつある.

生物学的製剤はリウマチ性疾患において画期的な効果をあげているが,解決すべき問題点もある.製剤の安定性,長い点滴時間,高い薬価,効果不十分例の存在や,多くはないが重篤な副作用をきたすこともあげられる.有効例の予測,予後不良因子の解明が可能となれば,より効率のよい投与計画が可能となる.また,有効例における生物学的製剤の減量・中止が可能かなどの課題もあり,これらを予測し,個々に適した生物学的製剤の使用法が検討されている.

〔金子祐子・竹内 勤〕

■文献

Rader RA: (Re) defining biopharmaceutical. Nat Biotechnol. 2008; 26: 743-51.

Semerano L, Minichiello E, et al: Novel immunotherapeutic avenues for rheumatoid arthritis. Trends Mol Med. 2016; 22: 214-29.

Takeuchi T, Kameda H: The Japanese experience with biologic therapies for rheumatoid arthritis. Nat Rev Rheumatol. 2010; 6: 644-52.

8)関節リウマチの手術療法

(1)治療における位置づけ(日本リウマチ学会,2014)

関節リウマチ(rheumatoid arthritis:RA)の本態は全身性の炎症性疾患である.外科的治療は関節障害予防や関節機能回復を目的として行われるが,生物学的製剤の導入によりその対象と目的は大きく変化した.RA患者に起こる関節障害は多発性である.これにより単一関節の障害よりはるかに複雑な機能障害を生じる.関節機能には①支持性,②運動性,③無痛性が求められる.したがって,関節の障害は疼痛,変形,不安定性,可動制限を招来する.外科的治療目標は無痛性の獲得と可動性と安定性の再建によって,日常生活動作(ADL)の改善と生活の質向上をはかることである.これら3つの条件をすべて満たす関節機能の回復はしばしば困難であるために,外科的機能回復時には対象関節に応じて回復をはかる機能に優先順位をつけるのが一般的である[1].一方,RAは多関節障害なので,一関節の機能回復では十分なADL回復が得ら

れない場合もあることに留意する必要がある．消耗性疾患であるRAの特性，免疫抑制作用のある治療薬使用などの理由により術後感染症，創傷治癒不全が起こりやすいため[1,2]，術前の十分なリスク評価と説明が必要である．

(2) 手術治療時期の選択

手術時期の決定では①薬物療法が十分行われ，RA活動性が可能なかぎり低下していること，②患者自身が，手術の目的，限界を理解し治療に対する積極性をもつこと，③全身および局所に細菌感染症がないこと（特に人工関節置換術では重要），④関節破壊が進行しすぎていないこと（高度障害例では手術成績，術後リハビリテーションで問題が起こりやすい），⑤内科合併症（貧血，糖尿病，心血管，肺，腎，肝障害など）の十分な治療がされていること，などがあげられる．手術時には薬物療法の中断が必要とされるが，術後に再開が必要となる[3]．薬物治療の成否が手術成績を含めた予後に大きく関与する[4]．関節単純X線所見は臨床経過の観察に汎用され，関節破壊程度の判定は手術時期や術式決定に有用である．Larsen grade によるX線所見の評価法が一般的である（表12-1-14）．

(3) 上肢障害に対する手術治療（日本リウマチ学会生涯教育委員会，2015）

a. 治療目標

上肢機能は，①肩・肘関節による手を届かせるリーチ機能，②手による物をつかんだりする把持・巧緻運動機能と，③前腕の回内外動作による方向調節機能に分けられる．上肢手術による機能回復は下肢関節の機能再建による自立歩行や車椅子移動が可能になってから行われることが多い．ADL障害となっている部位（肩，肘，手関節，指）と，その原因（疼痛，筋力低下，可動域制限，変形）を評価する．肩，肘関節については無痛性と可動域の獲得が，手・手指関節では把持，巧緻動作の獲得が重要である．

b. 上肢関節における関節再建

十分な薬物療法にもかかわらず，滑膜炎が続き疼痛と腫脹が持続し，X線所見で関節破壊が軽度な場合は滑膜切除術が適応となる．しかし，生物学的製剤使用などの薬物療法の変化により滑膜切除術症例は激減している．伸筋腱，まれには屈筋腱の皮下断裂や絞扼性神経障害では不可逆的障害が起こるので，腱再建術や神経除圧術が早期に適応となる．

1) 肩関節：肩関節の手術治療は疼痛に対する処置として行われることが多い．鏡視下滑膜切除，または直視下滑膜切除が選択される．解剖学的な特徴から滑膜をすべて切除することは困難である．早期症例では除痛効果にすぐれ，短期成績は良好とされるが[5]，疾患活動性の高い症例では効果は一過性にとどまる．進行例では人工肩関節置換術が行われる．除痛効果は高いが，関節可動域，長期の耐用性に問題が残る[6]．腱板組織の状態により使用される人工関節が異なる[7]．適応症例を限って行われている．

2) 肘関節：肘関節屈曲は摂食動作などに必要で，可動域制限が明らかとなれば外科的治療の対象となる．早期例で明らかな増殖性滑膜炎を認める症例は滑膜切除の適応である[8]．現在は鏡視下滑膜切除が一般的である．術後成績は早期例では比較的良好で5年経過後に半数以上の症例で除痛効果が得られる．進行例には人工肘関節置換術が適応となる[9]．関節の破壊状態によって人工関節種類を選択することによりかなり高度な破壊にまで対応できる[10]．長期成績の改善もみられ，安定した術後成績が期待できる．

3) 手関節（e図12-1-B）：手関節の疼痛は把持力に直接関係する．疼痛による障害が起こりやすい関節である．滑膜切除は遠位橈尺関節の関節形成術（Sauve-Kapandji (SK) 法など）と組み合わせて行われることが多い．特に尺骨遠位端背側亜脱臼症例では橈尺関節不安定性が疼痛の原因となることが多く，SK法は有効である．滑膜切除は手関節固定術（部分固定を含む）と組み合わせることで関節破壊が進行した症例でも確実な効果が期待できる[11]．手関節に対する人工関節置換術は試作段階にとどまる．

4) 指関節：関節破壊が軽微な症例では滑膜切除が行われるが，評価は定まっていない．母指MP関節またはIP関節のLarsen grade IV以上の関節症進行例では固定術は症例により効果が期待できる．特にIP関

表12-1-14 Larsenによるgrade分類（Larsen A, et al: 1977 より抜粋，改変）

grade	
grade 0	正常．変化はあっても関節炎とは関係ないもの．
grade I	軽度の異常．関節周囲の軟部腫脹，関節周囲のosteoporosis，軽度の関節裂隙狭小化のうち1つ以上が存在する．
grade II	初期変化．骨びらんと関節裂隙狭小化．骨びらん（1個ないし数個）は非荷重関節では必須．
grade III	中等度の破壊．骨びらんと関節裂隙消失．目立った骨びらんは荷重関節では必須．
grade IV	高度の破壊．著しい骨びらんと関節裂隙消失．軟骨下骨の著しい不整．
grade V	ムチランス変形．もとの骨の輪郭は破壊されている．

参照とするために関節ごとに各gradeのstandard filmが発表されている．

節高度変形では固定術は簡便かつ有効である．インプラントによる関節形成術は母指MP関節をはじめとしてすべての指MP関節の高度破壊症例（Larsen grade IV以上）に適応がある[12]．短期成績は除痛と変形矯正にすぐれるが，長期的にはインプラントのゆるみ，折損，感染などの問題がある．慎重な症例選択が必要である．手指関節の人工関節は開発段階である．長期的には関節固定術が最も成績が安定している．使用状況を熟慮のうえ，手術に臨む必要がある[13]．安易な方針でMP，PIP関節固定術はするべきではない．

(4) 下肢障害に対する手術療法（日本リウマチ学会生涯教育委員会，2015）

a. 治療目標

下肢障害の手術治療の目的は疼痛の軽減，関節支持性，可動域回復による歩行障害の克服である．移動能力の再獲得はADL改善，生活の質（QOL）の向上につながる．下肢機能再建による移動能力の確立は上肢の負担を減らすことにつながる．下肢大関節では可動域の消失がほかの関節で代償できないので，RA患者では股関節，膝関節固定術は禁忌である．支持性と無痛性は下肢では重要な要素であるから，疼痛を伴う動揺関節は手術による機能再建の適応となる．一方，変形性関節症と比較して感染症，骨折，脱臼などの合併症が多く[14]，術前の十分な説明が求められる．

b. 下肢関節おける関節再建

長期間移動困難，寝たきりの状態が続くと，筋萎縮，関節の拘縮が進行し手術の難易度が高まり，術後成績や術後リハビリテーションの長期化などの悪影響が起こる．また，関節破壊の高度化は人工関節置換時に骨移植などを必要とする原因となり，合併症頻度を高める．下肢の支持，運動能力を補足する目的での安易な杖の使用はときに上肢障害の原因となり変形の進行を加速する．移動能力の維持・回復は患者の機能予後，QOLに直結する問題である．移動能力の低下がどの関節の障害に由来するのかを明らかとし，必要に応じて積極的な回復を目的とした手術治療が必要である．

1) 股関節（e図12-1-C）： RAでの股関節障害の起こる頻度は30〜40％とされる．股関節障害は歩行障害の最も大きな原因となる．股関節機能の回復は患者運動能力の回復に不可欠である．股関節破壊による機能障害はいったん起こると手術以外の方法では回復は困難である．解剖学的特徴から滑膜切除術の適応はない．関節固定術は機能障害が大きくやはり適応はない．人工関節置換術がすぐれた適応をもつが，人工骨頭置換術は長期的には中心性脱臼やゆるみなどの問題が多く適応がない．人工関節コンポーネントの固定法により骨セメント使用型と非使用型が選択される[15]．高度骨欠損・骨脆弱症例には骨セメント使用型が用いられる[16]．手術治療法としては確立されている．特に近年の材質・デザイン・手術手技の進歩により，術後成績の向上はめざましい．適切に手術された人工股関節の耐用年数は15年をこえる．

2) 膝関節（e図12-1-C）： 関節液貯留，滑膜炎が著しい歩行障害症例でX線所見Larsen grade I，IIの早期例では滑膜切除術が適応となる．直視下および鏡視下滑膜切除術がある．術後の回復が早い鏡視下滑膜切除が広く行われる．進行例には滑膜切除の適応はない．疼痛と可動域改善が期待できるが，関節破壊進行抑制効果は限られる．滑膜切除後には疾患活動性にもよるが一般的には早期に滑膜の再生が起こるとされる．X線所見Larsen grade IV以上の進行した歩行障害例には人工関節置換術がよい適応である[17]．特に変形や関節動揺性を伴う症例は関節破壊が急速に進行する可能性があるので早期の手術が望ましい．人工膝関節置換術は現在適切に手術された場合，20年以上の耐久性が期待できる．

3) 足関節（e図12-1-C，12-1-D）： 腫脹，疼痛を認めるがX線所見で関節破壊の軽度な例が滑膜切除術の適応がある．しかし，この段階で外科的処置を必要とする例は少ない．関節裂隙狭小化，軟骨下骨の破壊を伴う例には足関節固定術，または人工足関節置換術が適応となる[18]．人工足関節置換術は長期の成績が股関節，膝関節と比較して十分とはいえない[19]．関節固定術では固定範囲と角度に十分な配慮が必要であるが，無痛性，支持性の獲得にすぐれる．

4) 足趾MP関節（前足部）（e図12-1-DのA）： 足趾の変形，特にMTP関節での脱臼，胼胝形成，外反母趾は歩行時に著しい疼痛を招き，歩行障害の原因となる．さらに足趾潰瘍から感染を起こす可能性もあるので，このような難治性潰瘍を生じる高度変形例には積極的に外科的治療を考慮すべきである．切除関節形成術のよい適応で，中足骨頭を切除する（Lelievre法），基節骨基部を切除する（Lipscomb法），両方を切除する（Clayton法）などの方法がある．切除範囲を適切に行えば成績はすぐれる．最近は人工関節置換も検討される[20]．

(5) 頸椎の手術療法

a. 治療目標

RAの頸椎病変の頻度は軽症例を含めれば頻度は高い．頸椎病変は高度化に伴い神経症状や疼痛の原因となる．特に脊髄症状は放置により不可逆的な障害を残すので，早期の脊髄圧迫除去が必要となる．頸部痛の低減と神経症状の回復を目的とする．

b. 頸椎の外科的再建(e図 12-1-E)

局所症状として，運動時・安静時の頑固な頸部痛，運動時の異音，さらに手足のしびれや脱力などの神経症状，めまいなどの椎骨動脈不全の訴えがあれば積極的に頸椎病変を疑う必要がある．筋力，深部反射は関節障害で評価できない場合が多い．MRI などの画像診断を利用して，高度障害が起こる前に脊髄圧迫を診断し，除圧固定術を行うように努める．脊髄性麻痺の放置は致死的な結果や麻痺障害の原因となる．

外科的再建では脊椎固定術が基本である．これに脊髄圧迫があれば除圧術を追加する．亜脱臼症例では整復位での固定が理想とされるが，麻痺発生の危険もあり，その位置での固定にとどまる症例も多い．固定範囲が広いと頸椎位の運動性が失われ，固定による障害発生もある[21]．手術前に十分な患者理解が必要とされる．術後の呼吸障害例も報告されており，慎重な固定位置の決定が必要とされる．早期からの評価と病状の進行抑制を目的とした薬物治療の変更の選択が望まれる[22]．　〔石黒直樹〕

■文献(e文献 12-1-8)

日本リウマチ学会編：関節リウマチ診療ガイドライン 2014，メディカルレビュー社，2014．
日本リウマチ学会生涯教育委員会編：リウマチ病学テキスト改訂第Ⅱ版，診断と治療社，2015．

9）リハビリテーション
rehabilitation

(1) 関節リウマチのリハビリテーションの特殊性

リハビリテーション治療は，脳卒中や心筋梗塞に限らず，術後患者，癌，感染症などの入院患者に対してその早期から施行されている．しかし，関節リウマチ（RA）では薬物療法の進歩により入院機会が減少し，リハビリテーション治療は減少傾向にある．RA は徐々に障害が進行する特殊性があり，早期の患者教育（Riemsma ら，2003）やリハビリテーション指導[1]が必要である．

(2) 身体機能障害へのアプローチ
a. 疼痛・腫脹

関節の疼痛緩和には温熱・寒冷療法などの物理療法が有効である[2,3]．腫脹・熱感などの強い部位では，炎症・代謝や知覚神経伝導速度を抑制するアイスパックなどの寒冷療法が適する．一方，朝のこわばりは，夜間安静による廃用性拘縮であり，温熱は，腱・滑膜などの軟部組織の伸張性を改善し疼痛を減少し可動域を拡大する．また局所の温水浴や装具の着用による知覚入力が疼痛軽減に有効である（疼痛のゲートコントロール理論）(eコラム 1)．超音波を用いる深達性の微小振動と温熱効果が，超音波療法単独による握力改善，疼痛・腫脹関節数の減少，手関節背屈可動域の改善，朝のこわばりを改善させることが，2 つのシステマティックレビューで示された[4]．低強度レーザー（cold LASRE）のメタ解析では RA への有用性が変形性関節症に対し示された[5]．

b. 変形・関節可動域制限＝可動域訓練

RA に特有な手指のボタンホール変形・スワンネック変形，尺側偏位では，荷重に抗する動作が関節破壊の増悪要因となる．変形拘縮予防には関節保護法指導（図 12-1-8A），疼痛のない最大可動域での能動（自動）運動を指導し，療法士による愛護的な受動（他動）可動域訓練を施行する[2]．

c. 筋力低下＝等尺性訓練

床からの立ち上がり動作など瞬発力を要する筋力は type Ⅱ白筋（解糖系無酸素運動筋）の等尺性運動が有用である．徒手筋力試験で筋力 3（重力に抗して可動）レベルの筋に対して，仰臥位で股関節を約 30°挙上し約 5 秒間静止する腸腰筋・大腿四頭筋訓練，側臥位で股関節を約 30°外転挙上し約 5 秒間静止する中臀筋訓練を指導する．筋力 4（ある程度の抵抗で可動），筋力 5（正常）の筋には，療法士の徒手による抵抗や，重垂やゴムバンドを使用した等尺性筋力訓練を行う．人工関節術前後には等速性・等張性筋力訓練機器と電気刺激療法による在院日数減少，筋力増強効果が示されている．さらに疼痛などで十分な随意収縮ができない RA 例に対し，神経筋収縮（NMES）強度の電気刺激療法は，炎症によるさまざまな程度の type Ⅱ筋線維萎縮の改善に有用性を認めた[6]．関節破壊・変形が起こりやすい手関節・手指関節は，通常等尺性訓練を行わず，関節保護教育や自助具・装具を用いた代償的な日常生活活動の指導が優先される．

d. 持久力低下（有酸素運動）

RA の持久力訓練として，歩行運動による type Ⅰ赤筋による持久力増強や心肺機能改善が推奨される[7]．歩行運動よりエルゴメーター運動は，歩行運動の接地の衝撃や下肢への荷重が少なく，さらに有用である．水中運動(eコラム 2)は，浮力による荷重関節の免荷・保護，水の抵抗による高強度の有酸素運動，静水圧による静脈還流増加がもたらす心肺機能のフィットネスに有用である（Foley ら，2003；Suomi ら，2003）．

(3) 日常生活活動に対する作業療法学的アプローチ[2]
a. 関節保護と自助具(図 12-1-8)

関節に負荷が少ない日常活動動作を食事・更衣・入浴動作など具体的に実践・指導する．重い物を前腕中

図 12-1-8 関節保護法,自助具(作業療法的アプローチ)
A:関節保護法.コップなどの把持では重力方向への尺側偏位を予防するため対側手で重量物を回外位で支える指導をする.
B〜D:自助具.市販の歯ブラシ(B)やスプーンなど,手関節,手指屈曲制限,把持力不足に対して,太い柄,リーチを伸ばすなど使いやすい工夫をする.リーチャー(C)は立位・座位などで床の物を拾うなど,リーチ機能を代償するRA患者で最も使用される自助具である.60℃程度の温水で自由に変形し,常温で硬化する可塑性素材の自助具(D)で患者の手の形状や角度に合わせ調整する.

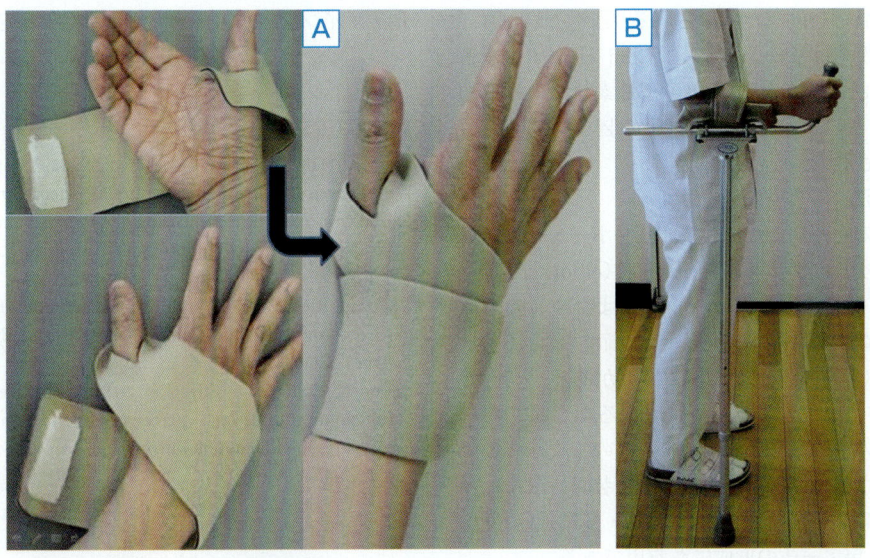

図 12-1-9 関節リウマチの補装具
A:手関節固定装具(安静装具,夜間装具).ネオプレーン素材でやわらかく患者自身が簡単に装着できる.
B:プラットホーム付杖(elbow crutch, いわゆるリウマチ杖).手指・手関節に荷重をかけず肘で荷重する杖.

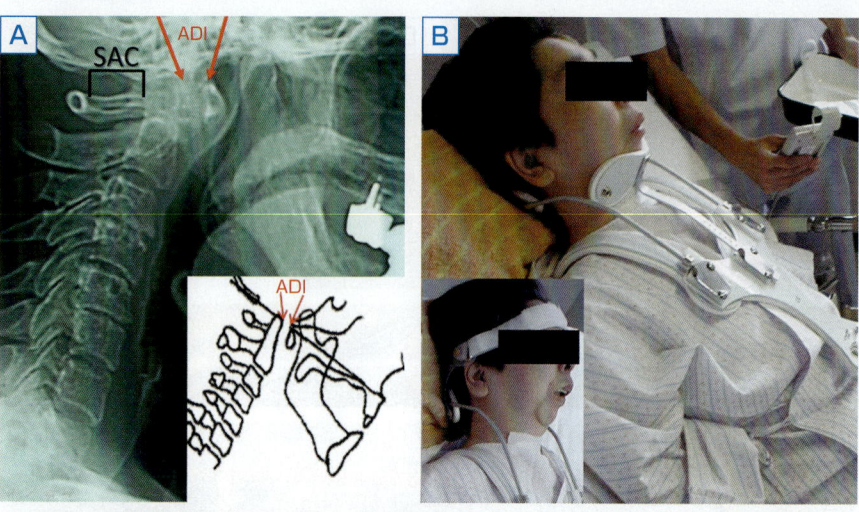

図 12-1-10 環軸椎亜脱臼の計測と SOMI 装具
A：環軸椎亜脱臼(atlanto-axial dislocation). 前屈時に ADI(atlantodental interval；矢印)増加, SAC(space available for the spinal cord)の狭小が示される.
B：SOMI 装具(sterno-occipital mandibular immobilizer). 体幹・後頸部装具を中心に顎関節を下方支持する. 食事の際, 前額部ベルト固定をして, 顎関節支持部は除去できる(B 下)

間位で片手で把持する場合, 重力により尺側偏位が増強するため, 対側の掌で支持するよう指導する(図 12-1-8A).

自助具は, 筋力・関節可動域制限を代償する道具である. 手指関節の変形・屈曲制限で把持困難例には, 柄の太い筒状の自助具が利用される(図 12-1-8B). リーチ障害例ではリーチャー(図 12-1-8C；RA 患者で最も使用されている)や, 熱可塑性素材による自助具(図 12-1-8D)やスプリント(手の装具；図 12-1-9A)も利用される.

b. 補装具療法

下肢関節の免荷や支持に, 杖, 膝サポーター, 装具などを検討する. プラットホーム付杖(elbow crutch, いわゆるリウマチ杖；図 12-1-9B)は肘〜前腕で荷重し, 通常の T 字杖より手指・手関節の保護に適するが, 重量(約 1 kg)とコストに欠点がある. 安価で軽量な T 字杖(100〜200 g)を使用する場合は, 握り部分を患者の手に合わせる自助具などの工夫が必要である. 内側ウェッジ付き足底板や靴型装具は RA に多い外反膝[8](eコラム 3)や, 外反母趾・多重趾(内反小趾)の矯正, 足アーチの形成にも有用である.

環軸椎亜脱臼(図 12-1-10A)は椎骨動脈血流・脳幹の重篤な障害を起こし進行例では観血的固定術が行われる. その予防には頸部前屈制限を目的としたソフトカラー着用や, 頸部後屈筋力訓練指導を行い, 進行例や脳幹梗塞発症で手術が困難な場合は SOMI(sternal occipital mandibular immobilizer；図 12-1-10B)が検討される.

(4) 社会的参加に対するアプローチ

RA は介護保険の特定疾患であり, 訪問リハビリテーション, 補装具や各種サービスが提供できる. 多関節障害例では身体障害者手帳が取得できる. 公共のドアノブや水道栓のレバー化, 段差解消などユニバーサルデザインを広め, 障害者への社会資源を活用する.

〔渡部一郎〕

■文献(e文献 12-1-9)

Foley A, Halbert J, et al：Does hydrotherapy improve strength and physical function in patients with osteoarthritis-a randomized controlled trial comparing a gym based and a hydrotherapy based strengthening program. Ann Rheum Dis. 2003; 62; 1162-7.

Riemsma RP, Kiwan JR, et al: Patient education for adults with rheumatoid arthritis. Cochrane database of Syst rev. 2003; issue2, CD003688.

Suomi R, Collier D：Effects of arthritis exercise programs on functional fitness and perceived activities of daily living measures in older adults with arthritis. Arch Phys Med Rehabil. 2003; 84: 1589-94.

12-2 関節リウマチおよび類縁疾患

1) 関節リウマチ
rheumatoid arthritis：RA

定義・概念

関節リウマチ（RA）は，全身の関節滑膜炎を主座とする自己免疫疾患（膠原病）である（図12-2-1）．リウマチとはリウマ（流れる）という古代ラテン語に由来し，疼痛や腫脹が全身の関節に流れるという意味で用いられてきた．男女比は1：4～5で，30～50歳代の女性に好発し，約70万人の患者数を数える．関節炎は破壊性で慢性化するが，関節破壊は発症早期から進行し，変形に伴う不可逆的な機能障害を生ずる．また，発熱，倦怠感，皮下結節，眼・口腔乾燥症，間質性肺炎などの関節外症候をしばしば併発する．

分類

関節破壊の進行が速く，血管炎などの重篤な関節外障害を伴い，難治性のRAを悪性関節リウマチ（malignant RA：MRA）と分類している．日本特有の分類で，欧米のリウマトイド血管炎と類似に扱われる．MRAの推定患者数は約4200人で男女比は1：2，発症年齢のピークは60歳代である．

原因・病因

RAの滑膜炎組織には，自己応答性T細胞やB細胞が集積する．T細胞は自己抗原には免疫寛容であるが，何らかの要因により自己寛容が破綻すると自己応答性T細胞が活性化され，B細胞を刺激して自己抗体産生を誘導し，自己免疫を生ずる．さらに，RAの病態形成においては，産生された自己抗体は抗原と免疫複合体を形成して組織に沈着し，補体を活性化して組織障害を生ずるIII型アレルギーが介在する．

T細胞はMHC class II分子に提示された抗原を認

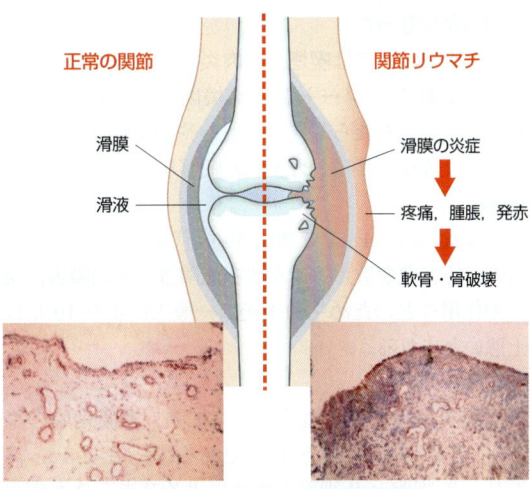

図12-2-1 正常な関節と関節リウマチの関節
全身の関節滑膜炎症の結果，関節破壊が生ずる．滑膜炎組織では，血管新生・拡張，滑膜細胞の増殖，リンパ球の集積が特徴的である．

識するが，RAでは特定の自己抗原は同定されていない．遺伝子要因に環境因子が交錯し，フィラグリンやフィブリノゲンなどの細胞外基質分子のシトルリン化を介してエピゲノム修飾が付加されることにより，抗原に対する免疫寛容が破綻し，自己免疫が誘導されるものと理解されている（図12-2-2）．遺伝子要因として一塩基多型を用いたゲノムワイド解析により，PTPN22，CTLA4，STAT4，TNFAIP3，CCL21，PADI4遺伝子などの多様な疾患感受性遺伝子が同定された（eノート1）．

日本人では，ペプチジルアルギニン・デイミナーゼ・タイプ4（PADI4）遺伝子にRA感受性と非感受性の2つのハプロタイプがあり，感受性遺伝子からの

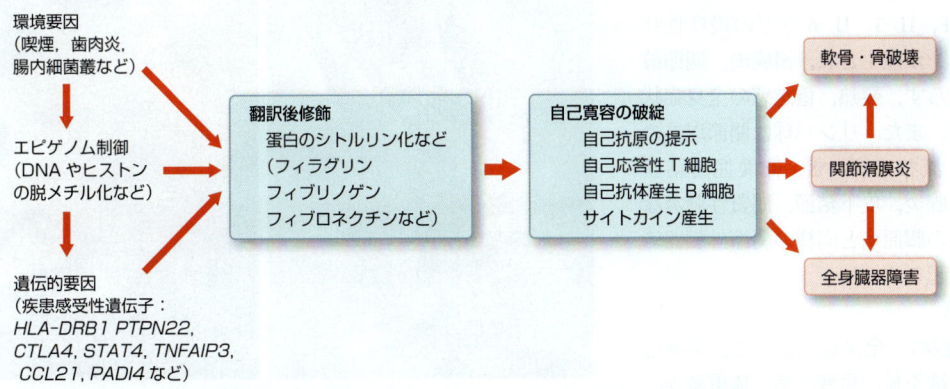

図12-2-2 関節リウマチの発症のメカニズム
遺伝子要因に環境因子が交錯し，エピゲノム修飾が付加されることにより，自己免疫が誘導される．

mRNAは安定性が高いこと，抗環状シトルリン化（抗CCP）抗体の疾患特異度はきわめて高いこと，抗CCP抗体陽性の患者ではより骨・軟骨破壊が進行することが明らかになった．

環境因子としては喫煙，歯肉炎，腸内細菌叢などが代表的である（eノート2）．環境因子は，エピゲノム制御の変調をもたらし，ヒストンやDNAの脱メチル化により炎症性サイトカインの転写を誘導する．

疫学

男女比は1：4～5で30～50歳代に好発し，約70万人の患者数を数える．身体機能障害，臓器障害，薬剤副作用などのため生命予後は一般人口より10年以上悪いとされる．

病理

滑膜炎組織では，血管新生・拡張，滑膜細胞の増殖，リンパ球の集積が特徴的である（図12-2-1）．メモリーT細胞とB細胞の集積によるびまん性炎症組織を認めるが，リンパ濾胞様構造，胚中心様構造をしばしば形成する．リンパ球は共刺激分子や炎症性サイトカインを高発現して，密接な細胞間相互作用をしている．滑膜細胞が増殖して重層化した炎症性肉芽は骨と接触するまでに進展し，接触部位を中心に多核の破骨細胞が存在する．破骨細胞が骨を吸収・破壊するRAの病態に特徴的な組織所見を呈する．

病態生理

自己免疫寛容の破綻により誘導されたT細胞が全身の関節に「流れて」いき，関節滑膜炎を生じ，関節の疼痛や腫脹，こわばりを引き起こす．これらの症状は起床時に強く，朝食の準備，身支度など，朝から日常生活動作（quality of life：QOL）を著しく障害する．また，関節局所では，炎症性サイトカイン産生などを介して滑膜肥大，骨・軟骨破壊を生ずる（eコラム1）．関節破壊は発症早期から進行し，いったん関節が変形すると不可逆的な身体機能障害を生じる．

滑膜炎症部では，リンパ球や滑膜細胞からTNF，IL-1，IL-6などの炎症性サイトカインが産生され，滑膜炎，関節破壊のみならず，発熱，倦怠感の全身症状を生ずる．また，リンパ球は関節以外の全身に「流れて」いき，乾燥性角結膜炎，唾液腺炎，皮下結節，間質性肺炎など，ほかの膠原病と同様の関節外臓器障害を引き起こす．

臨床症状

1）自覚症状： 全身症状として，全身倦怠感，食欲不振，易疲労感，体重減少，発熱，リンパ節腫大を訴えることが少なくない．

特徴的な症状は朝のこわばりと多関節疼痛・腫脹である．発症時にはこわばり感を前駆症状とすることが多く，早朝起床時に手指が動かしにくく，握り拳ができにくいとの訴えが多い．関節運動を反復することにより数分〜数時間で消失するが，長時間訴える例もある．起床時から1時間以上両手のこわばりを訴える場合，RAを疑う必要がある．

関節の疼痛はしばしば熱感，腫脹，運動制限を伴い，左右対称性に訴えることが多い．手・足の指の関節（特に近位指節，中手指節，中足趾節関節など），膝，足，手，肘，頸椎などに出現しやすく，遠位指節関節の初発はまれである．

関節外臓器障害に伴う症状にも留意する．乾燥性角結膜炎に伴うドライアイ（約40％），前腕伸側などのリウマトイド皮下結節（約35％），唾液腺炎による口腔乾燥症（約30％），多発性神経炎や関節腫脹による圧迫性神経障害に伴う手足のしびれ感（約25％），間質性肺炎による労作時息切れや乾性咳嗽（約15％）などは比較的頻度が高い．その他，浮腫や薬剤の副作用に起因する多様な症状を訴えることがある．

2）他覚所見： 視診，触診により関節炎，すなわち，軟部組織の圧痛・腫脹と関節液の貯留を確認する．罹患関節は，腫脹，発赤，熱感などの炎症所見を特徴とし，通常は複数，左右対称性で，しばしば移動性である（図12-2-3）．また，肥厚した滑膜は触知可能で，関節液が貯留すれば膝蓋骨の浮動を証明できる．関節腫脹の把握が困難な肩，股関節などでは，関節可動域や運動時痛を調べる．関節炎が長期間持続すると運動制限をきたす．破壊が進行すると関節は変形し，指関節のボタン穴変形，スワンネック変形，尺側変位，オペラグラス変形，趾関節の扇状足や外転母指，環軸亜

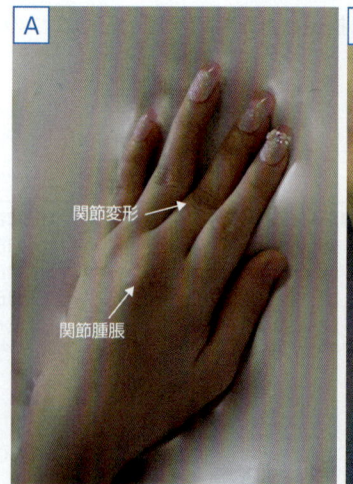
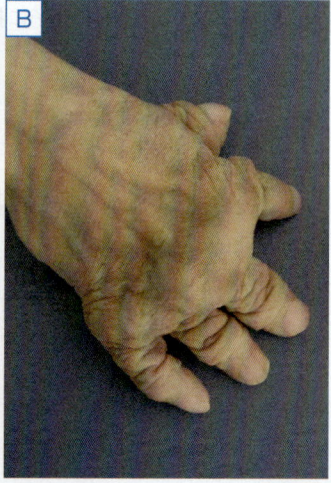

図12-2-3 関節リウマチの関節腫脹（A）と関節変形（B）
罹患関節は，腫脹，発赤などの炎症所見を特徴とし（A，25歳女性），関節破壊が進行すると関節は変形する（B，68歳女性）．

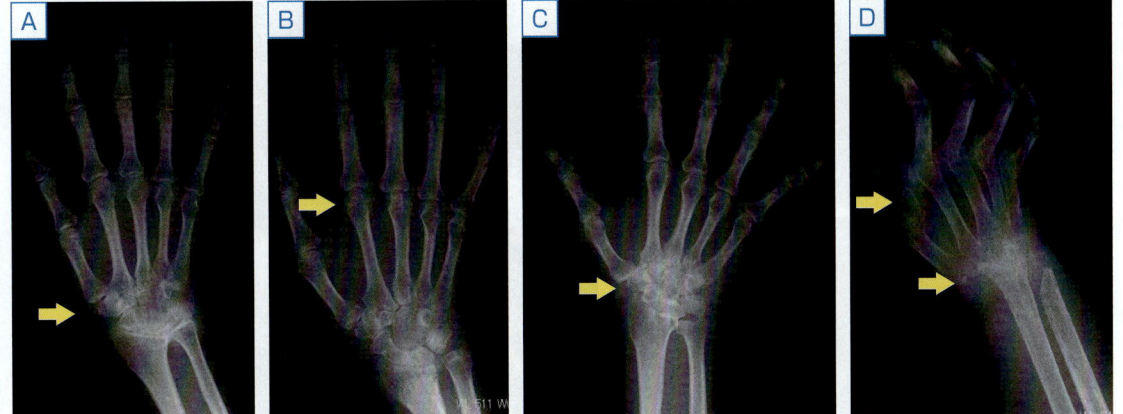

図 12-2-4 関節 X 線所見
A：手関節などに関節裂隙の狭小化所見，B：中手関節などに骨びらん，C：手関節の骨破壊（進行期），D：関節破壊，骨強直，脱臼（末期）．

脱臼などを呈する（e図 12-2-A）．環軸亜脱臼を生ずると後頭部痛，手のしびれ感をきたすことがある．また，腱に炎症が波及すると，ばね指や手関節腫脹による手根管症候群などを生ずる．

皮下結節は，リウマトイド結節ともよばれ，前腕伸側，アキレス腱，後頭，頸骨前面などの罹患関節付近の伸側に直径数 mm〜数 cm に及ぶ皮下から隆起した特徴的な結節である（e図 12-2-B）．通常，無痛性で可動性がある．関節外所見としては，乾燥性角結膜炎，上強膜炎，強膜炎，肺線維症，間質性肺炎などが多い（詳細は後述の合併症参照）．

検査所見

1) 血液検査所見： 自己免疫，炎症，関節破壊，関節外臓器障害に関連した検査値異常が出現し，診断や疾患活動性の評価に用いられる．リウマトイド因子は約 80％の症例で陽性となるが，健常者や肝臓疾患でも陽性となり，特異度は高くない．抗環状シトルリン化ペプチド（CCP）抗体は，滑膜組織の自己抗原の 1 つとされるシトルリン化フィラグリンに対する抗体で，感度，特異度とも 90％以上と高く，しばしば発症前から陽性となる．また，抗 CCP 抗体やリウマトイド因子が高値の症例では，関節破壊の進行が速い．抗核抗体は 20〜30％で陽性となり，高ガンマグロブリン血症，血中免疫複合体の増加，補体価の上昇をしばしば伴う．

炎症に関与する所見として，赤沈，CRP 陽性となり，疾患活動性と関連性が高い．また，炎症に伴い白血球増加，正球性低色素性貧血（鉄不応性）がみられる．一方，マトリックスメタロプロテアーゼ-3（MMP-3）は滑膜組織で産生される蛋白質分解酵素で，疾患活動性，関節破壊の進行と関連性がある．その他，臓器障害に伴い多様な検査値異常が認められ，経過を追ってモニターする必要がある．

2) 画像検査所見： 単純 X 線による関節画像所見は，診断や進行度の評価のために重要である．罹患関節に局在した骨びらんや骨脱石灰化は確定診断を得るうえで有用性が高い．画像診断のポイントは，関節全体の配置（関節の破壊・変形，関節強直・亜脱臼，ムチランス変形など），関節裂隙（関節裂隙の狭小化，骨びらん，関節表面の粗糙化），骨陰影（関節周囲の骨萎縮，骨粗鬆化），軟部組織（軟部組織の腫脹）に留意した読影である（図 12-2-4）．（eコラム 2）

関節の超音波検査は，X 線よりも発症早期から関節滑膜肥厚や骨浸食の検出感度が高く，パワードプラでは血流シグナルを半定量化することにより，滑膜炎の疾患活動性を評価できる．また，MR も発症早期から滑膜肥厚，滑膜炎，骨炎，骨びらんの検出に有用である（図 12-2-5）．

3) 組織学的検査： 関節滑膜における血管新生・拡張，滑膜細胞の増殖，リンパ球の集積が認められる．

診断

診断には，2010 年に米国と欧州のリウマチ学会（ACR/EULAR）が公表した RA 新分類基準が汎用される．本基準では，将来的に遷延化し，破壊性となる関節炎を RA と定義し，ほかの関節炎から発症早期に分類し，速やかに抗リウマチ薬で治療を開始することを目的として策定された．第 1 段階では，1 つ以上の関節炎を認める多彩な疾患を鑑別する．第 2 段階では，関節炎（小または中・大関節の腫脹），血清学的検査（リウマトイド因子，CCP 抗体），罹病期間（6 週以上），急性期反応（赤沈，CRP）の 4 項目に重みづけをして加算され，10 点満点の 6 点以上を definite RA と分類する．また，1 つ以上の関節炎が存在し，RA に典型的な骨びらんが確認された場合も，点数に関係なく definite RA と分類される（図 12-2-6）．分類基準をもとに総合的に RA と診断すれば抗リウマチ薬によ

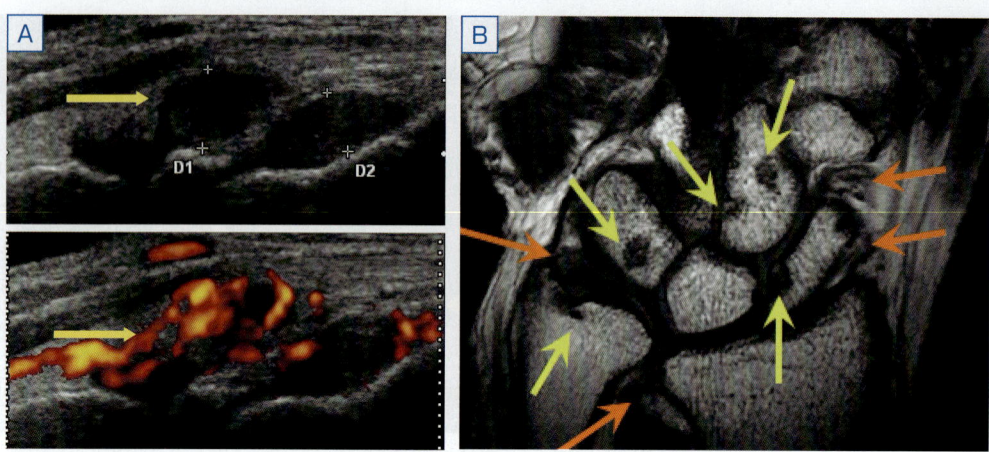

図 12-2-5 関節超音波(A), 関節 MRI 所見(B)
A：関節超音波では，滑膜肥厚(上)やパワードプラによる血流シグナル(下)が検出される．
B：MRI では関節 X 線でとらえることができなかった骨びらん(黄色矢印)と滑膜肥厚(橙色矢印)が検出できる．

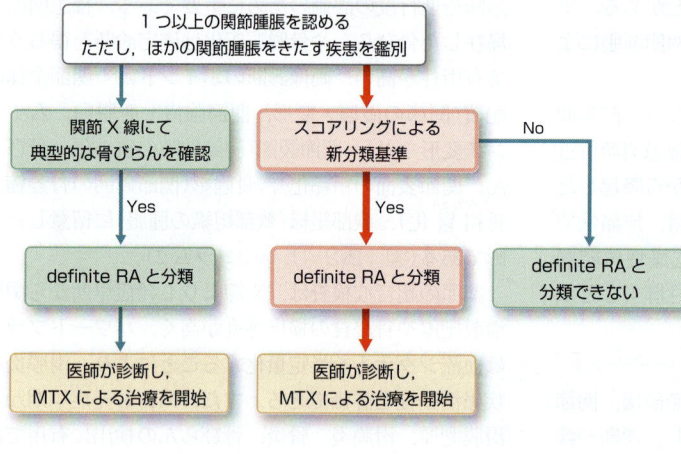

	スコア(0〜10)
関節病変	
＝1 大関節	0
＞1 大関節	1
1〜3 小関節	2
4〜10 小関節	3
＞10 関節 (小関節≧1 を含む)	5
血清学的検査	
陰性	0
低値 (基準値の 3 倍以下の上昇)	2
高値 (基準値の 3 倍超の上昇)	3
罹病期間	
＜6 週	0
≧6 週	1
急性期反応	
正常	0
異常	1

図 12-2-6 2010 年関節リウマチ分類基準
第 1 段階で抽出した 1 つ以上の関節に腫脹を認め，ほかの関節腫脹をきたす疾患を鑑別できる新規受診症例に対して，10 点満点評価の第 2 段階に進む．この分類基準をもとに，definite RA と分類(診断)すればメトトレキサートを中心とした抗リウマチ薬による治療を開始する．

る治療を開始する．その結果，関節破壊を生ずる前に治療介入が可能となった．

疾患活動性の評価は，治療計画の立案に必須である．特定の 28 関節の圧痛関節数と腫脹関節数，赤沈 1 時間値，全般的健康評価を専用の計算式を用いた疾患活動性スコア(disease activity score：DAS)28 は，疾患活動性の客観的評価として汎用される．DAS28 は＞5.1 で高度疾患活動性，3.2〜5.1 で中等度，＜3.2 で低度，＜2.6 で寛解と判定される．同様に simplified disease activity index (SDAI), clinical DAI (CDAI)も汎用される．身体機能障害の評価としては，日常生活の身体機能に関する 8 群 20 項目の質問から構成される health assessment questionnaire-disability index (HAQ-DI)が国際的に汎用される．

鑑別診断

RA の分類基準の第 1 段階で，全身性エリテマトーデスなどの膠原病，ウイルスなどの感染症，変形性関節症，血清反応陰性脊椎関節炎，痛風などの結晶誘発性関節炎などの関節炎をきたす多様な内科疾患を鑑別する必要がある．十分な病歴や所見の聴取，検査成績や画像所見などから総合的な判断が必要である．関節痛と関節周囲痛，単発性と多発性，慢性と急性，炎症性と非炎症性などの相違に留意する．単関節痛や遠位指節関節痛の場合には変形性関節症などを鑑別するべきで，骨性隆起(Heberden 結節など)や X 線における骨硬化像の存在は鑑別の根拠となる．

合併症

おもな関節外臓器障害として血管炎，Sjögren症候群，リウマチ性肺病変があげられるが，その他にも眼，口腔，血液，心，皮膚，神経，腎臓などの臓器障害，アミロイドーシスなどがある．成因はRAに伴う臓器障害，他疾患の合併，薬剤による有害事象に大きく分類される．関節外臓器障害は予後に直結する場合が少なくない（e図12-2-C）．

リウマトイド血管炎は，進行性関節炎に全身性血管炎を併発するのが一般的で，日本ではMRAと分類する．血管炎は内膜の増殖による血管内腔の狭窄とフィブリノイド壊死を呈し，組織の虚血，うっ血に伴う組織障害を引き起こす．リウマトイド血管炎の多くは細小血管領域の血管炎で，全身性動脈炎Bevans型，末梢動脈炎Bywaters型，血管炎を伴わない間質性肺炎型に分類される．Bevans型は，頻度は少ないが，皮膚潰瘍，壊疽，消化管，心，肺，脾，胸膜，リンパ節などの臓器閉塞・壊疽を呈して予後不良である．Bywaters型は，多発単神経炎，青色網状皮疹（リベド皮疹）や紫斑などが末梢皮膚に限局し，頻度は高いが軽症で予後良好である．間質性肺炎型では，下肺野から拡大する間質性肺炎，肺線維症，まれに肉芽腫性肺病変を呈することがある．

乾燥性角結膜炎（40%）や唾液腺炎による口腔乾燥症状（30%）を呈する際には，Sjögren症候群との鑑別，上強膜炎や強膜炎では，悪性関節リウマチやBehçet病との鑑別を要する．

肺障害は，RAの生命予後を左右する重要な臓器障害である．胸部CT単純撮像では約70%に肺障害を認め，そのうち約50%は陳旧性炎症性変化などの非特異的変化，約30%は間質性肺炎，約20%は慢性感染症や慢性閉塞性肺疾患とされる．その他，胸膜炎，肺胞出血，肺梗塞，気管支拡張症などの多彩な病態を生ずる．狭義にはRAに伴う間質性肺炎をリウマチ肺とよび，リンパ球の間質浸潤に伴う炎症を呈し，炎症の遷延化により肺線維症へ移行する（e図12-2-D）．症状は，労作時呼吸苦・息切れに続き，乾性咳嗽，呼吸困難，発熱，喀血，多呼吸，胸痛などを訴える．下肺野でfine crackleを聴取する．これらの臨床症候と動脈血酸素分圧の低下，胸部X線所見，胸部CT所見で診断できる．また，ニューモシスチス肺炎，結核性肺炎などの感染症，薬剤性肺炎との鑑別が重要である．組織検査による鑑別を要する症例もある．

続発性アミロイドーシスは，RAなどに伴う慢性炎症刺激により肝より血清アミロイドA蛋白の産生が惹起され，分解産物である反応性アミロイドAが全身臓器に沈着する病態である．腎，消化管，心，甲状腺などに沈着して臓器障害を引き起こし，腎不全や死因の要因となる．しかし，RAの治療が普及し，疾患活動性が改善するにつれて減少している．

上記に加えて，血液障害（貧血，Felty症候群），心臓障害（心膜炎，虚血性心疾患），皮膚障害（リウマトイド結節，皮膚潰瘍），神経障害（脊髄障害，多発性単神経炎），腎臓障害などが列記される．これらの成因も，RAに伴う臓器障害，他疾患の合併，薬剤による副反応に分類される．また，リンパ腫を併発することがあり，RAの疾患活動性に伴い，悪性リンパ腫の頻度は急増する．北欧の大規模コホート研究では，高疾患活動性を呈する際には，悪性リンパ腫の発生頻度は約70倍になるとされている．さらに，続発性Sjögren症候群のみならず，多様な自己免疫疾患を併発することがある．

経過・予後

関節破壊は発症早期から進行し，変形に伴う不可逆的な機能障害を生ずる．身体機能障害，臓器障害，薬剤副作用などのため，生命予後は一般人口より10年以上悪いとされる．日本人のRAの病態に関連した死因として感染症に引き続き，呼吸器障害や腎不全があげられ，間質性肺炎などの関節外臓器障害が予後に直結する．

治療・予防・リハビリテーション

1）治療の基本： RAの近代治療は，1897年のアスピリンに始まる．1955年には副腎皮質ステロイドが市販された．しかし，これらは対症療法（補助療法）にすぎず，免疫異常を抑制して疾患を制御することを目的として免疫抑制薬が使用されるに至った．抗リウマチ薬（disease modifying anti-rheumatic drug：DMARD）とよばれ，メトトレキサートを代表とする合成抗リウマチ薬（synthetic DMARD），生物学的製剤などによる生物学的抗リウマチ薬（biological DMARD）に二分される．

RAと診断すれば，禁忌がなければメトトレキサートで治療を開始するのが標準的治療として推奨される．メトトレキサートにて効果が不十分であれば，ほかの合成抗リウマチ薬や生物学的抗リウマチ薬との併用療法が推奨される．治療の目標は寛解を達成することであり，寛解が達成されるまで治療を3~6カ月ごとに見直す（図12-2-7）．寛解は，DAS28，SDAI，CDAIなどを用いて客観的な数字で評価する．厳密な基準としてBoolean寛解も汎用される（e図12-2-E）．寛解達成が困難な進行例では，低疾患活動性が代替目標となる．

2）抗炎症薬： 非ステロイド系抗炎症薬（non-steroid anti-inflammatory drugs：NSAIDs）は，疼痛や腫脹の緩和を目的とした補助療法として使用する．消化管，腎障害が比較的少ないシクロオキシゲナーゼⅡ選択的阻害薬が推奨される．

3) 副腎皮質ステロイド：合成グルココルチコイド（副腎皮質ステロイド）が，関節炎が再燃した際などに疼痛や腫脹の緩和を目的とした補助療法として使用される．強力な抗炎症効果は評価されるが，消化管障害，骨粗鬆化，高血糖，脂質異常症，精神障害，易感染性，心・脳血管障害など多くの副作用を引き起こす．したがって，全身症状を伴う激しい関節炎で抗リウマチ薬の効果発現までの間，抗リウマチ薬が無効の症例，社会的背景のため鎮痛を要する場合に，3〜6カ月を限度に一時的な使用が推奨される．

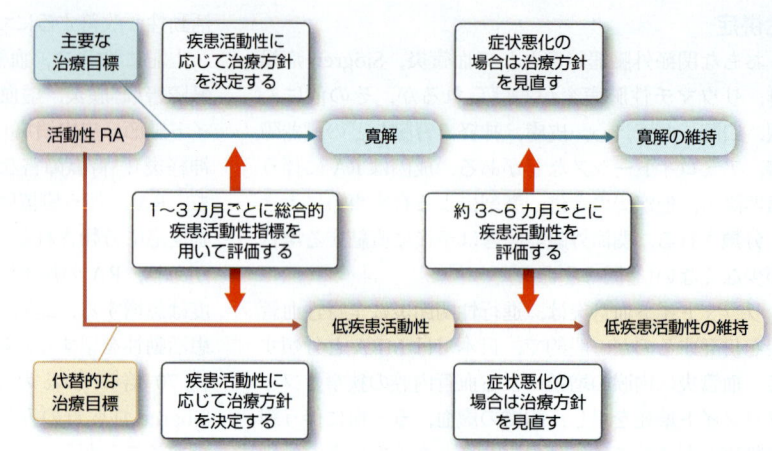

図 12-2-7 目標達成に向けた RA 治療のアルゴリズム

4) 合成抗リウマチ薬：合成抗リウマチ薬は日本でも10種類以上が承認されているが，メトトレキサートはRAと診断されれば，禁忌がなければ最初に使用すべき標準的治療薬として推奨される．葉酸拮抗作用を介した分裂期のリンパ球や滑膜細胞の増殖制御を主作用とした抗リウマチ作用を発揮し，ほかの薬剤に比し有効性が最も高い．16 mg/週まで増量可能である．副作用には肝機能異常や消化器障害などがあり，高齢者では骨髄抑制，間質性肺炎，日和見感染症，リンパ腫などに留意する．葉酸との併用は副作用軽減に有用である．

メトトレキサートが禁忌で使用できない際には，サラゾスルファピリジンやレフルノミドが推奨される．トファシチニブはチロシンキナーゼを標的とした新規抗リウマチ薬で，既存治療で効果不十分な関節リウマチに対して使用される．単独療法またはメトトレキサートとの併用療法により，TNF阻害薬に匹敵する迅速な効果を有するが，長期安全性については調査中である．

5) 生物学的抗リウマチ薬：合成抗リウマチ薬で効果不十分な際には，生物学的製剤（生物学的抗リウマチ薬）が選択される．日本では，TNFを標的とするインフリキシマブ，エタネルセプト，アダリムマブ，ゴリムマブ，セルトリズマブ，IL-6受容体を標的とするトシリズマブ，T細胞選択的共刺激調節薬アバタセプトが注射か点滴で使用される．メトトレキサートとの併用により，約半数で寛解導入が可能となり，長期にわたって関節破壊や機能障害の進行を抑止できる．重篤な副作用としては感染症が多く，肺炎の危険因子として，高齢，呼吸器疾患の既往，ステロイド併用があげられる．

疾患活動性が高く，重要臓器病変を有する全身性動脈炎型に対しては，大量のステロイドとシクロホスファミドパルス療法の併用など，血管炎症候群に準じた治療を行う．成人呼吸促迫症候群，急性腎不全，急性循環不全を呈する症例には，ステロイドパルス療法を実施する．生物学的抗リウマチ薬の併用も，血管炎に対して有効であると報告されている．

6) 手術，リハビリテーション：関節機能の再建を目的として手術療法が選択される．関節固定術，関節切除形成術，人工関節置換術，腱移行術，腱縫合術，腱縮術などがあげられる．時機を遅れずして実施することが必要である．リハビリテーションとしては，パラフィンなどの物理療法，運動療法，ネックカラーやスプリントなどの装具療法，自助具の活用などがある．

〔田中良哉〕

■文献（e文献 12-2-1）

Aletaha D, Neogi T, et al: 2010 Rheumatoid arthritis classification criteria. *Arthritis Rheum.* 2010; **62**: 2569-81.

Burmester GR, Feist E, et al: Emerging cell and cytokine targets in rheumatoid arthritis. *Nat Rev Rheumatol.* 2014; **10**: 77-88.

Smolen JS, Landewé R, et al: EULAR recommendations for the management of rheumatoid arthritis with synthetic and biological disease-modifying antirheumatic drugs: 2013 update. *Ann Rheum Dis.* 2014; **73**: 492-509.

2) 関節リウマチ関連疾患

(1) 悪性関節リウマチ（malignant rheumatoid arthritis：MRA）

概念

既存の関節リウマチ（RA）に，血管炎をはじめとする多彩な関節外症状を認め，難治性もしくは重篤な病

態を悪性関節リウマチ（MRA）という．わが国独自の疾患概念で，海外では血管炎を伴うRA（rheumatoid vasculitis：リウマトイド血管炎）が近い概念であるが，MRAには血管炎によらない間質性肺炎などの内臓病変の合併も含まれる．

病理・分類

臨床病型のうち，血管炎を伴う病型は①全身動脈炎型（Bevans型），②末梢動脈炎型（Bywaters型）の2つに分けられ，さらに血管炎に基づかない症状として，間質性肺炎・肺線維症を呈する肺臓炎型に分類される．全身動脈炎型は結節性多発動脈炎と同様の中・小動脈の病変を認め，内臓を系統的に侵し，生命予後不良である．一方，末梢動脈炎型は内膜の線維性増殖を呈する動脈病変を認め，四肢末梢，皮膚を冒し，生命予後は良好である．病理組織学的には，前述の結節性多発動脈炎類似のフィブリノイド壊死を伴う多発血管炎型，リウマトイド結節様の肉芽腫を形成するRA型血管炎と閉塞性動脈内膜炎型に分類される．

病因

病因はRAと同様に明らかでないが，MRA患者のRAの家族内発症は12％にみられ遺伝的要因の関与が示唆される．RAではHLA-DR4との関連が指摘されている．白人ではHLA-DR B1＊0401が正の相関を示し，ついで＊0404，＊0101が関連している．日本人ではHLA-DRB1＊0405が最も強い相関を示し，＊0401，＊0101がついでいる．このようなHLAとの相関は皮下結節，血管炎，肺病変など関節外症状をもつ患者群ではより強いことが示されている．

環境要因として喫煙がリウマトイド血管炎の危険因子として報告されており，特に血清反応陽性の男性患者で明らかである．

臨床的には，リウマトイド因子（RF），特にIgG-RF，抗CCP抗体（ACPA），抗核抗体などの自己抗体高値陽性例が多く，また血中や組織中に免疫複合体が証明されたり，血清補体価の低下がみられることからⅢ型アレルギーの関与も示唆されている．

疫学

MRAはRAの0.6～1％にみられ，1993年の推定患者数は4200人とされている．しかし，リウマトイド血管炎の発生率は，近年の薬物療法の進歩により減少傾向であることが英国のコホート研究により示されている．MRAはRA発症から10年以上経過している症例が多いため，発症年齢は60歳代が多く，男女比は1：2とRAに比べて高齢で，男性比率が高い．

臨床症状（e図12-2-F，12-2-G）

全身動脈炎型では多関節炎に加え，発熱（38℃以上），体重減少といった全身症状を伴うことが多い．また，皮膚症状（皮膚梗塞，皮膚潰瘍，指趾壊疽，紫斑，皮下結節），肺病変（間質性肺炎・肺線維症，胸膜炎），心病変（心膜炎，心筋炎），眼病変（強膜炎，上強膜炎，虹彩炎），神経・筋症状（多発性単神経炎，筋痛・筋力低下）など血管炎に基づく多彩な症状を呈し，重症化する．ときに，中小動脈の血管炎による重篤な臓器病変（脳梗塞，心筋梗塞，腸管壊死・出血）を合併する．

末梢動脈炎型は紫斑，紅斑，網状皮斑，皮膚潰瘍・梗塞，指趾壊疽，多発性単神経炎といった皮膚・末梢神経症状が主体で，発熱など全身症状はまれで，経過は緩徐である．多発性単神経炎は知覚障害だけの場合もあるが，運動障害を伴う場合は，下垂足や下垂手の頻度が多い．

肺臓炎型の間質性肺炎は病理組織により経過は異なる．通常型間質性肺炎（usual interstitial pneumonia：UIP）は慢性の経過をたどり，緩徐に進行する．非特異型間質性肺炎（non-specific interstitial pneumonia：NSIP）は亜急性に進行するタイプもある．

検査所見

RAと同様に赤沈値亢進，CRP高値，低アルブミン血症，貧血を認める．通常のRAと異なり，白血球増加，好中球増加，血小板増加が約半数にみられ，免疫複合体陽性，補体価低下を伴う例が多い．RFとACPAは陽性で，RFは60％以上の症例で，RAHAが2560倍以上の高値を示し，またIgG-RFが高率に認められる．

診断

診断には，RAの診断に加え，関節外症状，検査所見，病理所見を組み合わせた厚生労働省改訂診断基準（表12-2-1）を用いる．

経過・予後

最近の疫学調査では，MRAの転帰は軽快：21％，不変：26％，悪化：31％，死亡：14％，不明・その他：8％と報告されている．

海外の報告でも，リウマトイド血管炎の発生率は減少傾向にあるものの，死亡率は依然高いことが報告されている．

治療

1）全身動脈炎型：基本的な治療はステロイドの大量投与（プレドニゾロン換算1 mg/kg体重/日あるいはステロイドパルス療法）である．重要臓器病変を伴う場合は，シクロホスファミド間欠静注療法などの免疫抑制薬を併用する．免疫複合体やRF除去目的で血液浄化療法を併用する場合もある．TNF阻害薬，リツキシマブ，トシリズマブなど生物学的製剤の有効性の報告もある

2）末梢動脈炎型：ステロイド中等量（プレドニゾロン換算0.5 mg/kg体重/日）を基本として，運動神経障害を伴う多発性単神経炎，ステロイド効果不十分例にはシクロホスファミド，アザチオプリンなどの免疫抑

表 12-2-1 悪性関節リウマチ（MRA）の改訂診断基準

既存の関節リウマチに，血管炎をはじめとする関節外症状を認め，難治性もしくは重篤な臨床病態を伴う場合，これを悪性関節リウマチ（malignant rheumatoid arthritis：MRA）と定義し，以下の基準により診断する．

A. 臨床症状，検査所見	
1. 多発性神経炎	知覚障害，運動障害いずれを伴ってもよい
2. 皮膚潰瘍または梗塞または指趾壊疽	感染や外傷によるものは含まない
3. 皮下結節	骨突起部，伸側もしくは関節近傍にみられる皮下結節
4. 上強膜炎または虹彩炎	眼科的に確認され，ほかの原因によるものは含まない．
5. 滲出性胸膜炎または心膜炎	感染症などほかの原因によるものは含まない．癒着のみの所見は陽性にとらない
6. 心筋炎	臨床所見，炎症反応，筋原性酵素，心電図，心エコーなどにより診断されたものを陽性とする
7. 間質性肺炎または肺線維症	理学的所見，胸部 X 線像，肺機能検査により確認されたものとし，病変の広がりは問わない
8. 臓器梗塞	血管炎による虚血，壊死に起因した腸管，心筋，肺などの臓器梗塞
9. リウマトイド因子高値	2 回以上の検査で，RAHA テスト 2560 倍以上の高値を示すこと
10. 血清低補体価あるいは免疫複合体陽性	2 回以上の検査で，C3，C4 などの血清補体成分の低下または CH50 による補体活性化の低下をみること．または，2 回以上の検査で血中免疫複合体陽性（C1q 結合能を基準とする）をみること．
B. 組織所見：皮膚，筋，神経，その他の臓器の生検により，小ないし中動脈に壊死性血管炎，肉芽腫性血管炎ないし閉塞性内膜炎を認めること	
判定：1987 年アメリカリウマチ学会の関節リウマチの診断基準を満たし，上記にあげる項目の中で① A 項目の 3 項目以上を満たすもの，② A の項目の 1 項目以上と B 項目があるものを悪性関節リウマチと診断する．	
鑑別診断：感染症，アミロイドーシス，Felty 症候群，全身性エリテマトーデス，多発性筋炎，MCTD など	

制薬を併用する．
いずれの病型においても，臓器や組織の虚血に対して，抗凝固薬，抗血小板薬，血管拡張薬を併用する場合がある．

3）肺臓型： 慢性に経過する UIP は経過をみることが多いが，進行性の間質性肺病変に対しては中等量〜高用量のステロイドを使用し，治療反応性が悪い場合はシクロホスファミドやシクロスポリンを併用する．

■文献

厚生科学研究特定疾患対策研究事業　難治性血管炎に関する調査研究班（班長：橋本博史）：悪性関節リウマチ．難治性血管炎の診療マニュアル 2002. 35-40.

Makol A, et al: Rheumatoid vasculits: an update. *Curr Opin Rheumatol*. 2014; **27**:63-70.

Makol A, et al: Vasculitis associated with rheumatoid arthritis: a case- control study. *Rheumatology*. 2014; **53**:890-9.

Ntatsaki E, et al: Systemic rheumatoid vasculitis in the era of modern immunosuppressive therapy. *Rheumatology*. 2014;**53**: 1345-152.

（2）Felty 症候群（Felty's syndrome）

概念

関節リウマチ（RA）に脾腫，顆粒球減少を伴う症候群として，1924 年に Felty によって報告された．臨床的に関節破壊が著明であるうえ，関節外症状の合併が多く，難治性細菌感染症を反復するため予後不良である．

病因

遺伝的要因では，RA より強い HLA-DR4 との相関がある．欧米の報告では Felty 症候群の 85％以上が DR4 陽性で，特に＊0401/＊0404 ヘテロ接合体との相関が強い．

顆粒球減少の機序には，特異的自己抗体，免疫複合体，顆粒球 Fc 受容体の結合，脾機能亢進による末梢での破壊亢進と T 細胞や血清中の抑制因子による顆粒球の産生・成熟障害の両者が関与している．

疫学

有病率は低く，欧米では RA の〜1％に発症すると報告されているが，わが国での頻度はさらに少ないと考えられる．長い RA の経過の後に発症するので，通常は 10 年以上の RA 歴をもつ症例が多い．好発年齢や男女比は RA と同じである．

臨床症状

RA の関節破壊や変形が強い患者に発症するが，診断時の RA 滑膜炎の活動性は高くないことが多い．血管炎など関節外症状を合併する例が多く，報告によっては 91％の患者が 1 つ以上の関節外症状を示した．関節外症状のおもなものと頻度は以下の通りである；リウマトイド結節（76％），体重減少（68％），Sjögren 症候群（56％），リンパ節腫脹（34％），下腿潰瘍（24％），胸膜炎（19％），皮膚色素沈着（17％），ニューロパチー（17％），上強膜炎（8％）．

脾腫の程度はさまざまであるが，触知できることが多い．中等度の肝腫大を伴うことが多く，約 1/4 に肝

酵素の上昇がみられる．まれな肝病変として，結節性再生性過形成，門脈域線維化，門脈圧亢進症の報告がある．

反復する細菌感染症は顆粒球数＜500/μL ではリスクが高い．皮膚，口腔内，気道感染が多い．

検査所見

炎症所見として赤沈，CRP の高値を認め，RF は高値である．白血球減少（＜2000/μL），顆粒球減少に加えて，抗好中球細胞質抗体（ANCA）が 70％以上に出現する．ANCA の染色パターンは非特異的で，ラクトフェリンに対する抗体が 50％にみられる．

診断

確定した RA に脾腫と顆粒球減少を伴う場合，Felty 症候群と診断する．血液疾患，Sjögren 症候群，薬剤による顆粒球減少が鑑別の対象となる．

治療

メトトレキサート（MTX）などの抗リウマチ薬は関節炎の抑制に加え，顆粒球減少に対しても有効性が報告されている．ステロイドは関節外症状に用いられるが，顆粒球減少に対しては効果がない．重度の顆粒球減少や細菌感染時，手術時には G-CSF が使用される．難治性の顆粒球減少には脾摘を行うことがある．

■文献

Balint GP, Balint P: Felty's syndrome. *Best Practice Res Clin Rheumatol*. 2004; **18**: 631-64.

Felty AR: Chronic arthritis in the adult associated with splenomeagly and leucopenia. *Bulletin of Johns Hopkins Hospital*. 1024; **35**: 16-20.

（3）Caplan 症候群（Caplan's syndrome）

概念

Caplan は 1953 年に関節リウマチ（RA）をもつウェールズの炭坑夫 51 名中に，胸部 X 線写真上，肺の多発性結節性病変を伴う患者 13 例を報告した．同様の病変は石綿工や鋳物工などほかのじん肺症にもみられることから，RA 患者に粉じん暴露と肺の多発性結節性病変がみられる場合，Caplan 症候群とよぶ．

病因・病理

長期の粉じん暴露に加えて，RA の免疫異常が関与していると考えられるが，詳細な病因は明らかでない．病理学的にはリウマトイド結節類似の類壊死性結節である．結節の中心部は壊死組織で，周囲に粉じん層と多核白血球，マクロファージ，巨細胞など炎症性細胞の浸潤がある．マクロファージは粉じんを貪食しており，柵状構造は皮下結節に比べて目立たない．

疫学

ヨーロッパの報告ではじん肺症患者の 0.2〜0.4％と報告されている．また，じん肺症患者症例で多発性結節性陰影を呈する症例の 20〜55％に RA が見いだされる．わが国ではきわめてまれな病態である．

臨床症状・検査所見

胸部 X 線，CT 写真上，じん肺特有の陰影を背景に，境界が比較的明瞭な類円形の多発性結節性陰影が肺野末梢を中心にみられ，結節の大きさは 0.5 cm〜数 cm に達する．結節性病変自体は無症候性で，自然消退することもある．検査では RA 関節炎により炎症反応は高値で RF も高頻度で陽性である．臨床的に RA と診断できない症例でも，じん肺症で Caplan 症候群様の肺の多発性結節を認める症例では RF 陽性率が高い．

治療

肺の結節性病変があっても，RA 自体の治療を原則通り行う．急速に増大する結節にステロイドが有効だったとの報告がある．粉じん暴露からの回避が必要である．

〔鈴木康夫〕

■文献

Caplan A: Certain unusual radiographic apperances in the chest of coal-miners suffering from rheumatoid arthritis. *Thorax*. 1983; **8**: 19-37.

Schreiber J, et al: Rheumatoid pneumoconiosis (Caplan's syndrome). *Eur J Intern Med*. 2010; **21**: 168-172.

3）脊椎関節炎
spondyloarthritis：SpA

定義・概念

この疾患群は，1974 年に Moll らにより提唱された概念で，共通の臨床病理像を呈する[1]．その共通する特徴は，①脊椎炎，②仙腸関節炎，③非対称の末梢関節炎，④腱付着部炎，⑤遺伝性（HLA-B27 陽性），⑥家族集積性，⑦リウマトイド因子陰性，⑧眼，皮膚，粘膜，消化管，泌尿生殖器の関節外症状を有する，ことがあげられる．関節リウマチ（RA）でしばしば認められるリウマトイド因子が陰性であることから命名された（Garg ら，2014）[2]．

分類

本疾患群には，典型像が異なる強直性脊椎炎（ankylosing spondylitis：AS），乾癬性関節炎（psoriatic arthritis：PsA），反応性関節炎（reactive arthritis：ReA），腸炎関連関節炎（inflammatory bowel disease-related or enteropathic arthritis：EnA），分類不能脊椎関節症（undifferentiated spondyloarthritis：USpA）などが含まれる（Garg ら，2014）[2,3]．脊椎関節症の出現頻度は疾患により異なり，AS ではほぼ必発であるが，PsA では 40％，ReA では 40〜60％，EnA ではわずか 20％と頻度が低い[6]．一方，末梢関節炎の頻度は，AS では 25％と低いが，その他の疾患では

90％以上に認められる[4,5]．最近のSpAの専門家の学会であるAssesment of Spondyloarthritis International Society(ASAS)により用語と分類が提唱され，前者は体軸性脊椎関節炎(axial spondyloarthritis：axSpA)とよばれ，後者は末梢性脊椎関節炎(peripheral spondyloarthritis：pSpA)と分類される(図12-2-8)(Rudwaleitら，2009；2011)．ASではaxSpAとpSpAともに満たすこともある．乾癬に伴うものはPsA，炎症性腸疾患(IBD)に伴うものはEnAと考える．SAPHO症候群(5％)も類似した症状が現れる場合がある[6]．

疫学

SpAのうち，ASの発症頻度が55.2％と最も多く，PsAが22.2％，ReAが1.4％，EnAが4.4％，USpAが16.1％と報告されている[7]．HLA-B27との相関が強く，ASの90〜95％，PsAの20〜35％，ReAの50〜80％，EnAの70％，USpAの70〜84％が陽性である[8-11]．HLA-B27の陽性率は人種により大きく異なる．北米白人が7％に比し，日本人の一般人口での保有率が0.1〜0.5％である[12]．SpA，AS，EnAの疾患関連遺伝子としておのおの*IL23R*，*ERAP1*，*TNFRSF15*が報告されている[13,14]．

病理

仙腸関節炎の病理所見は，リンパ球浸潤や滑膜細胞増殖を伴う滑膜肉芽組織による関節軟骨下の侵食で，線維軟骨の再生に伴って徐々に骨化する．靱帯付着部炎は，脊椎，骨盤のほかアキレス腱付着部にもみられ，骨びらん，線維化から骨化するが，RAと異なり関節破壊は少ない[15]．

発症機序

前述のように，SpAはHLA-B27との相関が強く，何らかの遺伝的要因が関与していると考えられている．欧米ではSpA患者の30〜35％でSpA関連の家族歴があるとされている[16]．B*2705を遺伝子導入したラットは，無菌から有菌状態にして飼育すると，オスに脊椎炎，足関節炎，爪の変形が起こることからB*2705とある種の細菌が発症に関連すると考えられている[17]．HLA-B27以外にHLA-B60との関連の報告もある[13]．

臨床病型

1) 強直性脊椎炎(AS)： 仙腸関節や脊椎のaxSpAで，慢性的に持続する関節炎である．男女比3：1で10〜20歳代の若い男性に多い．女性ではpSpAが目立つこともある．症状として頑固な臀部痛，腰痛，背部痛が多いが，不定愁訴的でときに診断まで時間を要す

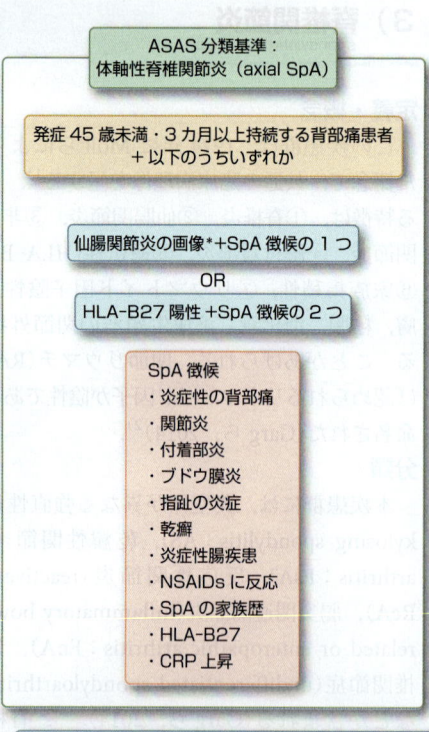
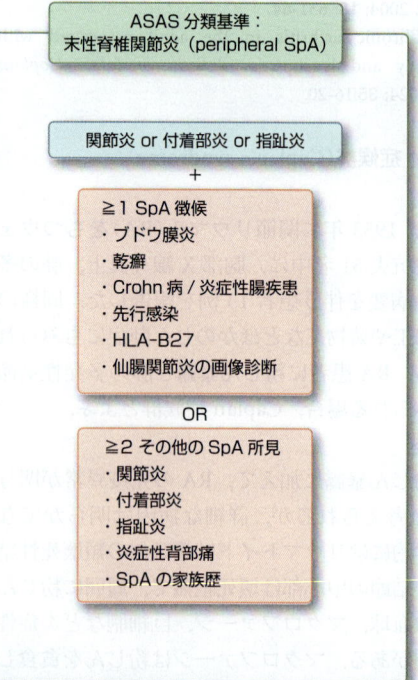

図12-2-8 ASASの分類基準

る．症状は朝に強く，動きはじめると軽快する．仙腸関節炎はほぼ必発で，最も早期に炎症性変化を起こす．緩徐に脊椎上行性に強直し，脊椎の運動制限が生じる．腰椎前弯が喪失すると，背中が丸くなり前屈円背姿勢となる．肋骨脊椎関節および肋骨横突起関節に病変が及ぶと胸郭拡張性が低下する[5]．

関節外症状として，関節近傍の靱帯付着部炎がみられる．その他，25％以上の患者に急性前部ブドウ膜炎を呈する．心血管病変は，上行大動脈の大動脈炎による大動脈弁閉鎖不全症や心伝導障害をきたす．肺線維症もみられることがある[5]．

2）乾癬性関節炎(PsA)： 乾癬(e図12-2-HのA)に合併してみられるびらん性多発性関節炎で，男女比は同率である．関節破壊をきたしうる．単関節炎から多関節炎，脊椎炎とさまざまな関節炎を生じる．RAの典型的病変部位の手指近位指節間関節と異なり，遠位指節間関節の罹患が特徴である．皮膚症状が先行することが大部分である．爪の点状陥凹，爪甲剥離などの爪病変がしばしばみられる．関節外症状として，眼病変(乾燥性角結膜炎，虹彩炎など)や大動脈弁閉鎖不全症がある[18]．

3）反応性関節炎(ReA)： 尿路感染症(クラミジアなど)や下痢症状(サルモネラ菌，エルシニア，カンピロバクター，細菌性赤痢)などの細菌感染症の2〜4週間後に，急性発症する無菌性関節炎である．膝や足関節などの比較的大関節に非対称性に関節炎が生じることが多い．尿道炎＋結膜炎＋関節炎の3症状が現れた場合をReiter症候群とよんでいたが，現在ReAに統合された．先行する感染症が不顕性のことがある[8]．

4）腸炎関連関節炎(EnA)： 慢性の炎症性腸疾患である潰瘍性大腸炎(e図12-2-I，12-2-J)やCrohn病に伴う関節炎で，およそ10〜20％程度でみられる．結節性紅斑や壊疽性膿皮症などの皮膚病変を伴うことがある．関節炎は多発性だが非対称性，非破壊性で，膝や足関節などの下肢に好発する．約20％に仙腸関節炎を伴う．関節外症状として，結節性紅斑，下肢の皮膚潰瘍，網状皮疹，ブドウ膜炎などがある[10]．

5）その他： 若年性脊椎関節症は，HLA-B27と関連し，7〜16歳の男子に発症し，下肢の非対称性関節炎と付着部炎を主症状とする．その後，ASに移行することが多い[19]．

USpAは，仙腸関節炎や付着部炎を呈するが，ASの診断基準を満たさない関節炎である．その後，ASに移行することが多い[11]．

SAPHO症候群は，掌蹠膿疱症や重症痤瘡などの皮膚症状と，前胸部の鎖骨・胸骨・肋骨を中心とした関節症状を特徴とし，滑膜炎(synovitis)，痤瘡(acne)，膿疱症(pustulosis)，骨化症(hyperostosis)，骨炎(osteitis)，から命名されている．HLA-B27の陽性頻度が30％とされている[6]．

検査所見

1）血液検査： いずれの病型も，疾患活動性が高いとき炎症反応(血沈，CRP)の上昇がみられる．リウマトイド因子や抗CCP抗体は陰性である．HLA-B27の検索が診断に有用である(Gargら，2014)[2-4]．

2）画像検査： ASの典型的なX線所見は，病状の進行により，仙腸関節の骨びらんを伴う関節列隙の開大，癒合，強直がみられる(図12-2-9)．脊椎変化は，胸・腰椎移行部から始まり，椎体の前縁，側縁の靱帯が骨化(椎体靱帯骨化，syndesmophyte)することにより椎体間が架橋され，棘突起間も癒合して骨性強直し，竹節様脊椎(bamboo spine)がみられる(図12-2-10)(Rudwaleitら，2009)[5]．

ReAやPsAのX線所見では，DIP関節での遠位末節骨の骨増殖と近位の中節骨の先細りを伴う骨吸収像がみられる(pencil in cup変形)(e図12-2-K)．付着部に石灰化を認めることがある[8, 18]．

診断

ASASの分類基準では(図12-2-8)(Rudwaleitら，2009；2011)，発症45歳未満・3カ月以上持続する背部痛患者で仙腸関節炎の画像＋SpA徴候の1つ，またはHLA-B27陽性＋SpA徴候の2つがあればaxSpAと診断する．関節炎orf付着部炎or指趾炎があり，SpA徴候が1つ以上，またはその他のSpA所見が2つ以上あればpSpAと診断する．

ASには改訂New York基準があり[21]，臨床基準は，①3カ月持続する運動により改善するが，安静では改善しない腰痛とこわばり，②前後屈，側屈の腰椎可動制限，③胸郭拡張制限(年齢，性別補正した正常値を比較)がある．X線基準は，グレード2以上の両側仙腸関節炎，あるいは，グレード3以上の片側

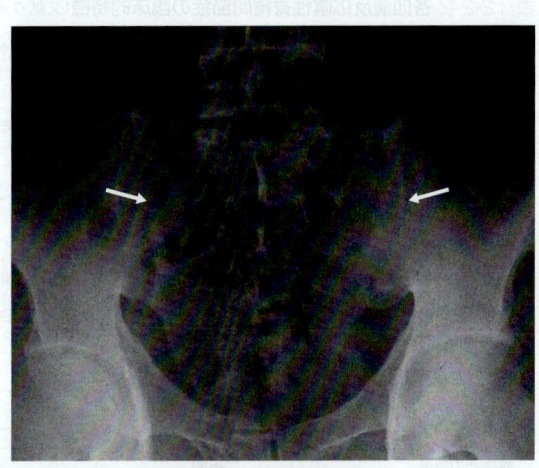

図12-2-9 AS患者の骨盤X線画像
仙腸関節の狭小化を認める(矢印)．

仙腸関節炎がある．分類は X 線基準と少なくとも 1 項目以上の臨床基準を満たすと definite AS，臨床基準を 3 項目満たすとき，また X 線基準を満たすが臨床基準を満たさないとき probable AS とする．MRI では，単純 X 線の異常が出る以前の早期病変を評価可能で，早期診断・早期治療が可能である(Rudwaleitら，2009)[5, 20]．X 線学的変化がみられない axSpA は non-radiographic axSpA (nr-axSpA)と分類される．

PsA の診断基準(CASPAR の基準)は，前提として，末梢・脊椎関節炎または付着部炎を有し，①乾癬の存在・既往・家族歴(2 親等まで)，②典型的な爪変化(爪剥離・陥凹・角化)，③リウマトイド因子陰性，④指趾炎の存在・既往，⑤手足の関節近傍の骨新生変化(X 線による)，現在の乾癬の存在を 2 点，その他の項目を 1 点とする．3 点以上で診断する[18]．

ReA の診断には関節炎や腱付着部炎の診察所見と，先行する感染症についての病歴聴取が重要である[8]．

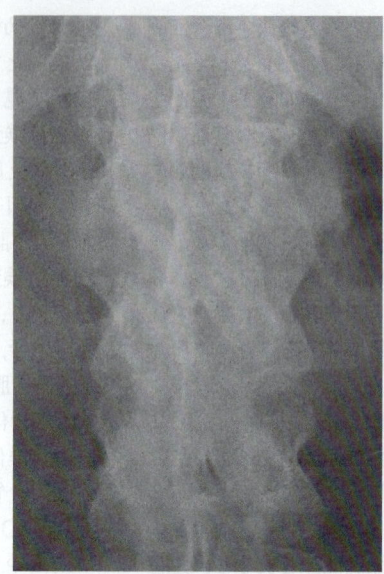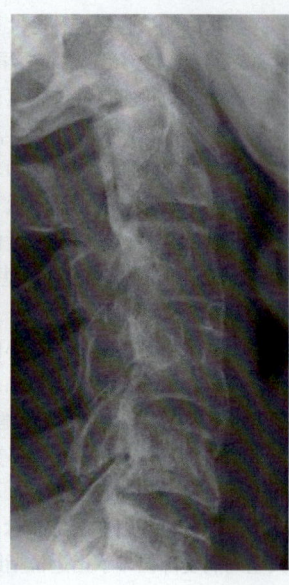

図 12-2-10 AS 患者の脊椎 X 線像
A：AS 患者の腰椎 X 線．bamboo spine を認める．
B：AS 患者の頸椎 X 線．頸椎の前縁，後縁の癒合を認める．

鑑別診断

SpA に分類される疾患の鑑別診断を**表 12-2-2**に示す．末梢性関節炎が主症状の場合，RA との鑑別が必要であるが，ASAS の分類基準(図 12-2-8)が有用である．

治療

AS の治療は，ASAS と欧州リウマチ学会(EULAR)合同 AS 治療が推奨される[22]．AS と PsA ともに，第一選択薬は NSAIDs である．末梢関節炎を伴う場合は，RA の治療に準じて，サラゾスルファピリジンやメトトレキサートなどの抗リウマチ薬(DMARDs)が有効な場合がある．難治性の場合は，抗 TNF-α 抗体製剤を使用する．

PsA の関節炎の活動性が高い場合，メトトレキサート，シクロスポリンなどを追加する．難治性の場合は，抗 TNF-α 抗体製剤のほか，抗体 IL-12/23 抗体製剤，抗 IL-17 抗体製剤も有効であり治療選択が広がっている[23](ⓔ図 12-2-H の B)．

ReA は多くの場合，自然に改善する傾向にあるため，NSAIDS による対症療法で十分な場合が多い．

EnA に対しても難治性の場合は，抗 TNF-α 抗体製剤を使用する．

〔小松田 敦〕

表 12-2-2 各血清反応陰性脊椎関節症の臨床的特徴(文献 4 より改変)

特徴	強直性脊椎炎	反応性関節炎	乾癬性関節炎	腸炎を伴う関節炎
SpA 中の頻度(%)	55.2	1.4	22.2	4.4
好発年齢	40 歳以下の若年	若年～中年	若年～中年	若年～中年
男女比	3：1	5～10：1	1：1	1：1
発症形式	慢性	急性	多様	慢性
仙腸関節炎の有無	100%	40～60%	40%	20%
仙腸関節炎の左右対称性	対称	非対称	非対称	対称
末梢関節炎の頻度	25%	90%以上	95%以上	しばしば
眼病変	25～30%	一般的	ときどき	ときどき
心病変	1～4%	5～10%	まれ	まれ
皮膚・爪の病変	－	一般的	100%	少ない
感染との関連	不明	あり	不明	不明
HLA-B27 の陽性率	90%	50～80%	40%	約20%

■ 文献(e文献 12-2-3)

Garg N, van den Bosch F, et al: The concept of spondyloarthritis: Where are we now? *Best Pract Res Clin Rheumatol*. 2014; **28**: 663-72.

Rudwaleit M, Landewé R, et al: The development of Assessment of Spondyloarthritis international Society classification criteria for axial spondyloarthritis (part I): classification of paper patients by expert opinion including uncertainty appraisal. *Ann Rheum Dis*. 2009; **68**: 770-6.

Rudwaleit M, van der Heijde D, et al: The Assessment of Spondyloarthritis International Society classification criteria for peripheral spondyloarthritis and for spondyloarthritis in general. *Ann Rheum Dis*. 2011; **70**: 25-31.

4) リウマチ性多発筋痛症およびRS₃PE症候群

リウマチ性多発筋痛症(polymyalgia rheumatica：PMR)は，超高齢化社会において日常診療で遭遇する機会が増加しており(50歳以上の人口10万人あたり年間50人ほど発症するといわれている)，一般内科医にとってきわめて重要な疾患である．PMRの臨床的特徴は，高齢者に発症し(発症時の平均年齢は65歳くらいといわれている)，やや女性に多い傾向があるが性差はほとんどない．

臨床症状

全身症状(発熱，倦怠感，体重減少など)および，肩関節周囲や上腕の筋痛，臀部や大腿部などの近位部の筋痛が主症状となり，急性〜亜急性(多くは2週以内)の経過で発症する．体幹部のこわばりのため動作が鈍くなる．手指など末梢関節の疼痛やこわばりを訴える場合，関節リウマチとの鑑別が困難となる．

検査所見

赤沈亢進，CRP高値が著明で，そのほか炎症に関連した貧血，白血球や血小板の軽度増加など，非特異的なものだけでリウマトイド因子や抗核抗体，抗CCP抗体などの自己抗体関連検査は原則として陰性である．

診断

PMRは，2012年の分類基準を参考に診断される(Dasguptaら，2012)(表12-2-3)．すなわち①年齢が50歳以上，②両肩関節痛および③炎症反応陽性(赤沈亢進またはCRP上昇)の3つが必須項目で，表12-2-3の条件を満たせばPMRと分類される．関節エコー所見の，上腕二頭筋腱鞘滑膜炎，三角筋下滑液包炎，肩甲上腕筋滑膜炎，股関節滑膜炎，大転子部滑液包炎なども参考所見となるがPMRに特異的ではない．

PMRと類似の疾患でremitting seronegative symmetrical synovitis with pitting edema(RS₃PE症候群)がある(Cantiniら，1999)．その名のとおり，寛解にはいりやすい予後良好な疾患で，リウマトイド因子陰性の左右対称性の滑膜炎と四肢末梢の浮腫を伴うのが特徴である(図12-2-11)．高齢者に多く，急性〜亜急性の経過をたどり，ステロイド少量が著効することなど，臨床的にはPMRとほぼ同じであるが，滑膜炎と浮腫の存在で区別される(表12-2-4)．またRS₃PE症候群の方がやや男性に多く，うつ的傾向が強く，喫煙歴が多い傾向があるという(Kimuraら，2012)．

PMRやRS₃PEに類似の症状は，悪性腫瘍や感染症などほかの疾患によってみられることがあり，これらとの鑑別もきわめて重要であり，分類基準のみに頼らず診断は慎重に行う．

治療

両疾患とも少量のステロイドが著効する．通常プレドニゾロン換算10〜20 mg/日を2〜3週使用し，再燃に注意して1 mg/2〜4週程度で漸減する．おおむね

表12-2-3 2012 EULAR/ACRによるPMR分類基準

必須条件 ①年齢≧50歳，②両側の肩関節痛，③赤沈亢進またはCRPの上昇	エコーを 使用しない場合(0〜6)	エコーを 使用する場合(0〜8)
朝のこわばり45分以上	2	2
臀部の痛み，または可動域制限	1	1
RFおよびACPA陰性	2	2
肩関節以外の関節痛なし	1	1
関節エコーで，1カ所以上の肩関節病変(三角筋下滑液包炎，上腕二頭筋腱鞘滑膜炎または肩甲上腕筋滑液包炎)＋1カ所以上の股関節病変(股関節滑膜炎または大転子部滑液包炎)	N/A	1
関節エコーで，両側の肩関節病変(三角筋下滑液包炎，上腕二頭筋腱鞘滑膜炎または肩甲上腕筋滑液包炎)	N/A	1

判定：エコーなしの場合は6点中4点以上，ありの場合は8点中5点以上でPMRと分類．

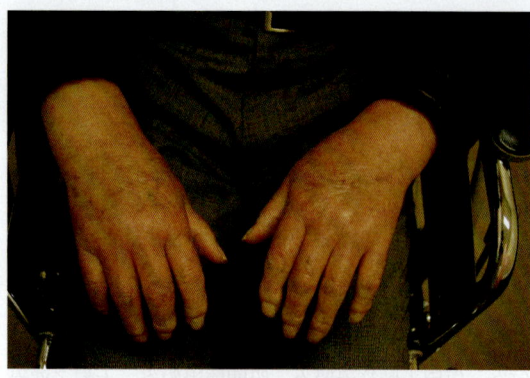

図 12-2-11 RS₃PE 患者における上肢末梢の浮腫

表 12-2-4 RA vs RS₃PE vs PMR

	RA	RS₃PE	PMR
男性：女性	1：3〜4	1：1？	1：1〜1.5
発症年齢	30〜50	> 50	> 50
発症の経過	慢性	急性/亜急性	急性/亜急性
関節痛 筋痛	+ −	+ ±	肩以外は− +
RF 抗CCP	+	−	−
ESR 亢進 CRP 上昇	+	++	++
末梢の浮腫	−	+	−

これで管理は可能であるが，ステロイドの減量後に再燃を繰り返す場合は，メトトレキサートなどの免疫抑制薬が使用される．

ステロイドの長期投与に伴い骨粗鬆症による脆弱性椎体骨折，糖尿病や脂質異常症とそれに起因する心血管系合併症など，有害事象の防止が重要であり，ステロイドの減量が今後の課題である． 〔天野宏一〕

■文献

Cantini F, Salvarani C, et al: Remitting seronegative symmetrical synovitis with pitting oedema (RS3PE) syndrome: a prospective follow up and magnetic resonance imaging study. Ann Rheum Dis. 1999; 58: 230-6.

Dasgupta B, Cimmino MA, et al: 2012 Provisional classification criteria for polymyalgia rheumatica: a European League Against Rheumatism/ American College of Rheumatology collaborative initiative. Ann Rheum Dis. 2012; 71: 484-92.

Kimura M, Tokuda Y, et al: Clinical characteristics of patients with remitting seronegative symmetrical synovitis with pitting edema compared to patients with pure polymyalgia rheumatica. J Rheumatol. 2012; 39: 148-53.

5）成人 Still 病

定義・概念

小児慢性炎症性疾患の Still 病にその臨床所見が類似している成人患者の報告に始まる（Bywaters, 1971）．症状は弛張熱，皮疹，関節炎，リウマトイド因子陰性で，通常は副腎皮質ステロイドに反応するが，再発・再燃をきたすことが多い．広義の自己炎症性疾患に属する．不明熱の代表的疾患で鑑別診断が重要である．

分類

成人発症例を「成人発症 Still 病」とよび，小児期発症の Still 病患者が成人（16 歳以上）になったものと合わせて，「成人 Still 病」と定義する．臨床経過から病型は，①単周期性全身型（30〜40％），②多周期性全身型（30〜40％），③慢性関節型（20〜30％）の3つに分類される．全身型は高熱など全身症状が強いのが特徴で，そのうち単周期型は自然軽快する場合もある．一方慢性関節型は末梢関節炎が持続し，関節リウマチのように関節破壊（おもに骨性強直）をきたす場合がある（e表 12-2-A）．

原因・病因

原因・病因は不明であるが，ウイルス感染などを契機とした単球・マクロファージの活性化により炎症性サイトカイン（インターロイキン（IL）-1，IL-2，IL-6，IL-18，腫瘍壊死因子（TNF）-α，インターフェロン-γなど）が持続的かつ過剰に産生・放出されることが本態であると考えられている．自己抗体や自己反応性T細胞は認めず自己免疫疾患というよりは，自然免疫系の制御異常による自己炎症性疾患に属すると理解される．

疫学

2011 年の厚生労働省研究班（研究代表者；住田孝之）による全国疫学調査では，罹病者は 4760 人と推定され，人口 10 万人あたり 3.9 人である（Asanuma ら，2015）．発症は若年に多いが高齢発症者もあり，発症平均年齢は 46 ± 19 歳，男女比はやや女性に多い．家族内発症はない．

病態生理

炎症性サイトカインによる全身性症状と多発関節炎による関節症状に分けて理解する．

臨床症状

1）自覚症状： 3 主徴は，発熱（94％にみられ，午前中は平熱で夕方から夜にかけて上昇し 39℃以上まで達する弛張熱），関節痛（80％以上の頻度でおもに手指，手，膝関節の多発関節炎で骨びらんや骨性強直を認める場合もある），皮疹（60％以上に典型的皮疹（サーモンピンク疹 e図 12-2-L；四肢や体幹の淡いピン

ク色の平坦な皮疹で，瘙痒感はほとんどなく平熱時には消褪する）で，ほかに咽頭痛（60％程度）などがある（Asanumaら，2015）.

2）他覚症状：リンパ節腫脹，肝脾腫などが認められる．20％程度に薬剤アレルギーがある.

検査所見

白血球増加，血小板増加，CRP高値，赤沈亢進，肝酵素上昇，フェリチン著増（eコラム1）が認められる．保険診療外であるが血清IL-18が著増する[1]．

診断

国際的にも頻用されている山口らの成人Still病分類基準[2]による（表12-2-5，e表12-2-B）.

鑑別診断

感染症，悪性腫瘍およびほかの膠原病は十分に鑑別する必要がある[3]．

①感染症では，細菌感染症（特に敗血症や感染性心内膜炎）やウイルス感染（Epstein-Barr（EB）ウイルス，パルボB19ウイルス，サイトメガロウイルスなど）の鑑別が必要である．鑑別ポイントは，ウイルスの血清学的検査，成人Still病におけるフェリチン異常高値.

②悪性腫瘍では，悪性リンパ腫，白血病が鑑別疾患としてあげられる．悪性疾患の可能性を否定できなければ，ガリウムシンチグラフィ，リンパ節生検，骨髄穿刺などのより高度・専門的な検査も必要となる.

③膠原病では，全身性エリテマトーデス（CRP陰性，抗核抗体陽性，低補体血症），関節リウマチ（リウマトイド因子／抗CCP抗体陽性），血管炎症候群，サルコイドーシス，Castleman病やリウマチ性多発筋痛症などとの鑑別を要す．弛張熱，血清フェリチン著増，白血球高値，皮疹などが鑑別ポイントになる.

④その他，自己炎症性疾患など.

合併症

重篤な合併症には，播種性血管内凝固（DIC）やマクロファージ活性化症候群／反応性血球貪食症候群があり，その頻度は12〜14％で通常の膠原病に比して多い[3]．その他，肺障害（急性肺障害，間質性肺炎），漿膜炎（胸膜炎，心膜炎），心筋炎などがある．長期間の炎症反応高値持続症例ではアミロイドーシスも合併する．妊娠との関係では，妊娠早期（10週以降）からの初発や再燃，早期出産や正常産とともに流産も認める[7]．

経過・予後

一般的に重篤な合併症がなければ予後は比較的良好である.

治療

発症早期に寛解導入を目的として，おもに副腎皮質ステロイド（CS）中等量（プレドニゾロン換算で，0.5 mg/kg）以上を用いる．初期治療にて，解熱，炎症反応（CRP）陰性化，血清フェリチン値正常化がなければ，CSの増量，CSパルス療法，免疫抑制薬（メトトレキサート，シクロスポリン，タクロリムスなど）の併用が一般的である（Jamillouxら，2015）．CSは初期量にて反応があれば通常の膠原病治療に準じて減量する．CSの減量困難時にも免疫抑制薬の併用が選択される．CS不応，免疫抑制薬効果不十分例に関しては，抗リウマチ生物学的製剤の使用を考慮する．IL-6刺激阻害薬（トシリズマブ；抗IL-6受容体抗体）の有効性が近年多数報告されている[6,7]．特に，小児のStill病に対して保険適用もありセカンドライン治療薬として有効であるトシリズマブは，類似の病態があると想像される成人発症Still病に対しても有効な可能性がある．ただし，トシリズマブをはじめとした抗リウマチ生物学的製剤は，成人Still病には保険適用外であることを理解し，安易な使用は避け，使用に際しては十分な対策が必要である．慢性関節型に対しては経口抗リウマチ薬が有効である． 〔三村俊英〕

表12-2-5 成人Still病診断基準

大項目
1. 39℃以上の発熱が1週間以上持続
2. 関節痛が2週間以上持続
3. 定型的皮疹
4. 80％以上の好中球増加を伴う白血球増加（1万／μL以上）

小項目
1. 咽頭痛
2. リンパ節腫脹または脾腫
3. 肝機能異常
4. リウマトイド因子陰性および抗核抗体陰性

除外項目
Ⅰ. 感染（特に敗血症，伝染性単核球症）
Ⅱ. 悪性腫瘍（特に悪性リンパ腫）
Ⅲ. 膠原病（特に結節性多発動脈炎，悪性関節リウマチ）

大項目2つを含み合計5項目以上を認める場合に診断する（ただし除外項目を認めない場合）．血清フェリチン著増は特徴的ではあるが特異的ではないため参考と考える.

■文献（e文献12-2-5）

Asanuma YF, Mimura T, et al: Nationwide epidemiological survey of 169 patients with adult Still's disease in Japan. *Mod Rheumatol*. 2015; 25: 393-400.

Bywaters EG: Still's disease in the adult. *Ann Rheum Dis*. 1971; 30; 121-33.

Jamilloux Y, Gerfaud-Valentin M, et al. Treatment of adult-onset Still's disease: a review. *Ther Clin Risk Man*. 2015; 11: 33-43.

12-3 Sjögren 症候群
Sjögren syndrome : SS

定義・概念
Sjögren 症候群は，慢性唾液腺炎と乾燥性角結膜炎を主徴とし，多彩な自己抗体の出現や高ガンマグロブリン血症をきたす自己免疫疾患の1つである．病理学的に唾液腺，涙腺において腺房の破壊，萎縮が認められ，その結果による乾燥症(sicca syndrome)を主症状とするが，全身の外分泌腺も系統的に障害されることがあるため，autoimmune exocrinopathy とも称される．

分類
Sjögren 症候群は他の膠原病の合併がみられない一次性(primary)Sjögren 症候群と関節リウマチや全身性エリテマトーデス(systemic lupus erythematosus：SLE)などの膠原病を合併する二次性(secondary)Sjögren 症候群とに大別される．

原因・病因・病態(図 12-3-1)
Sjögren 症候群の発症機序は，何らかの先行因子により抗原特異的免疫応答が惹起され，続いて抗原非特異的免疫応答が関与すると考えられる(Sumida ら，2014)．経時的に，①先行因子，②炎症の誘導期，③炎症の慢性期，④唾液腺破壊期と進行する．先行因子は不明であるが，細菌やウイルスなどの感染症が引き金となり一部の唾液腺組織が壊れることで炎症が誘導される．その結果，壊れた細胞からさまざまな自己抗原(ムスカリン作動性アセチルコリン受容体3，熱ショック蛋白など)が流出し，プロフェッショナルな抗原提示細胞や唾液腺上皮細胞などに抗原ペプチドが提示され，抗原特異的な T 細胞が活性化されるに至る．活性化された T 細胞は IL-2 などのサイトカインを産生しポリクローナルな T 細胞の増殖を惹起する．また，産生された IL-6 などによりポリクローナルな B 細胞の活性化が誘導され，自己抗体産生やリンパ増殖性病態を引き起こす．最終的には，INF-γ や IL-17 などの炎症性サイトカインにより炎症は増幅され，細胞傷害性 T 細胞も誘導されてくる．CD4 陽性細胞傷害性 T 細胞は Fas リガンドを介して，CD8 陽性細胞傷害性 T 細胞はパーフォリン，グランザイムを介して，唾液腺上皮細胞をアポトーシスに陥らせる．このような機序を介し，唾液腺炎，唾液腺破壊が惹起されると考えられる．

疫学
2010 年度の厚労省特定疾患自己免疫疾患調査研究班の疫学調査結果(2011 年度)では，Sjögren 症候群患者総は 6 万 6000 人と報告された．一方，欧米では日本の有病率の 10 倍であり，関節リウマチ患者数と同等である．男女比は 1：17 で圧倒的に女性に多く，発症年齢のピークは 40～60 歳代である．

病理(e図 12-3-A)
病理学的には，唾液腺や涙腺の導管，腺房周囲の著しいリンパ球(T 細胞および B 細胞)浸潤，線維化，

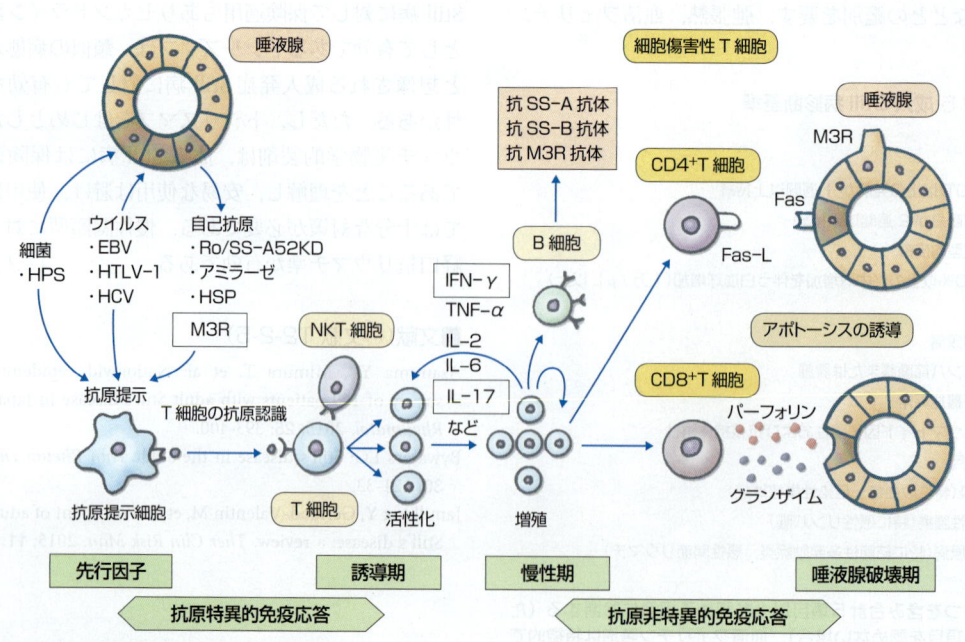

図 12-3-1 Sjögren 症候群の発症機序

上皮腺炎が特徴とされる．

臨床症状

1）自覚症状：

a）ドライマウス：自覚症状は，口腔内乾燥感，唾液の粘稠感，口腔内灼熱感，飲水切望感，夜間の口腔内疼痛，味覚異常，食物摂取困難，などである．他覚所見は，口腔内乾燥，口腔内発赤，舌乳頭萎縮，歯牙・口腔汚染，口角びらん，齲歯の多発，歯肉炎・歯周炎，耳下腺・顎下腺の腫脹などである．

b）ドライアイ：自覚症状としては，涙が出ない，目がごろごろする，目が熱い，目が疲れる，目が充血する，目がかすむ，まぶしい，悲しいときに涙が出ない，などである．他覚所見は，眼科的に乾燥性角結膜炎がみられる．

2）他覚症状： 全身の臓器に多彩な臨床症状を生じる（e図 12-3-B）．

a）発熱：10〜30％の Sjögren 症候群患者に発熱が認められるが，37℃台の微熱であることが多い．

b）血液・リンパ球異常：骨髄病変に伴う症状として，貧血（30〜60％），白血球減少（おもにリンパ球減少）（30〜60％），血小板減少（10％）がみられる．多クローン性高ガンマグロブリン血症（60〜80％）やクリオグロブリン血症（5〜10％）による紫斑がみられることがある．全身のリンパ節腫脹（偽性リンパ腫）が約30％でみられる．悪性リンパ腫の発生頻度は健常人の 40〜80 倍と報告されている．おもに B 細胞リンパ腫であるが，MALT（mucosa-associated lymphoid tissue）リンパ腫の出現も報告されている．

c）関節・筋：全身の関節痛，関節腫脹（30〜60％）は，関節リウマチの早期症状との鑑別が難しいことがある．血清学的にはリウマトイド因子（70％），抗核抗体（80〜90％）が陽性であり関節リウマチと共通点があるが，抗 CCP 抗体が陽性となる頻度は低い．

筋痛，筋力低下，筋脱力感などが認められることがあるが，頻度は高くない．筋脱力感の原因として，間質性腎炎に起因する尿細管性アシドーシスによる低カリウム血症性ミオパチーも念頭に入れるべきである．

d）皮膚：環状紅斑（20％），Raynaud 現象（20〜30％），高ガンマグロブリン血症に伴う紫斑（15％），凍瘡・凍瘡様皮疹，日光過敏，浸潤性紅斑，などがみられることがある．Sjögren 症候群では，複数の薬剤に対してアレルギーを起こすことが多く薬疹が出やすい．

e）甲状腺：甲状腺に対する自己抗体（抗甲状腺ペルオキシダーゼ抗体あるいは抗マイクロソーム抗体，抗サイログロブリン抗体）の陽性率は，17〜36％である．びまん性甲状腺腫大とともに甲状腺自己抗体陽性であり慢性甲状腺炎（橋本病）と診断される症例の頻度は約 25％である．甲状腺機能障害を伴う頻度は Sjögren 症候群の 7〜8％である．

f）肺：間質性肺炎が 20〜25％に合併する．症状は咳と呼吸困難である．CT 画像上の分類では，NSIP（nonspecific interstitial pneumonia）パターンが 60％であり，LIP（lymphoid interstitial pneumonia）パターンは少ない．

g）心血管系：抗 SS-A 抗体，特に SS-A52 kD 蛋白に対する自己抗体陽性患者が妊娠した場合に，18〜24 週齢の胎児に完全房室ブロックが生じる可能性があり（2〜5％），新生児の完全房室ブロックの頻度（0.005％）の約 1000 倍であることは注意を要する．出生後，児は直ちにペースメーカ治療が必要となる重篤な症例もあり，予防，治療対策が必要となる．

h）消化管：唾液腺分泌低下による嚥下障害や胸やけなどの食道炎症状もみられる．慢性萎縮性胃炎が約 50％の症例で認められる．胃の MALT リンパ腫の発生頻度も高い．原発性胆汁性肝硬変症が 5％前後，慢性膵炎は 5〜20％に合併すると報告されている．近年，IgG4 関連疾患としての自己免疫性膵炎は Sjögren 症候群の合併とは異なる病態としてとらえる傾向となった．

i）腎：25％で尿所見異常，腎機能障害，尿細管性アシドーシスなどがみられる．間質性腎炎は 15％に，糸球体腎炎は 7.5％に認められる．

j）神経系：末梢神経障害は 10〜20％に認められ，感覚失調性ニューロパチー，有痛性感覚性ニューロパチー，多発性単神経炎，三叉神経炎の頻度が高い．中枢神経障害としては，多発性脳梗塞，横断性脊椎炎，多発性硬化症様症状がみられることがある．

検査所見

1）一般検査： CRP 陽性，赤沈値亢進，高ガンマグロブリン血症が 60〜80％にみられる．特に，IgG，IgA が増加しており，またクリオグロブリン（IgM-IgG）も高率に検出される．貧血，白血球減少症は約 30〜60％にみられる．10％以下で血小板減少症がみられ，そのなかには特発性血小板減少性紫斑病の合併もある．

2）免疫学的検査： 自己抗体としては抗核抗体が 66〜80％に検出され，染色型は斑紋型（speckled pattern）が多い．抗 Ro/SS-A 抗体は 80％と本症において最も高頻度に検出される自己抗体である．同抗体はほかの膠原病にも検出されるため，特異性は抗 La/SS-B 抗体より低い．抗 La/SS-B 抗体は，35％に検出されるが，本症に特異性が高く診断意義が高い．本抗体陽性例は常に抗 Ro/SS-A 抗体も陽性である．リウマトイド因子は約 60〜80％の症例で認められる．

3）特殊検査：

a）小唾液腺，涙腺生検：口唇の小唾液腺および涙腺生検は診断に有用である．陽性所見は，小唾液腺組

織で 4 mm² あたり 1focus（導管周囲に 50 個以上のリンパ球浸潤）以上認められることである（Greenspanらの基準では grade 3 と 4）．

　b）唾液腺造影（sialography）：造影剤を Stenon 管より注入し耳下腺を造影する方法である．Rubin and Holt の分類で stage I（直径 1 mm 未満の小点状陰影）以上を陽性とする（図 12-3-2）．

　c）唾液腺シンチグラフィ：$^{99m}TcO_4^-$ を用いた唾液腺の RI 検査．軽症例では耳下腺，顎下腺への集積が著明にみられるが，高度の唾液腺障害例では，集積はほとんどみられない．

4）眼科的検査：

　a）Schirmer 試験：涙液量を測定する方法で Whatman 濾紙を下眼瞼耳側に 5 分間かけておき，5 mm 以下の涙液分泌を陽性としている．

　b）ローズベンガル染色，リサミングリーン染色，蛍光色素染色：乾燥性角結膜炎の存在を検討するための生体染色検査である．ローズベンガル液，リサミングリーン染色液，蛍光色素液を点眼し，細隙灯顕微鏡で検査する．眼裂部およびそれより下方球結膜の染色（ローズベンガル試験では van Bijsterveld スコアが 3 以上）があれば陽性所見とする（図 12-3-3）．

診断

Sjögren 症候群はいくつかの特徴的な症状を呈する症候群であるために，診断基準が設けられている．おもな診断基準は，旧厚生省の改訂診断基準（1999 年），米国・ヨーロッパ改訂分類基準（2002 年），米国リウマチ学会基準（ACR，2012 年）である．現時点では，日本における唯一の公式な診断基準は旧厚生省改訂基準である（Fujibayashi ら，2004）（表 12-3-1）．

鑑別診断

鑑別すべき疾患として，ほかの膠原病（特に関節リウマチ，全身性エリテマトーデス）や IgG4 関連 Mikulicz 病があげられる．Sjögren 症候群の関節炎

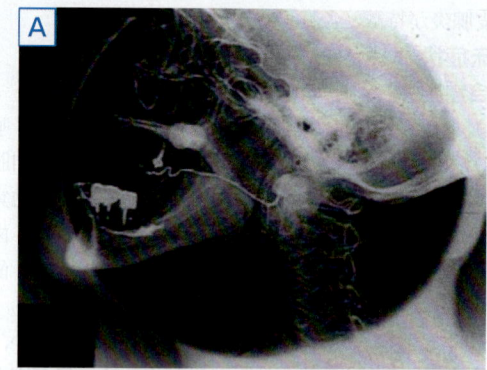

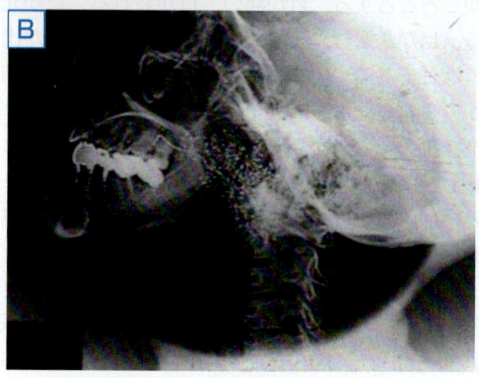

図 12-3-2 Sjögren 症候群の唾液腺管造影所見
A：健常人，造影剤のもれがない．
B：Sjögren 症候群患者，斑状・点状影が認められる．

は，関節リウマチと同様に朝のこわばりがあり両側性の関節痛を呈するが，こわばりの持続時間が短時間であり軟骨破壊・関節の変形をきたすような激しい関節炎は少ない．

ドライアイ，ドライマウスの症状・所見や抗 SS-A 抗体，抗 SS-B 抗体などの疾患特異的な自己抗体が鑑別診断に役立つ．両側の唾液腺腫脹や涙腺腫脹をきたし Sjögren 症候群と臨床所見が類似している IgG4 関連 Mikulicz 病は，抗 SS-A 抗体，抗 SS-B 抗体がとも

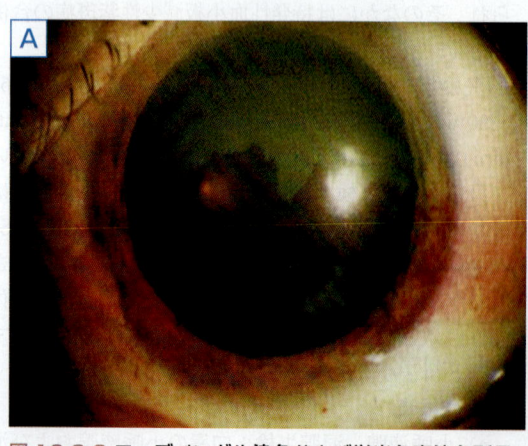

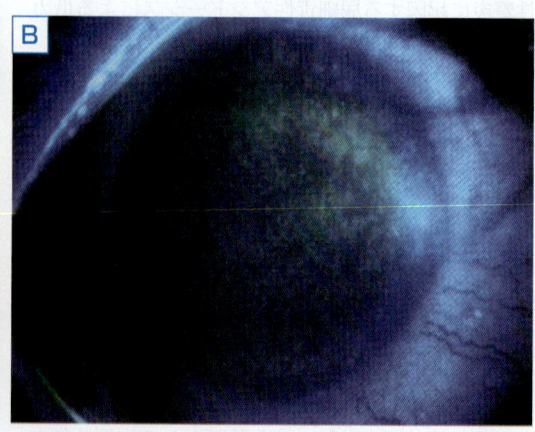

図 12-3-3 ローズベンガル染色および蛍光色素染色所見
A：ローズベンガル染色，B：蛍光色素染色．

表 12-3-1 Sjögren 症候群の改訂診断基準(旧厚生省，1999年)

1. **生検病理組織検査**で次のいずれかの陽性所見を認めること
   A) 口唇腺組織で 4 mm² あたり 1 focus (導管周囲に 50 個以上のリンパ球浸潤) 以上
   B) 涙腺組織で 4 mm² あたり 1 focus (導管周囲に 50 個以上のリンパ球浸潤) 以上

2. **口腔検査**で次のいずれかの陽性所見を認めること
   A) 唾液腺造影でステージ I (直径 1 mm 未満の小点状陰影) 以上の異常所見
   B) 唾液分泌量低下 (ガム試験にて 10 分間で 10 mL 以下または Saxon テストにて 2 分間で 2 g 以下) があり，かつ唾液腺シンチグラフィにて機能低下の所見

3. **眼科検査**で次のいずれかの陽性所見を認めること
   A) Schirmer 試験で 5 分間に 5 mm 以下で，かつローズベンガル試験(van Bijsterveld スコア) で 3 以上
   B) Schirmer 試験で 5 分間に 5 mm 以下で，かつ蛍光色素試験で陽性

4. **血清検査**で次のいずれかの陽性所見を認めること
   A) 抗 Ro/SS-A 抗体陽性
   B) 抗 La/SS-B 抗体陽性

〈診断基準〉
上の 4 項目のうち，いずれか 2 項目以上を満たせば Sjögren 症候群と診断する．

に陰性であること，血清中 IgG4 が高値であること，唾液腺組織に IgG4 陽性形質細胞浸潤が認められることなどから鑑別は容易である．

その他，ドライアイをきたす眼疾患やドライマウスを起こす，糖尿病，唾液腺萎縮症，薬剤の副作用，高年齢などが鑑別される．

合併症

慢性甲状腺炎 (橋本病)，原発性胆汁性肝硬変症，尿細管性アシドーシス，悪性リンパ腫などを合併することがある．

重症度

欧州リウマチ学会が提唱した ESSDAI (EULAR Sjögren's Syndrome Disease Activity Index) が日本においても Sjögren 症候群の重症度分類として使用されている (Seror ら，2014) (e 表 12-3-A)．ESSDAI は 12 領域 (健康状態，リンパ節腫脹，腺症状，関節症状，皮膚症状，肺病変，腎病変，筋症状，末梢神経障害，中枢神経障害，血液障害，生物学的所見) から構成され，それぞれに「重み」の係数がつけられている．活動性は各領域において 0〜3 点に分けられる．各領域の点数は係数×活動性で計算され，ESSDAI はそれぞれの領域の合計点数で評価される．ESSDAI が <5 点であれば軽症，5 点以上 14 点未満であれば中等症，14 点以上であれば重症と定義される．

経過・予後

予後は比較的良好で 10〜20 年後に重症化する頻度は低く (5%)，診断・治療の進歩により約 20 年前に比べて死亡例が 1/8 に減少している (0.4%)．乾燥症状に限定したタイプは一般に予後良好であるが，全身症状を合併した場合は，活動性が高く予後の悪いことがある．特に，進行性の間質性肺炎，糸球体腎炎，自己免疫性肝炎，中枢神経障害，高粘度症候群などの合併により予後は大きく左右される．ほかの膠原病や悪性リンパ腫などの合併 (発症率は健常人に比して 40〜80 倍高い) があるときは，それらに対する治療が必要である．さまざまなアレルギー反応を起こしやすい点に留意する．

治療・予防・リハビリテーション

治療は全身症状の有無により異なる．

一般に，腺症状だけの腺型 Sjögren 症候群では，ドライアイやドライマウスに対しては，生活の質 (quality of life: QOL) の改善を目指した対症療法が治療の中心となる．多様な臓器病変に対しては，生命予後の改善を目指しステロイドや免疫抑制薬の適用となる．

1) QOL の改善を目指した治療:

a) ドライアイ (e 表 12-3-B): 人工涙液が治療の中心．難治性の場合は，涙点プラグを挿入する (眼科専門医による)．

b) ドライマウス (e 表 12-3-B): 口腔乾燥症状に対してムスカリン作働性アセチルコリン受容体 3 (M3R) を刺激する 2 種類の薬剤 (塩酸セビメリン，塩酸ピロカルピン) が保険適用となっている．

2) 生命予後の改善を目指した治療 (e 表 12-3-C):

a) 活動性が低い場合: 発熱，反復性唾液腺腫脹，リンパ節腫脹 (偽性リンパ腫)，関節症状などに対しては，プレドニゾロン換算で 5〜15 mg/日を用いることで十分な効果が認められる．

b) 活動性が高い場合: ①進行性の間質性肺炎，糸球体腎炎，自己免疫性肝炎，中枢神経障害，②高ガンマグロブリン血症やクリオグロブリン血症に伴う高粘度症候群，③ほかの膠原病を合併する場合，プレドニゾロン換算で 30〜60 mg/日を投与する．免疫抑制薬 (シクロホスファミド) も重症例では有効とされているが，腎毒性，悪性リンパ腫続発の危険性を考慮する必要がある．

c) 合併症の治療: 慢性甲状腺炎，原発性胆汁性肝硬変症，尿細管性アシドーシス，悪性リンパ腫などを合併する場合，それに対する個々の治療が必要となる．

治療費助成

2015 年 1 月より国の指定難病の 1 つになった．申

請方法の詳細に関しては，最寄りの保健所で確認することができる．認定条件としては，診断基準を満たすこと，重症度が中・重症度以上であることなどである． 〔住田孝之〕

■文献
Fujibayashi T, Sugai S, et al: Revised Japanese criteria for Sjögren's syndrome (1999): availability and validity. *Mod Rheumatol*. 2004; 14: 425-34.

Seror R, Bootsma H, et al: Defining disease activity states and clinically meaningful improvement in primary Sjögren's syndrome with EULAR primary Sjögren's syndrome disease activity (ESSDAI) and patient-reported indexes (ESSPRI). *Ann Rheum Dis*. 2014 Dec 5. pii: annrheumdis-2014-206008. doi: 10.1136/annrheumdis-2014-206008.

Sumida T, Tsuboi H, et al: The role of M3 muscarinic acetylcholine receptor reactive T cells in Sjögren's syndrome: a critical review. *J Autoimmun*. 2014; **51**: 44-50.

12-4 全身性エリテマトーデス
systemic lupus erythematosus：SLE

定義・概念
　全身性エリテマトーデス(SLE)は，紅斑性狼瘡(結核関連の尋常性狼瘡と似て非なる咬傷様皮疹：ラテン語 lupus/狼)を伴う，全身臓器(systemic)の疾患として，20世紀初頭までに記載された．特有で多彩な皮疹，関節炎，血球減少，自己抗体，血管を介した臓器障害，など複数項目で診断される臨床概念であり，単一項目では定義できない．再燃を反復する炎症病態であり，活動期にしばしば発熱する．血清自己抗体，病巣に沈着する免疫グロブリンと補体成分から想定される免疫複合体性(Ⅲ型)障害，自己抗体による貧血や血小板減少(Ⅱ型障害)，B細胞の多クローン性活性化がみられ，免疫抑制治療が奏効するので，自己免疫性疾患とみなされる．

原因・病因
　遺伝要因に，後天要因が加わって発症する多因子疾患と推定される．同定された疾患感受性遺伝子の多くが免疫機能分子をコードし，HLAも含むが，関連を示すデータには民族差がある．性ホルモン，X染色体上の感受性遺伝子の量的な男女差も寄与しうる．後天要因は紫外線暴露，ウイルス感染などの免疫刺激，体細胞遺伝子変異が推定される．双生児のSLE発症一致率が，一卵性で24～69%，二卵性で2～9%との報告も，遺伝と後天要因の寄与を示唆する．

疫学
　1970年代よりSLE分類基準(診断基準)が普及し，患者数と軽症例の比率が増した．近年の患者数は，日本で(公的医療扶助の申請数)約6万人，推定有病率30～50/10万人である．女性に多く(男女比1：9)，妊娠年齢での発症(ピークは20～30歳代)例が多いが，小児から高齢者までみられる．白人よりも，黒人，アジア人，ヒスパニック系に多く，重症例の比率は黒人，ヒスパニックに高い．小児は，成人よりも高疾患活動性の例が多いが，予後不良に直結するわけではない．高齢者には，腎炎，中枢神経障害が少ない傾向がある．

病態生理
　①SLE患者血球の鏡検でのLE現象(*in vitro* で壊れた細胞核の均質な膨化，それを貪食した好中球)から，DNA-histon複合体に結合するオプソニンが示唆され，抗核抗体の発見に至った(好中球は，標的に結合した抗体をFc受容体でとらえ，標的を貪食する)．病巣で壊れた細胞に由来する膨化した核・抗核抗体複合物はヘマトキシリン体とよばれ，腎糸球体にも散見される．大動脈弁・僧帽弁のヘマトキシリン体・フィブリノイド壊死を伴う疣贅(Libman-Sacks 心内膜炎)は剖検で見つかる微小なものであり，弁膜症はまれである．②病原性自己抗体は，Coombs 抗体と抗血小板抗体(Ⅱ型障害)，抗リン脂質抗体(血栓症)である．③さまざまな分子を標的とする免疫複合体/ICの沈着(IgG, IgM, C1q)は，血管表面と周囲の間質にみられ，炎症細胞浸潤を伴い(Ⅲ型障害)，諸臓器の炎症と虚血を招く．腎糸球体で，メサンギウム領域，毛細血管壁へのIC沈着(針金の輪/ワイヤループ様の係蹄肥厚)，皮膚で，表皮真皮接合部へのIC沈着(ループスバンドテスト陽性という；図 12-4-1)，表皮基底細胞層の液状変性，毛細血管拡張と真皮浮腫をきたす．④血管壁内への細胞浸潤という厳密な意味の血管炎像は，SLEで高率でないが，皮膚の白血球破砕性血管炎はしばしば認め，網膜病変，肺胞出血も血管炎とみられる．中枢神経病態の多くは血管炎でなく，Ⅲ型障害，抗リン脂質抗体などさまざまな要因による虚血変化であり，脳血管障害の一部は出血も伴う．ヘルパーT細胞は自己抗体産生を促す．障害臓器によっては細胞傷害性T細胞の関与が推定される．⑤インターフェロン(IFN)-αは，SLEで血中濃度が上昇し，IFN-α誘導遺伝子群の発現も亢進している．IFN-α阻害薬は，SLE治療薬として臨床使用されつつある．

臨床症状
　表 12-4-A，12-4-Bに各病態を臓器別に，経過

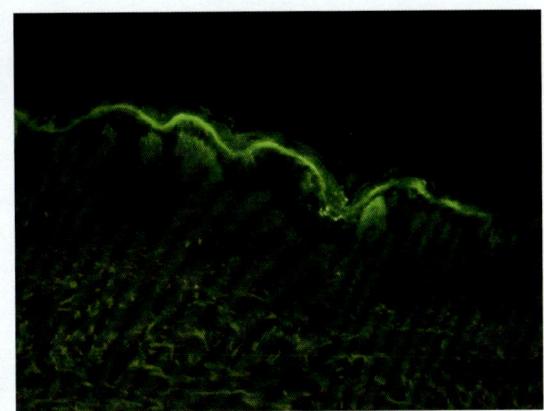

図 12-4-1 ループスバンドテスト（蛍光抗体法：IgG）

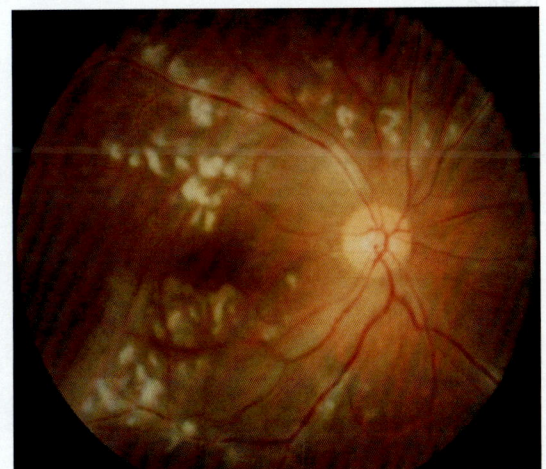

図 12-4-2 SLE の網膜症—綿花様白斑

中にみる頻度順で記す（％値は諸文献での代表値）．

1）初発時の全身性エリテマトーデス所見： 変動性の関節炎を高率にみる（持続関節炎を特徴とする関節リウマチも，初期は移動変動するので鑑別が重要となる）．頬部紅斑は特徴的であるが，頻度の文献値には幅がある．日光過敏，Raynaud 現象，脱毛，口腔鼻腔潰瘍，爪周囲紅斑を認めることがある．lupus の語源になった播種性の円板状ループス疹は，一部の患者にみる．腎炎は尿検査で高率に検出されるが，初発時の身体所見として顕在化する例は少ない．

2）経過中・再燃時の所見： e表 12-4-A のとおり多彩であるが，多くは診断後に現れ，SLE 症状とわかりやすい．神経精神症状も続発例が多い．無治療で進行した後の初診例や，まれながら初発症状での中枢神経障害，心不全，急性腹症，水腎症，視力障害（図 12-4-2）では，迅速な SLE 診断を要する．ループス腸炎とループス膀胱炎は共存しやすい．Raynaud 現象と一部の慢性皮膚ループスを除き，ほとんどの病態が治療で軽快する（肺高血圧症も，強皮症肺高血圧症と異なりステロイド反応性がよい）．不随意運動（chorea，parkinsonism を含むさまざまな型）は年単位で軽減する．

3）神経精神全身性エリテマトーデス（neuro-psychiatric：NP-SLE；e表 12-4-B）： 学会分類で 3 つに区分される（American College of Rheumatology, 1999）．精神症状は SLE でよく知られるが，錯乱や精神病様症状（統合失調症様，双極性障害様）は高率でない．認知障害は，疾患活動期の軽度異常も含めれば頻度が高い．痙攣は，疾患活動性が高まるにつれ続発する．若年者の脳血管障害は，SLE ないし抗リン脂質抗体症候群を強く示唆する．横断性脊髄障害は，低頻度ながら深刻で，不可逆的対麻痺を招く．中枢神経障害はいずれも，髄液蛋白・細胞数上昇を伴う（SLE 自体の髄膜炎はまれ，混合性結合組織病ではまれでない）．精神症状は，しばしば MRI・髄液異常を欠く．

検査所見

関節炎，皮疹，ときに発熱，臓器障害を契機に，血球減少，尿蛋白・沈渣血球に気づき，血清補体値，抗核抗体，下記の特異自己抗体を調べるのが，初発 SLE の定型的な診断過程である．

1）血清自己抗体： 抗核抗体（陽性率＞95％，ほとんどの例で発症時すでに陽性，標的分子は多彩），抗 dsDNA 抗体（初発時の陰性例はあるが，高活動期，特に腎炎で高率陽性），抗 Sm 抗体（患者名 Smith に因む SLE 特異抗体；陽性率＞30％，活動性により変動，陽性者は抗 U1RNP 抗体も陽性），抗リン脂質抗体（陽性率 30％），Coombs 抗体（患者の 15％にみる溶血性貧血で陽性），抗リボソーム P 抗体（髄液の陽性例もある）．SLE にも陽性例のある他疾患マーカー；リウマトイド因子，抗 U1RNP 抗体（混合性結合組織病，強皮症），抗 SS-A 抗体（Sjögren 症候群）．

2）血算・赤沈・凝固： 白血球減少（高率），リンパ球減少（高率），好中球減少（低率），正球性貧血（炎症性貧血は高率，一部が溶血性貧血），血小板減少（高度減少例の多くは免疫性血小板減少症，軽度減少はしばしば抗リン脂質抗体による．患者の数％に血栓性血小板減少性紫斑病（TTP）をみる．汎血球減少（上記の複合要因，または血球貪食症候群による）．赤沈亢進（高率），APTT 延長（ループスアンチコアグラント陽性者）．

3）生化学・血清： 肝酵素・LDH 上昇（SLE の全般活動性を反映，または血球貪食症候群，まれに自己免疫性肝炎の合併），血清補体 C3，C4，CH50 値の低下（高率；Ⅲ型障害による消費性低下が SLE 全般，特に腎炎の活動性を反映する．漿膜炎・血管炎など炎症による産生亢進で相殺されれば，正常値にみえる）．CRP は，IL-6 刺激で肝が産生し，SLE 炎症でも上昇しうるが，血中 IL-6 を欠くサイトカイン血症では産

生されず，CRP陰性の高熱は，SLEでめずらしくない．Alb低値は，炎症時の肝産生低下，腎からの喪失，まれに蛋白漏出性胃腸症でみる．Cr値は，腎炎の病勢以外の要因でも変動するので，腎予後に直結はしないが，週単位の上昇（低頻度な急速進行性糸球体腎炎）は迅速治療を要する．ハプトグロビン消失は，溶血性貧血，TTPの重要所見である．

4）尿検査： 尿蛋白（尿蛋白/尿Cr比，または蓄尿で定量評価），無菌性の沈渣白血球・赤血球，細胞性円柱をSLE患者にみれば，ループス腎炎が示唆される．軽度でも腎生検を考慮する．

5）腎組織class（表12-4-1，図12-4-3，12-4-4，e図12-4-A，12-4-B）と臨床検査の対応： ネフローゼ症候群はⅣ，Ⅴ，急速進行性糸球体腎炎（RPGN）はⅣで生じる．一方，以下の対応は確実でなく活動性も読めないので生検を要する．Ⅰ：尿正常．Ⅱ：尿正常，または軽度蛋白and/or顕微鏡的血尿．Ⅲ：蛋白・沈渣異常あり，血清Cr上昇は軽度．Ⅳ：蛋白・沈渣異常は明確，ネフローゼ例，血清Cr上昇例がある．Ⅴ：蛋白・沈渣異常は軽度〜明確，ネフローゼ例は多いが，腎機能は低下しにくい．Ⅵ：慢性腎不全；ステロイド適応はなく保存的治療のみ．

6）髄液： NP-SLEの中枢神経障害（e表12-4-B）で，細胞・蛋白上昇，糖正常〜低下，IgG index（髄液IgG/Alb÷血清IgG/Alb）>0.8，IL-6上昇，IFN-α上昇がみられ，髄液細胞は好中球優位，リンパ球優位いずれもある．病原体検査の提出と同時に，全体の臨床像でSLEを迅速判断する．

7）画像： 胸部所見（e表12-4-A）のうち，間質陰影は特発性間質性肺炎と共通し，両側肺底部優位，慢性像は肺線維症である．急性像X線CTでの小粒状陰影散布（図12-4-5）はSLE特有であり，ループス肺炎ともいう．気管支鏡的組織検査を要することは少ない．肺胞出血（e図12-4-C）の半数は，顕性喀血を伴わない．中枢神経障害で，脳MRI像T2強調での散在する高信号は典型的であり，急性期の可逆的な虚血性浮腫，または梗塞を意味する．脳X線CTで低頻度にみる対称性石灰化は，血管病変の痕跡を意味する．ループス腸炎（e図12-4-D）は，腸管粘膜の浮腫と炎症細胞浸潤（図12-4-6）を示す．

8）維持期の病勢監視： 血算，尿検査，血清補体値（C3またはCH$_{50}$），抗dsDNA抗体値が基本項目である．血清データは，短期変動しないので月1回検査する．

9）全身性エリテマトーデス妊婦の注意点： 胎盤の梗塞・機能低下を招く抗リン脂質抗体，胎児心ブロックの病因となる抗SS-A抗体の有無を調べる．胎児心拍数が低下すれば，帝王切開による救出を考慮する．新生児に皮疹，心ブロック，血算・肝酵素異常をみたと

表12-4-1 ループス腎炎/LNの生検病理class分類
(Weening, 2004)

Ⅰ	微小メサンギウムLN：光顕正常，免疫染色で免疫複合体沈着あり
Ⅱ	メサンギウム増殖LN
Ⅲ	巣状（focal）LN：A，A/C，Cを付記する
Ⅳ	びまん性（diffuse）LN：全糸球体50％以上がsegmental病変ならⅣ-S，50％以上がglobal病変ならⅣ-Gとし，A，A/C，Cを付記する．例：Ⅳ-S（A）
Ⅴ	膜性LN
Ⅵ	糸球体硬化

全視野中の罹患糸球体率＜50％はfocal（classⅢ），≧50％はdiffuse（classⅣ）とする．ある糸球体で，病変範囲が毛細血管壁（係蹄）の半分までなら分節性（segmental），病変が全面的なら全節性（global）とよび，classⅣを表記の基準でS，Gに区分する．

classⅢ，Ⅳで糸球体病変を，Active：増殖性，Chronic：硬化性，A/C：混在に分類する．壊死性病変は活動性であり，管内細胞増殖から管外増殖（細胞半月体形成）へと連続する．

classⅢ，Ⅳにおいて，膜性病変（Ⅴ）を糸球体毛細血管壁（係蹄）の＞50％に認める糸球体が，全視野糸球体の＞50％にあれば，Ⅲ＋Ⅴ，またはⅣ＋Ⅴと記す．

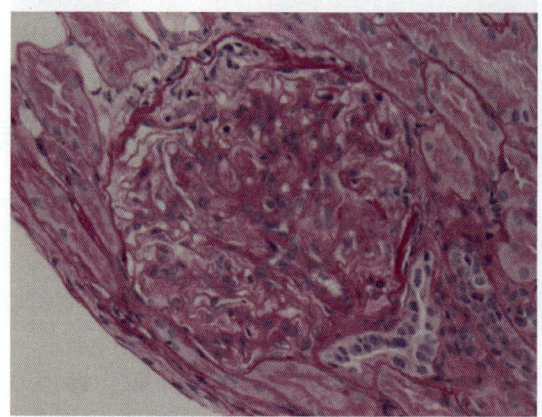

図12-4-3 ループス腎炎classⅣ-G（PAS染色）

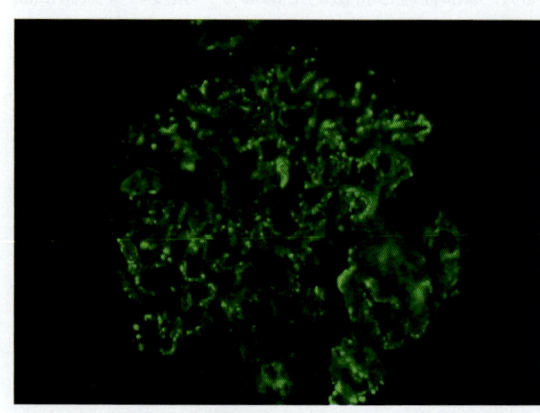

図12-4-4 ループス腎炎classⅣ-G（蛍光染色C1q）

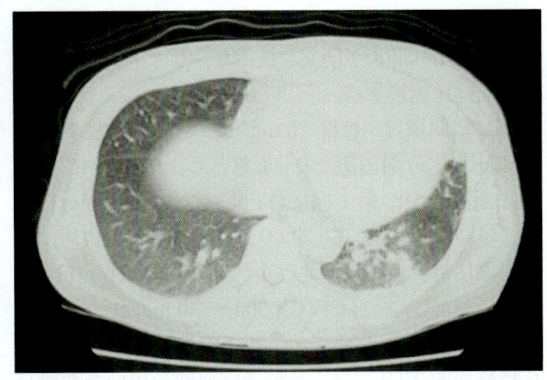

図 12-4-5 SLE の間質性肺炎（急性ループス肺炎）による小粒状陰影

き，新生児ループスという．抗 SS-A 抗体の経胎盤移行によるとみられ，一過性でステロイド治療を要しない例が多い．

診断

疾患の分類基準は，臨床研究で扱う対象疾患の概念統一のためにあるが，ACR の SLE 分類基準（表 12-4-2）は，実地診断に役立つので診断基準ともよばれ，SLE の肯定否定にきわめて有効である．項目は（出現頻度でなく）SLE と他疾患を区別できるよう選んだ．各項目の「時期は一致しなくてよい」という注釈は重要である．SLE の症状や検査異常は自然変動するので，既往の問診，データ再検に努める．ウイルス感染症で一過性血球減少はよくみるので，項目 9 は 2 度以上の条件がつく．パルボウイルス B19 による伝染性紅斑（頬部紅斑，関節炎），クリオグロブリン性血管炎（Raynaud 現象，関節炎，低補体，腎障害）は SLE と似るが，表の「4 項目」は満たしにくい．ときに Sjögren 症候群が 4 項目を満たすが，治療は臓器障害に応じるので，軽症 SLE との鑑別に困る機会は少ない．薬剤性ループス（発熱＋表 12-4-2 の 1，5，6，9，11）を疑えば，まず被疑薬（procainamide, hydra-lazine, isoniazid, methyldopa, 抗甲状腺薬など）を中止する．

経過・予後

再発頻度は患者ごとに大きく異なるが，この個人差は予測できず，治癒とみなす基準もないのが現状である．受診 SLE 登録者の追跡報告で 5 年，10 年生存率は，70％，63％（1964 年，米国 Kellum ら）から 96％，93％（2006，イタリア Doria ら）に改善している．ステロイド（グルココルチコイド），免疫抑制薬，降圧薬，血液透析の普及，治療経験の集積，および感染症対策の進歩による．SLE 生存率を上げる要点は，感染症（短期予後），希少難治病態（中期予後），腎症（長期予後；透析患者の心血管病，感染症）への対策にある．腎症は，透析の普及により短期中期的な死亡にほとんど寄与しないので，腎機能の改善が目標である．妊娠，特に分娩は，SLE 発症，再燃を誘発しうるが，心不全・腎不全がなく疾患安定期なら可能であり，無事な出産例も多い．

治療

軽症（皮疹，関節炎，白血球減少），中等症（胸膜炎，免疫性血小板減少症），重症（class Ⅲ・Ⅳ・Ⅴ腎炎，神経精神 SLE，諸臓器障害），最重症（RPGN，痙攣）まで，程度に応じたステロイド用量（下記プレドニゾロン（PSL）換算）で初期治療し，患者全般に維持治療を行う．適宜メチルプレドニゾロン（mPSL）パルス，以下の免疫抑制薬を追加する．カルシニューリン阻害薬タクロリムス（T 細胞抑制），シクロホスファミド間欠静注/IVCY（細胞毒），抗 CD20 モノクローナル抗体リツキシマブ（B 細胞除去），ミコフェノール酸モフェチル（MMF）（リンパ球抑制），軽症例に chloroquine も海外で併用される．SLE では，疾患活動期に高まる病的リンパ球増殖とサイトカイン産生を，高用量ステロイド・日内分割の治療で抑制すると，後は漸減し，少量ステロイド・朝 1 回ないし隔日で低活動性を維持できる経験則がある．維持治療を終了できる

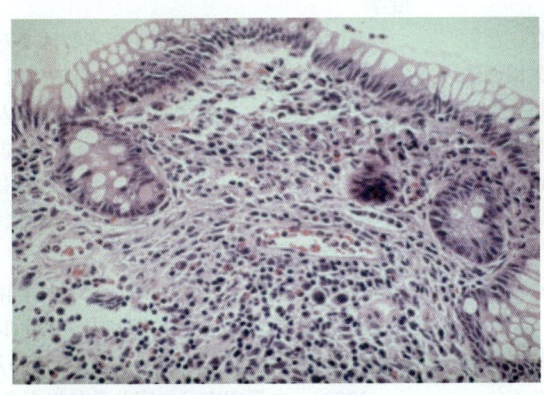

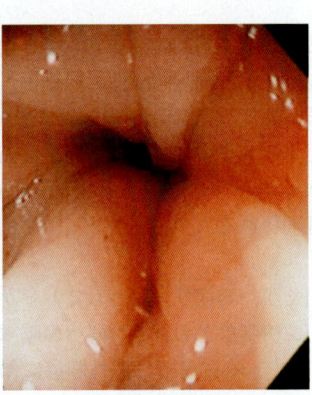

図 12-4-6 ループス腸炎
著しい大腸粘膜浮腫.

表 12-4-2 米国リウマチ学会(American College of Rheumatology：ACR)のSLE分類基準，1997年改訂版

1. 頬部皮疹	頬部の紅斑．鼻唇溝より下に及ばない．鼻根部を含めば蝶形紅斑という
2. 円板状皮疹	discoid lupus：頭頸部，四肢の丘疹(紅斑性，角化鱗屑，毛嚢塞栓，萎縮)
3. 日光過敏	紫外線暴露による異常反応としての皮疹，ときに発熱，関節痛を伴う
4. 口腔潰瘍	口腔，鼻咽喉に生じ，無痛性のことが多い
5. 関節炎	2領域以上の末梢関節の圧痛，腫脹．非破壊性
6. 漿膜炎	a. 胸膜炎，b. 心外膜炎のいずれか
7. 腎障害	a. 尿蛋白＞0.5 g/日または＞3+，b. 細胞円柱のいずれか
8. 神経障害	a. 痙攣，b. 精神症状のいずれか(ほかの誘因がないもの)
9. 血液異常	a. 溶血性貧血，b. 白血球＜4000/μL，2度以上，c. リンパ球＜1500/μL，2度以上，d. 血小板＜10万/μL(薬剤によらない) のいずれか
10. 免疫異常	a. 抗2本鎖(double strand：ds)DNA抗体，b. 抗Sm抗体，c. 抗リン脂質抗体陽性(抗カルジオリピンIgGまたはIgM，ループスアンチコアグラント，または梅毒反応偽陽性)のいずれか
11. 抗核抗体	蛍光抗体法による．どの時点で陽性でもよい

上記11項目中，4項目以上陽性ならSLEと分類する．出現時期は一致しなくてよい．

上記ACR基準と別に，SLICC(Systemic Lupus International Collaborating Clinics)委員会が，新しいSLE分類基準を提案し，多彩な皮膚ループス，多彩な神経精神所見，脱毛，Coombs抗体，低補体も含めて診断，または免疫複合体性腎炎の病理＋血清抗核抗体または抗dsDNA抗体陽性ならSLEと診断するとしているが(Petriら，2012)(e表12-4-C参照)，国際的合意には達していない．

目安は確立していない．免疫抑制薬の併用時は，ニューモシスチス肺炎予防薬を使用し，サイトメガロウイルス血症を監視する．

PSL初期量は，軽症20 mg/日，中等～重症0.5～1 mg/kg/日，分割内服で2～4週とし，以後1～2週ごとに漸減しつつ朝1回に移行して，PSL 10 mg/日以下で維持する．適宜タクロリムス3 mg/日を併用．重症病態には，mPSL静注パルス500～1000 mg/日を3日間，および/またはIVCY 500～750 mg/m^2，月1回を6回，以後3カ月ごと，計2年まで行う．低頻度な特殊病態TTPには，新鮮凍結血漿を用いた血漿交換の併用，という特異治療が必要である．妊婦では，分娩時から維持ステロイド量を2倍としてSLE再燃を防ぎ，約1カ月でもとの量に漸減する．

〔三森明夫〕

■文献

American College of Rheumatology：The American College of Rheumatology nomenclature and case definitions for neuro-psychiatric lupus syndromes. *Arthritis Rheum*. 1999; **42**: 599-608.

Weening JJ, D'Agati VD, et al：International Society of Nephrology/Renal Pathology Society. The classification of glomerulonephritis in systemic lupus erythematosus revisited. *J Am Soc Nephrol*. 2004; **15**: 241-50.

Petri M, Orbai AM, et al：Derivation and validation of the Systemic Lupus International Collaborating Clinics classification criteria for systemic lupus erythematosus. *Arthritis Rheum*. 2012; **64**: 2677-86.

12-5 全身性強皮症
systemic sclerosis：SSc

定義・概念

全身性強皮症(SSc)は膠原病の1つで，強皮症ともよばれる．皮膚および内臓諸臓器の線維化，末梢循環障害，抗核抗体陽性などの免疫学的異常をあわせもつことを特徴とする．皮膚に限局した硬化局面を呈して内臓病変を欠く限局性強皮症(localized scleroderma)とは明確に区別される．

原因・病因

病因は不明だが，発症リスクとしてトリクロロエチレン，エポキシ樹脂などの有機溶媒への曝露，じん肺が知られている[1]．高齢者では悪性腫瘍に伴って発症する傍腫瘍症候群としての性格を有する例がある[2]．

疫学

わが国におけるSScの推定患者数は3万人程度で，けっしてまれな疾患ではない．有病率は100万人あたり100～300人，発症率は年間100万人あたり3～20人で，民族間で大きな差はない．小児～高齢者まで幅広い年齢層でみられるが，好発年齢は30～50歳で，男女比は1：5～10と圧倒的に女性に多い．

病因・病態生理と分子メカニズム

これまでの細胞，分子レベルでの病態解析から，さまざまな細胞，液性因子，細胞内シグナルが密接にかかわる複雑な病態が明らかにされている(Gabrielliら，2009)．血管内皮の傷害とそれに引き続く血管形成・修復機転が十分に機能せず，血小板の活性化，T

細胞，B 細胞，マクロファージなど各種免疫細胞の組織への浸潤により 2 型ヘルパー T 細胞や I 型インターフェロン優位の免疫応答を引き起こす．これら慢性炎症に加えて小胞体ストレス，低酸素などの刺激により組織に局在する線維芽細胞や骨髄から動員された間葉系幹細胞が筋線維芽細胞へと分化する．最終的に筋線維芽細胞から過剰に産生された I 型コラーゲンなどの細胞外マトリックスが組織に蓄積し，正常構造を改変する．

臨床症状

臨床症状は多彩で，皮膚硬化や内臓病変の程度は個々の患者で大きく異なる．皮膚硬化の進行，内臓病変の発現時期や程度が異なる 2 つの病型に分けられる．経過中に予測されるピーク時の皮膚硬化範囲が肘あるいは膝をこえるか否かでびまん皮膚硬化型(diffuse cutaneous SSc：dcSSc)，限局皮膚硬化型(limited cutaneous SSc：lcSSc)に分類する(e表 12-5-A)[3]．dcSSc では皮膚硬化と Raynaud 現象の出現がほぼ同時もしくは 6 カ月以内で，発症後 1～2 年間は皮膚硬化が急速に進行し，1～5 年後にピークに達する．その後は無治療でもゆっくりと皮膚硬化が改善する．一方，lcSSc は Raynaud 現象が数年～十数年先行し，皮膚硬化は軽度で変化に乏しくピークは明確でない．

1)皮膚： 病初期から手指は全体的に腫れ，ソーセージ様になる(図 12-5-1A)．皮膚硬化は手足の指先から中枢側に向かって進展する．皮膚硬化とは組織学的

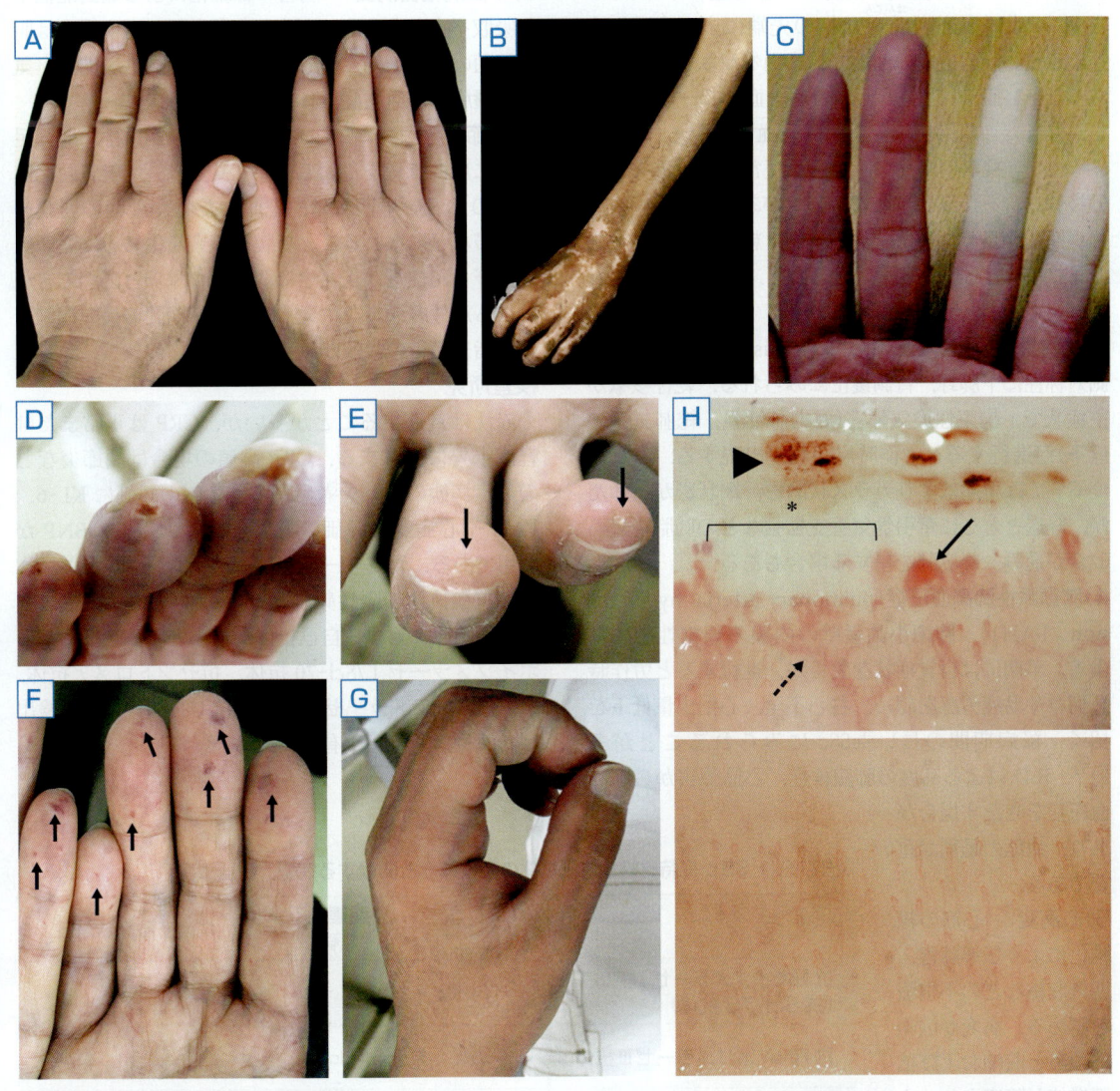

図 12-5-1 SSc に特徴的な身体所見
A：手指腫脹，B：手指，手背，前腕の皮膚硬化，色素沈着と脱失，屈曲拘縮，C：Raynaud 現象(虚血期)，D：指尖潰瘍，E：指尖陥凹性瘢痕(矢印)，F：手指に多発する毛細血管拡張(矢印)，G：手指拘縮による屈曲制限，H：爪郭にみられる毛細血管ループ拡張(矢印)，血管消失による無血管領域(*)，異常新生血管(点線矢印)，爪上皮には出血点が多発している(矢頭)．下段は健常者の爪郭所見(100 倍)．

に真皮における膠原線維の増生で，身体所見では母指と示指で皮膚をつまんだ際の「皮膚の厚い感覚」のことである．dcSScでは浮腫期→硬化期→萎縮期の経過をとり，浮腫期には皮膚は緊満し，硬化期に移行すると硬度が増し，光沢を帯びてくる（図12-5-1B）．萎縮期に入ると皮膚はやわらかくなり，表皮は菲薄になり，色素沈着と脱失が混在する特徴的な外観を呈する．ときに指尖や関節周囲にカルシウム結晶沈着（皮下石灰化）を伴う．

2）末梢循環障害：Raynaud現象は95％以上でみられ，多くの例で初発症状となる．Raynaud現象とは寒冷曝露や精神的緊張により誘発される手指の色調変化で，典型的には白（虚血）→紫（チアノーゼ）→赤（再疎通）の3相性の変化を示す（図12-5-1C）．循環障害が高度になると指尖に潰瘍や壊疽を呈する（図12-5-1D）．指尖陥凹性瘢痕は指の先端に出現する無痛性の虫食い状の上皮の凹みで，虚血を反映した所見である（図12-5-1E）．爪郭部の毛細血管ループが減少し，残った血管は巨大化し，易出血性となる（図12-5-1H）[4]．罹病期間が長くなると正常血管は消失し，分枝や吻合を伴う異常血管の新生がみられる．一方，罹病期間が長くなると全身の皮膚，粘膜に斑状の毛細血管拡張が出現する（図12-5-1F）．口唇と手指が好発部位である．

3）間質性肺疾患（interstitial lung disease：ILD）：両側対称性に下肺野，背側優位にみられる．乾性咳嗽が主症状で，拘束性換気障害（努力肺活量，総肺気量の低下）が進行すると労作時息切れが出現する．高解像度CTでは早期はすりガラス状陰影，網状影が主体だが，経過とともに牽引性気管支拡張などの肺胞構造の改変が進み，蜂窩肺を呈する場合もある．

4）肺動脈性肺高血圧症（pulmonary arterial hypertension：PAH）：肺細小動脈壁の内膜の線維性肥厚による．早期には自覚症状を欠くが，進行すると労作時息切れや易疲労感を認め，右心不全，心拍出量低下を招く．罹病期間の長いlcSScにみられることが多い[5]．ILDによる高度の肺線維症，心筋障害から肺高血圧症をきたす場合があり，病態の鑑別が重要である．

5）心病変：心筋の線維化により伝導障害，期外収縮などの不整脈を認める．病変が広範になると収縮および拡張機能が障害され，心拍出量低下，心不全をきたす．心膜液貯留を認めることがあり，ときに心タンポナーデを呈する．

6）腎病変：突然出現する高血圧（多くは悪性高血圧），腎機能の急速な低下を腎クリーゼとよぶ．高レニン血症が必発で，血栓性微小血管障害を併発することが多い．dcSSc早期の皮膚硬化進行期にみられることがほとんどである[6]．抗好中球細胞質抗体（anti-neutrophil cytoplasmic antibody：ANCA）陽性の急速進行性糸球体腎炎を併発することがあり鑑別を要する．

7）上部消化管病変：下部食道の蠕動能低下，拡張による胃食道逆流症を高率に伴う．繰り返す胃食道接合部の炎症のために狭窄をきたすこともある．胃幽門前庭部毛細血管拡張症（gastric antral vascular ectasia：GAVE）を伴うと消化管出血の原因となる．

8）下部消化管病変：腸管の線維化による蠕動能低下と吸収不良をきたす．下痢と便秘を繰り返す場合は腸内細菌の過剰増殖による．進行例では偽性腸閉塞，気腫性嚢胞症，気腹症，体重減少を伴う．

9）関節・腱病変：腱の肥厚により手指，手，肘，足などに屈曲拘縮を認める（図12-5-1G）．皮膚硬化進行期のdcSSc早期には，肥厚した腱が周囲の筋膜や筋支帯などに擦れることで腱摩擦音を生じる．関節炎は非びらん性だが，ときに関節リウマチと区別できないびらん性関節炎を併発する．罹病期間の長い症例では手指末節骨の吸収がみられる．

検査所見

赤沈は亢進することが多いが，CRPは正常または軽度上昇にとどまる．CRP高値の場合は関節炎などの炎症病態の併存を考慮する．ILDの評価にKL-6，PAHや心病変の評価にBNPまたはNT-proBNPが有用である．腎クリーゼでは血清レニン活性が著増する．抗核抗体の陽性頻度が95％以上と高く，さまざまな核抗原に対する自己抗体が検出される．特に抗トポイソメラーゼⅠ/Scl-70抗体，抗セントロメア抗体，抗RNAポリメラーゼⅢ抗体，抗U1RNP抗体の検出は診断や病型分類に有用である（表12-5-1）[7]．

表12-5-1 SScに特異的な自己抗体の陽性頻度と関連する病型，臓器障害

	陽性頻度	関連する病型	関連する臓器障害
抗トポイソメラーゼⅠ抗体（抗Scl-70抗体）	30%	dcSSc	間質性肺疾患 皮膚潰瘍
抗RNAポリメラーゼⅢ抗体	5%	dcSSc	腎クリーゼ 悪性腫瘍
抗セントロメア抗体	30%	lcSSc	臓器病変は軽度で少ない ときに肺動脈性肺高血圧症
抗U1RNP抗体	10%	lcSSc	肺動脈性肺高血圧症 ほかの膠原病の重複症状

診断

SSc の診断には米国リウマチ学会（ACR）と欧州リウマチ学会（EULAR）が合同で作成した分類基準が参考になる（van den Hoogan ら，2013）（表 12-5-2）．本基準は分類基準であるが，診断基準としての使用も念頭において作成されている．好酸球性筋膜炎や限局性強皮症などの皮膚硬化を呈する疾患の除外が前提となる．手指硬化が中手指節間関節をこえて近位まで存在すれば，それだけで SSc の分類が可能である．皮膚硬化や腫脹が手指に限局する場合は，スコアリングを用いて 9 点以上を SSc と分類する．診断を目的とした皮膚生検は通常不要である．

経過・予後

病型間で皮膚硬化の経過や内臓病変の種類や出現時期が異なる（図 12-5-2）．dcSSc では，頻度は低いながらも皮膚硬化の進行期に腎クリーゼ，心筋障害によるうっ血性心不全をきたす．消化管や肺の線維化は緩徐に進行し，皮膚硬化がピークに達する頃に機能障害が顕性化することが多い．一方，lcSSc では血管病変が緩徐に進行し，10 年以上の罹病期間を経て PAH，上下部消化管病変，心筋病変が顕性化する．10 年生存率は dcSSc 型で 70％，lcSSc で 90％程度であったが，支持療法の改善により近年改善傾向にある．死因として最も多いのは ILD，ついで PAH である．これら肺病変は死因の約半数を占める．

治療

完成した線維化病変は可逆性に乏しいため，治療目標は臓器障害の進行をくいとめ，機能障害を軽減し，生命予後を改善させることである．治療の基本は，①機能障害，生命予後の悪化が予測される例に対する疾患修飾療法，②完成した個々の病変に対する対症療法である．そのため，病型，罹病期間，各臓器障害の進行度を勘案して個々の症例ごとに治療方針を決める．なお，すべての患者に対して寒冷を避け，指先の保護と禁煙を指導する．

1）疾患修飾療法薬： T 細胞や B 細胞をはじめとした免疫担当細胞の病変部組織への移行が病初期の線維化の進行を促進することから，シクロホスファミド，メトトレキサートなどの免疫抑制薬が用いられる（Kowal-Bielecka ら，2009）．特にシクロホスファミドの経口（1〜2 mg/kg/日を 1 年間）もしくは間欠静注療法（1 カ月ごとに 0.6 g/m^2 を 6 回）は ILD の進行だけでなく皮膚硬化も抑制する効果が示されている[8]．ただし，不可逆的な生殖機能障害や悪性腫瘍の誘発（特に膀胱癌，造血器腫瘍）など毒性が強いため，その適応は慎重に判断する．投与期間も 6〜12 カ月に限定し，中止後は維持療法として安全性の高いアザチオプリンなどほかの免疫抑制薬に変更する．B 細胞を標的とするリツキシマブ[9]，IL-6 を標的とするトシリズマブの有効性が期待されている[10]．自己末梢血幹細胞移植が臓器不全の進展を抑制する成績が示されているが，移植関連死が少なからずみられることから慎重に適応を判断すべきである[11]．

ほかの膠原病の治療に用いられる副腎皮質ステロイドの有効性に関するエビデンスは乏しい．経験的に dcSSc 早期の浮腫，関節炎など炎症所見が明確な例に限定して使用するが，腎クリーゼを誘発するリスクがあるため少量を用いる[6]．

2）対症療法薬： 個々の患者が有する臓器病変の重症度に応じて対症療法を行う．

　a）Raynaud 現象：Ca 拮抗薬は Raynaud 現象の回数，持続時間を改善する効果が示されている[12]．

　b）PAH：PAH に対する治療薬として肺動脈拡張作用を有する PGI$_2$ 誘導体（ベラプロスト，エポプロステノール），ホスホジエステラーゼ 5 阻害薬（シルデナフィル，タダラフィル），可溶性グアニル酸シクラーゼ刺激薬（リ

表 12-5-2　2013 ACR/EULAR による新 SSc 分類基準*

ドメイン	基準項目	ポイント
手指硬化が MCP 関節をこえて近位まで存在（近位皮膚硬化）		9
手指の皮膚硬化（ポイントの高い方を採用）	手指腫脹（puffy fingers）	2
	MCP 関節より遠位に限局した皮膚硬化	4
指尖部所見（ポイントの高い方を採用）	手指潰瘍	2
	指尖陥凹性瘢痕	3
爪郭毛細血管異常		2
毛細血管拡張		2
肺病変（いずれか陽性）	肺動脈性肺高血圧症	2
	間質性肺疾患	
Raynaud 現象		3
SSc 関連自己抗体（いずれか陽性）	抗セントロメア抗体	3
	抗 Scl-70/ トポイソメラーゼ I 抗体	
	抗 RNA ポリメラーゼ III 抗体	

以下のスコアリングに当てはめ，合計 9 以上であれば SSc に分類する．
＊：皮膚硬化を有するが手指に皮膚硬化がない例，臨床所見を説明できる他疾患を有する例には本基準を適用しない．

オシグアト），エンドセリン受容体拮抗薬（ボセンタン，アンブリセンタン，マシテンタン）が用いられる．これらの薬剤は血管拡張作用に加えて血管平滑筋増殖を抑制する効果も期待されている[13]．

c) **皮膚潰瘍，壊疽**：創部の保護，感染防止が第一であるが，進行例では血流改善を目的としてリポ PGE_1 製剤を経静脈的に投与する．PAH の治療に用いるエンドセリン受容体拮抗薬のボセンタンが手指潰瘍の新規発生を抑制する効果が示されている[14]．

d) **食道病変**：胃食道逆流症（胸やけ，胃痛，嚥下困難）に対してプロトンポンプ阻害薬，消化管運動促進薬を用いる．誤嚥を避けるために食後の座位保持を指導する．

e) **腎クリーゼ**：アンジオテンシン変換酵素阻害薬を少量から開始し，血圧を正常域に維持できるまで漸増する．治療開始時の腎機能が保たれている例ほど腎予後がよいことから早期発見が大切である．

〔桑名正隆〕

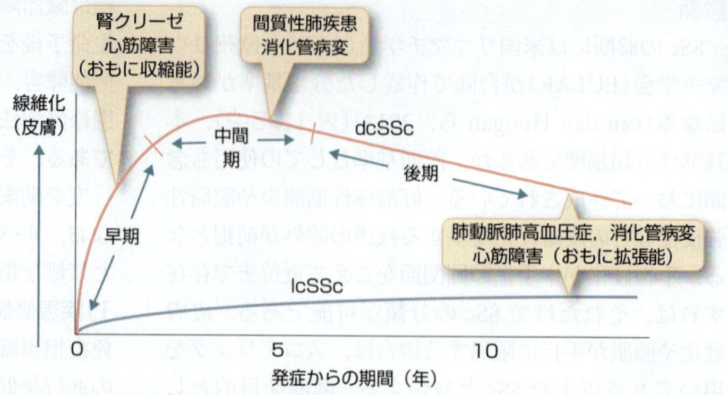

図 12-5-2 病型別の SSc の自然経過
びまん皮膚硬化型 SSc（dcSSc）と限局皮膚硬化型 SSc（lcSSc）では線維化病変の程度と経過，主要臓器病変の出現時期が異なる．

■ **文献（e文献 12-5）**

Gabrielli A, Avvedimento EV, et al: Scleroderma. N Engl J Med. 2009; 360: 1989-2003.

Kowal-Bielecka O, Landewé R, et al: EULAR recommendations for the treatment of systemic sclerosis: a report from the EULAR Scleroderma Trials and Research group (EUSTAR). Ann Rheum Dis. 2009; 68: 620-8.

van den Hoogan F, Khanna D, et al: 2013 classification criteria for systemic sclerosis: an American College of Rheumatology/European League against Rheumatism collaborative initiative. Arthritis Rheum. 2013; 65: 2737-47.

12-6 多発性筋炎・皮膚筋炎
polymyositis：PM・dermatomyositis：DM

定義・概念

Klenperer が定義した古典的膠原病の 1 つで，自己免疫機序により複数の骨格筋に炎症と破壊をきたす疾患を多発性筋炎（PM）とよび，ヘリオトロープ疹，Gottron 丘疹，Gottron 徴候などの特徴的な皮疹を伴うものを皮膚筋炎（DM）とよぶ．PM は，特に神経内科領域では多発筋炎ともよばれる．両疾患，ことに DM は間質性肺炎や悪性腫瘍を伴うことが多い．

おもな筋症状は，体幹や四肢近位筋，頸筋，咽頭筋などの筋力低下である．一方，典型的皮疹があっても，筋力低下も筋検査異常もないものは無筋症性皮膚筋炎（amyopathic dermatomyositis：ADM），筋力低下を伴わないが筋検査異常を伴うものは，hypomyopathic dermatomyositis，筋力低下を伴わない両者を併せて clinically amyopathic dermatomyositis（CADM）とよぶ（表 12-6-1）．

原因・病因

筋組織や皮膚組織の構成成分に対する免疫寛容の破綻が原因となる．ウイルス感染や過剰な運動，薬剤による筋傷害が発病に先立つ症例が認められるため，自

表 12-6-1 多発性筋炎・皮膚筋炎のスペクトラムと定義

皮疹	筋症状		診断		
	筋力低下	検査異常			
あり	なし	なし	無筋症性皮膚筋炎 amyopathic DM	clinically amyopathic DM	皮膚筋炎
		あり	hypomyopathic DM		
	あり		（典型的な皮膚筋炎）		
なし			多発性筋炎		

己成分に対する免疫寛容が破綻しやすい自己免疫素因のうえに環境因子が加わって発症するものと考えられる．自己免疫素因として，関節リウマチや全身性エリテマトーデスなどのほかの膠原病では，これまでのゲノムワイド研究により数々の疾患感受性遺伝子が見つかっているが，PM/DMでは，ヒト白血球抗原（human leukocyte antigen：HLA）遺伝子のみが際立った存在である[1]．HLAは，主要組織適合性抗原として，抗原提示細胞がT細胞にペプチド抗原を提示する際に抗原と結合するプラットホームとなるものであるため，T細胞異常が原因に深くかかわることを示している．

PMとDMの病因についての詳細はⓔコラム1参照．

疫学

本疾患は，厚生労働省の特定疾患さらに指定難病として毎年臨床個人調査票による全国調査が行われてきた．2009年の臨床調査個人票の解析結果によれば，わが国の推定患者総数は約1万7000人である．しかも，毎年，1800人程度増加していたため，現在では2万人をこえている患者が罹患していると考えられる．PM・DMはほぼ同数であり，男女比は1：3，発症ピークは5～9歳と50歳代にある（Ohtaら，2014）．

病態生理

T細胞をはじめとする炎症性細胞の筋組織への浸潤によって筋線維が傷害される．傷害はすべての横紋筋で起きうるが，筋力低下の症状として現れやすいのは体幹ないし，これに近い筋である．筋線維破壊によって，筋線維を構成する蛋白が放出されて血中で異常高値となる．病理組織学的には，筋組織が再生力に富むため，単核球浸潤を伴う筋壊死と筋再生とが同時に認められる．筋線維束周辺に筋壊死や単核球浸潤はDMに多く認められるものの特異的所見ではない．

皮膚病変は，おもに眼瞼や関節伸側など機械的刺激のある部位に生じ，機械的刺激が皮疹を誘発するKöbner現象の1つとされる．病理組織学的にはエリテマトーデス様の皮膚傷害であるが，真皮の浮腫が特徴的で，しばしばムチン沈着を伴う．表皮は萎縮し表皮基底層の液状変性も認められるが，エリテマトーデスより軽度である．血管周囲に単核球浸潤を伴うこともある．表皮に角質増殖や軽度の乳頭腫症などの過形成がある丘疹となる．

しばしば合併する肺病変では，間質の炎症が主体となり，急速進行例では，しばしばびまん性肺胞傷害の像を伴う．

臨床症状

1）**全身症状**：発熱，全身倦怠感，易疲労感，食欲不振，体重減少など．

2）**筋症状**：体幹，四肢近位筋群，頸筋，咽頭筋の筋力低下が緩徐に進行する．日常生活では，階段昇降，しゃがみ立ち，重量物の持ち上げ，仰臥位での頭部挙上などが困難となる．嚥下筋の筋力低下は，構音障害のみならず，誤嚥や窒息死の原因となる．特に，高齢者では繰り返す誤嚥性肺炎の原因の1つとなる．筋痛を認めることもあり，進行例では筋萎縮をきたす．

3）**皮膚症状**：特徴的症状として，ヘリオトロープ疹，Gottron徴候，Gottron丘疹がある．ヘリオトロープ疹は上眼瞼の浮腫性紅斑である（図12-6-1）．白人の場合にはヘリオトロープの花に色が似るという．Gottron徴候は手指関節背側および肘頭，膝蓋，内果などの四肢関節背面の落屑を伴う角化性紅斑であり，特に手指の指節間関節や中手指節関節背側で丘疹となったものをGottron丘疹とよぶ（図12-6-2）．手指皮膚の角化が母指の尺側，ほかの4指の橈側を中心に進むと機械工の手とよばれる皮膚病変となる．日本人には，鼻唇溝などの脂漏性皮膚炎の好発部位に紅斑が現れやすい[2]．ほかに，V徴候やショール徴候とよばれる紅斑が頸部から上胸部，項部から肩の後面にかけて現れることがある．1カ所の皮膚病変に，色素沈着，色素脱失，血管拡張，表皮萎縮などの多彩な皮

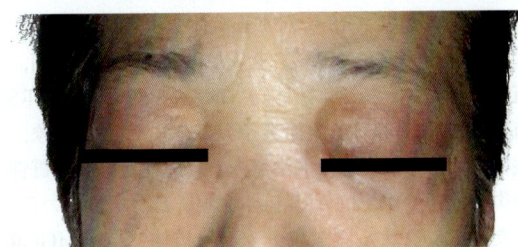

図12-6-1 ヘリオトロープ疹

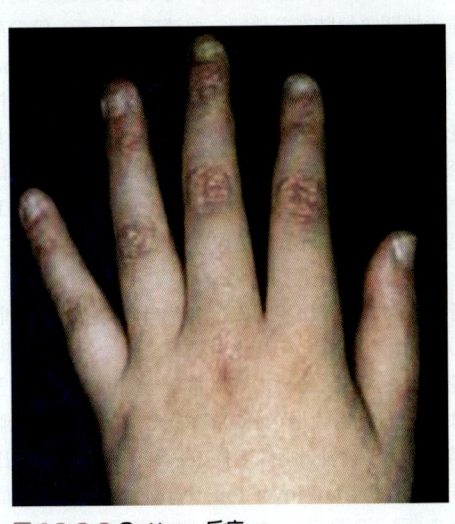

図12-6-2 Gottron丘疹

膚病変が混在するものを多形皮膚とよぶ．また，皮膚は潰瘍に進むこともあり，小児例ではしばしば皮下の石灰化も伴う．

手指足趾に Raynaud 現象を認めることもある．
4) 肺病変：間質性肺炎を合併すると，乾性咳嗽（がいそう）や呼吸困難などを生ずる．
5) 心病変：不整脈，心不全などがみられることがある．まれに心膜炎も認められる．
6) その他：多関節痛はしばしば認められる．ときにリンパ節腫脹をみる．悪性腫瘍は必ず検索すべき合併症であり，一般人口と比して DM では 2.5 倍前後，PM では 2 倍弱悪性腫瘍を伴いやすい（Sigurgeirsson ら，1992）．

検査所見

血清中の，筋逸脱酵素（クレアチンキナーゼ，アルドラーゼ，乳酸脱水素酵素，AST，ALT）やミオグロビンが高値となる．心筋病変のある場合には，CK-MB や心筋トロポニンが高値となる．

抗核抗体は患者の約 8 割で陽性であり，古典的な筋炎特異的自己抗体である抗 Jo-1 抗体は約 2 割で陽性である．近年，それ以外の筋炎特異的自己抗体も同定されてきた．Jo-1 分子はアミノ酸を tRNA に結合させるアミノアシル tRNA 合成酵素（ARS）の一種であるヒスチジル tRNA 合成酵素であるが，PM/DM 患者にはほかの ARS に対する抗体もより低い頻度ながら認められる（抗 PL-7，抗 PL-12，抗 EJ，抗 OJ，抗 KS，抗 Zo，抗 Ha 抗体）．これらを含めた抗 ARS 抗体陽性症例は，多関節炎や発熱，Raynaud 現象，機械工の手やステロイド治療への反応性良好な間質性肺炎を伴いやすく抗 ARS 抗体症候群とよばれている．また，抗シグナル認識粒子（SRP）抗体と抗 HMGCR（3-hydroxy-3-methylgultaryl-coenzyme A reductase）抗体は重症難治性の筋炎症例に多い．抗 MDA-5（CADM-140）抗体陽性例は，約半数が急速に進行する難治性間質性肺炎を伴い，血清フェリチン値の高い症例にその傾向が強い．抗 transcriptional intermediary factor（TIF）1-γ 抗体陽性例は小児を除いて悪性腫瘍を伴いやすく，抗 Mi-2 抗体陽例では典型的 DM 皮疹が認められやすい．これらの抗体は同一患者にオーバーラップすることが少なく，3 分の 2 以上の DM 患者はいずれかの抗体が陽性になると考えられている．

針筋電図では，罹患筋に安静時自発電位や随意収縮時の低振幅電位などの変化を認め，筋炎の部位診断にも役立つ．さらに容易に部位診断を行うことができるのは，磁気共鳴画像（MRI）である．罹患領域は脂肪を描出する T1 強調画像で描出されず，浮腫を描出する STIR（short tau inversion-recovery）画像で高信号となる（図 12-6-3）．もし T1 強調画像でも高信号な

らば脂肪変性を意味する．なお，ガドリニウム造影を行っても筋炎に関して得られる情報量にほとんど変化はない．簡便に診断的価値の高い結果が得られるため，早期診断，部位診断，および治療効果判定に有用である．

筋生検では，筋組織への単核球浸潤と筋線維の変性と再生像を認めるが，採取部位によってはこれらの所見がそろわない場合も多い．非壊死筋線維内への単核球浸潤は PM に，筋束周囲萎縮は DM に多い所見とされるが特異的ではない．

間質性肺炎を伴う例では，胸部 X 線写真，胸部 CT 検査では両側下肺野を中心に粒状・線状・網状影が認められる．肺機能検査では拘束性障害のパターンを呈する．血清フェリチン値の高値は，急速進行性間質性肺炎ないし血球貪食症候群を合併した際に認められる．

診断

国際的には，1975 年に発表された Bohan と Peter の診断基準[3,4]が用いられ，現在，新たな国際基準が策定中である．わが国では，1992 年に厚生省（当時）自己免疫疾患調査研究班で，筋炎特異的自己抗体である抗 Jo-1 抗体や全身性炎症所見，関節炎症状などの膠原病に認められる項目を追加して診断基準が作成され，難病認定基準として使われてきた（Tanimoto ら，1995）．2014 年に，この基準では，ADM を診断できない点を考慮し，皮膚症状の再定義，筋炎特異的自己抗体の追加，筋電図所見記載の明確化などとともに改訂が行われた（表 12-6-2）．

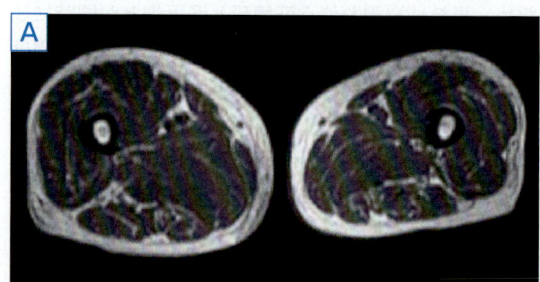

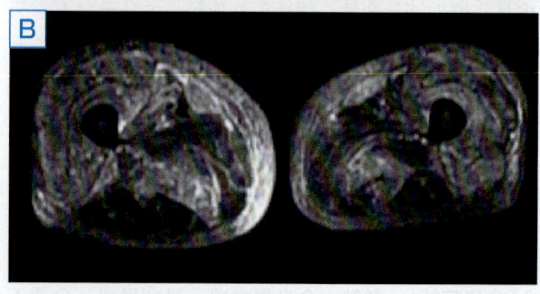

図 12-6-3 罹患筋の大腿 MRI 像
A：T1 強調画像，B：STIR 画像．

経過・予後

急速進行性間質性肺炎や悪性腫瘍を合併する症例は予後が悪く，PM・DMの初発患者のうち約10％は死の転帰を迎える．全症例の5年生存率は，約80％前後とされる．しかし，寛解導入に成功しても維持療法移行の際ないし維持療法中に再燃しやすい．また，寛解導入治療後も約半数の症例に筋力低下が残るとされ，筋力回復には長期を要する場合も多い．

治療

抗炎症効果と免疫抑制効果をあわせもつステロイド投与が第一選択となる．嚥下障害，急速進行性間質性肺炎のある症例では，強力かつ速やかに治療を開始する必要がある．

1) 皮膚炎治療： 皮膚炎主体の症例では遮光の推奨とステロイド外用薬治療が優先される．ステロイドのランクとしては，顔面では「普通」クラス（ロコイド®など）を用い，体幹・四肢では「かなり強力」クラス（リンデロン-DP®軟膏など）以上が必要となるが，無効の場合には，保険適用外ながらタクロリムス軟膏（プロトピック®軟膏）も試される．しかし，難治であることも多い．

2) 筋炎治療： 筋炎に対しては，プレドニゾロン換算1 mg/kgの高用量投与が基本である．重症例では，メチルプレドニゾロンによるステロイドパルス療法を行う．

治療効果の指標は，筋力回復や筋原性酵素値の低下である．MRI画像上の筋炎所見も改善する．この治療を2～4週間程度継続し，改善傾向が明らかになったところで，漸減する．

治療において筋力回復を妨げる原因としてステロイド筋症がある．高用量ステロイドの長期投与で発症し，検査値異常改善にもかかわらず，筋萎縮と筋力低下が進行する．

ステロイドが，効果不十分，副作用のために使いにくい，減量により再燃するなどの症例では，免疫抑制薬を併用する．免疫抑制薬として，保険適用のあるアザチオプリン（アザニン®，イムラン®），間質性肺炎合併例で保険適用のあるタクロリムス（プログラフ®），保険適用外のメトトレキサート（メソトレキセート®），タクロリムスと同じカルシニューリン阻害薬であるシクロスポリン（ネオーラル®）が用いられる．間質性肺炎合併例では，副作用として間質性肺炎を起こすメトトレキサートは避けられることが多く，シクロホスファミド（エンドキサン®）も用いられる．

免疫グロブリン大量静注療法は即効性のある治療法ではあるが持続性に乏しく，他剤で免疫抑制維持をはかる必要がある．

3) 間質性肺炎治療： 急速進行性の間質性肺炎を合併する症例では，当初から高用量ステロイド（プレドニゾロン換算1 mg/kg）と免疫抑制薬を併用する．免疫抑制薬では，カルシニューリン阻害薬，シクロホスファミド，ないし両者の併用が行われる．

4) 悪性腫瘍合併例の治療： 腫瘍のあるかぎり良好な治療効果は得られにくいため，悪性腫瘍検索を十分に行い可能なかぎり治療する．　　　　〔上阪　等〕

表12-6-2　厚生労働省難病認定のための診断基準

1. 診断基準項目
(1) 皮膚症状
  (a) ヘリオトロープ疹：両側または片側の眼瞼部の紫紅色浮腫性紅斑
  (b) Gottron丘疹：手指関節背面の丘疹
  (c) Gottron徴候：手指関節背面および四肢関節背面の紅斑
(2) 上肢または下肢の近位筋の筋力低下
(3) 筋肉の自発痛または把握痛
(4) 血清中筋原性酵素（クレアチンキナーゼまたはアルドラーゼ）の上昇
(5) 筋炎を示す筋電図変化（随意収縮時の低振幅電位，安静時自発電位など）
(6) 骨破壊を伴わない関節炎または関節痛
(7) 全身性炎症所見（発熱，CRP上昇，または赤沈亢進）
(8) 抗アミノアシルtRNA合成酵素抗体（抗Jo-1抗体を含む）陽性
(9) 筋生検で筋炎の病理所見：筋線維の変性および細胞浸潤

2. 診断
皮膚筋炎
  (1) の皮膚症状の(a)～(c)の1項目以上を満たし，かつ経過中に(2)～(9)の項目中4項目以上を満たすもの
  なお，皮膚症状のみで皮膚病理学的所見が皮膚筋炎に合致するものは無筋症性皮膚筋炎とする
多発性筋炎
  (2)～(9)の項目中4項目以上を満たすもの

3. 鑑別診断を要する疾患
感染による筋炎，薬剤誘発性ミオパチー，内分泌異常に基づくミオパチー，筋ジストロフィその他の先天性筋疾患，湿疹・皮膚炎群を含むその他の皮膚疾患

■文献（e文献12-6）

Ohta A, Nagai M, et al: Prevalence and incidence of polymyositis and dermatomyositis in Japan. *Mod Rheumatol*. 2014; 24: 477-80.

Sigurgeirsson B, Lindelöf B, et al: Risk of cancer in patients with dermatomyositis or polymyositis. A population-based study. *N Engl J Med*. 1992; 326: 363-7.

Tanimoto K, Nakano K, et al: Classification criteria for polymyositis and dermatomyositis. *J Rheumatol*. 1995; 22: 668.

12-7 混合性結合組織病とオーバーラップ症候群

定義・概念
膠原病ではしばしばいくつかの疾患の症状が同時に出現し，1つの疾患として診断することが困難な症例が存在する．また，1つの疾患からほかの疾患へ移行したと考えざるをえない症例も認められる．このような2つ以上の膠原病の特徴的な所見を重複して有する症例や移行例を一括してオーバーラップ症候群（重複症候群）とよんでいる．

このオーバーラップ症候群のなかでも1972年，Sharpらによって提唱された混合性結合組織病（mixed connective tissue disease：MCTD）は，全身性エリテマトーデス（systemic lupus erythematosus：SLE），全身性進行性硬化症（SSc）および多発性筋炎（polymyositis：PM）などの臨床像をあわせもち，高力価の抗U1 RNP抗体を特徴とする独立した疾患単位として分類されている．これに対して，抗U1 RNP抗体陰性で，2つ以上の膠原病の特徴的臨床像や免疫学的所見を有し，それぞれの疾患の診断基準を満たす群がいわゆるオーバーラップ症候群として区別されている．

ただ単に抗U1 RNP抗体の有無や，ほかの膠原病の診断基準を満たすか満たさないかでオーバーラップ症候群とMCTDを区別することは必ずしも適切ではないとの議論もある．しかし，MCTDでは抗U1 RNP抗体に相関して高率に出現するRaynaud現象，指・手背腫脹，さらに肺高血圧症などの特異な病態を認め，加えて独自の遺伝的背景の存在，独自の免疫学的所見，さらに予後の相違なども認められ，現在のところ1つの疾患単位として考えるのが妥当とされている（高崎，2005）．

原因・病因
MCTDの原因は不明であるが，遺伝的な素因に加え，レトロウイルスなどの環境因子がその発症に関与していることが示唆されている（高崎，2005）．

疫学
2008（平成20）年のMCTDの厚生労働省個人調査票を基準とした調査では全国で約8600人の登録が確認されている．男女比は1：16〜19と圧倒的に女性が多い．発症年齢は20〜50歳に多く，特に31〜40歳代にピークがある．また，膠原病の家族発症も8.5％に認められている．

病理・病態生理
KellyらはU1 RNPの構成成分であるU1 RNAはトール様受容体（TLR）-7を介して樹状細胞におけるtype Iインターフェロンを誘導し，その分化を誘導することを明らかにし，U1 RNAが内在性のアジュバントとして自己免疫の病態の誘導に重要な役割を有している可能性を論じている．一方，抗U1 RNP抗体は，in vitroの実験系でU1 RNPの細胞内機能であるmRNA前駆体のスプライシングを抑制することが知られているものの，抗体自体の病因的意義は不明である．

MCTDの病理所見は基本的にSLE，SScおよびPMのそれと変わりない．腎臓にもSLEと同様の糸球体病変を認めるが，SLEに比較しいわゆる微小変化群の占める割合が高い．SScと同様の皮膚病理所見とともに，腎，肺などの動脈の内膜や中膜の線維性の肥厚も出現する．

臨床症状
定型的オーバーラップ症候群と診断される群では一般にSLEのループス腎炎，蝶形紅斑および中枢神経症状，SScの広範な皮膚硬化，関節リウマチ（RA）の骨破壊性関節炎や，PMにおける著明な筋系酵素の上昇と筋力低下などの各疾患の特徴的な病態が共存して認められる．

一方，MCTDにおいても表12-7-1に示すように各疾患の臨床像が混在するが，一般に軽症型が多い．全身症状では発熱，全身倦怠感，易疲労性，体重減少などが認められ，活動期に出現することも多い．

局所症状として最も高率に認められるものはRaynaud現象で，ソーセージ様手指（e図12-7-A）や手背の腫脹とともに本症を特徴づける所見となっている．手指硬化や先端硬化症も出現するが，一般にSScより程度は軽い．多発性関節痛はほぼ全例，関節炎は60〜70％の症例に認められる．欧米の報告ではRAと同様の骨破壊性関節炎が約30％の症例に認められ，RAもMCTDのスペクトラムの1つと考えられている[1]．近位筋を中心に筋力低下や筋痛などの筋症状も高率に認められ，筋原性酵素が上昇する．

消化器病変では食道拡張や蠕動運動不全が代表的な所見で，ときに難治性食道潰瘍の併発を認める．

肺病変として間質性肺炎が30〜50％以上の症例に出現する．しかし，SScのように著明な線維化を認める症例の頻度は30％以下である．一方，肺高血圧症の出現頻度は10％以下と低いものの，比較的予後良好とされるこの疾患の死因の50％以上を占め，難治性の経過をとる．呼吸困難，胸痛，および血痰などの症状に加え，聴診上，II音の肺動脈成分の増強，および分裂，肺動脈弁領域の駆出性雑音を認める．進行例では胸部X線写真にて左第2弓の突出，末梢血管影の減弱，右室肥大などの所見を認める．心電図では肺性P，右軸偏位，右室肥大などの所見が認められる．

表 12-7-1 混合性結合組織病(MCTD)診断基準
(厚生労働省研究班, 2004 年)

混合性結合組織病の概念
全身性エリテマトーデス, 強皮症, 多発性筋炎などにみられる症状や所見が混在し, 血清中に抗 U1 RNP 抗体がみられる疾患である.

Ⅰ.中核所見
  1. Raynaud 現象
  2. 指ないし手背の腫脹
  3. 肺高血圧症

Ⅱ.免疫学的所見
  抗 U1-RNP 抗体陽性

Ⅲ.混合所見
  A. 全身性エリテマトーデス様所見
   1. 多発関節炎
   2. リンパ節腫脹
   3. 顔面紅斑
   4. 心膜炎または胸膜炎
   5. 白血球減少(4000/μL 以下)または血小板減少(10 万/μL 以下)
  B. 強皮症様所見
   1. 手指に限局した皮膚硬化
   2. 肺線維症, 拘束性換気障害(% VC = 80%以下)または肺拡散能力低下(% DLco = 70%以下)
   3. 食道蠕動低下または拡張
  C. 多発性筋炎様所見
   1. 筋力低下
   2. 筋原性酵素(CK)上昇
   3. 筋電図における筋原性異常所見

診断
  1) Ⅰの 1 所見以上が陽性
  2) Ⅱの所見が陽性
  3) ⅢのA, B, C項のうち, 2項以上につき, それぞれ 1 所見以上が陽性
以上の 3 項を満たす場合を混合性結合組織病と診断する.

付記
  1. 抗 U1-RNP 抗体の検出は二重免疫拡散法あるいは酵素免疫測定法(ELISA)のいずれでもよい. ただし, 二重免疫拡散法が陽性で, ELISA の結果と一致しない場合には, 二重免疫拡散法を優先する.

心エコー検査が有用な情報を提供し, 確定診断のために右心カテーテルが行われる. また, 肺高血圧症は肺の線維化の程度とは相関しないが, 爪郭の毛細血管の拡張像が肺高血圧症とよく相関するとされている.

蛋白尿や尿細胞円柱などは 10~25％の症例に出現するが, 本症の腎症はステロイドによく反応し, 一般に軽症の経過をとる.

中枢神経症状としては無菌性髄膜炎, 精神症状, 痙攣発作など SLE と同様の障害が報告されている. 末梢神経障害としては三叉神経痛がしばしば認められ, 難治性の経過をとる.

検査所見

MCTD では蛍光抗体間接法にて抗 U1 RNP 抗体による斑紋型の抗核抗体が全例で検出される. 抗 U1 RNP 抗体の同定は二重免疫拡散法(DID)もしくは酵素免疫法(ELISA)で行うが, その力価は非常に高い.

その他の血清学的所見としては高ガンマグロブリン血症, リウマトイド因子, 抗 dsDNA 抗体, LE 細胞などの所見が認められる. 赤沈は高ガンマグロブリン血症によく相関して上昇する. CRP は関節炎や漿膜炎などが存在する場合に上昇するが中等度~軽度である. 血清の低補体価や免疫複合体も検出されることがある.

診断

抗 U1 RNP 抗体陽性を確認し, 厚生労働省研究班によって提唱された診断の手引きを用いて診断する(表 12-7-1).

鑑別診断

オーバーラップ症候群の鑑別には抗 U1 RNP 抗体とともに SSc と PM の重複症状に相関する抗 Ku や PM-Scl 抗体などの血清学的所見が参考になる.

経過・予後

SLE および PM 様症状は治療に反応して軽快するが SSc 様所見が遷延化する. 死因としては肺高血圧, 呼吸不全, 心不全などが高率となっている. MCTD の予後は良好と報告されていたが肺高血圧症などの病態は予後不良で問題となっている.

治療・予防

Raynaud 現象および関節痛などの症状を認め, 臓器病変を有さない軽症例では循環改善薬や非ステロイド系抗炎症薬(NSAIDs)を投与し, 経過をみる. 発熱, リンパ節腫脹などの全身症状に加え, 著明な関節炎や臓器障害が出現した場合にはステロイドによる治療を行う. ステロイドの投与量は個々の症例が有する病態の重症度に応じて決定する. 肺高血圧症に対しては, 抗凝固療法, プロスタグランジン製剤, さらに, PDE5 阻害薬やエンドセリン受容体拮抗薬などが用いられる.

Raynaud 現象が著明な症例では普段から寒冷曝露を避けるように指導する.

禁忌

イブプロフェンなどの NSAIDs とニューキノロンを併用すると無菌性髄膜炎を発症するリスクがあることが報告されている[2].

〔髙崎芳成〕

■文献(e文献 12-7)

Kelly KM, Zhuang H, et al: "Endogenous adjubant" activity of the RNA components of lupus autoantigens Sm/RNP and Ro60. *Arthritis Rheum*. 2006; **54**: 1557-67.

Sharp GC, Irvin WS, et al: Mixed connective tissue disease-an apparently distinct rheumatic disease syndrome associated with a specific antibody to an extractable nuclear antigen (ENA). *Am J Med.* 1972; **52**: 148-59.

髙崎芳成：混合性結合組織病と重複症候群．膠原病診療のミニマムエッセンシャル（戸叶嘉明，阿部香織編），pp157-61，新興医学出版社，2005．

12-8 血管炎症候群
vasculitis syndrome

概念
　血管炎症候群とは血管壁の炎症をきたす病態の総称であり，原発性と続発性に大別される．原発性血管炎は血管炎そのものを主病変とする独立した疾患である．一方，続発性血管炎は他疾患に血管炎を伴う病態であり，他の膠原病や炎症性腸疾患に伴うもの，ウイルスを含む感染症や薬物などに起因するもの，腫瘍に伴うもの，移植に伴うものなどがある．

分類
　原発性血管炎は罹患血管のサイズや罹患臓器の広がりに基づいて5つのカテゴリーに分類され，続発性血管炎は発症過程に基づき2つのカテゴリーに分類されている（Jennetteら，2013）（Chapel Hill分類2012；CHCC 2012，表12-8-1）．

1) **大型血管炎**（large vessel vasculitis：LVV）：大型動脈をほかの血管より高頻度に侵す血管炎である．大型動脈とは大動脈およびその主要な分枝と定義される．高安動脈炎（Takayasu arteritis：TAK）および巨細胞性動脈炎（giant cell arteritis：GCA）が含まれる．

2) **中型血管炎**（medium vessel vasculitis：MVV）：中型動脈を主として侵す血管炎で，炎症性動脈瘤や狭窄がよくみられる．中型動脈とは主要な内臓動脈とその分枝として定義される．結節性多発動脈炎（polyarteritis nodosa：PAN）および川崎病（Kawasaki disease：KD）が含まれる．

3) **小型血管炎**（small vessel vasculitis：SVV）：主として小型血管を侵す血管炎であるが，中型の動脈や静脈が侵されることもある．小型血管とは実質内の小動脈，細動脈，毛細血管，細静脈と定義される．2つのサブカテゴリーに分けられる．

　a) ANCA関連血管炎（ANCA-associated vasculitis：AAV）：壊死性血管炎で，免疫複合体沈着はみられないか，わずかにしかみられない．主として小型血管（毛細血管，細静脈，細動脈，小動脈）を侵す．抗好中球細胞質抗体ANCA（後述）と関連するが，すべての患者でANCAが認められるとは限らない．このサブカテゴリーには，顕微鏡的多発血管炎（microscopic polyangiitis：MPA），多発血管炎性肉芽腫症（granulomatosis with polyangiitis：GPA，旧名：Wegener肉芽腫症），および，好酸球性多発血管炎性肉芽腫症（eosinophilic granulomatosis with polyangiitis：EGPA，旧名：アレルギー性肉芽腫性血管炎，Churg

表12-8-1 血管炎症候群のChapel Hill分類2012
（Jennetteら，2013を和訳．多くの和名は関連学会の承認を得ている）

分類	血管炎
大型血管炎	高安動脈炎
	巨細胞性動脈炎
中型血管炎	結節性多発動脈炎
	川崎病
小型血管炎 ANCA関連血管炎	顕微鏡的多発血管炎
	多発血管炎性肉芽腫症（Wegener肉芽腫）
	好酸球性多発血管炎性肉芽腫症（Churg-Strauss症候群）
免疫複合体性血管炎	抗GBM病
	クリオグロブリン血症性血管炎
	IgA血管炎（Henoch-Schönlein紫斑病）
	低補体血症性じんま疹様血管炎
種々の血管を侵す血管炎	Behçet病
	Cogan症候群
単一臓器の血管炎	皮膚白血球破砕性血管炎
	皮膚動脈炎
	原発性中枢神経系血管炎
	孤発性大動脈炎
	その他
全身性疾患に続発する血管炎	全身性エリテマトーデスにおける血管炎
	関節リウマチにおける血管炎
	サルコイドーシスにおける血管炎
	その他
誘因が推定される続発性血管炎	HCV関連クリオグロブリン血症性血管炎
	HBV関連血管炎
	梅毒関連大動脈炎
	薬剤関連免疫複合体性血管炎
	薬剤関連ANCA関連血管炎
	腫瘍関連血管炎
	その他

-Strauss 症候群)の 3 疾患が含まれる.

　b)免疫複合体性血管炎(immune complex vasculitis):免疫グロブリンや補体成分が血管壁に中等度ないし高度に沈着する血管炎であり,主として小型血管(毛細血管,細静脈,細動脈,小動脈)を侵し,糸球体腎炎が頻繁にみられる.このサブカテゴリーには,抗GBM(glomerular basement membrane, 糸球体基底膜)病(anti-GBM disease),クリオグロブリン血症性血管炎(cryoglobulinemic vasculitis:CV), IgA 血管炎(IgA vasculitis:IgAV, 旧名:Henoch-Schönlein 紫斑病),および,低補体血症性じんま疹様血管炎(hypocomplementemic urticarial vasculitis:HUV)(抗 C1q 血管炎)の 4 疾患が含まれる.

4)種々の血管を侵す血管炎(variable vessel vasculitis:VVV): 特定の罹患血管の偏りをもたない原発性血管炎であり,どのサイズ(小型,中型,大型)やタイプ(動脈,静脈,毛細血管)の血管をも障害しうる.このカテゴリーには Behçet 病(Behçet disease:BD)と Cogan 症候群(Cogan syndrome:CS)の 2 疾患が含まれる.

5)単一臓器の血管炎(single organ vasculitis:SOV): ある臓器に限局した原発性血管炎で,臓器内での血管炎の分布は単巣性でも多巣性でもよい.ここでは皮膚動脈炎のように,臓器名と侵襲血管のサイズを付記する.その他に表 12-8-1 のような疾患が含まれる.ある時期に SOV と診断されたものが将来的に全身性血管炎へと進展した場合には,別のカテゴリーに再配分されることになる.

6)全身性疾患に続発する血管炎(vasculitis associated with systemic disease): 全身性疾患に関連しそれが原因となって発症した続発性血管炎を対象とし,疾患名には全身性疾患を指す接頭語が必要となる.たとえば,全身性エリテマトーデス(SLE)における血管炎,関節リウマチにおける血管炎,サルコイドーシスにおける血管炎などである.

7)誘因が推定される続発性血管炎(vasculitis associated with probable etiology): 特定の病因と関連している続発性血管炎を対象とし,疾患名には病因との関連を指す接頭語をつける.たとえば HCV 関連クリオグロブリン血症性血管炎,HBV 関連血管炎,梅毒関連大動脈炎など表 12-8-1 に記載された疾患が含まれる.

病因・病態生理

1)遺伝素因と環境因子: 血管炎症候群の各疾患の多くは多因子疾患であり,その発症には遺伝因子と環境因子が関与する.遺伝因子としては主要組織適合抗原(HLA)が重要である[1].環境因子としてはウイルスなどの感染が推定されている.遺伝因子と環境因子の相互作用の結果,免疫異常が起こり血管の障害に向かうが,いくつかの免疫異常が知られている.

2)血管障害を惹起する免疫異常: 大型〜中型血管炎では自己反応性 T 細胞による肉芽腫形成性組織障害,小型血管炎では ANCA による好中球の活性化,および免疫複合体沈着による III 型アレルギーを介した組織障害が主要な機序である[2].

　大型血管炎の組織像は巨細胞の浸潤を伴う肉芽腫性炎症である.高安動脈炎の病変局所に浸潤している CD8 陽性 T 細胞[3],巨細胞性動脈炎の病変局所の CD4 陽性 T 細胞[4,5]および CD83 陽性樹状細胞[6]が重要とされる.

　抗好中球細胞質抗体(anti-neutrophil cytoplasmic antibody:ANCA)は,主として好中球細胞質のアズール顆粒中の抗原を認識する自己抗体である[7]. ANCA はエタノール固定好中球を基質とした間接蛍光抗体法で検出され,その染色パターンから細胞質型(C-ANCA)と核周囲型(P-ANCA)とに分類される(図12-8-1).血管炎で重要な抗原はプロテイナーゼ 3(PR3)およびミエロペルオキシダーゼ(MPO)であり,対応する抗体は PR3-ANCA, MPO-ANCA とよばれる.PR3-ANCA は GPA(旧名:Wegener 肉芽腫症)の 80% 以上に認められ[8],MPO-ANCA は MPA, EGPA(旧名:Churg-Strauss 症候群)などの 50〜75% で陽性となる[9].ANCA が好中球を活性化して,好中

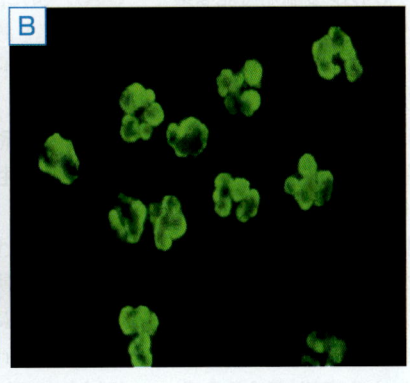

図 12-8-1 C-ANCA と P-ANCA
A:C-ANCA,B:P-ANCA.ヒト好中球をスライドグラスに貼付しエタノール固定後に,GPA(旧名:Wegener 肉芽腫症)(A)または MPA(B)の患者血清,ついで蛍光色素標識抗ヒト IgG 抗体を反応させ,蛍光顕微鏡で観察した間接蛍光抗体法パターン.C-ANCA では蛍光が細胞質(cytoplasmic)に,P-ANCA では蛍光が核周囲(perinuclear)に分布している.

球細胞外トラップ（neutrophil extracellular traps：NETs）が形成され，血管炎の発症に至ると考えられている[10,11]．しかし，ANCA関連血管炎では病変局所に免疫グロブリンや補体の沈着がみられないことが特徴である（これを寡免疫性（pauci-immune）という）．

免疫複合体（immune complex：IC）は抗原と抗体の結合物であり，血管壁へ異常沈着して血管炎を惹起する．ICは補体を活性化し，その途上で形成されたC4a，C3a，C5aなどの走化因子が好中球や単球を集合させ炎症が進展する．血管炎のうちICが主として検出されるのは中・小型血管炎であり，大型血管炎ではほとんど検出されない．病因に関連したICに含まれる対応抗原として，HBVやHCVが知られている．疾患により，血中にIgA-IC，クリオグロブリン，抗GBM抗体，抗C1q抗体などが検出され，診断に有用である．

症候・診断―総論

血管炎症候群では「血管」の「炎症」のために，多臓器の虚血や出血による症状とともに炎症所見を呈する．炎症による全身症状と局所の臓器症状に大別される．

1) 全身症状:

a) 原因不明の発熱：発熱は38〜39℃の高度の発熱が多く，スパイク状の熱型をとることが多い．

b) 全身症状：高度の発熱が持続するため，体重減少を伴う．6 kg/6カ月以上の体重減少が目安とされる．脱力感，全身倦怠感などの漠然とした症状を訴える．

2) 局所の臓器症状: 全身の多臓器の症状が同時に，または，順次にみられるのが特徴である．臓器症状は罹患血管の障害による虚血や出血の結果であり，罹患血管のサイズにより差がみられる．

a) 小型血管の障害による症状（表12-8-2-I）：皮疹では特に下腿に好発する，いわゆる触知可能な紫斑（palpable purpura）が特徴的である．皮膚潰瘍も中〜小動脈の血管炎を疑わせる．多発性単神経炎は当該神経を養う中〜小動脈の血管炎の症状であり，初期には感覚障害としての知覚過敏，知覚鈍麻などが出現するが，進行すると運動障害を併発し下垂手や下垂足となることがある．腎臓の小血管（小葉間動脈〜輸入細動脈〜糸球体係蹄〜輸出細動脈）の血管炎では，血尿，蛋白尿，円柱尿などの臨床像を呈する．肺における細動脈炎や毛細血管炎，細静脈炎の臨床像として肺胞出血があり，泡沫状の血痰が喀出される．

b) 大型〜中型の血管の障害による症状（表12-8-2-II）：動脈硬化の危険因子のない心筋梗塞や脳梗塞では血管炎を疑う．急性腹症や下血の原因として腸間膜動脈の血管炎が関与する場合がある．腎臓の中型以上の血管（腎動脈〜葉間動脈〜弓状動脈〜小葉間動脈）の障害では，急激に進行する高血圧と腎機能障害を呈する．その他，障害された特定の血管に応じて，脈なし病，咬筋跛行，失明を呈することもある．

3) 診断へのアプローチ: 症状や検査所見から血管炎の存在が明らかとなれば，おのおのの血管炎の鑑別診断をする．原発性血管炎については，米国リウマチ協会の分類基準が診断に使われることがある（e表12-8-A）．また，厚生労働省難治性血管炎調査研究班の診断基準もある（各論参照）．血管炎症候群の診断のフローチャートを図12-8-2に示す．

(1) 高安動脈炎【⇒7-14】

(2) 巨細胞性動脈炎（giant cell arteritis：GCA）

概念

GCAは大動脈とその主要な分枝の肉芽腫性血管炎である．頸動脈の頭蓋外分枝を主として侵し，しばしば側頭動脈に病変を認めるため，以前は側頭動脈炎（temporal arteritis）とよばれた．通常，発症年齢は50歳以上で，しばしばリウマチ性多発筋痛症（polymyalgia rheumatica：PMR）を併発する【⇒12-2-4】．発症頻度に人種差がみられ，わが国には少なく，北欧由来の白人に多い．

表12-8-2 血管障害による虚血や出血に基づく臓器症状

I. 小型血管の障害による症状	
皮膚：	網状皮斑，皮下結節，紫斑，皮膚潰瘍，指端壊死
末梢神経：	多発性単神経炎
筋肉：	筋痛
関節：	関節痛
腎臓：	壊死性半月体形成性糸球体腎炎
消化管：	消化管潰瘍，消化管出血
心臓：	心筋炎，不整脈
肺：	肺胞出血
漿膜：	心膜炎，胸膜炎
眼：	網膜出血，強膜炎
II. 大型〜中型の血管の障害による症状	
総頸動脈：	めまい，頭痛，失神発作
顎動脈：	咬筋跛行
眼動脈：	失明
鎖骨下動脈：	上肢のしびれ，冷感，易疲労性，上肢血圧左右差，脈なし
腎動脈：	高血圧，腎機能障害
腸間膜動脈：	虚血性腸炎
冠動脈：	狭心症，心筋梗塞
肺動脈：	咳，血痰，呼吸困難，肺梗塞

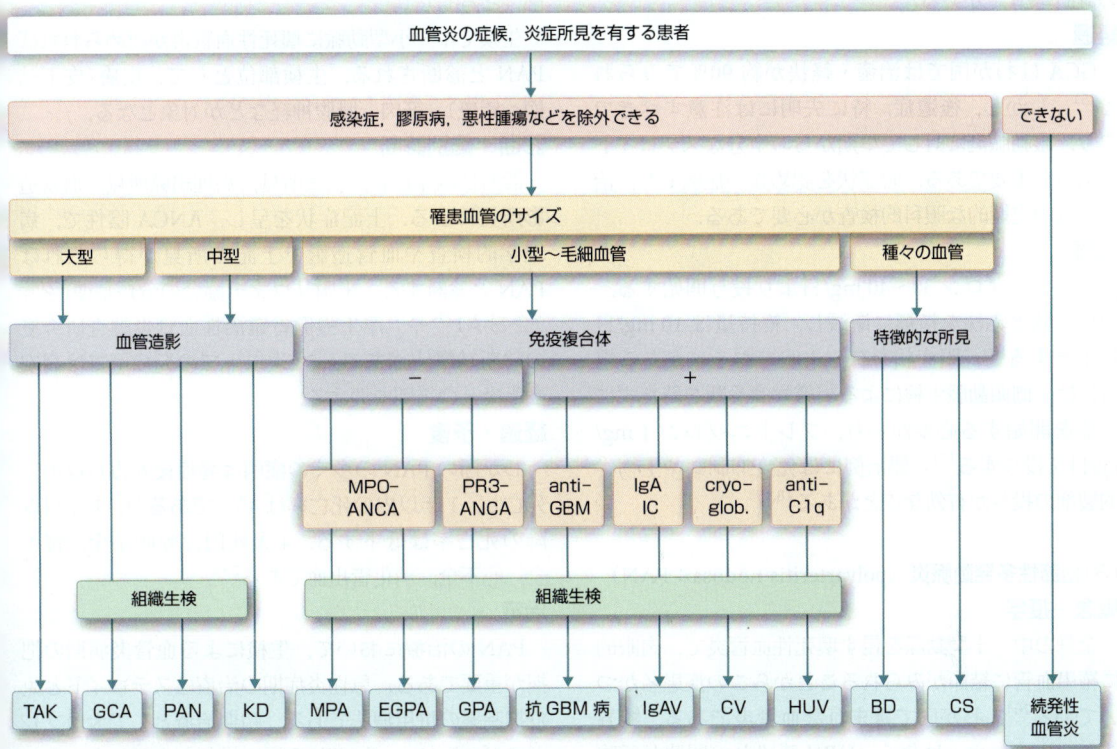

図 12-8-2 血管炎症候群の診断のアプローチ(文献66をもとに作成)
「一見脈絡のない多彩な全身症状を呈する発熱患者」では血管炎を疑う．感染症，悪性腫瘍，および血管炎を伴う膠原病やその類縁疾患が除外できれば原発性血管炎を考え，これらが除外できない場合には続発性血管炎を考慮する．原発性血管炎では，罹患血管のサイズによりアプローチが異なり，中型〜大型血管炎では血管造影が有用である．小型血管炎では免疫複合体の有無により疾患が大別される．免疫複合体の陰性群では ANCA 関連血管炎を考慮し，陽性群では特徴的な自己抗体を検索する．高安動脈炎や川崎病以外では，罹患血管の生検が診断に有用である．図中の略称は本文を参照．

病因・病理

GCA の病変形成には肉芽腫形成性自己反応性の CD4 陽性 T 細胞が重要であると考えられている[4,5]．GCA の病変局所の樹状細胞は高度に活性化されており，活性化マーカー（CD83 や CD86）を発現して，CD4 陽性 T 細胞を活性化する[6]．その結果 INF-γ が産生され，マクロファージを活性化して巨細胞の形成とともに，線維芽細胞の増殖，血管新生を惹起して，最終的に巨細胞性肉芽腫性血管炎を形成する[12]．病理学的には巨細胞を伴う汎血管炎の像を呈する(e図 12-8-A)．

臨床症状

発熱，体重減少，倦怠感などの全身症状とともに，頭痛，眼症状，頸部や肩甲部の疼痛と硬直，咬筋跛行をみる[13]．頭痛は最も多い症状で約80%にみられ，拍動性で片側性のことが多い．側頭動脈は肥厚し，圧痛や結節を認め，拍動は減弱〜消失する．最も重要な症状は眼症状であり約半数にみられ，眼痛，視力障害，視野障害から失明にまで至ることがある．大動脈とその分枝の障害により間欠性跛行や解離性大動脈瘤をみることもあるが，高安動脈炎に比し頻度は低い．PMR を合併すると，四肢近位筋の疼痛がみられる．

検査所見

最も重要な所見は赤沈の亢進であり，CRP 上昇もみられる．しかし，自己抗体は陰性である．眼底検査では，視神経乳頭の虚血性変化，網膜の綿花様白斑，小出血などを認める．側頭動脈生検により巨細胞性動脈炎を認める(e図 12-8-A)．

中等大の筋型動脈（特に頸動脈の分枝や椎骨動脈）や大型弾性型動脈（大動脈，鎖骨下動脈，大腿動脈）が侵されるので，表 12-8-2-II に示す所見のあるときには選択的な血管造影も必要となる．

診断・鑑別診断

拍動性の頭痛を訴える高齢者で，側頭動脈の発赤腫脹，拍動の減少を認め，PMR の合併や赤沈の著明亢進などの所見が参考となる．側頭動脈生検における巨細胞性動脈炎が確定診断のポイントであるが，病変は限局性・分節性に存在するので，所見がなくても本症を否定はできない．米国リウマチ協会の分類基準[14](e表 12-8-A)や厚生労働省難治性血管炎調査研究班

経過

GCAはわが国では治癒・軽快が約90％でみられる[15]．しかし，後遺症，特に失明には注意すべきであり，眼動脈炎に対して早期からの十分なステロイド薬治療が重要である．眼症状を認めない症例でも，治療経過中定期的な眼科的検査が必要である．

治療

プレドニゾロン30～40 mg／日より投与開始する．臨床症状と赤沈を指標に漸減し，維持量は10 mg／日以下とする[16]．眼症状を有し失明のおそれがある場合には，側頭動脈生検による組織学的診断を待たずに治療を開始する必要があり，プレドニゾロン1 mg／kg／日を投与する[17]．難治例には免疫抑制薬や生物学的製剤の投与が有効なことがある[18,19]．

(3) 結節性多発動脈炎（polyarteritis nodosa：PAN）

概念・疫学

全身の中～小型動脈を侵す壊死性血管炎で，肉眼的に罹患血管に結節がみられることからこの疾患名がついている[20]．わが国ではまれな血管炎である．特異的な疾患マーカーはなく，HBV感染との関連が示唆されている[21]．

病因・病理

壊死性血管炎の病理像を呈し，中～小型動脈の血管壁のフィブリノイド変性と炎症性細胞浸潤が認められる．組織学的に4つの病期（それぞれ，変性期，急性炎症期，肉芽期，瘢痕期）に分類される（e図12-8-B）．

臨床症状

全身症状および中型血管の障害による症状（表12-8-2-Ⅱ）を呈する．発熱や体重減少のような全身症状はPANの70％で認められる[21]．

多発性単神経炎は65％でみられ，初期には感覚障害が出現し，進行すると運動障害を併発する．PANの約半数でみられるのが，腎障害，皮膚病変，関節痛および筋痛である．腎障害では急激に進行する高血圧と腎機能障害を呈するが，糸球体腎炎をきたすことはまれである．消化管への侵襲は40％でみられ，全消化管のうち小腸が最も障害を受けやすい．腸間膜動脈炎の初期症状は腹痛であり，特に食後に増強する．進行すると腸管の梗塞や穿孔をきたす．

検査所見

高度の炎症性病態を反映して，赤沈亢進，CRP強陽性を呈する．PANでは特徴的な自己抗体はなく，ANCAの陽性率も低い．

血管造影はPANの診断に有用で，腹部大動脈の分枝，特に腸間膜動脈，腎動脈，肝動脈やその分枝に，内腔狭窄，不整，途絶や多発小動脈瘤がみられる（e図12-8-C）．

生検で中～小型動脈に壊死性血管炎が認められればPANと診断される．生検部位として，皮膚（皮下結節，紫斑），筋肉，腓腹神経などが対象となる．

診断・鑑別診断

診断は臨床症状，検査所見，病理組織所見，血管造影所見による．上記症状を呈し，ANCA陰性で，病理学的検査や血管造影で上記の所見が得られればPANと診断する．米国リウマチ協会の分類基準（e表12-8-A）[22]や，厚生労働省難治性血管炎調査研究班の診断基準[23]がある．50歳以下での発症例では高安動脈炎との鑑別を要する．

経過・予後

わが国のPANの多くの症例は発症後6カ月以内に死亡し，1年以内の死亡率は45％であるが，1年目以降の死亡率は低下する．4大死因は呼吸不全，腎不全，心不全，消化管出血である[23]．

治療

PANの治療において，生検による血管炎病期の把握が重要である．急性炎症期の治療はステロイドと免疫抑制薬の併用療法である．初期治療として大量プレドニゾロン（1 mg／kg／日）の経口投与およびシクロホスファミド（経口または間欠静注）投与を行う[24]．重症の腎病変や中枢神経病変をもつ例では，ステロイドパルス療法を併用する．病態により血漿交換療法を併用する．初期治療を3～4週間継続した後，臨床症状，炎症反応，臓器障害の改善などを評価しながらステロイド投与量を漸減する．肉芽腫・瘢痕期には閉塞性血管症状に対する治療が主体となり，抗凝固療法や抗血小板薬が投与される[16]．高血圧を伴う場合はその管理をし，腎不全例では血液透析を考慮する．

(4) 川崎病【⇒12-19-3】

(5) 顕微鏡的多発血管炎（microscopic polyangiitis：MPA）

概念

MPAはPANにきわめて類似した臨床経過をとるが，動脈は肉眼的には正常であり，顕微鏡的観察により小・細動脈，毛細血管，細静脈に壊死性血管炎を認める[25]．わが国ではMPAの患者数はPANより多いと推定されているが，2013年の推定患者数はMPA＋PANの合計で10674名であった[26]．

病理

小血管（毛細血管，細静脈，細動脈）の壊死性血管炎で，小～中動脈の動脈炎を伴うこともある．皮膚の「触知可能な紫斑」は白血球破砕性血管炎の病理像を呈する（e図12-8-D）．好発臓器は腎と肺で，前者では壊死性半月体形成性糸球体腎炎（e図12-8-E），後

者では肺毛細血管炎がみられる．いずれの病変部位にも免疫複合体の沈着を認めず，寡免疫（pauci-immune）とよばれる．

臨床症状

MPAも全身性の壊死性血管炎であり，PANと同様に，全身症状とともに小血管の障害炎による症状（表12-8-2-I）を呈する．全身諸臓器の症状がみられるのが特徴であるが，特に腎と肺に好発する[27]．腎では壊死性半月体形成性糸球体腎炎による急速進行性糸球体腎炎の臨床像を呈する．肺では，細動脈炎，毛細血管炎，細静脈炎の結果，肺胞出血や間質性肺炎をきたす．皮膚症状としては丘疹，紫斑，網状皮斑がよくみられるが，特に下腿に好発するいわゆる触知可能な紫斑（palpable purpura）は特徴的である．

検査所見

赤沈亢進，CRP陽性，白血球増加，血小板増加がみられるが，PANと異なり糸球体腎炎所見（血尿，蛋白尿，円柱尿）が高頻度にみられるのが特徴的である．血清学的にはP-ANCA，特にMPO-ANCAが50〜75％に陽性になる．生検により小血管（細動脈，毛細血管，細静脈）の壊死性血管炎や壊死性半月体形成性糸球体腎炎を認める．肺胞出血の症例では，胸部CTでびまん性の細粒状〜網状陰影をみる（e図12-8-F）．

診断・鑑別診断

診断は上記の症状，組織所見，MPO-ANCAの陽性によりなされる．厚生労働省難治性血管炎調査研究班の診断基準[28]がある．PANと異なり動脈造影が診断の決め手となることはない．MPAの鑑別診断においてはPAN，他のANCA関連血管炎，抗GBM病が重要である[29]．

PANとMPAはいずれも全身性の壊死性血管炎であり共通の臨床症状を呈することが多いが，両者は病因論的には明らかに異なる疾患単位であり，e表12-8-Bに示したような臨床像の差異がみられる．

Goodpasture症候群も急速進行性糸球体腎炎，肺出血をきたし，MPAと鑑別を要するが，抗GBM抗体の出現が特徴的である【⇨13-6-7】．腎生検における蛍光抗体法ではIgGが基底膜に沿って線状に沈着し，これがMPAの糸球体腎炎（pauci-immune）との鑑別点である．

経過・予後

わが国のMPAの症例は発症後6カ月以内に30％が死亡するが，1年目以降の死亡率は低下する[28]．病型による差がみられ，全身型，肺腎型は予後不良であるが，腎限局型の予後は良好である．MPAの3大死因は感染症，肺出血，腎不全である．

治療

全身型と限局型で治療が異なる[30]．全身型では大量のプレドニゾロン（1 mg/kg/日）が経口投与され，症例によりステロイドパルス療法も行われる．重症型には免疫抑制薬としてシクロホスファミドを経口または間欠静注法で併用する[24]．高齢者や感染のリスクの高い症例では投与量を減ずる．急速進行性腎炎型では血漿交換療法を併用することがある．難治例では生物学的製剤のリツキシマブが有効であり[31,32]，わが国でも保険適用となった．

寛解が導入された後の維持療法においては，再発と副作用の出現に留意すべきである．原則として初期治療後6カ月〜2年間，少量のプレドニゾロン経口が続けられ，難治例では少量の経口アザチオプリンが併用される[31]．

(6) 多発血管炎性肉芽腫症（granulomatosis with polyangiitis：GPA，旧名：Wegener肉芽腫症（Wegener's granulomatosis））

概念

GPAは全身性の壊死性肉芽腫性血管炎，上気道と肺の壊死性肉芽腫，腎の壊死性半月体形成性腎炎の3徴を認める小型血管炎である[33]．PR3-ANCAが高率に陽性で，ANCA関連血管炎の1つである．わが国ではMPAより少なく，2013年の推定患者数は2176人である[26]．

病理

病理学的には，①上気道と肺の壊死性肉芽腫（e図12-8-G），②小・細動脈の巨細胞を伴う壊死性肉芽腫性血管炎（e図12-8-H），③壊死性半月体形成性腎炎（e図12-8-I）が認められる．この「肉芽腫」の存在がMPAとの鑑別点である．ほかのANCA関連血管炎と同様に，血管炎や糸球体腎炎の病変局所に免疫グロブリンや補体の沈着を認めない（pauci-immune）．

臨床症状

上気道症状（E），肺症状（L），腎症状（K）に分けられる[34]．初期にはE症状がみられ，化膿性・血性の鼻汁を呈する．副鼻腔炎，化膿性中耳炎，鼻腔・口蓋の潰瘍，鼻中隔穿孔がみられることもある．進行すると，本症に特徴的とされる「鞍鼻」をきたす．眼球突出，結膜炎，上強膜炎，めまい，難聴をきたすこともある．L症状は85％にみられ，咳，血痰，呼吸困難を呈する．EGPAと異なり，気管支喘息はみられない．K症状は最終的には発症2年以内に80％にみられ，蛋白尿，血尿，赤血球円柱，腎不全症状を呈する．その他，血管炎の所見として，下肢の紫斑，多発性単神経炎がみられる．ELKすべての症状を呈する症例を全身型，Kを欠く症例（Eのみ，Lのみ，E＋L）を限局型といい，治療法が異なる．

検査所見

MPAと同様に赤沈亢進，CRP陽性，白血球増加，血小板増加や，糸球体腎炎所見（血尿，蛋白尿，円柱尿）がみられる．C-ANCA（PR3-ANCA）は全身型の90％以上で陽性となり，診断にきわめて有用である[8]．画像検査では，EまたはL領域の肉芽腫性病巣が結節性陰影または占拠性陰影として認められる（e図12-8-J）．

診断・鑑別診断

GPAの診断は臨床症状・生検組織所見・検査所見により行う．生検は鼻粘膜，肺，腎で施行し，上記の病理所見を認める．米国リウマチ協会の分類基準（e表12-8-A）[35]や，厚生労働省難治性血管炎調査研究班の診断基準[36]がある．鑑別診断としては，E，Lの肉芽腫性疾患（サルコイドーシス）や，MPAなどのほかのANCA関連血管炎が重要である[29]．Chapel Hill分類によると，GPAには肉芽腫の存在が必須であり，一方，上気道や下気道の「非肉芽腫性の」小型血管炎はMPAのカテゴリーに入る（Jennetteら，2013）．EGPAはGPAの典型にさらに好酸球増加やアレルギー性疾患の合併が加わったものと考えられる（e表12-8-C）．

経過・予後

全身の多臓器障害を伴う重症型のGPAは，無治療では2年後に90％が死亡する．しかし，免疫抑制薬（シクロホスファミド）と大量の副腎皮質ステロイド薬の併用で予後は大きく改善し，5年後の死亡率は約20％となった[37]．GPAの主たる死因は敗血症や肺感染症であり，上気道の肉芽腫性病変のため鞍鼻や視力障害を後遺症として残す症例もある[36]．

治療

全身型GPAで活動早期の例に対しては，全身型MPAと同様の強力な大量ステロイドと免疫抑制薬による寛解導入療法を行う[24]．難治例に対してはリツキシマブも投与される[31,32]．寛解導入後は維持療法を12〜24カ月行う．

(7) 好酸球性多発血管炎性肉芽腫症（eosinophilic granulomatosis with polyangiitis：EGPA，旧名 Churg-Strauss症候群/アレルギー性肉芽腫性血管炎（Churg-Strauss syndrome/allergic granulomatous angiitis））

概念

EGPAは気管支喘息，好酸球増加，小血管の壊死性血管炎による症状を呈する[38]．MPO-ANCAが陽性で，ANCA関連血管炎の1つである．わが国の患者数は約1800人と推定されている．多くの症例ではアレルギー性鼻炎や気管支喘息と末梢血好酸球増加が先行し，その後に血管炎症候群を発症する．

病理

好酸球浸潤を伴う細動静脈・毛細血管の壊死性血管炎または肉芽腫性血管炎を認める．血管外肉芽腫を認めることもある（e図12-8-K）．

臨床症状

発熱，体重減少，筋痛，関節炎に加え，紫斑や多発単神経炎が高率にみられる[39]．多くの症例で，気管支喘息やアレルギー性鼻炎などが先行する．進行すると心外膜炎や心タンポナーデ，脳出血・脳梗塞，消化管出血などを呈して死に至ることがある．

検査所見

血液検査では，赤沈・CRPなどの炎症反応の亢進を認め，末梢血好酸球数 > 2000/μL，血清IgE > 600 U/mLを呈する．P-ANCA，特にMPO-ANCAが70％で陽性となり，その抗体価は病気の活動性と並行する．

診断・鑑別診断

気管支喘息，好酸球増加が先行する小型血管炎という点で診断される．確定診断は生検組織の特徴的な病理所見よりなされる．米国リウマチ協会の分類基準がある（e表12-8-A）[40]や，厚生労働省難治性血管炎調査研究班の診断基準[41]がある．

経過・予後

わが国での10年生存率は90％である[41]．死因は消化管出血，脳出血，心筋梗塞などである．多発単神経炎による運動麻痺は長期間にわたり持続する．臓器障害の程度で予後が異なる[42]．

治療

EGPAの血管炎症状はステロイドによく反応することが多く，プレドニゾロン30〜40 mg/日が有効である．多発単神経炎（特に運動神経障害）や臓器障害（肺，心，消化管，腎，中枢神経）のある重症例には高用量のプレドニゾロン（1 mg/kg/日）が投与される．ステロイド内服無効例や内臓病変の急速進行例ではステロイドパルス療法に加え，MPAに準じた免疫抑制療法や血漿交換療法も併用される[43]．難治性の多発単神経炎に対して免疫グロブリン大量静注療法が行われる[44,45]．気管支喘息に対しては，一般の気管支喘息治療に用いられる薬剤を適宜使用する．

(8) 抗GBM病【⇨ 13-6-7】

(9) クリオグロブリン血症性血管炎【⇨ 16-10-19-6】

(10) IgA血管炎（IgA vasculitis：IgAV，旧名：Henoch-Schönlein紫斑病）

概念・疫学

小型血管（主として，毛細血管，細静脈，細動脈）を侵す血管炎で，血管壁にIgA$_1$主体の免疫沈着を伴う．

しばしば皮膚と消化管を障害し，頻繁に関節炎をきたす．IgA 腎症と区別のつかない糸球体腎炎をきたすこともある（Jennette ら，2013）．小児で最も頻度の高い全身性血管炎で，5 歳に発症のピークがある．本症の過半数に先行感染（特に上気道感染）がみられるが，その他の誘因として抜歯，食物や薬物に対するアレルギーが知られる．

病因・病理
IgA$_1$ 分子のヒンジ部には O 結合型糖鎖が付加されるが，本疾患ではその糖鎖付加が減少している[46]．このヒンジ部糖鎖に異常をきたした IgA$_1$ を対応抗原とする IgG（抗 IgA$_1$ 抗体）が産生され，これらの IC が血管壁に沈着して血管炎が惹起される[47]．

病理像は免疫複合体性の小型血管炎である．紫斑の部位では白血球破砕性血管炎が認められ，蛍光抗体法では病変部位に IgA$_1$ や補体の沈着を認める．腎生検の病理所見は IgA 腎症と同様であり，メサンギウム領域の細胞増殖や，病変がより高度になると半月体形成性腎炎の像を呈する（e図 12-8-L）．

身体所見
皮膚では「触知できる紫斑」が特徴的で，主として下肢に多発する（e図 12-8-M）．腹部症状は腸管壁の血管炎に起因し，腹痛，悪心・嘔吐，下痢，血便などを呈する．下肢の関節痛・関節炎もみられる．

検査所見
血中に IgA を含む免疫複合体が検出される．IgA-IC の沈着により腎炎をきたすと，蛋白尿や血尿がみられる．

診断・鑑別診断
触知できる紫斑や腹部症状などから本症が疑われ，病変局所の IgA$_1$ の沈着を証明することで診断される．ほかの免疫複合体性血管炎との鑑別を要する．本症の過半数に先行感染がみられるので，上気道や消化管の感染症状の聴取は重要である．米国リウマチ協会の分類基準（e表 12-8-A）[48]がある．

経過・予後
小児では腎炎を約半数に認めるが，末期腎不全に至ることは少ない．しかし，成人では 85％が腎炎をきたし，末期腎不全への移行も多く予後不良である．

治療
関節症状や消化管症状が軽いときには NSAIDs が投与されるが，それらの症状が強度となり NSAIDs が無効な症例ではステロイドを使用する．

腎炎症状の強い症例では腎生検を施行して腎病理所見を評価した後に治療方針を決定する．腎症へのステロイド単独療法の有効性は確立していない[49,50]．特に半月体形成の著明な症例では，ステロイドパルス療法に引き続き高用量のプレドニゾロンを経口投与する[51]．免疫抑制薬とステロイドの併用療法[52,53]の有効例や，ステロイド＋シクロホスファミド＋ジピリダモールの多剤併用療法[54]の有効例が報告されている．末期腎不全患者には腎移植も施行されるが，症例によっては IgAV の再燃や，それによる移植腎の喪失が認められる[55]．

（11）低補体血症性じんま疹様血管炎（hypocomplementemic urticarial vasculitis：HUV，抗 C1q 血管炎（anti-C1q vasculitis））

概念
じんま疹様血管炎（urticarial vasculitis：UV）はじんま疹様皮疹を呈し，生検で白血球破砕性血管炎（LCV）を認める疾患であるが，血清補体価のレベルにより正補体血症性じんま疹様血管炎（normocomplementemic urticarial vasculitis：NUV）と HUV に分類される[56]．HUV は関節炎，糸球体腎炎，慢性閉塞性肺疾患（COPD），眼の炎症などの全身症状を伴うことが多く，そのうち，特に抗 C1q 抗体と関連する病型は自己免疫疾患と考えられ，低補体血症性じんま疹様血管炎症候群（hypocomplementemic urticarial vasculitis syndrome：HUVS）とよばれる[57]．

病因・病理
UV は基礎疾患の有無により特発性と続発性に分類され，特発性は NUV，続発性は HUV であることが多い．続発性 UV の基礎疾患は SLE が最も多く，その他の膠原病や薬剤，ウイルス感染症，血液疾患，悪性疾患などがある．HUV の多くでは血中免疫複合体が検出され，いわゆるⅢ型アレルギーの機序で炎症が起きる．HUVS で出現する抗 C1q 抗体は C1q の collagen-like region を認識し，C1q-抗 C1q 抗体の IC は古典経路を介して補体を活性化して炎症を誘導する[58]．

UV の重要な病理所見は LCV である．直接蛍光抗体法で，病変局所の血管壁に免疫グロブリンや補体の沈着が検出される．

臨床症状
UV の皮疹はじんま疹に類似したじんま疹様の紅斑で，24 時間以上持続し，かゆみ以外に疼痛や灼熱感を伴う．病変が真皮深層の細小静脈を侵すときは血管浮腫が合併することがある[59]．HUV では皮疹以外に，関節，腎，消化管，肺（COPD），眼などの全身症状を伴うことが多い[61]．

検査所見
炎症を反映して赤沈や CRP の上昇がみられる．HUV では低補体血症がみられ，血清中の C1q，C3，C4 などや CH$_{50}$ が低下する．抗核抗体は HUV の 30％で陽性となるが，抗 2 本鎖 DNA 抗体は陰性のことが多い．抗 C1q 抗体は HUV では大多数の症例で陽性となる．

診断・鑑別診断

24時間以上持続する有痛性のじんま疹様紅斑を呈し，生検でLCVの病理像を認めればUVであり，血清補体価よりNUVかHUVを鑑別する．HUVでは関節炎，糸球体腎炎，COPD，眼の炎症などの全身症状に注意する．血中の抗C1q抗体を認めればHUVSと診断する[57,60]．UVの診断においては続発性疾患の有無に注意する必要がある．

HUVにおける鑑別診断ではSLEに注意する．HUVがSLEの初発症状であることもあり，HUVの経過中に約半数がSLEの診断基準を満たしたという報告もある[61,62]．血管浮腫，COPD，抗C1q抗体の有無などが鑑別の参考になる．

経過・予後

UVの罹病期間は3〜4年であるが[59]，続発性の症例では予後は基礎疾患に左右される．HUVではNUVより重篤なことが多く，特にCOPDを合併した症例は予後が悪い．

治療

UVの治療法は，疾患の重症度や全身症状の広がりで決定される．じんま疹が主たる病変の場合は抗ヒスタミン薬が用いられる．関節痛・関節炎に対してはNSAIDsが有効なことがある．軽症〜中等症の症例で，抗ヒスタミン薬やNSAIDsが無効なときはステロイドを投与する．臓器や生命に脅威を及ぼす病態のないときには，中〜高用量のプレドニゾロン（0.5〜1.0 mg/kg/日）を投与する．ステロイド単独投与に不応性か，臓器や生命に脅威を及ぼす病態のある症例では，ステロイドと併用して種々の免疫抑制薬[63,64]または生物学的製剤[65]を用いる．

(12) Behçet病【⇨ 12-11，17-12-6-3】

〔尾崎承一〕

■文献（e文献12-8）

Ball GV, Bridges SL Jr eds: Vasculitis, 2nd ed. Oxford University Press, 2008.

Jennette JC, Falk RJ et al: 2012 revised International Chapel Hill Consensus Conference Nomenclature of Vasculitides. Arthritis Rheum. 2013; 65: 1-11.

Langford CA, Fauci AS: The vasculitis syndrome. Harrison's Principles of Internal Medicine, 18th ed (Longo DL, et al eds), MacGraw-Hill, pp2785-801, 2012.

12-9 サルコイドーシス

【⇨ 9-4-6】

12-10 抗リン脂質抗体症候群
antiphospholipid syndrome : APS

概念

血栓症および妊娠合併症の患者に，抗リン脂質抗体という自己抗体の存在が証明されたとき，抗リン脂質抗体症候群とよぶ．抗リン脂質抗体とはリン脂質あるいはリン脂質結合蛋白に対する自己抗体，またはリン脂質依存性凝固反応を抑制する免疫グロブリン（lupus anticoagulant : LA）の総称である（Atsumiら，2010）．

分類

抗リン脂質抗体症候群は単独で発症すれば原発性抗リン脂質抗体症候群，全身性エリテマトーデスの一部分症として発症すれば続発性抗リン脂質抗体症候群とよばれる．特殊型として，急激に多臓器不全（とりわけ中枢神経，腎，呼吸不全）に陥り，重篤な血小板減少症を合併し致死率の高い劇症型抗リン脂質抗体症候群（catastrophic antiphospholipid syndrome）がある[1]．

疫学

原発性APSと全身性エリテマトーデスに合併するAPSはほぼ同数である．わが国の患者数はおよそ4万人と推定される．

病態生理

抗リン脂質抗体は血栓症のリスクの1つであるばかりでなく，病原性をもつ自己抗体と考えられている．抗リン脂質抗体のなかで最も免疫学的特性が調べられている抗カルジオリピン抗体（aCL）の対応抗原は，カルジオリピンではなく，血漿蛋白であるβ_2-グリコプロテインIである（eコラム1，2，3，4）[2]．β_2-グリコプロテインIは多くの血栓制御機構に作用することがわかっており，aCLはこれらの系に関与して，複数の機序によって血栓傾向が形成されると考えられる．プロトロンビンも抗リン脂質抗体の主要な対応抗原であり，病態形成に関与しているとされる．これらの抗リン脂質抗体は，単球や内皮細胞に作用して，外因系凝固反応の引き金である組織因子などを誘導し，血栓を発症させると考えられている[3]．

妊娠合併症の原因は，胎盤梗塞，補体の活性化やその他の原因による胎盤機能不全であるとされるが，詳細は不明である．

臨床症状

APSの血栓傾向の最大の特徴は，静脈のみならず動脈に血栓を起こすことである．すなわち，APSは動脈血栓を起こす唯一の血栓傾向疾患として知られる．しかもAPSでは脳血栓症，ラクナ梗塞などの脳血管障害が圧倒的に多く，虚血性心疾患が比較的少ない特徴がある[4]．

静脈血栓症は下肢深部および表層静脈の血栓症が多く，しばしば肺塞栓を合併する．うっ滞性皮膚炎により皮膚潰瘍を呈することがある(図12-10-1)．頻度は低いが，副腎静脈血栓症によるAddison病，Bud-Chiari症候群などもよく知られている．

妊娠合併症には習慣流産，後期流産，妊娠高血圧症候群がある．妊娠の中・後期に起こる流産は，ほかの原因による流産に比べてAPSが多い．APSの妊娠合併症の重症例として，血栓性微小血管障害(TMA)の1つであるHELLP症候群(eコラム5)が知られている．

合併症

主要症状以外の臨床症状で，とりわけ多いのが血小板減少症である．慢性の血栓による消費，あるいは免疫学的な機序が考えられている．血栓症の既往のない特発性血小板減少性紫斑病と診断される患者にも抗リン脂質抗体が検出されることがあり，出血と血栓の両者のリスクがある．

その他，弁膜症や神経症状(てんかん，舞踏病，横断性脊髄炎など)が抗リン脂質抗体と関連していると考えられている．

検査所見

本症に特徴的なのは，aCLまたはLAの存在である(後述)．

凝固時間検査では，スクリーニング検査での活性化部分トロンボプラスチン時間(aPTT)が延長する．

梅毒血清反応の検査にはカルジオリピンを含むリン脂質が抗原として使用されており，抗カルジオリピン抗体によって梅毒反応の偽陽性(トレポネーマの成分を抗原とする血清反応は陰性)が起こる場合がある．

血栓症の急性期にはトロンビン-アンチトロンビン複合体(TAT)，プロトロンビンフラグメント1+2などの凝固亢進マーカー，およびDダイマーやプラスミン・プラスミンインヒビター-1複合体(PIC)などの線溶亢進マーカーが著しく高値となる．

脳梗塞を疑う臨床症状があったら，CTスキャンやMRIを施行する．脳MRIでは単発性から多発性まで多様な虚血性病変が観察される．深部静脈血栓症は，ドプラ超音波，CTスキャン，静脈造影で診断する．肺梗塞は肺血流シンチグラムが存在診断に有用であるが，比較的太い肺動脈の病変については造影CTによる緊急検査がきわめて有用である．

胎児の発育不全の診断には超音波検査が行われている．

診断

疾患の定義から，APSと診断するためには，抗リン脂質抗体の証明(aCLまたはLA)が必須である．

aCLはカルジオリピンとβ_2-グリコプロテインIとの複合体に結合しているので，「β_2-グリコプロテインI依存性aCL」とよばれるアッセイで検出される．LAは，in vitroのリン脂質依存性凝固反応を阻害するので，凝固時間延長として検出される．凝固時間の延長の原因の1つがLAであり，LAの確定のためには正常血漿とのミキシングテスト，およびリン脂質中和テストが必要である(LAの確認試験)．これらの抗リン脂質抗体検査を組み合わせると，血栓症のリスクが反映される(Otomoら，2012)．

鑑別診断

臨床症状として血栓症がある場合は，血栓傾向疾患一般を鑑別する必要がある．一方，抗リン脂質抗体の側からの鑑別も重要である．aCLは感染症やB細胞活性化が起こっている状態では非特異的に陽性となる．aCLのβ_2-グリコプロテインI依存性が確認できれば確定診断となる．

経過・予後

5年生存率は90％をこえるが，血栓症の再発率は1年あたり2～9％とされる．動脈血栓で発症すれば動脈血栓で，静脈血栓で発症すれば静脈血栓で再発することが多い[5,6]．

適切な治療のもとで生児を得られる確率は約7割である．

治療

急性期の動・静脈血栓症に対しては，線溶療法やヘパリン療法など一般の救急処置が行われる．抗リン脂質抗体症候群に特異的な治療法はない．

再発予防がAPSの治療で最も重要である．長期的

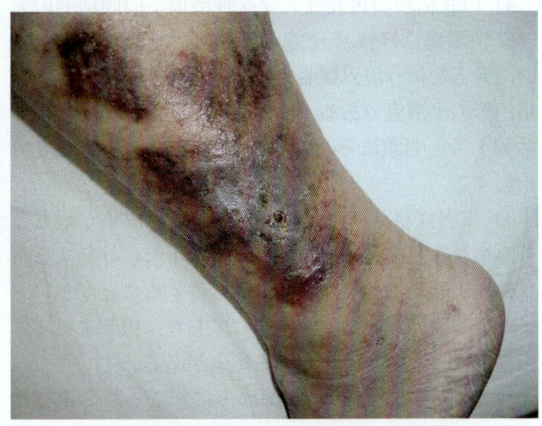

図12-10-1 深部静脈血栓症に伴ううっ滞性皮膚炎による皮膚潰瘍

な抗凝固療法すなわちワルファリン療法が以前から行われていた．しかし動脈血栓は動脈硬化やスパスムのような血管壁の変化によるずり応力によって血小板が粘着，凝集，活性化するところに発症のきっかけがあるので，血小板凝集抑制薬もよく使用される．たとえば，アスピリン 100 mg/日，シロスタゾール 200 mg/日などが使用される．

静脈血栓で発症した患者にはワルファリン（INR 2.0〜2.5）が使用される．

流産の既往のある APS 患者の妊娠については，アスピリンを基本的に使用し，血栓症の既往がある場合やアスピリンのみでは妊娠に成功しなかった場合はヘパリンが使用される．

劇症型抗リン脂質抗体症候群は治療が困難であるが，血漿交換療法を含めた多臓器不全に対する集中治療が必要である． 〔渥美達也〕

■文献（e文献 12-10）

Atsumi T, Amengual O, et al: Antiphospholipid syndrome: pathogenesis. Systemic Lupus Erythematosus, 5th ed（Lahita RG ed），pp945-66, Academic Press, 2010.

Otomo K, Atsumi T, et al: The efficacy of Antiphospholipid Score for the diagnosis of antiphospholipid syndrome and its predictive value for thrombotic events. *Arthritis Rheum*. 2012; 64: 504-12.

12-11　Behçet 病
Behçet disease

定義・概念

Behçet 病は，再発性口腔内アフタ性潰瘍，皮膚病変，外陰部潰瘍，眼病変を 4 大主症状とする原因不明の炎症性疾患である．特殊な場合を除き，一定の部位の炎症が慢性に持続するのではなく，急性の炎症が反復し，増悪と寛解を繰り返しつつ遷延した経過をとるのが特徴である．（本疾患の補遺は e コラム 1 を参照）

分類

本症は，上記 4 主症状を示す完全型とそうでない不全型に分類される．また特殊病型として，腸管 Behçet 病（entero-Behçet disease），血管 Behçet 病（vasculo-Behçet disease），神経 Behçet 症候群（病）（neuro-Behçet syndrome（disease））の 3 型がある．

原因・病因

本症の病因は不明であるが，HLA-B51・HLA-A26 およびその他の遺伝的素因と何らかの外因が発症に関与すると考えられている．本症の疾患関連非 HLA 遺伝子として IL-10, IL-23R/IL-12B2 が同定されている．本症患者には扁桃炎・齲歯の既往が多く，手術・外傷・抜歯などでの増悪がみられることから，ある種の細菌抗原が外因として作用する可能性が考えられている．

疫学・発生率・統計的事項

本症はトルコ，中東，中国，日本を結ぶ帯状のシルクロードに沿った地域に多く，欧米では少ない．わが国における推定患者数は 2 万人で，男女比はほぼ 1：1 であり，発病年齢は 30 歳代にピークがある．HLA-B51 との相関が認められ，その陽性率は約 53.8％（完全型 58.2％，不全型 51.0％）である．近年わが国では患者数の減少と軽症化の傾向がある．

病理

Behçet 病の一般的な病理学的所見は，非肉芽腫性の非特異性炎症である．特に好中球を含む炎症性の単核細胞（T リンパ球・単球）の小血管周囲への滲出像（perivascular cuffing）と血栓形成化傾向（thrombophilia）が特徴的である．

病態生理

本症の病態形成にあたっては，多少の例外はあるものの，T リンパ球の異常反応に基づくサイトカインの産生による好中球の機能（活性酸素産生能・遊走能）の亢進が中心的役割を果たすものと考えられている．

臨床症状

Behçet 病の臨床症状は，診断の決め手として重要な主症状と，重篤な臓器障害をきたしうる副症状に集約される．発症当初からすべての症状がそろうことはまれであり，慎重な病歴の聴取と，経過の観察が重要となる．

1）主症状：

a）口腔粘膜の再発性アフタ性潰瘍：口腔粘膜のアフタ性潰瘍はほぼ必発で，初発症状である場合が多い．発赤を伴う境界鮮明で白苔を付着する円形または楕円形の小潰瘍である．痛みを伴い，口唇・歯肉・頬粘膜・舌・咽頭にみられる．通常は約 1 週間程度で治癒する．

b）皮膚症状：結節性紅斑と毛囊炎様皮疹が最も多くみられる．皮下の血栓性静脈炎は下肢に好発する索状の皮下硬結で，結節性紅斑を合併することが多い．また，皮膚の被刺激性が亢進しており，虫刺され・外傷などにより容易に化膿する傾向がある．

c）眼症状：炎症が前眼部のみに起こる虹彩毛様体炎型と，眼底の病変を伴った網膜ブドウ膜炎型に大別される．前者では，視力低下・羞明感を自覚し，前

房中に炎症細胞を認め，ときには前房蓄膿(hypopyon)を生じる(図12-11-1)．一方，後者では霧視・飛蚊症をきたし，視力低下の程度が強く，ときに視力予後を左右する．

　d）外陰部潰瘍：一般に発病初期に多くみられ，陰茎・陰嚢・小陰唇・膣壁などに口腔内アフタに似た境界鮮明の潰瘍を生じる(図12-11-2)．ときに鼠径部の皮膚にも潰瘍形成が及ぶことがある．

2）副症状：

　a）関節炎：一般に四肢の大小関節に非対称の腫脹・疼痛(ときに発赤)をきたし，約1〜2週で消失し，関節の変形・強直や骨破壊をきたすことはまれである．

　b）精巣上体炎：精巣上体の圧痛・腫脹をきたすが，頻度は少ない．

　c）消化器病変(腸管Behçet病)：食道から直腸までのすべての部位に潰瘍性病変を生じうる．定型的には回盲部に深い潰瘍を形成し，腹痛・下血・腹部腫瘤を示し，ときに発熱を伴う．穿孔しやすい傾向がある．

　d）血管病変(血管Behçet病)：静脈系が侵されやすく，大静脈や主幹分枝の血栓性閉塞が典型的で，特に下肢深部静脈に好発し，下肢の腫脹・疼痛・浮腫をきたし，ときに肺塞栓を併発する．また，胸腹部大動脈・股動脈での動脈瘤形成や中型主幹動脈の血栓性閉塞が認められる．肺動脈瘤による喀血はまれだが多くは致命的である．

　e）神経病変(神経Behçet病)：神経病変は約10％の患者に出現し，急性型と慢性進行型に大別される．急性型は，脳幹・基底核周辺部・小脳を好発部位として比較的急性に発症し，発熱・頭痛などの髄膜炎様症状を伴う．髄液検査では細胞数・蛋白濃度の上昇を示す．MRIでは，病変部位がT_2強調画像あるいはFLAIR画像の高信号域として描出されることが多い(図12-11-3)．ときに多発性硬化症との鑑別が問題となる．一方，慢性進行型では，小脳失調・認知症様の精神神経症状がみられ，治療抵抗性で徐々に進行し，ついには人格の荒廃をきたしてしまう．慢性進行型では，HLA-B51陽性率と喫煙率が90％以上と高く，また持続的に脳脊髄液中のIL-6が高値を示し(20 pg/mL以上)，MRIでは脳幹の萎縮が特徴的である(Hirohataら，2012)．

検査所見

　皮膚の被刺激性の亢進を反映する針反応(pathergy test)は本症に特異性が高い．無菌の注射針を前腕部の皮膚に刺入し，24〜48時間後に同部の発赤・膿疱の形成を認めれば陽性である．活動期には末梢血白血球増加・赤沈の促進，血清CRP陽性，血清補体価の上昇などがみられる．抗核抗体などの自己抗体は通常陰性である．

診断

　診断は1987年に改訂された厚生省特定疾患調査研究班の診断基準により行われている(表12-11-1)．

鑑別診断

　Behçet病の鑑別診断は，1987年の厚生省研究班の

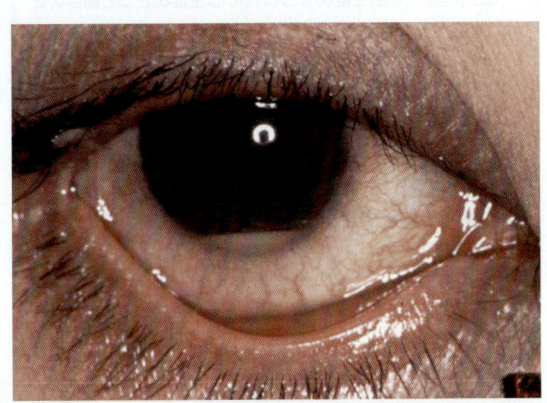

図12-11-1 **前房蓄膿(hypopyon)**
毛様充血を伴っている．

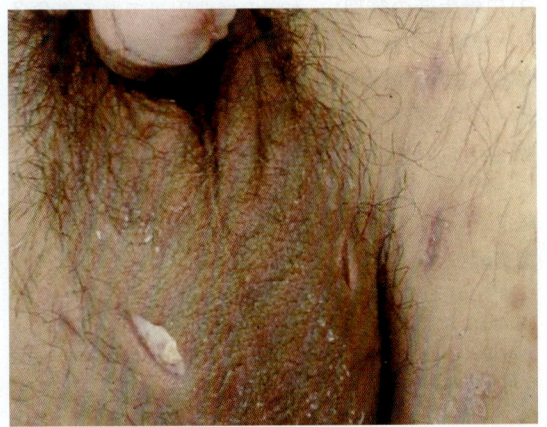

図12-11-2 **外陰部潰瘍**
鼠径部の皮膚にも潰瘍が及んでいる．

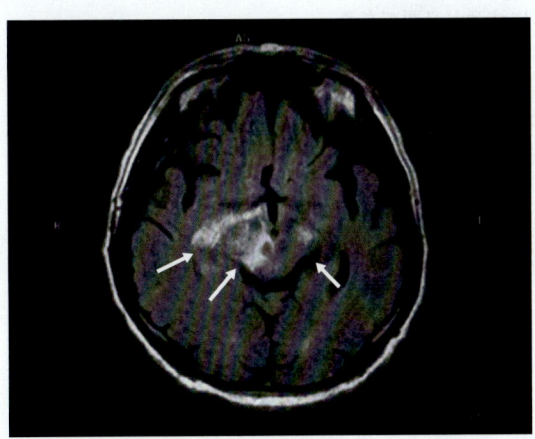

図12-11-3 **神経Behçet病のMRI(FLAIR画像)**
病巣が高信号域として描出されている．

診断基準の補遺に詳細に記載されている（表12-11-1）（eコラム1）．そのなかでSweet病は，高熱，末梢血好中球増加，顔面および上肢の境界鮮明な浮腫性隆起性紅斑，真皮中層の好中球浸潤を特徴とする疾患で，口腔内アフタや陰部潰瘍などのBehçet病の主症状も生じることから鑑別上問題となる．Sweet病では上記のすべての症状が同時に出現する傾向があり，悪性腫瘍や自己免疫疾患（関節リウマチ，Sjögren症候群）の合併が多い．

経過・予後

口腔内アフタで初発することが多い．急性の炎症が反復し，増悪と寛解を繰り返しつつ遷延した経過をとるのが特徴である．神経，血管，腸管の病変は遅発病変であり，Behçet病発症後数年を経過して出現することが多い．

眼病変は視力障害を残し患者のQOLを著しく阻害する．生命的予後に影響を及ぼすのは，神経・血管・腸管の特殊病型である．

治療

1）**治療の基本方針**：視力障害を残す眼病変，生命予後に影響を及ぼす特殊病型（神経，血管，腸管）に対しては積極的な薬物療法を行うが，口腔内アフタ，外陰部潰瘍，皮膚病変に対してはステロイドの外用を中心とした局所療法で対応する．コルヒチンは好中球機能を抑制することから，基本治療薬として頻用されるが，副作用として下痢，乏精子症，月経異常，催奇性，筋症状に注意する必要がある．

2）**病態に応じた治療の実際**：

　a）眼病変：眼病変に対しては，散瞳薬の点眼，ステロイドの点眼や結膜下注射などに加えて，発作予防として薬物の全身投与を行う．この際，コルヒチンやシクロスポリンで効果が不十分な場合は，インフリキシマブに切り換える．副作用として，シクロスポリンでは腎障害，髄膜脳炎様症状，インフリキシマブでは投与時アレルギー反応やB型肝炎，結核の再活性化に注意が必要である．

　b）神経・血管・腸管病変への対応：コルヒチンに加えて，ステロイドの全身投与が行われる．症状が軽快し安定したらステロイドを減量するが，急激な減量は眼病変の増悪を誘発するので注意が必要である．慢性進行型の神経Behçetに対してはステロイドは無効で，メトトレキサートの少量パルス療法やインフリキシマブが有効である．さらに，血管病変に対しては抗凝固療法や抗血小板療法を行う．難治性の血管病変に対しては，インフリキシマブが用いられる．また腸管病変に対しては，サラゾスルファピリジンやメサラジンの投与が有効な場合が多い．難治性の腸管病変にはインフリキシマブやアダリムマブが用いられる．血管病変や腸管病変においては外科的治療の適応となる場合がある．

3）**日常生活の管理**：本症の増悪因子である気象条件，感染，手術，外傷，月経，ストレスについて指導する．また，齲歯やその他の感染巣がある場合は必ずその治療を行わせる．さらに，毎食後必ず歯磨きと口腔内の洗浄を欠かさないで行うよう指導する．

〔廣畑俊成〕

■文献

廣畑俊成編：ベーチェット病．文光堂，2016．
Hirohata S, Kikuchi H, et al: Clinical characteristics of Neuro-Behçet's disease in Japan: a multicenter retrospective analysis. Mod Rheumatol. 2012; 22: 405-13.

表12-11-1 Behçet病の診断基準（1987年厚生省特定疾患調査研究班）

1. **主症状**
   - （1）口腔粘膜の再発性アフタ性潰瘍
   - （2）皮膚症状
     - a）結節性紅斑
     - b）皮下の血栓性静脈炎
     - c）毛囊炎様皮疹，痤瘡様皮疹
   - （3）眼症状
     - a）虹彩毛様体炎
     - b）網膜ブドウ膜炎（網脈絡膜炎）
     - c）a，bを経過したと思われる虹彩後癒着，水晶体上色素沈着，網脈絡膜萎縮，視神経萎縮，併発白内障，続発緑内障，眼球癆
   - （4）外陰部潰瘍

2. **副症状**
   - （1）変形や強直を伴わない関節炎
   - （2）精巣上体炎
   - （3）回盲部潰瘍で代表される消化器病変
   - （4）血管病変
   - （5）中等度以上の中枢神経病変

3. **病型診断の基準**
   - （1）完全型　　主症状4つ
   - （2）不全型　　a）主症状3つ（あるいは主症状2つと副症状2つ）
   - 　　　　　　　b）眼症状＋主症状1つ（あるいは副症状2つ）
   - （3）疑い　　主症状の一部が出没
   - （4）特殊病型　a）腸管（型）Behçet病
   - 　　　　　　　b）血管（型）Behçet病
   - 　　　　　　　c）神経（型）Behçet病

4. **参考となる検査所見**
   - （1）皮膚の針反応
   - （2）炎症反応
     　赤血球沈降速度の亢進，血清CRPの陽性化，末梢血白血球数の増加
   - （3）HLA-B51（B5）の陽性

12-12 再発性多発軟骨炎
relapsing polychondritis

定義・概念
　全身の軟骨組織を再発性，進行性に侵し，耳，鼻，気管，関節などに多彩な症状を呈する原因不明のまれな炎症性疾患である．気道病変は呼吸障害を引き起こすため，早期診断，治療が望まれる．

原因・病因
　病因は不明であるが，軟骨の主要構成成分であるII型コラーゲンに対する抗体が出現すること，病変部に免疫グロブリンや補体の沈着があること，自己免疫疾患を合併することから自己免疫機序の関与が推測されている．

疫学
　発症率は人口100万にあたり3.5名とされまれである．発症年齢のピークは40～60歳で中年以降に好発し，男女差はみられない．HLA-DR4陽性例が多く[1]，わが国ではおよそ400～500人の患者が存在すると推定されている[2]．

病理・病態
　軟骨病変部の初期にはCD4 T細胞，マクロファージ，形質細胞，好中球が軟骨膜部に認められ，局所に免疫グロブリン，補体の沈着をみる．進行すると炎症細胞が軟骨内に浸潤し，蛋白分解酵素が発現される．後期には軟骨は破壊され，最終的には線維性組織に置換される．

臨床症状（図12-12-1）
1）自覚症状：耳介の発赤，腫脹，圧痛で発症することが多く，ついで，鼻閉，鼻出血，鼻の疼痛，大・小関節の関節炎が出現する．特に胸鎖関節，肋軟骨部の疼痛が特徴的である．気管軟骨が障害されると嗄声，咳，喘鳴，呼吸困難が出現する．また，強膜炎，ブドウ膜炎による眼瞼結膜充血，眼痛，羞明および流涙，感音性難聴や前庭機能障害によるめまいがみられる．

2）他覚症状：耳介の発赤，腫脹がみられるが，進行すると耳介変形を引き起こす．耳介は軟化による下垂，カリフラワー耳をきたすが，軟骨のない耳垂は侵されない．また，鞍鼻，罹患関節の圧痛，腫脹を認めるが，骨びらんは認めない．

検査所見
　急性期に赤沈亢進，CRP上昇，白血球増加など炎症所見を認める．抗II型コラーゲン抗体が約30％に陽性になるが，疾患特異性は乏しい．罹患部位の把握のために，CT検査，MRI検査，骨シンチグラフィが有用である．

診断
　本症の診断はMcAdam[3]，Damiani[4]の診断基準に基づいて行う．臨床的に①両側性耳介軟骨炎，②非びらん性リウマトイド因子陰性の多関節炎，③鼻軟骨炎，④眼の炎症（結膜炎，角膜炎，強膜炎，上強膜炎，ブドウ膜炎），⑤気管軟骨炎（喉頭，気管の軟骨炎），⑥蝸牛，前庭機能障害（感音性難聴，耳鳴り，めまい）以上6項目中3項目を認めれば確実である．また，軟骨炎の組織所見があり，上記臨床症状の1項目以上を認めた場合，あるいは解剖学的に異なる2カ所以上の部位の軟骨炎を認め，ステロイドないしジアフェニルスルホンが有効であれば本症と診断される．

鑑別診断
　診断には軟骨炎，軟骨破壊を引き起こす細菌感染症，結核，Hansen病，梅毒，サルコイドーシス，悪性腫瘍との鑑別が重要である．また鞍鼻では外傷，肉芽腫性血管炎，多発関節炎では関節リウマチとの鑑別を要する．

合併症
　本症の約30％に自己免疫疾患を合併する．血管炎は大動脈から細小動脈まで種々の血管レベルでみられ，予後は不良である．また，関節リウマチなどの膠原病，橋本病，潰瘍性大腸炎，Crohn病など自己免疫疾患の合併がみられる．

経過・予後
　気管軟骨炎，血管炎を合併すると予後は不良である．死因は窒息，肺炎，心血管障害であり，早期に強力な治療を行う．生命予後は合併症管理の向上により，1986年の10年生存率55％（Michetら，1986）から1998年の8年生存率94％（Trenthamら，1998）に改善している．

治療
　本症の治療は確立していない．軽度例では非ステロイド系抗炎症薬で治療する．気管軟骨炎，血管炎の合

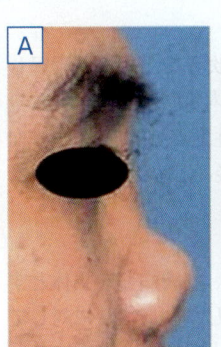
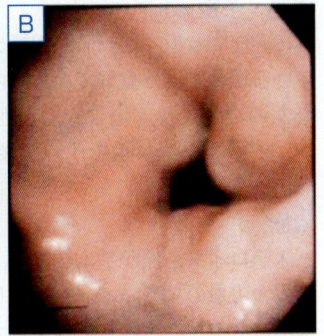

図12-12-1　多発関節痛で発症した再発性多発性軟骨炎症例
経過中に鞍鼻(A)と呼吸困難が出現し，気管支鏡検査で気管狭窄を認めた(B)．

併例ではステロイド大量療法を行い，炎症を抑えた後に減量する．難治例ではシクロホスファミド，メトトレキサートなどの免疫抑制薬を併用する．近年，TNF阻害薬やリツキシマブの有効性が報告されている（Kemtaら，2012）．気管軟骨炎による気道虚脱，気道閉塞例では適時，気管切開，ステント挿入術が行われる．

〔杉山英二〕

■文献（e文献 12-12）

Kemta Lekpa F, Kraus VB, et al: Biologics in relapsing polychondritis: a literature review. *Seminars in Arthritis Rheum.* 2012; **41**: 712-9.

Michet CJ Jr, McKenna CH, et al: Relapsing polychondritis. Survival and predictive role of early disease manifestations. *Ann of Intern Med.* 1986; **104**: 74-8.

Trentham DE, Le CH: Relapsing polychondritis. *Ann Intern Med.* 1998; **129**: 114-22.

12-13 Weber-Christian 病
Weber-Christian disease

定義・概念

Weber-Christian 病は有痛性の皮下結節と発熱を主徴とする原因不明の全身性の小葉性脂肪組織炎であり，再発性熱性結節性非化膿性脂肪織炎とも称される．

疫学

20歳代以降の女性に多いとされるが，小児期発症の報告もある[1,2]．有病率に関する報告はない．

病理

小葉性脂肪組織における好中球，リンパ球など炎症細胞の混合性の浸潤と脂肪変性壊死像，マクロファージによる脂肪貪食像を特徴とする．慢性期には泡沫細胞が線維芽細胞に置き換わり，炎症組織は線維化・瘢痕化する[3]．通常血管炎は伴わない．皮下脂肪組織炎の頻度が高いが，胸膜，心臓周囲，腸間膜，大網，後腹膜など内臓脂肪組織での炎症も認められる．

臨床症状

反復する有痛性の皮下結節，発熱を主症状とし，全身倦怠感，体重減少，筋痛，関節痛などを伴うことが多い．皮下結節は直径1～2cm大から数cm大で，皮膚の発赤・熱感を伴い，圧痛を認める．しばしば皮下脂肪組織の萎縮により皮膚の陥凹を呈する．四肢，特に大腿，下腿，上腕に好発するが，顔面，胸部，腹部の皮下にも出現する．眼瞼および眼窩の脂肪組織炎では，眼瞼浮腫，眼瞼下垂，眼球陥凹を呈することがある[4-6]．

心臓や肺組織，胸膜へ脂肪組織炎が及ぶと，心外膜炎，心筋炎，胸膜炎，縦隔炎などによる息切れ，呼吸困難，胸痛などが出現する[7,8]．大網，腹膜，腸間膜など腹部内臓脂肪組織炎では，腹痛，下痢，悪心，嘔吐，腹水貯留などを伴うことがある．また，肝臓では脂肪性肝炎の組織像を呈し，肝機能異常の原因となることが報告されている[9,10]．

検査所見

CRP上昇，赤沈亢進などの炎症所見を認めるが，本症に特異的な検査所見はない．ときに白血球増加，白血球減少，血液凝固異常などを伴うこともある．

造影CTで皮下，内臓脂肪などの脂肪組織濃度の上昇，脂肪組織の肥厚などが描出される[4-7]．^{18}FDG-PETでは脂肪組織炎病変への集積亢進を認めることがある[11,12]．

診断・鑑別診断

前述の臨床症状を呈し，皮下・内臓脂肪組織の病理生検で脂肪貪食を伴う小葉性脂肪組織炎を認めることが本症診断の根拠となる．皮下脂肪組織炎をきたすほかの疾患の除外が重要である．膵疾患に伴う皮下結節性脂肪壊死，α_1アンチトリプシン欠損症で本症類似の皮下結節性病変を伴うことがある．小葉性脂肪組織炎を呈する疾患として，深在性エリテマトーデス，Bazin硬結性紅斑，Sweet病，皮下脂肪織炎様T細胞リンパ腫，cytophagic histiocytic panniculitisなどの鑑別を要する．結節性紅斑は圧痛を伴う紅色結節であり，下腿前面に出現することが多い．自然に軽快し通常瘢痕を残さないで治癒する．病理学的には隔壁性脂肪組織炎であり区別される．従来，Weber-Christian病と診断されていた症例に，脂肪組織炎を伴うほかの疾患に再分類されるものが含まれている可能性が示されており，Weber-Christian病の疾患独立性については議論がある[13,14]．

経過・予後

再発を繰り返すが，脂肪組織炎が皮下組織に限局している場合予後は良好である．内臓脂肪組織を含む全身性の炎症に及ぶ場合，播種性血管内凝固症，敗血症，多臓器不全などを伴い予後不良となることがある．

治療

ステロイド治療が基本となる．皮膚病変を主体とする場合少量のステロイドを投与し，全身症状に対してはパルス療法を含むステロイド大量療法も考慮する．ステロイドの効果が不十分なときはシクロスポリンなどの免疫抑制薬が用いられる[15-17]．抗TNF-α抗体療法の有効性も報告されている[6,18]．治療が長期にわた

ることが多く，感染症をはじめとする副作用に留意する必要がある． 〔牧野雄一〕

■文献(e文献12-13)

Marque M, Guillot B, et al: Lipoatrophic connective tissue panniculitis. *Pediatr Dermatol*. 2010; **27**: 53-7.
Panush RS, Youker RA, et al: Weber-Christian disease: analyisis of 15 cases and review of the literature. *Medicine*. 1985; **64**: 181-91.
White JW, Winkelmann RK, et al: Weber-Christian panniculitis: a review of 30 cases with this diagnosis. *J Am Acad Dermatol*. 1998; **39**: 56-62.

12-14 クリオグロブリン血症

【⇨ 16-10-19-6】

12-15 先天性結合組織疾患
hereditary disorders of connective tissue

定義・概念

結合組織は骨，軟骨，皮膚，皮下組織，血管などを中心にほぼすべての臓器組織に存在し，からだの構成成分としての割合は非常に大きい．したがってその先天性異常に基づく症状も多岐にわたり，それに関する文献も数限りない．ここでは代表的疾患である骨形成不全症，Marfan 症候群，Ehlers-Danlos 症候群および軟骨形成不全症について述べる．

組織に強靭さをもたらすコラーゲン（膠原線維），組織の柔軟さに寄与するフィブリリンおよび組織に弾力性を与えるプロテオグリカンが結合組織のおもな成分である．現在までに 28 種類のコラーゲン分子が同定されているが，定量的に多いのは I 型，II 型，III 型コラーゲンである．α鎖 3 本がヘリックスを形成したトロポコラーゲンが架橋を形成しコラーゲン線維となる．I 型は真皮，腱や靱帯，骨などに多く，II 型は関節軟骨の主要なコラーゲンであり，I 型と III 型は大血管壁の主成分である．IV 型は腎糸球体の基底膜成分としても存在し，この遺伝子異常は Alport 症候群の原因であり，また，IV 型コラーゲンの α3 鎖の NC1 ドメインに対する自己抗体は Goodpasture 症候群の原因であることで有名である．

1）骨形成不全症
osteogenesis imperfecta

骨量が低下し，骨の脆弱性を特徴とする疾患で，brittle bone disease（脆弱骨病）ともよばれている．

疫学

2 万～3 万出生に 1 例程度の頻度で発症するまれな疾患である（Marini，1988）．発生頻度に地域差・人種差はないとされており，小児慢性特定疾患に指定されているものの，わが国での正確な数字はない．

臨床症状

多くの場合，I 型コラーゲンの遺伝子異常（*COL1A1* または *COL1A2*）が常染色体優性遺伝することによりヘリックスがうまく形成されないことによる[1]．高頻度の骨折，非定型骨折，低身長，脊椎の側弯，頭蓋骨の異常，青色強膜（blue sclera），歯牙の異常（dentinogenesis imperfecta），聴力低下などが特徴とされる．非常に重篤で生後まもなく死亡する症例から，閉経後骨粗鬆症と区別がつかない軽症例まである．

軽症型では幼児期には骨折を認めるものの思春期以降は骨折の頻度は低下する．低身長になる頻度も少ない．成人になると伝音性と感音性が混ざり合った聴力低下を認めることがある．

中等症型では低身長や脊椎骨の後弯・側弯などの変形を認める．耳小骨に生じた変化のために小児期から聴力低下をきたす．

重症型では多くの骨折を認め，子宮内で死亡したり，生産しても呼吸不全のため出生後まもなく死亡する．

診断

骨の脆弱性があり，骨外症状や遺伝性が明らかであれば診断は容易であるが，軽症例では診断が困難なことがある．骨外症状としての青色強膜も必ずしも特異性は高くない．疑った場合には *COL1A1* と *COL1A2* の遺伝子解析が推奨される．

治療

保存的治療が主となる．過度ではない運動は骨密度を保つために重要である．骨代謝が亢進していることからビスホスホネートが試用されている[2]．また，骨髄移植が試みられることがある．

2）Marfan 症候群
Marfan syndrome

先天性（遺伝性）結合組織疾患のなかでは高頻度で認められ，多くの場合は fibrillin-1 の遺伝子異常（遺伝

子座 15q21.1）による[3]．fibrillin-1 は TGF-β 結合蛋白と構造が類似しており，fibrillin-1 の異常は TGF-β の過剰な活性化につながる可能性がある．

疫学

5000 出生に 1 人の割合で存在するといわれ（Judge ら，2005），地域差や人種差は認められていない．75％の症例はそのどちらかの親が Marfan 症候群であるが，25％は遺伝性ではなく突然変異により発症する．常染色体優性遺伝であるが男性の方が重症である．多くは 30〜40 歳前に心血管系の異常で死亡する．

臨床症状

典型的には手足が長く高身長，眼の水晶体の偏位，胸郭の変形，大動脈解離などが有名であるが，これらを含めおもな臨床症状を以下に示す．

大動脈基部の拡張や大動脈弁逆流症が多くの症例で認められ，死因としても重要である．拡張は大動脈基部のみならず胸部・腹部大動脈にも存在することがある．やがて大動脈解離を引き起こす．若年者（40 歳以下）で大動脈解離を発症した者の半数は Marfan 症候群であるといわれている．また，僧帽弁逸脱症を認めることもある．

長管骨が長いため高身長であり，手指も長くくも状指（arachnodactyly）とよばれる．両腕を広げた長さはみずからの身長よりも長くなる．また，みずからの手首を反対の手で握った場合，反対側の母指と小指が重なる手首徴候（wrist sign）や母指を中にして握り拳をつくった場合に母指の先が小指側から出てしまう親指徴候（thumb sign）などを認める．鳩胸あるいは逆の漏斗胸や脊椎の側後弯，扁平足や関節の過伸展も認められる．

眼症状として水晶体偏位（ectopia lentis）を 50％以上の症例で認める．水晶体を支持する組織の脆弱性のために上方耳側に偏位することが多い．強度の近視から網膜剥離を生じる場合がある．

腰仙椎部の硬膜拡張が多くの症例で存在し，MRI での検出感度が高い．

診断

2010 年に改訂 Ghent 分類基準が発表された（e表 12-15-A）[4]．これは身体的特徴（骨格系），心血管系，眼症状，家族歴・遺伝子異常を総合して判断するが，家族歴がない場合（de novo の遺伝子変異）や軽症例では鑑別すべき疾患が多くあり，困難である．

治療

疾患の性質上，保存的治療が大きな部分を占める．適度の運動は推奨されるが，過度の身体的負荷を避け，心血管系への負担を軽減しなければならない．超音波検査により大動脈（基部）の拡張の程度をモニタすることにより，必要に応じて行う外科的手術に備える．特に大動脈基部の径が 50 mm をこえると外科的治療が推奨される．薬物としては血管系への保護作用がある，アンジオテンシン変換酵素阻害薬，アンジオテンシン受容体阻害薬，あるいは Ca 拮抗薬などが試されている．特に β 遮断薬は禁忌が存在しないかぎり使用することが推奨されている．

3）Ehlers-Danlos 症候群
Ehlers-Danlos syndrome

おもにコラーゲンの異常により皮膚や関節の過伸展，皮膚の易出血性，組織の脆弱性亢進などを特徴とする症候群で，身体所見から診断されるが，遺伝子診断も参考となる．

頻度

詳しいデータはないが 5000 出生に 1 例程度であると考えられている．関節の過伸展も軽症例では正常例と区別がつかない．

臨床症状

現在では古典型（classical），過伸展型（hypermobility），血管型（vascular），側弯後弯型（kyphoscoliotic），関節弛緩型（arthrochalasia），皮膚脆弱型（dermatosparaxis），その他の 7 型に分類されている（De Paepe ら，2012）．

古典型では COL5A1，COL5A2 の変異による V 型コラーゲンに異常を認める[5]．皮膚はビロード状で簡単に指でつまみ上げることができるが，指を離すとすぐにもとに戻ることが特徴である．小さな外傷でも傷口はぽっかり大きく開く．治癒してもその瘢痕は大きく表面は萎縮性である．先天性股関節脱臼や大関節の習慣性脱臼を生じる．

過伸展型は古典型に比べ皮膚の異常は軽微であり，関節の過伸展が主要徴候である．細胞外マトリックスである tenascin-X に異常を認めることがある．

血管型は頻度は低いものの，生命予後が最も悪い．動脈破裂，動脈瘤，大動脈解離，胃腸穿孔，そして妊娠中の子宮破裂のリスクを有している．COL3A1 の異常による III 型コラーゲンに異常を認める．

側弯後弯型は関節過伸展に加え，脊椎の後弯側弯が強い．眼球にも異常を認める．リジン水酸化酵素の異常によりコラーゲン分子にヒドロキシリジン残基が少ない．

関節弛緩型は出生時からの極端な関節のゆるみを特徴としている．COL1A1 または COL1A2 の異常のため I 型プロコラーゲンの N 末端が酵素により切断されなくなることが原因である．

皮膚脆弱型ではおもに皮膚と筋膜が障害される．皮膚はたるんでいて高度の脆弱性を認める．I 型プロコラーゲンの N 末端を切断する酵素である ADAMTS2

の異常による．

診断

臨床症状から診断・分類される．しかしその臨床症状は幅広く困難なことが多い．遺伝子や蛋白質の生化学的検査が役立つ．

治療

保存的であり，外傷に注意する．縫合を必要とする場合は通常の2倍程度の時間が必要である．筋力増強は弛緩した靱帯を補強することから重要である．女性の場合，妊娠・出産に際し，動脈や子宮の破裂をきたし生命を落とすことが多く，この点の説明が重要である．側弯後弯型ではリジン水酸化酵素の補因子であるビタミンCの大量投与が症状を改善する場合がある[6]．

4）軟骨形成不全症
chondrodysplasia

低身長と全身の骨格（体型）異常をもつ常染色体優性の遺伝性疾患であるが，家族歴がなく突然変異として発症する症例も多い．内軟骨性骨化の異常を示す．体型的特徴から200以上の亜系が含まれている．

頻度

最も頻度が高い病型である軟骨無形成症（achondroplasia）でも5万出生に1例程度である．軟骨形成不全症に含まれるStickler症候群は1万出生に1例である．

臨床症状

主要徴候として白内障，硝子体変性，網膜剝離，大きな前額，顔面中央の低形成，口蓋裂，短い四肢，四肢の捻転などがあげられる．

Stickler症候群は上記に加え感音性難聴や下顎の低形成，関節の脱臼や変性（変形性関節症）による疼痛を生じることから遺伝性進行性関節眼症（hereditary progressive arthro-ophthalmopathy）ともよばれている[7]．四肢の異常に加えて小顎症，舌下垂，口蓋裂（Robin続発症）を認める場合，若年でありながら変形性股関節症を有するもの，あるいはMarfan様の特徴を有し聴力障害，変形性関節症，網膜剝離などを有する場合はStickler症候群の可能性が高い．

診断

身体的特徴，眼科的検査，骨格系のX線検査で診断する．長管骨がより短くなるが体幹に近い長管骨ほど顕著である（rhizomelic shortening）．また，骨密度は濃い．中手骨の遠位端はball-in-socket様に見える．手指を伸展すると三叉手（trident hand）となる．腰椎X線では左右の椎弓根（interpedicular distance）が下方に行くほど開き，大坐骨切痕は小さく，水平臼蓋も特徴である．遺伝子異常としては軟骨に多いⅡ型コラーゲン遺伝子であるCOL2A1に異常を認める場合がある．特にStickler症候群ではCOL2A1以外にCOL11A1やCOL11A2に異常を認める[8]．Ⅺ型コラーゲンα2は眼には存在しないので，COL11A2の異常によるStickler症候群では眼症状を欠く．また，軟骨無形成症（achondroplasia）では線維芽細胞増殖因子受容体3（FGFR3）の360位のグリシンがアルギニンにかわった変異を示す症例が非常に多い[9]．この変異によりFGFのシグナルが異常となり病的な軟骨形成を示す．

治療

対症的・保存的治療が中心であるが，口蓋裂は手術適応がある．また，変形性関節症が進行した場合には人工関節への置換が必要となる．定期的に眼科受診を行い，網膜剝離に対する治療に備える．〔簑田清次〕

■文献（e文献 12-15）

De Paepe A, Malfait F：The Ehlers-Danlos syndrome, a disorder with many faces. *Clin Genet*. 2012; **8**: 1-11.
Judge DP, Dietz HC：Marfan's syndrome. *Lancet*. 2005; **366**: 1965-76.
Marini JC：Osteogenesis imperfect：comprehensive management. *Adv Pediatr*. 1988; **35**: 391-426.

12-16 線維筋痛症
fibromyalgia：FM

概念・定義

線維筋痛症（FM）は全身の靱帯，腱などの結合組織（fibro）や筋肉（my）の痛み（algia）を特徴とする疾患である（eコラム 1）．FMはけっしてまれな疾患ではなく，国際的には認知されている病態であるにもかかわらず，わが国ではいまだ疾患概念や診断，治療について十分なコンセンサスが得られておらず医学事典や内科学書にさえ満足すべき記載がみられないのが現状である（eコラム 2）．

原因・病因

多くの研究がなされているが原因・病因は特定されていない．しかし，正しい理解のためには，FMの痛みは急性疼痛ではなく慢性疼痛であるとの認識と，器質的な変化は伴わない機能性疼痛という視点が必要である．

疫学

すべての年代にみられるが，患者の約85〜90%は女性で特に40歳から50歳前後の中年期〜更年期にかけて多く発症する．米国での潜在患者数は300万〜500万人といわれリウマチ専門外来患者の15%はFMといわれる．わが国における2004年の厚生労働省研究班による疫学調査では約200万人（人口比1.61%）の潜在患者がいるとされるが，実際に医療機関を受診するのはこのうち10〜15%前後であり，正しく診断される率はさらに低い．社会の認知が進めば受診率は増加する可能性がある．FMには原発性（あるいは一次性）とほかのリウマチ性疾患，軸性骨格系疾患と合併して生じる続発性（あるいは二次性）があり，日本人ではその比は2.8：1と報告されている．

病態生理

FMの発症に先行して何らかの疾患，手術，外傷，出産，スポーツなどの肉体的負荷にかかわるエピソードが多いことより，過激な労作やそれに続く嫌気的代謝，交感神経緊張などで生じる筋肉内の血管運動障害や血管の攣縮，末梢の微小循環や代謝の後遺障害，内分泌的な内的環境の変化などが疑われている．なぜ痛みが5〜10年と長期化するか詳細は不明であるが，痛みに対する中枢性感作，慢性的な心身のストレス状態などが痛みの悪循環を生んでいると考えられる．

臨床症状

1) 自覚症状： 全身の痛みは多彩で灼熱痛，電撃痛，骨が裂けるような痛みなどと表現される．病態は複雑でとらえどころのない訴えにみえるがFMの疾患概念を理解しておくことで病状把握が可能である．二次性FMの場合，基礎疾患の病勢で説明できない痛みや多彩な自覚症状がある．症状はしばしば天候，環境変化，精神的あるいは肉体的ストレスにより大きく影響を受け，抑うつ，不安，情緒の変動などの精神症状をよく伴う．

2) 他覚症状： 診察所見として関節周囲組織，筋肉，腱，靱帯の骨付着部近辺などにびまん性の疼痛と明瞭な圧痛点が一定の部位に認められる．圧迫すると飛び上がるほどの痛み（jumping pain）や軽く触れるだけで激しく痛むアロディニア（allodynia）症状もある．血圧計のマンシェットを巻くだけで手の痛みが増強されることもあるように圧迫や虚血で痛みが誘発される．四肢や体幹の強い筋緊張や筋痙攣，冷えなどを客観的に認めることも多い．痛みのために運動量や活動性の低下がみられ，痛み部位への貼付薬やサポーターの使用，杖や車椅子などの補助具の使用もみられる．一次性FMの場合，痛みの強さとは裏腹に関節の発赤，腫脹，発熱，拘縮，変形などが認められない．たとえば消化器症状について胃内視鏡で器質的異常が認められないなど，多彩な各臓器の自覚症状を裏づける客観的所見が得られないことも多い．

診断

診断のためには診断基準をふまえ，きめ細かい問診と実際にからだに触れる診察所見が重要である．臨床検査では特異的な所見はないが，他疾患や合併症との鑑別に重要である．

1) 診断基準： 1990年に米国リウマチ学会がFMの分類予備基準（classification criteria）を提唱した．この基準では3カ月以上続く全身の疼痛と左右対称性の18（両側性の僧帽筋，胸鎖乳突筋，大胸筋，大臀筋肉，大転子領域，膝内側など）の圧痛点を提唱しており（Wolfeら，1990），このうち11カ所以上に圧痛を認めれば90%以上の感受性と特異性があるとしている（表12-16-1）．

2010年5月，20年ぶりに改訂された新しいACR予備診断基準（preliminary diagnostic criteria）では，広範囲の疼痛指標である全身19カ所の痛みの部位を評価するwidespread pain index（WPI）と症状の重症度（倦怠，睡眠，認知機能，全身の身体症状などのsymptom severity（SS）をスコア化して，一定以上の基準を満たす状態が3カ月以上持続すれば診断可能とした（Wolfeら，2010）（表12-16-2）．新基準の特徴は旧基準にあった圧痛点の存在を求めず，患者の自覚的疼痛や心身の症状を重要視して取り入れたことである

表12-16-1 fibromyalgia 米国リウマチ学会（ACR）分類基準（1990）（Wolfeら，1990を参照して作成）

1) 広範囲疼痛の定義：疼痛は以下のすべてが存在する際に広範囲とされる．身体左側の疼痛，身体右側の疼痛，腰部から上の疼痛，腰部から下の疼痛，さらに体幹中心部（頸椎，前胸痛，胸椎，下部腰部）が存在する．

2) 触診で以下の18カ所の疼痛点のうち11カ所以上に圧痛を認めること．圧痛点は両側に存在し，計18カ所となる．触診は約4kgの強さで行う．

3カ月以上持続する全身の疼痛18のうち11以上の圧痛点（いずれも左右対称性）

1. low cervical（下部頸部位）
2. trapezius（僧帽筋部位）
3. supraspinatus（棘上筋部位）
4. second rib（第2肋骨部位）
5. lateral epicondyle（上腕骨内顆）
6. gluteal（臀筋部位）
7. greater trochanter（大転子部位）
8. knee（膝関節部位）
9. occiput（後頭部位）

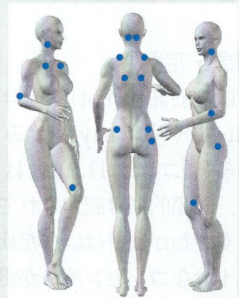

表 12-16-2 fibromyalgia 診断予備基準 2010（Wolfe ら，2010 を参照して作成）

次の3つの条件があてはまれば，線維筋痛症の診断基準を満たす．
① 広範囲の疼痛指標（widespread pain index：WPI）が 19 カ所中 7 カ所以上あてはまり，症状の重症度（symptom severity：SS）スコアが 5 以上となった場合，あるいは，WPI が 3～6 カ所で SS スコアが 9 以上となった場合．
② これらの症状が少なくとも 3 カ月以上続いていること．
③ 疼痛を説明するほかの疾患がないこと．

広範囲の疼痛指標（widespread pain index：WPI）
全身 19 カ所（左右両側の肩，上腕，前腕，腰部，大腿，下腿，顎，背部の 16 カ所．それに胸部，腹部，頸部の 3 カ所）のうち過去 1 週間以上にわたり痛みが持続する部位を 0～19 の値でスコア化する．

症状の重症度（symptom severity：SS）スコア
疲労感，起床時にスッキリしない感じ，認知症状の 3 つについて，過去 1 週間の重症度レベルを次の尺度を使ってスコア化する．
- 0＝問題なし
- 1＝やや問題あり，ゆるやかで一時的な程度
- 2＝かなり問題あり，しばしば現れ，中くらいの程度
- 3＝ひどい，広範囲で持続的で，生活上の問題が生じている

全身の身体症状
次に，患者がもっている身体症状について次の尺度を使ってスコア化する．
- 0＝症状なし
- 1＝2～3 の症状あり
- 2＝中等度の症状あり
- 3＝多数の症状あり

SS スコアは，上記 3 症状のスコアと，全身の身体症状のスコアを合計する．結果的には 0～12 のスコアとなる．

表 12-16-3 機能的身体症候群（functional somatic syndrome）

- 線維筋痛症
- 過敏性腸症候群
- 慢性疲労症候群
- 舌痛症
- 側頭下顎症候群（顎関節症）
- 間質性膀胱炎
- 会陰痛
- 胸部痛
- 緊張型頭痛
- 腰背部痛 など

明らかな器質的原因によって説明できない身体的訴えがあり，それを苦痛と感じて日常生活に支障をきたす．

る．臨床実地ではこの 2 つの基準を考慮に入れて診断するのが実際的である．

2）臨床検査・画像所見： 一次性 FM では臨床検査では赤沈や CRP などの炎症所見は認めず，抗核抗体，リウマトイド因子，各膠原病の特異的自己抗体も病的な上昇をきたすことはない．X 線や CT，MRI，超音波などの画像検査でも骨，関節の炎症や破壊像などの明確な所見が得られない．疼痛部の筋肉や関節の生検でも異常所見はなく原因不明とされることが多い．

鑑別診断

関節リウマチ，Sjögren 症候群，リウマチ性多発筋痛症，全身性エリテマトーデス，仙腸関節炎などのリウマチ性疾患，それに変形性関節症，軸性骨格性疾患，脊柱管狭窄症，腰痛症，椎間板ヘルニアなどの整形外科的疾患，多発付着部炎，筋筋膜性疼痛症候群，慢性疲労症候群などの類縁疾患を鑑別する必要がある．一次性 FM では血液検査，画像検査，組織生検などで異常所見が認められないことより鑑別は比較的容易であるが，二次性の場合は上述した基礎疾患の陽性所見や病勢を観察しながら症状を鑑別する．

合併症

合併しやすい症状は倦怠感，睡眠障害，頭痛，めまい，耳鳴，顎関節痛，胸痛，機能性ディスペプシア様症状，過敏性胃腸症状，腓骨筋痙攣（こむらがえり），月経困難症など多彩である．いわゆる機能的身体症候群（functional somatic syndrome）とされる各疾患との相互の合併率は高い（表 12-16-3）．ときに強い不安や緊張，不眠，抑うつ気分などの精神症状も訴え，うつ病や不安症が合併することもある．

経過・予後

患者の症状は数年にもわたり消長を繰り返し慢性的な経過をとることが多い．痛みは天候，環境の変化，心理社会的ストレス要因によって影響を受けやすいことより別名心因性リウマチ（psychogenic rheumatism）とよばれることもある．基本的には長期化しても関節の拘縮，変形，破壊などの器質的変化をきたすことはないが，無用な行動制限や安静により二次的な筋の廃用性萎縮，関節拘縮，心肺機能の低下などをきたすこともあるので注意が必要である．

治療

病態が複雑で多因子的であるがゆえに多くの治療法が提案されているがエビデンスが不十分で大規模な比較対象試験（RCT）が必要とされているものも多い（表 12-16-4）．

1）薬物療法（表 12-16-5）： 通常の NSAIDs などの鎮痛薬は FM 発症の初期，軽症のうちは有効であるが，中等症以上の慢性化した FM には無効なことも多い．ステロイドも無効なことが多く FM の病態に即した治療薬の選択が必要である．FM の病名がようやく認知されるようにはなったがいまだ多くの薬剤選択は保険適応外であり，慢性疼痛症や神経障害性疼痛，筋痙攣，中枢性感作，交感神経緊張，うつ病などの特性や類似性を考慮して投与する．

a）抗うつ薬： 抗うつ効果とは独立した下行性疼痛抑制系の賦活作用が鎮痛効果を発揮するとされ，うつ

表12-16-4 **各種治療法のエビデンスレベルに応じた推奨度**(American Pain Society, 2009)

American Pain Society による治療法	エビデンスレベル	推奨度
有酸素運動	I	A
認知行動療法	I	A
アミトリプチリン	I	A
cyclobenzaprine	I	A
多要素的治療	I	A
トラマドール	II	B
温泉療法	II	B
患者教育	II	B
催眠療法	II	B
バイオフィードバック	II	B
マッサージ療法	II	B
抗痙攣薬	II	B
SSRI(フルオキセチン)	II	B
SNRI(デュロキセチン)	II	B
オピオイド	III	C
鍼治療	II	C
トリガーポイント注射	III	C

Eur J Pain. 2010; 14(E pub, 2009 Mar 4)改変

病に対する数分の1程度の投与量でも効果が期待できる.従来から3環系抗うつ薬(アミトリプチリンなど)が慢性疼痛治療薬として使われてきたが,近年,選択的セロトニン再取り込み阻害薬(SSRI),SNRI(セロトニン・ノルアドレナリン再吸収阻害薬)やノルアドレナリン作動性・特異的セロトニン作動薬(NaSSA)などが臨床に導入されるようになった.わが国では2015年6月にはSNRI系抗うつ薬であるデュロキセチンがわが国2番目のFM治療薬として保険収載され薬剤選択の幅が広がった.

b) **抗痙攣薬**:従来からクロナゼパムやガバペンチンなどが使われてきたが,2012年6月にプレガバリンがわが国初のFM治療薬として認可された.プレガバリンは電位依存性Ca^{2+}チャネルの$\alpha_2\delta$サブユニットに結合することにより,活性化された疼痛伝達経路での神経伝達を抑制して鎮痛効果を発揮する.これらの抗痙攣薬は末梢の筋緊張や血流障害も改善する作用があるが,不安障害の

恐怖回路を抑制することで精神症状にも有効である.

c) **オピオイド**:トラマドールはオピオイド骨格とモノアミン骨格を有しμ受容体と下行性疼痛抑制系双方に作用することで鎮痛効果を発揮し,FMに対しても高いエビデンスレベルと推奨度を有する(わが国では癌性疼痛や手術後疼痛に加え,非癌性疼痛の適応取得).トラマドールとアセトアミノフェンの合剤も上市されており,非癌性の慢性疼痛,抜歯後の疼痛の治療に使われている.麻薬扱いでなく安価なので使用しやすい薬剤である.疼痛専門医の間では強オピオイドであるフェンタニル,NMDA受容体に作用するケタミンの有効性も評価されており,適応を選べば非癌性疼痛にも使用されるようになってきた.

d) **ワクシニアウイルス接種家兎炎症皮膚抽出成分**:わが国で開発されたユニークな薬剤であるワクシニアウイルス接種家兎炎症皮膚抽出成分(ノイロトロピン®)の内服,静注または点滴静注,トリガーポイントへの局注が有効なことがある.エビデンスレベルの検証はなされていないが下行性疼痛抑制系の賦活効果が考えられている.

e) **抗不安薬**:ベンゾジアゼピン系(BZP)の抗不安薬は抗不安作用,筋弛緩作用,鎮静作用などにより日常生活上の緊張,焦躁,興奮性などを改善する.疼痛そのものに対するエビデンスレベルは低く長期投与時の依存性や高齢者の転倒の問題もあり,補助的な薬剤として使用する.

f) **漢方薬**:(eコラム3)

2) **非薬物療法**:長期にわたる治療を支える心身両面からの支持的対応が重要である.どのような薬物療法でも効果には限界があり生活指導,運動療法,リラクセーション,専門的心理療法の併用が必須である.

a) **患者教育**:FMは基本的には機能的疾患であり

表12-16-5 **わが国の線維筋痛症に対する薬物療法**(日本線維筋痛症学会,2013)

薬剤分類	一般名	エビデンスレベル	推奨度
三環系抗うつ薬	アミトリプチリン	I	B
神経性疼痛治療薬	プレガバリン	I	B
SNRI	デュロキセチン	I	B
	ミルナシプラン	IIa	B
SSRI	パロキセチン	IIa	B
	セルトラリン・フルボキサミン	IIb	B
NaSSA	ミルタザピン	IIb	B
抗てんかん薬	ガバペンチン	IIa	B
	クロナゼパム	IV	C
	カルバマゼピン	IV	C
弱オピオイド	トラマドール塩酸塩	IIa	B
	トラマドール塩酸塩・アセトアミノフェン合剤	IIa	B
下行性疼痛抑制系賦活型疼痛治療薬	ワクシニアウイルス接種家兎炎症皮膚抽出液	IV	

器質的な後遺障害を残すことがないことを理解させ，特に破局的思考（catastrophizing）を有する患者にはけっして絶望的な痛みでないことを説明する．二次的な筋萎縮，関節拘縮を生じないように肉体的活動，機能訓練などを続けながら，根気よく治療を継続するプロセスを説明する．

b）運動療法：穏やかな動きで負荷の少ない水中運動（aqua-exercise）や太極拳などの有酸素運動（最大心拍数の65〜70％程度を維持する中等度の運動）は薬物療法に劣らぬ高い有効性が証明されている．

c）理学的治療法：温熱療法，牽引療法，マッサージなどの理学的治療法はFMに有効であるとの論文は多いが，エビデンスは不十分である．

d）心理・精神療法：ストレス緩和のための生活指導や心理療法が必須で，特に認知行動療法（cognitive-behavioral therapy：CBT）の有効性が高い．FM患者はしばしば強い強迫性や完全性，攻撃性，執着性を有し肉体的な過剰負荷に陥りがちなので思い込み・独善性からの脱却，過剰適応的な行動変容をはかることが重要である．〔村上正人〕

■文献

日本線維筋痛症学会：線維筋痛症診療ガイドライン2013，日本医事新報社，2013．
Wolfe F, Smythe HA, et al: The American College of Rheumatology 1990, Criteria for the classification of fibromyalgia. *Arthritis Rheum.* 1990; **33**: 160-72.
Wolfe F, Clauw DJ, et al: The American College of Rheumatology Preliminary Diagnostic Criteria for Fibromyalgia and Measurement of Symptom Severity. *Arthritis Care Res (Hoboken).* 2010; **62**: 600-10.

12-17 結晶誘発性関節炎（痛風と偽痛風）
crystal-induced arthritis

（1）痛風

定義・概念

痛風は，長期間持続する高尿酸血症の結果として関節内で結晶化した尿酸塩結晶が原因となって発症する結晶誘発性関節炎である．同じく高尿酸血症を原因とする尿路結石，腎髄質障害などを高率に合併する．

病因

尿酸はプリン体の最終代謝産物であり（e図12-17-A），尿酸の産生過剰または排泄低下で高尿酸血症が生じ，その結果として痛風を発症する．痛風患者の一部は遺伝性疾患であるが，大多数は病因を特定できない一次性特発性痛風である．腎尿細管に発現する尿酸トランスポーターであるABCG2，GLUT9などの機能低下に関与する遺伝子型[1]を有する個人が，尿酸産生を増加させる過食，飲酒，肥満などの環境要因の蓄積により高尿酸血症をきたし，長期間持続して痛風を発症する．

疫学

痛風は，欧米では古代から報告があるが，日本では1960年代以降に増加した．中年以降の男性に多く，男女比は20：1以上である．最近は，環境要因の変化による発症年齢の若年化と早期治療による軽症化が認められる．

病態生理

痛風関節炎は代表的な結晶誘発性関節炎である．関節液中で過飽和になり形成された尿酸塩結晶が好中球に貪食され，自然免疫機構であるNLRP3インフラマソームの活性化が生じて[2]，プロスタグランジンやサイトカインが放出されて関節炎が生じる．

臨床症状

痛風関節炎（痛風発作）は急性関節炎で，第1中足趾節間関節などの下肢関節に好発する（図12-17-1）．1〜2週間で軽快するが，年に1，2回再発する．放置すると関節炎が頻発して慢性関節炎に移行し，尿酸塩を中心とした肉芽組織である痛風結節，腎障害や動脈硬化性疾患を合併する．

検査所見

血清尿酸値が重要である．ほぼ全例で尿酸塩の血清溶解度7.0 mg/dLをこえる高尿酸血症が持続しており，血清尿酸値の高さと持続期間に比例して痛風関節炎の頻度が増加する．ただし痛風関節炎を生じている時や尿酸降下薬の投与中は血清尿酸値が低下しており，高尿酸血症を示さないことがある[3]．関節炎の急性期には白血球数，赤沈，CRPなどが高値を示す．骨関節X線像では，初期には軟部組織の腫脹のみで

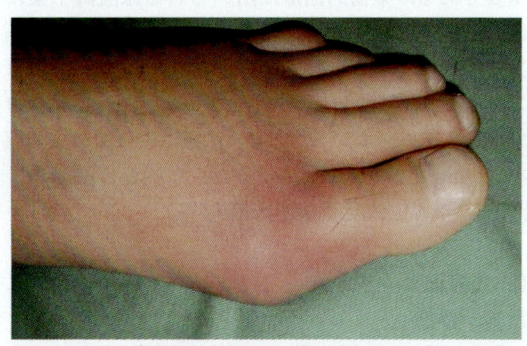

図12-17-1 痛風関節炎を生じた足趾関節
発赤腫脹と激しい疼痛を伴う急性関節炎である．

あるが，慢性例では痛風結節による骨びらん性を認める．

診断

特徴的な急性単関節炎があり，高尿酸血症の持続が確認されれば，診断は比較的容易である．診断基準もあるが，確定診断は，急性関節炎の関節液を偏光顕微鏡で観察し，強い負の複屈折性を有する尿酸一ナトリウムの針状結晶が好中球に貪食された像を確認する（e図12-17-B）．関節の超音波診断では，関節軟骨表面に沈着した尿酸塩結晶（double contour sign）や痛風結節が診断できる（図12-17-2）[4]．

鑑別診断

急性関節炎を生じる疾患として化膿性関節炎，偽痛風，回帰性リウマチなどがあるが，外反母趾，爪周囲炎，蜂窩織炎，外傷，滑液包炎などの非関節疾患も鑑別する必要がある．

合併症

痛風患者には合併病態は多い．当施設の成績では，高血圧28%，脂質異常症56%，尿路結石23%であるが，糖尿病は4%と少ない[5]．これは，糖尿病では一般に尿中尿酸排泄量が多く，血清尿酸値が上昇しないためである．

治療

痛風関節炎の既往があれば，原則として尿酸降下薬の投与を開始する．痛風関節炎の既往がない場合でも，血清尿酸値が持続的に 9.0 mg/dL 以上，種々の合併症を伴う場合には尿酸降下薬の投与を考慮する（高尿酸血症・痛風の治療ガイドライン改訂委員会，2010）．

1）急性関節炎の治療： 痛風関節炎に対しては非ステロイド系抗炎症薬を用いる．コルヒチンは痛風関節炎の前兆期や初期に有効である．痛風関節炎発症時に尿酸降下薬を新たに開始すると症状が悪化するため，投与開始を避ける．

2）高尿酸血症の治療： 肥満の解消，飲酒制限，水分摂取，軽い運動などの生活指導を優先させる．食事療法では，プリン体制限よりも過食を避ける量的制限が重要である．薬物的治療に用いられる尿酸降下薬には，尿酸産生を減少させるキサンチン酸化酵素阻害薬アロプリノール，フェブキソスタット[6]，トピロキソスタットと，尿酸トランスポーター阻害薬ベンズブロマロン，プロベネシドがある．治療により血清尿酸値を 6.0 mg/dL 以下に維持すると，痛風発作は減少，消失し[7]，痛風結節は縮小・消失する．

（2）偽痛風

定義・概念

偽痛風は，ピロリン酸カルシウムが原因となって生じる結晶誘発性関節炎で，病名は痛風に類似した関節

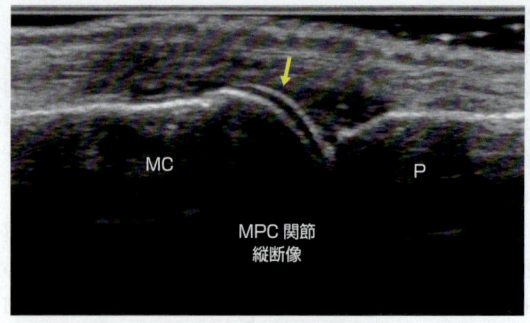

図12-17-2 痛風患者の関節超音波診断
関節軟骨表面に沈着した尿酸塩結晶（double contour sign）や痛風結節が診断できる．

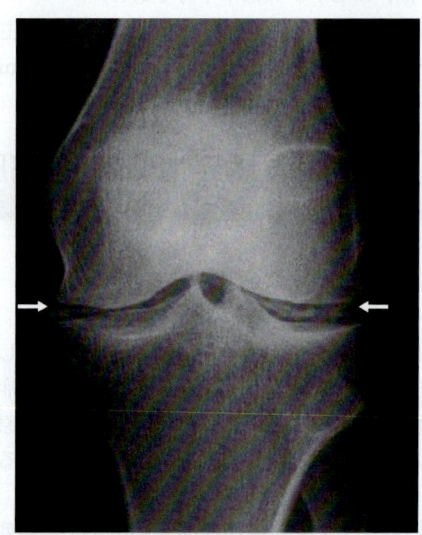

図12-17-3 偽痛風患者の膝関節に沈着したピロリン酸カルシウム結晶
偽痛風患者の膝関節単純X線写真にて，関節軟骨に線上の石灰化像を認める．

炎に由来する．関節軟骨にピロリン酸カルシウムが沈着した「ピロリン酸カルシウム沈着症」によって生じる急性関節炎が偽痛風である．

病因

ピロリン酸（PPi）はATPからAMPが生成される過程で生成される．ピロリン酸カルシウムが結晶性関節炎を生じる機序は痛風と同様であるが，全身性の尿酸代謝異常である痛風と異なり，偽痛風は関節軟骨のピロリン酸産生増加による局所的な病態である．偽痛風の大多数は原因が特定できない一次性であるが，副甲状腺機能亢進症，ヘモクロマトーシス，低マグネシウム血症などに伴う二次性偽痛風もある．

疫学

圧倒的に高齢者に多く，80歳以上が大半を占める．男女差はない．

臨床症状

偽痛風発作は，膝関節，手関節，足関節などの大関節に好発する急性関節炎で，数日～2週間で軽快する．偽痛風発作中は，発熱などの全身症状を伴う場合があり，不明熱として扱われる場合がある．

検査所見

偽痛風発作中は，白血球増加，赤沈の亢進，CRP上昇などを認める．血清尿酸値は多くの場合正常である．

診断

単純X線で，膝関節の半月板，橈尺関節などの関節軟骨に特徴的な点状，線状の石灰化像を認める（図12-17-3）．診断の確定は，関節液を採取し，偏光顕微鏡下で弱い正の複屈折性を示すピロリン酸カルシウムの結晶が好中球に貪食された像を証明することである．関節の超音波診断では，関節軟骨内部に沈着したピロリン酸カルシウム結晶を同定できる．

治療

ピロリン酸カルシウム濃度を減少させて関節炎を予防することはできず，原因療法はない．関節炎に対しては，非ステロイド系抗炎症薬や少量ステロイド薬で対症的に治療する．大多数は高齢者で変形性関節症を伴うため，大腿四頭筋訓練などにより関節周囲筋力低下を防ぐことも重要である．　　　　　　　〔山中　寿〕

■文献（e文献 12-17）

高尿酸血症・痛風の治療ガイドライン改訂委員会編：高尿酸血症・痛風の治療ガイドライン 第2版，メディカルレビュー社，2010．

高尿酸血症・痛風の治療ガイドライン改訂委員会編：高尿酸血症・痛風の治療ガイドライン 第2版追補版，メディカルレビュー社，2012．

12-18 感染性関節炎
infectious arthritis

定義・概念

感染性関節炎とは病原微生物が直接関節内に侵入することで発症する関節炎である．

分類

急性と慢性に分類する．反応性関節炎は無菌性関節炎であり感染性関節炎には含まない．

原因・病因

1) 急性：　細菌性（化膿性），ウイルス性．
2) 慢性：　結核性，真菌性，梅毒性，Lyme病（Lyme関節炎），一部の細菌性など．

感染経路は①外傷，手術や関節穿刺などに伴う直接感染，②呼吸器，尿路など遠隔感染巣からの血行性感染，③皮膚など軟部組織の感染巣，骨髄などの近接感染巣からの波及がある．高齢，糖尿病，悪性腫瘍や皮膚疾患などの基礎疾患，抗癌薬，副腎皮質ステロイド薬，免疫抑制薬による治療中，人工関節術後や関節穿刺などが危険因子となる．

細菌性関節炎の起炎菌はGram陽性球菌が多く，黄色ブドウ球菌が最多である．メチシリン耐性黄色ブドウ球菌，Gram陰性桿菌，嫌気性菌の場合もある．ウイルス性関節炎の原因はB型・C型肝炎ウイルス（HBV，HCV），ヒトパルボウイルスB19，風疹ウイルス，HIV（human immunodeficiency virus），HTLV-1（human T-cell leukemia virus type-1）が代表的である．非結核性抗酸菌による関節炎はMycobacterium kansasii, M.marinum, 真菌性関節炎の原因はカンジダ，特にCandida albicansが多い．スピロヘータによる関節炎は梅毒とLyme病がある．Lyme関節炎はマダニに寄生するBorrelia burgdorferiが体内に侵入し，全身伝播され発生する．

病態生理

細菌は関節内に侵入後急速に増殖し，急性滑膜炎を惹起する．細菌由来の酵素や多核白血球，増殖滑膜が産生する炎症性サイトカインや蛋白分解酵素による軟骨破壊や滑膜肉芽組織の骨・軟骨への直接浸潤が関節破壊を進行させる．ウイルス性関節炎では，関節への直接浸潤に加え，ウイルス感染に伴う免疫複合体や自己抗体の誘導，ウイルス蛋白と関節成分の分子相同性も発症に関与するとされる．

臨床症状

1) 細菌性：　多くは単関節炎だが，菌血症に伴い多関節炎を生じることもある．局所の急激な疼痛，腫脹，熱感，発赤をきたす．発熱や悪寒も伴う．淋菌性関節炎は淋菌性敗血症から生じ，移動性多関節炎を呈する．

2) ウイルス性：　ウイルス感染後1～2週で多関節炎が急性発症する．通常，2週間程で自然軽快するが，遷延化する場合もある．

a) HBV：感染者の10～25％で肝障害出現の数日～数週前に倦怠感，発熱などとともに手指小関節，膝，肘関節などに対称性多関節炎をきたす．一過性で，肝障害出現時には消褪する．

b) HCV：感染者の2～20％で関節痛を認め，2/3は関節リウマチ（RA）様の多関節炎を呈する．

c) パルボウイルスB19：感染者の約1/3が，小児では伝染性紅斑，成人では手指，手，肘，膝，肩関節な

どに急性対称性多関節炎を呈する．関節炎は2～14日程で消褪するが，数カ月以上持続したり，RAへの移行症例もある．
　d)**風疹ウイルス**：成人女性で発疹と同時期に一過性のRA様の対称性関節炎を呈する．風疹ワクチン接種後に発症することもある．
　e)**HIV**：感染者の0.4～12％で単関節炎から手指小関節を含む対称性多関節炎をきたす．半数以上が後天性免疫不全症候群（AIDS）発症後の発症だが，約1/3は非顕性期の発症である．
　f)**HTLV-1**：キャリアは緩徐で進行性のRA様の多関節炎をきたすことがある．
3)**結核性**：骨・関節結核は結核患者の1～5％に生じ，約半数が脊椎外，特に膝，股関節など荷重関節に単関節炎を呈する．非結核性抗酸菌による関節炎は手指，手関節に多い．
4)**真菌性**：通常単関節炎で，膝関節に多い．
5)**梅毒性**：先天性梅毒では，生後2～3週の急性骨端炎（Parrot仮性麻痺），学童期の両膝関節の無痛性関節水症（Clutton関節），より後期の脊髄癆に伴う神経障害性関節症で発症する．後天性梅毒では梅毒罹患後2～3週で発熱とともに多関節炎を呈する．
6)**Lyme関節炎**：膝関節に好発し，発病後2～3年で慢性多関節炎を生じる．

検査所見・診断
　感染性関節炎を疑う場合まず関節穿刺を行う．関節液や関節外感染巣の検体の培養検査，臨床経過，血液検査などに基づき診断する．
1)**細菌性**：血液検査で白血球増加，核の左方移動，赤沈亢進やCRP上昇など炎症反応を認める．関節液は膿性混濁，白血球数は5万/μL以上に著増し，粘稠度と糖値は低下する．関節液で細菌を検出すれば診断は確定するが，抗菌薬治療開始後で起炎菌同定が難しい場合は滑膜などの培養検査や病理組織検査を行う．X線，CT，MRI，シンチグラフィは病変の広がりや骨破壊の程度などの評価に適する．
2)**ウイルス性**：関節液でリンパ球優位の白血球増加をみる．HTLV-1関節炎では関節液や滑膜組織に成人T細胞白血病様細胞を認める．
3)**結核性**：ツベルクリン反応や結核抗原特異的IFN-γ遊離検査（IGRA：Interferon-Gamma release assay）（クォンティフェロン®，Tスポット®．TB）が参考となる．関節液は混濁し，細かな粒子が浮遊する．関節液中の細胞はリンパ球が主体である．関節液の培養検査での結核菌検出率は60～70％で，小川培地は検出に4～8週を要するため液体培地やPCR法も併用するが，陰性でも本症は否定できない．滑膜生検を行い，Ziehl-Neelsen染色法などによる菌の検出や病理組織学的な類上皮肉芽腫の証明も有用である．

4)**真菌性**：炎症反応は細菌性関節炎より弱い．血中β-D-グルカンや真菌抗原を測定する．カンジダでは関節液は暗赤色調を呈する．関節液または組織の培養検査やGram染色，PAS染色などで真菌を証明して診断する．
5)**Lyme関節炎**：臨床経過（特に慢性遊走性紅斑）と流行地訪問歴の確認，Lyme病スピロヘータに対する特異抗体の存在を証明する．

鑑別診断
　関節外症状にもよるが，細菌性関節炎では結晶性関節炎，ウイルス性関節炎ではRAや膠原病に伴う関節炎などとの鑑別を要する．

合併症・経過・予後
　関節破壊・変形，機能障害を残す．細菌性関節炎では敗血症やDICを呈する場合があり，死亡率は単関節炎症例で4～8％，多関節炎症例で30～40％となる．年齢，基礎疾患や使用薬剤，罹患関節の状況などで予後は左右される．

治療・予防・リハビリテーション
1)**細菌性**：関節破壊が急速であり，早期の治療開始が重要である．罹患関節の安静と抗菌薬投与が基本となる．抗菌薬は経静脈的投与で開始し（2～4週程度投与），感染徴候の消失後に経口投与（4週程度）に変更する方法が一般的である．抗菌薬は培養検査結果に基づき選択し，調整する．抗菌薬の早期終了による再燃と長期投与による菌交代，耐性菌出現に留意する．切開排膿，持続洗浄，ドレナージも行い，病巣掻爬，滑膜切除なども考慮する．炎症が鎮静化すれば関節運動を行う．
2)**ウイルス性**：非ステロイド系抗炎症薬で対応する．HCV関節炎では少量の副腎皮質ステロイドを使用することもある．
3)**結核性**：罹患関節の安静と肺結核に準じた標準抗結核化学療法，適宜手術療法を行う．
4)**真菌性**：抗真菌薬の全身投与を行う．適宜排膿・洗浄や手術療法を行う．
5)**その他**：梅毒性関節炎ではペニシリン，Lyme関節炎ではLyme病に準じた抗菌薬治療を行う．

〔佐野　統・東　直人〕

■文献

日本リウマチ学会生涯教育委員会，日本リウマチ財団教育研修委員会編：感染性関節炎．リウマチ病学テキスト，pp343-59，診断と治療社，2010．
佐々木毅：感染性関節炎．日本内科学会雑誌，2010; 99:2484-9．
首藤敏秀：感染性関節炎．最新整形外科学大系，19 関節リウマチと類縁疾患 第1版（越智隆弘編），pp309-17，中山書店，2007．

12-19 小児リウマチ性疾患

1) 若年性特発性関節炎
juvenile idiopathic arthritis : JIA

定義・概念
16歳未満に発症した原因不明の慢性関節炎の総称で，関節炎は無治療で6週間以上持続することが必要である(Pettyら，2004)．難治例では関節機能障害が進行するため，炎症性サイトカインを制御する生物学的製剤が導入されている．

分類
7病型に分類される(表12-19-1)．全身型，少関節炎，リウマトイド因子(RF)陽性多関節型，RF陰性多関節型の主要4病型が全体の94％を占める[1]．

疫学
主要4病型の有病率は小児10万人あたり6～10人で，小児リウマチ性疾患のなかで最も高い[2]．

病態生理
過剰な炎症性サイトカイン(IL-1，TNF，IL-6)が病態を形成する．主要4病型では，関節滑膜が増殖・肥厚して肉芽組織(パンヌス)となり，関節の軟骨や骨を破壊する．また病型によっては，発熱や倦怠感，貧血，成長障害などの全身症状や，皮疹，ブドウ膜炎などがみられる．

臨床症状
主要4病型では以下のような症状がみられる(e表12-19-A)(eコラム1)．

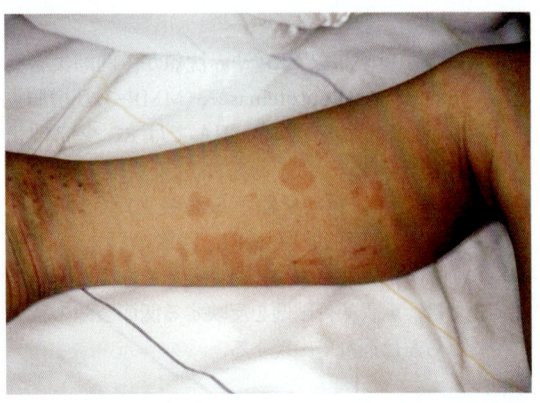

図12-19-1 JIAの臨床症状
全身型ではサーモンピンクのリウマトイド疹が80％に出現し，解熱すると褪色する．

1) 関節症状： 関節痛は，膝や足などの大関節(少関節炎)や指趾や頸椎などの小関節(多関節炎や全身型)に好発する．朝に強いこわばり感を伴う(朝のこわばり)．幼児ではしばしば指全体が腫脹する(紡錘状腫脹)(e図12-19-AのA)．難治例では，関節は最終的には可動性を失い(関節拘縮)，手指関節の変形(ボタンホールまたはスワンネック変形)や，手関節の尺側偏位がみられる．

2) 関節外症状： 全身型では日較差3～4℃の弛張熱が必須症状であり，四肢・体幹を中心にサーモンピンク色の紅斑がみられ(リウマトイド疹)(図12-19-

表12-19-1 若年性特発性関節炎(JIA)の分類基準(二次改訂)(Edmonton, 2001)

分類	定義	成人リウマチ性疾患との対比
1. 全身型関節炎*	関節炎＋2週以上の発熱(弛張熱)＋以下の1項目以上を満たす 1)発疹，2)全身のリンパ節腫脹，3)肝腫または脾腫，4)漿膜炎	成人発症Still病
2. 少関節炎*	発症＜6カ月の関節炎が1～4関節．以下の2つの亜型	関節リウマチの一部
3. RF陰性多関節炎	発症6カ月までの関節炎数≧5関節，RF陰性	
4. RF陽性多関節炎	発症6か月までの関節炎数≧5関節，RF陽性	関節リウマチ
5. 乾癬性関節炎*	関節炎＋乾癬 関節炎のみの場合は以下の2項目以上を伴うもの 1)指端炎(dactylitis)，2)爪の異常，3)1親等の乾癬家族歴	乾癬関連関節炎
6. 腱(靱帯)付着部炎関連関節炎*	関節炎＋腱(靱帯)付着部炎 関節炎または付着部炎の場合，次の2項目以上を伴う 1)仙腸関節の圧痛and/or炎症性の脊柱の痛み，2)HLA-B27陽性，3)6歳以上で発症した関節炎の男児，4)急性前部ブドウ膜炎[6])，5)1親等に強直性脊椎炎，腱付着部関連関節炎，炎症性腸疾患に伴う仙腸関節炎，Reiter症候群，急性前部ブドウ膜炎の家族歴	脊椎関節炎
7. 分類不能関節炎	上記の分類基準を満たさない，あるいは2つ以上の分類基準を満たすもの	－

RF：リウマトイド因子，JRA：若年性関節リウマチ．
＊：RF陽性例は除外する．

1），しばしば漿膜炎（心膜炎，胸膜炎，腹膜炎）による胸痛や腹痛を伴う．少関節型では約20％にブドウ膜炎を合併する（e図 12-19-A の B）．

検査所見
炎症病態を反映して CRP や赤沈値が，関節炎を反映して matrix metalloproteinase-3（MMP-3）が増加する．RF 陽性多関節炎を除き，JIA では RF や抗 CCP 抗体は陰性である．

画像検査では，発症早期から滑膜肥厚（e図 12-19-A の C）や関節液貯留（MRI，関節エコー），滑膜組織の血流増加（関節エコー）が検出される．一方 X 線検査では，軟骨や骨破壊を反映する関節裂隙の狭小化や骨びらんは遅れて出現する．

診断
除外診断であり，鑑別診断が必要である．

鑑別診断
感染症，リウマチ性疾患，悪性疾患，自己炎症性疾患などを鑑別する（e表 12-19-B）．

経過・予後
約半数は完治し，治療中止が可能である[3]．しかし，RF 陽性多関節炎，関節炎が遷延する全身型は難治例が多く，経過とともに関節破壊が進行する．

治療
全身型 JIA の全身炎症病態に対してステロイドが用いられる．ステロイド不応例や副作用が重篤な例では，IL-6 阻害作用をもつ生物学的製剤が導入される[4]．

関節型（多関節炎，少関節炎）JIA では，疾患修飾性抗リウマチ薬が治療の中心である．その第一選択薬はメトトレキサート（MTX）であり，不応な場合は IL-6 阻害薬，TNF 阻害薬，T 細胞機能調節薬などの生物学的製剤が導入される．

非ステロイド系抗炎症薬は，関節痛に対する対症療法として併用される．

ブドウ膜炎に対しては，ステロイド点眼が行われる．

2）リウマチ熱
acute rheumatic fever

定義・概念
A 群連鎖球菌感染症の 2〜3 週後に続発する全身性疾患であり，弁膜障害によるリウマチ性心疾患が問題となる．

原因・病因
特定の HLA 抗原をもつヒトにおいて，A 群連鎖球菌の M 蛋白との抗原類似性に基づく交差反応や，細胞性免疫亢進が想定されている．

表 12-19-2 Jones の改訂診断基準（2015）（文献5）

診断
先行する A 群連鎖球菌感染が証明され，
初発例：主症状 2 項目または主症状 1 項目＋副症状 2 項目
再発例：主症状 2 項目，または主症状 1 項目＋副症状 2，または副症状 3 項目

低侵襲地域[*1]	中・高侵襲地域
○主症状	○主症状
心炎	心炎
顕性，不顕性[*2]	顕性，不顕性[*2]
関節炎	関節炎
多発性関節炎のみ	単・多関節炎，多発関節痛
舞踏病	舞踏病
輪状紅斑	輪状紅斑
皮下結節	皮下結節
○副症状	○副症状
多発関節痛	単関節痛
発熱 ≧ 38.5 ℃	発熱 ≧ 38 ℃
赤沈 ≧ 60 mm/h	赤沈 ≧ 30 mm/h
または CRP ≧ 3.0 mg/dL	または CRP ≧ 3.0
PR 時間延長	PR 時間延長

[*1]：年間発生率が，リウマチ熱で 2.0/学童 10 万人以下，またはリウマチ性心疾患で 2.0/人口 1000 人以下の地域．
[*2]：心エコー検査の評価基準（文献5）を用いて判断する．

疫学
わが国では 1970 年代から激減し，2004 年の小児慢性特定疾患治療研究事業の登録患者数は 42 例にすぎない[5]．

臨床症状
発熱と強い関節痛で発症する．関節痛は 1 日で自然消褪しても，別の関節に出現する（移動性関節炎）．また，心内膜炎（50〜60％）により僧帽弁や大動脈弁が障害され，心雑音が出現する．皮膚には，輪状紅斑（10〜20％）（e図 12-19-B）や皮下結節（3〜5％）がみられる．

急性期を過ぎて四肢体幹の不随意運動（舞踏病，5％）が出現することがある．通常は片側性で，睡眠時には消失し，しばしば情緒不安定などの精神症状を伴う．

検査所見
CRP 陽性，赤沈値の亢進，白血球数の増加がみられる．また，心電図検査で PR 時間の短縮や，心エコー検査では弁膜の輝度亢進や弁逆流所見が観察される．咽頭培養や迅速抗原検査で A 群連鎖球菌が 30％ に証明され，関連抗体である anti-streptolysin-O（ASO）や anti-streptokinase（ASK）が約 70〜80％ の症例で増加する．

診断
Jones の改訂基準（2015）[5] が用いられる（表 12-

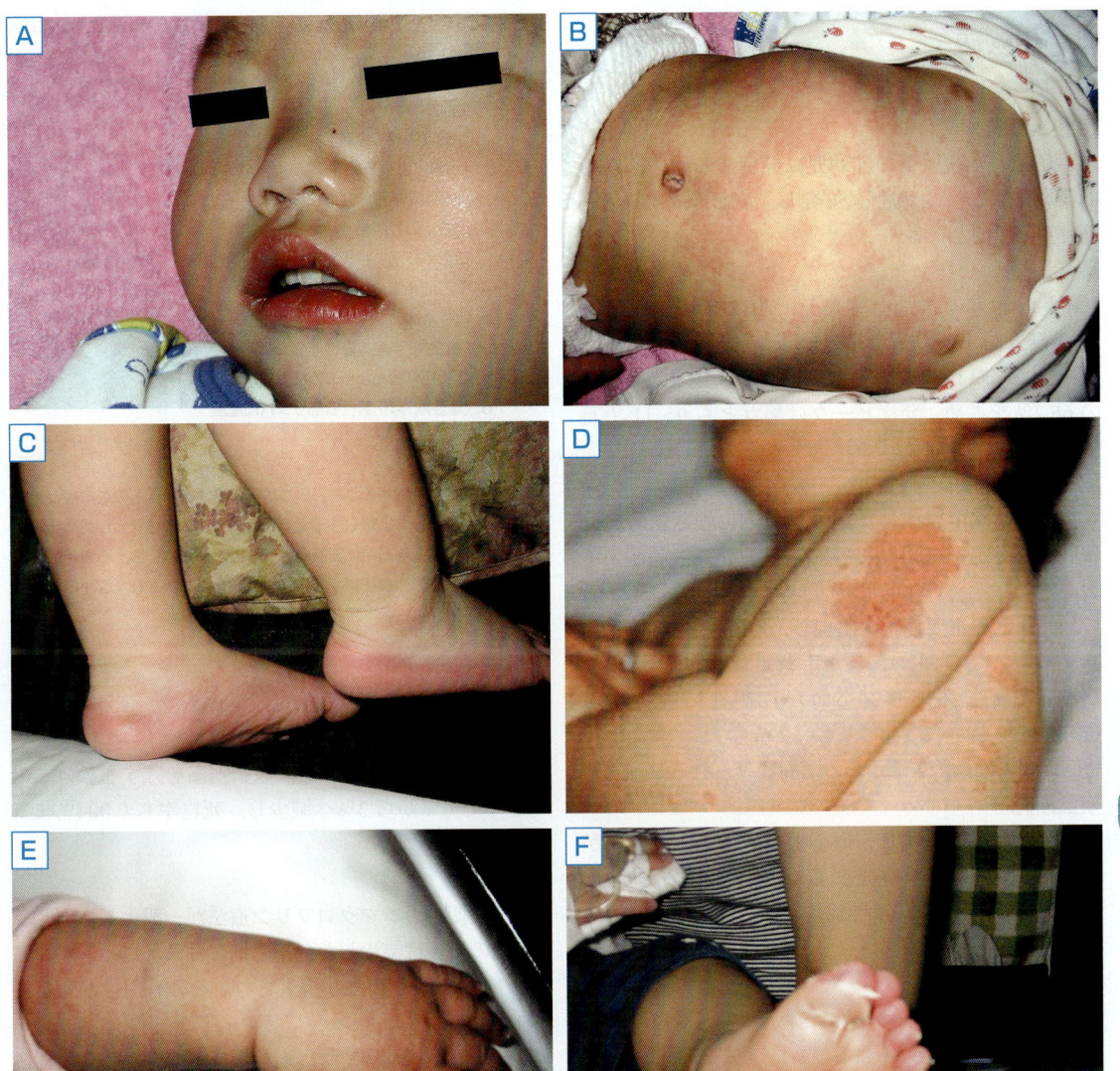

図 12-19-2 **川崎病の皮膚粘膜症状**
急性期には，口唇の潮紅（A），不定形紅斑（B），手掌や足底の紅斑（C），BCG 接種部位の発赤（D）がみられ，手背はテカテカパンパンに腫脹する（硬性浮腫，E）．回復期にみられる膜様落屑（F）は，指趾末端から始まる．

19-2)．

鑑別診断

心内膜炎がない場合，JIA と同様な鑑別が必要である（e表 12-19-B）．

経過・予後

関節炎や舞踏病は後遺症なく治癒する．弁膜障害を残した例では，心不全が顕在化すれば弁置換術が必要になる．

治療・予防

A 群連鎖球菌に対してペニシリン系抗菌薬が，関節炎に対してはアスピリンが，心炎や舞踏病に対してはステロイドが用いられる．

患者は A 群連鎖球菌に感受性が高く，再感染で高率にリウマチ熱を再発し，再発すれば弁膜障害の新規発生や悪化がみられる．そのため，ペニシリン系抗菌薬による長期予防内服が行われており，心炎がない例では発症から 5 年間または 18 歳まで，心炎があり弁膜症を残さなかった例では 20 歳まで，心弁膜症を残した例や手術例では一生継続する（World Health Organization, 2001）．

3）川崎病
Kawasaki disease

定義・概念
わが国の4歳以下の乳幼児に発症する原因不明の血管炎である[6]．冠動脈に好発し，瘤を形成すれば心筋梗塞の原因となる．

疫学
罹患率は年々増加しており，2012年の罹患率は0〜4歳人口10万あたり264.8と過去最高であった（e図12-19-C）．男女比は1.37で，3歳未満が全体の66.2％を占め，発症ピークは男女とも9〜11カ月であった[7]．

臨床症状（図12-19-2）
突然の高熱で発症し，3〜4日以内に眼球結膜充血（98％），不定型紅斑（96％），口唇の発赤・腫脹・亀裂（94％），手掌や足底の発赤（87％），イチゴ舌（71％）などの主要症状が出現し，BCG接種部位は発赤する（表12-19-3）．また手背足背は腫脹し（硬性浮腫，73％），頸部リンパ節が片側性に腫大する（73％）．
回復期には指趾末端からの落屑がみられる．

検査所見
赤沈亢進，CRP増加，血小板増加，白血球増加がみられる．心エコー検査では，5〜7病日に冠動脈拡張（9％）（図12-19-3）が出現し，第10〜14病日頃最大径となる．

診断
川崎病診断の手引き，改訂5版（厚生労働省川崎病研究班，2002）が用いられる（表12-19-3）．

鑑別診断
乳幼児期に好発することから，感染症，全身型JIAなどの鑑別が重要である（e表12-19-B）．

表12-19-3 **川崎病診断の手引き**（改訂第5版）（厚生労働省川崎病研究班，2002）

主要症状
1. 5日以上続く発熱
   （治療により5日未満で解熱した場合も含む）
2. 両側眼球結膜の充血
3. 口唇，口腔所見
   口唇の紅潮，イチゴ舌，口腔咽頭粘膜のびまん性発赤
4. 不定形発疹
5. 四肢末端の変化：
   （急性期）手足の硬性浮腫，掌蹠・指趾先端の紅斑
   （回復期）指先からの膜様落屑
6. （急性期）非化膿性頸部リンパ節腫脹

診断
6つの主要症状のうち，5つ以上の症状を伴うものを本症とする．ただし，上記6主要症状のうち，4つの症状しか認められなくても，経過中に断層心エコー検査法もしくは，心血管造影法で，冠動脈瘤（いわゆる拡大も含む）が確認され，ほかの疾患が除外されれば本症とする．

経過・予後
再発は4％にみられる．冠動脈瘤を残すものはこの10年で6％から3％へ減少し，死亡率も0.004％まで低下した．

治療
急性期のガンマグロブリン療法が一般化し，冠動脈病変の発生は減少した．不応例にはステロイドパルス療法やTNF阻害薬が導入され，その有用性が報告されている．
冠動脈瘤後遺症例では，血栓形成予防のための抗凝固療法が継続されるが，狭窄病変があり，虚血性心筋障害が予測される症例では，バイパス手術が行われる．

〔武井修治〕

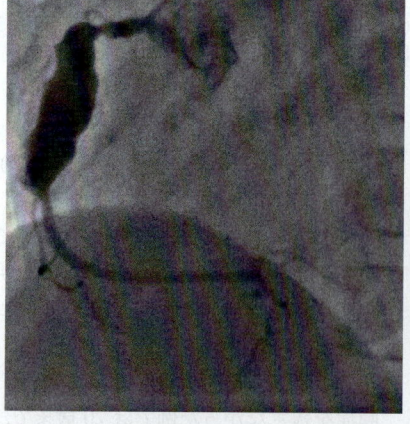 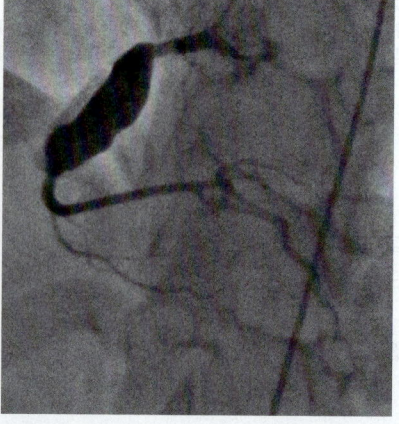

図12-19-3 **川崎病にみられた冠動脈瘤**（12歳，男児）
川崎病の約3％は冠動脈拡張を残し，小児の心筋梗塞の原因となる．この症例では右冠動脈seg 1〜2にかけてソーセージ様の動脈瘤がみられる．

■文献(e文献 12-19)

厚生労働省川崎病研究班：川崎病(MCLS，小児急性熱性皮膚粘膜リンパ節症候群)診断の手引き 改訂5版，2002．
Petty RE, Southwood TR, et al: International League of Associations for Rheumatology classification of juvenile idiopathic arthritis: second revision, Edmonton, 2001. *J Rheumatol*. 2004; **31**: 390-2.
World Health Organization: WHO expert consultation on rheumatic fever and rheumatic heart disease, 2001.

12-20 IgG4 関連疾患
IgG4-related disease：IgG4-RD

定義・概念

IgG4 関連疾患は高 IgG4 血症と IgG4 陽性形質細胞のびまん性の浸潤，線維化を特徴とした腫瘤性・結節性・肥厚性病変を呈する慢性疾患である[1]．以前，単一臓器疾患と認識されていた自己免疫性膵炎(autoimmune pancreatitis：AIP)[2]【⇨ 11-28-4】や Mikulicz 病(MD)(e コラム 1)[3]を包括する全身性疾患である．バイオマーカーとしての血清 IgG4 の有用性の発見[4]を含め，わが国からの多くの業績が疾患概念の確立に寄与した新たな疾患である(Takahashi ら，2010)．

分類

単一臓器罹患の場合，臓器ごとの病名で呼称されることが多いが，全身疾患の先行病変であることも多く，IgG4-RD の各表現型としてとらえることができる[5](表 12-20-1)．

原因・病因

病因は不明である．高ガンマグロブリン血症や非特異的な自己抗体の存在，グルココルチコイドが奏効することから自己免疫機序の関与が推測されているが，自己抗原・自己抗体の直接的な証明はなされていない．ただし，最近，末梢血中でオリゴクローナルな形質芽細胞の増加や，抽出された免疫グロブリン遺伝子由来のモノクローナル抗体がヒト培養細胞成分と反応することが報告され[6]，自己抗原への免疫応答である可能性が再検討されている．

疫学

全国調査(2009 年)の結果，IgG4-RD の患者数は MD 4303 人，AIP 2709 人を含む約 8000 人と概算された．発症年齢のピークは 60 歳代で，男女比 1：0.77 と男性に多かった[7]．

病理(図 12-20-1)

IgG4-RD に共通した病理所見はびまん性のリンパ球・形質細胞の著明な浸潤と花むしろ状と呼称される特徴的な線維化である[8]．浸潤した形質細胞の多くは IgG4 陽性(IgG4/IgG 比 40％以上)である．胚中心の発達したリンパ濾胞の形成がみられ，好酸球浸潤が目立つ症例もある．AIP などでの閉塞性静脈炎の存在も特徴的である．一方，好中球浸潤や肉芽腫病変は認められない．

病態生理

IgG4 関連疾患の病変局所においては，Th2 優位の免疫応答と IL-10 産生にかかわる制御性 T 細胞(Treg)の多数の浸潤が報告されている[9-11]．この Th2 サイトカイン(IL-4，

表 12-20-1 IgG4 関連疾患を構成する臓器病変と徴候，臨床症状

罹患部位・臓器	病名	徴候・症状
涙腺・唾液腺	IgG4 関連涙腺・唾液腺炎(いわゆる Mikulicz 病) 唾液腺炎(いわゆる Kuttner 腫瘍) IgG4 関連眼疾患(涙腺・眼窩下神経などを含む)	容貌変化(上眼瞼・顎下部・耳下部腫脹)，口渇，ドライアイ，眼球突出，視力低下
呼吸器系	IgG4 関連呼吸器疾患	乾性咳嗽，胸痛，喘息様症状，胸水
肝胆道系	IgG4 関連硬化性胆管炎 IgG4 関連肝障害	黄疸，右季肋部痛，肝機能障害
膵	自己免疫性膵炎(type1)	上腹部不快感，糖尿病，膵酵素上昇，門脈圧亢進症
腎	IgG4 関連腎臓病	浮腫，腎機能障害，蛋白尿・血尿
後腹膜	後腹膜線維症	背部痛，発熱，浮腫，水腎症
前立腺	IgG4 関連前立腺炎	排尿障害
リンパ系	IgG4 関連リンパ節症	リンパ節腫大
心血管系	動脈周囲炎，炎症性大動脈瘤	微熱，背部痛
内分泌系	下垂体炎，甲状腺炎	下垂体機能低下症，口渇，甲状腺腫，甲状腺機能低下症
神経系	肥厚性硬膜炎	頭痛，脳神経障害

IgG4 関連疾患は涙腺・唾液腺と膵を主体に多彩な臓器病変を包括する疾患概念である．徴候・症状としては腫瘤形成による容貌変化や物理的な圧迫による黄疸，水腎症などがある．

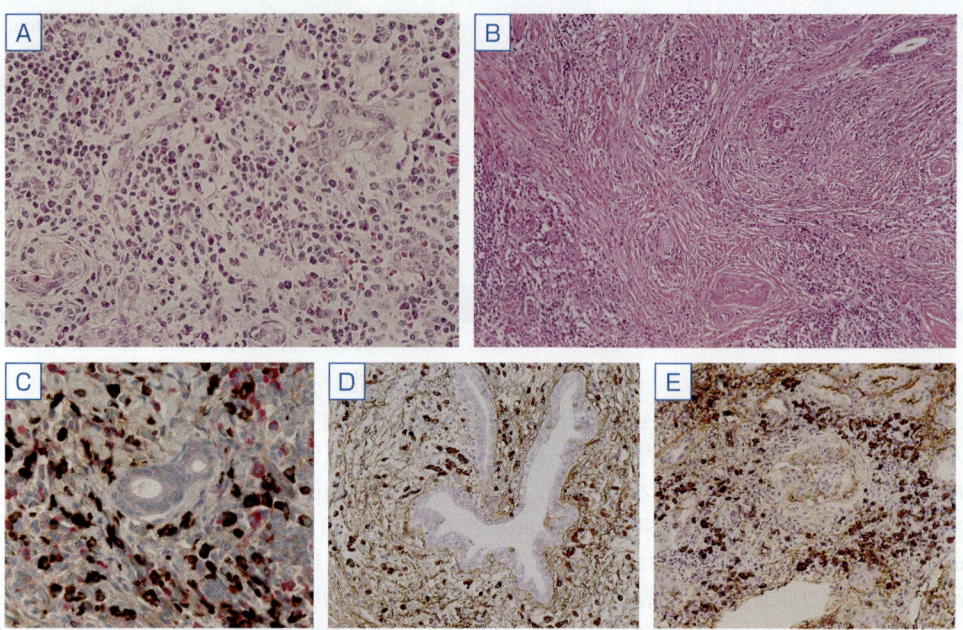

図 12-20-1 IgG4 関連疾患の病理組織所見
Mikulicz 病の顎下腺生検組織(HE 染色像)において，びまん性の単核細胞浸潤(A)と花むしろ状線維化を伴う導管周囲の膠原線維の増加(B)を認める．抗 IgG・IgG4 抗体による顎下腺生検組織の二重免疫染色(C)では抗 IgG 抗体陽性細胞(赤)の大半が抗 IgG4 抗体陽性(茶)であることがわかる．自己免疫性膵炎や IgG4 関連腎臓病の生検組織においても，抗 IgG4 抗体による免疫染色により，膵(D)・腎(E)それぞれに著明な IgG4 陽性形質細胞の浸潤を認める．

IL-13)の環境下では IgE や IgG4 へのクラススイッチが促進されるが，さらに Treg 由来の IL-10 やほかの Th 由来の IL-21 が共同して，より IgG4 に偏位したクラススイッチが生じていると想定される[12,13]．また，自然免疫系を介した単球や好塩基球由来の BAFF (B cell activating factor belonging to the tumor necrosis factor family)も IgG4 産生誘導に関与しており，獲得免疫・自然免疫両系の異常がかかわっていると考えられる[14]．また，Treg から産生される TGF-β が線維化にかかわっている可能性が示唆されている (Yamamoto ら，2014)．

臨床症状(表 12-20-1)

発熱，全身倦怠感などの全身症状はまれで，侵される罹患臓器由来の局所症状が主体であり(表 12-20-1)，特に MD による容貌変化や口渇は早期診断の糸口になる．臓器病変では無症候性のことも少なくないが，後腹膜線維症(eコラム 2)による水腎症，浮腫，硬化性胆管炎での黄疸，肺病変による咳などには注意が必要である[15]．

検査所見

1) 臨床検査： 高ガンマグロブリン血症，好酸球増加，血清 IgE 上昇が認められる．ときに抗核抗体・リウマトイド因子が陽性であるが高抗体価を呈することはなく，疾患特異的な自己抗体は陰性である．135 mg/dL 以上の血清 IgG4 高値はほぼ必発であり，特に MD では 500 mg/dL 以上もまれではない[16]．罹患臓器数の多い症例，特に腎病変合併例において低補体血症や免疫複合体上昇を認めることが多い[17]．

2) 画像(図 12-20-2)： 造影 CT や MRI により，罹患臓器のびまん性・結節性・肥厚性の腫大が検出されるが特有ではない．ただし，IgG4 関連腎臓病では造影 CT 上，特徴的な多発性の造影不良域が認められる[18]．全身のスクリーニングには FDG-PET(^{18}F-fluorodeoxyglucose positron emission tomography)検査が有用である[19]．

診断(e図 12-20-A)

IgG4-RD の診断には①臓器の腫瘤性・結節性・肥厚性病変，②高 IgG4 血症，③病理組織学的異常の 3 点を確認する必要がある．したがって，診断には，まず厚生労働省研究班で策定した包括診断基準 2011 に照らし合わせる(岡崎ら，2012)が，生検が困難な場合などは各臓器単位の診断基準を用いて診断を確定する[18,20,21](岡崎ら，2012；高橋ら，2010)．単一臓器病変をきっかけに診断された場合でも，必ず他臓器病変の合併を念頭に全身検索を行う[22]．

鑑別診断

IgG4-RD は腫瘤形成性の病変を呈することから，鑑別診断として悪性腫瘍やリンパ増殖性疾患，肉芽腫性疾患(サルコイドーシスなど)があげられる．可能なかぎり，病理組織学的な検索を行うことが勧められ，

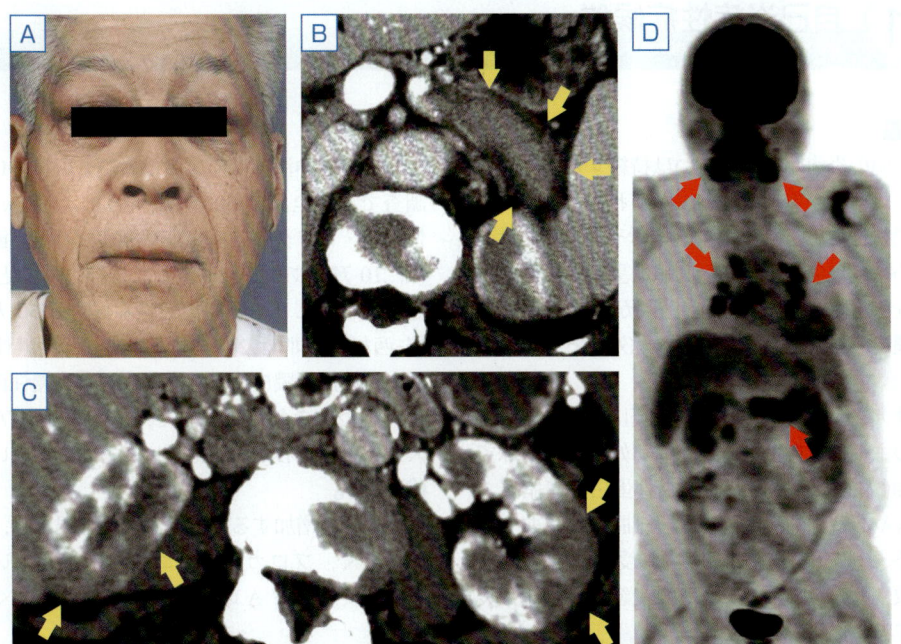

図 12-20-2 IgG4 関連疾患の肉眼・画像所見
Mikulicz 病では両側涙腺・唾液腺の腫大による特徴的な容貌が認められる（A）．自己免疫性膵炎では被膜様の構造物（capsule-like rim, 矢印）を伴った膵のびまん性，あるいは限局性の腫大がみられる（B）．IgG4 関連腎臓病の造影 CT では，多発性の造影不良域（矢印）が観察され特に両側性の場合，IgG4 関連疾患に特徴的とされる（C）．FDG-PET では IgG4 関連病変に一致した集積を認めることが多く（D），本例では顎下腺・縦隔リンパ節，膵に集積をみる（矢印）．

特に AIP では膵癌，涙腺・唾液腺炎では悪性リンパ腫・Sjögren 症候群との鑑別[23]が不可欠である．診断マーカーとしての血清 IgG4 値の有用性は広く認められているが，血清 IgG4 や病変部中の IgG4 陽性細胞数の増加は必ずしも IgG4-RD に特異的ではない[24,25]ことから，診断時には総合的に判断する必要がある．

経過・予後
涙腺・唾液腺炎や AIP として診断され，その全身検索中，あるいはフォロー中に他臓器病変が発見されることが多い．MD の約半数では診断時に他臓器病変の合併（後腹膜線維症 20%，膵 19%，腎 16% など）がみられる．グルココルチコイドへの反応性が良好であり，生命予後は一般に良好とされているが，治療開始の遅延が唾液腺や腎の不可逆的な機能障害を招く[26,27]．

治療
第一選択はグルココルチコイドである．黄疸，水腎症などの進行性の臓器障害を呈している場合や，罹患臓器が複数の場合は絶対的な治療適応である．自覚症状を有する場合も治療適応とするが，無症候例では慎重な経過観察を行うこともある．グルココルチコイドの投与はプレドニゾロン換算で 0.6 mg/kg/ 日から開始し，初期投与量を 2〜4 週間継続後，2 週間ごとに 5 mg ずつ減量していくのが標準的である．減量中止後の再燃がまれではないことから，5〜10 mg/ 日程度の継続投与が勧められる[28]（高橋ら，2010）．最近，グルココルチコイドの長期使用による副作用や，減量困難例・再燃例が問題となっている．膠原病に準じた免疫抑制薬の使用が試みられているが，有効性は不明である．最近，米国を中心に抗 CD20 抗体治療が試みられており，グルココルチコイドの減量中止を伴う有効性が報告されている[29,30]ことから，国際治験も検討中である．

〔高橋裕樹〕

■文献（e文献 12-20）
岡崎和一，川茂　幸，他：IgG4 関連疾患包括診断基準 2011. 日本内科学会雑誌．2012; **101**: 795-804.

高橋裕樹，山本元久：IgG4 関連疾患．GUIDELINE 膠原病・リウマチ―治療ガイドラインをどう読むか（小池隆夫・住田孝之編），pp43-9, 診断と治療社，2010.

Takahashi H, Yamamoto M, et al: The birthday of a new syndrome: IgG4-related diseases constitute a clinical entity. *Autoimmun Rev.* 2010; **9**: 591-4.

Yamamoto M, Takahashi H, et al: Mechanisms and assessment of IgG4-related disease: lessons for the rheumatologist. *Nat Rev Rheumatol.* 2014; **10**: 148-59.

12-21 自己炎症性症候群
autoinflammatory syndrome

概念・定義
誘因が不明の炎症が反復あるいは持続する多種多様な疾患群で，多くが炎症の経路にかかわる分子群の異常による遺伝性疾患である．自己抗体や自己反応性T細胞を認めず，炎症検査所見が高値を呈することが多い．炎症を惹起する疾患群との鑑別が大切で，感染症，悪性腫瘍，自己免疫疾患などを除外する．

病態生理
免疫系は大きく獲得免疫と自然免疫に分かれるが，自然免疫の主役は，貪食機能を有する好中球と単球である．病原微生物を構成する膜成分蛋白，糖脂質，DNA，RNAあるいは鞭毛などは，細胞表面におもに存在するトール様受容体や細胞内の受容体を刺激する．病原微生物の侵入は，こうした受容体を刺激し炎症を惹起する．炎症のカスケードは，細胞増殖，分化，細胞死にかかわるNF-κBカスケードと，インフラマソームとよばれるIL-1β/IL-18の加工にかかわるシグナル伝達複合体が重要である（Inoharaら，2003）．この経路にかかわる分子群などの遺伝子異常によって炎症が制御できなくなり，炎症が持続あるいは反復する（e図12-21-A）．

鑑別診断
感染症，悪性腫瘍，自己免疫疾患については臨床経過によって鑑別できることが多い．その他，血球貪食症候群，Castleman病，Weber-Christian病，壊死性リンパ節炎などのまれな炎症性疾患などを鑑別する．

分類
多種多様な疾患が含まれるが，明確に自己炎症疾患と考えられる疾患群とその類縁疾患を表12-21-1に示す．さらに，家族性地中海熱は，臨床症状の差異からさらに典型例と非典型例に分かれる．クリオピリン関連周期性症候群は，臨床症状からさらに3疾患に分類される．

発症頻度
家族性地中海熱は厚生労働省調査研究班（右田班）の調査では，全国で500人以上と推定している．周期性発熱・アフタ性口内炎，咽頭炎，リンパ節炎症候群は，10万人あたり2〜5人ほど存在すると推定される．クリオピリン関連周期性症候群は50人程度，中條-西村症候群は20人程度であり，化膿性無菌性関節炎・壊疽性膿皮症・アクネ症候群，慢性再発性多発性骨髄炎はきわめてまれで，IL-1受容体アンタゴニスト欠損症はわが国では見いだされていない．

検査所見
白血球は増加するが細菌感染症と異なり，核左方移動はなく，プロカルシトニンも上昇しない．CRP，血清アミロイドAの上昇を伴うことが多く，発熱発

表12-21-1 自己炎症性症候群とその類縁疾患の日本語・英語名称と略称

familial Mediterranean fever (FMF)
　家族性地中海熱
cryopyrin-associated periodic syndrome (CAPS)
　クリオピリン関連周期性症候群
　a. familial cold urticaria (FCU)
　　家族性寒冷じんま疹
　b. Muckle-Wells syndrome (MWS)
　　Muckle-Wells症候群
　c. chronic, infantile, neurological, cutaneous and articular (CINCA)
　　慢性乳児期発症・神経・皮膚・関節症候群
　　neonatal-onset multisystem inflammatory disease (NOMID)
　　新生児期発症多臓器性炎症性疾患
pyogenic sterile arthritis, pyoderma gangrenosum, acne (PAPA)
　化膿性無菌性関節炎・壊疽性膿皮症・アクネ症候群
deficiency of the interleukin-1-receptor antagonist (DIRA)
　IL-1受容体アンタゴニスト欠損症
chronic recurrent multiple osteomyelitis (CRMO)
　慢性再発性多発性骨髄炎
periodic fever, aphthous stomatitis, pharyngitis, cervical adenitis syndrome (PFAPA)
　周期性発熱・アフタ性口内炎・咽頭炎・頸部リンパ節炎症候群
TNF-receptor-associated periodic syndrome (TRAPS)
　TNF受容体関連周期性症候群
Blau syndrome/early-onset sarcoidosis (EOS)
　Blau症候群/若年性サルコイドーシス
hyper-IgD and periodic fever syndrome (HIDS)
　高IgD症候群
Nakajo-Nishimura syndrome (NNS)
　中條-西村症候群

類縁疾患
全身型若年性特発性関節炎/成人Still病，Behçet病，Crohn病

作が繰り返される場合は，間欠期にこれらは陰性化する．

各論（表12-21-2）

1) 家族性地中海熱（右田ら，2011）：インフラマソームの働きを抑えるパイリンの異常で発症する．典型例では突然高熱を認め，半日～3日間持続する．発熱間隔は，4週間ごとが多い．随伴症状として漿膜炎による激しい腹痛や胸背部痛を訴える[1]．胸痛によって呼吸が浅くなる（e図12-21-B）．また，関節炎や丹毒様皮疹を伴うことがある（e図12-21-B）．非典型例は，発熱期間が1～2週間のことが多く，上肢の関節症状などを伴いやすい．PFAPA（periodic fever, aphthous stomatitis, pharyngitis and adenitis）症状を呈することもある．検査所見は，発作時にCRP，血清アミロイドAの著明高値を認め，間欠期にこれらは劇的に陰性化する．病巣に好中球の浸潤を認める（e図12-21-B）．副腎皮質ステロイドは無効であるが，コルヒチンが約90％以上の症例で著効する．無治療で炎症が反復するとアミロイドーシスを合併することがある．

2) クリオピリン関連周期性症候群：インフラマソーム構成の中心をなすクリオピリンなどの異常によって発症し，家族性寒冷じんま疹，Muckle-Wells症候群およびまん性乳児期発症，神経，皮膚，関節症候群（CINCA（Chronic infantile neurological cutaneous and articular），別名NOMID（neonatal onset multisystem inflammatory disorder））の3疾患に臨床像から分類され，この順に症状は重くなる．かゆみが軽度の慢性じんま疹，鞍鼻（図12-21-1），結膜炎を共通して認める．Muckle-Wells症候群では，反復する発熱，難聴，関節症状，成長障害が加わる[2]．慢性乳児期発症，神経，皮膚，関節症候群では，さらに，生後早期から発熱，無菌性髄膜炎，神経症状を認める．CRP値や血清アミロイドAが持続的に高値で診断の手がかりになる．治療は，アナキンラやカナキヌマブなどのIL-1β阻害薬が著効する．

3) 化膿性無菌性関節炎・壊疽性膿皮症・アクネ症候群：壊疽性膿皮症，化膿性無菌性関節炎，嚢胞性アクネを呈する．化膿性無菌性関節炎は幼児期からみられ，その後，嚢胞性アクネや壊疽性膿皮症が発症する．血液検査では炎症所見を認めないことが多い．インフラマソームにかかわるCD2 binding protein 1（CD2BP1）がその責任遺伝子として報告されている．副腎皮質ステロイドに対して反応は良好である．

4) IL-1受容体アンタゴニスト欠損症：生体内に存在するIL-1受容体アンタゴニストに遺伝子異常があると，生下時から重度の骨膜炎・骨髄炎と皮膚の膿疱症を発症する．IL-1受容体アンタゴニストの投与が奏効する[3]．

5) 慢性再発性多発性骨髄炎：10歳くらいの女児に好発する．長骨骨幹端，脊椎，骨盤，上下肢帯などに単多発性に骨髄炎が生じ反復する．MRIが診断に有用である（図12-21-2）．軽症例にはNSAIDsを用いるが，自然消褪することも多い[4]．

6) TNF受容体関連周期性症候群：数週間持続する発熱がみられ反復する．随伴症状として，結膜炎，関節炎，筋膜炎，皮疹および特徴的な消化器症状を認める（e図12-21-C）．関節炎は発赤，腫脹，疼痛を伴う．検査所見は，発熱時に血清CRP，血清アミロイドA，炎症性サイトカイン値が著明に高値になる[5]．責任遺伝子であるTNF受容体type 1の遺伝子変異が検出されることは少ない．病変部の皮膚生検では，単球中心の細胞浸潤がみられる（e図12-21-C）．発熱時には副腎皮質ステロイドによって炎症を制御できる

表12-21-2 自己炎症性症候群の特徴

疾患名	FMF	CAPS	PAPA	DIRA	CRMO	PFAPA	TRAPS	EOS/Blau	HIDS	NNS
発熱期間	3日以内（典型）不定（非典型）	不定	−	−	まれ	2～7日	数週間	40％で発熱	3～7日	不定
皮膚所見	丹毒様皮疹（典型）不定形（非典型）	じんま疹	膿皮症 アクネ	膿疱症	発赤 腫脹	−	移動性	結節性	皮疹	凍瘡様皮疹 結節性紅斑
関節症状	下肢（典型）上肢（非典型）	＋	＋	＋	＋	−	＋	＋	＋	＋
その他の随伴症状	腹痛（激しい）胸背部痛	結膜炎 感音性難聴 成長障害 髄膜炎				口内炎 リンパ節腫脹 扁桃咽頭炎 頭痛，嘔吐	結膜炎 筋膜炎 消化器症状	ブドウ膜炎（虹彩炎）	頭痛 リンパ節炎 消化器症状	脂肪筋肉萎縮 やせ
責任遺伝子	MEFV	CIAS1	CD2BP1	IL1RN	不明	不明	TNFR1	NOD2	MVK	PSMB8
遺伝形式	常劣	常優	常優	常劣		常優	常優	常劣	常劣	
治療	コルヒチン TNF阻害薬	IL-1阻害薬	ステロイド	IL-1阻害薬	NSAIDs	シメチジン ステロイド 扁桃摘出	ステロイド TNF阻害薬	ステロイド	スタチン	ステロイド

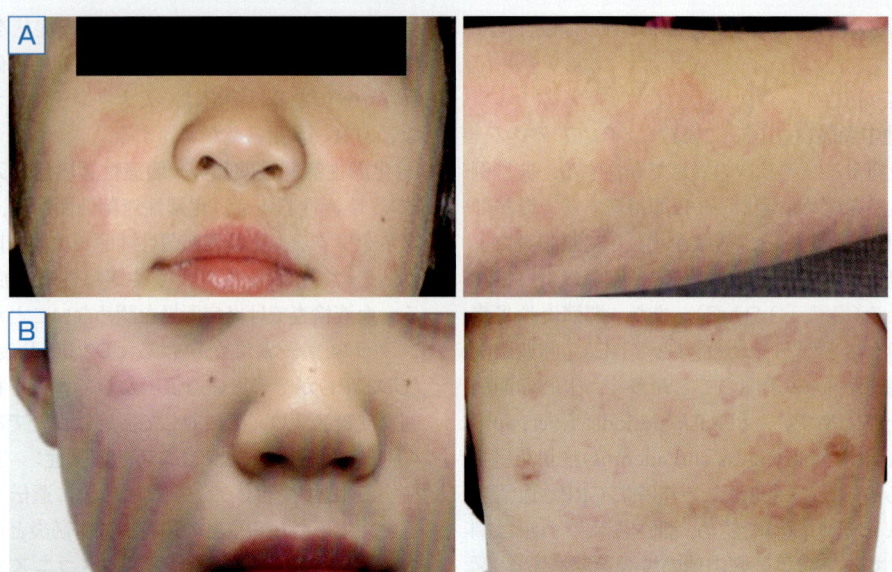

図 12-21-1 クリオピリン関連周期性症候群に認められるじんま疹様皮疹
A：顔面と上腕にじんま疹様皮疹を認める．顔面に鞍鼻がみられる．
B：Aと同様に顔面と体幹にじんま疹用皮疹を認める．顔面に鞍鼻がみられる．
じんま疹様皮疹はじんま疹に比べ瘙痒感は軽度で消失しない．

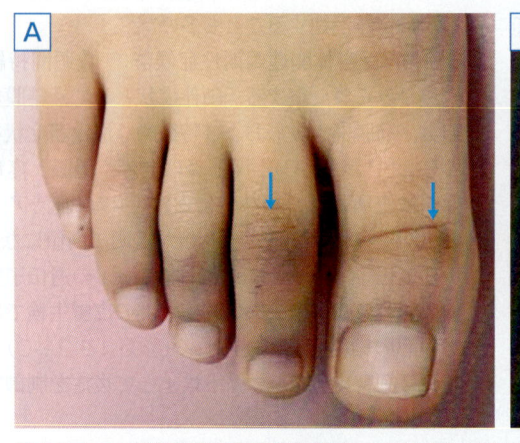 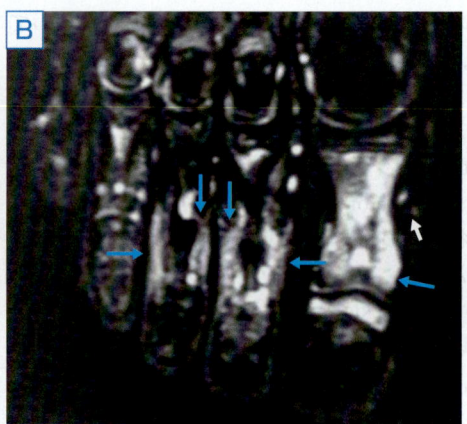

図 12-21-2 慢性再発性多発性骨髄炎における足の骨髄炎
A：趾の炎症部位に一致して発赤を認める．
B：MRIで趾に骨髄炎所見がみられる（矢印）．

が，重症例には TNF 阻害薬を用いる．

7）Blau 症候群/若年性サルコイドーシス： *NOD2* 遺伝子異常によって生じる同一の疾患である．若年性サルコイドーシスは散発例であるが，Blau 症候群では家族内発生を認める．ブドウ膜炎，関節炎，紅潮した充実性丘疹や結節性紅斑を伴う（e図 12-21-D）．皮疹の生検では，非乾酪性肉芽腫を認める（e図 12-21-D）．関節炎は発赤，疼痛はなく，関節変形は起きにくい．脈絡膜，毛様体，虹彩などのブドウ膜に強い炎症が生じ，特に虹彩炎を伴いやすい．虹彩が癒着し前房水の流れが阻害されると，眼圧が上昇し緑内障となり，放置すると視神経が障害され失明する[6]．中等度の発熱を認めることがある．副腎皮質ステロイド薬がブドウ膜炎などに有効である．

8）周期性発熱，アフタ性口内炎，咽頭炎，リンパ節炎症候：口内炎，リンパ節炎，白苔を伴う扁桃炎・咽頭炎（e図 12-21-E）などを随伴する発熱発作を反復する．原因は不明である．頭痛，咽頭痛，嘔吐を認めることもある．発熱期間は数日〜1週間で発熱間隔は月に1回が多い．約56％に家族内発症を認める．発症年齢は3〜4歳に多いが成人発症もみられる[7]．発熱時に CRP がきわめて高値になり，好中球が活性化する．治療は，シメチジンの予防内服，発作時の副腎皮質ステロイド投与，扁桃摘出が有効である．

9）高IgD症候群： 乳児期早期から周期性発熱を認め，随伴症状として，頸部リンパ節腫脹，関節炎，頭痛，皮疹，下痢，腹痛，嘔吐などの消化器症状がみられる．好中球優位の白血球増加，CRP高値，赤沈亢進を認め，80％で血清IgDとIgAが高値になる[8]．メバロン酸キナーゼ遺伝子の変異を認め，尿中のメバロン酸が増加する．スタチンの有効性が報告されている．

10）中條-西村症候群： 凍瘡様皮疹で発症し，その後発熱や結節性紅斑様皮疹が反復する．長く節くれ立った指が認められるようになり，部分的脂肪筋肉萎縮が進行し次第にやせてくる．CRP，血清アミロイドA陽性，常染色体劣性遺伝で，責任遺伝子は蛋白質の分解を行うプロテアソーム複合体の構成因子が同定された[9]．副腎皮質ステロイドの内服が行われている．

11）その他： 乳児期から発熱の反復，じんま疹様皮疹，倦怠感，脾腫，消化器症状を呈する疾患の責任遺伝子として，インフラマソームを構成するNLRC4遺伝子が同定された[10]．マクロファージ活性化症候群を反復し，血清CRP，フェリチン，IL-18が高値になる．また，Behçet病は孤発例が多いが，常染色体優性遺伝を呈する家族例が知られている．家族性Behçet病の責任遺伝子として，NF-κBカスケードなどを抑制するA20/TNFAIP3遺伝子が同定された[11]．遺伝子変異によって抑制機能が低下するため，NF-κB活性の亢進がみられ慢性炎症が生じる．副腎皮質ステロイドが奏効する[11]．

12）類縁疾患（Kastnerら，2010）： 血清IL-18が高値を呈する全身型若年性特発性関節炎/成人Still病，肉芽腫病変を形成するCrohn病ならびにブドウ膜炎や結節性紅斑を認めるBehçet病は，原因は不明だが自己炎症性症候群の範疇に入ると考えられる．

〔上松一永〕

■文献（e文献12-21）

Inohara N, Nuñez G: NODs: intracellular proteins involved in inflammation and apoptosis. Nat Rev Immunol. 2003; 3: 371-82.

Kastner DL, Aksentijevich I, et al: Autoinflammatory disease reloaded: a clinical perspective. Cell. 2010; 140: 784-90.

右田清志，上松一永：家族性地中海熱の臨床．日本臨床免疫学会会誌．2011; 34: 355-60.

12. リウマチ性疾患およびアレルギー性疾患

Ⅱ. アレルギー性疾患

12-22 総論

1）アレルギー性疾患の総論

定義・概念

アレルギー性疾患とは通常，IgE 抗体産生を伴う免疫反応，すなわち古典的な Coombs と Gell 分類のⅠ型（即時型）アレルギー反応[1]が関与する花粉症や気管支喘息（以下，喘息）などの疾患を指す．アレルゲン（アレルギー反応を起こす抗原）侵入後，数分以内で生じるじんま疹やくしゃみなどが典型的な症状である．なお，花粉症や湿疹などのアレルギー性疾患を生じやすい体質や素因のことをアトピーという．IgE 抗体の介在が証明される喘息の亜型をアトピー型喘息とよぶこともある．

分類

アレルギーとは 1906 年に von Pirquet が提唱した用語で，生体がある物質に対して 2 回目以降に遭遇するときに示す過剰な反応を指す．しかし，定義があいまいなため，免疫複合体や自己免疫が関与する反応まで包括されていた[2]．1960 年に Coombs と Gell は免疫学的機序の違いにより，アレルギー反応をⅠ～Ⅳ型までの 4 つの型に分類した．アレルギー性疾患においてみられるⅠ型反応とはアレルゲンと IgE 抗体により活性化されたマスト細胞より惹起される反応であり，アレルゲンの侵入後，数分で生じる即時型反応のことである[1]．自己免疫疾患などでみられるⅡ型，Ⅲ型反応や結核などでみられるⅣ型（遅延型）反応は，花粉症などの典型的なアレルギー疾患では認めない．

免疫反応の司令官ともいえるヘルパー T 細胞のなかには 2 つの非常に拮抗的な性質をもった亜型が存在する．すなわち，インターフェロン-γ を分泌する 1 型ヘルパー T 細胞（Th1 細胞）とインターロイキン（IL）-4 や IL-5，IL-13 を分泌する 2 型ヘルパー T 細胞（Th2 細胞）である．B 細胞が IgE 抗体を分泌するためにはアレルゲン刺激とともに Th2 細胞が分泌する IL-4 あるいは IL-13 の存在が必須である．アレルギー疾患を有する個体ではアレルゲンに対する Th2 細胞が Th1 細胞に対して優位になっていることが多い．最近では Th2 細胞によって産生される IL-4，IL-5，IL-13 などを 2 型サイトカイン，Th2 細胞や 2

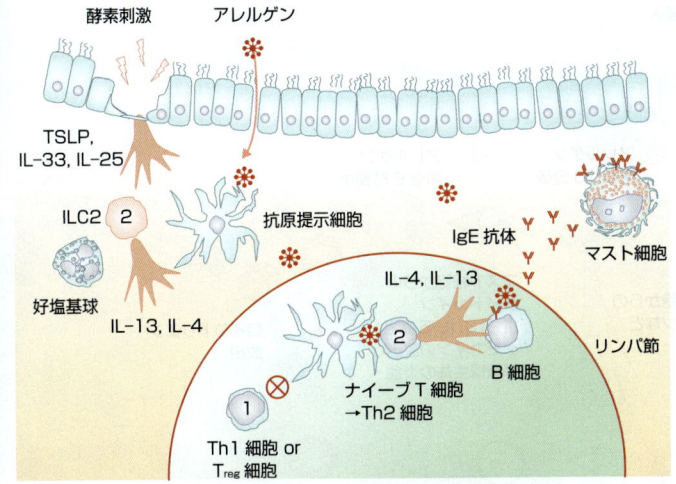

図12-22-1 アレルゲン特異的IgE抗体の産生と感作の成立
IL-25, IL-33, TSLPが増加している上皮間葉系組織に抗原が侵入した場合, これら上皮間葉系サイトカインなどの影響によって構造・性質が変化した抗原提示細胞(樹状細胞ともよばれる)と接触することになる. そのとき, 抗原を取り込んだ抗原提示細胞は所属リンパ節に移動し, ナイーブT細胞と接触するが, 構造・性質が変化した抗原提示細胞の影響により, ナイーブT細胞からTh2細胞への分化が誘導される. 抗原で活性化されたTh2細胞から分泌されるIL-4やIL-13に加えて, 上皮間葉系サイトカインの影響を受けて活性化された2型自然リンパ球, 好塩基球, マスト細胞[7]などから分泌されるIL-13が, 抗原で活性化されたB細胞・形質細胞に作用することで抗原特異的IgE抗体の産生が誘導される. このように, IL-4, IL-13はIgE抗体の産生誘導には必須な存在である(Adkinsonら, 2014).

型サイトカインによって生じる免疫反応のことを2型免疫反応(Th1細胞が主体となる免疫反応のことは1型免疫反応)ということが多くなっている.

原因・病因

アレルギー性疾患の基本的な病因はIgE抗体産生を伴う獲得免疫であるが, 近年, ダニ抗原などのアレルゲンの酵素などの影響を受けた上皮間葉系細胞から産生される3つのサイトカインIL-25, IL-33, thymic stromal lymphopoietin (TSLP)によって生じる自然免疫反応[3]が予想以上に大きな役割を演じていることがわかった. そのうち, IL-33とその受容体, TSLP遺伝子やその近傍ゲノム上に存在する多型は, 喘息やアトピー性皮膚炎などのアレルギー疾患発症に関連することがさまざまなゲノムワイドな大規模比較解析(genome-wide association study: GWAS)[4]研究で報告されている. GWAS研究の結果, 上皮間葉系細胞から産生されるIL-33などの自然免疫サイトカインに注目が集まった結果とあいまって, これらのサイトカインにより活性化され, IL-13やIL-5などの2型サイトカインを産生する2型自然リンパ球(group 2 innate lymphoid cell: ILC2)[5]の発見などアレルギー性疾患における自然免疫が関与する原因・病因[6]は急速に解明されつつある.

IL-25, IL-33, TSLPが増加している上皮間葉系

組織に抗原が侵入した場合, これら上皮間葉系サイトカインなどの影響によって構造・性質が変化した抗原提示細胞(樹状細胞ともよばれる)と接触することになる. そのとき, 抗原を取り込んだ抗原提示細胞は所属リンパ節に移動し, ナイーブT細胞と接触するが, 構造・性質が変化した抗原提示細胞の影響により, ナイーブT細胞からTh2細胞への分化が誘導される. 抗原で活性化されたTh2細胞から分泌されるIL-4やIL-13に加えて, 上皮間葉系サイトカインの影響を受けて活性化された2型自然リンパ球, 好塩基球, マスト細胞[7]などから分泌されるIL-13が, 抗原で活性化されたB細胞・形質細胞に作用することで抗原特異的IgE抗体の産生が誘導される(図12-22-1). このように, IL-4, IL-13はIgE抗体の産生誘導には必須な存在である(Adkinsonら, 2014).

疫学

アレルギー性疾患の罹患率は20世紀の後半から急増している. 日本で最も罹患率の高いアレルギー性疾患は季節性のアレルギー性鼻結膜炎つまり花粉症である. スギ花粉症は, 1980年より2000年までに2.6倍増加し20%近い数値となった. 2006～2007年にかけての福井県における調査では, スギ花粉症の罹患率が36.7%であり, スギ花粉特異的IgE抗体の陽性率(CAPスコアでクラス2以上)は56.3%であった[8].

わが国の2011年の厚生労働省の調査において医療機関を受診中の喘息患者は104万5000人と推計されている[9]. 世界共通の簡便な問診票(International study of asthma and allergies in childhood: ISAAC)を用いた場合の日本全国の小児期(6～7歳)の喘息罹患率は2008の時点で19.9%となっているが, 医師診断を含む米国胸部疾患学会の定めた問診票を用いた場合の2012年の日本の学童期の喘息罹患率は4.7%であった[10].

アトピー性皮膚炎の罹患率は乳幼児期がピークで, わが国の医師診断による調査において9.8～13.2%であった. 学童期においても10%前後である. これらの数値は先進工業諸国と同様である[11].

ISAAC問診票を用いた小児喘息罹患率は英国, オーストラリアなどで20%をこえている. 喘息罹患率に関するかぎり欧米では1980年代以降, 変化がないかむしろ低下傾向である. 食物アレルギーに関しては調査方法で解離が大きいが, 医師診断では先進工業諸

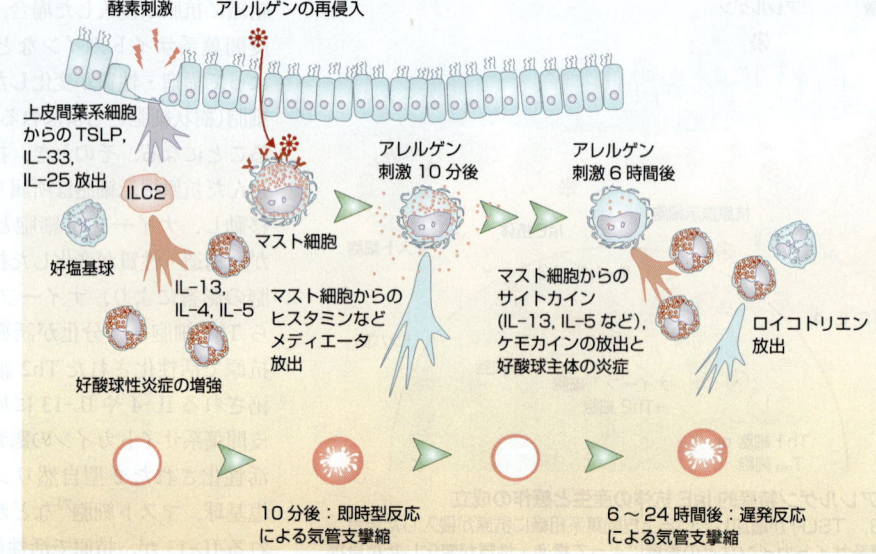

図 12-22-2 即時型アレルギー反応と遅発反応
IgE抗体を介したアレルギー反応は通常, 抗原と接触後数分以内に生じる即時型反応である. 遅発反応は, マスト細胞あるいはマスト細胞の影響を受けた周囲の組織から遊離されるケモカインの作用によって組織に浸潤した好酸球などの白血球による炎症反応と考えられる[7,13]. 遅発反応にもIL-33などの上皮間葉系サイトカインや2型自然リンパ球など自然免疫が関与する[5,14].

国で2%台という報告が多く, 21世紀になっても増加している[12].

病態・生理

B細胞・形質細胞より分泌されたIgE抗体が上皮や血管周囲に豊富に存在するマスト細胞表面上に結合することで感作(アレルギー反応を起こす準備状態となること)が成立する. 感作されたマスト細胞は抗原で刺激されると数分以内にヒスタミンやロイコトリエンなどのメディエータを遊離する. IgE抗体を介したアレルギー反応は通常, 抗原と接触後数分以内に生じる即時型反応である. 花粉症, じんま疹やアナフィラキシーなどのアレルギー性疾患においては, 即時型反応が主体である. しかし, 喘息やアトピー性皮膚炎のような組織の慢性炎症を伴う疾患では様相が異なる. たとえば, 喘息発作治療において重要な反応は遅発反応である. 遅発反応とはアレルゲン吸入直後の即時型反応が回復した後, 6時間後頃から徐々に呼吸機能低下が生じる反応のことである. 遅発反応は遅延型反応とは異なり, IgE抗体を介して生じる. 活性化されたマスト細胞はヒスタミンなどのメディエータを遊離し, 即時型反応を惹起した後, 2時間後くらいから核内においてさまざまなサイトカイン, ケモカインの合成を始め, 6時間後ほどから蛋白質として放出しはじめる. よって, 遅発反応は, マスト細胞あるいはマスト細胞の影響を受けた周囲の組織から遊離されるケモカインの作用によって組織に浸潤した好酸球などの白血球による炎症反応と考えられる(図12-22-2)[7,13].

遅発反応にもIL-33などの上皮間葉系サイトカインや2型自然リンパ球など自然免疫が関与する[5,14].

アトピー性皮膚炎も同様に慢性炎症病態が主体であるが, 表皮に豊富に存在する抗原提示細胞(Langerhans細胞)により, IgE抗体産生が促進されるという特徴も有する. アトピー性皮膚炎炎症部位の表皮には突起を伸ばしたLangerhans細胞数が増加しているので抗原が多く取り込まれやすいため(図12-22-3), アトピー性皮膚炎患者では特異的IgE抗体が複数陽性になることが多いと想定される(Leungら, 2013).

臨床症状

アレルギー性疾患の自覚症状は, 鼻汁, くしゃみ, 咳, 喘鳴, じんま疹などがあるが, アレルギー性疾患に特有なものはなく, かぜ, 気管支炎, 食中毒などでも起こりうる. したがって, これらの症状が出現する前にアレルゲンとの接触(たとえば, スギ花粉の飛散情報や甲殻類などの摂取の有無など)があったかどうか問診で確認することが非常に重要である.

検査所見

特異的IgE抗体の存在の証明がアレルギー性疾患の診断に用いられることが多い. 血清中の特異的IgE抗体測定法が普及している. 最初に登場したradioallergosorbent test(RAST)法を改良したCAPシステムを用いた測定法(CAP fluorenzymeimmunoassay: CAP-FEIA)法がほぼ国際標準法となっている. 通常, 0.35 kU$_A$/mL 未満を陰性またはクラス0, 0.35〜0.69

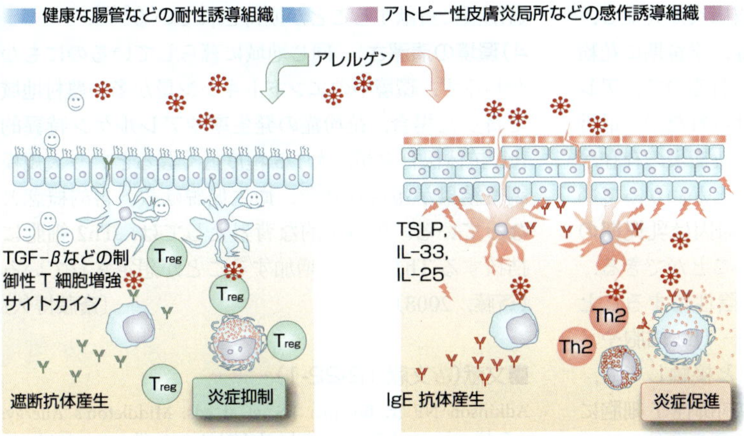

■ 健康な腸管などの耐性誘導組織　　■ アトピー性皮膚炎局所などの感作誘導組織

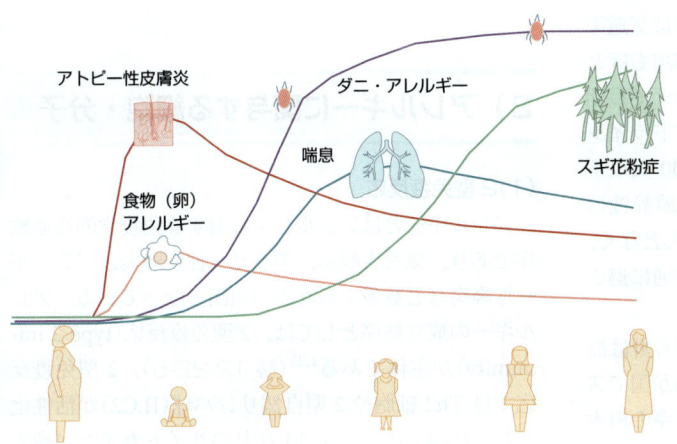

図12-22-3 アレルゲン曝露経路組織による免疫応答性の違い
アトピー性皮膚炎炎症部位の表皮には突起を伸ばしたLangerhans細胞数が増加しているので抗原が多く取り込まれやすい.

図12-22-4 アレルギーマーチ
アレルギー体質を有する個体は，乳児期の食物アレルギーを契機にアトピー性皮膚炎が発症し，幼児期にダニアレルギー，喘息を発症，学童期に花粉症，鼻炎を発症する．

kU_A/mL を擬陽性またはクラス1，それ以上を陽性(クラス2～6)と判定する．日本ではクラス2以上をもって陽性と判定することが多いが，国際的にはクラス1以上を陽性とすることが多い[12]．いずれにしても，アレルギー性疾患の診断の目安の1つとして特異的IgE抗体測定は簡便，安全で有用な方法であるが，吸入などで症状を誘発する負荷試験(リスクは伴う)のような決定的な診断方法ではない．

特に，食物アレルギーの診断においては，実態以上に自覚症状を強く訴える人が多いこと(特に米国)やアトピー性皮膚炎皮膚局所から感作された患者(特に乳児期)の存在などの理由により，プラセボを対照とした二重盲検負荷試験が標準的診断法とされている．しかし，いまだ血清特異的IgE抗体がクラス2以上であることを理由に当該食品の摂取を制限する医師も多

い[15]．

食物特異的IgG抗体の検査は，①食物抗原に対するIgGやIgG4抗体の存在やレベルは，負荷試験で診断された食物アレルギーの結果と一致しない，②食物に特異的なIgGやIgG4抗体は食物アレルギーの評価や食物制限を行うかどうかに関して有用ではない，③血清中のIgGやIgG4抗体のレベルは単に食物の摂取量に比例しているだけである[16,17]ことが判明しているものの，成人食物アレルギー患者の16.7%が特異的IgG抗体を目安に食物摂取制限をしている[15]．いずれにしても成長期の小児に対する食物制限は重大な障害を引き起こすこともあることに留意すべきである．

診断
アトピー性皮膚炎の場合，①6カ月以上持続する慢性，反復性の②典型的な部位(四肢屈曲部位，左右対称など)に起こる③かゆみのある湿疹という3つの診断基準を満たすことが必須である．喘息の診断基準は定まっていないが，喘鳴や咳の反復のほか，呼吸機能の最大呼気流量(ピークフロー)値の日内変動が20%以上であることや，β_2-アドレナリン薬吸入により，努力肺活量1秒率が12%以上改善することなどがガイドラインとして示されている[9,11]．

鑑別診断
IgE抗体上昇がみられる疾患としては，高IgE症候群，寄生虫感染などがあげられる．アレルギー性鼻炎や喘息は特に，ウイルス感染との鑑別が重要である．

合併症
アトピー性皮膚炎では，黄色ブドウ球菌などによる伝染性膿痂疹や単純ヘルペス感染によるKaposi水痘様発疹がよく知られている．喘息とアレルギー性鼻炎の合併率は高く，好酸球性炎症など，病態も共通要素が多く，鼻炎の局所治療で喘息症状が軽快することも多い[9,10,18]．

経過・予後
アレルギー性疾患の大半は乳幼児期に発症する．特に，アトピー性皮膚炎は生後数カ月以内に発症することが多い．アレルギー体質を有する個体は，乳児期の

食物アレルギーを契機にアトピー性皮膚炎が発症し，幼児期にダニアレルギー，喘息を発症，学童期に花粉症，鼻炎を発症することがよく観察されるので，アレルギーマーチ（図12-22-4）と名づけられたが，最近の研究によれば，乳児期のアトピー性皮膚炎の存在が食物アレルギーの発症リスクになることがわかっている[19]．つまり，アレルギーマーチの原因は乳児期のアトピー性皮膚炎の存在であるということができる．

成人では，特異的IgE抗体陽性を陰性にすることは困難である．その原因は，メモリーTh2細胞やメモリーB細胞が増加した場合，抗原と接触しても，ナイーブT細胞が反応しTh1細胞や制御性T細胞に分化する前にこれらのメモリー細胞が増殖し，IL-4などの作用により，細胞や制御性T細胞への分化が抑制されるからである（斎藤，2008）．

治療・予防

1）対症療法： アレルギー性疾患の治療の多くは対症療法である．喘息に対する吸入性ステロイドは気道炎症を鎮め，発作の予防効果があり，また副作用もほとんどないことから喘息治療ガイドラインにおいて長期間持続使用することが推奨されている．ガイドライン普及の結果，喘息死は年間7000人から2000人以下に減少した．また，花粉症治療において非鎮静性のH_1ヒスタミン受容体拮抗薬も副作用がほとんどなく，飛散開始前から使用することで日常生活を普通に過ごすことができるようになっている[9,18]．

2）抗原除去： アレルギー性疾患の基本治療方針は原因となるアレルゲンの除去である．近年，わが国でスギ花粉症が増加した原因も戦後植林されたスギの樹木が花粉を多く飛散する樹齢になったことが大きな原因となっている．

3）アレルゲン免疫療法： 同じアレルゲンであっても，侵入経路によってはIgE抗体産生が抑制され，IgE抗体とアレルゲンの反応を抑制するIgG4抗体が増加することがある．アトピー性皮膚炎の炎症を起こしている皮膚や喘息患者の気道粘膜からアレルゲンが侵入すると，感作されたマスト細胞の活性化を誘導するとともに，上皮間葉系組織から遊離されるサイトカインの影響により，IgE抗体の産生も増強される．ところが，健康な舌下や腸管などは制御性T細胞が生成しやすい環境であるため，アレルゲンが侵入すると制御性T細胞がつくられ，乳幼児期などでアレルゲンに対してナイーブであった場合は免疫寛容が成立し，すでにアレルギー性疾患を発症している場合はIgG抗体が産生されるため寛解状態となると思われている（図12-22-3）．舌下や皮下で行われるアレルゲン免疫療法はこのメカニズムにより有効性を発揮すると考えられている．上記免疫療法は治療を中止しても数年間は効果が期待できるため，QOLの改善や医療費削減に貢献することが期待されている[9,18]．

4）環境の清潔さ： 同じ地域に暮らしているのにもかかわらず，環境中のエンドトキシン量が多い農村地域で育った場合，花粉症の発生率やアレルゲン特異的IgE抗体保有率が最大1/5程度低くなるという大規模調査結果が報告され[20]，衛生仮説は教科書的概念となっている．免疫学的な背景としては，Th2細胞に拮抗するTh1細胞が増加することが想定されている（斎藤，2008）．

〔斎藤博久〕

■文献（e文献 12-22-1）

Adkinson NF Jr, Bochner BS, et al eds: Middleton's Allergy: Principles and Practice, 8th ed, Vol. 1 & 2, Elsevier, 2014.
Leung DY, Guttman-Yassky E: Deciphering the complexities of atopic dermatitis: shifting paradigms in treatment approaches. J Allergy Clin Immunol. 2014; **134**: 769-79.
斎藤博久：アレルギーはなぜ起こるか，講談社ブルーバックス，2008.

2）アレルギーに関与する細胞・分子

(1) 2型免疫反応

アレルギーとはアレルゲンに対する免疫学的な過敏症であり，気管支喘息，アトピー性皮膚炎，アレルギー性鼻炎など数多くの疾患の原因となっている．アレルギーの成立機序としては，2型免疫反応（type 2 immunity）が主体である[1,2]（図12-22-5）．2型免疫反応ではTh2細胞や2型自然リンパ球（ILC2）が活性化され，IL-4，IL-5，IL-13などのサイトカインが産生される．また，アレルギー応答は，感作相とエフェクター相の2つに分けられる．感作相とは，アレルゲンによって2型免疫反応が引き起こされ，B細胞で産生されたIgEがマスト細胞や好塩基球上の高親和性抗IgE受容体（FcεRI）に結合するまでの過程を指す．一方，エフェクター相とは，再び生体内に侵入したアレルゲンがFcεRIを架橋させ，その結果，マスト細胞や好塩基球からさまざまなメディエータを放出させ，過敏症反応を引き起こす過程を指す．

(2) アレルゲンの認識

アレルゲンの認識は，通常の抗原と同様に自然免疫にて行われ，その結果，アレルゲン特異的な適応免疫反応が形成される．アレルゲンを認識する主要な細胞として樹状細胞と上皮細胞が存在する．樹状細胞は，アレルゲンを貪食してアレルゲン由来のペプチドをナイーブT細胞に提示し，その結果T細胞を活性化し，Th2細胞の分化，増殖を引き起こす．上皮細胞は，細胞表面上のパターン認識受容体（PRR）を介してアレ

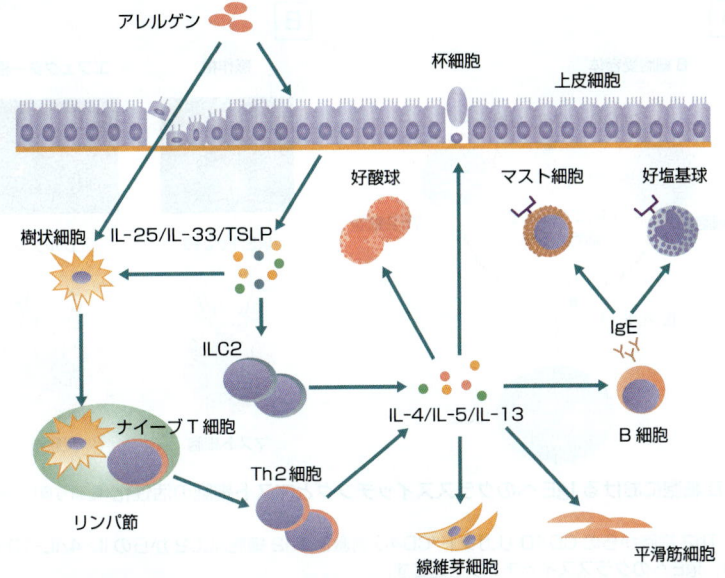

図 12-22-5 感作相における 2 型免疫反応の成立機序
アレルゲンは樹状細胞,あるいは上皮細胞により認識される.アレルゲンを認識した樹状細胞は,ナイーブ T 細胞を Th2 型細胞へと分化させ,Th2 型細胞は IL-4/IL-5/IL-13 などの 2 型サイトカインを産生する.一方,アレルゲンを認識した上皮細胞は,IL-25/IL-33/TSLP などを産生し,それにより ILC2 や樹状細胞が活性化され,活性化された ILC2 は Th2 型細胞と同様に 2 型サイトカインを産生する.2 型サイトカインは B 細胞や好酸球などの免疫細胞に作用すると同時に,上皮細胞,線維芽細胞,平滑筋細胞などの非免疫細胞にも作用する.IL-4/IL-13 で刺激された B 細胞は IgE を産生し,産生された IgE は,マスト細胞や好塩基球上の FcεRI に結合する.

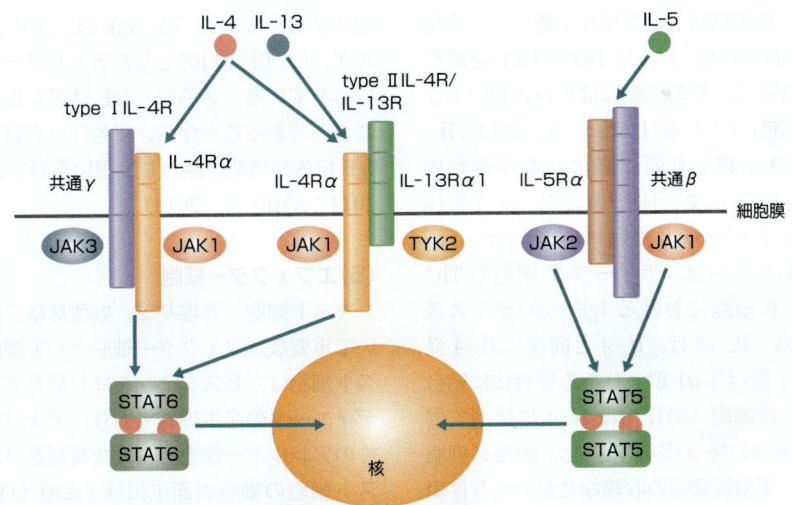

図 12-22-6 IL-4/IL-5/IL-13 の受容体とシグナル伝達経路
IL-4 は,IL-4 受容体α鎖と共通γ鎖よりなる type Ⅰ受容体か IL-4 受容体α鎖と IL-13 受容体α1 鎖よりなる type Ⅱ受容体に結合する.IL-13 は,IL-4 受容体α鎖と IL-13 受容体α1 鎖よりなる受容体に結合する.IL-4 と IL-13 は STAT6 を活性化してシグナルを伝達する.IL-5 は,IL-5 受容体α鎖と共通β鎖からなる受容体に結合し,STAT5 を活性化する.

ルゲンを構成する蛋白質と結合する[3,4](e図 12-22-A).PRR には,トール様受容体,C 型レクチン,NOD 様受容体,プロテアーゼ活性型受容体などが含まれる.PRR が活性化されると,上皮細胞からさまざまな炎症性サイトカインやケモカイン(TNF,IL-25,IL-33,TSLP など)が放出される(図 12-22-5).IL-25,IL-33,TSLP は,ILC2 や樹状細胞などを活性化して 2 型免疫反応を増強する.ILC2 は,リンパ球様の形態をもちながら抗原受容体を発現していない最近同定された自然免疫に関与する細胞である.

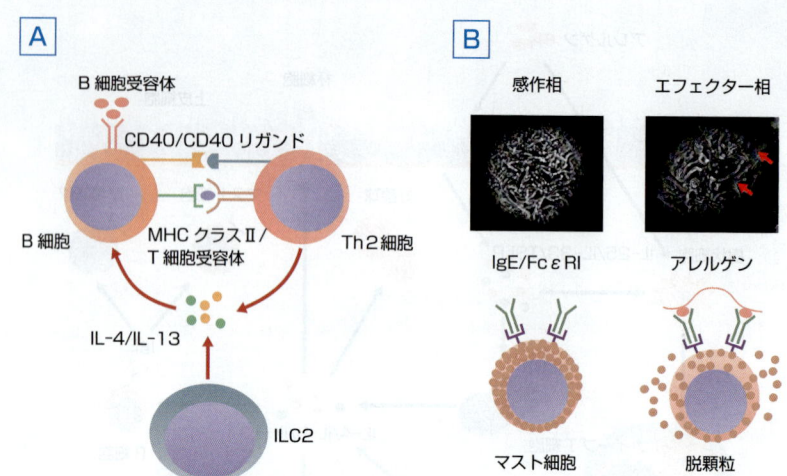

図 12-22-7 B細胞におけるIgEへのクラススイッチングとマスト細胞の活性化(電顕写真は斎藤博久博士より供与)
A：B細胞は，Th2細胞からのCD40リガンド/CD40刺激とTh2細胞/ILC2からのIL-4/IL-13刺激との協調作用により，IgEへのクラススイッチングを起こす．
B：感作相では，マスト細胞の細胞表面上のFcεgEが結合している．エフェクター相では，アレルゲンがFcεRIを架橋してマスト細胞を活性化し，マスト細胞に脱顆粒を起こす．矢印は脱顆粒に伴う細胞表面の微絨毛の層状移動を示す．

(3) 2型サイトカイン

活性化されたTh2細胞やILC2は，IL-4，IL-5，IL-13などの2型サイトカインを産生する．これらのサイトカインは，標的細胞上の多量体で構成される受容体に結合し，その結果，おもにJAK/STAT経路を介して作用を発揮する．標的細胞には免疫細胞のみならず組織構成細胞も含まれる(Izuharaら，2011)．IL-4は，IL-4受容体α鎖と共通γ鎖よりなる受容体(typeⅠ受容体)とIL-4受容体α鎖とIL-13受容体α1鎖よりなる受容体(typeⅡ受容体)に結合する(図12-22-6)．おもな作用は，ナイーブT細胞のTh2細胞への分化とB細胞におけるIgEへのクラススイッチングである．IL-13は，IL-4と同様にIL-4受容体α鎖とIL-13受容体α1鎖よりなる受容体に結合する．IL-13の免疫細胞への作用はIL-4に比べて弱く，むしろ上皮細胞の杯細胞への分化，線維芽細胞を介した線維化，平滑筋細胞の収縮などがおもな作用である(図12-22-5)．IL-5は，IL-5受容体α鎖と共通β鎖からなる受容体に結合し，好酸球の分化，増殖に重要である．2型サイトカインはアレルギーの成立機序において中心的な役割を果たしているため，リガンドと受容体の結合に対する阻害薬が，気管支喘息やアトピー性皮膚炎に対する分子標的薬として開発されている(Abbasら，2014；Akdisら，2014)．

(4) B細胞におけるIgE産生

B細胞は，アレルギー応答においてアレルゲン特異的IgEを産生することで重要な役割を果たしている．CD4陽性Th2細胞は，CD40リガンド/CD40とIL-4との協調作用によって，B細胞内の免疫グロブリン重鎖遺伝子座においてCεへのクラススイッチングを起こす(図12-22-7)．IgEは，感作されているアレルゲンの同定を目的としたアレルギーの診断に広く用いられている．さらに，IgEはアレルギーの成立機序に重要であることから，受容体への結合を阻害する抗IgE抗体が抗喘息薬として用いられている(Abbasら，2014；Akdisら，2014)．

(5) エフェクター細胞

マスト細胞，好塩基球，好酸球は，アレルギーにおいて重要なエフェクター細胞として機能している．マスト細胞は，ヒスタミンをはじめとするさまざまなメディエータの産生細胞であり，アナフィラキシーや多くのアレルギー疾患で重要な役割を果たしている．マスト細胞の細胞表面上にはFcεRIが発現しており，感作相においてIgEが結合する．エフェクター相において，生体に侵入したアレルゲンがFcεRIを架橋すると，マスト細胞が活性化される(図12-22-7)．その結果，マスト細胞が脱顆粒を起こし，顆粒内に含まれていたヒスタミン，ヘパリン，プロテアーゼが放出される．脱顆粒とは別に，マスト細胞の活性化に伴って，ロイコトリエンやプロスタグランジンといった脂質メディエータ，サイトカイン，ケモカインなどが分泌される．好塩基球は，末梢血白血球の1%にも満たない数しか存在しないが，最近になってアレルギーにおける重要性が認識されるようになった．好塩基

球の細胞表面上にはマスト細胞と同様にFcεRIが発現しており，アレルゲンの再侵入により好塩基球は活性化され，ヒスタミンやサイトカインを放出する．特に大量のIL-4やIL-13を分泌する点が重要である．好酸球は，細胞傷害性蛋白質，ロイコトリエンや血小板活性化因子といった脂質メディエータ，細胞走化性因子，サイトカインなどさまざまな生理活性物質を産生，貯蔵している細胞である．アレルギーによって骨髄でその産生が増強され，血液から組織に移行し，そこで活性化される．その結果，好酸球はアレルギーにおいて多様な作用を発揮し，上皮細胞の傷害，平滑筋細胞の収縮，2型免疫反応の活性化などを引き起こす．

(6) アレルギーにおける免疫反応の多様性

アレルギーの成立機序において2型免疫反応が主体となっているが，それ以外の免疫反応の関与も示唆されている(Izuharaら，2011)．Th2細胞以外にTh1細胞，Th9細胞，Th17細胞，Th22細胞の関与があげられている．これらは，それぞれIFN-γ，IL-9，IL-17，IL-22を産生する細胞である．また，調節性T細胞の関与も示唆されており，その機能の低下がアレルギー反応を増強している可能性もある．関与している免疫反応の度合いは患者によって異なっており，それがアレルギー疾患患者の多様性につながると考えられている．今後，アレルギー疾患患者の病因に基づいた層別化が，患者の管理，治療の上で重要になってくると思われる[5]．　　　　　　　　　　〔出原賢治〕

■文献(e文献12-22-2)

Abbas AK, Lichtman AH, et al eds: Cellular and Molecular Immunology, Elsevier, 2014.
Akdis CA, Agache I eds: Global Atlas of Allergy, The European Academy of Allergy and Clinical Immunology, 2014.
Izuhara K, Holgate ST, et al eds: Inflammation and Allergy Drug Design, Willey-Blackwell, 2011.

3) アレルギー性疾患の遺伝子

(1) アレルギーと遺伝

アレルギー性鼻炎，アトピー性皮膚炎，アトピー性喘息などのアレルギー性疾患に罹患した患者数は年々増加傾向にある．特に重症患者においては現在の治療アプローチでは十分な効果が得られず，患者のQOLは大きく低下している．アレルギーは環境因子とともに遺伝因子がその発症や病態に重要な役割を果たしている．アレルギーの遺伝性に関して，古くは1916年に，621名のアレルゲン感作された群と，76名の感

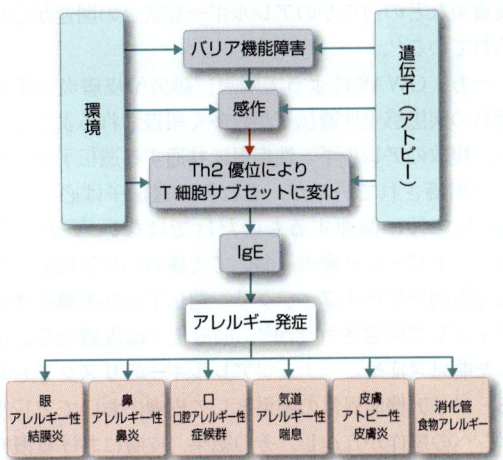

図12-22-8 アレルギー発症までの過程と遺伝因子(文献3より引用)

アレルギーの病態には気道，皮膚，腸管などのバリア異常が重要な役割を果たしている．臓器のバリア異常はアレルゲン感作を容易にすると同時に，組織での正常細菌叢の乱れ，細菌のコロナイゼーションを引き起こし，その結果，さまざまな臓器におけるアレルギー性炎症の慢性化につながっていく．これまでのアレルギー疾患の遺伝子解析は組織の一次防御機構としての臓器のバリア機能や自然免疫，さらにはアレルギー感作などの獲得免疫が，その病態に重要であることを物語っている．

作されていない群においてアレルギーの家族歴を比較し，感作群に48.4%，非感作群に14.5%のアレルギーの家族歴が認められたとする報告がある(Cookeら，1916)．一卵性と二卵性双生児とを比較した近年の報告でも，喘息，アレルギー性鼻炎やアトピー性皮膚炎を含め50%をこえるアレルギーの遺伝率が推測されている(Oberら，2011)．アレルギーの遺伝要因についてはHLA抗原の関与を中心に古くから検討されてきた．近年，多数の患者と健常人とを用いて，ありふれた遺伝子多型の頻度をゲノム網羅的に比較するゲノムワイド関連解析(genome-wide association study：GWAS)が幅広く行われるようになってきた．特定の疾患との関連が認められた遺伝子の機能を知ることによって，疾患の背景に存在する未知の分子病態を明らかにできる可能性があり，アレルギー疾患を対象とした遺伝子解析の結果から，アレルギー疾患の病態に対する理解は飛躍的に向上してきた．

(2) 遺伝子解析からわかるアレルギーの病態

気管支喘息，アレルギー性鼻炎やアトピー性皮膚炎などのアレルギー疾患は同一患者で併発することも多く，その背景にはIgE反応性の亢進が共通した病因と考えられてきた．事実，皮膚テストやアレルゲン特異的IgE抗体の有無で判断したアレルギー感作を対象としたGWASで10の遺伝子領域が報告されているが[1]，これらの遺伝子領域はいずれも喘息，鼻炎や

皮膚炎などの何らかのアレルギー症状との関連が認められている[2]．

一方，GWASによって喘息，鼻炎や皮膚炎のそれぞれの疾患感受性遺伝子が数多く報告されるようになり，複数のアレルギー性疾患に共通する遺伝子群の存在が指摘されているが，それらの遺伝子は必ずしもIgE反応性に関連するものだけではない[3]．たとえば，アトピー性皮膚炎において皮膚のバリア機能に重要な役割を果たすフィラグリン遺伝子が疾患感受性遺伝子として同定されたが[4]，同遺伝子は皮膚炎を合併した喘息発症やピーナッツアレルギーのリスクでもある．バリア機能異常の結果として皮膚においてアレルゲンへの感作が亢進し，その結果，皮膚における慢性アレルギー性炎症，さらにはアレルギー性鼻炎，喘息や食物アレルギーの発症につながっていくことが想定されている（図12-22-8）[5]．

喘息の遺伝子およびアトピー性皮膚炎の遺伝子に関してはⓔコラム1，ⓔコラム2，ⓔコラム3，ⓔコラム4を参照．

(3) 今後の展望

GWASによってアレルギー疾患に関連する遺伝子が数多く報告される一方，個々の遺伝子の寄与度はきわめて小さい(missing heritability)．アレルギーは均一の病態ではなく数多くの異なった分子病態から構成される症候群であり，より均一なフェノタイプの患者を対象とした遺伝子解析の必要性が指摘されている．実際，日本における成人喘息を対象としたGWASのサブ解析では，喫煙指数200未満の対象者に絞った場合にオリジナルのGWASではまったく遺伝的な関連を認めていなかったヒアルロン酸合成酵素(HAS2)遺伝子において喘息との強い関連が示された[6]．ヒアルロン酸は感染などの外因によって傷害された気道組織のアポトーシスを誘導し，気道の一次防御機構の維持に重要な役割を果たしており，喘息の多様な分子病態の一部を説明しうる結果と考えられる．

さらに，遺伝子-遺伝子や遺伝子-環境の相互作用の検討，一般集団での頻度がきわめて小さい変異(rare variants)の解析なども今後はより重要となってくる．また遺伝子解析がゲノム網羅的な遺伝子発現解析やエピゲノム解析と連動することによって，よりアレルギーに関連する遺伝子の機能的な意味合いが明らかになることが期待される．

〔檜澤伸之〕

■文献（ⓔ文献 12-22-3）

Cooke RA, Van der Veer A: Human sensitisation. *J Immunol*. 1916; **1**: 201-305.

Ober C, Yao TC: The genetics of asthma and allergic disease: a 21st century perspective. *Immunol Rev*. 2011; **242**: 10-30.

4) アレルギー性疾患患者のみかた

(1) アレルギーとは

アレルギー(allergy)ということばは，ギリシャ語の$\alpha\lambda\lambda o\sigma$(allos, 変じた)と$\varepsilon\rho\gamma o\nu$(ergon, 反応)とを結び合わせて，1902年，スイスのVon Pirquetが提唱した造語である．すなわち，「反応性が変化している」という意味であり，通常の予測される反応とは異なった生体の反応を示す概念として提唱された．今日では，アレルギーとは，「免疫反応に基づいて起きる，生体に対する全身的あるいは局所的な障害」を広く意味する概念としてとらえられ，用いられている．

アレルギーの病態を機序によって分類する場合，CoombsとGellによる古典的な分類(Ⅰ～Ⅳ型（あるいはⅤ型)）が用いられることが多い．Ⅰ型は，抗原抗体反応による即時型アレルギー反応である．Ⅱ型は，細胞表面の抗原に対する細胞傷害型反応，Ⅲ型は免疫複合体と活性化された補体による障害である．この3者はいずれも，血清中の抗体が関与する"液性免疫"による反応である．一方，Ⅳ型は，抗原に感作されたTリンパ球を中心とする"細胞性免疫"により引き起こされる反応である．さらに最近，Ⅳ型反応は，病態に中心的に関与する細胞により，Ⅳa～Ⅳdまでの亜型に分類されている．すなわち，Th1型のTリンパ球(Th1細胞)とマクロファージが関与するⅣa型，Th2細胞が関与するⅣb型，細胞傷害性Tリンパ(cytotoxic T cell：Tc)球が関与するⅣc型，好中球が関与するⅣd型である(詳細は【⇒12-22-2】)．さらに，Ⅱ型反応の亜型として，標的となった細胞が傷害されるのではなく活性化される場合があり，これをⅤ型反応とよぶことがある．甲状腺ホルモン受容体に対する抗体が形成されて生じる甲状腺機能亢進症はその一例である．

臨床的には，このなかで，特に抗原抗体反応に基づいて起こるⅠ型・即時型アレルギー反応(別名アトピー型反応)の病態を，狭義のアレルギー性疾患として扱うことも多い．これには気管支喘息，アレルギー性鼻炎，アレルギー性結膜炎，アナフィラキシー，食物アレルギーなどが含まれる．一方で，アレルギー性真菌症，アトピー性皮膚炎や薬剤アレルギーのある種のタイプのように，Ⅰ型反応にとどまらず，Ⅲ型やⅣ型の反応も関与して発症するアレルギー反応もある．実際の臨床の場においては，対象とする症状がどの型の反応に属するかを厳密に考慮しながら診断や治療にあたることは，Ⅰ型のアナフィラキシー型反応の場合を除いては少ない．

(2) 問診（医療面接）

アレルギー性疾患の問診では，以下の点に重点・焦点をおいて行う．
- 患者自身ならびに家族の既往歴，現病歴
- 症状出現の誘因，惹起条件
- 環境歴（季節，住居，職場など）
- 治療歴（これまで当該症状にどんな治療がされてきたか）

原因・誘因となっている抗原（アレルゲン）は，問診によりある程度推定することが可能な場合も多い．疾患ごとに，原因となりやすいアレルゲンや誘因・条件はある程度決まっているので，それらのアレルゲンに対する曝露を引き起こすような環境や，症状発現の時間的・空間的条件，誘因に焦点をあてて病歴を聴取する．疾患ごとのポイントを以下に示す．

a. 気管支喘息

原因アレルゲンとして，室内環境中のアレルゲンである家塵（ハウスダスト）が最も頻度が高く，その主要アレルゲンは，わが国ではチリダニ（ヒョウヒダニ）である．その他のアレルゲンとしては，ペット類（イヌ，ネコ，ハムスターなど），真菌類（アルテルナリア，アスペルギルス，カンジダなど），昆虫類（ゴキブリ，蛾など）などがある．これらのアレルゲンに曝露しやすい環境が周囲にないかどうかを確認する．症状を引き起こす誘因として，感冒罹患（上気道へのウイルス感染）のほかに，ストレス，タバコ煙への曝露，運動，アルコール摂取，薬剤（特に消炎鎮痛薬）の服用，女性であれば月経の前後，感情の過剰な吐露などについて聞く．さらに，症状が明け方に出現することも喘息を強く疑わせる．一方，多くの場合，喘息の軽症型と考えられる咳喘息では，会話や冷気，空気の変化などで咳が誘発されやすい．

b. アレルギー性鼻炎，花粉症

症状の発現が通年性であれば，ダニ抗原が，季節性であれば，スギ，ヒノキ，ブタクサなどの花粉抗原が原因である可能性が高い．さらに，咳症状もある場合，潜在的に気管支喘息を合併している可能性が高い．シラカバに感作されている患者では，抗原分子の交差性によって，モモ，キウイ，グレープフルーツなどの果実類やラテックスゴムに対して反応を起こすことがあり（口腔アレルギー症候群，oral allergy syndrome（OAS），あるいはラテックスフルーツ症候群），フルーツの摂取やゴム手袋の使用歴についても確認しておく．

c. 食物アレルギー

食物アレルギーには，その食物が含有する蛋白質そのものに生体が感作されて生じる I 型反応と，OASでみられるように，抗原の交差反応性によって発現する II 型反応があることに留意して問診を進める．

d. 皮膚アレルギー性疾患（じんま疹，アトピー性皮膚炎，接触性皮膚炎など）

じんま疹は I 型の即時型反応であるので，直前に摂取あるいは服用した食物や薬物が原因として推定される．一方，接触性皮膚炎は IV 型の遅延型反応であり，衣類や金属アクセサリーなどでしばしば引き起こされる．症状の出現する数日前からの使用歴を確認する．

e. アナフィラキシーショック

原因と推定される食物の摂取や薬剤の投与から症状発現までの時間が短く，症状の程度が強いものほど，原因抗原として疑わしい．該当食物の摂取や薬剤の投与は以後避けるのが原則である．

(3) 身体所見

アレルギー性疾患の身体診察では，全身を観察し，ほかのアレルギー性疾患が合併していないかについてもチェックすることが大切である．

1) **気管支喘息**：呼吸音の聴取で，呼気の気流制限がないかチェックする．気道のわずかな炎症を検出するためには，安静呼吸だけでなく，被検者に強制呼気をしてもらいながら気道の狭窄音を聴取することが必要である．

2) **アレルギー性鼻炎**：鼻粘膜の腫脹やポリープなどの所見以外に，眼瞼結膜の充血や流涙などの眼の所見・症状や気管支狭窄音にも留意する．

3) **皮膚疾患**：現病による所見以外にかゆみによる掻破で生じた二次性病変もチェックする．

4) **アナフィラキシーショック**：意識状態，脈拍が触知可能か，自発呼吸の有無をまず確認する．異常がみられる場合には，直ちに救命措置に移る．同時に，皮膚のじんま疹や潮紅・浮腫，喉頭の狭窄音，腸管の蠕動音などにも留意する．

(4) 検査[1,2]

アレルギー疾患の検査法には，患者自身の生体での反応をみる in vivo（生体内）検査法と，患者から採取した血清や細胞を用いた in vitro（試験管内）検査法とがある．前者の方法は鋭敏で感度が高いが，しばしばアナフィラキシー反応などの強い反応を引き起こす可能性がある．

i) in vivo（生体内）反応による検査

1) **皮膚テスト**：一度に多種類のアレルゲン検索が可能であり，スクリーニングに適している．いくつかの方法がある．

　a) プリックテスト/スクラッチテスト：前腕屈側の皮膚をアルコール綿で消毒した後に，無菌の針で軽く引っかく（プリック）か，数 mm 擦り（スクラッチ），そこにアレルゲンエキスを垂らし，15～20 分後に生じる膨疹と紅斑（発赤）の大きさを測って判定する．皮

膚組織に分布するマスト細胞の細胞膜上に抗原（アレルゲン）特異的IgE抗体が固着して"感作された"状態では，滴下されたアレルゲンとの間で抗原抗体反応が起きてマスト細胞が活性化を受けることでヒスタミンが放出され，組織の血管透過性が亢進する結果，膨疹と紅斑（発赤）が生じる．

　b) 皮内テスト：前腕屈側に低濃度のアレルゲンエキスを皮内注射し，膨疹と紅斑（発赤）を測定する．原理はプリック/スクラッチテストと同じである．プリック/スクラッチテストと比べて，アレルゲンがより深く侵入するので100倍感度がよい半面，強い反応を惹起し，アナフィラキシー反応を起こす危険性がある．したがって，プリック/スクラッチテストをまず行い，反応の強さを確認してから実施することが望ましい．皮内反応は，15〜20分後に即時型の反応を検出する以外に，次に述べるパッチテストと同じく，24〜48時間後にⅣ型の遅延型アレルギー反応を検出する目的でも用いられる．

　c) パッチテスト：Ⅳ型の遅延型アレルギー反応を検出するために用いられ，アレルギー性接触性皮膚炎や薬剤アレルギー反応の検出・原因検索に有用である．アレルゲンエキスを滴下したパッチを，前腕，上腕，背中などの健常部の皮膚に貼付し，48時間刺激する．観察・評価はパッチを剥がした後，20〜30分後，(24, 48,) 72, 96時間後に行う．

2) 誘発試験：被疑アレルゲンを患者に実際に投与し，症状が惹起されるか観察する検査法である．診断のための確定試験であるが，ときとしてアナフィラキシーなどの強い症状を惹起する可能性がある．実施にあたっては，適応を熟慮したうえで，患者に検査の意義，方法，起こりうる合併症とそれに対する処置を十分に説明し，文書で同意を取得したうえで実施することが重要である．

　a) 吸入誘発試験：気管支喘息の原因アレルゲンの同定に用いられる．段階的に希釈したアレルゲンエキスをネブライザーで吸入投与し，その都度，直後に1秒量あるいは呼吸抵抗を測定する．たとえば，「日本アレルギー学会標準法」では，1秒量を指標とし，前値の20％以上低下した場合に吸入誘発陽性と判定し，それ以上の濃度の吸入は行わずに，症状と1秒量を指標に経過を観察する．最終吸入直後〜20分後にかけて起こる即時型喘息反応に加えて，4〜10時間後に生じる遅発型反応まで観察する．特に，アスペルギルスなどの真菌抗原の吸入では，強い遅発型反応を引き起こす可能性があるので十分な注意が必要である．検査前12〜24時間は気管支拡張薬やステロイドの使用を中止しておくことが一般的である．アレルゲンのほかに，冷気や薬剤（スルピリンなど）を吸入させることもある．

　b) 鼻粘膜誘発試験：両側の下鼻甲介の粘膜に，アレルゲンを染み込ませた濾紙を留置するか，あるいは抗原液を直接噴霧して，症状の誘発と鼻粘膜の発赤・腫脹を観察する．通常は即時型反応をみるが，4〜10時間後に生じる遅発型反応まで観察する場合もある．

　c) 眼結膜誘発試験：眼球結膜にアレルゲンエキスを滴下し，眼瞼・眼球結膜の充血，瘙痒感，浮腫の出現の有無を観察する．抗原吸入誘発試験の即時型反応の陽性率と相関性が高いので，即時型喘息反応を検出するための代替検査となりうる．

　d) 食物負荷・除去試験[3,4]：食物アレルギーの原因食物抗原の確定や，特定の食物の除去療法を解除する場合に用いる．逆に，原因抗原と推定された食物を2週間摂取せずに症状が改善する場合には，その食物がアレルギー症状を惹起している可能性が高いと考えられる．このほかに，原因食物の推定には，患者に食事日記をつけてもらい，症状発現との関連を評価することもしばしば有用である．

　e) 薬剤チャレンジテスト：診断確定のために用いられることがあるが，薬剤アレルギーの臨床では，代替薬投与が可能であればそちらを投与し，診断確定目的のチャレンジテストは実施しないことが多い．むしろ，治療上投与せざるをえない薬剤について，安全性を確認するために行う意味合いが強い．皮膚テストが可能な薬剤ならば，皮膚テストを優先する．経口チャレンジテストの場合，薬剤部の協力を仰ぎ，100倍，10倍に希釈した粉末やコントロール（乳糖など）も用いて実施する場合もある．経静脈投与の薬剤の場合，プリック/スクラッチテスト，皮内反応を実施して，陰性を確認してから実施することが望ましい．誘発試験がたとえ陰性であっても，実際に投与して症状を誘発することはありうるので，完全に安全性が担保されるわけではない．

ii) in vitro（試験管内）反応による検査

1) 血清総IgE値・抗原特異的IgE抗体測定：スクリーニングとして有用である．原因となるアレルゲンが明らかでなくても，血清総IgE値が高値を示せば，アレルギー性疾患の可能性がある．アトピー性皮膚炎症例では，しばしば1万IU/mL以上の高値を示す．一方，後述する抗原特異的IgE抗体が検出されても，総IgE値が正常範囲にとどまることは日常診療でよく経験される．血清総IgE値の測定法には，放射性免疫吸着試験（radioimmunosorbent test：RIST）やラテックス比濁法などがある．前者は，抗IgE抗体を結合させたセファデックス粒子に，^{125}Iで放射標識したIgEと被検者血清を同時に反応させると，血清中のIgE濃度が高いほど^{125}I標識IgEの結合が阻害されることを利用した測定法である．

　一方，抗原特異的IgE抗体の測定法は，放射性ア

レルゲン吸着試験（radioallergosorbent test：RSAT）が一般的である．濾紙に固相化したアレルゲンと血清とを反応させて形成されるアレルゲン-IgE 抗体結合体に，^{125}I で標識した抗 IgE 抗体を結合させることで，当該アレルゲンに特異的に結合した IgE 分子，すなわち抗原特異的 IgE 抗体を半定量的に測定する．現在，RAST 法を改良した，CAP 法，MAST 法，FAST 法，AlaSTAT 法など多くの測定法があり，放射性同位元素ではなく酵素を用いた標識をする方法もある．これら各種の方法による測定結果には相関性が確認されており，基本的には大差はない．ただし，測定に用いるアレルゲンは必ずしもすべてが標準化されたものではないので，アレルゲンの種類によっては，結果が異なることがありうる．抗原特異的 IgE の存在は，その個体がそのアレルゲンに感作されていることを意味するが，そのアレルゲンが症状を惹起していることの直接証明にはならないことは常に留意する必要がある．

2）**ヒスタミン遊離試験**：末梢血中の好塩基球の細胞膜には，マスト細胞と同様に，高親和性の IgE 受容体が存在し，感作の成立した個体では，アレルゲン特異的 IgE 抗体が結合している．この状態でアレルゲン刺激を加えると細胞がヒスタミンを放出する．このヒスタミンを測定することで，IgE 抗体の存在を間接的に評価する方法である．

　a）直接法：細胞に直接アレルゲンを反応させる．アレルゲンが IgE 抗体を介さずに直接細胞を刺激する可能性が否定できない．

　b）間接法：健常人の好塩基球を被検者血清と培養して感作しておき，そこにアレルゲンを添加する．ヒスタミンが有意に遊離されれば，血清中にアレルゲン特異的 IgE 抗体が存在することを意味する．

3）**沈降抗体**：アレルギー性気管支肺真菌症（allergic bronchopulmonary mycosis：ABPM）や過敏性肺炎などの，Ⅱ型およびⅢ型アレルギー反応が関与するアレルギー疾患では，診断確定のために抗原特異的 IgG 抗体（沈降抗体）の測定が重要である．測定には，沈降反応（ゲル内二重拡散法），凝集反応，補体結合反応などが用いられる．現時点では定性的な検査法であり，今後，定量的検査法の開発が望まれる．

4）**好酸球数**：末梢血あるいは鼻汁，痰，粘膜組織の好酸球数は，しばしば病勢と相関し，その指標となる．ただし，好中球が優位な反応では増加しない．

5）**誘発喀痰**：被検者に3％の高張食塩水を吸入させて，通常は15分後に痰を採取し，鏡検で好酸球の割合を調べる．

6）**呼気一酸化窒素測定（FeNO）**[5,6]：被検者に10秒間一定の速度で呼気をさせ，NO の含有量を測定する．おもに気道に浸潤した好酸球が産生する NO を想定しており，好酸球性気道炎症の活動度の指標とする．健常人の最大値は 37 ppb（parts per billion），喘息と健常人とを分ける最良のカットオフ値は現在のところ 22 ppb に設定されている．

7）**細胞性免疫検査**：前述した皮内反応やパッチテスト以外に，リンパ球幼若化（あるいは刺激）試験（lymphocyte stimulation test：LST），リンパ球混合培養，マクロファージ・白血球遊走阻止試験などがある．LST はリンパ球の増殖を指標として抗原特異的な免疫応答を評価する方法であるが，偽陽性や偽陰性が多いことが問題となる．

iii）**その他**

たとえば呼吸器疾患における呼吸機能検査や気道過敏性試験など，アレルギーに直接関係しない，各疾患に特異的な検査法は，各論の項を参照のこと．

(5) 診断

診断は，問診，身体所見，検査所見を組み合わせて総合的に行う．前述したように，あるアレルゲンに感作されていることと，そのアレルゲンにより病態が引き起こされていることとは，必ずしも一致しない．確定診断は誘発試験に基づいて決定される．実際の臨床では，患者の利益と不利益を考慮したうえであえて誘発試験までは実施せずに，臨床的に診断して治療に踏み切る事例が多い．　〔土肥　眞〕

■文献（*e*文献 12-22-4）

宮本昭正監：臨床アレルギー学 改訂第2版，南江堂，2007．
日本アレルギー学会：アレルギー総合ガイドライン 2013，p10，協和企画，2013．
日本アレルギー学会喘息ガイドライン専門部会：喘息予防・管理ガイドライン 2012，協和企画，2012．

5）アレルギー性疾患の薬物療法

Ⅰ型アレルギーは，IgE がマスト細胞や好塩基球の Fc 受容体に結合し，アレルゲンの存在下で種々の生理活性物質（ヒスタミン，トロンボキサン A_2，ロイコトリエンなど）の脱顆粒が生じる病態である（図 12-22-9）．Ⅰ型アレルギーが関与する疾患としては，アレルギー性鼻炎，アレルギー性結膜炎，気管支喘息，アトピー性皮膚炎，じんま疹，アナフィラキシーなどがあげられる．これらの疾患に対する薬物療法は，Ⅰ型アレルギー反応の総合的な理解に加え，それぞれの臓器特異的なアレルギー疾患病態の理解のうえ，種々の薬を選択する必要がある．好酸球性炎症を特徴とする病態においては，ステロイド（経口，吸入，点鼻，点眼など）が効果を示すが，本項では，狭義のアレ

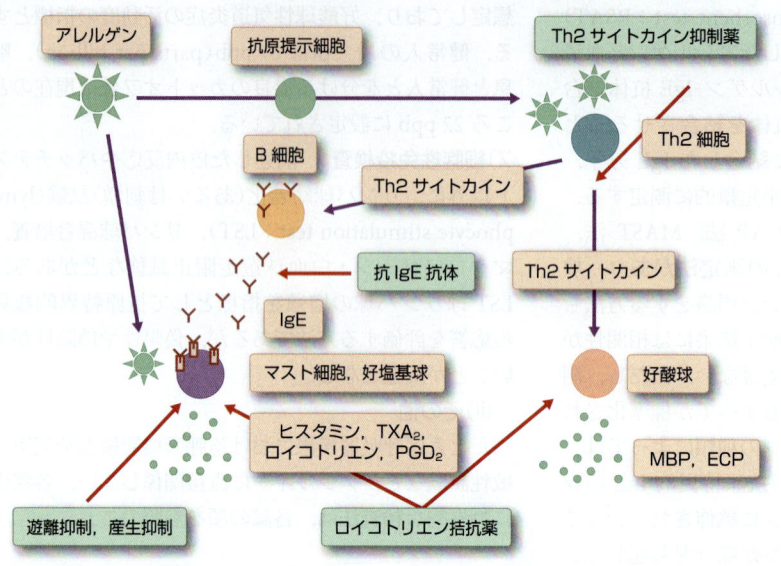

図 12-22-9 Ⅰ型アレルギーのメカニズムと，抗アレルギー薬の作用部位
Ⅰ型アレルギーに関与する各種細胞，サイトカインなどのメディエータと，抗アレルギー薬の作用点を示す．
TXA_2：トロンボキサン A_2，PGD_2：プロスタグランジン D_2，MBP：major basic protein，ECP：eosinophil cationic protein．
緑の囲みが抗アレルギー薬，赤矢印は阻害点を示す．

表 12-22-1 抗アレルギー薬の種類・適応

種類	適応
メディエータ遊離抑制薬 クロモグリク酸ナトリウム	気管支喘息 アレルギー性鼻炎 食物アレルギーに基づくアトピー性皮膚炎
トラニラスト	気管支喘息 アレルギー性鼻炎 アトピー性皮膚炎 ケロイド・肥厚性瘢痕
ロイコトリエン拮抗薬 モンテルカストナトリウム プランルカスト水和物	気管支喘息 アレルギー性鼻炎
トロンボキサン A_2 阻害薬 塩酸オザグレル セラトロダスト ラマトロバン	気管支喘息 アレルギー性鼻炎
Th2 サイトカイン阻害薬 トシル酸スプラタスト	気管支喘息 アレルギー性鼻炎 アトピー性皮膚炎
抗 IgE 抗体 オマリズマブ	気管支喘息

ギーであるⅠ型アレルギー反応に対する薬物療法を中心に概説する．

(1) Ⅰ型アレルギーに対する薬物治療

a. 抗アレルギー薬

抗アレルギー薬は，Ⅰ型アレルギー反応に関与する化学伝達物質の遊離ならびに作用を調節するすべての薬剤および Th2 サイトカイン阻害薬の総称である（表 12-22-1）．ロイコトリエンは，マスト細胞や好酸球などによって産生され血管透過性亢進，炎症細胞遊走などにかかわるほかに，マスト細胞や好酸球表面に発現する受容体に結合することによりその活性化を引き起こす．これら一連の流れに関与するおのおののメディエータに対する産生阻害薬や受容体拮抗薬が存在し，ロイコトリエン拮抗薬，メディエータ遊離抑制薬，ヒスタミン H_1 受容体拮抗薬，トロンボキサン A_2 阻害薬，Th2 サイトカイン阻害薬，として分類される．

近年は，IgE に直接結合することにより IgE とマスト細胞の結合を阻害する抗 IgE 抗体（オマリズマブ）がわが国でも気管支喘息に保険収載となり，高用量の吸入ステロイドの投与にてもコントロールが不良な場合（治療ステップ4）に追加する薬剤として位置づけられている（日本アレルギー学会喘息ガイドライン専門部会，2015）．

b. アレルゲン免疫療法

アレルゲン免疫療法は，アレルギー性疾患に対する唯一の根本的治療であり，また原因特異的な治療法である．基礎疾患によりその効果は異なるが，アレルゲンエキスの定期的な投与により，アレルゲンに対する免疫寛容を誘導する方法である．Ⅰ型アレルギー反応が関与する種々のアレルギー疾患が対象となり，おもに，アレルギー性鼻炎（花粉症を含む），昆虫（ハチなど）刺傷によるアナフィラキシー反応が適応とされる．多種類の治療用アレルゲン液が市販されているが，わが国の日常診療でもっぱら用いられているのは，ハウスダストとスギである．従来の皮下注射に加え，近年は，舌下免疫療法の有用性が確立され，わが国でもスギ，ダニに対する舌下免疫療法【⇨ 12-24，12-22-6】が 2015 年より保険収載となった[1]．

c. アナフィラキシーに対する薬物療法【⇨ 12-27】

アナフィラキシーショックは，食物，ハチ刺傷，薬剤などにより，皮膚や粘膜の瘙痒感や浮腫，呼吸困難，喘鳴などのアナフィラキシー反応に血圧低下を伴う重篤な病態である．この場合には，速やかにアドレ

ナリンを投与する必要がある．アナフィラキシーが起こったときに，患者が応急処置をするための自己注射薬として，エピペン®の処方が可能である．アナフィラキシー反応の状態での初期治療としては，抗ヒスタミン薬，副腎皮質ステロイドの投与も有用である．

(2) 好酸球性炎症抑制薬

好酸球性炎症を最も効果的に抑制する薬剤は，副腎皮質ステロイドである．経口薬，注射用製剤，吸入薬，点鼻薬，点眼薬，軟膏など種々の剤形がある．基本的にはそれぞれのアレルギー疾患の臓器特異性を考慮し，局所用剤を選択し，長期的な維持治療薬（長期管理薬）として用いる．局所投与においては，長期的な全身投与時にみられる副作用を大きく軽減できる．

(3) 各疾患における薬物療法

a. 気管支喘息【⇒ 9-4-1】

気管支喘息の病態は可逆性の気道狭窄と気道過敏性の亢進が特徴的である．組織学的には好酸球や T 細胞，マスト細胞などの浸潤による気道炎症が認められ，これら炎症細胞などから放出されるメディエータ，サイトカインが病態に関与している．抗アレルギー薬は，これらメディエータやサイトカインを抑制することにより効果を示すと考えられる．喘息の治療目標は，副作用のない薬物療法を行うことにより可能なかぎり呼吸機能を正常化し，健常人と変わらない日常生活を送れるようにし，喘息死を回避することにある．喘息予防・管理ガイドライン 2015 には重症度に応じた薬物療法が明確に示されている（日本アレルギー学会喘息ガイドライン専門部会，2015）．治療の基本となる薬は吸入ステロイドであるが，ステップ 2（軽症持続型喘息）以上の場合にはロイコトリエン拮抗薬の併用も考慮すべきである．その他の抗アレルギー薬については，アトピー型喘息をおもな対象として吸入ステロイドとの併用も考慮される．前述したが，近年，抗 IgE 抗体（オマリズマブ）がわが国でも気管支喘息に保険収載となり，高用量の吸入ステロイドの投与にてもコントロールが不良な場合（治療ステップ 4）に追加する薬剤として位置づけられている（日本アレルギー学会喘息ガイドライン専門部会，2015）．

b. アレルギー性鼻炎【⇒ 12-24】

アレルギー性鼻炎は鼻粘膜の I 型アレルギー性疾患であり，発作性反復性のくしゃみ，水性鼻漏，鼻閉を 3 主徴とする．抗体特異的抗原が鼻粘膜に侵入し IgE が産生され，これと結合したマスト細胞から遊離するケミカルメディエータが病態を引き起こすと考えられる．このうちヒスタミンは知覚神経や副交感神経を介してくしゃみ，鼻汁分泌を誘発する．一方，鼻閉についてはロイコトリエンの関与も認められ，鼻粘膜血管の透過性亢進や血流うっ滞が機序として知られる．治療目標は患者の QOL 向上であり，抗原の除去・回避が治療の基本となる．これとあわせて行う薬物療法については，2013 年版鼻アレルギー診療ガイドラインに症状の重症度と病型（くしゃみ，鼻漏，鼻閉）に応じて示されている．軽症〜中等症のくしゃみ・鼻漏に対しては抗ヒスタミン薬のほかにメディエータ遊離抑制薬，中等症〜重症の鼻閉に対してはロイコトリエン拮抗薬ないしトロンボキサン A_2 阻害薬（ラマトロバンのみ）が適応となる．明確なアレルゲンが判明しているアレルギー性鼻炎においては（花粉症含む），アレルゲン免疫療法が有効である[1]（鼻アレルギー診療ガイドライン作成委員会，2013）．

c. アトピー性皮膚炎【⇒ 12-34-2】

アトピー性皮膚炎は複数の非特異的刺激あるいは特異的アレルゲンの関与により炎症を生じ慢性の経過をとる湿疹であり，その炎症に対してはステロイド外用薬やタクロリムス軟膏による外用療法が主となる．一方自覚症状としては瘙痒を伴うことが特徴であり，その苦痛の軽減とかゆみによる搔破のための悪化を予防する目的で抗ヒスタミン薬が使用される．また日本皮膚科学会アトピー性皮膚炎診療ガイドラインによると[2]，アトピー性皮膚炎に使用される抗アレルギー薬のうち抗ヒスタミン作用がないものとしてクロモグリク酸ナトリウム，トラニラスト，トシル酸スプラタストがあげられており，これらは症例に応じて抗ヒスタミン薬との併用が考慮される．　　　　〔今野　哲〕

■文献（e文献 12-22-5）

鼻アレルギー診療ガイドライン作成委員会編：鼻アレルギー診療ガイドライン 2013，ライフ・サイエンス，2013．
日本アレルギー学会 Anaphylaxis 対策特別委員会：アナフィラキシーガイドライン 2014，メディカルレビュー社，2014．
日本アレルギー学会喘息ガイドライン専門部会監：喘息予防・管理ガイドライン 2015，協和企画，2015．

6）アレルギー性鼻炎に対する免疫療法

(1) 概念

アレルゲン免疫療法（減感作療法）は抗原特異的に治療が行える利点をもつアレルギー疾患に対する治療法である．少量の抗原を徐々に増量しながら体内へ皮下注射（subcutaneos immuno-therapy：SCIT）や舌下投与（sublingual immuno-therapy：SLIT）により摂取させ，抗原特異的に過敏性を減少させる．国際的なガイドラインである ARIA や日本の「鼻アレルギー診療ガイドライン 2013 年版」でもその有用性が認められている[1,2]．

WHOの免疫療法見解書からの特徴については ⓔコラム1参照.

(2) 機序

SCITの効果発現機序にはtolerance, anergy, Th1・Th2バランス, 制御性T細胞[3]などが関与しているが, その機序は完全には解明されていない. 免疫療法は, 抗原の体内への誘導によるIgE抗体産生の低下[4], 遮断抗体の産生[5], マスト細胞の特異的抗原に対する反応性の低下[6], Th2サイトカイン産生の低下[7], 局所Th1タイプのサイトカインの増加[8]などを起こすことが報告され, 効果発現機序の一端と考えられている. また, 有効例においては抗原依存性リンパ球の増加が生じ[9], 局所の活性化型好酸球の減少[10]がみられると報告されているが, 根本の作用反応部位はわかっていない. またSLITではSCITでの報告と同じく, 全身性の制御性T細胞がその有効性を左右していると考えられている[11](ⓔコラム2).

(3) 実施方法

a. 適応

SCITは原因抗原の確かな花粉症を含む鼻アレルギー全般に適応である. 絶対的な禁忌は症候性冠疾患, 高血圧でβ遮断薬を使用している患者である. 副作用のアナフィラキシーが生じたときにアドレナリンを使用できないためである. またSCITがT細胞の抗原認識に影響を与えるため病的免疫状態や悪性疾患が存在するときに免疫療法を始めるべきではない. ダニのSCITでは5歳以下の副作用が多かったことなどから比較的な禁忌としている. 重症な喘息の合併者も副作用の関係で対象外である[2,12].

SLITでは現在わが国で可能な年齢は12歳からとなっている. これは臨床試験での対象年齢からきているものであり, 治療法として限定されているものではない.

b. 標準的なSCIT

皮下投与法の免疫療法(皮下免疫療法)をSCITとよんでいる. スギ花粉症に対しては唯一標準化された標準化アレルゲン治療エキス「トリイ」スギ花粉がある[13]. また近年, ダニ抗原が標準化されたが[14]それ以外の抗原は標準化されていない(ⓔコラム3).

1) 投与量, 投与間隔: まず診断により特定された原因抗原の皮膚閾値検査を行い, 閾値濃度を決定する. 耳鼻咽喉科の領域では1週間に1回注射でこの閾値濃度から3回(0.10, 0.30, 0.50 mL)で10倍増量する方法(66〜200%増量法, ⓔ表12-22-A)を喘息がなく, 年齢が15歳以上のアレルギー性鼻炎に対して用いている.

鳥居薬品製の治療用抗原エキスでの添付文書は喘息を対象として初期に作成されたため, 1週間に2度注射を行う50%増量法を推奨している. 維持量の決定と月1回の維持の方法は皮膚反応の強度(紅斑あるいは膨疹の最大直径5 cm以内)を目安にする. しかし, 50%グリセリンを含む標準化のスギ花粉エキスはグリセリンによる非特異的な腫脹も多く, 0.5 mLをしないで飛ばして, 10倍高濃度の0.05 mLを行った方が皮膚反応は少ない.

2) 投与部位: 多くの施設で前腕に注射しているが, 皮下組織のより厚い上腕に行い, なるべく皮膚反応を抑制するのが望ましい(ⓔ図12-22-B)(ⓔコラム4).

c. 標準的なSLIT

舌下投与法の免疫療法を舌下免疫療法(SLIT)とよんでいる. 現在はスギ花粉エキスによる液剤での剤形とダニの錠剤が発売された. ただ両者とも現状では12歳以上の保険適用しかとれていない.

1) 投与量, 投与間隔: まず診断により特定された原因抗原が現状使用できるスギまたはダニであることが重要である. その後, 12歳以上であれば舌下免疫療法のインフォームドコンセントを十分に行い, 1日1回, それぞれの薬剤ごとに決められた投与スケジュールに従い舌下に液剤, あるいは錠剤をおき, 決められた時間保持した後, 飲み込む. その後5分間は, うがい・飲食を控える. また小児においては投与アレルゲンの家での管理について両親にも十分注意を払うように指示する.

2) 投与部位: 投与部位はもちろん舌下である. 1回目は必ず医療機関において患者自身で行わせ, 30分観察する. 維持量からは毎日同じ用量を舌下投与し, 毎日2年間以上行うようにさせる(ⓔコラム5).

(4) 注意点

SCITの副作用で最も多いのは痛みであるが, 注射中の痛みではなく, 後に残る痛みとなっている. これはスギ花粉抗原の場合, 2000 JAU/mL, 200 JAU/mLとも50%グリセリンを含むためであり, 抗原希釈液を使用するからでもある. ブタクサもこれに準じ, 抗原を0.5 mL皮下注射するのは小児では非常に難しい. 多くエキスを使用する施設では希釈を鳥居薬品製の対照液にするのも1つの方法であるが, 冷所保存でも2日間でCry j1(スギ花粉アレルゲン)濃度は約半分に減少する(未発表データ). ⓔ表12-22-Bをアレンジして0.05 mL, 0.1 mL, 0.3 mLで順次10倍希釈に増加させる方法でもよい. 注射後は最低15分間待合室で患者を待機させ, 状態を医師, コメディカルともによく観察する. 特に濃度を上げるとき, バイアルのロットが変わるときには注意が必要である[15].

低用量のSCITは国際的にも効果がないことが明らかで, スギ抗原では最低でも20 JAU/mLの0.1 mL

以上の投与が必要である．また 2 JAU/mL の 0.5 mL と 20 JAU/mL の 0.05 mL は同じ抗原量を注射しているということを知っておく必要がある．明らかに皮膚反応は 20 JAU/mL の 0.05 mL の方がより少ない．ステップアップの場合にはこのような実際の抗原量を考え，安全に行うべきである．

一方，SLIT はおもに自宅で行われるため治療の意義などを十分に理解していないと治療の継続が難しく，インフォームドコンセントが非常に重要となる．治療開始前に，SLIT による治療について十分に説明したうえで，長期間の治療を受ける意思があること，舌下に 2 分間保持を毎日継続できること，少なくとも 1 カ月に 1 度受診可能であること，副作用などの対処法が理解できることなどを確認する必要がある．

また，通院回数が多いほど舌下免疫療法による治療に対する脱落率が低下するとの報告[16]もありアドヒアランスを高める方法として，定期的な受診が重要である．スギ花粉アレルゲンによる治療では，スギ花粉飛散シーズン以外の時期にいかに治療を継続することができるかが，治療効果を高めるための重要なポイントとなる．少なくとも月 1 回程度の定期的な受診が望ましい．

開発の第Ⅲ相臨床試験では投与部位である口腔内の症状を中心に副作用が認められている．口腔内の副作用は，初回は数時間続くこともあるが，徐々に発現時間が短くなっていき，ほとんどの症例は未治療で，数週間程度で回復する．しかし，口腔内の副作用が数時間で軽減しないような場合は，医師に連絡するよう患者に指導しておく必要がある[17]．

アレルゲン免疫療法は，患者にとっての病因アレルゲンを体内に投与しているため，アナフィラキシーなど全身性の副作用が発現する可能性がある．そのため，SLIT においても医療機関においては，アナフィラキシーなどに対応するための緊急使用薬剤の整備とスタッフ教育が重要である．加えて，SLIT による治療では，家で行うため患者にアナフィラキシーなどの副作用が起きる可能性があること，その際の対処法について理解させることも重要である．

(5) 全身性副作用とその対策

SCIT，SLIT の最大の問題は全身性副作用を示す可能性があることである．SLIT は SCIT に比べて極端に少ないが，実臨床で 11 症例が報告され，ダニ，ラテックス，複数抗原，開始初期などのキーワードが存在する[18]．わが国の SCIT の副作用に関しての報告では，大西らが 1979～1990 年の 1642 例中 17 例を報告している．5 例はカルテの表記・読み取りミスであり，これを除くと発疹，呼吸症状，循環器症状の出現率は症例ベースで 1% 以下であり，注射の回数ベースではそれより 10 倍以上低率である[19]．

SCIT によるアナフィラキシーは突然生じるのではなく，鼻汁など鼻症状，全身の発赤，じんま疹，動悸，呼吸の促進，呼吸困難と進んでいく．血圧は徐々に低下するが，一様ではない．ほかの症状として熱感，不安感，無力感，胸内苦悶，頻脈，咽頭および胸部絞扼感，悪心，尿意，皮膚瘙痒感，四肢のしびれ，チアノーゼ，尿失禁，眼瞼浮腫，痙攣，意識喪失などが継時的に出現する．

もし観察している最中にアナフィラキシー様の反応が生じた場合には，直ちに患者を寝かせ，呼吸，血圧，脈拍などを把握する．6 L/分の酸素を流し，静脈を確保し，維持液を点滴する．アドレナリンについで抗ヒスタミン薬の筋肉注射を行う．この状態から全身状態を把握して，ステロイド，気管支拡張薬などの投与を行い，二次病院，専門医へ救援を依頼する．

(6) 臨床効果

耳鼻咽喉科領域では国際的にもハウスダスト (HD)・ダニで 80% の主観的有効率が認められているし，米国におけるブタクサの治療では 90% 以上の有効率を示している．日本におけるスギ花粉症に対する効果は季節変動を考えてもおよそ 70% の有効率であり，以前より高まっている．国際的には治療の後効果が確認されている．内科領域では中等症以下のアトピー型喘息に対して 80～90% の有効率が報告されている．職業アレルギーでの有効性も報告されている[20]．

皮膚科領域では一般的には SCIT は効果がないと考えられ，ガイドラインでも標準的治療には取り上げられていない．海外では有効であるとの報告はある．

小児科領域では気管支喘息，アレルギー性鼻炎ともに有効であるとの高いエビデンスがある．また小児においては花粉症に対する SCIT が喘息の発症を抑制したデータがある[8]．しかし小児では成人よりアナフィラキシー様の過剰免疫反応の頻度が高いことが報告され，注意も必要である（ⓔコラム 6）．

〔大久保公裕〕

（ⓔ文献 12-22-6）

12-23　気管支喘息

【⇨ 9-4-1】

12-24 アレルギー性鼻炎・花粉症
allergic rhinitis and pollinosis

定義・概念

鼻粘膜のⅠ型アレルギー疾患で，原則的には発作性反復性のくしゃみ，水様性鼻漏，鼻閉を3主徴とする（2009年版鼻アレルギー診療ガイドライン作成委員会，2008）．

ただし，好酸球，リンパ球をはじめ種々の炎症細胞浸潤が反応局所にみられ，即時相のみでなくアレルゲン非存在下に形成される炎症反応により遅発相が形成され，アレルギー性鼻炎の重症化，遷延化に関与する（Bousquetら，2008）．

分類

原因アレルゲン，好発時期，重症度から分類される．重症度分類は後述する．原因アレルゲンに関しては吸入性，経口性に大別されるが，前者が圧倒的に多くを占める．好発時期からは，通年性アレルギー性鼻炎と季節性アレルギー性鼻炎に大別され，季節性の多くは花粉による花粉症である（2009年版鼻アレルギー診療ガイドライン作成委員会，2008）．

原因

通年性アレルギー性鼻炎の原因アレルゲンの90%はダニが占めているが，その他真菌，動物の毛やふけ，昆虫の死骸由来のアレルゲンなどがある．

花粉症を引き起こす花粉として国内では60種類以上が知られているが，大別すると樹木花粉と草本花粉になり，前者としてスギ，ヒノキ，シラカバなどが，後者としてはカモガヤ，ヨモギ，ブタクサなどがある．特に日本特有とされるスギ花粉症は患者の増加，症状の強さから大きな問題になっている．スギの植生は沖縄，北海道北部を除いて広くみられる．また，ヒノキ花粉は，従来よりスギ花粉と共通抗原をもつことが知られている．ヒノキの分布は関東以西に多く，ヒノキ花粉飛散開始日は，スギ花粉飛散の開始に遅れるが，飛散パターンは地域により大きく異なる．植生面積をみると，関東，九州ではスギが広く，東海，中国ではむしろヒノキの方が広い．ほかの花粉症については，最近の増減は必ずしも明らかではなく，地域差も大きい（2009年版鼻アレルギー診療ガイドライン作成委員会，2008；奥田，1999）．

疫学

国内では通年性アレルギー性鼻炎は微増，花粉症は漸増していると考えられているが，正確な数字は明らかではない．2008年に行われた全国の耳鼻咽喉科医およびその家族を対象としたアンケート調査の報告からは，スギ花粉症の罹患率は26.5%で，通年性アレルギー性鼻炎は23.4%と報告された．対象にバイアスがかかっていること，アンケートの回収率が低いといった問題点も指摘されているが，信頼性のある診断に基づいたものではないかとは考えられている．その10年前に行われた同様の調査結果（スギ花粉症の罹患率16.2%，通年性アレルギー性鼻炎18.7%）と比較して特にスギ花粉症の罹患率は10%以上増加がみられたとされる．

病態

アレルギー性鼻炎で認められる，くしゃみ，水様性鼻漏，鼻閉などの過敏症状は知覚神経ならびに自律神経といった神経系と，鼻腺や鼻粘膜血管といった鼻粘膜の効果器の過剰反応を反映している（奥田，1999）．アレルゲンの侵入により，鼻粘膜表層で生じた抗原抗体反応の結果遊離された化学伝達物質のうち，特にヒスタミンは鼻の知覚神経である三叉神経を刺激する．刺激は中枢に伝えられ，くしゃみ発作を誘導するが，同時に副交感神経を中心とした反射路を介して，鼻腺や鼻粘膜血管といった効果器に伝えられ，鼻汁分泌や鼻閉の発現に関与する．一方，遊離された化学伝達物質は，鼻腺や鼻粘膜血管に直接作用もする．これらのうち鼻汁分泌に関しては神経反射を介しての経路が，鼻粘膜血管腫脹への影響はロイコトリエンを代表とする化学伝達物質の直接作用が大きなウェイトを占めている．すなわち，アレルギー性鼻炎でみられるアレルゲン侵入直後の即時相の症状のうち，くしゃみ発作は知覚過敏，鼻汁過多は知覚神経とその反射遠心系，さらに鼻腺そのものも含めた過敏で，鼻閉は炎症メディエータに対する血管の過敏反応と考えられている．

一方，遊離された炎症メディエータは好酸球，リンパ球などの炎症細胞の鼻粘膜への浸潤を引き起こし，炎症細胞からのメディエータ，サイトカイン産生を介して遅発相が形成される．アレルゲンの持続的な曝露によりこのような反応が経時的に生じ，その結果強い炎症反応が誘導され症状の持続的な発現を引き起こしている（図12-24-1）．

臨床症状

アレルギー性鼻炎でみられる3主徴は，前述のように発作性反復性のくしゃみ発作，水様性鼻漏，鼻閉であるが，特に大量の花粉に曝露される花粉症では，眼症状，口腔症状，咽頭症状，皮膚症状・発熱・頭痛など全身症状などの出現も高い[1]．これらの症状は，アレルゲンそのものが標的臓器で障害を起こす以外に，鼻症状による鼻呼吸障害の結果として，あるいは鼻粘膜で産生された炎症メディエータにより誘導されるもの，さらに，治療薬による副作用もあり，鑑別は必ずしも容易ではない．

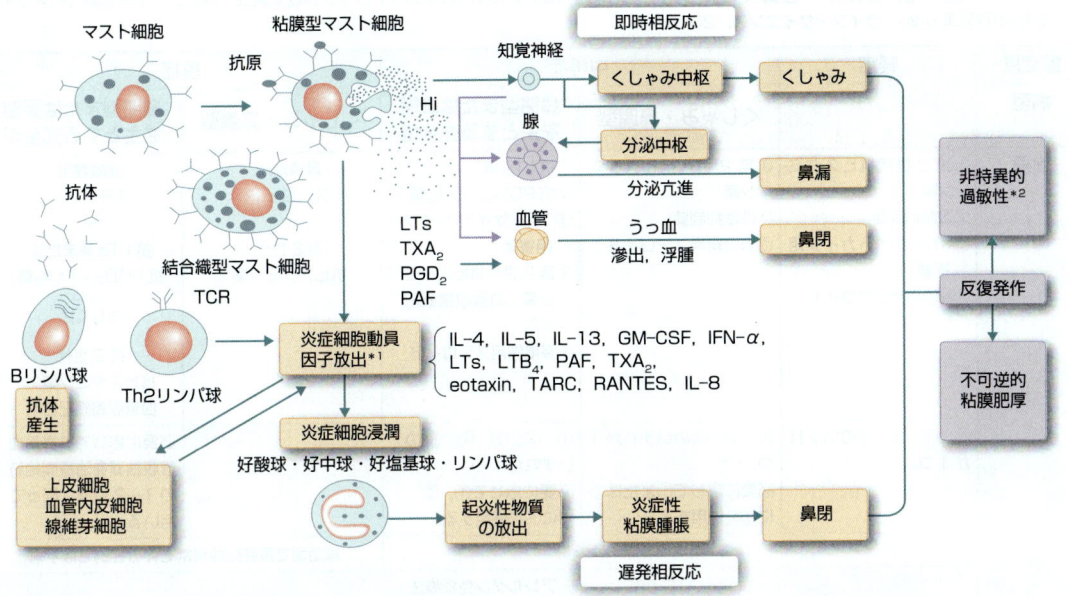

図 12-24-1 アレルギー性鼻炎の病態（2009 年版鼻アレルギー診療ガイドライン作成委員会，2008）
即時相と遅発相に分けられるが，実際には継続してアレルゲンの曝露を受けているので常に強いアレルギー性の炎症が鼻粘膜にみられる．
Hi：ヒスタミン，LTs：ロイコトリエン，TXA_2：トロンボキサン A_2，PGD_2：プロスタグランジン D_2，PAF：血小板活性化因子，IL：インターロイキン，GM-CSF：顆粒球マクロファージコロニー刺激因子，IFN-α：インターフェロン-α，TARC：thymus and activation-regulated chemokine, RANTES：regulated upon activation normal T expressed, and presumably secreted，TCR：T 細胞受容体.
*1：遊走因子については，なお一定の見解が得られていないので可能性のあるものを並べたにすぎない．
*2：アレルギー反応の結果，起こると推定される．

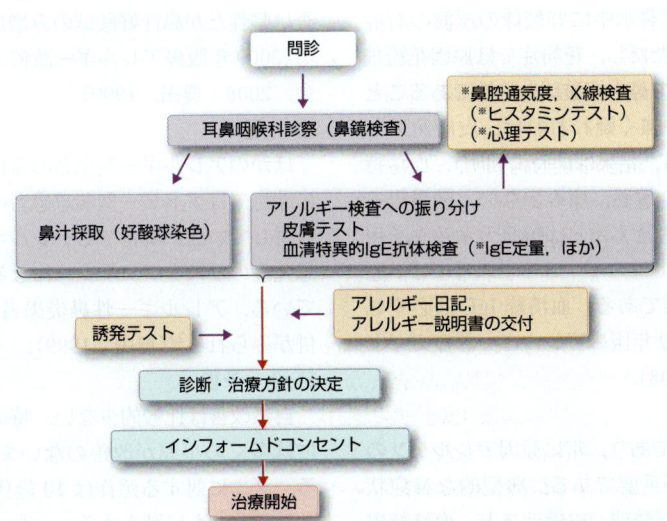

図 12-24-2 アレルギー性鼻炎診断のフローチャート（2009 年版鼻アレルギー診療ガイドライン作成委員会，2008）
典型的な鼻症状（3 主徴）をもち，鼻汁好酸球，皮膚テスト（あるいは血清特異的 IgE 抗体），誘発テストのうち 2 つ以上陽性であれば，アレルギー性鼻炎が診断される．標準的な検査の流れを示してある．患者の来院回数を少なくさせ，効率的に検査，診断を行い，できるだけ早く治療開始できるように努める．※は必須ではない．問診，視診，皮膚テスト，血液検査，X 線検査を 1 日で実施するのが望ましい．

表 12-24-1 **通年性アレルギー性鼻炎に対する治療指針**(鼻アレルギー診療ガイドライン作成委員会：鼻アレルギー診療ガイドライン 2016年版(改訂第8版). ライフ・サイエンス, 2015)

重症度	軽症	中等症		重症	
病型		くしゃみ・鼻漏型	鼻閉型または鼻閉を主とする充全型	くしゃみ・鼻漏型	鼻閉型または鼻閉を主とする充全型
治療	①第2世代抗ヒスタミン薬 ②遊離抑制薬 ③Th2サイトカイン阻害薬 ④鼻噴霧用ステロイド	①第2世代抗ヒスタミン薬 ②遊離抑制薬 ③鼻噴霧用ステロイド	①抗LTs薬 ②抗PGD₂・TXA₂薬 ③Th2サイトカイン阻害薬 ④第2世代抗ヒスタミン薬・血管収縮薬配合剤 ⑤鼻噴霧用ステロイド	鼻噴霧用ステロイド ＋ 第2世代抗ヒスタミン薬	鼻噴霧用ステロイド ＋ 抗LTs薬または抗PGD₂・TXA₂薬 もしくは 第2世代抗ヒスタミン薬・血管収縮薬配合剤
	①, ②, ③, ④のいずれか1つ.	①, ②, ③のいずれか1つ. 必要に応じて①または②に③を併用する.	①, ②, ③, ④, ⑤のいずれか1つ. 必要に応じて①, ②, ③に⑤を併用する.		必要に応じて点鼻用血管収縮薬を治療開始時の1〜2週間に限って用いる.
				鼻閉型で鼻腔形態異常を伴う症例では手術	
	アレルゲン免疫療法				
	抗原除去・回避				

症状が改善してもすぐには投薬を中止せず，数カ月の安定を確かめて，ステップダウンしていく．
遊離抑制薬：ケミカルメディエータ遊離抑制薬．
抗LTs薬：抗ロイコトリエン薬，抗PGD₂・TXA₂薬：抗プロスタグランジン D₂・トロンボキサン A₂薬．

検査所見

鼻粘膜の状態は，通年性アレルギー性鼻炎の典型例では浮腫状に腫脹して蒼白になり，かつ水性分泌液を認めるが，花粉症ではむしろ粘膜の発赤を示す症例が多い．Hansel 染色にて鼻水中に好酸球の浸潤の有無が容易に確認できる．ただし，花粉症では原因花粉飛散期以外は粘膜は正常で鼻水好酸球も陰性であることが多い．アレルギーが強く疑われれば，皮膚テスト（安価，感度良，痛み有，結果は即時に判明），血清特異 IgE 抗体定量（高価，敏感，痛み少ない，結果得るまで数日要）を行う．誘発テストは抗原ディスクを用いて行われるが，国内ではスギ，ヨモギ以外には抗原ディスクの入手は困難である．血清総 IgE は必ずしも上昇していない（2009年版鼻アレルギー診療ガイドライン作成委員会，2008）．

診断

I 型アレルギー疾患であり，常に原因アレルゲンの検索を考慮することが重要である．典型的な鼻症状（3主徴）をもち，鼻汁好酸球，皮膚テスト，血清特異的 IgE 抗体が陽性，誘発テストが陽性であれば，アレルギー性鼻炎およびその原因アレルゲンが確実となる．すなわち，有症者で鼻汁好酸球検査，皮膚テスト（または血清特異的 IgE 抗体検査），誘発テストのうち 2 つ以上陽性ならアレルギー性鼻炎と確診できる（図 12-24-2）．

鑑別診断

くしゃみや水様性鼻漏など鼻粘膜の過敏症状を有する非アレルギー性の鼻炎として血管運動性鼻炎，好酸球増加性鼻炎がある．血管運動性鼻炎はアレルギー検査は陰性でアレルギーが証明されない．中年以降の女性に比較的多い．好酸球増加性鼻炎は，アレルギー検査は陰性だが鼻汁好酸球のみ増加がみられるものである（2009年版鼻アレルギー診療ガイドライン作成委員会，2008；奥田，1999）．

合併症

ほかのアレルギー疾患との合併が多くみられる．特に喘息ではアトピー型喘息患者の 50〜90％に合併し，合併していない場合でもアレルギー性鼻炎の存在は喘息発症のリスクファクターになることが明らかになっている．アレルギー性鼻炎患者の約 20％に喘息の合併がみられる[2]（奥田，1999）．

経過・予後

自然改善は比較的少ない．特に小児で発症した場合には多くの小児が改善のないまま成人に移行している．ダニに対する感作は 10 歳代がピークで，有病率も加齢とともに減少する．一方，スギ花粉に対する感作率は 20〜40 歳代がピークとなり，中高年者では一定の割合で寛解もみられるが，その年の花粉飛散量の影響を受け新規の発症もみられる[3]．

治療

治療の目標は，患者が症状はないか，あっても軽度で日常生活に支障のない，薬もあまり必要ではない状態，症状は持続的に安定していて急性増悪があっても頻度は低く（年に数回，2週程度），遷延しない状態，

表 12-24-2 花粉症に対する治療指針（鼻アレルギー診療ガイドライン作成委員会：鼻アレルギー診療ガイドライン 2016 年版（改訂第 8 版）．ライフ・サイエンス，2015）

重症度 病型	初期療法	軽症	中等症		重症・最重症	
			くしゃみ・鼻漏型	鼻閉型または鼻閉を主とする充全型	くしゃみ・鼻漏型	鼻閉型または鼻閉を主とする充全型
治療	①第 2 世代抗ヒスタミン薬 ②遊離抑制薬 ③抗 LTs 薬 ④抗 PGD$_2$・TXA$_2$薬 ⑤Th2 サイトカイン阻害薬 ⑥鼻噴霧用ステロイド	①第 2 世代抗ヒスタミン薬 ②遊離抑制薬 ③抗 LTs 薬 ④抗 PGD$_2$・TXA$_2$薬 ⑤Th2 サイトカイン阻害薬 ⑥鼻噴霧用ステロイド	第 2 世代抗ヒスタミン薬 ＋ 鼻噴霧用ステロイド	抗 LTs 薬または抗 PGD$_2$・TXA$_2$薬 ＋ 鼻噴霧用ステロイド ＋ 第 2 世代抗ヒスタミン薬 もしくは 第 2 世代抗ヒスタミン薬・血管収縮薬配合剤 ＋ 鼻噴霧用ステロイド	鼻噴霧用ステロイド ＋ 第 2 世代抗ヒスタミン薬	鼻噴霧用ステロイド薬 ＋ 抗 LTs 薬または抗 PGD$_2$・TXA$_2$薬 ＋ 第 2 世代抗ヒスタミン薬 もしくは 鼻噴霧用ステロイド ＋ 第 2 世代抗ヒスタミン薬・血管収縮薬配合剤
	くしゃみ・鼻漏型には①，②，⑥．鼻閉型または鼻閉を主とする充全型には③，④，⑤，⑥のいずれか 1 つ．	①～⑥のいずれか 1 つ．①～⑤で治療を開始したときは必要に応じて⑥を追加．				必要に応じて点鼻用血管収縮薬を治療開始時の 1～2 週間に限って用いる． 鼻閉が特に強い症例では経口ステロイドを 4～7 日間処方する．
			点眼用抗ヒスタミン薬または遊離抑制薬		点眼用抗ヒスタミン薬，遊離抑制薬またはステロイド	
					鼻閉型で鼻腔形態異常を伴う症例では手術	
	アレルゲン免疫療法					
	抗原除去・回避					

初期療法は本格的花粉飛散期の導入のためなので，よほど花粉飛散の少ない年以外は重症度に応じて季節中の治療に早めに切り替える．
遊離抑制薬：ケミカルメディエータ遊離抑制薬．抗 LTs 薬：抗ロイコトリエン薬，抗 PGD$_2$・TXA$_2$薬：抗プロスタグランジン D$_2$・トロンボキサン A$_2$薬．

抗原誘発反応がないか，または軽症の状態になることである（2009 年版鼻アレルギー診療ガイドライン作成委員会，2008）（表 12-24-1，12-24-2）．
1）患者とのコミュニケーション： 疾患，病状，治療の必要性，治療法について十分な説明を行い，患者との信頼関係を築くことが治療の第一歩となる．特に，アレルギー性鼻炎では原因抗原の除去，回避が重要で患者自身によるセルフケアが重要である．
2）アレルゲン除去と回避： ダニの繁殖しやすいカーペット，ぬいぐるみを避け，寝具は丸洗いをする．スギ花粉症ではマスクや眼鏡の使用，屋内に花粉を入れない，花粉の付着を防ぐ衣服や帽子の使用も推奨される．
3）薬物治療： 患者の症状から重症度を分類する（表 12-24-1，12-24-2）．1 日に鼻をかむ回数が 5 回をこえる，あるいは鼻がつまって口呼吸をすることが

あると中等症になる．特に，医療機関を受診するスギ花粉症患者の多くは中等症以上と考えられる．病型は大きく 3 つに分類され，くしゃみや鼻水が中心のくしゃみ・鼻漏型，鼻閉が中心の鼻閉型，鼻閉が強いがくしゃみや鼻汁も強く合併する充全型である．花粉症では，中等症以上でくしゃみ・鼻漏型には抗ヒスタミン薬内服に鼻噴霧ステロイドを，鼻閉型，充全型には抗ロイコトリエン薬に鼻噴霧ステロイド，さらに抗ヒスタミン薬の内服の併用が推奨されている．薬剤の特徴を考慮して十分な量を投与し，症状の改善をみながらステップダウンをはかることが重要である．

一方，例年花粉症の症状が強い患者には，次年度の花粉飛散期に初期治療を受けることを勧めておく（e 図 12-24-A）．花粉曝露を反復して受けていると症状が強くなり，鼻粘膜の過敏性も亢進して薬物治療を開始しても改善までに時間がかかる．症状が軽いとき

から治療を開始することで花粉飛散ピーク時も含めて症状をコントロールしやすく，QOLの改善にもつながることが示されている[4]．

4）**アレルゲン免疫療法**（減感作療法）：現在唯一根本治療となりうる治療法であり，たとえ治癒に至らなくとも約7割の患者で使用薬剤を減らすことが可能であり，その効果は長期に及ぶことが明らかになっている[5]．これまで皮下投与法により行われてきたが短所としてまれとはいえアナフィラキシーショックといった重篤な副作用が約200万回に1回程度出現していると報告されている．投与後30分間は医師の管理下におくことが必要で，2年以上50回以上の通院が必要であり，無効例も少なからず存在する．そこで近年は舌下投与法が安全性が高いことから注目され[6]，国内でも2014年秋からスギ花粉症に対してスギ花粉エキス舌下液が市販開始となった[7]．ダニに対する舌下錠の市販も2015年から開始された．アレルゲン免疫療法の適応は軽症を含むすべての患者で，本治療の長所，短所を十分説明のうえインフォームドコンセントが得られたケースである．

5）**手術治療**：根本治療になるわけではないが，保存的治療に効果がみられない患者に対して，肥厚した鼻粘膜の切除，レーザーによる鼻粘膜の変性，鼻水分泌神経の切断などが行われる（2009年版鼻アレルギー診療ガイドライン作成委員会，2008）．花粉症に対してはレーザー手術が行われるが効果のエビデンスは明らかではない（奥田，1999）． 〔岡本美孝〕

■**文献**（e文献12-24）

2009年版鼻アレルギー診療ガイドライン作成委員会：鼻アレルギー診療ガイドライン―通年性鼻炎と花粉症，ライフ・サイエンス，2008．
Bousquet J, Khaltaev N, et al: Allergic rhinitis and its impact on asthma (ARIA) 2008 update. *Allergy*. 2008; 63: 8-160.
奥田 稔：鼻アレルギー―基礎と臨床，医薬ジャーナル社，1999．

12-25 好酸球増加症・好酸球増加症候群

【⇨ 16-10-7】

12-26 過敏性肺炎

【⇨ 9-4-4】

12-27 アナフィラキシー
anaphylaxis

定義
　アナフィラキシーとは，「アレルゲンなどの侵入により，複数臓器に全身性にアレルギー症状が惹起され，生命に危機を与えうる過敏反応」と定義される．このうち，「アナフィラキシーに血圧低下や意識障害を伴う場合」をアナフィラキシーショックという．わが国では2014年にアナフィラキシーガイドラインが発表された（日本アレルギー学会，2014）．

疫学
　正確な頻度は不明で，これまで比較的まれな疾患と考えられてきた．しかし，欧米における疫学調査で0.05～5.1%の患者がいるとされ，最近では増加傾向にあることがわかってきた[1-3]．

誘因・発生機序（Simonsら，2008）
　アナフィラキシーを起こす誘因はさまざまであるが（e表12-27-A），その発生機序は大きく分けて以下の3つに分類される（図12-27-1）．いくつかの原因は複数の機序が関与しているとされる．

1）**IgEが関与する免疫学的機序**：最も頻度の高いタイプである．原因物質に曝露されることで特異的IgE抗体が産生される．その後に再び生体内に同一物質が侵入することで，この特異的IgE抗体とマスト細胞や好塩基球表面に存在する高親和性IgE受容体（FcεRⅠ）が架橋結合し，これら細胞が活性化される．活性化された細胞はヒスタミン，トリプターゼ，カルボキシペプチダーゼA，キマーゼ，血小板活性化因子（PAF），プロスタグランジン，ロイコトリエンなどのケミカルメディエータを放出する．そして，これらの作用により，毛細血管拡張や透過性亢進，気道平滑筋収縮，気道分泌促進，粘膜浮腫などを起こす．

2）**IgEが関与しない免疫学的機序**：免疫複合体による補体活性化，アラキドン代謝異常，凝固線溶系活性などがその発生機序に関与していると考えられている．たとえば，血液製剤などは，流血中に免疫複合体を形成し補体系を活性化する．その過程で生成されたアナフィラトキシン（C3a, C4a, C5a）の直接作用，または，アナフィラトキシンによるマスト細胞や好塩基球からのケミカルメディエータ遊離により平滑筋収縮

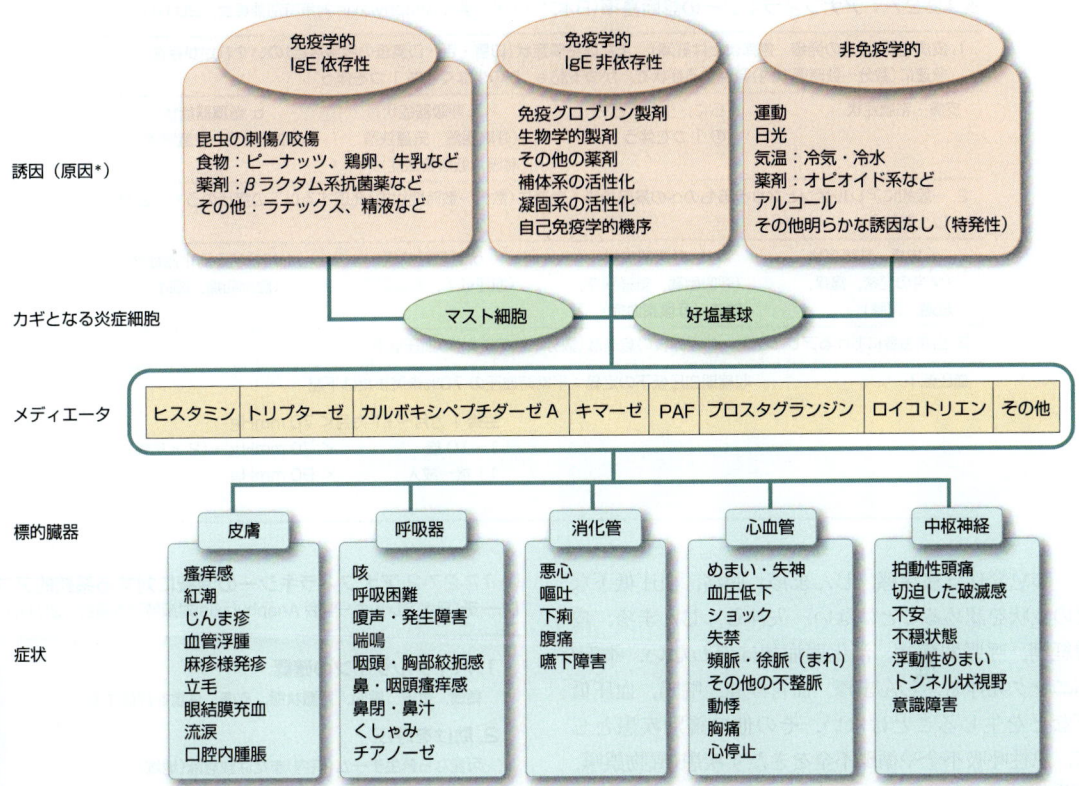

図 12-27-1 アナフィラキシーの発症機序とその症状(Simons, 2008 を一部追加・改変)
＊：詳細な誘因については e表 12-27-A 参照.

や血管透過性亢進を起こす．アスピリンなどの非ステロイド系消炎鎮痛薬はアラキドン酸代謝異常によるロイコトリエン産生を増加させアナフィラキシー反応を惹起すると考えられている．

3）非免疫学的機序： 運動，日光，寒冷刺激，薬剤(造影剤やオピオイド)などは，直接的にマスト細胞や好塩基球を活性化してアナフィラキシーを惹起するとされる．ほかに，明らかな誘因がなく発症する特発性アナフィラキシーも存在する．

臨床症状（図 12-27-1）

アナフィラキシー症状は，皮膚，呼吸器，消化器，心血管系，中枢神経系など多岐にわたって出現する．通常，2つ以上の器官系に生じるが，部位や経過には個人差がある．出現頻度としては，皮膚症状（瘙痒感，じんま疹，血管浮腫など）が最も多く（e図 12-27-A），ついで呼吸器症状（嗄声，咽頭/胸部違和感，喘鳴，くしゃみ，鼻閉など），消化器症状（悪心/嘔吐，腹痛，下痢など），心血管系症状（血圧低下，動悸，失神など），中枢神経症状（破滅感，めまい，不穏状態など）と続く（Simons ら，2011）．一般的に，原因曝露から数分で発症するが，ときに1時間以上経過してから出現する場合もあるため注意が必要である．

検査所見

突然発症し，経過も急なため，系統的な検査ができない場合が多い．ヒスタミンやトリプターゼが有用であるという報告もあるが[4,5]，緊急時や日常診療で実施されることはほとんどない．再発予防のためにはアレルゲン検索が重要である．IgE 依存性反応の場合は，IgE-RAST や皮内テストによる原因検索が有用である．

診断

アナフィラキシーの診断は詳細な問診と身体所見に基づいて迅速に行う．表 12-27-1, e表 12-27-B に診断基準を示す（日本アレルギー学会，2014）．具体的には，以下に示す3つの基準のうち1つでも満たせばアナフィラキシーと診断する．①急速に（数分～数時間以内）発現する皮膚・粘膜症状に加え，呼吸器または循環器症状を伴った場合，②アレルゲンとなりうるものへの曝露後，皮膚・粘膜症状，呼吸器症状，循環器症状，消化器症状のうち2つ以上の症状が急速に発現した場合，③アレルゲンへの曝露後に急速な血圧低下をきたした場合．

鑑別診断

頻度の高い鑑別疾患として喘息発作，血管迷走神経反射（失神），不安/パニック発作があげられる．しか

表 12-27-1 **アナフィラキシーの診断基準**(日本アレルギー学会 Anaphylaxis 対策特別委員会, 2014)

1. 皮膚症状(全身の発疹, 瘙痒または紅潮), または粘膜症状(口唇・舌・口蓋垂の腫脹など)のいずれかが存在し, 急速に(数分~数時間以内)発現する症状で, かつ下記 a, b の少なくとも 1 つを伴う.			
皮膚・粘膜症状	さらに, 少なくとも右の 1 つを伴う	a. 呼吸器症状 (呼吸困難, 気道狭窄, 喘鳴, 低酸素血症)	b. 循環器症状 (血圧低下, 意識障害)
2. 一般的にアレルゲンとなりうるものへの暴露の後, 急速に(数分~数時間以内)発現する以下の症状のうち, 2 つ以上を伴う.			
a. 皮膚・粘膜症状 (全身の発疹, 瘙痒, 紅潮, 浮腫)	b. 呼吸器症状 (呼吸困難, 気道狭窄, 喘鳴, 低酸素血症)	c. 循環器症状 (血圧低下, 意識障害)	d. 持続する消化器症状 (腹部疝痛, 嘔吐)
3. 当該患者におけるアレルゲンへの暴露後の急速な(数分~数時間以内)血圧低下.			
血圧低下	収縮期血圧低下の定義:平常時血圧の 70%未満または下記 　生後 1 カ月~11 カ月　< 70 mmHg 　1~10 歳　　　　　　　< 70 mmHg + (2 ×年齢) 　11 歳~成人　　　　　　< 90 mmHg		

し, 喘息発作は瘙痒感, じんま疹, 腹痛, 血圧低下などの症状を認めることはない. 失神も, じんま疹, 皮膚紅潮, 呼吸器症状, 消化器症状は伴わない. 不安/パニック発作も, じんま疹, 血管浮腫, 喘鳴, 血圧低下などを生じることはない. その他の鑑別疾患として, 急性呼吸不全や循環不全をきたす疾患(異物誤嚥, 声帯機能不全(vocal code dysfunction), 過換気症候群, 不整脈, 心筋梗塞, 肺塞栓, 急性心不全)や, てんかん発作, 低血糖発作などがあげられる(e表 12-27-C).

治療

突然発症し, 短時間で死に至ることもあるため, 迅速かつ適切な治療が必要である. ガイドラインにおける初期対応の系統的アプローチを表 12-27-2, e表 12-27-D に示す. まずは, 患者の循環, 呼吸, 意識状態および皮膚所見を迅速に把握し, 適切な処置および薬物投与を行う.

1) 気道確保, 酸素投与: 気道確保をしても酸素飽和度低下や呼吸困難を認めるときは酸素投与を行う. 気道狭窄が強いときは気管内挿管や気管切開が必要な場合がある.

2) 末梢静脈確保・補液: 仰臥位で下肢を挙上する. 循環血液量の減少を補うために細胞外液を急速輸液する.

3) 薬物療法:

a) アドレナリン(第一選択薬):気道・循環確保と並行して 0.1%アドレナリン 0.2~0.5 mL を筋注する. アドレナリンの効果は短時間で消失するため, 十分な改善がみられないときは 5~15 分ごとに繰り返し投与する.

b) 抗ヒスタミン薬:皮膚・粘膜病変に対して抗ヒスタミン薬を経口または静脈投与する.

c) ステロイド:初期治療としての有効性は乏しい

表 12-27-2 **アナフィラキシーの治療に対する系統的アプローチ**(日本アレルギー学会 Anaphylaxis 対策特別委員会, 2014)

1. バイタルサインの確認 　循環, 気道, 呼吸, 意識状態, 皮膚, 体重を評価する.
2. 助けを呼ぶ 　可能なら蘇生チーム(院内)または救急隊(地域).
3. アドレナリンの筋肉注射 　0.01 mg/kg(最大量:成人 0.5 mg, 小児 0.3 mg), 必要に応じて 5~15 分ごとに再投与する.
4. 患者を仰臥位にする 　仰向けにして 30 cm 程度足を高くする. 　呼吸が苦しいときは少し上体を起こす. 　嘔吐しているときは顔を横向きにする. 　突然立ち上がったり座ったりした場合, 数秒で急変することがある.
5. 酸素投与 　必要な場合, フェイスマスクか経鼻エアウェイで高流量(6~8 L/分)の酸素投与を行う.
6. 静脈ルートの確保 　必要に応じて 0.9%(等張/生理)食塩水を 5~10 分の間に成人なら 5~10 mL/kg, 小児なら 10 mL/kg 投与する.
7. 心肺蘇生 　必要に応じて胸部圧迫法で心肺蘇生を行う.
8. バイタル測定 　頻回かつ定期的に患者の血圧, 脈拍, 呼吸状態, 酸素化を評価する.

一方, アナフィラキシー反応の遷延防止や遅発型アナフィラキシーの抑制には有用とされるが, その効果は立証されていない.

d) 気管支拡張薬:気管支攣縮や喘鳴の際に β_2 刺激薬の吸入やアミノフィリン静注が有効なことがある.

経過・予後

原因曝露から症状発現までの時間が短いほど重篤になる可能性が高い．適切な治療がされれば，通常10～15分程度で改善を認め，数時間以内に回復するが，数日を要することもある．早期治療を行った方が予後良好とされる．わが国では年間50～70人程度の死亡者が報告されている[6]．

予防

再発予防は重要であり，できるかぎり原因を特定し回避する．アナフィラキシー発症時の自己管理としてアドレナリン自己注射キット(エピペン®)が2011年から保険適用になった．小児用：0.15mL，成人用：0.3mLの2用量があり，大腿前外側部に筋注する．使用するタイミングに関しては，あらかじめ主治医と相談して決めておく必要がある．　　　〔斎藤純平〕

■文献(e文献12-27)

日本アレルギー学会 Anaphylaxis 対策特別委員会：アナフィラキシーガイドライン(日本アレルギー学会監)，メディカルレビュー社，2014.

Simons FE: Anaphylaxis. *J Allergy Clin Immunol*. 2008; **121**: S402-7.

Simons FE, Ardusso LR, et al: World Allergy Organization Guidelines for the Assessment and Management of Anaphylaxis. *World Allergy Organ J*. 2011; **4**: 13-37.

12-28 血清病
serum sickness

定義・概念

血清病は，異種血清投与1～2週後に形成された免疫複合体(IC)の沈着により皮疹，発熱，関節痛，リンパ節腫脹などを生じる病態として von Pirquet と Schick により提唱された疾患概念である．類似の病態は，ハチ毒，細菌やウイルス感染，薬剤が原因で生じることが知られており，血清病様反応とよばれる．

病因・疫学

破傷風，ジフテリア，狂犬病などに対する抗血清療法の減少に伴い，わが国では古典的な血清病は比較的まれなものとなった．一方，再生不良性貧血などの治療に用いられる抗胸腺細胞グロブリン製剤による血清病や，関節リウマチや炎症性腸疾患などの免疫疾患やリンパ腫などの血液疾患の治療に用いられることが増えた生物学的製剤に起因する血清病は増加している．血清病様反応もペニシリン系やセファクロルをはじめとするセファロスポリン系抗菌薬の使用量の増加に伴い増加している．その他，ST合剤，ヒダントイン，抗炎症薬，ワクチンなどによる血清病様反応も報告されている．

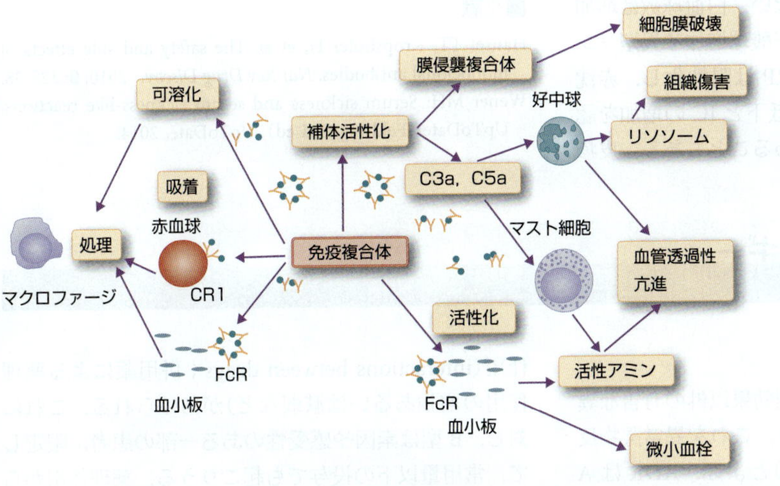

病態生理

血清病は，異種蛋白などの抗原に対し抗体が産生され，その結果形成されたICが血管壁や腎糸球体などに沈着して組織傷害を引き起こす Coombs & Gell 分類III型のアレルギー反応である(e図12-28-A)．ICの組織傷害性は，ICを構成する抗体のサブクラスに依存し，古典的経路で補体を活性化する IgG1, IgG2, IgG3, IgM は IgG4, IgA, IgE より組織傷害性が高い．ICの組織傷害性は，ICの大きさにも関係し，抗原過剰域で形成される中等大の可溶性ICが組織に沈着しやすく組織傷害性が強い．組織に沈着したICは補体系を活性化し，C3a, C5a などの産生により，マスト細胞の

図 12-28-1 免疫複合体の処理/組織傷害機構
免疫複合体により補体が活性化されると免疫複合体上で C3b が産生され，C3b 受容体 (CR1)を介して赤血球に結合する．一方，血小板には Fc 受容体が存在し，補体の活性化にかかわらず免疫複合体が結合する．赤血球や血小板に結合した免疫複合体は，肝臓や脾臓に運ばれマクロファージなどにより処理される．一方，免疫複合体により補体が活性化されると C3a と C5a が産生される．C3a と C5a はマスト細胞や好塩基球から血管作用性アミンの放出を促進し，血管透過性を亢進させる．免疫複合体は血小板にも作用し，血管作動性アミンの放出を促進する．C5a は好中球に対し走化性因子/活性化因子として機能し，好中球の局所集積とリソソーム酵素の放出を介した組織傷害に関与する．

活性化，血管透過性の亢進，好中球の遊走を惹起する．さらに IC は好中球やマクロファージの Fc 受容体を活性化し，炎症性サイトカインの産生，リソソーム酵素の遊離，スーパーオキシドの産生を誘導し組織を傷害する（図 12-28-1）．薬剤による血清病様反応では，薬剤が血清蛋白と結合しハプテンとして作用し，異種血清と類似の免疫応答を惹起している．

臨床症状

異種血清の投与 1～2 週後に発熱，皮疹，関節痛，倦怠感，リンパ節腫脹を生じる．蛋白尿，血尿，浮腫などの腎症状，悪心，腹痛，血便などの消化管症状，筋肉痛，末梢神経炎，漿膜炎，心筋炎，ブドウ膜炎なども起こりうる．皮膚症状は頻度が高く（90％以上），一般に関節症状に先行して出現する．皮疹は，じんま疹が最も多いが，麻疹様の皮疹，手指および足趾側面の紅斑，手掌紅斑，触知可能な硬結を伴う紫斑を呈することもある．粘膜病変や潰瘍を呈することはまれである．関節症状は手首，足首，膝などの大関節に多く，関節所見に比して，疼痛が強いのが特徴である．軽症例の多くは，数日で症状が自然消失するが，重症例では数週間持続することもある．1カ月以上続く場合は膠原病など他疾患を疑う必要がある．薬剤による血清病様反応の場合も原因薬剤の中止とともに速やかに改善する．すでに感作されている症例では，投与後早期（数時間～数日）に全身のじんま疹，呼吸困難，喘鳴などアナフィラキシー様の重篤な症状が出現することがある．

検査所見

血清病に特徴的な検査所見はない．白血球数は増加する例が多いが減少例もある．好酸球増加や異型リンパ球がみられることもある．CRP は陽性化し，赤沈は亢進する．補体価（C3, C4）の低下と IC の増加を認める．軽度の蛋白尿や血尿を認めることもある．皮疹部の生検では免疫蛍光法で血管壁に C3, IgG, IgM, IgA の沈着を認める．

診断・鑑別診断

異種血清や薬剤の投与後 3 週間以内に発熱，皮疹，関節痛，リンパ節腫脹を認めたら血清病を疑う．注射部位の瘙痒，腫脹，発赤は診断の糸口となる．被疑薬や異種血清の希釈液を皮内に注射し，発赤と膨疹が出現すれば原因である可能性が高い．伝染性単核球症などのウイルス感染症，リウマチ熱，悪性リンパ腫，成人発症 Still 病，反応性関節炎，過敏性血管炎，薬剤性過敏症症候群（DIHS），SLE などの膠原病，淋菌感染症などとの鑑別が必要である．

治療・予後

異種血清や被疑薬の投与を中止する．投与中止により自然に軽快し，予後は一般に良好である．対症的に，じんま疹，血管運動神経性浮腫には抗ヒスタミン薬，発熱，関節痛には非ステロイド系抗炎症薬を投与する．重症例にはプレドニゾロン 20～40 mg/日を投与し，症状の改善に合わせて慎重に減量，中止する．通常 2～4 週で中止可能である．

予防

異種血清を使用する際は，過去の異種血清治療歴を問診し，皮内試験法あるいは点眼試験法で血清過敏症が存在しないことを確認してから投与する．皮内試験や点眼試験が陽性の際はできるかぎり使用を避けるべきだが，使用が必須の場合は抗ヒスタミン薬やステロイド投与下に少量より慎重に投与する． 〔中島裕史〕

■文献

Hansel TT, Kropshofer H, et al: The safety and side effects of monoclonal antibodies. Nat Rev Drug Discov. 2010; 9: 325-38.
Wener MH: Serum sickness and serum sickness-like reactions. UpToDate（Feldweg AM ed），UpToDate, 2014.

12-29　薬物アレルギー
drug allergy

定義・概念

薬物投与時には期待される薬理効果以外の有害な異常反応がまれに起こることがあり，これを異常薬物反応（adverse drug reaction：ADR）とよぶ．ADR は A 型，B 型の 2 型に分類される[1]（Rawlins ら，1991；Çelik ら，2013）．A 型は誰においても用量依存的に発生しうる，既知の薬理作用から予知可能な反応である．A 型反応に含まれるものとして，過量投与（overdosage），副作用（adverse effects；NSAIDs による胃潰瘍など），二次作用（secondary effects；抗菌薬による腸内細菌叢破壊に起因する下痢など），薬物間相互作用（interactions between drugs；併用薬による薬理作用の増強あるいは減弱など）があげられる．これに対し，B 型は素因や感受性のある一部の患者に限定して，常用量以下の投与でも起こりうる，薬理作用からは予知不可能な反応である．「薬物アレルギー」は，薬物またはその体内代謝物を抗原とし，それに対応する抗体あるいは感作リンパ球との間で発現した免疫反応に基づく ADR と定義され，B 型のなかに含まれる[1,2]（Çelik ら，2013）．B 型にはその他，個体の耐容閾値の低下により，A 型でみられる副作用が通常よりもはるかに少ない投与量で生じる．薬物不耐性

(intolerance；アスピリンのごく少量で誘発される耳鳴りなど）と，遺伝的な代謝異常により予想外の副作用が生じる特異体質反応(idiosyncratic reaction；例としてグルコース-6-リン酸脱水素酵素異常症の保有者におけるプリマキンによる溶血）も含まれる．不耐性を除き，B型反応の症状は，既知の薬理作用とは異なっている．薬物アレルギーは入院患者に起こるADRの6～10％を占めており[3]，致死的なADRは，アレルギー性であることが多い．わが国における一般成人を対象とする調査において，4～7％の頻度で本症が疑われる既往歴を有すると報告されている[2]．

病因・病態

薬物アレルギーの起こりやすさには，薬物の性質，個体の特性，疾患の影響が関与する[2]．薬物の多くは低分子であり，蛋白と結合してhaptenとなって抗原性を獲得する．また脂溶性薬物は主として肝臓で代謝されるが，肝臓での代謝過程にはチトクロームP450(CYP)に代表される酸化還元反応とN-acetylationなどによる抱合反応がある．CYPはヒトでは約50種のアイソザイムが同定されており，薬物により特定のアイソザイムが誘導され，薬物代謝の変化を通じて感作やアレルギー症状の発現が起こりやすくなることがある．N-acetylation能については，遺伝的に低下しているslow acetylatorでは，プロカインアミド，スルホンアミドの代謝は遅延し，それぞれ薬物起因性ループスや重症薬疹を発症しやすくなる．さらに近年，小分子薬物によるアレルギー発症において必ずしも蛋白への結合を感作の前提としないことが推測されている．すなわち，p-i conceptと称して(Gerberら, 2007)，薬物が直接にT細胞受容体(TCR)やB細胞受容体(BCR)に結合して，これらのリンパ球を活性化する考え方が受け入れられつつある．薬物アレルギーは小児と高齢者において少なく，また軽症である．女性は男性に比べて皮膚症状の発症がやや多いだけでなく，造影剤によるアナフィラキシーの発症率が高いとされている．

アンピシリンによる薬疹は，Epstein-Barrウイルス感染患者（伝染性単核球症を含む）にきわめて高率に発生する．またHIV感染者，Sjögren症候群患者では薬物アレルギーの頻度が高い．アトピー患者では造影剤によるアナフィラキシーの発生頻度は高いが，薬物アレルギー全般でみたときにリスクが高いわけではない．

抗痙攣薬やサルファ薬，ミノサイクリンなど比較的限られた薬剤により，薬物性過敏症症候群(drug-induced hypersensitivity syndrome：DIHS)を発症することがある[4]．皮疹発現までの内服期間が2～6週間と長く原因薬の中止後も遷延するという特徴を有する．発熱，白血球増加，好酸球増加，異型リンパ球出現，肝障害，表在リンパ節腫脹もみられるが，多彩な症状，独特の臨床経過の背景には薬物アレルギーとともにヒトヘルペスウイルス6(HHV6)再活性化が起こることが日本の皮膚科医により明らかとなった．皮疹の発症直後ではなく数週間後に，血中の抗HHV6抗体価（特にIgG抗体価）上昇とHHV6 DNA陽性化が認められる．Stevens-Johnson症候群(SJS)や中毒性表皮壊死症(toxic epidermal necrolysis：TEN)およびDIHSといった重症薬疹については，関連遺伝子が近年精力的に検討されている．香港の報告では，カルバマゼピンを原因とする重症薬疹はHLA-B*1502を有するときわめて起こりやすくなる[5]（日本ではこの遺伝子alleleの頻度は低い）．アロプリノールを原因とするSJS/TEN/DIHSについてはHLA-B*5801が高率でみられ，アジア諸国と白人で共通した知見である[6]．抗HIV薬アバカビルは重症薬疹を起こすことがあり，HLA-B*5701を有する者に起こりやすい．そこで，欧米ではアバカビル投与の前にHLA検査を行い，B*5701保有者については投与対象から除外することにより，アバカビルの安全性が格段に増したと報告されている（日本ではこのalleleの頻度は格段に低いため，投与前のHLA検査は行われていない）[7]．薬物アレルギーは一般に予知，予防は困難と考えられてきたが，研究の進歩により，一部の薬剤については予防戦略が構築されている現状にある．

薬物アレルギーの発症機序についてはGellとCoombsのアレルギー分類（Ⅰ～Ⅳ型）が用いられる．しかしながら，薬物アレルギーの多彩な症状をⅠ～Ⅳ型に分類することは，ごく一部の典型例を除くと困難である．

Ⅰ型反応のうち，原因暴露後速やかに全身反応を呈し，生命の危険を高率で生ずる反応をアナフィラキシーとよぶ．ペニシリンを原因とするアナフィラキシーはIgEが関与する典型的なⅠ型反応である[2]（Çelikら, 2013）．またIgE抗体の関与なしにマスト細胞や好塩基球が活性化されアナフィラキシーと同様の症状を示す反応を，以前は，アナフィラキシー様反応(anaphylactoid reaction)とよんだが，今はIgE依存性反応と同様にアナフィラキシーとよぶことが多い[2,8]．造影剤がアナフィラキシーを起こす機序としては，薬物のマスト細胞への直接作用（造影剤，デキストランなど），免疫複合体による補体系活性化（ガンマグロブリンなど），アラキドン酸代謝への干渉(NSAIDsなど)が含まれる[2,9]（Çelikら, 2013）．抗体依存性細胞傷害(Ⅱ型)に属する，ペニシリンによる溶血性貧血では，赤血球膜と強く結合したペニシリンに対して抗体が産生される．直接Coombs検査は陽性であり，赤血球は脾臓において貪食され，血管外溶血を生じる．Ⅲ型であるキニジンによる溶血性貧血で

は，免疫複合体が結合した赤血球上で補体系が活性化され血管内溶血が起きる．IV型の例としては接触皮膚炎がある．さらに近年，分子標的薬の増加に伴い，皮疹や間質性肺炎などさまざまな過敏症状が生ずることが臨床的に問題となっている．

臨床症状

薬物アレルギーを含む薬物過敏症の好発薬物を表12-29-1に示す[10]．

1）全身症状を呈する薬物アレルギー： アナフィラキシーの詳細については【⇨12-27】．なお，薬物を原因とするアナフィラキシーによる死亡は，わが国でも米国でも増加傾向にある[11-13]．SJSは多形紅斑型薬疹の重症型であり，病変は目，口腔，外陰部などの皮膚粘膜移行部に好発するのが特徴的で，高熱を伴うことが多い．TENはさらに重症で発熱，表皮剝離，内臓病変を特徴とし，SJSとは連続した疾患概念である．TENの皮膚病変は早い経過で水疱を形成し破れてびらんを呈する一方，水疱のない紅斑部も擦過により容易に表皮剝離を起こす(Nikolsky現象)．SJSの死亡率は5％以下であるが，TENでは30〜40％にのぼる．これらの重症薬疹をみたら速やかに皮膚科の専門医に紹介することが望ましい．その他の全身症状としては，DIHS，薬物熱，薬物起因性ループスなどがある．

2）単一臓器症状を呈する薬物アレルギー： 薬疹は薬物アレルギー症状のうちでも最多で80％以上を占める．ピリン疹などの固定疹型は原因薬物投与のたびに同一部位に紅斑が生じ，原因薬物を中止とすると発赤は消退し局所に色素沈着が残る．斑状丘疹性発疹(麻疹様発疹)は，最も多い薬疹であり，紅斑性の斑状疹と丘疹が融合した発疹を対称性に生ずる．多形紅斑においては重症化に注意する．

薬物起因性血液障害の大多数は非アレルギー性であり，用量，投与期間依存性であるが，溶血性貧血，ヘパリン起因性血小板減少症など免疫機序の関与するものも一部に認められる．血液系のほかに，単一臓器症状は，肝臓，腎臓，呼吸器などにもみられる(表12-29-1)[10]．

診断・検査所見

アナフィラキシー反応は投与後10分以内，遅くとも1時間以内に症状が発現するのが通常である．これに対し，非即時型反応は一般的に投与開始後数日〜3週間以内，ことに第2週に症状が発現することが多い．多くの薬物アレルギーの症状は原因薬の除去により早期に消退傾向を示す(図12-29-1)[2,10]．薬物熱では中止後48〜72時間以内に解熱する．しかしながら，症状が消失した後も過敏な体質は長く残っており，再投与にて症状が容易に再燃しうる．再投与での症状再燃はきわめて短時間に，また常用量以下の投与でも起こりうる．診断の流れとして原因薬の評価のためのアルゴリズム的方法(図12-29-1)[10]が用いられているが，問診の重要項目は「薬物投与と症状発生との時間的関係」，「薬物投与中止後の改善」，「薬物再投与による症状再発」である．重症薬疹のように，原因薬物を中止した後も症状は遷延・増加することがあり要注意である．

IgEおよびマスト細胞がかかわる即時型反応の診断には即時型皮膚反応(皮内反応，プリックテスト，スクラッチテスト)が用いられる．プリックテストではほぼ3 nLの薬液が皮膚に注入されるのに対し，皮内反応では20 μLの薬液を注入する．いずれのテストでも対照をおき，15〜20分後に判定する．プリックテストでは膨疹径4 mm(長径と短径の平均値として)以上あるいは発赤15 mm以上を陽性とし，スクラッチテストでは，この基準に皮膚を引っかいた長さを加えて陽性基準とする．皮内反応は膨疹径9 mm以上あるいは発赤径20 mm以上を陽性とする．なお皮内反応はプリックテストの約1000倍の感度があり，偽陰性が少ないが，テスト自体でアナフィラキシーが誘発される可能性があることに注意を要する．一方，プリックテストやスクラッチテストはより安全であるが偽陰性が多い．これらの皮膚反応は抗ヒスタミン薬により抑制されるので，少なくとも検査前24時間(で

表12-29-1 ADRに伴う臓器障害と主な原因薬(文献10を改変)
全身症状以外についてはe表12-29-A参照．

1. 全身症状

アナフィラキシー
　IgE依存性：抗菌薬，蛋白製剤，エチレンオキサイド
　IgE非依存性：造影剤，NSAIDs，筋弛緩薬，麻薬，ポリミキシンB，デキストラン，ガンマグロブリン，パクリタキセル，バンコマイシン，キノロン系抗菌薬，輸血製剤

Stevens-Johnson症候群/中毒性表皮壊死症
　スルホンアミド，β-ラクタム系抗菌薬，フェニトイン，カルバマゼピン

過敏症症候群(drug-induced hypersensitivity syndrome：DIHS)
　抗痙攣薬，スルホンアミド，アロプリノール，ダプソン，ミノサイクリン，メキシレチン

血清病様反応
　蛋白製剤，抗菌薬，アロプリノール，サイアザイド，ピラゾロン，フェニトイン，プロピルチオウラシル(PTU)

薬物熱
　パラアミノサリチル酸(PAS)，ブレオマイシン，アムホテリシンB，スルホンアミド，βラクタム系抗菌薬，メチルドパ，クロルプロマジン，キニジン，抗痙攣薬

ループス様症状
　プロカインアミド，ヒドララジン，ヒダントイン系薬物，イソニアジド，パラアミノサリチル酸

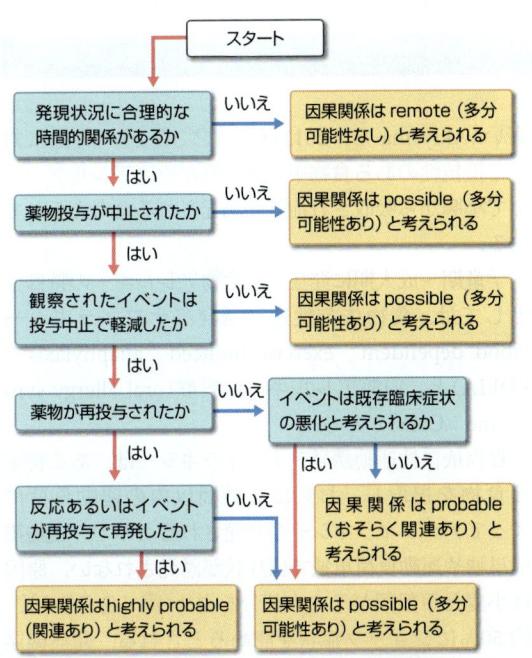

図12-29-1 FDA方式によるADR原因薬評価のためのアルゴリズム(deShazoら,1997を和訳)

きれば48〜72時間)は内服を避ける．即時型皮膚反応自体はIgEの証明とはならず，薬物の非特異的刺激でも陽性化しうる．また，Ⅳ型反応の診断に用いられるパッチテストは陽性率は低いが，陽性の場合に診断的価値は高く，接触皮膚炎の検査として有用である．薬物を用いるリンパ球刺激試験(drug lymphocyte stimulation test：DLST)は，薬物添加によりリンパ球幼若化が起こるかを^{3}H-チミジン取り込みを指標として調べる試験管内検査法であり，非即時型反応の診断に用いられる．しかしながら偽陽性や偽陰性が多く，補助的な診断手段にすぎない．さらに，近年即時型アレルギーに対し，好塩基球のヒスタミン遊離や細胞表面活性化マーカー(CD63あるいはCD203c)発現誘導を解析する検査も用いられ，後者については脱顆粒(ヒスタミン遊離)よりも鋭敏な検査として有用であることを示す報告が集積しつつある．薬物アレルギーの最も確実な診断法は，薬物の少量再負荷テストであるが，危険が伴うため，重症薬疹(SJS, TEN, DIHS)や重症肝障害などには禁忌である．

治療・予後

即時型反応の治療については【⇨12-27】．即時型反応以外の薬物アレルギーの多くは原因薬物の投与中止とともにその症状は自然消褪する．薬疹の大部分も，抗ヒスタミン薬(内服，外用)などの対症療法で十分であり，中等症には経口ステロイドが短期間用いられる．SJSやTEN，DIHSなどの重症型薬疹は全身管理と強力な治療が早急に必要となるので，皮膚科の専門施設に至急紹介する．重症型薬疹を疑わせる所見として，高熱，広範囲の紅斑，全身リンパ節腫脹，粘膜部病変の存在，水疱形成，Nikolsky現象陽性，好酸球増加(1000 /μL以上)，異型リンパ球の出現，肝機能異常などがあげられる．これらの重症薬疹に対してはステロイド大量投与を行う．また，SJSやTENでステロイドの効果が十分でない場合は，グロブリン大量投与も考慮される．単一臓器障害には対症療法と，重症化に対してパルス療法を含めたステロイド治療が行われる．長期にわたるステロイド治療に伴い感染防御力低下などの副作用を生じるため，ST合剤(ニューモシスチス肺炎予防)やビスホスホネート製剤(骨量減少の防止)などの投与が必要であり，急ぎすぎることなく適切な速さでステロイドを減量していく．重症薬疹に伴う眼粘膜病変が遷延する場合には薬疹が治癒した後も視力障害が残存し，ときには失明することがある．

ステロイドは，IgE依存性アナフィラキシーの予防効果を弱く有するが，IgEが関与しない造影剤によるアナフィラキシーも有意に抑制する．アトピー患者，造影剤過敏の既往例などのハイリスク患者には，ステロイドと抗ヒスタミン薬の前投薬が有効であるが完璧な予防法ではないことに留意する．また原因薬物を少量から徐々に増量し最終的に通常量投与を可能とさせる脱感作(desensitization)のプロトコールがペニシリン，ST合剤，アミノグリコシド，スルファサラジン，アスピリンなどについて報告されている．IgE依存性アナフィラキシーの原因薬を脱感作に用いる場合は，安全のためきわめて微量から開始する．脱感作状態の維持には，薬物の継続投与が必要であり，中断すると脱感作状態は速やかに消失して感作状態に戻るといわれている．また，脱感作療法は重症薬疹，血清病や重篤な造血障害を起こした例には禁忌である．

原因薬物の回避の徹底は薬物アレルギー患者の管理上きわめて重要である．原因薬物ならびに類似構造をもつ薬物の回避を患者に指導徹底するとともに，診療録の目立つところに原因薬物を明記して不注意の再投与を防止するのが望ましい．〔山口正雄〕

■文献(e文献12-29)

Çelik GE, Pichler WJ, et al: Drug allergy. Middleton's Allergy: Principles and Practice, 8th ed (Adkinson NF Jr, Bochner BS, et al eds), pp1274-95, Mosby-Year Book, 2013.

Gerber BD, Pichler WJ: The p-i concept. Drug Hypersensitivity (Pichler WJ ed), pp66-73, Karger, 2007.

Rawlins MD, Thompson W: Mechanisms of adverse drug reactions. Textbook of Adverse Drug Reactions (Davies DM ed), pp18-45, Oxford University Press, 1991.

12-30 食物アレルギー
food allergy

定義・概念
食物アレルギーガイドライン2012では「食物によって引き起こされる抗原特異的な免疫学的機序を介して生体にとって不利益な症状が惹起される現象」と定義されている（日本小児アレルギー学会 食物アレルギー委員会, 2011）.

分類
厚生労働省研究班による『食物アレルギー診療の手引き』において臨床型分類（表12-30-1）がまとめられている（Ebisawa, 2009）. 最終版は『食物アレルギー診療の手引き2014』である.

原因・病因
1）遺伝的要因: 喘息やアトピー性皮膚炎, さらに食物アレルギーなどのアレルギー疾患発症にかかわる遺伝的要因は, ヒトゲノム解析によって徐々にその原因遺伝子が報告されつつある[1].

2）抗原への感作: 食物に対する感作経路として経気道感作, 経腸管感作, 経皮感作がある. 経皮感作については, ピーナッツオイルによる経皮感作の報告[2]や, 加水分解小麦を含む石けんの使用による小麦アレルギーの発症例の研究[3]から, 食物アレルギー発症との関連性が注目されている.

疫学
成人期の有症率に関する正確なデータは存在しないが, 学童期における文部科学省の全国調査のデータでは2004年には2.6％, 2013年には4.5％という報告がある. しかし, 保護者による自己申告の割合が高いので本来の数字より高いと考えられている.

病態生理
学童期～成人においては, 即時型症状の原因食物として小麦, 甲殻類, 果物類, そば, 魚類などの頻度が高い（Akiyamaら, 2011）（表12-30-2）. 消化に対して抵抗性のある食物中の蛋白質が原因アレルゲンとして小腸から吸収され症状が誘発されると考えられている.

学童期～成人期に発症する食物アレルギーの特殊型としては, 食物依存性運動誘発アナフィラキシー（food-dependent exercise-induced anaphylaxis：FDEIA）と, 口腔アレルギー症候群（oral allergy syndrome：OAS）がある.

食物依存性運動誘発アナフィラキシーは, ある特定の食物を摂取し, おもに2時間以内の運動負荷によってアナフィラキシーが誘発されるもので, 食物摂取単独や運動負荷単独では症状が誘発されない. 原因は小麦と甲殻類がその大部分を占め（図12-30-1）, 約50％にショック症状を認めるとされる. 発症機序はIgEを介した反応に加えて運動による食物抗原の吸収量増加が考えられる. また, 最近, 加水分解小麦含有化粧石鹸を一定期間使用後に小麦製品を摂取して運動することによりFDEIAを発症した症例の報告がある[3].

口腔アレルギー症候群は, 口腔粘膜症状を主とするIgE抗体を介した接触じんま疹による即時型アレルギー症状のことである. 生野菜や果物がおもな原因食物であり, 多くは交差抗原性を有する花粉（表12-30-3）のアレルギーによる感作が先行する. 通常の経腸管吸収によって発症する即時型反応（クラス1食物アレルギー）と異なり, 花粉抗原の経気道感作後に交差反応性を有する野菜・果物類に対して生じるこれらのアレルギーをクラス2食物アレルギーとよぶこともある. その症状は多くの抗原が加熱・消化に非耐性のため口腔粘膜症状を主とするものの, ときに全身症状

表12-30-1 臨床型分類（日本小児アレルギー学会食物アレルギー委員会, 2011より改変引用）

臨床型		発症年齢	頻度の高い食物	耐性獲得（寛解）	アナフィラキシーショックの可能性	食物アレルギーの機序
即時型症状（じんま疹, アナフィラキシー）		乳児期～成人期	乳児～幼児：鶏卵, 牛乳, 小麦, そば, 魚類, ピーナッツなど　学童～成人：甲殻類, 魚類, 小麦, 果物類, そば, ピーナッツなど	鶏卵, 牛乳, 小麦, 大豆などは寛解しやすいその他は寛解しにくい	（++）	IgE依存性
特殊型	食物依存性運動誘発アナフィラキシー（FEIAn/FDEIA）	学童期～成人期	小麦, エビ, カニなど	寛解しにくい	（+++）	IgE依存性
	口腔アレルギー症候群（OAS）	幼児期～成人期	果物・野菜など	寛解しにくい	（±）	IgE依存性

学童期以降におもに認められる食物アレルギーの臨床型分類とその特徴をまとめた.

表12-30-2 2001年と2002年に実施した即時型食物アレルギー全国モニタリング調査（年齢別・抗原別の解析結果）

原因食物	合計 n (%)	1歳未満	1歳	2～3歳	4～6歳	7～19歳	20歳以上
鶏卵	1486(38.3)	789(62.1)	312(44.6)	179(30.1)	106(23.3)	76(15.2)	24(6.6)
乳加工品・製品	616(15.9)	255(20.1)	111(15.9)	117(19.7)	84(18.5)	41(8.2)	8(2.2)
小麦	311(8)	90(7.1)	49(7)	46(7.7)	24(5.3)	48(9.6)	54(14.8)
果物類	232(6)	40(3.1)	30(4.3)	30(5.1)	40(8.8)	45(9)	47(12.8)
そば	179(4.6)	4(0.3)	23(3.3)	45(7.6)	27(5.9)	54(10.8)	26(7.1)
魚類	171(4.4)	21(1.7)	32(4.6)	22(3.7)	18(4)	37(7.4)	41(11.2)
えび	161(4.1)	4(0.3)	10(1.4)	20(3.4)	29(6.4)	59(11.8)	39(10.7)
ピーナッツ	110(2.8)	4(0.3)	22(3.1)	31(5.2)	28(6.2)	22(4.4)	3(0.8)
大豆	76(2)	22(1.7)	16(2.3)	9(1.5)	8(1.8)	9(1.8)	12(3.3)
肉類	71(1.8)	13(1)	6(0.9)	7(1.2)	7(1.5)	19(3.8)	19(5.2)
その他	469(12.1)	28(2.2)	88(12.6)	88(14.8)	83(18.3)	89(17.8)	93(25.4)
合計	3882	1270	699	594	454	499	366

原因食物を摂取後60分以内に症状が出現し，医療機関にて診療を受けた症例のまとめである．小児期は鶏卵，乳加工品・製品の占める割合が多いが，学童期～成人期には小麦，果物，甲殻類などが多く認められるようになる．

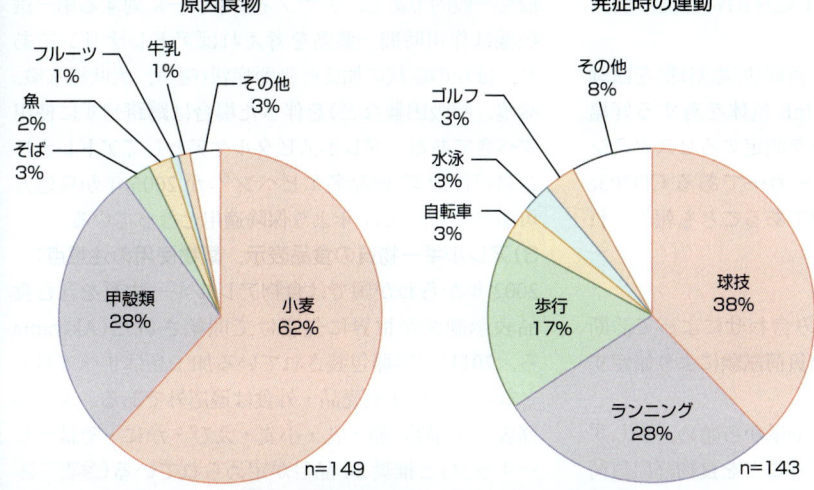

図12-30-1 わが国の食物依存性運動誘発アナフィラキシー報告例の原因食物と発症時の運動（日本小児アレルギー学会食物アレルギー委員会，2011）
わが国における食物依存性運動誘発アナフィラキシーの原因食物として小麦，甲殻類が多く認められる．運動強度の高くない歩行でも誘発される．

も誘発されることもある．

臨床症状
1) **皮膚症状**：瘙痒感，じんま疹，血管性浮腫，発赤，湿疹．
2) **粘膜症状**：
 　a) 眼症状：結膜充血・浮腫，瘙痒感，流涙，眼瞼浮腫．
 　b) 鼻症状：くしゃみ，鼻汁，鼻閉．
 　c) 口腔咽頭症状：口腔・口唇・舌の違和感・腫脹，咽頭のかゆみ・イガイガ感．
3) **消化器症状**：腹痛，悪心，嘔吐，下痢，血便．
4) **呼吸器症状**：喉頭絞扼感，喉頭浮腫，嗄声，咳，喘鳴，呼吸困難．
5) **全身性症状**：
 　a) アナフィラキシー：多臓器の症状．
 　b) アナフィラキシーショック：頻脈，虚脱状態（ぐったり），意識障害，血圧低下．

検査所見
問診から食物アレルギーの関与が疑われる場合には，スクリーニングとして血液学的検査（total IgE，抗原特異的IgE），皮膚テストなどにて抗原特異的IgE抗体の検出を行う必要がある．また必要に応じて食物経口負荷試験を施行する．

1) **抗原特異的IgE抗体**：IgE抗体を検出する方法は現在のところ大きく分けて2通りあり，最も用いられている方法は，血液を採取し血液中の試験管内で抗原特異的IgE抗体を検出する方法である．代表的なものはイムノキャップによる測定であり，IgE抗体を半定量化することが可能である．もう1つの方法は皮膚テストで抗原に対する皮膚のマスト細胞の反応をみる方法である．皮膚テストのうち skin prick test（SPT）が最も安全かつ簡便な方法である．小麦や大豆はそれぞれ粗抗原のIgE抗体価のみでは診断効率が悪いので，小麦アレルギーの診断において小麦やグルテン特異的IgE抗体価よりもアナフィラキシーや食物依存性運動誘発アナフィラキシーではω-5グリア

表 12-30-3 おもな花粉と交差反応性が報告されている果物・野菜(日本小児アレルギー学会 食物アレルギー委員会, 2011)

花粉	果物・野菜
シラカンバ	バラ科(リンゴ,西洋ナシ,サクランボ,モモ,スモモ,アンズ,アーモンド),セリ科(セロリ,ニンジン),ナス科(ポテト,シシトウガラシ),マタタビ科(キウイ),カバノキ科(ヘーゼルナッツ),ウルシ科(マンゴー),など
スギ	ナス科(トマト)
ヨモギ	セリ科(セロリ,ニンジン),ウルシ科(マンゴー),スパイス,など
イネ科	ウリ科(メロン,スイカ),ナス科(トマト,ポテト),マタタビ科(キウイ),ミカン科(オレンジ),マメ科(ピーナッツ),など
ブタクサ	ウリ科(メロン,スイカ,カンタローブ,ズッキーニ,キュウリ),バショウ科(バナナ),など
プラタナス	カバノキ科(ヘーゼルナッツ),バラ科(リンゴ),キク科(レタス),イネ科(トウモロコシ),マメ科(ピーナッツ,ヒヨコマメ)

最も問題になるのはシラカンバ,およびハンノキ花粉などである.シラカンバは北海道に多く自生しており,本州以南で口腔アレルギー症候群の原因としてしばしば問題になるのはシラカンバ花粉と相同性を認めるハンノキ花粉である.

ジン特異的IgE抗体価を測定することで診断効率が上がることが報告されている[4](eコラム1).また大豆に関してGly m 5, 6, 8が大豆アレルギー診断や重症度の指標に有用であることが報告されている[5,6](eコラム2).食物アレルギーの分野では粗抗原による診断に加え,症状発現に強く関与するコンポーネントのIgE抗体を測定することで臨床的特異度が向上することが期待されている.

またその他に抗原と患者の白血球(好塩基球)を試験管内で反応させ,抗原特異的IgE抗体を有する好塩基球から遊離されたヒスタミンを測定するヒスタミン遊離試験や好塩基球活性化マーカーであるCD203cが食物アレルギーの診断に有用であることも報告されている[7,8].

診断

1)詳細な問診と検査所見の組み合わせによって診断するが,必要に応じて食物経口負荷試験により確定する.

2)**食物経口負荷試験**:食物を少量から始め,少しずつ摂取してもらい反応を確認することを食物経口負荷試験という.負荷試験の適応は①確定診断のため,②寛解(耐性の獲得)の判断のため,③リスクアセスメント(どの程度でどのような症状が出現するか)などである.

鑑別診断

じんま疹,気管支喘息,アレルギー性鼻炎・結膜炎,急性腹症,など.

合併症

各種アレルギー疾患の合併率が高い.

経過・予後

思春期以降に発症した即時型アレルギーの予後に関しては不明な点が多い.

治療・予防

1)**日常管理**:食物アレルギーの管理の目標は,症状を誘発することなく,かつ生活の質を悪化させることなく,安全に日常生活を送ってもらうことである.その目標を達成するためには正しい診断(主として食物経口負荷試験に基づく)に基づいた「必要最小限の食物除去」の指導を行うことが重要である.

2)**症状出現時の管理**:誤食や新規の発症で症状が出現した場合は必要に応じて薬物療法を実施する.使用する可能性のある薬剤としては抗ヒスタミン薬,全身性ステロイド,吸入β_2刺激薬,アドレナリン(筋注)が最も一般的である.アナフィラキシーに対する第一選択薬は作用時間,薬効を考えればアドレナリンであり,ほかの症状に加え呼吸器症状(嗄声,犬吠様咳嗽,喘鳴,呼吸困難など)を伴った場合は躊躇せずに使用すべきである.プレホスピタルケアとしてアドレナリン自己注射薬(商品名エピペン®)が2005年から処方可能となり,2011年より保険適用となっている.

3)**アレルギー物質の食品表示,薬物使用の注意点**:2002年からわが国では食物アレルギー物質を含む食品表示制度が世界に先駆けて開始された(Akiyamaら,2011).容器包装されている加工品はすべて対象となるが,店頭販売品・外食は適応外である.現在義務表示7品目(卵・乳・小麦・えび・かに・そば・ピーナッツ)と推奨20品目が定められている(e表12-30-A).

鶏卵・牛乳由来の物質を含む薬物が存在するので注意が必要である.これらの情報は食物アレルギーの診療の手引き2014にまとめられており,食物アレルギー研究会のホームページ(http://www.foodallergy.jp/)からPDFファイルとしてダウンロード可能である.

〔海老澤元宏〕

■文献(e文献 12-30)

Akiyama H, Imai T, et al: Japan food allergen labeling regulation: history and evaluation. *Adv Food Nutr Res*. 2011; 62: 139-71.

Ebisawa M: Management of food allergy in Japan "Food Allergy Management Guideline 2008 (Revision from 2005)" and "Guidelines for the Treatment of Allergic Diseases in Schools". *Allergol Int*. 2009; 58: 475-83.

日本小児アレルギー学会食物アレルギー委員会(宇理須厚雄,近藤直実監):食物アレルギー診療ガイドライン2012,協和企画,2011.

12-31 職業性アレルギー
occupational allergy

定義・概念

職業に関連して特定の物質に曝露され，これが抗原となり気道，皮膚，消化器などに出現するアレルギー反応である．

1）職業性喘息

定義・分類

アレルギー学的機序による喘息だけでなく，刺激物質の吸入で非アレルギー学的機序により発症する喘息や，ほかの原因による喘息が職場環境で増悪した場合も考慮し，広く職業に関連して起こる喘息を作業関連喘息とよび，図12-31-1 のように分類される（日本職業・環境アレルギー学会ガイドライン専門部会，2013）．刺激物質誘発職業性喘息は，9.11同時多発テロでの高層ビル崩壊時に作業した消防士に発症した例がある．各分類の特徴はⓔ表12-31-A に示す．

原因・病因

原因抗原は，多種多彩である（ⓔ表12-31-B）（日本職業・環境アレルギー学会ガイドライン専門部会，2013）．従来は植物・動物性で高分子量抗原が主体だったが，無機物などの低分子量抗原が増加している．リスクファクターは，職場での曝露量，アトピー素因，喫煙，遺伝がある[1]．

疫学

職業性喘息の人口寄与危険度割合は，約15%である（Mappら，2005）．職業集団での発症頻度は，ズワイガニ加工業，花屋，家禽飼育業などで，16%，14%，11%と高い（Mappら，2005；日本職業・環境アレルギー学会ガイドライン専門部会，2013）（ⓔ表12-31-C）[2]．

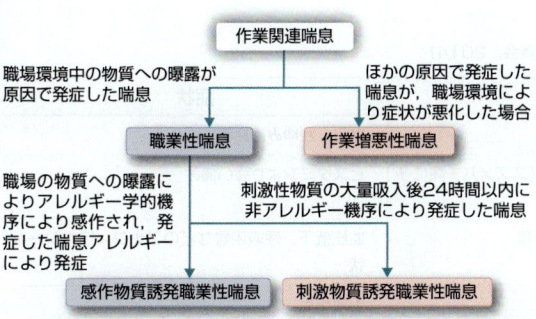

図12-31-1 作業関連喘息の分類（日本職業・環境アレルギー学会ガイドライン専門部会，2013）

臨床症状

1）自・他覚症状： 通常の喘息と同様だが，勤務日に強く，休日に少ないのが特徴である．感作物質誘発職業性喘息では，アレルギー性鼻炎や結膜炎が先行しやすい．

検査所見

感作物質誘発職業性喘息では，抗原特異的IgEが陽性となるが，低分子量抗原では，通常検出できない．確定診断は，吸入誘発試験だが，危険なのでほかの方法で診断できないときに実施する．

診断

診断するうえで最も重要な点は，疑うことである．作業日に症状が強く，休日や長期休暇で軽快することがポイントとなる．ピークフローの1日4回，4週間の測定で，高い感度と特異度で診断できる[3]．感度・特異度は，問診，ピークフローの測定，免疫学的検査などの組み合わせでさらに上昇する（Tarloら，2008）（ⓔ図12-31-A）．

鑑別診断

職業性喘息と作業増悪性喘息を区別する．

合併症

アレルギー性鼻炎，アトピー性皮膚炎．

経過・予後

感作物質誘発職業性喘息の場合，曝露回避後症状は改善するが，気道過敏性は続くので，2年以上経過を観察する[4]．

治療

感作物質誘発職業性喘息では，原因抗原からの回避が強く推奨されるが，社会・経済的面も考え丁寧に対応する．マスクなどで曝露を少なくする工夫もする．薬物療法は，通常の喘息治療に準ずる．特異的免疫療法は，高分子量抗原では有効性が高いが，真菌や化学物質では低く推奨されない．

予防

職場環境整備が重要．早期発見には，質問票による就業者のサーベイランスを定期的に行う．集団内で複数の職業性アレルギー疾患が発症している場合もあるので，それをふまえて調査する[2]．

2）職業性アレルギー性鼻炎

わが国の有病率は，アレルギー性鼻炎患者の0.6〜3.0%と推定される（日本職業・環境アレルギー学会ガイドライン専門部会，2013）．実験動物，ハウス栽培での花粉，製パン業での小麦粉，木材加工業での木材

粉じん，ウレタン工場でのイソシアネートが代表的である．治療は抗原回避と薬物治療である．

3）職業性アレルギー性皮膚疾患

職業性皮膚疾患中でアレルギー性は，職業性接触皮膚炎と職業性接触じんま疹がある（日本職業・環境アレルギー学会ガイドライン専門部会，2013）．職業性接触皮膚炎は，職業性皮膚疾患の90％で，その約60％がアレルギー性である．原因物質は，職業性接触皮膚炎では，金属，樹脂，ゴムなど多くの物質がある．職業性接触じんま疹は，おもに食物，植物，動物などの蛋白質が直接皮膚に接触して発症する（日本職業・環境アレルギー学会ガイドライン専門部会，2013）．

4）過敏性肺炎

農夫肺やチーズ洗い人肺などとよばれ，職業と密接に関連する【⇨ 9-4-4】．　　〔土橋邦生〕

■文献（e文献 12-31）

日本職業・環境アレルギー学会ガイドライン専門部会編：職業性アレルギー疾患診療ガイドライン 2013，協和企画，2013.
Mapp CE, Boschetto P, et al: Occupational asthma. Am J Respir Crit Care Med. 2005; 172: 280-305.
Tarlo SM, Balmes J, et al: Diagnosis and management of work-related asthma: American College of Chest Physicians Consensus Statement. Chest. 2008; 134: 1S-41S.

12-32　昆虫アレルギー
insect allergy

定義・概念

昆虫が原因で起こるアレルギーには，毒蛾や毛虫などへの接触性皮膚アレルギーやゴキブリ，ガなどの吸入による喘息などもみられるが，臨床的に最も重要なのは，ハチやアリ刺傷によるアナフィラキシーである．通常は何度か刺傷を繰り返すうちに感作され抗体が産生され，その後，刺傷を受けるとⅠ型アレルギーによるアナフィラキシーを引き起こす．適切な治療が行われないと死に至る場合もあるため，予防や救急対応の教育が重要である．

原因・病因

刺傷によりアナフィラキシーの原因となる昆虫は，膜翅目昆虫（Hymenoptera）であり，ミツバチ科のミツバチ（honey bee），スズメバチ科のスズメバチ（yellow jacket）やアシナガバチ（paper wasp），アリ科のハリアリ（fire ant）などが含まれる（e図 12-32-A）．これらの昆虫のアレルゲンは，昆虫の種類によって異なるが（表 12-32-1），ホスホリパーゼ A_1 および A_2，酸性ホスファターゼ，ヒアルロニダーゼ，メリチン，アンチゲン5などが抗原性を有するといわれている．また，昆虫の毒には，ヒスタミンやセロトニンなどのアレルギー反応にかかわるメディエータも含まれている．

疫学

ハチ刺傷によるアナフィラキシーは，0.3～3％の頻度でみられる．厚生労働省の調査では，毎年20名程度がハチ刺傷で死亡している．ハチ刺傷は職業関連が多く，スズメバチ，アシナガバチ刺傷は，林業，農業従事者，ゴルフ場従事者，建設業者，造園業者などに多い．ミツバチ刺傷は，養蜂業者やイチゴ農家に多い．ハチの種類別では，アシナガバチ（73％），スズメバチ（17％），クロスズメバチ（6％），ミツバチ

表 12-32-1　ハチ毒成分（日本アレルギー学会 Anaphylaxis 対策特別委員会，2014）

分類	原因物質	症状
痛みを起こす毒成分	ヒスタミン	痛み，かゆみ，発赤
	セロトニン，アセチルコリン（スズメバチ類に多い）	ヒスタミンより強い痛み
アレルギー反応を起こす毒成分	ホスホリパーゼAなどの酵素類	血圧低下，呼吸困難などのアナフィラキシー症状
その他の毒成分	メリチン（ミツバチ）	溶血作用
	アパミン（ミツバチ）	神経毒
	ハチ毒キニン（スズメバチ，アシナガバチ）	不明

(1%)の順に多い．

臨床症状
　刺傷局所の発赤腫脹や疼痛（とうつう）は数日で消失する．繰り返し刺傷すると刺傷後5〜30分以内にアナフィラキシーを呈する．刺傷歴が明確でなく，初回と思われる場合でもアナフィラキシーを呈することがある．アナフィラキシーの初期症状として熱感，頭痛，めまい，耳鳴り，不安感，不快感，口内・咽頭違和感，口渇，咳，喘鳴，腹部蠕動亢進，発汗，悪心（おしん），発疹，頻脈，血圧低下などがみられる．じんま疹や紅斑などの全身皮膚症状や顔面全体の浮腫，強い胃痛や頻回の下痢などの消化器症状といったグレードⅡ以上の症状が複数ある場合や，呼吸困難や喘鳴など気道浮腫による呼吸器症状やショック症状などグレードⅢの症状がある場合はアナフィラキシーと判断する（e表12-32-A）．適切な処置がなされないと気道狭窄とショックによって死に至る．

診断
　ハチアレルギーの有無の診断は，血液検査のRASTで特異的IgEを確認するのが最も簡便である．ハチ刺傷1カ月以内では抗体が消費され陰性の場合があるので注意が必要である．ハチ毒抗原を用いたスクラッチテストや皮内テストは，感度はよいが，アナフィラキシーを起こす可能性があるので注意が必要である．

治療・予防
1) **急性期治療**：アナフィラキシーの治療として，まずアドレナリン（ボスミン®）0.3 mgを筋注する．気道確保，酸素投与，血管確保，昇圧薬の投与など救急処置を行う．ハチアレルギーのある症例は，アドレナリンの自己注射剤であるエピペン®（e図12-32-B）を携帯し，ハチ刺傷が起きた場合，悪心や発汗，めまい，じんま疹などのアナフィラキシーの発症を示唆する全身症状が出現したら直ちに注射する．
2) **予防**：ハチ刺傷によるグレードⅠ以上のアナフィラキシー反応の既往があり，ハチ特異的IgE抗体陽性または皮内テスト陽性の場合は，ハチエキスを用いた免疫療法の適応となる（eコラム1）．〔石井芳樹〕

■文献
平田博国，石井芳樹：昆虫および動物によるアナフィラキシー．アレルギー・免疫．2013; 20: 1164-75.
日本アレルギー学会 Anaphylaxis 対策特別委員会：アナフィラキシーガイドライン，日本アレルギー学会，2014.

12-33　ペットアレルギー
pet allergy

定義・概念
　ネコ，イヌ，ウサギ，またハムスターなどの齧歯類（げっし）などの，飼育動物由来成分がアレルゲンとなり，これらに対するIgE抗体が産生されて気管支喘息やアレルギー性鼻炎などのアレルギー疾患を誘発する病態である．日本ではペット飼育数が増加しているとされ，かかるペットブームと連関してペットアレルギーは増加していると認識される．ダニアレルギーによる喘息，鼻炎あるいはスギ花粉症などの修飾因子として作用している場合もしばしばみられる．またたとえばフェレットなど，新規の飼育動物の普及によって多様化してきている面もある．

原因・病因
　ペットの体毛，皮膚，唾液，排泄物などに含有されるアレルゲン成分に対して，IgE抗体が産生されることが原因となる．主要アレルゲンとして，ネコの場合には唾液腺や皮脂腺，涙腺，尿などに存在するFel d 1（*Felis domesticus* allergen 1）が同定されている．イヌの主要アレルゲンはCan f1とよばれ，イヌを飼育していない家でも検出されることがある．このことは，アレルギー疾患患者が当該動物の非存在下においても，たとえば動物飼育家庭の家族と接触することなどでも症状が修飾される可能性を示唆している．齧歯類ではマウスではMus m1，ラットではRat n1などが主要アレルゲンとして報告されている．

臨床症状
　おもにペットとの接触を契機として気管支喘息，アレルギー性鼻・結膜炎，じんま疹，アトピー性皮膚炎などの臨床症状を呈する．ペットショップなどに入店時に症状が出現したといったエピソードもよく聞かれる．ペットによる咬傷などではアナフィラキシーが発生することもありうる．ネコアレルギー患者が，ネコと同室内に数時間共存すると，喘息症状はみられなくとも機能的には末梢気道閉塞が生じているとの報告があり，臨床症状が顕在化しなくても生体にはアレルギー反応に基づく障害が発現しうることを銘記すべきである．

診断・検査所見
　問診情報がきわめて重要である．ペットの種類，飼育歴，飼育状況などの情報を詳細に聴取し，臨床症状との連関性について評価する．ペットアレルゲンに対する特異的IgE抗体の存在を，プリックテストある

いは RAST 法などで検証する．ペットによっては主要アレルゲンが同定されているが，これらを用いてのプリックテストあるいは RAST 法による IgE 抗体測定などは一般的とはなっていない．ペットアレルゲンによるアレルゲン誘発試験を行って陽性となれば診断は確実となるが，危険性もあるため日常臨床では通常行われていない．

治療・予防

乳幼児期のペットとの生活がアレルギー発症リスクを下げるなどとする報告もみられるが，一般にすでにアレルギー疾患が発生していてペットに対する IgE 抗体が存在する場合には，当該ペットを回避することが望ましい．飼育中の場合は親類や友人などへの譲渡などを推奨する．家庭状況によっては当該ペットが家族のようにみなされている場合があり，譲渡の説得は必ずしも容易でないことがある．屋内飼育中のものを屋外に出すことも試みてよい．イヌ，ネコなどの洗浄によるアレルギー疾患の改善効果については十分に証明されてはいないが，可能であれば週 1 回程度で試みさせることが多い．空気清浄器の効果もエビデンスには乏しいが，可能であれば一応使用を推奨する．室内の徹底した清掃は重要である．ペットアレルギーの既往があるか，当該動物に関連する IgE 抗体が証明されている場合には，新規の飼育は回避させる．これらのアレルゲン回避指導と並行して，おのおののアレルギー疾患ガイドラインに準拠した薬物療法を対症療法として行う．この際に，喘息では呼気一酸化窒素（NO）値，アレルギー性鼻炎では鼻汁中好酸球数，アトピー性皮膚炎では血中 TARC 値測定などのモニタリングを行うことが望ましい．ネコアレルギーなどに対して主要アレルゲンに対するアレルゲン免疫療法の試みが行われているが研究段階である．

経過・予後

原疾患の重症度などにもよるが，ペットの処理・回避に成功しない場合には難治化する症例が少なくない．またネコなどでは譲渡あるいは死亡によって回避が成立しても，臨床的な改善をみるには半年〜1 年以上の期間を要することがある．臨床症状が乏しくとも臓器には潜在的にアレルギー性炎症が発現していて，長期的にはたとえば喘息の気道リモデリングなどの臓器障害が発現する可能性があるため注意を要する．

〔永田　真〕

12-34　その他のアレルギー疾患

1）じんま疹・血管浮腫
urticaria・angioedema

定義・概念

一過性の真皮上層の血管拡張と血管透過性の亢進により生じる膨疹反応で，強いかゆみを伴う（秀ら，2011）（図 12-34-1）．24 時間以内に消褪し，掻破などの機械的な刺激で，膨疹が生じる（dermographism）．

病態生理

マスト細胞の細胞膜表面に存在する IgE 抗体受容体（FcεR1）に結合した IgE 抗体に対応する食物，薬剤，微生物などのアレルゲンが IgE に結合することで細胞内へ Ca イオンが流入し，脱顆粒が生じ，ヒスタミンが遊離される（図 12-34-1）．同時に細胞膜表面のリン脂質からアラキドン酸を経て合成されるプロスタグランジン（PG），ロイコトリエン（LT），PAF，トロンボキサン（Tx）などもじんま疹の発症に関与している可能性が考えられている．ストレス刺激により末梢神経から遊離されるサブスタンス P や細菌由来因子，補体フラグメントなどによっても非特異的な脱顆粒が生じる．特殊なじんま疹として IgE 抗体受容体などに対する自己抗体により生じる自己免疫性じんま疹や補体の C1 エステラーゼインヒビター欠損症による血管神経浮腫がある（図 12-34-1）．

疫学・予後

一生涯で，ある個人がじんま疹に罹患する率は約 15％ と報告されている（Humphreys ら，1998）．4 週以内に軽快する急性じんま疹は多くが再発なしに経過するが，一部の症例で慢性化する．われわれの 92 例の検討では慢性じんま疹患者ではその 90％ が 1 年以内に軽快しているが，最長で 52 年にわたる難治例が 9 例みられた（片山，2000）．

診断

表 12-34-1 に最近提示されたじんま疹の病型分類を示す．通常わが国では 4 週，欧米では 6 週以内に軽快するじんま疹を急性じんま疹，それ以上持続する場合を慢性じんま疹とする．

治療ガイドライン

一般的には抗ヒスタミン作用を有する薬剤が処方されるが，現在の治療ガイドラインをⓔ図 12-34-A に示す．抗ヒスタミン薬をどのように選択するかは各臨床医の経験や症例報告に基づいて決められているのが現状と考えられている．欧米では非鎮静性の薬剤が推

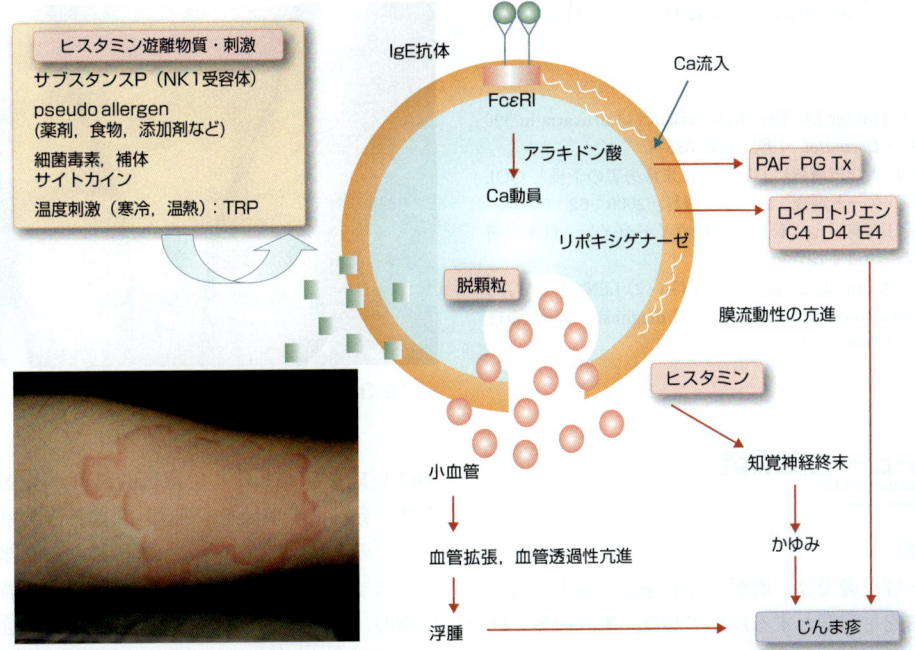

図 12-34-1 じんま疹の発症機序
マスト細胞顆粒に貯蔵されるヒスタミンにより，血管透過性の亢進による膨疹形成，軸索反射による紅斑反応，神経終末刺激によるかゆみを伴うじんま疹が生じる．ストレス，かぜ，非ステロイド系抗炎症薬，食品添加物などは悪化因子として作用することがある．ふつうのじんま疹の写真はⓔ図 12-34-B 参照．

表 12-34-1 じんま疹の病型分類（ガイドライン）（秀ら，2011）

	抗ヒスタミン薬の有効性
I. 特発性のじんま疹	
1. 急性じんま疹：発症して 1 カ月以内のもの：細菌，ウイルス感染などが原因のことも．	△～◎
2. 慢性じんま疹：発症して 1 カ月以上経過したもの．原因を特定できないことが多い．	△～◎
II. 特定刺激ないし負荷により皮疹を誘発することができるじんま疹	
3. 外来抗原（食物・薬剤・植物など）	－～○
4. 食物依存性運動誘発性アナフィラキシーによるじんま疹	－～○
5. 外来物質による非アレルギー性のじんま疹	－～○
6. 不耐症によるじんま疹：アスピリン，防腐剤など	－～○
7. 物理性じんま疹：機械的摩擦，寒冷じんま疹，日光じんま疹	－～○
8. コリン作動性じんま疹：入浴や運動，精神的緊張などの発汗刺激による	－～○
9. 接触じんま疹	－～○
III. 特殊なじんま疹またはじんま疹類似疾患	
10. 血管性浮腫：口唇やまぶたが突然腫れる	○
11. じんま疹様血管炎	－～△
12. 振動じんま疹	
13. 色素性じんま疹	－～○

対応抗原による特異 IgE（CAO-RAST, MAST, FAST, AlaStat），好塩基球からのヒスタミン遊離試験，スクラッチテストや再投与試験で IgE 抗体の存在を確認できる．日光，寒冷刺激，機械的刺激，発汗，圧迫などの物理刺激後に生じるじんま疹は物理性じんま疹と総称される．

奨されている(Zuberbier ら，2009)． 〔片山一朗〕

■文献

Humphreys F, Hunter JA: The characteristics of urticaria in 390 patients. *Br J Dermatol*. 1998; **138**: 635-8.
片山一朗：長崎大学皮膚科におけるじんま疹患者の予後とQOLに関するアンケート調査．西日本皮膚科．2000；**62**：89-94.
秀 道広, 森田栄伸，他：蕁麻疹診療ガイドライン．日本皮膚科学会雑誌．2011；**121**：1339-88.
Zuberbier T, Asero R, et al: EAACI/GA (2) LEN/EDF/WAO guideline: definition, classification and diagnosis of urticaria. *Allergy*. 2009; **64**: 1417-26.

2) アトピー性皮膚炎
atopic dermatitis

定義・概念

アトピー性皮膚炎は，増悪・寛解を繰り返す，瘙痒のある湿疹を主病変とする疾患であり，患者の多くはアトピー素因をもつ．アトピー素因とは，気管支喘息，アレルギー性鼻炎・結膜炎，アトピー性皮膚炎のいずれかあるいは複数の疾患の家族歴・既往歴を有するか，IgE抗体を産生しやすい素因をいう(日本アレルギー学会，2013)[1]．

分類

約80％の患者は血清IgE値が高く，多種の外来抗原に対する過敏性がみられるのに対し，約20％の患者は血清IgE濃度上昇がなく，前者を外因性，後者を内因性アトピー性皮膚炎と分類することがある(日本アレルギー学会，2013)[1]．

原因・病因

本症は，アトピー素因，バリア機能低下などの遺伝的背景のうえに，種々の環境因子が加わり発症する．発症後は強いかゆみのために搔破が繰り返され，バリア破壊と炎症が亢進し，さまざまな悪化因子の関与とあいまって症状が悪化する．一部のアトピー性皮膚炎患者では，角層機能に関与するフィラグリンの遺伝子に異常がある(Bieber, 2012)[2,3]．

疫学

わが国では小児の10〜13％程度，20歳代の10％程度の有病率がある[4](日本アレルギー学会，2013)．

病理

湿疹と同様の表皮細胞間浮腫，真皮上層のリンパ球を主とする炎症細胞浸潤のほか，好酸球，組織球の浸潤，マスト細胞の増加，知覚神経の表皮内伸張などがある[5]．

病態生理

表皮角層の水分保持機能の低下，かゆみ閾値の低下，易感染性などの皮膚の機能異常，また免疫学的に

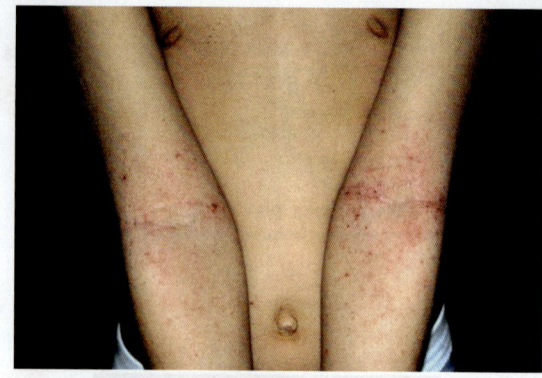

図 12-34-2 アトピー性皮膚炎

Th2反応を起こしやすい遺伝的背景があり，さらに食物，発汗，環境因子，細菌・真菌，接触原，ストレスなどの悪化因子が加わり，搔破による物理的障害とあいまって病態を形成する．また，表皮を構成する角化細胞，樹状細胞からは種々の活性物質が遊離し，炎症を増悪させる[6]．

臨床症状

およそ左右対称性に急性と慢性の湿疹病変が混在する．皮疹は全身に出現しうるが，肘窩，膝窩には年齢を通して好発する(図12-34-2, ⓔ図12-34-C)．年齢により以下の傾向がある(中村，2011)．

1) 乳児期(〜1歳)： 頭部，顔面に多く，口囲，頰部の紅斑，丘疹では感染や食物の刺激により滲出液を伴うことも多い．

2) 幼小児期(2〜12歳)： 皮膚の乾燥傾向が強く，鳥肌様に毛孔が目立ち，耳介下縁には亀裂を生じやすい．眼囲の搔破により眉毛外側には脱毛を生じる(Hertoghe徴候)(ⓔ図12-34-D)．

3) 思春期・成人期(13歳〜)： 皮疹は上半身に強く現れやすい．また，刺激を受けやすい手指には湿疹が残存しやすい．

検査所見

約80％の患者ではさまざまな外来抗原に対する特異的IgEが検出される．特に乳児期には卵白，牛乳，小麦など，学童期以降はダニ，真菌などに対する特異的IgEが生じやすい．

血中総IgE濃度は病勢評価のために利用され，一度増加したIgEは皮膚炎が沈静化すると数カ月以上かけて徐々に低下することが多い．一方，末梢血好酸球数は数日〜数週間で増減し，比較的短期間の病勢を反映する．また，重症例では血清LDH濃度が上昇する．近年，Th2ケモカインの1つのTARC(thymus and activation-regulated chemokine)の血中濃度がアトピー性皮膚炎の重症度とよく相関することが明らかになり，臨床検査として用いられるようになった(Bieber, 2012)．

診断

かゆみ，特徴的な分布の湿疹病変およびその慢性，反復性の経過に基づき，アトピー素因を示唆する家族歴，既往歴を参考にして診断する．皮膚炎の経過は乳児期では 2 カ月，幼児期以降では 6 カ月以上を診断の根拠とする[1]．

鑑別疾患

接触皮膚炎，脂漏性皮膚炎，疥癬(かいせん)，魚鱗癬(ぎょりんせん)，皮膚悪性リンパ腫，Netherton 症候群などを鑑別することが必要である(e表 12-34-A)．

合併症

伝染性膿痂疹，Kaposi 水痘様発疹症など．小児では伝染性軟属腫を合併しやすい．また，強い顔面の炎症を伴う場合は白内障，網膜剥離などの眼疾患を合併することもある．

経過・予後

乳児期に発症した患者の多くは 1 歳半頃までに寛解する．幼児期に発症した患者の多くが学童期ないし思春期までに寛解する．しかし，一部の患者は成人までもちこし，思春期以降に発症する例もある．成人例では年余に及ぶことが多い．

治療・予防

悪化因子の検索と対策，スキンケア，薬物療法を基本とする．悪化因子は患者ごとに異なり，スキンケアでは皮膚の清潔と保湿が重要である．薬物療法ではステロイド外用薬，カルシニューリン阻害外用薬による炎症の制御を基本とし，重症度，症状に合わせて薬剤の種類を選択する(e表 12-34-B)．近年，皮疹消失後も積極的に薬剤を使用して炎症を沈静化させるプロアクティブ療法が推奨されている[1] (日本アレルギー学会，2013)．〔秀 道広〕

■文献(e文献 12-34-2)

Bieber T: Atopic dermatitis 2.0: from the clinical phenotype to the molecular taxonomy and stratified medicine. Allergy. 2012; 67: 1475-82.
中村晃一郎編：アトピー性皮膚炎．皮膚科臨床アセット 1，アトピー性皮膚炎—湿疹・皮膚炎パーフェクトマスター，pp2-146，中山書店，2011．
日本アレルギー学会：アトピー性皮膚炎．アレルギー総合ガイドライン 2013 (西間三馨，秋山一男，他監)，pp284-331，協和企画，2013．

3）接触皮膚炎
contact dermatitis

定義・概念

接触皮膚炎は，外界の物質との接触によって引き起こされる皮膚炎，いわゆる「かぶれ」である．

分類

1）アレルギー性接触皮膚炎： 接触した物質に感作が成立し，その結果，アレルギー機序で皮膚炎が惹起される．感作された個体にしか生じないが，いったん感作されると微量の抗原であっても生じうる(Tan ら，2014)．

2）刺激性接触皮膚炎： 接触した物質の直接の毒性により生じる．一定の閾値以上の刺激であれば，初回接触でも，誰にでも生じうる．

3）特殊型：
　a) 全身性接触皮膚炎：経皮感作された抗原を，非経皮的(経口，注射，吸入など)に取り込んだ結果，全身に皮膚炎をきたしたもの．
　b) 接触皮膚炎症候群：原因物質に経皮的に繰り返し曝露され続けることにより，原因物質がリンパ流や血行性に撒布され，全身に皮膚病変が出現したもの．
　c) 光接触皮膚炎：接触皮膚炎が惹起されるのに日光曝露が必要であるもの．光毒性接触皮膚炎と光アレルギー性接触皮膚炎がある．

原因・病因

衣服・装身具など身につけるもの，化粧品・医薬品など塗布するもの，生活上(趣味を含む)や職業上接触するものなど，外界にあるさまざまな物質が抗原となる．

疫学

あらゆる年齢に起こりうる．総人口の約 20％が何らかの接触アレルギーを有している(Peiser ら，2012)．本症は皮膚科を受診する患者の 4〜10％を占める．

病理

表皮は海綿状態，表皮内水疱を呈し，リンパ球の表皮内や真皮上層への浸潤を伴う．

病態生理

アレルギー性接触皮膚炎は，遅延型過敏反応(IV型アレルギー)による(Vocanson ら，2009)．抗原となる物質のほとんどは分子量 1000 以下の化学物質(ハプテン)である．感作相と惹起相の 2 つの段階がある．

1）感作相： 皮膚バリアを通過したハプテンは皮膚内の蛋白と結合して，Langerhans 細胞や真皮樹状細胞などの皮膚樹状細胞に貪食される．皮膚樹状細胞は表皮角化細胞から産生される TNF-α，IL-1，PGE2 などの作用を受けて成熟・活性化し，CCL19/CCL21 と CCR7 などのケモカイン・ケモカイン受容体を介して，所属リンパ節へと遊走する．リンパ節で皮膚樹状細胞による抗原提示により抗原に反応する T 細胞がメモリー T 細胞に分化し，感作が成立する．

2）惹起相： 感作の成立した個体に再び同一の抗原が侵入すると，メモリー T 細胞が皮膚へと集まり，IL-

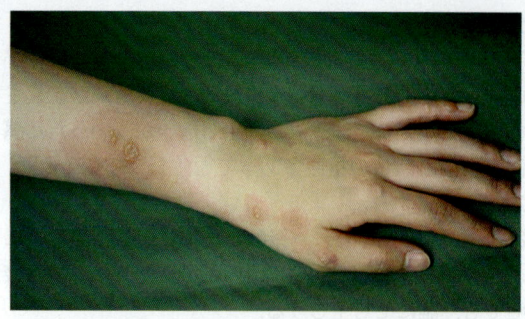

図12-34-3 ウルシによるアレルギー性接触皮膚炎

2，IFNg-γなどのサイトカインを放出し，皮膚炎が惹起される．

　刺激性皮膚炎は，酸やアルカリをはじめとして，物質そのものがもつ化学的特性により，表皮角化細胞が傷害される．表皮角化細胞の細胞膜が傷害されると，ATPやサイトカインなどが放出され，炎症を惹起する．

臨床症状

　原因物質の接触部位に一致して境界明瞭な紅斑を生じる（図12-34-3）．瘙痒が強く，灼熱感を伴うことがある．炎症の進展とともに紅斑上に漿液性丘疹や小水疱が出現し，搔破すると湿潤した局面となる．刺激が強い場合には皮膚が壊死し，潰瘍化することもある．広範囲に病変を形成すると，発熱，全身倦怠感などの全身症状も示す．抗原が非経口的に侵入する全身性接触皮膚炎では，紅斑丘疹が播種状に多発する．

　抗原の接触が繰り返されて長期間に及ぶと，表皮の肥厚・苔癬化をきたして慢性湿疹の像を呈する（e図12-34-E）．

検査所見

　原因物質の貼付試験（パッチテスト）が陽性を示す（e図12-34-F）．貼付試験は被験試料を健常皮膚に密封貼付し，48時間後と72時間後に紅斑・丘疹・水疱の有無を判定する．アレルギー性接触皮膚炎の場合には健常者が陰性を示す濃度で陽性反応を示すが，刺激性の場合には健常者でも陽性となり，ある濃度以下になると陰性化する．

診断

　詳細な病歴聴取と皮疹の部位・分布などから疑わしい接触抗原を推定し，被疑物質の貼付試験を行う．

鑑別診断

　脂漏性湿疹，異汗性湿疹，アトピー性皮膚炎などの湿疹・皮膚炎群や表在性真菌症の鑑別が必要である．皮膚疾患の治療中に薬剤による接触皮膚炎を生じて，両者が混在することもある．

経過・予後

　原因物質との接触が避けられれば経過は良好であるが，接触を避けることができずに曝露が繰り返されると，症状が遷延したり再発したりする．

治療・予防

　治療は副腎皮質ステロイドの外用を行う．皮疹が広範囲に及んだり症状が高度な場合は副腎皮質ステロイドの全身投与を短期間行うこともある．

　予防は，原因物質を特定し，生活環境から除去あるいは回避することである．しかし，職業上の理由などから完全な除去が難しいこともあり，状況に応じた対応が必要となる．

〔藤本　学〕

■文献

Peiser M, Tralau T, et al: Allergic contact dermatitis: epidemiology, molecular mechanisms, in vitro methods and regulatory aspects. Current knowledge assembled at an international workshop at BfR, Germany. *Cell Mol Life Sci*. 2012; **69**: 763-81.

Tan CH, Rasool S, et al: Contact dermatitis: allergic and irritant. *Clin Dermatol*. 2014; **32**: 116-24.

Vocanson M, Hennino A, et al: Effector and regulatory mechanisms in allergic contact dermatitis. *Allergy*. 2009; **64**: 1699-714.

4）アレルギー性結膜炎
allergic conjunctivitis

定義・概念

　アレルギー性結膜疾患（広義のアレルギー性結膜炎）はⅠ型アレルギーが関与する結膜の炎症疾患で，何らかの自・他覚症状を伴うもの，と定義される．一連のアレルギー反応のメカニズムは，アレルギー性鼻炎，喘息，アトピー性皮膚炎などのアトピー性疾患と類似している点が多い．臨床像の違いから，眼瘙痒感，充血を主症状とする季節性アレルギー性結膜炎および通年性アレルギー性結膜炎と，結膜の増殖性変化や角膜上皮障害を伴う春季カタル，アトピー性角結膜炎，巨大乳頭結膜炎に分類される（アレルギー性結膜疾患診療ガイドライン編集委員会，2010）．

原因・病因

　スギ花粉症などの季節性アレルギー性結膜炎では，樹木や草花の花粉がアレルゲンとなっており，花粉の飛散時期に症状が出現し，花粉飛散量の増加とともに症状が悪化する．通年性アレルギー性結膜炎や春季カタルは，ダニ，カビ，ハウスダストがアレルゲンとして関与している．アトピー性角結膜炎は，これらのアレルゲンに加え，眼瞼の搔爬行動も悪化の一因と考えられている．

病態生理

　季節性および通年性アレルギー性結膜炎ではⅠ型アレルギー反応の即時相が主体である．涙液中に外界か

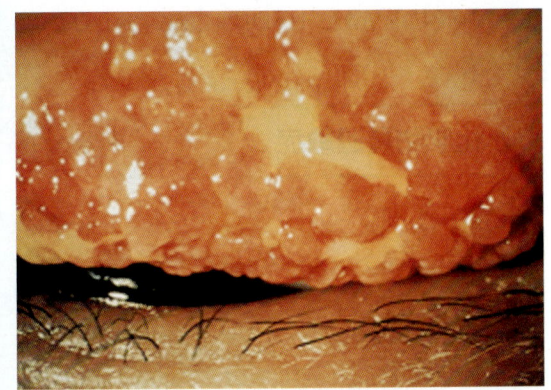

図 12-34-4 春季カタル患者の石垣状乳頭増殖
上眼瞼結膜に直径 1 mm 以上の巨大乳頭を認める.

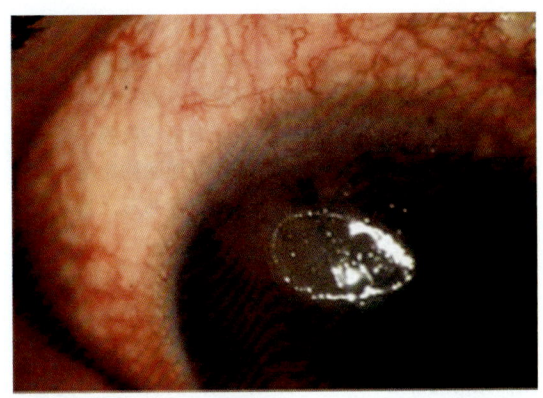

図 12-34-5 シールド潰瘍
潰瘍底に堆積物が沈着した遷延性の角膜上皮欠損を認める.

ら飛入したスギ花粉などのアレルゲンが結膜組織中のマスト細胞上の抗原特異的 IgE 抗体を架橋すると脱顆粒が起こり，ヒスタミンをはじめとするケミカルメディエータが結膜局所に遊離される．おもにヒスタミンが結膜の血管や三叉神経の C 線維の自由終末に存在するヒスタミン H_1 受容体に結合し，充血，瘙痒感を引き起こす．また，この一連の反応によって，結膜下の血管へサイトカインや接着分子が働きかけ，おもに好酸球が結膜上皮中や涙液中に浸潤してくる．

春季カタルなどの重症型アレルギー性結膜疾患における結膜の増殖性変化や角膜上皮障害形成の病態には，活性化好酸球や組織障害性蛋白の関与が考えられる．これらの患者の涙液や結膜には，活性化好酸球が多数浸潤し[1,2]，角膜障害が重症になるほど活性化好酸球の浸潤が急激に増加する[3]．

臨床症状

1）季節性および通年性アレルギー性結膜炎： 眼瘙痒感を特徴とし，充血，流涙，眼脂など急性結膜炎の臨床像を呈する．スギ花粉症などの季節性アレルギー性結膜炎では，毎年，樹木や草花の花粉の飛散時期に症状が出現する．ダニ，ハウスダストなどをアレルゲンとする通年性アレルギー性結膜炎では，季節を問わず症状が出現する．季節の変わり目に症状が悪化する場合が多い．細隙灯顕微鏡所見では，瞼結膜の乳頭，充血，腫脹，濾胞と，球結膜には充血，浮腫を認める．所見の程度は，結膜炎の重症度によりさまざまである．

2）春季カタル： アトピー体質の学童，特に男児に好発する．通年性アレルギー性結膜炎と症状は類似するが，悪化時には，激しい眼瘙痒感や，角膜上皮障害のため，異物感や眼が開けていられないほどの眼痛や視力低下を自覚する．上眼瞼結膜の石垣状乳頭増殖（図 12-34-4）や角膜輪部には Trantas 斑とよばれる炎症細胞の浸潤による白色の小隆起や堤防状隆起など結膜の増殖性変化が認められる．また，角膜には，点状表層角膜炎，潰瘍底に堆積物が沈着し遷延性の角膜上皮欠損を伴うシールド（shield，盾型）潰瘍（図 12-34-5），潰瘍内の堆積物が蓄積し角膜面よりやや隆起して観察される角膜プラークなど多彩な所見を呈する．

3）アトピー性角結膜炎： アトピー性皮膚炎に合併して起こる慢性の角結膜炎[4,5]で，顔面，なかでも眼瞼を中心に皮膚炎の増悪化が起こる思春期以降のアトピー性皮膚炎患者に認められる場合が多い[6]．瞼結膜には白色の瘢痕を伴う場合が多く，乳頭の大きさはさまざまである．また，アトピー性眼瞼炎には，ブドウ球菌，連鎖球菌や単純ヘルペスウイルスなどの感染を伴いやすく，これらも角結膜所見の悪化に関与することが推測される[7]．

4）巨大乳頭結膜炎： コンタクトレンズ装用，義眼，手術時の縫合糸などの物理的刺激とコンタクトレンズに付着した蛋白などアレルゲンにより発症する．上眼瞼結膜に直径 1 mm 以上の比較的均一なサイズの巨大乳頭を特徴とする．自覚症状は，アレルギー性結膜炎に類似し，眼瘙痒感，眼脂が主体である．コンタクトレンズ装用後に眼瘙痒感が出現し，重症になるとコンタクトレンズの上方へのずれが起こるなど，コンタクトレンズ装用と症状の発現に関連がみられる．

検査所見

診断のためには，臨床症状の確認，Ⅰ型アレルギー素因の有無，結膜局所でのⅠ型アレルギー反応の証明を行う．結膜上皮や眼脂中には，通常，好酸球は存在しないことから，スメア中に好酸球が認められれば確定診断となる．眼局所でのⅠ型アレルギー素因の検査には，涙液中総 IgE 検査が簡便である．健常人では陰性となり，特異度の高い検査法である[8]（庄司ら，2012）．アレルゲンの特定には，皮膚テストや RAST 法，CAP 法，MAST 法，AlaSTAT 法などの血清学的検査が用いられている．

鑑別診断

アレルギー性結膜炎と鑑別すべき疾患は，結膜の充

血や眼脂を主症状とする細菌性結膜炎やアデノウイルス結膜炎を代表とするウイルス性結膜炎などの感染性の急性結膜炎である．角膜潰瘍を伴う春季カタルやアトピー性角結膜炎は，細菌性角膜潰瘍や角膜ヘルペスとの鑑別が難しい場合がある．角膜擦過物を用いた病原体検索が的確な診断のために必要である．

予防・治療

1）セルフケア： アレルゲンを回避する工夫はアレルギー性結膜炎の予防や症状の軽減の効果がある．スギ花粉によるアレルギー性結膜炎に対し，花粉情報の活用，花粉防御用メガネの装用，人工涙液による洗眼は有用である．

2）治療： 第一選択は抗アレルギー点眼薬である．メディエータ遊離抑制薬とH_1受容体拮抗薬の作用を有するものがあり，現在10種類の薬剤が点眼製剤化されている（ⓔ表12-34-C）．症状が強い時期はステロイド点眼薬の併用を行う．スギ花粉症では，花粉飛散初期の症状がないか，あってもごく軽度の時期から抗アレルギー点眼薬を開始する「初期療法」により，花粉飛散時期の症状を軽減し，症状発現期間の短縮が認められる[9-13]．

春季カタルの治療には，抗アレルギー点眼薬，免疫抑制点眼薬，ステロイド点眼薬が用いられていたが，最近，春季カタルの治療に免疫抑制点眼薬が用いられるようになり，治療の選択肢が増え，有効かつ安全に春季カタルの治療が行えるようになってきた[14]．現在，2種類のカルシニューリン阻害薬が免疫抑制点眼薬として認可されている．0.1％シクロスポリン点眼薬は，重症な角結膜所見の改善にはステロイド点眼薬との併用で1カ月程度と効果の発現は緩徐だが，安全性は高い[15]（高村ら，2010）．一方，0.1％タクロリムス点眼薬は，ステロイド抵抗性の重症例に対しても短期間で治療効果が得られている[16,17]．巨大乳頭の縮小化や角膜上皮障害の軽減などの改善がみられれば，ステロイド点眼薬の回数や濃度を漸減する．ステロイド点眼薬は，副作用として眼圧上昇を伴う場合があり，ステロイド点眼薬投与中は，定期的な眼圧測定を含めた眼科での経過観察が必要である．一方，免疫抑制点眼薬は，高分子であり眼内へ浸透しにくいため，両点眼薬とも全身への影響はほとんどないと思われる[18]．

〔高村悦子〕

■文献（ⓔ文献 12-34-4）

アレルギー性結膜疾患診療ガイドライン編集委員会：アレルギー性結膜疾患診療ガイドライン 第2版．日本眼科学会雑誌．2010; **114**: 831-70.

庄司 純，内尾英一，他：アレルギー性結膜疾患診断における自覚症状，他覚所見および涙液総IgE検査キットの有用性の検討．日本眼科学会雑誌．2012; **116**: 485-93.

高村悦子，内尾英一，他：春季カタルに対するシクロスポリン点眼液0.1％の全例調査．日本眼科学会雑誌．2011; **115**: 508-15.

5）化学物質過敏症

【⇨ 18-1-8】

12. リウマチ性疾患およびアレルギー性疾患

III. 免疫不全症

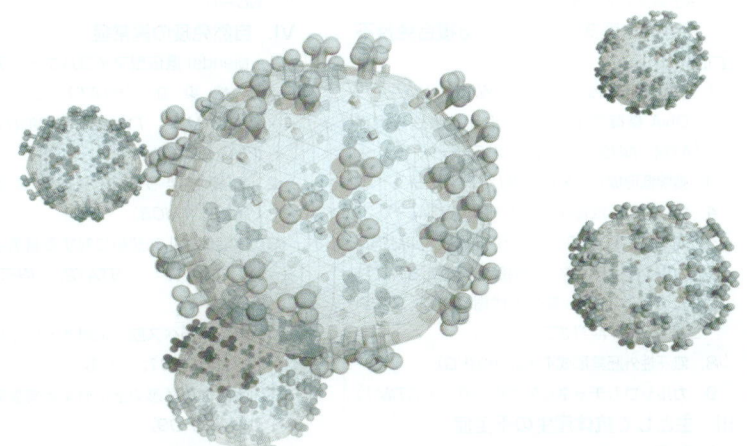

12-35 原発性免疫不全症候群
primary immunodeficiency syndrome

定義・概念

　原発性免疫不全症は，ヒトの免疫系に発現する遺伝子の先天異常が原因で発症する疾患である．大きく9群に分類され(表12-35-1)，頻度の高い重要な疾患が少なくとも20種類ある．細菌やウイルスに対する免疫能が低下する易感染性を中心症状とし，免疫調節機能の異常による自己免疫疾患・アレルギー，免疫学的監視機構の障害などによる発癌がみられる．健常人では感染症を引き起こさない弱毒病原体が引き起こす日和見感染症(eコラム1)は原発性免疫不全症候群に特徴的である．250個以上の原因遺伝子が同定され，その確定診断には遺伝子解析が重要である．

分類

　国際免疫学会連合(IUIS)の専門委員会の提唱により9群の原発性免疫不全症に分類される(表12-35-1)．2015年の分類で胚細胞突然変異以外の原因で原発性免疫不全症と同様の表現型を呈する疾患(phenocopy)が新たに加わった．

病因

　免疫系に発現する遺伝子の胚細胞突然変異により発症する．主な原因遺伝子を表12-35-1の括弧内に示す．

疫学

　正確な発症頻度は不明であるが出生10万人あたり1〜10人と考えられている．日本では，無ガンマグロブリン血症と分類不能型免疫不全症を含む抗体産生不全症の頻度が全体の40〜50％と高く，慢性肉芽腫症を含む好中球異常症，重症複合型免疫不全症を含むT細胞とB細胞両者の免疫不全症の発症頻度がそれぞれ全体の10％以上を占め，ついで高IgE症候群が5％程度と頻度が高い．発症頻度が1％以下の疾患が多数存在する．

病態生理

　易感染性はさまざまなメカニズムで発症し，抗体欠乏症ではオプソニン化の障害により，好中球異常症では殺菌能の障害により細菌感染症を発症する．代表的な日和見感染症であるニューモシスチス肺炎は，T細胞の機能異常を有する重症複合免疫不全症，CD40L-CD40異常症，Wiskott-Aldrich症候群，慢性肉芽腫症などでみられる．自己免疫疾患・アレルギーは制御

表 12-35-1 原発性免疫不全症の分類とその原因遺伝子

I. T細胞とB細胞両者の免疫不全症
  1. T-B+重症複合免疫不全症（T細胞を欠損する）(IL2RG, JAK3, IL7R, CD45, CD3)
  2. T-B-重症複合免疫不全症（T細胞とB細胞を欠損する）(RAG1/2, ADA)
  3. 複合免疫不全症（重症複合免疫不全症より軽症）(CD40L-CD40, ZAP70)
  4. Omenn症候群(RAG1/2, IL-7Rαなどの遺伝子異常でその残存機能を有する)

II. 特徴的な臨床症状を呈する複合免疫不全症
  1. Wiskott-Aldrich症候群(WASP, WIP)
  2. DNA修復異常症：毛細血管拡張性失調症(ATM, NBS1, BLM, MRE11)
  3. 胸腺低形成(TBX1, CDH7, SEMA3E)
  4. 免疫骨異形成症(RMRP, SMARCAL1)
  5. 高IgE症候群(STAT3, SPINK5, PGM3)
  6. カルシウムチャネル欠損症(ORAI1, STIM1)
  7. ビタミンB_{12}と葉酸の代謝異常症(TCN2, SLC46A1, MTHFD)
  8. 無汗性外胚葉形成不全症(IKBKG)
  9. カルシウムチャネル欠損症(ORAI-I, STIM1)

III. 主として抗体産生の不全症
  1. 無ガンマグロブリン血症(BTK, 免疫グロブリン重鎖, λ5, Igα, Igβ, BLNK)
  2. 分類不能型免疫不全症(CD19, CD20, CD21, CD27, CD81, TACI, BAFF-R)
  3. 高IgM症候群(IgMが正常または増加しIgGとIgAは著減)(AID, UNG, INO80, MSH6)
  4. B細胞数正常のアイソタイプまたは軽鎖欠損症(PIK3CD, PIK3R1)

IV. 免疫調節異常症
  1. 家族性血球貪食性リンパ組織球増殖症(PRF1, UNC13D, STX11, SH2D1A, XIAP)
  2. 白子症を合併する家族性血球貪食性リンパ組織球増殖症：Chediak-Higashi症候群(LYST, RAB27A, AP3B1)
  3. 制御性T細胞欠損症；IPEX(FOXP3, CD25, CTLA4)
  4. 自己免疫症候群；APECED(AIRE)
  5. 自己免疫性リンパ増殖症候群(TNFRSF6, TNFSF6, CASP10, CASP8, FADD, PRKCD)
  6. 腸炎を合併する免疫調節異常症(IL10, IL10RA, IL10RB)
  7. I型インターフェロン異常症(TREX1, RNASEH2B, IFIH1)

V. 食細胞の数または機能の異常症
  1. 先天性好中球減少症(ELANE, GFI1, HAX1, G6PC3, VPS45)
  2. 白血球接着異常症(ITGB2, SLC35C1, RAC2, ACTB, FPR1)
  3. 慢性肉芽腫症（活性酸素産生異常症）(CYBB, CYBA, NCF1, NCF2, NCF4)

VI. 自然免疫の異常症
  1. Mendel遺伝型マイコバクテリア易感染症(STAT1, IL12B, IL12RB1, TYK2, IFNGR1, IFNGR2)
  2. 疣贅を伴う表皮形成異常症(TMC6, TMC8)
  3. 重症ウイルス感染に対する易感染性(STAT1, STAT2, IRF7, CD16)
  4. 単純ヘルペス脳炎に対する易感染性(UNC93B1, TLR3)
  5. 侵襲性真菌感染症に対する易感染性(CARD9)
  6. 慢性皮膚粘膜カンジダ症(STAT1, IL17RA, IL17RC, IL17C)
  7. TLRシグナル伝達欠損症(IRAK4, MYD88)
  8. 先天性孤発性無脾症(RPSA)
  9. トリパノソーマに対する易感染性(APOL-I)

VII. 自己炎症性症候群
  1. インフラマソーム異常症(MEFV, MVK, CIAS1/NALP3)
  2. インフラマソーム以外の異常症(TNFRSF1A, PSTPIP1, NOD2, ADAM17, IL1RN)

VIII. 補体欠損症(C1q, C1r, C1s, C4, C2, C3, C5, C6, C7, C8a, C8b, C9, Factor I/H/D)

IX. 原発性免疫不全症候群のphenocopy
  1. 体細胞突然変異によるもの(TNFRSF6, KRAS, NRAS, NLRP3)
  2. 自己抗体によるもの[IL-17, IL-22, IFNγ, IL-6, GM-CSFなどに対する自己抗体による]

原発性免疫不全症のIUIS分類　主要な原因遺伝子を括弧内に示す．略語：APECED：autoimmune polyendocrinopathy with candidiasis and ectodermal dysplasia, IPEX：immune dysregulation, polyendocrinopathy, enteropathy, X-lined, TLR：Toll-like receptor

性T細胞の異常で発症することがあり，発癌には，クラススイッチ，二重鎖切断修復の異常などが関与する．

検査所見

易感染性の起炎病原体の同定は診断に重要で，細菌感染症を反復罹患する症例では，好中球減少，抗体欠乏，補体欠損の有無を検討する．好中球数減少症があるときは，二次性の好中球減少症を否定するために，薬物性，自己免疫性（抗好中球抗体，ANA，C3/C4，RF，ANCA，Coombs）の可能性を検討し，二次性の好中球減少症が否定できれば骨髄穿刺を行う．抗体欠乏症の場合は，二次性の薬物性，悪性腫瘍，腎・消化管から喪失の可能性を検討し，3歳以上であれば破傷風や肺炎球菌ワクチンに対する反応性を検討する．これで異常がみられなければIgGサブクラス欠損症の可能性を考慮する．CH_{50}より補体欠損症が疑われるときは，補体の各因子を定量し，血管浮腫がある場合は，C1インヒビター，発作時C4を検討する．これらに異常がない場合は好中球の機能異常症を疑い，好中球の貪食能，遊走能，活性酸素産生能（NBT色素還元テスト，化学発光法，フローサイトメトリー法），細胞表面CD11/CD18，sLe^X発現，酵素活性（MPO，G6PDなど）を評価する．

日和見感染症を呈する場合は，血算（リンパ球・好中球・好酸球の絶対数，血小板数と容積），IgG，IgA，IgM，リンパ球サブセット，リンパ球の増殖反応の検討に加えて，HIV感染の可能性を考慮する．日和見感染症を呈する疾患の代表である重症複合免疫不全症は緊急の治療が必要であるので，これが否定されるまでは迅速に診断を進める．

診断

まず原発性免疫不全症が存在するか否かを診断する．免疫不全症を疑うべき症状としては①反復する細菌感染症：1年間で8回以上の中耳炎または，2回以上副鼻腔炎・肺炎，皮膚や腹腔内臓器の膿瘍・蜂窩織炎・髄膜炎・骨髄炎・敗血症，②日和見感染症：ニューモシスチス肺炎，1歳以降の難治性カンジダ症，BCGによる重症副反応，サイトメガロウイルス感染症など，③原発性免疫不全症に特徴的な感染症：細胞内寄生細菌（マイコバクテリア，サルモネラ）による感染症，単純ヘルペス脳炎，髄膜炎菌による髄膜炎，劇症型EBウイルス感染症などが重要である．また，感染症に関連した家族歴は本症診断の契機となることが多い．易感染性以外にも，自己免疫疾患やアレルギーなど免疫調節の障害にも注意を払う必要がある．起炎病原体に応じた検査を行い診断する．

経過・予後

重症の免疫不全症では造血幹細胞移植による免疫能再建を行わないと，生後1〜2年で死亡することがある．抗体欠乏症では慢性気道感染のため肺機能障害が徐々に進行し，定期的な呼吸機能検査が必要である．

治療・予防

原発性免疫不全症では感染症が重症化するため，病原微生物を迅速に同定し，早期に適切な薬剤が必要である．抗菌薬の予防内服が行われることがある．予防接種は細胞性免疫不全症では禁忌であり，不活化ワクチンも液性免疫不全症では無効なことが多い．

1) **免疫グロブリン補充療法**：無ガンマグロブリン血症などに対して，免疫グロブリン製剤の補充療法が行われる．一般には3〜4週間ごとに200〜600 mg/kgを投与する．その際に症例ごとに投与前IgG値（トラフレベル）を呼吸機能が低下しない十分な値（> 500 mg/dL）に設定する．

2) **造血幹細胞移植**：重症複合免疫不全症，Wiskott-Aldrich症候群，CD40L-CD40欠損症，T細胞性免疫不全症などが適応となる．重症複合免疫不全症では，前処置が不要であるが，それ以外では前処置が必要である．同胞にドナーがいない場合には家族からのT細胞除去骨髄移植，非血縁者間骨髄移植，臍帯血移植などさまざまなドナーを用いた移植が行われる．

3) **サイトカイン療法**：一部の重症複合免疫不全症にインターロイキン-2（IL-2）が有効で，IFN-γが慢性肉芽腫症や一部の細胞内寄生菌に有効である．

4) **遺伝子治療**：ADA欠損症やγc欠損症では，遺伝子治療が行われる．おもに造血幹細胞にレンチウイルスを用いて欠損遺伝子を導入する．

1) 原発性免疫不全症各論

(1) 重症複合免疫不全症（severe combined immunodeficiency：SCID）

概念・病因

T細胞数の減少による細胞免疫不全とヘルパーT細胞機能の低下による液性免疫不全を特徴とする．約半数がX染色体上にあるγc鎖の遺伝子異常による．常染色体劣性遺伝のRAG1，RAG2，JAK3，IL-7Raなど15種以上の原因遺伝子が見いだされている[1]．

臨床症状

生後まもなくより，日和見感染症を含む各種の感染症に反復罹患，重症化する．原因不明の体重増加不良（failure to thrive），難治性下痢，重症の鵞口瘡をしばしば認める．ニューモシスチス肺炎，サイトメガロウイルスによる間質性肺炎や麻疹ウイルスによる巨細胞性肺炎が重篤化する．

検査所見

T細胞数の減少，リンパ球増殖反応の低下，免疫グロブリンの低値を認める．γc鎖，JAK3の遺伝子異常

ではT細胞とNK細胞が欠損し，B細胞数は正常だが，RAG1/2の異常ではT細胞とB細胞が減少するもNK細胞数は正常である．IL-7Raの異常ではT細胞のみ欠損する．

診断
出生直後よりの高度の易感染性，検査で細胞性免疫と液性免疫の両者の異常が認められる場合に本症を疑う．末梢血のリンパ球分画で病因を推定し，遺伝子検査で確定診断する．最近，胸腺から出てきたばかりのT細胞に存在するTREC（T cell receptor excision circle）を使った新生児マススクリーニングにより，出生直後に重症複合免疫不全症を発見し早期治療する試みが北米で開始されている．

合併症
輸血中にT細胞の混入があると移植片対宿主反応（graft versus host disease: GVHD）が起こり致命的になることがある．輸血への放射線照射でこれを予防する．

予後
造血幹細胞移植による免疫再建が行われない場合，そのほとんどが1歳までに不幸な転帰をとる．早期発見し早期に造血幹細胞移植を行えれば，予後を大幅に改善できるので，早期確定診断の重要性が高い．

治療
早期の造血幹細胞移植が必要である．遺伝子治療の成功例がある．

(2) Omenn 症候群
概念・病因
常染色体劣性遺伝のまれな免疫不全症で，落屑を伴う紅皮症・リンパ節腫脹・肝脾腫，好酸球増加・高IgE血症を特徴とする．原因はSCIDと共通で*RAG1*，*RAG2*，γc鎖，*IL-7Ra*鎖などの変異である．RAG遺伝子のミスセンス変異による残存酵素活性により，限定されたT細胞レパトアが出現が疾患の発症に関与していると考えられている[2]．

臨床症状
生後早期からの全身性のGVHD様紅皮症，体重増加不良，慢性下痢，肝脾腫，リンパ節腫脹を呈する．

検査所見
好酸球増加，末梢血中B細胞が欠損する．患児由来の活性化T細胞が増加し，IgEが高値．それ以外の免疫グロブリン（IgG, IgA, IgM）は著しい低値である．

診断
特徴的な臨床症状と検査所見で疑い，遺伝子検査で確定する．母親由来のT細胞が児に定着し，類似の症状を呈することがあるので鑑別が必要である．

治療
早期の造血幹細胞移植．

(3) Wiskott-Aldrich 症候群
概念・病因
血小板数と血小板サイズの減少，T細胞の機能異常とアトピー性皮膚炎，多糖抗原に対する抗体産生の障害がみられる免疫不全症で，X染色体上の*WASP*遺伝子の異常が原因である[3]．

臨床症状
血小板減少による出血傾向，アトピー性皮膚炎，細菌，真菌，ウイルスに対する易感染性．

検査所見
血小板数減少と血小板サイズの減少が特徴である．細胞性免疫の異常を呈し，血清IgM低値を認め，IgEは高値をとることが多い．

診断
男児で血小板減少，アトピー性皮膚炎，免疫不全症の3主徴を伴う症例に，WASP蛋白の欠損または遺伝子異常を認める．

合併症
自己免疫疾患や悪性リンパ腫の合併の頻度が高い．軽症型でWASP蛋白が存在するものでは，伴性血小板減少症の表現型をとる．

予後
根治療法が行われないと，頭蓋内出血，悪性腫瘍，重症感染症のため予後不良．

治療
脾摘が血小板減少に有効である．根治療法として造血幹細胞移植がある．

(4) 毛細血管拡張性失調症（ataxia telangiectasia）
概念・病因
上下気道の易感染性に眼球結膜・皮膚の毛細血管拡張と小脳性運動失調を合併する．DNA2重鎖切断修復に関与する*ATM*遺伝子の異常による[4]．

臨床症状
上下気道の感染が反復し遷延する．1歳頃より毛細血管拡張や運動失調が出現する．

検査所見
T細胞数の減少，リンパ球増殖反応の低下を認め，血清IgG, IgE, IgAも低値．α-フェトプロテインの増加や染色体異常も認める．

診断
副鼻腔炎，中耳炎，肺炎などの上下気道の感染に加えて，毛細血管拡張と運動失調を合併していれば診断可能であるが，乳児期の易感染性のみでは診断は困難である．確定診断はATM蛋白発現の検討と遺伝子検査による．

合併症
悪性腫瘍の合併が高率である．急性リンパ性白血病，悪性リンパ腫の頻度が高く，化学療法に対する副作用の頻度が高い点に注意が必要である．気管支拡張症もしばしば合併する．

予後
悪性腫瘍や気道感染症により小児期に不幸な転帰をとることが多い．

治療
抗菌薬の予防投与や免疫グロブリン補充療法による感染予防が行われるが，根治療法は存在しない．

(5) 胸腺低形成（thymic hypoplasia）
概念・病因
胸腺と副甲状腺は胎生6～8週に第3・4鰓囊上皮から発生するが，この発生障害により発症する．胸腺の低形成による細胞性免疫不全，副甲状腺の低形成による低カルシウム血症，大血管の異常を中心とする心奇形を呈する．約90％の症例で染色体22q11のハプロイドゲノムの欠損を有する．典型例はDiGeorge症候群とよばれる[5]．

臨床症状
ウイルス，真菌，結核菌などによる感染症に罹患する．さらにヘルパーT細胞機能の障害のため特異抗体の産生障害，それによる細菌感染症を呈する．低カルシウム血症とテタニー，顔面の形態異常（小顎症，耳介低位），大血管異常を認める．

検査所見
胸部CTで胸腺の欠損がみられる．T細胞数はやや低下，B細胞数は相対的に増加する．

診断
大血管奇形，テタニー，顔貌異常で気づかれることが多い．染色体検査で22q11または10p13の欠失を認める．

治療
低カルシウム血症，大血管奇形の治療が救命のため必要で，重症の細胞性免疫不全がある場合には胸腺移植が試みられることがある．

(6) 高IgE症候群（hyper IgE syndrome）
概念・病因
黄色ブドウ球菌による皮膚膿瘍と肺炎，アトピー性皮膚炎，血清IgEの著しい高値を3主徴とする免疫不全症である．免疫系だけではなく骨，軟部組織，歯牙の異常を呈する多系統疾患である．高IgE症候群の主要原因遺伝子としてSTAT3がある[6]．

臨床症状
皮膚膿瘍が寒冷膿瘍（cold abscess）となることが特徴である．免疫異常以外に特有の顔貌，骨粗鬆症，病的骨折，脊椎側弯，関節の過伸展，乳歯の脱落遅延などを合併する．

検査所見
高IgE血症（2000 IU/mL以上），好酸球増加（700/μL以上）．

合併症
肺炎罹患後の肺囊胞は，本症に特徴的である．

予後
肺囊胞が存在する症例ではアスペルギルス，多剤耐性緑膿菌感染症の治療に難渋することがある．

診断
血清IgE値や好酸球数，肺炎・皮膚膿瘍の罹患回数，脊椎側弯症，病的骨折，乳歯の脱落遅延，特徴的顔貌，肺の器質的病変の有無などをスコア化し，高得点のものを高IgE症候群と臨床診断する．遺伝子検査により確定する．

治療
スキンケアと感染症に対する早期の治療が重要である．本症の患児では感染症に罹患していても重症感に乏しく，CRPの上昇も軽度で感染症の早期発見が困難である．予防的抗菌薬（ST合剤など）と抗真菌薬の投与を行う．

(7) 無ガンマグロブリン血症（agammaglobulinemia）
概念・病因
B細胞の分化障害が原因の液性免疫不全症である．主要な原因は，X染色体上のBTK遺伝子の変異であるが，常染色体劣性遺伝の疾患もある[7]．

臨床症状
母親からの移行抗体の減少する生後2カ月頃より，遅くとも5歳までに発症し，中耳炎，副鼻腔炎，肺炎などの細菌感染症を反復する．起炎菌としては，莢膜を有するインフルエンザ桿菌や肺炎球菌が多い．その他の感染症の原因としては，エンテロウイルスが重要である．

検査所見
血清中の免疫グロブリンが著しく減少しており（IgG < 200 mg/dL，IgA < 20 mg/dL以下，IgM < 20 mg/dL以下），免疫学的には特異抗体が欠損している．フローサイトメトリーで，末梢血単核球中のB細胞は2％以下と著減している．骨髄のB細胞分化は，プロB細胞からプレB細胞への移行段階で停止している．B細胞系列以外には異常は認めない．

診断
身体所見ではリンパ節を触知せず，口蓋扁桃が小さい．薬物性や感染性の二次性のB細胞減少症を除外し，分類不能型免疫不全症，高IgM症候群などと鑑別する．

合併症
感染症のコントロールが不十分だと慢性呼吸器疾患（COPD）を高頻度に合併する．エンテロウイルスによる中枢神経感染症が慢性化することがある．
予後
早期診断・治療開始により予後は改善する．
治療
免疫グロブリン補充療法．

(8) 分類不能型免疫不全症（common variable immunodeficiency：CVID）
概念・病因
成人で高頻度にみられる低ガンマグロブリン血症である．原因が不明で暫定的に分類された疾患で，多くは10歳以降に発症し同種血球凝集素の欠損・ワクチンへの低反応を呈し，既知の免疫不全症でないものと定義されている[8]．CD19, CD20, CD21, CD81, ICOS, TACI, BAFF-R の異常によるものが報告されているが，多くがいまだ原因不明である．
臨床症状
細胞外寄生菌に対する易感染性．呼吸器・消化器感染症が多い．
検査所見
血清 IgG, IgA, IgM が低下し，蛋白・多糖抗原に対する抗体産生が低下しているが，B細胞数はほとんどで正常である．
診断
無ガンマグロブリン血症，伴性リンパ増殖症候群，高 IgM 症候群，重症複合免疫不全症の原因遺伝子を除外することが重要である．
合併症
30～50％で自己免疫疾患がみられ，悪性腫瘍の合併が多い．
治療
免疫グロブリン補充療法．

(9) 高 IgM 症候群（hyper IgM syndrome）
概念・病因
免疫グロブリン重鎖遺伝子のクラススイッチ再構成に障害があり，IgM, IgD の産生は正常だが，IgG, IgA, IgE の産生が障害される．T細胞からB細胞へのシグナル伝達異常とB細胞の内因性異常が原因のものがある．X染色体上の CD40 リガンドの遺伝子異常によるものの頻度が高いが，CD40, AID, UNG など常染色体劣性遺伝のものもある[9]．
臨床症状
高 IgM 症候群の臨床症状は，① IgG, IgA の低下による細菌感染症，②好中球減少による口内炎・歯肉炎，③ CD40-CD40L のシグナル伝達異常に起因し Pneumocystis jirovecii などの真菌やクリプトスポリジウムなどの原虫による日和見感染症に罹患する．自己免疫症状として血球減少症，関節炎，炎症性腸疾患を合併する．
検査所見
T細胞数・B細胞数は正常で，正常またはそれ以上の血清 IgM, IgD を有しながら，IgG, IgA, IgE の著明な低下を特徴とする．リンパ球増殖反応は正常で，これは乳児期のニューモシスチス肺炎症例では重症複合免疫不全症との鑑別に重要である．CD40L の異常によるものでは，活性化した T細胞上の CD40L の発現が低下していることが多く，CD40L の塩基配列に異常を認め，好中球減少を高頻度で認める．
診断
CD40L-CD40 の異常によるものでは，ニューモシスチス肺炎やクリプトスポリジウム胆管炎から肝癌の発症を特徴とする．AID や UNG の欠損症では，クラススイッチは障害されているが日和見感染症はみられない．
治療
全症例に免疫グロブリン補充療法の適応がある．CD40L 異常症の好中球減少症では，G-CSF が有効であることが多い．CD40L-CD40 の異常症に対しては，ニューモシスチス肺炎の予防のため ST 合剤の内服が必要である．CD40L-CD40 の異常症の場合早期の造血幹細胞移植が必要である．

(10) 家族性血球貪食性リンパ組織球増殖症（familial hemophagocytic lymphohistiocytosis）
概念・病因
組織球の増殖と血球貪食を病理学的特徴とし，細胞傷害性 T細胞と NK 細胞機能低下による免疫異常活性化とサイトカインストームが基本病態である．EBV 感染を契機に発症し，伴性劣性の遺伝形式をとる SH2D1A と XIAP の変異による疾患がある[10]．
臨床症状
発熱，汎血球減少，肝脾腫，リンパ節腫脹，播種性血管内凝固症（DIC）．
検査所見
全系統の血球減少，高トリグリセリド血症，低フィブリノゲン血症，高フェリチン血症，可溶性 IL-2R 上昇．
診断
家族歴・臨床症状・検査所見より疑い，遺伝子検査で確定する．
治療
強力な免疫抑制療法により炎症を鎮静化し，早期の造血幹細胞移植を行う．

(11) Chédiak-Higashi 症候群

概念・病因
反復感染症，部分的白子症，白血球・血小板・メラノサイト内の巨大顆粒を特徴とする．好中球の機能不全，キラーT細胞やNK細胞活性の低下がみられ，易感染性と高率のリンパ系悪性腫瘍を合併する．LYST遺伝子の異常による[11]．

臨床症状
反復性の細菌感染症，貧血，肝脾腫，白血球減少，血小板減少，皮膚や毛髪の色素異常，日光過敏症，中枢神経異常など多彩な症状を呈する．

検査所見
末梢血の塗抹標本で巨大顆粒を認める．

治療
造血幹細胞移植．

(12) 制御性T細胞の異常症（genetic defect of regulatory T cells）

概念・病因
本症の原因が制御性T細胞（eコラム2）の異常であることから，Foxp3遺伝子がヒトの制御性T細胞の生成に必須であることが明らかにされた[12]．

臨床症状
生後早期から，重症の水溶性・血性下痢，1型糖尿病と甲状腺機能低下症など多臓器の内分泌障害，アトピー性皮膚炎，自己免疫性溶血性貧血・好中球減少症・血小板減少症を呈する．

検査所見
リンパ球分画・増殖反応，血清IgG, IgMは正常であるが，血清IgE, IgAの高値と好酸球増加を認める．各種の自己抗体を認め，末梢血中のCD4陽性CD25陽性の細胞は存在するが，Foxp3蛋白を欠損する．

診断
乳児期の男児がIgE上昇を伴う難治性の重症下痢に1型の糖尿病が合併し，制御性T細胞中のFoxp3蛋白の欠損と遺伝子検査で確定する．

予後
適切な治療が行われなければ乳児期に不幸な転帰をとる．

治療
対症的に輸血，ホルモン補充療法，経静脈栄養が必要なことがある．治療に対する重症のアレルギー反応に注意が必要である．免疫抑制薬が有効なことがある．根治には，早期の造血幹細胞移植が必要であるが，生着不全の報告が多い．

(13) 先天性好中球減少症（congenital neutropenia）

概念・病因
骨髄での好中球前駆細胞の分化障害により，細菌感染症に罹患する．わが国では，好中球エラスターゼ（ELANE）の遺伝子異常により発症するものが多い．古典的な Kostmann 症候群は HAX1 の変異による[13]．約21日間隔で周期的に好中球が減少する周期的好中球減少症も ELANE の変異により発症する．

臨床症状
皮膚・上下気道・口内炎などの細菌感染症に反復罹患・重症化する．口内炎，歯肉炎，歯周炎が本症に特徴的である．

検査所見
末梢血中の好中球数が 500/μL 以下になると易感染性が明らかとなり，200/μL 以下となると重症の細菌感染症を発症する．骨髄で好中球前駆細胞の成熟障害を認める．

治療
感染予防にはST合剤と抗真菌薬が用いられる．G-CSFが多くの症例で有効であるが，骨髄異形成症候群・急性骨髄性白血病に進展するので，長期投与には注意が必要である．根治療法は造血幹細胞移植である．

(14) 白血球接着異常症（leukocyte adhesion deficiency：LAD）

概念・病因
白血球上の接着分子が欠損し，好中球・単球の遊走能や貪食能の低下とNK細胞活性の低下がみられる．β_2-インテグリンのCD18遺伝子異常によるもの（1型），CD15欠損によるもの（2型）などがある．

臨床症状
生下時臍帯脱落遅延を認め，反復性の皮膚の重症感染症，創傷治癒の遷延，持続性の歯肉炎などを認める[14]．

検査所見
著明な末梢血白血球数増加．

治療
ST合剤の投与が有効である．根治には造血幹細胞移植．

(15) 慢性肉芽腫症（chronic granulomatous disease：CGD）

概念・病因
食細胞の活性酸素産生障害のために貪食した細菌・真菌を殺菌できず，また消化管・気道・尿路への肉芽腫形成を特徴とする．活性酸素の産生にかかわるNADPHオキシダーゼの異常による．伴性劣性のgp91-phox 欠損症と常染色体劣性遺伝の p22-phox,

p47-phox, p67-phox, rac2 の遺伝子異常により発症する．伴性劣性の遺伝形式をとるものが全体の約 2/3 を占める[15]．

臨床症状
カタラーゼ陽性の化膿菌（黄色ブドウ球菌など）による皮膚，リンパ節，肺，肝の感染症に罹患し，膿瘍形成や肉芽腫形成を伴いやすい．カンジダやアスペルギルスによる真菌感染症も高頻度でみられ，BCG などの細胞内寄生細菌に対しても易感染性である．

検査所見
好中球の NBT 色素還元能陰性で，化学発光が欠如し，活性酸素の産生能低下がみられる．

診断
臨床症状より疑い，gp91-phox, p22-phox, p47-phox, p67-phox, rac2 の遺伝子異常を同定することにより確定診断する．

予後
軽症例では成人まで生存するが，アスペルギルスによる真菌感染症が致命的なことがある．

治療
ST 合剤，抗真菌薬の予防内服．IFN-γ の投与も一部の症例では有効である．根治療法として造血幹細胞移植がある．

（16）Mendel 遺伝型マイコバクテリア易感染症（Mendelian susceptibility to mycobacterial disease：MSMD）

概念・病因
マイコバクテリア，サルモネラ，リステリア，レジオネラなどの細胞内寄生菌に対する易感染性を主徴とする．IFNγ の産生が障害される疾患（IL12B, IL12RB1, TYK2）と，IFN-γ のシグナル伝達が障害される疾患（IFNGR1, IFNGR2, STAT1）が存在する[16]．

検査所見
一般的な血液学的・免疫学的検査では異常を認めない．FACS による IFNGR1 の発現・IFN-γ に対する STAT1 のリン酸化，血中 IFN-γ 濃度や試験管内での IFN-γ 産生などの機能検査により，確定診断の重要な手がかりを得られることがある．

診断
特徴的な臨床症状により疑い，血液学的・免疫学的検査により除外診断し，免疫能検査・遺伝子検査により確定診断する．

（17）慢性皮膚粘膜カンジダ症（chronic mucocutaneous cadidiasis disease：CMCD）

概念・病因
皮膚粘膜のカンジダ症は SCID を含む T 細胞の機能異常などによっても発症するが，本症は，皮膚粘膜のカンジダ症に対して選択的に易感染性を呈する．IL-17 と IL-22 のシグナル伝達障害により発症する．約半数が STAT1 の機能獲得型変異による[17]．

臨床症状
カンジダ感染は，中咽頭，爪，皮膚，食道に発症することが多い．甲状腺機能低下症などの自己免疫疾患を合併することがある．

検査所見
一般的な血液学的・免疫学的検査では異常を認めない．STAT1 の機能獲得型変異によるものでは，STAT1 の恒常的チロシンリン酸化を認める．

診断
皮膚粘膜の難治性のカンジダ症を発症し，他の免疫不全症の存在を否定，免疫能検査・遺伝子検査により確定診断する．

治療
定期的な抗真菌薬の投与．

（18）TLR シグナル伝達欠損症（TLR signal pathway deficiency）

概念・病因
TLR と IL1R のシグナル伝達の障害により，肺炎球菌，ブドウ球菌，溶血性連鎖球菌，緑膿菌に対する易感染性を呈する[18]．

臨床症状
化膿性髄膜炎，敗血症，筋膜炎，関節炎などの侵襲性細菌感染症．

検査所見
一般の血液・免疫能検査では正常である．末梢血中単球をリポ多糖体（LPS）で刺激した際の TNF-α 産生能が低下する．

診断
特徴的な臨床症状により疑い，液性免疫不全症，食細胞異常症，補体欠損症，無脾症を除外診断し，免疫能検査と遺伝子検査により確定診断する．

治療
早期の抗菌薬予防投与が重要で，ガンマグロブリン補充療法が必要な場合もある．

予後
乳幼児期の感染症は重症であるが，獲得免疫の成立により易感染性は次第に軽減する．

（19）自己炎症性症候群（autoinflammatory syndrome）

概念・病因
自発的な自然免疫系活性化により，好中球，単球，マクロファージからの TNF-α や IL-1β などの炎症性サイトカインが分泌されて引き起こされる全身性炎症

性疾患．少なくとも 10 個の亜病型（家族性地中海熱，高 IgD 症候群，クリオピリン関連周期熱症候群【⇨ 12-21】など）が存在しそれぞれの原因遺伝子変異が同定されている[19]．

臨床症状
各疾患に特徴的な周期性発熱，不明熱，関節痛，関節炎，紅斑，じんま疹様発疹，口内炎，ブドウ膜炎，漿膜炎，関節拘縮などを認める．

検査所見
発作時に，CRP 高値，血清アミロイド蛋白高値などの炎症所見を認める．高 IgD 症候群では，発作時尿中メバロン酸が高値となる．

診断
各疾患に特徴的な臓器炎症をより疑い，遺伝子診断で確定診断．

治療
クリオピリン関連周期熱症候群に IL-1β 中和抗体のカナキヌマブが有効である．

予後
クリオピリン関連周期熱症候群と重症の高 IgD 症候群は予後不良のため早期診断の重要性が高い．

(20) 補体欠損症（complement deficiency）

概念・病因
補体各成分をコードする遺伝子の異常により，補体蛋白が欠損する．

臨床症状
細菌に対する易感染性がみられる．C5-C9 の欠損では髄膜炎菌などのナイセリアに対する易感染性がみられる．C1-C3 欠損症では全身性エリテマトーデスや腎炎の自己免疫症状を合併することがある[20]．

診断
CH_{50} の低下でスクリーニングし，補体の各因子を定量する．　　　　　　　　　　〔峯岸克行〕

■文献（e文献 12-35）

Ochs HD, Smith CIE: Primary Immunodeficiency Diseases; A Molecular and Genetic approach, 3rd ed, Oxford University Press, 2013.

Picard C, Al-Herz W: Primary Immunodeficiency Diseases: an Update on the Classification from the International Union of Immunological Societies Expert Committee for Primary Immunodeficiency: *J Clin Immunol.* 2015; **35**: 696-726.

12-36　後天性免疫不全症候群

【⇨ 6-10-2-10】

13. 腎・尿路系の疾患

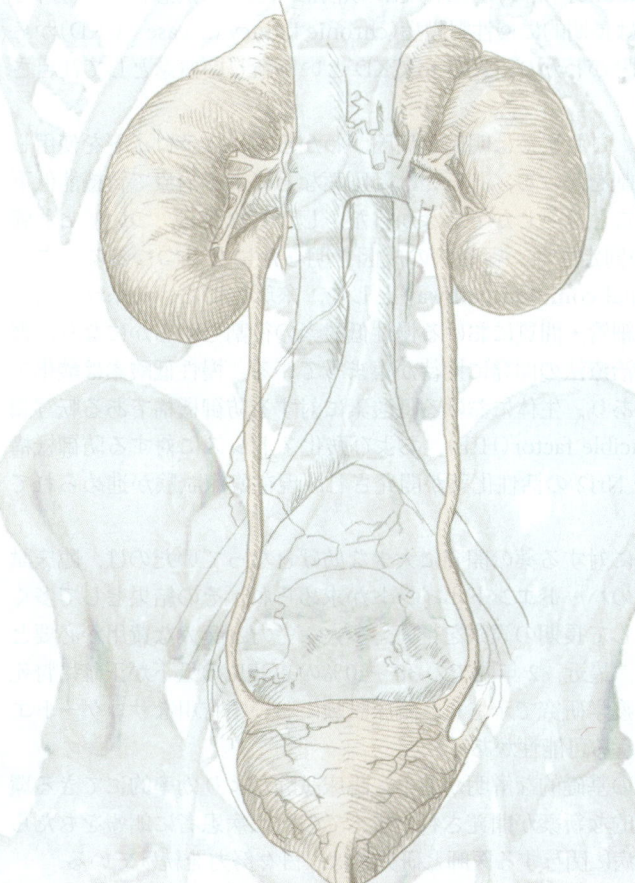

🔴 腎・尿路系

13.1	総論 …………………… 1353	13.8	腎と血管障害 …………… 1466
13.2	慢性腎臓病 ……………… 1401	13.9	尿細管疾患 ……………… 1470
13.3	原発性糸球体疾患 ……… 1403	13.10	急性腎障害 ……………… 1481
13.4	ネフローゼ症候群 ……… 1426	13.11	末期腎不全 ……………… 1487
13.5	遺伝性腎疾患 …………… 1430	13.12	妊娠と腎 ………………… 1494
13.6	全身疾患と腎障害 ……… 1433	13.13	中毒性腎障害 …………… 1496
13.7	間質性疾患 ……………… 1462	13.14	その他の腎・尿路疾患 … 1500

腎・尿路系疾患における新しい展開

　腎臓は，不要な物質を排泄するとともに，必要な物質は再吸収し，さらには内分泌機能も併せもち，体内の恒常性を保つための非常に重要な器官である．

　腎臓病は，進行すると透析あるいは移植を余儀なくされ，予後，QOL，および医療費の観点から，非常に重大な問題となっている．また最近では腎臓病が高率に心血管病を合併することもわかり，万病の元としての腎臓病が注目されている．特に，腎不全の原因として，従来の免疫の異常による糸球体腎炎に代わり，生活習慣に起因する糖尿病性腎症や高血圧性腎硬化症が増えていることも，腎臓病患者における多臓器合併症の重要性を高めている．

　急性腎障害（acute kidney injury：AKI）も，以前は一過性の病態として理解されていたが，最近では長期的に慢性腎臓病（chronic kidney disease：CKD）から末期腎不全に至ることがわかり，AKI to CKD という新しい概念として注目されている．

　腎臓病については，これまでは明確な病因がわからず，ステロイドを使用して非特異的に免疫抑制をかける，あるいは降圧薬などによる治療で腎機能低下のスピードを緩めることなどしかできなかった．しかしながら，ついにヒト膜性腎症の原因抗原が同定され，腎臓病の成因も明らかになりつつある．さらに，腎臓病進行の final common pathway として，糸球体における糸球体内高血圧と過剰濾過，尿細管・間質における慢性低酸素の役割も明らかになり，腎臓病に対する根本的治療法の開発に期待が集まっている．慢性低酸素は酸化ストレスと表裏一体であり，生体における低酸素に対する防御機構である転写調節因子 hypoxia inducible factor（HIF），および酸化ストレスに対する防御機構である転写調節因子 Nrf2 の活性化薬が開発され，現在臨床試験が進められている．

　これまでの腎臓病に対する薬の開発に大きな妨げとなっていたのは，臨床試験において腎死などのハードエンドポイントが求められ，その結果として多くの患者をリクルートして長期の観察を行い，多大な労力と莫大な費用が必要とされることであった．最近，2 年間での 30〜40％の eGFR の低下が正確に腎死を予測できることが疫学研究で示され，臨床試験において有用なサロゲートエンドポイントとなりうる可能性がある．

　腎臓病の病態生理の基礎的な解明が進み，臨床試験がより効率的にできる環境が整備され，画期的な新薬が開発され，すべての腎臓病患者に朗報をもたらす日を夢見て，腎臓病に関与する医師と研究者は，日々努力を続けている．

〔南学正臣〕

13-1 総論

1）腎疾患患者のみかた

(1) 腎臓の構造と機能（eコラム1）

腎臓は，生体に過不足がないように，水や電解質を尿中に排泄して体液の恒常性を維持している．腎臓が正常であれば，1日の食塩摂取量が1gでも50gでも血清Na値は正常に保たれるが，尿中Na排泄量は50倍違ってくる．したがって，生体がどのような環境にあるか最も鋭敏に反映するのは尿所見である．

腎臓には毎分1Lにも及ぶ血液が流入するが，その90％以上は皮質に分布し，髄質に運搬される血流（酸素量）は少ない．髄質内層では，細いHenleの脚が能動輸送をしないため酸素消費が少ない．一方，髄質外層では活発な能動輸送のために酸素が多量に消費されて組織酸素濃度が低く，虚血傷害が起こりやすい．なかでも直血管（つまり血液）から遠い太いHenleの上行脚（medullary thick ascending limb：mTAL）が特に傷害を受けやすい（図13-1-1）．したがって，腎臓に課せられた大命題はこのmTALの傷害を防ぎつつ，多量の濾過と再吸収を行うことである．

腎臓の複雑な構造と機能によりこの命題は見事に達成されている（e図13-1-A）．食塩摂取が低下するとアンジオテンシンⅡ（AⅡ）が上昇する．AⅡは表在糸球体輸入細動脈を強力に収縮させるが，傍髄質糸球体輸出入細動脈への作用ははるかに弱い．小葉間動脈の末梢にある表在糸球体細動脈の収縮のために，近位部にある傍髄質糸球体にかかる圧力が上昇する．この結果，表在ネフロンGFRは減少するが，傍髄質ネフロンGFRが増加し，腎臓全体のGFRは保たれる．この結果傍髄質ネフロンに対するNa負荷は増加するが，その近傍には直血管（酸素）があり，虚血に陥ることはない．一方，表在ネフロンでは濾過が減少するとともに，AⅡが近位尿細管における再吸収を促進する．したがって，直血管から遠く，虚血に最も弱いmTALに到達するNaは大幅に減少し，仕事量，すなわち，酸素消費量も低下する．こうして，食塩や水分摂取の困難な環境下でも，腎臓に障害をきたすことなく，多量の濾過と再吸収が可能となる．上記は精巧な腎機能調節のほんの一部であるが，腎臓の構造と機能を理解することは各種腎疾患の病態を考えるうえできわめて重要である．

(2) 腎・尿路疾患の症候

腎・尿路疾患患者は，何らかの自覚症状を訴えて来院する場合と，無症状であるが尿や血液検査の異常の

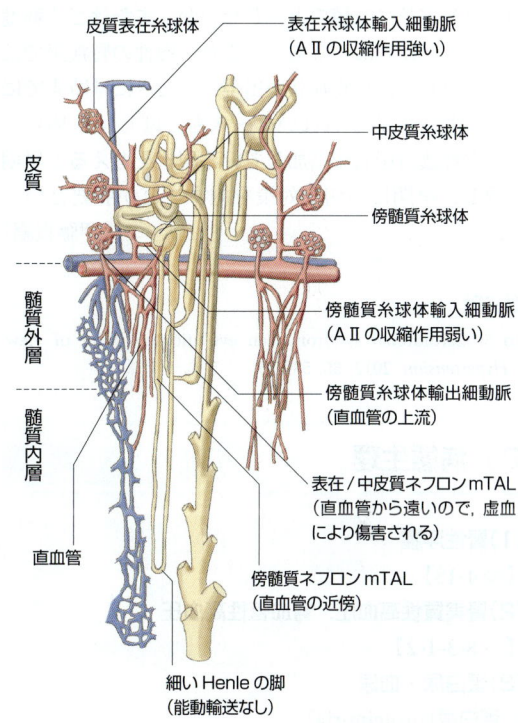

図13-1-1 腎臓の血管系と尿細管の構造

精査を求めて来院する場合がある．実際の臨床の場では後者が多く，健康診断で尿検査や血清クレアチニン値の測定が行われる根拠である．

診察にあたって大切なことは①一次性腎疾患（腎の限局した疾患）か，②内科的疾患か泌尿器科的疾患か，③内科的疾患ならおもに侵されている部位はどこかなどを考えながら診断を進めていくことである．

腎・尿路疾患に由来する症候や検査成績の異常は多様であるが，それらは特定の組み合わせで起こり，症候群を形成する（表13-1-1）．1つひとつの異常は各症候群の大切な要素であるが，単一の異常で各症候群や疾患に特異的なものはない．排尿異常や尿の量・性状に関する異常（乏尿，無尿，多尿，肉眼的血尿）を呈

表13-1-1 腎・泌尿器疾患の呈する症候群

1. 急性腎炎症候群	7. 血尿症候群
2. 急速進行性腎炎症候群	8. 尿細管機能異常症
3. 急性腎不全	9. 腎性高血圧
4. 慢性腎不全	10. 腎・尿路感染症
5. ネフローゼ症候群	11. 閉塞性腎・尿路疾患
6. 慢性腎炎症候群	12. 腎・尿路結石症

する場合にはただちに腎・尿路疾患が疑われる．しかし，血管炎などでは，発熱，全身倦怠感，腹痛などが初発症状となることがあり，かつ，その時期にはまだ血清クレアチニン値の上昇がないか，またはごく軽度であることがしばしばある．また，慢性の腎疾患では症状に乏しく，自覚症状が出現したときには時すでに遅く透析をまぬがれないケースもしばしば認められる．慢性透析患者が増加している現状を考えると早期発見し，早期に適切な対策を施すことが肝要といえる．
〔伊藤貞嘉〕

■文献

Ito S: Cardiorenal syndrome: an evolutionary point of view. *Hypertension*. 2012; 60: 589-95.

2）病態生理

(1) 腎性浮腫
【⇨ 4-18】

(2) 腎実質性高血圧，腎血管性高血圧
【⇨ 8-3-1-2】

(3) 蛋白尿・血尿

a. 蛋白尿 (proteinuria)

定義・概念

健常者の尿蛋白排泄量は 150 mg/日未満で，150 mg/日以上でも発熱や運動などのストレスによる一過性のものは生理的蛋白尿とよび，持続する場合を病的蛋白尿とよぶ．

分類

1）糸球体性蛋白尿と尿細管性蛋白尿：糸球体病変による血漿蛋白の尿中漏出を，糸球体性蛋白尿とよぶ．一方，健常な糸球体を自由に通過し，近位尿細管上皮細胞によって吸収される小分子量蛋白（β_2-ミクログロブリンなど）は，尿細管障害時に尿細管性蛋白尿となる．後者には，尿細管上皮細胞より尿中に逸脱するN-アセチルグルコサミンダーゼ（NAG）なども含まれる．以上は腎性蛋白尿に分類される．その他，多発性骨髄腫などで血中の Bence Jones 蛋白が増加すると尿中へ漏出するようになり，溢脱性蛋白尿もしくは腎前性蛋白尿とよばれる．

原因・病因

糸球体毛細血管壁は内皮細胞，基底膜とポドサイトの 3 層構造からなり（図 13-1-2），血漿蛋白の漏出を抑えるためのバリア機構を有する．チャージバリアは，ポドサイトの表面に分布するポドカリキシンなどの陰性荷電シアル酸含有糖蛋白と基底膜に分布する陰性荷電ヘパラン硫酸プロテオグリカンからなり，電気的反発力によってアルブミンなどの陰性荷電した血漿蛋白の漏出を抑制する．またサイズバリアは，基底膜のⅣ型コラーゲンで構築される網目構造からなり，IgG などの中分子量以上の血漿蛋白の漏出を抑制する．隣接するポドサイトの足突起は互いに組み合わさり毛細血管壁を覆っており，この足突起間を結合するスリット膜は基底膜に続く二重のサイズバリアとして機能している．スリット膜の構成成分であるネフリン，ポドシンや CD2 関連蛋白などの分子異常は，先天性および後天性のネフローゼ症候群の発症に関与する．

その他の蛋白漏出抑制機構については *e* コラム 1．

疫学

特定健診の検討から，一般住民の蛋白尿＋以上の頻度は約 4％である．蛋白尿が陽性となる危険因子は，年齢，血尿，高血圧，糖尿病，脂質異常症，肥満と喫煙とされる．

病態生理

蛋白尿の指標として，尿蛋白排泄量（g/日）が用いられてきたが，近年は尿蛋白クレアチニン比（g/gCr）で代用されるようになった．これはスポット尿中の蛋白とクレアチニンの濃度比で，平均的な体格の成人では尿中クレアチニン排泄量が 1 g/日となるため，この値がそのまま尿蛋白排泄量に近似する．

尿蛋白の selectivity index（SI）はサイズバリアで漏出が抑制される中分子量蛋白のクリアランス（CL）とチャージバリアで抑制される小分子量蛋白の CL の比で，通常は CL IgG/CL トランスフェリンで算出される．この結果が 0.1 未満ならば尿蛋白は高選択性で，原因としてチャージバリアが特異的に障害される微小変化型ネフローゼ症候群を示唆する．一方，0.1 以上は非選択性で，サイズバリアの障害による中分子量蛋白の混入を示している．この SI 値が低値であるほど，ステロイド治療への感受性が高いとされる．

臨床症状

蛋白尿は通常，高度になるまで自覚症状はなく，健診で偶然に発見されることが多い（チャンス蛋白尿・無症候性蛋白尿）．ネフローゼレベルの蛋白尿（＞ 3.5 g/日）では尿の泡立ちを認めることがあるが，特異性は低い．ネフローゼ症候群を発症すると浮腫を認めるようになる．

検査所見

試験紙法は検出感度が 10〜15 mg/dL 程度でスクリーニングに用いられ，30 mg/dL の尿蛋白が＋とされる．おもにアルブミンを検出するため，Bence Jones 蛋白では偽陰性となる．

定量法にはピロガロールレッド法を用いた色素比色法がある．検出感度は高く安定しており（5〜10 mg/dL），ほとんどすべての蛋白を検出できる．

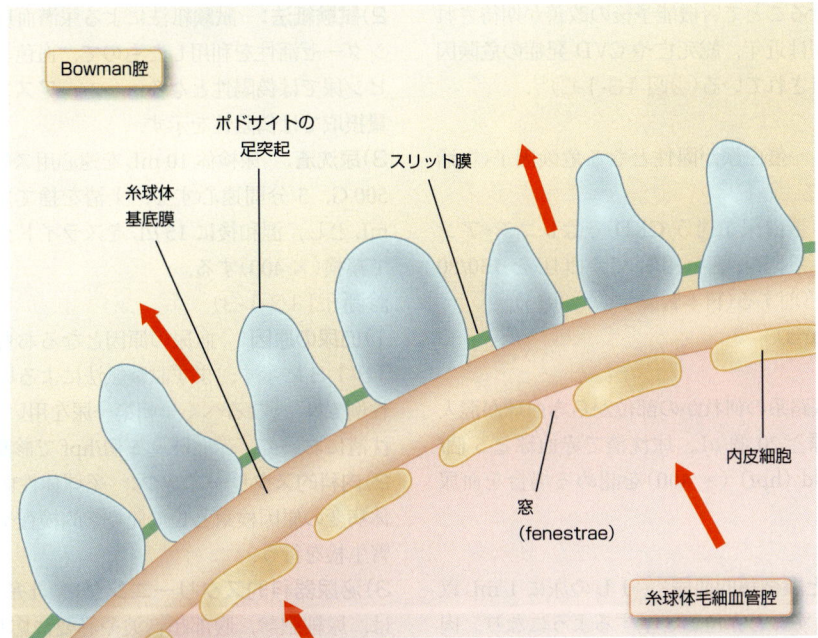

図 13-1-2 糸球体毛細血管壁の超微構造
糸球体毛細血管壁は血管腔側より Bowman 腔側に向かって，内皮細胞，基底膜，ポドサイトの 3 層構造となっており，ポドサイトの足突起間をスリット膜が結合している．内皮細胞には fenestrae とよばれる窓構造があり，大量の原尿濾過（160 L/日）を可能としている（矢印は濾過の方向を示す）．基底膜とポドサイトはその陰性荷電によりチャージバリアとして，また基底膜とスリット膜はその網目構造によりサイズバリアとして，それぞれ血漿蛋白の漏出を抑制している．

診断（図 13-1-3）

病的蛋白尿の原因を e表 13-1-A に示す．随時尿を用いた試験紙法で蛋白尿が陽性の場合，再検査として早朝第一尿を用いて尿蛋白クレアチニン比を求める．この結果が＜ 0.15 g/gCr ならば運動性・体位性蛋白尿と考えられ，精査は行わない．それ以上の場合，特に糸球体性血尿を伴えば，まず糸球体性蛋白尿を考え，免疫学的検査や必要に応じて腎生検を行う．また 1 g/gCr 以下の場合には尿細管性蛋白尿の可能性も考える．

鑑別診断

試験紙法で陰性，かつ定量法で陽性の場合には，Bence Jones 蛋白の存在を疑って尿中蛋白の免役電気泳動を行う．

経過・予後

蛋白尿は CKD 進行の最も重要な危険因子であり（eコラム 2，コラム 3），その程度と透析導入には関連性が認められ（Iseki ら，2003）（e図 13-1-B），蛋

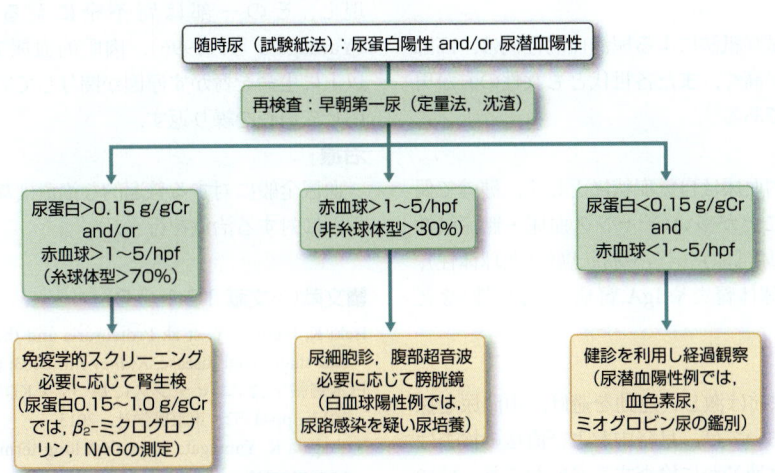

図 13-1-3 検尿異常患者の診断フローチャート

白尿を減少させることで腎機能予後の改善が期待される．また蛋白尿は近年，総死亡や CVD 発症の危険因子としても注目されている（e図 13-1-C）[1]．

治療
1) **非薬物療法**： 蛋白尿が陽性となる危険因子（生活習慣）を是正する．
2) **薬物療法**： 蛋白尿を伴う CKD ではレニン-アンジオテンシン系阻害薬を用いて，血圧を 130/80 mmHg 未満に管理する（日本腎臓学会，2013）．

b. 血尿（hematuria）

定義・概念
腎臓および尿路系の何れかの部位から赤血球が混入し，尿中赤血球≧ 20 個/μL，尿沈渣で赤血球≧ 5 個/high power field（hpf）（× 400）を認める場合を血尿という．

分類
1) **肉眼的血尿と顕微鏡的血尿**： 1 L の尿に 1 mL 以上の血液が混入すると赤色調を呈するようになり，肉眼的血尿という．一方，尿沈渣においてはじめて赤血球≧ 5 個/hpf が確認される場合を，顕微鏡的血尿という．
2) **糸球体性血尿と非糸球体性血尿**： 尿沈渣において赤血球の 70％以上がドーナツ状やコンペイトウ状などの変形を伴う場合を糸球体性血尿とよび，同時に蛋白尿や赤血球円柱を伴うことが多い．それ以外を非糸球体性血尿とよぶ．

原因・病因
1) **糸球体性血尿**： 糸球体病変部で赤血球が血管腔から Bowman 腔に移行するもので，赤血球は基底膜を通過する際に機械的損傷を受け，また尿細管を移動する際の浸透圧変化により変形し，糸球体型赤血球となる．
2) **非糸球体性血尿**： 尿路結石や膀胱癌などの泌尿器科的疾患に起因する血尿である．

疫学
健診における試験紙法による尿潜血陽性例は，高齢になるほど頻度が高く，また各世代とも女性の方が男性よりも高頻度である[2]．

臨床症状
通常，顕微鏡的血尿は自覚症状に乏しく，健診で偶然に発見されることが多い（チャンス血尿・無症候性血尿）．肉眼的血尿は尿路結石や膀胱癌（非糸球体性），感染後性急性糸球体腎炎や IgA 腎症（糸球体性）などで認める．

検査所見
1) **採尿法**： 採尿前は激しい運動を避け，中間尿を採取する．女性においては，月経中および直後の検査は避ける．尿検体は速やかに検査する必要があり，特に尿沈渣検査は採尿後 4 時間以内に行う．
2) **試験紙法**： 試験紙法による尿潜血反応はペルオキシダーゼ活性を利用したもので，血色素尿やミオグロビン尿では偽陽性となる．一方，アスコルビン酸の大量摂取では偽陰性を示す．
3) **尿沈渣**： 尿検体 10 mL を遠心用スピッツにとり，500 G，5 分間遠心する．上清を捨てて沈渣量を 0.2 mL とし，混和後に 15 μL をスライドグラスに滴下して鏡検（× 400）する．

診断（図 13-1-3）
1) **血尿の原因**： 血尿の原因となるおもな疾患をe表 13-1-B に示す．まず試験紙法による尿潜血反応の陽性例では，（なるべく早朝第一尿を用いた）再検査の尿沈渣において，赤血球≧ 5 個/hpf で診断が確定する．
2) **内科的スクリーニング**： 糸球体性血尿では，糸球体病変の原因検索として免疫学的検査や必要に応じて腎生検を行う．
3) **泌尿器科的スクリーニング**： 非糸球体性血尿では，尿細胞診，腹部超音波や必要に応じて膀胱鏡（e表 13-1-C）を行う．肉眼的血尿の場合には，さらに造影 CT や MRI を行うことで，約半数の症例で原因が診断される．
4) **特発性血尿**： 上記の検査でも原因が特定できないものを，特発性血尿とよぶ．

鑑別診断
試験紙法にて尿潜血が陽性で，尿沈渣中に赤血球を認めない場合，ミオグロビン尿や血色素尿を疑う．一方，顕微鏡的血尿を認めるにもかかわらず試験紙法が陰性の場合，内服しているアスコルビン酸などによる偽陰性を疑う．

経過・予後
尿潜血反応は一過性のことも多く，経過観察中に尿潜血陽性患者の約 45％はその後の検査で消失，約 40％では持続する．さらに数％の患者では尿路上皮癌が発見され，また約 10％では進行して蛋白尿が出現し，その一部は腎不全に至る可能性がある（Yamagata ら，1996）．肉眼的血尿では全体の 20％以上に生命を脅かす原因が関与しているため，必要に応じて精査を繰り返す．

治療
血尿全般に対する普遍的な治療はなく，それぞれの原因に対する治療を行う． 〔岡田浩一〕

■文献（e文献 13-1-2-3）
Iseki K, Ikemiya Y, et al: Proteinuria and the risk of developing end-stage renal disease. Kidney Int. 2003; 63: 1468-74.

日本腎臓学会：エビデンスに基づく CKD 診療ガイドライン 2013, pp41-52, 東京医学社, 2013.

Yamagata K, Yamagata Y, et al: A long-term follow-up study of asymptomatic hematuria and/or proteinuria in adults. Clin Nephrol. 1996; 45: 281-8.

(4) 腎性貧血（renal anemia）

定義・概念

腎性貧血は，慢性腎臓病患者において，腎臓でヘモグロビンの低下に見合った十分量の赤血球増血刺激ホルモン（エリスロポエチン，erythropoietin：EPO）の産生が行われず，その結果起こる赤血球新生抑制が主因となって引き起こされる貧血である．診断は除外診断が基本であり，赤血球造血刺激因子製剤（erythropoiesis-stimulating agents：ESA）により治療する．

原因・病因

EPO は，腎臓の近位尿細管の近傍にある間質細胞により産生される．EPO 産生細胞（e図 13-1-D）は貧血による周辺の酸素分圧の低下を感知し，転写因子 hypoxia inducible factor-2（HIF-2）を活性化させる（Nangaku ら，2006）．HIF-2 は EPO の転写調節領域にある hypoxia response element に結合し，EPO の産生を誘導する．EPO は赤芽球系前駆細胞（主として colony forming unit-erythroid：CFU-E）に作用して赤芽球系前駆細胞のアポトーシスを抑制し，赤血球を増やすことにより，臓器への酸素供給を高める．

腎機能低下に伴って EPO 産生が低下する理由としては，EPO 産生細胞が死滅するという説と，EPO 産生細胞が機能不全に陥っているという説があったが，最近の研究では後者の説が有力となり，EPO 産生細胞は腎機能低下に伴い機能不全となって EPO 産生能力を喪失し，脱分化して腎臓の線維化を促進すると考えられている（図 13-1-4）．EPO 産生能力喪失の分子機序は明らかではないが，尿毒症の状態では HIF-2 の活性化が抑制され，EPO の産生を十分行うことができなくなることがわかっている．

慢性腎臓病における貧血のその他の要因として，赤血球寿命低下，造血細胞の EPO 反応性低下，透析患者における透析回路内残血なども関与する．

疫学

eGFR が 60 mL/分/1.73 m² 未満になると，統計学的に有意に貧血の頻度が増加する．

わが国の慢性腎臓病患者の疫学研究 CKD-JAC によれば，患者全体で Hb 13 g/dL をこえているのは 29.5％で，28.3％の患者が Hb < 11 g/dL となっており，CKD ステージ G5 では 57.7％が Hb < 11 g/dL となっている（Akizawa ら，2011）．また，日本透析医学会の調査によれば，2012 年度末で透析患者（CKD ステージ G5D）のうち Hb 13 g/dL をこえているのは 2.9％にすぎず，61.2％の患者が Hb < 11 g/dL となっている．

糖尿病性腎症における貧血合併率は，同じ腎機能の非糖尿病患者に比べ 1.2〜2 倍高い[1]．

人種的にも，東アジア人は白人や南アジア人に比べ腎性貧血の頻度が高い[2]．

病態生理

貧血により臓器への酸素供給が低下する．このことは，慢性腎臓病の腎臓における低酸素状態を悪化させ，その進行を加速させる．また，心臓は貧血に対する代償反応として，心拍数と心拍出量を増やし，臓器への酸素供給を増加させる．これは，長期的には左室肥大および心拍数増加に伴う冠動脈血流の低下から，心臓に悪影響を及ぼす．これは cardio-renal-anemia syndrome といわれ，腎性貧血に伴う病態生理として重要である．

臨床症状

1）**自覚症状**：労作時の動悸・息切れ，倦怠感などが典型的な症状であるが，貧血は緩徐に進行するため，貧血の程度の割には自覚症状が乏しいことが多い．

2）**他覚症状**：Hb が 10 g/dL を切ると，眼瞼結膜が蒼白になる．

検査所見

MCV 値による貧血の分類では正球性あるいは大球性である．赤血球の産生低下による貧血であるため，網赤血球数は減少している．

その他の理由による貧血を除外するため，白血球，血小板異常の有無（芽球の存在など）などの検査を行う．鉄代謝指標（血清鉄，UIBC，フェリチン，トランスフェリン飽和度）の確認は特に重要であり，フェリチン低値の場合は，絶対的鉄欠乏と診断できる．

LDH，ビリルビン，Coombs 検査，ハプトグロビンは，溶血性貧血の鑑別に役立つ．

必要に応じ，ビタミン B_{12}，葉酸，亜鉛，銅の血清濃度を測定する．

血中 EPO 濃度は正常範囲内であることが多く，「貧血の割には上昇がない」という解釈になるため，欧米のガイドラインでは測定を推奨していないが，わが国では保険適用もあり，診断の参考とするために測定する場合がある．Hb 10 g/dL 未満となっても血中 EPO 濃度が 50 mIU/mL 以上に増加しなければ腎性貧血の可能性が高い．CKD ステージ G2 で，特に糖尿病性腎症患者の腎性貧血の診断には，上記血中

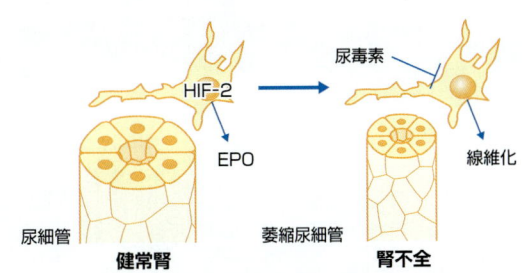

図 13-1-4 EPO 産出能力喪失による腎臓の線維化

EPO 濃度測定が有用である．

診断
診断は，除外診断により行うことが基本である．

経過・予後
ESA を十分量投与しても Hb が上昇しない ESA 低反応性患者に対する ESA の大量投与は予後不良と関連することが示されており[3,4]，まず ESA 低反応性の原因(表 13-1-2)を探すことが重要である．

治療(e表 13-1-D)
治療効果としては QOL の改善[5-7]に加え，腎保護などの臓器保護作用が得られるとする報告もある[8,9]（Akizawa ら，2011）．

治療は，主因である EPO 欠乏に対し，ESA の投与を行うことが第一選択である．従来よりヒト組み換え EPO が用いられてきたが，最近では糖鎖の改変やペグ化により半減期を延長したものも用いられるようになっている．現在わが国で使用可能なものは，遺伝子組換えヒトエリスロポエチン製剤(rHuEPO；エポジン®，エスポー®)，半減期を延長させた持続型製剤であるダルベポエチンアルファ(DA；ネスプ®)と continuous erythropoietin receptor activator (CERA；ミルセラ®)があり，これらを ESA と総称する．

透析をしていない慢性腎臓病患者あるいは腹膜透析患者では rHuEPO では 1〜2 週に 1 回，ほかの 2 剤では 2〜4 週に 1 回皮下投与を行う．血液透析患者では，rHuEPO は週 1〜3 回，DA は 1〜2 週に 1 回，CERA は 2〜4 週に 1 回，透析時に静脈内投与を行う．

理論上は Hb を正常化することが望ましいように考えられるが，臨床研究によるエビデンスからは，ある程度の貧血の改善が得られれば，正常化してもそれ以上の上乗せ効果がみられないことがわかっている[10-13]．治療の目標 Hb 値としては，透析をしていない慢性腎臓病患者あるいは腹膜透析患者では 11〜13 g/dL，血液透析患者では 10〜12 g/dL が基本となるが，患者の年齢，合併症などを勘案し，個々に適切と思われる目標 Hb 値を設定して治療する．

ESA により有効な造血反応を得るためにも，鉄欠乏がある場合には適正な補充を行う．経口鉄剤も選択されるが，消化管での吸収が不十分な場合，特に血液透析患者では静注鉄剤が利用される．

ESA の副作用としては血圧上昇が最も多く，特に ESA の使用に伴い Hb が上昇している時期に出現しやすい．これは，貧血改善による血液粘度の上昇や低酸素状態で弛緩していた末梢血管の収縮に加え，エンドセリンなどの昇圧物質も関与している．2 週間で 1 g/dL をこえる Hb 上昇は避けるべきである．これらは血小板機能改善と併せ，血栓塞栓症を増加させる可能性があり[14]，重篤な心血管系疾患の合併や既往のある患者では特に注意を払う必要がある．ESA は細胞生存を助ける pleiotropic effect があるが，基礎研究において EPO 受容体が腫瘍細胞上に発現する可能性が報告されており，貧血合併の癌患者へ ESA を投与することにより生存期間の短縮が認められたとの報告もあることから[15]，担癌患者に対する ESA 投与はその利益と危険性について十分な検討が必要である．なお，わが国で行われたアンケート調査では ESA 使用による脳卒中や癌の危険の増加は認められていない（Imai ら，2010）．ESA 使用に対する抗 EPO 抗体の出現による赤芽球癆(pure red cell aplasia)の発症が，タイにおける biosimilar 使用例を中心にまれに報告されている[16]．

〔南学正臣〕

■文献(e文献 13-1-2-4)

Akizawa T, Gejyo F, et al: KRN321 STUDY Group: Positive outcomes of high hemoglobin target in patients with chronic kidney disease not on dialysis: a randomized controlled study. *Ther Apher Dial*. 2011; **15**: 431-40

Imai E, Yamamoto R, et al：Incidence of symptomatic stroke and cancer in chronic kidney disease patients treated with epoetins. *Clin Exp Nephrol*. 2010; **14**: 445-52

Nangaku M, Eckardt KU: Pathogenesis of renal anemia. *Semin Nephrol*. 2006; **26**：261-8

表 13-1-2 ESA 低反応性の原因

持続性出血，失血
消化管出血，婦人科的出血，ダイアライザー残血
合併症
感染症，悪性腫瘍，脾機能亢進症，高度の二次性副甲状腺機能亢進症(線維性骨炎)，アルミニウム蓄積症など
造血基質の欠乏
鉄，葉酸，ビタミン B_{12} など
血液疾患
多発性骨髄腫，骨髄異形成症候群など
その他
抗 EPO 抗体の産生，低栄養，透析不足など

(5) 慢性腎臓病に伴う骨・ミネラル代謝異常
（chronic kidney disease-mineral and bone disorder：CKD-MBD）

定義・概念
腎臓は，ビタミンDを活性化する主要な臓器であるとともに，副甲状腺ホルモン（PTH）をはじめとするさまざまなホルモンの標的臓器として，生体のミネラルバランスの維持に重要な役割を果たしている（Fukagawa ら，2006）．腎機能が低下する慢性腎臓病（chronic kidney disease：CKD）では，このバランスが崩れ，骨代謝の異常や血管の石灰化などのさまざまな病態が生じる．これらは全身疾患として，「CKD に伴う骨・ミネラル代謝異常」（CKD-MBD）と総称されており[1]，管理目標値も生命予後に立脚している[2,3]．

原因・病因
CKD が進行すると，リン（P）の排泄低下，腎臓における $1,25(OH)_2D$ 産生の低下により，血清カルシウム（Ca）濃度の低下が生じ，PTH の分泌は刺激される．透析期に至って無治療でこの状態が継続すると，副甲状腺過形成が進行し，PTH の分泌はさらに亢進する．その結果，高カルシウム血症，高リン血症が生じ，骨の変化や血管の石灰化も進行する．

実際の CKD-MBD の病態はこれだけではなく，保存期から透析期，移植後を通して，きわめて多彩で，治療によって修飾されるなど，さらに細かい病態が明らかになってきている．

病態生理
1）二次性副甲状腺機能亢進症： CKD で高リン血症が生じるのはおもに G4 期以降とされるが，それ以前より，ミネラル代謝には異常が生じている[4]．CKD G3 期に入ると，血清 P は基準値内でも，ネフロンあたりの P の負荷が増大すると，骨細胞から線維芽細胞成長因子-23（FGF-23）[5]が分泌され，P 利尿を促進するとともに，ビタミン D の活性化を抑制する．その後，PTH の上昇がみられるようになり，これも P 利尿を促進するが，さらに腎機能低下が進行すると，これらの代償機構ではバランスが維持できなくなり，高 P 血症，低 Ca 血症を生じ，PTH 分泌をさらに刺激する．これ以外に，蛋白尿の多い症例や糖尿病症例では，尿中へのビタミン D 結合蛋白の喪失が起こり，ビタミン D（25(OH)D）欠乏を生じやすく，これも二次性副甲状腺機能亢進症の発症の原因として寄与している（図 13-1-5）．透析期に入り，治療にもかかわらず PTH 分泌のコントロールができない状態が続くと，副甲状腺は腫大し，びまん性過形成から，進行した結節性過形成に至る（Komaba ら，2011）（e 図 13-1-E）．

2）骨病変： PTH 分泌亢進が継続すると，高回転骨

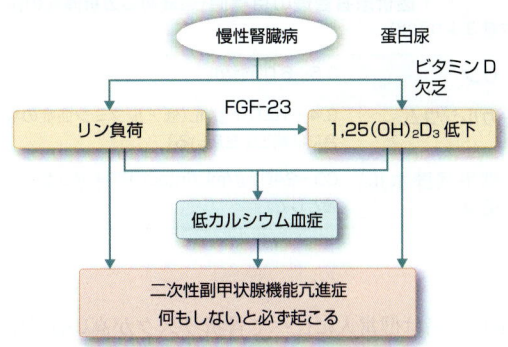

図 13-1-5 慢性腎臓病における二次性副甲状腺機能亢進症の発症機序
慢性腎臓病では，リン負荷により FGF-23 を介してビタミン D の活性化が阻害され，副甲状腺ホルモンの分泌を刺激する．

（線維性骨炎）を生ずる．一方で，骨の PTH に対する抵抗性もあるため[6]，治療によって PTH を基準値近くまで下げると，逆に低回転骨（無形成骨）を生じることも多い．これらの変化以外に，尿毒症毒素による骨質の劣化や，長期透析症例ではアミロイド骨関節症も加わり，複雑な臨床像を呈する．

3）血管石灰化： CKD 患者では，血管を中心とする異所性石灰化を高頻度に生ずる．血管石灰化は，粥状硬化部での血管内腔だけでなく，中膜に生じ，一部骨化のような像を呈するのが特徴である[7]．薬剤投与による Ca，P の負荷はその要因の 1 つであるが，骨病変も重要な役割を果たしている．すなわち，高回転骨では骨からの負荷，一方低回転骨では緩衝機能低下により，高 Ca 血症，高 P 血症を生じやすく，これも石灰化のリスクになっている[8]．

4）心血管病変： 疫学研究によると，CKD 患者は心血管病変のなかでも，特に左心室肥大による心不全のリスクが高いことが知られている[9]．これには，体液過剰が継続すること以外に，血管石灰化，さらに最近では，FGF-23 が直接心筋に働くという機序も想定されている[10]（Komaba ら，2012）．

臨床症状
骨折などを生じなければ，自覚症状には乏しいが，著明な高 Ca 血症，高 P 血症が生ずると，皮膚瘙痒感や，関節包など軟部組織の石灰化により疼痛を生ずることがある．

診断・検査所見
ルーチン検査としては，血清 Ca，P，PTH を評価する．保存期では，いずれも基準値内をこえる場合，透析期には，表 13-1-3 に示す目標値をこえる場合に治療を要すると判断される．骨の評価としては，骨代謝マーカーだけでは骨回転を正確に評価するのが難しいことがあるが，骨生検まで行うことはまれである．

表 13-1-3 透析患者管理の目標値（週最初の透析直前の値）
（文献3より引用）

リン	3.5〜6.0 mg/dL
カルシウム	8.4〜10.0 mg/dL（低アルブミン血症の場合には補正値を用いる）
副甲状腺ホルモン	60〜240 pg/mL（intact PTH アッセイの値として）

CKD 患者は健常人に比べて骨折リスクが高いが[11]，骨密度の評価は健常人ほどにはその予測に役に立たず，新しい検査法の開発，導入が望まれている．血管石灰化は，定期的に行われる腹部単純写真側面像やCT によって，その進行を評価する．

治療・経過・予後

保存期においては，まず食事中のPの制限[12]，高リン血症が生じれば経口P吸着薬の投与，また生理量の経口活性型ビタミンD製剤の投与などが行われる．

透析期には，同様の治療によって表 13-1-2 に示す値を目標に管理がなされるが，透析期が長くなり，特に高リン血症の管理が困難な症例では，PTH がさらに上昇し，副甲状腺過形成を生ずるようになる．このような症例には，活性型ビタミンD製剤の経静脈間欠的投与（パルス療法）[13]やCa 感知受容体作動薬[14]が使用される．それでもPTH 分泌が管理できない結節性過形成を呈する症例は，外科的副甲状腺摘除術の適応になる[15]．

血管石灰化については，不可逆的で治療困難とされ，予防として，Ca 含有製剤の投与や血清 Ca 濃度を上昇させる活性型ビタミンD製剤の過剰投与は避けて，Ca の負荷を最小限にすることが推奨されている．　　　　　　　　　　　　　〔深川雅史〕

■文献（e文献 13-1-2-5）

Fukagawa M, Hamada Y, et al: The kidney and bone metabolism: a nephrologist's view. J Bone Mineral Metab. 2006; **24**: 434-8.

Komaba H, Kakuta T, et al: Diseases of the parathyroid gland in chronic kidney disease. Clin Exp Nephrol. 2011; **15**: 797-809.

Komaba H, Fukagawa M: The role of FGF23 in CKD: with or without Klotho. Nature Review Nephrol. 2012; **8**: 484-90.

（6）腎疾患の水・電解質・酸塩基平衡異常

a. 水電解質バランスの基本

e図 13-1-F に体液の出納を示す．入口は通常は経口摂取ということになる．経口摂取ができないような場合，水・電解質液を輸液することも臨床の現場ではよくあることである．出口は尿・便から以外に，自覚はしないものの自然にからだから蒸発して失われる水＝不感蒸泄がある．この量は，体温や外気温，運動の状態に応じて大きく変化する．また生体内の化学反応の結果として水が代謝水として産生される．通常の条件下では，不感蒸泄から代謝水を引いた分，すなわち自然にからだから失われていく水は1日あたり600 mL 程度（約体重× 10 mL）で，このことを考慮して，点滴のみでしか栄養補給できない患者には点滴量を考える必要がある．当然，経口摂取可能な人の場合，その摂取量は日々大きく変わる可能性があり，それに応じた適切な排出量の調整なくして，体内環境の恒常性は維持できないことになる．不感蒸泄や便の排出はこの調整機構への関与はほとんどなく，腎臓がその役割を担っている．よって，以下で述べる電解質異常の理解には，まず異常値を示した電解質の尿中の排泄を調べることが非常に大切である．

細胞外の主要なイオンは Na であり，細胞内の主要なイオンは K である．これは細胞膜に存在する Na-K-ATPase により維持されている（e図 13-1-F）．表 13-1-4 に主要な血清内のイオンの濃度を示す．この基準値よりも高いか低いかによって，たとえば Na であれば，高ナトリウム血症ないし低ナトリウム血症とよぶ．

b. Na 濃度の異常

細胞外液の Na の濃度の異常，すなわち高ナトリウム血症，低ナトリウム血症を理解するためには，Na の出納だけでなく，水の出納も理解する必要がある．なぜなら血清 Na 濃度の値は，Na の体内における絶対量を表しているわけではなく，水との相対的な関係を示しているにすぎないからである．よってその理解のためには，生体にある2つの制御系，すなわち水の出納調節系（浸透圧制御系）と Na の出納調節系（容量調節系）の理解が不可欠である．

i）浸透圧制御系

1）浸透圧制御系：陸上で生活する動物は，たえず脱水の危険性があり，乾燥に対して敏感でなくてはならない．そのため，少しの水の喪失による血漿浸透圧のわずかな上昇も，それを敏感に感じとり対処するシス

表 13-1-4 血清の電解質濃度の正常値

Na$^+$	136〜147 mEq/L
K$^+$	3.6〜5.0 mEq/L
Cl$^-$	98〜109 mEq/L
Ca^{2+}	8.5〜10.2 mg/dL
PO^{4-}	2.4〜4.3 mg/dL
Mg^{2+}	1.8〜2.6 mg/dL
浸透圧	276〜292 mOsm/kg

テムを進化の過程で獲得してきた．血清浸透圧が上昇すると，脳にある浸透圧センサーが感じとり，飲水行動を促す．同時に，下垂体後葉へシグナルを送り，バソプレシン（抗利尿ホルモン，antidiuretic hormone：ADH）が分泌される．分泌されたADHは腎臓集合尿細管に存在するバソプレシン受容体（V_2受容体）に結合し，細胞内シグナル伝達を経て水チャネルアクアポリン2（AQP2）が管腔側膜に埋め込まれて集合管の水透過性を上昇させ，低張な尿から高浸透環境の腎臓髄質間質への水の移動を可能にし，水を再吸収して血液の浸透圧を下げる方向に導く（図13-1-6）．

2）容量調節系：レニンは，血圧低下や有効循環血漿量が低下したときに糸球体輸入細動脈壁から分泌され，レニン-アンジオテンシン-アルドステロン系を活性化される【⇒ 14-13-2】．アンジオテンシンⅡは血管を収縮させ末梢血管抵抗を増大させ血圧を維持しつつ，副腎から放出されたアルドステロンが腎臓でのNa再吸収を増大させる．Na再吸収は水の再吸収も伴い，その結果有効循環血漿量を回復させる（図13-1-7）．この血圧低下や有効循環血漿量低下という刺激は，レニン分泌のみならず，ADH分泌も促進する（e図13-1-G）．浸透圧変化にはADH分泌は敏感に

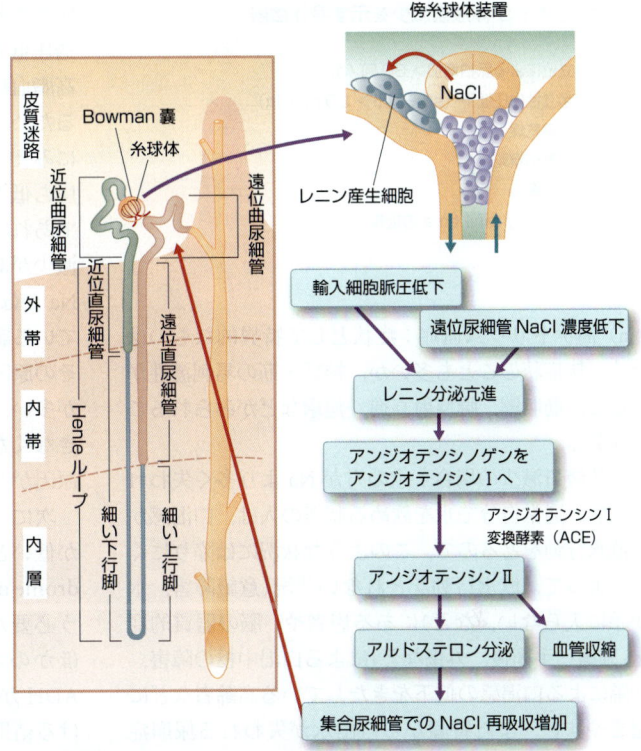

図13-1-7 容量調節系
細胞外液量の低下は，糸球体濾過量の低下となり，低下した糸球体濾過は，緻密斑に到達するクロライドイオンの低下となり，それが刺激となって（tubule-glomerular feed back機構），また腎臓糸球体輸入細動脈圧の低下も刺激となり輸入細動脈壁からのレニン分泌を刺激する．レニンの分泌は，最終的にアルドステロンの副腎からの分泌を促し，腎臓でのNaCl再吸収を増加させる．

反応するがその分泌量自体は少ないのに対し，有効循環血漿量が低下という刺激は，低下に対する反応性は鈍いが，反応したときの分泌量は多い．このことが，後述する心不全，肝硬変，ネフローゼ症候群といった有効循環血漿量が低下した状況で水の再吸収が必要以上に起こり低ナトリウム血症の原因となる．

3）高・低ナトリウム血症の診断：上述したように，高・低ナトリウム血症いずれの場合も，Na自体の出納異常の原因を検索する前に，体液量全体の増減を把握する必要がある．しかしながら，臨床の現場では体液量の増減の判断は容易でないことが多い．一番の指標は体重の変化であるが，救急患者などで以前の体重がわからなければ比較できない．身体所見からは，粘膜の乾燥の程度，皮膚のはり（turgorという）や乾燥の程度，浮腫の有無，脈拍，血圧などをみて判断し（表13-1-5），検査では，胸部X線での心胸郭比，超音波検査での下大静脈径の測定などを血管内の体液量の指標とし，血液検査ではヘマトクリットや総蛋白濃度の変化により血液濃縮と希釈の判断の助けとする．

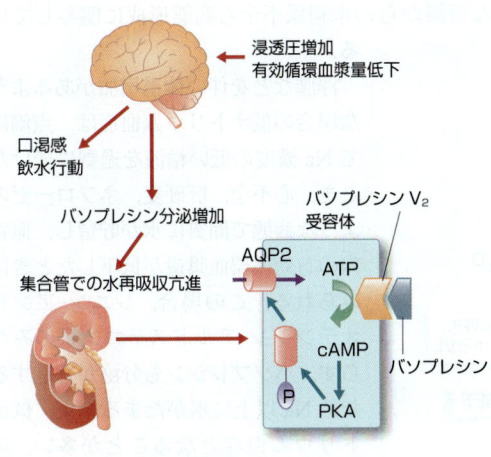

図13-1-6 浸透圧調節系
血漿浸透圧増加は脳にあるとされる浸透圧センサーによって感知され，口渇感を起こさせ，飲水行動をとらせる．一方，腎臓集合管では，バソプレシン受容体を介したプロテインキナーゼA（PKA）の活性化が，AQP2水チャネルをリン酸化して，尿側の細胞膜に移動させることで集合管の水透過性が上昇し，水を再吸収することで体外への喪失を防ぐ．

表13-1-5 体液量減少を示す身体徴候

- 立位による脈拍増加＞30回/分
- 起立性血圧低下（sBP低下＞20 mmHg）
- 腋窩乾燥
- 口腔粘膜乾燥
- 舌乾燥
- capillary refill timeの延長

a) 高ナトリウム血症：症状として特異的なものはなく，無症状のことも多いが，神経・筋の易刺激性が亢進し，筋収縮，腱反射亢進，痙攣などがみられることがある．

①体液量減少の場合：水の方がNaより多く失われた状態．通常自分で水を飲める状態の人は，口渇感から飲水行動をとるので，このような状況には陥りにくい．よって，飲水行動をとれない状況（意識障害，水が手に入らない，など）にある患者や，脳の器質的変化（腫瘍，手術後，外傷など）による口渇中枢の障害，加齢による口渇感の低下をきたしている高齢者などに起きやすい．また腎臓から自由水が失われる尿崩症（先天性および後天性）でも，飲水量が不足すると高ナトリウム血症となる．

②体液量増加の場合：水よりもNaがより多く体内にたまった状態．過剰のNaClを輸液した場合．アルドステロン症（副腎腫瘍などから過剰なアルドステロンが分泌され，腎臓集合尿細管でNaが過剰に再吸収される）などの場合にみられる．

b) 低ナトリウム血症：臨床の現場で，一番頻度の高い電解質異常である．原因を特定するためには，高ナトリウム血症のときと同様に，体液量の増減を把握することが第一に大切である（図13-1-8）．まず，浸透圧低下を伴わない低ナトリウム血症（高蛋白血症や高脂血症のときはこれらの物質が血液の容積を多くするため，血液全体としてNa濃度は低下しているようにみえるが，水溶液中としてのNa濃度は正常，浸透圧も低下しない）を除外する．真の低ナトリウム血症であれば，体液減少の有無を検討する．明らかに体液減少があるようなら尿中のNa濃度を測定する．尿にNaがほとんど出ていなければ，腎臓は正常に代償している証拠であるので，腎臓以外からの喪失を疑う．その原因としては消化管からの喪失，下痢に伴うことが多い．尿中Naが高い場合は，腎臓がNaを保持できなくなっている状況であり，図13-1-8のような原因が考えられる．

次に，あまり脱水も溢水もないにもかかわらずNaが低いとき，抗利尿ホルモン不適合分泌症候群（syndrome of inappropriate ADH secretion：SIADH）を疑う必要がある．診断基準は【⇒14-3-4】に示すが，ほかのホルモンの異常や腎臓機能の異常がなく，ADHが血清浸透圧が低いにもかかわらず分泌され続ける結果，水が余分に再吸収され血液のNaが希釈される現象である．SIADHの原因には，ADH分泌腫瘍以外にも，感染症や炎症がADHの分泌刺激になり，重症患者の低ナトリウム血症にADHの過剰分泌が関与していることも多い．

水中毒とよばれる病態にもADHの関与が疑われている．自閉症や統合失調症の患者に多いといわれており，水分の過剰摂取がその原因であるが，精神病自体による脳の変化および向精神薬が，口渇中枢とADH分泌を刺激し，過剰な飲水だけでなく，SIADHのような腎臓からの水利尿不全も病態形成に関与している．

浮腫などを伴い体重増加があるような場合の低ナトリウム血症は，点滴にてNa濃度の低い輸液を過剰に続けたとき，心不全，肝硬変，ネフローゼのような病態で間質に水が貯留し，血管内の有効循環血漿量が低下したときにみられる．この場合，レニン-アンジオテンシン-アルドステロン系のみならず，バソプレシンも分泌が亢進するためNa以上に水がたまる結果，低ナトリウム血症となることが多い．近年，バソプレシンV_2受容体拮抗薬が開発され，このような病態の改善に効果を示している．

c. カリウム濃度の異常

細胞外のKは細胞内のKに比してその濃度は低い（e図13-1-H）．Kは

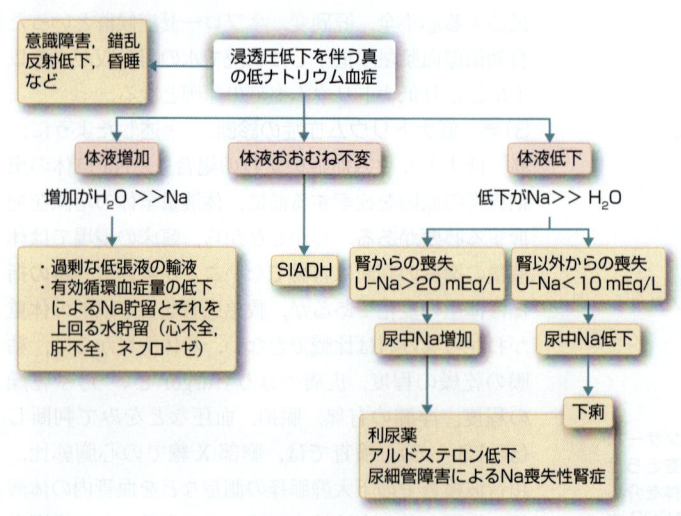

図13-1-8 低ナトリウム血症の鑑別診断
低ナトリウム血症の診断には体液量の増減をまず身体的所見や検査所見から判断することが大切．

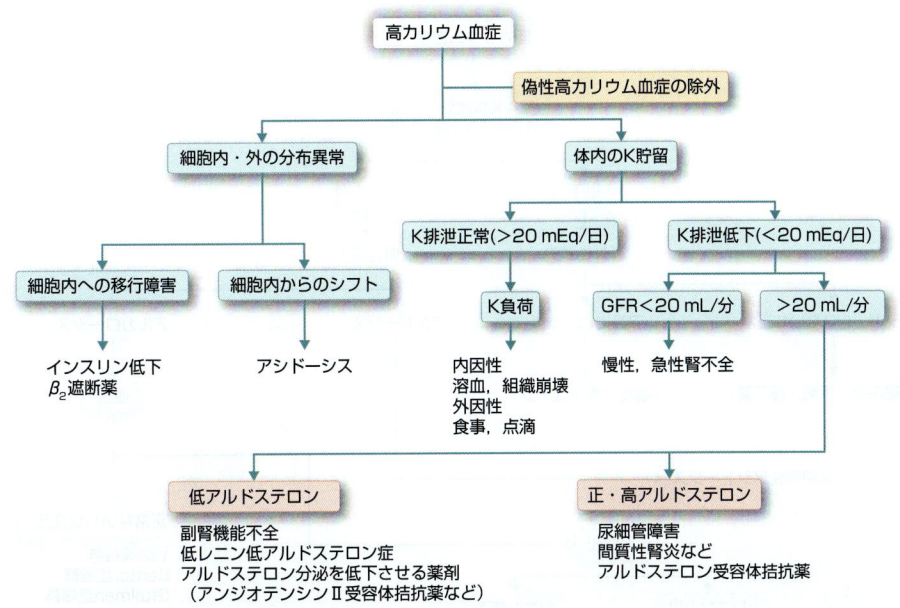

図 13-1-9 高カリウム血症の鑑別診断
高カリウム血症は診断の前に緊急度を心電図変化の有無などで把握し加療を開始しつつ，酸塩基の状態，腎機能の評価，アルドステロン作用の増減を考慮して診断をすすめる．

Na/K-ATPaseにより細胞内に汲み上げられ，汲み上げられたKはKチャネルによって漏れ出し，Kは陽電荷をもっているため細胞内は細胞外に対して陰性に荷電する．これを静止膜電位というが，細胞外Kが低下すると，よりKは細胞外に出るため膜電位はより陰性になり（過分極），心筋細胞ではこの過分極がNaチャネルを活性化して，興奮性を増加させ，不整脈を起こしやすくする．一方，Kが増加すると，心筋の興奮性は低下し，徐脈や心停止を引き起こすことがある．このように，細胞外のK濃度は，その異常が生死に直結する現象とかかわるため，その制御機構の理解が重要となる．

1日に食事として供給されるK量は約100 mEqで，少ない細胞外液に存在するK量に匹敵し（約70 mEq, 血管内には20 mEqしかない），体内のKの98%は細胞内にある（細胞外は2%）．血清K濃度を一定に保つ以下2つの機構がうまく働かないと，容易に血清カリウム濃度の異常をきたす．
①摂取されたKの一部は，細胞内に取り込まれる．
②余分なKは腎臓から尿に排出される．

①の理解のためには，細胞内と細胞外をKが移動するときの制御因子を理解する必要がある．e図13-1-Hに示すごとく，インスリンやアドレナリンというホルモンは，Na/K-ATPaseの活性を刺激して，細胞内へのKの取り込みを増大させる．一方，Kの移動はHイオンの移動と競合するため，細胞外液が酸性に傾きHイオンの濃度が増えて（アシドーシス）

細胞内に進入しようとすると，競合するカリウムは細胞内に入りにくくなり，高カリウム血症となる．アルカローシスではその逆となる．②腎臓でのK排出の経路を図13-1-11に示す．ネフロンのほかの部位でもKは再吸収されてはいるが，最終的に腎臓でのK排泄を規定しているのは，集合尿細管に存在するNa再吸収と交換で分泌されるKである．管腔側膜上にNaを再吸収する上皮型Naチャネル（epithelial Na channel：ENaC）が存在し，Na-K-ATPaseによってつくりだされた細胞内へ向かうNa勾配に沿ってNaがENaCを通して細胞内に輸送される．その際陽電荷が移動するが，それを相殺する形でKチャネル（rehal outer medilleny potassium channel：ROMK）を介してKが分泌される．よって，この部位に到達するNa量が多いほどKは分泌され，ENaCやNa-K-ATPaseの活性が上昇すればK分泌は多くなる．通常，K摂取が増大して血清Kが上昇傾向になると，副腎からのアルドステロン分泌が刺激され，ENaCやNa-K-ATPaseの活性を刺激して，Kの腎臓からの排出を促し，体内のKバランスが保たれている．

i) 高カリウム血症（図13-1-9）
1) 原因：負荷の増大と腎臓からの排泄の低下で起こるが，採血時の溶血，採取された検体の放置による血球成分からのKの放出による見かけ上の高カリウム血症を除外することがまず必要となる．

K負荷の増大の原因は，食事・輸液からの増大（消化管出血によっても血球成分由来のKをからだに負

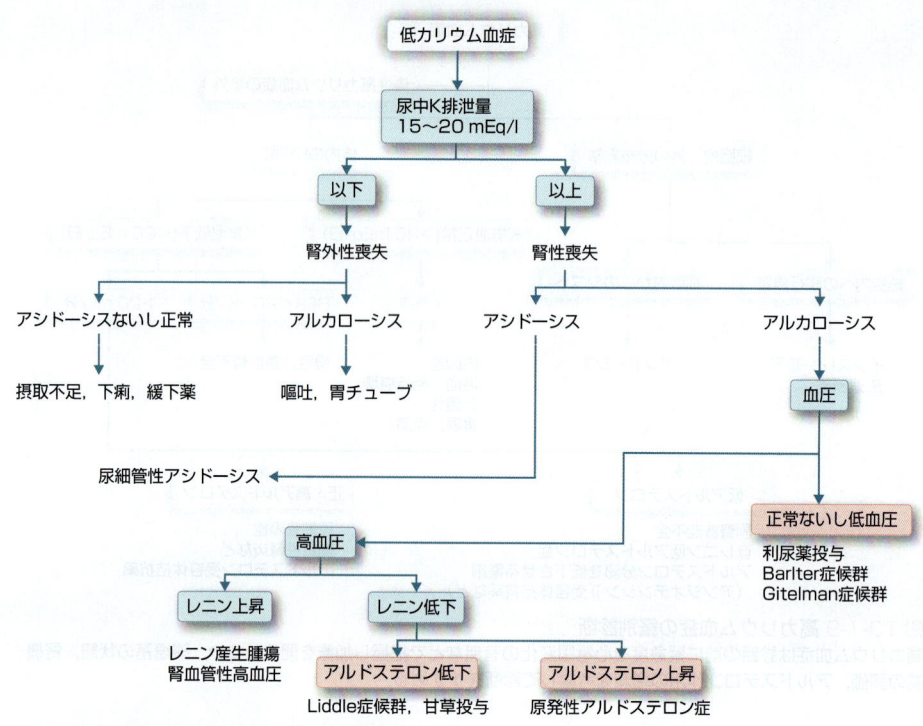

図 13-1-10 低カリウム血症の鑑別診断
低カリウム血症の診断で重要なのは，腎臓からの K 排泄の状況を把握することである．その後，酸塩基の状態，血圧などを把握すれば診断に至る．

荷することとなる），溶血，熱傷や外傷，薬剤の副作用などによる横紋筋融解（筋肉細胞内の豊富な K が細胞外液に遊出）などがあげられる．腎からの K 排泄の低下の原因は，第一には腎不全である．機能しているネフロンの数が減少すれば（糸球体濾過量が 20 mL/分以下），それに伴い腎臓での K 排泄能も低下する．糸球体濾過量が十分保たれている場合は，図 13-1-9 で示したような集合管での K 排泄系に異常がある可能性がある．第二は，アルドステロンの分泌低下である．副腎不全（Addison 病），アルドステロン合成酵素の欠損，アンジオテンシン変換酵素阻害薬，アンジオテンシンⅡ受容体拮抗薬の服用，糖尿病性の血管障害による輸入細動脈の荒廃によるレニン分泌低下による低レニン・低アルドステロン症などが原因として考えられる．次に，アルドステロンは出ているが，腎臓の尿細管がアルドステロンに反応できない状態でも K 分泌が障害される．間質性腎炎による尿細管障害，アルドステロン受容体拮抗薬などがあげられる．

2）診断：血液検査にて K 値を測定する．高カリウム血症はすべて治療の対象であるが，高 K の発生のスピードにより症状（骨格筋の脱力，腱反射の低下，四肢・口唇のしびれ感，顔面・舌のピリピリした感じといった知覚異常）は異なり，K 値と症状が一定の相関を示すものではない．高カリウム血症が緊急に治療すべき状態かどうかの判断には，細胞にとってその高 K がどういう影響を及ぼしているか，特に心筋の状態を把握することが大切である．そのためには，心電図変化をみる必要がある．高 K になるに従い T 波が増高する（テント状 T 波）．

3）治療：表 13-1-6 に示す．即効性の高い順に 1〜3 となる．1 のグルコン酸カルシウム静注は，高 K による心筋の興奮性の変化を一時的にもとに戻すために行われる．2 と 3 はからだから K を体外に除去するというよりは，細胞外から細胞内へ K をシフトさせ一時しのぎをする治療法である．表 13-1-6 に示したように，重曹により細胞外液をアルカリ化する，ないしインスリンにより細胞内への K 取り込みを増加させることで細胞外 K 濃度を一時的に低下させる（グルコース投与は低血糖の予防）．しかしながら，体内総 K 量が多いときには体から何らかの方法で除去しないかぎり最終的に K 値は低下しない．そのために，腎臓がある程度正常に機能している状況では，利尿薬により K の腎臓からの排出を促すことも行われるが，往々にして腎臓が機能低下にある状況で高カリウム血症は起こるので，その際は腎臓以外から K をからだの外に出す方法が必要となる．それが 4 の K と結合するイオン交換樹脂を服用ないし注腸して貯留させ，消化管のなかで血液から K を吸着し，

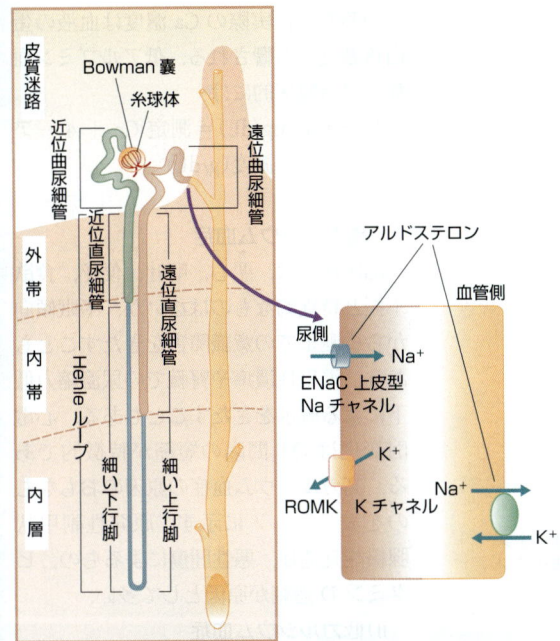

図 13-1-11 腎臓でのKの排泄経路とその制御機構
腎臓の尿細管各部でKの輸送は行われているが，体外の出納調節を考えるとき，集合尿細管でのK分泌が一番大切である．この部位の尿側の細胞膜にKを通すチャネル（ROMK）が存在する．このKの排泄を制御する因子として，細胞のNaポンプ活性と上皮型Naチャネル（ENaC）の活性が重要である．電気的中性を維持するため再吸収されるNa量に応じてKは分泌される．よって，このENaCとNaポンプの活性を制御するアルドステロンがKの排泄には必須である．

便とともに体外に排出させる方法である．緊急性がある場合，ほかの電解質・酸塩基異常や溢水がある場合は5のように血液透析を行う．

ii) 低カリウム血症

1) 原因：低カリウム血症は，高Kと逆に，Kの摂取不足と腎臓からのK排泄の増加によってもたらされる．

2) 診断（図13-1-10）：低カリウム血症にも特定の臨床症状があるわけではなく，無症状のことも多く，血液検査時にたまたま明らかになることが多い．低カリウム血症が確認されたら，問診にて食事摂取の状況，下痢や嘔吐の有無，腎臓でのK排泄を増加させる可能性のある薬剤の服用歴についての情報を得る．薬剤以外に一部の漢方薬では利尿作用のあるものもあり，常用している補助食品などについても情報を得る．次に尿にKがどの程度出ているかを最初に見きわめる．尿中のカリウム排泄量が1日20 mEq以下であれば，腎臓は低カリウム血症に応じてKを尿から出さないようにしていると判断され，腎臓以外からKが失われていることを示す（食事摂取低下，下痢，嘔吐，消化液の吸引など）．その際，アシドーシスがあれば，アルカリ性の腸液の喪失が，アルカローシスであれば酸性の胃液の喪失が考えられる．一方，低カリウム血症にもかかわらず尿中K排泄が多ければ，腎臓に障害があることになる．この際もやはり血液の酸-塩基の状態を考慮して鑑別を進める．アシドーシスであれば，考えられる疾患は尿細管性アシドーシス【⇒13-9-4】くらいしかない．日常臨床で遭遇する機会が多いのは，アルカローシスを合併している場合であり，多くは利尿薬の投与が原因である．利尿薬には，ループ利尿薬とサイアザイド系利尿薬があるが，これらの薬剤は，Bartter症候群やGitelman症候群【⇒13-9-3】の原因遺伝子がコードする輸送体蛋白の阻害薬である．それゆえ，これらの薬剤投与でも，遺伝性の病気であるBartter症候群やGitelman症候群でも低カリウム血症となる．その機序は，利尿薬により体液が喪失傾向になると，レニン-アンジオテンシン-アルドステロン系が賦活されて，図13-1-11に示すように集合尿細管でK分泌が増加する．一方，この部位の尿細管に，利尿薬によりその上流の尿細管で十分再吸収できなかったNaが流れ込むため，NaとKの交換が活発になることも，K分泌を助長するためである．この際，NaとHは同じ方向に輸送されるため，Hの分泌も多くなりアルカローシスに傾く．体液は減少傾向となるので，血圧は正常ないし低下傾向となる．一方，上皮型Naチャネル系が賦活されれば，同様にK分泌が増加し低カリウム血症となるが，Na再吸収が増加するので高血圧となる．図13-1-10に示した個々の疾患は各章参照．

3) 治療：Kの補給を主とするが，原因に応じた対策を講じる必要がある．Kを投与する際，特に静脈内に直に高濃度のカリウムを投与するときは，細胞外のKの分布容積は小さいため，その投与速度が速くならないようにする必要がある．

d. カルシウム濃度，リン濃度の異常

血液中のCa濃度の制御にとって重要なホルモンは副甲状腺ホルモン（parathyroid hormone：PTH）とビタミンDである．PTHは副甲状腺の主細胞でつくられ，細胞外のCa濃度が低下すると分泌され，増加すると減少する．腎臓や骨にその受容体が存在し，骨で

表 13-1-6 高カリウム血症の治療

1) グルコン酸カルシウム　10〜20 mL 静注（心電図モニタ下）
2) 重曹投与
3) GI療法：10% グルコース 500 mL ＋ レギュラーインスリン 10単位
4) ポリスチレンスルホン酸カルシウム，ナトリウム 10 g 内服 or 30 g 注腸
5) 血液透析

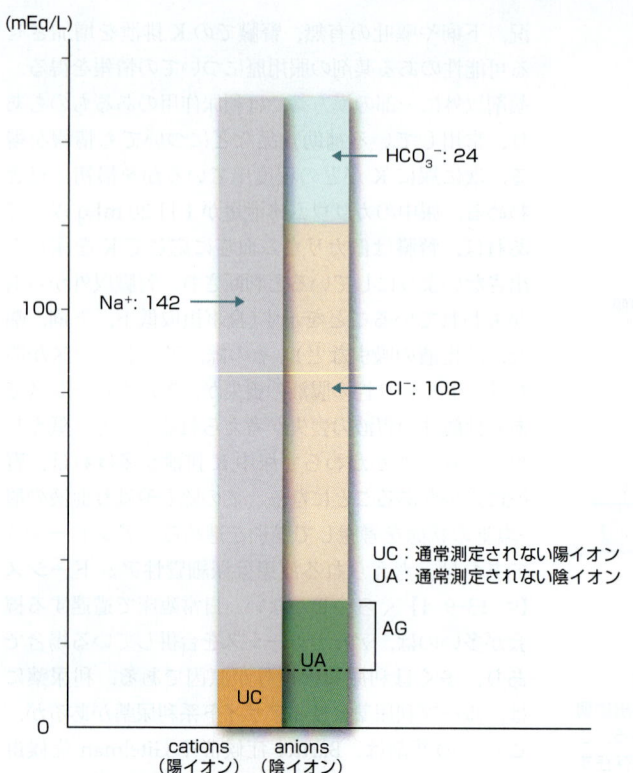

図 13-1-12 血清のイオン構成とアニオンギャップ
アニオンギャップ（AG）は血清 $Na^+ - Cl^- - HCO_3^-$ から計算される．UC は K^+，Ca^{2+}，Mg^{2+} などの陽イオン，UA は HPO_4^{2-}，SO_4^{2-}，有機酸，蛋白質などの陰イオンを示す（unmeasured anion：UA，unmeasured cation：UC）．その正常値は 10〜14 mEq/L である．

ているため，実際の Ca 濃度は血液の蛋白質濃度に影響される．低アルブミン血症の場合臨床的には

補正 Ca（mg/dL）＝ 測定 Ca ＋ 4 － アルブミン濃度（g/dL）

で表される．

i）高カルシウム血症

臨床症状は，悪心，嘔吐，便秘，食欲不振と特異的なものはないが，嗜眠傾向から昏睡までの意識障害をきたすこともあり，消化性潰瘍や腎臓での尿濃縮力低下による脱水をきたすこともある．心電図変化は QT 間隔の短縮が特徴的である．高カルシウム血症の原因のおもなものを表 13-1-7 に示す．原発性副甲状腺機能亢進症，悪性腫瘍によるもの，ビタミン D 過剰が原因として多い．

ii）低カルシウム血症

臨床症状として，神経・筋の興奮性亢進がみられ，口周囲のしびれ，筋肉のつれ，テタニー，ときに痙攣や精神異常を呈する．頬骨の下の顔面神経を叩くことで顔面筋が収縮する Chvostek 徴候と，上腕に血圧計のカフで締めつけると，指の過伸展がみられる Trousseau 徴候が特徴的である．心電図変化は QT 間隔が延長する．原因としては，慢性腎臓病によるビタミン D 活性化障害，副甲状腺機能低下症，低マグネシウム血症などがあげられる．

iii）低リン血症，高リン血症

高リン血症は，腎臓からの P 排泄低下がおもな原因であり，慢性腎臓病が進行すると糸球体濾過量が減少し，ほかの尿毒素物質と同様に P 排泄が低下し，高リン血症となる．腎機能が正常でも，PTH の分泌が低下する原発性副甲状腺機能低下症では高リン血症となる．その他，ビタミン D 過剰により腸管からの P 吸収が増加したとき，横紋筋融解や悪性腫瘍の治療後の壊死によって，細胞内から P が放出されて高リン血症となることがある．

は造骨細胞への刺激を通して破骨細胞も刺激され，結果として Ca と P が骨から放出され骨が吸収される．腎臓では，近位尿細管での P の再吸収を減少させる．また，PTH は，近位尿細管でビタミン D を水酸化して活性化し，活性化されたビタミン D は腸管での Ca 吸収を促進させて，血清 Ca を上昇させる（ビタミン D の生合成については他項参照【⇒ 15-6-4-4】）．骨では，PTH と同様に骨からの Ca と P の放出を促進させる．腎臓では Ca と P の再吸収を促進する．副甲状腺では PTH 分泌を抑制する．

血清 Ca のうち，生理機能をもつものは遊離した Ca イオンであるが，約 4 割は蛋白に結合して存在し

表 13-1-7 高カルシウム血症の原因

1)	原発性副甲状腺機能亢進症	PTH が原発性の過形成か単一の腺腫から過剰に分泌されることによる．腺腫は多発性内分泌腫瘍症候群の一部として現れることがある．
2)	悪性腫瘍	腫瘍による局所的な骨融解や，腫瘍が分泌する PTH 様物質（PTH-related protein：PTHrP）が原因．
3)	ビタミン D 作用の亢進	リンパ腫のような悪性腫瘍や肉芽腫性疾患（結核，サルコイドーシスなど）がビタミン D を産生し，高カルシウム血症をきたす．
4)	その他	サイアザイド利尿薬は Ca 排泄を低下させ高カルシウム血症をきたす．

低リン血症は，通常は低栄養，食事摂取不足から起こる．摂取が十分でも，ビタミンD欠乏では腸管からのP吸収能低下により，また一部の制酸薬では食事のなかのPと結合して腸管からのP吸収を抑える働きがあるものもあり，吸収障害にて低Pとなる．原発性副甲状腺機能亢進症の際には，腎臓でのP再吸収がPTHにより抑制され，低リン血症となる．FGF-23も近年，骨細胞から分泌され，Pの尿中排泄を促進する因子として注目されている．ビタミンD抵抗性くる病や腫瘍性骨軟化症での低リン血症に関与する．その他，飢餓状態のあと急に栄養を与えた後に，細胞内でエネルギー代謝にPを消費するために，低リン血症となる．このことは，低P状態では細胞内エネルギー代謝が障害されることを意味しており，臨床的にも低リン血症では，筋力低下からくる嚥下障害，イレウス，呼吸筋筋力低下，心筋収縮力低下，意識障害，痙攣などがみられることがある．

e. 酸塩基平衡異常

正常な状態では生体の細胞外液のH濃度は40 nEq/L(pH 7.4)に維持されている．これはNaなどのほかの電解質の濃度の約1/100万に相当する．このことから，生体内では，細胞機能維持のためにH濃度が非常に狭い範囲に厳密にコントロールされていることがわかる．

食物摂取と細胞内代謝により，生体には常に酸負荷が起きている．細胞外液のpHを一定に保つため，生体に負荷されるHに見合うHが排出される必要がある．生体に負荷される酸のうち1つは揮発性(volatile)の炭酸で，糖や脂質の最終代謝産物である．これらは1日に約1万5000～2万mEq産生され，肺よりCO2の形で排泄される．ほかには蛋白に含まれる硫黄やPの最終代謝産物である不揮発性(non-volatile)の酸が1日約50 mEq産生され，腎より排泄されている．

また酸が急激に負荷されても，急激な血液pHの変化が起きないように，生体内には緩衝系がある．①重炭酸緩衝系，②リン酸緩衝系，③ヘモグロビン緩衝系，④蛋白緩衝系があるが，体内では重炭酸系が最も主要で，HCO_3^-が緩衝イオンとして働いている．

一般に，酸(HA: H^+を供与しうる物質)と塩基(A^-：H^+を授受しうる物質)は溶液中では以下のような平衡状態にある．

$$HA \Leftrightarrow H^+ + A^-$$

この3者の濃度はKを平衡定数として以下の式に従う．

$$K = \frac{[H^+][A^-]}{[HA]}$$

両辺の対数をとると

表13-1-8 動脈血の正常値

pH	7.40	(7.38～7.41)
P_aCO_2	40 mmHg	(39～43)
HCO_3^-	24 mEq/L	(24～26)

$$\log K = \log[H^+] + \log\frac{[A^-]}{[HA]}$$

となる．pH = $-\log[H^+]$であるので，pK = $-\log K$(定数)とすれば，上式は以下のように書き直せる．

$$pH = pK + \log\frac{[A^-]}{[HA]}$$

これがHenderson-Hasselbachの式とよばれるものである．

重炭酸緩衝系HCO_3^-/H_2CO_3では，pK = 6.1であり，

$$pH = 6.1 + \log\frac{[HCO_3^-]}{[H_2CO_3]}$$

となる．37℃でのCO2分圧(PCO_2)(mmHg)とCO2の溶解濃度(mmol/L)の比は0.03(定数)であるので，実際の臨床の現場では以下の式が用いられる．

$$pH = 6.1 + \log\frac{[HCO_3^-]}{0.03 \times PCO_2}$$

([HCO_3^-]はmEq/L，PCO_2はmmHg)

この式から血液pHは，HCO_3^-濃度とCO2分圧の比によって定まることがわかる．[HCO_3^-]は腎で調節され，PCO_2は肺で調節を受けている．このことから，血液のpHは，血液緩衝系，肺胞換気によるPCO_2排泄，腎でのHCO_3^-濃度調節によって，[HCO_3^-]/PCO_2の値が一定に保たれることにより維持されていることがわかる．動脈血におけるpH，[HCO_3^-]，PCO_2の正常値を表13-1-8に示す．

i) 酸塩基平衡異常の分類

酸塩基平衡異常には，基本的に表13-1-9で示す4種類の病態がある．そのなかでアシドーシスとは，H^+を生じて血液pHを酸性側に傾けるような病態をいう．アシドーシスの原因がPCO_2の上昇によって起こるものを呼吸性アシドーシスといい，HCO_3^-の減

表13-1-9 酸塩基平衡障害の4つの基本型(単純性酸塩基平衡障害)

酸塩基平衡障害	一次性変化		pH
代謝性アシドーシス	H^+の負荷またはHCO_3^-の喪失	$HCO_3^-\downarrow$	↓
呼吸性アシドーシス	肺胞低換気	$PCO_2\uparrow$	↓
代謝性アルカローシス	HCO_3^-の負荷またはH^+の喪失	$HCO_3^-\uparrow$	↑
呼吸性アルカローシス	肺胞過換気	$PCO_2\downarrow$	↑

少によって起こるものを代謝性アシドーシスという．一方，アルカローシスとは，OH^-を生じて血液 pH をアルカリ性側に傾けるような病態をいう．アルカローシスの原因が PCO_2 の低下によって起こるものを呼吸性アルカローシスといい，HCO_3^- の増加によって起こるものを代謝性アルカローシスという．

一次性にアシドーシスまたはアルカローシスが起こると，これによる pH の変化を少なくするような生理的な代償性変化が起こる．表 13-1-9 に基本的な単純性酸塩基平衡異常の鑑別の手順，および表 13-1-10 にそれぞれ代償性変化の予測範囲と限界を示した．実際の臨床では，2 つ以上の酸塩基平衡異常が同時に存在する混合性酸塩基平衡異常が起こることも少なくない．

ii) 代謝性アシドーシスの原因

代謝性アシドーシスとは HCO_3^- の喪失，酸の負荷，血漿 HCO_3^- の希釈などにより細胞外液 HCO_3^- の低下が一次性に生じ，血液 pH が低下傾向にある病態をいう．代謝性アシドーシスの病態を把握するうえで，アニオンギャップ（anion gap：AG）の増加の有無をもとに分類すると便利である．AG は血清 $Na-(Cl+HCO_3^-)$ から計算され，図 13-1-12 に示すように，乳酸，ケト酸などの有機酸や，リン酸などの無機酸といった通常は測定されない陰イオンを表す．その正常値は 10～14 mEq/L である．

AG が正常なアシドーシスとは，HCO_3^- の体外への喪失を意味しており，腎臓から失われれば尿細管性アシドーシスがその主たる原因疾患である（尿細管性アシドーシスを参照【⇨ 13-9-4】）．その他，下痢による腸液からの HCO_3^- 喪失も AG が正常の代謝性アシドーシスを示す．AG が増加する代謝性アシドーシスでは，特定の酸が体内に蓄積していることを示す．

1) 乳酸性アシドーシス：ショックなどによる糖質の代謝異常が原因である．グルコースは解糖系で代謝されピルビン酸となり，一部は乳酸になるが，大部分はミトコンドリアで Krebs 回路を経て最終的に炭酸ガスと水になる．組織の酸素分圧が低下するとピルビン酸が蓄積し，さらにミトコンドリアでの NADH から NAD^+ への酸化が障害されるため，ピルビン酸から乳酸への反応が促進され，乳酸が蓄積する．

血中の乳酸の測定は検体処理が煩雑で緊急の場合は有用でない．このため，乳酸アシドーシスの診断は実際的には，AG が増加する代謝性アシドーシスからケトアシドーシス，腎不全，中毒などを除外することによりなされる．

2) ケトアシドーシス：インスリン欠乏や飢餓状態でグルコースの利用障害が起こると，マスト細胞での中性脂肪の分解亢進，遊離脂肪酸の遊離が促進される．その結果，肝臓での遊離脂肪酸からケトン体への代謝が増加，ケトン体の産生亢進がみられ，ケトアシドーシスが引き起こされる．糖尿病患者，特にインスリン依存性糖尿病患者が，インスリン治療の中断もしくは感染などのストレスを契機に糖尿病性ケトアシドーシス（diabetic ketoacidosis：DKA）を発症することが多い．全身倦怠感，口渇，多飲，多尿，頭痛，悪心，嘔吐，腹痛などの症状を呈し，進行すると意識障害に陥る．特有のアセトン臭のほか，呼吸性代償による Kussmaul 大呼吸を認める．ケトアシドーシスには DKA のほかに，アルコール中毒者にみられるアルコール性ケトアシドーシスがある．また，長期の飢餓の際にも血中のケトン体は増加する．

3) 腎不全：本来ならば尿中に排泄されるべき硫酸，リン酸などの滴定酸が，糸球体濾過量が低下したために，蓄積する病態である．一般に糸球体濾過量が 10 mL/分以下の高度な腎不全症例で顕在化し，ほかに乏尿，浮腫，肺水腫，意識障害などの尿毒症症状を伴うことが多い．

4) 薬物中毒：原因となる薬物としてメタノール，エチレングリコール，アセチルサリチル酸，パラアルデヒドなどがある．原因薬物そのものあるいはその代謝物が酸として蓄積されるほかに，薬物による代謝障害によって乳酸性アシドーシスなどを合併する．

表 13-1-10 単純性酸塩基平衡異常における代償性変化の予測範囲

一次性の病態	一次性の変化	→ 初期の pH の変化	→ 代償性変化	→ 正味の変化	予測範囲
代謝性アシドーシス	↓ HCO_3^-	↓↓ pH	↓ PCO_2	↓ pH	$\Delta PCO_2 = (1～1.3) \times \Delta[HCO_3^-]$
代謝性アルカローシス	↑ HCO_3^-	↑↑ pH	↑ PCO_2	↑ pH	$\Delta PCO_2 = (0.5～1.0) \times \Delta[HCO_3^-]$
呼吸性アシドーシス	↑ PCO_2	↓↓ pH	↑ HCO_3^-	↓ pH	慢性変化：$\Delta[HCO_3^-] = 0.35 \times \Delta PCO_2$ 急性変化：$\Delta[HCO_3^-] = 0.1 \times \Delta PCO_2$
呼吸性アルカローシス	↓ PCO_2	↑↑ pH	↓ HCO_3^-	↑ pH	慢性変化：$\Delta[HCO_3^-] = 0.5 \times \Delta PCO_2$ 急性変化：$\Delta[HCO_3^-] = 0.25 \times \Delta PCO_2$

iii) 代謝性アルカローシスの原因

上述のように，ヒトの通常の代謝活動では酸が産生されるので，アルカリが蓄積することは通常はない．また，仮にアルカリが蓄積するほど負荷されたとしても，腎臓の HCO_3^- 排泄能力は非常に高いため，すぐに体外に排泄される．よって代謝性アルカローシスの病態形成と維持には，①アルカリの蓄積と②腎での HCO_3^- の排泄障害，の2つがともに存在することが必要である．

アルカリの蓄積は，アルカリの負荷（輸液製剤の投与），または酸の喪失によって起こる．酸の喪失の原因としては，嘔吐・胃管からの胃酸の喪失，利尿薬投与，高アルドステロン症，低カリウム血症が多い．腎での HCO_3^- の尿中排泄障害の原因として最も重要なものは GFR の低下である．近位尿細管での HCO_3^- 再吸収は体液量減少で亢進し，HCO_3^- 排泄の妨げとなる．また，代謝性アルカローシスの際には集合管β間在細胞での Cl^- との交換により HCO_3^- の排泄が促進されるが，Cl 欠乏状態ではこのメカニズムが機能せず，HCO_3^- 排泄ができなくなる．

iv) 呼吸性アシドーシス・アルカローシスの原因

肺での CO_2 排泄は換気量に依存する．換気は延髄および頸動脈での化学受容体により，それぞれ P_aCO_2 と動脈血酸素分圧（P_aO_2）によって調整されている．この調整は非常に鋭敏（1 mmHg の P_aCO_2 の上昇で換気量が 1～4 L 増加する）で，P_aCO_2 は 40 ± 4 mmHg 程度の狭い範囲に調整されている．

呼吸性アシドーシスは換気の低下（hypoventilation）によって起こり，呼吸性アルカローシスは過換気（hyperventilation）によって起こる．　　　〔内田信一〕

(7) 尿毒症 (uremia)

定義・概念

尿毒症とは腎機能の低下に伴って，尿から体外へ排泄される物質が排泄されず，体内へ蓄積されることにより，さまざまな症状が引き起こされることをいう．血清尿素窒素値とクレアチニン値が，腎臓の排泄機能の指標として広く用いられているが，これら2つは尿毒症症候群の症候と必ずしも関連しているわけではない．尿毒症による症状は，腎機能の低下により体内へ蓄積されたさまざまな物質によると考えられ，これらの物質を総称して尿毒素という．尿毒素は多種存在し，①蛋白と結合していない低分子物質（分子量 500 Da 未満），②蛋白と結合している物質，③中分子物質（分子量 500 Da 以上）などに分類される（Vanholder ら，2003）．尿毒症では，正常時に腎臓で行われる代謝や内分泌機能の障害も起こり，その結果として貧血，糖質・脂質・蛋白の代謝異常，低栄養状態などさまざまな症状が引き起こされる．これらの尿毒症症状は，透析を受ける前の末期腎不全患者に起こるだけでなく，透析導入後でも十分な透析効率が得られていない場合には起こりうる．$β_2$-ミクログロブリンが原因とされる透析アミロイドーシスは，透析導入前にみられることはないため，一般に尿毒症とするよりは，長期透析に伴う合併症として扱われる．

臨床症状・検査所見

腎機能低下に伴う尿毒症によりすべての臓器が障害を受ける可能性がある（表 13-1-11）．

1) 体液・電解質異常/内分泌・代謝障害：

a) 体液貯留，高カリウム血症，代謝性アシドーシス：腎機能低下に伴い，ナトリウム摂取量が排泄量よりも増加し，体内にナトリウム貯留と細胞外液量の増加を認めるようになる．細胞外液量が増加すると下腿浮腫を生じる（e 図 13-1-l）．また，肺水腫を伴う左心不全を呈することがある（図 13-1-13）．細胞外液量の増加は高血圧の発症に関連し，残腎機能へも悪影響を及ぼす．

腎機能の低下により，必ずしも尿中へのカリウム排泄が減少するとは限らない．消化管においてもカリウム排泄は行われており，腎と消化管において，カリウムの調節が行われている．尿中へのカリウム排泄は，おもにアルドステロンによって調節されており，尿細管・間質障害を伴う例では，低アルドステロンまたはアルドステロンへの反応性低下により，高カリウム血症を呈しやすい．高カリウム血症の原因として，カリウム摂取過剰，蛋白異化亢進，代謝性アシドーシス，

表 13-1-11 尿毒症の症状

体液・電解質異常	浮腫・高血圧・心不全 高カリウム血症（不整脈） 高リン血症（血管石灰化）
循環器・呼吸器症状	虚血性心疾患 心不全 血管石灰化 呼吸困難（肺水腫）
血液・免疫異常	貧血 出血傾向 免疫力低下
神経・筋症状	不眠 意識障害 むずむず脚症候群 サルコペニア
皮膚症状	瘙痒 色素沈着
眼症状	視神経障害
消化器症状	悪心・嘔吐・食欲低下 口臭 消化管出血
骨症状	線維性骨炎 無形成骨・骨軟化症

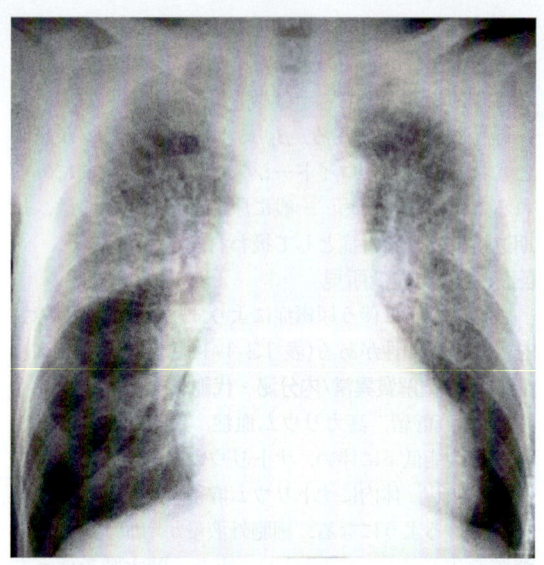
図 13-1-13 肺水腫の胸部 X 線写真
心拡大と肺門部中心から蝶形に広がる陰影を呈する．

レニン-アンジオテンシン系阻害薬などがある．
　代謝性アシドーシスは，尿細管・間質障害により，H^+ の排泄障害が起こることで生じる．比較的軽度の腎障害においても，高カリウム血症と高クロール血症を伴う代謝性アシドーシスが認められ，これらはアニオンギャップ正常代謝性アシドーシスである．
　b）カルシウム・リン代謝異常/副甲状腺機能亢進・骨代謝異常：腎機能低下に伴うカルシウム・リン代謝異常は，骨回転障害以外に，血管・軟部組織の石灰化に関連があるとされている．
　おもな骨疾患に，続発性副甲状腺機能亢進症を伴う高回転骨（線維性骨炎など）と，副甲状腺機能が正常から低値の低回転骨（無形成骨症，骨軟化症など）がある．
　高回転骨では，腎機能低下に伴うビタミン D の活性障害，リンの排泄低下と低カルシウム血症によりリン利尿ホルモンである副甲状腺ホルモンと FGF-23 の合成増加が起こり，骨代謝回転が促進する結果，骨吸収が亢進し，骨梁が線維化する[1]．
　低回転骨は，無形成骨と骨軟化症に分けられる．無形成骨は，骨吸収と骨形成の両方が低下しており，骨量低下と石灰化減少を特徴とする．骨軟化症は，ビタミン D の欠乏や骨へのアルミニウム蓄積により骨の石灰化障害をきたし，異常骨組織（類骨）の蓄積がみられる．
　2）心血管障害：　腎機能低下に伴い，心血管死は増加する（Levey ら，2011）．心血管系の異常として，虚血性心疾患，心不全，高血圧・左室肥大などがあるが，高リン血症も心血管死の危険因子である．
　a）虚血性心疾患：腎不全患者では，高血圧，循環血液量増加，脂質異常症，交感神経活動亢進，貧血，高リン血症，副甲状腺機能亢進などから，血管系疾患が多いとされる．慢性腎臓病では，糖尿病よりも心筋梗塞のリスクが高いことが報告されている（Tonelli ら，2012）．
　b）心不全：心筋虚血による心機能異常，左室肥大，心筋症に細胞外液増加が伴うと，心不全や肺水腫が起こる．尿毒症の場合には肺胞毛細血管の透過性の亢進により，細胞外液量の増加がなくても起こりうる．
　c）血管石灰化：腎不全患者の血管石灰化は，高リン血症，高カルシウム血症，fetuin-A，オステオプロテジェリンなどさまざまな因子の関連が示唆されている[2]．大血管に多くみられる（🅔図 13-1-J）．
　d）尿毒症性心膜炎：通常，心膜水は血性であることが多く，高度になれば心タンポナーデをきたす．尿毒素の関連が示唆されているが原因は不明である．
　3）呼吸器障害：　肺水腫は，体液貯留に伴うものばかりではなく，尿毒素の蓄積による毛細血管透過性亢進によっても生じると考えられており，尿毒症性肺といわれることもある．症状として，呼吸困難，咳，血痰などがある．
　4）血液・免疫系障害：
　a）貧血：腎機能低下により，正球性正色素性貧血が認められる．腎間質の障害により，間質に存在するエリスロポエチン産生細胞からエリスロポエチンが産生されなくなることが原因である[3]．その他の原因として，鉄欠乏，鉄利用障害，慢性炎症，赤血球寿命短縮，副甲状腺機能亢進症などがある．
　b）出血傾向：歯肉出血，鼻出血，消化管出血，眼底出血，性器出血などさまざまな出血をきたす．内因性要因，外因性要因，さまざまなものが報告されているが，尿毒素のうちグアニジノコハク酸による内皮細胞からの NO 産生により，血小板の活性阻害が報告されている[4]．
　c）免疫異常：末期腎不全患者では免疫力が低下しており，臨床的にも日和見感染が数多く報告されている．おもな原因として T 細胞の機能低下が示唆されており，健常人と比較して 20〜30 歳老化した状態である[5]．
　5）神経・筋障害：　腎不全患者に，中枢性，末梢性，自律神経のニューロパチーが生ずることがあるが，尿毒素の蓄積が寄与するものと考えられている．初期の中枢神経症状は，集中力・記憶力低下や睡眠障害である．さらに進行すると，痙攣，ミオクローヌス，意識障害などがみられる．
　末梢神経障害は，知覚・運動神経両者に障害を及ぼし，通常対称性である．一般に下肢に高度で，遠位部より発現し上行性である．自覚的には restless

legs syndrome（むずむず脚症候群）を呈し，脚を常に動かしている状態になる．その他，しびれ感，灼熱感，筋痙攣，脱力などがある．

　筋障害として，サルコペニアといわれる筋肉が著しく落ちた状態に類似した症状を呈することがある．慢性炎症，代謝性アシドーシス，アンジオテンシンⅡ，ビタミンD欠乏，内分泌障害，蛋白喪失などの関与が示唆されている[6]．

6）皮膚症状： 末期腎不全に最も頻発する皮膚症状が皮膚瘙痒症である．それ以外では色素沈着症がある．高リン血症，副甲状腺機能亢進症，その他多くの尿毒素の関与が示唆されているが，尿毒素以外の因子もあるとされている[7]．

7）眼症状： 末期腎不全患者にみられる眼症状として，帯状角膜変性症，水晶体の混濁，網膜剥離，網膜出血，黄斑浮腫，視神経障害などがある．おもに末期腎不全の尿毒症性網膜症とされているものは，尿毒物質による視神経障害が原因とされている[8]．近年では，透析・腎移植の進歩に伴い減少している．

8）消化器症状： 末期腎不全になると，食欲低下，悪心，嘔吐が認められ，尿毒症症状で，最も頻発する症状である．尿毒症による消化器症状は，胃・十二指腸潰瘍，胃粘膜血流低下，消化管出血，便秘など多彩である．また，尿毒症では尿毒症性口臭とよばれる独特のアンモニア臭を認めることがあり，これは唾液中の尿素がアンモニアに分解されることにより起こる．

〔正木崇生〕

■文献（e文献 13-1-2-7）

Levey AS, de Jong PE, et al: The definition, classification, and prognosis of cronic kidney disease: a KDIGO Controversies Conference report. *Kidney Int.* 2011; **80**: 17-28.

Tonelli M, Muntner P, et al: Risk of coronary events in people with chronic kidney disease compared with those with diabetes: a population-level cohort study. *Lancet.* 2012; **1**: 807-14.

Vanholder R, De Smet R, et al: Review on uremic toxins: Classification, concentration, and interindividual variability. *Kidney Int.* 2003; **63**: 1934-43.

3）検査法

(1) 尿検査

　尿の異常は，量的異常と質的異常に大別できる．尿量は，健常成人では1日500～1500 mLであり，50～100 mL以下を無尿，400 mL以下を乏尿（eコラム1），2500 mL以上を多尿とよぶ．以下尿の質的異常について述べる．

表13-1-12 尿の色調と疾患

色調	原因	おもな疾患
水様透明	希釈尿	尿崩症，水分の過剰摂取
褐色	濃縮尿	脱水
赤色	血尿	腎炎，尿路結石，尿路感染，腫瘍
	ヘモグロビン尿	溶血性貧血
	ミオグロビン尿	横紋筋融解症
	ポルフィリン尿	ポルフィリア
黄～黒褐色	ビリルビン尿	肝硬変，閉塞性黄疸
暗褐色	メラニン尿	悪性黒色腫
乳白色	白血球尿	尿路感染

a. 色調，混濁

　通常，尿は淡黄色～黄褐色を呈するが，疾患により色調の変化をきたすことがあり（表13-1-12），鑑別の手がかりとなる．なお，薬剤の影響（ビタミンB_2で濃黄色など）も考慮する．尿が混濁している場合は，血尿，膿尿，細菌尿，塩類の析出などを考慮し，尿沈渣にて鑑別する．

b. 尿比重，尿浸透圧

　尿比重は，腎の濃縮力・希釈力の指標であり，尿細管機能を表す．希釈尿，等張尿，濃縮尿に分類され，等張尿では，比重は1.010程度，浸透圧は290 mOsm/kg程度である．尿に含まれる溶質のモル数を反映する尿浸透圧に比べ，尿比重は，蛋白質・糖・造影剤のように電解質より分子量の大きい物質が尿に含まれていると高値を示すことに注意する．

c. 尿糖

　糸球体で濾過されたグルコースは尿細管でほとんどすべて再吸収される．しかし血糖値が170～180 mg/dL以上になると，再吸収の閾値をこえて尿糖が出現する．また，近位尿細管障害でも，再吸収障害により尿糖が出現する．

d. ビリルビン，ウロビリノゲン

　肝疾患のスクリーニングに用いられる（表13-1-13）．正常ではビリルビン（－），ウロビリノゲン（±）である．

e. 尿蛋白

　尿蛋白検査は，腎疾患の診断において最も重要な検査である．蛋白尿は，150 mg/日以上の蛋白が尿中に排泄されることを指す．健常人でも蛋白は少量排泄されているが，多くはTamm-Horsfall蛋白やグロブリンであり，アルブミンは30 mg/日未満である（eコラム2）．生理的蛋白尿として，発熱・過激な運動などがあるが，予後は良好である．起立性蛋白尿の診断のためには，早朝尿と来院時尿の尿蛋白定量を行う．

　病的な蛋白尿はその機序から，腎前性，糸球体性，

表 13-1-13 尿ビリルビンとウロビリノゲン

	値	病態	おもな疾患
ビリルビン	＋	肝障害	閉塞性黄疸, 肝硬変, など
	－	正常	健常
ウロビリノゲン	＋	肝障害, 溶血	急性肝炎, 肝硬変, 溶血性貧血など
	±	正常, 肝障害の可能性	健常, 胆管の不完全閉塞, など
	－	胆汁うっ滞	閉塞性黄疸, など

尿細管性,腎後性に分けられる(図 13-1-14).腎前性蛋白尿(overflow 型)は,多発性骨髄腫で産生される Bence Jones 蛋白のように低分子蛋白が大量に産生されるために,糸球体を濾過した蛋白が尿細管での再吸収閾値をこえて尿中に排泄されるものである.糸球体性蛋白尿は,糸球体からの漏出によるものである.糸球体基底膜には,基底膜の陰性荷電によるチャージバリアと物理的なサイズバリアがある.チャージバリアのみが障害されている場合は,尿蛋白はアルブミンが主体であるが(高選択性),糸球体基底膜障害が高度になりサイズバリアが障害されると,IgG も漏出する.トランスフェリンと IgG のクリアランスの比 ($C_{transferin}/C_{IgG}$)を selectivity index といい,0.2 以下が正常(高選択性)である.尿細管性蛋白尿は尿細管障害による蛋白尿である.β_2-ミクログロブリン(β_2-MG)のような低分子蛋白は糸球体を濾過した後,近位尿細管でほとんど再吸収されるが,近位尿細管障害が存在すると,再吸収低下により尿蛋白が出現する(eコラム 3).また,近位尿細管に存在する N-acetyl-β-glucosaminidase (NAG)は,尿細管障害に伴って尿中に出現する.腎後性蛋白尿は,尿管・膀胱・尿道からの分泌・漏出によるものである.

i)尿定性試験

試験紙法は,検診などのスクリーニングから一般患者まで広く用いられているが,診断のためには,その特性を知る必要がある.試験紙法は,アルブミンには感度・特異度が高いが,IgG や Bence Jones 蛋白などには検出度が低く,偽陰性を呈する.試験紙法で(±)だが,尿蛋白定量で(2＋)というような乖離がみられる場合は,Bence Jones 蛋白などの存在を疑い,尿免疫電気泳動法を用いて蛋白の同定を行う.また,試験紙法は,指示薬の蛋白誤差を利用して検出しているため,アルカリ尿で偽陽性を示す.試験紙法では,尿蛋白(＋)が 30 mg/dL,(2＋)が 100 mg/dL にほぼ統一されている.

ii)尿蛋白定量

糸球体腎炎や糖尿病性腎症の予後の判定のみならず,心血管病のリスクを考えるうえで,1 日の尿蛋白排泄量を把握することが重要であり,GFR と蛋白尿による慢性腎臓病患者の重症度分類が用いられている(CKD 診療ガイド 2012 改訂委員会,2012).尿蛋白は,採取時の希釈・濃縮により濃度が変化するので,随時尿の蛋白濃度だけでは,1 日尿蛋白量を推定することはできない.24 時間蓄尿での把握が望ましいが,近年,蓄尿に伴う院内感染のリスクも危惧されており,適応は慎重に考慮する.蓄尿が困難な場合は,尿蛋白/クレアチニン補正を用いる.成人の 1 日のクレアチニン排泄量は 1 g 程度であるので,随時尿の蛋白濃度をクレアチニンで補正することにより 1 日尿蛋白排泄量を推定することができる.たとえば,随時尿の蛋白濃度が 250 mg/dL で,クレアチニン濃度が 100 mg/dL の場合,250/100 ＝ 2.5 g/gCr となり,尿蛋白は 2.5 g/日と推定できる.

iii)微量アルブミン尿

正常範囲をこえて尿中にアルブミンが排泄されている状態を微量アルブミン尿とよぶ.日内変動があり,夜間に低く,運動により増加するため,随時尿では午前中の採取が望ましい.微量アルブミン尿は,尿中アルブミン値が随時尿で 30～299 mg/gCr,24 時間蓄尿で 30～299 mg/日,夜間蓄尿で 20～199 μg/分と定義される.微量アルブミン尿は早期糖尿病性腎症の診断によく用いられるが,血管内皮障害のマーカーとして心血管病の危険因子としても重要である(Matsushita ら,2010)(e図 13-1-K).蛋白尿をアルブミン尿

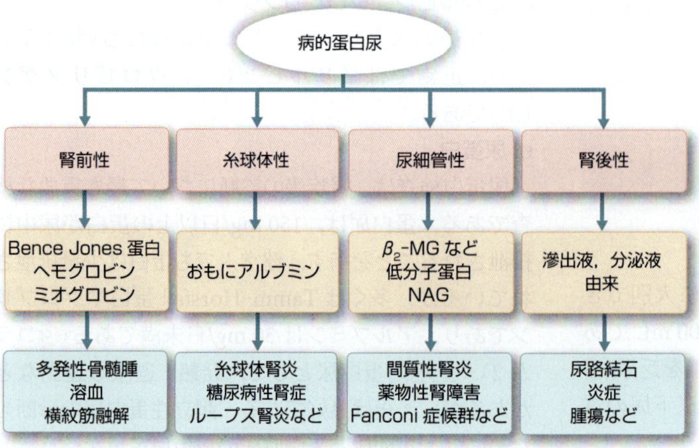

図 13-1-14 病的蛋白尿の分類

病的蛋白尿
- 腎前性: Bence Jones 蛋白 ヘモグロビン ミオグロビン → 多発性骨髄腫 溶血 横紋筋融解
- 糸球体性: おもにアルブミン → 糸球体腎炎 糖尿病性腎症 ループス腎炎など
- 尿細管性: β_2-MG など低分子蛋白 NAG → 間質性腎炎 薬物性腎障害 Fanconi 症候群など
- 腎後性: 滲出液,分泌液由来 → 尿路結石 炎症 腫瘍など

に換算する場合は，ほぼ 0.6 倍すればよい．ただし，微量アルブミン尿の段階では，尿細管性蛋白などが占める割合が多いため，蛋白尿 150 mg がアルブミン尿 30 mg に相当する．

iv）尿細管性蛋白

α_1-ミクログロブリン（α_1-MG），β_2-MG はいずれも糸球体で濾過され近位尿細管で再吸収される低分子蛋白であり，これらの排泄増加は尿細管障害を疑う（eコラム 3）．また，尿細管のリソソーム由来の酵素である NAG や尿細管刷子縁由来の γ-GTP も尿細管障害により尿中排泄が増加する．急性腎障害時には，クレアチニンの上昇に先立って早期から尿細管性蛋白尿が出現することから，急性腎障害のマーカーとしても注目されている（eコラム 4）．

f. 尿潜血，血尿

尿中に赤血球が混入した状態を血尿といい，尿 1 L に血液が 1〜2 mL 混入するとコーラ色を呈し，肉眼的血尿とよばれる．一方，尿潜血反応はヘモグロビンによる酸化還元反応を利用しているため，血尿以外に，溶血によるヘモグロビン尿や横紋筋融解症によるミオグロビン尿でも陽性となる（eノート 1）．これらの鑑別には尿沈渣による検鏡などにて可能である（表 13-1-14）．尿潜血（1 +）はヘモグロビン濃度 0.06 mg/dL，赤血球 20 個/μL，尿沈渣では 5 個/HPF に相当し，これを顕微鏡的血尿とよぶ．

表 13-1-14 尿潜血反応の鑑別

	血尿	ヘモグロビン尿	ミオグロビン尿
肉眼的観察	混濁	赤色透明	赤色透明
鏡検による赤血球	陽性	陰性	陰性
尿ヘモジデリン	陰性	陽性	陰性
血漿の色調	黄色	赤色	黄色

g. 尿沈渣

i）赤血球

5 個以上/HPF（high power field，強拡大視野）で病的である．高浸透圧や低 pH ではコンペイトウ状を，低浸透圧や高 pH では球状を呈する．糸球体性血尿では，尿細管腔通過時の浸透圧変化などにより赤血球は同一標本で多彩な形態を示すが（e図 13-1-L の A），下部尿路出血（非糸球体性）では均一な形態を示す（e図 13-1-L の B）．

ii）白血球

1 個以上/HPF で病的である．尿路の炎症，特に尿路感染症を疑う（eノート 2）．間質性腎炎や急性糸球体腎炎，ループス腎炎などでも出現する．

iii）円柱

Henle の上行脚から分泌される Tamm-Horsfall 蛋白が主成分となり尿細管腔を鋳型としたものである．内部に封入体のない硝子円柱（e図 13-1-M の A）は，脱水，発熱などでも出現し，単独では病的意義がないが，細胞成分を含んだような赤血球円柱（e図 13-1-M の B），顆粒円柱（e図 13-1-M の C），ろう様円柱（e図 13-1-M の D）などは腎実質性傷害の影響を考える．円柱はアルカリ尿や長時間放置では溶解してしまうため，新鮮尿で検査を行う．上皮円柱は（e図 13-1-M の E），尿細管上皮細胞が封入されたもので，急性尿細管壊死，糸球体腎炎などの腎・尿細管傷害で出現することが多く，顆粒円柱の成分もほとんどは尿細管上皮細胞が変性したもので，慢性糸球体腎炎，腎不全などの腎実質傷害で出現することが多い．赤血球円柱は，急性糸球体腎炎，IgA 腎症など糸球体性の血尿を伴うとき，白血球円柱は（e図 13-1-M の F），腎盂腎炎，間質性腎炎，ループス腎炎など感染症や炎症性疾患を伴うとき，脂肪円柱は（e図 13-1-M の G, H），尿細管上皮細胞や白血球が脂肪変性したもので，卵円形脂肪体（e図 13-1-M の I）とともにネフローゼ症候群では高率に出現する．オイルレッド O 染色で赤く染まり，偏光顕微鏡ではマルタの十字（e図 13-1-M の J）とよばれる像を示す．ろう状円柱（e図 13-1-M の D）は，尿細管腔の長期閉塞を意味し，ネフローゼ症候群，腎不全，腎炎末期などの重篤な腎疾患に認めることが多い．

iv）その他

Fabry 病ではマルベリー小体（e図 13-1-M の K）を認める．腎移植患者などで核が腫大したウイルス感染細胞（e図 13-1-M の L）を尿沈渣で認めた際には，BK ウイルスなどのウイルス感染症を疑う．尿沈渣で結晶を認めた際には，その形態とともに，性状をもとに診断する（e図 13-1-M の M〜P）．〔猪阪善隆〕

■文献

CKD 診療ガイド 2012 改訂委員会：CKD 診療ガイド 2012，東京医学社，2012．

Matsushita K, van der Velde M, et al: Association of estimated glomerular filtration rate and albuminuria with all-cause and cardiovascular mortality in general population cohorts: a collaborative meta-analysis. *Lancet*. 375:2073-81, 2010.

(2) 腎機能検査

a. 糸球体濾過量（glomerular filtration rate：GFR）

一般には GFR をもって腎機能とすることが多い．糸球体は限外濾過により原尿を生成するが，全糸球体より生成される時間あたりの原尿の量を GFR と定義する．GFR を正確に測定するには蛋白と結合せず，糸球体でのみ濾過され，尿細管で再吸収も分泌もされ

ない物質（X）を選んでクリアランス（C_x）を求めればよい（式①）．

$$C_x(\text{mL}/\text{分}) = \frac{U_x(\text{mg}/\text{dL}) \times UV(\text{mL}/\text{分})}{S_x}(\text{mg}/\text{dL})$$

…①

U_x, S_x；X の尿および血清濃度，UV；時間尿量

このような外因性物質としてイヌリンがあり，イヌリンクリアランスが GFR を求めるためのゴールドスタンダードであるが，測定方法が煩雑である（e図 13-1-N）ため，クレアチニンクリアランス（C_{cr}；式②）で代用することが多い．

$$C_{cr}(\text{mL}/\text{分}) = \frac{U_{cr}(\text{mg}/\text{dL}) \times UV(\text{mL}/\text{分})}{S_{cr}}(\text{mg}/\text{dL})$$

…②

しかし，クレアチニンは尿細管で少量分泌されるため，C_{cr} は GFR に比べて 30％程度高値を示す（e図 13-1-O）ことを考慮しておく必要がある（eノート 3）．

b. 腎機能の指標

i) 血清クレアチニン（Cr）と血液尿素窒素（blood urea nitrogen：BUN）

Cr と BUN はともに，糸球体から濾過されるため，腎機能の評価に用いられる．しかし BUN は食事，種々の病態による変動が大きく，BUN のみで腎機能を評価すべきではない．一方，Cr は筋肉で産生される小分子蛋白であり，Cr は BUN に比べると変動は少なく，食事の影響も比較的少ない．BUN/Cr 比＞10 であれば，蛋白摂取過剰，組織蛋白の異化亢進（外科手術や感染症，ステロイド投与など），消化管出血，有効循環血漿量の低下などを考慮する．しかし，Cr と GFR は双曲線関係にあることから，軽度腎機能が低下している場合は，GFR の低下はほとんど Cr の上昇に反映されない．したがって，Cr が明らかに上昇している場合（男性で 1.2 mg/dL，女性で 1.0 mg/dL 以上）は，すでに GFR が 50 mL/分/1.73 m² 以下に低下していることが多い．また，Cr は筋肉量に相関するため，Cr の評価には体格を考慮する必要があり，筋肉量が低下した高齢者や女性などは，同じ GFR でも Cr は低値を示す．さらに Cr の測定法には酵素法と Jaffé 法があり，Jaffé 法は酵素法に比べて約 0.2 mg/dL 高く測定されるため，経時的な変化をみる際や，後述する推算 GFR の計算の際には注意を要する．

ii) シスタチン C

シスタチン C は非糖鎖性のポリペプチドであり，全身の有核細胞から一定の速度で分泌されるため，年齢・性別，筋肉量，運動などに影響されない．糸球体で自由に濾過され，近位尿細管で 99％再吸収され分解されるため，シスタチン C 値は GFR を反映する．また，シスタチン C は Cr に比して GFR 低下の早期から上昇するため，より早期の腎機能低下を検出できる．一方，Cr 2.5 mg/dL 以上になると，シスタチン C は腎機能の低下とともには上昇しなくなるので測定意義は少ない．

iii) 推算 GFR（eGFR）

Cr，年齢，性別の 3 項目より計算される GFR 推算式が臨床上有用である（式③）．eGFR による 30％正確度は 74.9％と，非常によい相関を示す（e図 13-1-P）．

GFR(mL/分/1.73 m²) =
194 × 年齢$^{-0.287}$ × $S_{cr}^{-1.094}$（女性：× 0.739）…③

しかし，あくまで式③は推算式であり，筋肉量や体表面積により，真の GFR と大きくずれることがあることに注意する．るいそうや筋肉量が少ない場合などは，シスタチン C を用いた推算式（式④）が有効である．

eGFRcys(mL/分/1.73 m²) =
[104 × Cys − C$^{-1.019}$ × 0.996^{Age}（女性：× 0.929）]
− 8 …④

c. 腎血漿流量（RPF）

パラアミノ馬尿酸（PAH）は体内で代謝を受けず，腎糸球体の濾過と近位尿細管からの分泌により，そのほとんどが尿中に排泄される．血漿 PAH 濃度が約 10 mg/dL 以下では，1 回の腎循環でほぼ 100％除去されるため，PAH クリアランスが腎血漿流量の指標となる．なお，GFR/RPF を濾過比（filtration fraction：FF）といい，0.20〜0.22 が正常範囲である．急性糸球体腎炎では FF 比が低値になり，糖尿病性腎症初期や腎硬化症，間質性腎炎，うっ血性心不全などでは高値を示す．

d. 近位尿細管機能検査

水，電解質，アミノ酸，ブドウ糖などの小分子は，糸球体から濾過された後，尿細管で再吸収される．近位尿細管障害の程度の指標としては，ブドウ糖尿細管最大再吸収量や重炭酸尿細管最大再吸収量にて定量化可能であるが，臨床的には，前述した尿細管性蛋白の増加に加えて，糖尿，汎アミノ酸尿，リン酸尿（低リン血症），重炭酸イオン喪失（代謝性アシドーシス）があれば，近位尿細管障害を疑う．近位尿細管性アシドーシスの鑑別には重炭酸負荷試験（eコラム 5）が有用である．

e. 遠位尿細管・集合管機能検査

水制限による血漿浸透圧上昇により，ADH 分泌を介した集合管による尿濃縮力をみる検査が Fishberg 濃縮試験であり，前日 18 時から飲水制限を行い，就寝前に排尿し，翌朝 6 時から 1 時間 3 回の排尿を行い，1 回でも尿比重 1.025 以上，尿浸透圧 850 mOsm/kg 以上あれば正常とする．ただし，脱水によ

る循環血漿量減少に伴い，ショックを起こすことがあるので注意を要する．逆に，水負荷時にADHが抑制され，尿の希釈力をみる検査が尿希釈試験である．

遠位尿細管の尿酸性化能をみる検査に塩化アンモニウム負荷試験(eノート4)がある．近位尿細管性アシドーシスでは，遠位尿細管の尿酸性化能が保たれているため，塩化アンモニウム負荷後尿pHは5.5以下に低下するが，遠位尿細管性アシドーシスではpHは5.5以下にならない．　　　　　　　　〔猪阪善隆〕

(3) 腎の画像診断

腎・尿路は後腹膜腔にあるため，触診，打診などの身体診察法には限界がある．画像診断は腎疾患診断の初期スクリーニングに必要であり，疾患によっては診断確定に必須となる．血尿，腹痛，腰背部痛のスクリーニング法として，さらに腫瘍性疾患，囊胞性疾患，結石，閉塞性尿路疾患，血管病変，奇形などの腎・尿路系の形態変化をきたす疾患の診断に欠かすことができない．検査計画の立案にあたっては，侵襲の少ないX線診断や超音波検査から始め，必要に応じて次の段階に進む必要がある[1,2]．

a. X線診断

i) 腹部単純X線撮影

kidney, ureter, bladder の頭文字をとりKUBと略される．通常の腹部単純X線撮影では横隔膜上縁が欠けないように撮影するが，KUBの場合は膀胱下縁が欠けないように恥骨結合上縁が含まれるように撮影する．腎の大きさ・輪郭の変化，遊離ガス像，結石・石灰化，腹水の有無などを観察する．

正常腎の大きさは長径10〜12cm，短径5〜6cmである．左腎が右腎よりやや大きく，肝右葉のため右腎は左腎より下方に位置する．両腎の長軸を延長すると腎の上方で交差する．交差しない場合は馬蹄腎のような先天異常などを考える．腸腰筋の外側縁陰影は後腹膜病変（腎周囲膿瘍など）の存在により不明瞭となる．尿路結石の約90％はX線非透過性でありKUBで描出される．

妊婦の場合は，胎児に対する全身被曝となり注意が必要である．妊娠可能年齢の女性に対しては妊娠の可能性，最終月経を確認する．

ii) 経静脈性尿路造影（intravenous urography：IVU）

腎排泄性の造影剤を用いて腎尿路系を描出する検査である．経静脈性腎盂造影（intravenous pyelography：IVP）ともよばれる．水溶性ヨード造影剤を経静脈的に1回投与する方法と造影剤を点滴静注する点滴静注腎盂造影（drip infusion pyelography：DIP）がある．

腎実質，腎盂腎杯，尿管，膀胱の形態変化を評価できるが，同時におおよその分腎機能も推測できる．造影剤静注後数分以内に腎実質が造影される．5分以内に腎盂が造影され，さらに尿管，膀胱が造影される．尿管には腎盂尿管移行部，総腸骨動脈交差部，尿管膀胱移行部に生理的狭窄部位がある．

腎実質造影像（ネフログラム）から腎の形態，大きさ，位置を評価する．腎実質内に腫瘍が存在すると欠損像として描出される．また腎動脈狭窄が存在すると狭窄側の造影が淡く，造影効果の出現も遅延する．馬蹄腎や重複腎盂尿管などの先天奇形の診断にも有用である．腎盂の陰影欠損は腫瘍や結石で生じ，下部尿路に閉塞機転が存在すると上方の尿路が拡張し水腎症，水尿管症を呈する（図13-1-15）．膀胱の造影像に陰影欠損を認めた場合は膀胱腫瘍を疑う．遊走腎を疑う場合は，造影後に立位像を撮影し腎の下方移動度を測定する．

ヨード造影剤を使用するため造影剤過敏症には禁忌である．また血清クレアチニン値が2mg/dL以上の腎機能障害は相対的禁忌とされる．

iii) 排尿時膀胱尿道造影，逆行性腎盂造影

排尿時膀胱尿道造影はおもに膀胱尿管逆流（vesicoureteral reflux：VUR）や神経因性膀胱を疑うときに施行される．カテーテルを用いて膀胱内に造影剤を注入し，膀胱充満時，努責時，排尿時など条件を変えて撮影する．

逆行性腎盂造影は尿管口から尿管カテーテルを挿入して造影するもので，高度腎機能障害時やIVUで上部尿路の造影が不十分である際に行われる．ほかの画像診断法の進歩とともに実施頻度は減っている．

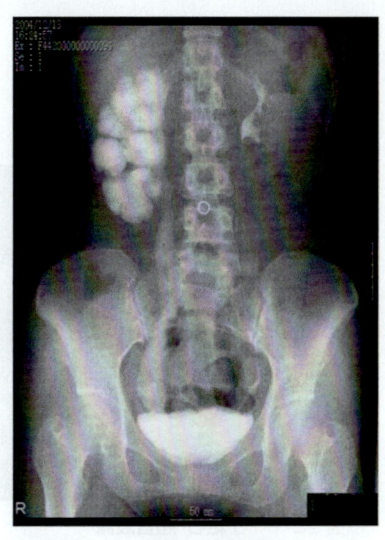

図13-1-15 水腎症 DIP像
右腎腎盂，右尿管の著明な拡張を認める．

b. 超音波検査

腎臓の画像診断技術のなかで最も低侵襲であり簡便に行えるもので，腎疾患のスクリーニング検査法として必須のものとなっている．とりわけ囊胞性腎疾患，結石，腫瘤性腎疾患において診断上の価値が高い．腎生検時のガイドとしても利用される．通常 B モードで観察されるが，カラードプラ法では血流変化を評価することができる[3]．

i) 正常像

超音波検査上，腎臓は外側から皮膜，腎実質，中心部（central echo complex：CEC）に区別される．腎実質は皮質と髄質に分けられ，皮質のエコーレベルは肝臓よりやや低く，髄質は皮質よりさらに低輝度で描出されることが多い．超音波検査上の正常腎サイズは長径 10.2±0.5 cm，短径 5.1±0.5 cm とされている．

ii) 囊胞性腎疾患

囊胞は内部が均一の無エコー（aechoic）として描出される．腎実質内に認める 1 個から数個までの囊胞は単純性腎囊胞である．内部エコーの不均一性や囊胞形状や壁の不整を認める場合は悪性腫瘍の鑑別が必要となる．多発性囊胞腎では両側腎に多数の大小の囊胞を認める．囊胞内出血や感染を生じると内部エコーの性状が変化する．腎不全患者や透析患者では後天性に両側腎に大小の囊胞を生じる（後天性囊胞腎）（ⓔノート 1）．

iii) 腫瘤性腎疾患

腫瘤が囊胞性か充実性か，囊胞壁・内部構造の性状などを評価する．腎細胞癌（renal cell carcinoma）の場合，腫瘍内部は腎皮質部よりやや高エコー（hyperechoic）に描出されることが多いが，isoechoic，hypoechoic な部分が混在し不均一に描出される場合もある．腎輪郭の変形や CEC の圧排・断裂を認めることもある．

iv) 結石

超音波検査は尿路結石を疑う場合に，KUB とならんで最初に行う検査である．腎結石の場合は CEC 内に音響陰影（acoustic shadow）を伴う高輝度のエコー像で描出される（図 13-1-16）．X 線陰性結石でも診断可能である．同時に水腎症の有無を判定する．尿管結石の場合は拡張した腎盂，尿管を画像上で追跡して行くと末端部に結石像を認めることができる（野田ら，2005）．

v) 実質性腎疾患

慢性腎不全に陥ると原因のいかんを問わず腎臓は萎縮する．内部エコーレベルは上昇し皮質と髄質の境界は不明瞭となる．急性腎不全の場合には一般的に腎臓は腫大するため慢性腎不全との鑑別が可能である．腎硬化症で腎動脈～弓状動脈レベルの動脈硬化を合併するような場合は腎表面の凹凸不整を認める．糖尿病性腎症の場合は同程度の腎機能であっても他疾患と比較して萎縮が目立たない傾向がある．

カラードプラ法は腎血管狭窄，動脈瘤などの腎血管病変，移植腎の血流評価などに有用である．左腎静脈は大動脈と上腸間膜動脈の間を走行する．腎静脈が圧迫され腎静脈圧が上昇し血尿を呈する場合があり，ナットクラッカー症候群とよばれる．超音波検査，カラードプラ法により左腎静脈拡張所見を認め，側副血行路を描出できる場合もある（図 13-1-17）．

c. CT 検査

CT 検査は再現性，客観性にすぐれ，造影 CT との組み合わせにより病変の血流変化や質的診断にも有効である．囊胞性腎疾患，結石，腫瘤性腎疾患の診断に役立つ．また囊胞内出血・感染の有無，血管病変，腎梗塞，外傷の診断にも有用である．

i) 各種 CT 検査法

1) **単純 CT**：造影剤を使用しないものでスクリーニングに用いられる．結石の存在診断，腫瘍内石灰化病変・出血巣の検出にも有効である．病変の存在が疑わ

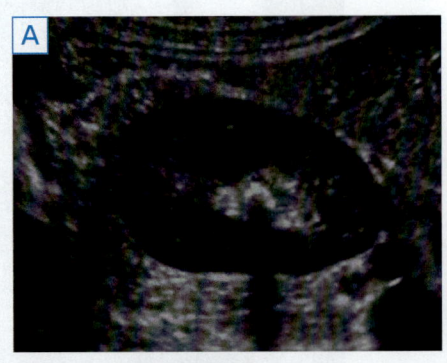 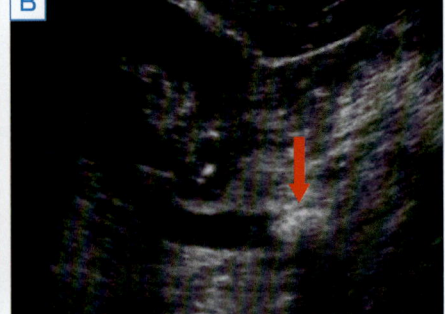

図 13-1-16 結石 超音波像
A：腎結石．音響陰影を伴う高輝度エコー像が認められる．
B：尿管結石．拡張した尿管の末端部に結石（矢印）を認める．

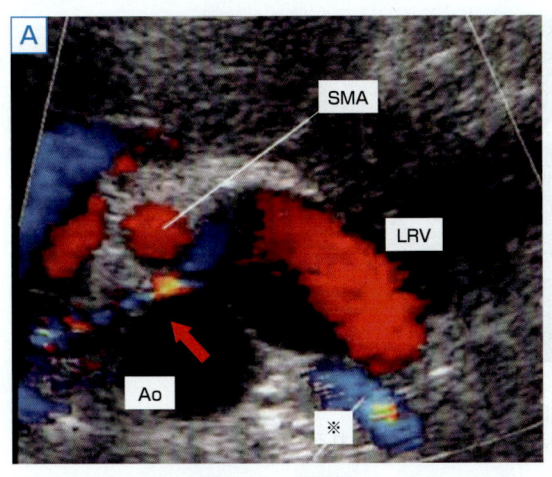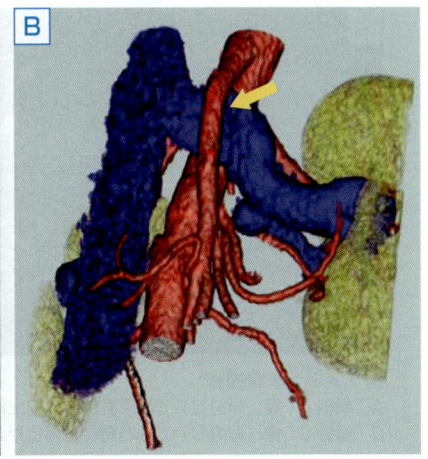

図 13-1-17 ナットクラッカー症候群
A：超音波像．上腸間膜動脈(SMA)と腹部大動脈(Ao)の間で左腎静脈(LRV)が圧迫され(矢印)拡張している．後腹膜の静脈(※)が拡張し側副血行路を形成している．
B：CT 血管造影により三次元再構築した画像である．左腎静脈が圧迫されている(矢印)．

れる場合は造影 CT を行い比較する．

2) **造影 CT**：経静脈的にヨード造影剤を投与し，血管系・尿路系を経時的に描出する．皮質相，実質相，排泄相を観察することができる．ヨード造影剤を用いるためヨードアレルギーには禁忌である．

ヨード造影剤使用後に急性腎障害(造影剤腎症)を生じることがあり，注意を要する．造影剤腎症はヨード造影剤投与後，72 時間以内に血清クレアチニン値が前値より 0.5 mg/dL 以上あるいは 25％以上増加した状態を指す．慢性腎臓病(CKD，eGFR＜60 mL/分/1.73 m^2)は，造影 CT 検査による造影剤腎症発症リスクであり，特に eGFR＜45 mL/分/1.73 m^2 例では，十分なインフォームドコンセントを実施し，造影 CT 検査前後に十分な補液を行うなどの予防策を講じることが推奨される．使用造影剤量もできるだけ少量にとどめる．また短期間(24～48 時間以内)に造影 CT 検査を繰り返すと造影剤腎症発症リスクが増大するため，短期間での反復検査を避ける[4]．

3) **ダイナミック CT**：造影剤を経静脈的に急速注入し，短時間に連続的にスキャンして撮像する．

4) **ヘリカル CT**：X 線管球を高速連続回転しつつ検査台を連動して移動し，短時間に多数のスキャンを行うものである．1 回呼吸停止間に連続画像を撮像可能であり，三次元立体画像を合成することも可能である．造影 CT を行うと動脈相，皮質相，実質相，排泄相を観察可能である．時相ごとのデータを三次元再構築し血管系や尿路系の画像を得ることができる．それぞれ CT 血管造影(CT angiography)，CT urography とよばれる．

ii) **各種疾患の CT 所見**

1) **囊胞性腎疾患**：囊胞は内部が低吸収域(水の CT 値付近)として描出される．多発性囊胞腎では腎の腫大と両側腎に多数の大小の囊胞を認める．囊胞内に出血をきたした場合は CT 値が上昇し高吸収域として検出される．集合管の囊胞状拡張によって生じる海綿腎では，高率に石灰化を伴う．単純 CT では両側腎髄質に石灰化を認める．

2) **結石，石灰化病変**：尿酸結石やシスチン結石のような KUB で明瞭でない X 線陰性結石も高吸収構造として検出される．結石に伴い患側腎の腫大，水腎・水尿管症所見，腎臓周囲脂肪組織の線状陰影・毛羽立ち像を認める[5]．

3) **感染性腎疾患**：腎膿瘍は単純 CT では内部が低吸収域を示す囊胞性腫瘤として検出される．囊胞壁は厚く不整である．造影 CT では膿瘍腔が非造影域として明瞭に描出され，小さな膿瘍の検出にも有用である．急性腎盂腎炎の場合は造影 CT を用いると，腎腫大に加えて，皮質相～実質相にかけて炎症巣が造影不良領域として撮像される．慢性腎盂腎炎では，病巣の瘢痕化による腎実質の萎縮，腎杯の変形・拡張を認める．正常部位が過形成をきたし腫瘤状にみえる場合がある．この場合も造影 CT を行うとほかの正常腎実質と同程度に造影されるため，腫瘍との鑑別が可能である．

4) **腎梗塞**：診断には造影 CT が有用かつ必要である．梗塞部は楔状の非造影領域として描出される(図 13-1-18)．梗塞部の皮膜下皮質に造影効果の残存所見を認める(cortical rim enhancement)．

5) **腫瘍性腎疾患**：腎細胞癌は単純 CT では低吸収域として撮像され，造影 CT では皮質相では等～高吸収

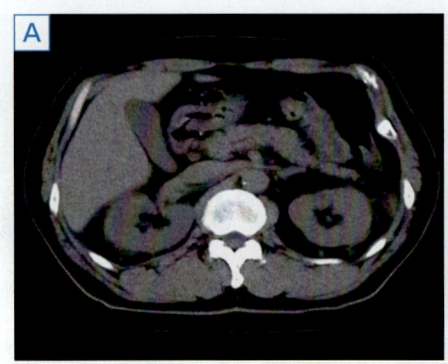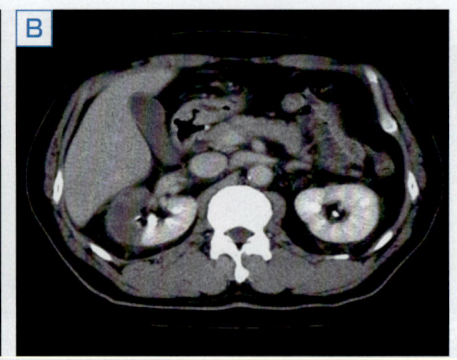

図 13-1-18 腎梗塞
A：単純CT像．単純CTでは梗塞部位の描出は困難である．
B：造影CT像．造影CTでは右腎梗塞部位が非造影領域として描出される．

域，実質相・排泄相では低吸収域として表される（図13-1-19）．囊胞性腎癌の場合は囊胞壁の不整な肥厚や，一部に石灰化を認める場合もある．

6）後腹膜疾患： 後腹膜線維症では大動脈周囲に筋肉と同程度の吸収値を示す腫瘤として撮像される．造影CTでは遅延性に造影される．

d. MRI検査

MRIはCT，超音波検査と比較すると空間分解能は悪いが，良好なコントラストが得られる．また横断面のみならず冠状断像，矢状断像を撮像できるため立体的な病変部位の同定にすぐれている．病変の脂肪含有量などの質的診断，腫瘍の進展度判定などにも有用である[6]（戸上，2005）．T1強調画像，T2強調画像が基本的な撮像法である．

i）各種MRI検査法

1）T1強調画像，T2強調画像： T1強調画像では水成分が低信号に黒く描出される．腎臓は中等度の信号強度で描出され皮質・髄質部の境界も明瞭である．T2強調画像では逆に水成分は高信号に白く描出される．T2強調画像では組織内の水分含有量がよく反映されるため腫瘤性病変の質的判定に有用である．

ガドリニウム造影剤を用いた造影MRIも行われる．ヨード造影剤と比較するガドリニウムの腎毒性は低いが，腎性全身性線維症（nephrogenic systemic fibrosis：NSF）の発症に注意を要する．腎機能低下とともにNSF発症リスクが増大する．

2）脂肪抑制画像，ケミカルシフト画像： 腎臓は後腹膜腔内の脂肪組織内に存在するが，T1，T2強調画像では脂肪組織はいずれも高信号に描出される．周囲の脂肪組織の高信号を抑制することにより腎臓の形態変化，表面性状の評価が容易になる．脂肪組織の高信号を抑制して撮像するのが脂肪抑制画像である．ケミカルシフト画像は微量の脂肪成分の描出を可能にする撮像法である．

3）ダイナミックMRI，MR血管造影（MRA）： ダイナミックMRIはMRI造影剤を静注し，呼吸停止下で複数スライスを撮像するものである．血管相，皮質相，実質相，排泄相が観察できる．MRIでは造影剤

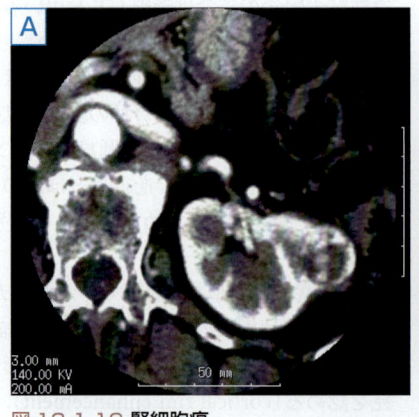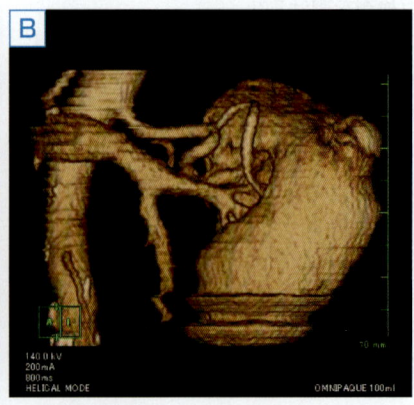

図 13-1-19 腎細胞癌
A：造影CT像．左腎表面に内部が不均一に造影される腫瘤を認める．
B：三次元再構築CT像．左腎表面に表面が凹凸不整な腫瘤を認める．

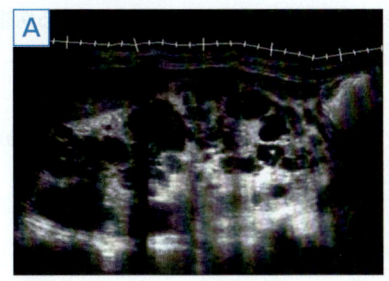
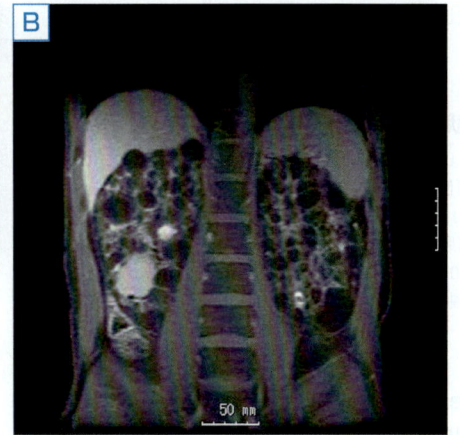
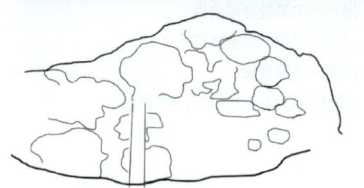

図 13-1-20 多発性嚢胞腎
A：超音波像．腎実質内に多数の aechoic な嚢胞を認める．
B：MRI 像（T1 強調画像）．多数の嚢胞のため両腎が腫大している．

を用いずに血流信号を高信号として描出可能である．造影剤を用いずにあるいは造影剤を用いて血管系を撮像するのが MRA である．MRA は血管造影法と比較すると侵襲が少なく，腎血管病変のスクリーニングや腎移植ドナーの腎血管の評価に用いられる．

ii）各種疾患の MRI 所見

1）嚢胞性腎疾患： 嚢胞は内部に含有する水成分のために，T1 強調画像では均一な低信号に，T2 強調画像では高信号に描出される．多発性嚢胞腎では同様に描出される多数の大小の嚢胞を認める（図 13-1-20）．CT と異なり冠状断や矢状断での観察が可能であり嚢胞相互の位置関係や全体像を認識することができる．嚢胞内容液の成分によって信号強度が変化する．嚢胞内に出血を生じると T1 強調画像で高信号を呈する．透析患者の後天性多嚢胞腎に合併する腎癌の場合，T2 強調画像では嚢胞内に低信号として検出される．

2）腎膿瘍： T1 強調画像では低信号，T2 強調画像では高信号で描出される．いずれも内部は不均一である．

3）腎細胞癌： T1 強調画像で低信号，T2 強調画像では高信号で撮像される場合が多い．内部に壊死，出血，石灰化を生じるとさまざまな信号強度を示す．周辺組織への進展（腎静脈への浸潤など）やリンパ節転移の評価にも有用である．

e．腎シンチグラフィ，レノグラム

放射性薬剤を用いて腎臓の形態変化，左右腎臓の分腎機能評価を行うものである．^{99m}Tc-2,3-dimercapto-succinic acid（DMSA）や ^{99m}Tc-mercapto-acetyl-triglycine（MAG$_3$），^{99m}Tc-diethilene triamine penta-acetic acid（DTPA）などを用いる．

i）静態シンチグラフィ

^{99m}Tc-DMSA は腎皮質に集積し腎臓を描出することが可能である．腎臓の形態変化の評価を行う．

ii）動態シンチグラフィ，レノグラム

^{99m}Tc-MAG$_3$ は大部分が近位尿細管から分泌され，再吸収されずに排泄されるため有効腎血漿流量を反映する．^{99m}Tc-DTPA は糸球体から濾過され尿細管からの分泌はほとんどなく糸球体濾過量を反映する．これらを用いて経時的に腎臓での血流，分泌，排泄過程を観察するのが動態シンチグラフィである．レノグラムは血管相，分泌相，排泄相からなり分腎機能を評価することができる[7]．

f．腎血管造影

腎血管性高血圧症などにおいて腎血管内腔病変の検出や，腫瘍性病変の診断，腫瘍の病期決定などに用いられる．侵襲的検査であり適応の判断には慎重を要する．画像診断技術の進歩により CT 血管造影や MRA により鮮明な血管像の撮像が可能になり，腎血管造影の実施頻度は減少しつつある．治療用カテーテルを用いて腫瘍塞栓術やバルーンカテーテルによる血管狭窄部位の拡張術（経皮経管血管形成術，percutaneous transluminal angioplasty：PTA），出血性病変に対する塞栓術を行うことも可能である．

i）腹部大動脈造影，腎動脈造影

Seldinger 法により経皮的に大腿動脈からカテーテルを挿入し，大動脈内あるいは選択的に腎動脈を造影する．

ii）digital subtraction angiography（DSA）

鮮明な血管造影所見を得るために，デジタル化された造影像から背景の腸管ガス像，骨陰影等を差し引いて画像を作成する方法である．経静脈的に造影剤を注

入しても動脈造影像を得ることができる（IVDSA）．
〔柏原直樹〕

■文献（e文献 13-1-3-3）

日本腎臓学会，日本医学放射線学会，他：腎障害患者におけるヨード造影剤使用に関するガイドライン 2012, pp42-55, 東京医学社, 2012.

野田治久，奴田原紀久雄：尿路結石・腎石灰化症の画像診断．腎と透析．2005; 59: 328-33.

戸上　泉：腎・副腎・後腹膜 MRI．腎と透析．2005; 59: 208-18.

表 13-1-15　腎生検の禁忌と考えられる病態

絶対禁忌
- 高度の多嚢胞性腎疾患
- 単一腎または単一腎低形成・萎縮（針生検の場合）
- 高度の貧血，血小板減少，出血傾向
- コントロール不良の高血圧症
- 活動性の感染症

比較的禁忌
- 進行性の悪性腫瘍合併
- 高度の肥満・栄養障害
- 高度の両腎萎縮
- GFR 30 mL/分/1.73 m² 未満

（4）腎生検（renal biopsy）

a. 腎生検の目的

腎生検のおもな目的は，糸球体腎炎，尿細管間質性腎炎，血管炎，腎移植後拒絶反応などによる腎障害の病理学的診断である．腎生検組織所見と臨床所見を加味して，原発性腎疾患，二次性疾患の鑑別診断と治療法選択を行う．また，腎組織重症度に応じて治療法を選択する．

腎生検の歴史については e コラム 1 参照．

b. 腎生検の手技

エコー下経皮的針腎生検と開放的腎生検に大きく分かれる．このうち，エコー下経皮的針腎生検が一般的方法である．患者を腹臥位とし，背部に局所麻酔を施し，エコー下で腎臓の位置を確認しながら，自動式生検装置と生検針を用いて組織を採取する．採取の際には患者は呼吸を一時的に停止する必要がある．単腎あるいは一腎が低形成腎である場合は，麻酔下に手術的な開放的腎生検を行うことがある（図 13-1-21）．

c. 腎生検の適応と禁忌

尿検査で持続的な蛋白尿，あるいは持続的な蛋白尿＋糸球体性血尿が認められる症例が腎生検の適応となる．尿蛋白量としては，0.5 g/gCr または 0.5 g/日以上が適応の1つの目安である．蛋白尿単独の若年者の場合は，起立性蛋白尿を否定する必要がある．血尿のみの場合は，糸球体性血尿であることを確認したうえで腎生検の適応を決定する．

尿検査異常が顕著でなくとも，比較的急速に腎機能障害が進行する場合は，腎生検の適応がある．急性間質性腎炎などがこの例である．

糖尿病発症後 5 年以内に蛋白尿が陽性となった症例，網膜症を合わせず蛋白尿が認められる症例，急速に蛋白尿あるいは腎機能の悪化する症例，糸球体性血尿が糖尿病発症以前からある例などは，糖尿病があっても腎生検の適応がある．

禁忌条件を，表 13-1-15 に示した．腎生検により引き起こされる合併症のリスクが高いと考えられる病態では実施すべきではない．また，高度の慢性的な腎機能低下があると組織の線維化が強く診断が難しい．

d. 合併症

腎生検後合併症として，腎周囲出血，肉眼的血尿，腎内動静脈瘻，肺血栓塞栓症などがあげられるが，そのなかでも出血関連の合併症が多い．腎周囲出血，肉眼的血尿などは安静により問題は解決することがほとんどである．腎内動静脈瘻の場合は，間欠的な肉眼的血尿が持続することもあり，放射線科的血管内治療として塞栓術を施行して動静脈瘻の閉塞を行う必要がある．また，肺血栓塞栓症の予防には，腎生検後の弾性ストッキング使用などの対策をとる必要がある．

e. 腎生検前に必要な検査

安全に腎生検を施行するための必須のチェック項目がある（表 13-1-16）．意識レベルの低下がなく，腎生検の意義を理解できる患者であることがまず重要である．近年は，抗血小板薬や抗凝固薬の服用者も多く，事前に中止する必要がある．腎生検を施行する際には，呼吸を 10～30 秒間程停止する必要がある．これが可能か否か確認する．また，生検後は長い臥位安静時間があるが，長時間安静位が実際にとれるかどう

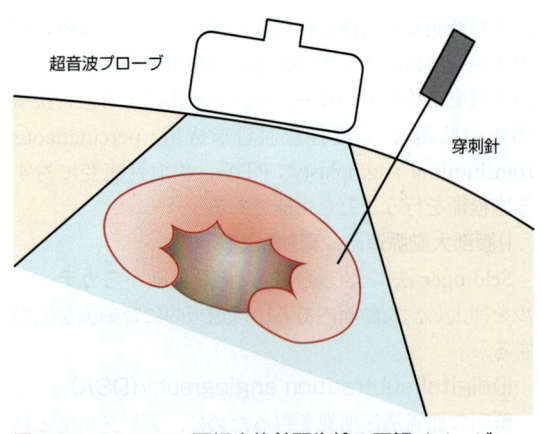

図 13-1-21　エコー下経皮的針腎生検の図解イメージ
超音波画像で腎の位置と深さを確認し，腎下極の皮質を穿刺する．

表 13-1-16 **安全性確保のための検査項目**

① 血液型
② 便検査
③ 凝固系検査
④ 血小板数と血小板機能検査
⑤ 末梢血検査
⑥ 感染症検査
　HBsAg, HBsAb, HCV 抗体, HIV 抗体
　ステロイド治療の際は，HBcAb, HBeAg, HBeAb, DNA 定量検査を追加
⑦ 画像検査
　胸部 X 線，腹部単純 X 線写真，腹部超音波検査
　腎形態異常が疑われる場合は腹部 CT

表 13-1-17 **腎生検前に実施する臨床検査**

① 尿定性検査[*1]
　pH，比重，蛋白，糖，潜血，ケトン体，ビリルビン，ウロビリノゲン．
② 尿沈渣[*2]
　赤血球，白血球，扁平上皮，異型細胞，円柱，結晶の有無．
③ 尿定量検査
　24 時間蓄尿による尿蛋白・尿糖定量．随時尿での尿蛋白/gCr 測定．
④ その他の尿検査
　尿細管障害が疑われる場合，尿中 NAG，β_2-ミクログロブリン，尿中アミノ酸分析．M 蛋白血症が疑われる場合，Bence Jones 蛋白，尿蛋白電気泳動．ネフローゼ症候群の場合，Selectivity Index（SI）＝clearance（IgG）/clearance（transferin）．
⑤ 腎機能検査
　クレアチニン・クリアランス（Ccr）あるいはイヌリンクリアランス．
⑥ 生化学検査
　肝機能，腎機能，電解質，総蛋白，蛋白分画，脂質関連検査．M 蛋白が疑われる場合，フリーライトチェーンのκ，λ比測定．
⑦ 血清学検査
　CRP，ACNA，免疫グロブリン，補体，自己抗体．
⑧ 糖検査
　耐糖能異常が疑われる場合，HbA1c，血糖，尿糖を測定．

[*1]：早朝尿蛋白陰性，随時尿蛋白陽性は起立性蛋白尿の可能性あり．蛋白，潜血には偽陰性，偽陽性があり注意．
[*2]：尿中赤血球の変形率は糸球体性あるいは尿路性血尿の鑑別に有用．高齢者の血尿に対しては尿細胞診を実施．

か問診する必要がある．腰椎疾患，関節リウマチなどを合併している場合は，長時間の安静位がとれないこともある．

f. 抗血栓療法，抗体凝固薬服薬患者への対応

腎生検では，抗血小板薬，抗凝固薬はおよそ 1～2 週間前後の期間中止して施行されることが望ましい．抗血小板薬や抗凝固薬の再開に関しても一定の基準はないが，腎生検後最低でも 2 週間程度の休薬期間を要すると考えられる．近年は，冠動脈ステント留置後の症例も多く，抗血小板薬の中止は循環器医と相談して判断することが勧められる．抗血小板薬，抗凝固薬の長期間の中止が危険である症例では，全身ヘパリン化を生検前まで行い対応することが推奨される．

g. 患者情報

腎疾患の診断に対しては，腎生検前にある程度組織型を予想する必要がある．その点で，次の患者情報が重要である．家族歴では，腎疾患患者，透析患者の有無．遺伝性疾患を疑うときは，視力障害，聴力障害について問診する．既往歴では，学校や職場検診での尿検査異常について確認する．その他，高血圧歴，妊娠歴，出生時体重，糖尿病歴，感染症罹患歴を聴取する．血尿に関しては，肉眼的血尿の有無を聴取する．ネフローゼ症候群では，先行感染，浮腫の発現について確認する．全身性疾患に伴う腎疾患が疑われる場合には，発熱，発疹，紫斑，関節痛，神経障害などの有無を聴取する必要がある．

h. 臨床検査情報

組織型鑑別あるいは重症度の判定のために表 13-1-17 に示す検査を生検前に行う（西，2005）．

i. 腎生検の診断

腎生検診断は，光学顕微鏡，蛍光顕微鏡，電子顕微鏡を用いて診断する．光学顕微鏡では，PAS 染色，PAM 染色，Masson trichrome 染色，Elastica 染色，HE 染色を行い診断する．それぞれの染色で診断するポイントが異なる（西，2013）．各光学顕微鏡染色標本で観察すべきポイントを表 13-1-18 に示す．蛍光顕微鏡では，免疫グロブリン，補体，フィブリノゲンなどの沈着パターンとその局在を確認する．糸球体腎炎ごとに独特の沈着様式がある．IgA 腎症の診断は蛍光顕微鏡によりなされる．電子顕微鏡診断では，高電子密度沈着物（electron dense deposit：EDD）の局在，糸球体基底膜の厚さなどを判断し診断を行う．菲薄基底膜病の診断は電子顕微鏡にてなされる．〔西　慎一〕

表 13-1-18 **各染色法での観察すべきポイント**

HE 染色：尿細管間質領域での細胞浸潤，特に好酸球，形質細胞の有無，シュウ酸・尿酸結晶，石灰化（紫色に染色）
PAS 染色：メサンギウム基質・細胞の増加度，メサンギウム沈着物の有無
PAM 染色：基底膜病変，膜変化（スパイク形成，バブリング所見），基底膜二重化，基底膜断裂，基底膜肥厚
Masson trichrome 染色：間質線維化（青色），免疫複合体沈着物（赤色），フィブリン（赤色）
Elastica 染色：血管壁弾性線維（動脈硬化，血管炎の判定に有用）

■文献
西 慎一：生検前のチェック項目．日本腎臓学会誌．2005; 47: 411-5.
西 慎一：腎生検組織の評価法—低倍から高倍への観察手順．腎生検プラクティカルガイド（西 慎一編），pp40-3，南江堂，2013．

(5) 泌尿器科的検査法

泌尿器科では腎臓，尿管，膀胱，尿道へと連なる尿路の疾患，精巣，前立腺などの男性生殖器の疾患をおもに対象として診療を行う．泌尿器科を受診する主訴として多いものは，排尿・蓄尿障害，血尿，尿路結石に伴う疼痛，尿路や生殖器の炎症症状などがある．泌尿生殖器の身体的検査のほか，それぞれの症状に応じて排尿機能検査，前立腺疾患の検査，陰囊内病変の検査，尿細胞診検査，尿路造影検査，尿路内視鏡検査などの泌尿器科的な検査を行う必要がある．

a. 身体的検査

腎の触診は，両手を背部の肋骨脊柱角（costovertebral angle：CVA）と季肋下の腹壁において，腹部をはさむようにして双手診で行う．腎表面の性状，かたさ，圧痛の有無，呼吸性移動の有無を確認する．また，CVA部の叩打痛は急性腎盂腎炎や尿管結石時の特徴的な所見である．下腹部恥骨上の膨隆を認める際には，膀胱内への大量の尿貯留を疑う．

鼠径部の触診では，病的リンパ節腫脹の有無を検査する．停留精巣では鼠径部における精巣の部位診断が重要であり，触れない場合には立位で腹圧をかけさせると内鼠径輪の部位に精巣を触知することがある．鼠径ヘルニアの診察においても立位で腹圧をかけさせ，腫脹，疼痛，圧痛の有無を確認する．また，陰囊部鈍痛や不妊症患者には，左鼠径部から左陰囊内にかけて精索静脈の怒張（精索静脈瘤）を認めることがあり，立位で腹圧をかけさせるとより明確となることが多い．

直腸診は，患者が股関節と膝関節を強く曲げて両手で下肢を抱えた体位で行う（e図 13-1-Q）．肛門括約筋トーヌスの減弱時には，神経因性膀胱の可能性を考える．正常成人男子の前立腺は触診上クルミ大で，表面は平滑，中央溝を触知し，弾性硬である．前立腺肥大症の場合，前立腺は直腸腔内に突出する．一方，前立腺内の硬結や表面の不整は前立腺癌を示唆する所見である．また，通常前立腺圧迫により不快感を訴えることはあっても圧痛はないが，浮腫状の圧痛がみられる場合には急性前立腺炎が疑われる（村井ら，2008）．

b. 排尿機能検査

排尿・蓄尿障害は，膀胱，尿道の下部尿路病変およびこれに関連する筋，神経の障害または機能低下などによって起こり，下部尿路症状（lower urinary tract symptoms：LUTS）とよぶ．排尿機能検査と同時に，脳血管障害，脊椎疾患，糖尿病などの原疾患の有無についても検索を進める必要がある．

i) 問診表

前立腺肥大症が疑われるときには，まず国際前立腺症状スコア（International Prostate Symptom Score：IPSS）を用いて問診を行う（e表 13-1-E）．一方，過活動膀胱の症状質問票としては Overactive Bladder Symptom Score（OABSS）を使用する（e表 13-1-F）．これら質問票を用い具体的な症状とその程度を点数化することにより，患者の自覚症状を評価することができる．

ii) 排尿日誌

患者に計量カップと記録用紙を渡し，1日のうちトイレに行った時刻，尿の量，尿意の強さ，水分の摂取量を記録してもらう．排尿パターンや尿失禁の特徴や傾向がわかるだけではなく，患者自身が排尿状態を客観的に把握できフィードバック効果も期待できる．

iii) 尿流量検査（uroflowmetry），残尿測定

単位時間あたりの尿流率（mL/秒）を縦軸に，時間を横軸にとり，排尿量の経時的変化を測定する検査である．非侵襲的な検査であり，排尿症状に対するスクリーニング的役割をもつ．尿流波型は，正常では釣鐘型の一峰性の山を呈し，最大尿流率が 15 mL/秒以上であれば下部尿路閉塞はないものと判断する（e図 13-1-R）．尿流量測定後に，超音波検査にて排尿後残尿測定もセットで行うことが多い．排尿後残尿が 50 mL をこえる場合には，排尿筋収縮力障害または下部尿路閉塞が疑われる（Raoら，2007）．

iv) パッドテスト

腹圧性尿失禁の定量的評価を目的とした検査である．膀胱内に尿が貯まった状態で紙おむつを装着し，1時間かけてさまざまな失禁誘発負荷の運動を行い，尿失禁量を算出する．2.0 g 以上の場合陽性と判定する．

v) 膀胱内圧測定，内圧尿流測定（pressure-flow study）

膀胱内圧の測定を，経尿道的に圧トランスデューサーを挿入して行う．膀胱内に経尿道的カテーテルより生理食塩水を注入していき，人工的に蓄尿期を再現しながら尿意，膀胱内圧変化，膀胱伸展性の評価を行う．最大膀胱容量に達すると，随意的排尿を指示し引き続き内圧尿流測定検査を行う．この際の排尿筋圧は膀胱内圧−腹腔内圧（直腸内にも圧トランスデューサーを挿入し測定）で得られる．排尿筋圧と尿流率により，排尿筋収縮力障害と下部尿路閉塞の程度を評価することができる（吉田，2013）（e図 13-1-S）．

c. 前立腺疾患の検査

i) 前立腺特異抗原（prostate specific antigen：PSA）

血中のPSAを測定することは前立腺癌のスクリー

ニングに有用なだけではなく，治療効果判定，再発の検索にも用いられる．前立腺癌スクリーニングの基準値としては，4.0 ng/mL が採用されることが多い．腫瘍マーカーとして高い感受性を有するが，前立腺肥大症や前立腺炎による偽陽性があるため，診断特異度は高くない．前立腺体積，年齢，PSA 上昇速度，直腸診の所見などを考慮して生検の適応を決める必要がある．

ii) 経直腸的超音波検査（transrectal ultrasound：TRUS）

直腸内に超音波プローブを挿入することにより，分解能が高い前立腺画像を得ることができる．前立腺体積を測定することにより前立腺肥大症の重症度判定も行うことができる．前立腺癌病変は低エコー像を呈することが多い（図 13-1-22）．

iii) 前立腺生検

TRUS ガイド下に行うことを原則とし，生検は経直腸的および経会陰的の 2 つのアプローチ法がある．生検本数は 10 本以上が推奨されており，通常局所麻酔下または腰椎麻酔下に行われる．癌検出率は辺縁領域で高いため，初回生検で画像上病変を認めない場合には辺縁領域を定型的に生検する．検査の合併症として，出血（血尿，直腸出血，血精液症），発熱（急性前立腺炎），尿閉をきたすことがある．

d. 陰嚢内病変の検査

無痛性陰嚢内病変を認める際には，精巣腫瘍，液貯留性疾患（陰嚢水腫，精液瘤，精索水腫），鼠径ヘルニアが考えられる．精巣内の硬結や無痛性の精巣腫大を認める場合，精巣腫瘍が疑われる．頻度が高い疾患として陰嚢水腫も同様に無痛性の腫大をきたすが，懐中電灯の光が通過する透光性を認める．有痛性の場合には，急性精巣上体炎，精巣炎，精索捻転症が考えられる．急性精巣上体炎においては尿路感染の合併，精巣炎においては先行する耳下腺炎の病歴が鑑別に重要な所見である．精索捻転は 10 歳代の思春期が好発年齢であり，夜間に発症しやすい傾向がある．これら陰嚢内病変の検査には超音波検査が非常に有用である（図 13-1-23）．精巣への血流停止が 6 時間以上経つと壊死が始まるため，精索捻転の疑いが強い場合には手術を考慮する（村井ら，2008）．

e. 尿細胞診検査

膀胱癌，腎盂尿管癌の診断に用いられる．新鮮尿を遠沈後スライドグラスに付着させ，迅速コーティング剤をスプレーし固定後，Papanicolaou 染色を施行し検鏡する．悪性細胞の一般的特徴は，核や核小体の増大，大小不動，核/細胞質比増加などである．クラス

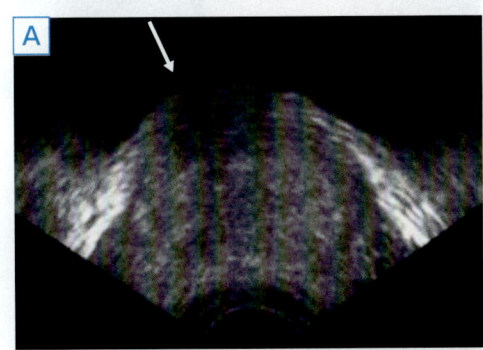

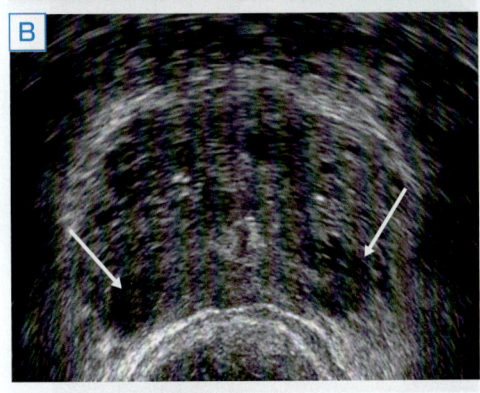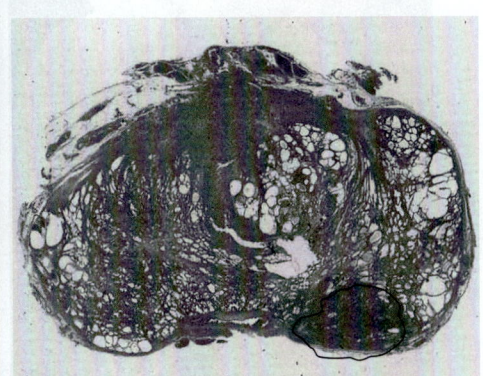

図 13-1-22 経直腸的超音波検査（transrectal ultrasound：TRUS）
A：前立腺肥大症症例における TRUS の水平断像．特に右葉の肥大が顕著である（矢印）．
B：左図の TRUS 画像にて，右葉と左葉の外側にそれぞれ低エコー領域を認める（矢印）．右図の病理組織検査の結果，左葉外側の前立腺癌病変（黒囲み）と左葉低エコー領域とが一致していることがわかる．

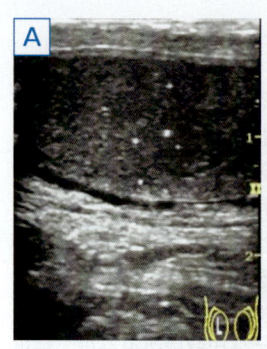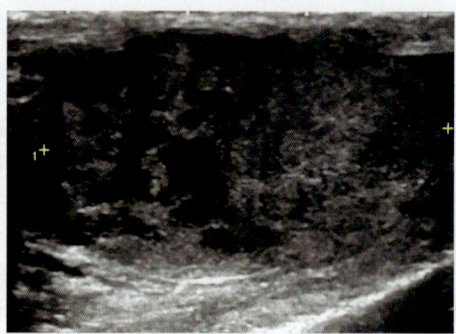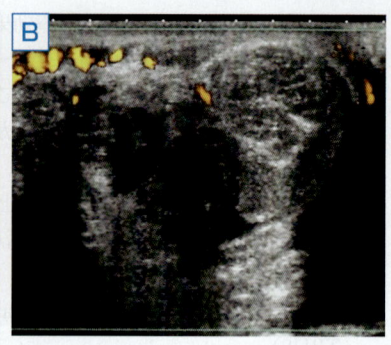

図 13-1-23 陰嚢超音波検査
A：精巣腫瘍症例．超音波検査にて，左図健側と比べ右図患側は腫大し内部エコーが不均一である．
B：精索捻転症例．左図のドプラ検査にて精索部分には血流を認めるものの，精巣内部の血流が消失している．手術所見はⓔ図 13-1-T 参照．

Ⅰ～Ⅴまで 5 段階に分類され，クラスⅠ，Ⅱは陰性，Ⅲは疑陽性，Ⅳ，Ⅴは陽性である．特異度は高いものの感度が低いため，陰性であるからといって尿路癌の可能性を否定することはできない．また尿路の炎症や機械的操作下で採取した尿には異型細胞が出現するため，まれではあるが偽陽性を生じることがある．

f．尿路造影検査

造影剤を静脈内投与し，腎排泄され膀胱に貯留する

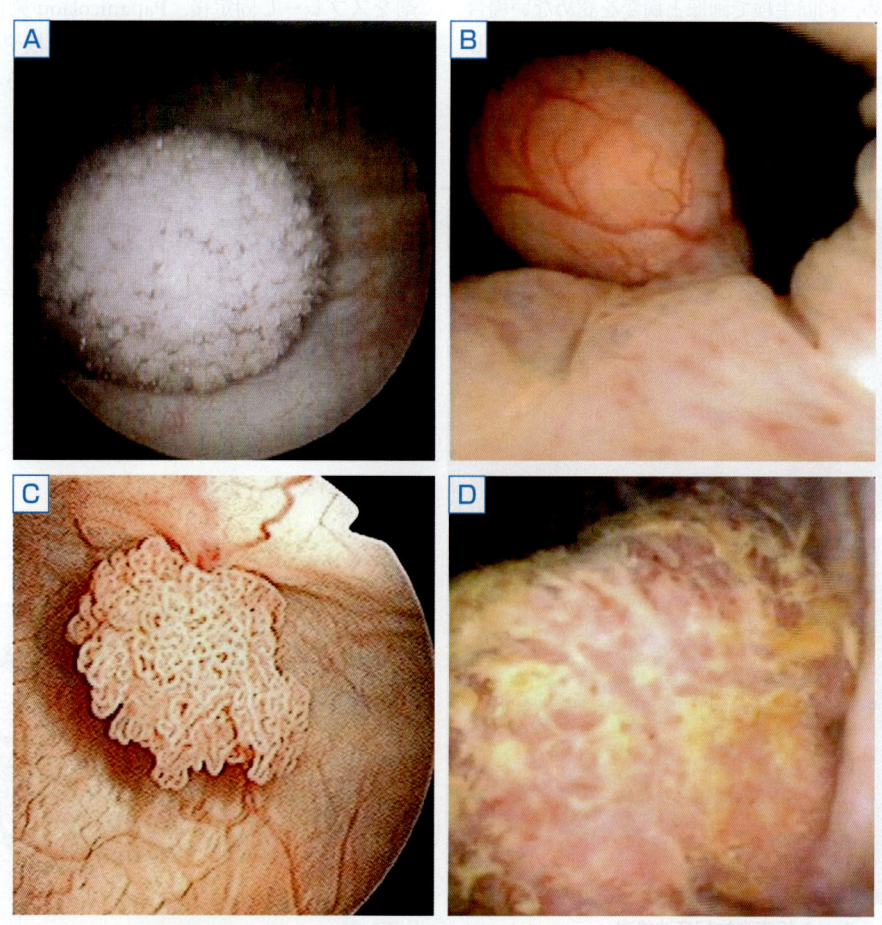

図 13-1-24 膀胱尿道鏡
膀胱結石（A），良性腫瘍である乳頭腫（B），乳頭状に発育する筋層非浸潤性膀胱癌（C），筋層浸潤性膀胱癌（D）の膀胱尿道鏡所見．

までの過程を撮影する排泄性尿路造影法（drip infusion pyelography：DIP, intravenous pyelography：IVP）は，尿路の形態異常，閉塞の有無の診断に有用である．近年はより情報量の多いCT urographyが行われることが多く，画像データを立体表示する3D-CTも構築可能である（e図 13-1-U）．尿道狭窄など尿道や膀胱の形態異常の診断には逆行性尿道膀胱造影が用いられる．また膀胱尿管逆流現象の有無は，排尿時膀胱尿道造影（voiding cytourethrography：VCG）で診断する．上部尿路癌が疑われる場合など詳細な上部尿路の情報が必要な際には，逆行性腎盂尿管造影（retrograde pyelography：RP）が行われる．膀胱鏡下にカテーテルを尿管口から挿入して腎盂尿管を造影する方法であるが，同時にカテーテルから分腎尿を採取し細胞診検査を行うこともできる．

g. 尿路内視鏡検査

細径内視鏡，軟性ファイバースコープの発達により，尿道から腎盂腎杯まで全尿路が観察可能である．

i）膀胱尿道鏡

硬性鏡または軟性鏡が用いられるが，近年は検査に伴う疼痛が少なく観察の自由度が高い軟性鏡を用いて外来検査として行われることが多い．特に無症候性肉眼的血尿があれば必ず施行すべき検査である．膀胱腫瘍，炎症，膀胱尿道結石，前立腺肥大症，尿管口の形態異常，尿道狭窄などを観察することができる（図 13-1-24）．

ii）腎盂尿管鏡

硬膜外麻酔，腰椎麻酔，全身麻酔下に実施することが多い．用途に合わせて細径の硬性鏡または軟性鏡を使い分けて，上部尿路癌，腎盂尿管結石，尿管狭窄の観察に用いられる．ワーキングチャネルを介しての病変部位の生検や結石の破砕も可能である．

〔松本一宏・大家基嗣〕

■文献

村井　勝，塚本泰司，他編集：最新泌尿器科診療指針，永井書店，2008.
Rao NP, Srirangam SJ, et al: Urological Tests in Clinical Practice, Springer-Verlag, 2007.
吉田　修監修：ベッドサイド泌尿器科学 改訂第4版，南江堂，2013.

4）治療

(1) 生活指導

a. 生活活動

慢性腎臓病（CKD）の全ステージにおいて過労を避けた十分な睡眠や休養は重要である．また運動そのものがCKDの発症・進展に影響を与えるかどうかは明らかではないため，従来いわれていたように安静を強いる必要はなく，運動や生活活動の制限も原則的には行わない．高血圧や肥満，糖尿病を合併する場合にはこれらの治療の一環として適度な運動が推奨されるが，その内容は慎重な計画のもとに行うべきである．小児期・学童期においても原則として運動制限や生活制限は行わないが，2+以上の蛋白尿がある場合には慎重に判断する（e表 13-1-G～13-1-I）．不十分な睡眠[1,2]や睡眠時無呼吸症候群[3,4]はCKDと関連する可能性があり，できるかぎり改善に努める．

b. 肥満

メタボリックシンドロームを伴う肥満は腎機能低下とアルブミン尿の危険因子であり，摂取エネルギーの制限などによる体重減少，内臓脂肪組織の減少により腎機能低下の進行を抑制するため，積極的に治療介入する[5]．しかしCKDステージG4, 5の進行した腎障害ではこの関係は明らかになっていない[6]．肥満による直接の腎障害という概念も提唱されているが，肥満に合併することの多い高血圧，糖尿病，脂質異常を介した動脈硬化はいずれも腎障害を独立に進行させるため，どのステージにおいても是正する必要がある．

c. 禁煙

喫煙はCKDの発症，進展因子および蛋白尿のリスクファクターである[7]．また過去の喫煙は現在の喫煙に比べてCKD進行のリスクが軽減するため，CKD患者には禁煙を勧めるべきである[8]．

d. 飲酒

CKDに対する飲酒の影響は明らかになっていない．1つの理由として飲料や地域によって単位や濃度が違い摂取する酒量の測定が困難であることがあげられる．少量～中等量（エタノール換算10～20 g/日）は蛋白尿を減少させ，腎機能を維持することが示唆される一方で，中等量以上（エタノール換算20～30 g/日）は蛋白尿を発症させる可能性がある[7]．臨床的には飲酒に伴い酒肴に含まれる食塩の摂取が増加するため，これがむしろCKDに影響すると思われる．

〔菅野義彦〕

■文献（e文献 13-1-4-1）

日本腎臓学会編：エビデンスに基づくCKD診療ガイドライン2013，東京医学社，2013．

日本腎臓学会編：CKD 診療ガイド 2012，東京医学社，2012．
日本学校保健会編：学校検尿のすべて 平成 23 年度改訂，日本学校保健会，2012．

(2)食事療法
a. 食事療法の基本

腎疾患を含む生活習慣病治療の基盤となるのが生活習慣の改善であるが，食生活はそのなかでも最もからだへの影響が大きい．また最も患者の意思が反映されやすい生活習慣なので，食習慣を変更することは困難な症例が多いが，その効果は大きく数種類の薬剤に匹敵する．患者には制限を強いるだけではなく，栄養学を学んだ管理栄養士などとチームで指導を行って，生涯継続できるためのアイデアを提案すること，継続を確認することが重要である．特にそれぞれの栄養素について基準となる数値が示されているが，患者は自分の摂取量について数値を意識していることはほとんどない．これらの基準となる数値は最終的な到達点としての目安であり，食事療法開始前の状態からどのくらい変更できたかということも非常に重要である．すなわち食塩でいえばもともと 1 日 8 g 摂取していた患者が 6 g に減量するよりは 20 g 摂取していた患者が 10 g に減量した方がずっと効果が大きい．この患者を 10 g から 6 g にさらに減量するのは非常に難しいが，10 g を維持するだけでも食事療法に成功したとも考えられる．CKD の初期では食塩と蛋白質，エネルギーが指導の中心になるが，末期ではカリウムについても考慮する必要がある．また糖尿病，肝臓病など複数の疾患を合併している場合に食事の内容が相反する可能性があるが，それぞれの疾患の活動性を考慮して最も優先すべき栄養素を判断するのは医師の役割である．

食事療法がほかの療法と異なるのはアドヒアランスの評価である．すなわちエネルギーや蛋白質，食塩などの摂取量を細かく指示してもそれを患者が遵守しているかどうかを直接知る方法はない．当然遵守している日とそうでない日があるはずだが，これを評価する方法もない．一般的には食事内容を記録する食事記録法，食事内容を思い出してもらう思い出し法，食品を 1 カ月あたりどのくらいの頻度で摂取したかを調べる頻度調査法などがあるが，いずれも患者の記録や記憶に頼るため誤差が多い．生体検査としては血糖値や血清コレステロール値などで摂取量の多寡を類推することもできるが，これもほかの因子の影響があり正確とはいえない．食塩，蛋白質(eコラム 1)については 24 時間蓄尿検査で 1 日の排泄量を求めることで摂取量を類推することができるが，すべての患者に蓄尿させるのは困難であることが多い．

b. 食事療法の各論(表 13-1-19，13-1-20)
i)水分

脱水は腎機能を悪化させるため，その原因となりうる水分制限は一般的には行う必要がない．特にステージ G1，2 では水分負荷により腎機能が保持されることが示されている[1]．夏季は発汗により，冬季は乾燥により，またかぜに伴う発熱，食欲低下などにより軽度の脱水になりやすいために，注意が必要である．腎障害が進行して尿の排泄能が低下した場合には体液貯留の原因となるため，体重を目安に適量を摂取する．食事による水分摂取量は 800〜1000 mL/日とされており，不感蒸泄量にほぼ等しい．食塩制限がなされていないと口渇によって飲水量が増加するため注意を要する．

表 13-1-19 CKD ステージによる食事療法基準

ステージ(GFR)	エネルギー (kcal/kgBW/日)	蛋白質 (g/kgBW/日)	食塩 (g/日)	カリウム (mg/日)
ステージ 1 (GFR ≧ 90)	25〜35	過剰な摂取をしない	3 ≦ < 6	制限なし
ステージ 2 (GFR 60〜89)		過剰な摂取をしない		制限なし
ステージ 3a (GFR 45〜59)		0.8〜1.0		制限なし
ステージ 3b (GFR 30〜44)		0.6〜0.8		≦ 2000
ステージ 4 (GFR 15〜29)		0.6〜0.8		≦ 1500
ステージ 5 (GFR < 15)		0.6〜0.8		≦ 1500
5D(透析療法中)	別表			

注)エネルギーや栄養素は，適正な量を設定するために，合併する疾患(糖尿病，肥満など)のガイドラインなどを参照して病態に応じて調整する．性別，年齢，身体活動度などにより異なる．
注)体重は基本的に標準体重(BMI＝22)を用いる．

表 13-1-20 CKD ステージによる食事療法基準(透析患者)

ステージ 5D	エネルギー (kcal/kgBW/日)	蛋白質 (g/kgBW/日)	食塩 (g/日)	水分	カリウム (mg/日)	リン (mg/日)
血液透析 (週3回)	30〜35[*1,2]	0.9〜1.2[*1]	<6[*3]	できるだけ少なく	≤2000	≤蛋白質(g)×15
腹膜透析	30〜35[*1,2,4]	0.9〜1.2[*1]	PD除水量(L)×7.5 +尿量(L)×5	PD除水量 +尿量	制限なし[*5]	≤蛋白質(g)×15

*1:体重は基本的に標準体重(BMI=22)を用いる.
*2:性別,年齢,合併症,身体活動度により異なる.
*3:尿量,身体活動度,体格,栄養状態,透析間体重増加を考慮して適宜調整する.
*4:腹膜吸収ブドウ糖からのエネルギー分を差し引く.
*5:高カリウム血症を認める場合には血液透析同様に制限する.

ii) 食塩

腎疾患の有無にかかわらず食塩の過剰摂取は高血圧の原因となり,腎障害の発症進展に大きく影響する.このため高血圧の有無にかかわらず1日6g未満の摂取が望ましいが,この達成は容易でないため初期の腎疾患では日本人の食事摂取基準2015で呈示された男性8g,女性7g未満の範囲にすることが現実的な目標である.一方で3g未満の極端な制限では死亡と末期腎不全のリスクが上昇する[2].実際の指導においては食品表示のナトリウム量を2.54倍すると食塩(塩化ナトリウム)摂取量となる.すなわちナトリウム400 mgは食塩0.4gではなく約1gとなる.

iii) カリウム

高カリウム血症は致死的不整脈を起こし腎不全による直接死因の1つとなる.血清濃度の安全域が狭いので6.0 mEq/L以上を示す患者では厳格な管理が必要で,日本腎臓学会の基準ではCKDステージG3,4で1日1500 mg未満となっている.生野菜や果物(果汁ジュース),海藻,いも類,豆類などは含有量が高い食品であるが,カリウムは元来細胞内液に多く含まれているので,油と砂糖以外のほとんどの食品に含まれている.そのため食事全体の摂取量を減らすことで自然にカリウムの摂取量は減少することもある.また摂取量の調整だけではなく高カリウム血症をきたす薬剤(アンジオテンシン変換酵素阻害/受容体拮抗薬,カリウム保持性利尿薬など)の影響も考慮して,不必要な生活制限を避けるべきである.

iv) 蛋白質

腎臓病の食事療法の対象栄養素として食塩とともに中心となるものである.末期腎不全における尿毒症に対して蛋白質の摂取を制限することで,症状の改善および延命が可能であることはおよそ100年前[3]から経験的に行われてきた.1960年代にはでんぷん食品の開発もあって,腎臓病に対する数少ない治療法の1つとして Giordano-Giovannetti 食が普及していた[4,5].これは現在でも確定されていない尿毒症の原因物質が蛋白質の代謝物であるという考えに基づいており,その減量としての蛋白質の摂取を減らせば,尿毒症状の発現を防ぐことができるという考えによる.当時は人工透析が普及していなかったため,末期腎不全患者に対する延命食として用いられていたが,現在でも人工透析の開始時期を延期する目的で用いられている.しかしながら極端な蛋白質摂取制限は低栄養につながる危険があるため,エネルギーの確保を確実に行うことが必要であり,これには管理栄養士による指導が有用である.こうした低蛋白食に理論的根拠が与えられたのは1980年代である[6].それは蛋白質の代謝物を体外に排泄することが,高血圧や糖尿病で腎機能が低下するメカニズムとして発表された糸球体過剰濾過の原因の1つになることが示されたため,蛋白質の代謝物の排泄を減らすこと,すなわち蛋白質摂取を減らすことが糸球体過剰濾過を防ぎ,腎機能保護につながるというものである.

以上より腎臓病に対する蛋白質摂取制限の目的はすべてのステージにおいて糸球体過剰濾過から解放すること,末期腎不全において人工透析の開始時期を延期することの2つがあることになる.それぞれの目的に応じて摂取制限の程度が異なるが,その基準に関するエビデンスは少ない.これは薬剤や手術などほかの治療法に比べて,食事療法のコンプライアンスが低いこと,食事摂取内容の評価や比較が難しいことなどが原因である[7].これまでに行われた大規模研究の代表である MDRD study もこの例に漏れず,結果としては低蛋白食の有用性を証明できなかったが[8],そのデザインや実施率などで大きな問題が指摘されており,この研究および低蛋白食の効果に対する評価は定まっていないといわざるをえない.現時点ではこれまでの経過をもとに専門家の意見を根拠として CKD ステージに応じた蛋白質摂取量の目安が日本腎臓学会から提唱されている(表 13-1-19, 13-1-20).表中でCKDステージG1〜2に対する摂取量として「過剰な摂取をしない」という表現がなされているが,この過

剰量については 1.3 g/kg/日と考えられている．実際に上記の 2 つの目的を果たすためには 1 日 0.6 g/kg 程度の摂取量に抑える必要があるといわれているが，一般の食品のみでこれを達成してしかもエネルギー不足を起こさないメニューづくりはきわめて難しい．このためでんぷん食品などを中心とした低蛋白食品（蛋白の含有量を低くして，エネルギー含有量を高くした食品．米飯，パン，麺類などの主食が多く開発されている）の使用が必要になる．また摂取量を減らした蛋白質は動物性蛋白質の比率を上げ，アミノ酸スコア 100 を目標とすることが望ましい（eコラム 2）．なお人工透析患者においては透析による排泄が増加する分蛋白質の摂取量を増やすことが勧められている．

v）エネルギー

エネルギーの摂取そのものが腎機能に影響を与えるという報告は少なく，エネルギー量の設定は蛋白質摂取の減量に伴うエネルギー摂取量の減少をほかの栄養素で補うことが目的となる．すなわち CKD に対するエネルギー摂取量の基準は，肥満や糖尿病などほかの条件がなければ健常人と同等量と考えてよい．健常人のエネルギー摂取量は基礎代謝量と身体活動レベルの積で算出することになっているが，いずれも正確に求めることは難しい．これまで腎臓病に対しては 30〜35 kcal/kg/日が処方されてきたが，昨今慢性腎臓病の原因として糖尿病が増加しているため，糖尿病の食事療法と齟齬が生じないように肥満，糖尿病の症例ではさらにこれを減量することも可としている．

vi）3 大栄養素の配分（PFC 比）

動脈硬化性疾患予防の観点からは脂質の％エネルギー比摂取比率は 20〜25％とする．蛋白質は制限の程度により 5〜15％，炭水化物が 55〜70％程度となる．すなわち腎臓病以外の疾患をもたない患者に対して 1 日 1800 kcal の処方がなされた場合に PFC 比を 15：20：65 にするならば，蛋白質によるエネルギー摂取は 270 kcal，脂質によるエネルギー摂取は 360 kcal，炭水化物によるエネルギー摂取は 1170 kcal となる．

〔菅野義彦〕

■文献（e文献 13-1-4-2）

厚生労働省：日本人の食事摂取基準 2015 年版，第一出版，2014．

日本腎臓学会編：CKD 診療ガイド 2012，東京医学社，2012．

日本腎臓学会編：慢性腎臓病に対する食事療法基準 2014 年版，東京医学社，2014．

(3) 薬物療法

急性腎障害に対しては，循環呼吸動態を一定に保持しながら，原因の検索とその除去を迅速に行う必要がある．これと同時に，腎血流や尿量を確保することに薬物療法の主眼がおかれるため，原因に応じた輸液や利尿薬の適切な選択とその投与が重要になる．重症例に対しては，少量ドパミンや心房性ナトリウム利尿ペプチド（atrial natriuretic peptide：ANP）が投与されることもあるが，少量のドパミンの投与は死亡率を変えない[1]，ANP はむしろ死亡率を上昇させる[2]との報告もあり，有効性については一定の見解が得られていない．

慢性腎障害（chronic kidney disease：CKD）に対しても，さまざまな薬物療法が行われるが，いったん障害を受けて線維化した腎組織を回復させることは困難である．このため，まだ腎機能が悪化する前の，蛋白尿や尿潜血などの尿の異常のみが存在する状態から薬物治療を開始することが望ましい．しかし，腎機能が低下している場合でも，薬物治療によって残存する腎機能を保持することで，透析導入の時期を先に延ばすことが可能であると考えられている．また，心血管イベントを減少させて，死亡率の低下につながることも期待されるので，CKD のいずれの段階でも薬物治療は重要となる．CKD 治療に使用される薬物は，①降圧薬，②副腎皮質ステロイド，③免疫抑制薬，④抗血小板薬・抗凝固薬，⑤脂質異常症治療薬の 5 種に大別できる．

a. 降圧薬

高血圧を合併するすべての CKD に対しては，十分な降圧薬により厳格な血圧コントロールが求められる（日本腎臓学会，2013；日本腎臓学会，2014）．降圧薬により蛋白尿が減少しても，腎機能低下をくいとめることができないという意見もあるが，蛋白尿は末期腎不全の進展抑制と強く関連することから，ガイドラインにも尿蛋白量をできるだけ減少させることが重要であると明記されている（日本腎臓学会，2013；日本高血圧学会高血圧治療ガイドライン作成委員会，2014）．実際，レニン-アンジオテンシン系（RAS）阻害薬（アンジオテンシン変換酵素阻害薬，アンジオテンシンⅡ受容体拮抗薬，レニン阻害薬）の有効性に関しては，一部の薬剤が蛋白尿の減少効果のみならず，糖尿病腎症などにおける腎機能低下の進行を抑制することが報告されている．目標とする血圧は，糖尿病がある場合はアルブミン尿の有無にかかわらず，130/80 mmHg 未満とし，糖尿病でなく蛋白尿がない場合には 140/90 mmHg 未満，蛋白尿がある場合は 130/80 mmHg 未満である．しかし，これらはあくまで降圧目標値であるので，高齢者では過度の降圧は避ける必要がある．第一選択薬は，糖尿病がある場合はアルブミン尿の有無にかかわらず RAS 阻害薬が推奨され，糖尿病がない場合には蛋白尿がなければ RAS 阻害薬，Ca 拮抗薬あるいは利尿薬のいずれかを推奨，ただし，蛋白尿があれば RAS 阻害薬が推奨されている．RAS

阻害薬は，高齢者のような動脈硬化の進んだ症例や腎血管性高血圧など症例では，急速に腎機能を悪化させる場合があり，投与後しばらくは慎重に腎機能の推移を観察する必要がある．さらに，腎機能が低下した症例では，高カリウム血症を生じやすいので，この点も注意が必要である．

b．副腎皮質ステロイド（以下，ステロイド）

ステロイドは，種々の免疫担当細胞の増殖や活性，サイトカインの産生を抑えることで，抗炎症作用と免疫抑制作用を発揮して，蛋白尿や腎障害の進展を抑制する．その効果の一部は血行動態に対する作用を介するともいわれている．対象となる代表的な糸球体疾患としては，微小変化型ネフローゼ症候群，巣状分節性糸球体硬化症，特発性膜性腎症，IgA腎症，急速進行性腎炎症候群などがあげられる．微小変化型ネフローゼ症候群に対する経口ステロイド単独療法については，初回治療において，尿蛋白減少や急性腎障害の悪化抑制に有効で，90%以上の反応率を示し，いったん，完全寛解を達成できることが多い．一方，減量や中止による再発も多く，注意を要する．巣状分節性糸球体硬化症についても，初回治療において，尿蛋白減少や腎機能低下の抑制に有効であり，20〜50%台の寛解導入率を示す．ただし，組織亜型（Columbia分類）によってステロイドの有効性がかなり異なる．両疾患において，腸管浮腫が顕著で内服ステロイドの吸収が不十分な場合は，ステロイドパルスを考慮する．また，ステロイド抵抗性の場合は，後述のシクロスポリンとの併用療法が，蛋白尿減少や腎機能低下の抑制に有効である．さらに，ほかの免疫抑制薬との併用も，ステロイド減量を早めて副作用の出現を抑えることに有用である（日本腎臓学会，2014）(e表13-1-J)．

特発性膜性腎症に対するステロイド単独療法は，わが国の報告では支持療法と比較して，ステロイドとシクロホスファミド併用と同様に，蛋白尿の寛解率に差はなかったが，腎機能低下の抑制に有意に有効であったので推奨されている[3]．一方，ステロイド抵抗性あるいは初期治療の特発性膜性腎症に対して，ステロイド単独療法よりもステロイドとシクロスポリン併用の方が，尿蛋白減少と腎機能低下抑制に効果があるという報告もある[4]．さらに海外では，ステロイド単独療法は支持療法と比べて，蛋白尿の寛解率や腎機能低下速度に関して有意差を認めず，ステロイドとシクロホスファミド，またはシクロスポリンの併用が寛解導入にすぐれているとされる．これらの報告からステロイド単独療法と併用療法の両方が特発性膜性腎症の初期治療として推奨されているが，併用療法がシクロスポリン単独療法よりも，ネフローゼ再発率を有意に下げたことも考えると，ステロイドが治療の基盤となる薬物であることに疑いの余地はない（日本腎臓学会，2014）．

IgA腎症に対するステロイド療法は，蛋白尿1.0 g/日以上かつCKD G1〜2区分の場合に，腎機能障害の進行を抑制するため推奨されている．使用する方法としては，短期間高用量経口ステロイド療法やステロイドパルス療法がある．また，尿蛋白1.0 g/日未満かつCKD G1〜2区分の場合でも，尿蛋白を減少させる可能性があり，治療選択枝として検討してもよいとされる．一方，蛋白尿1.0 g/日以上かつCKD G3a〜3bの場合は，有効性が証明されていない．さらに，蛋白尿1.0 g/日未満かつG3，あるいはG4〜5においては，ステロイド治療は推奨されていない（日本腎臓学会，2013）．急速進行性腎炎症候群は，抗好中球抗体（anti-neutrophil cytoplasmic antibody：ANCA）陽性例や抗糸球体基底膜（glomerular basement membrane：GBM）抗体陽性例など，数週〜数カ月で末期腎不全に陥る重篤な症例が多い．このため，ステロイド治療（パルス療法を含む）が必須であり，後述の免疫抑制薬，抗血小板薬，抗凝固薬なども併用した多剤併用療法が治療の基本となる[5]．

c．免疫抑制薬

免疫抑制薬は，①カルシニューリン阻害薬，②代謝拮抗薬，③アルキル化薬，④生物学的製剤の4種類に分類され，一般的にステロイドに追加投与されることが多い（日本腎臓学会，2014）(e表13-1-J〜13-1-L)．高齢者やステロイドが副作用のために使用困難な場合には，単独投与されることもある．

i）カルシニューリン阻害薬（シクロスポリン，タクロリムス）

カルシニューリンは，T細胞が刺激を受けて活性化される際に作用するCa^{2+}-カルモジュリン依存性の脱リン酸化酵素で，IL-2を誘導することで種々のサイトカインの産生に関与する．これを阻害するカルシニューリン阻害薬は，T細胞の活性化を抑制して糸球体上皮細胞の障害を防ぐだけでなく，糸球体上皮細胞自身においても脱リン酸化を直接阻害して，これを保護することで蛋白尿抑制効果を発揮する．このため，シクロスポリンは，頻回再発型やステロイド抵抗性の微小変化型ネフローゼ症候群や巣状分節性糸球体硬化症，特発性膜性腎症において，蛋白尿減少に有効である．本薬の問題点としては腎機能障害があり，腎細動脈を攣縮（れんしゅく）させることで腎血流を減少させて腎機能を低下させる短期的なものと，長年服用した場合に腎組織に尿細管間質障害を生じる長期的なものがある．このような腎毒性は血中濃度に依存するので，投与後2時間血中濃度を600〜900 μg/mL程度でコントロールするのがよいとされる．タクロリムスもシクロスポリンとほぼ同様の作用機序をもち，免疫抑制作用はより

強いとされる．このため，治療抵抗性のネフローゼに有効性が報告されているが，わが国では，難治性ループス腎炎によるネフローゼ症候群へのみ使用可能である．これに関してマルチターゲット療法（ステロイド＋タクロリムス＋ミコフェノール酸モフェチル（MMF）またはミゾリビン）が治療抵抗性のループス腎炎に有効であると報告され注目されている[6]．両薬剤とも HMG-CoA 還元酵素阻害薬（スタチン）を含めて複数の薬剤が併用禁忌なので注意が必要である．

ⅱ)代謝拮抗薬（アザチオプリン，ミゾリビン，MMF）

アザチオプリンは，プリンヌクレオチド合成を阻害し，細胞内グアニジン三リン酸（GTP）を枯渇させ，リンパ球の活性化や増殖を抑制して，サイトカインや抗体の産生を減少させる．免疫抑制作用は弱いが副作用も軽度であるので，ステロイドに併用しての長期投与が可能で，寛解維持を目的としてシクロホスファミドから切り替えて使用されることが多い．アロプリノールなど，他剤との相互併用で骨髄抑制が重篤になることがあり注意が必要である．ミゾリビンは，de novo 系の律速酵素である inosine monophosphate dehydrogenase（IMPDH）を阻害することにより，活性化 T 細胞と B 細胞の増殖や分化を抑制する．さまざまなネフローゼ症候群で有効性が認められ，特にステロイド抵抗性あるいは初回治療が無効な原発性糸球体疾患によるネフローゼ症候群に対して使用される．MMF は体内でミコフェノールに代謝され，ミゾリビンとは異なるメカニズムで IMPDH を阻害して，免疫抑制効果を発揮する．わが国では原発性および二次性糸球体疾患に対する保険適用がなく，使用法は確立されていない．海外の報告では，ループス腎炎に対して，シクロホスファミドパルスと同等の効果があり，かつ感染リスクや死亡率を下げるという報告があり，第一選択薬に位置づけられている[7]．

ⅲ)アルキル化薬（シクロホスファミド）

シクロホスファミドは DNA のグアニン塩基と結合して，2 本鎖 DNA 間に架橋構造を形成し，2 本鎖 DNA が 1 本鎖になる過程を阻害して，細胞増殖を抑制する．その強力な細胞増殖抑制効果から，当初は抗癌薬として使用されていたが，B 細胞の DNA 合成を阻止して，細胞性かつ液性免疫を強力に抑制することが判明し，腎疾患の治療薬として使用されるようになった．単独投与も可能であるが，ステロイドとの併用療法が一般的であり，特発性膜性腎症，急速進行性腎炎症候群やループス腎炎に対して有効であることが確立されている．ただし，骨髄抑制，性腺機能異常（無月経や無精子症），悪性腫瘍の発現率が用量依存性に上昇する．また，活性型・不活性型双方の代謝産物がおもに腎臓から排泄されるため，腎機能に応じて投与量を調整する必要がある．

ⅳ)生物学的製剤（リツキシマブ）

リツキシマブは，B 細胞に発現している CD20 に対するモノクローナル抗体であり，これに結合することで，B 細胞の増殖と機能を阻害する．最近，小児の難治性ネフローゼへの有効性が多く報告されているが，成人の原発性糸球体疾患に対しては，まだ十分な知見が得られていない．

d. 抗血小板薬（ジピリダモール，塩酸ジラゼプ），抗凝固薬（ワルファリン）

抗血小板薬は，ネフローゼ症候群を呈さない IgA 腎症，糖尿病性腎症，多発性囊胞腎に対しては，尿蛋白減少効果を示すことが報告されている．さらに，ジピリダモールは，免疫抑制薬，抗凝固薬との併用で，小児の重症 IgA 腎症での有効性が確認された．しかし，ネフローゼ症候群に対しては，抗血小板薬単独で尿蛋白減少効果を示すかについては明らかではない．ワルファリンは，血栓症を併発しやすいネフローゼ症候群，すなわち，膜性腎症，高度蛋白尿，低アルブミン血症，高度肥満，血栓症の既往，心不全の合併症例に対し，血栓症予防として頻用される[8]．

e. 脂質異常症治療薬

ネフローゼ症候群や慢性腎不全などでは種々の続発性脂質異常症を伴い，心血管病，蛋白尿，腎機能障害の危険因子となるため，薬物治療が必要となる．ネフローゼ症候群においては，脂質異常症が疾患の主たる徴候であることに加え，ステロイドやシクロスポリンなどの治療薬によっても助長される．このため，スタチンによる薬物治療が推奨されており，脂質代謝異常の改善に有効であるとともに，蛋白尿減少や腎機能低下を抑制する効果も報告されている．ただし，心血管系疾患の発症を予防して生命予後の改善効果があるかどうかは明らかではない．一方，慢性腎不全においても，スタチンによる脂質低下療法は蛋白尿を減少させ，腎機能障害の進行を抑制するという報告もある．さらに，心血管病の発症を抑制することも報告されているが，透析治療期にストロングスタチンを投与しても心血管リスクを有意に低下させられず，CKD がより早期で治療前の中性脂肪や LDL コレステロールが高値の症例で効果的とされる．なお，スタチンによる横紋筋融解症がこれまで問題視されてきたが，最近の国内の報告では中等度 CKD に対して安全に使用できるとされ，海外の報告でも非透析・透析症例に対して同様の結果であったため推奨されている．ただし，フィブラート系薬剤との併用は横紋筋融解症の頻度が高まるために禁忌であり，一部のスタチンとシクロスポリンの併用も同様の理由で禁忌となっている．

〔西山 成〕

■ 文献(e文献 13-1-4-3)

日本高血圧学会高血圧治療ガイドライン作成委員会：高血圧治療ガイドライン 2014, 日本高血圧学会, 2014.
日本腎臓学会：エビデンスに基づくネフローゼ症候群診療ガイドライン. 日本腎臓学会誌. 2014; 56: 518-23.
日本腎臓学会：エビデンスに基づく CKD 診療ガイドライン 2013, 日本腎臓学会, 2013.

(4) 血液透析・血液浄化法

血液浄化法とは，種々の疾患により惹起された体内代謝産物の過剰蓄積の是正，あるいは疾患病因物質の除去のために，拡散，限外濾過などの膜分離，吸着，遠心分離などの原理を応用した，透析，濾過，吸着，血漿交換などの体外循環技術を用いる治療法を指す（表 13-1-21）．種々の血液浄化療法により除去可能な分子レベルや効率が異なっており，疾患の病因関連物質の性質に応じて治療法が選択される（図 13-1-25）．末期腎不全に対する血液浄化療法として，血液透析，血液濾過，血液濾過透析，そして，生体腹膜を利用する腹膜透析が行われている．多臓器不全などに対する急性血液浄化療法には，持続式血液透析（濾過），血液吸着，血漿交換などがある．現在，血液浄化療法は腎代替療法にとどまらず，薬物中毒，肝臓，消化管，膠原病，血液，神経，皮膚科領域など広範な疾患群を対象とする治療法として用いられている．

表 13-1-21 血液浄化法の種類

透析
　血液透析療法
　　血液透析(hemodialysis：HD)
　　血液濾過(hemofiltration：HF)
　　血液濾過透析(hemodiafiltration：HDF)
　腹膜透析療法(peritoneal dialysis：PD)
　　間欠的腹膜透析(intermittent PD：IPD)
　　連続的携行式腹膜透析(continuous ambulatory PD：CAPD)など

吸着
　直接血液吸着(direct hemoperfusion：DHP)
　血漿吸着(plasma adsorption：PA)

血漿交換
　全血漿交換(whole plasma exchange：PE)
　二重膜濾過法(double filtration plasmapheresis：DEPP)
　冷却濾過法(cryofiltration plasmapheresis)

血球除去療法(cytapheresis)
　leukocytapheresis(LCAP)
　granurocytapheresis(GCAP)

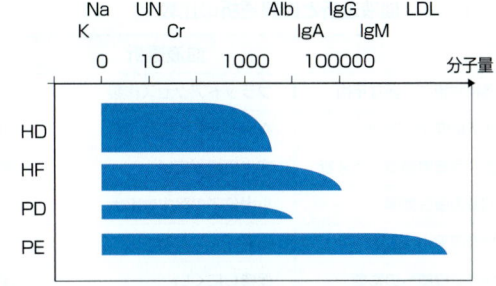

図 13-1-25 各種血液浄化療法による溶質除去特性
HD：血液透析，HF：血液濾過，PD：腹膜透析療法，PE：全血漿交換．

a. 原理

血液浄化法の中心である膜分離による拡散と限外濾過の基本的原理を示す．

1) 拡散： 濃度の異なる 2 つの溶液を半透膜で仕切ると，溶質は濃度勾配の高い方から低い方へ（拡散），溶媒は濃度勾配の低い方から高い方へ（浸透）移動し，最終的に 2 つの溶液濃度は均一になっていく．一方，膜を通過することのできない大分子が存在するとそれを含む溶質側に溶媒が移動し液面を上昇させる．この静水位圧が浸透圧である．このような半透膜の特性を用いた溶質の分離を透析という．本法は小分子物質の除去効率にすぐれる．

2) 限外濾過： 濃度の等しい溶液が膜で隔てられているとき，一方の溶液に陽圧をかける，または陰圧をかけた場合，圧較差が推進力となり，相対的に陽圧となっている側では，その溶液の一部が他方に移動する．この現象を濾過という．血液透析や濾過法では限外濾過とよばれる．限外濾過では，大部分の血漿蛋白成分の透過は阻止されている一方，血漿水成分の透過は保持されている．拡散原理では移動しにくい中〜大分子物質の除去に適している．

b. 末期腎不全に対する血液浄化療法

末期腎不全患者に対する血液透析と腹膜透析は，いずれも維持透析療法として確立されている治療法である（eノート 1）．

2 つの治療法には多くの面で違いがあり，それぞれの利点，問題点をふまえて治療法を選択する必要がある（表 13-1-22）．わが国の末期腎不全透析患者数は 2014 年末で 320,448 人確認されているが，このなかで腹膜透析は 2.9％ である．

透析療法のおもな役割は，体内に蓄積した老廃物の除去，水・電解質，酸・塩基平衡異常の是正であるが，その除去量は正常腎臓のそれを代償できるものではなく，また，濾過機能以外の腎臓機能である，アミノ酸やグルコースなどの再吸収機能，エリスロポエチンや活性型ビタミン D などの各種ホルモン産生機能は，透析療法にはない．

表 13-1-22 血液透析と腹膜透析の比較

	血液透析	腹膜透析
透析開始に必要な手術	ブラッドアクセス作製	テンコフカテーテル腹腔内挿入
透析に要する時間	4〜5時間×3回/週	30分×2〜4回/日
血中尿毒素濃度・体液量	変化の幅が広い	変化の幅が狭い
溶質の除去効率	小中分子の除去効率大	中大分子除去能
抗凝固薬	必要	必要ない
残存腎機能への影響	保持しにくい	保持しやすい
自覚症状	穿刺時痛,透析中の拘束	腹満感
合併症	透析低血圧,不均衡症候群,シャント閉塞,グラフト感染,出血,空気塞栓など	カテーテル関連感染(出口部感染・腹膜炎),腰痛,ヘルニア,腹膜癒着など
通院回数	透析ごとに通院(約12回/月),医療従事者による管理が主体	在宅治療が基本(1〜2回/月),在宅管理が主体
社会復帰・旅行	制限がある	制限が少ない

c. 透析導入基準

1) 慢性腎不全: 腎不全症候の是正が保存的治療では困難と判断されるときに透析治療が導入される。尿毒症症状が顕性化する以前に早期に治療を開始する医学的利点が期待されていたが、これを支持する医学的根拠はない。重要な点は、尿毒症症状が顕性化したときには速やかに維持透析を開始すること、そして、それを可能とするために、ブラッドアクセスや腹膜カテーテルの留置を計画的に実施することとされる。一方、最近では高齢患者の増加を背景に、透析治療そのものの「見合わせ」に関する議論も行われ、日本透析医学会から提言が出されている。治療行為が生命に対する危険を増す場合、患者自身の意思が明示されている場合を基本に、見合わせるための諸条件が識者意見としてまとめられている(e表 13-1-M)。

維持透析の具体的な開始基準に関しては、国内では、1991年に提示された厚生省研究班の導入基準案で、臨床症状、血清クレアチニン値(クレアチニンクリアランス)、日常生活障害度がそれぞれ点数化され、一定の基準を満たした例での導入が推奨された。その後、日本透析医学会から2009年、2013年にそれぞれ腹膜透析と血液透析の導入ガイドラインが示されている(e表 13-1-N)。これらの基準では、糸球体濾過量で 15 mL/分/1.73 m² 未満の例が原則適応となる。腎機能は血清クレアチニン値単独で評価すべきでなく、血清クレアチニン値をもとにした糸球体濾過量の推算値を用いること、そしてより正確な腎機能の評価のためには、24時間蓄尿によるクレアチニンクリアランス法などを行うことが推奨されている。腎不全症候とは腎機能の低下に伴って出現する症状であり、体液貯留、栄養障害、循環器症状(心不全・高血圧)、貧血、電解質異常(低カルシウム血症,高カリウム血症,高リン血症),酸塩基平衡異常(代謝性アシドーシス),消化器症状,神経精神症状などを指す。腎機能が低下しても腎不全症候がない例もある。このような例に対して上記ガイドラインでは、腹膜透析では、残存腎機能を保持する観点から糸球体濾過量で 6.0 mL/分/1.73 m² 未満では透析を開始することが推奨されており、一方、血液透析では生命予後の観点から 2.0 mL/分/1.73 m² までの透析開始が望ましいとされている。

2) 急性腎不全: 急性腎不全では、体内の恒常性に破綻が生じ、生命に危険が生じたと判断されたときに透析治療が開始される。一定の基準はないが、臨床指標として無尿・乏尿、高血清尿素窒素(> 60 mg/dL)、高カリウム血症(> 5.5〜6.5 mEq/L)、高度のアシドーシス(< 15 mEq/L)、肺水腫や中枢神経系症状などの臨床症状がある場合に適応となり、水電解質の是正をすることにより体内環境を整える。

d. 血液透析療法

i) 透析方法

血液透析療法の基本的なシステムは、ブラッドアクセスに専用の針を穿刺し、そこから導いた血液を透析器(ダイアライザー)に送り、それを再び体に戻すものである(図 13-1-26)。ダイアライザー内で、人工膜を介して血液と透析液との間で溶質の拡散・濾過が行

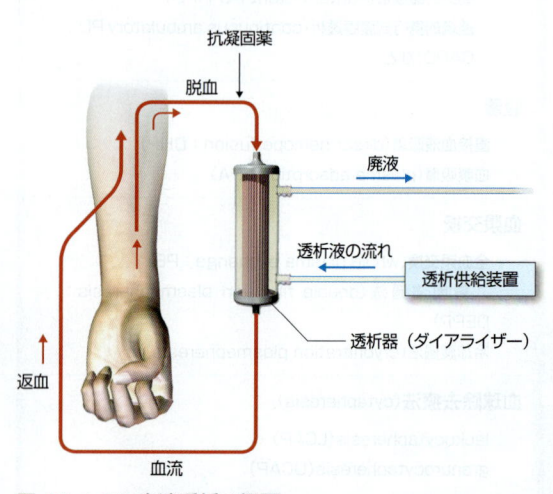

図 13-1-26 血液透析の概要

われる（e図13-1-VのA）．水の除去は，透析液流出側を陰圧にすることにより限外濾過にて行う．

日本国内の標準的な慢性維持透析療法は，血液流量200 mL/分，透析液流量500 mL/分，治療時間は4時間程度であり，これを1週間に隔日3回行う（e図13-1-VのB：実際の血液透析治療の様子）．生命予後との関連から，適切な血液透析処方の指標として小分子物質の尿素除去と中分子物質のβ_2-ミクログロブリンが用いられている．

1) **ブラッドアクセス**：維持透析が必要な例に対しては，内シャントとよばれる動静脈瘻が作成される．利き腕と反対側の橈骨動脈と橈側皮静脈を吻合する例が多い．人工血管留置や自家静脈移植による内シャント作成，直接動脈穿刺のために上腕あるいは大腿動脈などを皮下直下まで挙上する方法も行われている．短期間に限り血液浄化療法が行われるような場合は一時的に大腿静脈などの比較的太い静脈にカテーテル留置を行い使用する．

2) **血液透析液**：血液透析を行うためには，ある一定以上の水質基準を満たす大量の水が必要になる．その原水として水道水が利用され，フィルターを通して不純物，エンドトキシンを除去し，最終的に透析液の希釈用水が作成される．透析液はこれに透析原液または透析粉末を混合して作成される（表13-1-23）（eノート2）．

3) **透析器（ダイアライザー）**：透析器では半透膜を介して血液と透析液の間で拡散，限外濾過で物質の移動が起こる．種々の代謝産物（尿酸，尿素，クレアチニン，グアニジノ化合物などの窒素化合物やリン酸，硫酸，有機酸などの酸）などは透析膜を介して透析液側に拡散により移動する．電解質の過不足も拡散により

表13-1-23 代表的透析液の組成

	血液透析液	腹膜透析液
Na^+ (mEq/L)	140	132〜135
K^+ (mEq/L)	2.0	0
Ca^{2+} (mEq/L)	2.5〜3.0	2.5〜3.0
Mg^{2+} (mEq/L)	1.0	0.5〜1.5
Cl^- (mEq/L)	110〜113	96〜105
HCO_3^- (mEq/L)	25〜30	
酢酸 (mEq/L)	8.0〜10.0	
ブドウ糖 (mg/dL)	100〜150	
a) 乳酸 (mEq/L)		35〜40
b) 乳酸 + HCO_3^- (mEq/L)		10 + 25
浸透圧物質		
a) ブドウ糖 (%)		1.5, 2.5, 3.8
b) イコデキストリン (%)		7.5

是正される．水は限外濾過により血液側から透析液側に移動する．現在，使用されている透析器のほとんどは中空糸型である．透析膜は合成高分子系膜（ポリアクリロニトリル，ポリメチルメトアクリル酸，ポリスルホンなど）が使用される頻度が高い（eノート3）．

4) **抗凝固薬**：通常体外循環を行う際には血液凝固予防のためにヘパリンが使用される．周術期や出血性病変を伴うときなどには低分子量ヘパリンや，メシル酸ナファモスタットが使用される．

ii) **血液透析療法の種類**

1) **血液透析**：血液透析は尿素，クレアチニンなどの小分子物質の除去に有用である．

2) **血液濾過**：血液濾過は対流の原理を用いて半透膜を介して濾過圧をかけ溶媒溶質を移動させ除去する方法である．HDでは除去しにくいβ_2-ミクログロブリンなど中〜大分子の病因関連物質の除去能が高い．透析アミロイドーシス症例，透析中の血圧低下を引き起こしてしまう症例などに対して施行される．濾過により大量の水が喪失されるため，置換液の補充が必要となる．

3) **血液濾過透析**：血液透析と血液濾過の長所を生かして短所を補う方法で，比較的小分子から大分子領域の物質の除去が可能である．血液浸透圧変化が少ないので循環器系への負荷が少ないとされており，急性血液浄化でも多く利用される．

iii) **血液透析療法実施中のおもな合併症**

1) **空気塞栓**：カテーテル挿入部位，回路接続部位からの空気の混入が原因となる．これを回避するため透析回路内に防止装置，警告装置が装備されている．

2) **出血**：カテーテル挿入部位，回路接続部位の離脱による機械的な出血，あるいは，出血性病変が存在する例や，抗血小板薬を内服中の例などでは，透析中の全身的なヘパリンの使用により出血の危険が高まる．

3) **不均衡症候群**（disequilibrium syndrome）：血液透析は比較的短時間で水溶質除去を行うため，生体は急激な変化にさらされる．それにより惹起される代表的な症状が，不均衡症候群である．血液-脳関門は物質の通過が遅いため，透析施行中に脳の浸透圧が血中より高くなるのが原因である．

e. **腹膜透析**（peritoneal dialysis：PD）

i) **透析方法**

PDの透析システムは（図13-1-27），PD専用のカテーテル（Tenckhoffカテーテル）を通して，腹腔内にバッグに入った透析液（e図13-1-WのA）を注入，それを一定時間停滞させた後，空のバッグに破棄するものである（e図13-1-WのC：実際の腹膜透析の様子）．腹腔に挿入されたカテーテルは，尖端はDouglas窩近傍に留置，腹壁側腹膜で固定されている（e図13-1-WのB：出口部）．腹膜毛細血管と透析

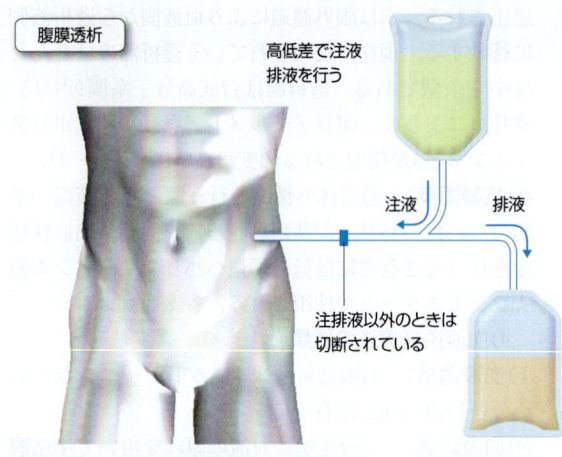

図 13-1-27 腹膜透析の概要

液の間の拡散により溶質が移動し，透析液の高浸透圧作用による限外濾過にて水が透析液側に除去される．PD では血液透析よりも拡散する物質の除去効率は低いがそれらの分子量域は広い．最も一般的な PD は，連続的携行式腹膜透析（continuous ambulatory PD：CAPD）である．成人の場合，1 回につき 1.5〜2 L の腹膜透析液を約 4〜6 時間停滞させる．これを 1 クールとして 1 日 2〜4 回行う．停滞中はバッグをカテーテルから切り離すことができるため，その間日常生活上の制限は少ない．その他，自動腹膜灌流装置を使用して夜間就寝中に液交換を行う方法もある（e図 13-1-X）（eコラム 1）．

ⅱ）腹膜透析液

腹膜透析液（表 13-1-23）には高濃度ブドウ糖が含有され，透析液は血漿より高浸透圧となっている．この浸透圧較差による限外濾過作用で体液を腹腔側に除去する．ブドウ糖濃度が高い透析液での除水量が大きい（eノート 4）．

ブドウ糖透析液の問題として，透析液の加熱滅菌処理の過程で発生するブドウ糖分解産物による腹膜障害作用があった．この対策として，透析バッグを隔壁で分画してブドウ糖成分と非ブドウ糖成分を分離して処理することで，毒性分解物を低減，さらに透析液の中性化が得られるようになった．現在，わが国ではこの中性化透析液が標準透析液として使用されている．また，高濃度ブドウ糖のかわりにでんぷんのイコデキストリンを用いた透析液も広く使用されている．臨床的にはこれらの透析液による腹膜組織の保護効果が確認されている．

ⅲ）腹膜透析の合併症

腹腔内に多量の液体を貯留することによる物理的刺激のため，腰痛，食欲不振，鼠径ヘルニア，胸腔内への透析液の移行などを呈することがある．以下，PD に特有の合併症・問題点を示す．

1）カテーテル関連感染症：出口部感染，皮下トンネル感染，腹膜炎がある．腹膜炎は，デバイスの改良により減少しているが，現在でも重要な PD 離脱原因の 1 つである．腹膜炎は，排液の混濁，腹痛で発症する．最多の原因は，バッグ交換時の不適切な操作に伴う細菌汚染であり，起炎菌は表皮ブドウ球菌，黄色ブドウ球菌などが多い．適切な抗菌薬治療にて，カテーテルの抜去をしなくても完治する例が多い．国内の発症頻度は 0.2 回/患者・治療年と報告されている．一方，皮下トンネル感染，腸管憩室炎，腹腔内炎症の波及では，カテーテルの抜去が必要となる場合もある．

2）腹膜機能低下（腹膜劣化）：生体膜を利用する PD では，長期施行例のなかには，除水不全を呈するなどの腹膜機能低下をきたす例が出現する．腹膜透析液の生体非適合性による組織障害が原因と考えられている．このような例では，血液透析などへの治療法の変更を考慮する必要が生じる．

3）被囊性腹膜硬化症（encapsulating peritoneal sclerosis：EPS）：PD の最も重篤な合併症であり，腹膜の広範な癒着によるイレウスが主たる症状である．EPS は，難治性腹膜炎や腹膜機能不全を認める患者で発症リスクが高まるとされる．発症初期でのステロイド治療が有効と報告されており，難治例には癒着剝離術も行われている．中性化透析液が使用されるようになって本疾患の発症頻度は低下していると報告されている．

ⅳ）末期腎不全の腎代替療法における腹膜透析の位置づけ

日本透析医学会から「腹膜透析ガイドライン」が提示されている．このなかで，腹膜透析は末期腎不全医療における初期治療として位置づけられている．その理由として，在宅医療である腹膜透析は社会・家庭復帰面で社会的な利点があること，患者満足度が高いこと，そして，医学的に残存腎機能の保持にすぐれる点などがあげられている．しかし，浄化療法としてみた場合は，腹膜透析患者の尿毒素除去は残存する腎臓機能に負う部分が大きい．したがって，腹膜透析単独で安定して腎不全管理を担保できる期間は 5 年程度が目安ととらえられている．国内では，この対策として，血液透析との併用療法も実施されている．週間で 5〜6 日腹膜透析を行いつつ，血液透析を週に 1 回実施するやり方である．患者の生活の質，体液管理面で利点があり，現在，国内の腹膜透析患者の約 20％程度が併用療法を行っている（e図 13-1-Y）．

f. 長期透析による合併症

1）透析心：透析患者の心筋肥大は生命予後不良因子である．高血圧，体液過剰，貧血，内シャント，アシ

ドーシス，二次性副甲状腺機能亢進症などが原因であり，重篤な例では，拡張型心筋症様の症状を呈する例もある．

2）二次性副甲状腺機能亢進症： 腎不全でカルシウム・リン代謝異常が生じ，これが基本的病因となっている【⇨13-1-2-5】．リン摂取量は透析での除去量を大幅に上回るためリンの食事制限，リン吸着剤投与が必要である．薬物療法として活性型ビタミンD製剤，カルシウム受容体作動薬の投与が有効である．侵襲的治療として副甲状腺摘出術が行われる．

3）透析アミロイドーシス（dialysis amyloidosis）： $β_2$-ミクログロブリンが原因物質とされ，手根管症候群，破壊性脊椎関節症などを起こす．血液透析濾過療法や，わが国で開発された $β_2$-ミクログロブリン吸着療法が有効とされる．

g. その他の血液浄化法

1）持続的腎補助療法： おもに救急集中治療領域で施行される血液浄化法である．集中治療管理の必要な重症患者では循環動態，体液恒常性に与える影響を最小限に抑えたいという観点から，より緩徐で効率のよい血液浄化が求められる．その際，持続的に緩徐に水，溶質を除去する持続的血液濾過，持続的血液濾過透析（continuous HDF：CHDF）が施行される．多臓器不全ではサイトカインなど種々の液性因子が臓器不全の発症原因の1つと考えられており，CHDFは液性因子の除去も可能としている．さらに，持続的に十分な輸液スペースを確保できる利点もある．

2）吸着療法： 血液または血漿を吸着剤と接触させることにより病因関連物質を選択的に除去する方法である．歴史的には当初活性炭を用いた非特異的な吸着カラムが開発され薬物中毒や肝不全などの治療に用いられた．その後，静電結合や親水性・疎水性などの物理的親和性を利用した吸着剤，免疫複合体や自己抗体をはじめとする病因関連物質を特異的に除去する免疫吸着療法が開発された．カラム内に直接血液を灌流させる直接血液吸着，血漿分離機で分離した血漿を灌流させる血漿吸着療法がある．前者はGram陰性桿菌による敗血症性ショックやエンドトキシン血症に対するエンドトキシン吸着，透析アミロイドーシスに対する $β_2$-ミクログロブリン吸着で臨床応用されている．

3）血漿交換： 血液から血漿のみを分離除去し，新鮮凍結血漿や5％アルブミン添加電解質液で置換する．非特異的に病因関連物質を除去し正常血漿に含有される有用と考えられる物質を補充できる利点があるが，感染，コストの面が欠点で，分画血漿交換として二重濾過血漿交換や血漿冷却濾過法，血漿吸着が開発された．

4）血球除去療法： 顆粒球，単球を選択的に除去するものである．

〔中山昌明〕

■文献（e文献13-1-4-4）

日本透析医学会：腹膜透析ガイドライン．日本透析医学会雑誌．2009；42：285-315．
日本透析医学会：維持血液透析ガイドライン：血液透析導入．日本透析医学会雑誌．2013；46：1107-55．
日本透析医学会：維持血液透析ガイドライン：血液透析処方．日本透析医学会雑誌．2013；46：587-632．

（5）慢性腎臓病（chronic kidney disease：CKD）と腎移植（renal transplantation）

CKDは腎機能低下が慢性的に進行するすべての腎疾患の包括的疾患概念である（eノート1）．腎機能障害が進行して糸球体濾過量（glomerular filtration rate：GFR）が15 mL/分/1.73 m² 未満となると，末期腎不全として腎代替療法が必要となってくる．現在のところ透析療法（血液または腹膜透析）と腎移植の2つの腎代替療法があるが，腎機能を完全に代替できるのは腎移植であり，腎移植はCKD 5（末期腎不全）に対する唯一の根治療法と考えられている．

腎移植の歴史についてはeコラム1を参照．

a. 腎移植の種類

一般的に腎移植というと，ヒトからヒトへの同種移植片（allograft）を用いた移植（allograft transplantation）を指す．これに対して臓器を受ける側（レシピエント）からみて異なる種（たとえばヒヒの腎臓をヒトへ移植するようなケース）を用いた異種移植（xenograft transplantation）があるが，免疫学的な問題や異種に特有の感染症の問題などがあり実験レベルでの移植は行われているが実際の臨床への応用には時間がかかると思われる．

腎移植だけでなく，すべての移植医療には必ず腎（臓器）を提供するドナー（donor）が必要であり，健常者が自発的意思により腎提供を希望する場合を生体腎ドナーといい，これを用いた移植を生体腎移植術という．一方で生前の本人の意思や，家族からの同意をもとに死亡したドナーから腎臓が提供される場合を献腎移植術という．献腎移植ドナーには，心臓停止後に摘出した腎臓を用いる心臓死腎移植と，脳死下で摘出した腎臓を用いる脳死腎移植がある．欧米では大部分が献腎移植であるのに対し，わが国では献腎移植が少なく，腎移植の90％以上は生体腎移植である．

先行的腎移植（preemptive kidney transplantation）は腎不全が進行し透析療法が開始される前に腎移植を行うものである．特に小児では透析療法が成人ほど容易でないこと，精神的ストレスが大きいことなどから先行的腎移植が強く勧められる．

b. 腎移植と透析療法

末期腎不全（CKD 5）の治療法には大きく分けて2つの選択肢があることはすでに述べた．すなわち，腎

移植と透析療法(血液および腹膜透析)である．腎移植と透析療法を比較した場合，腎移植が透析療法に比べよい点は3つに集約される．①生存率は腎移植の方が透析療法と比較して成績がよいこと，②腎移植の生活の質(quality of life：QOL)は圧倒的に透析療法よりもすぐれていること，③医療経済の面では，腎移植は透析療法に比べて医療費がかからないことである．小児では透析療法そのものが技術的に困難な場合があること，透析療法では満足な成長・発達が期待できないこと，透析療法による心理的なダメージがきわめて大きいこと，などから可能なかぎり腎移植を行うべきであると考えられている．また挙児希望のある女性の末期腎不全患者に対しては腎移植を積極的に行うべきである．腎移植後拒絶反応がなく良好な腎機能を保てていること，移植後蛋白尿がないといった一定の基準を満たせば，透析患者と比較して圧倒的に安全に妊娠，分娩が可能である．

c. 腎移植の統計

わが国の腎移植件数は年間およそ1600件である．10年前と比較するとその件数は約2倍に増加しているものの2011〜2013年にかけての症例数はほぼ横ばいである．わが国での腎移植の特徴は，腎移植の90％が生体腎移植であり献腎移植の件数の伸び悩みが認められることである(図13-1-28)(eコラム2)．

d. 腎移植の実際

i) 適応と禁忌

腎移植の適応は末期腎不全患者(透析を行わなければ生命維持が困難である状態)，または近い将来に透析導入の必要性に迫られている保存期慢性腎不全患者である．

移植手術を行うにあたりいくつかの留意点があげられる．そのなかでも心肺機能評価は重要で，特に心機能が著しく低下している症例については，心機能を改善することが腎移植を行うに先立ち必要となる．この背景には末期腎不全となり透析導入に至る年齢が高齢化していること，腎不全の原因疾患に糖尿病性腎症が第1位になっていることがあげられる．いずれも心筋梗塞や狭心症を発症する危険因子になると考えられ，これまで無症状であっても術前評価として心臓エコー検査や，冠動脈造影を行う重要性が増している．一方，禁忌については，全身の活動性感染症，活動性肝炎，急性消化管出血，悪性腫瘍の合併があり，移植後病勢の進行が予想される場合は禁忌と考えられている．

移植までの待機期間についてはeコラム3を参照．

ii) ドナーとレシピエントの選択基準

生体腎移植ではドナーの選択基準が明確に決められており，民法でいうところの親族がドナーとなりうる．親族は①6親等内の血族，②配偶者，③3親等

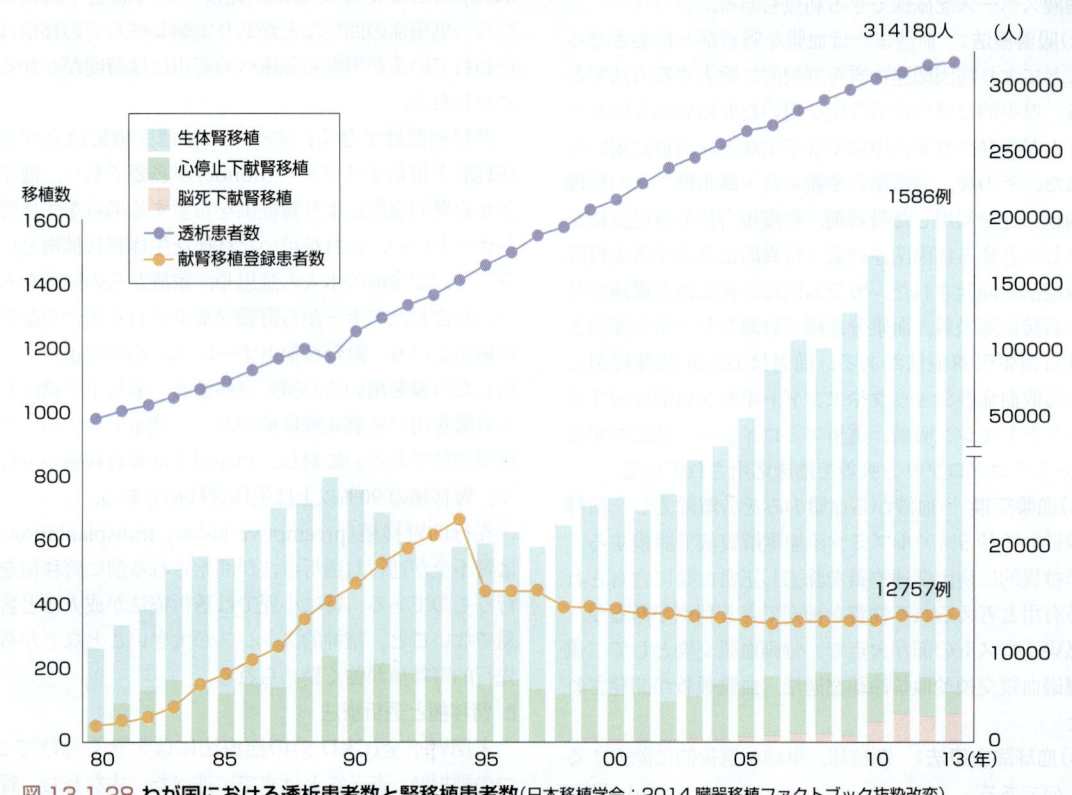

図13-1-28 わが国における透析患者数と腎移植患者数(日本移植学会：2014 臓器移植ファクトブック抜粋改変)

内の姻族(配偶者の血族)と定義されている．重要な点はドナーとなることの意思が，「自発的なものであり他人からの強制ではない」ことである．このため移植医以外の第三者の医師(精神科医や心療内科医など)が移植前にドナーの意思に対する確認を行うことが必要とされている．医学的な選択基準としては健康であること，腎機能が良好であること，活動性感染症がないこと，悪性腫瘍の合併がないか，あっても治療によって治癒し，再発がないことがあげられる．年齢に関しては70歳以下が望ましいとされているが，心肺腎機能にまったく問題がなく，合併症も認められない場合は80歳前後であってもドナーとなりうる．

献腎移植に関しては，献腎ドナーが現れた時点でポイントによる選択基準により最も高いポイントを得たレシピエントに優先的に臓器が分配される．ポイントは①摘出地域，②ヒト白血球抗原(human leukocyte antigen：HLA)の一致性，③待機時間，④献腎登録者の年齢，の4点である．①は登録患者と摘出地域が同一都道府県であるとポイントが高い．これは同一都道府県であると摘出した腎臓の輸送時間が短縮されるからである．②はHLAの一致性が高いほどポイントが高く，特にHLA-DRが一致している方でポイントが高い．これはHLA-DRが一致している方が拒絶反応の発生率が低いと考えられているからである．③は待機時間が長い登録患者を優先させている，④は登録患者が20歳以下であればポイントが高く，このなかでも16歳未満の小児登録患者はポイントで優先されるようになっている．これらのポイントによって日本臓器移植ネットワークがレシピエントを選出する．レシピエントは献腎ドナーと血液型が一致しており，かつ組織適合性検査にてリンパ球交差試験(クロスマッチテスト)が陰性である症例を選出している．また，献腎ドナーの親族に腎不全患者がいる場合は，2腎のうち1腎は親族への腎提供が認められている．

iii)腎移植術前評価

1)組織適合性検査：腎移植にあたってドナーとレシピエント間の組織適合性検査は重要である．なかでもリンパ球交差試験(クロスマッチテスト)は重要で，以前はこれが陽性であれば移植は原則禁忌であった．しかし，現在ではさまざまな免疫抑制法により腎移植が可能となりつつある．

2)ABO血液型：生体腎移植では血液型が一致する必要はない．わが国を中心に行われてきた血液型不適合腎移植は今では世界的にも広く行われる腎移植となっており，その成績も非常に良好となっている．なお，献腎移植に関しては現時点では血液型の一致が求められており生体腎移植との違いに注意が必要である(eノート2)．

3)ヒト白血球抗原(HLA)：HLAはclass Ⅰ，class Ⅱの2種類の抗原があることが知られており，その同定にはおもにDNAタイピングが用いられている．class ⅠはA，B，C locus，class ⅡにはDR，DP，DQ locusの存在が知られておりそれぞれについてタイピングされる．HLA-A，HLA-B，HLA-DRの測定は必須であるが，可能なかぎりHLA-C，HLA-DQ，HLA-DPも測定することが望ましいとされている．ドナーとレシピエントの間で一致する抗原数が多いほど免疫反応が起こりにくく，拒絶反応の発症率が低くなることや，その後移植腎を攻撃するため新規に生成された抗ドナー抗体の発生頻度が低くなり，その成績がよいと報告されている．ただし，これらのHLAミスマッチが多いと拒絶反応の発生頻度が高くなると考えられていたが，最近は免疫抑制薬の進歩により移植成績は大きく向上している．

4)ドナー特異的抗HLA抗体(donor specific anti-HLA antibody：DSA)：近年，DSAの測定の重要性が増している．DSAが存在すると移植腎生着率に影響することが明らかになっており，このDSAが体内で大量に生成されている状態であれば，クロスマッチテストは陽性となる．一方でクロスマッチテストでは検出できない少量のDSAであっても，ドナーリンパ球を用いたフローサイトメトリーで検出可能となっている．最近では100種類近くにも及ぶさまざまなリコンビナントHLAをラテックスビーズに結合させ，患者血清中にあるDSAと反応させることで特異的ビーズに結合したDSAの蛍光強度を，専用機器を用いて測定する方法が確立されている．この検査法によってたとえ少量のDSAであってもDSAのない症例と比較して移植腎の生着率が低下することが判明し，腎移植におけるDSAの存在が重要視されている．

iv)腎移植手術手技

1)生体腎ドナー手術：ドナー手術は腎採取術とよばれ，悪性腫瘍を有する腎臓を取り出す腎摘除術とは区別される．ドナー腎採取術は大きく開腹手術と鏡視下手術に分類される．ドナーは健常者であることからその絶対的安全性を担保すると同時に，採取腎の腎機能を良好に保持する必要がある．術後は，鏡視下手術は開腹手術と比較して術後疼痛が少ない．また移植腎機能は，両術式において有意差がないと考えられ，大部分の国内腎移植施設において鏡視下手術がドナー腎採取術として行われている．日本移植学会・日本臨床腎移植学会による腎移植実施症例の集計報告では90％以上の症例におけるドナー腎採取術が鏡視下手術によって行われている．採取側は両腎とも機能，形態に問題なければ，腎静脈を長めに採取できる左腎を採取する．しかしながら腎動脈における狭窄や動脈瘤など腎動脈の形態異常や両腎機能に左右差がある場合は，問題がある側を採取しより腎機能の良い腎を残すよう

にしている.

2) 腎移植手術： 腎移植手術で最も特徴的なことは, 移植腎は本来の腎臓がある場所ではなく, 腸骨動静脈が走行している腸骨窩に移植されるということである. 現在, 同所性(自己腎と同じ場所)の腎移植が行われることはほとんどない. 腸骨窩への腎移植では, 体表から比較的浅い場所に腎移植できること, 腸骨窩には移植に適した血管が多く吻合しやすいこと, 膀胱への距離が近く尿管が短くても移植できることなどの利点があり, この方法が腎移植手術の標準術式となっている(図 13-1-29)(eコラム 4).

e. 免疫抑制療法

免疫抑制薬は大きく分けて 2 つの種類がある. すなわち, 基礎免疫抑制薬(維持免疫抑制薬)と拒絶反応治療薬である. 基礎免疫抑制薬としてはシクロスポリン(CsA), タクロリムス(Tac), ミコフェノール酸モフェチル(MMF), アザチオプリン(AZ), ミゾリビン(MZ), ステロイド, 拒絶反応治療薬としてはステロイド, 抗胸腺リンパ球抗体(ATG)などが現在使用されている.

さまざまな治療薬の作用についてはeコラム 5 を参照.

f. 拒絶反応

腎移植後の最も重要な合併症である. 発生する時期により移植後 24 時間以内に起こる超急性拒絶反応(hyper acute rejection), 術後 3 カ月以内に多い急性拒絶反応(acute rejection), それ以降に起こる慢性拒絶反応(chronic rejection)に分類されていたが, 最近では拒絶反応の起こるメカニズムにより分類されることが多くなっている. 現在, 拒絶反応は腎生検による所見をもとにした Banff 分類により分類される.

Banff 分類の基本は, ①細胞性拒絶反応(cellular rejection)といわれるおもに T リンパ球が主体となる拒絶反応, ②抗体関連拒絶反応(antibody-mediated rejection：ABMR)といわれる DSA が主体となる拒絶反応に大きく分類される. それぞれが急性, 慢性に分類される.

近年, 最も問題となっているのは, DSA が原因となって起こる急性抗体関連拒絶反応(acute antibody mediated rejection：AABMR)であり, 移植後 1～2 週間以内の比較的早期に起こることが多い. 治療としては, 抗体の除去を目的とした血漿交換, 抗体の不活化を目的としたガンマグロブリン大量療法(IVIG)*, B リンパ球の増殖を阻止するためのリツキシマブ(抗 CD20 モノクロナール抗体)*, DSA による補体活性を抑制するためエクリズマブ(抗 C5 モノクロナール抗体)*の投与などが行われる(*2016 年 5 月現在適応外使用). 慢性期に最も問題となるのも DSA が原因となる慢性抗体関連拒絶反応(chronic antibody-mediated rejection)である. 特に移植当初は認めなかった DSA が経過中に新規に出現する de novo DSA は非常に治療に抵抗性であり, 次第に移植腎機能が低下し移植腎喪失に陥ることが多く今後の治療法の改善が望まれる.

g. 拒絶反応治療法

拒絶反応に対する最もよく行われる治療はステロイド大量療法である. 抗リンパ球効果, 抗炎症効果などにより拒絶反応の抑制が期待される.

抗胸腺リンパ球抗体(ATG)は拒絶反応治療薬として, 最も強力な薬剤であり急性拒絶反応の 90％以上

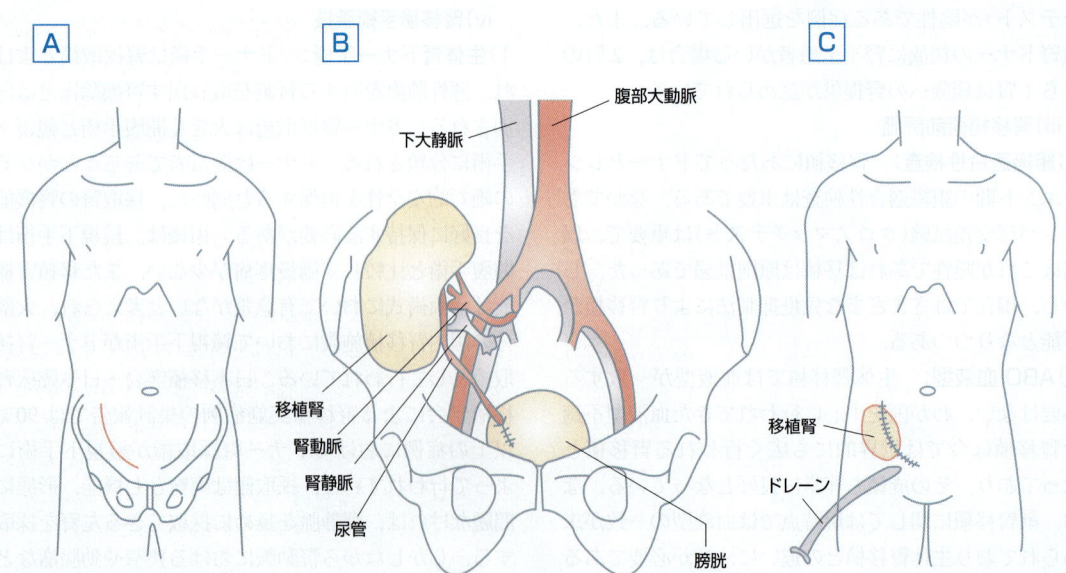

図 13-1-29 腎移植(東京女子医科大学泌尿器科より)
A：皮膚切開. B：左腎を右腸骨に移植したところ. 腎動脈を内腸骨動脈に, 腎静脈を外腸骨静脈に吻合している. C：手術後.

に寛解をみている．特にステロイド大量療法が無効な場合の第一選択の治療薬となる．

h. 腎移植後の合併症

免疫抑制薬の飛躍的な進歩によって拒絶反応の発症頻度は低下したが，移植患者は免疫抑制下にあり，感染症に注意する必要がある．なかでもサイトメガロウイルス(CMV)，BK ウイルス，Epstein-Barr(EB)ウイルス，単純疱疹ウイルス，水痘・帯状疱疹ウイルス，Pneumocystis jirovecii，真菌などによる感染症は注意が必要である．CMV は肺炎，胃腸炎，網膜炎，肝障害などさまざまな疾患を合併する．BK ウイルスはおもに腎障害をきたし，ときとして細胞性拒絶反応と鑑別が困難なこともあり注意が必要である．EB ウイルスは移植後リンパ増殖性疾(post-transplant lymphoproliferative disorder：PTLD)を発症する．P. jirovecii はニューモシスチス肺炎を発症する．通常は ST 合剤(スルファメトキサゾール・トリメトプリム)の予防投与が発症抑制に有効である．CMV に関しては，ガンシクロビルやバルガンシクロビルなど有効な薬剤が開発され臨床応用されるようになり重症化する症例は非常に少なくなっている．

i. 腎移植の成績(e図 13-1-Z，13-1-AA)

腎移植成績は免疫抑制法や抗ウイルス療法の進歩などにより生存率，生着率ともに大きく向上した．最近の移植後 1 年，5 年および 10 年の移植腎生着率は生体腎移植で 98％，94％および 90％であり，飛躍的にその成績は向上している．また，腎移植後は社会復帰率も高く，透析療法に比較し高い QOL が得られている．

1) 血液型不適合腎移植(e図 13-1-AA，13-1-AB)：血液型不適合腎移植は，わが国では 1989 年に最初の症例が行われてすでに 20 年以上経過している．現在，日本全体で 2000 例をこえる血液型不適合腎移植がすでに行われており，世界的にも最も多い症例数となっている．免疫抑制薬の進歩により血液型不適合腎移植であっても現時点では適合例とまったく成績に差はみられていない．最近では 10 年生着率が 95％をこえるまでになっており，血液型適合例よりもむしろ良好な成績を示している．血液型不適合腎移植は献腎移植ドナーが少ないわが国で移植症例を増やすべく発展をとげた方法であり，現在世界中に広がりつつある．

免疫寛容を用いた腎移植についてはeコラム 6 を参照．〔田邉一成〕

■文献

Chandraker A, Sayegh MH, et al ed: Core Concept in Renal Transplantation, Springer, 2012.
日本移植学会，日本臨床腎移植学会：腎移植臨床登録集計報告(2014)―2013 年実施症例の集計報告と追跡調査結果．移植．2014; 49: 240-60.
Tanabe K, Inui M: Desensitization for prevention of chronic antibody-mediated rejection after kidney transplantation. Clin Transplant. 2013; 27: 2-8.

(6)泌尿器科的治療

a. 腎尿路系のおもな手術

泌尿器科領域では，内視鏡手術が発達している(表 13-1-24)．近年ではロボット支援手術が普及しつつあり，腎尿路においても先進医療として推進されつつある(e図 13-1-AC)．

b. 下部尿路通過障害による腎後性腎不全の治療

急性腎不全の原因部位によって，腎前性・腎性・腎後性に分類される．最も理解しやすいのは腎後性であり，泌尿器的治療の適応となる．症状や既往歴，超音波検査による両側水腎水尿管症と多量に蓄尿された膀胱を確認することで容易に診断できる．元来両側腎に機能があって，片側の尿路通過障害がある場合は腎不全にはならない．両側尿管が下部まで拡張している場合，前立腺肥大症や神経因性膀胱などの下部尿路，すなわち膀胱・尿道の通過障害によって生ずる．下部尿路閉塞に対しては，まず膀胱留置カテーテル(場合により膀胱瘻)を用いる．上部尿路，すなわち両側の腎盂・尿管の通過障害は解消し，腎機能も次第に回復してくる．その後に，原因となる疾患を改善する治療を行う．

c. 上部尿路通過障害

原因は腎盂尿管閉塞をきたし得るすべての疾患である．両側の上部尿路通過障害と，何らかの原因で機能する腎が一側の場合は，急性腎後性腎不全となり得る．根本的な治療は原因疾患に対する治療であるが，上部尿路閉塞に対しては以下に示すような緊急処置を行う．

1) 尿管カテーテル(図 13-1-30，e図 13-1-AD)：尿管カテーテルは，経尿道的に膀胱鏡を用いて先端を腎盂に留置する．先端が J 型(シングル J カテーテル，ダブル J カテーテル)あるいはピッグテール型のカテーテルは腎盂から逸脱しにくい．通常は数カ月の留置が可能である．

2) 経皮的腎瘻造設術(e図 13-1-AE)：尿管ステントが留置できない場合，経皮的に腎瘻を留置することがある．腎瘻は尿を腎臓から直接体外に排出する一時的な尿路変更術の 1 つである．超音波ガイド下で経皮的に腎杯を穿刺しカテーテルを留置する．

d. 尿路結石症の治療

しばしば尿路通過障害の原因となり，尿管ステントや腎瘻を造設することがある．

表13-1-24 泌尿器科領域での腎尿路系のおもな手術(前立腺を除く)(文献1より改変)

経尿道的内視鏡手術
　尿道拡張術・内尿道切開術
　経尿道的膀胱腫瘍切除術(transurethral resction of bladder tumor：TUR-Bt)
　膀胱内異物摘出術
　経尿道的膀胱砕石術
　経尿道的尿管砕石術(transurethral ureterolithotripsy：TUL)
経皮的腎盂鏡手術
　経皮的腎瘻造設術(percutaneous nephrostomy：PNS)
　経皮的腎砕石術(percutaneous nephrolithotripsy：PNL)
　内視鏡的腎盂切開術(endopyelotomy)
　腎盂鏡下腎盂腫瘍切除術
腹腔鏡手術
　腹腔鏡下腎摘除術
　ロボット支援手術
体外手術
　体外衝撃波破砕術(extracorporeal shock wave lithotripsy：ESWL)
レーザー手術
観血手術
　腎および腎盂の手術
　　腎摘除術(単純腎摘除術)(nephrectomy (simple nephrectomy))
　　根治的腎摘除術(radical nephrectomy)
　　腎尿管全摘除術(total nephroureterectomy)
　　腎部分切除術(partial nephrectomy)
　　尿路切石術(腎・腎盂・尿管・膀胱)(lithotomy of urinary tract)
　　腎盂形成術(pyeloplasty)
　　体外腎手術・自家腎移植術(ex vivo operation・auto-renal transplantation)
　　腎移植術(renal transplantation)
　尿管の手術
　　尿管尿管物吻合術(ureteroureterostomy)
　　尿管代用膀胱吻合術
　膀胱の手術
　　膀胱切開術(cystotomy)
　　膀胱部分切除術(partial cystectomy)
　　膀胱全摘術(total cystectomy)
　　膀胱拡大術(augmentation cystoplasty)
　　尿管膀胱新吻合術(ureterocystoneostomy)
　　膀胱尿管逆流防止術(antireflux plasty)
　　尿路変向術(urinary diversion)
　　a. 失禁型尿路変更術
　　　①皮膚瘻造設術(腎・腎盂・尿管・膀胱)(stomy)
　　　②回腸導管(ileal conduit)
　　b. 禁制型尿路変更術
　　　①自己導尿型代用膀胱造設術
　　　②自然排尿型代用膀胱造設術・新膀胱造設術

i) 体外衝撃波砕石術 (extracorporeal shock wave lithotripsy：ESWL)

ESWLは体外で発生させた衝撃波エネルギーを体内の結石に収束照射して破砕する．破砕片は尿とともに排石されるが，ときに尿管に詰まってstone streetとなり尿流を停滞する．したがって大きい結石にはあらかじめ尿管カテーテルや腎瘻が必要となることがある．禁忌は妊娠女性，尿管閉塞のあるときで，出血傾向症例や小児，腹部大動脈瘤や動脈石灰化症例には慎重に行う．

ii) 経尿道的尿管砕石術 (transurethral ureterolithotripsy：TUL) (図13-1-31)

経尿道的に逆行性に尿路を操作し結石を破砕あるいは抽出する．砕石手段としては電気水圧衝撃波などがあるが，現在ではレーザーが主流である．かなりの水圧で尿管を拡張しながら操作を行うため，感染結石などでは容易に敗血症となりうるため注意が必要である．

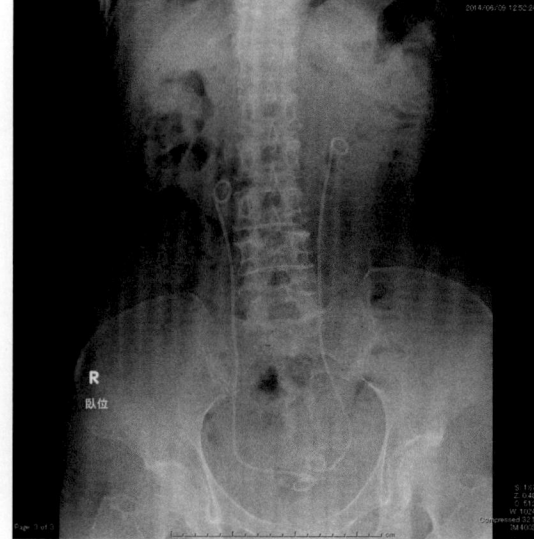

図13-1-30 両側尿管狭窄に対するダブルJステント留置後のKUB

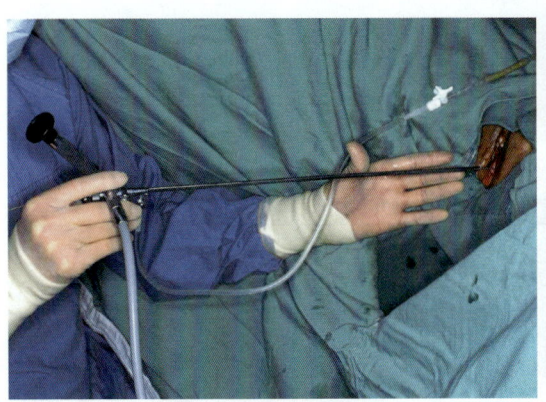
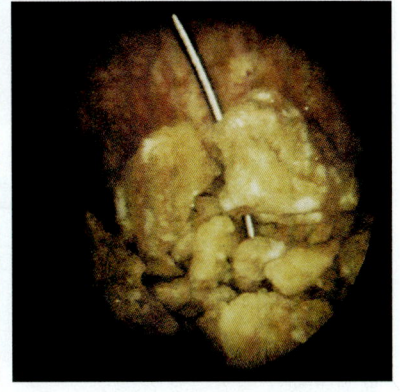

図 13-1-31 経尿道的尿管砕石術（TUL）

iii) 経皮的腎砕石術（percutaneous nephrolithotripsy：PNL）（e図 13-1-AF）

経皮的に腎盂腎杯へ内視鏡を挿入し結石を破砕摘出する．PNL は腎瘻を作成する点で侵襲性が高く，出血，気胸など重篤な合併症をきたしやすい．しかし一度に多量の結石を排出可能で効率がよく，鋳型結石などでは第一選択となりうる．

iv) 保存的治療

一般には横径 10 mm 以下の結石なら自然排石されることが多い．

e. 腎外傷の治療

腎は Gerota 筋膜と腎周囲脂肪組織に包まれ，可動性もあることから衝撃から逃れやすい解剖学的特性があるが，交通事故，労働時やスポーツ中の事故，暴力，高所からの墜落，医原性などによって損傷を生ずる（e図 13-1-AG）．

損傷の程度により被膜下，表在性，および深在性の損傷に分類される．腎外傷を疑ったら，直ちに造影 CT で損傷状態を確定する（e図 13-1-AH）．CT 血管造影による腎動脈描出も有効である．

治療は循環動態の維持と出血に対する評価が第一である．保存的治療のみで血腫が次第に吸収され，治癒する場合がある（e図 13-1-AI）．血圧維持が困難な場合，外科的処置が必要になる場合がある．動脈出血の場合は動脈塞栓術，実質の離断・粉砕の場合は腎摘出術の適応となる．　〔佐藤　滋〕

■文献

松田公志，内藤誠二：泌尿器科の主な手術．標準泌尿器科学　第8版（香川　征監），pp314-41, 医学書院，2010.
武藤　智，堀江重郎：泌尿器科的治療．内科学　第 10 版（矢﨑義雄編），pp1424-5, 朝倉書店，2013.
上田陽彦：腎の外傷．スタディメイト泌尿器科学（勝岡洋治編），pp100-2, 金芳堂，2009.

13-2　慢性腎臓病
chronic kidney disease：CKD

定義・概念

CKD は，腎障害を示唆する所見（検尿異常，血液異常，画像異常，病理学的異常など），または，GFR（糸球体濾過値）60 mL/分/1.73 m² 未満，が 3 カ月以上持続することと定義されている．アルブミン尿と腎機能障害は互いに独立した心血管疾患（cardiovascular disease：CVD），心血管死，末期腎不全（end-stage kidney disease：ESKD）の発症の危険因子であり，CKD はアルブミン尿と腎機能低下の程度によりリスク分類されている．

分類・原因・重症度

当初の CKD 病期分類は腎機能の評価指標である GFR のみで行われていたが[1, 2]，CVD や ESKD に至るリスクは原疾患やアルブミン尿の有無により大きく異なることが示され（図 13-2-1），現在は CKD 重症度分類が用いられている（表 13-2-1）．すなわち，重症度は原因（cause：C），腎機能（GFR：G），蛋白尿（アルブミン尿：A）による CGA 分類で評価する．表での CKD 重症度は，全死亡，CVD 死，ESKD 発症のリスクが，色で識別可（ヒートマップ）となっている．なお，非糖尿病患者では，尿アルブミン量ではなく，尿蛋白量で評価する（eコラム 1）．

疫学

日本の成人人口の約 13%，1330 万人が CKD 患者

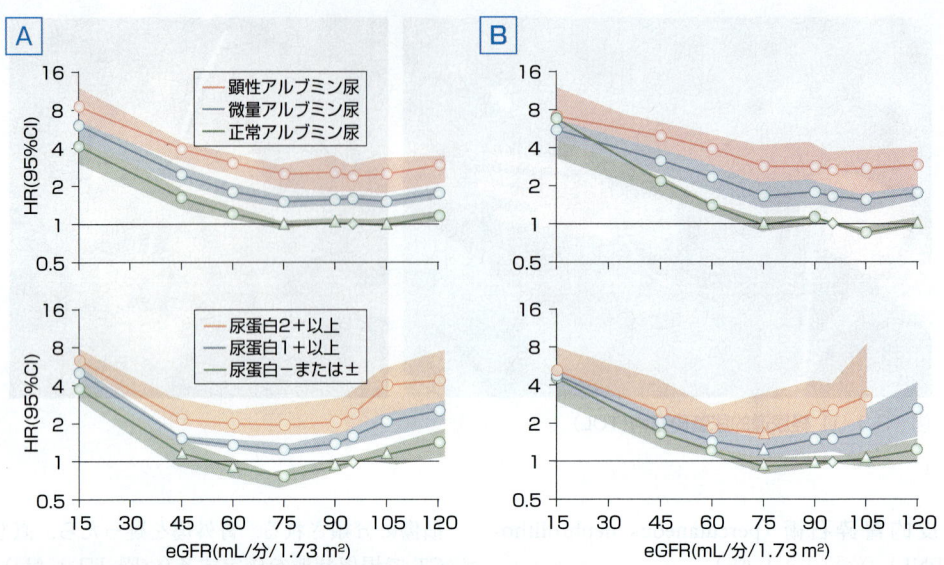

図 13-2-1 死亡および心血管死の相対リスク（日本腎臓学会，2013）
A：死亡の相対リスク　B：心血管死の相対リスク
死亡および心血管死亡の相対リスクは，腎機能の低下，または尿蛋白の増加の独立した危険因子である．また，その相対リスクは，尿蛋白が，微量アルブミン尿，顕性アルブミン尿(macroalbuminuria)と増加するに従って上昇する．尿蛋白は尿アルブミン/クレアチニン比で評価するが，検尿試験紙によっても同等のリスクを推定できる．さらに，その相対リスクは，GFR 60mL/分/1.73 m² 未満より上昇し，腎機能が低下するに従って増加する．

であり，CKD は国民病といえるほどに頻度が高い．そのなかで最も多い群は，蛋白尿を伴わない，軽度の腎機能低下者（尿試験紙法で蛋白尿−〜±，かつ，GFR ステージ G3a（GFR 45〜59 mL/分/1.73 m²））であり，成人人口の 8.6％ を占めている．一方，尿蛋白陽性者（≧＋）は，3.2％ 程度である．

CKD の原疾患としては高血圧と糖尿病が多く，これらの患者は腎炎を原疾患とする CKD 患者よりも CVD 発症のリスクが高い[3]．しかし，アルブミン尿と腎機能低下は，従来からの CVD 危険因子で補正し

表 13-2-1 CKD の重症度分類（日本腎臓学会，2012）

原疾患	蛋白尿区分			A1	A2	A3
糖尿病	尿アルブミン定量 (mg/日) 尿アルブミン/Cr 比 (mg/gCr)			正常	微量アルブミン尿	顕性アルブミン尿
				30 未満	30〜299	300 以上
高血圧 腎炎 多発性囊胞腎 腎移植 不明 その他	尿蛋白定量 (g/日) 尿蛋白/Cr 比 (g/gCr)			正常	軽度蛋白尿	高度蛋白尿
				0.15 未満	0.15〜0.49	0.50 以上
GFR 区分 (mL/分 /1.73 m²)	G1	正常または高値	≧ 90			
	G2	正常または軽度低下	60〜89			
	G3a	軽度〜中等度低下	45〜59			
	G3b	中等度〜高度低下	30〜44			
	G4	高度低下	15〜29			
	G5	末期腎不全（ESKD）	< 15			

重症度は原疾患・GFR 区分・蛋白尿区分を合わせたステージにより評価する．CKD の重症度は死亡，末期腎不全，心血管死亡発症のリスクを緑のステージを基準に，黄，オレンジ，赤の順にステージが上昇するほどリスクは上昇する．

ても，原疾患とは独立した，2～4倍高いCVD発症の危険因子である[4-6]．その他の生活習慣にかかわる因子(肥満，喫煙，脂質異常など)もCKD発症，特に蛋白尿出現に大きくかかわっている(e表13-2-A)．

CKDにおける全死亡，CVD死，ESKDのリスクを示すヒートマップ(表13-2-1)において，アウトカム発症の危険率はCVD死とESKDでは大きく異なり，ESKDでは腎機能の低下，蛋白尿が進むとリスクは急激に大きくなる[7](e表13-2-B)．一方，軽度～中等度腎機能低下を示すCKD患者では，CVD死のリスクがESKD発症リスクを大きく上回る[6, 8, 9]．

病態生理

アルブミン尿がなぜCVDリスクとなるかについては，まだ議論のあるところである．CKD患者は，CVDリスクとなる高血圧，糖尿病などの古典的危険因子をしばしば有しているが，アルブミン尿や腎機能低下はこれらの古典的危険因子とは独立したCVDリスクである．アルブミン尿とCVDの根底にある共通危険因子として，血管内皮障害[8, 9]，炎症[10]，レニン-アンジオテンシン系の活性化，高い圧力にさらされた細動脈(strain vessel)障害[11, 12]，などが考えられている．

一方，アルブミン尿は，腎障害進展機序の1つと考えられている糸球体高血圧の結果ともいえる．そして，アルブミン尿自体は尿細管細胞に負荷となり，さまざまな血管作動性物質，炎症や線維化を引き起こす物質などの産生を通して，尿細管間質障害を引き起こし，腎機能低下を促進する[13-15]．そして，腎障害が進展すると，高血圧，貧血，骨ミネラル代謝異常，酸化ストレス，炎症などの危険因子が重なり，CVDもESKDもその発症頻度がさらに高まる[16-18]．

正常においても心臓と腎臓は非常に密に関連しているが，CKDとCVDにも多くの共通の病態・危険因子が存在する(e図13-2-A)．両疾患の根底に存在する，内皮障害による動脈硬化，体液調節障害，貧血などが，腎障害と心血管病の悪循環をきたす．

臨床症状・検査所見・診断

CKDに特徴的な自・他覚症状はない．検査所見としては，① 0.15 g/gCr以上の蛋白尿(あるいは30 mg/gCr以上のアルブミン尿)，あるいは，② GFR < 60 mL/分/1.73 m² を認める．これらの①，②のいずれか，または両方が3カ月以上持続すれば，CKDと診断される．

経過・治療・予後

CKDは治療をしないと原因のいかんにかかわらず，進行性の経過をたどる．CKD治療の目的は，GFRの低下を抑制してESKDへの到達を回避させ，またCVD合併を予防して，生存期間の延長と生活の質を向上することである．原疾患の治療とともに，付随する危険因子(肥満，喫煙，脂質異常症など)是正のために，食事療法や生活習慣の改善，薬物療法が必要である．合併症(高血圧症，貧血，高リン血症，高カリウム血症など)の管理も重要で，CKD診療においては病診連携が勧められ，以下の基準が示されている．①尿蛋白0.50 g/gCr以上，または検尿試験紙で尿蛋白2＋以上，②蛋白尿と血尿がともに陽性(1＋以上)，③ 40歳未満ではGFR < 60 mL/分/1.73 m²，40歳以上70歳未満ではGFR < 50 mL/分/1.73 m²，70歳以上ではGFR < 40 mL/分/1.73 m²，以上の①～③のいずれかがあれば腎臓専門医へ紹介することが望ましい．

蛋白尿およびアルブミン尿は，その排泄量が増すごとにESKDやCVD発症のリスクが高くなり[4, 5]，その減少の度合いは腎予後と生命予後の改善に関与する[19-21]．したがって，尿蛋白・クレアチニン比(g/gCr)を用いて尿蛋白の程度を定量的に評価し，日常診療の指針とすることが望まれる．尿蛋白減少に有効な治療として，十分な降圧，レニン-アンジオテンシン系阻害薬の投与，減塩・蛋白摂取制限などがある．

〔藤元昭一〕

■文献(e文献13-2)

日本腎臓学会編：CKD診療ガイド2012，東京医学社，2012.
日本腎臓学会編：CKD診療ガイドライン2013，東京医学社，2013.

13-3 原発性糸球体疾患
primary glomerular disease

1) 分類と症候群

概念

腎糸球体に障害を生じる病態として，糸球体に障害が限局する原発性＝一次性(原因が不明の場合は，特発性 idiopathic ともよぶ)と糖尿病などの代謝性疾患，全身性エリテマトーデスなどの膠原病，紫斑病あるいは抗好中球細胞質抗体(anti-neutrophil cytoplasmic antibody：ANCA)に伴う血管炎などの全身性疾患に

伴う二次性(secondary)およびAlport症候群などの遺伝性(genetic)がある(Churgら，1995；日本腎臓学会，2010)．糸球体障害は，浸潤細胞と係蹄固有細胞である上皮細胞(podocyte，足細胞)，内皮細胞，メサンギウム細胞および係蹄基底膜・メサンギウム基質のおもに免疫複合体や抗体による液性あるいは細胞性免疫による炎症(腎炎)，糖化などによる代謝異常や異常蛋白沈着，虚血に伴う細胞障害や補体制御異常・凝固異常やトキシンによる微小血栓形成などにより惹起される(Churgら，1995；日本腎臓学会，2010)．そのおもな病理は，糸球体腎炎であるが，高齢化を反映して糖尿病性腎症，アミロイドーシスなどの異常蛋白沈着あるいは高血圧性腎硬化症などが増加している[1](Sugiyama，2011)．

分類

糸球体疾患に伴う臨床的特徴より臨床症候群分類(e表13-3-A)および腎糸球体病理分類(表13-3-1)[2]が作成され，その後に一部改訂されて，今日に至っている．

1)糸球体疾患による臨床症候群分類(WHO1995年改訂)(Churgら，1995)：5つの臨床症候群に大別される．急性腎炎症候群(acute nephritic syndrome)は，急性に発症する血尿，蛋白尿，高血圧，糸球体濾過量低下および水分とナトリウム貯留を呈する症候群．急速進行性腎炎症候群(rapidly progressive glomerulonephritis：RPGN)は，急性または潜行性に発症する血尿，蛋白尿，貧血および急速に進行する腎不全と定義される．両症候群において，血尿と蛋白尿は同様であるが，急性腎炎症候群は臨床的に改善するが，RPGNは腎不全に至る点が異なる．6カ月以上持続する慢性的な変化として，反復性血尿(recurrent hematuria)または持続性血尿(persistent hematuria)があり，潜行性または急性に発症する肉眼的または顕微鏡的血尿で蛋白尿はほとんど認めず，ほかの腎炎症候群の特徴を呈さない．一方，慢性腎炎症候群(chronic nephritic syndrome)は，蛋白尿，血尿，高血圧を伴い緩徐に腎不全へ進行する．さらに，ネフローゼ症候群(nephrotic syndrome)は，大量の蛋白尿，低アルブミン血症，浮腫およびしばしば高コレステロール血症を呈する症候群であり，多様な糸球体障害から生じる[4]．

2)糸球体病変の病理分類と臨床的特徴：わが国においては，WHO分類の一次性疾患に加えて，糸球体に病変が限局するIgA腎症，デンスデポジット病(dense deposit disease：DDD)あるいは遺伝性疾患を加えて原発性としている(表13-3-1)．このうち一次性とされたおもな疾患の臨床病理学的特徴を述べる(Churgら，1995；日本腎臓学会，2010)(e表13-3-B)．

a)微小糸球体変化と微小変化型ネフローゼ症候群

表13-3-1 原発性糸球体疾患の形態分類(WHO1982，1995年改訂より抜粋)

一次性
1. 微小糸球体病変 　minor glomerular abnormality
2. 巣状分節性病変[*1] 　focal/segmental lesion(with only minor abnormality in other glomeruli)
3. びまん性糸球体腎炎 　diffuse glomerulonephritis 　a. 膜性糸球体腎炎(膜性腎症) 　　membranous glomerulonephritis(membranous nephropathy) 　b. 増殖性糸球体腎炎 　　proliferative glomerulonephritis 　　(1) メサンギウム増殖性糸球体腎炎 　　　mesangial proliferative glomerulonephritis 　　(2) 管内性増殖性糸球体腎炎 　　　endocapillary proliferative glomerulonephritis 　　(3) 膜性増殖性糸球体腎炎(Ⅰ・Ⅲ型) 　　　membranoproliferative glomerulonephritis, type Ⅰ and Ⅲ 　　(4) 半月体形成性(管外性)壊死性糸球体腎炎 　　　crescentic(extracapillary)and necrotizing glomerulonephritis 　c. 硬化性糸球体腎炎 　　sclerosing glomerulonephritis 　d. 分類不能の糸球体腎炎 　　unclassified glomerulonephritis
全身性疾患に伴うもの(一部略)
4. Berger病(IgA腎症)[*2] 　Berger disease(IgA nephropathy)
代謝性疾患と関係するもの(一部略)
5. デンスデポジット糸球体腎炎(病)(膜性増殖性糸球体腎炎Ⅱ型) 　dense deposit glomerulonephritis(dense deposit disease) 　(membranoproliferative glomerulonephritis, typeⅡ) 6. fibrillary glomerulonephritis 7. immunotactid glomerulonephritis
遺伝性のもの(一部略)
8. Alport症候群 　Alport syndrome
9. 菲薄基底膜症候群(糸球体基底膜菲薄化症候群) 　thin basement membrane syndrome

[*1]：巣状分節性糸球体硬化症，巣状分節性メサンギウム増殖性腎炎を含める．
[*2]：原発性糸球体疾患と考えるのが妥当である．

【⇨13-3-5】：WHO分類では，糸球体に際だった変化が認められない疾患を微小糸球体変化(minor glomerular abnormality)とよぶ．一方，臨床的にネフローゼ症候群を呈するものを微小変化型ネフローゼ症候群(minimal change nephrotic syndrome：MCNS)とよび，電顕では糸球体上皮の足突起消失という特徴を示す．このように病理学的「微小糸球体変化」には，MCNSのほかに軽度の蛋白尿や血尿を呈するのみで，

ネフローゼ症候群を呈さない菲薄基底膜症候群なども含まれる.

b）巣状分節性糸球体硬化症（focal segmental glomerulosclerosis：FSGS）【⇨ 13-3-6】：限られた糸球体（巣状）の一部（分節性）に硬化が発生する疾患で，診断は病理組織学的に行われるため，原発性のほかさまざまな原因による二次性病変も含まれる. 原発性は難治性ネフローゼ症候群を示すことが多く，治療に反応しない場合に腎不全に陥る. 発症初期には MCNS との鑑別が難しいことも少なくなく，臨床的にはステロイド抵抗性を示すことが多い.

c）膜性糸球体腎炎・膜性腎症（membranous nephropathy：MN）【⇨ 13-3-7】：糸球体基底膜の上皮側にびまん性に免疫複合体が沈着し，スパイク状に基底膜が肥厚する疾患である. 一次性・二次性のいずれにおいても生じうる病変であり，一次性の約 70％に血漿中抗膜型ホスホリパーゼ A_2 受容体（PLA2R）抗体あるいは上皮下免疫複合体中に PLA2R が検出される[4,5]. 高齢（60 歳以上）発症が約 60％を占め，成人難治性ネフローゼ症候群の原因疾患として最も頻度が高い[6].

d）メサンギウム増殖性糸球体腎炎（IgA 腎症および非 IgA メサンギウム増殖性糸球体腎炎）【⇨ 13-3-4, 13-3-9】：わが国の腎生検レジストリーにおける原発性疾患の約 65％に認められ，その多くは IgA1 を主体とする IgA および IgG がメサンギウム領域に沈着する IgA 腎症である（Sugiyama, 2011）. IgA 腎症では，メサンギウム細胞増殖や基質増加に加えて，小半月体形成, 分節性硬化などの糸球体病変と間質の細胞浸潤や線維化を伴い，20 歳以上の診断例の約 90％が慢性腎炎症候群を示す（日本腎臓学会，2010；Sugiyama, 2011）. なお，MCNS においてもメサンギウム増殖を伴う場合があるが，臨床的にはステロイド反応性・予後に差はない[7]. また，メサンギウム IgM 沈着を伴う場合は，病理学的に IgM 腎症と診断される[8].

e）管内増殖性糸球体腎炎【⇨ 13-3-2】：糸球体係蹄内腔への好中球・単球などの浸潤を伴う内皮細胞増殖が特徴で，ときに，Masson 染色で赤色の上皮下沈着物が観察される. 特に A 群 β 溶連菌感染後腎炎では，補体（C3）とともに IgG が顆粒状沈着（starry sky appearance）を示し，上皮下に大きな瘤状の高電子密度沈着物（hump）を特徴とする. 多くは急性腎炎症候群を示す[2].

f）膜性増殖性糸球体腎炎（membranoproliferative glomerulonephritis：MPGN）【⇨ 13-3-8】：メサンギウム増殖と基質の増加による糸球体毛細管壁の肥厚を伴う病態であり，おもに電子顕微鏡所見により I 型から III 型に分類される. なお，WHO 分類では II 型は DDD として異なる病態として扱われている（Churg, 1995；日本腎臓学会，2010）. I 型では，免疫組織学的に糸球体基底膜内皮側に免疫グロブリンや補体が沈着し，低補体血症が高率にみられる. 20 歳以上の本症の約 55％はネフローゼ症候群を呈し，各年齢層でみられ一次性ネフローゼ症候群の 5.5％を占めるが，日本においても減少傾向にある[9].

g）半月体形成性壊死性糸球体腎炎：壊死性半月体形成性糸球体腎炎は，壊死性病変とともに細胞性から線維性までの半月体形成を呈する. 臨床的には，RPGN【⇨ 13-3-3】を示すことが多く，このうち原発性と考えられるものが 50～60％であるが，その原因の約 70％（RPGN 全体の約半数）が糸球体に免疫グロブリン沈着を示さない pauci-immune 型である[10]. わが国ではおもに核周囲型 ANCA 陽性を示し，myeloperoxidase（MPO）-ANCA 関連腎炎とよばれる. このような病態はおもに高齢者にみられ，全身性顕微鏡的多発血管炎の腎病変である場合がある. このほか抗糸球体基底膜抗体あるいは免疫複合体よる場合もあり，肺胞出血を伴う場合は Goodpasture 症候群【⇨ 13-6-7】として知られている.

疫学・頻度

日本腎臓学会腎生検レジストリー報告（Sugiyama, 2011）において，臨床背景をみると糸球体疾患による 5 つの臨床症候群が約 86％を占めており，特に慢性腎炎症候群（55.9％）とネフローゼ症候群（19.2％）がおもな病態である（e図 13-3-A 参照）. このうち原発性糸球体疾患は腎生検全体の約 60％であり，そのおもな病理診断は，IgA 腎症（54.2％），膜性腎症（12.7％），糸球体微小変化（10.5％），非 IgA メサンギウム増殖性腎炎（10.4％），巣状分節性糸球体硬化症（6.3％），膜性増殖性糸球体腎炎 I 型・III 型（2.6％）である（e図 13-3-B 参照）. また，ネフローゼ症候群では，一次性が全体の約 2/3 を占め，その組織病型では微小変化型と膜性腎症がそれぞれ約 4 割である（e図 13-3-C 参照）. さらに，一次性ネフローゼ症候群の年齢層別背景をみると，若年では微小変化型および巣状分節性糸球体硬化症が主であり，その年齢層の約 9 割を占めていたが，40 歳以後でその割合は減少し，膜性腎症の占める割合が増加する（e図 13-3-D）[6].

予後

それぞれの病型により予後は異なる. 〔横山 仁〕

■文献（e文献 13-3-1）

Churg J, Bernstein J, et al eds: Renal disease: Classification and Atlas of Glomerular Disease, 2nd ed, Igaku-Shoin, 1995.

日本腎臓学会・腎病理診断標準化委員会，日本腎病理協会編：腎生検病理アトラス，東京医学社，2010.

Sugiyama H, Yokoyama H, et al: Japan Renal Biopsy Registry: the first nationwide, web-based, and prospective registry system of renal biopsies in Japan. *Clin Exp Nephrol*. 2011; **15**: 493-503.

2）急性糸球体腎炎
acute glomerulonephritis

定義・概念
　A群β溶連菌をはじめとする感染症罹患後，1〜3週間の潜伏期間後に急性腎炎症候群として発症する．血尿・浮腫・高血圧を3主徴とし，組織学的にはびまん性管内増殖性糸球体腎炎を呈する．2〜6カ月で臨床的治癒に至ることが多いが，高齢者では予後不良となることも少なくない．

病因・病態生理
　先行感染由来の腎炎惹起抗原と宿主が産生する抗体から形成される免疫複合体が糸球体に沈着し補体を活性化して糸球体病変を惹起するという機序に加えて，腎炎惹起抗原そのものが直接補体を活性化する機序も考えられている．溶連菌感染後急性糸球体腎炎（acute poststreptococcal glomerulonephritis：APSGN）の腎炎惹起抗原としては，溶連菌の分泌蛋白である連鎖球菌発熱毒素（streptococcal pyrogenic exotoxin B：SPEB）と菌体内抗原の腎炎関連プラスミン受容体（nephritis-associated plasmin receptor：NAPlr）が知られている[1]（Kambham, 2012）．SPEBは糸球体上皮下で in situ に，あるいは循環血中で免疫複合体を形成し，補体の活性化などを介して糸球体障害を引き起こすと考えられている．NAPlrは患者IgGとの親和性が高く，プラスミンと結合することでプロテアーゼ活性を保持し，糸球体局所で障害を誘導すると考えられている．SPEBとNAPlrは糸球体内でほぼ同一部位に局在することから（e図 13-3-E）[2]，協調して腎炎惹起に働く可能性もある（Kambham, 2012）．
　溶連菌以外ではメチシリン耐性黄色ブドウ球菌（MRSA）なども急性糸球体腎炎の原因菌となりうるが，実際には典型的な急性糸球体腎炎の臨床像を呈することは少ない（eコラム1）．MRSAが産生したスーパー抗原により急速にT細胞が活性化されてサイトカインが誘導されることで，ネフローゼレベルの蛋白尿を伴う重篤な急速進行性糸球体腎炎を呈することが多い[3]．

疫学
　古くは大部分（80〜90％）がA群β溶連菌感染後に小児に好発する疾患であったが，近年，先進国では衛生環境の改善や抗菌薬の進歩により小児急性糸球体腎炎や流行性糸球体腎炎は激減している．先進国においては，糖尿病，アルコール依存症などを背景疾患とする高齢者において，感染後急性糸球体腎炎が増加している．

病理（図 13-3-1）
1）光学顕微鏡所見：急性期においては，びまん性かつ滲出性の像を呈し，富核・腫大・乏血と表現される管内増殖性糸球体腎炎の組織像を呈する．細胞浸潤は好中球主体の増殖が全節性，びまん性にみられ，重症の場合には半月体がみられる．発症後，時間経過とともに好中球浸潤は軽減し，メサンギウム細胞の増殖が目立つようになる．
2）蛍光抗体所見：急性期には糸球体係蹄壁および一部メサンギウム領域にC3が顆粒状に沈着するのが特徴的で，回復期にはメサンギウムのみに認められる．IgGの同様な沈着もしばしば認められる．
3）電子顕微鏡所見：急性期には上皮下に高電子密度の沈着物（hump）が認められる．通常，1〜6μmの大きさで，基底膜の上皮側に不連続性に散在する．発症後約6週で消褪することが多いが，臨床症状が強い症例ほどhumpの数が多い傾向にある．humpが著しく多数で，密に連続性に存在するものは atypical hump とよばれ，予後不良の徴候である．

臨床症状
　典型例では先行感染後に一定の潜伏期間を経て，突然の血尿・浮腫・高血圧を3主徴とする急性腎炎症

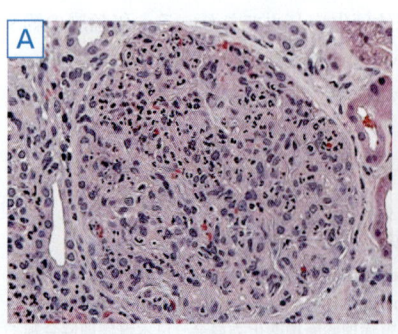 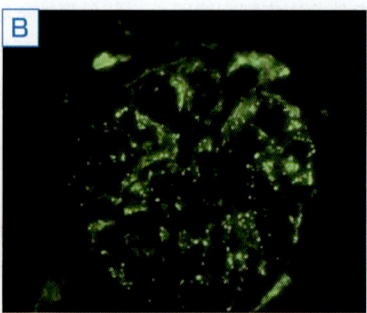 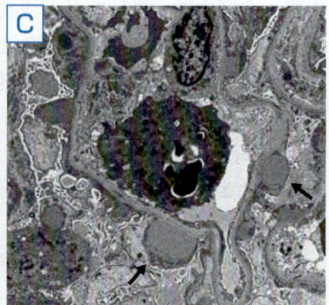

図 13-3-1 急性糸球体腎炎の病理組織像（Kambham, 2012 より改変）
A：光学顕微鏡像（PAS）．管内増殖性糸球体腎炎の組織像．糸球体は腫大し，係蹄内への単核球・好中球の浸潤による富核，毛細血管腔の狭小化がみられる．
B：蛍光抗体像（C3）．C3が糸球体係蹄壁とメサンギウム領域に顆粒状に沈着する．
C：電子顕微鏡像．糸球体上皮下に高電子密度のhump（矢印）の沈着が認められる．

候群として発症する．浮腫・高血圧は糸球体管内細胞の増殖により毛細血管内腔が狭小化してGFR・Na排泄が低下するために生じる．先行感染が溶連菌による上気道感染症である場合の潜伏期間は1～2週間程度であるが，同じ溶連菌でも皮膚感染症の場合は2～6週間と少し長い．小児や流行例では2～6カ月で臨床的治癒に至ることが多いが，成人散発例では蛋白尿・血尿・腎機能障害が遷延しうる．特に，合併症を有する高齢者やcompromized hostでは予後不良となることも少なくない[4]．APSGNの典型例では3主徴は以下のような経過をとることが多い（図13-3-2）．

1）**血尿**：顕微鏡的血尿はほぼ必発であり，多くは1～3カ月で消失する．約1/3の症例では肉眼的血尿を数日間認めることがある．蛋白尿もほぼ全例でみられるが，一般に軽度でネフローゼ症候群を呈するのは10％以下である．

2）**浮腫**：病初期に数日間の乏尿が続いた後に，ほぼ全例で顔面，特に眼瞼周囲に浮腫が出現する．Na，水貯留だけではなく，末梢血管の炎症も浮腫の成因に関与する．一般に軽度で全身性のものは少ないが，重症例では胸水貯留や肺うっ血などを認めることもある．

3）**高血圧**：多くの症例で病初期より血圧が上昇し，半数以上で高血圧を呈する．悪性高血圧など重篤例は少なく，1週間前後の経過で利尿が得られるとともに軽快することが多い．

検査所見

1）**先行感染の確認**：APSGNではASO，ASKなどの菌体外産物に対する抗体価の上昇を溶連菌先行感染の指標とする．ASOは感染後1～3週で上昇し，3～5週でピークとなり，6～12カ月で正常化することが多い．皮膚感染後の急性糸球体腎炎ではanti-deoxyribonuclease-B（ADNase-B）がASOよりも高率に上昇する．一方，咽頭や皮膚化膿巣など先行感染局所から細菌培養で原因菌を検出できる率は30％程度と低く，また，健常人の咽頭培養でも溶連菌を検出することがあるので，細菌培養検査の臨床的有用性は高くない．

2）**尿検査**：血尿・蛋白尿はほぼ全例に認められる．約1/3の症例で肉眼的血尿を認めるが，蛋白尿は一般に軽度でネフローゼ症候群を呈するものは1/10以下である．沈渣では変形赤血球，赤血球円柱，顆粒円柱などが認められ，初期には無症候性白血球尿も出現する．

3）**腎機能**：病初期に血清クレアチニン，血中尿素窒素（BUN）の上昇を40～50％に認めるが，利尿に伴い速やかに改善する．GFRの低下に比して腎血漿流量（RPF）は維持されるため，濾過率（FF）は低下する．

4）**血清補体価**：ほぼ全例でCH_{50}の一過性低下を認め，症状の改善とともに2週以内に上昇し始め，6週以内に正常化することが多い．C3の低下が最も顕著で，補体初期成分であるC1q，C2，C4の低下が軽度にとどまることから，おもにalternative pathwayを介する補体活性化機序が考えられている．

診断・鑑別診断

APSGNは上記臨床経過とASO高値，低補体血症により診断する．臨床的には慢性糸球体腎炎の急性増悪との鑑別が問題となることが多い．急性糸球体腎炎では先行感染の後に一定の潜伏期間があるのに対して，感染症による慢性糸球体腎炎の急性増悪では，潜伏期間が明らかでないことが多い．低補体血症が遷延（6週間以上）するときは，膜性増殖性糸球体腎炎，ループス腎炎，クリオグロブリン血症などを鑑別する必要がある．その他，急性腎炎症候群の原因となるIgA腎症などとの鑑別が必要となることもある．通常，臨床経過と血清学的所見から鑑別は容易であるが，非典型例では腎生検を必要とする．

治療

APSGNでは多くが自然治癒をきたすため治療の主体は対症療法であり，安静・塩分制限・降圧療法を基本とする．

1）**一般療法**：病初期から腎血流量の維持を期待して安静・保温を保つのが望ましい．食事療法としては，1日35 kcal/kg以上の高カロリー食と低蛋白・塩分制限が中心である．急性期（乏尿期・利尿期）は蛋白を0.5 g/kg/日，塩分を0～3 g/日に制限し，回復および治癒期にはそれぞれ1.0 g/kg/日と3～5 g/日に制限をゆるめる．急性期には前日の尿量＋不感蒸泄分を目安とした水分制限も行う．

2）**薬物療法**：すでに発症している腎炎自体には無効であるが，病巣感染の持続や再燃防止を目的として病

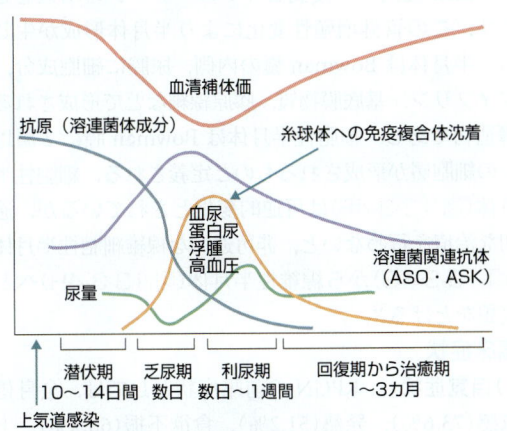

図13-3-2 APSGNの典型的臨床経過
先行感染後に一定の潜伏期間を経て，突然の血尿，浮腫，高血圧を3主徴とする急性腎炎症候群として発症し，2～6カ月で臨床的治癒に至ることが多い．

初期にβ-ラクタム系抗菌薬（ペニシリン系，セフェム系）を1～2週間投与することがある．乏尿・浮腫・高血圧は減塩などの対症療法のみで自然に軽快することが多いが，症状が強い場合にはループ利尿薬や降圧薬を用いる．高血圧緊急症に至った場合には入院治療が必要であり，経静脈的に降圧薬を投与する．急速に腎機能が低下する症例や半月体形成を伴う重症例で副腎皮質ステロイド投与が考慮されることもあるが，感染や水・Na貯留を増悪させる可能性もあることから原則的に用いない．

予後

一般に予後は良好で，末期腎不全への移行は2%以下と考えられている．特に小児の予後は良好で95%以上が完治する．一方，小児よりも頻度は少ないが，成人発症例では非典型的な症状や経過を呈し10%以上が慢性化する．糖尿病の高齢者などcompromised hostが罹患した場合には，感染が持続し腎炎惹起性物質の供給が継続するため腎予後のみならず，生命予後が不良になることもある[4]．〔有馬秀二〕

■文献（e文献13-3-2）

Kambham N: Postinfectious glomerulonephritis. *Adv Anat Pathol*. 2012; **19**: 338-47.

3）急速進行性糸球体腎炎
rapidly progressive glomerulonephritis：RPGN

定義・概念

RPGNは，数週～数カ月の経過で急性あるいは潜在性に発症し，血尿（多くは顕微鏡的血尿，まれに肉眼的血尿），蛋白尿，貧血を伴い，急速に腎機能障害が進行する，以上の臨床症候を伴う最も予後不良な腎炎症候群である．病理学的には，多数の糸球体に細胞性から線維細胞性の半月体の形成を認める半月体形成性（管外増殖性）壊死性糸球体腎炎（crescentic（extra-apillary）and necrotic glomerulonephritis）が典型像である．しかし，半月体形成性壊死性糸球体腎炎以外にもRPGNの臨床経過をたどるものがあり，広く腎炎様の尿所見を伴い，急速に腎機能の悪化により，放置すれば末期腎不全まで進行する臨床症候群として取り扱われ，その多くが病理学的診断名である半月体形成性壊死性糸球体腎炎を呈するものと定義される．

分類

RPGNの病型分類を図13-3-3に示す．
半月体形成を認める糸球体の蛍光抗体法所見から，①糸球体係蹄壁に免疫グロブリン（多くはIgG）の線状沈着を認める抗糸球体基底膜（glomerular basement membrane：GBM）抗体型（図13-3-4A），②糸球体に免疫グロブリンなどの沈着を認めないpauci-immune型，③糸球体係蹄壁やメサンギウム領域に免疫グロブリンや免疫複合体の顆粒状の沈着を認める免疫複合型（図13-3-4B），の3型に分類される[1]．さらに，血清マーカー，症候や病因を加味しての病型分類が可能で，抗GBM抗体型で肺出血を合併する場合にはGoodpasure症候群，腎病変に限局する場合には抗GBM腎炎 pauci-immune型のなかで全身性の血管炎症候を伴うものが顕微鏡的多発血管炎（microscopic polyangitis：MPA），腎臓のみに症候をもつ腎限局型血管炎（renal limited vasculitis）とする分類もある．
さらに最も症例数の多いpauci-immune型の大半は抗好中球細胞質抗体（anti-neutrophi cytoplasmic antibody：ANCA）が陽性であり，そのサブクラスにより核周囲型（peri-nuclear）（MPO）-ANCA（図13-3-4C）と細胞質型（cytoplasmic）（PR3）-ANCA（図13-3-4D）に分類される．

疫学

わが国のRPGN患者数は2008年の調査では3800～5800人と推計され[2]，1998年度年間受療患者数1500人から約3.5倍に増加していた．一方，わが国でRPGNと新規に診断され加療を受ける患者は2008年の1300～1500人から2013年の2100～2400人と，大幅な増加が認められる[3]．さらにRPGNにより透析導入となる患者数は1998年の258人から2013年の505人に約2倍増加しており，透析導入原疾患のなかで第5位を占めている[4]．

病理・病態生理

糸球体の半月体形成は基底膜やメサンギウム基質といった細胞外マトリックスの壊死により始まり，糸球体毛細血管レベルの壊死性血管炎（図13-3-4E）が本態である．血管壁の破綻によりBowman腔内に析出したフィブリンは，さらなるマクロファージのBowman腔内への浸潤とマクロファージの増殖をきたす．この管外増殖性変化により半月体形成が生じる．半月体はBowman囊の内側，尿腔に細胞成分，フィブリン，基底膜物質，膠原線維などで形成される構造物である．細胞性半月体はBowman腔に2層以上の細胞層が形成されるものと定義される．細胞性半月体（図13-3-4F）は可逆的変化とされているが，適切な治療を行わないと，非可逆的な線維細胞性半月体（図13-3-4G）から線維性半月体（図13-3-4H）へと変貌をとげる[5]．

臨床症状

1）自覚症状： RPGNの前駆症状としては，全身倦怠感（73.6%），発熱（51.2%），食欲不振（60.2%），上気道炎症状（33.5%），関節痛（18.7%），悪心（29.0%），体重減少（33.5%）などの非特異的症状が大半で[6]，自覚症状を完全に欠いて検尿異常，血清クレア

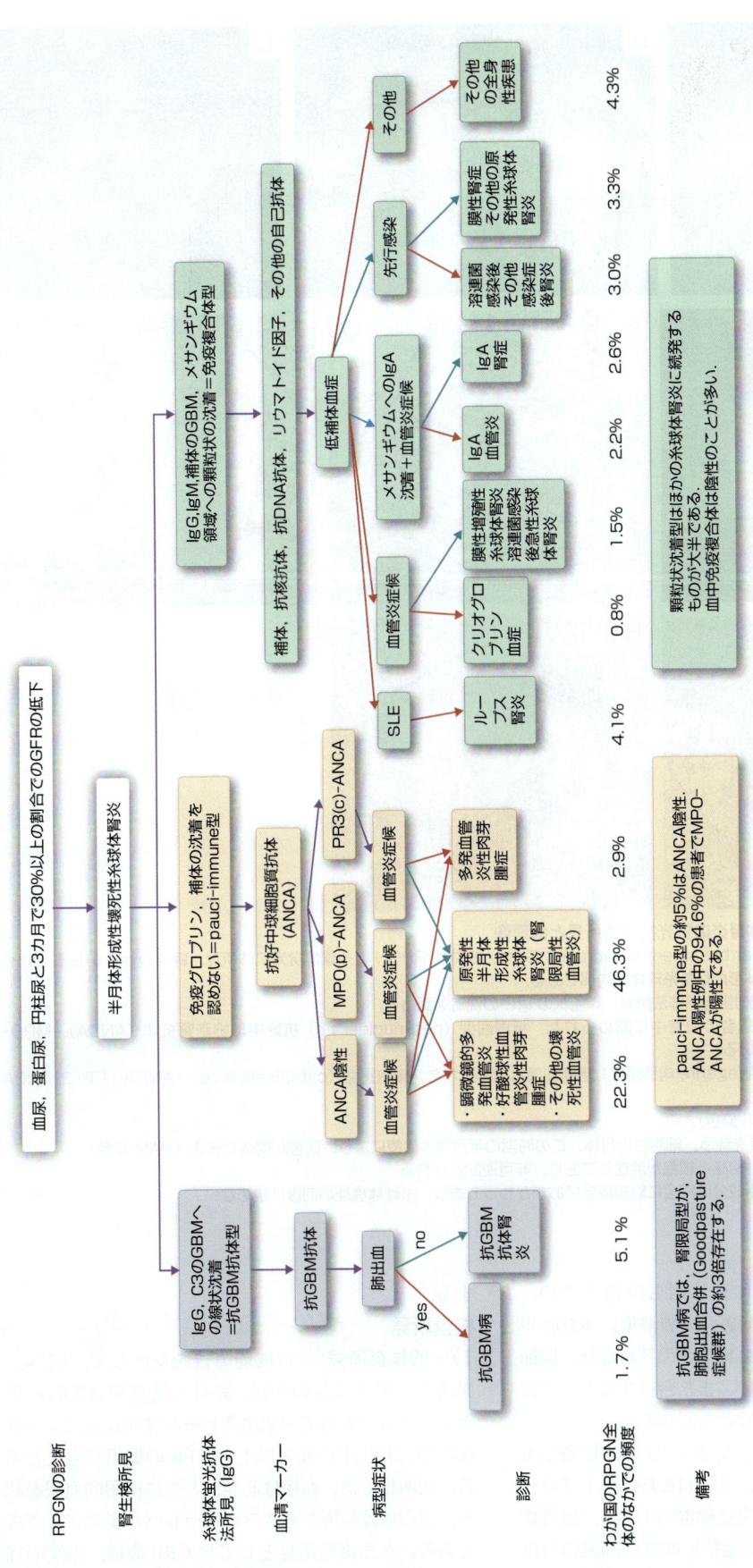

図13-3-3 急速進行性糸球体腎炎症候群の分類と病型診断
臨床所見によるRPGNの診断後に、可能な限り腎生検を行い確定診断と同時に、腎生検組織の蛍光抗体法検査により、①抗GBM抗体型、②pauci-immune型、③免疫複合体型の病型診断を行う。血清マーカーにより病型診断が可能である。ただし、抗GBM抗体とANCAには重複陽性の場合もあり、pauci-immune型の約5%でANCA陰性のこともあるので腎生検組織が得られない場合には、注意を要する。

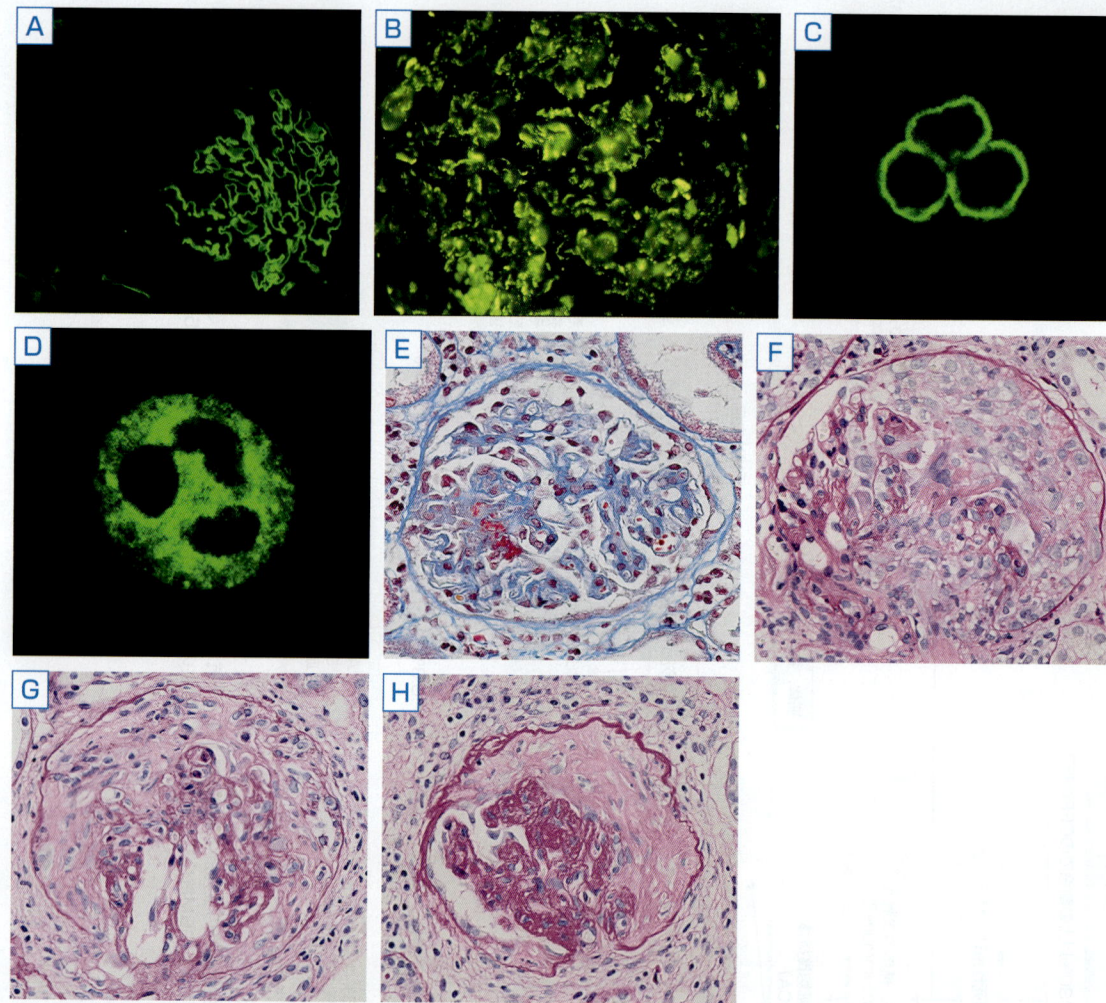

図 13-3-4 急速進行性糸球体腎炎の蛍光抗体法所見と病理像
A：抗糸球体基底膜（glomerular basement menbrane：GBM）抗体型 RPGN の糸球体蛍光抗体所見．線状の IgG の沈着を認める．スライドの左側は半月体形成した糸球体の内部である．
B：免疫複合体型 RPGN の新旧対蛍光抗体法所見．顆粒状の IgG の沈着を認める．
C：pauci-immune 型 RPGN 患者の血清中に認められた，核周囲型（peri-nuclear：p）抗好中球細胞質抗体（ANCA）．MPO-ANCA 値高値が確認されている．
D：多発血管炎性肉芽腫症（旧 Wegenre 肉芽腫症）患者血清に認められた，細胞質型（cytoplasmic：c）-ANCA．PR-3-ANCA 値高値であった．
E：糸球体の細胞性半月体（PAS 染色）．
F：糸球体内の係蹄の壊死性病変を伴う，細胞性半月体．この時期の半月体は治療により，回復が期待できる（PAM 染色）．
G：糸球体の線維細胞性半月体．線維と細胞が混在しており，非可逆的とされる．
H：糸球体の線維性半月体．細胞成分は完全に線維成分におきかわっており，糸球体機能の回復は望めない．

チニン異常の精査で診断に至る例も少なくない．MPA では，血管炎による紫斑，皮膚潰瘍，多発性単神経炎によるしびれ，運動麻痺などの神経症状，関節痛などがみられることが多い．また合併する肺病変により，咳，血痰，呼吸困難などを認める．

2）**他覚症状**：腎症候として多いものは浮腫（51.2％），肉眼的血尿（14.1％），乏尿（16.4％），ネフローゼ症候群（17.8％），急性腎炎症候群（18.5％），尿毒症（15.8％）[6]などである．肺病変特に間質性肺炎の合併（24.5％）がある場合，下肺野を中心に湿性ラ音を聴取する．

検査所見

1）**一般検査所見**：腎機能障害を反映して，BUN，血清クレアチニンの上昇，糸球体濾過値（GFR）の低下を認める．腎機能の悪化スピードは原疾患により異なるが，3 カ月で 30％以上の GFR の低下を目安とする．尿所見では，血尿は必発，ときに肉眼的血尿を認め，蛋白尿は軽度からネフローゼレベルまでさまざまである．また炎症所見としての CRP 高値，赤沈の亢進を認める．正球性正色素性貧血を認め，その程度は

腎機能の割に高度のことが多い．

2）血清マーカー： わが国の主要腎疾患診療施設での2007〜2013年に施行された腎生検18479例におけるRPGNの頻度は1193例（6.5％）であった．このRPGNのなかの594例（49.8％）がMPO-ANCA陽性で，PR3-ANCA陽性が33例（2.8％），抗GBM抗体型が60例（5.0％）であり，わが国のRPGN症例では抗GBM抗体陽性例の方が，PR3-ANCA陽性例より多かった．年齢分布ではMPO-ANCA陽性例の平均年齢は67.8歳，抗GBM抗体陽性例61.8歳に対し，PR3-ANCA単独陽性例は59.3歳と若年に多く，抗GBM抗体同時陽性例は女性に多く，PR3-ANCA単独陽性例は男性に多い傾向があった[7]．これらの血清マーカーは診断的価値と同時に治療効果の判定や，再発の早期発見などに有用で，経時的な変化をモニタする．

3）画像検査： 腎の超音波あるいはCT検査では腎のサイズは正常から軽度腫大している．また胸部単純X線検査の異常を42.4％の患者に認める．おもな異常としては間質性肺炎像（24.5％）や肺胞出血（10.4％）であり[6]，肺CT検査が病変の評価には有用である．

診断

RPGNは早期発見による早期治療開始が予後を大きく左右する．したがって，① RPGNを疑い，②本症の確定診断，③治療方針決定のための病型診断の3段階の診断を速やかに行う必要がある．

1）早期診断のための指針： ①血尿，蛋白尿，円柱尿などの腎炎性尿所見を認める，② GFRが60 mL/分/1.73 m²未満，③ CRP高値や赤沈亢進を認める．以上の3検査所見を同時に認めた場合，RPGNを疑い，腎生検などの腎専門診療の可能な施設へ紹介する．なお，急性感染症の合併，慢性腎炎に伴う緩徐な腎機能障害が疑われる場合には，1〜2週間以内に血清クレアチニン値を再検する．また腎機能が正常範囲内であっても，腎炎性尿所見と同時に，3カ月以内に30％以上の腎機能の悪化がある場合にはRPGNを疑い，専門医への紹介を進める．新たに出現した尿異常の場合，RPGNを念頭において，腎機能の変化がないかを確認するべきである．

2）確定診断のための指針： ①病歴の聴取，過去の検診，その他の腎機能データを確認し，数週〜数カ月の経過で急速に腎不全が進行していることの確認，②血尿（多くは顕微鏡的血尿，まれに肉眼的血尿），蛋白尿，赤血球円柱，顆粒円柱などの腎炎性尿所見を認める．以上の2項目を同時に満たせば，RPGNと診断することができる．なお過去の検査歴などがない場合や来院時無尿状態で尿所見が得られない場合は臨床症候や腎臓超音波検査，CTなどにより，腎のサイズ，腎皮質の厚さ，皮髄境界，尿路閉塞などのチェックにより，慢性腎不全との鑑別を含めて，総合的に判断する．

3）病型診断： 可能なかぎり速やかに腎生検を行い，確定診断と同時に病型診断を行う．あわせて血清マーカー検査や他臓器病変の評価により二次性を含めた病型の診断を行う．

鑑別診断

鑑別を要する疾患としては，慢性腎不全の急性増悪やさまざまな急性腎不全をきたす疾患があげられる．また，急性間質性腎炎，悪性高血圧症，強皮症腎クリーゼ，コレステロール結晶塞栓症，溶血性尿毒症症候群などが類似の臨床経過をたどる．

合併症

経過中に腎以外の全身性の血管炎症候を合併することがある．頻度の高いものとしては，肺出血，脳出血，脳梗塞，心筋梗塞，消化管出血，末梢神経障害，皮膚潰瘍などがあげられる．

また，患者が中高齢者であることが多く，治療の主体が免疫抑制療法であることから，日和見感染を含めた重篤な感染症を併発する場合がある．このような感染症による死亡が本症の死亡原因の半数以上をしめる（Koyamaら，2009）．

経過・予後

MPO-ANCA陽性のRPGNの6カ月時点での腎生存率は1998年以前69.7％，1999〜2001年76.5％，2002年以降，78.9％と近年有意な腎予後の改善がある．また治療開始から6カ月間の生存率については1998年以前77.5％，1999〜2001年80.4％，2002年以降86.0％で改善傾向を認めている（Koyamaら，2009）．治療開始時の腎機能が生命予後，腎予後にも影響するため，腎機能が高度に悪化する以前の早期診断に努めることがきわめて重要である．その他，肺出血や間質性肺炎などの肺合併症を伴う症例の生命予後が不良であることがわかっている（Yamagataら，2012）（e表13-3-C，e図13-3-F）．

治療

入院安静を基本とする．本症の発症・進展に感染症の関与があること，日和見感染の多さなどから，環境にも十分配慮し，可能なかぎり感染症の合併を予防することが必要である．

RPGNはさまざまな原疾患から発症する症候群であり，その治療も原疾患により異なる．ここではANCA陽性のpauci-immune型RPGNの治療法を中心に示す．治療の基本は副腎皮質ステロイドと免疫抑制薬による免疫抑制療法である．初期治療は，プレドニゾロン0.6〜0.8 mg/日で開始し，高度の炎症所見や多臓器の病変を伴う場合には，メチルプレドニゾロンの大量静注（パルス）療法が行われる．若年の患者にはシクロホスファミド（経口あるいは静注）の併用を考慮

する[6,8]．近年，リツキシマブがシクロホスファミド使用不能な症例に対し，同等の効果を期待できるとされ，使用されるようになってきた[9,10]．初期治療で疾患の活動性をコントロールできた場合には，プレドニゾロンの投与量を4〜8週以内に20 mg/日未満に減量する[6]．プレドニゾロン減量後の再発予防にアザチオプリンなど免疫抑制薬を投与する[11]．病状に応じ，抗血小板薬，抗凝固薬を併用するが，出血合併症に対しては十分な注意が必要である[8]．治療抵抗例，副作用などにより十分な免疫抑制療法を行えない場合，肺出血合併例，高度腎機能障害には，血漿交換療法などが行われる場合がある[12]．

また日和見感染症は呼吸不全により発症することが多い．免疫抑制療法中には，ST合剤（1〜2 g 48時間ごと，医薬品適応外使用）の投与や，その他の感染症併発に細心の注意をはかる[8]．〔山縣邦弘〕

■文献(e文献 13-3-3)

Koyama A, Yamagata K, et al: A nationwide survey of rapidly progressive glomerulonephritis in Japan: etiology, prognosis and treatment diversity. Clin Exp Nephrol. 2009; **13**: 633-50.

Yamagata K, Usui J, et al: ANCA-associated systemic vasculitis in Japan: clinical features and prognostic changes. Clin Exp Nephrol. 2012; **16**:580-8.

4）慢性糸球体腎炎
chronic glomerulonephritis

定義・概念

慢性糸球体腎炎は，潜在性に発症する糸球体障害のために1年以上持続して蛋白尿（尿蛋白量＜ 3.5 g/日），円柱尿，血尿などの腎炎性尿所見を認め，緩徐に腎機能障害の進行する糸球体腎炎症候群の一病型であり，同様の経過を呈する二次性腎疾患を除外したものである．

分類

慢性糸球体腎炎をきたす代表的一次性糸球体疾患としては，IgA腎症，非IgAメサンギウム増殖性糸球体腎炎，膜性増殖性糸球体腎炎，管内増殖性糸球体腎炎，ネフローゼを呈さない膜性腎症，巣状糸球体硬化症があげられる．尿所見（血尿併発の有無）から分類すると表13-3-2のように組織型を想定することが可能であるが，必ずしも定型例だけではないので注意が必要である．大半は，二次性腎疾患を否定された慢性的な蛋白尿を中心とする検尿異常患者で，腎生検の適応外や何らかの理由で腎生検を施行されていない患者に対する診断名として使用されている．

疫学

慢性糸球体腎炎を原疾患として透析導入となる患者の割合は，1991年までは50%以上を占めていたが，1997年以降は糖尿病性腎症が首位となり，2013年には18.8%まで減少している[1]．しかしながら，年齢別では35歳未満の若年層での透析導入原疾患としては慢性糸球体腎炎が最も多く，いまだ末期腎不全の原因疾患として重要な位置を占めている[2]．わが国の10年ごとの健康診断受診者中の蛋白尿陽性患者の比率は，男女とも増加傾向を示し，慢性糸球体腎炎の発症そのものの減少を示す事実はない[3]．また健康診断における検尿異常の出現率は欧米と比べ，日本人を含めたアジア人種で高く，糸球体腎炎の発症にも人種差があることが知られている[4]．

病態生理

慢性糸球体腎炎では，各糸球体腎炎の病型ごとの腎障害機転と同時に，以下にあげる共通の糸球体障害進

表13-3-2 尿所見からみた糸球体疾患の分類

	おもな臨床病型（症候群）		検尿のパターン		
			蛋白尿のみ	蛋白尿＋血尿	血尿のみ
一次性糸球体疾患	微小変化群	ネフローゼ	◎	−	−
	膜性腎症	ネフローゼ・慢性腎炎	◎	○	−
	巣状糸球体硬化症	ネフローゼ・慢性腎炎	◎	○	−
	IgA腎症	慢性腎炎・ネフローゼ，持続性血尿	△	◎	○
	膜性増殖性腎炎	ネフローゼ・慢性腎炎	−	◎	○
	半月体形成性腎炎	急速進行性腎炎，慢性腎炎，ネフローゼ	−	◎	○
二次性糸球体疾患	糖尿病性腎症	微量アルブミン尿〜ネフローゼ	◎	○	−
	ループス腎炎	慢性腎炎・ネフローゼ，持続性血尿	◎	◎	○
	腎硬化症	軽度蛋白尿（1g/日未満）	◎	−	−
	腎アミロイドーシス	ネフローゼ・慢性腎炎	◎	○	−

◎：高頻度，△：低頻度，−：まれ．

展機構があることが知られている．

1) 蛋白尿の程度と腎機能： 慢性糸球体腎炎では，尿蛋白排泄量が多いほど，腎機能の悪化が速いことが知られている[5,6]．蛋白尿の程度は糸球体の蛋白障壁の破壊の程度と並行しており，糸球体組織障害の程度を反映するものと考えられている[7]．また糸球体を透過した蛋白尿そのものが尿細管障害を引き起こし，尿細管間質障害から腎機能障害を招く機序も想定されている[8]．

2) 糸球体過剰濾過と腎機能： 糸球体腎炎のために一部の糸球体の機能低下が起こると残存する糸球体がその機能を代償し，腎機能を維持する機転が働く．残存する糸球体での濾過量が増加（過剰濾過）し，このことが糸球体の濾過圧上昇（糸球体高血圧）を招き，糸球体の伸展，さまざまな分子負荷の結果，機能している糸球体も硬化に陥り，正常糸球体の割合が減少して，腎機能障害に陥る[9,10]．

臨床症状

病初期には自覚症状を欠き，健康診断や他疾患で医療機関受診時などに実施される検尿検査の結果から偶然の機会に発見される疾患である．病初期は血圧も正常で，自覚症状を欠き，いわゆる無症候性検尿異常（チャンス血尿，チャンス蛋白尿）ともいわれる．経過中の糸球体障害の進展に伴い，高血圧を認めることが多い．また腎機能障害の進展に伴い，慢性腎不全で認められるさまざまな症状を呈するようになる．

診断

血尿，蛋白尿，円柱尿といった腎炎性尿所見が1年以上持続し，二次性の糸球体疾患を否定できれば，慢性糸球体腎炎と診断できる．病型診断のためには腎生検による病理組織学的診断が必須である．慢性糸球体腎炎患者の腎機能の低下は，尿蛋白排泄量とよく相関することから，無症候性検尿異常がある場合に蛋白尿の程度が強い場合（0.5 g/gCr または 0.5 g/日以上），あるいは蛋白尿と血尿を同時に認める場合には，発症後1年未満であっても，腎生検を含めた精査を要する．高血圧，糖尿病，脂質異常症の加療中に蛋白尿を認めた場合，腎硬化症，糖尿病性腎症と慢性糸球体腎炎との鑑別が困難な症例が多いのも事実である．

経過・予後

無症候性検尿異常のうち，血尿単独例（持続血尿症候群）は，糸球体腎炎以外による血尿例も含まれ，腎機能が悪化することはまれである．しかしながら，約10%の患者で経過中に蛋白尿も陽性となり，慢性糸球体腎炎に移行する（Yamagata, 2002）．蛋白尿単独例は，膜性腎症，微小変化群に多く，非ネフローゼ例でのこれらの疾患の腎機能予後は良好である．蛋白尿と血尿を同時に認める場合には，IgA腎症，膜性増殖性腎炎，管内増殖性糸球体腎炎に多く，特にIgA腎症などは1 g/日以上の尿蛋白持続例で腎機能予後不良が指摘されている．したがって，腎機能予後は，尿蛋白排泄量と相関するものの，同程度の尿蛋白排泄量であっても，慢性糸球体腎炎の組織病型により異なる．

治療・予防

慢性糸球体腎炎の治療は，生活指導，食事指導に加え，個々の病型，病態に応じた薬物療法が行われる．詳細は各項（IgA腎症【⇒13-3-9】，非IgAメサンギウム増殖性糸球体腎炎【⇒13-6-2-7】，膜性増殖性糸球体腎炎【⇒13-3-8】，膜性腎炎【⇒13-3-7】，巣状糸球体硬化症【⇒13-3-6】）を参照されたい．

慢性糸球体腎炎の病型によらず行われる共通の薬物療法としては，抗血小板薬の尿蛋白減少効果が知られており，ジピリダモール300 mg/日，塩酸ジラゼプ300 mg/日の投与が行われる．また，尿蛋白減少，腎機能悪化防止を目的にレニン-アンジオテンシン系阻害薬を第一選択とした降圧療法が行われる．一般に130/80 mmHg未満を降圧目標として，上記薬剤に加え，Ca拮抗薬，利尿薬やその他の降圧薬の多剤併用療法を行う． 〔山縣邦弘〕

■文献（e文献13-3-4）

Yamagata K, Takahashi H, et al: Prognosis of Asymptomatic Hematuria and/or Proteinuria in Men. *Nephron*. 2002; **91**:34-42.

5) 微小変化型ネフローゼ症候群

概念

微小変化型（minimal change disease）は特発性ネフローゼ症候群の最も多い原因であり，minimal change nephrotic syndrome（MCNS），lipoid nephrosisともよばれる．病理組織学的には光学顕微鏡でほとんど変化がないことから微小変化型とよばれる．微小変化型（minima change disease）は「病理組織学的に微小変化」を示し，後述する臨床症状，検査所見，治療反応性を示すネフローゼ症候群を示す疾患概念であり，病理組織所見が「微小変化（minor glomerular abnormalities）」である形態分類を指すものではない（橋口，2010; Olson，2014）．

病因・病態生理

本症では，蛋白尿を防ぐ糸球体の濾過障壁の異常により蛋白が尿中に漏出する．糸球体の濾過フィルターは，毛細血管内皮細胞，糸球体基底膜（GBM），足細胞の足突起ならびにスリット膜の3層が主要な構成要素であるが，さらに内皮細胞のグリコカリックス（glycocalyx）と上皮下腔（subpodocyte space）も関与す

る(図13-3-5).微小変化型で濾過障壁が破綻し本症が発症する機序はまだ確定されていないが,①T細胞の機能異常,②B細胞機能異常,③足細胞の異常,④その他の液性因子の関与などが想定されている.

T細胞の機能異常を支持するものとして,他の糸球体腎炎にみられるような免疫グロブリンの糸球体への沈着は通常観察されず液性免疫の関与は否定的であること,T細胞機能を抑制する副腎皮質ホルモン,シクロスポリン,シクロホスファミドなどの免疫抑制薬が有効なこと,T細胞機能を低下させる麻疹感染後に寛解したり,T細胞腫瘍に微小変化型が合併する症例があること,ワクチン接種や虫刺症を契機に発症する例があること,アトピー,喘息などアレルギー疾患を有する患者を認めることなどがある.T細胞から分泌されるリンホカインが糸球体濾過障壁の異常を起こし,蛋白尿が出現することが考えられる.

B細胞抗原であるCD20に対するモノクローナル抗体であるリツキシマブが頻回再発型ネフローゼ症候群に有効であることから,B細胞を介したT細胞の調整異常,あるいはB細胞自体が発症に関与している可能性もある.

微小変化型の病理組織所見は足細胞の足突起の消失であり,足細胞自体の異常も想定される.CD80(別名B7.1)は活性化されたB細胞や抗原提示をする樹状細胞表面などに存在し,T細胞の活性化に必要な共刺激信号を伝達する.微小変化型患者では足細胞表面にCD80が発現していることから,発症にCD80が関与していることも考えられる.

その他の液性因子として,血管新生を促進する糖蛋白であるアンジオポエチンに構造上,機能上類似性を有するangiopoietin-like-4 (Ang-4)の過剰産生や可溶性ウロキナーゼ受容体(soluble urokinase receptor: suPAR)が関与する可能性も検討されてきた.

微小変化型の特徴はNa貯留による著明な全身浮腫である.浮腫の形成機序は,underfill仮説とoverfill仮説という2つの説が提唱されている.

1) underfill仮説: 低アルブミン血症のため血漿膠質浸透圧が低下し,その結果,体液が間質に移動し,

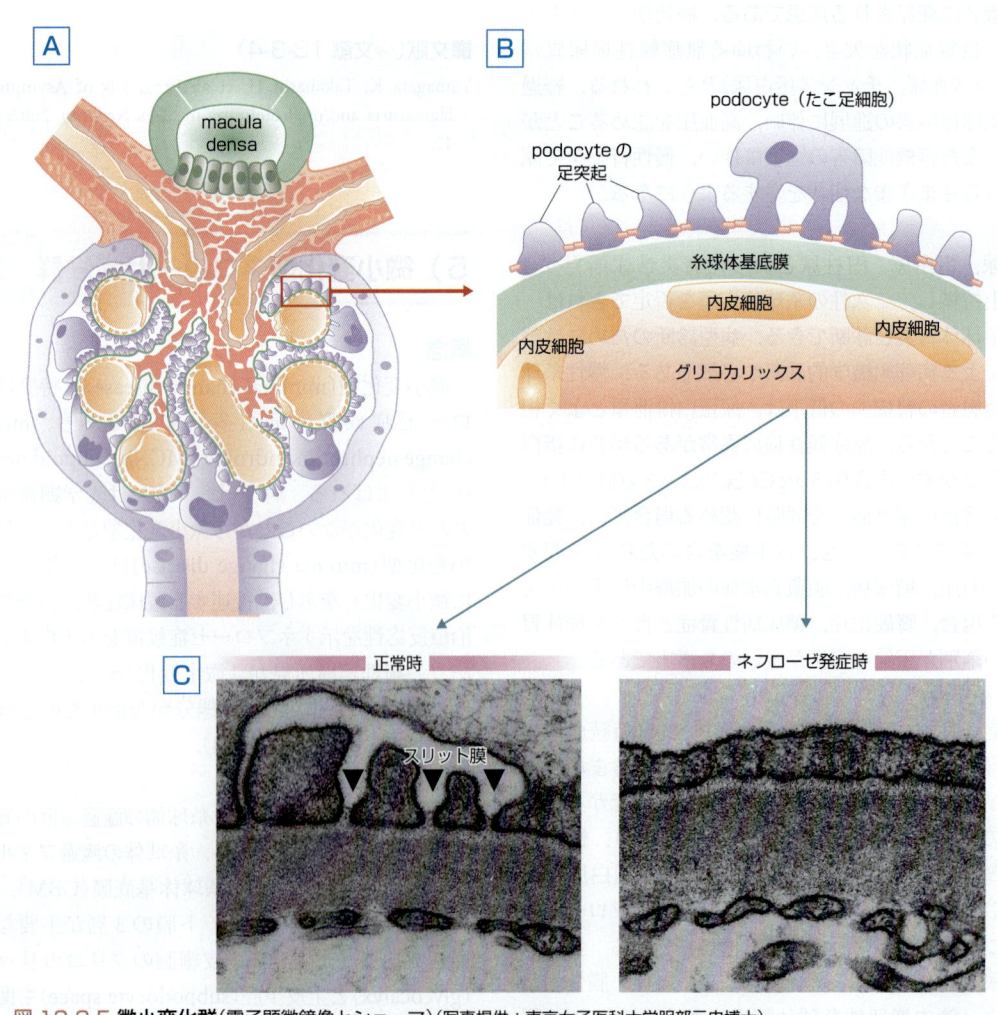

図13-3-5 微小変化群(電子顕微鏡像とシェーマ)(写真提供:東京女子医科大学服部元史博士)

浮腫が形成されるとともに有効循環血漿量が減少する．その結果，レニン-アンジオテンシン-アルドステロン系や交感神経系などが賦活化されて，二次的にNaの再吸収が亢進し，浮腫が発生する．

2）overfill 仮説：腎臓からのNa排泄障害が主因であり，その結果，Na貯留と全身浮腫が生じるという説である．Na排泄障害の機序は，皮質集合管の主細胞にあるENaC（上皮型Naチャネル）ならびにNa/K-ATPase活性が亢進するためにNa貯留が生じると考えられる．ネフローゼ症候群でENaCの活性が亢進する機序は不明だったが，近年は尿中に漏出したプラズミノゲンがプラスミンとなり，プラスミンがENaCを活性化するとの説が有力となっている．

疫学

日本腎臓病総合レジストリーの報告によれば，微小変化型はネフローゼ症候群のなかで膜性腎症とともに最も多い病型であり，一次性糸球体疾患の病型分類では40.7%を占める．年齢によって異なり，小児では約90%，40歳未満では一次性の約70%，40歳以上でも28.5%である（松尾，2014）．

病理

光学顕微鏡では正常かごく微小な変化しか認められない．ときに糸球体係蹄で蛇行や伸展がみられるが肥厚はない．細胞増殖はないが，メサンギウムの細胞や基質が軽度増加する例もある．近位尿細管内に硝子滴や空胞変性がみられることがあり，糸球体から大量に漏出した蛋白の尿細管における再吸収所見と考えられる．尿細管内の脂肪滴や間質の泡沫細胞が観察されることもあるが，脂質異常症による変性と思われる．

免疫組織学的には，一般に糸球体に免疫グロブリンや補体などの沈着はないが，ときにこれらが非特異的に陽性所見を示す．

電子顕微鏡では，足細胞の足突起消失（foot process effacement）が特徴的である（図 13-3-5C）．尿蛋白の減少に伴い再び足突起が観察されるようになる．

臨床症状・検査所見

大量の蛋白尿，低アルブミン血症，全身浮腫，脂質異常症（高LDL-コレステロール血症）を示す．初発時には急速に発症する全身浮腫，体重増加で気づかれることが多い．上気道炎などの感染症が初発発症や再発に先行することもある．全身浮腫が急速に進行することは，ほかのネフローゼ症候群（糖尿病性腎症や膜性腎症など）に比較し，微小変化型の特徴ともいえる．浮腫は全身にみられ，体重も増加する．小児では特に眼瞼浮腫，陰嚢，陰茎包皮の浮腫もよくみられる．腎静脈血栓など血栓傾向も認められる．

尿所見は大量蛋白尿で主体はアルブミン尿である．血尿を欠くことが多いが，10〜30%くらいの患者で，顕微鏡的血尿がみられることもある．尿沈渣で，waxy castや卵円形脂肪体を認めることも多い．蛋白尿や低アルブミン血症の程度が強い患者のなかには，急性腎障害を合併することもある．

診断

ネフローゼ症候群の診断基準を満たし（表 13-3-3），腎生検によって前述した病理学的所見が得られれば診断が確定する．腎生検を行わない場合でも，ステロイド療法を開始し，2〜3週間以内の尿蛋白が消失する場合には本症の可能性が高い．

鑑別診断

ネフローゼ症候群をきたす全身疾患（糖尿病，アミロイドーシスなど）がなく，ステロイド療法に抵抗性を示す場合やステロイドに反応しても再発を繰り返す場合には，腎生検を行い以下の疾患を鑑別する．

1）巣状分節性糸球体硬化症（FSGS）：臨床症状は微小変化型に類似しているが，ステロイド反応性と病理組織所見が異なることから診断する．ただし，初発時の腎生検組織には硬化糸球体が含まれないこともあるので注意が必要である．

2）膜性腎症：蛍光抗体法におけるIgGの顆粒状沈着や電子顕微鏡における基底膜上皮側の高電子密度沈着物により診断は可能である．特発性のほかに，金やペニシラミンなどによる薬物性がある．

3）IgM腎症：光学顕微鏡では"微小糸球体変化"であるが，免疫蛍光で，びまん性，全節性にメサンギウムにIgMが陽性のものを指す．臨床的にも比較的ステロイド薬に反応しにくいため，微小変化型の亜型として扱うことがある．

合併症

成人では初発時ないし再発時に急性腎障害を合併することがあるが多くの症例で回復する．

治療

ステロイド療法が標準治療である．プレドニゾロン0.8〜1 mg/kg/日（最大 60 mg）で開始し，寛解後1〜2週間持続する．完全寛解後は2〜4週ごとに5〜10 mgずつ漸減する．5〜10 mgに達したら再発をきたさない最小量で1〜2年程度維持し，漸減中止する．

表 13-3-3 ネフローゼ症候群の診断基準（成人）

1. 蛋白尿：3.5 g/日以上が持続する
   （随時尿において尿蛋白/尿クレアチニン比が 3.5 g/gCr 以上の場合もこれに準ずる）
2. 低アルブミン血症：血清アルブミン値 3.0 g/dL 以下．血清総蛋白量 6.0 g/dL 以下も参考になる．
3. 浮腫
4. 脂質異常症（高LDL-コレステロール血症）

注：尿蛋白量，低アルブミン血症（低蛋白血症）の両所見を認めることが本症候群の診断の必須条件である．

微小変化型は再発をきたすことが多い．再発例では，初回治療と同量と投与期間の治療，あるいは初回治療より減量したプレドニゾロン20〜30 mg/日を投与する．頻回再発例，ステロイド依存例，ステロイド抵抗性でプレドニゾロンに加えて免疫抑制薬（シクロスポリン1.5〜3.0 mg/kg/日，またはミゾリビン150 mg/日，またはシクロホスファミド50〜100 mg/日など）を追加投与する．小児に対してはリツキシマブが有効であるが，現時点で，成人ネフローゼ症候群に対する有効性を結論づけるデータは乏しい．

補助療法として，必要に応じてHMG-CoA還元酵素阻害薬（スタチン）や抗凝固薬を使用する．高血圧を呈する症例ではアンジオテンシン変換酵素阻害薬やアンジオテンシンⅡ受容体拮抗薬の使用を考慮する．

全身浮腫が強い症例に対しては経口利尿薬，特にループ利尿薬が有効である．経口利尿薬の効果が不十分な場合には静注利尿薬の使用を考慮する．

経過・予後

小児では9割以上の症例で，ステロイド治療開始後8週以内に蛋白尿が消失（寛解）する．成人の場合，小児より反応性は緩徐で，8週後に蛋白尿が完全に消失するのは60％にすぎないが，最終的には尿蛋白が消失し，不可逆的に腎機能が悪化することはない．しかし，寛解後にも再発を繰り返す頻回再発型や，ステロイドを減量すると再発するステロイド依存性も少なくない．

〔小松康宏〕

■文献

橋口典明：微小変化群ネフローゼ症候群．腎生検病理アトラス（日本腎臓学会・腎病理診断標準化委員会，日本腎病理協会編），pp85-90，東京医学社，2010．

松尾清一監：エビデンスに基づくネフローゼ症候群診療ガイドライン2014，東京医学社，2014．

Olson JL: The Nephrotic syndrome and minimal change disease. Pathology of Kidney Disease, 7th ed (Jennett JC, et al ed), LWW, 2014.

6）巣状分節性糸球体硬化症
focal segmental glomerulosclerosis：FSGS

定義・概念

FSGSとは本来，限られた糸球体の（focal，巣状）一部に限局した（segmental，分節性）硬化という病理組織学的特徴を表す用語であるが，現在では，さまざまな病因に基づいてこのような組織像を呈する臨床病理学的症候群として疾患概念が確立している．一次性FSGSでは微小変化型ネフローゼ症候群に類似した発症様式を呈するものの，難治性ネフローゼ症候群の経過をとりながら腎不全に陥る症例が多数存在する．一方で，二次性FSGSではネフローゼ症候群をきたす頻度は多くない．糸球体病変のパターンにも亜型が存在し，FSGSには多様な病態が内包されると考えられる．

病因

FSGSは共通する病理組織学的特徴を有するが，その病因にはさまざまなものがある（表13-3-4）．そして，その共通する病態機序は糸球体足細胞障害であると考えられている．近年，足細胞を構成する分子の変異を伴うFSGSが同定され，それらの分子への理解が進むとともにFSGS発症・進展機序が徐々に解明されつつある．一般的に一次性FSGSの主要な機序としてT細胞の機能異常に伴う糸球体足細胞障害が想定され

表 13-3-4　病因・病態によるFSGSの病型分類
（D'Agatiら，2011を改変）

一次性FSGS 　T細胞機能異常？ 　液性因子の関与？ **二次性FSGS** 　1. 家族性／遺伝性 　　以下の蛋白をコードする遺伝子の変異：nephrin, podocin, CD2-associated protein (CD2AP), α-actinin4, transient receptor potential cation 6 (TRPC6), WT1, informin-2, phospholipase C ε1, tetraspanin CD151, myosin 1e, apolipoprotein L1 (APOL1), coenzyme Q10 biosynthesis monooxygenase 6 (COQ6), para-hydroxybenzoate polyprenyltransferase (COQ2), laminin-β2 　2. ウイルス感染 　　HIV-1，パルボウイルスB19，EBウイルス，サイトメガロウイルス，シミアンウイルス40（SV40） 　3. 薬物性 　　ヘロイン，インターフェロン，リチウム，ビスホスホネート（パミドロン酸），カルシニューリン阻害薬，非ステロイド系抗炎症薬 　4. 構造的・機能的適応反応 　　4-1. ネフロンの減少を伴うもの（機能性ネフロンの減少による） 　　　oligonephronia，超低出生体重児，片腎，腎形成不全，膀胱尿管逆流性腎症，腎皮質壊死後遺症，外科的腎切除，慢性移植腎拒絶，加齢性変化 　　4-2. 初期にはネフロンの減少を伴わないもの（血行動態による） 　　　高血圧，急性または慢性の血管閉塞機序（動脈塞栓，微小血栓，腎動脈狭窄），筋肉量の増加（ボディービルなど），チアノーゼ性先天性心疾患，鎌状赤血球貧血 　5. 悪性腫瘍（リンパ腫） 　6. 糸球体疾患による非特異的パターン 　　巣状増殖性糸球体腎炎（IgA腎症，ループス腎炎，pauci-immune型壊死性半月体性糸球体腎炎），遺伝性疾患（Alport症候群），膜性腎症，血栓性微小血管症

てきたが，皮質部糸球体と髄質部糸球体の血行力学的差異などの要因も関与していると考えられ，その全容解明には今後もさらなる知見の集積が必要である．

また，末期腎不全まで至った移植症例において，その20〜50％に移植手術の数時間〜数日という早い段階で再発がみられることや，血漿交換による予防・改善効果が認められることから，何らかの液性因子の関与も想定されている．

疫学

2013年に日本腎生検レジストリー（Japan Renal Biopsy Registry：J-RBR）に登録されたネフローゼ症候群を呈した一次性疾患643例のうち，FSGSと診断されていたものは8.6％であった[1]．また，日本ネフローゼ症候群コホート研究（Japan Nephrotic Syndrome Cohort Study：JNSCS）においては，全体の9.6％にあたる38例がFSGS症例である[2]．年齢分布については従来，FSGSは若年層に多い疾患であると認識されていたが，JNSCSのデータによると20〜30歳代と60〜70歳代に二峰性のピークが認められており，高齢者層にも多いことが示されている．

病理

FSGSの特徴的な所見を図13-3-6に示した．光学顕微鏡では，髄質近接部における巣状・分節状の糸球体硬化が特徴的である．免疫組織化学染色においては硬化部位にIgM，C3の塊状の沈着が認められる．この沈着は非特異的沈着と考えられるが，診断上有用である．電子顕微鏡所見では，糸球体足細胞の変性が認められる．足突起消失や基底膜からの剥離が認められるほか，Bowman腔に無数に突出する足細胞の小突起（microvilli）の増加がみられることがある．硬化部

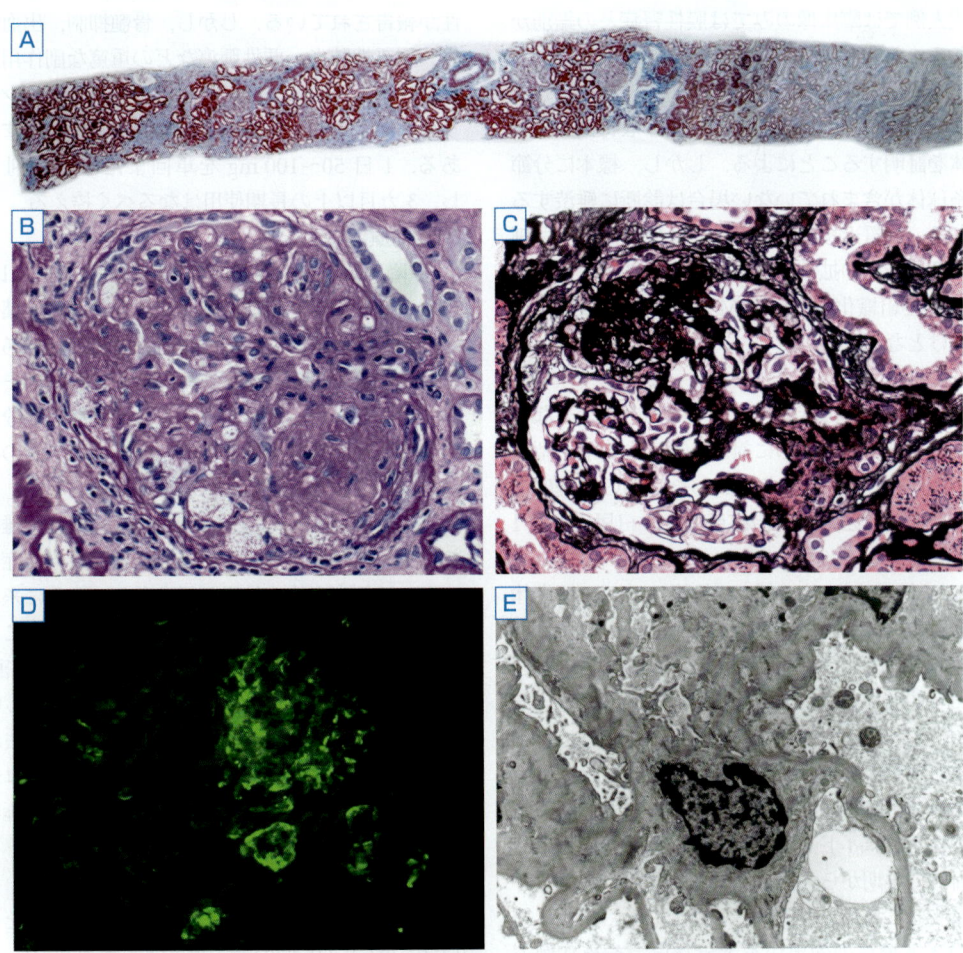

図13-3-6 **FSGSの組織像**（東京大学医学部附属病院腎臓・内分泌内科　藤乘嗣泰講師による）
A：アザン染色弱拡大（20倍）．傍髄質部糸球体から硬化が始まる．巣状の間質線維化を呈する．
B：PAS染色（400倍）．糸球体門部周囲に硬化病変がみられる（perihilar varitnt）．
C：PAM染色（400倍）．糸球体尿細管極に癒着・分節性硬化がみられる（tip variant）．
D：IgM蛍光抗体法（200倍）．糸球体硬化部位と輸入細動脈にIgMの沈着がみられる．
E：電顕（8000倍）．メサンギウム基質の増加がみられるが，電子密度沈着物質はみられない．足細胞の脱落が分節性にみられる．

分では細胞外マトリックス成分や高電子密度の無構造物質などが観察されることがある．

近年，FSGSのなかでも分節性硬化病変の分布や形態学的特徴をもとにした組織亜型分類(Columbia分類)が提唱されている[3]．非特異型FSGS病変(not otherwise specified：NOS)に加えて，collapsing variant, tip variant, perihilar variant, cellular variantの5亜型に分類される．

臨床症状・検査所見・鑑別診断

一次性FSGSは全身浮腫などにより急激に発症し，大量蛋白尿・高度の脂質異常症を呈するため，微小変化群の臨床像と類似している．微小変化群との相違点として，①尿蛋白の選択性が低下し，大分子量蛋白であるグロブリンなども尿中に漏出する，②尿沈渣で赤血球や顆粒円柱が観察される頻度が高い，などがあげられる．また，比較的早期から高血圧を伴うことが多く，糸球体硬化の進行とともに増悪しやすい．その他に，成人例では臨床像のみでは膜性腎症との鑑別が困難であることも多い．

診断

確定診断は腎生検により，上記のような特徴を呈する糸球体を証明することによる．しかし，標本に分節性硬化糸球体が含まれていない場合は診断に難渋することもある．髄質近接部を中心に，糸球体肥大，尿細管萎縮，間質領域の拡大などの変化にも注意する必要がある．免疫組織化学的にIgMやC3の沈着所見も診断の助けとなる．

治療

ネフローゼ症候群の状態から脱することができない症例の予後が不良であるのに対し，不完全寛解Ⅰ型以上(1日尿蛋白量1g未満)を達成した症例の予後は比較的良好であることから，治療目標は1日尿蛋白量1g未満となる．

1) ステロイド： プレドニゾロン換算1 mg/kg 標準体重/日相当のステロイド療法を少なくとも4週間行うことが基本となり，十分な効果を認めた後に2～4週ごとに5～10 mg/日ずつ減量する方法が一般的である．概して，一次性FSGSのステロイド反応性は微小変化群よりも悪く，欧米では16～24週間と長期にわたる高用量ステロイド療法が推奨されてきた．一方，わが国ではステロイド高用量長期投与に伴う副作用を避ける目的で早期から免疫抑制薬と併用し，ステロイドを減量することが一般的に行われている．また，経口ステロイド療法の効果が不十分な場合や重症例では，可能なかぎり短期間で治療効果をあげる目的でステロイドパルス療法が選択されることもある．

2) 免疫抑制薬： ステロイド療法に抵抗性あるいは依存性を示す場合，免疫抑制薬の併用が勧められる．シクロスポリンと低用量ステロイドの併用療法群がステロイド単独治療群に比べて有意に寛解導入率にすぐれていたことも示されており[4]，血中濃度もモニタしやすいため，シクロスポリンが用いられることが多い．

a) シクロスポリン：3 mg/kg 標準体重を1日2分割して服用し，早朝服薬前の血中トラフ濃度で投与量を調節する方法と，2～3 mg/kg 標準体重を朝食食前一括服用として朝食2時間後の血中濃度を600～900 ng/mLとなるように調節する方法がある．なお，この薬剤を長期使用する場合，高血圧・腎間質線維化などに対する注意が必要となる．

b) ミゾリビン：FSGSに対する治療効果についてのエビデンスは十分でないが，重篤な副作用の報告がほとんどないことから，ほかの薬剤を使用しにくい状況や投与量を減量しなくてはいけない場合に比較的安全に使用できる薬剤である．

c) シクロホスファミド：欧米では無作為化比較試験やメタ解析により，ステロイドとの併用療法の有効性が報告されている．しかし，骨髄抑制，出血性膀胱炎，間質性肺炎，悪性腫瘍などの重篤な副作用が知られていることから，その使用はシクロスポリンやミゾリビンによる効果が認められない場合に限定すべきである．1日50～100 mgを単回または2分割で服用し，3カ月以上の長期使用はなるべく控える．

3) 補助療法：

a) 降圧薬：減塩などの食事療法とともに，レニン-アンジオテンシン系抑制薬を中心とした降圧薬を積極的に用いて血圧コントロールをはかるべきである．

b) 抗血小板薬，抗凝固薬：難治性ネフローゼ症候群に陥ると血液凝固能亢進を介して動静脈血栓症などの合併症が発生しやすくなる．血栓症の予防のために抗血小板療法および抗凝固療法が考慮される．

c) 脂質異常改善薬およびLDL吸着療法：難治性ネフローゼ症候群を呈するFSGSでは脂質異常症の改善によって免疫療法の効果が促進され，さらに糸球体硬化病変の進展抑制や腎機能保持にも寄与することが期待される．このため，HMG-CoA還元酵素阻害薬(スタチン)の使用が推奨されている．また，LDL吸着療法の有用性も報告されている[5,6]．この治療法はすでに保険適用となっており，高LDLコレステロール血症を伴う難治性ネフローゼ症候群症例には積極的に考慮すべき治療である．

予後

1997年に行われたアンケート調査の解析をもとにした，FSGS 278例の腎生存率は5年で85.3%，10年で70.9%，20年で43.5%とほぼ直線的な低下を示し，予後不良であることが明らかになった[7]．また米国の前向き研究において，組織亜型のうちcollapsing variantは3年後末期腎不全進行率が47%と不良であったのに対し，tip variantのそれは7%であり，予

後良好であった[8]．また，FSGS のうち多数を占める NOS の 3 年後末期腎不全進行率は 20％であり，わが国の成績の方が良好である．わが国の FSGS 患者の組織亜型の分布が欧米と異なる可能性があるが，組織亜型毎の予後についてはまだデータが十分ではない．

〔和田健彦〕

■文献（e文献 13-3-6）

D'Agati V, Kaskel FJ, et al: Focal segmental glomerulosclerosis. N Engl J Med. 2011; 365: 2398-411.

松尾清一：ネフローゼ症候群診療指針 完全版，東京医学社，2012.

7）膜性腎症
membranous nephropathy

概念

膜性腎症は腎糸球体基底膜の上皮側，つまり腎糸球体上皮細胞の下側に抗原・抗体・補体からなる免疫複合体がびまん性に沈着する糸球体疾患である．その結果，糸球体上皮細胞が傷害され高度な蛋白尿が惹起される．通常，糸球体に細胞増加や炎症細胞浸潤はみられない．主として中高年にみられ，約 70％はネフローゼ症候群を呈する[1]（Sugiyama ら，2013）．確定診断は腎病理で免疫複合体の沈着を確認することによってなされる．

原因・病因

70～80％は原因疾患をもたない一次性（原発性）であり，残りの 20～30％はほかの疾患や原因に由来する二次性（続発性）である．2009 年，成人の一次性膜性腎症の原因抗原としてホスホリパーゼ A_2 受容体（PLA2R）が同定された（Beck ら，2009）．PLA2R 抗体のモニタリングは一次性膜性腎症の診断と治療効果の判定，再発の予測に有効であると期待されている[2]．世界各地の一次性膜性腎症患者における PLA2R 抗体陽性率は 70～80％であるが，日本では約 50％と低値である[3]．これまで膜性腎症以外の患者に PLA2R 抗体が検出された報告はなく，特異度はきわめて高い．2014 年には，PLA2R に次ぐ責任抗原としてトロンボスポンジン 1 型ドメイン含有 7A（thrombospondin type-1 domain containing 7A：THSD7A）が発見された[4]．THSD7A 抗体は PLA2R 抗体陰性の一次性膜性腎症の 10％に陽性であった．PLA2R，THSD7A ともに糸球体上皮細胞の基底膜側に発現する蛋白である．基底膜を通過した自己抗体が上皮下で免疫複合体を形成するものと考えられている．

二次性の原因としては，全身性エリテマトーデス（ループス腎炎Ⅴ型）のような自己免疫疾患，B 型肝炎，梅毒のような感染症，各種の悪性腫瘍，金製剤やブシラミンといった抗リウマチ薬があげられる（表 13-3-5）．近年，IgG4 関連疾患が膜性腎症を併発することが注目されている[5]．また，骨髄移植後の移植片対宿主病（GVHD）に伴う症例や腎移植後に発症する症例がある．これらは，移植片に存在する同種抗原が原因となっている．ほかに，抗原が明らかなものとして，Pompe 病やムコ多糖症Ⅵ型といったリソソーム病における酵素補充療法が抗体産生を惹起して膜性腎症を引き起こす例があげられる[6,7]．

疫学

日本腎臓病レジストリーの報告[1]（Sugiyama ら，2013）では，膜性腎症は日本の腎生検例の 10％，一次性糸球体疾患の 30％を占める．一次性ネフローゼ症候群のなかでは 37％と微小変化型ネフローゼ症候群の 42％についで多い．膜性腎症の大半は 50 歳以上で，60 歳以上の高齢者の割合は 70％となっている．40 歳以下での発症は少ない．SLE に伴うループス腎炎Ⅴ型は膜性腎症全体の約 10％，それらを含めた二次性が 20～30％といわれている．

臨床症状・検査所見

ネフローゼ症候群が約 70％を占める．血尿は 20～40％にみられる．一方，健診時の無症候性蛋白尿が発見の契機となる軽症例もある．一般に発症は比較的緩徐であり，急性発症の微小変化型ネフローゼ症候群と対照的である．尿蛋白選択性はさまざまであるが，

表 13-3-5 膜性腎症のおもな原因

〈一次性膜性腎症〉
1. ホスホリパーゼ A_2 受容体抗体
2. トロンボスポンジン 1 型ドメイン含有 7A 抗体

〈二次性膜性腎症〉
1. 感染症
 B 型肝炎，C 型肝炎，梅毒，マラリア
2. 自己免疫/アレルギー性疾患
 全身性エリテマトーデス
 関節リウマチ
 Sjögren 症候群
 サルコイドーシス
 IgG4 関連疾患
3. 薬剤
 金製剤，ブシラミン，ペニシラミン，非ステロイド系抗炎症剤
4. 悪性腫瘍
 肺癌，胃癌，大腸癌，前立腺癌
 悪性リンパ腫，白血病
5. その他
 腎移植後の de novo 腎炎
 骨髄移植後の移植片対宿主病
 リソソーム病に対する酵素補充療法

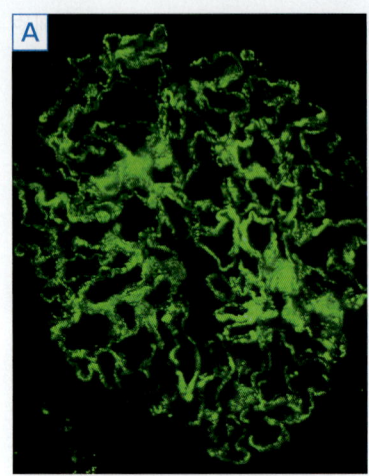 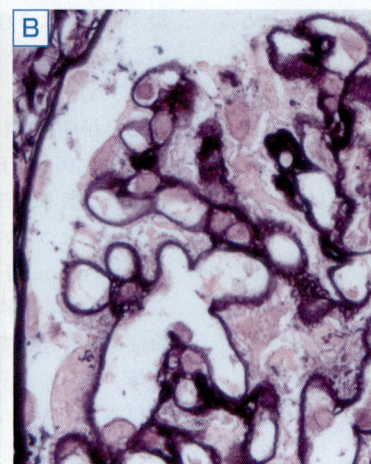 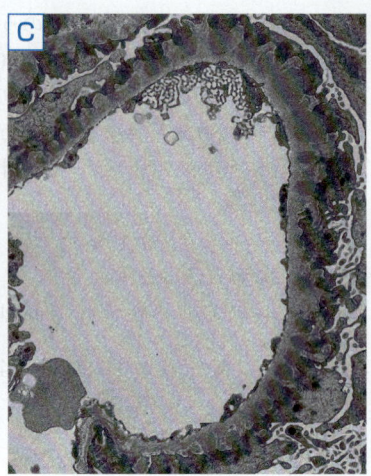

図13-3-7 膜性腎症の病理像
A：蛍光免疫染色では，糸球体毛細管係蹄にIgGが顆粒状に沈着している．
B：光学顕微鏡では，糸球体基底膜に点刻像やスパイク形成を認める．
C：電子顕微鏡では，糸球体基底膜の上皮下に高電子密度沈着物（electron dense deposit）を認める．

選択性が高い（尿蛋白選択指数（selectivity index）＜0.2）（eコラム1），つまりIgGと比較してアルブミンの尿中排泄が多い症例では治療反応性がよいといわれている[8]．

ネフローゼ症候群の合併症としては深部静脈血栓症が重要であるが，特に膜性腎症では頻度が高い[9]．腎静脈血栓症による腎障害や肺塞栓による呼吸不全などが起こりうる．血中FDP上昇やLDH上昇は血栓症の存在を疑う所見である．血栓症を疑う症例では，血管エコーで確認する．

病理

光学顕微鏡所見は糸球体基底膜に特徴がある．PAS染色では，糸球体係蹄のびまん性肥厚を認める（図13-3-7）．PAM染色では，スパイク形成や泡沫状変化（虫食い像）が観察される（図13-3-7）．Masson染色では基底膜上皮側に赤色の細顆粒状の沈着物がみられる．原則として，すべての糸球体のすべての基底膜に同様の変化がみられる．初期には，こうした変化は目立たない．糸球体にはメサンギウム細胞増加や炎症細胞浸潤は通常みられない．症例によっては，分節性硬化や半月体形成を伴うことがある．

免疫組織学的には，IgGが糸球体係蹄に沿って，びまん性細顆粒状に沈着しているのが観察される（図13-3-7）．多くの場合，C3も同様のパターンで沈着する．C1qは通常陰性である．C1q陽性の場合は，全身性エリテマトーデスを疑う．IgGのサブクラス染色では，一次性ではIgG4が主体，ループス腎炎や腫瘍に伴う例ではIgG1，IgG2あるいはIgG3が主体となる（表13-3-6）．

膜性腎症の成立には補体反応が必須であるが，補体活性化能が低いIgG4がどうやって補体を活性化するか，その機序は不明である．

電子顕微鏡所見では糸球体基底膜上皮下あるいは基底膜内に免疫複合体からなる高電子密度沈着物を認める（図13-3-7）．ChurgとEhrenreichによるステージ分類（Ⅰ期〜Ⅳ期）が用いられている．初期には，上皮下に沈着物を認めるが，病期が進むにつれて基底膜内に取り込まれ，最終的には吸収される．一次性でもメサンギウムに少量の沈着物を認めることがあるが，沈着物が多い場合は二次性を疑う．基底膜の上皮下に加え，内皮下にも沈着物を認める場合は，膜性増殖性糸球体腎炎Ⅲ型を疑う．

診断・鑑別診断

緩徐に進行する高度蛋白尿を呈する中高年者をみたら，第一に本症を疑う．確定診断は腎病理による．よって診断には腎生検が必須である．病理診断がなされた症例では，一次性と二次性の鑑別が重要である．両者では治療法が異なる．悪性腫瘍，膠原病，ウイルス肝炎，薬剤など二次性膜性腎症の原因を検索する．これらが否定された場合に一次性膜性腎症と診断する．しかし，高齢者では基礎疾患を有することも多

表13-3-6 膜性腎症におけるIgGサブクラス（Am J Kidney Dis. 1994; **23**: 358-64, Clin Exp Immunol. 1984 ; **58**: 57-62, Clin Nephrol. 1983; **19**: 161-5, Nephrol Dial Transplant. 2004; **19**: 574-9, Kidney International. 1997; **51**: 270-6）

	IgG1	IgG2	IgG3	IgG4
一次性	＋〜＋＋＋	＋	＋−	＋＋＋
ループス腎炎	＋＋＋	＋＋〜＋＋＋	＋＋〜＋＋＋	＋−
悪性腫瘍	＋＋＋	＋＋＋	＋	−〜＋＋

く，両者の鑑別は必ずしも容易ではない．腎病理所見で，①増殖性変化がある場合，②IgG4よりもIgG1，IgG2あるいはIgG3が強く染色される場合，③C1qが染色される場合，④メサンギウムや内皮下に沈着物を認める場合は，一次性よりも二次性を疑うべきである．PLA2R抗体陽性は一次性膜性腎症を強く示唆する所見である．

治療

一次性と二次性の鑑別が重要である．二次性では，原疾患の治療あるいは原因の除去を行う．一次性のうち非ネフローゼ型膜性腎症では，アンジオテンシン変換酵素阻害薬やアンジオテンシン受容体拮抗薬などのレニン-アンジオテンシン（RA）系阻害薬を投与し蛋白尿の減少をはかる．ネフローゼ症候群を呈する一次性膜性腎症は免疫抑制治療の適応となるが，その治療内容に関しては，年齢，症状，合併症などを考慮し総合的に判断する．海外のガイドライン[10]では6カ月保存的治療を行っても反応しない場合，生命に危機が及ぶほど症状が強い場合，腎機能が低下する場合に限り免疫抑制治療をすることが推奨されている．わが国では約90%の症例で1カ月以内に免疫抑制治療が開始されている[11]．

初期治療としては，プレドニゾロン0.6〜0.8 mg/kg体重/日相当を投与する．または，経口ステロイドとシクロスポリンあるいはシクロホスファミドの併用を行う（厚生労働省難治性疾患克服事業進行性腎障害に関する調査研究班，2014）．特に高齢者では免疫抑制治療による日和見感染に注意を要する．その他，シクロスポリンでは腎臓の尿細管障害，動脈硬化，高血圧，シクロホスファミドでは，生殖機能の抑制，血球減少，悪性腫瘍の誘発などが懸念される．わが国の実情としては，シクロホスファミドはごく限られた症例にのみ使用されている[11]．

補助療法としては，ループ利尿薬あるいはループ利尿薬とサイアザイド系利尿薬の併用が浮腫軽減に有効である．高血圧があればRA系阻害薬を投与する．脂質異常症に対してはHMG還元酵素阻害薬（スタチン）やエゼチミブを考慮する．血栓症をきたした症例では，ヘパリン，ワルファリン，経口Xa阻害薬，経口直接トロンビン阻害薬といった抗凝固薬が使用される．血栓症の危険性が高い症例では，予防的に抗凝固薬を使用することも検討される．

経過・予後

膜性腎症には自然寛解が30%程度あるといわれている．わが国では，ネフローゼ症候群を呈する膜性腎症に対しては，主として副腎皮質ステロイド単独あるいはシクロスポリンとの併用療法が行われている（厚生労働省難治性疾患克服事業進行性腎障害に関する調査研究班，2014）．わが国での検討では，完全寛解（尿蛋白＜0.3 g/日）に至る割合は，1年で50%，2年で60%，不完全寛解Ⅰ型（0.3 g/日≦尿蛋白＜1.0 g/日）は1年で70%，不完全寛解Ⅱ型（1.0 g/日≦尿蛋白＜3.5 g/日）は1年で約90%となっている．欧米の報告と比較すると治療反応性は良好といえる．わが国において長期予後を検討した調査では，末期腎不全に至る症例の割合が10年で10%，20年で40%に達することが示された[12]．そして腎予後は蛋白尿の減少と強く関連していた．特にネフローゼ症候群の状態が続くステロイド抵抗性の症例では比較的高率に腎不全に至る．

〔丸山彰一〕

■文献（e文献 13-3-7）

Beck LH Jr, Bonegio RG, et al: M-type phospholipase A2 receptor as target antigen in idiopathic membranous nephropathy. N Engl J Med. 2009; 361: 11-21.

厚生労働省難治性疾患克服事業進行性腎障害に関する調査研究班：エビデンスに基づくネフローゼ症候群診療ガイドライン．日本腎臓学会誌．2014; 56.

Sugiyama, H, Yokoyama H, et al: Japan Renal Biopsy Registry and Japan Kidney Disease Registry: Committee Report for 2009 and 2010. Clin Exp Nephrol. 2013. 17: 155-73.

8）膜性増殖性糸球体腎炎
membranoproliferative glomerulonephritis：MPGN

定義・概念

MPGNは，係蹄壁肥厚と分葉化を呈するメサンギウム増生を特徴とする病理学的疾患概念である．従来は電顕所見により病理学的に分類されていた．最近，補体の第2経路（alternative pathway）調節異常が原因であるC3腎症（C3 glomerulopathy）の疾患概念の定着に伴い，発症機序に基づく新分類が提唱されている．

分類

図 13-3-8 に旧分類と新分類を示す．旧分類では電顕所見が優先されていたが，新分類では蛍光抗体法所見が優先されている．旧分類では，高電子密度沈着物の糸球体内局在部位により，Ⅰ型（基底膜内皮下に沈着），Ⅱ型（基底膜緻密層に沈着），およびⅢ型（基底膜内皮下と基底膜上皮下に沈着）に分類されていた．

新分類では，蛍光抗体法所見におけるC3優位な沈着の有無により分類する（Pickeringら，2012）．C3よりも免疫グロブリンの沈着が優位な場合は，免疫複合体型MPGN（immune complex-associated MPGN）と考え，表 13-3-7 に示すように原疾患により分類する（Sethiら，2012）．C3優位な沈着が認められた場合はC3腎症と総称され，旧分類のⅡ型に相当するデンスデポジット病（dense deposit disease：DDD）と

それ以外の C3 糸球体腎炎（C3 glomerulonephritis）に分類する．

成人発症の特発性 MPGN（idiopathic MPGN）はきわめてまれである．小児特発性 MPGN には，C3 糸球体腎炎が含まれる．現在は旧分類から新分類への移行期であり，MPGN の疫学，病理像，臨床像や治療に関する多くの報告は旧分類に基づくものである．旧分類の MPGN I 型と III 型には，新分類の免疫複合体型 MPGN と C3 糸球体腎炎が混在している．

原因・病因

免疫複合体型 MPGN は，感染症や自己免疫疾患などの全身性疾患に関連する二次性 MPGN である（表 13-3-7）．蛍光抗体法所見では C3 以外に C1q と C4 の沈着を認め，補体の古典経路（classical pathway）活性化が糸球体病変の発症に関与する．

C3 腎症の原因は，補体第 2 経路の調節異常である．C3 を活性化する C3 転換酵素（C3bBb）の作用は，補体の持続的活性化が生じないように H 因子や I 因子などの抑制因子による調節を受けている．C3 腎症では，① C3bBb を安定化する自己抗体である C3 nephritic factor（C3NeF），② H 因子や I 因子に対する自己抗体，③ H 因子の遺伝子異常，④ H 因子関連遺伝子 5（complement factor H-related 5：*CFHR5*）の遺伝子異常，⑤ I 因子の遺伝子異常，などの種々の要因により生じる補体第 2 経路の持続的活性化が糸球体病変の発症に関与する（Cook ら，2015；Pickering ら，2012；Sethi ら，2012）．

疫学

腎生検組織の約 10％が MPGN を呈することが報告されている[1]．C3 腎症に限定した発症率に関しては，疾患概念が新しく診断が容易でないことから，疫学調査が存在しない．DDD の発症率は 100 万人あたり 2〜3 人ときわめて少ない[2]．日本腎臓学会レジストリー（J-KDR/J-RBR）に登録され，一次性糸球体疾患と診断されたネフローゼ症候群患者（1203 例）のなかでは，MPGN は 5.5％を占めていた．

病理

MPGN I 型および III 型の病理像は，係蹄壁の肥厚およびメサンギウム細胞の増殖とメサンギウム基質の増加によるメサンギウム領域の拡大である．管内への単球や好中球の浸潤も認められ，典型的なものは糸球体の分葉化を呈する（e図 13-3-G）．PAM 染色像では，必発所見ではないが係蹄壁の二重化構造（double contour）が観察される（図 13-3-9）．この二重化構造は，基底膜と内皮細胞の間に伸長したメサンギウム細胞が入り込むメサンギウム間入（mesangial interposition）と称される現象の後，間入したメサンギウム細胞の周囲に新生基底膜が形成されることにより生じるとされている．電顕像で，高電子密度沈着物が糸球体内皮下とメサンギウム領域に限局していれば MPGN I 型となり，糸球体内皮下とメサンギウム領域に加えて糸球体上皮下にも認められれば MPGN III 型とな

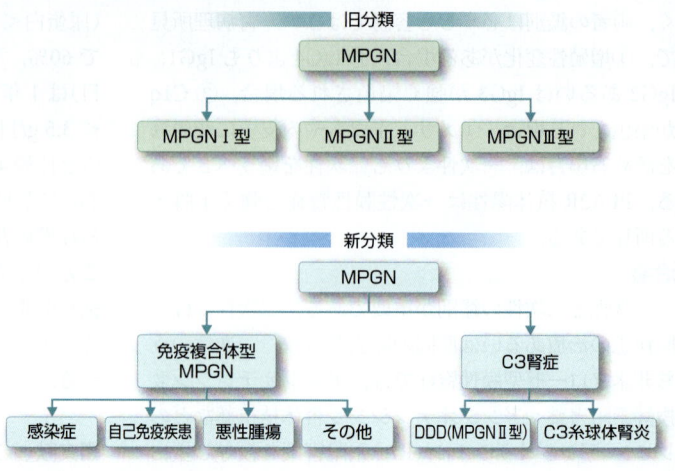

図 13-3-8 MPGN の旧分類と新分類
旧分類は電顕所見により，新分類は蛍光抗体法所見により分類する．

表 13-3-7 免疫複合体型 MPGN の原因疾患

感染症
B 型肝炎
C 型肝炎
感染性心内膜炎
シャント腎炎
マラリア
住血吸虫症
マイコプラズマ感染症
Hansen 病
実質臓器の膿瘍
自己免疫疾患
全身性エリテマトーデス
強皮症
Sjögren 症候群
関節リウマチ
混合性結合組織病
パラプロテイン血症
MGUS
原発性マクログロブリン症
慢性リンパ性白血病
低悪性度 B 細胞性リンパ腫
クリオグロブリン血症（1 型・2 型）
イムノタクトイド糸球体症
細線維性糸球体腎炎

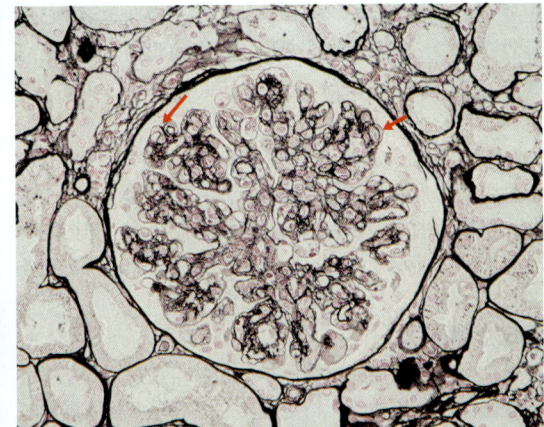

図 13-3-9　MPGN Ⅰ型の PAM 染色像
分葉化と基底膜の二重化像が観察できる．2カ所矢印で例示したが，ほとんどすべての基底膜が二重化している．

る[3]．

MPGN Ⅱ型(DDD)の病理像は多彩であり，MPGN Ⅰ型に類似する病変のほか，微小変化，メサンギウム増殖性糸球体腎炎，管内増殖性糸球体腎炎などのさまざまな病理像を呈する．半月体形成を伴うこともある．電顕像では，特徴的なリボン状の高電子密度沈着物が糸球体基底膜内にみられる[3](e図 13-3-H)．

蛍光抗体法所見では，C3 が内皮下の高電子密度沈着物存在部位に強く沈着し，花弁様を呈する(fringe pattern)(e図 13-3-I)．C3 のみの沈着を認める場合，あるいは免疫グロブリンの沈着と比較して C3 の沈着が明らかに優位である場合は，C3 腎症と診断される．C3 腎症のなかで，電顕像で MPGN Ⅱ型(DDD)と診断される症例以外は，C3 糸球体腎炎と診断される．また，C3 糸球体腎炎も DDD と同様に典型的な MPGN 以外の糸球体病変を呈することがある(Pickering ら，2012)．

臨床症状

免疫複合体型 MPGN は原因疾患により多彩な臨床症状が出現するが，半数以上の症例はネフローゼ症候群を呈する．25～30％の症例で，血尿，高血圧，および腎機能障害が認められる．DDD には，ネフローゼ症候群が 30％以上の症例で認められる．尿潜血は必発であるが，肉眼的血尿は約 15％で出現する．腎機能障害が半数以上の症例で認められる[4]．

検査所見

免疫複合体型 MPGN は原因疾患により多彩な検査成績となるが，持続的な C3 低下が 75％の症例でみられる[5]．C1q や C4 は一般的には正常であるが，クリオグロブリン血症が原因である場合は C4 が低下する．DDD では，80％以上の症例に C3NeF が検出される[6]．

診断

確定診断は，腎生検所見による．免疫複合体型 MPGN であるならば，原因疾患を同定する．最も多いのは C 型肝炎関連腎症である．C3 腎症であるならば，C3NeF の有無を検討する．原因で述べたさまざまな遺伝子異常や自己抗体については容易に検査できないため，専門の研究施設に依頼する．

経過・予後

ネフローゼ症候群を呈する MPGN Ⅰ型の 10 年腎生存率は約 40％であり，ネフローゼ症候群ではない MPGN Ⅰ型の 10 年腎生存率は約 85％である．DDD の予後は不良であり，発症後 8～12 年で末期腎不全に至る[7]．

治療

免疫複合体型 MPGN では，原疾患の治療を優先する．C3 糸球体腎炎の治療については，コルチコステロイドとミコフェノール酸モフェチルの併用療法が有効である(Rabasco ら，2015)．C3 糸球体腎炎が含まれる小児特発性 MPGN では，副腎皮質ステロイド，メチルプレドニゾロンパルス療法，コルチコステロイドにシクロホスファミドまたはミコフェノール酸モフェチルを加えた併用療法が有効である[8]．DDD に対する確立した治療法はない．C3 腎症は，補体第 2 経路の持続的活性化が原因であることから，C5 に対するモノクローナル抗体であるエクリズマブが治療薬として期待されており，奏効例の報告がある[9,10]．

〔岩野正之〕

■文献(e文献 13-3-8)

Cook HT, Pickering MC: Histopathology of MPGN and C3 glomerulopathies. Nat Rev Nephrol. 2015; 11: 14-22.
Pickering MC, D'Agati VD, et al: C3 glomerulopathy: consensus report. Kidney Int. 2012; 84: 1079-89.
Rabasco C, Carero T, et al: Effectiveness of mycophenolate mofetil in C3 glomerulonephritis. Kidney Int. 2015; 88: 1153-60.
Sethi S, Nester CM, et al: Membranoproliferative glomerulonephritis and C3 glomerulopathy: resolving the confusion. Kidney Int. 2012; 81: 434-41.

9）IgA 腎症と紫斑病性腎炎

定義・概念

IgA 腎症は，糸球体メサンギウム領域への免疫グロブリン A(IgA)優位な沈着を呈する原発性糸球体腎炎であり，さまざまな程度のメサンギウム細胞の増殖と基質の増生を伴う(Donadio ら，2002)．全身疾患としてのアレルギー性紫斑病の約 60％に IgA 腎症とほ

ぼ同様の病理組織所見を呈することが知られており，これを紫斑病性腎炎とよぶ．

原発性糸球体腎炎としてのIgA腎症と，全身疾患の一臓器病変としての紫斑病性腎炎との，腎病変自体の本質的な異同については，不明な点が多い．

原因・病因

本症の原因は不明であるが，IgA1の産生・代謝の異常，IgA1分子ヒンジ部O結合型糖鎖の異常，免疫複合体の糸球体への沈着，メサンギウム細胞の増殖，メサンギウム基質の増生など，複数の段階を経て発症・進行する（Donadioら，2002；Suzukiら，2011）．上気道感染時に増悪すること，口蓋扁桃摘出が効果を示すこと，炎症性腸疾患に合併することがあること，など複数の臨床的事実から，粘膜免疫の異常が病因に関連していると考えられる．また家族性の発症や発症率の人種・民族差などから，遺伝的要因の関与もあると考えられる．実際，最近の大規模なゲノムワイド関連解析により，複数の責任遺伝子が報告されている[1,2]．

疫学

本症の発症率・有病率は，検尿の普及率や腎生検の適応などに影響される．わが国における発症率は，3.9〜4.5人/10万人/年，有病者数は3万3000人（95％信頼区間2万8000〜3万7000人）と推計されている[3]．日本腎臓学会の腎生検レジストリー（J-RBR）では，腎生検を受けた症例の約1/3がIgA腎症である．発症年齢は10〜60歳代まで幅広いが，女性では20〜30歳代に穏やかなピークがみられる．欧米ではやや男性に多いとされているが，わが国の集計では明らかな性差はない[4]．

病理

蛍光抗体法または免疫組織化学的な糸球体へのIgAの優位な沈着が特徴である（図13-3-10）．沈着部位は傍メサンギウム領域が主体で，毛細管係蹄壁への沈着はさまざまである．C3は9割以上で陽性である．増殖性病変はほとんどないものから高度のメサンギウム増殖を呈するもの，また分節性から全節性まで，程度・分布とも多様である．また，メサンギウム領域以外の病変も多様である．いわゆる管内細胞増加，係蹄（けいてい）壊死（えし），細胞性または線維性半月体，分節性あるいは球状硬化，癒着など，ほとんどすべての型の原発性糸球体腎炎の組織像を呈する可能性をもつ．さらには間質尿細管，血管病変などもさまざまな程度で観察される（図13-3-11，13-3-12）．

J-RBRでは，2177例のうち94％がメサンギウム増殖性腎炎の光顕組織像であったが，その他にも微小変化，半月体形成性腎炎，巣状糸球体硬化症，管内増殖性腎炎，膜性増殖性腎炎などさまざまな組織像を呈することが報告されている[4]（eコラム1）．

臨床症状

多くの症例は無症候性，すなわち自覚症状がなく，学校健診や職場検診，特定健診などの際の検尿異常で発見される．ネフローゼ症候群や急性腎炎症候群で発症することもあるが，少ない．しばしば急性上気道炎時に肉眼的血尿を併発する．発症時期不明のまま進行し，さまざまな程度で腎機能低下を呈して発見されることもある．腎機能低下例では高血圧を伴うことが多く，高血圧出現前に尿異常が始まり，高血圧は腎機能低下に先行することが多い（eコラム2）．

紫斑病性腎炎は，小血管の免疫グロブリン（IgA）沈着型血管炎で，紫斑，腹痛，関節炎と糸球体腎炎などを伴う．10歳前後の若年発症が多いが，成人期以降でもみられる．下肢〜腎部を中心に若干膨隆して触知可能な紫斑（palpable purpura）が出現し，皮膚生検で白血球破砕性血管炎を呈する．新旧混在し，色調は赤色調〜青紫，形は点状から不整形な紫斑と多様である．腎病理組織像は，紫斑を伴わないIgA腎症との鑑別は困難である．紫斑出現後4週以内に，血尿単独から高度蛋白尿までさまざまな程度の尿異常が出現する．ただし，紫斑を自覚しない場合や，紫斑発症から経過して瘢痕（はんこん）のみとなった場合は，判然としない症例もある．多量蛋白尿やネフローゼ症候群を呈する例

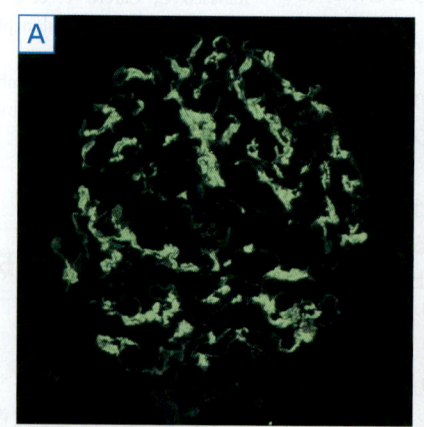
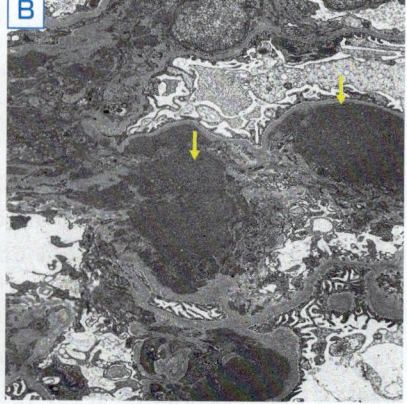

図13-3-10 蛍光抗体法所見と電子顕微鏡所見
A：抗ヒトIgA抗体による蛍光抗体法所見．IgAのメサンギウムパターンの粗大顆粒状沈着を認める（対物レンズ40倍）．
B：電子顕微鏡所見．傍メサンギウム領域に半球状高電子密度沈着物を認める（5000倍）．

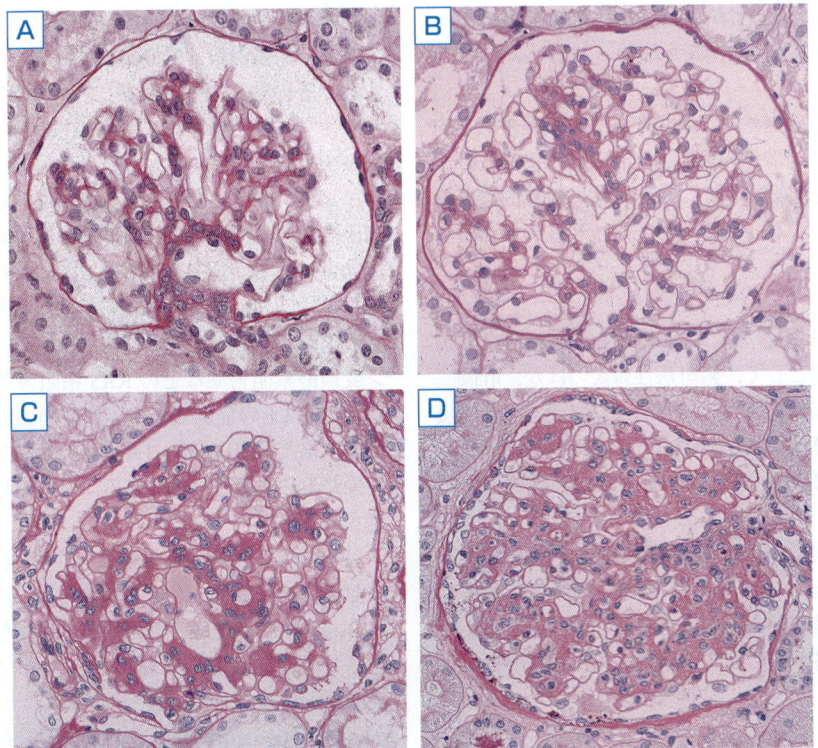

図 13-3-11 病理組織像①
重症度，病期などにより種々の程度の増殖病変を呈する．また糸球体ごとにも多様性を認める．
A：微小変化，B：軽度増殖，C：中等度増殖，D：高度増殖の例（PAS 染色，対物レンズ 40 倍）．

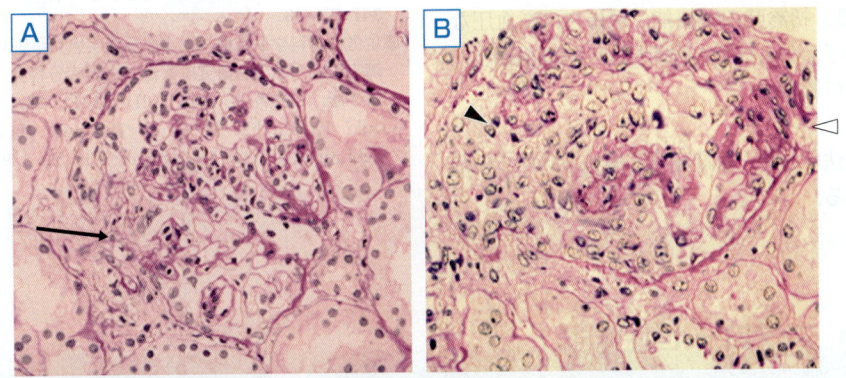

図 13-3-12 病理組織像②
A：癒着病変（矢印），B：半月体（黒矢頭），分節性硬化病変（白矢頭）など多彩な糸球体病変を伴う．予後に影響する所見として重要（PAS 染色，対物レンズ 40 倍）．

が IgA 腎症より多いとされている[5,6]．

なお，アレルギー性紫斑病は，Henoch-Schönlein purpura（HSP）または血管性紫斑病ともよばれ，2012 年 Chapel Hill Consensus Conference（CHCC）では IgA 血管炎という名称になった[7]．

検査所見

顕微鏡的血尿（沈渣赤血球 5～6/毎視野以上）の持続（少なくとも 2 回以上）は，発症初期や活動性の高い時期には必発である．しかし，慢性期や治療後に血尿が消失し，軽度蛋白尿だけが残存する場合もある．血清 IgA 値は上昇することが多く，約半数以上で 315 mg/dL 以上となる．血清補体価，C3，C4 は正常範囲内ではあるが低下すると報告されている．何らかの理由で腎生検が行われない場合に，尿沈渣で赤血球 5/毎視野以上，持続的蛋白尿 0.3 g/日以上，血清 IgA 値 315 mg/dL 以上，血清 IgA/C3 比 3.01 以上，の 4

項目のうち3項目以上があれば，診断に有用であることが示唆されている（ⓔコラム3）．

診断

腎生検による確定診断が必須であり，病理組織学的な評価に基づく組織学的重症度の判定は，治療方針を立てるためにも必要である．IgA 腎症に特異的な血清学的あるいは尿中バイオマーカーは，現在のところない．

鑑別診断

糸球体に IgA 沈着を認め，原発性の IgA 腎症と鑑別を要するものとして，紫斑病性腎炎のほか，肝硬変に伴うもの，ループス腎炎，関節リウマチ，ヒト免疫不全ウイルス感染などがあげられる．その他，メサンギウム領域に IgA 沈着を認める病態が多数報告されている．

血尿という観点からは，尿路系の悪性腫瘍や尿路結石，感染症のほか，Alport 症候群や菲薄基底膜病など，無症候性持続的血尿を呈するほかの疾患も鑑別すべきである．各疾患に特有の全身症状や検査所見により鑑別する．

経過・予後

本症の発見当初は，進行性がなく予後良好と考えられていた．しかし，その後の長期的な観察研究で，緩徐に進行する疾患であり，無治療では約 20 年で 40% が末期腎不全に進行することが明らかにされた[8]．成人期発症例の 10 年生存率は 80〜85%，小児期発症例は 90% である．初診時の腎機能，尿蛋白，高血圧などの臨床的因子，および腎生検所見上の病理組織学的重症度が予後に影響する[9]．

治療・予防

有効な予防法はなく，早期発見と適切な時期での治療が重要である．

パルス療法を含む副腎皮質ステロイドが治療の中心である．尿蛋白量，腎機能などに応じて，適応を決定する．その他，免疫抑制薬（シクロホスファミド，アザチオプリン，シクロスポリン，ミコフェノール酸モフェチル，ミゾリビン）などが用いられる[10,11]．

エビデンスとしては不十分な面もあるが，口蓋扁桃摘出術を副腎皮質ステロイドと併用すると，蛋白尿減少効果，あるいは寛解が有意に認められると報告されており[12,13]，わが国では比較的広く行われている[14]．

アンジオテンシンⅡ受容体拮抗薬，アンジオテンシン変換酵素阻害薬などの RAS 系阻害薬は，特に尿蛋白 1g/日以上の症例で腎機能保護効果があるとされている．また尿蛋白 0.5〜1.0 g/日の症例でも尿蛋白減少効果がみられる可能性がある．血圧が高い症例では推奨される[15,16]．

以上のほか，抗血小板薬（ジピリダモール，塩酸ジラゼプ，チクロピジン，アスピリン）および抗凝固薬（ワルファリンなど）の有効性が小規模な臨床研究で報告されている．また，エイコサペンタエン酸（eicosapentaenoic acid：EPA）とドコサヘキサエン酸（docosahexaenoic acid：DHA）などの n-3 系脂肪酸の摂取の効果は欧米を中心として報告が散見されるが，いずれも十分なエビデンスはない． 〔成田一衛〕

■文献（ⓔ文献 13-3-9）

Donadio JV, Grande JP: IgA nephropathy. N Engl J Med. 2002; 347: 738-48.

厚生労働省科学研究費補助金難治性疾患克服研究事業 進行性腎障害に関する調査研究班報告 IgA 腎症分科会：IgA 診療指針 第3版．日本腎臓学会誌．2011; 53: 123-35.

Suzuki H, Kiryluk K, et al: The pathophysiology of IgA nephropathy. J Am Soc Nephrol. 2011; 22: 1795-803.

13-4 ネフローゼ症候群
nephrotic syndrome

概念

ネフローゼ症候群は，腎糸球体毛細血管（係蹄）壁の障害により蛋白透過性が亢進し，大量の蛋白尿と低アルブミン血症をきたし，浮腫，脂質異常症，血液凝固異常，免疫不全，易感染性などを生じる臨床症候群である．ネフローゼ症候群は各種糸球体腎炎をはじめとする一次性，あるいは糖尿病性腎症やループス腎炎を含む二次性糸球体疾患により引き起こされる．つまり，ネフローゼ症候群という疾患が独立して存在するわけではなく，各種糸球体疾患のうち大量の蛋白尿を呈する病態を包括する概念である．病態生理とそれに対する支持療法には共通する部分も多いが，腎および生命予後や根本治療は原疾患により異なる．

定義

わが国では，厚生労働省難治性疾患克服事業進行性腎障害に関する調査研究班の診断基準（2011 年）が用いられている（表 13-4-1）（厚生労働省難治性疾患克服事業進行性腎障害に関する調査研究班，2014）．持続する 3.5 g/日以上の蛋白尿と，3.0 g/dL 以下の低アルブミン血症の 2 項目で診断される．日常臨床では正確な蓄尿が困難なこともあり，随時尿で尿蛋白/クレアチニン比が 3.5 g/gCr 以上の場合も蓄尿に準じて

表 13-4-1 成人ネフローゼ症候群の診断基準

1. 蛋白尿： 3.5 g/日以上が持続する．
 （随時尿において尿蛋白/尿クレアチニン比が 3.5 g/gCr 以上の場合もこれに準ずる）
2. 低アルブミン血症： 血清アルブミン値 3.0 g/dL 以下．血清総蛋白量 6.0 g/dL 以下も参考になる．
3. 浮腫
4. 脂質異常症（高 LDL コレステロール血症）

注 1) 上記の尿蛋白量，低アルブミン血症（低蛋白血症）の両所見を認めることが本症候群の診断の必須条件である．
 2) 浮腫は本症候群の必須条件ではないが，重要な所見である．
 3) 脂質異常症は本症候群の必須条件ではない．
 4) 卵円形脂肪体は本症候群の診断の参考となる．

表 13-4-2 一次性・二次性ネフローゼ症候群を呈する疾患
（厚生労働省難治性疾患克服事業進行性腎障害に関する調査研究班，2014）

1. 一次性ネフローゼ症候群
 a. 微小変化形ネフローゼ症候群
 b. 巣状分節性糸球体硬化症
 c. 膜性腎症
 d. 増殖性糸球体腎炎
  メサンギウム増殖性糸球体腎炎（IgA 腎症を含む），管内増殖性糸球体腎炎
  膜性増殖性糸球体腎炎，半月体形成性（壊死性）糸球体腎炎

2. 二次性ネフローゼ症候群
 a. 自己免疫疾患：ループス腎炎，紫斑病性腎炎，血管炎
 b. 代謝性疾患：糖尿病性腎症，リポ蛋白腎症
 c. パラプロテイン血症：アミロイドーシス，クリオグロブリン，重鎖沈着症，軽鎖沈着症
 d. 感染症：溶連菌，ブドウ球菌感染，B型・C型肝炎ウイルス，ヒト免疫不全ウイルス（HIV），パルボウイルス B19，梅毒，寄生虫（マラリア，シストゾミア）
 e. アレルギー・過敏性疾患：花粉，蜂毒，ブユ刺虫症，ヘビ毒，予防接種
 f. 腫瘍：固形癌，多発性骨髄腫，悪性リンパ腫，白血病
 g. 薬剤：ブシラミン，D-ペニシラミン，金製剤，非ステロイド系抗炎症薬
 h. そのほか：妊娠高血圧腎症，放射線腎症，移植腎（拒絶反応，再発性腎症），collagenofibrotic glomerulonephropathy
 i. 遺伝性疾患
  Alport 症候群，Fabry 病，nail-patella 症候群，先天性ネフローゼ症候群（Nephrin 異常），ステロイド抵抗性抵抗性家性ネフローゼ症候群（Podocin, CD2AP, α-ACTN4 異常）

扱う．ここでは尿中クレアチニンは 1 日に約 1 g 排泄されると想定されている．ネフローゼ症候群の本質は，糸球体障害により，体液の恒常性の維持ができなくなるほどの大量の蛋白を腎臓において喪失することである．ガンマグロブリンが上昇する膠原病や骨髄腫に伴うアミロイドーシスなどでは，低アルブミン血症となるが血清総蛋白は低下しない．よって，低アルブミン血症を必須条件として，低蛋白血症は参考条件となっている．浮腫や脂質異常症も重要な症状であるが，糸球体係蹄の障害による二次的な変化であり，本症候群診断のための必須項目ではない（eコラム 1）．

分類

ネフローゼ症候群は腎臓自体に病気が限局する一次性（原発性）糸球体疾患とその他の原因疾患に起因する二次性（続発性）糸球体疾患に大別される（表 13-4-2）（厚生労働省難治性疾患克服事業進行性腎障害に関する調査研究班，2014）．一次性は，微小変化型と膜性腎症がそれぞれ約 40％，巣状分節性糸球体硬化症が 10％を占める．その他 10％の中に，IgA 腎症，膜性増殖性糸球体腎炎（Ⅰ型，Ⅲ型），半月形成性糸球体腎炎，管内増殖性糸球体腎炎などが含まれる．二次性には，糖尿病性腎症が最も多く，ループス腎炎がそれに続く．その他，アミロイドーシス，C 型肝炎ウイルス（HCV）腎症などがある（e表 13-4-A，13-4-B）．

疫学

わが国における新規発症のネフローゼ症候群は年間 3800〜4600 例と推定される．各病型の発症頻度は年齢によって異なる．一次性では，若年者では微小変化型が最も多く，高齢になるに従って膜性腎症の頻度が増すが，70 歳以上の高齢者にも一定数の微小変化型がみられる．二次性では，若年者ではループス腎炎，中年以上では糖尿病性腎症とアミロイドーシスの頻度が高い（厚生労働省難治性疾患克服事業進行性腎障害に関する調査研究班，2014）．腎生検された症例の約 6 割が一次性，残りが二次性であったが，一般に糖尿病性腎症は腎生検されないことから実際には二次性の割合はもっと多いと考えられる．

治療反応性と予後

2011 年，厚生労働省の研究班ではネフローゼ症候群の治療効果判定基準（表 13-4-3）と治療反応性による分類（表 13-4-4）も一部改訂された（厚生労働省難治性疾患克服事業進行性腎障害に関する調査研究班，2014）（小児における基準はe表 13-4-C を参照）．こうした基準や分類は世界的に標準化されていないため，国際比較する際には注意を要する（KDIGO Clinical Practice Guideline for Glomerulonephritis, 2012）．

治療反応性や腎予後は原疾患により異なる．微小変化型ネフローゼ症候群では治療開始 2 カ月内に 85％が完全寛解し，膜性腎症【⇒ 13-3-7】や巣状分節性糸球体硬化症【⇒ 13-3-6】では，2 年時点での寛解率は約 70％である[1]．腎予後と生命予後は病型と治療

表 13-4-3 ネフローゼ症候群の治療効果判定基準

治療効果の判定は治療開始後 1 カ月, 6 カ月の尿蛋白量定量で行う.
・完全寛解：尿蛋白<0.3 g/日
・不完全寛解Ⅰ型：0.3 g/日≦尿蛋白<1.0 g/日
・不完全寛解Ⅱ型：1.0 g/日≦尿蛋白<3.5 g/日
・無効：尿蛋白≧3.5 g/日

注 1) ネフローゼ症候群の診断・治療効果判定は 24 時間蓄尿により判断すべきであるが, 蓄尿ができない場合には, 随時尿の尿蛋白/尿クレアチニン比(g/gCr)を使用してもよい.
2) 6 カ月の時点で完全寛解, 不完全寛解Ⅰ型の判定には, 原則として臨床症状および血清蛋白の改善を含める.
3) 再発は完全寛解から, 尿蛋白 1 g/日(1g/gCr)以上, または (2＋)以上の尿蛋白が 2〜3 回持続する場合とする.
4) 欧米においては, 部分寛解(partial remission)として尿蛋白の 50％以上の減少と定義することもあるが, 日本の判定基準には含めない.

表 13-4-4 ネフローゼ症候群の治療反応による分類

・ステロイド抵抗性ネフローゼ症候群：十分量のステロイドのみで治療して 1 カ月後の判定で完全寛解または不完全寛解Ⅰ型に至らないものとする.
・難治性ネフローゼ症候群：ステロイドと免疫抑制薬を含む種々の治療を 6 カ月行っても, 完全寛解または不完全寛解Ⅰ型に至らないものとする.
・ステロイド依存性ネフローゼ症候群：ステロイドを減量または中止後再発を 2 回以上繰り返すため, ステロイドを中止できない場合とする.
・頻回再発型ネフローゼ症候群：6 カ月間に 2 回以上再発する場合とする.
・長期治療依存型ネフローゼ症候群：2 年以上継続してステロイド, 免疫抑制薬などで治療されている場合とする.

反応性および治療内容により規定される. 腎予後に関しては, 完全寛解が最も良好で, 非寛解例は腎予後不良である[2]. 死亡例は特に高齢者でみられ, 死因としては感染症や悪性腫瘍などが多い[1].

蛋白尿の発症機序

正常糸球体からは 1 日 1〜3 g のアルブミンが濾過されているが, そのほとんどは近位尿細管で再吸収されるため, 尿中アルブミンは陰性(20 mg/日以下)となる. ネフローゼ症候群では, 尿細管の処理能力を上回る蛋白が糸球体係蹄を通過することで発症する. 糸球体の係蹄は, 毛細血管の内側から内皮細胞, 基底膜そして上皮細胞から構成されている(図 13-1-2). ネフローゼ症候群ではこの糸球体係蹄壁が障害され大量の蛋白尿が漏れることにより発症する[3].

従来, 血漿蛋白が通過するのを防ぐバリアは基底膜だと考えられてきた. 基底膜のⅣ型コラーゲンや各種糖蛋白を主成分としたメッシュ構造はサイズバリアとして比較的大きい分子の蛋白の透過を妨げている. また, 基底膜のヘパラン硫酸プロテオグリカンは陰性荷電をしているため, 陰性荷電のアルブミンの透過を防ぎ, チャージバリアとして機能している. その後, 上皮細胞の足突起の間にスリット膜とよばれる格子状(ジッパー状)の構造物の分子組成が解明され, スリット膜もサイズバリアとして機能することが明らかになった. 足突起あるいはスリット膜構成分子であるネフリン, ポドシン, CD2-associated protein (CD2AP), TRPC6 などの異常により蛋白尿が漏出する. 現在は, 足細胞(ポドサイト)の障害が蛋白尿の大きな原因であると考えられている. 糸球体内皮細胞は大きな窓が開いている(有窓細胞)ため, 従来は蛋白透過性のバリアにはなりえないと考えられてきた. しかし近年, 内皮細胞の表面を覆っているグリコカリックス (glycocalyx, 多糖外被)の陰性荷電が, アルブミンなどの透過を防いでいるとの説が注目されている. 糖尿病などでは, グリコカリクスが減少し, 尿中アルブミンの増加と関連することが示されている.

病態生理・合併症（図 13-4-1）

1) **蛋白尿**： チャージバリアの障害では比較的分子量の小さいアルブミン主体の選択性の高い蛋白尿となり, サイズバリアの障害では免疫グロブリンなど比較的大きな蛋白質を含む選択性の低い蛋白尿となる. IgG(分子量 16 万)とトランスフェリン(分子量 9 万)のクリアランス比で算出される蛋白尿の選択指数(selectivity index：SI)はステロイド反応性を予測する指標である. 高選択性(SI≦0.10)では良好な治療反応性が期待されるが, 低選択性(0.20≦SI)では反応しにくい.

2) **低アルブミン血症・低蛋白血症**： 通常, 糸球体係蹄を通過したアルブミンは近位尿細管で再吸収され分解される. ネフローゼ症候群では尿細管での処理量が増えるが, 再吸収されなかったアルブミンが尿中に排泄される. 肝臓でのアルブミンは代償的に増加するが, 十分に補うことができず低アルブミン血症を呈する. 免疫グロブリンも尿中に漏出し, 低 IgG 血症となる. 微量元素(鉄・銅・亜鉛)やホルモン(T3, T4, ビタミン D)もその結合蛋白の喪失から低値を示す. 低 T3 症候群は蛋白尿の減少とともに改善する.

3) **浮腫**： 浮腫の形成については, 以下の 2 つの機序が提唱されている. 多くの症例では overfill 状態であるが, 症例ごとまたは同じ症例でも病期により 2 つの機序が異なる比率で存在するものと考えられる[4]【⇨4-18】.

a) underfill 仮説：低アルブミン血症による血漿浸透圧低下により, 血漿から間質への体液移動が促進され浮腫が形成される. 同時に, 有効循環血漿量が減少し, 代償性にレニン-アンジオテンシン-アルドステロ

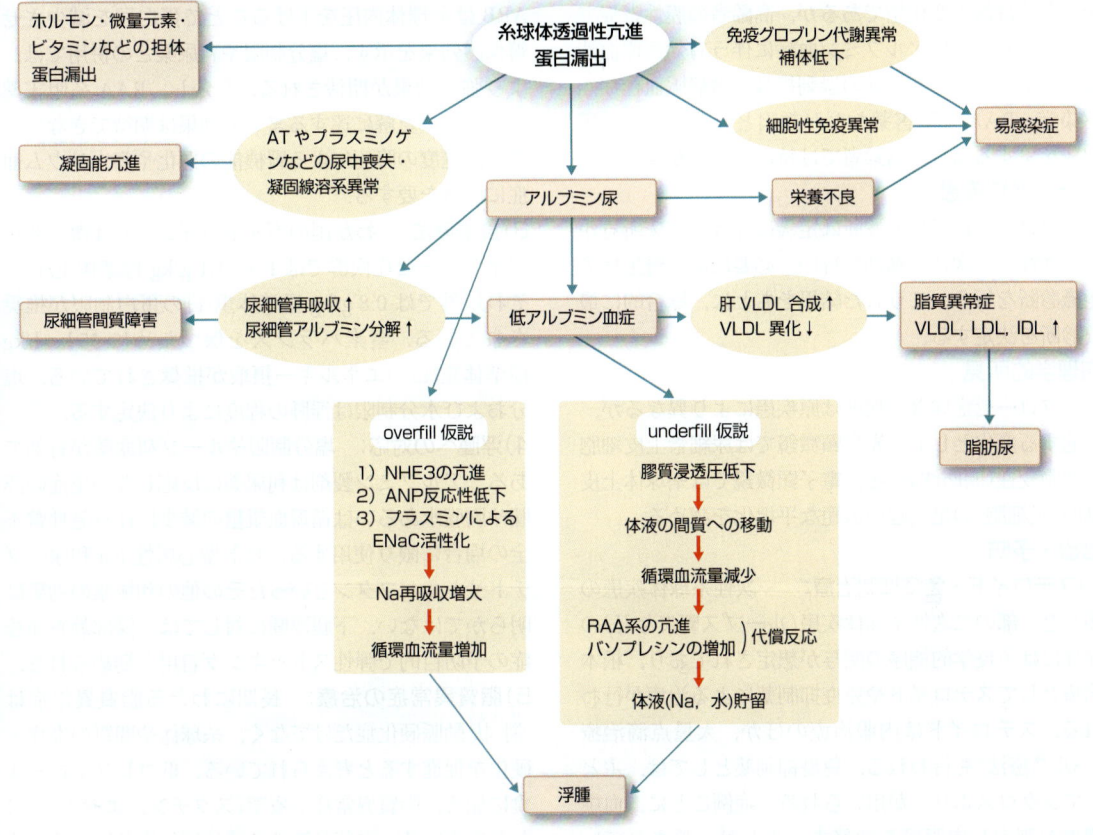

図 13-4-1 ネフローゼ症候群の病態生理

ン（RAA）系の亢進による Na 再吸収促進，バソプレシン（抗利尿ホルモン）の増加による水再吸収促進により，二次的に水・Na が体内に貯留し浮腫はさらに増悪する．

b）overfill 仮説：腎からの Na 排泄の障害により有効循環血漿量が増加し浮腫をきたすという説である．近位尿細管へのアルブミン負荷による NHE3（Na/H 交換輸送体 3）の亢進や集合管の ANP（心房性ナトリウムペプチド）感受性低下による Na 排泄低下といった機序が想定されている．近年，尿中に漏れたプラスミンがセリンプロテアーゼとして働き，集合管の ENaC（上皮性 Na チャネル）を活性化して Na の再吸収を増加するという新たなメカニズムが明らかになっている[5]．

4）脂質異常症： 高コレステロール血症，高トリグリセリド血症がみられる．VLDL，LDL，IDL が上昇する．結果，高コレステロール血症（IIa，IIb，V型）を呈し，リン脂質や中性脂肪も増加する．脂質異常に伴い，尿中に脂肪円柱や卵円形脂肪体が出現する．こうした脂質異常は膠質浸透圧の低下により惹起されるが，その機序の詳細は不明である．

5）凝固・線溶異常・血栓症： ネフローゼ症候群では下肢の深部静脈血栓症や腎静脈血栓症が起こりやすい．肺血栓・塞栓症により重症化することもある．膜性腎症で頻度が高いとされているが，いずれの病型でも高度の低アルブミン血症を呈する症例ではリスクが高い．

肝臓における蛋白合成亢進によるフィブリノゲンや各凝固因子の上昇や尿中へ喪失による抗凝固因子（アンチトロンビンIII，遊離型プロテイン S）の低下により血液凝固能は亢進する．一方，線溶系蛋白（プラスミノゲン）の漏出や α_1-アンチトリプシン産生増加などにより，線溶能は低下する．加えて，血小板凝集抑制因子の喪失によると考えられる血小板凝集能亢進や血管内脱水による血液濃縮，安静による下肢静脈還流の低下も血栓症の原因となる．さらに，治療に用いるステロイドにも凝固促進作用がある．

6）免疫異常・易感染性： 尿中への免疫グロブリンの漏出により低 IgG 血症を示し，液性免疫が低下する．血清補体の低下によるオプソニン効果の低下もみられる．また T リンパ球の反応不全も観察される．さらにステロイドや免疫抑制薬の使用に伴い，免疫力はさらに低下する．その結果，易感染性を呈する．特に高齢者では感染症による死亡例も散見される．

7) 急性腎不全: ネフローゼ症候群における急性腎不全の多くは微小変化型であるが，高齢者の膜性腎症でも起こりうる．低アルブミン血症に伴う有効循環血液量の低下に加え，利尿薬の過剰投与，腎静脈血栓症，感染症，RAA系阻害薬などが誘因となる．高度の蛋白尿を呈する場合や高齢者では特にリスクが高い．

診断・鑑別疾患

ネフローゼ症候群の診断は定義に従う．臨床所見から一次性，二次性の鑑別を行い，必要に応じ腎生検で組織診断を行う．こうした結果をもとに，総合的に最終診断を決定する．

病理学的所見

ネフローゼ症候群の病理は原疾患により異なるが，共通する変化として，光学顕微鏡では尿細管上皮細胞に空胞変性（脂肪沈着）を，電子顕微鏡では糸球体上皮細胞（足細胞）の足突起の広範な平坦化を認める．

治療・予防

1) ステロイド・免疫抑制治療: 一次性糸球体疾患の多くと一部の二次性糸球体疾患（ループス腎炎など）の発症には免疫学的機序の関与が想定されており，根本治療としてステロイドや免疫抑制薬による治療が行われる．ステロイドは内服治療のほか，大量点滴治療（パルス療法）も行われる．免疫抑制薬としては，主としてシクロスポリンが用いられる．症例ごとに，血中濃度を測定し内服量を調整することが推奨されている．シクロスポリンには免疫抑制作用以外にも糸球体上皮細胞に直接作用して蛋白尿を抑制する効果も期待されている．シクロホスファミドは免疫抑制効果が強く治療効果は期待されるが，易感染性や不妊症をきたすこと，悪性腫瘍の原因となることなどの問題もあり，わが国ではあまり使用されていない[1]．最近，小児難治性ネフローゼ症候群に対するリツキシマブの有効性が報告されたが（ⓔコラム2），成人での有効性・安全性は明らかではない[6]（詳細は各病型の治療を参照）．

2) 腎保護を目的とした降圧治療: ACE阻害薬やARBは糸球体内圧を下げることで蛋白尿を減少させ腎保護効果を示す．塩分制限や利尿薬との併用では，より強い効果が期待される．しかし，RAA系阻害薬のみで完全寛解に達するまでの効果は期待できない．また，過度の降圧による腎機能の悪化や高カリウム血症に注意を要する．

3) 食事療法: わが国のガイドライン[7]では微小変化型ネフローゼ症候群では1.0〜1.1 g/kg標準体重/日，それ以外では0.8 g/kg標準体重/日の蛋白制限が推奨されている．窒素バランスを保つために35 kcal/kg標準体重/日のエネルギー摂取が推奨されている．塩分および水分制限は浮腫の程度により決定する．

4) 浮腫への対応: 塩分制限やループ利尿薬が有効である．アルブミン製剤は利尿薬に反応しない重症の浮腫や胸腹水あるいは循環血漿量の減少に伴う急性腎不全の場合に限り使用する．ヒト型心房性Na利尿ペプチドやトルバプタンといったその他の利尿薬の効果は明らかではない．下腿浮腫に対しては，深部静脈血栓症の予防目的で弾性ストッキング着用も勧められる．

5) 脂質異常症の治療: 長期にわたる脂質異常症は粥状動脈硬化症だけでなく，糸球体や間質の炎症・硬化を促進すると考えられている．低コレステロール食に加え，脂質異常症治療薬（スタチン，エゼチミブ）などを用いる．巣状分節性糸球体硬化症をはじめとする難治性ネフローゼ症候群にはLDLアフェレーシスが有効であると報告されている[8]．

〔丸山彰一〕

■文献（ⓔ文献 13-4）

KDIGO Clinical Practice Guideline for Glomerulonephritis. Kidney International Supplement 2, 2012. 2.

厚生労働省難治性疾患克服事業進行性腎障害に関する調査研究班：エビデンスに基づくネフローゼ症候群診療ガイドライン．日本腎臓学会誌．2014; 56.

日本小児腎臓病学会：小児特発性ネフローゼ症候群診療ガイドライン 2013, 2013.

13-5 遺伝性腎疾患

1) Alport症候群

概念・分類

1927年にAlportにより提唱された，難聴や視力障害を伴う遺伝性の糸球体腎炎である．X染色体性遺伝（85％），常染色体劣性遺伝（10％），常染色体優性遺伝に分類される．

原因・病因

糸球体基底膜（GBM）の緻密層のおもな構成成分であるIV型コラーゲンのα鎖の遺伝子変異が原因である．6つのα鎖のうち，α_1鎖とα_2鎖をコードする遺伝子 *COL4A1* と *COL4A2* は13番染色体に，α_3鎖とα_4鎖をコードする遺伝子 *COL4A3* と *COL4A4* は2番染色体に，α_5鎖とα_6鎖をコードする遺伝子 *COL4A5* と *COL4A6* はX染色体に局在する．3本の

α鎖のcollagenous domain(glycine-X-Y配列)が三重らせん構造により重合し1分子を形成する．分子間のS-S結合によりN末端の7S domainは四量体を，C末端のNC1(non-collagenous) domainは二量体を形成し，網目状構造をとる．全身に広く発現する$α_1$鎖と$α_2$鎖と異なり，$α_3$〜$α_5$鎖は基底膜に限局しており，その異常がAlport症候群の原因となる．*COL4A5*の遺伝子変異によるX染色体性遺伝が最も多い．*COL4A3*あるいは*COL4A4*の遺伝子変異は常染色体劣性の原因となる．

疫学

5000〜10000人に1人とされ，わが国での患者数は2万5000人と推定されている．

病理

1) **光顕所見**：初期は腎糸球体に軽度のメサンギウム細胞や基質の増加を認める．進行すると増殖性病変や硬化病変が出現する．尿細管間質には泡沫細胞の集簇を認める．

2) **蛍光所見**：糸球体にIgA，IgM，C3の沈着を認めることがある．

3) **電顕所見**：GBMの不規則な肥厚と菲薄化を認める(図13-5-1)．緻密層の多層化(lamellation)や断裂，異常顆粒構造なども特徴的である．

4) **Ⅳ型コラーゲンα鎖モノクローナル抗体による免疫組織学的解析**：X染色体性遺伝の男性患者の多くは$α_5$鎖だけでなく，$α_3$鎖，$α_4$鎖もGBMに染色されない．Bowman囊基底膜だけに染まる$α_6$鎖も消失する．女性患者では$α_3$〜$α_5$鎖がモザイク状にGBMに染まる．これに対して常染色体劣性患者ではGBMの$α_3$〜$α_5$鎖は染色されないが，Bowman囊基底膜の$α_5$鎖と$α_6$鎖は正常である．

病態生理

異常なα鎖がほかの2本のα鎖との三重らせん構造を形成できずに基底膜が破綻すると，血尿・蛋白尿が出現し，腎機能障害に進展する．Ⅳ型コラーゲン$α_3$鎖，$α_4$鎖，$α_5$鎖は，GBMだけでなく，皮膚，血管，水晶体被膜，肺胞基底膜，内耳の蝸牛などにも発現しており，その異常は多彩な臨床症状を起こす．

臨床症状・検査所見・経過・予後

1) **腎障害**：多くは生後まもない頃から顕微鏡的血尿が認められる．加齢とともに蛋白尿も加わり，ネフローゼ症候群を呈することもある．X染色体性の男性患者は発症も早く進行性に腎機能が低下し，多くは30歳代までに末期腎不全に至る．X染色体性の女性患者の腎機能は比較的保たれ，軽度の血尿，蛋白尿のみにとどまることが多いが，15%が60歳までに末期腎不全に至る．

2) **聴力障害**：30〜40%に両側性進行性の感音性難聴を認める．

3) **眼症状**：円錐水晶体，水晶体脱臼，皮質部白内障などを認める．

診断

①尿所見異常または末期腎不全の家族歴，②基底膜の特徴的な電顕所見，③進行性の高音性感音性難聴，④眼症状，のうち3つを満たすものをAlport症候群と診断する．③，④を伴わない患者でも特徴的な電顕所見や免疫組織学的解析により診断可能である．X染色体性遺伝であれば皮膚生検での$α_5$鎖の染色でも診断可能である．20歳未満の女性で腎機能障害を示す場合は常染色体劣性遺伝を疑う．

鑑別診断

難聴などの腎外症状がない場合，糸球体基底膜菲薄化病やIgA腎症を鑑別する．

治療

特異的治療はない．早期からのACE阻害薬やARB投与が有用との報告がある．腎移植も行われるが，まれに移植後抗基底膜抗体糸球体腎炎を発症する(5%)．

2) 糸球体基底膜菲薄化病
thin basement membrane nephropathy：TBMN

概念

びまん性に糸球体基底膜(GBM)が菲薄化し，血尿を呈する遺伝性疾患である．

原因・病因

常染色体優性遺伝．常染色体劣性Alport症候群のキャリアと考えられ，*COL4A3*，*COL4A4*遺伝子変異

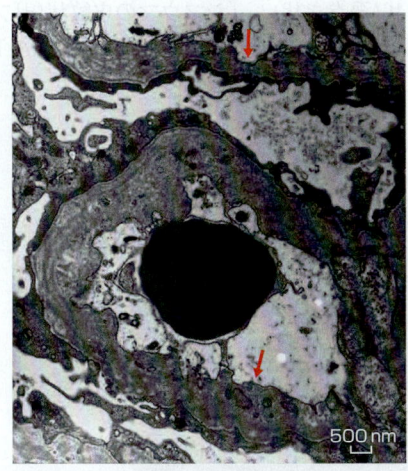

図13-5-1 Alport症候群における糸球体基底膜の電顕像(市立札幌病院病理診断科 深澤雄一郎博士提供)
糸球体基底膜の不規則な肥厚と菲薄化，ならびに緻密層の多層化(lamellation)がみられる(電顕，6000倍)．

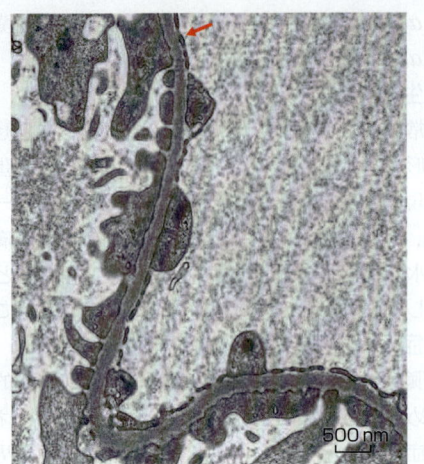

図13-5-2 基底膜菲薄化病における糸球体基底膜の電顕像
（市立札幌病院病理診断科　深澤雄一郎博士提供）
糸球体基底膜のびまん性の菲薄化（170〜200 nm）がみられる（電顕，1万倍）．

による．

疫学
全人口の約1％と頻度は高い．

病理
光顕・蛍光所見で異常はなく，電顕でGBMの厚さが正常の370 nm（男），320 nm（女）に比して，250 nm未満（2〜11歳では180 nm未満）とされる．Alport症候群のような層状断裂はなく，びまん性の基底膜の菲薄化（図13-5-2）が特徴的である．IV型コラーゲンα_3〜α_5鎖はGBMに正常に染色される．

臨床症状・検査所見・経過・予後
小児期に顕微鏡的血尿で発見される．肉眼的血尿はときにみられる（5〜22％）．蛋白尿はまれである．腎予後は大部分が良好である．

診断・鑑別診断
診断は腎生検による．菲薄化のみを認める初期のAlport症候群との鑑別が最も重要であり，家族歴，難聴，眼症状などを参考にする．

3）Fabry病

概念
1898年にFabryとAndersonにより別々に報告された，リソソームにあるα-ガラクトシダーゼA（α-GAL A）欠損により，グロボトリアオシルセラミド（GL-3/Gb$_3$）などのスフィンゴ糖脂質が全身組織に蓄積する遺伝性疾患である．

原因・病因
X染色体にあるα-ガラクトシダーゼ遺伝子変異により酵素活性が低下することによる．

分類
男性では典型的な症状を呈する古典型と臓器特異的な症状を呈する亜型（心型，腎型）に分類される．ヘテロ接合体の女性は保因者となり，X染色体の不活化が起こると発症する．

疫学【⇨15-6-8】
古典型はまれで40000〜11万7000人に1人とされているが，わが国での頻度は不明である．男性透析患者の0.2〜1.2％がFabry病との報告もある．

病理
1）光顕所見：糸球体上皮細胞の腫大と空胞化が特徴的である（図13-5-3A）．空胞部位にトルイジンブルーに染まる物質を認める．
2）電顕所見：糸球体上皮細胞，内皮細胞などに「ミエリン状（渦巻き状）」，「シマウマの皮紋状（ゼブラ小体）封入体」とよばれる沈着物を認める（図13-5-

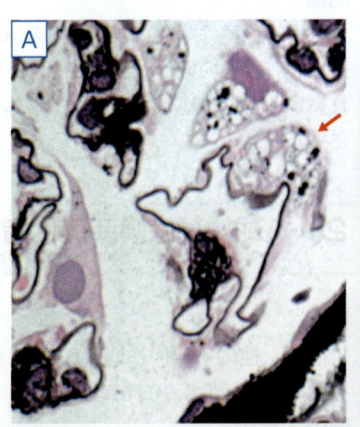
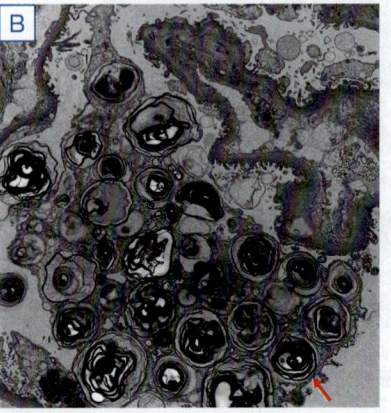

図13-5-3 Fabry病における腎生検組織像
A：糸球体上皮細胞の腫大と空胞化を認める（PAM染色，400倍）
B：糸球体上皮細胞にミエリン状沈着物を認める（電顕，2000倍）

3B).

病態生理
　GL-3などのスフィンゴ糖脂質が全身の細胞のリソソームに蓄積する．血管内皮細胞に蓄積すると，細胞が膨化し，血管の狭小化が起こり，虚血性の疾患を発症する．腎臓においては，糖脂質の蓄積による糸球体上皮細胞の空胞化，メサンギウム拡大などが起こり，進行性に糸球体硬化が進む．尿細管細胞への蓄積も腎機能障害の進展に関与する．

臨床症状・検査所見・経過・予後
1) **古典型**：　学童期から四肢末端痛，低汗症，角膜混濁，消化器症状，精神障害，自律神経障害，聴覚障害などを認める．臓器障害としては脳血管障害（若年性脳梗塞），心障害（肥大型心筋症），腎障害がある．
2) **腎障害**：　思春期に微量アルブミン尿・尿濃縮力低下，30歳代で蛋白尿や糸球体濾過率低下，40～50歳代で末期腎不全に進行する．尿中GL-3の増加，尿沈渣で空胞化した脱落上皮細胞（マルベリー細胞）を認める．

診断
　診断はα-GAL A酵素活性の低下の証明による．補助診断として，血中・尿中GL-3の測定，α-GAL A遺伝子解析が行われる．女性の場合は，酵素活性が低下していないこともあり，遺伝子解析が必要である．

治療
　α-GAL Aの酵素補充療法（enzyme replacement therapy：ERT）を行う．腎障害においては，蛋白尿出現前から特徴的な腎病理像が認められるため，早期から治療を行うことが推奨される．さらに透析・腎移植患者でもほかの臓器障害の進展抑制のために治療を行うべきとされる．

〔望月俊雄〕

■文献
ファブリー病診断治療ハンドブック作成委員会：ファブリー病診断治療ハンドブック 2012（衛藤義勝監修代表），メディアート，2012.

Savige J, Gregory M, et al: Expert Guidelines for the Management of Alport Syndrome and Thin Basement Membrane Nephropathy. *J Am Soc Nephrol.* 2013; **24**: 364-75.

Waldek S, Feriozzi S: Fabry nephropathy: a review - how can we optimize the management of Fabry nephropathy? *BMC Nephrol.* 2014; **15**: 72.

4）多発性嚢胞腎

【⇨ 13-14-1】

13-6　全身疾患と腎障害

1）糖尿病性腎症
diabetic nephropathy

定義・概念
　糖尿病の高血糖により生じる細小血管障害であり，3大合併症（神経障害，網膜症，腎症）の1つである．主要病変は糸球体に存在し，びまん性病変から特徴的な結節性病変などが生じ，最終的に糸球体硬化に至る．典型例では，微量アルブミン尿で発症し，蛋白尿・腎機能低下を経て末期腎不全に至る．糖尿病性腎症は代表的な全身疾患に伴う腎障害である．進展の過程で心血管系疾患の発症リスクが高い．生命予後の改善の観点からも，糖尿病性腎症の予防・克服は重要である．

原因・病因
　糖尿病性腎症の成因として，主として，①高血糖により引き起こされるポリオール代謝異常やプロテインキナーゼC（protein kinase C：PKC）活性化などの細胞内代謝異常，②グリケーション（終末糖化産物 advanced glycation end products：AGEs），③酸化ストレス，④レニン-アンジオテンシン-アルドステロン（RAA）系の活性化，⑤慢性炎症などに何らかの遺伝的素因などが相互に作用しながら腎臓の機能的および構造的変化を引き起こし，発症・進展する可能性が考えられている．さらに，高血圧，脂質異常などの増悪因子が作用し，糖尿病性腎症は進展する（図13-6-1）．

疫学
　糖尿病性腎症は新規透析導入原疾患として1998年より第1位である．慢性透析患者全体の原疾患においても2011年から糖尿病性腎症が第1位となった．増加数はやや頭打ち傾向になったものの，2013年新規透析導入患者の43.5％が糖尿病性腎症である．
　わが国の2型糖尿病における腎症罹患率は約40％と報告されている．糖尿病データマネジメント研究会（JDDM）の報告では，糖尿病例のうち微量アルブミン尿で診断される早期腎症は32％を占めていた[1]．腎症を有する症例のおよそ76％が改訂前の病期分類の早期腎症に分類された．なお，同様に顕性腎症期（第3期）7％，腎不全期（第4期）2.6％と報告されている．

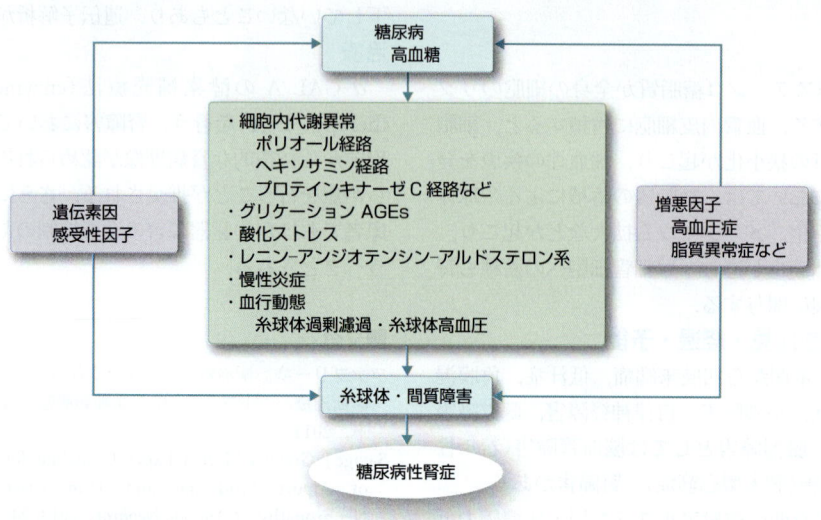

図 13-6-1 糖尿病性腎症の成因

病態生理・病理

糖尿病初期には糸球体濾過量(GFR)はやや上昇する(糸球体過剰濾過)が,血糖コントロールを良好にすれば正常に復する.この時期を血糖管理不良のまま経過すれば,尿中アルブミンの排泄が増加し,約5〜15年の経過で顕性アルブミン尿に移行する.顕性アルブミン尿の出現とほぼ同時期よりGFRの低下が始まり,末期腎不全へ進む.この間に網膜症や神経障害などの糖尿病の合併症がみられる.糖尿病性腎症は末期腎不全のみならず,心血管死亡,さらには総死亡の発症リスクが高く,その予後関連因子としてアルブミン尿や腎機能低下が知られている[2,3].

糖尿病性腎症の主座は糸球体にある.初期病変として,糸球体基底膜の肥厚がみられる.特徴的な光学顕微鏡所見として,びまん性病変,結節性病変,糸球体基底膜二重化・内皮下腔開大,fibrin cap や capsular drop などの滲出性病変,メサンギウム融解,輸出入細動脈の硝子化を認める.進展すると特徴的な結節性病変を示す Kimmelstiel-Wilson 病変を呈する(図13-6-2).

糖尿病性腎症において,典型的な進行例に加えて,アルブミン尿を認めない腎機能低下例,腎機能低下を認めず顕性アルブミン尿を示す症例,急速に腎機能が低下する症例が存在する.尿中アルブミン値が基準内であっても,糸球体組織病変が進行している症例が存在する[4,5].また,超高齢社会となり,腎硬化症の病態が腎障害に寄与する.

なお,網膜症を合併していない場合や糖尿病性腎症の自然経過から大きくはずれるような場合は腎症以外の疾患を疑い,腎生検などの精査が必要となる.特に糖尿病患者に,①蛋白尿の増加や腎機能の低下が急速である,②糖尿病発症早期から蛋白尿を認める,③網膜症を伴わない,④高度の血尿を認める,⑤腎臓が萎縮しているなどの症状がある場合はほかの腎臓病を疑い精査が必要である.

臨床症状

1)自覚症状: アルブミン尿ならびに腎機能低下が軽度であれば通常症状はみられない.顕性腎症期となり,ネフローゼ症候群など持続性蛋白尿が高度となると浮腫や胸腹水貯留といった溢水症状が出現する.さらに,腎機能が低下し腎不全になると,ほかの腎臓病と同様に食欲不振など尿毒症症状が出現する.

2)他覚症状: 自覚症状と同様に,アルブミン尿ならびに腎機能低下が軽度であれば他覚症状はみられない.貧血が出現すれば眼球結膜が蒼白となり,体液貯留が生じれば圧痕性浮腫などがみられる.

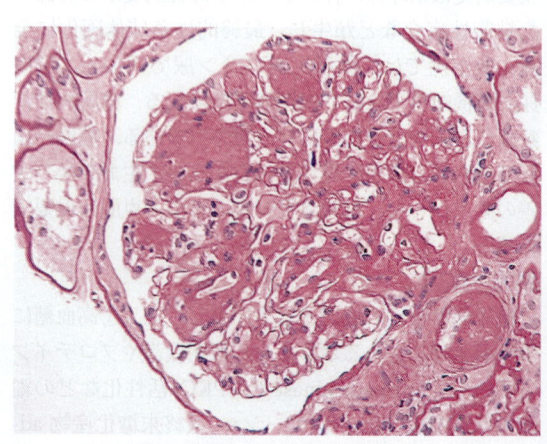

図 13-6-2 典型的な糖尿病性腎症の病理組織

表 13-6-1 糖尿病性腎症病期分類 2014[*1]

病期	尿アルブミン値(mg/gCr)あるいは尿蛋白値(g/gCr)	GFR(eGFR)(mL/分/1.73 m²)
第1期(腎症前期)	正常アルブミン尿(30未満)	30以上[*2]
第2期(早期腎症期)	微量アルブミン尿(30〜299)[*3]	30以上
第3期(顕性腎症期)	顕性アルブミン尿(300以上)あるいは持続性蛋白尿(0.5以上)	30以上[*4]
第4期(腎不全期)	問わない[*5]	30未満
第5期(透析療法期)	透析療法中	

【重要な注意事項】本表は糖尿病性腎症の病期分類であり,薬剤使用の目安を示した表ではない.糖尿病治療薬を含む薬剤特に腎排泄性薬剤の使用にあたっては,GFRなどを勘案し,各薬剤の添付文書に従った使用が必要である.

[*1]:糖尿病性腎症は必ずしも第1期から順次第5期まで進行するものではない.本分類は,厚労省研究班の成績に基づき予後(腎,心血管,総死亡)を勘案した分類である(http://mhlw-grants.niph.go.jp/,文献2より引用).
[*2]:GFR 60 mL/分/1.73 m² 未満の症例はCKDに該当し,糖尿病性腎症以外の原因が存在しうるため,ほかの腎臓病との鑑別診断が必要である.
[*3]:微量アルブミン尿を認めた症例では,糖尿病性腎症早期診断基準に従って鑑別診断を行ったうえで,早期腎症と診断する.
[*4]:顕性アルブミン尿の症例では,GFR 60 mL/分/1.73 m² 未満からGFRの低下に伴い腎イベント(eGFRの半減,透析導入)が増加するため注意が必要である.
[*5]:GFR 30 mL/分/1.73 m² 未満の症例は,尿アルブミン値あるいは尿蛋白値にかかわらず,腎不全期に分類される.しかし,特に正常アルブミン尿・微量アルブミン尿の場合は,糖尿病性腎症以外の腎臓病との鑑別診断が必要である.

検査所見

早期診断のためにも,検尿が重要である.自他覚症状が乏しい時期にもあたる尿蛋白陰性か陽性(+1)の患者は尿アルブミンを測定する.なるべく午前中の随時尿を用いる.来院後一定の安静時間を経て採尿するか早朝尿を用いてもよい.表 13-6-1 にある基準値をこえると微量アルブミン尿とよばれる.3回測定中2回以上該当する場合に早期腎症と診断する.さらに,増悪すると試験紙法でも尿蛋白が陽性となる.血清クレアチニンを代表とする腎機能も重要な検査である.腎性貧血もきたしやすいことが特徴である.

診断・病期分類

糖尿病性腎症の病理学的定義は,糖尿病を有し,その特徴的な病理学的所見を呈し,臨床的ならびに病理学的にほかの疾患を除外できるものを指す.電子顕微鏡所見における,糸球体基底膜および尿細管基底膜の肥厚は参考とな

る.血管病変を主体とする腎硬化症ならびにほかの腎疾患を合併してもよい[6].糖尿病罹病期間や糖尿病網膜症も参考にする.

早期腎症は微量アルブミン尿が出現した時点で臨床的に診断される.糖尿病性腎症の早期診断基準を表 13-6-2 に示す.糖尿病性腎症の確定診断には,腎生検による組織学的診断が厳密には必要である.しかし,すべての糖尿病患者に腎生検を施行することは困難である.診断に際して,ある程度以上の糖尿病罹病期間(約5年以上),ほかの糖尿病性合併症(網膜症,神経障害)の存在,高度の血尿を認めないことなどが参考になる.

糖尿病性腎症病期分類は2014年に改訂された(表 13-6-1).尿アルブミン値あるいは尿蛋白値,ならびに腎機能により第1期(腎症前期),第2期(早期腎症期),第3期(顕性腎症期),第4期(腎不全期)ならびに第5期(透析療法期)に分類される.この分類は予後(腎,心血管,総死亡)を勘案した分類となっている.第3期となり持続性蛋白尿が出現するようになると,次第に高血圧,ネフローゼ症候群,貧血などを呈しながら腎機能が低下する.GFR 30 mL/分/1.73 m² 未満では,アルブミン尿の多寡にかかわらず第4期とする.なお,糖尿病性腎症は必ずしも第1期から順次第5期まで進行するものではない.また,病期分類に用いる腎機能を推算GFR(eGFR)に変更したこと,病期を正常アルブミン尿,微量アルブミン尿,顕性アルブミン尿,腎不全と単純化したこと,GFR 30 mL/分/1.73 m² 未満をすべて腎不全としたこと,いずれの病期も鑑別診断の重要性を強調したことなどが改訂された糖尿病性腎症病期分類2014の特徴である.日本腎臓学会のCKD重症度分類は,原因(cause:C),腎機能(GFR:G),蛋白尿(アルブミン尿:A)によるCGA分類を基本とし,CKDの"重症度(予後)"を中心にすえた分類である.このCKD重症度分類が普及しており,両者の関連性を明確にするという臨床的な利便性を考慮し

表 13-6-2 糖尿病性腎症早期診断基準

1. 測定対象	尿蛋白陰性か陽性(+1程度)の糖尿病患者
2. 必須事項 尿中アルブミン値	30〜299 mg/gCr (3回測定中2回以上)
3. 参考事項 尿中アルブミン排出率 尿中IV型コラーゲン値 腎サイズ	30〜299 mg/24時間または20〜199 μg/分 7〜8 μg/gCr以上 腎肥大

表 13-6-3 糖尿病性腎症病期分類 2014 と CKD 重症度分類との関連

アルブミン尿区分	A1	A2	A3
尿アルブミン定量 尿アルブミン/Cr 比 (mg/gCr) (尿蛋白定量) (尿蛋白/Cr 比) (g/gCr)	正常アルブミン尿 30 未満	微量アルブミン尿 30〜299	顕性アルブミン尿 300 以上 (もしくは高度蛋白尿) (0.50 以上)
GFR 区分 (mL/分/1.73 m^2) ≧90 60〜89 45〜59 30〜44	第 1 期 (腎症前期)	第 2 期 (早期腎症期)	第 3 期 (顕性腎症期)
15〜29 <15	第 4 期 (腎不全期)		
(透析療法中)	第 5 期 (透析療法期)		

CKD 重症度分類との関連を表 13-6-3 に示す.

経過・予後

発症時は自他覚症状に乏しい.慢性の経過をたどり,徐々に進展し腎機能が低下する.正常アルブミン尿を示す糖尿病例は通常の検尿では検出されない程度の微量のアルブミン尿を示すようになる.さらに,持続性蛋白尿が出現するようになり,次第に腎機能が低下するようになる.蛋白尿が増悪し,ネフローゼ症候群を示すことがある.また,末期腎不全に陥ると血液浄化療法が必要となる.糖尿病性腎症の病期の進行とともに心血管病変のリスクが高まり,死亡率も上昇する.また,血液浄化療法導入後 5 年での死亡率は約 50%であり,予後が不良である.

最近,糖尿病性腎症の集約的治療により,ことに第 2 期(早期腎症期)において微量アルブミン尿が改善し,第 1 期(腎症前期)となる寛解も生じるようになった[7].さらに,顕性アルブミン尿例においても,正常あるいは微量アルブミン尿に改善する.微量アルブミン尿の改善した例では,その後の腎機能低下速度の抑制,心血管病変抑制がみられる[8].したがって,糖尿病性腎症の予防に努めるとともに,早期からの介入により,寛解ならびに生命予後の改善が求められる.

治療

治療の基本方針は,血糖コントロールと血圧コントロールである[9].低蛋白食などの食事療法,運動など生活習慣の改善,脂質管理なども含めて集約的に治療を行う.

高血糖の持続が腎症を含む糖尿病性血管合併症の重要な発症・進展因子である.早期腎症では HbA1c 7%未満を目標値とする.2 型糖尿病を対象とした ADVANCE 研究のサブ解析から,血糖管理の末期腎不全への抑制効果が示された[10].

糖尿病性腎症の管理において,全身血圧ならびに糸球体高血圧のコントロールは重要である.全身血圧は 130/80 mmHg 未満を目標にコントロールする.レニン-アンジオテンシン系阻害薬が第一選択薬である.これらの薬剤は輸出細動脈を拡張し糸球体高血圧の是正も生じると考えられている.目標値に達しない場合,長時間作用型 Ca 拮抗薬,利尿薬も用いてコントロールする.なお,減塩指導も重要である.ただし,降圧には症例ごとの病態が重要であり,動脈硬化の進んだ症例,高齢者では過度の降圧に注意する.

〔和田隆志〕

■文献(e文献 13-6-1)

羽田勝計,宇都宮一典,他:糖尿病性腎症病期分類 2014 の策定(糖尿病性腎症病期分類改訂)について.日本腎臓学会誌.2014: 56: 547-52.

Parving HH, Mauer M, et al: Diabetic nephropathy. Brenner and Rector's The Kidney, 9th ed (Taal MW, Chertow GM, et al eds), pp1411-54, Elsevier Saunders, 2012.

和田隆志,湯澤由紀夫監:糖尿病性腎症と高血圧性腎硬化症の病理診断への手引き,東京医学社,2015.

2)膠原病・血管炎の腎障害

(1)全身性エリテマトーデス・ループス腎炎(systemic lupus erythematosus:SLE, and lupus nephritis)

定義・概念

免疫異常によって自己抗体が産生され,全身に炎症性変化が起こる疾患である.発熱,全身倦怠感,皮膚炎,関節痛などが出現し受診することが多い.これまで 1997 年改訂の ARA の分類基準(e表 13-6-A)が使用されてきた[1].11 項目中 4 項目以上が合致すれ

ば診断可能である．単純に計算すると，その組み合わせは1816とおりにもなり多様な臨床像を呈する疾患群である．全身性エリテマトーデス（SLE）の病変となっている場は，皮膚，粘膜，滑膜，漿膜，腎臓，神経組織の小動脈から細動脈レベルの血管炎あるいは血管閉塞と考えると理解しやすい．全身性エリテマトーデスの約半数で尿異常あるいは腎機能低下を呈し，これをループス腎炎とよんでいる．

原因・病因

発症の原因はいまだに不明であるが，いくつかの仮説が提唱されている．自己抗体産生のメカニズムに関して，アポトーシスとDNA処理機構の破綻が指摘されている[2]．さらに菌体成分あるいはアポトーシスの刺激によって樹状細胞から放出されるhigh mobility group box 1（HMGB1）が，Toll-like receptor 2（TLR2）を介して抗DNA抗体を産生することも示されている[3]．また，cytotoxic T lymphocyte associated antigen-4（CTLA-4）はT細胞抑制性の補助刺激受容体であるが，抗腫瘍薬であるanti-CTLA4 antibody（転移性亜悪性黒色腫に対するipilimumab）がループス腎炎を誘発することが報告されている[4]．一方，形成された免疫複合体の処理に関して，Fcγ受容体[5]，補体受容体遺伝子の多型[6]によって免疫複合体の除去が障害されていることが指摘されている．

疫学

特定疾患に登録されている患者数は約4万人であるが，軽症例も含めると約8万人が罹患している．20～30歳代での発症が多く約90％は女性である．ただし中高年でも発症し，この場合男女差はなくなる．白色人種には少なく，アフリカ系およびアジア系有色人種に頻度が高く，より重症とされている．遺伝的要因も指摘されており，HLA-DR6の頻度が高い[7]．また，先天性補体欠損症でもSLEを発症しやすいとされている[8]．

病態生理

異常な自己抗体が出現し，免疫複合体が形成され血管壁に沈着して炎症が生じる型と，抗リン脂質抗体が生じて血管内で脂肪塞栓が形成されて末梢血管の虚血が主体となる型がある．

1）免疫複合体沈着型： ループス腎炎が典型例である．
糸球体に免疫複合体が沈着するメカニズムとして，以下の説が提唱されている[9]．
　a）循環免疫複合体説：血中で形成された免疫複合体が糸球体に沈着する．
　b）in situ免疫複合体形成説：
　①DNAと結合するヒストンなどの陽性荷電核蛋白（nucleosome）が最初に基底膜に沈着し，その後に抗DNA抗体が基底膜内で反応する．
　②抗dsDNA抗体が基底膜へ沈着した後にnucleosomeが沈着する．

2）抗リン脂質抗体型（血管閉塞型）： 意識消失，視野異常，網状皮斑，習慣性流産，動脈性静脈性血栓などの臨床症状を呈し，リン脂質に対する自己抗体が存在する．腎臓に関しては，小動脈や細動脈の脂肪塞栓によって腎機能が低下することがある．

臨床症状

1）自覚症状： 皮膚粘膜症状（蝶型紅斑，円盤状皮疹，脱毛，口腔内潰瘍），関節症状（関節痛，関節腫脹），精神神経症状（意識障害，痙攣発作）があり医療機関を受診することが多い．

2）他覚症状： 胸部X線検査，CT検査で胸水あるいは心膜液貯留を認めることがある．尿異常（蛋白尿，血尿）あるいは腎機能低下があるとループス腎炎の可能性が高い．

検査所見

ループス腎炎の診断は，腎生検での病理所見に基づいている．SLEの診断がなされた後に，尿異常があり腎生検を行う場合が多い．一方，頻度は少ないが，尿異常があり腎生検を行った1～2年後から，ほかの臨床症状が出現し診断が確定することもある．

1）光顕所見： メサンギウム病変，基底膜病変，内皮下病変が混在する．さらに軽微な巣状分節性病変からびまん性全節性のメサンギウム増殖性腎炎あるいは膜性増殖性腎炎までみられる．これらの病変に加え管内へ多核白血球の浸潤（管内増殖）など急性の変化も生じる．さらに基底膜が破綻すると半月体形成も生じる．

急性病変（活動性病変）として，ワイヤーループ病変，半月体形成，白血球核崩壊などがある．2004年に作成された国際分類基準[10]がある．急性病変は大量ステロイド療法に反応しやすい．一方慢性病変として，間質線維化，糸球体硬化などがあるが，これらはステロイド抵抗性である．

2）蛍光抗体法所見： 光顕で軽微な変化であっても免疫グロブリンの沈着がみられることがある．多くは，IgG, IgA, IgM, C3, C1qが沈着する．さらにIgGのサブクラスでも，IgG1, IgG2, IgG3, IgG4のすべてが陽性となりやすい[11]．

3）電顕所見： 免疫複合体に相当するelectron dense deposit（高電子密度沈着物）が，メサンギウム領域だけでなく基底膜，内皮下にも存在する．また，finger print様の構造を示すこともある．

診断

2012年にSLICC分類基準が提唱された（e表13-6-B）[12]．特に，注目するべき点は，腎生検でループス腎炎に特徴的な所見（ワイヤーループ病変，糸球体内塞栓，白血球核崩壊像など）（図13-6-3）を認めた場合は，抗核抗体あるいは抗dsDNA抗体が陽性であ

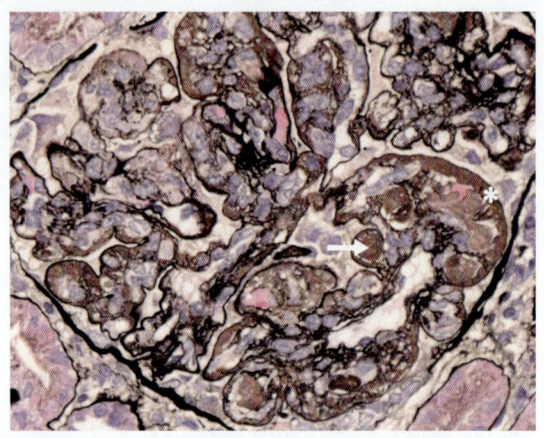

図 13-6-3 ループス腎炎（銀染色，400 倍）ISN/RPS 分類（Ⅳ-G(A)）
メサンギウム細胞の増加が著しい．基底膜の内側（内皮下腔）への免疫グロブリンの沈着によりワイヤーループ病変（＊）がみられる．また，血管内腔での塞栓も散見される（矢印）．

れば，2 項目でも診断可能となることである（SLICC と ARA の分類基準の比較はⓔコラム 1 参照）．

経過・予後
SLE の自然経過については，疾患概念が発表された当初の成績（1936～1964 年）によると 2 年生存率で 50％，5 年生存率で 20％という悲惨なものであった[13]．1965 年以降，90％以上の患者でステロイドが使用されるようになり，1982 年の成績では，5 年生存率が 86％，10 年生存率で 76％まで大幅に改善されている[14]．このような，歴史的事実から，無治療群とステロイド群のコントロール試験は行われていないが，第一選択薬になっている．ステロイドを使用した 1981 年の成績によると，腎炎のない SLE では，5 年生存率は 92％，10 年生存率は 87％，15 年生存率は 82％であったが，腎炎のある SLE では，5 年生存率は 80％，10 年生存率は 65％，15 年生存率は 60％と有意に「腎炎のある群」の予後が不良であった[15]．すなわち，ループス腎炎の有無と重症度が，生命予後を規定する重要な要因であることがわかった．

治療
原則は以下である．

①腎炎だけに注目するのではなく，全身の病変を評価する．特に中枢神経病変，肺出血，重症の溶血性貧血，重症の血小板減少症，全身性血管炎が存在すれば，生命に危険がある．ループス腎炎は全身性病変の一部であることを念頭におく必要がある．

②低補体血症が存在する場合，治療により補体は徐々に上昇し 8～12 週で正常化する．蛋白尿は早ければ 3 カ月，多くは 6～12 カ月かかり消失する．血尿は，1～2 年かかって正常化する．ただし，補体部分欠損症では，補体が正常化しない場合もあり過剰治療とならないように注意が必要である．

③補体が正常化し，蛋白尿が消失するまでの治療を寛解導入療法とし，その後を維持療法としている[16]．治療が長年にわたるので，再燃させず，しかも最小限のステロイド量使用を目指すことが重要である．再燃時の治療としては補体の低下，自己抗体価の上昇が早期のマーカーになる．蛋白尿，血尿，円柱尿があれば，再度全身病変を評価することになる．

④病理組織型（表 13-6-4）と治療の関係について，びまん性ループス腎炎（クラスⅣ）では，活動性の高い場合（急性変化の強い場合）は，大量ステロイドあるいはステロイドパルス療法を使用する．一方，膜性ループス腎炎（クラスⅤ）では，1～2 年かかりゆっくり軽快するので，ステロイド 30 mg/日から開始し，漸減しながら免疫抑制薬を併用することが多い．一方，慢性病変が主体（クラスⅥ）の場合，ステロイドは無効である．

⑤薬剤：欧米では，抗マラリア薬のヒドロキシクロロキン，免疫抑制薬ミコフェノール酸モフェチル（MMF）が主流になっている．わが国でも，2015 年から使用可能となった．その他ミゾリビン，タクロリムスが使用可能である．一般的には，寛解導入療法として，ステロイド（経口あるいは点滴静脈内投与），シクロホスファミドパルス（点滴静脈内投与）があげられている．維持療法として経口ステロイドにアザチオプリンあるいは MMF，ミゾリビンあるいはタクロリムスを併用することが多い．

〔今井裕一〕

（ⓔ文献 13-6-2-1）

(2) 結節性多発動脈炎
【⇨ 12-8】

(3) 多発血管炎性肉芽腫病
【⇨ 12-8】

(4) 関節リウマチ
定義・概念
関節リウマチ（rheumatoid arthritis：RA）は，慢性に経過する関節の滑膜炎を主病変とする自己免疫性の全身性炎症性疾患である．RA 患者には，経過中さまざまな腎障害がみられる（Helin ら，1995）．

分類
RA に伴う腎障害には，原病に関連するもの，治療に関連するもの，合併する膠原病に伴うもの，の 3 つがあり，①続発性（AA 型）アミロイドーシス，②メサンギウム増殖性糸球体腎炎，③膜性腎症，④悪性 RA（リウマチ性血管炎）による糸球体障害，に分類される（表 13-6-5）．

表 13-6-4 ループス腎炎の ISN/RPS 分類（2004）

クラスⅠ：軽微メサンギウム変化 　　　　光顕ではほぼ正常であるが免疫グロブリンの沈着がある クラスⅡ：メサンギウム増殖性ループス腎炎 　　　　光顕でメサンギウム細胞と基質の増加がある．免疫グロブリンの沈着を 　　　　伴う．蛍光抗体法や電顕で内皮下沈着，上皮下沈着があってもよい クラスⅢ：巣状ループス腎炎 　　　　全体の糸球体の 50％未満に管内・管外病変が存在．分節性，全節性で 　　　　あってもよい．巣状に内皮下沈着が存在してもよい 　　Ⅲ(A)：active lesion 　　Ⅲ(A/C)：active and chronic lesion 　　Ⅲ(C)：chronic lesion クラスⅣ：びまん性ループス腎炎 　　　　全体の糸球体の 50％以上に管内・管外病変が存在 　　Ⅳ-S(A)：active segmental lesion 　　Ⅳ-G(A)：active global lesion 　　Ⅳ-S(A/C)：active and chronic segmental lesion 　　Ⅳ-G(A/C)：active and chronic global lesion 　　Ⅳ-S(C)：chronic segmental lesion 　　Ⅳ-G(C)：chronic global lesion クラスⅤ：膜性ループス腎炎 　　　　メサンギウムの変化があってもなくてもよい 　　　　クラスⅢあるいはⅣと共存する． クラスⅥ：進行性硬化性ループス腎炎 　　　　90％以上の糸球体が硬化している	活動性病変（active lesion） 　内腔狭小化を伴う管内細胞増加 　核の崩壊像（karyorrhexis） 　フィブリノイド壊死 　　糸球体基底膜の破裂 　　細胞性・線維細胞性半月体形成 　　ワイヤーループ病変（光顕） 　　血管内腔の免疫グロブリン凝集 　　（hyaline thrombi） 慢性病変（chronic lesion） 　糸球体硬化（分節性，全節性） 　線維性癒着 　線維性半月体形成

原因・病因

AA 型アミロイドーシスは，高活動性・持続性の関節 RA 患者にみられ，炎症蛋白である血清アミロイド A（SAA）が腎組織，特に糸球体や細動脈壁に沈着することが原因である．

薬物性腎障害では，特に DMARDs（ブシラミン，ペニシラミン，金製剤）による膜性腎症が重要である．消炎鎮痛薬による急性腎障害，間質性腎炎，乳頭壊死（鎮痛薬腎症），微小変化型ネフローゼ症候群もときにみられる（Karie ら，2008；Nakano ら，1998）．その他，抗 TNF-α 薬によるループス腎炎，ANCA 関連腎炎類似の腎障害や膜性腎症などが報告されている（Stokes ら，2005）．

表 13-6-5 関節リウマチでみられる腎障害

- ■続発性（AA 型）アミロイドーシス
- ■メサンギウム増殖性糸球体腎炎
- ■膜性腎症
- ■悪性関節リウマチ（リウマチ性血管炎）による糸球体障害
- ■薬剤によるもの
  - ・膜性腎症（ブシラミン，ペニシラミン，金製剤）
  - ・消炎鎮痛薬による腎障害
    - 腎前性急性腎障害
    - 急性間質性腎炎，微小変化型ネフローゼ，慢性間質性腎炎，鎮痛薬腎症
  - ・メトトレキサート，タクロリムスなどによる腎障害
  - ・抗 TNF 薬（ANCA 関連腎炎など）
- ■合併する膠原病による腎病変（Sjögren 症候群，強皮症，など）

疫学

RA 患者の 15〜50％に何らかの腎障害がみられる．薬剤による腎障害（膜性腎症や消炎鎮痛剤に伴うもの）や続発性アミロイドーシス，メサンギウム増殖性糸球体腎炎の頻度が高い．悪性 RA は最近ほとんど見られない．

病理

病理像は合併する腎病変や薬剤によりさまざまである．原因がはっきりしない場合，特に腎機能低下やネフローゼを伴う場合は腎生検を行い，確定診断を行う．二次性アミロイドーシスでは糸球体や細動脈にコンゴーレッド陽性のアミロイド沈着を認める．悪性 RA では，虚血性腎症や半月体形成性糸球体腎炎，薬物性腎障害では膜性腎症，間質性腎炎，乳頭壊死などがみられる．

病態生理

原因によりさまざまである．

臨床症状・検査所見・合併症

原因および発見時期により，さまざまな程度の尿所見（尿蛋白，腎炎尿）と腎機能低下を呈する．

二次性アミロイドーシスでは，ネフローゼ症候群がみられる．関節症状と炎症反応高値（CRP，血清アミロイド A）が持続していることが多い．悪性 RA では，リウマトイド因子は高値のことが多く，血清補体価の低下がみられる．また，全身の血管炎（おもに中血管）の症状，たとえば紫斑，四肢末端の虚血，末梢神経障害，眼・心病変などがみられる．

診断・鑑別診断

上記の原因の腎障害を鑑別する．

経過・予後

薬物性の場合は中止により回復することが多いが，ブシラミンなどによる膜性腎症の場合，蛋白尿が陰性化するまでに6カ月〜1年の長期を要することが多い．

治療

原疾患の治療と対症療法を行う．薬物性の場合は原因薬剤を中止する．AA型アミロイドーシスに対しては，原病のコントロールのほか，トシリズマブがアミロイド沈着軽減に有効との報告がある． 〔要　伸也〕

■文献

Helin HJ, Korpela MM, et al: Renal biopsy findings and clinicopathologic corelations in rheumatoid arthritis. *Arthritis Rheum*. 1995; 38: 242.

Karie S, Gandijbakhch F, et al: Kidney in RA patients: prevalence and implication on RA-related drug management: the MATRIX study. *Rheumatology (Oxford)*. 2008; 47: 350-4.

Nakano M, Ueno M, et al: Analysis of renal pathology and drug history in 158 patients with rheumatoid arthritis. *Clin Nephrol*. 1998; 50: 154.

Stokes MB, Foster K, et al: Development of glomerulonephritis during anti-TNF alpha therapy for rheumatoid arthritis. *Nephrol Dial Transiplant*. 2005; 20: 1400.

(5) 全身性強皮症【⇨12-5】

定義・概念

全身性強皮症（systemic sclerosis：SSc）では，経過中患者の30〜50%に何らかの腎障害を伴う．剖検例では60〜80%に腎組織学的異常を認めたとの報告もある．全身性強皮症に直接関連するものとしては，悪性高血圧を伴う強皮症腎クリーゼが代表的であり，治療が遅れると腎予後・生命予後は不良である（Dentonら，2009）．

分類

全身性強皮症腎クリーゼの約90%が悪性高血圧を伴うものである．一方，血圧正常の腎クリーゼも約10%にみられ，正常血圧腎クリーゼ（normotensive renal crisis）とよばれる（Arnaudら，2007）．多くはMPO-ANCA陽性の急速進行性糸球体腎炎（組織的には半月体形成性糸球体腎炎）である．その他，薬剤（D-ペニシラミン，NSAIDsなど）によるもの，合併する膠原病による腎病変，心不全・肺高血圧に伴う二次的な腎の虚血性病変，など多様な腎障害がみられる（Steenら，2005）．

原因・病因

高血圧型強皮症腎の原因は，全身性強皮症の血管病変（内膜・中膜肥厚，壊死病変）が糸球体輸入細動脈などの小動脈に生じることである．輸入細動脈が狭窄し，腎血流低下によるレニン-アンジオテンシン系の亢進と虚血性腎症が起こり，悪性腎硬化症が進行する．

疫学

強皮症患者の約5%に高血圧性腎クリーゼ（scleroderm renal crisis）が生ずる．なかでも，びまん性皮膚硬化型強皮症（diffuse cutaneous SSc：dcSSc）に多くみられる（10〜20%）．一方，CREST症候群に代表される限局性皮膚硬化型強皮症（limited cutaneous SSc：lcSSc）では比較的まれ（1%程度）と考えられている．

病理

腎臓の中小動脈（弓状動脈，小葉間動脈および輸入細動脈）に広範な血管病変がみられる．血管内皮障害・増殖に始まり，内膜肥厚や血管壁のフィブリノイド壊死を生じる．進行すると血管内のフィブリノイド塞栓や高度の内膜肥厚（求心性onion skin病変）による血管狭窄をきたし，下流の糸球体は虚血に陥る（図12-6-4）．ただし，これらの病変は特異的なものではなく，ほかの原因による悪性高血圧でもみられる．

病態生理

前述のように，糸球体輸入細動脈の狭窄病変のためレニン分泌が著明に高まり，レニン-アンジオテンシン系の亢進により悪性高血圧へ至る悪循環が形成されると考えられる．

臨床症状

典型的な強皮症腎クリーゼはびまん性皮膚硬化型強皮症の患者に皮膚病変が現われて比較的早期（5年以内）に，突然，加速型-悪性高血圧と乏尿性の急性腎障害が出現するという経過をとる．臨床症状は，強皮症による皮膚硬化，Raynaud症状，末梢循環障害の症状のほか，悪性高血圧に伴うさまざまな症状である．まれに，腎クリーゼ発症時に皮膚病変がみられない，あるいはごく軽度な症例もある（SSc sine scleroder-

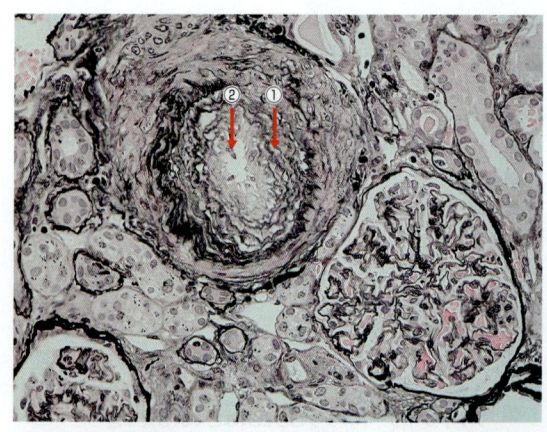

図13-6-4 **強皮症腎クリーゼの腎生検所見**（PAM染色）
小葉間動脈の著明な内膜肥厚①（onion skin病変）と血管内腔の狭窄②，糸球体の虚血性変化（基底膜の蛇行など）がみられる．

ma).

1) **自覚症状**：頭痛，視力低下，乏尿，浮腫などであり，悪性高血圧が高度になると全身痙攣，脳出血，肺水腫・心不全の症状などが加わることがある．
2) **他覚症状**：著明な高血圧のほか，心不全・肺水腫，高血圧性網膜症，高血圧性脳症，虚血性腸炎など悪性高血圧の臓器障害所見がみられる．

検査所見

びまん性皮膚硬化型で抗トポイソメラーゼ抗体（抗Scl-70抗体）や抗RNAポリメラーゼI/III抗体，限局性皮膚硬化型（CREST症候群）で抗セントロメア抗体が陽性となる．

腎クリーゼでは急速な腎機能の低下がみられる．ただし，尿蛋白は通常軽度であり，血尿や腎炎所見はふつうみられない．糸球体輸入細動脈の狭窄のためレニン分泌が著明に高まり，血漿レニン活性，アルドステロン濃度は著明に上昇する．また，悪性高血圧による血栓性微小血管障害（TMA）を反映した，細動脈性溶血性貧血（破砕赤血球の出現），血小板減少などがみられる．

危険因子

血管障害を生じる危険因子として表13-6-6のような要因が知られている．特にびまん性の皮膚硬化が急速に進行している症例に生じやすい．長期（1カ月以上）のステロイド使用が腎クリーゼの危険因子になるとの報告もある（Teixeiraら，2008）．自己抗体では，抗RNAポリメラーゼIII抗体が腎クリーゼ発症のリスクとなり，逆に，抗セントロメア抗体，抗トポイソメラーゼI抗体（抗Scl-70抗体）陽性がリスク低下と関連すると報告されている．

診断

びまん性皮膚硬化型強皮症の患者に急激な高血圧と腎機能悪化がみられたとき，強皮症腎クリーゼの診断は容易である．この場合，ふだんより血圧が上昇していることも考えられるため，以前の血圧との比較が重要となる．前述のように，強皮症の診断が確定していない場合，あるいは皮膚病変が軽度の場合にも起こりうるため注意する．

表 13-6-6 強皮症腎クリーゼの危険因子

- びまん性皮膚硬化型強皮症（dcSSc）
- 強皮症の発症後比較的早期（5年以内）
- 皮膚病変の急速な進行
- ステロイド使用
- シクロスポリン使用
- 抗RNAポリメラーゼIII抗体陽性（抗核抗体は微細斑状 fine speckled pattern）
- その他：避妊薬治療，貧血，心臓病変・心膜炎の合併など

鑑別診断

強皮症の患者に急性腎不全を認めた場合，加速型-悪性高血圧がみられれば強皮症腎クリーゼを疑うが，悪性高血圧の他の原因も除外する．血圧が正常であればANCA関連腎炎や薬物性腎障害など要因を考慮する．TMAを認める場合は，悪性高血圧以外の原因（血栓性血小板減少性紫斑病，溶血性尿毒症症候群）との鑑別が必要なことがある．

合併症

眼底異常，脳血管障害，心不全・肺水腫などの悪性高血圧の臓器病変や，TMAによる貧血，出血傾向などが合併する．

経過・予後

予後は依然不良であるが，アンジオテンシン変換酵素（ACE）阻害薬の出現により改善がみられている．当然ながら，維持透析となった症例の生命予後は不良であり，早期に治療が開始された場合ほど予後はよい．強皮症腎クリーゼでは，透析導入後も透析を離脱できることがある．特に高血圧が高度であった症例では，適切な降圧治療により透析離脱が期待できる．一方，正常血圧型の腎クリーゼでは，高血圧型よりも腎機能回復の可能性は低いと考えられている（Pennら，2007）．

治療

高血圧性腎クリーゼの場合，早期からACE阻害薬を用いて血圧を厳重にコントロールすることが最も重要である．なかでもカプトプリルは半減期が短く，用量の調節が容易なため第一選択薬として推奨されている．アンジオテンシンII受容体拮抗薬（ARB）はACE阻害薬が使用できない場合に考慮する．血圧コントロールのためCa拮抗薬を追加することもある．急速すぎる降圧は腎機能悪化を助長することがあるので，降圧スピードにも注意する．

強皮症患者への予防対策としては，ストレス，寒冷刺激，喫煙，脱水の回避などの生活指導を行うとともに，血圧，尿所見・腎機能を定期的にチェックし，腎クリーゼの早期発見に努める．

〔要 伸也〕

■文献：

Arnaud L, Huart A, et al: ANCA-related crescentic glomerulonephritis in systemic sclerosis: revisiting the "normotensive scleroderma renal crisis". *Clin Nephrol*. 2007; 68: 165-70.

Denton P, Lapadula G, et al: Renal complications and scleroderma renal crisis. *Rheumatology*. 2009; 48: iii32-5.

Penn H, Howie AJ, et al: Scleroderma renal crisis: patient characteristics and long-term outcomes. *QJM*. 2007; 100: 485-94.

Steen VD, Syzd A, et al: Kidney disease other than renal crisis in patients with diffuse scleroderma. *J Rheumatol*. 2005; 32: 649-55.

Teixeira L, Mouthon L, et al: Mortality and risk factors of

scleroderma renal crisis: a French retrospective study of 50 patients. *Ann Rheum Dis.* 2008; **67**: 110-6.

(6) Sjögren 症候群【⇨ 12-3】

定義・概念

Sjögren 症候群（Sjögren syndrome：SS）は，唾液腺，涙腺などの全身外分泌腺に慢性炎症が生ずる自己免疫疾患である．一次性 SS と他の自己免疫疾患に伴う二次性 SS に分けられる．腎病変としては尿細管間質性腎炎が代表的であるが，膜性腎症や合併する SLE に伴うループス腎炎などもときにみられる．

原因・病因

遺伝性あるいは後天性要因（ウイルスなど）により，抑制性 T 細胞の機能異常と B 細胞のポリクローナルな異常増殖をきたし，外分泌腺あるいは腎臓をはじめとする腺外臓器にリンパ球が浸潤することにより生ずると考えられている．

疫学

Sjögren 症候群のほとんどは若年～中高年の女性にみられる．Sjögren 症候群患者の約 25％に遠位尿細管性アシドーシス（1 型，ときに 4 型）が合併する．

病理

Sjögren 症候群に伴う尿細管間質性腎炎では，腎間質に CD4 陽性 T 細胞や形質細胞を主体とした単核球の炎症性細胞浸潤がみられ，慢性尿細管間質性腎炎の像を呈する．尿細管炎もみられるのが特徴である．慢性に経過すると腎間質の線維化と尿細管萎縮などの慢性病変が主体となる．

病態生理

尿細管間質性腎炎の結果，腎機能低下，遠位尿細管障害，ないし近位尿細管障害を生ずる．尿細管性アシドーシス（1 型 RTA）が特徴的であり，集合管間在細胞の尿酸性化能が選択的に障害され，低カリウム血症と代謝性アシドーシスを生ずる．

臨床症状

Sjögren 症候群に伴う口腔内，眼の乾燥症状，唾液腺の腫脹などの症状のほか，合併する尿細管障害による症状（腎機能低下，代謝性アシドーシス，低カリウム血症による尿濃縮力障害，腎石灰化，など）が種々の程度でみられる．

検査所見

Sjögren 症候群では高ガンマグロブリン血症，血清 IgG 高値のほか，抗核抗体，抗 SS-A 抗体，抗 SS-B 抗体が陽性となる．一方，尿細管間質性障害の所見として，腎機能低下，近位尿細管障害を示す尿中 β_2-ミクログロブリンや NAG（N-acetyl-β-D-glucosaminidase）の高値，代謝性アシドーシス，低カリウム血症（ときに高カリウム血症），などがみられる．尿所見は軽微で，尿蛋白はないか軽度，血尿は通常みられない．1 型 RTA が特徴的であるが，遠位尿細管障害による腎性尿崩症，近位尿細管障害による Fanconi 症候群や 2 型 RTA が合併することがある．

1 型 RTA では，アニオンギャップ正常の代謝性アシドーシス，低カリウム血症がみられ，その他尿路結石・腎石灰化の所見が特徴的である（図 13-6-5）．尿路結石はおもにリン酸カルシウム結石であり，アルカリ尿，クエン酸の尿中排泄低下，骨融解による高カルシウム尿などが要因としてあげられる．

診断

診断基準に基づいて Sjögren 症候群の診断を行う．腎症については，尿細管間質障害と 1 型 RTA の有無を調べる．1 型 RTA の診断としては，酸血症があっても早朝尿の pH が 5.5 以上であれば疑い，確定診断には酸負荷試験（塩化アンモニウム負荷）を行う．Fanconi 症候群を合併すれば，低リン血症，汎アミノ酸尿，腎性糖尿，2 型 RTA などを認める．鑑別疾患として，合併するループス腎炎，IgG4 関連尿細管間質性腎炎があげられる【⇨ 13-6-2-7】．Sjögren 症候群では血中 IgG4 は正常範囲である．

経過・予後

尿細管間質性腎炎はふつう慢性に経過し，腎機能低下のスピードも通常緩徐である．

治療

尿細管間質性腎炎が高度の場合，ステロイド，および免疫抑制薬を投与することがある．1 型 RTA を合併した場合は，治療は，アルカリ薬とカリウムの補給である．通常，クエン酸カリウムや重曹を 1 日酸産生量に相当する 1～2 mEq/kg 投与する． 〔要　伸也〕

■文献

Maripuri S, Grande JP, et al: Renal involvement in primary Sjögren's syndrome: a clinicopathologic study. *Clin J Am Soc Nephrol.* 2009; **4**: 1423.

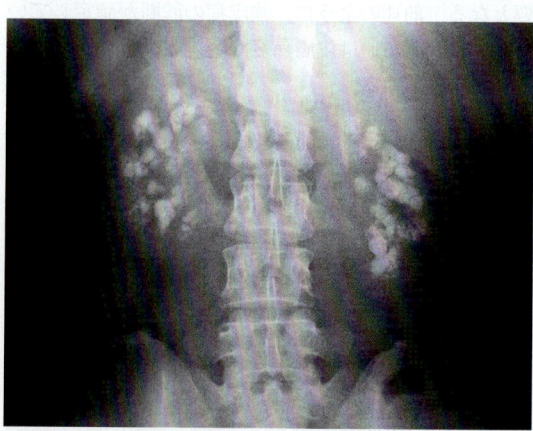

図 13-6-5 Sjögren 症候群に合併する尿細管性アシドーシス 1 型に伴う腎石灰化

(7) IgG4 関連腎臓病 (IgG4-related kidney disease)
【⇨ 12-20】
定義・概念
　IgG4 関連疾患 (IgG4-related disease) は，IgG4 高値と組織中への IgG4 陽性形質細胞，リンパ球の浸潤を共通所見とする全身性疾患であり，進行すると臓器の腫大，硬化・線維化のため臓器障害をきたす (Stone ら，2012)【⇨ 13-6-2-7】．唾液腺，涙腺，リンパ節，膵臓，胆管，腎臓などが好発部位であるが，全身どの部位にも現れる可能性があり，単一臓器に限局することもある．従来，Mikulicz 病，自己免疫性膵炎とよばれていたものと同一疾患と考えられている．腎間質または腎盂に浸潤病変を認める場合，IgG4 関連腎臓病とよぶ (Kawano ら，2014；日本腎臓病学会，2011)．アレルギーや自己免疫機序が想定されているが，原因はいまだ不明のままである．一般に副腎皮質ステロイドによく反応し，予後は良好である．

分類
　IgG4 関連腎臓病患者の多くは腎外病変を伴うが (全身型)，腎外病変のみられない腎限局型もある．

原因・病因
　IgG4 関連腎臓病を含む IgG4 関連疾患の機序については，アレルギーとの関連，Th2 および制御性 T 細胞応答系の関与，自己免疫反応などが想定されている．制御性 T 細胞の産生する TGF-β，インターロイキン-10 (IL-10) はそれぞれ線維芽細胞における線維化，形質細胞・B 細胞における IgG4 産生の亢進をきたすとの仮説が提唱されているが，いまだ不明な点が多い．

疫学
　IgG4 関連疾患は，中高年 (60 歳代) の男性に好発し (男女比 2〜3：1)，喘息やアレルギー性鼻炎などのアレルギー疾患を伴うことがある．

病理
　腎生検では，間質に著明な形質細胞およびリンパ球の浸潤を認め，多くは間質の線維化を伴う．形質細胞，リンパ球を取り囲む境界明瞭で特異な線維化所見であり，ほかの原因による間質線維化と区別して，"storiform pattern"(花筵状)，あるいは "bird's eye pattern (鳥の目状)" とよばれる (図 13-6-6)．免疫染色では，間質に多数の IgG ないし IgG4 陽性の形質細胞の浸潤がみられる．腎被膜をこえる病変，好酸球浸潤，病変部と非病変部の境界明瞭所見，高度の線維化は本疾患を支持する所見であり，逆に，壊死性血管炎，肉芽腫性病変，好中球浸潤，高度の尿細管炎があれば他疾患を疑う．

　一方，膜性腎症をはじめ，IgA 腎症，巣状分節性管内増殖性糸球体腎炎，膜性増殖性糸球体腎炎，メサンギウム増殖性腎炎などの多彩な糸球体病変も約 40%

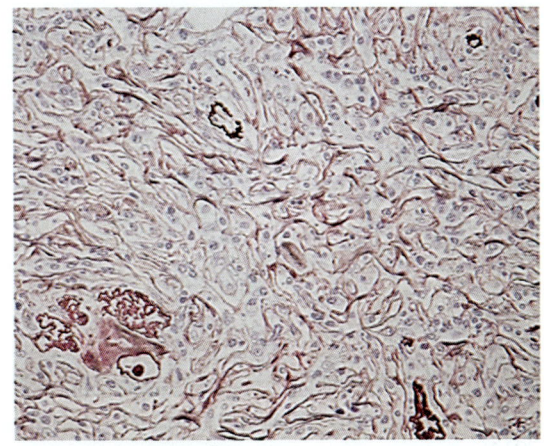

図 13-6-6 花筵状の間質線維化 (storiform fibrosis)

に認める (Alexander ら，2012)．

臨床症状
　腎外病変によるさまざまな症状がみられる．ただし，Sjögren 症候群と異なり，唾液腺腫脹がみられても口腔内乾燥症状は軽度にとどまることが多い．

検査所見
　検査所見では，高ガンマグロブリン血症，血中 IgG，特に IgG4 の高値が特徴である．蛋白電気泳動では，IgG はポリクローナル像を示す．その他，高 IgE 血症，低補体血症，好酸球増加がしばしばみられる．Sjögren 症候群でみられる SS-A, SS-B 抗体は陰性である．

　尿所見は，糸球体病変を伴うもの以外では軽微であり，蛋白尿は陰性か少量にとどまる．尿細管障害を反映する尿中 N-acetyl-glucosaminidase (NAG), $β_2$-ミクログロブリンの高値を認めることが多い．腎機能は正常〜腎不全までさまざまであり，自然軽快例も報告されている一方，透析に至る症例もある．

画像所見
　画像所見では，腎臓のびまん性腫大，限局性の腫瘤，内腔不整を伴わない腎盂壁の肥厚，などがみられる (図 13-6-7)．腫瘤はふつう血管に乏しい (hypovascular)．

診断
　検査所見，画像所見，組織所見を手がかりとして診断を行う．IgG4 関連慢性腎臓病の診断基準が示されている．「高 IgG 血症，低補体血症，高 IgE 血症のいずれかを満たし，一般検尿もしくは尿細管障害マーカー異常，画像所見異常，腎機能低下のいずれかを有する腎障害の存在」があれば，IgG4 関連腎臓病を疑い，腎外病変の検索，血中 IgG4 値の測定を行う．特徴的な腎画像所見の有無，および腎生検所見が重要であり，病理所見では，浸潤細胞のうち IgG4/IgG 陽性細胞比 40% 以上，あるいは IgG4 陽性細胞 10/high

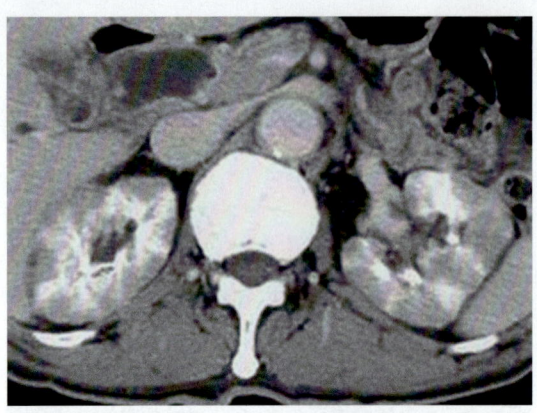

図 13-6-7 腎臓における多発性造影不領域(Kawano ら, 2014)

powerfield(HPF)以上が目安となる．腎外病変における組織所見でも同様の所見がみられる．

1) **診断基準**：IgG4関連腎臓病の診断基準を示す(e 表 13-6-C)．必須所見は，血中 IgG4 高値(135 mg/dL 以上)および腎臓ないし腎臓外臓器の組織所見(IgG4 陽性形質細胞浸潤と線維化)であり，これらを組み合わせて診断する．

鑑別診断

類似の自・他覚症状，検査所見，組織所見，画像所見を示す疾患を鑑別する．

腎障害，リンパ節腫脹，低補体血症や高 IgG 血症は全身性エリテマトーデスやクリオグロブリン血症でもみられる．画像所見で腎・腎盂の腫瘤を伴う場合は，悪性リンパ腫や腎癌(尿路上上皮癌など)，癌の転移，サルコイドーシス，のほか，腎梗塞，腎盂腎炎などが鑑別の対象になる．

一方，腎間質への IgG4 陽性形質細胞浸潤は，IgG4 関連腎臓病以外にも多発血管炎性肉芽腫症(granulomatosiswith polyangiitis：GPA，旧名 Wegener 肉芽腫症)，好酸球性多発血管炎性肉芽腫症(eosinophilic granulomatosis with polyangiitis：EGPA，旧名 Churg-Strauss 症候群)，形質細胞腫などでもみられるため，ときに鑑別が必要となる．この際，腎被膜をこえる病変，好酸球浸潤，病変部と非病変部の境界明瞭所見，高度の線維化は IgG4 関連腎臓病に特徴的な所見であり，逆に，壊死性血管炎，肉芽腫性病変，好中球浸潤，高度の尿細管炎はふつうみられないことが参考になる．

合併症

全身臓器にさまざまな病変がみられるため，全身検索が必要である．腎臓以外では，唾液腺，涙腺，リンパ節，膵臓などが好発部位であるが，その他，肺，後腹膜，門脈や大血管周囲，前立腺，下垂体などにも病変がみられることがある．腎病変としては，尿細管間質性腎炎のほか腎盂病変(腎盂炎，腎盂腫瘤)がみられることもある．糸球体疾患，特に膜性腎症の合併することがあり，IgG4 関連疾患の病態との関連が推測されている．その他，ときに悪性腫瘍が合併することがあるため注意する．

経過・予後

IgG4 関連腎臓病でも自然寛解も報告されているが，無治療の場合，多くは間質性腎炎による腎不全が進行する．進行のスピードはさまざまである．

治療

ステロイドに対する反応性は良好であり，腎機能も少なくとも部分的には回復することが多い．ただし，治療が遅れると末期腎不全に至ることもある．

〔要　伸也〕

■文献

Alexander MP, Larsen CP, et al: Membranous glomerulonephritis is a manifestation of IgG4-related disease. *Kidney Int*. 2012; 83: 455-62.

IgG4 関連腎臓病ワーキンググループ：IgG4 関連腎臓病診療指針．日本腎臓学会誌．2011; 53: 1062-73.

Kawano M, Saeki T: IgG4-related kidney disease. *Kidney Int*. 2014; 85: 251-7.

Stone JH, Zen Y, et al: IgG4-related disease. *N Engl J Med*. 2012; 366: 539-51.

3) アミロイド腎症
renal amyloidosis

定義・概念
アミロイドーシスはβシート構造をもつ不溶性のアミロイド線維が，各臓器に沈着することで臓器障害を引き起こす疾患の総称である．アミロイド線維は種々の前駆蛋白より生成され，その前駆蛋白によりアミロイドーシスは分類される（山田，2010）表15-3-2）．全身の臓器にアミロイドが沈着する全身性と，特定の臓器に限局して沈着する限局性があり，またそれぞれ非遺伝性，遺伝性などに分類される．非遺伝性の全身性アミロイドーシスである免疫グロブリン性アミロイドーシス（ALアミロイドーシス，AHアミロイドーシス）と反応性AAアミロイドーシスでは，腎臓が重要な罹患臓器となる．遺伝性の全身性アミロイドーシスでは，家族性腎アミロイドーシスや家族性アミロイドポリニューロパチーなどで腎臓へのアミロイドの沈着を認める．アミロイド沈着による腎障害をアミロイド腎症とよぶ．

原因・病因
ALアミロイドーシスでは，単クローン性免疫グロブリン（M蛋白）の軽鎖を前駆蛋白としてアミロイドが形成される．κ鎖よりλ鎖の頻度が高い．多発性骨髄腫や原発性マクログロブリン血症に伴って生じる場合と，それらの診断には至らない単クローン性の形質細胞増殖により生じる場合があり，後者を原発性ALアミロイドーシスとよぶ．AHアミロイドーシスは単クローン性免疫グロブリン重鎖（H鎖）を前駆蛋白とするものであるが，きわめてまれである．

反応性AAアミロイドーシスでは，急性期蛋白である血清アミロイドA（SAA）が前駆蛋白であり，アミロイドA（AA）となり臓器に沈着する．続発性アミロイドーシスの大部分であり，関節リウマチ，炎症性腸疾患，気管支拡張症，結核，自己炎症性疾患などの慢性炎症性疾患に続発する．家族性腎アミロイドーシスでは変異フィブリノゲンα鎖や変異リゾチーム，家族性アミロイドポリニューロパチーでは変異トランスサイレチンや変異アポリポ蛋白A-I，変異ゲルゾリンなどが前駆蛋白となる[1-5]（e表13-6-D）．

疫学
ALアミロイドーシスは中年以降に発症し，60歳代がピークである（山田，2010）．アミロイド腎症は国内では腎生検全体の1.5%，ネフローゼ症候群における腎生検の4%にみられる[6]．高齢者に多く，65歳以上では腎生検全体の4%，ネフローゼ症候群の8%である[7]．

病態生理
アミロイド腎症では糸球体へのアミロイドの沈着により蛋白尿がみられ，ネフローゼ症候群を呈する．腎内の血管壁，尿細管基底膜，尿細管間質にも沈着して腎機能低下をきたす．

臨床症状
全身性のアミロイド沈着による諸臓器障害や，ネフローゼ症候群，腎不全により以下の自・他覚症状が出現する．

1) **自覚症状**：全身倦怠感，息切れ，胃腸障害（頑固な下痢など），浮腫，手足のしびれ，紫斑など．
2) **他覚症状**：低血圧，起立性低血圧，不整脈，巨舌，肝腫大など．

検査所見
腎臓に関しては，蛋白尿（しばしばネフローゼ症候群）がみられ，進行すると糸球体濾過値が低下する．心臓へのアミロイド沈着も頻発し，心電図では低電位や不整脈がみられ，超音波検査で心室壁・中隔の肥厚，心筋のエコー輝度上昇がみられる．M蛋白を検出・同定するためには，血液や尿の免疫電気泳動や，より感度の高い免疫固定法，血清遊離軽鎖（free light chain：FLC）測定を施行する．血中，尿中の免疫固定法に血清FLC測定を組み合わせることで，ほぼ100%のM蛋白の検出が可能となる[8]．反応性AAアミロイドーシスでは，CRPやSAAなどの炎症反応マーカーが持続的に高値となる．

診断
原発性ALアミロイドーシスの場合は，蛋白尿やネフローゼ症候群を契機に発見されることがしばしばある．高齢者のネフローゼ症候群では，ALアミロイドーシスを念頭におく．長期間コントロールが不良な慢性炎症性疾患患者において，蛋白尿出現や腎機能低下がみられるときは，反応性AAアミロイドーシスによるアミロイド腎症の可能性を考慮する．

アミロイドーシスの確定診断には組織診断が必要であり，腎生検でアミロイドの沈着を確認し，そのタイプを同定することで，アミロイド腎症の確定診断となる．腎生検以外に胃十二指腸粘膜生検，直腸生検，腹壁脂肪吸引生検などもアミロイドの検出に有用であり，腎生検のリスクが高い場合はこれらの部位の生検を行う．肝生検は出血の危険があるので避ける（山田，2010）．

腎臓においてアミロイドは糸球体，血管壁，尿細管基底膜，間質に沈着し，光顕ではHE染色で好酸性均質の無構造に染まる沈着物として観察される．糸球体ではメサンギウム，係蹄壁，血管極への沈着がみられ（図13-6-8A），PAM染色では糸球体基底膜から上皮側に針状に突出するスピクラ（spicula）が観察されることもある．アミロイドはコンゴーレッド染色で橙赤色に染まり（図13-6-8B），それを偏光顕微鏡下で観察するとアップルグリーンを呈することにより診断

される（図13-6-8C）．チオフラビンT染色は，特異度はやや落ちるがより鋭敏である（江原，2010）．アミロイド蛋白の確定には，特異抗体（抗免疫グロブリン軽鎖抗体，抗AA抗体，抗トランスサイレチン抗体など）を用いた免疫染色が推奨される（山田，2010）．最近はレーザーマイクロダイセクション法を用いて生検組織の質量分析を行うことで，アミロイド蛋白を同定する方法もある[9]．電顕では8〜15 nmの幅の分枝のない細線維構造を示す（江原，2010）（図13-6-8D）．

経過・予後

原発性ALアミロイドーシスの予後は不良である．1990年代に施行されたメルファラン，プレドニゾロン，コルヒチンを用いた臨床試験では，腎症が主体である場合の中央生存期間は1年半ほどであり，心病変が主体の場合はさらに悪く半年ほどであった[10]．2000年代の臨床試験のメルファラン/デキサメタゾン併用療法群では，約70％が腎病変をもった患者において，5年弱の中央生存期間が得られている[11]．関節リウマチに伴う反応性AAアミロイドーシスでは，糸球体にアミロイド沈着があると末期腎不全に至る可能性が高いことが報告されている[12]．

治療

原発性あるいは多発性骨髄腫に伴うALアミドイドーシスの治療は，アミロイド蛋白の前駆蛋白であるFLC産生を減少させることが重要である．多発性骨髄腫の場合は，骨髄腫に対する治療を行い，原発性の場合は骨髄腫に準じた治療を行う．適応のある患者では，自家末梢血幹細胞移植を併用した大量メルファラン療法を施行する．しかし本法では，臓器障害のため治療関連死が高いことも報告されており，リスクに応じた前処置とメルファランの減量を行うことが推奨されている（日本血液学会，2013）．移植療法の適応のない場合は，メルファラン/デキサメタゾン併用療法や低用量デキサメタゾン療法を施行する．最近，多発性骨髄腫で使用されるサリドマイド，ボルテゾミブ，

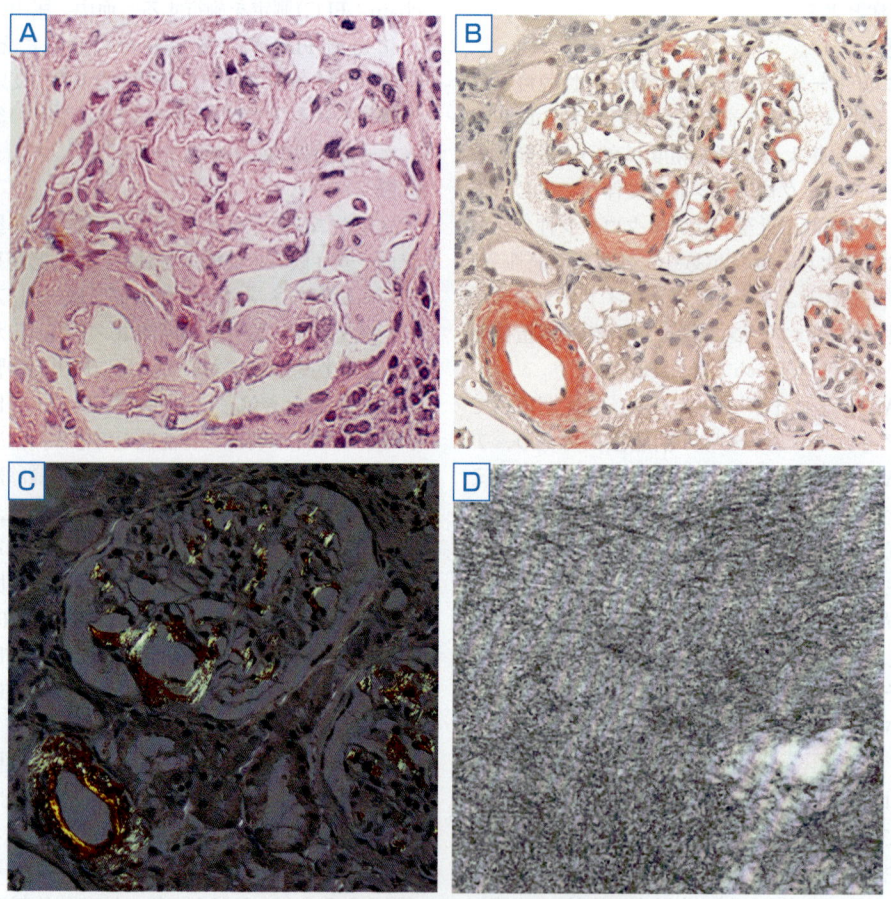

図13-6-8 原発性ALアミロイドーシスによるアミロイド腎症の組織像
A：糸球体血管極やメサンギウム領域に無構造沈着物（光顕，HE染色，×400）．
B：糸球体血管極，メサンギウム領域，小葉間動脈に橙赤色に染まる沈着物（光顕，コンゴーレッド染色，×200）．
C：アップルグリーンの発色像（偏光顕微鏡，コンゴーレッド染色，×200）．
D：8〜15 nmの分枝のない細線維構造物（電顕，×2万）

レナリドミドなどの新規薬剤の有用性も報告されており，上記治療で効果不十分，再発時にはこれらの薬剤投与を検討する（日本血液学会，2013）．

反応性 AA アミロイドーシスについては，原疾患の治療が重要である．反応性 AA アミロイドーシスの最も多い原因である関節リウマチについては，抗 TNF-α 製剤や抗 IL-6 受容体抗体製剤などが，原疾患とともにアミロイドーシスの治療にも有用であることが示されている[13,14]．

〔廣村桂樹・野島美久〕

■文献（e文献 13-6-3）

江原孝史：腎アミロイドーシス．腎生検病理アトラス（日本腎臓学会・腎病理診断標準化委員会 日本腎病理協会編），pp155-60，東京医学社，2010．
日本血液学会編：造血器腫瘍ガイドライン．金原出版，2013．
山田正仁：アミロイドーシス診療ガイドライン2010，厚生労働科学研究費補助金難治性疾患克服研究事業アミロイドーシスに関する調査研究班，2010．

4）骨髄腫腎
myeloma kidney, cast nephropathy

定義・概念

多発性骨髄腫は単クローン性の形質細胞が骨髄内で増殖する腫瘍性疾患であり，高齢者に多い．種々の原因で腎障害が生じるが，このうち尿中の単クローン性免疫グロブリン軽鎖（Bence Jones 蛋白：BJP）が尿細管腔内で円柱（cast）を形成し，尿細管閉塞をきたすことで生じる病変を骨髄腫腎（myeloma kidney）あるいは円柱腎症（cast nephropathy）とよぶ．多発性骨髄腫では骨髄腫腎のほかにも単クローン性免疫グロブリン（M 蛋白）が原因となり，Fanconi 症候群，AL アミロイドーシス，単クローン性免疫グロブリン沈着症，過粘稠症候群などの腎障害を生じる．さらに高カルシウム血症，高尿酸血症，非ステロイド系抗炎症薬（NSAIDs）などの腎障害も加わり，複雑な病態を形成することが多い（安倍，2011）．

原因・病因

免疫グロブリン軽鎖は分子量約 2.5 万であり，糸球体係蹄壁より濾過され，大部分が近位尿細管で再吸収される．多発性骨髄腫で大量の軽鎖が産生されると，近位尿細管で再吸収しきれない BJP が，Henle 上行脚より分泌される Tamm-Horsfall 蛋白と特異的に結合し，遠位尿細管や集合管内で凝集して円柱を形成する．

疫学

多発性骨髄腫では，受診時に約半数の患者に腎機能の低下がみられ，約 20％の患者は血清 Cr 2 mg/dL 以上である[1,2]．腎障害の原因の大部分が高カルシウム血症または骨髄腫腎，あるいは両者の合併による[1]．

病態生理

骨髄腫腎では進行性の腎機能低下がみられ，円柱形成の促進因子も加わり，しばしば急性腎障害をきたす．円柱形成に促進的に働く因子として，脱水，感染，高カルシウム血症，造影剤，NSAIDs，ループ利尿薬などがある[3]．IgD 型や BJP 型多発性骨髄腫では遊離軽鎖が多く，骨髄腫腎を起こしやすくまた重症化しやすい[4]．

検査所見

高齢者の進行性の腎機能低下や急性腎障害では，骨髄腫腎の可能性も念頭におき，M 蛋白の有無について血液，尿の蛋白電気泳動や血清遊離軽鎖（free light chain：FLC）を測定して検討し，免疫電気泳動や免疫固定法によりそのタイプを同定する．特に持続する背部痛や腰痛，高蛋白血症，高カルシウム血症を伴う腎不全の場合は骨髄腫腎の可能性が高くなる．尿検査では BJP の存在により大量の蛋白尿が尿定量検査でみられるが，試験紙法による尿定性検査では陰性か弱陽性にとどまる．これは試験紙法ではアルブミンをおもに検出し，BJP の検出感度が低いことによる．この尿検査での定性と定量の乖離は，BJP の存在を疑わせる根拠となる．

診断

骨髄腫腎の確定診断には腎生検が必要であり，光顕で無構造なヒアリン様物質からなる円柱が尿細管腔を閉塞している像がみられ，しばしば円柱を取り囲んで多核巨細胞がみられる（e図 13-6-A）．しかし BJP 主体の蛋白尿を伴う腎機能障害患者で，骨髄穿刺などにより多発性骨髄腫の診断がなされた場合は，腎生検よりも治療を優先する．

治療

骨髄腫腎では腎障害の進行を防ぐために，円柱形成を防ぐことが重要であり，生理食塩水などを点滴し循環血液量を増やし利尿を促す．BJP の尿細管毒性軽減のため尿のアルカリ化も有効とされる[5]．高カルシウム血症が存在する場合は，補液やビスホスホネートの投与を行う．こうした治療と並行して，デキサメタゾン，ボルテゾミブなどを用いた化学療法を施行し BJP 産生を速やかに抑制することが重要である．治療が奏効すると腎機能の改善が得られる[6,7]．

〔廣村桂樹・野島美久〕

■文献（e文献 13-6-4）

安倍正博：多発性骨髄腫．日本内科学会雑誌．2011：**100**：1275-81．

5）その他のパラプロテイン血症の腎障害

パラプロテインは単クローン性免疫グロブリンを意

味し，パラプロテインが血中に存在する病態をパラプロテイン血症とよぶ．パラプロテインによって生じる腎障害として，上述のAL，AHアミロイドーシスによるアミロイド腎症，骨髄腫腎に加えて，以下に示す疾患がある（表13-6-7）（eコラム1参照）．

(1) クリオグロブリン血症性糸球体腎炎

混合型クリオグロブリン血症では，クリオグロブリン（eコラム2）が補体を活性化することで，全身の小血管において免疫複合体型の血管炎を引き起こし，発熱，Raynaud現象，紫斑，皮膚潰瘍，多関節痛，多発単神経炎などを生じる．検査ではC4優位の補体低下やCH 50の低下がみられる．腎組織の光顕所見では，膜性増殖性糸球体腎炎に類似した病変を呈し，係蹄壁の二重化や糸球体分葉化を認める．また係蹄壁内にクリオグロブリンによる血栓が観察されることもある．蛍光抗体では係蹄壁を主体にIgM，IgG，C3の沈着がみられる．電顕では25〜35 nmの微小管状構造が特徴的であり，細顆粒状や細線維状構造を示すこともある[1]．

血管炎症状や腎炎の活動性の強い場合は，副腎皮質ステロイドやシクロホスファミドなどによりクリオグロブリン産生を抑制する．急速な腎機能低下がみられる場合は，クリオグロブリンの除去を目的とした血漿交換やクリオフィルトレーションも有効である[2,3]．C型肝炎に合併したものでは，抗ウイルス療法を施行する[4]．最近，リツキシマブのクリオグロブリン血管炎に対する有効性が報告されている[5]．

(2) 単クローン性免疫グロブリン沈着症（monoclonal immunoglobulin deposition disease：MIDD）

MIDDは，単クローン性免疫グロブリンやその断片が腎臓，肝臓，心臓，腸管などの全身臓器に沈着することで生じる疾患である．アミロイドーシスとは異なり免疫グロブリンがそのまま微細顆粒状に沈着する．コンゴーレッド染色は陰性である．免疫グロブリンの性状より，軽鎖沈着症（light chain deposition disease：LCDD），軽鎖重鎖沈着症（light and heavy chain deposition disease：LHCDD），重鎖沈着症（heavy chain deposition disease：HCDD）に分類される（大橋，2010）[6]．いずれもまれな疾患ではあるが，3つのなかでは軽鎖沈着症の頻度が高い[7]．好発年齢

表13-6-7 パラプロテイン（単クローン性免疫グロブリン）によって生じる腎障害

疾患	原因グロブリン	コンゴーレッド染色	光顕：主要所見	電顕：沈着物の性状
アミロイド腎症（ALアミロイドーシス，AHアミロイドーシス）	単クローン性免疫グロブリン軽鎖（λ>κ）または重鎖由来のアミロイド蛋白	(+)	糸球体，血管壁などに，HE染色で好酸性均質の無構造沈着物	線維性構造物（8〜15 nm）
骨髄腫腎	尿中単クローン性免疫グロブリン軽鎖（Bence Jones蛋白）	(−)	尿細管管腔内に円柱（cast）形成	均一性高電子密度物質，ときに結晶成分
クリオグロブリン血症性糸球体腎炎（混合型クリオグロブリン血症II型）	多クローン性IgG＋単クローン性IgM（おもにIgMκ型）	(−)	膜性増殖性糸球体腎炎様病変	細顆粒状，細線維状，微小管状構造（25〜35 nm）
単クローン性免疫グロブリン沈着症（軽鎖沈着症，軽鎖重鎖沈着症，重鎖沈着症）	単クローン性免疫グロブリン軽鎖/重鎖（軽鎖沈着症：κ＞λ）	(−)	糖尿病性腎症類似の結節性糸球体硬化症	帯状の顆粒状沈着物
proliferative glomerulonephritis with monoclonal IgG deposits	単クローン性IgG	(−)	膜性増殖性糸球体腎炎や管内増殖性糸球体腎炎様病変	顆粒状沈着物
イムノタクトイド腎症	免疫グロブリンやその構成成分（単クローン性のことが多い）	(−)	膜性増殖性糸球体腎炎様病変	微小管状構造（32〜50 nm）
細線維性糸球体腎炎	免疫グロブリンやその構成成分（単クローン性はまれ）	(−)	膜性増殖性糸球体腎炎様病変	細線維構造（18〜22 nm）
原発性マクログロブリン血症に伴う腎障害	単クローン性IgM	(−)	糸球体係蹄内にIgMによる血栓	高電子密度物質，顆粒状沈着物

は45歳以上であり，多発性骨髄腫に合併することが多い．蛋白尿をきたし，しばしばネフローゼ症候群となる．軽鎖沈着症ではλ鎖よりκ鎖の頻度が高い[8]．光顕ではメサンギウム領域の拡大がみられ，進行すると糖尿病性腎症に類似の結節性糸球体硬化症の所見がみられる（e図13-6-B）．蛍光抗体法では単クローン性免疫グロブリンの糸球体基底膜への線状沈着と，メサンギウム，尿細管基底膜，血管壁への沈着がみられる．電顕では微細顆粒状の高電子密度物質が，糸球体基底膜の内皮下に帯状に沈着する（大橋，2010）．多発性骨髄腫に準じた治療を行う．

(3) proliferative glomerulonephritis with monoclonal IgG deposits（PGNMID）

単クローン免疫グロブリンが沈着するが，MIDDとは異なる組織像を呈する病態として，proliferative glomerulonephritis with monoclonal IgG deposits（PGNMID）とよばれる新たな疾患が最近提唱されている[9]．本症は①単クローン性IgGが糸球体に沈着し，②電顕では顆粒状の沈着物がメサンギウム，内皮下，上皮下に免疫複合体糸球体腎炎様に沈着，③クリオグロブリン陰性という特徴をもち，光顕では膜性増殖性糸球体腎炎や管内増殖性糸球体腎炎様の病変を呈す．MIDDよりもさらにまれな疾患であるが，わが国からも報告されつつある[10]．

(4) イムノタクトイド腎症（immunotactoid glomerulopathy），細線維性糸球体腎炎（fibrillary glomerulonephritis）

イムノタクトイド腎症と細線維性糸球体腎炎は，コンゴーレッド染色陰性のアミロイド様の線維性構造物の沈着を糸球体に認める疾患である．発生機序は不明であるが，免疫グロブリンやその構成成分などが結晶化し糸球体に沈着するものと考えられている．光顕では膜性増殖性糸球体腎炎類似の組織像を呈する．確定診断には電顕が不可欠であり，イムノタクトイド腎症では32〜50 nm幅の微小管状構造物が糸球体基底膜やメサンギウムに沈着し，細線維性糸球体腎炎では18〜22 nm幅の線維性構造物が同様の部位に沈着する（田口，2010）．イムノタクトイド腎症はリンパ増殖性疾患に伴うことが多く，しばしばパラプロテインが沈着するが，細線維性糸球体腎炎ではパラプロテインはまれである．

(5) 原発性マクログロブリン血症

IgMを分泌するリンパ形質細胞の腫瘍性増殖により，単クローン性IgMによる高ガンマグロブリン血症をきたす疾患であり，Waldenströmマクログロブリン血症ともよばれる．IgMは五量体構造をとる分子量約100万の巨大な蛋白であり，大量に血中に分泌されると過粘稠度症候群をきたす．多発性骨髄腫と比較して腎障害はまれであるが，典型例では糸球体係蹄内にIgMが沈着し，ときに血管腔を閉塞するような巨大な血栓様沈着物がみられる[11]．また腫瘍細胞が尿細管間質に浸潤がみられたり，過粘稠度症候群のため糸球体濾過値の低下が生じたりする．ALアミロイドーシスの原因になることもある[12]．

〔廣村桂樹・野島美久〕

■文献（e文献13-6-5）

大橋健一：軽鎖沈着症．腎生検病理アトラス（日本腎臓学会・腎病理診断標準化委員会，日本腎病理協会編），pp171-3，東京医学社，2010．

田口　尚：細線維性糸球体腎炎／イムノタクトイド糸球体症．腎生検病理アトラス（日本腎臓学会・腎病理診断標準化委員会，日本腎病理協会編），pp163-7，東京医学社，2010．

6）溶血性尿毒症症候群と非典型溶血性尿毒症症候群

定義・概念

溶血性尿毒症症候群（hemolytic uremic syndrome：HUS）は微小血管障害性溶血性貧血，血小板減少，急性腎傷害（acute kidney injury：AKI）の3徴を呈する病態である．従来，HUSは下痢（血便）を伴う志賀毒素産生性の腸管出血性大腸菌（Shiga toxin（Stx）-producing Escherichia coli：STEC）による典型的なHUS（STEC-HUS）と，下痢がみられないHUS，非典型溶血性尿毒症症候群（atypical hemolytic uremic syndrome：aHUS）に大別されてきた（五十嵐，2014；Barbourら，2012）．近年，HUSとaHUSはともに血栓性微小血管症（thrombotic microangiopathy：TMA）という共通した病理学像（微小血管内血栓と血管内皮障害）をもとに発症し（図13-6-9），加えて多岐にわたる疾患がTMAを呈することが明らかとなっている（表13-6-8）．現在，TMA病態を示す疾患の中で，ADAMTS13活性著減による血栓性血小板減少性紫斑病（thrombotic thrombocytopenic purpura：TTP）（ADAMTS13活性欠乏性TMA）【⇨16-11-6】，STEC-HUS，二次性TMA疾患などを除いた補体関連TMAがaHUSと定義されている（香美ら，2016）．aHUS患者の60〜70％に補体調節因子の遺伝子異常が検出される．

疫学

小児HUSの約90％がStxを産生するSTEC（O157，O111，O26など）による典型HUS（STEC-HUS）であり下痢症に続発するものが多い．残りの約10％がaHUSである．一方，成人ではHUSの

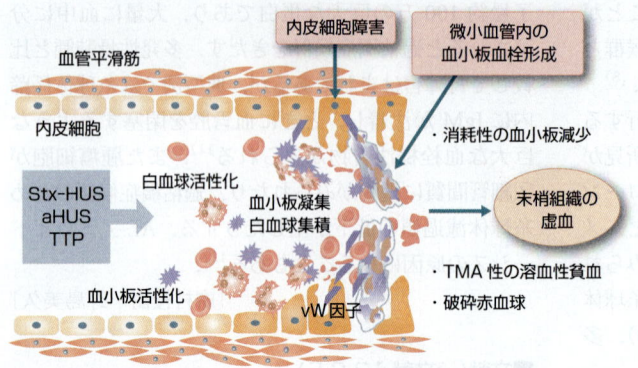

図 13-6-9 **血栓性微小血管症(TMA)の発症機序**
Stx-HUS, aHUS, TTP では内皮細胞は障害を受け活性化し,同時に白血球,血小板,凝固系の活性化が誘導される.さらに細胞障害が進むと細胞剥離やフィブリン析出が起こり微小血管内に血小板血栓が形成される.その場で血小板は消費され減少し,赤血球は剪断され溶血や破砕赤血球が生ずる.血管が閉塞してくるとその末梢は虚血に陥り臓器障害が進展する.

表 13-6-8 **aHUS の分類**(Barbour ら,2012 を改変)
aHUS は 1. 病因がすでに明らかになっているものと,2. 病因はいまだ不明であるが特定疾患・病態下で発症するものに分類できる.

1. TTP-ADAMTS13 活性欠乏性 TMA
   ・先天性
   ・後天性
2. HUS
   ・志賀毒素産生病原性大腸菌感染症(STEC-HUS)-STEC-TMA
   ・肺炎球菌感染症-HUS
3. aHUS-補体関連 TMA
   ・先天性(補体調節蛋白の遺伝子変異)
   ・後天性:自己抗体産生(抗 CFH 抗体)
4. 二次性 TMA
   ・代謝(コバラミン代謝異常症)
   ・薬剤(キニーネ,抗腫瘍薬)
   ・感染症(HIV,百日咳,インフルエンザ)
   ・妊娠
   ・疾患(自己免疫疾患・膠原病関連,腎炎,膵炎,悪性高血圧,悪性腫瘍)
   ・移植

5〜10% が STEC-HUS であり,aHUS の占める割合が 50〜60% と高い(五十嵐,2014).

病態生理
Stx および補体調節因が内皮細胞障害を起こすメカニズムについてはそれぞれⓔコラム 1,ⓔコラム 2 を参照.

臨床症状
STEC-HUS では,STEC 感染者の約半数に大腸炎症状がある.貧血(顔面蒼白),浮腫,痙攣,意識障害も認められる.aHUS は TMA による多彩な全身症状が出現する.二次性 TMA では原疾患の症状に HUS 徴候を併発する.

検査所見
HUS では,Coombs 試験陰性の溶血性貧血(正球性正色素性貧血,血清 LDH の上昇,ハプトグロビンの低下,間接ビリルビンの上昇),破砕赤血球を認める.血小板減少や腎障害(GFR 低下,クレアチニン・BUN 上昇,血尿,蛋白尿,高カリウム血症,アシドーシス)も認める.aHUS では HUS による検査所見や原因疾患に関連した異常が認められる.aHUS では患者の約半数に C3 低値がある.

診断
HUS は次の 3 徴(検査値)をもって診断する(五十嵐,2014).①微小血管症性溶血性貧血(破砕状赤血球を伴う貧血で Hb 10 g/dL 未満),②血小板減少(血小板数 15 万/μL 未満),③AKI(血清クレアチニン値が年齢・性別基準値の 1.5 倍以上).特に,STEC-HUS 診断には便中に Stx を産生する STEC を同定するか ELISA 法にて Stx を検出することが必要である.一方,aHUS は,STEC-HUS,ADAMTS13 活性著減 TTP,二次性 TMA 以外の補体関連 TMA であり HUS の 3 徴を呈するものである(香美ら,2016).さらに C-aHUS 診断には補体調節因子(H 因子,I 因子,membrane cofactor protein,C3,B 因子,トロンボモジュリン,diacylglycerol kinase epsilon(DGKE),プラスミノゲン(PLG))の機能解析や遺伝子解析,抗 H 因子抗体の検出が有用である(香美ら,2016).

経過・合併症・予後
STEC-HUS の場合,約 3 日の潜伏期を経て腹痛,水様性下痢が生じ次第に血便となる.下痢開始後約 7 日目に HUS 徴候が生じる.20〜60% の患者に透析療法を必要とする AKI を合併する.約 10% に意識障害,痙攣などの中枢神経症状(急性脳症)がある.重症例では,急性腎不全や脳症を発症する.軽症例は体液管理のみで回復する(五十嵐,2014).aHUS は上気道炎症状や消化器症状を前駆症状として突然発症することが多い.患者の約 20% に下痢などの消化器症状があり,中枢神経系症状(易刺激性,意識障害,痙攣など)も約 10% 認める.心筋梗塞が約 3% にみられ,まれに肺,膵臓を含む多臓器不全もある[1)-3)].予後は不良で発症から 1 年以内に 2 割が死亡,5 割が末期の腎不全に至る.aHUS では原因遺伝子変異により予後,経過が異なる(香美ら,2016)(ⓔ表 13-6-E).

治療
STEC-HUS では溢水や脱水を避けるために厳格な

体液管理を行い，急性腎不全には速やかに透析を行う．貧血（Hb 6g/dL 以下）に対しては赤血球輸血を行う．血小板減少に対しては出血傾向がある場合，あるいは外科的処置が必要な場合に血小板輸血を行う．脳症に対しては脳浮腫の治療，抗痙攣薬による痙攣の治療を行う．aHUSでは正常な補体調整因子を補充する血漿輸注や同時に抗H因子抗体を除去できる血漿交換などの血漿療法が推奨されている（ⓔ表13-6-E）[4,5]．最近，aHUSに対して補体第2経路活性化を阻害する抗C5モノクローナル抗体（エクリズマブ）が有効であることが示され治療薬として承認された[6]．

〔香美祥二〕

■文献（ⓔ文献13-6-6）

Barbour T, Johnson S, et al: Thrombotic microangiopathy and associated renal disorders. *Nephrol Dial Transplant.* 2012; 27: 2673-85.

五十嵐隆（総括責任者）：溶血性尿毒症症候群の診断・治療ガイドライン，東京医学社，2014.

香美祥二，岡田浩一，他：非典型溶血性尿毒症症候群（aHUS）診療ガイド2015（日本腎臓学会・日本小児科学会合同 非典型溶血性尿毒症症候群診断基準改訂委員会）．日本腎臓学会誌．2016; 58: 62-75.

7）抗糸球体基底膜抗体病（Goodpasture症候群）

概念・定義

抗糸球体基底膜（glomerular basement membrane：GBM）抗体が陽性であり，急速進行性腎炎症候群（rapidly progressive glomerulonephritis：RPGN）と肺出血を呈する場合にはGoodpasture症候群，肺出血を認めない場合を抗糸球体基底膜（GBM）腎炎とよぶ．これらの総称が抗糸球体基底膜（GBM）抗体病である．まれに肺出血のみで発症する抗GBM抗体病の存在が知られている[1]．抗GBM抗体はIV型コラーゲンα3鎖のNC1ドメインの特定部分に対する抗体[2]であり，IV型コラーゲンα3鎖のおもな分布臓器である肺胞基底膜やGBMの抗原基露出部位に抗体が結合して炎症を惹起し発症する．

疫学

抗GBM抗体病の新規発症は年間100万人に1人とされている[3]．わが国のRPGN症例ではGoodpasture症候群が1.5%，抗GBM腎炎が4.6%を占める[4]．RPGNのなかではヨーロッパでは10%程度，米国では10%以上，アジア諸国では10%未満であり，地域差，人種差が存在する．性差はほぼ同じかやや女性に多い[4]．諸外国では若年と中高齢者の二峰性のピークがあり，若年ではGoodpasture症候群が，中高齢者には抗GBM腎炎が多いといわれるが，わが国の症例には若年でのピークを認めず，発症時平均年齢は50歳以降と比較的高齢発症という特徴がある[5]．

原因・病因

1）Goodpasture抗原：抗GBM抗体の対応抗原はGBMの主成分であるIV型コラーゲンα3鎖の，non-collagenous 1（NC1ドメイン）にあり[2]，GBM以外にも肺胞基底膜，脳脈絡膜にも分布する．さらにそのなかで，N末端側17～31位のアミノ酸残基（エピトープA；E_A）とC末端側127～141位のアミノ酸残基（エピトープB；E_B）が，抗原のエピトープであることが証明されている[6]．生体由来のNC1ドメイン六量体に抗GBM抗体は直接結合することができず，酵素処理により単量体あるいは二量体に分離したNC1ドメインとのみ結合することができる[7]．生体内において通常Goodpasture抗原のエピトープはNC1ドメイン部分どうし，全体で六量体を形成する立体構造によりその内部に隠されている，つまりhidden antigen（cryptic antigen）の状態になっており，そのため抗原性はないものと考えられている．Goodpasture症候群の患者はこれらのエピトープを認識する複数種の抗GBM抗体を有し，また一部の症例はα4鎖NC1ドメイン単量体を認識する抗GBM抗体をもち，これらのエピトープは通常の六量体のNC1ドメインとは反応しない（Pedchenkoら，2010）．このような患者に，感染症（インフルエンザなど）[8]，吸入性毒性物質（有機溶媒，四塩化炭素など）[9,10]，喫煙[11]などによる肺の基底膜の障害や腎結石に対する体外衝撃波治療後[12]にGBM障害が生じると，単量体で表出されるエピトープが露出し抗原提示細胞に暴露され，抗体産生が起こるものと推測されている．このような抗GBM抗体産生にはHLA-DRB1*1501があり，DPB1*0401を欠くことなど[13]，遺伝的背景も指摘されている．

2）糸球体障害発症機序：本症での免疫応答は免疫反応II型，すなわち細胞膜直接障害型の代表的疾患として分類されていたが，基底膜は細胞外マトリックス蛋白であり細胞膜とは異なる分子構成であること，IgG受容体であるFcγ受容体の病態への関与から[14]，自己抗体以外の因子が病態に関与する可能性が明らかとなっている．さらにTリンパ球介在型の免疫反応による組織傷害機序の関与も推測されている[15]．具体的には，抗GBM抗体の基底膜への結合を足がかりに，好中球，リンパ球，単球・マクロファージなどの炎症細胞が組織局所に浸潤し，さらにそれらが産生するサイトカイン，活性酸素，蛋白融解酵素や補体，凝固系なども関与し，毛細血管壁の障害，基底膜の断裂が生じるものと考えられている．糸球体係蹄壁の断裂部より血液中のフィブリンがBowman腔へ漏出する

とともに，炎症細胞が Bowman 腔へ浸潤する．浸潤した炎症細胞は種々のメディエータを産生することにより，Bowman 嚢上皮細胞の増殖が引き起こされ，細胞性半月体が形成される．高度の壊死性病変を伴う場合には Bowman 嚢の断裂により間質からのマクロファージの浸潤もきたす[16]．

診断・鑑別診断

RPGN の経過で血清学的検査に抗 GBM 抗体が検出され，組織学的に IgG の係蹄壁への線状沈着を伴う半月体形成性壊死性糸球体腎炎を抗 GBM 腎炎とし，さらにこれに肺出血を伴い古典的 3 主徴を呈する場合を Goodpasture 症候群と診断する．

肺出血と RPGN を同時に呈する疾患(肺腎症候群，pulmonary renal syndrome：PRS))の鑑別として，顕微鏡的多発血管炎，多発血管炎性肉芽腫症(granulomatosis with polyangiitis：GPA，旧 Wegener 肉芽腫)，好酸球性多発血管炎性肉芽腫症(Churg-Strauss 症候群)，全身性エリテマトーデス，IgA 血管炎などがあげられる．

治療・予後

治療は血漿交換療法と免疫抑制療法(ステロイドパルス療法＋免疫抑制薬)の併用療法を標準的治療とする[4]．血漿交換療法として二重膜濾過血漿交換や免疫吸着療法が選択される場合がある．あわせて経口副腎皮質ステロイドを投与し，経過をみながら投与量を漸減する．重度の症例に対しては，ステロイドパルス療法を数クール施行する．

わが国では，1999 年に抗 GBM 抗体検査が保険収載され，さらに 2002 年 RPGN 診療指針が発行されたことにより，RPGN 全体の生命予後，腎予後ともに改善がみられている一方，抗 GBM 腎炎では，治療開始時平均血清クレアチニンは低下傾向にあるにもかかわらず，腎予後はいまだきわめて不良である(Koyama ら，2008)．　　　　　　〔山縣邦弘〕

■文献(e文献 13-6-7)

Koyama A, Yamagata K, et al: A nationwide survey of rapidly progressive glomerulonephritis in Japan: etiology, prognosis and treatment diversity. *Clin Exp Nephrol*. 2009; **13**: 633-50.

Pedchenko V, Bondar O, et al: Molecular architecture of the Goodpasture autoantigen in anti-GBM nephritis. *N Engl J Med*. 2010; **363**: 343-54.

8）肝疾患と腎障害

(1) 肝腎症候群 (hepatorenal syndrome)

定義・概念

1860 年代から肝硬変患者が乏尿となり死亡する症例の報告がみられ，その後の研究で肝硬変の血行動態の変化に伴って生じる病理学的変化の乏しい腎機能障害として肝腎症候群の疾患概念が 1970 年はじめに確立した．現在 International Ascites Club により提唱された診断基準が広く使用されている(表 13-6-9)．急性腎障害(AKI)の定義によっても分類可能であるが，肝硬変患者の腎障害については十分解析されていないため AKI というより肝腎症候群とされるべきである．

分類

肝腎症候群はその重症度と腎不全への進行度により，急速進行型の 1 型と緩徐進行型の 2 型に分類される(表 13-6-10)．

病態生理 (図 13-6-10)

形態学的変化を伴わず，肝移植や血管収縮薬，補液などにより治癒することから機能的な障害と考えられてきたが，その後腎障害の原因は循環不全であることが明らかとなっている(Fagundes ら，2012)．門脈圧亢進に伴って，NO や内因性カンナビノイド，一酸化炭素などの血管作動性物質が産生され内臓血管が拡張する．また，腸内細菌の腸管外への移行(translocation)が，周囲の炎症反応を惹起して炎症性サイトカインを介した血管拡張も生じる．これらが全身の血管抵抗低下につながる．心拍出量を増やすことにより代償できなくなると有効循環血液量の低下を招く．また，肝硬変に伴う心筋症(cirrhotic cardiomyopathy)によって十分な心拍出の代償ができなくなることも誘因となる．このような代償機転の破綻した有効循環血液量の極端な低下状態において血圧を維持するために，まず交感神経系やレニン-アンジオテンシン系が亢進し，続いてアルギニン・バソプレシンが浸透圧に関係なく過剰分泌されるようになる．これらは循環動

表 13-6-9 肝腎症候群の診断基準 (Salerno ら，2007)

1. 腹水を伴う肝硬変
2. 血清クレアチニン＞1.5 mg/dL
3. 利尿薬を 2 日以上服用せず，アルブミンなどの補液を行ってもクレアチニンの低下が認められない．
4. ショックではない．
5. 現在または過去に腎毒性のある薬剤の投与がない．
6. 尿蛋白(500 mg/日以上)や血尿(50 個以上/毎視野)，腎臓形態異常など腎皮質障害を疑う所見がない．

表13-6-10 肝腎症候群の臨床分類（Salernoら，2007）

> 1型：2週間以内に急速に腎機能障害が進行し，血清クレアチニンが倍化し最終的に2.5 mg/dLをこえる症例．いわゆる急性腎不全の臨床経過で，治療しなければ2週間前後で死亡する．
> 2型：安定または緩徐に進行する腎機能障害で1型の分類に合致しない症例．利尿薬に反応しない難治性腹水を特徴とする．平均生命予後は6カ月前後である．

態の安定に寄与する一方，塩分や自由水の再吸収を促し，循環血液量過多の低ナトリウム血症と腹水，浮腫を助長する．血圧低下に対して血管収縮薬を投与すると，さらに腎動脈の血流は低下し，GFRを減少させて肝腎症候群の誘因となる．一方，このような塩分負荷や体液貯留があるにもかかわらず循環血液量過多の症状は認めない．これは体液が内臓や下肢の静脈系にとどまっているためと考えられている．

臨床症状

1型は未治療では血清クレアチニンが5 mg/dLをこえる．約2/3の症例で血管内脱水，低ナトリウム血症を呈するが，カリウムはほぼ正常域にとどまる．したがってカリウム保持性利尿薬は禁忌となる．尿細管機能は保たれているため，腎前性腎不全の尿所見（尿中Na 10 mEq/L以下，FE_{Na} 1％以下）を呈する．一般に尿量は保たれ乏尿になることはほとんどない．肝腎症候群が進行し急性尿細管壊死（ATN）に移行する可能性はあるが，その頻度など詳しい検証はされていない．腎機能障害のみでなく，1型では平均血圧70 mmHg以下の血圧低下や全身の血管抵抗の低下などの循環不全を伴う．したがって敗血症性ショックとの鑑別が難しく，感染症の有無の検索が必要となる．ま

た黄疸，凝固異常，低アルブミン，肝性脳症，栄養障害，大量腹水や浮腫といった進行肝障害を合併している．

一方，2型では腎機能障害の程度が軽く血清クレアチニンが2 mg/dL前後にとどまることが多い．臨床症状も比較的軽度であるが，難治性腹水が認められる．経過観察中に細菌感染などをきっかけに2型から1型に移行することがある．現在両者が別の病態なのか，重症度だけの違いなのかは明らかになっていない．

発症のきっかけがない場合もあるが，細菌感染特に細菌性腹膜炎はよく知られた誘因であり，約1/3の症例で肝腎症候群を発症する．そのうち1/3は感染の改善とともに治癒するが，そのまま1型となった場合は治療しなければほぼ救命は不可能である．その他，消化管出血やアルブミンを用いず5L以上の腹水穿刺した場合に腎障害を発症することがあるが，ほとんどはATNが原因していると考えられる．

治療

生命予後が非常に悪いため，特に1型ではICU管理として中心静脈などのモニタリングを注意深く行い，細菌感染や消化管出血には迅速に対応する．肝硬変に伴う塩分貯留，体液過剰の状況にあるため，大量の補液は腹水や浮腫を増悪させるだけになることがあり避けるべきである（Ginesら，2009）．

1）1型肝腎症候群の治療： バソプレシンアナログやα作動薬などを用いた強力な血管収縮薬投与が第一選択となる．これはおもに著しく拡張した内臓血管床を収縮させて有効循環血液量を維持するためである．アルブミンの投与だけで心機能は改善するが，腎機能が改善するというエビデンスはない．いくつかのRCTの結果では，terlipressin（バソプレシンアナログ）とアルブミンの併用により40〜50％の肝腎症候群患者のクレアチニン低下，尿量増加，低ナトリウムの是正が可能であったとされている．ただしterlipressinは現在日本では保険適応外である．ノルアドレナリンやミドドリンなどのα作動薬は安価でバソプレシンアナログの代替として広く用いられているがまだ十分なエビデンスは得られていない．寛解が得られても約15％に再発が認められ，バソプレシンアナログの再投与が必要となる．約12％に虚血などの副作用が認められ投薬中止を余儀なくされる．腎代替療法は行われるが，原因の除去ではないので第一選択にはならない．ただし薬物治療に効果がみられず尿毒症状，過剰な体液貯留，代謝性アシドーシス，高カリウム血症などのコントロールができない場合施行される．

外科的には，経静脈的に肝内の門脈と肝静脈を交通させる経頸静脈肝内門脈体循環シャント術（transjugular intrahepatic portosystemic shunt：TIPS）により

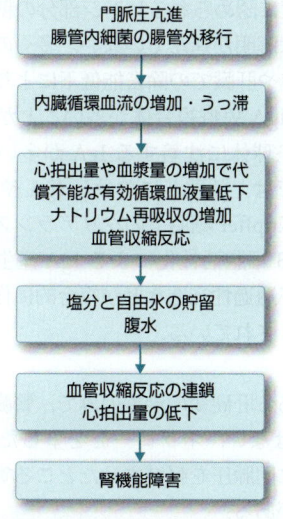

図13-6-10 肝腎症候群の進展機序

門脈圧を低下させる手技が行われている．腎機能改善と腹水軽減が得られるため適応を選べば有効な治療法となり，日本消化器病学会のガイドラインでは grade C1 に推奨されている．

根治術は肝移植のみである．肝移植後に腎機能も回復するために一般的に肝腎同時移植は行われない．しかし，移植を待っている間に死亡する症例が多く優先順位を上げられるかが問題となる．移植前に薬物療法を行った方がよいかどうかについては一定の見解が得られていない．

2）2 型肝腎症候群の治療：2 型に対しての血管収縮薬とアルブミンの併用効果のエビデンスは少ない．血管収縮薬により腎機能改善が望めるとされているが，再発率は非常に高い．TIPS も腎機能を改善させ，1 型への移行を減少させるというがこれまで RCT は行われていない．腎機能がある程度保たれているため腎代替療法が必要となることはない．

予防

特発性細菌性腹膜炎（spontaneous bacterial peritonitis：SBP）を発症した肝硬変患者に多く，またアルブミンやキノロン（ノルフロキサシン）の予防投与により発症リスクが軽減されると報告されているが，対象症例や投与量，期間については議論が分かれる．低ナトリウムもリスクファクターであるが，トルバプタン（バソプレシン V_2 受容体阻害薬）などによるナトリウム濃度の補正が予後に影響するかの検討はされていない．

〔横尾　隆〕

■文献

Fagundes C, Ginès P: Hepatorenal syndrome: a severe, but treatable, cause of kidney failure in cirrhosis. Am J Kidney Dis. 2012; 59: 874-85.
Gines P, Schrier RW: Renal failure in cirrhosis. N Engl J Med. 2009; 361: 1279-90.
Salemo F, Gerbes A et al: Diagnosis, prevention and treatment of hepatorenal syndrome in cirrhosis. Gut. 2007; 56: 1310-8.

（2）肝性糸球体硬化症（hepatic glomerulosclerosis）

概念

1940 年代に肝硬変患者は糸球体硬化性病変を伴うことが多いことが報告され，その後肝硬変に限らず慢性肝炎でも同様の所見を呈するため肝性糸球体硬化症という概念が定着した．その後の検討で肝硬変患者の約 6 割に IgA 沈着が認められており，現在は二次性 IgA 腎症としてとらえられている場合が多い（Babbs ら，1991）．

病理

メサンギウム領域（ときに末梢係蹄壁）に IgA の沈着を認めるが，典型的な IgA 腎症と異なり巣状である．IgG，IgM，C3 も染色される場合があるが非常に軽微である．C1q は約 7 割に陽性となる．光顕上は IgA 腎症と明らかな差異を認めない．ほとんど変化がないものからびまん性メサンギウム増殖を呈するものがあるが，多くの症例はメサンギウム基質の拡大が軽微である．ただしメサンギウム嵌入や基底膜の二重化を伴った 1 型 MPGN の像を呈することがある．半月体を形成することはほとんどない．電顕上は，IgA 沈着に一致してメサンギウム領域に光電子密度沈着物が観察される．膜性増殖性糸球体腎炎（MPGN）を呈する症例では内皮下沈着も認められる．この沈着物やその近傍の基底膜には直径 50〜100 nm 程度の空洞が散在し内部に電子密度の高い物質が含まれていることを特徴とするが，この構造体の詳細はわかっていない（Jenette ら，2014）．

臨床症状

多くの場合は無症状であるが，約 9%に血尿や円柱を認め，ほとんどの場合が 1 g 以下の軽度尿蛋白にとどまる．ネフローゼを呈するのは 1.6％とされ，そのほとんどが MPGN 様所見を呈する．腎機能障害まで至るのは約 4 割である．何らかの尿所見を呈する症例の 25％に IgA 沈着を認める．肝機能障害の程度と腎障害の程度の相関の有無に対するエビデンスはほとんどない．末期腎不全まで至ることは非常にまれであり，IgA 腎症の予後とは異なる．また，IgA 腎症ではほとんど症例で血尿を認め約 40％に肉眼的血尿のエピソードがあるが，本症では血尿を認めないこともしばしばある．

病態生理

メサンギウム領域に IgA が沈着するメカニズムは十分解明されていないが，IgA 腎症と同様に IgA1 サブクラスの沈着が発端となるとされている．ほとんどの症例では J 鎖を認め分泌成分を認めないため，沈着物中には二量体の IgA が存在することとなる．ただし，IgA 腎症に認められるヒンジ部分の糖鎖異常の有無については解明が進んでいない．多くの肝硬変では IgA 産生亢進や肝臓での除去能低下により流血中の二量体 IgA や IgA 免疫複合体が多いことが知られており，単純に糸球体に沈着する IgA が多いとも考えられる．最近では，肝硬変における IgA や IgA 免疫複合体の肝臓 Kupffer 細胞でのクリアランス障害，ポリクローナル B 細胞活性化による IgA 産生亢進，消化管での高分子透過性亢進などが複合的に作用して病態を形成するとされている．

治療

原疾患である肝硬変の治療のみで，腎臓に対する特異的治療法はない．ネフローゼを呈した肝性 IgA 腎症が外科的に門脈圧を軽減させたところ寛解に至ったという報告がある．

〔横尾　隆〕

■文献
- Babbs C, Warnes TW, et al: IgA nephropathy in non-cirrhotic portal hypertension. Gut. 1991; 32: 225-6.
- Jennette JC, D Agati VD, et al ed: Heptinstall's Pathology of the Kidney, 7th ed, Walters Kluwer, 2014.

(3) 肝炎ウイルス関連腎炎 (hepatitis virus-associated nephropathy)

現在肝炎ウイルス感染後腎障害で問題となるのは，ほとんどがB型肝炎とC型肝炎であり，膜性腎症や膜性増殖性腎症を呈するネフローゼ症候群となり治療に難渋することが多い．

a. B型肝炎ウイルス (HBV) 腎症

臨床症状

HBVに関連する糸球体疾患は膜性腎症を呈することが多く，HBe抗原が上皮下に沈着するとされる．小児に多く男性に多い．大部分がネフローゼ症候群となり，血尿はほとんど認めない．最近のメタ解析によると約57％が膜性腎症，約27％がメサンギウム増殖性腎炎，16％が膜性増殖性腎炎であった．アジアを含むHBV感染の流行地では，垂直感染による小児の潜伏感染での膜性腎症が多く認められるが，無症状か軽微な症状であることが多くまた約半数は自然寛解する．ただし高度蛋白尿で発症し顕微鏡的血尿を伴うこともある．成人例では半数が高血圧を認め，約1/3に腎機能障害を認める．血清補体値は正常域であるが，血清免疫複合体は約80％で高値を示す．血清HBs抗原，HBc抗体を認めることが多い．明らかな肝炎症状を呈しない場合があるので注意が必要である．最近はワクチンの普及により発症は減少している（Zhengら，2012）．

病理

びまん性の糸球体係蹄壁の肥厚を認めるが，原発性膜性腎症と異なりループス腎炎（V型）に類似した多彩な病理像を呈することが多い（e図13-6-C，13-6-D）．光顕ではしばしばメサンギウム増殖を伴い，管内増殖，ワイヤーループ様の内皮下沈着や1型・3型膜性増殖性糸球体腎炎（MPGN）とオーバーラップした病像を呈することがある．免疫染色では免疫グロブリン，補体がいずれも染色されるいわゆるフルハウスパターンとなることがある．電顕では，メサンギウム領域や内皮下の光電子密度沈着物や内皮細胞の管状網状封入体が観察される．

治療

自然寛解が30〜60％と報告されており，軽症例は経過観察となる．原疾患の治療が基本であり，抗ウイルス薬（インターフェロン，ラミブジン，エンテカビル，アデホビルなど）や免疫抑制薬（グルココルチコイド，ミコフェノール酸モフェチル（MMF），レフルノミドなど）が使用される．抗ウイルス薬はウイルス抗原の除去や蛋白尿減少効果についてのエビデンスが得られているが，免疫抑制薬の効果や安全性については十分に証明されていない．特にHBV遺伝子にはglucocorticoid enhancement elementが存在するため，グルココルチコイドの使用によりウイルスの複製を助長させ肝機能障害を進行させることが危惧されてきた．ただし一般診療では，抗ウイルス薬で尿蛋白減少効果が乏しい場合，グルココルチコイドはしばしば使用されてきた．事実，免疫複合体の腎臓への沈着がHBV腎症の病態に関与しているとされているので，発症に何らかの免疫反応が介在していることが示唆され免疫抑制薬を使用する根拠となっている．近年，抗ウイルス薬とグルココルチコイドの併用療法はそれぞれの単剤投与より有意にすぐれており，約83％の尿蛋白寛解が得られるという大規模試験が報告された．病理診断による解析も行われたが，尿蛋白寛解率に有意差はないとされる．

予後

成人では約30％が腎不全に進行し，10％が維持透析を必要とする．

b. C型肝炎ウイルス (HCV) 腎症

HCV感染が持続すると蛋白尿や糸球体障害の頻度が上がってくることが知られており，HCV腎症といわれる．最も一般的な病理像としてはクリオグロブリン血症を伴う患者における1型MPGNであるが，膜性腎症，IgA腎症，感染後管内増殖性腎炎，巣状糸球体硬化症，fibrillaryやimmunotactoid糸球体腎炎，血栓性血管炎，Waldenströmマクログロブリン血症などの報告がみられる（Moralesら，2012）．

病因

血清中の抗HCV抗体の陽性率が非常に高く，また血清HCV RNAに伴う寒冷凝集反応を認め，クリオグロブリン血症と慢性HCV感染が発症に強くかかわっていることを示唆している．なぜHCVに関連したクリオグロブリン血症が生じるか詳しくわかっていないが，HCVエンベロープ蛋白E2がB細胞表面のCD81に作用してIgMリウマトイド因子とクリオグロブリンが産生されると考えられている．HCVの慢性感染は自然免疫を持続的に刺激してHCV抗体や単クローン性リウマトイド因子の産生刺激といった後天免疫を惹起する．HCV抗体は流血中のHCVまたはその成分と結合しさらに補体が付着して免疫複合体が形成される．またリウマチ因子は免疫グロブリンと結合し2型クリオグロブリンとなる．この両者が糸球体に沈着して腎障害を惹起するといわれている．ただしクリオグロブリン血症があっても腎機能障害を伴う場合と伴わない場合があり，腎障害の機序については

さらなる解明が必要となる．ただし，インターフェロンによる治療でHCV RNAが減少するに伴って尿蛋白も減少するためHCVが直接腎障害に関与していることが示唆されている．免疫組織学的検討ではHCV RNAは糸球体，尿細管上皮，血管内皮細胞に局在していることが報告されている．

臨床症状・検査所見

約70％がネフローゼ症候群となり，腎機能障害は進行性である．約25％に血尿を認める．多くの患者は紫斑，関節痛，関節炎，末梢の知覚障害，Raynaud現象や腹痛といったクリオグロブリン血症に伴う全身症状を認める．しばしば肝機能障害，低補体，クリオグロブリン血症，免疫複合体を伴う．血清または寒冷凝集体にはHCV RNAとHCVのヌクレオカプシドコア抗体に対するIgGが含まれることが多い．流血中のIgMリウマトイド因子は抗HCV IgGに結合する．抗HCV抗体やHCV RNAは70〜100％のクリオグロブリン陽性患者に認められる．一方HCV感染患者の10〜15％にクリオグロブリンが陽性となる．

病理

クリオグロブリン血症を伴った場合ほとんどが1型MPGNを呈するが，その他のメサンギウム増殖性腎炎も起こりうる．単核球の浸潤が著しく係蹄壁の二重化を伴った基底膜の肥厚を認める(e図13-6-E)．フィブリン血栓や好中球浸潤，さらには白血球破壊性血管炎を腎臓内，皮膚，小腸，肺などに認めることがある．免疫染色ではIgG, IgM, C3が係蹄壁やメサンギウム沈着物に染まる．IgA, C1qやその他の免疫反応物も認められることがある．電顕ではメサンギウム領域やおもに内皮下に特有の構造を呈する光電子密度の沈着物(20〜30 nm)を認める(e図13-6-F)．

治療

インターフェロンとリバビリンの併用による抗ウイルス療法がHCV関連腎炎の治療の基本となる．ただし，腎機能低下例については減量と十分なモニタリングが必要となる．遺伝子型2a, 2bの方が遺伝子型1bより有効であり，またクリオグロブリン陽性例の方が有効であるという報告が多い．インターフェロンに反応がみられない場合，ステロイドやシクロホスファミドなどの免疫抑制薬が使われる．ステロイドはウイルスの増殖を誘導し肝機能障害を悪化させる可能性があるので注意が必要である．シクロホスファミドはB細胞の増殖を抑制するためクリオグロブリン産生を制御する目的で通常ステロイドと併用して用いられる．最近はミコフェノール酸モフェチル（MMF）の有効性が報告されているが，シクロホスファミドとの有効性を比較する大規模試験は行われていない．重症例では炎症性サイトカインや免疫複合体の除去などを目的として血漿交換が行われその有効性が報告されている．しかしクリオグロブリンの産生に直接効果があるわけではないため，長期の病勢コントロールは期待できない．

さらに難治例ではリツキシマブが使われている．ネフローゼや進行性腎障害では抗ウイルス薬と免疫抑制薬の併用が選択されてきたが，最近になり単剤投与での有効性が報告され，またリツキシマブはシクロホスファミドより忍容性が高く効果もまさっているとされているので，今後第一選択に推奨される可能性がある．

予後

約10％の患者が透析を必要とする末期腎不全まで進行する．心血管障害や感染に罹患しやすいため生命予後も不良であるとされるが，詳細な統計学的解析の報告はない．

〔横尾 隆〕

■文献

Morales JM, Kamar N, et al: Hepatitis C and renal disease: epidemiology, diagnosis, pathogenesis and therapy. *Contrib Nephrol*. 2012; **176**: 10-23.

Zheng XY, Wei RB, et al: Meta-analysis of combined therapy for adult hepatitis B virus-associated glomerulonephritis. *World J Gastroenterol*. 2012; **18**: 821-32.

9）悪性腫瘍と腎障害
onconephrology

治療法の進歩に伴って悪性腫瘍の生命予後は改善したが，一方で，悪性腫瘍に伴う腎障害が大きな問題になっている．悪性腫瘍に伴う腎障害には，悪性腫瘍の随伴症状として認められるものから治療に伴って惹起されるものまで，幅広い病態が含まれ，予後にも大きく影響することから，その頻度，成因，予防法，対処法に腎臓内科医および腫瘍内科医が精通する必要がある．

一方で，腎不全患者における悪性腫瘍は，腎毒性薬物の使用に伴うさらなる腎機能悪化のリスク，腎排泄性薬物を用いた化学療法が困難であることなど注意が必要である．また，ときに多臓器不全をきたすことから，腎臓内科医，腫瘍内科医に加えて集中治療医とも連携して治療する必要がある．

このように，悪性腫瘍と腎障害は相互に深く関係する病態であることから，海外でもoncology（腫瘍学）とnephrology（腎臓学）の間でonco-nephrologyという造語がつくられ，新領域として注目を集めている[1]（Kitaiら, 2015）．本項では，悪性腫瘍に伴う腎障害と，腎不全を合併した悪性腫瘍の2面について概説する．

(1) 悪性腫瘍に伴う腎障害

悪性腫瘍は直接的，間接的に腎障害のリスクを高めると考えられており，多くの悪性腫瘍患者が何らかの腎障害をもっている[2]．

a. 悪性腫瘍に伴う急性腎障害（AKI）

近年，悪性腫瘍患者では AKI 発症率が増加するという報告が散見され，悪性腫瘍と AKI の密接な関連が想定されている[3,4]．悪性腫瘍患者では，通常の入院に伴う AKI の原因に加えて，さまざまな悪性腫瘍特有の要因が複合的に関与する[5,6]．

腎前性 AKI をきたす要素としては，悪性腫瘍に伴う食欲不振や嘔吐，下痢に伴う体液量減少に加えて，高カルシウム血症に伴う血管収縮およびナトリウム利尿などがあげられる．

腎性の要素としては，悪性腫瘍に伴う糸球体疾患（後述），急性尿細管壊死，腫瘍崩壊症候群（後述），多発性骨髄腫による cast nephropathy（後述），腎細胞癌とそれに伴う腎摘，悪性腫瘍の腎への浸潤などがあげられる．

腎後性の要素としては，膀胱，前立腺などの泌尿器系腫瘍や子宮癌，骨盤内転移性腫瘍や後腹膜線維症に伴う尿路の圧迫が原因となる．

このほか，造血幹細胞移植に伴う AKI も重要である．周術期には，化学療法に伴う AKI（後述）や腫瘍崩壊症候群，肝腎症候群に類似の病態を示す肝類洞症候群が原因となり，移植後晩期では血栓性微小血管障害症（thrombotic microangiopathy：TMA，後述）およびカルシニューリン阻害薬が原因となる．

b. 悪性腫瘍に伴う糸球体病変

悪性腫瘍に伴う糸球体病変は，腫瘍随伴症候群としての糸球体病変に加えて，化学療法や造血幹細胞移植に伴うものなど，多岐にわたる．腫瘍随伴症候群としての糸球体病変は paraneoplastic glomerulopathy とよばれ，腫瘍の直接的な浸潤や転移の結果ではなく，ホルモンや増殖因子，サイトカインや腫瘍抗原などの液性因子を介して惹起されると考えられている[7]．腫瘍の除去や再発に伴う糸球体疾患の寛解や再発はその連関を裏づける所見である．

こういった糸球体病変は，特発性のものと治療反応性やマネジメントが異なることがあり，注意が必要である．さらに，糸球体疾患の診断から悪性腫瘍の発見につながることもある．

膜性腎症は古くより悪性腫瘍との関連が指摘されているが，膜性腎症に合併する悪性腫瘍の頻度は報告によって幅がある．膜性腎症との関連が示唆されている悪性腫瘍としては，肺，消化管，前立腺癌が多い．

悪性腫瘍に伴う膜性腎症が疑われる場合には，悪性腫瘍の検索を進めることが望ましい（Cambier ら，2012）．

その他に，血液癌に関しても，Hodgkin リンパ腫に伴う微小変化群，慢性リンパ性白血病に合併する膜性増殖性腎炎，膜性腎症などの関連が指摘されている．

c. 化学療法に伴う腎障害

化学療法の発達に伴い，その忍容性や悪性腫瘍の生命予後は著しく改善したが，化学療法に伴う腎障害はいまだに大きな問題である．薬物自体の腎毒性のみならず，さまざまな患者特性や薬物代謝，障害部位の特性により多様な腎障害が惹起される[2]．

化学療法に伴う腎障害の危険因子（表 13-6-11）[2]としては患者側の要因が重要である．特に嘔吐や下痢，腹水，胸水，敗血症などによって循環血液量が低下している場合には AKI のリスクが高いことから，前もって水分量の補正を行うことが望ましい．また化学療法開始時に AKI や CKD があるとその後の腎障害リスクが高まることから，化学療法開始時の腎機能評価はきわめて重要である．血清 Cr から推定される eGFR が簡便な方法として用いられることが多いが，癌患者では悪液質や食欲不振などの結果，体表面積補

表 13-6-11 化学療法に伴う腎障害の危険因子

① 腫瘍関連因子
　腎への直接的要因
　　骨髄腫腎，リンパ腫などの腎浸潤，尿路閉塞，腫瘍随伴糸球体疾患
　腎への間接的要因
　　脱水（嘔吐，下痢，利尿薬）
　　有効循環血液量低下（心疾患，腹水，胸水）
　代謝性の要因
　　高尿酸血症，高カルシウム血症
② 患者側因子
　高齢
　すでに存在する AKI や CKD
　薬剤に対する免疫反応
　腎障害をきたす遺伝子変異（CYP450，トランスポーターなど）
③ 薬剤因子
　高用量・長期間投与
　難溶性の薬剤・代謝物による尿細管腔内結晶形成
　直接的腎毒性
　併用薬剤による腎障害の増強（NSAIDs，アミノグリコシド，造影剤）
④ 腎での薬物代謝の特性
　血流が多いため薬剤が有効に腎に到達する
　近位尿細管における薬剤取り込み
　低酸素環境であること
　Henle ループでの代謝活性が高いこと
　髄質，間質での薬剤濃度が高いこと
　薬剤代謝の結果として産生される ROS を介した酸化ストレス

正を行った eGFR では過大評価されることが多く，患者個人の体表面積で修正するか，必要に応じて蓄尿によるクレアチニンクリアランスなどを行い，正しく腎機能を評価する必要がある．また，Cr は AKI 発症初期には GFR を反映しないことにも注意が必要である．

AKI を惹起した場合には，腎排泄性の抗癌薬は血中濃度が上昇し，副作用回避のために用量調節や中断を余儀なくされる．またときには副作用から好中球減少や敗血症をきたし，多臓器不全をきたすこともある．化学療法中も引き続き，きめ細かな腎機能のモニタリングが必要である．

以下に，化学療法による腎障害を，障害されるネフロンの部位別に概説する（Kitai ら，2015）（表 13-6-12）．

i）血管病変

腎血管系の障害としては，血管新生阻害薬による血栓性微小血管障害症（TMA）が重要である．腫瘍の増殖は血管内皮増殖因子（vascular endothelial growth factor：VEGF）によって誘導される血管新生に依存することから，VEGF およびその受容体を標的とした治療薬が開発され，抗腫瘍効果を示してきた．その一方，糸球体においてはポドサイトから分泌された VEGF が毛細血管内皮細胞を維持している（図 13-6-11）．

抗 VEGF 抗体ベバシズマブや VEGF 受容体下流シグナルを阻害するキナーゼ阻害薬投与に伴って，多くの症例で高血圧，蛋白尿が認められるが，AKI を合併する場合は，組織学的には TMA を呈することが多い[8]．これらの症状は休薬に伴い改善することが多い．VEGF 標的薬に加え，ゲムシタビンなどでも TMA が惹起される．

ii）糸球体病変

糸球体病変としては，インターフェロン使用に伴う蛋白尿が知られている．ときにネフローゼ症候群を呈し，病理学的には微小変化群や巣状糸球体硬化症を呈するが，そのメカニズムには不明な点が多い．

iii）尿細管障害

尿細管障害を惹起する薬剤としては，シスプラチンをはじめとした白金製剤が代表的である．シスプラチンは特に近位尿細管を障害するが，それは近位尿細管基底膜側に発現する organic cation transporter（OCT）を介していったん細胞内に取り込まれ，活性酸素産生や炎症を介した種々の障害を惹起することによるとされる．シスプラチンによる AKI は用量依存性で，その予防には生理食塩水の輸液を行い，尿量を保つことが重要である．シスプラチンは AKI 以外にもさまざまな尿細管障害を呈する．

d．腫瘍崩壊症候群（tumor lysis syndrome：TLS）

表 13-6-12 化学療法による腎障害：障害部位別分類

腎血管	
hemodynamic AKI	IL2
TMA	血管新生阻害薬（ベバシズマブ，チロシンキナーゼ阻害薬） ゲムシタビン，シスプラチン，マイトマイシン C，IFN
①糸球体	
微小変化群	IFN，パミドロネート
巣状糸球体硬化症	IFN，パミドロネート，ゾレドロン酸
②尿細管間質	
急性尿細管壊死	白金製剤，ゾレドロン酸，イホスファミド，ペントスタチン，イマチニブ，ペメトレキセド
尿細管障害	
Fanconi 症候群	シスプラチン，イホスファミド，アザシチジン，イマチニブ，ペメトレキセド
塩類喪失	シスプラチン，アザシチジン
マグネシウム喪失	シスプラチン，セツキシマブ，パニツムマブ
腎性尿崩症	シスプラチン，イホスファミド，ペメトレキセド
抗利尿ホルモン不適合分泌症候群	シクロホスファミド，ビンクリスチン
急性間質性腎炎	ソラフェニブ，スニチニブ
crystal nephropathy	メトトレキサート

腫瘍崩壊症候群（TLS）は，腫瘍細胞の急速な崩壊に伴い，その細胞内成分が血中に放出され，腎の排泄能力をこえて体内に蓄積することで引き起こされる．腫瘍崩壊の原因は血液癌の治療開始を契機とするのが典型的だが，固形癌でも発生し，治療前に腫瘍の自然崩壊によって発生することもある．高尿酸血症，高カリウム血症，高リン血症と二次性の低カルシウム血症，急性腎障害を呈し，ときに致死的である．疾患，腫瘍量，ベースラインの腎機能や尿酸値などからリスクを評価し，補液と尿酸降下薬を用いることで発生を予防する[9]．近年，強力な尿酸降下薬であるラスブリカーゼ（遺伝子組み換え尿酸オキシダーゼ）が使用可能となったことで，治療の幅が広がった．高価な薬剤であり，その対象疾患や使用方法については今後の議論が必要である．

e．cast nephropathy

骨髄腫に伴う腎障害の原因は多岐にわたるが，軽鎖の過剰産生に伴う cast nephropathy が高頻度であり，狭義の骨髄腫腎といわれる．生理的条件下では，軽鎖は糸球体で濾過された後に近位尿細管で再吸収され，リソソームで分解される[10]．その処理量をこえたモノクローナルな軽鎖（Bence Jones 蛋白）が産生されると，遠位尿細管に流入し，円柱の基質である Tamm-Horsfall protein と結合して大量の円柱を形成し，尿細管閉塞をきたす．

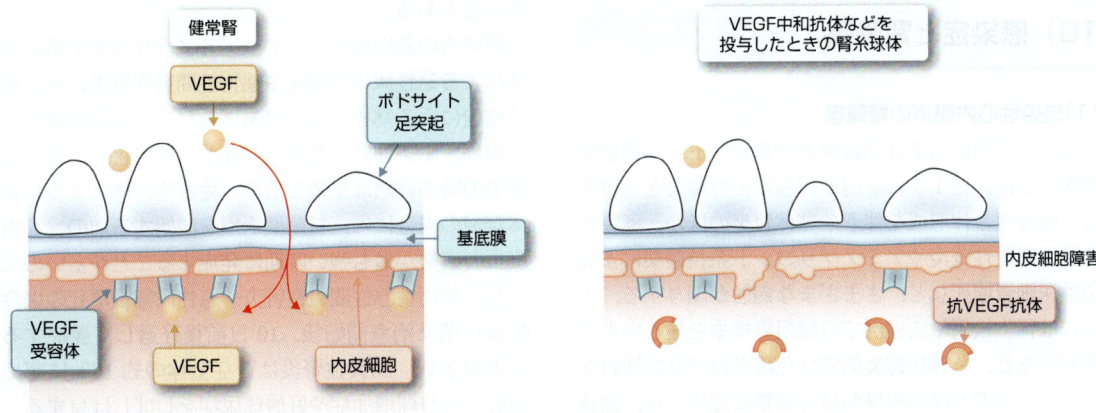

図 13-6-11 VEGF シグナルの阻害に伴う糸球体内皮障害
VEGF が受容体に結合することが阻害されると内皮細胞の障害が起きる.

(2) 腎不全患者の悪性腫瘍

2013 年の日本透析医学会の報告によると, 悪性腫瘍は透析患者の死亡原因の 12% を占めており, 死因の第 3 位である. 腎不全患者では発癌リスクが高いことが知られているが, その癌診療におけるスクリーニング, 治療法選択には腎不全特有の問題がある.

a. 疫学

保存期腎不全[11], 維持透析患者[12]のいずれにおいても, 一般人口と比較して発癌リスクが高いことが報告されている. また発癌リスクには臓器特異性があり, 腎, 膀胱, 尿管などの泌尿器癌のリスク上昇の報告が多い. 長期透析患者の後天性嚢胞腎(acquired cystic kidney disease: ACKD)に合併した腎細胞癌は透析期間が長いほど増加傾向にあることが知られている.

b. 癌スクリーニング

透析患者に対する癌スクリーニングは米国では否定的な見解が多く, 透析患者のなかでも腎移植待機患者や長期生存を期待できる患者を対象とすることが推奨されている(Holley, 2007). わが国では長期透析患者が多く, 米国の推奨レベルをそのまま導入することには検討の余地がある.

悪性腫瘍の診断と診療に腫瘍マーカーは有用だが, 腎不全患者では, その解釈に注意が必要である. AFP, PSA は腎機能正常者の基準値が使用できるが, CEA, CA19-9, SCC などは基準値が腎機能正常者よりも高値になる. 前述の ACKD に合併した腎細胞癌の診断には, 定期的な画像スクリーニングが有効である.

c. 化学療法における注意点

前述のように, 腎不全は化学療法による腎障害のリスク因子である(前項の c. 化学療法に伴う腎障害). 化学療法前の腎機能を正確に評価するとともに, 可能であれば腎毒性が少ない薬剤を選択することが望ましい. 腎排泄性薬剤は腎機能低下時に体内に蓄積し, 副作用が遷延するおそれがあることから, 薬物投与量の調節が必要である. IRMA study によると, 抗癌薬の約半数は薬物投与量の調節が必要とされている[13]. さらに, 透析患者においては, その特殊な薬物動態, 低栄養状態, 易感染性, 腎性貧血の合併が副作用や有効性にどのように影響するかはいまだ不明な点が多く, エビデンスの蓄積が必要である.

〔柳田素子〕

■文献(e文献 13-6-9)

日本腎臓学会, 日本癌治療学会, 他編: がん薬物療法時の腎障害診療ガイドライン 2016, ライフサイエンス出版, 2016.
Cambier JF, Ronco P: Onco-nephrology: glomerular diseases with cancer. Clin J Am Soc Nephrol. 2012; 7: 1701-12.
Holley JL: Screening, diagnosis, and treatment of cancer in long-term dialysis patients. Clin J Am Soc Nephrol. 2007; 2: 604-10.
Kitai Y, Matsubara T, et al: Onco-nephrology: current concepts and future perspectives. Jpn J Clin Oncol. 2015; 45: 617-28.

10）感染症と腎障害

(1) 感染性心内膜炎の腎障害

感染性心内膜炎では高齢患者や黄色ブドウ球菌感染例を中心に，約 1/3 の症例で何らかの腎障害を合併する．免疫複合体形成を伴う糸球体腎炎のほか，薬物性の急性間質性腎炎やアミノグリコシド系抗菌薬による急性尿細管壊死など，さまざまな病態が関与する．さらには腎生検例や剖検例での腎組織標本を後ろ向きに検討すると，糸球体腎炎例では免疫グロブリン沈着を伴わない血管炎様の所見が最も頻繁に認められ，剖検例に限定すると敗血症性塞栓による局所腎梗塞が最も高頻度であったことから，その病態はいっそう複雑であることが示唆されている（Majumder ら，2000）．

a. 糸球体腎炎の病態生理

感染性心内膜炎における糸球体腎炎はさまざまな起炎菌により惹起され，黄色ブドウ球菌による急性感染性心内膜炎に多い．また，緑色連鎖球菌による亜急性感染性心内膜炎でも糸球体腎炎を合併する．病理組織像は溶連菌感染後糸球体腎炎や膜性増殖性糸球体腎炎のそれと類似し，びまん性増殖性糸球体腎炎である．細胞過形成と糸球体管腔への免疫沈着が特徴であり，増殖性腎炎の約半数に半月体形成が認められる．感染性心内膜炎では診断確定までの間，長時間にわたり血中に抗原が循環することから，免疫複合体の沈着は溶連菌感染後糸球体腎炎より強い傾向がある．免疫染色にて，糸球体係蹄壁やメサンギウム領域に IgM，IgG，C3 の沈着がみられ，電顕上，高電子密度の内皮下，メサンギウム，上皮下沈着物が認められる．これらは溶連菌感染後の hump といわれる粗大なデポジットに類似する．

MRSA 感染例で認められる MRSA 腎炎では，MHC class II による抗原提示を介さずに直接 T 細胞を活性化する（スーパー抗原）反応が生じ，多クローン性ガンマグロブリン血症と免疫複合体性糸球体腎炎が認められる．組織像は半月体形成を伴うメサンギウム増殖性糸球体腎炎，管内増殖性糸球体腎炎である．

b. 臨床所見と診断

感染性心内膜炎に伴う臨床所見として発熱，関節痛，貧血，紫斑などが認められる．腎症を示唆する臨床検査所見は，顕微鏡的血尿や軽度の蛋白尿であることが多い．腎機能障害の程度はさまざまである．血清学的検査では補体活性化古典経路の活性化を反映し，C3，C4 の低下が認められる．一方，MRSA 腎症などのスーパー抗原による糸球体腎炎の場合は血清補体値が正常なこともある．また，リウマトイド因子陽性や循環免疫複合体陽性，III型クリオグロブリン高値などの所見もみられる．まれに PR3-ANCA の上昇を伴うこともある．

腎障害の鑑別診断として，アミノグリコシド系抗菌薬による急性尿細管壊死や薬物性間質性腎炎，敗血症性塞栓による塞栓症などがあげられる．病態を推定する際に，感染性心内膜炎の発症から腎障害が出現するまでの時間経過は重要である．免疫複合体による糸球体腎炎の場合には，抗菌薬治療を開始する前の，心内膜炎の病勢が最も強い時期に発症することが多いのに対し，薬物性急性間質性腎炎や急性尿細管壊死の場合には抗菌薬治療開始後，10 日前後経過して発症することが多い．間質性腎炎は腎症全体の約 10％に認められ，好酸球増加症や好酸球尿症をしばしば呈する．急性尿細管壊死では尿沈渣上，顆粒円柱をはじめとするさまざまな細胞・血球を伴う円柱が認められる．感染性心内膜炎に合併する顕微鏡的塞栓，あるいは大塞栓は腎臓のさまざまなレベルの血管を閉塞するが，前者の場合は局在性梗塞や微小膿瘍を形成するため，罹患した腎臓はノミに食われたような形態を呈する．一方，後者の場合，側腹部痛や血尿，膿尿などの所見が認められる．

腎炎の重症度は感染持続期間に相関することから，感染性心内膜炎を可及的速やかに診断し，早期治療を行うことが最も重要である．心内膜炎が完治すると，それに伴って血清学的異常所見の改善も認められる．ただし顕微鏡的血尿や蛋白尿，血清クレアチニン値の上昇は感染治癒後も数カ月にわたって続くことがある．半月体形成性糸球体腎炎の場合，抗菌薬治療とあわせてステロイドパルス療法や血漿交換療法が行われることもあるが，これらの治療的意義は確立されていない．細菌性感染性心内膜炎の総死亡率は 20％で，腎不全合併例では 36％にまで上昇する．

(2) HIV 関連腎症（HIV-associated nephropathy：HIVAN）

HIV 感染にはさまざまな腎障害が合併する．HIVAN や免疫複合体糸球体腎炎，血栓性微小血管症，血管炎などの病理学的所見が認められるほか，HBV や梅毒（膜性腎症），HCV（クリオグロブリンによる膜性増殖性糸球体腎炎）などによる腎症と併存することがあり，複雑な病態像を呈する（Ross，2014）．また，HIV 陽性患者では薬剤の腎毒性や併存する CKD，CD4 陽性 T 細胞数の減少などにより，さまざまな急性腎障害（AKI）を発症しやすい．ヌクレオチド系逆転写酵素阻害薬であるテノホビルは近位尿細管にミトコンドリア障害を引き起こし，0.7〜10％の患者に AKI を引き起こす．プロテアーゼ阻害薬であるインジナビルやアタザナビルも難溶性であるため尿中に結晶を形成し，同様に AKI の原因薬剤となりうる．

a. HIV 関連腎症（HIV-associated nephropathy：HIVAN）

HIVAN は HIV 感染に伴う腎障害のうち，最も高頻度に認められる．1984 年に AIDS 発症患者の腎臓合併症として最初に報告され，古典的には HIV 感染症の晩期症状と考えられているが，ときとして病初期の徴候であることもある．HIV 陽性アフリカ系米国人における HIVAN 発症率は 3.5〜12％と報告されている．

疾患は糸球体上皮細胞および尿細管上皮細胞が HIV ウイルスに感染して惹起される．HIV mRNA および DNA が同部位より検出され[1]，腎臓内で活発にウイルスが増殖している．gag/pol を欠いた HIV ウイルスを発現する遺伝子改変マウスは HIVAN 類似腎病変を形成する[2]．HIV ウイルス遺伝子のうち，とりわけ negative factor（Nef）と viral protein r（Vpr）のアクセサリー遺伝子が糸球体障害の発症に重要と考えられているが[3]，一方で，腎臓の上皮細胞には古典的な HIV 受容体や共受容体が存在せず，HIV が腎臓に組み込まれる機序は明らかでない．

HIVAN および巣状分節性糸球体硬化症（FSGS）の発症は黒人に多い．また，HIV 陽性患者における CKD 発症頻度は，サハラ砂漠以南の部族間で大きな違いがみられる．その発症には遺伝子感受性の違いが重要であると考えられており，22 番染色体上に存在する APOL1 遺伝子の一塩基多型（SNP）が HIVAN および特発性 FSGS の発症リスク要因として同定された（Kopp ら，2011）．隣接する MYH9 遺伝子もまた，その発症に関与する可能性がある[4]．しかし一方で，APOL1 遺伝子の多型と疾患重篤度と間には相関関係がなく[5]，APOL1 が病態修飾に関与する分子機序は不明である．その他の CKD 進行のリスク要因として，HCV 同時感染や CD4 陽性 T 細胞数の減少，HIV ウイルス量高値，などがあげられる．

臨床検査所見として，ネフローゼレベルの蛋白尿と進行性の腎機能障害を認める．浮腫をきたすことはまれであり，高血圧合併例が相対的に少ないことから，塩類喪失も HIVAN の病態の一部である可能性がある．尿沈渣ではしばしば尿細管上皮円柱が認められる．HIVAN の確定診断は腎生検によって行われ，臨床的に HIVAN が疑われた症例のうち，約 50％が確定診断される．典型的な病変は虚脱型（collapsing）FSGS であり，尿細管の微小嚢胞形成と間質への炎症細胞浸潤，および線維化が認められる[6]．

治療は，まだ高活性型抗レトロウイルス療法（HAART）が開始されていない症例では，HAART 療法を開始することが推奨される[7]．アンジオテンシン変換酵素（ACE）阻害薬やアンジオテンシン受容体拮抗薬（ARB）の使用は，腎機能の低下を遅らせることができる．また，経口ステロイド治療が行われることもあるが，その治療上の意義は確立されておらず，休薬に伴い腎機能障害が再燃する場合が多い．末期腎不全例においては血液透析，腹膜透析のほかに腎移植も行われている．CD4 陽性 T 細胞数 > 200/μL で HIV ウイルス量が検出感度以下の患者を対象にすると，短期間の観察では移植片および患者生存率は HIV 陰性患者のそれと遜色がない．長期的な再発のリスクに関しては今後の検討課題である．

HIV 感染症に対する HAART が普及したことにより，今日では HIVAN の発症・進展リスクは著しく減少した[8]．腎生検施行例のうち，HIVAN と確定診断された症例は 1995〜2004 年の 10 年間で約 80％から 30％未満に減少し[9]，HIV 患者は増加の一途をたどっているにもかかわらず，HIV 陽性末期腎不全患者数は一定である．また，HAART 療法により HIV 陽性透析患者の死亡率も著しく改善し，5 年生存率は HIV 陰性患者とほぼ同じである．

b. HIV 関連免疫複合体形成糸球体腎炎

臨床的に HIVAN が疑われた症例の約 40％は，腎生検にて HIVAN 以外の診断となる．HIV 関連の免疫複合体糸球体腎炎（HIV 免疫複合体腎臓病，HIV immune complex kidney disease：HIVICK）は pg124 や p24 を含有するメサンギウム，上皮下，内皮下沈着を特徴とする．病理組織像は膜性増殖性糸球体腎炎や，まれには膜性腎症のそれであり，ときとしてループス様の所見が認められる．臨床検査所見は顕微鏡的血尿からネフローゼレベルの蛋白尿，腎不全までさまざまである．低補体血症やクリオグロブリン血症は全体の 30〜50％に認められる．

HIV 関連免疫複合体腎症は通常，急速に腎不全へと進行する．HCV との重複感染例ではとりわけ進行が速い．HIVAN とは対照的に，HAART 療法による腎症進展抑制効果は明らかでない．

c. HIV 関連血栓性微小血管症

HIV 感染はときとして血管内皮障害をもたらし，血栓性微小血管症（thrombotic microangiopathy：TMA）を引き起こす．臨床的には急速進行性の腎不全を呈し，ほかに高血圧，溶血性貧血，血小板減少および神経学的異常を合併する．病理所見上，細動脈と糸球体毛細血管腔における血栓形成とメサンギウム融解が認められる．HIV 感染の晩期に発症する予後不良な疾患群であるが，HAART 療法の普及により，HIV 患者における本症の発症は非常にまれとなりつつある．

〔田中哲洋〕

■文献（e文献 13-6-10）

Kopp JB, Nelson GW, et al: APOL1 genetic variants in focal segmental glomerulosclerosis and HIV-associated nephrop-

Majumdar A, Chowdhary S, et al: Renal pathological findings in infective endocarditis. Nephrol Dial Transplant. 2000; 15: 1782-7.

Ross MJ: Advances in the pathogenesis of HIV-associated kidney diseases. Kidney Int. 2014; 86: 266-74.

13-7 間質性疾患

1) 急性間質性腎炎
acute interstitial nephritis: AIN

定義・概念
多様な原因により，尿細管・間質にリンパ球を主体とした炎症細胞浸潤をきたし，多くは急性腎障害（acute kidney injury：AKI）として気づかれる．薬物が原因であることが多いが，薬物性でも古典的な3主徴（発熱，皮疹，好酸球増加）がそろうことは少ない．軽度～中等度以上の腎機能障害の場合は，早期のステロイドによる治療が検討される．

分類
間質性腎炎は，病変の場としての尿細管と間質は区別できないため，尿細管・間質性腎炎ともよばれる．このうち，数日～数週間で発症するものを急性，数カ月～数年で発症するものを慢性としている．一方，糸球体疾患や血管系の疾患および下部尿路系疾患の波及による二次的な尿細管・間質障害は，狭義の間質性腎炎には含まない．通常，急性腎盂腎炎は腎・尿路感染症，腎移植拒絶反応は移植腎疾患，急性尿細管壊死は急性腎不全の主たる原因疾患として，別個に扱われることも多く，ここでは取り上げない．

急性間質性腎炎の発症機序は十分解明されておらず，病態生理に基づく分類や病理形態学的分類は困難で，下記に述べる病変を引き起こす原因による分類が一般的である．

原因・病因
多様な原因により急性間質性腎炎は発症するが（表13-7-1），原因の約2/3は薬物である[1-5]．あらゆる医薬品が原因となる可能性があるが，抗菌薬・非ステロイド系抗炎症薬（NSAIDs）・プロトンポンプ阻害薬（PPI）が原因薬剤であることが多い[1-5]．薬物性腎障害の病因は，毒性による直接型（用量依存性）と過敏型（免疫学的機序）に分けられる．毒性による場合は尿細管直接障害により，急性尿細管壊死を起こす．すなわち，薬物性間質性腎炎の発生機序は主として免疫学的メカニズム（特に，Th2細胞が関与するアレルギーI型（即時型）とTh1細胞が関与するアレルギーIV型（遅延型））による（厚生労働省，2007）．

Sjögren症候群やサルコイドーシスなどでは，自己免疫性全身性疾患の一部として急性，あるいは慢性の間質性腎炎をきたすことがある．その他，特発性として，比較的若年者に多く発症するブドウ膜炎を合併した急性間質性腎炎（tubulointerstitial nephritis and uvenitis（TINU）症候群）が知られている．なお，感染が原因となる尿細管・間質障害は，急性腎盂腎炎を除くと比較的まれである．

疫学
わが国の腎生検レジストリー（J-RBR）によれば，間質性腎炎（急性および慢性）は全腎生検例の約1.5%を占めると報告されている（Sugiyamaら，2013）．海外では，腎生検例の2.6～4.7%が間質性腎炎とされ，その頻度は最近特に高齢者で増加傾向にある[6-8]．

一方，高齢者に発症したAKIに対して腎生検を行われた症例の約10～20%は，急性間質性腎炎であったと報告されている[9-12]．

病理（図13-7-1）
間質への炎症細胞浸潤（リンパ球・単球主体で，形質細胞や好酸球と少数の多形核球）と浮腫が主体で，軽度の尿細管の変性や萎縮を伴う．浸潤リンパ球は，CD4陽性Tリンパ球が主である．重篤な例では，尿細管基底膜内外に炎症細胞が浸潤する尿細管炎を認める．通常は糸球体に変化はなく，蛍光抗体法陰性である．

また，サルコイドーシスばかりでなく，その他の原因による間質性腎炎例においても，類上皮細胞の集簇による肉芽腫性病変が観察されることがある．

表13-7-1 急性間質性腎炎の原因

- **薬物**
  抗菌薬・抗ウイルス薬，非ステロイド系抗炎症薬，プロトンポンプ阻害薬，H_2受容体拮抗薬，その他
- **全身性疾患**
  Sjögren症候群，サルコイドーシス，その他
- **感染**
  細菌（レプトスピラなど），ウイルス（サイトメガロウイルスなど），その他
- **特発性**
  ブドウ膜炎との合併，IgG4関連腎臓病，その他

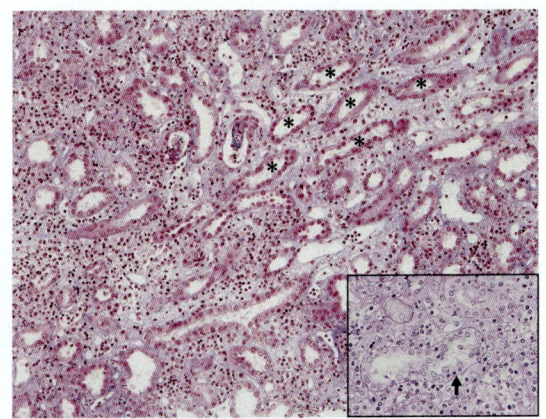

図 13-7-1 急性間質性腎炎の病理像
尿細管（＊）と尿細管の間は拡大し，間質浮腫の所見を呈している．その間質には，びまん性の炎症細胞浸潤を認める．一部の尿細管上皮内には単核球の浸潤がみられ，尿細管炎の所見を呈している（右下黒枠内矢印）．

病態生理

多様な原因に伴う免疫学的機序や感染などにより，間質に浸潤した炎症細胞が種々のサイトカインを放出し，腎傷害増悪につながる．また，炎症細胞浸潤が持続すると間質の線維化が起こり，非可逆的な障害により腎不全への移行と関連する．線維化のプロセスは炎症細胞浸潤後の7日目には始まっているとの報告もあり[13]，早期ステロイド療法を支持する根拠の1つとされている[4-6,14,15]．

臨床症状

病因により，症状は異なる．薬物性急性間質性腎炎において，発症時に発熱，皮疹などの過敏反応としての症状や，関節痛，悪心・嘔吐，側腹部痛などの非特異的症状を呈することがある（e表13-7-A）．しかし，最近の海外からの報告では，古典的な3主徴（発熱，皮疹，好酸球増加）がそろう例は10％程度である[4,6,14]．ほかの原因による急性間質性腎炎も含め，急性尿細管壊死による急性腎不全とは異なり，当初は多尿や夜間尿を伴う非乏尿性腎機能障害を呈し，浮腫や高血圧は目立たないことも多いが，治療が行われないと時間経過とともに乏尿性腎不全へ移行する．

検査所見

血液検査では腎機能障害に加え，白血球・好酸球数の増加を認めることがある．また，尿細管・間質障害が進むと，高カリウム血症，代謝性アシドーシスや腎性貧血を呈する．尿検査では，軽度蛋白尿（1 g/日以下），顕微鏡的血尿とともに，尿沈渣上，白血球尿・白血球円柱や好酸球を認める（e表13-7-A）．ただし，好酸球尿の存在の診断的意義は確実とはいえない[2]．また，尿細管障害を示唆するNAGやα_1-ミクログロブリンの尿中排泄量が増加する．画像検査では，腹部超音波検査や腹部CTで両側の腎腫大，^{67}Gaシンチグラムで腎への取り込み増大を認める．

薬物性間質性腎炎では，リンパ球刺激試験（DLST）陽性の場合，原因薬剤を特定できることがある．

診断

薬剤性の急性間質性腎炎は，薬剤暴露後の数日〜数週間後に発症することが多いが，潜伏期間は一定していない．薬物性急性間質性腎炎では，発症時の発熱，皮疹，関節痛がみられることがある．どの病因においても，軽度の蛋白尿を伴う急性の腎機能障害，尿細管障害を示唆する検査所見（尿中NAG排泄増加，代謝性アシドーシスなど）は，急性間質性腎炎の診断の参考となる．しばしば，AKIの原因確定には，腎生検が必要となる．

鑑別診断

急速な腎機能障害を呈する疾患群を鑑別する．
1) アテローム塞栓性腎症（コレステロール塞栓症）： 比較的急速に階段状に進行する腎機能障害，好酸球増加，皮疹（典型的には下肢の網状皮斑（levedo））を呈する．血管内カテーテル操作などを誘因として発症することが多いが，自然発症例もあり，高齢者に多い．
2) 急速進行性糸球体腎炎： 数週〜数カ月の単位で腎機能障害が進行する．血尿・蛋白尿を呈する糸球体病変が主体で，抗好中球細胞質抗体（anti-neutrophil cytoplasmic antibody：ANCA）陽性となることが多い．頻度は少ないが，抗糸球体基底膜抗体（抗GBM抗体）陽性例もある．
3) 急性尿細管壊死： 腎虚血（脱水，ショックなど）や腎毒性物質に起因する．発症早期から乏尿性腎不全を呈する例が多い．顆粒円柱を認めるが，通常は血尿や白血球尿・白血球円柱は認めない．

合併症

腎不全が進行すると，腎性貧血，代謝性アシドーシス，Ca/P代謝異常などが出現する．さらに進行すると，尿毒症症状や肺水腫が出現し，透析療法を要す．

経過・予後

薬物性急性間質性腎炎では，腎機能障害が早期に発見され，原因薬剤が中止されれば，腎機能は正常に回復できる．しかし，ほかの病因によるものも含めて，ステロイド治療の有無にかかわらず，十分に腎機能が回復しない場合もある．

治療

主たる原因である薬物性の急性間質性腎炎では，被疑薬剤を中止する．今までに，薬物性間質性腎炎に対するステロイドの効果を比較した前向き試験はない（Kshirsagarら，2014）．しかし，ステロイドによる治療を行わなかった，あるいは，治療が遅れた症例で，非可逆的な障害が残ることが知られ，発症早期に，短期間のステロイド治療を勧める報告が増えている（e表13-7-B）[4,6,14,15]．

〔藤元昭一〕

■文献(e文献 13-7-1)

厚生労働省：間質性腎炎(尿細管間質性腎炎)，重篤副作用疾患別対応マニュアル．http://www.info.pmda.go.jp/juutoku/juutoku_index.html

Kshirsagar AV, Falk RJ: Treatment of acute interstitial nephritis. UpToDate(Last updated: Feb 13, 2014).

Sugiyama S, Yokoyama H, et al: Japan Renal Biopsy Registry and Japan Kidney Disease Registry: Committee Report for 2009 and 2010. Clin Exp Nephrol. 2013;**17**:155-73.

2) 慢性間質性腎炎
chronic interstitial nephritis

定義・概念

多様な原因により，尿細管・間質に炎症細胞浸潤ばかりでなく，線維化が進んできた状態で，多くは健診や別の疾患の加療時に腎機能低下として気づかれる．急性間質性腎炎が回復しないままに慢性化する場合もある．いずれも当初は，尿所見に乏しく，蛋白尿はあっても軽度である．腎機能は年余にわたって徐々に悪化し，慢性腎不全に至ることが多い．

分類

間質性腎炎の腎生検所見では，急性と慢性の病変が混在することもあり，通常は臨床像を合わせて，急性と慢性は区別される．下記に述べる原因による分類が一般的であるが，糸球体疾患・血管疾患・腎尿路系の形態異常などに合併したものを二次性とし，その他の慢性間質性腎炎を一次性とする分類もある[1]．免疫学的機序が考えられることが多いが，非免疫学的機序によっても起こる．なお，慢性腎盂腎炎，多発性囊胞腎，血液疾患に伴うものなどは，慢性間質性腎炎とは別の範疇で扱われることも多く，ここでは取り上げない．

原因・病因

薬剤や重金属などの腎毒性物質によるもの，免疫異常によるもの，感染症によるもの，代謝異常によるものなど，原因はさまざまである(表 13-7-2)．Phenacetin(わが国では発売中止)に代表される鎮痛薬による慢性間質性腎炎はほとんどみられなくなっている．NSAIDs のほか，シスプラチン，イホスファミドなどの抗癌薬による急性および慢性間質性腎炎が増えてきている[2,3]．免疫異常によるものとして，最近疾患概念が明らかにされてきた高 IgG4 血症と著明なリンパ球および IgG4 陽性形質細胞の腎間質への浸潤，特徴的な線維化を示す IgG4 関連腎臓病は，急性あるいは慢性の間質性腎炎をきたす[4](eコラム 1)．代謝異常のなかで，高尿酸血症による間質性腎炎に関しては，従来考えられていた尿酸塩結晶沈着を原因とする機序には疑問がもたれている(e図 13-7-A)．むし

表 13-7-2 慢性間質性腎炎の原因(Kelly ら，2012 より，一部改変)

薬物・毒物
　NSAIDs[*1]，漢方薬，抗癌薬，シクロスポリン，リチウム，カドミウム，など

免疫異常
　Sjögren 症候群，サルコイドーシス，腎移植拒絶反応，IgG4 関連腎症，など

感染症
　慢性腎盂腎炎，レプトスピラ，ハンタウイルス，など

代謝異常
　尿酸代謝異常，低カリウム血症，高カルシウム血症，高シュウ酸血症，など

血液疾患
　多発性骨髄腫，軽鎖沈着症，鎌状赤血球症，など

閉塞性疾患
　膀胱尿管逆流現象，結石，尿路閉塞，など

遺伝性疾患
　優性遺伝性尿細管間質性腎臓病[*2]，など

その他
　放射性腎症，風土腎症(Balkan 腎症)，など

*1：非ステロイド系抗炎症薬．
*2：autosomal dominant tubulointerstitial kidney disease：ADTKD．

ろ，高尿酸血症によりもたらされる内皮細胞障害，酸化ストレス，レニン-アンジオテンシン系の亢進などが，慢性腎臓病(CKD)の進展に重要な役割を担っているとされている[5,6]．

最近，進行性の間質線維化とその後末期腎不全に至る遺伝性疾患の概念が報告されている[7]．従来からよく知られている優性遺伝性多発性囊胞腎(autosomal dominant polycystic kidney disease：ADPKD)に対し，優性遺伝性尿細管間質性腎臓病(autosomal dominant tubulointerstitial kidney disease：ADTKD)とよばれ，尿細管細胞に発現している遺伝子異常が原因である．

疫学

わが国における本疾患の発生率および罹患率，透析導入疾患としての割合など，疫学統計的データは明らかではない．

病理(図 13-7-2)

尿細管は上皮細胞の扁平化を伴った萎縮と拡張，さらに，基底膜の強い肥厚を伴った閉塞を認める．拡大した間質には，軽度の炎症細胞浸潤と，さまざまな程度の線維化を認める．糸球体はメサンギウム領域の拡大，細胞増殖，びまん性の糸球体基底膜肥厚などは認めないが，進展した段階では，全硝子化や Bowman 囊壁の肥厚を伴うものも認める．病理組織像からは，慢性間質性腎炎の原因を同定することは難しい．

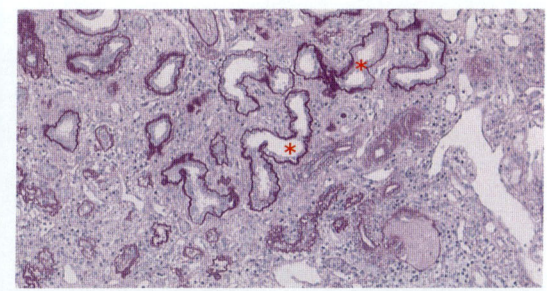
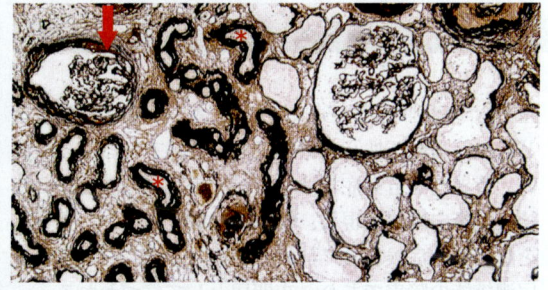

図 13-7-2 慢性間質性腎炎の病理像
尿細管は萎縮し，基底膜の肥厚と管腔の狭小化を認める(*)．
間質は拡大し，軽度の炎症細胞浸潤と線維化を認める．
collapseし，Bowman囊壁の肥厚を伴う糸球体も認める(矢印)．

病態生理

慢性間質性腎炎の特徴は間質の線維化であるが，間質線維化自体は腎疾患の原因にかかわらず，末期腎不全へ至る過程として共通にみられる所見である(Kellyら，2012)．間質線維化は，尿細管の消失と線維芽細胞が産生する細胞外マトリックス成分(コラーゲン，フィブロネクチンなど)の蓄積として起こる．この線維芽細胞の起源はさまざまと考えられており，もともと間質に存在する細胞以外に，骨髄由来，尿細管上皮細胞の形質転換(epithelial-mesenchymal transitions：EMT)などが考えられている[8]．また，線維化の進行には，尿細管・間質の虚血と低酸素状態が関与している．

臨床症状

1) 自覚症状: 自覚症状に乏しく，多くは健診や別の疾患の加療時に腎機能低下として気づかれる．ときに，多尿や夜間尿，口渇などを認める．しかし，すでに腎機能障害が進行していれば，慢性腎不全の症状(易疲労感，消化器症状など)を呈する．

2) 他覚症状: 腎機能低下の程度に応じて，貧血や高血圧を認める．

検査所見

血液検査では，BUNやクレアチニンの上昇を認める．多尿の状況下では，BUN/クレアチニン比の低下(<10：1)を認めることがある．間質はエリスロポエチン産生部位であり，腎機能低下の程度に比して，貧血は強い．また，電解質・酸塩基平衡異常をきたしていることも多い．一方，尿細管機能異常のために，腎不全でありながら，低リン血症，低尿酸血症などを認めることもある．

尿検査では，蛋白尿は1 g/日以下と軽度で，血尿も目立たないことが多い．蛋白尿としては，尿細管蛋白(NAGなど)の尿中逸脱，尿細管での再吸収障害による低分子蛋白(α_1-ミクログロブリンなど)の排泄増加を認める．その他，尿細管機能異常による所見として，腎性尿糖やアミノ酸尿を認めることもある．

診断

自覚症状に乏しいため，表13-7-2に該当する症例では，定期的な腎機能検査が必要である．画像検査で明らかな腎萎縮がみられない場合は，確定診断のために腎生検を行うこともある．

鑑別診断

慢性の経過で腎機能が低下する疾患が鑑別対象となる．間質障害が主体である本症では尿所見はあっても軽度であるが，糸球体が障害される慢性糸球体腎炎では蛋白尿・血尿が主徴候であり，鑑別は容易である．長期の高血圧，加齢と動脈硬化症などを誘引として腎実質が障害される腎硬化症は，蛋白尿は軽度で血尿陰性であることが多く，本症との鑑別は困難なときがある．動脈硬化症に関連する病歴やほかの血管合併症の存在は腎硬化症を，表13-7-2に該当する薬物の服用歴，腎毒性物質への暴露歴は本症を示唆する．一部の疾患を除いて画像検査は鑑別診断には必ずしも有用ではないが，腎生検による確定診断の際には萎縮腎でないことを確認するために必須である．

合併症

腎不全が進行すると，腎性貧血，代謝性アシドーシス，Ca/P代謝異常などが出現する．さらに進行すると，尿毒症症状や肺水腫が出現し，透析療法を要す．

経過・予後

早期に発見されて原因が除去された場合，あるいは原疾患に対する治療が奏効した場合には，軽度の腎機能障害として長期予後が期待できる場合がある．しかし，診断された時点ですでに進行した腎機能障害であると，治療を行っても腎機能は戻らず，徐々に末期腎不全へと進行する．

特殊な例として，放射性腎症は，潜行性に発症し，照射後数年経って腎機能低下がみられる慢性型があるため，定期的な腎機能検査による経過観察が必要である．

治療

薬剤性と考えられた場合は，まず被疑薬を中止する．多くは線維化が進んでおり，ステロイドは積極的適応とはならない．抗癌薬による腎間質障害の発生機序は十分には解明されておらず，確立された治療法や治療薬はない．可能なかぎりの予防対策と，早期発

見・原因薬剤の早期中止および十分な輸液が重要である．免疫異常による場合には，原病の病勢に合わせて，ステロイドが投与される．その他，各々の原因に対する治療，さらには慢性腎不全としての一般的対症療法を行う．
〔藤元昭一〕

■文献（e文献 13-7-2）

Kelly CJ, Neilson EG: Tubulointerstitial diseases. The Kidney (Brenner BM ed), pp1332-55, Elsevier Saunders, 2012.

13-8 腎と血管障害

1）良性腎硬化症
benign nephrosclerosis

定義・概念
軽・中等症の高血圧が長期間持続することによって小葉間動脈と輸入細動脈などの細小動脈に硬化病変を生じ，これに伴う腎障害を生じるもの．

病因・病態生理
全身の血圧が上昇すると細小動脈への負荷が増大し，血管平滑筋細胞の増生・肥大，さらには細胞外マトリックスの増生が生じる．糸球体前血管抵抗の上昇のため，糸球体血圧は正常に保たれているので，蛋白尿は少なく，腎機能悪化速度もゆるやかである．

病理
輸入細動脈の硝子化（図 13-8-1）と小葉間動脈などの内膜・中膜の線維筋性肥厚が主であり，進行すると虚血性変化に基づいた糸球体の荒廃，尿細管の萎縮，間質の線維化を示す．糸球体は正常のものから硝子化するものまでさまざまで，その糸球体に入る輸入細動脈の硬化病変の程度により異なる．腎臓は軽度〜中等度に萎縮する．

臨床症状
少なくとも 5〜10 年以上にわたる長い高血圧罹患歴をもつ症例に認められ，左室肥大，脳症，網膜症などほかの高血圧性心血管病変も併発していることが多い．特異的な自覚症状はないが，長期間の高血圧の持続後に蛋白尿が出現し，緩徐な腎機能の低下と腎萎縮を認める．症候として比較的早期より認められるのは尿濃縮能の障害であり，夜間尿として気づかれる．

検査所見
尿蛋白量は比較的少なく，0.5 g/日以下のことが多い．尿沈渣は硝子様円柱をときに認める程度である．血液検査も初期には正常で，進行すれば血清クレアチニン値，BUN の上昇など残存腎機能に応じた慢性腎不全としての検査所見を認める．画像検査で左右対称性萎縮腎を呈する．確定診断には腎生検を要するが，適応となる症例は少ない．

治療
腎硬化症では，十分に降圧することが腎機能障害進行および心血管障害合併の抑制のために重要である．尿蛋白が 0.15 g/gCr 未満の場合は，血圧を 140/90 mmHg 未満に維持すること，0.15 g/gCr 以上の場合は，より低値の 130/80 mmHg 未満を目指すことが推奨されている．食塩摂取量を 6 g/日未満（3 g/日未満への制限は推奨しない）とし，減量，禁煙など生活習慣の改善を合わせて行う．高血圧治療の第一選択薬としては，尿蛋白が 0.15 g/gCr 未満の場合はレニン-アンジオテンシン（RA）系阻害薬，Ca 拮抗薬あるいは利尿薬，0.15 g/gCr 以上の場合は RA 系阻害薬が推奨されている．降圧目標達成のためには多剤併用投与を積極的に導入し，腎機能や血清カリウム値を定期的にチェックしながら緩徐に降圧をはかる．作用機序の違う薬剤の少量の併用療法は，降圧効果を増強し，副作用を少なくするので望ましい．

予後
良性腎硬化症は一般的には予後良好な疾患である．早期から適切な降圧療法を行えば末期腎不全に至ることは少ない．血圧コントロールが不良な症例や発見時にすでに腎障害が進行している症例では，末期腎不全に至り透析療法が必要になることが多い．腎硬化症は，わが国の新規透析導入原因の第 3 位となり，高

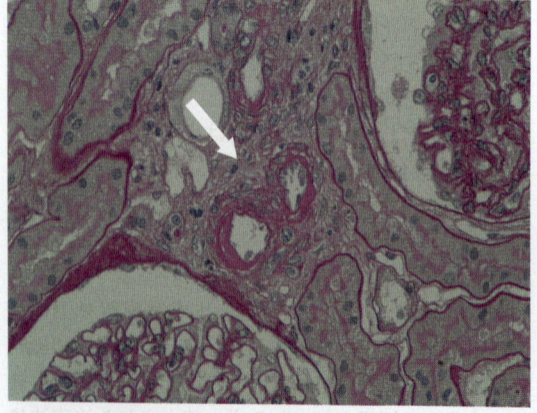

図 13-8-1 良性腎硬化症の光顕所見
細小動脈に硝子様変性を認める．右上の糸球体は虚脱している．

齢者人口の増加に伴って年々増加傾向にある．腎硬化症患者はほかの心血管合併症を有することが多く，予後を規定する因子となっている．

2）悪性腎硬化症
malignant nephrosclerosis

定義・概念
加速型-悪性高血圧（悪性相高血圧）による急激な血圧の上昇のために生じる腎細小動脈および糸球体病変を悪性腎硬化症とよぶ．

病因・病態生理
拡張期血圧が 120～130 mmHg 以上であり，腎機能障害が急速に進行し，放置すると全身症状が急激に増悪して心不全，高血圧性脳症，脳出血などが発症する予後不良の病態である．急激かつ高度な血圧上昇のため輸入細動脈が過剰に収縮し，内皮障害を伴って糸球体濾過量が減少する結果，RA 系が亢進してさらに血圧を上昇させる悪循環が生じる．

病理
輸入細動脈の内皮障害，血管壁への血漿成分の侵入に続くフィブリノイド壊死，増殖性内膜炎およびその周囲への細胞浸潤が主体で，血管の破綻による出血もみられる．病理学的には血管炎と区別できない．細動脈の同心円状の層状求心性肥厚は onion skin lesion とよばれ，特徴的な所見である（図 13-8-2）．

臨床症状
急激で著しい血圧上昇（拡張期 120～130 mmHg 以上）で発症し，頭痛，悪心・嘔吐，視力障害，乏尿，ときには痙攣や意識障害などを訴える．乳頭浮腫とともに出血，白斑など多彩な眼底変化を生じる．急速に進行する腎機能障害を特徴とし，肉眼的血尿を呈することもある．中枢神経症状，心不全を伴い致命的なこともある．

検査所見・診断・鑑別診断
細小動脈の強い収縮および血管病変による血管内腔の狭小化により，赤血球の機械的な破壊や微小血管障害性溶血性貧血を生じる．尿蛋白は陽性で，ときに 2～3 g/日に達することもあり，顕微鏡的または肉眼的血尿を呈する．心電図は左室肥大を示し，血液生化学検査では，BUN，クレアチニン，尿酸などが上昇する．また，血漿レニン活性および血漿アルドステロン濃度は上昇し，低カリウム血症がみられる．

治療
入院のうえ，速やかに降圧をはかる．初期には Ca 拮抗薬の静脈内持続投与を行い，拡張期血圧 100～105 mmHg を初期目標として血圧を管理する．安定すれば，RA 系阻害薬を腎機能に注意しながら，ごく少量から投与する．その後は血圧の十分な管理を継続する．本症は本態性高血圧が原因であることが多いが，腎血管性高血圧症や慢性糸球体腎炎，褐色細胞腫などの二次性高血圧に起因することも少なくない．原疾患の鑑別が治療のうえで重要となる．

経過・予後
無治療では心不全，脳卒中，腎不全などによる死亡率が高い．最近は降圧薬の進歩により生命予後はよくなったが，原疾患によって予後は異なり，強皮症腎クリーゼなどでは腎不全を生じ生命予後も不良である．

3）腎血管性高血圧
renovascular hypertension

【⇨ 8-3-2】

4）腎動脈瘤
renal artery aneurysm

定義・概念
腎動脈に動脈瘤ができ，高血圧，腎梗塞や破裂による出血性ショックの原因になりうる．

病態生理・診断・治療
腎動脈瘤は比較的まれな疾患であり，通常無症状である．最も問題になるのは破裂であり，その多くが妊娠後期に起こる．そのほかにも腎血栓症や塞栓症の原因となることがある．多くの場合，動脈瘤は腎動脈主幹部にあり，実質内にあるのは 10％以下である．確定診断には血管撮影が必要となる．

治療
手術の適応としては，① 1.5～2.0 cm 以上のもの，②石灰化がないもの，③若い女性で妊娠の可能性がある場合，④サイズが増大するもの，⑤腹痛などの症状で破裂の前駆症が考えられる場合，などである．ほか

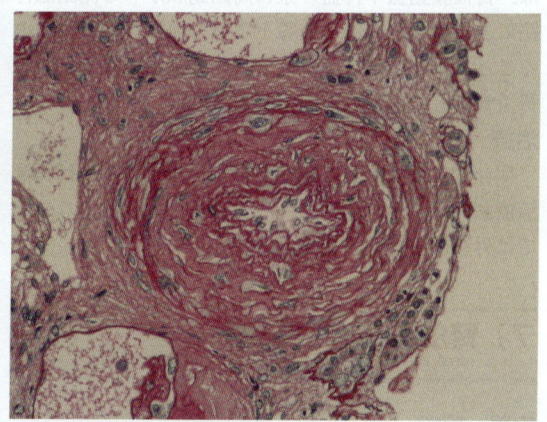

図 13-8-2 悪性腎硬化症の光顕所見
細小動脈に onion skin lesion とよばれる同心円状の層状求心性肥厚を認める．

の治療としては，コイルによる瘤内充填，血行再建，腎摘などがある．

5）腎動静脈奇形
arteriovenous malformation

定義・概念
腎動静脈瘻は原因によらず腎臓内で静脈系と動脈系が異常な交通をもったものと定義される．本症は比較的まれな疾患であり，無症候で潜在しているものも相当数あると推察される．

病因・病態
腎動静脈瘻は先天性と後天性に分類され，さらに後天性は特発性と続発性に分類される．先天性は動脈系が静脈と複数の交通をもち，本症の約25％を占める．発症に性差はなく，大人になるまで発見されない例が多い．特発性は原因が特定できないものを指す．続発性は本症の約70％を占め，医原性，悪性新生物，外傷あるいは炎症などにより生じた仮性動脈瘤が静脈との間に交通をもつことにより形成される．医原性の原因としては腎生検，経皮的腎瘻造設あるいは腎部分切除術などがある．

臨床症状
腎以外で生じる動静脈瘻と同様に短絡血流量が多ければ静脈還流の増大による心拍出量の増加で収縮期高血圧をきたす．また，比較的近位部の動脈において静脈との交通が生じた場合，そこよりも遠位部は低灌流となりレニン分泌が刺激されることがある．このような場合には腎血管性高血圧の病態に類似した，RA系亢進による高血圧を呈する．

診断
かつては確定診断に血管造影が必須で，腎動脈造影で動脈相早期に腎静脈が造影されれば診断が確定した．最近では，multi-detector CT（MDCT）の普及により，より低侵襲に診断が可能となり，同時に三次元的に流入動脈および流出静脈の描出ができるようになっている．MRアンギオグラフィや超音波検査も有用である．

治療
本症の治療適応は短絡血流量と症状によって判断される．症候性の腎動静脈瘻，すなわち高血圧，心不全あるいは重症の血尿などは治療適応となる．また，経時的に拡大してくる病変，動脈瘤破裂あるいは進行する腎不全も治療の対象となる．治療法には経カテーテル的塞栓術と手術療法があげられるが，最近では腎機能温存，低侵襲などの理由で経カテーテル的塞栓術が主流となっている．

6）腎梗塞
renal infarction

定義・概念
血栓や塞栓による腎動脈の主幹部やその分枝の閉塞により腎組織が壊死に陥るもの．

病因
心房細動，心弁膜症，心内膜炎，心臓手術などに併発する塞栓性閉塞が最も多く，全体の70〜80％を占める．その他，腎動脈硬化症，結節性多発動脈炎，外傷，抗リン脂質抗体症候群などによるものもある．まれには卵円孔開存下での腫瘍や脂肪の奇異性塞栓も認められる．

病理
腎の被膜に底辺をもち，先端が腎深部に向かう楔状の壊死巣が形成される．その周辺には白血球の浸潤と出血巣がみられ，古くなると瘢痕化する．

臨床症状・検査所見
特異的症状に乏しく，小梗塞では症状がないことが多い．比較的大きな梗塞では急激に生じる側腹部痛や背部痛（疝痛様疼痛）がみられ，尿路結石症との鑑別が必要である．発熱，悪心・嘔吐が出現し，白血球増加，血清酵素（LDH，AST，アルカリホスファターゼ）の上昇，蛋白尿や肉眼的または顕微鏡的血尿が現れる．血漿レニン活性が上昇し，一過性の高血圧になるものが多い．小梗塞は予後に影響を与えないが，大梗塞では高血圧が発症し，両側腎の多発性梗塞では腎機能が低下し，腎不全となる．

診断
腎梗塞が疑われるときには尿検査や血清酵素の測定を行うと同時に，腎の画像診断を進める．腎動脈造影や腎臓のCT，MRIなどで楔状の造影欠損像を認めれば診断は確定する．典型例では，造影CTで非造影領域およびcortical rim signが明瞭になる．このサインは，腎被膜動脈や腎盂・尿管周囲動脈からの側副血行路によって腎梗塞部の被膜下皮質の血流が保たれていることを示す所見であり，楔状の非造影領域を呈する腎盂腎炎との鑑別に有用である（図13-8-3）．

治療
保存的に治療することが多いが，早期であれば再灌流療法の適応となる．また，血栓や塞栓が大きなものでは外科的塞栓除去術を行うこともある．

7）腎皮質壊死
renal cortical necrosis

定義・概念
腎動脈内に多発の凝血が起こるために腎組織の広範な壊死が生じるもの．

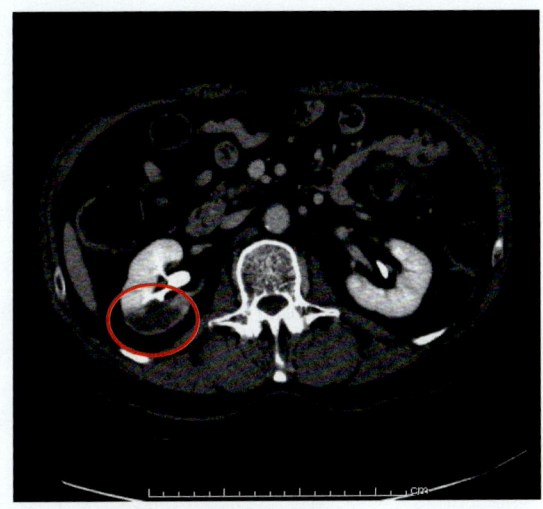

図 13-8-3 腎梗塞の造影 CT 所見
右腎の背側に楔状の造影欠損像および cortical rim sign を認める．

病因・病態

妊娠中絶・流産に伴う敗血症，胎盤早期剥離，前置胎盤，妊娠高血圧症候群など妊娠中の合併症として発症することが多い．腎内動脈に多発性の血管内凝固が惹起され，両側腎皮質に広範な壊死を生じる．播種性血管内凝固症（DIC）や高度虚血がさらに血栓形成を促進すると推定されている．

臨床症状・診断

妊婦で上記の合併症があり，急に乏尿または無尿となり，肉眼的血尿や側腹部痛があれば本症を強く疑うべきである．超音波検査や CT で腎皮質が低エコーや低密度を示せば特徴的である．1～2 カ月後に皮質に石灰化像を認めることがある．

治療

特異的な治療法はない．多くは末期腎不全に至り，透析療法を必要とすることが多いが，20～30％は部分的に回復する．

8）コレステロール塞栓症
cholesterol embolism

定義・概念

大動脈壁の粥状動脈硬化プラークからアテローム片が末梢に飛び，脳，皮膚，腎臓などの小動脈にコレステロール結晶による塞栓を生じることで組織や臓器の虚血を引き起こす予後不良な疾患である．全身への塞栓症の部分症状として出現することが多いが，腎単独でも出現する．

病因・病態生理

本症を発症する患者背景としては，男性，高齢，喫煙，心血管疾患の存在，高血圧，糖尿病など動脈硬化の危険因子がある．カテーテル検査や心血管手術，抗凝固療法が誘引になることが多いが，自然発症例も 20～30％にみられる．

病理

典型的には細小動脈内腔にコレステロールクレフトを取り巻き線維組織の増生，細胞浸潤が認められる（図 13-8-4）．この所見は，本症は単なる機械的閉塞ではなく，炎症反応の結果，細小動脈の閉塞が徐々に進行する過程をとることを示唆する．

臨床症状・検査所見・診断

臨床症状は多種多様であり，生前診断が困難で見落とされることも多い．細小動脈塞栓の結果，脳梗塞，blue toe，livedo reticularis（網状皮斑），腎不全，腸管潰瘍・穿孔などが生じる．その他，無症状のものから，視野欠損・失明，血圧上昇など多様な症状を呈するものまである．腎障害に関しても，腎機能が急速に低下するものから，数週にわたり徐々に低下するもの，さらには長い経過でゆっくり低下するものなど，多様なパターンをとる．反復して塞栓を繰り返している症例では，明確なイベントがわからないまま腎不全に陥ることもある．検査成績としては好酸球増加が特徴的とされており，ほかに補体低値や CRP の軽度上昇がみられる．尿蛋白や潜血もみられるが，高度な異常を示すことはまれである．皮膚生検や腎生検で上記のコレステロールクレフトを証明すれば診断は確定する．

治療

確立した治療法はないが，副腎皮質ステロイド，スタチンの投与および LDL アフェレーシスが有効であるとする報告が多い．

予後

予後は不良で，1 年死亡率が 23～87％と報告され

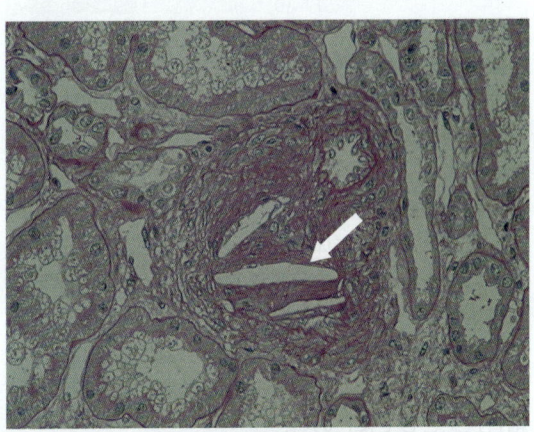

図 13-8-4 コレステロール塞栓症の光顕所見
細小動脈内に特徴的なコレステリン結晶の跡（結晶は標本作成過程で溶解）および細胞浸潤と線維の増生による内腔の閉塞を認める．

ている．早期発見，早期治療が重要であると考えられるので，リスク群での血管操作後は，自覚症状，尿所見，腎機能などを数週間にわたり注意深く観察する必要がある．

9）腎静脈血栓症
renal vein thrombosis

定義・概念
腎静脈に血栓が形成され，腎がうっ血腫脹し，蛋白尿や血尿が出現するもの．

病因・病態生理
新生児あるいは小児では下痢や嘔吐による著明な脱水時に生じることが多い．ネフローゼ症候群では，アンチトロンビンⅢなどの凝固抑制因子が糸球体から尿中に漏出するために腎静脈内の凝固能が亢進するとともに，糸球体濾過によって腎静脈内では血液が濃縮されるために血栓形成がさらに促進されると考えられる．深部静脈血栓症や肺塞栓症を合併することもある．ほかに，妊婦や経口避妊薬服用者，担癌患者，外傷など血栓形成傾向にある病態で生じやすい．

病理
成人では腎静脈主幹部から分枝にかけて血栓が形成されて閉塞が徐々に進行し，間質の浮腫と線維化，尿細管の変性と萎縮，糸球体基底膜の肥厚が認められることが多い．小児では腎内静脈に形成されて急速に腎静脈が完全閉塞し，腎の腫大と出血性梗塞を生じることが多い．

臨床症状
血栓は片側性，両側性いずれのこともあり，下大静脈にまで及ぶこともある．通常緩徐に発症するが，劇症の経過をたどる急性型もある．慢性型は潜在性に発症し，肺塞栓症を合併してはじめて症状を示すことが多い．ネフローゼ症候群に合併すると蛋白尿が増加し，腎機能低下が徐々に進行する．膜性腎症で最も頻度が高い．急性型は外傷や小児での重篤な脱水時に発症し，腎腫大，側腹部痛，発熱，血尿，蛋白尿などを認め，急性腎不全に陥ることもある．

診断
上記の臨床症状や，尿蛋白の多い症例で原因不明の腎機能の低下がみられるときには本症を疑う．造影 multi-detector CT や MRI で診断を確定する．

治療
ヘパリンやワルファリンなどの抗凝固療法を行う．局所血栓溶解療法などの再灌流療法やカテーテルによる血栓除去術も考慮する．

予後
新生児や小児で急速に発症したものは予後が悪い．成人では予後はさまざまである．閉塞が徐々に進み，不完全な場合は側副血管が発達するので腎機能は保持される．

〔北村健一郎〕

13-9 尿細管疾患

1）分類と病態生理

尿細管の主たる機能は物質輸送であり，再吸収・分泌を行うことにより細胞外液の恒常性維持に働いている．尿細管は近位尿細管から集合尿細管まで，少なくとも7つ以上のセグメントからなり，それぞれが多くの特有の働きをしている．その機能を担う分子，酵素，チャネル，輸送体などの分子構造が近年急速に明らかになり，それらの分子異常に基づく病態が解明されてきた．それらの機能障害により，各種電解質異常，酸塩基異常，あるいは体液量が変化して高血圧・低血圧になる．このような尿細管異常による病態を尿細管疾患としてまとめる．

2）近位尿細管疾患

(1) Fanconi 症候群

概念
近位尿細管の機能異常を直接の原因として引き起こされる汎アミノ酸尿，低リン血症，低尿酸血症，腎性糖尿，近位尿細管性アシドーシスなどの一連の病態の総称である．1930年代に Fanconi らが，くる病・低身長・尿糖・低リン血症などを呈する小児症例を報告し，その後その病因がきわめて多岐にわたることが知られ，疾患名としてよりも Fanconi 症候群とよばれるようになった．

病態生理
近位尿細管には電解質や蛋白・糖の再吸収や輸送に関与するチャネルやトランスポーターが多く発現しており，それらの物質輸送の障害により，尿中への排泄

が亢進することが病態の基本である．近位尿酸管における物質輸送は血管側細胞膜に存在する Na-K-ATPase により生み出された細胞内外の Na 濃度較差に連動して，HCO₃（炭酸水素），グルコース，リン酸，アミノ酸が大量に再吸収されるが，Fanconi 症候群ではさまざまな原因により再吸収機能が全般的に障害される．Fanconi 症候群の原因としては先天性のものと後天性の病因がある（表 13-9-1）．先天性のものには代謝に関連する遺伝子異常による疾患が多い．機能異常が長期間続くと近位尿細管の変成・荒廃が起こり腎不全に至る．

後天的要因としては薬剤や重金属による近位尿細管障害やアミロイドーシスをはじめとする全身疾患に付随して起こる近位尿細管障害により発症することが多く，先天性との違いは成人に多い点である．

臨床症状

多尿，小児期の成長障害（低身長），糖尿，高リン尿，高尿酸尿，汎アミノ酸尿，蛋白尿（低分子蛋白尿），高重炭酸尿などの近位尿細管機能障害がみられ，その結果として血清リン，尿酸，重炭酸イオン低値（酸血症）がみられる．小児では尿へのカルニチン排泄の亢進，活性型ビタミン D 産生障害，くる病による骨変化もみられる．シスチン蓄積症は生後 6～12 カ月頃に Fanconi 症候群を発症し，脱水による発熱を繰り返すことで診断の契機となる．

診断

尿・血液所見から診断は比較的容易である．小児領域では成長障害，くる病の症状が特徴的である．遺伝子診断も可能になってきている．

治療

後天性のものでは，原因疾患の治療を優先する．薬物・重金属などが原因の場合は，中止・除去により Fanconi 症候群の改善・治癒を期待できる．低リン血症などの電解質異常にはできるだけ経口的に補充療法を行う．薬物療法は代謝性アシドーシス，低リン血症を正常化し，成長障害，骨塩量の低下，骨折などの合併症を予防あるいは治療することを目的とする（eコラム 1）．

(2) シスチン尿症

概念

中性・二塩基アミノ酸（シスチン，オルニチン，アルギニン，リジン）の腎尿細管および腸管上皮における輸送異常による常染色体劣性遺伝性疾患である．

病態生理

本症は I～III 型に分類される．I 型では，2 番染色体の短腕（2p21）の SLC3A1（NBAT）遺伝子変異が認められる．NBAT は，二塩基アミノ酸と中性アミノ酸の交換輸送体である．II 型とIII 型では，19 番染色体の長腕（19q13.1）の SLC7A9（BAT1）遺伝子変異が報告されている．これらの変異によってアミノ酸の再吸収が障害され尿中へ多量に排泄される．このうちシスチンは溶解度が低く，尿路結石となり症状を示す．罹患率は世界的には約 7000 人に 1 人であり，人種差がある．

臨床症状

尿中でシスチンは難溶性であるが，それ以外のアミノ酸は可溶性であるので，本症ではシスチン結石が繰り返しできる．小児期より尿路結石を繰り返す場合には，シスチン尿症を疑う必要がある．尿沈渣では小さな六角（ベンゼン核様）のシスチン結晶がみられる．通常の X 線写真で結石として写る．消化管におけるアミノ酸輸送異常は臨床的には無症状である．

診断

30 歳以前に尿路結石症がみられた場合には頻度的に多くはないが，尿中シスチン排泄の異常を検索する必要がある．尿沈渣でシスチン結晶がみられる．高濃度の尿中シスチンが確認できれば，診断が確定する．詳しくは尿中アミノ酸分析を行い，二塩基アミノ酸（シスチン，オルニチン，アルギニン，リジン）の排泄が亢進していれば診断は確定する．

治療

尿中シスチン濃度が 300 mg/L をこえると結晶化するので，1 日 3～5 L の飲水は，尿中シスチン濃度を低下させるので結石生成防止に有効である．シスチンの溶解性を高めるために尿 pH を 7.5 以上に保つこと

表 13-9-1 Fanconi 症候群の原因

1. 先天性 Fanconi 症候群
- Dent 病
- Lowe 症候群
- ミトコンドリア病
- シスチン蓄積症
- ガラクトース血症
- 遺伝性フルクトース不耐症
- von Gierke 病
- チロシン血症
- Wilson 病

2. 後天性 Fanconi 症候群
- ネフローゼ症候群
- 多発性骨髄腫
- Sjögren 症候群
- 間質性腎炎
- 薬剤（漢方薬）
- 抗癌薬（シスプラチン，アザチオプリン）
- 抗菌薬（テトラサイクリン，アミノグリコシド系抗菌薬）

も効果があり，クエン酸カリウムや重炭酸ナトリウムが投与される．また，D-ペニシラミン投与で溶解性の高いシスチン-ペニシラミンの形にして排泄させる治療も行われる．食事療法として動物性蛋白摂取量の抑制（メチオニン制限食）が推奨されている．

(3) 家族性低リン血症性くる病
概念
腎近位尿細管でのリン再吸収閾値が低下し，リンの尿中への喪失により低リン血症，くる病，四肢の変形やO脚（内反膝と下肢の湾曲），成長障害，齲歯をきたす．近年責任遺伝子が明らかにされ，以下の4型に分類されている．①X染色体優性遺伝の病型（X-linked hypophosphatemic rickets：XLH），②常染色体優性遺伝の病型（autosomal dominant hypophosphatemic rickets：ADHR），③劣性遺伝の病型（autosomal recessive hypophosphatemic rickets：ARHR），④高カルシウム尿症を伴う低リン血症性くる病（hereditary hypophosphatemic rickets with hypercalciuria：HHRH）．

病態生理
1）X染色体優性遺伝の病型（XLH）の原因：PHEX遺伝子（a phosphate regulating gene with homology to endopeptidase on X chromosome）の変異が原因である．PHEX遺伝子がコードする蛋白は尿細管におけるリンの再吸収を抑制する蛋白である fibroblast growth factor-23（FGF-23）を不活化する．PEEX遺伝子の変異により FGF-23 が不活化できず，尿中へのリンの排泄が増加し，低リン血症によるくる病が発症する．

2）常染色体優性遺伝の病型（ADHR）の原因：FGF-23蛋白の機能を亢進させる変異が原因である．FGF-23蛋白は RXXRmotif 部位とよばれる176番または179番目のアルギニンの部位で切断され失活する．ADHRではどちらかの部位のアルギニンがほかのアミノ酸に変化する変異のために切断されず，FGF-23の機能が保たれ，尿中にリンが失われ低リン血症によるくる病が発症する．

3）常染色体劣性遺伝の病型（ARHP）の原因：dentin matrix protein1（DMP1）をコードする遺伝子，*DMP1*の変異である．DMP1は FGF-23 の分泌を抑制する．DMP1の変異により FGF-23 の抑制ができず，尿中にリンが失われ低リン血症によるくる病が発症する．

4）高カルシウム尿症を伴う遺伝性低リン血症性くる病（HHRH）の原因：sodium/phosphate cotransporterⅡc（NaPi-Ⅱc）をコードする遺伝子 *SLC34A3* の変異が原因である．NaPi-Ⅱc の異常により尿細管からのリンの吸収が低下し尿中にリンが失われ，くる病を発症する．

臨床症状
近位尿細管でのリン再吸収低下により尿中にリンが排泄されて低リン血症となった結果，骨石灰化が障害されてくる病が発症する．血清カルシウムやPTHは正常であることが多い．著しい低リン血症の存在にもかかわらず，ビタミンD活性化障害のため，$1,25(OH)_2D_3$ は正常値かやや高値にまでしか上昇しない．本症の多くは低身長，歩行開始の遅れ，下肢変形（O脚）などを主訴として，1～2歳で診断される．乳児早期に前頭部あるいは後頭部の著明な突出（oxycephaly）を伴った頭蓋狭窄症を呈することがある．患児は歯髄腔が大きいため乳歯の齲歯を繰り返すことがある．本症の7割近くで腱，靱帯，関節膜に石灰化が生じ，関節痛の原因となる．

診断
上記の症状に加えて，低リン血症，尿へのリンの排泄過多，%TRP低値は低値である．血清Caは正常，$1,25(OH)_2D_3$ は正常かやや低値となる．血中PTHは正常上限からやや高値となる．ほとんどが遺伝性であるが，まれに孤発では成人で発症することがある．

治療
治療はリン欠乏を補うためにリン製剤（10～30 mg/kg/日を分4で投与）を投与する．また，ビタミンD活性化障害を伴うので，1α-OHD$_3$ を投与する．低身長に対しては成長ホルモンの投与が行われる．早期診断がなされて十分な治療が行われれば，骨や成長障害を最小限にとどめることが可能である（ⓔコラム2）．

(4) Dent病
概念
小児期の腎機能は正常であるが，発育に伴い近位尿細管障害のため，低分子蛋白質の再吸収が低下して尿細管性蛋白尿，高カルシウム尿，くる病，腎石灰化，末期腎不全をきたすX染色体性の遺伝性腎症である（ⓔコラム3）．

病態生理
患者の約6割はクロライドチャネル5蛋白（CIC-5）の遺伝子（遺伝子座 Xp11.22）の異常による CIC-5 の機能低下が原因である．患者の約1割は Lowe 症候群の原因遺伝子である *OGRL* の異常が原因である．CLC-5は746個のアミノ酸からなる蛋白質で，腎では近位尿細管，Henleの上行脚，集合管α間在細胞のエンドソーム膜に H^+-ATPase とともに存在する．糸球体を通過した小分子蛋白は，エンドサイトーシスによって近位尿細管細胞に取り込まれ，エンドソーム内でリソソーム酵素の作用でアミノ酸に分解される．しかし本症ではエンドソーム内のpHが十分に下がらないためにエンドサイトーシスが障害され，小分子蛋白が尿中に漏出する．

臨床症状

小児期は無症状で，学校検尿や偶然の尿検査にて蛋白尿を契機に診断される．女性保因者は患者に比べ軽症であるが，まれに男性患者と同様の臨床症状や検査所見を示す．成人になると尿路結石症（リン酸カルシウム結石）を呈する．

診断

最も特徴的な所見は蛋白尿（年長児，成人で1.5 g/日以上）で，分子量が4万Da未満の低分子蛋白の占める割合が高い（45〜60％以上）．典型例では患者の尿β_2-ミクログロブリンは1万μg/L以上に増加する．ごく軽度の潜血反応陽性あるいは微少血尿を呈する．年長児ではアミノ酸尿，糖尿，低リン血症などの近位尿細管機能異常，尿濃縮力障害，腎性高カルシウム尿症，尿路結石，不完全型尿酸性化障害などの遠位尿細管，集合管の機能異常，糸球体機能の軽度低下を合併する．腹部CTで腎髄質を中心とする石灰化，腎エコーで髄質の輝度上昇が認められる．腎組織は小児期には異常が少ない．しかし，進行すると糸球体硬化，尿細管萎縮，間質への細胞浸潤，線維化がみられる．

治療

本症の多くの患者は健康で，日常生活に支障をきたすことがない．進行する尿細管機能障害や糸球体機能障害を阻止できる治療法は確立していない．尿路結石や腎石灰化をもたらす高カルシウム尿症に対して，サイアザイド系利尿薬の投与や水分摂取が有効である．代謝性アシドーシスには炭酸水素ナトリウムを投与する．

（5）腎性糖尿

概念

腎性糖尿とは，近位尿細管の機能障害により，血糖値が正常域にもかかわらずグルコースが尿中に排泄される病態をいう．

病態生理

血中のグルコースは糸球体基底膜から完全に濾過されるが，そのほとんどが近位尿細管で，残りが集合管で再吸収されるため尿中には出現しない．腎性糖尿は，近位尿細管におけるグルコース再吸収機構の障害に起因すると考えられている．狭義の腎性糖尿では，腎尿細管におけるグルコース再吸収機構のみが障害され，腎に局在するNa-D-glucose cotransporter（*SGLT*）2の遺伝子変異による障害と考えられている．これにより，尿細管腔内から尿細管細胞内へのグルコース取り込みが障害される．常染色体劣性遺伝を示す．広義の腎性糖尿には，先天性グルコース・ガラクトース吸収不全症，Fanconi症候群，腎糸球体疾患などの腎性糖尿をきたす疾患が含まれる．

臨床症状

狭義の腎性糖尿では，一般に無症状である．長時間の飢餓によって低血糖やケトーシスを呈しうるが，腎や他臓器の機能障害は呈さない．

診断

糖尿病との鑑別が最も重要で，糖負荷試験（OGTT）で血糖値が正常範囲内にもかかわらず尿糖陽性となることより診断される．どの程度の糖尿が病的なのかについては明確な定義はないが，2.75 mmol（500 mg）/日/1.73 m^{2}以上を病的とするのが一般的な基準である．近位尿細管からのグルコースの再吸収をみる指標として，TmG（maximal tubular reabsorption of glucose，グルコース尿細管再吸収極量）があり，腎性糖尿の病型診断に用いられる．ほかの近位尿細管障害を伴っているかどうか（Fanconi症候群）を鑑別する必要もある．腎性糖尿以外に腸管での糖吸収障害と下痢がある場合は，グルコース-ガラクトース吸収不全症（SGLT1の異常）も考慮しなければならない（eコラム4）．

治療

狭義の腎性糖尿では予後は良好であり，特に治療を要さない．

3）遠位尿細管疾患

（1）腎性尿崩症

概念

腎性尿崩症は，腎が原因となって尿濃縮力の低下を引き起こし，多飲，口渇，多尿をきたす疾患である．下垂体後葉から分泌されるバソプレシン（AVP）に対する反応性が消失した状態である．腎性尿崩症は，後天性と遺伝性に分けられる．後天性の腎性尿崩症は，リチウムなどの薬剤による副作用，高カルシウム血症や低カリウム血症などの電解質異常，腎盂腎炎，多発性骨髄腫および閉塞性尿路疾患などが原因となる．遺伝性の腎性尿崩症は，集合管におけるAVP受容体（AVPR2）や水チャネル（AQP2）の遺伝子異常による腎髄質部の浸透圧勾配形成障害が原因となる（図13-9-1）．

病態生理

1）遺伝性腎性尿崩症： 遺伝性腎性尿崩症の約90％はAVP受容体遺伝子*AVPR2*の遺伝子変異であり，男性の100万に4人程度の発症率で，X連鎖性である．残りの10％はAVP感受性水チャネル*AQP2*遺伝子の異常により発症し，常染色体性劣性あるいは優性遺伝形式をとる．AVPR2はアミノ酸371残基からなる分子量40.5 kDaの蛋白であり，主細胞側底膜に存在する．女性はキャリアとなるが，その約1％で腎

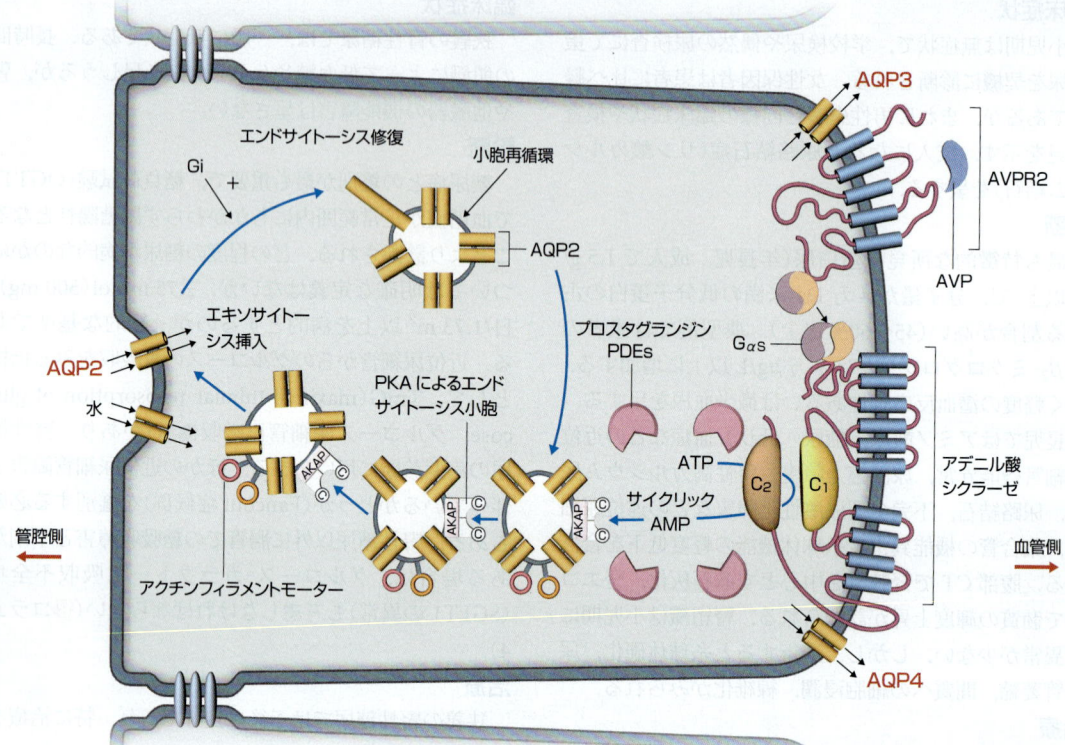

図 13-9-1 集合尿細管での抗利尿ホルモン(AVP)の作用機序
管腔内の水は管腔膜の AQP2 を通って細胞内に入り，血管側膜の AQP3，AQP4 を通って間質に再吸収される．AQP2 の細胞内の動態は抗利尿ホルモンの調節を受けている．抗利尿ホルモンが集合尿細管に分布するバソプレシン V2 受容体(AVPR2)に結合すると，G 蛋白を介しアデニル酸シクラーゼが活性化される．サイクリック AMP が産生されると，アクアポリン 2 (AQP2)水チャネル蛋白がリン酸化され，管腔膜上の AQP2 の数が増え水透過性が著明に増加する．

性尿崩症が発症する．AQP2 はアミノ酸 271 残基からなる分子量 29 kDa の 6 回貫通膜蛋白質である．AQP2 は尿管側の管腔膜とその直下の細胞内小胞膜上に存在する．これらの遺伝性腎性尿崩症では，いずれも最終的に集合管管腔側細胞膜への水チャネル AQP2 の発現が障害されて尿濃縮力の低下を起こし，AVPR2 異常では腎乳頭部集合管における AVP 反応性尿再吸収も障害される．

2) 後天性腎性尿崩症：薬物性のものとしては，躁うつ病の治療に用いられるリチウムによるが腎性尿崩症が最も多い．腎尿細管における Ca 受容体を介すると考えられる高カルシウム血症による症例や，低カリウム血症による尿濃縮障害など，電解質異常を原因とする場合もある．頻度は低いが，サルコイドーシスなどの全身疾患でも発症することがある．腎髄質部の器質的障害は，腎性尿崩症を引き起こしやすい．

臨床症状

多量の低張尿を排泄し，常に口渇を訴え，多飲を示す．高浸透圧血症・高ナトリウム血症になりやすい．遺伝性腎性尿崩症では，出生前から羊水過多で発症することがある．新生児期では母乳栄養の場合には，多飲多尿が見すごされやすく，易刺激性・発熱・嘔吐・哺乳力低下・便秘・体重増加不良などの全身所見から疑われる．遺伝性の場合，水投与が不十分な際には知能発育障害が起こる．多量の尿量のため，水腎症になりやすい．薬物による続発性のものでは，原因薬剤の中止により症状は改善するが，改善には長期間を要することが多い．

診断

1 歳以下で原因不明の発熱や発育不良などを呈した場合は，遺伝性腎性尿崩症を鑑別診断に加える必要がある．遺伝性の場合は，家族歴を検討し，X 染色体劣性遺伝であれば *AVPR2* 異常を疑い，常染色体劣性および優性遺伝であれば *AQP2* 遺伝子異常を疑うが，散発例もあるため遺伝子検索が必要である．典型的腎性尿崩症では，多量の低張尿(50〜100 mOsm)，高浸透圧血症・高ナトリウム血症，血液 AVP 高値，により診断は容易である．多量の低張尿を示し，鑑別が必要なものとしては中枢性尿崩症，心因性多飲症があるが，上記の項目を調べれば，だいたいの鑑別は可能である．診断を確かなものにするために水制限試験が行われる．5〜6 時間飲水を止め，その間経時的に体重，尿量，尿・血液浸透圧，血液 AVP を測定する．体重に注意し，3％以上減少したら中止する．合成バソプレシンである合成 AVP (1-deamino-8-argininevasopressin：DDAVP)を投与して反応をみることも行わ

れる．腎性尿崩症では飲水制限にもかかわらず，低張尿が持続し，血液 AVP は高値であり，DDAVP にも反応できない．

治療

水分補給と浸透圧負荷の軽減のための塩分制限が治療の基本である．続発性のものでは原因の同定とその治療を行う．先天性では水腎症の予防のため尿量減少を図る．食事の食塩制限とサイアザイド利尿薬が基本であり，プロスタグランジン阻害薬（インドメタシン）も副作用が問題ではあるが，経験上有効である．予後は，遺伝性の場合，水分を適切に与えることにより，症状もなく正常に発育するが，水腎症の併発に注意する．水投与が不十分な場合は，知能発育障害が起こる．薬剤による腎性尿崩症では，原因薬剤の中止により症状は改善するが，長期間を要する．

(2) Bartter 症候群と Gitelman 症候群

概念

Bartter 症候群は 1962 年に Bartter らによってはじめて提唱された疾患である．本症候群では，レニン-アンジオテンシン-アルドステロン系の亢進，低カリウム血症，代謝性アルカローシスが認められるにもかかわらず，高血圧，浮腫がないのが特徴である．また，アンジオテンシン II 投与に対する昇圧反応は著しく低下し，病理学的には傍糸球体装置の過形成が認められる．本症候群では，Henle の太い上行脚における NaCl 再吸収が低下しており，過剰のナトリウムイオン，クロルイオンが遠位尿細管に到達する．集合管ではナトリウム再吸収とともにカリウム分泌が促進されて低カリウム血症，代謝性アルカローシスをきたす．一方 Gitelman 症候群は，腎接合尿細管における Na・K・Mg の再吸収障害により低カリウム血症，低マグネシウム血症，代謝性アルカローシスを呈する先天性尿細管機能異常症である．また利尿薬のサイアザイドを慢性的に使用した状態に本症の病態が類似する（いわゆる偽性 Bartter 症候群）．

病態生理（図 13-9-2）

Bartter 症候群には，臨床病型（新生児型，古典型）と原因遺伝子による分類（I～V型）による 2 つの分類法が存在する．Bartter 症候群 I 型は，Henle の太い上行脚（TAL）に存在する Na-K-2Cl 共輸送体（NKCC2；*SLC12A1*），II 型は TAL の管腔側に存在する ATP 感受性 K チャネル（ROMK；*KCNJ1*），III 型は TAL の血管側に存在する Cl チャネル（CLC-Kb），IV 型は CLC-Kb の β-サブユニット（Barttin）の不活性型変異のホモ接合体が原因で発症するため，常染色体劣性遺伝形式をとる．IV B 型は CLC-Ka と CLC-Kb の両方の遺伝子異常である．V 型は，カルシウム感知受容体（CaSR）のヘテロ受容体の活性型変異が原因であり，常染色体優性遺伝形式をとる．

Gitelman 症候群も Bartter 症候群と類似するが，遠位尿細管の管腔側に存在する Na-Cl 共輸送体（TSC）の不活性型変異のホモ接合体が原因であり，常染色体劣性遺伝形式をとる．臨床的には，Bartter 症候群に比べて尿中 Ca 排泄量が少ないなどの特徴がある．

糸球体で濾過された原尿は高濃度の Na，Cl と低濃度の K を含む．近位尿細管では等張性に水と電解質

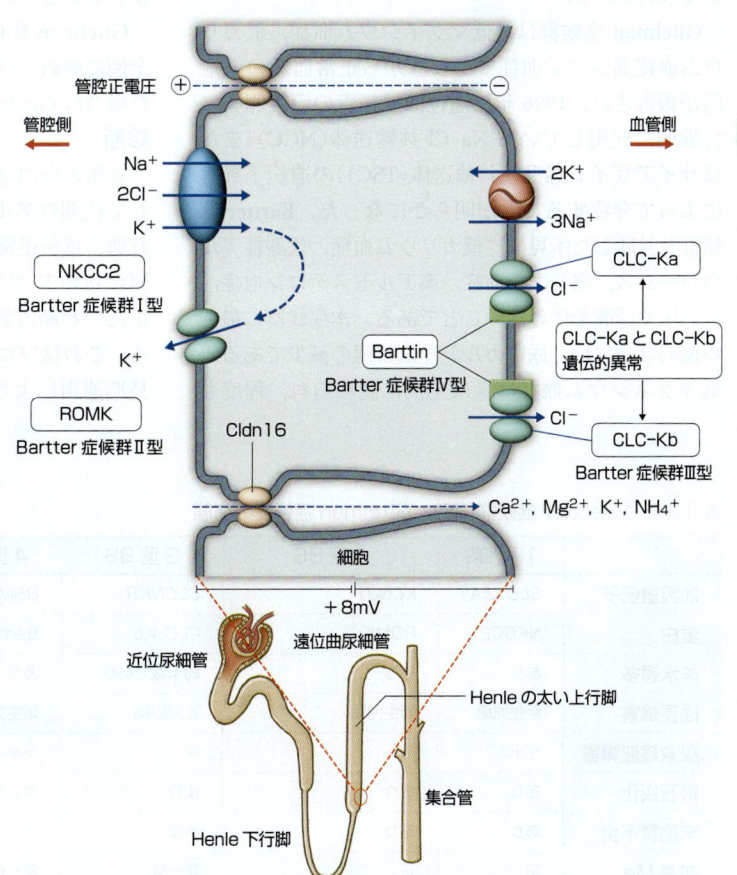

図 13-9-2 Henle の太い上行脚（TAL）と遠位曲尿細管におけるチャネルと輸送体
Na-K-2Cl 共輸送体はフロセミドの標的である．Bartter 症候群はチャネル輸送体の変異で発症する．

が再吸収されるため，遠位尿細管にはNa, Clが高濃度，Kが低濃度のまま到達する．TALでは，NKCC2によりNa, K, Clが再吸収される．Bartter症候群I型では，NKCC2の不活性型変異により，TALにおけるNa再吸収が抑制される結果，尿浸透圧が上昇する．このため，集合管のアルドステロン依存性上皮性Naチャネル（ENaC）が活性化しNa再吸収とKの分泌が亢進する．II型では，TAL管腔側に存在するK分泌チャネルのROMKの不活性型変異によってKの尿細管腔への供給が低下し，NKCC2の作用が抑制されることによって生じる．III型は，TALの血管側に存在するClチャネルのCLC-Kbの不活性型変異によってClを血管内に取り込むことができないため，管腔側でのNa, Clの再吸収が抑制されることにより生じる．IV型は，CLC-Kbのβ-サブユニットであるbarttin蛋白の不活性型変異により生じる．IVB型はCLC-KaとCLC-Kbの両方の遺伝子異常で発症する．V型は，TAL血管側のCaSRの活性型変異によって生じる．CaSRの機能亢進によりROMK活性が低下し，引き続いてNKCC2が抑制され症状が生じると考えられている．

Gitelman症候群は，低マグネシウム血症，低カリウム血症高レニン血症でありながら正常血圧の3症例が報告され，1996年に遠位曲尿細管の管腔側膜に特異的に発現しているNa-Cl共輸送体（NCC）（またはサイアザイド感受性共輸送体（TSC））の遺伝子異常によって発症することが明らかになった．Bartter症候群と共通した所見は，低カリウム血症，代謝性アルカローシス，高レニン血症，高アルドステロン血症，高血圧や浮腫を伴わないことである．本症候群に最も特徴的な所見は，尿中カルシウム排泄の減少である．低マグネシウム血症はほぼ全例に認められ，程度もBartter症候群より重篤である．

臨床症状

表13-9-2にBartter症候群とGitelman症候群のおもな症状と鑑別点をあげた．両者に共通しているのはNaCl喪失傾向（血圧低め），二次性のレニン-アルドステロン亢進症，低カリウム血症性アルカローシスである．臨床症状はBartter症候群で強く，発育障害を伴い，腎石灰化があり，尿濃縮力の低下もある．臨床病型は発症時期により新生児と古典型に分類される．一般に，I型，II型およびIV型は新生児型Bartter症候群に属し，羊水過多，胎児発育不全で発症し，出生後は多飲，多尿，成長障害，高カルシウム尿症を認める．腎石灰化も生じ，末期腎不全に進行する例も存在する．血清Mg濃度は正常のことが多い．一般にIII型およびV型は古典型Bartter症候群に分類される．古典型Bartter症候群は2歳以降，ときには成人後はじめて偶発的に診断され，新生児型とGitelman症候群の中間程度の重症度を呈する．低カリウム血症を生じるが，多飲，多尿や成長障害が軽度である．腎石灰化の頻度も低く，腎不全に至ることはまれである（eコラム1）．

Gitelman症候群では，低マグネシウム血症はほぼ全例に認められる．成人例で正常に発育した症例をみた場合はGitelman症候群を疑うべきである．

診断

診断の糸口は低カリウム血症であることが多い．そして代謝性アルカローシス，レニン-アルドステロン亢進，低〜正常血圧で診断はつく．低カリウム血症が腎からのK喪失によることを確かめる必要がある．またいわゆる偽性Bartter症候群を否定する必要がある．これはフロセミド，サイアザイドなどの利尿薬の長期連用により，Bartter症候群と同じ臨床症状を示

表13-9-2 Bartter症候群（BS），Gitelman症候群の病態

	1型BS	2型BS	3型BS	4型BS	4B型BS	Gitelman
病因遺伝子	SLC12A1	KCNJ1	CLCNKB	BSND	CLCNKA and KB	SLC12A3
蛋白	NKCC2	ROMK	CLC-Kb	Barttin	CLC-Ka, CLC-Kb	NCCT
羊水過多	あり	あり	約半数であり	あり	あり	なし
成長障害	新生児期	新生児期	乳児以降	新生児期	新生児期	なし
尿濃縮能障害	++	++	+	+++	+++	±〜+
腎石灰化	あり	あり	まれ	なし(?)	なし(?)	なし
末期腎不全	あり	あり	あり	あり	あり	非常にまれ
血清Mg	正	正	正〜低	正〜低	正〜低	低
尿中Ca	高	高	低〜正常〜高	低〜正常〜高	低〜正常〜高	低
発見時の年齢	胎児期	胎児期	新生児, 乳児期	胎児期	胎児期	学童期以降
合併症		新生児期高カリウム血症		難聴	難聴	

すものを指す．フロセミドなどの尿中排泄を証明することが最終診断となる．表13-9-3-1に従えば，Bartter症候群とGitelman症候群の鑑別は可能と思われるが，確定診断は遺伝子変異を見つけることによる．Gitelman症候群もBartter症候群に類似の病態であるが，低カルシウム尿症と低マグネシウム血症を呈するのが特徴である．Bartter症候群では，尿中Ca濃度は正常～高値かつ低マグネシウム血症を認めない点が鑑別に重要である．

治療

新生児・乳児期に脱水，電解質異常で発見された場合は，まず適切な輸液を行う．K製剤の経口のみで血清K値を正常化できる例は少数であり，抗アルドステロン薬（スピロノラクトン）の投与を行う．TALにおけるCOX-2の阻害によってNKCC2，ROMKの作用の抑制が改善するため，非ステロイド系抗炎症薬（NSAIDs）や選択的COX-2阻害薬も使用される．特に，選択的COX-2阻害薬は腎臓に特異性が高く，その使用を推奨する報告がある．NaおよびClの尿中排泄が増加しているので，高食塩食を摂取させる．Bartter症候群V型は副甲状腺機能低下症を合併し，低カルシウム血症の治療として活性化ビタミンD_3製剤の投与が必要となることがある．またGitelman症候群ではMg補充も症状軽快に有効である．

予後は，I型・II型・IV型（新生児型）の長期生存例では，腎石灰化，低カリウム血症による尿細管障害などにより末期腎不全に至る例が多く，成長障害も伴いやすい．III型は，腎石灰化および末期腎不全へ移行する頻度は低く，比較的軽症として推移する．V型は，ほかの型のBartter症候群に比べて腎石灰化から腎機能低下および腎不全への移行が早い傾向があり，活性化ビタミンD_3製剤の早期使用および投与量の細かな管理を要する．

(3) Liddle症候群

概念

1963年にLiddleらは，高血圧，低カリウム血症，代謝性アルカローシスを有する3人の兄弟例を報告し，Liddle症候群と命名した．この病態は体液量過剰による高血圧と低カリウム血症および代謝性アルカローシスを主体とするが，レニン-アルドステロン系は抑制されている先天性症候群である．多くは常染色体優性遺伝を呈し，アミロライド感受性の上皮性Naチャネル（ENaC）遺伝子異常により，発症することが明らかとなった．一般には常染色体優性遺伝形式をとるまれな疾患と考えられているが，孤発例の報告もある．

病態生理

アミロライド感受性の上皮性Naチャネル（ENaC）遺伝子は1993年にクローニングされ，これはENaCのα-サブユニット（698アミノ酸）で，N末端とC末端が細胞内に存在する2回膜貫通型蛋白であった．α-サブユニットは，後に発見されたβ-サブユニット，γ-サブユニットとヘテロオリゴマーを形成すると，Naチャネルとして最もよく機能することが判明した．腎ではENaCは遠位曲尿細管と集合管の管腔側膜に分布しており，Na再吸収に関与している．ENaCはエクソサイトーシスによって管腔側膜上に動員されて一定時間とどまった後，エンドサイトーシスによって管腔側膜から除去されると考えられている．Liddle症候群では，変異ENaCのエンドサイトーシスが障害されて管腔側膜に長くとどまるため，膜上のENaCの数が増加し，その結果Na再吸収が亢進する．Naが再吸収されると管腔内電位が負となり，電気的勾配に従ってKがROMKによって管腔に分泌される．したがってLiddle症候群ではK分泌亢進によって低カリウム血症となる．Liddle症候群ではNaの集合管での再吸収が亢進しているため，常に体液量が過剰の状態となり高血圧を呈する．過剰な体液を圧利尿により是正するため，高血圧が持続する．

臨床症状

典型的には，若年（10歳代）で発症の比較的重症の高血圧症患者で，低カリウム血症，代謝性アルカローシス，低レニン活性などの原発性アルドステロン症に類似した症状を示すが，低アルドステロン症である偽性アルドステロン症患者で本症を疑う．浮腫はほとんどみられない．高血圧，低カリウム血症による頭痛，手足のしびれ，筋力低下，多飲，多尿などがみられる．トリアムテレン，アミロライド（日本未発売）で症状は改善するが，抗アルドステロン薬のスピロノラクトンには反応しない．

診断

上記の特徴的症状より，疾患の存在を知っていれば診断は容易である．典型例では，低カリウム血症，代謝性アルカローシスを呈する．血漿レニン活性とアルドステロン濃度は低値である．表現型が多彩なので，注意を要する．ミネラルステロイド様物質（甘草など）の摂取は似た症状を示すが，スピロノラクトンで軽快傾向を示す点で鑑別できる．最近遺伝子診断が可能になってきている．

治療

ENaCの活性亢進に伴う過剰なNa再吸収が病因であるため，塩分の摂取制限を行う．薬物療法の主体はトリアムテレンであるが，降圧効果が不十分であれば，サイアザイド系利尿薬やCa拮抗薬などのほかの降圧薬を併用する．高血圧のコントロールが予後を決めるうえで大切である．　〔寺田典生〕

■文献

Bichet DG: Nephrogenic and central diabetes insipidus. Schrier's Diseases of the Kidney, 9th ed(Schrier RW, Coffman TM, et al eds), pp2055-81, Wolters Kluwer, 2013.

Chan JC, Santos F, et al: Fluid, electrolyte, and acid-base disorders in children. The Kidney, 9th ed(Brenner BM ed), pp2572-621, Elsevier, 2012.

Smogorzewski MJ, Rude RK, et al: Disorders of calcium, magnesium, and phosphate balance. The Kidney, 9th ed(Brenner BM ed), pp589-725, Elsevier, 2012.

4）腎尿細管性アシドーシス
renal tubular acidosis：RTA

定義・概念

腎臓の重要な役割の1つは，尿の酸性化により細胞外液の酸塩基平衡を維持することである．これは大きく2つの機序で調節され，まず糸球体から濾過されたHCO_3^-の80％以上が近位尿細管で再吸収されること，さらに遠位尿細管（おもに集合管）でH^+の分泌が効率的に行われることによっている．腎尿細管性アシドーシスは，尿細管障害が原因となって尿中への酸分泌が相対的に減少し，代謝性アシドーシスを呈する疾患である．

分類

障害される尿細管の機序により，3種類に分類される．遠位尿細管障害によりH^+分泌の障害が起こる場合を古典的遠位型RTA（1型RTA），近位尿細管でのHCO_3^-再吸収障害による場合を近位型RTA（2型RTA），そして遠位尿細管障害によりH^+分泌のみならずK^+分泌も障害される（すなわち高カリウム血症を呈する）ものを4型RTAとよぶ．このほか，1型RTAにHCO_3^-再吸収障害を伴い小児にみられるものを3型RTAとよんだが，現在では1型の亜型として除かれる場合が多い．いずれの型のRTAも，アニオンギャップ正常の高クロル血性代謝性アシドーシスを共通の特徴とする．

原因・病因

尿の酸性化は最終的に遠位尿細管（接合尿細管および集合管）で調整され，この部位では少量のHCO_3^-再吸収とともに，NH_3からNH_4^+への受け渡しおよび滴定酸排泄によってH^+の分泌が行われる．これを担うのはおもにα間在細胞（type A intercalated cell）の管腔側膜に存在するH^+-ATPase（vacuolar-type H^+-ATPase），および側底膜のCl^-/HCO_3^-交換輸送体AE1であり，さらに一部H^+/K^+-ATPaseによる（図13-9-3）．

1型RTA（古典的遠位型RTA）の原因は，これらの遺伝子異常を含む原発性のものと，種々の疾患に伴う二次性のものとに分かれる[1,2]（表13-9-3）．AE1変異は常染色体優性，H^+-ATPase変異は常染色体劣性遺伝形式をとる[3]．二次性では特に，Sjögren症候群によるものがしばしばみられ，一部の症例ではH^+-ATPaseや炭酸脱水酵素（carbonic anhydrase：CA）IIに対する自己抗体が認められる[4]．

近位尿細管での酸塩基調節はおもに，管腔側膜のNa^+/H^+交換輸送体NHE3，細胞内のCA II，および側底膜のNa^+-HCO_3^-共輸送体NBCe1によって行われる（図13-9-4）．NHE3により分泌されたH^+が管腔内で濾過されたHCO_3^-とH_2CO_3を生成し，CAによる分解の後に細胞内移行したCO_2が再びCA IIの働きでHCO_3^-となり，これがNBCe1によって血中へ運ばれ，結果としてHCO_3^-が再吸収される．

2型RTA（近位型RTA）には，尿酸性化能のみが障害される場合と，さらに汎アミノ酸尿，腎性糖尿，低リン血症，くる病など広範な近位尿細管障害を伴いFanconi症候群を呈する場合とがある[1,5]（表13-9-4）．このうち選択的RTAの原因として，常染色体劣性のNBCe1変異が知られている[6,7]．CA II遺伝子異常[8]は近位と遠位の混合型，すなわち3型RTAを発症しうるが，実際は2型を呈することが多い．

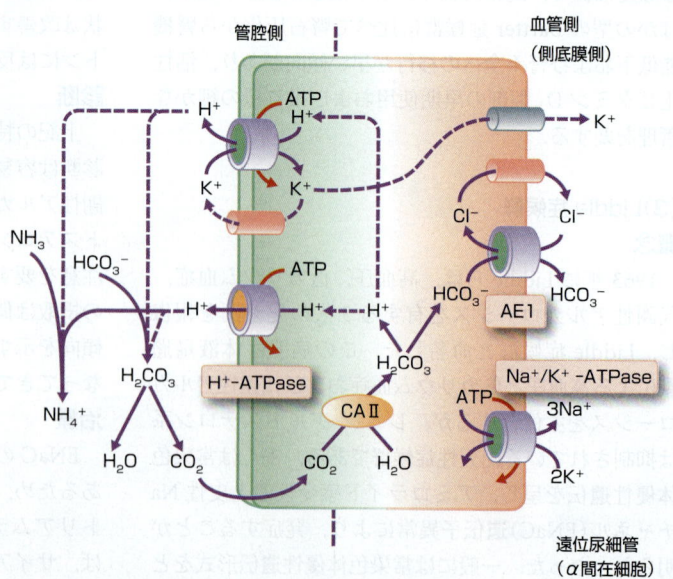

図13-9-3 遠位尿細管における尿酸性化のメカニズム（Weinerら，2012）
遠位尿細管α間在細胞に存在するH^+-ATPaseおよびH^+/K^+-ATPaseによって分泌されたH^+は，管腔内でNH_3と結合してNH_4^+となり尿中へ排泄される．一部はHCO_3^-と反応してCO_2として再吸収され，CA IIおよびAE1の働きによって血中にHCO_3^-として再吸収される．

表 13-9-3 1型 RTA（古典的遠位型 RTA）をきたす疾患

1. **原発性**
   1) 遺伝性：AE1（Cl^-/HCO_3^- 交換輸送体）変異（*SLC4A1*）
      H^+-ATPase 変異（*ATP6V1B1*，*ATP6V0A4*）
   2) 特発性
2. **二次性**
   1) 自己免疫疾患：Sjögren 症候群，SLE，結節性多発動脈炎，関節リウマチ，慢性甲状腺炎，原発性胆汁性肝硬変，慢性活動性肝炎
   2) Ca 代謝異常：原発性副甲状腺機能亢進症，ビタミン D 中毒，髄質海綿腎，特発性高カルシウム尿症
   3) 尿細管間質疾患：間質性腎炎，閉塞性尿路障害，移植腎，アミロイドーシス
   4) 遺伝性疾患：Marfan 症候群，Ehlers-Danlos 症候群，鎌状赤血球症
   5) 薬物性：アムホテリシン B，炭酸リチウム，NSAIDs

Fanconi 症候群を伴うものは，シスチン尿症，Lowe 症候群（oculocerebrorenal syndrome），Dent 病（特発性尿細管性蛋白尿症）など種々の原因によるが，頻度としては多発性骨髄腫や薬物性による場合が多い[5,9]．

4型 RTA は遠位尿細管からの H^+ 分泌のみならず K^+ 分泌も障害されるもので，α 間在細胞に隣接し，アルドステロン応答性に K^+ を分泌する主細胞（principal cell）の作用も同時に障害されることによる（e図 13-9-A）．原因として，アルドステロン欠乏およびアルドステロン抵抗性に分かれる（表 13-9-5）[1]．

アルドステロン欠乏には，Addison 病に代表されるコルチゾール欠乏を伴うものと，低レニン性疾患やレニン-アンジオテンシン系（RA系）阻害で生じコルチゾールは正常のものが含まれる．アルドステロン抵抗性は，アルドステロン分泌が正常かむしろ亢進にもかかわらずアルドステロンに対して不応性を示す病態で，尿細管間質疾患や薬物性のほか，偽性低アルドステロン症（pseudohypoaldosteronism：PHA）に代表される．PHA は塩類喪失を伴う I 型と伴わない II 型に分かれる．PHA I はミネラルコルチコイド受容体変異と上皮型 Na チャネル（ENaC）変異がある[10,11]．PHA II（Gordon 症候群）は高血圧，高カリウム血症，代謝性アシドーシスを特徴とし，WNK1 ないし WNK4 キナーゼ変異，およびそれらを標的とする E3 ligase である kelch-like protein3（KLHL3）-cullin 3 変異により，サイアザイド感受性 Na-Cl 共輸送体の恒常的活性亢進が起こって生ずることが示されている[12,13]．

疫学

RTA の発症頻度は明らかではない．先天性（一次性）の遺伝子異常によるものはきわめてまれだが，臨床的に比較的よく遭遇するのは二次性の RTA であり，自己免疫疾患や多発性骨髄腫に伴う場合，薬物性のものなどが多い．原因疾患のうち最も高頻度と考えられる Sjögren 症候群との関連を調べた報告では，RTA 患者のうち約 35％が Sjögren 症候群を原因とし，その約 6 割が遠位型，残りが近位型 RTA であった[14]．また，Sjögren 症候群からみると遠位型 RTA の合併頻度は不完全型まで含めて約 30％と高率であり，両疾患の関連が示されている[15]．

病態生理

1型 RTA は遠位での H^+ 分泌障害によって起こり，管腔内 pH が低下しないために NH_4^+ 排泄の低下（尿アニオンギャップの上昇）をきたし，一部 HCO_3^- も漏出する．2型 RTA は近位での HCO_3^- 再吸収障害により，大量の HCO_3^- が遠位に運ばれ H^+ との反応を逃れた分が尿中に漏出する．尿の電気的中性を保つために，1型，2型ともに K^+ 排泄が亢進して低カリウム血症をきたす．

これに対し，4型 RTA は遠位におけるアルドステロン依存性の H^+ と K^+ 分泌障害により，高カリウム血症を合併する．いずれの型も腎不全を合併しない限り，血中アニオンギャップは正常である．

臨床症状

アシドーシスに伴う症状として，食欲

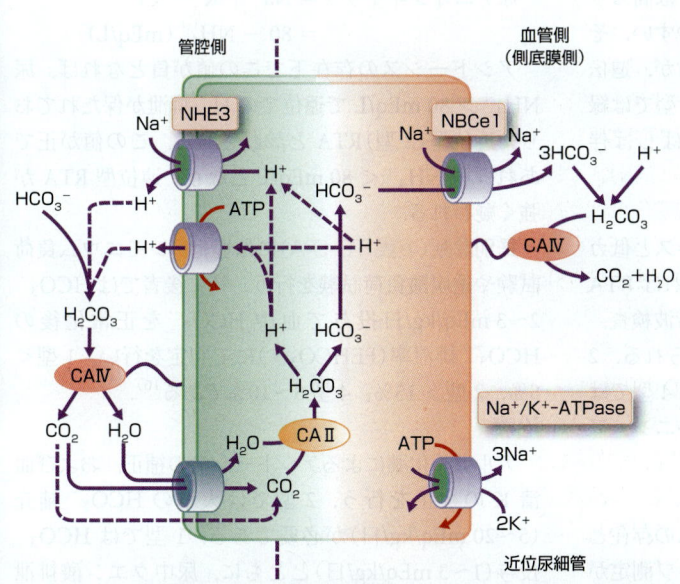

図 13-9-4 近位尿細管における尿酸性化のメカニズム（Weiner ら，2012）
近位尿細管では Na^+/H^+ 交換輸送体 NHE3 によって分泌された H^+ が管腔内で HCO_3^- と H_2CO_3 を生成し，CA IV および CA II の働きで再び HCO_3^- となって，NBCe1 を介して血中に再吸収される．

表13-9-4 2型RTA(近位型RTA)をきたす疾患

1. **選択的近位型RTA（Fanconi症候群を伴わない）**
   1) 遺伝性：NBCe1(Na$^+$-HCO$_3^-$共輸送体)変異(*SLC4A4*)，炭酸脱水酵素Ⅱ(CAⅡ)変異(*CA2*)
   2) 薬物性：炭酸脱水酵素阻害薬(アセタゾラミド)
   3) 特発性
2. **Fanconi症候群**
   1) 遺伝性疾患：シスチン尿症，チロシン血症，ガラクトース血症，糖原病，Lowe症候群，Wilson病，Dent病，Fanconi-Bickel症候群，NaPi-Ⅱa(Na-P共輸送体)変異(*SLC34A1*)
   2) paraproteinemia：多発性骨髄腫，アミロイドーシス
   3) Ca代謝異常：二次性副甲状腺機能亢進症，ビタミンD欠乏
   4) 尿細管間質疾患：Sjögren症候群，髄質嚢胞腎，移植腎，ネフローゼ症候群
   5) 薬物性・中毒性：イホスファミド，シスプラチン，テノホビル，アデホビル，ゲンタマイシン，期限切れテトラサイクリン，バルプロ酸ナトリウム，ストレプトゾシン，鉛，水銀，カドミウム
   6) 特発性

表13-9-5 4型RTA(高カリウム血症性遠位型RTA)をきたす疾患

1. **アルドステロン欠乏**
   1) 副腎皮質機能不全：グルココルチコイド欠乏を伴うもの
      ・Addison病，両側副腎摘除，21-ヒドロキシラーゼ欠損症
   2) 選択的低アルドステロン症：グルココルチコイド欠乏を伴わないもの
      ・アルドステロン合成酵素欠損症，ヘパリン
      ・低レニン性低アルドステロン症(糖尿病，間質性腎炎，AIDS，NSAIDs)
      ・RA系阻害(ACE阻害薬，アンジオテンシン受容体拮抗薬，レニン阻害薬)
2. **アルドステロン抵抗性**
   1) 偽性低アルドステロン症Ⅰ型(PHAⅠ)
      ・常染色体優性：ミネラルコルチコイド受容体変異
      ・常染色体劣性：上皮型Naチャネル(ENaC) α, β, γサブユニット変異
   2) 偽性低アルドステロン症Ⅱ型(PHAⅡ)(Gordon症候群)
      ・WNK1，WNK4変異
      ・kelch-like protein 3 (KLHL3)，cullin 3変異
   3) 尿細管間質疾患：閉塞性尿路障害，間質性腎炎，SLE
   4) 薬物性：スピロノラクトン，エプレレノン，アミロライド，トリアムテレン

RA: renin-angiotensin, ACE: angiotensin-converting enzyme, PHA: pseudohypoaldosteronism, ENaC: epithelial sodium channel.

不振や悪心などの消化器症状，過呼吸，全身倦怠などがみられる．また，アシドーシスによるCa再吸収抑制や骨塩の吸収によって，小児では成長障害やくる病を，成人では骨軟化症を生じる．1型では高カルシウム尿症により尿路結石を高頻度に認める．小児の2型でFanconi症候群を伴う場合は，リン喪失とビタミンD活性化障害も加わり成長障害が前面に出る．

1型と2型は低カリウム血症による筋力低下，四肢麻痺，多飲・多尿がみられる．一方，4型では高カリウム血症による心電図異常，不整脈を伴いやすい．その他，原疾患に伴って多彩な症状を呈しうるが，遺伝子変異による場合，1型では感音性難聴，2型では緑内障，白内障などの眼症状や片頭痛をしばしば伴う[7]．

検査所見

アニオンギャップ正常の代謝性アシドーシスと低カリウム血症があり，早朝尿pH 5.5以上であればRTAが考えられる．1型では腹部単純X線や超音波検査，CTにて腎石灰化や尿路結石がしばしばみられる．2型ではFanconi症候群の所見を伴う．一方，4型では高カリウム血症を伴い，心電図異常，血漿レニン・アルドステロン低値がしばしばみられる．

診断・鑑別診断

診断には高クロル血性代謝性アシドーシスの存在と尿酸性化障害が必須であり，アニオンギャップ測定が重要である．血中アニオンギャップは，以下の式で計算される．

アニオンギャップ＝Na$^+$－(Cl$^-$＋HCO$_3^-$)
＝12±2(mEq/L)

RTAでは血中アニオンギャップが正常に保たれる．さらに，尿アニオンギャップ測定により，遠位型か近位型かが鑑別でき，以下の式で計算される．

尿アニオンギャップ＝Na$^+$＋K$^+$－Cl$^-$
＝80－NH$_4^+$(mEq/L)

アシドーシスの存在下でこの値が負となれば，尿NH$_4^+$＞80 mEq/Lで遠位でのH$^+$排泄が保たれており，近位型(2型)RTAと診断される．この値が正であれば尿NH$_4^+$＜80 mEq/Lとなり，遠位型RTAが強く疑われる．

鑑別診断(e表13-9-A)には塩化アンモニウム負荷試験や重炭酸負荷試験を行う．特に後者ではHCO$_3^-$ 2～3 mEq/kg/日投与で血中HCO$_3^-$を正常化後のHCO$_3^-$排泄率(FEHCO$_3^-$)にて判定を行い，1型＜5%，2型＞15%，4型5～10%である[16]．

治療

アルカリ化薬によるアシドーシスの補正，および血清Kの補正を行う．2型では大量のHCO$_3^-$補充(5～20 mEq/kg/日)が必要である．1型ではHCO$_3^-$投与(1～3 mEq/kg/日)とともに，尿中クエン酸排泄低下を伴うので，尿路結石予防を含めクエン酸カリウム・クエン酸ナトリウム配合薬(ウラリット®)が用いられる．骨軟化症にはビタミンDを投与する．4型

■文献(e文献13-9-4)

Alper SL: Genetic diseases of acid-base transporters. *Ann Rev Physiol.* 2002; **64**: 899-923.

DuBose Jr TD: Disorders of acid-base balance. Brenner & Rector's The Kidney, 9th ed（Brenner BM ed）, pp 595-639, Elsevier Saunders, 2012.

Weiner ID, Verlander JW: Renal acidification mechanisms. Brenner & Rector's The Kidney, 10th ed（Brenner BM ed）, pp234-257, Elsevier, 2016.

13-10 急性腎障害
acute kidney injury：AKI

定義・概念（eコラム1参照）

急激な腎機能低下を呈する病態は急性腎不全（acute renal failure：ARF）として認識されていたが，ARFの診断基準として国際的に統一されたものはなかった．

2012年に腎疾患に関するガイドラインを作成する国際的な組織であるKidney Disease Improving Global Outcomes（KDIGO）からKDIGO基準が示されるに至った（KDIGO Acute Kidney Injury Work Group, 2012）（表13-10-1）．血清クレアチニン値上昇と尿量減少の程度に応じた重症度分類も含まれている．

このように国際的にコンセンサスが得られた統一診断基準が作成されるのと並行して，ARFとして認識されていた病態は，2005年頃より急性腎障害（AKI）とよび替えられるようになった．ARFとAKIとも急激な腎機能低下と腎組織障害が認められる病態を指すことには差異はないが，発症に至る臨床的背景が異なると考えられる．先に述べたように，ARFが比較的合併症の乏しい症例において強い侵襲が加わった結果，急激な腎機能低下を生じる状況を念頭においている（AKIの臨床的背景はeコラム1参照）．一方，AKIは腎臓に生じた病態ではあるが，敗血症や多臓器不全といった全身性疾患のなかでの役割が注目されていること，腎臓専門医以外が診療にあたることが多い，という特徴がある．

さらにAKIはARFと異なり早期診断の重要性を強調した概念でもある．

原因・病型分類

AKIは表13-10-1にあるように血清クレアチニン値と尿量によって診断される症候群であり，さまざまな原因によって発症しうる．なかでも原因とその後の治療が対応している腎前性・腎性・腎後性に分類することが広く受け入れられている（表13-10-2）．

腎前性とは，脱水や低血圧によって起こる血行動態の変化（腎灌流圧低下）の結果として，生理的な範囲で糸球体濾過量（GFR）が低下する状態であり，腎実質の器質的障害を伴わないものと定義され，血行動態の改善とともにGFRの速やかな回復がみられる．尿素の再吸収が亢進して，血清クレアチニンよりも尿素窒素（blood urea nitrogen：BUN）がより上昇しやすいことから，prerenal azotemiaとよばれることもある．一方，腎性とは，腎実質の器質的障害によりGFRの低下をきたす状態であり，急性尿細管壊死（acute tubular necrosis：ATN），腎血管性病変，急性糸球体腎炎，急性間質性腎炎などにより生じうる．臨床的には腎前性と腎性が混在していることがほとんどであり，より早期には腎前性の要素が前面に出ている病態も，適切な対応ができない場合には腎性に移行する（図13-10-1）．

腎後性とは腎以降の尿流障害を原因とするものであり，両側の障害が生じてはじめて血清クレアチニン値上昇と尿量減少が観察される．おもに泌尿器科的疾患による尿路閉塞が原因であること，遅延のない閉塞の解除により腎機能の回復が期待できることが特徴である．

腎前性・腎性・腎後性という病型分類のほかにも，組織障害の主たる部位に基づく分類や臨床的背景を重

表13-10-1 KDIGOガイドラインによるAKI診断基準と重症度分類

定義	1. ΔsCre＞0.3 mg/dL（48時間以内） 2. sCreの基礎値から1.5倍上昇 3. 尿量 0.5 mL/kg/時以下が6時間以上持続	
Stage 1	sCre ΔsCre＞0.3 mg/dL or sCre 1.5～1.9倍上昇	尿量 0.5 mL/kg/時未満6時間以上
Stage 2	sCre 2.0～2.9倍上昇	0.5 mL/kg/時未満12時間以上
Stage 3	sCre 3.0倍～上昇 or sCre＞4.0 mg/dLまでの上昇 or 腎代替療法開始	0.3 mL/kg/時未満24時間以上 or 12時間以上の無尿

sCre：血清クレアチニン値．
定義1～3の1つを満たせばAKIと診断する．sCreと尿量による重症度分類では重症度の高い方を採用する．

表 13-10-2 腎前性・腎性・腎後性 AKI

	腎前性	腎性	腎後性
病態	腎灌流圧低下に対する生理的反応	糸球体・尿細管上皮細胞の器質的障害	両側尿管または下部尿路の閉塞による通過障害
おもな原因	心拍出量・有効循環血漿量減少 大血管障害（大動脈解離，腎梗塞） 腎血管攣縮（高カルシウム血症，肝腎症候群，運動後 AKI）	糸球体障害（急性腎炎，ANCA 関連腎炎） 虚血性障害（高度・遷延した腎灌流減少） 腎毒性物質（抗菌薬，造影剤，ミオグロビン，免疫グロブリン軽鎖） 敗血症 間質性腎炎（薬剤性，感染性，サルコイドーシス，Sjögren 症候群）	上部尿路障害（後腹膜線維症，結石，凝血塊） 下部尿路障害（神経因性膀胱，前立腺肥大・癌，膀胱内腫瘍，結石，凝血塊，外傷）
GFR の速やかな回復	あり	なし	あり
尿細管におけるNa 再吸収障害	なし	あり	不明
頻度（院外）	70%	10%	20%
頻度（院内）	20〜30%	70〜80%	1〜5%

視した分類もあり（表 13-10-3），院外発症の多くは腎前性であるのに対し，院内発症では腎性の頻度が高くなるといった関連がある．

疫学

最初の国際的統一診断基準である RIFLE 基準が発表されて以降，複数の ICU コホートにおける AKI の発症頻度が報告された．報告によってある程度のバラツキが認められるものの，おおむね 30〜40% の ICU 症例が AKI を発症している[1]．また，AKI の重症度が高度になるとともに死亡率が上昇していくことも確認され，AKI の早期診断と有効な治療介入が ICU における予後（死亡率，ICU 滞在期間）の改善に貢献しうることが主張されるようになった．AKI 発症リスクとしては，年齢と慢性腎臓病（chronic kidney disease：CKD）の合併が数多く報告されており，特に心臓血管手術後 AKI では弁置換手術や手術時間（体外循環時間）が，敗血症性 AKI では低アルブミン血症や肝疾患の合併などが，AKI 発症リスクを上昇することが報告されている[2]．また，AKI 症例の死亡率を上昇させる因子としては，人工呼吸管理を要する呼吸不全，心不全，肝不全，血液学的異常などがあげられ，ICU における AKI が多臓器不全の一分症であることが疫学研究からもうかがわれる．

入院中に発症する AKI においては約 30〜40% が周術期に認められ，発症頻度は手術形式などにより大きく影響される（図 13-10-2）[3]．特に循環動態が大きく変化する心臓手術後でその発症率は高い．血液浄化療法を必要とする AKI（KDIGO ガイドライン Stage 3 相当）は心臓手術全体では 5% 程度の症例に生じ，軽度の血清クレアチニン値の上昇も含めた AKI（Stage 1，2）の発症頻度は 20% 程度である．軽症の AKI においても心臓手術後生存率を有意に悪化させることが知られており軽視できない[4]．

2004〜2012 年にかけて報告された大規模コホート研究における AKI の発症率と死亡率についてのメタ解析[5]では，約 5000 万の入院症例が対象となり成人における AKI 発症率は 21.6%（95% 信頼区間 19.3%，24.1%），小児においては 33.7%（95% 信頼区間 26.9%，41.3%）であり，死亡率はそれぞれ 23.9%

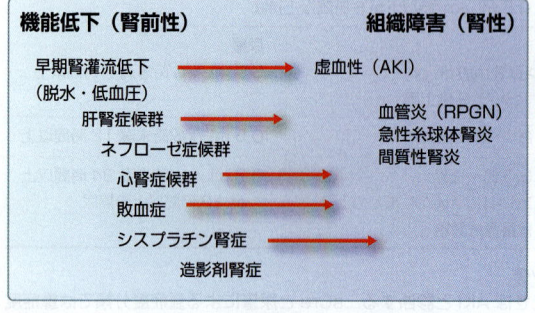

図 13-10-1 AKI における疾患スペクトラム

表 13-10-3 AKI の病型分類

- 原因による分類
  糸球体性，尿細管性，尿路系
  腎前性，腎性，腎後性
  造影剤腎症，コレステロール塞栓，横紋筋融解，腫瘍崩壊症候群，骨髄腫腎
- 発生場所による分類
  外来，一般病床，心臓カテーテル後，外科術後，ICU
- 基礎疾患による分類
  CKD（急性増悪），心疾患（cardiorenal 症候群），肝硬変（肝腎症候群）

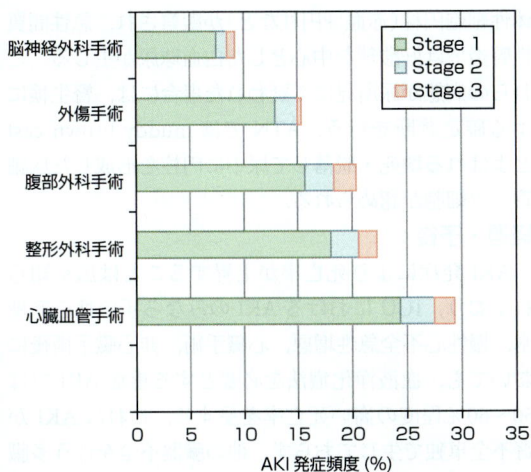

図13-10-2 おもな外科手術におけるAKI発症頻度（文献3より改変）

し血圧が低下しているwarmショックを呈するが，腎血流量は増加するものの糸球体濾過量が減少しており，その理由として輸入細動脈の十分な拡張と輸出細動脈の適切な収縮が得られないことが原因と考えられている[7]．尿細管間質における傍尿細管毛細血管系（peritubular capillary：PTC）における虚血もAKIの病態形成に関与していることが報告されている．虚血性AKI動物モデルにおいては，PTCにおける血流が低下するのみならず，完全に血流が停止している毛細血管が観察され，一部の毛細血管系では逆行性の血流が認められるといった報告がなされている（図13-10-3）[8]．

挫滅症候群におけるAKIではミオグロビンという腎毒性物質による尿細管上皮細胞障害が病態の中心と考えられている．尿細管腔における尿pHが低下して（酸性）流速が減少すると，挫滅した筋組織から放出されたミオグロビンが円柱を形成し尿細管腔を閉塞してしまう．さらにヘム蛋白質であるミオグロビンはフリーラジカル産生による酸化ストレスを尿細管上皮細胞に及ぼし，直接的に腎組織に障害を加えうる．また，挫滅した筋組織に細胞外液が移動してしまうため，血管内は脱水傾向に傾く．挫滅した筋組織の細胞内からは，大量のカリウム・リンも血中に放出されるため，高カリウム血症・高リン血症をきたす．一方，血中のカルシウムは挫滅筋組織に沈着するため，低カルシウム血症を生じる．

(95%信頼区間22.1%，25.7%)，13.8%（95%信頼区間8.8%，21.0%）と報告されている．ただし，解析対象となった臨床研究のほとんどは北米，欧州および東アジアの高所得国であり，アフリカや南米などの低所得国におけるAKIは異なる臨床背景を有すると思われる．

病態生理

腎実質の障害による腎性AKIの原因としては，糸球体疾患（急性腎炎，急速進行性糸球体腎炎）や間質性腎炎（薬剤や感染症）も認められるが，とりわけICUにおけるAKIでは虚血あるいは腎毒性物質（抗菌薬・造影剤・ミオグロビンなど）による尿細管上皮細胞障害が最も多く認められる．特に重症AKIでは尿細管上皮細胞が壊死に陥ることが古くから指摘されており，急性尿細管壊死（acute tubular necrosis：ATN）は狭義の腎性AKIとほぼ同義に用いられてきた．しかし，剖検あるいは生検によるヒトAKIの病理評価においては必ずしもATNが観察されないことが指摘されており，AKIにおいては，重症度に応じて尿細管上皮細胞の障害が軽度にとどまるものから，高度に進展して細胞壊死に至るものまでさまざまであり，必ずしもATNを伴う必要はないと考えられる（eコラム2）．

AKIの病態生理についての数多くの基礎研究が行われてきた結果，①虚血・微小循環障害，②腎毒性物質による細胞死・障害の誘導（壊死，アポトーシス，ミトコンドリア障害），③炎症・過剰な免疫反応の惹起，の3つの要素が病態形成に重要な役割を果たしていることが明らかとなった[6]．ショックによる循環不全をきたした場合には，腎臓における血液灌流圧が減少して虚血性障害からAKIを呈することは理解しやすい．敗血症性ショックの早期では心拍出量が増加

臨床症状・検査所見

AKIでは表13-10-4に示すような腎機能低下に由来する臨床症状・検査値異常が出現しうる．高窒素

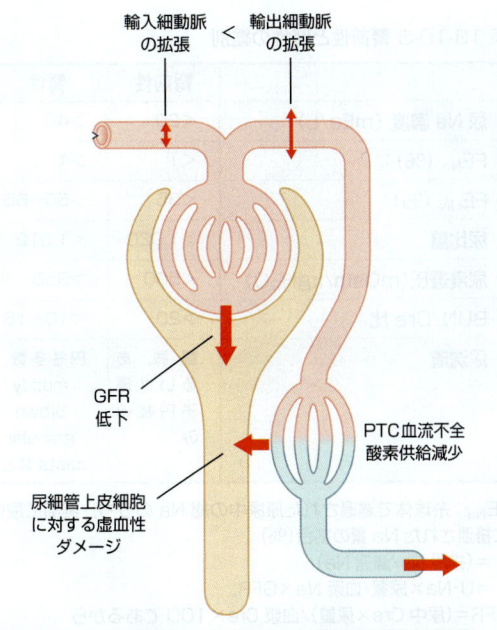

図13-10-3 敗血症性AKIにおける腎血行動態の異常

表13-10-4 AKIにおける臨床症状・検査値異常

腎機能	機能異常による所見
老廃物排泄	高窒素血症，尿毒症症状（意識障害，全身倦怠感，食欲不振，悪心・嘔吐，出血傾向，心外膜炎）
酸塩基平衡・電解質調節	代謝性アシドーシス，Na貯留（浮腫，心不全，肺水腫），高カリウム血症，高リン血症
内分泌器官としての役割	エリスロポエチン産生異常

血症の結果として生じうる消化器症状（悪心・嘔吐，食欲低下），中枢神経症状（意識障害，全身倦怠感），出血傾向などの尿毒症症状が臨床上問題となる．しかし，これらはAKIに特異的ではなく，合併する敗血症や術後多臓器不全などの全身性疾患の影響を受けることに留意する必要がある．

表13-10-1にあるように血清クレアチニン値と尿量によってAKI診断は可能であるが，腎前性と腎性の鑑別にはさらなる検査が必要となる．腎灌流低下によって起こる生理的なGFR低下にとどまる腎前性AKIとATNに代表される尿細管の器質的障害に至った腎性AKIの相違点は血行動態の変化を代償するメカニズム（尿細管におけるNa再吸収）が障害されているか否かであり，FE_{Na}（Na分画排泄率）やFE_{UN}（尿素窒素分画排泄率）などの指標を用いて鑑別を行う（表13-10-5）．

糸球体性病変，急性間質性腎炎，ATN（あるいは壊死に至らない尿細管上皮細胞障害）は腎性AKIの原因となるが，尿沈渣所見からもある程度は診断可能である．急性糸球体腎炎や急速進行性糸球体腎炎では糸球体性細胞円柱（赤血球円柱など）が観察され，急性間質性腎炎では好酸球を中心とした白血球尿が生じる．これらの病態が尿所見にて疑われた場合には，腎生検による確定診断を行う．ATNではmuddy brown castとよばれる壊死・脱落して尿中に円柱を形成した尿細管上皮細胞が認められる．

経過・予後

AKI発症により死亡率が上昇することは広く知られており，ICUにおけるAKIのみならず急性心筋梗塞，慢性心不全急性増悪，心臓手術，非心臓手術後においても，血液浄化療法を必要とする重症AKIでは50〜60％程度の高い死亡率を呈する．これはAKIが腎不全単独で生じておらず，他の臓器不全を伴う多臓器不全の一分症として発症しているからであり，合併する臓器不全数が増加するとともに死亡率も上昇する（表13-10-6）[9,10]．

AKIの腎予後については原因によって大きく異なる．腎前性AKIはその定義からも可逆的であり適切な治療によって完全にもとの状態に戻りうるが，腎虚血の状態がある程度遷延すれば腎性に移行するため，完全な腎機能回復がみられないこともある．腎後性についても尿路閉塞が数日以上といった長期間になると非可逆性の腎障害が残存してしまう．尿細管上皮細胞は再生能力が高く，腎性AKIにおいてATNあるいはそれに近い状態となっても完全な回復が期待できるとされていたが，ある程度の割合で腎機能低下が遷延することが多く，さらに年単位で腎機能低下が進行してCKDあるいは透析を要する末期腎不全に進展することが近年注目されている．CKDは最も強いAKI発症リスクの1つであり，AKIを発症することでCKDの進行がさらに加速する状態（acute-on-chronic kidney disease）が臨床的には多く認められる（図13-10-4）[11]．

治療

AKIに対する特異的な薬物治療として十分なエビデンスに基づいて推奨されるものは現時点では存在しておらず（表13-10-7），AKIの発症予防が臨床的にはきわめて重要である．侵襲度の大きい手術，造影剤を用いた検査，抗悪性腫瘍薬や抗菌薬の投与が予定されている場合には，十分な補液を行い脱水を解除して

表13-10-5 腎前性と腎性の鑑別

	腎前性	腎性
尿Na濃度（mEq/L）	<20	>40
FE_{Na}（％）	<1	>1
FE_{UN}（％）	<35	>55〜65
尿比重	>1.020	<1.012
尿浸透圧（mOsm/kgH$_2$O）	<500	>350
BUN/Cre比	>20	<10〜15
尿沈渣	軽微，あるいは硝子円柱のみ	円柱多数，muddy brown granular castsなど

FE_{Na}：糸球体で濾過された原尿中の総Naのうち，実際に尿中に排泄されたNa量の割合（％）
　　＝（排泄Na／濾過Na）
　　＝U-Na×尿量／血漿Na×GFR，
GFR＝（尿中Cre×尿量）／血漿Cre×100であるから
　　＝（尿中Na×血漿Cre）／（血漿Na×尿中Cre）×100

表13-10-6 重症AKIの死亡率とほかの臓器不全数

腎臓以外の臓器不全数	死亡率
AKI単独	0〜10％
他の臓器不全を1つ合併する	20〜40％
他の臓器不全を2つ合併する	50〜70％
他の臓器不全を3つ以上合併する	60〜80％

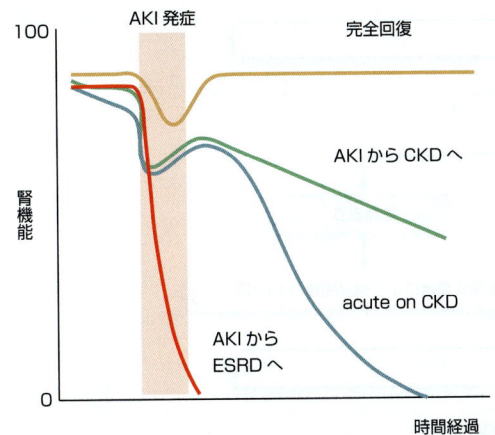

図 13-10-4 AKI の予後(文献 11 より改変)

表 13-10-7 急性腎障害のための KDIGO 診療ガイドライン 2012 による推奨(文献 3 より引用)

3.4.1：	AKI を予防する目的での利尿薬の投与は行わないことを推奨する．(1B)
3.4.2：	体液過剰の治療以外では，AKI を治療する目的での利尿薬の投与は行わないことが望ましい．(2C)
3.5.1：	AKI の予防または治療目的では低用量ドパミンを使用しないことを推奨する．(1A)
3.5.2：	AKI の予防または治療目的ではフェノルドパムを使用しないことが望ましい．(2C)
3.5.3：	AKI の予防(2C)または治療(2B)目的では心房性 Na 利尿ペプチド(ANP)を使用しないことが望ましい．

おくことが AKI 発症頻度を減少させる．また，腎毒性物質となりうるものは可能なかぎり減量・中止することが望ましい(eコラム 3)．

腎前性および腎後性 AKI においては，その原因に対する治療が奏効すれば早期の回復が期待できる．腎性 AKI のなかでも糸球体病変および急性間質性腎炎によるものでは，ステロイド投与などの特異的な治療により対処する必要がある．ATN によるものでは，原因を除去しても直ちに腎機能の回復が期待できず，先に述べたように AKI の程度を軽減したり，回復を促進する有効な治療方法が存在しない．このような場合には，利尿薬と血液浄化療法を用いて腎不全の管理を行う．利尿薬の投与と選択，血液浄化療法の適応と治療条件設定を以下に述べる．

a. ループ利尿薬

ループ利尿薬は尿細管上皮細胞における Na 再吸収を抑制するが，その結果として細胞代謝を減少させて酸素消費量が低下し，虚血性障害に対しては保護的に作用することが想定される．さらに，尿流を維持することで脱落した尿細管上皮細胞による尿細管閉塞が予防できることから，尿量増加のみならず尿細管障害に対する保護作用が期待できる．しかし，小規模な RCT を複数集計したメタ解析では，AKI におけるループ利尿薬の投与は死亡率，血液浄化の必要性などについて有意な関連を示していない[12]．注意すべき点は，利尿薬投与によって尿量を増加させることで予後が良好になるとはいえないことである．ループ利尿薬を追加して尿量を一定量確保しても，循環血漿量の減少に伴い交感神経系やレニン-アンジオテンシン系が亢進して GFR はさらに低下して腎障害が進行してしまうため，体液過剰以外の状況で AKI 症例に画一的に投与するのは禁忌である．

b. 低用量ドパミン

低用量ドパミン(0.5〜2.0 μg/kg/分)はドパミン DA_1 受容体に作用して腎血流量を増加させる．ドパミン DA_1 受容体に特異的に作用するフェノルドパムは AKI 治療薬として大きな期待を集めていた．しかし，2000 年に発表された多施設 RCT においては，AKI に対する低用量ドパミン投与は，血清クレアチニン値および尿量，血液浄化施行，ICU 滞在期間，死亡率，すべてにおいてプラセボと有意な差が認められなかった[13]．

c. ヒト心房性利尿ペプチド(hANP)

1997 年に発表された RCT[14] では腎保護効果が否定されたものの，症例エントリー時の血清クレアチニン値が 4〜5 mg/dL 程度と高値であったため，発症早期あるいは予防的投与によって AKI の病態改善が可能ではないかと考えられていた．近年行われたメタ解析では，予防的効果が統計学的有意差を示さないものの傾向として認められ，心血管などの major surgery 後発症の AKI においては血液浄化療法の頻度を有意に低下させたことが示された．一方，高用量では死亡率を上昇させる傾向があったことも報告されている[15]．

d. 急性血液浄化療法の開始と治療条件

高度に腎不全が進展して尿毒症症状が明らかになる(尿素窒素 150〜200 mg/dL 程度)以前に，血液浄化療法を開始することで生存率が改善することが示されて

表 13-10-8 AKI における血液浄化療法開始の適応

適応	
高カリウム血症	心電図異常を伴う，K>6.0 mEq/L
高マグネシウム血症	神経学的異常を伴う，血清 Mg>8.0 mEq/L
アシデミア	pH<7.15，メトホルミン使用に関連した乳酸アシドーシス
肺水腫	利尿薬に抵抗性
尿毒症	BUN>100 mg/dL 程度(BUN 値単独での適応はない)

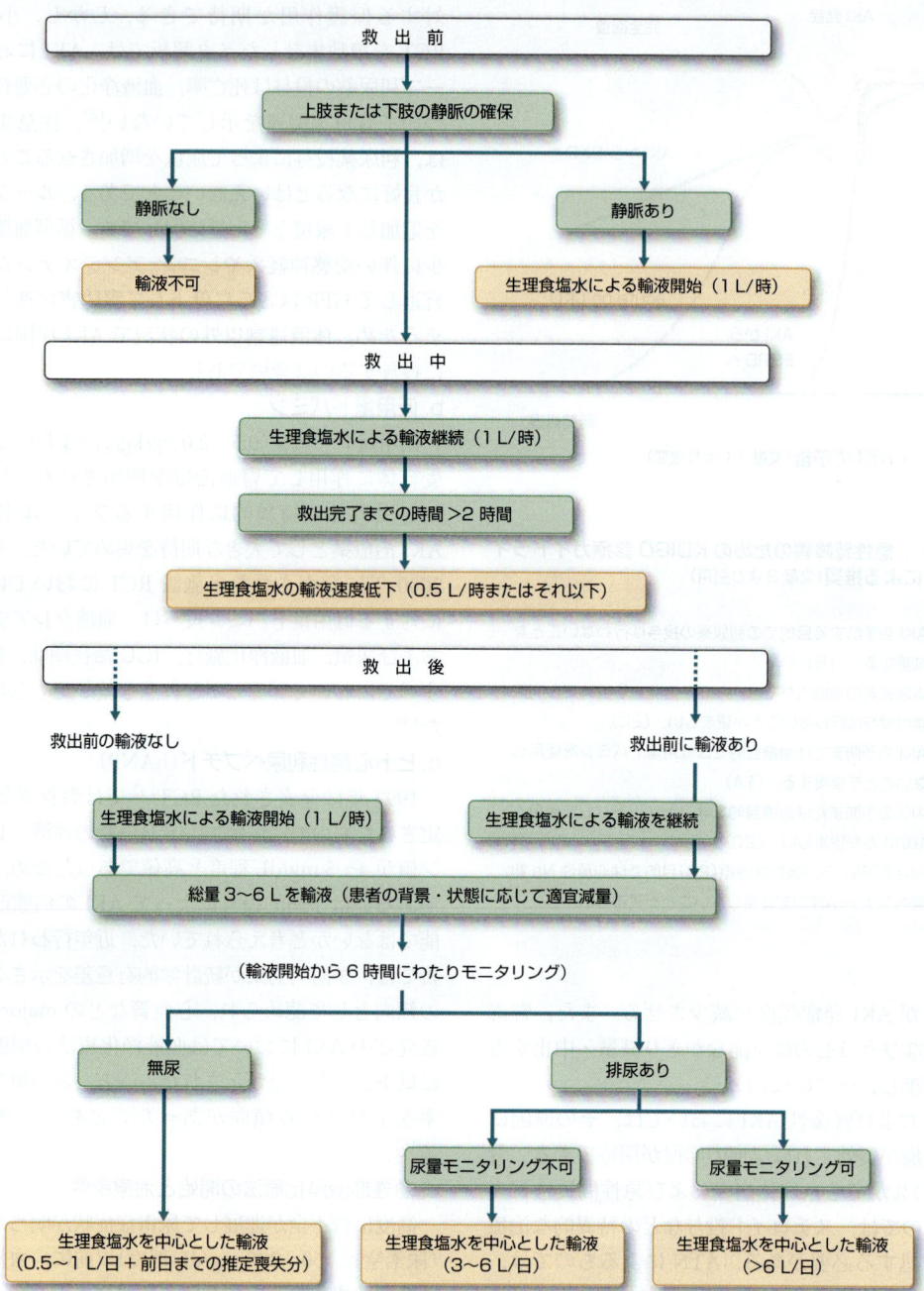

図 13-10-5 挫滅症候群に対する救出前，救出中および救出後の輸液治療アルゴリズム（文献 17 より引用）

いるが，ほとんどの検討が観察研究である．生命維持に血液浄化療法が不可欠な状態（絶対適応）を表13-10-8 に示すが，より早期に開始することで生命予後が改善するか否かは明らかにされていない．

AKI に対する急性血液浄化療法としては，持続的腎代替療法（continuous renal replacement therapy：CRRT）と間欠的血液透析（intermittent hemodialysis：IHD）の 2 つの治療モードが用いられている．24 時間持続的に治療が継続できる CRRT では，間質から血管内への水分移動（plasma refilling）をこえないかぎり，心不全・ショック症例においても循環動態の破綻をきたすことなく除水を行うことが可能である．持続的な抗凝固薬投与が必要であるというデメリットはあるものの，循環不全を高率に合併する ICU 症例においては CRRT が IHD よりも有用であると考えられる．ところが CRRT と IHD の比較検討を行ったRCT では CRRT の優位性は証明されておらず，ICUにおける AKI に対する血液浄化療法としては CRRT

を選択すべきであるとのオピニオンが提唱されるにとどまっている[16]）．

血液浄化量の増加による予後改善効果についても検討が加えられているが，複数のRCTから得られた結論は20〜25 mL/kg/時以上に血液浄化量を増加しても死亡率減少効果は得られないということであった．わが国で一般的に施行されているCRRTでは10〜17 mL/kg/時程度の血液浄化量が設定されていることが多く，世界的なスタンダードとなりつつある20〜25 mL/kg/時程度の治療量と比較して，わが国における一般的な治療量が非劣性であることを証明する必要がある．

e. 災害時における挫滅症候群

AKIに対する治療はICU・一般病床にてなされることがほとんどであるが，災害時における挫滅症候群において生じるAKIに対しては，救出前からの対応が必要となる[17]）．図13-10-5に被災地の救助現場で使用可能な輸液治療アルゴリズムを示す．早期からの細胞外液の投与はAKI発症予防として最も有効な手段であるとともに，尿量が十分得られない場合には輸液継続による溢水を回避することも重要である．

〔土井研人〕

■文献（e文献 13-10）

Bywaters EG, Beall D: Crush injuries with impairment of renal function. *Br Med J.* 1941; **1**: 427-32.

Kidney Disease: Improving Global Outcomes（KDIGO）Acute Kidney Injury Work Group: KDIGO Clinical Practice Guideline for Acute Kidney Injury. *Kidney inter, Suppl.* 2012; **2**: 1-138.

13-11 末期腎不全

1) 慢性腎不全
chronic renal failure : CRF

定義

通常ヒトの腎臓は1側で約100万個のネフロンが存在しているが，さまざまな原因により糸球体の障害，尿細管間質の線維化，細動脈硬化などが生じ，腎機能が低下していく．

末期腎不全（end stage renal failure：ESRD）とは，糸球体濾過量（glomerular filtration rate：GFR）に代表される腎の排泄機能の低下が，非可逆的かつGFR 15 mL/分/1.73 m²未満になった状態を指し，慢性腎臓病（CKD）重症度分類のG5に相当する（CKDの詳細や腎機能評価法は【⇒ 13-2】）．論文などでは透析導入と同義に用いられる場合もある．

一方，CRFは，非可逆的に腎機能が正常の50%以下（広義）もしくは30%以下（狭義）に低下した状態を指す（Seldinの分類，e表13-11-A）．以前はこの考えが広く用いられてきたが，CRFに至る前の軽度の腎機能障害であっても心血管疾患発症や死亡の独立した危険因子であることが明らかとなり（図13-11-1）（Leveyら，2011），腎機能障害の発症や進展を連続的にとらえた，CKDという疾患概念が提唱された（米国腎臓財団，2002年）．CKD重症度分類は一般臨床

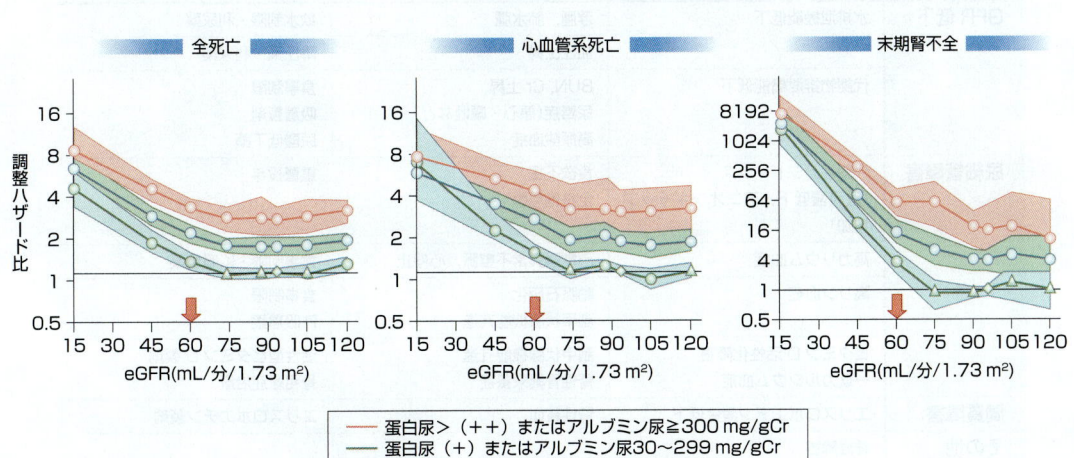

図13-11-1 **腎機能と予後**（文献1を一部改変）

の現場で理解しやすく，患者予後に基づいた疾患概念として定着した．2007年9月に日本腎臓学会から「CKD診療ガイド」が発表され，わが国でも広く用いられるようになった．以来，慢性腎不全という用語が用いられる機会は徐々に減少している．

疫学

2011年度の厚生労働省研究班によれば，わが国においてCKD G5の患者数は約5万人と推計されている(CKD診療ガイド2012)(eコラム1)．人口100万人あたりのESRD有病率は世界で最も高く(透析，移植患者も含む)，2011年では米国の1924人に対してわが国では2309人にのぼる[1]．

危険因子

CKDはESRDの独立した危険因子である．GFRが45 mL/分以下になると(CKD G3b-5)，全死亡，心血管系死亡，末期腎不全への進行および急性腎障害の罹患率が急激に増加する(図13-11-1)(Leveyら，2011)[2]．わが国の研究では，男性の場合はCr 1.4 mg/dL，女性Cr 1.2 mg/dL以上がESRDへの有意な危険因子であった[3]．また電解質異常，代謝性アシドーシス，腎性貧血，続発性副甲状腺機能亢進症などの尿毒症に伴う合併症が生じてくるのもこの時期である(e図13-11-A)[4,5]．

臨床症状

腎臓はからだのさまざまなバランスを司る臓器である．ESRDは腎臓の働きが高度に低下した状態であり，GFR低下に伴う水排泄機能低下と代謝物排泄機能低下，尿細管障害に伴う重炭酸低下(代謝性アシドーシス)，カリウム上昇，リン上昇，ビタミンD活性化障害，副甲状腺機能亢進症とそれに伴う腎性骨異栄養症，エリスロポエチン産生低下による腎性貧血など，さまざまなホメオスターシスの異常とそれに伴う臨床症状が出現する(表13-11-1)．

治療

末期腎不全の治療は，残存腎機能を維持するための生活習慣指導，食事療法，血圧管理と，腎不全に伴うホメオスターシス異常の補正に大別される(表13-11-1，13-11-2)．ホメオスターシス異常とは，腎機能低下に伴い出現する上述の腎性貧血，骨ミネラル代謝異常，電解質/酸塩基平衡異常などを指す．血圧は140/90 mmHg未満(糖尿病を有する場合や蛋白尿を有する場合は130/80 mmHg未満)を目標に緩徐に降圧する．二次性高血圧のスクリーニングも行う．降圧薬は蛋白尿抑制効果や腎障害進展遅延効果にすぐれたレニン-アンジオテンシン系(RAS)阻害薬を第一選択とする．末期腎不全患者は降圧目標を達成するために多剤併用を要することが多く，その場合はCa拮抗薬や利尿薬の併用が推奨される[6](eコラム2)．腎不全保存期からの早期の積極的な貧血管理(e表13-11-B)，CKD-MBD，電解質管理が推奨されている(National Kidney Foundation, 2003)．

生活指導は禁煙と過労を避け，規則正しい生活を指導する．特に安静の必要はない．食事は高エネルギー(25〜35 kcal/kg/日)，減塩(3 g/日以上6 g/日未満)，軽度蛋白制限(0.6〜0.8 g/kg/日)を基本とし，状態に応じて水分・カリウム・リン制限などを加える．糖尿病を有する場合にはエネルギー制限が必要になる．

腎機能障害の進展に伴ってさまざまな体内ホメオスターシスの異常が出現し，薬剤調整が必要になってくる．浮腫や肺水腫などの水分過剰状態の場合には利尿

表13-11-1 腎機能低下に伴う病態と症状，治療法

	病態	症状	治療
GFR低下	水排泄機能低下	浮腫，肺水腫	飲水制限・利尿薬
		血圧上昇	降圧薬・利尿薬
	代謝物排泄機能低下	BUN, Cr上昇 尿毒症(悪心・嘔吐など) 高尿酸血症	食事制限 吸着製剤 尿酸低下薬
尿細管障害	代謝性アシドーシス (重炭酸低下，アニオンギャップ増加)	食欲不振 全身倦怠感	重曹投与
	高カリウム血症	心電図異常不整脈，心停止	食事制限・K吸着薬
	高リン血症	動脈石灰化 副甲状腺機能亢進	食事制限 P吸着薬
	ビタミンD活性化障害 →低カルシウム血症	副甲状腺機能亢進 腎性骨異栄養症	活性型ビタミンD製剤 骨粗鬆症治療
間質障害	エリスロポエチン産生低下	腎性貧血	エリスロポエチン製剤
その他	神経障害 出血傾向 免疫機能低下		

表 13-11-2 慢性腎不全の治療（文献 5 より）

腎不全の症状	腎機能の保護		
	生活習慣の改善	喫煙，肥満，睡眠不足，中等度以上のアルコール摂取は CKD 悪化因子であり，改善が望ましい	
血圧上昇	血圧管理	非糖尿病　140/90 mmHg 未満 （蛋白尿を有する（≧ 0.15 g/gCr）場合は 130/80 mmHg 未満） 糖尿病　130/80 mmHg 未満	
	食事管理	高カロリー（25～35 kcal/kg/日）（糖尿病合併などを除く） 減塩（3 g/日以上 6 g/日未満） 軽度蛋白制限（0.6～0.8 g/kg/日） 状態に応じて水分制限，カリウム制限，リン制限	
バランス補正			
水分貯留	水分管理	利尿薬	
電解質異常[*1]	電解質補正	目標 K 4.0～5.4 mEq/L, P 2.4 mg/dL, HCO_3 ≧ 22 mEq/L	
副甲状腺機能亢進[*2]	ビタミン D 補充		
ビタミン D 活性化障害	ビタミン D 補充	活性型ビタミン D 投与が総死亡/CVD 発症リスク減少と相関（Kovesdy CP, Ahmadzadeh S, et al: Association of activated vitamin D treatment and moriality in chronic kidney disease. *Arch Int Med*. 2008; 168: 397-403.）	
エリスロポエチン産生低下	貧血[*1]補正	Hb 10～12 g/dL が目安（注）ガイドラインにより異なる（e表 13-11-B）	
尿毒素貯留	尿毒物質除去	吸着炭	
高尿酸血症	高尿酸血症の是正		

その他脂質異常症や耐糖能異常症に対する治療も腎機能保持には重要．
*1：GFR < 20 における出現頻度は約 3～4 割．
*2：GFR < 20 における出現頻度は 85%.

薬投与や塩分・水分制限，電解質異常の場合は食事制限や吸着剤の使用，ビタミン D やエリスロポエチン製剤の補充，尿毒素物質の吸着などを必要に応じて行っていく．透析（腎代替療法）導入の決定はホメオスターシス異常が高度になった段階で考慮されるため，早期から積極的に管理していくことが透析導入時期を左右するといって過言ではない（eコラム 3）．

透析（腎代替療法）の導入時期

腎代替療法の導入は，①推定腎機能（eGFR）と，②腎不全に伴う臨床症状（尿毒症症状）の両者を加味した総合的な判断により行われる．わが国も含めた各国のガイドラインでは，進行性の腎障害があり，eGFR が 15 mL/分/1.73 m² 以下となり，尿毒症に基づく諸症状が出現した際には，透析導入を考慮することを勧めている（日本腎臓学会，2013）[7-9]．わが国では，1991 年の厚生科学研究班（当時）による慢性腎不全透析導入基準が，腎機能と臨床症状を加味した優れた基準として長年用いられている（表 13-11-3）．

腎不全に伴う臨床症状がない場合には，原疾患・年齢などを加味しながら eGFR 6 mL/分/1.73 m² 程度まで導入を待機してもよいと考えられている（日本腎臓学会，2013）[10]．わが国，米国，欧州いずれのコホート研究においても，導入時 eGFR が低い方が生命予後がよい[11-13]．さらに 2010 年に報告された RCT においても，"早期"導入（目標 eGFR 10～14 mL/分/1.73 m²）は，"晩期"導入（目標 eGFR 5～7 mL/分/1.73 m²）と比べて，死亡，心血管系合併症，感染症，透析合併症のいずれのアウトカムも改善しなかった[14]．この

表 13-11-3 慢性腎不全透析導入基準

〈透析導入の基準（1991 年厚生省）〉
A 臨床症状：1 体液貯留（全身浮腫，高度の低蛋白血症，肺水腫）
　　　　　　2 体液異常（電解質/酸塩基平衡異常）
　　　　　　3 消化器症状（悪心，嘔吐，食欲不振，下痢）
　　　　　　4 循環器症状（高度な高血圧，心不全，心包炎）
　　　　　　5 神経症状（中枢・末梢神経障害，精神症状）
　　　　　　6 血液異常（高度の貧血，出血傾向）
　　　　　　7 視力障害（尿毒症性網膜症，糖尿病性網膜症）
B 腎機能：s-Cr > 8 mg/dL（Ccr < 10 mL/分）　　　　30 点
　　　　　5 < s-Cr < 8 mg/dL（20 < Ccr < 30）　　　20 点
　　　　　3 < s-Cr < 5 mg/dL（20 < Ccr < 30）　　　10 点
C 日常生活障害度：尿毒症状のため起床できない　　30 点
　　　　　　　　　日常生活の著しい制限　　　　　20 点
　　　　　　　　　通勤通学，家庭内労働困難　　　10 点
以上 A,B,C の合計が 60 点以上の場合透析導入とする．
（ただし 10 歳未満，65 歳以上，全身性血管合併症のある場合 10 点加算）

研究は，"晩期"導入患者の多くが腎不全症状のため目標eGFR（5〜7 mL/分/1.73 m²）まで透析導入を待てなかった限界はあるものの，症状がなければ早期に透析導入する意義は乏しいことを示している．CKD G5での推定GFRやクレアチニンクリアランスの正確性は高くないため[15]，推定腎機能のみで導入時期は判断することなく臨床症状もふまえた総合的な判断を行うことが重要である．

透析の導入は患者の人生を左右する大きな決断であり，腎機能障害が中等度（たとえばCr 3〜5 mg/dL）の段階から，将来的な見通しについて多職種による十分な説明が必要である．腎機能（eGFR 15 mL/分/1.73 m²以下が目安）と臨床症状を考慮してバスキュラーアクセス（VA）を作成することが推奨されるが，糖尿病性腎症では，その他の腎疾患に比べて溢水や腎性貧血などの臨床症状を呈しやすく，より早期の作成を考慮する[16]．透析導入1カ月以上前にVAを作成した場合，導入1年後の死亡リスクが改善する[17]．

糖尿病性腎症や高齢者が増加している現在，上述の透析導入基準を逸脱する症例も増加しており，緊急透析の必要性が高い病態を有する場合（表13-11-4）は，採血データや合計スコアに縛られることなく緊急透析を導入する．尿毒症による極度のやせ，肺水腫，糖尿病患者などは透析導入後の生命予後不良因子とされている[18]．

腎代替療法の種類と選択

腎不全症状の緩和のためには腎代替療法が必要である．腎代替療法は血液透析，腹膜透析，腎移植の3つに大別され，いずれの治療法においても導入前の患者教育を含めた準備が欠かせない．わが国でESRDのために透析導入を要する患者は2013年末で年間約3万8000人であり，ここ5年間は横ばいで推移している[19]．

血液透析は透析施設もしくは自宅で行われる．わが国の透析患者の約97％が血液透析であり，ほとんどが施設透析である[19]．血液透析は，透析膜を介した血液-透析液間の拡散・濾過により，水分や老廃物の除去，電解質補正などを行う治療法である．体外血液循環による治療であるため，VA（動静脈グラフトまたは中心静脈カテーテル）を事前に用意しておく必要がある．動静脈グラフトを使用した方が合併症が少なく生命予後も良好である[20,21]．

腹膜透析は，腹腔内に留置した腹膜透析カテーテルを用いて透析液を腹腔内に貯留し，腹膜にて水分や老廃物の除去，電解質補正などを行う治療法である．日常の透析液交換は本人・家族が行うため，本人や家族の自己管理が重要な家庭透析である．持続的に腹腔内で透析を行う緩徐な透析法であり，残腎機能保持にすぐれ，脳出血後などの抗凝固薬が使用できない患者や重症心不全患者に有用である．感染症や（長期間継続する場合）被囊性腹膜硬化症などの合併症や，血液透析に比べて透析効率が低いため，透析不足に注意する必要がある．

腎移植には献腎移植（死体腎移植）と生体腎移植がある．わが国では献腎移植の待機期間が長いことを考えると，腎代替療法を検討する時期の選択肢としては生体腎移植が現実的である．日常生活のQOL向上や透析関連合併症を防げるメリットは大きいが，提供者の同意と安全確保が必須であり，また免疫抑制薬の長期服用による合併症に注意を要する．近年では，特に小児において，腎不全症状が出現する前に（透析を経ずに）腎移植を行う先行的腎移植（preemptive kidney transplantation：PEKT）の有用性が報告されている[22,23]．

〔乳原善文・星野純一〕

■文献（*e*文献 13-11-1）

Levey AS, de Jong PE, et al: The definition, classification, and prognosis of chronic kidney disease: a KDIGO Controversies Conference report. *Kidney Int.* 2011; 80: 17-28.

National Kidney Foundation: K/DOQI clinical practice guidelines for bone metabolism and disease in chronic kidney disease. *Am J Kidney Dis.* 2003; 42: S1-201.

日本腎臓学会：エビデンスに基づくCKD診療ガイドライン，東京医学社，2013.

表13-11-4 緊急透析の適応

① 肺水腫：利尿薬の反応が期待できない場合
② 高カリウム血症：十分な尿量が確保できず，体内からの十分なK排泄が期待できない場合
③ 著明なアシドーシス
④ エリスロポエチン不応性の高度な腎性貧血
⑤ 尿毒症悪化に伴う著明な消化器症状，意識障害

2）長期透析患者の病態

定義・概念

腎臓病が進行して腎代替療法が必要になった状態が末期腎不全である．腎代替療法として透析療法または腎移植が必要となる．わが国の腎移植は年間1600例が行われているにすぎないため，多くの末期腎不全患者は透析療法を継続する必要がある．腎機能が廃絶し，10年以上の透析療法によって生命維持がなされているのが長期透析患者である．

分類

透析療法には血液透析と腹膜透析がある．腹膜透析は9200人（2.9％）に施行されているが，単独で長期

施行するのは困難で，血液透析の併用や治療法の変更が行われるため，長期透析患者のほとんどが血液透析患者である．本項では，慢性血液透析患者の病態について概説する．

疫学

透析患者数は2014年末で32万人をこえたが，増加速度は緩徐になりつつある（図13-11-2）．10年以上の長期透析患者数は約6万人で，最長生存期間は45年に及んでいる．患者は高齢化が進み，2014年末の新規透析導入患者の平均年齢は69歳，患者全体でも67歳に達している（日本透析医学会統計調査委員会，2015）．腎不全の原疾患は，糖尿病性腎症が年々増加し，透析導入原疾患の第1位となった（図13-11-3）．年間粗死亡率は10％，1年生存率は88％および5年生存率は60％で，経年的にほぼ不変である．透析患者の死因は心不全が最も多く，ついで感染症，悪性腫瘍，脳血管障害と続くが，死因の約40％が心血管疾患で占められている（e図13-11-B）．

病態生理

末期腎不全患者の長期生存が可能となったが，透析療法は濾過機能という腎機能の一部を代行しているにすぎない．血液透析が間欠的な血液浄化療法であるため，非透析日には水やNaなどが貯留し，循環血漿量が増加した状態にある．また，腎性貧血や動静脈シャントが心負荷となり，長期透析患者では心筋は肥大し，進展すると心筋症様の所見を呈する．この循環血漿量の過剰に加え，レニン-アンジオテンシン系の亢進や内皮依存性の血管拡張障害により，心血管系合併症をきたす．

ミネラル代謝は，腎臓の排泄機能や内分泌機能によって制御されており，腎不全の進行とともに異常をきたす．高リン血症とビタミンD活性化障害に基づく低カルシウム血症が発症因子となり，副甲状腺ホルモン（PTH）の過剰分泌が続くと，二次性副甲状腺機能亢進症に進展する．これは骨や副甲状腺の異常のみならず，血管の石灰化機序にも関与することが明らかになり，CKD-MBD（CKD-mineral and bone disorder，慢性腎臓病に伴う骨・ミネラル代謝異常）という概念でとらえられるようになった．

維持透析療法においては，体内に蓄積する尿毒症物質による酸化ストレスの亢進や炎症性サイトカインの誘導がみられ，溶質除去能に適応するための食事制限が必要で，透析治療で水溶性ビタミンやアルブミンなどが喪失することなどが複合した栄養障害（malnutrition）をきたし，慢性炎症状態（inflammation）におかれている．これらに加えて，高血圧，脂質異常症，内分泌異常およびミネラル代謝異常などから動脈硬化（atherosclerosis）が促進する．この病態をMIA症候群といい，長期透析患者の予後を規定する重要な合併症となっている．

長期透析合併症に関連する尿毒症物質として，よく知られているものにβ_2-ミクログロブリンがある．これを主要構成蛋白とするアミロイド蛋白が臓器に沈着

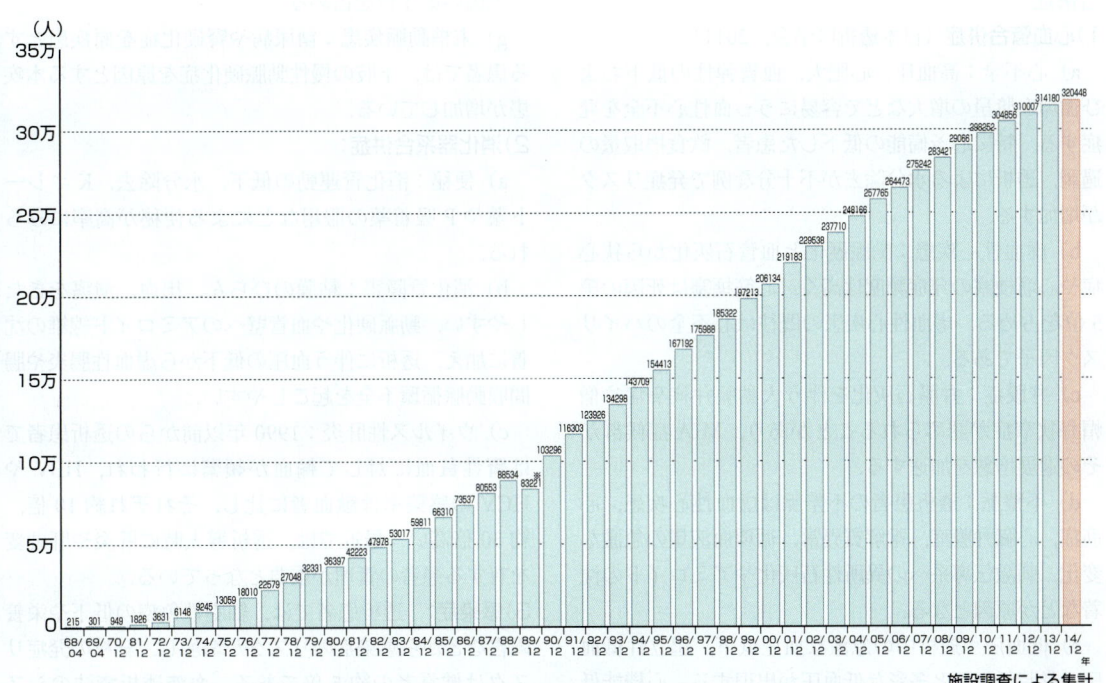

図13-11-2 **慢性透析患者数の推移**（日本透析医学会統計調査委員会，2015）

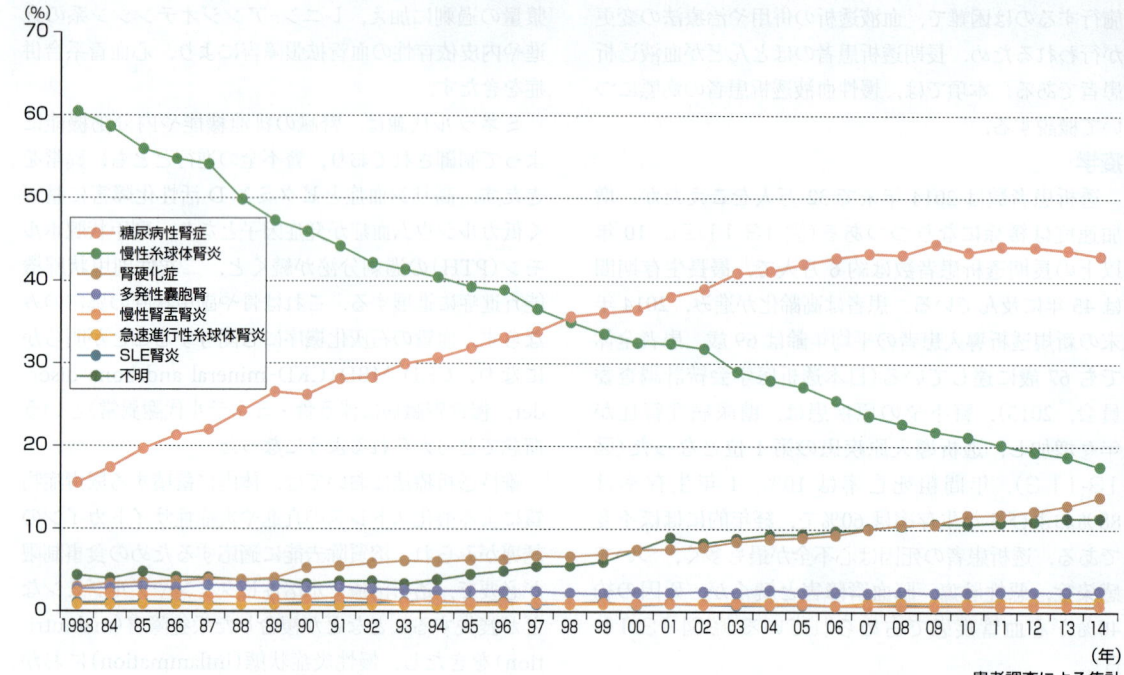

図 13-11-3 **透析導入患者の主要原疾患の割合**（2014年の割合は *e* 表 13-11-C）（日本透析医学会統計調査委員会, 2015）

すると，透析アミロイド症という合併症を起こす．組織のコンゴーレッド染色が陽性で，β_2-ミクログロブリンの局在が認められ，電顕でアミロイド線維が確認されることで診断できる．手根管症候群は，手関節部の手根管にアミロイドが沈着したもので，正中神経の支配領域にしびれや痛みを生じる．

合併症

1）心血管合併症（日本透析医学会，2011）：

　a）心不全：高血圧，心肥大，血管弾性の低下および循環血漿量の増大などで容易にうっ血性心不全を発症する．特に心予備能の低下した患者，飲食摂取量の過剰，透析による水分除去が不十分な例で発症リスクが増加する．

　b）虚血性心疾患：動脈硬化と血管石灰化から狭心症や心筋梗塞の発症頻度は高く，心筋梗塞は死因の第5位を占める．虚血性心疾患の既往は心不全のハイリスク因子である．

　c）弁膜症：弁膜石灰化を伴う大動脈弁狭窄症や僧帽弁狭窄症が認められることがあり，MIA症候群がその進展増悪を加速する．

　d）不整脈：透析患者の不整脈は虚血性心疾患，心筋症，心臓弁膜症，電解質異常，循環血液量の急激な変化，刺激伝導系への異所性石灰化やアミロイドの沈着などが原因となる．

　e）低血圧：透析中の急激な血圧低下，起立性低血圧，常時低血圧と多彩な低血圧が出現する．心機能低下や自律神経障害などから長期透析に伴い低血圧患者

が増加する．血圧低下のため十分な透析による除去ができなくなった患者の生命予後は不良である．

　f）脳血管障害：脳梗塞よりも脳出血の頻度が高いことが透析患者の特徴である．高血圧や動脈硬化が重要な原因であるが，患者の高齢化や糖尿病患者の増加などにより最近は脳梗塞も増加している．脳血管障害は死因の第4位を占める．

　g）末梢動脈疾患：糖尿病や腎硬化症を原疾患とする患者では，下肢の慢性動脈硬化症を原因とする本疾患が増加している．

2）消化器系合併症：

　a）便秘：消化管運動の低下，水分除去，Kキレート薬やP吸着薬の服用などによる便秘が高率にみられる．

　b）消化管障害：粘膜のびらん，出血，潰瘍をきたしやすい．動脈硬化や血管壁へのアミロイド線維の沈着に加え，透析に伴う血圧の低下から虚血性腸炎や腸間膜動脈循環不全を起こしやすい．

　c）ウイルス性肝炎：1990年以前からの透析患者では腎性貧血に対して輸血が頻繁に行われ，HBVやHCVの感染率は献血者に比し，それぞれ約10倍，約30倍高い．最近では，透析導入時に肝炎や肝硬変を有する患者の管理が重要となっている．

3）感染症：　透析患者では，細胞性免疫の低下や栄養障害などから感染症のリスクが増加し，結核の発症リスクは健常者の約5倍である．血液透析療法のシステム要因として，集団の空間での治療，穿刺して血液

を体外に循環させる治療であることから，飛沫感染，空気感染，皮膚や回路から侵入した血流感染が起こりうる．透析患者の死因の約20％は感染症であり，第2位である．

4）悪性腫瘍： 多囊胞化萎縮腎に合併する腎細胞癌の発症リスクは健常者に比し約4倍高いのが特徴である．透析患者の悪性腫瘍による死亡は約10％を占める．

治療

① 効率のよい透析療法を行って尿毒症物質を十分に除去することが重要である．透析量の指標である尿素のKt/Vが同じであっても，透析時間が長くなるほど生命予後がよいことが知られている．また，生体適合性がよく，β_2-ミクログロブリンの除去能が高いダイアライザーが市販されている．患者の体重や全身状態を考慮して，血液透析に使用するダイアライザーの膜面積を決定すべきである．不定愁訴が多く，循環動態が不安定な患者に対しては，血液濾過透析の適応を考慮すべきである．

② 除水量を体重の5％以内にとどめるためには，飲水制限による体液管理を適切に行うことが最も重要である．食事療法においては，Na摂取の制限による体液管理やCa・P管理だけでなく，栄養障害の進行を抑えるための栄養所要量の確保が必要である．蛋白質1.0～1.2 g/kg/日，エネルギー30～35 cal/kg/日，食塩7 g以内，水分は尿量プラス500 mL/日未満を目安とした栄養管理を行う．

③ 心血管疾患は予後を決める重要な因子である．心胸郭比，心電図および心エコーなどで，心肥大，不整脈および心機能を定期的にチェックすべきである．血圧は週はじめの透析前で140/90 mmHg未満を目標とする．適切なドライウエイトを達成しても降圧が得られない場合は，降圧薬の種類や量を検討する．レニン-アンジオテンシン系抑制薬は心血管疾患の予防や治療に有効である．透析低血圧は予後不良の徴候であり，心機能や末梢血管抵抗を評価したうえで，ドライウエイトの再評価，透析条件の変更および昇圧薬の投与を判断する．

④ 透析患者の脂質異常症では，血清TCからHDL-Cを差し引いたnon-HDL-Cが，動脈硬化促進的なリポ蛋白の合計を表す総合的指標となる．血清non-HDL-C値は，透析患者の大動脈脈波伝播速度（PWV）や頸動脈内膜中膜厚（IMT）の独立した関連因子である．透析患者に対するスタチン療法の有効性は確立していないが，治療前non-HDL-Cの高い患者においては，動脈硬化性心血管疾患のリスク低下に有効であると考えられている．目標値はnon-HDL-C＜150で，二次予防ではnon-HDL-C＜130を推奨している．

⑤ 腎性貧血に対して赤血球造血刺激因子（ESA）を使用するが，ESA投与開始基準は透析患者ではHb 10 g/dL未満である．目標Hb値は10～12 g/dLである．12 g/dLをこえる場合はESAの減量・休薬を考慮する．鉄補充の開始基準は，トランスフェリン飽和度（TSAT）20％未満およびフェリチン100 ng/mL未満である．

⑥ CKD-MBDは予後を規定する因子の1つである．まず，血清P値を3.5～6.0 mg/dLを目標に，食事制限，透析条件およびP吸着薬で調整する．ついで，血清Ca濃度を8.4～10.0 mg/dLを目標に，活性型ビタミンD製剤や透析液Ca濃度を調整する．また，血清PTH濃度を60～240 pg/mLの管理目標値内に保つよう，必要に応じてシナカルセト塩酸塩の投与を行う（日本透析医学会，2012）．

⑦ 透析アミロイド症の手術療法として，手根管開放術，脊柱管開窓術，関節アミロイド除去などが行われる．保存的管理が困難な副甲状腺機能亢進症に対しては，副甲状腺へのエタノール注入や摘出術などが施行されている．

〔新田孝作〕

■文献

日本透析医学会：血液透析患者における心血管合併症の評価と治療に関するガイドライン．日本透析医学会誌．2011; 44: 337-425．

日本透析医学会：慢性腎臓病に伴う骨・ミネラル代謝異常の診療ガイドライン．日本透析医学会誌，2012; 45: 301-56．

日本透析医学会統計調査委員会：図説 わが国の慢性透析療法の現況 2013年12月31日現在，日本透析医学会，2014．

13-12 妊娠と腎

(1) 妊娠の腎臓に及ぼす影響

定義・概念
妊娠により全身および腎にはさまざまな変化が認められる．一方，腎疾患患者は，内分泌異常により妊娠しにくく，妊娠中の母児のリスクも上昇する(日本腎臓学会，2007)．

病態生理
1) 全身の生理的変化（日本腎臓学会，2007）：

a) 末梢血管抵抗の低下：おもにプロゲステロンの影響や血管拡張性プロスタグランジン(PG)の影響で，妊娠初期より全身血管系のトーヌスが低下し，末梢血管抵抗は低下する．また，強力な血管弛緩因子である血管内皮細胞由来の一酸化窒素が上昇する．

b) 循環血漿量と血圧：妊娠中，循環血液量は30〜50%増加し，900〜1000 mEq のナトリウム(Na)が貯留する[1]．ヘマトクリット低下により血液粘度は低下し，心拍出量の増加や胎盤血流の維持に対して有利に働く．心拍出量は妊娠初期より増加する．心拍出量の増加にもかかわらず血管抵抗が低下するため，血圧はむしろ低下する．最初の半年は低下し，以後，徐々にもとのレベルに戻る．妊娠中，循環血漿量の増加にもかかわらずレニン-アンジオテンシン系は亢進する．その要因としては，プロスタサイクリンの産生亢進やエストロゲンの関与が指摘されている．

2) 腎の生理的変化（日本腎臓学会，2007）：

a) 腎形態の変化：妊娠中，腎サイズは長軸で 1 cm 増加し，腎血流増加に伴う血管容積の増加や尿細管容量の増加などが原因と考えられている．分娩後には1週間以内にもとに戻る．また，プロスタグランジンE2 の産生亢進による尿管蠕動運動低下や増大した子宮による圧迫のために尿路系の拡張がみられ，左腎より右腎で顕著である．

b) 腎血漿流量の増加：心拍出量の増加と腎血管抵抗の低下により，妊娠初期から腎血漿流量は増加する．脳や肝臓での血流量は妊娠中でも増加しないことから，腎血管抵抗の低下がおもな要因と考えられている．

c) 糸球体濾過量(GFR)の増加：循環血漿量の増加に伴う糸球体血漿流量の増加と血清蛋白濃度の低下に伴う膠質浸透圧の低下により，GFR は妊娠前の40〜65%増加し，その結果，血液尿素窒素(BUN)やクレアチニン(Cr)の濃度は低下する[1]．単一ネフロンGFR の増加とともに，糸球体血漿流量の増加，輸入細動脈と輸出細動脈での血管抵抗の低下が確認されているが，糸球体毛細血管圧の上昇は認められていない[2]．$Cr>0.8$ mg/dL，$BUN>13$ mg/dL であれば腎機能障害が存在すると考えられる[1]．

d) 尿細管機能の変化：GFR の増加に伴い近位尿細管での Na 再吸収は亢進するが，Na 制限や Na 負荷に対する腎の反応は非妊娠時と変わらない．GFR の増加に伴い糸球体濾液中のカルシウム(Ca)も増加し，尿細管での再吸収は亢進するが，全体として尿中 Ca 排泄量は増加する．尿路結石の形成に対する防御機転としてマグネシウムやクエン酸の分泌が増加する．髄質では，PGE_2 の増加により集合管のバソプレシン感受性が低下するため，尿濃縮能が低下する．また，浸透圧刺激によるバソプレシン分泌に resetting が生じるため，血漿浸透圧が 10〜15 mOsmol/kg 低下し，軽度の低ナトリウム血症(135 mEq/L 程度)を呈する[1]．

e) 尿蛋白量の増加：増加した GFR や尿細管機能の変化により尿蛋白排泄量は増加し，正常上限は 150 mg/日から 300 mg/日に増加する[1]．

(2) 妊娠高血圧症候群(PIH)

定義・概念
PIH は，以前は妊娠中毒症と称していた病態で，妊娠 20 週以降，分娩後 12 週まで高血圧がみられる場合，または高血圧に蛋白尿を伴う場合のいずれかで，かつこれらの症状が単なる妊娠の偶発合併症によるものではないものと定義され，その病型は 4 つに分類されている(日本妊娠高血圧学会，2009)(表 13-12-1)．

原因・病因
PIH の発症機序はまだ十分に解明されていないが，胎盤形成期に絨毛外トロホブラストの脱落膜への浸潤が不十分なために子宮らせん動脈の再構築が障害され，結果として胎盤血流が低下し，soluble fms-like tyrosine kinase-1 (sFlt-l)が過剰産生されることが原因と考えられている．sFlt-1 が血管内皮増殖因子(VEGF)や胎盤増殖因子(PlGF)と拮抗することによって血管内皮障害が惹起され，PIH が発症するという機序が考えられている[3]（日本腎臓学会，2007)．

疫学・危険因子
PIH の危険因子としては，初回妊娠，40 歳以上，多胎妊娠，糖尿病，肥満，高血圧，抗リン脂質抗体陽性．腎疾患の既往歴，PIH の家族歴などがあげられる(日本妊娠高血圧学会，2009)．

診断
上記の定義(表 13-12-1)に該当する場合に診断する．通常みられる浮腫に病的意義はなく，母児の予後にも悪影響を及ぼさないため，浮腫は PIH の定義か

表13-12-1 妊娠高血圧症候群の病型分類(日本妊娠高血圧学会，2009)

1. **妊娠高血圧（gestational hypertension）**
   妊娠20週以降にはじめて高血圧が発症し，分娩後12週までに正常に復する場合をいう．

2. **妊娠高血圧腎症（preeclampsia）**
   妊娠20週以降にはじめて高血圧が発症し，かつ蛋白尿を伴うもので分娩後12週までに正常に復する場合をいう．

3. **加重型妊娠高血圧腎症（superimposed preeclampsia）**
   1) 高血圧症（chronic hypertension）が妊娠前あるいは妊娠20週までに存在し妊娠20週以降蛋白尿を伴う場合．
   2) 高血圧と蛋白尿が妊娠前あるいは妊娠20週までに存在し，妊娠20週以降，いずれか，または両症状が増悪する場合．
   3) 蛋白尿のみを呈する腎疾患が妊娠前あるいは妊娠20週までに存在し，妊娠20週以降に高血圧が発症する場合

4. **子癇（eclampsia）**
   妊娠20週以降にはじめて痙攣発作を起こし，てんかんや二次性痙攣が否定されるもの．痙攣発作の起こった時期により，妊娠子癇・分娩子癇・産褥子癇とする．

ら除外された．

早期発見のためには体重，血圧，尿蛋白，血清尿酸値を測定すること，血清尿酸値が5.5 mg/dL以上でPIHの合併を疑うことが推奨されている（日本腎臓学会，2007）．

治療・予防

PIHの根本治療は妊娠の中断で，薬物療法は対症療法である．過度の降圧は胎児胎盤循環を生じさせるため，注意が必要である．重症PIHにおける至適血圧値のエビデンスは確立していない．ハイリスク群では発症予防に低用量アスピリン投与することが推奨されているが（日本腎臓学会，2007），確立したものではない．

PIHの降圧薬の選択については🅔コラム1参照．

(3) 慢性腎臓病（CKD）患者の妊娠

疫学

最近の報告で，20～45歳の健常人女性1000人あたり72.5例の生児が得られるのに対し，腎移植患者では5.5～8.3例（健常人の1/10），透析患者ではわずかに0.7～1.1例（健常人の1/100）と著明に少なかったことが報告されている[4]．透析患者では，妊娠しても自然流産や子宮内胎児発育遅延が多く，母体側のリスクも高いため，生児を得る確率もきわめて低い[4]．腎移植患者では生殖機能が改善し，妊娠率が上昇する．また，周産期のリスクも低減するため，生児獲得率は健常人と遜色ないほどに改善する．妊娠第１三半期の自然流産や人工妊娠中絶を余儀なくされる例が約40％と高頻度にみられるが，その時期を乗り切ると，生児獲得率が90％と良好であることが報告されている[5]．

病態生理

CKD患者では，黄体形成ホルモン（LH）や卵胞刺激ホルモン（FSH）の基礎分泌能は保たれているが，LHサージの抑制や高プロラクチン血症などのために排卵障害をきたし，無月経に至ることが多い（日本腎臓学会，2007）．性欲減退や性機能低下もあるため妊娠する可能性は低い．腎移植後にはこれらの異常が改善し，月経異常の改善が期待できるが，完全には回復しない例も多い[6]．

経過・予後

1) 保存期慢性腎臓病（CKD）の経過に及ぼす影響：
妊娠の腎疾患に及ぼす影響はCKDの原疾患により異なるが，一方で，腎機能障害の程度や高血圧の影響が大きいことが指摘されている[7]．

腎機能別の検討では，妊娠初期の血清Cr値で3群に分けて検討した結果，妊娠時の血清Cr値が高い群で妊娠後の腎予後はきわめて不良であったことが報告されている[8]．

原疾患別には，IgA腎症や微小変化群，膜性腎症では，腎機能が正常か軽度低下の状態で安定した経過をとっていれば，長期予後に及ぼす妊娠の影響は少ないと考えられている[9]．一方，巣状糸球体硬化症や膜性増殖性糸球体腎炎では，妊娠中に高度の尿蛋白と進行性経過をとる可能性が高く，妊娠，出産については慎重な判断が必要である[10-12]（日本妊娠高血圧学会，2009）．

ループス腎炎や糖尿病性腎症に関しても，腎機能正常で蛋白尿が軽度であれば妊娠の経過に影響しないが，腎機能低下や高度蛋白尿を呈する例では，悪化するリスクが高い[13-15]．

2) 移植腎機能に及ぼす影響： 移植腎への影響については，蛋白尿の出現や腎機能低下の頻度は高いが，拒絶反応は少なく，出産後の腎生着率も良好であることが報告されている．ただし，妊娠前のSCr値<1.4 mg/dLではそれぞれ妊娠中腎機能悪化15％，分娩後持続4％，1年以内の透析導入0％と低かったのに対し，SCr値が高値（>1.85 mg/dL）ではそれぞれ45％，35％，70％と高率で，移植前の腎機能がその後の腎生存率に大きく影響することが示されている[16]．

3) 妊娠経過（母体および児）に及ぼす影響： CKD合併妊娠は，妊娠経過における母体や児のリスクが上昇する[8]．Nevisらはシステマティックレビューを行い，CKD患者の妊娠では，妊娠高血圧，子癇前症，子癇，死亡などの母体の周産期合併症イベントの発症率が有意に高く（CKD患者11.5％，非CKD患者2％），早産，子宮内胎児発育遅延，新生児死亡，死

産，低出生体重児などの児のアウトカムも，非CKD患者の2倍以上（CKD患者13％，非CKD患者6％）であったことを報告している[17]．

治療

1）透析患者の妊娠管理： 透析患者では，母体の高血液尿素窒素血症のため胎児の過剰利尿が生じ，羊水過多や母体高血圧の頻度が高い（日本妊娠高血圧学会，2009）．周産期死亡を減少するためには，週あたりに20時間以上の透析を行い，透析前のBUNを50 mg/dL以下に維持することが推奨されている[18]（日本腎臓学会，2007；日本妊娠高血圧学会，2009）．

2）腎移植患者の妊娠管理： 腎移植患者では，妊娠中も免疫抑制薬を服用し続けなければならない．これまでの報告より，アザチオプリン，シクロスポリン，タクロリムスは比較的安全性が確認されている[19]（日本産科婦人科学会，2014）．一方，ミコフェノール酸モフェチル（MMF）は催奇形性があり，妊娠初期の投与が問題となる．MMFを服用していた妊娠97例中48例（約49％）が自然流産し，2例が死産であったのに加え，生児を出産しえた48例においても11例（約23％）に先天奇形が認められたことが報告されている．したがって，妊娠中のMMFの使用は避けるべきと考えられる[20]．

〔鶴屋和彦〕

■文献（e文献 13-12）

日本腎臓学会：腎疾患患者の妊娠に関するガイドライン，2007．http://www.jsn.or.jp/file.php?f = ninshinguide.pdf（会員のみ閲覧可）

日本妊娠高血圧学会：妊娠高血圧症候群（PIH）管理ガイドライン2009，メジカルビュー社，2009．

日本産科婦人科学会：産婦人科診療ガイドライン産科編 2014，杏林舎，2014．

13-13 中毒性腎障害

定義・概念

中毒性腎障害とは，薬剤，診断試薬，重金属などが原因となって引き起こされる腎障害のことである．臨床上最も多く遭遇するのは薬物性腎障害である（Pragaら，2010）．診断試薬のなかでも発生頻度が高いものはヨード造影剤による腎障害であり，造影剤腎症とは，ヨード造影剤投与後，72時間以内に血清クレアチニンが前値より0.5 mg/dL以上または25％以上増加した病態と定義されているが，造影剤以外の原因（コレステロール塞栓など）が除外された場合に診断される．またわが国ではかつて作業現場などで重金属への曝露が頻発したが，発展途上国では今でも水や土壌の汚染が原因で重金属による中毒性腎障害が存在する．

分類・原因

中毒性腎障害自体，多様な病態を合わせた概念であり障害部位もさまざまである．したがって臨床症状も多様となる（表13-13-1）．原因物質によって障害が起こる部位はほぼ決まっているといってよい（eノート1）．

疫学

急性腎障害に関しては薬剤を含む腎毒性物質によるものが20％程度と報告されている[1]．また急性尿細管間質性腎炎に限れば薬物性が70％程度を占めている[2]．造影剤腎症は院内発症急性腎不全の主要な原因の1つであり，発症した患者の院内死亡率や遠隔死亡率は非常に高いことが知られている．造影剤腎症の発生頻度は報告によってかなりばらつくが，腎機能障害など合併症がなければ5％以下，あれば15％程度に発生する[3]．薬物性腎障害のなかで，シクロスポリンの腎症発生頻度はかなり高く，腎移植以外でも5割程度に発生するとも報告されている[4]．

病態生理

1）薬剤性： 腎症には大きく分けて，免疫学的機序とより直接的な非免疫学的機序がある．あらゆる薬剤は免疫学的機序により急性間質性腎炎を発症させる可能性があり，これは中毒性腎障害のなかで最も多く経験される病態である．頻度が高い薬剤としてはペニシリンなどの抗菌薬と非ステロイド系抗炎症薬（NSAIDs）があげられる．急性尿細管壊死（尿細管障害）は免疫学的機序もあるが，より直接的な尿細管上皮細胞への障害作用もある．長期にわたり間質の炎症と尿細管の障害が遷延してくると間質の線維化の病態が主体となり慢性間質性腎炎が起きる．

薬剤による血行動態の変化によって腎障害が生じる代表例はレニン-アンジオテンシン（RA）系阻害薬とNSAIDsである．腎血管の狭窄，脱水，利尿薬投与中，ネフローゼ症候群など，腎血流を保つためRA系が活性化され輸出細動脈が収縮するが，その状態でACEI，ARBが投与されると，急激な糸球体内圧減少によりGFRが低下する．NSAIDsはシクロオキシゲナーゼを抑制してプロスタグランジン（PG）の産生を抑えるが，PGI_2（プロスタサイクリン）など血管拡張に働くPGも低下するので，RA系阻害薬と同時に投

表 13-13-1 中毒性腎障害

障害部位	病態	臨床症状	薬剤
輸出・輸入細動脈	血行動態の変化	腎前性腎不全	利尿薬 ACEI ARB 非ステロイド系抗炎症薬 シクロスポリン グリセロール 低分子デキストラン 造影剤
	溶血性尿毒症症候群	急性腎不全 溶血性貧血	シクロスポリン マイトマイシン
糸球体	微小変化群	蛋白尿 ネフローゼ症候群	非ステロイド系抗炎症薬 ペニシリンなどの抗菌薬
	膜性腎症	蛋白尿 ネフローゼ症候群	金 ブシラミン ペニシラミン
尿細管・間質	急性間質性腎炎	急性腎不全	ペニシリンなどの抗菌薬 非ステロイド系抗炎症薬 利尿薬 シメチジン シスプラチン アロプリノール カプトプリル フェニトイン アザチオプリン
	急性尿細管壊死 （尿細管障害）	急性腎不全	シスプラチン 造影剤 アミノグリコシド 水銀
	慢性間質性腎炎	慢性腎不全	鎮痛薬 リチウム シスプラチン 鉛 カドミウム シクロスポリン

中毒性腎障害の障害部位, 病態による分類. シクロスポリンや NSAIDs など複数の機序で腎障害をきたすものに関しては重複して複数箇所に記載されている.

与するのは慎重に行うべきである. アンジオテンシンⅡは血管収縮だけでなく PG 産生を増加させるので, 脱水時など RA 系が活性化される状況で, RA 系阻害薬と NSAIDs が同時に作用すると輸入細動脈の収縮が強く働くため急激な GFR の低下が起こり, AKI 化することがある（図 13-13-1）. NSAIDs はその他に長期連用によって慢性間質性腎炎や乳頭壊死を起こすことも知られている (Whelton, 1999).

またシクロスポリンはカルシニューリン阻害薬であり, 血管収縮による血行動態の変化で GFR が低下し腎前性腎不全を起こしやすいが[5], 慢性の経過で慢性間質性腎炎や細動脈硬化症などを惹起することがある.

2) 造影剤腎症: 造影剤腎症の発症機序としては, 遷延性血管収縮による GFR 低下, 腎髄質虚血, 尿細管上皮細胞への直接毒性が重要と考えられている（図 13-13-2）.

3) 重金属: 典型的な重金属によるものとして鉛による腎障害の機序を（図 13-13-3）に示した. おもに尿細管上皮細胞のアポトーシスが原因であるが, 炎症や血管拡張因子低下なども腎障害の発症に重要と考えられている. その他カドミウムや砒素も尿細管, 集合管を傷害することで腎機能を低下させる[6].

臨床症状

1) 薬剤性: 経過が割合急であり尿量が減少する急性間質性腎炎, 急性尿細管壊死, 腎血行動態の悪化などは早期に気づかれるが, 慢性の経過をたどる場合には軽度の浮腫程度しか症状がないこともある. したがって診療経過中に, 腎機能低下の症状や電解質異常, 尿蛋白・尿潜血陽性, 尿中尿細管マーカー陽性などによってはじめて明らかになる場合も多い. 浮腫を主訴にした場合, 金製剤, ブシラミン, ペニシラミンなどの抗リウマチ薬は膜性腎症, NSAIDs やペニシリンなどの抗菌薬による微小変化群によるネフローゼ症候群の頻度が高い.

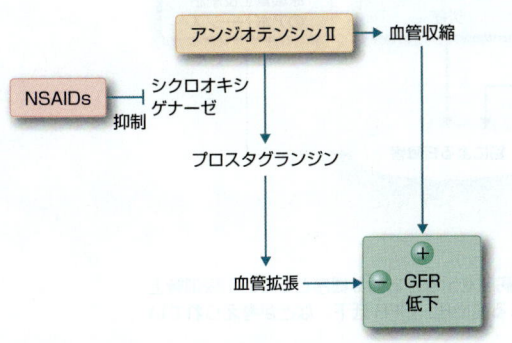

図 13-13-1 NSAIDs が腎機能を低下させる機序
NSAIDs がシクロオキシゲナーゼを阻害するとプロスタグランジンの産生は抑制されるため, アンジオテンシンⅡの血管収縮を介した GFR の低下作用が強調され, 腎機能が低下すると考えられる.

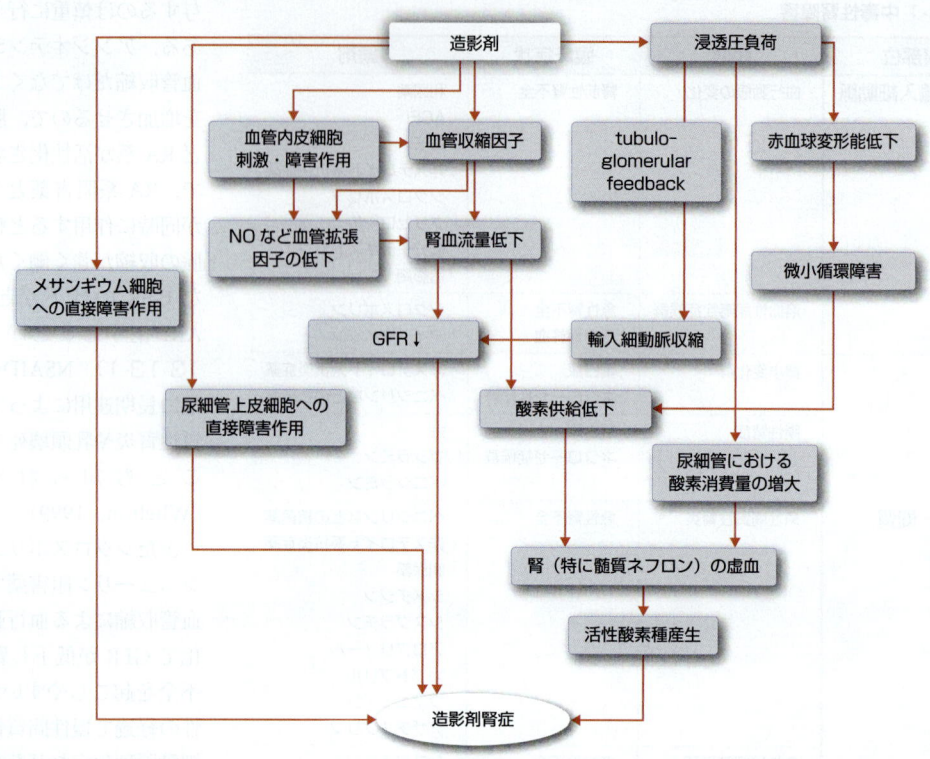

図 13-13-2 造影剤腎症の機序
まだ不明な点も多いが，①造影剤が近位尿細管に直接作用し上皮細胞を障害する機序，②浸透圧負荷，血管内皮細胞への刺激により，血管拡張因子が減り血管収縮因子が増え，髄質部分での虚血・低酸素状態により活性酸素種が増える機序，の2つが主であると考えられている．

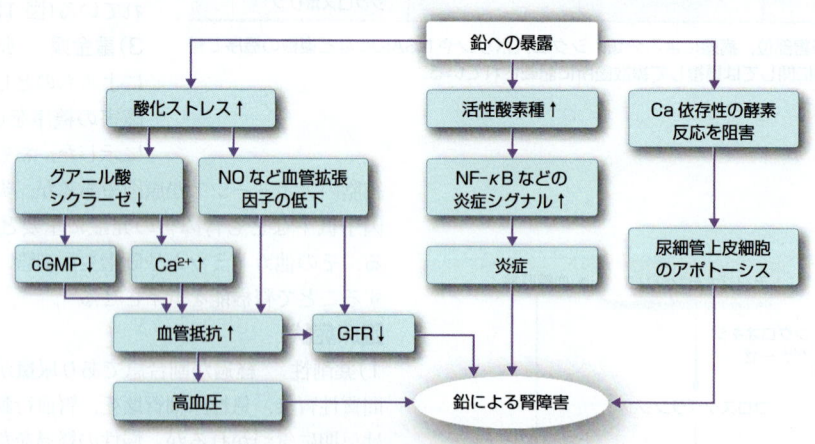

図 13-13-3 腎障害の病態
重金属による腎障害の代表例として鉛による腎障害の病態を示す．おもな機序として，①尿細管上皮細胞のアポトーシス，②炎症，③血管抵抗上昇による高血圧，GFR低下，などが考えられている．

その他，シスプラチンの腎毒性は用量依存性であり尿細管壊死を起こすが近位尿細管への障害が強く，アミノ酸尿，多尿を呈することが多い．またアミノグリコシド，特にゲンタマイシンによる腎毒性は非乏尿性もみられ，Fanconi症候群，低カリウム血症，低マグネシウム血症などの尿細管障害を呈することがある[7]．

2）造影剤： 造影剤による腎障害は，慢性腎臓病患者への投与時に起こることが多く，ある程度予想は立ちやすい反面，医療者側が認識して注意しておかないと予想外の尿量低下や腎機能低下をきたすことがある．一過性の蛋白尿を認めたあと，2,3日程度で腎機能の低下が極期を迎え，2週間以内に回復することが多く，末期腎不全になり腎代替療法が必要になる頻度はそれほど高くない．造影剤腎症のリスク，血液透析導入のリスク予知として表13-13-2のような方法がある[8]．

3）重金属： 慢性の経過をとることが多く，腎機能が相当低下するまで気づかれないことも多いのは薬剤性腎障害と同じである．

検査所見・病理所見

いずれの疾患であっても基本的には腎機能の低下の有無を確認するためにクレアチニン，尿素窒素（BUN）の測定をすると同時に，尿所見（蛋白尿，血尿，尿沈渣）も調べる必要がある．また感染を除外診断したい場合には尿培養も重要である．尿細管，間質の病変を強く疑う場合は，尿細管の障害マーカーである尿 N-アセチルグルコサミニダーゼ（NAG），尿 α_1-ミクログロブリン，尿 β_2-ミクログロブリンを調べる．NAGは近位尿細管上皮細胞に存在するリソソーム酵素であり，α_1-ミクログロブリンと β_2-ミクログロブリンは近位尿細管でほぼ全量再吸収されるものであるゆえ，主として近位尿細管の障害によって尿中の濃度が上昇する．最近，新規の尿細管障害バイオマーカーとして尿中L型脂肪酸結合蛋白（L-FABP）が保険収載され，早期尿細管障害を調べることが可能である．慢性の経過をたどるタイプでは間質が線維化してエリスロポエチンを産生する細胞が減少するため，血中エリスロポエチン濃度の測定が参考になる．

急性間質性腎炎の診断にはGaシンチグラフィが有用である（e図13-13-A）[9]．

また原因がはっきりせず，治療方針の策定のために腎生検を施行する．急性間質性腎炎では間質広範にわたり多数の炎症細胞が浸潤しているのが特徴である．尿細管の萎縮や破壊所見を伴うことが多い（e図13-13-B）．

慢性間質性腎炎では，間質の線維化が高度である．また尿細管の広範な萎縮や消失がみられる．糸球体の傷害は軽いことが多いが，経過が長いと糸球体も硬化して荒廃が進んでいることもある．

重金属による腎障害では，カドミウムや鉛の蓄積が高度になると尿細管萎縮および間質性腎炎の像を呈する．電顕では尿細管上皮細胞にアポトーシス像を認める．リチウムの場合は遠位尿細管や集合管周囲の間質で線維化が認められる．

鑑別診断

いずれの場合も閉塞性の疾患（尿路結石，前立腺肥大など）による腎後性腎障害との鑑別が重要であり，

表13-13-2 造影剤腎症のリスク，血液透析導入のリスク予知（文献3より改変）

リスクファクター	スコア		
低血圧	5		
大動脈内バルーンパンピング	5		
うっ血性心不全	5		
年齢＞75歳	4		
貧血	3		
糖尿病	3		
造影剤量	100 mLごとに1		
クレアチニン＞1.5 mg/dL	4		
あるいは eGFR＜60 mL/分/1.73 m²	40〜60 20〜40 ＜20	2 4 6	

リスクスコア	造影剤腎症のリスク	透析のリスク
≦5	7.5%	0.04%
6〜10	14.0%	0.12%
11〜16	26.1%	1.09%
≧16	57.3%	12.6%

各リスクファクターに対応するスコアがついており，当該症例でスコアを合計すると造影剤腎症や透析のリスクが予想できる．たとえば糖尿病を合併するうっ血性心不全の76歳の患者でeGFRが40 mL/分/1.73 m²で造影剤100 mLの使用が見込まれる場合，合計スコアは17点になり造影剤腎症のリスクは57.3%と高率であることが予想される．

超音波検査やCTを早い段階で施行する必要がある．重金属による腎障害の場合，尿細管間質障害をきたしやすい薬剤との鑑別が必要であるが，臨床的にはNSAIDs，鎮痛薬，抗菌薬による間質障害との鑑別が重要である．

治療・予防・予後

1）**薬物性**：発症頻度が高く中毒性腎障害の大部分を占める薬物性の急性間質性腎炎に関しては，被疑薬を同定して中止し，輸液など保存的な治療で経過をみることから始めるのが原則である．それでも十分な回復が得られないときにはステロイド投与が著効することもある．予後は良好である．薬剤によるネフローゼ症候群に対しても，被疑薬を同定できれば中止し，保存的な治療で経過をみる．それでも改善しない場合は，可能ならば腎生検を施行して，組織型がわかればそれに対してステロイドなどの治療をする．しかし一次性の腎炎と同程度にステロイドや免疫抑制薬が効くかどうかについては明らかではなく，腎不全が進行することもある．

2）**造影剤**：造影剤腎症に関しては効果的な治療法がないので，リスクのある症例には十分な予防的措置が必要である．ヨード造影剤を投与前に十分量の等張液の輸液が重要である[10]．また炭酸水素ナトリウムの併用も有用とされているが，抗酸化作用があるとされるN-アセチルシステインについては否定的な意見もある（日本腎臓学会ら，2013）．

3）**重金属**：治療法は確立されたものはない．早期には重金属の暴露から離脱することで腎機能の回復も期待できるが，原因特定が遅くなり症状が重くなってからでは不可逆である．　　　　　　　　　〔長田太助〕

■文献（e文献 13-13）

日本腎臓学会, 日本医学放射線学会, 他：腎障害患者におけるヨード造影剤使用に関するガイドライン 2012, 東京医学社, 2012.

Praga M, Gonzalez E: Acute interstitial nephritis. *Kidney Int.* 2010; **77**: 956-61.

Whelton A: Nephrotoxicity of nonsteroidal anti-inflammatory drugs: Physiologic foundations and clinical implications. *Am J Med.* 1999; **106**: 13S-24S.

13-14　その他の腎・尿路疾患

1）囊胞性腎疾患

(1) 常染色体優性多発性囊胞腎（autosomal dominant polycystic kidney disease：ADPKD）

定義・概念

*PKD*遺伝子の変異により両側腎臓に多発性の囊胞が進行性に発生・増大し，腎機能が低下する，最も頻度の高い遺伝性腎疾患である．

遺伝形式・原因・病因

常染色体優性遺伝．85％の患者が*PKD1*（16p13.3），15％の患者が*PKD2*（4q21）遺伝子変異をもつ．家族歴がなく，突然変異として新たに発症する場合もある．優性遺伝した変異のみでは発症しない．尿細管細胞において，正常であるはずのもう1対の*PKD*遺伝子に体細胞変異が起こり，*PKD1*あるいは*PKD2*遺伝子の機能が完全に喪失することにより発症する（ツーヒット説）．

病態生理

*PKD1*蛋白であるポリシスチン1（PC1）は膜貫通型受容体，それに結合する*PKD2*蛋白であるポリシスチン2（PC2）はカルシウム（Ca）チャネルである．両者は尿細管上皮細胞の繊毛（cilia）に局在し，PC1が尿流を感知するセンサーとしてシグナルをPC2に伝達すると，細胞内にCaが流入し，尿細管の太さ（径）が調節される．体細胞変異によりPC1あるいはPC2の機能が喪失すると，細胞内Ca濃度が減少する．その結果，サイクリックAMP（cAMP）が増加し，protein kinese A（PKA）を介して尿細管上皮細胞増殖，囊胞液貯留が起こり，囊胞が形成される．これらの囊胞は徐々に増大し，腎臓は腫大する．同時にネフロンは減少し，囊胞周囲は線維化し，腎機能が低下する．なお，囊胞性腎疾患の多くの原因分子が局在する，繊毛の機能不全により囊胞が形成されることが判明し，「繊毛病（ciliopathies）」という新しい疾患概念となった．

疫学

3000～7000人に1人と考えられている．わが国の透析導入原疾患で2～3％を占める．

臨床症状

ほとんどが30～40歳代まで無症状で経過する．

1）**自覚症状**：初発症状としては外傷後（からだに衝撃を与えるスポーツなど）の肉眼的血尿，腹痛・腰背部痛などが多い．急性の疼痛は囊胞感染や腎実質の感染，尿路結石，囊胞出血が原因となる．慢性の疼痛は，より腎腫大が進行した症例に多く，腎被膜の伸展

や腎門部血管系の牽引が原因となる．腹痛（61%）より腰痛（71%）の方が多い．腎腫大，肝腫大が進行すると，腹部圧迫症状として腹部膨満感や食欲不振などを認める．

2）他覚症状： 高血圧が重要である．腫大した腎臓や肝臓を腹部腫瘤として触知する．

検査所見

1）尿検査： 肉眼的血尿の頻度が高く，経過中に35～50%の患者に認められる．通常，顕微鏡的血尿や蛋白尿は認めても軽度である．

2）腎機能： 腎機能低下早期より尿濃縮力障害を認める．進行すると，クレアチニン値の上昇，糸球体濾過値の低下が認められる．

3）超音波・CT・MRI 検査（図 13-14-1）： 辺縁整で円形の透明液体を示す多発嚢胞を認める．進行すると嚢胞により腫大した腎臓を認める．両側総腎容積（total kidney volume：TKV）の測定は疾患進行の指標となるといわれ，簡易的には楕円体の容積として計算する．

診断・鑑別診断

多くは家族歴があり，超音波・CT・MRI により容易に診断される．30～40 歳代で健診での超音波検査で診断されることが多い．国内外の診断基準（e表13-14-A）ならびに鑑別診断（e表 13-14-B）については，多発性囊胞腎診療ガイドライン 2014 を参照されたい．遺伝子診断は，*PKD1*，*PKD2* の遺伝子解析が容易でなく，発症前診断の有用性がないため，一般的には行われない．

合併症

1）高血圧（50～80%）： 腎機能正常のときから認めることが多く，発症年齢は本態性高血圧よりも若い．嚢胞の増大が腎内血管系を圧迫し，虚血や髄質部障害によりレニン-アンジオテンシン-アルドステロン系（RAAS）が刺激されることが成因の 1 つとされる．

2）肝嚢胞（80%）： 男性に比較し女性，さらに経産婦で肝嚢胞の増大は顕著な傾向にある．通常，無症状で肝機能障害を伴うことはない．嚢胞感染や嚢胞出血のために急性の腹痛・側腹部痛の原因となることがある．巨大な多発性嚢胞肝（polycystic liver disease：PLD）になり，著しい腹部膨満を呈することがある．

3）嚢胞出血： 嚢胞壁の細血管の破綻による．出血による肉眼的血尿のほとんどは安静と輸液などの保存的治療で数日以内に消失する．

4）嚢胞感染（30～50%）： 高熱，腹痛（感染嚢胞に一致した限局性疼痛）を認める．Gram 陰性桿菌（大腸菌など）による感染が多いが，尿培養はしばしば陰性である．血液や嚢胞穿刺液の培養が有用である．閉鎖腔の感染のため難治性となり再燃を繰り返すこともあり，嚢胞ドレナージなどを積極的に行う．

5）尿路結石（10～20%）： 疼痛，血尿を認める．結石を合併する患者の腎容積は大きく，尿酸含有結石が多い．単純 CT が有用である．

6）脳動脈瘤： 家系内集積する傾向があり，頻度は脳動脈瘤の家族歴がある場合で約 16%，家族歴がない場合で約 6% である（一般 1%）．脳動脈瘤破裂によるくも膜下出血の頻度は一般の約 5 倍で，発症年齢は 41 歳と若い（一般 51 歳）．スクリーニングは MRA により行われる．

7）その他： 他臓器（膵臓，脾臓，くも膜など）の嚢胞や僧帽弁逸脱症，大腸憩室，鼠径ヘルニアなども合併することがある．

経過・予後

多数～無数の嚢胞により腎腫大が顕著になるまで，糸球体濾過値はネフロンの代償のため正常である．40 歳頃から糸球体濾過値が低下しはじめ，約 70 歳までに半数の患者が末期腎不全に至る．その低下速度は平均 4.4～5.9 mL/分/年である．腎機能に影響する因子は，遺伝因子（*PKD1* の方が *PKD2* より進行が早い），高血圧，尿異常の早期出現，男性，腎容積やその増大速度，左心肥大，蛋白尿などである．

治療

根本的治療法は確立していないが，疾患の進行抑制を目的とした cAMP 産生を抑制するバソプレシン受容体拮抗薬（トルバプタン）が 2014 年 3 月に世界に先駆けて日本で認可された．その適応は eGFR 15 mL/分/1.73m² 以上の患者における「TKV 750 mL 以上かつ年間腎容積増大率がおおむね 5% 以上」の進行性の患者である．腎機能が正常な場合はバソプレシン分泌を刺激する渇水にならないように飲水の励行が勧められる．蛋白制限食が有効とのエビデンスはない．降圧薬はアンジオテンシンⅡ受容体拮抗薬（ARB）などの

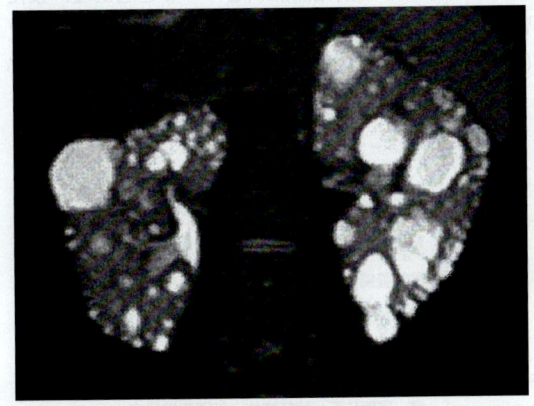

図 13-14-1 常染色体優性多発性嚢胞腎（ADPKD）における腹部 MRI 画像
大小多数の嚢胞を両側の腎臓に認めるが，腎実質は残存している．両側総腎容積（TKV）は 748 mL であるが，腎機能は正常である．

RAAS阻害薬が第一選択である．腎代替療法として血液透析，腹膜透析，腎移植が行われる．透析導入後，尿量が減少し，腎腫大が著しい場合には腎動脈塞栓療法（TAE）も行われる．

(2) 単純性腎嚢胞（simple renal cysts）

腎皮質に1～数個認められる嚢胞で，加齢とともに頻度が増加し，40歳までに20%，60歳までに30%以上に認められる．ほとんどの場合は無症候性のうちに健診や人間ドックでの腹部超音波検査にて発見される．腎機能に影響を及ぼすことはなく，経過観察でよい．ただし悪性が疑われる場合，CTやMRIでの精査が必要となる．また圧迫症状などが出現した場合には，嚢胞穿刺，アルコール注入硬化療法などが行われることもある．

(3) 後天性腎嚢胞（acquired cystic disease of kidney：ACDK）

腎機能廃絶のために萎縮した腎臓に認められる嚢胞で，透析患者に多く認められる．腎癌の合併率が非常に高く，注意が必要である．

(4) その他の嚢胞性腎疾患

常染色体劣性多発性嚢胞腎（ARPKD）やネフロン癆（NPHP）などの劣性遺伝性疾患は，そのほとんどが小児期の発症である．いずれも上述の繊毛病の1つとしてとらえられる． 〔望月俊雄〕

■文献

厚生労働省難治性疾患克服研究事業進行性腎障害に対する調査研究班：エビデンスに基づく多発性嚢胞腎（PKD）診療ガイドライン 2014（松尾清一監），東京医学社，2014.

Torres VE, Chapman AB, et al: Tolvaptan in patients with autosomal dominant polycystic kidney disease. N Engl J Med. 2012; 367: 2407-18.

2) 閉塞性腎・尿路疾患
obstructive uropathy

概念

腎で生成された尿が尿路を通過し体外に排出される過程で，尿流を妨げるような閉塞が発生すると，その上流に尿流停滞が起こり，腎および尿路に形態的，機能的変化が生じる．このような状態を閉塞性腎・尿路疾患という．尿流停滞は水腎症（hydronephrosis）を引き起こし，尿路感染症，尿路結石形成の原因となる．上部尿路（腎杯・腎盂・尿管），特に腎盂尿管移行部より下流での上部尿路閉塞は，閉塞側の腎に形態的，機能的影響を及ぼす．また上部尿路閉塞に尿路感染症が合併すると，患側の腎機能に対して障害を与える．下部尿路閉塞によっても水腎症を起こすことがあるが，その場合は両側性であることが多い．尿路閉塞は急性に起きるものと慢性に経過するもの，その程度から部分閉塞や完全閉塞，一側性，両側性，先天性や後天性，その閉塞部位から下部尿路閉塞，上部尿路閉塞などに分けられる．

病理・病態生理

閉塞性腎・尿路疾患の原因を表13-14-1に示す．これらの原因により腎盂内圧が上昇し腎盂腎杯が拡張して，水腎症が起きる．腎盂内圧の上昇により，尿生成は停止し，腎実質を圧迫すると腎虚血を引き起こす．その結果，レニン-アンジオテンシン系の活性化が起こり，腎血流の減少，さらに尿細管障害を生じる．また腎間質では組織の線維化が起こり，腎虚血と相まって腎萎縮を引き起こす．

臨床症状

尿管結石の嵌頓のような急性尿路閉塞では，側腹部～下腹部にかけて疝痛とよばれる激痛を生じる．この痛みは尿管の走行に沿って放散し，肉眼的血尿や悪心，嘔吐といった消化器症状を伴うこともある．また腎盂腎炎を併発すると発熱，悪寒を伴い，糖尿病などに罹患している場合は敗血症などへの進展に注意が必

表13-14-1 尿路閉塞の分類

閉塞部位		先天性疾患	後天性疾患
上部尿路	腎盂		腎盂腫瘍，腎腫瘍，腎盂結石，腎結核
	上部尿管	腎盂尿管移行部狭窄	尿管腫瘍，尿管結石，尿管結核
	中部尿管	大静脈後尿管	尿管腫瘍，尿管結石，尿管結核，後腹膜線維症，大動脈瘤
	下部尿管	尿管異所開口，尿管癌，尿管瘤，膀胱尿管移行部狭窄	膀胱腫瘍，前立腺癌，子宮癌，直腸癌の浸潤，尿管腫瘍，尿管結石，尿管結核，後腹膜線維症
下部尿路	膀胱	二分脊椎による神経因性膀胱，膀胱尿管逆流	膀胱腫瘍，膀胱結石，神経因性膀胱，膀胱結核
	尿道	外尿道口狭窄，後部尿道弁	尿道外傷後尿道狭窄，尿道炎後尿道狭窄
	前立腺		前立腺肥大症，前立腺癌

要である．慢性の不完全閉塞では徐々に水腎症が生じ，疝痛がなく，漫然とした背部不快感がみられるだけで特に症状を訴えないこともある．

下部尿路閉塞の場合，頻尿，尿線細小がみられ，進行すると残尿感も出現する．排尿を準備してから尿が出始めるまでの時間の延長（遷延性排尿）がみられ，排尿の開始や継続に腹圧をかける必要が出てくる．アルコール飲酒や感冒薬の内服などを契機に急に閉塞が増悪すると，膀胱内に尿があっても排尿できない急性尿閉という状態を生じる．膀胱内に尿が運び込まれなくなる無尿との鑑別には注意が必要である．また尿閉のとき，膀胱内に充満した尿が少量ずつ尿道より漏れる，溢流性尿失禁の状態となることがある．ときに血尿もみられ，尿路感染症や結石を合併することもある．

身体所見

下部尿路閉塞の最も代表的な疾患である前立腺肥大症では，直腸診で均一に肥大した弾性硬の前立腺を触れる．また直腸診は前立腺癌の鑑別にも有用である．糖尿病などに罹患している場合，神経因性膀胱による排尿障害を疑うが，直腸診にて肛門括約筋の緊張低下の所見などを認めることがある．

上部尿路閉塞による水腎症をきたしている場合，側腹部に腫大した腎臓を触知することがある．急性尿閉では下腹部痛を伴う腹部の腫瘤膨満を認める．急性閉塞や腎盂腎炎の合併時には同側の肋骨脊柱角部に圧痛と叩打痛を認める．このように閉塞の原因疾患によりさまざまな徴候が出現する．

検査所見

1）血液検査： 血液生化学，一側の上部尿路閉塞では腎機能障害は軽度もしくは正常なことが多い．両側の水腎症がみられる場合にはさまざまな程度の腎機能障害，腎濃縮力障害がみられ，いわゆる腎後性腎不全の状態で，緊急に尿路閉塞の解除が必要となる場合がある．

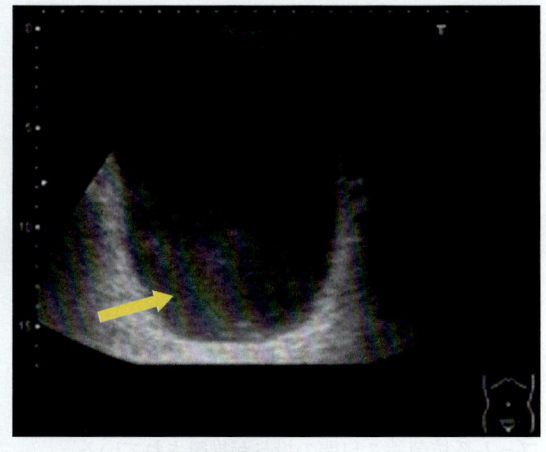

図 13-14-2 下部尿路閉塞（尿閉）
膀胱内に尿が貯留している（矢印）．

2）画像検査：

a）超音波検査：上部尿路閉塞では拡張した腎盂腎杯を中心部エコーの解離として認める．ときに閉塞を起こしている結石が音響陰影を伴う高輝度陰影として認められる．また腫瘍陰影をとらえることもある．下部尿路閉塞では膀胱壁の肥厚や，排尿後に膀胱内の残尿を認める（図 13-14-2）．本検査は腎機能低下のある患者にも安全かつ簡便に施行でき，閉塞性腎・尿路疾患の鑑別に有用のため，最初に行う画像検査となる．

b）X 線検査：

i）排泄性尿路造影法：上部尿路閉塞では拡張した腎盂腎杯尿管を認め，閉塞の部位も明らかになることが多い．腎機能障害や喘息などの患者には施行できない．

ii）逆行性腎盂造影法：膀胱鏡下で尿管にカテールを挿入し造影剤を注入することで，尿管，腎盂腎杯の評価を行う．腎機能が悪化していても閉塞部位を描出できることと，閉塞側の分腎尿を採取し，尿細胞診を行える利点がある．

iii）順行性腎盂造影法：経皮的に超音波ガイド下で腎杯を穿刺し造影剤を注入する．腎機能が悪化していても閉塞部位を確実に診断でき，また尿細胞診も施行できる．

iv）逆行性尿道造影法：従来前立腺肥大症の診断に多用されていたが，疼痛を伴い，尿路感染を引き起こすこともあるため，近年実施されることは少ない．

v）CT：尿路の閉塞部位や範囲，原因と水腎症や腎実質の萎縮の程度を評価できる．CT 尿路造影による評価も可能であり，超音波検査に続いて行われることが多い．得られる情報量が多いため，最近では排泄性尿路造影よりも頻用される．

vi）MRI：MRI を利用した MR 尿路造影（MRU）は腎機能障害があっても，非侵襲的に閉塞の部位を容易に診断できる．T2 強調像を用いた MRU は，腎機能に依存することなく拡張した上部尿路を明瞭に描出でき，尿路拡張の程度と閉塞部位を明らかにできる．ガドリニウム造影剤を用いた場合には，T1 強調像で排泄性尿路造影と同様の像を得ることができる．ただし結石の描出には不適当である．

c）内視鏡検査：腎盂尿管鏡検査が，上部尿路閉塞，腎盂・尿管癌などの治療的目的も兼ねて行われる．腫瘍病変の場合には生検や電気切除，レーザー切除も行う．結石の場合にはレーザーや空気圧を用いた砕石を同時に行う．下部尿路閉塞では尿道狭窄や前立腺肥大症に伴う尿路閉塞の程度などを膀胱尿道鏡で診断する．

治療・予後

閉塞性腎・尿路疾患の治療は外科的に閉塞を取り除

くことが必要である．他臓器の癌の浸潤ないし転移によって上部尿路隙塞が起こっている場合など，上部尿路閉塞の場合，腎機能改善を目的とした閉塞の解除のために，尿管ダブルJカテーテルの留置や超音波ガイド下で経皮的腎瘻造設術を行う．尿管結石や尿管腫瘍などの場合には原因疾患の治療が必要である．下部尿路閉塞による尿閉の場合には，経尿道的にバルーンカテーテルを留置する．尿道カテーテル留置が困難な場合は膀胱瘻をおき，全身状態の改善を待って原疾患の治療を行う．腎後性腎不全をきたしている場合は，尿路閉塞の解除に伴う尿細管におけるナトリウム再吸収の低下により利尿を生じるため，脱水に注意して適切な輸液を行う．急性閉塞の場合は腎機能障害が残らずに回復する場合も多い．

残尿を伴う神経因性膀胱の場合には，残尿を減らすため間欠的自己導尿を指導する． 〔小川良雄〕

3）尿路感染症
urinary tract infection：UTI

UTIは呼吸器感染症についで頻度が高い．尿路感染症は腎，腎盂，尿管の上部尿路感染症と，膀胱尿道の下部尿路感染症に区別される．また尿路に異常の存在しない単純性尿路感染症と，何らかの泌尿器科疾患あるいは糖尿病などの易感染性を生じる基礎疾患を有する複雑性尿路感染症に分けられる．女性は外尿道口が腟前庭に開口して汚染を受けやすいことと尿道が短いことから，単純性尿路感染症の頻度が高い．幼小児期の尿路感染症は尿路奇形に起因することが多い．また高齢者では下部尿路の通過障害や合併症を背景とする複雑性尿路感染症が多くなる．単純性尿路感染症の原因菌の多くは大腸菌である．複雑性尿路感染症では再発，再燃慢性化がみられやすく基礎疾患の治療も必要となる．

(1) 腎盂腎炎（pyelonephritis）
概念・病態

腎盂腎炎は，細菌感染による腎盂，腎杯および腎実質に及んだ炎症と定義される．急性単純性腎盂腎炎は性的活動期の女性に多く，慢性複雑性腎盂腎炎は高齢者に多い．単純性尿路感染症の原因菌は大腸菌が70〜80％を占める．複雑性では大腸菌のみならず緑膿菌や腸球菌も原因菌となることが多いので注意を要する．

診断

悪寒・戦慄を伴う高熱，腰背部痛を訴えることが多い．また，先行する頻尿，排尿時痛などの膀胱炎様症状を伴うことも多い．特徴的な身体所見として患側の肋骨脊柱角叩打痛（costvertebral angle tenderness：CVA tenderness）が認められる．尿所見では膿尿，細菌尿がみられる．尿沈渣で膿尿は白血球5個/HPF以上，細菌尿は細菌 10^4 CFU/mL以上のことが多い．尿培養により原因菌を決定する．敗血症を疑う場合には血液培養も行う．血液検査では白血球増加，赤沈亢進，CRP上昇などの炎症所見がみられる．複雑性では水腎症を有する場合が多いため，腹部超音波検査などの画像検査が必要である．腹部造影CTは患側腎の腫大，感染部位の造影効果の低下を認め，基礎疾患の検索にも有用である（e図13-14-A）．

最近抗菌薬に対する多剤耐性菌が増加しているため，原因菌の薬剤感受性検査が必須である．

治療

安静，輸液，抗菌薬投与が重要である．単純性では大腸菌を念頭においた抗菌薬の選択を行う．高齢者，基礎疾患がある複雑性腎盂腎炎では，緑膿菌や腸球菌なども原因菌となるので，感受性の広い薬剤選択を行う．輸液，水分摂取により2000 mL/日以上の尿量を保つようにする．易感染性がある場合には膿腎症へ進展することがあり，発症早期より速やかに抗菌薬投与を開始することが必要である．再発することが多いため，抗菌薬は2週間程度は確実に投与することが必要である．

(2) 膀胱炎（cystitis）
概念・病態

膀胱炎は，急性単純性と複雑性に分類される．多くは細菌性の炎症であるが結核，ウイルス，放射線，薬剤も原因となる．急性単純性は性的活動期の若年女性や閉経後の萎縮性腟炎を有する高齢女性に多い．性行為との関連による発症もある．寒冷，疲労などストレスも誘因となる．原因菌は大腸菌が多く70〜95％を占める．前立腺肥大症や神経因性膀胱などの下部尿路疾患がある高齢者や糖尿病などの基礎疾患がある複雑性膀胱炎では緑膿菌や腸球菌などの分離頻度が高くなる．

診断

頻尿，排尿時痛，尿混濁が3大主徴である．通常発熱は伴わない．排尿終末時に排尿時痛が強いことが特徴である．尿は肉眼的に混濁があり，ときに肉眼的血尿も認める．尿沈渣では膿尿，細菌尿を認める．膿尿は白血球5個/HPF以上，細菌尿は細菌 10^4 CFU/mL以上と定義される．中間尿で尿細菌培養を行い原因菌を同定し，薬剤に対する感受性試験を行う．

治療

急性期には保温，安静，水分摂取を基本とする．急性膀胱炎はニューキノロン系抗菌薬を3日間かセフェム系抗菌薬7日間の投与が推奨されている．

(3) 尿道炎 (urethritis)

概念・病態

尿道炎は性行為感染症（STD）に起因することが多い．尿道炎は原因菌により，淋菌性尿道炎と非淋菌性尿道炎に分けられる．非淋菌性の 50% はクラミジア（Chlamydia trachomatis）によるものであり，ほかにウレアプラズマ，トリコモナス，Gram 陽性球菌，Gram 陰性桿菌などが原因病原体にあげられる．

診断

性的活動期の男性に多く，排尿時痛，尿道分泌物を訴える．尿沈渣で膿尿を認める．感染機会から発症までの潜伏期間，排尿時痛と分泌物の性状で淋菌とクラミジアの鑑別は比較的容易である．淋菌では潜伏期間は 2〜5 日間で尿道分泌物は黄色膿状，排尿時痛も強いことが多い．クラミジアでは潜伏期間は 10〜14 日間で尿道分泌物は透明である．分泌物は粘液状少量であり症状は軽度である．淋菌の検出は鏡検で Gram 陰性双球菌を認めるか，核酸増幅（PCR）法で行われるのが一般的である．クラミジアは酵素免疫法または淋菌と同様 PCR 法による検出が主流である．

治療

淋菌とクラミジアでは使用する抗菌薬が異なるので注意を要する．淋菌は薬剤耐性を獲得しやすく，これまで汎用されてきたキノロンは 80% 以上の原因菌ですでに耐性を示している．淋菌性尿道炎に対し，現在有効な経口抗菌薬はなく，セフトリアキソン，セフォジジム，スペクチノマイシンのいずれかの単回投与が行われる．クラミジアではテトラサイクリン系またはニューキノロン系の抗菌薬を通常 2 週間経口投与する．

(4) その他の尿路感染症

a. 腎膿瘍（renal abscess）

腎膿瘍は腎実質中に膿性分泌物が貯留し膿瘍を形成した病態である．腎盂腎炎同様に発熱や腰痛がみられる．血行性感染や尿路の上行性感染により発症すると考えられている．抗菌薬による化学療法が治療の主体であるが，膿瘍の穿刺，ドレナージや腎摘除などの外科的処置が必要となるケースも少なくない．

b. 腎乳頭壊死（renal papillary necrosis）

腎乳頭の壊死，脱落をきたす劇症急性炎症で菌血症を伴う重篤な感染症である．発熱，強い腰痛，肉眼的血尿，膿尿がみられ，ショックに陥ることも少なくない．糖尿病患者の腎盂腎炎や鎮痛薬（おもにフェナセチン）の長期連用患者の間質性腎炎に合併することがある．

〔小川良雄〕

4）膀胱尿管逆流症
vesicoureteral reflux：VUR

概念

尿管は解剖学的に膀胱壁筋層から膀胱粘膜下を斜行し，尿管から膀胱への一方通行の機能的な弁機能を有している．正常では腎から膀胱に流入した尿は，膀胱尿管移行部の弁機能のため尿管に逆流しない．何らかの原因で膀胱から尿管・腎盂へ尿が逆流する現象を膀胱尿管逆流症とよぶ．膀胱尿管逆流症は原発性と続発性に大別される．

原発性膀胱尿管逆流症は，尿管の膀胱への進入部位の位置異常のため膀胱粘膜下内の尿管長が先天的に短いこと，膀胱の筋層の支持組織の形成不全により，弁機能が障害されていることが原因となる（図 13-14-3）．また尿管口の形態異常もみられ，尿管口の収縮が悪く，開存したままのことがある．原発性膀胱尿管逆流症は，小児の 1〜2% に認められる頻度の高い泌尿器奇形である．小児の膀胱尿管逆流症は，男児では出生前診断されることが多く，尿路感染の既往がないにもかかわらず，腎シンチグラムではすでに 30% の患者に腎瘢痕化が認められる．女児では尿路感染症で見つかることが多く，腎障害も軽度である．小児膀胱尿管逆流症の約 50% は発達に伴い消失するが，グレードⅣ，Ⅴの膀胱尿管逆流症では 20% 程度しか消失しない．

続発性膀胱尿管逆流症は，神経因性膀胱や排尿障害など膀胱内圧が上昇することにより逆流防止機構が障害されるときに発生しやすい．膀胱尿管逆流症では尿路感染症が起こりやすく，しばしば腎盂腎炎を起こし，さらに腎の瘢痕化，高血圧，腎不全の原因となる．

分類

膀胱尿管逆流症は逆流の程度によりグレードⅠ〜Ⅴに分類されている（図 13-14-4）．

グレードⅠ：尿管のみへの逆流．尿管拡張なし．

グレードⅡ：腎盂・腎杯までの逆流．腎盂・尿管の拡

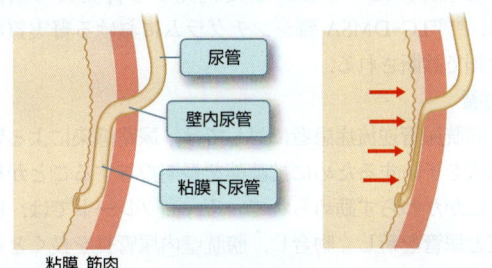

図 13-14-3 尿管の膀胱への進入
排尿時に粘膜下尿管が圧迫されて，尿管が閉鎖され，逆流防止作用をもつ．

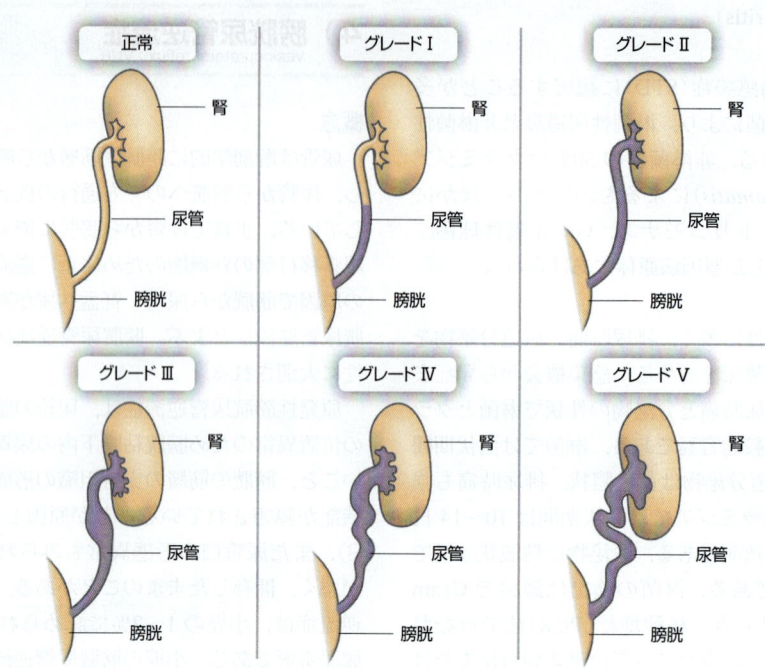

図 13-14-4 膀胱尿管逆流症の国際分類

張なし．
グレードⅢ：腎盂・腎杯までの逆流．腎盂・腎管の軽度〜中等度拡張腎杯は正常〜軽度鈍円化．
グレードⅣ：腎盂・腎杯と尿管の中等度拡張・屈曲腎杯は鈍円化するが腎乳頭は存在．
グレードⅤ：腎盂・腎杯と尿管の高度拡張・屈曲．腎杯の完全鈍円化と腎乳頭の消失．

診断

膀胱尿管逆流症の存在を疑う臨床徴候として以下の項目が診断に重要である．

①家族歴．小児では両親に膀胱尿管逆流症がある場合，小児の 2/3 にが認められる．また兄弟に膀胱尿管逆流症がある場合は頻度が高い．②排尿障害がある場合．③腎盂腎炎を起こした場合や膀胱炎が反復する場合．尿路感染は膀胱尿管逆流症を疑う最も重要な因子である．排尿時膀胱尿管造影検査が診断確定に必須である（ⓔ図 13-14-B）．また続発する腎実質の瘢痕は，^{99m}TC-DMSA 腎シンチグラムにおける腎実質の欠損で診断される．

治療

膀胱尿管逆流症患者に対しては，尿路感染による腎障害を予防するために抗菌薬を長期投与することが程度にかかわらず勧められている．高グレードでは，膀胱と尿管を新しく吻合し，膀胱壁内尿管長を長くとる膀胱粘膜下トンネル法による逆流防止手術の適応となる．最近はコラーゲンを尿管口下に注入することが低グレード症例で行われている．手術治療によって尿路感染症は減少するが，腎実質障害を予防する効果はないとされている．続発性膀胱尿管逆流症でも，原発性同様に尿路感染や腎障害が起こる．治療は原因疾患の治療あるいは，残尿がある場合は，導尿により残尿を減らす．また少数であるが膀胱拡大術を行い，膀胱を低圧に保つ治療が行われる．　　〔小川良雄〕

5）神経因性膀胱
neurogenic bladder

定義・概念

神経因性膀胱とは，排尿機能を調節している神経排尿反射回路（脳・脊髄・末梢神経）のいずれかの部位に異常・障害・疾病が起きることで排尿機能障害が生じる病態をいう．

分類・病因

排尿を司る脳，脊髄，末梢神経に病変を有する疾患と外傷が神経因性膀胱の原因となる．おもな疾患として，脳血管障害，神経変性疾患，脊髄損傷，子宮癌や直腸癌などの骨盤腔広範手術後，および糖尿病がある．神経障害の部位により①脳幹部より上位中枢の障害（脳血管障害，脳腫瘍など），②脳幹部病変（Parkinson 病，多発性硬化症など），③仙髄より上位の脊髄障害（外傷性脊髄損傷，脊髄腫瘍，多発性硬化症など），④仙髄または末梢神経障害（骨盤腔内手術後，糖尿病，脊髄髄膜瘤など）の 4 群に大別する分類があり，それぞれの障害部位に典型的な下部尿路障害

の症状をきたす．

臨床症状

症状は蓄尿時と排尿時に区別される．尿をためることや尿を出すことがスムーズにいかず，それぞれ蓄尿障害，排尿障害といった症状が現れる．蓄尿障害を示す症状としては，頻尿，夜間頻尿，尿意切迫感，尿失禁などがあり，さらに尿失禁は，腹圧性尿失禁，切迫性尿失禁，混合性尿失禁，遺尿，夜間遺尿（夜尿）などに分けられる．神経因性膀胱で起きる尿失禁では，蓄尿相において不随膀胱収縮をきたす排尿筋過活動や，尿道括約筋が弛緩した尿道括約筋機能不全によって生じることが多い．排尿障害を示す症状としては尿勢低下，尿線断裂，尿線中断，排尿開始遅延，いきみなどの腹圧排尿，排尿終末時尿滴下に分けられる．原因として糖尿病などにより膀胱収縮力の低下した排尿筋低活動や尿道括約筋が弛緩しない尿道括約筋過活動があげられる．排尿筋括約筋協調不全など両者を合併する場合もある．個々の症状は，神経障害の部位および病変の程度によりさまざまで，排尿障害と蓄尿障害が混在する場合もある．

合併症

膀胱炎などの再発性尿路感染，尿路結石，萎縮膀胱，膀胱憩室の形成などの合併症がみられる．高度の排尿機能障害があると，膀胱尿管逆流症を伴う水腎症がみられ，重症例では腎後性腎不全となるため，的確な診断が重要となる．

診断

脳血管障害や脊椎疾患，神経変性疾患などの有無，手術歴の有無などの病歴を確認する．一般の診療では，下部尿路症状の丁寧な問診と排尿記録や超音波下の残尿測定は簡便かつ有用で，鑑別診断のみならず，治療経過観察でも得られる情報が多い．身体的，神経学的所見では，直腸診を行い，肛門括約筋反射や球海綿体筋反射の有無や前立腺肥大症の有無を確認し，二分脊椎や骨盤の変形などにも留意する．形態検査（腎・膀胱形態）として，DIPなどの排泄性尿路造影，腹部超音波検査，MRI検査，膀胱造影検査などが行われる．膀胱造影検査法は，膀胱容量の評価と逆流の検出を行うことができる．最終的には尿流動態検査が必要で泌尿器科専門医により，尿流量測定，残尿測定，膀胱内圧測定，尿道括約筋筋電図，pressure flow study，尿道内圧測定，video-urodynamics などを患者の適応にあわせて行う．治療につながる重要なポイントは前述した下部尿路機能障害のタイプを正確に診断することである．また近年，蓄尿機能障害のなかでも特に尿意切迫感を呈する状態を，過活動性膀胱（overactive bladder：OAB）という症状症候群として別に定義することになった．

治療

原因疾患の治療とともに，まず排尿障害を蓄尿障害と排出障害の2つに分け，それぞれの治療を行う．しかし，神経因性膀胱では排尿障害と蓄尿障害が合併している場合も多い．十分な膀胱容量（排尿間隔2時間以上）があり，残尿率20％以下（100 mL以下）で，失禁がない状態を目指す．重症例では，腎機能の保持，尿路感染などの合併症を回避することを目標とした尿路管理を行う．

1）蓄尿障害に対する治療法： 排尿のリハビリテーションを目的として，肥満，喫煙，多飲などを改善させる生活指導や排尿筋過活動に対する訓練療法として排尿を我慢させる膀胱訓練，骨盤底筋体操などの理学療法を指導する．薬物療法としては，排尿筋過活動に対する薬物療法としてオキシブチニン，プロピベリン，イミダフェナシン，ソリフェナシン，トルテロジン，フェソテロジンなど抗コリン薬で膀胱の過剰な収縮を抑制する．副作用として，口渇，便秘，頻脈などがあり，閉塞隅角緑内障には禁忌である．また，高齢者では記銘力の低下に注意を要する．最近，過活動膀胱に対してβ_3作動薬であるミラベグロンが認可され，抗コリン薬の副作用がないため頻用されるようになりつつある．重度の障害に対しては，オキシブチニンなどの膀胱内薬物注入療法（保険適用外），電気刺激療法，腸管を利用した膀胱拡大術などの手術療法が行われる．

2）排出障害に対する治療法： 排出障害については膀胱の収縮力を増加させ，尿道の抵抗を減弱させる治療となる．排尿筋低活動では腹圧を上昇させたり，手で圧迫して排尿を誘導する方法を用いる．残尿が多く，排尿困難が高度で，尿路感染や高圧排尿の期間がある場合，間欠（自己）導尿を指導する．薬物療法としては，ベタネコールやジスチグミンなどのコリン作動薬にて排尿筋収縮を増強させる．排尿管理の最終手段として，尿道カテーテル留置が選択されるが，尿路感染や萎縮膀胱，特に男性では尿道瘻の合併症などをきたすため，膀胱瘻造設術が望ましい．

〔小川良雄〕

6）腎・尿管結石
renal stone, ureteral stone

尿路結石症は泌尿器科領域のなかで最も頻度が高い疾患の1つである．古くから普遍的な疾患であり，古代エジプトのミイラに膀胱結石が発見されている．19世紀までは下部尿路結石である膀胱結石が大勢を占めていたが，1945年以降上部尿路結石である腎・尿管結石の占める割合が急速に増加した．1965年以降は上部尿路結石が全尿路結石の95％を占めている．尿路結石の治療は，以前は開放手術が行われていた．

1980年代に入って，体外衝撃波砕石術(extracorporeal shock wave lithotripsy：ESWL)や経尿道的尿管砕石術(transurethral ureterolithotripsy：TUL)，経皮的腎砕石術(percutaneous nephrolithotripsy：PNL)といった尿路内視鏡手術(エンドウロロジー)が導入された．これによって侵襲が低く有効な治療法が確立し，治療戦略が大きく変化した．

分類

上部尿路結石を結石成分で頻度順に分類すると，シュウ酸カルシウム，リン酸カルシウム単独または混合結石，尿酸，リン酸マグネシウムアンモニウムなどの感染結石，シスチン結石の順となる．膀胱結石は神経因性膀胱や前立腺肥大症などの下部尿路通過障害や，膀胱憩室，長期臥床，尿道カテーテルの長期留置が原因疾患であることが多く，男性に高頻度で認められる(約75％)．感染性結石は女性の頻度が高く，尿路感染症の頻度が高いことが原因とされる．腎盂と2つ以上の腎杯に連続する結石を珊瑚状結石とよぶ．無症状で発見されることが多く，プロテウス属などのウレアーゼ産生菌の関与も指摘されている．腎機能の温存や尿路感染症の予防のためにも積極的治療を考慮する必要がある．

原因・病因

尿路結石は腎臓で尿中のカルシウムや尿酸などの結石構成塩類が析出し，そこに蛋白質(オステオポンチン)などの有機物が影響を及ぼすことによって形成されると考えられている．尿路結石の成分は，カルシウム(シュウ酸カルシウム，リン酸カルシウム)が約90％と最も多く，ついで尿酸4.6％，リン酸マグネシウムアンモニウム2.3％，シスチン0.9％，その他が0.4％である．結石の発生機序に関しては不明の点もあり，尿路結石の形成は複合要因による多因子疾患であるとされる(eコラム1)．

頻度

尿路結石の生涯罹患率は男性で15.1％，女性で6.8％と，男性に多い傾向がある．年齢別にみると，男性の尿路結石症の発症は，20歳から増え40歳代に好発年齢のピークを認める正規分布に近い分布である．女性では50歳代に発症のピークがあり，閉経などのホルモンバランスの変化が関与している．尿路結石の罹患率はこの10年間に上昇している．その要因として①食生活や生活様式の欧米化により，動物性蛋白質，脂肪を多くとる食生活が定着したこと，②診断技術の向上(CTや超音波検査が広く行われるようになったこと)，③人口構成の高齢化，などがあげられる．尿路結石の再発率は5年間で50％と高く，再発予防が重要である．

臨床症状

腎結石は無症状のことが多く，健診や血尿の精査中に偶然見つかることが多い．男性および閉経後の女性に急激に発症する，血尿を伴う腰背部痛を認めたとき，尿路結石を疑う．疝痛発作は尿が濃縮される夜間〜明け方が多い．身体所見ではCVA knocking pain(肋骨脊柱角の叩打痛)がみられる．通常は腹膜刺激症状を伴わない．尿路結石では血尿を認めることがふつうだが，尿管に結石が完全嵌頓した場合には，尿流が停滞するため，尿潜血・血尿が陰性になることもある．

検査所見・診断

診療にあたっての診断は，①病歴(薬歴も含む)聴取，身体診察，②尿検査，末梢血液検査，CRP，血液生化学(クレアチニン，尿酸，カルシウム，リン)検査，③腎尿管膀胱部単純X線撮影(KUB)(e図13-14-C)，④腹部超音波断層法，⑤腹部単純CT，排泄性尿路造影(DIPもしくはIVP)を行う．救急時は，尿沈渣，腹部超音波検査による．

患側腎の腎盂の拡張および腹部CTにて尿路内の結石を証明することで，結石の存在診断を行う．

鑑別診断

急性腹症をきたす疾患(虫垂炎，イレウス，卵巣囊腫の軸捻転，異所性妊娠など)，腰痛をきたす整形外科的な疾患，尿管腫瘍との鑑別を要する．家族歴，過去の尿路結石の治療歴の情報を得ることが重要である．

治療・予後

疝痛発作に対しては，鎮痙薬，鎮痛薬の投与，輸液を行う．繰り返す疝痛発作，尿路感染の合併，持続する上部尿路閉塞(水腎症)で腎機能の低下が懸念される場合には，ESWL，PNL，TULなど，生体への侵襲を最小限に抑えた治療を考慮する．

再発予防

尿路結石は再発する頻度が高く，カルシウム含有結石の再発率は30〜50％である．クエン酸製剤が再発予防に有効である．代謝疾患に起因する結石も存在するために，結石分析が必須であり，病因に対しての治療は再発予防の観点からも重要である．カルシウム結石に関しては1日2000 mL以上の飲水指導を行い，不規則な食生活や，動物性蛋白質，高脂肪食の改善を行う．

〔小川良雄〕

7) 腎・尿路腫瘍

(1) 腎腫瘍 (renal tumor)

腎にできる腫瘍の80％以上は腎細管上皮細胞が癌化した腎細胞癌である．それに対して良性腫瘍では，腎血管筋脂肪腫やオンコサイトーマがあげられ鑑別が必要である．

a. 腎細胞癌（renal cell carcinoma）

分類・病因
病理組織学的には，いくつかのタイプがあり，淡明細胞癌が約80％と最も多い．危険因子として，肥満，高血圧，喫煙，金属・化学物質・有機溶媒との接触などが示されている．最近では，3番染色体上に存在するVHL（von Hippel-Lindau）遺伝子との関連が注目される淡明細胞癌や7番染色体上の c-MET 遺伝子との関連が深い乳頭状癌のように，遺伝子レベルでの分類が注目されている．また，慢性透析患者にみられる後天性腎嚢胞性疾患（acquired cystic disease of the kidney）に合併する腎細胞癌もある．

頻度
50〜70歳代にかけて多く，男女比は2〜3：1である．

臨床症状
血尿，疼痛，腫瘤触知が3主徴といわれるが，最近では健診や他疾患の検索の際に画像で偶然発見される偶発癌が70〜80％と多くなってきている．発熱，体重減少，全身倦怠感などの尿路外症状で発見されることもあるが，このような場合は進行癌で予後不良なことが多い．

検査所見・診断
腹部超音波検査，CT，MRI検査において，充実性で内部不均一な腫瘍像を呈することが多い．造影剤によるダイナミックCTは診断に重要であり，CT，MRIの造影パターンで，ある程度の組織型までの鑑別が可能である（e図13-14-D）．特異的な検査値異常はないが，貧血，CRP，赤沈，$α_2$-グロブリン上昇などがみられることがある．

治療
転移が認められない場合には，手術による摘除が唯一の根治的治療法である．大きな腫瘍の場合には，周囲脂肪組織を含め，腎を一塊に摘出する根治的腎摘除術が行われるが，最近では，小さな腎細胞癌やできる場所によっては，将来的な腎機能温存を目的として，腎部分切除術などが行われることが多くなってきた．転移をきたした場合でも，可能ならば先行して原発巣を摘除し，その後に転移巣に対する治療を行う．摘出可能な転移巣ならば摘出し，それ以外では，分子標的薬による治療が行われることが多い．現在，分子標的薬はVEGFR阻害薬とm-TOR阻害薬が使用されている．その他，従来からのインターフェロン-α，インターロイキン-2などの免疫療法も有効とされている．抗悪性腫瘍薬で有効なものはなく，放射線感受性は低い．

予後
ステージT2までで転移がなければ，80％以上の5年生存率が期待できるが，初診時に転移が存在する癌では，20％以下である．予後予測因子を考慮した治療法の選択が必要とされる．

(2) 腎盂腫瘍・尿管腫瘍（renal pelvic tumor, ureteral tumor）

腎盂，尿管上皮由来の腫瘍で，90％以上が尿路上皮癌である．症状としては，肉眼的血尿が多いが，尿路閉塞が生じると腰背部痛や側腹部痛も起こる．排泄性尿路造影やCT尿路造影で腫瘍による陰影欠損を認める．また，逆行性腎盂尿管造影で診断されることもあり，同時に尿細胞診検査を行う．浸潤や転移のない癌の場合には，腎尿管全摘除術が治療の基本となる．高分化型腫瘍に対しては，尿管部分切除術や内視鏡的切除術が選択されることもある．約30〜50％に膀胱内再発が認められるため，定期的に膀胱内観察も必要である．腎盂，尿管壁は薄いため壁外進展をきたしやすい．尿路外や腎実質浸潤のあるものや転移性病変に対しては，化学療法が選択されるが予後は不良である．

(3) 膀胱腫瘍（bladder tumor）

分類
病理組織型では，90％以上が尿路上皮癌である．悪性度の低い乳頭状，有茎性腫瘍から非乳頭状，浸潤性腫瘍のものまで多様性があること，多発性の傾向が強いこと，再発率が高いことが特徴である．その他の組織型としては，扁平上皮癌が5〜10％，腺癌が1〜2％にみられる．

原因・病因
芳香族アミン（ベンチジン，β-ナフチラミン，4-アミノビフェニール）が膀胱癌を引き起こす．喫煙もリスクを4〜5倍高めている．

頻度
尿路性器悪性腫瘍では，前立腺癌についで多い癌である．男女比は4：1と男性に多く，年齢では60〜70歳代にピークがあるが，若年者にもみられる．初診時の60〜70％が筋層非浸潤癌（表在癌）である．

臨床症状
初発症状として，無症候性肉眼的血尿が最も多い．ときに凝血塊をみることがあるが，一般的には排尿痛などの自覚症状がない．逆に，膀胱上皮内癌（carcinoma in situ：CIS）では，頻尿，排尿痛などの膀胱刺激症状がある．

診断
尿検査における血尿はほぼ必発である．尿細胞診は，特異度は高いが陽性率は半分以下であり，高分化腫瘍では陰性のことも多い．膀胱上皮内癌では陽性率が高く，診断に有用である．膀胱鏡検査による腫瘍の確認と生検による病理組織学的診断が確定診断となる

（e図 13-14-E）．膀胱充満時における腹部超音波検査やCT検査は膀胱内腔に突出する腫瘍ではきわめて有用である．MRI検査は腫瘍の膀胱壁への浸潤度を検索するために重要である．

鑑別診断
肉眼的血尿の原因となる膀胱炎，尿路結石，前立腺肥大症，その他の尿路癌などとの鑑別を要する．

治療
表在性腫瘍は経尿道的膀胱腫瘍切除術（transurethral resection of bladder tumor：TUR-Bt）を行う．しかし，50〜60％は膀胱内再発を起こすため，多発，再発を繰り返す場合には，マイトマイシンC，ドキソルビシン系抗癌薬の膀胱内注入療法が行われる．さらに，膀胱上皮内癌や抗癌薬で再発するとき，ハイグレードの腫瘍には，BCGの膀胱内注入療法が行われる．pT1でハイグレード（G3）症例については，セカンドTUR-Btが推奨されている．

筋層をこえる浸潤性膀胱癌では，膀胱全摘術ならびに尿路変更術が基本治療となる．膀胱壁外浸潤や転移性病変が存在する場合には，GC療法（ゲムシタビン，シスプラチン）を中心とした多剤併用化学療法が行われている．

予後
表在性癌であれば，再発率は高いものの予後はよく，5年生存率は80％をこえる．浸潤癌や転移性癌の場合は予後不良であり，5年生存率は30〜40％程度となる．

(4) 尿膜管癌（urachal cancer）
胎生期に膀胱からの排出経路として臍の緒につながっている尿膜が，通常は出生後閉鎖するが，それが索状に残存したものを尿膜管という．この尿膜管の部分が癌化したものを尿膜管癌といい，膀胱にできる悪性腫瘍の1つでまれな腫瘍である．大部分が腺癌であり，初期には血尿，違和感などの症状が出にくい．尿膜癌の診断には，膀胱鏡検査で膀胱頂部に腫瘍があることやCT，MRIなどの画像診断を行い，最終的には生検によって腫瘍の一部を採取して病理診断を行うことが重要である．治療としては，手術による外科的摘除が基本となる．

(5) 尿道腫瘍（urethral tumor）
原発性尿道癌は，泌尿器科領域で唯一女性に多い癌であり，ヒトパピローマウイルスの関与が注目されている．扁平上皮癌が約60％を占め，尿道カルンクルとの鑑別も必要である．血尿，排尿症状により発見されることが多い．非浸潤性癌であれば，内視鏡的腫瘍切除も可能であるが，浸潤癌の場合には尿道摘除術＋尿路変更術が必要になる．

(6) 前立腺肥大症（benign prostatic hyperplasia：BPH）
前立腺は男性生殖器の1つで，前立腺液といわれる精液の一部を作る働きをもつ．前立腺癌に対して良性腫瘍の代表が前立腺肥大症であり，前立腺の良性結節性過形成である．前立腺癌がおもに辺縁域から起こるのに対して，前立腺肥大症は移行域より発生する．

原因・病因
前立腺肥大症が直接，癌に移行することはないが，両者の合併はしばしば認められる．前立腺肥大は，加齢とともに性ホルモン環境が変化する事が原因の1つといわれている．前立腺自体が膀胱の出口で尿道を取り囲むように存在するため，肥大すると尿道が圧迫されて，排尿にかかわるさまざまな症状が出現する．

頻度
頻度は年齢とともに高くなり，50歳をこえてくるとより増加し，50歳で30％，60歳で60％，70歳で80％，80歳では90％にみられる．

臨床症状
自覚症状として，排尿症状（尿勢低下，途絶，腹圧排尿），蓄尿症状（頻尿，夜間尿，切迫感），排尿後症状（残尿感）があげられる．前立腺肥大があっても，必ずしも症状が強く出るわけではなく，治療を必要とするのは，その1/4程度といわれている．

診断
自覚症状を主観的に表すものとして，国際前立腺症状スコア（International Prostate Symptom Score：IPSS）のアンケートを利用する．上記7つの症状項目を点数化して評価するもので，患者の困窮度を表すQOLスコアもつけられる．画像検査では，スクリーニングに腹部超音波検査が有用である．前立腺体積と残尿量の推定ができる．精査のためには経直腸的前立腺超音波検査が有用であり，前立腺体積のほか内部性状，血行動態，癌などの検索ができる．直腸診では，腺腫は弾性硬に触れ，左右対称，表面は平滑である．尿流動態検査である尿流量測定検査では蓄尿・排尿機能ならびに残尿量などを評価し，診断，治療に役立てている．PSA採血は前立腺癌との鑑別に必要であるが，腺腫が大きい場合には高値となる事があり，注意を要する．

治療
治療には，どの程度症状が起こるか，またどれくらい生活の支障となるかが重要である．IPSS 8点以上が治療対象とされ，20点以上では重症とされ，1つの目安となる．治療を必要とする場合には，おもに薬物治療，手術治療，保存治療の3つがある．まずは，基本的に，病態や症状に応じて薬物治療が行われ，α_1遮断薬，5α還元酵素阻害薬，抗アンドロゲン薬などが使われる．それでも改善が乏しいときや諸合併症

がみられるときには，内視鏡を標準とする手術療法を行うこともある．経尿道的前立腺切除術（transurethral resection of prostate：TUR-P）が主流であるが，レーザーを用いた蒸散術や核出術も近年よく行われている．リスクの高い高齢者には尿道ステント留置も行われる．

(7) 前立腺癌（prostatic carcinoma）

典型的な高齢者癌であり，一般的に緩徐な発育で，治療をせずに経過観察するケース（監視療法）もある．ただし，なかには急激な発育を示すものもあり，その見きわめが重要である．さまざまな治療法が確立されているが，ホルモン感受性が高く，内分泌療法は治療選択の1つの特徴である．

分類
病理組織学的には95%以上が腺癌であり，まれに小細胞癌，未分化癌，肉腫などがある．

原因・病因
腺癌では，前立腺肥大症と同様にアンドロゲンが細胞増殖に関与している．人種による罹患率の差も示されており，黒人は高く，黄色人種は低い．性習慣や高脂肪食などの食生活が危険因子の1つと考えられている．

頻度
高齢になればなるほど頻度が高くなり，生活習慣の欧米化，高齢化社会，PSA検診（eコラム2）による診断能の向上などにより急激に増加している．男性における前立腺癌の罹患数（2010年）は，胃癌，肺癌，大腸癌についで4番目と多く，さらに増加傾向にあり，2020年には肺癌についで男性癌の2番目になると予測されている．

臨床症状
進行すると血尿や排尿障害などが出現するが，初期の段階においては，一般的には無症状であることが多い．進行癌では骨転移することが多く，腰痛などの骨痛で発見されることもある．

検査所見・診断
検診でのPSA測定，そして泌尿器科受診での直腸診，経直腸超音波検査などが行われるが，MRIでの診断精度も向上している．最終的な診断確定のためには，前立腺針生検による病理組織学的診断が必要である．局所進展度に対してはMRI，リンパ節や他臓器遠隔転移の検索にはCT，骨転移の検索には骨シンチグラフィ検査を行う．

鑑別診断
前立腺癌のほかにも，前立腺肥大症や前立腺炎でもPSAの上昇がみられることがある．

治療・予後
治療法は，癌の段階によってそれぞれ異なってくる．転移がなく，被膜内に癌がある場合は，前立腺全摘除術あるいは放射線療法を行う．最近では，全摘除術においてロボット（ダヴィンチ）支援下手術も保険適応になり急速に普及してきている．被膜外浸潤や遠隔転移がある場合は，内分泌療法が中心となる．LH-RHアゴニストやLH-RHアンタゴニスト，ならびに抗アンドロゲン薬の併用も行われる．早期癌では10年以上の生存が十分期待し得るが，進行癌の内分泌療法では数年で治療抵抗性になることも多く，予後は悪くなる．その場合は，タキサン系抗癌薬や新規抗アンドロゲン薬などが用いられる．

(8) 陰茎癌（penile cancer）

陰茎癌は日本では全男性癌の1%以下と頻度は非常に低い．ほとんどは包茎患者にみられ，不衛生な環境が要因となる．病理学的には扁平上皮癌が大部分を占め，性行為感染症の1つである尖圭コンジローマとの鑑別を要する．治療は，非浸潤癌に対しては，レーザー，放射線療法などの陰茎温存療法が試みられており，浸潤癌に対しては陰茎切断術が適応となる．

(9) 精巣腫瘍（testicular tumor）

精巣腫瘍の90〜95%は胚細胞腫瘍であるが，小児の白血病や成人の悪性リンパ腫が精巣に浸潤し精巣腫瘍を呈することもある．日本人では10万人に1〜2人に発症するが，白人，特に北欧では数倍高いといわれている．初期に転移があっても，化学療法を中心とした集学的治療で根治が期待できる数少ない癌の1つである．

分類
胚細胞腫瘍は精上皮腫（セミノーマ）と非セミノーマとに大別される．非セミノーマのなかには，胎児性癌，奇形腫，絨毛癌，卵黄囊腫瘍がある．

病因・頻度
原因不明であるが，危険因子として，停留精巣，家族歴，対側精巣の癌既往歴などがあげられる．20〜40歳代までに1つのピークがあり，さらには中高年男性にも発生することがある．

臨床症状
通常，痛みを伴わずに陰囊が腫れてくることで発見される．腫瘍の増大速度は速く，早期にリンパ節転移をきたしやすい．その他，肺，肝臓，脳にも血行性転移をする．

検査所見・診断
重要な腫瘍マーカーは，AFP，HCG，LDHである．これらは，治療後の効果判定や再発の検索にも有用である．画像検索としては，超音波検査が有用である．針生検は禁忌であるためCT，PET-CTなどで転移性病変を検索する．

鑑別診断

陰嚢水腫，精液瘤，鼠径ヘルニア，精巣炎，精巣上体炎などとの鑑別を要する．

治療・予後

精巣腫瘍が疑われるときは，全例迅速に高位精巣摘除術を行い，病理組織診断を行う．精巣腫瘍の半分は転移を認めないステージⅠのセミノーマであり，その後は経過観察や予防的放射線療法を選択する．非セミノーマ，進行例，転移例に対しては予後分類（IGCC分類）による追加治療方針決定が推奨されている．シスプラチンを中心とした多剤併用化学療法を行うが，セミノーマでは放射線感受性も高い．シスプラチン導入後の治療成績はよく，転移症例の 80％以上を治癒に導けるようになってきた．　　　　　〔小川良雄〕

8）腎・尿路の先天性異常
congenital anomaly of the urinary tract

腎・尿路性器の先天異常は近年では先天性腎尿路奇形症候群（congenital anomalies of kidney and urinary tract：CAKUT）と総称される．その頻度は比較的多く，約 500 出生に 1 例といわれている．また，生殖器の異常と密接に関連することも多い．腎の異常としては，無形成や低形成などの発生異常，融合腎，位置・回転の異常，囊胞性腎疾患【⇨13-14-1】がある．上部尿路の異常では，重複腎盂尿管，尿管異所開口，尿管瘤，下大静脈後尿管，腎盂尿管移行部狭窄，尿管膀胱移行部狭窄（e図 13-14-F），巨大尿管症による水腎症などがある．

(1) 馬蹄鉄腎 （horseshoe kidney）

癒合腎（fused kidney）の 1 つで左右腎の下極が融合し，腎の上昇と回転が阻害されるのが馬蹄鉄腎である（e図 13-14-G）．400 人に 1 人にみられ，男性に多い．Turner 症候群の 60％，18 トリソミーの 20％に合併する．腎臓の位置は低く腎盂は腹側を向き，尿管は腎を乗り越えるように走行するために尿路通過障害を起こす場合もある．背屈すると尿路通過障害が増悪して腹痛が起こる（Rovsing 徴候）．狭部離断手術が必要になることもあるが，大部分は治療を要しない．

(2) 重複腎盂尿管 （duplication of the renal pelvis and ureter）

約 1/125 例にみられ，男女差はないとされる．発生過程で中腎管から 2 つの尿管芽が分岐すると，上腎盂と下腎盂に尿管がおのおの連続し，膀胱に開口する重複腎盂尿管となる．2 本の尿管が別々に膀胱に開口する完全型と，2 本の尿管が膀胱に開口する前に 1 本になる不完全型がある．上半腎の尿管は尾側かつ内

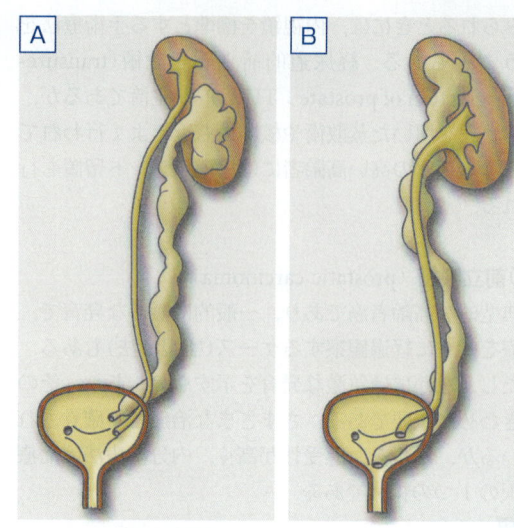

図 13-14-5 重複腎盂尿管
A：上半腎所属尿管は正常な尿管口に開口し，下半腎所属尿管は頭側に開口している．
B：下半腎所属尿管は正常な尿管口に開口し，上半腎所属尿管は尾側に開口している．

側に開口し，下半腎の尿管は頭側かつ外側に開口する（Weigert-Meyer の法則）（図 13-14-5）．したがって，異所開口や水腎症は上半腎の尿管に多く，膀胱尿管逆流現象（vesicoureteral reflux：VUR）は下半腎の尿管に多い．尿路感染症や排尿障害などの有症状の場合には，尿路再建術などの手術療法の適応となる．
　　　　　　　　　　　　　　　　　　〔小川良雄〕

9）腎下垂
nephroptosis

腎は呼吸性に移動するが，立位になると腎臓が仰臥位のときより 2 椎体以上下降するのが腎下垂と定義する．やせた女性に多くみられ，右腎に多い．腎のうっ血ならびに水腎症による側腹部痛や腰痛，胃腸症状，血尿，蛋白尿，高血圧，頻尿をきたすこともある．臨床症状を有する場合は，筋力の増強，体重の増加，腹帯やコルセット装着を勧める．漢方薬が奏効することもあるが，難治の場合には体腔鏡下に腎固定術を行う．　　　　　　　　　　　　　　　〔小川良雄〕

■文献

赤座英之監：標準泌尿器科学 第 9 版，医学書院，2014.
日本泌尿器科学会，日本泌尿器内視鏡学会，他編：尿路結石診療ガイドライン 第 2 版，金原出版，2013.
吉田　修監：ベッドサイド泌尿器科学 改訂第 4 版，南江堂，2013.

14. 内分泌系の疾患

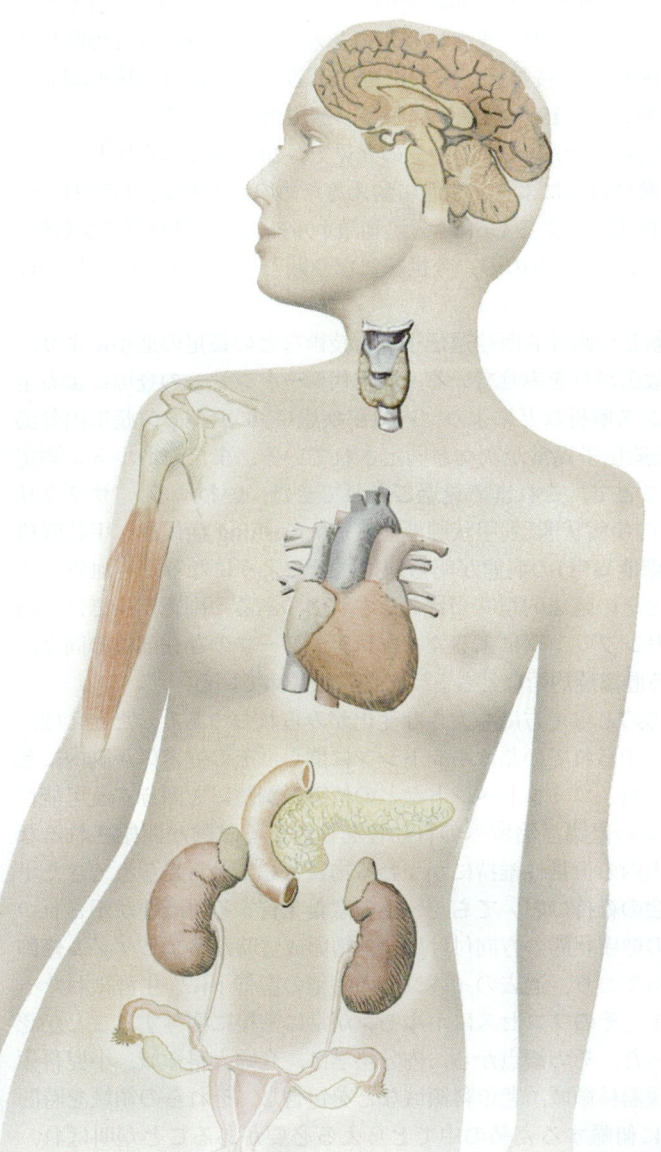

1. 内科学総論
2. 老年医学
3. 心身医学
4. 症候学
5. 治療学
6. 感染症
7. 循環器
8. 血圧の異常
9. 呼吸器系
10. 消化管・腹膜
11. 肝・胆道・膵
12. リウマチ・アレルギー
13. 腎・尿路系
14. 内分泌系
15. 代謝・栄養
16. 血液・造血器
17. 神経系
18. 環境要因・中毒

🟥 内分泌系

14.1 総論 ……………………… 1515	14.9 多発性内分泌腫瘍症 ……… 1668	14.16 インクレチンとエネルギー代謝 ……………………… 1687
14.2 視床下部・下垂体 ………… 1523	14.10 神経内分泌腫瘍（カルチノイド腫瘍）……………………… 1672	14.17 加齢とホルモン/ホルモン補充療法 ……………………… 1688
14.3 下垂体後葉 ………………… 1556	14.11 異所性ホルモン産生腫瘍 … 1674	
14.4 甲状腺 ……………………… 1565	14.12 ホルモン受容体異常症 …… 1678	14.18 内分泌攪乱物質 …………… 1692
14.5 副甲状腺・カルシトニン・ビタミンD ……………………… 1591	14.13 心臓血管ホルモンと疾患 … 1681	14.19 乳腺疾患 …………………… 1693
14.6 副腎皮質 …………………… 1610	14.14 脂肪由来ホルモンと疾患 … 1683	14.20 子宮頸癌・子宮体癌・卵巣癌 ……………………… 1698
14.7 副腎髄質 …………………… 1649	14.15 摂食調節ホルモンと肥満 … 1684	
14.8 性分化疾患 ………………… 1661		

内分泌系疾患における新しい展開

　前世紀末，心臓血管ホルモンや脂肪組織由来ホルモンなどがおもに日本人研究者の手により続々と発見され，まさにホルモンのゴールドラッシュの時代を迎えた．そして，1998年，桜井武，柳沢正史による，覚醒維持，睡眠調節ホルモンであるオレキシン，1999年，児島将康，寒川賢治による，胃から分泌されるエネルギー代謝にかかわるグレリンの発見で，20世紀が幕を閉じた．その後，2000年，伊藤信行らにより，飢餓に耐えるためのホルモン，FGF21が，2001年には，大滝徹也によるGnRH分泌刺激ホルモンのキスペプチン（メタスタチン）の発見がなされたものの，今世紀になり新しいホルモンの発見は停滞の感がある．

　しかしながら，新しい画像診断や遺伝子解析技術などの長足の進歩により，内分泌疾患の概念は広がりをみせている．次世代シークエンサーの登場による全エクソンシークエンス解析などにより，内分泌疾患（特にホルモン産生内分泌腫瘍）における責任遺伝子異常が次々と同定されている．また，ホルモン測定の精度が向上することで，これまで見過ごされてきた，いわゆる，"サブクリニカル"，"潜在性"の疾病状態（副甲状腺機能亢進，Cushing症候群，甲状腺機能亢進や低下，耐糖能異常）の病態が明らかにされるようになり，心血管リスクとしての意義などその臨床的意味づけもなされつつある．副腎疾患では，超選択的な副腎静脈サンプリングによるマイクロアデノーマの存在部位の同定，またラジオ波による腫瘍焼灼術などもトライされはじめている．

　ホルモンそのもののとらえ方にも大きな変化がみられつつある．たとえば，従来子宮収縮作用が知られていたオキシトシンに関し，その受容体が脳内にも存在することが示され，コミットメントなどの情感の調整にも関与する可能性が報告され，点鼻薬の自閉症治療への有効性を検討する試験が開始されるなど，これまで一個人内の恒常性維持にかかわる物質としてとらえられてきたホルモンは，人間社会の維持においても，一定の意義を有する可能性が示されつつある．また，人の健康状態の方向付けは，受精卵成立時からエピゲノム修飾などを介して始まっており，過去のイベントの蓄積の影響下に，生涯にわたって続くこと，そして，そのプロセスにホルモンが常に密接に関与することが認識されるようになった．その観点から，内分泌学は，産婦人科領域，小児科領域，内科領域，泌尿器科領域，老年科領域などを包含し，それらの領域を時間経過の中で連続的に俯瞰する姿勢の中でとらえる必要があることが叫ばれ，transitional endocrinologyの概念が注目されるようになってきている．

　内分泌機能低下に対するホルモン補充は内分泌学の古典的王道であるが，近年は，多能性を有するES細胞やiPS細胞を用いた内分泌細胞（下垂体，膵Langerhans島，副腎細胞など）の分化誘導がある程度成功しつつあり，環境変化に応答性を有するホルモン分泌細胞の補充の方向性（再生内分泌学）もみえてきており，内分泌学の新しい地平であると思われる．　　　〔伊藤　裕〕

14-1 総論

1）ホルモンとは

(1) ホルモンの定義

「ホルモン（hormone）」という用語は，Starlingが1905年，「内分泌腺でつくられた物質が血流を介して運搬されて，標的臓器を刺激する化学物質」として命名した．すなわち内分泌細胞から分泌されたホルモンが血液中に分泌され，遠隔の標的細胞に運搬されて，その特異的な受容体を介して微量でその作用を発揮する生体内情報伝達系を内分泌系（endocrine system）という．

(2) ホルモンの役割

内分泌系は，生体が個体の維持，種の保存を行うための細胞間情報伝達システムであり，①生殖，②成長，発達，③内部環境の維持，④エネルギー産生，利用，貯蔵などに作用する．時々刻々と変化する外部環境に対応して，生体内の恒常性を維持するために，血中濃度は幅広いオーダーで変化する．近年の内分泌学研究の進歩により，ある細胞で産生された情報伝達物質が，血流を介さずに分泌された細胞の近傍の細胞あるいは分泌細胞自身に作用する系の重要性が明らかにされ，おのおの，傍分泌系（paracrine system，パラクライン），自己分泌系（autocrine system，オートクライン）とよばれている．心血管系細胞から分泌されるナトリウム利尿ペプチドファミリーやエンドセリンの発見や，脂肪細胞から分泌されるレプチン，アディポネクチンなどのアディポサイトカイン，消化管から分泌されるグレリンなどの発見は，内分泌学のとらえ方をまったく新しいものに導いている．

(3) ホルモンの種類

ホルモンは古典的および新しい概念のホルモンを含めて，化学構造から少なくとも4つに分類される．すなわち，①蛋白およびペプチドホルモン，②ステロイドホルモン，③アミンまたはアミノ酸ホルモン，④その他プロスタノイドや一酸化窒素などである（表14-1-1）．

ペプチドホルモンの血中での半減期は数分〜10分程度であり，血中濃度は$10^{-12}〜10^{-9}$Mである．糖蛋白ホルモンは1〜4時間の半減期である．カテコールアミンの半減期は1分程度と短い．一方，ステロイドホルモンや甲状腺ホルモンは血中で大部分がホルモン結合蛋白（コルチコステロイド結合グロブリンCBG，性ステロイド結合グロブリンSHBG，サイロキシン結合グロブリンTBGなど）と結合しており，半減期は数時間，血中濃度は$10^{-9}〜10^{-6}$Mである．血管内皮から分泌されるNOの半減期は数秒である．

表14-1-1 化学構造から分類したホルモンの種類

1. **蛋白・ペプチドホルモン**
   CRH，成長ホルモンなどの視床下部，下垂体ホルモン，インスリン，グルカゴン，ソマトスタチン，副甲状腺ホルモン，カルシトニン，アンジオテンシン，ナトリウム利尿ペプチド，エンドセリンなど，IGF-Iなどの成長因子，インターロイキンなどのサイトカイン

2. **ステロイドホルモン**
   副腎皮質ホルモン，性ステロイド，活性型ビタミンD_3など

3. **アミン・アミノ酸ホルモン**
   甲状腺ホルモン，カテコールアミン

4. **その他**
   プロスタノイド，一酸化窒素（NO）

2）ホルモンの生合成，分泌，代謝

(1) ペプチドホルモン（peptide hormone）の生合成

ペプチドホルモンは，一般的な蛋白と同様にホルモンをコードする遺伝子が転写されメッセンジャーRNA（mRNA）前駆体が精製される．さらにイントロン部分がスプライシングを受けて，キャップ構造やポリAが付加されて成熟mRNAとなる．mRNAは粗面小胞体上で翻訳を受けて，分泌シグナルとなるシグナルペプチドをN端に有するプレプロホルモンが生成される．さらに，プレプロホルモンはシグナルペプチダーゼによりシグナルペプチドが除かれ，プロホルモンまたはホルモンとなる．ホルモン前駆体であるプロホルモンにはACTH前駆体のプロオピオメラノコルチンのような複数のホルモンを含むもの，バソプレシンとオキシトシン前駆体のように細胞内輸送に必要なニューロフィジンを含むもの，インスリン前駆体のように$α$鎖と$β$鎖の形態を保つのに必要なC-ペプチド（connecting peptide）を含むものなどさまざまな構造をとる．

(2) ステロイドホルモン（steroid hormone）の生合成

ステロイドホルモンはコレステロールから合成される．ステロイドホルモンは，チトクロームP450（ヒドロキシラーゼ）をはじめとする多くの酵素反応により

段階的に合成されるが，律速段階は，コレステロールを StAR(steroidogenic acute regulatory)蛋白により，ミトコンドリア外膜からミトコンドリア内膜に存在するコレステロール側鎖切断酵素(P450scc)へ輸送する段階であり，副腎皮質では ACTH(副腎皮質刺激ホルモン)，性腺では LH(黄体形成ホルモン)，FSH(卵胞刺激ホルモン)がこのステップを促進する．

(3) ホルモンの分泌調節
a. フィードバック調節

内分泌系の調節で最も特徴的なのがフィードバック調節である．内分泌腺から分泌されたホルモンは標的臓器に作用するが，そのホルモン効果は標的臓器から内分泌腺にフィードバックされ，内分泌腺からのホルモン分泌を抑制(ネガティブフィードバック)したり，促進(ポジティブフィードバック)したりする．たとえば，視床下部から CRH(副腎皮質刺激ホルモン放出ホルモン)が分泌され，CRH が下垂体からの ACTH 分泌を刺激して，ACTH が副腎皮質からのコルチゾール分泌を刺激する．一方で，分泌されたコルチゾールは視床下部，下垂体からの CRH, ACTH 分泌をネガティブフィードバック機構により抑制する．そのほかにも，血中カルシウム濃度が副甲状腺のカルシウム感知受容体を介して PTH(副甲状腺ホルモン)分泌を抑制する例がある(図 14-1-1)．これらのフィードバック機構は内分泌検査に広く用いられている．たとえば，甲状腺機能低下症では，甲状腺ホルモンの低下に対する生体の適切な反応としての TSH(甲状腺刺激ホルモン)上昇が診断に用いられる．デキサメタゾン抑制試験による CRH–ACTH 系を抑制したときのコルチゾール高値は，正常のネガティブフィードバック機構の消失から Cushing 症候群の診断に用いられる．

b. バイオリズム

多くのホルモン分泌は季節変化，明暗周期による日内変動，睡眠，食事，ストレスなどにより変動して環境変化に適応する．ホルモン分泌のリズム周期はさまざまで，1～2 時間ごとに分泌される LH などの下垂体ホルモンのパルス状分泌，コルチゾールでは早朝高値，夕方～夜間にかけての低値を認める日内リズム，平均 28 日間周期を示す月経周期に応じたゴナドトロピン分泌などが知られている．視床下部から分泌されるゴナドトロピン放出ホルモン(GnRH)の間欠的な分泌は，下垂体から 1～2 時間ごとの LH のパルス状分泌を維持しており，GnRH の持続投与は LH 分泌を抑制する．中枢性思春期早発症や前立腺癌の治療では，その性質を利用して，持続的な GnRH 投与により，LH 分泌および性ホルモンの低下を誘導する治療が行われている．

このように，バイオリズムにより血中ホルモンレベルは変動するために，内分泌疾患の診断では，ホルモンの総分泌量が重要であり，コルチゾール分泌量として 24 時間尿中コルチゾール，GH(成長ホルモン)分泌量として IGF-I，インスリン分泌量として 24 時間尿中 C-ペプチドなどが用いられる．

(4) ホルモンの代謝調節

各種ホルモンは，合成・分泌される一方で，その作用を終息させるために，それぞれの形で代謝あるいは不活化の調節を受けている．ホルモン代謝調節の変化も，病態を考えるうえで，重要となる場合がある．糖

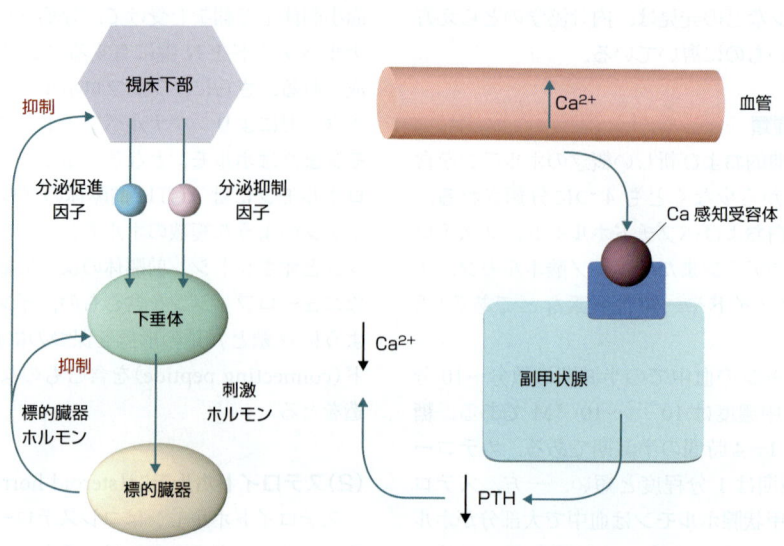

図 14-1-1 **ホルモン分泌のフィードバック制御機構**

尿病性腎症において，腎不全が進行するとインスリンクリアランスが低下しインスリン作用が増強されるため，血糖コントロールがよくなることは，広く知られている．また，コルチゾールからコルチゾンへの不活化酵素（11β-HSD2）の作用低下で，コルチゾールによるミネラルコルチコイド作用過剰の病態をきたす場合があること，逆に下垂体機能低下症における甲状腺ホルモン補充によってコルチゾールの代謝が促進され，副腎不全症状を増悪させる場合があることなど，ホルモンの代謝・不活化の側面も考慮することが必要な臨床場面も多く知られている．

3）ホルモンの作用機序

ホルモン受容体には，①ホルモンが結合できること，②ホルモン結合によるホルモン作用を発現できること，の2つの不可欠な機能がある．ホルモン受容体は細胞膜にある膜受容体と細胞質や核内にある核内受容体に大きく分類される．ホルモンのなかで，細胞内に入らずに作用するホルモンは，膜受容体に結合して，セカンドメッセンジャーを介して作用発現が起こる．一方，脂溶性の高いホルモンは細胞内に入り，細胞質または核内にある核内受容体に結合して標的遺伝子の発現を介して作用発現が起こる（図14-1-2）．

(1) 膜受容体

ペプチドホルモンやカテコールアミンなどの膜受容体は4つに分類される（図14-1-3）．

a. G蛋白共役型受容体

G蛋白共役型受容体（G protein-coupled receptors：GPCRs）は，細胞膜を7回貫通する構造を有し，GTP結合蛋白（G蛋白）を介して，エフェクターにシグナルを伝達する．光刺激，アミン，ペプチド，糖蛋白ホルモン，神経伝達物質などの広範な細胞外刺激を感知する受容体がある．不活性型G蛋白は$\alpha\beta\gamma$が会合しており，αにはGDPが結合している．受容体にホルモンが結合するとGDPとGTPの置換が起こり，α-GTPが$\beta\gamma$と解離してエフェクターに作用する．αはGTPase活性をもち，GTPをGDPにすると再び$\alpha\beta\gamma$型となる．G_s，G_iはそれぞれアデニル酸シクラーゼを活性化および抑制する（e図14-1-A）．G_qはホスホリパーゼC（PLC）を活性化し，イノシトールリン脂質を分解してイノシトール1,4,5-三リン酸とジアシルグリセロールをつくり，細胞内Ca^{2+}濃度の上昇によるカルモジュリン依存性プロテインキナーゼの活性化，プロテインキナーゼCの活性化を起こす．

b. プロテインキナーゼ型受容体

インスリンや成長因子（IGF-Ⅰ，EGF，PDGF，FGFなど）は受容体型チロシンキナーゼであり，細胞の増殖，分化，代謝に関与する．リガンド結合部位を含む細胞外ドメイン，1回膜貫通ドメイン，チロシンキナーゼの触媒部位を含む細胞内ドメインからなる．ホルモンが結合すると，細胞内ドメインのチロシンキナーゼにより，受容体自身を自己リン酸化して，細胞内アダプター蛋白（Shc，IRS1など）と相互作用していくつかのプロテインキナーゼを活性化する．

GH，プロラクチン，レプチンなどのホルモンやインターロイキン，インターフェロンなどのサイトカイン受容体は，受容体自身にチロシンキナーゼ活性を有さず，受容体近傍に存在するJAK（Janusキナーゼ）を活性化して細胞内転写因子であるSTAT（signal trans-

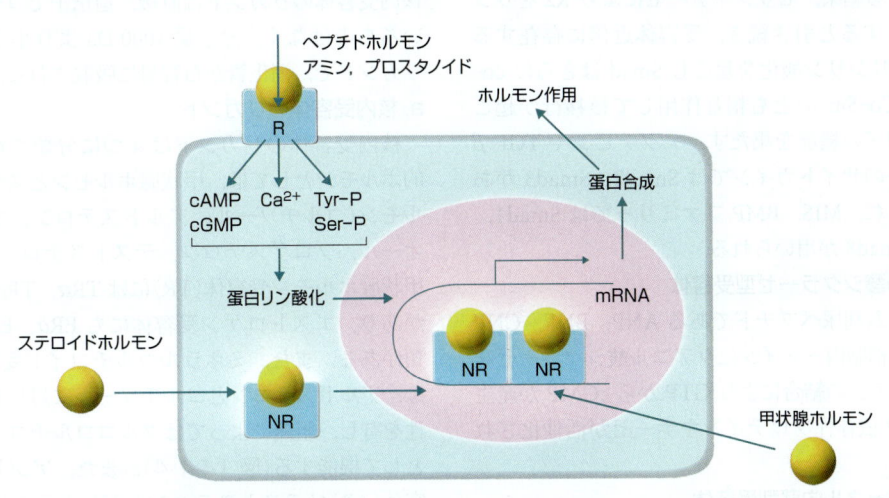

図14-1-2 **膜受容体および核内受容体によるホルモンの作用機構**
R：膜受容体，NR：核内受容体．

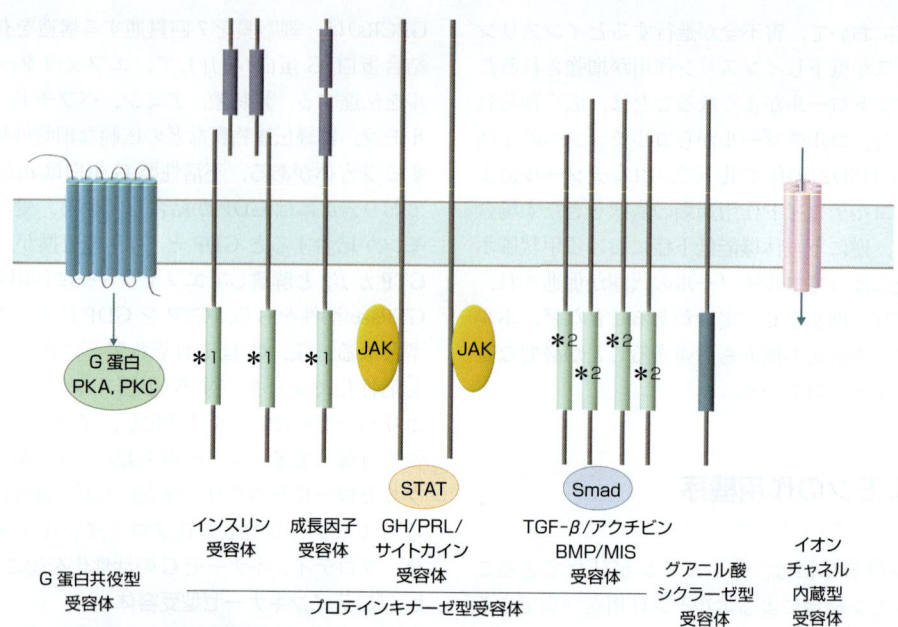

図 14-1-3 膜受容体の種類と構造
＊1：チロシンキナーゼ部位，＊2：セリン・スレオニンキナーゼ部位．

ducers and activators of transcription，シグナル伝達性転写因子）のチロシンリン酸化を起こし STAT の二量体化と核移行が起こり，転写因子として働く．

TGF（transforming growth factor，トランスフォーミング成長因子）-β，アクチビン，Müller 管阻害因子（MIS），BMP（bone morphogenic proteins，骨形成蛋白質）などは受容体型セリン・スレオニンキナーゼであり，リガンド結合部位を含む細胞外ドメイン，1 回膜貫通ドメイン，セリンキナーゼの触媒部位を含む細胞内ドメインからなり，1 型受容体（R1）と 2 型受容体（R2）がある．ホルモンが R1 に結合すると，R2 と相互作用する結果，セリンキナーゼにより R2 をリン酸化する．すると引き続き，受容体近傍に存在する Smad のセリンリン酸化を起こし Smad はさらに co-mediator（Co-Smad）とも相互作用して核移行が起こり，転写因子の機能を果たす．アクチビンや TGF-β ファミリーのサイトカインでは Smad2，Smad3 がおもに用いられ，MIS，BMP ファミリーでは Smad1，Smad5，Smad8 が用いられる．

c. グアニル酸シクラーゼ型受容体

ナトリウム利尿ペプチドである ANP，BNP，CNP の受容体は細胞内ドメインにグアニル酸シクラーゼを有し，ホルモンの結合により GTP から cGMP が産生され cGMP 依存性プロテインキナーゼが活性化される．

d. イオンチャネル内蔵型受容体

神経伝達物質であるアセチルコリン，GABA，グリシン，グルタミン酸などの受容体はイオンチャネル内蔵型である．このタイプの受容体はいくつかの膜貫通サブユニットが集まり中央部に親水性の穴（ポア，pore）がある．ここをイオンや水が選択的に通過して細胞機能を変化させる．これに対してトランスポーターは，親水性の溶質がまず膜の外側に開口しているトランスポーターに結合した後，立体構造の変化によりトランスポーターが膜の内側に開口してここから溶質が細胞内へ輸送される（e図 14-1-B）．

（2）核内受容体

膜受容体のポリペプチドなどのホルモンと異なり，核内受容体のリガンドは直接，遺伝子でコードされているものはなく，分子量 1000 Da より小さい脂溶性リガンドで，消化管から容易に吸収される．

a. 核内受容体のリガンド

核内受容体のリガンドは 4 つに分類される．古典的ホルモンとしては，甲状腺ホルモンとステロイドホルモン（コルチゾール，アルドステロン，エストラジオール，プロゲステロン，テストステロン）がある．甲状腺ホルモン受容体（TR）には TRα，TRβ の 2 種類があり，エストロゲン受容体にも ERα，ERβ の 2 種類がある．また，ミネラルコルチコイド受容体（MR）は，アルドステロンとコルチゾールに対して同じ親和性を有し，組織によってはグルココルチコイド受容体として機能する（図 14-1-4）．また，アンドロゲン受容体（AR）はテストステロンとジヒドロテストステロンの両方に親和性を有する．

ビタミンのなかでは，ビタミン A とビタミン D が

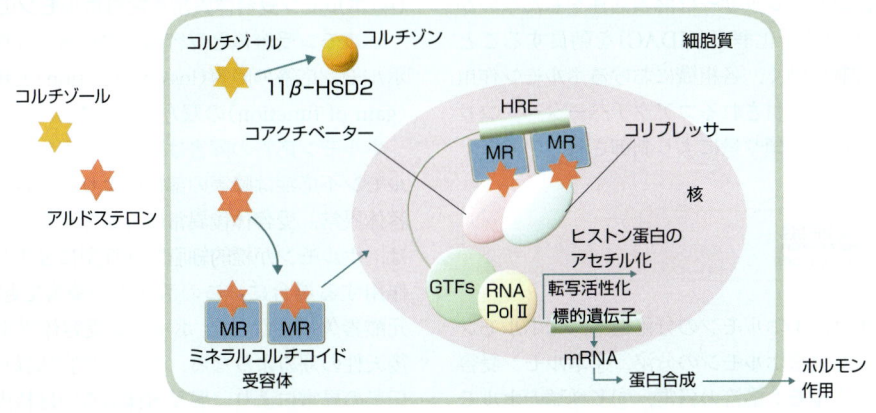

図 14-1-4 核内受容体の作用機構
MR へはアルドステロンとコルチゾールは両者とも同等に結合するが，腎臓の皮質集合管細胞などでは 11β-HSD2 により，コルチゾールがコルチゾンへ不活性化されて，コルチゾンは MR に結合できなくなり，アルドステロンがおもに MR のリガンドとして作用する．
HRE：ホルモン応答配列，GTFs：基本転写因子群，RNA Pol II：RNA ポリメラーゼ II，11β-HSD2：ヒドロキシステロイドデヒドロゲナーゼ 2 型．

リガンドとして知られている．ビタミン D の前駆体は皮膚で合成されて紫外線で活性化される．ビタミン D は肝臓で 25-ヒドロキシビタミン D に変換され，腎臓で 1,25-ジヒドロキシビタミン D_3 の活性体となり，ビタミン D 受容体（VDR）の天然のリガンドとなる．ビタミン A は肝臓で貯蔵され，オールトランス型レチノイン酸に代謝されてレチノイン酸受容体（RARs）のリガンドとなる．レチノイン酸は 9-*cis* レチノイン酸に代謝されるとレチノイド X 受容体（RXRs）のリガンドとなる．

中間代謝物もリガンドとなり，PPARs（peroxisome proliferator-activated receptors，ペルオキシソーム増殖因子活性化受容体），LXR（liver X receptor，肝臓 X 受容体），BAR/FXR（bile acid receptor/farnesoid X receptor，胆汁酸受容体/ファルネソイド X 受容体）などが受容体となる．PPARα はおもに肝臓に発現し，エイコサノイドの 8(S)ヒドロキシエイコサテトラエン酸などがリガンドとして知られており脂肪酸の酸化，肝臓のペルオキシソーム増殖などに関与している．一方，PPARδ（PPARβ）は全身臓器に発現し，脂肪や骨格筋における代謝の増加に関与している．PPARγ はおもに脂肪細胞に発現し，脂肪細胞の分化に重要である．天然のリガンドは不明であるがプロスタグランジン J 誘導体やインスリン抵抗性改善薬のチアゾリジン系経口糖尿病薬は，PPARγ に結合してインスリン感受性を亢進させる．コレステロール合成のオキシステロール中間代謝物は LXR を活性化する．また，胆汁酸は BAR/FXR のリガンドとなることが知られている．

外因性の環境因子（xenobiotics，ゼノバイオティック）も核内受容体リガンドとなる．SXR/PXR（pregnane X receptor，プレグナン X 受容体），CAR（constitutive androstane receptor，構成的アンドロスタン受容体）はこれらの xenobiotics をリガンドとしてチトクローム P450 酵素の発現を誘導して肝臓における毒性のある化合物の代謝を活性化する．

b. 核内受容体によるホルモン作用発現

核内受容体は前述の多様なリガンドが結合するが，その構造は相同性が高い．中央に DNA 結合ドメイン（C ドメイン）があり，その N 末端には転写活性化ドメイン（AF-1）を含む A/B ドメインがあり，C 末端側にはヒンジ領域（D ドメイン）とリガンド結合ドメイン（E/F ドメイン）がある．E/F ドメインの C 末端にホルモン依存性転写活性化ドメイン（AF-2）がある．D ドメインには核移行シグナルがある．受容体は，リガンド結合により核内のホルモン応答配列に（ホモまたはヘテロ）二量体を形成して結合する．ホルモンによる転写活性化の際には，多様なコアクチベーター（coactivator）蛋白群が動員されるが，ヒストンアセチル化転移酵素（HAT）活性を有するもの（p160 ファミリー，p300/CBP，pCAF（p300/CBP-associated factor）など），HAT 活性がないメディエータ複合体（TRAP/DRIP：thyroid receptor associated proteins/D-receptor interacting protein），ATP 依存性クロマチンリモデリング複合体の Swi/Snf 複合体などが知られている．一方，コリプレッサー（corepressor）には，N-CoR（nuclear receptor corepressor），SMRT（silencing mediator for retinoid and thyroid hormone receptor）

などがある．コリプレッサーは酵素活性をもたないがヒストン脱アセチル化酵素（HDAC）を動員することにより転写抑制に働く．各組織におけるホルモン作用は，核内受容体に動員されるコアクチベーター，コリプレッサー蛋白の種類や量により制御されている．

4）内分泌疾患
endocrine diseases

内分泌疾患は，①ホルモンの分泌低下，②ホルモンの分泌過剰，③異常ホルモンの分泌，④ホルモン受容体異常を含むホルモン応答の異常，⑤多種類のホルモン分泌異常，⑥非機能性内分泌腫瘍などに大きく分類される．

（1）ホルモンの分泌低下

ホルモンの分泌低下は，種々の原因で起こる．先天的なものとしては内分泌臓器の無形成，ホルモン遺伝子異常，ホルモン合成酵素の遺伝子異常，ホルモンのプロセシングや活性化の障害などが知られる．後天的には，ホルモン合成の原料不足（ヨウ素欠乏）や自己免疫，腫瘍，感染，出血や梗塞などの循環不全，外傷などによる内分泌組織の破壊や機能障害がホルモンの分泌低下の原因となる．

（2）ホルモンの分泌過剰

内分泌腺に発生するホルモン産生腫瘍は自律的にホルモンを過剰分泌する．多くは良性腫瘍だが，悪性腫瘍の場合もある．異所性ACTH症候群では，肺小細胞癌，気管支カルチノイドなどでACTHを異所性に過剰産生し，コルチゾール過剰分泌をきたす．Basedow病は，甲状腺組織には異常はないが，循環血液中の抗TSH受容体抗体により甲状腺ホルモンの分泌過剰を呈する．また，甲状腺では，貯蔵された多量の甲状腺ホルモンが，炎症による組織破壊のため，一過性にホルモンの過剰放出をきたすことがある（亜急性甲状腺炎や無痛性甲状腺炎など）．

（3）異常ホルモンの分泌

ホルモン遺伝子の異常（点突然変異）により正常ホルモンとは一次構造が異なる異常ホルモンが分泌されることがある．代表的なのは異常インスリンである．また，POMC遺伝子のプロセシングの過程で，分子量が大きい「big ACTH」とよばれる高分子量のACTHが下垂体腺腫中で産生されることがある．これらの異常ホルモンは一般に生物活性が低く，血漿ACTH濃度が高値の割に，コルチゾール濃度は正常の例も多い．

（4）ホルモン受容体異常を含むホルモン応答の異常

ホルモン受容体と受容体後の情報伝達機構の異常はホルモン応答の障害（loss of function）と持続的活性化（gain of function）の双方をきたす．

ホルモン応答の障害はホルモン不応症をきたす．ホルモン不応症は障害の部位により，受容体前異常，受容体異常，受容体後異常に分類できる．受容体前異常は，ホルモンが標的細胞で活性型に変化して受容体に作用する場合に，この活性化の障害で起こる（5α-還元酵素欠損症など）．ホルモン受容体異常は先天性と後天性の双方よりなる．先天性受容体異常は受容体遺伝子の異常により，膜受容体あるいは核内受容体の機能低下をきたす．膜受容体異常には，インスリン受容体異常によるインスリン抵抗症A型，成長ホルモン受容体異常によるLaron型小人症，バソプレシンのV_2受容体異常による腎性尿崩症，カルシウム感知受容体異常による家族性低カルシウム尿性高カルシウム血症などがある．核内受容体異常には，アンドロゲン不応症，甲状腺ホルモン不応症，グルココルチコイド不応症，ビタミンD受容体異常によるビタミンD依存症Ⅱ型などがある．後天性受容体異常には，膜受容体に対する抗受容体抗体で生じるインスリン抵抗症B型などが知られている．ホルモン受容体後異常は受容体以降の情報伝達機構に関連する機能低下であるが，G蛋白$G_s\alpha$異常による偽性副甲状腺機能低下症Ⅰa型がある．

一方，ホルモン受容体と受容体後の情報伝達の異常活性化をきたす疾患もある．TSH受容体，LH受容体，カルシウム感知受容体の遺伝子異常による受容体機能亢進により，おのおの，甲状腺機能亢進症，家族性性早熟症，常染色体優性低カルシウム血症を呈する．また，MR遺伝子のS810L変異により妊娠高血圧症候群をきたす．後天性の受容体機能亢進の例では，抗TSH受容体抗体によるBasedow病がある．ホルモン受容体以降の異常による情報伝達の活性化は，G蛋白の$G_s\alpha$や$G_i\alpha$遺伝子変異による活性化がMcCune-Albright症候群，下垂体，甲状腺，副腎の腺腫などで認められる．

（5）多種類のホルモン分泌異常

多種類のホルモン異常が起こる多発性内分泌腫瘍症（multiple endocrine neoplasia：MEN）や多腺性自己免疫症候群（autoimmune polyglandular syndrome：APS）は内分泌疾患のなかでも特殊なものである．いずれも多種類の内分泌異常をきたす病因遺伝子の研究が進展している．最近，複数の下垂体ホルモン分泌が低下する抗PIT-1抗体症候群が報告され，PIT-1抗体が循環血液中にあり，GH，PRL，TSHの分泌低下をきたす．

(6) 非機能性内分泌腫瘍

下垂体腺腫，甲状腺腫瘍，副腎腫瘍などでは内分泌組織に病変が認められても，必ずしもホルモン作用の過剰や不足を呈さない．内分泌腫瘍の多くは非機能性であり，画像診断の発達により偶然に発見されることがあり，偶発腫瘍 (incidentaloma) とよばれる．

5) 内分泌疾患の診断

(1) 臨床症状および一般検査

内分泌疾患は，それぞれのホルモン作用を十分理解したうえで，注意深い診察（問診および身体所見）により，まず「疾患を疑う」ことができるかが重要なポイントである．ホルモンは全身的な作用を及ぼすものが多く，患者の訴えのみにとらわれることなく，全身の診察が大切である．血液検査では，電解質異常，糖代謝，脂質代謝異常，血清浸透圧異常などが認められる場合，特に内分泌疾患が疑われる．確定診断にはホルモン濃度測定が必要となるが，健康診断で行う一般的な末梢血や生化学検査のわずかな異常値から疑うことが診断の契機となる．

(2) ホルモン濃度測定

内分泌疾患の診断では，ホルモン濃度の測定が機能亢進や機能低下の診断に重要である．従来は，ホルモンの生物学的作用を *in vitro*（生体外）で再現するバイオアッセイ (bioassay) や，副腎ステロイドの尿中排泄量測定の比色法などがあったが，測定方法の煩雑さや感度，特異度に問題が多く，尿中 17-OHCS 測定などは行われなくなった．それに代わり，ホルモンに対する高親和性の特異的抗体を用いた抗原抗体反応を利用した測定法が確立され，ピコモルオーダー (10^{-12} M) の微量ホルモンの測定が可能となった．現在，一定量の放射性同位元素で標識したホルモンと抗体をいれた測定系に測定する患者検体を加え，そのなかのホルモンとの間で抗原抗体反応を競合的に行わせるラジオイムノアッセイ (radioimmunoassay：RIA) がよく用いられている（図 14-1-5）．また，抗原と十分量の抗体を用いて，競合的な抗原抗体反応を起こさず抗原となるホルモンを直接測定するものがイムノラジオメトリックアッセイ (immunoradiometric assay：IRMA) である（図 14-1-5）．最近では，放射性同位元素を用いずに，酵素反応で行うエンザイムイムノアッセイ (enzyme immunoassay：EIA) が多く行われるようになった．しかし，測定キットによる誤差が大きく，液体クロマトグラフィや質量分析法 (LC-MS/MS) を用いた，より正確な測定も行われる．

ホルモンは，体位，食事，運動，ストレスなどにより変動し，日内リズムも影響する場合が多いので

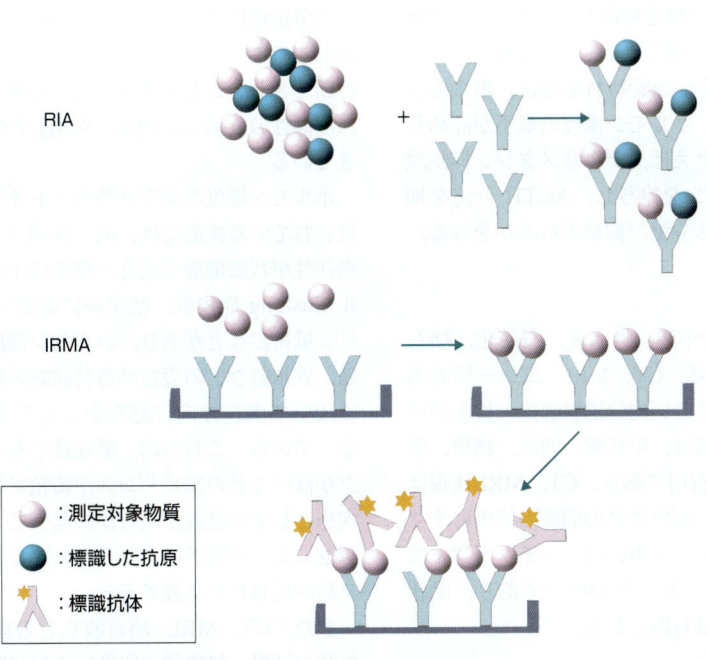

図 14-1-5 RIA と IRMA の原理
RIA は，一定量（少量）の抗体に対して，放射性同位元素 (RI) で標識した抗原と非標識物質（サンプル）が競合的に結合することを利用して測定する．IRMA は，十分量の固定抗体に対して，測定対象物質が結合し，それに RI 標識した抗体で認識させるサンドイッチ結合により測定する．

(ACTH，コルチゾールなど），ホルモンの基礎血中レベルの測定には注意が必要である．また，性や年齢の影響を受けるホルモンもある（IGF-Ⅰ，デヒドロエピアンドロステロンサルフェイトなど）．さらに，ホルモン分泌のフィードバックループにおけるホルモン間の関係性の異常も，内分泌疾患の診断に際しては重要である．たとえば，視床下部-下垂体-副腎皮質系において，下垂体からのACTHが低値傾向であるにもかかわらず，副腎皮質からのコルチゾールが高値傾向を示した場合，ホルモン濃度は基準範囲内にあっても，副腎皮質からのコルチゾールの分泌異常を疑う．このように，ホルモン濃度測定値は，さまざまな要素を考慮して正常・異常を判定することが求められ，内分泌疾患の診断を難しくしている．

(3) 負荷試験

内分泌疾患が疑われるが，臨床症状が乏しく血中ホルモンの基礎レベル値の判断が難しい場合，種々の負荷試験を行い確定診断を行う．検査によっては危険を伴う場合もあり，患者への十分な説明の後，安全を重視して選択すべきである．

1) **刺激試験**：機能低下症が疑われる場合，下垂体ホルモン投与などの標的内分泌腺のホルモン分泌刺激物質を投与して，標的内分泌腺の分泌予備能を評価する．たとえば，ACTH負荷試験ではACTHによる直接的な副腎皮質の反応性をみるが，メチラポン試験のように副腎皮質のコルチゾール産生を阻害してネガティブフィードバック機構を解除してACTH分泌を高めて，その副腎皮質刺激能をみるものもある．

2) **抑制試験**：機能亢進症が疑われる場合，ホルモンの分泌抑制刺激を加え，ホルモン濃度の低下が認められるかを検査する．たとえば，デキサメタゾン抑制試験では，デキサメタゾンを投与し，ACTH分泌を抑制した際，コルチゾール分泌が抑制されるかをみる．

(4) 画像診断

単純X線撮影は，骨年齢，骨病変，石灰化，結石などの検出に有用である．CT，MRI，エコー検査の進歩により，大きさが小さい内分泌腺腫瘍の検出が可能となった．エコー検査は，甲状腺，卵巣，精巣，膵臓などの病変の検出に有用であり，CT，MRI検査は視床下部・下垂体疾患，副腎などの病変の描出にすぐれている．放射性同位元素を用いたシンチグラフィは内分泌腺の機能的イメージングが可能であり，甲状腺，副甲状腺，副腎では有用である．

(5) 静脈血サンプリング

ACTH産生下垂体腺腫では，下錐体静脈洞サンプリング，アルドステロン産生腺腫では，副腎静脈サンプリング，インスリノーマやガストリノーマでは，選択的動脈内カルシウム注入試験によるサンプリングなどにより，腫瘍を還流する静脈からカテーテルを用いて採血することにより，ホルモン濃度の高値を証明して病巣の局在を明らかにすることができる．

(6) 免疫学的検査

Basedow病における抗TSH受容体抗体，橋本病における抗サイログロブリン抗体，抗甲状腺ペルオキシダーゼ抗体，1型糖尿病における抗GAD抗体などの自己抗体の測定は免疫学的機序が関与する内分泌疾患の診断に必須である．

(7) 遺伝学的検査

遺伝子異常を伴う小児内分泌疾患やMENなどでは，補助的診断として遺伝学的検査も用いられる．近年では，次世代シーケンサーなどゲノム解析技術の向上により，次々と疾患にかかわる遺伝子異常が確認されており，将来的には遺伝学的検査が内分泌疾患の積極的診断に用いられる機会も増えてくることが予想される．また近年では，褐色細胞腫における遺伝子変異（SDHBなど）を用いた悪性化予後予測，原発性アルドステロン症の腺腫内遺伝子変異（KCNJ5など）の発見と病因解明に向けた解析なども，トピックとなっている．

(8) 新しい内分泌疾患概念の登場と今後の課題

内分泌疾患は，ホルモンの機能亢進または機能低下がおもなものであり，1970年代までは，重症例しか診断できないことが多かった．しかし，近年は軽症や無症候性の「新しい内分泌疾患」が数多く見つかってきている．

ホルモン濃度の測定法やカットオフ値の設定から注目されている疾患には，潜在性副甲状腺機能亢進症，潜在性甲状腺機能亢進症や機能低下症，サブクリニカルCushing症候群，糖尿病には至っていないインスリン抵抗症などがあり，ホルモン濃度の正常値，至適値，異常値などの設定や負荷試験の結果により，軽症の段階で潜在性内分泌疾患として診断されるようになっている．これらは，潜在性でも心血管疾患のリスクが高いなどのエビデンスが蓄積されてきたために，疾患としての意義が明らかになってきた．今後は疫学調査による長期予後を明らかにすることで，カットオフ値の見直しが必要である．

また，CT，MRI，超音波などの画像機器の進歩と普及の結果，無症状の段階で内分泌臓器の腫瘍が偶発腫瘍として発見される頻度が増えた．一般的に，内分泌腫瘍は悪性が少ないとされているが，悪性化の可能性を評価する検査マーカーは十分になく，手術適応に

関するエビデンスの構築は今後の課題とされる．

〔栗原　勲・伊藤　裕・小林佐紀子〕

■文献

Jameson JL, DeGroot LJ：Principles of endocrinology and hormone signaling. Endocrinology, 6th ed, pp3-14, Elsevier, 2010.

Melmed S, Polonsky KS, et al：Hormones and hormone action. Williams Textbook of Endocrinology, 12th ed, pp3-99, Elsevier Saunders, 2011.

14-2　視床下部・下垂体

1）発生・形態

(1) 視床下部の発生

本能に基づく行動の制御には神経系内に存在する感覚系，運動系および統合系の3つの要素がかかわっている．脊椎動物では脳内の間脳・視床下部が統合系としての重要な機能を担っており，摂食行動，飲水行動，生殖行動などの本能行動の中枢とされており，系統進化学的にも神経発生学的にも，脊椎動物型の脳のなかではじめに分化する部位である．図14-2-1に示すように，神経管の先端部が膨らみ，脳の発生が進むとともに前脳，中脳，後脳という脳の主要な部位ができてくる．その初期に，間脳になる前脳の一部として前脳胞とよばれる神経管の先端部の膨らみができてくる．その腹側部が視床下部である．その後，終脳（哺乳類では大脳）になる部分が膨らみ出してくる[1]．

視床下部の重量は4g前後で間脳に位置する．視床下部のおおまかな範囲は，第3脳室を囲む形となり脳底部からみた場合，前方は視交叉，後方は乳頭体，側方は視索，背側は視床間橋となる．ホルモン産生神経核はおもに3群に分けられ，脳室周囲には室周囲核，室傍核，視交叉上核，弓状核などが，内側には腹内側核，背内側核，外則には視索上核，外側視床下部核などがある（図14-2-2）．これらホルモン産生神経細胞から伸びている神経軸索には2種類あり，1群は正中隆起部内側から下垂体茎を通って下垂体後葉に至る．またほかの軸索群は正中隆起部外側から下垂体門脈にホルモンを神経内分泌し，そのホルモンが門脈を経て下垂体前葉に至る[2,3]．

(2) 下垂体前葉の発生

下垂体は脳底部の蝶形骨により形成されるトルコ鞍内に位置している．下垂体は，2つの異なる起源を有する組織から形成される．下垂体前葉は発生学的には口腔外胚葉に由来する．胎生3〜4週頃に口腔外胚葉が陥入してRathke嚢ができ，間脳の方向に進展して

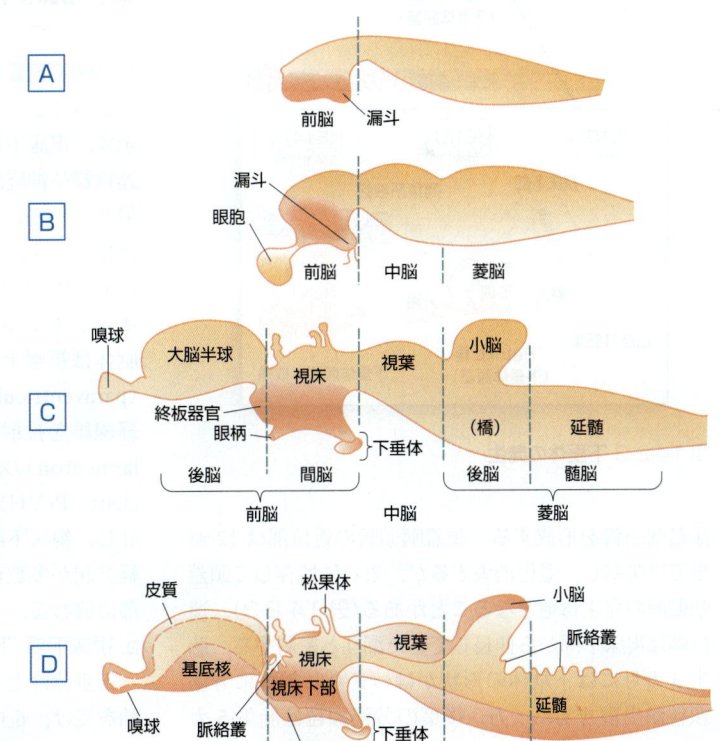

図14-2-1 視床下部の発生

最も原始的な脊索動物であるナメクジウオは，脊椎動物型の中腔脳をもつが，その前端部をみると，いくつかの点で，脊椎動物の視床下部とよく似ている．視床下部は，脳の発生の初期に分化してくる．まず最初に神経管の先端部が膨らみ，脳の発生が進むとともに，前脳，中脳，後脳という脳の主要な部分ができてくる．この過程の初期に，間脳になる前脳の領域として，前脳胞とよばれる神経管の先端部の膨らみができてくる．その腹側部が視床下部である(A, B)．

その後，終脳（哺乳類では大脳）になる部分が膨らみだし(C)，最終的な分化に至る(D)．すでに，脳の発生の初期に，視床下部となる領域は決定されている．

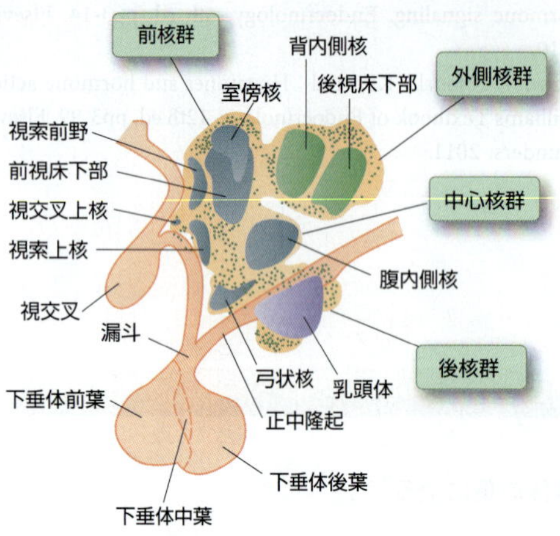

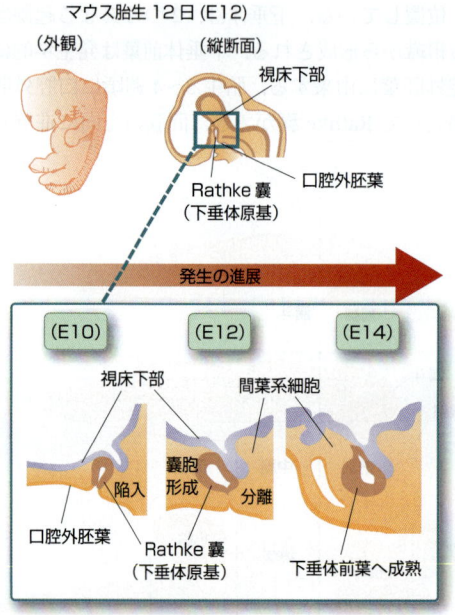

図 14-2-2 視床下部のおもな核群

図 14-2-3 下垂体の発生

成する神経組織が下方に伸びて発生する（eコラム1）．

下垂体の発生分化にはいくつもの転写調節因子が関与している．図 14-2-4 にマウスにおける胎生 20.5 日間の各胎生時期における下垂体細胞の発生・分化とそれぞれに対応する転写因子を示す．ヒトでもほぼ同様であり，下垂体前葉細胞には細胞系譜が存在し，発生・分化の各段階に対応した転写因子により調節される．まず Tpit により ACTH 細胞が分化・誘導される．ついで Prop1 により LH/FSH 細胞と GH/PRL/TSH のもとになる細胞ができる．最終的に DAX1/F1 などの作用で LH と FSH 細胞が分化し，Pit1 の作用をもとにほかの因子が加わり GH，PRL，TSH の各細胞が分化・誘導される．ヒト PIT1 変異症では GH，PRL，TSH の各細胞の低形成と分泌低下をきたし，さらに上流域の PROP-1 変異症では GH/PRL/TSH の分泌低下以外により早期に分化する LH/FSH の分泌低下とときに ACTH 分泌不全が加わる．

2）視床下部・下垂体連関

(1) 視床下部・下垂体の解剖学的関係

図 14-2-5 に視床下部と下垂体の解剖学的関係を示す．視床下部ニューロンは分泌細胞であり，神経伝達物質や神経調節物質を分泌するための神経線維を投射している．図 14-2-6 に視床下部神経分泌細胞の種類を示す．大細胞性ニューロン（magnicellular neuron）はバソプレシン（arginine vasopressin：AVP）やオキシトシン（oxytocin：OXY）を分泌する．その細胞体は視索上核（supraoptic nucleus：SON）や室傍核（paraventricularnucleus：PVN）に存在し，後葉に神経線維を投射する．小細胞性ニューロン（parvicellular neuron）の細胞体は脳室周囲核（periventricular nucleus：PeVH）や PVN が存在する内側視床下部に存在し，視床下部ホルモンを産生する神経細胞または神経突起が多数存在し，神経終末は正中隆起の毛細血管叢に終わる．

a. 視床下部-下垂体前葉系

下垂体は上下垂体動脈と下下垂体動脈から血液の供給を受け，正中隆起は上下垂体動脈から血液供給を受けている．正中隆起内の神経線維と毛細血管との間には血液脳関門が存在しないため，神経終末と血液間をペプチドなどの物質が移行しやすく，視床下部ホルモンが下垂体門脈血中へ分泌される．一次毛細血管叢は合流して下垂体門脈となり，下垂体茎前面を下垂体前葉に向かって下降し，再び二次毛細血管叢を形成して視床下部ホルモンを下垂体前葉細胞に伝達している．視床下部ホルモンの刺激により下垂体ホルモンは血液

頭蓋咽頭管を形成する．頭蓋咽頭管の近位部は 12 週までに閉塞し，退化消失するが，まれに残存して頭蓋咽頭腫の発生母地となることがある（図 14-2-3）．遠位端は視床下部から伸長してきた漏斗と密着する．胎生 3 カ月には下垂体の形状がはっきりし前葉に分泌顆粒が出現する．一方，後葉の分泌顆粒は胎生 5 カ月に出現する．生下時の下垂体の重量は 0.1 g で 3 歳までに急速に増大し，成人では平均 0.6 g になる．前葉の一部は漏斗茎を取り囲み隆起部（pars tuberalis）を形成する．これは鞍上部異所性下垂体腺腫の発生母地になる．中間葉はメラニン細胞刺激ホルモン（melanocyte-stimulating hormone：MSH）を分泌する．ヒトと類縁の哺乳類では発達しているが，ヒトでは痕跡的である．後葉および下垂体茎は，第 3 脳室底を形

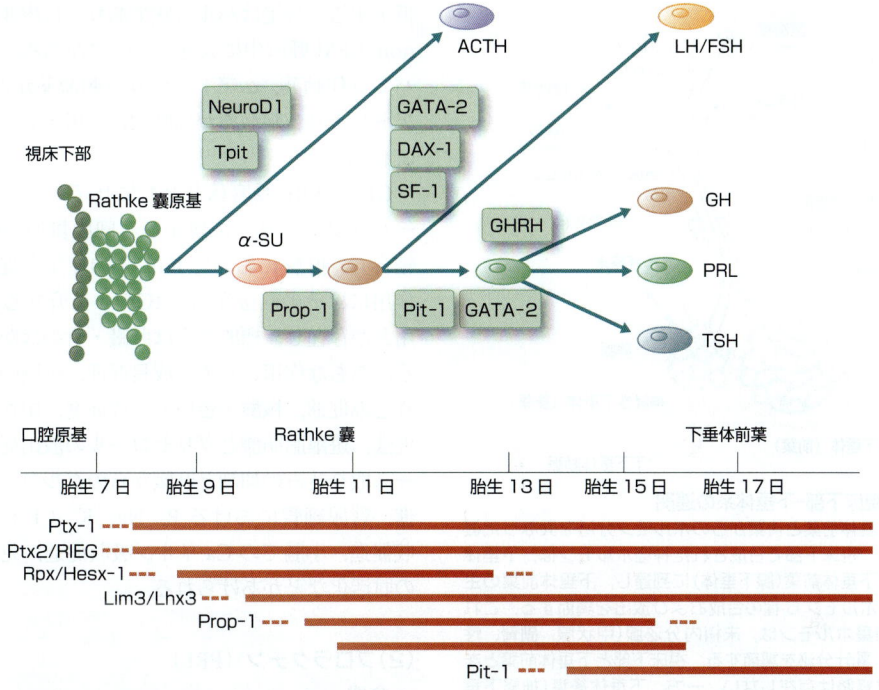

図 14-2-4 下垂体細胞の発生・分化と転写因子

下垂体ではおもに 6 種類の蛋白質ホルモンがつくられる．これらは一部を除いて別々の細胞で合成されるが，それらの細胞はもとは同じ前駆細胞に由来し，性質の異なる細胞に分化する(細胞系譜)ことがわかっている．この過程には，転写因子という蛋白質の 1 種が，特定の遺伝子に働きかけて細胞の形や発現する遺伝子を変化させていく．この変化が蓄積されることにより，最終的に特定の機能をもつ(特定の形質をもつ)細胞ができあがる．下垂体には特有の転写因子が発現し，ホルモン遺伝子ごとに特有の転写因子が作用する．たった 1 つの転写因子で決定されるわけではなく，徐々に変化する形質に合わせて次々に別の転写因子が現れ，既存の転写因子と協調，拮抗，置換などを繰り返し，さらには次に働く転写因子を誘導することによって，最終的に特定のホルモンを産生する細胞に分化する．このように多くの転写因子が細胞の分化過程で働くさまを，「時間的，空間的な発現と転写因子間相互作用(ネットワーク)」と表現する．

中に分泌され，海綿静脈洞，上・下錐体静脈洞，内頸静脈を経て心臓に入り全身に運ばれる．

b. 視床下部-下垂体後葉系

視床下部-下垂体後葉系には異なったホルモン分泌様式が存在する．視床下部の SON と PVN にある神経分泌細胞で抗利尿ホルモンである AVP や OXY と随伴蛋白であるニューロフィジンが合成され，軸索を下降し，下垂体後葉の神経終末から血液中に放出される．

(2) 視床下部・下垂体の機能とホルモン分泌調節

視床下部は本能ならびに情動行動の統合中枢であると同時に生体の内部環境の恒常性の維持とストレス反応など外部環境への適応を制御する．結果として内分泌系，自律神経系，体性神経系機能を統合する中枢としての役割を担う．もう 1 つ重要な機能として向下垂体作用がある．下垂体前葉ホルモンの合成と分泌を調節するホルモンを下垂体門脈に放出し，下垂体前葉の細胞膜に存在する受容体を介して，下垂体ホルモンの分泌を制御する．また下垂体後葉ホルモンを供給す

る．図 14-2-7 に下垂体ホルモン分泌調節の特徴を示す．下垂体ホルモンの分泌は大脳皮質からの①ストレス・日内リズムによる調節と，標的内分泌腺からの標的ホルモン血中濃度を介する②フィードバック調節の二重の調節を受ける．大脳皮質からのストレス・日内リズムといった刺激により脳内のアミンやペプチド濃度が変化し，最終的に視床下部ホルモン分泌の促進あるいは抑制を介して下垂体ホルモン分泌が調節される．逆に，末梢の標的内分泌腺から血中に放出された標的ホルモンが主として下垂体と視床下部に作用し，下垂体ホルモン分泌と視床下部ホルモン分泌を抑制し，視床下部-下垂体-末梢の標的内分泌腺の機能を一定にコントロールする．たとえば，下垂体の ACTH 分泌はストレスで上昇し，標的内分泌腺である副腎皮質を刺激し，血中コルチゾール濃度を上昇させる．また，血中コルチゾール濃度は夜間は朝方に比べ分泌は低下する(日内変動)．一方，ACTH の刺激により血中コルチゾール濃度が上昇すると，視床下部からの CRH 分泌のみならず，下垂体からの ACTH 分泌も抑制され，血中コルチゾール濃度を一定レベルに保持

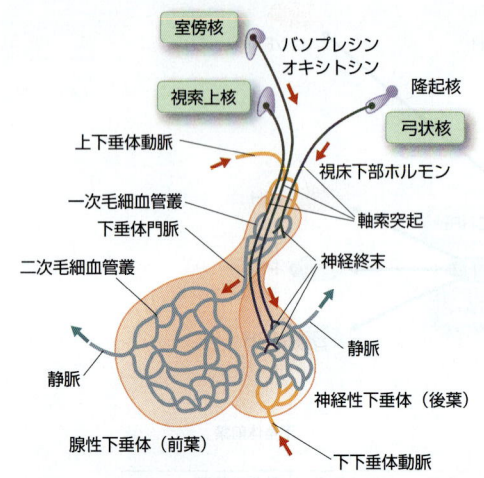

図 14-2-5 視床下部-下垂体系の連関
視床下部は下垂体前葉と後葉からのホルモン分泌を異なった機序で調節する．視床下部で合成された神経ホルモンは，下垂体門脈系を経て下垂体前葉（腺下垂体）に到達し，下垂体前葉の主要なペプチドホルモン6種の合成および放出を調節する．これらの下垂体前葉ホルモンは，末梢内分泌腺（甲状腺，副腎，性腺）や，成長，乳汁分泌を調節する．視床下部と下垂体前葉とを直接結ぶ神経経路は存在しない．一方，下垂体後葉（神経下垂体）は視床下部にある神経細胞の細胞体から伸びる軸索で構成されている．軸索は視床下部で合成される2種のペプチドホルモンの貯蔵部位として機能し，これらのホルモンは末梢で体液バランス，乳汁分泌，子宮収縮を調節する．

する機構が作動する（ネガティブフィードバック調節機構）．

3）下垂体前葉ホルモン

(1)成長ホルモン（GH）

a. 合成

成長ホルモン放出ホルモン（growth hormone-releasing hormone：GHRH）による合成促進およびソマトスタチン，インスリン様増殖因子（insulin-like growth factor Ⅰ：IGF-Ⅰ）による合成抑制を受ける．血液中のGHは191個のアミノ酸残基からなる22 kGHが大部分を占めるが，32～46番目のアミノ酸配列が欠如した176個のアミノ酸残基からなる20 kGHが5～10％存在する．これらはGH結合蛋白と結合した形で存在する．GH結合蛋白はGH受容体の細胞外ドメインが切断され，血中に遊離したものである．

b. 分泌調節

GH分泌はGHRHとソマトスタチンの二重支配を受ける．その他，徐波睡眠，空腹，低血糖，遊離脂肪酸の低下，ストレス，運動，エストロゲン，およびアルギニンなどのアミノ酸投与などさまざまな因子で分泌が促進され，高血糖や遊離脂肪酸の上昇により抑制される．成長期に分泌が最も多く，加齢に伴い分泌が低下する．分泌はパルス状であり，日内変動があり，non-REM睡眠中に大きなピークがある．薬剤ではドパミン作動薬，αアドレナリン刺激薬が促進的に，βアドレナリン刺激薬が抑制的に作用する．

c. 作用

GHはPRL受容体とともにサイトカイン受容体スーパーファミリーに属する1回膜貫通型の受容体に結合し，肝臓においてIGF-Ⅰの産生を促す．GHの作用にはその直接作用とIGF-Ⅰを介する間接的な作用とが存在し，標的器官は肝臓・骨のほか全身に広がる．おもな作用として，成長促進，細胞のアミノ酸取り込み促進，核酸・蛋白の合成促進，中性脂肪の分解促進，遊離脂肪酸とグリセロールの放出促進，グルコース取り込みの抑制と肝臓からのグルコース放出の促進，腎尿細管におけるP，Na，K，Clイオンの再吸収促進，小腸でのCaイオン吸収促進，免疫担当細胞の賦活化などがあげられる．

(2)プロラクチン（PRL）

a. 合成

PRLは199個のアミノ酸残基からなり，そのアミノ酸配列はGHと類似しており，PRLとGH遺伝子は同一の祖先遺伝子に由来していると考えられる．

b. 分泌調節

おもに視床下部のドパミン作動性神経による負の調節を受ける．一方，TSH放出ホルモン（thyrotropin-releasing hormone：TRH）や vasoactive intestinal polypeptide（VIP）はPRL分泌を促進する．PRLの基礎分泌は視床下部ドパミンによる強い抑制を受けているため，視床下部障害が生じるとほかの下垂体ホルモンと対照的にその分泌は亢進する．ドパミン作動性神経やドパミン作用に拮抗する多くの薬剤によって影響を受けるため，PRLの分泌異常に遭遇した場合，注意を要する．睡眠，運動，ストレス，妊娠，哺乳，原発性甲状腺機能低下症，エストロゲン製剤などもPRL分泌を増加させる．

c. 作用

PRL受容体はGH受容体に類似した1回膜貫通型の受容体である．おもな作用として乳腺の成熟と乳汁の合成分泌がある．妊娠によりエストロゲンとともにPRL分泌が亢進し，胎盤ラクトゲンの産生も高まって乳腺が発達肥大する．出産後，乳児の吸乳刺激によりPRL分泌が亢進し，乳汁産生が高まる．PRLはゴナドトロピン放出ホルモン（gonadotropin-releasing hormone：GnRH）の律動的分泌の抑制，ゴナドトロピンの性腺への作用を阻害することにより性腺機能への抑制作用を示す．出産後の授乳の持続によりPRL分泌亢進が続くと，月経の再来が阻止される．

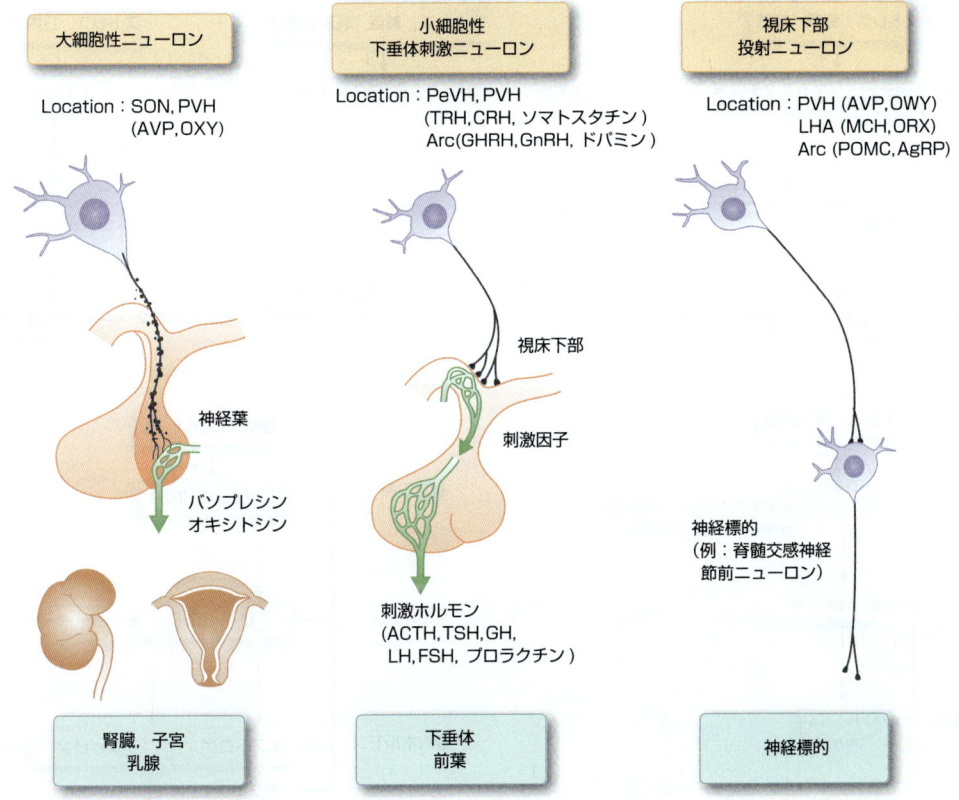

図 14-2-6 視床下部神経分泌細胞の種類
SON：視床下部視索上核，PVH：視床下部室傍核，PeVH：視床下部脳室周囲核，Arc：視床下部弓状核，LHA：視床下部外側野，AVP：アルギニンバソプレシン，OXY：オキシトシン，GHRH：成長ホルモン放出ホルモン，GnRH：ゴナドトロピン放出ホルモン，POMC：プロオピオメラノコルチン，AgRP：アグーチ関連ペプチド，MCH：メラニン凝集ホルモン，ORX：オレキシン/ヒポクレチン

(3) 甲状腺刺激ホルモン（TSH）

a. 合成

TSHはLH，FSHと共通の構造を示すαサブユニットとTSHに特異的なβサブユニットからなる糖蛋白ホルモンである．αサブユニットは92個の，またβサブユニットは112個のアミノ酸残基からなり，ともに糖鎖を有するが，βサブユニットの構造がホルモン作用の特異性を規定している（e図14-2-A）．両サブユニットは異なった遺伝子から前駆体を経て生合成され，両者が二量体を形成して作用を発揮する．

b. 分泌調節

TSHの分泌は視床下部のTRHにより促進され，ソマトスタチンやドパミンにより抑制される．TSHはαサブユニットとβサブユニットの遺伝子発現を同時に促進する．また視床下部TRH分泌と下垂体TSH分泌はサイロキシン（thyroxine：T_4），トリヨードサイロニン（triodothyronine：T_3）によるネガティブフィードバックを受ける．

c. 作用

TSHは甲状腺濾胞細胞に存在する細胞膜を7回貫通するG蛋白共役型受容体に結合して，濾胞細胞へのヨウ素取り込み，サイログロブリンの生合成，コロイド滴の形成，甲状腺ホルモンの生合成および分泌の促進作用や甲状腺重量の増加作用を示す．

(4) 副腎皮質刺激ホルモン（ACTH）

a. 合成

ACTHは39個のアミノ酸からなるペプチドホルモンであり，分子量約3万のプロピオメラノコルチン（propiomelanocortin：POMC）という前駆ペプチドからプロセシングを受けて生じる．POMCのN端側からは糖鎖が結合したγ-メラニン細胞刺激ホルモン（γ-melanocyte-stimulating hormone：γ-MSH）が，C端側からはβ-リポトロピン（β-lipotropin：β-LPH）が生じる．β-LPHはさらに切断され，γ-LPHとβ-エンドルフィンが生じる．

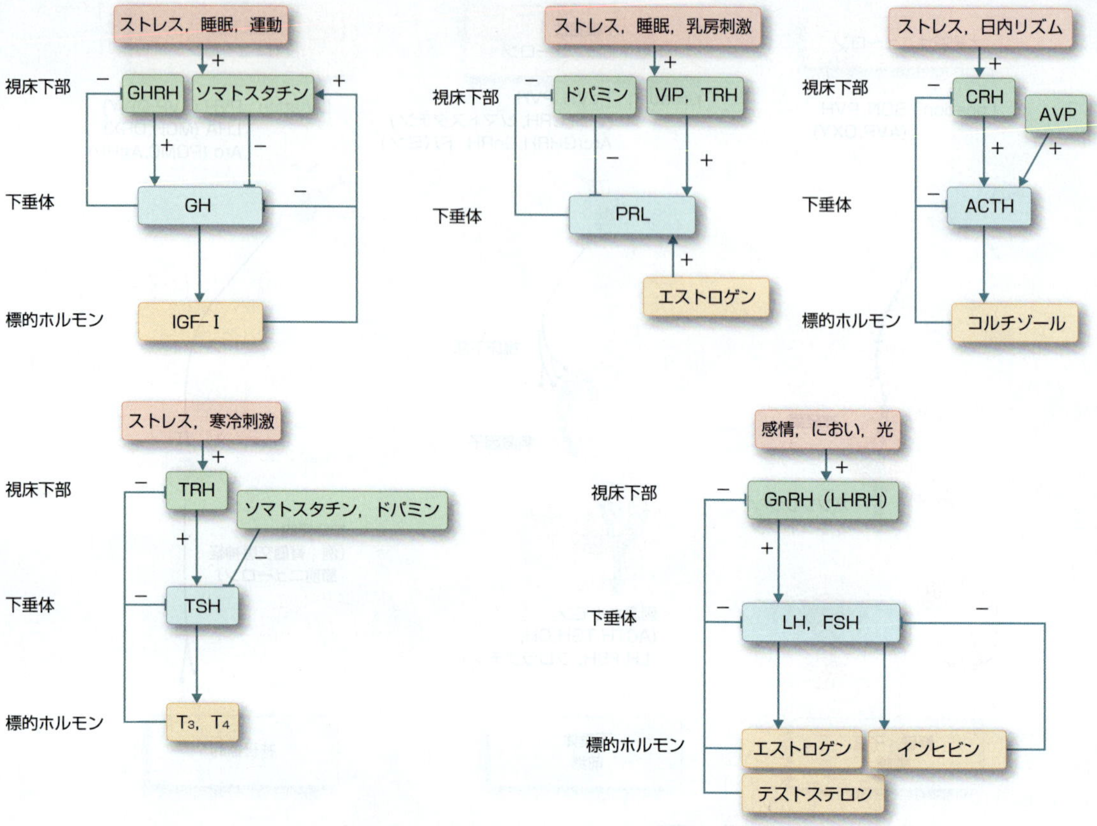

図 14-2-7 下垂体前葉ホルモンの分泌調節

b. 分泌調節

おもな分泌調節因子は，日内変動，ストレス，ネガティブフィードバックである．ヒトのACTHはパルス状の分泌動態を示し，その日内変動は早朝時に最も高く，夕方から夜間にかけて低下する．ストレス時には，視床下部から分泌されるコルチコトロピン放出ホルモン（corticotropin-releasing hormone：CRH）に加えてAVPもACTH分泌を刺激する．ACTHの分泌亢進により増加した血中コルチゾールは視床下部と下垂体に作用してCRHとACTHの合成，分泌を抑制する．

c. 作用

ACTHは主として，細胞膜を7回貫通するG蛋白共役型受容体であるメラノコルチン2型受容体（melanocortin-2 receptor：MC2R）に結合する．おもに副腎皮質束状層と網状層に作用し，コレステロールを基質としてコルチゾールと副腎アンドロゲンの合成，分泌を促進する．ACTHの急性刺激でアルドステロン分泌も促進される．ACTHには弱いながらメラニン細胞刺激作用があり，慢性的な過剰分泌状態では皮膚や粘膜に色素沈着が生じる．

(5) ゴナドトロピン（黄体化ホルモン（LH）/卵胞刺激ホルモン（FSH））

a. 合成

性腺刺激ホルモンであるLHとFSHは糖蛋白ホル

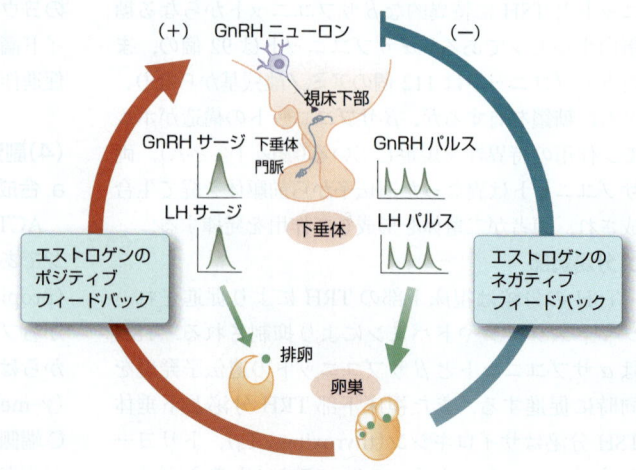

図 14-2-8 雌性動物におけるGnRH/LH分泌モードとエストロゲンによるフィードバック調節

モンであり，TSHと共通のαサブユニットと，LHは121個の，またFSHは111個のアミノ酸残基からなる特異的なβサブユニットとがそれぞれ二量体を形成している．LHとFSHの作用の特異性はそれぞれのβサブユニットの構造に依存している（e図14-2-A）．

b. 分泌調節

LH，FSHの分泌は視床下部から律動的に分泌されるGnRHにより制御されている．GnRHの分泌には，パルス状とサージ状の2つのモードがある（図14-2-8）．雌雄を問わず，基礎レベルのGnRH分泌は間欠的な濃度上昇を一定の間隔で規則正しく繰り返しており，これをパルス状分泌という．GnRHの至適濃度と律動的な分泌は生理的ゴナドトロピン分泌をもたらす．この現象はゴナドトロピン分泌細胞におけるGnRH受容体の変化によるものと考えられており，持続的GnRH作用は自己の受容体数を減少させ，LH，FSHの分泌は低下する．律動的作用は受容体数を上昇させる作用があると考えられている．一方，雌の発情周期では排卵前にGnRHが一過性に大量放出されるモードがあり，これをサージ状分泌という．雌ではこのサージ状分泌により下垂体前葉からLHの大量放出（LHサージ）が起こり，排卵が誘発される（eコラム2）．性ステロイドホルモン（エストロゲン，テストステロン）によるネガティブフィードバックを受け，閉経後の女性や高齢男性では血中FSH，LHは上昇する．

c. 作用

LH，FSHは細胞膜を7回貫通するG蛋白共役型受容体を介し，男性ではFSHはSertoli細胞に作用して精子形成に，LHはLeydig細胞のテストステロン産生に重要な役割を担っている．一方，女性ではFSHは卵胞の発育，成熟，エストロゲン産生に，LHは排卵，黄体化，プロゲステロン，エストロゲン産生に重要な役割を担っている．その他，FSHは卵巣の顆粒膜細胞と精巣のSertoli細胞のインヒビンとアクチビン産生を促進する．〔東條克能〕

■文献（e文献 14-2-1〜3）

Melmed S, Polonsky KS, et al eds: Williams Textbook of Endocrinology, Elsevier, 2011.
中尾一和総編：最新内分泌代謝学，診断と治療社，2013.
門脇 孝，永井良三総編：内科学，西村書店，2012.

4）下垂体前葉機能検査

下垂体機能異常の診断においては，病因検索とともに下垂体ホルモンの分泌能と分泌調節機序に異常があるかどうかを明らかにする．血中下垂体ホルモン濃度はおもに下垂体機能を反映するが，視床下部機能や末梢標的内分泌臓器のホルモンによるフィードバック機構によっても影響を受ける．血中ホルモンが低値の場合には分泌刺激により分泌予備能を，血中ホルモンが高値の場合には分泌抑制により抑制機構の異常を評価する（表14-2-1）．

(1) 血中ホルモンの基礎値

下垂体前葉ホルモンは，対応する末梢標的内分泌臓器のホルモンとペアで同時測定することが重要である（図14-2-9）．ホルモン分泌の低下が末梢内分泌臓器の障害による原発性機能低下では，ネガティブフィードバック機構の減弱により下垂体前葉ホルモンは高値をとるが，視床下部・下垂体の障害による続発性機能低下では，下垂体前葉ホルモンは低値または基準範囲内にとどまり高値にならない．

成長ホルモン（GH）はおもに肝臓に働いてインスリン様増殖因子-Ⅰ（IGF-Ⅰ）の合成を促進する．肝障害や栄養障害がない場合，血中IGF-Ⅰ濃度はGH分泌とその作用を反映する．

(2) 分泌刺激による分泌予備能の評価

a. 4者負荷試験（CRH ＋ GnRH ＋ TRH ＋ GRH 試験）

下垂体前葉に直接作用するCRH，GnRH，TRH，GRHを同時に投与して下垂体レベルでの分泌予備能を知る．視床下部ホルモン負荷を個別で行うこともある．下垂体障害では低〜無反応である．一方，視床下

表14-2-1 下垂体前葉ホルモンの分泌刺激試験と分泌抑制試験

	刺激試験（作用部位）		抑制試験
	下垂体	視床下部	
ゴナドトロピン (LH, FSH)	GnRH(LHRH)		テストステロン エストラジオール
ACTH	CRH	インスリン低血糖	デキサメタゾン
TSH	TRH		トリヨードサイロニン
PRL	TRH		ブロモクリプチン
GH	GRH	インスリン低血糖, GHRP-2, グルカゴン, アルギニン, レボドパ(小児), クロニジン(小児)	グルコース ソマトスタチンアナログ

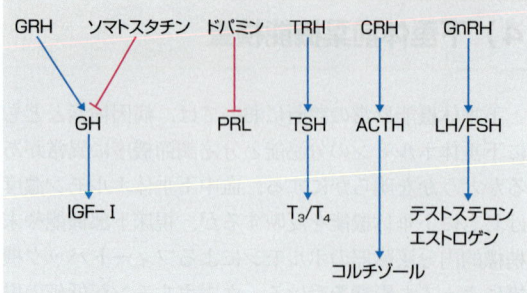

図14-2-9 下垂体前葉ホルモンと末梢標的内分泌臓器ホルモンとの関係

部障害において，CRHに対しACTH分泌が過剰増加反応を示したり，TRHに対しTSH分泌が遅延増加反応を示すことがある．GRHに対するGH分泌は保たれることが多い．GnRHに対するLH, FSH分泌は初期に過剰増加反応を示すが，その後低〜無反応となる．視床下部障害例ではGnRHの連続投与によりLH, FSHの分泌反応が回復する．

b. インスリン低血糖試験(ITT)

速効性インスリン(通常0.1 U/kg体重)を静脈内投与し低血糖を誘発して血中ACTH, コルチゾールおよびGHの増加反応を評価する．視床下部・下垂体系を総合評価できるが，低血糖を誘発するため，検査中および終了後もベッドサイドで十分な観察が必要である．高齢者(65歳以上)，痙攣の既往がある患者，虚血性心疾患患者などでは禁忌である．

c. GHRP-2試験

GHRP-2はグレリン作動薬であり，視床下部GRH分泌を促進し，ソマトスタチンの作用を遮断することで，強力なGH分泌を促す．ヒトではGH以外にACTHやプロラクチン分泌も促進する．

d. グルカゴン試験

グルカゴン皮下投与により，血糖増加とインスリン分泌が促されるが，投与後2〜3時間でGHとACTH, コルチゾール分泌が促進される．

e. その他のGH分泌刺激試験

塩酸アルギニン点滴静注やレボドパ経口投与(小児)，クロニジン経口投与(小児)により視床下部を介したGH分泌能が評価できる．

(3)抑制機序を利用した分泌調節機構の評価

a. 少量および大量デキサメタゾン抑制試験

グルココルチコイドはネガティブフィードバック機構を介してACTH分泌を抑制し，副腎皮質のコルチゾール産生と分泌を抑制することを利用する．1晩少量迅速法では前夜11時にデキサメタゾン1 mgを経口投与し，翌朝9時の血中コルチゾール値を測定する．Cushing病を疑う場合日本では0.5 mgデキサメタゾンを用いる．1晩大量抑制試験では8 mgを用いる．標準デキサメタゾン抑制試験(8 mg/日，2日間)の場合，2日目の尿中遊離コルチゾール排泄量を測定し前値と比較する．

b. 経口グルコース試験

75 gのグルコースを経口投与すると健常人では血中GHは0.4 ng/mL未満に抑制される．先端巨大症，肝硬変，腎不全，思春期などでは，基準値以下に抑制されず，逆に増加反応を示すことがある．

c. ソマトスタチンアナログ試験

ソマトスタチン誘導体のオクトレオチド(50 μg)を皮下注射しGHの動態をみる．

d. ブロモクリプチン試験

ブロモクリプチン(2.5 mg)投与後，血中PRLの低下を観察する．健常人ではGH分泌は促進されるが，先端巨大症患者の一部(約60%)においてGH分泌の抑制が認められる．

e. その他

TSH分泌異常症におけるトリヨードサイロニン(T_3)抑制試験，テストステロンまたはエストラジオールによるゴナドトロピン分泌抑制試験などがある．

(4)異常な分泌調節機序の評価

TRHやGnRH試験において健常人ではGH増加を認めないが，先端巨大症，神経性食欲不振症，肝硬変，うつ病などの一部においてGH増加がみられる．これらは診断の手助けになるとともに，異常反応の消失が治療効果の判定にも役立つ．　〔島津　章〕

■文献

島津　章：下垂体腫瘍の診断(内分泌検査と画像検査)―内分泌検査とその実際．下垂体腫瘍のすべて(寺本　明，長村義之 編)，pp148-58，医学書院，2009．

5）視床下部症候群
hypothalamic syndrome

(1)視床下部症候群

定義・概念

視床下部には多くの神経核と神経路が存在し，本能行動と情動行動の統合中枢であり，生体リズム，内環境の恒常性維持，内分泌系と自律神経系や体性神経系を含む多様な機能の統合に重要な役割を果たしている．視床下部の器質的病変はこれらの機能異常を伴うことが多く，視床下部症候群[1]とよばれる．広義には中枢性摂食障害(神経性食欲不振症や過食症)，心因性多飲症など器質的病変が明らかでない視床下部の機能障害が疑われるものも含まれる．

表14-2-2 視床下部症候群の原因疾患

1. 腫瘍
   頭蓋咽頭腫，胚（芽）腫，視神経膠腫，上衣腫，髄膜腫，過誤腫
   下垂体腫瘍の鞍上部進展
   白血病，悪性リンパ腫
   転移性腫瘍
2. 先天性障害
   遺伝性：中枢性尿崩症，Wolfram症候群，Bardet-Biedl症候群
   発生異常：孔脳症，正中部奇形症候群，septo-optic dysplasia，Kallmann症候群
3. 肉芽腫性病変
   サルコイドーシス，Langerhans細胞組織球症
4. 感染症
   細菌性髄膜炎，結核，梅毒，ウイルス性脳炎，真菌症
5. 血管障害
   くも膜下出血，梗塞，動脈瘤，血管炎
6. 外傷
   頭部外傷，周産期外傷，脳外科手術
7. 栄養・代謝障害
   Wernicke-Korsakoff症候群
8. 放射線障害
   放射線照射
9. 神経変性疾患
   Parkinson病，神経膠症
10. 機能性障害
    間脳自律性てんかん，Kleine-Levine症候群，愛情遮断症候群，神経性食欲不振症
11. 特発性
    視床下部ホルモン欠損症

原因・病因

視床下部症候群の原因は表14-2-2のように多種にわたる．脳腫瘍の頻度は高く，下垂体腺腫について頭蓋咽頭腫，胚腫，星状細胞腫などがある．下垂体腫瘍は鞍上部進展により視床下部障害をきたす．その他，先天性障害，肉芽腫性病変，髄膜炎・脳炎などの感染症，外傷，放射線障害，手術，血管病変，神経変性疾患などがある．

Kallmann症候群は，嗅覚障害を伴う低ゴナドトロピン性性腺機能低下症[2]であり，*KAL1*遺伝子，*FGFR1*遺伝子，*PROKR2*遺伝子などの異常に起因することがある．Fröhlich症候群は，視床下部・下垂体の器質的病変（おもに脳腫瘍など）が原因となって肥満と性腺機能低下（性腺発育不全）の症候を伴う病態である．Bardet-Biedl症候群[3]は，常染色体劣性遺伝をとり，肥満，網膜色素変性，知能障害，性腺機能低下，多（合）指症を主徴とする．Prader-Willi症候群[4]は，新生児期の筋緊張低下，性腺発育不全，知能障害，低身長があり，乳児期以降に肥満，食欲異常，耐糖能異常などを合併する（下垂体前葉ホルモン単独欠損症の項を参照【⇒14-2-7】）．

病態生理

器質的病変にみられる臨床症状は，原因疾患の特性よりも病変部位とその広がりおよび病期により影響される．多くは両側にまたがる病変が原因となる．

臨床症状

臨床所見は下垂体前葉機能障害，後葉機能障害および下垂体機能以外の視床下部機能障害の3つに分けられ，種々の組合せで認められる．

1) 下垂体前葉機能障害：
   a) 下垂体前葉機能低下症：視床下部基底部の破壊や下垂体との連絡路の障害により，視床下部ホルモンによる分泌調節ができず下垂体前葉ホルモンの分泌障害が起きる．複合型下垂体前葉ホルモン分泌不全が多い．
   b) 高プロラクチン血症：PRL分泌は放出抑制因子のドパミンによる抑制的な分泌調節を受けており，視床下部障害で分泌亢進がみられる．
   c) 思春期早発症：絨毛性ゴナドトロピン（hCG）やGnRHの産生，思春期発現の抑制機構の障害などにより性早熟がみられる．
   d) その他：まれに神経節細胞腫がCRHまたはGRHを産生してCushing症候群や先端巨大症を引き起こす．

2) 下垂体後葉機能障害：
   a) 中枢性尿崩症：視床下部の破壊性病変やバソプレシン（抗利尿ホルモン，ADH）分泌低下により尿崩症が起こる．
   b) 高ナトリウム血症：尿崩症に渇中枢の障害が加わると持続的な高ナトリウム血症を示す．
   c) 抗利尿ホルモン不適合分泌症候群（SIADH）：バソプレシンの持続的分泌により低ナトリウム血症，低浸透圧血症が起こる．

3) ほかの視床下部機能障害（表14-2-3）：
   a) 体温調節の異常：持続性低体温，発作性低体温，持続性高体温ないし発作性高体温，変動体温がみられ

表14-2-3 視床下部の機能異常（下垂体機能調節以外）

体温調節	高体温，低体温，変動体温
摂食行動	過食・肥満，拒食・るいそう，無食
飲水行動	無飲，強迫多飲，高ナトリウム血症
睡眠，意識	睡眠覚醒リズム逆転，無動無言症，嗜眠，昏睡
情動，精神活動	多動，怒り，強迫笑い発作，反社会的行動，記銘力障害
自律神経機能	不整脈，膀胱直腸障害，発汗異常

る.

　b）摂食行動の異常：過食と肥満，食欲不振とやせがみられる．幼児の間脳症候群では，神経膠腫などの第3脳室近傍の腫瘍により生後1歳頃に摂食が十分にもかかわらず活発な行動と高度なやせをきたす．

　c）精神神経症状：意識障害，記銘力低下，指南力障害，情動行動異常，睡眠覚醒リズムの障害，間脳自律神経性てんかんなどを認める．腫瘍による脳室の圧排で内水頭症をきたす．視神経障害により視力・視野障害をきたす．

検査所見

1）内分泌学的検査：　視床下部ホルモンを用いた負荷試験（TRH，GnRH，CRH，GRH試験），視床下部に作用して二次的に下垂体を刺激する試験（インスリン低血糖，GHRP-2，グルカゴン試験など），バソプレシン分泌刺激または分泌抑制試験などを行い，障害されているホルモンの種類とその程度を調べる．

2）画像検査：　MRI（磁気共鳴画像）やCTによる神経放射線学的検査を行う．PETによる脳代謝機能検査も用いられる．

3）病因に関する検査：　生検組織の光顕・電顕所見，ホルモンの免疫組織化学などはホルモン産生・分泌の障害の診断に有用である．サルコイドーシスやLangerhans細胞組織球症などの肉芽腫性疾患は，肺や骨，皮膚などほかの臓器に病変を伴うことがあり，その部位の組織診が役立つ．

診断

詳細な病歴の聴取と診察所見から，視床下部症候群を疑い，視床下部・下垂体機能検査，画像検査，病因に関する検査を行い，診断する．

治療

原因は多様であり，原疾患に対する治療が基本となる．腫瘍が原因の場合には腫瘍摘出が第一選択であるが，術後の再発予防，手術不能または効果不十分のときには放射線療法や薬物療法を行う．内分泌障害についてはそれらに応じた治療を行い，分泌不全症にはホルモン補償療法を行う．

(2) 性早熟症，思春期早発症（sexual precocity, precocious puberty）

概念

思春期早発症[5]は，性ステロイドの分泌により，二次性徴が異常に早く出現した状態である．部分的な早期乳房発育症，早期恥毛発育症などは除かれる．

分類

ゴナドトロピン依存性の中枢性思春期早発症と，非依存性で性ステロイド分泌のみが亢進する末梢性思春期早発症に分類される．中枢性思春期早発症が圧倒的に多く，女児が男児の約4倍の頻度でみられる．

原因

中枢性思春期早発症の原因として，特発性，器質性，甲状腺機能低下症などがある．器質的病変として頭蓋内腫瘍（視床下部過誤腫，視神経膠腫，星細胞腫など）およびほかの頭蓋内病変，ヒト絨毛性ゴナドトロピン（hCG）産生腫瘍などがある．原因疾患が明らかでない場合を特発性という．女児では原因が不明の特発性が大部分であるが，男児では器質性の頻度が高い．

末梢性思春期早発症の原因として，女児で女性化するものにMcCune-Albright症候群，機能性卵巣嚢腫，卵巣腫瘍や副腎皮質腫瘍，エストロゲン使用によるものがある．男性化するものとして21α, 11β-ヒドロキシラーゼ欠損症による先天性副腎過形成症などがある．男児で男性化するものにLH受容体異常による家族性男性思春期早発症，21α, 11β-ヒドロキシラーゼ欠損症による先天性副腎過形成症，副腎皮質腫瘍やLeydig細胞腫瘍，アンドロゲン使用によるものがある．女性化するものは副腎皮質腫瘍，エストロゲン使用によるもの，Sertoli細胞腫瘍がある．頻度が高いのは先天性副腎過形成症である．

McCune-Albright症候群は，皮膚のカフェオレ色素斑，多発性線維性骨異形成，内分泌障害を主徴とし，GNAS1遺伝子異常により生じる．内分泌機能異常として末梢性思春期早発症，甲状腺機能亢進症，巨人症などがみられる．

臨床症状

男児において，①9歳未満で精巣，陰茎，陰嚢などの明らかな発育が起こる，②10歳未満で陰毛発生をみる，③11歳未満で腋毛，ひげの発生や声変わりをみる．女児において，①7歳6カ月未満で乳房発育が起こる，②8歳未満で陰毛発生，または小陰唇色素沈着などの外陰部早熟，あるいは腋毛発生が起こる，③10歳6カ月未満で初経をみる．随伴症状として身長促進現象や骨年齢の促進が認められる．

診断

Tanner Stageに基づいて思春期ステージの評価を行い，男児で精巣容積が4 mL以上ある場合，女児で乳房肥大がある場合に思春期の開始と判断する．病歴から思春期早発の発来時期と進展の経過および薬剤使用の有無を確認する．ゴナドトロピン依存性であるかどうかをGnRH試験で判別する．中枢性の場合は画像診断（MRI，CT検査）で器質的疾患の有無を診断する．末梢性の場合は副腎性か性腺性か，それ以外の原因によるものかを検索する．

治療

未治療では，一時的に健常児より身長は高くなるが，骨端線早期閉鎖のため最終身長は低くなる．幼い年齢で二次性徴が出現するために本人や親が社会的に

困惑したり，また年齢不相応に異性に対して関心をもつなど心理社会的問題が生じる．このため，二次性徴の抑制と骨成熟抑制による最終身長の改善をはかる．

治療方針は原因疾患により異なる．可能であれば器質的病変の治療（外科的治療）を行う．基礎疾患があるものに対して対症的薬物療法を行う．中枢性思春期早発症の治療薬には GnRH アナログを用いる．

(3) 視床下部・松果体部腫瘍 (hypothalamic and pineal tumor)

概念
第3脳室周辺部，特に視床下部，松果体部に発生する腫瘍はさまざまであるが，内分泌症状をきたす重要な腫瘍として頭蓋咽頭腫 (craniopharyngioma)[6] と胚細胞腫瘍 (germ cell tumor)[7] がある．

疫学
脳腫瘍全国集計調査報告では，頭蓋咽頭腫は全脳腫瘍の約5％，胚細胞腫瘍は約3％を占める．このほか，下垂体腺腫の鞍上部進展も重要である．一方，松果体部に発生する腫瘍としては，胚腫が最も多い．頭蓋咽頭腫の発症は全年齢層に認められるが，5～15歳と50～55歳にピークがある．胚腫の発症年齢のピークは10～12歳にあり，90％近くは20歳未満である．

病理
頭蓋咽頭腫は胎生期の頭蓋咽頭管の遺残から発生した先天性腫瘍である．多くは鞍上部に発生する囊胞性，実質性の腫瘍で，組織学的に重層扁平上皮を基本構造とする．一方，胚細胞腫瘍は胎生期の原始胚細胞が脳内に遊走し発生すると推察されている．組織学的には，①胚腫（ジャーミノーマ），②絨毛癌，③胎児性癌，④内胚葉洞腫瘍（卵黄囊腫瘍），⑤奇形腫，⑥混合型に分けられる．胚腫は大型の円形ないし多角形の細胞と小円形細胞からなる two cell pattern を示す．免疫組織学的に腫瘍実質細胞は胎盤性アルカリホスファターゼや c-kit が陽性となる．

臨床症状
頭蓋咽頭腫の初発症状として頭痛が多く，ついで視力視野障害，尿崩症，女性では無月経などがある．神経下垂体部胚腫では尿崩症が多く，ついで視力視野障害，成長遅延，頭痛などである．頭蓋咽頭腫と異なり神経下垂体部胚腫は浸潤性（破壊性）に発育するため視床下部障害をきたす頻度は高い．

松果体部腫瘍は中脳水道狭窄による頭蓋内圧亢進症状を起こす．輻輳反射は保たれ対光反射のみ障害される Argyll-Robertson 瞳孔や上方注視麻痺 (Parinaud 徴候)，複視をきたすことも多い．片麻痺，尿失禁，痙攣などの症状もみられる．hCG 産生により男児で思春期早発症を合併する．視床下部過誤腫でも思春期早発症や笑い発作をきたすことがある．

検査所見・診断
内分泌学的検査，画像検査，眼科的検査を行う．下垂体機能低下症がある場合，下垂体ホルモン分泌不全の所見を認める．尿崩症では尿濃縮の障害，血中バソプレシン低値がみられる．

頭蓋単純撮影で，頭蓋咽頭腫の場合，トルコ鞍の平皿状変形，腫瘍の石灰化像が，松果体部腫瘍では松果体石灰化と正中線からの偏位がみられる．CT や MRI 検査で頭蓋咽頭腫は鞍上部腫瘍または鞍内腫瘍として認められ，鞍底に圧排された正常下垂体がみられる．腫瘍自体は実質性または囊腫性であるが，高率に石灰化がみられる（図 14-2-10A）．胚腫は鞍上部に境界明瞭で均質な造影増強効果を示す腫瘍として描出される（図 14-2-10B）．一方，奇形腫は形状不整境界明瞭で石灰化や囊胞を有し不均質に造影される．

脳脊髄液の細胞診が診断的意義を有する．腫瘍マーカーとして，α-フェトプロテイン (AFP) の上昇は卵

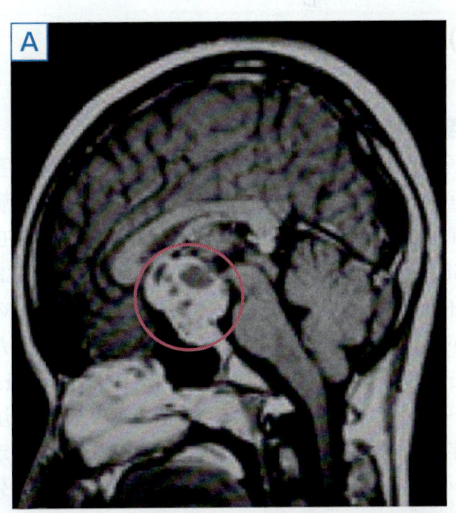

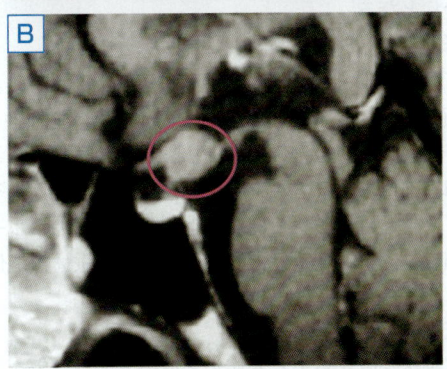

図 14-2-10 頭蓋咽頭腫 (A) および神経下垂体胚細胞腫 (B) の MRI 所見
A：鞍上部腫瘍または鞍内腫瘍として認められ，鞍底に圧排された正常下垂体がみられ，腫瘍自体は一部実質性で，囊腫部分もみられる．
B：鞍上部に境界明瞭な腫瘍を認める．腫瘍は均質な造影増強効果を示す．T1 強調画像で下垂体後葉の高信号域消失がある．

黄嚢腫瘍成分の存在を，hCG高値は絨毛癌あるいは合胞栄養細胞性巨細胞（syncytiotrophoblastic giant cell）の存在を示唆する．

治療

原因疾患に対する治療とホルモン補償療法を行う．

頭蓋咽頭腫に対しては外科的治療が選択される．完全摘出はしばしば困難であり，残存する場合放射線療法を併用する．

胚細胞腫瘍は組織構成により治療予後が異なる．胚腫は放射線感受性がきわめて高く放射線外照射で寛解がはかれるが，幼児に対する放射線障害の副作用を減じるため化学療法を併用する．奇形腫では手術による全摘出を試みる．

ホルモン補充療法は下垂体前葉機能低下症，尿崩症に準じて行う．　　　　　　　　　　　〔島津　章〕

(e 文献 14-2-5)

6）下垂体前葉機能低下症
hypopituitarism

定義・概念

下垂体前葉機能低下症[1]は，視床下部，下垂体茎，下垂体の障害により下垂体前葉から分泌される副腎皮質刺激ホルモン（ACTH），甲状腺刺激ホルモン（TSH），性腺刺激ホルモン（ゴナドトロピン；LH，FSH），プロラクチン（PRL），成長ホルモン（GH）の分泌が障害されることにより生じる．分泌が低下したホルモンの種類によって，ACTH分泌不全症，TSH分泌不全症，ゴナドトロピン分泌不全症，PRL分泌不全症，GH分泌不全症に分けられ，複数の下垂体ホルモン分泌低下がある場合は複合型下垂体ホルモン分泌不全症となる．

分類

下垂体前葉機能低下症の病型として，①病因による分類：腫瘍，分娩時大出血，炎症，外傷，先天性（遺伝子異常），自己免疫疾患，細胞浸潤，特発性など，②障害部位による分類：下垂体性，視床下部性，その他，③欠乏ホルモンの種類による分類：単独ホルモン欠損症，部分的下垂体機能低下症，汎下垂体機能低下症，がある．

原因・病因

下垂体を直接障害する病変と視床下部を侵す病変がある．

下垂体の器質的疾患として，女性では分娩時の大量出血に続発する下垂体梗塞が代表的であり，Sheehan症候群[2]とよばれる．その他の血管性疾患に基づく下垂体壊死として，糖尿病，海綿静脈洞血栓症，外傷などがある．腫瘍性病変として多いのは非機能性下垂体腺腫である．その他，リンパ球性下垂体炎や結核などの慢性炎症・感染症，原因不明の特発性のものもある．

視床下部障害の代表的疾患は頭蓋咽頭腫と胚腫（ジャーミノーマ）がある．ほかにサルコイドーシス，Langerhans細胞組織球症，髄膜炎などがある．頭部外傷やくも膜下出血によるものも報告されている．骨盤位分娩や新生児仮死などの病歴がある例では下垂体茎断裂もみられる．

まれではあるが，遺伝子異常（*POU1F1*遺伝子，*PROP1*遺伝子，*LHX1*遺伝子，*HESX1*遺伝子，*TPIT*遺伝子など）が原因となる先天性[3]のものがあり，複合型下垂体ホルモン分泌不全症を呈する．機能性視床下部病変は，ストレス，過度の運動，高度のやせや肥満を伴う栄養状態の変化，急激な環境変化，精神神経機能の変化などに伴って生じることがある．

自己免疫性視床下部下垂体炎[4]では，妊娠分娩に関連したリンパ球性下垂体前葉炎，中枢性尿崩症を主体とするリンパ球性漏斗下垂体後葉炎，前葉と後葉を同時に侵す汎下垂体炎が含まれ，自己免疫機序が想定されている．IgG4関連疾患に伴う漏斗下垂体炎[5]の報告が増えている．

疫学・発生率・統計学的事項

2000年に行われた全国疫学調査[6]では，成人下垂体機能低下症の1年間の受療患者数は男女あわせて約7000例と推計されている．原因疾患別では，視床下部下垂体領域の腫瘍性病変が半数以上を占めている（表14-2-4）．

病態生理

下垂体の前葉細胞は分泌予備能が大きいと考えられ，90％以上の障害ではじめて症状が出る．ほとんどが下垂体前葉ホルモンの分泌障害によるが，ホルモン構造異常，特異的受容体や作用機序の障害によっても下垂体前葉機能低下の臨床症状を呈する．視床下部

表14-2-4 成人下垂体機能低下症の原因疾患の内訳（横山ら，2001）

原因	頻度（%）
下垂体腺腫	27.4
頭蓋咽頭腫	13.3
胚腫	7.6
髄膜腫	1.4
その他の腫瘍	3.9
Rathke嚢胞	2.7
Sheehan症候群	6.4
自己免疫性下垂体炎	3.0
外傷	1.3
特発性	21.5
その他	10.4

表 14-2-5 下垂体機能低下症のおもな症状・症候

下垂体ホルモン	ホルモン欠乏による症状・症候
副腎皮質刺激ホルモン（ACTH）	全身倦怠感，易疲労性，食欲不振，意識障害，低血圧，体重減少など
甲状腺刺激ホルモン（TSH）	耐寒性の低下，不活発，うつ気分，便秘，皮膚乾燥，徐脈，脱毛など
性腺刺激ホルモン（ゴナドトロピン；LH，FSH）	二次性徴の欠如または進行停止，月経異常，性欲低下，インポテンス，不妊，恥毛・腋毛の脱落，性器萎縮，乳房萎縮など 小陰茎，停留精巣，尿道下裂，無嗅症を伴うことがある
成長ホルモン（GH）	小児では低身長，低血糖；成人では肥満，不活発，易疲労感など
プロラクチン（PRL）	産褥期の乳汁分泌低下
バソプレシン（ADH）	口渇，多飲，多尿

性下垂体前葉機能低下症では，血中 PRL は正常ないし高値を示す．下垂体の機能性腫瘍では，一部の下垂体前葉ホルモンの分泌過剰とほかの下垂体前葉ホルモンの分泌不全が併存することがある．

臨床症状

分泌低下をきたした下垂体前葉ホルモンの種類と障害の程度により種々のホルモン欠乏症状が出現する（表 14-2-5）．原疾患の発症時期によっても症状が異なる．

1) **ACTH 分泌不全**：副腎皮質機能低下の症状を示す．全身倦怠感，易疲労性，低血糖や低ナトリウム血症による意識障害，低血圧，食欲不振，悪心・嘔吐，下痢，体重減少，筋力低下，皮膚や毛髪の色素減少，恥毛や腋毛の脱落などが生じる．手術や感染を契機としてショック症状や意識障害が出現することがある（副腎クリーゼ）．

2) **TSH 分泌不全**：甲状腺機能低下の症状を示す．成人では耐寒性の低下，皮膚の乾燥，便秘，浮腫，貧血，言語や動作の緩慢化，傾眠傾向や昏睡を生じる．乳児では精神や身体の成長障害を伴う．

3) **LH，FSH 分泌不全**：小児では，性成熟の障害により二次性徴が発現しない．原発性無月経（女子）や類宦官様の体型（男子）を示す．成人女性では，月経不順，無月経，腋毛や恥毛の脱落，乳房や性器の萎縮，成人男性では，性欲低下，勃起障害，精巣の萎縮，腋毛や恥毛の脱落を示す．

4) **GH 分泌不全**：小児では均整のとれた成長障害や低血糖を生じる．成人では，皮膚の乾燥と菲薄化，体毛の柔軟化，体脂肪（内臓脂肪）の増加，除脂肪体重の低下，骨量の低下，筋力の低下があり，易疲労感，スタミナ低下，集中力低下，気力低下などの精神活動性の低下がみられる．

5) **PRL 分泌不全**：産褥期の乳汁分泌が低下する．

6) **原疾患に基づく症状**：腫瘍性病変やリンパ球性下垂体前葉炎では，頭痛，視力・視野障害をきたすことがある．下垂体卒中では，急激な頭痛，悪心をきたし，眼球運動障害，意識障害を伴うことがある．視床下部の器質的疾患が原因の場合，尿崩症，体温異常，摂食異常などを生じる．

検査所見

1) **一般検査**：軽度から中等度の貧血，低血圧，低血糖，電解質異常（低ナトリウム血症），脂質異常症，体脂肪量増加など種々の異常が認められる．

2) **内分泌検査**：ACTH 分泌不全の検査所見は，①血中コルチゾールの低値，②尿中遊離コルチゾールの排泄低下，③血中 ACTH は高値ではない（血中 ACTH は 25 pg/mL 以下の低値の場合が多い），④ACTH 分泌刺激試験（CRH 負荷，インスリン低血糖など）に対して，血中 ACTH またはコルチゾールは低〜無反応を示す．視床下部性 ACTH 分泌不全症の場合は，CRH の 1 回または連続投与で正常反応を示すことがあるが，インスリン低血糖では反応がみられない，⑤迅速 ACTH 負荷に対して血中コルチゾールは低反応を示し，ACTH 連続負荷に対して増加反応がある．

TSH 分泌不全の検査所見は，①血中 TSH は高値ではない（視床下部障害で正常〜軽度高値を示す），②TSH 分泌刺激試験（TRH 負荷など）に対して，血中 TSH は低〜無反応，視床下部性の場合は，TRH の 1 回または連続投与で正常反応を示すことがある，③血中甲状腺ホルモン（遊離 T_4）の低値がある．

ゴナドトロピン分泌不全の検査所見は，①血中ゴナドトロピン（LH，FSH）は高値ではない，②ゴナドトロピン分泌刺激試験（GnRH 負荷など）に対して，血中ゴナドトロピンは低〜無反応，視床下部性ゴナドトロピン分泌不全症の場合は，GnRH の 1 回または連続投与で正常反応を示すことがある，③血中，尿中性ステロイドホルモン（エストロゲンとプロゲステロン（女性），テストステロン（男性））の低値，④ゴナドトロピン負荷（HCG 負荷など）に対して性ホルモンの分泌増加反応がある．

成人における GH 分泌不全の検査所見は，GH 分泌刺激試験としてインスリン低血糖，アルギニン，またはグルカゴン試験において血中 GH の頂値が 3 ng/mL 以下である．GHRP-2 試験で血中 GH 頂値が 9 ng/mL 以下であるとき，インスリン低血糖試験にお

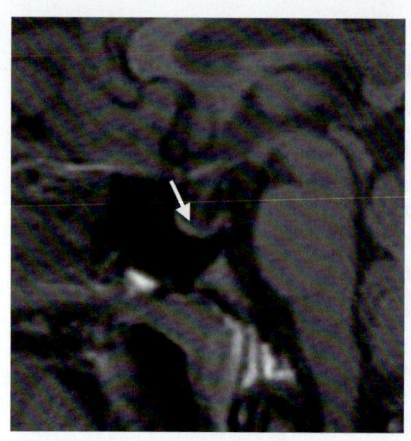

図 14-2-11 Sheehan 症候群における頭部 MRI 像
下垂体はトルコ鞍底に圧排され，鞍内は髄液で満たされている．トルコ鞍空洞（empty sella）の所見が認められる（矢印）．

ける GH 頂値 1.8 ng/mL 以下に相当する重症型の GH 分泌低下と考えられる．血中 IGF-Ⅰ は低値を示すことが多い．小児における GH 分泌不全では，インスリン，アルギニン，レボドパ，クロニジンまたはグルカゴン試験において血中 GH の頂値が 6 ng/mL 以下，または GHRP-2 試験で血中 GH 頂値が 16 ng/mL 以下である．

PRL 分泌不全の検査所見は，①血中 PRL 基礎値を複数回測定し，いずれも 1.5 ng/mL 未満である，②TRH 負荷に対する血中 PRL の反応性が低下または欠如している．視床下部性下垂体機能低下症では，血中 PRL は正常ないし高値を示す．

3）**画像検査**：頭部 X 線撮影，頭部 CT，MRI 画像検査により視床下部，下垂体茎，下垂体などに器質的病変の有無を調べる．Sheehan 症候群ではトルコ鞍空洞（empty sella；図 14-2-11）が認められる．下垂体腺腫では腫瘍部は通常均一で造影効果は正常組織より遅れる．Rathke 嚢胞では低信号域がみられる．リンパ球性下垂体炎や胚腫では，下垂体や下垂体茎の腫大と著明な造影増強がみられる．

診断

表 14-2-5 に示した症状を把握し，それを裏づけるホルモン分泌不全の検査所見から総合的に判断する．経過観察中に当初認められなかった分泌不全が明らかになっていく場合がある．

鑑別診断

1）**標的内分泌器官の原発性機能低下**：副腎，甲状腺，性腺などの原発性機能低下においても症状は類似するが，下垂体前葉ホルモンは高値を示し，刺激試験に対して過剰増加反応を示す．

2）**神経性食欲不振症**：やせが顕著で無月経を伴うが，恥毛，乳房は保たれている．血中 GH，ACTH，TSH の分泌低下はない．血中遊離 T_3 と IGF-Ⅰ が低値を示す．

3）**ホルモン不応症**：ホルモン受容体機構の異常によりホルモン作用が発揮されないために，分泌不全と同様の症状を示すが，血中の前葉ホルモンは保たれている．

合併症

肝障害（脂肪肝炎）や脂質異常症，高血圧，成長障害などの合併症がみられる．副腎皮質ステロイドの補充により潜在性の尿崩症や糖尿病が顕在化することがある．

経過・予後

原疾患により異なるが，画像診断を含めた経過観察と適切な対応が必要である．腫瘍や進行性の慢性炎症では放置すると予後は不良である．血管傷害や外傷，手術に続発したものは，適切な補充療法のみで予後はよい．

治療

1）**ホルモン補充療法**：早期診断と早期治療が重要である．原則として分泌低下を示すホルモンを補充する．一般症状の経過観察とともに，血中ホルモン値などを定期的に測定して補充量を調整する．特に感染時や妊娠時の必要量調整に注意する．

ACTH 分泌不全に対して，副腎皮質ステロイドとしてヒドロコルチゾン 1 日量 10〜20 mg を経口投与する．手術，感染などのストレス時には，維持量の 2〜4 倍量を投与する．TSH 分泌不全に対して T_4 製剤（レボチロキシン）を少量から開始し維持量まで漸増する．高齢者や心疾患を有する患者では特に注意して少量から開始する．ACTH と TSH の分泌不全がともに存在する場合には，副腎不全を避けるため，副腎皮質ステロイドの補充を開始した後に甲状腺ホルモンを投与する．

ゴナドトロピン分泌不全に対して，二次性徴の発現・成熟のため，性ステロイド補充（成人男性ではテストステロンデポ製剤筋注）を行う．妊孕性獲得に必要な精子形成のためには hCG-rFSH 療法を行う．LHRH 療法は視床下部性ゴナドトロピン分泌不全症で用いられることがある．思春期以降更年期までの女性ではエストロゲンとプロゲステロンを併用投与する Kaufmann 療法を行う．挙児希望がある場合，卵胞の発育や排卵を誘発するためにクロミフェン療法やゴナドトロピン療法を行う．

GH 分泌不全に対して，小児の成長障害（低身長）ではヒト GH を毎日皮下投与する．成人期の重症 GH 分泌不全に対しても QOL 改善，体組成異常や代謝障害の是正のため GH 投与が行われる．

2）**原因療法**：原疾患に対して，手術，薬物投与，放射線照射などの適応を考慮する．下垂体腫瘍に対する

手術の適応，術式や時期は，種類や大きさにより異なるが，経鼻手術がよく行われる．

ドパミン作動薬やソマトスタチン誘導体による薬物治療がホルモン産生腫瘍の一部に著明な縮小効果を示す．手術前後に薬物療法を併用することもある．胚腫には化学療法と放射線療法が行われる．　〔島津　章〕
(e)文献 14-2-6)

7) 下垂体前葉ホルモン単独欠損症
isolated pituitary hormone deficiency

概念
単一の下垂体前葉ホルモン分泌が障害された病態をいう．まれな病態ではあるが，ゴナドトロピン単独欠損症が比較的多くみられる．下垂体障害と視床下部障害により生じる．家族性に発症することがある．

診断
下垂体前葉ホルモンのなかで，該当するホルモン以外の下垂体ホルモン分泌が障害されていないことを示す．思春期や加齢に伴う生理的変化を考慮する必要がある．

1) **ゴナドトロピン単独欠損症**：LH，FSH の分泌がいずれも障害された状態であるが，LH のみまたは FSH のみ障害されることがある．女性よりも男性に多い．

嗅覚障害(無または低嗅症)を伴う場合，Kallmann 症候群[1]とよばれる．KAL1 遺伝子，FGFR1 遺伝子，PROKR2 遺伝子の異常が認められることがある．ゴナドトロピン単独欠損症で GnRH 受容体および GnRH 自身の遺伝子異常も報告されている．Prader-Willi 症候群(肥満，糖代謝異常，知能障害，筋緊張低下など)や Bardet-Biedl 症候群(網膜色素変性，肥満，多指症，知能障害など)の先天異常を伴う例がある．

臨床的には二次性徴の障害と類宦官様体型を示す．高身長，指極長の延長，骨端線閉鎖遅延などが認められる．血中性ステロイドホルモンの低下と LH，FSH の低下を認める．GnRH 負荷に対してゴナドトロピンは低〜無反応を示す．視床下部障害では遅延増加反応を示し，GnRH 連続負荷に対する増加反応を認める．

2) **ACTH 単独欠損症**[2]：好発年齢は中年以後である．低血糖，低血圧，低ナトリウム血症，感染や手術などストレス時のショック状態などで見いだされる．易疲労性，食欲不振を示す．原因として自己免疫機序が考えられており，大部分は下垂体障害である．先天性の場合，下垂体特異的転写因子である TPIT 遺伝子の異常が報告されている．

3) **GH 単独欠損症**：幼児において低血糖発作で発症することがある．均整のとれた低身長を特徴とし，歴年齢に比し骨年齢の遅延がある(GH 分泌不全性低身長症の項を参照【⇨ 14-2-8-1】)．

4) **TSH 単独欠損症**：遺伝性の下垂体 TSH 単独欠損症は TSH-β 遺伝子異常により生じるが，きわめてまれである．生下時から甲状腺機能低下症状を呈する．非遺伝性では，視床下部 TRH の障害による視床下部性甲状腺機能低下症がみられる．

5) **PRL 単独欠損症**：分娩後の乳汁分泌を認めず，きわめてまれである．

治療
下垂体前葉機能低下症に準じ，ホルモン補充療法を行う．　〔島津　章〕
(e)文献 14-2-7)

8) 成長ホルモン分泌不全症
growth hormone deficiency：GHD

(1) 成長ホルモン分泌不全性低身長症

定義・概念
成長ホルモン(GH)はおもにインスリン様増殖因子(IGF-Ⅰ)を介して小児の成長に必須である．何らかの原因により下垂体からの GH の慢性的な分泌不全によって引き起こされる低身長症である．

分類
成長ホルモン分泌不全性低身長症は，GH 分泌刺激試験によって程度により分類する(表 14-2-6)．

原因・病因
90%以上は特発性であるが，その他に頭蓋咽頭腫，胚細胞腫，下垂体腫瘍などの器質性(5〜10%)，まれに GH 遺伝子や下垂体分化にかかわる転写因子などの遺伝子異常(GH1, GHRHR, POU1F1 (PIT-1), PROP1, HESX1, LHX3, LHX4 など)によるものがある．骨盤位分娩，仮死，黄疸遷延など周産期異常が病因と推測される場合もある．その他小児癌経験者，頭部外傷後やくも膜下出血後にも合併する(高橋, 2012)．

疫学
小児慢性特定疾患研究事業には1年間に新規例が約 1500 例登録されている．デンマークの報告では1

表 14-2-6 成長ホルモン分泌不全性低身長症の分類

重症 GHD	分泌刺激試験における GH 頂値がすべて 3 ng/mL 以下(GHRP-2 負荷試験では 10 ng/mL 以下)のもの
中等症 GHD	すべての GH 頂値が 6 ng/mL 以下(GHRP-2 負荷試験では 16 ng/mL 以下)のもの(重症を除く)
軽症 GHD	GHD のうち，重症 GHD と中等症 GHD を除いたもの

表14-2-7 成長ホルモン分泌不全性低身長の診断基準

I 主症候
1 成長障害があること
  ① 通常は，身体のつりあいはとれていて，身長は標準身長*1の−2.0 SD以下，あるいは身長が正常範囲であっても，成長速度が2年以上にわたって標準値*2の−1.5 SD以下であること．
  ② 通常は，身体のつりあいはとれていて，身長は標準身長*1の−2.0 SD以下，あるいは身長が正常範囲であっても，成長速度が2年以上にわたるか否かを問わず標準値*2の−1.5 SD以下で経過していること．
2 乳幼児で，低身長を認めない場合であっても，GHDが原因と考えられる症候性低血糖がある場合．
3 頭蓋内器質性疾患*3やほかの下垂体ホルモン分泌不全がある場合．

II GH分泌刺激試験
インスリン負荷，アルギニン負荷，レボドパ負荷，クロニジン負荷，またはグルカゴン負荷試験において，原則として負荷前および負荷後120分間（グルカゴン負荷では180分間）にわたり，30分ごとに測定した血清中GH濃度の頂値が6 ng/mL以下であること．GHRP-2負荷試験で，負荷前および負荷後60分にわたり，15分ごとに測定した血清GH頂値が16 ng/mL以下であること．

III 参考所見
1 明らかな周産期障害がある．
2 24時間あるいは夜間入眠後3〜4時間にわたって20分ごとに測定した血清GH濃度の平均値が正常値に比べ低値である．
3 血清IGF-I値が正常値に比べ低値である．
4 骨年齢が暦年齢の80％以下である．

成長ホルモン分泌不全性低身長症
1. 主症候がIの1①を満たし，かつIIの2種類以上の分泌刺激試験において，検査所見を満たすもの．
2. 主症候がIの2あるいは，Iの1②と3を満たし，IIの1種類の分泌刺激試験において検査所見を満たすもの．

*1：横断的資料に基づく日本人小児の性別・年齢別平均身長と標準偏差値を用いること．
*2：縦断的資料に基づく日本人小児の性別・年齢別標準成長率と標準偏差値を用いること．ただし，男児11歳以上，女児9歳以上では暦年齢を骨年齢に置き換えて判読すること．
*3：頭蓋部の照射治療歴，頭蓋内の器質的障害，あるいは画像検査の異常所見（下垂体低形成，細いか見えない下垂体柄，偽後葉）を認め，視床下部下垂体機能障害の合併が強く示唆された場合．

年間の発症率は10万人あたり男児2.6人，女児1.7人であった．

病態生理

GHは肝臓，骨など各組織におけるIGF-I産生を促進し成長を促す．血中IGF-Iの約80％は肝臓由来であるが，局所で産生されるIGF-Iも重要な役割を果たしている．骨端線の軟骨細胞にはGH受容体およびIGF-I受容体が豊富に発現しており，オートクライン，パラクライン，エンドクラインのIGF-Iの作用により軟骨細胞増殖・肥大が刺激され，軟骨内骨形成が促進される．GHによる成長促進作用はおもにIGF-Iを介するが，一部はGHの独立した作用もあり相乗的に作用する．GHにはこれらの作用以外にも蛋白合成促進，脂肪分解，インスリン抵抗性惹起などの代謝調節作用がある．

臨床症状

1) **自覚症状**：主要症状は低身長，成長障害である．
2) **他覚症状**：身体のつりあいのとれた低身長をきたし，骨年齢は遅延している（表14-2-7）．

検査所見

多くの場合，血清IGF-I値が低下している．GH分泌不全の診断は表14-2-7に示すGH分泌刺激試験による．

診断

診断は厚生労働省間脳下垂体機能障害における診療ガイドライン作成に関する研究班による成長ホルモン分泌不全性低身長症診断の手引き（平成26年度改訂）（厚生労働省間脳下垂体機能障害における診療ガイドライン作成に関する研究班，2015）による．

鑑別診断

GHDの生下時の身長は正常であり，生後に成長障害をきたす．生下時の低身長は子宮内発育遅延SGA（small-for-gestational age）の可能性がある．原因のなかで脳腫瘍などの器質性の場合には急激な成長率の低下を示すことが多いので成長曲線を作成することが重要である．成長障害をきたす疾患にはGHD以外にも，甲状腺機能低下症，Turner症候群，くる病，骨系統疾患，愛情遮断症候群などがある．特に女児の場合には特徴的所見に乏しくても染色体検査によってTurner症候群を鑑別する．

合併症

器質性の場合にはGHだけでなくほかの下垂体前葉，後葉ホルモンの分泌不全を伴う場合が多い．また遺伝性の場合には特定のホルモンが障害される．低身長に伴い心理的社会的問題を合併することがある．

経過・予後

器質的疾患の有無によるが，基本的には生命予後は良好である．GH補充療法によって身長のキャッチアップが期待できるが，治療後の成人身長の平均値は男子160.3 cm，女児が147.8 cmであった．

治療

体重kgあたり0.175 mgの遺伝子組み換えGH製剤を1週の用量とし，週6〜7回の皮下注射を在宅自己注射により就寝前に投与する．体重増加に合わせて半年ごとに投与量を検討し，0.1〜0.2 mgずつ増量していく．身長増加を促進させ，最終身長を正常化することが治療目標である．GHだけでなく，ほかの欠如しているホルモンの補充療法も重要である．低身長や思春期遅発に伴う心理的ケアも考慮する．実地診療の

注意点として GH 補充療法は高額な医療費がかかるため小児慢性特定疾患による助成を受けるのが一般的であるが，診断基準と適応基準の一部が異なるため注意が必要である．

(2)成人成長ホルモン分泌不全症
定義・概念
成人において GH の分泌不全により，QOL の低下と体組成異常および血中脂質高値などの代謝障害，心血管合併症などが増加し予後が悪化する疾患である．

分類
GH 分泌刺激試験の結果によって下記のように分類する．

1)重症成人成長ホルモン分泌不全症(GHD)： GH 分泌刺激試験における血清 GH の頂値がすべて 1.8 ng/mL 以下(GHRP-2 負荷試験では 9 ng/mL 以下)のもの．

2)中等度成人 GHD： 成人 GHD のうち，重症以外のもの．

原因・病因
下垂体腺腫，頭蓋咽頭腫，胚細胞腫などの腫瘍性疾患，Rathke 囊胞，下垂体炎，トルコ鞍空洞症，頭部外傷，くも膜下出血や頭蓋放射線照射などのさまざまな視床下部・下垂体の器質性疾患あるいはその既往によって引き起こされることが多い．小児癌経験者の晩発性障害としても起こりやすい．

疫学
欧米の疫学から，推計される日本における患者数は 1 年あたりに約 1140 人の新規患者の発症，患者総数 3 万 6000 人である．

病態生理
小児における GH のおもな作用は成長促進作用であるが，GH の代謝作用として脂肪分解，インスリン抵抗性惹起，骨リモデリング刺激，筋肉蛋白同化促進，塩分貯留促進作用などがある．成人における GH 分泌低下によってこれらの作用が低下し，除脂肪体重の減少，内臓脂肪の増加，脂質異常，筋肉骨塩量低下，骨折頻度の増加，QOL の低下を引き起こす．成人 GHD における GH 補充療法によって，内臓脂肪減少などの体組成と代謝異常の改善，骨塩量増加，QOL の改善を認める．

臨床症状
診断は厚生労働省間脳下垂体機能障害における診療ガイドライン作成に関する研究班による成人成長ホルモン分泌不全症診断の手引き(平成 26 年度改訂)(厚生労働省間脳下垂体機能障害における診療ガイドライン作成に関する研究班)による．

1)自覚症状： 易疲労感，スタミナ低下，集中力低下，気力低下，うつ状態，性欲低下などの自覚症状を伴い，QOL の低下を認める．小児期発症の場合には成長障害を伴う．

2)他覚症状： 皮膚の乾燥と菲薄化，体毛の柔軟化，ウエスト/ヒップ比の増加などがある．

検査所見
体脂肪(内臓脂肪)の増加，除脂肪体重の減少，骨塩量減少，筋肉量減少，脂質代謝異常，耐糖能異常，脂肪肝(非アルコール性脂肪性肝炎含む)の増加などがある．

GHD の診断には GH 分泌刺激試験が必要である．インスリンまたは GHRP-2 負荷試験をまず試みる．インスリン負荷試験は虚血性心疾患や痙攣発作をもつ患者では禁忌であるが GHRP-2 負荷試験は安全に施行可能である．以下の場合に GHD と診断する．インスリン負荷，アルギニン負荷またはグルカゴン負荷試験において，負荷前および負荷後 120 分間(グルカゴン負荷では 180 分間)にわたり，30 分ごとに測定した血清 GH の頂値が 3 ng/mL 以下である(1.8 ng/mL 以下のときに重症 GHD と診断)．GHRP-2 負荷試験で，負荷前および負荷後 60 分にわたり，15 分ごとに測定した血清 GH 頂値が 9 ng/mL 以下である．一般に血清 IGF-Ⅰ，IGF-BP3 値が低下する場合が多いが，正常範囲の症例も存在する．

診断
上記の症状，身体所見と GH 分泌刺激試験によって GH 分泌不全を証明する．器質的疾患があり，複数の前葉ホルモンの分泌低下があるときには 1 つの GH 分泌刺激試験によって，器質的疾患が明らかではないときには 2 つの試験によって分泌低下を確認する．

鑑別診断
成人 GHD の症状には非特異的なものが多いため，成長障害あるいは小児癌経験者の既往，頭蓋内器質性疾患の合併ないし既往，治療歴または周産期異常などの存在に自覚症状および身体所見を認めたときに積極的に疑い検査を進める．

合併症
成人 GHD では体脂肪量，特に内臓脂肪が増加しており，総コレステロール，LDL コレステロール，ApoB，中性脂肪が上昇している．耐糖能異常を認め，インスリン抵抗性を示す．また軽度の肝障害が多く，非アルコール性脂肪性肝疾患(NAFLD)，非アルコール性脂肪性肝炎(NASH)を合併しやすい．これらの病態と関連して，内頸動脈中膜肥厚，心血管合併症，脳血管障害の増加を認める．骨塩量および骨密度の低下を認め，骨折罹患率(特に椎体骨折)が有意に高い．また活力の低下，情緒不安定，性的関係の困難，自尊心の低下，日常生活への適応性の低下，集中力，記憶力の低下，社会的孤立傾向が認められ QOL が有

意に低下している(Thomasら，2009)．

経過・予後

GH補充が行われていない汎下垂体機能低下症では標準化死亡率は1.5～3倍で，予後が不良であることが報告されている．予後不良の原因はおもに心血管合併症，脳血管障害の増加である．GH補充療法によって合併症は改善し，予後の改善も示唆されている．日本において2006年より成人GHDに対するGH補充療法が保険承認された．さらに2009年より下垂体機能低下症が難病に認定され患者の経済負担が軽減された．

治療

重症成人GHDがGH補充療法の適応となる．GHだけでなく，ほかの欠乏しているホルモンの適切な補充療法が必要である．治療の目的は，GH分泌不全に起因する自覚症状およびQOLを改善し，体組成異常および血中脂質高値などの代謝障害を是正することである．自己注射にて毎日就寝前に遺伝子組換えGHを皮下注射する．GH投与は少量（3μg/kg体重/日）から開始し，臨床症状，血中IGF-I値をみながら4週間単位で増量し，副作用がみられずかつ血中IGF-I値が年齢・性別基準範囲内に保たれるように適宜増減する．有害事象としてGHの体液貯留作用に関連する手足の浮腫，手根管症候群，関節痛，筋肉痛などが治療開始時にみられるときがあるが，多くは減量あるいは治療継続中に消失する．治療効果について，血中IGF-I値，体組成の改善，代謝障害の是正，QOLの改善などを評価する．
〔髙橋　裕〕

■文献(e文献14-2-8)

厚生労働省間脳下垂体機能障害における診療ガイドライン作成に関する研究班：成人成長ホルモン分泌不全症診断と治療の手引き 平成27年度改訂 平成27年度報告書，2015．

髙橋　裕：GH分泌不全性低身長症．内分泌代謝専門医ガイドブック，pp96-9，診断と治療社，2012．

Thomas JD, Monson JP: Adult GH deficiency throughout lifetime. Eur J Endocrinol. 2009; 161: S97-106.

9）先端巨大症
acromegaly

概念

先端巨大症は骨端線閉鎖後に下垂体から成長ホルモン（GH）が年余にわたり過剰に分泌されることによって生ずる病態である．手足末端の肥大や顔貌の変化のみならず，糖尿病などの代謝異常，心肥大や慢性呼吸不全などの循環器や呼吸器合併症をきたし，放置すれば死に至らしめる緩徐進行性の慢性疾患である．一方，骨端線閉鎖前にGHの過剰分泌が生ずると高身長となり，下垂体性巨人症（gigantism）を呈する．

病因

病因の99%以上は下垂体に発生するGH産生腺腫（GH cell adenoma）である（表14-2-8）（Melmed, 2015）．

一方，GH産生腺腫以外の病因として，視床下部（正所性）以外に発生した腫瘍がGH放出ホルモン（GHRH）を長期間持続的に産生する結果（異所性GHRH産生腫瘍），血中のGHRH濃度が異常高値となり（エンドクライン（endocrine）機構），二次的に下垂体腫大とGH過剰症を惹起し，先端巨大症や巨人症をきたすことがある．その多くは気管支や膵・十二指腸などに発生するカルチノイド（carcinoid）である（0.2～0.3%）．ほかには視床下部の過誤腫（hamartoma）や神経節細胞腫（gangliocytoma）あるいは下垂体の分離腫（choristoma）がGHRHを産生し，下垂体を直接刺激し（パラクライン（paracrine）機構），先端巨大症をきたすことがある．

表14-2-8 先端巨大症・下垂体性巨人症の病因と頻度
(Melmed, 2015より引用改変)

部位	頻度
1.GH産生腫瘍	＞99%
a)GH産生下垂体腺腫	
1)GH産生下垂体腺腫，分泌顆粒により亜型に分類 　　　densely granulated adenoma 　　　sparsely granulated adenoma	60%
2)GH/PRL産生混合腺腫	25%
3)GH/PRL同時産生腺腫	10%
4)多ホルモン同時産生腺腫	
b)GH産生下垂体癌	
c)異所性GH産生腫瘍	
1)蝶型骨洞・咽頭後壁周辺部・迷入下垂体のGH腺腫	
2)GH産生膵Langerhans島腫瘍（症例報告）	
d)多発性内分泌腺腫症1型	
e)McCune-Albright症候群	
f)Carney症候群[*1]	
2.異所性GHRH産生腫瘍[*2]	＜1%
a)頭蓋外GHRH産生腫瘍（エンドクライン機構）	0.2%
1)カルチノイド　気管支，消化管，胸腺など	
2)非カルチノイド　甲状腺髄様癌，肺小細胞癌，褐色細胞腫，副腎腫瘍など	
b)頭蓋内GHRH産生腫瘍（パラクライン機構）[*3]	
1)視床下部過誤腫（hamartoma）	
2)下垂体部分離腫（choristoma）	
3)視床下部・下垂体部神経節細胞腫（gangliocytoma）	
4)GHRH・GH同時産生下垂体腺腫（オートクライン機構，症例報告）	

＊1：過形成のなかに腺腫組織あり．
＊2：下垂体組織はほとんどが過形成を示す．
＊3：幼少期からの視床下部過誤腫では下垂体過形成からGH産生腺腫にまで発育することがある．

GH 産生下垂体腺腫発生の分子機構については❷コラム 1 参照.

病理

GH 産生下垂体腺腫の 75%は腫瘍径 1.0 cm 以上の巨大腺腫(macroadenoma)である.HE 染色では好酸性あるいは嫌色素性を示す.免疫組織化学による頻度は GH 陽性細胞が最も多く,それ以外にプロラクチン(PRL)陽性細胞と GH 陽性細胞が混在したもの(mixed GH-PRL cell adenoma),同一腺腫細胞内に GH と PRL が陽性を示すもの(GH-PRL 同時産生腺腫,mammosomatotroph cell adenoma),GH 以外に PRL,TSH や α サブユニットやまれに ACTH を同時に産生する腺腫(多ホルモン同時産生腺腫,plurihormonal adenoma)がある.まれな組織型として,下垂体癌がある(表 14-2-8).一方,異所性 GHRH 産生腫瘍に基づく先端巨大症・巨人症の下垂体はほとんどが過形成を示す.

疫学

人口 100 万人あたり有病率は 40~85 人前後,年間発症率は 3~5 人前後,診断年齢は 40~50 歳で,男女ほぼ同数か,女性にやや多い,とされている.一方,巨人症は 16~20 歳に好発し,男性に多い(男女比 3:1).

病態生理

GH 産生下垂体腺腫の発育に伴い,① GH 分泌過剰による症候と,②腫瘍容積増大と周辺正常組織圧迫に基づく脳神経症状や内分泌機能障害が出現する(片上,2006).

1)成長ホルモン(GH)分泌過剰による症状:
GH の作用のほとんどはインスリン様増殖因子(IGF-I,ソマトメジン C)を介して発現される.それ以外に,脂肪細胞,軟骨細胞や筋肉細胞などの分化・誘導という GH 特異的な直接作用もある.IGF-I は肝臓,軟骨細胞,筋肉,腎臓など生体内の多くの組織で産生され,その局所で増殖因子として作用する.そのため,GH の持続的過剰分泌は骨・軟骨,軟部組織や内臓の肥大・変形,さらには腫瘍発育を促進する.ある一定期間,GH 過剰が持続すると,これら骨・軟骨や心肥大などの退行変性は非可逆的となる.

a)顔貌:下顎,眉弓部や頬骨の突出,鼻・口唇の肥大,歯列間隙の拡大,巨大舌などを呈し,そのために特異的な顔貌変化(図 14-2-12A,B)や咬合不全をきたす.声帯の肥大,副鼻腔の拡大,巨大舌が複合し,特徴的な反響性の低い声を生ずる(deepening of the voice).

b)皮膚:粗糙で肥厚し,顔面や頸部の皮膚には懸垂線維腫(skin tag)が目立ち,色素沈着が軽度~中等度に生ずる.発汗が著明となり,しばしば異臭を伴う.四肢末端は肥大し,手足容積は増大する(図 14-2-12C, D).指は厚ぼったくなり,太く丸みをおび,ソーセージ様になる(図 14-2-12C).足底部の軟部組織(heel pad)が肥厚する.四肢には剛毛が目立つようになり,女子では 56%に生ずる.

c)骨・関節の変化:過半数に生じ,関節痛が初発症状の 1 つになることもある.関節軟骨の不均等な増殖の結果,関節が不安定になり,機械刺激がさらに加わり,骨棘や変形をきたす(hypertrophic arthropathy).この関節や骨の構造変化は一度生じてしまうと,治療が成功して GH 値が正常化しても,徐々に進行する.

d)体型:特異的で,腰部は前弯,胸部は後弯をきたす.腰痛がしばしばみられる.関節部の骨肥大により変形性関節症(osteoarthritis)を,手首においては軟部組織の肥厚と骨の肥厚変形により,正中神経を圧迫する結果,手根管症候群(carpal tunnel syndrome)をきたす.また,坐骨神経痛や末梢性の感覚運動神経障害をきたす.一方,四肢の筋肉では初期では肥大を,末期では近位筋優位のミオパチーにより萎縮をきたす.

e)甲状腺:びまん性あるいは多結節性に腫大するが,ほとんどで甲状腺機能は正常である.甲状腺機能亢進症を呈する場合は TSH 産生腺腫の合併や機能性甲状腺腫の合併を考える.

f)心臓:併存する高血圧のため(43%),初期では

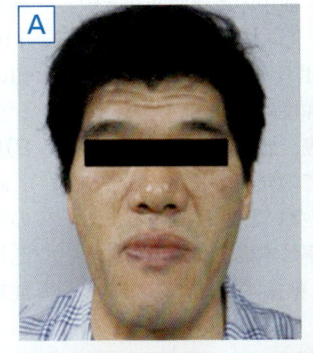
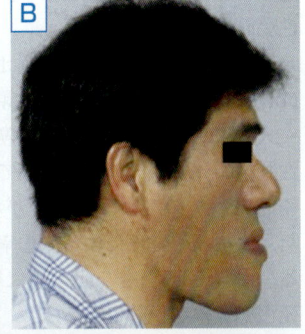
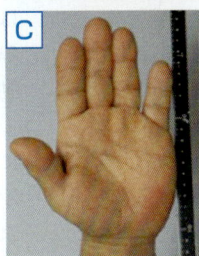
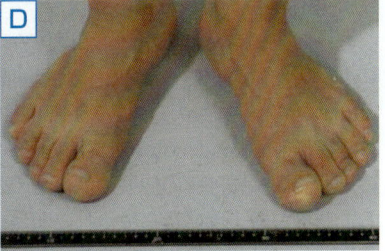

図 14-2-12 先端巨大症典型例(38 歳,男性)
鼻・口唇の肥大(A),下顎・眉弓部や頬骨の突出(B),手(C)・足(D)の肥大と容積の増大,ソーセージ様の手指(C)が顕著である.

左心室肥大と過剰拍動心（hyperkinetic heart）をきたす．中期では両室肥大心となり，拡張不全の結果，心拍出量の低下や相対的冠血流の低下が生ずる．また，間質組織の浮腫，細胞浸潤，線維化も生ずる．一方，伝導障害も合併し，心室性期外収縮などの不整脈もしばしばみられる（40%）．さらに，左心室肥大に伴って大動脈弁（30%）と僧帽弁閉鎖不全症（5%）を生ず．末期では拡張性の心不全をきたす．この一連の心合併症はGH過剰が正常化すると，初期であればその進行を阻止したり，ある程度回復することが可能で，GH特異的な変化と考えられている（acromegalic cardiomyopathy）．そして，不整脈も含め，これらが合わさって，生命予後を大きく左右する．

g）胸部：樽状胸郭を示す．相対的な気管・気管支の狭小化をきたす結果，肺活量は増加するものの軟骨や肺実質の弾性低下や呼吸筋の活動低下など，胸郭・肺の弾性が低下し，換気低下をきたす．さらに進行すると慢性気管支肺炎，肺気腫や気管支拡張症などの器質性変化を合併し，末期には呼吸不全に陥る．一方，上気道の構成成分である，舌，下顎骨の肥厚・変形，咽頭や喉頭部粘膜（喉頭披裂粘膜など）の浮腫により，閉塞性（末梢性）の睡眠時無呼吸症候群（sleep apnea syndrome：SAS）が生ずる．そして中枢性のSASが併存する結果，病初期よりSASを高頻度に合併する（50〜70%）．血中GH・IGF-Iの高値の男性が重症化しやすい．

h）代謝異常：GHがインスリン作用と拮抗するため，耐糖能低下（IGT，35〜50%）や糖尿病（40〜56%）を引き起こす．また，GHの脂肪分解促進と中性脂肪分解抑制により，血中の遊離脂肪酸と中性脂肪が増加する．

i）悪性腫瘍：良性の大腸ポリープ（adenomatous polyp）や子宮平滑筋腫の発生頻度は高い．

大腸癌も含め，胃癌，食道癌，悪性黒色腫などの悪性腫瘍の発生頻度は一般人口での発症率と比較してやや高いか，あるいは有意差がないとされている．ただ，大腸癌や乳癌による死亡率は本症で有意に高くなる．血中GH濃度を正常値に維持すれば，これらの死亡率上昇を予防できる．

2）下垂体腺腫の増大による症状：

a）神経症状：頭痛をしばしば伴う．GH産生腺腫の75%が腫瘍径1.0 cm以上の巨大腺腫（macroadenoma）であることや，本頭痛が腫瘍径1.0 cm未満の微小腺腫（microadenoma）でも生ずることから，腫瘍の硬膜浸潤や鞍隔膜の伸展によるものと考えられている．腫瘍が鞍上部に及ぶにつれ，頭痛は増強し，視野狭窄・欠損は上外側1/4盲から，両耳側半盲へと拡大する．さらに上方進展し，鞍隔膜を破ると，頭痛はむしろ軽減するが，視野・視力障害はさらに悪化する．一方，側方の海綿静脈洞内に浸潤すると動眼神経麻痺などを，下方へ伸展すると髄液漏をそれぞれ生ずる．さらに，腫瘍が増大し，視床下部を圧迫すると，ほかのホルモン分泌異常や，食欲異常・記憶障害などの視床下部症候群を引き起こす．

b）内分泌異常：GH産生腺腫からのPRL同時産生あるいは下垂体茎や視床下部の圧迫に伴う二次的な高プロラクチン血症をきたす．また，増大した腫瘍が正常のLH/FSH細胞を直接に圧迫する．その結果，高頻度で月経異常や性腺機能低下症をきたす．そして，腫瘍がさらに増大するとTSHやACTH分泌低下により二次性甲状腺機能低下症や副腎皮質機能低下症が生ずる．

臨床症状

GH過剰症の臨床症状は初期には非特異的なものが多いため，先端巨大症では初発症状出現から診断まで10年程度を要する．一方，下垂体性巨人症は小児に発症することが多いため，急速な成長促進を伴う高身長と多汗が主訴となる．具体的な症状は上記の病態生理の項を参照．

わが国においても欧米と同様に先端巨大症の自他覚症状としては顔貌の変化（97%），手足の容積増大（97%），巨大舌（75%），月経異常（43%），頭痛（38%），手足のしびれ（29%），性欲低下（25%），多毛（23%），視力低下（20%）や視野狭窄（19%），多飲・多尿（19%）などが，合併症としては高血圧（33%），糖尿病（33%），心肥大（25%），乳汁漏出（7%），脂質異常症（5.8%），悪性腫瘍（3.2%）などが報告されている．

検査所見

1）一般検査：空腹時血糖の上昇（39%）や血清無機Pi値の軽度の上昇（5.5 mg/dLまで：30〜70%），高カルシウム血症や脂質異常症（中性脂肪）を示す．

2）内分泌学的検査：

a）GH基礎値：血中GH濃度は0.05〜5.0 ng/mLの生理的脈動的分泌変動を示す．入眠時には分泌が亢進し（日内変動），日によっても変動する（日差変動）．健常成人の早朝空腹時血中GH値（基礎値）はおおむね1.0 ng/mL以下である．一方，先端巨大症患者ではGH基礎値は大多数が2.5 ng/mL以上を示し，腫瘍からの自律性GH分泌のため，日差変動や日内変動が小さくなる．

b）IGF-I：GHの作用により肝臓でつくられ血中に放出されるIGF-I（旧称ソマトメジンC）は高値を示す．日内変動，日差変動ともに少なく，GH作用のよい指標として本症の診断と治療効果判定に頻用されている．ただ，年齢，性別と栄養状態や肝機能に大きく左右されるため，異常値の判定には注意が必要である．

c）負荷検査：本症では経口ブドウ糖負荷（75 g OGTT）による正常な抑制反応を受けない．健常者では 75 g OGTT での GH 底値が高感度 EIA 法で 0.4 ng/mL 以下（大多数で 0.3 ng/mL 以下）に抑制される．また，GH 産生腺腫細胞膜には視床下部ホルモンである TRH，GnRH や CRH の受容体が異常発現する結果，TRH，GnRH や CRH の末梢投与に対して血中 GH が増加することがある（奇異性増加反応）．また，本症ではレボドパやドパミン負荷に対しては抑制反応を示すことがある．したがって，疑わしい場合には負荷試験を行わなくてはならないことがある．一方，下垂体性巨人症と鑑別すべき思春期の高身長者では，75 g OGTT で GH が十分に抑制されないことがあるので注意が必要である．

3）画像検査：

a）X 線検査：手指末節骨は過形成により花キャベツ様変形（cauliflower like tufting）を示す（図 14-2-13A）．足底部軟部組織の 22 mm 以上の肥厚は男女ともに heel pad thickness の増大と定義され，X 線上重要な所見である（図 14-2-13B）．

頭部 X 線撮影では，腺腫の拡大につれてトルコ鞍の二重床（double floor），風船様拡大（ballooning），後床突起やトルコ鞍背の破壊像を示すことが多い．また，頭蓋骨骨の肥厚拡大，後頭結節の突出や前頭洞など副鼻腔の拡大を認める．

b）MRI 検査：巨大腺腫はもちろん，微小腺腫（腫瘍径 1.0 cm 未満）のうち 3〜4 mm 以上のものは MRI にて，ほとんどの症例で描出可能であり，腺腫では等信号〜やや高信号（iso〜slightly high signal nodule）を呈し，ガドリニウムにて造影すると less enhanced nodule を示す（図 14-2-13C, D）．

一方，CT 検査は MRI に比較して低解像度で，放射線被曝を伴うため，ほとんど用いられていない．磁気検査で支障をきたす場合などに，造影剤投与下での高解像度 CT 検査が用いられている．

診断

本症は特異な臨床症状を呈することから典型例では一見して診断がつく（snap diagnosis）．ただ，これらの顔貌変化や先端巨大などは徐々に進行するので，本人や家族は気づかず，身体症状を主訴に医師を訪れる患者はまれである（13％）．ほとんどの患者はこれらの身体症状とは別の訴えで病院を訪れた際に本症を疑われ，診断に至る．病初期，非典型例や高齢者では症候のみでは診断が困難な場合が少なくない．

したがって，本症の診断は，まず，GH の過剰分泌による作用あるいは下垂体腺腫の増大に基づく臨床症候をとらえ，次に，GH 分泌異常を内分泌学的に証明し，最後に，腫瘍の局在を画像検査で確認することにある（表 14-2-9，14-2-10）（間脳下垂体機能障害に関する調査研究班，2013）．

鑑別診断

先端巨大症と鑑別すべき疾患として軟部組織の肥厚や一部骨の肥厚を呈する肥大性皮膚骨膜症（pachydermoperiostosis）がある．

下垂体性巨人症と鑑別すべき疾患は急激な成長をきたしたり，多汗をきたす疾患が鑑別となる．たとえば，体質性高身長，思春期早発症，甲状腺機能亢進症，Soto 症候群，XYY 症候群などがある．また，McCune-Albright 症候群や神経線維腫に GH 産生下垂体腺腫を合併し，巨人症をきたすことがある．

経過・予後

おもな合併症として糖尿病や脂質異常症などの代謝障害，呼吸器合併症，心血管障害と腫瘍発生など形態異常がある．また，おもな死因として，①心疾患，②呼吸器疾患，③脳血管障害や④悪性腫瘍がある．放置例や経過観察例では予後は不良で，最大で 89％の患者は 60 歳までに死亡する．治療後も骨・関節の変形も含め，これら合併症は徐々に進行することがあり，生涯にわたる診療が必要である．

治療

GH 過剰分泌を早期に発見し，血中 GH と IGF-I 値を基準値以内に低下させることにより，合併症や死亡率を正常にまで減少させることができる（間脳下垂

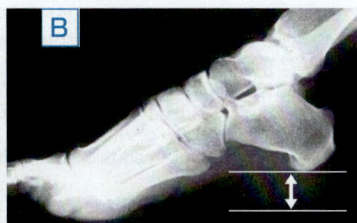
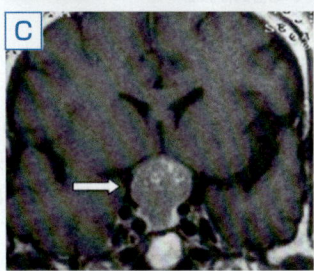
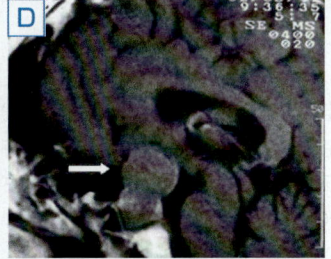

図 14-2-13 先端巨大症患者の手指・足の X 線写真と頭部 MRI
A：手指の X 線写真（矢印：花キャベツ様変形，cauliflower like tufting）．
B：足の X 線写真（矢印：heel pad thickness，25 mm）
C, D：頭部 MRI（C：T1 強調造影前額断，D：矢状断）．矢印：径 2.5 cm の腺腫．

表 14-2-9 先端巨大症の診断の手引き（間脳下垂体機能障害に関する調査研究班，2013 より引用改変（2016 年改訂予定））

Ⅰ．主症状*1
1）手足の容積の増大
2）先端巨大症様顔貌（眉弓部の膨隆，鼻・口唇の肥大，下顎の突出など）
3）巨大舌

Ⅱ．検査所見
1）成長ホルモン（GH）分泌の過剰：血中 GH 値がグルコース 75 g 経口投与で正常域まで抑制されない*2
2）血中 IGF-Ⅰ（ソマトメジン C）の高値*3
3）MRI または CT で下垂体腺腫の所見を認める*4
（参考）頭蓋骨および手足の単純 X 線の異常*5

Ⅲ．副症候
1）発汗過多
2）頭痛
3）視野障害
4）女性における月経異常
5）睡眠時無呼吸症候群
6）耐糖能異常
7）高血圧
8）咬合不全
9）頭蓋骨および手足の単純 X 線の異常*5

診断の基準
確実例：Ⅰのいずれか，およびⅡを満たすもの
疑い例：Ⅰのいずれかを満たし，かつⅢのうち 2 項目以上を満たすもの

*1：発病初期例や非典型例では症候が顕著でない場合がある．
*2：正常域とは血中 GH 底値 0.4 μg/L 未満である．糖尿病，肝疾患，腎疾患，青年では血中 GH 値が正常域まで抑制されないことがある．また，本症では血中 GH 値が TRH や LH-RH 刺激で増加（奇異性上昇）することや，ブロモクリプチンなどのドパミン作動薬で血中 GH 値が増加しないことがある．さらに，腎機能が正常の場合に採取した尿中 GH 濃度が正常値に比べ高値である．
*3：健常者の年齢・性別基準値を参照する（附表）．栄養障害，肝疾患，腎疾患，甲状腺機能低下症，コントロール不良の糖尿病などが合併すると血中 IGF-Ⅰが高値を示さないことがある．
*4：明らかな下垂体腺腫所見を認めないときや，ごくまれに GHRH 産生腫瘍の場合がある．
*5：頭蓋骨単純 X 線でトルコ鞍の拡大および破壊，副鼻腔の拡大，外後頭隆起の突出，下顎角の開大と下顎の突出など，手 X 線で手指末節骨の花キャベツ様肥大変形，足 X 線で足底部軟部組織厚 thickness（heel pad thickness）の増大 = 22 mm 以上を認める．
（附 1）グルコース負荷で GH が正常域に抑制されたり，臨床症候が軽微な場合でも，IGF-Ⅰが高値の症例は，画像検査を行い総合的に診断する．

表 14-2-10 下垂体性巨人症の診断の手引き（間脳下垂体機能障害に関する調査研究班，2013 より引用改変（2016 年改訂予定））

Ⅰ．主症状*1
1）著明な身長の増加．発育期にあっては身長の増加が著明で，最終身長は男子 185 cm 以上，女子 175 cm 以上であるか，そうなると予測されるもの（注）
2）先端巨大，発育期には必ずしも顕著ではない．

Ⅱ．検査所見
先端巨大症に同じ

Ⅲ．副症候
先端巨大症に同じ

Ⅳ．除外規定
脳性巨人症ほか他の原因による高身長例を除く．
（注）2 年以上にわたって年間成長速度が標準値の 2.0 SD 以上．なお両親の身長，時代による平均値も参考とする．

診断の基準
確実例：ⅠおよびⅡを満たすもの
疑い例：Ⅰを満たし，かつⅢのうち 2 項目以上を満たすもの
ただし，いずれの場合もⅣ（除外規定）を満たす必要がある．

*1：発病初期例や非典型例では症候が顕著でない場合がある．

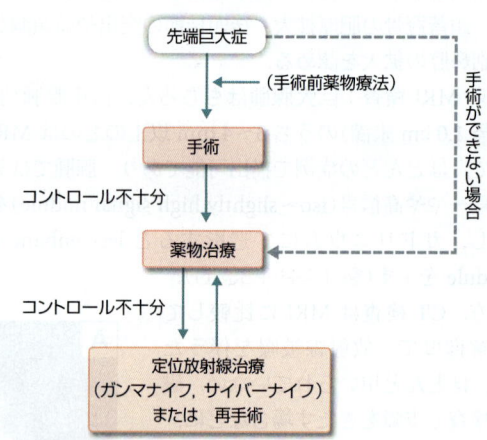

図 14-2-14 先端巨大症・下垂体性巨人症に対する治療の流れ図（間脳下垂体機能障害に関する調査研究班，2013 より，引用改変（2016 年改訂予定））

体機能障害に関する調査研究班，2013）．最近の国際的な完全治癒基準は，①75 g OGTT 時の GH 値が高感度 EIA 法で 0.4 ng/mL 以下に抑制され，かつ，②血中 IGF-Ⅰ値が年齢・性別補正の基準値以内を示すことが必要である．

治療法は外科的療法，薬物療法と放射線療法に大別される（図 14-2-14）．

1）外科的療法： 経蝶形骨洞下垂体腺腫摘出術（trans-sphenoidal surgery：TSS，あるいは Hardy 法）が行われており，開頭術はほとんど行われない．TSS は鞍内限局性のものには特に有効で，第一選択の治療法である．

2）薬物療法： ソマトスタチン誘導体である酢酸オクトレオチドやランレオチド酢酸塩が主体である．徐放製剤（サンドスタチン® LAR やソマチュリン®）が用いられている．1 回/3〜5 週間ごとの筋注投与あるい

は皮下注投与で臨床症状の改善や GH 分泌抑制や血中 IGF-Ⅰ値の正常化（約過半数），腫瘍縮小効果が期待できる．また，効果は弱いものの，経口ドパミン作動薬であるカベルゴリン（カバサール®）は PRL-GH 同時産生腫瘍やドパミン受容体を有する GH 産生腫瘍に有効である．さらに，これらの薬剤でコントロール不良の症例には GH 受容体拮抗薬ペグビソマント，（ソマバート®）の皮下注が用いられ，その血中 IGF-Ⅰ濃度の正常化率は高く，その有用性が期待されている．治療効果判定は前述の薬剤とは異なり，血中 IGF-Ⅰ値を指標にする．

3）放射線療法： 従来からの外照射と高エネルギー線照射（ガンマナイフあるいはサイバーナイフなど）がある．いずれも，その外照射後数年～10 年後に汎下垂体機能低下症を高率に惹起する．そのため，通常の放射線照射は残存腫瘍が広範で再増大が予想される場合に，最終補助手段として用いられることが多い．一方，ガンマナイフは一度に高線量の放射線を腫瘍に照射できる．腫瘍が視神経や正常下垂体から離れ，かつ，充実性で限局している場合には腫瘍増殖を阻止したり，正常下垂体機能をある程度温存したりするうえで有効である．ただ，GH 分泌抑制と IGF-Ⅰの正常化という内分泌機能改善に対する長期評価と晩発副作用に対する評価はいまだ十分定まっていない．

しかし，トルコ鞍外に浸潤する巨大腺腫の場合には TSS のみでは完治は困難である．開頭術に TSS を組み合わせたり，ソマトスタチンの強力な誘導体である酢酸オクトレオチド（サンドスタチン®）の術前投与にて腫瘍の縮小を期待し手術を行う場合，手術後に薬剤投与や放射線照射を併用する場合などと，多岐にわたる．手術成績とその合併症の頻度は術者の熟練度に大きく依存する．したがって，腫瘍の性状，合併症の有無，年齢，費用対効果などを個々の症例に応じて，術者と治療法，そしてその組み合わせを選択し，個別化医療を行うことが重要である（図 14-2-14）．

〔片上秀喜〕

■文献

間脳下垂体機能障害に関する調査研究班：先端巨大症および下垂体性巨人症の診断と治療の手引き（平成 24 年度改訂）．厚生労働科学研究費補助金難治性疾患克服研究事業 間脳下垂体機能障害に関する調査研究：平成 24 年度総括・分担研究報告書，pp191-6, 2013.（平成 28 年度改訂予定）

片上秀喜：先端巨大症．内分泌症候群（Ⅰ）第 2 版, pp129-138, 日本臨牀社, 2006.

Melmed S: Acromegaly. Endocrinology: Adult and Pediatric, 7th ed (Jameson JL, De Groot LJ eds), pp209-26, Saunders, 2015.

10）Cushing 病
Cushing disease

定義・概念

Cushing 症候群は，持続的な高コルチゾール血症の結果として特徴的な臨床症状を呈する疾患群である【⇨ 14-6-5】．そのうち，ACTH 産生下垂体腫瘍からの ACTH 過剰分泌が原因で，二次的に高コルチゾール血症となったものを Cushing 病という（Cushing, 1932）（ⓔコラム 1）．

分類

Cushing 症候群は，自律的な ACTH 過剰分泌の結果として高コルチゾール血症に至る ACTH 依存性 Cushing 症候群と，自律的な副腎からのコルチゾール過剰分泌のため下垂体からの ACTH 分泌はむしろ抑制される ACTH 非依存性 Cushing 症候群に分類される（ⓔ表 14-2-A）．さらに，ACTH 依存性 Cushing 症候群は，ACTH 産生下垂体腫瘍が原因である Cushing 病と，下垂体以外に発生した腫瘍（カルチノイド，肺小細胞癌など）が ACTH 産生能を獲得したことが原因となる異所性 ACTH 症候群に細分類される．ACTH 非依存性 Cushing 症候群は，片側性副腎に発生する副腎腺腫や副腎皮質癌があり，両側性副腎病変として ACTH 非依存性大結節性副腎過形成と原発性色素性結節性副腎異形性がある．

ACTH 産生下垂体腫瘍のほとんどは腺腫であり，きわめてまれに癌が存在する．ACTH 産生下垂体腺腫でも，病理学的に組織内に ACTH を認めるが分泌していないものを silent corticotroph adenoma という．軽度の自律的 ACTH 分泌を認めるが典型的 Cushing 徴候を示さないものはサブクリニカル Cushing 病[1]であり，silent corticotroph adenoma[2]とは異なる概念である．

ACTH 産生下垂体腺腫が強く示唆されるものの，画像診断にて下垂体腺腫を同定できず，治療法として両側副腎摘出を施行されることがある．それらのうち，下垂体腺腫の顕在化および異常腫瘍細胞増殖と血中 ACTH の著明高値となる例を Nelson 症候群という[3]．

原因・病因

Cushing 病の多くは，ACTH 産生下垂体微小腺腫（マイクロアデノーマ，径 1 cm 以下）が原因である．マクロアデノーマの例も認めるが，分泌される ACTH の生物活性が低いことや内分泌検査所見が非典型的（CRH に対する反応低下・高用量デキサメタゾン抑制試験に非抑制）であることなど，マイクロアデノーマと異なった特徴をもつ例が多い．家族性のものはきわめてまれであるが，McCune-Albright 症候群[4]，多腺性内分泌腺腫症 1 型（multiple endocrine neoplasia type 1：MEN 1[5]）, Carney complex[6]に関するものが報告されている．孤発例発症の分子メカニズムについては，CRH受容体の過剰発現，11β-ヒドロキシステロイド脱水素酵素の異常[7]などいくつかの報告はあるが，十分な解明はなされていない（eコラム 2）．

疫学

中年女性に多くみられ，男女比は約1：4といわれている．1965～1986年にかけて行われた全国調査では，平均して年に約100症例が新規Cushing症例として診断され，そのうち約50％が副腎性，40％程度がCushing病と考えられている．ただし，画像診断の発達とともに，下垂体偶発腫瘍として見つかるサブクリニカルCushing病の報告例が増加している．

病理

ACTH産生下垂体腺腫の多くが微小腺腫であり，好塩基性でPAS陽性例が多い．ACTHの免疫染色は陽性となる（eノート 1）．非腫瘍組織は，高コルチゾール血症の結果，ACTH産生細胞は萎縮し，細胞質内にサイトケラチンフィラメントが蓄積する．これをCrooke変成という．ACTHを産生するマクロアデノーマの一部に，増殖能が強く浸潤性再発性を呈する腫瘍を認める．これらはCrooke cell adenomaとよばれ[8]，女性に多い．免疫染色において組織内ACTH陽性ではあるが，分泌されていないものをsilent corticotroph adenomaという．

病態生理

下垂体前葉からのACTH分泌は，視床下部で産生されるCRHとバソプレシンによって促進的に調節されている．分泌されたACTHは副腎皮質束状層におけるコルチゾールと網状層におけるDHEA-Sの合成・分泌を促進する．分泌されたコルチゾールは視床下部CRHと下垂体ACTHの合成分泌に負の調節を加える．これをネガティブフィードバックという．血圧低下，低血糖，感染，悪心，嘔吐，精神ストレスなど各種ストレスが視床下部CRH，ついで下垂体ACTHを介して副腎からのコルチゾール分泌を促す（e図14-2-B）．また，血中コルチゾールは日内変動を認め早朝に最も高値となり，日中徐々に低下し，夜間にきわめて低値となる．ACTH産生下垂体腺腫が発生し，このCRH-ACTH-コルチゾール系の制御が破綻し，自律性ACTH分泌過剰状態になったものがCushing病である．正常ACTH産生細胞では1型CRH受容体および1b型バソプレシン受容体を発現しているが，下垂体腺腫において，CRHに対する過剰反応[9]やV₂型バソプレシン受容体アゴニストであるデスモプレシンに対する反応性獲得などがみられる[10]．一方，グルココルチコイドはACTHの合成分泌を抑制するが，ACTH産生下垂体腺腫では部分的抵抗性を認め，低用量デキサメタゾン抑制試験で

ACTHの抑制を認めない（Liddle, 1960）．正常人において，CRHは視床下部満腹中枢に作用して食欲抑制に働くが，慢性的高コルチゾール血症下ではCRHの抑制を認め，食欲は亢進する．高コルチゾール血症によって蛋白は異化し，皮膚菲薄化，皮下溢血，赤色皮膚線条などを認める．筋は萎縮し，近位筋の筋力低下をきたす．インスリン抵抗性を認め内臓脂肪増加（中心性肥満）を示す．また，肝臓における糖新生を惹起するため高血糖状態となる．コルチゾールによるミネラルコルチコイド様作用，アンジオテンシノゲンの増加，プロスタグランジンや一酸化窒素の産生低下などを介して，血圧は上昇する．骨に対しては，骨形成抑制と骨破壊亢進のため，骨粗鬆症に至る．コルチゾールによるエリスロポエチンの産生亢進のため多血症となり，さらに白血球増加，リンパ球減少，好酸球減少などがみられる．ACTH分泌亢進によって，特に関節部や四肢の摩擦部分に皮膚色素沈着を認め，口唇，口腔粘膜，歯肉，爪などにみられる．Nelson症候群では，より色素沈着が強くなる．ほかのホルモン系については，ゴナドトロピン（LH，FSH）に対して抑制的に作用し，月経異常をきたす．TSHに対しても，抑制的に作用し，甲状腺機能が軽度低下する例を認める．GHに対して抑制的に作用し，小児では成長障害（低身長と過体重）を認める．

臨床症状

1) **自覚症状**：食欲亢進，気うつ，血圧増加，女性の月経異常，多毛，痤瘡，色素沈着などを自覚することが多い．

2) **他覚症状**：特徴的所見として，主徴候（表14-2-11）を認めるが，毛細血管発達に伴う頬部紅潮，踝部の浮腫，眼瞼の突出様腫脹も特徴的である．特徴的所見を図14-2-15に示す．サブクリニカルCushing病においては，特徴的所見を認めないが，高血圧症や耐糖能異常を認めることが多い．Nelson症候群のような下垂体腫瘍が著明に増大した場合に，視野障害に加えて眼球運動障害を認めることがあり，色素沈着の程度は強くなる．

検査所見

1) **一般検査**：①末梢血液検査（白血球数増加，リンパ球と好酸球の減少），②一般生化学検査（低カリウム血症（代謝性アルカローシス），高カルシウム尿症，脂質異常（TG上昇，LDL-C上昇），耐糖能異常），③骨吸収マーカー増加．

2) **内分泌検査（基礎値）**：早朝・安静・空腹時の血中ACTHとコルチゾールが正常～高値，血中DHEA-Sが年齢・性別に比して正常高値～高値，蓄尿検査を行い1日尿中遊離コルチゾールが高値（サブクリニカルCushing病では，正常域にとどまることが多い）．

3) **スクリーニング検査**：臨床徴候や検査所見1)2)

の項目で，Cushing病が疑われた場合は，スクリーニング検査を行う．おもに3つの過程が存在する．①高コルチゾール血症の確認，②偽性Cushing症候群との鑑別，③異所性ACTH症候群との鑑別（局在の確認）を施行する．①のために，低用量デキサメタゾン抑制試験（必須）を行う．体格の小さいわが国では0.5 mgデキサメタゾン一晩法（午後11時頃内服）を施行し，翌朝安静空腹時血中コルチゾール5 μg/dL以上で陽性とする（サブクリニカルCushing病の場合は3 μg/dL）[11,12]．また，深夜安静時血中コルチゾール5 μg/dL以上で陽性となる．②のために，DDAVP試験（4 μg静注法；血中ACTHが基礎値の1.5倍以上で陽性）が有用である[13]．ACTHの増加が認められればACTH依存性Cushing症候群を疑う．ACTH増加反応がなくても，Cushing病の否定にはならない．③のためにCRH試験，下垂体MRI検査，下錐体静脈洞サンプリングを計画する．多くのCushing病患者では，CRH試験にACTHの増加反応（基礎値の1.5倍以上）を認める[13]．異所性ACTH症候群では反応する例が少ない．高用量（8 mg）デキサメタゾン抑制試験では，Cushing病でコルチゾールは抑制（前値の1/2未満）されることが多く，異所性ACTH症候群では抑制されないことが多い．Cushing病は微小下垂体腺腫が多いため高分解能MRIで施行することを推奨する．造影後に，造影効果の遅い部分として描出される（図14-2-16）．MRIで下垂体腺腫が認められない

表14-2-11 Cushing病の診断の手引き（平成21年度改訂）

1. 主症候
(1) 特異的症候
　満月様顔貌
　中心性肥満または水牛様脂肪沈着
　皮膚の伸展性赤紫色皮膚線条（幅1 cm以上）
　皮膚の菲薄化および皮下溢血
　近位筋萎縮による筋力低下
　小児における肥満を伴った成長遅延
(2) 非特異的症候
　高血圧，月経異常，痤瘡（にきび），多毛，浮腫，耐糖能異常，骨粗鬆症，色素沈着，精神異常
上記の(1)特異的症候および(2)非特異的症候のなかから，それぞれ1つ以上を認める．

2. 検査所見
(1) 血中ACTHとコルチゾール（同時測定）が高値～正常を示す[*1]．
(2) 尿中遊離コルチゾールが高値～正常を示す[*2]．
上記のうち(1)は必須である．
上記の1,2を満たす場合，ACTHの自律性分泌を証明する目的で，3のスクリーニング検査を行う．

3. スクリーニング検査
(1) 一晩少量デキサメタゾン抑制試験：前日深夜に少量（0.5 mg）のデキサメタゾンを内服した翌朝（8～10時）の血中コルチゾール値が5 μg/dL以上を示す[*3]．
(2) 血中コルチゾール日内変動：複数日において深夜睡眠時の血中コルチゾール値が5 μg/dL以上を示す[*4]．
(3) DDAVP試験：DDAVP（4 μg）静注後の血中ACTH値が前値の1.5倍以上を示す[*5]．
(4) 複数日において深夜唾液中コルチゾール値が，その施設における平均値の1.5倍以上を示す[*6]．
(1)は必須で，さらに(2)～(4)のいずれかを満たす場合，ACTH依存性Cushing症候群を考え，異所性ACTH症候群との鑑別を目的に確定診断検査を行う．

4. 確定診断検査
(1) CRH試験：ヒト（CRH 100 μg）静注後の血中ACTH頂値が前値の1.5倍以上に増加する．
(2) 一晩大量デキサメタゾン抑制試験：前日深夜に大量（8 mg）のデキサメタゾンを内服した翌朝（8～10時）の血中コルチゾール値が前値の半分以下に抑制される[*7]．
(3) 画像検査：MRI検査により下垂体腫瘍の存在を証明する[*8]．
(4) 選択的静脈洞血サンプリング（海綿静脈洞または下錐体静脈洞）：本検査において血中ACTH値の中枢・末梢比（C/P比）が2以上（CRH刺激後は3以上）ならCushing病，2未満（CRH刺激後は3未満）なら異所性ACTH症候群の可能性が高い．

【診断基準】
確実例：1,2,3および4の(1)(2)(3)(4)を満たす
ほぼ確実例：1,2,3および4の(1)(2)(3)を満たす
疑い例：1,2,3を満たす

[*1]：採血は早朝（8～10時）に，約30分間の安静の後に行う．ACTHが抑制されていないことが，副腎性Cushing症候群との鑑別において重要である．血中コルチゾール測定値に関しては，RIAによる測定値に基づいている．
[*2]：原則として24時間蓄尿した尿検体で測定する．ただし随時尿で行う場合は，早朝尿ないし朝のスポット尿で測定し，クレアチニン補正を行う．
[*3]：一晩少量デキサメタゾン抑制試験では従来1～2 mgのデキサメタゾンが用いられていたが，一部のCushing病患者においてコルチゾールの抑制を認めることから，スクリーニング検査としての感度を上げる目的で，0.5 mgの少量が採用されている．
[*4]：複数日に測定して高値を確認することが必要．
[*5]：DDAVP（デスモプレシン）は，検査薬としては保険適用がなされていない．
[*6]：複数日に測定して高値を確認することが必要．
[*7]：標準デキサメタゾン抑制試験（8 mg/日，分4，経口，2日間）では，2日目の尿中遊離コルチゾールが前値の半分以下に抑制される．
[*8]：下垂体MRI検査での下垂体腫瘍陽性率は1.5テスラのMRIでは60～80％程度である．

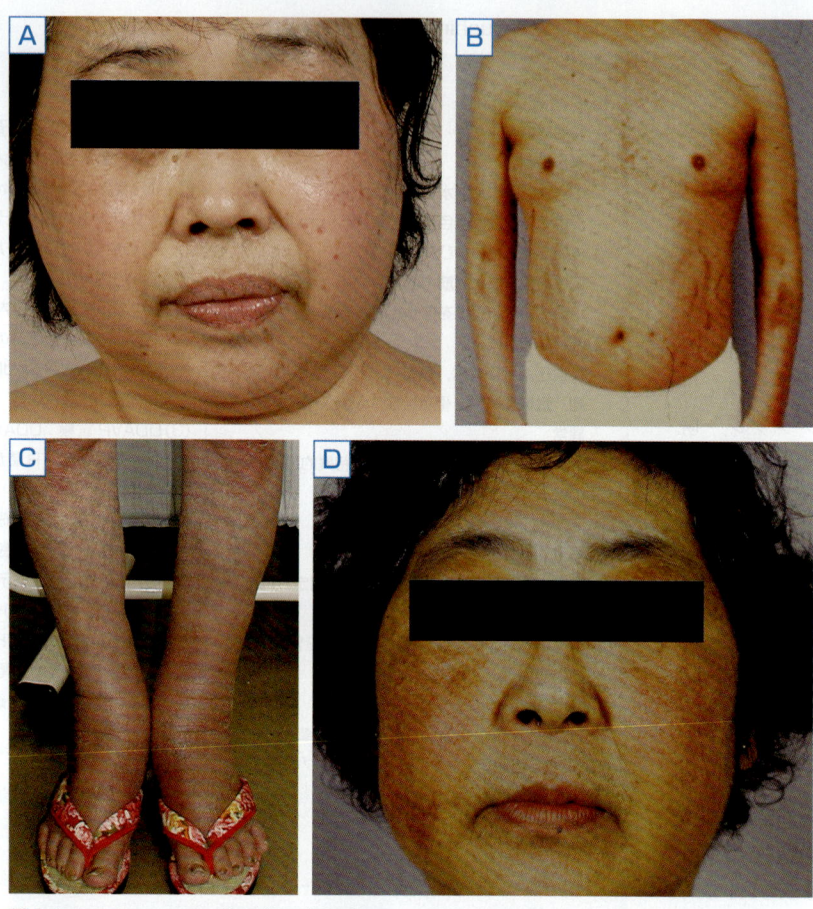

図 14-2-15 Cushing 病患者の臨床所見
A：満月様顔貌と顔面紅潮，B：中心性肥満・皮下溢血・皮膚線条，C：皮膚菲薄化と踝部浮腫，D：皮膚色素沈着.

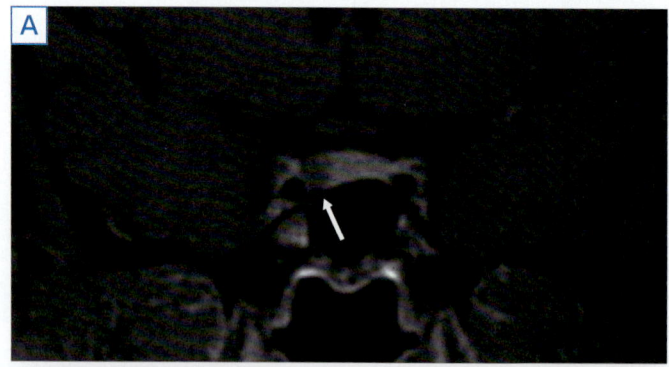

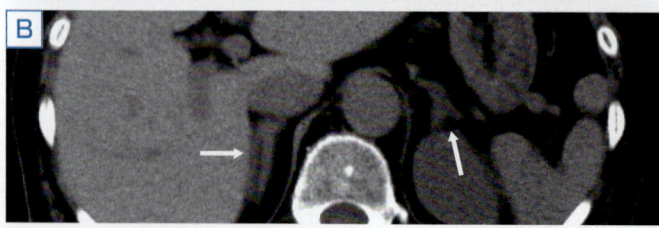

図 14-2-16 画像診断
A：下垂体 MRI T1 強調画像．造影効果の弱い部分として微小腺腫が描出(矢印).
B：腹部 CT 単純撮影．両側副腎の過形成(矢印).

場合には，下錐体静脈洞サンプリングを施行し，両側下錐体静脈洞血中 ACTH と末梢血中 ACTH 濃度の比較で，下垂体からの ACTH 分泌を証明する．中枢側 ACTH が末梢血中に比して，非刺激時で 2 倍，CRH 負荷後で 3 倍以上高値であれば，下垂体からの ACTH 分泌亢進と考える．

診断

Cushing 病の診断は，特徴的臨床症状に加え，検査の項目に記した手順で診断を進める．2009(平成 21)年改訂のわが国の診断の手引きを表 14-2-11 に示す(大磯ら，2009)．サブクリニカル Cushing 病は，特徴的臨床症状を欠く．

鑑別診断

おもな鑑別点は，まず第 1 段階として強いストレス状態，うつ病，慢性アルコール中毒などにみられる高コルチゾール血症(偽性 Cushing 症候群という)，

第 2 段階として異所性 ACTH 症候群である．下垂体 MRI や下錐体静脈洞あるいは海綿静脈洞サンプリングで Cushing 病の診断に至らなかった例では，全身 CT などを駆使して，異所性 ACTH 産生腫瘍の局在を検討する必要がある．

合併症

比較的軽度のコルチゾール増加でも，高血圧症，脂質異常症，耐糖能障害（顕性の糖尿病），肥満，骨粗鬆症など生活習慣病に類似した合併症を生じやすい．高コルチゾール血症のため海馬の萎縮がみられるようになり，うつ状態や記銘力の低下を認める．進行すると自殺企図の傾向があり，注意を要する．血中コルチゾールが 30 μg/dL 以上の高値になると，免疫力の低下に伴い敗血症となりやすく，抗菌薬などの予防投与も考慮する．血中コルチゾールが 50 μg/dL 以上では，敗血症などにより死に至る可能性がある（eノート2）．

経過・予後

診断に至るまでの期間が短く，適切な診断と治療が行われれば，予後はけっして悪くない．しかし，長期にわたって診断に至らなかったり，治療が効果を認めなかった場合には，心血管系障害や易感染性による死亡リスクが高い．

治療・予防・リハビリテーション

治療の第一選択は手術療法である．おもに顕微鏡あるいは内視鏡を用いた経蝶形骨洞的下垂体腺腫摘出術が施行される．完全に腺腫が摘出されると，1〜2 週間以内に血中コルチゾールは 2 μg/dL 未満となる．術前に存在した高コルチゾール血症のため視床下部-正常部下垂体-副腎系は抑制されており，その回復に 1〜2 年を要することが多い．手術直後には，経静脈的なヒドロコルチゾン 100〜200 mg/日から開始し，徐々に漸減しながら，1〜2 週間後には，20〜30 mg/日の内服で維持する．その後さらに漸減し，1〜2 年で中止の計画とする（eノート 3）．ステロイド中止前には，CRH 試験あるはインスリン低血糖試験を用いて，血中コルチゾールの反応が正常化していることを確認する．術後に十分な血中コルチゾール低下がみられなかった場合は，残存腫瘍の存在を疑い，注意深い経過観察が必要である．手術療法で十分な効果が得られなかった場合には，薬物療法あるいは放射線療法を考慮する．薬物療法としては，下垂体腺腫に作用して ACTH 分泌を抑制するものとしてソマトスタチンアナログあるいはドパミン作動薬[14]が試みられているが，奏効率は低い（eノート 4）．副腎皮質からのコルチゾール分泌抑制薬としてメチラポン（11β-ヒドロキシラーゼ阻害薬）が用いられる．ミトタンも使用可能であるが，効果発現までに数週間の時間を要し，副腎に不可逆的変化をもたらすことがある（eノート 5）．

術後残存腫瘍の局在が判明していれば，定位放射線療法（ガンマナイフあるいはサイバーナイフ）が使用可能である[15]．放射線治療後には晩発性下垂体機能低下症の発症に留意する． 〔沖 隆〕

■文献（e文献 14-2-10）

Cushing H: The basophil adenomas of the pituitary body and their clinical manifestations (pituitary basophilism). *Bull Johns Hopkins Hosp*. 1932; 50: 137-95.

Liddle GW: Tests of pituitary-adrenal suppressibility in the diagnosis of Cushing's syndrome. *J Clin Endocrinol Metab*. 1960; 20: 1539-60.

大磯ユタカ：クッシング病診断の手引きおよびサブクリニカルクッシング病診断の手引き 平成 21 年度改訂，pp158-62, 厚生労働省，2010．

11）無月経・乳汁漏出症候群・高プロラクチン血症
amenorrhea-galactorrhea syndrome and hyperprolactinemia

定義・概念

プロラクチン（PRL）分泌過剰の女性では無月経・乳汁漏出を伴うことが多く，無月経・乳汁漏出症候群とよばれる．これらの症状が分娩後に引き続き生じた場合には Chiari-Frommel 症候群，下垂体腫瘍に伴う場合は Forbes-Albright 症候群，特発性の場合は Argonz-del Castillo 症候群と呼称されていたが，現在では高プロラクチン血症と総称される．

原因・病因

PRL の過剰分泌は下垂体 PRL 分泌細胞の異常，視床下部の PRL 分泌調節機構の異常のいずれによっても生じる．

原因として最も多いものは薬物性高プロラクチン血症であり（Molitch, 2009），視床下部ドパミンの合成・放出や作用を抑制する薬剤（降圧薬，多くの中枢神経作動薬），制吐薬および避妊薬などが PRL 分泌を促進する．ついで多いのは，プロラクチン産生下垂体腺腫（プロラクチノーマ）である（Gillam ら，2011）．その他に，視床下部・下垂体茎を障害する種々の疾患，先端巨大症，原発性甲状腺機能低下症，胸部外傷，腎不全などがある．PRL に対する自己抗体と結合したマクロプロラクチンが原因となる場合（マクロプロラクチン血症）がある（Shimatsu ら，2012）．原因が明らかでないものは特発性高プロラクチン血症とよばれるが，画像検査で検出できない小さなプロラクチノーマの可能性は否定できない．

疫学・統計

わが国の PRL 分泌過剰症は約 13,000 例程度いると推定されている．高プロラクチン血症は続発性無月経患者の約 20％に認められ，PRL 分泌過剰症の 80％は

表14-2-12 PRL分泌過剰症の診断の手引き

Ⅰ. 主症候
女性：月経不順，無月経，不妊，乳汁分泌，頭痛，視力視野障害
男性：性欲低下，勃起障害，頭痛，視力視野障害

Ⅱ. 主症候
血中PRL基礎値の上昇
複数回測定，いずれも20 ng/mL（測定法によっては30 ng/mL）以上を確認する

Ⅲ. 鑑別診断（表14-2-13参照）
薬剤服用
表14-2-13の1に示す．薬剤服用の有無を確認する
該当薬があれば2週間休薬し，血中PRL基礎値を再検する
原発性甲状腺機能不全
血中甲状腺ホルモンの低下とTSH値の上昇とを認める
視床下部-下垂体病変
1, 2を除外したうえでトルコ鞍部の画像検査（単純撮影，CT, MRIなど）を行う
 1）異常なし
  その他の病変（表14-2-13の5を検討する）
  該当なければ視床下部機能性異常と診断する
 2）異常あり
  視床下部・下垂体茎病変
  表14-2-13の3の2）をおもに画像診断から鑑別する
  下垂体病変
  PRL産生腺腫（腫瘍の実質容積と血中PRL値がおおむね相関する）
  ほかのホルモン産生腺腫（先端巨大症，Cushing病など）

診断の基準
確実例　ⅠおよびⅡを満たすもの
なお，原因となる病態によって病型分類する

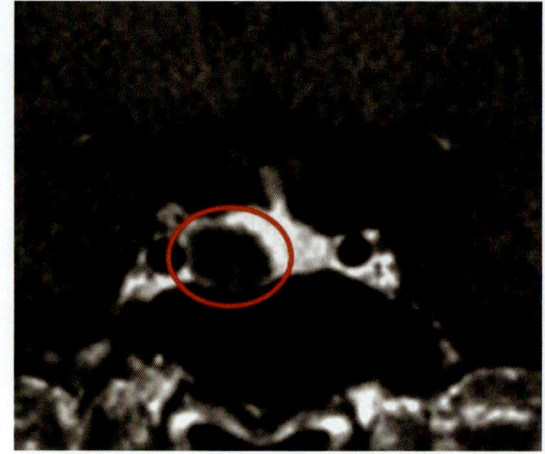

図14-2-17 プロラクチノーマのMRI画像所見
Gd造影T1強調画像において正常下垂体前葉は著明な造影増強効果を示すが，プロラクチノーマは造影効果が不良な低信号域の腫瘍として描出される．

女性で，20～40歳代の生殖年齢に多い．プロラクチノーマの場合，女性の大多数は腫瘍径が10 mm以下のマイクロプロラクチノーマであるが，男性ではほとんどの場合腫瘍径が10 mm以上のマクロプロラクチノーマである．

病理

プロラクチノーマは嫌色素性腺腫であり，長期にわたるドパミン作動薬により腫瘍組織の血管周囲や間質の線維化を招くことがある．

病態生理

視床下部ドパミンは下垂体PRL分泌に抑制的に作用する．そのため，ドパミン遮断作用を有する薬剤で高プロラクチン血症をきたす．また視床下部・下垂体茎の障害がある場合，視床下部ドパミンの分泌・輸送障害により血中PRL値は100～150 ng/mL程度の上昇がみられる．プロラクチノーマでは腫瘍の実質容積と血中PRL値がほぼ正比例する．

高プロラクチン血症はゴナドトロピン放出ホルモン（GnRH）の脈動的分泌を障害し性腺機能低下症をきたす．また卵巣において黄体機能を障害する．

臨床症状

女性では，月経不順あるいは無月経，乳汁分泌，不妊を呈する．男性では無症状のこともあるが，性欲低下，勃起障害，不妊を呈することがある．女性では高頻度に無月経や乳汁漏出が認められるが，男性で乳汁漏出を呈することは少ない．男性はほとんどマクロプロラクチノーマとして発見され，腫瘍による局所圧迫症状として頭痛，視力・視野障害に加えて，下垂体機能低下症の症状を呈することがある．

検査所見

ストレスのない条件下で血中PRL濃度を測定し，20 ng/mL（測定法により30 ng/mL）以上の高値を複数回確認する．痛み，運動，食事などにより上昇することがある．血中PRL値が200 ng/mL以上の高値を示す場合は，プロラクチノーマの可能性が高い．

生化学検査として肝機能，腎機能，遊離T_4，TSH値や性ステロイドホルモンなどを測定する．MRI画像検査では，プロラクチノーマは正常下垂体前葉組織に比して造影効果が不良な低信号域として描出される（図14-2-17）．

診断

高プロラクチン血症が疑われた場合，まず病歴，薬剤内服の有無や妊娠や分娩暦との関連を明らかにする．腎機能，甲状腺機能やほかの下垂体前葉ホルモンの機能評価を行う．器質的な病変の診断には，頭部X線，CTおよびMRIの画像検査が重要である．特に微小腺腫の診断にはガドリニウムを用いた造影MRI検査が有用である．

表 14-2-13 高プロラクチン血症をきたす病態

1. 薬物服用(腫瘍以外で最も多い原因は薬剤である.代表的な薬剤をあげる)
   1) 抗潰瘍薬・制吐薬(シメチジン,スルピリド,メトクロプラミド,ドンペリドンなど)
   2) 降圧薬(メチルドパ,ベラパミルなど)
   3) 向精神薬(パロキセチン,ハロペリドール,カルバマゼピン,イミプラミンなど)
   4) エストロゲン製剤(経口避妊薬など)
2. 原発性甲状腺機能低下症
3. 視床下部・下垂体茎病変
   1) 機能性
   2) 器質性
      (1) 腫瘍(頭蓋咽頭腫,Rathke 嚢胞,胚細胞腫,非機能性腫瘍など)
      (2) 炎症・肉芽腫(下垂体炎,サルコイドーシス,Langerhans 細胞組織球症など)
      (3) 血管障害(出血・梗塞)
      (4) 外傷
4. 下垂体病変
   1) プロラクチン産生腺腫
   2) その他のホルモン産生腺腫
5. マクロプロラクチン血症
6. ほかの原因
   1) 慢性腎不全
   2) 胸壁疾患(外傷,熱傷,湿疹など)
   3) 異所性プロラクチン産生腫瘍

鑑別診断

高プロラクチン血症をきたす種々の病態(表 14-2-13)を鑑別する.正常プロラクチン血症性乳汁漏出症もみられることがある.

合併症

高プロラクチン血症により性腺機能低下症が起こる.長期に持続すると性ステロイドホルモン欠乏として,QOL の低下とともに二次性骨粗鬆症,脂質異常症などが問題となる.

経過・予後

マイクロプロラクチノーマからマクロプロラクチノーマへ腫瘍増大することはまれである.薬物療法により消失したり,治療中止後に増大しない例も経験される.妊娠時に下垂体腫瘍の増大をきたすことがあり注意が必要である.しかし,妊娠・分娩を契機に血中 PRL 値が正常化する場合もある.プロラクチノーマは良性腫瘍であるが,ごくまれに癌化して転移を示すことがある.

治療

薬剤による高プロラクチン血症の場合は基本的に中止する.その他の原因では原因疾患を治療する.マクロプロラクチン血症では治療を要しない.
プロラクチノーマは薬物療法が第一選択であり,カベルゴリン,ブロモクリプチンまたはテルグリドのドパミン作動薬が用いられる.カベルゴリンは半減期が長いため週に 1〜2 回の投与でよく,頻用されている.副作用として悪心,嘔吐,起立性低血圧,便秘などがある.PRL 低下に伴い無月経や乳汁漏出は速やかに改善し,多くのプロラクチノーマでは腫瘍が縮小し一部消失する場合もみられる. 〔島津 章〕

■文献

Gillam MP, Molitch ME: Prolactinoma. The Pituitary, 3rd ed (Melmed S ed), pp475-531, Academic Press, 2011.
Molitch ME: Drugs and prolactin. Pituitary. 2009; **11**: 209-18.
Shimatsu A, Hattori N: Macroprolactinemia: diagnostic, clinical and pathogenic significance. Clin Dev Immunol. 2012; 2012: 167132.

12) TSH 産生性下垂体腺腫・ゴナドトロピン産生腺腫

(1) 甲状腺刺激ホルモン(TSH)産生性下垂体腺腫
(thyrotropinoma)

定義・概念

下垂体腺腫からの TSH の自律性分泌により,甲状腺ホルモン分泌が促され,二次性甲状腺機能亢進症を呈する病態である.TSH とともに成長ホルモン(GH)やプロラクチン(PRL)などの過剰分泌を伴うことがある.TSH 産生性下垂体腺腫は,全下垂体腫瘍のうち約 1〜2%のまれな腫瘍で,発生頻度は人口 100 万人あたり 1 人/年とされる.TSH 産生腺腫の発症年齢は 40 歳代とされ,やや女性に多い傾向がある[1].

病態

下垂体腫瘍からの TSH の自律的な過剰分泌により,中枢性甲状腺機能亢進症を呈するとともに,下垂体腫瘍サイズの増大による症状や,TSH 以外にも産生される下垂体ホルモンがあれば,各分泌過剰ホルモンに対応した症候を呈する.

臨床症状

甲状腺中毒症によるびまん性甲状腺腫,発汗・動悸,全身倦怠感,不整脈を生ずるが,中毒症状は軽症〜中等症にとどまることが多い.また,下垂体腫瘍による局所の圧排による視力・視野障害,頭痛,下垂体機能低下症状を呈する.症候の頻度としては,甲状腺腫大(94%),視力視野障害(42%),月経異常(30%),頭痛(17%),眼球突出(6%)の順に多い[1].

検査所見

内分泌検査において,甲状腺ホルモン(FT_3・FT_4)が高値であるにもかかわらず,TSH が正常〜高値となる不適切 TSH 分泌(syndrome of inappropriate secretion of TSH : SITSH)の状態を呈する.TSH 産生

腺腫の血中 TSH 値は幅広いが，正常範囲を呈するものが約 1/3 である．また，甲状腺自己抗体（TRAb, TgAb, TPOAb など）は通常陰性である．診断に有用な検査として，①血中 α サブユニット高値（保険適用外），② α サブユニット/TSH モル比＞1（閉経後・妊娠中などの高ゴナドトロピン状態を除く），③ TRH 試験に対する TSH 反応に乏しいこと（頂値は基礎値の 2 倍以下），があげられる．その他，血中性ホルモン結合グロブリン（SHBG）の高値，T_3 試験により TSH の抑制を認めないことも参考所見となる[2]．

診断・鑑別診断

SITSH 所見に加えて，画像検査で下垂体腫瘍がみられた場合は本症を疑い，前述の内分泌検査により診断する．原発性甲状腺機能亢進症は TSH 分泌が抑制されていることで異なるが，SITSH を呈する病態との鑑別が重要となる（図 14-2-18）．甲状腺ホルモン不応症（resistance of thyroid hormone：RTH, Refetoff 症候群）は，甲状腺ホルモン受容体-β（TR-β）の遺伝子変異による病態であるが，RTH では下垂体腫瘍を認めない．SITSH を呈した場合，本症と RTH の鑑別において図 14-2-18 に示す検査が重要となる（Beck-Peccoz ら，2009）．また SITSH を呈する場合，抗 T_3 抗体，抗 T_4 抗体，抗マウス IgG 抗体などの異種抗体，異常アルブミンや抗 TSH 抗体などにより，甲状腺ホルモンや TSH が高値となるアッセイ系への干渉の可能性も考慮する．摘出した下垂体腫瘍組織の免疫染色により，腫瘍細胞内に TSH-β あるいは TSH の発現を認めることで組織学的に TSH 産生腺腫と診断される（図 14-2-19）．

治療・予後

ほかの下垂体腺腫と同じく手術療法が第一選択となる．TSH 産生腺腫は，腫瘍径の大きいマクロアデノーマが多く，線維化を伴った固い腫瘍や，硬膜・海綿静脈洞浸潤を伴いやすいことから手術による完全摘出が困難となりやすい．薬物治療としては，ソマトスタ

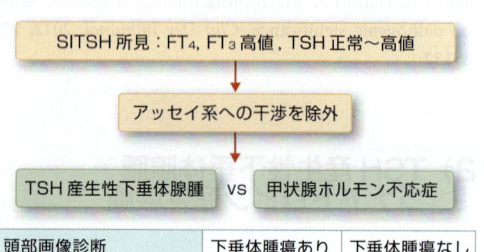

図 14-2-18 SITSH を呈する病態の鑑別

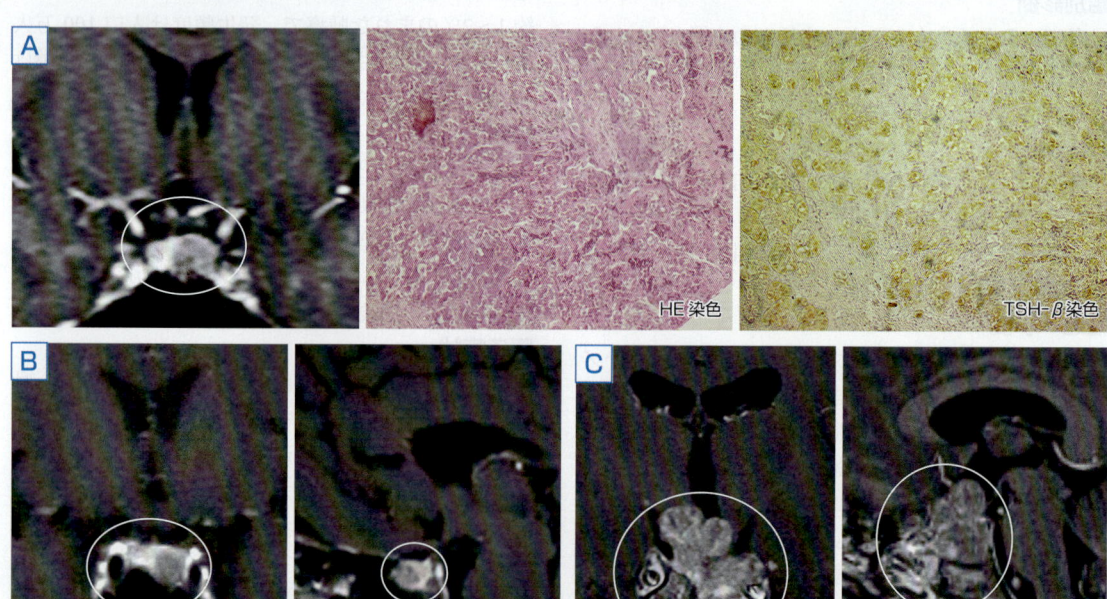

図 14-2-19 TSH 産生腺腫の画像所見と病理所見
A：20 歳代女性．TSH 産生腺腫（Gd 造影），下垂体手術後の摘出組織は TSH-β 免疫染色で陽性となる腺腫の病理像を呈した．
B：50 歳代男性．TSH 産生腺腫，下垂体左側に Gd 造影効果の弱い腺腫を認めた．
C：40 歳代男性．TSH/GH 産生腺腫に対する経蝶形骨洞的手術では，線維化が強く非常に固い腫瘍であり腫瘍残存を認めた（Gd 造影）．

チンアナログがある程度奏効し，TSH および甲状腺ホルモンの低下と腫瘍縮小効果をもつため，術後の残存腫瘍や再発例，さらに術前投与としても用いられる．また，再発例や残存腫瘍には，ガンマナイフ・サイバーナイフによる放射線治療の追加も選択される．経過中，甲状腺クリーゼを合併する例もありうるため，下垂体腫瘍術前にはヨード製剤やソマトスタチンアナログ投与による甲状腺ホルモンの正常化が望ましい．本症の 72％ は TSH を単独で産生するが，残り 16％ は GH 産生性，10％ に PRL 産生性をあわせもつ（Beck-Peccoz ら，2009）．また，種々の甲状腺腫瘍の合併も報告されている．早期に診断され下垂体手術を導入できれば，甲状腺機能の改善が得られる．一般に甲状腺中毒症状から本症の診断までの罹病期間は長いことが多く，Basedow 病の治療が行われていた症例も多い．TSH 産生性腫瘍は固く大きい腫瘍であるため，腫瘍径と周囲への浸潤の程度によって予後は異なるが，術後も臨床的な活性・非活性にかかわらず，長期の画像および内分泌検査によるフォローアップが必要である（Kirkman ら，2014）．

(2) ゴナドトロピン産生腺腫 (gonadotropinoma)

定義・概念

ゴナドトロピン産生腺腫は，下垂体前葉のゴナドトロピン産生細胞が腫瘍化したものであり，腫瘍径の大きいマクロアデノーマの頻度が高い．腫瘍にゴナドトロピン（FSH，LH および α サブユニット）を発現していても機能亢進症状を呈しにくいため，臨床的には非機能性腺腫と同様に取り扱われる．本腫瘍は，以前はまれな腫瘍と考えられていたが，免疫組織学的および分子生物学的手法により，非機能性腺腫のなかに本腫瘍が多く含まれていることがわかってきた[1]．

病態

下垂体腺腫のうちゴナドトロピン（FSH，LH）を産生・分泌する腫瘍が本症に該当し，FSH・LH 以外にその構成サブユニットも産生される．病態としては，①ゴナドトロピン（FSH，LH）は発現しているが分泌をほとんど認めない病態，②ゴナドトロピン分泌過剰を伴うが症候を認めない病態，③ゴナドトロピン分泌過剰により続発性性腺機能亢進症を伴う病態に分類できる．多くは FSH・LH 分泌を認めないか，ホルモン分泌による臨床徴候を認めない①・②の病態である．本腫瘍は 60 歳代を中心とする中高年の男性に多く発生する．組織学的にゴナドトロピン産生性が確認された多くの腫瘍でも臨床的には非機能性であり，FSH・LH 分泌過剰による症状を呈するものは非常にまれである（Ntali ら，2014）．一方で，非機能性腺腫の 60％ 以上において免疫染色ではゴナドトロピン産生能が認められる[3]．

臨床症状

非機能性腺腫と同様に下垂体腫瘍の腫大による局所の圧迫による頭痛，腫瘍の視神経・視交叉への圧迫により視野障害（両耳側半盲）をきたし，高度になると視力障害が生じる．ゴナドトロピン分泌過剰による症状を呈することはまれであるが，その場合は女性では卵巣過剰刺激症候群により多嚢胞性卵巣や月経異常・男性化徴候を呈し，男性では女性化乳房や精巣腫大，小児では性ホルモン分泌亢進症候や思春期早発症を呈する．種々の程度に下垂体機能の低下症状を認めることがある．またほかの下垂体腺腫と同様に，頭痛・嘔吐・外眼筋障害など下垂体卒中（eコラム 1）で発症することもある．

検査所見

下垂体腫瘍から産生・分泌されるゴナドトロピン（FSH，LH，hCG）あるいはゴナドトロピン分泌刺激ホルモン（LHRH/GnRH）によって生じるゴナドトロピンの分泌過剰を認めるが，FSH 産生腺腫の頻度が高い[4]．画像検査では下垂体 CT・MRI 検査により下垂体腫瘍を認める（図 14-2-20）．

診断・鑑別診断

下垂体腺腫から産生される FSH・LH の分泌過剰を認め，画像診断にて下垂体に腫瘍性病変を認めることで臨床的に診断できるが，確定診断は摘出下垂体組織の免疫染色を含めた病理診断にて行われ，FSH-β・LH-β および α サブユニットの発現が認められる[4]．原発性性腺機能低下による二次性高ゴナドトロピン血症と鑑別を要し，この場合は性腺ホルモン分泌低下による症状とともに血中ゴナドトロピン高値を示す．また，女性における卵巣過剰刺激状態や男性における精巣腫大・女性化乳房などを呈する例では，下垂体腺腫以外の異所性ゴナドトロピン産生腫瘍や，絨毛性腫瘍・性腺腫瘍などの hCG 産生腫瘍とも鑑別する．

治療・予後

ほかの下垂体腺腫と同じく，経蝶形骨洞的下垂体腺腫摘出術を施行するが，再発あるいは増大傾向のある腫瘍では，ガンマナイフ・サイバーナイフなどの放射線治療が追加される．高齢者では視力・視野障害がなければ非機能性腺腫の治療方針に準ずるが，小児・若年者の場合は摘出が必要となる．薬物療法は一般に無効である．非機能性下垂体腺腫と同様に予後は良好であるが，下垂体機能障害や視神経障害による QOL への影響を考慮し，下垂体機能低下時には適切な内分泌学的評価とホルモン補充療法を行い，術後も画像診断を含めた慎重なフォローアップを行う．〔大塚文男〕

■文献（e文献 14-2-12）

Beck-Peccoz P, Persani L, et al: Pituitary tumours: TSH-secreting adenomas. Best Pract Res Clin Endocrinol Metab. 2009; 23: 597-

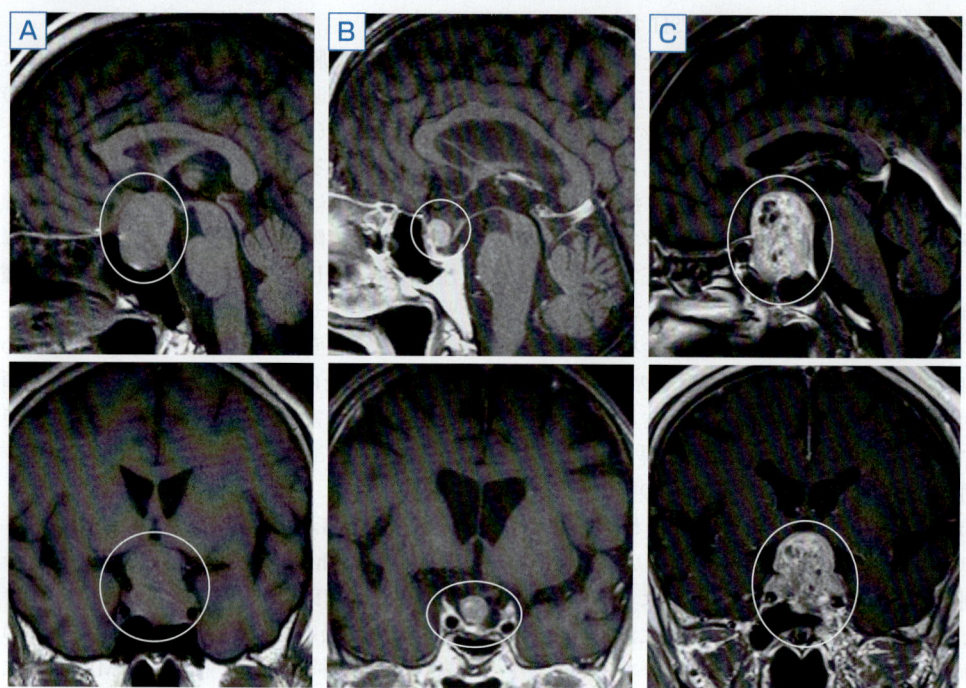

図 14-2-20 ゴナドトロピン産生腺腫の MRI 所見
A：50 歳代男性．FSH 産生腺腫，鞍上伸展による視神経への圧迫を伴うマクロアデノーマを認めた（T1 強調）．
B：60 歳代男性．FSH 産生腺腫，トルコ鞍内に類円形の腫瘍を認めた（Gd 造影）．
C：70 歳代男性．FSH 産生腺腫の経蝶形骨洞的手術後，20 年での再増大を認めた（Gd 造影）．

606.
Kirkman MA, Jaunmuktane Z, et al: Active and silent thyroid-stimulating hormone-expressing pituitary adenomas: presenting symptoms, treatment, outcomes, and recurrence. World Neurosurg. 2014; 82: 1224-31.
Ntali G, Capatina C, et al: Clinical review: Functioning gonadotroph adenomas. J Clin Endocrinol Metab. 2014; 99: 4423-33.

13）非機能性下垂体腺腫
nonfunctioning pituitary adenoma

定義・概念
　非機能性下垂体腺腫は，下垂体前葉ホルモンの分泌過剰を伴わない，内分泌学的に活性をもたない良性腫瘍である．発見された腫瘍の多くが腫瘍径の大きいマクロアデノーマであり，内分泌症状よりも腫瘍の増大による圧排症状が主体となる．

病態
　下垂体腺腫は，そのホルモン分泌能から内分泌活性をもたない非機能性腺腫と内分泌活性をもつ機能性腺腫に分類される．下垂体腺腫は全頭蓋内腫瘍の約 18％を占め，原発性脳腫瘍で最も頻度の高い髄膜腫，グリオーマにつぐ頻度である[1]．下垂体腺腫は成人に発生する腫瘍であるが，性差はほとんどなく好発年齢は 50〜60 歳代の中高年である．下垂体腺腫のうち非機能性腺腫は約 45％で，機能性腺腫が残りの約 55％を占める．

　本症では腫瘍の増大による局所の圧迫に関連する病態を呈しやすく，鞍上伸展が著明である場合は水頭症を呈する．腫瘍の視神経・視交叉への圧迫により両耳側半盲をきたし，高度になると視力障害をきたす．また，腫瘍によるトルコ鞍内での正常下垂体の圧排により下垂体前葉機能が種々の程度低下するが，後葉機能は保たれやすく尿崩症の合併は少ない．腫瘍の側方進展により海綿静脈洞へ浸潤すると，動眼神経・滑車神経・外転神経などの脳神経障害を生ずる．

臨床症状
　非機能性下垂体腫瘍は，ホルモン産生性を認めないためにホルモン作用に関連した自覚症状に乏しく，腫瘍サイズがある程度増大してから発見されやすい．視野・視力障害を自覚する場合もあるが，頭痛や下垂体前葉機能低下に関連した全身倦怠感や易疲労感を伴う程度にとどまることが多い．発見時にはマクロアデノーマによる視神経への影響により，自覚症状はなくとも眼科的診察を行うと視野・視力障害をきたしている例が多い．下垂体機能低下のうち成長ホルモン（GH）やゴナドトロピン（FSH，LH）分泌低下の頻度が高く，医療面接により関連する症状を聞き出すことが重要である．最近では頭部の画像診断により偶発的に発見される場合も多く，下垂体偶発腫瘍（インシデンタローマ）とよばれる（Orija ら，2012）．また下垂体腺腫の

2〜3％において，頭痛・嘔吐・外眼筋障害・意識障害を初発とする下垂体卒中で発症することもある．

検査所見

画像検査では，頭部 CT 上，下垂体部に等〜高吸収値を示す腫瘍として認められる．頭部 MRI では，T1 強調で低〜等信号，T2 強調で等〜高信号の腫瘍を呈し，ガドリニウム（Gd）にて均一に造影される．腫瘍サイズが巨大となれば，内部に囊胞や出血を伴うことがある（図 14-2-21, 14-2-22）．内分泌検査では，下垂体腺腫による正常下垂体への圧迫により下垂体ホルモンの分泌能や予備能の減弱を認める．副腎皮質刺激ホルモン（ACTH）・コルチゾール，甲状腺刺激ホルモン（TSH）・甲状腺ホルモン（FT$_4$），FSH・LH，GH・インスリン様成長因子（IGF）-I，プロラクチン（PRL）を測定し，口渇や多飲多尿などの症状があれば血中・尿中浸透圧とともに抗利尿ホルモン（ADH）を検査する．

診断・鑑別診断

下垂体部の画像検査により下垂体腫瘍を検出し，内分泌検査により機能性下垂体腫瘍を除外することで診断する．非機能性腺腫はホルモン過剰分泌をきたさない腺腫の総称であるが，摘出腫瘍の免疫組織染色による病理学的評価では，下垂体前葉ホルモンの遺伝子や蛋白発現をまったく認めない null cell adenoma は約 2 割程度で，多くの非機能性腺腫では FSH・LH および α サブユニットなどの発現を認める（Yamada ら，2007）．また，ゴナドトロピン分泌性はなくとも本腫瘍の過半数に免疫組織学的にゴナドトロピン産生能が認められることから，ゴナドトロピン産生腫瘍の一部は非機能性腺腫として位置づけられる．一般には充実性下垂体腫瘍が多いが，腫瘍の増大による出血や囊胞化が強い場合には囊胞壁が造影されず，Rathke 囊胞や頭蓋咽頭腫との鑑別が困難となる．胚細胞腫や下垂体炎・肉芽腫性病変との鑑別が困難である場合は，下垂体生検による組織診断の必要性についても考慮する．

治療・予後

症候性あるいは増大傾向のある腫瘍では，経蝶形骨洞的手術を行う．現状では腫瘍に対する有効な薬物治療はない．手術を選択する場合には，ACTH や TSH 分泌不全による二次性の副腎皮質・甲状腺機能低下症についてホルモン補充療法を行ったうえで手術に臨む．ADH の分泌低下による中枢性尿崩症を合併する場合には，デスモプレシンによる加療を併用する．

多くの場合，手術による減圧により，速やかに視力・視野障害の改善がみられるが，下垂体機能低下は回復しにくい．可能であれば，術後に下垂体刺激試験を含めた下垂体ホルモン分泌能の評価を行い，不足す

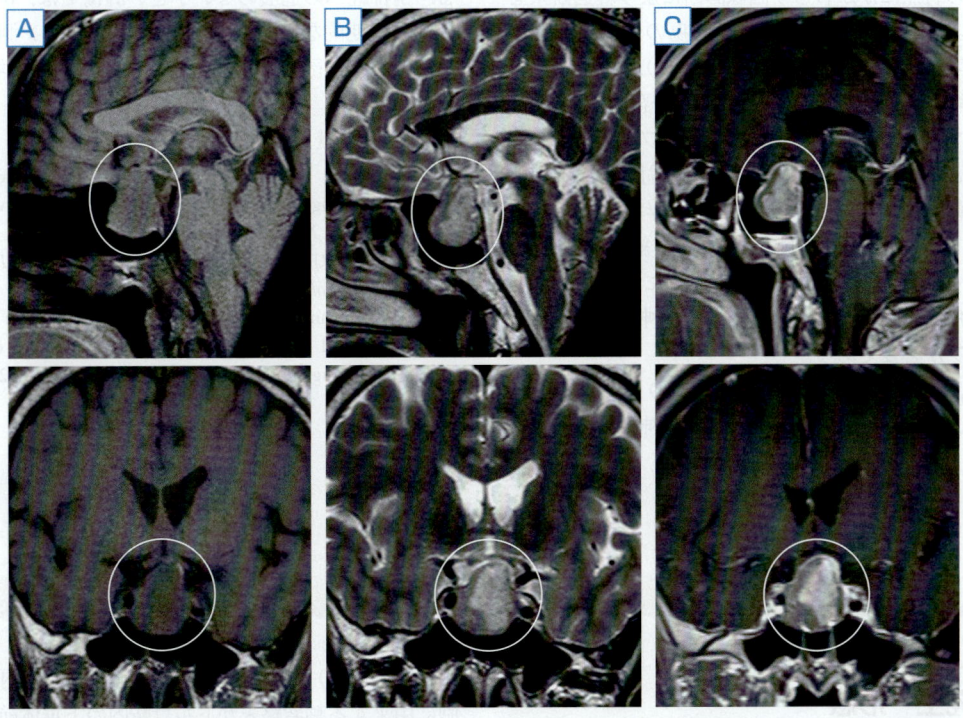

図 14-2-21 非機能性下垂体腺腫の MRI 所見
50 歳代男性．下垂体腺腫は鞍上伸展により視交叉へ接しており，T1 強調（A）で等〜低輝度・T2 強調（B）で変性による高輝度を呈し，ガドリニウム（Gd）（C）にて造影される易出血性の腫瘍であった．

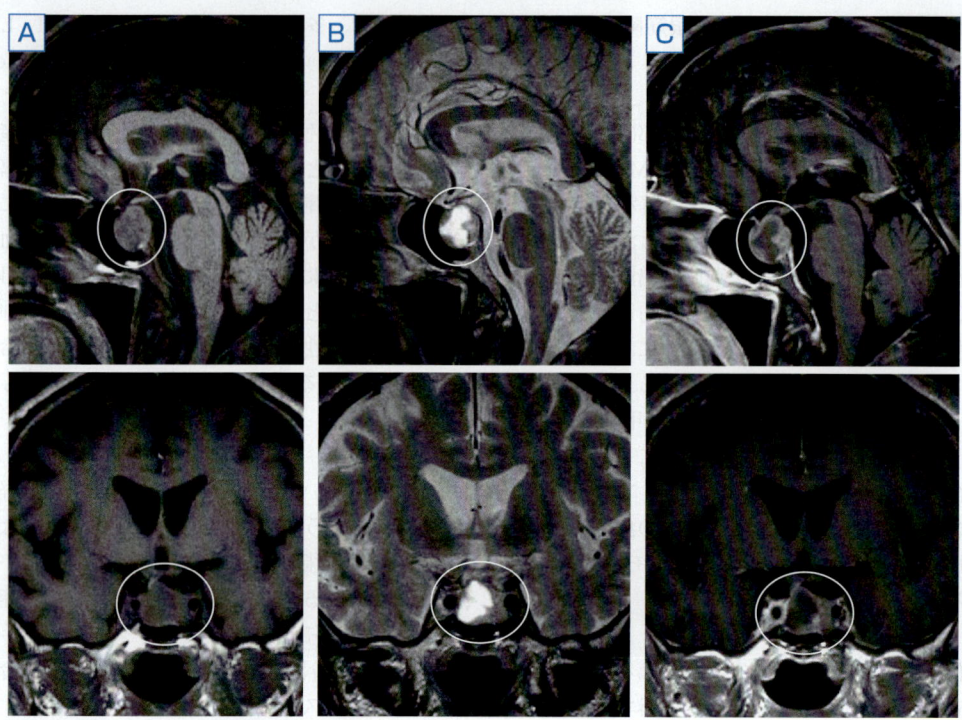

図 14-2-22 非機能性下垂体腺腫の MRI 所見
60 歳代男性．下垂体 MRI では，T1 強調(A)で低～等輝度のマクロアデノーマを認めた．腫瘍は右側の嚢胞変性を伴う T2(B)高信号と，左側の Gd(C)造影効果を伴う充実部からなっていた．

るホルモンを下垂体機能低下症の補充療法に準じて投与開始する．また，腫瘍の再発を考慮して，術後も残存腫瘍の有無にかかわらず画像診断により経過観察を行う．非機能性腺腫の術後残存腫瘍の倍増時間は約 3～4 年とされている（Chen ら，2012）．残存腫瘍の再発や増大を認めた場合，合併する神経症状の状態を考慮して再手術，あるいはガンマナイフ・サイバーナイフなどの定位放射線治療の追加を検討する．非機能性下垂体腺腫の悪性度は低く 10 年生存率は 90％を上回る．しかし下垂体機能障害や視神経障害による QOL への影響を考慮し，内分泌学的に適切なホルモン補充療法と画像診断を含めた慎重な神経学的フォローアップが必要である．

なお，CT や MRI の画像診断により偶然に発見されたインシデンタローマの場合は，視神経に接触あるいは圧迫を認める実質性腫瘍や鞍上伸展がなくとも径 2 cm 以上の実質性腫瘍には経蝶形骨洞手術を導入する．視神経への進展のない小さい腫瘍では，6～12 カ月での定期的な MRI と下垂体前葉ホルモン測定による経過観察が行われる[2]．

〔大塚文男〕

■ 文献(ⓔ文献 14-2-13)

Chen Y, Wang CD, et al: Natural history of postoperative nonfunctioning pituitary adenomas: a systematic review and meta-analysis. *Neuroendocrinology*. 2012; **96**: 333-42.

Orija IB, Weil RJ, et al: Pituitary incidentaloma. *Best Pract Res Clin Endocrinol Metab*. 2012; **26**: 47-68.

Yamada S, Ohyama K, et al: A study of the correlation between morphological findings and biological activities in clinically nonfunctioning pituitary adenomas. *Neurosurgery*. 2007; **61**: 580-4.

14-3 下垂体後葉

1）発生・形態

下垂体後葉（posterior pituitary）は神経下垂体（neurohypophysis）ともよばれ，視床下部の神経内分泌細胞に由来する軸索終末がトルコ鞍内の下垂体前葉の背側に伸長して密に集簇し，分泌顆粒を貯蔵した部位に相当する（図 14-3-1）．細胞体そのものは視床下部

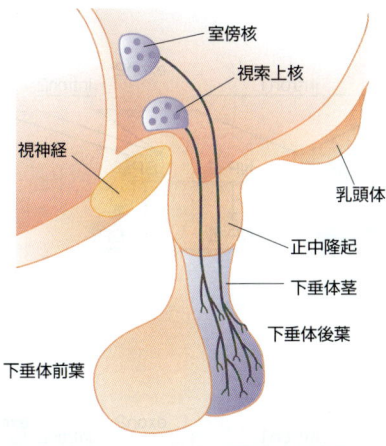

図14-3-1 視床下部・下垂体後葉系の解剖学的構造
視床下部視索上核（SON），室傍核（PVN）の神経細胞（大細胞）で合成されたAVPとOTを含む分泌顆粒は，軸索輸送により正中隆起から下垂体茎を経て下垂体後葉に運ばれ，軸索の末端に貯蔵される．神経細胞の興奮時に分泌顆粒から放出されたホルモンは，末梢循環を経由して標的臓器に至り作用を発揮する．

の視索上核（SON）と室傍核（PVN）に存在し，その軸索が正中隆起から下垂体茎を経由してトルコ鞍内に至る．これらの細胞は神経ペプチドであるアルギニンバソプレシン（抗利尿ホルモン：AVP，antidiuretic hormone：ADHともよばれる）およびオキシトシン（OT）を細胞体で産生し，分泌顆粒を軸索輸送で下垂体後葉に運び貯蔵した後，神経興奮時に末梢循環血中に放出する（Brownら，2013）．下垂体後葉には神経組織のastrocyteに相当するpituicyteも存在する．AVPとOTを合成する神経細胞は大細胞性（magnocellular neuron）と小細胞性（parvocellular neruon）の2種類が存在するが，下垂体後葉に軸索を送るのは大細胞性のニューロンである．

発生学的には，下垂体前葉組織は口腔外胚葉が上方に陥入して形成されるのに対し，後葉組織は腹側神経外胚葉の正中部が下降して下垂体前葉と接した状態で形成される．したがって，同じ下垂体組織としてトルコ鞍内に位置していながら，両者の発生学的な由来は異なっている（Suga，2011）．また解剖学的にも，下垂体前葉は内頸動脈由来の上下垂体動脈が一度正中隆起部で毛細血管を形成したのち下垂体門脈を経て灌流するのに対し，下垂体後葉は内頸動脈の下下垂体動脈により直接灌流され，後葉ホルモンはこの動脈由来の毛細血管に放出された後，海綿静脈洞を経て全身循環に入る（Stopa，1993）．この血管支配の違いにより，下垂体後葉はSheehan症候群における虚血の影響を受けにくいとされる．

〔岩﨑泰正〕

■文献
Brown CH, Bains JS, et al: Physiological regulation of magnocellular neurosecretory cell activity: integration of intrinsic, local and afferent mechanisms. *J Neuroendocrinol*. 2013;**25**:678-710.
Stopa EG, LeBlanc VK, et al: A general overview of the anatomy of the neurohypophysis. *Ann N Y Acad Sci*. 1993;**689**:6-15.
Suga H, Kadoshima T, et al: Self-formation of functional adenohypophysis in three-dimensional culture. *Nature*. 2011;**480**:57-62.

2）下垂体後葉ホルモン

(1) アルギニンバソプレシン（AVP）の合成・分泌調節

AVPとOTはいずれもアミノ酸9個からなる小型のペプチドホルモンで，1位と6位のシステインがS-S結合で環状構造を形成し，C末端はアミド化されている（図14-3-2A）．ヒトを含む多くの動物では8位のアミノ酸がArgのため，アルギニンバソプレシン（AVP）とよばれるが，ブタなど一部の動物では，この部位がLysに置換されている（リジンバソプレシン，LVP）．OTはAVPとアミノ酸が2個異なるのみで，基本的な構造は同一である．

AVPおよびOT遺伝子は，ヒトでは20番染色体の隣接した位置にあり，遺伝子構造および塩基配列もきわめて類似していることから，両者は遺伝子重複により生じたものと推察されている（図14-3-2B）．AVP遺伝子は3つのエクソンから構成され，翻訳産物（prepro-AVP）はシグナルペプチドが切断されたのち，分泌顆粒内でプロセシングを受けてAVP，ニューロフィジン，糖蛋白（コペプチンとよばれる）に分かれる．ニューロフィジンは，分泌顆粒内におけるAVPの結合蛋白と考えられている．コペプチンの生理的意義はいまだ明らかでない．OT遺伝子の構造もほぼ同様であるが，コペプチンの部位が存在しない．

AVPは，作用する受容体の種類により抗利尿作用，血管収縮作用，およびACTH分泌刺激作用を有し，また脳内では神経伝達物質とし機能している．しかし臨床的に最も重要な作用は抗利尿ホルモン（ADH）としての作用である．一般に尿量調節ホルモンとして認識されているが，その本質は体液の浸透圧調節（osmoregulation）である．細胞膜は半透膜のため，体液の浸透圧が変動すると水分が細胞内外を移動し，細胞にとってストレスや機能障害の原因となる．このため高等動物では，細胞外液の浸透圧は280〜290 mOsm/kg H_2O の範囲に厳密に保たれている．すなわち，視床下部第3脳室前部に存在する浸透圧受容器が血漿浸透圧（pOsm）の変化を感知してSONとPVNに存在するAVPニューロンに情報を伝達し，

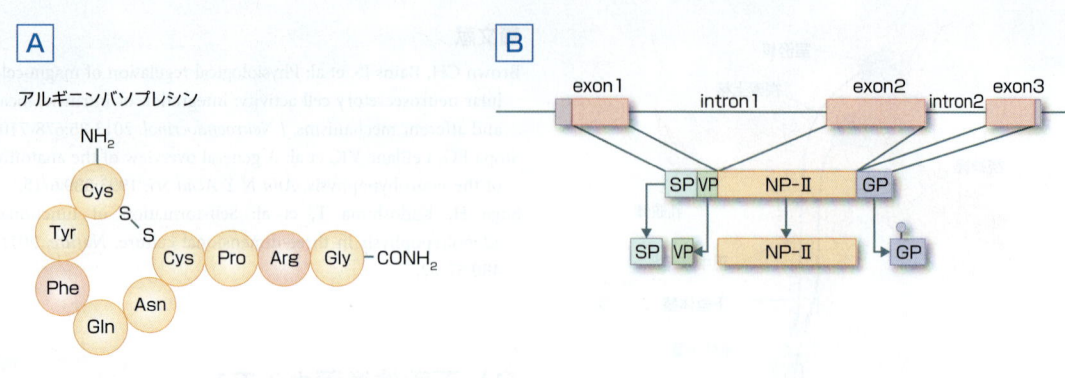

図14-3-2 AVPとOTの分子構造(A)と遺伝子構造(B)
A：AVPとOTはアミノ酸9個からなり，2カ所のアミノ酸のみ異なる．AVPの1位のシステインを脱アミノ化し，8番目のL-アルギニンをD-アルギニンに変換した合成ペプチド(DDAVP)は，中枢性尿崩症の治療に用いられる．
B：AVP遺伝子は3つのエクソンから構成され，前駆体蛋白がプロセシングを受けてシグナルペプチド(SP)，AVP(VP)，ニューロフィジンⅡ(NP-Ⅱ)，糖蛋白(GP)に分離する．SP以外の部分は分泌顆粒に貯蔵され，末梢血中に放出される．NPは分泌顆粒内におけるVPの結合蛋白として機能するが，GPの役割は明らかでない．OT遺伝子は遺伝子重複によりAVP遺伝子と起源を同じくするため，構造もきわめて類似しているが，GPの部分が欠落している．

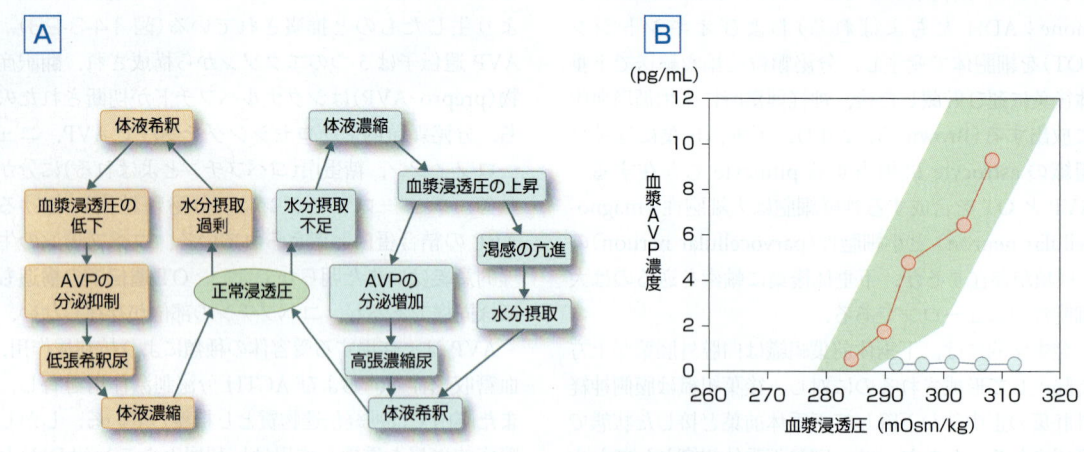

図14-3-3 生体の浸透圧調節系
A：浸透圧恒常性の維持機構．水分欠乏により体液が濃縮されると，血漿浸透圧の上昇がAVP分泌と渇感亢進を招来し，尿濃縮と飲水により血漿浸透圧を低下させる．一方飲水過多により体液が希釈されると，浸透圧の低下がAVP分泌を抑制し，希釈尿を排出して体液を濃縮させる．結果的に，血漿浸透圧は280〜290 mOsm/kg H₂Oのきわめて狭い範囲に維持され，細胞に対する浸透圧ストレスを回避する．
B：血漿浸透圧と血漿AVPとの相関．下垂体後葉からのバソプレシン分泌は血漿浸透圧により規定され，その上昇とともに血漿AVP濃度は直線的に増加する(赤線)．中枢性尿崩症では浸透圧刺激に対するAVP分泌反応が欠損する(青線)．

AVPの分泌・合成を促進ないし抑制する．水分貯留により体液が希釈されpOsmが低下するとAVP分泌は完全に抑制されて低張尿を排出し，一方脱水などで体液が濃縮されpOsmが上昇するとAVP分泌が刺激され，尿が高張となって水分喪失を防止する（図14-3-3A）．結果的に健常者では，pOsmと血漿AVP濃度は，分泌閾値を約280 mOsm/kgとした直線相関関係を示す（図14-3-3B）．この調節系はきわめて鋭敏で，pOsmの1%以下の変動に対応してAVP分泌は瞬時に変化し，結果的に尿浸透圧を短時間で変化させる．

なおAVP分泌には，左心房や大動脈弓，頸動脈洞に存在する容量・圧受容体を介した調節系も存在する（baroregulation）．循環血液量の減少による左房圧の低下や血圧の低下はこれらの受容体で感知され，迷走神経および延髄孤束核を経由してAVP分泌を強力に刺激し，血管収縮による血圧の維持と，尿量減少による体液量の保持に寄与する[1]．しかし本系の感度は低く，循環血液量の8～10%以上の減少ではじめてAVP分泌が刺激される．それ以後は指数関数的に分泌量が増加するものの，生理学的な状況で本系が循環系の維持に関与することは少なく，むしろAVP不適切分泌など病態と関連することが多い．しかし薬理学的濃度のAVPによる血管収縮作用は，心肺蘇生時の循環維持に利用されている[2]．

AQP2）を管腔側の細胞膜上に移動させ（細胞内トラフィッキング），尿細管内の水を再吸収することにより尿を濃縮して尿量を減少させる（図14-3-4）（Bockenhauerら，2014）．APQ2は再利用ないし分解されるほか一部尿中に排出されるが，V_2受容体の活性化はAQP2遺伝子の発現も促進するため，AQP2蛋白の産生が増加し，結果的に長期の脱水への対応が可能となる．尿細管細胞内に吸収された水は基底膜側のAQP3およびAQP4を経由して血中に入る．V_2受容体選択的AVPアナログとして開発されたDDAVPは中枢性尿崩症の治療に用いられる．なお，V_2受容体は血管内皮細胞にも発現し，刺激時にvon Willebrand因子を放出するため，von Willebrand病や軽症血友病の治療にも用いられる[3]．

V_{1a}受容体は血管平滑筋細胞や肝臓などに発現している．細胞内Ca^{2+}濃度の上昇を介して平滑筋細胞の収縮や増殖に関与するとされている．しかし生理的濃度における効果は他の昇圧ホルモンと比較して弱いため，臨床的な意義は少ない．前述のごとく，薬理学的濃度のAVPは昇圧薬として使用されている[2]．

V_{1b}受容体はおもに下垂体前葉細胞で発現し，ACTH分泌調節において重要な役割を果たしている．すなわち視床下部室傍核の小細胞で発現したAVPは下垂体門脈系を経由して前葉のACTH産生細胞に到達し，ACTH分泌を促進する．この際，ACTHのお

（2）AVPの作用機序

AVPの受容体はV_{1a}，V_{1b}（V_3ともよばれる），V_2の3種類が知られている．いずれもG蛋白共役受容体であるが，前2者はGq/i蛋白を介して細胞内Ca^{2+}およびジアシルグリセロール（DAG）を，後者はGs蛋白を介してcAMPをセカンドメッセンジャーとして機能する．これらの受容体は体内における発現臓器が異なるため，結果的に異なった機能調節に関与する．

V_2受容体遺伝子はヒトではX染色体上に存在し（このため不活化変異による腎性尿崩症は伴性遺伝となる），腎集合管細胞や血管内皮，内耳などで発現が認められる．生理的意義が最も重要なのは腎臓で，集合尿細管細胞の基底膜（血管）側に発現した受容体が，末梢血に存在する低濃度のAVP（0.1～10 pmol）に反応してcAMP/PKA系を活性化し，細胞内の水チャネル（アクアポリン2，

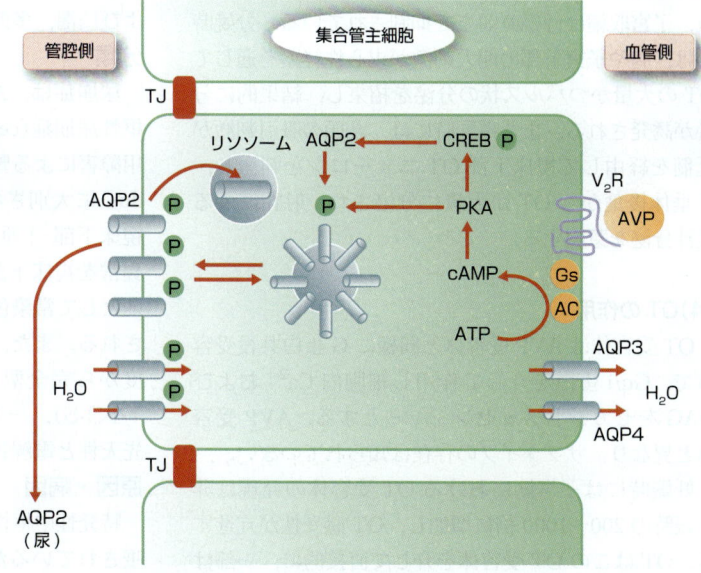

図14-3-4 集合尿細管におけるAVPの作用機序
AVPはV_2受容体（V2R）を介してcAMPを増加させる．cAMPにより活性化されたprotein kinase A（PKA）はアクアポリン2（AQP2）をリン酸化して管腔側に移動させ，水の再吸収を促進すると同時に，転写因子CREBをリン酸化してAQP2遺伝子・蛋白の発現を増加させる．再吸収された水は血管側のAQP3，AQP4を通過して血管内に移動する．管腔側AQP2の一部は尿中に排泄されるが，大部分はリソソームで分解される．
TJ: tight junction, AC: adenylate cyclase.

もな調節因子である CRH が ACTH の合成・分泌両者を促進するのに対し，AVP は分泌のみを刺激し，また CRH による分泌を増強する．なお DDAVP は V_2 受容体のみならず V_{1b} 受容体にも親和性を有するため ACTH 分泌刺激作用があり，Cushing 病の際に明瞭な分泌刺激効果を示すことが多いため，DDAVP 試験が診断の一助として用いられている[4]．

V_{1a}，V_{1b} 受容体はいずれも中枢神経系に発現し，脳内ペプチド性伝達物質である AVP の受容体として機能している．その作用は中枢性循環調節，体内時計，情動など多岐にわたる[5]．しかしヒトでの確実な知見は少ない．

(3) オキシトシン（OT）の合成・分泌調節

OT は AVP と同様に，視床下部で合成され下垂体後葉から分泌されるペプチドホルモンである．遺伝子およびペプチド構造は AVP と類似しているが，受容体が主として生殖関連器官で発現していることから，その合成・分泌調節機構および作用機序は AVP とは異なり，主としてエストロゲンなど性ホルモンが関与した合成・分泌調節を受ける（Gimpl ら，2001）．おもな作用は平滑筋収縮で，子宮では分娩時の子宮収縮を促進し，また乳腺では導管の平滑筋を収縮させる．妊娠中はエストロゲンなどの作用により OT 遺伝子発現が増加し，基礎分泌量も妊娠後期に非妊娠時の5〜6倍に増加するが，分泌されたペプチドは血中で胎盤由来のペプチダーゼ（oxytocinase）により分解され，子宮収縮は分娩直前まで抑制されている．分娩時には，膣や子宮下部の開大刺激が求心性経路を通じてOT の大量かつパルス状の分泌を招来し，結果的に分娩が誘発される．また授乳時には，乳頭の吸引刺激が延髄を経由して視床下部 OT ニューロンを刺激し，下垂体後葉から OT が大量に分泌され，射乳による乳汁分泌を惹起する．

(4) OT の作用

OT 受容体は AVP 受容体と同様に G 蛋白共役受容体で，Gq/i 蛋白を介して作用し細胞内 Ca^{2+} および DAG をセカンドメッセンジャーとする．AVP 受容体と異なり，サブタイプの存在は知られていない．

妊娠時には子宮筋における OT 受容体の発現は非妊娠時の 200〜1000 倍に増加し，OT 感受性が亢進する．OT はこの OT 受容体を介して直接的に，一部はプロスタグランジン系の代謝を介して間接的に作用して子宮筋を収縮させ，分娩を促進する．このため OT やプロスタグランジンは陣痛促進薬として用いられる．

乳腺では，射乳反射により分泌された OT が乳腺細胞を取り囲む筋上皮細胞の OT 受容体に作用して射乳を誘発する．プロラクチンが乳腺組織自体の発達と乳汁産生を促進するのに対し，OT の作用はもっぱら乳汁分泌に特化している．このことは，OT 受容体ノックアウトマウスで乳汁の産生は認めるものの射乳が起こらないことからも裏づけられる．

なお，OT および OT 受容体は中枢神経系にも存在し，母性行動，社会行動，摂食行動などの調節に関与している[6]．このため OT の鼻腔内投与による自閉症の治療が試みられている[7]．〔岩﨑泰正〕

■文献（e文献 14-3-2）

Bockenhauer D, Bichet DG: Urinary concentration: different ways to open and close the tap. *Pediatr Nephrol.* 2014;**29**:1297-303.

Gimpl G, Fahrenholz F: The oxytocin receptor system: structure, function, and regulation. *Physiol Rev.* 2001;**81**:629-83.

3) 尿崩症
diabetes insipidus：DI

定義・概念

抗利尿ホルモンであるバソプレシン（arginine vasopressin：AVP）は視床下部視索上核および室傍核で合成され，軸索輸送により下垂体後葉に運ばれた後に血中に分泌され，腎臓において水の再吸収を促進する．尿崩症は AVP の合成・分泌・作用障害により多尿および口渇，多飲を呈する疾患である．

分類

尿崩症は，AVP の合成・分泌の障害に起因する中枢性尿崩症（central diabetes insipidus）と，AVP の作用障害による腎性尿崩症（nephrogenic diabetes insipidus）に大別される．中枢性尿崩症は①器質的異常を視床下部-下垂体後葉系に認めない特発性，②器質的異常を視床下部-下垂体後葉系に認める続発性，③原則として常染色体優性遺伝形式を呈する家族性に分類される．また，中枢性尿崩症は AVP の分泌障害の程度から完全型と部分型に分類されることもある（図14-3-5）．一方，腎性尿崩症は出生時から発症する先天性と電解質異常などによる後天性に分類される．

原因・病因

特発性中枢性尿崩症に関しては自己免疫の関与が示唆されているが[1-3]，発症機序に関してはいまだ十分には解明されていない．続発性中枢性尿崩症では腫瘍や炎症，手術などにより AVP ニューロンが傷害を受けて AVP の合成および分泌の障害が生じる．家族性中枢性尿崩症は AVP 遺伝子座に変異を認め，変異した AVP 前駆体の折りたたみなどが障害される．AVP の受容体には V_{1a}，V_{1b}，V_2 の 3 種類が存在し，AVP

は腎臓の集合管に発現するV_2受容体を介して水の再吸収を促すが，先天性腎性尿崩症はV_2受容体もしくは水チャネルであるアクアポリン-2の遺伝子変異により発症する．後天性腎性尿崩症は高カルシウム血症，低カリウム血症などの電解質異常やリチウムなどの薬剤により生じる．

疫学

中枢性尿崩症の有病率は10万人あたり7～10人と報告されている[4]．特発性中枢性尿崩症と続発性中枢性尿崩症の割合は報告により異なるが，画像診断の進歩に伴い続発性中枢性尿崩症の割合が増加している[5]（e図14-3-A）．家族性中枢性尿崩症は中枢性尿崩症の約1%を占め，ほとんどは常染色体優性遺伝形式を示し，遺伝子変異の多くはAVPのキャリア蛋白であるニューロフィジンの領域に認められる（Babeyら，2011）．先天性腎性尿崩症はAVPのV_2受容体の変異が90%で残りの10%がアクアポリン2の遺伝子変異である．AVPのV_2受容体の変異による腎性尿崩症はX連鎖劣性遺伝形式を示すが，アクアポリン2の遺伝子変異による腎性尿崩症は常染色体劣性遺伝のものと常染色体優性遺伝のものとがある（Babeyら，2011）．

病理

続発性中枢性尿崩症をきたす腫瘍としては胚細胞腫瘍と頭蓋咽頭腫の頻度が高い（e図14-3-A）[5]．炎症性疾患であるリンパ球性漏斗下垂体後葉炎では下垂体または下垂体茎生検でリンパ球を中心とした細胞浸潤を認める．近年，IgG4関連疾患に伴う中枢性尿崩症も報告されており[6]，こうした症例では下垂体または下垂体茎生検でIgG4陽性形質細胞の浸潤を認める．

病態生理

中枢性尿崩症ではAVPの合成および分泌の障害により，また腎性尿崩症ではAVPの作用障害により腎臓における水の再吸収が損なわれ，大量の低張尿が生じ脱水となる．血清ナトリウム濃度がおよそ145 mEq/L前後まで上昇すると口渇が生じ，患者は口渇が癒えるまで水分を摂取するが，尿崩症では大量の低張尿が持続するため多飲をもってしても脱水傾向となる．また，渇中枢はAVPニューロンと同様に視床下部に存在するため，腫瘍などによりAVPニューロンのみでなく渇中枢まで傷害が及ぶと渇感障害を呈し，脱水にもかかわらず口渇が生じないため患者は著しい高ナトリウム血症を呈することがある．

臨床症状

1）**自覚症状**：口渇および尿意が頻回に生じ，夜間も何度か覚醒して水分を摂取するとともに排尿をする．脱水のため口腔内の乾燥や発汗低下を，また大量の水分を摂取するため食欲低下を訴える場合もある．

2）**他覚症状**：尿崩症では脱水のため体重減少や口腔粘膜の乾燥などを認める．

検査所見

1）**尿検査**：一般的に1日尿量が3Lをこえる場合を多尿と定義するが，尿崩症では1日尿量が10Lをこえることもまれではない．尿の濃縮障害を反映して尿比重および尿浸透圧は低値を示す．

2）**血液検査**：血清ナトリウム濃度および血漿浸透圧は正常上限～軽度高値を示す．中枢性尿崩症において血漿AVP濃度は血清ナトリウム濃度および血漿浸透圧に対して相対的に低値を示す．一方，腎性尿崩症では血漿AVP濃度の低下を認めない．

診断

口渇，多飲，多尿を認め，血液・尿検査から尿崩症が疑われる場合には以下の検査を行う（厚生労働科学研究費補助金難治性疾患克服研究事業間脳下垂体機能障害に関する調査研究班，2010）．

1）**高張食塩水負荷試験**：5%高張食塩水を0.05 mL/kg/分の速さで120分間点滴投与し，血清ナトリウム濃度を約10 mEq/L上昇させてAVPの反応を検討する．健常人では血清ナトリウム濃度の上昇に比例して血漿AVP濃度も上昇するが，中枢性尿崩症では

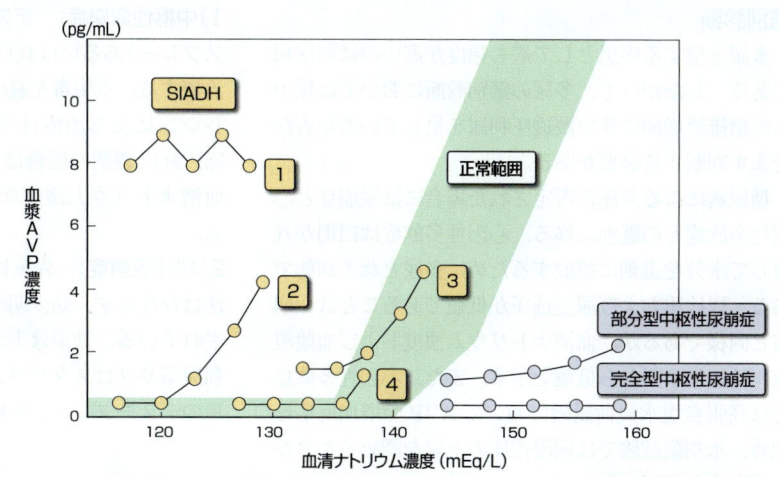

図14-3-5 **血清ナトリウム濃度と血漿AVP濃度の関係**
中枢性尿崩症には血清ナトリウム濃度の上昇に対するAVPの増加反応が完全に欠落した完全型と，AVPの増加反応がわずかに残る部分型がある．SIADHはAVPの分泌様式から1～4の4つに分類される【⇨ 14-3-4】．

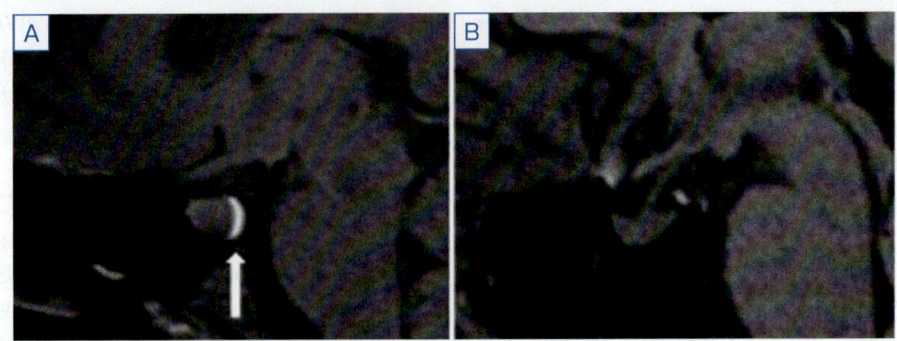

図 14-3-6 下垂体 MRI（T1 強調画像）
健常人(A)で認められる後葉の高信号(矢印)が中枢性尿崩症(B)では消失する．

AVP の増加反応の低下を認める（図 14-3-5）．中枢性尿崩症では AVP の増加反応をまったく認めないもの（完全型）と，軽度増加を認めるもの（部分型）がある．

2）水制限試験：絶飲食を 6 時間程度あるいは体重が 3％減少するまで継続し，尿浸透圧の変化を検討する．健常人では尿浸透圧が継時的に上昇するが，尿崩症では尿浸透圧は低値のままである．水制限終了後に水溶性ピトレシンを皮下注射する．中枢性尿崩症では尿浸透圧が 300 mOsm/kg 以上に上昇するが，腎性尿崩症では尿浸透圧の上昇を認めない．

3）画像検査：MRI にて視床下部-下垂体後葉系の評価を行う．健常人では T1 強調画像で下垂体後葉に高信号を認めるが，中枢性尿崩症の患者では高信号が消失する（図 14-3-6）．これは T1 強調画像の下垂体後葉高信号が下垂体に蓄積されている AVP を反映しているためと考えられている[7]．また，続発性中枢性尿崩症では視床下部-下垂体後葉系に腫瘍や炎症を示唆する所見を認める．

鑑別診断

多尿を呈する疾患として最も頻度が高いのは糖尿病である．したがって，多尿の鑑別診断においては尿中への糖排泄増加に伴い浸透圧利尿を呈しているか否かをまず判断する必要がある．

糖尿病による多尿が否定された場合には尿崩症と心因性多飲症との鑑別に移る．心因性多飲症は口渇が亢進して水分を過剰に摂取するために多尿となる病態である．尿比重および尿浸透圧が低値であることは尿崩症と同様であるが，血清ナトリウム濃度および血漿浸透圧は正常下限から低値を示す．また，心因性多飲症では高張食塩水負荷試験において AVP の増加反応を認め，水制限試験では尿浸透圧の上昇を認めることから尿崩症と鑑別できる．

合併症

未治療の期間が長い場合には巨大膀胱や水腎症を呈することがある．また未治療の場合には脱水（高ナトリウム血症）を，AVP アナログであるデスモプレシンによる治療開始後には水中毒（低ナトリウム血症）を呈する可能性があることに留意する必要がある．なお，中枢性尿崩症に副腎不全を合併すると多尿が不顕在化する（仮面尿崩症）が，ステロイドホルモンの補充を開始すると多尿が顕在化する．

経過・予後

中枢性尿崩症は病型にかかわらず，いったん発症すると回復することはまれであるが，渇感が保たれ，飲水が可能な状態であれば生命予後は良好であり，発症後 10 年以上経過してはじめて診断される場合もある．一方，渇感が障害されている場合や何らかの原因で飲水が制限される場合には著明な脱水を呈し，重篤な転帰をたどる場合もある[8]．また，続発性中枢性尿崩症の予後は原疾患に依存する側面もある．電解質異常による腎性尿崩症では電解質バランスの改善とともに，また薬剤による腎性尿崩症では原因となる薬剤を中止することで尿崩症は改善する．

治療

1）中枢性尿崩症：デスモプレシン経鼻製剤（点鼻液，スプレー）あるいは経口製剤（口腔内崩壊錠）を用いて治療する．水中毒を避ける目的で原則としてデスモプレシンによる治療は少量（経鼻製剤の場合は 2.5 μg/回，経口製剤の場合は 60 μg/回）から開始し，尿量，血清ナトリウム濃度などをみながら投与量を調整する．

2）腎性尿崩症：先天性腎性尿崩症には根本的な治療法は存在せず，幼少期から塩分制限を行うことが推奨されている．効果は不十分であるが，サイアザイド系利尿薬やプロスタグランジン合成阻害薬，あるいは大量のデスモプレシンを投与することもある．

〔有馬　寛〕

■文献（e文献 14-3-3）

Babey M, Kopp P, et al: Familial forms of diabetes insipidus: clinical and molecular characteristics. *Nat Rev Endocrinol*.

2011; 7: 701-14.
厚生労働科学研究費補助金難治性疾患克服研究事業間脳下垂体機能障害に関する調査研究班：バソプレシン分泌低下症（中枢性尿崩症）の診断と治療の手引き．平成22年度総括・分担研究報告書，pp155-7. 2010.

4）抗利尿ホルモン不適合分泌症候群
syndrome of inappropriate secretion of ADH：SIADH

定義・概念
　血清ナトリウム濃度（血漿浸透圧）が低下すると，抗利尿ホルモンであるAVP（またはantidiuretic hormone：ADH）の分泌は速やかに低下し，その結果として水利尿が生じて血清ナトリウム濃度は正常範囲に維持される．これに対しSIADHは低ナトリウム血症にもかかわらずAVPの抗利尿作用が持続している病態である．

分類
　SIADHは原因となるAVPの分泌が下垂体後葉由来である場合（正所性）と，AVP産生腫瘍である場合（異所性）に分類される．また，SIADHにおけるAVP分泌様式には，①血清ナトリウム濃度にかかわらず血漿AVP濃度が高値を示す場合（異所性AVP産生腫瘍など），②AVP分泌の血清ナトリウム閾値がリセットされている場合，③低ナトリウム血症におけるAVP分泌抑制が欠如している場合，④血漿AVP濃度は低ナトリウム血症において正常に抑制されているがAVPの抗利尿作用が持続している場合（薬剤によるAVPの抗利尿作用の亢進など）があることが報告されている（Zerbeら，1980）（図14-3-5）．なお，④の分泌様式ではAVPの過剰分泌を認めないため，こうした病態を含有する意味でSIADHの代わりにSIAD（syndrome of inappropriate antidiuresis）という用語を用いることもある[1]．また，低ナトリウム血症を呈している期間が比較的短いか（24～48時間以内），あるいは慢性の経過をたどっているかは臨床症状に影響を及ぼすとともに治療の観点からも重要である．

原因・病因
　SIADHの原因としては中枢神経系疾患，胸腔内疾患，薬剤，AVP産生腫瘍がある（e表14-3-A）．中枢神経系疾患である脳炎，髄膜炎，脳梗塞・脳出血，頭部外傷などでは視床下部視索上核および室傍核のAVP産生ニューロンが直接的あるいは間接的に刺激される結果，血漿浸透圧による制御とは独立してAVP分泌が生じると考えられる．胸腔内疾患としては肺炎，肺結核，気管支喘息などがあげられる．AVP分泌は血漿浸透圧とともに循環血液量（血圧）によっても制御されており，胸腔内疾患は心房に存在する容量受容体や頸動脈洞に存在する圧受容体，あるいはそれらの求心路である迷走神経を介してAVPの分泌を促すと考えられる．SIADHの原因となる薬剤にはカルバマゼピン，選択的セロトニン再取り込み阻害薬（SSRI）などがある．AVP産生腫瘍としては肺癌，膵癌などがある．最も頻度が高いのは肺小細胞癌である[2]．

疫学
　一般的には血清ナトリウム濃度が135 mEq/L未満を低ナトリウム血症と定義する．低ナトリウム血症は入院患者に最も多く認められる電解質異常であり，血清ナトリウム濃度が130 mEq/L未満を示す低ナトリウム血症は入院患者の2～3％に認められ，SIADHはその30～40％を占めるとの報告がある[3]．

病態生理
　SIADHでは血清ナトリウム濃度（血漿浸透圧）が低いにもかかわらずAVPの抗利尿作用が持続する．そのため腎臓からの自由水排泄が低下して循環血液量がいったん増加するが，AVPの過剰分泌が長期間持続するとV_2受容体のダウンレギュレーション（AVPエスケープ現象）が生じ，水利尿が部分的に回復する．また，SIADHでは心房性ナトリウム利尿ペプチドの分泌亢進，レニン-アルドステロン系の抑制が生じてナトリウム利尿を呈する．その結果，血清ナトリウム濃度はさらに低下するとともに循環血液量は正常範囲となる（図14-3-7）．

臨床症状
　SIADHの症状は低ナトリウム血症の程度およびその進行の速さに依存する．低ナトリウム血症が比較的急激に発症した場合には，血清ナトリウム濃度の低下が中等度（120～130 mEq/L）であっても頭痛，悪心などが生じやすいが，低ナトリウム血症が長期間持続している場合にはこの程度の血清ナトリウム濃度の低下では無症状のことが多い．一方，血清ナトリウム濃度の低下が著しい場合（110 mEq/L未満）には意識レベ

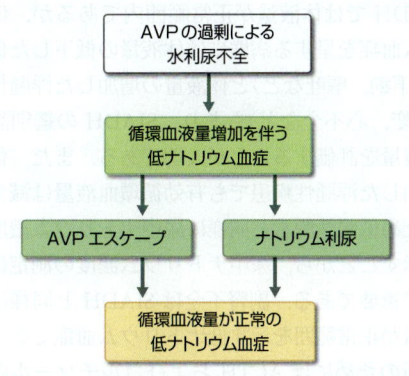

図14-3-7 SIADHの病態形成
SIADHではAVPの過剰分泌のため，いったんは循環血液量が増加した低ナトリウム血症を呈するが，その後に生じるAVPエスケープおよびナトリウム利尿のため循環血液量は正常範囲の低ナトリウム血症となる．

表 14-3-1 SIADH の診断基準(厚生労働科学研究費補助金難治性疾患克服研究事業間脳下垂体機能障害に関する調査研究班,2010より改変)

I. 主症候
1. 脱水の所見を認めない.
2. 倦怠感,食欲低下,意識障害などの低ナトリウム血症の症状を呈することがある.

II. 検査所見
1. 低ナトリウム血症:血清ナトリウム濃度は 135 mEq/L を下回る.
2. 血漿バソプレシン濃度:血清ナトリウム濃度が 135 mEq/L 未満で,血漿バソプレシン濃度が測定感度以上である.
3. 低浸透圧血症:血漿浸透圧は 280 mOsm/kg を下回る.
4. 高張尿:尿浸透圧は 300 mOsm/kg を上回る.
5. ナトリウム利尿の持続:尿中ナトリウム濃度は 20 mEq/L 以上である.
6. 腎機能正常
7. 副腎皮質機能正常

I の 1 を満たし,かつ II の 1 から 7 すべての項目を満たすもの.

ルの低下,痙攣などを呈する.

検査所見

血漿浸透圧および血清ナトリウム濃度の低下に加え,尿中ナトリウム濃度の比較的高値(20 mEq/L 以上),尿浸透圧の比較的高値(300 mOsm/kg 以上),血漿レニン活性の低下,血中尿酸値の低下などを認める.

診断

表 14-3-1 に診断基準を示す.脱水の所見を認めないこと,血漿浸透圧および血清ナトリウム濃度が低値であること,尿浸透圧が比較的高値であること,ナトリウム利尿が持続していること,副腎機能低下を認めないことなどをもって診断する.

鑑別診断

SIADH では体液量が正常範囲内であるが,低ナトリウム血症を呈する病態には体液量の低下した低張性脱水(下痢,嘔吐など)と体液量の増加した浮腫性疾患(肝硬変,心不全など)もあり,SIADH の鑑別診断では体液量を評価することが大切である.また,体液量の増加した浮腫性疾患でも有効循環血液量は減少しているため低張性脱水と同様に尿中ナトリウム濃度は低値を示すことから,尿中ナトリウム濃度の測定は鑑別診断で重要である.副腎不全は SIADH と同様に循環血液量が正常範囲を示す低ナトリウム血症であり,鑑別診断のためには ACTH およびコルチゾールの評価が必要である.

合併症

SIADH による低ナトリウム血症が重篤な場合には脳浮腫や脳ヘルニアが生じうる.

経過・予後

SIADH の予後は低ナトリウム血症の程度および治療に伴う血清ナトリウム濃度の補正の速さに依存する.重篤な低ナトリウム血症(100 mEq/L 未満)の予後は不良である[4].また,低ナトリウム血症の治療において急速に血清ナトリウム濃度を上昇させると,いったん意識レベルが改善した後に四肢麻痺,仮性球麻痺,意識レベルの低下,痙攣などが生じることがある.これは中枢神経の脱髄によるもので,浸透圧性脱髄症候群あるいは橋中心性髄鞘崩壊症とよばれ,重篤な場合は死に至る.

治療

SIADH の治療の基本は水制限であり,飲水量を約 800 mL/日まで制限する.この際,食事に含まれる水分量は汗などの不感蒸泄量とほぼ同程度のため,制限する水分摂取量に含めない.血清ナトリウム濃度の低下が著しい場合(110 mEq/L 未満)や意識レベルの低下など低ナトリウム血症による重篤な症状を認める場合には高張(3%)食塩水を点滴で投与する.また,AVP の V_2 拮抗薬も SIADH による低ナトリウム血症の補正に有効である[5](わが国では異所性 AVP 産生腫瘍のみ保険適用).ただし,いずれの治療においても急速な血清ナトリウム濃度の補正は浸透圧性脱髄症候群をきたしうることから,血清ナトリウム濃度の上昇を 24 時間で 10 mEq/L 以内にする必要がある(厚生労働科学研究費補助金難治性疾患克服研究事業間脳下垂体機能障害に関する調査研究班,2010).特に低ナトリウム血症が長期間持続していると考えられる場合にはより慎重に血清ナトリウム濃度の補正を行うことが望ましい.

〔有馬 寛〕

■文献(e 文献 14-3-4)

厚生労働科学研究費補助金難治性疾患克服研究事業間脳下垂体機能障害に関する調査研究班:バゾプレシン分泌過剰症(SIADH)の診断と治療の手引き.平成 22 年度総括・分担研究報告書,pp158-9,2010.

Zerbe R, Stropes L, et al: Vasopressin function in the syndrome of inappropriate antidiuresis. *Ann Rev Med*,. 1980; 31: 315-27.

14-4 甲状腺

1）発生・形態

(1)発生

甲状腺原基は，胎生第3週頃に原始咽頭床の正中部に出現し甲状腺結節（憩室）となり，心臓原基とともに舌骨と喉頭軟骨の腹側を通って頸部を下降し，胎生40日頃に最終位置へ到達する．この下降する際に，甲状腺(thyroid)は次第に側方に膨隆し両葉を形成するが，移動中は基点の舌根部（後の舌盲孔）と甲状腺舌管(thyrogrossal duct)でつながっており，この管は次第に充実性となり消失する（図14-4-1）．しかし，この管が残存すると甲状腺舌管嚢胞（正中頸嚢胞）となる．また，甲状腺の移動の障害は，移動が止まった位置によって舌根部，舌内，舌下，気管内さらに心臓近辺の異所性甲状腺となる．

一方，第3および4咽頭嚢の背側部の上皮は第4週に増殖し小結節を形成し上皮小体（副甲状腺）となり，第4咽頭嚢の細長い腹側部は鰓後体へと発生する．鰓後体は甲状腺と癒合して甲状腺中に散在し，甲状腺でカルシトニンを産生しC細胞とよばれる傍濾胞細胞となる．この際に同時に移動する咽頭粘膜の残存したものが下咽頭梨状窩瘻とされる（eコラム1）．

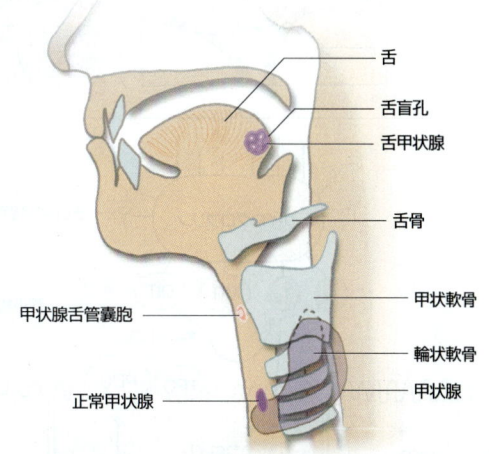

図14-4-1 甲状腺の発生と舌根部異所性甲状腺，甲状腺舌管嚢胞

(2)形態

甲状腺は，左右両葉と両葉を結ぶ峡部からなる蝶形をした臓器で，古典的内分泌器としては最大臓器であり（約15〜20 g），老化に伴って次第に萎縮する．甲状腺は気管の前面に位置し，峡部は第2ならびに第3気管軟骨付近に位置している．約半数の人では，甲状腺舌管の遠位端の残存した左上方に伸びる錘体葉が認められる．左右両葉は側方上方に伸び，左右両極は喉頭軟骨にまで及ぶ（図14-4-2）（eコラム2）．

甲状腺の組織像は，1層の基底膜と甲状腺上皮細胞（濾胞細胞）に囲まれた濾胞と間質組織から構成される．濾胞は直径約200 μm程度の不規則な球形の嚢で，一側は毛細管に接し，他側の上皮細胞の濾胞内面には微小絨毛(microvilli)が突出している（図14-4-3）．濾胞内は，後述するサイログロブリンを主成分とするコロイドで満たされている．間質には傍濾胞細胞（C細胞）が散在し，カルシトニンを産生している．

(3)触診

甲状腺の触診は患者と相対して行い，両母指を用いて上方から甲状軟骨そして輪状軟骨を触れ，そのすぐ下方に甲状腺狭部を触診する．狭部の側方に蝶の形を

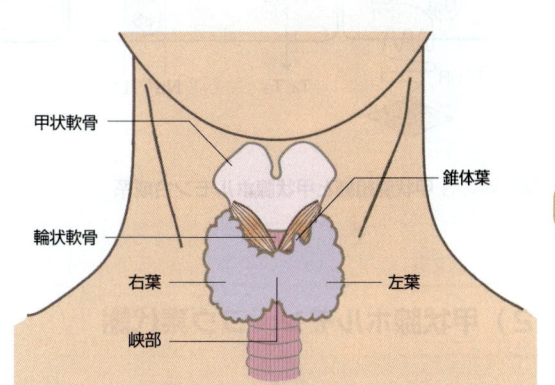

図14-4-2 甲状腺の位置と形態

した両葉の触診を進める．両葉を探りながら患者に嚥下運動させると，嚥下によって甲状腺は上下に動くので下方の触診も可能となる．触診では，甲状腺がびまん性に腫大しているのか，結節があるのか，そのかたさ，表面の性状，圧痛の有無，周辺臓器との癒着の有無，そして頸部リンパ節の腫大などを確認する．びまん性甲状腺腫の程度を評価する際には，正確には超音波検査で計測するが，簡易法として七條分類が用いられることも多い（図14-4-4）．〔佐藤哲郎・山田正信〕

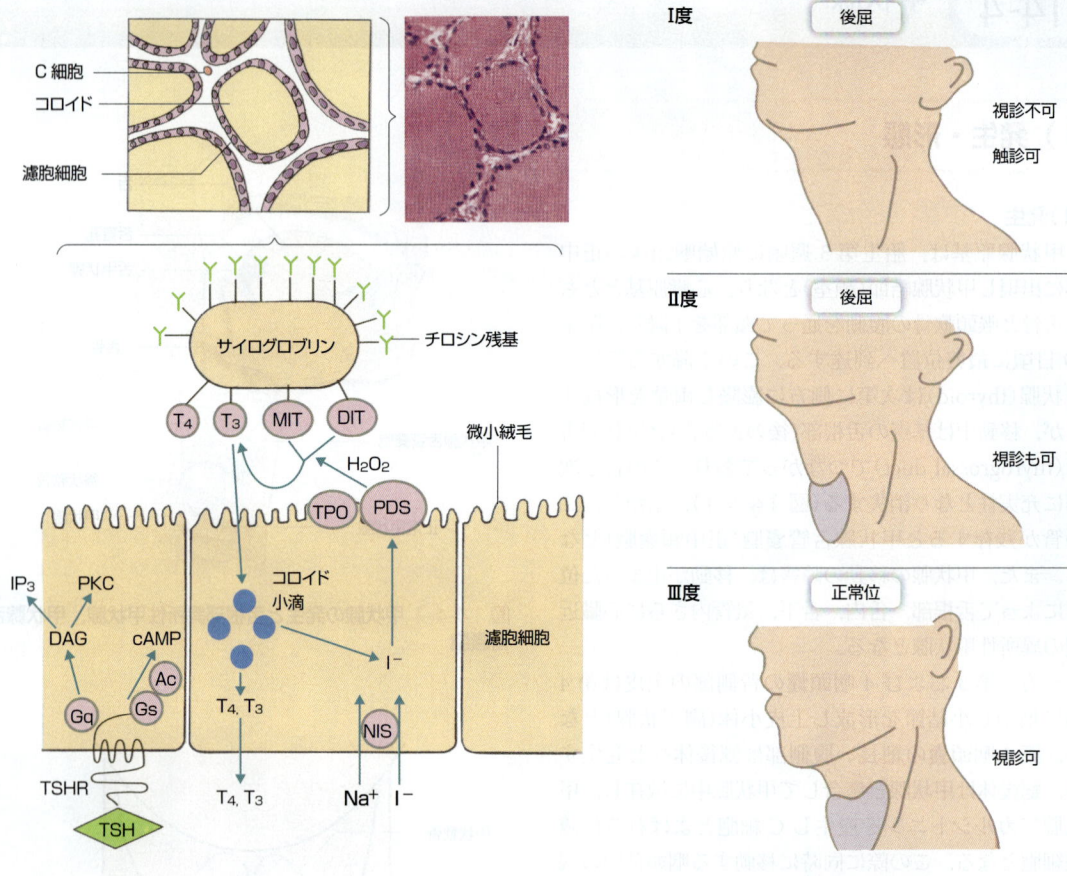

図14-4-3 甲状腺組織と甲状腺ホルモン合成系

図14-4-4 甲状腺触診の七條分類

2）甲状腺ホルモン・ヨウ素代謝

(1) 甲状腺ホルモンの生合成と分泌
a. 甲状腺ホルモンの構造

甲状腺ホルモンは，L-サイロニン（L-thyronine）を基本骨格とするヨウ素化アミノ酸である．図14-4-5に示すようにL-サイロニンに結合するヨウ素の数と部位により，3, 5, 3', 5' に 4 個のヨウ素の結合したテトラヨードサイロニン（T_4, thyroxine）と 3, 5, 3' に 3 個のヨウ素の結合したトリヨードサイロニン（T_3），その他リバース T_3（rT_3），T_2 などがある．甲状腺から分泌されるのはおもに T_4 で，T_3 は全体の 5～10％であるが，強い活性をもつのは T_3 で，末梢では後述するように脱ヨウ素反応で T_4 から T_3 へと変換される．rT_3 はほとんど活性がない．

b. 甲状腺ホルモンの合成と分泌

1) サイログロブリンの合成と貯蔵：甲状腺ホルモンの合成は，食事より摂取されたヨウ素を原料とし，甲状腺特有の蛋白質であるサイログロブリンの分子内のチロシン残基で行われ，コロイドとして濾胞腔内に貯蔵される．サイログロブリンは分子量約 66 万の高分子糖蛋白質で 1 分子中のチロシン残基数は 120～130 で，その約 25％がヨウ素の受容体として機能する（図14-4-3）．

2) ヨウ素の取り込みと濃縮：食事中に含まれる無機ヨウ素は腸管より吸収され，甲状腺の濾胞上皮細胞で摂取される．この甲状腺によるヨウ素の摂取は，おもに Na^+/I^- 共輸送体とよばれる細胞膜を 12 回貫通する輸送体が関与する．摂取されたヨウ素は，25～100 倍に濃縮される（図14-4-3）．このヨウ素の取り込みは，下垂体からの TSH の刺激により促進され，チオシアン塩酸あるいは過塩素酸塩などの無機イオンで抑制される．チオシアン塩酸は，キャベツなどの植物に多く存在する．

3) チロシン残基のヨウ素化：取り込まれて濃縮されたヨウ素は，濾胞腔内で H_2O_2 と細胞膜に局在する甲状腺ペルオキシダーゼ（thyroperoxidase：TPO）の存在下で酸化され，I_2 となりサイログロブリンのチロシン残基と結合する（ヨウ素の有機化）．この際のヨウ素の濾胞内への放出に Pendred 症候群の原因遺伝子産物である pendrin（PDS）が関与している（図14-4-

3）．このヨウ素の有機化の結果，3-モノヨードチロシン（MIT）が生成され，さらに十分のヨウ素があると 3,5-ジヨードチロシン（DIT）の生成へと進む（図14-4-5）．このヨウ素の有機化は TSH によって促進され，抗甲状腺薬，スルホンアミド，大量のヨウ素，チオシアン塩酸で阻害される．

4) MIT と DIT からの T_4，T_3 の合成：図 14-4-5 に示すように，サイログロブリンと結合している MIT あるいは DIT が酸化され，アラニン基を失って縮合し，T_3 基および T_4 基が生成される．この縮合反応にも TPO と H_2O_2 系が関与する．この反応は，抗甲状腺薬，スルホンアミド，および大量のヨウ素により抑制される．

上記過程を経て生成された T_3 基，T_4 基は，コロイドとして甲状腺濾胞内に貯蔵される．コロイド内には体内で必要とされる約 1 カ月分の甲状腺ホルモンが貯蔵される．

5) サイログロブリンの再吸収，加水分解と T_4，T_3 分泌：甲状腺が TSH などにより刺激されると貯蔵されていたサイログロブリンは，コロイド小滴として上皮濾胞細胞内へ再び取り込まれ，蛋白質分解酵素で加水分解され T_3 ならびに T_4 が形成され，エクソサイトーシスにより血中に分泌される．この加水分解の際に，サイログロブリン分子内のヨウ素チロシン基も同時に遊離される．さらに脱ヨウ素化され，遊離したヨウ素の一部は血中へ放出され，またほかの一部は甲状腺ホルモン合成に再利用される．甲状腺から分泌される T_4 は，ヒトでは 1 日約 100 μg である（図 14-4-3）．

6) 甲状腺ホルモンの血中存在様式：血中に分泌された T_4 や T_3 は脂溶性であるため，ほとんどがサイロキシン結合グロブリン（thyroxine-binding globulin：TBG）に結合している．しかし，実際に生物学的活性を有しているのは TBG に結合していない遊離ホルモンである．TBG のほかにも，トランスサイレチン（thyroxine-binding prealbumin：TTR）とアルブミンなどにも結合する．T_4 の 75％は TBG に結合しており，ほかの約 25％は TTR，アルブミンと結合しており，0.02〜0.03％が遊離型で存在する．T_4 は TBG に親和性が強く，TBG 1 分子に T_4 の 1 分子が結合する．T_3 も親和性は弱いが TBG と結合している．T_4 の血中半減期は約 7 日で，T_3 は 2 日と短い．血中の総 T_4，T_3 値を測定した際，その値はこれらの蛋白質に結合した T_4，T_3 も測定しており，特に妊娠時やエストロゲン投与時，急性の肝機能障害時などでは TBG の値が増加し，またネフローゼ症候群，大量ステロイド薬投与時，肝硬変症などではその値が低下し T_4 値の解析には注意が必要である．このような際にも遊離 T_4，遊離 T_3 値は影響を受けにくい．TBG の

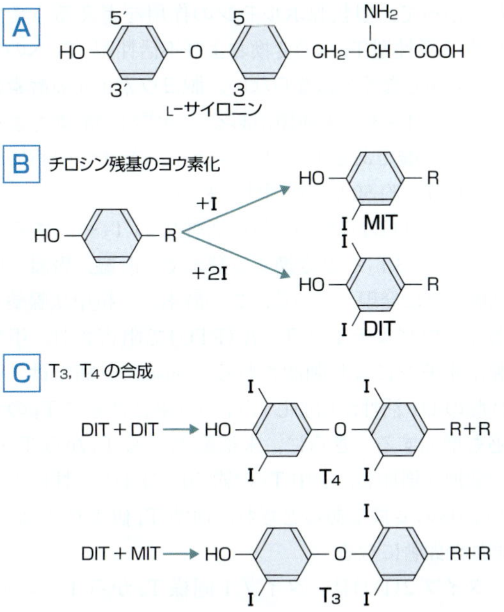

図 14-4-5 甲状腺ホルモンの構造

異常としては TBG 欠損症があり，TTR の異常としては家族性アミロイドポリニューロパチーがある．

7) 細胞内，核内への移動：末梢へ到達した T_3，T_4 は，細胞膜そして核膜を貫通して甲状腺ホルモン受容体へと到達する．甲状腺ホルモンが細胞膜を貫通する際は，有機アニオンやモノカルボン酸が甲状腺ホルモンの輸送体としても機能している．そのなかでも，monocarboxylate transporter 8 の異常では，血中甲状腺ホルモンの高値を示し，神経発達の異常を伴う．

(2) ヨウ素代謝

正常な甲状腺ホルモン産生に必要なヨウ素の量は，一日 100〜200 μg で，それは海藻類，特に昆布に多く含まれている．ヨウ素の摂取不足により甲状腺ホルモン合成能が低下し，甲状腺腫を伴う甲状腺機能低下症になるが，日本などのヨウ素の摂取量が多い国ではまれではある．しかし，大量のヨウ素は逆に甲状腺ホルモン合成を抑制する（Wolff-Chaikoff 効果）．ヨウ素を含む造影剤やうがい薬，抗不整脈薬のアミオダロンなどは甲状腺機能障害を誘発することがあるので注意が必要である．

(3) 甲状腺ホルモンの代謝

T_3 の約 80％は，末梢組織で T_4 の 5' の位置が脱ヨウ素反応（5'-deiodenase）され産生される（図 14-4-6）．一方，甲状腺より分泌された T_4 の約 40％は，5 位の脱ヨウ素反応（5-deiodenase）により活性を有さない rT_3 に変換される．これらの T_3 および rT_3 は，さらに脱ヨウ素反応により T_2 から T_1 へと代謝される．

したがって，甲状腺ホルモンの作用を考えるうえでT₄から活性型T₃への変換および不活性型rT₃への変換も考慮しなくてはならない．脱ヨウ素化する酵素にはタイプ1～3の3種類がある．いずれの酵素もまれなアミノ酸であるセレノシステインを活性中心にもち，相互に約50％の相同性をもつ．

　タイプ1(D1)は，T₄から活性型のT₃へ，さらにT₃から3, 3'T₂へと変換する酵素で，肝臓，腎臓，甲状腺などに発現している．この酵素は，抗甲状腺薬であるプロピルチオウラシル（PTU）で阻害され，甲状腺ホルモンにより刺激される．Basedow病では，甲状腺のD1活性が増加し，T₄の分泌とともにT₃の分泌も増加する．さらに，末梢臓器でもT₄からT₃への変換が増加し，血中T₃の約70％はD1活性によるT₄からの変換であるとされ，血清T₄値よりT₃値の増加が顕著になる．

　タイプ2(D2)は，タイプ1同様T₄からT₃への変換もするが，5位の脱ヨウ素反応はせず，rT₃がT₂へと転換する．D2は，下垂体や脳，血管内皮，筋肉などに発現しており，甲状腺ホルモン値が低下すると活性が増加し，末梢での活性型T₃の濃度を制御している．甲状腺機能低下状態での末梢T₃産生の約70％はD2活性によるとされる．

　一方，タイプ3(D3)は，脳や胎盤，皮膚などの限られた臓器で発現し，5位の脱ヨウ素反応を行い，甲状腺ホルモンを不活性化する作用をもつ．甲状腺ホルモンが高いとその酵素活性が増加する．肝臓血管腫などで本酵素が大量に発現すると甲状腺機能低下症が生ずる．また，先天的に本酵素が欠乏するマウスは中枢性甲状腺機能低下症を示す．

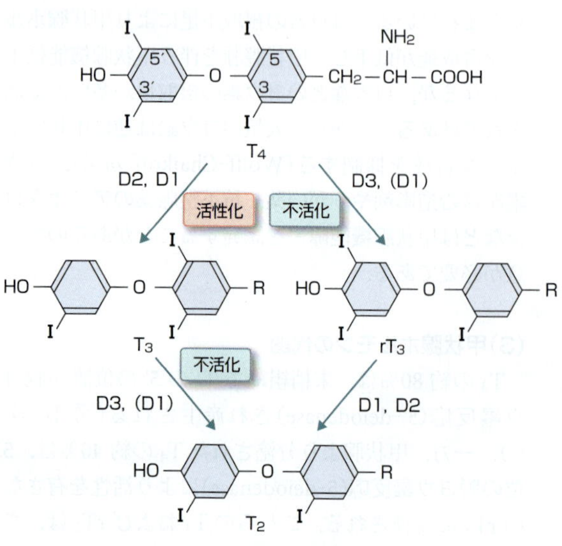

図14-4-6 甲状腺ホルモンの脱ヨウ素化

(4) 甲状腺ホルモン作用

甲状腺ホルモンは，核内受容体である甲状腺ホルモン受容体に結合し，標的遺伝子の転写制御を行う（genomic，核内）作用と遺伝子調節作用を介さない（non-genomic，核外）作用をもつ．現在明らかとなっている甲状腺ホルモンの作用のほとんどが遺伝子調節を介する作用である．甲状腺ホルモンの制御する遺伝子は多岐にわたり，その総合的な生体内作用として以下のような作用を示す．

1) **熱産生作用**：酸素消費を増加させ，基礎代謝率を高めることによりエネルギー消費を促す．甲状腺中毒症では基礎代謝が亢進し，甲状腺機能低下症では低体温や基礎代謝率の低下を示す．

2) **成長に関する作用**：脳や骨の発育に必須である．先天的に甲状腺ホルモン分泌が不十分な場合は，適切にホルモン補充をしないと知能遅延や低身長を示すクレチン症となる．

3) **脂質代謝に関連した作用**：肝臓でのLDL受容体を増加させ，コレステロール合成を低下させ，またその胆汁酸排泄を促し，結果として血清コレステロール値を低下させる．甲状腺中毒症では，低コレステロール血症を，甲状腺機能低下症では高コレステロール血症を示す．潜在性の甲状腺機能低下症も動脈硬化の危険因子となる可能性がある．

4) **糖代謝に関連した作用**：腸管からの糖の吸収を促進し，食後の急激な血糖値の上昇を示すことがある．

5) **蛋白質代謝に関連した作用**：特に肝臓や筋肉における種々の酵素などの遺伝子の発現を増減する．適切な濃度の甲状腺ホルモンは，蛋白質合成の維持に重要であるが，過度になると蛋白質異化作用が強くなる．

6) **自律神経への作用**：β-アドレナリン受容体の増強作用や心筋のミオシン重鎖遺伝子発現亢進などにより心収縮力や心拍数が増加する．甲状腺中毒症では頻拍が，機能低下症では徐脈が認められる．

7) **皮膚への作用**：グリコサミノグリカンの皮下組織の沈着を抑制する．甲状腺機能低下症では，粘液水腫様顔貌や前脛骨筋部へのnon-pitting edemaが認められる．

8) **甲状腺ホルモンによるnon-genomic（核外）作用**：核外作用については，ミトコンドリアへの作用，PI3K-Akt/PKBを介した作用，カルシウムATPase，アデニル酸シクラーゼへの作用など多くの報告がある．

(5) 甲状腺ホルモン作用機構

甲状腺ホルモン受容体は，図14-4-7に示すような共通の構造を示す核内受容体スーパーファミリーに属する．その構造は，核内受容体スーパーファミリーに相同性の高いC領域にzinc finger構造をもつDNA結合部位があり，E/F領域にはリガンドであるT₃が結合するリガンド結合領域（LBD）がある（eコラム1）．

TRは標的遺伝子のプロモーターやエンハンサー領域に存在する甲状腺ホルモン応答配列（TRE）に結合しており，T₃が結合することによりT₃誘導性の転写因子として作用する．代表的なTREとして，AGGTCA (nnnn) AGGTCAという，任意の4塩基配列(n)を狭持したdirect repeat 4 (DR4)がある．甲状腺ホルモン作用は標的遺伝子の違いにより，転写を活性化する系と転写を抑制する系がある．特にその活性系においては，分子機構が明らかとなりつつある．現在想定されているモデルとしては図14-4-8に示すように，T₃が結合していない状態でもTRは標的遺伝子上のTREに結合し，抑制型の転写共役因子であるコリプレッサーのNCoRなどが結合している．このコリプレッサーは，ヒストン脱アセチル化酵素（HDAC）と結合し，TRが結合している周囲のヒストンを脱アセチル化し，クロマチンを凝集することにより転写活性を抑制している．T₃がその受容体に結合すると，コリプレッサーが解離し，活性型の転写共役因子であるコアクチベーターのSRC-1やCBP, P/CAFなどが結合する．このコアクチベーターにはヒストンアセチル化活性（HAT）があり，クロマチンが弛緩状態となる．そこにメディエータ複合体や基本転写因子群とRNAポリメラーゼⅡが結合し，転写が活性化すると考えられている．

一方，甲状腺ホルモンによって転写が抑制される系として，後述する視床下部-下垂体-甲状腺フィードバック機構の主体をなす甲状腺ホルモンによる*TRH*遺伝子や*TSH*遺伝子の抑制系がある．しかし，TRのこれら遺伝子への直接結合が必要か否かなども含めて詳細な制御機構はなお不明である．

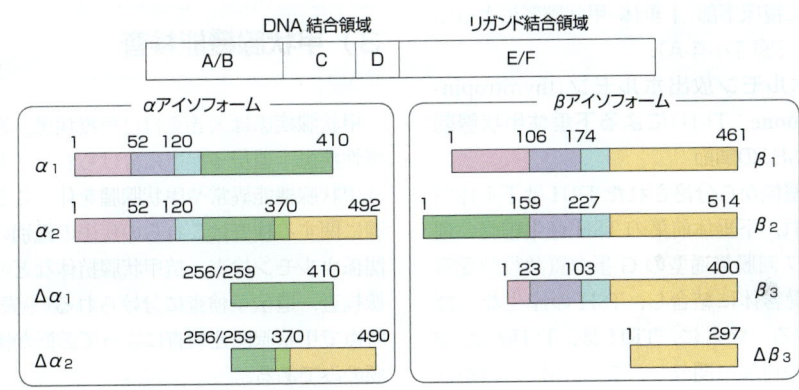

図14-4-7 甲状腺ホルモン受容体の構造

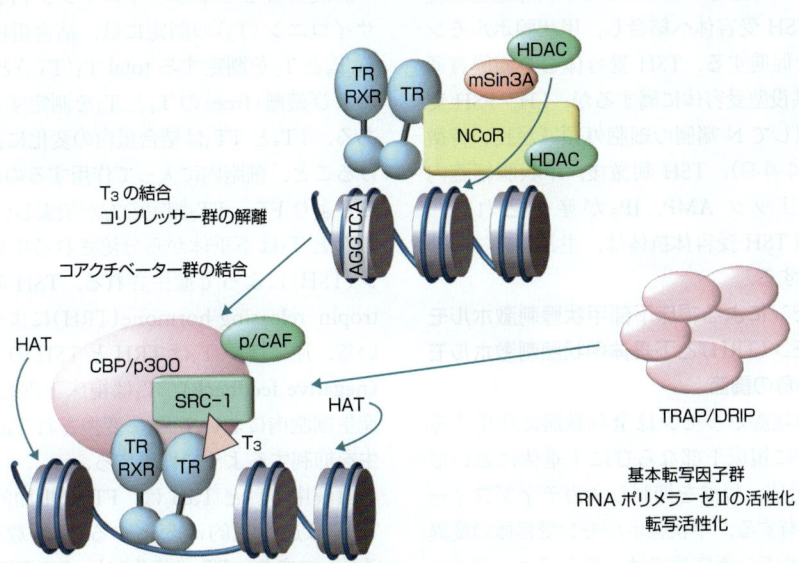

図14-4-8 甲状腺ホルモンの遺伝子上での制御機構

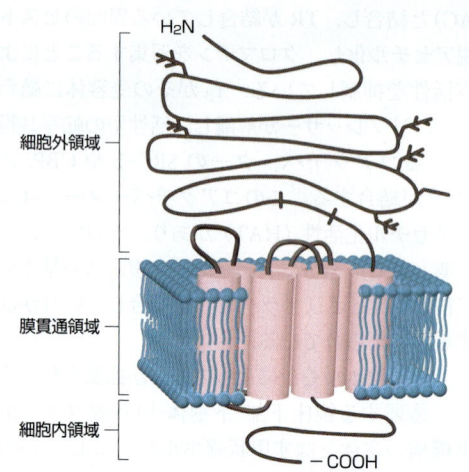

図 14-4-9　TSH 受容体の構造(文献 1 より引用，改変)

(6) 甲状腺ホルモン分泌調節機構

甲状腺における甲状腺ホルモンの合成分泌は自動性に乏しく，おもに視床下部-下垂体-甲状腺系によって制御されている(e図 14-4-A)．

a. 甲状腺刺激ホルモン放出ホルモン(thyrotropin-releasing hormone：TRH)による下垂体甲状腺刺激ホルモン(TSH)の調節

視床下部の傍室核から分泌された TRH は下垂体門脈系へと分泌され，下垂体前葉の TSH 産生細胞の細胞膜に局在する 7 回膜貫通型の G 蛋白質共役型受容体である TRH 受容体に結合し，TSH の産生ならびに分泌を刺激する．さらに，TRH は，TSHα 鎖，β 鎖の重合や糖鎖の付加に関与し，この TSH の糖鎖は生物学的活性に重要である．

b. 甲状腺刺激ホルモン(TSH)による甲状腺の調節

下垂体前葉から分泌された TSH は甲状腺濾胞細胞膜に局在する TSH 受容体へ結合し，甲状腺ホルモンの合成，分泌を促進する．TSH 受容体も 7 回膜貫通型の G 蛋白質共役型受容体に属するが，LH，FSH 受容体などと類似して N 端側の細胞外領域が長い特徴を有する(図 14-4-9)．TSH 刺激後，甲状腺細胞内では，サイクリック AMP，IP_3 が産生される．Basedow 病の抗 TSH 受容体抗体は，主としてこの細胞外領域に結合する．

c. 甲状腺ホルモンによる視床下部甲状腺刺激ホルモン放出ホルモン(TRH)と下垂体甲状腺刺激ホルモン(TSH)への負の調節

分泌された甲状腺ホルモンは全身臓器に作用するが，それと同時に視床下部ならびに下垂体において TRH，TSH の合成，分泌を抑制しネガティブフィードバック作用を有する．甲状腺ホルモン受容体の変異による甲状腺ホルモン不応症では，このフィードバック機構の障害のため血中甲状腺ホルモン値が高いにもかかわらず，血清 TSH 値は抑制されない．

d. その他の甲状腺ホルモン分泌調節因子

前述したように大量のヨウ素は，甲状腺機能に対して抑制的に作用する．また，妊娠時や胞状奇胎の際に高値を示すヒト絨毛性ゴナドトロピン(hCG)は，TSH に比較すると作用は弱いが，大量に存在すると TSH 受容体に作用して甲状腺機能亢進作用を示す．その他，ドパミンは下垂体で TSH の合成分泌を抑制し，寒冷刺激は中枢性に TRH を介して TSH の分泌を亢進する．

〔佐藤哲郎・山田正信〕

■文献(e文献 14-4-2)

Braverman LE, Cooper DS, eds: The Thyroid, 10th ed, Williams & Wilkins, 2013.
Melmed S, Polonsky KS, et al: Williams Textbook of Endocrinology, 13th ed, ELSEVIER, 2016.

3) 甲状腺機能検査

甲状腺疾患は大きく自己免疫疾患，過形成または腫瘍性疾患，遺伝子疾患に分けられる．おのおのの疾患は甲状腺機能異常や甲状腺腫を伴うことがある．甲状腺に関する検査はこれらの疾患の鑑別のために甲状腺関係ホルモン検査，抗甲状腺抗体などの血液検査と画像検査，遺伝子検査に分けられる(e表 14-4-A)．現時点で甲状腺関連検査によって診断が困難なのは濾胞癌のみである．

(1) 甲状腺 in vitro 検査

血液検査としてのサイロキシン(T_4)とトリヨードサイロニン(T_3)の測定には，結合蛋白に結合している T_4 と T_3 を測定する total T_4(TT_4)と total T_3(TT_3)および遊離(free)の T_4 と T_3 を測定する FT_4 と FT_3 がある．TT_4 と TT_3 は結合蛋白の変化によって影響を受けること，細胞内に入って作用するのは遊離型であることより FT_4，FT_3 測定の方が望ましい．

T_4 と T_3 は下垂体から分泌される甲状腺刺激ホルモン(TSH)によって産生される．TSH の産生は thyrotropin-releasing hormone(TRH)によって調節されている．逆に T_4，T_3 は TRH と TSH の産生を抑制する(negative feedback)．T_4 は視床下部と下垂体の TSH 産生細胞内において T_3 に変換され TRH と TSH の産生を抑制するように作用する．

血液中 FT_4 と TSH は，FT_4 が相加的に変化すると TSH は逆相乗的に変化する(逆対数線形)関係にある[1]．つまり，FT_4 の変化に比べて TSH の変化の方が大きい．TSH の分泌は拍動性と日内変動があり，午

後10時〜午前4時が最も分泌の頻度と振幅が大きく血中TSHは午前2時頃に最高値になる[2-4]．その後TSHは低下し午前10時〜午後4時頃に最低値になる．T₃はTSHより少し遅れて変動を示すが，FT₄には日内変動は認められない[3]．TSHとFT₃の基準範囲についてはⓔコラム1を参照．

各検査項目の基準値は健常と思われる対象を多数例集めてつくられる．多数例を用いて作成された基準値は個人の変動よりも大きくなる傾向がある．T₄，T₃が基準値内であっても各個人からみると実は異常であるということもある[5]．この場合個人の甲状腺機能を最もよく反映するのはTSHである．潜在性甲状腺機能低下症はT₄，T₃は基準値内であるが，実はその個人の基準値からみるとT₄，T₃は少し低下している状態であり，TSH上昇がそれを示している．また，潜在性甲状腺機能亢進症はT₄，T₃は基準値内であるが，同様にその個人の基準値からみるとT₄，T₃は少し上昇している状態でTSH抑制がそのことを示している．検査試薬の基準値についてはⓔコラム2を参照．

a. 血中サイロキシン（T₄）測定

T₄は甲状腺で合成分泌され，血中T₄の約99.98%は蛋白質と結合している（サイロキシン結合性グロブリン；TBG（60〜75%），プレアルブミン（15〜30%），アルブミン（〜10%））．それゆえにこれらが変動する妊娠，肝硬変，ネフローゼ症候群などではTT₄の測定は影響を受ける．T₄が組織に作用するときは遊離型として作用するがFT₄はT₄の約0.02〜0.03%と微量である．核内の甲状腺ホルモン受容体への親和性の違いからT₄は前駆ホルモンでT₃は活性型ホルモンと考えられている．T₄は甲状腺機能低下症では低下し，甲状腺機能亢進症では上昇し甲状腺機能を反映する．

b. 血中トリヨードサイロニン（T₃）測定

血中T₃の約20%が甲状腺由来で残りは甲状腺以外の組織でT₄から変換されて産生される．また，99.7%が主としてTBGと結合しており組織に作用するFT₃は約0.3%である．T₄と同じく甲状腺機能低下症では低下し，甲状腺機能亢進症では上昇し甲状腺機能を反映する．

c. 血中甲状腺刺激ホルモン（TSH）測定

FT₃，FT₄が増加するとTSHは減少し，FT₃，FT₄が減少するとTSHは増加する．TSHの変化はFT₃，FT₄に比べて少し遅れる場合があるが，定常状態ではTSHが最も鋭敏に個人の甲状腺機能を反映する．

d. 妊娠時のFT₃, FT₄, TSHの変化

妊娠初期はエストロゲンの増加により肝臓でのTBG合成が亢進する．また，胎盤からのhuman chorionic gonadotropin（hCG）が甲状腺を刺激し血中TT₃，TT₄，FT₃，FT₄が増加，TSHが減少する．その後TT₃，TT₄は増加したままであるが，FT₃，FT₄は減少していき非妊娠時の基準範囲よりも少し低くなる．TSHは，妊娠初期以降には初期よりも少し増加する（ⓔ図14-4-B）．血中TT₃，TT₄のみで患者をみていると中毒症と誤診する．妊娠時には妊娠周期によって基準値の作成が必要であるが，現実にはつくられていない．米国甲状腺学会ではTSHを妊娠周期ごとに初期0.1〜2.5 μIU/mL，中期0.2〜3.0 μIU/mL，後期0.3〜3.0 μIU/mLのようにコントロールすることを推奨している[6]．

e. サイログロブリン（Tg）測定

Tgは甲状腺濾胞細胞で合成される660 kDaの巨大な糖蛋白質で，甲状腺濾胞内に貯蔵されるコロイドの主成分であり，甲状腺ホルモン合成の場である．血中Tgの増加因子としては，①腫瘍などの甲状腺組織量の増加，②亜急性甲状腺炎などの炎症，③細胞診，手術，^{131}I内用療法などの傷害，④TSH，TRAb，hCGなどのTSH受容体への刺激がある．甲状腺疾患ではほぼすべての疾患で上昇する（ⓔ図14-4-C）．またTg値は抗サイログロブリン抗体（TgAb）が存在すると低値になるので注意が必要である．Tgの臨床的意義は，①甲状腺結節が大きくなればTgが上昇するので結節が増大傾向にあるかがわかる，②外因性甲状腺ホルモン（食品，漢方薬などに含まれていることがある）による甲状腺中毒症ではTgは低下する，③甲状腺癌の転移が疑われる頸部リンパ節に細胞診を行った場合，針内の液を生理食塩水で洗い，その液中のTgを測定することにより転移の有無を診断できる，④分化型甲状腺癌（乳頭癌，濾胞癌など）で全摘術または準全摘術後の再発の有無や転移巣の検索である（ⓔコラム3）．

f. 腫瘍マーカー

甲状腺髄様癌では血中カルシトニン（CT），癌胎児性抗原（carcinoembryonic antigen：CEA）が上昇する．全甲状腺癌での髄様癌の頻度はわが国では1.3%であるので[7]，①原因不明の高CEA血症を認めた場合，②細胞診で髄様癌が疑われる場合，③多発性内分泌腫瘍症2型や家族性甲状腺髄様癌など遺伝性のものがあるので副甲状腺機能亢進症や褐色細胞腫が見つかった場合，家族歴がある場合CTを測定する．

血中可溶性IL-2受容体（soluble IL-2 receptor）は甲状腺原発悪性リンパ腫のときに上昇することがある．

（2）甲状腺 in vivo 機能検査

a. 甲状腺ヨウ素摂取率（radioactive iodine uptake：RAIU）

ヨウ素は甲状腺ホルモンの材料であり微量元素である．そのために小腸[8]，甲状腺にはヨウ素を能動的に取り込むNa⁺/I⁻共輸送体（sodium-iodide symporter：NIS）が存在する．RAIUは生体における甲状腺濾

胞細胞のヨウ素摂取能を反映する．RAIU が上昇するのは甲状腺濾胞細胞が荒廃しておらず，かつ，TSH が上昇している場合や甲状腺刺激抗体が存在する場合である．RAIU の検査には^{123}I（半減期 13 時間）を用いる．海藻などからの外因性ヨウ素が多いと^{123}I の RAIU が低下するために最低 1 週間のヨウ素制限食を行い，^{123}I 内服後 3 時間値と 24 時間値を測定する．甲状腺機能正常時の 24 時間値の基準値の目安は 10〜35％程度である．この検査が最も有用であるのは Basedow 病と無痛性甲状腺炎の鑑別を行う場合である．Basedow 病では原則 35％以上であるが無痛性甲状腺炎では 5％以下になる（eコラム 4）．

b. 放射性テクネシウム甲状腺摂取率

パーテクネテート（TcO$_4$）も NIS によって甲状腺濾胞細胞に速やかに取り込まれる．テクネシウム（^{99m}Tc）は有機化されないので速やかに甲状腺から消失する．そのために静脈内注射後 20〜30 分後に甲状腺摂取率を測定する．放射性ヨウ素と比較してヨウ素制限が必要なく，症状が強く診断を急ぐ場合，当日に結果を確認できること，放射線被曝量が少ないことがメリットである．基準範囲は 0.4〜3.0％である．

c. パークロレート放出試験（perchlorate discharge test）

甲状腺のヨウ素の有機化障害の有無を検査する目的で行われる．過塩素酸カリ（KClO$_4$：パークロレート）はヨウ素よりも甲状腺への親和性が大きい．甲状腺濾胞腔内の無機ヨウ素プールはヨウ素の有機化障害がある場合は増大する．ClO$_4^-$ はヨウ素の甲状腺への取り込みを NIS で競合的に抑制し[9]，有機化障害で増加した無機ヨウ素プールからヨウ素を放出させる[10]．これに対して有機化されたヨウ素は影響を受けない．甲状腺ホルモン合成酵素欠損患者で認められるヨウ素の有機化障害の程度はパークロレート放出試験で評価される．方法は，甲状腺ホルモン薬で治療中の場合は，検査日の 5 週間前にレボチロキシンからその 1/4 量のリオチロニンに置き換え，4 週間服用後，投薬を 1 週間中断して検査を行う．このとき同時にヨード制限食も開始する．治療中止後や無治療経過観察の場合は，1 週間のヨード制限食のみの前処置を行う．検査当日に^{123}I を経口投与し，3 時間後に摂取率測定とシンチグラムを行う．パークロレート（成人 1 g，小児では 20 mg/kg を目安に 6 歳前後で 0.5 g）を内服させ，その 1 時間後に摂取率を測定する．パークロレート服用後の摂取率の低下が 10％以下は正常，10〜20％は判定保留（軽度放出あり），20％以上の場合に放出試験陽性と判定する．

d. T$_3$抑制試験

TRAb が測定できない時代に Basedow 病が寛解に入っているかを調べるために行われた．甲状腺を刺激するのは TSH と TRAb である．T$_3$を投与して TSH を抑制状態において TSH 以外の甲状腺刺激物質が存在するかを知るための検査である．TRAb が測定できるようになってからはあまり使用されていない（eコラム 5）．

e. TRH 刺激試験

下垂体からの TSH 分泌反応をみる検査である．中枢性甲状腺機能低下症では生物学的活性の低い TSH が分泌されるので同時に FT$_3$の測定を行うことにより内因性 TSH の生物学的活性をみることができる．絶食状態で 500 μg の TRH を静脈内注射前と後 30, 60, 120 分に TSH を測定する．健常者では，TSH の基礎値によって反応のピーク値の高低がほぼ決まる．ピークは健常者では 15〜30 分以内で 60 分以降になるのは遅延反応である．また，120 分値はピーク値の 60％以下になる．120 分後の FT$_3$は注射前と比較して平均 30％上昇する．TRH 試験が有用なのは下垂体 TSH 産生腫瘍と甲状腺ホルモン不応症の鑑別である．前者では TRH 試験後の TSH 上昇が弱く後者では保たれている．中枢性甲状腺機能低下症では，TRH 試験の TSH は無〜低反応あるいは遅延反応，遷延反応を示すことが多い．また FT$_3$の反応性の低下は TSH の生物学的活性の低下を示している．

(3) 甲状腺特異的自己抗体

甲状腺特異的自己抗体の測定は主として診断に用いられる．橋本病の診断基準は原則として病理所見である（Hashimoto ら，1912）．しかしこれではすべての患者に細胞診か生検を行わなければならなくなる．1956 年 Roitt と Doniach が血中に甲状腺組織に対する自己抗体が検出されることを報告し（Roitt ら，1956），血中 TgAb，抗甲状腺ペルオキシダーゼ抗体（TPOAb）測定が橋本病の診断に用いられるようになってきた．また，Basedow 病の診断は，以前は^{123}I 甲状腺シンチグラフィ検査でなされていたが，TRAb が Basedow 病の病因であることが明らかになってからは TRAb の測定でなされるようになっている．

a. サイロイドテスト，マイクロソームテスト，抗サイログロブリン抗体（TgAb），抗甲状腺ペルオキシダーゼ抗体（TPOAb）

甲状腺自己抗体の検査法として粒子凝集試験で半定量するサイロイドテスト，マイクロソームテストが使用されてきた．マイクロソーム分画での抗原の本態は長い間不明であったが，甲状腺ペルオキシダーゼ（TPO）であることが明らかになった[11,12]．この方法は廉価で強陽性例も血清を希釈することにより測定が可能である．問題点は 100 倍以下の患者で偽陰性がみられることである．100 倍以下の症例で橋本病を疑う場合は細胞診でリンパ球の存在を証明することが必

要であった．この問題を克服するために定量法である高感度抗サイログロブリン抗体（TgAb），抗甲状腺ペルオキシダーゼ抗体（TPOAb）が開発された．この方法で，以前よりは橋本病の偽陰性が減少した．（eコラム6も参照．）低値での橋本病の正診率はそれほどよくないので注意が必要である．

b. TSH受容体抗体（TSH receptor antibody：TRAb）

TRAbは甲状腺細胞膜の血管側に存在するTSH受容体（TSHR）に対する抗体であり，主としてBasedow病の病因と考えられている．測定法により以下の3つに分けられる．

i）TSH結合抑制免疫グロブリン（TSH binding inhibitory immunogulobulin：TBII）

標識TSHがTSH受容体に結合するのを患者血清中のTRAbが阻害する活性を測定する方法である（Smithら，1974）．現在は第3世代測定試薬が全自動免疫測定装置を用いて使用されている．基準値範囲付近の低値での再現性が良くなり，測定時間は約30分と以前より大幅に短縮されたので診療前検査も行えるようになった（図14-4-10）[13]．一般的にTRAb値と呼ばれるものはTBIIで測定されたものである．主としてBasedow病の診断に用いられるが亜急性甲状腺炎，無痛性甲状腺炎でも陽性になることがありあくまで補助診断である[14]．Basedow病眼症の有無や甲状腺中毒症の期間などを参考にして診断する．TBIIは抗甲状腺薬治療経過中に減少する例が多く，基準値以下になればBasedow病が寛解に入っている可能性が高くなる．また新生児Basedow病の予知にも使用されている．

ii）甲状腺刺激抗体（thyroid-stimulating antibody：TSAb）

TRAbが甲状腺細胞を刺激しサイクリックAMPを産生する量を指標として測定する．未治療Basedow病の診断，新生児Basedow病の予知，Basedow病眼症の病勢[15]を知るうえで有用である．

iii）甲状腺刺激阻害抗体（thyroid-stimulation blocking antibody：TSBAb）

甲状腺機能低下症でTRAb強陽性の症例が報告され[16]，この病因がBasedow病でみられる刺激型ではなく抑制型の抗体であることが明らかになった．測定方法はTSHのcAMP産生作用を患者IgGがどの程度抑制するかをみる．強陽性の場合は病因的意義があると考えられる．甲状腺機能亢進症，機能低下症でTSAb，TSBAbの両方が陽性を示す場合もあり解釈に苦しむこともある．臨床的に最も重要なのは，甲状腺機能低下症の妊婦でTSBAb強陽性の場合に児も機能低下症になる場合があることである．この場合妊娠中から児が甲状腺機能低下症になっていないか注意する必要がある．

（4）甲状腺遺伝子診断

a. 甲状腺機能異常関連遺伝子診断

先天性甲状腺機能低下症は3000人に1人と高頻度であり，15％はNIS，TPO，Tgなど甲状腺ホルモン合成にかかわる遺伝子異常が原因である．先天性甲状腺機能低下症は①TRH受容体遺伝子異常[17]などの中枢性，②thyroid transcription factor 1（TITF1）遺伝子異常[18]などの甲状腺発生異常，③TSH受容体遺伝子異常[19]などのシグナル伝達異常，④NIS遺伝子異常などのホルモン合成異常[20]に分けられる．

甲状腺機能亢進症を起こすものとしてはTSH受容体遺伝子異常（体細胞変異によるPlummer病と中毒性多結節性甲状腺腫，生殖細胞変異による非自己免疫性先天性甲状腺機能亢進症），Gsαをコードする遺伝

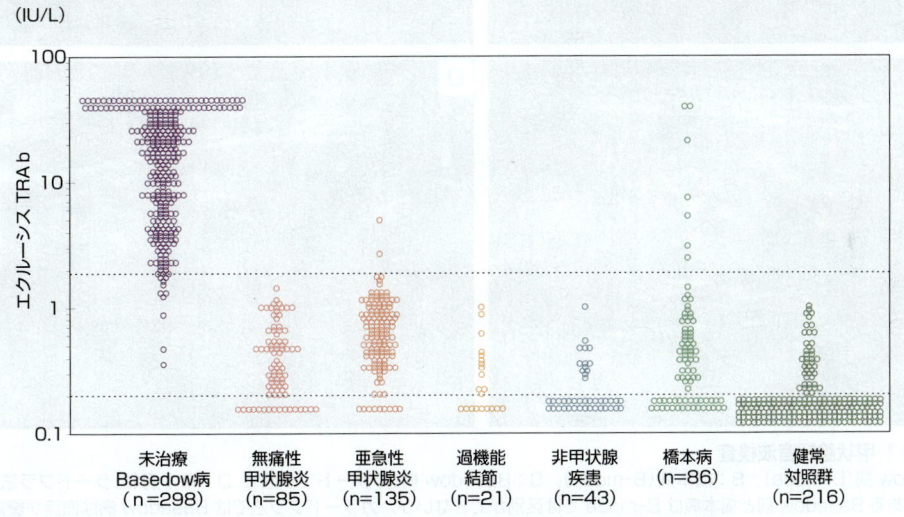

図14-4-10 第3世代TRAbの各甲状腺疾患における分布（文献13より引用，和訳）

子(GNAS遺伝子)異常によるMcCune-Albright症候群[21]がある．甲状腺ホルモン作用不全としては，①selenocysteine insertion sequence-binding protein (SBP2)遺伝子異常[22]による甲状腺ホルモン活性化障害，②monocarboxylate transporter 8(MCT8)遺伝子異常[23]による甲状腺ホルモン取り込み障害，③甲状腺ホルモン受容体α[24]と甲状腺ホルモン受容体β[25]の遺伝子異常による甲状腺ホルモン受容体異常がある．

b. 甲状腺関連遺伝子診断

現在，確立されているのは甲状腺髄様癌におけるRET遺伝子で，証明されれば多発性内分泌腫瘍症2型，家族性髄様癌と確定診断できる[26]．

(5)甲状腺画像関係
a. 甲状腺超音波検査 (thyroid echography)

超音波検査の目的はBasedow病，橋本病などのびまん性甲状腺腫の甲状腺容積を計算することと結節性病変の診断である．触診での甲状腺容積の推定は診察する医師の個人差が大きいが，超音波検査では客観的にかなり正確に求められる．甲状腺エコーの検診での成績では，嚢胞性病変($\geq$ 3 mm)は27.6%，充実性結節($\geq$ 3 mm)は22.8%であり高頻度に異常が見つかっている[27]．超音波検査は，甲状腺癌の約90%を占める乳頭癌[28]の診断は有用であるが，濾胞癌の診断は事実上不可能である．Bモード所見として良性悪性の鑑別で有用な所見は，①形状，②境界部の性状，③内部エコーが主所見であり，微細多発石灰化と境界部低エコーは副所見である[29](eノート)．

未治療Basedow病では血流が豊富(図14-4-11, e動画14-4-A)で無痛性甲状腺炎では血流が乏しいのでカラードプラで両者の鑑別が可能な場合がある[30,31]．また，悪性腫瘍は血流が豊富な場合が多いことより濾胞腺腫と濾胞癌の鑑別に有用な場合がある[32]．いずれも検査者の技量と主観が入る点が問題である．

また，悪性腫瘍は正常組織に比べてかたいので，組織弾性評価(エラストグラフィ)を用いて甲状腺悪性腫瘍の診断，特に濾胞癌の診断に利用できないかが検討されている(e動画14-4-B)．

b. 甲状腺シンチグラフィ

1) ^{123}I, ^{99m}TcO$_4^-$甲状腺シンチグラフィ：甲状腺シンチグラフィが診断に必要なのはBasedow病，無痛性甲状腺炎，中毒性甲状腺結節の鑑別が困難な場合である．TRAbが陰性の場合に鑑別診断に用いられ

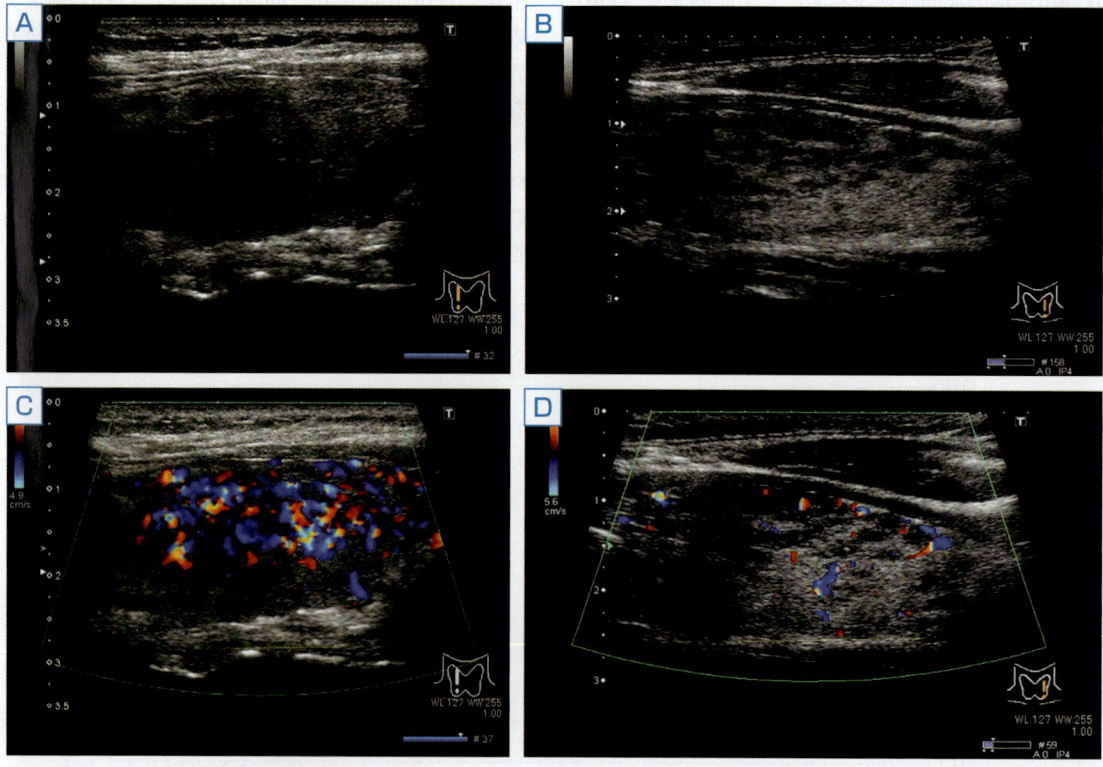

図14-4-11 甲状腺超音波検査
A：Basedow病(B-mode)，B：橋本病(B-mode)，C：Basedow病(カラードプラ法)，D：橋本病(カラードプラ法)．びまん性甲状腺腫であるBasedow病と橋本病はB-modeでは区別ができないが，カラードプラ法ではBasedow病は血流が豊富で橋本病では血流が少なく鑑別できる．無痛性甲状腺炎も血流は少ない．

る. Basedow 病ではびまん性に取り込まれ, 無痛性甲状腺炎では取り込みが低くほとんど写らない. また, 中毒性甲状腺結節では結節に一致して取り込まれる(図 14-4-12).

2) ^{201}Tl 甲状腺シンチグラフィ: 濾胞癌と濾胞性腺腫の診断に使用できるか検討されたが, 感度, 特異度ともに 80%以上であるという報告はない[33,34].

3) ^{67}Ga シンチグラフィ: 甲状腺原発悪性リンパ腫の病期診断, 転移, 再発の診断, 未分化癌の診断に用いられた[35]が, FDG-PET/CT の方が最近は用いられている.

c. 頸部 CT 画像, 頸部 MRI 画像

甲状腺結節の質的診断や術前病期診断において超音波検査よりすぐれているというエビデンスはないが, 局所進行癌や未分化癌の病期診断には有用である.

d. ^{18}F-フルオロデキシグルコース(FDG)-PET/CT

甲状腺結節の質的診断や術前病期診断において超音波検査より有用性はない. 未分化癌, 悪性リンパ腫の転移の検索, 病期診断には有用である. なお, 橋本病でもびまん性集積を認めること, 低悪性の悪性リンパ腫では偽陰性があることに注意が必要である.

〔吉村　弘〕

■文献(ⓔ文献 14-4-3)

Hashimoto H: Zur Kenntniss der lymphomatosen Veranderung der Schiddruse (Stroma lymphomatosa). Arch f Klin

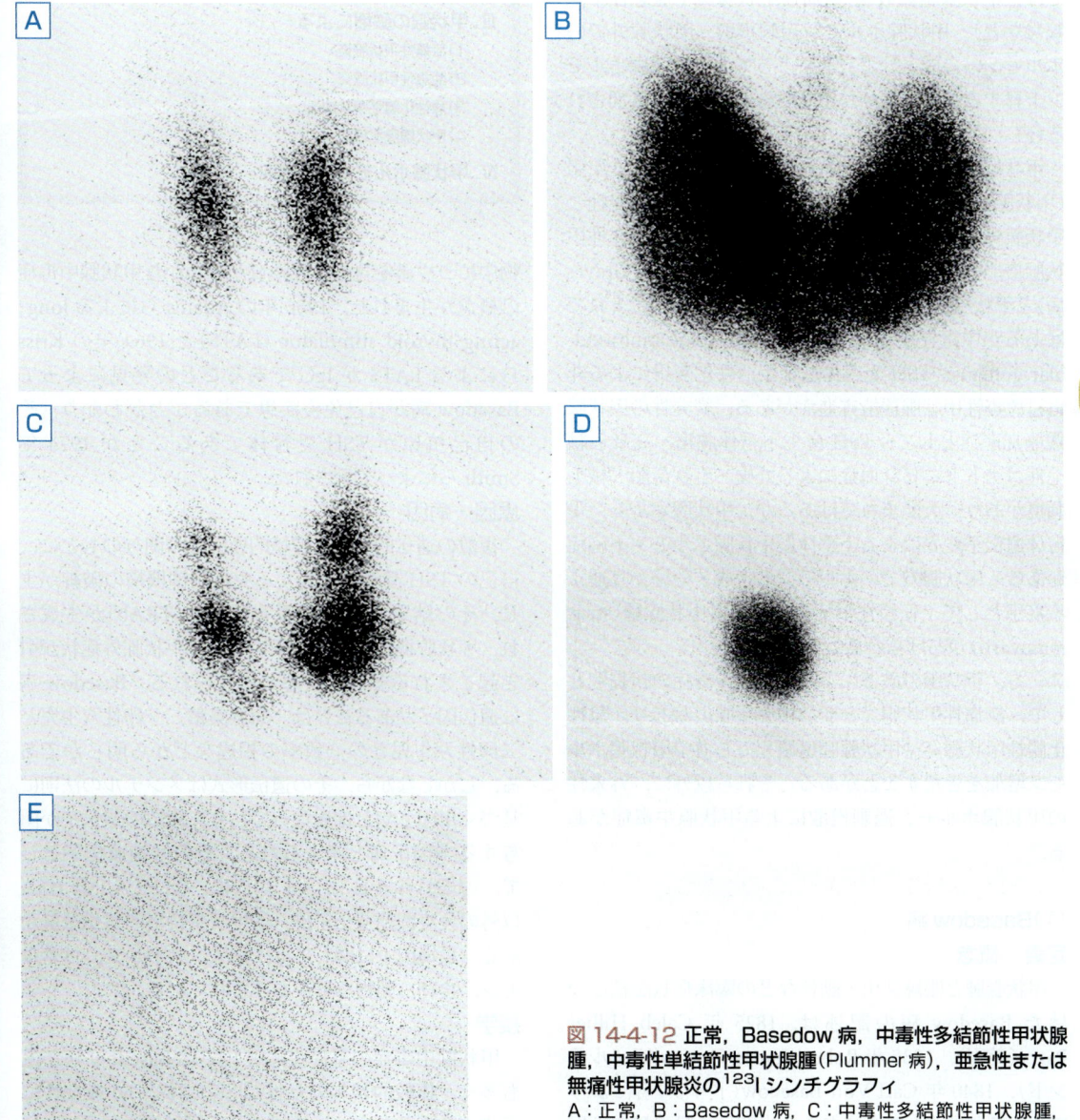

図 14-4-12 正常, Basedow 病, 中毒性多結節性甲状腺腫, 中毒性単結節性甲状腺腫(Plummer 病), 亜急性または無痛性甲状腺炎の ^{123}I シンチグラフィ

A：正常, B：Basedow 病, C：中毒性多結節性甲状腺腫, D：中毒性単結節性甲状腺腫(Plummer 病), E：亜急性または無痛性甲状腺炎.

Chirurgie. 1912; 97: 212.
Roitt IM, Doniach D, et al: Auto-antibodies in Hashimoto's disease (lymphadenoid goitre). Lancet. 1956; 271: 820-1.
Smith BR, Hall R: Thyroid-stimulating immunoglobulins in Graves' disease. Lancet. 1974; 2: 427-31.

4）甲状腺機能亢進症
hyperthyroidism

　甲状腺中毒症は，血中甲状腺ホルモンが増加している状態を指すが，このうち甲状腺機能亢進，すなわち甲状腺での甲状腺ホルモン合成・分泌が増加したために血中甲状腺ホルモンが増加している状態を甲状腺機能亢進症とよんでいる．それ以外の甲状腺中毒症としては，甲状腺組織破壊（無痛性甲状腺炎や亜急性甲状腺炎など），甲状腺ホルモン過剰摂取，甲状腺外でのホルモンの合成・分泌亢進によって血中甲状腺ホルモン上昇する場合があり，甲状腺機能亢進症と区別される（表14-4-1）．

　甲状腺でのホルモンの合成・分泌が亢進する疾患（甲状腺機能亢進症）は，甲状腺に原因がある原発性と甲状腺外に原因がある続発性に大別される．原発性甲状腺機能亢進症の代表例として，Basedow病（Graves病）と甲状腺機能性結節（Plummer病）があり，まれではあるが中毒性多発結節性甲状腺腫（toxic multinodular goiter）とTSH受容体遺伝子活性化変異による非自己免疫性甲状腺機能亢進症がある．続発性の甲状腺機能亢進症として，TSH産生下垂体腫瘍，高ヒト絨毛性ゴナドトロピン血症による妊娠・胞状奇胎・絨毛腫瘍があり，大変まれではあるが，甲状腺ホルモン受容体遺伝子変異による下垂体型甲状腺ホルモン不応症がある．甲状腺外でのホルモンの合成・分泌が亢進する疾患として，転移性甲状腺癌と卵巣甲状腺腫（struma ovarii）があげられる．

　一方，甲状腺の破壊による甲状腺中毒症の代表例として，無痛性甲状腺炎と亜急性甲状腺炎があり，急性化膿性甲状腺炎や甲状腺腫瘍壊死でも血中甲状腺ホルモン増加をきたすことがある．それら以外に，外来性の甲状腺ホルモン過剰摂取による甲状腺中毒症がある．

（1）Basedow病
定義・概念
　甲状腺腫と眼球突出・動悸などの臨床症状を結びつけたBasedow病の記述は，1825年Caleb Hillier Parry（英国），1835年Robert James Graves（アイルランド），1840年Carl Von Basedow（ドイツ）らによってそれぞれ独立してなされた．当初は心臓や精神疾患と考えられていたが，1890年代に入って甲状腺抽出物中にヨウ素を含む活性物資が見つかり甲状腺中毒症の概念が生まれた．1956年のAdamsらによるlong-acting thyroid stimulator（LATS）と1964年のKrissらによるLATSがIgGであることの発見によってBasedow病が自己免疫疾患であることがわかり，その自己抗原がTSH受容体であることが1974年Smithらによって示された．

原因・病因
　複数の遺伝的要因と環境的要因との関与のもとに，自己のTSH受容体に対する免疫制御機構の破綻が生じ，その結果，抗TSH受容体抗体（TRAb）が生成され，甲状腺機能亢進症や眼症などの甲状腺外症状が引き起こされる多因子疾患と考えられる．Basedow病に遺伝因子があることは，家族集積，一卵性双生児と二卵性双生児との一致率の相違などから明らかである．しかしながら，その遺伝形式はメンデルの法則に基づく単因子病とは異なっており，複数の遺伝子が関与する多因子病と考えられる．その候補遺伝子として，e表14-4-Bに示すように，①HLA，②HLA以外の免疫関連遺伝子群，③甲状腺特異的遺伝子群がある．環境因子に関しては，感染，ストレス，性ホルモン，食物，薬物などがあげられている．

疫学
　甲状腺中毒症の基礎疾患としてはBasedow病が最も多く，比較的若年の女性に多い．15～50歳女性に発症することが多く，有病率は女性の約0.3％といわれる．男女比は1：7～10である．

表14-4-1 甲状腺中毒症（thyrotoxicosis）の分類

Ⅰ．甲状腺でのホルモンの合成・分泌が亢進（甲状腺機能亢進症）
　1．原発性（甲状腺に原因）
　　1）Basedow病（Graves病）
　　2）甲状腺機能性結節（Plummer病）
　　3）中毒性多発結節性甲状腺腫（toxic multinodular goiter）
　　4）非自己免疫性甲状腺機能亢進症
　2．続発性（甲状腺外に原因）
　　1）TSH産生下垂体腫瘍
　　2）高ヒト絨毛性ゴナドトロピン血症：妊娠，胞状奇胎，絨毛腫瘍，妊娠の一部
　　3）下垂体型甲状腺ホルモン不応症

Ⅱ．甲状腺外でのホルモンの合成・分泌が亢進
　1）転移性甲状腺癌
　2）卵巣甲状腺腫（struma ovarii）

Ⅲ．甲状腺の破壊による
　1）無痛性甲状腺炎
　2）亜急性甲状腺炎
　3）急性化膿性甲状腺炎
　4）甲状腺腫瘍壊死

Ⅳ．甲状腺ホルモン過剰摂取

機能性眼症はBasedow病患者の30～50％で観察されるが，眼窩組織内の器質的変化をきたすような眼症状は10～25％程度である．

わが国の甲状腺クリーゼ（thyrotoxic [thyroid] storm or crisis）の患者数は，年間約260人，致死率は約11％である．

病態生理

抗TSH受容体抗体が，TSHと同じように甲状腺を刺激して，甲状腺ホルモンの合成や分泌を増加させ，甲状腺機能亢進症を引き起こす．

また，Basedow病では眼球突出や複視など眼症状を合併することがある．自己免疫的機序によって後眼窩脂肪組織や結合組織の増生腫大や外眼筋の炎症性肥厚が生じ，眼球の前方への突出や眼球運動障害をきたすためと考えられている．刺激型抗TSH受容体抗体との関連や細胞性免疫の関与が想定されているが，真の自己抗原と標的細胞は不明である．

コントロール不良な甲状腺中毒状態では，感染，手術，ストレスを誘因として高熱，循環不全，ショック，意識障害などをきたし，生命の危険を伴う場合があり，甲状腺クリーゼとよばれる．

臨床症状

甲状腺機能亢進状態によるものと甲状腺以外の症状に大別される．前者は，動悸，多汗，体重減少，疲労感，手指振戦などの自覚症状やびまん性甲状腺腫，頻脈などの他覚症状を呈する．後者に関しては，眼症状（眼球突出，複視，眼球偏位）や前脛骨部粘液水腫があげられる．眼症状には，甲状腺ホルモン過剰によって起こる交感神経機能亢進作用による機能性眼症（眼瞼遅延（von Graefe徴候），眼瞼後退（Dalrymple徴候），瞬目減少などから眼窩組織内の器質的変化（眼球突出，複視など）まである．甲状腺腫，頻脈，眼球突出はMerseburg 3徴候といわれる．症状の内容や程度の個人差は大きいが，特に年齢による差が著明である．高齢者では一般に頻脈になりにくく甲状腺腫が小さい傾向にあるので，動悸や甲状腺腫の訴えが少なく，体重減少をきたす場合が多い．まれではあるが，周期性四肢麻痺を呈することがある．男性患者に多く，早朝起床時に四肢脱力発作をきたし，発作中は血清カリウム低下を認める．

甲状腺クリーゼの臨床症状は，全身性症候，臓器症候，甲状腺基礎疾患関連症候，の3つに大別できる．全身性症候は，高体温，高度の頻脈や多汗，ショックなどが代表的である．臓器症候としては，意識障害を中心とした中枢神経症状，下痢・嘔吐・黄疸などの消化器症状，心不全を中心とした循環器症状，が特徴的である．

検査所見

1）一般検査： ALP（アルカリホスファターゼ）上昇や総コレステロール低下などを認める．軽度肝機能異常を呈することもしばしばある．心電図で頻脈や心房細動を認めることがある．

2）甲状腺関連検査： 血液検査では，血中甲状腺ホルモン上昇とTSH抑制，TRAb陽性，抗サイログロブリン抗体陽性，抗甲状腺ペルオキシダーゼ抗体陽性，サイログロブリン増加を認める．画像検査では，放射性ヨード摂取率上昇，超音波断層（e図14-4-D）でびまん性甲状腺腫とカラードプラ法で血流増大を認める．

抗TSH受容体抗体には刺激型と阻害型があり，それぞれ甲状腺機能亢進症と甲状腺機能低下症を引き起こす．同抗体の測定法には現在，TRAbアッセイ（刺激型と阻害型の両方が陽性）と甲状腺刺激抗体（TSAb）（刺激型のみ陽性）を測定するものの2種類に大別される．

3）Basedow病眼症： Basedow病眼症の診断や病態把握には，CTやMRIが有用である．CTでは外眼筋の腫大度や眼球突出度を正確に評価することができ，MRIでは外眼筋の腫大度のみならず，外眼筋における炎症の活動性判断に役立つ．

診断

診断のキーポイントは，以下の4つである．
① 甲状腺中毒症状とびまん性甲状腺腫
② 血中甲状腺ホルモン高値とTSH抑制
③ 抗TSH受容体抗体陽性
④ 放射性ヨード摂取率上昇

Basedow病の診断にはほかの甲状腺中毒症をきたす疾患との鑑別が重要である．無痛性甲状腺炎や亜急性甲状腺炎では抗TSH受容体抗体陰性，放射性ヨード摂取率低下を認める．Plummer病では，結節性甲状腺腫を認め，抗TSH受容体抗体陰性である．

甲状腺中毒症をきたす他疾患との鑑別が重要であり，おもな疾患についての診断フローチャートを図14-4-13に示す．（日本甲状腺学会のガイドラインについてはe表14-4-C参照．）

経過・予後

Basedow病の約30～50％は薬物療法で寛解するが，寛解しない場合は薬を継続するかほかの治療法（手術やアイソトープ治療）に変更することになる．

治療

Basedow病の治療には，抗甲状腺薬による薬物治療，放射性ヨード（^{131}I）によるアイソトープ治療，甲状腺亜全摘による外科療法の3つがある．3つの治療それぞれ利点と欠点があるが，わが国において薬物治療が第一選択法として圧倒的に好まれており，ついでアイソトープ治療，外科療法の順である．

抗甲状腺薬は甲状腺内でのヨードの酸化・有機化の抑制などによって，甲状腺ホルモンの合成を低下させ

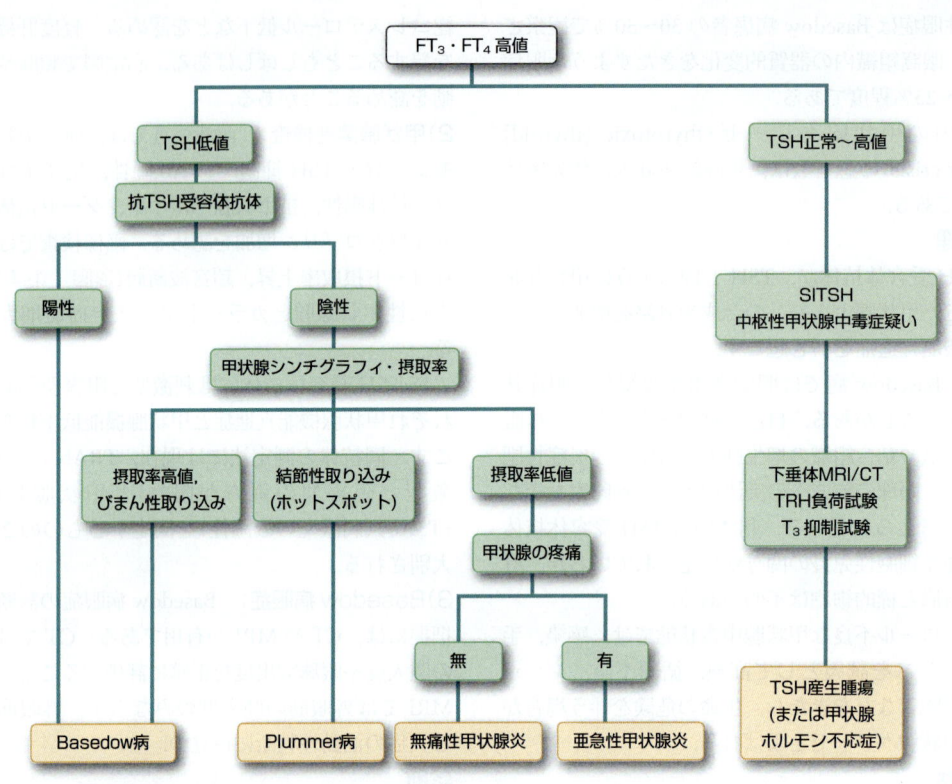

図 14-4-13 甲状腺中毒症をきたす原因疾患の鑑別の仕方

る．抗甲状腺薬には，チアマゾールとプロピルチオウラシルがあるが，通常チアマゾールの投与が推奨されている．その理由は，チアマゾールの方がより少量の投与でコントロール可能な例が多く，副作用の頻度が低いためである．ただし，妊娠前期の患者への抗甲状腺薬の投与に関しては，チアマゾールによる新生児頭皮欠損症などが懸念され，プロピルチオウラシル投与が推奨されている．授乳中の患者にはプロピルチオウラシルを用いるが，少量であればチアマゾールでも可能である．プロピルチオウラシルはチアマゾールに比べて母乳への排出量が約 1/10 であり，新生児の甲状腺機能に対する影響が低いからである．初期使用量は重症度によって加減する．たとえばチアマゾールの場合，重症例では 30 mg，それより軽症例では 15 mg 程度での開始を勧めている．抗甲状腺薬投与開始後，約 2〜4 週ごとに血中甲状腺ホルモンを測定し正常化すれば β 受容体遮断薬投与を中止し，抗甲状腺薬を徐々に減量していく．少量で甲状腺機能を維持できるようになったらこの維持量を 3〜6 カ月継続する．症状が改善しても再燃を防ぐため服薬を継続するように指導する．少量の抗甲状腺薬で半年以上コントロール可能で，甲状腺腫が小さく，TSH 受容体抗体陰性の場合，抗甲状腺薬中止を試みてもよいが，再発に関して十分注意する．Basedow 病の寛解を得るには 1〜2 年の長期にわたって服薬した方がよいといわれている．

副作用として，無顆粒球症，じんま疹，発疹，肝障害などがある．最も多いのはじんま疹，発疹の皮膚症状で，約 1〜5％にみられ，薬剤の変更や抗ヒスタミン薬併用で対処可能である．最も問題となるのは，無顆粒球症である．頻度は 0.1〜0.5％程度で低いが，薬剤を即時中止して入院治療が必須である．その他，肝障害にも留意が必要であり，特にプロピルチオウラシル投与による劇症肝炎の発症に注意する．抗甲状腺薬が使用できない場合や急速に血中甲状腺ホルモンを低下させる必要があるときはヨウ素を使用することがある．ただし，多量の無機ヨウ素による甲状腺ホルモン分泌・合成の抑制効果は長期投与によって解除されることがある（エスケープ現象）．

放射性無機ヨウ素治療は中高年者で抗甲状腺薬治療によって副作用が出たり寛解しない例や，手術後の再発例が対象となる場合が多い．外科療法は薬物治療で寛解しないもしくはコントロール不良な若年者，抗甲状腺薬の副作用例，腫瘍の合併，短期間での治療希望，甲状腺腫が非常に大きい，などの場合に適応となることが多い．甲状腺機能亢進症状が強いときは，β 受容体遮断薬投与も併用する．

Basedow 病眼症の治療は，外眼筋炎症の活動期に

はステロイドパルス療法や眼窩部の放射線外照射が行われる．外眼筋の炎症がすでに鎮まっているにもかかわらず複視や閉眼困難による障害などがある場合は眼科手術が考慮される．

Basedow 病による甲状腺クリーゼの場合，抗甲状腺薬投与は大量に行う．抗甲状腺薬投与とともに，無機ヨウ素と副腎皮質ステロイドを投与する．甲状腺クリーゼの可能性があるときは，疑診の段階でも治療を始めることが肝要である．

(2) Basedow 病以外の甲状腺機能亢進症をきたす疾患

a. 甲状腺機能性結節（Plummer 病）

甲状腺濾胞腫瘍が自律性に甲状腺ホルモンを産生して甲状腺機能亢進をきたした場合，Plummer 病とよばれる．機能的甲状腺濾胞腫瘍の成因として，TSH 受容体抗体や Gs 蛋白の活性化型変異が知られている．甲状腺超音波検査で結節性甲状腺腫を認め，放射性ヨードシンチグラフィで結節に一致した放射性ヨード摂取の亢進（いわゆるホットスポット）とほかの甲状腺部位の同摂取低下を認める．治療は手術が原則であるが，放射性ヨウ素治療や抗甲状腺薬による甲状腺機能コントロールが行われる場合がある．

b. TSH 産生腫瘍（TSH producing tumor）

下垂体の TSH 産生細胞が腫瘍化した疾患で，中枢性甲状腺機能亢進症をきたす．血中甲状腺ホルモン上昇にもかかわらず，TSH 上昇または正常を認め，いわゆる不適切 TSH 分泌症候群（syndrome of inappropriate secretion of TSH：SITSH）を呈する．TRH 負荷における TSH 分泌の上昇または不変反応，および T3 抑制試験における TSH 分泌の非抑制を認める．下垂体 MRI や CT にて腫瘤を認める．治療は，原則として手術が施行される．

c. 胞状奇胎（hydatidiform mole），絨毛腫瘍，妊娠早期の一部

胎盤から分泌される human chorionic gonadotropin（HCG）は構造が TSH と類似しているために，高濃度において甲状腺刺激作用を示す．そのために，血中 hCG 濃度が著しく上昇する胞状奇胎，絨毛腫瘍，妊娠早期の一部で甲状腺機能亢進症を呈する．胞状奇胎と絨毛腫瘍では原疾患の外科的摘除術，妊娠は中期以降で改善する． 〔赤水尚史〕

■文献

Braverman LE, Cooper D, eds: Werner & Ingbar's the Thyroid: A Fundamental and Clinical Text, 10th ed, pp354-522, Lippincott Williams & Wilkins, 2012.

Mandel SJ, Larsen PR, et al: Thyrotoxicosis. Williams Textbook of Endocrinology, 12th ed（Melmed S, Polonsky KS, et al eds）, pp362-405, Saunders, 2012.

5）甲状腺機能低下症
hypothyroidism

定義・概念

甲状腺ホルモン作用が低下した病態を甲状腺機能低下症という．血中甲状腺ホルモン濃度が低下した場合が大半を占めるが，甲状腺ホルモン受容体不応によって甲状腺機能低下状態になる場合がある．その場合，血中甲状腺ホルモン濃度は正常または増加している．

病因・分類

甲状腺機能低下症は，原発性，中枢性，末梢性に大別される（表14-4-2）．原発性は甲状腺自体に機能不全がある場合で，その原因として橋本病（慢性甲状腺炎（eコラム1））,甲状腺摘出後，放射線治療後，ヨウ素異常摂取，先天性の甲状腺異常などがあげられる．先天性のものや幼少時発症のものは，発達上の障害が大きな問題となるため特にクレチン症という．中枢性は，甲状腺機能を調節する上位内分泌臓器の下垂体や視床下部に異常がある場合で，下垂体からの正常な TSH の分泌が低下する疾患で認められる．末梢性は，甲状腺ホルモンが作用する末梢臓器においてホルモン不応が生じるため起こる．現在，異常が見つかっているのは，甲状腺ホルモン受容体遺伝子変異である．なお，粘液水腫性昏睡は高度な甲状腺機能低下が長期間継続した結果，特有な水腫と昏睡を示す病態である．

疫学

日本における有病者は，顕性約 100 万人，潜在性約 200 万〜500 万人，と推定される．性差に関しては女性に多く，男女比 1：5〜10 程度である．発症年齢は，成人に多い．原因としては，橋本病が最も多い．クレチン症は，出生児 3000〜5000 人に 1 人と推測されており，原因としては甲状腺発生異常が最も多い．

病態生理

甲状腺ホルモンは甲状腺においてのみ合成されるので，自己免疫的機序（橋本病など），炎症（亜急性甲状腺炎，無痛性甲状腺炎など），放射線による破壊，手術による甲状腺摘除などによって甲状腺破壊が生じると甲状腺機能低下症となる．また，甲状腺ホルモンの合成は，血中のヨウ素を材料として甲状腺濾胞内に存在するサイログロブリン分子のチロシン残基上で行われる．したがって，ヨウ素欠乏では甲状腺機能低下症となる．一方，過剰なヨウ素はヨウ素有機化抑制による甲状腺ホルモン合成阻害作用（Wolf-Chaikoff 効果）や甲状腺ホルモン分泌抑制作用があり，甲状腺機能低下症を招くことがある．また，甲状腺ホルモン合成に必要なサイログロブリン，甲状腺ペルオキシダーゼ，ヨード共輸送体などの遺伝子に異常があると先天性甲状腺機能低下症となる．先天性甲状腺機能低下症で最

表 14-4-2 甲状腺機能低下症の病因

Ⅰ. 原発性(甲状腺性)
　A. 後天性
　　甲状腺破壊
　　　慢性甲状腺炎(橋本病)
　　　萎縮性甲状腺炎
　　　亜急性甲状腺炎, 無痛性甲状腺後(通常一過性)
　　　放射線治療(放射性ヨウ素治療, 頸部放射線外照射)
　　　甲状腺摘除術
　　甲状腺機能抑制
　　　ヨウ素欠乏
　　　ヨウ素過剰
　　　薬物(抗甲状腺薬, リチウムなど)
　　　阻害型 TSH 受容体抗体
　B. 先天性(クレチン症)
　　甲状腺の発生異常
　　甲状腺ホルモン合成異常
　　TSH 不応症(TSH 受容体遺伝子異常)
　　胎生期の母胎の影響(抗甲状腺薬, ヨウ素薬)
Ⅱ. 中枢性(視床下部, 下垂体性)
　A. 下垂体性(二次性)
　　下垂体腫瘍
　　下垂体の手術, 放射線治療
　　特発性下垂体機能低下症
　　Sheehan 症候群
　　TSH 単独欠損症
　B. 視床下部性(三次性)
　　視床下部腫瘍
　　浸潤性病変(サルコイドーシス, Langerhans 細胞組織球症)
　　放射線照射
　　TRH 単独欠損症
Ⅲ. 末梢性
　　甲状腺ホルモン不応症(Refetoff 症候群)

も多いのは, 甲状腺の発生異常であり, 無形成, 低形成, 異所性甲状腺がある.

　甲状腺機能は下垂体と視床下部からそれぞれ分泌される TSH と TRH によって調節されている. したがって, 下垂体や視床下部に病変があると甲状腺機能低下症が引き起こされる. また, 甲状腺濾胞細胞膜には TSH 受容体が存在して, TSH 作用を伝達する. したがって, TSH 受容体遺伝子の機能喪失型や阻害型 TSH 受容体抗体によっても甲状腺機能低下症となる.

　甲状腺ホルモン不応症は, 甲状腺ホルモン受容体の変異によって甲状腺ホルモン作用が減弱する. この場合, 下垂体での甲状腺ホルモンによる TSH 分泌のネガティブフィードバックが障害されるために, 血中甲状腺ホルモン上昇にもかかわらず, TSH 上昇または正常を認める不適切 TSH 分泌症候群(SITSH)を呈する. 甲状腺ホルモン受容体には α と β のアイソフォームがあり, 組織によって発現様式が異なる. たとえば, 肝臓と下垂体では β 型が発現し, 心臓や骨ではおもに α 型が発現している. 甲状腺機能低下症を呈する変異として認められているのは β 型の変異であり, 心臓への甲状腺ホルモン作用がある程度保たれているので頻脈を呈することがある.

臨床症状

　自覚症状として, 顔・脚のむくみ, 全身倦怠感, 脱力感, 体重増加, 寒がり, 発汗減少, 声のかすれ, 難聴, 筋肉のこむらがえり, 便秘, 脱毛, 前頸部腫脹などがあるが, 非特異的症状が多い. 他覚症状として, 非圧痕浮腫, 徐脈, 皮膚乾燥, 嗄声, 甲状腺腫などがある. 浮腫は粘液状物質でできているので粘液水腫という. これはヒアルロン酸やコンドロイチン硫酸を含むムコ多糖類の沈着による. 甲状腺腫の存在は原因疾患によって異なり, 慢性甲状腺炎(橋本病)のようにびまん性の硬い甲状腺腫を触知する場合もあるが, 甲状腺が萎縮してまったく触知しない場合もある. 深部反射低下や弛緩相の遅延を認めることがある. 精神活動が低下し, 動作や言語が緩慢になる. 傾眠傾向になり, 重症例では昏睡に至ることもある(粘液水腫性昏睡). 低体温や巨大舌を呈することもある. 女性では月経異常, 特に月経過多がみられる.

　クレチン症では生育に必要な甲状腺ホルモンが欠如するので, 発育障害や知的障害に至る場合がある.

検査所見

1) **甲状腺機能検査:** 原発性甲状腺機能低下症では, 血中 TSH は上昇しており, 最も鋭敏なマーカーである. 甲状腺ホルモンは正常域にあるが, TSH のみ上昇している場合は, 潜在性甲状腺機能低下症と考えられる. 中枢性甲状腺機能低下症では血中 TSH と甲状腺ホルモンがともに低下していることが多い. ただし, 視床下部性の場合 TSH が必ずしも低下しておらず, 生物学的活性の乏しい TSH が分泌されていると考えられている. 甲状腺ホルモン不応症の場合, 甲状腺ホルモン高値にもかかわらず, TSH が低下していないのが特徴であり, 中枢性甲状腺機能亢進症との鑑別が必要である. なお, 重症疾患(悪液質, 敗血症, 自己免疫性疾患, 心不全など)が合併している場合, TSH は正常域にあるのに FT_3 のみ低下しているときがある. これは低トリヨードサイロニン症候群とよばれ, 生体の防御反応による結果と考えられており, 治療を必要とする甲状腺機能低下状態とはみなされていない.

2) **抗甲状腺抗体測定:** 橋本病では抗サイログロブリン抗体と抗甲状腺マイクロソーム/ペルオキシダーゼ(TPO)抗体の陽性と抗 TSH 受容体抗体陰性(まれに弱陽性)が特徴的である. まれに, 抗 TSH 受容体抗体陽性の原発性甲状腺機能低下症があり, 阻害型抗 TSH 受容体抗体の存在が考えられる. この場合, 甲

状腺刺激抗体は通常陰性である．

3）生理・画像検査： 橋本病では，超音波断層検査（e図 14-4-E）にて内部不均一なびまん性甲状腺腫大を認めることが多い．また，橋本病では PET 検査にてびまん性の取り込みを認めることがある．甲状腺放射性ヨウ素摂取率は通常低下しているが，甲状腺ホルモン合成障害では甲状腺からのホルモン分泌が低下しているにもかかわらず摂取率は上昇している．胸部 X 線で心拡大や胸水，心エコーで心膜貯留液（pericardial effusion），心電図で徐脈や低電位を認めることがある．

4）臨床検査値： 血中コレステロール高値，クレアチンキナーゼ（CK）高値，軽度肝機能異常，正球性正色素性貧血が認められることがある．また，TRH 上昇のためプロラクチン分泌が亢進し，その結果成人女性で乳汁漏出症や下垂体腫大を認めることがある．橋本病では血中ガンマグロブリン増加や膠質反応（ZTT，TTT）陽性を示すことがある．

診断

臨床症状から甲状腺機能低下症が疑われたら，TSH と FT_4 を測定する．（日本甲状腺学会のガイドラインについては e表 14-4-D 参照．）T_3 は甲状腺機能低下症が中等度以上に進行しないと低下してこない．TSH と甲状腺ホルモンの値のパターンから原発性と中枢性を鑑別する．原発性に関しては，病歴，自己抗体（抗 TSH 受容体抗体，抗サイログロブリン抗体，抗マイクロソーム（TPO）抗体）の有無，甲状腺腫の性状，発症年齢，家族歴，臨床経過，などで判断する．抗サイログロブリン抗体または抗甲状腺マイクロソーム／ペルオキシダーゼ（TPO）抗体が陽性であれば橋本病を考える．抗 TSH 受容体抗体強陽性で甲状腺萎縮を認めれば，阻害型抗 TSH 受容体抗体による甲状腺機能低下症と考えられる．FT_4 が低下しているにもかかわらず TSH が低下または正常の場合，中枢性甲状腺機能低下症が疑われる．下垂体性か視床下部性かの鑑別には TRH 試験が有用である．TRH に反応して TSH が上昇すれば視床下部性，明らかな上昇がみられなければ下垂体性と考えられる．臨床症状から機能低下症が疑われるが，FT_4 が正常またはやや上昇，TSH が上昇している場合，甲状腺ホルモン不応症を疑う．診断には T_3 抑制試験，TRH 試験，遺伝子検査が有用であり，TSH 産生腫瘍との鑑別を要する．ホルモン合成障害に関しては，放射性ヨウ素摂取率低値であればヨード共輸送体異常，高値かつロダンカリ（またはパークロレート）放出試験陽性であればヨウ素の酸化（有機化）障害，高値かつロダンカリ放出試験陰性であれば有機化以降の合成障害を考える．TPO やサイログロブリンを含めたホルモン合成にかかわる分子の遺伝子異常検索が有用である．

治療

甲状腺ホルモンによる補充療法が基本である．甲状腺ホルモンには T_4 と T_3 の 2 種類があるが，製剤としては合成 T_4 が一般に用いられる．T_4 の半減期は約 7 日と長く，T_4 は体内で T_3 に転換されることから，T_4 投与によって血中の T_4 と T_3 を安定して正常に保つことができる．投与は 1 日 1 回でよい．投薬は少量から漸増し，維持量にもっていくことが原則である．一過性甲状腺機能低下症を除き，終生服薬が必要である．妊婦や授乳婦への投与は，投与量が適量であれば通常問題はない．胎児は母体由来の甲状腺ホルモンを必要としており，妊婦の甲状腺機能低下症は児の発育遅延をもたらす．

1）原発性甲状腺機能低下症： 通常 T_4 製剤（レボチロキシン）25～50 μg から投薬を開始する．ただし，心臓合併症のある人や高齢者では虚血性心疾患の招来が懸念されるので，12.5 μg の少量投与から開始する．また，副腎皮質機能低下症がある場合は副腎皮質ホルモンの補充をまず行う．レボチロキシン投与開始後 1～3 週間隔で自覚症状，心電図，TSH・FT_4 値などを参考に 12.5～50 μg ずつ増量する．最終的には TSH と FT_4 の正常化を指標に投与量を決定する．

2）中枢性甲状腺機能低下症： 必ず副腎皮質不全の有無を確かめる．副腎皮質不全が合併しているときは，副腎皮質ホルモンをあらかじめ投与した後に，T_4 製剤を少量から併用投与開始する．原発性甲状腺機能低下症の場合と同様に，T_4 製剤を漸増する．FT_4 レベルを指標として維持量を決定する．

3）粘液水腫性昏睡： 低換気，循環不全，低体温，低ナトリウム血症などに対する全身管理を行いながら，副腎皮質ホルモンと甲状腺ホルモン製剤を投与する．TSH と FT_4 レベルをチェックしながら漸増して維持量まで調節する．

4）潜在性甲状腺機能低下症： 心血管イベントのリスクが懸念されているが，治療すべきかどうかは論議のあるところで結論は出ていない．しかしながら，以下の場合はホルモン補充を行うべきといわれている．① 妊婦：潜在性甲状腺機能低下症で早産と低体重児のリスクが増加，体外受精率の成功率が低下するという報告がある．② TSH 10 $\mu IU/mL$ 以上が持続．③ 脂質異常，④ 大きな甲状腺腫，⑤ 自覚症状が存在する．

〔赤水尚史〕

■文献

Bent GA, Davies TF: Hypothyroidism and thyroiditis. Williams Textbook of Endocrinology, 12th ed (Melmed S, Polonsky KS, et al eds), pp406-39, Saunders, 2012.

Braverman LE, Cooper D, eds: Werner & Ingbar's the Thyroid: A Fundamental and Clinical Text, 10th ed, pp523-634, Lippincott Williams & Wilkins, 2012.

6）甲状腺腫・甲状腺腫瘍
goiter and thyroid tumors

甲状腺が腫大したものを甲状腺腫とよぶ．性状によりびまん性甲状腺腫と結節性甲状腺腫，機能により機能性と非機能性，成因によりヨード不足と過剰，炎症性，自己免疫性，腫瘍性，ホルモン産生障害，受容体異常，治療後（二次性），原因不明に分けられる．

(1) 単純性甲状腺腫（simple goiter）
びまん性甲状腺腫を呈し，甲状腺機能や検査所見に異常がなく，明らかな原因を見いだせないものの総称である．思春期の女性やヨウ素不足の地域で多く，女性ホルモンの影響を受ける．自己免疫，炎症，腫瘍，ホルモン合成異常など疾患の除外が必要である．自己免疫性甲状腺疾患のごく初期のものが含まれる可能性がある．甲状腺腫はやわらかく，表面は平滑である．無症状であり，経過観察でよく，治療の必要はない．予後は良好である．妊娠，出産後は甲状腺機能異常の発生に注意する．

(2) 甲状腺腫瘍（thyroid tumors）
甲状腺癌取扱い規約（第7版）では，甲状腺腫瘍は良性腫瘍（濾胞腺腫），悪性腫瘍（乳頭癌，濾胞癌，低分化癌，未分化癌，リンパ腫，髄様癌），その他の腫瘍，分類不能腫瘍，腫瘍様病変（腺腫様甲状腺腫，アミロイド甲状腺腫，囊胞）の5つに分類される（日本甲状腺外科学会，2015）（e表14-4-E）．

a. 濾胞腺腫（follicular adenoma）
定義・概念
濾胞上皮由来の良性腫瘍で，線維性被膜に被包される．腫瘍細胞はほぼ均一な大きさで，主として濾胞状増殖を示す．被膜浸潤，脈管浸潤，転移をみることはない．特殊型として豊富な好酸性細胞質を有する好酸性細胞腫（oxyphilic cell variant；Hürthle 細胞腫）がある．多くの腺腫は非機能性であるが，0.7%は自律性を示し，自律性機能性結節（autonomously functioning thyroid nodules：AFTN），Plummer 病とよばれる[1]．

疫学
ヨウ素欠乏地域での報告が多い．わが国での集団検診での発見率は1～10人/1000人で，女性に多い（1：3～5）．20～50歳代に発見されやすい．

臨床症状
前頸部の腫脹，圧迫感以外自覚症状は少ない．Plummer 病では，甲状腺中毒症を呈する．

診断
超音波画像検査，穿刺吸引細胞診，各種シンチグラフィなどの検査を行う．腺腫様結節や濾胞癌との鑑別はしばしば困難である．術前細胞診では濾胞性腫瘍と診断される．術後の病理組織診断が不可欠である．

治療・予後
2～3cm 程度なら経過観察で予後良好である．巨大化（＞4cm，増大傾向）や圧迫症状がみられる場合や癌の合併が否定できない場合は手術の適応となる．TSH 抑制療法としての甲状腺ホルモン薬の投与の効果は一定していない．機能性の結節，美容的な問題，縦隔への進展，血清サイログロブリン（thyroglobulin：Tg）値が異常高値（＞1000 ng/mL），経過中に超音波検査で悪性を疑う場合は手術療法が考慮される（日本甲状腺学会，2013）．

b. 甲状腺悪性腫瘍
定義・概念・分類
甲状腺上皮由来の乳頭癌，濾胞癌，低分化癌，未分化癌とC細胞由来の髄様癌，リンパ球（大部分がB細胞）由来のリンパ腫がある（日本甲状腺外科学会，2015）（表14-4-3）[2]．発見動機により，オカルト癌，偶発癌，ラテント癌，臨床癌に分けられる（日本甲状腺外科学会，2015）（e表14-4-F）．

1) 乳頭癌（papillary carcinoma）：甲状腺濾胞上皮由来の悪性腫瘍で，分化癌である．悪性甲状腺腫瘍の80%を占める．乳頭状構造と特徴的な核所見（核内細胞質封入体，核溝）を認める（図14-4-14B）．

2) 濾胞癌（follicular carcinoma）：濾胞構造を基本とする濾胞上皮由来の悪性腫瘍である．乳頭癌にみられる特徴的な核所見を欠く．悪性基準は腫瘍細胞の被膜浸潤，脈管浸潤，甲状腺外への転移のいずれか1つを組織学的に確認する．細胞の異型度は良悪性の区別に関与しない．微小浸潤型と広汎浸潤型に分かれる．前者は腫瘍被膜がよく保たれていて，肉眼的には浸潤部位が明示しがたく，組織学的に被膜浸潤あるいは脈管浸潤を認めるもので，後者は肉眼的にも周囲甲状腺組織の広い範囲に浸潤がみられる．

3) 低分化癌（poorly differentiated carcinoma）：高分化型乳頭癌，高分化型濾胞癌と未分化癌の中間的な形態像と生物学的態度を示す濾胞上皮由来の悪性腫瘍をいう．低分化癌を構成する低分化成分には，索状，充実性，島状の増殖形式がある．周囲には硬性浸潤がみられる．低分化成分を構成する腫瘍細胞の異型は高分化成分のそれより高度であるが，未分化癌ほど顕著でない．

4) 未分化癌（undifferentiated carcinoma）：高度な構造異型，細胞異型を示す濾胞上皮由来の悪性腫瘍である．腫瘍は急速な充実性増殖をきたす．腫瘍細胞は高度の異型性，多型性を示し，多様な形態を示す．分化癌や低分化癌が未分化転化したものと考えられている．

5) 髄様癌（medullary carcinoma）：C細胞への分化

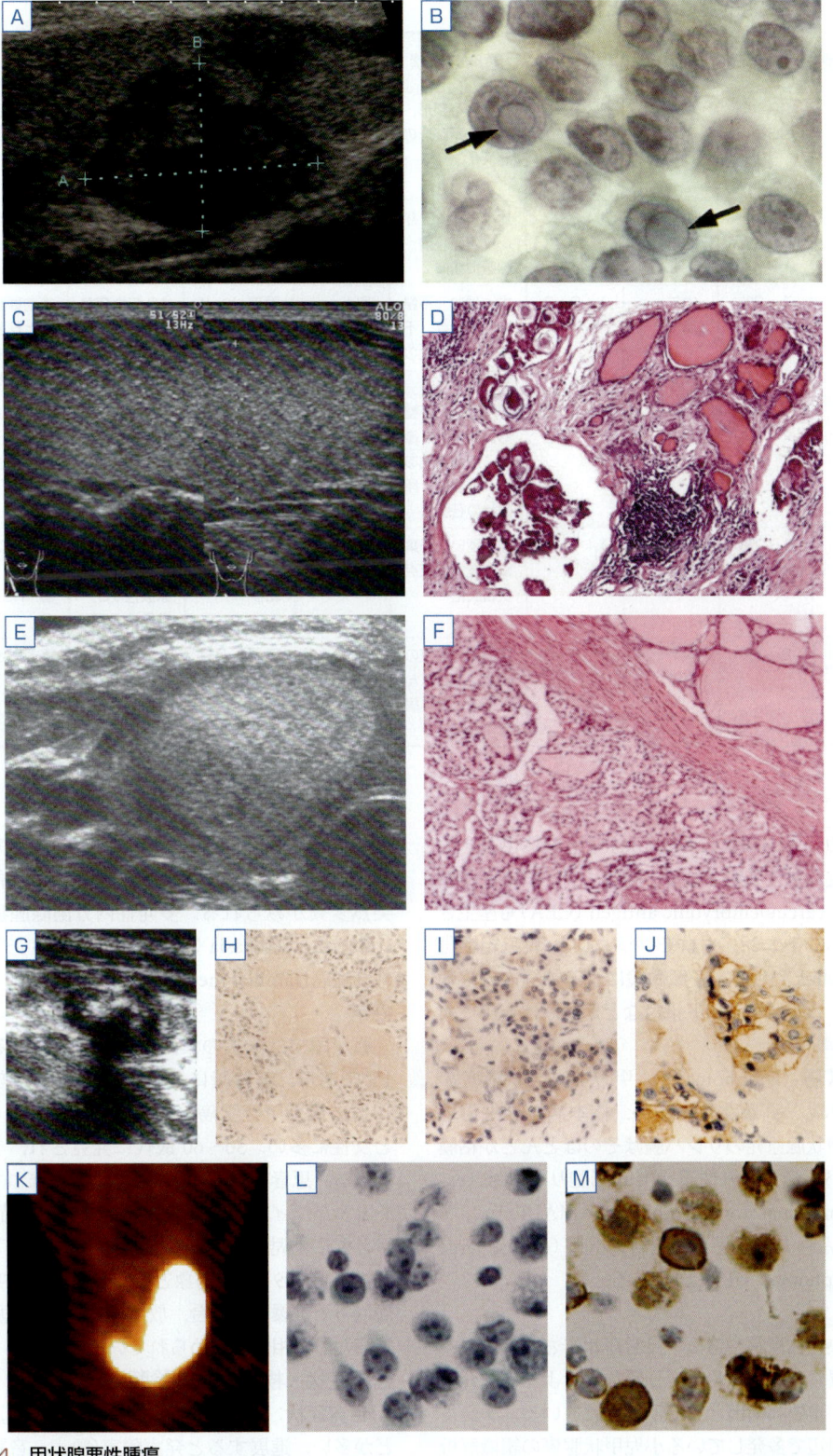

図 14-4-14 甲状腺悪性腫瘍

A：乳頭癌，超音波検査（不整形，辺縁不明瞭で粗雑，内部低エコーで不均質な腫瘤）．B：乳頭癌，穿刺吸引細胞診（核内細胞質封入体）．C：びまん性硬化性乳頭癌，超音波検査（高輝度点状エコーが散在）．D：びまん性硬化性乳頭癌，HE 染色（橋本病をベースに多数の砂粒腫を認める）．E：濾胞癌，超音波検査（腫瘤の周囲の低エコー帯の不整）．F：濾胞癌，HE 染色（被膜浸潤を認める）．G：髄様癌，超音波検査（粗大な石灰化を認める）．H：髄様癌，コンゴーレッド染色（アミロイドの沈着を認める）．I：髄様癌，カルシトニン免疫染色．J：髄様癌，CEA 免疫染色．K：びまん性大細胞型 B 細胞リンパ腫，PET（腫大した甲状腺に集積，SUV max 25.1）．L：びまん性大細胞型 B 細胞リンパ腫，Papanicolaou 染色（リンパ球は大型で異型性が強い）．M：びまん性大細胞型 B 細胞リンパ腫，CD20 免疫染色．

表14-4-3 甲状腺悪性腫瘍の分類と特徴

病理組織型	頻度	発症年齢	男女比	腫瘍の性状	腫瘍の発育速度	転移	予後	その他の特徴
乳頭癌	90〜95%	若年〜高年	1:5〜6	硬い,不整形,点状・不整形の石灰化	遅い	早期から頸部リンパ節転移	良好,10年生存率85%	穿刺吸引細胞診が有用 成人BRAF点突然変異,小児RET/PTC遺伝子再配列
濾胞癌	5〜10%	中年〜高年	1:6〜7	比較的軟らかい,表面平滑,腺腫に類似	遅い	血行性に肺や骨へ	比較的良好,10年生存率65〜80%	濾胞腺腫との鑑別が困難,病理診断が重要
低分化癌	1〜2%	中年〜高年	1:2〜3	中〜硬い,不整形,浸潤性,不整形・卵殻状の石灰化	速い	頸部リンパ節転移,血行性	10年生存率23%	術前は乳頭癌や濾胞癌と診断され,術後の病理検査で低分化癌と診断される
未分化癌	1〜2%	中年〜高年	1:2〜3	中〜硬い,不整形,周囲と癒着,皮膚変化あり,不整形・卵殻状の石灰化	非常に速い	浸潤強く,全身へ転移	きわめて不良,ほとんどが1年以内に死亡	過半数は乳頭癌からの未分化転化,P53遺伝子異常が高頻度
髄様癌	1〜2%	若年〜高年	1:1〜3	中〜硬い,両葉に存在,小斑点状石灰化	遅い	早期から頸部リンパ節転移	比較的良好,10年生存率 家族性75,散発性65%	MENの検索,カルシトニン,CEA高値,RET点突然変異
リンパ腫	2〜3%	中年〜高年	1:2〜3	硬い,辺縁整の結節状〜びまん性増殖,橋本病を伴う	速い	頸部,上縦隔リンパ節転移	比較的良好,5年生存率60%	橋本病を基盤に発生

を示し,カルシトニン(calcitonin)分泌を特色とする甲状腺上皮性悪性腫瘍である.間質にアミロイド沈着を認める.carcinoembryonic antigen (CEA) も産生される.カルシトニン,クロモグラニンA免疫組織化学,Grimelius染色,電子顕微鏡による神経内分泌顆粒の検出,コンゴーレッド染色などが診断に有用である(図14-4-14H〜J).

6) リンパ腫 (lymphoma): 甲状腺悪性腫瘍の1〜5%を占め,高齢女性に多い.橋本病を発生母地とする.甲状腺原発のリンパ腫はそのほとんどが粘膜関連リンパ組織型節外性辺縁帯B細胞リンパ腫 (extranodal marginal zone lymphoma, MALTリンパ腫) とびまん性大細胞型B細胞リンパ腫 (diffuse large B-cell lymphoma: DLBCL) である.

病因
種々の染色体異常や遺伝子異常が報告され,内在する遺伝子異常や放射線や化学物質などによる癌誘発因子の関与が重要な病因として示唆されている.チェルノブイリ周辺で多発している小児甲状腺癌の組織解析ではRET遺伝子の再配列(RET/PTC)が高頻度に認められている.成人発症の乳頭癌ではBRAF遺伝子異常の頻度が高い.家族性甲状腺癌が稀に存在するが,その責任病変遺伝子座は不明である.家族性腺腫性ポリポーシスではAPC遺伝子異常による甲状腺乳頭癌の合併が1〜2%にみられる[3].C細胞由来の髄様癌の30%は遺伝性であり,RET遺伝子の機能獲得性点突然変異がみられる.多発性内分泌腺腫症(multiple endocrine neoplasia: MEN)の2A,2Bあるいは家族性髄様癌(familial medullary carcinoma)でみられる.

疫学
わが国では成人の集団検診で発見される頻度は0.1%である.剖検時に発見される潜在癌をいれると10%に微小甲状腺癌が発見される.性比は1:4〜6と女性に多い.30〜60歳代に発見され,予後は良好である.思春期以前の小児甲状腺癌はまれであるが,チェルノブイリ原発事故5年後から,当時0〜5歳の子どもに小児甲状腺癌の増加が報告されている[4].原爆被爆者4091名を対象としたコホート研究では,19歳以下で被爆した場合,放射線被曝と甲状腺癌,良性結節ともに相関が認められている[5].

臨床症状・検査所見・診断
1) **自覚症状**: 前頸部の腫脹や腫瘤の触知,圧迫感などが多い.進展すると発声障害(嗄声,音調の変化など),呼吸困難,嚥下困難,誤嚥,疼痛,血痰などがみられる.

2) **触診**: 腫瘤の部位,大きさ,性状(形,表面,硬度,境界,可動制限,圧痛など),皮膚や皮下組織への進展,リンパ節転移などについて検討する.

3）超音波検査： 腫瘍の内部構造（充実性か嚢胞性，均一性，エコー輝度），石灰化像，被膜の性状，辺縁との関係（浸潤やリンパ節転移）など多くの情報を得ることができる．悪性所見としては，不整形，境界が不明瞭で粗雑，内部エコーは低エコーで不均質，微細高エコーが多発，境界部低エコー帯の不整・なしなどがあげられている（図14-4-14A, C, E）．

4）穿刺吸引細胞診： エコーガイド下に行えば，濾胞癌を除き，小さい癌でも正診率は高い．現在わが国では，甲状腺癌取扱い規約（第6版）に基づき，不適正，正常あるいは良性，鑑別困難，悪性の疑い，悪性の5つの診断カテゴリー（判定区分）が用いられているが，2010年に提唱された甲状腺細胞診ベゼスダシステムへ移行が検討されている（ⓔ表14-4-G）[6]．

5）シンチグラム： 放射性ヨードまたはテクネシウムシンチグラフィは機能性，非機能性の鑑別に有用である．ガリウムシンチグラフィはリンパ腫に，MIBI（meta-iodobenzylguanidine）シンチグラフィは髄様癌に集積するので転移巣の検索に有用である．CT，MRIは周囲への広がりの評価に有用である．^{18}F-fluorodeoxy glucose（FDG）を用いたpositron emission tomography（PET）やPET/CTも病変の広がりや転移の検索など病期診断に活用されている（図14-4-14K）．standard uptake value（SUV）max が＞3の場合，悪性の可能性が高くなる．乳頭癌と診断したら，TNM分類を行う．低分化癌の診断基準には，低分化な構造を有する，乳頭癌の核所見を認めない，核分裂像，核壊死像などを認めることなどがあげられ，Ki-67，p53増加は鑑別診断に有用である[7]．

6）腫瘍マーカー： Tgは術後の甲状腺癌の再発のマーカーとして利用されている．CEAやカルシトニンは髄様癌のマーカーとして有用である．リンパ腫に対しては，病理組織診断に加えて，免疫グロブリンH鎖，JH遺伝子再構成，CD45ゲーティングなどの検査が行われる．

治療

組織型や腫瘍径，リンパ節転移，遠隔転移，年齢などにより治療方針は異なる．乳頭癌はT2N0M0以下で片葉切除，T3以上，N1，M1，EX2あるいは対側転移であれば全摘とリンパ節郭清を行う．濾胞性腫瘍は遠隔転移があれば全摘後にアイソトープ治療を行う．遠隔転移がなければ，片葉切除を行い，病理診断の結果，広汎浸潤型であれば補完全摘とアイソトープ治療を行う．微小浸潤型であれば，年齢が40歳以上の場合に，補完全摘とアイソトープ治療を行う．髄様癌では，遺伝性の場合まず褐色細胞腫の有無を検索し，合併があれば，副腎の手術を先行した後に，甲状腺全摘術とリンパ節郭清術を施行する．非遺伝性であれば片葉切除とリンパ節郭清を行う．低分化癌では全摘術とリンパ節郭清術後にアイソトープ治療を行う．未分化癌は化学療法と放射線照射法が主体となる．予後が期待できない場合は，緩和ケアが主体となる．甲状腺未分化癌研究コンソーシアムで医師主導型前向き臨床研究（甲状腺未分化癌に対するweekly paclitaxelによる化学療法の認容性，安全性に関する前向き研究）が行われている．甲状腺原発リンパ腫は化学療法と外照射が行われている．通常のリンパ腫の治療に準じた治療が行われる．

近年，根治切除不能な分化型甲状腺癌や髄様癌の治療に，腫瘍の増殖に関連するシグナルを特異的に阻害する分子標的薬が使用できるようになった．2014年6月，ソラフェニブが「根治切除不能な分化型甲状腺癌」に，2015年5月，レンバチニブが「根治切除不能な甲状腺癌（分化型甲状腺癌に加え，髄様癌，未分化癌を含む）」に，2015年9月，バンデタニブが根治切除不能な甲状腺髄様癌に保険適用になっている[8]（甲状腺癌診療連携プログラム）．それぞれ無増悪生存期間の延長が認められているが，手足症候群，高血圧，脱毛，下痢，間質性肺炎，QT延長など副作用も多く，適正使用と有害事象のマネージメントのために，関連学会にて甲状腺癌診療連携プログラムがつくられている．

手術の合併症としては，術後出血，反回神経麻痺，上喉頭神経麻痺，甲状腺機能低下症，副甲状腺機能低下症，乳び瘻（ろう）などがある．

術後は，甲状腺ホルモン補充療法，術後性副甲状腺機能低下症に対しては活性型ビタミンD製剤の投与を行う．

予後

組織型により異なる（表14-4-3）．分化癌の予後は良好であるが，未分化癌の予後は不良で，1年生存率はきわめて低い．

c. 腫瘍様病変

i) 腺腫様甲状腺腫（adenomatous goiter）

甲状腺が非腫瘍性・結節性増殖により腫大する多発性病変をいう．単発の場合を腺腫様結節（adenomatous nodule）とよぶ．病因は不明である．頻度は高い．自律性機能性結節（autonomously functioning thyroid nodule(s)：AFTN）で，多発性の場合はtoxic multinodular goiter（TMNG）とよばれる．

組織像は多彩で，全周性の被膜を欠く．濾胞の大きさ，上皮の形態は多様で濾胞はコロイドが充満したものからコロイドを欠くものまで認められる．出血，壊死，嚢胞形成，結合織の増生，硝子，石灰化などの二次性変化を伴う．大きな濾胞腔内に小濾胞が限局性に突出する像（Sanderson polster）も特徴の1つである．

無症状が多い．結節が大きい場合や結節内に出血をきたして急に増大した場合には違和感を自覚する．大

部分の症例では，甲状腺機能は正常である．AFTNでは甲状腺中毒症を呈する．甲状腺機能低下症の7.8％に多発嚢胞を伴う[9]．

超音波検査では，コメットサインを有する嚢胞や充実性結節，環状の石灰化など多彩な所見がみられる．10％に乳頭癌を合併するので，見逃さないことが大切である（日本甲状腺学会，2013）．TSHが抑制されている場合は，^{123}I，^{99m}Tcシンチグラフィを行う(e)図14-4-F)．

経過観察が原則である．悪性腫瘍を合併する場合や，大きさが4 cm以上の結節や，AFTNなどは手術療法を考慮する．悪性疾患の合併がなければ，経皮的エタノール注入療法(percutaneous ethanol injection therapy：PEIT)やアイソトープ療法も適応となる(e)図14-4-F)[3]．予後は良好である．

ii）アミロイド甲状腺腫
アミロイドの沈着の結果，甲状腺が硬く腫大したもの．原発性あるいは続発性アミロイドーシスの部分像としてみられる．

iii）嚢胞
真性嚢胞：甲状腺舌管の遺存組織から生じた甲状腺舌管嚢胞(thyroglossal duct cyst)をいう．内面は上皮で覆われている．頻度はまれである．

続発性嚢胞：腺腫様甲状腺腫や腺腫などに変性，壊死，出血などの随伴病変によって生じる偽嚢胞で，頻度は高い．

嚢胞壁に特別の組織や細胞が認められず，原病変が不明な場合は単に嚢胞とよばれる．〔廣松雄治〕

■文献(e)文献14-4-6)
Ali SZ, Cibas ES：甲状腺細胞診ベセスダシステム(坂本穆彦監訳)，シュプリンガー・ジャパン，2011．
伊藤公一監：実地医家のための甲状腺疾患診療の手引き—伊藤病院・大須診療所式，全日本病院出版会，2012．
甲状腺癌診療連携プログラム．http://www.jsmo.or.jp/thyroid-chemo/
日本甲状腺学会編：甲状腺結節取扱い診療ガイドライン，南江堂，2013．
日本甲状腺外科学会編：甲状腺癌取扱い規約 第7版，金原出版，2015．

7）甲状腺炎
thyroiditis

甲状腺炎には，急性化膿性甲状腺炎，亜急性甲状腺炎，慢性甲状腺炎(橋本病)があり，慢性甲状腺炎の亜型として無痛性甲状腺炎がある．このほか，妊娠・分娩に関連した出産後一過性甲状腺炎やアミオダロン，インターフェロンなどによる薬物性甲状腺炎などがある．各疾患の臨床診断はガイドラインにも示されており，その特徴的な臨床症状と身体所見によって多くは診断可能であるが，一部の例では超音波検査をはじめとする画像診断が診断に有用な場合がある．特に破壊性甲状腺炎による甲状腺中毒症とBasedow病との鑑別が臨床的に重要である【⇨14-4-4】．

（1）急性化膿性甲状腺炎 (acute suppurative thyroiditis)

概念
急性に起こる甲状腺の化膿性炎症であり，細菌や真菌感染によるまれな疾患である．

病因
多くは第3あるいは第4鰓嚢の遺残による下咽頭梨状窩瘻という先天性の奇形が原因で，この瘻管が甲状腺の近傍(あるいは内部)に開口して感染を引き起こし，甲状腺に炎症が波及する．先天奇形をもとに発生するため，発症年齢は小児～若年者に多く(平均7.5～15歳，2/3が小児，1/3が成人)，左側に起こることが多い．

臨床症状
病変部に圧痛や腫脹が起こり，発熱，皮膚の発赤，嚥下痛などが起こる．上気道感染が先行することが多く，起炎菌は連鎖球菌，ブドウ球菌，大腸菌などが多く，瘻孔を通じての感染であるので口腔内の常在菌を含む混合感染であることが多い．亜急性甲状腺炎と誤診されステロイド治療をされると，炎症が急激に悪化する場合があるので注意が必要である．

検査所見
検査所見としては急性の化膿性炎症の程度に応じて白血球数の増加(核の左方移動を伴う)，CRP陽性，赤沈の著明な亢進がみられる．甲状腺機能は正常であることが多いが，ときに破壊性甲状腺炎が強いと一過性に甲状腺中毒症を呈する．超音波では，甲状腺周囲から内部にわたり広範囲に境界不瞭な低エコー領域を認め甲状腺被膜が不明瞭となる(e)図14-4-G)[1]．超音波所見だけからは未分化癌や広汎浸潤型濾胞癌との鑑別が困難な場合もあり，炎症の範囲を解剖学的に把握するには頸部CT検査の方がすぐれている[2]．膿瘍を形成すると空気や嚢胞形成などの所見もみられる．

診断・鑑別診断
確定診断には下咽頭梨状窩瘻を証明するために通常下咽頭食道造影が行われる．瘻管の描出率は約50％で，炎症が強い急性期では浮腫のため瘻管の描出が困難な場合も多いので，炎症が鎮静化してから行う．穿刺吸引細胞診では膿汁，多数の白血球がみられる．膿汁の細菌培養で感染を確認する．

治療・予後
外科的に切開排膿し，抗菌薬の全身投与を行うが，

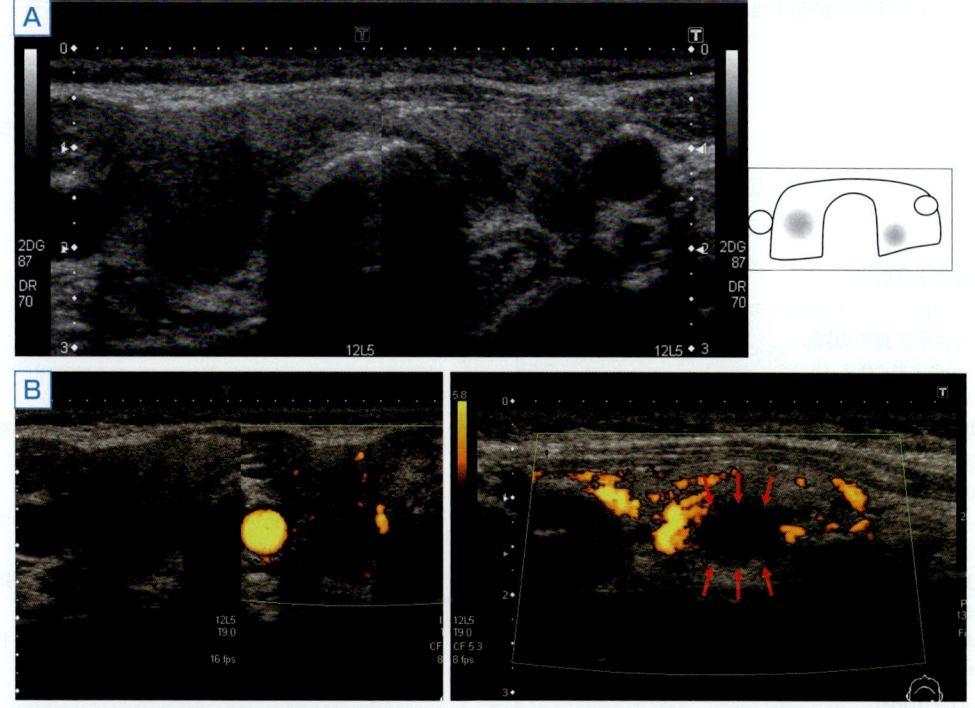

図14-4-15 亜急性甲状腺炎の超音波画像
A：Bモード，B：カラードプラ（パワーモード）．甲状腺がびまん性に腫大し，右葉に境界不明瞭な低エコー領域を認め，血流が欠如している．この部位に一致して圧痛を認めた（矢印）．

繰り返す例では炎症が鎮静化した後に外科的に瘻管切除術あるいは化学的焼灼術を施行する．根治手術により完治するが，感染源となる基礎疾患への対応が重要である．

（2）亜急性甲状腺炎（subacute thyroiditis）

定義・概念
上気道感染が先行して炎症が発生し甲状腺組織の破壊が起こり，血中甲状腺ホルモンが一過性に漏出し甲状腺中毒症を示す病態である．

病因
流行性耳下腺炎，インフルエンザ，コクサッキーウイルス，アデノウイルス，EBウイルスなどの上気道感染が先行する場合が多く，ウイルス感染が原因とされている[3]．HLA-Bw35との関連が報告され，遺伝的素因の関与も示唆されている．

疫学
発症年齢は30〜60歳に多く，男女比は1：10と女性に多い．季節的変動があり，夏と秋に多い傾向がある．

臨床症状
上気道感染症状に続き，高熱，前頸部の疼痛，下顎や耳介への放散痛が起こる．これら局所の症状とともに動悸，体重減少，発汗過多などの甲状腺中毒症状を呈する．経過途中でクリーピング現象とよばれるように，発症初期は一側葉に限局した炎症，疼痛が経過とともに対側葉にも出現することがある．初期の1〜2カ月間はこの中毒症状を呈するが，その後一過性に甲状腺機能低下症が起こった後正常となることが多い[4]．

検査所見
CRP陽性，赤沈の著明な亢進，白血球軽度増加，軽度の肝機能障害（AST，ALT高値）がみられる．甲状腺機能異常としては，遊離T_3（FT_3），遊離T_4（FT_4）の高値，甲状腺刺激ホルモン（TSH）低下が認められる．通常，抗TSH受容体抗体（TRAb）は陰性となる．放射性ヨウ素の甲状腺への取り込みは著明に抑制される．超音波検査では，圧痛，硬結部位に一致して低または無エコー域がまだら状あるいは地図状にみられる（図14-4-15）．低エコー域の境界は不明瞭で，内部エコーは不均質である．経過とともに圧痛を伴う低エコー域が対側葉にも出現することがある（クリーピング現象）．カラードプラでは中毒症状の時期には低エコー域内の血流はほとんどみられず，Basedow病との鑑別診断に有用である．逆に回復期にはTSHの上昇に伴い一過性に血流の増加を示す．

診断・鑑別診断
本症の診断ガイドラインについては2002年に日本甲状腺学会より発表されている（表14-4-4）．
穿刺吸引細胞診（FNAC）では大型の多核巨細胞の出

表14-4-4 亜急性甲状腺炎（急性期）の診断ガイドライン

a) 臨床所見
　有痛性甲状腺腫
b) 検査所見
1. CRPまたは赤沈高値
2. 遊離型T_4高値，TSH低値（0.1 μU/mL以下）
3. 甲状腺超音波検査で疼痛部に一致した低エコー域

1) 亜急性甲状腺炎
　a)およびb)のすべてを有するもの
2) 亜急性甲状腺炎の疑い
　a)とb)の1および2

除外規定
　慢性甲状腺炎（橋本病）の急性増悪，嚢胞への出血，急性化膿性甲状腺炎，未分化癌

付記
1. 上気道炎感染症状の前駆症状をしばしば伴い高熱をみることもまれでない
2. 甲状腺の疼痛はしばしば反対側にも移動する
3. 抗甲状腺自己抗体は原則的に陰性であるが，経過中弱陽性を示すことがある
4. 細胞診で多核巨細胞を認めるが，腫瘍細胞や橋本病に特異的な所見は認めない
5. 急性期は放射性ヨウ素（またはテクネシウム）甲状腺摂取率の低下を認める

表14-4-5 慢性甲状腺炎（橋本病）の診断ガイドライン

a) 臨床所見
1. びまん性甲状腺腫大
　　ただしBasedow病などほかの原因が認められないもの
b) 検査所見
1. 抗甲状腺ミクロソーム（またはTPO）抗体陽性
2. 抗サイログロブリン抗体陽性
3. 細胞診でリンパ球浸潤を認める

1) 慢性甲状腺炎（橋本病）
　a)およびb)の1つ以上を有するもの

付記：
1. ほかの原因が認められない原発性甲状腺機能低下症は慢性甲状腺炎（橋本病）の疑いとする
2. 甲状腺機能異常も甲状腺腫大も認めないが，抗ミクロソーム抗体およびまたは抗サイログロブリン抗体陽性の場合は慢性甲状腺炎（橋本病）の疑いとする
3. 自己抗体陽性の甲状腺腫瘤は慢性甲状腺炎（橋本病）の疑いと腫瘍の合併と考える
4. 甲状腺超音波検査で内部エコー低下や不均一を認めるものは慢性甲状腺炎（橋本病）の可能性が高い

現が特徴的である．

治療・予後

軽症の場合は非ステロイド系抗炎症薬を用いるが，炎症が著明なときはステロイドが著効を示す．初回量プレドニゾロン20〜30 mg/日で数日以内に疼痛が改善する．その後ゆっくりと漸減していき1〜2カ月は投与する．速く漸減・中止すると再燃しやすい．抗菌薬は無効である．本症の再発はほとんどないとされているが，最近，平均観察期間13.6年で再発率1.6％との報告がある[4]．

(3) 慢性甲状腺炎 (chronic thyroiditis)

定義・概念

臓器特異的な自己免疫異常による甲状腺炎で，橋本病と同義語である．組織学的にはびまん性甲状腺腫，高度のリンパ球浸潤，間質の線維化を呈する．萎縮性甲状腺炎 (atrophic thyroiditis) や特発性粘液水腫 (idiopathic myxedema) も広義の慢性甲状腺炎に含まれる．甲状腺機能低下症の原因として最も頻度が高い疾患である．

病因

遺伝的要因と環境要因などの原因で多因子性に甲状腺に対する免疫異常が発症して起こる．発症機序としてはT細胞あるいは細胞性免疫による組織破壊が中心となって起こる病態と考えられている[5]．

疫学

男女比は1：20と女性に多く，加齢とともに増加する．甲状腺自己抗体陽性例や甲状腺超音波検査での異常で発見される潜在例を含めると，成人女性の10〜15％と高頻度でみられる．

臨床症状

びまん性の弾性硬の甲状腺腫を認め，表面凹凸不整である．甲状腺機能は正常の場合が多いが，進行すると機能低下に陥る．下垂体，副甲状腺，膵臓，副腎などほかの内分泌臓器の自己免疫疾患を合併することがあり，多腺性自己免疫疾患 (polyglandular autoimmune disease) とよばれる．Addison病との合併はSchmidt症候群とよばれる．高齢者で急速に甲状腺の増大があった場合は悪性リンパ腫の合併に注意する必要がある[6]．

検査所見

甲状腺自己抗体である甲状腺ペルオキシダーゼ抗体 (TPOAb) やサイログロブリン抗体 (TgAb) が90％以上で陽性となる．甲状腺機能は多くは正常範囲であるが，ときにTSHのみ高値を示す潜在性甲状腺機能低下症や，甲状腺ホルモン低値とTSH上昇を伴う甲状腺機能低下症を呈する場合がある．超音波検査では，内部エコーレベルが低下し不均質なエコーを呈する（e図14-4-H）．

診断・鑑別診断

日本甲状腺学会の診断ガイドラインを表 14-4-5 に示す．厳密には病理組織学的所見が必要であるが，実地臨床では自己抗体と甲状腺機能の測定および超音波検査で診断されている．

近年全身の IgG4 関連硬化性疾患が注目されており，橋本病のなかでも「IgG4 関連甲状腺炎」は，かたい甲状腺の腫大があり男性に多く発症し，血中 IgG4 が 135 mg/dL 以上と高く，組織学的には間質の線維化が著明で IgG4 陽性の形質細胞の浸潤が特徴的と報告されている[7]．甲状腺機能低下症に至る頻度が高いため，急速進行性の臓器機能破壊型の炎症ととらえられている．

治療

明らかな甲状腺機能低下症があれば甲状腺ホルモンの補充療法を行う．潜在性甲状腺機能低下症では食事性ヨウ素の摂取過剰が原因のことがあるので，詳細に問診をしたうえでヨウ素制限を指示して経過をみる．気道狭窄をきたすような著明な甲状腺腫の場合は甲状腺ホルモンの補充療法で縮小がみられない場合は手術を選択することもある．

予後

長期にわたり甲状腺機能が正常の場合もあるが，次第に機能低下症に移行することが多いため，定期的な経過観察が必要である．ときに悪性リンパ腫を合併したり，甲状腺癌の合併もやや多いとの報告もあるので，数年に 1 回は超音波検査でのフォローも必要である．

(4) 無痛性甲状腺炎 (painless or silent thyroiditis)

定義・概念

自己免疫異常が急に増強し，甲状腺濾胞細胞の破壊が亜急性に起こり，その結果甲状腺ホルモンが血中に漏出して起きる甲状腺中毒症である．

病因

橋本病（慢性甲状腺炎）の経過中に一時的な甲状腺組織の破壊により甲状腺中毒症が起こるとされているが，分娩後やステロイドの内服中止あるいは Cushing 症候群の術後などが誘因となって起こる場合もある．分娩後に起こる場合は分娩後甲状腺炎 (postpartum thyroiditis) とよばれる．

疫学

本症の頻度は Basedow 病についで多く，甲状腺中毒症の約 20～30％ を占める．慢性甲状腺炎を反映して女性に多く起こる．

臨床症状

全身倦怠感，動悸，発汗過多，体重減少などの甲状腺中毒症状を呈する．

表 14-4-6 無痛性甲状腺炎の診断ガイドライン

1. **臨床所見**
   a. 甲状腺痛を伴わない甲状腺中毒症
   b. 甲状腺中毒症の自然改善（通常 3 カ月以内）
2. **検査所見**
   a. 遊離 T4 高値
   b. TSH 低値（0.1 μU/mL 以下）
   c. 抗 TSH 受容体抗体陰性
   d. 放射性ヨード（またはテクネシウム）甲状腺摂取率低値
3. **診断**
   1. 無痛性甲状腺炎
      臨床所見および検査所見のすべてを有するもの
   2. 無痛性甲状腺炎の疑い
      臨床所見のすべてと検査所見の a～c を有するもの
4. **除外規定**
   甲状腺ホルモンの過剰摂取例を除く

付記：
1. 慢性甲状腺炎（橋本病）や寛解 Basedow 病の経過中発症するものである．
2. 出産後数カ月でしばしば発症する．
3. 甲状腺中毒症状は軽度の場合が多い．
4. 病初期の甲状腺中毒症が見逃され，その後一過性の甲状腺機能低下症で気づかれることがある．
5. 抗 TSH 受容体抗体陽性例がまれにある．

検査所見

甲状腺ホルモン高値，TSH 低値，TRAb 陰性，TPOAb，TgAb 陽性となる．超音波上は慢性甲状腺炎と同様に内部エコー不均質でエコーレベルの低下を認める[8]．

診断・鑑別診断

無痛性甲状腺炎の診断ガイドラインを表 14-4-6 にあげる．甲状腺中毒症を呈する疾患のなかで Basedow 病との鑑別が重要であるが，まれに Basedow 病の寛解中や治療中でも発症することもあり，また一過性に抗 TSH 受容体抗体が陽性になることがあるため Basedow 病との鑑別が困難な場合もある（図 14-4-16，e表 14-4-H）．

治療・予後

治療は中毒症状が強ければ β 遮断薬を投与する．機能低下症に移行した場合は甲状腺ホルモンを補充するが，多くは一過性であり永続性の甲状腺機能低下症の発症は 5％ 以下とまれである．

(5) 橋本病の急性増悪 (acute exacerbation of Hashimoto disease)

定義・概念

橋本病の経過中にきわめてまれに，甲状腺部の疼痛

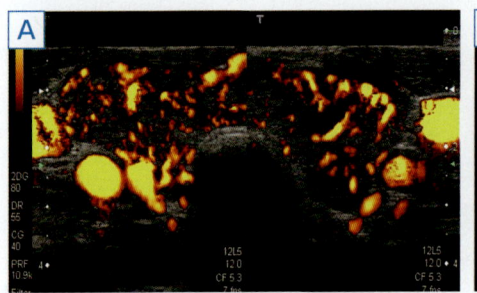
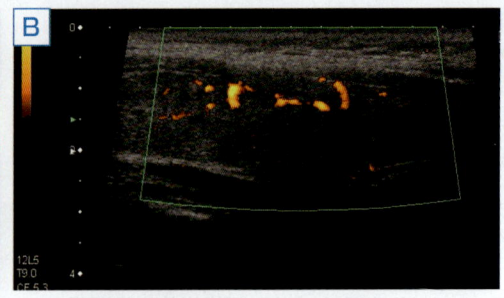

図 14-4-16 甲状腺中毒症を呈する Basedow 病(A)と無痛性甲状腺炎(B)のエコー上の鑑別

Basedow 病
● びまん性腫大（中等度～高度）
● カラードプラ上血流増加あり
● 臨床的には
　甲状腺機能亢進症状
　TRAb (+)

無痛性甲状腺炎
● びまん性腫大（軽度）
● 一部に低エコー域を認める
● カラードプラ上低エコー域に一致して無血流野となる
● 臨床的には
　甲状腺機能亢進症状
　TPO-Ab (+)，Tg-Ab (+)，TRAb (−)

と炎症反応（発熱，赤沈亢進，CRP 陽性），放射性ヨウ素摂取率の低値，一過性の甲状腺中毒症状など，亜急性甲状腺炎に類似した病態を呈する場合がある[9,10]）．

疫学

40～60 歳代の女性に多い．

臨床症状

亜急性甲状腺炎とは異なり，上気道感染が先行することはなく甲状腺の疼痛は甲状腺全体に広がり全体が腫大する．甲状腺機能は発症時には甲状腺中毒症の場合が多いが，逆に機能低下の状態もある．

検査所見

TPOAb と TgAb が強陽性であること，一過性の甲状腺中毒症状に続いて急速にあるいは再発を繰り返しながらゆっくりと甲状腺機能低下症に移行することが特徴としてあげられる．超音波検査では甲状腺全体の腫大と内部エコーレベルの低下と不均質が目立つ．

診断・鑑別診断

橋本病が存在し，急速に甲状腺が増大して痛みを伴ってきた場合に，本病態を考える．亜急性甲状腺炎との鑑別が必要である（e表 14-4-l）．

治療・予後

ステロイド治療を行うが，薬の減量に伴い再び症状の悪化を認め治療に抵抗性であることが多い．一過性の甲状腺中毒症状に続いて急速にあるいは再発を繰り返しながらゆっくりと甲状腺機能低下症に移行する．

(6) 薬物性甲状腺炎 (drug-induced thyroiditis)

今までに種々の薬剤によっても甲状腺組織の破壊が起こり甲状腺炎を引き起こすことが知られている．おもな薬剤としてはアミオダロン[11]，リチウム，インターフェロン-α，インターロイキン-2 などがあり，また最近では各種癌に対する分子標的治療薬や TNF-α 阻害薬であるインフリキシマブでの甲状腺炎も報告されており[12]，治療にあたっては甲状腺機能異常にも注意が必要である．

〔宮川めぐみ〕

■文献（e文献 14-4-7）
日本甲状腺学会：甲状腺疾患診断ガイドライン 2013，2013．www.japanthyroid/docter/guideline/japanese.html.
日本乳腺甲状腺超音波医学会，甲状腺用語診断基準委員会編：甲状腺超音波診断ガイドブック，南江堂，2012．
Weetman PA: Chronic autoimmune thyroiditis. Werner & Ingbar's Thyroid, 10th ed (Braverman LE, Cooper DS eds), pp525-35, Lippincott Williams & Wilkins, 2013.

14-5 副甲状腺・カルシトニン・ビタミンD

1）発生・形態

　副甲状腺は一腺あたり40 mg前後で，通常は甲状腺両葉の上・下極背面に90％近くの例で計4個存在する．しかし3腺しか見いだせない例のほか，5腺以上存在する例も5％あまり存在し，副甲状腺摘除術の際に問題となる．副甲状腺は主細胞, oxyphil 細胞および間質の脂肪細胞よりなり，副甲状腺ホルモン（parathyroid hormone：PTH）は主細胞とoxyphil 細胞の両者で合成・分泌される（eノート1）.

　カルシトニンは神経外胚葉由来の，ヒトでは甲状腺C細胞で，哺乳類以外の下等脊椎動物では甲状腺と独立した鰓後体で合成・分泌される． 〔松本俊夫〕

2）合成・分泌

　Ca代謝は，副甲状腺ホルモン（PTH）や活性型ビタミンDである 1,25-ヒドロキシビタミンD（1,25-dihydroxyvitamin D, $1,25(OH)_2D$），などのCa調節ホルモンにより緻密な調節を受けている．このうち血中カルシウムイオン（Ca^{2+}）濃度の維持に最も重要な役割を果たしているのはPTHであり，Ca代謝平衡の維持に欠かせないのが $1,25(OH)_2D$ である．これらのホルモンは，互いの合成・分泌や作用に影響を及ぼしあうことにより，血中 Ca^{2+} 濃度と体内のCa代謝平衡を協調的に維持・調節している．したがって，いずれのホルモン作用の異常によってもCa代謝異常がもたらされる．

（1）副甲状腺ホルモン（PTH）
a. 副甲状腺ホルモン（PTH）の合成

　PTHは84個のアミノ酸よりなる分子量9300のペプチドホルモンである．ヒトPTH遺伝子は11番染色体短腕に存在し，3つのエクソンのうちエクソン3が pro PTH 配列の最後の2個のアミノ酸と84個の成熟PTHをコードしている．リボソームで prepro PTH が翻訳された後，切断され pro PTH となる．pro PTH はさらに Golgi 体で成熟PTHへと切断され，分泌顆粒中に蓄積され，分泌刺激に反応し血中へと放出される[1]．

　血中 Ca^{2+} によりPTH分泌は厳密な抑制的調節を受けているが，血中 Ca^{2+} はPTHの合成にも影響を及ぼす．PTH遺伝子の転写は $1,25(OH)_2D$ によっても抑制される．

b. 副甲状腺ホルモン（PTH）の分泌

　PTHの分泌は血中 Ca^{2+} の上昇により抑制され，低下に伴い促進される（図14-5-1）．副甲状腺細胞膜には Ca^{2+} と結合し細胞内に情報を伝達するCa感知受容体（CaSR）が存在する．この受容体はG蛋白共役受容体ファミリーに属し，血中 Ca^{2+} との結合によりPTHの分泌を抑制する．

　CaSRの役割については eコラム1を参照．

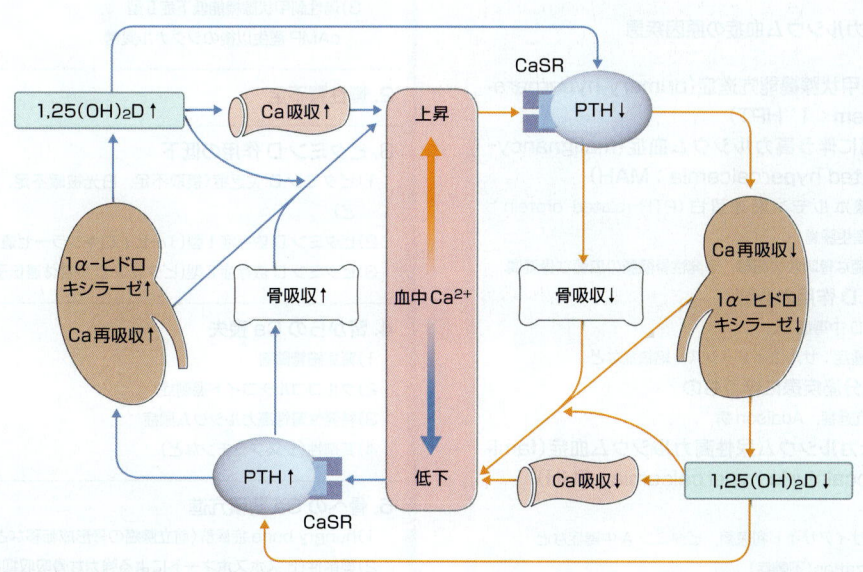

図 14-5-1 血清Ca濃度の調節

CaSRの異常によりさまざまな病態がもたらされる．とりわけ高カルシウム血症が存在するにもかかわらずPTH分泌が抑制されず，同時に尿中Ca排泄の抑制が認められる家族性低カルシウム尿性高カルシウム血症(FHH)患者の多くにCaSR遺伝子の多様な不活性化変異が認められている．また常染色体優性低カルシウム血症(ADH)の多くにCaSR遺伝子の活性化変異が認められることも明らかとなった(Chattopadhyayら，2006)．さらに，CaSRに対する自己抗体による副甲状腺機能低下症の症例や，原発性副甲状腺機能亢進症患者の副甲状腺におけるCaSR発現の低下なども報告されている(表14-5-1，14-5-2)．

(2)ビタミンD

ビタミンDはビタミンD_2とビタミンD_3とからなり，ビタミンD_3は皮膚において紫外線被曝下で7-dehydrocholesterol(プロビタミンD_3)からプレビタミンD_3を介して合成される．ビタミンD_2は植物で合成され，両者は食餌中より吸収される．これらのビタミンDは血中ではビタミンD結合蛋白(vitamin D-binding protein：DBP)と結合して運ばれ，肝臓で25位が水酸化された後，腎近位尿細管で1α-ヒドロキシラーゼにより1位が水酸化され活性型の1,25(OH)$_2$Dとなる(図14-5-2)[2]．1α-ヒドロキシラーゼ遺伝子(CYP27B1)の不活性化変異によりビタミンD依存症I型がもたらされる[3]．PTHは1α-ヒドロキシラーゼ遺伝子の転写を促進し，1α-ヒドロキシラーゼ活性を高めるうえで最も重要な因子である．1α-ヒドロキシラーゼ活性は低リン血症，低カルシウム血症などによっても促進される．一方，PTH分泌の抑制や高リン，高カルシウム血症により1α-ヒドロキシラーゼ活性は抑制され，同時に25-ヒドロキシビタミンD(25(OH)D)の大部分は腎で24位が水酸化され生物活性の低い24,25-ジヒドロキシビタミンD(24,25

表14-5-2 低カルシウム血症の原因疾患

1. **副甲状腺機能低下症**
    a. PTH分泌の低下
       1)続発性副甲状腺機能低下症(頸部手術，放射線照射，癌の浸潤など)
       2)臓器形成異常などを伴う先天性副甲状腺形成不全
          DiGeorge症候群，副甲状腺機能低下症，感音性難聴，腎疾患症候群，副甲状腺機能低下症，発達遅滞，形成異常症候群，ミトコンドリア脳筋症の一部など
       3)副甲状腺関連遺伝子異常による先天性副甲状腺機能低下症
          家族性単独副甲状腺機能低下症(CaSR, PTH, GCMB遺伝子変異)
          原発性低マグネシウム血症(PCLN1遺伝子変異)
          低カルシウム血症を伴う低マグネシウム血症(TRPM6遺伝子変異)
          X染色体連鎖副甲状腺機能低下症(原因遺伝子不明)
       4)自己免疫性副甲状腺機能低下症
          I型自己免疫性多内分泌腺症候群(AIRE遺伝子変異)
          Ca感知受容体(CaSR)に対する自己抗体によるPTH分泌不全
       5)Mg欠乏
       6)特発性副甲状腺機能低下症
    b. PTH不応性による作用低下
       1)偽性副甲状腺機能低下症(pseudohypoparathyroidism：PHP)Ia型
          GNAS1遺伝子コード領域の変異によるGs蛋白低下
          Albright骨異栄養症(AHO)を合併する
       2)偽性副甲状腺機能低下症(PHP)Ib型
          GNAS1遺伝子プロモーター領域のDNAメチル化異常による，腎尿細管などのみでのGs蛋白低下
          AHOを合併しない
       3)偽性副甲状腺機能低下症II型
          cAMP産生以後のシグナル異常

2. **慢性腎不全**

3. **ビタミンD作用の低下**
    1)ビタミンD欠乏症(摂取不足，日光被曝不足，吸収不良など)
    2)ビタミンD依存症I型(1α-ヒドロキシラーゼ遺伝子の変異)
    3)ビタミンD依存症II型(ビタミンD受容体遺伝子の変異)

4. **腎からのCa喪失**
    1)腎尿細管障害
    2)グルココルチコイド過剰症
    3)特発性腎性高カルシウム尿症
    4)薬剤性(シスプラチンなど)

5. **骨へのCa蓄積亢進**
    1)hungry bone症候群(前立腺癌の骨形成転移など)
    2)薬剤性(ビスホスホネートによる強力な骨吸収抑制など)

表14-5-1 高カルシウム血症の原因疾患

1. 原発性副甲状腺機能亢進症(primary hyperparathyroidism：1° HPT)
2. 悪性腫瘍に伴う高カルシウム血症(malignancy-associated hypercalcemia：MAH)
    a. 副甲状腺ホルモン関連蛋白(PTH-related protein：PTHrP)産生腫瘍
    b. 腫瘍の広範な骨吸収性転移，多発性骨髄腫の広範な骨浸潤
3. ビタミンD作用の過剰
    a. ビタミンD中毒症
    b. 慢性肉芽腫症：サルコイドーシス，結核症など
4. ほかの内分泌疾患に伴うもの
    甲状腺機能亢進症，Addison病
5. 家族性低カルシウム尿性高カルシウム血症(familial hypocalciuric hypercalcemia：FHH)
6. その他
    a. 薬物性：サイアザイド利尿薬，ビタミンA中毒症など
    b. immobilization(不動症)

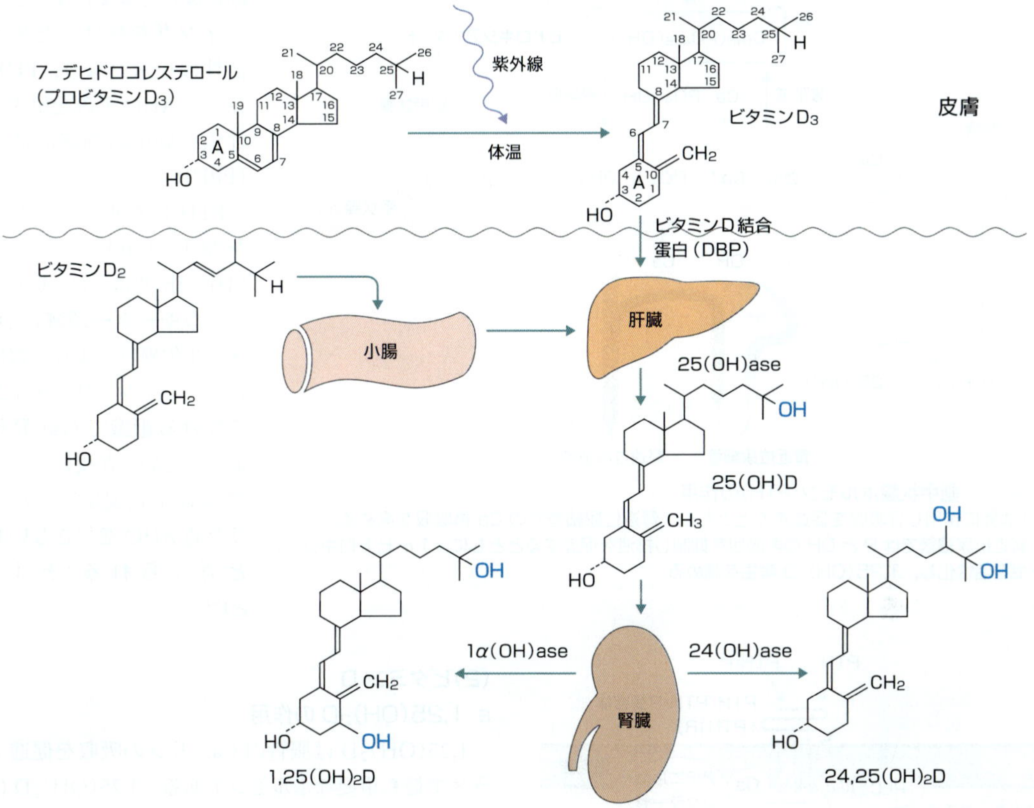

図 14-5-2 ビタミン D の生合成と代謝

$(OH)_2D$ となる．$1,25(OH)_2D$ はみずから 1α-ヒドロキシラーゼ遺伝子の転写を抑制するとともに 24-ヒドロキシラーゼの発現を誘導することにより $24,25(OH)_2D$ の産生を高める．

(3) カルシトニン

カルシトニンも血中 Ca^{2+} 濃度による調節を受けている．PTH とは逆に血中 Ca^{2+} の上昇が CaSR を介してカルシトニン分泌を促進する． 〔松本俊夫〕

■文献(e文献 14-5-2)

Chattopadhyay N, Brown EM: Role of calcium-receptor in mineral ion metabolism and inherited disorders of calcium-sensing. *Mol Genet Metab*. 2006; **89**: 189-202.

3) 作用・作用機序

(1) 副甲状腺ホルモン(PTH)

a. 副甲状腺ホルモン(PTH)の作用

PTH は骨吸収を促進し骨からの Ca の動員を高める．PTH 受容体は骨形成に携わる骨芽細胞に存在し，骨芽細胞への作用を介して破骨細胞の形成や機能を促進する．Ca は骨中にヒドロキシアパタイト結晶($Ca_{10}(PO_4)_6(OH)_2$)の形で蓄積されており，骨吸収により Ca^{2+} のみならずリン酸や水酸化物イオン(OH^-)も溶出される．しかし，PTH は同時に腎近位尿細管でリンと HCO_3^- の再吸収を抑制しリンや OH^- の排泄を促進するとともに，遠位尿細管での Ca^{2+} の再吸収を促進する．その結果血中 Ca^{2+} のみが上昇し，血中リンや OH^- は低下する．さらに，PTH は腎近位尿細管に存在する 1α-ヒドロキシラーゼを誘導することにより $1,25(OH)_2D_3$ の産生を促進する(図 14-5-3)．この作用により，骨からの Ca の動員と腎での再吸収の促進による急速な血中 Ca^{2+} 濃度の上昇に加え，$1,25(OH)_2D$ の上昇を介してその後の腸管からの Ca 吸収も促進され Ca 代謝平衡が維持されることになる．

b. 副甲状腺ホルモン(PTH)の作用機序

PTH の 1 型受容体(PTH1R)との結合後，Gs 蛋白を介してアデニル酸シクラーゼが活性化されサイクリック AMP 産生が高まると同時に，Gq 蛋白を介して PLC が活性化されジアシルグリセロール(DG)とイノシトール三リン酸(IP3)が生成される．このうち

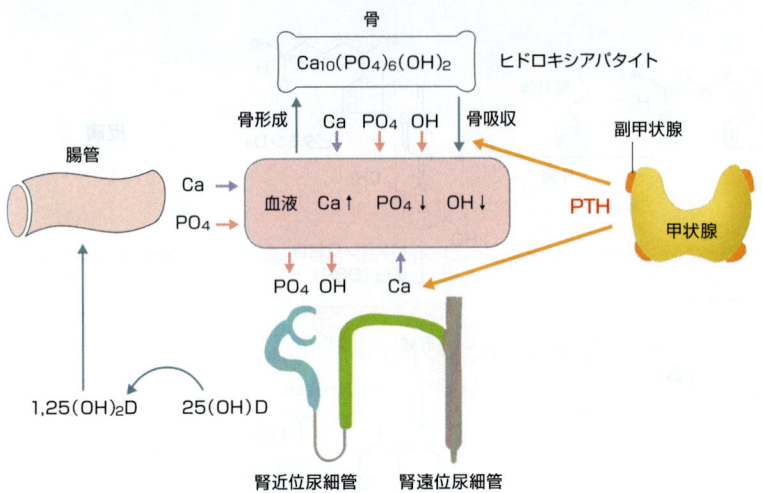

図 14-5-3 副甲状腺ホルモン(PTH)の作用
PTHは骨に作用し骨吸収を促進するとともに，腎遠位尿細管でのCa再吸収を高める．一方，腎近位尿細管ではPとOHの再吸収を抑制し排泄を促進するとともに，1α-ヒドロキシラーゼを活性化し，1,25(OH)$_2$D産生を高める．

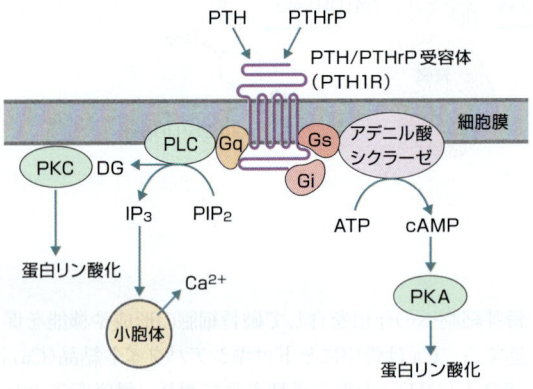

図 14-5-4 PTH/PTHrP受容体(PTH1R)を介する情報伝達系

DGによりPKCが活性化されるとともに，IP3により小胞体からのCa^{2+}の放出が促進され細胞内Ca^{2+}濃度が上昇する（図14-5-4）．PTH1RはPTHと結合するとともに，後に述べる癌の高カルシウム血症惹起因子として同定されたPTH関連蛋白(PTHrP)ともほぼ同等の親和性で結合し，単一の受容体がこれら2つの情報伝達系を活性化する[1]（eノート1）．

先天的なPTH不応症である偽性副甲状腺機能低下症(PHP)のうちAlbright骨異栄養症(AHO)を伴うIa型は，Gs蛋白αサブユニット遺伝子(GNAS1)コード領域のヘテロ変異が原因である．GNAS1遺伝子は腎近位尿細管を含む一部の組織特異的に父性インプリンティングを受けるため，PHP-Iaの家系では母親からGsα遺伝子コード領域の変異を受け継いだ場合，刷り込み組織か否かにかかわらずGsα活性は低下するのでPHP-Iaを発症する．一方，Ia型患者の家系で父親から変異遺伝子を受け継いだ場合，腎近位尿細管などでは父性インプリンティングを受けるためGsα活性は正常となり，PHPは認めずAHOのみを呈する偽性偽性副甲状腺機能低下症(PPHP)となる．

PTHに対する不応性のみを呈しAHOを示さないPHP-Ib型は，GNAS1遺伝子プロモーター領域のDNAメチル化異常により，腎尿細管などのインプリンティングを受ける組織でGsα発現が低下しているが受けない組織ではGsα発現量は正常であるためAHOを呈さないものと考えられる（表14-5-2）[2]．

(2) ビタミンD

a. 1,25(OH)$_2$Dの作用

1,25(OH)$_2$Dは腸管のCa，リンの吸収を促進するうえで最も重要なホルモンである．1,25(OH)$_2$Dは骨にも作用し，骨芽細胞でのオステオカルシンやオステオポンチンなどの基質蛋白の遺伝子発現を高めるとともに骨芽細胞の分化に影響を及ぼす．骨芽細胞は，破骨細胞の形成・機能の調節をも営んでいる．この機能は骨芽細胞膜上のRANKリガンド(RANKL)とよばれる膜蛋白と破骨細胞膜上のその受容体RANKとの結合を介する．高濃度の1,25(OH)$_2$DはRANKLの発現を促進し破骨細胞の形成を促進するが，生理的濃度の1,25(OH)$_2$DはむしろRANKL発現の抑制を介して骨吸収を抑制し，腸管から吸収されたCaやリンの骨への効率よい蓄積に寄与している．さらに，1,25(OH)$_2$Dは腎遠位尿細管でのCa結合蛋白(カルビンジンD)の合成促進作用などを通じてPTHのCa再吸収促進作用を維持するほか，副甲状腺細胞に働きPTH遺伝子の転写を抑制することなどにより，PTHの産生や作用にも影響を及ぼす（図14-5-5）[3]．

1,25(OH)$_2$Dその他の作用についてはeノート2を参照．

b. 1,25(OH)$_2$Dの作用機序

1,25(OH)$_2$Dの作用は核内受容体ファミリーに属するビタミンD受容体(VDR)との結合を介して発現する．VDRは甲状腺ホルモン受容体，レチノイン酸受容体との相同性が高く，いずれもレチノイドX受容体(RXR)との間でヘテロ二量体を形成する．1,25(OH)$_2$D-VDR-RXR複合体は，標的遺伝子上のビタミンD反応領域(vitamin D responsive element；

VDRE）と結合しその転写活性を調節するとともに，ヒストン構造調節を介するエピゲノム制御により作用を発現する（図 14-5-6）[4]．ビタミン D に対して不応性を示すビタミン D 依存症 II 型では，多様な VDR 遺伝子の変異が同定されている[5]．そして VDR 遺伝子欠損マウスでは，全身脱毛のほか，離乳後になると低カルシウム，低リン血症やくる病など，ビタミン D 依存症 II 型とほとんど同じ病態が認められる[6]．

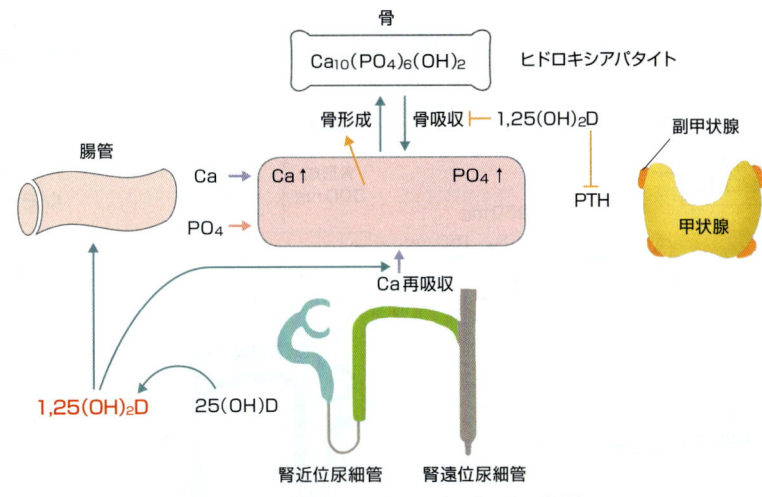

図 14-5-5 1,25-ヒドロキシビタミン D（1,25(OH)$_2$D）の作用

(3) カルシトニン

カルシトニンは，破骨細胞に存在する受容体との結合を介する骨吸収抑制作用などにより，血中 Ca 濃度の低下作用を示す．水中動物では，体外の Ca^{2+} 濃度が体液中より高く，血中 Ca^{2+} の調節はカルシトニンなどにより営まれるものと考えられる．陸上動物でのカルシトニンの生理的役割は大きくないと思われるが，食後一過性に血中濃度が上昇することから，腸から吸収された Ca の骨への移行に寄与すると考えられている．また，胎児の Ca 代謝の調節にも関与している可能性がある．

〔松本俊夫〕

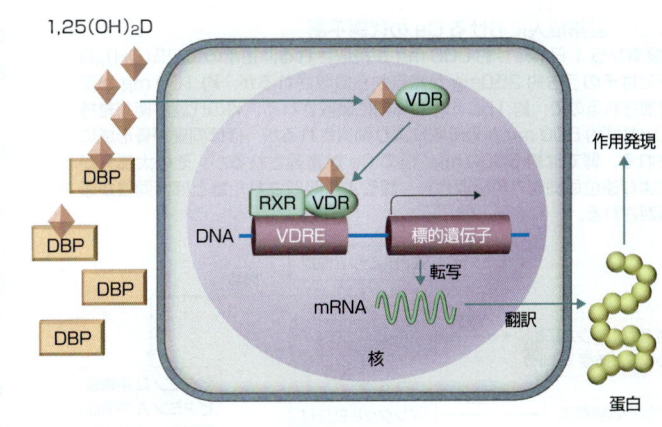

図 14-5-6 1,25(OH)$_2$D の作用機序

e 文献 14-5-3

4）カルシウム・リンの代謝

(1) カルシウム代謝

a. カルシウム代謝の調節

Ca は生体の細胞機能の維持・調節に必須であるのみならず，骨の主要構成成分として骨の構造・強度の維持のうえからも重要な役割を果たしている．成人の体内には約 1000 g の Ca が存在するが，その 99％が骨中にヒドロキシアパタイトとして，残りの大部分は細胞内に分布しており，血中にはわずか 0.1％が存在するにすぎない．血中総 Ca 濃度は 8.5～10.2 mg/dL という狭い範囲に維持されている．この血液中総 Ca の約半分は蛋白とりわけアルブミンなどと結合しており，残りの大部分（約 45％）が遊離 Ca^{2+} として存在する．細胞機能の調節などに必須の役割を演じ，各種のホルモンなどによる調節を受けているのはこの遊離 Ca^{2+} である．血中総 Ca はアルブミンの低下などにより見かけ上低値を示すため，アルブミンが 4 g/dL 未満に低下している場合には下記の補正式などを用いて Ca^{2+} の異常の有無を推定する．

補正 Ca(mg/dL)
＝測定 Ca(mg/dL)＋4－アルブミン(g/dL)

陸上で生息する動物は骨に Ca を蓄積し，必要に応じてこれを動員しつつ体外からの Ca を腸管から吸収し，血中 Ca^{2+} 濃度および Ca 代謝平衡を維持している．

健常成人では 1 日あたり約 600 mg の Ca を摂取し，そのうち約 150 mg が腸管から吸収される．腎糸球体で濾過されるのは血中の遊離 Ca^{2+} のみであり，GFR が 100 L/日の場合 5000 mg 近くが濾過されるが，その大部分が尿細管で再吸収される．骨での Ca

えで評価する．表14-5-1に高カルシウム血症をきたす原因疾患を，表14-5-2に低カルシウム血症をきたす原因疾患を示した．これらの疾患の多くは，Ca代謝調節ホルモンである副甲状腺ホルモン（PTH）や1,25(OH)$_2$Dの作用異常，あるいはPTHと同様の作用をもつPTH関連蛋白（PTHrP）の過剰などによりもたらされる．PTHrPは，悪性腫瘍に伴う高カルシウム血症の重要な惹起因子である．したがって，血中あるいは尿中Caの異常が認められた場合は，同時にPTH，1,25(OH)$_2$D，PTHrPなどを測定し，原因疾患の鑑別を行う（Fukumotoら，2008）（図14-5-8，14-5-9）．

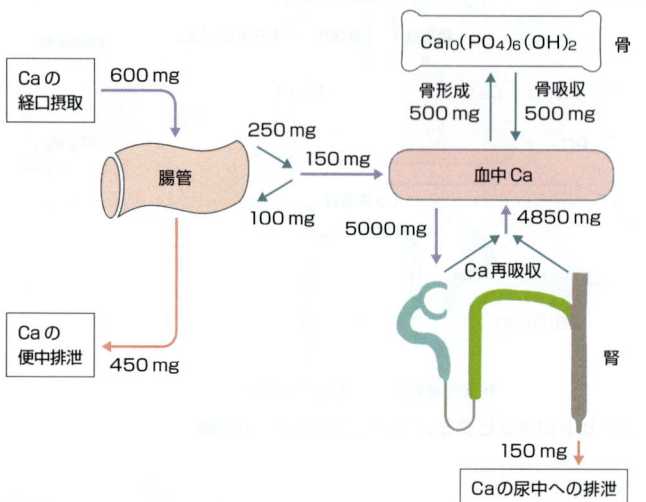

図14-5-7 健常成人におけるCaの代謝平衡
Caは食事から1日あたり約600 mgが摂取される．正常の1,25(OH)$_2$D作用下ではそのうち約250 mgが腸管から吸収されるが，約100 mgが腸管に排泄されるので，約150 mgが体内に吸収される．骨の代謝平衡が維持されていれば約500 mgが骨吸収により動員されるが，ほぼ同量が骨形成に使用される．腎では約5000 mg/日のCaが濾過されるが，その大部分が近位および遠位尿細管で再吸収され，腸管より吸収された量とほぼ同量が尿中に排泄される．

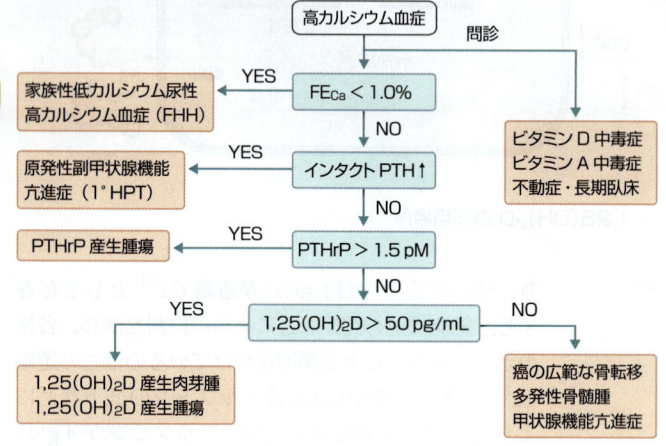

図14-5-8 高カルシウム血症の鑑別診断
FE$_{Ca}$（fractional excretion of Ca）

$$= \frac{尿中Ca \times 血清クレアチニン}{尿中クレアチニン \times \frac{血清補正Ca}{2}}$$

の代謝平衡が保たれていれば，腎尿細管で再吸収された後に尿中に排泄される量は腸管から吸収された量とほぼ同量となる（図14-5-7）．

b. カルシウム代謝の異常

Ca代謝の異常は血中Ca^{2+}濃度あるいは尿中Ca排泄の異常となって現れる．前述のごとく，血中Ca^{2+}濃度は総Ca濃度を蛋白濃度により補正したう

(2) リン代謝
a. リン代謝の調節

リンは健常成人では体内に600〜700 g含まれているが，その約85%が骨にヒドロキシアパタイトとして，約14%が筋肉などの細胞内に存在し，細胞外液中には約0.1%が存在するにすぎない．細胞内ではおもに有機リン酸化合物としてエネルギー代謝や細胞膜機能の維持に重要な役割を果たしている．血液中ではリン脂質や蛋白など有機リン酸化合物としても存在するが，大部分はH$_2$PO$_4^-$，HPO$_4^{2-}$の形で無機リン酸（Pi）として存在する．血中リン濃度としてはこのPi濃度が測定されている．通常1日あたり800〜1000 mgのリンが摂取されており，その約60〜70%が吸収され，ほぼ同量が腎から排泄される．

血清リン濃度はおもに腸管からの吸収，細胞内外の移行，腎からの排泄の3つの過程により調節される．腸管リン吸収の最も重要な調節因子は1,25(OH)$_2$Dである．細胞内には血中よりはるかに多量のリンが含まれるため，溶血や横紋筋融解などにより血清リンは上昇する．またアルカローシスにより細胞内へのリンの移行が高まり血清リンは低下する．インスリンも細胞内への移行を高めるため，食後には血清リンが低下する．腎尿細管のリン再吸収はおもに近位尿細管の刷子縁膜に存在するNaPi2aおよび2cとよばれるNa-リン共輸送体による細胞内へのNaとの共輸送により調節されている．そしてNa-リン共輸送体の発現およびその細胞

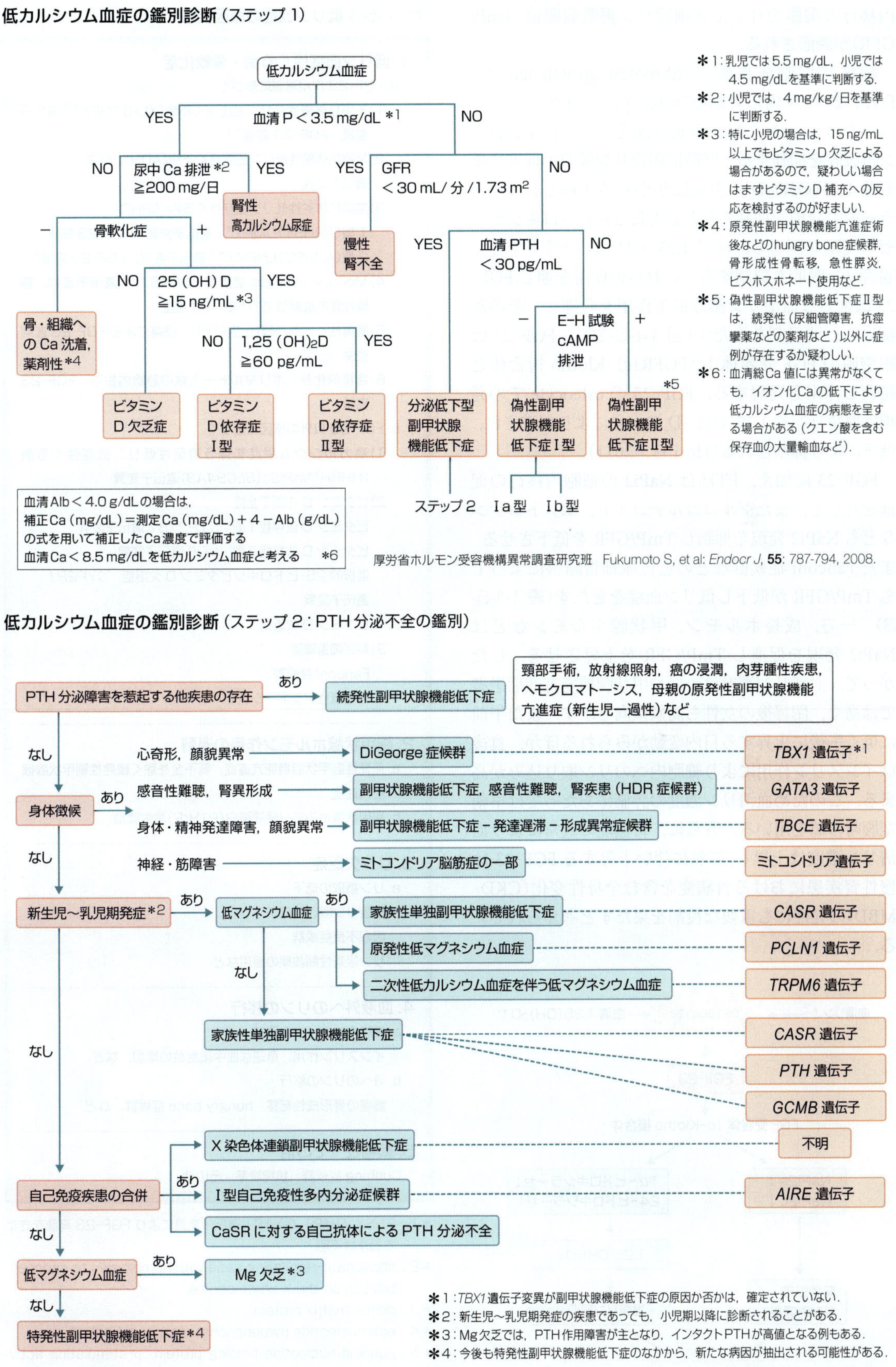

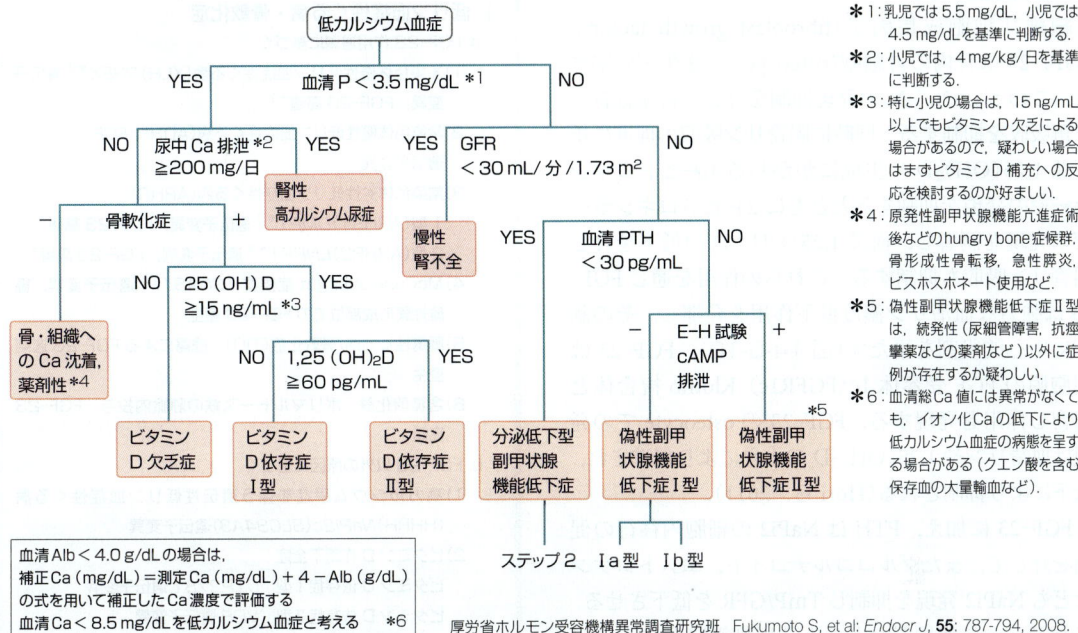

図 14-5-9 低カルシウム血症の鑑別診断

内移行の調節を介して尿細管リン再吸収閾値（TmP/GFR）が調節される．

線維芽細胞成長因子（fibroblast growth factor：FGF）-23は骨内の骨細胞（osteocyte）で産生・分泌され，このNaPi2a, 2cの発現抑制を介して腎尿細管リン再吸収を抑制する．同時に腸管リン吸収の促進に重要な$1,25(OH)_2D$の生成にかかわる1α-ヒドロキシラーゼの発現を抑制するとともに24-ヒドロキシラーゼの発現を誘導し，血清$1,25(OH)_2D$の低下を介し腸管リン吸収も抑制する．これらの作用を通じFGF-23は強力な血清リン濃度低下作用を発揮し，その制御に中心的役割を果たす（図14-5-10）．FGF-23は細胞膜のFGF受容体1c（FGFR1c）-Klotho複合体と結合し作用を発現する．FGF-23のosteocyteでの発現は血清リンや$1,25(OH)_2D$の上昇により促進され，低下により抑制される（Horiら，2011）．

FGF-23に加え，PTHはNaPi2の細胞内移行の促進を介して，またグルココルチコイド，エストロゲンなどもNaPi2発現を抑制しTmP/GFRを低下させる．またFanconi症候群などの近位尿細管障害によってもTmP/GFRが低下し低リン血症をきたす（表14-5-3）．一方，成長ホルモン，甲状腺ホルモンなどはNaPi2発現を促進しTmP/GFRを上昇させる．したがって，血清リン濃度は小児や甲状腺機能亢進症患者では高く，閉経後の女性も高値傾向を示す．また午前に低く午後に上昇する日内変動がみられるほか，食後はインスリン作用により細胞内へのリン取り込みが高まる．このため血清リン濃度の評価にあたっては早朝空腹時の値を用いる．さらに，腎機能の異常により血清リン濃度は上昇し，これに伴い上昇するFGF-23は慢性腎疾患における骨病変を含む全身性変化（CKD-MBD）の発症にも重要な役割を果たすと考えられている．

表14-5-3 低リン血症の原因疾患

1. **低リン血症性くる病・骨軟化症**
   a. FGF-23作用過剰に基づく
   1) X染色体優性低リン血症性くる病（XLH）*PHEX*[*2]遺伝子変異，FGF-23高値[*1]
   2) 常染色体優性低リン血症性くる病（ADHR）*FGF23*遺伝子変異
   3) 常染色体劣性低リン血症性くる病（ARHR）
      1型（ARHR1）*DMP1*[*3]遺伝子変異，FGF-23高値[*1]
      2型（ARHR2）*ENPP1*[*4]遺伝子変異，FGF-23高値[*1]
   4) McCune-Albright症候群 *GNAS1*[*5]遺伝子変異，線維性異形成部位でのFGF-23産生
   5) 腫瘍性くる病/骨軟化症（TIO）腫瘍によるFGF-23過剰産生
   6) 含糖酸化鉄，ポリマルトース鉄の静脈内投与 FGF-23高値
   b. FGF-23以外の原因に基づく
   1) 高カルシウム尿症を伴う遺伝性低リン血症性くる病（HHRH）*NaPi2c*（*SLC34A3*）遺伝子変異
   2) ビタミンD作用不全症
      ビタミンD依存症I型 *CYP27B1*遺伝子変異
      ビタミンD依存症II型 *VDR*遺伝子変異
      選択的25-ヒドロキシビタミンD欠損症 *CYP2R1*遺伝子変異
      ビタミンD欠乏症
   3) 腎尿細管障害
      Fanconi症候群
      尿細管性アシドーシス

2. **副甲状腺ホルモン作用の過剰**
   a. 原発性副甲状腺機能亢進症，腎不全を除く続発性副甲状腺機能亢進症
   b. 副甲状腺ホルモン関連蛋白（PTHrP）産生腫瘍

3. **リン欠乏症**
   a. リン摂取の低下
   b. 腸管リン吸収の低下
      吸収不良症候群
      リン吸着性制酸薬の服用など

4. **血液外へのリンの移行**
   a. 細胞内へのリンの移行
      インスリン作用，急速な血中細胞数の増加，など
   b. 骨へのリンの移行
      腫瘍の骨形成性転移，hungry bone症候群，など

5. **薬物性・その他**
   Cushing症候群，抗痙攣薬，その他

*1：*PHEX*, *DMP1*, *GNAS1*遺伝子変異によりFGF-23高値をきたす機序は不明．
*2：phosphate-regulating gene with homologies to endopeptidases on the X chromosome.
*3：dentin matrix protein.
*4：ectonucleotide pyrophosphatase/phosphodiesterase.
*5：guanine nucleotide-binding protein, α-stimulating activity polypeptide.

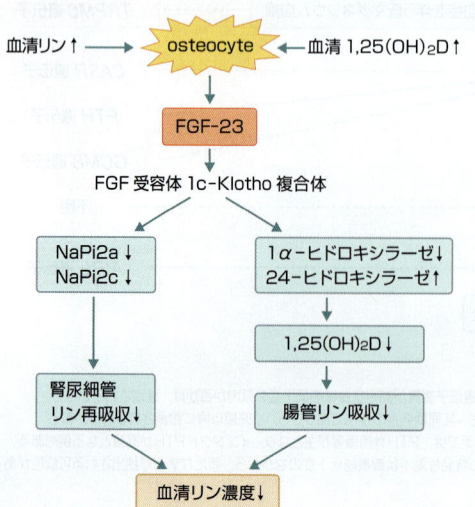

図14-5-10 FGF-23による血清リン濃度の調節

b. リン代謝の異常

リンは細胞内でATPなどの高エネルギーリン酸化合物の構成成分として，エネルギー代謝の維持に必須の役割を演じている．また細胞膜のリン脂質を構成し，細胞膜機能の維持にも重要な役割を果たしている．このため高度の低リン血症は，とりわけ神経筋肉系，血液系，中枢神経系，骨格系などの障害をきたす．筋肉系では筋力低下や高度なものでは横紋筋融解が出現する．血液系では赤血球の2,3-diphosphoglycerate（DPG）の低下により酸素解離能が変化し組織の低酸素をきたすほか，赤血球寿命の短縮，白血球貪食能の低下，血小板粘着能の低下などを呈する．中枢神経系では神経鈍麻から昏睡に至る例があり，まれに痙攣をきたす場合もある．骨格系では慢性の低リン血症により骨石灰化が障害され骨軟化症がもたらされる．

各種の低リンおよび高リン血症性疾患の原因としてFGF-23作用の異常が明らかとなっている．著明な低リン血症とくる病/骨軟化症をきたす先天性疾患のうちX染色体性低リン血症性ビタミンD抵抗性くる病はPHEX遺伝子の変異によりもたらされるが，この疾患においてもFGF-23は著明高値を示しこれが低リン血症の原因と考えられている．また常染色体優性低リン血症性くる病（ADHR）はFGF-23の^{176}R-X-X-^{179}Rの^{176}Argか^{179}Argに変異があるため不活性化に必要な蛋白分解が起こらなくなりFGF-23作用の過剰をきたす．その他，多くの先天性低リン血症性くる病においてFGF-23作用の過剰が低リン血症の原因となっている（表14-5-3）．一部の間葉系腫瘍に合併する腫瘍性低リン血症性骨軟化症（oncogenic osteomalacia）も，腫瘍からのFGF-23の過剰産生が原因である．さらに，先天性高リン血症の原因疾患として知られる家族性腫瘍性石灰化症もFGF-23作用の低下が原因であることが明らかとなっている（Horiら，2011）．

〔松本俊夫〕

■文献

Fukumoto S, Namba N, et al: Causes and differential diagnosis of hypocalcemia -Recommendation proposed by expert panel supported by Ministry of Health, Labour and Welfare, Japan. *Endocr J.* 2008; **55**: 787-94.

Hori M, Shimizu Y, et al: Minireview: fibroblast growth factor 23 in phosphate homeostasis and bone metabolism. *Endocrinology.* 2011; **152**: 4-10.

5）原発性副甲状腺機能亢進症
primary hyperparathyroidism：pHPT

概念

副甲状腺機能亢進症は副甲状腺ホルモン（parathyroid hormone：PTH）の慢性的分泌亢進により引き起こされる病態であり，原発性と二次性に大別される．このうちpHPTは副甲状腺の腫瘍化または過形成によりPTHが自律的に分泌される結果引き起こされるPTHの過剰状態と定義される．

病因

一部の腺腫では11番染色体短腕上にあるPTH遺伝子の発現を調節している領域が逆位を起こし，長腕上に転座することでcell cycle regulator（細胞調節因子）として重要なcyclin D1が過剰に発現し，これが腺腫の発症にかかわっている．また副甲状腺癌では癌抑制遺伝子である*RB*（retinoblastoma）遺伝子やp53の変異，また顎腫瘍症候群を伴った家族性pHPTの原因遺伝子として同定された*HRPT-2*遺伝子の変異が知られている．一方，多発性内分泌腫瘍（multiple endocrine neoplasia：MEN）1型と2型の責任遺伝子はそれぞれ11番染色体の長腕にある癌抑制遺伝子（*MEN-1*遺伝子）と10番染色体の長腕にあるチロシンキナーゼ型受容体構造をもつ*RET*癌遺伝子の変異である．散発性の腺腫でも*MEN-1*遺伝子の変異例がある．

疫学

わが国では，2000〜3000人に1人の頻度と推計されており，男女比では3：1と女性に多くみられ，特に中高年女性に多い．

病理

病理学的に腺腫，過形成，癌腫に分類される．頻度は腺腫が80〜85％と最も多く，そのほとんどは単発性である．過形成は10〜15％であり，その多くはMENに伴うものである．癌腫は最も少なく2〜3％とされている．

病態生理（図14-5-11）

PTHの過剰分泌により高カルシウム血症と低リン血症が引き起こされる．高カルシウム血症はPTHが骨吸収を促進し，骨からのCaの動員を増加させること，腎遠位尿細管からのCa再吸収を亢進させること，そして腎近位尿細管での活性型ビタミンD[1,25(OH)$_2$D$_3$]の合成を促進し，腸管からのCa吸収が増加することに起因する．そして高カルシウム血症によりCa糸球体濾過量が増加し，これがPTHのCa再吸収促進能を上回るため，高カルシウム尿症が生じる．一方，低リン血症はPTHが腎近位尿細管からのP再吸収を抑制することに起因する．またPTHが近位尿細管でのHCO$_3^-$の再吸収を抑制し，代わりにCl$^-$を再吸収するため，代謝性アシドーシスをきたし，血中Clはやや高値となる．

臨床症状

高カルシウム血症による症状は非特異的なものが多いうえに，軽度な高カルシウム血症ではほとんど自覚

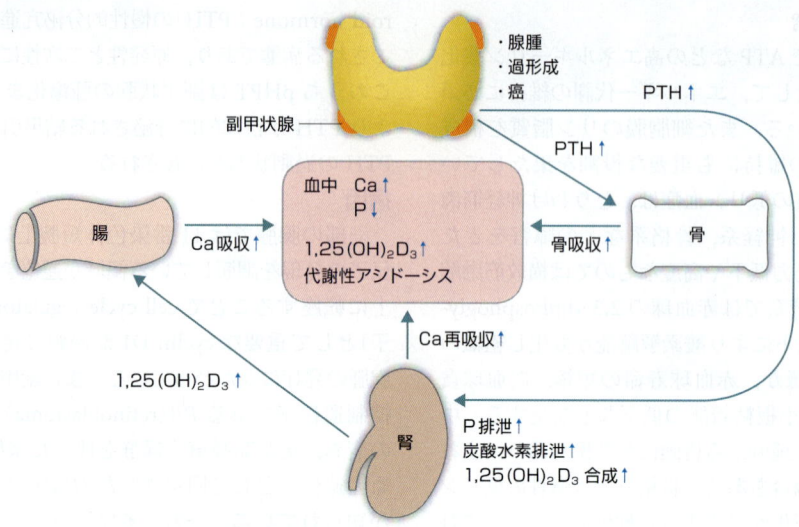

図 14-5-11 原発性副甲状腺機能亢進症の病態生理
副甲状腺の腫瘍化または過形成に伴う PTH の過剰分泌により高カルシウム血症，低リン血症，血中活性型ビタミン D 高値，代謝性アシドーシスが引き起こされる．

症状が認められないため，長期にわたり放置されている場合が少なくない．しかし血中 Ca 値が 12 mg/dL 以上になると，神経・筋障害により易疲労感，脱力などを，腎での尿濃縮力低下により多尿，口渇，脱水などを，消化管運動の低下により悪心（おしん），嘔吐，便秘などを，またガストリン分泌亢進により胃酸分泌亢進を，さらに消化性潰瘍や膵炎を合併することがある．血清 Ca 濃度が高度に上昇した場合には，中枢神経系に重篤な障害をきたし致命的になることがある．また尿濃縮力を低下させるため，脱水と腎への Ca 負荷などにより急性腎不全に至る例もあり，これを高カルシウム血症クリーゼとよぶ．

臨床病型として，従来より線維性骨炎を伴う骨型，尿路結石や腎石灰化症を有する腎型，化学型（無症候型）に分類される．骨型では手指などに線維性骨炎に特徴的な骨膜下骨吸収像を示し，皮質骨優位の骨量減少をきたす．また歯槽硬線の消失，頭蓋骨の脱灰像（salt and pepper skull）や線維性骨嚢腫骨炎（brown tumor）を認めることもある．

診断

1) 高カルシウム血症： 血清 Ca の約 50％はおもにアルブミンなどの蛋白質に結合しているため，低アルブミン血症が存在する場合には，次の式を用いてイオン化 Ca 濃度をよりよく反映する補正 Ca を用いる．補正 Ca 濃度(mg/dL)＝実測 Ca 濃度(mg/dL)＋[4－血清アルブミン濃度(g/dL)]．補正 Ca 濃度が 10.2 mg/dL をこえるものを高カルシウム血症とする．

2) 血中副甲状腺ホルモン (PTH) 高値： インタクト PTH などの血中 PTH 測定により，血中 PTH レベルを確認する．PTH 作用の亢進はリン再吸収率(% TRP) の低値などにより確認する．

3) その他： 軽度の低リン血症，高クロール血症，代謝性アシドーシスを示すことが多い．また PTH の骨作用の増加のため，骨吸収と骨形成が亢進するため，骨形成マーカー（骨型 ALP，Ｉ型プロコラーゲン-N-プロペプチド，オステオカルシンなど），骨吸収マーカー（デオキシピリジノリン，Ｉ型コラーゲン架橋 N 端テロペプチド断片，酒石酸抵抗性酸性ホスファターゼ 5b など）が増加する．骨塩量測定では皮質骨優位の骨密度の低下を示す．

4) 局在診断： 異常副甲状腺の局在診断にはカラードプラを用いた超音波とともに，^{99m}Tc-MIBI シンチグラフィが有用である．また約 5％に胸腔内など異所性に副甲状腺が存在するが，このような例にはシンチグラフィが特に有用である（e図 14-5-A の A）．シンチグラフィで異所性に集積が認められた場合には，その部位に対し CT，MRI そして選択的静脈サンプリングを考慮する．一方，部位診断により複数腺の腫脹がある場合には過形成の可能性が高いため，必ず MEN の合併を疑い精査を進める必要がある（e図 14-5-A の B）．

鑑別診断

高カルシウム血症をきたす代表的疾患として本疾患と悪性腫瘍に伴うものがあげられ，両者で 90％以上を占める．本疾患の診断には血清 Ca と PTH の同時測定が必須である．副甲状腺以外の原因により高カルシウム血症をきたす疾患では血中 PTH は低値を示すため，高カルシウム血症とともに PTH 高値が確認で

き，家族性低カルシウム尿性高カルシウム血症（FHH）が否定されれば pHPT とほぼ診断できる．なお異所性 PTH 産生腫瘍は腎癌などで報告はあるものの，きわめてまれである．FHH は副甲状腺に同定された PTH 分泌調節に必須の役割を担う Ca 感知受容体（CaSR）の不活性型変異など Ca 受容機構の異常により起こり，常染色体優性遺伝形式を示す疾患である．副甲状腺摘出術を行っても高カルシウム血症は是正されないことより，pHPT と鑑別することは臨床上きわめて重要である．本疾患では腎尿細管に存在する CaSR の変異のため，Ca 再吸収の調節に異常が生じ，高カルシウム血症の存在にもかかわらず腎での Ca 再吸収は亢進している．鑑別には Ca・クレアチニンクリアランス比（Cca/Ccr）が有用である．FHH では 0.01 以下の低値を示す．また血中 Mg 軽度高値や血中 $1,25(OH)_2D_3$ の相対的低値を示すことが多い．

合併症

消化性潰瘍や膵炎などの消化器疾患ならびに甲状腺疾患を合併することがある．またまれな合併症として，偽痛風【⇒ 12-17】や腺腫の梗塞などがあげられる．

経過・予後

米国の 15 年間の前向き研究では，無症候性例の 37％で症候の進展を認め，皮質骨密度の有意な減少も認められている（Rubin ら，2008）．また本疾患では軽症例でも心血管病変の合併率や骨折発生率が高い．腺腫例では，副甲状腺摘出術により予後は良好である．過形成や癌腫の場合，再発する例がしばしばある．

治療

根治治療は病的副甲状腺の摘出である．海外からの無症候性例における手術適応のガイドラインが 2013 年再び改訂され，椎体骨折や尿路結石の有無を積極的に評価することが提唱されている（表 14-5-4）（Bilezikian ら，2014）．単腺腫大の腺腫例には腺腫のみ摘出，過形成の場合は，亜全摘または全摘＋一部筋膜下に自家移植するのが標準である．手術により著明な骨量増加と尿路結石の防止が期待できる．骨病変の強い患者では術後骨への Ca の急速な取り込みが起こり，一過性の低カルシウム血症をきたし，テタニーやしびれ感が生じることがある（hungry bone 症候群）．癌では骨病変が強く，肺に転移しやすいことが特徴である．手術非適応例には，脱水，不動を避けるように指導するとともに骨量減少例には経口ビスホスホネートなど骨吸収抑制薬の投与を考慮する．CaSR に作用し Ca^{2+} に対する感受性を高め血中 Ca と PTH を低下させる作用を有する CaSR 作動薬が開発された．CaSR 作動薬は副甲状腺癌と副甲状腺摘出術不能または術後再発の例に適応となっている．高カルシウム血症クリーゼの場合，補液による脱水の改善，利尿薬の投与とともに骨吸収抑制薬である静注用ビスホスホネート，カルシトニンの投与を行い，クリーゼから離脱できしだい手術を考慮する．　　　　　　〔杉本利嗣〕

■文献

Bilezikian JP, Brandi ML, et al: Gudelines for the management of asymptomatic primary hyperparathyroidism: summary statement from the Fourth International Worlshop. *J Clin Endocrinol Metab*. 2014; 99: 3561-9.

Rubin MR, Bilezikian JP, et al: Natural history of primary hyperparathyroidism with or without parathyroid surgery after 15 years. *J Clin Endocrinol Metab*. 2008; 93: 3462-70.

6）二次性副甲状腺機能亢進症
secondary hyperparathyroidism：sHPT

概念

ビタミン D 不足/欠乏・活性化障害・不応性や PTH 不応性などの基礎疾患に起因する血清 Ca 濃度の低下により，PTH 分泌が持続的に亢進された病態を二次性あるいは続発性副甲状腺機能亢進症（sHPT）という．亢進した PTH の作用により血清 Ca が正常化しても，PTH は持続的に高値となる．また副甲状腺への刺激が持続するため副甲状腺は過形成をきたす．この原因のうち圧倒的に多いのが慢性腎不全であり，以下これを中心に述べる．

疫学

慢性腎不全に伴う sHPT は大部分の慢性腎不全患者に認められる．現在透析患者数は約 30 万人に達しているが，この多くは本症の病態を示す．その他の疾患による sHPT は軽度なものが多く，sHPT 自体が必ずしも病態の中心とはならず，低カルシウム血症やビタミン D 不足/欠乏，代謝障害が臨床的問題となることが多い．

病態生理

sHPT をきたす疾患は，慢性腎不全，ビタミン D 作用不全症（ビタミン D 不足/欠乏・活性化障害・不

表 14-5-4 無症候性原発性副甲状腺機能亢進症の手術適応基準（Bilezilian ら，2014）

Ⅰ．血中 Ca 濃度	・正常上限より 1.0 mg/dL 以上の上昇
Ⅱ．骨	・若年正常骨密度平均値からの−2.5 SD（標準偏差）未満（骨密度測定部位（腰椎，大腿骨頸部，前腕）は問わない） ・既存椎体骨折の存在
Ⅲ．腎	・クレアチニンクリアランス 60 mL/分未満 ・尿中 Ca 排泄量 400 mg/日以上 ・尿路結石，石灰化症の存在
Ⅳ．年齢	・50 歳未満

応症), PTH 不応症, その他(薬物性や組織への Ca の取り込みなど)に大別される(表 14-5-5).

1) 慢性腎不全(図 14-5-12): 腎機能低下に伴い腎のリン排泄能低下によるリンの蓄積(高リン血症)と腎障害やリン蓄積に伴う FGF-23 高値に起因したビタミン D の活性化障害による活性型ビタミン D の減少が低カルシウム血症を招き, その結果 PTH 分泌過剰をきたす. これにより血清 Ca と P は正常化するが, PTH 高値は持続する. さらに腎機能の低下が進行すると, 骨の PTH に対する抵抗性, 副甲状腺のビタミン D 受容体や Ca 感知受容体発現の低下に伴う副甲状腺細胞の活性型ビタミン D に対する抵抗性や Ca 感受性の低下, リンによる直接作用により PTH はさらに上昇するとともに副甲状腺の過形成が進展する.

2) ビタミン D 作用不全症(図 14-5-13): ビタミン D 不足/欠乏症は, 紫外線への曝露不足, 食事からのビタミン D 摂取不足, 消化管の吸収障害などにより起こる. 近年特に高齢者においてビタミン D 不足/欠乏をきたしている例が多く存在することが明らかとなってきている. ビタミン D 活性化障害は慢性腎不全に伴う 1α-ヒドロキシラーゼ活性の低下やこの酵素の遺伝子の変異(ビタミン D 依存症Ⅰ型)などによりもたらされる. また抗痙攣薬(フェニトイン, フェノバルビタールなど)によりビタミン D 代謝障害が引き起こされることもある. ビタミン D 不応症はビタミン D 受容体の遺伝子の変異によりもたらされ, ビタミン D 依存症Ⅱ型と称されている(eコラム 1). いずれも腸管からの Ca 吸収促進や PTH 合成・分泌の抑制作用が減弱するため sHPT が引き起こされる.

3) 副甲状腺ホルモン(PTH)不応症: PTH 不応症をきたす代表的疾患である偽性副甲状腺機能低下症では PTH の受容機構に異常が存在するため, 低カルシウム血症をきたし, その結果として sHPT が起こる(詳細は【⇒14-5-8】).

4) その他: 横紋筋融解, 化学療法に伴う腫瘍組織の広範な壊死, 骨形成性骨転移, 急性膵炎などに起因する組織への Ca の取り込み, 原発性副甲状腺機能亢進症の副甲状腺摘出後や甲状腺機能亢進症における甲状腺摘出後の骨への Ca の取り込み(hungry bone 症候群), そしてビスホスホネート製剤やデノスマブなどの強力な骨吸収抑制薬などにより低カルシウム血症がみられることがある. これらの場合にも, 低カルシウム血症の結果として sHPT が起こる.

表 14-5-5 二次性副甲状腺機能亢進症をきたす疾患

1. 慢性腎不全
2. ビタミン D 作用不全
   a. ビタミン D 不足 / 欠乏症(日光被曝不良, 摂取不足, 吸収不良症候群など)
   b. ビタミン D 活性化障害
      慢性腎不全
      ビタミン D 依存症Ⅰ型(1α-ヒドロキシラーゼの遺伝子異常)
      ビタミン D 代謝障害(抗痙攣薬)
   c. ビタミン D 不応症
      ビタミン D 依存症Ⅱ型(ビタミン D 受容体の遺伝子異常)
3. PTH 不応症
   偽性副甲状腺機能低下症(PTH 受容機構の異常)
4. 薬物性
   骨吸収抑制薬(ビスホスホネート, デノスマブなど)
   抗痙攣薬(フェニトイン, フェノバルビタールなど)
5. 組織への Ca の取り込み
   横紋筋融解
   化学療法に伴う腫瘍組織の広範な壊死
   急性膵炎
   骨形成性骨転移
   副甲状腺機能亢進症における副甲状腺摘出術後
   甲状腺機能亢進症における甲状腺摘出術後

臨床症状

sHPT では偽性副甲状腺機能低下症などの一部の疾患を除いてテタニーなどの低カルシウム血症による症状が認められないことが多い. これは, PTH の上昇により著明な低カルシウム血症をきたしにくいからである. 慢性腎不全患者にみられる骨病変は腎性骨異栄養症と総称される. これには慢性的な PTH 過剰による汎発性線維性骨炎に加え, ビタミン D 活性化障害

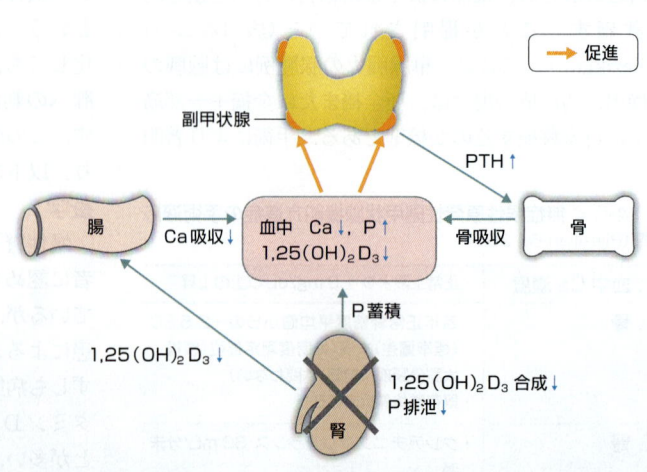

図 14-5-12 慢性腎不全に伴う二次性副甲状腺機能亢進症の病態生理
腎機能低下に伴い腎リン排泄能低下によるリンの蓄積(高リン血症)とビタミン D の活性化障害による活性型ビタミン D の減少が低カルシウム血症を招き, その結果 PTH 分泌過剰をきたす.

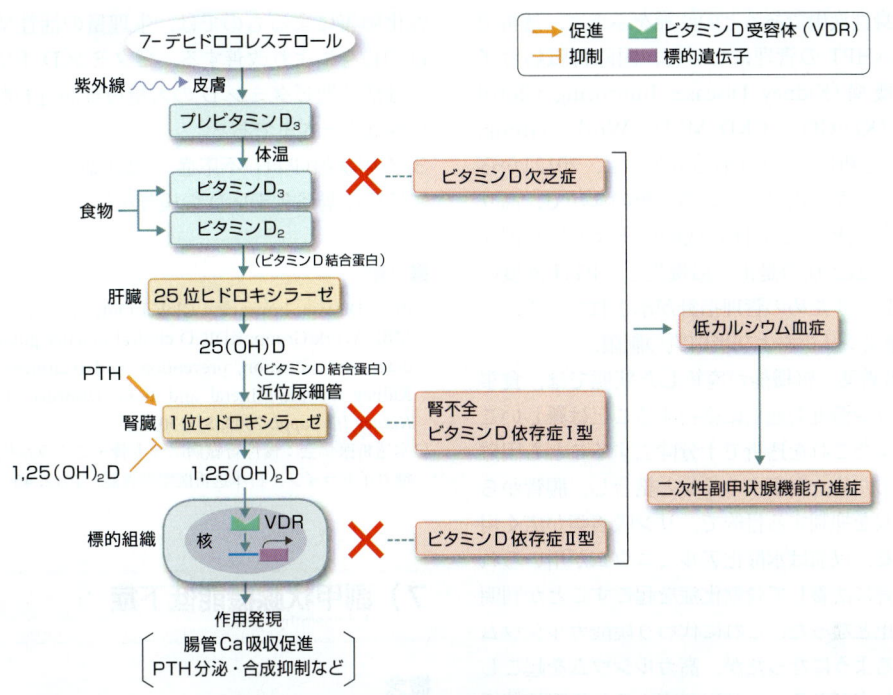

図 14-5-13 ビタミン D 作用不全に伴う二次性副甲状腺機能亢進症の病態生理
ビタミン D 欠乏症，活性化障害，不応症はビタミン D 作用不全をきたし，いずれも腸管からの Ca 吸収低下や PTH 合成・分泌が促進するため sHPT が引き起こされる．

などによる骨軟化症，血中 Ca×P 積の上昇による異所性石灰化，$β_2$-ミクログロブリンからなるアミロイド骨関節症，皮膚・筋肉・皮下脂肪組織に虚血性壊死をきたすカルシフィラキシスなどがみられる．これらのため，骨・関節痛，瘙痒症，骨変形そして靱帯損傷などが起こってくる．

ビタミン D 欠乏症では乳児，小児の場合はくる病，成人の場合は骨軟化症になる．ビタミン D 依存症 I 型と II 型ではくる病がみられる．ビタミン D 依存症 II 型では禿頭を伴うことが多いが，これは毛髪におけるビタミン D 受容体異常による．偽性副甲状腺機能低下症ではテタニーなど低カルシウム血症の症状，Albright 遺伝性骨異栄養症（Albright hereditary osteodystrophy）と称される身体的特徴，大脳基底核の石灰化を有することが多い（e図 14-5-B）．

診断・鑑別診断

偽性副甲状腺機能低下症以外では著明な低カルシウム血症をきたすことは少なく，正常下限〜軽度低下例が多い．血清リン濃度が診断の重要な手がかりとなる．高リン血症が存在する場合には，慢性腎不全，組織障害，PTH 作用不全が考えられ，逆に低リン血症では，組織への取り込みの亢進，ビタミン D 作用の低下，PTH 作用の亢進などを疑う．したがって，血清リンは慢性腎不全以外のビタミン D 作用不全症や hungry bone 症候群では低値を示すのに対し，偽性副甲状腺機能低下症と慢性腎不全では高値を示す．ビタミン D 作用不全症の大部分では血中 ALP は高値を示す．ビタミン D 代謝物の血中濃度に関しては，ビタミン D 不足/欠乏症ではビタミン D の充足状態の指標として最も有用な 25(OH)D の低下，ビタミン D 依存症 I 型や慢性腎不全などのビタミン D 活性化障害では 1,25(OH)$_2$D の低下，そしてビタミン D 依存症 II 型では 1,25(OH)$_2$D の著明な高値を示す．PTH 測定法については，PTH は腎で代謝，排泄されるため，PTH フラグメントを測定する C-terminal や midPTH の測定方法では，腎機能低下があると，見かけ上高値となってしまう．インタクト PTH あるいは PTH(1-84) のみを認識するホール PTH アッセイで測定すべきである．

合併症・予後

慢性腎不全患者では骨以外の軟部組織の石灰化が高率に認められ，異所性石灰化と称す．石灰化は血管や関節周囲などに好発する．慢性腎不全の死因として，心血管合併症は非常に頻度が高く，そのため特に血管石灰化の防止は重要である．Ca(mg/dL)×P(mg/dL) 積が 65〜70 をこえると異所性石灰化のリスクが高まるため，リンの管理がきわめて重要となる．

治療

1）慢性腎不全： 慢性腎臓病（CKD）に伴う骨・ミネラル代謝異常症（CKD-MBD）は骨・血管障害などを引

き起こす全身性疾患であるとの認識をふまえ，透析患者における sHPT の管理について，国際腎臓病ガイドライン機構（Kidney Disease: Improring Global Outcome（KDIGO）CKD-MBD Work Group, 2009）や日本透析医学会（日本透析医学会, 2012）からのガイドラインが発表されている．そのなかで，高リン血症と活性型ビタミン D 合成の低下などに起因する低カルシウム血症の是正を最優先し，PTH 濃度の適正維持を目指すための管理指針が示されている．

　a）食事療法：リンおよび蛋白質の制限．

　b）リン吸着薬：腎機能が廃絶した状態では，食事制限のみでリン濃度を適切に維持することは難しいことが多く，またこれを透析で十分除去することも困難である．このため，食事中のリンと結合し，腸管からのリンの吸収を抑制する目的で，リン吸着薬が広く用いられている．以前は水酸化アルミニウムが用いられていたが，骨に沈着して骨軟化症を起こすことが判明し，使用禁止となった．これに代わり炭酸カルシウムが用いられるようになったが，高カルシウムを起こしうるという欠点がある．これに対応するため陽性荷電基をもつポリマーや金属製剤が開発されている．

　c）活性型ビタミン D：慢性腎不全では活性型ビタミン D 合成の律速酵素である 1α-ヒドロキシラーゼの活性化が障害されているため，活性型ビタミン D そのものである $1,25(OH)_2D_3$ またはそのプロドラッグである $1α(OH)D_3$ が用いられる．しかし慢性腎不全患者では，副甲状腺のビタミン D 受容体数が減少しており，生理的な活性型ビタミン D の投与量では PTH 分泌を抑制できないことが多い．このような例にはビタミン D パルス療法が行われる．すなわち，大量の活性型ビタミン D を間欠的に投与することにより，高カルシウム血症をきたすことなく PTH 分泌を抑制する治療法である．さらに血清 Ca 上昇作用の弱い，ビタミン D 誘導体であるマキサカルシトールも開発されている．

　d）Ca 感知受容体作働薬：慢性腎不全患者では副甲状腺の Ca 感知受容体発現が低下し Ca に対する感受性の低下がある．本薬剤は Ca 感知受容体に選択的に作用し，Ca に対する感受性を上昇させる作用を有し，血中 PTH，Ca × P 積を低下させることが示されている．

　e）副甲状腺摘出術，経皮的エタノール注入療法：上記の保存的治療法に抵抗性を有する例には，第一選択として副甲状腺の亜全摘または全摘出＋一部前腕筋膜下に自家移植が行われる．またこれに代わる治療法として，経皮的エタノール注入療法（PEIT）が選択されることもある．

2）ビタミン D 作用不全症：ビタミン D 不足/欠乏症はビタミン D の補充により改善する．ビタミン D 活性化障害によるものでは，生理量の活性型ビタミン D の投与により改善する．ビタミン D 不応症に対しては活性型ビタミン D の大量投与が行われるが，反応性はさまざまである．

3）副甲状腺（PTH）不応症：偽性副甲状腺機能低下症には活性型ビタミン D の投与を行う．　〔杉本利嗣〕

■文献

Kidney Disease: Improving Global Outcomes（KDIGO）CKD-MBD Work Group: KDIGO clinical practice guideline for the diagnosis evaluation, prevention, and treatment of Chronic Kidney Disease-Mineral and Bone Disorder（CKD-MBD）. Kidney Int Suppl. 2009; S1-130.

日本透析医学会：慢性腎臓病に伴う骨・ミネラル代謝異常の診療ガイドライン．日本透析医学会雑誌．2012; 45: 301-56.

7）副甲状腺機能低下症
hypoparathyroidism

概念

　副甲状腺ホルモン（parathyroid hormone：PTH）の作用不全による疾患であり，低カルシウム血症とそれに関連する症状をもたらす．PTH の分泌不全やその標的臓器における不応により，PTH の作用不全を生じる（Bilezikian ら，2011）．PTH の受容体は副甲状腺ホルモン関連蛋白（parathyroid hormone-related proteins：PTHrP）の受容体と同一であり，その受容体欠損は重篤な先天的骨格形成異常をきたす[1]．一方，PTH の欠損では，胎生期には問題を認めないものの，出生後に著しい低カルシウム血症を生じる[2]．すなわち，PTH 不応症はその受容体自体の異常では説明ができず，その受容体に結合する細胞内シグナル生成にかかわる分子の組織特異的な障害によりもたらされていることが明らかにされている．その詳細については偽性副甲状腺機能低下症の項を参照のこと【⇨14-5-8】．

病因・病態生理

　PTH 作用不全が本症の中心的病態であり，低カルシウム血症と高リン血症が生じる．また，ビタミン D 活性化障害によるビタミン D 作用不全が併存する．これらの代謝異常により，特徴的な大脳基底核の石灰化（図 14-5-14）や皮下骨腫などの異所性骨化を認めることがある．PTH 分泌不全の原因は 図 14-5-9 を参照．原因不明の場合は特発性副甲状腺機能低下症と分類される．

1）二次性副甲状腺機能低下症：頸部外科手術や頸部への放射線照射により副甲状腺機能が障害され，副甲状腺ホルモン分泌不全が発症することがある．小児期に行われた放射線照射が成人後の副甲状腺機能低下

の原因となることもある．癌の浸潤やヘモクロマトーシスなども原因となりうる．

2）特有の身体所見を伴う先天性副甲状腺機能低下症： 原因は多岐にわたり，特定の遺伝子異常による多くの症候群の一症状として発症する場合もまれではない．DiGeorge症候群など副甲状腺形成不全を原因とする疾患が含まれる．

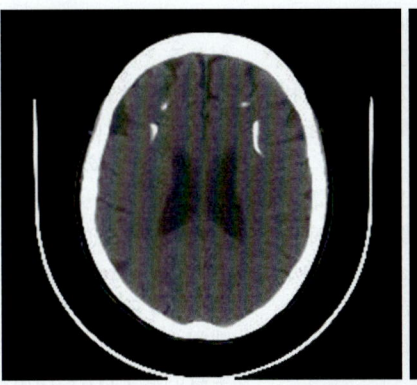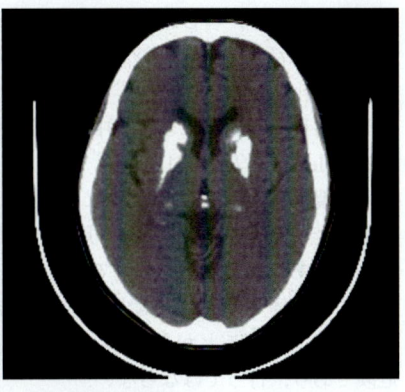

図 14-5-14 副甲状腺機能低下症患者における大脳基底核石灰化

3）自己免疫疾患としての副甲状腺機能低下症： Addison病やモニリア症を合併する自己免疫性多腺性内分泌不全症1型がよく知られている．Ca感知受容体に対する自己抗体で発症することもある．

4）低マグネシウム血症： 低マグネシウム血症をきたす多くの先天性疾患が知られているが，最も頻度が高いのはCa感知受容体の活性型変異によるものである．また，後天性のMg欠乏もPTH分泌不全の原因として重要である．低マグネシウム血症では，PTHに対する標的組織の不応性も認められる．低マグネシウム血症の場合には，低カリウム血症を併発することが多い．

5）偽性副甲状腺機能低下症： 【⇒ 14-5-8】

臨床症状

テタニー（助産師の手位とよばれる特有の徴候）および口唇や手指のしびれに代表される低カルシウム血症による諸症状，あるいは大脳基底核の石灰化（図14-5-14）もしくは異所性骨形成を契機に診断される．血液脳関門の発達が未成熟なことにより，小児期には低カルシウム血症により中枢神経の過興奮による痙攣を生じやすい．成人後には低カルシウム血症による痙攣はまれであり，末梢の神経筋過敏症状であるテタニーを生じることが多い．欧米では，認知機能や集中力の低下など精神神経症状による日常生活の障害が治療上の問題とされている[3]．低カルシウム血症に伴う身体所見としては，Chvostek徴候やTrousseau徴候が知られている．ただし，いずれも過換気症候群などでも認められる特異性の低い徴候である．偽性副甲状腺機能低下症の一部の患者では特徴的な身体所見（Albright遺伝性骨異栄養症）を示すため，家族歴とともに診断の参考になる．頸部手術や頸部への放射線照射の治療歴があれば二次性副甲状腺機能低下症の可能性を考慮する．

診断

低カルシウム血症により本症を疑った場合は，低マグネシウム血症の関与を除外した後に，図14-5-9の手順に従って診断を進める．

1）血清リン値と腎機能： 副甲状腺機能低下症では比較的血清リン値が高いが，必ずしも基準値上限をこえるとは限らない．一方，低リン血症あるいは正常低値である場合は，血中PTH値が代償性に高値となるビタミンD欠乏症を考慮する．糸球体濾過率が30 mL/分/1.73 m²未満であれば，慢性腎不全が原因である可能性を考える．

2）血中PTH濃度： 次に血中PTH濃度を測定し，相対的に低値であればPTH分泌不全性副甲状腺機能低下症と診断される．正常あるいは高値であれば偽性副甲状腺機能低下症である可能性を考慮する．

治療

低カルシウム血症を改善し，臨床症状の発現を防ぐことがおもな治療目標となる．治療に伴う過剰なCa負荷による腎機能低下のリスクを考慮すると，血清Ca値は必ずしも正常化させる必要はなく，軽度の過換気になってもテタニーなどの症状が出現しない程度に維持する[4,5]．症状が出現する血清Ca値は患者ごとに異なるので，きめ細かい配慮が必要である．また，低マグネシウム血症による場合は，Mg補充が最優先される．

1）活性型ビタミンD製剤： 現時点で国内では副甲状腺機能低下症に対するPTHの投与は認可されておらず（米国FDAは2015年に遺伝子組み換えヒトPTH1-84皮下注射による治療を承認），活性型ビタミンD製剤により血清Ca値を改善させる．本症ではPTH作用不全のため腎でのビタミンD活性化が障害されており，天然型ビタミンDを投与しても治療効果は期待できない．また，PTH作用がないため，ビタミンD欠乏症の治療に必要な量よりも大量の活性型ビタミンD製剤が必要となる．

PTHによる遠位尿細管でのカルシウム再吸収作用がないため，血清Ca値に比して尿中Ca排泄量が多

くなることから，著しい高カルシウム尿症をきたさないように，活性型ビタミンD製剤の投与量を調節する．高カルシウム尿症に対しては，サイアザイド系利尿薬を併用することにより尿中Ca排泄量の低減をはかる(Bilezikianら，2011)．

2) Ca製剤: 成人では活性型ビタミンD製剤のみで治療可能であり[4]，Ca製剤の併用を必要とする症例はまれである．ただし，小児では血清Ca値の変動が大きく，痙攣やテタニーなどの症状を防ぐためにCa製剤を併用することがある．Caの急速静注は非常に危険であり，行ってはならない．

3) Mg製剤: 低マグネシウム血症を原因とする低カルシウム血症の治療には，Mgの補充が不可欠である．さらに，腎からのMg排泄を抑制するために活性型ビタミンD製剤の併用が必要である[6]．Mgの急速静注は非常に危険であり，行ってはならない．

経過・予後

内科的治療により，全身性痙攣や喉頭痙攣などの低カルシウム血症による重篤な症状を回避することで，大きな支障なく日常生活を送ることができる．生命予後に関する詳細は不明である．治療に伴うCa負荷の過剰により腎および心血管障害のリスクが高まる可能性がある[5,7]．骨密度の低下は認められないが，骨代謝は低下している．高齢期における骨折リスクについては不明である．

1) 尿路結石: PTH作用を欠いたまま活性型ビタミンD製剤により血中Ca濃度を維持しようとすると，尿中Ca排泄量が増加し腎結石を生じやすくなる．特に，Ca感知受容体遺伝子変異を原因とする症例では，尿中Ca排泄量が増加しやすいためきめ細かい配慮が必要である[8,9]．

2) 腎機能低下: 活性型ビタミンD製剤治療による尿中Ca排泄増加や血中Ca値の必要以上の上昇は，腎機能低下(糸球体濾過率の低下)をもたらす[9]．短期的な腎機能低下は可逆的であるが，長期にわたると進行性の腎障害から腎不全に至ることもある．治療中は定期的に腎機能や血中・尿中Caをモニターする必要がある．

3) 靱帯骨化症: 副甲状腺機能低下症は後縦靱帯骨化症に代表される脊椎靱帯骨化症の合併率が高い[10]．経過中に四肢の神経症状が出現したら，速やかに整形外科的な精査・加療を行う．

4) 授乳中の高カルシウム血症: 授乳中の母体乳腺細胞ではPTHrPの分泌が亢進しており，PTH様作用を発揮する．PTH作用不全のため活性型ビタミンD製剤で血清Ca値を維持している患者では，授乳中の全身的なPTHrP作用に対して，PTH分泌抑制という生理的調節機構が存在しないため，血清Ca値は非授乳時と比べて上昇する[11]．そのため，適宜血清Ca値をモニタしつつ，活性型ビタミンD内服量を減量する必要がある．

〔竹内靖博〕

■文献(e文献 14-5-7)

Bilezikian JP, Khan A, et al: Hypoparathyroidism in the adult: Epidemiology, diagnosis, pathophysiology, target organ involvement, treatment, and challenges for future research. J Bone Miner Res. 2011; 26: 2317-37.

8) 偽性副甲状腺機能低下症
pseudohypoparathyroidism: PHP

概念

偽性副甲状腺機能低下症は，副甲状腺ホルモン(parathyroid hormone: PTH)の標的組織における不応性に基づく疾患である．本症はホルモン不応症という概念がヒトにおいて確立された最初の疾患である．

病因・病態生理

偽性副甲状腺機能低下症は，PTH標的細胞におけるホルモン受容機構の異常により発症する．これは受容体(PTH/PTHrP受容体)自体ではなく，受容体以降のシグナル伝達にかかわる分子機構の障害によるものである．PTH/PTHrP受容体の活性化に伴う細胞内シグナルであるサイクリックAMP産生障害によるもの

表 14-5-6 **偽性副甲状腺機能低下症とその類縁疾患の特徴**

	低カルシウム血症，高リン血症	E-H試験 cAMP反応	E-H試験 リン反応	Albright遺伝性骨異栄養症	病因
偽性副甲状腺機能低下症Ia型	+	−	−	+	Gsα遺伝子不活性型変異(母親由来)+遺伝子刷り込み
偽性副甲状腺機能低下症Ib型	+	−	−		Gsα遺伝子刷り込み異常
偽性副甲状腺機能低下症II型	+	+	−		cAMP産生以降の障害
偽性偽性副甲状腺機能低下症	−	+	+	+	Gsα遺伝子不活性型変異(父親由来)+遺伝子刷り込み

E-H試験: Ellsworth-Howard試験．

は偽性副甲状腺機能低下症I型，サイクリックAMP産生以降の障害によるものはII型と分類される（表14-5-6）．I型はさらに，受容体に共役するGs（刺激型G蛋白）αサブユニットをコードするGNAS遺伝子（染色体20q13）に異常のあるものはIa型，そのメチル化異常などのepigenetic変化によるものはIb型と分類される（Levine, 2012）．Ia型およびIb型の一部では，円形顔貌，低身長，肥満および中手骨の短縮（図14-5-15）などの身体的特徴（Albright遺伝性骨異栄養症）をもつ．II型の報告例はきわめて少なく，分子レベルでの病因は不明である．

Gs蛋白は副甲状腺ホルモン以外にもTSH, LH, GHRHやバソプレシンなど多くのホルモンの受容体に共役しており，偽性副甲状腺機能低下症患者ではそれらのホルモンに対しても軽度から中等度の不応性を認める場合がある．

偽性副甲状腺機能低下症I型は常染色体優性遺伝性疾患であると同時に，母親からその遺伝子異常を受け継いだ場合にのみ発症する．父親から遺伝子異常を受け継いだ場合には，身体的特徴は認めるもののCa代謝は正常である偽性偽性副甲状腺機能低下症となる（表14-5-6）．これは組織特異的ゲノム刷り込み（インプリンティング）現象によるものであり，腎尿細管細胞でのインプリンティング現象により本症が発症すると考えられている．Ib型では，DNAメチル化異常によりゲノムインプリンティングの異常が生じている．

臨床症状

副甲状腺機能低下症に共通の低カルシウム血症による症状や皮下骨腫などの異所性骨化症に加え，偽性副甲状腺機能低下症の一部の患者では特徴的な身体所見（Albright遺伝性骨異栄養症）を示すため，家族歴とともに診断の参考になる．特に，中手骨および中足骨の短縮（ディンプル徴候）は疾患特異性が高い．歯牙萌出障害や齲歯を認めることが多い．

診断

本症は多くの場合，小児期に低カルシウム血症およびそれに伴う症状をきっかけに診断される．小児では低カルシウム血症により痙攣を生じることが多い．本

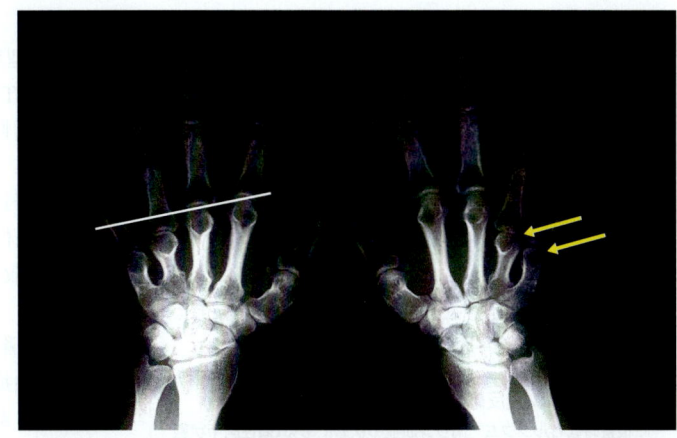

図14-5-15 偽性副甲状腺機能低下症Ia型に認められる中手骨の短縮（矢印）
特に第4中手骨に認められることが多く，図左のように第1・第2中手骨の遠位端を直線で結ぶと，第4中手骨の短縮が明瞭になる．本症例では第5中手骨の短縮も認められる．拳をにぎると短縮した中手骨部分が陥凹するので，これをディンプル徴候とよぶ．

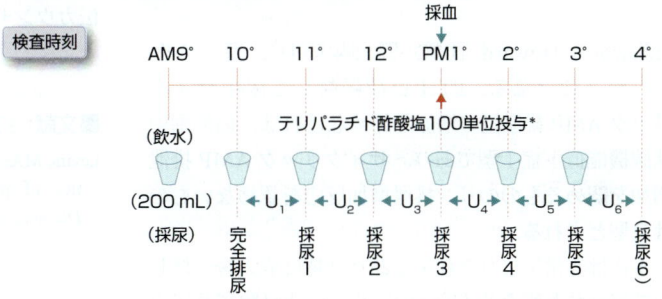

図14-5-16 Ellsworth-Howard試験（標準法—午後1時PTH投与）
テリパラチド酢酸塩：合成ヒトPTH1-34．

症のIa型では，その特徴的な顔貌や体型あるいは中手骨の短縮（図14-5-15）を契機に診断されることもある．中手骨の短縮は，本症とTurner症候群において特異性の高い徴候とされている．

低カルシウム血症を端緒とする診断の流れは図14-5-9に示されている．相対的な高リン血症を呈し，PTH作用不全が疑われる場合は，血中PTH測定値に基づいてPTH分泌不全性と偽性副甲状腺機能低下症が鑑別される．腎機能低下を認めなければ，血中PTH濃度が正常あるいは高値であれば偽性副甲状腺機能低下症と診断される．

病型診断のためには，外因性PTH投与に対する生体の反応を評価するために，PTH負荷試験

表 14-5-7 Ellsworth-Howard 試験の判定基準（陽性判定）

1. リン酸反応
   前後 2 時間の差：$(U_4 + U_5) - (U_2 + U_3) = 35$ mg/2 時間以上
2. サイクリック AMP 反応
   前後 1 時間の差：$U_4 - U_3 = 1\ \mu$mol/時間以上，および
   前後 1 時間の比：$U_4/U_3 = 10$ 倍以上

体表面積 1 m² 未満の小児においては，体表面積 1 m² あたりに換算した測定値をこの基準にあてはめて判定する．

判定基準（リン酸反応）の適用条件
1. 検査時低カルシウム・高リン血症の状態にある（偽性副甲状腺機能低下症の診断基準．
2. リン酸欠乏状態にない．PTH 投与前の尿中リン排泄量が 10 mg/2 時間以上ある．
3. 採尿が正確に行われている．PTH 投与前 2 時間と PTH 投与後 2 時間の尿中クレアチニン排泄の比が 0.8〜1.2 の間にある．
4. リン酸排泄の日内変動が大きくない．PTH 投与前 2 回の尿中リン酸排泄の差が 17.5 mg/時間未満である．

(Ellsworth-Howard 試験，図 14-5-16，表 14-5-7)[1] が必要となる．PTH 負荷に対して尿中サイクリック AMP 排泄量の増加を認めなければ，偽性副甲状腺機能低下症 I 型であり，サイクリック AMP 排泄増加を認めるもののリン排泄増加反応を認めないものは II 型とされる．

本症は非常にまれな疾患であり，特に成人後にはじめて疑われた場合や Ellsworth-Howard 試験でサイクリック AMP 反応を認めた症例では，ビタミン D 作用不全との鑑別が重要である．低カルシウム血症で血中 PTH 高値を示す病態にはビタミン D 欠乏症などのビタミン D 作用不全があげられる．このような症例では一般的に血清リン濃度が低いため，典型例では鑑別に困難はない．しかしながら，血清リン濃度はさまざまな条件によって変動しやすいため注意が必要である．PTH の腎尿細管作用はリン再吸収率あるいはリン再吸収閾値で評価される．PTH 作用不全ではこれらの指標が高いが，ビタミン D 作用不全では PTH 作用は亢進しており低くなる．ビタミン D 充足度を定量的に評価するには血中 25-水酸化ビタミン D 濃度の測定が必要である．

治療
PTH 分泌不全性副甲状腺機能低下症と同様に低カルシウム血症の改善がおもな治療目標となる．治療に伴う腎機能低下のリスク[2] を考慮すると，血清 Ca 濃度は必ずしも正常化させる必要はなく，軽度の過換気になってもテタニーなどの症状が出現しない程度を維持する．

1) 活性型ビタミン D 製剤：偽性副甲状腺機能低下症では PTH 分泌不全性による疾患に比べて，必要とされる活性型ビタミン D 製剤の投与量が少ない症例が多い[3]．その理由として，偽性副甲状腺機能低下症では，腎近位尿細管では障害されている PTH 作用が，腎遠位尿細管では発揮されるため，PTH による Ca 再吸収作用が維持されていることが想定されている．

2) Ca 製剤：通常，成人では活性型ビタミン D 製剤のみで治療可能であり[3]，Ca 製剤の併用を必要とする症例はまれである．ただし，小児では血清 Ca 値の変動が大きく，痙攣やテタニーなどの症状を防ぐために Ca 製剤を併用することがある．

経過・予後
生命予後に関する詳細は不明である．活性型ビタミン D 製剤を用いた適切な治療により痙攣発作やテタニー症状は抑制される．治療中の臨床的な問題としては尿路結石や腎機能低下と靱帯骨化症および授乳中の高カルシウム血症があげられる．詳細は「副甲状腺機能低下症」の項を参照のこと【⇨ 14-5-7】．また，遺伝カウンセリングが必要となる場合もある．

〔竹内靖博〕

■文献（e文献 14-5-8）

Levine MA: An update on the clinical and molecular characteristics of pseudohypoparathyroidism. *Curr Opin Endocrinol Diabetes Obes.* 2012; **19**: 443-51.

9）悪性腫瘍に伴う高カルシウム血症
malignancy-associated hypercalcemia：MAH

定義・概念
MAH は，悪性腫瘍に伴う腫瘍随伴症候群として認められる高カルシウム血症で，原発性副甲状腺機能亢進症や医原性と並び，最も頻度の高い高カルシウム血症の原因疾患の 1 つである．本症は急速に進展し，罹患患者の死因ともなりうる．

原因・病因
液性悪性腫瘍性高カルシウム血症（humoral hypercalcemia of malignancy：HHM）は，腫瘍細胞が産生する副甲状腺ホルモン関連蛋白（parathyroid hormone-related protein：PTHrP）が，骨や腎臓に作用することにより惹起される（Suva ら，1987）．一方局所骨融解性高カルシウム血症（local osteolytic hypercalcemia：LOH）は，多発性骨髄腫，乳癌などの多発性骨転移の際に認められ，骨に存在する腫瘍細胞が破骨細胞による骨吸収を促進することによる．またまれ

に，悪性腫瘍細胞が 1,25-ヒドロキシビタミン D[1,25(OH)$_2$D]や PTH を異所性に産生する場合も報告されている[1, 2]．

疫学

MAH は，10 万人年に 15 例，進行癌患者の約 10％に認められると報告されている[3]．このうち約 80％ が HHM，約 20％ が LOH である (Stewart, 2005)．HHM は，扁平上皮癌や腎尿路系癌に多い．ただし成人 T 細胞白血病や肉腫など，上皮系以外の悪性腫瘍による PTHrP 産生も知られている[4, 5]．また異所性 1,25(OH)$_2$D 産生は，悪性リンパ腫による報告が多い[6]．悪性腫瘍の種類により，高カルシウム血症の頻度は異なる．成人 T 細胞白血病では，特に高カルシウム血症の頻度が高いことが知られている[7]．

病態生理

PTHrP は PTH と同一の受容体に作用し (Juppner ら，1991)，PTH と同様に骨吸収の亢進，腎遠位尿細管 Ca 再吸収の促進により高カルシウム血症を惹起する (Stewart, 2005)．一方 PTHrP は，PTH に比較し腎近位尿細管での 1,25(OH)$_2$D 産生促進作用は弱い可能性が報告されている[8]．1,25(OH)$_2$D は，腸管 Ca 吸収や腎尿細管 Ca 再吸収，さらに高濃度では骨吸収の促進により，血中 Ca 濃度を上昇させる．多発性骨髄腫では，骨髄腫細胞による interleukin-6 (IL-6) や macrophage inflammatory protein-1α (MIP-1α) などの骨吸収促進活性を有するサイトカイン[9, 10]，あるいは receptor activator of nuclear factor-κB ligand (RANKL) 発現により[11]，また乳癌骨転移巣では PTHrP 産生により[12]，骨吸収が亢進する．ATL に伴う高カルシウム血症でも，PTHrP に加え MIP-1α や IL-1 の関与も報告されている[13, 14]．ただし，悪性腫瘍細胞が PTHrP や 1,25(OH)$_2$D，PTH を産生する詳細な機序は，不明である．

臨床症状

本症の高カルシウム血症は，原発性副甲状腺機能亢進症に比較し早急に進展することが多い．このため，便秘や食欲不振，悪心・嘔吐，腹痛などの消化器症状，倦怠感，意識障害や不整脈，腎障害などの症候が惹起されることがある．また高カルシウム血症は，抗利尿ホルモン作用を阻害することから，MAH 患者は口渇や多飲・多尿を示す．高カルシウム血症は，脱水や尿細管閉塞などから腎機能障害の原因となり，いったん腎機能障害が発生すると尿中 Ca 排泄が低下し，さらに高カルシウム血症が悪化するという悪循環に陥る．

検査所見 (表 14-5-8)

血中 Ca 濃度の評価は，アルブミン補正した補正 Ca 濃度で行う．MAH は，悪性腫瘍の末期に発現することが多い．このため，悪性腫瘍の存在が明らかになっている患者で高カルシウム血症が発見された場合に，本症を考慮する場合が多い．PTHrP は PTH と同様，腎近位尿細管でのリン再吸収を抑制することから，HHM や異所性 PTH 産生腫瘍では血中リン濃度は低値傾向となる．また HHM や LOH，1,25(OH)$_2$D 産生悪性腫瘍では，高カルシウム血症により PTH 分泌が抑制されるため，血中 PTH は低値となる．HHM では，PTH 高値の場合とは異なり，血中 1,25(OH)$_2$D は上昇しないのが通例である[15]．

診断・鑑別診断

原発性副甲状腺機能亢進症は，中年以降の女性に好発し，有病率が 10 万人あたり 300 人をこえる比較的頻度の高い内分泌疾患である[16]．このため，MAH に原発性副甲状腺機能亢進症が合併する場合がある．

高カルシウム血症患者に対しては，intact PTH，または whole PTH を測定し，高カルシウム血症の原因鑑別を行う．血中 PTH 濃度が低下していない場合には，頸部超音波などで異常副甲状腺の有無を検索する．悪性腫瘍の存在が明らかな高カルシウム血症患者で，PTH が高値，かつ異常副甲状腺が検出できない場合には，異所性 PTH 産生腫瘍の可能性がある．ただし MAH のなかで，異所性 PTH 産生腫瘍は非常に

表 14-5-8 悪性腫瘍に伴う高カルシウム血症の各病型の生化学所見

	血中カルシウム	血中リン	インタクト PTH, ホール PTH	PTHrP	1,25(OH)$_2$D
液性悪性腫瘍性高カルシウム血症 (humoral hypercalcemia of malignancy)	↑	↓~→	↓	↑	↓~→
局所骨融解性高カルシウム血症 (local osteolytic hypercalcemia)	↑	→~↑	↓	→*	↓~→
1,25(OH)$_2$D 産生悪性腫瘍	↑	→~↑	↓	→*	↑
異所性 PTH 産生腫瘍	↑	↓~→	↑	→*	→~↑

*：現状の PTHrP の測定法では，基準値下限が設定できない．

まれである．

LOHの診断には，骨髄腫や多発性骨転移の存在が必要である．またPTHrPや$1,25(OH)_2D$の測定は，それぞれHHMや$1,25(OH)_2D$産生悪性腫瘍の診断に有用である．臨床的には，これらの測定結果を待たずに高カルシウム血症に対する治療を開始する場合が殆どである．

経過・予後

迅速な治療が行われないと，MAHは急速に進行して致死的となることが少なくない．特にいったん腎機能障害が発生すると，高カルシウム血症は日の単位で悪化する．またMAHは進行癌の末期に発症することが多いことから，適切な治療によっても発症後の生存期間の中央値は50日と報告されている[17]．一方，膵Langerhans島腫瘍によるPTHrP産生など，数年以上にわたるMAHの経過が観察される例もある[18]．

治療

以下のMAHに対する治療とともに，可能な場合は原病の悪性腫瘍に対する治療を行う．MAH治療の目的は，腎機能の維持と高カルシウム血症の改善，再発予防である．高カルシウム血症患者では脱水による腎機能障害が生じやすいことから，胸水や腹水などを有し体液量管理が困難な場合を除いて，生理食塩水の点滴により脱水を補正し，脱水の改善後にループ利尿薬を用いて尿中Ca排泄の促進をはかる．この際，サイアザイド系利尿薬は尿細管Ca再吸収を促進することから，一般的に高カルシウム血症患者に対しては使用しない．

高カルシウム血症に対しては，骨吸収抑制薬を使用する．現在わが国では，MAHに対しビスホスホネート製剤であるパミドロン酸二ナトリウム，アレンドロン酸ナトリウム，およびゾレドロン酸と，ウナギカルシトニン誘導体であるエルカトニンが認可されている．このうちMAHに対しては，ビスホスホネート製剤の経静脈投与が第一選択である．ビスホスホネートは，破骨細胞のアポトーシスの誘導や活性の阻害などにより，骨吸収を抑制する．

MAHに対しては，必要であれば少なくとも1週間の投与間隔をおいてビスホスホネート製剤の再投与が可能である．ビスホスホネート製剤は，骨粗鬆症，多発性骨髄腫や固形癌骨転移による骨病変などにも広く使用されている．対象疾患により，ビスホスホネートの用法，用量が異なることに注意する．エルカトニンによる骨吸収抑制作用は，ビスホスホネートに比較しより早期に発現する．しかし，連用により効果が減弱する場合が多い．

〔福本誠二〕

■文献（e文献 14-5-9）

Juppner H, Abou-Samra AB, et al: A G protein-linked receptor for parathyroid hormone and parathyroid hormone-related peptide. *Science*. 1991; **254**: 1024-6.

Stewart AF: Clinical practice: hypercalcemia associated with cancer. *N Engl J Med*. 2005; **352**: 373-9.

Suva LJ, Winslow GA, et al: A parathyroid hormone-related protein implicated in malignant hypercalcemia: cloning and expression. *Science*. 1987; **237**: 893-6.

14-6 副腎皮質
adrenal cortex

1）発生・形態

(1) 副腎皮質の発生

副腎皮質は中胚葉由来の細胞から発生する．妊娠4週から5週にかけて，背側腸間膜の両側に位置する体腔上皮細胞が分裂し，頭尾軸に沿って長く伸びた泌尿生殖隆起（urogenital ridge）が形成される．泌尿生殖隆起のほとんどの細胞は生殖腺に分化するが，頭部側の一部の細胞は副腎皮質へと分化する．妊娠6週には，後根神経節より神経細胞が皮質細胞の集団へ移動し，副腎髄質を形成する．この胎児期の副腎皮質（胎児副腎）は生後の副腎皮質（成人副腎）と発生学的に異なる．また，同じく泌尿生殖隆起に由来する精巣のLeydig細胞にも胎児型と成人型の2種類の細胞が存在する．これら細胞は出生を境に入れ替わるが，この変換は哺乳類のみにみられる現象で，その生物学的意義はいまだ明らかではない．出生後に胎児副腎皮質は急速に退縮し，同時に副腎を覆う皮膜直下の細胞が分裂を開始し，成人副腎皮質が形成される．成人副腎皮質は最終的に，外側より球状層（zona glomerulosa），束状層（zona fasciculata），網状層（zona reticularis）の3層によって構築される（図14-6-1）．また，老化に伴い球状層と網状層の萎縮と線維化が進む．これらの細胞に加え，皮膜直下の一部の細胞が副腎皮質の幹細胞としての能力を有することが示されている．

(2) 副腎皮質の形態と血管系

副腎は後腹膜腔臓器で被脂肪被膜内に存在する．右副腎は右腎上極内側前方に位置し，その内側前方に下

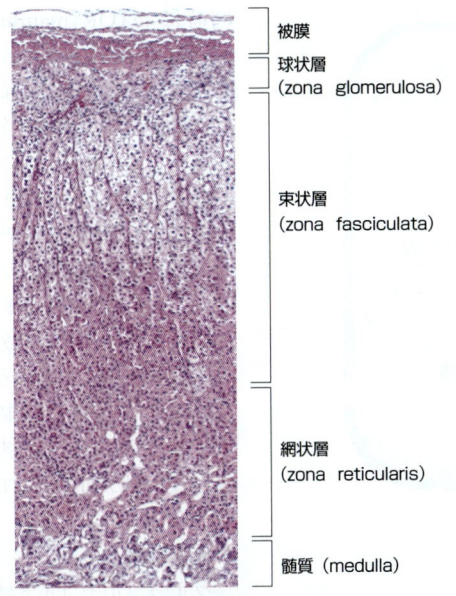

図 14-6-1 副腎の組織像

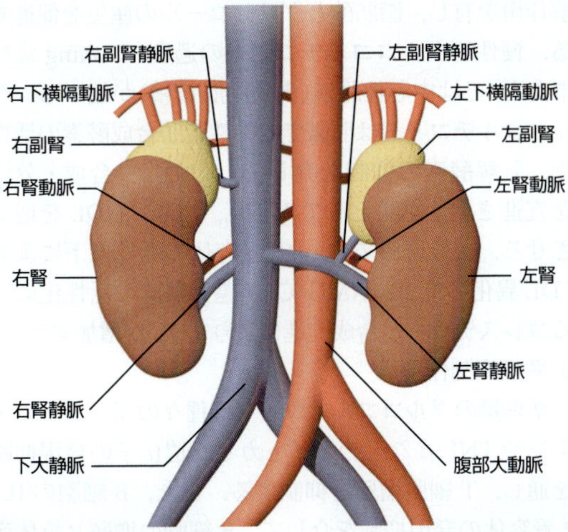

図 14-6-2 副腎の血管系

大静脈，外側には肝右葉がある．左副腎は左腎上極内側前方に位置し，その内側前方には腹部大動脈が，前方から外側方には膵臓が，前上方には胃が存在する．重量は日本人成人男性で約 6 g，成人女性で約 5 g で，皮質が副腎全体の 90 % を占める．外層に位置する球状層は細胞質の脂質量が少なく比較的小型の細胞よりなる．束状層は比較的大型の細胞よりなり，脂質に富む．通常の組織染色では淡明となるため clear cell とよばれる．外側より内側に向け束状の形態を示す．網状層は好酸性顆粒やリポフスチン顆粒を含むため束状層に比し暗い細胞として観察される．球状層，束状層，網状層からはそれぞれおもに，ミネラルコルチコイド (mineralocorticoid)，グルココルチコイド (glu-

cocorticoid)，副腎アンドロゲン (androgen) が産生される．

副腎皮質を含め内分泌腺は血管系に富む．副腎の動脈系は左右ともに，下横隔動脈，腹部大動脈，腎動脈からそれぞれ上・中・下副腎動脈が分岐する．副腎の静脈系は左右それぞれ 1 本で，左副腎静脈は左腎静脈を経て下大静脈へ注ぎ，右副腎静脈は直接下大静脈へ注ぐ (図 14-6-2).

〔諸橋憲一郎・本間桂子・野村政壽〕

2) 副腎皮質ステロイドホルモンとその作用

副腎皮質は中間代謝産物を含めると 50 種以上ものステロイドを産生する．機能的に重要なものとしては，グルココルチコイド活性を有するコルチゾール (cortisol)，ミネラルコルチコイド活性を有するアルドステロン (aldosterone)，アンドロゲン活性を有するデヒドロエピアンドロステロン (dehydroepiandrosterone：DHEA) とその硫酸抱合体である DHEA-sulfate (DHEA-S) などが知られている．

(1) ステロイドホルモンの作用機構

ステロイドホルモンは脂溶性の生理活性物質で，副腎皮質，性腺や胎盤で合成され，血中に分泌される．その後，標的細胞に移行し，特異的な受容体に結合する．ステロイドホルモン受容体には，グルココルチコイド受容体 (glucocorticoid receptor：GR)，ミネラルコルチコイド受容体 (mineralocorticoid receptor：MR)，男性ホルモン受容体 (androgen receptor：AR)，女性ホルモン受容体 (estrogen receptor α と β：ERα/β)，黄体ホルモン受容体 (progesterone receptor：PR) が知られている (Germain ら，2006)．これらのステロイドホルモン受容体は，ステロイドホルモンを結合するリガンド結合ドメインと DNA 結合ドメインを有する転写因子で，ビタミン D_3，レチノイド，脂肪酸，ステロール類などの脂溶性物質に対する受容体とともに核内受容体ファミリーを形成する．ステロイドホルモン受容体は二量体を形成し，それぞれに特異的な塩基配列を認識，結合する (図 14-6-3)．図に示すように，リガンド依存的に転写共役因子複合体 (転写共役活性化因子；CBP/p300, SRC-1/TIF2 など，転写共役抑制因子；NCoR, SMRT など) の解離あるいは会合を生じ，ヒストンのアセチル化・脱アセチル化を介して転写促進や転写抑制を行う．

ステロイドホルモンの生理活性は遺伝子発現を介して発揮されるが，遺伝子発現を介さない調節も知られている．一般に，遺伝子発現は数時間から日のオーダーの時間を要するが，エストロゲンによる中枢神経興

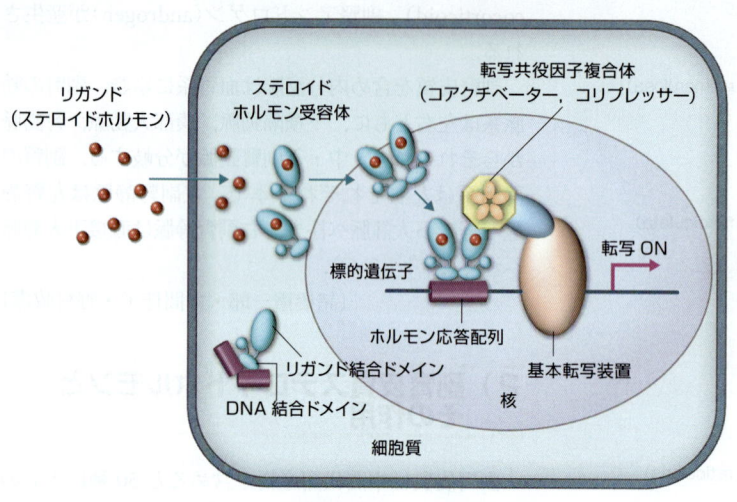

図14-6-3 ステロイドホルモンの作用機構

奮などの作用は数秒〜数分で発揮される．この即時型の作用では，細胞膜受容体，あるいは膜リン脂質や蛋白質との相互作用を通じ，リン酸化酵素やイオンチャネルなどを活性化することで，シグナルカスケードが稼働すると想定される．このような即時型の作用は甲状腺ホルモンやビタミン D_3 でも報告されている．

(2) グルココルチコイドの生理作用

コルチゾールは副腎から分泌される生命維持に必須のホルモンで，GRに結合し，その作用を発揮する．ストレス状態でのコルチゾール分泌は平常時の10倍に達する．グルココルチコイドはグルコースの代謝調節作用を有することから命名されたが，各組織におけるGRの標的遺伝子は多様で，その生理作用は多岐にわたる（Kadmielら，2013）．

a. 糖代謝

GRは肝臓での糖新生に中心的役割を果たすグルコース-6-ホスファターゼやホスホエノールピルビン酸カルボキシキナーゼ遺伝子発現を活性化し，糖新生を亢進させる．骨格筋や脂肪組織ではグルコース輸送体（GLUT4）の細胞膜への移動を阻害，糖の取り込みを抑制し，インスリン抵抗性を惹起する．膵β細胞ではインスリン分泌を抑制する．以上の機序により血糖上昇作用を発揮する．

b. 蛋白質代謝

末梢組織（筋組織）での同化を抑制し，異化を促進する．異化の促進はユビキチン・プロテオソーム系とオートファジー系の遺伝子群の発現誘導による．生成される遊離アミノ酸は肝臓の糖新生に利用される．骨格筋におけるグルココルチコイドの異化作用はGRの標的遺伝子である *KLF15*（Krüppel-like factor 15）と *FoxO*（Forkhead box O）を介して促進される．また，

同時にmTOR（mammalian target of rapamycin）を抑制することで同化を抑制し，効率よく蛋白質の分解をすすめる．逆にインスリン/IGF-I はPI3K/Aktを介してmTORを活性化し，蛋白質同化に働くと同時に，GRに作用し蛋白質異化に働くさまざまな分子群を抑制する．このようなGRを介する遺伝子制御ネットワークにより筋肉の蛋白質代謝が制御されている．

c. 脂質代謝

グルココルチコイドは急性期には異化作用を示し，慢性期には同化作用を示す．急性ストレスで分泌されるコルチゾールは脂肪分解作用を有し，脂肪酸とグリセロールの産生を促進する．慢性的グルココルチコイドの過剰（Cushing症候群など）では中心性肥満（内臓脂肪蓄積）が起こる．グルココルチコイドは肝臓での中性脂肪合成酵素の活性化，分解酵素の抑制を介して，VLDLの合成・分泌を亢進させ，結果としてVLDL，LDL，HDLを増加させる．また肝臓でのLDL受容体の活性低下によるLDL異化の低下，HMG-CoA還元酵素の活性化によるコレステロール合成亢進によりLDLが増加する．

d. 免疫抑制作用

薬理量のグルココルチコイドは種々のインターロイキンや TNF-β などのサイトカイン遺伝子の発現抑制を通じ，T細胞増殖を抑制する．また，B細胞のIL-2受容体の発現抑制を介して，B細胞の増殖と抗体産生を低下させることで，液性免疫を抑制する．

e. 抗炎症作用

外傷，感染，リウマチなどによる組織の炎症反応はグルココルチコイドにより抑制される．その機序は，蛋白分解酵素を含むリソソーム顆粒膜の安定化，ホスホリパーゼ A_2 を抑制する annexin-1 の合成誘導，プロスタグランジンE合成酵素やシクロオキシゲナーゼ2の発現抑制，炎症性サイトカインの産生抑制による．また，ブラジキニン，ヒスタミン，プラスミノーゲン活性化因子の作用を阻害し，毛細血管壁の透過性を低下させる．炎症を惹起，促進する一群の蛋白質の産生は，NF-κB（nuclear factor-κB）やAP-1（activator protein-1）などの転写因子により制御されている．NF-κBはその抑制因子であるIκB（inhibitor of NF-κB）に結合し細胞質にとどまるが，種々の刺激によりIκBが解離するとNF-κBが核内へ移行し，炎症関連

遺伝子群の転写を促進する．すなわち，GR は NF-κB や AP-1 への結合を通じ，炎症性サイトカインや接着因子の遺伝子群の発現を網羅的，かつ強力に抑制することで抗炎症作用を発揮する．

f. 骨代謝

グルココルチコイドは骨芽細胞の機能に対して二相性の作用を示す．生理量では間葉系細胞の骨芽細胞への分化，増殖を促進する．一方，過剰量では，その投与初期に急速な骨密度低下と骨質の劣化をもたらし，ステロイド性骨粗鬆症を惹起する．グルココルチコイドは骨芽細胞の分化抑制，アポトーシスの誘導，局所での IL-11 や IGF-I などの骨形成サイトカインの産生抑制を通じ，骨形成を強力に抑制する．さらに，骨芽細胞の RANKL（receptor activator of nuclear factor kappa-B ligand）の発現を促進し，osteoprotegerin の産生を抑制することで，破骨細胞の成熟を間接的に誘導し，骨吸収も増強する．その他，腸管からの Ca^{2+} 吸収や腎尿細管からの Ca^{2+} 再吸収の抑制による二次性の副甲状腺機能亢進，またエストロゲンやテストステロンなどの性ホルモン分泌抑制作用も相まって骨粗鬆症を促進する．

g. 水・電解質代謝

生理量のグルココルチコイドは腎尿細管での Na^+ 再吸収を調節し，血圧の保持に不可欠である．一方，過剰量では，腎血流量と糸球体濾過率を増加させる．また尿細管では抗利尿ホルモンの作用と拮抗し，自由水クリアランスを増加させ，水利尿作用を発揮する．心臓刺激作用，交感神経機能維持作用，レニン基質の増加，腎でのカリクレインおよび PGE_2 産生障害，血管平滑筋細胞の I 型アンジオテンシン II 受容体の増加作用などにより血圧を上昇させる．

h. 中枢神経作用

グルココルチコイドの分泌は hypothalamus-pituitary-adrenal（HPA）axis により制御されるとともに，その上位に位置する海馬や前頭前皮質を介したフィードバック制御も受ける．海馬は GR と MR の発現が高く，グルココルチコイドに対して脳内で最も感受性の高い部位である．HPA axis を抑制性に制御しており，ストレスなどで海馬が障害を受けるとコルチゾールの分泌は亢進する．グルココルチコイドは海馬の神経活動に二相性の作用を示す．生理量では MR の活性化を通じ，神経細胞は興奮性を高め，逆にストレス時にグルココルチコイド濃度が上昇すると，GR が活性化され，興奮性が抑制される．グルココルチコイドの中枢神経作用は複雑で，その過剰により精神的に不安定となり，多幸症，不眠，うつ状態など多様な症状を呈する．

（3）ミネラルコルチコイドの生理作用

アルドステロンは最も強いミネラルコルチコイド作用を示すが，デオキシコルチコステロン（DOC），コルチコステロン，18-ヒドロキシコルチコステロンもミネラルコルチコイド作用を示す．ミネラルコルチコイドのおもな標的臓器は腎臓であり，遠位尿細管上皮細胞の上皮型 Na チャネルと Na^+/K^+ ATPase を活性化する．また，MR に結合し，これらの遺伝子発現を活性化することで Na^+ の再吸収，K^+ の排出を促進する．心・腎機能が正常な場合は，ミネラルコルチコイドによる Na^+ 貯留には限界があり，あるレベルで Na^+ と水の出納が平衡状態に達し，Na^+ 再吸収の増加と Na^+ 貯留はみられなくなる（アルドステロンエスケープ現象）．これは遠位尿細管のサイアザイド感受性 Na-Cl 共輸送体の発現が低下することがその一因で，原発性アルドステロン症で浮腫を認めない理由である．K^+ の尿中排泄増加は腎での Na^+ 再吸収と連動しており，遠位尿細管に達する Na^+ の量が少ないと，ミネラルコルチコイドが多くても低カリウム血症はみられない．ミネラルコルチコイド欠乏では，高カリウム血症，低血圧がみられ，逆にミネラルコチコイド過剰では，低カリウム血症，代謝性アルカローシス，高血圧に加え，ミネラルコチコイドの直接作用により心肥大・線維化，動脈硬化が惹起され，心血管合併症のリスクが増加する．

（4）副腎アンドロゲンの生理作用

DHEA およびその硫酸抱合体 DHEA-S は副腎アンドロゲンと呼称され，その 90％以上は副腎皮質で合成される．コルチゾール分泌が加齢によりほとんど変化しないのと対照的に，副腎アンドロゲンは 6～7 歳頃から増加，20 歳頃にピークに達し，その後は加齢とともに直線的に減少する．青年期以降に血中濃度が減少する特性から，血中 DHEA-S の減少と生活習慣病，老化との関連が示唆されている．DHEA はテストステロンの 1/20 程度の弱いアンドロゲン作用を有し，独自の作用として抗糖尿病，インスリン抵抗性改善作用，抗肥満作用，抗動脈硬化作用などが示唆され，sense of well-being を改善するとの報告がある．

〔諸橋憲一郎・本間桂子・野村政壽〕

■文献

Germain P, Staels B, et al: Overview of nomenclature of nuclear receptors. *Pharmacol Rev*. 2006; **58**: 685-704.

Kadmiel M, Cidlowski JA: Glucocorticoid receptor signaling in health and disease. *Trends Pharmacol Sci*. 2013; **34**: 518-30.

3）ステロイドホルモンの生合成・分泌・代謝

(1) ステロイドホルモンの生合成

すべてのステロイドホルモンは合成基質であるコレステロールと同様，3個の六員環（A，B，C環）と1個の五員環（D環）からなる構造を有する．炭素原子には番号が付され，炭素原子の位置はC-5，炭素原子の総数はC21のように記す（図14-6-4）．二重結合はΔ（デルタ）で表し，その位置は結合を形成する炭素原子のうち小さい番号（C-4とC-5の二重結合はΔ4）で示す．ステロイドホルモンは炭素数の違いにより，グルココルチコイドとミネラルコルチコイドに代表される炭素数21（C21）のプレグナン（pregnane），男性ホルモンである炭素数19（C19）のアンドロスタン（androstane），女性ホルモンである炭素数18（C18）のエストラン（estrane）の3種に分類され，A，B環の二重結合の有無および位置により，Δ5ステロイド（C5-6に二重結合，C3に水酸基），Δ4ステロイド（C4-5に二重結合，C3にケト基），ジヒドロステロイド（C3にケト基），テトラヒドロステロイド（A，B環に二重結合なし，飽和型）などに分類される．

a. 副腎皮質におけるステロイドホルモン生合成

副腎皮質におけるコレステロールの供給には2つの経路がある．ヒトでは約80％が血中の低比重リポ蛋白質（LDL）の取り込み，残りの20％は副腎皮質内でのコレステロール合成により供給される．

副腎皮質におけるステロイドホルモン合成は，束状層・網状層では副腎皮質刺激ホルモン（ACTH），球状層ではアンジオテンシンIIあるいはACTHにより活性化される．ACTH刺激によって細胞内cAMP濃度が上昇すると，コレステロールエステラーゼが活性化され，脂肪滴より多量のコレステロールが遊離する．遊離コレステロールは，ステロイドホルモン生合成の初発反応の場であるミトコンドリアに運ばれる．ミトコンドリアは内膜と外膜によって区画された細胞内小器官で，コレステロールはミトコンドリア外膜を経て，StAR（steroidogenic acute regulatory protein）蛋白質により内膜へと移送される．その後，コレステロールはミトコンドリア内膜のCYP11A1（コレステロール側鎖切断酵素）により側鎖が切断され，C21ステロイドであるプレグネノロン（pregnenolone）へ転換される（図14-6-5）．ACTH刺激によって合成されたcAMPはStAR蛋白質の合成促進を通じ，コレステロールのミトコンドリア内膜への移送を活性化する．その結果，内膜のコレステロール量が増加し，コレステロール側鎖切断反応が促進されることでステロイドホルモン合成活性が上昇する（Millerら，2011）．

ミトコンドリアで合成されたプレグネノロンは細胞質へ移動する．小胞体に局在する3β-HSD（3β-ヒドロキシステロイド脱水素酵素）による3β位の水酸基の脱水素とΔ5からΔ4への二重結合の変換を通じ，プロゲステロン（progesterone）が合成される．同様に小胞体のCYP17A1（ステロイド17α-ヒドロキシラーゼ）は，プロゲネノロンあるいはプロゲステロンのC-17位を水酸化し，17α-ヒドロキシプレグネノロン（17α-hydroxyprognenolone）と17α-ヒドロキシプロゲステロン（17α-hydroxyprogesterone）へ変換する．さらにこれらのステロイドはCYP17A1によりC17-C20位の炭素原子間の切断を受け，C19ステロイドであるDHEAとアンドロステンジオン（andorostenedione）に変換される．ヒトのCYP17A1はΔ5系のステロイド，すなわち17α-ヒドロキシプレグネノロンをおもな基質とするため，17α-ヒドロキシプレグネノロンからDHEAへ変換され，さらに，3β-HSDによってアンドロステンジオンに変換される．

プロゲステロンと17α-ヒドロキシプロゲステロンは小胞体のCYP21A2（ステロイドC21-ヒドロキシラーゼ）によりC-21位が水酸化され，デオキシコルチコステロン（11-deoxycorticosterone：DOC）と11-デオキシコルチゾール（11-deoxycortisol）へ変換される．DOCと11-デオキシコルチゾールは再度ミトコンドリアに移動し，内膜に局在するCYP11B1（ステロイド11β-ヒドロキシラーゼ）によりC-11位が水酸化され，コルチコステロン（corticosterone）とコルチゾールに変換される．また，DOCからはCYP11B2（アルドステロン合成酵素）による多段階反応によってアルドステロンが合成される．CYP11B1はこの反応を触媒しない．

上述のステロイドホルモン合成経路に位置する酵素の発現が副腎皮質3層で異なるため，それぞれの層で合成されるステロイドホルモンは異なる．球状層ではCYP11B2が発現するが，CYP17A1が発現しないため，アルドステロンのみを合成する．これに対し，束状層ではCYP11B1とCYP17A1の発現によりコル

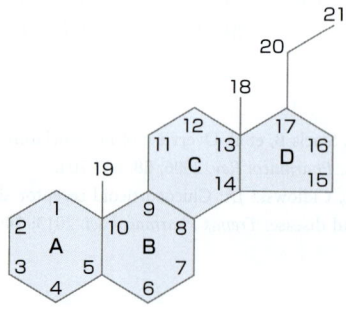

図14-6-4 ステロイドホルモンの基本骨格

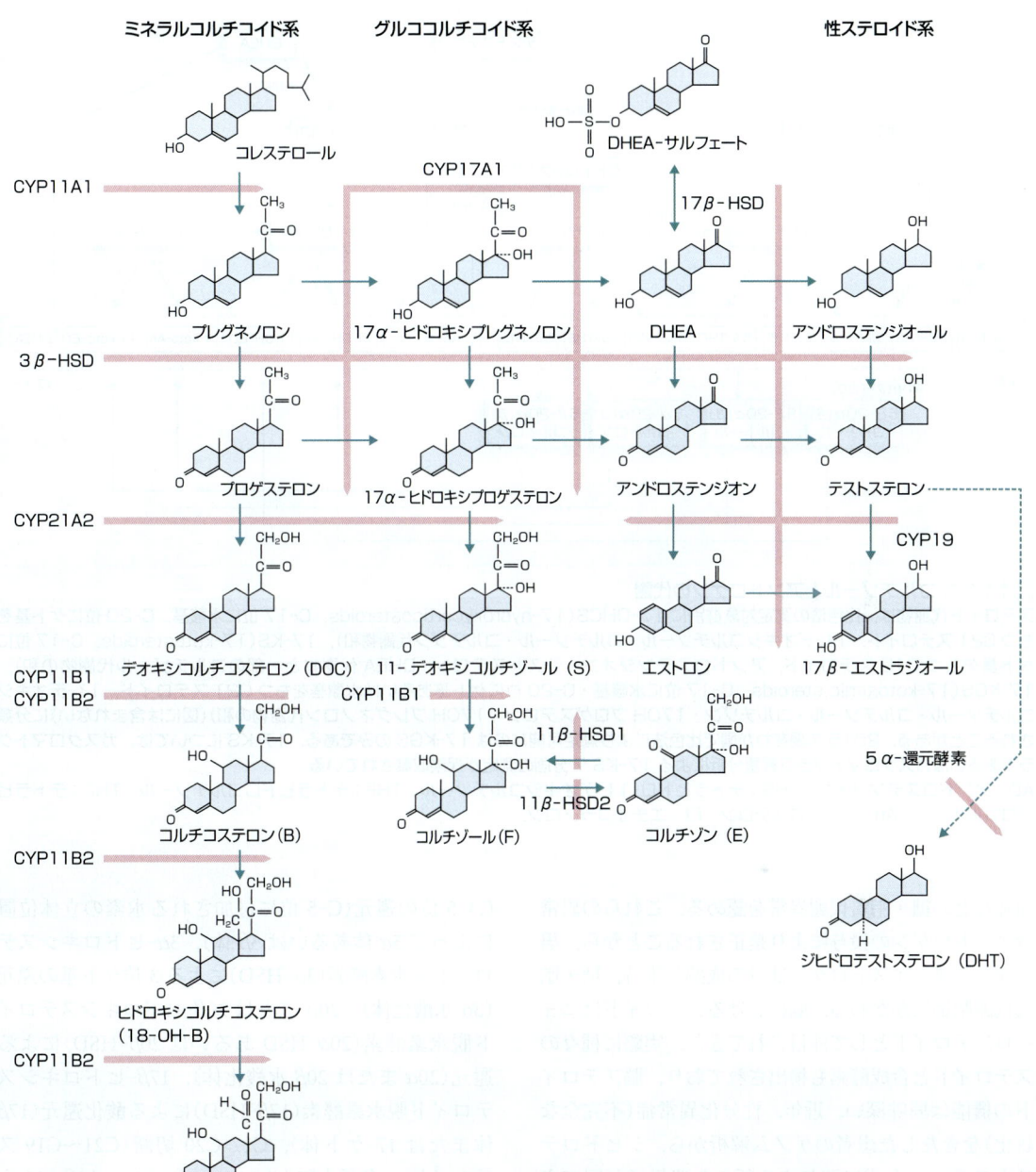

図 14-6-5 ステロイドホルモンの生合成・代謝経路

CYP11A1 (P450$_{SCC}$), CYP17A1 (P450$_{C17}$), CYP21A2 (P450$_{C21}$), CYP11B1 (P450$_{11\beta}$), CYP11B2 (P450$_{aldo}$), CYP19A1 (P450$_{AROM}$).

チゾールを産生する．網状層では 3β-HSD が発現しないため，DHEA を合成する．胎児副腎皮質では，網状層と類似の酵素が発現し，DHEA やその硫酸抱合体である DHEA-S を多量に合成・分泌し，これらは胎盤性エストロゲンの基質となる．

精巣および卵巣におけるステロイドホルモン合成については ⓔコラム 1 を参照．

b. ほかの組織でのステロイド合成，新たな合成経路

ステロイドホルモンは副腎皮質以外でも合成される．精巣と卵巣で性ホルモンが合成されることはよく知られたことであるが (図 14-6-5)，その他にも，皮膚，脂肪組織，骨組織，肝臓，脳，胎盤ではCYP19A1 が発現し，17β-エストラジオールの合成を担う (Simpson ら, 2000)．実際に，男性の体内に存在する 17β-エストラジオールの大部分は脂肪細胞で合成される．男性の先天性 CYP19A1 欠損患者では17β-エストラジオールの産生が大幅に低下するため，骨端線の閉鎖がみられずに高身長となり，同時に骨密度は低下し骨粗鬆症となる．また，インスリン抵抗性，高トリグリセリド血症，低 HDL コレステロール

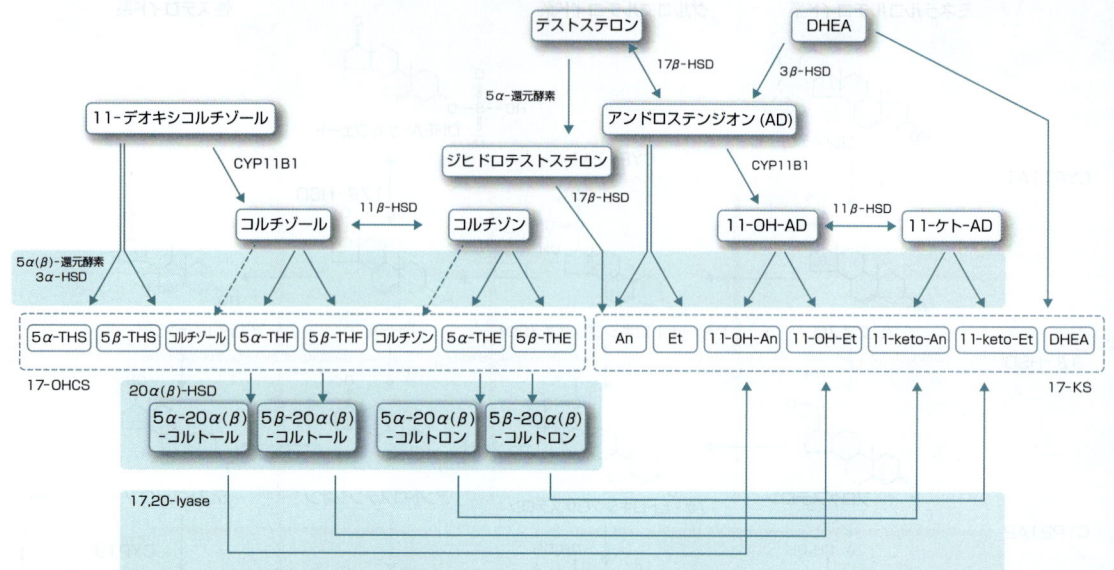

図 14-6-6 コルチゾールとアンドロゲンの代謝

ステロイド代謝物は，比色法の測定対象別に 17-OHCS（17-hydroxycorticosteroids，C-17 位に水酸基，C-20 位にケト基をもつ C21 ステロイド，11-デオキシコルチゾール・コルチゾール・コルチゾン代謝物和），17-KS（17-ketosteroids，C-17 位にケト基をもつ C19 ステロイド，アンドロステンジオン・テストステロン・DHEA 代謝物と一部のコルチゾール代謝物の和），17-KGS（17-ketogenic steroids，C-17 位に水酸基・C-20 位にケト基あるいは水酸基をもつ C21 ステロイド，11-デオキシコルチゾール・コルチゾール・コルチゾン・17OH プロゲステロン・17OH プレグネノロン代謝物の和）（図には含まれない）に分類されることがある．2015 年現在わが国で比色法により測定可能なのは 17-KGS のみである．17-KS については，ガスクロマトグラフあるいはガスクロマトグラフ質量分析による 17-KS 7 分画の測定が保険収載されている．
AD：アンドロステンジオン，THS：テトラヒドロ-11-デオキシコルチゾール，THF：テトラヒドロコルチゾール，THE：テトラヒドロコルチゾン，An：アンドロステロン，Et：エチオコラノロン．

血症などの糖・脂質代謝異常を認める．これらの異常はエストロゲンの投与により是正されることから，男女を問わず，エストロゲンは骨の成熟と維持，糖・脂質代謝制御にかかわる．脳におけるステロイドはニューロステロイドとして注目されてきた．実際に種々のステロイドと合成酵素も検出されており，脳ステロイドの機能は興味深い．近年，性分化異常症（不完全な雄化）をきたした患者のゲノム解析から，ジヒドロテストステロン合成に関与する新たな遺伝子が同定され，同時に新たなジヒドロテストステロン合成経路（backdoor pathway）が発見された（Flück ら，2011）．生体にはその機能が不明のステロイド代謝産物の存在が古くから知られているが，新たなステロイド合成経路の発見により，その機能が明らかになることが期待される．

(2) ステロイドホルモンの代謝

ステロイドホルモンの合成から代謝に至る過程は，脂溶性のコレステロールが水酸化・還元等の修飾を受け，水溶性を増す過程と捉えることができる．その中間代謝産物と最終代謝産物は肝でグルクロン酸抱合を受け，尿中に排出される．すなわち，ステロイドは，おもに肝で 5α-還元酵素あるいは 5β-還元酵素による C4-5 位の還元（C-5 位に付加される水素の立体位置によって 5α 体あるいは 5β 体），3α-ヒドロキシステロイド脱水素酵素（3α-HSD）による 3 位ケト基の還元（3α 水酸化体），20α- または 20β-ヒドロキシステロイド脱水素酵素（20α-HSD あるいは 20β-HSD）による還元（20α または 20β 水酸化体），17β-ヒドロキシステロイド脱水素酵素（17β-HSD）による酸化還元（17β 体または 17-ケト体），C17-C20 切断（C21〜C19 ステロイド），各種水酸化（おもに 6β，16α，16β，21 水酸化，このほか 6α，7α，1α，1β，15α，15β 水酸化），肝・腎において 11β-HSD I あるいは II による 11 位還元あるいは酸化（11β-水酸化体あるいは 11-ケト体）へと代謝される（図 14-6-6）．

a. コルチゾールの代謝

コルチゾールは 11β-HSD（11β-ヒドロキシステロイド脱水素酵素）により C-11β 位の水酸基がケト基に酸化され，不活性型のコルチゾンとなる．11β-HSD には肝，下垂体，脂肪，肺，精巣で発現する 11β-HSD1 と，腎，大腸，胎盤で発現する 11β-HSD2 の 2 種類のアイソザイムが存在する．11β-HSD1 は脱水素によるコルチゾールからコルチゾンへの変換と，還元によるコルチゾンからコルチゾールへの変換の双方向性の反応を触媒するが，生体内では還元活性が強い

表 14-6-1 ステロイドホルモンの分泌量，血中濃度，尿中排泄量

	1日分泌量	血清蛋白との結合率	血中濃度	1日尿中排泄量
コルチゾール	15～25 mg	CBG：85% アルブミン：5～10%	早朝空腹安静臥床： 4.0～18.3 μg/dL 早朝高く夜低い日内リズムがある	遊離コルチゾールとして 30～100 μg 17 OHCS として男性：3.4～12 mg，女性：2.2～7.3 mg
アルドステロン	50～250 μg	CBG：17% アルブミン：45%	安静臥位：30～160 pg/mL 立位：50～200 pg/mL	尿中アルドステロンとして 1～10 μg
11-デオキシ-コルチゾール(S)	400 μg	CBG：77%	男性：0.04～1.16 ng/mL 女性：0.11～0.60 ng/mL	テトラヒドロ-S として 40～100 μg
11-デオキシ-コルチコステロン(DOC)	100 μg	CBG：36% アルブミン：60%	男性：8～28 ng/mL 女性：3～33 ng/mL	テトラヒドロ-DOC として 10～40 μg
コルチコステロン (B)	1～2 mg	CBG：78% アルブミン：19%	男性：38～84.2 ng/mL 女性：21～84.8 ng/mL	
18-OH-コルチコステロン	150～600 μg		男性：38～84.2 ng/mL 女性：21～84.8 ng/mL	
17α-OH-プロゲステロン	0.4 mg	CBG：41% アルブミン：56%	男性：0.6～1.6 ng/mL 女性：0.3～1.0 ng/mL (卵胞期)	プレグナントリオールとして 男性：0.13～1.6 mg 女性：0.13～1.3 mg (卵胞期)
DHEA-S	15～25 mg	CBG：< 0.1% アルブミン：92%	年齢／男性／女性 20～29：1650～5420／850～2990 30～39：1200～4410／640～2030 40～49：830～3960／250～1950 50～59：620～2820／110～1160 60～：140～2240／50～1000 単位 ng/mL	17-KS として 男性： 20～40 歳 5.5～14.5 mg 41 歳以上 2.8～12.4 mg 女性： 20～42 歳 2.9～11.1 mg 43 歳以上 3.0～7.3 mg
アンドロステンジオン	男性：2 mg 女性：3.4 mg	CBG：1.4% アルブミン：88% SHBG：2.8%	年齢／男性／女性 20～29：1.2～2.5／1.1～3.9 30～39：1.0～3.2／0.9～3.5 40～49：1.0～2.9／0.6～2.2 50～59：1.0～2.5／0.3～2.1 60～：0.6～2.7／0.3～2.0 単位 ng/mL	
テストステロン	男性：7 mg 女性：0.2 mg	CBG：3.6% アルブミン：50% SHBG：45%	男性：250～1100 ng/mL 女性：20～60 ng/mL	
エストラジオール	男性：30 μg 女性：100 μg (卵胞期)	CBG：< 0.1% アルブミン：78% SHBG：19.6%	男性：20～59 ng/mL 女性： 卵胞期前期 11～82 pg/mL 卵胞期後期 52～230 pg/mL 排卵期 120～390 pg/mL 黄体期 9～230 pg/mL	

CBG：cortcosteroid-binding globlin；コルチステロイド結合蛋白，SHBG：sex hormone-binding globlin；性ホルモン結合蛋白．

ためグルココルチコイド作用を増強する酵素といえる．一方，11β-HSD2 はコルチゾールからコルチゾンへの不活化反応を担う．標的細胞内でのステロイド代謝は作用調節の観点から重要である．腎尿細管の MR はコルチゾンとは結合しないが，コルチゾールとアルドステロンの両者に対して同程度の親和性を示す．しかも，コルチゾールの血中濃度はアルドステロンの 1000 倍にも達する．にもかかわらず，コルチゾールがミネラルコルチコイド作用を示さないのは，上述のように腎尿細管の 11β-HSD2 がコルチゾンへと不活化するためで，この機構によりアルドステロンの MR への結合が維持されている．11β-HSD2 は基本的にアルドステロンの標的臓器に発現する．

コルチゾール代謝物には，コルチゾール，コルチゾン，6β-ヒドロキシコルチゾール，20-ジヒドロコルチゾール，20-ジヒドロコルチゾン，テトラヒドロコルチゾール，テトラヒドロコルチゾン，コルトール（テトラヒドロコルチゾールの 20 位還元体），コルトロン（テトラヒドロコルチゾンの 20 位還元体），およびこれらのグルクロン酸抱合体などがある（図 14-6-6）．

b. アルドステロンの代謝

アルドステロンの35〜40%が肝でA環の還元を受けテトラヒドロアルドステロン(tetrahydroaldosterone)となり，その後C-3位がグルクロン抱合を受け尿中へ排泄される．一方，腎では約10%のアルドステロンがC-18位にグルクロン酸抱合を受け，尿中へ排泄される．

c. アンドロゲン，エストロゲンの代謝

DHEA-Sはそのまま尿中に排泄され，DHEA・アンドロステンジオン・テストステロンの大部分が肝で代謝される．DHEAは3β-HSDにより，テストステロンは17β-HSDによりアンドロステンジオンに変換された後，A環の還元を受け，エチオコラノロン(etiocholanolone, 5α体)とアンドロステロン(androsterone, 5β体)に変換される．その後，グルクロン酸あるいは硫酸抱合を受け尿中へ排泄される(図14-6-6)．男性では精巣に由来する17-KSは20〜30%を占めるが，小児や女性ではそのほとんどが副腎由来である．11-デオキシ-17-KSはおもにDHEAやDHEA-Sが，また一部は副腎および精巣由来のアンドロステンジオンや精巣由来のテストステロンがアンドロステロンとエチオコラノロンに代謝されたものである(図14-6-6)．11-オキシ-17-KSは，11-ヒドロキシアンドロステンジオンあるいは11-ケトアンドロステンジオンの代謝物，およびコルチゾールあるいはコルチゾン代謝物の17，20切断体からなる．

17β-エストラジオールは肝で17β-HSDによりエストロン(estron)へ不可逆的に変換される．その後，C-16α位の水酸化により16α-ヒドロキシエストロン，エストリオール(estriol)を経て，グルクロン酸抱合体となり尿中へ排泄される．また，エストロンに変換されなかった17β-エストラジオールは，最終的に3-硫酸-17-グルクロン酸抱合体となり胆汁中へ排泄され，腸管で加水分解，再抱合を受けエストロン-3-グルクロン酸あるいはエストラジオール-3-グルクロン酸抱合体となり一部は再吸収され腸肝循環する(図14-6-6)．

(3) ステロイドホルモンの分泌量，血中濃度と尿中排泄量

大部分のステロイドホルモンは血中でコルチコステロイド(コルチゾール，アルドステロン)結合蛋白，アルブミン，性ホルモン(アンドロゲン，エストロゲン)結合蛋白などに結合して存在する(アルドステロンのみ30〜50%が非結合型)．血中コルチゾール濃度は日内変動を示し，また血中アルドステロン濃度は体位，食塩摂取，月経周期で変動する．DHEA-SとDHEA濃度が20歳以降年齢とともに減少する．正常婦人の血中テストステロンの40〜50%が副腎と卵巣から分泌されたものであり，50〜60%が末梢組織でアンドロステンジオンから変換されたものである．テストステロンとアンドロステンジオンは卵巣，副腎よりほぼ等量分泌される．

表14-6-1に各ステロイドの分泌量，結合蛋白との結合率，血中濃度，尿中排泄量を示す．コルチゾールは1日20mg程度分泌され，早朝コルチゾール値が$5\mu g/dL$以下の場合は原発性および続発性副腎不全を疑う．コルチゾールの約1%は代謝を受けずに尿中に排泄される．尿中遊離コルチゾールは代謝酵素の影響を受けないことから，副腎皮質の機能評価に有用である．1日排泄量は30〜100μgであり，10μg以下では副腎不全を疑う．

〔諸橋憲一郎・本間桂子・野村政壽〕

■文献

Flück CE, Meyer-Böni M, et al: Why boys will be boys: Two pathways of fetal testicular androgen biosynthesis are needed for male sexual differentiation. *Am J Hum Gene*. 2011; **89**: 201-18.

Miller WL, Auchus RJ: The molecular biology, biochemistry, and physiology of human steroidogenesis and its disorders. *Endocr Rev*. 2011; **32**: 81-151.

Simpson E, Rubin G, et al: The role of local estrogen biosynthesis in males and females. *Trends Endocrinol Metab*. 2000; **11**: 184-8.

4) 副腎皮質予備能の検査

(1) ミネラルコルチコイド系

球状層から分泌されるアルドステロンは，レニン-アンジオテンシン-アルドステロン(renin-angiotensin-aldosterone system：RAA)系を主体に，副腎皮質刺激ホルモン(ACTH)やKによってもその合成・分泌が一部調節されている．姿勢や循環血漿量，塩分摂取量，交感神経系の活動によって変動する．RAA系に影響する薬剤は，休薬もしくは極力影響の少ない薬剤に事前に一定期間変更したうえで測定する．

a. ホルモン基礎値

血漿レニン活性(plasma renin activity：PRA)と血漿アルドステロン濃度(plasma aldosterone concentration：PAC)を30分以上安静臥床後(もしくは15分間の座位保持後)に同時測定する．PRA，PACが異常値をきたす病態を表14-6-2に示す．原発性アルドステロン症ではアルドステロンが自律的に産生されるため，PAC高値に対してPRAが低値に抑制される．循環血漿量の低下をきたす肝硬変やうっ血性心不全などではPRA，PACともに高値を示す．

表14-6-2 PRA, PACが異常値をきたす病態

	PAC 高値	PAC 低値
PRA低値	●原発性アルドステロン症 〈片側病変〉 ・アルドステロン産生腺腫 ・片側性副腎過形成 ・片側性副腎多発微小結節 ・副腎癌 〈両側病変〉 ・特発性アルドステロン症 ・両側アルドステロン産生腺腫 ・グルココルチコイド反応性アルドステロン症 ・家族性アルドステロン症II型, III型 ●II型偽性低アルドステロン症 (Gordon症候群)	●選択性低アルドステロン症II型 ・糖尿病 ・一次性腎疾患 (間質性腎炎, 糸球体腎炎など) ●低レニン性本態性高血圧 ● Liddle 症候群 ●デオキシコルチコステロン, コルチコステロン産生腺腫 ●偽性アルドステロン症 (甘草, グリチルリチンなどによる) ● AME 症候群 ●先天性11β-ヒドロキシラーゼ欠損症 ●先天性17α-ヒドロキシラーゼ欠損症
PRA高値	●続発性アルドステロン症 ・体液量低下 ・肝硬変 ・ネフローゼ症候群 ・心不全 ・腎血管性高血圧 ・腎実質性高血圧 ・Bartter 症候群 ・レニン産生腫瘍 ・交換神経機能亢進状態 (褐色細胞腫を含む) ● I 型偽性低アルドステロン症	●選択性低アルドステロン症I型 ●アルドステロン合成酵素欠損症 ・自己免疫によるもの ・副腎結核 ・悪性腫瘍の副腎転移 ● Addison 病 ●先天性21-ヒドロキシラーゼ欠損症 (塩喪失型) ● 3β-HSD 欠損症

b. フロセミド立位負荷試験
1)目的: 原発性アルドステロン症の診断.
2)原理: 正常ではフロセミドの利尿作用と立位負荷が循環血漿量および腎血流の低下と交感神経活性を亢進させ, レニン分泌が刺激される.
3)方法: フロセミド 40 mg を静注し, その後 120 分立位を保持する. 負荷前, 負荷 60 分後, 120 分後に採血を行う. 脳心血管イベントや不整脈のリスクが高い症例では行わない. また低カリウム血症を呈している例では事前に K 補充を行う必要がある. 血圧低下による気分不良を訴えることがあるため, 注意を要する.
4)判定: 原発性アルドステロン症では負荷後 PRA < 2.0 ng/mL/時となる.

c. カプトプリル負荷試験
1)目的: 原発性アルドステロン症や腎血管性高血圧の診断.
2)原理: 正常では ACE 阻害薬であるカプトプリルの投与によりアルドステロン合成が低下し, ネガティブフィードバックの減弱からレニン分泌が増加する. 原発性アルドステロン症ではこれが起こらずに低レニン高アルドステロン状態が持続する. 腎血管性高血圧では RAA 系が亢進しているためにカプトプリル投与後のレニン分泌が過大となる.
3)方法: カプトプリル 50 mg を粉砕内服する. 投与前, 投与 60 分 (90 分) 後に採血を行う. 腎血管性高血圧例では検査中・後に急な血圧低下を認めることがあるため血圧測定を十分に行う.
4)判定: 原発性アルドステロン症では負荷後のアルドステロンレニン比 (aldosterone renin ratio: ARR) が ≧ 200 となる (Nishikawa ら, 2011). 腎血管性高血圧では 1 時間後 PRA が, ①≧ 12 ng/mL/時, ②前値より ≧ 10 ng/mL/時の増加, ③前値より 1.5 倍以上の増加 (前値が < 3 ng/mL/時の場合は 4 倍以上の増加) のすべてを満たした場合を陽性とする (Muller の基準)[1].

d. 生理食塩水負荷試験
1)目的: 原発性アルドステロン症の診断.
2)原理: 正常では循環血漿量の増加により RAA 系が抑制される.
3)方法: 生理食塩水 2 L を 4 時間で点滴投与する. 投与前後で採血を行う. 検査中には血圧や症状に注意する. 検査終了 30 分前までは積極的に排尿を促す. 心不全や不整脈の既往がある患者では避けるべきであり, 下記の経口食塩負荷試験で代用する.
4)判定: 負荷後 PAC > 60 pg/mL を陽性とする (Nishikawa ら, 2011).

e. 経口食塩負荷試験
1)目的: 原発性アルドステロン症の診断.
2)原理: 生理食塩水負荷試験に同じ.
3)方法: 入院中では食塩負荷食 (塩分 12 g/日) を 3 日間摂取した後に, 外来では随時食摂取下で 24 時間蓄尿を行い, 尿中 Na, アルドステロン排泄量を測定する.

4) 判定： 尿中 Na 排泄量＞170 mEq/日の条件下で尿中アルドステロン排泄量＞8 μg/日であれば原発性アルドステロン症と診断できる．反対に尿中 Na 排泄量＜170 mEq/日で尿中アルドステロン排泄量＜8 μg/日であれば原発性アルドステロン症は否定的である（Nishikawa ら，2011）．

f. フルドロコルチゾン食塩負荷試験

1) 目的： 原発性アルドステロン症の診断．
2) 原理： 食塩とミネラルコルチコイドであるフルドロコルチゾンの負荷によって循環血漿量を増加させると，正常では RAA 系が抑制される．
3) 方法： 高食塩の食事摂取下で酢酸フルドロコルチゾン 0.1 mg を 6 時間ごとに 1 日 4 回内服を 4 日間連続内服する．5 日目の午前に採血を行う．
4) 判定： 原発性アルドステロン症では負荷後の PAC＞50 pg/mL となる[2]．

g. 副腎皮質刺激ホルモン（ACTH）負荷試験

1) 目的： 原発性アルドステロン症の診断．
2) 原理： 原発性アルドステロン症では RAA 系が抑制されており，ACTH のアルドステロン分泌に対する影響が大きくなる．
3) 方法： 合成 ACTH（1-24）製剤 250 μg を静脈内注射する．投与前，投与 30 分後，60 分後に採血を行う．
4) 判定： 基礎値の PRA が＜1.0 ng/mL/時の条件下で PAC（pg/mL）の頂値におけるコルチゾール（μg/dL）との比が ≧ 8.5 のときに原発性アルドステロン症が疑われる[3]．

(2) グルココルチコイド系

束状層から分泌されるコルチゾールは，視床下部-下垂体-副腎（hypothalamus-pituitary-adrenal axis：HPA）系にその合成・分泌が調節されている．この HPA 系は，視床下部で形成される日内リズム（サーカディアンリズム）や各種身体的・精神的ストレス，コルチゾールによるネガティブフィードバック機構により制御される．

HPA 系の機能検査（図 14-6-7）は副腎皮質機能低下症（以下副腎不全）や Cushing 症候群の診断のほか，ステロイドホルモン補充療法中の副腎皮質機能の評価などに用いられる．ACTH，コルチゾールが異常値を示す病態を表 14-6-3 に示す．

デキサメタゾン以外の合成ステロイドはコルチゾールの測定キットと交差反応を示すため[4]，可能であればデキサメタゾンへの変更や前日からの中止を考慮する．

a. 日内変動検査

1) 目的： ACTH，コルチゾールの自律性分泌の有無を評価する．

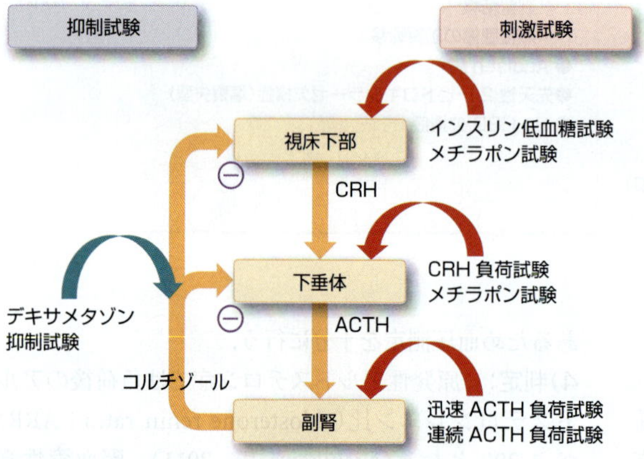

図 14-6-7 視床下部-下垂体-副腎系の機能検査

表 14-6-3 ACTH，コルチゾールが異常値をきたす病態

	コルチゾール高値	コルチゾール低値
ACTH低値	●副腎性 Cushing 症候群 〈片側病変〉 ・コルチゾール産生腺腫 ・副腎癌 〈両側病変〉 ・両側副腎皮質大結節性過形成 ・原発性副腎皮質小結節異形成 ●薬物性 Cushing 症候群	●続発性副腎皮質機能低下症 〈視床下部・下垂体性〉 ・脳腫瘍（頭蓋咽頭腫，胚細胞腫瘍，下垂体腺腫など） ・視床下部・下垂体の手術や放射線治療後 ・肉芽腫性疾患（サルコイドーシス，Langerhans 細胞組織球症など） ・下垂体炎 ・Sheehan 症候群 ・ACTH 単独欠損症 ・下垂体卒中 ・外傷 〈医原性〉 ・長期の副腎皮質ステロイド投与 ●副腎皮質ホルモン合成阻害薬
ACTH高値	●Cushing 病 ●異所性 ACTH（CRH）産生腫瘍 ●偽性 Cushing 症候群 ・グルココルチコイド不応症 ・うつ病 ・神経性食欲不振症 ・慢性アルコール依存症 ・妊娠後期 ●精神的・身体的ストレス	●原発性副腎皮質機能低下症（広義の Addison 病） ・狭義の Addison 病（特発性，結核などの感染症） ・癌の副腎転移 ・両側副腎出血・梗塞 ・先天性副腎皮質過形成 ・先天性副腎皮質低形成（ACTH 不応症，Allgrove 症候群など） ・副腎白質ジストロフィ ●両側副腎摘出後（Nelson 症候群含む） ●外傷

2）原理：コルチゾールはHPA系により日内変動を呈し，午前6〜9時頃に最高値に達し，睡眠開始後1〜2時間に最低値をとる[5]．

3）方法：早朝（午前6〜8時）と深夜就寝時（午前0〜2時）に30分以上の安静臥床の後，ACTH，コルチゾールを測定する．

4）判定：健常者では深夜就寝時のコルチゾール＜5 μg/dLとなる．一方でCushing症候群ではこの基準をこえる．早朝のコルチゾール基礎値＜4 μg/dLの場合は副腎皮質機能低下症の可能性が高い[6]．ストレス，運動，重症感染症，心不全，生活習慣などの影響を受ける．

b．インスリン低血糖試験（insulin tolerance test：ITT）

1）目的：副腎不全の診断のゴールドスタンダードである．

2）原理：低血糖刺激により，視床下部を介してACTH，コルチゾールが合成・分泌される．

3）方法：速効型インスリン0.1 U/kgを静注し，投与前，投与後15〜30分ごとに採血を行う．血糖値は投与後20〜30分程度で最低値となる．下垂体機能低下や副腎皮質機能低下症が疑われるときはインスリンを半量に減ずる．低血糖症状が重篤となる可能性があるため，静注用のグルコースを準備しておく．冠動脈疾患や痙攣の既往をもつ患者，高齢者では禁忌である．甲状腺機能亢進症，低カリウム血症，低ナトリウム血症においても慎重に行う．

4）判定：投与後の血糖値が前値の50％以下もしくは≦50 mg/dLを有効刺激と考える．正常ではコルチゾールの頂値≧18〜20 μg/dLとなる[6-8]．続発性副腎不全症の場合はACTH，コルチゾールともに低反応を示す．

c．迅速副腎皮質刺激ホルモン（ACTH）負荷試験

1）目的：①副腎不全の診断，②副腎皮質機能予備能の評価，③21-ヒドロキシラーゼ欠損症（21-hydroxylase deficiency：21-OHD）の診断など．

2）原理：正常では薬理量のACTH負荷により副腎からコルチゾールが合成・分泌される．

3）方法：合成ACTH（1-24）製剤0.25 mgを静注する．投与前，投与30分後，60分後に採血を行う．時間帯にかかわらず，検査を行うことができる．

4）判定：副腎不全の診断や副腎皮質機能予備能評価を目的とした場合，コルチゾールの頂値≧18〜20 μg/dLを正常反応とする（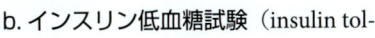）[7-9]．原発性副腎不全症に限れば，コルチゾールの頂値のカットオフ値15 μg/dLで感度97％，特異度95％である（Dorinら，2003）．

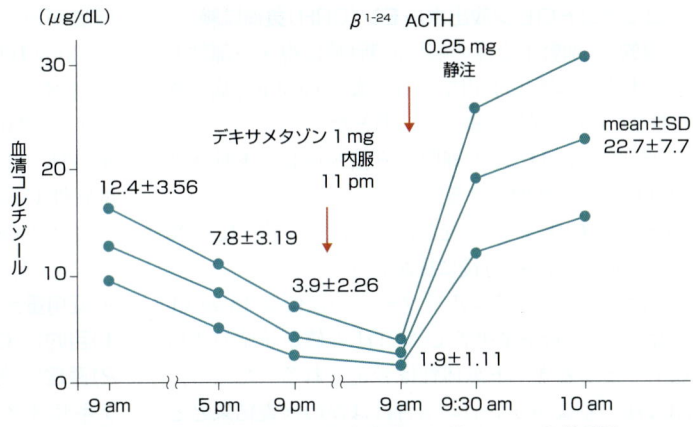

図14-6-8 健常者のコルチゾール日内変動と迅速ACTH負荷試験（文献12より改変）

日本人健常者（n＝120）において，迅速ACTH負荷試験後，コルチゾールの頂値は平均22.7±7.7 μg/dL（mean±SD）へ上昇する．

健常者ではITTと迅速ACTH負荷試験のコルチゾールの頂値はほぼ等しい[10]が，後者では副腎皮質が萎縮をきたさない程度の軽度な副腎不全や発症早期の続発性副腎不全の場合に偽陰性となることに注意が必要である[11]．

一方非古典型の21-OHDの診断目的で同試験を行うことがあり，負荷後の17-ヒドロキシプロゲステロン（OHP）が高値となる．17-OHPの頂値＜10 ng/mLの場合には21-OHDは否定的である[12]．

d．連続副腎皮質刺激ホルモン（ACTH）負荷試験

1）目的：続発性副腎不全の副腎皮質予備能の評価．かつては原発性と続発性の鑑別目的に行われたが，ACTH測定の精度が向上したためACTH基礎値によりこれらは容易に鑑別できる場合が多い．

2）原理：続発性副腎不全では，副腎そのものは正常でも慢性ACTH欠乏に起因するステロイド合成P450酵素群の枯渇のため，迅速試験には反応しないが，連続刺激によりP450酵素群が回復することで反応がみられるようになる．

3）方法：前値として検査開始2日前から蓄尿を開始する．毎朝，合成ACTH（1-24）製剤0.25 mgの点滴投与もしくは持続性合成ACTH（1-24）製剤0.5 mgの筋注（もしくは12時間ごとに各0.5 mg筋注）を行う．これを3〜5日間繰り返し，負荷終了の翌日まで蓄尿する．

4）判定：健常者では負荷初日から尿中遊離コルチゾールが前値の2〜3倍以上へ増加し，原発性副腎皮質機能低下症では増加しない．続発性副腎不全では階段状にホルモン排泄量が増加する[13]．

e. コルチコトロピン放出ホルモン(CRH)負荷試験
1)目的： 副腎不全症の病型診断(特に視床下部性と下垂体性)の鑑別に有用である．また Cushing 病と異所性 ACTH 症候群の鑑別の一助となる．
2)原理： ACTH 産生細胞を直接刺激し，下垂体の ACTH 分泌を増加させる．
3)方法： CRH 0.1 mg を静注する．投与前，投与 30 分後，60 分後，90 分後に採血を行う．
4)判定： 正常ではコルチゾールの頂値≧ 18 μg/dL となる[7]．副腎不全患者で ACTH の値が前値の 2 倍以上であるとき，下垂体性は否定される．ただし，ACTH の基礎値が低値の場合はほかの検査結果とともに慎重に評価を行う必要がある．

視床下部性の副腎皮質機能低下症の場合，視床下部障害が 1 年以内程度であれば ACTH の前値が低値であっても過大反応を示すことが多いが，障害が長期になると低反応を示す．この場合，連続刺激により回復する．

一方，Cushing 病と異所性 ACTH 症候群の鑑別は，わが国においては ACTH の頂値が基礎値の 1.5 倍以上で Cushing 病の可能性が高い[14]．

f. メチラポン試験
1)目的： Cushing 病と異所性 ACTH 症候群の鑑別．下垂体性副腎不全症の診断としても有効であるが，副腎不全症状をきたしうるため，注意を要する．
2)原理： メチラポンが副腎皮質ステロイド生合成過程の最終段階酵素である 11β-ヒドロキシラーゼを阻害する．これによりコルチゾール分泌が減少すると，正常下垂体では ACTH 分泌が増加する．その結果副腎皮質での 11-デオキシコルチゾール(11-DOF)合成が増加し，その代謝物の 17-ヒドロキシコルチコステロイド(17-OHCS)も増加する．
3)方法： 標準法，迅速法，オーバーナイト法の 3 つがあるが，近年では後 2 者が行われることが多い．
　a) 標準法：メチラポン 0.75 g を 1 日 6 回 4 時間ごとに服用する．投与前日と投与終了後に 24 時間蓄尿を行う．
　b) 迅速法：朝にメチラポン 1.5g を服用し，投与前から投与後 8 時間後まで 2 時間おきに採血を行う．
　c) オーバーナイト法：午後 11 時に少量の食物とメチラポン 30 mg/kg を服用する．内服当日朝と翌日朝に採血を行う．
4)判定：
　a) 標準法：Cushing 病では血中 11-DOF が基礎値の 4 倍以上もしくは尿中 17-OHCS 排泄量が基礎値 1.7 倍以上に増加する．異所性 ACTH 症候群ではほとんど増加は認めない[15]．
　b) 迅速法：健常者，Cushing 病では 4～6 時間後に血中 11-DOF が増加し，2～4 時間後に ACTH の増加がみられるが，異所性 ACTH 症候群や副腎性 Cushing 症候群ではこれらは不変である[8]．
　c) オーバーナイト法：健常者では内服後の 11-DOF ≧ 7.0 μg/dL となる．Cushing 病でも投与後の ACTH，11-DOF は増加し，異所性 ACTH 症候群，副腎性 Cushing 症候群ではこれらは不変である．一方，11-DOF ＜ 7.0 μg/dL かつコルチゾール＜ 5 μg/dL のとき，副腎不全と診断できる[8]．

g. 低用量デキサメタゾン抑制試験
1)目的： Cushing 症候群のスクリーニングなど．
2)原理： 健常者では合成グルココルチコイドであるデキサメタゾンによる ACTH 分泌のネガティブフィードバックが起こり，コルチゾール分泌が抑制される．
3)方法： 2 日間法(Liddle 法)とオーバーナイト法(Nugent 法)があるが，簡便さなどから現在では後者が頻用されている．
　a) 2 日間法(Liddle 法)：デキサメタゾン(0.5 mg)1 回 1 錠を 1 日 4 回，2 日間服用する(2 mg)．投与前日も含めて 24 時間ごとに蓄尿を行う．
　b) オーバーナイト法(Nugent 法)：デキサメタゾン(0.5 mg)1 錠または 2 錠を 23 時に内服する(計 0.5 mg または 1 mg)．翌朝空腹時に 30 分間安静臥床の状態で採血を行う．わが国では ACTH 依存性 Cushing 症候群のスクリーニングに 0.5 mg 抑制試験[16]を，ACTH 非依存性 Cushing 症候群のスクリーニングには 1 mg 抑制試験を用いる．
4)判定：
　a) 2 日間法(Liddle 法)：尿中コルチゾール排泄量 ＞ 10 μg/日もしくは尿中 17-OHCS 排泄量＞ 2.5 mg/日で Cushing 症候群が示唆される(Orth, 1995)．
　b) オーバーナイト法(Nugent 法)：低用量試験(0.5 mg)では，Cushing 病で翌朝コルチゾール＞ 5 μg/dL (Orth, 1995)，サブクリニカル Cushing 病で翌朝コルチゾール＞ 3 μg/dL を抑制不十分とする．

副腎性 Cushing 症候群で翌朝コルチゾール＞ 5 μg/dL(Orth, 1995)，サブクリニカル Cushing 症候群で翌朝コルチゾール＞ 3 μg/dL[17]を抑制不十分とする．米国の基準では診断の感度を上げるために＞ 1.8 μg/dL を抑制不十分としている[18]．

h. 高用量デキサメタゾン抑制試験
1)目的： Cushing 病と異所性 ACTH 症候群との鑑別やサブクリニカル Cushing 症候群の確定診断など．
2)原理： Cushing 病は高用量のデキサメタゾンにより HPA 系が抑制されるが，異所性 ACTH 症候群や副腎性 Cushing 症候群では高用量での HPA 系は抑制されず，コルチゾールは高値を示す．
3)方法：
　a) 2 日間法(Liddle 法)：デキサメタゾン 1 回 4 錠

を 1 日 4 回，2 日間服用する（計 16 mg）．投与前日も含めて 24 時間ごとに蓄尿を行う．

b）オーバーナイト法（Nugent 法）：デキサメタゾン（0.5 mg）16 錠を 23 時に内服する（計 8 mg）．翌朝空腹時に 30 分間安静臥床の状態で採血を行う．糖尿病患者では内服後の血糖値上昇に注意する．

4）判定：

a）2 日間法（Liddle 法）：尿中コルチゾール排泄量の 90％以上の抑制もしくは尿中 17-OHCS 排泄量の 64％以上の低下で Cushing 病が示唆される[19]．

b）オーバーナイト法（Nugent 法）：Cushing 病およびサブクリニカル Cushing 病では，翌朝コルチゾールは基礎値の半分以下に抑制されるが，異所性 ACTH 症候群では負荷後も通常抑制されない[20]．CRH 負荷試験との併用で Cushing 病の感度 81％，特異度 60％である[14]．

副腎性 Cushing 症候群およびサブクリニカル Cushing 症候群では，翌朝コルチゾールは抑制されずにおのおの＞ 5 μg/dL，＞ 1 μg/dL[17]と抑制不十分となる．

判定における今後の課題については，eコラム 1 を参照．

(3) 副腎アンドロゲン系

網状層から分泌される副腎性アンドロゲンには，デヒドロエピアンドロステロン（DHEA）とデヒドロエピアンドロステロンサルフェート（DHEA-S）がある．これらはおもに ACTH によって分泌が促進され，一般的に加齢とともに低下する．DHEA-S はほぼ 100％副腎由来であり，病態の評価に有用なことがある．

ACTH 依存性 Cushing 症候群では ACTH 高値のため DHEA-S も高値となる．さらに副腎性 Cushing 症候群のなかでも副腎皮質癌などの場合はアンドロゲン産生能をもつことがあり，この場合は ACTH が低値であっても DHEA-S は高値である．また多くの先天性副腎皮質過形成でも DHEA-S 高値となる．

〔田村　愛・西川哲男〕

■文献（e文献 14-6-4）

Dorin RI, Qualls CR, et al: Diagnosis of adrenal insufficiency. *Ann Intern Med*. 2003; **139**: 194-204.

Nishikawa T, Omura T, et al: Guidelines for the diagnosis and treatment of primary aldosteronism: The Japan Endocrine Society 2009. *Endocr J*. 2011; **58**: 711-21.

Orth DN: Cushing's syndrome. *N Engl J Med*. 1995; **332**: 791-803.

5) Cushing 症候群
Cushing syndrome

概念

Cushing 症候群はコルチゾールの慢性的過剰分泌状態によって引き起こされる病態で，定型的には中心性肥満，満月様顔貌，赤色皮膚線条，皮膚や筋の萎縮などの身体的特徴を示し，高血圧症，耐糖能異常，骨粗鬆症などの病態を呈する．

分類・病因

成因的には，① ACTH の過剰分泌による ACTH 依存性と② ACTH とは無関係にコルチゾール過剰分泌をきたす ACTH 非依存性に大別される（図 14-6-9）【⇒e表 14-2-A】．①のうち下垂体原発の ACTH 過剰分泌によるものを Cushing 病，下垂体以外の組織の腫瘍からの ACTH 過剰分泌によるものを異所性 ACTH 症候群と称する．また②はコルチゾール産生副腎腺腫がほとんどであるが，ほかに副腎癌や ACTH 非依存性大結節性過形成，小結節性過形成でも起こる（Nieman ら，2008；柳瀬，2009）．なお，副腎腺腫のなかには，血中コルチゾール値は正常範囲内で Cushing 徴候を認めないにもかかわらず，コルチゾールの自律的分泌を示す症例群が存在し，サブクリニカル Cushing 症候群と称されており，副腎偶発腫を契機に見いだされることが多い．

疫学・発生率

厚生省特定疾患調査研究班（平成 10 年度）の報告では Cushing 症候群の年間発生数は約 1300 例であり，人口 10 万人に 1 人と推定される．内訳は下垂体性の Cushing 病が 36％，異所性 ACTH 産生腫瘍が 4％，コルチゾール産生副腎腺腫が 47％，副腎結節性過形成が 6％を占める（e図14-6-A）．副腎性の Cushing 症候群患者の男女比は 1：3.9，平均年齢は男女とも 45～46 歳である（名和田，1999）．なお，わが国の副腎偶発腫瘍 3678 例の集計では，非機能性副腎腺腫が 50.8％と最も多いが，コルチゾール産生腺腫が 10.5％とそれにつぐ[1]．

病態生理

病態生理の包括的理解のためにコルチゾールの生理作用と過剰症を表 14-6-4 にまとめた．Cushing 症候群ではコルチゾールの慢性的過剰分泌により体幹部を中心に脂肪沈着をきたし，筋萎縮をきたす．コルチゾール自体の脂肪分化促進作用に加え，コルチゾール過剰によるインスリン抵抗性に伴う高インスリン血症も脂肪蓄積に促進的に作用する．すなわちインスリンは，脂肪細胞に作用し，グルコースの取り込みを促進させ，グリセロール-3-リン酸を生成させ，脂肪細胞が，遊離脂肪酸を中性脂肪として貯蔵することを促進する．またインスリンは，リポ蛋白リパーゼ活性を上

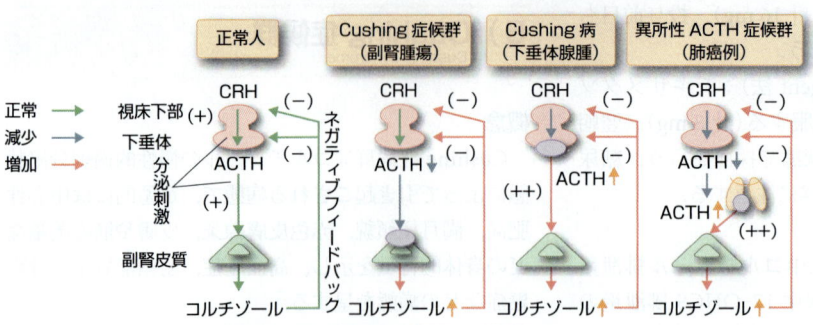

図 14-6-9 Cushing 症候群の分類，病態

表 14-6-4 コルチゾールのおもな生理作用と過剰症

生理作用	過剰症（Cushing 症候群）
糖質代謝作用：末梢での糖利用抑制，肝グリコーゲン合成を促進，抗インスリン作用	糖尿病
脂質代謝作用：分解と合成作用（部位により選択性，四肢は動員，体幹は蓄積）血中遊離脂肪酸，コレステロール増加	脂質異常症 中心性肥満，水牛（様）肩，満月様顔貌
蛋白代謝作用：蛋白分解促進→アミノ酸遊離→糖新生	糖尿病 皮膚線条，皮膚菲薄化，皮下組織萎縮，筋萎縮
電解質代謝作用：尿細管の Na 再吸収，K 排泄を促進	高血圧，浮腫，筋力低下
抗炎症，抗アレルギー，抗免疫作用	易感染症
骨 Ca 溶出促進，尿中 Ca 排泄促進	骨粗鬆症
腸管でのビタミン D の Ca 吸収抑制	骨粗鬆症
アンドロゲン様作用	痤瘡，多毛

昇させ，血漿中のリポ蛋白中の中性脂肪の分解を促進し，遊離脂肪酸を脂肪細胞内に取り込ませる．一方，脂肪細胞において，インスリンはホルモン感受性リパーゼの活性を低下させ，脂肪細胞内の中性脂肪分解を抑制する．これらの作用によって脂肪沈着が促進され肥満となる．

コルチゾールの自律性過剰分泌はしばしば耐糖能異常を惹起する．機序としてコルチゾールなどのグルココルチコイド（glucocorticoid：GC）は肝臓の糖新生系酵素の phosphoenolpyruvate carboxykinase や glucose-6-phosphatase の発現を増強する．コルチゾールの直接的作用により肝臓からの糖の放出も促進される．また，脂肪や筋肉での異化亢進により産生されたグリセオールやアミノ酸（アラニンなど）が糖新生基質として肝臓に送り込まれる．さらに，グルカゴン分泌を促進し肝糖放出を促進する．GC はインスリンシグナルの抑制や糖輸送担体（GLUT4）の細胞膜へのトランスロケーションを抑制しインスリン抵抗性を惹起するのみならず，最終的には膵 β 細胞からのインスリン分泌をも低下させる．さらにステロイドにはインスリン拮抗ホルモンのグルカゴンやカテコールアミンな

どの作用を増強する作用が知られており，この作用も耐糖能異常へ向かわせる．また，GC には食欲亢進作用を認める[2]．なお，GC は骨芽細胞機能を抑制し，骨形成因子として知られるオステオカルシンの分泌を抑制する．また小腸での活性型ビタミン D の作用に拮抗するため，Ca の吸収が低下する．これらの作用は，骨粗鬆症を引き起こす原因ともなる．なお，骨芽細胞からのオステオカルシンの産生低下は耐糖能障害を引き起こすことも知られている[3]．また，GC による高血圧の発症機序は，GC によるカテコールアミンなどの昇圧系ホルモンに対する感受性増強，血管内皮細胞からの NO の産生低下，肝臓のアンジオテンシノゲンの合成亢進など複数の因子の関与に加えて，長期的にはインスリン抵抗性を介した動脈硬化症の発症も関連すると想定されている[4]．

1）ACTH 依存性 Cushing 症候群： 下垂体由来もしくは異所性に産生される ACTH の慢性刺激により高コルチゾール血症と両側副腎過形成をきたす病態である．Cushing 病（下垂体腺腫，過形成）や異所性 ACTH 産生腫瘍からの ACTH の自律性過剰分泌による．

a）Cushing 病：90％以上は下垂体 ACTH 産生微小腺腫によるが，まれに下垂体過形成による症例がある．近年はまれであるが，本症の治療としての両側副腎摘出後に下垂体腫瘍の増大をみることがある（Nelson 症候群）．まれに ACTH の分泌に周期性を認める特殊症例があり，周期性 Cushing 症候群とよばれる．

b）異所性 ACTH 症候群：肺癌（特に小細胞癌に多い）や胸腺腫，カルチノイド（気管支，消化器など）などの異所性 ACTH 分泌によって引き起こされる病態である．

c）異所性 CRH 産生腫瘍：ACTH を同時産生しない異所性 CRH 産生腫瘍は肺小細胞癌，甲状腺髄様癌などで報告されているが，ACTH との同時産生例も

2) ACTH非依存性Cushing症候群：副腎原発性の原因としては副腎腺腫によるものが最も多く，その他副腎癌やACTH非依存性大結節性過形成，小結節性過形成でも起こる．腫瘍や過形成病巣からのコルチゾールの自律性過剰分泌による．小結節性過形成のうち遺伝性のものは原発性色素性副腎結節性異形成（primary pigmented nodular adrenalhyperplasia：PPNAD）とよばれ，家族性疾患のCarney症候群の一部分症と考えられている．McCune-Albright症候群で副腎腺腫やACTH非依存性大結節性過形成を認めることがある．

a) 副腎腺腫，副腎癌：副腎腺腫は通常，一側性であるが，まれに両側性の症例がある．副腎癌の診断的決め手となる生化学的マーカーはないが，副腎アンドロゲンのDHEA，DHEA-Sの血中高値を呈する場合がある．腫瘍径の大きさ，重量が現段階でも良悪性の重要な指標となり，腫瘍径の大きな腫瘍（5 cm以上）では25～50％以上の確率で癌である可能性が高い．最近，Cushing症候群における自律性コルチゾール過剰産生の成因として，Cushing症候群副腎腺腫においてprotein kinase Aのcatalytic subunitであるPRKCAの体細胞変異が高率に同定されることが明らかになっている．この変異は，サブクリニカルCushing症候群よりも顕性Cushing症候群での変異陽性率が高い[5]．

b) ACTH非依存性大結節性過形成：ACTH非依存性に両側副腎に大結節性の肥大をきたす病態（図14-6-10）で，ACTH-independent macronodular adrenal hyperplasiaを略して通常，AIMAHの名称でよばれる．しかしながら腫瘍内ACTHによるautocrinoあるいはparacrine調節機構が存在する症例群も証明され，ACTH非依存性の概念が合わなくなり，BMAH（bilateral）あるいはPMAH（primary）という呼称に変わりつつある[6]．Cushing症候群全体の3％前後を占め，Cushing病や副腎腺腫によるものに比べ相対的に年齢が高く，男性に多い．またAIMAHではコルチゾールの産性能が低く，Cushing症候群に特徴的な身体所見も少ないことが多く，後述のサブクリニカルCushing症候群の範疇に属するものもある．画像診断では超音波，CT，MRIで結節を伴う両側副腎の著しい腫大を認め，副腎シンチグラフィで両側への取り込み陽性を認める．AIMHA結節部に発現するV$_1$受容体を介してバソプレシンにより，またgastric inhibitory polypeptide（GIP）受容体を介してGIPによりそれぞれコルチゾール産生が促進される症例がある．GIPに対する反応性はAIMAHに必ずしも特異的なものではないが，これらの例は，食後の血中GIPの増加に伴ってコルチゾールの分泌が認められ，食事依存性Cushing症候群とよばれている．その他，異所性に副腎に発現したβ-受容体やインターロイキン-1受容体，アンジオテンシンⅡ受容体タイプⅠなどを介してコルチゾールの分泌を認める症例も存在する．AIMHAの成因は多様で，未知の因子も含めてACTH以外の多種多様な因子が副腎の増殖やステロイド産生能に関与していると考えられていた．しかしながら近年，AIMAHの約60％の症例群でARMC5遺伝子の胚細胞変異ならびに体細胞変異が見いだされている[7]．AIMAHの治療は両側副腎摘出手術を原則とするが，一期的あるいは二期的な手術がなされる．

c) 原発性色素性副腎結節性異形成：小結節性異形成はprimary adrenocortical nodular dysplasia（PAND）あるいは黒褐色の色素沈着を有する結節であることからprimary pigmented nodular adrenocortical disease（PPNAD）ともよばれ，常染色体優性遺伝性疾患であるCarney症候群の一部分症として認められる．Carney症候群では心粘液腫，皮下粘液腫，多発性精巣腫瘍などを認めるが，約1/3の症例でPPNADの合併を認める．本症ではプロテインキナーゼA調節サブユニットの変異が知られている．

臨床症状
定型的には顔は頰部を中心に赤みを帯びて緊満し，満月様顔貌を呈する．また体幹部の脂肪沈着に比べ，手足は細く中心性肥満を呈する．項から肩にかけての

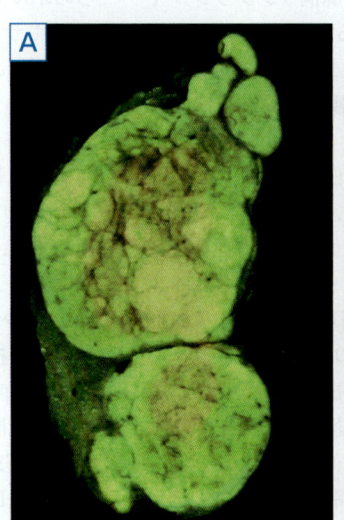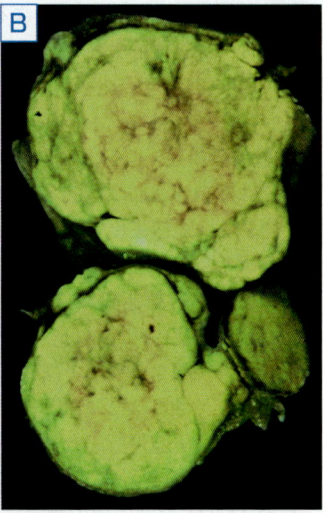

図14-6-10 ACTH非依存性大結節性過形成
両側副腎に大小不同の結節性病変を認める．
A：rt. adrenal tumor，B：lt. adrenal tumor．

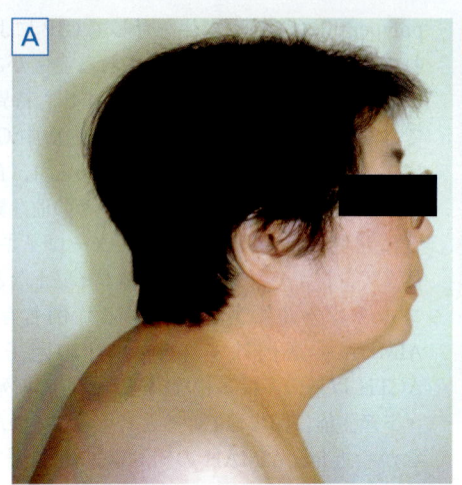
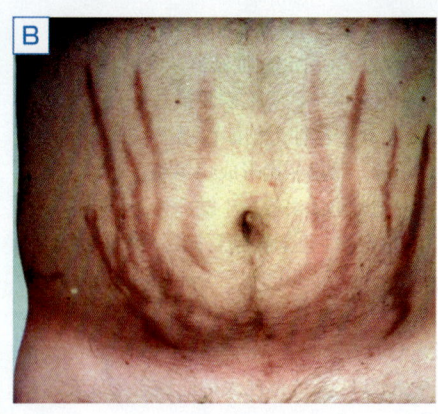

図 14-6-11 Cushing 症候群の特徴的身体所見
A：水牛様肩，B：赤色皮膚線条．

脂肪沈着により水牛様肩（buffalo hump）を呈する．皮膚は萎縮し菲薄化する．下腹部や大腿に赤紫色の伸展皮膚線条や皮下出血斑，多毛，痤瘡などの特徴的身体所見を認める（図 14-6-11）．また易感染性を反映して，爪白癬をしばしば認める．また，非特異的所見としてコルチゾール過剰に伴う高血圧，糖代謝異常，骨粗鬆症などの臨床像を呈する．骨粗鬆症の著しい例では腰椎の圧迫骨折のため腰痛を訴える．

検査所見
　ACTH あるいはコルチゾールの慢性過剰分泌ならびに，デキサメタゾン抑制試験により腫瘍からの自律性分泌を証明することが肝要である．また，腫瘍の局在診断は CT，MRI，副腎アドステロールシンチグラフィなどを駆使する．これらの検査で確診に至らなければ，下垂体性の場合には海綿静脈洞サンプリングや下錐体静脈洞サンプリングによる ACTH 濃度，副腎性の場合には副腎静脈サンプリングによるコルチゾール濃度の各左右差の比較により腫瘍の局在を決定する．

1）一般検査所見：末梢血液では白血球増加を認め，分画では好中球増加，好酸球減少，相対的リンパ球減少を認める．血液生化学所見では低カリウム血症を認め，しばしば肝機能障害や LDH や ALP の増加も認める．また，耐糖能異常（糖尿病），高インスリン血症，脂質異常症（特に高コレステロール血症）を高率に認める．骨代謝マーカーでは骨形成の低下を反映して血中オステオカルシンの低下を認める．骨 X 線では椎体の変形や圧迫骨折，骨密度の低下を認める．

2）内分泌学的検査所見：早朝安静時の血中コルチゾールや ACTH の基礎値の測定，ならびに尿中遊離コルチゾールの測定により顕性 Cushing 症候群の多くはスクリーニング可能である．本症候群の診断目安として，早朝空腹時血中コルチゾール値 20 μg/dL 以上，尿中遊離コルチゾール値は 100 μg/日以上のときは本症候群を疑う．また，通常，正常人の血中コルチゾールは，早朝高く，夜間低くなる日内リズムを示すが，本症候群では比較的一日中，高値を示し，日内リズムが消失する．しかしながら，日内リズムの消失は，ACTH 非依存性（副腎性）Cushing 症候群や異所性 ACTH 産生腫瘍において顕著であり，Cushing 病の場合には，日内リズムを認める症例も存在する．血中 DHEA-S 基礎値の測定も本症候群の局在診断の参考となり，一般に Cushing 病では正常〜高値となり，副腎腺腫によるものでは低値となる．副腎癌では高値となる場合がある．
　本症候群の内分泌学的確定診断のためには，腫瘍からのホルモン分泌の自律性分泌の有無を確認するためのデキサメタゾン抑制試験が不可欠である．overnight 法によるデキサメタゾン抑制試験では午後 11 時にデキサメタゾン 1 mg を経口投与し，翌朝 8〜9 時に血中 ACTH，コルチゾールを測定し，負荷前の前値と比較する．デキサメタゾン 1 mg（少量）投与の場合，血中コルチゾール値 3 μg/dL 以下を抑制ありと判断する．1 mg で抑制されない場合，8 mg の大量投与を行う．一般に Cushing 病では overnight 法では 1mg の少量デキサメタゾン投与では抑制を認めないが，大量投与では，不十分ながら抑制を認める（前値の 1/2 程度）．8 mg の大量投与でも抑制が認められなければ，副腎性もしくは異所性の可能性が高い．また，ACTH 分泌予備能の確認検査としての CRH 負荷試験，DDAVP 負荷試験も有用である．ACTH 非依存性（副腎性）では CRH 負荷に対して ACTH 分泌の無反応もしくは遅延反応を認める．Cushing 病の場合，CRH 負荷に対して ACTH とコルチゾールはほ

表 14-6-5 Cushing 症候群の鑑別診断

	Cushing 病	異所性ACTH症候群	副腎腺腫	副腎癌
血中コルチゾール基礎値	増加	増加	増加	著明に増加
コルチゾールの日内変動	消失〜正常(20%)	消失	消失	消失
血中ACTH基礎値	正常〜高値	高値〜著明高値	低値	低値
血中DHEA-S基礎値	高値	高値	低値	高値
低用量デキサメタゾン抑制試験	抑制なし	抑制なし	抑制なし	抑制なし
高用量デキサメタゾン抑制試験	抑制	抑制なし	抑制なし	抑制なし
CRH負荷試験	過剰反応	無反応	無反応	無反応
DDAVP負荷試験	増加	無反応	無反応	無反応

CRH: corticotropin-releasing hormone(副腎皮質刺激ホルモン放出ホルモン), DDAVP: 1-demino-8-D-arginine vasopressin.

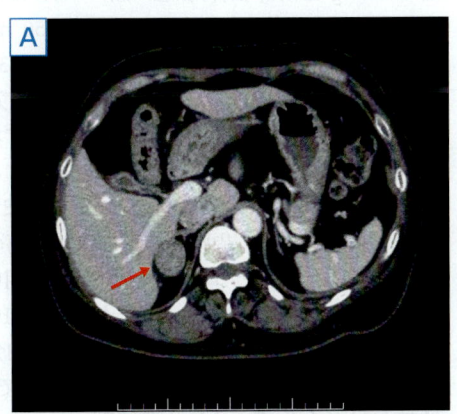
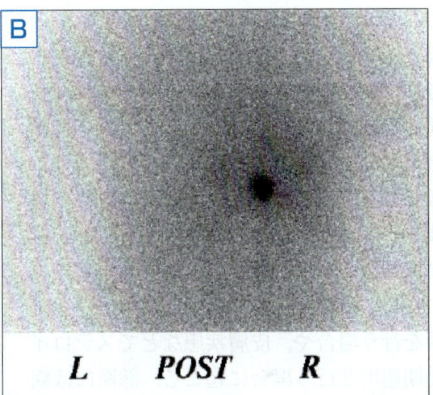

図 14-6-12 Cushing 症候群副腎腺腫患者における腹部 CT 写真(A)と ^{131}I-アドステロールシンチグラフィ(B)
A：右副腎腺腫(矢印)，B：右副腎腺腫の取り込み亢進と健常側(左)の取り込み抑制を認める．

とんど増加反応を示すが，約10%で無反応である．異所性の場合はCRHに対して無反応のことがほとんどである．なお，Cushing病の診断ではDDAVP(4 μg, 静注)試験で血中ACTH値が前値の1.5倍以上の反応を示す場合は参考となる．各病型の内分泌学的鑑別点を表14-6-5にまとめた．

3)画像診断：

a)超音波，CT，MRI：下垂体腺腫の診断は頭部MRIにて行う．Cushing病の場合は1cm以下の微小腺腫が多い．造影後T1強調画像では，微小腺腫も造影を受けるが，正常前葉ほど造影されないため，相対的な低信号域として描出される．また副腎腫瘍の検索は腹部超音波，CT，MRIなどで行うが，Cushing症候群の副腎腺腫のほとんどは2.5cm以上と大きく，CT上，明瞭に描出され，健側副腎は萎縮を認める（図14-6-12）．まれに癌との鑑別を要するが，鑑別点は癌では腫瘤の大きさが一般に大きいこと，辺縁が不整なこと，造影CTにて不均一に描出されることなどがあげられる．大結節性過形成の場合は両側性に複数の特徴的大結節を認め，小結節性過形成では，副腎サイズは正常のことが多い．

b)シンチグラフィ：副腎皮質のシンチグラフィではコレステロール類似体の^{131}I-アドステロールを用いる．Cushing症候群副腎腺腫では，腺腫側が強く描出され，対側の副腎はACTH抑制を介した萎縮により集積が抑制されるため，左右差が明瞭である（図14-6-12）．なお，小結節性過形成では取り込みの左右差が明瞭でない場合があり，注意が必要である．Cushing病の場合には，両側副腎が大きく濃く描出される．なお，異所性ACTH産生腫瘍の部位診断はCT，MRIを駆使しても困難なことがあり，ソマトスタチンアナログを用いたシンチグラフィがおもにカルチノイドの検索を目的として行われることがある．

4)選択的静脈サンプリング：

a)下錐体静脈洞または海綿静脈洞サンプリング
Cushing病が強く疑われるが，下垂体MRIで腺腫が

同定されない場合に，選択的静脈血サンプリングを行う．方法は両側の海綿静脈洞にカテーテルをおきCRH試験をしてサンプリングを行うか，下錐体静脈洞後部からサンプリングを行う．前者のACTH頂値または後者のACTH基礎値が末梢血の2倍以上あれば，Cushing病が考えられる．

　b）副腎静脈サンプリング：両側左右副腎静脈にカテーテルを挿入し，血中コルチゾール/アルドステロン比の左右差により診断する．ACTH負荷を組み合わせる場合もある．しかしながら，副腎性Cushing症候群の局在診断として本試験を必要とすることはまれである．まれにコルチゾール，アルドステロン同時産生腫瘍が存在し，結果の解釈に注意を必要とする．

鑑別診断

　過度のストレス状態，感染症罹患時，神経性食欲不振症，抑うつ症などでは，ACTHやコルチゾールの高値を認めることがある．多くの場合，1 mgデキサメタゾン投与によって抑制されるが，一時的なフィードバック機構の障害のために，デキサメタゾンで抑制されない場合もある．アルコールの長期多飲者では，身体所見，検査所見ともCushing病類似の病態を呈することがあり，アルコール性偽性Cushing症候群とよばれるが，禁酒により改善する．医原性は膠原病などの加療のために長期に比較的大量のグルココルチコイドの服用を行う場合や，皮膚疾患などでステロイド外用薬の長期連用を行う場合に起こる．診断には病歴聴取が重要であるが，内分泌学的には外因性ステロイドの投与により，内因性の血中ACTHならびにコルチゾールの低下を認める．きわめてまれな病態である原発性コルチゾール不応症ではコルチゾールに対する不応のため，ネガティブフィードバック機構の感受性低下によりACTHの分泌亢進を介して高コルチゾール血症を呈する．

治療

　治療は副腎性，下垂体性，異所性のいずれの原因においても手術可能であれば根治療法としての腫瘍摘出が原則である．下垂体腺腫の蝶形骨洞的摘出術はHardy手術の名前でよばれる．手術不能症例，不完全摘出例，再発例，副腎癌の転移例などでは副腎酵素阻害薬メチラポンやミトタン®を中心に薬物療法を選択する[8]．

1）外科的治療： 下垂体腺腫によるCushing病の場合にはHardy手術（経蝶形骨洞摘出術）による腺腫摘出術が通常，第一選択治療であるが，約80％の治癒率である．副腎腫瘍によるものでは原則的に病側の副腎摘出術を行う．現在は腹腔内視鏡手術の普及により，通常の良性腺腫では内視鏡手術が選択されることが多くなりつつある．Cushing症候群では対側副腎は長期のACTH分泌抑制による萎縮のため，コルチゾール分泌は抑制されており，術後は副腎不全の予防のためにグルココルチコイドの補充が必要となる．

2）照射療法： 副腎腫瘍の場合にはほとんど施行されないが，下垂体腫瘍によるものでは現在，^{60}Coによるガンマナイフ療法の有効性が確立されてきており，下垂体手術が施行できない症例や取り残し症例，術後再発症例などで積極的に行われてきている．

3）薬物療法： 下垂体性Cushing病（下垂体腺腫）では中枢神経作動薬として以下の①～③のいずれかを用いる場合があるが，有効性は高くない．①ペリアクチン®（4 mg）3～6錠，分3，②パーロデル®（2.5 mg）1～3錠，分1～3（食直後），③デパケン®（200 mg）3～6錠，分3などである．また中枢神経作動薬と下記の副腎ステロイド合成阻害薬との併用も可である．副腎性Cushing症候群（副腎腺腫，癌）の場合には副腎ステロイド合成阻害薬のメチラポン（250 mg）：4～12C，分4またはオペプリム®（500 mg）：3～12C，分3～4を使用する．メチラポンの方が速効性がある．なお，メトピロンは副腎不全症を起こす場合があり，同時にコートリル®の補充を考慮する．なお，副腎癌では，術後アジュバント療法としてのミトタン®投与が推奨される．異所性ACTH産生腫瘍の場合には通常，上記副腎ステロイド合成阻害薬を用いるが，ほかの選択肢としてサンドスタチン®（100 μg）：1～3A，分3，皮下注もある．なお膵神経内分泌腫瘍によるものでは，mTOR阻害薬が使用可能である．

サブクリニカルCushing症候群

　Cushing症候群の患者のなかには特徴的身体所見を認めないにもかかわらず，血中コルチゾールの日内リズムを認めなかったり，デキサメタゾン抑制試験による抑制の程度が不十分であったりする患者が存在する．ACTHやコルチゾールの分泌総量があまり過剰でないか，自律性分泌が比較的低い症例と考えられ，サブクリニカルCushing症候群の名称でよばれる[1,2]．本症では高血圧，耐糖能異常，脂質異常症などの合併頻度が高い．副腎性のものは，比較的非機能性副腎腫瘍に近いものから，腫瘍からのコルチゾールの自律性分泌が比較的顕著で顕性Cushing症候群に近いものまで，その臨床内分泌学的病態は広いスペクトルを示す．副腎性のものについては，その診断の核となるのは，デキサメタゾン抑制試験におけるコルチゾールの自律性分泌の証明である．非機能性副腎腫瘍における成績との比較から，1 mgデキサメタゾン抑制試験において血中コルチゾール値が3 μg/dL以下（RIA値）に抑制されないことが1つの基準として提唱されている（表14-6-5）．顕性Cushing症候群への移行例もまれに報告されているが，Cushing症候群の好発年齢層よりもやや高く，病態も不変の場合が多い．一方，Cushing病においてもまれながら顕性

Cushing症候を呈さないサブクリニカルCushing病と考えられる症例が報告されている[2]．最近，わが国において提唱されているCushing病診断基準ではスクリーニング検査として，従来の1 mgに代わり0.5 mgデキサメタゾン経口投与と血中コルチゾール5 μg/dL以上を非抑制とするスクリーニング法が提唱されている．サブクリニカルCushing症候群の取り扱いについてはその臨床像が広範なこともあり，明確なコンセンサスは得られていないが，手術症例では病態は不変または改善する場合がほとんどである．

〔柳瀬敏彦〕

■文献(e文献14-6-5)

名和田新：厚生省特定疾患「副腎ホルモン産生異常症」調査研究班平成10年度研究報告書，pp11-55, 1999.

Nieman LK, Biller BM, et al: The diagnosis of Cushing's syndrome: an Endocrine Society Clinical Practice Guideline. J Clin Endocrinol Metab. 2008; 93: 1526-40.

柳瀬敏彦：クッシング症候群診断ガイドライン．内分泌外科．2009; 26: 65-72.

6）男性化副腎腫瘍

概念

アンドロゲンの過剰産生により小児または女性に種々の程度の男性化をきたす副腎腫瘍を副腎男性化腫瘍とよぶ（高柳ら，1993）．これらの副腎腫瘍の一部はほかの内分泌活性を有し，しばしば混合型としてCushing症候群を合併する．

疫学

男性化副腎腫瘍には腺腫と癌があり，小児では癌が多く，成人では両者が半々にみられる．わが国での発症頻度は約100例程度であり，その70～80％は小児である．男性化副腎腫瘍の約1/4にCushing症候群の合併がみられる．

病態生理

血中主要アンドロゲンはtestosterone(T)，Δ4-androstenedione(A)，dehydroepiandrosterone(DHEA)およびDHEA-sulfate(DHEA-S)である．Tの生物活性はAの10倍，DHEAの20倍以上であり，Tはその標的末梢臓器においてさらに2～3倍生物活性の強いdihidrotestosterone(DHT)に転換し作用する．Tの50～60％は肝，筋肉，皮膚などの末梢組織でのAからの転換によるもので，残りの40～50％が副腎，卵巣由来であり，両巣ともほぼ等量分泌する．一方，DHEA-Sは99％以上が副腎由来であり，DHEAも90％が副腎から，残り10％が卵巣から分泌される．Aは50％が副腎から，残り50％が卵巣から分泌される．したがって副腎腫瘍からのこれら前駆体を含めたアンドロゲンの産生亢進が男性化の原因となる（Derksenら，1994）．酵素学的には副腎皮質癌におけるアンドロゲン産生亢進機序の一部として3β-HSD活性の低下が指摘されている（Sakaiら，1994）．

臨床症状

小児期，思春期前ならば外性器の発育促進が目立ち，男子では陰茎肥大などの性早熟，女子では陰核の肥大や外陰部への色素沈着，陰毛の発育がみられる．また年齢に比し筋肉などの身体発育もよい．思春期以降の女性の場合，月経異常（稀発月経や無月経）や痤瘡，多毛（顎鬚，胸毛，ピラミッド型陰毛）が症状となり，加えて声の低音化，筋肉質の男性型体型乳房萎縮，前頭部・頭頂部の脱毛など男性化を伴うことがある．

検査所見

男性化腫瘍で分泌されるアンドロゲンはDHEA，DHEA-Sが主体なので，血中DHEA，DHEA-Sも高値で，転換亢進のため成人型では血中Tも高い[2]．まれにT産生副腎腫瘍も存在し，この場合，血中Tは著増する．男性化副腎腫瘍のステロイド産生は自律性を有し，大量のデキサメタゾンで抑制されず，ACTH, hCGにも反応しないものがほとんどであるが，例外もある．血液DHEA, DHEA-Sが主体なので，尿中17-KSが著増する例が多い．また尿中プレグナンジオールやプレグナントリオールも増加していることが多い．腹部超音波，CT, MRIなどにより副腎腫瘍の存在を確認する．腺腫に比して副腎癌では一般に腫瘍径が大きく，5 cmをこえるものは癌である確率が高い（Woltherら，1999）．

鑑別診断

女性では卵巣のアンドロゲン産生腫瘍，多囊胞性卵巣症候群，特発性多毛症との鑑別が重要であり，また小児，成人女性とも先天性副腎過形成症の男性化型（21-ヒドロキシラーゼ欠損症，11β-ヒドロキシラーゼ欠損症，3β-HSD欠損症（女児））との鑑別も重要である．

治療

副腎癌の転移例や摘出不能例を除き，いずれの腫瘍も原則的に腫瘍の存在する副腎の全摘術を行う．この際，術前に悪性が示唆される場合には，播種の危険を避けるために腹腔鏡的摘出術は行わず，開腹手術とする．副腎癌の術後アジュバント療法として，o,p'-DDD（ミトタン®）のrecurrence free survivalの延長効果が示されている（Terzoloら，2007）．また，進行副腎癌に対する有効な治療法はほとんどないが，EDP（エトポシド，ドキソルビシン，シスプラチン）とミトタン®を併用する化学療法の相対的な有効性が示されている（Fassnachtら，2012）． 〔柳瀬敏彦〕

■文献（e文献 14-6-6）
Derksen J, Suresh K, et al: Identification of Virilizing Adrenal Tumors in Hirsute Women. N Engl J Med. 1994; 331: 968-73.
Sakai Y, Yanase T, et al: Mechanism of abnormal production of adrenal androgens in patients with adrenocortical adenomas and carcinomas. Clin Endocrinol Metab. 1994; 78: 36-40.
高柳涼一，名和田新：日本臨牀（別冊）．1993: 738-41.

7）Addison 病・急性副腎不全

（1）Addison 病

定義・概念

副腎に病変が原発する慢性副腎皮質機能低下症を発見者にちなみ Addison 病という[1]．副腎不全の原因としては，自己免疫機序による特発性副腎萎縮と副腎結核が大部分を占める原発性のものに加え，下垂体異常による ACTH あるいは視床下部異常による CRH の分泌不全に起因する続発性（二次性あるいは三次性）のものも多い（e表 14-6-A）[2]．原発性副腎不全症の成因は先天性から後天性疾患までさまざまであるが，狭義には特発性や結核など後天的なものを Addison 病と称する．

原因・病因

従来は副腎の結核による発症が多いとされていたが，自己免疫異常による特発性 Addison 病が相対的に増加している．特発性では抗副腎皮質抗体，ステロイド合成酵素に対する自己抗体の産生が病因論的に想定されている．孤発例もみられるが複数の内分泌腺などが自己免疫の標的となる多腺性自己免疫症候群（APS）の主要な構成因子となることが知られており，特発性副甲状腺機能低下症・慢性粘膜皮膚カンジダ症を伴う APS Ⅰ型，橋本病を合併する APS Ⅱ型は Schmidt 症候群とよばれる．広義なとらえ方でいう先天性 Addison 病としては，APS Ⅱ型の表現型をとる AIRE 異常，DAX1 や SF1 異常による先天性副腎低形成に加え，MC2R，MRAP，AAAS，NNT，TXNRD2 などの遺伝子異常が ACTH 不応症（家族性グルココルチコイド欠乏症）をきたすことが判明している．また後天性免疫不全症候群（AIDS）では剖検例の半数以上の副腎に抗酸菌・クリプトコックスなどの感染やサイトメガロウイルスによる壊死性副腎炎が認められ，ときに副腎不全に至る．その他，肺・乳・腎癌などによる転移性悪性腫瘍，悪性リンパ腫なども原因となる．

疫学

2003〜2007 年を調査対象とした 2010（平成 22）年度全国調査報告では国内発症率 911 人/5 年と推計され，成因別では特発性 49％，感染性 27％（内訳は，

表 14-6-6 Addison 病の臨床的特徴

特徴	発生頻度（％）
臨床症状	
易疲労感	100
食欲不振	100
消化器症状	92
悪心	86
嘔吐	75
便秘	33
腹痛	31
下痢	16
塩分嗜好	16
起立性めまい	12
筋肉・関節痛	13
徴候	
体重減少	100
色素沈着	94
低血圧（収縮期 110 mmHg 未満）	88〜94
皮膚白斑	10〜20
耳介石灰化	5
臨床検査所見	
血清電解質異常	92
低ナトリウム血症	88
高カリウム血症	64
高カルシウム血症	6
高窒素血症	55
貧血	40
好酸球増加	17

結核性 57％，真菌性 3％，その他 5％），その他 11％ と報告されている[3]．1998（平成 10）年度報告（特発性 42％，結核性 37％）[4]に比べ，結核の減少とともに特発性の増加が著しい．欧米では特発性が 65〜82％を占め結核性は 2〜9％にすぎない[5]．男女比は 1.4：1 で，平均年齢 64.8 歳と中高齢者が多い．

病態生理

副腎皮質は 3 層構造を形成し，球状層から水・電解質作用をもつアルドステロンが，束状層から糖・脂質代謝作用をもつコルチゾールが，網状層から副腎アンドロゲンの DHEA が分泌される．Addison 病すなわち原発性副腎皮質機能低下症ではこれら 3 つのホルモンの脱落症状をきたすことになり，二次的な ACTH 分泌亢進による色素沈着が大きな特徴となるが，ACTH 分泌障害に起因する続発性副腎皮質機能低下症では色素沈着はきたさず，レニン-アンジオテンシン系により支配されるアルドステロン分泌は保た

れるのが大きな違いである．結核性 Addison 病では副腎髄質機能も低下するため，低血糖や低血圧が特発性に比し高度となる傾向がある．またコルチゾールは腎集合管において抗利尿ホルモンに拮抗する作用があるため，Addison 病では水利尿が低下し希釈性低ナトリウム血症に陥りやすい．

臨床症状

両側副腎皮質が徐々に破壊されるが，初期には基礎分泌は維持され予備能が低下する．この時期には手術などのストレス時に臨床症状が現れる．90％以上破壊されてはじめて臨床症状が完成する．コルチゾールの分泌低下は，あらゆる代謝に影響を与え，強い全身倦怠感，易疲労感，食欲不振，体重減少，悪心・嘔吐，などの非特異的症状に加え，ときに低血糖，低血圧をきたす（表 14-6-6）．ネガティブフィードバック機序の解除により過剰分泌される ACTH やほかの POMC 由来ペプチドは，melanocortin-1 受容体を介して，全身，特に口腔粘膜，歯肉，舌，乳頭，手掌の皮溝，爪床や手術痕部，皮膚の圧迫部位（膝・肘・手指関節，腰ベルト部など）に色素沈着をきたす[6]（図 14-6-13）．これら臨床症状は副腎の破壊に応じて徐々に進行する．アルドステロンの欠乏は，腎での Na と水の再吸収低下，K 排泄低下による塩喪失・脱水を生じ，低血圧を助長し，ときに意識喪失に至る．副腎アンドロゲンの低下は女性では月経異常や腋毛の脱落，恥毛の減少，男性でも性欲低下をきたす．

検査所見

コルチゾールの基礎分泌および予備能が低下している．血中コルチゾールと尿中遊離コルチゾール排泄量の低下，血中 ACTH 上昇が基本である．特に後者は，原発性と続発性副腎皮質機能低下症の鑑別に有用である．血中 DHEA も低下し，アンドロゲンの尿中代謝産物である 17-KS も低値となる．

具体的には，非ストレス刺激下で早朝（外来では朝絶食で 9 時までに），ACTH・コルチゾール値を測定し，早朝コルチゾール値が 4 μg/dL 未満（副腎不全症診断のゴールドスタンダードとして，インスリン低血糖試験時の血中コルチゾール頂値カットオフ値として従来より提示されてきた 18 μg/dL[7]にほぼ相当）であれば副腎不全の可能性が高く，4 μg/dL 以上かつ 18 μg/dL 未満は可能性を否定できない．これらの場合に，迅速 ACTH 試験（合成 1-24 ACTH（コートロシン®）250 μg 静注）を行い副腎皮質予備能を評価する．負荷後 30〜60 分のコルチゾール値が 15 μg/dL 未満では原発性副腎不全症の可能性が高く，18 μg/dL 未満であれば副腎不全症の可能性を否定できない．軽度の副腎皮質機能低下症を検出するためには少量の合成 ACTH（0.5 μg，1 μg）を用いた低用量 ACTH 負荷試験も行われる．血漿レニン活性は上昇する．また血中，尿中のカテコールアミンは副腎髄質が破壊される結核性や悪性腫瘍転移で低下する場合もある．

初期には一般検査の異常はほとんど示さない．完成された病像では，低血糖（70 mg/dL 以下），低ナトリウム血症（135 mEq/L 以下），正球性正色素性貧血，総コレステロール低値（150 mg/dL 以下），好酸球増加（8％以上），相対的好中球減少とリンパ球増加，高カリウム血症も認める．結核の罹患歴はツベルクリン反応を参考とする．

診断

自覚症状，臨床症状，病歴から副腎皮質機能低下症を疑う．軽症の場合には，消化器・神経筋症状などの不定愁訴によりほかの疾患と疑診されやすい．血中・尿中の副腎皮質ステロイドとその代謝物排泄量の低値，刺激に対する低〜無反応を証明することにより診断される．胸腹部 X 線で肺結核の病変があり，副腎部に石灰化を認めれば結核性が示唆される．腹部 CT では結核性 Addison 病の発症初期には副腎はむしろ腫大し，特発性では発症時より萎縮している．抗副腎

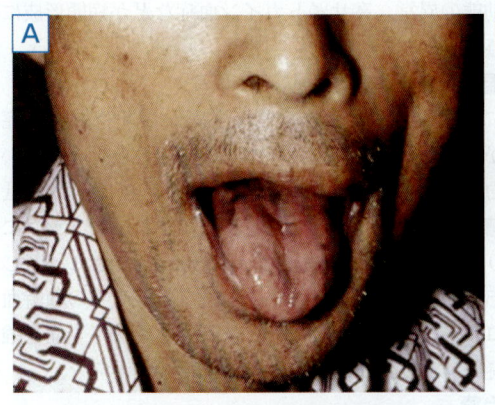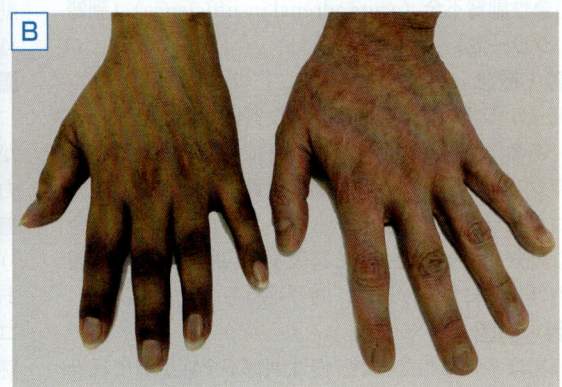

図 14-6-13 Addison 病における色素沈着
A：舌・口腔粘膜，B：手（左：患者，右：正常対照）．

皮質抗体は特発性の40〜70％に陽性であるが結核性でも10％程度検出される．21-ヒドロキシラーゼや17α-ヒドロキシラーゼに対する抗体は感度，特異性は高いがわが国では普及していない．

鑑別診断

鑑別すべき疾患として下垂体性副腎皮質機能低下症，肺癌などの副腎転移がある．ACTH基礎値の低値，CRHに対する低〜無反応があれば下垂体機能低下による続発性副腎機能低下症である（e表14-6-A）．

経過・予後

Addison病は慢性に経過する疾患であり適正な補充療法により予後は良好とされてきた．ただし欧州の研究によれば原発性副腎不全症患者の全死亡リスクが有意に高いと報告され[8]，グルココルチコイドの過剰投与がQOLの低下や心血管イベント，骨粗鬆症リスクを増加させ長期生存率の低下につながる可能性が指摘されている．なお，悪性腫瘍の転移や結核を含めた感染症などでは基礎疾患の経過しだいである．

治療

生涯にわたり投与する必要性と疾患予後の観点から，コルチゾールの生理的な分泌量（健常成人の推定1日産生量9〜11 mg/m²）[9]と日内変動に沿った至適補充療法が望まれる．ヒドロコルチゾン15〜20 mg/日を2〜3回に分割服用する．朝と夕の2回に分割する場合はおおよそ朝2：夕1の割合とする．3分割投与の場合は朝：昼：夕を3：2：1とする．感染症などのストレス時には服用量を2〜3倍に増量する．わが国では食塩摂取量が多く，ミネラロコルチコイドの併用を要する例は少ないが，ときに低血圧が持続する場合，9α-フルオロコルチゾン（0.05〜0.1 mg/日）を投与する．抗結核薬であるリファンピシンや甲状腺薬などはコルチゾール代謝を促進するので注意する．万一に備え，病名・処置・連絡先を記載した緊急時用のカードの携帯が推奨される．

(2) 急性副腎不全（acute adrenal insufficiency）（副腎クリーゼ）

定義・概念

何らかの原因で，急速に副腎皮質機能が脱落する状態である．症状が激烈でショックにまで陥る状態は，副腎クリーゼともいわれ，副腎皮質ホルモン，なかでもコルチゾールを代表とするグルココルチコイドの急激な絶対的・相対的不足に起因する病態であり，放置すれば生命に危険が及ぶ，内分泌救急の代表である．

原因・病因

原因は多岐にわたるが，慢性副腎不全症患者に種々のストレス（感染，特に胃腸炎や外傷など）が加わりステロイド需要が増加した場合と，治療目的で長期服用

表14-6-7 副腎クリーゼを疑う症候・検査所見

1. 脱水，低血圧，原因不明・想定外のショック
2. 食欲低下と体重減少を伴う悪心，嘔吐
3. 原因不明の腹痛・急性腹症
4. 原因不明の発熱，関節痛
5. 予期せぬ低血糖
6. 低ナトリウム血症，高カリウム血症
7. 貧血，好酸球増加
8. 高カルシウム血症，BUN上昇
9. 色素沈着，白斑
10. 甲状腺機能低下・性腺機能低下などほかの自己免疫性内分泌腺異常

中のグルココルチコイドが不適切に減量・中止された場合の発症が多い．下垂体卒中，抗凝固薬投与による両側性副腎出血，髄膜炎菌（Waterhouse-Friderichsen症候群），シュードモナスなどによる敗血症の際などに起こる．

疫学・予後

グルココルチコイド補充中の慢性副腎不全患者の44％が少なくとも1回は副腎クリーゼを経験し，発症頻度6.3件/100人/年と推算されている[5]．加療を要した副腎クリーゼがAddison病の8％に発症したとの報告もある[10]．後ろ向き追跡調査では副腎不全そのものによる死亡が15％と死因の第2位を占めた[8]．

病態生理

グルココルチコイド欠乏による急性循環不全が主体であるが，脱水，ショック，低血糖，発熱などの多彩な症状が同時多発的に出現することにより，生命に危険を及ぼす重篤な病態を形成する．特にミネラルコルチコイド欠乏合併によるNa喪失と体液量の減少は重症度を左右するほか，カテコールアミンの合成・作用の低下，クリーゼ誘発の契機となった疾患による循環動態の異常，高サイトカイン血症などが病態形成に関与する．

臨床症状・検査所見

表14-6-7に示すような多彩かつ非特異的な症状が複数認められた場合に本症の可能性を疑う．強い脱力感，発熱，消化器症状に続いて，皮下出血，低血糖，血圧低下などをきたし，放置すればショックに陥り死亡する．検査成績はAddison病のそれと同じであるが異常の程度が強い．なおストレス下の随時血中コルチゾール値が5 μg/dL未満なら副腎不全症を強く疑い，20 μg/dL以上の場合には否定できる[3]．

治療

低血糖，脱水による低血圧に迅速に対処する．ヒド

ロコルチゾン 100 mg を静注し，ついで 100〜200 mg を 5％グルコースを含む生理食塩水などを持続静注する[11]．必要に応じ昇圧薬，抗菌薬を投与する．

〔宗　友厚〕

■文献(e文献 14-6-7)

Charmandari E, Nicolaides NC, et al: Adrenal insufficiency. Lancet. 2014; 383: 2152-67.
Stewart PM, Krone NP: Glucocorticoid deficiency. Williams Textbook of Endocrinology, 12th ed (Melmed S, Pdonsky KS, et al eds), pp515-23, Saunders, 2011.
柳瀬敏彦，笠山宗正，他：副腎クリーゼを含む副腎皮質機能低下症の診断と治療に関する指針，日本内分泌学会，2014. http://square.umin.ac.jp/endocrine/rinsho_juyo/pdf/zinhuzen.pdf

8）原発性アルドステロン症
primary aldosteronism：PA

定義・概念

PA は，副腎皮質から自律性にアルドステロンが過剰に分泌される結果，高血圧症，高アルドステロン血症，低レニン血症をきたす疾患である(eコラム 1)．二次性高血圧症のなかで，3〜10％を占め，心血管合併症が多い予後不良の高血圧症である．しかし，サブタイプに適した治療を早期に行うことにより，治癒可能な高血圧症である（表 14-6-8）．

分類

アルドステロンの分泌増加をきたす病態には，PA と続発性アルドステロン症(secondary aldosteronism)がある．前者は低レニン血症，後者は高レニン血症を示す【⇨ 6-9】．また，低レニン・低アルドステロン血症，高血圧症を呈する鑑別疾患として，アルドステロン以外のミネラルコルチコイド過剰症が存在する（表 14-6-8）．

原因・病因

本症の病因としては，アルドステロン産生腺腫(aldosterone-producing adneoma：APA)が 40〜50％，両側副腎皮質過形成による特発性アルドステロン症(idiopathic hyperaldosteronism：IHA)が 50〜60％を占める．アルドステロン産生副腎皮質癌によるものはまれである．APA におけるアルドステロン合成酵素 CYP11B2 の過剰発現の原因として，種々のイオンチャネルの体細胞変異が明らかにされ，「チャネル病(channelopathy)」としてとらえられている．K^+ チャネル Kir3.4（KCNJ5 遺伝子）の機能欠失型変異が多く（約 40〜70％），Na^+/K^+-ATPase（ATP1A1 遺伝子）や Ca^{2+}-ATPase（ATP2B3 遺伝子）の機能欠失型変異や電位依存性 Ca^{2+} チャネル $Ca_v1.3$（CACNA1D 遺伝子）

表 14-6-8 低レニン性ミネラルコルチコイド過剰症

低レニン・高アルドステロン血症
1. 原発性アルドステロン症
    アルドステロン産生副腎皮質腺腫(aldosterone-producing adenoma：APA)
    両側副腎皮質過形成（特発性アルドステロン症，idiopathic hyperaldosteronism：IHA)
    片側性副腎皮質過形成(primary adrenal hyperplasia：PAH)
    アルドステロン産生副腎皮質癌
    家族性高アルドステロン症(familial hyperaldosteronism：FH)
        Ⅰ型(FH-Ⅰ)：グルココルチコイド反応性アルドステロン症(glucocorticoid-remediable aldosteronism：GRA)
        Ⅱ型(FH-Ⅱ)
        Ⅲ型(FH-Ⅲ)
    異所性アルドステロン産生腫瘍

低レニン・低アルドステロン血症
2. 先天性副腎過形成
    11β-ヒドロキシラーゼ欠損症
    17α-ヒドロキシラーゼ欠損症
3. デオキシコルチコステロン/コルチコステロン産生副腎腫瘍
4. apparent mineralocorticoid excess（AME）症候群
    先天性：11β-hydroxysteroid dehydrogenase type 2 欠損症
    後天性：偽アルドステロン症（グリチルリチン摂取）
5. Cushing 症候群
6. Liddle 症候群

の活性化型変異なども明らかになった（図 14-6-14）．IHA の病因はいまだ不明である．また，遺伝性のサブタイプとして家族性高アルドステロン症(familial hyperaldosteronism：FH)がある（表 14-6-9）．家族性高アルドステロン症Ⅰ型(FH-Ⅰ)はグルココルチコイド反応性アルドステロン症(glucocorticoid-remediable aldosteronism：GRA)ともよばれ，ACTH による調節下にコルチゾール合成酵素(CYP11B1)のプロモーター領域とアルドステロン合成酵素(CYP11B2)とのキメラ遺伝子が異所性に副腎皮質束状層に発現されるために，ACTH 依存性にアルドステロンが両側副腎から過剰分泌される．FH-Ⅱは，染色体 7p22 に関連して APA や IHA の病型を示し，FH のなかでは一番頻度が高い．FH-Ⅲは，小児例が多く，K^+ チャネルの KCNJ5 遺伝子の胚細胞変異が病因で両側副腎過形成を呈する．

疫学

本症の頻度は，高血圧と低カリウム血症を目安にスクリーニングすると，全高血圧患者の 0.5％程度といわれていた．しかし，低カリウム血症を示す例は本症全体の 50％以下であり，早朝の血漿アルドステロン

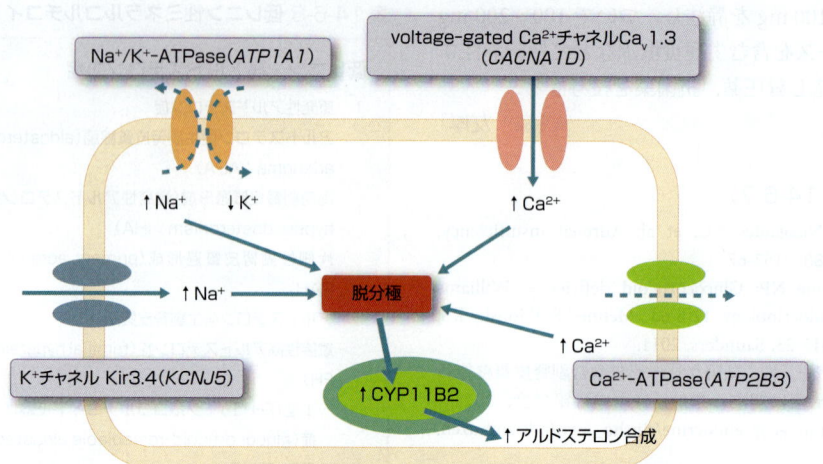

図 14-6-14 イオンチャネルの遺伝子変異による原発性アルドステロン症
K^+ チャネル Kir3.4, Na^+/K^+-ATPase, Ca^{2+}-ATPase の不活性化変異および Ca^{2+} チャネル Ca_v 1.3 の活性化変異はいずれも，副腎皮質球状層細胞の脱分極を惹起して，アルドステロン合成亢進を起こし，アルドステロン産生腺腫の約 70％はいずれかの体細胞変異に起因する．

表 14-6-9 家族性高アルドステロン症（FH）の3つのサブタイプの臨床的，生化学的および遺伝的特徴

	FH-Ⅰ	FH-Ⅱ	FH-Ⅲ
頻度	数 %	約 7%	不明
遺伝形式	常染色体優性	常染色体優性	常染色体優性
染色体	8q24	7p22 と関連	11q23
病因遺伝子	ハイブリッド遺伝子 *CYP11B1/B2*	不明	*KCNJ5*
発症	成人	成人	小児
副腎の形態	BAH または APA	BAH または APA	著明な BAH
18-oxocortisol	10 倍高値	3～4 倍高値	1000～10000 倍高値
デキサメタゾン負荷後の血圧・アルドステロン	↓	→	↑
治療	デキサメタゾン MR 拮抗薬 ENaC 阻害薬	片側副腎摘出術 MR 拮抗薬 ENaC 阻害薬	両側副腎摘出術 MR 拮抗薬

FH-Ⅰ：家族性高アルドステロン症Ⅰ型，FH-Ⅱ：家族性高アルドステロン症Ⅱ型，FH-Ⅲ：家族性高アルドステロン症Ⅲ型．
BAH：両側副腎過形成，APA：アルドステロン産生腺腫，MR：ミネラルコルチコイド受容体，ENaC：上皮性 Na チャネル．

濃度（plasma aldosterone concentration：PAC）高値，血漿レニン活性（plasma renin activity：PRA）低値，アルドステロン/レニン比（ARR）高値を用いたスクリーニングを行うと，高血圧症の 3～10％を占めることが判明した．

病理
APA は通常径 1 cm 以下が多く，なかには CT で腫瘍を検出できない数 mm 程度の APA（ミクロアデノーマ）も多い．腺腫は被膜に被包され，その割面は肉眼的に黄金色を呈する．組織学的にはおもに多形性の核と脂質に富み，正常の束状層細胞に類似した形態を示す淡明細胞（clear cell）から構成され，胞巣状または索状の増殖像を示す．腺腫に付随する副腎や対側副腎の球状層細胞には結節性またはびまん性の軽度の過形成（paradoxical hyperplasia）がみられることが多く，これは慢性の高血圧症に伴う変化と考えられる．

APA では CYP11B2 の高発現と 17α-ヒドロキシラーゼ（CYP17）および 3β-hydroxysteroid dehydrogenase type 1（HSD3B1）の低発現を認め，IHA の球状層過形成病変では CYP11B2 および HSD3B1 の高発現

を認め，ステロイド合成酵素抗体を用いた免疫組織化学による鑑別が可能である．また，腫瘍付随副腎皮質の球状層細胞の一部に認める CYP11B2 高発現の細胞集塊は APA の発生母地である可能性がある．

病態生理

本症の病態はアルドステロンの過剰分泌により説明される．アルドステロンは腎臓の皮質集合管細胞に存在するミネラルコルチコイド受容体（mineralocorticoid receptor：MR）に作用して，Na の再吸収を亢進させ，循環血液量が増加する．総末梢血管抵抗は不変または増加するため，血圧は上昇する．体液量の増加が一定レベルに達すると，腎灌流圧の上昇や心房性ナトリウム利尿ペプチド（atrial natriuretic peptide：ANP）の増加によって，Na の再吸収が抑制される「エスケープ現象」が起こり，Na 貯留が減弱する．一方で循環血液量の増加は二次的に傍糸球体装置のレニン合成と分泌を抑制し，立位や利尿薬によるレニン分泌刺激に対する反応性も低下させる．腎臓では，遠位尿細管での Na 再吸収の亢進に伴い，K と H イオンの排出が促進され（K クリアランスの増加），低カリウム血症（hypokalemia）と代謝性アルカローシス（metabolic alkalosis）をきたす．低カリウム血症は，尿濃縮力の低下（低カリウム性腎症）とそれによる多飲多尿を引き起こす．本症では Mg 排泄も促進され，血漿 Mg 濃度は低下する．細胞内外の K が減少し，Na 濃度は増加傾向となり，筋細胞は過分極状態になるため，筋力の低下や四肢麻痺を呈する．さらに，アルカローシスによるイオン化 Ca 濃度の低下や Mg の低下は，テタニーを誘発する．細胞内 K 濃度の低下はインスリン分泌障害をきたし，本症ではしばしば耐糖能異常や糖尿病を呈する．

臨床症状

本症の臨床症状は，アルドステロン過剰に基づく水・Na の貯留による高血圧，低カリウム血症と代謝性アルカローシスが特徴となる．

1）自覚症状： 多くの症例は高血圧が唯一の症状である．高血圧に起因する症状は本態性高血圧症と同様であり，後頭部痛，頭重感，めまい，動悸，不眠症などである．低カリウム血症に関連して，多飲多尿（特に夜間多尿，nocturia），筋力低下がみられる．周期性四肢麻痺（periodic paralysis）は左右対称性で，下肢に強い傾向がある．過労などが誘因となり，安静のみで数時間～1 週間くらいで自然に回復することが多い．代謝性アルカローシスによるテタニーは手指や口唇に認められ，有痛性痙攣が下肢に出現することもある．

2）他覚症状： 本症の高血圧は，血圧の変動は比較的少なく，治療抵抗性高血圧である．また食塩感受性高血圧（食塩摂取により血圧上昇をきたし，減塩により血圧が低下する）の代表疾患である．低カリウム血症

表 14-6-10 原発性アルドステロン症のスクリーニングの対象

日本内分泌学会ガイドライン：高血圧全例
日本高血圧学会ガイドライン：原発性アルドステロン症の高頻度群 1．低カリウム血症（利尿薬誘発性を含む）合併例 2．若年性の高血圧 3．Ⅱ度 以上の高血圧（SBP > 160 または DBP > 100） 4．治療抵抗性高血圧 5．副腎偶発腫瘍を伴う高血圧 6．40 歳以下で脳血管障害合併例

を伴う例では，低カリウム腎症のために腎臓の尿濃縮力が低下して低張尿となり多尿を認める．体液量は増加するが，前述のエスケープ現象のために浮腫は認めない．ときにテタニーを認め，Trousseau 徴候や Chvostek 徴候を認めることがある．

検査所見

本症においては，PAC 高値と PRA 低値が最も重要である．一般検査では，低カリウム血症，代謝性アルカローシス，およびそれらに伴う変化が特徴的である．血清 K 濃度が 3.5 mEq/L 以下のときにはカリウムクリアランスの指標の細尿細管カリウム勾配（transtubular K gradient：TTKG）が 4 以上を示すことが多い（eコラム 2）．減塩食の摂取やアルドステロン分泌量が多くない例では，血清 K 濃度が正常範囲を示す．しかし，利尿薬処方を行ったり，食塩摂取制限を解除すると低カリウム血症が顕在化する．血清 Na 濃度は正常上限程度である．代謝性アルカローシスは重要な症候である．血清 Ca 濃度はほぼ正常であるが，イオン化 Ca や血清 Mg 濃度は低下していることが多い．尿は中性～アルカリ性を呈し，軽度の尿蛋白を認めることがある．血清クレアチニン，推算 GFR（eGFR）は正常～高値を示す例が多く，重篤な腎機能低下を呈する症例はまれである．空腹時血糖はほとんどの症例で正常範囲であるが，低カリウム血症や高アルドステロン血症による膵 β 細胞への直接作用により，インスリン分泌の抑制されるため，糖負荷試験では約半数が耐糖能異常を示す．本症では，高血圧症に加えて肥満，耐糖能異常，脂質異常症などのメタボリック症候群を呈する割合が多い．

診断

1）スクリーニング：

a）対象：スクリーニングの対象として，日本内分泌学会のガイドライン（Nishikawa ら，2009）では，高血圧全例と記載されている（表 14-6-10）．一方，日本高血圧学会（日本高血圧学会高血圧治療ガイドラ

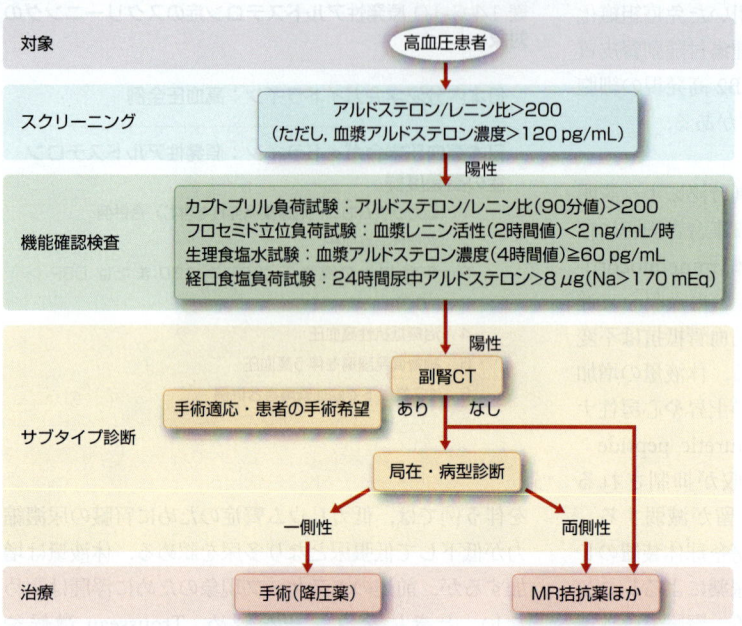

図 14-6-15 原発性アルドステロン症診療の手順

表 14-6-11 アルドステロン/レニン比(ARR)に影響する因子

因子	アルドステロン	レニン	ARR
降圧薬			
β-アドレナリン遮断薬	↓	↓↓	↑ (FP)
中枢性α2-アゴニスト	↓	↓↓	↑ (FP)
NSAIDs	↓	↓↓	↑ (FP)
K+排泄性利尿薬	→↑	↑↑	↓ (FN)
K+保持性利尿薬	↑	↑↑	↓ (FN)
ACE阻害薬	↓	↑↑	↓ (FN)
ARBs	↓	↑↑	↓ (FN)
Ca2+拮抗薬(DHPs)	→↓	↑	↓ (FN)
レニン阻害薬	↓	↓↑*	↑ (FP)*, ↓ (FN)*
カリウムの状態			
低カリウム血症	↓	→↑	↓ (FN)
K負荷	↑	→↓	↑ (FP)
食事性Na			
Na制限	↑	↑↑	↓ (FN)
Na負荷	↓	↓↓	↑ (FP)
加齢	↓	↓↓	↑ (FP)
腎障害	→	↓	↑ (FP)
妊娠	↑	↑↑	↓ (FN)

FP：偽陽性，FN：偽陰性，DHPs：dihydropyridine calcium channel blockers．
＊：レニン阻害薬は，血漿レニン活性(PRA)を低下させ，活性レニン濃度(ARC)を増加させるために，ARRは前者で偽陽性，後者で偽陰性となる．

イン作成委員会，2014)や米国内分泌学会(Funderら，2016)のガイドラインでは，高頻度群として6つの病態をあげている(表14-6-10)．

b) スクリーニングの指標：PAのスクリーニングは，アルドステロン高値よりも，レニン抑制をおもに検出するステップである．早朝の採血で，PAC高値，PRA低値を目安に行うのが有効であり，アルドステロン/レニン比(PAC/PRA) > 200が推奨されている(図14-6-15)．アルドステロン/レニン比は，おもに分母のPRA低値に影響されるために，PAC > 120 pg/mLを条件に加えることで，低レニン・低アルドステロン症による偽陽性が減る．

c) 降圧薬の影響：スクリーニングがおもにレニンの値に依存するために，内服中の降圧薬の影響で偽陰性や偽陽性となることがあるので注意が必要である．ガイドラインでは，降圧薬などの影響を受けずにスクリーニングを行うためには，Ca拮抗薬やα遮断薬に変更して2週間以降にARRスクリーニングを行うことを推奨している．降圧薬の種類やNa-Kの状態，加齢，腎障害，妊娠などによるPRA，PACへの影響をよく知っていることが重要である(表14-6-11)(eコラム3)．

2) 機能確認検査：PAのスクリーニング陽性者において，アルドステロンの自律的分泌を確認するステップであり，アルドステロン抑制試験(カプトプリル負荷試験，生理食塩水試験，経口食塩負荷試験，フルドロコルチゾン抑制試験)やレニン刺激試験(フ

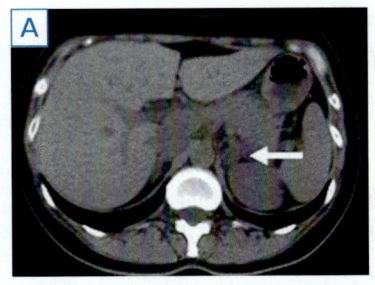 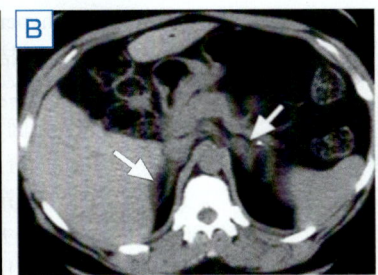 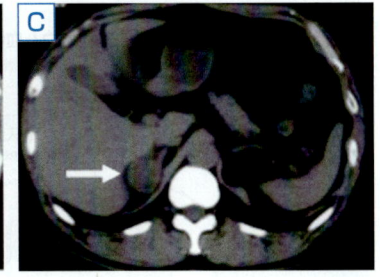

図 14-6-16 原発性アルドステロン症のＣＴ所見
A：単純ＣＴ像，左側副腎部に辺縁整，内部均一の腫瘤を認める（矢印）．
B：単純ＣＴ像，両側副腎の脚部の軽度肥厚を認める（矢印）．
C：単純ＣＴ像，右側副腎部に径 30 mm，辺縁整，内部不均一の腫瘤を認める（矢印）．サブクリニカル Cushing 症候群を合併したアルドステロン産生腺腫．

ロセミド立位負荷試験）が推奨される（図 14-6-15）．低カリウム血症がある症例では，アルドステロン分泌抑制（偽陰性）や食塩負荷による低カリウム血症の増悪の危険があり，必ず K 補充による補正後に検査を行うべきである．

a）カプトプリル負荷試験：本試験は，アンジオテンシン変換酵素（angiotensin converting enzyme：ACE）阻害薬によるアルドステロン抑制試験である．カプトプリル 50 mg を経口投与し，投与 90 分後の PAC/PRA 比 ≧ 200 または PAC の減少 < 前値の 30% のときに，本症と判定する．

b）フロセミド立位負荷試験：本試験は，ループ利尿薬のフロセミド 40 mg を静脈内投与するレニン刺激試験である．フロセミド投与して 2 時間立位後の PRA < 2 ng/mL/時のときに本症と判定する．

c）生理食塩水試験：本試験は，生理食塩水 2 L を 4 時間かけて点滴静注するアルドステロン抑制試験である．4 時間後の PAC ≧ 60 pg/mL のときに本症と判定する．

d）経口食塩負荷試験：本試験は，経口食塩負荷（NaCl 10～12 g/日を 3 日間摂取）によるアルドステロン抑制試験である．負荷後の 24 時間尿中アルドステロン排泄 > 8 μg（食塩 10 g/日摂取すると，1 g = 17 mEq であることから，24 時間尿中 Na 排泄 > 170 mEq となる）のときに，本症と判定する．

e）フルドロコルチゾン抑制試験：本試験は，ミネラルコルチコイドのフルドロコルチゾン 0.4 mg，KCl，NaCl を 3 日間投与するアルドステロン抑制試験である．負荷後 4 日目の朝の PAC > 60 pg/mL のときに本症と判定する．

f）サブクリニカル Cushing 症候群の合併の検索：APA の場合，腫瘍が大きくなると（通常は径 3 cm 以上），アルドステロンと同時にコルチゾールも自律的に分泌する症例（サブクリニカル Cushing 症候群）が多い（図 14-6-16C）．したがって，夜間血清コルチゾール濃度 > 5 μg/dL やデキサメタゾン 1 mg 抑制試験（一晩法）で翌朝の血清コルチゾール濃度 > 3 μg/dL を示すときはサブクリニカル Cushing 症候群の合併を疑う．合併例では，健常側副腎のコルチゾール分泌が抑制されていることから，術後一定期間，コルチゾール補充療法を行う．

3）サブタイプ診断：臨床的には，APA と IHA の鑑別は治療方針が異なるために重要である．一般に APA は，IHA と比べてアルドステロン分泌量が多く，低カリウム血症を示す例が多い．また，APA ではアルドステロン分泌は ACTH 依存性が多く，PAC は朝高く，夜にかけて低下する日内変動を示す例が多い．一方，IHA のアルドステロン分泌はレニン-アンジオテンシン系依存性が多いが，両者の鑑別には後述の副腎静脈サンプリングが必要である．

副腎腫瘍の局在診断として，腹部 CT あるいは MRI は必ず撮影する．本症の腺腫は径 1 cm 以内のミクロアデノーマが多い．腺腫は脂肪含量が多いため，非造影 CT で辺縁整，内部均一，CT 値 < 10 HU が特徴である（図 14-6-16A）．IHA では，両側副腎の腫大を認める例（図 14-6-16B）や両側副腎とも正常など多様であり，CT で APA と鑑別することは困難である（正診率は 50% 以下）．MRI は CT をこえる意義はないが，多発性囊胞腎に伴う PA では，囊胞との識別に MRI が有用である．

アルドステロン産生病変の機能的局在診断としては，副腎静脈サンプリング（adrenal venous sampling：AVS）が gold standard である．左右の大腿静脈からカテーテルを挿入して，左右の副腎静脈および下大静脈（末梢）にて基礎値および ACTH（点滴）静注後の採血を行い，アルドステロンとコルチゾール濃度を測定する（eコラム 4）．アルドステロン過剰分泌の局在は，副腎静脈のアルドステロン/コルチゾール比の高値側 ÷ 低値側の比（lateralized ratio：LR）> 2.6～4.0 のときに高値側の片側病変と判定される（LR = 2～4 は gray zone）．また，アルドステロン/コルチゾール比の低値側 ÷ IVC の比（contralateral ratio：CR）

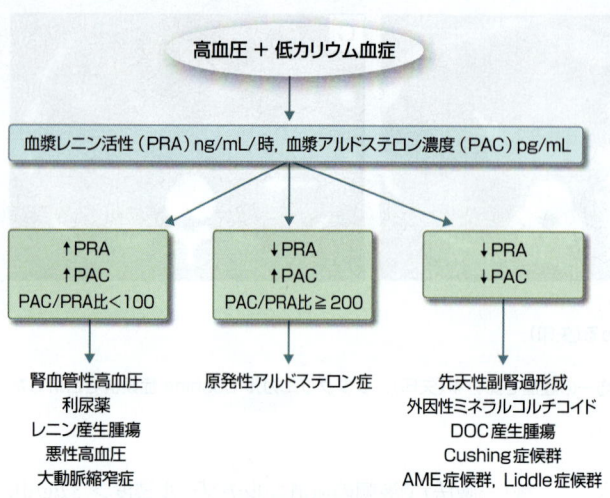

図14-6-17 低カリウム血症を伴う高血圧症の鑑別診断

＜1のときは，低値側が健常副腎と判定される．また，ACTH負荷後の副腎静脈アルドステロン濃度＞14000 pg/mLのときは過剰分泌ありと判定する指標もある．

^{131}I-アドステロールシンチグラフィは，コルチゾールとアルドステロン合成の総和に比例して集積するため，アルドステロン合成能を画像化するために，アイソトープを静注する3日前からデキサメタゾン2 mg/日を投与して，内因性ACTHを抑制し，コルチゾール合成を完全に抑制したうえでシンチグラフィを行う必要がある（デキサメタゾン抑制アドステロールシンチグラフィ）．しかし，本検査はPAの局在診断としての正診率は低い．

鑑別診断

本症では，高血圧と低カリウム血症を呈する疾患が鑑別の対象となる．

1）低レニン性本態性高血圧症： 頻度が高いが，低カリウム血症の合併はまれで，PAC/PRAは通常200未満を示す．副腎偶発腫瘍と本態性高血圧症の合併は年齢とともに頻度が増加するので，PAの除外が必要となる．

2）アルドステロン関連高血圧・MR関連高血圧： 高血圧症でPAC/PRAが高値であるが，カプトプリル負荷試験などの結果，PAと確定診断されない例も多数あり，アルドステロン関連高血圧（aldosterone-associated hypertension）とよばれる．これは，PAとは分類上異なるが，同様に治療抵抗性高血圧を呈する．また，PACは正常範囲であるが，MRが病的に活性化されている高血圧として，肥満，糖尿病，睡眠時無呼吸症候群，慢性腎臓病などがある．これらの病態では，多様な機序で組織のMRが活性化されており，MR関連高血圧（mineralocorticoid receptor-associated hypertension）（Shibataら，2012）とよばれ，MR拮抗薬によく反応する．

3）低レニン・低アルドステロン症を呈する高血圧症（図14-6-17）：

a）**副腎皮質ホルモン産生異常症：** Cushing症候群，異所性ACTH症候群，DOC（11-デオキシコルチコステロン）産生腫瘍，先天性副腎過形成（11β-ヒドロキシラーゼ欠損症，17α-ヒドロキシラーゼ欠損症）などでは，コルチゾールやDOCが高値となり，MR活性化を起こすために低レニン，低アルドステロン血症を示す．

b）**偽アルドステロン症：** 漢方薬などに含まれる甘草の成分のグリチルリチンは，コルチゾールをコルチゾンに不活性化する11β-ヒドロキシステロイド脱水素酵素（11β-HSD2）を阻害する．コルチゾールはMRに親和性をもつが，コルチゾンはもたない．腎尿細管には11β-HSD2が存在し，低濃度のアルドステロンが腎尿細管のMRに特異的に結合する．したがって，グリチルリチンにより過剰になったコルチゾールは腎尿細管のMRと結合して活性化するため，ネガティブフィードバックにより低レニン・低アルドステロン血症を呈する．

c）**Liddle症候群：** 高血圧症，低カリウム血症，代謝性アルカローシス，低レニン・低アルドステロン血症を認める常染色体優性遺伝疾患である【⇨13-9-3】（eコラム5）．

4）続発性アルドステロン症： レニン-アンジオテンシン系の亢進により二次的にアルドステロン分泌が増加する病態である．PRAの高値により，PAと鑑別される．

合併症

合併症の程度は高血圧の重症度と罹病期間に依存する．本態性高血圧症と比べて，脳血管疾患，虚血性心疾患，心肥大，不整脈，慢性腎臓病，動脈硬化性疾患などの合併症が約3〜6倍高頻度である．したがって，降圧療法のみでは不十分であり，アルドステロン作用の阻害を十分に行う必要がある．

治療・予後

厳格な降圧治療とアルドステロン作用の阻害および減塩食が治療のポイントである．副腎静脈サンプリングの結果，片側性病変では片側副腎摘出術，両側性病変，根治手術を希望しない例，局在不明や手術適応がない例では薬物治療を行う．

1）外科治療： 片側性病変に対して，腹腔鏡下片側副腎摘出術（laparoscopic unilateral adrenalectomy）による根治手術が原則である．一方，両側性病変と考えられるときは，IHAまたは両側性APAが考えられるが，この鑑別は現時点では困難であり，薬物治療を行

う．

術後に低カリウム血症や高アルドステロン血症は速やかに改善するが，低レニン血症はしばらく遷延する例が多い．高血圧は，約 1/3 の症例で降圧薬が不要となり治癒可能であるが，残りの 2/3 の症例では，降圧薬の減量が可能となる．

2）薬物治療： 術前治療として，また，外科的治療が困難な特発性アルドステロン症に対して薬物治療を行う．薬物療法は MR 拮抗薬のスピロノラクトンかエプレレノンが中心となり，その使い分けには注意が必要である．まず，両者とも血中 K 濃度が上昇するため，慢性腎臓病で eGFR < 50 mL/分/1.73 m^2 の例では血清 K 濃度をモニターしながら慎重に投与する必要がある．また，スピロノラクトンは，女性化乳房，勃起障害，月経異常などの内分泌的副作用を認めるが，エプレレノンではほとんどなく，中高年男性に適する．一方，エプレレノンの短所は，2 型糖尿病で微量アルブミン尿を伴う例や，カリウム製剤の併用が必要となる例では原則禁忌であり使用できない．また，エプレレノンの MR 拮抗作用はスピロノラクトンの約 50〜70％と力価が弱い．

PA は治療抵抗性高血圧が多く，MR 拮抗薬単独でコントロールできない例が多く，Ca 拮抗薬の併用が非常に有用である．

また，遺伝性の FH-I に対しては，グルココルチコイドのデキサメタゾンやスピロノラクトンが有効である．

治療開始後，治療前と比べて多くの例で eGFR が低下する．これは，本症では糸球体過剰濾過により eGFR が実際の腎機能より高値を示すため，手術や薬物治療によりアルドステロン作用が低下すると，血行動態の低下により eGFR が低下して慢性腎臓病となる例が多い（仮面慢性腎臓病，masked chronic kidney disease）．しかし，治療によりほとんどの例で蛋白尿の減少を伴い，長期的には腎機能の予後を改善する．

〔柴田洋孝〕

■文献

Funder JW, Carey RM, et al: The management of primary aldosteronisim: Case detection, deaginosis, and treatment: An Endocrine Society Clinical Practice Guideline. J Clin Endocrinol Metab. 2016; 101: 1889-916.

日本高血圧学会高血圧治療ガイドライン作成委員会：二次性高血圧．高血圧治療ガイドライン 2014, pp115-30, ライフサイエンス出版, 2014.

Nishikawa T, Omura M, et al: Guidelines for the diagnosis and treatment of primary aldosteronism : The Japan Endocrine Society 2009. Endocr J. 2011; 58: 711-21.

Shibata H, Itoh H: Mineralocorticoid receptor-associated hypertension and its organ damage: clinical relevance for resistant hypertension. Am J Hypertens. 2012; 25: 514-23.

9）続発性アルドステロン症
secondary aldosteronism

定義・概念

原発性アルドステロン症が副腎皮質からのアルドステロンの自律的分泌が原因であるのに対して，続発性アルドステロン症は，体液量の減少に伴い，レニン-アンジオテンシン系が活性化されて，正常副腎皮質からアルドステロンの分泌増加が起こる病態を指す（Rossi, 2011）．

病型・分類

続発性アルドステロン症のおもな病型を表 14-6-12 に示す．レニン-アンジオテンシン系の亢進によるものが大部分であり，その原因としては腎傍糸球体装置における灌流圧の低下が最も多い．灌流圧の低下の機序としては，体液量の減少や浮腫などによる循環血液量の減少と，腎動脈狭窄（腎血管性高血圧）や悪性高血圧などによる腎動脈圧の低下があげられる．後者では，循環血液量は減少していないため，高血圧をきたす．この場合，アルドステロン濃度はほかの分泌調

表 14-6-12 続発性アルドステロン症の病型

Ⅰ．レニン-アンジオテンシン系の亢進
 1．傍糸球体装置の灌流圧低下
   a．有効循環血液量の減少
    1）体液量の減少
      減塩食，下痢，嘔吐，出血，利尿薬使用
      Bartter 症候群，Gitelman 症候群，Na 喪失性腎炎
      偽性低アルドステロン症Ⅰ型
    2）浮腫性疾患
      肝硬変（腹水を伴う）
      ネフローゼ症候群
      うっ血性心不全
      特発性浮腫
   b．腎灌流圧の低下
    1）血管拡張性薬剤
    2）腎虚血
      腎動脈狭窄症（腎血管性高血圧）
      悪性高血圧
      腎実質性高血圧（高レニン性）
 2．交感神経活動の亢進
     褐色細胞腫，ストレス
 3．傍糸球体細胞における Ca^{2+}；濃度の低下：Ca 拮抗薬
 4．レニン基質（アンジオテンシノゲン）の増加
     妊娠，経口避妊薬（エストロゲン製剤，ステロイド製剤）
 5．レニン産生腫瘍
Ⅱ．ACTH 過剰
     ACTH 投与，副腎性器症候群
Ⅲ．高カリウム血症
     慢性腎不全など

節因子の影響を受け，原発性アルドステロン症ほどは増加せず，高血圧症の原因は，アンジオテンシンによる血管収縮作用によるところが大きい．レニン分泌は，β交感神経刺激により亢進する．心不全では，腎灌流圧の低下やβ交感神経刺激から高レニン・高アルドステロン血症となり，アルドステロンが心筋細胞に直接作用して心筋の線維化を進め，体液貯留効果と合わさり，心不全を悪化させる．腹水を伴う肝硬変，ネフローゼ症候群は低アルブミン血症により血漿浸透圧が低下し，有効循環血液量が減少するため，高レニン・高アルドステロン血症を呈する．褐色細胞腫では，カテコールアミン増加により，レニン・アルドステロンの増加をきたす．ステロイド薬，経口避妊薬，妊娠では肝臓におけるアンジオテンシノゲン産生が亢進して血漿レニン活性が上昇する．レニン産生腫瘍はきわめてまれな腫瘍で，ほとんどが腎（傍糸球体細胞腫）に発生し若年に多い．

その他に腎尿細管障害に基づく病態として，Bartter 症候群【⇨ 13-9-3】，Gitelman 症候群【⇨ 13-9-3】，偽性低アルドステロン症などがあげられる．Bartter 症候群は低カリウム血症，代謝性アルカローシス，高レニン血症，高アルドステロン血症などを特徴とする尿細管機能障害による症候群である．また Gitelman 症候群は同様の検査値の異常に加えて，低マグネシウム血症，低カルシウム尿症を伴い，臨床症状も軽く，Bartter 症候群と区別されるサブタイプが多い（eコラム 1）．

偽性低アルドステロン症（pseudohypoaldosteronism：PHA）は 1 型と 2 型に分けられる．PHA 1 型は，常染色体優性遺伝の腎型 PHA と，常染色体劣性遺伝の全身型 PHA に分けられる．腎型 PHA は，MR 遺伝子の不活性化変異である．全身型 PHA は，ENaC の α サブユニットの不活性化変異が病因である（同一遺伝子の活性化変異と Liddle 症候群と正反対）．PHA 2 型は Gordon 症候群ともよばれ，セリン・スレオニンキナーゼ WNK1，WNK4 遺伝子の変異により，腎皮質・髄質集合管のサイアザイド感受性 Na^+-Cl^- 共輸送体の活性化が病因である（Gitelman 症候群の正反対）．腎型 PHA は，腎尿細管の先天的なアルドステロン抵抗症のために，新生児期には塩分喪失，高カリウム血症，代謝性アシドーシスをきたす．一方，全身型 PHA では，腎，汗腺，唾液腺，腸管でもアルドステロン抵抗症を示すために，症状の自然経過はなく，重症の塩分喪失症状，呼吸器感染症を示す．

病態生理

アルドステロンの生理的分泌刺激因子としては，アンジオテンシン II，血清 K，ACTH などがあり，分泌抑制因子としてはドパミン，心房性ナトリウム利尿ペプチド（atrial natriuretic peptide：ANP），セロトニンなどがある．続発性アルドステロン症のほとんどは，傍糸球体装置からのレニン分泌が腎灌流圧の低下，交感神経活動の亢進，Na の喪失などにより亢進する．循環血液量の減少や Na の喪失に伴うレニン-アンジオテンシン系の亢進は，レニンやアンジオテンシンの代償的増加によって生体の恒常性を保つための反応であり，血圧は上昇しない．しかし，循環血液量の減少を伴わずに，レニン-アンジオテンシン系が亢進する場合は高血圧をきたす．

診断・鑑別診断

続発性アルドステロン症のほとんどは原疾患によるレニン-アンジオテンシン系の代償作用の結果であり，あくまでも原疾患の診断が優先するが，本症の診断は原疾患の病態生理を理解し，治療方法を決定するために重要である．

1) **高血圧性疾患**：腎血管性高血圧症は高レニン性高血圧症の代表的疾患であり，中年以降では動脈硬化症に伴うものが多く，若年女性では大動脈炎症候群などに伴う線維筋性異形成が多い．レニン産生腫瘍はきわめてまれな疾患であるが，若年者の重症高血圧で著しい血漿レニン活性の上昇を認める場合に疑われる．悪性高血圧症や褐色細胞腫は特有の臨床症状や経過から診断できる．高血圧に伴う続発性アルドステロン症では，レニン-アンジオテンシン系に影響を及ぼす各種薬剤などに留意する必要がある（表 14-6-11）．

2) **浮腫性疾患**：肝硬変，うっ血性心不全，ネフローゼ症候群などの原疾患の診断は容易である．有効循環血液量の減少に伴う代償性のレニン-アンジオテンシン-アルドステロン系の亢進は浮腫を増悪させ，MR 拮抗薬（スピロノラクトン）は浮腫の軽減に有効である．

3) **体液量の減少を伴う疾患**：利尿薬や下剤の連用など日常的な病態から，Na 喪失性腎炎，Bartter 症候群，PHA 1 型のようにまれな疾患まで含まれる．病歴，血清電解質，腎機能，レニン・アルドステロン濃度などから鑑別を行う．

治療・予後

続発性アルドステロン症の治療では，原疾患の治療およびレニン-アンジオテンシン系を亢進させている要因の除去を最優先する．

1) **利尿薬，下剤，エストロゲン製剤など**：それらの薬剤を中止する．利尿薬が中止できない場合には，K 製剤の追加やミネラルコルチコイド受容体拮抗薬（スピロノラクトン）や上皮性 Na チャネル阻害薬（トリアムテレン）に変更する．

2) **肝硬変，うっ血性心不全，ネフローゼ症候群など**：これらの原疾患の治療が基本である．浮腫の軽減をはかるために，ミネラルコルチコイド受容体拮抗薬や利

尿薬(フロセミド)が用いられる．特発性浮腫の原因は不明であり，利尿薬の乱用によるレニン-アンジオテンシン-アルドステロン系の亢進により病態が増悪する．食塩制限や臥位が有効で，浮腫が強い場合には最小限の利尿薬(フロセミドなど)を用いる．

3)腎血管性高血圧症，褐色細胞腫，レニン産生腫瘍など：外科的な治療が基本となる．手術適応がない場合は，それぞれ特異的な薬物療法が行われる．腎血管性高血圧に対しては，両側腎動脈狭窄や片腎患者の腎動脈狭窄が除外できれば，アンジオテンシン変換酵素阻害薬，アンジオテンシンⅡ受容体拮抗薬，レニン阻害薬などの降圧薬により，予後は改善している．褐色細胞腫では，α遮断薬やβ遮断薬を中心に投与する．

4)Bartter症候群，Gitelman症候群：脱水と血清K値の補正が治療の基本である．カリウム製剤(塩化カリウム)およびMR拮抗薬(スピロノラクトン)，アンジオテンシン変換酵素阻害薬，プロスタグランジン合成酵素であるシクロオキシゲナーゼ(COX)阻害薬(インドメタシン)を併用する．これらの薬剤は生涯にわたる治療が必要である．　　　　　　　〔柴田洋孝〕

■文献

Rossi GP: A comprehensive review of the clincial aspects of primary aldosteronism. *Nat Rev Endocrinol.* 2011; 7: 485-95.

10) 副腎皮質ステロイド合成異常症
abnormality in adrenal steroidogenesis

定義・概念
副腎皮質ステロイド合成異常症とは副腎皮質ステロイドホルモン合成の異常により発症する疾患群の総称である．

分類
副腎皮質ステロイド合成異常症は，副腎皮質ステロイドホルモン合成に必要な蛋白質あるいは酵素の欠損症(副腎皮質におけるステロイドホルモン合成経路マップをホルモン合成に必要な蛋白質および酵素とともに図14-6-18に示す)，広義の先天性副腎低形成症，自己免疫性副腎機能低下症，その他に分類される(表14-6-13)．副腎皮質ステロイドホルモン合成に必要な蛋白質あるいは酵素の欠損症のうち，グルココルチコイド分泌低下によるACTH分泌亢進を伴い，結果的に副腎過形成をきたす疾患群を先天性副腎過形成症とよぶ(表14-6-13の*1で示した疾患)．なお，副腎性器症候群(先天性副腎過形成症とほぼ同義)という診断名を用いるべきではない．患者は"性器"ということばが含まれる診断名を蔑視的に感じるからである．

疫学
副腎皮質ステロイド合成異常症のわが国における推定患者数を表14-6-14にまとめた．

(1)副腎皮質ステロイド合成異常症各論
以下，副腎皮質ステロイド合成異常症のうち，比較的頻度の高い5疾患について概説する．

a. ステロイドホルモン産生急性調節蛋白質(steroidogenic acute regulatory protein：STAR)欠損症(STAR deficiency)

定義・概念
STARは副腎皮質および性腺におけるステロイドホルモンの材料であるコレステロールをホルモン産生の場であるミトコンドリア内膜に運ぶ蛋白である．STAR欠損症はSTAR蛋白の欠損により引き起こされる疾患であり，STAR異常症あるいは先天性リポイド過形成症ともよばれる．STAR欠損のために，副腎皮質ステロイドホルモン産生細胞におけるグルココルチコイド，ミネラルコルチコイド，副腎アンドロゲンすべての産生は低下する．

分類
STARを完全に欠損する古典型，部分的に欠損する非古典型に分類される．

病因
*STAR*遺伝子異常に起因する常染色体劣性遺伝病である．

病理
ステロイドホルモン産生細胞の細胞質にコレステロールが沈着する．

臨床症状
表14-6-15，図14-6-19，14-6-20に示す．

検査所見
低ナトリウム血症，高カリウム血症，低血糖，代謝性アシドーシスをきたす．血中ACTHおよびレニン高値にもかかわらず，コルチゾール，アルドステロン，デヒドロエピアンドロステロンサルフェート(DHEA-S)，およびすべての副腎皮質ステロイドホルモン中間代謝産物(図14-6-18)は低値である．

診断
上記の臨床症状，検査所見から疑い，遺伝子診断で確定する．なお，内分泌学的検査所見のみから本症とDAX1異常症(後述)を鑑別することはできない．

合併症
46,XXの古典型STAR欠損症では例外なく思春期開始年齢には卵巣からエストロゲンが産生され，乳房腫大および初経をきたす．しかし思春期年齢以降に卵巣に多嚢胞性卵胞様の所見(e図14-6-B)を呈し，早発閉経に至る．

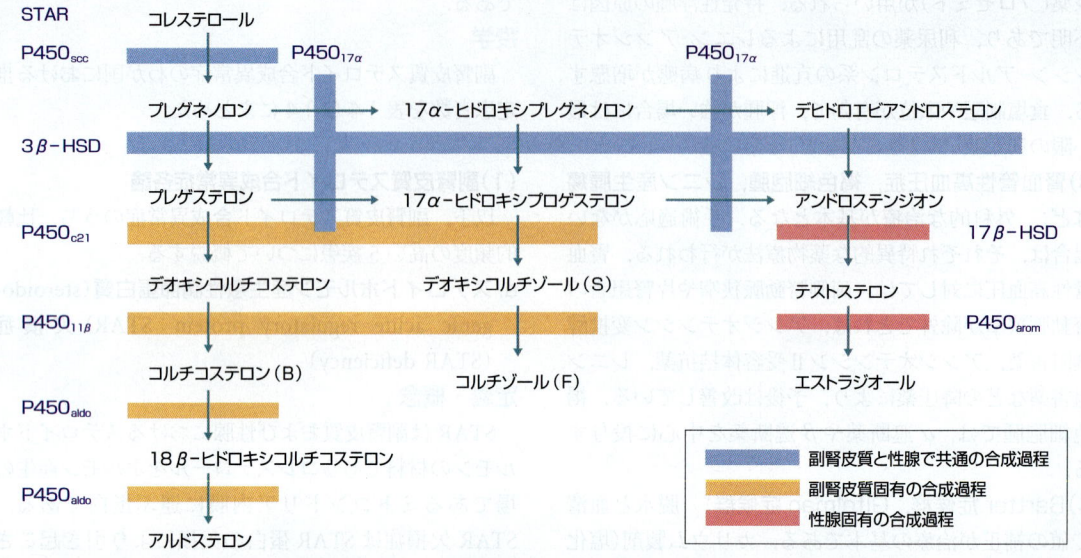

図 14-6-18 副腎皮質ステロイドホルモン合成
副腎皮質におけるステロイドホルモン合成の経路を性腺における経路とともに示す.
STAR：steroidogenic acute regulatory protein, P450$_{scc}$：コレステロール側鎖切断酵素, 3β-HSD：3β-ヒドロキシステロイド脱水素酵素, P450$_{17α}$：17α-ヒドロキシラーゼ, P450$_{c21}$：21-ヒドロキシラーゼ, P450$_{11β}$：11β-ヒドロキシラーゼ, P450$_{aldo}$：アルドステロン合成酵素, 17β-HSD：17βヒドロキシステロイド脱水素酵素, P450$_{arom}$：芳香化酵素.

表 14-6-13 副腎ステロイド合成異常症の分類

副腎皮質ステロイドホルモン合成に必要な蛋白質あるいは酵素欠損症	NNT 異常症
STAR 欠損症（STAR 異常症あるいは先天性リポイド過形成症）*1	GPX1 異常症
コレステロール側鎖切断酵素欠損症*1	その他
3β-ヒドロキシステロイド脱水素酵素欠損症*1	トリプル A 症候群
21-ヒドロキシラーゼ欠損症*1	自己免疫性副腎機能低下症
11β-ヒドロキシラーゼ欠損症*1	単独
アルドステロン合成酵素欠損症	自己免疫性多内分泌腺症候群 1 型
17α-ヒドロキシラーゼ欠損症*1	自己免疫性多内分泌腺症候群 2 型
P450 オキシドレダクターゼ欠損症*1	その他の副腎機能低下症
先天性副腎低形成症（広義）	ミトコンドリア病
先天性副腎低形成症（狭義）	Wolman 病
DAX1 異常症	副腎白質ジストロフィ
SF1 異常症*2	副腎感染症
IMAGe 症候群（CDKN1C 異常症）	結核
MIRAGE 症候群（SAMD9 異常症）	HIV
ACTH 不応症	その他
ACTH 受容体異常症	副腎出血
MRAP 異常症	副腎腫瘍
MCM4 異常症	その他

*1：先天性副腎過形成症．
*2：副腎低形成を示す症例はむしろ少ない【⇨ 14-8】．

表 14-6-14 わが国における副腎ステロイド合成異常症の推定患者数（柳瀬，2012）

疾患群	推定患者数（95％信頼区間）
副腎皮質ステロイドホルモン合成に必要な蛋白質あるいは酵素欠損症（P450 オキシドレダクターゼ欠損症を除く）	1791（1642〜1940）
P450 オキシドレダクターゼ欠損症	44（36〜52）
先天性副腎低形成症（狭義）	100（78〜122）
ACTH 不応症	65（50〜80）
Addison 病*	911（782〜1040）

厚生労働省「副腎ホルモン産生異常に関する調査研究班」による 2003 年 1 月 1 日〜2007 年 12 月 31 日の 5 年間の推定患者数を示す．
＊：本調査では自己免疫的あるいは非自己免疫的機序（結核などの感染症，出血など）により後天的な副腎皮質萎縮をきたす疾患群を Addison 病と総称している．

表 14-6-15 STAR 欠損症の臨床症状

		副腎機能低下症の症状	性腺機能低下症の症状
古典型	46,XY	新生児期あるいは乳児期早期に発症する副腎不全[*1]	外陰部完全女性型（図 14-6-20）
	46,XX	新生児期あるいは乳児期早期に発症する副腎不全[*1]	二次性徴（乳房腫大・初経など）あり 不妊，早発閉経
非古典型	46,XY	乳幼児期以降に発症する副腎不全[*1]	外陰部完全男性型 二次性徴（陰毛・変声など）あり 妊孕性の有無は不明
	46,XX	乳幼児期以降に発症する副腎不全[*1]	二次性徴（乳房腫大・初経など）あり 妊娠および分娩可能[*2]

STAR 欠損症の臨床症状を古典型および非古典型に分けてまとめる．
＊1：不活発，ショック，皮膚色素沈着（図 14-6-19）など．
＊2：排卵誘発薬であるクロミフェンを使用した妊娠および分娩が 2 例報告されている．

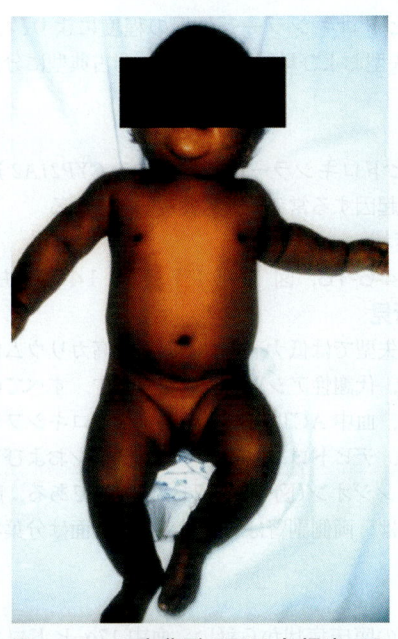

図 14-6-19 古典型 STAR 欠損症 46,XY 法律上の女児全身像
2 カ月時に全身の皮膚色素沈着（副腎機能低下症による ACTH 分泌亢進）で発症した．

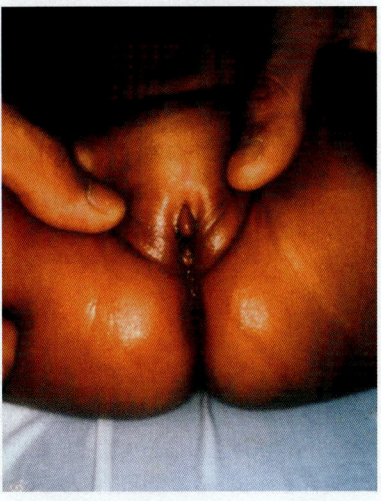

図 14-6-20 古典型 STAR 欠損症 46,XY 法律上の女児外陰部
染色体核型は 46,XY であるが，外陰部は完全女性型であり，出生時に逡巡することなく法律上の性を女児と決定されていた．

表 14-6-16 21-ヒドロキシラーゼ欠損症の臨床症状

		副腎機能低下症の症状	副腎アンドロゲン分泌増加による男性化徴候
古典型	塩喪失型		
	46,XY	新生児期あるいは乳児期早期に発症する副腎不全*	明らかな症状なし
	46,XX	新生児期あるいは乳児期早期に発症する副腎不全*	陰核肥大，陰唇融合，外尿道口と膣口の不分離（図 14-6-21，e図 14-6-C）
単純男性化型	46,XY	新生児期あるいは乳児期早期に副腎不全*なし	明らかな症状なし
	46,XX	新生児期あるいは乳児期早期に副腎不全*なし	陰核肥大，陰唇融合，外尿道口と膣口の不分離
非古典型	46,XY	副腎不全*なし	成長促進，思春期早発
	46,XX	副腎不全*なし	成長促進，思春期早発，多毛，月経不順，不妊

21-ヒドロキシラーゼ欠損症の臨床症状を古典型（塩喪失型および単純男性化型）および非古典型に分けてまとめる．
＊：不活発，ショック，皮膚色素沈着など．

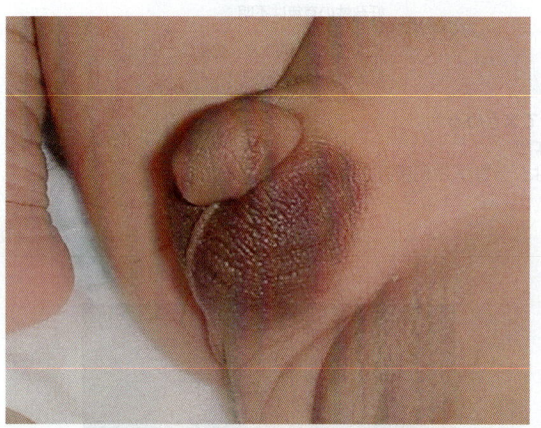

図 14-6-21 古典型 21-ヒドロキシラーゼ欠損症 46,XX 新生児法律上の女児の外陰部
明らかな陰核肥大および陰唇融合を認め，一見陰茎および陰嚢様である．陰嚢様構造物内に精巣を触知しない．

治療

内科的治療の基本はグルココルチコイドおよびミネラルコルチコイド投与である．外性器完全女性型を有する 46,XY 個体は法律上の性を女性として決定され，女性として養育される．その後腹腔内あるいは鼠径部に存在する精巣を摘出し，女性ホルモン補充療法を行う．

b. 21-ヒドロキシラーゼ欠損症（21-hydroxylase deficiency）（日本小児内分泌学会マス・スクリーニング委員会他，2014）

定義・概念

21-ヒドロキシラーゼは副腎皮質におけるステロイドホルモン合成経路において 2 つの反応を触媒する（図 14-6-18）．21-ヒドロキシラーゼ欠損症はこの酵素欠損によりグルココルチコイドおよびミネラルコルチコイド，またはグルココルチコイドのみの産生が障害される疾患である．ACTH 分泌亢進により副腎アンドロゲン分泌増加を伴うため，"男性化徴候（表 14-6-16）"を伴うことを特徴とする．

分類

21-ヒドロキシラーゼ欠損の程度により，古典型（塩喪失型および単純男性化型），非古典型に分類される．

病因

21-ヒドロキシラーゼを規定する *CYP21A2* 遺伝子異常に起因する常染色体劣性遺伝病である．

臨床症状

表 14-6-16，図 14-6-21，e図 14-6-C も参照．

検査所見

塩喪失型では低ナトリウム血症，高カリウム血症，低血糖，代謝性アシドーシスをきたす．すべての型において，血中 ACTH および 17α-ヒドロキシプロゲステロン，デヒドロエピアンドロステロンおよびアンドロステンジオン（図 14-6-18）は高値である．超音波検査では，両側副腎は腫大し，その表面は分葉状を呈する．

診断

上記の臨床症状から疑い，血中 17α-ヒドロキシプロゲステロン，デヒドロエピアンドロステロンおよびアンドロステンジオン高値で確定する．なお，現在わが国を含む世界各国で，古典型 21-ヒドロキシラーゼ

表 14-6-17 PORD の臨床症状

	副腎機能低下症の症状	外陰部の症状	その他の症状
46,XY	軽症の副腎不全*1	小陰茎,尿道下裂,停留精巣(図 14-6-D)*2	骨症状,くも状指,二次性徴の欠如
46,XX	軽症の副腎不全*1	陰核肥大,陰唇癒合(図 14-6-E)*2,*3	骨症状,くも状指,二次性徴の欠如

PORD の臨床症状をまとめる.
*1:皮膚色素沈着など.
*2:PORD は 46,XY DSD および 46,XX DSD でもある【⇨ 14-8】.
*3:46,XX 個体の外陰部に陰核肥大,陰唇癒合という男性化徴候を認める原因の少なくとも一部は,胎盤に発現する芳香化酵素の機能低下によるアンドロゲン過剰である.芳香化酵素も POR により電子の供与を受けるチトクローム P450 に属する酵素である.

表 14-6-18 DAX1 欠損症の臨床症状*1

副腎機能低下症の症状	低ゴナドトロピン性性腺機能低下症の症状
副腎不全*2	二次性徴未発来,男性不妊*3

*1:DAX1 欠損症は全員男性(46,XY)である.
*2:不活発,ショック,皮膚色素沈着などで,その発症は新生児期あるいは乳児期早期〜成人期までありうる.
*3:近年 DAX1 異常症の男性不妊に対し,顕微鏡下精巣内精子採取術と顕微授精を組み合わせ挙児を得た報告がなされた【⇨ 14-8】.

欠損症を対象とした新生児マススクリーニングが行われている.すなわち,新生児から少量採血し,濾紙血中 17α-ヒドロキシプロゲステロンを測定する.

治療
内科的治療の基本はグルココルチコイドおよびミネラルコルチコイド投与である.外性器男性化を有する 46,XX 個体は,陰核形成術,膣形成術を行う.

c. P450 オキシドレダクターゼ欠損症(P450 oxidoreductase deficiency:PORD)

定義・概念
P450 オキシドレダクターゼ(POR)は副腎皮質,性腺および胎盤を含む全身各臓器におけるミクロソーム分画に存在するチトクローム P450 と総称されるすべての酵素に電子を供与する酵素である.副腎において POR は 17α-ヒドロキシラーゼおよび 21-ヒドロキシラーゼに電子を供与する.PORD は POR 蛋白の欠損により引き起こされる疾患である.POR を欠損することにより,副腎皮質ステロイドホルモン産生細胞におけるグルココルチコイド,ミネラルコルチコイド,副腎アンドロゲンすべての産生は低下する.

病因
POR 遺伝子異常に起因する常染色体劣性遺伝病である.

臨床症状
表 14-6-17,e図 14-6-D,14-6-E を参照.

検査所見
血中 ACTH および 17α-ヒドロキシプロゲステロン(図 14-6-18)は高値,デヒドロエピアンドロステロンおよびアンドロステンジオンは低値である(図 14-6-18).

診断
上記の臨床症状から疑い,血中 17α-ヒドロキシプロゲステロン高値,デヒドロエピアンドロステロンおよびアンドロステンジオン低値で確定する.遺伝子診断も有用である.

合併症
骨症状(頭蓋骨早期癒合,顔面骨低形成,関節拘縮),くも状指,二次性徴の欠如などを認める.本疾患罹患胎児を妊娠中の母体は男性化徴候(声変わりなど)をきたす.

治療
内科的治療の基本はグルココルチコイド投与である.ミネラルコルチコイド投与も必要となることはまれである.二次性徴の欠如に対し,法律上の性にあわせて性ホルモン補充療法が行われる.外性器異常,骨症状に対し,対症療法として外科的治療が行われる.

d. DAX1 異常症(DAX1 abnormality)

定義・概念
DAX1 は胎児期の副腎発生に重要な役割を演じる核内転写因子である.DAX1 異常症はこの蛋白質の欠損により副腎低形成となる疾患である.臨床的には,低ゴナドトロピン性性腺機能低下症を合併することを特徴とする.

病因
DAX1 を規定する *DAX1* 遺伝子異常に起因する X 連鎖劣性遺伝病である.したがって罹患患者は全員男性である.

臨床症状
表 14-6-18 に示す.

検査所見
低ナトリウム血症,高カリウム血症,低血糖,代謝性アシドーシスをきたす.血中 ACTH およびレニン

高値にもかかわらず，コルチゾール，アルドステロン，DHEA-S，およびすべての副腎皮質ステロイドホルモン中間代謝産物（図 14-6-18）は低値である．なお，内分泌学的検査所見のみから STAR 欠損症と本症を鑑別することはできない．

診断

上記の臨床症状，検査所見から疑い，画像上副腎低形成を確認し，遺伝子検査で確定する．

治療

内科的治療の基本はグルココルチコイドおよびミネラルコルチコイド投与である．

e. 単独自己免疫性副腎機能低下症

自己免疫的機序により，後天的に副腎皮質の萎縮をきたす疾患である．なお，自己免疫的機序あるいは結核により後天的な副腎皮質萎縮をきたす疾患群をそれぞれ，特発性 Addison 病，結核性 Addison 病（表 14-6-14）ともよぶ【⇨ 14-6-7】．　〔長谷川奉延〕

■文献

日本小児内分泌学会マス・スクリーニング委員会，日本マス・スクリーニング学会，他：21-水酸化酵素欠損症の診断・治療のガイドライン 2014 年改訂版，2014．http://jspe.umin.jp/medical/files/guide20140513.pdf

柳瀬敏彦：厚生労働省「副腎ホルモン産生異常に関する調査研究班」の研究概要紹介―疫学研究を中心に．最新医学．2012; 67: 1981-8.

11）副腎癌
adrenocortical carcinoma

定義・概念

副腎皮質由来の腺癌．約 60〜70％で副腎皮質ホルモン産生能をもつ．約 100 万人に 1 人とまれであるが予後不良な悪性腫瘍の 1 つ[1]（Allorio ら，2006；Bilimoria ら，2008）．

分類

ENSAT（European Network for the Study of Adrenal Tumors）により改変された TNM 分類がおもに用いられる（e表 14-6-B）．副腎外病変なく 5 cm 以下であれば stage Ⅰ，同 5 cm 以上であれば stage Ⅱ，周辺臓器への浸潤，下大静脈・腎静脈の腫瘍塞栓，リンパ節転移などがあれば stage Ⅲ，遠隔転移を伴えば stage Ⅳに分類される[2]．

原因・病因

大部分が孤発性であるが，Li-Fraumeni 症候群などまれに遺伝性のものもある[3]．

疫学

発症頻度は年間 100 万人に 1 人程度とまれである[1-3]．男性より女性に頻度が高く，発症年齢は 40〜50 歳にピークがあるが，小児期の 5 歳前後にもピークがあり，ブラジル南部に小児例が多い[4]．

病理

副腎皮質のステロイド産生細胞由来の腺癌である．良悪性の鑑別には Weiss の指標が用いられる（e表 14-6-C）[5,6]．Ki-67（MIB1）陽性率も悪性の指標となるとともに予後との関連が報告されている[7]．Ad4BP/SF-1 免疫染色は転移性癌などとの鑑別に有用である．

病態生理

約 60〜70％が機能性で副腎皮質ホルモンの産生能を有する[1]（Allolio ら，2006）．コルチゾール，副腎アンドロゲン（DHEA-S など）の分泌能を有する症例が多く，アルドステロンの分泌能をもつ場合はまれである．その比率は，コルチゾール単独が 45％，コルチゾールと副腎アンドロゲンの両方が 45％，副腎アンドロゲン単独が 10％程度である[8]．さらに，種々のステロイド中間生成物の産生を認めることがある[9]（eコラム 1）．

臨床症状

コルチゾールの産生を認める場合は Cushing 症候群をきたし，副腎アンドロゲンの産生を認める場合は男性化などの症候をきたす．デオキシコルチコステロン（DOC）などミネラルコルチコイド作用をもつステロイド中間生成物により原発性アルドステロン症様症状をきたすこともある．機能性を有さない場合は自覚症状に乏しく，副腎偶発腫として発見されることも多い．進行すれば背部痛・腹痛や食欲不振，体重減少などの症状をきたす．

検査所見

コルチゾール産生例での検査所見は Cushing 症候群【⇨ 14-6-5】に準ずる．副腎アンドロゲン産生例では DHEA-S や尿中 17-ケトステロイド（17-KS）が高値となる．ステロイド中間生成物の上昇を認める場合もある．非機能性の場合は画像診断が中心となる．

診断

副腎に癌を疑う腫瘍を認めても副腎癌であるとは限らない（副腎偶発腫瘍【⇨ 14-6-12】）．他臓器癌（肺癌など）の副腎転移も多く，CT や FDG-PET などで全身検索を行う必要がある．副腎皮質ホルモン産生能を有する場合は診断の助けとなる．コルチゾールの自律分泌が認められる場合は腺腫か癌かの鑑別となる（e図 14-6-F）．副腎アンドロゲンを反映する DHEA-S や尿中 17-KS が悪性のマーカーとなりうる．ステロイド中間生成物の上昇を認める場合も副腎癌を疑う根拠となる[16]．FDG-PET は転移巣の評価に有用であり，腺腫と癌との鑑別の一助にもなる．アドステロールシンチグラフィは癌での取り込みはあまり強くないが，副腎皮質由来かどうかの判断に有用な場合があ

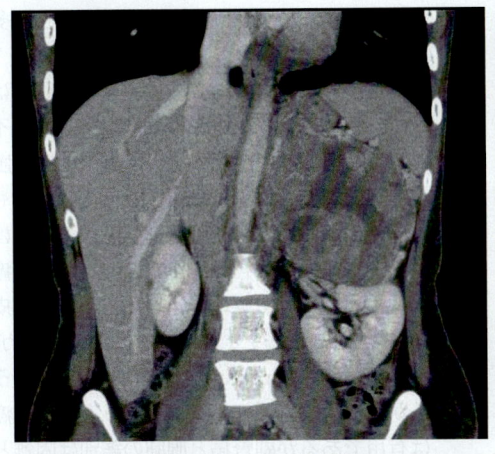
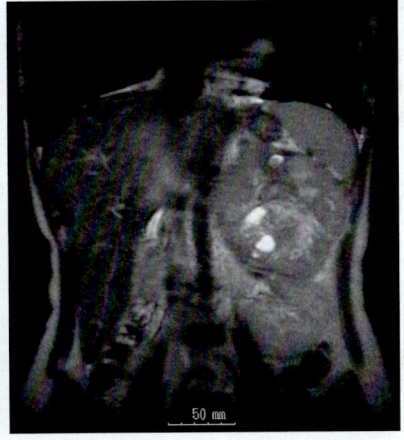

図 14-6-22 副腎癌のCT, MRI 画像 (coronal image)
A：造影CT：辺縁が不整で不均一に造影される．中央部は壊死している．
B：MRI (SSFSE法T2強調画像)．T2強調画像で高信号，一部嚢胞変性．

る．CT，MRIでは副腎皮質腺腫と異なりCT値が高く，辺縁が不整で内部が不均一で壊死，出血，石灰化も伴う（図14-6-22）．画像的には褐色細胞腫や転移性癌との鑑別が難しい場合もある．副腎皮質腫瘍はサイズが大きくなればなるほど悪性の可能性が高いことが知られており，直径4cm以上であれば悪性を疑う[10]．また，短期間でサイズが増大する場合も悪性が疑われる．

鑑別診断

鑑別診断として，転移性癌，褐色細胞腫，副腎皮質腺腫，悪性リンパ腫，神経節細胞腫，骨髄脂肪腫などがあげられる【⇨14-6-12】．

経過・予後

報告により異なるが，フランスのスタディでは5年生存率がstage Ⅰ～Ⅳでそれぞれ66，58，24，0％であったと報告されている[11]．完全切除できない場合は非常に予後が悪く，完全切除できた場合も再発のリスクが高い．

治療

stage Ⅳの副腎癌については，現在のところ寛解に至る有効な治療法はない．DDT (dichloro dephenyl trichloroethane) の異性体であるミトタン（オペプリム®）は副腎皮質細胞に対して毒性をもち，単独療法で約30％程度の奏効率が報告されているが，生存率改善に対する効果は確立していない (Allolioら，2006)．ステロイド合成阻害作用も有し，ホルモン過剰症状を緩和する効果もある．消化器症状を中心とした副作用が強く，治療効果を発揮するには14μg/mL以上の血中濃度が有効とされているが，20μg/mL以上の高濃度では中枢神経症状などの重篤な副作用出現の危険性も高くなる[12]．また，正常の副腎皮質細胞に対する毒性ももつため，グルココルチコイドの補充が必要となることも多いが，ステロイド代謝促進作用も有し，通常より多量のステロイド補充が必要となる．近年，ミトタンと併用する化学療法としてEDP（エトポシド＋ドキソルビシン＋シスプラチン）療法などの有効性も報告されている[13]（ⓔコラム2）．

stage Ⅰ～Ⅲでは完全な外科的切除が第一の治療となる．根治的手術を行った場合でも再発率が高く，再発予防の補助療法としてはミトタンの投与と局所放射線療法がある．最近のエビデンスではミトタン（1～3g/日）での補助療法が望ましいと考えられている[14]．腫瘍床への局所放射線療法については，全体的な予後の改善には至らないものの局所再発は防ぐという報告がある[15]．

〔曽根正勝〕

■文献（ⓔ文献14-6-11）

Allolio B, Fassnacht M: Clinical review: Adrenocortical carcinoma: clinical update. J Clin Endocrinol Metab. 2006; 91: 2027-37.
Bilimoria KY, Shen WT, et al: Adrenocortical carcinoma in the United States: treatment utilization and prognostic factors. Cancer. 2008; 113: 3130-6.
Fassnacht M, Libé R, et al: Adrenocortical carcinoma: a clinician's update. Nat Rev Endocrinol. 2011; 7: 323-35.

12) 副腎偶発腫瘍
adrenal incidentaloma

定義・概念

副腎以外の臓器を目的に行った画像検査で偶然に発見された径1cm以上の副腎腫瘍を副腎偶発腫瘍とよぶ (Young, 2007)．

原因・病因

定義上，多彩な疾患が原因となる．わが国での1999～2004年の調査では，図14-6-23のような内

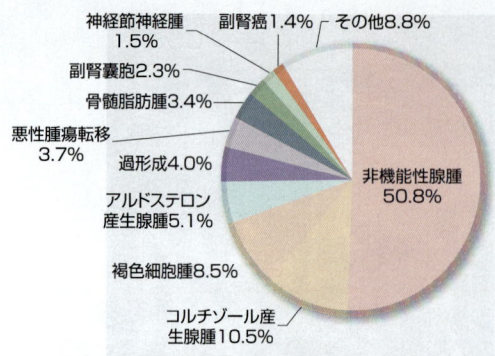

図 14-6-23 副腎偶発腫瘍の内訳（上芝ら，2006 より改変）

訳になっている（上芝ら，2006）．

疫学

比較的頻度の高い病態と考えられており，海外における剖検例の調査では，約 2％に副腎腫瘍が存在すると報告されている．一般に，若年者に比較して高齢者で頻度が高い[1]．

診断・鑑別診断

ホルモン産生能があるかどうか，悪性かどうかが治療選択上重要となる．

1）**ホルモン産生腫瘍かどうか：** 副腎原発のホルモン産生腫瘍としてはコルチゾール産生腺腫，アルドステロン産生腺腫，褐色細胞腫，副腎癌などがあげられ，これらの疾患の内分泌学的スクリーニングを行う．

2）**画像診断（e表 14-6-D）：** 腫瘍サイズが小さいものでは腺腫の頻度が多く，腫瘍サイズが大きいもの（4 cm 以上）では褐色細胞腫，副腎癌などを念頭におく[2,3]．腫瘍の増大傾向が強いものは副腎癌，転移性癌などを疑う．悪性のなかでは他臓器からの転移性癌の頻度も高いことに留意する．

腺腫は単純 CT において辺縁が整で内部均一で CT 値が低い（典型例では 10 HU 以下）[4]（Grumbach ら，2003）．造影 CT では一般に造影効果は弱い[4]．また MRI のケミカルシフトイメージングで in-phase に比して out-of-phase（opposed phase）で信号が低下する[5]．副腎癌は，同じく副腎皮質細胞由来ではあるが，サイズが大きく辺縁不整，CT 値は 20 HU 以上で内部不均一で壊死や出血を伴うことが多い．MRI では内部不均一で T1 強調像では低信号，T2 強調像では高信号を示すことが多い．褐色細胞腫は造影効果が強く（わが国では造影剤は原則禁忌）内部不均一で囊胞変性を伴うことも多く，MRI では T2 強調像で高信号，拡散強調画像で高信号などの特徴をもつ．副腎癌，褐色細胞腫，転移性癌は CT，MRI では鑑別が困難な場合もある．FDG-PET は一般に副腎癌，転移性癌，褐色細胞腫では取り込みが強く，副腎皮質腺腫では取り込みが弱い（Young, 2007）．CT ガイド下で fine-needle aspiration biopsy（FNAB）を行うこともあるが，褐色細胞腫では禁忌であり，転移性癌の鑑別には有用であるが副腎癌と腺腫の鑑別は困難とされている[6]．ほかに，骨髄脂肪腫は，CT では辺縁が整で内部に不均一に脂肪成分を含む比較的大きい腫瘍としてとらえられる．ときに石灰化を示すこともある．造影 CT では脂肪成分が優位な場合は造影効果が乏しく，骨髄成分が優位な場合は造影効果を認める．MRI では T1 強調像，T2 強調像ともに不均一な高信号を呈する腫瘤としてとらえられる．神経節細胞（神経）腫は，CT では辺縁が整で，均一な低吸収域を示す腫瘍としてとらえられる．MRI では T1 強調像で低信号，T2 強調像では高信号を示すことが多い．〔曽根正勝〕

■文献（e文献 14-6-12）

Grumbach MM, Biller BM, et al: Management of the clinically inapparent adrenal mass ("incidentaloma"). Ann Intern Med. 2003; **138**: 424-9.

上芝 元，一城長政：副腎偶発腫瘍の全国調査-診断・治療指針の作成．厚生労働省科学研究費補助金難治性疾患克服研究事業 副腎ホルモン産生異常に関する調査研究 平成 17 年度総括・分担研究報告書，pp113-8, 2006.

Young WF Jr: Clinical practice. The incidentally discovered adrenal mass. N Engl J Med. 2007; **356**: 601.

13）副腎皮質ステロイド

【⇨ 5-1-1】

14-7 副腎髄質
adrenal medulla

1）発生・形態

　副腎髄質（🅔コラム1）は交感神経系のなかで最大のカテコールアミン産生性内分泌臓器として機能している．カテコールアミン（catecholamine）とは，ドパミン（dopamine：DA），ノルアドレナリン（noradrenalin：NA），アドレナリン（adrenalin：A）の総称でカテコール核（ベンゼン核に2個の水酸基をもつ）の側鎖に炭素原子2個を隔ててアミン基を有する特有な構造をしている（図14-7-1）．ヒト副腎髄質は，1 mg/g のアドレナリンとその10％程度のノルアドレナリンを含む．

　副腎髄質の形成は，胎生初期に交感神経母細胞（sympathogonia）が神経冠（neural crest）から遊走し，副腎皮質内へ移動して行われる．したがって副腎髄質細胞は外胚葉由来であるが，副腎皮質は中胚葉由来であり，両者は発生源基が異なる．

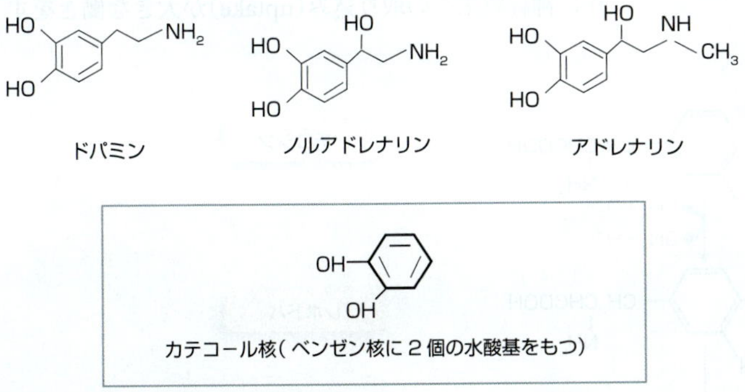

2）構造・機能

　副腎への動脈は左右ともに3本ずつ認められ，上・中・下副腎動脈とよばれている．これらは，それぞれ下横隔動脈，大動脈，腎動脈から分かれたものである．副腎髄質は，髄質固有の栄養血管である髄質動脈と，皮質を灌流した後に髄質に流入する血管系の両者により栄養されている．後者は大量の副腎皮質ホルモンを含んでおり，後述する皮質と髄質の相互作用に重要な役割を果たしている．これらは毛細血管網を形成して髄質を灌流したのちに髄質静脈となり，最後に合流して副腎静脈になる．左副腎静脈は左腎静脈へ，右副腎静脈は直接大静脈に注ぐ．

　副腎髄質にはTh1～L2由来の交感神経節前ニューロンが，内臓神経を経由して到達し，髄質細胞にシナプスを形成して直接終わる．つまり，副腎髄質は実質的には軸索を失って分泌細胞になってしまった交感神経節後神経細胞ともいえる．

　光学顕微鏡上，数個の髄質細胞（🅔コラム2）のまわりを毛細血管が取り巻いている胞巣状（zellballen pattern）配列をとっている（図14-7-2A）．髄質細胞は軽度の大小不同性を示す小型の核と好塩基性顆粒状の胞体を有している．しばしば空胞変性がみられる．電子顕微鏡上，髄質細胞は多数の分泌顆粒を含む（図14-7-2B）（🅔コラム3）．

図14-7-1 **カテコールアミンの構造**

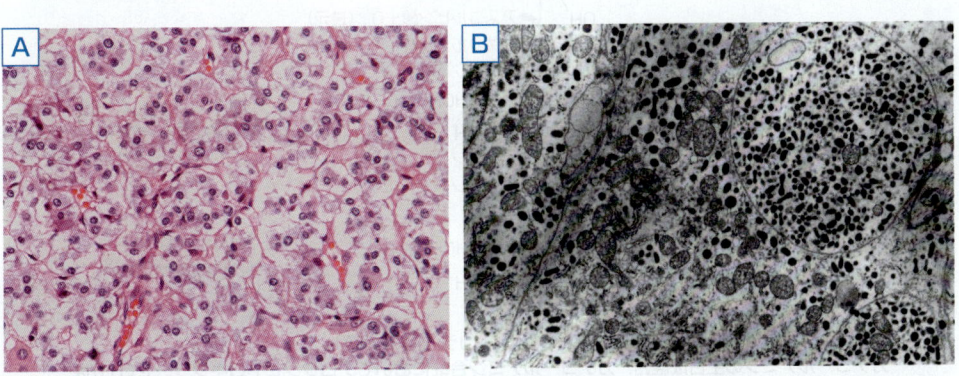

図14-7-2 **副腎髄質細胞**（国立病院機構函館病院臨床研究部病院病態研究室木村伯子先生提供）
A：光学顕微鏡像，B：電子顕微鏡像．

3）カテコールアミン

(1) カテコールアミンの生合成と貯蔵
a. 生合成

カテコールアミンの合成経路は図14-7-3に示すとおりで，L-チロシン→レボドパ→ドパミン（DA）→ノルアドレナリン→アドレナリンの順に1つの生化学的経路から合成される．L-チロシンは，食品からも吸収されるが，肝臓でフェニルアラニンを水酸化しても生じる．チロシンは，血中から副腎髄質細胞内や交感神経へ能動輸送で取り込まれる．以下，順に述べる．

1）チロシンヒドロキシラーゼ（tyrosine hydroxylase：以下 TH）：チロシンは，TH の働きでベンゼン核の3位が水酸化されてカテコール核がつくられて，3,4-ジヒドロオキシフェニールアラニン（DOPA）となる．この反応には水素および電子を供給するテトラヒドロビオプテリン（BH_4）が必要である．

2）ドパ脱炭酸酵素（DOPA-decarboxylase：DDC）：DOPA は，DDC により脱炭酸され DA が生成される．DDC の K_m は小さく，酵素は豊富に存在するため DOPA は蓄積しない．この反応には，ビタミン B_6 が補酵素として必要である．以上1)2)の反応は，細胞質で起こる．

3）ドパミン β-ヒドロキシラーゼ（dopamine-β-hydroxylase：DBH）：ノルアドレナリン作動神経や副腎髄質では，さらに蓄積と放出のため DA はカテコールアミン含有顆粒（クロマフィン顆粒）に取り込まれる．ついで，クロマフィン顆粒に局在する酵素である DBH により DA の側鎖の β 位を水酸化しノルアドレナリンとなる．DBH は，ビタミンCを補酵素としており，2分子の Cu^{2+} を含む酵素である．DBH は，ノルアドレナリンが exocytosis により細胞外に放出される際の随伴蛋白としてクロモグラニンや ATP とともに血中に出現する．

4）フェニルエタノールアミン-N-メチル転移酵素（PNMT）：副腎髄質や中枢アドレナリン神経では PNMT により，ノルアドレナリンからアドレナリンへの変換が行われる．すなわち，S-アデノシルメチオニンをメチル供与体とし，ノルアドレナリンのアミノ基にメチル基を転移させる．注意すべきは，PNMT は細胞質におもに存在するので，ノルアドレナリンは一度カテコールアミン顆粒を出て，細胞質でN-メチル化を受け，再び顆粒に取り込まれることである（図14-7-4）．

生合成の調節についてはeコラム4を参照．

b. 貯蔵（取り込み）

カテコールアミンの局所的な不活性化は，代謝のほかに神経終末への取り込み（uptake）が大きな働きをす

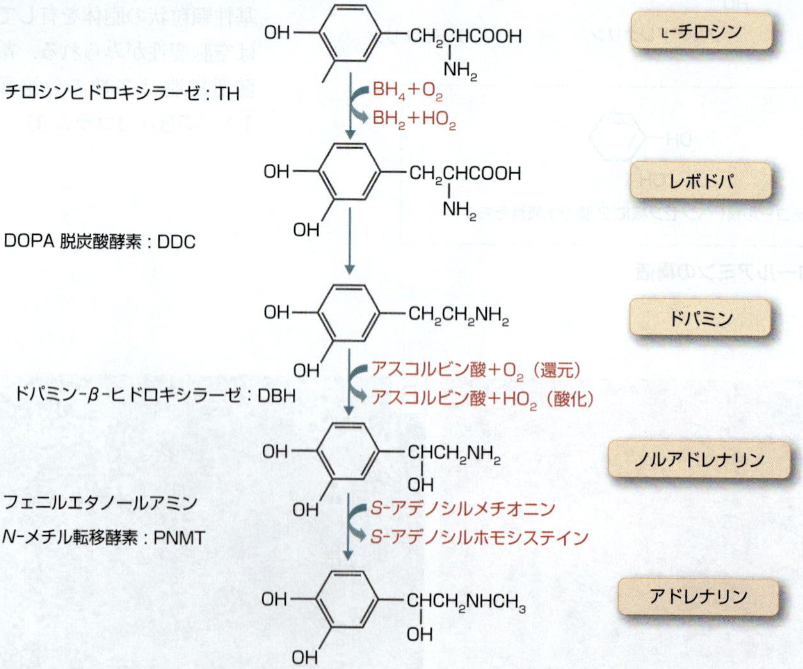

図14-7-3 カテコールアミンの合成①（②はeコラム4を参照）
カテコールアミンの生合成経路．カテコールアミン合成においてチロシンヒドロキシラーゼ（TH）は律速段階（ボトルネック）となっている．
BH_4 と BH_2 はテトラヒドロビオプテリンの還元形と酸化系を表す．

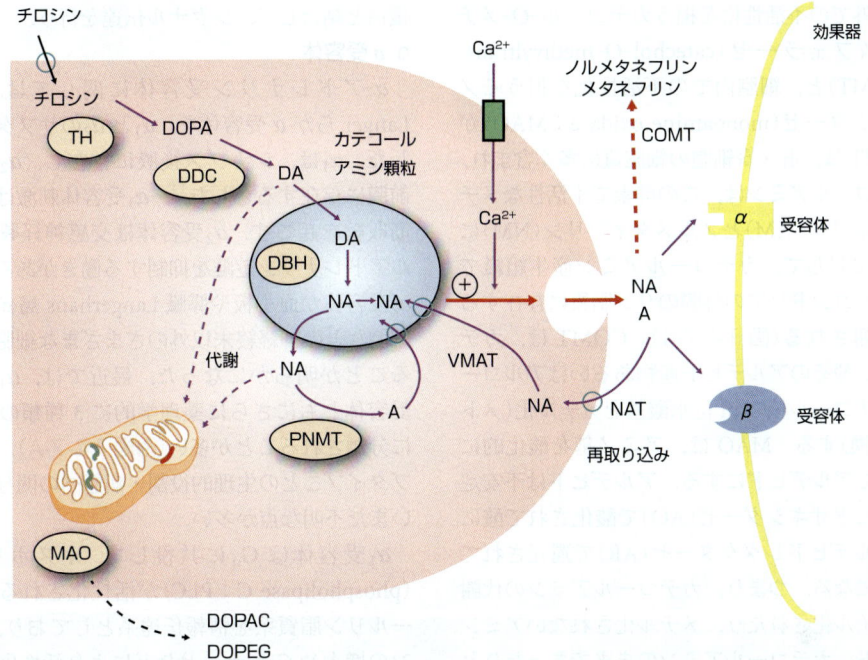

図 14-7-4 カテコールアミンの合成・分泌の概略
カテコールアミンの合成経路は TH によるチロシン→ DOPA の合成から始まり，この段階が律速段階（ボトルネック）となっている．DOPA は，DDC により DA が生成される．DA はカテコールアミン顆粒に取り込まれ，DBH により NA となる．副腎髄質では PNMT により，NA から A への変換が行われる．注意すべきは，PNMT は，細胞質におもに存在するので，NA は一度カテコールアミン顆粒を出て，細胞質で A となり再び顆粒に取り込まれる．副腎髄質からのカテコールアミン分泌は，Ca^{2+} イオンの流入が引き金となり，開口分泌（exocytosis）による．放出された NA や A の作用は標的臓器に発現しているアドレナリン受容体を介して発現される．酵素には，顆粒外では COMT と MAO の作用を受けて速やかに代謝される．カテコールアミンの局所的な不活性化は，代謝のほかに神経終末への取り込み（uptake）が大きな働きをすると考えられる．
DOPA：3,4-ジヒドロキシフェニールアラニン，DA：ドパミン，NA：ノルアドレナリン，A：アドレナリン，TH：チロシンヒドロキシラーゼ，AADC：aromatic L-amino acid decarboxylase，DBH：ドパミンβ-ヒドロキシラーゼ，PNMT：フェニルエタノールアミン-N-メチル転移酵素，NAT：ノルアドレナリントランスポーター，VMAT：vesicular monoamine transporter，MAO：モノアミンオキシターゼ，DOPAC：3,4-dihydroxyphenylacetic acid，DOPEG：3,4-dihydroxyphenylethylene glycol．

ると考えられる．ノルアドレナリンの高親和取り込みは uptake1 とよばれ，Na 依存性の特異的な摂取機構である神経終末への取り込みである．一方 uptake2 は，平滑筋や腺細胞などの神経外細胞への取り込みで低親和性取り込みとよばれる．uptake1 はノルアドレナリントランスポーター（noradrenaline transporter：NAT）によるものである．ちなみに，褐色細胞腫の診断に汎用される ^{131}I-MIBG（^{131}I-metaiodobenzylguanidine）は，ノルアドレナリンに類似した構造を有しており，Na 依存性の特異的な摂取機構であるノルアドレナリントランスポーターを介してカテコールアミン産生細胞に取り込まれ，貯留顆粒中に貯蔵される（図 14-7-4）．

(2) カテコールアミン分泌

副腎髄質からのカテコールアミン分泌は，おもに交感神経終末より放出されるアセチルコリンによって調節を受けていると考えられる．放出されるアセチルコリンが，副腎髄質細胞膜のニコチン受容体と結合する．続いて脱分極が起こり，Ca^{2+} イオンの流入が起こる．この Ca^{2+} イオンの流入が引き金となり，カテコールアミン顆粒膜と細胞膜の融合が起こり，開口分泌（exocytosis）によりカテコールアミンの放出が起こる．この経路は細胞外から受けるシグナルにより分泌が調節されており（調節性分泌経路，regulated pathway），非常にゆっくりと恒常的に起こっている構成的分泌（constitutive pathway）とは区別される（図 14-7-4）．

クロモグラニンについては e コラム 5 を参照．

(3) カテコールアミンの代謝

カテコールアミンは，クロマフィン顆粒内では遊離型のままでも安定であるが，顆粒外では酵素の作用を受けて速やかに代謝される．酵素には，カテコールア

ミンの細胞外での不活性化を担うカテコール-O-メチルトランスフェラーゼ（catechol-O-methyyltransferase：COMT）と，細胞内での不活性化を担うモノアミンオキシダーゼ（monoamine oxidase：MAO）がある．COMT は，肝・腎細胞の細胞質に多く含まれ，血中のカテコールアミンは，この酵素で不活性なメチル体のメタネフリン（M）とノルメタネフリン（NM）になる．それに対して，カテコールアミン産生組織では，まずミトコンドリアの外膜のリン脂質に存在するMAO で代謝される（図 14-7-4）．COMT は，カテコールアミンやそのアルデヒド産物あるいはアルコール産物のカテコール核の m 位水酸基をメチル化（メトキシ基へ変換）する．MAO は，アミノ基を酸化的に脱アミノしてアルデヒドにする．アルデヒドは不安定で，アルデヒドオキシダーゼ（AO）で酸化されて酸になるか，アルデヒドレダクターゼ（AR）で還元されてアルコールになる．つまり，カテコールアミンの代謝産物は，メチル化されたり，メチル化されないアミンやアルデヒド，カテコールアミンのままであったりとさまざまである．

ノルアドレナリンは，COMT による代謝を受けてNM となり，ついで MAO により 3-メトキシ-4-ヒドロキシマンデルアルデヒドを経て最終代謝産物のバニリルマンデル酸（VMA）となる．ノルアドレナリンは，MAO によって 3,4-ジヒドロキシマンデルアルデヒドに変換され，ついで AO により 3,4-ジヒドロキシマンデル酸（DHA）もしくは AR により 3,4-ジヒドロキシフェニルグリコール（DHPG）になり，さらにCOMT によりそれぞれバニリルマンデル酸（VMA）および MHPG（3-methoxy-4-hydroxyphenylglycol）になる（図 14-7-5A）．

DA は，MAO によって 3,4-ジヒドロキシフェニル酢酸（DOPAC）となり，COMT の作用を受けてホモバニリン酸（HVA）となる．開口分泌で遊離型として放出された DA は，まず COMT により 3-メトキシチラミンになりついで MAO によって HVA となる（図 14-7-5B）．カテコールアミンとその代謝産物は，おもに 4 位の水酸基を，生体内に広く分布するフェノールスルホトランスフェラーゼ（phenolsulftransferase：PST）により硫酸抱合される．

以上より，これら代謝産物測定は生体内におけるカテコールアミンの多寡を示すよい指標となる．実際，尿中メタネフリン 2 分画測定（M と NM 測定）は最も信頼性のおける褐色細胞腫の化学的指標として広く用いられている（eコラム 6）．

（4）カテコールアミン受容体（eコラム 7）

アドレナリン受容体の構造は，e図 14-7-A に示すように，7 回膜貫通型の受容体であり，GTP 結合蛋白と結合して，シグナル伝達を行う．

a. α 受容体

α-アドレナリン受容体に関しては，1974 年，Langer らが α 受容体を，α_1 と α_2 のサブタイプに分類した．α_1 は，シナプス後膜に存在し，α_2 はシナプス前膜に存在するとした[1]．α_1 受容体刺激は，血管平滑筋収縮を起こす．α_2 受容体は交感神経興奮によるノルアドレナリン遊離を抑制する働きがある．その後，α_2 受容体が血小板や膵臓 Langerhans 島 β 細胞，脂肪細胞などの神経終末以外のさまざまな細胞にも存在することが明らかになった．最近では，α_1 受容体，α_2 受容体ともにさらに薬理学的に 3 種類のサブタイプに分類されることが多い（e図 14-7-A）．他方，各サブタイプごとの生理的役割・病態への関与についてはいまだ不明な点が多い．

α_1 受容体は G_q に共役して，ホスホリパーゼ C（phospholipase C：PLC）が活性化される．イノシトールリン脂質系を情報伝達系としており，Ca^{2+} イオンの増大や C キナーゼなどにより活性化される．α_2 受容体は，抑制性 GTP 結合蛋白（G_i）を介して cAMP 産生が抑制されることにより発現される（図 14-7-6）．

b. β 受容体

β-アドレナリン受容体に関しては，1967 年 Landsらによりさらに β_1 と β_2 に分類された[2]．1989 年には β_3 受容体が分子生物学的手法で同定され，薬理学的に異形型（atypical）β 受容体とされていたものと同一であることが判明した[3]．β_1 はおもに心臓に，β_2 は血管，気管支，子宮などに，β_3 は脂肪組織に分布している．β_1 受容体刺激は心刺激を，β_2 受容体刺激は気管支拡張，血管拡張，筋グリコーゲン分解を，β_3 受容体刺激脂肪分解は脂肪分解を起こす．β 受容体作用のメカニズムは，アデニル酸シクラーゼ系が関与し促進性GTP 結合蛋白（G_S）を介して cAMP 産生が起こり，これにより A キナーゼなどが活性化される．

c. DA 受容体

内因性カテコールアミンの DA は上述の α，β 受容体とは別の特定の DA 受容体を介して種々の生理学的効果を表す．これらの DA 受容体の作用は脳・内臓・腎血管で重要である．以前から薬理学的に区別された D_1 受容体と D_2 受容体が知られており，D_1 受容体は腎臓，内臓，冠血管などの抵抗血管の拡張を促進させ，特に腎臓の同受容体刺激は DA によるナトリウム利尿で主要な役割を果たしている（eコラム 8）．

（5）シナプス前受容体による調節

カテコールアミン分泌を修飾するものとして，第一にシナプス前の受容体である α_2 受容体および β_2 受容体による自己制御機構があげられる．つまり，分泌さ

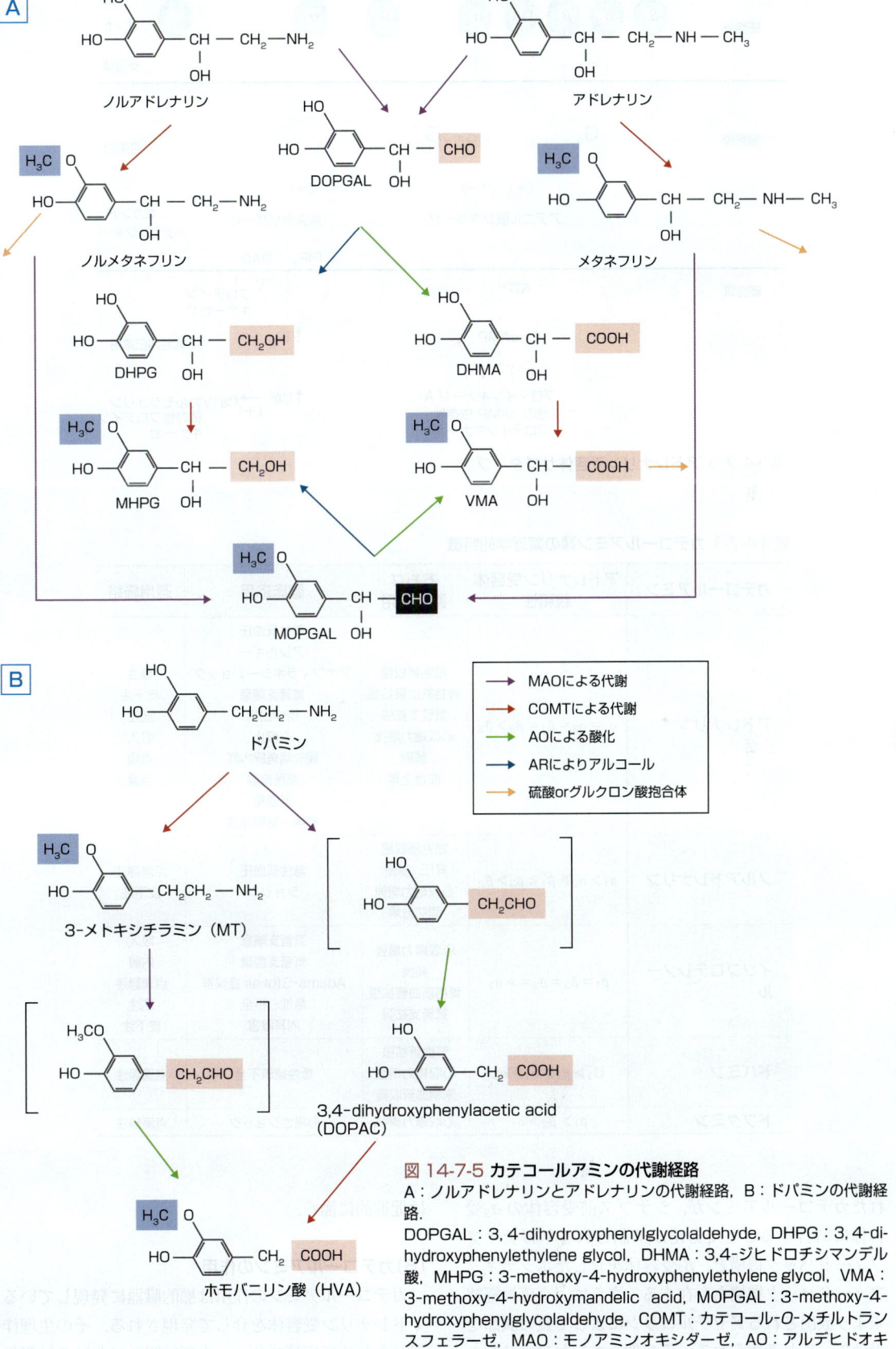

図 14-7-5 カテコールアミンの代謝経路
A：ノルアドレナリンとアドレナリンの代謝経路，B：ドパミンの代謝経路．
DOPGAL：3,4-dihydroxyphenylglycolaldehyde，DHPG：3,4-dihydroxyphenylethylene glycol，DHMA：3,4-ジヒドロチシマンデル酸，MHPG：3-methoxy-4-hydroxyphenylethylene glycol，VMA：3-methoxy-4-hydroxymandelic acid，MOPGAL：3-methoxy-4-hydroxyphenylglycolaldehyde，COMT：カテコール-O-メチルトランスフェラーゼ，MAO：モノアミンオキシダーゼ，AO：アルデヒドオキシダーゼ(アルデヒドデヒドロゲナーゼ)，AR：アルデヒドレダクターゼ，[ ]：中間代謝物．

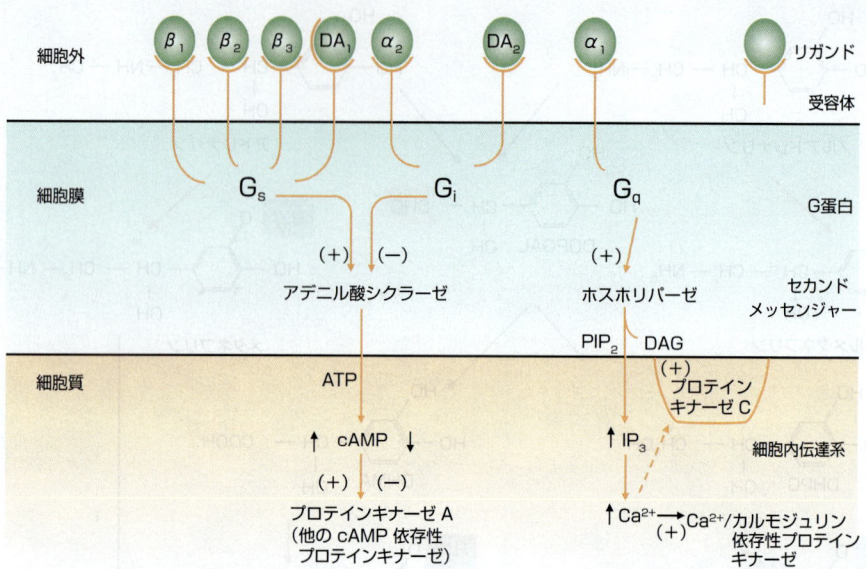

図 14-7-6 アドレナリン受容体サブタイプ

表 14-7-1 カテコールアミン類の薬理学的特徴

カテコールアミン	アドレナリン受容体親和性	おもな薬理作用	臨床応用	適用経路
アドレナリン	$\alpha_1 = \alpha_2 = \beta_1 = \beta_2 > \beta_3$	細動脈収縮 骨格筋血管拡張 気管支拡張 心収縮力増強 頻脈 血糖上昇	急性低血圧 アレルギー アナフィラキシーショック 気管支喘息 術中出血 心停止 開放隅角緑内障 局所麻酔 低血糖 結膜・結膜充血	静注 皮下注 筋注 吸入 点眼 点鼻
ノルアドレナリン	$\alpha_1 > \alpha_2 > \beta_1 \geqq \beta_3 > \beta_2$	細動脈収縮 昇圧,徐脈 心収縮力増強 脂肪分解	急性低血圧 ショック	点滴静注 皮下注
イソプロテレノール	$\beta_1 = \beta_2 = \beta_3 = \gg \alpha_1$	心収縮力増強 頻脈 骨格筋血管拡張 気管支拡張	気管支喘息 気管支痙攣 Adams-Stokes 症候群 急性心不全 内耳障害	吸入 内服 点滴静注 筋注 皮下注
ドパミン	$D_1 > \beta_1 > \alpha_1 > \alpha_2$	腎血管拡張 心収縮力増強 末梢血管収縮	急性循環不全	点滴静注
ドブタミン	$\beta_1 > \beta_2 > \alpha_1$	心収縮力増強	心原性ショック	点滴静注

れたカテコールアミンが,シナプス前受容体の α_2 受容体に結合することで分泌が抑制されるネガティブフィードバック機構と,β_2 受容体を介したポジティブフィードバック機構も存在する.さらに,交感神経終末より放出されるアセチルコリンによって負の調節を受けていると考えられる.その他,エンケファリン,PGE_2 は分泌抑制に働く.アンジオテンシンⅡ,ANPは促進的に働く.

(6) カテコールアミンの作用

カテコールアミンの作用は標的臓器に発現しているアドレナリン受容体を介して発現される.その生理作用はきわめて広範であり,中枢神経系における神経伝達としての作用に加え,末梢においても循環器系,内

表14-7-2 カテコールアミン類の循環系作用

心血管系機能	NA	Adr	ISP	DA
収縮期圧	↑↑↑	↑↑	↗	↑↑
拡張期圧	↑↑	↓	↓↓	↗
平均血圧	↑↑	↗	↓↓	↑
末梢血管抵抗	↑↑↑	↓↓	↓↓↓	↓
心拍数	↓	↑↑	↑↑	↑
心筋収縮力	↑	↑↑	↑↑	↑
心拍出量	↘	↑↑↑	↑↑↑	↑

NA：ノルアドレナリン
Adr：アドレナリン
ISP：イソプロテレノール　　0.1〜0.4 μg/kg/分静注
DA：ドパミン　　5〜20 μg/kg/分静注

分泌代謝系，消化器系，呼吸器系，腎泌尿器系などを調節している．

これらのアドレナリン受容体を介する生理作用はきわめて多くの因子に依存する．同じカテコールアミンでも，α，β受容体に対する直接作用の割合は異なっている．たとえば，アドレナリンはα，β受容体への刺激作用を有し，ノルアドレナリンはα受容体へ主として作用する（表14-7-1）．さらにアドレナリン受容体の分布が臓器や組織により異なる．アドレナリン受容体自体の調節も重要である．すなわち，細胞表面のアドレナリン受容体の数，機能，反応はカテコールアミン自体，年齢，ほかのホルモンや薬物・疾患によって調節されることから，アドレナリン受容体を介する反応は常に変化していると考えてよい．最もよく知られている受容体調節はアドレナリン受容体の脱感作（densensitization）であり，ある一定時間以上カテコールアミンやその作動薬に曝露すると作動薬に対する反応が減弱する現象である．しばしば，臨床的には耐性，タキフィラキシー，不応性といわれる．この作用は，臨床的なカテコールアミンやその作動薬の治療効果を規定しうるので重要である．以上より，生体におけるカテコールアミンの作用は上記のごとき多数の因子の総和として発現するため結果的にはきわめて複雑である（表14-7-2）．

褐色細胞腫の遺伝子診断についてはⓔコラム9を参照．　　〔竹越一博〕

■文献（ⓔ文献14-7-1〜3）

Lenders JW, Duh QY, et al: Pheochromocytoma and paraganglioma: an endocrine society clinical practice guideline. J Clin Endocrinol Metab. 2014; 99: 1915-42.

Young WF Jr: endocrine hypertension. Williams Textbook of Endocrinology, 12th ed（Melmed S, Polonsky KS, et al eds）, pp545-62, WB Saunders, 2012.

4）褐色細胞腫・パラガングリオーマ

定義・概念

褐色細胞腫はクロム親和性細胞から発生する腫瘍である．約90％の症例では腫瘍がカテコールアミンを産生し，発作性の高血圧，頭痛，動悸などの症状を呈する．高カテコールアミン血症を放置すると致死性不整脈や冠動脈攣縮による心筋虚血を発症し突然死の危険があるが，早期診断，早期治療により治癒する可能性が高い．

分類

約90％は副腎に発生し褐色細胞腫，約10％は交感神経節（頭蓋内，脊椎に沿った交感神経節，縦隔，心臓壁，膀胱壁など）に発生し傍神経節細胞腫あるいは副腎外褐色細胞腫と称される[1]．

約90％はカテコールアミン産生腫瘍，約10％はホルモン非産生腫瘍である．カテコールアミン産生腫瘍では血中カテコールアミンが基準値上限の数倍〜十数倍に増加し，高血圧，頭痛，動悸などの症状を呈する．一方，カテコールアミンを産生しないホルモン非産生腫瘍の場合は無症状である．

副腎原発の約10％，傍神経節細胞腫の約10〜30％が局所浸潤や遠隔転移を伴う悪性例であるが，生化学的あるいは病理学的に悪性の診断がきわめて困難であり，クロム親和性細胞を含まない組織（骨，肝，肺，リンパ節など）への転移を認める症例を"悪性"と診断する．

原因・病因

褐色細胞腫の約70〜90％は孤発性であるが，約10〜30％は多発性内分泌腫瘍症（MEN）2A型（Sipple症候群），2B型，von Hippel Lindau（VHL）病，神経線維腫症（NF）1型の一症候として発症し家族性を呈する（表14-7-3）[2]．また，5〜10％の褐色細胞腫・傍神経節細胞腫ではコハク酸脱水素酵素（SDH）のサブユニットをコードする遺伝子（SDHB, SDHC, SDHD, SDHAF2など）変異が認められ（Neumannら，2002），遺伝性褐色細胞腫/傍神経節細胞腫症候群（HPPS）とよばれる．一方，これらの遺伝子変異を有していても孤発性と考えられる症例もみられる（Neumannら，2002）．遺伝子変異を伴う症例では両側副腎褐色細胞腫や多発傍神経節腫瘍を呈する症例が多い[3]．

1）MEN 2A型，2B型：原因遺伝子はRET遺伝子．家族内発症例の約10％に相当する．MEN 2Aでは甲状腺髄様癌（約100％），副腎原発褐色細胞腫（約50％），副甲状腺機能亢進症（約5〜15％），MEN 2Bでは甲状腺髄様癌（約100％），副腎原発褐色細胞腫（約50％），粘膜下神経腫，腸管神経節腫，Marfan様

表 14-7-3 褐色細胞腫/傍神経節細胞腫における遺伝子変異(文献 8 より)

		これまでに報告された標的遺伝子	発症年齢(歳)
多発性内分泌腺腫症(MEN)2A 型,2B 型		*RET* 遺伝子	
von Hippel Lindau(VHL)病		*VHL* 遺伝子	5〜
神経線維腫症(NF)1 型		*NF1* 遺伝子	
傍神経節細胞腫症候群(PGL)	1 型(PGL1)	*SDHD* 遺伝子	10〜96
	2 型(PGL2)	*SDH5*(=*SDHAF2*)遺伝子	
	3 型(PGL3)	*SDHC* 遺伝子	17〜70
	4 型(PGL4)	*SDHB* 遺伝子	6〜77

体型がみられる.*RET* 遺伝子変異陽性例では約 100%が副腎原発褐色細胞腫である.孤発性褐色細胞腫でも *RET* 遺伝子例があり,甲状腺髄様癌早期発見の観点から褐色細胞腫症例における *RET* 遺伝子検索が有用であるとされる.

2)VHL 病: 原因遺伝子は *VHL* 遺伝子.VHL 病では網膜や神経系(特に小脳と脊髄)血管腫・血管芽腫(約 50%),腎細胞癌(約 50%),副腎原発褐色細胞腫(約 20%),などがみられる.*VHL* 遺伝子変異陽性例では約 90%が副腎原発褐色細胞腫である.

3)NF 1: 原因遺伝子は *NF1* 遺伝子.NF 1 では皮膚のカフェオレ斑や神経線維腫(約 95%),神経虹彩小結節(約 80%),骨異常(約 10%)がみられる.褐色細胞腫の合併はきわめてまれであるが,一般の発生頻度より高いと報告されている.

4)HPPS: 原因遺伝子は SDH の 4 つのサブユニットをコードする核内遺伝子(*SDHA*,*SDHB*,*SDHC*,*SDHD*,*SDHAF2*).遺伝子変異を有する未発症者もみられ,浸透率(保因者の発症率)はいまだ不明であるが,約 30%とも約 90%とも報告されている.

このうち *SDHB* 遺伝子変異(PGL4 型)は腹部傍神経節細胞腫および悪性,*SDHD* 遺伝子変異(PGL 1 型)は頭頸部(特に頸動脈小体)傍神経節細胞腫やホルモン非分泌腹部傍神経節細胞腫との関連が高い.それ以外の遺伝子変異の頻度は低く,*SDHAF2*(*SDH5* ともよばれる)遺伝子変異(PGL 2 型)は頸部傍神経節細胞腫,*SDHC* 遺伝子変異(PGL 3 型)は頭頸部傍神経節細胞腫との関連が報告されている.*SDHA* 遺伝子変異は数例の報告しかない.

疫学

高血圧の約 0.5%とされる[4].男女差はなく,多くは 30〜80 歳に分布する[5].10%は小児例であり,6〜14 歳で頻度が高い[6].わが国における 2009 年の調査[7]では推定罹患例は年間約 3000 例,そのうち約 300 例が悪性例である.

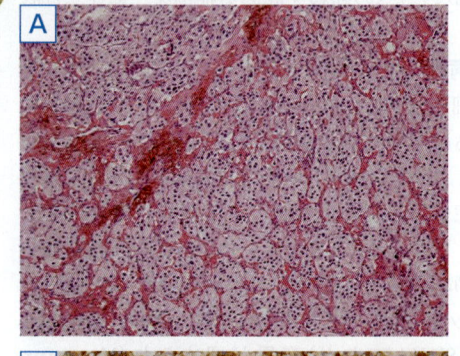
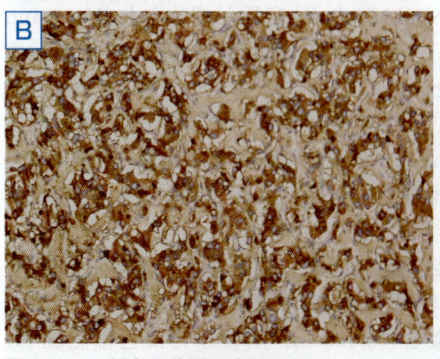
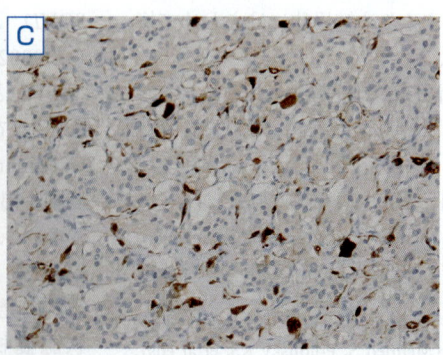

図 14-7-7 褐色細胞腫の病理所見
HE 染色(A)では,好塩基性の明るい細胞質と比較的小型の核を有する腫瘍細胞が毛細血管を含む細い結合織により分画された胞巣状(Zellballen)構造をとる.免疫組織染色では腫瘍細胞で chromogranin A(B),synaptophysin が陽性,支持細胞で S-100 蛋白(C)が陽性となる.

表14-7-4 アドレナリン，ノルアドレナリンの作用

	アドレナリン	ノルアドレナリン
心拍数	↑	↓
心拍出量	↑↑	↑↑
収縮期血圧	↑↑↑	↑↑↑
拡張期血圧	↓～↑	↑↑
総末梢血管抵抗	↓	↑↑
骨格筋血流量	↑↑↑	↓～↑
血糖	↑↑↑	→～↑
脂肪分解	↑↑	↑↑

病理

腫瘍はHE染色で好塩基性から両染性顆粒状の明るい細胞質とクロマチンに富む比較的小型の核を有する細胞からなり，毛細血管を含む細い結合織により胞巣状に分画された胞巣状(Zellballen)構造(図14-7-7A)をとる．免疫組織染色では腫瘍細胞でchromogranin A(図14-7-7B)，synaptophysinが陽性，支持細胞でS-100蛋白(図14-7-7C)が陽性となる．

原発腫瘍の病理所見による良性悪性の鑑別はきわめて困難であるが，病理学的特徴と臨床所見，生化学所見を組み合わせてスコア化して悪性度を推測する方法が試みられている[8,9]．

病態生理

カテコールアミンは中枢神経系および末梢神経系の神経伝達物質であるとともに，循環・呼吸・代謝調節ホルモンとしての作用も有する(表14-7-4)．本症では過剰なカテコールアミンが心臓，血管系に分布する交感神経α，β受容体に作用し，血圧上昇，血管抵抗増大，循環血漿量減少，心拍数増加，不整脈などの循環動態の変化を引き起こす．

臨床症状

1)自覚症状： カテコールアミン過剰に伴う主症状は発作性の血圧上昇，頭痛，動悸，発汗，顔面紅潮と蒼白の反復，悪心・嘔吐，便秘，手指振戦，精神不安定などである．カテコールアミンによる脂肪分解の促進，基礎代謝亢進のため体重減少がみられる症例が多い．高血圧，高血糖，代謝亢進をHowardの3徴，高血圧(hypertension)，高血糖(hyperglycemia)，代謝亢進(hypermetabolism)，頭痛(headache)，発汗過多(hyperhidrosis)の5症状を5Hとよぶ．

発作は各種刺激(運動，ストレス，過食，排便，腹部触診，腹部圧迫，転倒による腫瘍圧迫)で誘発される．膀胱腫瘍の場合は膀胱緊満時，排尿時，排便時に発作症状が生じる．メトクロプラミド(プリンペラン®)静注はクリーゼが誘発されるので投与禁忌である．

2)他覚症状： 高血圧を約60～90%に認める．高血圧のタイプには発作型，持続型，混合型(e図14-7-B)がある．本疾患に特徴的な症状として発作性高血圧が知られているが，実際には発作の自覚症状がない持続型高血圧が多い．発作型，混合型では血圧上昇時に発作性頻脈(動悸)，不整脈，発汗，頭痛，胸部不快感，胸痛，情緒不安定を伴う症例，血圧の上下動が激しく血圧上昇とともに起立性低血圧を示す症例がある．持続型では高血圧以外の自他覚症状に乏しく，本態性高血圧症として治療中に副腎や後腹膜の偶発腫瘍で発見される症例が多い．一方，血中カテコールアミンが高値でも高血圧を示さない症例，むしろ血圧が低い症例もあり，これらの症例は発作頻度がきわめて低い発作型の可能性がある．

検査所見

1)一般検査所見： 一般検査で本症に特異的な異常所見はないが，高血糖，尿糖，脂質異常症，高血圧性眼底変化，心電図異常(発作性心房細動，心室性期外収縮などの不整脈，心筋虚血の所見，心肥大)を認めることがある．腫瘍がインターロイキン-6などのサイトカインを産生している場合は白血球増加，血小板増加，CRP高値を呈する．循環血漿量減少により続発性アルドステロン症の病態となるため，まれに軽度の低カリウム血症を認める．

2)内分泌検査所見： カテコールアミン増加の程度は，単発腫瘍では基準値上限の数倍～十数倍，多発腫瘍や転移を伴う悪性例では数十倍である[10]．血中アドレナリン，ノルアドレナリンが増加するが，血中値は変動が大きく，健常者でも正常上限値の2～3倍の上昇がみられることがある．これに対してカテコールアミン代謝産物であるメタネフリン，ノルメタネフリンは安定しており，褐色細胞腫の診断においては血中遊離型メタネフリン分画の感度，特異度が高いことが報告されている[11]．本症では随時尿でも高値となるため簡便なスクリーニングとして随時尿中メタネフリン，ノルメタネフリン(尿中クレアチニン補正値)が有用である．発作型では非発作時の血中カテコールアミンは正常であるが，尿中メタネフリン，ノルメタネフリンは高値を示すことが多い．確定診断には血中・尿中カテコールアミン濃度を測定する．アドレナリンおよびノルアドレナリンがともに増加している腫瘍の多くは副腎原発，ノルアドレナリンのみが増加している腫瘍は副腎外原発が多い．褐色細胞腫/傍神経節細胞腫の約10%はカテコールアミン非産生腫瘍であり，血中・尿中カテコールアミン，代謝産物ともに正常値を示す．

3)内分泌負荷試験： カテコールアミン測定や画像検査の精度が低かった時代には診断のために負荷試験が施行されていた．しかし，近年は負荷試験以外の検査で確定診断が可能であることから負荷試験は必須で

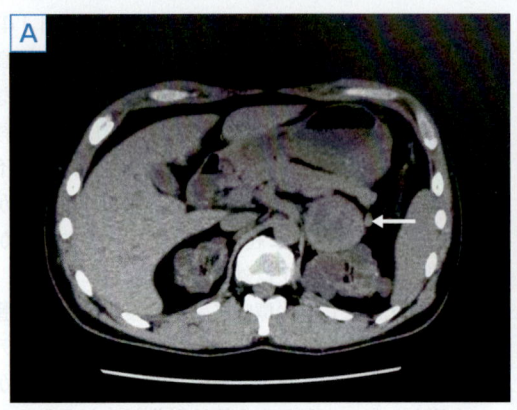 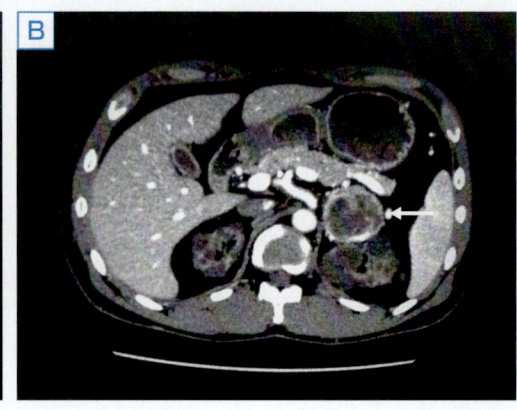

図 14-7-8 左副腎褐色細胞腫の CT 画像
単純 CT(A)では腫瘍内の出血，壊死，囊胞変性のため低〜高吸収域が混在した内部不均一な腫瘍として描出される．造影 CT(B)では充実性成分は血管に富み造影剤で早期に造影され，壊死部は造影されない．

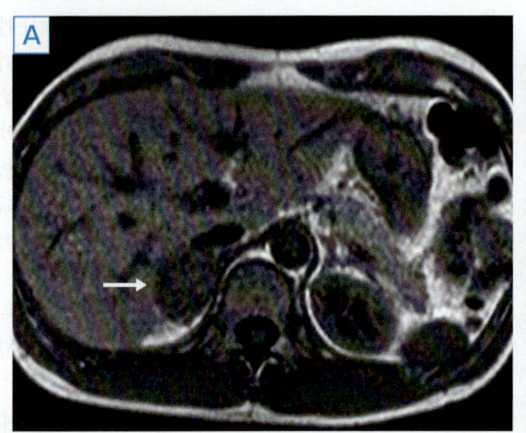 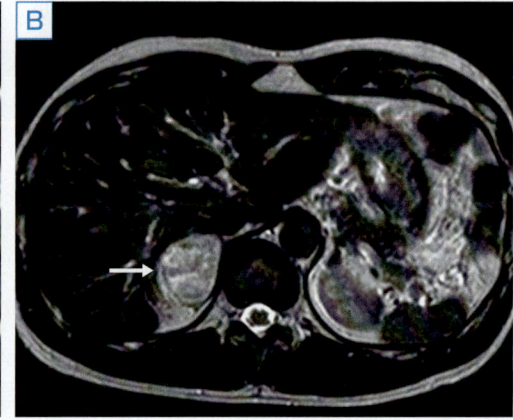

図 14-7-9 右副腎褐色細胞腫の MRI 画像
T1 強調像で低信号(A)，T2 強調像で高信号(B)の腫瘍を認める．

ない．特にレジチン試験，カテコールアミン分泌刺激試験であるグルカゴン試験とメトクロプラミド試験は高血圧クリーゼを誘発し危険を伴うため，施行すべきでない．カテコールアミン分泌抑制試験であるクロニジン試験は比較的安全に施行できることから現在でもノルアドレナリンが高値を示す本態性高血圧と褐色細胞腫の鑑別に用いられている．

4）画像検査： 腫瘍の検索のため CT スキャン，MRI，^{123}I-MIBG シンチグラフィを行う．径 3 cm 以上の腫瘍が多いため，腹部に存在する腫瘍の場合はエコーでのスクリーニングも可能である．副腎に腫瘍が認められない場合は傍神経節細胞腫を疑い，全身の交感神経節（頭蓋内，脊椎に沿った交感神経節，縦隔，心臓周囲，膀胱など）を検索する．また，悪性の可能性を念頭におき，転移巣（主に肝臓，肺，骨転移）の有無を検索する．

a）CT，MRI：単純 CT では低吸収あるいは腫瘍内の出血，壊死，囊胞変性のため内部が不均一となり低〜高吸収域が混在した特徴的な所見を呈する（図 14-7-8A）．充実性成分は血管に富み造影剤で早期に造影され，壊死部は造影されない（図 14-7-8B）．腫瘍径 3 cm 以下の場合は内部の壊死領域を伴わず，均一な充実性腫瘍の場合もある．褐色細胞腫の患者およびその疑いのある患者では造影剤の使用により血圧上昇，頻脈，不整脈などの発作（高血圧クリーゼ）が誘発されるおそれがあるため使用は原則禁忌である．しかし，腫瘍の鑑別診断には造影所見が有用であり（Lenders ら，2014），やむをえず造影検査を実施する場合には静脈確保，メシル酸フェントラミンなどの α 遮断薬および塩酸プロプラノロールなどの β 遮断薬の十分な量を用意し，これらの発作に対処できるよう十分な準備のうえ，慎重に投与する．

MRI 画像では T1 強調像で低信号（図 14-7-9A），T2 強調像で不均一高信号（図 14-7-9B）が特徴的な所見である．

b）^{123}I-MIBG シンチグラフィ，^{18}F-FDG-PET：^{123}I-MIBG シンチグラフィは約 80％の症例で陽性であるが約 20％の症例では陰性である．副腎外腫瘍や

転移巣の検索には^{123}I-MIBG 全身スキャンを要する(図 14-7-10A).

^{18}F-FDG-PET は悪性褐色細胞腫に対する保険適用がある．本症では悪性でも良性でも陽性に描出される可能性があること，standardized uptake value (SUV) は良性でも悪性でも 2～5 程度であること，悪性でも陰性の例があることから，良悪性の鑑別は困難である．しかし，^{123}I-MIBG シンチグラフィの全身スキャンとともに，全身転移巣の検索手段として有用である(図 14-7-10B).

診断

褐色細胞腫・パラガングリオーマの診断基準(案)および推奨される診断アルゴリズムは「褐色細胞腫診療指針 2012」(厚生労働省難治性疾患克服研究事業「褐色細胞腫の実態調査と診療指針の作成」研究班，2012)に提示されている.

高血圧(コントロール不良，発作性，糖尿病を合併)，動悸，頭痛，発汗，胸痛，体重減少，手指振戦などの多彩な症状を伴う高血圧症例，副腎・後腹膜偶発腫瘍において，スクリーニング検査として随時尿中メタネフリン，ノルメタネフリン(尿中クレアチニン補正値)を測定する．それぞれ基準値上限の 3 倍以上の上昇がみられる場合には反復して測定し，常に高値であることを確認する．スクリーニング検査陽性例では血中・尿中カテコールアミンを測定する．基準値上限の 2 倍以上であれば，腹部エコーあるいは CT・MRI で副腎の有無を確認し，径 2 cm 以上の腫瘍が確認されれば^{123}I-MIBG シンチグラフィを施行する(e図 14-7-C).この際，悪性の可能性を念頭におき，転移巣検索のためにシンチグラフィの撮影は全身で行う．副腎腫瘍が確認されないがノルアドレナリンが基準値上限の 10 倍以上を呈する場合は，異所性腫瘍を疑い，^{123}I-MIBG シンチグラフィで検索を行う．

カテコールアミン非産生かつ^{123}I-MIBG シンチグラフィ陰性の腫瘍は褐色細胞腫・パラガングリオーマの術前診断が不可能であり，術後の病理組織検査で診断される.

鑑別診断

高カテコールアミン血症を呈する発作性高血圧は褐色細胞腫以外に心因性血圧上昇・パニック障害，睡眠時無呼吸症候群，薬剤(三環系抗うつ薬，MAO 阻害薬など)，マスト細胞症などでみられ，これらを偽性褐色細胞腫と称する[12, 13]．前述のように，血中カテコールアミン値は心因性に上昇しやすく，健常者でも正常上限値の 2～3 倍の上昇がみられることがある．

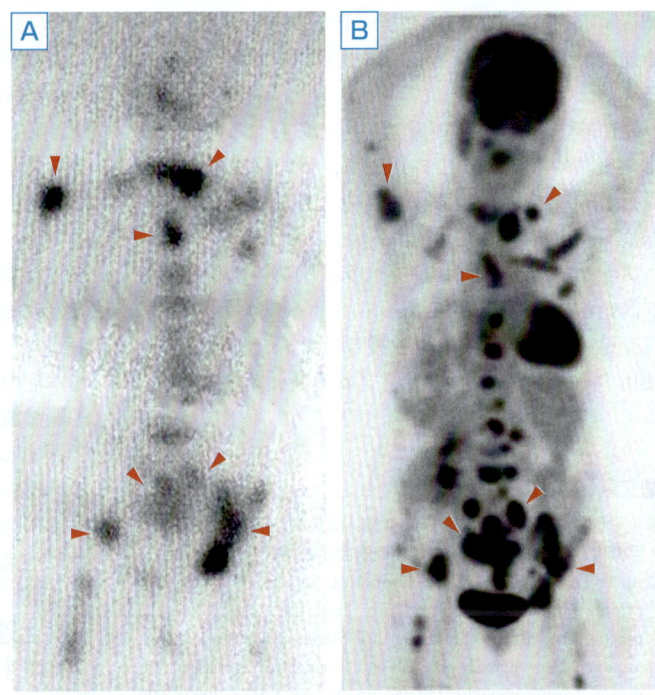

図 14-7-10 多発転移例における^{123}I-MIBG シンチグラフィ(A)と^{18}F-FDG-PET(B)所見
脊椎，骨盤，胸骨，上腕骨，リンパ節の転移巣が描出される.

症状を有する褐色細胞腫の腫瘍の多くは径 3 cm 以上であり発見されやすいことから，カテコールアミン高値にもかかわらず明らかな腫瘍が発見されない場合やクロニジン試験で血中ノルアドレナリンが低下する場合は偽性褐色細胞腫を疑う.

合併症

本疾患では糖代謝異常を 25～75％に合併することが報告されている．耐糖能異常の機序としてβ受容体刺激を介する膵臓からのグルカゴン過剰分泌，α_2受容体刺激を介するインスリン分泌抑制，β_2受容体刺激を介するインスリン抵抗性発現などが関与する(e図 14-7-D).インスリン治療を要する症例も多いが，腫瘍摘出によるカテコールアミン正常化に伴い耐糖能異常は消失することが多い.

経過・予後

早期発見，早期診断により腫瘍が速やかに摘出され，残存病変がなければ治癒する．しかし良悪性の鑑別が困難であり，初回腫瘍摘出から数年～数十年後に転移巣が明らかになる症例もみられることから，生涯にわたり再発・転移の有無を観察する必要がある.

治療

交感神経α遮断薬およびβ遮断薬による高血圧，頻脈治療を行う．本症に対するβ遮断薬単独投与は禁忌であり，まずαあるいは$\alpha\beta$遮断薬を投与する．α遮断薬で頻脈が出現した場合はβ遮断薬を併用する．腫瘍の局在診断がつけば速やかに外科的摘出術を

施行する．術中の高血圧クリーゼを予防するために，術前に十分量のαあるいはαβ受容体遮断薬を投与する．

悪性で切除困難例や広範な転移のみられる症例では化学療法や^{131}I-MIBG内用療法，骨転移巣の疼痛・骨折予防のための放射線外照射などが施行される．

禁忌

メトクロプラミド(プリンペラン®)静注はクリーゼが誘発されるので禁忌である．

交感神経β遮断薬の単独投与は禁忌であるため，使用する必要がある場合は必ずα遮断薬を併用する．

〔田辺晶代〕

■文献（e文献14-7-4）

厚生労働省難治性疾患克服研究事業「褐色細胞腫の実態調査と診療指針の作成」研究班：褐色細胞腫診断指針2012，2012．
Lenders JW, Duh QY, et al, Endocrine Society: Pheochromocytoma and paraganglioma: an endcrine society clinical practice guideline. J Clin Endcrinol Metab. 2014; 99: 1915-42.
Neumann HP, Bausch B, et al: Germ-line mutations in nonsyndromic pheochromocytoma. N Engl J Med. 2002; 346: 1459-66.

5）神経芽細胞腫
neuroblastoma

定義・概念

神経芽腫は交感神経由来の腫瘍で，おもに胎生期～新生児期に副腎髄質や交感神経節に発生する．胎児および小児における悪性腫瘍としては脳腫瘍についで頻度が高い．初期には無症状で，スクリーニングにはカテコールアミン代謝産物である尿中バニルマンデル酸(VMA)，ホモバニリン酸(HVA)測定が有用である．

分類

腫瘍の進展度や予後からみた本症の悪性度は症例により異なる．予後にかかわる重要な要因である診断時の年齢，臨床病期(NISS分類)(Brodeurら，1993)，腫瘍細胞内 MYCN 遺伝子の増幅の有無，国際神経芽腫病理分類(INPC分類)(Shimadaら，2001)[1]，腫瘍細胞内の染色体数(DNA index)の5つの因子に基づき低リスク群，中間リスク群，高リスク群にリスク分類される(経過・予後の項参照)．

原因・病因

約1～2%はおもに ALK 遺伝子の生殖細胞変異による家族性発症である[2]．一方で約5～10%の散発例でも ALK 遺伝子変異が報告されている．また，散発例における PTPN11, ATRX, MYCN, および NRAS などの遺伝子変異が散見されている[3]．

疫学

有病率は報告によって異なる．米国では7000人に1例と報告されており[4]，わが国では小児慢性特定疾患治療研究事業の調査で年間約300例の新規症例が登録されている．診断される年齢は0歳に最も多く，ついで3歳である．10歳以上で診断されることはまれである．約65%の腫瘍は腹部に発生し，そのうち50%は副腎髄質原発である．診断時に約35%の症例では遠隔転移を呈する[5]．

病理

本症の診断には光学顕微鏡，免疫組織化学検査，電子顕微鏡を用いた病理診断が大変重要である．予後を予測するための病理分類にはINPC分類が用いられる(Shimadaら，2001)[1]．INPC分類では腫瘍の神経芽腫細胞の成熟度と有糸分裂・核崩壊指数，間質増生量に加えて診断時年齢を評価して4グループに分類する．

病態生理

神経芽細胞腫はカテコールアミンを産生するが褐色細胞腫のように血圧上昇，頻脈など心血管系への影響がみられることはまれである．よって，腹部腫瘤および転移部位での腫瘤形成，浸潤により局所の各種症状を呈する．

臨床症状

神経芽細胞腫の最も一般的な症状は，腹部腫瘤による腹満である．腫瘍が小さい場合は無症状であるため偶発腫瘍として発見されることがあるが，多くの症例では早期発見は困難であり，転移巣における局所症状で発見される．骨転移に伴う疼痛，骨髄造血障害による易感染徴候，貧血症状，出血傾向や皮下出血斑，眼球後部への転移による眼球突出や眼窩周囲の皮下出血，頸部交感神経圧迫による Horner 症候群，脊髄圧迫による神経症状などがみられる．まれに小脳性運動失調，眼球クローヌス/ミオクローヌスなどの腫瘍随伴神経所見を合併することがある[6]．合併の機序は不明であるが何らかの免疫機序が関連する可能性が示唆されている．

検査所見

1)一般検査所見： 本症に特徴的な一般検査所見はない．広範な肝転移例におけるトランスアミナーゼ，胆道系酵素およびビリルビンの上昇，骨髄転移例における血球減少などがみられる．また神経原性腫瘍のマーカーである NSE 高値，慢性炎症に伴い LDH，フェリチン高値を示す症例がある．

2)内分泌検査所見： カテコールアミン代謝産物である尿中 VMA，HVA が増加する．血中，尿中ノルアドレナリン，ドパミンの増加もみられる．

3)画像検査： 腫瘍の検索のため頭頸部，胸部，腹部のCTスキャン，MRIおよび ^{123}I-MIBG シンチグラ

フィを行う．これらの検査による腫瘍の特徴は褐色細胞腫と同一である．転移巣の検索には ^{123}I-MIBG シンチグラフィが有用であるが，^{18}F-FDG-PET も併用される．

4）**腫瘍生検**：治療方針決定にはリスク分類が必要である．リスク分類に必要な生物学的特徴を把握するために手術前に腫瘍生検や骨髄生検を施行する場合がある．

診断

本症は腫瘍の存在，尿中 VMA，HVA 高値，組織学的所見によって診断される．小児がん診療ガイドラインに診断ガイドラインが提示されている（日本小児がん学会，2011）．

鑑別診断

画像所見から褐色細胞腫，傍神経節細胞腫，神経節腫が鑑別にあがる．

経過・予後

神経芽細胞種の予後に関連する因子として診断時年齢，原発腫瘍部位，腫瘍の組織型，治療への反応性，MYCN 遺伝子増幅などの生物学的特徴などがあげられる．前述のように，診断から 3 年後の生存率は，低リスク群で 90％以上，中間リスク群で 30〜50％，高リスク群で 20％以下と推定されており，高リスク群では集学的治療を行っても予後は不良である．一方，低リスク群のなかには原発巣や転移巣が自然退縮する例もみられる．

治療

画像所見に基づき術前に外科治療のリスクを予想する image defined risk factor（IDRF）を評価する試みがなされている．低・中リスク群で局所に限局し周囲への癒着，浸潤などの外科的リスク有さない（IDRF 陰性）腫瘍の第一選択は腫瘍摘出術である．低リスク群で局所に限局していても IDRF 陽性の場合は手術に先行して化学療法を行い，腫瘍縮小後に摘出術を考慮する．中・高リスク群，遠隔転移を有する症例では化学療法，外科治療，^{131}I-MIBG 内用療法，腫瘍床および骨転移巣への放射線治療を組み合わせた集学的治療を行う． 〔田辺晶代〕

■文献（e文献 14-7-5）

Brodeur GM, Pritchard J, et al: Revisions of the international criteria for neuroblastoma diagnosis, staging, and response to treatment. *J Clin Oncol*. 1993; 11: 1466-77.

日本小児がん学会編：神経芽腫．小児がん診療ガイドライン 2011 年版，pp203-53，金原出版，2011．

Shimada H, Umehara S, et al: International neuroblastoma pathology classification for prognostic evaluation of patients with peripheral neuroblastic tumors: a report from the Children's Cancer Group. *Cancer*. 2001; 92: 2451-61.

14-8 性分化疾患
disorders of sex development, differences of sex development : DSD

(1) 性 (sex or gender)

医学および医療では 6 つの性を考える．すなわち，染色体の性，性腺の性，内性器の性，外性器の性，性同一性，法律上の性である（表 14-8-1）．大多数の男性あるいは女性はこの 6 つの性は一致する．染色体の性は受精時にすでに決定されており，通常 46,XY または 46,XX である．性腺の性は男女共通の性腺原基（未分化性腺）から分化する精巣または卵巣である．内性器の性は男女共通の内性器原基（Wolff 管および Müller 管）から分化する精巣上体・輸精管・精嚢または子宮・卵管・膣上部である．Wolff 管は精巣上体・輸精管・精嚢へ，Müller 管は子宮・卵管・膣上部へ分化する．外性器の性は男女共通の外性器原基（生殖結節）から分化する陰茎・陰嚢または陰核・陰唇である．すなわち，性腺・内性器・外性器の原基は発生学的に男女共通であり，男女どちらの性へも分化する能力（bipotential）を有する．

表 14-8-1 医学および医療における 6 つの性

	男性	女性
染色体の性	46,XY	46,XX
性腺の性	精巣	卵巣
内性器の性	精巣上体・輸精管・精嚢	子宮・卵管・膣上部 1/3
外性器の性	陰茎・陰嚢	陰核・陰唇
性同一性	男性	女性
法律上の性	男性	女性

6 つの性における注意点は以下のとおりである．
胎児期の性腺，内性器，および外性器の原基である，未分化性腺，Wolff 管と Müller 管，生殖結節は男女共通である．
内性器の性および外性器の性を合わせて解剖学的性とよぶ．
性同一性（gender identity）は，自分のことを男性と思うか，あるいは女性と思うか，の性の自己意識のことである．
法律上の性は，戸籍上に男性と登録されているか，あるいは女性と登録されているか，のことである．

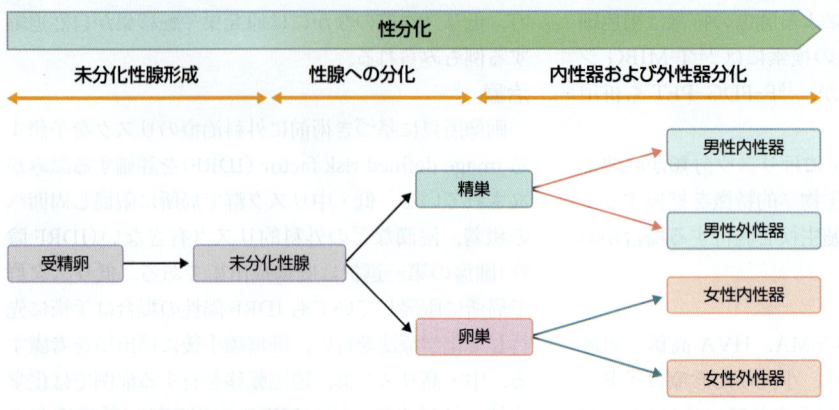

図 14-8-1　性分化の3つの過程
性分化は3つの過程，未分化性腺形成，性腺への分化，内性器および外性器分化から成り立つ．未分化性腺形成の過程は男女共通である．性腺への分化ではじめて男女差が生じる．内性器および外性器の分化はホルモン作用による．男性内性器および男性外性器は2つのホルモン，アンドロゲンと抗Müller管ホルモン（Müller管抑制因子）作用によって分化する（ホルモン作用による分化を赤線で示した）のに対し，女性内性器および女性外性器はホルモン作用なしに自然に分化する（自然の分化を青線で示した）．

(2) 性分化 (sex differentiation)

胎児期に染色体上に存在する遺伝子のプログラムのもとに性腺，内性器，外性器が分化する過程を性分化と総称する．すなわち，性分化は上述の6つの性のうち，染色体の性，性腺の性，内性器の性，外性器の性を扱う概念である．性分化は3つの過程，未分化性腺形成，性腺への分化，内性器および外性器分化に大別される（図14-8-1）．

未分化性腺形成は *SF1* および *WT1* などの遺伝子に支配される．未分化性腺の段階では，組織学的，および遺伝子発現的に男女差はない．

性腺への分化ではじめて男女差が生じる．すなわち，Y染色体上に唯一存在する性決定遺伝子である *SRY* により未分化性腺は精巣への分化を運命づけられる．一方，*SRY* が存在しないと未分化性腺は卵巣への分化を運命づけられる．この意味において，*SRY* は未分化性腺が精巣あるいは卵巣のどちらに分化するかを決定するスイッチの機能を有している．ひとたび精巣への分化を運命づけられた後，*SOX9* をはじめとする常染色体上に存在するさまざまな精巣決定遺伝子群が次々と作用することで精巣が分化すると考えられる．一方，卵巣への分化を運命づけられた後にどのような分子メカニズムで卵巣が分化するかは必ずしも解明されていない．

内性器および外性器の分化はホルモン作用による．胎児期の精巣は2つのホルモン，アンドロゲンと抗Müller管ホルモン（Müller管抑制因子ともよばれる）を分泌する．内性器原器であるWolff管はアンドロゲン作用により男性内性器に分化し，Müller管は抗Müller管ホルモンにより退縮する．一方，胎児期の卵巣はホルモンを分泌しない．ホルモン作用がないとWolff管は自然に退縮し，Müller管は自然に女性内性器に分化する．外性器原器である生殖結節はアンドロゲン作用により男性外性器に分化し，ホルモン作用がないと自然に女性外性器に分化する．

(3) 性分化疾患 (disorders of sex development：DSD)

定義・概念

DSDは上述の性分化過程の障害による疾患であり，性染色体，性腺，または解剖学的性（内性器の性および外性器の性）が非定型的である先天的疾患群である．したがって，性分化疾患では医学および医療で考える6つの性のうち，染色体の性，性腺の性，解剖学的性（内性器の性および外性器の性）に焦点を当てている．性分化疾患に該当する用語として，過去にインターセックス，半陰陽などが用いられていたが，これらは患者家族にとって蔑視的な意味が潜むと感じられることから，現在では性分化疾患（DSD）という用語に統一された．

分類

DSDは表14-8-2のように分類される．

疫学

諸外国の文献上のデータから，約4500人に1人と推定されているが，わが国における信頼性の高い疫学成績はない．

性分化疾患（DSD）各論

以下，性分化疾患（DSD）のうち比較的頻度の高い6疾患について概説する．なお，46,XY DSDであるSTAR欠損症，46,XX DSDである21-ヒドロキシラーゼ欠損症，11β-ヒドロキシラーゼ欠損症，46,XY DSDかつ46,XX DSDであるP450酸化還元酵素欠損症については【⇨14-6-10】．

a. Turner症候群

定義・概念

Turner症候群は性染色体異常に伴う性分化疾患の代表であり，1本のX染色体すべてあるいは短腕の一部を欠き，低身長，Turner身体徴候（後述），原発性卵巣機能低下症などの特徴的な臨床症状を呈する女性である（表14-8-2，14-8-3）．Turner症候群の典型的な染色体核型は45,Xである．

原因・病因

両親の配偶子（精子あるいは卵子）形成の性染色体不分離により，45,Xを生じる．

表 14-8-2 性分化疾患(DSD)の分類

1) 性染色体異常に伴う DSD
　(1) 45,X およびその亜型(Turner 症候群など)
　(2) 47,XXY およびその亜型(Klinefelter 症候群など)
　(3) 45,X/46,XY およびその亜型(混合性腺異形成など)
　(4) 46,XX/46,XY およびその亜型(キメラ，卵精巣性 DSD など)

2) 46,XY DSD
　(1) 性腺(精巣)分化異常
　　ⅰ) 完全型性腺異形成(索状性腺)
　　ⅱ) 部分型性腺異形成(SF1 異常症など)
　　ⅲ) 精巣退縮症候群
　　ⅳ) 卵精巣性 DSD
　(2) アンドロゲンあるいは抗 Müller 管ホルモン合成障害・作用異常
　　ⅰ) アンドロゲン生合成障害(17β-ヒドロキシステロイド脱水素酵素欠損症，5α-還元酵素欠損症，StAR 異常症，P450 酸化還元酵素欠損症，など)
　　ⅱ) アンドロゲン不応症
　　ⅲ) LH 受容体異常症(Leydig 細胞無形成，Leydig 細胞低形成)
　　ⅳ) 抗 Müller 管ホルモン異常症および抗 Müller 管ホルモン受容体異常症(Müller 管残症)
　(3) その他(重症尿道下裂，総排泄腔外反，など)

3) 46,XX DSD
　(1) 性腺(卵巣)分化異常
　　ⅰ) 卵精巣性 DSD
　　ⅱ) 卵巣発生異常
　　ⅲ) 性腺異形成症
　(2) アンドロゲン過剰
　　ⅰ) 胎児性(21-ヒドロキシラーゼ欠損症，11β-ヒドロキシラーゼ欠損症，など)
　　ⅱ) 胎児胎盤性(アロマターゼ欠損症，P450 酸化還元酵素欠損症，など)
　　ⅲ) 母体性(黄体腫，外因性，など)
　(3) その他(総排泄腔外反，Müller 管形成不全症，膣閉鎖，MURCS 症候群，など)

性分化疾患(DSD)は大きく3つ，性染色体異常に伴う DSD，46,XY DSD，46,XX DSD に分類される．本分類方法は，染色体の性に基づいた分類である．したがって性分化の3つの過程のどこの障害であるかに言及しない．さらに，1つの表現型が複数の分類に当てはまることがあることに注意を要する．たとえば卵精巣性 DSD は，染色体異常に伴う DSD，46,XY DSD，46,XX DSD のどの分類にも当てはまる．

疫学

女児出生 1/2000～2500．Turner 症候群の胎児の約95%は自然流産するといわれている．

病理

Turner 症候群の病理組織学的特徴は2点に集約される．第一の特徴はリンパ管低形成である．軟部組織におけるリンパ管低形成は，リンパ管内あるいは組織内のリンパ液うっ滞をきたし，翼状頸，手背および足背の浮腫などの Turner 身体徴候(後述)をきたす．第二の特徴は性腺異形成(典型的には索状性腺)である．胎生初期の 45,X 胎児の卵巣は組織学的に正常であるが，次第に異形成に転じる．すなわち，卵祖細胞は正常であるが，第1減数分裂を開始した卵母細胞はアポトーシスにより急激に細胞死する．卵母細胞非存在下には卵胞は形成されず，結果的に卵胞形成に伴う顆粒膜細胞および莢膜細胞の分化は起こらない．最終的には異形成～索状性腺となる．

病態生理

Turner 症候群の病態生理は①遺伝子量効果，②染色体不均衡，③染色体対合不全の3つの組み合わせで説明される(図 14-8-2)．

①-1．X 染色体偽常染色体領域に存在する *SHOX* 遺伝子の欠失(遺伝子量効果)が低身長の主因である．*SHOX* 遺伝子は X 染色体および Y 染色体短腕偽常染色体領域に存在し，不活化を免れる遺伝子である．SHOX 蛋白質はホルモン非依存性に骨成長を促進する．46,XX 個体において *SHOX* 遺伝子は2コピー発現するが，45,X 個体では1コピーしか発現しない．

①-2．X 染色体短腕に存在が推定されている"リンパ管形成遺伝子"の欠失(遺伝子量効果)が Turner 身体徴候の主因である．"リンパ管形成遺伝子"はクローニングされていないが，不活化を免れる遺伝子と考えられる．45,X 個体では"リンパ管形成遺伝子"が1コピーしか発現しないことにより，リンパ管低形成をきたすと考えられる．

② X 染色体異常という染色体不均衡が量的形質増悪効果を介する非特異的身体徴候の主因である．染色体不均衡は一部低身長にも関与する．

③ 減数分裂の際の染色体対合不全が卵母細胞のアポトーシス(上述)を介する性腺異形成の主因である．

臨床症状

低身長，Turner 身体徴候，原発性卵巣機能低下症を主症状とする．低身長は Turner 症候群の95～100%に認め，日本人無治療 Turner 症候群の成人身長は 139 cm である．Turner 身体徴候の代表は翼状頸(図 14-8-3)，手背あるいは足背のリンパ性浮腫(図 14-8-4)，外反肘などである．Turner 症候群に原発性卵巣機能低下症は必発である．通常重症原発性卵巣機能低下症であり，80%の患者は二次性徴を欠如する．20%の患者において認められる二次性徴も不完全であり，99%以上の患者は不妊である．

検査所見

血清ゴナドトロピン高値を示す．

診断

特徴的な臨床症状から Turner 症候群を疑い，染色

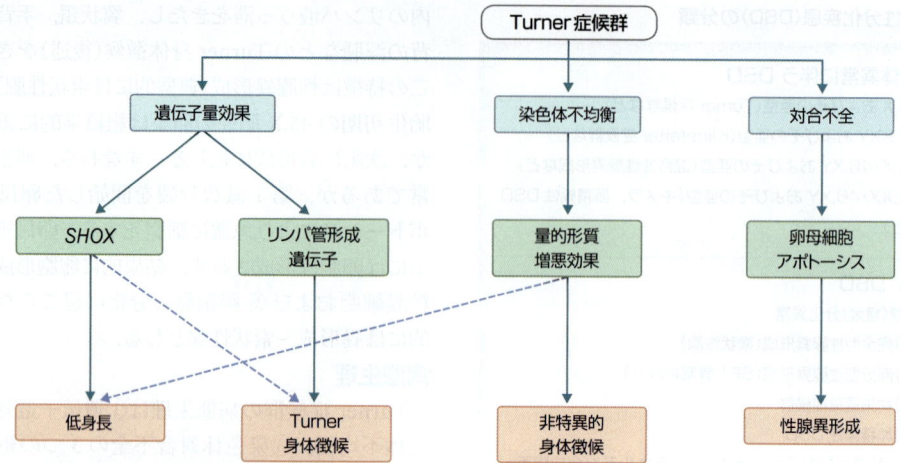

図14-8-2 Turner症候群の病態生理
図中実線矢印は強い関与を，破線矢印は弱い関与を示す．

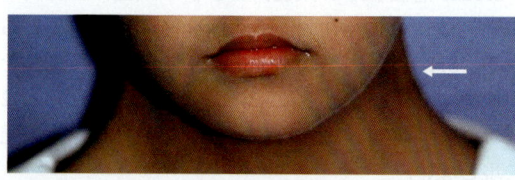

図14-8-3 Turner症候群の翼状頸
Turner症候群（10歳）の翼状頸を示す．翼状頸は頸部の側後方に伸びる皺状の皮膚であり，頭蓋骨乳様突起部から肩峰につながる（矢印）．通常前方あるいは後方から診察する．

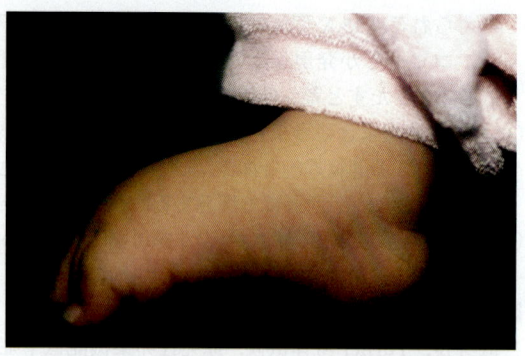

図14-8-4 Turner症候群の足背のリンパ性浮腫
Turner症候群（乳児）の足背のリンパ性浮腫を示す．手背あるいは足背のリンパ性浮腫は年齢とともに軽減する．

体検査で診断を確定する．

鑑別診断
Noonan症候群．身体所見（低身長およびTurner身体徴候）は似ているが，染色体核型は46,XYまたは46,XXである．常染色体優性遺伝を示し，患者の60％で*PTPN11*をはじめとする9つの遺伝子にヘテロ接合性変異を認める．

合併症
1）**循環器**：大動脈縮窄症，大動脈二尖弁を代表とする先天性疾患，大動脈拡張，高血圧を代表とする後天性疾患ともに多い．
2）**腎泌尿器**：馬蹄腎などの先天性疾患を認めることがある．
3）**内分泌代謝疾患**：年齢が進むにつれ，肥満，糖尿病，慢性甲状腺炎の合併が増える．
4）**その他**：肝機能障害，骨粗鬆症，難聴などを認めることがある．知能は正常であるが，動作性IQが低下するといわれている．

治療
低身長に対し成長ホルモン投与が行われ，成人身長は147 cm前後に改善する．
原発性卵巣機能低下症に対し，女性ホルモン補充療法が行われる．

b. Klinefelter症候群

定義・概念
Klinefelter症候群は性染色体異常に伴う性分化疾患の代表であり，染色体核型47,XXYで特徴づけられる（表14-8-2，14-8-3）．

分類
47,XXY以外の過剰なX染色体に起因する男性に発症する疾患群（48,XXXY，49,XXXXYなど）すべてをKlinefelter症候群の亜型と考える分類もある．

原因・病因
両親の配偶子（精子あるいは卵子）形成の性染色体不分離により，47,XXYを生じる．

疫学
男児出生 1/500～1000．

病理
Klinefelter症候群の精巣組織の特徴は，精細管の線維化および硝子化，精子形成の欠如である．

病態生理
Klinefelter症候群の病態生理もTurner症候群と同

表 14-8-3 性分化疾患の頻度(DSD)の高い6疾患の特徴

	Turner 症候群	Klinefelter 症候群	SF1 異常症	5α-還元酵素欠損症*4	アンドロゲン不応症*5	Müller 管形成不全症
染色体	45,X	47,XXY	46,XY	46,XY	46,XY	46,XX
性腺	索状	精巣*1	精巣*2	精巣	精巣	卵巣
内性器	子宮・卵管・腟上部1/3	精巣上体・輸精管・精嚢	精巣上体・輸精管・精嚢	精巣上体・輸精管・精嚢	子宮・卵管・腟上部1/3のすべてなし	子宮・卵管・腟上部1/3のすべてなし
外性器	陰核・陰唇	陰茎・陰嚢	陰茎・陰嚢*3	陰核肥大・陰唇	陰核・陰唇	陰核・陰唇

*1：容積は小さい.
*2：異形成である.
*3：しばしば尿道下裂および矮小陰茎.
*4：ジヒドロテストステロン産生低下が重症なタイプを示す.
*5：完全型アンドロゲン不応症を示す.

様に①遺伝子量効果，②染色体不均衡，③染色体対合不全の3つの組み合わせで考えると理解しやすい.
① X染色体偽常染色体領域に存在する SHOX 遺伝子の過剰(遺伝子量効果)が高身長の主因である. SHOX 遺伝子は 47,XXY 個体では3コピー発現する.
②臨床症状への寄与は必ずしも明確ではないが，X染色体異常という染色体不均衡が存在する.
③減数分裂の際の染色体対合不全が無精子症の主因と考えられている.

臨床症状
1)自覚症状： 高身長，女性化乳房，長い手足，やせ，不妊(無精子症による)などを認める.
2)他覚症状： 小精巣は必発の所見である.

検査所見
血中ゴナドトロピン(特に FSH)高値を示す.

診断
高身長，女性化乳房あるいは不妊から Klinefelter 症候群を疑い，染色体検査で診断を確定する.

鑑別診断
Klinefelter 症候群以外の男性不妊をきたす疾患.

合併症
平均 IQ は 85〜90 といわれている. 乳癌発症リスクは健常男性の 20 倍である.

治療
Klinefelter 症候群の不妊(無精子症)に対し，顕微鏡下精巣内精子採取法(microdisection-testicular sperm extraction：MD-TESE)と顕微授精(intracytoplasmic sperm injection：ICSI)を組み合わせた挙児獲得の報告が増加している. 顕微鏡下精巣内精子採取法とは，顕微鏡を用いて精巣内を詳細に観察し，精子がいる可能性のある太い精細管から精子採取を試みる手術である. 顕微鏡下精巣内精子採取法により Klinefelter 症候群の約半数で精子採取が可能であったとの報告もある.

c. SF1 異常症
定義・概念
SF1 異常症は 46,XY DSD のうち，部分型性腺異形成の代表的疾患である(表 14-8-2，14-8-3). なお，46,XX 個体における SF1 異常症は必ず性腺異形成をきたすわけではない.

原因・病因
SF1 遺伝子の異常に起因する. 多くは1アレル性変異で発症する.

病理
SF1 異常症の典型的な性腺組織は精巣異形成(dysgenetic testes)である.

病態生理
未分化性腺形成の障害のため，46,XY 個体において精巣への分化は不十分である. 結果的に胎児期の精巣からの2つのホルモン分泌が低下する.

臨床症状
尿道下裂，小陰茎などの外性器異常をきたす. 生下時に法律上の性の決定に迷うこともまれではない.

検査所見
46,XY 個体においてしばしば hCG 負荷試験に対するテストステロンの反応性は低下している.

診断
臨床症状および検査所見から本症を疑うことは必ずしも容易ではない. SF1 遺伝子解析により診断を確定する.

鑑別診断
SF1 異常症以外の 46,XY 個体における部分型性腺異形成.

治療
法律上の性に合わせて，必要に応じて性腺摘出術,

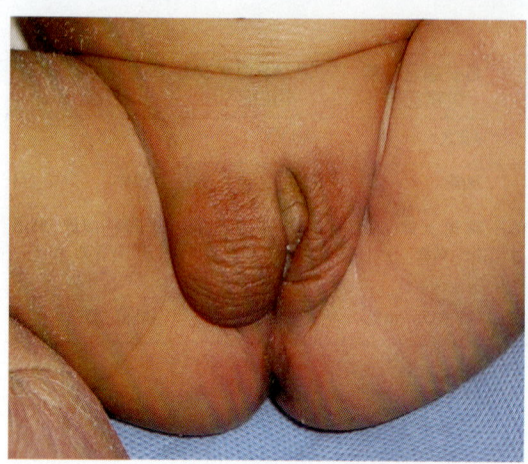

図14-8-5　5α-還元酵素欠損症(46,XY)新生児の外性器
ジヒドロテストステロン産生低下の程度が重症なタイプの5α-還元酵素欠損症(日齢1法律上の性は未決定)の外性器を示す．明らかな小陰茎および軽度二分陰囊を認める．両側精巣を陰囊内に触知する．本児は新生児早期に5α-還元酵素欠損症の診断を確定し，その後に法律上の性を男児と決定した．

外性器形成術を行う．性腺を摘出した法律上の女性に対して女性ホルモン補充療法を行う．

d. 5α-還元酵素欠損症

定義・概念

5α-還元酵素欠損症は，46,XY DSDのうちアンドロゲン生合成障害の代表的な疾患である(表14-8-2，14-8-3)．精巣が分泌するアンドロゲンであるテストステロンを生体内で最も強力なアンドロゲンであるジヒドロテストステロンに変換する酵素である5α-還元酵素の欠損による．

分類

ジヒドロテストステロン産生低下の程度が重症なタイプと軽症なタイプに分けられる．

原因・病因

5α-還元酵素を規定するSRD5A2遺伝子異常による常染色体劣性遺伝病である．

病態生理

生体内で最も強力なアンドロゲンであるジヒドロテストステロン産生低下のため，外性器が完全に男性化しない．

臨床症状

症例により臨床症状の差異を認める．ジヒドロテストステロン産生低下の程度が重症なタイプの外性器は陰核肥大および陰唇様に見え(図14-8-5, e図14-8-A)，生下時に法律上の性を女性と決定されることもある．ジヒドロテストステロン産生低下の程度が軽症なタイプは小陰茎のみを呈する．

検査所見

基礎値あるいはhCG負荷試験後の血中テストステロン/ジヒドロテストステロンの比は上昇する．

診断

血中テストステロン/ジヒドロテストステロンの比上昇から本症を疑い，SRD5A2遺伝子解析により診断を確定する．

鑑別診断

不完全型アンドロゲン不応症(後述)．

治療

1)法律上の女性：通常性腺摘出術，外性器形成術を行い，女性ホルモン補充療法を行う．
2)法律上の男性：小陰茎に対してジヒドロテストステロン軟膏による治療を行う．挙児を希望する際には，生殖補助医療の適応である．

e. アンドロゲン不応症

定義・概念

アンドロゲン不応症は46,XY DSDのうち，アンドロゲンあるいは抗Müller管ホルモン合成障害・作用異常の代表的疾患であり(表14-8-2，14-8-3)，アンドロゲンに対する受容体レベルでの不応に起因する．

分類

完全型アンドロゲン不応症と不完全型アンドロゲン不応症に分類される．完全型は外性器完全女性型を示し，生下時に逡巡なく法律上の性を女性と決定される．不完全型の外性器は男性化徴候を伴う女性型，不完全男性型，あるいは完全男性型を示す．男性化徴候を伴う女性型あるいは不完全男性型外性器の際には生下時に法律上の性の決定に苦慮することもある．

原因・病因

46,XY個体におけるX染色体に存在するアンドロゲン受容体のヘミ接合性変異による．したがって本症はX連鎖劣性遺伝病である．

疫学

1/2万〜6万4000．

病態生理

精巣から胎生期および思春期にアンドロゲンが正常に分泌されるが，アンドロゲン受容体レベルでさまざまの程度の不応性を有するため，外性器を含む男性化障害をきたす．

臨床症状

症例により臨床症状の差異を認める．
1)完全女性型外性器：外性器は完全女性型を示す．子宮を欠如し，膣は盲端に終わる．陰毛および腋毛を欠如する．精巣は鼠径部あるいは腹腔内に存在する．思春期年齢に乳房の発達を認めるが，原発性無月経である．
2)男性化徴候を伴う女性型外性器：陰核肥大，陰唇融合などの外性器男性化を認める(図14-8-6)．精巣は陰唇内，鼠径部あるいは腹腔内に存在する．
3)不完全男性型外性器：小陰茎，尿道下裂，二分陰

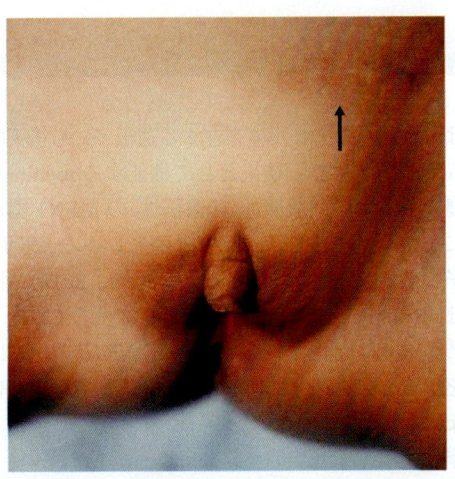

図 14-8-6 不完全型アンドロゲン不応症女児の外性器
不完全型アンドロゲン不応症（3歳法律上女児）の外性器を示す．明らかな陰核肥大を認める．左鼠径ヘルニアの手術痕（矢印）があることに注意されたい．また本写真では明確ではないが，尿道口と膣口は分離しておらず泌尿生殖洞である．

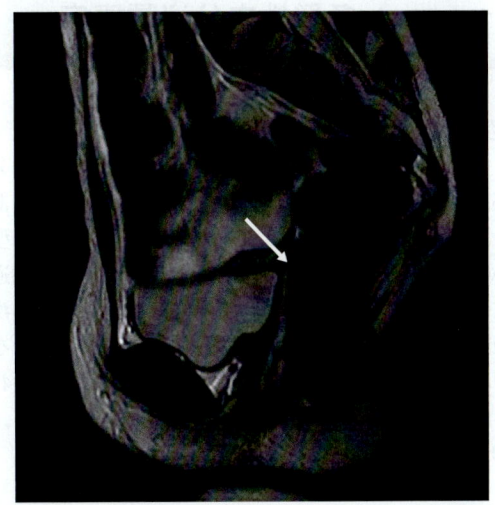

図 14-8-7 Müller管形成不全症のMRI
初経未発来を主訴に来院した15歳女児のMRI T2強調画像矢状断．本来子宮があるべき位置（膀胱の背側）には索状構造物を認めるのみである．

嚢などを認める．精巣はしばしば停留精巣である．思春期以降に女性化乳房をきたす（e図14-8-B）．

4) 完全男性型外性器：外性器は完全男性型であるが，無精子症のため男性不妊である．

検査所見
血中LH高値，テストステロンおよびジヒドロテストステロン正常，hCG負荷試験後のテストステロンの反応性正常である．染色体核型は46,XYである．

診断
臨床症状および検査所見から本症を疑う．X連鎖劣性遺伝と矛盾しない家族歴を有する際には診断は容易である．家族歴を有さない際はアンドロゲン受容体遺伝子解析により診断を確定する．

鑑別診断
不完全型アンドロゲン不応症ではジヒドロテストロン産生低下が重症であるタイプの5α-還元酵素欠損症（前述）．

合併症
鼠径ヘルニア（図14-8-6）（女児鼠径ヘルニアの1～2%は本症といわれている）．

治療
法律上の性に合わせて，必要に応じて性腺摘出術，外性器形成術を行う．性腺を摘出した思春期から成人女性は女性ホルモン補充療法を行う．

f. Müller管形成不全症
定義・概念
Müller管形成不全症は，46,XX DSDのうちアンドロゲンあるいは抗Müller管ホルモン合成障害・作用異常の代表的疾患であり（表14-8-2，14-8-3），46,XX個体において子宮，卵管，膣上部1/3が欠損する疾患である（表14-8-2，14-8-3）．Mayer-Rokitansky-Kuster-Hauser症候群ともよばれる．

原因・病因
女性内性器原器であるMüller管の発生異常によると考えられる．Müller管形成不全症に男性化，片腎などを伴う疾患はWNT4遺伝子異常による．

疫学
1/5000女児出生．

臨床症状
二次性徴としての乳房発達は正常である．しかし，子宮欠損のために初経を認めず（原発性無月経），不妊である．

検査所見
内分泌学的な異常を認めない．染色体核型は46,XXである．

診断
初経を認めない46,XX女性において，卵巣の形態および機能は正常であること，かつ画像診断で子宮欠損を証明すれば診断は確定する（図14-8-7）．

合併症
WNT4遺伝子の異常に起因するMüller管形成不全症では多毛などの男性化徴候，片腎などを合併する．

〔長谷川奉延〕

■文献
Hughes IA, Houk C, et al: Consensus statement on management of intersex disorders. Arch Dis Child. 2006; 91: 554-63.

14-9 多発性内分泌腫瘍症
multiple endocrine neoplasia：MEN

定義・概念
多発性内分泌腫瘍症（MEN）は複数の，おもに内分泌臓器に過形成，腺腫，癌を生じる遺伝性疾患である．歴史的に罹患病変の組み合わせによって，1型（MEN1）と2型（MEN2）に分けられ，両者に一部共通する病変はあるものの，本来は原因の異なる別個の疾患である．疾患名についてはヨーロッパのグループを中心に新しい名称が提唱されており少々混乱がみられるが，ここでは従来の名称を維持する（Thakkerら，2012）．

(1) 多発性内分泌腫瘍症1型（MEN1）
原因・病因
MEN1は浸透率の高い常染色体優性遺伝性疾患であり，原因遺伝子として11番染色体長腕に位置する腫瘍抑制遺伝子 *MEN1* が知られている．*MEN1* 遺伝子は menin と名づけられた核蛋白をコードしている．menin の機能はまだ不明な部分が多いが，転写調節，ゲノム安定性，細胞分裂，細胞増殖にかかわる多くの蛋白と相互に作用していることが知られている（Matkara ら，2013）．腫瘍抑制遺伝子の機能喪失による腫瘍発生機序は 2-hit theory として知られており，2つのアレルの両方が障害されることが発症の起点となる．MEN1 患者では正常組織においては1つのアレルで *MEN1* の変異が認められるが，腫瘍細胞ではもう一方のアレルに存在する遺伝子にも後天的に変異や欠失を生じ，結果として機能する menin 蛋白を喪失している．散発性（非遺伝性）の MEN1 関連腫瘍においても5〜50％の頻度で両アレルの *MEN1* 遺伝子の機能が失われている（Newey ら，2012）．海外では臨床的に MEN1 と診断できる症例で CDK インヒビター p27 蛋白をコードする *CDNK1B* 遺伝子に変異を認めた例も報告されているが，日本ではまだ報告がない．

疫学
MEN1 は複数臓器病変の確認によって診断がなされ，かつ個々の病変に特徴的な臨床所見が乏しいために最終診断に至らない症例が多く，正確な患者数や罹病率を把握することは難しい．副甲状腺機能亢進症や下垂体腫瘍など MEN1 関連病変の患者に占める MEN1 患者の割合からの推計では MEN1 の頻度はおおよそ3万人に1人程度とされる．

病態生理
MEN1 に伴う腫瘍性病変を表 14-9-1 にまとめる．MEN1 で発生する腫瘍のうち，胸腺神経内分泌腫瘍は基本的に全例悪性であり，膵消化管神経内分泌腫瘍も一部は悪性化する．それ以外の副甲状腺，下垂体前葉，副腎皮質，皮膚結合組織に発生する病変は良性である．臨床的には機能性腫瘍の場合は過剰なホルモン産生に伴う障害が問題となる．その他，腫瘍による物

表 14-9-1 MEN1 に伴う病変

病変	浸透率（全患者に対する罹患者の比率）	発症年齢	臨床的な特徴
原発性副甲状腺機能亢進症	＞95％	40歳以前	・若年発症 ・多腺性 ・病理像は過形成
膵消化管神経内分泌腫瘍 　非機能性腫瘍 　ガストリノーマ 　インスリノーマ 　グルカゴノーマ 　ソマトスタチノーマ 　VIP 産生腫瘍	60〜70％ 30〜40％ 30％ 10％ まれ まれ まれ	20〜50歳	・ガストリノーマは十二指腸に発生 ・インスリノーマの半数は成人前に発症 ・75％は腫瘍が多発
下垂体腺腫 　非機能性腫瘍 　プロラクチノーマ 　GH 産生腫瘍 　ACTH 産生腫瘍 　TSH 産生腫瘍	40〜60％ 15％ 20％ 5％ まれ まれ	20〜50歳	・臨床像から散発例との鑑別は困難
副腎皮質腫瘍	20〜40％	青年期以降	・ほとんどが非機能性
皮膚結合組織腫瘍	40〜80％	思春期以降	・脂肪腫，顔面血管線維腫など
胸腺神経内分泌腫瘍	5％		・10年生存率30％

理的障害（周辺組織の圧排など）や悪性腫瘍の転移による全身への影響などを生じる．若年発症や腫瘍の多発，再発は本症を疑う契機となる．

また，*MEN1*遺伝子産物のmeninは糖脂質代謝にも関与しており，MEN1患者では過剰ホルモンの影響とは無関係にインスリン抵抗性がより高く，耐糖能異常を有する割合が一般集団より高い[1]．

臨床症状

臨床症状は発症している病変の種類や機能性の有無によって異なる．同一家系内の患者どうしでも発生する腫瘍に規則性はなく，臨床像は多彩である．個々の腫瘍に伴う臨床症状は，基本的には非遺伝性症例と同様である【⇨ 11-28-8，14-2-9，14-2-11，14-5-5】．診断の契機となる臨床所見には尿路結石，消化性潰瘍（以上副甲状腺機能亢進症），低血糖（インスリノーマ），無月経（下垂体腫瘍）が多いが，最近は検診などで偶然高カルシウム血症を指摘される例が増えている．

検査所見

検体検査，画像検査でMEN1に特異的なものはない．個々の病変の診断は散発性腫瘍の場合と同様に，画像検査での腫瘍の確認と機能性腫瘍におけるホルモン過剰分泌の証明による．

診断

日本内分泌学会は「多発性内分泌腫瘍症診断の手引き」を公開しており，そのなかで表14-9-2の診断基準を示している．患者の90％にはMEN1の家族歴があるので，家族歴の綿密な聴取はきわめて重要となる．ただし，血縁者の個々の腫瘍名などを患者が正確に記憶していることはむしろ少ないので，より想起しやすい項目の質問（頸部手術，胃潰瘍，脳外科手術などの有無）が有効である．遺伝学的検査では，家族例の90％，散発例（家系内にほかに罹患者がいない場合）で50％に*MEN1*遺伝子の病原性変異を認める．変異陽性率が100％ではないため，変異陰性でもMEN1を否定する根拠にはならない．

鑑別診断

MEN1の各病変は異なる時期に発症し，また個々の病変に伴う初発症状は非特異的であるため，単一の関連病変が診断されても最終的にMEN1の診断に至るまでに長期間を要している患者が多い[2]．関連病変を診断した際には，ほかの関連病変の有無について横断的な診療体制のもとで精査を進めることが本症の早期診断につながる．表14-9-3に示すような例では診断確定のための遺伝学的検査が推奨される．

経過・予後

診断・治療法の進歩によってMEN1患者の生命予後は確実に改善しているが，現在でも患者の70％はMEN1関連病変が死因となる．特にインスリノーマを除く膵消化管神経内分泌腫瘍と胸腺神経内分泌腫瘍は死亡率の上昇に寄与しており，死亡ハザード比は3〜4倍となる[3,4]．副甲状腺機能亢進症，下垂体腫瘍，副腎皮質腫瘍は生命予後には影響しない．

1）副甲状腺機能亢進症： 未治療で経過した場合，20歳代で約50％，40歳代でほぼ全例が副甲状腺機能亢進症を発症する．散発例に比べて軽症であることが多く，日本人患者では全体の18％は血中PTH濃度と補正カルシウム濃度のいずれかが基準範囲内にとどまっている[5]．若年からの高PTH血症の影響で，骨密度低下は散発例よりも高度であり，30歳代で33〜44％の患者が－2 SD以上の骨密度低下を呈する．副甲状腺機能亢進症患者全体のうちMEN1患者は最大3％程度と推測される．

2）膵消化管神経内分泌腫瘍： 発症している患者の75％は腫瘍が多発している．20歳以前に発生することはほとんどないが，インスリノーマは例外的に若年に発症し，25％は成人前に診断されている[6]．ガストリノーマや非機能性腫瘍は30〜50歳に発症のピークがある．非機能性腫瘍では，腫瘍径が2 cmをこえると肝転移リスクが上昇する．またガストリノーマでも保存的治療を行った場合には20〜30％が肝転移をきたすとされる．膵消化管神経内分泌腫瘍の5〜10％はMEN1によるものである．

表14-9-2 MEN1の診断基準

以下のうちいずれかを満たすものをMEN1と診断する．
①原発性副甲状腺機能亢進症，膵消化管神経内分泌腫瘍，下垂体腫のうち2つ以上を有する．
②上記3病変のうち1つを有し，一度近親者（親，子，同胞）にMEN1と診断された者がいる．
③上記3病変のうち1つを有し，*MEN1*遺伝子の病原性変異が確認されている．

*MEN1*遺伝子変異が同定された患者の血縁者で，発症前遺伝子診断によって変異が同定されたが，まだいずれの病変も発症していない者を「未発症MEN1変異保有者（キャリア）」とよぶ．

表14-9-3 *MEN1*遺伝学的検査を考慮すべき症例

- MEN1の診断基準①を満たす症例
- 多腺性副甲状腺機能亢進症
- 若年性（30歳以下）の副甲状腺機能亢進症
- 家族性副甲状腺機能亢進症
- 多発性膵神経内分泌腫瘍
- 再発性膵神経内分泌腫瘍
- すべてのガストリノーマ
- 若年性（20歳以下）のインスリノーマ

表 14-9-4 MEN2 の病型と発生病変

	MEN2A	MEN2B	FMTC
MEN2 に占める割合	85%	5%	10%
病変	浸透率		
甲状腺髄様癌	100%	100%	100%
褐色細胞腫	60%	80%	0%
原発性副甲状腺機能亢進症	10%	0%	0%
粘膜神経腫(眼瞼,舌,口唇)	0%	100%	0%
Marfan 様体型	0%	80%	0%

3)下垂体腫瘍: 散発例と比較して鑑別の参考になる特徴的所見はない.平均診断時年齢は 35〜40 歳である.下垂体腫瘍患者全体のうち MEN1 患者は 1% 程度である.

治療
基本的な治療は腫瘍の外科的切除であるが,多発性であることを考慮し,散発例とは異なる治療方針がとられる(詳細は ⓔコラム 1).
①副甲状腺機能亢進症:将来の発症を見越し,正常腺も含めて全腺切除し,一部を前腕筋層内に自家移植する.
②膵消化管神経内分泌腫瘍:多発例が多く経過が緩徐であることから小さい非機能性腫瘍は経過観察とし,極力膵全摘を避ける.
③下垂体腫瘍:治療方針は基本的に散発例と同様である.プロラクチノーマに対する治療はドパミン作動薬が第一選択である.
④その他の病変:胸腺神経内分泌腫瘍には胸腺全摘術を行う.副腎皮質腫瘍の多くは経過観察のみで問題ない.

経過観察
遺伝学的検査によって未発症 MEN1 変異保有者と診断された者に対しては,病変の早期発見を目的とした定期検査が推奨される.手術後も再発の可能性を念頭におき,基本的には生涯にわたる経過観察を要する.
1)副甲状腺機能亢進症: 思春期以降に年 1 回の血清カルシウムおよびインタクト PTH の測定を行う.画像検査の有用性は低い.
2)膵消化管神経内分泌腫瘍: 空腹時血糖およびインスリン(10 歳以降),ガストリン(20 歳以降)の測定を年 1 回,MRI または CT による画像検査(20 歳以降)を 3 年ごとに行う.非機能性腫瘍のマーカーとしてクロモグラニン A や膵ポリペプチドの測定も推奨されるが,わが国ではまだ保険収載されていない.
3)下垂体腫瘍: 10 歳以降,プロラクチンおよび IGF-Ⅰの測定を年 1 回,MRI による画像検査を 3〜5 年ごとに行う.
4)胸腺神経内分泌腫瘍: CT または MRI による画像検査を 20 歳以降 3 年ごとに行う.

遺伝医療
患者に MEN1 変異が同定された場合には,子どもは 50% の確率で変異を受け継ぐ[7].また患者の同胞も同じ変異を有している可能性がある.こうした血縁者に対する発症前診断を含めた遺伝医療の提供は必ず行うべきである.早い例では 10 歳前後での発症があるため,この年齢以降であれば親と本人に対する遺伝カウンセリングを行ったうえで発症前診断を実施する対象となる.

(2)多発性内分泌腫瘍症 2 型(MEN2)
原因・病因
MEN2 も MEN1 と同様,浸透率の高い常染色体優性遺伝性疾患であり,10 番染色体長腕に位置する癌遺伝子 RET が唯一の原因遺伝子として知られている.RET 遺伝子は 1114 アミノ酸からなる RET 蛋白をコードしている.RET はチロシンキナーゼドメインを有する細胞膜受容体蛋白で,増殖因子である GDNF(glial cell line-derived neurotrophic factor)ファミリーがリガンドとして結合することにより二量体を形成し,下流のシグナル伝達経路を活性化する.MEN2 患者ではほぼ全例で RET 遺伝子のミスセンス変異が認められ,これにより産生される変異蛋白はリガンドの刺激がない状態でもシグナル伝達系を活性化するようになり,過剰な細胞増殖を誘発する.変異の位置と臨床像には強い相関がある.

疫学
MEN2 の頻度は人種を問わずおおよそ 3 万 5000 人に 1 人程度と推測されている.甲状腺髄様癌患者のうち約 30% は発症の背景に MEN2 を有しており,日本人の年間甲状腺髄様癌診断数が約 100 例であることから,毎年 30 人程度が MEN2 による甲状腺髄様癌を発症していると考えられる.

表14-9-5 MEN2の診断基準

1) 以下のうちいずれかを満たすものをMEN2（MEN2AまたはMEN2B）と診断する．
① 甲状腺髄様癌と褐色細胞腫を有する．
② 上記2病変のいずれかを有し，一度近親者（親，子，同胞）にMEN2と診断された者がいる．
③ 上記2病変のいずれかを有し，RET遺伝子の病原性変異が確認されている．

2) 以下を満たすものをFMTCと診断する．
家系内に甲状腺髄様癌を有し，かつ甲状腺髄様癌以外のMEN2関連病変を有さない患者が複数いる．
（注：1名の患者の臨床像をもとにFMTCの診断はできない．MEN2Aにおける甲状腺髄様癌以外の病変の浸透率が100％ではないため，血縁者数が少ない場合には，MEN2AとFMTCの厳密な区別は不可能である．MEN2Bは身体的な特徴からMEN2AやFMTCと区別できる．）

RET遺伝子変異が同定された患者の血縁者で，発症前遺伝子診断によって変異が同定されたが，まだいずれの病変も発症していない者を「未発症RET変異保有者（キャリア）」とよぶ．

病態生理

MEN2に伴う腫瘍性病変を表14-9-4にまとめる．歴史的に臨床像に基づいてMEN2A，MEN2B，家族性甲状腺髄様癌（familial medullary thyroid carcinoma：FMTC）という亜型分類がなされてきたが，こうした臨床像とRET遺伝子変異との相関が明らかになった．MEN2全体の85％を占めるMEN2Aは甲状腺髄様癌と褐色細胞腫を主病変とし，低頻度ながら原発性副甲状腺機能亢進症も合併する．RET遺伝子の変異の位置によりHirschsprung病を合併する場合もある．MEN2Bは眼瞼，舌，口唇に発生する神経粘膜腫が特徴的で，思春期以降目立ってくる．FMTCは家系内で甲状腺髄様癌患者のみを認めるものであるが，MEN2Aのほかの病変の浸透率が100％ではないため厳密に両者の区別はできない．2015年の米国甲状腺学会のガイドラインではFMTCをMEN2Aの一亜型と位置づけている[8]．病型を問わず，腸管蠕動運動の低下により頑固な便秘を呈する例が多い．

臨床症状

個々の病変の臨床症状は基本的に散発例と同様である【⇨14-4-6，14-7-4】．
1) **甲状腺髄様癌**：診断の契機はほとんどが頸部腫瘤の自覚もしくは健診などでの指摘であり，その時点まで無症状であることが多い．
2) **褐色細胞腫**：80％の患者では甲状腺髄様癌が先に診断されており，スクリーニングの過程での発見が多い．それ以外の患者では持続型もしくは発作型の高血圧の精査の過程で見つかることが多いが，健診などでの腹部画像検査の際に偶然発見される例も増えている．高血圧のほか，頻脈，不整脈，発汗過多，体重減少，血糖上昇などを生じる．ときに腫瘍からの急激なカテコールアミン放出によって心タンポナーデ，肺水腫をきたし，致命的な転帰をとる場合もある．
3) **副甲状腺機能亢進症**：発症した場合も比較的軽症にとどまる例が多い．
4) **粘膜神経腫**：MEN2Bでは必発であり，顔面に多発し，眼瞼や口唇の形態に影響するため，整容上の問題が大きく，患者の心理的負担となる．

検査所見

個々の病変の検査成績でMEN2に特異的なものはない．個々の病変の診断は画像検査での腫瘍の確認と機能性腫瘍におけるホルモン過剰分泌の証明による．

診断

日本内分泌学会が公開する「多発性内分泌腫瘍症診断の手引き」のなかに表14-9-5の診断基準が示されており，最終的には遺伝学的検査によってRET遺伝子の変異を確認する．遺伝学的検査の実施は，本人の診断確定のみでなく，リスクのある血縁者を早期に拾い上げるためにも重要である．

鑑別診断

MEN2と散発性腫瘍の鑑別が重要である．甲状腺髄様癌の約30％はMEN2によるので，すべての甲状腺髄様癌患者はRET遺伝子診断を行ってMEN2の有無を確認する．家族歴がなく明らかに散発性と思われる患者でも7％にRET遺伝子変異が同定される．褐色細胞腫は約30％が遺伝性といわれており，原因遺伝子も多数同定されているので，臨床症状に基づいて検索する遺伝子が選択される．将来的には遺伝性褐色細胞腫が疑われる患者に対しては複数の原因遺伝子の同時解析が一般的になると考えられる．

経過・予後

1) **甲状腺髄様癌**：多くの場合，成人前に甲状腺傍濾胞細胞の過形成や微小癌を発症しているが，臨床症状に乏しいため，家系内の発端者における診断時年齢の中央値は40歳代である．発症早期に所属リンパ節転移をきたすことが多いため，約40％は術後の血中カルシトニンの再上昇を認め，約20～30％には臨床再発を認める．甲状腺髄様癌の10年生存率はMEN2Aで約90％，MEN2Bでは約70％であるが，早期に診断され，血中カルシトニンの正常化が達成できた症例の再発率はきわめて低い[9]．

2) **褐色細胞腫**：約40％は診断時に両側性に発症しており，20％は異時性に反対側に発生する．散発例や他の遺伝性褐色細胞腫とは異なり悪性例や異所性発生はほとんどみられないが，腫瘍からの急激なカテコールアミン分泌（カテコールアミンクリーゼ）による致命的発作を起こしうる．家族歴でしばしば突然死が認められるのはこのためと考えられる．早期発見により

適切な治療が提供されれば生命予後への影響は小さい[10]．

治療
1）甲状腺髄様癌： 甲状腺全摘術の絶対適応である．腫瘍が画像で確認できず，基礎カルシトニンレベルが正常の場合でも，カルシウム静注によるカルシトニン誘発刺激試験によってカルシトニンの上昇が認められた時点で手術を行う．周辺リンパ節郭清の範囲についてはまだ議論があるが，予防的郭清には消極的な意見が多い．手術時に血中カルシトニン値が 300 pg/mL をこえる例あるいは腫瘍径が 10 mm をこえる例では術後カルシトニン値の正常化は 50％にとどまる．手術不能例に対してバンデタニブとレンバチニブが承認されている．

2）褐色細胞腫： 基本的には診断が確認されれば手術適応となる．甲状腺髄様癌と褐色細胞腫の両方を発症しているときは褐色細胞腫の手術を先に行う．両側発症例では術後副腎皮質機能不全に対するグルココルチコイドの投与が永続的に必要となるため，特に片側切除後の反対側にホルモン分泌が少なく無症状の小腫瘍を認めた場合の治療方針については統一した見解が得られていない．

3）粘膜神経腫： 整容上の問題を軽減する目的で形成外科手術が考慮される．

経過観察
1）甲状腺髄様癌： わが国では基本的に予防的甲状腺全摘術は行われていないので，変異が同定された未発症者には，カルシトニン誘発刺激試験と甲状腺超音波検査を年 1 回行う．術後の患者に対しては，半年ごとに血中カルシトニン濃度をモニターする．カルシトニン値の倍加時間が 2 年以上の場合，生命予後への影響は小さいとされる．

2）褐色細胞腫： 血中遊離メタネフリン，尿中メタネフリン値の測定と MRI もしくは CT による副腎領域の画像検査を年 1 回行う．術後も同様の定期観察を継続する．

3）副甲状腺機能亢進症： 血中カルシウムとインタクト PTH の測定を年 1 回行う．

遺伝医療
RET 変異が同定された場合には，子どもに 50％の確率で受け継がれる[11]．また同胞も変異を有している可能性がある．海外では乳幼児期に発症前診断を行い，変異陽性であれば予防的甲状腺全摘術を行うことが推奨されている．推奨される手術施行時期は変異コドンによって異なる．わが国では変異が同定されても直ちに予防的手術は行わず，負荷試験で発症を確認した時点で手術にふみきるのが一般的である．発症前診断やサーベイランス，予防的治療などについては，遺伝カウンセリングの場で十分に検討することが重要である．

〔櫻井晃洋〕

■文献（e文献 14-9）
Matkara S, Thiel A, et al: Menin: a scaffold protein that controls gene expression and cell signaling. *Trends Biochem Sci*. 2013; 38: 394-402.

Newey PJ, Nesbit MA, et al: Whole-exome sequencing studies of nonhereditary (sporadic) parathyroid adenomas. *J Clin Endocrinol Metab*. 2012; 97: E1995-2005.

Thakker RV, Newey PJ, et al: Clinical practice guidelines for multiple endocrine neoplasia type 1 (MEN1). *J Clin Endocrinol Metab*. 2012; 97: 2990-3011.

14-10　神経内分泌腫瘍（カルチノイド腫瘍）
neuroendocrine tumor, carcinoid tumor

定義・概念
全身に広く分布する神経内分泌細胞に由来する腫瘍で，歴史的にはカルチノイド腫瘍という名称で理解されていた．実際には癌と同様の悪性経過をとる場合が多いことから適切ではないとされ，現在では病理組織学的所見による分類と疾患名が定着しつつある．

原因・病因
大部分の神経内分泌腫瘍は非遺伝性に発症するが，一部は遺伝性腫瘍症候群の部分症として発症することが知られている．多発性内分泌腫瘍症 1 型患者の 60〜70％，von Hippel-Lindau 病患者の 15〜20％に膵消化管神経内分泌腫瘍を合併する．膵神経内分泌腫瘍細胞における体細胞遺伝子変異の網羅的解析では，MEN1 遺伝子および DAXX/ATRX 遺伝子変異がそれぞれ半数近くに認められる（Jiao ら，2011）．

疫学
日本人における膵神経内分泌腫瘍の有病率は 10 万人あたり 2.69 人，発症率は 10 万人あたり 1.27 人/年と推測されている．機能性腫瘍と非機能性腫瘍の割合はほぼ半数ずつで，機能性腫瘍ではインスリノーマが全体の 20.9％と最も多く，ガストリノーマ（8.2％），グルカゴノーマ（3.2％）が続く．消化管神経内分泌腫瘍の有病率は 6.42 人/10 万人，発症率は 3.51 人/10 万人/年で，発生部位では前腸由来（食道〜十二指腸）が約 30％，中腸由来（空腸〜虫垂）が約 10％，後腸由来（大腸，結腸）が約 60％であり，欧米での前，中，

後腸由来がそれぞれ約25％，約30％，約50％であることと比較すると相対的に中腸由来の腫瘍が少ない（Itoら，2010）．

臨床症状

膵の機能性腫瘍では過剰分泌されるホルモンによる臨床症状が出現する．非機能性の場合には腫瘍径の増大による圧迫症状として上腹部痛，背部痛，閉塞性黄疸を生じうる．機能性消化管神経内分泌腫瘍ではカルチノイド症候群とよばれる臨床症状（潮紅，毛細血管拡張，下痢，右心不全など）を呈するが，これはほとんどが中腸由来であり，日本人患者における機能性腫瘍は全体の2％程度にとどまる．非機能性腫瘍でみられる症状には腹痛，背部痛，血便（便潜血陽性），便秘などがある．

診断

診断の確定はホルモン測定による機能検査，画像検査による局在診断，病理組織学的診断によってなされる．

1）ホルモン測定： 機能性腫瘍は関連ホルモンの過剰分泌を証明する．非機能性腫瘍では海外では血中クロモグラニンAや膵ポリペプチドの高値がマーカーとなるが，わが国では保険収載されていない．

2）画像検査： 膵ではMRIやCTによる局在診断が行われる．小病変に対しては超音波内視鏡の感度が高い．膵管との位置関係などは内視鏡的逆行性膵管造影（ERCP）で確認する．消化管では内視鏡検査，超音波内視鏡が用いられる．小腸病変に対してはカプセル内視鏡が有用である．ソマトスタチン受容体シンチグラフィは神経内分泌腫瘍の検出感度，特異度ともに高く非常に有用である．

3）病理組織学的検査： 腫瘍が神経内分泌細胞由来であることを証明するために表面マーカーによる確認が必要であり，シナプトフィジンやクロモグラニンAの免疫組織化学的染色が行われる．前者は高感度だが特異性が低い．後者は逆に特異性は高いが感度は高くない．2010年に改訂されたWHOの組織分類では，細胞増殖の指標であるKi67指標もしくは細胞分裂数によってG1，G2，G3に分類され（表14-10-1），さらにTNM分類による病期分類が行われる．

経過・予後

日本人の統計では膵および消化管神経内分泌腫瘍患者における遠隔転移の比率はそれぞれ21％と6％であり，死亡率はそれぞれ9％と4％であった．病理学的悪性度の高さや病期の進行度と予後には明瞭な相関がある．

表14-10-1 神経内分泌腫瘍の病理組織学的分類（WHO，2010）

WHO 分類	Grading		
	Grade	核分裂像数（/10高倍視野）	Ki67指数（%）
NET G1	G1	< 2	≦ 2
NET G2	G2	2〜20	3〜20
NEC	G3	> 20	> 20

NET：neuroendocrine tumor（神経内分泌腫瘍），NEC：neuroendocrine carcinoma（神経内分泌癌）．

治療

1）膵： 第一選択は外科的切除である．術式は腫瘍の数，周囲への浸潤や転移の有無により検討する．多発性の場合は多発性内分泌腫瘍症1型の可能性を考えて合併病変の検索あるいは遺伝学的検査を行う．肝転移がある場合も原発巣の切除や転移巣の減量手術は予後を改善させる．切除不能例に対しては内科的治療，集学的治療が行われる．内科治療としては，エベロリムス，スニチニブおよびストレプトゾシンが腫瘍の進行抑制を目的として保険収載されている（Raymondら，2011；Yaoら，2011）．ホルモン産生抑制目的としては，ガストリン産生腫瘍とVIP産生腫瘍に対してオクトレオチド徐放性製剤が，インスリノーマによる低血糖に対してジアゾキシドが用いられる．

2）消化管： 外科治療が基本である．治療方針は病変の進展度と病理組織学的分類に基づいて決定される．腫瘍径10 mm以下で粘膜下層にとどまる限局性病変では，第一選択として内視鏡による局所切除を行う．進行例に対してはストレプトゾシンが抗腫瘍薬として，オクトレオチド徐放性製剤は抗腫瘍作用とカルチノイド症候群の症状軽減の両方で保険適用がある．

〔櫻井晃洋〕

■文献

Ito T, Sasano H, et al: Epidemiological study of gastroenteropancreatic neuroendocrine tumors in Japan. *J Gastroenterol*. 2010; **45**: 234-43.

Jiao Y, Shi C, et al: DAXX/ATRX, MEN1, and mTOR pathway genes are frequently altered in pancreatic neuroendocrine tumors. *Science*. 2011; **331**: 1199-203.

Raymond E, Dahan L, et al: Sunitinib malate for the treatment of pancreatic neuroendocrine tumors. *N Engl J Med*. 2011; **364**: 501-13.

Yao JC, Shah MH, et al: Everolimus for advanced pancreatic neuroendocrine tumors. *N Engl J Med*. 2011; **364**: 514-23.

14-11 異所性ホルモン産生腫瘍
ectopic hormone-producing tumor

1) 総論

定義・概念

異所性ホルモン産生腫瘍とは，その臓器では産生されないホルモンを産生，分泌する腫瘍を指す．しかし，高感度ホルモン測定法や遺伝子発現の研究により，本来，産生されている内分泌腺以外の多くの正常組織でも微量に産生・分泌されていることが判明してきており，異所性と正所性のホルモン産生腫瘍は厳密に区別することが困難になってきている．そのため，腫瘍が生物活性のあるホルモンを過剰に産生し，それによる症状や生化学的検査値の異常がみられる場合，特に異所性ホルモン症候群(ectopic hormonal syndrome)という．異所性ホルモン症候群は腫瘍随伴症候群(paraneoplastic syndrome)の1つである．

分類

おもな産生腫瘍，症状および検査所見をホルモン別に表14-11-1に示す．異所性ホルモン産生症候群で産生されるホルモンの大部分がペプチドである．LH，FSH，TSHのように糖鎖修飾を受け，2つのサブユニットからなる複雑な構造をもつ蛋白質ホルモンの異所性産生はまれである．ステロイドや甲状腺ホルモンなどの非ペプチド性ホルモンは，生合成に多くの酵素が必要であり，奇形腫の一部に産生が認められるのみである．

病因

ペプチドホルモンを産生する異所性ホルモン症候群の一部は，胎生期神経外胚葉(神経堤，neural crest)に由来し，アミン前駆体(amine precursor)を取り込み(uptake)，脱炭酸(decarboxylation)し，活性アミンにするという生化学的特徴をもつ．各頭文字をとりAPUD系細胞とよばれている．したがって，これらの細胞が腫瘍化(APUDoma)した肺小細胞癌，膵島癌や気管支神経内分泌腫瘍などは，異所性ホルモン産生腫瘍となりやすい．

腫瘍化の過程で遺伝子再配列をきたし，通常と異なる制御因子によりホルモン遺伝子が発現することがあるが(例：副甲状腺ホルモン)，まれである．多くの腫瘍細胞は低分化状態であり，ヒト絨毛性ゴナドトロピン(hCG)のように発生初期段階において一過性に発現する遺伝子が再活性化されている．転写因子の活性化，DNAメチル化の変化により細胞の脱分化が遺伝子再活性化の原因となる．

病態生理

正常の内分泌腺からのホルモン分泌に比べて，異所性腫瘍からのホルモン産生や分泌には大きな特徴がある．

表14-11-1 ホルモン別にみた異所性ホルモン産生腫瘍の組織型およびおもな症候と検査所見

ホルモン	おもな異所性産生腫瘍	主要症状と検査所見
ACTH/MSH	肺癌(小細胞癌)，気管支/胸腺神経内分泌腫瘍，膵島癌	Cushing症候群，高血圧，筋力低下，色素沈着，低カリウム血症
ADH	肺癌(小細胞癌)，膵島癌	全身倦怠感など水中毒，低ナトリウム血症
プロラクチン	腎癌，卵巣奇形腫，血管周囲類上皮細胞腫	乳汁分泌，無月経
GHRH	神経内分泌腫瘍，膵島癌，小細胞肺癌	先端巨大症，巨人症
CRH	前立腺小細胞癌，甲状腺髄様癌，縦隔神経内分泌腫瘍	Cushing症候群
絨毛性ゴナドトロピン(hCG)	骨肉腫，肺癌(大細胞癌，腺癌)	女性化乳房(成人男子)，性早熟(男児)
絨毛性ソマトマンモトロピン(hCS)	肺癌，肝癌	女性化乳房
PTH関連蛋白(PTHrP)	肺癌(扁平上皮癌)，腎細胞癌，成人T細胞性白血病	食欲不振，悪心，傾眠などの高カルシウム血症の症状
インスリン様物質(IGF-Ⅱ)	中胚葉腫瘍(線維肉腫，横紋筋肉腫)，肝癌，副腎皮質癌	脱力，動悸などの低血糖症状，低血糖時血漿インスリン低値
インスリン	子宮頸部小細胞癌	低血糖発作
線維芽細胞成長因子-23(FGF-23)	中胚葉腫瘍(血管周囲細胞腫，非骨化性線維腫)	骨軟化症，低リン血症
エリスロポエチン	小脳血管芽腫，肝癌	顔面紅潮，頭重感などの多血症による症状
カルシトニン	肺癌(小細胞癌，大細胞癌，腺癌)，神経内分泌腫瘍	無症状
レニン	肺癌，膀胱移行上皮癌，卵巣癌，副腎皮質癌	高血圧，低カリウム血症
1,25-ジヒドロキシビタミンD_3	悪性リンパ腫	高カルシウム血症，高リン血症

1) **ホルモン分泌の非抑制性**: 腫瘍からの異所性ホルモン産生や分泌はネガティブフィードバックが機能せず, 抑制されにくい.
2) **ホルモン産生の非効率性**: ホルモン産生効率が低いため, 異所性ホルモン産生症候群は進行癌となってから発症することが多い.
3) **成熟ホルモン産生能の不全**: 生理活性のない前駆ホルモンや断片ホルモンを分泌することが多く, 成熟ホルモンの産生能はむしろ低下していることがある(例: 異所性ACTH産生腫瘍による大分子量ACTHの分泌).
4) **関連ホルモンの産生**: ホルモン過剰症状が関連ホルモン産生により呈することがある(例: IGF-Ⅱによる低血糖や副甲状腺ホルモン関連蛋白(parathyroid hormone related protein: PTHrP)による高カルシウム血症).

診断

ホルモン過剰の症状や検査値異常を呈する患者で, 画像検査で腫瘍が正所性に検出されない場合は, 異所性ホルモン産生腫瘍を考慮する. ホルモン産生腫瘍は以下の方法で証明する.
① 腫瘍を栄養する動脈と静脈のホルモン濃度較差を確認する.
② 腫瘍組織中に免疫学的なホルモン産生やmRNAを確認する.
③ 摘出した腫瘍組織からのホルモン分泌を証明する.
④ 腫瘍摘出後, ホルモン値の低下や臨床徴候の改善を認める.

治療

原因腫瘍に対する手術, 放射線および化学療法による治療とホルモン過剰症に対する対症療法がある.

2) 異所性ホルモン産生腫瘍の各型

(1) 異所性ACTH産生腫瘍 (ectopic ACTH-producing tumor)

疫学

ACTH依存性Cushing症候群を呈する患者のうち, 異所性ACTH産生腫瘍は約15%を占める. 神経内分泌細胞を起源とする異所性ACTH産生腫瘍は, 小細胞肺癌が全体の約50%を占め, ついで胸腺もしくは気管支神経内分泌腫瘍が約25%, 膵島細胞腫が約10%, その他神経内分泌腫瘍が5%, 褐色細胞腫や卵巣腺腫や原発不明が残りを占める. 異所性ACTH産生腫瘍はやや男性に多く, 40〜60歳に好発する.

病因

pro-opiomeranocortin (POMC) 遺伝子からプロホルモン変換酵素によりACTH, β-lipotropin (LPH) を含む複数のペプチドホルモンが生成される. 異所性ACTH産生腫瘍では前駆体蛋白質からの不完全なプロセシングにより, ホルモン活性が弱い大分子ACTHやプロセシングが進んだα-melanocyte stimulating hormone (α-MSH) やその他のMSH, corticotropin-like intermediate lobe peptide (CLIP), γ-LPH, β-endorphin (β-END) などが産生・分泌される.

病態

腫瘍からのACTH分泌は自律性をもち, ACTH分泌を刺激するCRHやAVP投与でも血中ACTHが上昇せず, 大量デキサメタゾン投与でも抑制されないことが多い.

臨床症状

緩徐に進行する神経内分泌腫瘍による異所性ACTH産生腫瘍では, 満月様顔貌や中心性肥満などのCushing徴候を呈するが, 小細胞肺癌では急速に進行して栄養状態が悪化するため, Cushing徴候は明瞭でなく, 食欲不振や体重減少を呈することが多い. ACTH, α-MSH, β-MSH, γ-MSHによる色素沈着や過剰な電解質コルチコイド作用による低カリウム性ミオパチーや高血圧, 下腿浮腫などが認められる. 一部の神経内分泌腫瘍では, 画像検査で腫瘍が検出できず, 周期性Cushing徴候を呈することがある.

検査所見

著明な低カリウム血症, 代謝性アルカローシス, 高血糖, 血漿ACTHおよび血中や尿中コルチゾール高値がみられる. 血漿ACTHやコルチゾールの日内リズムは消失し, 大量デキサメタゾン抑制試験で血中コルチゾールは抑制されない. CRH試験やDDAVP試験で, ACTHは無反応である.

診断・鑑別診断

Cushing徴候ならびに低カリウム性アルカローシス

表14-11-2 異所性ACTH産生腫瘍とCushing病の鑑別項目

検査項目	異所性ACTH産生腫瘍	Cushing病
血漿ACTH/大分子ACTH	著増/増加	増加/増加なし
血清カリウム	著減	正常〜低下
大量デキサメタゾン抑制試験[*1]	抑制なし	抑制あり
CRH試験[*1]	反応なし	反応あり
メチラポン試験[*1]	反応なし	反応あり
下錐体(海綿)静脈洞/末梢血ACTH比[*2]	2以下	3以上

[*1]: 気管支神経内分泌腫瘍による異所性ACTH産生腫瘍や異所性CRH産生腫瘍では反応することがある.
[*2]: 下錐体静脈洞へのカテーテル挿入の確認のため, 同時にプロラクチンを測定することが多い.

を伴っていれば本症を疑い，血漿 ACTH および血中や尿中コルチゾール測定と上記の負荷試験を施行する．一部の神経内分泌腫瘍では，Cushing 病と同様の反応を示すことがあり，特異性に乏しい．下垂体腺腫による Cushing 病は微小腺腫のことが多く，腫瘍局在が同定できないことがあり，気管支や胸腺神経内分泌腫瘍による異所性 ACTH 産生腫瘍との鑑別には，注意を要する．表 14-11-2 に鑑別項目を示す．下錐体静脈洞もしくは海綿静脈洞にカテーテルを挿入し，末梢血と同時採血もしくは CRH 負荷後に末梢側/中枢側 ACTH 値の比を求めて，両者を鑑別する診断方法が有効である．神経内分泌腫瘍の局在診断には thin slice CT やソマトスタチン受容体シンチグラフィが有用であるが，いずれの画像検査でも腫瘍が検出されない潜在性腫瘍もある[1]．

治療・予後

原因腫瘍に対する治療と高コルチゾール血症に対する治療がある．腫瘍に対しては手術，放射線および化学療法がある．神経内分泌腫瘍など一部の腫瘍以外は摘出困難なことが多い．高コルチゾール血症が持続すれば感染症，耐糖能異常により，患者の QOL が低下するため，11β-ヒドロキシラーゼ阻害薬（メチラポン），3β-ヒドロキシステロイド脱水素酵素阻害薬（トリロスタン）や副腎皮質細胞毒性作用薬（ミトタン）を投与する．経過が長期に及ぶ場合は両側副腎摘出を施行する場合もある．予後は原因腫瘍の治療によるが，神経内分泌腫瘍以外は予後不良であり，異所性 ACTH 産生腫瘍による死因の約半数は重症感染症である．

（2）異所性 ADH 産生腫瘍（ectopic ADH-producing tumor）

腫瘍から ADH が過剰に分泌され，希釈性低ナトリウム血症，低浸透圧血症，尿中ナトリウム排泄亢進のため，水中毒症状を呈し，ADH 不適合分泌症候群（syndrome of inappropriate secretion of ADH：SIADH）[2]をもたらす．腫瘍随伴内分泌症候群としては高カルシウム血症についで頻度が多い．異所性 ADH 産生腫瘍のうち肺癌[3]が全体の約 80％を占め，そのうち約 90％は小細胞癌である．しかしながら，肺癌患者に起こる SIADH のすべてが腫瘍の ADH 産生によるものではなく，腫瘍の迷走神経圧迫による ADH 分泌抑制の解除や増大した腫瘍による静脈還流の不足から左心房容積受容体を刺激するために SIADH をきたすこともある．病態，症状，治療は【⇨ 14-3-4】を参照．

（3）異所性プロラクチン（PRL）産生腫瘍（ectopic PRL-producing tumor）

腎癌，生殖器系腫瘍，卵巣奇形腫，血管周囲類上皮細胞腫[4]などが報告されているが，非常にまれである．

（4）異所性 GHRH 産生腫瘍（ectopic GHRH-producing tumor）

疫学

気管支神経内分泌腫瘍や膵島癌などの APUDoma に先端巨大症を伴うことがあり，実際に GHRH が同定されたのはヒト膵島腫瘍からである．異所性 GHRH 産生のうち気管支や消化管神経内分泌腫瘍が約 70％を占め，ついで膵島癌が多い．無症候性の異所性 GHRH 産生腫瘍もある．

病因・病態

血中 GHRH 持続高値のため，下垂体の GH 分泌細胞が慢性刺激を受け，過形成を呈する．そのため血中 GH と IGF-I は高値となり，先端巨大症を呈する．

臨床症状・検査所見・診断

症状は下垂体 GH 産生腫瘍による先端巨大症と同じである．血中 GH と IGF-I の上昇やグルコース負荷後の血中 GH 非抑制など，負荷試験では鑑別できない．MRI 画像では下垂体に腫瘤陰影が検出されず，血中 GHRH の測定が確定診断に必要である．

治療

腫瘍の摘出術や化学療法を実施する．効果が不十分の場合は下垂体 GH 産生腫瘍と同様にブロモクリプチンやソマトスタチン誘導体の投与も考慮する．

（5）異所性 CRH 産生腫瘍（ectopic CRH-producing tumor）

疫学

前立腺癌，褐色細胞腫，甲状腺髄様癌，縦隔神経内分泌腫瘍などが CRH を産生する．また一部の異所性 ACTH 産生腫瘍も少量の CRH を同時産生する．

病因・病態

CRH の異所性産生量が多い場合には下垂体過形成を生じ，ACTH 分泌を亢進する．

臨床症状・検査所見・診断

症状や検査所見は Cushing 病や異所性 ACTH 産生腫瘍と類似する．高用量デキサメタゾン試験，CRH 試験，メトピロン試験に反応する例がある．腫瘍中の CRH 産生，下錐体静脈洞内の ACTH 高値が証明される．

治療

異所性 ACTH 産生腫瘍の治療と同様である．

(6) 異所性 hCG 産生腫瘍（ectopic hCG-producing tumor）
疫学・病因・病態
トロホブラストや胚細胞は hCG を産生しており，骨肉腫[5]，卵巣癌や精巣腫瘍，肝細胞芽腫，肺大細胞癌，胃癌，腎癌など多くの癌で産生される．

臨床症状・検査所見・診断
hCG の産生が少量であったり，α-サブユニットのみの産生であれば無症状である．大量産生では男児で性早熟，成人男性で女性化乳房を認めるが，女性では無症状である．血中 hCG，血漿 α-サブユニット，血漿テストステロン/エストロゲン比の上昇により診断する．腫瘍での hCG と α-サブユニット産生を証明し，診断を確定する．

治療
腫瘍の摘出術，化学療法および放射線療法．

(7) 異所性ヒト絨毛性ソマトマンモトロピン（hCS）産生腫瘍（ectopic hCS-producing tumor）
疫学・病因・病態
hCS はヒト胎盤性ラクトーゲン（human placental lactogen：hPL）ともよばれ，栄養膜腫瘍以外に肺癌，乳癌，肝癌などで異所産生される．hCG などのほかの胎盤性蛋白を同時産生していることもある．無症状であるが，男性でときに女性化乳房を認める．

(8) 悪性腫瘍随伴高カルシウム血症（malignancy-associated hypercalcemia）
本症は全悪性腫瘍患者の 5〜20％に合併し，最も頻度の高い腫瘍随伴内分泌症候群である．原因腫瘍として肺癌[2]と腎癌が最も多い．病因には，広範な骨転移による骨吸収，局所性骨融解性高カルシウム血症（local osteolytic hypercalcemia：LOH）と腫瘍からのPTHrP 分泌によるものがある．組織型からみると，PTHrP 産生悪性腫瘍の 65％以上を扁平上皮癌が占める．病態，症状，治療は【⇨ 14-5-9】を参照．

(9) 異所性 PTH 産生腫瘍（ectopic PTH-producing tumor）
悪性腫瘍に伴う高カルシウム血症の原因は PTHrP 分泌によるものが大部分を占めるが，まれに肺扁平上皮癌，甲状腺乳頭癌，肝細胞癌などで PTH 産生腫瘍を認める．

(10) 非膵島細胞腫による低血糖症
疫学
インスリノーマ以外の非膵島細胞腫で空腹時低血糖を伴う[6]ことが知られている．原因腫瘍として巨大な線維肉腫，中皮腫，神経線維肉腫などの巨大間葉系腫瘍や肝細胞癌などがある．異所性インスリン産生腫瘍としては，子宮頸部小細胞癌[7]が報告されている．

病因・病態
本症の一部は，低血糖の発症因子として IGF-Ⅱが関連している．巨大腫瘍によるグルコース利用の増加も低血糖発症の一因である．

臨床症状・検査所見・診断
腫瘍に伴う空腹時低血糖症状が主体である．インスリノーマの除外のため，低血糖時に血中インスリン値が抑制されていることを確認する．IGF-Ⅰ，IGF 結合蛋白-3，GH は抑制されている．またインスリン様作用による低カリウム血症を呈することが多い．血中 IGF-Ⅱは正常人で検出される分子量（7.5 kDa）よりも大分子型が検出される（11〜18 kDa）ことが多い．

治療
腫瘍の摘出術や化学療法を施行する．低血糖にはグルコース，グルカゴン，糖質ステロイドなどを投与する．

(11) 腫瘍原性骨軟化症（tumor-induced hypophosphatemic osteomalacia）
概念
血管腫，線維腫，巨大細胞性骨肉腫などの中胚葉性腫瘍に低リン血性骨軟化症が合併する．

病因・病態
本症の発症因子として線維芽細胞成長因子 23（fibroblast growth factor-23：FGF-23）が同定された．詳細は【⇨ 14-5-9】を参照．

臨床症状・検査所見・診断
血清リンと 1,25(OH)$_2$D の低下，血清アルカリホスファターゼ上昇，骨軟化症を呈する．腎臓からのリン再吸収が低下している．

治療
腫瘍の摘出術，化学療法または放射線療法．

(12) 異所性エリスロポエチン（EP）産生腫瘍（ectopic EP-producing tumor）
疫学
EP 産生腫瘍は腎細胞癌が約 50％と最も多く，ついで小脳血管芽腫が約 20％を占める．特に von Hippel-Lindau 病に伴う腫瘍が有名である．

臨床症状・検査所見
赤血球増加症があり，血中 EP は上昇しているが，必ずしも両者は相関しない．

治療
腫瘍に対する治療および赤血球増加症に瀉血を行う．

(13) 異所性カルシトニン産生腫瘍 (ectopic calcitonin-producing tumor)

APUDoma では約 80% の頻度でカルシトニン産生分泌がある．大分子カルシトニンやカルシトニン遺伝子関連ペプチド (CGRP)，ACTH，ADH などを同時産生していることが多いが，無症候性が大半である．

(14) 異所性レニン産生腫瘍 (ectopic renin-producing tumor)

肺小細胞癌，膵癌，副腎皮質癌などが腎外性レニン産生腫瘍として報告されているが，まれである．高血圧を認め，二次性高アルドステロン血症による低カリウム血症を呈する．

(15) 異所性 1,25-ジヒドロキシビタミン D_3 産生腫瘍

悪性リンパ腫では 1α-ヒドロキシラーゼを発現することがあり，1,25-ジヒドロキシビタミン D_3 を産生し，消化管からのカルシウムとリンの吸収が亢進する．

〔中里雅光〕

■文献（e文献 4-11）

Jameson JL, Longo DL: Paraneoplastic syndromes: endocrinologic/hematologic. Harrison's Principles of Internal Medicine, 18th ed, pp826-34, WB Saunders, 2011.

Pelosof LC, Gerber DE: Paraneoplastic syndromes: an approach to diagnosis and treatment. *Mayo Clin Proc.* 2010; 85: 838-54.

14-12 ホルモン受容体異常症
hormone receptor disease

ホルモンは標的細胞の細胞膜受容体または核内受容体に結合し，細胞内情報伝達や転写を調節することにより生理活性を発現するが【⇒14-1】，受容体の異常によりホルモンの作用に異常をきたす疾患群をホルモン受容体異常症とよぶ．ホルモン受容体の不活化変異では機能低下症 (loss-of-function) となり，活性型変異では機能亢進症 (gain-of-function) を呈する．大部分は不活性型変異であるが，ごく少数に活性型変異がみられる．狭義には先天性ホルモン受容体遺伝子の異常に基づくものを指すが，広義には受容体以降の細胞内情報伝達系の諸因子の遺伝子異常も含める (Jameson ら，2010；Melmed ら，2012)．

(1) 細胞膜ホルモン受容体異常症の遺伝子変異
（表 14-12-1）

a. 視床下部ホルモン受容体

成長ホルモン放出ホルモン (growth hormone releasing hormone: GHRH) 受容体異常症はホモ接合体変異により低身長を，ゴナドトロピン放出ホルモン (gonadotropin-releasing hormone: GnRH) 受容体異

表 14-12-1 細胞膜ホルモン受容体異常症の遺伝子変異

膜受容体の種類	膜受容体	不活性型変異	活性型変異
7回膜貫通型	GHRH 受容体	低身長症 (GH 欠損症)	
	GnRH 受容体	低ゴナドトロピン性性腺機能低下症	
	TRH 受容体	先天性中枢性甲状腺機能低下症	
	MC4R	過食を伴った肥満	
	TSH 受容体	先天性甲状腺機能低下症	Plummer 病 先天性甲状腺機能亢進症
	LH 受容体	男性仮性半陰陽 原発性無月経	男性思春期早発症
	FSH 受容体	高ゴナドトロピン性精子形成不全 高ゴナドトロピン性卵巣機能不全	ゴナドトロピン非依存性精子形成
	ACTH 受容体	ACTH 不応症	
	V_2受容体	先天性腎性尿崩症	腎性 SIADH
	PTH/PTHrP 受容体	Blomstrand 型軟骨異型成症	Jansen 型骨幹端軟骨異型成症
	Ca 感知受容体	家族性低カルシウム尿性高カルシウム血症 新生児重症原発性副甲状腺機能亢進症	家族性原発性副甲状腺機能低下症
	β_3-アドレナリン受容体	肥満	
1回膜貫通型	インスリン受容体	leprechaunism Rabson-Mendenhall 症候群 type A インスリン抵抗性糖尿病	
	GH 受容体	Laron 症候群，特発性低身長症	
	レプチン受容体	過食を伴った肥満	

常症は複合ヘテロ接合体変異により低ゴナドトロピン性性腺機能低下症を，甲状腺刺激ホルモン放出ホルモン（thyrotropin-releasing hormone：TRH）受容体異常症は複合ヘテロ接合体変異により先天性中枢性甲状腺機能低下症をきたす．メラノコルチン4型受容体（MC4R）は常染色体優性あるいは劣性遺伝の様式により過食を伴う肥満を発症し，欧米では高度肥満の数%に認められると報告されている[1,2]．

b. 下垂体前葉ホルモン受容体

甲状腺刺激ホルモン（thyroid stimulating hormone：TSH）受容体の不活性型変異はホモあるいは複合型ヘテロ接合体変異によりTSH不応症となり，先天性あるいは成人発症の甲状腺機能低下症の原因となる[3,4]．逆に活性型変異では，体細胞変異によりPlummer病を発症する例が多く報告されており，胚細胞変異であれば先天性甲状腺機能亢進症となる[3]．黄体形成ホルモン（luteinizing hormone：LH）受容体は不活性型変異により男性仮性半陰陽や原発性無月経を，活性型変異では逆に男性思春期早発症をきたす[5]．卵胞刺激ホルモン（follicle stimulating hormone：FSH）受容体の不活性型変異では高ゴナドトロピン性の精子形成不全や卵巣機能不全を起こす[6]．活性型変異は1例のみ報告されており，ゴナドトロピン非依存性に精子形成が可能であった．副腎皮質刺激ホルモン（adrenocorticotropic hormone：ACTH）受容体では不活性型変異が報告されており，新生児期あるいは幼少期よりACTH不応による副腎皮質機能低下症を発症する．

c. 下垂体後葉ホルモン受容体

バソプレシン（アルギニンバソプレシン（arginine vasopressin：AVP）または抗利尿ホルモン（antidiuretic hormone：ADH））受容体のうちV_2受容体遺伝子はX染色体上に局在し，不活性型変異により伴性劣性遺伝形式をとる先天性腎性尿崩症となる[7]．現在までに100家系以上が報告されている．活性型変異も1家系報告されており，血中ナトリウム濃度や血漿浸透圧は低値で抗利尿ホルモン不適合分泌症候群（syndrome of inappropriate secretion of antidiuretic hormone：SIADH）様の症候を呈するが，AVP濃度はきわめて低値であった．

d. 副甲状腺ホルモン（parathyroid hormone：PTH）受容体

PTH/PTH関連蛋白（PTHrP）受容体遺伝子には不活性型と活性型の変異が報告されている．不活性型変異ではホモ接合体変異により軟骨性骨早熟を呈するBlomstrand型軟骨異型成症となる．活性型変異はヘテロ接合体変異により副甲状腺ホルモン非依存性に高カルシウム血症を呈するJansen型骨幹端軟骨異型成症に認められる．また，PTH受容体後の異常に基づく疾患として偽性副甲状腺機能低下症があげられる．PTH受容体からアデニル酸シクラーゼに情報を伝達するGs蛋白活性の低下を認めるIa型，アデニル酸シクラーゼのcatalytic unitの異常が想定されるIc型，これらに異常を認めないIb型に細分されるが，いずれも低カルシウム血症や高リン血症などの副甲状腺機能低下状態を呈する[8]【⇒14-5-8】．

e. Ca感知受容体

Ca感知受容体遺伝子にも不活性型と活性型の2種類の変異が報告されている．不活性型変異は常染色体優性あるいは劣性遺伝により家族性低カルシウム尿性高カルシウム血症および新生児重症原発性副甲状腺機能亢進症を呈する．活性型変異は常染色体優性遺伝により家族性原発性副甲状腺機能低下症となる[9]．

f. βアドレナリン受容体

米国アリゾナ州のピマインディアンにおいて$β_3$-アドレナリン受容体コドン64のトリプトファンからアルギニンへの変異が肥満，熱産生異常，メタボリック症候群と関連すると報告されている[10]．

g. インスリン受容体異常症

leprechaunism, Rabson-Mendenhall症候群, type Aインスリン抵抗性糖尿病に分類される．先に述べた順に幼小児期に発症し，重症である．type Aインスリン抵抗性糖尿病は黒色表皮腫を合併し，インスリンの抵抗性はさまざまである．遺伝子異常の報告の多くは複合型ヘテロ接合体である．

h. 成長ホルモン（growth hormone：GH）受容体異常症

GH不応症のために低身長をきたす[11]．ホモあるいは複合型ヘテロ接合体が多く報告されているが，ヘテロ接合体でドミナントネガティブ作用により低身長となる例も報告されている．

i. レプチン受容体異常症

過食による高度肥満に中枢性性腺機能低下症を伴い常染色体劣性遺伝様式による2家系が報告されている[12]．

(2) 核内受容体異常症の遺伝子変異

a. グルココルチコイド受容体

グルココルチコイド受容体のステロイド結合領域の変異により受容体親和性の低下や受容体数の減少がみられる[13]．ヘテロ接合体変異，ホモ接合体変異ともに報告がある．高コルチゾール血症にもかかわらずCushing症候群の症状を呈さないのが特徴である．コルチゾールの下垂体・視床下部への抑制が不十分でACTH過剰分泌が起こる．そのため過剰に分泌されたコルチゾールにより腎臓のミネラルコルチコイド受容体を介して塩類貯留が引き起こされ，低レニン性高血圧となる．さらに副腎アンドロゲン分泌も亢進する

ため，女性では男性化徴候が，男児では性早熟が認められる．

b. ミネラルコルチコイド受容体

常染色体優性遺伝形式および孤発例の偽性アルドステロン症1型で不活性型変異が報告されている[14,15]．これまで1例のみ複合ヘテロ接合性変異例が報告されているが，ほかはすべてヘテロの異常である．通常は生後7カ月以前に尿中への大量のナトリウム喪失による脱水で発症し，低ナトリウム血症，高カリウム血症，高レニン血症，高アルドステロン血症を呈する．活性型変異は1家系のみ報告されている．若年発症の遺伝性高血圧の家系にてホルモン結合領域（hormone binding domain：HBD）にヘテロ接合体変異（S801L）が同定され，変異受容体は基礎活性が上昇しており，プロゲステロンによる活性化も確認されており，妊娠中に高血圧が悪化する．

c. エストロゲン受容体

常染色体劣性遺伝形式をとる1例のみが報告されている．本来595個のアミノ酸であるERαが点突然変異により156個のアミノ酸で構成され，DNA結合領域を有さない短縮型受容体になったことによる．臨床的特徴としては，高身長，骨端線閉鎖不全，エストラジオールの高値が報告されている．

d. アンドロゲン受容体

アンドロゲン受容体異常症は，アンドロゲン受容体遺伝子の異常により46,XY個体において男性化障害をきたす疾患である[16]．200種類以上の変異が報告されている．アンドロゲン作用不全が存在する時期やその程度により，男性化の障害の程度はさまざまである．

e. 甲状腺ホルモン受容体

甲状腺ホルモン不応症では組織においてT_3の反応性が低下している[17]．下垂体においても反応性の低下がみられるため，血中T_3が高値にもかかわらず，TSHは抑制を受けず甲状腺腫大を伴った不適切TSH分泌症候群の検査所見となる[18]．大部分の甲状腺ホルモン不応症はTRβのヘテロ接合体変異で発症し，常染色体優性遺伝形式を呈する．臨床症状は各組織の不応性の程度と血中甲状腺ホルモン量のバランスで決定されるため，機能低下症状から機能亢進症状までさまざまである．1967年にRefetoffらがはじめて報告した家系では両TRβ遺伝子の欠失によるホモ接合体で常染色体劣性遺伝の様式を呈した[19]．2012年にはBochukovaらが骨成熟遅滞を伴う成長障害，精神発達遅滞，重症便秘症，徐脈を呈するTRα遺伝子異常を報告した[20]．TRα遺伝子異常による甲状腺ホルモン不応症はTRβ遺伝子異常によるものとは表現型が異なり，先天性甲状腺機能低下症の症状をもつことが特徴である[21]．

f. ビタミンD受容体

ビタミンD受容体遺伝子の不活性型変異による常染色体劣性遺伝形式をとるビタミンD依存性くる病II型が知られている[22]．低カルシウム血症，二次性副甲状腺機能亢進症を呈し，腎臓では1α-ヒドロキシラーゼ活性が亢進するが，$1,25(OH)_2D$のビタミンD受容体への結合が障害されている．生後2〜6カ月頃に禿頭となるのが特徴といわれているが症状の程度にはかなり幅がある．

g. ペルオキシソーム増殖因子活性化受容体（peroxisome proliferator-activated receptor：PPAR）

PPARにはα，γ，δの3種が知られているが，このうちPPAR-γは脂肪の分化を調節する核内受容体であることから，脂質代謝やインスリン感受性に対するPPAR-γ変異の影響が検討されている．コドン12のプロリンがアラニンに変異しているPPAR-γ（P12A）はDNA結合能や転写活性能が低下しており，脂肪細胞の分化が抑制されるためインスリン抵抗性が軽度で糖尿病に罹患しにくい．その他P115Qは高度肥満，V290M，P467Lは高度のインスリン抵抗性との関連が報告されている[23]．〔杉山　徹・小川佳宏〕

■文献（e文献 14-12）

Jameson JL, De Groot LJ: Endocrinology, 6th ed, Saunders, 2010.
Melmed S, Polonsky KS, et al: Williams Textbook of Endocrinology, 12th ed, Saunders, 2012.

14-13 心臓血管ホルモンと疾患

1）ナトリウム利尿ペプチド系

(1) 発見の経緯

ナトリウム利尿ペプチド研究は，心房組織の電子顕微鏡解析にその端を発している．

1958年，Kirshらは電子顕微鏡解析から心房組織には内分泌細胞に特徴的に認められる顆粒に類似した心房特殊顆粒（atrial specific granule）を発見した（図14-13-1）．しかし，この顆粒の意義，さらにはこの顆粒にどのような物質が貯留されているのか当時はまったく不明であった．1979年になり，カナダのdeBoldは，水バランスの変化によりこの顆粒の数が増減することを，さらに心房組織の抽出物を別のラットに静脈内投与すると，急速な利尿，ナトリウム利尿，そして血圧の低下が惹起されることを発見した[1]．この発見が契機となり，松尾，寒川が1984年世界で最初に完全なアミノ酸配列を同定し心房性ナトリウム利尿ペプチド（ANP）と命名した[2]（eコラム1）．

(2) ナトリウム利尿ペプチド系の生化学と作用

ナトリウム利尿ペプチド系（NP系）にはANPのほか，同じく松尾，寒川らによりブタ脳より脳性ナトリウム利尿ペプチド（BNP）とC型ナトリウム利尿ペプチド（CNP）が発見され，NP系には3種類のリガンドが存在している（eコラム2）．ANPとBNPの受容体は1回膜貫通型の膜型guanylyl cyclase-A（GC-A）であり，CNPの受容体は膜型guanylyl cyclase-B（GC-B）である．これらのGC-AとGC-Bのほかに3つのリガンドが結合するクリアランス受容体の3種類が存在する（図14-13-2）（eコラム3）．

ANPは主として心房で，BNPは主として心室で産生される心臓ホルモンであり，CNPは中枢神経系や血管内皮細胞，単球において産生される．ANPとBNPは心臓以外の発現量は心臓と比べるときわめて少量であり，血液中を循環しているANPやBNPはほぼ100％心臓由来である．ANP，BNPの産生は心房あるいは心室への負荷に比例して上昇し血中ANP，BNP濃度は上昇する（eコラム4）．現在ではBNPは心室への負荷を示す心不全の診断薬として世界で広く応用されている（e図14-13-A）．

ANP，BNPはGC-A受容体に，CNPはGC-B受容体に結合し細胞内サイクリックGMPを上昇させ，サイクリックGMP依存性プロテインキナーゼを活性化して作用を発現する．ANP，BNPは血管平滑筋弛緩作用，血管内皮細胞に働き血管透過性の亢進作用，腎輸入細動脈を拡張することにより腎血流量を増加させるとともに，尿細管に働いてナトリウム再吸収を抑制する．また，副腎に働きアルドステロン分泌を抑制する．ANPやBNPには，利尿，ナトリウム利尿，血圧降下作用が観察される．また，ANP，BNPには血管平滑筋や線維芽細胞の増殖抑制作用，心筋細胞の肥大抑制作用が認められている．これらすべての作用はアンジオテンシンIIの作用と機能的に拮抗している（eコラム5）．

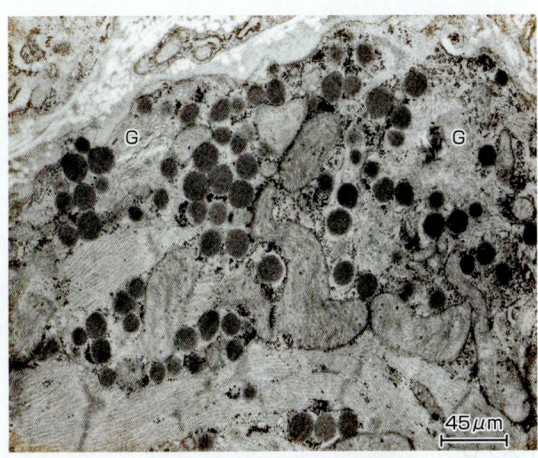

図14-13-1 心房組織の電子顕微鏡写真像（Jamieson JD, Palade GE, et al: Specific granules in a trial muscle cells. *J Cell Biol*. 1964;23:151-72）
心房組織には心臓特殊顆粒が存在し，これは内分泌細胞に存在する顆粒と類似している．

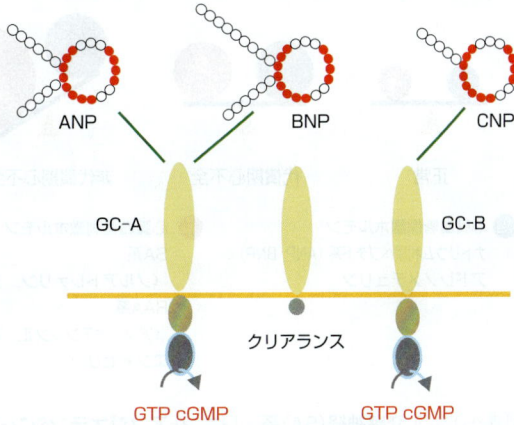

図14-13-2 ナトリウム利尿ペプチド系
ANP，BNPは心臓ホルモンであり，GC-A受容体の特異的リガンドである．CNPは脳，血管壁，単球などで産生されGC-B受容体の特異的リガンドである．GC-A，GC-B以外にクリアランス受容体が存在する．

これらの古典的な作用に加えて，GC-Aは脂肪組織や多核白血球にも存在しており，脂肪組織では脂肪分解作用も有する．血管内皮へ働いて腫瘍細胞の血行性転移を抑制する作用も報告され注目されている．

2) レニン-アンジオテンシン-アルドステロン(RAA)系

RAA系には全身のRAA系と局所のRAA系が存在する．RAA系研究は1898年Tigerstedtのレニンの発見に端を発している．全身RAA系は肝臓で産生されたアンジオテンシノゲンが腎臓のJG細胞より分泌されるレニンで切断され，アミノ酸10残基よりなるアンジオテンシンIが生成され，さらに肺で産生されるアンジオテンシン変換酵素によりC端のアミノ酸2残基が切断され活性型のアンジオテンシンIIが生成される．また，副腎皮質の球状層に働いてアルドステロン産生・分泌を促進する．アンジオテンシノゲンは心臓や血管局所でも産生されており，局所でアンジオテンシンIIが産生される．局所のアンジオテンシン産生経路ではレニンやアンジオテンシン変換酵素に依存する経路と，キマーゼやカテプシンなどの蛋白分解酵素に依存する経路が存在する．

アンジオテンシンIIには2種類の受容体(AT_1とAT_2)があるが，これらは両者ともG蛋白共役型7回膜貫通型受容体で，アンジオテンシンIIの古典的な作用はAT_1を介して発現している．アンジオテンシンIIはAT_1に結合して，血管平滑筋収縮作用，心筋肥大作用，線維化作用，近位尿細管でのナトリウム再吸収作用を惹起する．AT_2は胎児期や心筋梗塞などの病的状態で発現が増加するが，その働きは一般的にAT_1と拮抗的に働いているという実験結果が多い【⇨7-2】．

eコラム6も参照．

3) 心臓ホルモンと心肥大・心不全

正常では，NP系とRAA系や交感神経系は機能的に拮抗しており，正常ではバランスがとれている．しかし，高血圧，体液量の増加，虚血，あるいは弁膜症などに起因する心臓への負荷あるいは機能異常が加わると，これらの神経体液性因子は活性化する．これらの活性化機序は生体のもつ代償機序である．たとえば，心機能が低下すると，まずRAA系や交感神経系が活性化し心拍出量を増加させ重要臓器への血流を維持するとともに，RAA系や交感神経系の活性状態の持続により結果として心肥大が生じるために，収縮力が低下しても心室の1回拍出量が維持される．しかし，心室リモデリングには線維化を伴い，心臓の収縮能とともに拡張能も低下する．この拡張能が低下した状態が前面に現れたのが，最近注目されている，駆出率の保たれた心不全である．

心不全が進行すると，RAA系と交感神経系はさらに活性化し，心不全の悪循環に陥る非代償期心不全に進行し不幸な転帰をとる．NP系も心不全の初期から活性化し，RAA系や交感神経系に機能的に拮抗し，RAA系と交感神経系の過度の活性化状態を抑制して，急激なバランスの破綻を防いでいる．しかし，心不全の進行に伴いRAA系と交感神経系の活性化が過度になるためにNP系の働きを凌駕し，非代償性心不全に陥る．したがって，心肥大や心不全，特に心不全は，心臓におけるNP系とRAA系や交感神経系のバランスの破綻ととらえることができる（図14-13-3）．

eコラム7も参照． 〔斎藤能彦〕

■文献(e文献14-13)

Nakao K, Ogawa Y, et al: Molecular biology and biochemistry of the natriuretic peptide system. I: Natriuretic peptides. J Hypertens. 1992;**10**: 907-12.

中尾一和編集主幹：心臓と腎臓の内分泌代謝．最新内分泌代謝学，p265，診断と治療社，2013．

Saito Y:Roles of atrial natriuretic peptide and its therapeutic use. J Cardiol. 2010;**56**:262-70.

正常　　　　代償期心不全　　　非代償期心不全

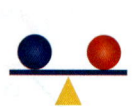心臓血管保護ホルモン
ナトリウム利尿ペプチド系 (ANP, BNP)
アドレノメデュリン

心臓血管刺激ホルモン
SA系
（ノルアドレナリン，アドレナリン）
RAA系
（アンジオテンシンII，アルドステロン）
エンドセリン

図14-13-3 交感神経(SA)系，レニン-アンジオテンシン-アルドステロン(RAA)系とナトリウム利尿ペプチド系の関係
正常では，SA系，RAA系とナトリウム利尿ペプチド系のバランスがとれている．代償期心不全ではSA系やRAA系は活性化しているがナトリム利尿ペプチド系もそれに呼応して活性化し，バランスが維持されている．しかし，心不全が進行するとSA系とRAA系が過度に活性化しバランスが破綻する．

14-14 脂肪由来ホルモンと疾患

脂肪組織に由来する生理活性物質を総称して，アディポサイトカイン（adipocytokine）あるいはアディポカイン（adipokine）とよぶ．アディポサイトカインは，生体の栄養状態に応じて産生・分泌され，脂肪組織局所のみならず遠隔臓器に作用して，多彩な生理作用を発揮する．

(1) 内分泌臓器としての脂肪組織

従来，脂肪組織は，余剰エネルギーを中性脂肪として貯蔵する単なるエネルギー貯蔵臓器と考えられていたが，近年，アディポサイトカインあるいはアディポカインと総称される生理活性物質を活発に産生・分泌する生体内で最大の内分泌臓器として多彩な生命現象に関与することが明らかになってきた（Matsuzawaら, 1999）（図14-14-1）．大部分のアディポサイトカインはペプチド・蛋白ホルモンであるが，最近では，遊離脂肪酸もアディポサイトカインととらえられている（脂質アディポサイトカイン）．血中に存在する遊離脂肪酸の多くは，脂肪細胞に蓄えられた中性脂肪が分解されて生成する．遊離脂肪酸は，血中を介して遠隔臓器に作用し，エネルギー供給源となるのみならず，細胞表面や核内の受容体を介して細胞内にシグナルを伝えている．

(2) アディポサイトカインの生理的意義

レプチン（leptin）は，1994年に遺伝性肥満 *ob/ob* マウスの原因遺伝子として単離同定されたペプチドホルモンであり，視床下部に直接作用して，強力な摂食抑制とエネルギー消費亢進をもたらす（Friedmanら, 1998）．きわめてまれであるが，遺伝的にレプチンあるいはレプチン受容体を欠損する家系が存在し，著しい肥満を発症することが報告されている．エネルギー代謝調節以外にも，レプチンは，神経内分泌系，心血管系，免疫系などに多彩な生理作用を発揮し，生体の栄養状態を感知する栄養センサーとして生体の恒常性維持に働くと想定される．一方，脂肪組織を先天的ないし後天的に欠損すると，著しい糖脂質代謝異常が認められ（脂肪萎縮性糖尿病），アディポサイトカインの生理的意義が示唆される．レプチンの少量補充療法は脂肪萎縮性糖尿病を劇的に改善することが報告されており，最近，治療薬として世界に先駆けて薬事承認された．

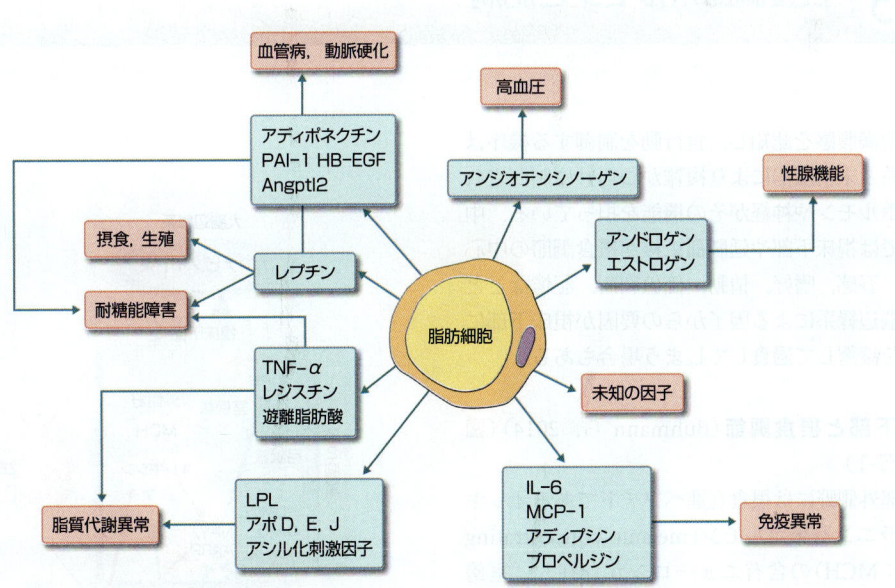

図 14-14-1 アディポサイトカインの多彩な生理作用
脂肪組織に由来する生理活性物質（アディポサイトカイン）は，血中を介して遠隔臓器に作用し，多彩な生理作用を発揮する．
PAI-1：プラスミノゲン活性化因子阻害因子（plasminogen activatoi inhibitor)-1，HB-EGF：ヘパリン結合性 EGF 様増殖因子（heparin-binding epidermal growth factor-like growth factor），Angptl2：angiopoietin-related protein 2，TNF-α：腫瘍壊死因子（tumor necrosis factor)-α，IL-6：インターロイキン（interleukin)-6，MCP-1：単球走化性蛋白質（monocyte chemoattractant protein)-1，LPL：リポプロテインリパーゼ（lipoprotein lipase）．

(3) アディポサイトカインの病態生理的意義

肥満者では，体脂肪量に比例して血中レプチン濃度が上昇し，体脂肪量のすぐれた生化学的指標として注目されている．一方，肥満者では，血中レプチン濃度の上昇にもかかわらず肥満が持続するため，レプチンの作用障害(レプチン抵抗性)を有するものと推定されている．実際，肥満に対するレプチン治療の反応性は必ずしも期待どおりのものではなく，抗肥満薬としての臨床応用にはレプチン抵抗性の分子機構の鮮明が必須である．

アディポネクチン(adiponectin)は，インスリン感受性作用，抗炎症作用を有するアディポサイトカインであり，内臓脂肪量の増加に伴って血中濃度が減少する．最近，アディポネクチン受容体が報告され，細胞内シグナル伝達経路が明らかになるとともに，肥満に伴うアディポネクチン作用不全が提唱されている．臨床的にも，アディポネクチンの血中濃度や遺伝子多型が心血管イベントや糖尿病の発症に相関することが報告されている．

(4) アディポサイトカインの産生調節機構

上述のように，肥満に伴って，アディポサイトカインの産生調節に破綻(はたん)が生じ，肥満を中心として発症するメタボリックシンドロームや心血管病の病態生理に重要な役割を果たすと想定される．この分子機構として，脂肪組織の低酸素状態や酸化ストレス，小胞体ストレスの関与が報告され，精力的に研究が行われている．また，肥満の脂肪組織では，マクロファージを代表とする免疫担当細胞の浸潤や血管新生，細胞マトリックスの過剰産生などダイナミックな組織学的変化が認められ(脂肪組織リモデリング)，アディポサイトカインの産生調節における脂肪細胞と間質細胞の相互作用の意義が注目されている(Suganami ら，2010)．

〔小川佳宏・菅波孝祥〕

■文献

Friedman JM, Halaas JL: Leptin and the regulation of body weight in mammals, *Nature*. 1998; **395**: 763-70.

Matsuzawa Y, Funahashi T, et al: Molecular mechanism of metabolic syndrome X: contribution of adipocytokines, adipocytederived bioactive substances. *Ann NY Acad Sci*. 1999; **892**: 146-54.

Suganami T, Ogawa Y: Adipose tissue macrophages: their role in adipose tissue remodeling. *J Leukoc Biol*. 2010; **88**: 33-9.

14-15 摂食調節ホルモンと肥満

(1) 概念

空腹感や満腹感を認知し，食行動を制御する機序は中枢神経系と末梢臓器により複雑かつ巧妙に制御されており，ホルモンや神経がその機能を担っている．中枢神経系では視床下部や延髄孤束核が摂食調節の中心であるが，五感，嗜好，情動，価値判断，記憶などといった大脳辺縁系による因子からの要因が視床下部による調節を凌駕して過食してしまう場合もある．

(2) 視床下部と摂食調節 (Buhmann ら，2014) (図14-15-1)

視床下部外側野には摂食亢進ペプチドであるオレキシンやメラニン凝集ホルモン(melanin concentrating hormone : MCH)の含有ニューロンが存在し，室傍核には摂食抑制ペプチドであるコルチコトロピン放出ホルモン(corticotropin releasing hormone : CRH)含有ニューロンが存在する．弓状核には摂食亢進物質であるニューロペプチドY(neuropeptide Y : NPY)とアグーチ関連蛋白(agouti-related protein : AgRP)を含有するNPY/AgRPニューロン，および摂食抑制物質であるプロオピオメラノコルチン(pro-opiomela-

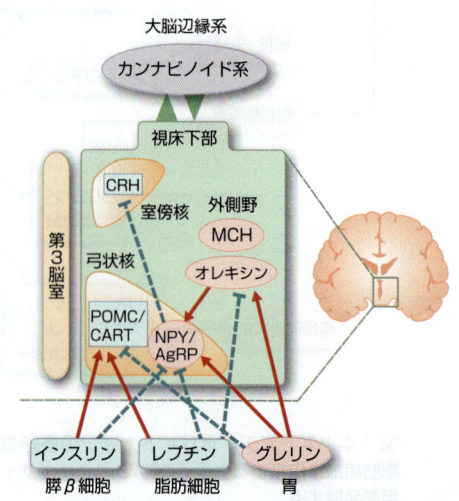

図14-15-1 視床下部を中心とした摂食調節機構
四角で囲んだ物質は摂食抑制，楕円で囲んだ物質は摂食亢進に作用することを示す．実線は促進的，点線は抑制的に作用することを示す．ここで示した以外の相互作用も報告されているが，代表的なものだけを記す．略語については本文中を参照．

nocortin：POMC）とコカイン・アンフェタミン調節転写産物（cocain-and amphetamine-regulated transcript：CART）を含有する POMC/CART ニューロンが存在する．POMC からは α-メラニン細胞刺激ホルモン（melanocyte stimulating hormone：α-MSH）が生成され，MSH はメラノコルチン 4 受容体を介して摂食抑制に作用する．NPY/AgRP ニューロンと POMC/CART ニューロンにはレプチン受容体が発現しており，摂食抑制ホルモンであるレプチンから前者は抑制性に，後者は促進性に制御されている．一方，摂食亢進ペプチドであるグレリンによりレプチンとは逆に制御されている．弓状核からは室傍核の CRH ニューロンや，視床下部外側野の MCH ニューロンなどに神経投射を認める．室傍核には視床下部外側野や弓状核からの神経入力がある一方，室傍核からは摂食抑制に作用するヒスタミンニューロンなどに神経投射を認める．その他にも表 14-15-1 に示す多数の物質が摂食調節に関与している．また，概日リズムを司る視交差上核や，体温調節中枢である視索前野と外側野との間にも神経回路網が存在し，概日リズムや体温も摂食調節に影響を与えている．

前述の摂食調節物質のなかで，POMC やメラノコルチン 4 受容体の遺伝子変異に伴い肥満を呈することがヒトで報告されている．また，頭蓋咽頭腫，外傷，炎症などにより視床下部が障害を受けるとさまざまな程度の肥満を呈することがある．

表 14-15-1 摂食調節物質

	食欲抑制物質		食欲亢進物質	
	名前	おもな発現部位	名前	おもな発現部位
中枢神経系	POMC	弓状核	NPY	弓状核，室傍核など
	α-MSH	弓状核	AgRP	弓状核
	CART	弓状核	オレキシン	視床下部外側野
	CRH	室傍核	MCH	視床下部外側野
	ウロコルチン	中脳，視索上核	ガラニン	弓状核，室傍核
	ウロコルチンⅡ	弓状核，室傍核	ノルアドレナリン（α2）	青斑核，孤束核
	ウロコルチンⅢ	腹内側核，室傍核	エンドカンナビノイド	大脳基底核，辺縁系
	NPB	中脳，海馬		
	NPW	室傍核，視索上核		
	ニューロメジン U	弓状核		
	PrRP	腹内側核，孤束核		
	セロトニン	縫線核		
	ヒスタミン	結節乳頭核		
	ノルアドレナリン（α1, β）	青斑核，孤束核		
	ネスファチン-1	室傍核，視索上核		
末梢組織	レプチン	脂肪細胞	グレリン	胃
	コレシストキニン	上部小腸		
	PYY	下部腸管		
	GLP-1	下部腸管		
	オキシントモデュリン	下部腸管		
	インスリン	膵β細胞		

NPB：neuropeptide B，NPW：neuropeptide W，PrRP：prolactin related protein，GLP-1：glucagon like peptide-1.

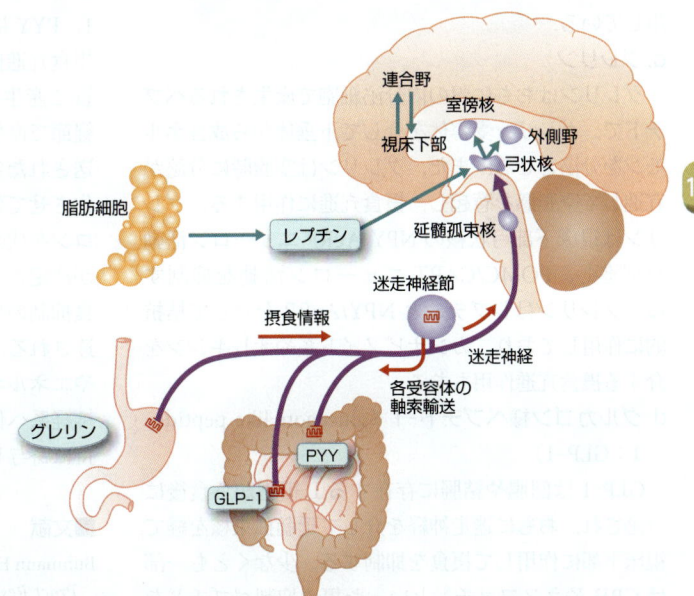

図 14-15-2 中枢と末梢を結ぶ摂食情報のネットワーク
レプチンは血流を介して，グレリン，GLP-1，PYY はおもに迷走神経を介して中枢神経系へ摂食情報が伝達される．視床下部では末梢組織および連合野などの上位中枢からの情報が統合されて摂食行動が決定される．

（3）カンナビノイド系（図 14-15-1）

大麻使用者では多幸感や幻覚とともに，過食，特にチョコレートやビスケットなど高嗜好性食品の摂食量が増加する．大麻の主成分である $Δ^9$-tetrahydrocannabinol の受容体であるカンナビノイド受容体は，大脳皮質や海馬などの脳内に多く発現しており，快楽・報酬系への作用とともに，特に高嗜好性食品の摂食調節に関与している．カンナビノイド受容体拮抗薬は食欲抑制作用を示し，抗肥満薬として欧州で一時臨床応用されていたが，うつなどの副作用のために現在は使用が中止されている．

(4) 末梢臓器からの摂食調節ホルモンと摂食調節
（Field, 2014）（図 14-15-1，14-15-2）

末梢臓器からは種々の摂食調節ホルモンが産生・分泌されているが，胃から分泌されるグレリンのみが摂食亢進に作用し，十二指腸以降の消化管やその他の臓器から分泌される物質はすべて摂食抑制に作用する．以下に代表的な摂食調節物質の作用と作用機序を記す．

a. レプチン
レプチンはおもに脂肪細胞から分泌される蛋白質であり，視床下部の NPY や AgRP の産生や放出を抑制し，POMC や CART の発現を促進することで摂食を抑制する．また，自律神経系や内分泌系を介してエネルギー代謝亢進にも作用する．レプチンやレプチン受容体遺伝子に変異を伴う高度肥満が報告されている．詳細は【⇨ 14-14】．

b. インスリン
インスリン受容体は骨格筋や肝臓などの末梢組織だけでなく脳内にも存在する．中枢神経系におけるインスリンシグナルは，視床下部弓状核の NPY/AgRP の発現減少，POMC の発現増加を介して摂食抑制に作用している．

c. グレリン
グレリンはおもに胃の内分泌細胞で産生されるペプチドで，グレリン受容体を介して下垂体から成長ホルモンを分泌させる．また，グレリンは空腹時に分泌が亢進して空腹感を惹起し，摂食亢進に作用する．グレリンは視床下部弓状核の NPY/AgRP ニューロン活動を促進し，POMC/CART ニューロン活動を抑制する．グレリンはレプチンと NPY/AgRP を介して拮抗的に作用しており，カンナビノイド系やオレキシンを介する摂食亢進作用もある．

d. グルカゴン様ペプチド-1（glucagon-like peptide-1：GLP-1）
GLP-1 は回腸や結腸に存在する L 細胞から食後に分泌され，おもに迷走神経を介して延髄孤束核を経て視床下部に作用して摂食を抑制する．少なくとも一部は CRH やネスファチンといった摂食抑制ペプチドを含有する神経細胞を活性化することで摂食抑制に作用する．GLP-1 は血糖依存的なインスリン分泌促進作用やグルカゴン分泌抑制作用，胃内容物排出遅延作用なども有しており，すでに 2 型糖尿病の治療薬として GLP-1 受容体作動薬や血中 GLP-1 濃度を高める薬剤が臨床応用されている（糖尿病の治療薬のページを参照【⇨ 15-2-2-3】）．また，GLP-1 受容体作動薬は食欲抑制作用を有し抗肥満薬としても海外では使用されている．

e. ペプチド YY（peptide YY：PYY）
PYY は GLP-1 と同じく下部腸管の L 細胞で産生される摂食抑制作用をもつペプチドであり，両者とも食後に分泌が増加する．PYY は視床下部弓状核の POMC ニューロン活性化と NPY ニューロン抑制を介して摂食抑制に作用する．

(5) 末梢と中枢をつなぐネットワーク（Catoira ら，2014）（図 14-15-2）

迷走神経は消化管からの種々の情報を，脳幹を経て間脳や新皮質に伝達する脳神経である．迷走神経は，内臓感覚神経である求心線維，および運動神経である遠心線維からなっているが，横隔膜下迷走神経の 90％近くは求心線維で構成されている．これらの神経終末は，消化管粘膜および粘膜下に分布し，消化管に食物が到達した際の物理・化学的刺激や一部の消化管ホルモンによる情報を中枢に伝達している．GLP-1，PYY による摂食抑制作用，およびグレリンによる摂食亢進作用は迷走神経を切断すると消失する．消化管で産生された GLP-1，PYY，グレリンは，迷走神経節で産生されて迷走神経末端（消化管側）まで軸索輸送された各受容体と結合し，迷走神経の電気活動を変化させて延髄孤束核に情報を伝達する．そこでニューロンを代えて視床下部へと情報が伝達され，摂食行動が決定される．一方，レプチンやインスリンによる摂食抑制の情報は，血液脳関門を通過して視床下部に伝達される．また，脂肪組織や肝臓でのエネルギー代謝やエネルギー貯蔵状態の情報も迷走神経を介して中枢神経系へ伝達され，全身のエネルギー代謝の恒常性維持に寄与している．

〔中里雅光〕

■文献

Buhmann H, le Roux CW, et al: The gut-brain axis in obesity. *Best Pract Res Clin Gastroenterol*. 2014; **28**: 559-71.
Catoira NP, Viale L, et al: New centrally acting agents for appetite control: from biological mechanisms to clinical efficacy. *Curr Med Res Opin*. 2014; **30**: 961-9.
Field BC: Neuroendocrinology of obesity. *Br Med Bull*. 2014; **109**: 73-82.

14-16 インクレチンとエネルギー代謝

(1) インクレチン (incertin)

インクレチンは消化管由来のインスリン分泌促進因子の総称である．上部小腸などに存在するK細胞からはGIP (gastric inhibitory polypeptide またはglucose-dependent insulinotropic polypeptide)，下部小腸などに発現するL細胞からはGLP-1 (glucagon-like peptide-1) が産生・食事に伴い分泌される．いずれも，膵β細胞に発現する受容体(GIP受容体，GLP-1受容体)を刺激してインスリン分泌を促進する．インクレチンの膵作用によってインスリンが増加すると，インスリンの同化作用により脂肪細胞への中性脂肪蓄積などが生じ，エネルギー代謝は蓄積に傾く．一方，インクレチンの受容体は膵外組織にも発現しており，GLP-1受容体とGIP受容体の組織発現様式は異なる．これらの組織への作用(インクレチンの膵外作用)によって，GLP-1とGIPはエネルギー代謝に異なる役割をもっている(図14-16-1)[1]．

a. GLP-1とエネルギー代謝

GLP-1受容体は中枢神経系や胃にも発現している．これらを高濃度のGLP-1で刺激すると，食欲[2]や胃運動[3]の抑制が生じる．その結果，摂取エネルギー量は低下し，エネルギー代謝は負に傾く．

b. GIPとエネルギー代謝

GIP受容体は脂肪細胞に発現し，*in vitro*でGIP刺激は脂肪細胞へのグルコースなどの取り込みを促進する．したがって，GIP受容体を欠損したマウスでは肥満が抑制される(Miyawakiら，2002)[4]．すなわち，GIPシグナルがないと，栄養素は脂肪細胞に取り込まれることなく，肝や筋などでエネルギーとして消費される．逆に，増強されたGIPシグナルは脂肪細胞への栄養素の蓄積を促進し，消費エネルギー量を低下させるため，エネルギー代謝は正に傾く．

(2) インクレチン関連薬

インクレチン関連薬によって，GLP-1ならびにGIPシグナルへの効果が異なる(表14-16-1)．GLP-1受容体作動薬はGLP-1に類似したアミノ酸配列を有するペプチドで，高濃度でGLP-1受容体のみを刺激することができる．DPP-4 (dipeptidyl-peptidase-4) 阻害薬は，GLP-1ならびにGIPの分解を抑制する小分子で，生理的な濃度に近い濃度でGLP-1ならびにGIP受容体を刺激する．さらに，αグルコシダーゼ阻害薬は炭水化物吸収の場を上部小腸から中～下部小腸に移動させることで，GIP分泌を抑制するがGLP-1分泌を促進する(Naritaら，2009)[6]．GLP-1とGIPのエネルギー代謝に及ぼす影響がまったく逆であるため，GLP-1とGIPシグナルの比によって，体重への効果が規定される．

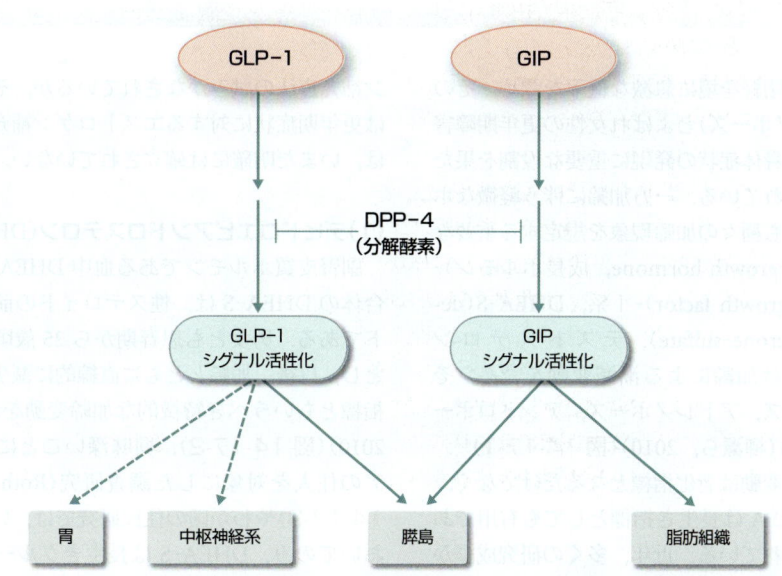

図14-16-1 **インクレチンの膵作用・膵外作用**
GLP-1やGIPは膵島に作用してインスリン分泌を促進する(膵作用)一方，GLP-1は中枢神経系や胃，GIPは脂肪細胞に作用して，エネルギー代謝を調節する．実線は生理的なレベルで発揮する作用，点線は高濃度なレベルでのみ発揮する作用を表す．

表 14-16-1　インクレチン薬と膵外作用

	GLP-1 摂取エネルギー抑制	GIP 消費エネルギー蓄積	体重
GLP-1 受容体作動薬	++	±	↓
DPP-4 阻害薬	±	+	→
αグルコシダーゼ阻害薬	+	−	↓

a. GLP-1 受容体作動薬

スルホニル尿素(SU)薬と GLP-1 受容体作動薬はいずれも膵β細胞からのインスリン分泌を促進する．これらの薬剤の日本人 2 型糖尿病への効果を比較した臨床試験の成績をみると(Seino ら，2010)，GLP-1 受容体作動薬投与群で血糖値や HbA1c 値が SU 薬投与群より改善しただけではない．体重が SU 薬投与群では 0.99 kg 増加していたのに対して，GLP-1 受容体作動薬投与群では 0.92 kg 低下し，その差は顕著である．SU 薬の中枢神経系への作用は食欲促進であり，エネルギー蓄積を促進する．このような SU 薬と GLP-1 受容体作動薬の膵外作用の違いによって，体重への効果に違いが出現しているものと想定されている．

b. DPP-4 阻害薬

DPP-4 阻害薬は，GLP-1 のみならず GIP のシグナルも活性化するが，DPP-4 阻害薬によって得られる GLP-1 シグナル増強は食欲抑制などを発揮するには不十分である．したがって，食事療法が遵守されていると DPP-4 阻害薬投与で体重には大きな影響がないが，食事・運動療法が遵守されないと体重が増加する可能性がある[5,6]．

c. αグルコシダーゼ阻害薬

αグルコシダーゼ阻害薬投与で GIP シグナルが減弱し，GLP-1 シグナルが増加するため，αグルコシダーゼ阻害薬を投与された 2 型糖尿病では体重が減少する[7]．

〔山田祐一郎〕

■文献(e文献 14-16)

Miyawaki K, Yamada Y, et al: Inhibition of gastric inhibitory polypeptide signaling prevents obesity. *Nat Med*. 2002; **8**: 738-42.

Narita T, Katsuura Y, et al: Miglitol induces prolonged and enhanced glucagon-like peptide-1 and reduced gastric inhibitory polypeptide responses after ingestion of a mixed meal in Japanese Type 2 diabetic patients. *Diabet Med*. 2009; **26**: 187-8.

Seino Y, Rasmussen MF, et al: Efficacy and safety of the once-daily human GLP-1 analogue, liraglutide, vs glibenclamide monotherapy in Japanese patients with type 2 diabetes. *Curr Med Res Opin*. 2010; **26**, 1013-22.

14-17　加齢とホルモン/ホルモン補充療法

エストロゲンは閉経を境に急激な低下を認め，その低下は更年期(メノポーズ)とよばれ女性の更年期障害や以後の老年期の身体症状の発現に重要な役割を果たすことはよく知られている．一方加齢に伴う軽微なホルモンの漸減低下も種々の加齢現象を規定する重要な要因である．GH(growth hormone, 成長ホルモン)-IGF(insulin-like growth factor)-I 系，DHEA-S(dehydroepiandro-sterone-sulfate)，テストステロン(testosterone：T)は加齢による漸減変動を認め，それぞれソマトポーズ，アドレノポーズ，アンドロポーズとよばれている(柳瀬ら，2010)(図 14-17-1)[1]．これらのホルモン変動は老化指標となるだけでなく，近年では T や DHEA は長生き指標としても有用である可能性が示唆されている．近年，多くの研究成績から加齢に伴うこれらのホルモンの減少は，老化に伴う内臓脂肪増加，糖尿病発症リスクの増大，心血管病の増加，骨密度の低下などに関与する可能性が示唆されている(柳瀬ら，2010)．その制御手段としてホルモン補充療法の試みがなされているが，その臨床的効果は更年期症状に対するエストロゲン補充効果を除いては，いまだ明確には確立されていない．

(1)デヒドロエピアンドロステロン(DHEA)

副腎皮質ホルモンである血中 DHEA とその硫酸抱合体の DHEA-S は，性ステロイドの前駆体ステロイドである．男女とも思春期から 25 歳頃までをピークとし，以後，加齢とともに直線的に減少という，老化指標ともいうべき特徴的な加齢変動を示す(柳瀬，2010)(図 14-17-2)．興味深いことに米国ボルチモアの住人を対象にした調査研究(Roth ら，2012)(図 14-17-3)やわが国の住民研究では，いずれも男性においてのみ，DHEA-S は長生きグループで明らかに高いという結果が得られ，DHEA は少なくとも男性では長生き指標でもあることが示唆されている[2]．DHEA には，肥満，糖尿病，発癌，動脈硬化，骨粗鬆症，自己免疫疾患などに対して，これらを改善す

る生体にとってさまざまな有益作用がおもに動物実験レベルで報告されている（柳瀬ら，2010）[1]．DHEAは経口投与が可能であり健康食品としての入手は可能であるが，医薬品ではないためヒトにおける臨床効果の検証はいまだ十分ではない．外国では老年者へのDHEA補充投与により健康感の改善（柳瀬ら，2010）[1]や皮膚への効果（皮脂増加，表皮萎縮改善，色素沈着改善など）[3]などが報告されている．いくつかの臨床研究を総合すると，高齢者へのDHEA補充は，体脂肪などの体構成は変化させないが，女性の骨密度は増加させることが再現性をもって報告されている（柳瀬ら，2010）[1,3]．DHEAは閉経後女性においては骨組織などの末梢組織でアロマターゼ活性によりエストロゲンへと変化し，女性の骨量維持に貢献している可能性がある[4]．

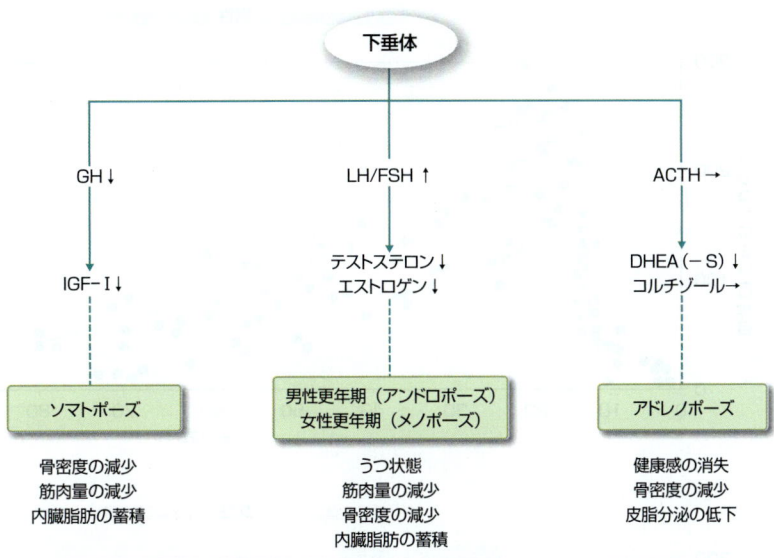

図14-17-1 更年期・老年期における主要な内分泌変動

(2) 成長ホルモン (GH)

下垂体前葉ホルモンであるGHは肝臓のIGF-Iの産生，分泌を促し，その作用を介して作用が発現する．GH，IGF-Iの分泌量は思春期に最高となり，その後は加齢とともに低下する（柳瀬ら，2010）．成人GH欠損症患者では易疲労感，スタミナ低下，集中力低下，気力低下，認知力低下，うつ状態，性欲低下などを認めると同時に，骨密度の減少，筋肉量の減少，内臓脂肪の蓄積などを認める．これらの症状は加齢で認められる症状に類似することから，加齢に伴うGH-IGF-Iの生理的低下でも同様のことが起こると想定されている（柳瀬ら，2010）[1]．内臓脂肪の蓄積はインスリン抵抗性の観点から成人病の発症基盤として近年，重要視されている．またGHには筋肉の蛋白合成を促進し，筋線維を肥厚させる作用があり，加齢に伴う筋力や運動能力の低下の一部はGH分泌不全で説明できる可能性がある．また，健常成人では骨塩量とIGF-I値には正相関が認められ，GH-IGF-I値の低下は老年期における骨量の減少にも関与している．事実，成人GH分泌不全症患者にGH補充療法を行うと体脂肪の減少，筋肉や骨量，体液量の増加がみられ，さらに脂質代謝改善効果を通じて心血管障害による死亡リスクも減じる（柳瀬ら，2010）[1]．

健常高齢者におけるGHの低下を若年者レベルまで回復させるGH補充療法の試みは，除脂肪体重 (lean body mass：LBM) の増加，体脂肪の減少，椎体骨骨密度の増加などの有益な効果が報告された[5,6]．しかしながらその後の追試研究では，体構成変化には再現性が認められたものの，筋力増強を伴う明確な日常機能の向上を認めず，むしろGH補充により末梢性浮腫，関節痛などの副作用も比較的高頻度に出現した．2009年，国際組織であるGrowth Hormone Research Society (GRS) は，健康寿命の達成を目的とするアンチエイジング医療としてのGH補充治療は現時点では推奨しないとの見解を発表しており[7]，わが国でも医療保険上，その目的での適応は認められていない．

(3) テストステロン (T)

男性の性腺ホルモンである血中T値は加齢に伴い漸減するが，わが国では遊離T値の低下が確認されている（岩本ら，2004）（図14-17-4）．加齢男性性腺機能低下症候群 (late-onset hypogonadism：LOH) は血中Tの低下によりもたらされる症候群である．その症状は，性欲，勃起能の低下，認知力，見当識の低下，疲労感，抑うつ，睡眠障害，内臓脂肪型肥満，骨量減少など多岐にわたる[8]．実際，LOH患者では全例ではないにしてもT投与により精神症状も含めた諸症状の回復を認める．最近，高齢男性の血中T濃度の低下はほかの種々の危険因子とは独立してその後の20年間の死亡率の増加に関連するとの成績や，生理的濃度の範囲内では血中T濃度が高いほど，動脈硬化や肥満，糖尿病といった生活習慣病の発症や進展に抑制的（防御的）に働くとの成績が数多く報告されている（柳瀬ら，2010）[1]．男性の内臓脂肪蓄積や動脈硬化の指標である頸動脈内膜中膜肥厚の程度は血中T

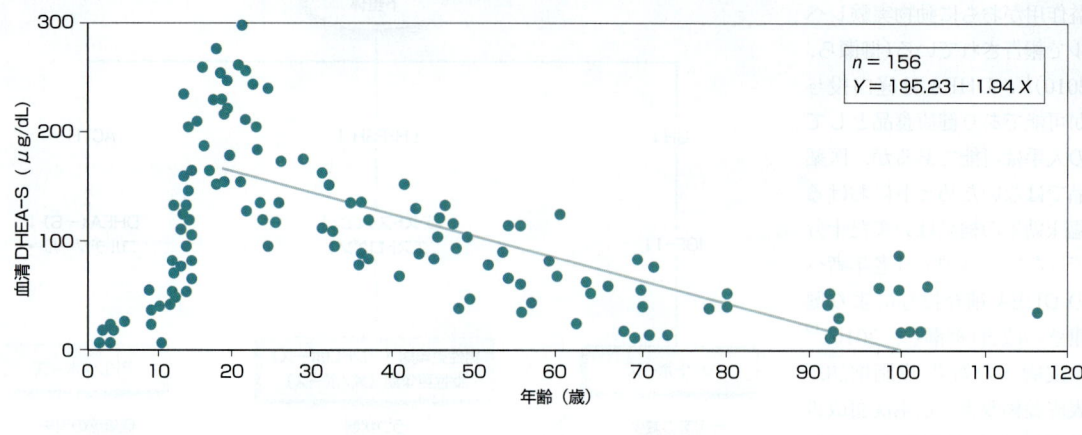

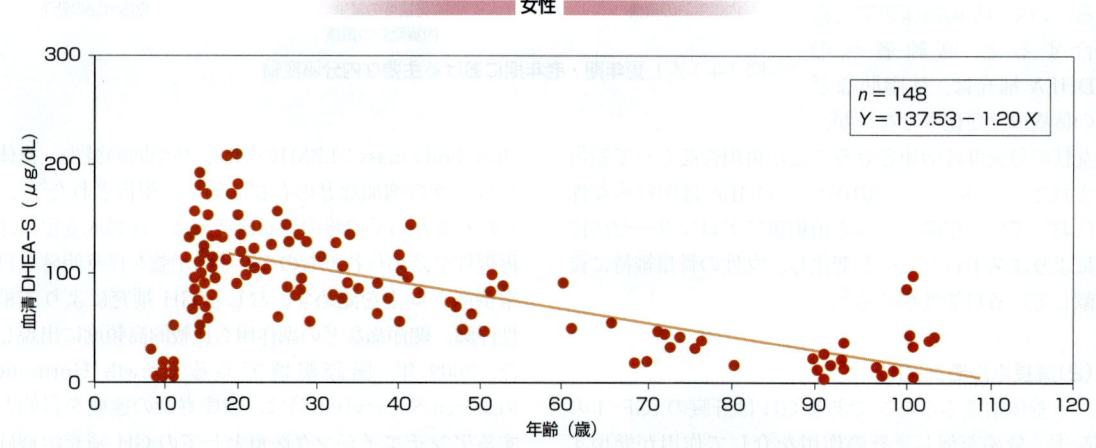

図 14-17-2 加齢に伴う血清 DHEA-S 濃度の変化（自験成績：柳瀬ら，2010）

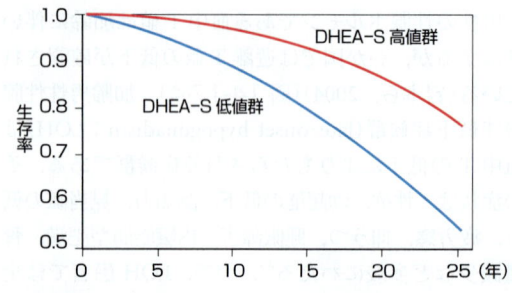

図 14-17-3 相対的高 DHEA-S 血症はヒト男性における長生き指標マーカー（Roth ら，2002 より改変）

値と逆相関する．若年健康成人の内因性血中 T 値を GnRH アナログの投与によって低下させた場合には，体脂肪率の増加と安静時エネルギー消費量の低下が認められることから，T の低下が体脂肪増加をもたらすと考えられる[9]．このことは，前立腺癌患者における抗アンドロゲン薬治療により体脂肪の増加，インスリン抵抗性，糖尿病を高率に発症してくることからもわかる．また骨量に関しても 60 歳以上の男性では総 T 値の低下により骨粗鬆症の有病率が増加する．一方，男性における骨量維持における血中エストロゲン濃度の重要性は，アロマターゼ欠損症の男性患者の解析などからよく知られており[10]，T は，骨への直接効果に加えて，末梢組織でのエストロゲンへの転換を介して骨量維持に作用する．なお，T 補充は，効果的な経口剤の開発が進んでいない現状から，デポー製剤の筋注が主体となっている．中高年男性への T 補充により肥満，インスリン抵抗性，糖代謝，動脈硬化リスクマーカーなどの改善を認めたとする報告や腰椎骨密度の増加も報告されているが，いまだ少人数の研究成績に限られており，今後の課題である（柳瀬ら，2010）．

（4）エストロゲン（estrogen）

卵巣性のエストロゲン，特にエストラジオール

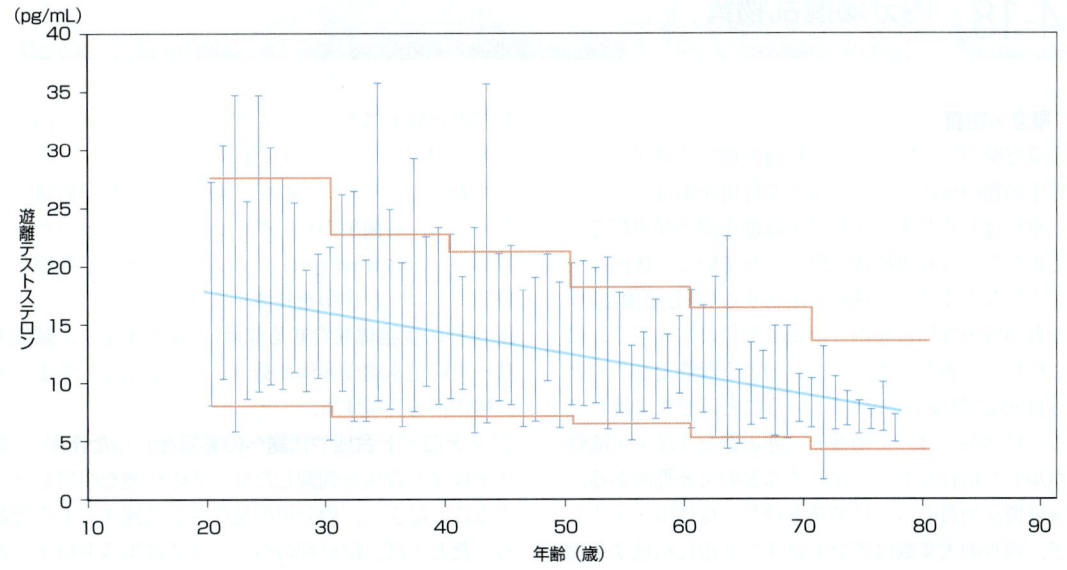

図14-17-4 遊離テストステロン基準値(岩本ら，2004)
遊離テストステロンは，20〜77歳の全例を10歳ごとの年齢群に分け，各年齢群別の平均±2SDを基準値とした．高年齢群になるに従って，なめらかな低下傾向を示した．

(E_2)の分泌が閉経を境に急激に低下することはよく知られた事実であり，その閉経前後の約10年間を更年期とよぶ．更年期障害は，閉経前後のホルモン変動によりもたらされ，無症状の場合もあるが，典型的にはほてり，のぼせといった血管拡張症状，気分変動，うつ，不安，焦燥感，不眠といった精神症状，また膣萎縮による性交痛，腹圧性尿失禁などの諸症状を呈する．長期的な意味では，エストロゲン欠乏は骨粗鬆症，脂質異常症(特に高LDLコレステロール血症)，冠動脈疾患の増加をきたす[11]．複数の観察研究においてエストロゲン補充療法単独またはプロゲスチンとの併用療法を行った閉経後女性は，更年期症状の改善とともに，無治療閉経後女性に比べて冠動脈疾患のリスクが低いとされてきた．しかしながら，冠動脈疾患を有する閉経後女性における冠動脈硬化の進行または心血管疾患のリスクに対する有用性を無作為比較対照試験で検討したHeart and Estrogen/progestin Replacement Study(HERS)およびWomen's Health Initiative(WHI)の成績が公表された結果，いずれの試験でも予想に反してホルモン補充療法群の女性で急性冠疾患のリスクが早期に上昇し，しかも副作用としての静脈血栓症や乳癌などの増加が報告された[12]．

一方，エストロゲン補充療法の好ましい効果として結腸癌や骨折の減少が確認された[12]．上記WHIの結果は，エストロゲン補充療法の有効性に対する懐疑的論争をよんだが，解析対象者が比較的，高齢であった問題点や併用プロゲスチン製剤の弊害の可能性が指摘されていた．その後のWHIの年齢別の再解析結果を受けて，ホルモン補充療法が50歳未満，あるいは閉経後年齢が10年未満であれば，心血管疾患を予防する傾向が示され，乳癌リスクに関しても60歳未満の施行であれば大きなリスクはないとするガイドラインが示された[13]．

子宮内膜癌や乳癌のリスクを増加させることなく，閉経後骨粗鬆症に対する骨折予防効果を発揮する選択的エストロゲン受容体モジュレーター(selective estrogen receptor modulator：SERM)も開発されたが，更年期症状に対する症状改善効果はエストロゲン製剤に比べて，明らかに弱いことが判明している[14]．現在，更年期以降のホルモン補充療法に関して，更年期症状の緩和効果は確立されており，年齢を考慮した期間限定あるいは少量のエストロゲン製剤の投薬法や天然型プロゲスチン製剤の選択，長期的な意味でのSERMの活用など，リスクベネフィットを考慮した適切な施行方法が模索されている現況である．〔柳瀬敏彦〕

■文献(e文献14-17)

岩本晃明，柳瀬敏彦，他：日本人成人男子の総テストステロン，遊離テストステロンの基準値の設定．日本泌尿器科学会雑誌．2004; 95: 751-60.

Roth GS, Lane MA, et al: Biomarkers of caloric restriction may predict longevity in humans. Science. 2002; 297: 811.

柳瀬敏彦，村瀬邦崇：アンチエイジングとしてのホルモン補充療法―GH, DHEA, テストステロン．臨床と研究．2010; 87: 515-20.

14-18 内分泌攪乱物質
endocrine disrupting chemical

(1) 概念・定義

産業廃棄物などによる化学物質の環境汚染が，ヒトや野生動物の体内の正常ホルモン作用を攪乱して，生殖異常をはじめとするさまざまな健康障害が世代をこえてもたらされる可能性が懸念されている．体内に入り，正常なホルモンの活動を阻害する（内分泌攪乱）作用をもつ外因性物質を内分泌攪乱物質と定義する．環境に存在してあたかもホルモンのような作用をもつという意味で"環境ホルモン"ということばでもよばれている．具体的には，生殖機能に悪影響を及ぼす可能性やホルモン依存癌を引き起こすなどの可能性がある．内分泌攪乱物質の多くはエストロゲン様作用を示すもので，残りの大多数はアンドロゲン作用に拮抗する物質である．広義には必ずしも体内ホルモンへの影響は明確でなくても生殖系以外に免疫機能，発癌，神経系など種々の身体異常をきたす可能性のある環境化学物質も含めて呼称されている．一般に脂溶性であるため，体内に蓄積しやすく分解されにくいため半減期が長い．ちなみにダイオキシン類のなかで最も毒性の強いテトラクロロジベンゾジオキシン（tetrachlorodibenzodioxin：TCDD）とよばれる物質の半減期は7〜9年である．また，食物連鎖により濃縮され，最高位に位置するヒトでは摂取濃度が高くなる特徴がある（柳瀬ら，2010）．

(2) 種類

大きく以下の3種類に分類される．

1) **自然界に存在する物質**：植物エストロゲンが代表であり，エストロゲン様作用と抗エストロゲン作用の二面性がいわれている．その代表がイソフラボンなどのフラボノイドであり，実際にエストロゲン受容体（estrogen receptor：ER）との結合能が示されている[1]．1940年代にオーストラリアにおいて，多くの妊娠したヒツジや仔ウシの死産や異常分娩が認められたが，牧草のクローバーに含まれている食物エストロゲンが原因と推定されている[2]．

2) **医薬品**：合成エストロゲン製剤のジエチルスチルベストロール（diethylstilbestrol：DES）が代表である（後述）[3]．

3) **環境汚染物質**：狭義にはこのグループがいわゆる内分泌攪乱物質に相当する．環境省はダイオキシン類に代表される65の化学物質を疑い物質としてその候補にあげている（柳瀬，2010）．

(3) 作用様式

1) **性ホルモン受容体との直接作用によるもの**：DESなどの合成エストロゲン製剤や，エストロゲン活性を有し，ERに作用するDDT（殺虫剤），フタル酸エステル類（プラスチックの可塑剤）などがこの範疇に入る．一方，殺菌剤のビンクロゾリンはアンドロゲン受容体（androgen receptor：AR）拮抗薬として作用し，抗アンドロゲン作用を発揮する[4]．

2) **ほかの受容体を介する作用**：ダイオキシン類はアリール炭化水素受容体に結合して，結果としてホルモン様作用を発現する．

3) **ステロイド合成や代謝への影響を介した作用**：性ステロイド合成を刺激したり，その代謝を阻害したりすることにより，内分泌攪乱作用を発揮するものである．たとえば，除草剤のベノミルにはエストロゲン合成酵素（アロマターゼ）活性促進作用を認める[5]．

(4) リスク評価とスクリーニング系

生態系への実際の影響や *in vitro* での作用，動物実験における毒性評価などを総合的に判断してリスクが評価される．化学物質の作用は，生体内分布，半減期，体内代謝などによって左右される．用量-反応関係において，ビスフェノールAは従来の毒性試験で影響がないと考えられていたきわめて低用量でも作用するとの報告がなされたが[6]，追試研究では必ずしも肯定されていない．一方，内分泌攪乱物質の確立されたスクリーニング系やリスク検定法はないのが現状であるが，たとえばエストロゲン作用は乳癌細胞（MCF-7）の増殖能，ERへの結合や転写活性への影響，アロマターゼ活性の阻害，亢進の有無，メダカのメス化（ビテロケニンの産生）などを指標に評価が行われている．最終的に動物への投与により毒性，奇形，発癌，生殖器への作用（子宮重量や精子数）によって評価される．

(5) 生態系での内分泌攪乱物質の事例

船体塗料などに使用されているトリブチルスズなどの有機スズ化合物はイボニシなどの海産巻貝のメスにペニスや輸精管を生じさせる（インポセックス）[7]．この機序として有機スズによるアロマターゼ活性の抑制が報告されている[8]．またフロリダのアポプカ湖ワニのペニスの異常は，殺虫剤の p,p'-ジクロロジフェニルトリクロロエタン（p,p'-dichlorodiphenyltrichloroethane：p,p'-DDT）の分解物質であり男性ホルモンの働きを阻害する p,p'-ジクロロジフェニルジクロロエチレン（p,p'-DDE）の汚染によることが明らかになっている．DDTは難分解性で疎水性が高いため環境中での残留性が高く，汚染された河川や土壌を介して魚

類や鳥類に蓄積し，食物連鎖の末にヒトの口に入ることになる．また，除草剤として使用されているアトラジン，シマジンはアロマターゼ活性の刺激に伴うオス両生類のメス化が野生のカエルの減少に関連していると推定されている[9]．

ヒトへの影響は不明な点が多い現状であるが，唯一，DES症候群はヒトへの影響を明確に示した事例といえる．DESは強力なエストロゲン作用をもつ合成エストロゲン製剤であり，1940年から約30年の間，北米，南米，欧州で約500万人の妊婦に対して切迫早流産治療目的で使用されていたが，その子どもたちが性的に成熟した時期に生殖器の発育異常や癌，男児の停留精巣，精子数減少などが数多く報告された[4]．DESの新生児期の一過性投与でエストロゲンの標的遺伝子プロモーターのメチル化状態が変化し，持続的な遺伝子発現が誘導されたものと考えられている．またベトナム戦争最盛期，米国軍が上空から散布した枯葉剤中のダイオキシンが退役軍人たちにおけるその後の癌の多発や生まれた子どもの奇形などの多発との因果関係が示唆されている[10]．その他，内分泌攪乱物質の何らかのヒトへの影響が疑われている事象に，精子数の減少（減少そのものに議論がある），精巣癌，乳癌，子宮内膜症の罹患率増加などがあるが，明確な証明はない．

〔柳瀬敏彦〕

■文献(e)文献14-18)

柳瀬敏彦：内分泌攪乱物質．治療．2010; 92: 2663-6.

14-19 乳腺疾患

1）乳癌
carcinoma of the breast

定義・概念
乳腺は汗腺組織の1つであり，新生児に乳汁を通じて栄養や免疫力を与えることを目的とする機能臓器である．この乳腺組織に発生した悪性腫瘍を乳がん（breast cancer）という．"乳がん"は肉腫などを含むすべての乳腺悪性腫瘍を示す．"乳癌"は狭義には上皮性悪性腫瘍（癌腫，carcinoma）のみを指す．

分類
乳腺に発生する腫瘍は上皮性腫瘍，非上皮性腫瘍，それらの混合腫瘍に分類される（表14-19-1）．乳癌は上皮性悪性腫瘍であり，非浸潤癌と浸潤癌に大別される．非浸潤癌は非浸潤性乳管癌と非浸潤性小葉癌に分けられる．浸潤癌は通常型の浸潤性乳管癌と特殊型に分類される．通常型浸潤性乳管癌は浸潤癌の約90％を占め，わが国では浸潤様式，分化度によってさらに乳頭腺管癌，充実腺管癌，硬癌に細分類される．浸潤癌の約5％が小葉癌である．乳房Paget病は乳頭・乳輪部の表皮内進展を特徴とする乳癌の一亜型である．

原因・病因
乳癌の罹患リスクには，早い初潮，遅い閉経，少ない出産・授乳経験，閉経後の肥満，閉経後のホルモン補充療法など，女性ホルモンの増加や曝露期間延長に関連するものと，乳癌の家族歴・既往歴，BRCA1/2遺伝子の異常など遺伝性関連のものがある．また，放射線被曝，増殖性乳腺疾患の既往，生下時体重が重い，アルコール，喫煙歴などいくつかの因子があげられる．

疫学
欧米では罹患率，死亡率ともに減少傾向であるが，わが国では罹患率において30年間で5倍に増加し，死亡率も増加傾向である．女性の癌において，罹患率1位（2011年），死亡率5位である（2013年）．他臓器癌と比較し，若年で発症することが特徴で，罹患の好発年齢は40歳代後半，死亡年齢は60歳代前半が最も多い．男性にも乳癌は発生し，罹患の男女比率はおおよそ1：100といわれている．

臨床症状
乳房のしこりを主訴に受診することが最も多く，その他に乳房の痛み，乳頭からの異常分泌やびらんなどの症状が受診の契機となる．乳房の痛みと乳癌の存在は必ずしも関連しない．進行した乳癌では，腫瘍上の皮膚の陥没，浮腫，発赤，潰瘍形成などがみられることがある．腋窩のリンパ節腫脹のみや，乳房に腫瘤は触知しないが画像検査でのみ病変が指摘できる場合もある．

診断
視触診，マンモグラフィ検査（図14-19-1），乳房超音波検査（図14-19-2A），乳房MRI検査（図14-19-3）などで乳房内病変の存在診断を行う．確定診断には病理学的検査が必要であり，穿刺吸引細胞診，分泌物細胞診，針生検，吸引式乳房組織生検などを実施する．マンモグラフィのみで同定できる微細石灰化病変の場合も，マンモグラフィガイド下で生検を実施することで確定診断が可能である．遠隔転移検索とし

表 14-19-1 **乳腺腫瘍の組織学的分類**

I. 上皮性腫瘍	A. 良性腫瘍	1. 乳管内乳頭腫 2. 乳管腺腫 3. 乳頭部腺腫	4. 腺腫 5. 腺筋上皮腫	
	B. 悪性腺腫（癌腫）	1. 非浸潤癌	a. 非浸潤性乳管癌 b. 非浸潤性小葉癌	
		2. 浸潤癌	a. 浸潤性乳管癌	a1. 乳頭腺管癌 a2. 充実腺管癌 a3. 硬癌
			b. 特殊型	b1. 粘液癌　　　b8. 骨・軟骨化生を伴う癌 b2. 髄様癌　　　b9. 管状癌 b3. 浸潤性小葉癌　b10. 分泌癌（若年性癌） b4. 腺様嚢胞癌　 b11. 浸潤性微小乳頭癌 b5. 扁平上皮癌　 b12. 基質産生癌 b6. 紡錘細胞癌　 b13. その他 b7. アポクリン癌
		3. Paget 病		
II. 結合織性および 　上皮性混合腫瘍	A. 線維腺腫 B. 葉状腫瘍 C. 癌肉腫			
III. 非上皮性腫瘍	A. 間質肉腫 B. 軟部腫瘍	C. リンパ腫および造血器腫瘍 D. その他		
IV. 分類不能腫瘍				
V. 乳腺症				
VI. 腫瘍様病変	A. 乳管拡張症 B. 炎症性偽腫瘍 C. 過誤腫 D. 乳腺線維症	E. 女性化乳房症 F. 副乳 G. その他		

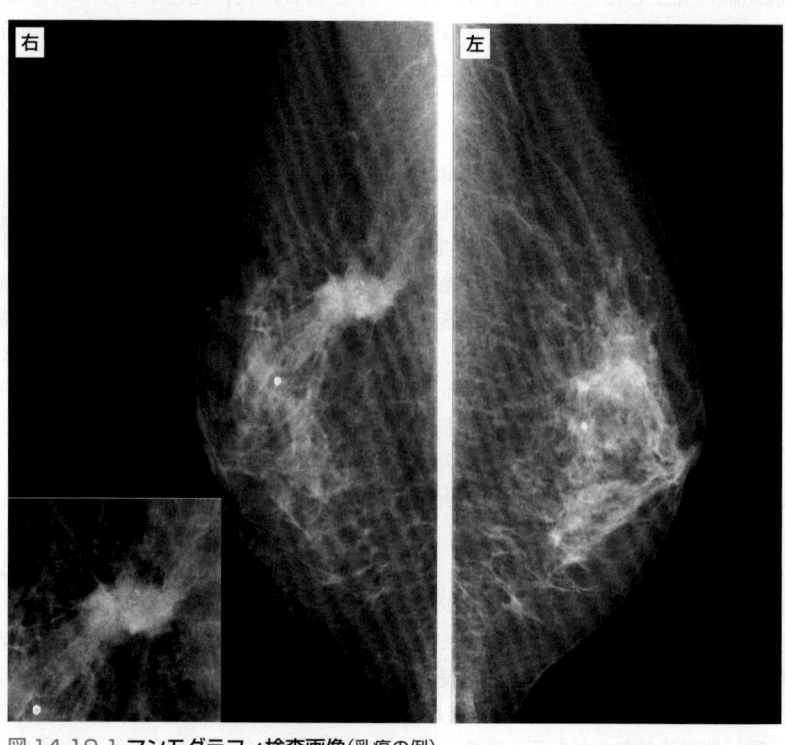

図 14-19-1 **マンモグラフィ検査画像**（乳癌の例）
スピキュラ，微細石灰化を伴う辺縁不整な腫瘤性陰影が右乳房に認められる．

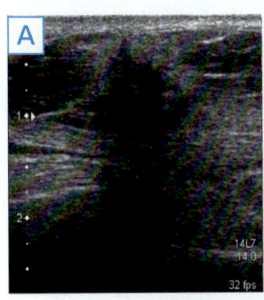 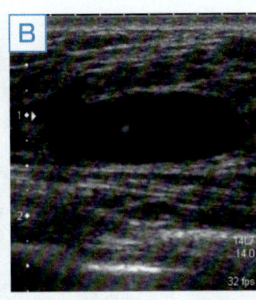 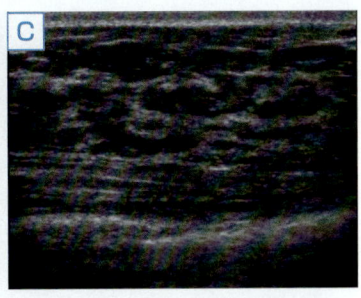

図 14-19-2 典型的な乳房超音波検査画像
A：乳癌．組織型によって典型像は異なるが，本例は内部低エコーで不整形な腫瘤像を認める．境界は不明瞭で境界部に高エコー像を伴っている．後方エコーの減弱を認める．硬癌を疑う所見．
B：線維腺腫．縦横比の小さい，全周性に境界明瞭な腫瘤像を認める．本例のように内部に粗大高エコー（石灰化）を伴うこともある．
C：乳腺症．超音波検査像では囊胞，濃縮囊胞などを伴った多彩な所見を認めることが多い．本例では小斑状の低エコー像がびまん性に散在する豹紋状陰影が認められる．

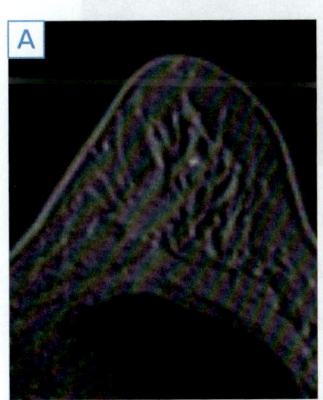 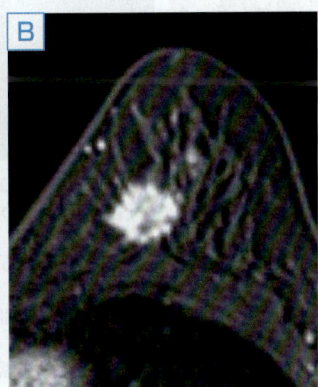 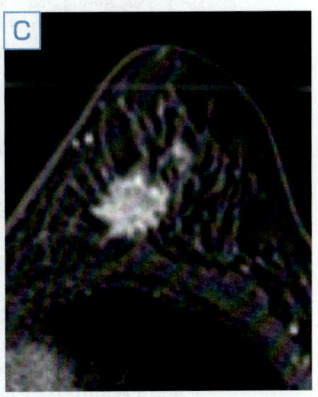

図 14-19-3 乳房 MRI 検査画像（乳癌の例）
不整形，スピキュラを伴う腫瘤で，造影所見として rim enhancement（環状・リング状増強）がみられ，造影パターンは rapid/washout．

て，CT 検査や骨シンチグラフィ検査，FDG-PET などが実施される．乳癌で増加する血液中腫瘍マーカーには，CEA，CA15-3 などがある．これらは遠隔転移を伴うような進行癌以外で診断時に増加することはまれである．

分子生物学的な診断として，乳癌組織のエストロゲン受容体（ER），プロゲステロン受容体（PgR）の発現の有無により，ホルモン受容体陽性・陰性乳癌に分類する．また，ヒト上皮増殖因子受容体 2 型（human epidermal growth factor receptor type 2：HER2）の有無により HER2 陽性・陰性乳癌に分類する（図 14-19-4）．

鑑別診断

表 14-19-1 にある乳腺の腫瘍性病変が鑑別診断となる．乳管内乳頭腫，線維腺腫，正常乳管の局所的な増殖性変化である乳腺症などが主たる鑑別診断の対象となる．このほか，腫瘤の増大傾向の強い病変として葉状腫瘍（良性，悪性），肉腫（悪性）も念頭におく．

治療・予防

手術療法，放射線療法，薬物療法などを組み合わせて治療を行う．手術療法は乳房と腋窩の手術からなり，原発巣の大きさや広がりから乳房部分切除術，もしくは乳房切除術を行う．腋窩に対しては，リンパ節への転移状況からセンチネルリンパ節生検，腋窩郭清術などを実施する．乳房部分切除術では残存乳房に対し，高度リンパ節転移例では胸壁，領域リンパ節に対する放射線治療を行う．

全身薬物療法は，腫瘍の縮小と再発を予防する目的で手術療法の前もしくは後に実施される術前・術後薬物療法と，進行した転移・再発乳癌の病勢コントロールを目的とした緩和的薬物療法の 2 つがある．使用される薬剤としては，化学療法薬（アンスラサイクリン，タキサン系，経口 5-フルオロウラシル系抗癌薬など），ホルモン療法薬，分子標的治療薬がある．ER と PgR もしくは一方が陽性のホルモン受容体陽性乳癌には抗エストロゲン薬のタモキシフェンやアロマターゼ阻害薬のアナストロゾール，レトロゾール，エキ

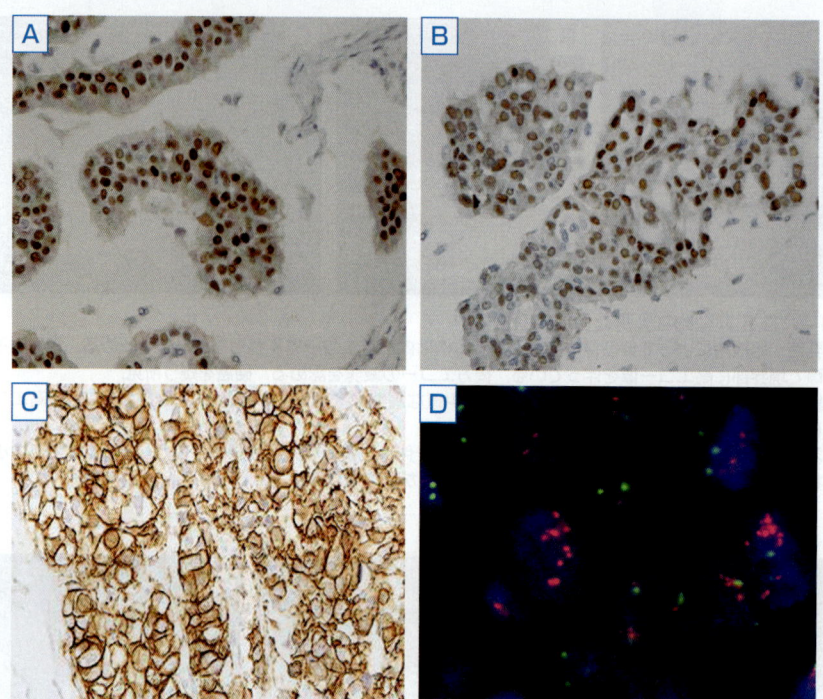

図 14-19-4 乳癌組織におけるエストロゲン受容体(ER), プロゲステロン受容体(PgR), ヒト上皮増殖因子受容体2型(human epidermal growth factor receptor type 2：HER2)の評価

A, B：ER と PgR の免疫組織学的染色検査画像. 核内受容体であるため, 細胞の核に褐色の染色所見がみられる.

C：HER2 の免疫組織学的染色検査画像. 膜受容体であるため, 細胞表面の膜に褐色の染色所見がみられる.

D：HER2 の FISH(fluorescence in situ hybridization)法検査画像. 17 番染色体セントロメアを示す緑色のシグナルに対して, HER2 のピンク色シグナルが何倍に増えているかを計算して HER2 遺伝子過剰発現の有無を評価する.

セメスタンなどのホルモン療法薬の効果が期待できる. これらのホルモン療法薬は治療効果のみではなく, 今後新たに発生する乳癌の出現を予防する効果ももつ. HER2 陽性乳癌にはトラスツズマブ, ペルツズマブ, トラスツズマブ エムタンシン, ラパチニブなどの抗 HER2 療法薬が分子標的療法として選択される. 細胞内シグナル伝達系因子の1つである mTOR (mammalian target of rapamycin)の阻害薬エベロリムス, 腫瘍血管新生阻害薬ベバシズマブなどは転移・再発乳癌の治療薬として使用される.

遠隔転移巣(骨, 軟部組織, 肺, 肝, 脳など)に対しては薬物療法が中心だが, 病状により放射線治療も行う.

予後

全国がん会加盟施設における診療連携拠点病院院内がん登録 2007 年生存率報告書では女性乳がんの 5 年相対生存率は, Ⅰ期 99.7％, Ⅱ期 94.7％, Ⅲ期 77.9％, Ⅳ期 37.5％で全体では 92.2％であった.

2) 線維腺腫
fibroadenoma

定義・概念

乳房内に発生する間質成分と上皮性成分の増殖によって構成される混合腫瘍である.

分類

管内型, 管周囲型, 類臓器型, 乳腺症型の 4 つに分類される. 若い女性に発生するもののなかには 10 cm をこえる大きな腫瘤を形成するものもあり, 巨大線維腺腫(giant fibroadenoma)もしくは若年性線維腺腫(juvenile fibroadenoma)といわれる.

原因・病因

女性ホルモンが関連するとされるが, 原因は不明である. 経口避妊薬, 妊娠など女性ホルモン関連の刺激で増大する傾向がある.

疫学

15～35 歳の女性に多く認められる.

臨床症状

孤立性または多発性に乳腺内に発生する境界明瞭で

可動性良好な腫瘍性病変として認められる．通常は2～3 cm の大きさになるとその増殖は止まり，大部分はその後に自然退縮する．線維腺腫のなかに癌が発生することはまれである．

診断
視触診，マンモグラフィ検査，乳房超音波検査（図14-19-2B）などで存在診断とおおよその質的診断がされる．穿刺吸引細胞診での診断を基本とするが，年齢，腫瘍の大きさ，増大傾向によっては，針生検，摘出生検などの組織学的検査を実施する．

鑑別診断
乳腺に発生する腫瘍性病変（表14-19-1）が鑑別診断となるが，特に乳癌，葉状腫瘍との鑑別が必要である．葉状腫瘍は線維腺腫に比較し，やや高年齢層（35～55歳）に多く，急速に増大する．悪性葉状腫瘍は血行性遠隔転移を起こす．

治療
自然退縮が期待できることから，40歳未満で3 cm以下であれば，まず治療の必要はなく経過観察を行う．3 cm をこえる場合は，葉状腫瘍の可能性やその他の悪性腫瘍の可能性を否定するために，針生検や摘出生検などを実施する．葉状腫瘍を疑う場合は，摘出生検が勧められる．

予後
良性腫瘍であり良好である．

3）乳腺症
mastopathy, fibrocystic disease, fibrocystic change

定義・概念
乳房の腫瘤，硬結，疼痛または乳頭分泌などを主訴とする良性疾患で，組織学的には乳腺上皮の多彩な増殖性変化と退行性変化とが混在する．

分類
組織学的には非増殖型と増殖型に分けられる．前者では線維化（fibrosis），囊胞（cyst），乳管上皮のアポクリン化生（apocrine metaplasia），小葉萎縮，閉塞性腺症（blunt duct adenosis），小葉過形成（lobular hyperplasia），線維腺腫様過形成（fibroadenomatous hyperplasia）が認められ，後者ではさらに乳管上皮過形成（ductal hyperplasia），硬化性腺症（sclerosing adenosis），放射状瘢痕（radial scar），末梢性乳頭腫（peripheral papilloma），乳腺症型線維腺腫がさまざまな組み合わせで併存している．

原因・病因
エストロゲンとプロゲステロン，これら2つの女性ホルモンの不均衡が原因とされており，特にエストロゲンが相対的に過剰な状態が要因と考えられている．

疫学
一般的な好発年齢は35～50歳前後（閉経期）とされる．

臨床症状
境界不明瞭な腫瘤ないし硬結として触知し，しばしば両側の乳房にみられる．性周期と関連した乳房痛や乳頭からの分泌物を主訴とする場合もある．

診断
視触診，マンモグラフィ検査，乳房超音波検査などから悪性所見がないと判断された乳房腫瘤，硬結，疼痛などを乳腺症と診断することが多い．疾患というよりも症候群と考えられている．乳房超音波検査では，両側，びまん性に豹紋状陰影（図14-19-2C）を呈することが多い．乳癌との鑑別が必要な場合は，針生検，吸引式乳房組織生検，摘出生検などの適応となる．

鑑別診断
乳腺にみられる腫瘍性病変が鑑別診断の対象だが，特に乳癌との鑑別が重要である．硬化性腺症を含む乳腺症では，乳癌のなかでも硬癌と似た腫瘤像を呈することがある．

治療
乳腺症の主症状の多くは自然に軽快するため，経過観察が基本となる．乳房痛も性周期によって軽快することがほとんどだが，長期に継続し痛みが強い症例に対してはカフェインや脂肪の摂取制限，禁煙指導などが有効な場合もある．わが国では保険適用の内分泌療法として，ダナゾールの内服治療も選択できる．

予後
良性疾患であり良好である．病変は明瞭になったり不明瞭になったりと経時的に変化することも多い．乳腺症そのものは前癌病変ではないが，増殖型の場合は乳癌発生のリスクが高いとされている．

〔戸井雅和・佐治重衡〕

■文献
国立がん研究センターがん対策情報センター：がん情報サービス．http://ganjoho.jp/reg-stat/index.html
日本乳癌学会編：乳癌取り扱い規約　臨床・病理　第17版，pp 22-34，金原出版，2012．
日本乳癌学会編：乳腺腫瘍学（第2版），金原出版，2016．

14-20 子宮頸癌・子宮体癌・卵巣癌

1) 子宮頸癌
cervical cancer

定義・概念
子宮頸部に原発する癌を子宮頸癌という.

分類
組織学的に扁平上皮癌,腺癌,腺扁平上皮癌などに分類され,扁平上皮癌がその約75%を占める.

原因・病因
子宮頸癌の発症には,ヒトパピローマウイルス(human papillomavirus:HPV)のうちのハイリスク型の持続感染がほぼ必須である.女性のハイリスク型HPV感染率は比較的高いが,持続感染へと以降するものはごく一部であり,さらにその一部から子宮頸部上皮内腫瘍(cervical intraepithelial tumor:CIN)が発生する(eコラム1).その他のリスク因子として,性交開始が早い,加齢,multiple sex partner,多産,喫煙,HIV感染などがあげられている.

疫学
浸潤癌の年齢別罹患率は20歳代後半から40歳代まで増加した後,減少して70歳頃再び増加している.人口10万人あたり罹患数は2000年で12.1であったものが2011年には17.3,40歳代前半では35.5となっており,近年,罹患率・死亡率ともに若年層で漸増傾向にある[1].

臨床症状
初期癌の多くは無症状であるが,不正性器出血(性交時接触出血)を認めることがある.進行癌では,これに加えて骨盤痛や水腎症による背部痛などが出現する.

診断
わが国では子宮頸部の擦過細胞診を用いた子宮頸がん検診が健康増進法の一環として全国の市区町村に普及している.CINや早期癌の多くは無症状なので,がん検診によって発見されることが多い.子宮頸部の細胞診異常を指摘された場合,コルポスコープ(腟拡大鏡)による頸部の観察とねらい組織診が必須である.微小浸潤癌の診断には診断的子宮頸部円錐切除術が行われる.浸潤癌が組織学的に検出されればその進行期を決定する必要がある(eコラム2).腫瘍マーカーとしては,扁平上皮癌の場合はSCCが上昇する.腺癌の場合は特異的なマーカーはないがCEAなどが上昇することがある.

鑑別診断
機能性出血や頸管炎,老人性腟炎などが鑑別疾患にあげられる.ときに結核などの感染症との鑑別を要す.

治療・予防
臨床進行期によって,手術療法,放射線療法,化学療法が単独あるいは組み合わせて施行される.手術療法としては原則としてCIN 3(高度異形成と上皮内癌)〜IA1期では子宮頸部円錐切除術,IA2期では準広汎子宮全摘出術,IB1期は広汎子宮全摘出術が選択される.IB1期以上では根治的放射線治療が選択され(日本婦人科腫瘍学会ら,2011),特に腫瘍径の大きいⅡ期以上に対しては,多くはシスプラチンを併用した同時化学放射線療法(concurrent chemoradiotherapy:CCRT)が選択される[2].抗癌化学療法は主として進行・再発腫瘍に行われる.

一方,子宮頸癌の一次予防を目途として近年,HPVワクチンの接種が行われている.最も接種が推奨されるのは,10〜14歳の女子であり初交前が望ましい.HPV既感染者の場合,HPVワクチンにはウイルスを排除する効果はない(Hildesheimら,2007).

予後
日本産科婦人科学会婦人科腫瘍委員会の報告によれば,各進行期における5年生存率は,Ⅰ期91.8%,Ⅱ期71.5%,Ⅲ期53%,Ⅳ期23.7%と報告されている[3].

■文献(e文献14-20-1)

Hildesheim A, Herrero R, et al: Effect of human papillomavirus 16/18 L1 viruslike particle vaccine among young women with preexisting infection: a randomized trial. *JAMA*. 2007; **298**: 743-53.

日本婦人科腫瘍学会編:子宮頸癌治療ガイドライン 2011年版,金原出版,2011.

日本産科婦人科学会,日本病理学会,他編:子宮頸癌取扱い規約 第3版,金原出版,2012.

2) 子宮体癌
endometrial cancer

定義・概念
子宮体部の内膜の腺上皮細胞を発生母地として発生する上皮性悪性腫瘍を,子宮体癌(体癌)という.子宮体部には間葉系腫瘍として子宮肉腫も発生する.

分類
組織学的には,子宮体癌のほとんどは子宮内膜癌であり,その多くは内膜腺に類似した形態を示す類内膜腺癌である.そのほか漿液性腺癌,明細胞腺癌,粘液性腺癌などがある(日本産科婦人科学会ら,2012).

また，エストロゲンに依存性を示すⅠ型と非依存性のⅡ型に分類することがある（e表14-20-A）．

原因・病因

リスク因子としては，肥満，高血圧，糖尿病などに関連したものや，月経不順，多嚢胞性卵巣，不妊症，妊娠分娩歴がない，などホルモン環境に関連したものがあげられる．また薬剤では，乳癌術後のタモキシフェン投与や，更年期症状の治療におけるエストロゲン製剤の単独投与などがあげられている．

疫学

罹患率は，40歳代から増加し50歳代がピークである．人口10万人あたり罹患数は2000年で8.7であったものが2011年には22.5となっており，罹患率・死亡率ともに増加傾向にある．従来，子宮頸癌の方が圧倒的に多かったが，2008年頃からほぼ同等，最近では子宮体癌の方が多い[1]．

臨床症状

初発症状は，不正性器出血が大部分である．特に閉経後の不正性器出血では本症を念頭におく必要がある．進行すると子宮留膿腫を呈することがある．

診断

閉経後の性器出血や，経腟超音波検査にて内膜の異常肥厚を認める場合は内膜組織診を行う．病変の広がりを評価するために子宮鏡検査やMRI，CT検査を行い，頸部間質浸潤や筋層浸潤の程度，リンパ節や遠隔臓器への転移の有無の検索を行う．体癌に特異的な腫瘍マーカーはないがCA125，CA19-9が約1/2の症例で上昇する．

鑑別疾患

子宮内膜増殖症，子宮内膜ポリープ，粘膜下筋腫などと鑑別することが必要である．異型子宮内膜増殖症と類内膜腺癌G1（高分化型）は共存することも多く鑑別には内膜全面掻爬が必須である．子宮峡部に発生した場合には子宮頸癌との鑑別が困難なことがある．

治療

手術療法，化学療法，放射線療法，ホルモン療法の4つの治療方法がある．治療の第一選択は手術療法であるが，病期に応じて，これらを単独にあるいは組み合わせて治療を行う．手術療法としては子宮全摘出術に加え，両側の付属器（卵巣・卵管）を摘出する．筋層浸潤を認める症例では，骨盤あるいは傍大動脈リンパ節郭清が追加される．化学療法としては，プラチナ製剤を中心にアントラサイクリン系，タキサン系製剤を組み合わせる．初回治療としての放射線療法の適応は，手術が不可能な症例に限られる（日本婦人科腫瘍学会，2013；Johnsonら，2011）．

妊孕性（子宮）温存についてはeコラム3参照．

予後

日本産科婦人科学会婦人科腫瘍委員会の報告によれば，各進行期における5年生存率は，Ⅰ期95.3％，Ⅱ期89.8％，Ⅲ期75.6％，Ⅳ期29.1％と報告されている[2]．

■文献（e文献14-20-2）

Johnson N, Bryant A, et al: Adjuvant chemotherapy for endometrial cancer after hysterectomy. *Cochrane Database Syst Rev.* 2011; 5: CD003175.
日本婦人科腫瘍学会編：子宮体がん治療ガイドライン2013年版，金原出版，2013．
日本産科婦人科学会，日本病理学会，他編：子宮体癌取扱い規約 第3版，金原出版，2012．

3）卵巣癌
ovarian cancer

定義・概念

卵巣から発生する悪性腫瘍で，その多くは骨盤内の腫瘤性病変として認められる．臨床的な取り扱いや組織発生の類似性から卵管癌，原発性腹膜癌と一括して扱われるようになった[1]．

分類

その発生由来によって，上皮性腫瘍，性索間質性腫瘍，胚細胞腫瘍，転移性腫瘍などに分類される（日本産科婦人科学会ら，2012）．

原因・病因

強い関連性を示す単一のリスク因子は存在せず，複数の因子が関与していると考えられている．ただし，遺伝性乳癌・卵巣癌では，*BRCA1*，*BRCA2*遺伝子の変異が高頻度に認められる[2]．婦人科疾患では，骨盤内炎症性疾患，多嚢胞性卵巣症候群，子宮内膜症がリスク因子として指摘されている．その他の因子として，肥満，排卵誘発薬，出産歴がないことなどがあげられている．

疫学

好発年齢は組織型によって異なり，上皮性腫瘍の場合は50〜60歳代である．一方，胚細胞腫瘍の場合は20〜30歳代であり，ときに妊孕性温存の問題が生じる．

罹患率は，人口10万人あたり2000年で11.6であったものが2011年には14.2となっており，罹患率・死亡率ともに漸増からほぼ横ばいである[3]．

臨床症状

おもな症状は，腹部膨満，腹部腫瘤，下腹部痛などであるが，卵巣の解剖学的位置から無症状のことも多い．約半数の症例は，進行癌として発見されるため，癌性腹膜炎による腹水貯留や胸水貯留による呼吸困難が主訴であることもしばしばである．

診断

CT，MRIといった画像診断で骨盤内腫瘍の囊胞内

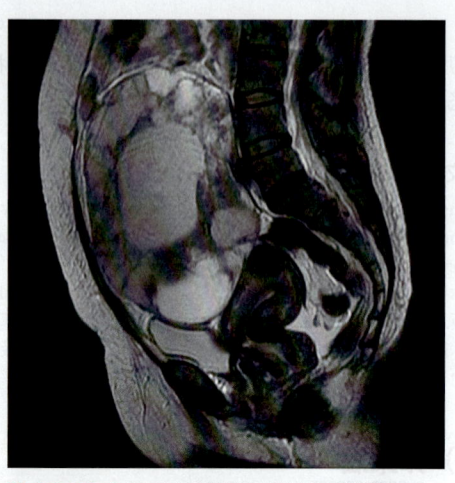

図 14-20-1 MRI 骨盤部 T2 強調矢状断像
小骨盤をこえる骨盤内腫瘍が認められる．腫瘍内に囊胞成分と充実部が混在することから悪性が強く示唆される．術前に病理組織学的検索ができない卵巣腫瘍の場合には画像診断の有用性は高い．

の充実部分や壁の不整な肥厚が認められた場合には悪性が示唆される(図 14-20-1)．さらに腫瘍の質的診断やリンパ節転移や播種病巣など卵巣外病変の有無も検索する．腫瘍マーカーは，上皮性腫瘍の場合は，CA125 が，性索間質性腫瘍の場合はエストラジオール(E_2)が，胚細胞腫瘍の場合は AFP，hCG などが上昇する．ただし，上皮性卵巣癌の腫瘍マーカーとして頻用される CA125 は子宮内膜症，月経，妊娠などの非腫瘍性病変でも上昇することに注意が必要である．最終的には手術検体の病理組織検査によって確定診断される．

鑑別疾患

良性卵巣腫瘍，卵管癌，転移性腫瘍，結核性腹膜炎などが鑑別疾患にあげられる．漿液性癌の多くは卵管上皮の漿液性上皮内癌に由来すると考えられている．

治療・予防

原則として手術療法が選択される．悪性が疑われる場合は，術中迅速病理診断結果を確認したうえで，基本術式(両側付属器摘出術，子宮全摘出術，大網切除術)と staging laparotomy が行われる．進行癌では，加えて最大限の腫瘍減量を目指した debulking surgery が行われる(日本婦人科腫瘍学会，2015)．上皮性腫瘍に対する術後化学療法としてはパクリタキセルとカルボプラチンが用いられ(Katsumata ら，2013)，これにベバシズマブが加えられることが多くなった[4,5](eコラム 4)．

胚細胞腫瘍の場合は若年者に多く，抗癌薬が奏効するため妊孕性温存術式として子宮と健側卵巣卵管を残すことが可能である．抗癌化学療法としては主としてブレオマイシン，エトポシド，シスプラチンの併用療法が行われる(日本婦人科腫瘍学会，2015)．

スクリーニング手法として有効性の明らかな方法がないことから，未発症の *BRCA1* または *BRCA2* の生殖細胞変異保持者に対してリスク低減卵管卵巣摘出術が推奨されている[6,7]．

予後

日本産科婦人科学会婦人科腫瘍委員会の報告によれば，各進行期における 5 年生存率は，Ⅰ期 91.3％，Ⅱ期 76.5％，Ⅲ期 46.8％，Ⅳ期 31.9，術前化学療法症例 39.5％と報告されている[8]．　〔青木大輔〕

■文献(e文献 14-20-3)

Katsumata N, Yasuda M, et al: Long-term results of dose-dense paclitaxel and carboplatin versus conventional paclitaxel and carboplatin for treatment of advanced epithelial ovarian, fallopian tube, or primary peritoneal cancer (JGOG 3016): a randomised, controlled, open-label trial. Lancet Oncol. 2013; 14: 1020-6.

日本婦人科腫瘍学会編：卵巣がん治療ガイドライン 2015 年版，金原出版，2015．

日本産科婦人科学会，日本病理学会編：卵巣腫瘍・卵管癌・腹膜癌取扱い規約 2015 年 8 月 第 1 版，金原出版，2015．

15. 代謝・栄養の異常

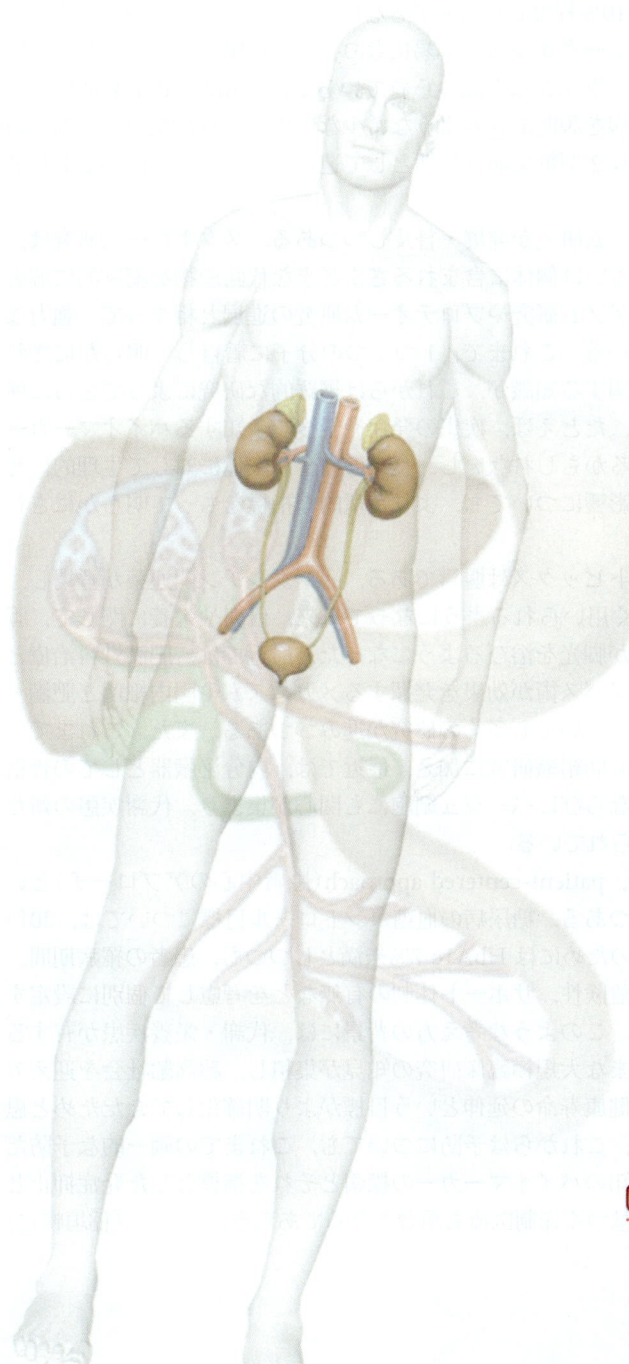

1. 内科学総論
2. 老年医学
3. 心身医学
4. 症候学
5. 治療学
6. 感染症
7. 循環器
8. 血圧の異常
9. 呼吸器系
10. 消化管・腹膜
11. 肝・胆道・膵
12. リウマチ・アレルギー
13. 腎・尿路系
14. 内分泌系
15. 代謝・栄養
16. 血液・造血器
17. 神経系
18. 環境要因・中毒

代謝・栄養

- 15.1 総論 …………………………… 1703
- 15.2 糖代謝異常 ………………………… 1725
- 15.3 蛋白質・アミノ酸代謝異常 … 1782
- 15.4 脂質代謝異常 ……………………… 1800
- 15.5 メタボリックシンドローム … 1814
- 15.6 その他の代謝異常 ………………… 1815
- 15.7 栄養異常 … 【⇨3-2, 4-23, 4-24】

代謝・栄養異常における新しい展開

　全ゲノム関連研究(GWAS)の進展によって，2型糖尿病に関連する遺伝子のありふれたバリアントは80程度見つかっているが，これらをすべて合わせても2型糖尿病発症の10％程度しか説明できないことがわかっている．一方で，最近では全エクソンシークエンスも容易になり，2型糖尿病が集積した家族における全エクソンシークエンスも試みられているが，既知のMODY遺伝子などのほかに2型糖尿病を説明できるような希少な変異の発見に至っていないのが実情である．つまり2型糖尿病は依然として遺伝学者にとって悪夢であり続けている．

　一方で，メタボローム研究が発展・普及しつつある．メタボローム研究は，細胞内や組織内，あるいは個体に含まれるさまざまな代謝産物を網羅的に解析するものであるが，ゲノム研究やプロテオーム研究の進展と相まって，強力な研究ツールとなっている．これまで，1つ1つの分子に着目して明らかにされてきた代謝や栄養に関する知識が，これからは網羅的な研究によってさらに理解が深まるであろう．たとえば，疾患の発症や予後を予知するバイオマーカーが次々と明らかになるかもしれないし，食事の内容が生体に対して生理的にあるいは病態に及ぼす影響についても，より定量的な指標をもって明らかにされるかもしれない．

　もう1つの最近のトピックスは腸管である．インクレチン関連薬が登場し，2型糖尿病治療に広く用いられるようになって以来，代謝や栄養に関して，腸管を介するシグナルが脚光を浴びるようになった．最近では，肥満外科治療としての胃切除術やバイパス術が効果を発揮するメカニズムや腸内細菌と肥満・糖尿病との関係などについても多くの研究が進みつつある．また，これまでの内分泌臓器としての脂肪組織研究に加え，最近では，内分泌臓器としての骨格筋や，褐色脂肪細胞ならびにベージュ細胞にも関心が集まり，代謝疾患の新たな治療の開発が進められている．

　診療面においては，patient-centered approach(患者中心のアプローチ)という考え方が定着しつつある．糖尿病の血糖コントロール目標については，2013年から，合併症予防のためにはHbA1c 7％未満としつつも，患者の罹病期間，臓器障害，低血糖の危険性，サポート体制の有無などを考慮して個別に設定することとなっている．このような考え方の背景には，代謝・栄養疾患が有する特性に加え，さまざまな大規模臨床研究の知見が集積し，超高齢社会を迎えているわが国において健康寿命の延伸という目標がより明確化してきたためと思われる．また一方で，これからは予防についても，これまでの画一的な予防だけではなく，発症予知のバイオマーカーの探索とそれを指標とした発症抑止といった，個別医療に基づく先制医療も重要となるであろう．　　〔稲垣暢也〕

15-1 総論

1）代謝・栄養異常患者のみかた

(1) 代謝異常と栄養異常

代謝異常には，遺伝子異常などにより特定の酵素や輸送蛋白質の働きが低下あるいは欠損し，糖質，アミノ酸，脂質やビタミン，ミネラル，微量元素などの代謝異常が生ずる先天性代謝異常と，食習慣，運動習慣などの生活習慣やストレスなどによって代謝異常が生ずる後天性代謝異常がある．ICD-10（国際疾病分類第10版）の 2016 年版[1]では，糖尿病とその他の代謝異常症の 2 つに大別されている（表 15-1-1）．一方，栄養異常は，糖質，脂質，蛋白質（3 大栄養素）の摂取量が不足して生じる栄養不良，特定のビタミン，ミネラル，微量元素や必須脂肪酸の欠乏により生じる栄養欠乏症とエネルギー摂取量が消費量を上回ることで生じる肥満およびその他の過栄養に分類される（表 15-1-1）．それぞれの代謝異常や栄養異常に特徴的な身体所見や尿・血液検査異常に基づいて正しく診断し，個々の患者に合った個別化医療を実現することが重要である．

(2) クワシオコールとマラスムス

栄養異常の臨床病型にクワシオコールとマラスムスがある．このうちクワシオコールは，著しい蛋白質欠乏により生じ，エネルギーよりも蛋白質の欠乏が著しいため，体重減少は比較的少なく，両足の浮腫で診断される（protein malnutrition）．このような栄養異常は，でんぷんに富んだ野菜をおもな食物とする地域に主としてみられる．一方マラスムスは，絶対的な食事摂取の不足によるエネルギー欠乏（飢餓）状態であり低栄養に対する適応は良好である（protein energy malnutri-tion：PEM）．マラスムスでは著明な体重減少がみられるが浮腫を認めないのが特徴的である[2]．一般臨床では，同一個人にマラスムスとクワシオコールが併存するタイプが最も多く，マラスムス性クワシオコールとよぶ（表 15-1-2）．

(3) 栄養スクリーニングと栄養アセスメント
a. 栄養スクリーニング

栄養状態の把握のためには，まず付随する特徴的な所見を判別し栄養学的リスクを有する患者の識別を行うことを目的とする栄養スクリーニングを実施し，その後に臨床所見データ，食物摂取データ，身体組成データ，生化学データなど各種の栄養指標の測定を行いアセスメントを行う．栄養スクリーニングの方法とし

表 15-1-1 代謝異常と栄養異常の分類（文献 1 より）

代謝異常
- A. 糖尿病
- B. 代謝異常症
  - 芳香族アミノ酸代謝障害
  - 分岐鎖アミノ酸代謝障害
  - 脂肪酸代謝障害
  - その他のアミノ酸代謝障害
  - 乳糖不耐症
  - その他の糖質代謝障害
  - スフィンゴリピド代謝障害
  - グリコサミノグリカン代謝障害
  - 糖蛋白質代謝障害
  - リポ蛋白質代謝障害
  - プリンおよびピリミジン代謝障害
  - ポルフィリンおよびビリルビン代謝障害
  - ミネラル代謝障害
  - 囊胞性線維症
  - アミロイドーシス
  - 体液量減少症
  - その他の水・電解質・酸塩基平衡障害
  - その他の代謝障害
    （血漿蛋白質，リポジストロフィ，リポマトーシス，腫瘍崩壊症候群）

栄養異常
- A. 栄養不良
  - クワシオコール
  - マラスムス
  - マラスムス性クワシオコール
  - 不特定の蛋白質・エネルギー栄養不良
- B. ほかの栄養欠乏症
  - ビタミン A 欠乏症
  - チアミン欠乏症
  - ナイアシン欠乏症
  - その他のビタミン B 群欠乏症
  - ビタミン C 欠乏症
  - ビタミン D 欠乏症
  - その他のビタミン欠乏症（ビタミン E, K）
  - 食事性カルシウム欠乏症
  - 食事性セレン欠乏症
  - 食事性亜鉛欠乏症
  - その他の栄養素欠乏症
    （銅，鉄，マグネシウム，マンガン，クロム，モリブデン，バナジウム，重複栄養素欠乏）
  - 必須脂肪酸欠乏症
- C. 肥満およびその他の過栄養
  - 限局性脂肪症
  - 肥満症
    （カロリー過剰，薬剤誘発性，肺胞低換気合併）
  - その他の過栄養
    （ビタミン A 過剰症，高カロチン血症，ビタミン B_6 大量摂取症候群，ビタミン D 過剰症）

表15-1-2 栄養不良の分類と特徴

	クワシオコール	マラスムス	マラスムス性クワシオコール
欠乏する栄養	蛋白質	エネルギー・蛋白質	エネルギー・蛋白質
体重	標準体重の60～80%	標準体重の60%以下	標準体重の60%以下
浮腫	あり	なし	あり
皮膚の状態	湿・皮膚炎	乾燥性	湿・皮膚炎
毛髪の変化	あり	なし	なし
血清アルブミン	低下	正常	低下
クレアチニン身長係数	正常	低下	低下
リンパ球数	低下	正常	低下
遅延型皮膚反応	低下	低下	低下

表15-1-3 静的栄養指標と動的栄養指標

	静的栄養指標	動的栄養指標
身体計測指標	1) 身長・体重 　① 体重変化率 　② %平常時体重 　③ 身長体重比 　④ %標準体重 　⑤ body mass index (BMI) 2) 皮厚：上腕三頭筋皮下脂肪厚 3) 筋囲：上腕筋囲, 上腕筋面積 4) 体脂肪率	1) 安静時エネルギー消費量 2) 呼吸商 3) 糖利用率
血液・生化学的指標	1) TP, Alb, T-C, ChE 2) クレアチニン身長係数 3) 血中ビタミン 4) 血中微量元素 5) 末梢血総リンパ球数 6) 遅延型皮膚過敏反応	1) rapid turnover protein 　① プレアルブミン（トランスサイレチン） 　② レチノール結合蛋白 　③ トランスフェリン 2) 蛋白代謝動態 　① 窒素平衡 　② 尿中3-メチルヒスチジン 3) アミノ酸代謝動態 　① アミノグラム 　② Fischer比 　③ 分枝鎖アミノ酸/チロシン比

て，主観的に体重変化，食事摂取状況，消化器症状，日常生活状況などで評価する主観的包括的評価（subjective global assessment：SGA）がある．また，高齢者に対しては低侵襲かつ簡便に栄養不良リスク者を抽出するために欧州で開発されたMNA®(mini nutritional assessment)が最近わが国においても使用されている[3]（eコラム1）．

b. 栄養アセスメント（栄養評価）

栄養スクリーニング後には，身体計測値や臨床検査値に基づき栄養アセスメントを客観的栄養評価（objective data assessment：ODA）で行う．ODAには静的栄養指標と動的栄養指標があり，静的栄養指標は代謝学的な種々の変動因子に影響されにくく，患者の普遍的な栄養状態を定量的に評価するのにすぐれているが，短期間の栄養状態の変化を評価するのには向いていない．静的栄養評価指標には，身体計測指標や半減期が比較的長い総蛋白質やアルブミン，あるいは免疫学的指標が用いられる．一方，動的栄養指標は短期間での代謝の変化やリアルタイムでの代謝・栄養状態を評価するのにすぐれた指標であり，半減期が短いRTP(rapid turnover protein)や窒素平衡，Fisher比，あるいは間接熱量計による安静時エネルギー消費量の測定などがある（表15-1-3）[4]．

(4) 病歴聴取のポイント

栄養異常を見分ける際の病歴聴取で最も重要なのは，体重の変化である．体重の変化が長期間にわたって徐々に起きた変動であるか，短期間に急速に起こった変動かを聴取することは，診断や栄養管理の必要性の判断に有用な情報となることが多い．特に，体重減少率が1週間で2%以上，1カ月で5%以上，3カ月で7.5%以上，6カ月以内で10%以上ある場合，栄養管理が必要となる[5]．

また代謝疾患は家系内発症が多いため，家族歴の聴取も重要である．それ以外にも，各疾患に特異的な病歴聴取，臨床症状の評価も必要となる．たとえば，糖尿病では高血糖症状（口渇，多飲，多尿，体重減少，全身倦怠感）や糖尿病合併症が疑われる症状（視力低下，足のしびれ感，歩行時下肢痛など）があり，既往歴では肥満，高血圧，脂質異常，動脈硬化性疾患の有無，過去の体重歴，妊娠出産歴，糖尿病治療歴などを確認する必要がある．脂質異常症ではアキレス腱肥厚による靴ずれや踵部の自発痛，胸痛や間欠性跛行など

表15-1-4 栄養不良の評価に用いる rapid turnover protein

栄養評価蛋白	プレアルブミン（トランスサイレチン）	レチノール結合蛋白	トランスフェリン
略号	PA(TTR)	RBP	Tf
役割	サイロキシンの輸送 RBPと結合しRBPの腎からの漏出を防ぐ	レチノール（ビタミンA）の輸送	鉄の輸送
半減期	2日	0.5日	7日
分子量	55000	21000	76500
基準値	男：23〜42 mg/dL 女：22〜34 mg/dL	男：3.6〜7.2 mg/dL 女：2.2〜5.3 mg/dL	男：190〜300 mg/dL 女：200〜340 mg/dL

動脈硬化性疾患によると考えられる症状，食事・運動習慣，飲酒・喫煙歴，過去の体重歴，脂質異常症や虚血性心疾患の家族歴などが必要である．また，特定の酵素や輸送蛋白質の異常による疾患，あるいは栄養素の欠乏による疾患においては，乳幼少期の発育・発達の状況，食嗜好，特徴的な神経症状や身体症状などに関する病歴聴取も重要である．

(5) 身体計測，身体所見と一般検査

a. 身体計測

栄養状態の評価に有用な身体計測値としては，身長，体重，BMI（体重(kg)÷身長(m)^2），内臓脂肪蓄積を反映するウエスト周囲径，体脂肪量を反映する皮下脂肪厚（上腕三頭筋皮下脂肪厚（triceps skinfold thickness：TSF），肩甲骨下部皮下脂肪厚（subscaplar skinfold thickness：SSF）），筋肉量を反映する上腕囲（arm circumference：AC）を測定し，上腕筋囲（arm muscle circumference：AMC；AC(cm)−π×TSF(cm)）および上腕筋面積（arm muscle area：AMA；(AMC)^2/4π）を算出する（π：円周率）．また，体重を評価する際には浮腫，腹水や身体の部分欠損の有無を確認する必要がある．起立できない患者の身長は，身長と相関の高い膝下高の測定値から推計する[6]（eコラム2）．

b. 舌，口唇，口腔粘膜

舌の所見としては，鉄欠乏性貧血，悪性貧血により舌乳頭の萎縮を認め，ペラグラ，ビタミンB$_2$欠乏症ではイチゴ舌を呈する．また，ビタミンB$_2$欠乏症では口角炎，口唇全体の発赤・腫脹・白色の鱗屑が出現する．

c. 毛髪，皮膚，爪

クワシオコールでは，脱毛と毛髪の退色・赤色化がみられる．また，ビタミンA欠乏症で角化増殖を伴った皮膚乾燥症，ビタミンB$_2$欠乏症で脂漏性皮膚炎が出現する．脂質異常症では角膜輪，眼瞼や関節伸側などの黄色腫，アキレス腱肥厚などの有無を確認する．インスリン抵抗性症候群では黒色表皮腫とよばれる色素沈着が頸部，腋窩部，肘や膝の関節などにみられることがある．その他，フェニルケトン尿症では皮膚の色素脱出，ポルフィリン症では日光過敏症がみられる．また，栄養異常などにより高度の低アルブミン血症が長期間続くと，爪に帯状の白線をみることがある．

d. 一般検査の進め方

1) 尿検査： 尿検査は短時間で広い診断情報が得られるため，臨床の場で非侵襲検査の代表として大きな役割を果たしている．1日の尿量が400 mL以下を乏尿，100 mL以下を無尿といい，1日の尿量が3000 mL以上を多尿という．また，尿pHは食事内容の影響を受けて変動するが，痛風，尿路結石などの治療目的で尿pHを変化させることがある．尿検査データを用いて蛋白質摂取量や食塩摂取量を評価することも可能である．また，尿中3-メチルヒスチジンは筋肉の異化の程度を推定するのに有用である．尿蛋白は健常人でも40〜80 mg/日程度は排泄されており，150 mg/日以上を蛋白尿という．尿中微量アルブミンは，試験紙法で蛋白尿が陰性の時期より検出され，糖尿病腎症の早期診断，経過観察やメタボリックシンドロームの診断に利用される．

2) 血液検査： 栄養不良の評価には上述のRTP（プレアルブミン，レチノール結合蛋白，トランスフェリン）が使用される（表15-1-4）．さらに，栄養不良時には血漿アミノ酸濃度，特に分岐鎖アミノ酸（branched chain amino acid：BCAA）濃度が低下する．また，コリンエステラーゼは肝臓での蛋白合成能の指標で血清アルブミンよりも鋭敏に変化し，栄養不良で低下し脂肪肝，高トリグリセリド血症，肥満では過栄養のため高値を示す．窒素平衡は，生体の異化・同化の状態を比較的正確に反映しており，通常の経口摂取をしている場合にはほぼ±0であるが，負の場合には異化優位，正の場合には同化優位と判定される．

糖代謝の評価には血糖値や平均血糖値を反映する指標（グリコヘモグロビン，グリコアルブミン，1,5-AG

(anhydroglucitol)），血中および尿中ケトン体，インスリン分泌能（血中インスリン，C-ペプチド，1日尿中C-ペプチド排泄量），インスリン抵抗性の指標（HOMA-R ＝空腹時インスリン（μU/mL）×空腹時血糖（mg/dL）÷ 405 など）などが重要である．脂質代謝異常の評価には血中総コレステロール（TC），トリグリセリド（TG），高比重リポ蛋白コレステロール（HDL-C），低比重リポ蛋白コレステロール（LDL-C）をまず測定し病型を評価する．LDL-C は直接測定も可能であるが，Friedwald の式（LDL-C ＝ TC － HDL-C － TG/5）を用いて計算できる（TG ＜ 400 mg/dL の場合のみ適用）．最近では LDL だけでなく，すべての動脈硬化惹起性リポ蛋白中のコレステロールを表す指標として non-HDL-C（TC － HDL-C）も使用されている．さらに非エステル化脂肪酸（NEFA），リポ蛋白分画，アポ蛋白，Lp(a)，リポ蛋白リパーゼ，レシチンコレステロールアシルトランスフェラーゼ，レムナント様リポ蛋白コレステロールなどの測定も有用である．

3）生理検査： 直接熱量測定や酸素消費量と二酸化炭素排出量の呼気ガスの分析により間接的にエネルギー産生量を測定する間接熱量測定により，安静時エネルギー消費量（REE）や呼吸商（RQ）を測定し，炭水化物，脂質，蛋白質などエネルギー基質の利用率を調べることができる．また，味覚検査は亜鉛欠乏性味覚障害，肝不全や腎不全などの全身疾患による味覚障害，特発性味覚障害などの診断に有用である．〔川崎英二〕

(e)文献 15-1-1）

2）代謝と栄養

体内においてさまざまな物質を分解してエネルギーを産生（catabolism）し，また生体の成分（構成分子・機能分子・貯蔵分子）を合成（anabolism）する過程を代謝（metabolism）とよぶ．一方，この代謝に必要な物質を体外から摂取し，生命活動に利用していく過程は栄養（nutrition）と表現される．栄養は，かつて営養と表記されることもあったことからうかがえるように，養分を摂る営みである．摂取する物質のことを栄養と表現することもあるが，正確にはこれは栄養素である．すなわち栄養の営みによって栄養素を摂取し，それらをもとに代謝を行うことを通して，生体は必要なエネルギーや生体成分を得ている．

代謝・栄養の基本要素である栄養素は，3大栄養素とされる糖質（炭水化物，carbohydrate），脂質（fat），蛋白質（protein）とビタミン（vitamins），ミネラル（minerals）に分類されている．さらに水分（water）が，代謝には不可欠である．そして，代謝は大きく，①生命活動に必要なエネルギーに変換する過程，②組織や細胞の構成分子および機能分子を産生する過程，③脂肪あるいはグリコーゲンの形で蓄積する過程，の3つに分けられる．代謝過程はすべての細胞で行われ，細胞の生存にとって必須であるが，いくつかの臓器には特別な役割が与えられている．従来から知られているように，肝臓，骨格筋，脂肪組織が全身の代謝過程に重要な役割を演じている．さらに，最近では血球系あるいは免疫系の細胞や腸内細菌叢が，代謝調節に重要な役割を演じていることも明らかにされつつある[1,2]．

（1）代謝
個々の栄養素の代謝については，各項目を参照してもらうこととし，本項では全身の代謝過程の概要について述べる．

a. エネルギー代謝
総エネルギー消費の 55〜65％ が基礎代謝，約 10％ が食事誘導性熱産生，そして日常活動や運動に 25〜35％ のエネルギーが使われる．エネルギー摂取とエネルギー消費の不均衡によって，体重の増減が起こり，肥満やるい痩を引き起こす[3]．基礎代謝や食事誘導性熱産生は大きく変動することは少ないため，総エネルギー摂取の変動には，全体の 25〜35％ のエネルギー消費を占めるにすぎない日常活動や運動を増減させて対応することになる．

b. 3大栄養素の代謝
i) 個体における3大栄養素の代謝
全身の代謝過程は，食事との時間的関係によって，absorptive phase と post-absorptive phase に分けられる．absorptive phase とは，体内の細胞が直前の食事によって得た栄養素を使ってエネルギーや細胞の構成分子・機能分子を獲得している時間帯である．post-absorptive phase とは，体内の細胞が蓄えていた物質から変換された栄養素を使ってエネルギーや細胞の構成分子・機能分子を得ている時間帯である．一般的には，睡眠中は post-absorptive phase であり，食事と食事の間の時間帯の後半も post-absorptive phase であるが，食事のタイミングと内容によっては，absorptive phase のまま次の食事に移行することもある．また，絶食が 16 時間以上続くような場合には，post-absorptive phase とは異なる代謝状態に移行する（Cahill, 2006）．

absorptive phase での代謝過程の概要を図 15-1-1 にまとめた．食事で摂取された炭水化物および蛋白質は，唾液腺や胃底腺から分泌される外分泌酵素や塩酸，さらには小腸粘膜細胞表面に存在するα-グリコ

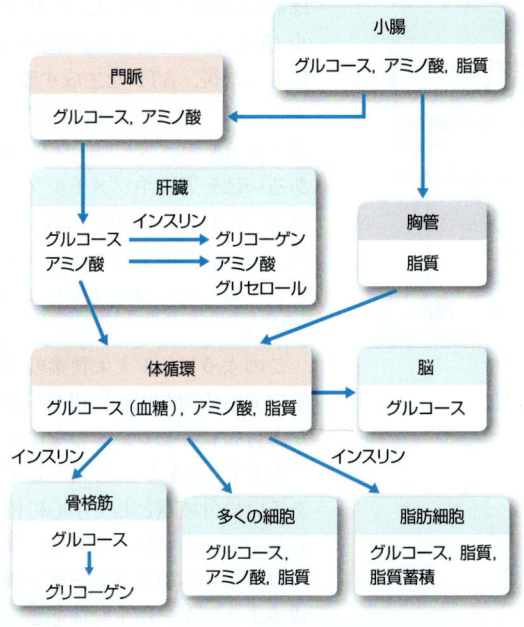

図 15-1-1 absorptive phase での代謝過程

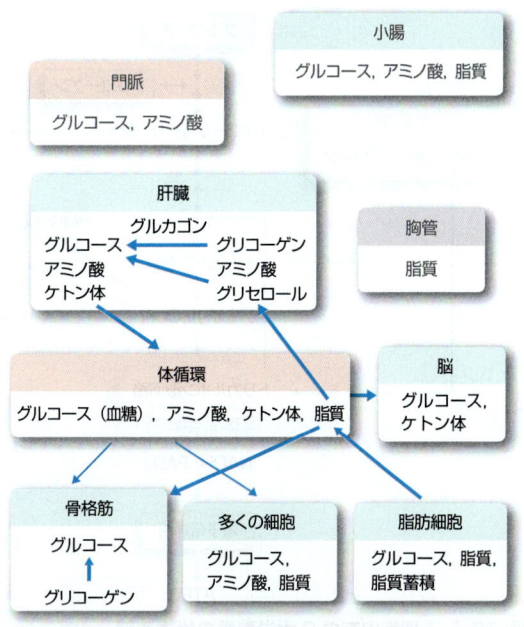

図 15-1-2 post-absorptive phase での代謝過程

シダーゼなどによってグルコースなどの単糖とアミノ酸に分解され，小腸から取り込まれる．小腸から取り込まれたグルコースやアミノ酸は，上腸間膜静脈から門脈を経て，肝臓に達する．グルコースの一部は肝臓に取り込まれグリコーゲン合成の基質となり，肝臓を通過したグルコースは肝静脈から全身循環へ入る．absorptive phase で主役を演じるホルモンは，膵 β 細胞から分泌されるインスリンである．インスリンは，肝臓おいて，グルコースからのグリコーゲン合成を促進する．血糖値の上昇はすべての細胞において濃度勾配に従った糖の取り込みを増やす．さらに骨格筋および脂肪細胞に存在するインスリン応答性の糖輸送担体（glucose transporter type 4：GLUT4）は，これらの細胞・組織でのグルコースの取り込みをインスリン依存性に増強させる．そして骨格筋においても，グリコーゲン合成が促進される．

一方肝臓に達したアミノ酸の一部は，肝臓においてほかの不足したアミノ酸に変換される．また，大循環に入ったアミノ酸は全身の細胞に運ばれ，細胞構成成分やホルモン・酵素などの機能分子の産生に使用される．細胞のこれらの過程の多くがインスリンによって増強され，細胞での消費が増大する結果，アミノ酸の細胞での取り込みも増える．

また，脂肪は胃液や膵液中のリパーゼで消化され脂肪酸とモノグリセリドとなった後，胆汁酸とともにミセルを作り小腸から吸収される．そして小腸吸収上皮細胞内で脂肪に再合成され，カイロミクロンとなって，リンパ管に入ったのち，胸管を経て体循環に入

る．その多くは，脂肪細胞に蓄積される．absorptive phase において，膵膵細胞から放出されたインスリンは，脂肪細胞において，遊離脂肪酸とグルコース（グリセリン骨格の供給源）を利用したトリグリセリド合成を促進する．

このように，absorptive phase では，インスリンがグルコース，アミノ酸，遊離脂肪酸の細胞への取り込みを直接あるいは間接的に促進し（あるいは分解・放出の抑制を行い），さらにグルコースからのグリコーゲン，遊離脂肪酸からのトリグリセリド，アミノ酸からの蛋白質の合成をインスリンが増加させている．

一方，図 15-1-2 に示す post-absorptive phase では，エネルギー貯蔵からエネルギー産生へと代謝状態は移行する．一晩絶食後の深夜から朝食前の時間帯が post-absorptive phase の典型であるが，食事時間のとり方によっては，昼食前や夕食前も post-absorptive phase と考えられる．この過程では，膵 α 細胞から分泌されるグルカゴンや副腎皮質から分泌されるグルココルチコイド，副腎髄質などから分泌されるアドレナリンが大きな役割を演ずる．血糖値の低下によって分泌されるグルカゴンは，肝臓においてグリコーゲンのグルコースへの分解とアミノ酸からのグルコース新生を誘導し，血中へグルコースを放出する．糖新生は一部腎臓でも行われる．また，骨格筋でもグリコーゲンの分解が起こり，骨格筋自身のエネルギー源となる．この段階では，グリコーゲン分解によるグルコースの供給が糖新生によるものより，優位である．脂肪細胞は，トリグリセリドを分解して遊離脂肪酸を血中に放

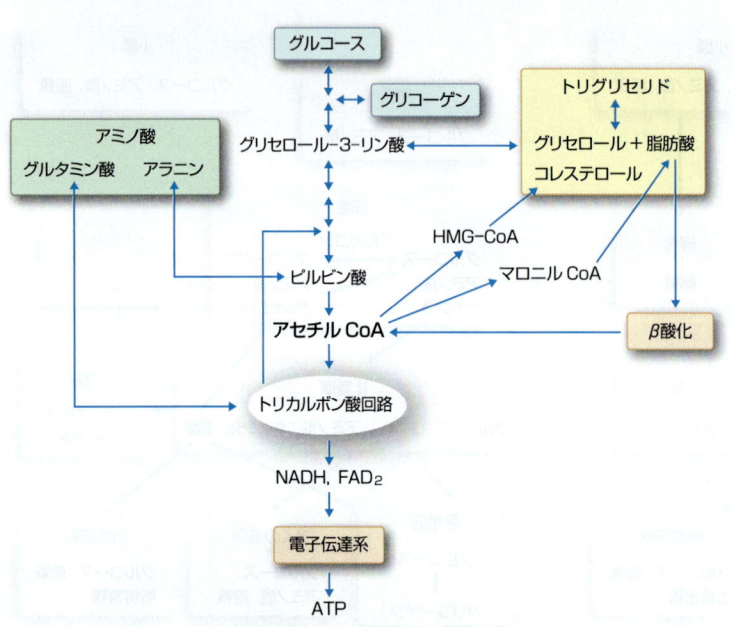

図15-1-3 細胞内での3大栄養素の代謝連関

出し,骨格筋など全身の細胞でのエネルギー源を供給する.さらに空腹状態が長く続くときには,肝臓からのグルコース放出の供給源はグリコーゲン分解から徐々に糖新生へと移行する[4].また,肝臓に到達した脂肪酸は,ケトン体となり,脳の神経細胞でのエネルギー源ともなる.

このように,食事摂取という外界とのかかわりあいのなかで,生体の代謝状態は,各栄養素が互いに連関しながら,ダイナミックに変動している.

ii) 細胞における3大栄養素の代謝連関

こうした代謝を実際に担う細胞内では,解糖系,アミノ酸代謝,脂肪酸代謝が相互に連関し,クエン酸回路,β酸化,電子伝達系を介してエネルギー基質を供給するとともに,細胞構成分子・機能分子の産生が行われている.図15-1-3に示すように,グルコースの解糖系産物であるピルビン酸は,クエン酸回路の基質になるとともに,アラニンの前駆体としてアミノ酸合成にも供給される.また,ピルビン酸はクエン酸回路に入った後,その中間体の形でクエン酸回路から出て,アミノ酸に変換される.またアミノ酸の多くがピルビン酸あるいはクエン酸回路中間体となってクエン酸回路を回り,オキサロ酢酸からホスホエノールピルビン酸となって,グルコース新生に向かう.アラニンやグリシンは,ピルビン酸を経てオキサロ酢酸になり,グルタミン酸やグルタミンはα-ケトグルタル酸となってクエン酸回路に入る.

一方,解糖系中間体のグリセロール-3-リン酸は,グリセロールの前駆分子となり,解糖系と脂質合成系をつないでいる.また,脂肪酸はミトコンドリアに運ばれてβ酸化を受け,アセチルCoAとなってクエン酸回路に入った後,ATPを生成する.さらに,グルコース由来のアセチルCoAは,マロニルCoAあるいはヒドロキシメチルグルタリルCoA (HMG-CoA)となって,脂肪酸あるいはコレステロール生成への出発点となっている.

このように,3大栄養素の細胞内での代謝も相互に連関しながら行われており,そのなかでアセチルCoAが集約点としてあるいは分岐点として中心に位置している.インスリンは,グルコースからのグリコーゲン合成やエネルギー産生を促進し,かつ脂肪分解を抑制し[5],グルカゴンはおもに肝臓でのグリコーゲン分解と糖新生を促進している[6].

c. ビタミンおよびミネラルの代謝

ビタミンおよびミネラルは,生体内ではほとんど産生されないため,体外から補給する必要があり,補酵素としてあるいは酵素の構成成分として,重要である.わが国では,通常の生活を営んでいる人にこれらの明らかな欠乏状態が生じることはまれであるが,何らかの疾患を抱えている患者などでは,めずらしくはない.また,ビタミンAなどは過剰状態でも疾患を招くことがある.最近では,ビタミンDと糖尿病や癌との関連にも,注目が集まっている (Autierら,2014).

(2) 栄養

上記のように,5つの栄養素の代謝によって,エネルギーや生体の構成成分・機能分子が生産される.そして栄養の不足あるいは過剰は健康を害し,さまざまな疾病を引き起こす.そこで,わが国においても1970年から「日本人の栄養所要量」,そして2004年からは新たに「日本人の食事摂取基準」が厚生省および厚生労働省において策定されている.最新のものとしては,2014年に「日本人の食事摂取基準2015年版」が公表され,2015～2019年まで使用することとなっている(厚生労働省,2014).

この基準の対象は,健康な個人ならびに集団とし,高血圧,脂質異常,高血糖,腎機能低下に関して保健指導レベルにある者までを含むものとされている.そして,摂取不足の回避を目的として,「推定平均必要量」が設定され,また過剰摂取による健康障害の回避

表 15-1-5 エネルギー必要量(kcal/日)

性別	男性			女性		
身体活動レベル	Ⅰ	Ⅱ	Ⅲ	Ⅰ	Ⅱ	Ⅲ
15～17(歳)	2500	2850	3150	2050	2300	2550
18～29(歳)	2300	2650	3050	1650	1950	2200
30～49(歳)	2300	2650	3050	1750	2000	2300
50～69(歳)	2100	2450	2800	1650	1900	2200
70以上(歳)	1850	2200	2500	1500	1750	2000
妊婦(付加量) 初期				+50	+50	+50
中期				+250	+250	+250
後期				+450	+450	+450
授乳婦(付加量)				+350	+350	+350

Ⅰ：低い　Ⅱ：ふつう　Ⅲ：高い．

を目的として，「耐容上限量」が，さらに生活習慣病の予防を目的に，「生活習慣病の予防のために現在の日本人が当面の目標とすべき摂取量」として「目標量」が設定されている．

a. エネルギー摂取基準

年齢層ごとの平均的体位として，参照身長と参照体重を設定し，その参照値を有する男女において，3つの身体活動レベルに分類して，エネルギー必要量が表 15-1-5 のように設定されている．身体活動レベルⅠ（低い）は，生活の大部分が座位で静的な活動が中心の場合，身体活動レベルⅡ（ふつう）は，座位中心の仕事だが，職場内での移動や立位での作業・接客など，あるいは通勤，買い物，家事，軽いスポーツなどのいずれかを含む場合，身体活動レベルⅢ（高い）は，移動や立位の多い仕事への従事者．あるいは，スポーツなどの余暇における活発な運動習慣をもっている場合，とされている．

前回 2010 年版と比較し，15～17 歳と 18～29 歳の区分での推定エネルギー必要量の設定が増加している．

b. 炭水化物，蛋白質，脂質摂取基準

炭水化物によるエネルギー摂取比率を全年齢区分で，総摂取エネルギーの 50％以上 65％未満にすることが，目標値として設定されている．そして，その他のエネルギー産生栄養素源として，蛋白質が 13～20％，脂質が 20～30％とされている．また，脂質について，18 歳以上では，飽和脂肪酸の摂取を 7％以下にするように，脂質の質への配慮の必要性も述べられている．

蛋白質摂取基準については，参照身長と参照体重を有する成人男子で推定平均必要量が 1 日 50 g，女子で 40 g，推奨量が成人男子で 1 日 60 g，女子で 50 g と設定されている．

近年，低炭水化物食の耐糖能改善・悪化予防における有効性が注目されているが，一方で蛋白摂取の増加を伴い，その場合の心血管系への危険性も指摘されている[7]．

c. ナトリウム，カルシウム摂取基準

ナトリウム摂取基準（食塩相当量）に関しては，前回より厳しくなり，目標値として，成人男性 8 g/日，女性で 7 g/日が定められている．世界保健機構および国際高血圧学会では，6 g/日未満を勧めているが，日本人において QOL への影響やほかの栄養素摂取量に好ましくない影響を及ぼす無理な減塩には注意すべきであるとされている．

また，カルシウム摂取基準としては，男性 15～29 歳では 800 mg/日，30～49 歳では 650 mg/日，50 歳以上では 700 mg/日が推奨量とされ，成人女子では全年齢相で 650 mg/日とされている．一方で，許容上限量が 2500 mg/日と設定されている． 〔石原寿光〕

■文献(e文献 15-1-2)

Autier P, Boniol M, et al: Vitamin D status and ill health: a systematic review. *Lancet Diabetes Endocrinol*. 2014; **2**: 76-89.
Cahill GF Jr: Fuel metabolism in starvation. *Annu Rev Nutr*. 2006; **26**: 1-22.
厚生労働省：日本人の食事摂取基準 2015 年版，2014. http://www.mhlw.go.jp/bunya/kenkou/syokuji_kijyun.html

3）代謝調節

(1) 生体のホメオスターシスと代謝調節

生体はさまざまな外的・内的環境の変化に応じて細胞・臓器の機能を適応させ，ホメオスターシスを維持する．そこでは，エネルギー代謝，糖質・蛋白質・脂

質などの代謝が巧妙な調節を受けている．動物においては，内分泌系と神経系が代謝調節の要となっている．これらによって個々の細胞内の代謝が調節を受け，細胞の機能的集団である組織・臓器が全体として一定の調節を受ける．さらに，臓器の働きにより個体レベルでのホメオスターシスが維持される．このために，各段階においてポジティブ・ネガティブのフィードバック機構により統合のとれた精緻な調節が実現されている．

内分泌系は，古典的には内分泌組織からそれぞれに特異的なホルモンが分泌され，標的組織の細胞表面上，または，細胞質(核)内の特異的な受容体に結合して，作用を発揮する．最近では，古典的な内分泌臓器のみならず，消化管粘膜などに存在する内分泌細胞や，脂肪細胞，骨格筋・心筋などからも生理活性分子が分泌され，局所で，または全身に作用して代謝調節に重要な役割を演じることも明らかになってきた．インクレチンや，レプチン，アディポネクチンなどがその代表例である．

一方，神経系においては視床下部が代謝調節の中枢となる．自律神経を介する情報，中枢神経内での神経ネットワーク，末梢からの液性因子(ホルモン)，さらには，血糖レベルを代表とする代謝シグナルなどの入力を通じて情報が統合され，主として自律神経を介する出力系を経て全身の臓器，組織の機能を調節する．細胞レベルでは，神経末端から放出されるニューロトランスミッターが近傍の標的細胞の膜表面に存在する受容体に結合し，細胞機能を調節している．

(2)液性調節因子(ホルモン)を介する調節
a. インスリンによる代謝調節

インスリンは膵Langerhans島のβ細胞から分泌され，インスリン受容体を介して多彩な作用を発揮する．後述するように主として血糖のホメオスターシスを維持するが，脂質，蛋白質代謝にも重要な役割を演じている．

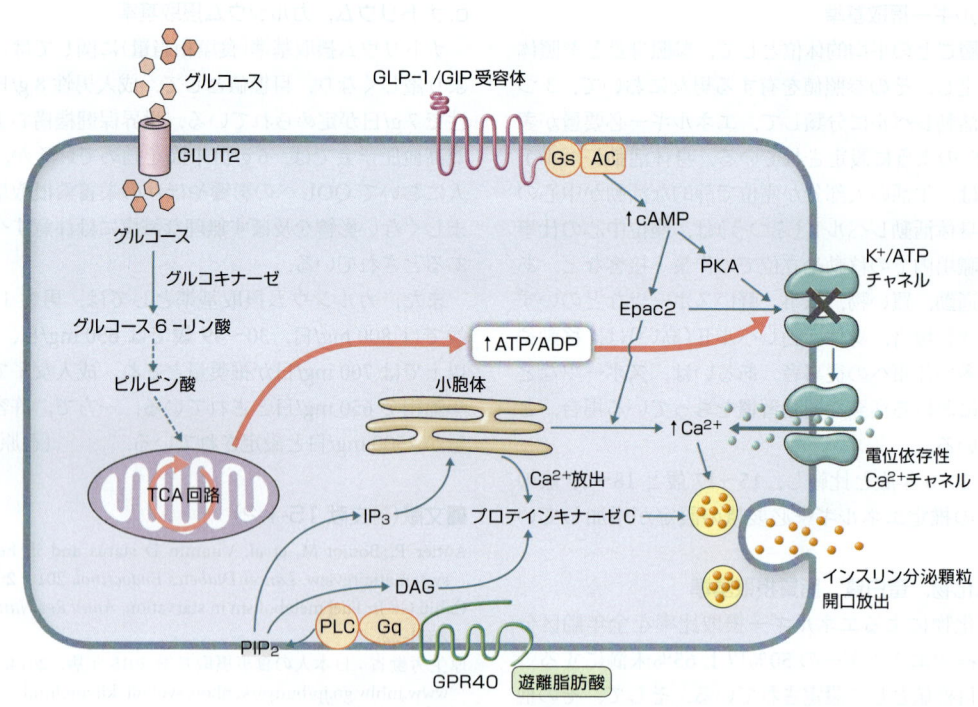

図 15-1-4 **インスリン分泌調節機構** (Kahn SE et al: Nature. 2006; 444 (7121): 840-6 および Doyle ME et al: Pharmacol Rev. 2003; 55(1): 105-31 より改変)
ブドウ糖によるインスリン分泌およびその調節機構の概略を示す．
AC：アデニル酸シクラーゼ
DAG：ジアシルグリセロール
IP3：イノシトール3リン酸
Gq, Gs：G蛋白質．それぞれアデニル酸シクラーゼ，ホスホリパーゼ$C\beta$を活性化する
PIP2：ホスファチジルイノシトール-2-リン酸
PKA：プロテインキナーゼA
PLC：ホスホリパーゼC
Epac2：Ex-change protein directly activated by cAMP

血糖値を狭い範囲(60～140 mg/dL)に厳密に維持するため,インスリンの分泌は厳格に調節を受けている(図15-1-4).生理的に最も重要なインスリン分泌刺激物質はブドウ糖(グルコース)である.細胞外液に存在するグルコースは,β細胞膜上に存在する促通拡散型糖輸送担体GLUT2により濃度勾配に従って細胞内に取り込まれ,細胞内外のグルコース濃度は直ちに平衡に達する.細胞内に取り込まれたグルコースは解糖系-TCA回路を経て代謝され,産生されるATP(ATP/ADP比)の変化がインスリン分泌への二次シグナルとなる.β細胞での糖代謝の律速段階はグルコキナーゼによる反応で,グルコキナーゼはβ細胞膜に存在する促進拡散型糖輸送担体GLUT2とともに「グルコースセンサー」の役割を果たしている.グルコースの代謝により細胞内のATP濃度が上昇すると細胞膜に存在するATP感受性K^+チャネルが閉鎖され,細胞膜電位の脱分極をきたす.これによって電位依存性のCa^{2+}チャネルが開口し,細胞外からのカルシウム流入によるカルシウム濃度の上昇がインスリン分泌を引き起こす(惹起経路).さらにインスリン分泌は,種々の因子による修飾を受ける.小腸粘膜に存在するL細胞,K細胞からは食物の摂取によりそれぞれGLP-1,GIPが分泌される(これらはインクレチンとよばれる).それぞれβ細胞膜に存在する特異的な受容体を介してアデニル酸シクラーゼを活性化し,細胞内cAMPを増加させる.cAMPはPKAの活性化を介して,またはEpac2を介して血糖値依存性にインスリン分泌を増強する(Shibasakiら,2007).遊離脂肪酸は,同じく細胞膜に存在するG蛋白(Gq)共役型受容体(GPR40)を介してホスホリパーゼCを活性化し,ジアシルグリセロール,イノシトール3リン酸の産生を介してインスリン分泌を促進する.その他,インスリン分泌はアミノ酸や,自律神経系を介する調節も受けている.

インスリンは標的細胞で,インスリン受容体を介して作用を発揮する.代謝作用の点では肝細胞,脂肪細胞,骨格筋細胞が標的細胞として重要であるが,インスリンはまた成長因子としての役割をもち,細胞の生存や増殖に必須で,受容体はすべての細胞に存在する.

インスリン受容体はα,βの2つのサブユニット2個ずつからなる四量体で構成される.2種類のサブユニットはジスルフィド結合で結ばれ,α-サブユニットは細胞外に存在してインスリンを結合する.β-サブユニットには膜貫通ドメインが存在し,細胞質内のドメインがチロシンキナーゼ活性をもつ.インスリンが結合するとこのチロシンキナーゼが活性化され,自身のチロシン残基がリン酸化される(自己リン酸化)ことによりさらにチロシンキナーゼ活性が増強される.代謝調節においては,続いてIRS(insulin receptor substrate)蛋白がリン酸化され,phosphatidylinositol 3-kinase(PI-3K),PDK-1,AKTと続くリン酸化の

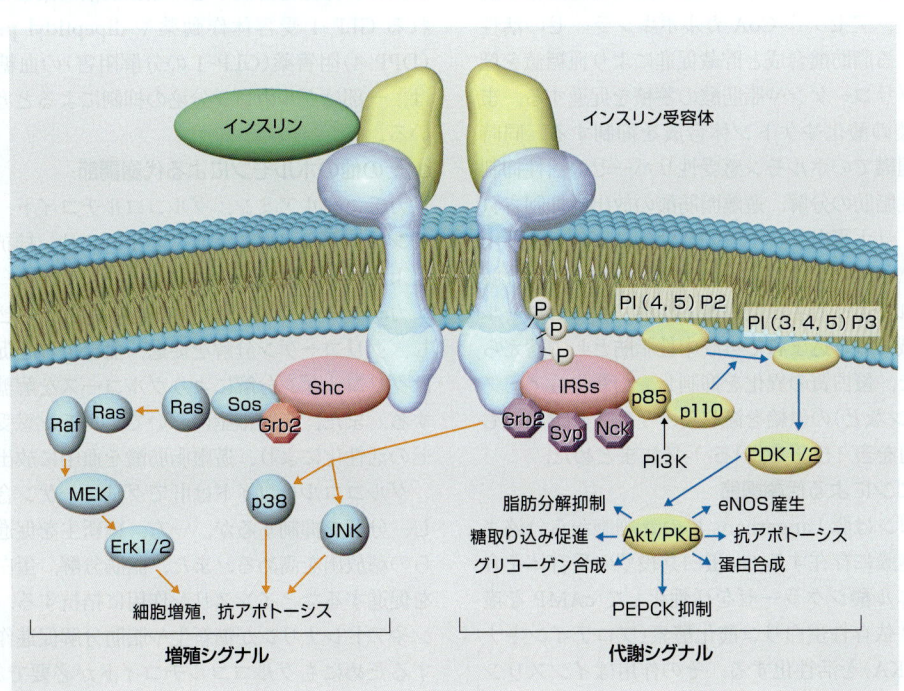

図15-1-5 インスリンのシグナル伝達(Van den Berghe G: *J Clin Invest*. 2014; 114: 1187-95 を改変)

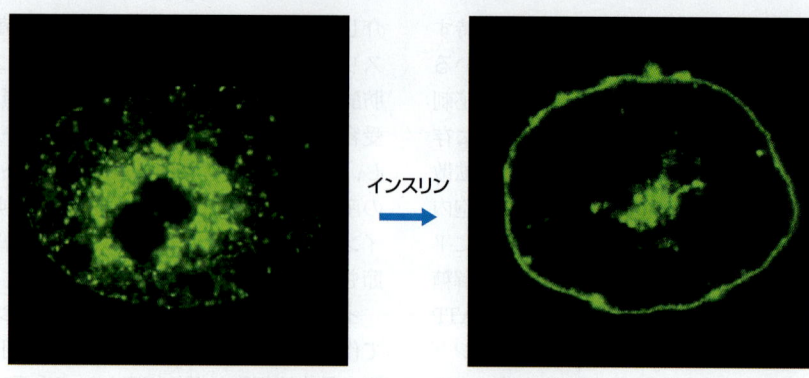

図15-1-6 インスリンによるGLUT4のトランスロケーション
GLUT4-EGFP融合蛋白の発現により，GLUT4を可視化している．

カスケードによりシグナルが伝達される．一方，増殖作用はRas-Raf-MAPKの経路により伝達される（図15-1-5）．

インスリンは，糖，脂質，アミノ酸代謝の調節に重要な役割を演じている．なかでも，血糖を低下させる唯一のホルモンであり，糖代謝の恒常性維持にきわめて重要である．骨格筋，脂肪細胞ではインスリン作用により直ちに4型糖輸送担体（GLUT4）が細胞内から細胞膜へトランスロケーションし，グルコースの取り込みが促進される（図15-1-6）．ついで，これらの組織および肝臓でグリコーゲン合成酵素の活性化によるグリコーゲン合成の促進，PEP-CKやグルコース-6-ホスファターゼの抑制による糖新生抑制，ピルビン酸キナーゼや肝でのグルコキナーゼの誘導などによる解糖系の促進，アセチルCoAカルボキシラーゼの活性化などによる脂肪酸合成と貯蔵促進により血糖値を低下させ，グリコーゲンや脂肪酸の蓄積を促進する．また，脂肪酸の酸化やケトン体合成を抑制する．同時に，脂肪組織でのホルモン感受性リパーゼの活性抑制により中性脂肪の分解，遊離脂肪酸の放出は抑制される．また，リポ蛋白リパーゼの活性化により，血清中のVLDLやカイロミクロン中の中性脂肪は加水分解され，これによって生じた遊離脂肪酸，グリセロールは脂肪組織に取り込まれて再び中性脂肪として蓄えられる．また，蛋白質の異化を抑制し，糖新生性アミノ酸（アラニンなど）の供給を減じる．インスリンのおもな代謝作用を表15-1-6, 15-1-7にまとめた．

b. グルカゴンによる代謝調節

グルカゴンは膵Langerhans島のα細胞から分泌される．細胞膜に存在するGs蛋白共役型の受容体を介してアデニル酸シクラーゼを活性化してcAMPを産生，cAMP依存性蛋白リン酸化酵素（プロテインキナーゼA，PKA）を活性化する．その作用はインスリンに拮抗的で，肝臓ではホスホリラーゼを活性化してグリコーゲン分解を促進し，また，解糖系の抑制，糖新生の促進によって肝からの糖放出を促進し，血糖値を上昇させる．脂肪酸の合成は抑制され，β酸化，ケトン体合成は促進される．

グルカゴンの分泌は血糖値の低下により促進され，高血糖で抑制される．糖尿病患者では相対的にグルカゴン濃度が上昇しており，血糖上昇によるグルカゴンの抑制もみられないか不完全である．最近，グルカゴン受容体欠損マウスではストレプトゾトシンによりβ細胞を破壊してインスリン分泌を廃絶させても血糖上昇がみられないことが報告され，血糖のホメオスターシス維持に対するグルカゴンの重要性があらためて注目されている．小腸のL-細胞から分泌されるGLP-1は血糖依存性にインスリン分泌を促進すると同時にグルカゴン分泌を抑制する．糖尿病治療薬として用いられるGLP-1受容体作動薬やdipeptidyl peptidase-4（DPP-4）阻害薬（GLP-1の分解阻害）の血糖降下作用は，一部はグルカゴン分泌の抑制によると考えられている．

c. その他のホルモンによる代謝調節

カテコールアミン，グルココルチコイド，成長ホルモンは，グルカゴンと並んでインスリン拮抗ホルモンとよばれる．

カテコールアミンは肝でホスホリラーゼを活性化し，グリコーゲン分解を促進，血糖上昇を促す．筋ではグリコーゲン分解によりグルコースを解糖系に供給する．また，脂肪細胞においてホルモン感受性リパーゼの活性化により，遊離脂肪酸を血中に放出する．

グルココルチコイドは肝でグリコーゲン合成を促進し，分解を抑制するが，一方，糖新生を促進して肝からの糖放出を高める．また，脂肪分解，蛋白質の異化を促進するなどインスリン作用に拮抗する．グルカゴンやアドレナリンが糖新生や脂肪分解促進作用を発揮するためにもグルココルチコイドが必要である（許容作用）．慢性作用では脂肪細胞の分化を促進し，特有の肥満を誘発する．

表15-1-6 主要なインスリンの作用

短期作用（秒単位で発現） 　インスリン感受性細胞へのブドウ糖，アミノ酸およびK$^+$輸送の促進
中期作用（分単位で発現） 　グリコーゲン合成と解糖酵素の促進 　グリコーゲン分解と糖新生の抑制 　蛋白質合成促進 　蛋白質分解抑制
長期（時間単位で発現） 　脂質合成酵素，その他の酵素遺伝子発現の誘導

表15-1-7 種々の組織におけるインスリン作用

脂肪組織 　ブドウ糖取り込み促進 　脂肪酸合成促進 　中性脂肪合成，貯蔵の促進 　リポ蛋白リパーゼの活性化 　ホルモン感受性リパーゼの抑制 　K$^+$取り込み促進
骨格筋 　ブドウ糖取り込み促進 　グリコーゲン合成の促進 　アミノ酸取り込み促進 　蛋白質合成促進 　蛋白質異化の抑制 　糖新生性アミノ酸放出抑制 　ケトン体取り込み促進 　K$^+$取り込み促進
肝臓 　グリコーゲン合成の促進，解糖系の促進 　糖新生抑制とブドウ糖放出抑制 　脂質合成の促進 　蛋白質合成促進 　ケトン体生成抑制
組織一般 　細胞成長促進

成長ホルモンは脂肪分解と脂肪酸の酸化を促進する．また，ケトン体産生も促進する．糖代謝にも大きな影響をもち，肝での糖放出を増加させる一方，インスリンに拮抗して全身での糖利用を抑制する．結果として血糖は上昇に働き，事実，成長ホルモンの過剰である先端巨大症の患者では糖尿病をしばしば合併する．蛋白質同化作用は成長ホルモンの本来の働きである．IGF-I を介して，また直接作用としてアミノ酸の取り込みと蛋白質合成を促進する．

d. アディポカイン，ミオカイン

脂肪組織は長くエネルギーの貯蔵組織と考えられていたが，現在ではより積極的にエネルギー代謝にかかわることがわかってきた．遺伝性の肥満モデルマウスとして知られていた *ob/ob* マウスの原因遺伝子として同定されたレプチンが脂肪細胞で特異的に発現，分泌され，食欲の調節にかかわることはこの領域での画期的発見であった．レプチンは食欲の調節のみならず，多くの代謝調節にかかわることが知られている．さらに，脂肪細胞は TNF，IL-1β など多くのサイトカインを分泌し，インスリン抵抗性を惹起する．一方で，小型の脂肪細胞からは動脈硬化抑制，耐糖能改善作用などをもつアディポネクチンが分泌される．これら脂肪細胞由来の生理活性因子については【⇨14-14】に詳述されている．

骨格筋もまた，生理活性因子を分泌し，代謝調節に関与することが明らかになってきた．骨格筋は，生体内で最大のインスリン感受性臓器であるとともに，運動によりインスリン非依存性に糖取り込みを促進する．その過程で，筋細胞での AMP キナーゼの活性化が重要な役割を演じると考えられている．同時に運動時に IL-6 をはじめとするサイトカインを分泌することが明らかとなり，免疫や代謝に影響を与えることが示唆されている．IL-6 は脂肪細胞から分泌されインスリン抵抗性を惹起する一方，骨格筋からも運動時に分泌が著増することが知られていた．しかしながら，その役割についてはいろいろと議論があった．最近，骨格筋からの IL-6 が GLP-1 の分泌促進を介してインスリン分泌を増強し，耐糖能を改善することが報告されている．また，同様に，運動時に骨格筋からアイリシンと名づけられたペプチドが分泌されることが発見された．アイリシンは脂肪組織に作用して前駆細胞を褐色脂肪細胞の性質をもつ細胞に分化させることによりエネルギー代謝を高め，耐糖能を改善することが示され注目を集めている（図 15-1-7）．

(3) 神経系を介する代謝調節
a. 視床下部-自律神経

自律神経は消化管の運動調節を介して，または副腎や膵臓内・外分泌腺の活動調節を介して代謝調節に関与する．副交感神経の活動は腸管平滑筋の活動を亢進させ，胃液分泌の増加，幽門括約筋の弛緩などを通して食物の消化，吸収を助ける．このため，同化性神経系とよばれる．一方，交感神経系は緊急事態に対処す

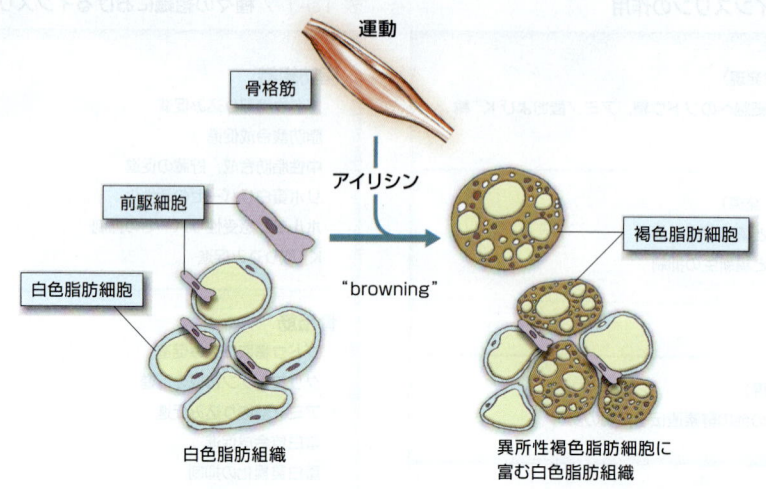

図15-1-7 **アイリシンの機能**(Villarroya F: *Cell Metabolism*. 2012; **15**: 277-8 を改変)
運動により筋肉から分泌されるアイリシンは脂肪前駆細胞を褐色脂肪細胞様に分化させる.

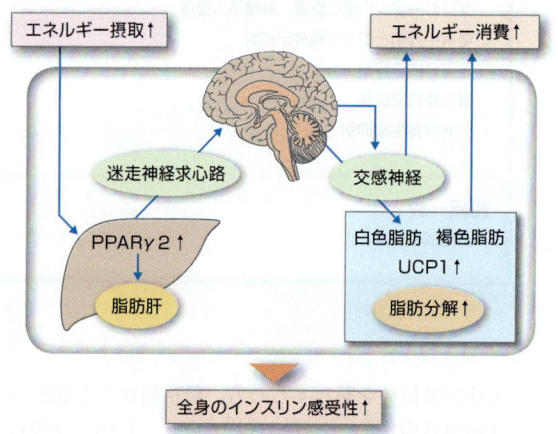

図15-1-8 **肝からの迷走神経を介するエネルギー代謝の恒常性維持機構**(仮説)(山田,片桐,他:医学のあゆみ. 2011; **237**: 639-44 を改変)

b. 神経系を介する臓器間ネットワーク

前述のように,エネルギー代謝調節は臓器間のネットワークにより調節を受けている.古典的には,インスリンに代表される液性因子を介して,内分泌器官が複数の標的器官を調節することが知られている.加えて,脂肪細胞や腸管粘膜の内分泌細胞,さらには骨格筋細胞もレプチン,アディポネクチン,インクレチン,アイリシンなどを介して中枢神経系を含めた複数臓器を調節し,臓器間ネットワークを形成する.

最近,求心性神経経路を介する神経シグナルも臓器間の代謝調節に大きく関与することが明らかになってきた.求心性神経回路を経て中枢神経にさまざまな代謝情報が伝達され,そこで統合されて遠心路を介して再び末梢臓器へと出力されることにより,各臓器が協調的に制御される.

胃や消化管から分泌される種々のペプチド,たとえばCCKやGLP-1,グレリンのシグナルは血流および迷走神経求心路を介して中枢神経系に伝えられる.さらには,肝臓や脂肪組織からも求心路を介してシグナルが伝達される.肥満時に,肝臓では異所性にPPARγの発現が亢進し,脂肪肝をきたす.PPARγの活性化はエネルギー蓄積過剰のシグナルとして迷走神経求心路を介して脳に伝達され,交感神経を活性化し,エネルギー消費を増大させる(図15-1-8).脂肪組織では白色脂肪細胞でのUCP1遺伝子発現が増加するが,UCP1を脂肪細胞で強制的に発現させるとやはり求心性神経経路を介してシグナルが伝達され,視床下部でのレプチン感受性が改善し,食欲抑制効果が

べく,血糖や血中遊離脂肪酸を上昇させエネルギーを供給するとともに,心拍数の増大,血圧の上昇により,筋肉や主要臓器への血流を増加させる.「逃走あるいは闘争への準備」とも称されることがあるが,平常時にも,空腹時には交感神経の活動は減少し,摂食時には活動が亢進する.このように,絶食・摂食サイクルにおいても代謝調節にかかわっている.

自律神経節前ニューロンに直接投射するのは視床下部室傍核,傍小脳脚核,孤束核,延髄腹外側部,延髄縫線核などであるが,大脳皮質,扁桃体,中脳水道周囲灰白質などからも間接的に投射する.視床下部はおもに摂食,情動のようなより複雑な反応にかかわり,その一部として自律神経系の活動を調節する.

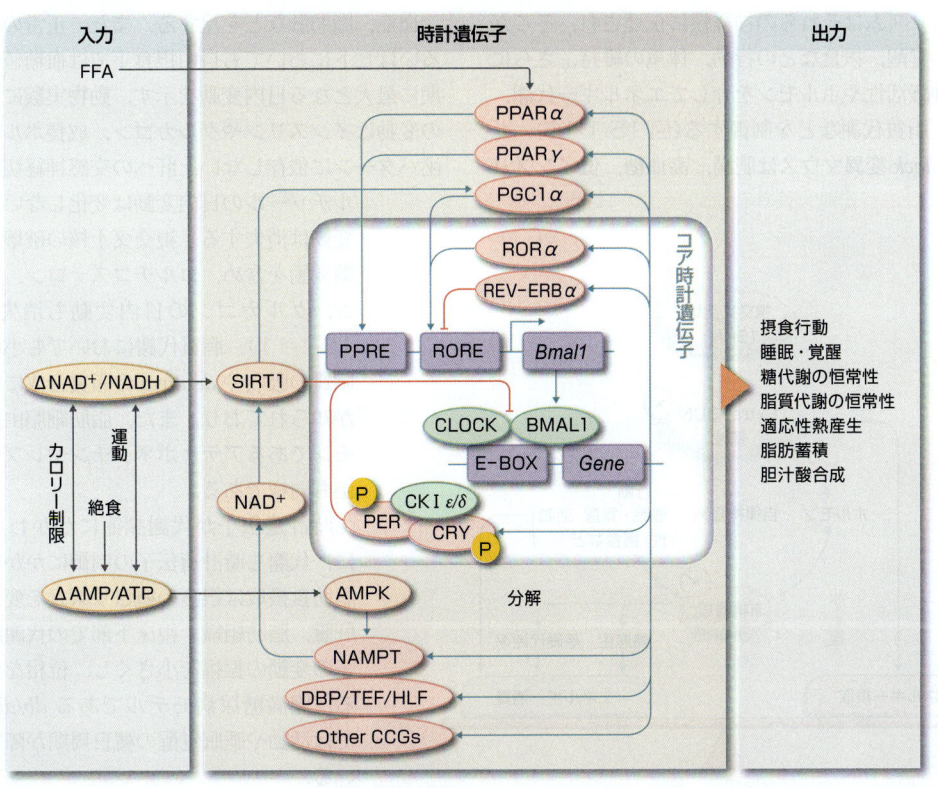

図 15-1-9 概日リズムのコアとなる時計遺伝子群，ならびにそれらと代謝関連遺伝子（因子）の相互作用
(Huang H, et al: J Clin Invest. 2011; 121: 2133-41 を改変)

みられる．肝臓では肥満時に ERK が活性化されているが，その ERK を肝で人工的に強制発現すると，膵 Langerhans 島で β 細胞の過形成が認められた．インスリン抵抗性によって膵島の過形成が引き起こされるメカニズムの一部を説明するものと考えられる．このように，臓器からのシグナルが求心性神経経路を介して脳（視床下部）に伝達され，そこからのシグナルが遠心路を介して臓器での代謝を調節する．代謝調節上の重要なネットワークの 1 つである．

（4）時計遺伝子と代謝制御
a. 時計遺伝子による概日リズムと代謝調節

生体は概日リズムをもって活動を行っている．通常，外環境における昼夜の光の周期に同調し，制御を受けている．ACTH-コルチゾールや成長ホルモンなどの分泌には概日リズムが存在し，それが代謝にも影響を与えていることは古くから知られている．また，概日リズムの変調が種々の代謝異常をきたしうることも知られ，シフトワーカーでは肥満や脂質代謝異常などが有意に高頻度となる．

この概日リズムを形づくるのが「体内時計」であるが，最近の研究により体内時計の分子機構が明らかになってきた．生体時計の中枢は視交叉上核にあり，ここで発現される転写因子である時計遺伝子がフィードバックループを形成してほぼ 24 時間周期で自律的な発現リズムを形成する（図 15-1-9）．時計遺伝子でもコアとなるのが Clock/Bmal1 および Per1-3/Cry1-2 である．CLOCK，BMAL1 は転写促進因子であり，これらによって発現が制御される転写因子 PER，CRY は CLOCK，BMAL1 に対して抑制的に作用する．つまり，CLOCK/BMAL1 のヘテロ二量体が Per，Cry 遺伝子プロモーターに結合してその転写を促進する．その結果，PER，CRY が蓄積すると，Clock，Bmal1 遺伝子の発現を抑制する，というネガティブフィードバックループを形成し，細胞内でこれらの遺伝子の自律的な発現リズムが形成されるのである．このフィードバックループはさらに，同じく CLOCK/BMAL1 によって発現調節される核内受容体 RORα，REV-ERBα によって Bmal1 がそれぞれ促進的，および抑制的に調節され，リズムはさらに安定化される．

視交叉上核においては網膜から投射される明暗の光情報が外的時間情報として入力され，個々の細胞での概日リズムを同調させている．光情報以外にも，摂食などの因子によりこのリズムの位相が同調されると考えられている．視交叉上核での同調シグナルは，視交叉上核外のニューロン，さらには末梢器官の時計遺伝子の律動的発現を同期させる．視交叉上核からは視床下部内外の広範囲の神経核へと神経突起が投射されてい

る．概日リズムはそれらの神経核に伝達され，そこから睡眠・覚醒，摂食などの行動，体重の維持，さらには自律神経活性やホルモンを介してエネルギー代謝，糖代謝，脂質代謝などを制御する（図15-1-10）．たとえばClock変異マウスは肥満，高血糖，低インスリン血症，脂肪肝などを呈する．また，正常の動物，あるいはヒトにおいても自由摂食下では血糖値は覚醒早期に最大となる日内変動を示す．動物実験によるとこの変動はインスリンやグルカゴン，成長ホルモンの分泌パターンに依存しない．肝への交感神経切断ではコルチゾールの日内変動は変化しないが，血糖変動は消失する．視交叉上核の破壊では，血糖変動を含め，コルチコステロン，インスリン，グルカゴンの日内変動も消失する（図15-1-11）．脂質代謝においても小腸からの脂質の吸収やde novoの脂質合成に概日変動が知られており，また，脂肪細胞由来のホルモンであるアディポネクチンやレプチンの分泌も同様である．

時計遺伝子が代謝調節にかかわると同時に，代謝も時計遺伝子の制御にかかわる．高脂肪食摂取は摂食の概日リズムを変化させ，肝臓，脂肪組織，視床下部での代謝関連遺伝子の変動の振幅を小さくし，位相を変化させる．肥満糖尿病モデルであるdb/dbマウスでは活動や睡眠覚醒の概日周期が障害されている．

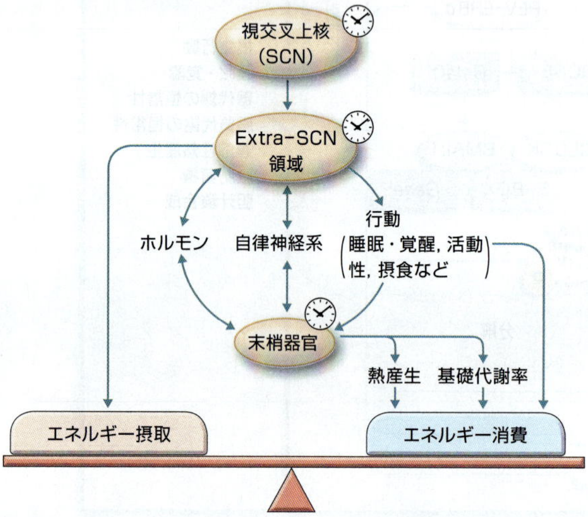

b. 末梢器官における時計遺伝子と代謝調節

時計遺伝子の発現は，中枢神経のみならず，末梢器官のほとんどすべての細胞においても発現されている．興味深いことに，末梢

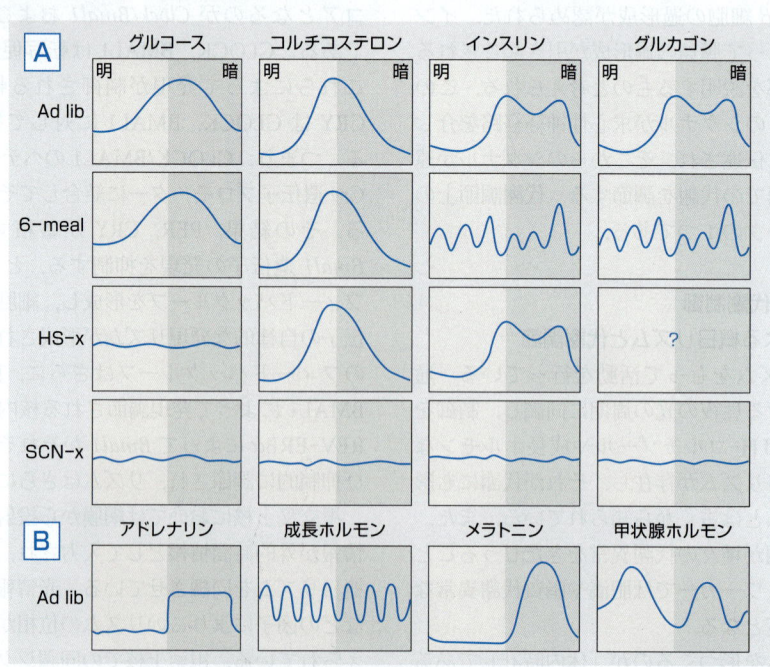

図15-1-10 体内時計によるエネルギー代謝調節（Huang H, et al: J Clin Invest. 2011; 121: 2133-41を改変）
視交叉上核のマスタークロックからのシグナルが視交叉上核以外の領域を同調させる．さらに自律神経系，ホルモン，行動などを介して末梢器官における体内時計を制御し，エネルギー代謝を調節する．

図15-1-11 種々の実験条件下での血糖値および血糖調節因子の日内変動（齧歯類）
(Kalsbeek A. et al: Trends Endocrinol Metab. 2010; 21: 402-10を改変)
Ad lib：自由摂餌，6-meal：摂食制限（1日6回給餌），Hs-x：肝への神経切断，SCN-x：視交叉上核破壊．

においては，NAD$^+$，NAMPT，SIRT1，AMPKなどの代謝・栄養状態のセンサーやPPARsともフィードバックループを形成している（図15-1-9）．NADHはCLOCK/BMAL1ヘテロ二量体の転写活性を増強し，NAD$^+$は抑制する．カロリー制限により誘導されるNAD$^+$依存性脱アセチル化酵素であるSIRT1はCLOCK/BMAL1に直接結合して時計遺伝子の発現を調節する．細胞内エネルギーセンサーであるAMPKはCRY1をリン酸化し，分解を促進するとともに，NAD$^+$生合成の律速酵素であるNAMPTを活性化する．PGC1αやPPARsもまた，CLOCK/BMAL1により発現が制御され，また，逆に*Bmal1*の発現を調節することが示されている．実際，肝臓や膵Langerhans島における時計遺伝子の発現は摂食，絶食サイクルによって制御を受けている．

組織特異的な遺伝子改変により末梢器官での時計遺伝子の役割が明らかになっている．肝での*Bmal1*の欠失は低血糖をきたす一方，膵Langerhans島での*Bmal1*の欠失はインスリン分泌低下による高血糖を呈した．しかしながら，これらの興味ある現象は末梢器官での概日リズムの障害によるのか，その他の機構を介するものかは必ずしも明らかでなく，今後解明が必要である．

時計遺伝子は糖，脂質，およびエネルギー代謝調節の新たなメカニズムとして重要であることは疑いない．末梢での概日周期の調整因子，中枢と末梢の時計遺伝子制御をコーディネートするメカニズム，ヒトの健康や疾病との関連など，さらに解明されていくことが期待される． 〔谷澤幸生〕

■文献

Shibasaki T, Takahashi H, et al: Essential role of Epac2/Rap1 signaling in regulation of insulin granule dynamics by cAMP. Proc Natl Acad Sci U S A. 2007; **104**: 19333-8.

4）栄養療法

（1）総論

代謝とは，生体内における化学反応である．生体は，常に栄養を摂取しているが，代謝を行い，摂取した栄養をエネルギーや細胞内の構成成分などに変換することで，生体の恒常性が維持されている．

代謝疾患は，代謝機構の障害によっても生じる．たとえば，膵β細胞の自己免疫によるインスリン分泌の低下や低比重リポ蛋白（LDL）受容体機能障害は，それぞれ1型糖尿病，家族性高コレステロール血症を起こす．しかしながら，代謝疾患は，栄養の過剰摂取や過小摂取に伴って発症することが多く，食事と代謝の関連を理解したうえで，過剰や過小を是正する栄養療法を実施することが求められる．

a. 栄養素の代謝

3大栄養素の炭水化物，脂質，蛋白質の代謝を示す．

i）炭水化物

炭水化物とは糖質と食物繊維の総称である．

これ以上，加水分解できない基本単位を単糖とよぶ．炭素元素を6個有するヘキソース（グルコースやフルクトースなど）が主であり，これらが結合すると，二糖（グルコースとフルクトースがグリコシド結合したスクロースなど）や多糖（グルコースが多数結合したでんぷんやグリコーゲンなど）になる．

摂取した糖質は，唾液や膵液のα-アミラーゼなどの消化酵素や小腸刷子縁に発現するスクラーゼなどのα-グルコシダーゼによって，単糖まで消化され，吸収されたのち，生体各所の細胞に取り込まれ，解糖系・TCA回路・ミトコンドリア電子伝達系で代謝されATPなどがつくられる．また，肝臓などでは一部グリコーゲンとなり，貯蔵される．

食物繊維は，ヒトの消化酵素で消化されない食物成分であり，セルロースやペクチンなどが含まれる．これらは，生体内では利用されないと考えられてきたが，ヒトの腸内に存在する細菌叢によって代謝され，エネルギー源などになる可能性がある．

ii）脂質

脂質とは，生体から単離される水に溶けない物質の総称であり，トリグリセリドとコレステロールがその代表である．

トリグリセリドは，グリセロールに3つの脂肪酸がエステル結合している（e図15-1-A）．脂肪酸は，炭素間の二重結合の数によって飽和，一価不飽和，多価不飽和と分類され，二重結合の位置によってn-6系脂肪酸（リノール酸，アラキドン酸など），n-3系脂肪酸（α-リノレン酸，イコサペントエン酸，ドコサヘキサエン酸など）に分類される．摂取されたトリグリセリドは，膵リパーゼによってモノアシルグリセロールと脂肪酸に加水分解され，胆汁酸とともにミセルを形成し，小腸の上皮細胞に取り込まれる．細胞内で再びトリグリセリドとなる．

食物中のコレステロールは，小腸上皮細胞に発現するコレステロールトランスポーター（Niemann-Pick C1-like 1, NPC1L1）によって吸収される[1]．

トリグリセリドとコレステロールは，アポ蛋白（アポB48など）とともに，カイロミクロンとなり，リンパ系を介し大循環に入り，肝臓に取り込まれる．

肝臓では，カイロミクロンに由来するトリグリセリドならびにコレステロールに加えて，肝臓でアセチル

CoAなどから合成されたコレステロールやアポ蛋白（アポB100など）とともに，超低比重リポ蛋白（VLDL）が合成され血中に分泌される．リポ蛋白リパーゼによる分解で末梢細胞に脂肪酸を供給することでトリグリセリドの含量を減らし，コレステロール転送蛋白（CETP）によって高比重リポ蛋白（HDL）からコレステロールを受け取ることでコレステロール含量を増やし，LDLとなり，末梢細胞にコレステロールを供給する．末梢のコレステロールは，アポ蛋白（アポA1など）を含むHDLに取り込まれ，肝臓に戻る（e図15-1-B）．トリグリセリドはエネルギー源などに用いられ，脂肪細胞では貯蔵される一方，コレステロールはステロイドホルモンや胆汁酸合成や細胞情報伝達などにも関与している．

iii）蛋白質

20種類あるアミノ酸がペプチド結合で連結したものである．

摂取された蛋白質は，胃から分泌されるペプシンや膵から分泌されるトリプシンなどの消化酵素によって分解され，それぞれのアミノ酸に特異性を有するアミノ酸トランスポーターや，短鎖ペプチドに対するペプチドトランスポーターによって，小腸から吸収される．

アミノ酸は，生体内で蛋白質の合成に利用されるが，充足している状態，あるいは飢餓状態では，アミノ酸は分解され，エネルギー源に用いられる一方，アミノ酸に含まれる窒素は，肝臓の尿素サイクルによって尿素となり，尿中に排泄される．

b. 栄養アセスメント

栄養過剰状態は高血糖，脂質異常症，肥満など疾患固有の指標で評価されるが，栄養不良状態は，主観的あるいは客観的な指標で評価される．

i）主観的な栄養アセスメント

主観的包括的評価（subjective global assessment：SGA）は，体重の変化，食事摂取量の変化，消化器症状などの病歴や皮下脂肪や浮腫などの身体状況を患者の主観的観点から評価し，栄養状態の判断に用いられる．

ii）客観的な栄養アセスメント

身体計測や血液，尿検査などから得られた指標を用いて，栄養状態を評価する．

身体計測は，体重・BMIやその変化率のみならず，上腕三頭筋部などの皮下脂肪厚（triceps skinfold thickness：TSF）の測定でエネルギー貯蔵量の評価，上腕筋囲（arm muscle circumference：AMC）の測定で筋蛋白質量の評価を行う．また，ウエスト周囲径の測定で内臓脂肪量を行う．さらに，生体電気インピーダンス分析法や二重エネルギーX線吸収測定法（DEXA）などで身体組成を評価することも可能である．

血液検査では，総リンパ球数は遅延型皮膚反応とともに栄養状態を反映する指標である．また，アルブミンは栄養状態をよく反映するが，より半減期が短いプレアルブミンなどのRTP（rapid turnover protein）もしばしば用いられる．蛋白質の動的平衡をみるには，窒素出納（蛋白質摂取量（g/日）/6.25 －尿中尿素窒素（g/日））で評価し，マイナスになると生体内の蛋白質の異化が進行していると判断できる．

iii）栄養不良の病型と診断

代表的な栄養不良の病型はマラスムスとクワシオコールである．マラスムスはエネルギー欠乏が顕著であるのに対し，クワシオコールは蛋白質欠乏が顕著である．

マラスムスは，著しい摂取エネルギー欠乏を体脂肪の動員と筋蛋白質の異化亢進で代償している状態で，著明な体重や皮下脂肪厚，ならびに筋蛋白質量の低下を示すが，血中の蛋白質は正常であることが多い．

クワシオコールは，摂取蛋白質欠乏のため，生体に必要な蛋白質が十分に合成されず，低アルブミン血症となり，その結果，浮腫を生じる．また，肝臓で脂質の輸送に必要な蛋白質の合成も低下するため，脂肪肝となる．

ただし，わが国の入院中の慢性や重症の症例に認められる栄養不良状態は，両者の中間が多く，マラスムス性クワシオコールとよばれる．

c. 栄養必要量の算出

生体が必要とするエネルギー量ならびに個々の栄養素量は，個々の患者によって異なる．当初設定した量は，常に栄養アセスメントによって適切かどうかを評価し，必要に応じて再設定する．

i）エネルギー量

成人では，基礎代謝量に活動係数ならびにストレス係数を乗じて求める．

基礎代謝とは，安静な状態で生命を維持するのに必要なエネルギー量である．正確には，安静のうえ，吸気中ならびに呼気中の二酸化炭素濃度を測定する間接カロリーメーターなどで測定できるが，臨床の場では，性別，年齢，身長，体重を用いHarris-Benedict式で算定される．

活動係数は，生活活動状態を寝たきりから身体活動レベルⅢ（1日2時間程度の歩行および重い筋肉活動）まで6段階に分け，1.0～2.0までの係数を設定している．

ストレス係数は，基礎代謝の亢進をきたす疾患や病態（甲状腺機能亢進症，感染症，発熱，手術など）や低下をきたす疾患や病態（甲状腺機能低下症，吸収不良症候群，低栄養状態など）によって設定している．

ただし，算定されたエネルギー量で開始しても，体

重や皮下脂肪厚などの栄養アセスメントを行い，想定と違えば，適切に摂取エネルギー量を調節することが必要である．

ii) 炭水化物量

中枢神経系や赤血球などは，通常はグルコースのみをエネルギー源としているため，100 g/日程度の糖質は必要であり，これを下回ると脂質や蛋白質の分解でグルコースが合成される．蛋白質や脂質の摂取の上限や下限を勘案して，炭水化物の食事摂取基準はエネルギーあたり 50～65％に設定されている．

iii) 脂質

欠乏の回避ならびに生活習慣病の発症予防の観点から，脂質エネルギー比は，20～30％とされている．また，飽和脂肪酸は生活習慣病の発症予防の観点から，エネルギー比で 7％以下とされているが，n-3 系や n-6 系の脂肪酸については，エビデンスがまだ十分でないため，目標値は設定されていない．

iv) 蛋白質

蛋白質は，細胞の構築や機能などに必要であり，炭水化物や脂質と異なり貯蔵する形態がないため，毎日一定量の蛋白質の摂取が必要となる．一方，過剰な摂取は糖尿病や心血管疾患の発症リスクを増加させる可能性があるため，エネルギー比で 15～20％程度とされている．窒素出納で蛋白質異化作用をみることで，蛋白摂取量の妥当性を評価することができる．

〔山田祐一郎〕

■文献

Altmann SW, Davis HR Jr, et al: Niemann-Pick C1 Like 1 protein is critical for intestinal cholesterol absorption. *Science*. 2004; 303: 1201-4.

(2) 経静脈栄養 (parenteral nutrition)

経静脈栄養は経口的あるいは経腸的に栄養摂取が困難であるときに選択される栄養補給法である．非生理的であるため，短期間に限るのが原則であるが，消化管の通過障害がある場合や，短腸などのために栄養吸収が十分でないときには，長期にわたる場合もある．経静脈栄養法としては末梢静脈栄養法と中心静脈栄養法の 2 つがある．

a. 末梢静脈栄養法

末梢静脈栄養法の適応は，短期間の栄養補給の場合と経口摂取不十分な場合の補助的栄養補給としてである．長所としては，①投与ルート確保の手技が容易である，②投与メニューの調合が容易である，③出血の危険が少なく，仮に出血しても対応が可能である，④菌血症の危険が少ない，などがあげられる．一方，短所として，①穿刺部位の疼痛がある，②穿刺部位の運動制限がある，③穿刺部位の静脈炎を起こしやすい，④糖質の濃度を十分に上げることができない，⑤十分なエネルギー補給が困難である，⑥投与水分量が多くなるため心不全患者では注意を要する，などがある．

静脈炎は輸液の浸透圧が高くなるほど起こしやすくなり，等張液の 2 倍が限度であるとされる．もし仮に，等張である 5％グルコース液の 2 倍の 10％グルコース液を輸液するとした場合，一般的な輸液量を 2 L として，グルコースは 200 g が投与限界であり，それによる投与エネルギーはたかだか 800 kcal である．これでは，体格にもよるが基礎代謝量にも不十分である．そのため高エネルギーを投与できる中心静脈栄養法が考案された（後述）．

投与メニューとしては，原則として 3 大栄養素をカバーする．糖質は基本的にグルコースを用いる．糖尿病があればインスリン注射を併用する．蛋白質の投与は，基本成分であるアミノ酸を投与する．一方，脂質は，生体内で合成されるため必須ではない．ただ，脂肪製剤は 1 g で 9 kcal と熱効率がよいため，エネルギー補給には 4 kcal/g の糖質より有利である．しかし肝障害や静脈塞栓の合併症があり汎用されてはいない．

電解質代謝の維持のために電解質を含む輸液製剤を用いる必要もある．電解質バランスを維持するための量は，基本的に維持輸液を 2 L 使用する場合の 1 日量で換算される（表 15-1-8）（詳細は【⇒ 5-1-2】）．

最終的に調合した輸液製剤を 40～80 mL/時（1～2 L/日）の輸液速度で 24 時間かけて一定速度で点滴することが多い．特に電解質は体内での貯蔵ができないため，1 日にわたって万遍なく投与することが勧められる．

b. 中心静脈栄養法

完全静脈栄養法（total parenteral nutrition：TPN）もしくは高カロリー輸液とよばれることもある．中心静脈栄養法とは投与ルートの特徴から命名されたものである．本法は，1960 年代に報告されて以来広く普及し，栄養管理の点から，医療に飛躍的な向上をもた

表 15-1-8 **電解質バランスを維持するための量**（維持輸液 2 L を使用する場合）

	1 日最低必要量	1 日通常量
水分	1 L	1～2 L
Na	50 mEq	50～150 mEq
K	40 mEq	40～80 mEq
Ca	50 mg	50～100 mg
塩基*	50 mEq	50～100 mEq

＊：塩基は，炭酸水素イオンとしてよりは，乳酸イオン，クエン酸イオン，酢酸イオンとして投与されることが多い．肝で代謝されて炭酸水素イオン相当に変換されるからである．

表 15-1-9 完全静脈栄養法（TPN）施行のガイドライン（成人）

1. 日常治療の一部として行う場合
   a. 消化管からの栄養素吸収能がない場合：小腸広範囲切除患者，小腸疾患，強皮症，全身性エリテマトーデス，スプルー，慢性特発性仮性腸閉塞症，Crohn病，多発性小腸瘻，小腸潰瘍，放射線腸炎，重症下痢，重症嘔吐
   b. 大量投与化学療法＋放射線療法＋骨髄移植
   c. 中等度・重症急性膵炎
   d. 消化器機能の障害を目前に控えている高度栄養障害患者
   e. 消化管が5～7日間以上機能しないと思われる高度異化期患者：敗血症，拡大手術，50％以上の熱傷，多臓器外傷，重症炎症性腸疾患

2. 通常有用と期待できる場合
   a. 大手術：大腸全摘，食道癌手術，膵頭十二指腸切除，骨盤内臓全摘，腹部大動脈瘤など
   b. 中等度侵襲：中等度の外傷，30～50％熱傷，中等度膵炎
   c. 消化管瘻
   d. 炎症性腸疾患
   e. 妊娠悪阻
   f. 集中治療の必要な中等度栄養障害患者
   g. 5～7日間に十分な経腸栄養を行うことが不可能な患者
   h. 炎症による小腸閉塞
   i. 集中的化学療法を受けている患者

3. 十分な価値が認められない場合
   a. 消化管を10日以内に使用可能で，軽度の侵襲や外傷を受けた栄養状態良好な患者
   b. 7～10日以内に消化管が使用できるかもしれない手術および侵襲直後の患者
   c. 治療不能な状態にある患者

4. 施行するべきでない場合
   a. 十分な消化吸収能をもった患者
   b. 高カロリー輸液が5日以内にとどまる場合
   c. 緊急手術が迫っている患者
   d. 患者，あるいは法的保護者が強力な栄養療法を希望していない場合
   e. 強力な栄養療法を行っても予後が保証されない場合
   f. 高カロリー輸液の危険性が効果を上回る場合

らした．1日に必要なエネルギー，窒素源，電解質，ビタミン，微量元素などを補給できる．長所は，①高エネルギー補給が可能であり，②運動制限が少なく，③静脈炎をきたすこともなく，経口栄養とほぼ同等の栄養補給が長期にわたって可能なことである．短所は，①ルート確保の手技が困難で，合併症の危険がある，②カテーテル感染から菌血症になることがある，③メニューの調合が複雑で，専門の知識を要する，④微量元素やビタミンの必要性についての配慮が必要である，などである．最近は，長期留置による中心静脈閉塞とそれによる合併症も懸念される．

i) 中心静脈栄養法の適応と禁忌

表15-1-9に完全静脈栄養施行のガイドラインを示す．原則として，2週以上消化管を用いた栄養管理ができない場合が適応となる．具体的には，①出血性胃十二指腸潰瘍，炎症性腸疾患，急性膵炎などの消化管の安静が必要な場合，②人工呼吸器使用中あるいは意識障害などが存在し，経口摂取が不可能か危険な場合，③悪性腫瘍などで化学療法が長期におよび栄養補給により全身状態の改善が期待できる場合などがあげられる．禁忌としては，腸管機能が正常の場合や栄養輸液の期間が短期であることが予想される場合などである．

一方，急性期の適応については長らく議論されてきたが，最近の報告では集中治療室入室後7日以内は中心静脈栄養は行うべきでないとする意見が大勢となった（Caserら，2011；Martindaleら，2009）．すなわち5％グルコース液のみでよいとされる．もちろん経腸栄養が導入できればさらによいことは間違いない．

ii) 3大栄養素投与の原則

必要エネルギー量は経口摂取時の必要エネルギー量に準じて，成人安静時には25～30 kcal/kg/日，軽症異化期には35～40 kcal/kg/日，高度異化期には40～50 kcal/kg/日とされるが，通常は25～30 kcal/kg/日での投与が多い．エネルギー源としてはグルコースを用いることが多いが，糖尿病患者ではインスリン非依存性のフルクトースやキシリトールを併用することもある．ただし糖尿病例でもインスリンを用いながらグルコースを使用するのが基本である．

開始時には，高濃度で高浸透圧のグルコース輸液に対して馴化の必要があり，開始液としてグルコース濃度10～15％を数日投与し，糖代謝に異常がなければ維持液に移る．維持液はグルコース濃度20～25％を基準とするが，糖尿病患者や肥満者ではこれよりも少なめにする．

蛋白質はアミノ酸で投与するが，通常1 g/kg/日，重症感染症や高度栄養障害時では1.5～2 g/kg/日を目標とする．投与した窒素を体蛋白合成に利用させるためには非蛋白カロリー/窒素比（kcal/g）が150～200となるように輸液内容を調整する必要がある．脂質は燃焼効率が9 kcal/gと高いが，わが国では使用が少ない傾向にある．エネルギー投与を糖質に頼ると，高インスリン血症を引き起こし脂肪肝の原因となるが，適度の脂肪製剤投与はむしろ脂肪肝の発生を抑制するとされている．

3大栄養素の組み合わせは，総投与エネルギーのうち糖質50～60％，アミノ酸20％，脂質10～30％が適当とされる．市販キット製剤はこれらのバランスを考慮して，臨床の現場で使用しやすいように調整され

ているので，さほど難しく考える必要はない（eコラム1）．

iii）市販キット製剤

1）糖： グルコースを基本とするが，糖尿病や手術後の外科的ストレス時など耐糖能異常がある場合にはインスリン非依存性のフルクトースやキシリトールを併用した複合製剤が開発され，血糖の管理が容易となりインスリンも節約できるようになった．実際には，アミノ酸製剤を加えて 20％程度の濃度の輸液を行うことになる．

2）アミノ酸製剤： 単独の製剤もあるが，糖液とダブルバッグになったキットも市販されている．使用直前にミックスすることにより Maillard 反応を防止している．近年，筋肉に取り込まれて利用される分岐鎖アミノ酸（BCAA）の意義が注目され，侵襲時に蛋白合成をより促進し広範囲の使用に応じるべく BCAA 高濃度液（30～36％）が多用されるようになった．

3）脂肪乳剤： 脂肪は燃焼効率が 9 kcal/g と高く，必須脂肪酸の供給源ともなる．脂肪乳剤の主成分は 10％もしくは 20％の大豆油と卵黄レシチンからなり，リノール酸が 50％以上を占める長鎖脂肪酸製剤である．必須脂肪酸の補給の意味では 2 日ごとに 20 g の脂肪投与でよい．欠点として代謝速度が遅く，侵襲下で減少するカルニチンに依存している，免疫系に悪影響があるなどがあげられている．

4）ビタミン： ビタミン補給は必須であるが，市販の総合ビタミン剤はやや過剰気味である．糖質を投与しているので，ビタミン B_1 不足には注意が必要で，ときに乳酸アシドーシス発生の報告がある．

5）微量元素： 長期にわたる完全静脈栄養では微量元素が欠乏することがある．亜鉛，銅，クロム，コバルト，セレン，マンガン，モリブデンなどによるものが報告されているが亜鉛欠乏以外はまれである．総合微量元素製剤が市販されているが，クロム，セレン，モリブデンは補給できない．この場合，適宜新鮮凍結血漿を用いることもある．ビタミン欠乏症，微量元素欠乏症については他項参照【⇨ 15-6-4，15-6-5，17-12-1】．

iv）中心静脈栄養の合併症とその対策

1）カテーテル挿入および留置に伴う合併症： 鎖骨下静脈・内頸静脈・大腿静脈などの深部静脈に経皮的穿刺によりカテーテルを挿入するため，動脈誤穿刺に起因する出血・血腫・血胸，胸腔穿刺に起因する気胸，胸管損傷による乳び胸などがある．挿入の際はエコーガイド下に複数の医師で施行し，十分な無菌操作を心がける．常に穿刺部やカテーテルからの感染の危険性があり，刺入部の発赤，腫脹，原因不明の発熱や炎症反応陽性が持続する場合は速やかにカテーテルを抜去する．

2）代謝に起因する合併症： 数日以内の初期の合併症として，高血糖および低リン血症，低カリウム血症がある．中心静脈栄養を開始してしばらくは，糖濃度を数日ごとに段階的に上げていくことが大切である．また，電解質の欠乏や過剰を生じる可能性があるため，定期的に血液や尿の電解質を測定し投与量の調節を行う．特に高度の栄養障害者では，リンとカリウムの体内量が欠乏しており，高濃度グルコース投与により電解質の細胞内移行が生じ，高度の低リン血症，低カリウム血症が出現する．腎不全では，過剰投与により，逆に高リン血症，高カリウム血症を引き起こす可能性がある．

最近問題となっている合併症にビタミン B_1 欠乏による乳酸アシドーシスがある．症状として，食欲不振，悪心・嘔吐，腹痛などに続き，傾眠傾向，失見当識，昏睡などが現れる．治療が遅れれば死に至ることもある重篤な合併症である．ビタミン B_1 は TCA 回路に入るときのピルビン酸脱水素酵素の補酵素として必須である．

数カ月に及ぶ中心静脈栄養では肝障害を認めることがある．多くは糖質の過剰投与による肝の脂肪変性とされる．投与エネルギーを減らし，蛋白，グルコース，脂肪のバランスのとれた製剤を投与することで軽快する．また，絶食による胆嚢の運動低下や胆汁酸の腸肝循環障害などが原因として考えられる胆汁うっ滞や黄疸，胆石などの胆道系疾患も生じやすい．ビタミン欠乏症や微量元素欠乏症にも注意する．〔内田俊也〕

■文献

Caser MP, Mesotten D, et al: Early versus late parenteral nutrition in critically ill adults. *NEJM*. 2011; 365: 506-17.

Martindale RG, McClave SA, et al: Guidelines for the provision and assessment of nutrition support therapy in the adult critically ill patient: Society of Critical Care Medicine (SCCM) and American Society for Parenteral and Enteral Nutrition (A.S.P.E.N.). *Crit Care Med*. 2009; 37: 1757-61.

松尾仁之：静脈経腸栄養ハンドブック，pp89-90，中外医学社，2003.

日本静脈経腸栄養学会：静脈経腸栄養ハンドブック，南江堂，2011.

内田俊也，Medical Practice 編集委員会編：病態生理と症例から学ぶ輸液ガイド，文光堂，2015.

(3) 経腸栄養

a. 経腸栄養の意義

経口摂取のみで必要な栄養量が摂取できない場合には，経腸栄養や静脈栄養による栄養療法が必要となる．長期に絶食となると，腸粘膜が萎縮して bacterial translocation（腸管から細菌やエンドトキシンが生体内に侵入すること）の要因となるのに対して，経腸

栄養では腸粘膜の integrity（恒常性）が保たれ，腸粘膜免疫系の機能維持にも有用である．このように，経腸栄養は静脈栄養に比べて生理的であることから，「消化管が機能している場合は，消化管を利用した経腸栄養を選択する」のが基本的な考え方である[1,2]．

b. 適応と禁忌

経腸栄養は多くの疾患で適応となっている（佐々木, 2012）（表 15-1-10）．食道癌，胃癌などにより上部消化管に狭窄を生じた場合や，脳血管障害や神経疾患により意識障害や嚥下障害をきたした場合は経腸栄養の適応である．化学療法や放射線治療により経口摂取困難となった場合にも，経腸栄養は静脈栄養に比べて感染性合併症が少ない利点がある．Crohn 病では経腸栄養による寛解導入効果，寛解維持効果が確認されており[3,4]，薬物療法とともに基本的治療法として位置づけられている（厚生労働科学研究費補助金難治性疾患克服研究事業「難治性炎症性腸管障害に関する調査研究班」, 2015）．また，短腸症候群や膵外分泌障害などの吸収不良症候群では，成分栄養剤や消化態栄養剤による経腸栄養は栄養効果にすぐれている．さらに，重症急性膵炎に対する早期経腸栄養は感染性合併症の低下が確認されており，急性膵炎のガイドラインでも推奨度が高い（急性膵炎診療ガイドライン 2015 改訂出版委員会, 2015）．

経腸栄養の絶対的な禁忌は，完全腸閉塞，腹部膨満を伴う高度の消化管狭窄，消化管からの栄養がまったく吸収できない場合である．また，バイタルサインの安定しない重症例，難治性嘔吐や重症下痢，活動性の消化管出血，小腸大量切除の術直後には経腸栄養は困難であり，静脈栄養の適応となる．

c. 経腸栄養のアクセス

経腸栄養法は，経口摂取と経管栄養法に分けられる．また経管栄養法には，経鼻経管法と胃瘻・空腸瘻によるアクセスがある．経鼻経管栄養は手技が容易であるが，機械的合併症として鼻腔や咽頭，食道にびらんや潰瘍を形成することがある．したがって，4 週間以上の長期にわたる経腸栄養を施行する場合には，胃瘻を選択すべきである（図 15-1-12）[1]．胃瘻造設には内視鏡的胃瘻造設術（percutaneous endoscopic gastrostomy：PEG）が第一選択である（e動画 15-1-A，e図 15-1-C）．PEG の適応については，医学的適応のみならず，倫理・社会的な観点からも PEG の適応を考慮すべきであるが，長期の栄養療法においては第一選択の栄養法として推奨される[2]．PEG が禁忌となるのは，出血傾向を認める場合，大量腹水，腹膜炎，胃と腹壁の間に介在臓器が存在する場合などである．胃の運動低下や食道裂孔ヘルニアの症例など，胃へのアクセスでは胃食道逆流による誤嚥性肺炎のリスクが高い場合には，PEG-J（PEG with jejunal extension）など，空腸へのアクセスも考慮する．

d. 経腸栄養剤の種類と特徴

経腸栄養剤は人工濃厚流動食と自然食品流動食に分類されるが，通常は人工濃厚流動食が用いられる．人工濃厚流動食は成分栄養剤，消化態栄養剤と半消化態栄養剤に分類される（表 15-1-11）．

i) 成分栄養剤

成分栄養剤の窒素源はアミノ酸からなり，化学的な組成が明らかになっている．食事抗原となる蛋白質を

表 15-1-10 経腸栄養が適応となる疾患

1. 経口摂取が不可能または不十分な場合
   1) 上部消化管の通過障害
      口唇裂，食道狭窄，食道癌，胃癌など
   2) 手術後
   3) 意識障害患者
   4) 化学療法，放射線治療中の患者
   5) 神経性食欲不振症
2. 消化管の安静が必要な場合
   1) 上部消化管術後
   2) 上部消化管縫合不全
   3) 急性膵炎
3. 炎症性腸疾患
   Crohn 病，潰瘍性大腸炎など
4. 吸収不良症候群
   短腸症候群，盲管症候群，慢性膵炎，放射線腸炎など
5. 代謝亢進状態
   重症外傷，重症熱傷など
6. 周術期
7. 肝障害，腎障害
8. 呼吸不全，糖尿病
9. その他の疾患
   蛋白漏出性胃腸症，アレルギー性腸炎
10. 術前，検査前の管理
    colon preparation

嚥下障害や意識障害にて経口摂取が不可能または不十分な場合には，経腸栄養の適応である．ヨーロッパ栄養代謝学会のガイドラインでは，7 日間以上経口摂取が困難な場合や，推奨量の 60%以下の摂取量が 10 日以上続く場合には経腸栄養を考慮するとされている．さらに，消化管の安静目的，炎症性腸疾患や吸収不良症候群の栄養療法において，経腸栄養は有用性が高い．

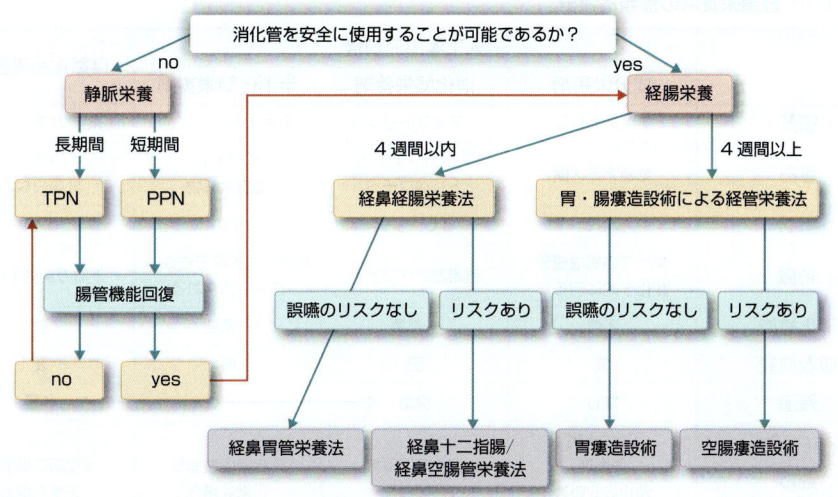

図 15-1-12 経腸栄養投与経路を選択するための decision tree (ASPEN Board Directors and Clinical Guideline Task Force, 2002 より改変)
日本静脈経腸栄養学会により提唱されている栄養療法の選択基準でも欧米の学会の指針と同様に，腸が機能している場合には経腸栄養が第一選択に位置づけられている．さらに，経腸栄養が4週間以上の長期になる場合には，胃瘻や腸瘻による経腸栄養が，4週間以内の短期間の場合には経鼻経管栄養を選択するのが基本的な考え方である．
TPN：中心静脈栄養，PPN：末梢静脈栄養．

含まず，脂肪含量もきわめて少ないので，Crohn病の寛解導入療法，寛解維持療法に用いられる．また，短腸症候群や膵外分泌不全などの吸収不良症候群，重症急性膵炎の早期経腸栄養などにも有用である．しかし，長期に使用においては必須脂肪酸欠乏に留意し，経静脈的な脂肪乳剤の投与を併用する必要がある．

ii) 消化態栄養剤

消化態栄養剤の窒素源はアミノ酸とペプチドからなる．ジペプチド，トリペプチドは，アミノ酸に比べて速やかに吸収される．またペプチドの吸収は消化管粘膜の傷害時にも機能低下をきたしにくいという特徴もある．したがって，消化吸収障害や周術期の経腸栄養に有用である．吸収不良症候群では，消化吸収障害の機序，程度によって経腸栄養剤を選択することが重要である．

iii) 半消化態栄養剤

半消化態栄養剤は蛋白質を窒素源とし，脂質も必要量が含まれている．脳血管障害や神経疾患，上部消化管の通過障害など，消化吸収機能に問題がない場合には半消化態栄養剤が第一選択である．

e. 病態別経腸栄養剤の種類と特徴

肝不全用の経腸栄養剤は分岐鎖アミノ酸(branched chain amino acid：BCAA)を豊富に含有し，Fisher比が高い．肝性脳症の治療に有用であるほか，就寝前夜食療法(late evening snack：LES)にも用いる．腎不全に用いる経腸栄養剤は水分，カリウム，リンなどが制限されている．蛋白質含有量の異なる製剤を組み合わせることにより，透析施行前の保存期，透析導入後に用いることができる．糖尿病に用いる経腸栄養剤には，脂質の割合を多くして糖質含量が少なくされている栄養剤，ゆるやかに吸収される糖質を用いた栄養剤などがある．また慢性閉塞性肺疾患(chronic obstructive pulmonary disease：COPD)に用いる経腸栄養剤は脂質含量が多く，二酸化炭素の産生を抑制する効果がある．COPDガイドラインでは，重症換気不全の場合に高脂質の経腸栄養剤が推奨されている[5]．

免疫賦活経腸栄養剤(immune-enhancing diet：IED)や免疫調整経腸栄養剤(immune-modulating diet：IMD)には，免疫増強作用のある栄養素としてグルタミンやアルギニン，RNA，n-3系多価不飽和脂肪酸が強化されている．術後感染症の発生を抑制し，在院日数を短くする効果が確認されている[6]．また，急性呼吸促迫症候群などの急性呼吸不全ではIMDが有用である[7]．

f. 経腸栄養の合併症とその対策

i) 機械的合併症

カテーテルの先端の位置はX線透視で確認し，位置異常に注意する．カテーテルはシリコンやポリウレタンなど生体適合性素材で製造されているが，刺激により鼻腔，咽頭，食道に潰瘍やびらんを呈することがある．12 Fr以下の径のカテーテルを下向きに正しく固定する．また，蛋白質の変性によるプラーク形成や注入する薬剤が原因となってカテーテルの閉塞をきたすことがあるので，十分な水による洗浄を心がける．

表 15-1-11 経腸栄養剤の種類と特徴

	人工濃厚流動食			自然食品流動食
	成分栄養剤	消化態栄養剤	半消化態栄養剤	
糖質	デキストリン	デキストリン	デキストリンなど	粉飴, ハチミツなど
蛋白	結晶アミノ酸	ジペプチド トリペプチド	ペプチド 蛋白水解物	大豆蛋白, 乳蛋白など
脂肪	少ない	なし〜多い	多い	多い
特徴	すべての構成成分が化学的に明らか	窒素源がペプチド	化学的に固定できない成分も含まれる	天然の食材を使用
消化機能	不要	一部要	一部要	要
吸収機能	要	要	要	要
残渣	なし	少量 ←――――――――――→		多量
適応	Crohn病 周術期 消化吸収障害 急性膵炎など	消化吸収障害 周術期など	消化吸収機能が正常な場合	消化吸収機能が正常な場合
その他	水溶性 食物繊維を含まない 医薬品	水溶性 食物繊維を含まない 医薬品/食品	水溶性 食物繊維添加製剤あり 医薬品/食品	粘稠 食品
投与経路	経鼻経管 胃瘻・腸瘻 経口	経鼻経管 胃瘻・腸瘻 経口	経鼻経管 胃瘻・腸瘻 経口	胃瘻・腸瘻 経口
投与方法	持続投与	持続投与	持続投与・間欠投与	間欠投与
栄養チューブサイズ	5 Fr	8 Fr	8〜12 Fr	12 Fr 以上

ほとんどの経腸栄養剤は人工濃厚流動食に該当し,成分栄養剤,消化態栄養剤,半消化態栄養剤に分類される.それぞれ,窒素源がアミノ酸,ペプチド,蛋白質と異なるほか,脂質や食物繊維など,組成が異なる.消化吸収機能や基礎疾患など,個々の病態に応じた選択が重要である.

胃瘻や腸瘻の管理においてはスキンケアが重要である.肉芽や漏れ,瘻孔周囲炎には早期の対応が重要である.

ii) 消化器系合併症

下痢は経腸栄養の合併症のなかで最も頻度が高い.経腸栄養剤の組成に関する要因として,浸透圧,食物繊維不足,乳糖などがある.成分栄養剤など浸透圧の高い栄養剤は希釈して投与を開始する.経腸栄養ポンプを用いる持続投与は下痢対策として有用である.誤嚥は経腸栄養において重篤な合併症である.意識障害や嚥下障害を呈する患者では誤嚥しても咳反射が十分に出せず,少量の唾液や口腔内容物を誤嚥することが多い.経腸栄養剤投与中には上半身を30°以上とし,投与速度にも留意する.

iii) 代謝性合併症

脱水,高血糖,低血糖,血清電解質の異常,必須脂肪酸欠乏,微量元素・ビタミン欠乏,リフィーディング症候群などがある.適切な水分量,塩分量の投与を心がけるとともに,血中電解質,血糖値などのモニタリングが重要である.また経腸栄養剤の種類によって微量元素の含有量は異なるので,使用する製剤の組成を確認する必要がある.特に,慢性的な栄養不良患者に急な栄養投与を行うと,リフィーディング症候群をきたして低リン血症,低カリウム血症から心不全や呼吸不全をきたすことがあるので注意する.

〔佐々木雅也〕

■文献(e文献 15-1-4-3)

厚生労働科学研究費補助金難治性疾患克服研究事業「難治性炎症性腸管障害に関する調査研究班」:平成26年度改訂版 潰瘍性大腸炎・クローン病診断基準・治療指針. 難治性炎症性腸管障害に関する調査研究班平成26年度分担研究報告書 別冊, 2015.

急性膵炎診療ガイドライン2015改訂出版委員会編:急性膵炎診療ガイドライン2015 第4版, 金原出版, 2015.

佐々木雅也:経腸栄養. 新臨床栄養学 第2版(馬場忠雄,山城雄一郎,他編), pp294-300, 医学書院, 2012.

15-2 糖代謝異常

1）糖代謝異常総論

(1)糖代謝とは

　生体にとって糖質はエネルギー源として必要不可欠である．特に，中枢神経系では通常の状態ではグルコース(ブドウ糖)が唯一のエネルギー源であり，持続的な血中グルコースの極度の低下は，中枢神経系の機能低下ひいては不可逆的障害をきたす．血液中では糖質は主としてグルコースとして各臓器・組織へ運搬される．生体内での，糖質代謝の恒常性を保つためにも血液中グルコース濃度(血糖値)の調節は重要であり，おおむね70〜140 mg/dL の一定範囲内で維持されている(図15-2-1)．これは，摂食時には急峻に血中濃度が上昇するインスリンにより各臓器・組織にグルコースが取り込まれ，一部は蓄積されるが，絶食時には血中に放出されるためであり，血糖調節機構を絶食時，摂食時それぞれで理解することが重要である．

(2)糖代謝経路[1]

　細胞質における糖代謝経路として解糖系，糖新生，グリコーゲン合成，グリコーゲン分解，5炭糖リン酸経路があり，グルコースが解糖系の最初の段階でリン酸化されたグルコース-6-リン酸は，すべての代謝経路にかかわる重要な中間代謝産物である．解糖系で代謝され生じたピルビン酸はミトコンドリアに取り込まれATP産生に向かう．これら一連の代謝で，グルコース1分子より38分子のATPを生じる(図15-2-2)．

a. 解糖系（glycolysis）

　解糖系は，グルコース1分子がピルビン酸2分子に分解され，最終的にピルビン酸が乳酸に変換される一連の代謝経路である．有酸素下ではピルビン酸がミトコンドリアで代謝されエネルギー産生に向かうが，無酸素下ではミトコンドリア代謝は酸素を必要とするので抑制され乳酸を生じる．

b. グリコーゲン合成・分解

　グルコース6-リン酸がグルコース-1-リン酸に変換され，UDP-グルコースを経て重合しグリコーゲンとして蓄積される．グリコーゲン分解の際は，UDP-グルコースを経ず，グルコース-1-リン酸となりグルコース-6-リン酸を経て，グルコース-6-ホスファターゼ(G-6-Pase)によりグルコースとなる．

c. 糖新生（gluconeogenesis）

　糖新生はアラニンなどのアミノ酸，乳酸，グリセロールなどから，新たにグルコース産生に向かう代謝経路である．解糖系を単に逆行するのでなく，ピルビン酸からオキサロ酢酸を経てホスホエノールピルビン酸となる．

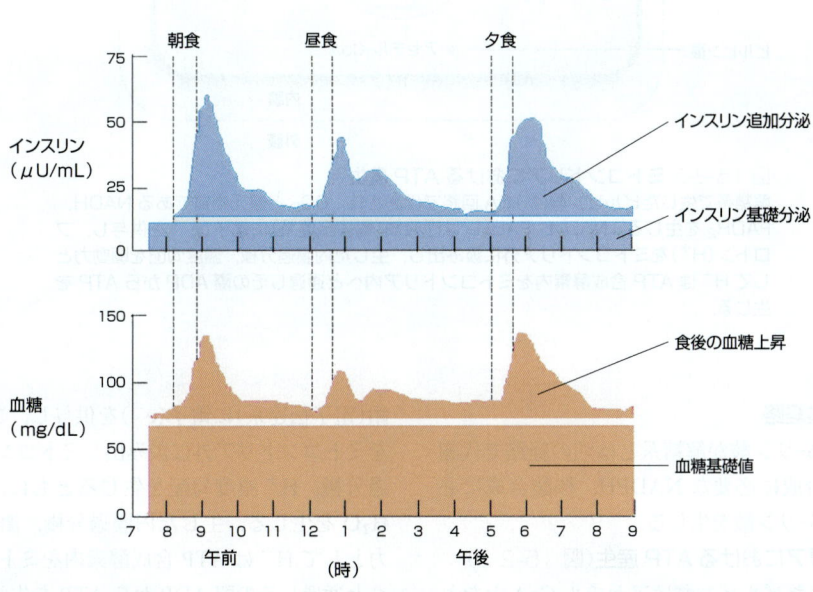

図 15-2-1 健常者のインスリン・血糖日内変動
絶食時においても血糖，インスリンはゼロとなることはなく，血糖基礎値，インスリン基礎分泌は維持される．また食後は，急峻にインスリン追加分泌が生じるので，食後の血糖の上昇は軽度にとどまる．

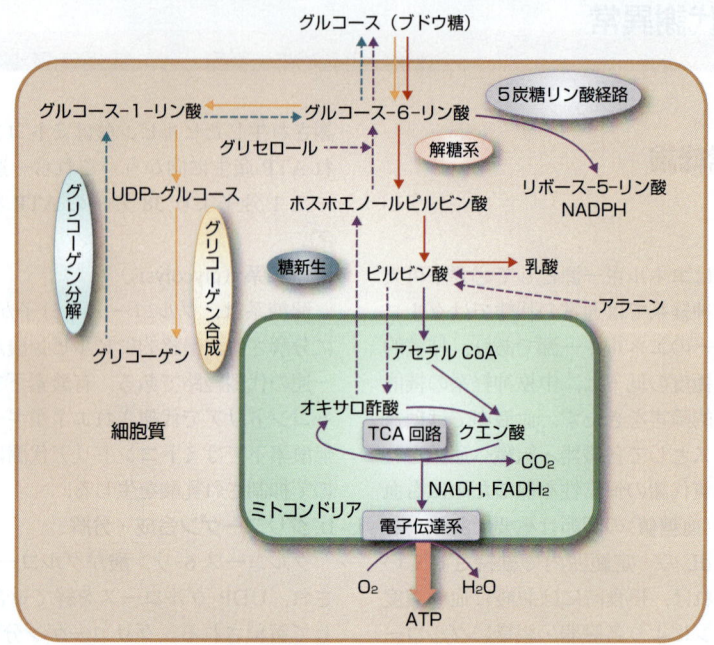

図 15-2-2 グルコースの代謝経路
細胞質における糖代謝経路として解糖系，糖新生，グリコーゲン合成，グリコーゲン分解，5炭糖リン酸経路がある．解糖系で代謝され生じたピルビン酸はミトコンドリアに取り込まれATP産生に向かう．

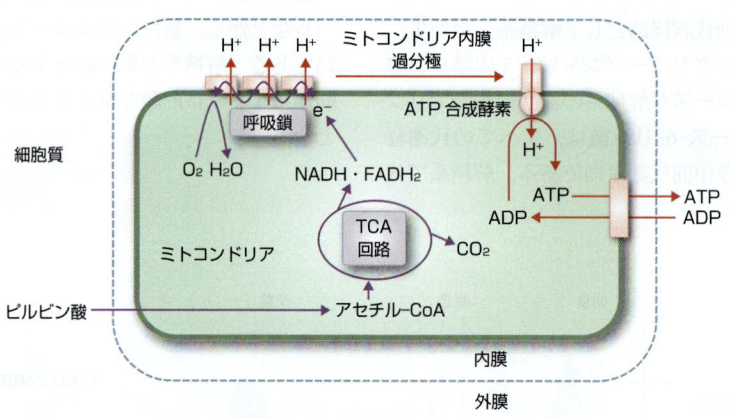

図 15-2-3 ミトコンドリアにおける ATP 産生
解糖系で生じたピルビン酸はTCA回路で代謝され，CO_2と還元物質であるNADH，$FADH_2$を生じる．NADH，$FADH_2$は呼吸鎖（電子伝達系）に電子(e^-)を供与し，プロトン(H^+)をミトコンドリア外に汲み出し，生じた内膜過分極，濃度勾配を駆動力としてH^+はATP合成酵素内をミトコンドリア内へと通過しその際ADPからATPを生じる．

d. 5炭糖リン酸経路

グルコース-6-リン酸が解糖系とは別の経路で代謝され，脂肪酸合成に必要なNADPH，核酸合成に必要なリボース-5-リン酸を生じる．

e. ミトコンドリアにおけるATP産生（図15-2-3）

解糖系で生じたピルビン酸はアセチルCoAとなりTCA回路で代謝され，CO_2と還元物質であるNADH，$FADH_2$を生じる．NADH，$FADH_2$は呼吸鎖（電子伝達系）に電子(e^-)を供与し，プロトン(H^+)をミトコンドリア外に汲み出しミトコンドリア内膜の過分極，H^+濃度勾配を生じるとともに，O_2を消費しH_2Oを生じる．生じた内膜過分極，濃度勾配を駆動力としてH^+はATP合成酵素内をミトコンドリア内へと通過しその際ADPからATPを生じる．

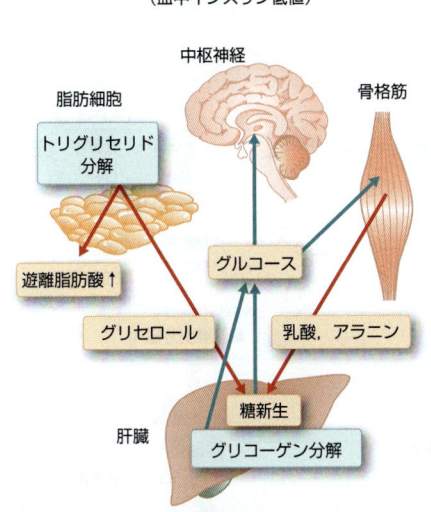

図 15-2-4 絶食時の血糖制御
絶食時は肝臓におけるグリコーゲン分解，糖新生亢進によりおもに中枢神経系にグルコースが供給される．糖新生の基質として骨格筋から供給される乳酸，アラニン，脂肪組織からトリグリセリド分解で供給されるグルセロールがある．

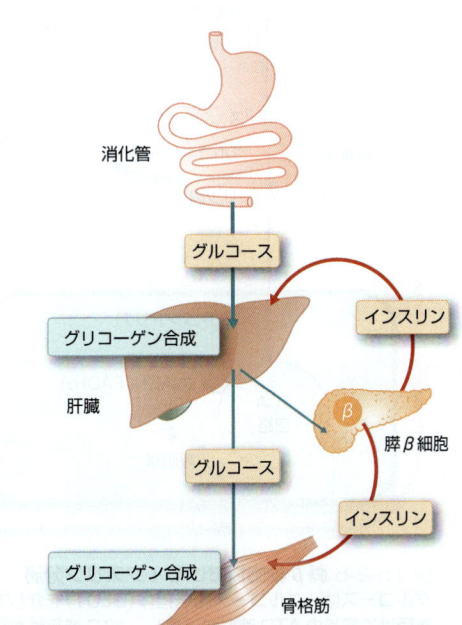

図 15-2-5 食物摂取時の血糖制御
血糖上昇により膵β細胞からのインスリン分泌が増加し，流入したグルコースは，肝臓，骨格筋などにおけるグリコーゲン合成の亢進により，グリコーゲンとして蓄積される．

(3) 絶食時と食事摂取時の血糖調節機構

a. 絶食時の血糖調節機構 (図 15-2-4)(Kahn ら, 2005)

絶食時においては，肝臓で主として，グリコーゲン分解，糖新生によりグルコースが産生され血液中に供給される（肝糖放出）（約 8 g/時）．肝臓には約 80 g のグリコーゲンが存在するが，絶食が長期にわたると枯渇し，肝グルコース放出は主として糖新生によってなされる．肝グルコース放出の60％は中枢神経，残りの40％は，筋肉，肝臓，脂肪組織において取り込まれ消費される．肝糖放出はおもに，血糖低値によるインスリン分泌の抑制，グルカゴン分泌の亢進を介して増強される．骨格筋には肝臓よりも多い約 400 g のグリコーゲンが蓄積されているが，G-6-Pase が存在しないため絶食時にグルコースとして放出されることはなく，グリコーゲン分解から生じたグルコース-6-リン酸が解糖系で乳酸に代謝され放出される．肝臓の糖新生の基質としては，主として骨格筋から生じる乳酸が約50％を占める．その他，蛋白異化により生じたアミノ酸であるアラニン，脂肪組織における絶食時のインスリン分泌低下に伴うトリグリセリド分解亢進に起因するグリセロールなども肝臓での糖新生の基質である．絶食状態では，トリグリセリド分解亢進に起因する遊離脂肪酸は，主として筋肉と肝臓でエネルギー源として利用されているが，中枢神経では遊離脂肪酸を利用できない．絶食時の血糖調節機構は，中枢神経に優先的にグルコースを供給する機構でもある．

b. 食事摂取時の血糖調節機構 (図 15-2-5)(Kahn ら, 2005)

食物に含まれる糖質は，消化され単糖類の形で吸収され，門脈中のグルコース濃度が上昇し，最初に肝臓に到達し，約50％は肝臓に取り込まれ，主としてグリコーゲンとして貯蔵される．取り込まれないで肝臓を通り抜けたグルコースは大循環に入り血糖値が上昇する．膵β細胞は血糖値の上昇を感知し，インスリンを分泌する．膵β細胞から分泌されたインスリンはまず門脈を介して肝臓に作用し，肝でのグリコーゲン分解，糖新生の和である肝糖放出をほぼ完全に抑制する．肝臓を通過し大循環に入ったインスリンは骨格筋でのグルコース取り込みを増強する．取り込まれたグルコースは筋でもグリコーゲンとして貯蔵され筋肉運動の際の初期のエネルギー源や絶食時の糖新生基質である乳酸の供給源として利用される．

(4) 各臓器・組織における血糖調節機構

a. 膵β細胞におけるインスリン分泌機構(図 15-2-6)[2]

グルコースは生理的に最も重要なインスリン分泌刺激物質である．グルコースは脂質二重層である細胞膜を通過するために，グルコース輸送担体(glucose

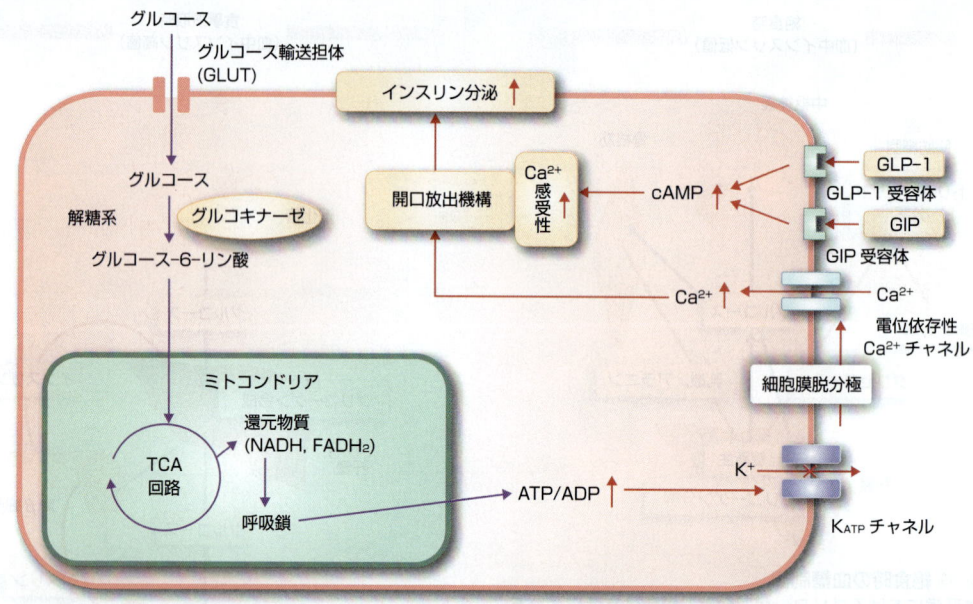

図15-2-6 膵β細胞におけるインスリン分泌
グルコースは，グルコース輸送担体(GLUT)を介して膵β細胞に取り込まれると，解糖系，ミトコンドリアでの代謝を受けて細胞内ATP濃度が上昇し，ATP感受性カリウム(K_{ATP})チャネルの閉鎖をもたらし，細胞膜電位が上昇し脱分極する．その結果，電位依存性カルシウム(Ca^{2+})チャネルが開口し，細胞内Ca^{2+}濃度上昇によりインスリンが分泌される．

transporter：GLUT)を介して膵β細胞に取り込まれると，解糖系，ミトコンドリアでの代謝を受けて細胞内ATP濃度が上昇する．細胞内ATP/ADP比の上昇は，ATP感受性カリウム(K_{ATP})チャネルの閉鎖をもたらし，細胞膜電位が上昇し脱分極する．その結果，電位依存性カルシウム(Ca^{2+})チャネルが開口し，細胞外からCa^{2+}が細胞内に流入する．細胞内Ca^{2+}濃度の上昇はインスリン分泌顆粒の開口放出をもたらし，血中にインスリンが分泌される．膵β細胞内グルコース代謝の律速段階は，解糖系にてグルコースをグルコース6-リン酸に変換する酵素であるグルコキナーゼであり，膵β細胞のグルコース濃度感知において重要な役割を担っている．

b. 肝臓におけるグリコーゲン分解・合成，糖新生の調節(図15-2-7)[3]

肝臓におけるグルコース放出の調節は，主としてインスリン，グルカゴンによってなされている．インスリンはグリコーゲン合成促進・分解抑制，グルカゴンはグリコーゲン合成抑制・分解促進に働く．この作用は，主としてグリコーゲン分解・合成の律速段階を担うグルコキナーゼ，グルコース-6-ホスファターゼ(G-6-Pase)，グリコーゲン合成酵素，グリコーゲンホスホリラーゼの活性や発現量の調整による．糖新生は，解糖の単純な逆向き反応ではなく，ホスホエノールピルビン酸カルボキシキナーゼ(phosphoenolpyruvate carboxykinase：PEPCK)，G-6-Paseが触媒する反応

は固有である．インスリンは，PEPCK，G-6-Paseなどの糖新生系酵素遺伝子の発現を抑制することで糖新生を抑制し，グルカゴンはその作用に拮抗する．

c. 骨格筋におけるグルコース取り込みの調節(図15-2-8)[4]

骨格筋のグルコース取り込み速度は，主としてグルコース輸送担体であるGLUT4の細胞膜表面における量で規定される．GLUT4は，肝臓や膵β細胞におけるGLUT1やGLUT2とは異なり，インスリンシグナルに反応して，細胞内の小胞から細胞表面に輸送(トランスロケーション)されるのが特徴的である．これにより，血中のインスリン濃度上昇に伴い骨格筋のグルコース取り込みが増加する．筋収縮は，インスリン依存性GLUT4トランスロケーションのインスリン感受性を亢進させるのみならず，インスリン非依存性のGLUT4トランスロケーションも増強する．インスリン非依存性GLUT4トランスロケーションの機序は十分に解明されていないが，少なくともその一部は，細胞内のAMP/ATPの上昇により活性化されるAMPキナーゼを介している．

(5) ホルモンによる血糖調節機構の修飾

a. インスリン拮抗ホルモンの作用

グルカゴン(膵α細胞)，カテコールアミン(交感神経・副腎髄質)，コルチゾール(副腎皮質)，成長ホルモン(下垂体前葉)[( )内は分泌臓器・組織]などのイ

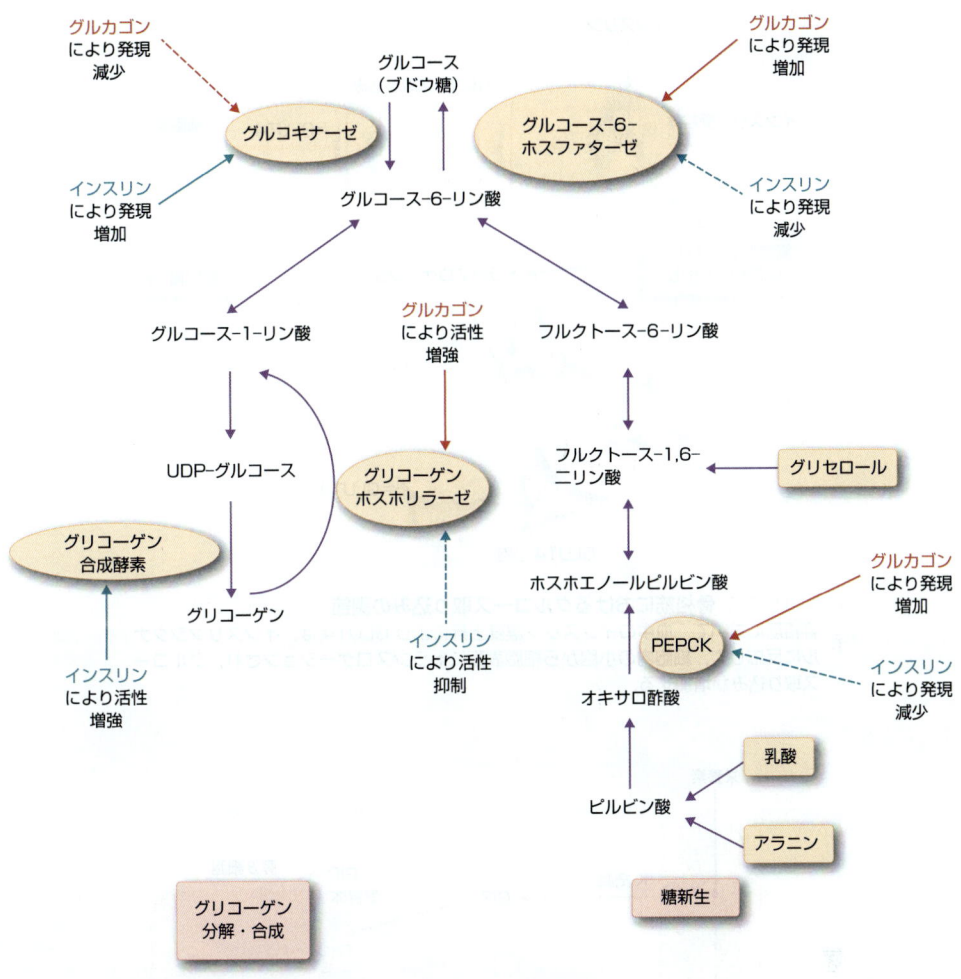

図 15-2-7 肝臓におけるグリコーゲン分解・合成，糖新生の調節
肝臓におけるグルコース放出の調節は，主としてインスリン，グルカゴンによってなされている．種々の関連酵素の発現・活性調整により，インスリンはグリコーゲン合成促進・分解抑制，グルカゴンはグリコーゲン合成抑制・分解促進をきたす．

ンスリン拮抗ホルモンは，ストレス時，低血糖時などに分泌が亢進し，肝糖放出の亢進，骨格筋グルコース取り込みの低下をきたし血糖を上昇させる．カテコールアミンは膵β細胞に直接作用しインスリン分泌を抑制するので，これも血糖を上昇させる機序となる．

b. インクレチンの分泌と作用[7]

栄養素の摂取に伴い消化管から分泌され，膵β細胞からのインスリン分泌促進作用を有する消化管ホルモンをインクレチンと総称する．主たるインクレチンとして gastric inhibitory polypeptide/glucose-dependent insulinotropic polypeptide (GIP) と glucagon-like peptide-1 (GLP-1) がある．GIP や GLP-1 は消化管管腔側のグルコース，脂肪酸，アミノ酸などの濃度上昇を感知してそれぞれ上部小腸に存在する K 細胞と下部小腸に存在する L 細胞から血中に分泌される（図 15-2-9）．両者とも膵β細胞に存在するそれぞれの受容体（7回膜貫通型 G 蛋白共役受容体）に結合した後，細胞内 cAMP 濃度の上昇による開口放出機構の Ca^{2+} 感受性増強によりインスリン分泌を増強する（図 15-2-6）．すなわちインクレチンはそれ自体でインスリン分泌を惹起しないが，グルコースによるインスリン分泌を増強する作用をもつ．また生体において，インクレチンは，食物の量によって異なる体内へのグルコース流入量に応じて食後のインスリン分泌量を調節し，食後血糖を極端に上昇させないようにするのに役立っている．

(6) 生活習慣因子の血糖調節機構に対する影響

a. 過栄養によるインスリン抵抗性増強の機序[6]

過栄養は脂肪細胞の肥大，脂肪細胞へのマクロファージの浸潤を伴う炎症や酸化ストレスの亢進を生じ，インスリン抵抗性を改善するアディポカインであるアディポネクチンの低下，インスリン抵抗性を惹起する遊離脂肪酸（FFA）やレジスチン，MCP-1，TNF-α，

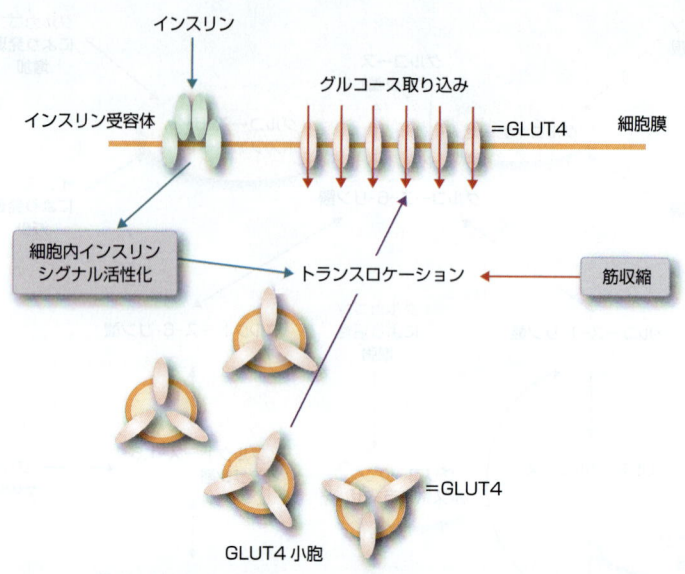

図 15-2-8 骨格筋におけるグルコース取り込みの調節
骨格筋において，血中のインスリン濃度上昇により GLUT4 は，インスリンシグナルに反応して，細胞内の小胞から細胞表面にトランスロケーションされ，グルコース取り込みが増加する．

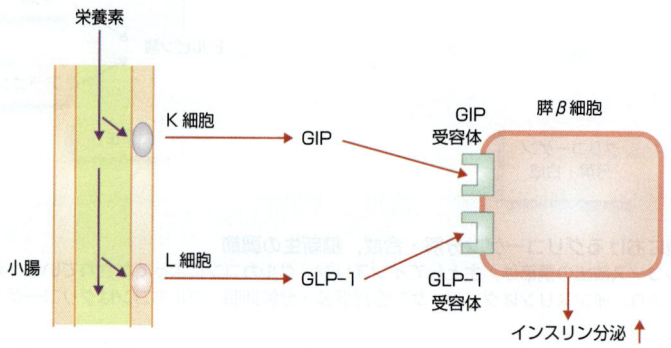

図 15-2-9 インクレチンの分泌と作用
主たるインクレチンである GIP や GLP-1 は消化管管腔側の栄養素の濃度上昇を感知してそれぞれ上部小腸に存在する K 細胞と下部小腸に存在する L 細胞から血中に分泌される．両者とも膵β細胞のそれぞれの受容体に作用しインスリン分泌を増強する．

IL-6 などのアディポカインやサイトカインの増加をきたす．また肝臓では脂肪肝となり，同様に炎症や酸化ストレスの亢進を生じ，インスリン抵抗性を惹起するサイトカインが分泌される．インスリン抵抗性が増加した状態ではβ細胞は代償性に肥大し，高インスリン血症を生じる．この機序の詳細は明らかではないが，FFA や膵β細胞内インスリンシグナルの関与が報告されている．

b. **運動トレーニングによるインスリン抵抗性改善の機序**

運動トレーニングの継続は，インスリン抵抗性を改善する．これは，骨格筋 GLUT4 蛋白量の増加，筋重量の増加，筋毛細血管密度の上昇などによりグルコース取り込み能が増加するためと考えられる．

(7) 耐糖能低下，2 型糖尿病における血糖調節機構の破綻（表 15-2-1）

2 型糖尿病においては，門脈内インスリンレベルが上昇しても肝臓のインスリン抵抗性が存在し，肝糖放出は完全に抑制されず，血糖上昇をきたす．また骨格筋でのグルコース取り込みはいずれのインスリン濃度においても健常人と比べて低く骨格筋でのインスリン抵抗性も認める（日本糖尿病学会，2014）．血糖が上昇すると，原尿中でのグルコース濃度も上昇し，尿細管における糖輸送担体（SGLT）を介する最大再吸収量をこえると一部は再吸収されず尿糖として排出され

表 15-2-1 耐糖能低下，2 型糖尿病における血糖調節機構破綻の要因

1. 膵 β 細胞からのインスリン分泌の障害，インスリン抵抗性に対する膵 β 細胞機能の代償不全
2. 肝臓からのグルコース放出の亢進，インスリンによる抑制効果の減弱
3. 筋肉におけるグルコース取り込みの低下，インスリンによる取り込み増強効果の減弱
4. 脂肪細胞からのインスリン抵抗性を修飾する液性因子の放出の変化（特に肥満を伴う場合）
5. インクレチン効果の減弱
6. 基礎グルカゴン分泌亢進

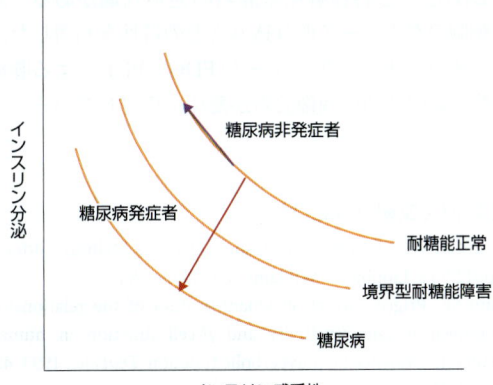

図 15-2-10 耐糖能低下の進展とインスリン分泌・インスリン感受性
インスリン感受性が低下した場合，糖尿病を発症しない個体は双曲線に沿ってインスリン分泌能が亢進するのに反して，糖尿病を発症する個体は原点方向に近づきインスリン分泌能が低下する．

る．グルコース経口負荷後 30 分以内のインスリン初期分泌は，すでに境界型耐糖能障害の時期より障害されている．耐糖能悪化進展においては，インスリン抵抗性増加に対する膵 β 細胞インスリン分泌代償不全が重要であることが近年認識されるようになった．インスリン分泌能を縦軸，インスリン感受性（インスリン抵抗性の逆数）を横軸としてプロットすると耐糖能が等しい個体は同一双曲線上にプロットされる（Kahn ら，1993）（図 15-2-10）．インスリン感受性が低下した場合，糖尿病を発症しない個体は双曲線に沿ってインスリン分泌能が亢進するのに反して，糖尿病を発症する個体は原点方向に近づきインスリン分泌能が低下する．インスリン分泌能とインスリン感受性の積は disposition index（DI）とよばれており，膵 β 細胞のインスリン抵抗性へのインスリン分泌代償能を示すよい指標となる．肥満者は一見インスリン分泌能がよいようにみえるが，DI を用いると正常，境界型，糖尿病と進展するのに伴い非肥満者と同様に DI は低下する．DI 低下は上述の糖尿病における個々の膵 β 細胞インスリン分泌機能障害と膵 β 細胞量減少の両者を反映していると考えられるが機序の詳細は不明な点が多い．インクレチンの効果は 2 型糖尿病では明らかに減弱しており食後高血糖の一因となっている．その機序として GIP の β 細胞における不応性が関与する可能性がある．2 型糖尿病においては，基礎グルカゴン分泌が亢進しており，肝糖放出亢進の機序となりうる可能性がある．

(8) ブドウ糖毒性

糖尿病において慢性高血糖状態が継続すると，インスリン分泌障害，インスリン抵抗性が，ますます悪化する状況をいう．臨床上は，インスリン治療を実施して高血糖状態を改善すると，次第に良好な血糖を維持するためのインスリン必要量が減少し，場合によってはインスリン治療を中止しても良好な血糖コントロールが維持できることで経験される．その機序について

は，まだ十分に解明されているとはいえない．

(9) 糖尿病神経障害におけるポリオール代謝障害

ポリオール代謝経路とはグルコースが，アルドース還元酵素により，ソルビトールになり，さらにソルビトール脱水素酵素により，フルクトースになる代謝経路である．糖尿病状態においてポリオール代謝経路は亢進しており，ソルビトール蓄積により細胞内浸透圧上昇などを介して細胞障害をきたす．糖尿病神経障害の改善のため，アルドース還元酵素阻害薬によるポリオール代謝の抑制が臨床応用されている．

(10) 低血糖症

インスリン分泌過剰，インスリン感受性の増加，グルコース消費の異常亢進，異化の異常亢進・低栄養状態，グルコース代謝酵素の異常などさまざまな機序がある．原因に関しても，腫瘍，内分泌異常，薬剤，自己抗体，遺伝子異常などさまざまであり鑑別が重要である【⇒ 15-2-4】．

(11) 糖原病（グリコーゲン病）

グリコーゲン代謝に関与する酵素の遺伝的欠損により，肝臓や筋にグリコーゲンが異常蓄積し，臓器障害をきたす疾患である【⇒ 15-2-6】．

(12) 腫瘍におけるグルコース代謝異常

腫瘍細胞においては，Warburg 効果とよばれる解糖系亢進による乳酸産生の顕著な亢進，ミトコンドリア代謝における ATP 産生抑制がみられることがある．解糖系亢進の機序として，糖輸送担体の発現亢進によるグルコース取り込みの亢進，乳酸脱水素酵素

(LDH)を含む各種解糖系酵素の発現亢進がある．腫瘍細胞のグルコース取り込み亢進の特性を利用した，フルオロデオキシグルコース(FDG)–PETによる腫瘍細胞発見のための画像診断が臨床応用されている．

〔藤本新平〕

■文献 e文献 15-2-1)

Kahn CR, Weir GC, et al eds: Joslin's Diabetes Mellitus, 14th ed, pp127-44, Lippincott Williams & Wilkins, 2005.

Kahn SE, Prigeon RL, et al: Quantification of the relationship between insulin sensitivity and β-cell function in human subjects: evidence for a hyperbolic function. Diabetes. 1993; 42: 1663-72.

日本糖尿病学会：血糖の恒常性とその異常．糖尿病専門医研修ガイドブック 第6版（日本糖尿病学会編），pp23-7，診断と治療社，2014.

2) 糖尿病
diabetes, diabetes mellitus

(1) 診断と病型分類

概念

糖尿病は，インスリン作用の不足に基づく慢性の高血糖状態を主徴とする代謝疾患群である．この疾患群の共通の特徴はインスリン効果の不足であり，それにより糖，脂質，蛋白質を含むほとんどすべての代謝系に異常をきたす．本疾患群でインスリン効果が不足する機序には，インスリンの供給不足(絶対的ないし相対的)とインスリンが作用する臓器(細胞)におけるインスリン感受性の低下(インスリン抵抗性)とがある．

糖尿病の原因は多様であり，その発症には遺伝因子と環境因子がともに関与する．インスリン供給不足は，膵Langerhans島β細胞の量が破壊などによって減少した場合や，膵β細胞自体に内在する機能不全によって起こる．前者が比較的純粋に起こる場合と，膵β細胞のインスリン分泌機構の不全にインスリン感受性の低下が加わって起こる場合などがある．いずれの場合でも，機能的膵β細胞量は減少しており，臓器において必要なインスリン効果が十分に発現しないことが発症の主要な機構である．インスリン作用不足を軽減する種々の治療手段によって代謝異常は改善する．

糖尿病患者の代謝異常は軽度であればほとんど症状を表さないため，患者は糖尿病の存在を自覚せず，そのため長期間放置されることがある．しかし，血糖値が著しく高くなるような代謝状態では口渇，多飲，多尿，体重減少がみられる．最も極端な場合はケトアシドーシスや著しい高浸透圧・高血糖状態をきたし，ときには意識障害，さらに昏睡に至り，効果的な治療が行われなければ死に至ることもある．

代謝異常が長く続けば，糖尿病特有の合併症が出現する．網膜，腎，神経を代表とする多くの臓器に機能・形態の異常をきたす．これらの合併症に共通するものは細い血管の異常であり，進展すれば視力障害，ときには失明，腎不全，下肢の壊疽などの重大な結果をもたらす可能性がある．また糖尿病は動脈硬化症を促進し，心筋梗塞，脳卒中，下肢の閉塞性動脈硬化症などの原因となり，生命をもおびやかす(清野ら，2010；2012)．

分類

1) 成因分類と病期分類： 成因(発症機序)と病態(病期)は異なる次元に属するもので，各患者について併記されるべきものと考える．糖尿病の成因が何であっても，糖尿病の発病過程では種々の病態を経て進展するであろうし，また治療によっても病態は変化する可能性がある．たとえば糖尿病に至るある種のプロセス(たとえば膵β細胞の自己免疫機序による傷害)は血糖値が上昇しない時期からすでに始まる．また，肥満した糖尿病患者において体重の減量，食事制限によって耐糖能が著明に改善することは日常しばしば経験する．図15-2-11の横軸はインスリン作用不足の程度あるいは糖代謝異常の程度を表す．糖尿病とは代謝異常の程度が慢性合併症の危険を伴う段階に至ったもの

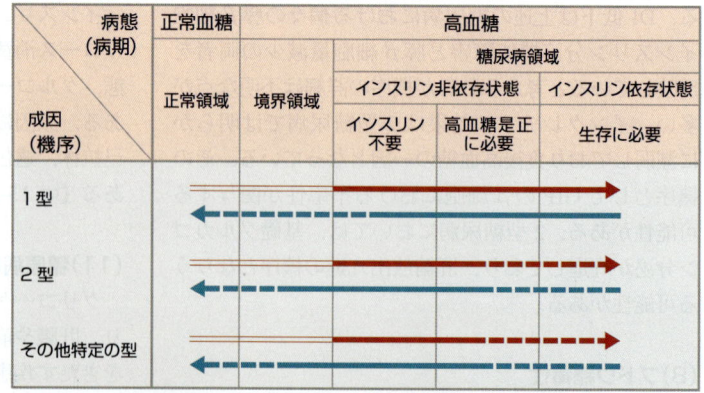

図15-2-11 糖尿病における成因(発症機序)と病態(病期)の概念
右向きの矢印は糖代謝異常の悪化(糖尿病の発症を含む)を表す．矢印の線のうち，━━━---の部分は，「糖尿病」とよぶ状態を示す．左向きの矢印は糖代謝異常の改善を示す．矢印の線のうち，破線部分は頻度の少ない事象を示す．たとえば2型糖尿病でも，感染時にケトアシドーシスに至り，救命のために一時的にインスリン治療を必要とする場合もある．また，糖尿病がいったん発病した場合は，糖代謝が改善しても糖尿病と見なして取り扱うという観点から，左向きの矢印は塗りつぶした線で表した．その場合，糖代謝が完全に正常化するに至ることは多くないので，破線で表した．

としてとらえられる．糖尿病のなかにもインスリン作用不足の程度によって，インスリン治療が不要のもの，血糖コントロールのためにインスリン注射が必要なもの，ケトーシス予防や生命維持のためにインスリン投与が必要なもの，の3段階を区別する．

用語として，成因分類には1型，2型という用語を用いる．糖尿病の病態(病期)を表すことばとしては，成因とは無関係にインスリン依存状態，インスリン非依存状態という用語を用いることができる．この場合，インスリン依存状態とはインスリンを投与しないと，ケトーシスをきたし，生命に危険が及ぶような状態をいう．ケトーシス予防や生命維持のためのインスリン投与は不要だが，血糖コントロールのためにインスリン注射が必要なものはインスリン非依存状態にある（清野ら，2010；2012；日本糖尿病学会，2016）．

2）成因分類：　糖尿病と糖代謝異常の成因分類を表15-2-2に示す．1人の患者が複数の成因をもつこともある．また，現時点ではいずれにも分類できないものを分類不能とする．

a）1型糖尿病：おもに自己免疫を基礎にした膵β細胞の破壊性病変によりインスリンの欠乏が生じて発症する糖尿病である．HLAなどの遺伝因子にウイルス感染などの何らかの誘因・環境因子が加わって起こる．ほかの自己免疫疾患の合併が少なくない．膵β細胞の破壊が進行して，インスリンの絶対的欠乏に陥ることが多い．典型的には若年者に急激に発症するとされてきたが，あらゆる年齢層に起こりうる．

多くの症例では発病初期に膵島抗原に対する自己抗体(膵島関連自己抗体)が証明でき，膵β細胞破壊には自己免疫機序がかかわっており，これを「自己免疫性」とする．自己抗体が証明できないままインスリン依存状態に至る例があり，これを「特発性」とする．ただし，自己抗体陰性でインスリン依存状態を呈する例のなかで，遺伝子異常など原因が特定されるもの，清涼飲料水ケトーシスなどによって一時的にインスリン依存状態に陥るものは特発性には含めない．発症・進行の様式によって，劇症，急性，緩徐進行性に分類される[1]．

b）2型糖尿病：インスリン分泌低下やインスリン抵抗性をきたす複数の遺伝因子に，過食(特に高脂肪食)・運動不足などの生活習慣，およびその結果としての肥満が環境因子として加わりインスリン作用不足を生じて発症する糖尿病である．

　i）遺伝因子：大部分の症例

では多因子遺伝が想定されている．全ゲノム相関解析(GWAS)により[2-4]，日本人2型糖尿病遺伝子として，現在まで，20以上の遺伝子が同定されている(図15-2-12，15-2-13)．6回膜貫通型カリウムチャネル *KCNQ1*，ユビキチン化に関連する *UBE2E2* 遺伝子が重要で，ともにインスリン分泌低下と関連する

表15-2-2 糖尿病と糖代謝異常*の成因分類(清野，2010；2012)

Ⅰ．1型(膵β細胞の破壊，通常は絶対的インスリン欠乏に至る)
　A．自己免疫性
　B．特発性

Ⅱ．2型(インスリン分泌低下を主体とするものと，インスリン抵抗性が主体で，それにインスリンの相対的不足を伴うものなどがある)

Ⅲ．その他の特定の機序，疾患によるもの(詳細は表15-2-3参照)
　A．遺伝因子として遺伝子異常が同定されたもの
　　(1)膵β細胞機能にかかわる遺伝子異常
　　(2)インスリン作用の伝達機構にかかわる遺伝子異常
　B．ほかの疾患，条件に伴うもの
　　(1)膵外分泌疾患
　　(2)内分泌疾患
　　(3)肝疾患
　　(4)薬剤や化学物質によるもの
　　(5)感染症
　　(6)免疫機序によるまれな病態
　　(7)その他の遺伝的症候群で糖尿病を伴うことの多いもの

Ⅳ．妊娠糖尿病

現時点では上記のいずれにも分類できないものは分類不能とする．

＊：一部には，糖尿病特有の合併症をきたすかどうかが確認されていないものも含まれる．

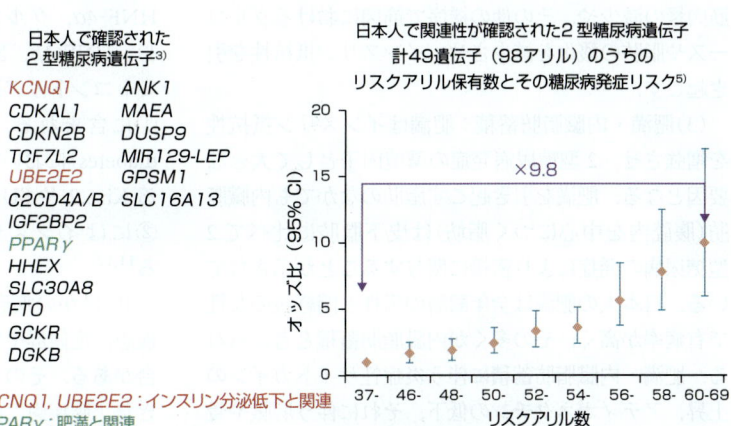

日本人で確認された2型糖尿病遺伝子[3]

KCNQ1	ANK1
CDKAL1	MAEA
CDKN2B	DUSP9
TCF7L2	MIR129-LEP
UBE2E2	GPSM1
C2CD4A/B	SLC16A13
IGF2BP2	
PPARγ	
HHEX	
SLC30A8	
FTO	
GCKR	
DGKB	

KCNQ1, UBE2E2：インスリン分泌低下と関連
PPARγ：肥満と関連

図15-2-12 日本人で確認された2型糖尿病遺伝子およびそのリスクアリル保有数と糖尿病発症リスク(文献5より引用)

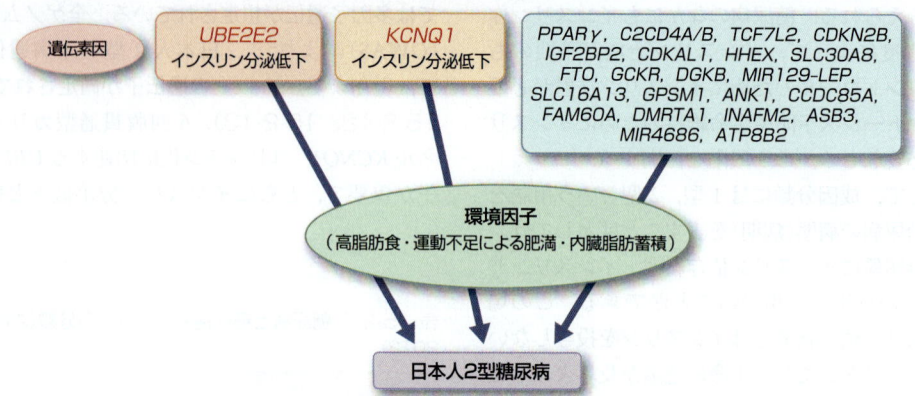

図 15-2-13 日本人2型糖尿病の遺伝素因と環境因子(文献2-4より引用)

(図 15-2-12, 15-2-13). また, 欧米人で最も重要な TCF7L2 や CDKAL1 は日本人でも, 2型糖尿病遺伝子である. 一方, 肥満やインスリン抵抗性と関連する PPARγ や FTO も 2 型糖尿病遺伝子である. 日本人の大規模 GWAS では, 計 49 個の 2 型糖尿病遺伝子が確認されたが, 49 個合わせると 2 型糖尿病のリスクを約 10 倍近くまで説明できる (図 15-2-13)[5]. これらの遺伝素因は, 環境因子(生活習慣)と合わさって, 2 型糖尿病を発症させる. 2 型糖尿病遺伝子は, 糖尿病発症の高リスク者の同定とその情報に基づく個別化予防につながることが期待される.

ii)環境因子:

(1)食事:国民栄養調査によると総摂取エネルギー量は最近 30 年間でむしろ減少傾向にあるのに対し, 動物性脂肪摂取比率は増え続け, 戦後数十年で 4 倍以上となり, 現在約 26% となっている. その間糖尿病患者は増え続けており, 動物性脂肪の摂取増加と糖尿病発症には密接な関係が示唆される.

(2)身体活動:身体活動の低下も 2 型糖尿病の発症因子であることが示されている. 身体活動の低下は, 筋肉量の減少や, その他の機序で筋肉におけるグルコースや脂肪の酸化を減少させ, インスリン抵抗性を引き起こす.

(3)肥満・内臓脂肪蓄積:肥満はインスリン抵抗性を増強させ, 2 型糖尿病発症の環境因子として大きな要因となる. 肥満を引き起こす脂肪のなかでも内臓脂肪(腹腔内を中心につく脂肪)は皮下脂肪に比べて 2 型糖尿病の発症により密接に関与することが示されている. 日本人の肥満は全年齢層の男性と閉経後の女性で有病率が高く, その多くが内臓脂肪蓄積と考えられる. 肥満・内臓脂肪蓄積に伴う炎症性サイトカインの上昇, アディポネクチンの低下, それに伴う肝臓や骨格筋の異所性脂肪蓄積や炎症がインスリン抵抗性の現因として重視されている[6].

個々の症例で 2 型糖尿病は, インスリン分泌低下とインスリン感受性低下の両者が発病にかかわっており, この両因子の関与の割合は症例によって異なる. インスリン非依存状態である糖尿病の大部分が 2 型に属する. 膵 β 細胞機能はある程度保たれており, 生存のためにインスリン注射が必要になることはまれである. しかし, 感染などが合併するとケトアシドーシスをきたすことがありうる. インスリン分泌では特に糖負荷後の早期の分泌反応が低下する. 肥満があるか, 過去に肥満歴を有するものが多い.

c)特定の原因によるその他の型の糖尿病:これには 2 つのグループを区別する(表 15-2-3).

i)遺伝因子として遺伝子異常が同定された糖尿病:現在までに, いくつかの単一遺伝子異常が糖尿病の原因として同定されている. これらは, ①膵 β 細胞機能にかかわる遺伝子異常, ②インスリン作用機構にかかわる遺伝子異常に大別される. それぞれの群は遺伝子異常の種類によってさらに細分化される. たとえば①にはインスリン遺伝子そのものの異常や, MODY が含まれる[7]. MODY1〜6 にはそれぞれ HNF-4α, グルコキナーゼ, HNF-1α, IPF-1(PDX-1), HNF-1β, NeuroD1 の遺伝子異常が対応する. ミトコンドリア遺伝子異常[8], アミリン遺伝子異常も①に含まれる. また最近, 新生児糖尿病(neonatal diabetes)において膵 β 細胞の K_{ATP} チャネルを構成する Kir6.2 や SUR1 の遺伝子異常が同定された[9,10]. ②にはインスリン受容体遺伝子の異常などがある[11,12].

ii)ほかの疾患, 病態に伴う種々の糖尿病:種々の疾患, 症候群や病態の一部として糖尿病状態を伴う場合がある. その一部は従来, 二次性糖尿病とよばれてきた. 膵疾患, 内分泌疾患, 肝疾患, 薬物使用, 化学物質への曝露, ウイルス感染, 種々の遺伝的症候群などに伴う糖尿病がそれに含まれる.

d）妊娠糖尿病（gestational diabetes mellitus：GDM）：妊娠中にはじめて発見または発症した糖代謝異常で，「臨床診断」における糖尿病と診断されるものは除外する（詳細はp.1740の4）妊娠糖尿病を参照）．成因論的には，妊娠を契機に糖代謝異常が顕在化するものが多いと推定される．妊娠自体が糖代謝悪化のきっかけになること，妊娠中は比較的軽い糖代謝異常でも母児に大きな影響を及ぼしやすいため，その診断，管理には非妊娠時とは違う特別の配慮が必要であること，妊娠中の糖代謝異常は分娩後にしばしば正常化すること，しかし妊娠中に糖代謝異常をきたしたものでは将来糖尿病を発症する危険が大きいこと，などの理由により，独立した1項目として取り扱う．

3）糖尿病の分類のための所見：成因論的な病型分類を行うためには，次のような種々の臨床的情報を参照する必要がある．①糖尿病の家族歴，遺伝形式を詳しく聴取すること，②糖尿病の発症年齢と経過，③ほかの身体的特徴，たとえば肥満の有無，過去の体重歴，難聴（ミトコンドリア異常症），黒色表皮腫（強いインスリン抵抗性）などの有無に注意すること，④1型糖尿病の診断のためには，GAD抗体，IA-2抗体，インスリン自己抗体（IAA；インスリン使用前から存在），膵島細胞抗体（ICA），ZnT8抗体などの膵島関連自己抗体を調べること（いずれかの自己抗体が陽性であれば，1型糖尿病を示唆する根拠となる），⑤HLAの抗原型を調べること（日本人1型糖尿病と関連する疾病感受性HLAはDR4，DR9，疾患抵抗性HLAはDR2である．DR4，DR9は健常者にも多い型なので，これらがあっても1型糖尿病と断定できない．DR4やDR9をもたない場合，DR2をもつ場合などは1型糖尿病らしくないなど，補助的診断と考えるべきである．遺伝子レベル（DNAタイピング）でみた日本人1型糖尿病の主要疾病感受性ハプロタイプはDRB1*0405-DQB1*0401，DRB1*0901-DQB1*0303であり，これらハプロタイプをどのような組み合わせでもつかが，発症様式と関連している），⑥2型糖尿病で，インスリン分泌能とインスリン抵抗性に関しては，空腹時血中インスリンやC-ペプチド濃度の測定，糖負荷後のインスリン分泌反応，特別の場合には高インスリン・正常血糖クランプ法やミニマルモデル法など，⑦特定の原因によるその他の糖尿病のうち，表15-2-3のA(1)，(2)に関しては遺伝子検査によって確定診断が得られる．ただし，これらの情報による糖尿病の成因分類は，必ずしも治療のためにすぐに必要なわけではない．表15-2-4に，1型と2型の鑑別のポイントを整理した．

糖尿病の病態（病期）の判定は，臨床的所見（血糖値，その安定性，ケトーシスの有無，治療への反応），インスリン分泌能によって行う．インスリン分泌能の推

表15-2-3 その他の特定の機序，疾患による糖尿病と糖代謝異常*（清野，2010；2012）

A. 遺伝因子として遺伝子異常が同定されたもの
 (1) 膵β細胞機能にかかわる遺伝子異常
  インスリン遺伝子（異常インスリン症，異常プロインスリン症，新生児糖尿病）
  HNF4α遺伝子（MODY1）
  グルコキナーゼ遺伝子（MODY2）
  HNF1α遺伝子（MODY3）
  IPF-1遺伝子（MODY4）
  HNF1β遺伝子（MODY5）
  ミトコンドリアDNA（MIDD）
  NeuroD1遺伝子（MODY6）
  Kir6.2遺伝子（新生児糖尿病）
  SUR1遺伝子（新生児糖尿病）
  アミリン
  その他
 (2) インスリン作用の伝達機構にかかわる遺伝子異常
  インスリン受容体遺伝子
  （インスリン受容体異常症A型，妖精症，Rabson-Mendenhall症候群ほか）
  その他

B. ほかの疾患，条件に伴うもの
 (1) 膵外分泌疾患
  膵炎
  外傷/膵摘手術
  腫瘍
  ヘモクロマトーシス
  その他
 (2) 内分泌疾患
  Cushing症候群
  先端巨大症
  褐色細胞種
  グルカゴノーマ
  アルドステロン症
  甲状腺機能亢進症
  ソマトスタチノーマ
  その他
 (3) 肝疾患
  慢性肝炎
  肝硬変
  その他
 (4) 薬剤や化学物質によるもの
  グルココルチコイド
  インターフェロン
  その他
 (5) 感染症
  先天性風疹
  サイトメガロウイルス
  その他
 (6) 免疫機序によるまれな病態
  インスリン受容体抗体
  stiffman症候群
  インスリン自己免疫症候群
  その他
 (7) その他の遺伝的症候群で糖尿病を伴うことの多いもの
  Down症候群
  Prader-Willi症候群
  Turner症候群
  Klinefelter症候群
  Werner症候群
  Wolfram症候群
  セルロプラスミン低下症
  脂肪萎縮性糖尿病
  筋強直性ジストロフィ
  Friedreich失調症
  Laurence-Moon-Biedl症候群
  その他

*：一部には，糖尿病特有の合併症をきたすかどうかが確認されていないものも含まれる．

表 15-2-4 糖尿病の成因による分類と特徴(日本糖尿病学会, 2016)

糖尿病の分類	1 型	2 型
発症機構	主に自己免疫を基礎にした膵β細胞破壊. HLA などの遺伝因子に何らかの誘因・環境因子が加わって起こる. ほかの自己免疫疾患(甲状腺疾患など)の合併が少なくない.	インスリン分泌の低下やインスリン抵抗性をきたす複数の遺伝因子に過食(とくに高脂肪食), 運動不足などの環境因子が加わってインスリン作用不足を生じて発症する.
家族歴	家系内の糖尿病は 2 型の場合より少ない.	家系内血縁者にしばしば糖尿病がある.
発症年齢	小児〜思春期に多い. 中高年でも認められる.	40 歳以上に多い. 若年発症も増加している.
肥満度	肥満とは関係がない.	肥満または肥満の既往が多い.
自己抗体	GAD 抗体, IAA, ICA, IA-2 抗体, ZnT8 抗体などの陽性率が高い.	陰性.

HLA：ヒト白血球抗原(human leucocyte antigen), GAD：グルタミン酸脱炭酸酵素(glutamic acid decarboxylase), IAA：インスリン自己抗体(insulin autoantibody), ICA：膵島細胞抗体(islet cell antibody), IA-2：insulinoma-associated antigen-2.

表 15-2-5 糖尿病の病態による分類と特徴(日本糖尿病学会, 2016)

糖尿病の病態	インスリン依存状態	インスリン非依存状態
特徴	インスリンが絶対的に欠乏し, 生命維持のためインスリン治療が不可欠	インスリンの絶対的欠乏はないが, 相対的に不足している状態. 生命維持のためにインスリン治療が必要ではないが, 血糖コントロールを目的としてインスリン治療が選択される場合がある.
臨床指標	血糖値：高い, 不安定 ケトン体：著増することが多い	血糖値：さまざまであるが, 比較的安定している ケトン体：増加するがわずかである
治療	1. 強化インスリン療法 2. 食事療法 3. 運動療法(代謝が安定している場合)	1. 食事療法 2. 運動療法 3. 経口薬, GLP-1 受容体作動薬またはインスリン療法
インスリン分泌能	空腹時血中 C-ペプチド 0.6 ng/mL 未満が目安となる	空腹時血中 C-ペプチド 1.0 ng/mL 以上

GLP-1：グルカゴン様ペプチド(glucagon-like peptide-1).

表 15-2-6 空腹時血糖値および 75 g 経口糖負荷試験(OGTT)2 時間値の判定基準(静脈血漿値, mg/dL)(清野, 2010；2012)

	正常域	糖尿病域
空腹時値	< 110	≧ 126
75 g OGTT 2 時間値	< 140	≧ 200
75 g OGTT の判定	両者を満たすものを正常型とする.	いずれかを満たすものを糖尿病型*とする.
	正常型にも糖尿病型にも属さないものを境界型とする.	

*：随時血糖値≧ 200 mg/dL および HbA1c ≧ 6.5％の場合も糖尿病型と見なす.

正常型であっても, 1 時間値が 180 mg/dL (10.0 mmol/L)以上の場合には, 180 mg/dL 未満のものに比べて糖尿病に悪化する危険が高いので, 境界型に準じた取り扱い(経過観察など)が必要である. また, 空腹時血糖値 100〜109 mg/dL のものは空腹時血糖正常域の中で正常高値とよぶ.

定は, 血中インスリン濃度測定(空腹時および糖負荷後, グルカゴン静注負荷後など), もしくは血中, 尿中 C-ペプチドの測定による. 表 15-2-5 に, インスリン依存状態とインスリン非依存状態を判定するポイントを整理した.

診断

　糖尿病の診断とは, 対象者が前項で述べた疾患概念に合致することを確認する作業であり, 慢性高血糖の確認は糖尿病の診断にとって不可欠である. 表 15-2-6 に空腹時血糖値, 75 g 経口糖負荷試験(OGTT)2 時間血糖値, 随時血糖値, HbA1c の判定基準を示す. 空腹時血糖値とは, 前夜から 10 時間以上絶食し(飲水はかまわない), 朝食前に測定したものをいう. OGTT については後述する. 随時血糖値では食事と採血時間との時間関係を問わない.

　また, 強いストレスのある場合(感染症, 心筋梗塞, 脳卒中, 手術時やその直後など)には, 一過性に血糖が上昇することがある. したがって, 緊急を要する著しい代謝異常がない場合には, 高血糖の評価はストレスのある状況が収まってから行うものとする.

　以下, まず個々の患者の臨床診断の方法について記し, その後で疫学調査, 検診の場合について記す.

1)臨床診断：　臨床診断にあたっては, 糖尿病の有無だけではなく, 成因, 病期, 糖代謝異常の程度, 合併症の有無とその程度についても, 総合的に把握する必要がある. 血糖値や HbA1c の検査結果の判定には

表 15-2-7 糖尿病の診断手順（清野，2010；2012）

臨床診断：

1) 初回検査で，①空腹時血糖値≧ 126 mg/dL，② 75 g OGTT 2 時間値≧ 200 mg/dL，③随時血糖値≧ 200 mg/dL，④ HbA1c ≧ 6.5％のうちいずれかを認めた場合は，「糖尿病型」と判定する．別の日に再検査を行い，再び「糖尿病型」が確認されれば糖尿病と診断する*．ただし，HbA1c のみの反復検査による診断は不可とする．また，血糖値と HbA1c が同一採血で糖尿病型を示すこと（①〜③のいずれかと④）が確認されれば，初回検査だけでも糖尿病と診断してよい．

2) 血糖値が糖尿病型（①〜③のいずれか）を示し，かつ次のいずれかの条件が満たされた場合は，初回検査だけでも糖尿病と診断できる．
・糖尿病の典型的症状（口渇，多飲，多尿，体重減少）の存在
・確実な糖尿病網膜症の存在

3) 過去において，上記 1) ないしは 2) の条件が満たされていたことが確認できる場合には，現在の検査値が上記の条件に合致しなくても，糖尿病と診断するか，糖尿病の疑いをもって対応する必要がある．

4) 上記 1)〜3) によっても糖尿病の判定が困難な場合には，糖尿病の疑いをもって患者を追跡し，時期をおいて再検査する．

5) 初回検査と再検査における判定方法の選択には，以下に留意する．
・初回検査の判定に HbA1c を用いた場合，再検査ではそれ以外の判定方法を含めることが診断に必要である．検査においては，原則として血糖値と HbA1c の双方を測定するものとする．
・初回検査の判定が随時血糖値≧ 200 mg/dL で行われた場合，再検査はほかの検査方法によることが望ましい．
・HbA1c が見かけ上低値になり得る疾患・状況の場合には，必ず血糖値による診断を行う（表 15-2-8）．

疫学調査：糖尿病の頻度推定を目的とする場合は，1 回だけの検査による「糖尿病型」の判定を「糖尿病」と読み替えてもよい．なるべく HbA1c ≧ 6.5％あるいは OGTT 2 時間値≧ 200 mg/dL の基準を用いる．

検診：糖尿病およびその高リスク群を見逃すことなく検出することが重要である．スクリーニングには血糖値，HbA1c のみならず，家族歴，肥満などの臨床情報も参考にする．

＊：ストレスのない状態での高血糖の確認が必要である．

表 15-2-8 HbA1c が見かけ上低値になりうる疾患・状況（清野，2010；2012）

貧血
肝疾患
透析
大出血
輸血
慢性マラリア
異常ヘモグロビン症
その他

a) 診断の過程（表 15-2-7，15-2-8，図 15-2-14）：

i) 初回検査で，①空腹時血糖値≧ 126 mg/dL，② 75 g OGTT 2 時間値≧ 200 mg/dL，③随時血糖値≧ 200 mg/dL，④ HbA1c ≧ 6.5％のうちいずれかを認めた場合は，「糖尿病型」と判定する．別の日に再検査を行い，再び「糖尿病型」が確認されれば糖尿病と診断する．ただし，HbA1c のみの反復検査による診断は不可とする．また，血糖値と HbA1c が同一採血で糖尿病型を示すこと（①〜③のいずれかと④）が確認されれば，初回検査だけでも糖尿病と診断してよい．HbA1c を利用する場合には，血糖値が糖尿病型を示すこと（①〜③のいずれか）が糖尿病の診断に必須である．

ii) 血糖値が糖尿病型（①〜③のいずれか）を示し，かつ次のいずれかの条件が満たされた場合は，初回検査だけでも糖尿病と診断できる．
・糖尿病の典型的症状（口渇，多飲，多尿，体重減少）の存在
・確実な糖尿病網膜症の存在

iii) 過去において，上記 i)〜ii) の条件が満たされていたことが確認できる場合には，現在の検査値が上記の条件に合致しなくても，糖尿病と診断するか，糖尿病の疑いをもって対応する必要がある．

iv) 上記 i)〜iii) によっても糖尿病の判定が困難な場合には，糖尿病の疑いをもって，3〜6 カ月以内に血糖値と HbA1c を同時に測定して再判定する．

v) 留意点として，空腹時血糖値を用いる判定の場合は，絶食条件の確認が特に重要である．1 回目の判定が随時血糖値≧ 200 mg/dL で行われた場合は，2 回目はほかの検査方法を用いることが望ましい．検査においては，原則として血糖値と HbA1c の双方を測定するものとする．また，表 15-2-8 に示す HbA1c が見かけ上低値になりうる疾患・状況がある場合には，必ず血糖値による診断を行う．

b) 経口糖負荷試験（OGTT）とその判定基準値：

i) 経口糖負荷試験：OGTT はグルコースを経口負

「型」をつける．これは検査結果の判定と，糖尿病という疾患（群）の診断とは異なるという立場に基づいている．

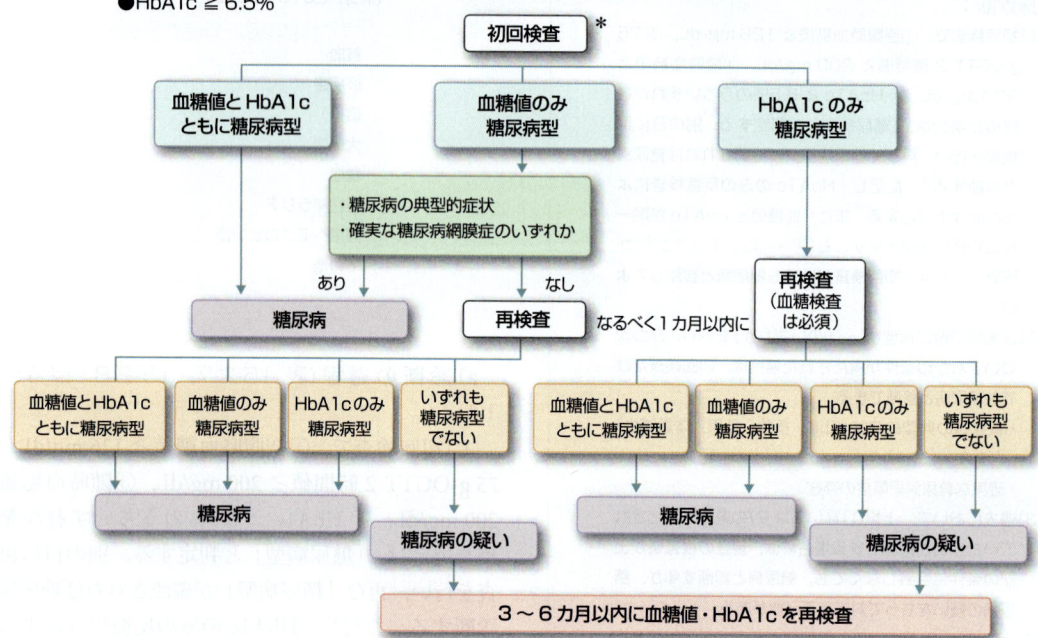

図 15-2-14 糖尿病の臨床診断(日本糖尿病学会, 2016)

表 15-2-9 75 g 経口糖負荷試験(OGTT)が推奨される場合(清野, 2010; 2012)

(1) 強く推奨される場合(現在糖尿病の疑いが否定できないグループ)
・空腹時血糖値が 110〜125 mg/dL のもの
・随時血糖値が 140〜199 mg/dL のもの
・HbA1c が 6.0〜6.4%のもの
(明らかな糖尿病の症状が存在するものを除く)

(2) 行うことが望ましい場合(糖尿病でなくとも将来糖尿病の発症リスクが高いグループ:高血圧・脂質異常症・肥満など動脈硬化のリスクをもつものは特に施行が望ましい)
・空腹時血糖値が 100〜109 mg/dL のもの
・HbA1c が 5.6〜5.9%のもの
・上記を満たさなくても,濃厚な糖尿病の家族歴や肥満が存在するもの

荷し,その後の糖処理能を調べる検査であり,軽い糖代謝異常の有無を調べる最も鋭敏な検査法である.空腹時血糖値や随時血糖値あるいは HbA1c 測定で,判定が確定しないときに,糖尿病かどうかを判断する有力な情報を与える.臨床の場では,表 15-2-9 に該当する場合には OGTT を行って耐糖能を確認することが推奨される.実際,空腹時血糖値 100 mg/dL 以上の場合や HbA1c 5.6%以上の場合には,①現在糖尿病の疑いが否定できないグループ,②糖尿病でなくとも将来糖尿病の発症リスクが高いグループ,が含まれることが明らかにされており,OGTT によってこれらを見逃さないことが重要である.ことに,①の場合には OGTT が強く推奨され,②の場合にもなるべく行うことが望ましい.

糖尿病診断の目的には少なくとも,空腹時および 2 時間目の血糖値を測定する.臨床の場では,糖負荷前と負荷後 120 分のほかに,30 分,60 分の採血も行い,さらに血中インスリンを測定すれば,糖尿病の診断をより確実にし,糖尿病発症のリスクを知るのに役立つ.

ii) OGTT の判定基準値:表 15-2-6 に OGTT による血糖値の判定基準(糖尿病型,境界型,正常型)を示す.空腹時血糖値と OGTT 2 時間値についてそれぞれ表 15-2-6 のように正常域と糖尿病域を設定している.

(1) 糖尿病型:空腹時血糖値 126 mg/dL 以上,もしくは OGTT 2 時間値が 200 mg/dL 以上のいずれかを満たすものを糖尿病型とよぶ.

(2) 正常型:数年の間には糖尿病を発症する可能性が低いものを正常型とする.空腹時血糖値 110 mg/dL 未満で,かつ OGTT 2 時間値が 140 mg/dL 未満

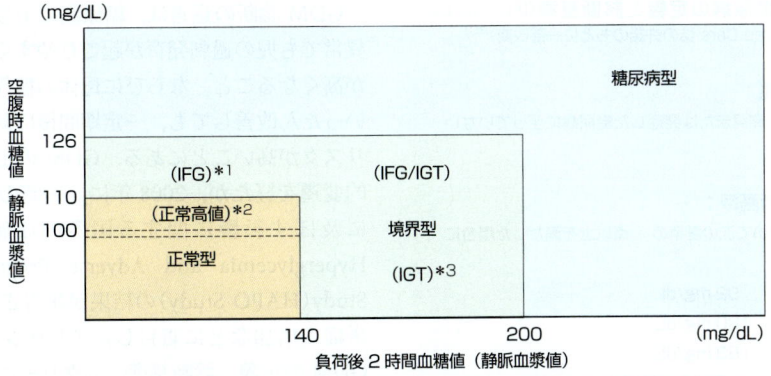

図 15-2-15 空腹時血糖値および 75 g OGTT による判定区分（日本糖尿病学会, 2016）

*1：IFG は空腹時血糖値 110〜125 mg/dL で，2 時間値を測定した場合には 140 mg/dL 未満の群を示す（WHO）．ただし ADA では空腹時血糖値 100〜125 mg/dL として，空腹時血糖値のみで判定している．

*2：空腹時血糖値が 100〜109 mg/dL は正常域ではあるが，「正常高値」とする．この集団は糖尿病への移行や OGTT 時の耐糖能障害の程度からみて多様な集団であるため，OGTT を行うことが勧められる．

*3：IGT は WHO の糖尿病診断基準に取り入れられた分類で，空腹時血糖値 126 mg/dL 未満，75 g OGTT 2 時間値 140〜199 mg/dL の群を示す．

のものを正常型とよぶ．日本糖尿病学会の従来の報告では正常型は「数年追跡しても糖尿病をほとんど発症しないもの」として，その血糖基準値が設定された．ただし，1999 年の報告の正常型の上限は WHO の耐糖能異常（impaired glucose tolerance：IGT）基準値の下限と同じ値に定められた．国際基準値を重んじたことと，日本のデータでも，こうして定めた「正常型」から「糖尿病型」への悪化率は 0.6〜1.0％程度の低い数値だったことによる[13]．

(3)境界型：正常型にも糖尿病型にも属さないものを境界型とする．「境界型」には糖尿病発症過程，糖尿病が改善した状態，インスリン抵抗性症候群，健常者がストレスなどで一時的に耐糖能悪化をきたしたもの，ほかの疾患により耐糖能が低下した状態など，不均一な状態が含まれる．この領域のものは，糖尿病特有の合併症をきたすことはほとんどないが，正常型に比べて，糖尿病を発症するリスクが高く，動脈硬化症のリスクも高い．米国糖尿病学会，WHO では空腹時血糖値が軽度上昇したものを空腹時血糖異常（impaired fasting glucose：IFG）と名づけた．IFG を定義する空腹時血糖値は米国糖尿病学会では 100〜125 mg/dL，WHO では 110〜125 mg/dL としている．日本糖尿病学会では空腹時血糖値が 100 mg/dL 以上のもののなかには，OGTT による境界型や糖尿病型が少なからずみられることから，100〜109 mg/dL のものを正常高値とよぶこととした．ただし「正常型」の判定は OGTT 2 時間値を併用して行われるので空腹時血糖値の基準値は 110 mg/dL 未満のままとする．日本糖尿病学会の境界型は IGT と狭義の IFG（IGT ではなく空腹時血糖値のみが上昇するもの）を合わせたものに合致する．個人別でみると，IGT と IFG とは一致しない場合が多い（図 15-2-15）．

正常型であっても，空腹時が 100 mg/dL 以上のものおよび 1 時間値が 180 mg/dL 以上のもの（急峻高血糖）では糖尿病型に進展するものの比率が高く，境界型に準じた経過観察が望ましい．また糖尿病では血糖値の上昇に比してインスリン値の早期の上昇が低い（糖負荷後 30 分間の $\Delta IRI/\Delta PG$（$\mu U/mL/mg/dL$）が 0.4 以下）という特徴があり，特に境界型でこの特徴を示すものは糖尿病へと進展するリスクが高いことが報告され，糖尿病の重要な特質であると考えられている[14-17]．

2）疫学調査： 疫学調査の目的は，集団における糖尿病や糖代謝異常の有病率（頻度，prevalence），発生率（罹患率，incidence）を推定し，それらの危険因子を調べることである．この場合には血糖値を反復検査することは通常困難である．空腹時血糖値，OGTT の再現性は各個人については良好とはいえないが，集団における血糖値の分布や平均値には再現性がある．したがって，糖尿病の頻度を推定する場合には，1 回の検査だけによる「糖尿病型」の判定を「糖尿病」と読み替えてもよい（表 15-2-7）．空腹時採血は，被験者が絶食時間を十分守ったかどうかを確認することが難しいので，なるべく HbA1c ≧ 6.5％の基準を用いる．

3）検診： 検診の目的は，糖尿病およびその高リスク群を見逃すことなく検出することである．そのためには血糖値，HbA1c の測定のみならず，家族歴，体重歴，妊娠・出産歴，現在の肥満の有無，血圧，合併症に関する所見などの情報も収集して，糖尿病を発症するおそれの大きい対象を選別すべきである．糖尿病の

表 15-2-10 妊娠糖尿病の定義と診断基準(IADPSG Consensus Pane: Diabetes Care 誌の許諾のもとに一部改変)[20]

妊娠糖尿病の定義:
妊娠中にはじめて発見または発症した糖尿病に至っていない糖代謝異常.

妊娠糖尿病の診断基準:
75gOGTT において次の基準の1点以上を満たした場合に診断する.
空腹時血糖値	≧ 92 mg/dL
1時間値	≧ 180 mg/dL
2時間値	≧ 153 mg/dL

ただし,表15-2-7 に示す「臨床診断」において糖尿病と診断されるものは妊娠糖尿病から除外する.

有無の判定は,臨床的診断に委ねられるべきである.

2008年4月から,医療保険加入者 40〜74 歳を対象に第1期5年間の「特定健康診査・特定保健指導」が実施された.2013 年4月からはその第2期5年間が開始されている.この健診システムの基本的な考えは,内臓脂肪型肥満に着目した生活習慣予防のために保健指導を必要とするものを検出することである.保健指導を受ける対象者は,OGTT 2時間値 140 mg/dL(境界型の下限)に相当する空腹時血糖値 100 mg/dL(正常高値の下限)以上または HbA1c 5.6% 以上のものとされている.糖尿病予防の立場からは,腹囲や BMI の基準を満たさない場合でも,以下のように取り扱うものとする(表15-2-9)(日本糖尿病学会,2016).

①空腹時血糖値または HbA1c が受診勧奨判定値に該当する場合(空腹時血糖値≧ 126 mg/dL または HbA1c ≧ 6.5%),糖尿病が強く疑われるので,直ちに医療機関を受診させる.

②空腹時血糖値が 110〜125 mg/dL または HbA1c が 6.0〜6.4% の場合,できるだけ OGTT を行う.その結果,境界型であれば追跡あるいは生活習慣指導を行い,糖尿病型であれば医療機関を受診させる.

③空腹時血糖値が 100〜109 mg/dL または HbA1c が 5.6〜5.9% の場合,それ未満の場合に比べ将来の糖尿病発症や動脈硬化発症リスクが高いと考えられるので,ほかのリスク(家族歴,肥満,高血圧,脂質異常症など)も勘案して,情報提供,追跡あるいは OGTT を行う(日本糖尿病学会,2016).

4)妊娠糖尿病: 妊娠中の糖代謝異常には,糖尿病が妊娠前から存在している糖尿病合併妊娠(preexisting diabetes)と,妊娠中に発見される糖代謝異常(hyperglycemic disorders in pregnancy)がある.後者には,GDM と妊娠時に診断された糖尿病(overt diabetes)の2つがある.

GDM 診断の意義は,糖尿病に至らない軽い糖代謝異常でも児の過剰発育が起こりやすく周産期のリスクが高くなること,ならびに母体の糖代謝異常が出産後いったん改善しても,一定期間後に糖尿病を発症するリスクが高いことにある.GDM の定義は幾多の歴史的変遷を経たが,2008 年に妊娠時の軽い高血糖が児に及ぼす影響に関する国際的な無作為比較試験 Hyperglycemia and Adverse Pregnancy Outcome Study(HAPO Study)の結果が報告され[18],周産期合併症の増加などに着目したエビデンスに基づいて,GDM の定義,診断基準,スクリーニングに関する勧告が出された[19].これをふまえ,国際的な指針との整合性を考慮し,わが国における GDM の定義としては「明らかな糖尿病」を除外し,International Association of Diabetes and Pregnancy Study Groups (IADPSG) Consensus Panel に従って GDM の診断基準を改訂することとした.妊娠前から糖尿病があった場合には GDM に比し胎児に奇形を生ずるリスクが高まる(表 15-2-10).

GDM のリスク因子には,尿糖陽性,糖尿病家族歴,肥満,過度の体重増加,巨大児出産の既往,加齢などがある.GDM を見逃さないようにするには,初診時およびインスリン抵抗性の高まる妊娠中期に随時血糖値検査を行い,100 mg/dL 以上の陽性者に対して OGTT を施行して診断する.空腹時血糖値≧ 92 mg/dL,1 時間値≧ 180 mg/dL,2 時間値≧ 153 mg/dL の1点以上を満たした場合に GDM と診断する.ただし,妊娠中の明らかな糖尿病は除く[20].

〔門脇 孝〕

■文献 e文献 15-2-2)

清野 裕,南條輝志男,他:糖尿病の分類と診断基準に関する委員会報告.糖尿病. 2010; 53: 450-67.
清野 裕,南條輝志男,他:糖尿病の分類と診断基準に関する委員会報告(国際標準化対応版).糖尿病. 2012; 55: 485-504.
日本糖尿病学会:糖尿病治療ガイド 2016-2017,文光堂,2016.

(2)病態生理と臨床症状
病態生理
a. 1型糖尿病

1型糖尿病では,膵島のβ細胞が細胞性免疫および液性免疫で傷害され,インスリンの絶対的不足に陥り,インスリン依存状態になることが多い.病理学的には膵島にリンパ球が浸潤し,おもに CD8 陽性の細胞傷害性 T 細胞が特異的に膵β細胞を破壊する.膵島細胞自己抗体,リンパ球活性化,膵島炎によるサイトカイン放出などが膵島破壊に関与する.自己免疫の標的となる膵β細胞特異的な蛋白としてインスリン,神経伝達物質 GABA を生合成するグルタミン酸デカ

ルボキシラーゼ (glutamic acid decarboxylase: GAD)，チロシンホスファターゼと相同性を有する ICA-512/IA-2，インスリン分泌顆粒蛋白などがある．これらの自己抗体には病因的意義は少ないと考えられるが，1型糖尿病の臨床診断マーカーとして，抗GAD抗体，抗IA-2抗体，抗インスリン抗体が用いられる．

1型糖尿病の疾患感受性にはHLA複合体の遺伝子多型が関与し，MHCクラスⅡ分子やインスリン遺伝子のプロモーター領域など複数の遺伝子が関与する．きわめて短期間にケトアシドーシスに陥る劇症1型糖尿病でもHLA遺伝子の関与することが知られている．環境要因として，コクサッキーウイルス，風疹ウイルスなどの感染や牛乳蛋白への早期暴露などの関与が想定されている．

1型糖尿病の自然史を図15-2-16に示す．遺伝的素因を有する個人が，ウイルス感染，ある種の蛋白への暴露などの免疫的トリガーにて，細胞性および液性免疫の機序で膵β細胞傷害が生じ，インスリン合成および分泌能が低下する．β細胞のインスリン分泌がある閾値以下になるとインスリン依存状態となり1型糖尿病を発症する．その低下速度が急激な場合は，劇症1型糖尿病，緩徐な場合は緩徐進行性1型糖尿病となる．一時期インスリン依存状態から回復する期間のことをハネムーン期とよぶが，病勢の進行によって再びインスリン依存状態に陥ることが多い．

b. 2型糖尿病
i) 2型糖尿病の発症機序

2型糖尿病では，膵β細胞におけるインスリン分泌障害とともに，インスリンによる骨格筋におけるグルコース取り込みが低下し，また，インスリンによる肝臓におけるグルコース新生抑制作用も障害されることから，肝臓からのグルコース放出が増加し血糖値が上昇する．内臓脂肪肥満では，脂肪組織からの遊離脂肪酸の放出増加や炎症性サイトカインの分泌増加がインスリン感受性組織のインスリン抵抗性を誘導すると考えられている(図15-2-17)．骨格筋，脂肪組織，肝臓のインスリン抵抗性や膵β細胞のインスリン分泌不全だけでなく，高血糖をきたす原因として，膵α細胞のグルカゴン分泌異常，消化管ホルモンであるイ

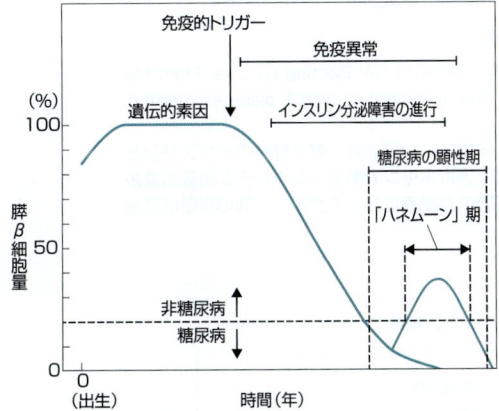

図15-2-16 **1型糖尿病の自然史**
1型糖尿病は遺伝的素因に，ウイルス感染，ある種の蛋白への暴露などの免疫的なトリガーが加わり，細胞性や液性免疫機序で膵β細胞の障害が生じ，β細胞のインスリン分泌がある閾値以下になると糖尿病を発症する．一時期インスリン依存状態から回復することをハネムーン期とよぶ．

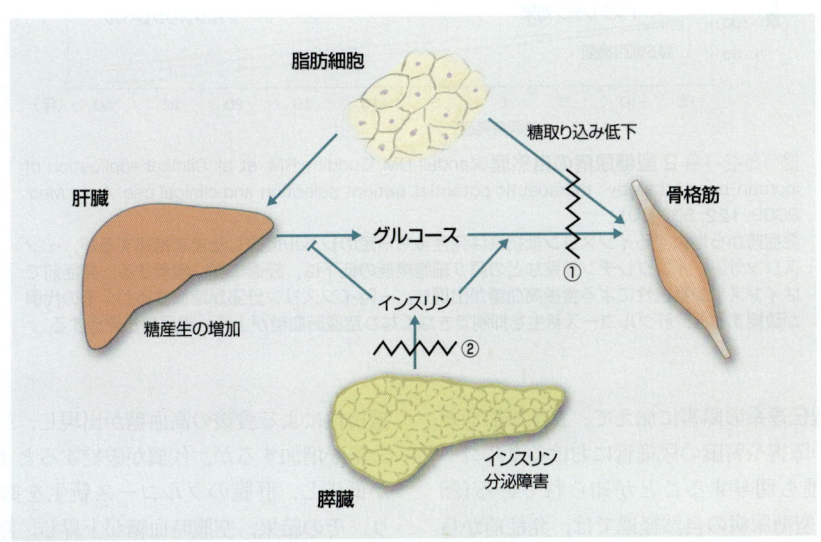

図15-2-17 **インスリン分泌障害とインスリン作用不足**
2型糖尿病では，膵β細胞におけるインスリン分泌障害とともに，骨格筋におけるインスリンによるグルコース取り込みが低下し，肝臓における糖新生抑制作用も障害される．内臓脂肪肥満では，脂肪組織からの遊離脂肪酸放出がインスリン感受性組織のインスリン抵抗性を誘導する．①インスリンによるグルコース取り込み低下(インスリン抵抗性の増加)，②インスリン分泌低下．

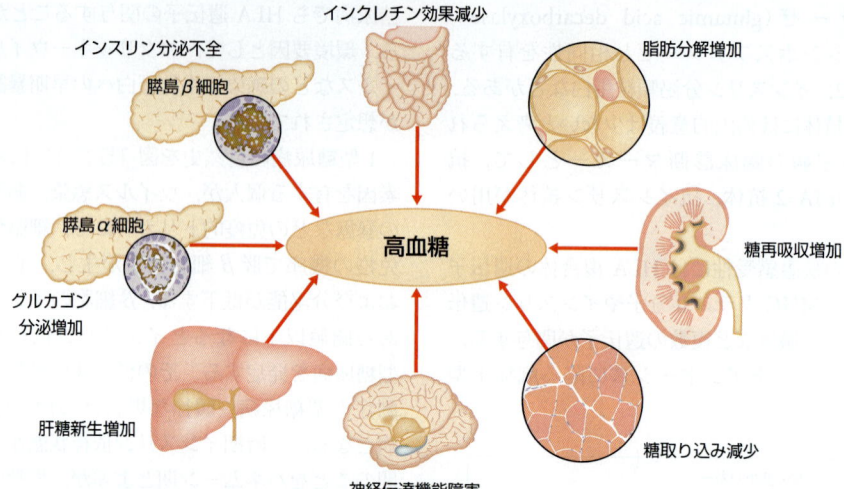

図 15-2-18 高血糖をきたす病態生理学的諸原因(DeFronzo RA: Banting Lecture. From the triumvirate to tha ominous octet: a new paradigm for the treatment of type 2 diabetes mellitus. *Diabetes.* 2009; 58: 773-95)

高血糖をきたす原因として，骨格筋，脂肪組織，肝臓のインスリン抵抗性，膵β細胞のインスリン分泌不全だけでなく，膵α細胞のグルカゴン分泌異常，消化管ホルモンであるインクレチン情報伝達系の障害に加えて，食欲調節などの中枢神経系の障害や腎臓の尿細管におけるグルコースの再吸収亢進が関与することが知られている．

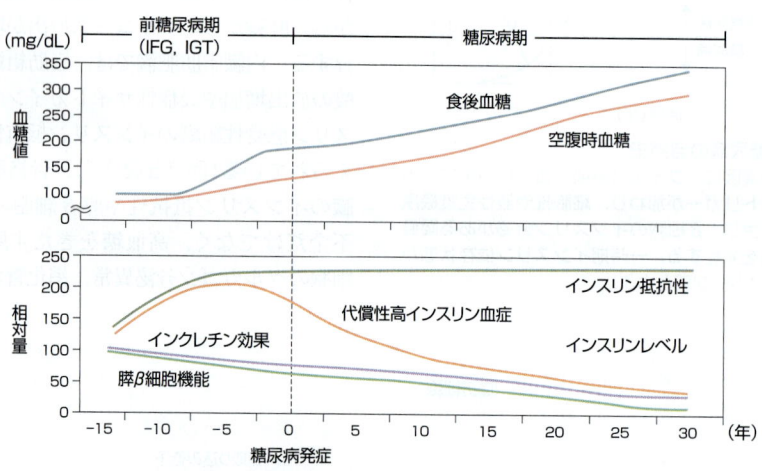

図 15-2-19 2型糖尿病の自然歴(Kendall DM, Cuddihy RM, et al: Clinical application of incretin-based therapy : therapeutic potential, patient selection and clinical use. *Am J Med.* 2009; 122: S37-50)

発症前から増大するインスリン抵抗性は発症後も一定のレベルに達したまま推移するが，インスリン分泌，インクレチン効果などの膵β細胞機能の低下は，経過に従い増悪する．発症前ではインスリン抵抗性による食後高血糖が出現し，一時インスリン分泌が増加するが，その代償が破綻すると，肝グルコース新生を抑制できなくなり空腹時血糖が上昇し糖尿病が発症する．

ンクレチン情報伝達系の障害に加えて，食欲調節などの中枢神経系の障害や腎臓の尿細管におけるグルコースの再吸収亢進も関与することが知られている（図15-2-18）．2型糖尿病の自然経過では，発症前から増大するインスリン抵抗性は発症後も一定のレベルに達したまま推移する．一方，インスリン分泌能やインクレチン効果（eコラム 1）など膵β細胞機能は疾患の経過に従い低下する．糖尿病発症前には，インスリン

抵抗性による食後の高血糖が出現し，一時インスリン分泌が増加するが，代償が破綻するとインスリン分泌が低下し，肝臓のグルコース新生を抑制できなくなり，その結果，空腹時血糖が上昇し，糖尿病を発症する（図15-2-19）．

ii）インスリン分泌不全

2型糖尿病ではグルコース負荷によるインスリン分泌が低下し，特にグルコース負荷後の初期分泌反応が

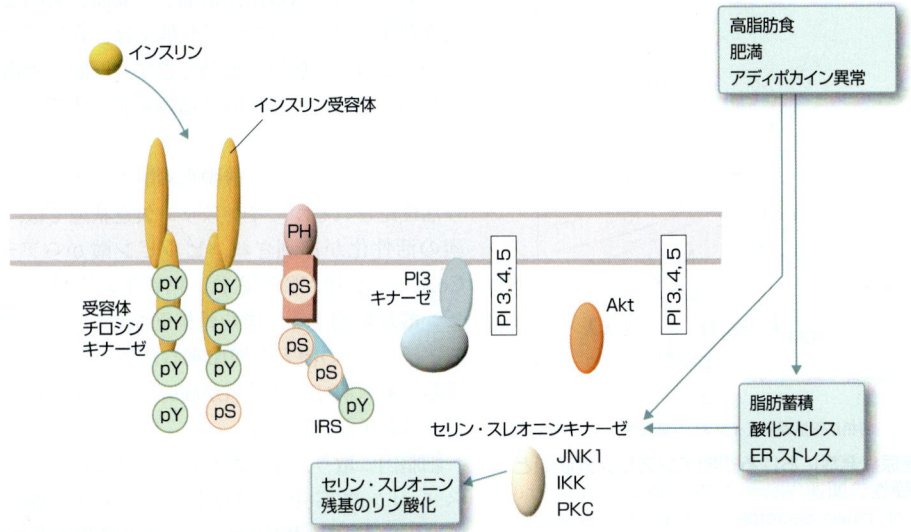

図 15-2-20 インスリン抵抗性発症の分子機構
インスリン受容体チロシンキナーゼを起点とするリン酸化カスケードによりインスリン刺激がエフェクターシステムに伝達される．高脂肪食，肥満などにより，細胞内脂肪蓄積，酸化ストレス・ER ストレス亢進が生じると，JNK などのセリン・スレオニンキナーゼが活性化され，シグナル蛋白のセリン・スレオニン残基がリン酸化され，チロシン残基のリン酸化が障害される結果，インスリン抵抗性が生じる．Y：チロシン残基，S：セリン残基，p：リン酸化，PH：プレクストリン相同，IRS：インスリン受容体基質．

障害される．糖尿病ではグルコースによる初期インスリン分泌反応障害が著明であるが，グルカゴンやアルギニンなどに対する反応は比較的保たれていることが特徴である．膵 β 細胞特異的インスリン受容体欠損マウスやインスリン受容体基質-1(IRS-1)欠損マウスが同様にグルコースによるインスリン分泌反応障害を示すことから，膵 β 細胞におけるインスリン作用不足がグルコース負荷後の初期分泌反応障害に関与することが想定される．また，日本人は遺伝的にインスリン分泌能が欧米人の 50〜75％程度であるため，肥満などによる軽度のインスリン抵抗性の増大により糖尿病を発症しやすい体質であると推定される．遺伝的な要因として，カリウムチャネル(KCNQ2，KCNJ11，KCNJ15)やインクレチン分泌にかかわる転写因子 TCF2L7 の遺伝子上の配列の違い(遺伝子多型)が報告されている．最近膵 β 細胞量に関して，非糖尿病状態の肥満では，β 細胞量や細胞数は増加するが，2 型糖尿病ではアポトーシスの増加により β 細胞量が徐々に減少し，インスリン分泌低下の一因となっていると考えられている．

iii)インスリン抵抗性

骨格筋，脂肪組織，肝臓などインスリン感受性組織では，インスリンは，細胞膜に存在するインスリン受容体に結合し，受容体チロシンキナーゼの活性化を介して IRS 蛋白のチロシン残基をリン酸化する．チロシンリン酸化された IRS 蛋白を介して PI3 キナーゼや Akt へとリン酸化カステードが活性化し，糖輸送担体などのエフェクターシステムにインスリン刺激が伝達される．また，インスリンは転写因子 Foxo のリン酸化を介して，種々の酵素の遺伝子発現を制御している．高脂肪食，肥満，アディポサイトカイン異常などにより，細胞内脂肪蓄積，酸化ストレスや小胞体(ER)ストレス亢進が生じると，JNK などのセリン・スレオニンキナーゼが活性化され，IRS 蛋白のセリン・スレオニン残基がリン酸化されると，チロシンリン酸化が障害されインスリン抵抗性が生じる(図 15-2-20)．また IRS-2 蛋白の発現量の減少もインスリン抵抗性にかかわる．

iv)糖尿病発症における初期インスリン分泌能とインスリン感受性の関連(図 15-2-21)

ピマインデアンの長期観察から，糖尿病発症における初期インスリン分泌能とインスリン感受性の関連が報告されている．加齢や肥満によって，インスリン感受性が低下し，インスリン抵抗性の増大が生じるが，インスリン分泌の代償性増加が起こる症例では糖尿病は発症しない．しかし，インスリン分泌障害が生じた症例は糖尿病へと進行する．このように，最終的に糖尿病発症はインスリン分泌低下が規定すると考えられている．わが国における糖尿病の急速な増加の背景に，インスリン分泌能力がそれほど高くない日本人において，食事の欧米化(肉食中心・高脂肪・高カロリー)や運動不足などによる内臓脂肪・異所性脂肪(脂肪肝，脂肪筋)の蓄積によりもたらされたインスリン抵抗性の増大が大きく関与すると考えられる．

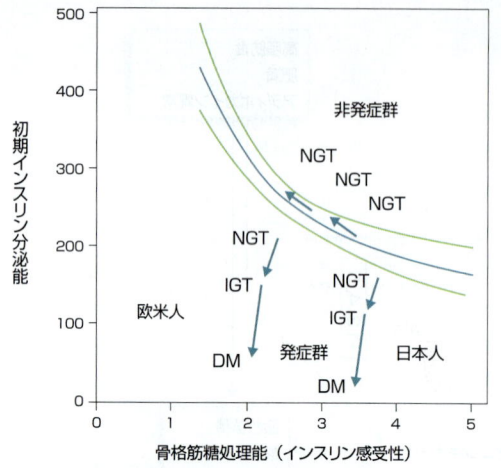

図 15-2-21 糖尿病発症における初期インスリン分泌能とインスリン感受性の関連 (Weyer C, Bogardus C, et al: The natural history of insulin secretory dysfunction and insulin resistance in the pathogenesis of type 2 diabetes mellitus. J Clin Invest. 1999; **104**: 787)

ピマインデアンの長期観察から，加齢や肥満によって骨格筋ブドウ糖処理能が低下（インスリン抵抗性が増大）すると，インスリン分泌が代償する症例では，耐糖能正常（NGT）状態が維持され糖尿病は発症しない．インスリン分泌が代償不全の症例では耐糖能異常（IGT），糖尿病（DM）へと進行する．日本人は，欧米人に比較して，インスリン分泌能が低いため，軽度のインスリン抵抗性でも早期に糖尿病を発症する．

v) グルコース毒性と脂肪毒性

インスリン分泌障害およびインスリン抵抗性によって，高血糖状態が持続すると，グルコース毒性の機構により，さらに，インスリン分泌およびインスリン抵抗性が増大することが知られている．高血糖そのものが，PDX-1 などの転写因子を介してインスリン遺伝子発現の障害をきたすことや β 細胞のアポトーシスを促進することが報告されている．

経静脈的グルコース負荷に比し経口グルコース負荷では，同等な血糖上昇にもかかわらず，よりインスリン分泌が刺激されることがインクレチン効果として知られている．糖尿病状態では，このインクレチン効果が低下する．その本態は，GIP と GLP-1 という消化管ホルモンであることが判明し，高血糖状態では，それらの受容体発現が減少し，シグナルが減弱していることが示されている．また，高血糖状態は，ヘキソサミン経路の活性化を介して，インスリン抵抗性の増大をきたす．遊離脂肪酸の増加も脂肪毒性を介して，インスリン分泌障害・インスリン抵抗性に関与することが報告されている．

vi) 糖代謝異常【⇒図 15-2-2】

2 型糖尿病では膵臓からの基礎インスリン分泌が低下している．インスリンはグリコーゲン分解やグルコース新生を抑制しているため，インスリンが欠乏すると肝臓でのグリコーゲン分解やグルコース新生が亢進し，肝グルコース放出が増加し空腹時に著明な高血糖をきたす．インスリン欠乏状態では，食後でも肝臓からのグルコース放出を抑制できず，肝臓，骨格筋および脂肪組織における糖取り込みも低下するため高血糖を生じる．

肝臓では，ピルビン酸脱水素酵素はインスリンにより活性化されるが，インスリン欠乏状態では，この酵素の活性化が抑制され，ピルビン酸からアセチル-CoA への変換が障害され，糖新生の原料となるピルビン酸が増加する．また骨格筋からのアミノ酸（おもにアラニン）の流入も増加するため，インスリンが欠乏した糖尿病では血糖値が高いにもかかわらず，グルコース新生が亢進する．

細胞内に取り込まれたグルコースは通常，グルコース-6-リン酸（G6P），フルクトース-6-リン酸（F6P）となり，解糖系やグリコーゲン合成経路へと代謝される．ヘキソサミン経路は，この F6P にグルタミンが付加され，グルコサミン-6-リン酸（GlcN6P）となる以降の代謝経路のことを指す．ヘキソサミン経路への糖の流れは全体の 2～3% とわずかであるが，高血糖状態では，この経路の亢進が推測される．ヘキソサミン経路の最終産物である UDP-N-アセチルグルコサミン（UDP-GlcNAc）は，O-GlcNAc transferase（OGT）という酵素の働きで，核や細胞質蛋白のセリン/スレオニン残基の水酸基に結合し，グリコシル化や O-グリケーション（O-GlcNAc）化を起こす．最近，インスリンシグナル蛋白の O-グリケーションがシグナル伝達を抑制し，抵抗性に関与することが明らかになってきた．

糖尿病状態の腎尿細管においては，グルコースの再吸収を担う sodium glucose co-transporter（SGLT）2 の発現が増加し，グルコースの再吸収が亢進し，高血糖をさらに悪化させ vicious cycle が形成されていることが知られ，SGLT2 阻害薬が経口糖尿病薬として登場した．

vii) 脂質代謝異常

糖尿病状態では，図 15-2-22 に示すようにインスリン作用の欠乏によりホルモン感受性リパーゼの阻害ができず，脂肪滴内のトリグリセリド（TG）分解が亢進し，遊離脂肪酸（FFA）が大量に肝臓に流入する．一方，グルコースなどに由来するアセチル CoA から脂肪合成が亢進する．さらに，VLDL 合成を抑制するインスリン作用も不足するため，TG 含量の多い大型の VLDL が大量に分泌される．血中に分泌された VLDL はリポ蛋白リパーゼ（LPL）で分解され LDL になるが，糖尿病では LPL 活性が低下するため，VLDL の半減期が延長する．高インスリン状態では，TG 合成は促進するが，VLDL 合成は抑制されるため，TG が肝細胞に蓄積し脂肪肝を生じる．血中では

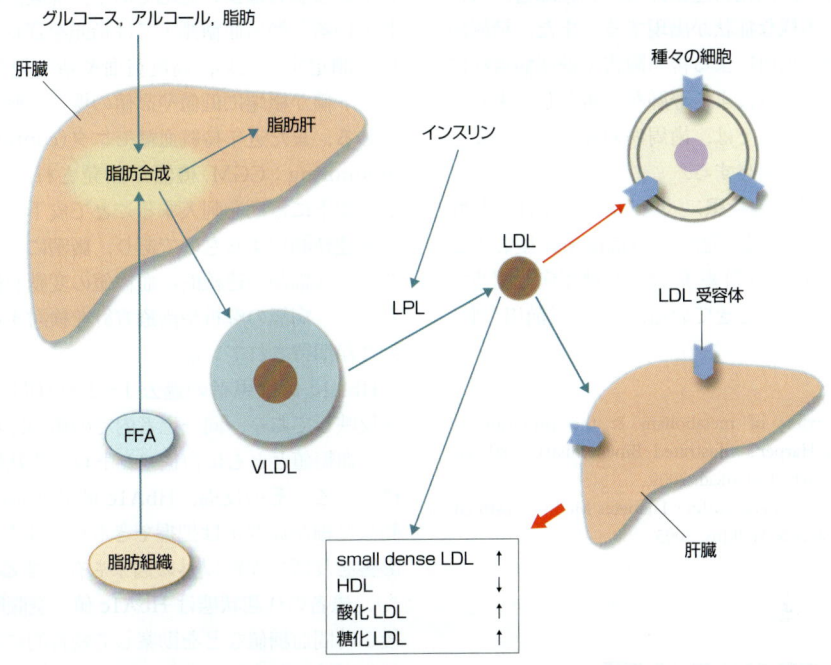

図 15-2-22 糖尿病における脂質代謝異常
脂肪組織のトリグリセリド(TG)分解が亢進し，多量の遊離脂肪酸(FFA)が肝臓に流入し，また，肝臓における脂肪合成も亢進するため，TG含量の多い大型のVLDLが大量に分泌され，脂肪肝も生じる．血中では，VLDLの半減期が延長し，HDLの低下，small dense LDL，酸化LDL，糖化LDLの増加が生じる．

VLDLに多量に含まれるTGが，コレステロールエステル転送蛋白(CETP)によりLDLに転送される．TG含量の多いLDLは，肝トリグリセリドリパーゼにより分解され，small dense LDLが生じる．一方，HDLも大型VLDLからのTG転送により分解が促進され減少する．さらに，高血糖状態では，酸化LDLや糖化LDLが産生され，このような脂質異常の面からも動脈硬化症が進展される．

脂肪肝状態では，グリコーゲン貯蔵やグルコース新生が阻害され，血中へのグルコース供給能が低下する．また，食後の肝臓での糖取り込み率が低下し食後高血糖を生じる．さらに，夜間の肝臓での糖放出率も増加する．したがって，脂肪肝では，過剰なグルコース流入→インスリン分泌増加→肝臓でのTG合成促進→脂肪肝→食後高血糖や夜間高血糖→インスリン分泌増加という悪循環が形成される．また，血中遊離脂肪酸濃度が上昇すると，プロテインキナーゼC(PKC)活性化，ヘキソサミン代謝経路の活性化，セラミド合成亢進などを介して，インスリン抵抗性を生じると考えられている．

臨床症状

1）高血糖に伴う症状： 糖尿病の症状は，高血糖に基づくものと合併症による症状がある．無症状のものから1型糖尿病のように，急速な発症による著明な高血糖やケトアシドーシスのような重篤な症状を示す場合もある．一般的な糖尿病の症状は，高血糖により血清浸透圧が上昇し，圧受容体を介して口渇が生じる．また，尿糖のため多尿となり脱水を生じる．口渇をしのぐため，2〜3Lの水分をとることが多い．多飲，多尿は夜間尿をきたし，特に，高齢者では尿の濃縮力が障害され，夜間の排尿回数が増加する．体重減少や全身倦怠感など非特異的な症状で受診することも多い．体重減少は高血糖による脱水やおもに異化亢進によるものである．また，糖代謝・脂質代謝・蛋白代謝の障害，電解質異常や酸塩基平衡異常により易疲労感などが生じる．

2）急性合併症に伴う症状： 糖尿病性ケトアシドーシス，非ケトン性高浸透圧性高血糖症など特有の症状がある【⇨ 15-2-3】．

3）慢性合併症に伴う症状： 糖尿病性末梢神経障害の症状である足のしびれ，感覚異常を主訴に受診することも多い．神経障害は末梢神経障害と自律神経障害に大別される．末梢神経障害は末梢神経組織内の代謝異常，細小血管病変などを原因とする多発神経障害を主体とするが，神経栄養血管の閉塞性病変に基づく単神経障害や糖尿病性筋萎縮症も認められる．多発神経障害の主症状は両側性の足趾先および足底のしびれ感，知覚低下，異常知覚である．自律神経障害では起立性

低血圧，排尿障害，消化管運動障害，勃起障害，無自覚性低血糖など多様な症状が出現する．また，糖尿病網膜症による眼底出血による視力障害や糖尿病腎症によるネフローゼ症候群による浮腫を主訴として来院する症例もある．糖尿病では，歯周病の発症率が高く，糖尿病状態の悪化に関与する．

4）**糖尿病と関連する諸疾患**：非アルコール性脂肪肝炎（NASH）【⇨ 11-5-2】，認知症（Alzheimer 型および脳血管障害型），癌，骨粗鬆症などが糖尿病と関連することが明らかになってきている．〔前川 聡〕

■文献

Bender DA: Overview of metabolism & the provision of metabolic fuels. Harper's Illustrated Biochemistry, 28th ed, pp131-42, McGrawHill Medical, 2009.

Kahn CR, Weir GC, et al eds: Joslin's Diabetes Mellitus, 14th ed, Lippincott Williams & Wilkins, 2005.

（3）治療

a. 治療の目標と血糖コントロール指標

糖尿病治療の目標は，良好な血糖コントロールを長期にわたって維持し，細小血管障害や動脈硬化症の発症・進展を阻止・抑制することによって，糖尿病をもたない健常人と同様の生活の質（QOL）を保ち，寿命をまっとうさせることである（日本糖尿病学会編，科学的根拠に基づく糖尿病診療ガイドライン 2013）．

血糖値の正確な把握は糖尿病治療のうえできわめて重要である．空腹時血糖値は食事や運動量の影響を受けにくく，代謝状態を表す指標としては比較的安定している．食後 2 時間血糖値は，食事の量や内容，治療により変動しやすいが，心血管イベント発生と総死亡リスクの危険因子であることが示されている[1]．試験紙による簡易血糖測定は患者自身による自己血糖測定（self monitoring of blood glucose：SMBG）を可能にし，糖尿病治療において非常に重要な役割を果たしている．インスリン注射や GLP-1 受容体作動薬を用いている患者はよい適応であり，保険診療上も認められている．簡易血糖測定では指頭を穿刺し毛細血管全血で測定するため，高度貧血や新生児などヘマトクリット値が極端に低値や高値の場合，測定値に誤差を生じる．また近年持続血糖モニタ（continuous glucose monitoring：CGM）機器が開発され，普及しつつある．皮下に電極を刺入することで皮下間質液中の糖濃度を連続測定するものであり，厳密には血糖測定ではない．詳細かつ連続的な血糖値の変動を観察できることから，病態の解析や治療方針を検討するうえでの有効性が期待されている．

HbA1c 値は患者の過去 1〜2 カ月間の平均血糖値を反映しており，同一患者内での値のばらつきが少なく，血糖値とともに血糖コントロール状態の重要な指標である．その反面，HbA1c 値では血糖値の日内変動など細かな変化は把握できない．また HbA1c 値に影響を及ぼす血糖以外の因子も存在する（e表 15-2-A）．患者の代謝状態は HbA1c 値，空腹時血糖値，食後 2 時間血糖値などを勘案して総合的に判断するが，それ以外にも血糖コントロールの指標として，グリコアルブミン（GA，基準値 11〜16％），1,5-アンヒドログルシトール（1,5-AG，基準値 14.0 μg/mL 以上）が使用されることもある．

1 型糖尿病患者を対象とした Diabetes Control and Complications Trial（DCCT）や，罹患歴の短い 2 型糖尿病患者を対象に行われた United Kingdom Prospective Diabetes Study（UKPDS）および Kumamoto Study などの結果から，早期から適切な血糖コントロールを維持することによって細小血管症のみならず大血管症の発症・進展を抑制しうることが示されている[2-5]．一方で厳格すぎる血糖低下は死亡率を増加させるとの報告もなされており[6]，年齢，罹病期間，合併症の状態，低血糖のリスクならびにサポート体制など患者の病態に応じた血糖管理目標を示すべきであるとの考え方が，近年特に強調されてきた．これらのエビデンスをふまえ日本糖尿病学会は，細小血管症の発

表 15-2-11 血糖コントロール目標（糖尿病治療ガイド 2016-2017 より引用）
年齢，罹病期間，合併症の状態，低血糖のリスクならびにサポート体制など患者の病態に応じた血糖管理目標を設定する．

目標	コントロール目標値[4]		
	血糖正常化を目指す際の目標[1]	合併症予防のための目標[2]	治療強化が困難な際の目標[3]
HbA1c(%)	6.0％未満	7.0％未満	8.0％未満

・治療目標は年齢，罹病期間，臓器障害，低血糖の危険性，サポート体制などを考慮して個別に設定する．
[1] 適切な食事療法・運動療法のみ，もしくは薬物療法中でも低血糖などの副作用なく達成可能な場合，HbA1c 6.0％未満を目指す．
[2] 合併症予防の観点からは HbA1c 7％未満を目標値とする．対応する血糖値としては，空腹時血糖値 130 mg/dL 未満，食後 2 時間血糖値 180 mg/dL 未満を目安とする．
[3] 低血糖などの副作用やその他の理由で治療の強化が難しい場合，HbA1c 8.0％未満を目指す．
[4] 上記はいずれも成人に対しての目標値であり，また妊娠例は除くものとする．

表15-2-12 高齢者糖尿病の血糖コントロール目標(HbA1c値)

治療目標は，年齢，罹病期間，低血糖の危険性，サポート体制などに加え，高齢者では認知機能や基本的ADL(着衣，移動，入浴，トイレの使用など)，手段的ADL(買い物，食事の準備，服薬管理，金銭管理など)，併存疾患なども考慮して個別に設定する．ただし，加齢に伴って重症低血糖の危険性が高くなることに十分注意する．

患者の特徴・健康状態[*1]		カテゴリーⅠ		カテゴリーⅡ	カテゴリーⅢ
		①認知機能正常 かつ ②ADL自立		①軽度認知障害〜軽度認知症 または ②手段的ADL低下, 基本的ADL自立	①中等度以上の認知症 または ②基本的ADL低下 または ③多くの併存疾患や機能障害
重症低血糖が危惧される薬剤(インスリン製剤，SU薬，グリニド薬など)の使用	なし[*2]	7.0%未満		7.0%未満	8.0%未満
	あり[*3]	65歳以上 75歳未満 7.5%未満 (下限6.5%)	75歳以上 8.0%未満 (下限7.0%)	8.0%未満 (下限7.0%)	8.5%未満 (下限7.5%)

[*1] 認知機能や基本的ADL，手段的ADLの評価に関しては，日本老年医学会のホームページ(http://www.jpn-geriat-soc.or.jp/)を参照する．エンドオブライフの状態では，著しい高血糖を防止し，それに伴う脱水や急性合併症を予防する治療を優先する．
[*2] 高齢者糖尿病においても，合併症予防のための目標は7.0%未満である．ただし，適切な食事療法や運動療法だけで達成可能な場合，または薬物療法の副作用なく達成可能な場合の目標を6.0%未満，治療の強化が難しい場合の目標を8.0%未満とする．下限を設けない．カテゴリーⅢに該当する状態で，多剤併用による有害作用が懸念される場合や，重篤な併存疾患を有し，社会的サポートが乏しい場合などには，8.5%未満を目標とすることも許容される．
[*3] 糖尿病罹病期間も考慮し，合併症発症・進展阻止が優先される場合には，重症低血糖を予防する対策を講じつつ，個々の高齢者ごとに個別の目標や下限を設定してもよい．65歳未満からこれらの薬剤を用いて治療中であり，かつ血糖コントロール状態が表の目標や下限を下回る場合には，基本的に現状を維持するが，重症低血糖に十分注意する．グリニド薬は，種類・使用量・血糖値などを勘案し，重症低血糖が危惧されない薬剤に分類される場合もある．

症予防や進展の抑制のためにはHbA1c 7.0%未満，低血糖をきたさずに厳格な血糖コントロールが可能な症例ではHbA1c 6.0%未満，低血糖をきたしやすいなどさまざまな理由から血糖コントロールの強化が難しい症例に関してはHbA1c 8.0%未満をHbA1cの目標値として新たに設定した(表15-2-11)．

特に高齢の糖尿病患者は重症低血糖をきたしやすいが，重症低血糖は，認知機能を障害するとともに心血管イベントのリスクともなりうる．「高齢者糖尿病の治療向上のための日本糖尿病学会と日本老年医学会の合同委員会」は，①血糖コントロール目標は患者の特徴や健康状態，年齢，認知機能，身体機能(基本的ADLや手段的ADL)，併発疾患，重症低血糖のリスク，余命などを考慮して個別に設定すること，②重症低血糖が危惧される場合は，目標下限値を設定し，より安全な治療を行うこと，③高齢者ではこれらの目標値や目標下限値を参考にしながらも，患者中心の個別性を重視した治療を行う観点から，柔軟に目標値の設定を行うこと，を基本的な考え方として「高齢者糖尿病の血糖コントロール目標」[7]を作成した(表15-2-12)．

長期にわたって血糖コントロールが不良であった場合には，治療による急激な血糖値の低下により，網膜症や神経障害などの合併症が悪化する場合があるので注意を要する．特に進行した網膜症を有する患者は，眼科医と相談しつつ治療を行う．肝障害・腎障害を有する患者や重症の虚血性心疾患合併のため薬物療法を受けている症例では，低血糖を起こさないよう，薬剤の量や種類に留意する．

b. 治療方針

i) 1型糖尿病

1型糖尿病が疑われる場合は速やかにインスリン治療を開始する必要がある．特にケトーシス・ケトアシドーシスを認め，意識障害を伴う場合は直ちに経静脈的に十分量の補液とインスリン投与を開始する．なかでも劇症1型糖尿病の場合，病態が急激に悪化するため迅速な対応が必要である．1型糖尿病の治療において，長期にわたり良好な血糖コントロールを維持するためには，インスリンの基礎分泌，追加分泌をインスリンで補充する強化インスリン療法で治療する．1型糖尿病発症後の寛解期(ハネムーン期)や緩徐進行1型糖尿病の初期はインスリン非依存状態にあるが，このような場合でも，内因性インスリン分泌能が残存しているうちからインスリンによる治療を行うことが望ましい．また1型糖尿病の治療においても食事療法，運動療法は重要である．過食による血糖値の上昇に応じてインスリンを増量すれば肥満の原因となる．さらに適度の運動によりインスリン感受性を維持することで，インスリン注射の必要量を抑えることができる．

1型糖尿病の治療に際しては，低血糖の誘発に十分注意を払い，血糖推移に応じて治療内容を逐次検討するとともに，低血糖時の適切な対処法を本人・家族に繰

り返し指導する必要がある.

ii) 2型糖尿病

2型糖尿病の場合,多くはインスリン非依存状態であり,自覚症状が乏しいため初診時にはすでに網膜症,腎症,神経障害や動脈硬化性疾患などを認める場合も少なくない.合併症の有無,病期を正確に把握したうえで,治療を開始する必要がある.2型糖尿病の治療の基本は食事療法・運動療法であり,患者自身が糖尿病の病態・治療の必要性を十分理解し,適切な食事療法・運動療法を行うよう指導する.食事療法・運動療法を2~3カ月行っても,目標の血糖コントロールを達成できない場合は薬物療法を追加する.経口薬や注射薬は少量から開始し,血糖コントロールの状態に応じて徐々に増量する.体重減少や生活習慣の改善に伴い,経口薬や注射薬の減量・中止が可能となることもある.薬剤は漫然と継続するのではなく,減量・中止の可能性を常に検討しつつ投与する.

iii) 脂質,血圧,肥満の管理

糖尿病は動脈硬化性疾患の危険因子の1つである.糖尿病患者が心筋梗塞を起こす危険度は健常者の3倍以上,糖尿病患者での脳梗塞の発症は非糖尿病患者に比べ2~4倍高頻度である.糖尿病患者は脂質異常症を合併しやすく,その管理が糖尿病患者の予後を大きく左右する.糖尿病患者での血清脂質の管理目標はLDL-コレステロール 120 mg/dL 未満(冠動脈疾患の既往がある場合は 100 mg/dL 未満),HDL-コレステロール 40 mg/dL 以上,早朝空腹時中性脂肪 150 mg/dL 未満,non-HDL-コレステロール 150 mg/dL 未満(冠動脈疾患の既往がある場合は 130 mg/dL 未満)であり,食事・運動療法で目標が達成できない場合は薬物療法を検討する.糖尿病患者においては高血圧の合併も高率にみられる.心血管疾患および細小血管症の進展抑制のためには,血糖管理と同様血圧の管理も非常に重要である[8,9].糖尿病患者に対する降圧は,第一選択薬としてアンジオテンシン変換酵素(angiotensin converting enzyme:ACE)阻害薬やアンジオテンシンII受容体拮抗薬(angiotensin II receptor blocker:ARB)を,また第二選択薬として Ca 拮抗薬や利尿薬を用いて降圧目標 130/80 mmHg 未満を達成することが推奨されている.ただし高齢者など動脈硬化進行例での過度の降圧は避ける.

わが国の基準では BMI 25 以上を肥満としている.またウエスト周囲長が男性 85 cm 以上,女性 90 cm 以上の場合,内臓脂肪型肥満が疑われる.肥満によるインスリン感受性の低下は,糖尿病の発症・血糖コントロールの悪化をもたらす.食事療法,運動療法が肥満治療の基本となるが,内科的治療が奏効しない BMI 35 以上の高度肥満症は,胃内バルーン留置術,胃バンディング術,胃スリーブ状切除術,胃バイパス術などの肥満外科手術が選択されることもある.海外で多く実施されている胃バイパス術後の患者においては,減量効果のほか,食事摂取後のインスリン分泌促進に重要なグルカゴン様ペプチド-1(glucagon-like peptide-1:GLP-1)の分泌が増加し,手術直後から血糖コントロールの顕著な改善がみられる症例もある.わが国においても症例の蓄積により長期的効果の判定や適応基準に関して検討していく必要がある.

iv) シックデイの指導

糖尿病患者が治療中に,発熱,下痢,嘔吐の持続により血糖の不安定性をきたす状態をシックデイとよぶ.多くの場合このような状態では脱水症を伴っており,糖尿病ケトアシドーシスや高血糖高浸透圧症候群といった糖尿病の急性合併症のリスクが高まる.患者や患者家族に対してシックデイ時の対処法につき,あらかじめ説明し理解を得ておくことが重要である.シックデイ対応の原則を以下に示す.

・インスリン治療中の患者は,食事が摂れなくても自己判断でインスリン注射を中断してはならない.発熱,消化器症状が強いときには必ず医療機関を受診する.
・十分な水分摂取により脱水を防ぐ.
・食欲のないときは,口あたりがよく消化のよい食物を選び,絶食することのないようにする.
・自己血糖測定を3~4時間に1回行い,血糖値が 200 mg/dL をこえてさらに上昇の傾向がみられれば,速効型もしくは超速効型インスリンを2~4単位追加する.

症状が改善せず,食事摂取不能な場合や,尿中・血中ケトン体陽性,著明な高血糖を認める場合などは早急に入院し,糖尿病急性合併症に準じて治療を開始する.

c. 食事療法

i) 意義

厚生労働省(2001年に労働省との統合に伴い厚生省より改組)による「国民健康・栄養調査」(1993年まで「国民栄養の現状」)によれば,この50年間で日本人の食事は,炭水化物の占める割合が減少する代わりに脂質の比率が増加しており(図 15-2-23),この脂質の過剰摂取が日本人における肥満,糖尿病の増加に強くかかわっている可能性が示唆されてきた.糖尿病の食事療法の基本は,個々の症例に対して過不足のない総摂取エネルギー量を設定するとともに,3大栄養素を適切に配分し,合併症の発症や進展を予防することにある[10].

ii) 食事療法の実際

1)適正なエネルギー摂取量: 性別,年齢,肥満度,身体活動量,合併症の程度などを考慮に入れ,エネルギー摂取量を個々の症例に対して個別に設定する.エ

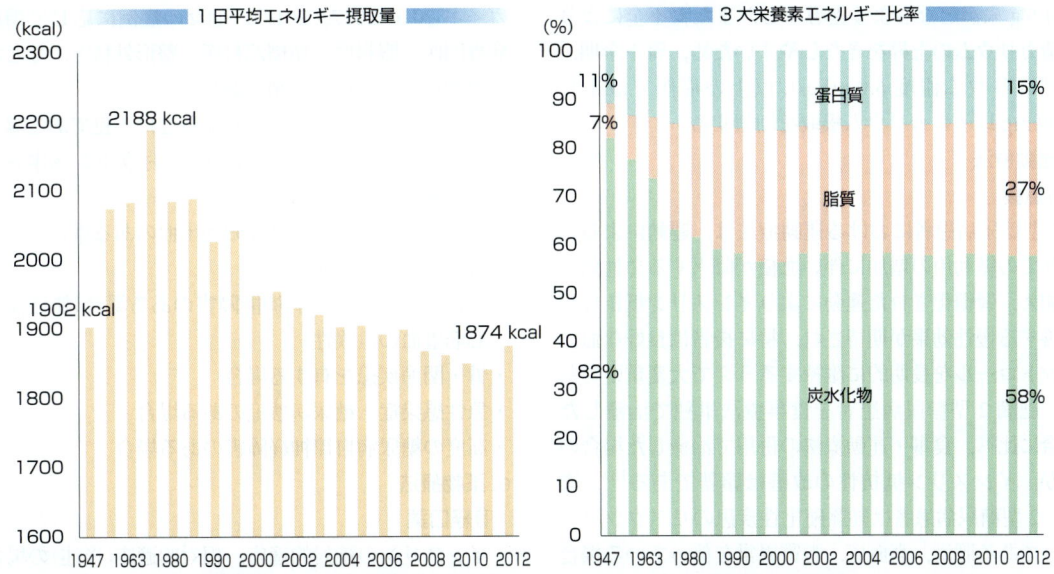

図 15-2-23 日本人の平均的な食事における総摂取エネルギー・3大栄養素比率の年次推移(1947〜1993年 国民栄養の現状,1994〜2012年 国民健康・栄養調査)
日本人の食事は1970年代をピークに総摂取エネルギーは減少しており,炭水化物の占める割合が減少する代わりに脂質の比率が増加している.

ネルギー摂取量は下記の方法で算出する.
　エネルギー摂取量＝標準体重＊×身体活動量
　＊：標準体重(kg)＝身長(m)×身長(m)×22
　軽労作(デスクワーク)＝25〜30 kcal/kg 標準体重
　ふつう労作(立ち仕事)＝30〜35 kcal/kg 標準体重
　重い労作(力仕事)＝35〜 kcal/kg 標準体重
　肥満があり減量を必要とする場合は,20〜25 kcal/kg標準体重としてエネルギー摂取量を設定する.

2) 3大栄養素の配分: 糖尿病の食事療法では,設定したエネルギー摂取量内で,炭水化物,蛋白質,脂質のバランスを考慮し,いずれの栄養素も過不足なく摂るようにする.一般的には総エネルギー量の50〜60％を炭水化物から摂取し,蛋白質は成人の場合標準体重1 kgあたり1.0〜1.2 gとして,残りを脂質とするが脂質は摂取エネルギー全体の25％以下とすることが望ましい.米国糖尿病学会(American Diabetes Association:ADA)は,糖尿病患者に理想的な炭水化物の摂取量に関しては確証がなく,炭水化物については個々の患者の生活スタイルに合わせた指導を行うべきである,として明確な摂取量の基準を設けていない[11].しかしながら低炭水化物食では,炭水化物の比率を減らす分,蛋白質や脂質の割合が増加することになり,腎症の進展や脂質異常の誘発・悪化の可能性がある.実際に低炭水化物高蛋白食が心血管疾患のリスクを増大させること[12]や低炭水化物食による死亡リスクの増大[13]が報告されており,長期間にわたる炭水化物摂取制限の安全性は確認されていない.

蛋白質の摂取に関して,動脈硬化や腎症の進展抑制の観点から,動物性蛋白を控え,大豆食品などの植物性蛋白を摂取することが推奨される[14].また脂肪酸の構成にも配慮が必要であり,飽和脂肪酸と多価不飽和脂肪酸はそれぞれ総摂取エネルギーの7％,10％以内とすること,魚油に多く含有されるエイコサペンタエン酸(eicosapentaenoic acid:EPA)やドコサヘキサエン酸(docosahexaenoic acid:DHA)などのn-3系多価不飽和脂肪酸の摂取を増やし,トランス脂肪酸の摂取を減らすことが推奨されている.

「糖尿病食事療法のための食品交換表 第7版」[15](以下,食品交換表)を参考にすると,設定した摂取エネルギーのなかで多彩な食品を選択することができる.食品交換表は,おもに含まれている栄養素によって食品を4群6表に分類したもので,食品の含むエネルギー量80 kcalを1単位とし,同一表内の食品を同一単位で交換できる.

3) 腎症合併症例に対する食事療法: 糸球体濾過値15〜30 mL/分以下の末期慢性腎不全患者における透析導入を遅延させる目的で,標準体重あたり0.6〜0.8 g/日の蛋白質制限が一般的に行われる.1型糖尿病患者を対象としたメタ解析から,食事の蛋白質制限が腎症の進行を抑制する可能性が示唆されている[16].わが国で行われた2型糖尿病を対象とする研究では,蛋白質制限食による腎症進行抑制効果は明らかでなかったが[17],高蛋白食は血中のリンやカリウム濃度上昇の原因となりうるため,顕性腎症期以降では蛋白質の過剰摂取は避けるべきである.高血圧,浮腫,乏尿を認める場合や顕性腎症期の患者では食塩摂取量を

1日6g未満となるよう指導する．また腎不全により血清カリウムの上昇をきたしやすいため，腎不全期，血清カリウム濃度6.0 mEq/L以上の症例では1日1500 mg以下にカリウム摂取を制限する．

d. 運動療法
i) 意義
2型糖尿病患者における運動療法は，運動による骨格筋での糖利用の増加に伴い血糖が降下する急性効果に加え，習慣化された運動によりインスリン抵抗性が改善する慢性効果が期待され，特に後者は良好な血糖コントロールを長期的に維持するうえで大変重要である．肥満2型糖尿病患者を食事療法単独で治療した場合に比べ，食事・運動療法の併用で治療した場合の方が，インスリン抵抗性の改善は顕著である[18]．また，2型糖尿病患者は動脈硬化性疾患のリスクファクターである肥満，高血圧，脂質異常を伴っている場合が多く，運動療法によりこれらの異常を改善することも有意義である．1型糖尿病患者における長期的な血糖コントロールに運動療法が及ぼす効果を明確に示した報告はないが，脂質異常や肥満，高血圧といった心血管系疾患のリスクファクターの予防・改善効果が期待できる．

ii) 運動の種類と強度
有酸素運動とレジスタンス運動に分類される．有酸素運動は酸素の供給に見あった強度の運動で，歩行，ジョギング，水泳などの全身運動が該当し，継続して行うことによりインスリン感受性が増大する．レジスタンス運動は抵抗負荷に対して動作を行う運動であり，筋肉量を増やし筋力を増強する効果がある．

一般的には中等度の有酸素運動を行うことが推奨される．中等度の運動とは，最大酸素摂取量の50％程度のものをいい，運動時の心拍数によって設定される．運動時の心拍数は50歳未満で100～120拍/分，50歳以降は100拍/分をこえないように設定する．不整脈などにより心拍数を基準とできない場合は，患者自身の体感を目安にする．

またレジスタンス運動も，筋量・筋力を増加させインスリン抵抗性を低下させることで血糖コントロールを改善する．有酸素運動とレジスタンス運動とを併用することで，さらに高い効果が期待できる．

iii) 運動療法の注意点・禁忌
薬物療法による治療を行っている患者の場合，運動により低血糖症を誘発することがあるため注意を要する．運動中・直後だけでなく，運動終了十数時間後に低血糖をきたすこともあり，患者に十分な指導を行うことが重要である．腰椎・下肢関節に整形外科的疾患のある場合，ストレッチ，体操などの軽い運動や荷重を軽減するため水中歩行などが有効である．以下の場合は運動療法の制限・禁止が必要となる（糖尿病治療ガイド2016-2017，2017）．個々の症例に応じて糖尿病専門医，眼科医，循環器科医，整形外科医，など各科専門医との連携が必須である．

・糖尿病の血糖コントロールが極度に不良である場合（空腹時血糖値250 mg/dL以上，尿ケトン体中等度以上陽性）
・増殖網膜症による新鮮な眼底出血のある場合
・腎不全の状態にある場合
・虚血性心疾患や心肺機能障害のある場合（無症候性心筋虚血の危険性）
・骨・関節疾患を有する場合
・急性感染症，糖尿病壊疽のある場合
・高度の糖尿病自律神経障害のある場合

e. 薬物療法
i) 経口薬
インスリンの絶対的適応，相対的適応（後述）の場合を除き，食事療法・運動療法を行っても十分な血糖コントロールが得られない場合，経口薬による薬物療法が選択肢となる．さまざまな薬理作用を介した多くの薬剤があるが，きたしやすい副作用など特性を十分に理解したうえで，各患者の病態に応じ薬剤を選択する．

1) インスリン分泌促進系薬剤（図15-2-24）：

a) スルホニル尿素（SU）薬：

i) 作用機構：グルコースが膵β細胞に取り込まれて代謝され，細胞内アデノシン三リン酸（ATP）/アデノシン二リン酸（ADP）比が上昇すると，膵β細胞の膜上に存在するATP感受性カリウム（K_{ATP}）チャネルが閉鎖し，細胞膜の脱分極が起こる．この脱分極に伴い電位依存性Ca^{2+}チャネルが開口し，細胞外からCa^{2+}が流入することによって，インスリン顆粒の開口放出が起こる．K_{ATP}チャネルはinward rectifier K^+ channel（Kir6.2）とSU受容体から構成されているが[19]，SU薬はこのSU受容体に結合しK_{ATP}チャネルを閉鎖させることでインスリン分泌を刺激する．

ii) 適応：インスリン分泌能が比較的保たれているが，食事・運動療法のみでは十分な血糖コントロールが得られない症例に使用する．高度の肥満などによりインスリン抵抗性の強い症例は積極的な適応とはならない．

iii) 使用上の注意点：腎・肝障害のある症例，高齢者では低血糖の危険性が高く注意を要する．したがってそのような症例では使用を避けるのが望ましいが，使用する場合も極力少量の使用にとどめるよう心がける．適切な食事療法がなされないままSU薬を使用すると，体重増加をきたしやすいので注意を要する．複数の種類のSU薬併用や速効型インスリン分泌促進薬との併用は薬理学的に意味がなく，認められていない．

b)速効型インスリン分泌促進薬：

i)作用機構：SU薬と同様，膵β細胞膜上のSU受容体に結合してインスリン分泌を促進するが，SU薬に比べ作用発現が速やかであり，作用持続時間は短い．

ii)適応：食後高血糖の是正に有用である．

iii)使用上の注意点：SU薬との併用は認められていない．

c) dipeptidyl peptidase-4 (DPP-4)阻害薬：

i)作用機構：栄養素の経口摂取に伴い腸管内分泌細胞から分泌され，膵β細胞からのインスリン分泌を促進するホルモンをインクレチンとよび，グルコース依存性インスリン分泌刺激ポリペプチド(glucose-dependent insulinotropic polypeptide：GIP)およびグルカゴン様ペプチド-1(glucagon-like peptide-1：GLP-1)が確認されている．DPP-4阻害薬はインクレチンの分解酵素であるDPP-4を阻害することで，血中の活性型GLP-1濃度，活性型GIP濃度を高め，インクレチンのインスリン分泌促進作用を増強する．血糖依存的にインスリン分泌を促進，グルカゴン分泌を抑制するため，単独使用での低血糖や体重増加をきたしにくい．

ii)使用上の注意点：DPP-4阻害薬では一定量以上のSU薬との併用により意識障害を伴う重篤な低血糖を起こした症例が報告されている．DPP-4阻害薬とSU薬とを併用する場合は，「インクレチン(GLP-1受容体作動薬とDPP-4阻害薬)の適正使用に関する委員会」からのrecommendation[20]を参考に，SU薬を減量することが必要である．

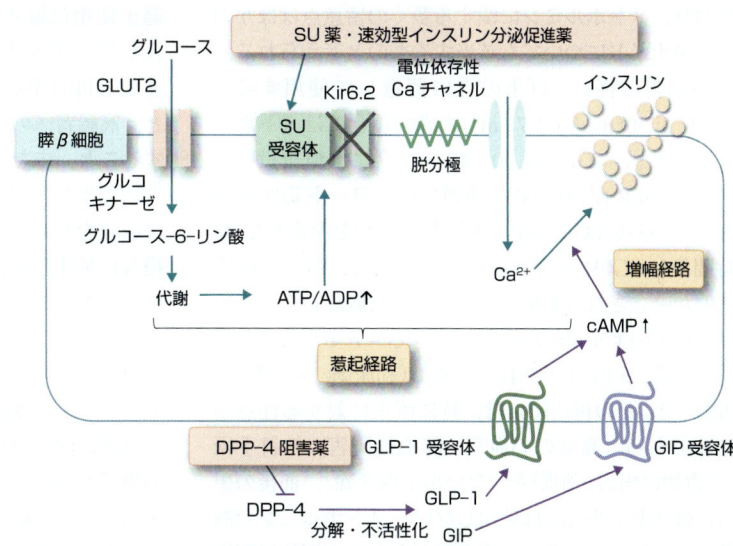

図15-2-24 インスリン分泌促進系薬剤の作用機序
SU薬，速効型インスリン分泌促進薬はK_{ATP}チャネルを構成するSU受容体に結合し，K_{ATP}チャネルを閉鎖させることで細胞内Ca濃度を上昇させ，インスリン分泌を刺激する(惹起経路)．インクレチン(GIP, GLP-1)は膵β細胞膜上の受容体に結合することで，細胞内cAMP濃度の上昇を介して惹起経路を増幅する(増幅経路)が，DPP-4阻害薬はインクレチンの分解酵素であるDPP-4を阻害することで，インクレチン作用を増強する．

2)インスリン抵抗性改善系薬剤：

a)チアゾリジン：

i)作用機構：チアゾリジンは，脂肪細胞に強く発現する核内受容体型転写因子であるperoxisome proliferator-activated receptor-γ (PPAR-γ)を活性化する．PPAR-γは前駆脂肪細胞から成熟脂肪細胞への分化，成熟脂肪細胞の機能維持に重要であると考えられており，チアゾリジンはPPAR-γの活性化を介して，肥満に伴う骨格筋や肝臓への脂肪蓄積を軽減し，インスリン抵抗性を惹起する腫瘍壊死因子-α (tumor necrosis factor-α：TNF-α)，遊離脂肪酸(free fatty acid：FFA)や炎症性サイトカインの発現・分泌を減少させるとともに，アディポネクチンの発現・分泌を増加させる[21]．

ii)適応：肥満・内臓脂肪蓄積が疑われるインスリン抵抗性の強い症例．

iii)使用上の注意点：体重が増加しやすいため，食事療法は特に徹底する必要がある．水分貯留の副作用があり，心不全患者(既往のある場合も含む)には使用しない．また女性においては骨折の発現頻度が上昇するため注意を要する[22]．海外の疫学研究で，チアゾリジン系薬剤の使用によりわずかながら膀胱癌の発症リスクが高まったとする報告がなされたことを受け[23]，添付文書では，膀胱癌治療中や膀胱癌既往のある患者への使用は慎重を期し，十分説明したうえで使用するよう注意を促している．

b)ビグアナイド：

i)作用機構：おもに肝臓での糖新生の抑制を介して血糖降下作用を発揮する．その他消化管からの糖吸収抑制，末梢組織でのインスリン感受性の改善などが報告されている．

ii)適応：単独使用では体重増加をきたしにくいので，肥満2型糖尿病患者によい適応となるが，非肥満症例でも有効である．

iii)使用上の注意点：重篤な副作用として乳酸アシドーシスの報告がある．ビグアナイドの使用による乳酸アシドーシスの発現を避けるため，「メトホルミンの適正使用に関する委員会」による勧告[24]がなされ

ており，メトホルミンに関する多くの留意点はほかのビグアナイドについても該当するものと考えられる．この勧告に従い，以下の点に留意して使用する．eGFRが30（mL/分/1.73 m²）未満の場合にはメトホルミンは禁忌，eGFRが30〜45の場合には慎重投与とする．eGFRが30〜60の患者では，ヨード造影剤検査の前あるいは造影時にメトホルミンを中止して48時間後にeGFRを再評価して再開する．脱水，脱水状態が懸念される下痢，嘔吐などの胃腸障害のある患者，過度のアルコール摂取の患者でメトホルミンは禁忌である．利尿作用を有する薬剤（利尿剤，SGLT2阻害薬など）との併用時には，特に脱水に対する注意が必要である．高度の心血管・肺機能障害，外科手術（飲食物の摂取が制限されない小手術を除く）前後の患者にはメトホルミンは使用しない．メトホルミンの高齢者への投与は慎重に行う必要があり，定期的に腎機能（eGFR），肝機能や患者の状態を慎重に観察し，投与量の調節や投与の継続を検討しなければならない．

3）糖吸収・排泄調節系薬剤：

a）α-グルコシダーゼ阻害薬：

i）作用機構：二糖類（スクロース，マルトースなど）を単糖類（グルコース，フルクトースなど）に分解する酵素であるα-グルコシダーゼを阻害することで，小腸からの糖質の吸収を遅らせ，食後の血糖上昇を抑制する．

ii）適応：食後高血糖の症例が適応となる．

iii）使用上の注意点：比較的頻度の高い副作用としては腹部膨満感，放屁，下痢などの消化器症状がある．高齢者や開腹手術歴のある患者ではイレウスをきたす可能性があるため慎重に使用する．アカルボース使用による重篤な肝障害の報告があり，使用開始後は定期的に肝機能を検査する．単独の使用で低血糖をきたすことはまれであるが，インスリン注射や他剤（特にSU薬）との併用時は低血糖の危険性が高まる．この際にはショ糖では吸収が遅延するためグルコースの経口摂取で対応するよう，患者や家族にあらかじめ指導を行う．

b）ナトリウム・グルコース共役輸送体2（sodium glucose cotransporter 2：SGLT2）阻害薬：

i）作用機構：近位尿細管に分布し，グルコースの再吸収に重要なSGLT2を選択的に阻害することで，尿中への糖排泄を促進し血糖低下作用を発揮する．SGLT2阻害薬の作用機序はインスリン作用を介さないため，単独使用では低血糖をきたしにくい．

ii）使用上の注意点：腎機能低下症例では，糸球体濾過率が低下しており，効果が減弱するためよい適応ではない．SGLT2阻害薬の発売開始後，次々と重症低血糖，ケトアシドーシス，脱水・脳梗塞，全身性皮疹などの重篤な副作用が報告され，「SGLT2阻害薬の適正使用に関する委員会」はrecommendationを発表し[25]，インスリンやSU薬などインスリン分泌促進薬と併用する場合には，それらの用量を減じること，高齢者への投与は慎重に適応を考えたうえで開始すること，また特に脱水防止について患者への説明も含めて十分に対策を講じること（利尿薬使用中など体液量減少を起こしやすい患者に対するSGLT2阻害薬投与は慎重に検討する）などの，注意喚起を行っている．今後長期使用における安全性の検討が必要である．

ii）注射薬

1）インスリン製剤：

a）適応（絶対的適応・相対的適応）：インスリン療法の絶対的適応は以下のとおりである．

・インスリン依存状態
・高血糖性昏睡（糖尿病ケトアシドーシス，高血糖高浸透圧症候群，乳酸アシドーシス）
・重症の肝障害・腎障害
・重症感染症，外傷，中等度以上の外科手術（全身麻酔施行例など）
・糖尿病合併妊婦
・静脈栄養時の血糖コントロール

インスリン療法の相対的適応は以下のとおりである．

・インスリン非依存状態であっても，著明な高血糖（空腹時血糖値250 mg/dL以上，随時血糖値350 mg/dL以上）を認める場合
・経口血糖降下薬では良好な血糖コントロールが得られない場合
・やせ型で栄養状態が低下している場合
・ステロイド治療時に高血糖を認める場合
・糖毒性を積極的に解除する必要がある場合

b）インスリン製剤の種類と特徴：インスリン製剤は作用の発現時間，持続時間により，超速効型，速効型，中間型，混合型，持効型に分けられる．また剤形によりプレフィルド/キット製剤，カートリッジ製剤，バイアル製剤がある（表15-2-B）．

i）速効型ヒトインスリン製剤：製剤中でインスリンは六量体を形成しており，皮下で単量体にまで分解されてから吸収されるため，皮下注射の場合作用発現に30分程度の時間を要する．最大効果は注射1〜3時間後，持続時間は5〜8時間である．皮下注射のみならず，静脈内注射にも使用できる．

ii）超速効型インスリン製剤：六量体を形成せず皮下注射後速やかに作用を発揮するよう改変されたインスリンアナログ製剤で，皮下注射後の作用発現が5〜15分ときわめて速く，最大作用時間は約2時間と短い．食直前に投与することで食後血糖上昇を抑制する．

iii）中間型インスリン製剤：硫酸プロタミンを添加することにより，作用時間が18〜24時間持続する．

iv）混合型インスリン製剤：超速効型または速効型インスリンと中間型インスリンを，さまざまな比率で混合したものであり，それぞれのインスリンの作用発現・持続時間で作用する．

v）持効型溶解インスリン製剤：皮下注射後緩徐に吸収されるよう改変されたインスリンアナログ製剤であり，ほぼ24時間にわたって作用が持続する．基礎インスリン分泌補充の目的で使用される．

c）インスリン療法の実際：1型糖尿病の治療において，長期にわたり良好な血糖コントロールを維持するためには，食事とは無関係に持続的に分泌されるインスリンの基礎分泌，食後の追加分泌の双方をインスリン注射で補充する必要がある．インスリンの標準的な補充法として，頻回注射療法（multiple daily injection：MDI）または持続皮下インスリン注入（continuous subcutaneous insulin injection：CSII）がある．頻回注射療法では，追加分泌を補充するため各食前30分の速効型インスリンまたは食直前の超速効型インスリンの注射と，基礎分泌の補充として就寝前中間型インスリンもしくは1日1回持効型インスリンとを組み合わせて施注する（図15-2-25）．持続皮下インスリン注入の場合，小型のインスリン注入ポンプを用いて，速効型インスリンあるいは超速効型インスリンを持続的に皮下注入し，基礎分泌を補充する．また追加分泌に関しては，注入を早送りすることによって補充することができる．

2型糖尿病においてもインスリン療法は適応となる．内因性インスリン分泌が残存していることが多いため，必ずしも強化インスリン療法による治療を必要とせず，食前の速効型・超速効型インスリンのみ，混合製剤1日1〜3回，また持効型・中間型インスリン1回単独もしくは持効型・中間型インスリン1回と経口薬の併用なども選択肢となる．

2）GLP-1受容体作動薬：

a）作用機構：膵β細胞膜上のGLP-1受容体に結合し，血糖依存的にインスリン分泌促進作用を発揮する．グルカゴン分泌抑制作用，胃内容物排出抑制作用，食欲抑制作用など血糖降下に有効な膵外作用もあわせもっている．単独使用では低血糖をきたしにくい．

b）使用上の注意点：注射薬ではあるがインスリンの代用として用いることはできず，インスリン依存状態での適応はない．インスリンからの切り替えによる急激な高血糖，糖尿病ケトアシドーシスをきたした症例の報告があり，十分な注意を要する．おもな副作用として下痢，便秘，悪心などの消化器症状をきたすことがある．GLP-1受容体作動薬は，特にSU薬との

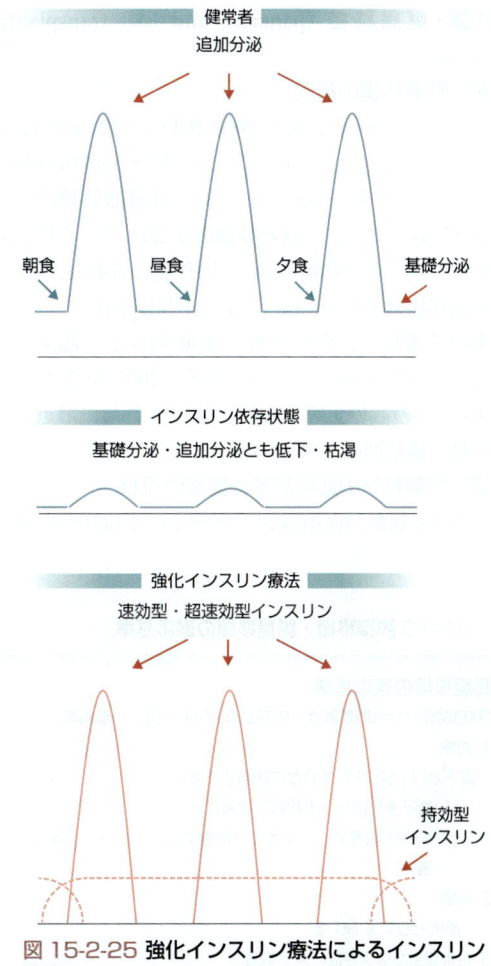

図15-2-25 強化インスリン療法によるインスリン治療
インスリンの基礎分泌，追加分泌とも低下・枯渇したインスリン依存状態の患者に対して，持効型インスリン，超速効型（もしくは速効型インスリン）による強化インスリン療法を行い，健常者のインスリン血中濃度推移に近づける．

併用により低血糖の発現頻度が高くなるため注意を要する．GLP-1受容体作動薬使用中の急性膵炎の報告があり，膵炎の既往のある患者には慎重に使用する．

〔山根俊介・稲垣暢也〕

■文献（e文献15-2-2-3）
日本糖尿病学会編著：科学的根拠に基づく糖尿病診療ガイドライン2013，南江堂，2013．
日本糖尿病学会編著：糖尿病治療ガイド2016-2017，文光堂，2016．

(4) 膵・膵島移植 (pancreas and islet transplantation)

a. 膵・膵島移植の現況

膵臓移植は世界で3万7000例以上 (2010年末) 施行されている (Gruessner, 2011). 膵・腎同時移植が約80%と大半を占める. わが国では臓器移植法実施後2015年末までに, 脳死膵臓移植244例, 心停止膵臓移植2例, 生体膵臓移植27例が施行された.

膵島移植は Edmonton protocol (Shapiro ら, 2000) の実施で本格的に開始され, 800例以上の臨床例がある. わが国では2004年に開始, 2007年3月までに18人への心停止膵島移植が施行された. 最近, 脳死膵島移植が開始されている.

b. 膵・膵島移植の適応基準と登録の流れ

1型糖尿病かつ血糖コントロールの不良症例が膵・膵島移植の適応となる. 適応基準を表15-2-13に示す. インスリン枯渇の基準は, 中央調整委員会の見解では (膵臓移植中央調整委員会), 膵臓移植においては, 空腹時血清Cペプチド 0.3 ng/mL 以下, かつグルカゴン負荷後血清Cペプチド 0.5 ng/mL 以下を目安とし, 透析導入, 腎不全患者 (eGFR < 30 mL/分/1.73 m^2) ではグルカゴン負荷前後の血清Cペプチドの差が 0.3 ng/mL 以下を目安とする. さらに発症の仕方, ケトーシス傾向の有無, 使用インスリンの種類と量, 血糖の不安定性の有無などの記載が不可欠である. 膵島移植でもほぼ同様であるが, 血清Cペプチドは 0.1 ng/mL 以下とさらに厳しい.

膵臓移植の希望者は, 内科側から適応判定申請書を作成, 中央調整委員会に送付する. 移植実施施設 (認定施設) も記入する (e表15-2-C). 地域適応検討委員会で適応有の場合は日本臓器移植ネットワークに登録される. 膵島移植では, 同様に希望認定施設 (e表15-2-C) を含む適応判定申請書を作成, 膵島移植班事務局に送付する. 適応検討委員会で適応有の場合には事務局に登録される.

c. 移植手技

1) **膵臓移植**: 脳死・心停止ドナーの場合は全膵+十二指腸をレシピエントの腹腔内に移植する. 生体ドナーではドナーの膵体尾部を摘出, レシピエント手術術式は筆者は腹膜外・膀胱ドレナージ法を用いている (e図15-2-A).

2) **膵島移植**: 膵島移植は, 摘出した膵臓から膵島を分離し, 膵島浮遊液を局所麻酔下でレシピエントの門脈内に点滴で行う.

d. 免疫抑制法

膵臓移植では, 免疫抑制薬としてカルシニューリン阻害薬, ミコフェノール酸モフェチル, ステロイド, バシリキシマブの4剤併用療法が標準的である. 膵島移植では, 臨床試験 (先進医療B) で, タクロリムス (またはシクロスポリン), ミコフェノール酸モフェチル, サイモグロブリン, エタネルセプトによる免疫抑制法が実施されている.

e. 移植成績

わが国の膵臓移植成績 (2015年末, 膵臓移植246例) は, 移植後5年の患者生存率95.6%, 膵生着率73.9%, 腎生着率89.5%と良好である. 生体膵臓移植の成績も良好で, 27例全例にインスリン離脱またはインスリンの減量, 低血糖発作の消失が得られている.

Edmonton protocolを用いたわが国の膵島移植の成績は2回または3回移植の3名がインスリン離脱し, ほかも低血糖発作の消失, インスリン投与量の減少を得たが, 移植後5年では移植前の状態に戻る症例がほとんどで, 長期の成績改善が重要である. 現在

表15-2-13 膵臓移植・膵島移植の適応基準

膵臓移植の適応基準
(移植関係学会合同委員会:2010年7月5日, 一部省略)

1. 対象
   以下の(1), (2)のいずれかに該当する者
   (1) 腎不全に陥った糖尿病であること
   (2) IDDM患者で, インスリン治療でコントロールが困難な者
2. 年齢
   原則として≦60歳
3. 合併症または併存症による制限
   (1) 糖尿病性網膜症
   (2) 活動性感染症, 活動性肝機能障害, 活動性消化性潰瘍
   (3) 悪性腫瘍
   (4) その他　　地域移植適応検討委員会で不適当と判断

膵島移植の適応基準
(膵・膵島移植研究会ワーキンググループ「膵島移植班」:2005年3月18日)

1. 適応
   1) 内因性インスリンが著しく低下し, インスリン治療を必要とする
   2) 糖尿病専門医の治療努力によっても, 血糖コントロールが困難
   3) 原則として75歳以下
   4) 膵臓移植, 膵島移植につき説明し, 膵島移植に関して, 本人, 家族, 主治医の同意が得られている
   5) 発症5年以上経過していること
2. 禁忌
   1) 重度の心疾患, 肝疾患 (心移植または肝移植と同時に行う場合には考慮する)
   2) アルコール依存症
   3) 感染症
   4) 悪性腫瘍 (5年以内に既往がないこと)
   5) 重症肥満 (BMI 25以上)
   6) 未処置の網膜症
   7) その他移植に適さないもの

脳死ドナーの使用と新たな免疫抑制プロトコールによるプロジェクトが開始され期待される. 〔劍持 敬〕

■文献

Gruessner AC: 2011 update on pancreas transplantation: comprehensive trend analysis of 25,000 cases followed up over the course of twenty-four years at the international pancreas transplant registry (IPTR). *Diabetic Studies*. 2011; 8: 6-16.

Shapiro AM, Lakey JR, et al: Islet transplantation in seven patients with type 1 diabetes mellitus using a glucocorticoid-free immunosuppressive regimen. *N Engl J Med*. 2000; 343: 230-8.

膵臓移植中央調整委員会ホームページ:http://www.ptccc.jp/

(5) 人工膵島 (artificial endocrine pancreas)

a. 概念

膵 α, β 細胞の基本的機能はそれぞれグルカゴンとインスリンの生合成, 蓄積, 調節的分泌であり, 血糖値の変動を検出し, その変動に応じて細胞内代謝を変え, 蓄積したインスリンを速やかに分泌することで血糖動態を制御している. 人工膵島は, このような膵 α, β 細胞の3つの機能を人工的に置換し, おもに糖尿病患者の失われた膵 β 細胞機能を代替するものである. したがって, 人工心臓, 人工肝臓など生命を救うという劇的な効果を期待するのではなく, 長期応用によって糖尿病合併症の発症や進展を阻止し, 機能的寿命の延長を追求した, 二義的で機能的な人工臓器といえる.

b. 分類

人工膵島は, 広義に3型に分類することができる. 第一は, すべてを人工的に機械で置換する機械工学的人工膵島, 第2は, 上記の3機能を血糖応答性のインスリン分泌細胞に依存するバイオ人工膵島(eコラム1), 第3は, 血糖濃度変化に対応しインスリンを放出するために材料設計, 薬剤設計をした化学的人工膵島(eコラム2)である. 本項では狭義の人工膵島である機械工学的人工膵島の現状について述べる.

c. 機械工学的人工膵島

i) 基本構成

膵 α, β 両細胞の機能とその機能を置換する人工膵島の基本構成は, 血糖値を連続的に計測する装置で, 細胞の情報認識機構に相当する計測部門(センサ), 計測された血糖情報に対し, 膵 β 細胞のインスリン分泌特性, 標的臓器のインスリン作用特性, および膵 α 細胞からのグルカゴン分泌特性のモデルに従い必要最少量のインスリン量(またはグルカゴン量)を算出する細胞内情報伝達機構に相当する制御部門(プロセッサ), インスリンおよびグルコース(またはグルカゴン)貯蔵器と注入ポンプシステムからなり, 細胞内膵 β 顆粒, α 顆粒とその分泌機構に相当する操作部門(エフェクタ)の3部門からなる(図 15-2-26).

人工膵島は, 上記3部門を統合した完全自動治療制御システム, すなわち closed-loop control system である(七里ら, 2002).

ii) 臨床応用

ベッドサイド型人工膵島は, 二重内腔カテーテルに

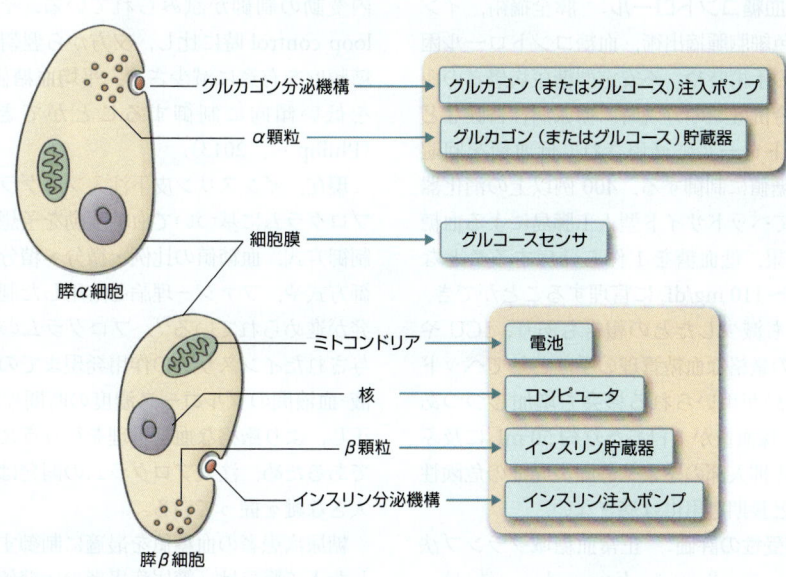

図 15-2-26 膵α, β両細胞とその機能を置換する人工膵島の対比関係

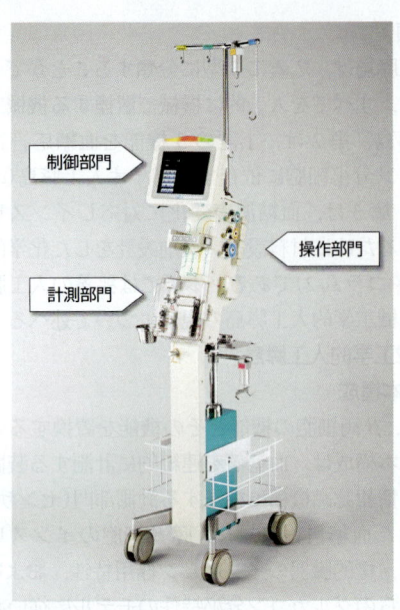

図 15-2-27 ベッドサイド型人工膵島
(STG-55)

より採血し，外套内でヘパリンと混合，凝血を阻止した後，小型グルコースセンサに接続される．測定された血糖値は，インスリンあるいはグルコース注入プログラムにより適正なインスリンあるいはグルコース量に換算され体内に注入されるシステムである．現在稼働中のベッドサイド型人工膵島（図 15-2-27）は 1983 年厚生労働省の認可を得，1988 年 4 月より一般臨床応用に供されている．

臨床の場においては，以下に示すように，糖尿病患者の短期的な血糖コントロールの手段や，インスリン感受性評価のツールとして使用されている．

1）糖尿病患者の血糖コントロール： 膵全摘術，インスリノーマや褐色細胞腫摘出術，血糖コントロール困難な糖尿病患者の手術時や，不安定型糖尿病患者の血糖制御や糖尿病合併妊娠の分娩時，糖尿病性昏睡などの際の血糖コントロールに適用され，低血糖を回避し，かつ目標血糖値に制御する．400 例以上の消化器外科手術においてベッドサイド型人工膵島による血糖管理を行った結果，低血糖を 1 件も発症することなく，血糖値を 80～110 mg/dL に管理することができ，創部感染リスクも減少したとの報告もあり，ICU や外科救急領域での厳格な血糖管理の手段としてベッドサイド型人工膵島が用いられる機会も増加しつつある[1, 2]．しかし，採血量が 1 日あたり約 50 mL に及ぶこと，カテーテル挿入部の感染や静脈炎発症の危険性があること，など長期応用には適さない．

2）インスリン感受性の評価： 正常血糖域クランプ法（euglycemic-hyperinsulinemic glucose clamp 法）は，末梢組織のインスリン感受性を評価するための最も確立された検査である．正常血糖域クランプ法は，血中インスリン濃度を 100 μU/mL まで上昇させると肝臓からの糖放出が 10％以下に抑えられるという知見をもとに，血中インスリン濃度を 100 μU/mL とし，肝臓からの糖放出を抑えた状態で，血糖値を一定に保つために必要なグルコース投与量を定量化し，インスリン抵抗性を測定するものである[3, 4]．血糖値が一定であれば，外部からのグルコース注入率（glucose infusion rate：GIR；mg/kg/分）が骨格筋を中心とした末梢組織でのグルコース利用率と見なすことができる．初期インスリン注入により速やかに血漿インスリン濃度は上昇し，GIR はクランプ開始後徐々に上昇してくる．一般的な目安としては，GIR の正常値は 8.0～12.0 mg/kg/分，インスリン抵抗性がある場合には 6.0 mg/kg/分以下となることが多い．

iii）開発の展望

現在，長期にわたる厳格な血糖管理と慢性血管合併症の発症進展阻止を目的に携帯型さらには植え込み型人工膵島の開発が進められており，まずは長期応用可能な携帯型人工膵島の開発とその臨床効用が望まれている（Nishida ら，2009）．現在，携帯型人工膵島の計測部門への応用が期待されるものに，皮下にグルコースセンサを挿入し間質液中のグルコース濃度を連続計測するシステム（持続血糖モニタ）がある．本システムはセンサ内のグルコース酸化酵素と間質液中のグルコースを持続的に反応させることで間質液中のグルコース濃度を測定し，同時に測定した血糖値を用いて補正することで，血糖値と近似した値を連続して得ることが可能である[5, 6]．この持続血糖モニタと体外式インスリン皮下注入ポンプを連動させた closed-loop control system を用いて 1 型糖尿病患者における血糖日内変動の制御が試みられている．その結果，open-loop control 時に比し，夕方から翌朝までの間の低血糖頻度を有意に減少させ，平均血糖値（126.4 mg/dL）を低い傾向に制御することができたとしている（Phillip ら，2013）．

現在，インスリン皮下注入プログラムとして，関数プログラムに基づいて血糖変動を予想するモデル予測制御方式，血糖値の比例・微分・積分動作に基づく制御方式や，ファジー理論を応用した制御方式などの開発が進められている[7]．プログラムの性能は，皮下投与されたインスリンの作用発現までの時間遅れと間質液-血液間のグルコース濃度の時間差による影響を補正し，より厳格な血糖管理を行ううえできわめて重要であるため，注入プログラムの開発は人工膵島開発の大きな鍵を握っている．

糖尿病患者の血糖値を最適に制御することを目標とした人工膵島は，糖尿病患者の血糖値の長期にわたる生理的な制御と，その結果としての細小血管合併症の

発症・進展阻止を最終的な目的とするものである．一方，人工膵島は生体の機能をシミュレートするものであり，その追求は生体臓器の本質的な機能や病態のメカニズムを認識するのにも大いに資するものである．得られた新しい知識と技術は，再び治療制御の技術に還元され，さらなる発展をとげることが期待されている．

〔荒木栄一・下田誠也〕

■文献（e文献15-2-2-5）

七里元亮, 榊田典治, 他：人工膵島. 日本内科学会雑誌. 2002; **91**: 77-9.

Nishida K, Shimoda S, et al: What is artificial endocrine pancreas? Mechanism and history. *World J Gastroenterol*. 2009; **15**: 4105-10.

Phillip M, Battelino T, et al: Nocturnal glucose control with an artificial pancreas at a diabetes camp. *N Engl J Med*. 2013; **368**: 824-33.

(6) 慢性合併症

a. 定義・概念

糖尿病の治療目標は，「健康な人と変わらない日常生活の質（QOL）の維持，健康な人と変わらない寿命の確保」であり，このためには「糖尿病細小血管合併症（網膜症，腎症，神経障害）および動脈硬化性疾患（冠動脈疾患，脳血管障害，末梢動脈疾患）の発症，進展の阻止」が重要とされている．この目標達成に向けて「血糖，体重，血圧，血清脂質の良好なコントロール状態の維持」を行うことが糖尿病の治療である．

すなわち，糖尿病は「合併症の病気」といっても過言ではない．慢性合併症は，糖尿病発症後一定期間の後に発症するが，糖尿病状態すなわち高血糖の持続が最も重要な成因であり，特に細小血管症は糖尿病に特異的な合併症である．これらの慢性合併症が，糖尿病症例の生命予後および健康寿命を規定している．

b. 分類

糖尿病の慢性合併症は基本的に血管障害であり，障害される血管の太さにより細小血管症（microangiopathy）と大血管症（macroangiopathy）に分類される（表15-2-14）．細小血管症には網膜症・腎症・神経障害（神経症とはよばない）が含まれ，これらは糖尿病の3大合併症（triopathy）ともよばれている．前述のように，細小血管症は糖尿病に特異的であり，基本的に糖尿病が存在しないと発症しない．

一方，大血管症は動脈硬化症であり，糖尿病は高血圧・脂質異常症と並んで，重要な危険因子の1つである．動脈硬化症は，糖尿病がなくても発症するが，軽度の血糖値の上昇（耐糖能障害）の段階から，その危険因子となる．当然，全身の動脈が障害されるが，イベントとしては，脳卒中・心筋梗塞・閉塞性動脈硬化症がその典型である．

ほかに，足病変は神経障害と血流障害の複合により生ずるが，上記とは分けて記載されることが多い．また，歯周病も糖尿病の慢性合併症の1つと介されている．骨病変も存在し，糖尿病性骨症とよばれることもある．さらに最近では，ある種の癌[1]や認知症が糖尿病症例に高頻度で認められることも報告されているが，これらを糖尿病の慢性合併症とよんでいいのかはいまだ確定していない．

c. 細小血管症

i) 共通の成因

細小血管症の最も重要な成因は「高血糖の持続」であり，このことは多くの臨床研究でも明らかにされている．ただし，おのおのの合併症の発症には，高血糖に起因する共通因子とともに各組織の局所因子も関連しており[2]，この点に関しては各合併症の項に記載する．

古くから，グルコースの取り込みがインスリンに依存しない組織に細小血管症が生ずることが指摘されており，血糖値の上昇に伴ってグルコースがGLUT1により細胞内に取り込まれ，種々の代謝異常を引き起こすと考えられている．実際には過剰に取り込まれたグルコースが，図15-2-28に示す種々の解糖系の側副路に流入し代謝異常を引き起こす．これらの代謝異常が細胞の機能障害を惹起し，細小血管症に至ると考えられている（Brownlee, 2001）．

1) ポリオール経路： グルコースから直接別れ，ソルビトール・フルクトースが産生される経路である．律速酵素は，グルコースをソルビトールに変換するアルドース還元酵素である．高血糖状態ではこのポリオール経路が亢進し，細胞内にソルビトールが蓄積する．その結果，細胞内浸透圧の上昇や細胞内情報伝達に重要なミオイノシトールが低下し，細胞障害が惹起されると考えられている．また，補酵素であるNADPHの減少は酸化ストレスの増加とも関連するとされている．さらに，ソルビトールからフルクトースへの経路

表15-2-14 慢性合併症の分類

1. **細小血管症（3大合併症）**
   - 網膜症
   - 腎症
   - 神経障害

2. **大血管症**
   - 脳血管障害
   - 虚血性心疾患
   - 末梢血管障害

3. **その他**
   - 足病変，骨病変，歯周病，皮膚疾患，など
   - ある種の癌，認知症との関連も示唆されている

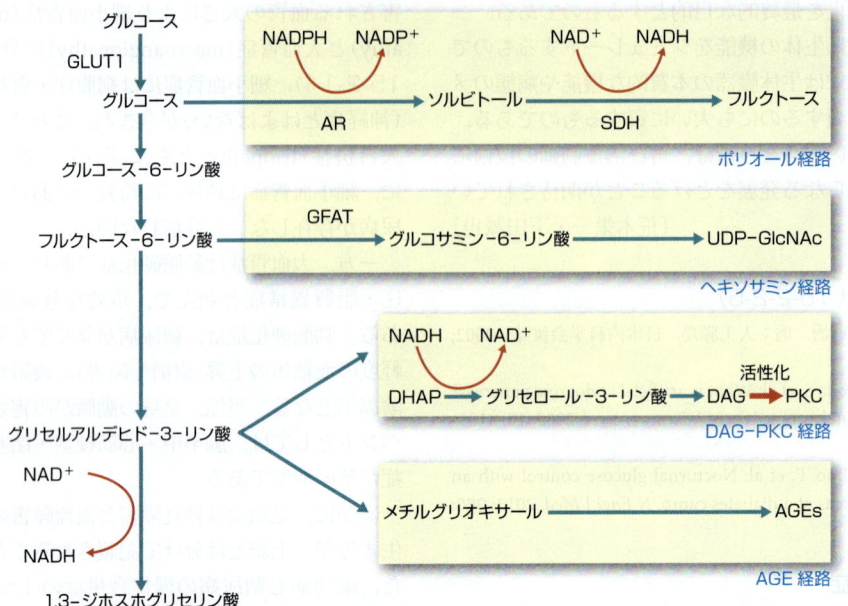

図 15-2-28 細小血管症の成因（共通因子）（Brownlee, 2001 より改変）
細胞内に過剰に取り込まれたグルコースが解糖系の側副代謝経路に入り，種々の代謝異常を引き起こす．AR：アルドース還元酵素，SDH：ソルビトール脱水素酵素，GFAT：グルタミンフルクトース-6-リン酸アミドトランスフェラーゼ，DHAP：ジヒドロキシアセトンリン酸，DAG：ジアシルグリセロール，AGEs：終末糖化産物．

の補酵素は NAD^+ であり，この経路が亢進して生ずる NADP が後述のジアシルグリセロール産生経路の補酵素として用いられる．また，生じたフルクトースは非酵素的糖化を惹起する．すでに，アルドース還元酵素阻害薬が開発され，神経障害の治療薬として用いられている．

2）ヘキソサミン経路：フルクトース-6-リン酸から，グルコサミン-6-リン酸を経て，UDP-N-acetylglucosamine（UDP-GluNAc）が産生される経路である．細胞内リン酸化シグナルの抑制を惹起すると考えられている．残念ながらヒトに応用可能な阻害薬が開発されていないため，その解明も遅れている．

3）ジアシルグリセロール（DAG）産生経路と PKC 活性化：グルコースからグリセルアルデヒド-3-リン酸を経て，ジアシルグリセロール（DAG）が de novo に産生されること，産生された DAG がプロテインキナーゼ C（PKC）を活性化することが，特に高血糖状態にさらされた血管細胞で生ずることが証明され，血管合併症の成因の1つとして注目されている．PKC には種々のアイソザイムが存在するが，糖尿病状態の血管では特に PKC-β が活性化され，種々の細胞機能異常を惹起することが報告されている．すでに，PKC-β 阻害薬が開発され，糖尿病動物では種々の血管合併症に有効であることが示されている．しかし，ヒトではいまだ臨床試験が進行しており，治療薬としての臨床応用には至っていない．

4）終末糖化産物（AGE）産生経路：グルコースは種々の体内構成蛋白を非酵素的に糖化することは，古くから知られていた．初期反応で生ずる物質はアマドリ化合物とよばれており，HbA1c はその1つである．半減期の長い蛋白ではその後の後期反応（Maillard 反応）が進行し，終末糖化産物（advanced glycation endproducts：AGEs）が形成される．グルコース以外にも，フルクトースやメチルグリオキサールなどが AGE を形成する．AGE が形成されると，その蛋白の分解・機能の低下により細胞機能障害を惹起する．また，AGE には受容体（receptor for AGEs：RAGE）が存在し，RAGE を介する細胞機能障害も想定されている．AGE 産生阻害薬，RAGE 拮抗薬などが開発されているが，現時点では臨床応用には至っていない．

5）酸化ストレスの亢進：糖尿病では，酸化ストレス消去系酵素の活性低下，産生系である NAD(P)H oxidase の活性化，ミトコンドリアからの活性酸素産生増加，などにより，酸化ストレスが亢進する．酸化ストレスの亢進は，細小血管症のみならず大血管症にも関連しており，共通の成因の1つと考えられている．しかし，多くの抗酸化薬が存在するにもかかわらず，ヒトの糖尿病性血管合併症に対する有効性が証明された抗酸化薬がないことが問題点の1つである．

6）危険因子と防御因子：米国の Joslin 糖尿病センターでは，1型糖尿病で発症後50年間生存できた症例を 50 year medalist として表彰している．インスリン

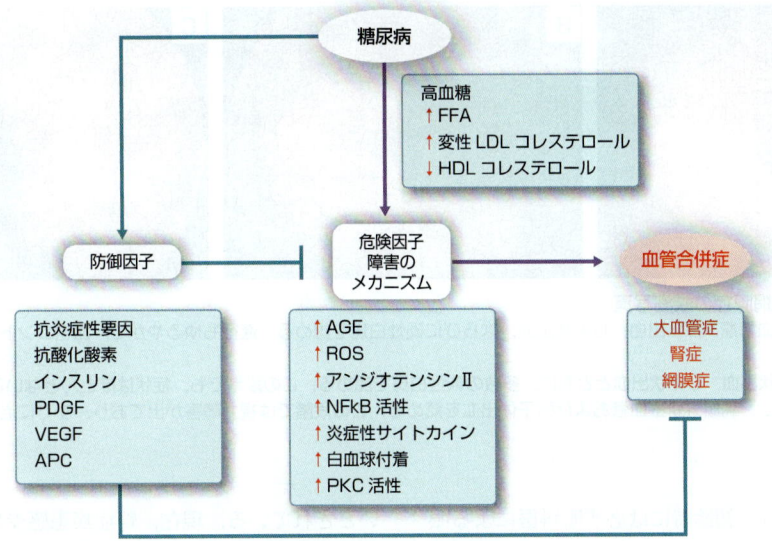

図 15-2-29 糖尿病性血管合併症の危険因子と防御因子(Rask-Madsen ら, 2013)
(Joslin 50-Year Medalist Study より)
PDGF：血小板由来増殖因子，VEGF：血管内皮増殖因子，APC：活性化プロテイン C，ROS：活性酸素.

製剤が進歩してきたのは最近であり，これらの症例はかなりの期間高血糖が持続していたと考えられる．高血糖の持続自体は前記の異常を引き起こしていると推定されるが，それにもかかわらず発症後 50 年を経ても重症の合併症に至らず経過したと考えられる．このことは，図 15-2-29 に示すように，高血糖などに基づく危険因子のみならず，合併症の防御因子が存在し，50 year medalist では防御因子が活性化されていたと推定されている(Rask-Madsen ら，2013)．

ii) 糖尿病網膜症
概念・成因
網膜症は，眼底の血管を観察して診断するため，腎症や神経障害に比べて特異性が高く，糖尿病の診断基準にも取り入れられている．網膜症の成因としては，共通因子以外に，局所の血管内皮増殖因子(VEGF)産生増加の関与が示されている[3]．

疫学
Japan Diabetes Complications Study (JDCS) は，1996 年(平成 8 年)にスタートし現在も継続中の，日本人 2 型糖尿病症例を対象とした大規模臨床試験である．JDCS の解析では，網膜症の発症は 1000 人年あたり 38.3，進展は 1000 人年あたり 21.1 であるとされている．また，網膜症の発症に関与する因子は，糖尿病罹病期間，HbA1c 高値，収縮期血圧高値，BMI 高値であり，進展に関与する因子は HbA1c である．HbA1c 値 1％の増加により，網膜症の発症・進展はおのおの 1.36 倍，1.66 倍となる[4]．

網膜症は従来，成人中途失明の原因疾患の第 1 位であった．しかし，2005(平成 17)年度に発表された，厚生労働省難治疾患克服研究事業「わが国における視覚障害の現状」では，視覚障害の主原因疾患は，緑内障 20.7％，糖尿病網膜症 19.0％，網膜色素変性症 13.7％，黄斑変性症 9.1％，高度近視 7.8％であり，糖尿病網膜症は第 2 位となった．しかし，緑内障の一部には糖尿病に起因するものが含まれると考えられ，糖尿病眼病変による視覚障害は依然第 1 位とも考えられる．

分類・臨床症状・検査所見
網膜症は眼底検査で診断する．通常，①網膜症なし，②単純糖尿病網膜症(simple diabetic retinopathy：SDR，図 15-2-30A)：毛細血管瘤，点状・斑状出血，火焔状出血，硬性白斑，少数の軟性白斑を認める，③増殖前糖尿病網膜症(preproliferative diabetic retinopathy：PPDR，図 15-2-30B)：多発する軟性白斑，網膜内細小血管異常(intraretinal microvascular abnormality：IRMA)，静脈異常，無灌流域(蛍光眼底)を認める，④増殖糖尿病網膜症(proliferative diabetic retinopathy：PDR，図 15-2-30C)：新生血管，硝子体出血，線維血管性増殖組織，牽引性網膜剥離などを認める，に分類されている．単純網膜症では症状はなく，増殖前網膜症でも症状がないことが多い．ただし，黄斑浮腫を伴うと視力低下が生ずる．したがって，定期的な眼底検査(眼科受診)がきわめて重要である．

治療・管理
1) 一般的管理事項： 前述のように，初期には症状がないため，眼底検査が必須である．血糖コントロールが不良な場合，血糖値を急激に低下させると網膜症が

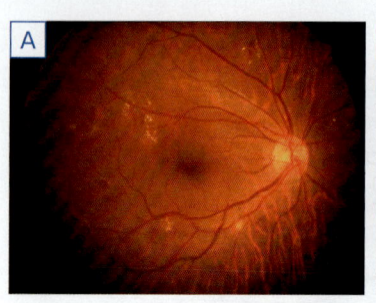 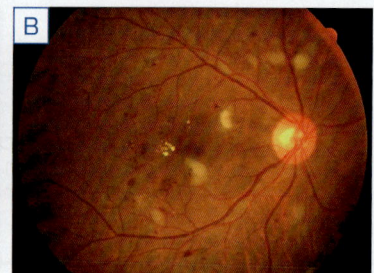 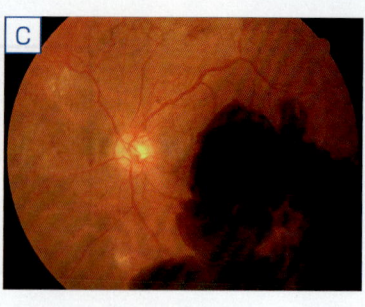

図 15-2-30 糖尿病網膜症の眼底写真
A：単純網膜症．毛細血管瘤，点状出血，しみ状出血，ならびに硬性白斑を認める．進行もゆるやかで，血糖コントロールによって軽快・回復する．
B：増殖前網膜症．点状出血，しみ状出血とともに，多数の軟性白斑を認める．この段階でも，症状はほとんどないことが多い．
C：増殖網膜症．乳頭上，乳頭外新生血管および硝子体出血を認める．この段階では視力障害が出ており，すでに治療困難なことも少なくない．

悪化する場合もあり，初診時には必ず眼科医による眼底検査を行う．以後の眼科受診の頻度は，眼底所見によって異なるため，眼科医との緊密な連携が必要である．

2）内科的治療： 最も重要な治療は血糖コントロールである．このことは，すでに多くの臨床研究で明らかにされている．わが国で行われた Kumamoto Study では，HbA1c（NGSP）＜6.9％，空腹時血糖値＜110 mg/dL，食後2時間血糖値＜180 mg/dL，では，網膜症・腎症の発症・進行を認めなかったことが示されており，この数字が現在の血糖コントロール目標と考えられる．

高血圧を合併した場合の血圧コントロール，および脂質異常症を合併した場合の血清脂質の管理も重要であることはいうまでもない．

3）眼科的治療： 増殖前網膜症以降では，眼科的治療が必要である．光凝固療法および硝子体手術が該当する．光凝固療法の目標は，増殖網膜症への進行阻止および黄斑浮腫による視力低下阻止である．硝子体手術の目的は，混濁した硝子体の除去・増殖網膜の切除と牽引の解除・牽引剝離された網膜の復位，などである．また，近年，黄斑浮腫に対して硝子体内抗 VEGF 治療の有効性が示され[5]，一部の薬剤は保険適用となっている．

iii）腎症

概念・成因

腎症は微量アルブミン尿の出現で発症し，持続性蛋白尿・慢性腎不全へと進行する連続性の経過をたどる疾患である．

腎症の成因には，高血糖の持続に基づく共通因子とともに，局所因子として「糸球体高血圧」があげられる．「糸球体高血圧」は腎臓内血行動態異常，特に輸入細動脈系の拡張に起因する．高血圧が合併すると「糸球体高血圧」はより助長される．また，細小血管症のなかでは，腎症が最も遺伝因子の影響を受けやすいとされている．現在，腎症疾患感受性遺伝子の解析が全世界で精力的に行われているが，現時点ではその同定には至っていない．

疫学

前述の JDCS では，顕性蛋白尿の出現は1000人年あたり6.7であると報告されており[6]，以前の成績に比べると改善してきていることがうかがえる．しかし，腎症は，1998年から慢性透析療法導入原疾患の第1位であることも事実であり，2013年には，16031例で全体の43.8％を占めるに至っている．また，2011年からは，透析療法を受けている年末患者数の第1位となり，2013年末には115480人で37.6％を占めている[7]．

分類

腎症は上記のように連続性の経過を辿る疾患であるが，進行の程度に従い治療法が若干異なるため，病期分類が作成され，2014年に改訂された（糖尿病性腎症病期分類2014[8]，表15-2-15）．評価項目は，以前と同様に尿アルブミン値（尿蛋白値）と GFR であるが，GFR を推算 GFR（eGFR【⇨ 13-1-3-2-b-iii】）で評価することとした．そして，GFR が 30 mL/分/1.73 m² 未満を腎不全と定義し，30 mL/分/1.73 m² 以上の症例は尿アルブミン値（尿蛋白値）で分類することとした．以下に簡単に解説するが，すべての糖尿病症例はこの表のいずれかの病期に分類されることになる．糖尿病ではほかの慢性腎臓病が合併することもあるため，鑑別診断が必要である．

1）第1期（腎症前期）： 尿中アルブミン排泄量が正常で，現在の臨床検査では腎症の存在を診断できない病期である．しかし，この病期にも糸球体病変が存在する症例が報告されており[10]，以下に述べる「微量アルブミン尿」より早期に腎症を診断できる指標の開発が望まれている．

2）第2期（早期腎症期）：「微量アルブミン尿」を呈する病期である（診断基準は後述する）．本病期は

表15-2-15 糖尿病性腎症病期分類2014[*1]（文献8より）

病期	尿アルブミン値(mg/g Cr) あるいは 尿蛋白値(g/g Cr)	GFR(eGFR) (mL/分/1.73 m^2)
第1期 (腎症前期)	正常アルブミン尿(30未満)	30以上[*2]
第2期 (早期腎症期)	微量アルブミン尿(30～299)[*3]	30以上
第3期 (顕性腎症期)	顕性アルブミン尿(300以上) あるいは 持続性蛋白尿(0.5以上)	30以上[*4]
第4期 (腎不全期)	問わない[*5]	30未満
第5期 (透析療法期)	透析療法中	

【重要な注意事項】本表は糖尿病性腎症の病期分類であり，薬剤使用の目安を示した表ではない．糖尿病治療薬を含む薬剤特に腎排泄性薬剤の使用に当たっては，GFRなどを勘案し，各薬剤の添付文書に従った使用が必要である．

[*1]: 糖尿病性腎症は必ずしも第1期から順次第5期まで進行するものではない．本分類は，厚労省研究班の成績に基づき予後（腎，心血管，総死亡）を勘案した分類である

[*2]: GFR 60 mL/分/1.73 m^2 未満の症例はCKDに該当し，糖尿病性腎症以外の原因が存在しうるため，ほかの腎臓病との鑑別診断が必要である．

[*3]: 微量アルブミン尿を認めた症例では，糖尿病性腎症早期診断基準に従って鑑別診断を行ったうえで，早期腎症と診断する．

[*4]: 顕性アルブミン尿の症例では，GFR 60 mL/分/1.73 m^2 未満からGFRの低下に伴い腎イベント（eGFRの半減，透析導入）が増加するため注意が必要である．

[*5]: GFR 30 mL/分/1.73 m^2 未満の症例は，尿アルブミン値あるいは尿蛋白値にかかわらず，腎不全期に分類される．しかし，特に正常アルブミン尿・微量アルブミン尿の場合は，糖尿病性腎症以外の腎臓病との鑑別診断が必要である．

種々の治療に対する反応性が良好であり，寛解（第1期への改善）も可能である．

3) **第3期（顕性腎症期）**：持続性蛋白尿（顕性蛋白尿）が出現する病期である．尿蛋白は試験紙法で持続的に陽性となるが，正確には定量して診断を下す．

4) **第4期（腎不全期）**：尿アルブミン値（尿蛋白値）にかかわらず，GFRが30 mL/分/1.73 m^2 未満の病期である．病態はほかの腎疾患による慢性腎不全と同様である．ただ，糖尿病性腎症の場合，末期まで大量の蛋白尿が続くことが多く，溢水が透析療法導入の理由となることが多い．

5) **第5期（透析療法期）**：慢性透析療法導入以降がこの病期に相当する．糖尿病性腎症の治療という観点からはこの病期はすでにend pointに達しているが，糖尿病性腎症から透析療法に導入された症例の生命予後がきわめて不良であることから，この病期が設定されたと解される．本病期における，生命予後を改善させる治療法の開発が求められている．

臨床症状

顕性腎症期までは，臨床症状・所見ともに出現しないのが通常である．顕性腎症期で蛋白尿が増加すると，浮腫を含む体液貯留の所見が出現する．腎不全に進行した場合の臨床症状・所見は，ほかの腎疾患による腎不全と同様である．

検査所見・診断

尿検査と血液検査が主体であり，まずすべての糖尿病症例で一般検尿を行う．蛋白尿が陰性もしくは軽度陽性（1＋程度）の場合に，尿中アルブミン排泄量を測定する．この値が下記の基準値をこえている場合を「微量アルブミン尿」とよんでいる．進行すると尿蛋白が試験紙法で持続的に陽性となる．血液検査では特徴的な異常は存在しない．最も重要な血液検査は血清クレアチニン値であり，GFRを血清クレアチニン値から推算式により算出して評価する．

腎症の早期診断には「微量アルブミン尿」の検出が必須である．表15-2-16に糖尿病性腎症早期診断基準を示す[11]．前述のように，尿蛋白陰性あるいは軽度陽性（1＋程度）の糖尿病症例で，尿アルブミン濃度と尿クレアチニン（Cr）濃度を同時に測定し，その比を計算する．尿アルブミン値はばらつきが大きいため，3回測定中2回の尿アルブミン値が，クレアチニン補正値で表15-2-15の基準値の範囲内にある場合，微量アルブミン尿と診断する．

表 15-2-16 糖尿病性腎症早期診断基準—随時尿における「微量アルブミン尿」の基準(文献 11 より引用)

1. 測定対象
   尿蛋白陰性か陽性(+1 程度)の糖尿病患者
2. 必須事項
   尿中アルブミン値
   30～299 mg/g Cr
   3 回測定中 2 回以上
3. 参考事項
   尿中アルブミン排出率
   30～299 mg/24 時間または 20～199 μg/分
   尿中IV型コラーゲン値
   7～8 μg/g Cr 以上
   腎サイズ
   腎肥大

表 15-2-17 糖尿病性神経障害の分類(Thomas, 1997)

- 高血糖性神経障害(hyperglycemic neuropathy)
- 対称性多発神経障害(symmetric polyneuropathy)
  感覚/自律神経障害(sensory/autonomic polyneuropathy)
  急性有痛性神経障害(acute painful diabetic neuropathy)
- 局所障害性および多巣性神経障害(focal and multifocal neuropathy)
  脳神経障害(cranial neuropathy)
  胸腹部神経障害(thoraco-abdominal neuropathy)
  四肢局所障害性神経障害(focal limb neuropathies)
  糖尿病性筋萎縮症(diabetic amyotrophy)
- 混合型(mixed forms)

鑑別診断

微量アルブミン尿と診断した場合，種々の疾患(糸球体腎炎，高血圧(良性腎硬化症)，高度肥満，メタボリックシンドローム，尿路系異常・尿路感染症，うっ血性心不全など)を鑑別したうえで，糖尿病性腎症と診断する．なお，鑑別にあたっては，ある程度以上の糖尿病罹病期間(約 5 年以上)，ほかの糖尿病性合併症(網膜症，神経障害)の存在，高度の血尿を認めないこと，などが参考となる．

治療

糖尿病性腎症の発症因子は基本的には高血糖の持続である．また，腎臓内血行動態異常により糸球体内静水圧の上昇(糸球体高血圧)が生じ，これが発症因子の 1 つと考えられている．ここに全身血圧の上昇(高血圧)が加わると，糸球体高血圧はより助長される．したがっておもな治療法は，高血糖の是正と糸球体高血圧の是正である．

1)**高血糖の是正**：高血糖是正の有効性は，多くのランダム化比較試験のメタ解析でも明らかにされている[12]．HbA1c 7.0％未満を目標とする．薬剤の種類に現時点で差は認められていないが，腎不全に至ると大部分の経口血糖降下薬は禁忌とされている．

2)**糸球体高血圧の是正**：レニン-アンジオテンシン系阻害薬(アンジオテンシン変換酵素阻害薬，アンジオテンシンII受容体拮抗薬)の有効性もすでに多くのランダム化比較試験のメタ解析で明らかにされており[13]，高血圧を有する症例で第一選択薬とされている．同時に長時間作用型 Ca 拮抗薬や利尿薬を用いて，全身血圧を 130/80 mmHg 未満に低下させることを目標とする．レニン-アンジオテンシン系阻害薬は輸出細動脈を拡張させ，糸球体高血圧を是正すると考えられている．

ほかに，顕性腎症期以降ではマイルドな蛋白制限食が必要であり，また脂質異常症を呈する場合はその治療も必要である．

iv)神経障害

概念・成因

糖尿病で生ずる神経障害は，末梢神経障害である．成因としては，末梢神経そのものに生ずる代謝異常と神経栄養血管に生ずる代謝異常が重要であり，これらは共通因子に起因している．ただし，共通因子のなかでも，神経そのものにはポリオール経路の亢進の寄与が大きく，神経栄養血管には PKC 活性化の寄与が大きいと考えられている．また，酸化ストレス亢進は両者に関与している．

疫学

一般的に，神経障害は，細小血管症のなかで最も頻度が高い合併症であると考えられている．しかし，簡易診断基準(後述)は存在するが，正確かつ定量的な診断基準ではないため，大規模な疫学調査は行われていない．日本内科医会が行った主治医の判断による有病率は，糖尿病症例 12821 例中，神経障害 37％，網膜症 23％，腎症 14％と報告されている．

分類・臨床症状・検査所見

神経障害の分類はいくつか提唱されているが，表 15-2-17 には最もよく使用されている分類を提示する．基本的に，①四肢(下肢末端から始まる)に対照的に生じるポリニューロパチー(polyneuropathy)：表 15-2-17 では対称性多発神経障害(symmetric polyneuropathy)のなかの，感覚/自律神経障害(sensory/autonomic polyneuropathy)が該当する，と②非対照的に生ずる単神経障害(mononeuropathy)：表 15-2-17 では，局所障害性および多巣性神経障害(focal and multifocal neuropathies)が，2 大病型である．

表 15-2-18 糖尿病性多発神経障害(distal symmetric polyneuropathy)の簡易診断基準(文献 14 より引用)

必須項目：以下の 2 項目を満たす．
1. 糖尿病が存在する．
2. 糖尿病性多発神経障害以外の末梢神経障害を否定しうる．

条件項目：以下の 3 項目のうち 2 項目以上を満たす場合を"神経障害あり"とする．
1. 糖尿病性多発神経障害に基づくと思われる自覚症状
2. 両側アキレス腱反射の低下あるいは消失
3. 両側内踝の振動覚低下

注意事項
1. 糖尿病性多発神経障害に基づくと思われる自覚症状は，
   (1) 両側性
   (2) 足趾先および足底の「しびれ」，「疼痛」，「異常感覚」のうちいずれかの症状を訴える．
   上記の 2 項目を満たす．
   上肢の症状のみの場合および「冷感」のみの場合は含まれない．
2. アキレス腱反射の検査は膝立位で確認する．
3. 振動覚低下とは C128 音叉にて 10 秒以下を目安とする．
4. 高齢者については老化による影響を十分考慮する．

参考項目：以下の参考項目のいずれかを満たす場合は，条件項目を満たさなくとも"神経障害あり"とする．
1. 神経伝導検査で 2 つ以上の神経でそれぞれ 1 項目以上の検査項目(伝導速度，振幅，潜時)の明らかな異常を認める．
2. 臨床症候上，明らかな糖尿病性自律神経障害がある．しかし，自律神経機能検査で異常を確認することが望ましい．

簡易診断基準(表 15-2-18)が作成され[14]，広く用いられているが，そのなかに臨床症状および検査所見も記載されている．臨床症状は，両側性であること，足趾先および足底から始まることが重要であり，「しびれ」・「疼痛」・「異常感覚」が生ずる．診察では，アキレス腱反射の低下もしくは消失，および内踝の振動覚の低下が重要である．検査では神経伝導速度検査を行う．

自律神経障害も生じるが，自律神経は全身に分布しており，障害の出る部位によって症状が異なっている．症状がない場合は，心電図 R-R 間隔の変動係数(CV)の低下，起立による血圧低下を検査する．

単神経障害では，外眼筋麻痺や顔面神経麻痺を生ずる．

治療

網膜症・腎症と同様に，血糖コントロールが最も重要である．また，高血圧合併例では血圧コントロールが，脂質異常症合併例では血清脂質の管理が重要であることはいうまでもない．

細小血管症の成因の共通因子のなかで，ポリオール経路の亢進が特に神経障害に関連していると考えられており，アルドース還元酵素阻害薬(エパルレスタット)が治療薬として上梓されている．神経障害，特に有痛性神経障害に対しては，対症療法が行われる．非ステロイド系抗炎症薬，三環系抗うつ薬，抗不整脈薬(メキシレチン)などとともに，最近ではプレガバリンやデュロキセチンも用いられるが，治療に難渋する症例が多いことも事実である．

d. 大血管症

概念・成因

基本的に動脈硬化症であり，糖尿病は高血圧・脂質異常症と並んで，重要な危険因子である．したがって，糖尿病に特異性は少ない．成因は，細小血管症の共通因子に加え，動脈硬化症本来の成因が複雑に関係している．

分類

表 15-2-14 に示したように，冠動脈疾患，脳血管障害，末梢動脈疾患に分類される．脳血管障害では，アテローム血栓性脳梗塞とラクナ梗塞が多い．

疫学

日本人糖尿病症例の死因は，第 1 位が悪性腫瘍，第 2 位が血管障害，第 3 位が感染症である．血管障害では，心筋梗塞と脳卒中がほぼ同率であり，脳卒中では脳梗塞が多い．JDCS の報告では，冠動脈疾患および脳卒中の年間発生率は，1000 人年あたり，おのおの 9.59，7.45 であるとされているが，急性心筋梗塞と脳梗塞はおのおの 3.84，6.29 とされている[15]．また，糖尿病症例での冠動脈疾患の危険因子は，LDL コレステロール，中性脂肪，HbA1c であり，脳卒中の危険因子は，収縮期血圧である．

臨床症状・検査所見・治療

これらに関しては，おのおのの項を参照．

治療の基本は，細小血管症と同様，血糖コントロール・血圧コントロール．血清脂質のコントロールであり，これらを強力に行う(集約的治療)ことにより，心血管イベントが有意に減少することが示されている．ただし，細小血管症とは異なり，厳格な血糖コントロール単独の有効性は示されていない．

e. その他

種々の合併症が存在するが，ここでは足病変と歯周病に関して記載する．

i) 足病変

足病変は，足の皮膚障害や軽微な外傷から潰瘍形成・壊疽へと進行する病変であり，切断に至る症例も存在する．基本的に，神経障害と血流障害の両者に起因しているが，進行過程には細菌感染症も関連している．

まず，予防が大切であり，足の観察およびフットケアが重要である．

ii) 歯周病

歯周病は，歯肉炎と歯周炎の総称である．歯肉炎は炎症が歯肉に限局している場合である．歯周炎は，歯と歯肉の接合部に存在する歯肉溝へ，Gram 陰性桿菌などの細菌感染によって惹起される炎症性疾患である．糖尿病症例で歯周病の合併が多いこと，および歯周病が合併すると血糖コントロールが悪化することが示されている． 〔羽田勝計〕

■文献（e文献 15-2-2-6）

Brownlee M: Biochemistry and molecular cell biology of diabetic complications. *Nature*. 2001; **414**: 813-20.

Rask-Madsen C, King GL: Vascular complications of diabetes: mechanisms of injury and protective factors. *Cell Metab*. 2013; **17**: 20-33.

Thomas PK: Classification, differential diagnosis, and staging of diabetic peripheral neuropathy. *Diabetes*. 1997; **46**: S54-7.

3）糖尿病の急性合併症（糖尿病昏睡）

糖尿病の急性合併症として糖尿病ケトアシドーシス，高血糖高浸透圧症候群，乳酸アシドーシスがある．病態に関する理解や治療法の進歩に伴い，発症頻度の低下，予後の改善を認めてはいるが[1]，対応を間違うと昏睡から死に至りうる重篤な合併症である．昏睡になりうる急性合併症には低血糖も含まれるが，これに関しては【⇒ 15-2-4】．

(1) 糖尿病ケトアシドーシス

定義・概念

極度のインスリン作用不足によって起こる急性代謝失調状態である．高度のインスリン欠乏とインスリン拮抗ホルモン（グルカゴン，カテコールアミンなど）の増加により，高血糖，高ケトン体血症，アシドーシスをきたす．適切な治療がなされなければ昏睡から死に至りうる重篤な病態である．1 型糖尿病の発症時やインスリン治療の中断時に多いが，2 型糖尿病においても何らかの誘因で起こりうる．

原因

極度のインスリン作用不足が基盤となることから，1 型糖尿病の発症時やインスリン治療の中断時，インスリン持続皮下注入ポンプの機械トラブル時などに認められることが多い．劇症 1 型糖尿病では内因性インスリン欠乏が顕著であることから，発症早期から顕著なケトアシドーシスを認める．1 型糖尿病に認めることが多いが，2 型糖尿病においても何らかの誘因で

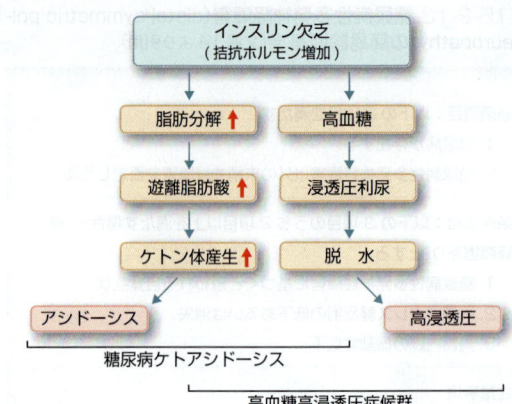

図 15-2-31 糖尿病ケトアシドーシス，高血糖高浸透圧症候群の病態

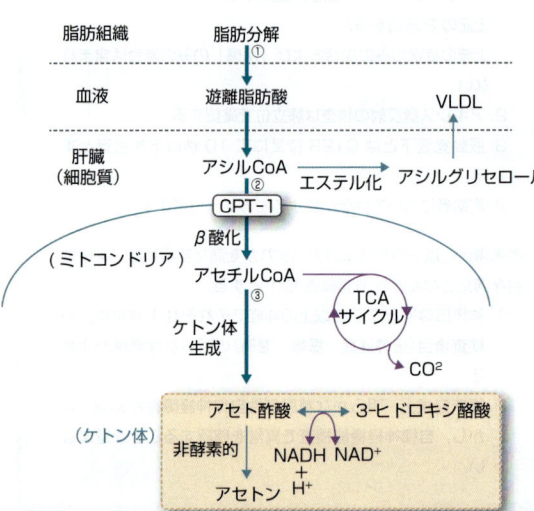

図 15-2-32 ケトン体産生経路と糖尿病ケトアシドーシスにおける変化
CPT-1: carnitine palmitoyltransferase-1.

起こりうる．誘因としては，重症感染症，外傷や外科手術，脳血管障害や虚血性心疾患，暴飲暴食や清涼飲料水の多飲などがある．高血糖に伴う口渇時に清涼飲料水を多飲すると病態をさらに悪化させ，ケトーシス，ケトアシドーシスの助長につながる．2 型糖尿病患者や耐糖能異常者で清涼飲料水の顕著な多飲を誘因として発症する「清涼飲料水ケトーシス（ケトアシドーシス）」「ソフトドリンクケトーシス（ケトアシドーシス）」とよばれる病態がある[2,3]．

病態生理（図 15-2-31，15-2-32）

高度のインスリン欠乏とインスリン拮抗ホルモン（グルカゴン，カテコールアミン，コルチゾールなど）の増加により，高血糖，高ケトン体血症（ケトーシス），アシドーシスをきたす．インスリン作用不足は糖利用の低下，肝臓からの糖放出増加による高血糖を

表 15-2-19 糖尿病ケトアシドーシスと高血糖高浸透圧症候群の鑑別診断

	糖尿病ケトアシドーシス	高血糖高浸透圧症候群
糖尿病の病期・病型	インスリン依存状態 おもに1型糖尿病、ときに2型糖尿病	インスリン非依存状態 おもに2型糖尿病
おもな病態[*1]	代謝性アシドーシス(図15-2-31左側)	顕著な脱水と高浸透圧(図15-2-31右側)
年齢	若年者が多い	高齢者が多い
誘因	インスリン治療の中止、減量 急性感染症、外科手術 心筋梗塞、脳卒中 清涼飲料水の多飲[*2]	薬剤(ステロイド、利尿薬など) 急性感染症、外科手術 心筋梗塞、脳卒中 高カロリー輸液
自覚症状	多尿、口渇、多飲、全身倦怠感 消化器症状(悪心、嘔吐、腹痛など)	特異的なものはない 多尿、体重減少、精神変調など
他覚症状	脱水所見:皮膚、口腔粘膜の乾燥、頻脈、血圧低下 アセトン臭(ケトーシスによる) Kussmaul呼吸(ケトアシドーシスによる)	脱水所見:皮膚、口腔粘膜の乾燥、頻脈、血圧低下 アセトン臭(-) Kussmaul呼吸(-) 神経学的所見(痙攣、振戦など)
検査所見 　ケトン体　尿 　　　　　　血液 　pH(動脈血) 　血糖値[*3] 　浸透圧[*3,4] 　血清Na濃度[*3] 　アニオンギャップ[*5]	陽性~強陽性 総ケトン体≧3 mmol/L <7.3 300~1000 mg/dL 正常~300 mOsm/L 正常~軽度低下 増加	陰性~弱陽性 総ケトン体0.5~2 mmol/L ≧7.3 600~1500 mg/dL ≧320 mOsm/L >150 mEq/L 正常~軽度増加

[*1]:両者にはオーバーラップする部分がある.ケトアシドーシスにおいても脱水が病態の重要な部分を占めるが,高血糖高浸透圧症候群では脱水がより顕著であり,病態に占める程度もはるかに大きい.逆に,高血糖高浸透圧症候群においてもインスリン欠乏,抗抗ホルモン上昇の程度が強い場合にはケトン体の上昇を軽度ながら認める場合がある.
[*2]:清涼飲料水の多飲によるケトーシス・ケトアシドーシスを特に,「清涼飲料水ケトーシスケトアシドーシス」,「ソフトドリンクケトーシスケトアシドーシス」とよび,若年の肥満男性で軽度の耐糖能異常や非糖尿病者に多く認め,急性期の治療後は食事療法だけで対応可能な場合が多いことが報告されている[2,3].
[*3]:血糖値,浸透圧,Naなどの値はあくまで目安であり,症例によっては必ずしもこの範囲におさまらない場合がある.
[*4]:血漿浸透圧の測定ができない場合は簡易式で概算する:
血漿浸透圧=2 Na(mEq/L)+血糖値(mg/dL)/18+BUN(mg/dL)/2.8
(米国糖尿病協会(ADA)はBUNを含めない式:2 Na(mEq/L)+血糖値(mg/dL)/18を用いている)
[*5]:アニオンギャップ=[Na]-([Cl]+[HCO_3^-]),正常値:8~16 mEq/L.

きたすとともに,脂肪分解の亢進によって遊離脂肪酸の供給が著明に増加する(図15-2-31).増加した遊離脂肪酸はインスリン作用不足状態では肝臓においてケトン体に変換されて血中ケトン体が増加する(図15-2-31).インスリン欠乏・グルカゴン過剰状態ではケトン体生成における3つのポイント(図15-2-32①②③)がいずれもケトン体生成亢進の方向を向いている[4].ケトン体にはアセト酢酸,3-ヒドロキシ酪酸(β-ヒドロキシ酪酸),アセトンがある(図15-2-32).アセト酢酸は非酵素的にアセトンになるか,ミトコンドリア内の酵素(3-ヒドロキシ酪酸脱水素酵素)により3-ヒドロキシ酪酸に変換される(図15-2-32).アセト酢酸と3-ヒドロキシ酪酸は3-ヒドロキシ酪酸脱水素酵素により相互変換されるが,その平衡はミトコンドリア内の酸化還元状態($[NAD^+]$-[NADH]比)によって調節されている[4].糖尿病ケトアシドーシスではアセト酢酸と3-ヒドロキシ酪酸がともに増加するが,特に3-ヒドロキシ酪酸の増加が

顕著である.アセト酢酸,3-ヒドロキシ酪酸は通常のpHではほとんどすべてイオン化しており,過剰に蓄積すると血液緩衝能を容易にこえて血液の酸性化(アシドーシス)をきたす.アシドーシスの程度が強い場合には呼吸中枢の抑制とアシドーシスに対する呼吸性代償の刺激によって深く大きい呼吸(Kussmaul呼吸)をきたす.また,高血糖による浸透圧利尿の結果生じる脱水(図15-2-31)や電解質異常も病態の形成に関与する.電解質のうちで細胞内に多く分布するカリウムは,インスリン作用不足によって細胞内への移行が障害されるため,血中濃度としては見かけ上正常もしくはやや高値を示すことが多いが,全身総量としては欠乏している.血清ナトリウム濃度は高血糖に対する浸透圧バランスの結果,低下している場合が多い[5].

臨床症状(表15-2-19)

1)自覚症状: 高血糖・代謝失調に伴う口渇,多飲,多尿,体重減少,全身倦怠感などから,進行すると悪

心，嘔吐，腹痛などの消化器症状，さらには意識障害，昏睡へと進行する．嘔吐は電解質異常を助長して病態をさらに悪化させる．腹痛は急性腹症と誤診される場合もある．

2）他覚症状：脱水に伴う皮膚や口腔粘膜の乾燥，皮膚ツルゴールの低下，頻脈，血圧低下，意識障害や呼吸異常を認める．意識障害は進行すると昏睡となる．呼気中のアセトン臭，Kussmaul呼吸が特徴的とされる．

検査所見（表15-2-19）

高血糖（≧250 mg/dL），高ケトン体血症（3-ヒドロキシ酪酸の増加），代謝性アシドーシス（pH＜7.30，重炭酸濃度＜18 mEq/L）を認める（表15-2-19）（日本糖尿病学会，2013）．ケトン体は血中，尿中で増加し（血中総ケトン体≧3 mmol/L），先述のごとく3-ヒドロキシ酪酸の増加が顕著である（アセト酢酸の3倍以上）[5]（日本糖尿病学会，2014）．尿ケトン体は強陽性を示すが，尿ケトン体測定試験紙のなかには3-ヒドロキシ酪酸に反応しないもの（ニトロプルシド法）があるため，見逃しに注意が必要である[5]．

診断

高血糖，高ケトン体血症（ケトーシス），代謝性アシドーシスで診断する（表15-2-19）．

鑑別診断

次項の高血糖高浸透圧症候群との鑑別を表15-2-19に示す（日本糖尿病学会，2014）．

合併症

治療に伴う低カリウム血症，脳浮腫を合併することがあるので，治療中には意識レベル，バイタルサイン，電解質を経時的にモニターする．脳浮腫は小児に認めることが多いとされる．

経過・予後

適切な治療がなされなければ昏睡から死に至る重篤な病態である．

治療（表15-2-20）

十分な補液による脱水の補正と電解質の補充，ならびにインスリン投与による代謝失調の改善が治療の主体となる（治療の詳細はeコラム1参照）．

（2）高血糖高浸透圧症候群

定義・概念

著しい脱水と高血糖による高浸透圧が病態の中心をなし，循環不全をきたす状態である．従来，高浸透圧非ケトン性昏睡（hyperosmolar non-ketotic coma），非ケトン性高浸透圧昏睡（non-ketotic hyperosmolar coma）と呼称されていたが，ケトーシスを伴うこともあり，さらに昏睡になることはまれであるため，高血糖高浸透圧症候群と称されることが一般的になっている[8]（日本糖尿病学会，2013）．

原因

高齢の2型糖尿病患者に脱水や高血糖を増強する何らかの誘因が働いて発症する場合が多い．誘因としては，感染，脳血管障害，心血管障害，手術，高カロリー輸液，薬剤（副腎皮質ステロイド，利尿薬）などがある（日本糖尿病学会，2013）（表15-2-19）．

病態生理

著しい脱水と顕著な高血糖による高浸透圧が病態の中心をなし，循環不全・循環虚脱による症状が出現す

表15-2-20 糖尿病ケトアシドーシスの治療

補液	脱水量の目安	体重の10%（100 mL/kg；60 kgの人で6L）
	輸液内容	生理食塩水（0.9% NaCl）
	輸液量	最初の1時間で1L 次の2時間で1L 次の3時間で1L （合計6時間で3L） 治療開始後1日で脱水量総量を補充
	血糖値が250 mg/dL程度まで低下したらグルコースを含む輸液に変更	
インスリン	製剤	速効型インスリン（レギュラーインスリン）
	投与法	持続静注法
	投与量	0.1単位/kg体重/時間で開始（60kgの人で6単位/時間）
	低下の目安	1時間あたり75〜100 mg/dL程度
電解質補正（カリウム）	欠乏量の目安	5 mEq/kg（60 kgの人で300 mEq）
	タイミング	血清K＜5.0 mEq/Lで開始 （尿量が確保され，K蓄積の危険性がないことを確認のうえ） （血清Kが低値[3.3 mEq/L未満]の場合は，3.3 mEq/Lになるまで Kを補充してからインスリン投与を開始する）
	投与速度	10〜20 mEq/時間（＜3.5 mEq/Lの場合は30 mEq/時間）
	目標値	血清K 4.0〜5.0 mEq/L（ガイドライン）

る(図 15-2-31 右).意識障害も脳神経系の細胞内脱水と循環虚脱による脳の酸素不足によるものとされる.インスリン欠乏はケトアシドーシスの場合ほどには著しくないため,血中ケトン体は正常ないし軽度上昇にとどまる.高血糖の程度は著しく,多くの場合 600 mg/dL 以上である.高血糖による浸透圧利尿の結果生じる脱水に対して,通常は口渇を自覚して水分摂取で代償するが,十分な水分補給ができない場合や糖質を含む清涼飲料水で対応する場合などに高血糖がさらに増強・悪化して病態が形成される.口渇中枢の機能が低下している高齢者の 2 型糖尿病に多く認めるのはこのためである.

高血糖高浸透圧症候群と糖尿病ケトアシドーシスはまったく独立した病態ではなく,連続した病態である[6-8].いずれの病態にもインスリン欠乏と脱水が関与しており,インスリン欠乏がより顕著な場合にケトアシドーシス,脱水がより顕著な場合に高血糖高浸透圧症候群となり,両者にはオーバーラップする部分がある(図 15-2-31).

臨床症状
1) 自覚症状: 高血糖・代謝失調に伴う多尿,体重減少,全身倦怠感などから,進行すると精神錯乱,意識障害,昏睡へと進行する.ケトアシドーシスに認める悪心,嘔吐,腹痛はほとんど認めない[5].ケトアシドーシスが急性に発症するのとは対照的に,高血糖高浸透圧症候群は数日間かけて進行する[7](日本糖尿病学会,2013).

2) 他覚症状: 著明な脱水に伴う皮膚や口腔粘膜の乾燥,皮膚ツルゴールの低下,頻脈,血圧低下,精神変調,意識障害を認める.意識障害は進行すると昏睡となる.ケトアシドーシスの際に認められるアセトン臭や Kussmaul 呼吸はほとんど認めない[5].誘因となる感染症や心筋梗塞,脳卒中などの検索も必要である.

検査所見
高血糖($\geqq$ 600 mg/dL)と高浸透圧($\geqq$ 320 mOsm/L)を認め,尿ケトン体は陰性もしくは弱陽性にとどまり,動脈血 pH は 7.3 以上である[6,8](日本糖尿病学会,2013).

診断
高血糖と高浸透圧で診断する(表 15-2-19).血漿浸透圧の測定ができない場合には血漿 Na,血糖,BUN(血中尿素窒素)を測定し,次の簡易式で概算する(日本糖尿病学会,2014).

$$\text{血漿浸透圧} = 2\,\text{Na}\,(\text{mEq/L}) + \frac{\text{血糖値}\,(\text{mg/dL})}{18} + \frac{\text{BUN}\,(\text{mg/dL})}{2.8}$$

基準値 275〜295 mOsm/L

鑑別診断
前項の糖尿病ケトアシドーシスとの鑑別を表 15-2-19 に示す(日本糖尿病学会,2014).いずれの病態も高血糖に伴う脱水が寄与するが,脱水の程度がより顕著な病態が高血糖高浸透圧症候群(図 15-2-31 右),インスリン欠乏がより顕著でケトーシス,ケトアシドーシスに進展する病態が糖尿病ケトアシドーシス(図 15-2-31 左)で,インスリン欠乏・拮抗ホルモン増加の程度と脱水の程度によっていずれが主体となるかが決まる[7].

治療
補液による脱水の補正とインスリン投与による高血糖の改善が治療の主体となる.基本的な治療法はケトアシドーシスの治療に準ずる(表 15-2-20).循環動態改善後も Na 高値が持続するようであれば 1/2 生理食塩水(0.45% NaCl)の投与を考慮する(日本糖尿病学会,2013;日本糖尿病学会,2014).

(3) 乳酸アシドーシス
定義・概念
乳酸の産生過剰や代謝障害により,血中の乳酸が著明に増加し,代謝性アシドーシスを生じた状態である.組織の低酸素,循環不全などによって好気性解糖が進まない状況では,嫌気性解糖による乳酸産生過剰になりやすく,乳酸アシドーシスのリスクが高くなる.

疫学
糖尿病治療薬であるビグアナイドの副作用として知られており,かつて使われていたフェンホルミンでは致死的な乳酸アシドーシスの報告が相ついだことから発売中止となった経緯がある.一方,現在汎用されているメトホルミンでは低率(年間 10 万人あたり 0〜4 例)で,メトホルミン使用者と非使用者で頻度に差がないことが報告されている(年間 10 万人あたり 4.3 vs 5.4 例)[9](日本糖尿病学会,2013).乳酸アシドーシスはいったん発症すると死亡率が高い(約 50%)とされており[10](日本糖尿病学会,2014),注意を要する.死亡率の高さは本症を発症する症例における基礎疾患の重篤性によるものとされている[11](日本糖尿病学会,2014).

原因
乳酸アシドーシスは組織の低酸素を合併する場合(type A)としない場合(type B)に分類される(日本糖尿病学会,2014)(表 15-2-21)[12].糖尿病そのものは type B1 に記載されているが,ビグアナイド服用者であれば type B2,ミトコンドリア遺伝子異常に伴う糖尿病であれば type B3,大血管症による心筋梗塞で組織低酸素・循環不全になれば type A というように,乳酸アシドーシスのリスクとなりうるさまざまな病態と関連している.

ビグアナイドに関連した乳酸アシドーシスのリスク

表15-2-21 乳酸アシドーシスの原因

type A（組織の低酸素，循環不全を伴う）
　ショック（心原性，出血性，敗血症）
　高度の低酸素血症
　一酸化炭素中毒
　重症喘息

type B（明らかな組織の低酸素，循環不全を伴わない）
　B1 全身性疾患を伴うもの
　　糖尿病，悪性腫瘍，肝障害，褐色細胞腫など
　B2 薬物性，中毒性
　　ビグアナイド薬，アルコール（エチル，メチル，プロピル）など
　B3 先天性代謝異常
　　グルコース-6-ホスファターゼ欠損症（糖原病1型）など
　B4 その他

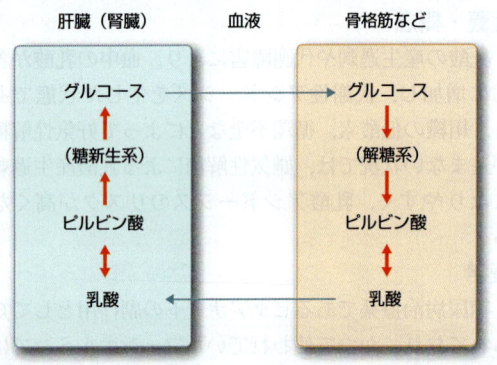

図15-2-33 乳酸の産生と代謝（Cori回路，乳酸サイクル）

として，組織の低酸素や循環不全（乳酸の産生増加），肝機能低下（乳酸の代謝低下），腎機能低下（乳酸の代謝低下，ビグアナイド排泄低下），アルコールの多飲（乳酸の産生増加，代謝低下）などが誘因として知られており，このような病態ではビグアナイドは投与禁忌となっている．メトホルミンに関連した乳酸アシドーシスの大半が投与禁忌や慎重投与症例に対して投与された場合である（日本糖尿病学会編，2014）．

病態生理

　乳酸は心臓，骨格筋，脳，赤血球などの解糖の盛んな組織で産生される．産生された乳酸は主として肝臓（約70％），一部は腎臓へ運ばれてピルビン酸から糖新生の経路を経て代謝され，グルコースに変換される[12]．産生されたグルコースは再び組織へ運ばれてエネルギー源として使われる（Cori回路，乳酸サイクル）（図15-2-33）[4]．組織の低酸素，循環不全，呼吸不全などによって好気性解糖が進まない状況では，嫌気性解糖による乳酸産生が増加する．また，肝機能障害，腎機能障害などでは乳酸代謝が減少する．乳酸の

産生と代謝のバランスが産生過剰に傾いた場合に血中乳酸値の上昇からアシドーシスをきたして乳酸アシドーシスとなる．ビグアナイドは肝臓における酸化的リン酸化を阻害し，糖新生を抑制する作用を有することから，乳酸蓄積リスクの高い症例に投与した際に血中乳酸濃度が上昇する可能性がある．

臨床症状

1）**自覚症状**：前駆症状として消化器症状（食欲不振，悪心，嘔吐，下痢など），筋肉痛，筋肉の痙攣，全身倦怠感などを認め，進行すると過呼吸，傾眠，意識障害，ショック状態となる．

2）**他覚症状**：アセトン臭を伴わない過呼吸，意識障害，血圧低下，ショック状態．

検査所見

　血中乳酸濃度上昇（≧ 5.0 mmol/L ＝ 45 mg/dL），アシドーシス（動脈血 pH ＜ 7.35），アニオンギャップの増加，乳酸/ピルビン酸比の増加を認める（日本糖尿病学会，2013；日本糖尿病学会，2014）．

診断

　血中乳酸濃度上昇（≧ 5.0 mmol/L ＝ 45 mg/dL），アシドーシス（動脈血 pH ＜ 7.35）を認め，アニオンギャップの上昇を伴ったアシドーシスをきたすほかの原因がないことで診断する（日本糖尿病学会，2013；日本糖尿病学会，2014）．

治療

　ビグアナイド内服症例では直ちに内服を中止する．急性循環不全では，ショック状態の改善をはかり，組織への循環ならびに酸素供給の確保を行う．酸素投与，人工呼吸管理，細胞外液補給，昇圧薬投与などを病態に応じて行う．メトホルミンは透析によって除去が可能で，ビグアナイドに関連した乳酸アシドーシスでは血液透析が有効との報告がある[10,12,13]（日本糖尿病学会，2013）．

〔池上博司〕

■文献（e文献15-2-3）

日本糖尿病学会編：科学的根拠に基づく糖尿病診療ガイドライン 2013，pp263-74，南江堂，2013．
日本糖尿病学会編：糖尿病専門医研修ガイドブック 改訂第6版，pp260-9，診断と治療社，2014．

4）低血糖症
hypoglycemia

定義・概念

　低血糖症は血糖値の低下に伴う自律神経および中枢神経症状をきたした状態と定義される．通常は血糖値が 55 mg/dL 以下に至ると臨床症状を生じるが，患者の基礎疾患や病態により症状出現に至る血糖値は変動しうる（Cryer ら，2009）．

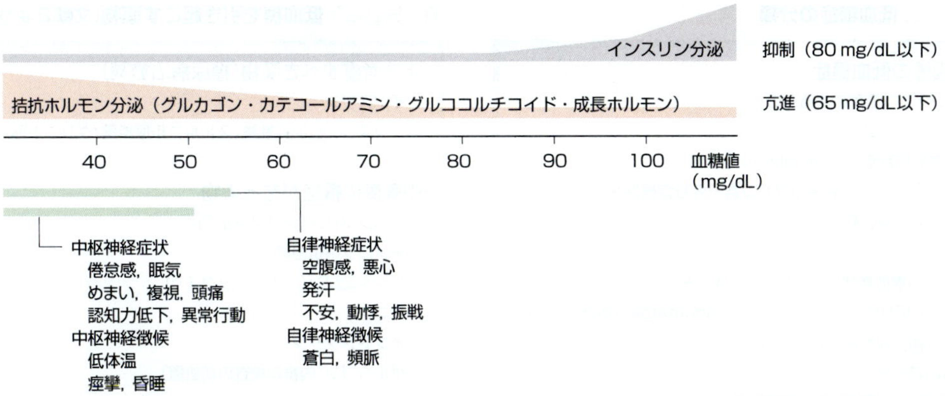

```
                                                    インスリン分泌         抑制（80 mg/dL以下）
  拮抗ホルモン分泌（グルカゴン・カテコールアミン・グルココルチコイド・成長ホルモン）  亢進（65 mg/dL以下）

    40      50      60      70      80      90     100   血糖値
                                                         (mg/dL)

              中枢神経症状        自律神経症状
              倦怠感，眠気        空腹感，悪心
              めまい，複視，頭痛     発汗
              認知力低下，異常行動   不安，動悸，振戦
              中枢神経徴候        自律神経徴候
              低体温            蒼白，頻脈
              痙攣，昏睡
```

図 15-2-34 血糖低下時の症状と徴候

病態生理・原因

　グルコースは人体でのエネルギー産生に不可欠な物質である．特に脳では生理状態でのエネルギーのほとんどをグルコースに依存しており，非生理的な長期飢餓時ではケトン体も利用することが知られているものの，血中グルコースの非生理的な低下は生命維持の根幹を揺るがす危機といえる．人体では血糖を低下させるホルモンは唯一インスリンのみであるが，血糖を上昇させるホルモン（拮抗調整ホルモン，counter regulatory hormone）は，グルカゴン，カテコールアミン，グルココルチコイド，成長ホルモンと複数存在する．健常人であれば血糖低下に従ってまずインスリン分泌が抑制され，続いて拮抗調整ホルモン群の分泌増加によって肝臓でのグリコーゲン分解，肝臓や腎臓でのアミノ酸およびグリセロールからの糖新生を亢進させることで複合的に血糖上昇をもたらす（図 15-2-34）．特にグルカゴンおよびカテコールアミン作用は，効果発現が早いため低血糖からの迅速な回復に大きく寄与している．低血糖症の病因は非常に多岐にわたるが，糖尿病治療薬に伴う薬物性低血糖症が最も頻度が高い（表 15-2-22）．

臨床症状

　通常は血糖値が 55 mg/dL 以下で自覚症状としてまず自律神経症状が出現する．振戦，頻脈，不安感はカテコールアミン分泌によって，空腹感，発汗は交感神経節後ニューロンからのアセチルコリン分泌によって惹起される．これらの防御機転にもかかわらずさらに血糖低下が進行すると，神経細胞でのグルコース欠乏により正常な神経活動が阻害され視力障害，頭痛，認知力低下，眠気など多彩な中枢神経症状が出現し最終的には痙攣や昏睡など生命を脅かす状態に瀕する．
　自律神経症状が出現する血糖閾値は変動することが知られている．たとえば頻回に低血糖を繰り返したり自律神経障害を合併している糖尿病患者では，血糖低下に対する自律神経症状が欠如したままで昏睡などの中枢神経症状が出現することが知られており無自覚低血糖とよばれる．逆に血糖コントロール不良の糖尿病患者では通常よりも高い血糖値であっても自律神経障害が出現することが知られている．

鑑別診断・検査所見

　最も頻度が高い原因は糖尿病薬による薬物性低血糖症であり，まず問診からその可能性を疑う必要がある．低血糖症状が出現した際の自己測定血糖値が 70 mg/dL 以下であれば薬物性低血糖症が強く疑われ，この際の採血で血糖値の低下に加えて，血清インスリンや C-ペプチドの測定により，インスリン分泌抑制が不十分であることが証明されれば確定的である[2]．インスリンやインスリン分泌促進薬（スルホニル尿素薬やグリニド薬）での治療中の糖尿病患者でシックデイでの食事量の低下や過度の運動が伴った場合に比較的起こりやすい．また高齢の糖尿病患者で肝・腎機能低下が存在するにもかかわらず適切な減量を行わず投薬した場合も薬剤代謝・排泄が遷延し低血糖を起こしうる．また家族の糖尿病薬を誤って服用したり，自殺企図などを目的として人為的に投与される場合もあるので家族の糖尿病治療の有無にも注意をする．頻度は高くはないが糖尿病薬以外の薬剤でも低血糖を引き起こすことが報告されており問診での確認を要する[3]（表 15-2-23）．
　薬物性低血糖が否定的であれば，次に低血糖時の血清インスリン/C-ペプチドを同時測定し，患者の全身状態や低血糖症以外の症状を加味しながら鑑別を進めていく．鑑別の要点を図 15-2-35 に示す．

1）全身状態が不良な患者に認めやすい低血糖症：　低血糖時に血清インスリン/C-ペプチドは抑制されている．

　a）アルコール多飲：アルコール飲料中のエタノールは肝糖新生を抑制する．アルコール多飲に加えて食事摂取が不十分であると肝グリコーゲン蓄積が不良となり低血糖を惹起しやすい．

表15-2-22 低血糖症の分類

1. 内因性の低血糖症
   a. インスリン過剰によるもの
      1) インスリノーマ
      2) 膵島細胞症(nesidioblastosis)
      3) インスリン抗体(インスリン自己免疫症候群を含む)
      4) 反応性低血糖
         ⅰ) 胃切除後
         ⅱ) 耐糖能異常・2型糖尿病に伴うもの
         ⅲ) NIPHS(non-insulinoma pancreatogeneous hypoglycemia syndrome)
         ⅳ) 特発性
   b. インスリン過剰によらないもの
      1) ホルモン欠乏症
         ⅰ) 成長ホルモン
         ⅱ) コルチゾール
         ⅲ) グルカゴン
         ⅳ) カテコールアミン
      2) 非β細胞腫瘍
         ⅰ) 線維肉腫, 中皮腫, 横紋筋肉腫, 脂肪肉腫, その他
         ⅱ) 肝細胞癌, 副腎皮質腫瘍(悪性), カルチノイド
             白血病, リンパ腫, 多発性骨髄腫, 黒色腫, 奇形腫
      3) インスリン受容体抗体
      4) 重症臓器不全
         ⅰ) 肝不全
         ⅱ) 腎不全
         ⅲ) 心不全
      5) 敗血症
      6) 飢餓
2. 外因性の低血糖症
   a. 薬剤性
      1) インスリン
      2) スルホニル尿素薬, 速効短時間作用型インスリン分泌促進薬(グリニド薬)
      3) ペンタミジン, キニーネ, キニジン
      4) その他(ACE阻害薬, サリチル酸, ジソピラミドなど)
      5) アルコール
   b. 人為的低血糖症
      1) 低血糖を意図した血糖降下薬, インスリンの内服や投与
3. 遺伝子異常または遺伝的症候群に伴うもの
   a. 中間代謝に関連する先天性酵素遺伝子異常
      1) 糖代謝に関連するもの
      2) 脂質代謝に関連するもの
      3) アミノ酸代謝に関連するもの
   b. 新生児高インスリン血症
      1) ATP感受性Kチャネル遺伝子異常
         ⅰ) SUR1遺伝子
         ⅱ) Kir6.2遺伝子
      2) グルタミン酸脱水素酵素遺伝子
      3) グルコキナーゼ遺伝子
      4) その他
   c. Beckwith-Wiedemann症候群

表15-2-23 低血糖を引き起こす薬物(文献2より改変)

まず考慮すべき薬物(糖尿病治療薬)
　インスリン
　インスリン分泌促進薬(スルホニル尿素薬/グリニド薬)

中等度の根拠がある薬物
　シベンゾリン(シベノール®)
　キノロン系抗菌薬
　ペンタミジン(ベナンバックス®)
　キニン
　インドメタシン
　グルカゴン(内視鏡検査の前処置)

低度の根拠がある薬物
　クロロキノキサリンスルホンアミド(肺癌, 結腸癌)
　アーテスネート/アーテミシニン/アーテメーター(抗マラリア薬)
　IGF-Ⅰ
　リチウム(リーマス®)
　プロポキシフェン/デキストロプロポキシフェン(弱オピオイド鎮痛薬)

かなり低度の根拠しかない薬物
　ACE阻害薬, ARB, β遮断薬
　レボフロキサシン(クラビッド®)
　ミフェプリストン(ミフェプレックス®)
　ジソピラミド(リスモダン®)
　トリメトプリム-スルファメトキサゾール, ST合剤(バクタ®)
　ヘパリン
　メルカプトプリン(ロイケリン®)

b) 重篤な全身疾患:急激に生じた肝不全では肝グリコーゲン蓄積不良や肝糖新生の低下のために低血糖を起こしやすく, 腎不全でも腎での糖新生低下やインスリンクリアランス低下によって低血糖を引き起こす. 敗血症では炎症性サイトカインによる組織での糖利用の増加と拮抗調整ホルモン増加による代償性の肝糖新生増加が生じているが, 経過が長期に渡ると肝糖新生が代償できなくなり低血糖が生じる. 神経性食思不振症などの長期かつ重篤な飢餓状態でも続発性に肝, 腎不全に陥ることで低血糖を引き起こす.

c) 内分泌疾患に伴う低血糖症:副腎皮質機能不全症や下垂体前葉機能低下症(ACTH分泌不全症)では, コルチゾール分泌不全による肝糖新生低下のために低血糖を引き起こす. 低血糖以外の全身倦怠感や食欲不振などの随伴症状を呈する場合に鑑別を要する. 小児期においては成長ホルモン分泌不全症単独でも低血糖を認めることがある.

d) 非β細胞腫瘍による低血糖(non-islet cell tumor hypoglycemia):多くは, 後腹膜や腹腔内の間葉系腫瘍や肝臓癌の一部で報告されており, 腫瘍径は大きく

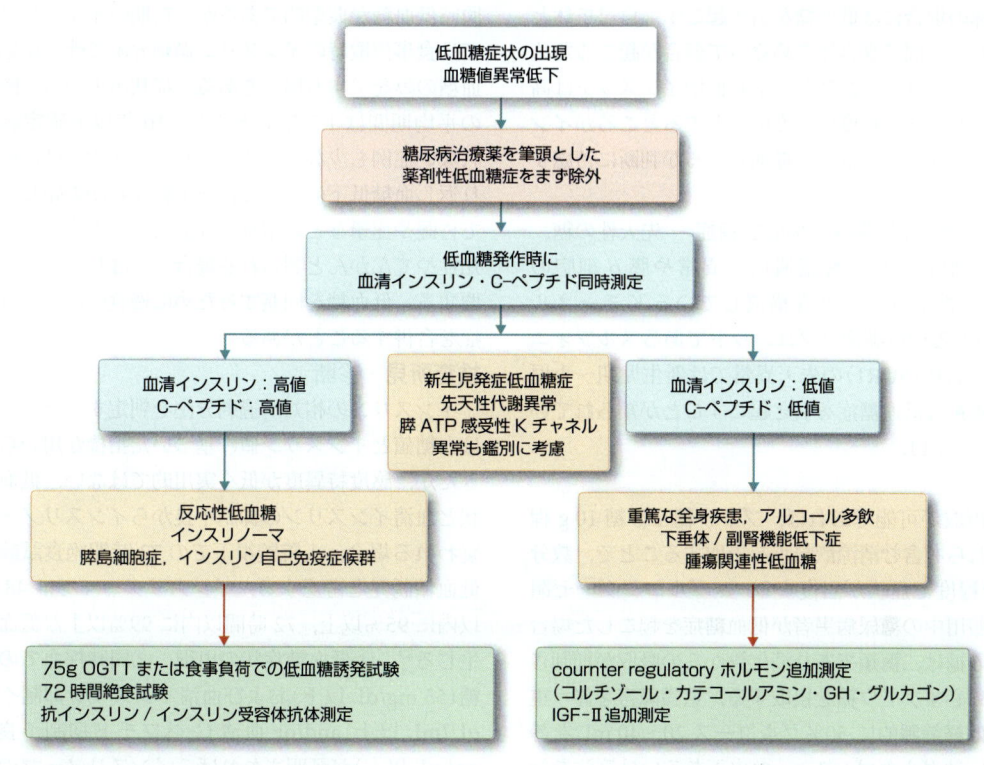

図 15-2-35 低血糖鑑別フローチャート

全身状態が不良であることが多い．この腫瘍が不完全なプロセシングを受けた IGF-Ⅱ（Pro-IGF Ⅱ）を過剰産生し，Pro-IGF Ⅱ は IGF-Ⅱ 結合蛋白への親和性が低いため，容易に末梢組織へ移行しインスリン作用を発揮して低血糖へ至らしめる．インスリノーマと異なり膵 β 細胞の機能は正常であるため，低血糖時の血中インスリン，C-ペプチドはともに抑制されている[4]．

2）全身状態が良好な患者に認めやすい低血糖症： 低血糖時に血清インスリンが抑制されていない．空腹時低血糖あるいは食後低血糖をきたす．

a）インスリノーマ：【⇨ 15-2-5】

b）反応性低血糖：食事摂取により誘発される食後低血糖であり，胃切除後，耐糖能障害・肥満症，初期のインスリノーマなどで認められる．胃切除後では食物が速やかに小腸に到達し急峻な血糖上昇をきたすために，インスリン分泌応答との間にミスマッチを生じ，食後数時間以降に低血糖となる．耐糖能障害・肥満症ではインスリン抵抗性やインスリン初期分泌低下のために食後に遅発性高インスリン血症を生じ低血糖を引き起こす．従来から反応性低血糖の診断は 75 g ブドウ糖負荷試験にて数時間後に低血糖が誘発されることをもって判定されている．しかしながら近年その偽陽性率が高いことが問題と指摘されている[5,6]．

c）膵島細胞症：膵 β 細胞の過形成による低血糖症であるがその頻度は低い．インスリノーマと異なり膵全体にわたる膵島数の増加を認めるものの，グルコース応答性は正常であるために空腹時には低血糖を認めにくく反応性低血糖を起こしやすい．胃全摘術や肥満症治療目的の胃バイパス術の後に発症することが報告されインクレチンの上昇がその病態に寄与している可能性も指摘されている[7]．

d）インスリン自己免疫症候群・インスリン受容体異常症：インスリン自己免疫症候群はインスリンによる治療歴がなくインスリンに対する自己抗体が産生されることで特徴づけられる．1970 年に平田らによってはじめて報告された．日本人に多い HLA-DR4 抗原が関与すると考えられほかの自己免疫疾患も合併しやすいが，SH 基や関連構造を有する薬剤や健康食品（チアマゾールや α-リポ酸など）服用時の発症報告もある．就寝後の血液の酸性化を誘因にしてインスリンと自己抗体が解離するため早朝低血糖を起こしやすい．血液中インスリンは自己抗体と結合するためクリアランスが低下し異常高値（通常 100 mU/mL 以上）を呈する．抗インスリン抗体を結合したプロインスリンが測定系に干渉し血中 C-ペプチドが異常に高値を示すことがある．多くの症例では数カ月程度で自然軽快する．インスリン受容体異常症 B 型では後天的にインスリン受容体に対する自己抗体が産生される．多くの症例は阻害型抗体のため血糖が上昇するが，刺激型

自己抗体の場合には低血糖を引き起こす．自己抗体とインスリンの間で受容体をめぐって競合が起こるためインスリンクリアランスが低下し血中インスリンは高値を示すが，その程度は軽度にとどまるところがインスリン自己免疫症候群との鑑別となるが判断に苦慮する症例もある．

3）新生児期～小児期発症の低血糖症： 先天性の糖，蛋白質，脂肪酸代謝酵素遺伝子異常や膵β細胞のATP感受性Kチャネルを構成しているKチャネル（Kir6.2）あるいは調節サブユニットであるスルフォニル尿素受容体（SUR1）の先天異常では新生児期～小児期から重篤な低血糖症を引き起こすことが知られている（eコラム1）．

治療

経口摂取が可能であれば，ブドウ糖や砂糖10 g程度やそれらを含む清涼飲料水を摂取することで，数分～10分程度で症状が回復する．αグルコシダーゼ阻害薬を服用中の糖尿病患者が低血糖症を起こした場合には，砂糖は二糖類であり消化管からの吸収が抑制されるため必ずブドウ糖を摂取する．意識障害を伴う重症者では経静脈的に50%グルコース20～40 mLを静注あるいはグルカゴン1 mgの皮下あるいは筋注を行う．

〔綿田裕孝・後藤広昌〕

■文献（e文献15-2-4）

Cryer PE, Axelrod, L, et al: Evaluation and management of adult hypoglycemic disorders: an Endocrine Society Clinical Practice Guideline. J Clin Endocrinol Metab. 2009; 94: 709-28.

5）インスリノーマ
insulinoma

定義・概念・疫学

膵内分泌腫瘍（pancreatic neuroendocrine tumor）の一種で膵β細胞が腫瘍化したものである．インスリンを自律性に過剰分泌するため，低血糖症を呈する．頻度は年間人口あたり0.4%で大部分が孤発性であるが，10%弱は多発性内分泌腫瘍症（multiple endocrine neoplasia：MEN）1型の部分症として認め，MEN 1型患者全体の6%程度が生涯で本症に罹患する．孤発例での診断時年齢は平均50歳代で約60%が女性であるが，MEN 1型に伴うものでは20歳代から発症する．多くは単発性の良性腫瘍であるが10%弱は悪性で肝転移や局所リンパ節転移が多い[1]（Placzkowskiら，2009）．

臨床症状

低血糖症状を契機に診断されることが多い．自律性のインスリン過剰分泌のために絶食時間が長い早朝空腹時低血糖が典型的であるが，初期のインスリノーマでは食事摂取時のインスリン過剰分泌に伴う反応性低血糖のみを呈する場合もある．症状出現から診断までの平均期間は1.5年であるが，10年以上確定診断されない症例も少なからず存在し，慢性的に低血糖を繰り返し血糖低下に対する自律神経症状が欠如したままで昏睡や痙攣などの中枢神経症状が出現するために認知症やてんかんと誤られる場合もしばしばあり注意を要する．低血糖を回避するために過食傾向となり肥満症を合併することがある．

検査所見・診断

インスリンの相対的過剰分泌を判定するため，従来は血糖値とインスリン値に基づいた指標が用いられてきたが，感度特異度が低く実用的ではない．低血糖症状と血清インスリンの抑制不良からインスリノーマが疑われる場合，入院監視下での72時間絶食試験での低血糖誘発を考慮する．インスリノーマでは48時間以内に95%以上，72時間以内に99%以上が低血糖を生じる[2]．①低血糖症状の出現，②同時採血での低血糖（55 mg/dL以下）および血清インスリン抑制不良（3 μU/mL以上）and/or血清C-ペプチド抑制不良（0.6 ng/mL以上）が証明されれば，インスリノーマの診断が確定的である[3]．さらに絶食試験終了時にグルカゴン1 mgを静脈投与し，30分後血糖値が25 mg/dL以上上昇する場合はインスリン分泌抑制不良のため長期絶食にもかかわらず肝グリコーゲンが枯渇していないことを意味し，インスリノーマの診断を補完する．

内分泌学上インスリノーマが診断された後は局在診断を行う．インスリノーマは多くが径20 mm以下の血流に富む腫瘍であることから，造影剤を用い，スライス幅を5 mm以下に設定したダイナミックCTや腹部超音波検査をまず施行するが，それぞれの感度は50～60%にすぎないため，上記で腫瘍が同定されなくてもインスリノーマの存在を否定することはできない．超音波内視鏡検査の感度は70～80%であり次に考慮すべき検査であるが，これらの検査でも局在が明らかにできない場合は選択的動脈内カルシウム注入試験を検討する[4]（図15-2-36）．インスリノーマ細胞は正常β細胞と比べカルシウムに鋭敏に反応しインスリンが過大分泌される．そこで腹部動脈血管造影に続いて，胃十二指腸動脈，脾動脈，上腸間膜動脈，固有肝動脈に選択的にカテーテルを挿入し，グルコン酸カルシウム液を注入し肝静脈からの静脈血を30秒ごとに120秒後まで採血して，注入前後の血清インスリン値のステップアップを判定する．インスリノーマが存在すれば，局在部分の支配動脈域へのカルシウム注入後に血清インスリンが2倍以上ステップアップする（Guettierら，2009）．侵襲的検査ではあるが感度は90%以上と高い（Placzkowskiら，2009）．

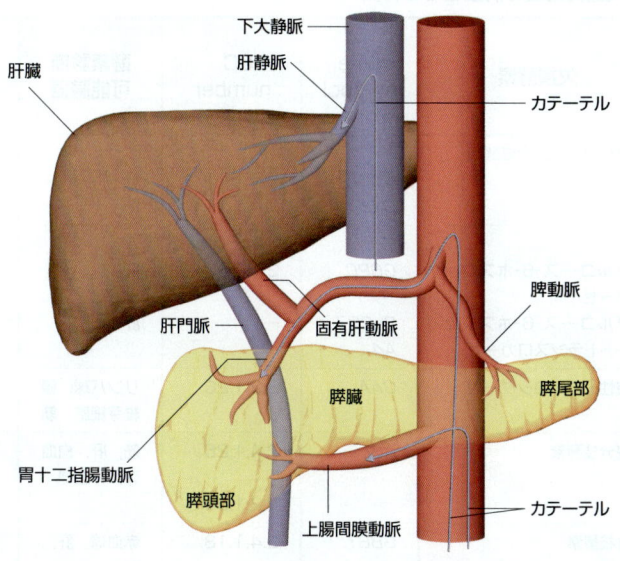

図 15-2-36 選択的動脈内カルシウム注入試験
腹腔動脈あるいは上腸間膜動脈より，カテーテルを進め，カルシウムを注入する．肝静脈より採血し，インスリン濃度を測定する．胃十二指腸動脈や上腸間膜動脈からのカルシウム負荷で反応が認められれば，膵頭部に腫瘍が存在すると考えられる．脾動脈よりの負荷での反応は，膵尾部に存在と評価される．固有肝動脈での反応は，肝転移を示唆する．

治療

外科的腫瘍摘出術が唯一の根治術である．単発性であれば腫瘍核出術も考慮される．腫瘍摘出術までの待機療法や悪性インスリノーマの手術不能例では薬物療法が適応となる．オクトレオチドまたはランレオチドはソマトスタチンアナログでありソマトスタチン2型受容体を介してインスリン分泌を抑制する．ジアゾキシドはインスリン分泌に不可欠な ATP 感受性 K チャネルに作用する．悪性インスリノーマでは病理学的悪性度に応じて低悪性度であればスニチニブ，エベロリムスなどの分子標的薬，腫瘍血管塞栓術が考慮され，わが国ではエベロリムスが保険適用で使用可能である．高悪性度（neuroendocrine cartinoma：NEC）であれば全身化学療法が適応となる[5-7]．

〔綿田裕孝・後藤広昌〕

■文献（e文献15-2-5）

Guettier JM, Kam A, et al：Localization of insulinomas to regions of the Pancreas by intraarterial calcium stimulation: The NIH experience. J Clin Endocrinol Metab. 2009; 94: 1074-80.

Placzkowski KA, Vella A, et al: Secular trends in the presentation and management of functioning insulinoma at the Mayo Clinic, 1987-2007. J Clin Endocrinol Metab. 2009; 94: 1069-73.

6）糖原病（グリコーゲン代謝異常症）
glycogen storage disease：GSD

定義・概念

GSD はグリコーゲン代謝にかかわる酵素の欠損により，ATP，グルコースの産生障害あるいはグリコーゲンの臓器蓄積などをきたすものである．蓄積する解糖中間体によっては糖鎖修飾にも影響するため多彩な症状（内分泌症状，小奇形，中枢神経症状など）を並存する症例も報告されつつある．糖原病は歴史的には糖原（グリコーゲン）が臓器に蓄積している場合を指していたが，なかにはグリコーゲン蓄積が正常のものから枯渇するものまであり，「糖原病」とよぶよりも「グリコーゲン代謝異常症」とするのが妥当である．

分類（表 15-2-24，図 15-2-37）

1）**欠損酵素による病型分類**：個々の酵素欠損による病型は 15 病型である．そのなかに亜型も報告されている．

2）**症状から見た分類**：酵素発現の臓器特異性から，肝型，筋型，肝筋型，全身型（脳，腎，血液なども含む）がある．

原因・病因

解糖経路の酵素の先天性遺伝子異常による．

疫学

発生頻度は不明であるが，病型で最も多いのはIX型で，ついでI型，II型，III型，V型が多い．この5

表 15-2-24 グリコーゲン代謝異常症の病型とその特徴

欠損酵素による病型	Ⅱ型を1とした時の診断頻度	欠損酵素	gene symbol	EC. number	酵素診断可能臓器	臨床症状
0 0a 0b	0.01	グリコーゲン合成酵素	GYS2 GYS1	2.4.1.11 2.4.1.11	肝 筋	空腹低血糖, ケトーシス 運動時失神, 運動不耐
Ⅰ Ⅰa Ⅰb	0.67	グルコース-6-ホスファターゼ グルコース-6-ホスフェートトランスロカーゼ	G6PC SLC37A4	3.1.3.9 —	肝 肝	低血糖, 肝腫大, 腎腫大, 高脂血症, 肝腫瘍
Ⅱ	1	酸性α-グルコシダーゼ	GAA	3.2.1.20	リンパ球, 線維芽細胞, 筋	筋力低下, 心肥大
Ⅲ	0.73	脱分枝酵素	AGL	2.4.1.25 3.2.1.33	筋, 肝, 白血球, 赤血球	筋力低下, 運動不耐? 心筋障害 低血糖, 肝腫大
Ⅳ	0.18	分枝酵素	GBE1	2.4.1.18	赤血球, 肝, 筋	筋力低下, 呼吸障害, 心不全, 肝腫大, 肝硬変
Ⅴ	0.81	筋ホスホリラーゼ	PYGM	2.4.1.1	筋	運動不耐, 筋痛, 筋硬直, 横紋筋融解症
Ⅵ	0.25	肝ホスホリラーゼ	PYGL	—	肝	低血糖, 肝腫大
Ⅶ	0.21	ホスホフルクトキナーゼ	PFKM	2.7.1.11	筋, 赤血球	運動不耐, 筋痛, 筋硬直, 横紋筋融解症, 溶血
Ⅸ Ⅸd Ⅸa type1 Ⅸa type2 Ⅸb Ⅸc	2.54	ホスホリラーゼキナーゼ	PHKA1 PHKA2 PHKA2 PHKB PHKG2	2.7.1.38 2.7.1.19 2.7.1.19 2.7.1.38 2.7.11.26, 2.7.11.19	筋 肝, 血球 肝 筋 肝	運動不耐, 筋痛, 筋硬直 低血糖, 肝腫大 低血糖, 肝腫大 運動不耐, 筋痛, 筋硬直, 肝腫大 低血糖, 肝硬変, 肝腺腫
PGK欠損症	0.10	ホスホグリセリン酸キナーゼ	PGK1	2.7.2.3	赤血球, 白血球, 筋	運動不耐, 筋痛, 筋硬直, 横紋筋融解症, 知的障害, てんかん
Ⅹ	0	筋ホスホグリセリン酸ムターゼ	PGAM2	5.4.2.1	筋	運動不耐, 筋痛, 筋硬直, 横紋筋融解症
Ⅺ	0.03	乳酸脱水素酵素	LDHA	1.1.1.27	筋, 血清（電気泳動）	運動不耐, 筋痛, 筋硬直, 横紋筋融解症
Ⅻ	0.01	アルドラーゼA	ALDOA	4.1.2.13	赤血球, 筋	発熱時高CK, 横紋筋融解症
ⅩⅢ	0	β-エノラーゼ	ENO3	4.2.1.11	筋	運動不耐
ⅩⅣ	0.04	ホスホグルコムターゼ-1	PGM1	5.4.2.2	筋	運動不耐, 筋痛, 筋硬直, 横紋筋融解症, CDG
ⅩⅤ	0	グリコゲニン-1	GYG1	2.4.1.186	筋	筋力低下, 不整脈
Fanconi-Bickel症候群	0.01	グルコースパーミアーゼ2	GLUT2, SLC2A2	—	（遺伝子診断）	肝腫大, 低血糖

病型を合わせると，全グリコーゲン代謝異常症の90％を占めている．本項ではわれわれの診断実績からⅡ型を1とした場合の比率を参考に示す(表15-2-24)．この頻度の推定は一研究室の診断結果であり，あくまでも参考である．

病態生理

1）ATP産生とグルコース供給： グリコーゲンのおもな貯蔵臓器は筋肉と肝臓であり（筋では湿重量の約1〜2％，肝では約5％），解糖の役割は筋肉ではATP供給，肝臓ではグルコースの供給である．したがって

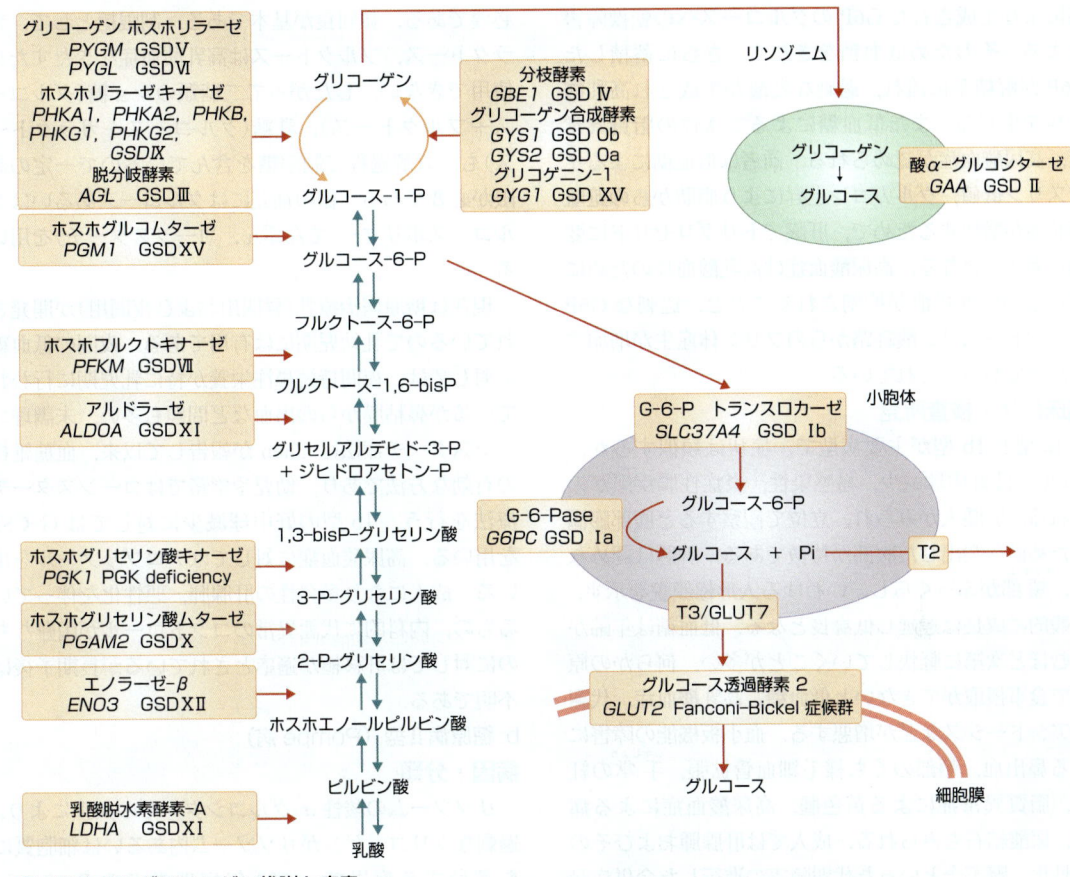

図 15-2-37 グリコーゲン代謝と疾患

筋で ATP 供給が欠乏すれば筋収縮の障害, 筋痛, 筋崩壊をきたし, 肝におけるグルコース供給の障害では低血糖, 肝腫大がみられる. 肝・筋型では両者の症状をあわせもつ.

2) 嫌気解糖の障害と好気解糖への影響: グリコーゲン代謝異常症では, 障害酵素以下の経路では解糖中間体濃度が低下するとともに, TCA サイクルにおける基質の低下も二次的にみられる. つまり本症では病態として嫌気解糖の障害のみではなくさらに下流にある TCA サイクルや, 呼吸鎖の二次的な機能不全の合併も推定される.

3) 解糖酵素の臓器特異性: 解糖にかかわる酵素は臓器特異性があり, それぞれの発現している臓器症状を示す.

病理

グリコーゲン代謝異常症では一般に臓器にグリコーゲンの異常蓄積がみられるが, 0 型では逆にグリコーゲンは枯渇している. 蓄積部位は細胞質であるが, II 型ではリソソーム内に蓄積する. グリコーゲンは PAS 染色で陽性を示すが, アミロペクチン様構造を示す PAS 陽性物質の蓄積がみられる IV 型では, ジアスターゼで消化されないのが特徴である.

(1) グリコーゲン代謝異常症各論
a. 糖原病 I 型（von Gierke 病）
病因・分類

グルコース-6-リン酸（G6P）からグルコースを生ずる過程での障害である. G6P の代謝は G6Pase システムとよばれる代謝機構により小胞体で行われ（図 15-2-37), グルコース-6-ホスファターゼ（G6Pase）の先天性酵素欠損によるものを Ia 型, 基質である G6P を小胞体に輸送する G6P トランスロカーゼの欠損症（G6PT1）が Ib 型, その他理論的にはリン酸/ピロリン酸トランスロカーゼ（Ic 型), グルコーストランスポーター（GLUT7）（Id 型）の部位の異常が想定されるが, 今までの報告は, いずれも Ib 型であった. 1929 年に von Gierke によって報告された. 常染色体劣性遺伝である.

疫学

わが国における調査はなされていないが, 数万人に 1 人と推定されている. I 型は比較的頻度が高く, 内訳は Ia 型が 80〜90％, Ib 型が 10〜20％と推定されている.

病態生理

本症の主病態は, グリコーゲンの分解または糖新生

系により生成されたG6Pのグルコースへの転換障害による．そのため低血糖をきたす．さらに蓄積したG6Pが解糖系に流れ，過剰な乳酸が生成され高乳酸血症を生じる．また低血糖による二次性の脂質異常症，高尿酸血症が認められる．前者は低血糖によるインスリン低値，グルカゴン上昇により脂肪からの遊離脂肪酸が増加するためで，肝臓でトリグリセリドに変換し脂肪肝となる．高尿酸血症は高乳酸血症のために腎からの尿酸排泄が抑制されることと，過剰なG6Pでペントースリン酸経路からのプリン体産生が増加するためであるとされている．

臨床症状・検査所見

Ia型とIb型が主要病型で，症状は類似するが，Ib型では好中球減少，易感染性，炎症性腸疾患がみられる．肝腫大がみられ，立位で観察すると腹部膨満のため前へ突出した腹部が特徴である．脾腫は認めない．頬部がふっくらし，いわゆる人形様顔貌を示す．一般的に成長は遅延し低身長となる．低血糖は年齢が進むほど次第に軽快していくことが多い．何らかの原因で食事摂取ができないと低血糖，高乳酸血症，代謝性アシドーシスなどが増悪する．血小板機能の障害による鼻出血，頬部のくも様毛細血管拡張，手掌の紅潮，脂質異常症による黄色腫，高尿酸血症による痛風，尿酸結石もみられる．成人では肝腺腫およびその悪性化，腎不全といった代謝障害の進行した合併症が問題となる．

検査では空腹時低血糖，高乳酸血症，トリグリセリド，遊離脂肪酸，コレステロール，尿酸が高値を示す．ALT，ASTも高値を示す．血中ケトン体は通常正常範囲である．I型ではグルコース負荷で乳酸が低下するのが特徴的である．グルカゴン負荷は乳酸上昇がさらに著明となる例が報告されたこともあり，行わない方がよい．

診断・鑑別診断

日本人Ia型患者では，好発変異c.648G＞Tが90％以上の患者にみられる．またIb型ではp.Trp118Argが約半数にみられる．したがって従来行われていた肝生検組織による酵素測定の前に遺伝子診断を行うのがよい．

経過・予後

血糖コントロール治療の進歩特にコーンスターチ療法の普及により成長については改善が報告されている．しかし肝腺種およびその悪性化，腎不全の合併症については留意する必要がある．

治療

低血糖の予防が重要で，血糖のコントロールを良好にすることで本症における二次的な代謝異常，成長障害の改善が期待できる．特に乳児期には低血糖が発達脳に及ぼす影響が危惧されるので，十分な食事管理が必要である．頻回食が基本である．制限糖として，ガラクトース，フルクトースは高乳酸血症をきたすため使用できない．したがって二糖類のショ糖（グルコース＋フルクトース），乳糖（グルコース＋ガラクトース）も，分解過程で制限糖を含んでいるので一定の制限が必要である．糖の補充にはグルコースあるいはグルコースポリマー（でんぷん，コーンスターチ）を用いる．

現在は糖原病治療乳（昼間用および夜間用）が開発されているので乳幼児期には有用である．夜間の低血糖に対しては，夜間持続鼻注栄養が特に乳児期に行われているが鼻粘膜からの出血など問題も多い．未調理コーンスターチ療法はChenが報告して以来，血糖維持の有効な方法であり，幼児や学童ではコーンスターチ療法を行う．Ib型の好中球減少に対してはG-CSFを用いる．高尿酸血症に対してはアロプリノールを用いる．成人になり多発性の肝腺腫，悪性化を伴っているもの，内科的に代謝異常のコントロールが困難なものに対しては肝移植が適応とされているが長期予後は不明である．

b．糖原病Ⅱ型（Pompe病）

病因・分類

リソソームの酸性α-グルコシダーゼの欠損により，過剰なグリコーゲンがリソソーム内あるいは細胞質にも蓄積する疾患で，1932年病理学者のPompeによって報告された．リソソーム病としては最初の疾患である．常染色体劣性遺伝である．

発症が早期（乳児期）で致死性の乳児型と，成人でみられる遅発型（小児型＋成人型）に大別できる．乳児型では全身の臓器（心，骨格筋，平滑筋，血管内皮細胞，腎，脊髄前角細胞，神経細胞など）にグリコーゲンが蓄積するが遅発型ではおもに骨格筋に蓄積がみられる．

疫学

台湾における新生児マススクリーニングによる頻度では4万人に1人といわれている．わが国ではそれよりは頻度は低いようであるが，正確な調査はなされていない．

病態生理

リソソーム内のグリコーゲンの蓄積による物理的な細胞傷害，自己貪食（autophagy）の亢進などによる二次的な細胞傷害によるとされている．本疾患はリソソームにおけるグリコーゲン分解障害であり，エネルギー産生やグルコース供給には影響はない．

臨床症状・検査所見

臓器における病理変化が強いあるいは残存酵素活性が少ないほど臨床症状は重症化する傾向がある．
1）乳児型：　生後早期に筋緊張低下，体重増加不良，心不全を伴う心拡大，肝腫大がみられる．グリコーゲ

ンの蓄積による巨舌もみられる．腱反射は低下しているが，グリコーゲンが脊髄前角細胞に蓄積することも一因と考えられる．1歳前後で心不全，呼吸不全で死亡する．CKは軽度〜中等度上昇する．心電図ではPR短縮，QRSの増高，心肥大がみられる．胸部X線では著明な心拡大，心エコーでは両心室壁と心室中隔が肥厚し，左室流出路の閉塞をきたす場合もある．

2）遅発型： 幼児期から成人期におもに筋力低下で発症する．心筋，肝臓の罹患は認めないか，あっても軽度である．肢帯型筋ジストロフィと症状が類似することがあり，肢帯型筋ジストロフィの診断症例の中に一定程度混在していると思われる．遅発型では四肢筋力低下に比較して不釣合いに呼吸障害を呈するのが特徴で，これは横隔膜の筋力低下による．

診断・鑑別診断
酸性α-グルコシダーゼ活性の測定を行う．gold standardとして用いられる試料は線維芽細胞と生検筋である．またリンパ球での測定は顆粒球のマルターゼ・グルコアミラーゼ（MGA）の混入があるため，MGA阻害薬のアカルボース添加が必須である．遺伝子変異は多様であるため酵素診断を優先する．なお日本人の約4％にpseudodeficiency allele（1726G＞A）のホモ接合をもつ個体があり，活性は10〜20％に低下するものの発症しないことがあるので注意が必要である．

経過・予後
乳児型は無治療の場合は心不全，呼吸不全のため1歳前後で死亡する．遅発型は進行性で呼吸障害が強い場合は気管切開での人工呼吸器装着が必要となる．

治療
アルグルコシダーゼアルファによる酵素補充療法の導入により乳児型の生命予後は劇的に改善した．遅発型では乳児型ほどの症状の改善がみられない．

c. 糖原病III型（Forbes-Cori病）
病因・分類
グリコーゲン脱分枝酵素（glycogen debranching enzyme：GDE）の欠損により限界デキストリン（phosphorylated limit dextrin：PLD）が肝，筋，心筋などに蓄積する．Forbes-Cori病ともよぶ．常染色体劣性遺伝である．グリコーゲンはグルコース残基がα-1,6結合，あるいはα-1,4結合で樹枝状につながった形態をとっている．GDEは2つの異なる酵素活性部位を有し（トランスフェラーゼとグルコシダーゼ），グリコーゲンを分解する．この酵素の欠損により，最終的には分枝が多く残存したPLDが蓄積する．肝と筋の両方の活性低下を認めるIIIa型（約85％を占めている）と，肝のみが障害されるIIIb型（15％）があるが，その他まれにGDEの複合酵素のいずれかの欠損により起こる病型としてIIIc型（グルコシダーゼ欠損症），IIId型（トランスフェラーゼ欠損症）もある．

病態生理
グリコーゲンはホスホリラーゼにより分枝部から4つのグルコース残基を残すまで分解される．脱分枝酵素がないため分枝が多く残ったPLDが蓄積する．IIIa型では肝，筋，心筋に，IIIb型では肝にPLDが蓄積する．

臨床症状・検査所見
乳幼児期に肝腫大，低血糖で気づかれる．I型に比較すると低血糖は軽度で，思春期以降症状は改善する．一部肝障害が遷延し，肝硬変や肝腺腫悪性化なども報告されている．IIIa型では筋力低下，心筋障害が成人になって進行するので定期的な心機能のチェックが必要である．最近IIIa型で横紋筋融解症をきたした例もまれであるが報告されている．IIIb型は肝症状のみである．

診断・鑑別診断
GDE活性を測定する．測定は末梢白血球や，線維芽細胞でも可能であり，肝生検は診断のためには必要としない．遺伝子変異は多様なため，まず酵素測定が第一選択である．

経過・予後
予後は比較的良好とされていたが，IIIa型における，筋力低下，心筋障害の進行は死に至る．また肝腺腫，肝硬変，悪性化がみられる場合がある．

治療
乳幼児期は低血糖予防のためコーンスターチ療法と頻回の食事摂取を行う．年齢とともに症状は改善する．I型のように制限糖であるフルクトース，ガラクトースの制限は不要である．ケトン体を用いた治療も試みられている．たとえば修正Atkins法による食事療法も効果があるとされている．

d. 糖原病IV型（Andersen病）
病因・分類
グリコーゲン分枝酵素（glycogen branching enzyme：GBE）の欠損による．蓄積する異常グリコーゲンは水に難溶性で臓器障害を引き起こす．1956年Andersenが報告したのが最初である．常染色体劣性遺伝である．臨床病型には多様性があるが，古典型は肝硬変が進行する肝型である．その他非進行性肝型，致死性新生児神経筋型，幼児筋・肝型，成人型ポリグルコサン小体病がある．

病態生理
蓄積するグリコーゲンは分枝がほとんどない直鎖状の異常グリコーゲンである．全身の臓器に蓄積するため多彩な症状がみられる．典型的には不溶性の異常グリコーゲンが組織傷害性であり，肝の線維化が進行し肝硬変となる．

臨床症状・検査所見
肝型では生後2〜3カ月頃から肝腫大,体重増加不良で発症し,次第に肝硬変となり5〜6歳で死亡する.特に新生児期に発症する致死性新生児神経筋型は呼吸障害,心筋障害により早期に死亡する.

診断・鑑別診断
肝生検,筋生検ではアミラーゼで消化されない異常グリコーゲンの蓄積が証明できる.分枝酵素の測定は血球,線維芽細胞でも可能である.

経過・予後
肝型では肝硬変の進行,致死性新生児神経筋型では,呼吸筋,心筋の障害で死亡する.

治療
特異的なものはなく,肝移植が試みられている.

e. 糖原病V型（McArdle 病）
病因・分類
筋グリコーゲンホスホリラーゼ（muscle glycogen phosphorylase：MGP）の欠損による.1951年に McArdle により報告された.常染色体劣性遺伝である.臨床症状は均一であるがまれに乳児期に筋力低下,呼吸不全で死亡する例や,無症状のもの,老年期になって筋力低下で発症する例がある.

病態生理
運動時の ATP 供給の破綻により筋痛,筋硬直,横紋筋融解症などを生じる.筋症状は少しずつ運動を続けているうちに症状が回復して運動が持続できるセカンドウィンドウ現象がみられる.これは筋グリコーゲン以外の血液由来のグルコースあるいは脂肪酸の動員による.肝臓のホスホリラーゼは正常であるので低血糖は生じない.

臨床症状・検査所見
典型的な症状は運動時の筋痛,筋硬直,横紋筋融解症である.中高年では筋力低下が緩徐に進行する例もある.血清 CK は間欠期でもさまざまな程度の上昇がみられることが多い.また ATP 産生障害のためプリン体の異化亢進がみられ高尿酸血症（筋原性高尿酸血症）を伴うこともある.阻血下（非阻血下）前腕運動負荷試験で乳酸の上昇が認められない.

診断・鑑別診断
筋組織化学,あるいは筋生化学でホスホリラーゼの欠損を証明する.また日本人では p.Phe710del の好発遺伝子変異が約 50％に認められ有用である.

経過・予後
横紋筋融解症とそれに伴う急性腎不全を生活指導で予防すれば予後はよい.スタチン系の脂質異常症治療薬は本症では横紋筋融解症の頻度が多いとされているので注意が必要である.

治療
運動前のグルコース摂取,あるいはビタミン B_6 内服が日本人 McArdle 病では有効である.

f. 糖原病VI型（Hers 病）
病因・分類
肝グリコーゲンホスホリラーゼ（liver glycogen phosphorylase：LGP）の欠損により,肝にグリコーゲンが蓄積する.1959年に Hers が報告した.ホスホリラーゼの活性低下を二次的に起こすホスホリラーゼキナーゼ欠損症もVI型に含まれていたが,異なる病態であることが鑑別され,現在は独立している.常染色体性劣性遺伝形式である.

LGP の欠損により空腹時に低血糖になるものの,糖新生が正常なため I 型ほどの強い低血糖は起こさない.

臨床症状・検査所見
乳幼児期に低血糖,肝腫大,成長障害で気づかれることが多い.MGP は正常であるため筋症状は認めない.成長とともに症状は軽快していくことが多い.肝酵素の上昇,脂質異常症がみられる.

診断・鑑別診断
白血球,肝での酵素活性測定で診断する.ホスホリラーゼキナーゼも同時に血球で測定し,本症とIX型と鑑別する必要がある.

治療
肝腫大は年齢とともに次第に軽快していく.低血糖は軽度で頻回食,あるいは無治療でも問題がない場合も多い.

g. 糖原病VII型（垂井病）
病因・分類
解糖系の律速酵素である筋ホスホフルクトキナーゼ（PFKM）の欠損による.1965年垂井らによって報告された.常染色体劣性遺伝である.PFKM の欠損により嫌気解糖が障害され筋症状を呈する.発症時期,症状により古典型（VIIa），遅発型（VIIb），乳児型（VIIc），溶血型（VIId）の4病型がある.

病態生理
PFK には3つのサブユニット,筋型（M），肝型（L），血小板型（P）があり,PFK は四量体である.筋には M のみが発現しているが赤血球では L と M 等量で構成されている.本症は M サブユニットの欠損のため筋症状あるいは溶血が認められる.またプリン体の異化が進み,筋原性高尿酸血症もみられる.

臨床症状・検査所見
VIIa 型では V 型と類似した症状を示すが,乳児型では生後筋緊張低下,筋萎縮,拘縮がみられ,生後1年以内に死亡する.溶血型では筋症状はなく,溶血症状を主体とする.血清 CK の上昇が激しい運動後にみられる.また溶血亢進（間接ビリルビン増加,貧血），胆石の合併もみられる.前腕運動負荷試験（嫌気または好気）で乳酸の上昇を認めない.

表 15-2-25 糖原病Ⅸ型の亜型分類

サブユニット	遺伝子	染色体	組織特異性	病型
αM	PHKA1	Xq13.1-q13.2	筋	Ⅸd
αL	PHKA2	Xp22.13	肝	Ⅸa type1(XLG1) Ⅸa type2(XLG2)
β	PHKB	16q12.1	肝・筋・脳	Ⅸb
γM	PHKG1	7p11.2	筋	―
γTL	PHKG2	16q12.1-p11.2	肝・精巣	Ⅸc
δ	CALM1 CALM2 CALM3	14q24-q31 2p21 19q13.2-q13.3	特異性はない	―

XLG：X-linked liver glycogenosis.

診断・鑑別診断
筋生検組織でPFKの酵素染色で染色性の低下，生検筋を用いたPFK活性測定で確定する．遺伝子診断も有用であるが，変異は多様である．

経過・予後
一般的に生活指導で経過予後は良好であるが，一部に筋力低下が進行する例もある．

治療
特別な治療はない．

h. 糖原病Ⅸ型（ホスホリラーゼキナーゼ欠損）

病因・分類
ホスホリラーゼキナーゼ（PhK）はホスホリラーゼb（不活性型）を活性型のホスホリラーゼaに変換するキナーゼで，この酵素が欠損することでホスホリラーゼの活性化障害を起こす．PhKは4種類のサブユニット（α, β, γ, δ）からなる（表15-2-25）．肝型の症状を示すのはαL，γTL，筋型はαM，γMサブユニットの異常から発症する．最も頻度の多いⅨaは肝および血球でも酵素活性が低下しているⅨa type1，肝のみで低下しているⅨa type2がある．

疫学
Ⅸ型はグリコーゲン代謝異常症のなかで最も頻度が高く，特にX連鎖性遺伝形式のⅨa型がⅨ型の75％を占める．

病態生理
ホスホリラーゼの活性化障害のため，グリコーゲンの分解が障害される．糖新生は正常なため低血糖は軽度である．4種類のサブユニットとさまざまな臓器特異性から，おもに肝，筋，心筋に障害が出現し，それらの組み合わせで発症する（表15-2-25）．

臨床症状・検査所見
肝型，筋型，肝筋型が存在し，肝型ではⅥ型と症状は類似し，肝機能障害，肝腫大，低血糖がみられる．筋型では筋痛，横紋筋融解症などを呈する．

診断・鑑別診断
まず血球でPhKを測定する．男性の場合PhKが低下していればⅨa type1である．血球で正常あるいは比較的高値の場合はⅨa type2が疑われるが，確定には肝組織での酵素測定か遺伝子検査が必要である．遺伝子変異は多様である．

経過・予後
最も頻度の多いⅨaの予後は良好で成長とともに肝腫大，低血糖などの症状は軽快する．Ⅸcは低血糖症状も強く，後に肝硬変に進行したり，肝腺腫の報告もある．

治療
乳幼児期に眠前のコーンスターチ療法を行うことが多いが特に治療を必要としない例も多い．

〔杉江秀夫・杉江陽子〕

■文献
Lafore P, Weinstein DA, et al: The glycogen storage disease and related disorders. Inborn Metabolic Diseases: Diagnosis and Treatment, 5th ed (Saudubray JM, van den Berghe G, et al eds), pp115-40, Springer Heidelberg Germany, 2011.
McGraw-Hill Medical: Carbohydrate. The Online Metabolic and Molecular Bases of Inherited Disease. http://ommbid.mhmedical.com/ommbid-index.aspx
杉江秀夫，杉江陽子，他：筋型グリコーゲン代謝異常症・Muscle glycogenoses（筋型糖原病）．代謝性ミオパチー（杉江秀夫総編），pp31-83，診断と治療社，2014.

7）先天性糖質代謝異常症

概要
糖質代謝は生体におけるエネルギー産生の重要な役割を担い，またアミノ酸，脂肪酸などとの代謝経路を共有し生体内で大きな役割を果たしている．
おもな糖質代謝における基質はグルコース，ガラクトース，フルクトースであり，吸収，消化，輸送，代

謝を経て生体で利用されるとともにグリコシル化などにも重要な役割をしている．糖質は自然界で最も豊富な有機分子であり，化学式は$(CH_2O)_n$で炭水化物ともよばれる．単糖は加水分解によってそれ以上分解されない糖質単位であり，構成する炭素数により3炭糖（トリオース）から9炭糖（ノノース）まで存在する．また単糖はグリコシド結合によって結合し，二糖類（2個の単糖が結合），オリゴ糖類（3～10個の単糖が結合），多糖類（10個以上の単糖が結合）を構成する．代謝のうえで最も重要な単糖はヘキソース（6炭糖）であるグルコースで，同じヘキソースのガラクトース，フルクトースとともに，生体でのエネルギー代謝のもととなっている．また生体にとって重要な二糖類にはラクトース（乳糖；ガラクトース＋グルコース），スクロース（ショ糖；グルコース＋フルクトース），マルトース（麦芽糖；グルコース＋グルコース）がある（表15-2-26）．

フルクトースはおもには2糖類のスクロース（グルコースとフルクトースからなる）がスクラーゼで腸管において分解され，等量のグルコースとともに産生される．フルクトースは果実にも多く含まれている．グルコースと異なりインスリン分泌を促進することはない．ガラクトースのおもなものはミルク，乳製品に含まれるラクトースがその原料である．腸管でラクターゼ（β-ガラクトシダーゼ）によりガラクトースとグルコースに分解される（図15-2-38）．

症状・分類（図15-2-38）

糖質代謝異常症は小腸刷子縁に存在する①酵素群，②その輸送，さらに③肝細胞内での代謝の過程での異常による疾患である．

表15-2-26 糖質の種類

糖質	特徴
単糖類	
グルコース	生体の主要なエネルギー源
フルクトース	グルコースに変換されるか，そのまま代謝される
ガラクトース	グルコースに変換される
マンノース	糖蛋白の構成成分
二糖類	
イソマルトース	グルコース＋グルコース（α1-6結合）
マルトース	グルコース＋グルコース（α1-4結合）
ラクトース	グルコース＋ガラクトース
ラクツロース	ガラクトース＋フルクトース
スクロース	グルコース＋フルクトース
多糖類	
デンプン	アミロース＋アミロペクチン
グリコーゲン	グルコース（α1-6結合＋α1-4結合）

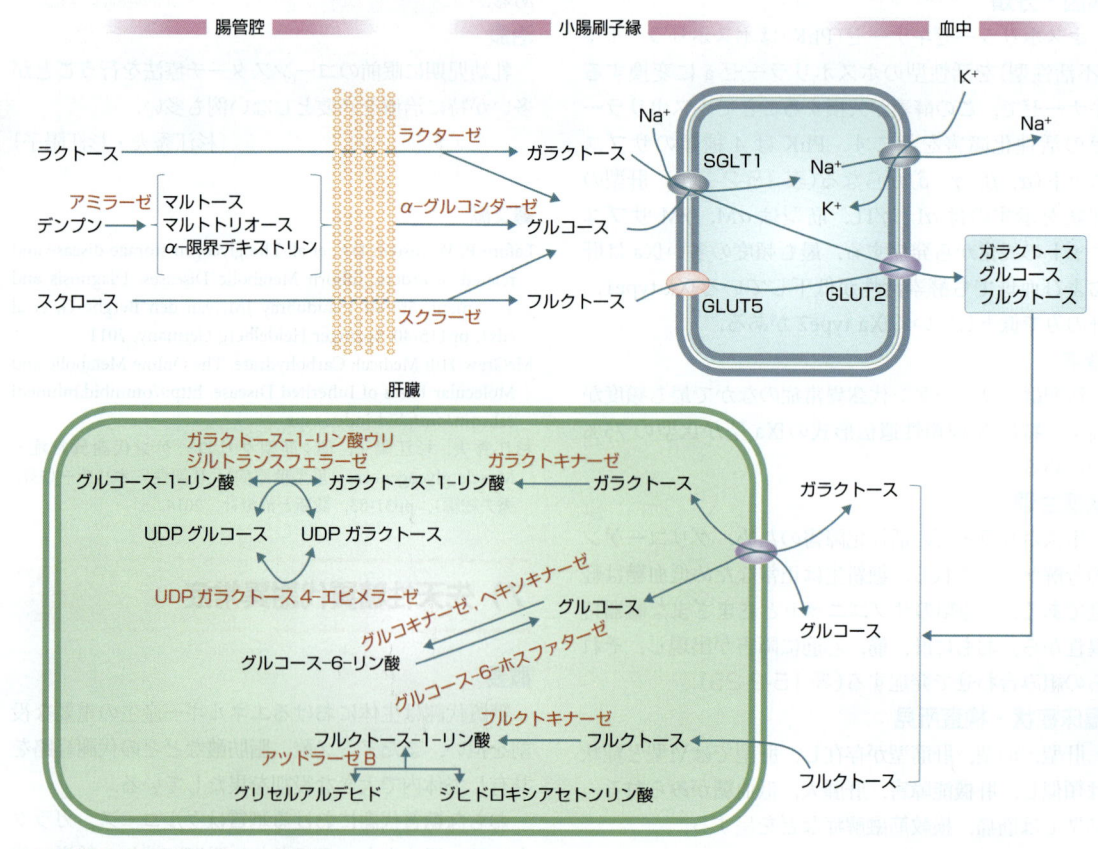

図15-2-38 糖質の吸収と代謝

(1) 消化酵素欠損症
1) 選択的二糖類分解酵素欠損症: 小腸刷子縁に存在する二糖類分解酵素の欠損により,未消化の二糖類が大腸に多量に流入することで腹痛,下痢,腹部膨満を生ずる.

分類
先天的な酵素欠損と腸管炎症や手術などによる二次的な障害に分類される.

1) 先天性スクラーゼ・イソマルターゼ(SI)欠損症: 常染色体劣性遺伝でイヌイットに多い.スクロースを含む離乳食の開始とともに,未消化の二糖類が空腸,大腸に送られ,下痢,嘔吐,腹部膨満をきたす.栄養障害のため成長障害もみられることがある.食事指導としてスクロースの制限と単糖への置換を行う.

2) ラクターゼ欠損症: 常染色体劣性遺伝で先天的にラクターゼ活性が低下しているために,哺乳開始に伴って水溶性の下痢,嘔吐が認められる.感染性消化不良症などで二次的にラクターゼ活性が低下する二次性の乳糖不耐症もある.ラクトース含有の食品である,母乳,ミルク,乳製品を禁止し,ラクトース除去治療乳に置換する.ラクターゼ製剤が有効な場合もある.ラクターゼ活性は離乳期以降活性が低下していき,成人では一部活性が10%以下になる例があり,乳製品の摂取で下痢などを示す場合があり成人型ラクターゼ不耐症といわれる.人種的にアジア人に多いといわれる.

(2) 吸収不全
1) グルコース・ガラクトース吸収不全症: 単糖輸送蛋白SGLT1の異常により,グルコース,ガラクトースの吸収が障害され新生児期から下痢,嘔吐,腹部膨満がみられる疾患である.常染色体劣性遺伝形式をとる.栄養として,グルコースとガラクトースをフルクトースに置換する.SGLT1はNa^+依存性の輸送蛋白である.

(3) 細胞内での代謝障害
ガラクトース,フルクトースの代謝異常によるものをいう.

a. ガラクトース代謝異常症
概念
ガラクトースの肝臓での代謝経路の異常で血中にガラクトースまたはガラクトース-1-リン酸(Gal-1P)が蓄積する場合をいう.酵素異常の種類によって3種類の病型がある.すべて常染色体劣性遺伝形式である.本症は早期発見早期治療の目的で新生児マススクリーニング対象疾患となっている.なおガラクトース代謝異常症ではないが,血中ガラクトースが上昇するものとして胎生期の血管形成異常による門脈体循環短絡症があるが,この場合は血中アンモニアも上昇することで鑑別ができる.

分類
ガラクトース血症I型(ガラクトース-1-リン酸ウリジルトランスフェラーゼ:GALT)欠損症,II型(ガラクトキナーゼ:GALK)欠損症,III型(UDPガラクトース-4-エピメラーゼ:GALE)欠損症の3型がある(図15-2-38).

各病型の特徴
i) ガラクトース血症I型(GALT欠損症)
古典的ガラクトース血症ともよばれ,ガラクトースとGal-1Pが蓄積する.特にGal-1Pが肝,腎,脳に障害を与える.生後2週間以内に食欲不振,不機嫌,嘔吐,下痢,体重増加不良を呈する.黄疸,肝腫大,肝障害,出血傾向もみられ中枢神経症状,白内障(ガラクチトールの増加による)も併発する.発生頻度は92万人に1人である.ラクトースを含む食品の中止が必要である.すなわち母乳,通常のミルクを中止し,乳糖除去ミルクを用いた厳格な食事療法により症状の進行や発現を抑制できる.

ii) ガラクトース血症II型(GALK欠損症)
ガラクトースが蓄積する.血中,尿中のガラクトースが高値で,尿中のガラクチトールの大量排泄がみられる.臨床症状は白内障が唯一の症状とされている.これはガラクチトールの蓄積により水晶体の浸透圧の上昇と混濁をきたし白内障を生ずる.肝機能は原則としては正常範囲である.
赤血球でGALKを測定して診断する.乳児期は乳糖除去ミルクを用いる.離乳期以降は乳糖の摂取は減るため,厳密な食事療法をしなくても血中ガラクトース濃度が上昇しない例もある.わが国における頻度は100万人に1人である.

iii) ガラクトース血症III型(GALE欠損症)
GALE活性の欠損は赤血球や白血球に限られ臨床上は無症状の末梢型が大部分である.まれに全身型がある.わが国では無症状の末梢型のみが報告されている.発症頻度は7万～16万人に1人とされている.特に治療は要しない.

b. フルクトース代謝異常症
概念
腸管からのフルクトース吸収は速やかでインスリン分泌を誘発しない.フルクトースはスクロースの分解で生じ,肝臓でフルクトキナーゼによりフルクトース-1-リン酸(F1P)となり,さらにアルドラーゼBによりF1Pはジヒドロキシアセトンリン酸とグリセルアルデヒドに分解する.両酵素の欠損によりフルクトースの代謝が障害される.

分類
肝フルクトキナーゼ欠損による本態性フルクトース

尿症とアルドラーゼB欠損による遺伝性フルクトース不耐症がある．また糖新生にかかわるフルクトース1,6-ビスホスファターゼの欠損は重篤な低血糖と，高乳酸血症をきたす．

i）本態性フルクトース尿症

肝フルクトキナーゼ欠損よる．摂取されたフルクトースが肝で代謝されないために尿中に過剰に排泄される．本疾患は良性で無症状である．

ii）遺伝性フルクトース不耐症

アルドラーゼB欠損症であり，きわめてまれである．乳児期発症の乳児急性型と，年長児・成人にみられる慢性型がある．乳児急性型は離乳開始後フルクトースの摂取とともに，哺乳不良，嘔吐，体重増加不良，低血糖，痙攣が認められ，次第に肝脾腫，肝硬変，腎尿細管性アシドーシスがみられる．フルクトース除去を行わないと，肝不全が進行し死に至る．慢性型は1歳すぎの発症で，肝腫大，腎障害，肝障害，発育障害，低血糖がみられる．進行すると肝硬変，アシドーシス，ビタミンD抵抗性くる病も認められる．

患児は甘味に対する拒否感がありみずから甘いものを避けるようになる．慢性型の場合はフルクトースを避けることで比較的予後はよいが，本症が未診断でフルクトースやソルビトールを含む輸液を受けると患者が急速に症状を増悪させることがあり禁忌である．

〔杉江秀夫・杉江陽子〕

■文献

Berry GT, Walter JH: Disorders of galactose metabolism. Inborn Metabolic Diseases: Diagnosis and Treatment, 5th ed (Saudubray JM, van den Berghe G, et al eds), pp141-50, Springer Heidelberg Germany, 2011.

McGraw-Hill Medical: Carbohydrate. The Online Metabolic and Molecular Bases of Inherited Disease. http://ommbid.mhmedical.com/ommbid-index.aspx

Steinmann B, Santer R: Disorders of fructose metabolism. Inborn Metabolic Diseases: Diagnosis and Treatment, 5th ed (Saudubray JM, van den Berghe G, et al eds), pp157-66, Springer Heidelberg Germany, 2011.

15-3 蛋白質・アミノ酸代謝異常

1）蛋白質・アミノ酸代謝総論

(1) アミノ酸プールと蛋白質の代謝回転（ターンオーバー）

a. アミノ酸

蛋白質は，成人男性の体重のおよそ10〜20％程度を占める，人体の主要な要素である[1]．蛋白質はおもに，①細胞の構造体として，②基質と一時的に結合して生体内の化学反応を起こりやすくする(触媒する)酵素として，③生体内を血流に乗って循環し，さまざまな細胞に作用を及ぼすホルモンとして働く．

人体の蛋白質は，20種類のアミノ酸が連結してできている．アミノ酸どうしは末端(カルボキシル基)と次のアミノ酸の先端(アミノ基)とがペプチド結合によって結合する（e図15-3-A，15-3-B）．したがって，蛋白質の先端にはアミノ基が，末端にはカルボキシル基が残り，それぞれ，N端，C端という．また，蛋白質中のアミノ酸の数を残基数ともいう．

b. アミノ酸プール

蛋白質は，炭水化物，脂質と並んで3大栄養素の1つである．しかし，炭水化物はグリコーゲン，脂質は脂肪組織の脂質(トリアシルグリセロール)として貯蔵されるのに対し，蛋白質は体内に特定の貯蔵形態をもたない．したがって，過剰に摂取された蛋白質は分解され，アミノ基を除去された後エネルギー源として利用され，その余剰はほかの2つの栄養素と同様に脂質として貯蔵される．

また，生体内の蛋白質はそれぞれ決まった期間で更新される．たとえば赤血球中のヘモグロビンを構成するグロビン蛋白は赤血球が寿命(120日)を迎え，肝臓や脾臓などでマクロファージによって壊されるときにアミノ酸に分解され，再利用される．一般の細胞では蛋白質分解系が複数あり，その1つにユビキチン・プロテアソーム系がある[2]．そこでは古くなってきた蛋白質にユビキチンという小さな蛋白質の印が付けられ，そのような蛋白質はプロテアソームという，蛋白質でできた円筒形の構造物のなかでエネルギー(ATP)を用いてアミノ酸に分解される．

このようにして，蛋白質が分解された遊離アミノ酸が体内に一定量存在する．細胞内と細胞外液中のすべての遊離アミノ酸をアミノ酸プールという．アミノ酸プールの量は，70kgの男性でおよそ90〜100g程度である．アミノ酸プールにはからだの蛋白質を分解してできたアミノ酸のほかに，食物の蛋白質が消化・吸収されてできたアミノ酸が加わる．アミノ酸プールはからだの蛋白質の合成に使われたり，エネルギーを得るために分解されたり，ほかの窒素含有化合物(たとえば核酸やポルフィリン)の前駆体となったりする．

c. 蛋白質の代謝回転

このような，アミノ酸プールへのアミノ酸の出入りを蛋白質の代謝回転（ターンオーバー）という．代謝回転されるアミノ酸の量はアミノ酸プールよりも多い．健康な成人では，アミノ酸プールには毎日 400 g 程度，蛋白質が分解されてできたアミノ酸が入る．また，同じ量のアミノ酸が蛋白質の再合成のためにアミノ酸プールから出ていく．さらに，アミノ酸プールには1日平均 100 g（0～600 g）の食事由来のアミノ酸や，体内で合成された非必須アミノ酸が流入し，1日 30 g 程度のアミノ酸が，窒素を含む物質の合成に用いられる．また，糖新生やケトン体生成の反応でエネルギー源となるために少量が分解され窒素は尿素として，炭素は二酸化炭素として排出される．このようにして，栄養状態良好の健康な成人では蛋白質の総量は一定に保たれる（図 15-3-1）．

窒素摂取量と，尿・汗・便としての窒素排泄量が同じであるとき，窒素バランスが保たれているという．窒素摂取量が窒素排泄量をこえている状態，すなわち正の窒素バランスは，組織が成長過程にあるとき（たとえば子どもや，妊娠中，消耗性疾患からの回復期）にみられる．一方，窒素排泄量が窒素摂取量よりも多い状態，すなわち負の窒素バランスは，食事性蛋白質を十分摂取していない場合や，必須アミノ酸の欠乏，外傷，熱傷，病気，手術といった肉体的なストレスの場合にみられる．

d. 摂取するアミノ酸の質

食事で摂取する蛋白質のなかには，必須アミノ酸を適切な割合（ヒトの組織をつくる蛋白質合成に必要な必須アミノ酸の割合と類似していること）で含んでいないものがある．たとえば，コラーゲンではいくつかの必須アミノ酸が欠乏している．また，植物性蛋白質のなかでは，小麦はリシンが欠乏し，インゲンマメはメチオニンが少ない．蛋白質に含まれるアミノ酸の質を評価するための指標の1つに蛋白質消化吸収率補正アミノ酸スコア（protein-digestibility-corrected amino acid score：PDCAAS）がある[3]．

e. 蛋白質必要量

蛋白質必要量は，構成するアミノ酸の質による．動物性蛋白質の方が植物性蛋白質よりも質が高いので，動物性蛋白質の摂取が多くなるほど，必要とされる蛋白質量が減少する．その違いを考慮しない場合，蛋白質の必要量は，成人の体重 1 kg あたり 0.8 g，つまり 70 kg のヒトで 56 g とされている．運動選手，妊娠または授乳中の女性，成長中の子どもでは，これより多くの量を必要とする．また高齢者では，消費エネルギー量に比してより多くの蛋白質を必要とする[4]．

一方，過剰に摂取された蛋白質は分解される．炭素骨格はエネルギー産生または脂肪合成に用いられ，アミノ基は尿中に尿素として排出される．このとき，尿中カルシウムの増加をしばしば伴い，腎結石のリスクが増大する[5]．また，腎結石には骨粗鬆症が併発するリスクが増大する[6]．

(2) アミノ酸の種類
a. 側鎖の性質による分類

アミノ酸の立体構造において中心となる炭素原子は水素原子，アミノ基，カルボキシル基と必ず結合することは前述した．残り1本の化学結合の相手となる側鎖の構造がアミノ酸が蛋白質のなかで果たす役割を決めるうえで重要である．側鎖は非極性（電子の分布が均等）であるか，極性であるか（酸や塩基のように電子の分布に偏りがあるか）で分類される．蛋白質を構成する20種のアミノ酸をこの観点から分類すると次のようになる（e表 15-3-A）．

非極性側鎖をもつアミノ酸は，グリシン，アラニン，バリン，ロイシン，イソロイシン，フェニルアラニン，トリプトファン，メチオニン，プロリンである．これらのアミノ酸側鎖は，油性あるいは脂質性であり，疎水性相互作用を促す性質がある．すなわち，蛋白質の立体構造ができるときに，水溶性蛋白質の内部，あるいは，膜蛋白質の膜貫通部位に位置する傾向がある．

無電荷の極性側鎖をもつ，すなわち，中性の溶液中で正味の電荷が0であるようなアミノ酸は，セリン，スレオニン，チロシン，アスパラギン，グルタミン，システインである．これらのアミノ酸の極性の水酸基

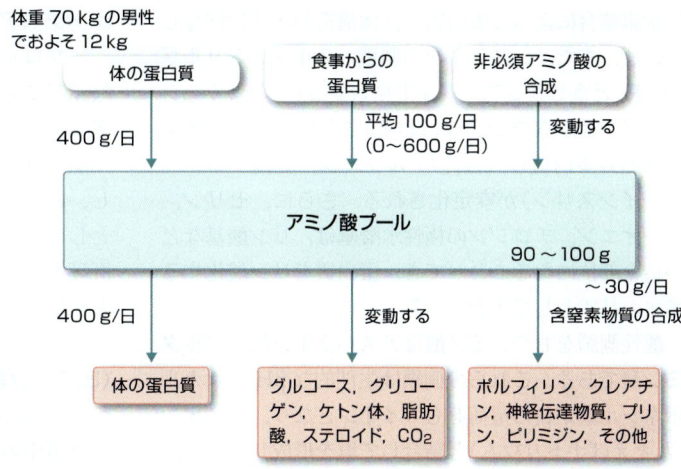

図 15-3-1 蛋白質の代謝回転（Champe ら，2011）

は水素結合によって蛋白質の立体構造の形成に関与している．また，システインの側鎖のスルフヒドリル基（−SH）どうしがジスルフィド結合する（このようなシステインはシスチンとよばれる）ことによって，多くの細胞外蛋白質（たとえばアルブミン，免疫グロブリン，インスリン）が安定化される．さらに，セリン，スレオニン，チロシンの極性水酸基は，リン酸基などの結合部位になることができ，蛋白質をリン酸化する酵素の基質として重要である．

酸性側鎖をもつアミノ酸はアスパラギン酸とグルタミン酸である．これらの側鎖は生理的なpHではカルボキシル基が負の電荷をもつイオンとなり，陽イオン（たとえばナトリウム）と結合して塩を形成している．一方，塩基性側鎖をもつアミノ酸（ヒスチジン，リジン，アルギニン）では，リジンとアルギニンの側鎖が常に正電荷をもつのに対し，蛋白質に組み込まれたヒスチジンの側鎖は，蛋白質での環境に依存して正に荷電したり負に荷電したりする．ヒスチジンのこの性質は，Bohr効果（ヘモグロビンはpHが低い（すなわち二酸化炭素分圧が高い）状態では酸素への親和性が低下する（酸素解離曲線が右に移動する）現象）に寄与している[7]．

b. 必須アミノ酸と非必須アミノ酸

20種のアミノ酸のうち，バリン，ロイシン，イソロイシン，スレオニン，リジン，メチオニン，フェニルアラニン，トリプトファン，ヒスチジンは人体にとっての必須アミノ酸，すなわち，体内ではまったくあるいは不十分にしか生成されないので，食物からの摂取にすべてあるいはほとんどを依存しているアミノ酸，とされている[8]．また，この意味において，幼児ではアルギニンも必須アミノ酸といえる[9]．

その他のアミノ酸は，生体内で必要量を生成可能なので非必須アミノ酸といわれる．

c. 糖原性アミノ酸とケト原性アミノ酸

アミノ酸の異化はアミノ基の除去と，残った炭素骨格の分解という経路からなる．炭素骨格の分解によってピルビン酸やクエン酸回路の中間体（特にα-ケトグルタル酸，スクシニルCoA，フマル酸，オキサロ酢酸）を生じるものは，エネルギー源としてだけでなく肝臓での糖新生や肝臓・筋肉でのグリコーゲンの生成にも用いられるので，糖原性アミノ酸という．一方，アセチルCoAまたはアセト酢酸を生じるものは糖新生やグリコーゲン生成に用いることができないのでケト原性アミノ酸という．

純粋にケト原性のアミノ酸はロイシンとリジンで，糖原性かつケト原性のアミノ酸はチロシン，イソロイシン，フェニルアラニン，トリプトファンである．その他のアミノ酸は糖原性アミノ酸である．

d. 分岐鎖アミノ酸

イソロイシン，ロイシン，バリンは側鎖の形から分岐鎖アミノ酸（分枝アミノ酸）とよばれ，いずれも必須アミノ酸である．これらはほかのアミノ酸が小腸から門脈で運ばれる先の肝臓でおもに代謝されるのに対し，むしろ末梢組織（特に筋肉）で代謝され，蛋白質源としてだけでなくエネルギー源ともなる．そのため，肝硬変患者の蛋白質-エネルギー栄養失調症の改善などに用いられる[10]．

(3) アミノ酸の消化吸収

a. 蛋白質の消化

食事中の蛋白質の消化は3つの臓器（胃，膵臓，小腸）で行われる．まず胃では胃酸が蛋白質を変性させて分解されやすくし，ペプシンが蛋白質をペプチド（アミノ酸が連なったもの）といくらかの遊離アミノ酸に分解する．次に膵臓から十二指腸に分泌される複数種類のプロテアーゼ（トリプシン，キモトリプシン，エラスターゼ，カルボキシペプチダーゼA，B）はペプチドをさらに小さなオリゴペプチドとアミノ酸に分解する．各プロテアーゼは切断するペプチド結合に隣接するアミノ酸の側鎖に対して異なる特異性をもっている．最後に小腸で産生されるアミノペプチダーゼはオリゴペプチドを遊離アミノ酸に分解する．

蛋白質消化不全については ⓔコラム1 を参照．

b. アミノ酸の吸収

小腸上皮はアミノペプチダーゼという酵素を分泌し，オリゴペプチドをさらに遊離アミノ酸またはジペプチド（アミノ酸が2つのペプチド），トリペプチド（アミノ酸が3つのペプチド）に分解する．遊離アミノ酸はナトリウムイオン依存性の能動輸送系によって，また，ジペプチドとトリペプチドは水素イオン依存性の輸送系によって小腸上皮細胞に取り込まれる．ジペプチドとトリペプチドは小腸上皮細胞の細胞質でアミノ酸に分解された後に門脈系に放出される．

c. アミノ酸の輸送

吸収されたアミノ酸は門脈で肝臓に運ばれ，代謝されるか，分岐鎖アミノ酸のように肝臓で処理されることなく循環血液中に放出される．

d. アミノ酸の細胞への取り込み

血液中のアミノ酸濃度は細胞内よりもかなり低いので，細胞は内部にアミノ酸を能動的に取り入れるために，ATPのエネルギーで駆動されるアミノ酸輸送系（トランスポーター）を細胞膜にもっている．トランスポーターは，アミノ酸の種類（重なりあう特異性をもつ）によって，また，ナトリウム依存性によって，多くの種類に分類される．

シスチン尿症については ⓔコラム2 を参照．

(4) アミノ酸の代謝

a. 蛋白質同化・異化の切り替え

食後 2〜4 時間を消化吸収相，それ以外の空腹期間を異化相という．吸収相では，血中のグルコース，アミノ酸，トリアシルグリセロールが一過性に上昇する．そして，膵島 β 細胞がグルコースとアミノ酸の上昇に反応してインスリンの分泌を上昇させ，グルコースはグルカゴンの分泌を低下させる．これらのホルモンによるシグナルと，循環血液中の基質の上昇とにより，トリアシルグリセロールの合成，グリコーゲンの合成，蛋白質の合成が同時に増加する．また，肝臓でのアミノ酸の分解・アンモニア生成も同時に増加する．

一方，異化相では，血中のグルコース，アミノ酸，トリアシルグリセロールが減少する．そして，インスリンの分泌が抑制され，グルカゴンとアドレナリンの分泌が増加する．インスリンの低下とグルカゴンの上昇は肝臓での糖新生を促進し，アミノ酸プールは蛋白質の再合成よりもアミノ酸を分解して糖新生やエネルギー源として用いられるようになる．また，筋では蛋白質が分解され，肝臓での糖新生に用いられるアミノ酸が供給される．

b. アミノ基の除去

アミノ酸からアミノ基を除去する反応には，アミノ基を α-ケトグルタル酸に転移させることでアミノ基をグルタミン酸に集める反応（アミノ基転移反応）と，グルタミン酸からアミノ基をアンモニアとして遊離させる反応（酸化的脱アミノ反応）とがある（図 13-3-2）．前者はほぼそれぞれのアミノ酸に特異的なアミノトランスフェラーゼ（アミノ基転移酵素）によって，後者はグルタミン酸デヒドロゲナーゼによって行われる．また，前者の反応の逆反応は，不足している非必須アミノ酸をほかのアミノ酸から生成するための反応にも用いられる．アミノ基転移反応の酵素は多くの細胞（特に肝臓，腎臓，腸管，筋肉）に存在する．一方，酸化的脱アミノ反応の酵素はおもに肝臓と腎臓に存在する．

アミノ基転移反応のなかで最も重要なものを 2 つあげると，1 つはアミノ基を α-ケトグルタル酸に転移することによってアラニンをピルビン酸にするアラニンアミノトランスフェラーゼ（ALT），別名グルタミン酸ピルビン酸トランスアミナーゼ（GPT）で，もう 1 つは同様にしてアスパラギン酸をオキサロ酢酸にするアスパラギン酸アミノトランスフェラーゼ（AST），別名グルタミン酸オキサロ酢酸トランスアミナーゼ（GOT）である（図 15-3-2）．

ALT の逆反応は後述するように筋の分解によって肝臓に糖新生のためのアミノ酸を供給するしくみにおいて重要である．また，AST の逆反応は肝臓の尿素回路にアスパラギン酸を供給するために重要である．

アミノ基の除去についてのもう 1 つの反応は e コラム 3 を参照．

c. アンモニアの輸送

酸化的脱アミノ反応によって生成したアンモニアは肝臓まで無害に運ばれなくてはならない．アンモニアは少量でも有害である（正常では，血中アンモニア濃度は 5〜10 μmol/L と，きわめて低値）ので，ほとんどの細胞はグルタミンシンテターゼによってアンモニアをグルタミン酸と結合させ，生体に安全なグルタミンを生成して血中に放出する．

一方，筋では糖新生のためにアミノ酸が大量に分解されてアンモニアも大量に生じる．それをグルタミンとして放出するのではなくアミノ基をピルビン酸に転移して，アラニンとして放出している．肝臓はアラニンを材料として糖新生を行い，血中にグルコースを放出する．グルコースは筋や脳をはじめ多くの組織で解糖系によって分解され，アラニンの原料のピルビン酸を生じる．筋と肝との間でアラニンとグルコースの交換を伴い，このように行われる物質循環をグルコース-アラニン回路とよぶ（図 15-3-3）．

肝臓と筋肉との間の物質循環の例としてはほかに，運動時に筋肉で大量に発生する乳酸が肝臓で糖新生の原料として使われ，グルコースとなって筋肉に帰ってくる Cori 回路がある．

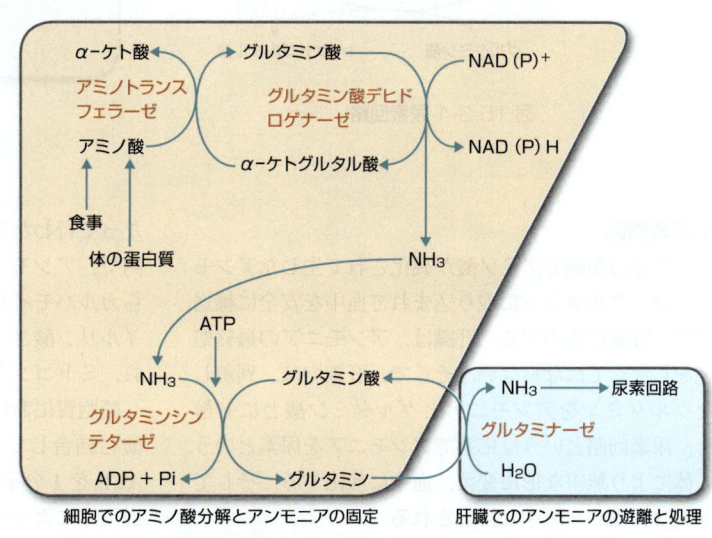

図 15-3-2 アミノ基転移反応と酸化的脱アミノ反応

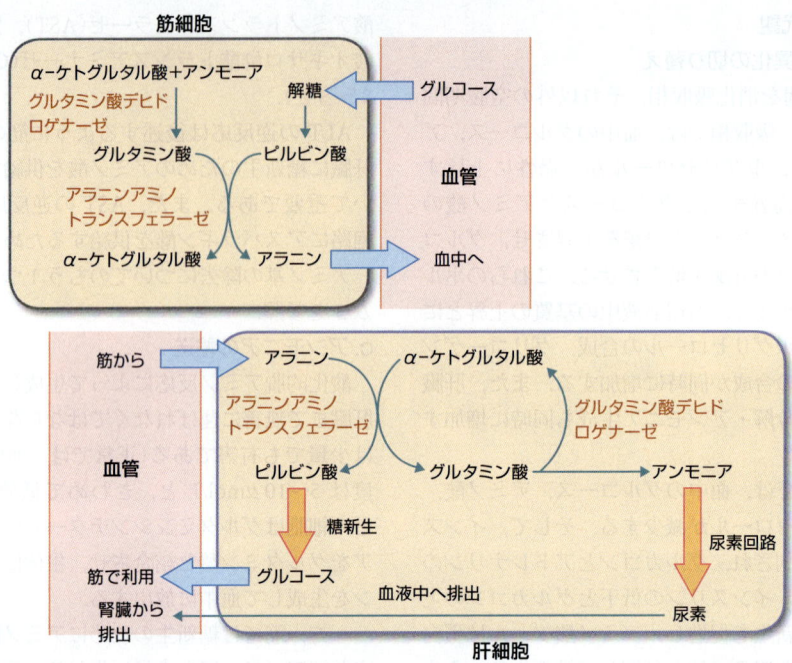

図 15-3-3 筋と肝臓との間のグルコース-アラニン回路

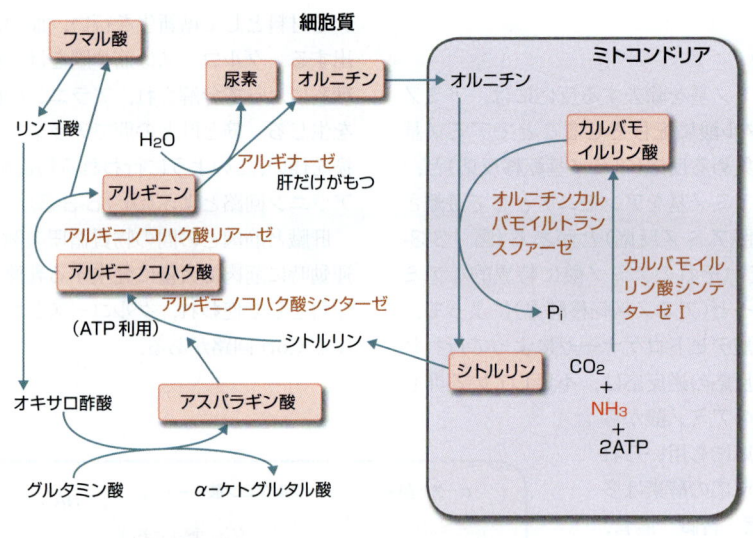

図 15-3-4 尿素回路

d. 尿素回路

体全体の組織でアミノ酸が異化されて生じたアンモニアは，グルタミンに取り込まれて血中を安全に輸送され，肝臓に集中する．肝臓は，アンモニアの最終処理をしなくてはならない．そこで，肝細胞は，到着したグルタミンをアンモニアとグルタミン酸とに分解し，尿素回路という反応系でアンモニアを尿素という人体により無害な形に変え，血中に放出する．そして尿素は腎臓から尿中に排出される．

尿素回路は肝細胞の細胞質とミトコンドリアとにわたって行われる（図 15-3-4）．まず，ミトコンドリア内で，アンモニアと二酸化炭素と 2 分子の ATP とからカルバモイルリン酸が生成される．次に，カルバモイルリン酸とオルニチンとから，シトルリンが合成され，ミトコンドリア外の細胞質に輸送される．

細胞質において，まず，シトルリンはアスパラギン酸と結合してアルギニノコハク酸になる．このとき ATP を 1 分子消費する．アスパラギン酸は，AST の逆反応によってグルタミン酸とオキサロ酢酸からつくられる．

アルギニノコハク酸は分解されてアルギニンとフマル酸になる．アルギニンはアルギナーゼによって分解されて尿素とオルニチンを生じる．アルギナーゼによるアルギニンの分解はほとんど肝臓でしか起こらない．最後に，オルニチンはミトコンドリア内に輸送されてシトルリンの合成に用いられ，回路が一巡する．

尿素回路の全体としての反応式を考えるには，中間物質を考慮する必要はなく，

アスパラギン酸＋NH_3＋CO_2＋3ATP＋$2H_2O$
　→尿素＋フマル酸＋2ADP＋AMP＋$2P_i$＋PP_i

と表すことができる．広い目でみると，フマル酸はTCA回路に投入されてオキサロ酢酸となり，オキサロ酢酸はASTの逆反応でアスパラギン酸となるので，産物のフマル酸も投入物のアスパラギン酸の原料になっている（図15-3-4）．

e. 炭素骨格の異化：糖原性アミノ酸の場合

一方，アミノ基を除去された炭素骨格は最終的にTCA回路に投入されて二酸化炭素と水に分解され，エネルギー源として利用することができる．どのような中間体ができるかによって，(2)-cで述べたように，TCA回路の中間体またはピルビン酸を生じ，糖新生の原料となることのできる糖原性アミノ酸（図15-3-5）と，アセチル酢酸またはその前駆体であるアセトアセチルCoAを生じるケト原性アミノ酸とに分類される．

糖原性アミノ酸について補足すると，まず，アスパラギンはアスパラギナーゼによって分解されアンモニアとアスパラギン酸になる．グルタミン，プロリンはグルタミンを経てα-ケトグルタル酸になる．アルギニンは，尿素回路で使われるほかに，オルニチンを経てα-ケトグルタル酸を生じることもできる．スレオニンはアラニンのほかにアセチルCoAも生じる．フェニルアラニンはまずチロシンに変化して，チロシンは最終的にフマル酸とアセト酢酸を生じる．フェニルアラニンとチロシン代謝の酵素の遺伝子配列の異常により，フェニルケトン尿症，アルカプトン尿症，白皮症を生じる．スレオニンはピルビン酸にもなる．また，メチオニンはホモシステインを経て，さらにセリンと結合してシステインの原料ともなる．

ケト原性アミノ酸のうち，分岐鎖アミノ酸であるイソロイシン，ロイシン，バリンは肝臓よりもむしろ末梢組織（特に筋肉）で代謝されるが，共通の異化経路で代謝される．すなわち，これらの分岐鎖アミノ酸専用

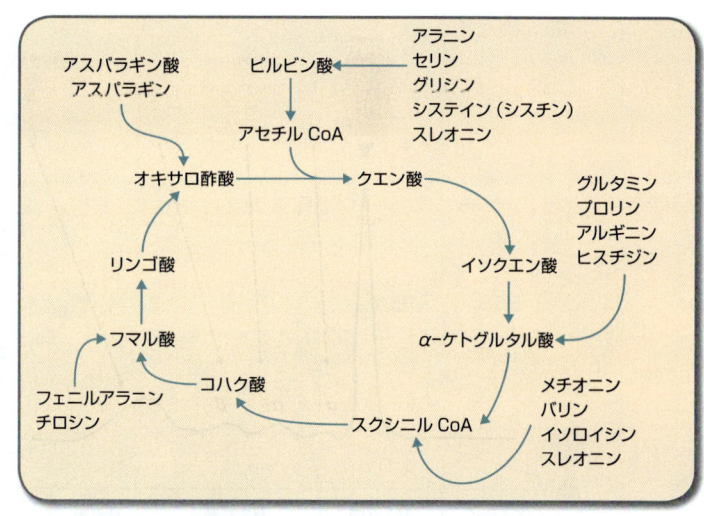

図15-3-5 アミノ酸の炭素骨格の分解

のアミノトランスフェラーゼ（ビタミンB_6を必要とする）によってアミノ基を除去され，分岐鎖専用の酸化的脱炭酸酵素（メープルシロップ尿症（OMIM：#248600）で欠損している），そして共通の脱水素酵素で処理されるなど，共通の処理系を有している．

〔日紫喜光良〕

■文献（e文献15-3-1）

Champe PC, Harvey RA, et al：イラストレイテッド生化学，丸善，2011．

2）血清蛋白質異常

血液は血球成分と液性成分からなるが，そのうち液性成分が血漿（plasma）である．この血漿を凝固させ，血餅を除去したものが血清（serum）である．すなわち血清は，血漿からフィブリノゲンをはじめとする凝固因子を取り除いた血液の液性成分である．

a. 総蛋白質（total protein：TP）

血漿，血清のいずれとも，最も多いアルブミンとそれ以外のグロブリンからなり，さらにグロブリンは20種類以上の単純蛋白質，複合蛋白質からなる．

これらの血清蛋白を電気泳動で分画したものを図15-3-6に，それらの蛋白の物質的特徴と機能を表15-3-1にあげた．

血清のTPの基準値は一般に6.5～8.0 g/dLであり，性差はほとんど認めない．ただし新生児や幼児は成人より1～1.5 g/dL程度，60歳以上は0.5 g/dL程度低値である．

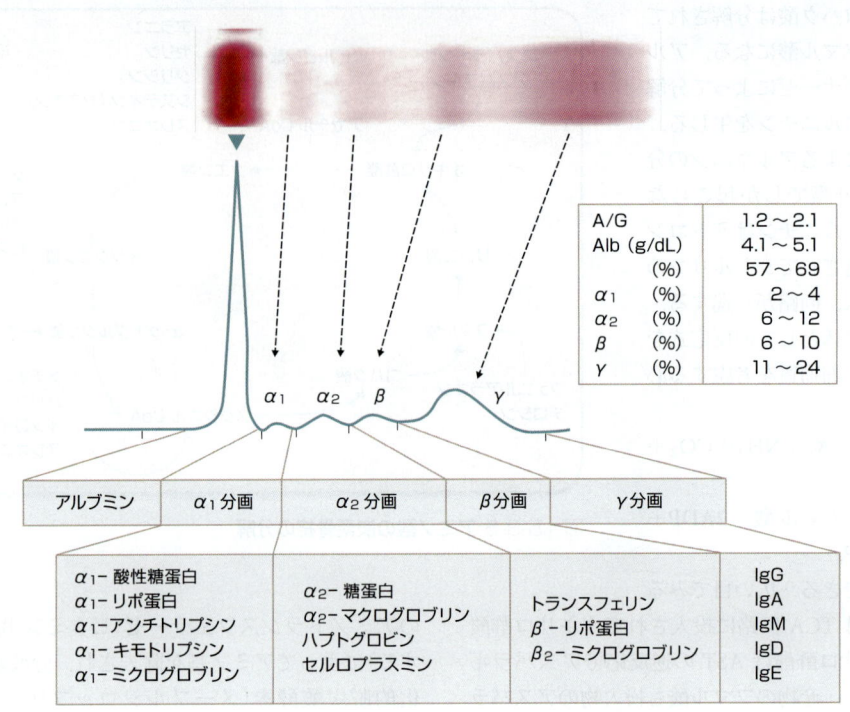

図 15-3-6 電気泳動法による血清蛋白分画と各分画に含まれる諸蛋白

b. プロテオームとプロテオミクス

ヒトゲノム解読プロジェクトですべての蛋白をコードする遺伝子は解明された．それに基づいて現在は，発現している蛋白のすべて（-ome）を系統的・網羅的に解析することが行われつつある．これを"蛋白のすべて"という意味でプロテオーム（proteome）といい，その学問は-mics と語尾をつけて，プロテオミクス（proteomics）とよばれる．プロテオミクスでは，生体内でつくられる蛋白質の構造と機能を明らかにし（第1段階），それらのネットワークを解明し（第2段階），生命現象を明らかにするとともに，最終的には疾病の診断・治療，そして創薬につなげてゆくことを目指す（第3段階）（eコラム1）．

c. 血清蛋白質の電気泳動による分画

臨床医学では血清（あるいは血漿）の蛋白は電気泳動法で分画してそのパターンから分画の濃度を半定量して評価することが多い（図 15-3-6）．これにより，アルブミンの減少や，γ-グロブリンの増加などをパターンとして認識し得る．すなわち陽極側から，アルブミン，α_1-，α_2-，β-，γ-グロブリンの順番に分けられる．このうち γ-グロブリン分画の主成分は免疫グロブリン（immunoglobulin）であり，これには IgG，IgA，IgM，IgD，IgE などが属する．γ-グロブリン分画は免疫グロブリンの多寡を反映し，多クローン性の増加の場合にはブロードな，単クローン性の増加の場合にはシャープな峰となる．前者は肝硬変や，慢性炎症で，後者は多発性骨髄腫で観察される（図 15-3-7）．ネフローゼ症候群の場合には腎糸球体からアルブミンが漏出し，低アルブミン血症となる一方，分子量の大きい α_2-マクログロブリン，IgM，β-リポ蛋白，フィブリノゲンなどは漏出せず，α_2 から β 領域が増加してくる．

肝機能が中等度以上低下した肝疾患では，アルブミンが減少する．特に肝硬変の場合には，アルブミンの減少に加えて，γ-グロブリン（IgG，IgA）が増加する．アルブミンの減少と γ-グロブリンの増加というパターンは，肝硬変のほかに，関節リウマチなどの膠原病や，慢性感染症などでも観察される（図 15-3-7）．

d. 血清蛋白とその異常（表 15-3-1）

i）アルブミン

ヒトの場合，アルブミンは全血漿蛋白の約60％を占める．また全アルブミンのうち血漿中に含まれるのは約40％で，残りの60％は組織中の細胞外に存在する．分子量 66000 の 1 本鎖の長いペプチドで，糖鎖はない．アルブミンは肝細胞で合成され，その量は成人の場合，約 12 g/日にも及び，その半減期は約 21 日である．血中濃度が低下するのは肝硬変をはじめとする肝機能低下や，ネフローゼなど腎糸球体からの漏出，消化管からの漏出（潰瘍性大腸炎，蛋白漏出性胃炎など），熱傷など皮膚からの消失などの病態でみら

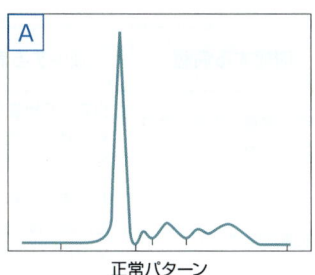
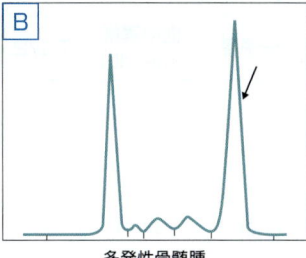
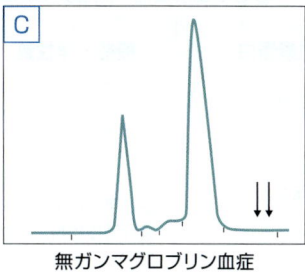
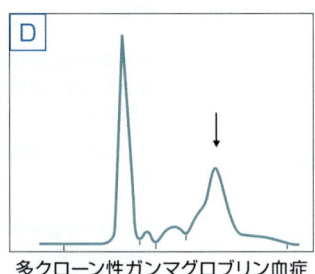
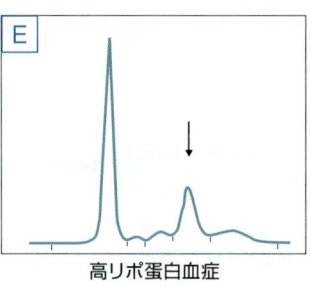

図 15-3-7 電気泳動の代表的なパターン
A：正常パターン．
B：多発性骨髄腫．鋭いピークのγ分画のモノクローナル成分．
C：無ガンマグロブリン血症．γ分画がほとんどフラットになっている．
D：多クローン性ガンマグロブリン血症（肝硬変）．
E：高リポ蛋白血症．β領域が高いピーク．

れる（表 15-3-1）．生体内でのアルブミンの機能は，
①血漿浸透圧の保持
②生体内におけるアミノ酸の予備供給源
③各種蛋白や蛋白断片，薬物のキャリア
などとして働く．浸透圧に関しては，血漿の浸透圧の約80％はアルブミンに依存している．アルブミンの代謝回転は15～20g/日と速く，分子内に1個しか含まれないトリプトファンを除き，その他のアミノ酸の供給源となる．またアルブミンは，各種蛋白やその断片，薬物と結合して，そのキャリア蛋白としての機能を発揮する一方，それらの腎糸球体からの漏出の防止の役割も果たす．薬物に関しては，ワルファリン，アスピリンなどは血中に入ると，アルブミンと結合して体内を循環している．薬剤としての作用を発揮するのは，遊離型の薬剤である．したがって，肝疾患やネフローゼなどで血中のアルブミン濃度が下がると，遊離型の薬物が増え，薬物の効果が強くなる．ワルファリン投与中にアスピリンを併用すると，アスピリンがワルファリンのアルブミンの結合を阻害し，結果的に遊離型ワルファリンの血中濃度が上昇し，抗凝固作用が増強されるなど，薬物運搬体としてのアルブミンの機能は，後述するあと1つの血清薬物運搬蛋白の α_1 酸性糖蛋白（α_1-acid glycoprotein）とならんで重要である．

ii）血清グロブリン
グロブリンは図 15-3-6 に示したように電気泳動で，α_1-グロブリン，α_2-グロブリン，β-グロブリン，γ-グロブリン分画に含まれる種々の機能を有した多種類の蛋白からなる．

1）トランスサイレチン（transthyretin：TTR）：TTRは電気泳動でアルブミンよりさらに陽極側に泳動されるため，プレアルブミンともよばれる．TTRの機能は，名前のとおりサイロキシン（T_4）と結合し，これを運搬することである．その他にレチノール（ビタミンA）結合蛋白とも結合し，複合体を形成する．TTRの分子異常症はアミロイドとなって組織に沈着し，家族性アミロイドーシスの原因となる．TTRは甲状腺機能亢進症やネフローゼ症候群で増加し，肝障害，蛋白摂取不足，炎症，広範な組織傷害などで低下する（表 15-3-1）．

2）トランスフェリン（transferrin：Tf）：Tfは鉄の輸送蛋白である．すなわち腸管から吸収された鉄，赤血球の破壊（正常で1日約2000億個）に伴って放出された鉄はTfと結合し輸送され，骨髄細胞，その他の生体内細胞に運搬され，Tf受容体から細胞内に取り込まれる．血清Tfの濃度の異常は表 15-3-1 に示したような病態と関係する．

3）ハプトグロビン（haptoglobin：Hp）： Hpは肝細

表 15-3-1 おもな血漿蛋白の諸性質と病態の関連

血漿蛋白	機能・諸性質	分子量	血中濃度 (mg/dL)	T 1/2	増加する病態	減少する病態
トランスサイレチン[*1]	T$_4$の運搬	55000	30	2	甲状腺機能亢進, ネフローゼ症候群	炎症, 肝機能低下, 栄養失調, 広範な組織壊死
アルブミン	全血漿蛋白の60%, 血漿浸透圧維持, 薬物搬送	66000	4400	21	血液濃縮(脱水)	肝障害, 栄養失調, 炎症, 悪液質, ショック, ネフローゼ症候群, 火傷
α$_1$-酸性糖蛋白	酸性糖蛋白, 塩基性薬物と結合, 運搬	40000	74	5.2	炎症	肝硬変, ネフローゼ症候群, 蛋白質摂取不足
α-リポ蛋白	主としてHDLで, アポA$_1$とアポA$_2$からなる	—	40〜70	—	増加:高HDL血症, 閉塞性肝疾患, 薬剤, インスリン	低下:アポA$_1$欠損症, 動脈硬化, 血栓症など
α$_2$-マクログロブリン	プロテアーゼインヒビター	725000	240	—	ネフローゼ症候群, 妊娠	膵炎, 外科手術
β-リポ蛋白	主としてLDLで, アポBとアポEからなる	—	70〜139	3.3	ネフローゼ症候群, 高リポ蛋白血症	肝障害, 栄養失調, 甲状腺機能亢進, 先天性欠損症
ハプトグロビン	Hbのキャリア蛋白	[*2]	75〜140	3.8	炎症	肝障害, 溶血(溶血性貧血, 人工弁置換術後など), エストロゲン治療
トランスフェリン[*1]	鉄の輸送蛋白	79600	270	7	鉄欠乏性貧血, 妊娠	肝障害, 炎症, ネフローゼ症候群, 蛋白漏出性胃腸症, 先天的欠損症
フィブリノゲン[*3]	凝固血餅の基質, 早朝治癒	340000	200〜400	4.8	炎症, 出血後リバウンド, 動脈硬化	肝障害, DIC
セルロプラスミン	銅の運搬, ラディカルスカベンジャー作用	132000	27	—	炎症	肝障害, ネフローゼ症候群, 蛋白漏出性胃腸症, Wilson病, Menkes病
α$_1$-アンチトリプシン	プロテアーゼ(トリプシン, キモトリプシン, プラスミンエラスターゼなど)の阻害	51000	230	—	炎症	ネフローゼ症候群, 栄養失調, 先天的欠損症
レチノール結合蛋白[*1]	ビタミンA輸送蛋白, 尿細管蛋白	21000	2.5〜9	0.5	慢性腎不全	炎症
β$_2$-ミクログロブリン	組織適合性抗原の一部, 増殖のさかんな細胞に発現強い	11800	0.8〜2.0	—	炎症, 悪性腫瘍, 透析, 腎機能低下	β$_2$-ミクログロブリンの変性
IgG	免疫グロブリン	144000	800〜2000	18	膠原病, 悪性腫瘍, 感染症	原発性免疫不全症候群, ネフローゼ症候群, 蛋白漏出性胃腸症
IgA	免疫グロブリン	12000	70〜470	6	肝硬変, 多発性骨髄腫	免疫抑制薬やステロイド治療, 筋緊張性ジストロフィー症
IgM	免疫グロブリン	971000	40〜350	5.2	感染症急性期, マクログロブリン血症	原発性免疫不全症候群, リンパ系腫瘍, 免疫抑制薬治療

[*1]: rapid turnover protein, 炎症で負に制御, 栄養アセスメント蛋白として使われる.
[*2]: 表現型で異なる.
[*3]: 血清中では激減.
T1/2: 血中半減期(日).

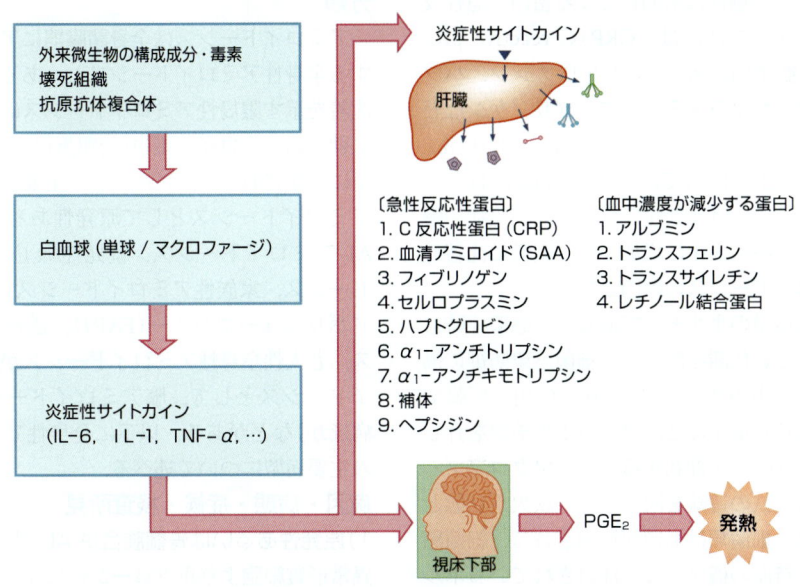

図 15-3-8 急性反応性蛋白の発現機序

胞で合成されるヘモグロビン(hemoglobin：Hb)のキャリア蛋白である．すなわち溶血により赤血球の外に遊離したHbと結合し，分子量を大きくすることで，腎糸球体からのHbの漏出を阻止する．Hbが糸球体から濾過されると，尿細管に沈着し，結果として尿細管を障害するので，HpはHbの尿への漏出と腎尿細管障害を防止する機能を有している．Hp-Hb複合体は肝臓へ運ばれ，再利用される．

Hpは急性反応性蛋白であり，炎症時に血中濃度は増加するが，不適合輸血による溶血や発作性夜間血色素尿症(paroxysmal nocturnal hemoglobinuria：PNH)，自己免疫性溶血性貧血(autoimmune hemolytic anemia：AIHA)などでは消費されて血中濃度が減少する(表15-3-1)．

4) α_1-酸性糖蛋白 (α_1-acid glycoprotein：AAG)： AAGは生理的機能には不明の点が多いが，塩基性の蛋白や薬剤と結合して運搬する作用がある．急性反応性蛋白の一種でもある．

5) α_1-アンチトリプシン (α_1-antitrypsin)： 電気泳動上α_1分画に泳動されるプロテアーゼインヒビターである．主として肝臓で合成されるが，血小板，マスト細胞，好中球にも含まれる．トリプシン，キモトリプシン，エラスターゼ，プラスミンなどを阻害する．諸性質は表15-3-1のとおり．

6) α_2-マクログロブリン (α_2-macroglobulin：α_2-M)： α_2-Mは分子量72万5000の高分子の蛋白である．主として肝細胞で合成される．主要な働きは，血中のプロテアーゼの活性阻害である．炎症や血栓形成時に，病巣から逸脱してくるプロテアーゼと結合し，反応の拡大を防ぐ働きがある．形成されたα_2-M-プロテアーゼ複合体はマクロファージ系細胞の貪食を受け，速やかに循環血中から除去される．

7) レチノール結合蛋白 (retinol binding protein：RBP)： RBPは血中レチノール(ビタミンA)の特異的な輸送蛋白である．血中ターンオーバーが速いので，最近は栄養状態の評価にも使用されている．糸球体で濾過されたRBPは尿細管で再吸収され，異化される．腎不全では，糸球体濾過能の低下のため，血中濃度が上昇し，腎尿細管障害では，尿中排泄が増加する．最近，RBPがインスリン抵抗性を助長し，2型糖尿病の病態と関係することが判明してきた．

8) β_2-ミクログロブリン (β_2-microglobulin：β_2-m)： β_2-mは文字どおり，分子量が11800の小分子の蛋白である．リンパ球をはじめ種々の蛋白で合成される．特に増殖しつつあるリンパ球や，悪性腫瘍が盛んに産生するので，一種の腫瘍マーカーとしての側面を有する．β_2-mも尿細管で再吸収される蛋白であるので，腎尿細管性アシドーシス(renal tubular acidosis)など尿細管障害のとき，尿中に増加してくる．

9) セルロプラスミン (seruloplasmin)： セルロプラスミンは血清中の銅結合蛋白で，血清中の銅の90%は本蛋白質と結合している．銅のキャリア蛋白として働くほか，O_2-ラジカルのスカベンジャーとして働き，血中で重要な抗酸化作用を発揮している．

e. 急性反応性蛋白 (acute phase reactant)

細菌感染症，心筋梗塞など生体蛋白の崩壊時など，生体内で炎症を伴う病態の急性期，たとえば敗血症やSIRS(systemic inflammatory response syndrome)など

のときに，血中に一過性に増加してくる蛋白を急性反応性蛋白という．これには，CRP（C-reactive protein），α_1-酸性糖蛋白，α_1-アンチトリプシン，ハプトグロビン，セルロプラスミン，フィブリノゲンなどが含まれる（図15-3-8）．これらの蛋白はIL-6，TNF-α，IL-1などの作用で，肝臓で合成される．SAA（serum amyloid A）は急性のウイルス感染症や慢性・持続性の炎症時に血中に増加する．組織に沈着性があり，アミロイドーシスの原因となる．

ヘプシジンは微量のホルモンであるが，感染症時に肝臓で合成されて鉄代謝を制御し，細菌感染防御に働く．すなわちエンドトキシンやIL-6の作用で肝臓でヘプシジン合成が亢進すると，フェロポルチンを介して消化管からの鉄吸収を抑制する一方，マクロファージや網内系からの鉄の遊離を阻害して，鉄欠乏状態とする．その結果，細菌類は増殖が抑制される．細菌感染症や癌などの貧血の機序として注目されているホルモンである．

f. 負に制御される蛋白質

血中にIL-6が増えると，肝臓でのアルブミンの合成は負に制御されて，血中濃度が低下してくる．

g. 栄養アセスメント蛋白

栄養の評価（アセスメント）は健康状態の把握，患者の診療（入退院の時期決定，治療方針決定など）で重要である．これまでその客観的指標としては，アルブミンが使われてきたが，アルブミンは血中半減期が約20日と長いため，リアルタイム，かつダイナミックに個々人の栄養状態を把握するには不適切であることから，もっと血中半減期が短い蛋白（rapid turnover protein）が指標として使われるようになってきた（◉表15-3-B）．

臨床では現在栄養サポートチームがこのような蛋白を評価しつつ，治療方針の決定に利用している．

〔丸山征郎〕

■文献

Gabby C, Kushner I: Mechanism of disease: acute-phase proteins and other systemic responses to inflammation. N Engl J Med. 1999; 340: 448-54.
日本臨牀 増刊号．血液・尿化学検査，免疫学的検査 第6版（1），Ⅲ．生化学的検査（1），日本臨牀社，2005.

3）アミロイドーシス
amyloidosis

定義・概念

アミロイドーシスは線維構造をもつ不溶性蛋白であるアミロイドが臓器に沈着することによって機能障害を引き起こす疾患の総称（疾患群）である．

分類

アミロイドーシスは全身諸臓器にアミロイドが沈着する全身性アミロイドーシスと，ある臓器に限局した沈着を示す限局性アミロイドーシスに大別され，さらに種々のアミロイド蛋白（前駆蛋白）に対応する臨床病型に分類される（表15-3-2）．主要病型には，全身性アミロイドーシスとして原発性あるいは骨髄腫合併ALアミロイドーシス，続発性/反応性AAアミロイドーシス，家族性アミロイドーシス（家族性アミロイドポリニューロパチー（FAP）），透析アミロイドーシス，老人性全身性アミロイドーシスが，限局性アミロイドーシスとして，脳アミロイドーシス（Alzheimer病ほか）などがある．以下に全身性アミロイドーシスの主要病型について述べる．

病因・病態・症候・検査所見

1）原発性あるいは骨髄腫合併ALアミロイドーシス：異常形質細胞より単クローン性に産生される免疫グロブリン（M蛋白）の軽鎖（L鎖）に由来するアミロイド蛋白が全身諸臓器に沈着する．多発性骨髄腫や原発性マクログロブリン血症を伴わない場合，原発性とよばれる．心臓，腎臓，末梢神経系，消化管，肝臓などにアミロイドが沈着し，腎障害（ネフローゼ症候群/腎不全），心障害（心不全/不整脈），手根管症候群，多発ニューロパチー，自律神経障害，消化管症状や肝障害などを呈する．血清M蛋白，尿中Bence Jones蛋白，血清遊離軽鎖（FLC）を認める．

2）続発性/反応性AAアミロイドーシス：関節リウマチ（RA）などの自己免疫疾患，結核などの慢性炎症性疾患を基盤に，炎症性蛋白として肝臓から産生される血清アミロイドA（SAA）がAAアミロイドとして沈着する．消化管や腎臓などに沈着し，難治性下痢，蛋白尿や腎不全などの症状がみられる．CRPやSAAなどの炎症反応マーカーが持続的に高値を示す．

3）家族性アミロイドーシス：FAPに代表される．FAPのアミロイド蛋白の由来にはトランスサイレチン（TTR），アポリポ蛋白AI，ゲルゾリンなどがあるが，わが国のFAPのほとんどはTTR型（遺伝性ATTRアミロイドーシス）であり，TTR遺伝子変異に伴う（30番目のバリン→メチオニン置換が多い）．TTRは肝臓から産生され，TTR由来アミロイド（ATTR）が末梢神経系や心臓などに沈着する．典型例は常染色体優性遺伝で30～40歳代で発症し，末梢神経症状（表在覚優位の感覚障害，筋力低下），自律神経症状（交代性の下痢・便秘，悪心・嘔吐，インポテンツ，起立性低血圧，膀胱障害），心障害（心伝導障害など）を示す．世界的には日本，ポルトガル，スウェーデンなどに，国内では長野県，熊本県，ついで石川県に患者の集積がみられるが，高齢発症の孤発例が全国に散在している．

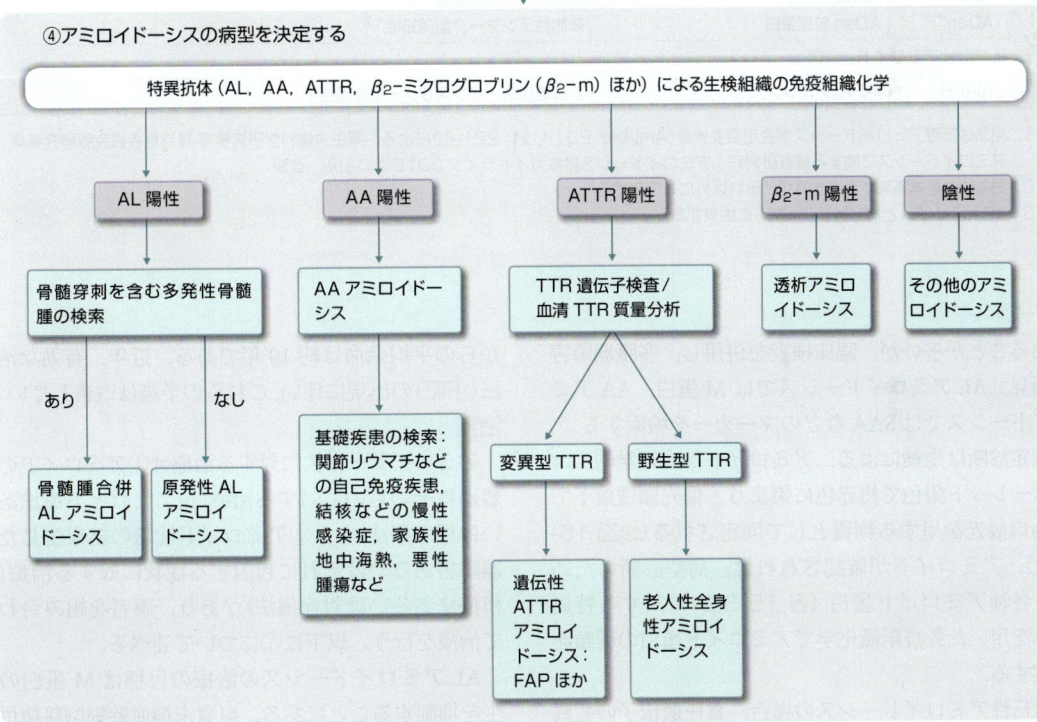

図 15-3-9 全身性アミロイドーシス診断のためのフローチャート

4) 透析アミロイドーシス： 透析歴 10 年以上の長期透析患者にみられる合併症であり，血中で上昇している β_2-ミクログロブリン由来のアミロイドが骨関節領域，靱帯などに沈着する．手根管症候群，多関節痛，ばね指，破壊性脊椎関節症，骨囊胞などの症状・所見がみられる．

5) 老人性全身性アミロイドーシス： 野生型（正常型）TTR 由来のアミロイドが主に心臓に沈着する（野生型ATTR アミロイドーシス）．80 歳以上の剖検例の 25～28％にみられる．臨床的には 60 歳代の後半から心症状（心房細動，心不全），手根管症候群としてみられる．

診断・鑑別診断

全身性アミロイドーシス診断のためのフローチャートを図 15-3-9 に示す．全身性アミロイドーシスを疑うポイントは多臓器の障害がみられることである．初発症状は全身倦怠感，体重減少などの非特異的な症状や，最もアミロイド沈着が先行している臓器の症状（たとえば心臓であれば心不全症状，腎臓であればネフローゼ症状，末梢神経であれば手足のしびれなど）

表 15-3-2 アミロイドーシスの分類*1（主要な病型を示す．詳細はⓔ表 15-3-C）

アミロイド蛋白		前駆蛋白	臨床病名
I. 全身性アミロイドーシス	**1. 非遺伝性**		
	AA	血清アミロイドA	続発性/反応性 AA アミロイドーシス
	AL	免疫グロブリンL鎖	原発性あるいは骨髄腫合併 AL アミロイドーシス
	Aβ₂M	β₂-ミクログロブリン	透析アミロイドーシス
	ATTR	トランスサイレチン	老人性全身性アミロイドーシス（SSA）（野生型 ATTR アミロイドーシス）
	2. 遺伝性（家族性）		
	ATTR	トランスサイレチン	家族性アミロイドポリニューロパチー（FAP）
	AApoAⅡ	アポリポ蛋白AⅡ	家族性アミロイドーシス
II. 限局性アミロイドーシス	**1. 脳アミロイドーシス**		
	1) 非遺伝性		
	Aβ	Aβ前駆蛋白（AβPP）	Alzheimer病，脳アミロイドアンギオパチー（CAA）
	APrP	プリオン蛋白（PrP）	Creutzfeldt-Jakob病（CJD）（孤発性，獲得性）
	2) 遺伝性		
	Aβ	AβPP	家族性 Alzheimer 病，遺伝性 CAA（オランダ型ほか）
	APrP	プリオン蛋白（PrP）	遺伝性プリオン病（Gerstmann-Sträussler-Scheinker 病ほか）
	ACys	シスタチンC	遺伝性 CAA（アイスランド型）*2
	ABri	ABri前駆蛋白	家族性英国型認知症*2
	ADan*3	ADan前駆蛋白	家族性デンマーク型認知症*2
	2. 内分泌アミロイドーシス		
	AIAPP	IAPP（アミリン）	2型糖尿病，インスリノーマに関連

*1：用語は国際アミロイドーシス学会用語委員会（*Amyloid*. 2014; **21**: 221-4.）による．厚生労働科学研究事業 難治性疾患克服研究事業・アミロイドーシスに関する調査研究班：アミロイドーシス診療ガイドライン 2010 より引用・改変．
*2：おもに中枢神経系に沈着するが，それ以外にも沈着する．
*3：ADan は ABri と同じ遺伝子（*BRI*）に由来する．

であることが多いが，臨床検査を併用し，多臓器障害の所見，AL アミロイドーシスでは M 蛋白，AA アミロイドーシスでは SAA などのマーカーを検索する．

確定診断は生検による．アミロイドは病理学的にコンゴーレッド染色で橙赤色に染まり，偏光顕微鏡下で緑色の偏光を呈する物質として同定される（ⓔ図 15-3-C）．アミロイドが確認されれば，病型診断のために，各種アミロイド蛋白（表 15-3-2）に対する特異抗体を用いた免疫組織化学でアミロイド蛋白の種類を同定する．

遺伝性アミロイドーシスの場合，責任遺伝子の変異や変異蛋白の検出が可能である．わが国でみられる遺伝性全身性アミロイドーシスのほとんどは TTR 型であり，TTR 遺伝子変異や血清中の変異型 TTR が検出される．老人性全身性アミロイドーシスでは野生型 TTR 由来アミロイドが沈着しており，アミロイドは免疫組織化学的に TTR 陽性であるが，TTR 変異を認めない．

経過・予後

AL アミロイドーシスの予後は不良で，診断後の 50％生存は約 13 カ月，心不全で発症した例では約 5 カ月であり，心不全，腎不全などで死亡する．AA アミロイドーシスの診断後の 5 年生存率は約 50％であり，死因は消化管障害，腎不全である．FAP では発症からの平均余命は約 10 年である．近年，有効な治療法（下記）の出現に伴い，これらの予後は改善している．

治療

アミロイドーシスに対する治療は①アミロイドの沈着過程そのものに対する治療（抗アミロイド療法あるいは根本療法）と，②アミロイド沈着の結果生じた臓器障害あるいはそれに起因する症状に対する治療（支持療法あるいは対症療法）があり，両者を組み合わせて治療を行う．以下に①について述べる．

AL アミロイドーシスの治療の目標は M 蛋白の産生を抑制することにある．自家末梢血幹細胞移植併用大量化学療法（大量メルファラン＋自家末梢血幹細胞移植）やほかの化学療法（メルファラン＋デキサメタゾンなど）が行われる．

AA アミロイドーシスの治療は基礎疾患の炎症を抑制し SAA を正常化することが目標である．基礎疾患で多い RA の場合，疾患修飾抗リウマチ薬，免疫抑制薬，副腎皮質ステロイドなどを用い免疫抑制療法を行うが，近年開発された生物学的製剤，特に抗 IL-6 受容体抗体療法は強力な SAA 抑制効果を有する．

FAP では TTR の 90％以上が肝臓で産生されるため，肝移植が治療の第一選択で，肝移植例の 10 年生存率は 71％である．高齢，発症後の長期経過，全身状態や心腎機能の悪化などの理由やドナーの問題によ

り肝移植が不可能な場合、TTR四量体安定化薬タファミジスを用いる。TTRは通常は四量体として存在し、それが解離して単量体となりミスフォールディングし重合してアミロイド線維を形成する。TTR四量体安定化薬はTTR四量体の中心部に結合して安定化させ、アミロイド形成を阻害し、FAPの進行を抑制する。

透析アミロイドーシスでは、慢性炎症や酸化ストレスなどの発症リスクを回避し予防するために、生体適合性のよい透析膜の選択、高純度の透析液の使用が推奨され、また、$β_2$-ミクログロブリンを高効率に除去できる透析方法の有用性が示唆されている。

〔山田正仁〕

■文献

厚生労働科学研究事業難治性疾患克服研究事業・アミロイドーシスに関する調査研究班（研究代表者・山田正仁）：アミロイドーシス診療ガイドライン2010, 2010. http://amyloid.umin.jp/~amyloid/cgi-bin/contz/pages/guideline.html
山田正仁編著：アミロイドーシス診療のすべて－ガイドライン完全解説, 医歯薬出版, 2011.

4）先天性アミノ酸・尿素回路および有機酸代謝異常症

先天性アミノ酸代謝異常症、尿素回路異常症、有機酸代謝異常症はいずれもアミノ酸の異化過程に障害をもつ先天代謝異常症の疾患群である。先天性アミノ酸代謝異常症は、アミノ酸を直接の基質とする、ないしはそのすぐ下流の反応を触媒する酵素、またはアミノ酸輸送担体の遺伝的欠損により体液中（血液、尿、髄液など）のアミノ酸濃度が変化する一群の疾患群である。表15-3-3に血中アミノ酸濃度と尿中アミノ酸濃度が増加し、診断の手がかりとなる疾患をまとめた。有機酸代謝異常症はアミノ酸の代謝第2段階より下流の代謝過程に働く酵素の欠損により、中間代謝産物である有機酸が体内に蓄積する疾患群で、代謝性アシドーシスを伴う。アミノ酸の異化過程で生ずる有害なアンモニアは、肝臓に存在する尿素回路とその周辺の反応の働きで無毒化される。尿素回路異常症はこれらの代謝過程に先天的な障害をもつ疾患群で、高アンモニア血症を伴う。有機酸代謝異常症や尿素回路異常症の一部の疾患においても血中アミノ酸濃度の異常が認められる（表15-3-3）。尿素回路異常症は、これまで尿素回路を構成する酵素の欠損症を指していたが、尿素回路を構成する酵素をコードしない遺伝子の変異によっても尿素回路が障害されることが明らかにされた。シトリン欠損症は、ミトコンドリア膜のアミノ酸輸送担体が欠損することで尿素回路の障害を生じ

るため、尿素回路異常症に含めて解説する。

ここでは、アミノ酸代謝異常症の代表的な3疾患（フェニルケトン尿症、メープルシロップ尿症、ホモシスチン尿症）、尿素回路異常症の2疾患（オルニチントランスカルバミラーゼ欠損症、シトリン欠損症）、および有機酸代謝異常症の2疾患（プロピオン酸血症、メチルマロン酸血症）について解説する。わが国で実施されているタンデムマス試験による新生児スクリーニングでは、アミノ酸代謝異常症5疾患、有機酸代謝異常症7疾患、脂肪酸代謝異常症4疾患を対象疾患としている（表15-3-3, 15-3-4）。

(1)フェニルケトン尿症 (phenylketonuria：PKU)
【⇒17-10-2-1】

定義・概念・病因

フェニルアラニン(Phe)をチロシンに転換するPheヒドロキシラーゼ(PAH)の遺伝的欠損により発症する常染色体劣性疾患である[1]。血中Phe濃度上昇が著しいものをフェニルケトン尿症、血中Phe濃度上昇が軽度～中等度のものを高フェニルアラン血症とよんで区別する場合がある。無治療の場合、精神発達遅滞・色素異常などの症状を呈する。精神発達遅滞は脳内のアミノ酸のインバランスの結果であり、色素異常はチロシンの合成不全によるメラニン欠乏の結果、と考えられている。

(e図15-3-D「フェニルアラニンの代謝経路」も参照。)

診断・疫学

新生児スクリーニングで、血中Phe値が2〜4 mg/dL以上の場合、異常とされる。Pheヒドロキシラーゼはテトラヒドロビオプテリン(BH_4)を補酵素とし、BH_4代謝経路の酵素欠損によっても高フェニルアラニン血症が起こり、テトラヒドロビオプテリン欠損症とよばれている。PKUとBH_4欠損症とはBH_4負荷試験により鑑別され、テトラヒドロビオプテリン欠損症の場合BH_4投与により血中Phe濃度が正常化する。わが国におけるフェニルアラニンヒドロキシラーゼ欠損症の発症頻度は約6万出生に1人である。

治療・予後

Pheを含む蛋白の摂取を制限し、Pheを含まないPKU治療乳を与え、血中Phe濃度を各年齢における目標範囲に生涯維持することで、知的障害を予防することができる。蛋白摂取量が少なすぎると体蛋白質の異化が進みかえってPhe濃度が上昇するため、摂取量低下にも注意が必要である。成人以後であっても治療を中止すると、統合失調症やうつ病に似た精神症状、注意力の低下などを高率に発症するため、治療は生涯継続する必要がある。PAH遺伝子変異による高フェニルアラニン血症でありながら、BH_4投与に反

表 15-3-3 おもな先天性アミノ酸代謝異常症

A 血中アミノ酸濃度の上昇が特徴的な疾患		
疾患名	血中に増加するアミノ酸	異常を示す酵素・輸送担体
高フェニルアラニン血症		
フェニルケトン尿症[*1]	フェニルアラニン	フェニルアラニンヒドロキシラーゼ
ビオプテリン代謝異常症（BH_4欠損症）	フェニルアラニン	
メープルシロップ尿症[*1]	ロイシン，イソロイシン，バリン	分岐鎖α-ケト酸脱水素酵素複合体
ホモシスチン尿症[*1]	メチオニン	シスタチオニン合成酵素
メチオニンアデノシルトランスフェラーゼ欠損症	メチオニン	メチオニンアデノシルトランスフェラーゼ
高チロシン血症		
Ⅰ型	チロシン	フマリルアセト酢酸分解酵素
Ⅱ型	チロシン	チロシンアミノ基転移酵素（細胞質型）
Ⅲ型	チロシン	4-ヒドロキシフェニルピルビン酸酸化酵素
非ケトーシス型高グリシン血症（別名　グリシン脳症）	グリシン	グリシン開裂酵素系
高プロリン血症		
Ⅰ型	プロリン	プロリン酸化酵素
Ⅱ型	プロリン	1-ピロリン-5-カルボン酸脱水素酵素
高ヒドロキシプロリン血症	ヒドロキシプロリン	ヒドロキシプロリン酸化酵素
高オルニチン血症（別名　脳回状脈絡網膜萎縮症）	オルニチン	オルニチンアミノ基転移酵素
尿素回路異常症		
CPSI 欠損症	グルタミン	カルバミルリン酸合成酵素
OTC 欠損症	グルタミン	オルニチントランスカルバミラーゼ
シトルリン血症Ⅰ型[*1]	シトルリン	アルギノコハク酸合成酵素
アルギノコハク酸尿症[*1]	アルギノコハク酸	アルギノコハク酸分解酵素
アルギニン血症	アルギニン	アルギナーゼ
N-アセチルグルタミン酸合成酵素欠損症	グルタミン	N-アセチルグルタミン酸合成酵素
シトリン欠損症		
NICCD	シトルリン，メチオニン，フェニルアラニン，など	シトリン（アスパラギン酸グルタミン酸輸送担体）〜ミトコンドリア膜
CTLN2	シトルリン	シトリン（アスパラギン酸グルタミン酸輸送担体）〜ミトコンドリア膜

B. 尿中アミノ酸排泄の増加が特徴的な疾患		
疾患名	尿中に増加するアミノ酸	遺伝的障害
シスチン尿症	シスチン，リジン，アルギニン，オルニチン	シスチン-二塩基性アミノ酸輸送担体（細胞膜）
リジン尿性蛋白不耐症	リジン，アルギニン，オルニチン	二塩基性アミノ酸輸送担体（細胞膜）
Hartnup 尿症	中性アミノ酸（アラニン，セリン，スレオニン，バリン，など）	中性アミノ酸輸送担体（細胞膜）
イミノグリシン尿症	プロリン，ヒドロキシプロリン，グリシン	イミノグリシン輸送担体
青いおむつ症候群	トリプトファン	トリプトファン輸送担体
HHH 症候群（高オルニチン血症・高アンモニア血症・ホモシトルリン尿症症候群）	オルニチン，ホモシトルリン	オルニチン輸送担体（ミトコンドリア膜）

A：血中アミノ酸濃度の特徴的な上昇を認め，診断の手がかりとなるおもな先天性アミノ酸代謝異常症をまとめた．
B：尿中アミノ酸濃度の特徴的な上昇を認め，診断の手がかりとなる先天性アミノ酸代謝異常症をまとめた．
[*1]：わが国におけるタンデムマス試験による新生児スクリーニングの対象疾患となっているアミノ酸代謝異常症5疾患を示した．

表 15-3-4 おもな先天性有機酸代謝異常症

疾患名	欠損酵素
プロピオン酸血症[*1]	プロピオニル CoA カルボキシラーゼ
メチルマロン酸血症[*1]	メチルマロニル CoA ムターゼ，ほか
イソ吉草酸血症[*1]	イソバレリル CoA 脱水素酵素
複合カルボキシラーゼ欠損症[*1]	ホロカルボキシラーゼ合成酵素
グルタル酸血症Ⅰ型[*1]	グルタリル CoA 脱水素酵素
グルタル酸血症Ⅱ型	電子伝達フラビン蛋白(ETF)，ETF 脱水素酵素
β-ケトチオラーゼ欠損症	アセトアセチル CoA チオラーゼ(ミトコンドリア)
メチルクロトニルグリシン尿症[*1]	3-メチルクロトニル CoA カルボキシラーゼ
HMG 血症[*1]（3-ヒドロキシ-3-メチルグルタル酸尿症）	3-ヒドロキシ-3-メチルグルタル CoA リアーゼ

おもな先天性有機酸代謝異常症とその遺伝的欠損を認める酵素を示した．
[*1]：わが国におけるタンデムマス試験による新生児スクリーニングの一次対象疾患となっている先天性有機酸代謝異常症 7 疾患．

応して血中 Phe 濃度の低下を認める症例が存在し，テトラヒドロビオプテリン反応性高フェニルアラニン血症とよばれている[2]．この場合，BH_4 内服により Phe 制限の緩和が可能となる．

血中 Phe 濃度が高いまま PKU 患者が妊娠した場合，胎児が PKU に罹患していなくても心奇形などの先天異常が高率に発生し，母性 PKU とよばれている．母体血中に高濃度に存在する Phe が胎児に移行し胎児の器官形成を阻害するためと考えられる．予防には適正な治療下の計画妊娠が必要となる．

(2) メープルシロップ尿症（楓糖尿症）（maple syrup urine disease）【⇨ 17-10-2-3】

定義・概念・病因

分岐鎖アミノ酸である，ロイシン，イソロイシン，バリンは，脱アミノを受けそれぞれの α-ケト酸となる．この α-ケト酸を基質とするのが分岐鎖 α-ケト酸脱水素酵素複合体であり，3 つの構成酵素(E1，E2，E3)をもち，さらに E1 は E1α と E1β サブユニットからなる．メープルシロップ尿症は，これらの構成蛋白質をコードする遺伝子の変異により発症する常染色体劣性遺伝病である[3]．無治療の場合，嘔吐，意識障害，呼吸障害などの急性発作を呈し，知的障害を高率に伴う．わが国では，E1α と E1β をコードする遺伝子の変異がそれぞれ約 30％，約 40％を占め，E3 欠損症では，ピルビン酸脱水素酵素複合体や α-ケトグルタル酸脱水素酵素複合体などのほかの酵素複合体と共通であるため，複数の酵素複合体の機能が低下し，乳酸などの蓄積も伴う[4]．

（e図 15-3-E「分枝アミノ酸の代謝経路」も参照．）

診断・疫学

本症患児は，新生児スクリーニングで，血中ロイシン濃度の高値として発見される．診断は，血中アミノ酸分析と尿有機酸分析における α-ケト酸の大量排泄を確認する．遺伝子検査は，E1α，E1β，E2，E3 をコードする遺伝子の変異解析による．白血球や線維芽細胞を用いた酵素活性測定も行われている．アミノ酸分析のパターンで診断される．わが国における頻度は，約 100 万出生に 1 人である．

治療・予後

新生児スクリーニングで血中ロイシン濃度の高値が指摘されたら直ちに入院のうえ，精査・加療が必要になる．自然蛋白質摂取を中止し，ロイシン，イソロイシン，バリン除去の治療用ミルクとカロリー補給を行うことで，体蛋白質の異化を抑え，中分岐鎖アミノ酸の濃度の低下をはかる．血中ロイシン濃度が高い場合は，遅滞なく血液浄化療法を実施する．神経症状が消失した後は，蛋白制限を含む食事療法へと移行し，血中ロイシン濃度を目標範囲に維持する．

(3) ホモシスチン尿症（homocystinuria）
【⇨ 17-10-2-4】

定義・概念・病因

血中ホモシステイン濃度の上昇により尿中へのホモシスチン排泄が二次的に増加する状態が，ホモシスチン尿症である[5]．血中ホモシステインが上昇する病態は，シスタチオニン β-合成酵素欠損症，ビタミン B_{12} 代謝異常症，葉酸代謝異常症などで認められるが，シスタチオニン β-合成酵素欠損症が最も頻度が高い．シスタチオニン β-合成酵素(CBS)をコードする遺伝子は染色体 21 番に存在し，シスタチオニン β-合成酵素欠損症は常染色体劣性遺伝形式をとる．出生時は，

基本的に無症状である．無治療の場合，1歳過ぎから知能障害，3歳頃から骨格異常による高身長，四肢指伸長，水晶体脱臼など，Marfan症候群に似た症状を呈する．また，血管系の合併症として，血栓症・塞栓症による脳梗塞，心筋梗塞，肺塞栓が特徴的である．眼症状や骨格の異常には，フィブリリンという蛋白質の構造異常によると推測されている．フィブリリンはシスチンに富んだ蛋白質で，ホモシスチン尿症ではシスチン欠乏のためフィブリリンの構造異常を招き，眼症状や骨格の異常が起こると考えられている．

（e図15-3-F「メチオニンの代謝経路」も参照．）

診断・疫学

新生児スクリーニングで，血中メチオニン（Met）濃度の高値として発見される．ホモシスチン尿症のわが国における頻度は，約35万出生に1例である．CBSはビタミンB_6を補酵素とし，ビタミンB_6反応性と非反応性に分類される．ビタミンB_6反応性の場合，ビタミンB_6投与により尿中へのホモシスチン排泄が減少する．

治療・予後

治療の基本は，低Met，高シスチン食事を与え，血中Met濃度を目標範囲に保つことにある．許容量のMetを含む低蛋白食とシスチンが強化されている低メチオニンミルクを用いる．ビタミンB_6反応性の症例はわが国ではまれであるが，反応性と非反応性では治療法や予後が大きく異なるため，反応性を確認する．ビタミンB_6非反応性の学童症例では，食事療法のみでは血中Met濃度を目標範囲に維持できない症例が多く，その際はベタインを併用する．

(4) オルニチントランスカルバミラーゼ欠損症

定義・概念・病因

カルバモイルリン酸とオルニチンを縮合しシトルリンを生成するという，尿素回路（e図15-3-G）の一反応を触媒するオルニチントランスカルバミラーゼをコードする*OTC*遺伝子の変異による[6]．*OTC*遺伝子はX染色体上に存在し，X連鎖遺伝形式をとる．発症時期は，生後まもなく高アンモニア血症で発症する新生児型，乳児以降成人期に発症する遅発型，がある．*OTC*遺伝子変異をもつ女性（ヘテロ接合体）はX染色体の不活化パターンにより，まったくの無症状，新生児発症，遅発型，のいずれの場合もありうる．

診断・疫学

高アンモニア血症，血中シトルリン低値，尿中オロト酸やウラシルの排泄増加，がある場合は本症と考えてよい．確定診断は，*OTC*遺伝子変異の検出による．

治療・予後

急性期，高度の高アンモニア血症を認める場合には血液浄化療法により血中アンモニア濃度を速やかに低下させる．同時に蛋白質摂取中止，糖質や脂質による十分な熱量補給，アンモニア排泄を促す薬剤（シトルリン，アルギニン，フェニル酪酸ナトリウム，安息香酸ナトリウム）の経静脈的投与を行う．安定期には，蛋白制限，熱量補給，シトルリンやフェニル酪酸ナトリウムの経口投与を行う．このような治療を継続しても高アンモニア血症発作を完全に防ぐことは困難であるため，最近では代謝状態が安定している時期に肝移植を積極的に行う方針がとられている．

(5) シトリン欠損症（citrin deficiency）

定義・概念・病因

ミトコンドリア内膜に存在するシトリンをコードする*SLC25A13*遺伝子の変異により発症する常染色体劣性疾患である[7]．シトリンは，ミトコンドリア内から外へアスパラギン酸を輸送する一方，ミトコンドリア外から内へグルタミン酸とプロトン（H^+）を輸送するアスパラギン酸/グルタミン酸輸送担体である．細胞質で利用されるアスパラギン酸はおもにミトコンドリアからシトリンの働きで供給される．シトリンは，糖質代謝で生じるNADHを処理しているリンゴ酸アスパラギン酸シャトルの一部をなす．このため，シトリン欠損症では細胞内NADHの蓄積により糖質代謝が障害されるため，患児は糖質摂取を嫌う[8]．また，細胞質中尿素回路の中間代謝産物であるアスパラギン酸の濃度低下のため，尿素回路も機能しなくなり，シトルリン血症と高アンモニア血症を生じる．

新生児期に発症するNICCD（neonatal intrahepatic cholestasis caused by citrin deficiency）と成人期に発症するCTLN2（adult-onset type Ⅱ citrullinemia）の2つの病型をもつ．NICCDは，数カ月齢で体重増加不良，胆汁うっ滞による遷延性黄疸や肝機能障害，などで発症する[9]．多くは一過性で1歳までに正常化するが，まれに肝不全となり肝移植を受けた症例の報告もある．CTLN2は，40～70歳で高アンモニア血症による意識障害や行動異常などで発症し，ときにうつ病，統合失調症，てんかんなどの精神疾患と誤診される．NICCD症例とCTLN2症例との間に*SLC25A13*遺伝子変異スペクトラムに相違はなく，遺伝子検査で両者を区別できない．

診断・疫学

約半数の症例では，新生児スクリーニングにおいて血中アミノ酸（シトルリン，メチオニン，フェニルアラニン）の異常や血中ガラクトース濃度の異常を契機に診断される．残りの症例は，乳児期の遷延性黄疸や体重増加不良を契機に診断される．胆汁うっ滞による黄疸や肝機能異常で発症する場合，胆道閉鎖症との鑑別が重要になる．幼児期以降は，基本的に無症状であるが，糖質を嫌い，脂質や蛋白質を好むという特異な

食癖は継続して認められ，診断の契機となる症例もある[8]．一般検査所見やアミノ酸分析のみでは本症の診断は困難で，*SLC25A13*遺伝子検査が必要になる．わが国に存在する高頻度遺伝変異を迅速に検出する簡便な診断法が開発されている．NICCDの頻度は1万〜2万人に1人，CTLN2の頻度は10万〜20万人に1人と推定される．

治療・予後

NICCDでは，ガラクトース除去ミルクと中鎖脂肪酸投与により，体重増加不良，黄疸，肝機能異常，などの症状の改善を認める．糖質を嫌うなどの特異な食癖を矯正しないことが重要である．CTLN2に伴う高度なアンモニア血症には血液浄化療法を行う．糖質制限と高蛋白・高脂肪食などの保存的療法が進歩し，肝移植に至る症例が減少している．長期的には，原発性肝癌の合併が問題になる．

禁忌

CTLN2に伴う肝性脳症において，グリセオールなどの高濃度グリセリンの投与は禁忌である．脳圧を下げる目的でかつて使用されたが，病状悪化の可能性が高く使用してはならない．

(6) プロピオン酸血症
定義・概念・病因

プロピオン酸血症と次項のメチルマロン酸血症はともにイソロイシンやバリンを含むアミノ酸の異化過程の障害により生ずる有機酸代謝異常症であり，類似の臨床像をもつ[10]．プロピオン酸血症は，プロピオニルCoAをメチルマロニルCoAに転換するプロピオニルCoAカルボキシラーゼ(propionyl CoA carboxylase：PCC)の遺伝的欠損により生じる[9]．蓄積したプロピオニルCoAは，プロピオン酸となり代謝性アシドーシスを引き起こし，尿中にはプロピオン酸をはじめとする種々の代謝産物が大量に排泄される．異常代謝産物はミトコンドリア内の尿素回路やグリシン開裂酵素系を抑制するため，高アンモニア血症や高グリシン血症を伴う．

(e図15-3-E，15-3-Fも参照．)

PCCはミトコンドリアマトリックスに存在し，ビオチンを補酵素とする酵素である．αとβの2つの異なるサブユニットからなり，ホロ酵素は$\alpha_6\beta_6$の構造をとる．αおよびβサブユニットは，それぞれ*PCCA*，*PCCB*にコードされ，遺伝子変異は両遺伝子に報告されている．

典型的には，哺乳開始後まもなく哺乳不良，嘔吐，嗜眠，筋緊張低下などの症状が出現し，痙攣，呼吸障害，昏睡へと進む．一般検査では，代謝性ケトアシドーシス，高アンモニア血症，白血球減少，などを示す．乳児以降に発症する場合，感染による発熱や飢餓を契機にケトアシドーシス発作を起こすことが多く，体重増加不良や精神運動発達遅滞を高率に伴う．

診断・疫学

タンデムマス試験による新生児スクリーニングでは，血中プロピオニルカルニチンの上昇と遊離カルニチン濃度の低下が認められる．本症が疑われた場合，ガスクロマトグラフ/質量分析計による尿中有機酸分析を実施する．プロピオン酸を含む異常代謝産物が確認できれば診断される．診断確定には，*PCCA*，*PCCB*遺伝子検査が行われる．白血球や線維芽細胞を用いた酵素診断も行われることもある．タンデムマス試験による新生児スクリーニングでは，約4万〜5万出生に1人の頻度で発見される．このうち多くは軽症例であり，*PCCB*の少なくとも一方の対立遺伝子に高い残存酵素活性をもつ*p.Y435C*変異をもつ場合に起こる．

治療・予後

急性期には，重篤な代謝性アシドーシスや高アンモニア血症を認めた場合，蛋白質摂取を中止し，糖質や脂質による十分な熱量を経静脈的に補給し，カルニチン投与を行う．急性期を脱したら，必要な自然蛋白質を母乳や粉乳から摂取し，その他の栄養は蛋白除去ミルクにより補う．薬物療法としては，カルニチン投与と腸内細菌によるプロピオン酸産生の抑制のためのメトロニダゾール投与が行われる．食欲不振はほぼ必発で，経管栄養の併用が必要になる．感染時に食事が進まないときには蛋白質の異化が進み，代謝性ケトアシドーシスや高アンモニア血症に至る(シックデイ)．この場合，末梢静脈への高張糖液輸液や中心静脈への高カロリー輸液を実施する．最近，本症に肝移植が行われるようになり，食欲増進やケトアシドーシス発作軽減が報告されているが，長期予後は不明である．

(7) メチルマロン酸血症
定義・概念・病因

メチルマロン酸血症は，次段階の反応である，D-メチルマロニルCoAをL-メチルマロニルCoAに転換するメチルマロニルCoAムターゼ(methylmaronyl CoA mutase：MCM)の欠損症である場合と，MCMの補酵素であるアデノシルコバラミン(adenosyl cobalamin：AdoCbl)の合成障害により発症する場合とがある[10]．いずれの場合も，メチルマロニルCoAやその上流のプロピオニルCoAが蓄積し，メチルマロン酸やプロピオン酸が生成され，代謝性アシドーシスを示す．プロピオン酸血症と同様に高アンモニア血症と高グリシン血症を伴う．

(e図15-3-E，15-3-Fも参照．)

MCMはPCCと同様にミトコンドリアマトリックスに存在し，相同二量体をとる酵素で，*MUT*により

コードされる．補酵素である AdoCbl はビタミン B_{12} 代謝物であるため，食事からのビタミン B_{12} の摂取不足時には，メチルマロン酸血症が生じる．

典型例では，新生児・幼児期に哺乳不良，嘔吐，嗜眠，筋緊張低下，体重増加不良などの非特異的症状が出現し，痙攣，頻回の嘔吐，呼吸障害，昏睡へと進む．

診断・疫学

タンデムマス試験による新生児スクリーニングでは，プロピオン酸血症と同様の所見を示す．本症が疑われた場合，ガスクロマトグラフ／質量分析計による尿中有機酸分析によりメチルマロン酸を含む異常代謝産物を確認する．次に栄養摂取歴と血中ホモシステイン濃度を測定し，ビタミン B_{12} 欠乏を鑑別する．メチルマロニル CoA ムターゼ欠損症，アデノシルコバラミン代謝異常症のいずれの場合でも，ビタミン B_{12} に対する反応性は治療予後に大きく影響するため，ビタミン B_{12} 負荷試験により反応性を確認する．わが国における発症頻度は，約 10 万出生に 1 人である．

治療・予後

ビタミン B_{12} 反応性の場合は，AdoCbl 投与で予後は良好である．ビタミン B_{12} 非反応性の場合，治療の基本はプロピオン酸血症の治療と同様である．現在の治療では，精神運動発達遅滞，腎障害，心筋障害，両側大脳基底核病変による不随意運動，など重篤な合併症を避けることは困難であるため，肝移植などの新規治療も試みられている． 〔呉　繁夫〕

■文献（e文献 15-3-4）

遠藤文夫総編：先天代謝異常ハンドブック，中山書店，2013．
Valle E, Beaudet AL, et al eds: The Online Metabolic & Molecular Basis of Inherited Diseases. http://www.ommbid.com
Zschocke J, Hoffman GF, ：小児代謝疾患マニュアル 第 1 版（松原洋一監訳），診断と治療社，2006．

15-4　脂質代謝異常

1）脂質代謝総論

脂質は，蛋白質や糖質と並ぶ 3 大栄養素の 1 つであり，生体にとって重要な役割を担う．たとえば，トリグリセリド（triglyceride：TG，中性脂肪）に由来する脂肪酸は重要なエネルギー源，コレステロールやリン脂質は細胞骨格の構成成分，さらにコレステロールは胆汁酸やステロイドホルモンなど代謝活性物質の原料として働き，これら脂質の代謝は巧妙かつ緻密にコントロールされている．血液中の脂質の大部分はリポ蛋白に含まれて存在するため，脂質代謝の理解にはリポ蛋白の役割を通じた脂質の流れを理解することが重要である．リポ蛋白はおもに小腸と肝臓で合成，分泌され，血液を介して全身諸臓器に達し，必要な脂質を供給する．

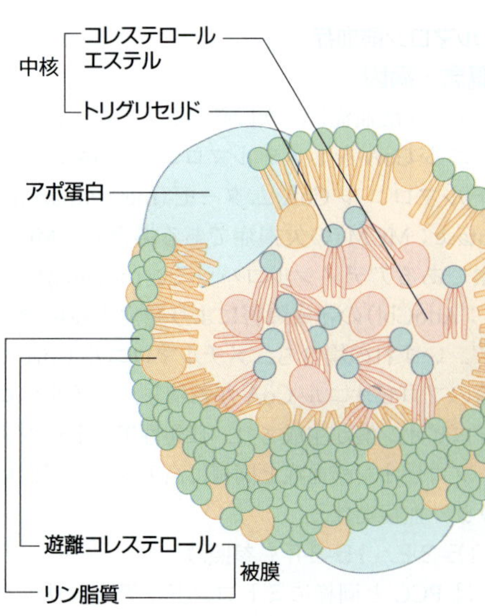

（1）リポ蛋白の構造

リポ蛋白は脂質と蛋白からなる球形の複合体であり，水溶性の低い脂質を血中に溶存させる役割を担う（図 15-4-1）．コレステロールは，おもにコレステリルエステル（cholesteryl ester：CE），残りが遊離コレステロール（free cholesterol：FC）としてリポ蛋白に含まれる．TG と CE は疎水性であるためリポ蛋白の中核部分に存在するのに対し，親水性を有する両親媒性のリン脂質や FC はリポ蛋白表面の被膜を形成する．リポ蛋白の被膜には，このほかアポ A-Ⅰ，A-Ⅱ，B，C-Ⅰ，C-Ⅱ，C-Ⅲ，E などのアポリポ蛋白（apolipoprotein）が存在し，リポ蛋白の代謝に重要や働きをしている．なお，アポ B には，肝臓由来の B100 と小腸由来の B-48 がある．

リポ蛋白は，種々の脂質とアポリポ蛋白の組み合わせにより，比重の異なる約 6 種類に分類される（表 15-4-1）．最も比重が小さく粒子サイズの大きいカ

図 15-4-1　リポ蛋白分子の構造（断面図）

表 15-4-1 リポ蛋白の分類と組成(寺本民生, 丸山千寿子：高脂血症テキスト, 南江堂, 2002)

	カイロミクロン	超低比重(VLDL)	中間比重(IDL)	低比重(LDL)	高比重(HDL$_2$)	高比重(HDL$_3$)
密度(g/mL)	<0.951	0.951〜1.006	1.006〜1.019	1.019〜1.063	1.063〜1.125	1.125〜1.2101
電気泳動	原点	プレβ(a_2)	β	a_1	a_1
直径(nm)	80以上	30〜80	25〜30	20〜30	10〜20	7.5〜10
組成(%)						
蛋白	1〜2	8	11	21	41	56
トリグリセリド	80〜90	50〜70	40	10	5	5
遊離コレステロール	1〜3	7	8	8	6	3
コレステリルエステル	2〜4	12	27	37	18	13
リン脂質	3〜6	15〜20	18	22	30	22
遊離脂肪酸	0	0	0	1	1	1

イロミクロン(chylomicron：CM)は，食事由来の脂質をもとに小腸粘膜細胞により生成され，TGを多く含む．これに対し，肝臓で合成されたTGやコレステロールを運搬するリポ蛋白は超低比重リポ蛋白(very low-density lipoprotein：VLDL)とよばれ，サイズやTG含量がCMについで大きい．CMとVLDLは，コレステロールに比べてTGをより多く含むため，TG-rich lipoprotein(TGが豊富なリポ蛋白)ともよばれる．中間比重リポ蛋白(intermediate-density lipoprotein：IDL)はVLDLのTGが一部分解された中間代謝物であり，VLDLレムナントともよばれる．IDL中のTGがさらに分解された後に形成される最終産物が低比重リポ蛋白(LDL)であり，サイズが小さく比重が大きい．以上の4種類のリポ蛋白はアポBを有することが共通の性質である．一方，高比重リポ蛋白(high-density lipoprotein: HDL)は異なる経路で生成され，アポBをもたず，最も小型で比重が大きい．

(2) 脂質の流れとリポ蛋白代謝

脂質には，経口摂取により食事中から賄われるものと生体内で合成されるものがある．食事由来の脂質で最も多いのはTGであり，1日約50〜100gが摂取される．一方，経口摂取を通じて得られるコレステロールは1日300〜700mg程度と格段に少ない．TGは生体に取り込まれると，そのほとんどが水解され脂肪酸となり，筋肉などでエネルギーとして利用される．余剰のTGは，脂肪細胞などにエネルギーとして貯蔵される．さらに過剰になると，脂肪組織以外にも肝臓などへ蓄積し，脂肪肝の原因となる．通常，生体外へTGが排泄されることはない．これに対して，コレステロールは小腸から吸収され，TGとともにCMに取り込まれてリンパ管に入り，その後，体循環へと移行し血中からそのほとんどが肝臓に取り込まれる．

コレステロールとTGは，肝臓でほかの脂質とともにVLDLに取り込まれ血中へと放出される．血中ではVLDL中のTGが水解され，コレステロール主体のLDLとなり，各細胞表面に存在するLDL受容体を介して細胞内へ取り込まれる．肝細胞に取り込まれたコレステロールはそのステロイド骨格を利用して胆汁酸へと変換され，小腸内腔へ排泄，消化液として利用される．副腎ではごく少量だがステロイドホルモンに変換され，血中で利用される．しかしヒトはステロイド骨格を分解することができないため，胆汁を介した小腸への排泄を唯一の経路としてコレステロールを体外へ排泄する．小腸には，コレステロールそのものも胆汁酸とともにミセルを形成して排泄される．この胆汁酸は回腸末端部で回腸胆汁酸トランスポーターとよばれる蛋白を介して能動的に再吸収され，ほぼ95%が腸肝循環すると考えられており，糞便中に排泄される量は全体の5%にすぎない．胆汁酸は1日に500〜800mgが合成され，同量が排泄されることにより恒常性を保っている．一方，胆汁中に排泄されるコレステロールは1日800〜2000mgだが，この50%以上は小腸粘膜に存在するNiemann-Pick C1 like 1(NPC1L1)という蛋白を介して再吸収される．コレステロール合成には多量のエネルギーを要するため，生体は可能なかぎりコレステロールを再利用して生体機能を保とうとしていると考えられる．リン脂質は，ほぼ，コレステロールと同様の動きを示し，生体膜やリポ蛋白の形成脂質として重要な役割を果たす．

a. 小腸由来リポ蛋白(CM)の代謝

小腸上皮細胞は，食事中のTGやコレステロールを中心に，胆汁中のコレステロールも含め外因性に脂質を取り込む．これらの脂質が小腸上皮細胞内で合成さ

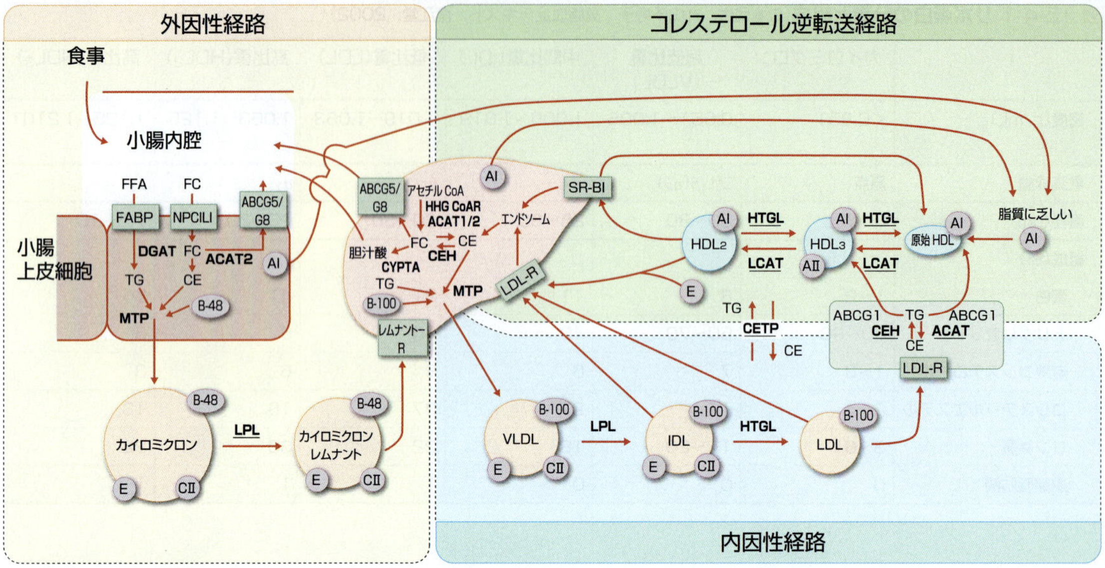

図 15-4-2 リポ蛋白の代謝

外因性経路：食事由来のトリグリセリド（TG）とコレステロールをカイロミクロンを介して肝臓へ運搬する経路．
内因性経路：肝臓で合成された TG とコレステロールを VLDL，LDL を介して末梢組織へ運搬する経路．
コレステロール逆転送経路：末梢組織のコレステロールを HDL を介して肝臓へ運搬する経路．
ABC：ATP 結合カセット輸送体，ACAT：アシル CoA コレステロールアシルトランスフェラーゼ，A-Ⅰ：アポリポ蛋白 A-Ⅰ，A-Ⅱ：アポリポ蛋白 A-Ⅱ，B-48：アポリポ蛋白 B-48，B-100：アポリポ蛋白 B-100，CE：コレステリルエステル，CEH：コレステロールエステラーゼ，CETP：コレステリルエステル転送蛋白，CYP7A：コレステロール 7α-ヒドロキシシラーゼ，C-Ⅱ：アポリポ蛋白 C-Ⅱ，DGAT：ジアシルグリセロールアシルトランスフェラーゼ，E：アポリポ蛋白 E，FABP：脂肪酸結合蛋白，FC：遊離コレステロール，HDL：低比重リポ蛋白，HMG CoAR：ヒドロキシメチルグルタリル CoA 還元酵素，HTGL：肝性トリグリセリドリパーゼ，IDL：中間比重リポ蛋白，LCAT：レシチン-コレステロールアシルトランスフェラーゼ，LDL：低比重リポ蛋白，LDL-R：LDL 受容体，LDL：リポ蛋白リパーゼ，MTP：マイクロソームトリグリセリド輸送蛋白，NPC1L1：Nieman-Pick C1 like1，SR-BI：スカベンジャー受容体 B1，VLDL：超低比重リポ蛋白，レムナント-R：レムナント受容体．

れたアポ B-48 とともに再構築され CM を生じる．アポ B-48 と脂質の統合を通じた CM の生成には，ミクロソームトリグリセリド輸送蛋白（microsomal triglyceride transfer protein：MTP）とよばれる蛋白の作用が必要である．CM は，小腸上皮細胞からリンパ管に入り，胸管を通じて静脈角から上大静脈内へ移行する．静脈へ入った CM は 図 15-4-2 に示すように HDL などのリポ蛋白からアポ C-Ⅱ やアポ E を獲得して成熟化する．CM は，静脈内皮細胞表面のヘパラン硫酸プロテオグリカンに係留されているリポ蛋白リパーゼ（lipoprotein lipase：LPL）の作用を受け TG の一部が分解され，脂肪酸を各細胞へエネルギー源として分配した後にカイロミクロンレムナント（chylomicron remnant：CM-r）となる．この LPL 作用にはアポ C-Ⅱ の存在が不可欠である．CM-r は肝臓にレムナント受容体を介して取り込まれ，その運命を終える．この取り込みには，CM-r 表面に存在するアポ E が必要である．

かくして食事由来の TG は，一部が分解され脂肪酸として筋肉や脂肪組織に取り込まれエネルギー源として利用されるが，その遺残物である CM-r は食事由来脂質（TG やコレステロール）を肝臓へと届ける役割を担う．この際に，脂溶性ビタミンであるビタミン A，E，D，K なども肝臓へ運搬される．

以上のように，CM に依存して食事由来の脂質を主に肝臓へと運ぶ経路は外因性経路ともよばれる．

b. 肝臓由来リポ蛋白（VLDL，IDL，LDL）の代謝

肝細胞は，みずからコレステロールや TG などの脂質を合成（de novo 合成）するほか，レムナント受容体や LDL 受容体を介して血中から脂質を得る．これらの脂質が，MTP の働きにより肝臓で合成されたアポ B-100 と統合され，VLDL を生じる．遺伝的な MTP 分子の異常は，CM や VLDL を合成できない無 β リポ蛋白血症をもたらす．

肝臓で合成・分泌された VLDL は 図 15-4-2 に示すように LPL の作用を受けて，TG が水解され，IDL となる．この際，TG に由来する脂肪酸はエネルギー源として末梢組織へ分配される．IDL は，肝臓で合成される肝性トリグリセリドリパーゼ（hepatic triglyceride lipase：HTGL）の作用を受けてさらに TG を失い，コレステロールに富む LDL となる．このようにして形成された LDL は，LDL 受容体を介して各種細

胞に取り込まれる．LDL由来のコレステロールは細胞膜の一部となるほか，副腎ではステロイドホルモン，性腺では性ホルモン，肝臓では胆汁酸の合成に利用される．かくして肝臓由来のリポ蛋白は，肝臓で合成された脂質を各種末梢細胞へ必要な脂質を分配するという役割を演じている．以上のように，肝臓由来の脂質を全身へ供給する経路を内因性経路ともよぶ．

肝臓は，VLDL，HDLの合成臓器であるとともに，小腸で合成されたCMの異化臓器でもあるということから，リポ蛋白代謝における最も中心的な臓器といえる．

c. HDLによるコレステロール逆転送経路

HDLは末梢組織からコレステロールを引き抜く作用を担う．HDLの主要アポリポ蛋白として知られるアポA-Iは，肝臓や小腸で合成される脂質親和性の強い両親媒性蛋白である．アポA-Iが細胞表面に存在するATP結合カセット輸送体（ATP binding cassette：ABC）A1に結合すると，ABCA1はATPの水解を通じて細胞内のリン脂質やコレステロールをアポA-Iへと受け渡すことが知られている．この結果，脂質を結合したアポA-I，すなわち原始型HDL（pre-β HDLともよばれる）が生成される．著しい低HDLコレステロール血症を呈するTangier病はABCA1の遺伝子異常により生じる．さらにABCA1は，細胞内に局在するABCG1分子と協調してHDLへのコレステロール輸送を促進する．なお，動脈硬化巣のマクロファージからコレステロールを受け取ったHDLは，主としてリンパ管を介して血漿中へと運ばれることが示されている．

HDLがコレステロールを取り込む過程では，肝臓で合成されるレシチン-コレステロールアシルトランスフェラーゼ（lecithin:cholesterol acyltransferase：LCAT）の作用により，血中でCEが形成され，レシチンはリゾレシチンに変換される．形成されたCEは疎水性が強いため，原始型HDLの内部へと移行し，成熟化してHDL$_3$になる．CEの含有量が増えるにつれHDL$_3$のサイズは大型化しHDL$_2$となる．このCEに富むHDL$_2$は，コレステリルエステル転送蛋白（cholesteryl ester transfer protein：CETP）の作用によりCEをVLDLやLDLへと受け渡す．この経路を通じ，最終的にCEは，生体のLDL受容体の約80％を発現する肝臓へと運ばれる．ちなみにCETPは，CEと交換にTGをLDLやVLDLからHDLへと転送する働きも有する．

さらに肝臓にはスカベンジャー受容体B1（scavenger receptor type B-I：SR-BI）という受容体があり，HDL中のCEを特異的に取り込み，肝臓から胆汁中へ排泄されるコレステロールのプールを形成している．このように末梢細胞からHDLを介してコレステロールが肝臓へ戻される経路をコレステロール逆転送経路とよぶ（eコラム1）．

(3) コレステロールの代謝

すでに述べたように，コレステロールは生体にとってきわめて重要な分子であり，生体はこれを巧妙に利用している．

a. コレステロールの吸収

小腸で吸収されるコレステロールは，主として食事と胆汁コレステロール，脱落した小腸細胞という3つの起源に由来する．食事由来のコレステロールは通常1日あたり300〜700 mg，胆汁コレステロールは800〜2000 mg，小腸粘膜脱落細胞からのコレステロールは約300 mgと推測されている．つまり，1日に1.5〜2 g程度のコレステロールが小腸において吸収の対象となる．

ヒトの場合，食事由来コレステロールは，いったん膵臓由来のコレステロールエステラーゼの働きで遊離型コレステロール（FC）になり，胆汁中のコレステロールとともに胆汁酸によってミセル化され，小腸粘膜細胞に至る．ミセル中に存在するコレステロールは小腸粘膜細胞表面のNPC1L1というコレステロールトランスポーターに特異的に認識され細胞内へ取り込まれる．小腸に存在するコレステロールの約50％がNPC1L1経路を介して吸収されると推定されている．小腸粘膜細胞で吸収されたFCは小腸粘膜細胞内でアシルCoAコレステロールアシルトランスフェラーゼ（acyl-coenzyme A: cholesterol acyltransferase：ACAT）によりエステル化され，CEとなってCMに組み込まれる．したがって，体内コレステロールプールに対する外因性コレステロールの寄与には，小腸粘膜におけるNPC1L1を介した吸収と細胞内でのACATによるエステル化が律速段階となると推察されている．

ACATの調節機構は十分には明らかにされていないが，NPC1L1はインスリンやコレステロールにより制御を受ける．NPC1L1を阻害する薬剤も開発され（エゼチミブ），臨床的にも本薬剤が血清コレステロールを低下させることが明らかにされている．食事由来コレステロールの血中コレステロールに対する寄与度は，約300 mg/日までは直線的に増加する．

b. コレステロールの合成

コレステロールは細胞膜の構成成分であるとともに，胆汁酸やステロイドホルモンの前駆体でもあり，生体の機能維持に不可欠な脂質である．1日あたり食物中から300〜700 mgのコレステロールが供給されるのに対し，体内で合成されるコレステロールは1500〜2000 mg（肝臓では約500 mg）に及び，コレステロールプールにおける内因性コレステロールの比率

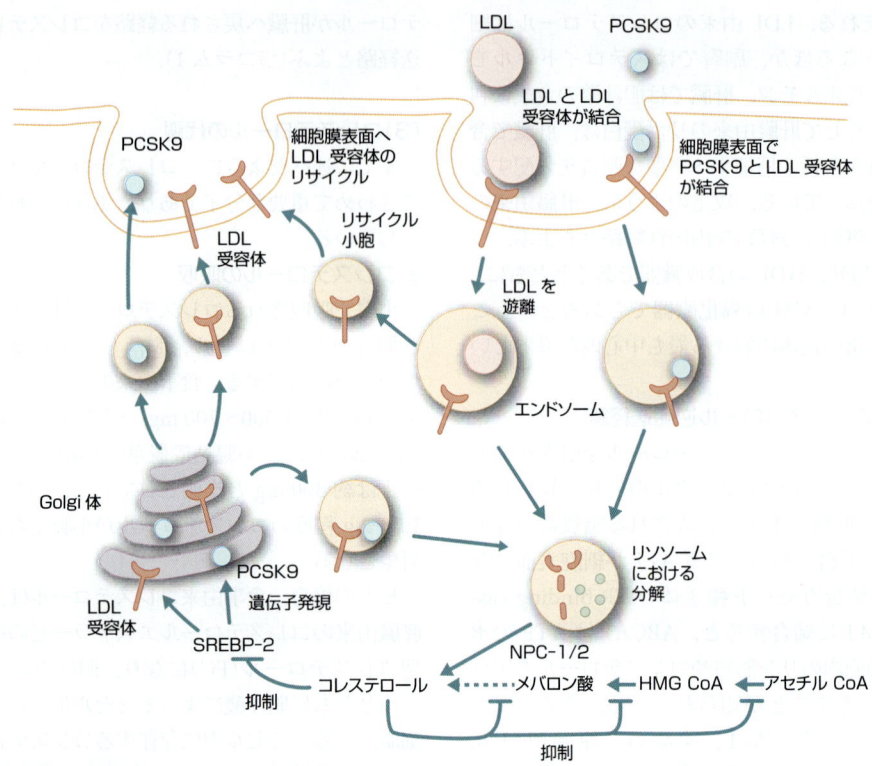

図 15-4-3 LDL 受容体による細胞内へのコレステロール取り込みと PCSK9
細胞表面の LDL 受容体と結合した LDL は，細胞内へ取り込まれ，エンドソームを介してリソソームで分解される．この結果，細胞内コレステロールプールが増加すると，LDL 受容体の発現やコレステロール合成経路にネガティブフィードバックを生じる．エンドソームで LDL を遊離した LDL 受容体は，細胞膜表面へとリサイクルされる．PCSK9 蛋白は，細胞外および細胞内で LDL 受容体を結合する．PCSK9 と結合した LDL 受容体は，リサイクルされることなくリソソームで分解される．PCSK9 は LDL 受容体と同様，SREBP-2 によって遺伝子発現が制御される．
NPC：Niemann-Pick type C, PCSK9：proprotein convertase subtilisin kexin 9, SREBP：sterol regulatory element-binding protein.

は高い．コレステロールは e 図 15-4-A に示すように，アミノ酸や糖質合成の交差点であるアセチル CoA を起点として 17 段階以上のプロセスを経て合成される．コレステロール 1 分子の合成は，3 分子の ATP を必要とするエネルギー消費の多い合成系であり，そのために生体は全身で無駄なくコレステロールを利用する仕組みを身につけたものと考えられる．その律速段階となるのが 3-hydroxy-3-methyl-glutaryl coenzyme A (HMG CoA) をメバロン酸に還元する HMG CoA 還元酵素である．HMG CoA 還元酵素は分子量約 97 K の糖蛋白であり，滑面小胞体に局在し，その C 末端が酵素活性をもつ部位で細胞質中に突き出ており，N 端末には疎水性のアミノ酸が並ぶ部位と親水性のアミノ酸が並ぶ部位があり，小胞体膜を 7 回貫通している．

コレステロールは哺乳類の生存に必須である一方，過度の遊離コレステロールは細胞毒でもある．このため，過剰な遊離コレステロールは CE として蓄積（泡沫化）するか，細胞外への排出（cholesterol efflux）に

よって対応している．細胞内コレステロールには，de novo 合成のプールと LDL 受容体を介して取り込まれるコレステロールプールが存在し，精緻なフィードバック機構により制御されている．LDL 受容体は 1973 年に Brown, Goldstein により発見された膜蛋白であり，7 つの膜貫通ドメインを有する（Brown ら，1976）．LDL 受容体はアポリポ蛋白 B（アポ B）を特異的に認識して LDL を細胞内へ取り込み，LDL 中のコレステロールが利用される（図 15-4-3）．細胞内のコレステロールが不足すると，ステロール調節エレメント結合蛋白（sterol regulatory element-binding protein：SREBP）-2 の活性が高まり，その支配下にある LDL 受容体の発現が上昇，細胞内への LDL 取り込みが増加する．逆に，細胞内への LDL 取り込みや de novo 合成により細胞内のコレステロールが増加すると，コレステロールや LDL 受容体の合成が抑制され，細胞内コレステロールの恒常性は保たれる．また，LDL 受容体を介して細胞内に入った LDL はエンドソームに取り込まれ，リソソームへと運搬される．

リソソームから細胞質へのコレステロールの移動には，Niemann-Pick type C1（NPC-1）や NPC-2 などの蛋白が関与すると考えられている．

2003 年に，PCSK9（proprotein convertase subtilisin kexin 9）とよばれる蛋白が発見された．PCSK9 は，プロテイナーゼ K 類似のセリンプロテアーゼ（蛋白質分解酵素）活性をもつ分子である．肝細胞から血中へ分泌され，自己分泌（autocrine）あるいは傍分泌（paracrine）で肝細胞表面の LDL 受容体へ結合，その再利用（リサイクル）を阻害し，エンドソーム／リソソームにおける分解を促進する結果，クリアランスの促進を通じて血中 LDL の低下に働くことが明らかにされた．また，PCSK9 は細胞内においても LDL 受容体と結合し，LDL 受容体が細胞膜表面へ到達することなく分解される経路にもかかわっている．PCSK9 の機能獲得型遺伝子変異は高 LDL コレステロール血症をもたらし，心血管疾患の発症リスクが高いこと，逆に機能喪失型変異では血中 LDL コレステロール値や心血管リスクの低下することがそれぞれヒトの検討で示されている．現在，PCSK9 を標的とした中和抗体が，家族性高コレステロール血症など心血管リスクの高い高 LDL コレステロール血症に対する新たな治療薬として臨床使用されている．PCSK9 の遺伝子発現は，LDL 受容体と同様，SREBP-2 によって制御されることから，何重にも厳密に調節される細胞内コレステロール量維持機構の新たな役者として興味がもたれる．

一方，de novo 合成されたコレステロールの一部は速やかに（約 30 分とされている）形質膜へ運搬され，形質膜のコレステロールとして利用される．それ以外のコレステロールは小胞体で CE となり，最終的には VLDL として血中に分泌される．VLDL は血中でリポ蛋白リパーゼ（LPL）による TG の水解・代謝を受けて LDL に変換し，各末梢臓器にコレステロールや TG を分配する役割を演ずる．この VLDL としての分泌には，MTP の作用によるアポ B の結合が必要である．

c. 胆汁としての脂質排泄機構

コレステロールの胆汁への流出は，マイクロソームの FC プールにより決定されている．FC の約 40％が胆汁コレステロールとして分泌され，約 50％が胆汁酸に変換されて分泌される．また，胆汁中のコレステロールは胆汁酸とともに分泌されることから，ステロール分泌は胆汁酸の合成量に依存していることとなる．胆汁酸は e図 15-4-B に示すように 14 種の酵素によりコレステロールから合成されるが，その律速段階は 7-ヒドロキシラーゼ（CYP7A）であり，一次胆汁酸としてコール酸（cholicacid：CA）とケノデオキシコール酸（chenodeoxy holic acid：CDCA）が形成される．合成比率は CA が約 66％を占めるとされている．小腸へ分泌された胆汁酸は，腸管内でデオキシコール酸やリトコール酸となり，腸肝循環して再吸収される．この胆汁酸合成では CYP7A が律速酵素であるが，CYP7A はリガンド依存性核内受容体である肝臓 X 受容体（LXR），ファルネソイド X 受容体（FXR）により，それぞれ促進的，抑制的制御を受けている．促進的に作用するものとしてはコレステロールやオキシコレステロールが LXR のリガンドとして作用し，抑制的には CDCA が FXR のリガンドとして作用しており，総じて胆汁中のコレステロール量や胆汁酸の生成量を一定に保つ恒常性環境があるものと思われる．

胆汁中へのコレステロール排泄は，ATP 結合カセット輸送体（ABC）G5/8 という輸送体によって担われている．胆汁酸は胆汁酸排泄ポンプ（BSEP）で細胆管に排泄され，リン脂質は多剤耐性蛋白（MDR）3 により能動的に排泄され，胆汁中の各脂質のバランスがとられている．このようにして分泌された胆汁中のコレステロールは，コレステロール吸収の項【⇒ 15-4-1-3-a】でも述べたように，小腸粘膜細胞表面に存在する NPC1L1 により約 50％が再吸収される．一方，胆汁酸は回腸末端に存在する胆汁酸トランスポーターにより約 95％が能動的に再吸収され，5％（1 日約 500 mg）のみが糞便中に排泄される．再吸収されて門脈中に運搬された胆汁酸は 1 回の肝臓通過で 80％以上が肝臓に取り込まれる．このような腸肝循環は 1 日に 4～12 回行われるとされ，コレステロールや胆汁酸がきわめて効率よく利用されている．

（4）トリグリセリド（TG）の代謝

前述のように，脂質はエネルギー源としても重要な栄養素である．血中脂質のなかで主たるエネルギー源は TG であり，その水解により生じる脂肪酸が細胞で利用されエネルギー産生に寄与している．ヒトの食事中に含まれる脂質の大部分は TG であり，1 日 50～100 g が摂取される．食事中の TG は，胃リパーゼや膵リパーゼの作用を受けて脂肪酸とモノグリセリドに分解されてはじめて小腸粘膜細胞に取り込まれる．TG が膵リパーゼの水解を受けるためには複合ミセル状態になっている必要があり，ここにも胆汁酸の作用が必要となる．脂肪酸は，小腸粘膜細胞表面に存在する脂肪酸結合蛋白（FABP）を介して取り込まれる．

小腸粘膜では，e図 15-4-C のモノアシルグリセロール経路とグリセロリン酸経路により TG が再合成される．取り込まれた脂肪酸は活性化され，アシル CoA となり，モノグリセリドに順次脂肪酸が結合して TG となる．一方，空腹状態もしくは飢餓状態ではグリセロリン酸経路が作動し，グリセロリン酸がアシル CoA によりホスファチジン酸となり，その後，加

水分解を受けてジグリセリドとなり，最終的にアシルCoAによりTGとなる．このようにして合成されたTGは最終的には先のCEやアポB-48と統合されてCMとなる．食事由来脂質の大半がTGであることを反映して，CMの90％以上はTGで占められることとなる．

CMは血中で脂肪酸を各細胞にエネルギー源として分配しながら，CM-rとして肝臓に取り込まれ，その脂質は肝臓で利用されることとなるが，肝臓は*de novo*でも脂肪酸合成を介してTGを合成している．この脂肪酸合成にかかわる脂肪酸合成酵素（FAS）などのリポジェニックな酵素群の発現にはSREBP-1cが強く関与している．SREBP-1cは糖質，飽和脂肪酸などの摂取やインスリン刺激により活性化され，TGの合成を亢進させる．また，オキシステロールをリガンドとするLXRも，SREBP-1cの調節を担う．一方，多価不飽和脂肪酸の摂取によりSREBP-1cは抑制され，脂肪酸合成の抑制をもたらすことが知られている．インスリン抵抗性を伴う2型糖尿病などの病態では，肝臓におけるインスリン受容体作用のうち，糖代謝にかかわるシグナルは抑制されるものの，SREBP-1c経路には抵抗性を生じないため，高インスリン血症に応じてTG合成が高まる結果，耐糖能障害と高トリグリセリド血症・脂肪肝が共存するものと考えられている．　　　　　　〔横手幸太郎・寺本民生〕

■文献

Abifadel M, Varret M, et al: Mutations in PCSK9 cause autosomal dominant hypercholesterolemia. *Nat Genet*. 2003; **34**:154-6.

Brown MS, Goldstein JL: Familial hypercholesterolemia: A genetic defect in the low-density lipoprotein receptor. *N Engl J Med*. 1976; **294**: 1386-90.

Tall AR, Yvan-Charvet L, et al: HDL, ABC transporters, and cholesterol efflux: implications for the treatment of atherosclerosis. *Cell Metab*.2008; **7**: 365-75.

2）脂質異常症
dyslipidemia

概要

リポ蛋白を構成する脂質にはコレステロール，トリグリセリド，リン脂質などがあるが，通常，コレステロールとトリグリセリドの高低を診断に利用する．血清リポ蛋白の増加により，血中の脂質が増加する病態を高脂血症とよぶ．最近では，一部のリポ蛋白が低下する低脂血症も含めて，脂質異常症と総称する．基準値を表15-4-2に示す（日本動脈硬化学会，2012）．

原因によって原発性と続発性に大別される．基準値をこえた血清脂質の種類によって，高コレステロール血症，高トリグリセリド血症，低HDLコレステロール血症のような呼称が一般に使用される．高脂血症の場合，増加するリポ蛋白の種類によって6つの表現型に分類される（表15-4-3）．原発性高脂血症では原因遺伝子名（リポ蛋白リパーゼ（LPL）欠損症など）や，臨床的特徴（家族性高コレステロール血症（familial hypercholesterolemia：FH）などを冠した疾患名が一般に用いられる．

病因・病態生理・発症機序

高脂血症の場合，該当するリポ蛋白の産生の亢進，異化の低下，または両者による．リポ蛋白間の脂質転送障害も原因になる．低脂血症の場合，該当するリポ蛋白の産生の低下，異化の亢進，または両者による．二次性の要因がない場合は，原発性とよばれ，その多くは異化障害が基本病態である．

原発性脂質異常症を中心にその特徴と病態生理を以下に概説する．

1）家族性高コレステロール血症（FH）とその類縁疾患： FHはLDLコレステロール高値，若年性冠動脈疾患，黄色腫を3徴とする常染色体優性遺伝疾患である．LDL受容体以外にPCSK9，アポBの遺伝子異常が同定されている．FHのヘテロ接合体（HeFH）は200～500人に1人，ホモ接合体（HoFH）は100万人に1人と推定されている．最も高頻度の原因がLDL受容体異常に起因するFHである．これまでに1000種類以上のLDL受容体変異が報告されている．LDL受容体活性が欠損（正常活性の<2％）または低下（2～25％）する結果，LDL受容体のリガンドとなるアポB100またはアポEを含有するリポ蛋白の異化が遅延する．アポEを含有するVLDLとIDLはLDLへ変換されるので，最終的にはLDLだけが著明に増加する．HoFHの総コレステロール値は通常500 mg/dL以上に達する．浸透率の高い常染色体優性遺伝のため，両親とも高コレステロール血症を呈する．HeFHの総コレステロール値は200～400 mg/dLの範囲で，両親のどちらか，同胞の半数に高コレステロール血症を認める．

PCSK9の機能獲得型（gain-of-function）変異はLDL受容体が減少するため，LDL受容体異常に類似した臨床像を呈する．LDL受容体異常に起因するFHと対比して常染色体優性高コレステロール血症（autosomal dominant hypercholesterolemia：ADH）ともよばれる．LDL受容体はLDLに結合して細胞内にエンドソームとして取り込まれる．エンドソーム内が酸性環境になるに従い，LDL受容体はLDLから分離し，再び細胞膜にリサイクルされる．一方，受容体と分離したLDLはリソソームに達して分解される．PCSK9は肝臓から分泌された後にLDL受容体に結合する．PCSK9を結合したLDL受容体は，エンドソーム内で

LDLから分離せず，LDLとともにリソソームに移行して分解されてしまう．PCSK9に機能獲得型変異があると，この過程が促進され，肝細胞表面のLDL受容体数が減少する．PCSK9変異のホモ接合型やLDL受容体との複合HeFH患者は，LDL受容体のHoFHに比して軽症である（e図15-4-D）．

治療薬としてのPCSK9阻害薬についてはeコラム1参照．

アポB-100のLDL受容体結合部位の変異により，受容体結合能を失ったアポB-100に伴って発症する常染色体優性の高コレステロール血症は家族性欠陥アポB-100血症（familial defective apoB-100：FDB）とよばれる．ドイツで1000人に1人と高頻度だが，日本では未報告である．LDL受容体異常に起因するHeFHとの臨床的な区別は困難である．

常染色体劣性遺伝性高コレステロール血症（autosomal recessive hypercholesterolemia：ARH）はLDL受容体adaptor protein 1（LDLRAP1）の異常に起因する．LDL受容体の肝細胞内への取り込みが障害される．皮膚線維芽細胞のLDL受容体活性は正常だが，リンパ球と肝細胞のLDL受容体活性は著明に低下する．LDL受容体異常に起因するHoFHよりも軽症だが，HeFHよりも重症である．

シトステロール血症も常染色体劣性遺伝し，FHに類似した臨床症状を呈する．植物ステロール（シトステロールやカンペステロール）と動物ステロール（コレステロール）の腸管内腔や胆汁中への排泄を担うABCG5とABCG8の遺伝子異常に起因する．正常では植物ステロールの5%未満しか小腸で吸収されない

表15-4-2 脂質異常症：スクリーニングのための診断基準（空腹時採血[*1]）

LDLコレステロール	140 mg/dL以上	高LDLコレステロール血症
	120〜139 mg/dL	境界域高LDLコレステロール血症[*2]
HDLコレステロール	40 mg/dL未満	低HDLコレステロール血症
トリグリセリド	150 mg/dL以上	高トリグリセリド血症

LDLコレステロール値はFriedewald（TC-HDL-C-TG/5）の式で計算する（TG値が400 mg/dL未満の場合）．TG値が400 mg/dL以上や食後採血の場合にはnon HDL-C（TC-HDL-C）を使用し，その基準はLDL-C + 30 mg/dLとする．

[*1]：10〜12時間以上の絶食を「空腹時」とする．ただし，水やお茶などカロリーのない水分の摂取は可とする．
[*2]：スクリーニングで境界域高LDLコレステロール血症を示した場合は，高リスク病態がないか検討し，治療の必要性を考慮する．

表15-4-3 高脂血症のFredrickson分類

	I	IIa	IIb	III	IV	V
リポ蛋白	カイロミクロン	LDL	LDL, VLDL	カイロミクロン, VLDLレムナント	VLDL	カイロミクロン, VLDL
トリグリセリド	↑↑↑	N	↑	↑↑	↑↑	↑↑↑
総コレステロール	↑	↑↑↑	↑↑	↑↑	N/↑	↑↑
LDLコレステロール	↓	↑↑↑	↑↑		↓	↓
HDLコレステロール	↓↓↓	N/↓	↓	N	↓↓	↓↓↓
血清外観	乳び	透明	透明	混濁	混濁	乳び
黄色腫	発疹性	腱，結節性	なし	手掌，結節発疹性	なし	発疹性
膵炎	+++	0	0	0	0	+++
冠動脈疾患	0	+++	+++	+++	+/−	+/−
末梢動脈疾患	0	+	+	++	+/−	+/−
分子異常	LPL, アポC-II	LDLR, アポB-100, PCSK9, LDLRAP, ABCG5, ABCG8		アポE	アポA-V	アポA-V, GPIHB1
疾患名	FCS	FH, FDB, ADH, ARH, シトステロール血症	FCHL	FDBL	FHTG	FHTG

FCS：familial chylomicronemia syndrome, FH：familial hypercholesterolemia, FDB：familial defective apoB100, ADH：autosomal dominant hypercholesterolemia, ARH：autosomal recessive hypercholesterolemia, FCHL：familial combined hyperlipidemia, FDBL：familiol dysbetalipoproteinemia, FHTG：familial hypertriglyceridemia.

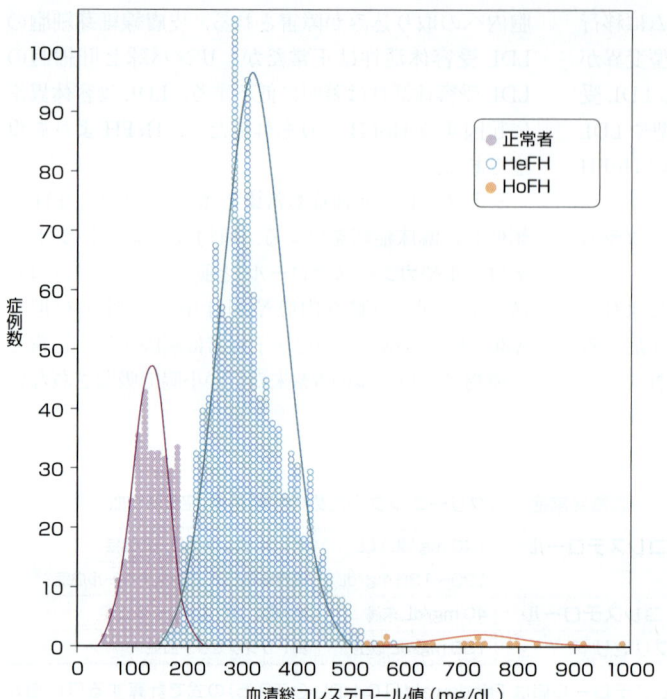

図15-4-4 家族性高コレステロール血症家系の正常者，HeFH，HoFH の総コレステロール値(Harada-Shiba M, Arai H, et al: Guidelines for the management of familial hypercholesterolemia. J Atheroscler Thromb. 2012; 19: 1043-60 に症例を追加し表示形式を改変)

が，シトステロール血症患者の植物ステロール吸収は亢進する一方，胆汁中への排泄は低下し，血中濃度が増加する．血液塗抹標本で赤血球の形態異常や巨大血小板を認め，溶血発作を繰り返す．スタチンを投与しても血清コレステロールは低下しないが，コレステロールの摂取制限やレジンまたはコレステロール吸収阻害薬投与に反応して，血清コレステロールが低下する．

臨床診断された HeFH の 6〜8 割でこれらの遺伝子異常が同定される．FH 患者とその家族の血清総コレステロール値は三峰性の分布を示す(図 15-4-4)．黄色腫は診断の手がかりとして重要だが，20〜30％の患者には黄色腫が認められない．正確な診断には遺伝子検査が必要だが，臨床的診断基準(表 15-4-4)を活用して，大半が見逃されているとされている HeFH の診断率を向上させる必要がある．

2) Ⅲ型高脂血症：　おもにレムナントリポ蛋白(eコラム 2)が増加する．broad β バンドの出現などを手がかりに診断する．アポ E の ε2/ε2 の保因者(0.2％の頻度)にほかの要因が加わって発症する場合が多い．頻度は 0.01〜0.02％と推定されている．

アポ E-2 はアポ E-3 と異なり，LDL 受容体結合能がない．ε2/ε2 の保因者では，アポ E 含量の多いカイロミクロンレムナントや IDL の異化障害の結果，こ

れらのリポ蛋白が増加する．発症の危険因子に，糖尿病，甲状腺機能低下症，肥満，閉経，ほかの原発性高脂血症などがある．優性遺伝形式をとるアポ E 変異も報告されている．

3) 家族性複合型高脂血症(familial combined hyperlipidemia：FCHL)：Ⅱb 型の高脂血症を基盤とするが，食事などの影響でⅡa 型やⅣ型にも変動し，家族の高脂血症も一定のパターンを示さない．約 100 人に 1 人の頻度で多遺伝子性疾患と考えられている．思春期以降に発症し，黄色腫は認めないが，冠動脈疾患を高頻度に合併する．VLDL 合成の過剰を基本病態とし，血清アポ B 高値で粒子径の小さな small dense LDL が増加する．

4) リポ蛋白リパーゼ(LPL)欠損症とその類縁疾患：　LPL 欠損症では，カイロミクロン(と VLDL)に含まれるトリグリセリドが分解されないため，カイロミクロンが増加する Ⅰ型か Ⅴ型高脂血症を呈する．家族性高カイロミクロン血症(familial chylomicronemia syndrome)とも総称される．LPL 欠損症の頻度は 100 万人に 1 人と推定されている．LPL の補酵素であるアポ C-Ⅱの欠損も同様の臨床像を呈する．したがって，Ⅰ・Ⅴ型高脂血症では，LPL 活性とアポ C-Ⅱを定量する必要がある．著明な高トリグリセリド血症にアポ A-Ⅴ や glycosylphosphatidyl-inositol-anchored HDL binding protein 1(GPIHBP1)の変異も報告されている．LMF1(lipase maturation factor 1)の欠損は LPL と HL の両者を欠損する．

5) 家族性高トリグリセリド血症(familial hypertrigly-ceridemia：FHTG)：　明らかな原因疾患を有さずに高トリグリセリド血症を家族性と認める．LDL コレステロールは増加せず，HDL コレステロールが低下する場合が多い．冠動脈疾患の発症リスクの上昇は認めないが，高トリグリセリド血症が重症化して急性膵炎を発症しうる．

6) コレステロールエステル転送蛋白(CETP)欠損症：日本の高 HDL コレステロール血症の大部分を占める．HDL コレステロールはホモ接合体で 130〜250 mg/dL と正常の 3〜6 倍に著増し，ヘテロ接合体でも 2 倍に増加する．HDL から VLDL/LDL へのコレステロールエステル(CE)の転送障害が起こり，CE やアポ E に富む HDL2 や HDLc 亜分画の大粒子サイズの HDL が増加する．LDL は polydisperse で不均一な径となり，平均粒子径は減少している(eコラム 3)．

表 15-4-4 家族性高コレステロール血症の診断基準

A. 成人（15歳以上）
1. 高LDLコレステロール血症
   未治療時のLDLコレステロール値≧180 mg/dL
2. 手背，肘，膝などの腱黄色腫，アキレス腱肥厚*1 あるいは皮膚結節性黄色腫*2
3. FHあるいは若年性冠動脈疾患の家族歴（2親等以内の家族）
- 続発性高脂血症を除外したうえで診断する．
- 2項目があてはまる場合，FHと診断できる．1あるいは2の1項目があてはまる場合，注意深い経過観察／再検査（半年～1年以内），家族に関するさらに詳細な調査などが必要である．
*1：X線軟線撮影にて9 mm以上を肥厚ありとする
*2：皮膚結節性黄色腫は眼瞼黄色腫を含まない．
- LDL-C値が250 mg/dL以上の場合は，2，3の項目があてはまらなくてもFHが強く疑われる．

B. 小児（15歳未満）
1. 高LDLコレステロール血症
   未治療時のLDLコレステロール値≧140 mg/dL（総コレステロール値≧220 mg/dLの場合はLDL-C値を測定する）
2. FHあるいは若年性冠動脈疾患の家族歴（2親等以内の家族）
- 項目1および2があてはまれば，FHと確定診断する．1あるいは2の1項目があてはまる場合，注意深い経過観察／再検査（半年～1年以内），家族に関する調査などが必要である．成長期にはLDL-C値が変動することがあるため，注意が必要である．
- リンパ球を用いたLDL受容体活性測定，遺伝子解析による診断もあり得るが，小児においてはLDL受容体活性が低い傾向があり，注意が必要である．

7）無ベータリポ蛋白血症（abetalipoproteinemia：ABL）：網膜色素変性症と有棘赤血球を伴った症例がBasenとKornzweigによって1950年に報告された．その後，β-リポ蛋白の欠損に起因する低コレステロール血症を伴うことがわかり，無ベータリポ蛋白血症と命名された．常染色体劣性のまれな疾患で，ミクロソームトリグリセリド転送蛋白（microsome triglyceride transfer protein：MTP）の遺伝子異常に起因する．カイロミクロンやVLDLが形成に必要なアポBへのトリグリセリドの付加が障害される結果，アポB含有リポ蛋白の生成不全をきたし，β-リポ蛋白が選択的に低下するタイプの低脂血症を呈する．

8）家族性低ベータリポ蛋白血症（familial hypobetalipoproteinemia：FHBL）：常染色体優性で，ヘテロ接合体も軽い低コレステロール血症を呈する．重症例のホモ接合体の臨床症状はABLと区別がつかない．アポBの遺伝子異常かPCSK9の機能欠失型変異（loss-of-function mutation）に起因する．アポB異常の場合，そのほとんどが短縮アポBとなる．リポ蛋白の合成低下例もあるが，短縮アポBはLDL受容体結合領域の欠損にもかかわらず，アポB-100にかわってアポEがLDL受容体に結合して，血中の異化速度は速くなる．

9）LCAT欠損症：低HDLコレステロール血症，高トリグリセリド血症，コレステロールエステル比の著明な低下をきたす．肝細胞や末梢細胞の遊離コレステロールはアポAIに付加され，LCATの作用を受けて，コレステロールエステルとなりHDL粒子が形成される．したがって，LCAT欠損では，HDLが選択的に低下するタイプの低脂血症を呈する．角膜混濁以外に，標的赤血球などの赤血球形態異常と溶血性貧血，腎障害が3徴．角膜混濁のみ認める魚眼病とよばれる病型はLCAT欠損症の不全型と理解されている．古典的LCAT欠損症の大部分で蛋白尿を認めるが，蛋白尿にとどまる症例から腎不全に至る重症例まで多様である．糸球体基底膜への遊離コレステロールとリン脂質の沈着が認められる．

10）Tangier病：1961年に全身の脂質蓄積を呈する症例が米国バージニア州のTangier島で発見された．HDLコレステロールの欠損か著しい低値を示す．ATP-binding cassette transporter A1（ABCA1）の異常のため，末梢細胞から遊離コレステロールをHDLへ引き渡すことができない．

臨床症状

病型に応じた症状を呈する．軽度の脂質異常症は無症状である．

重度の高脂血症は黄色腫を伴う．部位と形状から，眼瞼，腱，結節性，扁平，手掌線条，発疹性黄色腫に分類される．眼瞼黄色腫は上眼瞼内側の扁平な隆起で，高コレステロール血症以外に正脂血症にも認められる．腱黄色腫はFHに高頻度に認め，III型高脂血症に認める場合もある．アキレス腱が好発部位で（図15-4-5），手背の指伸筋腱にも認められる．結節性・扁平黄色腫はHoFH，重症HeFH，III型高脂血症の一部で，手足，膝，肘などの皮膚の擦れる部位に好発する．HoFHでは臀部にも扁平黄色腫が出現する．手掌線条黄色腫は手掌のしわに沿う黄色腫でIII型高脂血症に特徴的である．発疹性黄色腫は，重症の高トリ

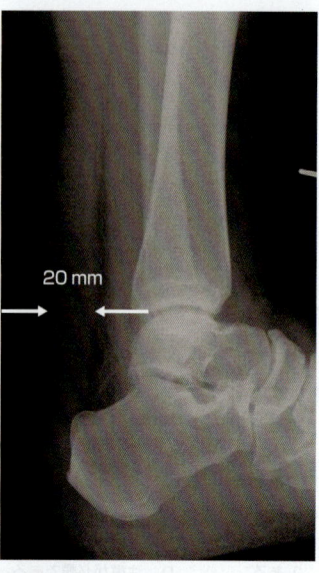
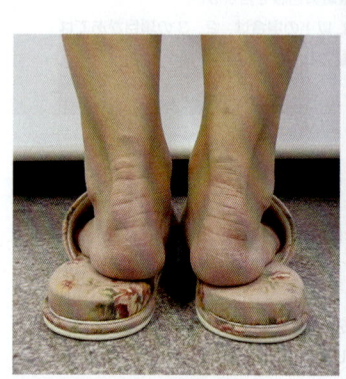

図15-4-5 アキレス腱黄色腫と軟線撮影 (Harada-Shiba M, Arai H, et al: Guidelines for the management of familial hypercholesterolemia. J Atheroscler Thromb. 2012; 19: 1043-60)

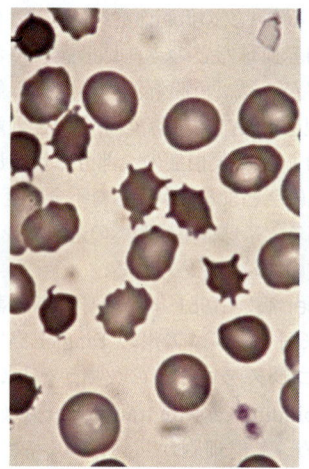

図15-4-6 無ベータリポ蛋白血症患者血液塗抹標本

グリセリド血症（Ⅰ・Ⅴ型）において，臀部・肘・肩・大腿伸側に多発する丘疹で，トリグリセリドが低下すると消失する．FHには角膜輪を認めることもある．

代表的な高脂血症の合併症には冠動脈疾患，末梢動脈疾患，急性膵炎がある．冠動脈疾患はⅡ型やⅢ型高脂血症に合併しやすい．HoFHでは，幼少期から大動脈起始部に動脈硬化が生じ，大動脈の弁上または弁狭窄が認められることが多い．動脈硬化病変は冠動脈開口部に及び，狭窄・閉塞をきたす．突然死もまれではない．Ⅲ型高脂血症には末梢動脈疾患が合併しやすい．重症の高トリグリセリド血症（Ⅰ・Ⅴ型）は急性膵炎を併発しうる．

低脂血症も軽症例は無症状であるが，ABLやFHBLのホモ接合体は，脂肪の吸収障害に起因する脂肪便・下痢，脂溶性ビタミン不足に起因する脊髄小脳変性症，網膜色素変性症を併発する．有棘赤血球を認める（図15-4-6）．溶血性貧血のため，胆石の頻度が増加する．

LCAT欠損症・魚眼症では角膜混濁，Tangier病ではオレンジ色の扁桃腫大，肝脾腫，角膜混濁，末梢神経障害などを合併するため，それに関連した臨床症状を呈する．

検査所見・診断

血清トリグリセリド値は食事の影響を受けるので，原則12時間以上絶食後に採血する．

1）**血清脂質**：総コレステロール，トリグリセリド，HDLコレステロール値は該当する脂質異常症の病型に応じた異常値を呈する．リン脂質も連動して異常値を呈する．LDLコレステロールはFriedewald法で算出する（総コレステロール－HDLコレステロール－トリグリセリド TG/5）．TG＞400 mg/dLではこの式は使えないので，non-HDLコレステロール（＝総コレステロール－HDLコレステロール）を用いる．LCAT欠損症や肝障害ではコレステロールのエステル化が障害されるので，TCに占める遊離コレステロールの比率が増加する．

2）**血清リポ蛋白**：電気泳動，超遠心，高速液体クロマトグラフィ，核磁気共鳴などのリポ蛋白分析法がある．実際の診療で血清リポ蛋白分析が必要になるのは，総コレステロールとトリグリセリドの両者が増加した複合型高脂血症の場合である．LDLとVLDLの2種類のリポ蛋白が増加するⅡb型とレムナントが増加するⅢ型がある．アガロースやポリアクリルアミドを支持体とした電気泳動を行うと，Ⅲ型ではβ位からpre-β位にかけて連続したbroad-βバンドとよばれるバンドが出現する．ポリアクリルアミド電気泳動のmidbandもレムナントの増加を反映する（図15-4-7）．血清トリグリセリド値に対するVLDL中の総コレステロールの比率が0.25以上はⅢ型の診断を支持する．閉塞性黄疸で出現するLpXとよばれるリポ蛋白は寒天を支持体とした電気泳動で検出できる．Ⅰ・Ⅴ型で出現するカイロミクロンの有無は血清静置試験でも判定できるが（図15-4-8），電気泳動法で原点にとどまるカイロミクロンの有無も参考になる．HDLコレステロールの測定と類似の原理でLDLコレステロールを直接測定するホモジニアス法があ

る．キット間の標準化などの問題が解決していない．レムナントリポ蛋白を直接定量する方法にRLPコレステロールとRemLCがある．Lp(a)も定量可能である．

3)アポ蛋白：アポA-Ⅰ，A-Ⅱ，A-Ⅴ，B，B-48，C-Ⅱ，C-Ⅲ，Eの定量が可能である．それぞれのアポ蛋白の欠損症の診断には有用である．Ⅲ型高脂血症ではアポEが比較的選択的に増加するので，ほかのアポ蛋白や脂質値との比率がスクリーニング検査に利用される．さらに，アポEの表現型あるいは遺伝型を決定する．

4)酵素：LPL，肝性リパーゼ(HL)，内皮リパーゼ(EL)，LCAT，CETP，リン脂質転送蛋白(PLTP)，PCSK9などの活性あるいは蛋白量を測定して，欠損症などを診断する．LPL・HL・ELは毛細血管内皮細胞内腔面のヘパラン硫酸プロテオグリカンに結合しているので，ヘパリン静注後に流血中に遊出する酵素を定量する．

5)LDL受容体活性：培養皮膚線維芽細胞やリンパ球に対する標識LDLの結合や取り込みを定量して受容体活性を測定する．

表15-4-2の基準値をこえれば脂質異常症と診断できる．脂質値が極端な高値・低値の場合，リポ蛋白分析などによってさらに詳細な診断を行う．続発性脂質異常症をきたす疾患(表15-4-5)が除外されれば原発性脂質異常症として家族歴や随伴する身体所見を調べる．ネフローゼ症候群や甲状腺機能低下症は見逃されやすいため，尿検査は必須で，中高齢の女性は甲状腺の触診や甲状腺機能検査を実施する．家族歴を聴取する際は，虚血性心疾患の有無やその発症年齢にも配慮する．

治療

「動脈硬化性疾患予防ガイドライン2012」では，心血管イベント発症の絶対リスクに応じてカテゴリーⅠ〜Ⅲ，二次予防と4段階に層別化し(図15-4-9)，

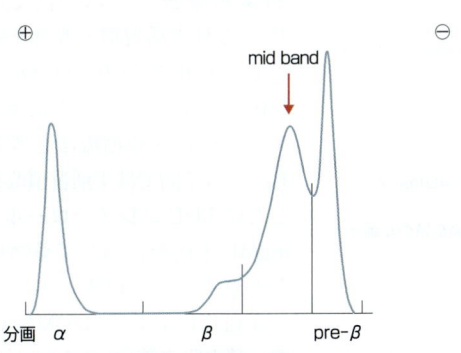

図15-4-7 Ⅲ型高脂血症患者血清のポリアクリルアミドディスク電気泳動パターン

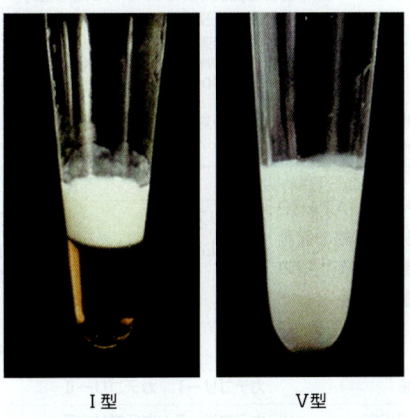

図15-4-8 血清静置試験での血清外観(村勢敏郎：高脂血症診療ガイド，文光堂)

表15-4-5 2次性脂質異常症

LDL		HDL		VLDL増加	IDL増加	カイロミクロン増加	Lp(a)増加
増加	減少	増加	減少				
甲状腺機能低下症 ネフローゼ症候群 胆汁うっ滞 急性間欠性ポルフィリア 神経性食欲不振 肝癌 薬剤(サイアザイド，シクロスポリン，テグレトール)	重症肝疾患 吸収不良 低栄養 Gaucher病 慢性感染症 甲状腺機能亢進症 薬剤(ニコチン酸)	アルコール 運動 有機塩素化合物 薬剤(エストロゲン)	喫煙 2型糖尿病 肥満 低栄養 Gaucher病 薬剤(同化ステロイド，β遮断薬)	肥満 2型糖尿病 糖原病 肝炎 アルコール 腎不全 敗血症 ストレス Cushing症候群 妊娠 先端巨大症 脂肪萎縮症 薬剤(エストロゲン，β遮断薬，グルココルチコイド，胆汁酸結合レジン，レチノイン酸)	骨髄腫 単クローン性高ガンマグロブリン血症 自己免疫疾患 甲状腺機能低下症	自己免疫疾患 2型糖尿病	腎不全 炎症 閉経 精巣摘除 甲状腺機能低下症 先端巨大症 ネフローゼ症候群 薬剤(成長ホルモン，イソトレチノイン)

管理目標値を設定している(表15-4-6)(日本動脈硬化学会,2012).高リスクほどLDLコレステロールまたはnon-HDLコレステロールの目標値は低く設定される.

1)生活習慣: 脂質異常症の治療の目的は動脈硬化症の予防にある.したがって,単に血清脂質を改善させるだけでなく,動脈硬化予防効果のある生活習慣を指導する.特に,禁煙と肥満の是正は重要である.

　a)食事療法:適正体重の維持,エネルギー比の適正化,飽和脂肪酸の制限(エネルギー比4.5%以上7%未満),食物繊維の充足,ビタミンの充足,減塩とミネラルの充足.LDLコレステロール低下のためには,コレステロール摂取を1日200 mg以下に制限する.LDLコレステロールが低下する場合にはリスポンダーとみなして継続する.トランス脂肪酸の摂取も制限する.植物ステロールと多価不飽和脂肪酸を多く摂取する.

　トリグリセリド低下のためには,総脂肪摂取量を制限し,n-3系多価不飽和脂肪酸を多く摂取する.糖質(特に果糖)とアルコールを制限する.カイロミクロンを低下させるためには,中鎖脂肪酸やn-3系多価不飽和脂肪酸を主体として脂質エネルギー比を15%以下に制限し,禁酒とする.

　b)運動療法:運動療法によってHDLコレステロールが増加する.また,歩行を中心とした低強度〜中強度の運動習慣をもつものは,そうでないものに比較して心血管イベントと同時に総死亡率も低下するので,積極的な運動を推奨する.

2)薬物療法: 一次予防では,3〜6カ月生活習慣の改善を継続してもLDLコレステロールの目標値が達成できない場合には,リスクに応じて薬物療法を考慮する.二次予防では生活習慣改善とともにLDLコレステロール100 mg/dL未満を目指して薬物療法を考慮する.高LDLコレステロール血症に対してはHMG-CoA還元酵素阻害薬(スタチン)が推奨される.高リスクの高LDLコレステロール血症に対してはスタチ

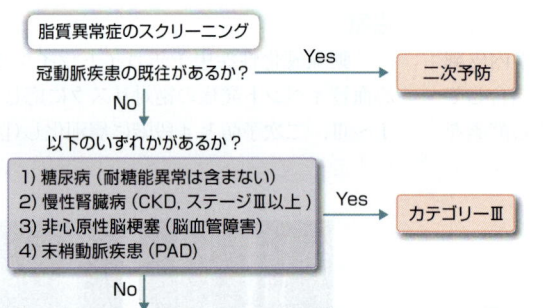

図15-4-9 LDLコレステロール管理目標設定のためのフローチャート

表15-4-6 リスク区分別脂質管理目標値

治療方針の原則	管理区分	脂質管理目標値(mg/dL)			
		LDL-C	HDL-C	TG	non HDL-C
一次予防 まず生活習慣の改善を行った後,薬物療法の適用を考慮する	カテゴリーI	<160	≧40	<150	<190
	カテゴリーII	<140			<170
	カテゴリーIII	<120			<150
二次予防 生活習慣の是正とともに薬物治療を考慮する	冠動脈疾患の既往	<100			<130

1. 家族性高コレステロール血症,高齢者(75歳以上)についてはそれぞれ該当する章を参照すること.
2. 若年者などで絶対リスクが低い場合は相対リスクチャートを活用し,非薬物療法の動機づけを行うと同時に絶対リスクの推移を注意深く観察する.
3. これらの値はあくまでも到達努力目標値であり,少なくとも目標値に向けて20〜30%の低下を基準とすることも重要である.
4. 一次予防における管理目標達成の手段は生活習慣の改善が基本であるが,LDL-C値が180 mg/dL以上の場合は薬物治療を考慮してもよい.
5. non-HDL-Cの管理目標は,高トリグリセリド血症を合併する場合に,LDL-Cの管理目標値を達成した後の目標として考慮する.

ンに加えてイコサペント酸エチル(EPA)投与も考慮する．エゼチミブの併用もLDLコレステロールの強力な低下には有用である．高トリグリセリド血症，特に低HDLコレステロール血症を伴う場合には，フィブラート系薬剤やニコチン酸誘導体などの薬物療法を考慮する．

a) スタチン：コレステロール合成の抑制によって，肝臓におけるLDL受容体の発現を誘導する．そのため，LDLやIDLの異化が亢進する．肝臓からのVLDL合成も抑制するため，血清トリグリセリド値も低下する．副作用として肝障害，CK上昇，横紋筋融解症などがある．

b) 陰イオン交換樹脂(レジン)：腸管内の胆汁酸を吸着し，胆汁酸の再吸収による腸管循環を阻害することにより，コレステロールから胆汁酸への異化を促進する．その結果，体内のコレステロールプールが減少し，LDL受容体の発現が誘導される．腎障害のためスタチンの安全性に懸念のある場合，スタチンに忍容性がない場合，妊娠中および妊娠の可能性がある女性では第一選択になりうる．スタチンとの併用で有効性が高い．トリグリセリド上昇作用があるため，IIa型高脂血症が対象となる．便秘，腹部膨満感などの消化器症状がおもな副作用である．

c) プロブコール：抗酸化物質であるBHTが2つ結合した構造を有するため，強い抗酸化作用と脂溶性を示す．LDL異化の亢進がLDLコレステロール低下のおもな機序である．HDLコレステロール低下作用もあり，ABCA1の抑制とCETPの活性亢進が機序として想定されている．副作用には消化器症状，肝障害，発疹，QT延長などがあり，torsade de pointesも報告されている．

d) ニコチン酸誘導体：ニコチン酸受容体GPR109bを介して効果を発揮する．ホルモン感受性リパーゼ活性を抑制し，脂肪組織からの脂肪酸の放出を阻害し，その結果，VLDLの産生を抑制する．アポA-Iの異化を抑制する．LDLコレステロールとトリグリセリドを低下し，HDLコレステロールを増加する．副作用に皮膚瘙痒，血管拡張による顔面紅潮がある．耐糖能を悪化させ，尿酸値を増加させる．

e) フィブラート系薬剤：PPARαのリガンドとして作用し，脂肪酸β酸化亢進，LPL産生増加，アポCIII産生抑制，アポA-I，アポA-II産生増加などの作用があり，トリグリセリド低下とHDLコレステロール増加をもたらす．腎機能低下例では横紋筋融解を起こしうる．スタチンとの併用でもそのリスクが増加する．

f) エゼチミブ(小腸コレステロールトランスポーター阻害薬)：小腸絨毛上皮細胞のNiemann-Pick C1-like 1 (NPC1L1)機能の阻害により，食事と胆汁由来のコレステロール吸収を抑制する．LDL受容体の誘導を介してLDLコレステロールを低下する．スタチンとの併用で強いLDLコレステロール低下作用を発揮する．副作用は比較的少ないが，消化器症状が知られている．

g) 抗PCSK9抗体：2〜4週に1回の皮下注射により，PCSK9の作用を阻害し，LDL受容体のリサイクルを促し，LDLコレステロールを低下する．注射部位の皮膚症状以外に大きな副作用はない．

3) LDLアフェレシス：体外循環を用いてLDLを吸着除去する治療方法で，日本ではデキストラン硫酸LDL吸着法(dextran sulfate absorption LDL-apheresis)を用いたリポソーバーシステムが普及している(e図15-4-E)(日本動脈硬化学会，2013)．1〜2週に1回の頻度で実施し，FHホモ接合体をはじめとする難治性高コレステロール血症，閉塞性動脈硬化症，巣状糸球体硬化症が保険適応になっている．

4) 肝臓移植：FHホモ接合体には肝移植の有用性が示されている．日本でも生体部分肝移植が報告されている．

経過・合併症・予後

脂質異常症はそれ自体で冠動脈疾患のリスクであり，ほかのリスクファクターが加わると相乗的にリスクが増大する．HeFHの冠動脈疾患の発症率は健常人の10倍以上に増加している．喫煙，糖尿病，高トリグリセリド血症，低HDLコレステロール血症，高Lp(a)血症の合併は，リスクファクターである．無治療のHeFHは約60%が心臓死し，平均死亡年齢は男性56歳，女性68歳と報告されている．心筋梗塞の発症は男性では30歳以降で一定の割合で増加し，女性では50歳未満ではまれである．ホモ接合体では3歳での心筋梗塞の報告もあり，欧米では30歳以上の生存例はまれ，日本での未治療者の平均死亡年齢は31歳と報告されている．

患者指導

一般的に，食事療法や運動療法の治療的意義が大きいため，目的に沿った具体的な指導が重要である．脂質異常症はそれ自体では無症状のため，治療の必要性をよく理解してもらわないと，治療継続が困難である．二次予防群，カテゴリーIIIに相当するハイリスク群は薬物療法の必要性が大きいので，治療への動機づけは特に重要である． 〔石橋 俊〕

■文献

日本動脈硬化学会編：動脈硬化性疾患予防ガイドライン2012年版，杏林舎，2012．
日本動脈硬化学会編：動脈硬化性疾患予防のための脂質異常症治療ガイド2013年版，杏林舎，2013．

15-5 メタボリックシンドローム
metabolic syndrome

定義・概念
内臓脂肪が過剰に蓄積した状態を病態基盤として，高血糖，血清脂質異常，血圧上昇という心血管疾患の危険因子が重積した状態を指す．運動不足や高エネルギー食による過栄養状態が発症の引き金となる．生活習慣の是正により内臓脂肪蓄積を減少させることが治療の中心となる【⇨18-1-1】．

疫学
対象地域や年齢により異なるが，わが国の一般住民における有病率は男性9〜23％，女性2〜9％であり，加齢とともに上昇する．

病態生理
内臓脂肪とは脂肪組織のうち大網や腸間膜の周囲に分布するものを指す．内臓脂肪自体は生体内に「生理的」に存在するが，運動不足や高カロリー食により摂取エネルギーが消費エネルギーを慢性的に上回る状態が続くと，内臓脂肪が生理的範囲をこえて過剰に蓄積することになる．内臓脂肪が過剰に蓄積した状態では，高血糖，血清脂質異常，血圧上昇のほか，高尿酸血症，非アルコール性脂肪肝，慢性腎臓病など，さまざまな病態が重積する．特に高血糖，血清脂質異常，血圧上昇は心血管疾患発症の古典的な危険因子として重要である．

内臓脂肪が過剰に蓄積した状態では，アディポネクチンをはじめとする脂肪組織由来の生理活性物質(アディポサイトカイン)群の分泌異常を認め，これらが種々の代謝の恒常性の破綻と関連する．また，内臓脂肪が過剰に蓄積した患者では，本来は脂質を少量しか含まないはずの非脂肪組織においても過剰に脂質が蓄積していることが確認されており(異所性脂肪の存在)，これと各種病態との関連も注目を集めている．

診断
診断基準を表15-5-1に示す．内臓脂肪蓄積の簡便な指標としてウエスト周囲長を用いる(e図15-5-A)．内臓脂肪蓄積に高血糖，血清脂質異常，血圧上昇を2つ以上合併する場合に本疾患と診断される．

鑑別診断
類似の疾患概念として肥満症がある．肥満症の詳細は他項に譲るが【⇨4-23】，両疾患を対比させることは互いの疾患概念の特徴を理解する一助になると考えられる．肥満症とは肥満(BMI 25 kg/m² 以上)のうち，健康障害をきたしているまたはそのハイリスク状態にあるものを指す．ここでいう健康障害には，心血管疾患およびその危険因子のほか，変形性膝関節症なども含まれる．前者が脂肪組織のなかでも内臓脂肪の過剰蓄積と密接に関連する一方，後者は全身の脂肪組織の絶対量の増加に起因する．つまり，肥満症は肥満(BMI 25 kg/m² 以上)に起因するさまざまな健康障害に注目した点に，そしてメタボリックシンドロームは，従来のBMIのみの判定に縛られず，心血管疾患の源流を追い求めた点に，それぞれの疾患概念確立の意義を見出すことができる(図15-5-1)．

治療
内臓脂肪の減少を目指した食生活や運動習慣の見直しなど生活習慣の是正が治療の中心となる．ただし，本疾患と診断される者のなかには，Cushing症候群など他疾患が原因で内臓脂肪蓄積や代謝異常を呈する者も含まれうる．この場合は原疾患の治療を優先すべきであり，治療計画を立てる際にはこうした疾患の鑑別も重要となる．

〔髙原充佳・下村伊一郎〕

表15-5-1 メタボリックシンドロームの診断基準(メタボリックシンドローム診断基準検討委員会, 2005)

1. 必須項目：内臓脂肪(腹腔内脂肪)蓄積
   ウエスト周囲径　男性≧85 cm，女性≧90 cm
   (内臓脂肪面積　男女とも≧100 cm² に相当)

2. 上記1に加え，以下の3項目のうち2項目以上を満たすものをメタボリックシンドロームと診断する．
   1) 血清脂質異常
      トリグリセリド値　　　≧150 mg/dL
      かつ/または
      HDLコレステロール値　＜40 mg/dL(男女とも)
   2) 血圧上昇
      収縮期血圧　　　　　　≧130 mmHg
      かつ/または
      拡張期血圧　　　　　　≧85 mmHg
   3) 高血糖
      空腹時血糖値　　　　　≧110 mg/dL

・CTスキャンなどで内臓脂肪量測定を行うことが望ましい．
・ウエスト径は立位，軽呼吸時，臍レベルで測定する．脂肪蓄積が著明で臍が下方に偏位している場合は肋骨下縁と前上腸骨棘の中点の高さで測定する．
・メタボリックシンドロームと診断された場合，糖負荷試験が勧められるが診断には必須ではない．
・高トリグリセリド血症，低HDLコレステロール血症，高血圧，糖尿病に対する薬物治療を受けている場合は，それぞれの項目に含める．
・糖尿病，高コレステロール血症の存在はメタボリックシンドロームの診断から除外されない．

■文献(e文献15-5)
メタボリックシンドローム診断基準検討委員会：メタボリックシンドロームの定義と診断基準．日本内科学会雑誌．2005; 94: 794-809.

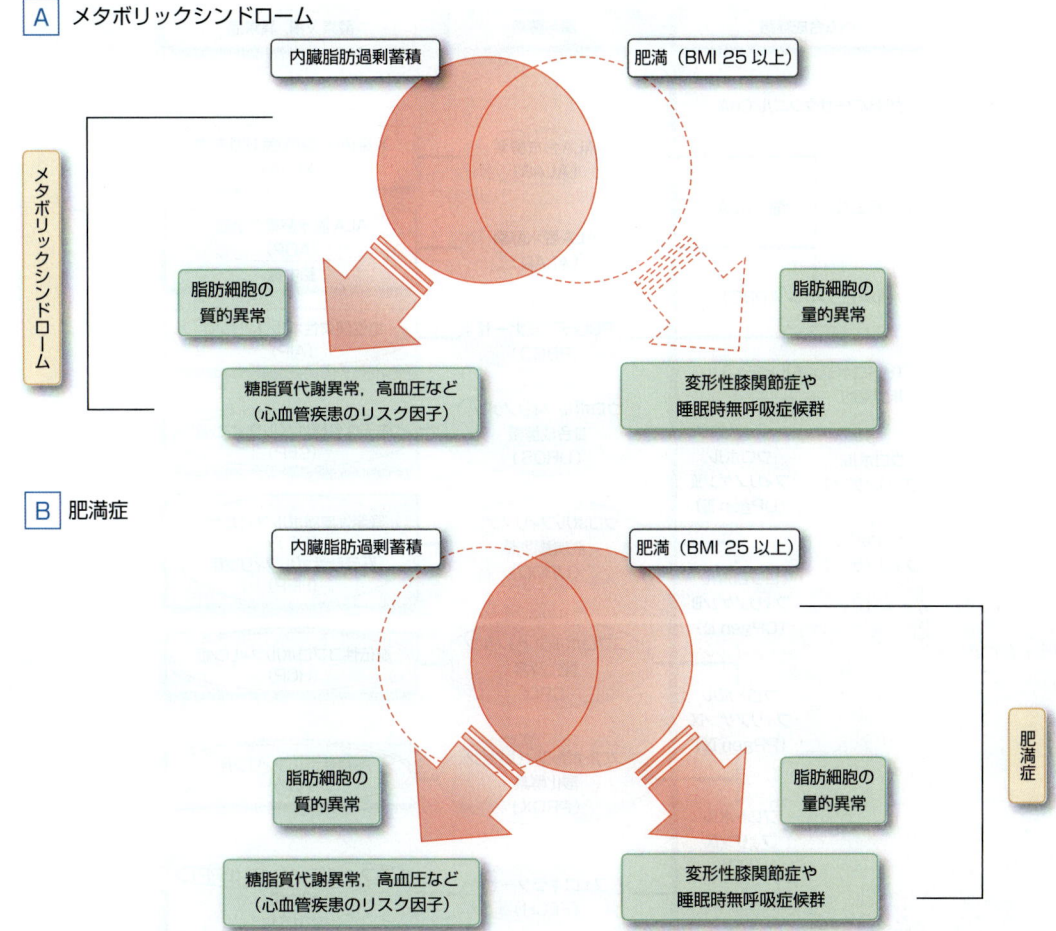

図 15-5-1 メタボリックシンドロームと肥満症との対比(文献1より)
メタボリックシンドローム(A)は内臓脂肪の過剰蓄積が心血管疾患のハイリスク状態の源流であることをとらえた疾患概念である．一方，肥満症(B)はBMIが25 kg/m² 以上の者(肥満)のうち，実際に健康障害(のリスク)を呈する症例を病的ととらえた疾患概念である．したがって，メタボリックシンドローム(A)には，脂肪の量的異常による健康障害のみをきたしているような肥満(BMI 25以上)症例は含まれない．逆に，BMIが25 kg/m² 未満であれば，たとえ内臓脂肪の蓄積によって心血管疾患のハイリスク状態となっていたとしても，肥満症(B)には含まれない．

日本糖尿病学会編：メタボリックシンドローム．科学的根拠に基づく糖尿病ガイドライン，pp325-41，南江堂，2013．

Takahara M, Shimomura I: Metabolic syndrome and lifestyle modification. *Rev Endocr Metab Disord*. 2014; **15**: 317-27.

15-6 その他の代謝異常

1) ポルフィリン症
porphyria

定義・概念
ヘム合成経路の8つの酵素のうち，第1番目のデルタアミノレブリン酸(ALA)合成酵素(ALAS)以外の酵素の先天異常が病因で生じる疾患の総称．最終産物であるヘムの減少，および，中間代謝物質(ALA，PBG，ポルフィリン体，など)の増加により，種々の症状(ポルフィリン症発作，光線過敏性皮膚炎，など)が生じる．ヘム製剤がポルフィリン症発作の特異的治療薬である．

分類
ポルフィリン症は，病因論的にはヘム合成経路の異

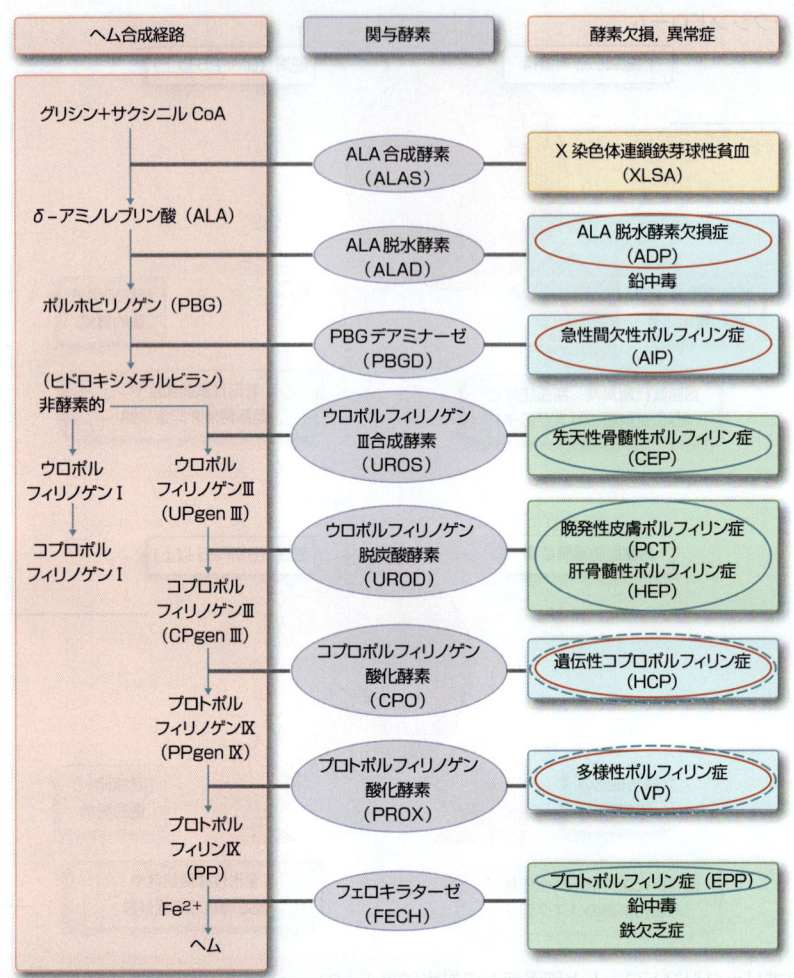

図 15-6-1 ヘム合成経路とポルフィリン症
急性ポルフィリン症(赤丸):遺伝子異常に加えて薬物,月経,飢餓,ストレスなどの誘因により,急性腹症のような腹部症状から,ヒステリー様の精神症状,最後に四肢麻痺,球麻痺などの神経障害を呈し,死に至ることもある急性発作を生じる.
皮膚ポルフィリン症(青丸,青破線丸はときに):遺伝子異常により増加したウロポルフィリン,コプロポルフィリン,プロトポルフィリンが皮膚に蓄積し,これに 400 nm 近辺波長の可視光線があたると光線過敏性皮膚炎を生じる.

常が肝臓で起こるか骨髄で起こるかにより肝型と骨髄型の 2 型に大別されるが,臨床的には急性発作(3 徴;急性腹症,神経症状,精神症状)を生じる急性ポルフィリン症(ALA 脱水酵素欠損ポルフィリン症 (ADP),急性間欠性ポルフィリン症(AIP),遺伝性コプロポルフィリン症(HCP),多様性ポルフィリン症(VP))と光線過敏性皮膚炎を生じる皮膚ポルフィリン症(先天性骨髄性ポルフィリン症(CEP),晩発性皮膚ポルフィリン症(PCT),肝性骨髄性ポルフィリン症(HEP),プロトポルフィリン症(EPP),および,間欠期の HCP と VP)に分けられる(図 15-6-1).

原因・病因

ヘムはおもに骨髄と肝臓で合成されている.約 70〜80%のヘムは骨髄の赤血球系細胞で合成され,グロビンに供給されヘモグロビンを形成する.残りのヘムはおもに肝臓で合成され,チトクローム P450 などのヘム蛋白の配合族として利用される.ヘム合成経路は,グリシンとサクシニル CoA から始まり最終的にヘムを合成する経路であり,8 種類の酵素が関与している.ヘム合成経路の第 1 番目の酵素 ALAS の活性はヘム合成経路で最も低く律速酵素として働き,細胞内ヘム蛋白量を調整している.ALAS 酵素活性は,最終産物であるヘムにより,肝臓ではネガティブフィードバックを受けており,ヘムの量は一定に保たれる.*ALAS-2* 遺伝子異常により起こる X 染色体性鉄芽球性貧血(XLSA)以外の酵素の遺伝子異常が病因で起こる疾患をポルフィリン症と総称する.酵素遺伝子異常によりヘム合成能力が低下していても通常状態で

は支障はないが，薬物，妊娠，飢餓，ストレスなどの誘因（ヘム需要を増加させる，あるいは，合成系の障害を強める作用）が加わってヘム合成が高まると，異常酵素部位でアンバランスを生じ，急性ポルフィリン症発作が起こる．

疫学

急性ポルフィリン症の半数以上がAIPで，ついでHCP，VPと続く．ADPはきわめてまれ．急性ポルフィリン症の有病率は1980〜1984年にかけての全国調査では人口10万人対0.38人とされている．厚生労働省ポルフィリン研究班の2009年の調査では，1年間の受療者は35.5人と推定されているが，欧州の有病率（5.4人/100万人）と同等として計算すると648人となり，多くの症例が診断されずに埋もれていると思われる．皮膚ポルフィリン症では，以前はPCTが大半といわれており，急性ポルフィリン症すべてをあわせたものより頻度は高かったが，診断技術の向上のせいか，近年EPPの症例が多数報告されている．

病態生理

急性発作を引き起こす機序とし種々報告されているが，中枢神経系での，二次的ヘム欠乏によるミトコンドリア電子伝達系の障害による，灰白質の障害，および，ALA蓄積による直接的な神経毒性の2つの仮説が主要なもとしてあげられる．また，増加したヘム合成系の中間代謝産物（ウロポルフィリン（UP），コプロポルフィリン（CP），プロトポルフィリン（PP），など）は可視光線（400 nm近辺の波長）により励起され，皮膚においては光線過敏性皮膚炎を，肝などの臓器では臓器障害をもたらす．

(1) 急性ポルフィリン症(acute porphyria)

臨床症状

急性腹症を思わせる腹部症状が初期にみられ，後に，ヒステリーを思わせるような精神症状を呈し，最後には四肢麻痺，球麻痺などの神経症状を呈し，死に至ることもある急性発作がみられる．これら症状に特異的なものはないが，病状の進行に伴い多彩に変化する事が特徴的である（図15-6-2）．腹部症状に対応する器質的な異常は認められず，神経系の機能的異常によるものと考えられている．よくみられる症状には以下のものがある．悪心，嘔吐，便秘，下痢，腹部膨満，イレウス，尿閉，失禁，排尿異常，頻脈，高血圧，発熱，発汗過多．非発作時（間欠期）には無症状で

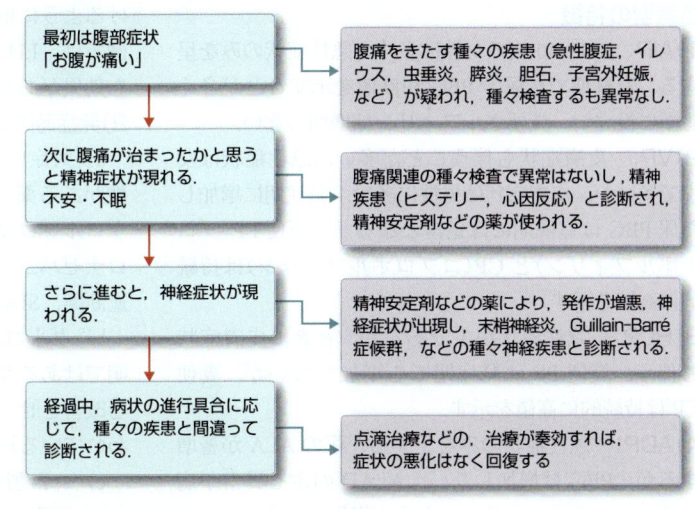

図15-6-2 急性ポルフィリン症の経過
典型例での症状の変化と，それに合わせての診断間違いの例

あるが，HCPおよびVPでは，光線過敏性皮膚炎がみられることもある．

検査所見

尿はときに特有の赤ブドウ酒色を呈し（ポルフィリン尿），また，尿ポルフィリンは強陽性である．しかし，ADPやAIPではポルフィリンはあまり増加せず褐色調にとどまることが多い．尿中のPBGの増加を定性的に調べる検査であるWatson-Schwartz法ではADP以外では陽性になる．BUN，血清クレアチニンの軽度の増加，尿蛋白，尿糖もみられ，約半数例で乏尿，高比重尿がみられる．軽度の黄疸，AST，ALT，ALP，γ-GTPの中等度の増加，ChEの低下などがあり，肝炎と誤られることがある．低ナトリウム血症，低クロル血症が半数以上にみられ，SIADHによるとされる．糖代謝異常（高血糖）はほぼ全例にある．その他，種々の検査異常がみられる．血清総蛋白，アルブミンの減少，乳酸，ピルビン酸，ガンマグロブリン，ベータグロブリン，高コレステロール，中性脂肪，種々ホルモン（ADH，GH，PRL，ACTH，コルチゾール，カテコールアミン）の高値．脳波は基礎波の不規則性と徐波化が多い．胃腸の検査では一過性に腸痙攣がみられるが，大半は腸麻痺の所見を示す．

診断・鑑別診断

ヘム合成経路の酵素活性の低下はその酵素による反応部位より上流の基質の増加と最終産物であるヘムの低下を引き起こす．したがって，本経路の基質や代謝産物の測定により，酵素異常の部位がわかる．臨床症状，検査値などを含め総合的に診断することが必要だが，検査値で考えると図15-6-3に示したフローチャートに従って検査を進める．

各病型の特徴

1) **AIP**：20〜40歳の女性に多く，急性症状のみを呈する．寛解期でも尿のPBGが高値を示すことが多く診断に役立つ．糞便ポルフィリンは増加しない．
2) **VP**：皮膚症状も伴うことが多い．急性症状は女性で多いが，皮膚症状は男性に多い．発症期に増加した尿PBGは寛解期には正常となるが，糞便PP（プロトポルフィリン）とCP（コプロポルフィリン）は持続的に高値を示す．
3) **HCP**：急性症状が主であるが，ときに皮膚症状も伴う．糞便PPは発症期でも増加しないが，糞便CPは持続的に高値を示す．
4) **ADP**：急性症状のみを呈する．尿のALAが著増するが，PBGは増加しない．ALADのホモ異常が病因で，これまでに世界で6家系の報告がある．

治療

1) **急性発作の予防**：誘因（禁忌薬剤は[1-4]参照）を避けるように指導する．月経に伴い急性発作を起こす症例では，LH-RHアナログを用いて月経を止めることも効果がある．
2) **発症時の治療**：
   a) 対症療法：使用禁止薬物（病状を悪化させる可能性がある薬物）を絶対使用しない．疼痛，腹痛には，クロルプロマジンおよび麻薬，不安，神経症には，クロナゼパム，クロルプロマジン，高血圧，頻脈にはβ遮断薬，SIADHには，補液による電解質の補充．
   b) グルコースを中心とした補液：詳細な機序は不明ではあるが，ALASの酵素活性が抑制され急性発作を改善させるといわれており，現在，最も一般的に行われている治療法である．
   c) ヘム製剤（ヘムアルギニンあるいは塩酸ヘマチン）：細胞内ヘム濃度を上昇させ，ネガティブフィードバック作用により，ALASの酵素活性を抑える．病態に則した治療法であり，欧米では第一選択療法．わが国でも2013（平成25）年保険収載され使用可能となった．
   d) その他：シメチジンは作用機序は不明であるがALAおよびPBGを減少させる効果がある．血液透析は重症例で行われることがある．

（2）皮膚ポルフィリン症（cutaneous porphyria）

臨床症状

日光被曝を受けた露出部皮膚に紅斑や水疱，さらに紫斑などの急性期皮疹を認める．急性期皮疹が消褪を繰り返すうちに慢性期皮疹が加味される点が視診上重要な所見となる．皮膚症状を主体とするCEP，PCT，HEPおよびEPPの4型の臨床症状および検査値の特徴を表15-6-1にまとめた．

診断・治療

ヘム経路の基質や代謝産物を測定する．まず赤血球

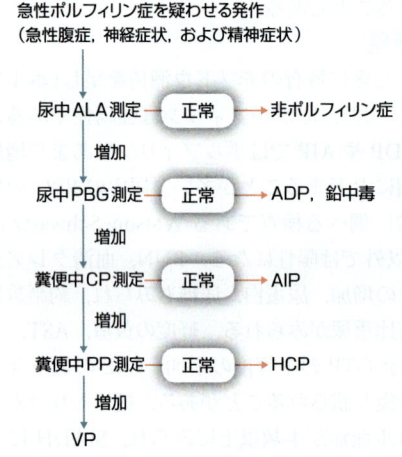

図15-6-3 急性ポルフィリン症診断のフローチャート

表15-6-1 皮膚ポルフィリン症の鑑別

	先天性骨髄性ポルフィリン症（CEP）	晩発性皮膚ポルフィリン症（PCT）	肝性骨髄性ポルフィリン症（HEP）	プロトポルフィリン症（EPP）
初発年齢	乳幼児	中年	乳幼児	5歳以下
性差	なし	男≫女	症例数が少なく不明	男>女
遺伝性	常染色体劣性	f-PCTは常染色体優性	常染色体劣性	常染色体優性
病因遺伝子	UROS	UROD	UROD	FECH
光線過敏性	(+++)	(++)	(+++)	(++)
赤血球ポルフィリン増加	UPI, CPI	(−)	PP	PP
尿ポルフィリン増加	UP, CP	UP	UP, isoCP	(−)
糞便ポルフィリン増加	UP, CP	isoCP	isoCP	PP
その他	溶血性貧血 赤色歯 脾腫	肝硬変 糖尿病 ヘモジデローシス	CEP類似の病像 ときに加齢にて軽快 ときに肝障害,貧血	胆石症 肝障害

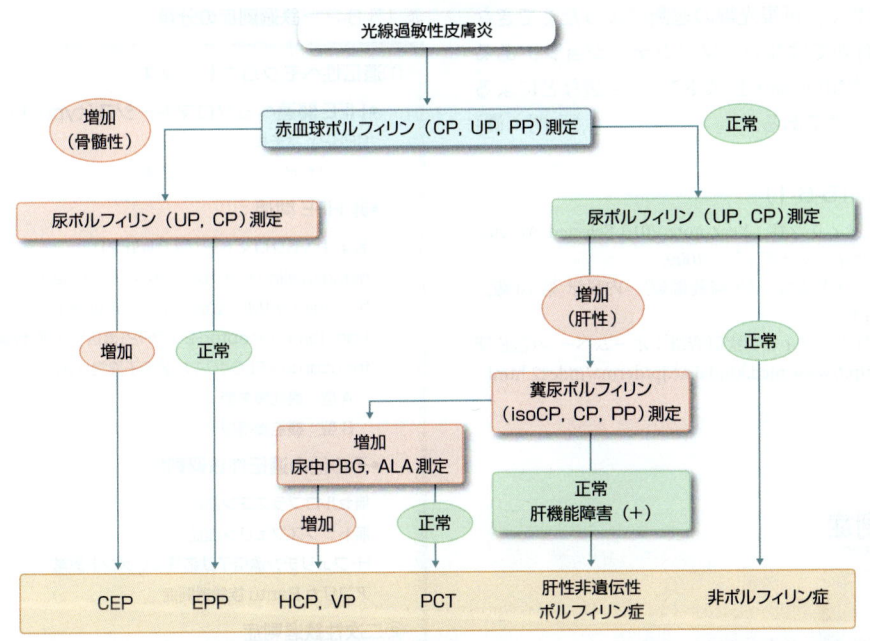

図 15-6-4 皮膚ポルフィリン症診断のフローチャート

ポルフィリンを測定し骨髄型の有無を判断し，次に尿中ポルフィリンの増加を調べるというフローチャート（図 15-6-4）に従って診断できる．

各病型の特徴（診断・検査所見・治療）

1）CEP：最も早く記載されたヒトのポルフィリン症で骨髄型（赤血球 UP および CP 増加）．過剰に産生されたヒドロキシメチルビランは非酵素的に I 型のポルフィリンへと代謝されるので（I 型ポルフィリンの蓄積），急性症状の病因と考えられている ALA の蓄積を伴うことはない．生後まもなくから発症する高度な光線過敏性皮膚炎が主症状で，紅斑や浮腫にとどまらず水疱，瘢痕，潰瘍などに進展し，鼻，耳介の脱落，手指の拘縮を呈することも多い．また，角膜混濁，赤血球の変形，溶血と著明な脾腫が起き，歯牙は太陽光線下で赤ブドウ酒色を呈する（赤色歯）．特に有効な治療はない．対症療法（遮光，感染合併皮膚病変に抗菌薬，など）が行われる．

2）PCT および HEP：PCT は家族性の f-PCT（type II）と散発性の s-PCT（type I）に分けられるが，多くの症例は s-PCT である．UROD の基質である UPgen-III が蓄積し（尿中 UP 過剰排泄），光線過敏性皮膚炎や肝障害をもたらす．f-PCT の発症にはアルコール，エストロゲンおよび鉄の過剰摂取などの誘因の関係が考えられている．日光被曝後，露出部に紅斑や水疱形成などが生じるが，これらに引き続く慢性期皮疹として，びまん性褐色調色素沈着，瘢痕，多毛，皮膚脆弱性などが混在する皮膚所見を呈する．また，羞明や結膜炎などの眼症状，不眠症などの神経症状，筋炎，消化器症状などの合併もある．誘発因子となるアルコールを避け，皮疹の悪化を防ぐため遮光を勧める．血清鉄濃度の減少と UP の除去を目的として瀉血療法が有用な治療法として広く行われている．また，鉄キレート薬投与も行われる．HEP は UROD 遺伝子のホモ異常が病因（酵素活性は 7～8% と低下）で起こるまれな疾患で，その障害は骨髄にもおよび，CEP と類似の臨床像を示す．

3）EPP：FECH 活性低下のため，その基質である PP が赤血球中に蓄積し（赤血球 PP 上昇）皮膚症状を引き起こす．過剰に産生された PP は尿中に排泄されないが，胆汁中には排泄され，胆石，肝機能障害の原因となる（糞便中 PP 上昇）．光線過敏症がおもな症状．急性期には紫斑が特徴的であり，また，色素沈着，多毛，皮膚脆弱性による線状瘢痕などの皮疹がみられる．光線過敏症の程度が非常に軽い場合もあり，また発症も小児期（5 歳以下）の場合が多いが，高齢にて発症する場合もある．ときに肝機能障害，胆石の合併がみられ，中年期以降には肝硬変や肝癌の合併をみる．β-カロチンは皮膚におけるラジカルを中和するとして治療に用いられる．コレスチラミン樹脂内服，ヘム製剤静注，血漿交換などもときに用いられる．

4）光線過敏性皮膚炎の予防：ポルフィリン症でみられる光線過敏性皮膚炎は，ポルフィリン体の吸収スペクトラムである 405 nm をピークとして UVA（320～400 nm）の長波長側から可視光線領域にまたがる波長の光が原因で生じる．したがって，市販のサンスクリーン剤（UVB の遮断力は強いが，UVA の遮断

力は十分ではなく，可視光線の遮断はまったくできない）はあまり有効ではない．ファンデーション，あるいは，帽子，衣類（長袖・長ズボン），手袋などによる物理的遮光が有効である．〔大門　眞〕

■文献（e文献 15-6-1）

大門　眞：ポルフィリン症．Year note 2010 Selected Articles, pp719-29，メディックメディア，2009.
大門　眞：ポルフィリン症．（矢﨑義雄編），内科学 第 10 版，朝倉書店，2013.
厚生労働省遺伝性ポルフィリン症研究班：ホームページ（医療関係者向け）．http://www.med.kindai.ac.jp/derma/index2.html

2）鉄過剰症
iron overload

定義・概念

鉄は本来生体内で厳密に制御され恒常性を保っている．鉄代謝に関連する遺伝子の変異や鉄の負荷により鉄代謝が破綻することで全身にヘモジデリンが過剰に沈着し，組織障害をきたす病態が鉄過剰症（ヘモクロマトーシス）である．また，臓器症状を呈さない鉄過剰状態をヘモジデローシス（hemosiderosis）とよび，これらを鉄過剰症（iron overload）と総称する（Baconら，2011）．

分類・疫学

鉄過剰症は遺伝性のものと二次性のものに大別される（表 15-6-2）．遺伝性は特発性ヘモクロマトーシス（hereditary hemochromatosis）とよばれていたが，1996 年に HFE 遺伝子が原因遺伝子として同定された[1]．この HFE 関連ヘモクロマトーシスは北欧を中心に欧米で高頻度にみられ，おもな変異である C282Y のホモ接合型は約 200 人に 1 人存在し，300 人に 1 人が明らかな鉄過剰状態を呈している[2]．一方，アジア人，アフリカ人，オーストラリア人には HFE 遺伝子変異はきわめてまれである[3]．わが国での，HFE 遺伝子変異として C282Y/H63D ヘテロ接合型が報告されているが，C282Y ホモ接合型の報告は 2 例のみである[4]．非 HFE 遺伝子関連ヘモクロマトーシスの報告も症例報告としてみられるが，遺伝性ヘモクロマトーシスの頻度はまれであり，鉄過剰症のほとんどが二次性である．

原因・病因

食事中に含まれる鉄は 1 日あたり 10〜15 mg である．このうち 1〜2 mg が上部小腸から吸収される．消化管粘膜，皮膚の脱落により 1〜2 mg/日の鉄が体外に排出されることで，生体内での鉄の恒常性が維持されている．この恒常性の維持のためには，小腸上皮

表 15-6-2　鉄過剰症の分類

①遺伝性ヘモクロマトーシス
- HFE 関連ヘモクロマトーシス（type 1）
  C282Y ホモ接合体
  C282Y/H63D ヘテロ接合体
- 非 HFE 関連
  若年性ヘモクロマトーシス（type 2）
  hemojuvelin（*HJV*）遺伝子異常（subtype A）
  hepcidin（*HAMP*）遺伝子異常（subtype B）
  transferrin receptor-2（*TfR2*）遺伝子異常（type 3）
  ferroportin（*SLC40A1*）遺伝子異常（type 4）
  　A 型：機能喪失型
  　B 型：機能獲得型
- その他の遺伝性鉄過剰症
  無セルロプラスミン血症
  無トランスフェリン血症
  H-フェリチン遺伝子鉄応答エレメント異常
  アフリカ Bantu 族鉄過剰症

②二次性鉄過剰症
- 血液疾患（無効造血に伴う）
  サラセミア
  鉄芽球性貧血
  慢性溶血性貧血
  　再生不良性貧血
  　ピルビン酸キナーゼ欠損症
  　ピリドキシン反応性鉄芽球性貧血
  新生児鉄過剰症　など
- 赤血球輸血
- 鉄剤長期過剰投与
- 長期血液透析
- 慢性肝疾患
  晩発性皮膚ポルフィリン症
  C 型肝炎ウイルス感染
  アルコール性肝障害
  非アルコール性脂肪肝炎
- インスリン抵抗性をきたす疾患
  肥満，糖尿病，高血圧，脂質代謝異常
- その他

からの吸収を制御することが必要であり，フェロポーチン（ferroportin：FPN）とヘプシジン（hepcidin：HEPC）が中心的な役割を果たしている．腸管上皮において divalent metal transporter-1（DMT-1）によって腸管より取り込まれた鉄は，基底膜側の FPN により血液中に輸送される．一方，HEPC は肝細胞から分泌され，腸管上皮基底膜やマクロファージに存在する FPN と結合し，この HEPC と FPN の複合体はエンドソームからリソソームに輸送されて分解される

表 15-6-3　遺伝性ヘモクロマトーシスの分類

	type 1	type 2	type 3	type 4	
遺伝形式	常染色体劣性	常染色体劣性	常染色体劣性	常染色体優性	
責任遺伝子(遺伝子座)	HFE (6q21.3)	subtype A：hemojuvelin (1q21) subtype B：hepcidin HAMP 遺伝子 (19q13.1)	transferrin receptor 2 (7q22)	ferroportin SLC40A1 遺伝子 (2q32) A型：機能喪失型	B型：機能獲得型
発症年齢(男性)	50 歳代	10〜20 歳代	20〜30 歳代	30〜40 歳代	
トランスフェリン飽和度	上昇			低下〜正常	上昇
肝腫大	+	+	+	±	+
脾腫	+	+	+		+
臨床症状	肝硬変, 糖尿病, 皮膚色素沈着	肝硬変, 糖尿病, 皮膚色素沈着, 心不全, 不整脈, 性腺機能低下	肝硬変, 糖尿病, 皮膚色素沈着	なし	肝硬変, 糖尿病, 皮膚色素沈着

(e 図 15-6-A)(Pietrangelo, 2010).その結果 HEPC は鉄吸収を負に制御している.遺伝性ヘモクロマトーシスでは鉄の吸収が 3〜4 mg/日に亢進している.遺伝子変異による直接的,間接的な HEPC の活性低下と,腸管細胞膜に存在する FPN の分解抑制による吸収亢進がヘモクロマトーシスの本態である.

HFE 関連ヘモクロマトーシスの遺伝形式は常染色体劣性である.HFE 遺伝子は 6 番染色体上にあり,約 90％が C282Y ホモ接合型の異常である.欧米では C282Y 変異は 10〜20 人に 1 人が有するとされるが,ヘテロ保因では発症しない.HFE 遺伝子はトランスフェリン受容体(transferrin receptor：TfR)と細胞外部分を介して会合しており,HFE 遺伝子変異により TfR を介した細胞内への鉄吸収促進が生じると予想されている[5].若年性ヘモクロマトーシス(juvenile hemochromatosis)は常染色体劣性の遺伝形式であり,ヘモジュベリン(hemojuvelin：HJV)もしくは HEPC の変異による[6,7].ほかに,TfR2 変異[8]やフェロポーチン変異による遺伝性ヘモクロマトーシスが報告されている(表 15-6-3).FPN 遺伝子変異は機能喪失型(A 型)と機能獲得型変異(B 型)がある[9,10].A 型では FPN の局在が減少し,鉄の放出が低下するため,網内系にのみ鉄が蓄積され,肝細胞などの実質細胞への鉄沈着は少ない.一方,B 型では HEPC による FPN 分解が生じなくなることで,ほかの遺伝性ヘモクロマトーシスと類似した病態を呈する.

二次性の鉄過剰症の原因としては頻回の輸血が多く,鉄剤,特に鉄注射製剤の長期使用による医原的な鉄過剰症が続いて多い.いずれも血管内に鉄が直接入るため,小腸上皮における鉄吸収制御が機能しないことで容易に鉄過剰状態となる.血液疾患では無効造血

表 15-6-4　ヘモクロマトーシスの臨床症状

皮膚：色素沈着(灰〜ブロンズ色)
心臓：心筋障害,不整脈,心不全
肝臓：肝腫大,肝硬変,肝細胞癌
膵臓：糖尿病
脾臓：脾腫
内分泌：
　性腺機能低下
　　(男性：精巣萎縮,インポテンス)
　　(女性：月経異常,早期閉経)
　甲状腺機能低下
　下垂体機能低下
　体毛消失
その他：
　全身倦怠感
　関節痛,関節炎
　体重減少
　腹痛

や脾機能亢進が原因となる.また,慢性炎症性疾患に伴って鉄過剰が生じることがあり,肥満,糖尿病,脂質異常症が原因としてあげられる.鉄の沈着は肝臓によくみられる.C 型肝炎ウイルスは HEPC, FPN 遺伝子に作用することで,直接鉄吸収を亢進させ,鉄過剰をきたす.これら細胞内に過剰に蓄積した鉄は酸化ストレスを惹起し,フリーラジカルを産生することで細胞傷害をきたし,肝癌の発癌と関連する.

臨床症状

ヘモクロマトーシスのおもな臨床症状を表 15-6-3,15-6-4 に示す.肝硬変,糖尿病,皮膚色素沈着が 3 徴である.HFE 関連では男性で 50〜60 歳代での発症が多く,女性では 10 年以上遅れての発症が多

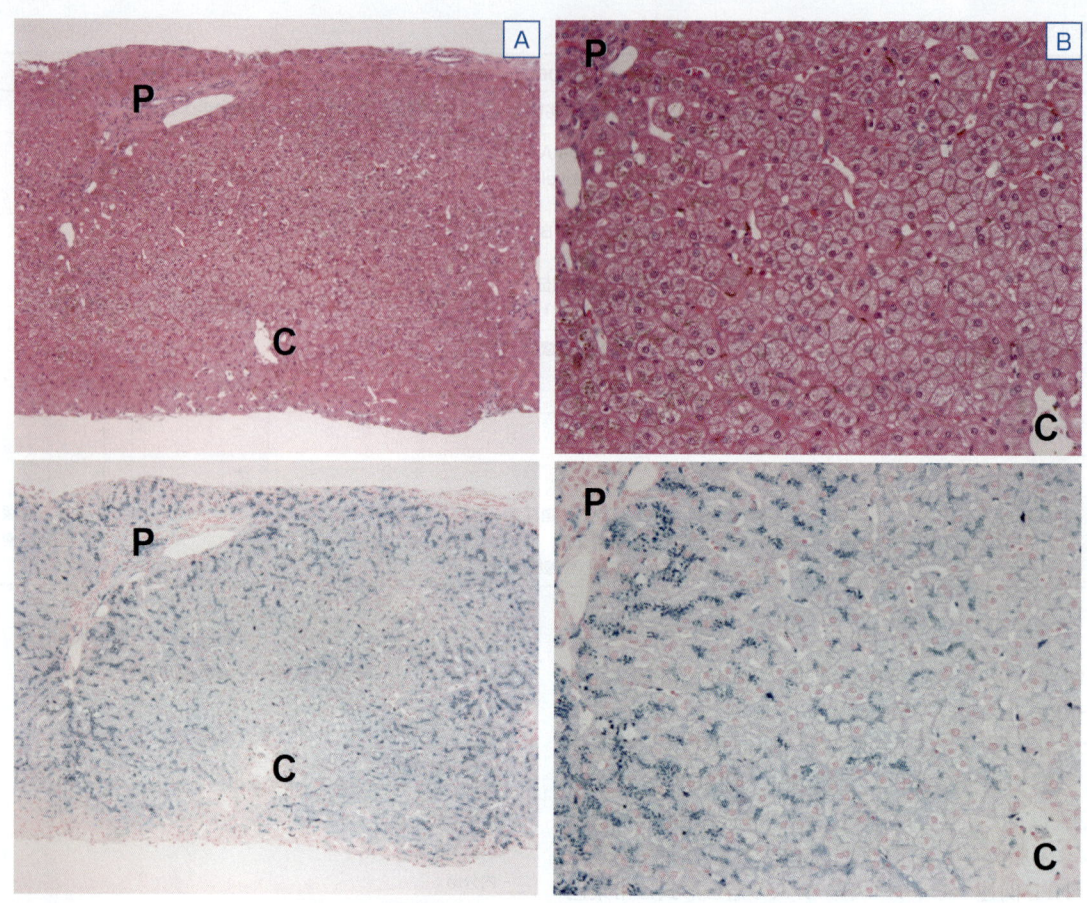

図 15-6-5 ヘモクロマトーシスの肝生検組織像
A：HE 染色，B：Perls' prussian blue 染色，上段：弱拡大，下段：強拡大．P：門脈域，C：中心静脈域．HE 染色にて門脈域周囲 (P) に褐色調の顆粒を含む肝細胞が多数みられる．Perls' Prussian blue 染色では鉄の沈着を反映して肝小葉全体の肝細胞の細胞質が青色を呈している．門脈域周囲には顆粒状の鉄沈着が濃い青色として検出される．grade 4 の鉄沈着である．

い．TfR2 関連は 20〜30 歳代で発症し，HFE 関連と臨床症状が類似している．一方，若年性は 10〜20 歳代で発症し，ほかのヘモクロマトーシスよりも鉄過剰が高度であり，心不全，不整脈，糖尿病，性腺機能低下などを生じ，予後不良である．FPN 関連 A 型は高フェリチン血症で発見され，臨床症状に乏しいことが特徴である．

検査所見

血清鉄（180 μg/dL 以上），血清フェリチン値の上昇がみられる．トランスフェリン飽和度（血清鉄/総鉄結合能）が健常人では 45% 未満であるが，60〜90% まで上昇する．CT 検査では肝 CT 値の上昇，MRI 検査では T1 強調，T2 強調ともに low intensity となる．組織での鉄沈着は肝生検で評価できる．FPN 関連 A 型では高フェリチン血症，トランスフェリン飽和度低下が特徴であり，網内系に限定した鉄沈着を反映し，肝臓よりも脾臓の鉄沈着が高度である．

診断

わが国では遺伝性ヘモクロマトーシスの頻度が少ないため，二次性を除外するために，家族歴，アルコール摂取歴，輸血歴，鉄剤投与歴の聴取をまず行う．鉄剤の注射や頻回の輸血による場合は病歴から診断できる場合が多い．血液疾患が疑われる場合には骨髄穿刺など基礎疾患の精査を要する．C 型肝炎ウイルス感染の除外も必要である．わが国ではまれであるが，欧米では HFE 関連の遺伝性ヘモクロマトーシスが多いため，遺伝子診断が推奨されている．わが国では鉄過剰症の診断として，肝生検による肝鉄含有量の測定，Perls' Prussian blue 染色によるヘモジデリン鉄の過剰沈着を証明が用いられる（図 15-6-5）．

肝組織において，鉄の沈着は門脈域周囲の肝細胞から生じ，Kupffer 細胞への沈着はごく軽度にとどまる．小葉内の鉄沈着は grade 0〜4 に分類評価され，grade 1 までが正常範囲，ヘモクロマトーシスでは grade 4 が多い[11]．また，肝硬変に進展した症例ではヒイラギの葉（holly leaf）様の不整形の結節が観察されることがある．腹腔鏡では鉄さび様（濃い褐色）の色調が典型的である．乾燥肝組織中の肝鉄重量は肝鉄濃度

(hepatic iron concentration：HIC)，肝鉄指数(hepatic iron index：HI)として示される．遺伝性ではHIC≧80 μmol/g・dry weight, HI(HIC/年齢)≧1.9となる(Bassettら，1986)．肝組織の採取ができない場合は鉄キレート試験を行う．デフェロキサミン500 mgを筋肉内注射した後，24時間蓄尿し尿中鉄排泄量を測定する．2 mg/日以上の尿中鉄排泄があれば，鉄過剰があると判定する．遺伝性では病理学的に肝臓，膵臓，心筋への鉄沈着があり，内分泌腺にも沈着する．一方，脾臓，骨髄，吸収部位である十二指腸上皮には鉄沈着は目立たず，神経組織，表皮，精巣にもない．

治療
除鉄療法と鉄制限食を行う．除鉄療法には瀉血療法とキレート薬がある．FPN関連A型以外での第一選択の治療は瀉血療法である．通常，100 mLの血液に40～50 mgの鉄が含まれている．また，フェリチン1分子に対して鉄が4500分子まで含まれることから，大量の鉄を排除する必要がある．瀉血療法は400～500 mL，週1回で開始することが多く，血清鉄，フェリチンが基準値下限となることを目標とする[12]．瀉血療法により十分な除鉄が得られた後，血清フェリチン値をモニタリングし，瀉血の間隔を空けることで鉄沈着の増悪を防ぐ．貧血などで瀉血が行えない場合にキレート薬を使用する．デフェロキサミン(deferoxamine)の筋肉内注射が行われてきたが肝機能異常，眼障害や聴力障害などの副作用が報告されている[13]．二次性のうち頻回に輸血した後の鉄過剰症に対しては，デフェラシロクス(deferasirox)内服によるキレート療法も選択できるが(eコラム1)，胃・十二指腸潰瘍，腎機能障害，肝機能異常などの副作用が報告されている[14]．除鉄療法中は鉄吸収が亢進するため，鉄制限食の併用が必須である．鉄は赤身の肉，魚に多いほか，シジミ，ノリなどさまざまな食品に含まれていることから定期的な栄養指導が必要である．

経過・予後
予後は鉄過剰の程度(量・期間)，合併症により影響を受ける．早期診断，早期治療により肝硬変に進展する前に適切な除鉄療法を受けることで予後は改善する．肝細胞癌はHFE関連ヘモクロマトーシスの10～30％に合併し，その発症は生命予後にかかわる[15]．高齢であること，診断時の肝線維化進展が危険因子であり，肝硬変では除鉄療法によっても肝細胞癌の発生率は減少しないとされる．治療により皮膚色素沈着は改善する．早期の治療により心機能や性腺機能の改善も得られる．肝硬変から肝不全に進展した症例では肝臓移植の適応となる．
〔德本良雄・日浅陽一〕

■文献(e文献15-6-2)
Bacon BR, Adams PC, et al: Diagnosis and Management of Hemochromatosis: 2011 Practice Guideline by the American Association for the Study of Liver Diseases. *Hepatology*. 2011; **54**: 328-43.
Bassett ML, Halliday JW, et al: Value of hepatic iron measurements in early hemochromatosis and determination of the critical iron level associated with fibrosis. *Hepatology*. 1986; **6**: 24-9.
Pietrangelo A: Hereditary hemochromatosis: pathogenesis, diagnosis, and treatment. *Gastroenterology*. 2010; **139**: 393-408.

3) 痛風

【⇨ 12-17】

4) ビタミン欠乏症・過剰症・依存症

ビタミンは，正常な生理機能を営むために必要不可欠な微量有機化合物で，体内で合成できないものであり，脂溶性ビタミン4種，水溶性ビタミン9種の13種類ある[1]．ビタミンのおもな作用と異常症について表15-6-5にまとめた．

(1)ビタミンA欠乏症（vitamin A deficiency）
定義・概念・疫学・病因・病態生理
ビタミンAの摂取不足などにより体内のビタミンA量が低下し，ビタミンAの生理作用が障害された病態をビタミンA欠乏症という．

ビタミンA(レチノール)は，脂溶性ビタミンであり，おもにレチニルエステルあるいはβ-カロテンとして摂取し，体内でレチナールからレチノイン酸に変換され生理作用を示す．レチナールは網膜桿体細胞や錐体細胞においてオプシンと結合してロドプシンを形成し視覚機能に重要な働きを示す．レチノイン酸は，核内受容体であるレチノイン酸受容体を介して特定の遺伝子発現を制御し生理作用を発揮する．このような作用機序により，視覚，生殖，成長，皮膚および粘膜上皮機能の維持，分化，発生ならびに形態形成など多彩な生理作用を示す．

臨床症状・病因・診断
ビタミンA欠乏症のおもな症状は，夜盲症，皮膚の角化，眼球乾燥症である[2]．粘膜機能の低下は，感染症や下痢の原因となる．その他，気道の易感染，消化管の吸収障害，尿路系の結石形成，胎児の先天異常，成長障害，免疫能低下などを示す．発展途上国では，ビタミンA欠乏症は乳幼児死亡の原因の半数を占める深刻な問題である[3,4]．わが国では，重症の肝

表 15-6-5 ビタミンの作用と異常症

ビタミン	生理作用	欠乏症	過剰症
脂溶性ビタミン			
ビタミン A	視覚,生殖,細胞分化,皮膚粘膜保持,免疫	夜盲症,眼球乾燥,易感染	頭蓋内圧亢進,頭痛,皮膚脱落
ビタミン D	カルシウム・リン代謝調節,骨リモデリング調節,分化	くる病,骨軟化症	嘔吐,高カルシウム血症,異所性石灰化
ビタミン E	生体膜脂質の過酸化抑制	歩行障害,振動感覚消失,眼球運動障害	なし
ビタミン K	血液凝固因子および骨基質蛋白質の成熟化	出血,新生児メレナ,骨粗鬆症	なし
水溶性ビタミン			
ビタミン B_1	酸化的脱炭酸反応の補酵素,エネルギー代謝,神経機能	脚気,Wernicke 脳症,乳酸アシドーシス	なし
ビタミン B_2	電子伝達系酵素の補酵素,エネルギー代謝,糖・脂質・蛋白質代謝	舌炎,口角炎,皮膚炎	なし
ビタミン B_6	アミノ基転移反応,脱炭酸反応の補酵素,アミノ酸代謝,ナイアシン合成	ペラグラ様皮膚炎,多発性神経炎,てんかん様痙攣	神経障害
ビタミン B_{12}	メチオニン合成酵素などの補酵素,核酸合成,メチオニン合成,ミエリン合成	巨赤芽球性貧血,舌炎,進行性麻痺	なし
葉酸	メチル基転移反応,核酸合成,ホモシステイン代謝	巨赤芽球性貧血,神経管閉鎖障害,舌炎,口角炎	発熱,紅斑,神経障害
ナイアシン	NAD,NADP として酸化還元反応酵素の補酵素,エネルギー代謝	ペラグラ(皮膚炎,下痢,認知症)	肝障害,胃腸障害,フラッシング(ニコチン酸)
ビオチン	TCA 回路のカルボキシラーゼの補酵素,脂肪酸合成,β酸化	口唇炎,皮膚炎,貧血	なし
パントテン酸	CoA として脂質代謝,糖質代謝,ステロイドホルモン合成	成長障害,脱毛,皮膚症状,貧血,疲労感	なし
ビタミン C	酸化還元反応,コラーゲン合成,コレステロール代謝	壊血病,Sjögren 症候群,出血,結膜炎	なし

障害や吸収不良症候群,乳児の栄養障害などビタミン A の吸収障害や低栄養により惹起されるレチノール結合蛋白質の低下による体内輸送障害に起因することが多い.血中レチノール濃度は 20〜80 μg/dL が正常範囲とされる.体内のビタミン A の 90%は肝臓に貯蔵されており,欠乏症状が出るまでは血中濃度の低下はみられない.

治療・予後

ビタミン A の推奨量は,成人男性で 850〜900 μg,成人女性で 650〜700 μg レチノール当量(RE)である[5].欠乏症の治療には,チョコラ $A^®$(1 万 IU/ 錠,10 IU = 1 μgRE)1〜2 錠 / 日を投与する.夜盲症では,5 万 IU を 2 週間投与する[6].特に妊婦では過剰投与に注意し,5000 IU/ 日をこえないようにする.

(2)ビタミン A 過剰症(hypervitaminosis A)
定義・病因・臨床症状・診断

ビタミン A 過剰症は,ビタミン A を含む薬剤,サプリメント,食品などの大量または長期服用・摂取により発症する[7].なお,β-カロテンは,小腸上皮細胞で吸収された後,体内のビタミン A 需要に応じて切断されレチノールに変換されるため,過剰摂取による過剰症は生じない.急性症状は,腹痛,嘔吐,悪心,頭蓋内圧亢進による頭痛やめまい,および皮膚落屑などである.慢性症状としては,全身の関節痛,骨痛,骨粗鬆症,皮膚乾燥,脱毛,食欲不振,体重減少,肝障害,頭蓋内圧亢進などを示す.妊婦では胎児の先天異常を示す.血清レチノール濃度は,100 μg/dL 以上を示すが,必ずしも症状と一致しない.

治療・予後

原因となるビタミン A の摂取をやめることで,1〜4 週間程度で回復する.一方,妊婦の過剰症による胎児の先天異常は不可逆的である.

(3)ビタミン D 欠乏症(vitamin D deficiency)
定義・概念・疫学・病因・病態生理

ビタミン D 欠乏症は,食事からのビタミン D 摂取不足,日光の照射不足によるビタミン D 欠乏により生じる病態をいう[8].ビタミン D には,エルゴステロール由来のビタミン D_2 と 7-デヒドロコレステロール由来のビタミン D_3 があるが,生物活性は同等である.食事から摂取あるいは皮膚で合成されたビタミン D は,肝臓のミクロソームにあるビタミン D-25-ヒドロキシラーゼにより 25 位が水酸化され,さらに腎

臓の近位尿細管のミトコンドリアにある25-ヒドロキシビタミンD-1α-ヒドロキシラーゼにより1α位が水酸化され活性型ビタミンD（1α,25-ジヒドロキシビタミンD [1,25(OH)$_2$D]）となり，生理活性をもつようになる．活性型ビタミンDは，標的細胞内の核内受容体であるビタミンD受容体に結合し，標的遺伝子の発現を調節することで作用を発揮する[9]．ビタミンDのおもな生理作用は，腸管でのCaおよびPの吸収促進，骨リモデリングの促進，腎尿細管でのCaおよびPの再吸収促進，副甲状腺ホルモン分泌抑制などである．近年，老健施設入所者や食物アレルギー，アトピー性皮膚炎患者などでビタミンD摂取不足や日光照射不足に伴うビタミンD欠乏症やビタミンD不足状態の患者が問題となっている[10,11]．また，ビタミンD欠乏や不足状態と免疫機能，筋力維持，発癌との関係なども注目されている．

臨床症状・病因・診断

ビタミンD欠乏症では，腸管からのCa・Pの吸収が低下し，骨の石灰化障害を引き起こす．その結果，乳幼児，小児の場合はくる病として，成人の場合は骨軟化症として発症する【⇨15-6-7】．

ビタミンD栄養状態の最も良好な指標は，血中25-ヒドロキシビタミンD[25(OH)D]であり，血中PTH濃度の上昇が認められはじめる20 ng/mL以下であればビタミンD不足と判断される[10]．また，石灰化障害が出現してくる5 ng/mL未満であればビタミンD欠乏と診断される[9]．

治療・予後

ビタミンDの食事摂取基準は，目安量として5.5 μg/日である[12]．治療は，ビタミンD摂取不足が原因であれば，通常は，活性型ではないビタミンD（native Dという）による補充療法により正常化する．骨粗鬆症や慢性腎不全，副甲状腺機能低下症など活性化の異常が原因であれば1,25(OH)$_2$D$_3$あるいは1α(OH)D$_3$を投与する．

(4) ビタミンD過剰症 (hypervitaminosis D)
定義・病因・臨床症状・診断

脂溶性であるビタミンDは，過剰に投与すると，ビタミンD過剰症を呈する．通常の食事で過剰量を摂取することはないが，サプリメントや活性型ビタミンDの過剰投与によりビタミンD過剰症を起こす可能性がある．ビタミンD過剰症の症状は，高カルシウム血症，高カルシウム尿症，食欲不振，嘔吐，悪心，口渇，多尿，脱水，筋力低下，関節痛，骨の石灰化障害，異所性石灰化などである．カルシウム摂取量が多いほど，症状が強い．血清カルシウムレベルは，12～14 mg/dLに達し，放置すると腎不全や死亡することもある．ビタミンD過剰症では，血清25(OH)Dレベルは高値となるが，1,25(OH)$_2$Dレベルは正常範囲である[8]．これは，1α-ヒドロキシラーゼの活性が厳密なフィードバック調節機構により制御されているためである．

治療・予後

栄養素としてのビタミンDの耐容上限量は，乳児で25 μg/日，3～5歳で30 μg/日，6～9歳で40 μg/日，12～14歳で80 μg/日，18歳以上で100 μg/日とされている[10]．原因となるビタミンDの投与を中止すること．高カルシウム血症が重篤な場合は，輸液による補正，ステロイドやビスホスホネートによる治療を行う．

(5) ビタミンD依存症 (vitamin D dependency)
定義・病因・病態生理

遺伝性にビタミンD作用が障害され，生理量のビタミンDではビタミンDの生理作用が不足し，くる病，低カルシウム血症によるテタニーや痙攣を呈する疾患である．ビタミンD依存性くる病ともいう．ビタミンD活性化酵素である25-ヒドロキシビタミンD-1α-ヒドロキシラーゼ遺伝子異常で発症するビタミンD依存症I型とビタミンD受容体遺伝子異常によるビタミンD依存症II型に分類される[13,14]．

臨床症状・診断・治療

おもな症状は，生後数ヵ月からみられるくる病所見，低カルシウム血症，テタニー，痙攣，低リン血症，高アルカリホスファターゼ血症，副甲状腺ホルモン高値血症などである．血清1,25(OH)$_2$D濃度は，I型では活性化に障害があるので低値となり，II型では受容体の異常により活性化酵素のフィードバック阻害が障害されるため高値を示す．なお，II型では禿頭を伴うことが多く，脱毛とくる病の重症度とは関連する．治療は，I型では，活性型ビタミンDを通常量投与する．II型では，受容体が障害されているので，活性型ビタミンDの大量投与と必要に応じてカルシウムの点滴静注を行う．

(6) ビタミンE欠乏症 (vitamin E deficiency)
定義・概念・疫学・病因・病態生理

ビタミンE（トコフェロール）は，8種類の同族体があり，最も活性が強いのがα-トコフェロールである[14]．ビタミンEのおもな生理作用は，生体膜や血中リポ蛋白質に含まれる多価不飽和脂肪酸が活性酸素などにより酸化され過酸化脂質を形成するのを防ぐ抗酸化作用である．

ビタミンEの欠乏は，実験的に不妊症，筋萎縮症，脳軟化症，貧血，肝壊死などの症状を呈することが示されている[14]．ヒトでは，ビタミンEは，通常摂取する食事中に豊富に含まれるので欠乏症を示すことは

きわめてまれであり，極度の栄養不良患者か低出生体重児に限られる．また，胆道閉鎖症，短腸症候群やCrohn病など脂質の吸収障害がある患者では，二次的にビタミンE欠乏症を生じることがある．腸管でのビタミンEの吸収にはコレステロール輸送体であるNPC1L1（Niemann-Pick C1-like 1）が関与しており，この輸送体の阻害薬であるエゼチミブの服用によりビタミンEの吸収も抑制されることが指摘されている[15]．

先天性疾患では，家族性特発性ビタミンE欠乏症（ataxia vitamin E deficiency：AVED）がある．AVEDは，肝臓におけるビタミンE輸送蛋白質であるα-TTP（α-tocopherol transfer protein）の遺伝子異常により発症する常染色体劣性遺伝疾患であり，進行性の神経症状と低ビタミンE血症を認める[16]．

臨床症状・診断・治療

低出生体重児でのビタミンE欠乏症では，血小板増加症や浮腫，溶血性貧血などを示す．AVEDでは，運動失調，深部感覚障害など進行性の神経症状を示す．α-トコフェロールの血中濃度は，5〜20 μg/mLであり，それ未満ではビタミンE欠乏症が疑われる．ビタミンE欠乏症では，酢酸α-トコフェロールを1日100〜300 mgを経口投与する．AVEDでは，2000 mg/日と高用量が必要なこともある[17]．ビタミンEの食事摂取基準は，目安量で成人男性6.5 mg/日，成人女性6.0 mg/日である[18]．

(7) ビタミンK欠乏症 （vitamin K deficiency）
定義・概念・疫学・病因・病態生理

ビタミンKは，γ-グルタミルカルボキシラーゼの補因子として作用し，血液凝固にかかわる蛋白質や骨基質蛋白質のグルタミン酸（Glu）残基をGla化（γ-カルボキシル化）することで，これらの蛋白質を成熟化し生理作用を示す[19]．ビタミンKには植物性食品に多いビタミンK_1（フィロキノン）と動物性食品に多いビタミンK_2（メナキノン類）ある．ビタミンK_1は，体内あるいは腸内細菌でビタミンK_2に変換される．ビタミンK_2は腸内細菌により合成されるので，通常ビタミンK欠乏にはならない．しかしながら新生児では，腸内細菌叢が不十分なうえに，体内保持量も少なく，母乳にもビタミンKが少ないことから，ビタミンK欠乏を生じやすい．また，成人においても抗菌薬投与時や脂肪吸収に障害があるとビタミンK欠乏症が散見される．腸管でのビタミンKの吸収にもコレステロール輸送体であるNPC1L1が関与しており，この輸送体の阻害薬であるエゼチミブの服用によりビタミンKの吸収も抑制されることが指摘されている[20]．

臨床症状・診断

ビタミンK欠乏症では，易出血性となる．新生児ビタミンK欠乏症では，生後2〜5日の間に新生児メレナとよばれる消化管出血をはじめ，全身性に出血傾向となる．特発性乳児ビタミンK欠乏性出血症では，生後3週〜2カ月の間に80〜90％の症例で頭蓋内出血を呈す．

血中のビタミンK濃度は，ビタミンK_1が2 ng/mL，ビタミンK_2のうちMK-4が0.1 ng/mL，MK-7が5 ng/mL程度とされているが，微量であるため測定が一般的でない[21]．ビタミンKの不足では，骨基質蛋白質であるオステオカルシンのGla化が不十分となるため，血中の低Gla化オステオカルシン濃度を測定し，高値であればビタミンK栄養状態が悪いと判定できる[22]．ビタミンK欠乏症では，プロトロンビン時間と活性化部分トロンボプラスチン時間の延長が認められ，これらの症例にビタミンKを投与し改善が認められればビタミンK欠乏症と診断される．

治療・予後

ビタミンKの摂取基準は，目安量として150 μg/日とされている[23]．治療は，ビタミンK製剤の経口投与により行い，おおむね良好に治癒する．新生児に対しては出生24時間以内，6日目，1カ月後にビタミンKシロップが予防的に投与されている．

(8) ビタミンB_1欠乏症 （vitamin B_1 deficiency）
定義・概念・疫学・病因・病態生理

ビタミンB_1（チアミン）は，体内でおもにチアミン二リン酸としてエネルギー代謝の補酵素や神経機能の保持にかかわる[24]．ビタミンB_1欠乏では，グルコースはピルビン酸にまでしか代謝されず，ATPの産生が障害されるとともに，ピルビン酸が乳酸に代謝され乳酸アシドーシスの原因となる（図15-6-6）．ビタミンB_1欠乏は，おもにビタミンB_1の生体内需要に対し摂取量が不足することにより生じる．極度の偏食，アルコール依存症，吸収不良症候群，リフィーディング症候群，ビタミンB_1補給なしの高カロリー輸液などでは，ビタミンB_1欠乏症に注意を要す．心不全患者などで長期にわたる利尿薬投与時には，ビタミンB_1を含む水溶性ビタミンの欠乏を起こすことがある[25]．

臨床症状・診断

慢性的なビタミンB_1欠乏症では，神経および筋肉，特に心筋の異常を招き，Wernicke脳症や脚気とよばれる病態を呈する[26]（Wernicke脳症については【⇒17-12-1-1】）．脚気では，脚気心とよばれる心不全を特徴とする循環器症状，多発性神経炎による神経症状，低アルブミン血症による浮腫が3大徴候である．Wernicke脳症では，眼球運動障害，運動失調，

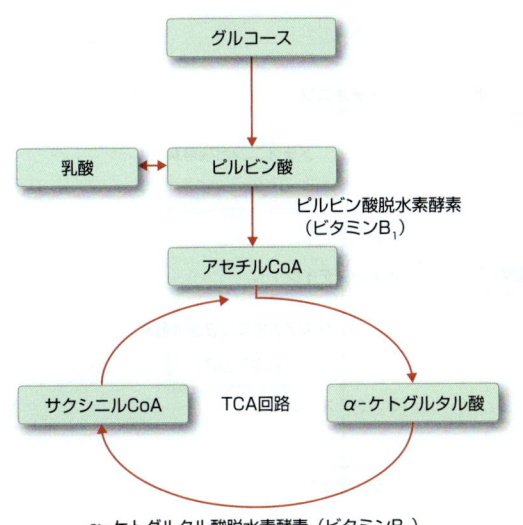

図15-6-6 糖代謝とビタミンB_1
ビタミンB_1欠乏では，ピルビン酸脱水素酵素や$α$-ケトグルタル酸脱水素酵素活性が低下し，蓄積したピルビン酸から乳酸が産生し，乳酸アシドーシスを招く．また，TCA回路の活性が低下し，ATP産生の低下を引き起こす．

意識障害が3大主徴である．

3大徴候，血清あるいは全血ビタミンB_1濃度低下，赤血球トランスケトラーゼ活性低下およびトランスケトラーゼに対するチアミン二リン酸添加による活性上昇率により診断される．

治療・予後

ビタミンB_1の推奨量は，成人で1〜1.5 mg/日，1000 kcalあたり0.45 mgである[27]．高カロリー輸液の投与時には，1日3 mg以上を投与することが推奨されている[28]．脚気に対してはビタミンB_1誘導体を25〜100 mg/日を分3経口投与する．重篤な脚気やWernicke脳症の急性期，ビタミンB_1欠乏によるアシドーシスが生じた場合には，100〜400 mg/日と大量のビタミンB_1の静注が必要である[28]．

(9) ビタミンB_2欠乏症（vitamin B_2 deficiency）
定義・概念・疫学・病因・病態生理

ビタミンB_2（リボフラビン）は，フラビンモノヌクレオチド（FMN）あるいはフラビンアデニンジヌクレオチド（FAD）となり，エネルギー代謝，糖質，蛋白質，脂質の代謝などにおける多くの酸化還元反応を触媒する酵素の補酵素として作用する[29]．先進国では，摂取不足による典型的なビタミンB_2欠乏症をみることはまれである．一方，肝疾患や下垂体疾患，糖尿病などの病態や，テトラサイクリン，ペニシリン，ストレプトマイシンなどの抗菌薬，向精神薬であるクロルプロマジン，経口避妊薬などは，ビタミンB_2必要量を増加させるため，その投与に伴いビタミンB_2欠乏症を生じることがある．利尿薬の長期投与時には，ビタミンB_2を含むB群ビタミン全般の尿中排泄が亢進し，複合ビタミン欠乏症を招く[25]．ビタミンB_2欠乏が単独で発症することはまれである．

臨床症状・診断

ビタミンB_2欠乏症では，舌炎，口角症，口角炎，脂漏性皮膚炎，眼症状（涙分泌低下，眼精疲労，角膜充血）が認められる．特に，皮膚，粘膜の異常を生じる．診断は，尿中および血中ビタミンB_2濃度の測定による．尿中のビタミンB_2排泄量は120 $μg$/gクレアチニン以上であり，40 $μg$/gクレアチニン以下では，ビタミンB_2欠乏が疑われる．全血中総ビタミンB_2濃度の基準値は，66〜111 ng/mLである[30]．

治療・予後

ビタミンB_2の摂取基準は，1.1〜1.6 mg/日であり，摂取エネルギーあたりでは，0.5 mg/1000 kcalである[31]．治療は，ビタミンB_2欠乏を引き起こす要因を除去することから始め，ビタミンB_2を補うために，1日20〜30 mgを分3経口投与する．多くの場合，複合ビタミン欠乏症を示すので，複合ビタミン剤が投与される[32]．

(10) ビタミンB_6欠乏症（vitamin B_6 deficiency）
定義・概念・疫学・病因・病態生理

ビタミンB_6は，アミノ酸および脂質代謝におけるアミノ基転移反応や脱炭酸反応などを触媒する酵素の補酵素として作用する[33]．したがって，ビタミンB_6は，糖新生，ナイアシン産生，赤血球機能改善，セロトニン，ドパミン，ノルアドレナリン，$γ$-アミノ酪酸（GABA），ヒスタミンなどの神経伝達物質産生に関与し，神経機能にかかわる．通常の食事を摂取していれば不足することはなく，原発性のビタミンB_6欠乏症をみることはほとんどない．結核治療薬，抗うつ薬，経口避妊薬などのビタミンB_6の必要量が増加する薬剤の服用やアルコール依存症などでビタミンB_6不足が生じることがある．さらに，ビタミンB_6は，ホモシステインをシスタチオニンに変換するシスタチオニン$β$合成酵素の補酵素でもあるので（図15-6-7），欠乏により高ホモシステイン血症を招く．ホモシステイン高値は，血管内皮細胞，血管壁，血液凝固系を障害し，炎症を惹起することで動脈硬化の一因となる[34,35]．

臨床症状・診断

ビタミンB_6欠乏症では，食欲不振，全身倦怠感，悪心，嘔吐，下痢，口唇炎，口角炎，ペラグラ様皮膚炎，多発性神経炎，貧血，痙攣などを示す．これらの徴候を認めた場合には，血中ピリドキサールリン酸濃度が20 nmol/L未満であればビタミンB_6欠乏症と診

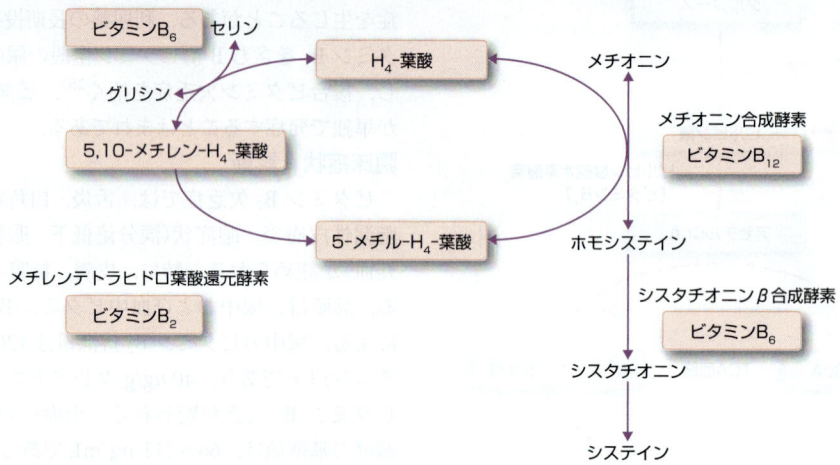

図 15-6-7 ホモシステイン代謝とB群ビタミン

断される[36]．なお，通常量のビタミンB_6を摂取しているにもかかわらずビタミンB_6欠乏と同様の症状を示すものをビタミンB_6依存症といい，痙攣，シスタチオニン尿症，ホモシスチン尿症，キサンツレン酸尿症，貧血などが知られている．

治療・予後
ビタミンB_6の推奨量は，1.2〜1.4 mg/日である[37]．治療では，ピリドキシンとして50〜100 mg/日を投与する[36]．ビタミンB_6依存症では，100〜1000 mg/日を投与する．

(11) ビタミンB_{12}欠乏症（vitamin B_{12} deficiency）
定義・概念・疫学・病因・病態生理
ビタミンB_{12}は，メチルマロニルCoAムターゼおよびメチオニン合成酵素の補酵素として機能する（図15-6-7）．したがって，ビタミンB_{12}欠乏は，DNA合成，葉酸代謝，ホモシステイン代謝に影響し，巨赤芽球性貧血，動脈硬化，神経障害，骨代謝障害などを引き起こす[38]．ビタミンB_{12}の吸収には，胃から分泌される内因子が必要であり，またビタミンB_{12}と内因子複合体は回腸末端部から吸収される．したがって，ビタミンB_{12}欠乏症は，内因子を欠乏する胃切除術後，慢性萎縮性胃炎，吸収不良をきたす盲係蹄症候群，慢性膵炎，アルコール依存症，吸収不良症候群，回盲切除後，Zollinger-Ellison症候群などで発症する[39]．また，パラアミノサリチル酸，フェニトイン，コルヒチン，メトホルミン，ネオマイシンなどでは腸粘膜を損傷するためビタミンB_{12}吸収障害をきたすことがある[39]．

臨床症状・診断
ビタミンB_{12}欠乏症は，巨赤芽球の出現，白血球および血小板の形成障害を認める．さらに，舌尖部の灼熱感や痛みを伴うHunter舌炎，知覚障害，腱反射の低下などの神経障害を示す．診断には，血清ビタミンB_{12}濃度のほか，血清不飽和ビタミンB_{12}結合能，尿中メチルマロン酸排泄量などが用いられる．血清ビタミンB_{12}濃度の基準値は180〜914 pg/mLとされている[39]．

治療・予後
ビタミンB_{12}の推奨量は，2.4 μg/日である[40]．内因子欠乏や吸収障害による欠乏症に対しては1000 μgを筋注し，以後貧血の状態をみながら断続的に投与する[39]．

(12) ナイアシン欠乏症（niacin deficiency）
定義・概念・疫学・病因・病態生理
ナイアシン（ニコチン酸およびニコチンアミド）は，ニコチンアミドアデニンジヌクレオチド（NAD）およびNADリン酸（NADP）として多くの酸化還元酵素の補酵素として機能する[41]．ナイアシン欠乏症は，ナイアシンあるいはその前駆体であるトリプトファンの欠乏により発症し，皮膚症状，消化器症状および精神神経症状を主徴としたペラグラとよばれる全身障害を引き起こす．通常の食事では発症することはないが，拒食症，吸収不良症候群，Hartnup病のようなトリプトファン代謝異常症，ナイアシン生成が抑制されるカルチノイド症候群，アルコール依存症などに散見される．イソニアジド，メルカプトプリン，5-フルオロウラシルなどNAD代謝に影響する薬剤投与時にも生じる場合がある[42]．

臨床症状・診断
ペラグラは，日光の当たる部位に発赤や水疱などの皮膚炎を示し，再発を繰り返す．頸部に境界明瞭なネクタイ状紅斑を生じる．舌炎，口角炎，口内炎も認め

る．消化器症状は，食欲不振，腹痛，下痢を示す．精神神経症状は，神経衰弱，頭痛，耳鳴り，腱反射異常のほか，重症では，認知障害，見当識障害などを示す．

診断・治療・予後

臨床症状のほか，血中 NAD，NADP，総ニコチンアミド量を測定し診断する[42]．ナイアシン欠乏に対しては，300〜500 mg/日のニコチン酸アミドを経口投与する[42]．重症例では，100〜200 mg/日のナイアシンを点滴静注する．精神障害は 24〜48 時間で消失するが，皮膚症状の完治には 3〜4 週間を要する．ナイアシンの推奨量は，10〜15 mgNE/日とされている[43]．

(13) 葉酸欠乏症 (follic acid deficiency)
定義・概念・疫学・病因・病態生理

葉酸は，核酸の生合成，メチオニン生合成系におけるメチル化供与体として機能する（図 15-6-7）．葉酸欠乏症では巨赤芽球性貧血を生じるほか，特に妊娠初期に欠乏すると胎児の神経管閉鎖障害の発症リスクが高まる[44]．葉酸欠乏は，ホモシステインの蓄積を招き，動脈硬化のリスクを上昇させるほか，骨粗鬆症，認知症などの発症リスクが高まる[45]．

葉酸欠乏は，神経性食欲不振症，極度の偏食，低栄養患者，フェニルケトン尿症患者における低フェニルアラニン食摂食者など摂取不足でみられる．また，胃切除，吸収不良症候群，盲係蹄症候群などの吸収障害，アルコール依存症，経口避妊薬，フェニトインなどの抗痙攣薬の服用，メトトレキサートなどの葉酸拮抗薬の投与などの利用障害でも葉酸欠乏がみられる．

臨床症状・診断

葉酸欠乏症では，巨赤芽球性貧血のほか，神経障害，腸管機能障害，動悸，易疲労性，口内炎などがみられる．

葉酸欠乏の診断は，血清葉酸値の低下（4 ng/mL 以下），赤血球中葉酸濃度（120 ng/mL 以下）を測定する[45]．巨赤芽球や過分葉核好中球の出現，血清鉄，LDH，間接ビリルビンなどを測定し鑑別する．

治療・予後

葉酸の推奨量は，240 μg/日である[46]．欠乏があれば，食事指導のほか，200 μg/日の葉酸を経口投与する[45]．吸収障害などによる重症例では，5〜20 mg/日を経口あるいは静脈投与し，その後漸減する．

(14) ビオチン欠乏症 (biotin deficiency)
定義・概念・疫学・病因・病態生理

ビオチンは，ピルビン酸カルボキシラーゼ，プロピオニル CoA カルボキシラーゼ，アセチル CoA カルボキシラーゼ，β-メチルクロトニル CoA カルボキシラーゼの 4 つのカルボキシラーゼの補酵素であり，炭素の固定，転移，脱炭素反応に関与し，糖代謝，脂肪酸代謝，分岐鎖アミノ酸代謝に重要である[47]．通常の食事を摂取していれば不足することはないが，極端な偏食，ビオチンを含まない経腸栄養剤や中心静脈栄養，治療用特殊ミルクなどを長期に使用している患者，食事制限を厳しく行っている食物アレルギー患者などにビオチン欠乏症が散見される[48]．

臨床症状・診断・治療・予後

ビオチン欠乏症では，脱毛，脂漏性皮膚炎，乾皮症を示す[48]．乳幼児期の発症では，顔面周囲の皮膚炎，運動失調，有機酸尿，痙攣，発育不全などを示す．治療には，ビオチンとして 0.25〜2 mg/日を投与する．ビオチンの食事摂取基準は，目安量として 50 μg/日である[49]．

(15) ビタミン C 欠乏症 (vitamin C deficiency)
定義・概念・疫学・病因・病態生理

ビタミン C（L-アスコルビン酸）は，コラーゲン合成におけるプロリンやリジン残基の水酸化，コレステロール代謝における 7 位の水酸化，チトクローム P450 酵素による薬物の水酸化，ドパミンからノルアドレナリンへの酸化，カルニチン合成，cAMP や cGMP の合成の補因子として機能する[50,51]．また，抗酸化剤や還元剤として非ヘム鉄の腸管吸収などにも作用する．ビタミン C の摂取不足で生じるのがビタミン C 欠乏症であり，古くより壊血病として知られる．小児では，Möller-Barlow 病となる．新鮮な野菜や果物を長期に摂取していない人やアルコール依存患者，ヘビースモーカーなどで散見される．

臨床症状・診断・治療・予後

ビタミン C 欠乏症では，易出血となり全身の点状・斑点状出血，歯肉，消化管の出血を認める．また，結膜炎，Sjögren 症候群，骨形成不全などの症状を示す[51]．小児では骨，歯の発育不全を認める．血中ビタミン C 濃度が 0.2 mg/dL 以下で欠乏状態と診断される．治療には，ビタミン C 製剤を成人で 1 日 50〜2000 mg，小児で 100〜200 mg を 1〜数回に分けて経口あるいは静脈注射により投与する．ビタミン C の推奨量は，100 mg/日である[52]．〔竹谷 豊〕

■文献（e文献 15-6-4）

福澤健治，渡邊敏明編：ビタミンの基礎と臨床．Mod Physician. 2007; 27: 1185-279.

5）微量元素欠乏症

体重1 kgあたり1 mg以下，もしくは体内貯蔵量が鉄よりも少ない金属を微量元素（金属）とする．微量元素は多くの生理作用に関与し，その欠乏は種々の病態と関連するが，ここではおもに亜鉛について述べる．

(1) 亜鉛欠乏症 (zinc deficiency)
定義・概念
亜鉛は生体内に約2 g存在し，鉄とほぼ同等だが，鉄のほとんどがヘモグロビンの構成要素として存在するのに対し，亜鉛は全身に広く分布する．亜鉛は，①触媒作用（300種類以上の酵素に含まれる），②構造機能（Zn-フィンガー蛋白質など），③調節機能（免疫制御・Zn^{2+}シグナルなど），④解毒機能など，多彩な生理作用をもつ．Prasadによりヒトにおいて亜鉛欠乏により多彩な臨床症状が起こることが示されたのは1961年である（Prasad，2013）．

病態生理
亜鉛欠乏症の原因として，①摂取不足，②吸収障害，③遺伝的疾患がある．日本人の食事摂取基準2015では，18～69歳における亜鉛摂取の推奨量は男性10 mg，女性8 mgであるが，2013（平成25）年度国民健康栄養調査における成人の亜鉛摂取の平均値は，男性約9 mg，女性約7 mgであり，わが国では通常の食事を摂っているかぎり，亜鉛欠乏症を起こす危険性は低いとされてきたが，実際には高齢者などでは潜在的欠乏者は少なくないと考えられる．以前には中心静脈栄養に伴って亜鉛欠乏症が多発したが，現在では微量元素の添加により頻度は低くなっている．

亜鉛の吸収は種々の要因により阻害される．フィチン酸を多く含む豆類の多量摂取，ポリリン酸ナトリウムなどの食品添加物，薬剤による吸収障害（カプトプリルなどによる亜鉛キレート作用）が知られ，また鉄・銅・亜鉛の吸収は，亜鉛の吸収と競合するので，サプリメントなどによるこれらの過剰摂取も，亜鉛の吸収障害を招く．

細胞内亜鉛濃度は厳密に輸送体により厳密に調節されており，Zip4ファミリーは細胞内亜鉛濃度を上昇させ，ZnTファミリーは低下させる．腸性肢端皮膚炎(acrodermatitis enteropathica)は，Zip4の変異による疾患であり，腸管からの亜鉛吸収が障害され，皮膚症状，下痢，発育不全，免疫能低下，精神症状などを呈する．

臨床症状
上記のように亜鉛は生体内で多くの重要な機能を果たしているので，欠乏により多彩な臨床症状が起こる．亜鉛欠乏症は，代謝回転の速い臓器に現れやすく，皮膚症状や味覚障害はそういう面から理解される．

1) **皮膚疾患**：　創傷や褥瘡治癒の遅延．
2) **感覚系**：　亜鉛は味蕾に必須であり，亜鉛欠乏により味覚障害が起こる．
3) **免疫能の低下**：　亜鉛欠乏により胸腺の萎縮・細胞性免疫機能低下が起こる．
4) **食欲低下**：　亜鉛欠乏により，味覚とは別に，食欲低下も起こる．
5) **成長障害**：　成長障害に関しては，亜鉛欠乏によって，血清IGF-Ⅰ濃度の低下が示されている．
6) **男性の性腺機能低下症**：　亜鉛は精子形成に重要である．

なお微量元素の多くは安全域が狭く，過剰摂取による健康障害のおそれがあるが，亜鉛はほとんど唯一の，安全域の広い微量元素である．

検査所見・診断
臨床症状より亜鉛欠乏症を疑い，疑いがあれば血清亜鉛濃度を測定する．血清亜鉛の濃度のカットオフ値として，日本微量元素学会では，80 μg/dLという値を示している．

治療
ポラプレジンク（プロマック®）は，本来亜鉛の創傷治癒促進効果を期待して開発された胃潰瘍治療薬であるが，1g中に37.5 mgの亜鉛を含み，亜鉛欠乏症の治療に有効である．

(2) 銅欠乏症 (Menkes病)
定義・概念
銅は必須元素ではあるが，欠乏・過剰のいずれによっても生体に障害をきたすため，銅の濃度は厳密に調節されている．細胞膜上の輸送体により細胞内に運ばれた銅は，ATPを分解し，銅イオンのポンプである銅イオン輸送ATPaseによりGolgi体に輸送される．肝臓以外の組織ではATP7A，肝臓ではATP7Bが特異的に発現している．

Menkes病はX染色体劣性遺伝性のATP7A遺伝子異常症であり，経口摂取した銅は腸管に蓄積し体内に分泌されず，重篤な銅欠乏症が起こる．なおWilson病はATP7B欠損によるが，別項で述べられるので省略する．

病態生理・臨床症状
カテコールアミン合成にかかわるドパミンβ-ヒドロキシラーゼ，コラーゲン合成に必須のlysyl oxidaseは銅酵素であり，これら酵素活性低下の結果，重篤な中枢神経障害（難治性痙攣・著明な発達遅延など）や結合組織障害（骨粗鬆症，血管障害，膀胱憩室など）をきたす．わが国での発症頻度は男子出生約14万人に

1人であり，母体由来の銅が欠乏する生後2～3カ月頃から発症する．

診断

血清銅，セルロプラスミン低値などを呈し，確定診断は培養皮膚線維芽細胞を用いた診断や*ATP7A*遺伝子変異同定により行われる．

治療

ヒスチジン銅の注射が行われるが，生後2カ月以内の早期から行わないと，予後不良である．

〔田中　清〕

■文献

Kodama H, Fujiwara C, et al: Inherited copper transport disorders: biochemical mechanisms, diagnosis, and treatment. Curr Drug Metab. 2013; **13**: 237-50.

日本栄養・食糧学会監：亜鉛の機能と健康—新たにわかった多彩な機能，建帛社，2013.

Prasad AS: Discovery of human zinc deficiency: its impact on human health and disease. Adv Nutr. 2013; **4**: 176-90.

6）骨粗鬆症
osteoporosis

定義・概念

骨粗鬆症（オステオポローシス）とは骨強度の低下により，骨折の危険性が高まった骨格疾患と定義されている[1]．この骨強度の約70％が骨密度で説明でき，それ以外の30％を説明する因子を骨質という．この骨質にかかわる因子として，微細構造，骨代謝回転，微小骨折の蓄積，石灰化の程度，コラーゲンなど骨基質の性状などがある（図15-6-8）．骨粗鬆症の病態は多様であり，骨密度の低下と骨質の劣化のいずれもが関与し骨強度の低下をもたらす．

分類

骨粗鬆症は原発性骨粗鬆症と続発性骨粗鬆症に分類される（表15-6-6）．原発性骨粗鬆症の多くは閉経後女性にみられる閉経後骨粗鬆症である．男性も加齢に伴い骨脆弱化をきたし，男性骨粗鬆症とよばれる．また，まれではあるが妊娠中に認める妊娠後骨粗鬆症は特発性骨粗鬆症の1つとして原発性骨粗鬆症に分類される（骨粗鬆症の予防と治療ガイドライン作成委員会，2011）．

続発性骨粗鬆症は，閉経，加齢，遺伝的要因以外に骨粗鬆症を惹起する特定の原因を有する場合を称し，多くの疾患や薬剤，栄養障害などが原因となる（表15-6-7）．疾患によるものを疾患関連性，薬剤によるものを治療（薬剤）関連性続発性骨粗鬆症という．疾患関連性続発性骨粗鬆症の原因疾患として，原発性副甲状腺機能亢進症，甲状腺機能亢進症，Cushing症候

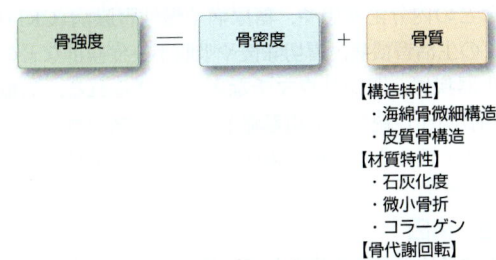

図15-6-8 骨強度に及ぼす骨密度と骨質の関係（文献1より作成）

骨粗鬆症とは骨強度の低下により，骨折の危険性が高まった骨格疾患と定義されている．この骨強度の約70％が骨密度で説明でき，それ以外の約30％を説明する因子を骨質という．

表15-6-6 骨粗鬆症の分類

1. 原発性骨粗鬆症
・閉経後骨粗鬆症 ・男性骨粗鬆症 ・特発性骨粗鬆症（妊娠後骨粗鬆症など）
2. 続発性骨粗鬆症

表15-6-7 続発性骨粗鬆症の原因

内分泌性	副甲状腺機能亢進症 甲状腺機能亢進症 性腺機能不全 Cushing症候群　など
栄養性	胃切除後 吸収不良症候群 ビタミンAまたはD過剰 神経性食欲不振症 ビタミンC欠乏症　など
薬物	ステロイド薬 性ホルモン低下療法治療薬 SSRI（選択的セロトニン再取り込み阻害薬） ワルファリン メトトレキサート ヘパリン　など
不動性	全身性（臥床安静，対麻痺，廃用症候群，宇宙旅行） 局所性（骨折後など）
先天性	骨形成不全症 Marfan症候群　など
その他	関節リウマチ 糖尿病 慢性腎臓病（CKD） アルコール多飲（依存症） 肝疾患 肺疾患　など

続発性骨粗鬆症は，多くの疾患や薬剤，栄養障害などが原因となる．原発性骨粗鬆症の診断において，これらを鑑別することが重要である．

群などの内分泌疾患や，糖尿病や慢性腎臓病（CKD）などの生活習慣病，胃切除後や吸収不良症候群などの消化器疾患，関節リウマチなどがあげられる．治療（薬剤）関連性続発性骨粗鬆症としては，ステロイド性に加えて性ホルモン低下療法も，骨折の危険性の増加に関与する．

原因・病因

骨は身体の支持組織としての機能のみならず，体外から取り入れたカルシウムを貯蔵する場としての役割も担う．重力や外からの機械的刺激，内部応力に抗して身体を支え，運動機能を保持するために，骨は合目的な構築を示し，力学的負荷に応じて常に新しく再構築（リモデリング）されている．骨吸収と骨形成を繰り返すことでリモデリングが行われている．骨吸収を担う破骨細胞と，骨形成を担う骨芽細胞，そして骨細胞が互いに協調してリモデリングが営まれることで，骨強度が維持される．骨密度は思春期にかけて高くなり，20歳代で骨量頂値（peak bone mass）を迎える．その後しばらく維持された後，閉経や加齢に伴い，骨吸収が骨形成を上回り骨密度の低下や，微細構造の劣化などをきたす．さらに，ビタミンDやビタミンKの不足，また酸化ストレスなどにより，骨基質の変化，つまり材質特性の劣化をきたす．骨密度の低下，骨質の劣化のいずれも骨強度の低下にかかわり骨折の危険性が高まる．

疫学

超高齢社会のわが国において骨粗鬆症患者は年々増加しており，有病者数は1280万人（女性980万人，男性300万人）と推計されている[2]．40歳以上の骨粗鬆症有病率は，大腿骨頸部骨密度で測定した場合，男性12.4%，女性26.5%とされる[2]．女性に多く，加齢とともに有病率は高くなる（e図15-6-B）．

椎体骨折は最も頻度の高い骨粗鬆症性骨折であり，欧米に比して有病率，発生率が高いことが知られている．70歳代前半の25%，80歳以上の43%が椎体骨折を有する[3]．しかも70歳以降では，その半数以上が複数個の骨折を有するという[3]．骨粗鬆症性骨折のうち最も重篤な大腿骨近位部骨折の発生数は，2012年の統計では17万〜18万人と推計され，増加し続けている．

病態生理

1）閉経後骨粗鬆症（postmenopausal osteoporosis）： エストロゲンは破骨細胞に直接作用し，その分化・成熟を抑制する．また，間葉系細胞や骨芽細胞に作用し，これらの細胞が産生する破骨細胞分化因子（receptor activator of nuclear factor-κB ligand：RANKL）の発現を抑制することによっても破骨細胞の分化・成熟を抑制する[4]．このため閉経に伴うエストロゲンの欠乏は破骨細胞の活性化，つまり骨吸収の亢進を生じる．骨吸収の亢進に伴い骨形成も上昇し骨代謝回転は高まるが，加齢に伴う骨形成の低下もあいまって，骨吸収が相対的に優位となり[5]，骨密度の低下，海綿骨の骨梁幅や骨梁数の低下[6]，皮質骨の菲薄化や多孔化（骨髄側の皮質骨の海綿骨化）をきたす[7]．類骨石灰化（一次石灰化）の後，時間をかけて二次石灰化するが，骨代謝回転の過度な亢進によって，二次石灰化度が十分に進まず石灰化度が低下する．このような機序により，骨密度は閉経後1〜2%/年の低下を認めるようになる[8,9]．

2）ステロイド性骨粗鬆症（glucocorticoid induced osteoporosis）： グルココルチコイド過剰が腸管でのカルシウム吸収の低下や尿細管でのカルシウム再吸収の低下をきたすことでカルシウムバランスが負となり，これが二次性の副甲状腺機能亢進症をもたらし骨吸収が亢進する．また，グルココルチコイドは骨芽細胞や骨細胞に直接作用し，アポトーシスの促進，骨形成の低下をきたす．また，骨芽細胞に作用しコラーゲン産生低下や架橋異常をきたすとされる．これらの病態はグルココルチコイド過剰をきたすCushing症候群においても同様である．

ステロイド服用者の骨折率は非服用者の約2倍とされる[10]．骨折リスクの上昇はプレドニゾロン換算で2.5〜7.5 mg/日といった少量から認め，投与開始後3〜6カ月以内にすでに骨折リスクは明らかに高くなる[10]．

臨床症状

1）自覚症状： 骨粗鬆症による椎体骨折をきたした場合は腰背痛のほか，円背によるADLの低下，胃・食道逆流現象による消化器症状，呼吸機能の低下に伴う症状などを認める．しかし，ほとんどの骨粗鬆症例は自覚症状を認めないことが多い．

2）他覚症状： 椎体骨折による円背，身長の低下を認める．4 cm以上の身長低下がある場合は椎体骨折が存在する可能性が高い．

検査所見

1）血液・尿生化学検査： 原発性骨粗鬆症ではカルシウム代謝調節系に異常は認めないため，血清カルシウム，リン濃度は正常である．血清ALP濃度は骨代謝回転の上昇を反映して高値となることがあるが，ALPが異常高値の場合や血清カルシウム，リン濃度に異常を認めた場合は，原発性副甲状腺機能亢進症や甲状腺機能亢進症，悪性腫瘍，骨軟化症などを鑑別する必要がある．

2）骨密度： 二重X線吸収法（DXA）による腰椎や大腿骨近位部骨密度が骨粗鬆症診断に最も推奨されている．両方を測定した場合は低い方の値を用いる．

3）X線検査： 椎体骨折を有する症例の2/3が無症状とされ，胸椎・腰椎X線像による椎体骨折の有無の

判定が不可欠である[11]（e図 15-6-C，15-6-D）．

4) 骨代謝マーカー
骨基質のⅠ型コラーゲンは各分子間が架橋を形成し安定な構造を形成する．骨吸収過程で分解生成されるコラーゲン代謝産物であるデオキシピリジノリン（DPD），Ⅰ型コラーゲン架橋N-テロペプチド（NTX）やⅠ型コラーゲン架橋C-テロペプチド（CTX），あるいは破骨細胞内酵素である酒石酸抵抗性酸ホスファターゼ-5b（TRACP-5b）は骨吸収マーカーとして用いられ，すべて保険適用である．一方，骨芽細胞の分化の各段階において骨芽細胞より分泌される物質である骨型アルカリホスファターゼ（BAP）やⅠ型プロコラーゲン-N-プロペプチド（P1NP），オステオカルシンが骨形成マーカーで，骨粗鬆症診療において保険適用となっているのはBAPとP1NPである．また，オステオカルシンはビタミンK依存性にカルボキシル化されるが，骨中のビタミンKが不足すると低カルボキシル化オステオカルシン（undercarboxylated osteocalcin：ucOC）が上昇する．ucOCは骨マトリックス関連マーカーとされる．

骨代謝マーカーは骨密度変化率の予測因子となるのみならず，骨密度とは独立した骨折危険因子であり，骨質評価指標の1つである．骨代謝マーカーは薬物選択および，薬物治療開始後の薬物の有効性評価に有用である[12]．

診断
骨粗鬆症の診断においては，低骨量を呈する骨粗鬆症以外の疾患や続発性骨粗鬆症の鑑別が最も重要である（表 15-6-7）．原発性骨粗鬆症の診断は脆弱性骨折の有無と，骨密度によって行う（日本骨代謝学会，日本骨粗鬆症学会合同原発性骨粗鬆症診断基準改訂検討委員会，2013）（図 15-6-9）．脆弱性骨折が椎体，あるいは大腿骨近位部に認められた場合は骨密度に関係なく骨粗鬆症と診断される．その他の脆弱性骨折を有する場合には，骨密度が若年成人平均値（young adult mean：YAM）の80％未満で骨粗鬆症と診断する．脆弱性骨折がない場合，骨密度が70％以下であれば骨粗鬆症と診断する．

合併症
椎体骨折に続発して生じる食道裂孔ヘルニアや逆流性食道炎，便秘，痔核，心肺機能低下などは骨粗鬆症に合併しやすい疾患といえる．

経過・予後
大腿骨近位部骨折は直接的にADLの低下や寝たきりに結びつき，生命予後を悪化させる．大腿骨近位部骨折者の少なくとも10％は骨折後1年で死亡する[13]．一方，椎体骨折においても，骨折による疼痛，ADLの制限に加え，脊柱変形に続発して生じる逆流性食道炎，心肺機能低下などは間接的にQOL低下の原因となる．そして，中長期的には生命予後に大きな影響を与え[14]，その影響は椎体骨折数が多いほど顕著となる[15]．骨折後の生命予後には性差があり，男性では骨折発生率は女性に比べて低いが，いったん骨折すると生命予後への影響度が高い[14]．

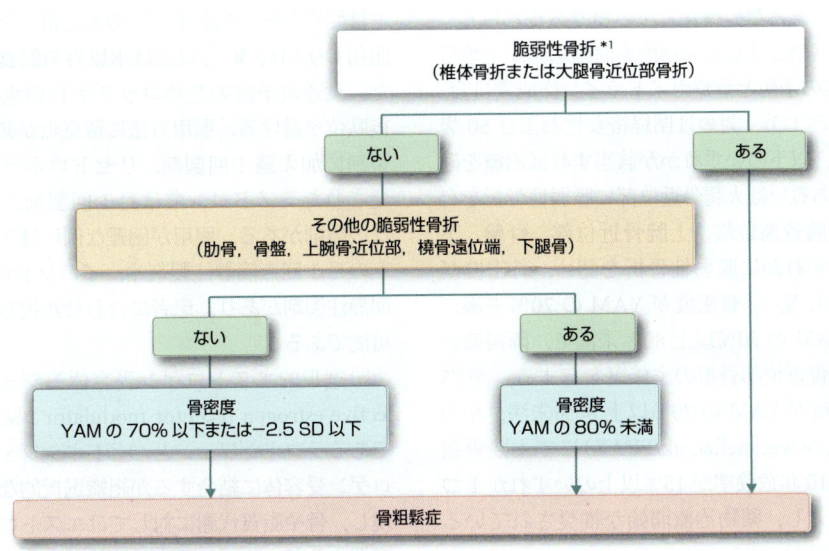

図 15-6-9 原発性骨粗鬆症の診断基準（2012年度改訂版）（日本骨代謝学会，日本骨粗鬆症学会合同原発性骨粗鬆症診断基準検討委員会，2013より作成）
原発性骨粗鬆症の診断は，低骨量を呈する骨粗鬆症以外の疾患や続発性骨粗鬆症を鑑別した後，脆弱性骨折の有無と，骨密度によって行う．
YAM：young adult mean．

*1：軽微な外力によって発生した非外傷性骨折．軽微な外力とは，立った姿勢からの転倒か，それ以下の外力を指す．

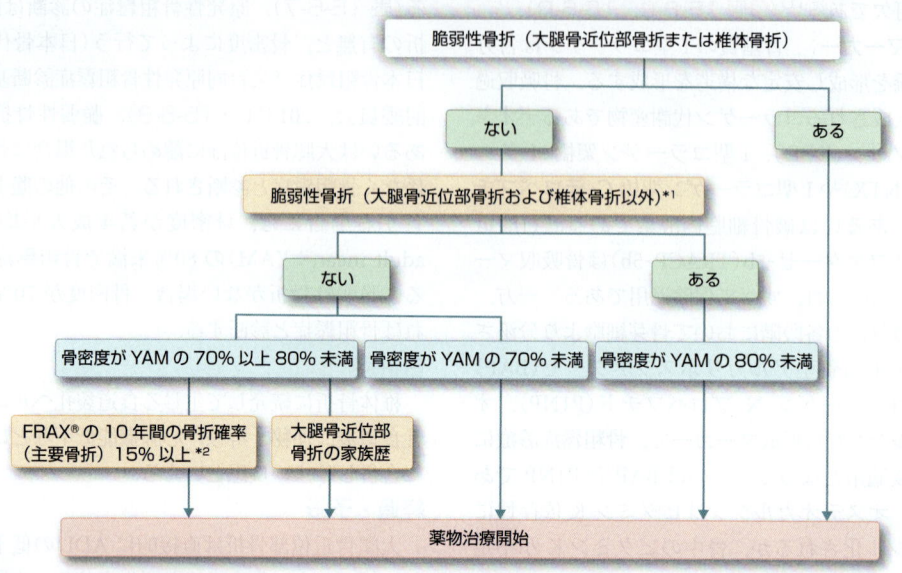

図 15-6-10 原発性骨粗鬆症の薬物治療開始基準（骨粗鬆症の予防と治療ガイドライン作成委員会, 2011 より引用）
個々の骨折危険因子をふまえた治療介入を行うため, 骨粗鬆症診断基準とは別に薬物治療開始基準が定められている. 閉経後女性および 50 歳以上の男性を対象とする.
YAM：young adult mean.
＊1：前腕骨遠位端骨折, 上腕骨近位部骨折, 骨盤骨折, 下腿骨折または肋骨骨折を指す.
＊2：75 歳未満で適用する.

治療

1）原発性骨粗鬆症： 骨粗鬆症治療の目的は, 骨折の危険性を低減し ADL, QOL の維持改善をはかること, つまり, 骨折防止である. そのためには個々の骨折危険因子をふまえた治療介入が必要であるとして, 骨粗鬆症診断基準とは別に薬物治療開始基準が定められた（骨粗鬆症の予防と治療ガイドライン作成委員会, 2011）（図 15-6-10）. 対象は閉経後女性および 50 歳以上の男性で, 以下のいずれかが該当すれば治療を勧める. ①椎体あるいは大腿骨近位部に脆弱性骨折を有する例, ②前腕骨遠位端, 上腕骨近位部, 骨盤, 下腿, 肋骨のいずれかに脆弱性骨折を認め, 骨密度が YAM の 80％未満, ③骨密度が YAM の 70％未満, ④骨密度が YAM の 70％以上 80％未満で, 両親のいずれかに大腿骨近位部骨折の家族歴を有する, ⑤ 75 歳以下で骨密度が YAM の 70％以上 80％未満, かつ FRAX®（http://www.shef.ac.uk/FRAX）にて主要骨粗鬆症性骨折の 10 年危険率が 15％以上のいずれか 1 つを有する例に対し, 薬物治療開始が推奨されている（図 15-6-10）.

生活指導として, 骨粗鬆症治療に必要な栄養素であるカルシウム, ビタミン D, ビタミン K の摂取, 個々の運動能力に合わせた運動を推奨する.

a）ビスホスホネート：ビスホスホネートはピロリン酸の類似体で, 骨表面に結合する. 骨吸収に伴い破骨細胞に取り込まれると破骨細胞機能を抑制する. つまり, 骨吸収抑制薬である. アレンドロネートとリセドロネートは閉経後骨粗鬆症においてすべての部位の骨折防止効果が立証されている[16,17]. ビスホスホネートは腸管からの吸収率がきわめて低いため, 起床時に服用し服用後 30 分以上は水以外の飲食を避ける. また, 食道炎予防のためコップ 1 杯の水で服用し服用後臥位を避ける. 服用方法に留意点があるため, 毎日製剤に加え週 1 回製剤, リセドロネートや日本で開発されたミノドロン酸は月 1 回製剤と服用頻度が少ない製剤がある. 服用が困難な例にはアレンドロネートの月 1 回点滴静注製剤や, イバンドロネートの月 1 回静注製剤があり, 患者に合わせた投与方法の選択が可能である.

b）選択的エストロゲン受容体モジュレーター（selective estrogen receptor modulator：SERM）：SERM であるラロキシフェンとバゼドキシフェンは, エストロゲン受容体に結合するが組織選択的な薬理作用を発現し, 骨や脂質代謝に対してはエストロゲン様作用を発揮するが, 乳房や子宮では抗エストロゲン作用を発揮する. SERM も骨吸収抑制薬であるが, 骨密度増加効果から推定される以上の骨折抑制効果を示し, 骨質改善薬としての効果も明らかになってきている. SERM には明らかな椎体骨折防止効果が示されている[18,19].

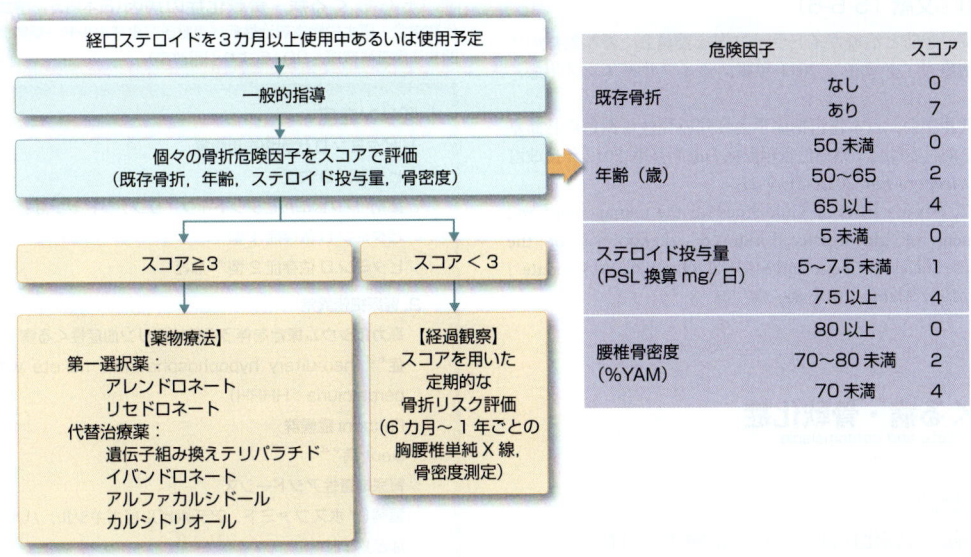

図 15-6-11 ステロイド性骨粗鬆症の管理と治療ガイドライン(2014年改訂版)(文献24より引用)
経口ステロイド薬を3カ月以上使用中または使用予定の18歳以上の男女を対象とし,ステロイド性骨粗鬆症の管理と治療のアルゴリズムに従ってスコアを算出し,スコアが3以上の場合は薬物治療を開始する.
PSL:プレドニゾロン,YAM:young adult mean.

c)抗RANKL抗体:破骨細胞分化因子であるRANKLに対するヒト型モノクローナルIgG2抗体であるデノスマブは,RANKLとその受容体であるRANKの結合を阻害することにより,骨吸収を著明に抑制する.閉経後骨粗鬆症においてすべての部位の骨折防止効果が立証されている[20].投与方法は6カ月に1度の皮下注射製剤で,低カルシウム血症の発症予防のため,天然型ビタミンD_3あるいは活性型ビタミンD_3製剤を併用する.

d)テリパラチド:副甲状腺ホルモン(PTH)の持続的過剰は骨密度の低下をきたすが,間欠投与は骨形成を促進する.骨形成促進薬であるPTH誘導体(テリパラチド)は骨折リスクの高い例においてビスホスホネートを上回る骨折防止効果が立証されている[21].新たに骨を形成することで,著明な骨密度増加効果と骨質改善効果を示す.他剤による治療中に骨折を生じた例,高齢で複数の椎体骨折や大腿骨近位部骨折を生じた例,骨密度低下が著しい例など重篤な骨粗鬆症例に勧められる.連日自己皮下注射製剤は2年,週1回皮下注射製剤は1.5年までの使用制限があり,いずれも治療後,骨吸収抑制薬による治療継続を要する.

e)活性型ビタミンD_3製剤:活性型ビタミンD_3の作用は,腸管からのカルシウム吸収を増加させることで血中カルシウムを上昇させ,血中PTHを低下させる.つまり,活性型ビタミンD_3はカルシウムの負バランスによって生じた二次性副甲状腺機能亢進状態を是正し,骨吸収を抑制するおもに間接作用により骨粗鬆症治療薬として働く.活性型ビタミンD_3の骨への直接作用のメカニズムの詳細はいまだ不明な点が多い.$1\alpha(OH)D_3$(アルファカルシドール),$1\alpha 25(OH)_2D_3$(カルシトリオール)は腰椎骨密度増加効果と椎体骨折防止効果のみならず[22],転倒防止効果が立証されている[23].さらに活性型ビタミンD_3製剤の骨作用を増強したエルデカルシトールはアルファカルシドール以上の骨密度増加効果と骨折抑制効果が示されている.

f)ビタミンK_2製剤:メナテトレノンはオステオカルシンのGla化(γカルボキシル化)を促進するため,ucOC高値例によい適応となる.

g)カルシトニン製剤:腰背部痛を有する例には,疼痛抑制効果が証明されているカルシトニン製剤が推奨される.

2)ステロイド性骨粗鬆症: ステロイド性骨粗鬆症については「ステロイド性骨粗鬆症の管理と治療のガイドライン2014年改訂版」が別に定められている(図15-6-11)(Suzukiら,2014)[24].経口ステロイドを3カ月以上使用中または使用予定の18歳以上の男女を対象とする.既存骨折の有無,年齢,ステロイド投与量,腰椎骨密度によりスコアを算出し,スコアが3以上の場合に薬物治療を開始する.第一選択薬としてアレンドロネート,リセドロネート,代替治療薬としてテリパラチド,イバンドロネート,アルファカルシドール,カルシトリオールが推奨されている.

〔山内美香・杉本利嗣〕

■文献(e文献 15-6-6)

骨粗鬆症の予防と治療ガイドライン作成委員会：骨粗鬆症の予防と治療ガイドライン 2011 年版, ライフサイエンス出版, 2011.
日本骨代謝学会, 日本骨粗鬆症学会合同原発性骨粗鬆症診断基準改訂検討委員会：原発性骨粗鬆症の診断基準 2012 年度改訂版. *Osteoporo Jpn.* 2013; 21: 9-21.
Suzuki Y, Nawata H, et al: Guidelines on the management and treatment of glucocorticoid-induced osteoporosis of the Japanese Society for Bone and Mineral Research: 2014 update. *J Bone Miner Metab.* 2014; **32**: 337-50.

7) くる病・骨軟化症
rickets and osteomalacia

定義・概念

くる病, 骨軟化症は, 骨石灰化障害を特徴とする疾患である. このうち, 成長軟骨帯閉鎖以前に発症するものをくる病, 一方, 骨端線の閉鎖後に発症するものを骨軟化症とよぶ. くる病・骨軟化症はさまざまな原因により骨石灰化障害をきたした結果, 石灰化していない骨基質, すなわち類骨の増加を認める (Rosen, 2013). 病因・病態により治療法が異なるため, 鑑別診断が重要である.

分類

くる病・骨軟化症は, その病因から低リン血症を呈する場合, おもに小児で低カルシウム血症をきたす場合, これら以外の原因による場合に分類される (表 15-6-8).

原因・病因

多くのくる病・骨軟化症では慢性の低リン血症を認め, 低リン血症が原因となって骨石灰化障害をきたす. ただし, 小児にみられるビタミン D 欠乏性くる病などでは, 低リン血症ではなく低カルシウム血症がおもな要因となることもある (ビタミン D 診療ガイドライン策定委員会, 2013). また, 骨石灰化自体を障害する薬剤による場合は, 低リン血症を認めずにくる病・骨軟化症を呈する.

慢性の低リン血症をきたす病因は, ビタミン D 代謝物の作用障害, 腎尿細管異常, 線維芽細胞増殖因子-23 (fibroblast growth factor 23：FGF-23) の作用過剰, およびリン欠乏に大別される (表 15-6-8).

1) ビタミン D 代謝物作用障害: 摂食不足や吸収障害, 日光照射不足によりビタミン D 欠乏をきたす. ビタミン D 活性化酵素である 1α 位ヒドロキシラーゼの遺伝子異常によるものがビタミン D 依存症 1 型[1], ビタミン D 受容体 (*VDR*) 遺伝子の変異によりビタミン D 作用が障害されたものがビタミン D 依存症 2 型である[2].

2) 腎尿細管異常: 腎近位尿細管でのリンやグルコース, HCO_3, アミノ酸などの再吸収能が障害され, 低リン血症や尿細管性アシドーシス, ビタミン D 活性化障害などによりくる病・骨軟化症をきたす疾患を Fanconi 症候群という.

3) FGF-23 関連低リン血症性くる病・骨軟化症: FGF-23 は, 腎尿細管におけるリン再吸収抑制や, ビタミン D-1α ヒドロキシラーゼ発現抑制によるビタミン D の活性化抑制, それに伴う腸管でのリン吸収の抑制により, 血中リン濃度を低下させるホルモンである. よって過剰な FGF-23 活性により低リン血症性くる病・骨軟化症が惹起される. 遺伝子異常や FGF-23 産生腫瘍, 薬剤 (一部の鉄剤など) など, さまざまな原因で FGF-23 作用が過剰となる (e表 15-6-A).

X 染色体優性低リン血症性くる病 (X-linked hypophosphatemic rickets：XLHR) はエンドペプチダーゼ

表 15-6-8 くる病・骨軟化症の病因 (日本内分泌学会・日本骨代謝学会・厚生労働省難治性疾患克服研究事業ホルモン受容機構異常に関する調査研究班, 2015 より引用改変)

I. 低リン血症
1. ビタミン D 代謝物作用障害
ビタミン D 欠乏
薬剤 (ジフェニルヒダントイン, リファンピシンなど)
ビタミン D 依存症 1 型[*1]
ビタミン D 依存症 2 型[*2] など
2. 腎尿細管異常
高カルシウム尿症を伴う遺伝性低リン血症性くる病・骨軟化症[*3] (hereditary hypophosphatemic rickets with hypercalciuria：HHRH)
Fanconi 症候群
Dent 病[*4]
腎尿細管性アシドーシス
薬剤 (イホスファミド, アデホビルピボキシル, バルプロ酸など) など
3. FGF-23 関連低リン血症性くる病・骨軟化症 (e表 15-6-A 参照)
腫瘍性くる病・骨軟化症
X 染色体優性低リン血症性くる病・骨軟化症など
4. リン欠乏
リン摂取不足, 腸管吸収障害など
II. 低カルシウム血症
ビタミン D 欠乏の一部
ビタミン D 依存症 1 型[*1]
ビタミン D 依存症 2 型[*2]
III. その他の原因による石灰化障害
薬剤 (アルミニウム, エチドロン酸など)

[*1]: *CYP27B1* 遺伝子変異, 常染色体劣性遺伝.
[*2]: *VDR* 遺伝子変異, 常染色体劣性遺伝.
[*3]: *SLC34A3* 遺伝子変異, 常染色体劣性遺伝.
[*4]: *CLCN5* 遺伝子変異, X 染色体劣性遺伝.

のPHEX(phosphate regulating neutral endopeptidase on X chromosome)遺伝子の変異を認め[3]，FGF-23高値，低リン血症を認めるが，FGF-23が上昇する機序は不明である．頭頸部や四肢などの骨軟骨部良性腫瘍(おもに中胚葉系由来の腫瘍)からFGF-23が過剰分泌され骨軟化症をきたすことがあり，腫瘍性低リン血症性骨軟化症(tumor-induced osteomalacia：TIO)とよばれる[4]．

疫学

低リン血症性くる病をきたす遺伝子疾患ではXLHRが最も頻度が高く10万出生に3.9〜5人とされる．

病理

骨生検により，骨表面における類骨の増加が認められる．また，テトラサイクリンの2回骨標識での二重標識の消失，つまり石灰化速度の遅延を認める．

病態生理

骨はⅠ型コラーゲンを主とした骨基質を足場に，Caイオン，リン酸イオン，水酸化物イオンからなるヒドロキシアパタイト結晶が沈着し形成される．よって，これらのイオン濃度が低くなりすぎれば骨の石灰化は障害される．また，活性型ビタミンDは腸管でのカルシウム，リン吸収促進作用や，骨芽細胞の分化・機能，そして石灰化への作用を有することから，ビタミンD作用の低下はくる病・骨軟化症の原因となる．

骨石灰化障害が骨端線の閉鎖前に発症した場合をくる病，一方，骨端線の閉鎖以降に発症した場合を骨軟化症と称する．

臨床症状

1)自覚症状： くる病では，骨成長障害による低身長，O脚・X脚，歩行障害などを認める．ビタミンD依存症2型では禿頭の合併がみられる．

骨軟化症では，下肢を中心とした骨痛や筋痛，筋力低下を生じることが多い．

2)他覚症状： くる病では，成長障害，O脚・X脚などの骨変形，脊柱の湾曲，頭蓋癆，大泉門の開離，肋骨念珠，関節腫脹などを認める．

骨軟化症の重篤例では，胸郭の変形(鳩胸)，脊柱の変形，偽骨折(looser zone)が生じることがある．

検査所見

1)血液・尿生化学検査： くる病・骨軟化症患者の生化学所見では，骨型アルカリホスファターゼの増加による高アルカリホスファターゼ血症が特徴的であり，一部を除いて慢性の低リン血症が認められる．くる病患者では，低リン血症ではなく低カルシウム血症がおもな異常となる場合がある．

リン摂取不足，腸管リン吸収障害などによるリン欠乏の場合は，尿細管リン再吸収能は低下しないが，そ

表15-6-9 くる病の診断指針(日本内分泌学会・日本骨代謝学会・厚生労働省難治性疾患克服研究事業ホルモン受容機構異常に関する調査研究班，2015)

大項目
a) 単純X線像でのくる病変化(骨幹端の杯状陥凹，または骨端線の拡大や毛ばだち)
b) 高アルカリホスファターゼ血症＊

小項目
c) 低リン血症＊，または低カルシウム血症＊
d) 臨床症状
　O脚・X脚などの骨変形，脊柱の湾曲，頭蓋癆，大泉門の開離，肋骨念珠，関節腫脹のいずれか

1) くる病
　大項目2つと小項目の2つを満たすもの
2) くる病の疑い
　大項目2つと小項目の2つのうち1つを満たすもの

＊：年齢に応じた基準値を用いて判断する．
骨石灰化障害を惹起する薬剤使用例では，低リン血症，または低カルシウム血症の存在を除いて判断する．

れ以外の原因による低リン血症では，尿細管リン再吸収能の低下が認められる．尿細管リン再吸収能の評価には尿細管リン再吸収閾値(tubular maximum reabsorption for phosphate corrected for GFR：TmP/GFR)を用いる[5]．また，続発性副甲状腺機能亢進症によるPTH高値を認める場合がある．

ビタミンD欠乏による場合は，血清25(OH)D濃度の低下(保険適用外)，ビタミンD依存症1型では血清$1,25(OH)_2D$の低下，ビタミンD依存症2型では血清$1,25(OH)_2D$の上昇を認める．

2)X線検査： くる病では，骨幹端の杯状陥凹，骨端線の拡大や不整，毛ばだちなどを認める．骨軟化症では，低石灰化領域を示すlooser zoneが特徴的であるが，進行した例でのみ認める．

3)骨密度： 二重エネルギーX線吸収測定法(DXA)などによる骨密度は，骨中のカルシウム含量を測定しているため，骨軟化症では，骨密度の低下が認められる．

4)骨シンチグラフィ： 骨軟化症では，骨シンチグラフィで肋軟骨への数珠状の取り込みなど，多発性の取り込みが認められる(e図15-6-E)．

診断

骨石灰化障害の確定診断は骨生検によるが，実際には，侵襲的検査である骨生検が必要となることは多くない．くる病の臨床診断は，単純X線所見でのくる病所見と生化学所見，および臨床症状により行う(表15-6-9)．骨軟化症は，低リン血症(または低カルシウム血症)と高骨型アルカリホスファターゼ血症の存在と，骨・筋肉痛，筋力低下などの臨床症状，骨密度低下，骨シンチグラフィでの多発性取り込みや単純X

表 15-6-10 骨軟化症の診断指針（日本内分泌学会・日本骨代謝学会・厚生労働省難治性疾患克服研究事業ホルモン受容機構異常に関する調査研究班，2015）

大項目
 a）低リン血症，または低カルシウム血症
 b）高骨型アルカリホスファターゼ血症

小項目
 c）臨床症状
  筋力低下，または骨痛
 d）骨密度
  若年成人平均値（YAM）の 80％未満
 e）画像所見
  骨シンチグラフィでの肋軟骨などへの多発取り込み，または単純 X 線像での looser zone

1）骨軟化症
  大項目 2 つと小項目の 3 つを満たすもの
2）骨軟化症の疑い
  大項目 2 つと小項目の 2 つを満たすもの

骨石灰化障害を惹起する薬剤使用例では，低リン血症，または低カルシウム血症の存在を除いて判断する．

線像での looser zone の存在から診断する（表 15-6-10）．

鑑別診断

くる病・骨軟化症の鑑別診断のためのフローチャートを図 15-6-12 に示す．低リン血症ではリン利尿ホルモンである FGF-23 の測定が有用であり[6]（保険適用外），成人で高値の例では腫瘍性骨軟化症を念頭におく．

鑑別すべき疾患としては，筋力低下をきたす神経・筋疾患や，骨痛，筋痛をきたすリウマチ性多発筋痛症，強直性脊椎炎などがある．低骨密度を呈する骨粗鬆症，骨変形をきたすほかの骨系統疾患，腎性骨異栄養症，原発性副甲状腺機能亢進症，骨シンチグラフィでの多発取り込みを認める癌の骨転移などの鑑別を要する．

合併症

合併症として不全骨折があり，この場合は整形外科的な手術療法を要する場合がある．

治療

病因を解析・評価し，それに基づく治療を行う．ビ

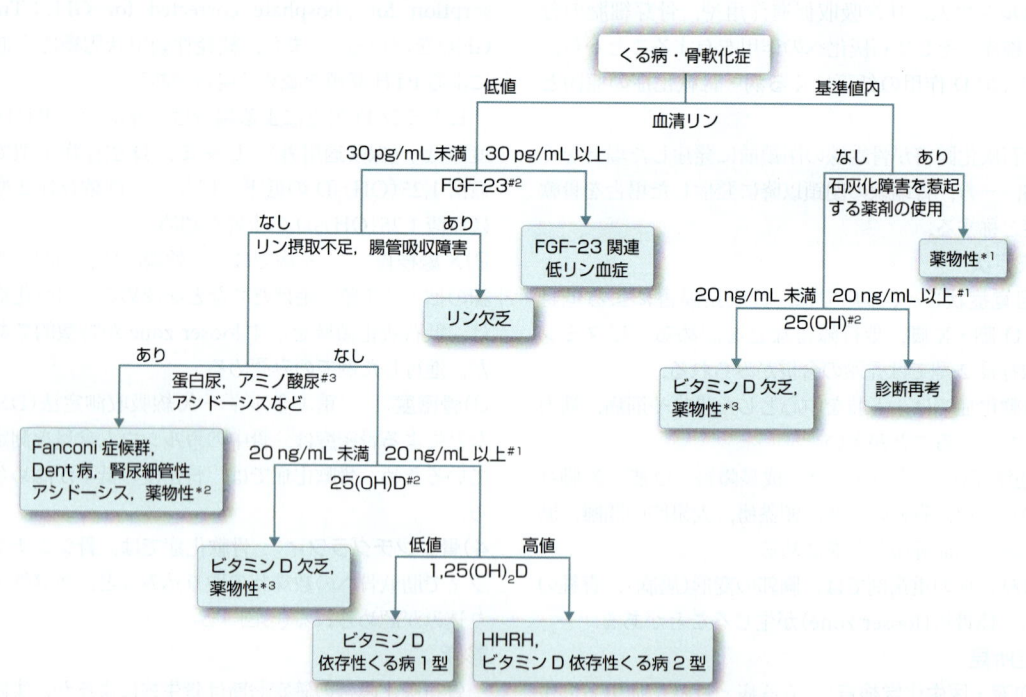

図 15-6-12 くる病・骨軟化症の病因鑑別フローチャート（日本内分泌学会・日本骨代謝学会・厚生労働省難治性疾患克服研究事業ホルモン受容機構異常に関する調査研究班，2015 より引用改変）
HHRH：hereditary hypophosphatemic rickets with hypercalciuria.
＊1：アルミニウム，エチドロネートなど
＊2：イホスファミド，アデホビルピボキシル，バルプロ酸など
＊3：ジフェニルヒダントイン，リファンピシンなど
#1：小児では，より高値であってもくる病の原因となることがある．
#2：保険適用外検査．
#3：ビタミン D 代謝物作用障害でも認められる場合がある．

タミンD欠乏には，天然型ビタミンD投与が適当であるが，処方薬がないため，活性型ビタミンD製剤を用いる．ビタミンD依存症1型には生理量の活性型ビタミンD製剤，2型には大量の活性型ビタミンD製剤の投与を要するが，投与量は症例によりさまざまである．

FGF-23関連低リン血症性くる病・骨軟化症のうち，腫瘍性骨軟化症では責任病巣の切除で根治が期待できる．外科的治療が不可能な腫瘍性骨軟化症，腎尿細管でのリン再吸収障害，遺伝性低リン血症などでは，経口リン製剤と活性型ビタミンD製剤投与を行う[7]．リン製剤の投与により，腎石灰化症，三次性副甲状腺機能亢進症による高カルシウム血症をきたすことがある．近年，FGF-23作用を阻害する抗FGF-23抗体などによる治療法の開発が進んできている[8]．

〔山内美香・杉本利嗣〕

■文献（e文献15-6-7）

ビタミンD診療ガイドライン策定委員会：ビタミンD欠乏性くる病・低カルシウム血症の診断の手引き，日本小児科学会，2013.

Rosen CJ eds: Primer on the Metabolic Bone Diseases and Disorders of Mineral Metabolism, 8th ed, Wiley-Blackwell, 2013.

日本内分泌学会・日本骨代謝学会・厚生労働省難治性疾患克服研究事業ホルモン受容機構異常に関する調査研究班：くる病・骨軟化症の診断マニュアル．日本内分泌学会雑誌，91 Suppl., pp1-11, 2015.

8）先天性脂質代謝異常症

生体内にからだの構築成分として存在する脂質は，糖鎖が結合した糖脂質として，おもに細胞膜に存在する．したがって糖脂質代謝異常症ともよぶ．糖脂質には，血球細胞膜に多く存在するグロボ糖脂質と神経細胞膜に多く存在するスフィンゴ糖脂質とがある．これらは常に新生と分解を繰り返しており，分解は細胞のリソソーム内で分解される．この分解酵素の1つまたは複数が先天的に活性欠損するために，種々の疾患が起こる．図15-6-13に糖脂質の代謝分解経路を，表15-6-11に該当する酵素名と酵素欠損によって起こる疾患を示す．

定義・概念

からだの構築成分の1つとしての糖脂質（セラミドに糖鎖が付加したもの）分解経路の1つが障害されるため，各組織の細胞内外に分解されない糖脂質が継時的に蓄積することによって生じる遺伝性疾患である．

分類

疾患群としては，リソソーム病（リソソーム酵素欠損症）のなかのリピドーシスとよばれるものに属する．

原因・病因

糖脂質を分解する酵素の遺伝子異常により酵素活性が低下することにより起こる．

疫学【⇨ 13-5-3】

Fabry病だけがX連鎖性遺伝であり，ほかはすべて常染色体性劣性遺伝の疾患である．発症頻度は，Fabry病以外では7万～50万人に1人くらいであり，したがって日本人における保因者頻度は，多いもので130人に1人，少ないもので400人に1人くらいである．Fabry病はX連鎖性劣性遺伝とされているが，女性保因者においても症状を現すことが多くあるため，最近では不完全なX連鎖性優性遺伝といわれている．患者頻度は2万～3万人に1人と推定される．

病理

光学顕微鏡では，リソソーム内に非分解産物が蓄積することや非代謝産物をマクロファージが貪食することによる特徴的な所見が認められ，それぞれの疾患を特徴づけるものとして知られている．たとえば，Krabbe病（グロボイド細胞ロイコジストロフィー）で脳組織にみられるグロボイド細胞，異染性ロイコジストロフィー（MLD）で尿沈渣にみられる異染性物質，Gaucher病で骨髄や脾臓にみられるGaucher細胞，Niemann-Pick病（NPD）で骨髄や肝臓にみられるNiemann-Pick細胞などがそれである．電子顕微鏡では，脂質の蓄積を表す層状の構造物が細胞質内に認められ，zebra bodyとよばれる．

病態生理

糖脂質は，細胞膜の構築成分として常に新生と分解を繰り返している．糖脂質の糖鎖部分は，細胞のリソソームにおいて加水分解酵素により切断される．この酵素の1つが遺伝的に欠損しているために，先天性脂質代謝異常症とよばれる一群の疾患が生じる．欠損する酵素の種類により異なる疾患が起こり，それぞれに特徴的な症状が発現する．酵素欠損のために，分解されない物質がリソソーム内に経時的に蓄積する．したがって，症状は次第に現れて進行する．同じ酵素欠損症であっても，その遺伝子変異の有様によって疾患重症度が異なる．点変異によりできた変異酵素蛋白が比較的酵素活性を残存している場合には軽症で，ゆっくりと症状が現れて徐々に進行する．塩基の欠失や挿入などで大きく酵素活性が損なわれる場合には，乳児期早期に症状が現れて成人に達することなく死亡する．

臨床症状

表15-6-11に簡単に示すように，似通った症状のものもあれば，まったく異なる症状を現すものもある．さらに，重症型と軽症型でも様相が異なる．

①神経症状が中心に現れるものにKrabbe病，異染

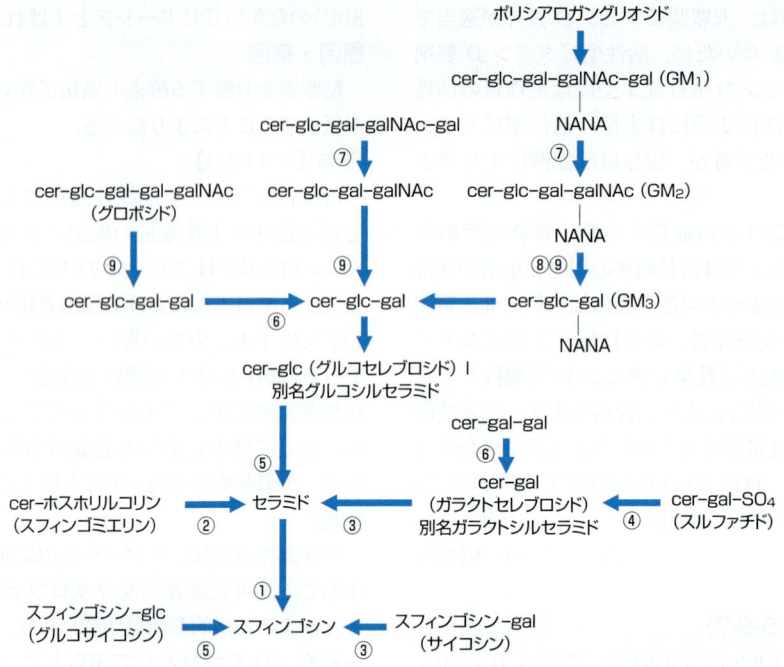

図 15-6-13 糖脂質の代謝経路

性ロイコジストロフィー，GM_2-ガングリオシドーシス（Tay-Sachs 病および Sandhoff 病）がある．②神経症状と内臓症状の両方が現れるものに，NPD A 型，NPD C 型，Gaucher 病Ⅱ型，Gaucher 病Ⅲ型がある．③内臓症状が中心に現れるものに，NPD B 型，Gaucher 病Ⅰ型，Fabry 病がある．④神経症状，内臓症状に加えて結合組織症状が現われるものに，GM_1-ガングリオシドーシス，⑤結合組織症状が中心に現れるものに Farber 病がある．

(1) Gaucher 病
臨床症状
1）Gaucher 病Ⅰ型： 発症時期は小児期初期から成人期後期までさまざまであるが，症候性患者のほとんどは思春期までに発症する．発症時は，血小板減少による出血傾向，貧血，肝機能検査での高値を伴うまたは伴わない肝腫大，脾腫大，骨痛を示す．肝腫大より脾腫大の方が重症で脾腫大は進行性に非常に大きくなる．ほとんどの患者で大腿骨遠位端の Erlenmeyer フラスコ型変形（eコラム 1）などの異常を示す．骨痛，偽骨髄炎様や病的骨折として発症することもある．骨溶解性病変は，大腿骨，肋骨，骨盤を含む長骨に現れる．重度の骨の疼痛腫脹を伴うクリーゼが起こることもある．血小板減少による鼻出血や皮下出血がきっかけで明らかになる場合がある．知能や発育は正常である．

2）Gaucher 病Ⅱ型： 広範囲の内臓障害を伴う神経変性が急速に進行し生後数年間で死に至る．乳児期に喉頭痙攣による喘鳴で発症することが多い．哺乳障害，筋緊張亢進，眼球運動障害，肝脾腫が起こり次第に進行する．後弓反張となり，痙攣が起こってくる．数年で呼吸障害のため死に至る．

3）Gaucher 病Ⅲ型： Ⅰ型とⅡ型の中間的な臨床症状を示すが，幅広い症状を示す．多くは小児期に発症し，寿命は 20〜30 歳代である．神経症状は，眼球運動異常，振戦，構音障害，進行性ミオトニーなどである．

診断
末梢白血球またはリンパ球，培養皮膚線維芽細胞でグルコセレブロシダーゼの活性低下を認める．

治療
1）酵素補充療法： 肝脾腫や貧血，血小板減少には良い効果がみられるが，神経症状への効果は乏しい．
2）基質削減療法： エリグルスタット（グリコシルセラミド合成酵素阻害薬）が発売承認となった．Ⅰ型患者がおもな適応である．
3）シャペロン療法（eコラム 2）： 神経症状に対してアンブロキソールの医師主導型臨床治験が行われている．

(2) Niemann-Pick 病（NPD）A/B 型
臨床症状
1）Niemann-Pick 病（NPD）A 型： 臨床症状および経過は均一であり，出生時には正常であるようにみえる．しかし，肝脾腫，中等度のリンパ節腫大および精神運動遅滞が生後 6 カ月までに明らかになり，3 歳

表 15-6-11 糖脂質代謝と酵素欠損症

活性欠損により起こる疾患名	図15-6-13の番号に対応	酵素名	蓄積物質名	おもな存在組織	おもな症状
Farber 病	①	酸性セラミダーゼ	セラミド	腱，関節，皮下組織	皮下結節
Niemann-Pick 病 A 型, B 型	②	スフィンゴミエリナーゼ	スフィンゴミエリン	神経鞘，脾臓，肝臓	肝脾腫，中枢神経障害(A 型のみ)
Krabbe 病（グロボイド細胞ロイコジストロフィ）	③	ガラクトシルセラミダーゼ	ガラクトシルセラミド，ガラクトセレブロシド	希突起神経膠細胞	神経白質障害
異染性ロイコジストロフィ	④	アリルスルファターゼ A	スルファチド	希突起神経膠細胞	神経白質障害
Gaucher 病	⑤	グルコセレブロシダーゼ（グルコシルセラミダーゼ）	グルコセレブロシド，グルコシルスフィンゴシン	細網内皮系	肝脾腫，骨髄障害，神経障害
Fabry 病	⑥	α-ガラクトシダーゼ A	トリヘキシルセラミド，ジガラクトシルセラミド	血管内皮細胞	被角血管腫，心肥大，腎障害，脳梗塞
GM$_1$-ガングリオシドーシス	⑦	β-ガラクトシダーゼ	ガングリオシド GM$_1$	細胞膜表面，漿膜	中枢神経障害，肝脾腫，骨変形
GM$_2$-ガングリオシドーシス (Tay-Sachs 病)	⑧	β-ヘキソサミニダーゼ A	ガングリオシド GM$_2$	神経細胞膜	中枢神経障害
GM$_2$-ガングリオシドーシス (Sabdhoff 病)	⑨	β-ヘキソサミニダーゼ A および B	ガングリオシド GM$_2$，アシアロガングリオシド GM$_2$，グロボシド	神経細胞膜，ほか	中枢神経障害

までに神経発達退行が進行して死に至る．病末期には痙縮および硬直が明らかになり，周囲に反応しなくなる．

2）Niemann-Pick 病（NPD）B 型： 疾患患者の臨床症状および経過に差が大きい．ほとんどが乳児期または小児期に肝脾腫に気づかれて診断される．神経症状は認めない．肝脾腫は特に小児期に顕著であるが，身長の増加とともに目立たなくなる．軽症患者では，脾腫大は成人期まで認められないこともある．胸部 X 線画像で軽度のびまん性の網状または微細結節状浸潤が肺に認められるが，小児期には無症状のことが多い．呼吸器症状は通常成人期に認められる．肺胞浸潤によって引き起こされる肺の拡散障害が小児期後期または成人期初期に明確となり，年齢とともに進行する．重症型の患者は 15～20 歳までに重篤な呼吸機能障害を発症することがある．気管支肺炎から死亡することもあり，肺性心の報告もある．重症型の患者では肝障害を認め，肝硬変，門脈圧亢進症および腹水に至ることがある．二次性脾機能亢進により汎血球減少症を認める．

診断
　末梢白血球またはリンパ球，培養皮膚線維芽細胞でスフィンゴミエリナーゼの活性低下を認める．

治療
　現在，NPD の特異的治療は存在しない．B 型 NPD に対する酵素補充療法の第Ⅰ相試験が完了しており，この治療法の有効性を評価するためにさらなる臨床試験が計画されている．

(3) Niemann-Pick 病（NPD）C 型
症状
　C 型 NPD 患者は，乳児期から成人期まで幅広い発症を示す．いずれも肝臓，脾臓の腫れと神経症状が徐々に進行する．しばしば長期の新生児黄疸を示す．多くは 1～2 歳までは正常であるようにみえるが，その後，緩徐に進行するさまざまな神経変性症状を呈する．C 型 NPD 患者の肝脾腫は A 型または B 型 NPD 患者より重症度が低く，患者は成人期まで生存することがある．C 型患者の病因となる生化学的異常は，細胞内コレステロール輸送の障害であり，リソソーム/後期エンドソームにスフィンゴミエリンおよびコレステロールの蓄積が起こる．酸性スフィンゴミエリナーゼ活性の二次性の部分的低下が起こる．

診断
　培養皮膚線維芽細胞でフィリピン染色陽性と遺伝子診断による．

治療
1) 基質削減療法： 2012 年よりミグルスタット（グルコシルセラミド合成酵素阻害薬）が承認され投与されている．

(4) GM₁-ガングリオシドーシス
症状
1) 乳児型： 新生児期には，肝脾腫，浮腫，皮膚発疹（被角血管腫）などを認める．生後6カ月までに発育遅滞がみられ，その後進行性精神運動遅滞と強直間代痙攣発作が起こる．耳介低位，前頭部の隆起，扁平な鼻梁および異常に長い人中を特徴とする特有の顔貌も呈する．半数近くの患児に黄斑部のチェリーレッドスポットが認められる．椎骨前縁の形成不全，トルコ鞍の肥大，頭蓋冠の肥厚など，ムコ多糖症に類似した骨格異常と肝脾腫が認められる．生後1年を過ぎるまでに，ほとんどの患児が，除脳硬直など重度の神経障害を示すようになり，視力喪失，難聴となる．通常3〜4歳までに死亡する．

2) 小児型（若年型）： さまざまな年齢で発症し，乳児型とは臨床的に区別される．患児は運動失調，構語障害，精神遅滞，痙縮などの神経学的症状が最初に現れる．進行は比較的ゆるやかで，30歳代まで生存する患者もある．乳児型にみられるような異常顔貌，骨格症状，肝脾腫はみられない．

3) 成人型： 歩行異常，発語異常，筋失調症（ジストニア）および軽度の骨格異常が起こる．

診断
末梢白血球またはリンパ球，培養皮膚線維芽細胞でβ-ガラクトシダーゼの活性低下を認める．

治療
特異的な治療法はない．一部の患者でシャペロン療法の効果があることが推定されているが，臨床治験には至っていない．

(5) GM₂-ガングリオシドーシス
症状
GM₂-ガングリオシドーシスにはTay-Sachs病とSandhoff病がある．

1) 乳児型GM₂-ガングリオシドーシス： 生後6〜7カ月頃に運動発達の退行が始まる．座位ができなくなり，定頸も失われる．音に対する驚愕反応（聴覚過敏反応）が起こり，アイコンタクトが消失する．眼底検査にて黄斑部にチェリーレッドスポットが認められる．患児は筋緊張低下から次第に痙性となって1歳過ぎ頃より痙攣発作が始まる．頭部MRI検査では，病初期は脳容量が増加して軽度の大頭症を呈し，基底核部にグリオーシスと思われる輝度上昇の変化が認められる．病末期には次第に脳萎縮となる．神経変性は進行し，4〜5歳までに死に至る．Tay-Sachs病ではこの病型が最も多い．

2) 若年型GM₂-ガングリオシドーシス： 幼児期〜小児期に運動失調と構語障害で発症するが，黄斑部チェリーレッドスポットはみられない．

3) 成人型GM₂-ガングリオシドーシス： 小児期〜成人期に精神神経症状が始まり，徐々に進行する．精神障害と運動障害が認められる．

診断
末梢白血球またはリンパ球，培養皮膚線維芽細胞でヘキソースアミニダーゼAのみ（Tay-Sachs病）あるいはAおよびB（Sandhoff病）の活性低下を認める．

治療
効果的な治療法はない．欧州では，ミグルスタットが治療薬として使われている．

(6) Krabbe病
概念・症状
Krabbe病はグロボイド細胞ロイコジストロフィーともよばれ，進行性の神経変性症状を呈する常染色体劣性疾患である．これは，ガラクトシルセラミダーゼ（galactosylceramidase：GALC）の酵素活性の欠損により，ガラクトシルセラミドおよびガラクトスフィンゴシンが白質に蓄積することにより起こる．末梢，中枢両神経系のミエリンが障害され，深部腱反射の低下〜消失，神経伝導速度の低下，痙縮および認知機能障害が生じる．ガラクトシルセラミダーゼ遺伝子は14番染色体（14q31）上にあり，疾患の原因となる特異的な変異が知られている．

1) 乳児型Krabbe病： 生後3〜5カ月頃に神経症状が始まり急速に進行する．ようやくできていた定頸が消失，筋緊張低下となり，その後わずかな間に筋緊張亢進，痙攣発作，過敏症状（易刺激性症状），視神経萎縮が現れ，1年以内に寝たきりとなる．経口摂取不能となり，呼吸機能不全も出現する．

2) 若年型Krabbe病： 幼児期に神経症状が始まる．精神障害，知能障害，運動障害，視力障害が進行する．

3) 成人型Krabbe病： 10歳代以降に神経症状が始まる．ゆっくりと，精神障害，知能障害，運動障害，視力障害が進行する．

診断
白血球や培養皮膚線維芽細胞を用いてガラクトシルセラミダーゼの活性欠損を認める．

治療
進行が遅い若年型や成人型では，造血幹細胞移植がある程度の効果を示す．病初期に行うのがよい．

(7) 異染性ロイコジストロフィー（metachromatic leukodystrophy：MLD）
概念・症状
MLDは，硫酸グリコスフィンゴ脂質（スルファチド）の加水分解に必要なアリルスルファターゼA（arylsulfatase A：ASA）の欠損によって起こる，常染色

体劣性の疾患である．MLDのもう1つの型として，スフィンゴ脂質活性蛋白（sphingolipid activator protein-1：SAP-1）という，基質-酵素複合体の形成に必要な蛋白の異常による病型がある．この酵素活性の欠損によって硫酸グリコスフィンゴ脂質の白質への蓄積をきたし，その結果，脱髄や神経変性に至る．

1）後期乳児型： 最も頻度が高い．1歳前後に神経症状が始まり進行する．歩けていたのに歩けない，転びやすいなどの症状で始まる．膝の過伸展など痙性となる．本疾患は，中枢神経系および末梢神経系の障害が上位運動ニューロンおよび下位運動ニューロンの2つの経路に起こる．したがって，中枢神経系と末梢神経系の両方の症状が現れる．深部腱反射は低下または消失する．認知症状や精神症状も現れる．疾患が進行するにつれ，眼振，ミオクロニー発作，視神経萎縮，四肢不全麻痺が現れ，筋肉のやせ，筋力低下，筋緊張低下が徐々に進行し，寝たきりとなる．寿命は10年余である．

2）若年型： 4～6歳頃に，情緒障害，失禁，歩行障害が起こり，次第に言語障害，痙攣，知的退行が起こって，神経症状が進行する．

3）成人型： 10歳代後半～30歳代に情緒障害，言語障害，妄想などの精神症状が起こり，最初は統合失調症のようである．次第に運動障害も起こり，寝たきりとなる．臨床症状は若年型と同様であるが，情緒不安定や精神病は若年型より顕著である．認知症，痙攣発作，深部腱反射の消失，視神経萎縮は若年型，成人型ともに起こる．

診断
白血球もしくは培養皮膚線維芽細胞でASAの活性の低下を認める．

治療
進行が遅い若年型や成人型では造血幹細胞移植がある程度の効果を示す．病初期に行うのがよい．髄腔内酵素補充療法および遺伝子治療の臨床治験が行われている．

(8) Farber病
Farber病は，リソソーム酵素である酸性セラミダーゼの欠損によりさまざまな組織，特に関節におけるセラミドの蓄積によって引き起こされる常染色体劣性疾患である．生後1年以内に発症し，疼痛を伴う関節腫脹と結節形成を示す．疾患が進行するにつれて，声帯における結節もしくは肉芽腫形成によって嗄声と呼吸困難に至る．

診断
培養皮膚線維芽細胞もしくは末梢白血球細胞においてセラミダーゼ活性の欠損を証明する．セラミダーゼ遺伝子解析も有用である．鑑別としてリウマチ様関節炎があげられるが，炎症反応がみられない．

治療
特異的な治療法はない．

(9) Fabry病
X連鎖性遺伝の先天代謝異常症である．臨床病型として古典型（男性），遅発型（男性），女性患者に分けられる．

症状
1）古典型： 幼児期以降に四肢末端痛，発汗障害や被角血管腫などで発症し，学童期以降から角膜混濁や尿蛋白を認め，成人期から腎障害，心肥大，脳血管障害を発症する．

2）遅発型： 疼痛，発汗異常や被角血管腫など古典型に特徴的な症状を伴わず，成人期より腎障害や心障害などを発症する．

3）女性患者： ヘテロ接合体女性は，ランダムなX染色体不活化のために，無症状のものから男性患者と同様に重篤な臓器障害を発症するものまで，臨床症状に多様性を認める．ヘテロ接合の女性は，渦巻状の角膜混濁を認めることが多い．

診断
古典型患者の診断は，血漿，末梢白血球，あるいは培養皮膚線維芽細胞においてα-ガラクトシダーゼA活性の低下を証明することである．遺伝子診断も有用である．

遅発型患者においても同様であるが，心障害や腎障害といった成人では比較的頻度の高い症状を呈するうえ，特に日本人において，機能的遺伝子変異とされているE66Q変異が高頻度に存在するため，確定診断には慎重を要する．

女性患者では，血縁者に確定診断された男性患者がいる場合は診断が容易であるが，単発例では難しい．血漿または細胞におけるα-ガラクトシダーゼAの活性は，正常範囲であることも低下していることもあるため，病因となる遺伝子変異を確認する必要がある．

鑑別診断は，痛みから，本疾患はしばしばリウマチ熱，肢端紅痛症または神経症と誤診される．皮膚病変は，陰嚢の良性被角血管腫（Fordyce病）または限局性被角血管腫と鑑別しなければならない．Fabry病のものと同一の被角血管腫はフコシドーシス，アスパルチルグリコサミン尿症，遅発型GM_1-ガングリオシドーシス，ガラクトシアリドーシス，α-N-アセチルガラクトサミニダーゼ欠損症およびシアリドーシスで報告されている．

血液透析中の患者や，肥大型心筋症患者あるいは原因不明の虚血発作を経験した患者のなかに遅発型のFabry病患者が存在することがある．

治療

特異的治療としては，酵素補充療法がある．現在ファブラザイム®とリプレガル®が使用可能である．シャペロン療法の経口薬が現在臨床治験中であるが，対象となる患者に制限がある．

対象療法として，痛みに対してカルバマゼピン，フェニトインが用いられる．腎不全には血液透析や腎移植が行われる．

検査所見

1）一般血液尿検査：　特異的異常値を示す疾患は，ほとんどない．

① Gaucher 病において網内系が刺激されるために酸性リパーゼ（acid lipase）の上昇とアンジオテンシン変換酵素（angiotensin-converting enzyme）の上昇や Gaucher 細胞の浸潤による貧血や血小板の減少が認められる．

② Fabry 病において腎臓が障害されることにより蛋白尿が認められる．

③ GM_2-ガングリオシドーシスの急性乳児型で AST の上昇が認められる．

2）生検検査：

① 骨髄生検，肝生検で Gaucher 細胞や Niemann-Pick 細胞が見つけられる．

② 心筋生検，腎生検で，Fabry 病において細胞のリソソームの膨化がみられる．

3）画像検査：

a）単純 X 線：Gaucher 病において Gaucher 細胞の骨髄浸潤のために骨の菲薄化が起こる．大腿骨に Erlenmeyer フラスコ型変形がみられることもある．GM_1-ガングリオシドーシス乳児型（タイプ1）ではムコ多糖症に似た骨変形がみられる．

b）MRI：Krabbe 病や MLD では，脳 MRI において白質の変性，脱髄所見が認められる．GM_2-ガングリオシドーシス急性乳児型では，脳容量が増加することにより脳室が狭小化し，灰白質へのガングリオシドの蓄積により基底核の輝度が上昇する．Gaucher 病では，骨髄 MRI で Gaucher 細胞の浸潤によるシグナル異常が認められる．Fabry 病においては，多発性の脳梗塞像が認められることがある．

4）生理検査：

a）神経伝導速度：Krabbe 病，MLD では，神経伝導速度の低下が認められる．

b）心電図：Fabry 病では，左室肥大の所見や伝導異常が認められる．

5）眼科的検査：　GM_2-ガングリオシドーシスの急性乳児型では，眼底検査で高頻度に黄斑部にチェリーレッドスポットを認める．GM_1-ガングリオシドーシス乳児型，NPD A 型でも認められることが多い．Fabry 病では角膜混濁が認められる．

6）耳鼻科的検査：　Fabry 病，Gaucher 病Ⅲ型において聴力低下が認められることがある．

診断・鑑別診断

神経変性症状，肝脾腫は，リピドーシスのキーワードである．先天型とよばれるものを除いて，生下時は正常な乳児であり，次第に症状が現れて進行する．発症年齢は，診断の参考となる．臨床症状などから当該疾患を疑ったとき，確定診断は当該酵素の活性を測定して活性欠損を証明する．材料としては，末梢血リンパ球が用いられることが多い．Gaucher 病と Fabry 病のみが保険診療にて酵素活性の測定が可能である．ほかの酵素は，大学の研究室レベルで好意により測定されている．

経過・予後

ほぼすべての疾患は，進行性であり，病状が進行して死に至る．寿命の長さは，疾患により，また重症度により異なり，乳児期に死亡するものから 50 歳以上のものまである．

治療

原因療法があるものはわずかである．

1）酵素補充療法：　Gaucher 病と Fabry 病のみがある．NPD B 型で臨床治験が始められている．

2）造血幹細胞移植：　Krabbe 病，MLD で行われている．

3）基質削減療法：　NPD C 型に対しミグルスタットが用いられていれる．Gaucher 病Ⅰ型に対しエリグルスタットが発売承認となった．

4）シャペロン療法：　Gaucher 病Ⅱ型，Ⅲ型の神経症状に対して医師主導型の臨床治験が行われている．

〔田中あけみ〕

9）プリン・ピリミジン代謝異常症

定義・概念

プリンは，細胞のエネルギー系（例：ATP, NAD），信号伝達（例：GTP, cAMP, cGMP），および，ピリミジンと共同での RNA および DNA 産生にとっての重要な成分である．プリンおよびピリミジンは，de novo 合成される場合と，正常な異化からのサルベージ経路によって再利用される場合がある．完全なプリン異化の最終産物は尿酸であり，ピリミジンの異化ではクエン酸回路の中間産物が生成される．

分類

疾患としては，プリン体の再利用の障害，プリン体の合成障害，プリン体の分解障害，ピリミジンの生合成の障害がある．

原因・病因

プリン体の代謝経路を図 15-6-14 に示す．高尿酸

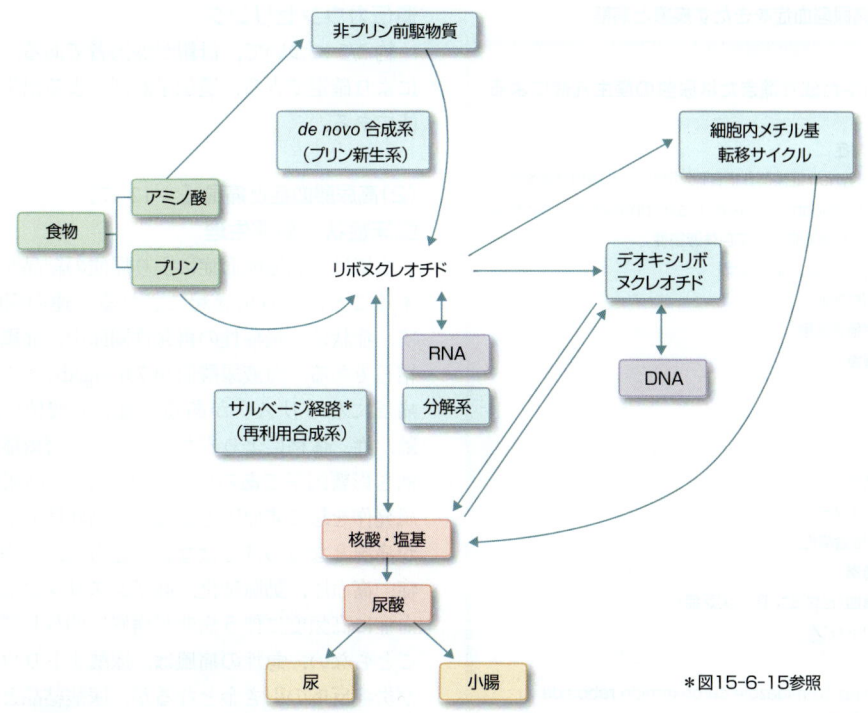

図 15-6-14 プリン体代謝経路

血症が起こる要因は多数ある．表 15-6-12 に分類して示す．

疫学
先天代謝異常症は，10 万～20 万人に 1 人くらいで，まれである．

(1) Lesh-Nyhan 症候群
臨床症状・病態生理
プリンのサルベージ回路の酵素である hypoxanthin-guanine phosphoribosyltransferase (HPRT) の先天性の欠損によって起こる先天性代謝異常症の 1 つである．遺伝子は X 染色体上にあり，X 連鎖性劣性遺伝形式をとる．

症状は，神経症状と高尿酸血症である．乳児期，おむつにオレンジ色の尿酸の結晶が多量に排泄されることに気づかれる．生後 3～4 カ月に筋緊張低下，定頸不全，反り返りが強いなどの発達の遅れに気づかれる．不随意運動が次第に顕在化する．脳性麻痺にみられるアテトーゼ運動に比べて動きが早く，舞踏病に比べて強い後弓反張を伴う粗大な動きを呈す．バリスムスに近い動きである．顔面のジストニアも認める．これらの運動は，精神的緊張で増強する．原始反射の残存，腱反射の亢進を認める．自傷行為は本疾患に特徴的で，2～3 歳頃より出現する．自分の指や舌，口唇を噛みちぎったりする．精神遅滞も認められるが，不随意運動のための構音障害があるもののことばの獲得

や会話は可能である．神経病変の機序は，まだ明らかではない．脳 MRI では，軽度の脳萎縮を認めるが特徴的所見に乏しい．高尿酸血症は，HPRT 欠損のため，サルベージ経路 (図 15-9-15) の基質であるホスホリボシルピロリン酸 (PRPP) の利用が低下し，PRPP とヒポキサンチン (HYP) の細胞内濃度が上昇する．PRPP 上昇は核酸の de novo 合成を亢進し，HYP はキサンチンとなり酸化されて過剰な尿酸産生をきたす．高尿酸血症のため，腎結石，尿管結石が多発し，閉塞性の腎障害をきたす．また，痛風症状も伴う．大球性低色素性貧血を認める．

診断
臨床症状から診断に結びつく．赤血球，培養線維芽細胞で HPRT 活性の測定，遺伝子診断により確定診断される．

治療・予後
神経症状に対する有効な治療法はない．筋緊張をとるために，ベンゾジアゼピン系薬剤，バクロフェンなど，自傷に対してリスペリドン，カルバマゼピン，ガバペンチンなどが用いられるが，満足な結果は得られていない．高尿酸血症に対しては，アロプリノールの投与が行われる．アロプリノールは，ヒポキサンチンが尿酸に変換されるのを阻害する．ヒポキサンチンは水溶性が高いので，尿中に排泄されやすい．結石による腎障害を抑制することが予後を左右する．強い後弓反張により気道軟骨の圧排，挫滅，頸椎損傷もある．

表 15-6-12 高尿酸血症をきたす疾患と病態

A. プリンの生合成亢進または尿酸の産生亢進によるもの

先天代謝異常症
1. Lesh-Nyhan 症候群（HPRT 欠損症）：X 染色体連鎖性
2. PRS（5-phosphoribosyl-1-pyrophosphate synthetase）活性過剰症：X 染色体連鎖性
3. 糖原病（Ⅰ，Ⅲ，Ⅴ，Ⅷ型）

二次性高尿酸血症
1. 骨髄増殖性疾患
2. 悪性腫瘍
3. 溶血
4. 乾癬
5. 肥満
6. 低酸素症
7. 21 トリソミー

薬剤性または食事性
1. 溶血毒素
2. 悪性貧血（ビタミン B_{12} 欠乏症）
3. ワルファリン
4. 喫煙
5. 4-amino-5-imidazole carboxamide reboside
6. 膵抽出製剤
7. 飲酒
8. 食事性プリン体過剰摂取

B. 腎臓からの尿酸排泄クリアランスの減少

先天性糸球体または腎尿細管障害

二次性尿酸クリアランス低下
1. 慢性腎不全
2. 囊胞腎
3. 脱水症
4. 飢餓
5. 尿崩症
6. 高乳酸血症（組織の酸素欠乏症）
7. 肥満
8. 副甲状腺機能亢進症
9. 甲状腺機能低下症
10. サルコイドーシス
11. 痙攣発作
12. Bartter 症候群
13. 鉛中毒
14. ベリリウム中毒

薬物性
1. 利尿薬
2. サリチル酸
3. 下剤（過剰にてアルカローシス）
4. シクロスポリン
5. ピラジナミド
6. エタンブトール
7. レボドパ
8. メトキシフルラン

遺伝カウンセリング

約 2/3 について，母親が保因者である．遺伝子診断により確定できる．遺伝子診断による出生前診断も可能である．

（2）高尿酸血症と痛風【⇨12-17】

臨床症状・病態生理

痛風は，高尿酸血症により尿酸の結晶が組織に蓄積することにより引き起こされる一連の病的状態を指す．症状は，炎症性の再発性関節炎，痛風結節，尿酸結石である．血液尿酸値が 7.0 mg/dL 以上になると，痛風になるリスクがある．血液尿酸値は，人種，年齢，性，体格により異なる．また，腎機能，血圧，飲酒も影響因子である（表 15-6-12）．高尿酸血症は痛風発作を起こす原因となるが，高乳酸血症の人すべてが痛風となるわけではない．さらに，肥満や脂質異常症，高血圧，動脈硬化，高インスリン血症など高尿酸血症に高頻度に伴う病態が痛風に関与しているということもない．急性の痛風は，尿酸ナトリウム塩の結晶が炎症反応の引き金となるが，尿酸結晶と炎症反応との間には多くの因子が関与しており，詳細は明らかでない．しかし，尿酸の結晶が好中球を刺激し活性化して関節内で炎症を惹起するため痛風発作が起こることは確実である．

治療

高尿酸血症に対しては，アロプリノールの投与により抑えられる．痛風発作に対しては，コルヒチンや抗炎症薬の投与が有効である．

（3）アデノシンデアミナーゼ（ADA）欠損症

臨床症状・病態生理

重症の先天性免疫不全症である．常染色体性劣性遺伝形式をとる．生後 1 週間〜2，3 カ月に鵞口瘡や肺炎，下痢，発育不全などをきたし，原因療法をしなければ 2 歳までに感染症にて死亡する．ADA は，アデノシンおよびデオキシアデノシンの分解経路で脱アミノを行いイノシンとデオキシイノシンに変換する．これが欠損することによりアデノシンが蓄積し，アデノシンは dATP に変換され増加する結果，リボヌクレオチド還元酵素の阻害が起こる．このために，DNA 複製が障害される．免疫担当細胞は，DNA 複製障害の影響を受けやすい．この酵素が欠損すると T 細胞，B 細胞ともに分化，活動性，機能が損なわれ，SCID（severe combined immunodeficiency）となる．自己免疫や神経障害，肝機能障害を合併することもある．

診断

赤血球，白血球で ADA 酵素の欠損を証明する．

治療

骨髄移植，酵素補充療法，遺伝子治療がある．酵素

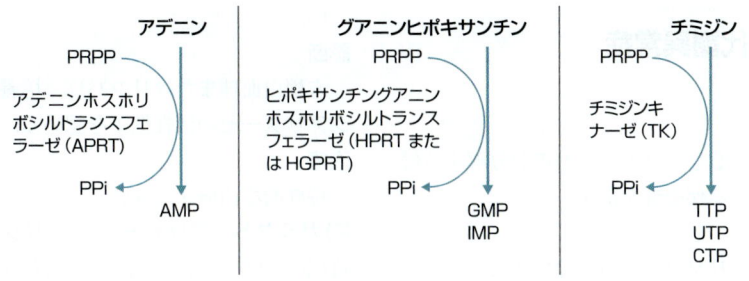

図 15-6-15 ヌクレオチドのサルベージ合成経路

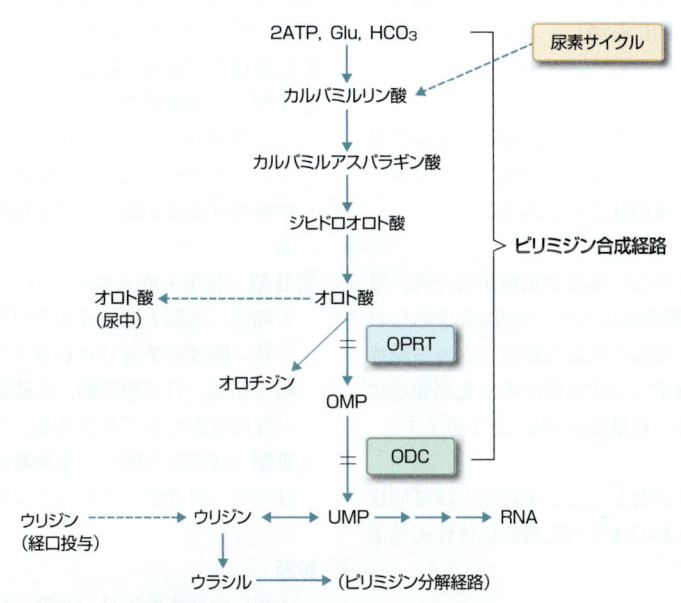

図 15-6-16 遺伝性オロト酸尿症のピリミジン代謝

補充療法は，ウシ ADA にポリエチレングリコール付加したものを週に 1〜2 回の筋肉注射を行う．遺伝子治療は，患者の骨髄細胞あるいは臍帯血にレトロウイルスに組み込んだヒト ADA 遺伝子を導入し，患者に戻すものである．

(4) 遺伝性オロト酸尿症
臨床症状・病態生理
オロト酸は，ピリミジン合成経路の中間代謝産物で，患者では orotare phosphribosyltransferase (OPRT) と orotidine 5′-monophosphatedecarboxylase (ODC) の両方の活性が欠損する（図 15-6-16）．OPRT と ODC は同じ蛋白質で，uridine monophosphate synthetaze（UMPS）が両方の活性をもつ．この活性欠損のため，オロト酸までの合成は亢進するがそこから先が進まないため，尿中に多量のオロト酸が排泄される．症状は，骨髄および神経細胞の発育阻害により起こる．生後 2〜3 カ月頃から，巨赤芽球性貧血が認められる．精神発達遅滞を認める．常染色体劣性遺伝形式を示す．

診断・鑑別診断
尿素サイクル異常でも尿中のオロト酸が増加する．アンモニアは，カルバミルリン酸を経て尿素サイクルへ代謝されるが，尿素サイクルが機能していない場合にはカルバミルリン酸が増加し，オロト酸，ウラシルが増加する．尿素サイクル異常症の場合には，高アンモニア血症の発作時にはオロト酸は異常増加を示すが，非発作時には軽度の増加から正常範囲である．また，発作時にはウラシルも増加する．これに対し，遺伝性オロト酸尿症ではオロト酸のみが常に増加している．

治療・予後
不足するウリジンを投与することにより，貧血は改善する．発達発育に対しても改善できる．オロト酸結石も予防できる．ウリジンの投与量は，100〜300 mg/kg/日である．

〔田中あけみ〕

10）糖蛋白質代謝異常症

定義・概念
からだの構成成分をなす糖蛋白の糖鎖を分解する酵素の欠損により起こる疾患群を指す．

分類
疾患群としては，リソソーム病に分類される．

原因・病因
リソソーム内にある糖鎖を加水分解する酵素の1つあるいは複数が働かないことにより，それぞれ分解されない糖蛋白が継時的に蓄積し，次第に症状が現れ進行する．

疫学
日本人に多いとされているものは，ガラクトシアリドーシス，ムコリピドーシスⅡ型・Ⅲ型，シアリドーシスである．その他の疾患はまれである．

病理
リソソームに分解されない基質が蓄積するため，リソソームが膨化して細胞質に多数の空胞が認められる．空胞細胞とよぶ．糖脂質代謝異常症やムコ多糖症に比べ，糖蛋白代謝異常症では末梢血中にも高頻度に空胞細胞が認められる．蓄積物は PAS 陽性を示す．

病態生理
先天性脂質代謝異常症およびムコ多糖症とほぼ同様である．以下にあげるものはすべて常染色体性劣性遺伝である．

臨床症状

1）シアリドーシス： シアリダーゼの欠損により，種々の臓器にシアル酸を含むオリゴ糖が全身に蓄積して症状を起こす．

① Ⅰ型： 軽症型で，顔貌や骨の異常は伴わず，チェリーレッドスポット-ミオクローヌス症候群（cherry-red spot-myoclonus syndrome）ともよばれる．10～20 歳代に発症し，徐々に視力障害や歩行障害が進行する．眼底チェリーレッドスポット，視力低下，白内障，色覚異常，ミオクローヌス，痙攣発作，振戦，腱反射亢進，筋緊張低下，構音障害など，視力障害と神経症状を呈するが知的障害はほとんど伴わない．

② Ⅱ型： ムコ多糖症様の骨の異常を伴い，より早期に発症する重症型である．先天型は，胎児水腫となり胎児期あるいは生後まもなく死亡する．乳児型は，生後 1 年以内に顔貌の異常，骨変形，頭囲拡大，発達遅滞，肝脾腫，低身長，筋緊張低下，眼振，ミオクローヌス，痙攣発作，小脳失調などが現れる．知的障害を認める．眼底チェリーレッドスポット，視力低下，白内障，角膜混濁も伴うことが多い．皮膚に広範な異常蒙古斑を認めることが多い．

診断
末梢白血球またはリンパ球，培養皮膚線維芽細胞でシアリダーゼの活性低下を認める．

治療
特異的な治療法はない．

2）ガラクトシアリドーシス： リソソーム性保護蛋白質/カテプシン A が欠損する．β-ガラクトシダーゼおよびシアリダーゼは，この保護蛋白と結合することにより安定化して十分な酵素活性を現すことができるため，この 2 つの酵素活性が欠損する．したがって GM_1-ガングリオシドとシアル酸を含むオリゴ糖が全身に蓄積して症状を起こす．

① Ⅰ型（早期乳児型）： 生直後から浮腫や腹水で発症し，肝脾腫，骨変形，粗な顔貌，角膜混濁，鼠径ヘルニアが認められる．腎障害，心不全，呼吸障害，中枢神経症状が進行して生後数カ月〜数年で死亡する．

② Ⅱ型（若年・成人型）： 5〜10 歳以降に発症し視力障害，小脳失調，ミオクローヌス，痙攣，錐体路症状，眼底のチェリーレッドスポット，角膜混濁，粗な顔貌，骨関節変形，心障害，比較血管腫，リンパ球の空胞化などを認める．

③ Ⅲ型（晩期乳児型）： 生後数カ月以内に発症する．肝脾腫，骨変形，心障害を呈するが神経症状は少ない．

診断
末梢白血球またはリンパ球，培養皮膚線維芽細胞でシアリダーゼとβ-ガラクトシダーゼの活性低下を認める．β-ガラクトシダーゼ活性の低下をみることによりシアリダーゼ単独欠損症であるシアリドーシスとの鑑別ができる．

治療
特異的な治療法はない．

3）ムコリピドーシス： I-cell 病〔ムコリピドーシス Ⅱ（mucolipidosis Ⅱ：ML-Ⅱ）〕と偽性 Hurler ポリジストロフィ〔ムコリピドーシスⅢ（mucolipidosis Ⅲ：ML-Ⅲ）〕に分けられる．N-アセチルグルコサミン-1-リン酸基転移酵素の欠損によって起こる．この酵素により，種々のリソソーム酵素修飾糖鎖のマンノース残基にリン酸基が付加され，マンノース-6-リン酸となる．リソソームにはマンノース-6-リン酸受容体が存在し，これによりリソソーム酵素はリソソーム内に局在することができる．したがってムコリピドーシスⅡ型・Ⅲ型では，細胞内でリソソーム酵素がリソソーム内に局在して働くことができず，患者では，あらゆるリソソーム酵素が細胞内で欠損することにより多様な基質が蓄積する．

① ムコリピドーシスⅡ（I-cell 病）： 多くの臨床症状

がHurler病（MPS I 重症型）と共通するが，I-cell病ではムコ多糖尿はみられず，また発症は比較的早い．一部の患者は，出生時に異常な顔貌，頭蓋顔面異常，関節の可動制限，筋緊張低下などの明らかな臨床症状を示す．非免疫性胎児水腫が認められる場合がある．その他，重度の精神運動発達遅滞，異常な顔貌，後側弯や腰椎の突背などの骨格症状を伴って生後1年以内に発症する．また先天性股関節脱臼，鼠径ヘルニア，歯肉腫大を示す場合もある．進行性および重度の精神運動発達遅滞によって小児期早期に死亡する．有効な治療法はない．

②ムコリピドーシスⅢ（偽性 Hurler ポリジストロフィ）：関節硬直や低身長が3～5歳前後からみられるようになる．進行性の股関節破壊と中等度の多発性異骨症が明らかとなる．下部腸骨翼，大腿骨頭の外反変形を伴う近位大腿骨端の扁平化，前部第3腰椎の形成異常などの放射線学的所見が特徴的である．眼科的所見として角膜混濁，網膜症，乱視などがある．視野障害はそれほど多くない．患者によっては学習障害もしくは精神遅滞がみられる．

診断

末梢白血球やリンパ球で種々のリソソーム酵素活性が軽度低下する．これに対し，血漿中のリソソーム活性は正常の数～20倍程度に上昇する．

治療

特異的な治療法はない．造血幹細胞移植の報告がある．頸髄圧迫症状に対しては，除圧術が行われる．

4）マンノシドーシス：マンノシドーシスは，リソソーム酵素であるマンノシダーゼの遺伝子変異により発症する常染色体劣性遺伝形式の先天代謝異常症である．糖鎖終末マンノースの分解位置により，α-マンノシドーシスとβ-マンノシドーシスに分類される．非常にまれである．

①乳児型（タイプⅠ）：乳児期より，神経症状，ムコ多糖症に似た骨の変形と肝臓，脾臓の腫大があり急速に進行する．精神運動発達遅滞，角膜混濁もある．β-マンノシドーシスでは被角血管腫を認める．

②若年型・成人型（タイプⅡ）：幼児期に，運動発達の遅れ，知的発達の遅れ，難聴に気づかれ，神経症状が徐々に進行する．

診断

末梢白血球またはリンパ球，培養皮膚線維芽細胞でマンノシダーゼの活性低下を認める．

治療

特異的な治療法はない．α-マンノシドーシスに対し酵素補充療法の臨床治験が行われている．

5）フコシドーシス：α-フコシダーゼ活性欠損により，肝臓，脳，およびその他の臓器のリソソームにフコースを含むグリコスフィンゴ脂質，糖蛋白，オリゴサッカライドが蓄積することによって引き起こされるまれな常染色体劣性疾患である．リソソーム病中でも頻度が低く，世界で百数十例，日本で数例の報告のみである．

①タイプⅠ（重症型）：乳児期に発症する．ムコ多糖症に似た粗な顔貌，巨舌，骨の変形，関節拘縮，肝臓や脾臓の腫大，知能障害があり急速に進行する．神経変性が進行し小児期に死亡する．

②タイプⅡ（軽症型）：1, 2歳以降に発症し，ゆっくりと進行する．上記のような進行性の精神神経症状や軽度の骨症状などの症状に加えて，Fabry病のような被角血管腫や汗をかかないといった症状もある．成人に達する症例が多い．

診断

末梢白血球またはリンパ球，培養皮膚線維芽細胞でフコシダーゼの活性低下を認める．

治療

特異的な治療法はない．

6）アスパルチルグルコサミン尿症：アスパルチルグルコサミニダーゼの欠損によりアスパルチルグルコサミンが全身に蓄積して症状が起こる．常染色体性劣性遺伝である．

1歳頃までに，易感染性，下痢，鼠径ヘルニアなどが認められる．大頭，肝腫大，粗な顔貌などムコ多糖症様の症状が次第に認められる．幼児期を過ぎた頃から知能障害が認められ，進行する．

診断

末梢白血球またはリンパ球，培養皮膚線維芽細胞でアスパルチルグルコサミニダーゼの活性低下を認める．

治療

特異的な治療法はない．

7）α-N-アセチルガラクトサミニダーゼ欠損症：α-N-アセチルガラクトサミニダーゼ活性の欠損によりシアル酸化したアシアログリコペプチドとオリゴサッカライドの蓄積によって起こる，常染色体劣性の神経変性疾患である．

①Ⅰ型（Schindler病）：乳児期発症型の神経軸索ジストロフィである．患児は生後9～15カ月の間は正常に発育し，その後重度の精神運動発達遅滞，皮質盲，頻発するミオクロニー発作を起こすようになり，急速な神経変性経過を示す．

②Ⅱ型（神崎病）：発症時年齢はさまざまで，軽度遅延，被角血管腫を特徴とする．

診断

末梢白血球またはリンパ球，培養皮膚線維芽細胞でα-N-アセチルガラクトサミニダーゼの活性低下を認める．

治療

特異的な治療法はない.

検査

骨X線, 頭部MRI, 脳波, 眼底検査など, 種々の症状に応じて検査が行われる.

診断後の患者のフォローには, 心エコー, 腹部CT, 頭部MRI, 脊髄MRI, 脳波, 睡眠時無呼吸検査, 聴力検査, 角膜・眼底検査などを適宜必要に応じて行う.

診断・鑑別診断

診断のきっかけとなる異常は, 進行性の神経障害, 骨X線異常, 末梢血リンパ球の空胞化, 眼底チェリーレッドスポットなどであるが, 疾患と病型により, 主たる症状および発症年齢, 進行速度はまったく異なる. 臨床症状と種々の検査より糖蛋白代謝異常症が疑われたとき, 確定診断のための検査が行われる.

粗な顔貌やムコ多糖症様の骨変形を認めたときは, ムコ多糖症との鑑別のため尿中ムコ多糖分析が必要である. 糖蛋白代謝異常症では, 尿中ムコ多糖の異常は認めないことよりムコ多糖症との鑑別が行われる. それぞれの確定診断は, 酵素診断による.

マンノシドーシス, フコシドーシス, アスパルチルグルコシラミン尿症, シアリドーシス, およびSchindler病・神崎病では, 末梢血リンパ球中の病因となる酵素活性を測定し, その活性欠損を証明することにより確定診断できる.

ガラクトシアリドーシスで欠損するリソソーム性保護蛋白質は, カテプシンAの活性をもつとともにシアリダーゼおよびβ-ガラクトシダーゼと結合して酵素複合体を形成し, シアリダーゼの活性化とβ-ガラクトシダーゼの保護安定化を行っている. したがってこれが欠損すると, シアリダーゼの活性低下(基準値の10%以下)に加えβ-ガラクトシダーゼ活性の部分低下(基準値の10〜30%)が起こる. β-ガラクトシダーゼ活性の部分低下をみることによりシアリダーゼ単独欠損症であるシアリドーシスとの鑑別ができる.

ムコリピドーシスⅡ型・Ⅲ型で欠損するN-アセチルグルコサミン-1-リン酸基転移酵素は, 種々のリソソーム酵素修飾糖鎖のマンノース残基にリン酸基を付加しマンノース-6-リン酸とする. リソソームにはマンノース-6-リン酸受容体が存在し, これによりリソソーム酵素はリソソーム内に局在することができる. したがってムコリピドーシスⅡ型・Ⅲ型では, 細胞内でリソソーム酵素がリソソーム内に局在して働くことができず, 種々のリソソーム酵素活性が軽度低下する. これに対し, 血漿中のリソソーム活性は正常の数〜20倍程度に上昇する.

経過・予後

それぞれの疾患でまったく異なるが, 一般的に進行性である.

治療

遺伝性, 進行性の疾患であり, 根治療法はない.
1)**原因療法**: ほかのリソソーム病と同様に, 造血幹細胞移植および酵素補充療法の可能性がある. しかし, 両治療法とも脳神経障害や骨症状には効果が乏しいため, 対症療法にとどまっている. α-マンノシドーシスに酵素補充療法の臨床治験が行われている.
2)**対症療法**: 痙攣に対する抗痙攣薬の投与, 感染症に対する抗菌薬などの投与, 摂食困難な状態になった場合には鼻腔チューブや胃瘻などの対症療法が行われる.

〔田中あけみ〕

11) 先天性ムコ多糖症
mucopoly saccharidosis : MPS

ムコ多糖は, からだの結合組織を中心に存在する重要な構成成分である. 合成と分解が繰り返されて常に再構築が行われている. この分解は細胞のリソソーム内にある加水分解酵素により行われる. この加水分解酵素の1つが障害されているために起こる疾患で, 欠損酵素および臨床症状により表15-6-13に示すような多種類のムコ多糖症が存在する.

定義・概念

からだの構成成分であるムコ多糖の分解経路の1つが障害されるため, 各組織の細胞内外に分解されないムコ多糖が継時的に蓄積することによって生じる遺伝性疾患である.

分類

疾患群としては, リソソーム病に属する.

原因・病因

ムコ多糖を分解する酵素の遺伝子異常により表15-6-11-1に示す酵素活性が低下することにより起こる.

疫学

ムコ多糖症Ⅱ型だけがX連鎖性遺伝であり, ほかはすべて常染色体性劣性遺伝の疾患である. 患者の頻度は, 日本を含め東アジア地域ではムコ多糖症Ⅱ型が最も多く, ムコ多糖症全体の半数以上を占める. ムコ多糖症全体の発症率は, およそ10万人に1人である.

病理

光学顕微鏡では, リソソーム内に非分解産物が蓄積することや非代謝物をマクロファージが貪食することによる特徴的な所見が認められる. また, 間質マトリックスはムコ多糖が多量に蓄積し, トルイジンブルーやアリューシャンブルーに濃染する.

表 15-6-13 ムコ多糖症の病型・症状・欠損酵素・尿中異常ムコ多糖

病型（略号）		症状	欠損酵素	蓄積物質（尿中異常ムコ多糖）	遺伝形式	酵素補充療法製剤
Hurler	(MPS IH)	角膜混濁, 骨変形, 関節拘縮, 肝脾腫, 心障害, 知能障害, 小児期死亡	α-L-イズロニダーゼ	デルマタン硫酸ヘパラン硫酸	常染色体性劣性遺伝	アウドラザイム（一般名 ラロニダーゼ）
Hurler/Scheie	(MPS IH/S)	IH と IS の中間型				
Scheie	(MPS IS)	角膜混濁, 関節拘縮, 正常知能, ほぼ正常寿命				
Hunter, 重症型	(MPS II, severe)	骨変形, 関節拘縮, 肝脾腫, 心障害, 知能障害, 小児期死亡	イズロネート-2-サルファターゼ	デルマタン硫酸ヘパラン硫酸	X 連鎖性劣性遺伝	エラプレース（一般名 イデュルスルファーゼ）
Hunter, 中間型	(MPS II, intermediate)	重症型と軽症型の中間型				
Hunter, 軽症型	(MPS II, attenuated)	関節拘縮, 正常知能, 寿命 20～60 歳				
Sanfilippo A	(MPS IIIA)	著明な知能退行, 多動, 軽度の身体症状	ヘパラン N-スルファターゼ	ヘパラン硫酸	常染色体性劣性遺伝	臨床治験中
Sanfilippo B	(MPS IIIB)		α-N-アセチルグルコサミニダーゼ			
Sanfilippo C	(MPS IIIC)		アセチル CoA: α-グルコサミニドアセチルトランスフェラーゼ			
Sanfilippo D	(MPS IIID)		N-アセチルグルコサミン 6-スルファターゼ			
Morquio A	(MPS IVA)	重度の骨変形, 関節弛緩, 角膜混濁, 頸髄圧迫	ガラクトース 6-スルファターゼ	ケラタン硫酸	常染色体性劣性遺伝	ビミジム（一般名 エロスルファーゼアルファ）
Morquio B	(MPS IVB)		β-ガラクトシダーゼ			
Maroteaux-Lamy	(MPS VI)	角膜混濁, 骨変形, 関節拘縮, 肝脾腫, 心障害, 正常知能	N-アセチルガラクトサミン 4-スルファターゼ（アリルスルファターゼ B）	デルマタン硫酸	常染色体性劣性遺伝	ナグラザイム（一般名 ガラスルファーゼ）
Sly	(MPS VII)	多様な臨床型	β-グルクロニダーゼ	デルマタン硫酸 ヘパラン硫酸 コンドロイチン硫酸 A, C	常染色体性劣性遺伝	臨床治験中
	(MPS IX)	関節周囲軟部組織の腫大, 寛骨臼の変性	ヒアルロニダーゼ	ヒアルロン酸	常染色体性劣性遺伝	

病態生理

ムコ多糖は，結合組織の構築成分として常に新生と分解を繰り返している．分解は，細胞のリソソームにおいて加水分解酵素により行われる．この酵素の 1 つが遺伝的に欠損しているために，ムコ多糖症とよばれる一群の疾患が生じる．表 15-6-13 に，欠損酵素と分解が障害され蓄積するムコ多糖の種類および各病型の臨床症状を示す．分解されないムコ多糖が経時的に蓄積するため，症状は次第に現れて進行する．同じ酵素欠損症であっても，その遺伝子変異の有様によって疾患重症度が異なる．点変異によりできた変異酵素蛋白が比較的酵素活性を残存している場合にはゆっくりと症状が現れて徐々に進行するが，塩基の欠失や挿入などで大きく酵素活性が損なわれる場合には，早期に症状が現れて急激に進行する．

臨床症状

表15-6-13に簡単に示すように，病型により様相が異なる．

1）ムコ多糖症Ⅰ型： 下記に記すように幅広い臨床型を示す．

① Hurler病は，ムコ多糖症全体のなかでも重症であり，ほとんどは10歳頃までに死亡する．6カ月〜2歳頃に，肝脾腫，骨変形，粗な顔貌，関節拘縮，角膜混濁，巨舌などに気づかれる．乳児期より，臍ヘルニア，鼠径ヘルニアが認められることが多い．発達は，2〜4歳をピークとしてその後，後退する．上気道感染，中耳炎が頻回で，騒音性の呼吸，慢性の多量の鼻汁が認められる．骨X線像では，頭蓋骨の肥厚，椎骨前縁の形成不全，骨盤骨および大腿骨骨頭の形成は不良で，外反股を示す．肋骨は椎骨側が細く胸骨側は幅広くなりオール状の変形を示す．

② Hurler/Scheie病は，Hurler病とScheie病の中間の臨床表現型を示すものを指す．知能障害はないかごくわずかである．症状の発現は，3〜6歳の間に気づかれ進行する．10歳代半ばまでに，角膜混濁，関節拘縮，聴力障害，心臓弁の障害のため，生活に支障をきたす．

③ Scheie病は，5歳以降に，関節拘縮，大動脈弁狭窄・逆流，角膜混濁，肝脾腫などが起こってくる．10〜20歳の間に診断されることが多い．粗な顔貌，鷲手，凹足，外反股，手根管症候群などを認める．知能は正常である．角膜混濁以外に緑内障，網膜変性も起こり，深刻な視力障害をきたす．閉塞性呼吸障害による睡眠時無呼吸をみる．大動脈弁，僧帽弁にムコ多糖が蓄積するため狭窄・逆流が起こる．壮年期にまで達することができる．

2）ムコ多糖症Ⅱ型（Hunter病）： 重症型，軽症型に分けられる．ムコ多糖症Ⅰ型と類似の症状を呈するが，角膜混濁はみられない．遺伝形式は，ほかのムコ多糖症が常染色体性劣性遺伝形式であるのと異なり，X連鎖性劣性遺伝形式である．

① ムコ多糖症Ⅱ型重症型は，2〜4歳の頃に，粗な顔貌，骨変形，関節拘縮，肝脾腫，知能障害が始まり進行する．Hurler病と似ているが，進行はややゆるやかで角膜混濁がない．臍ヘルニア，鼠径ヘルニアも多くみられる．幼児期の体格はむしろ大きいが，5〜6歳以降に発育が停止する．10〜15歳で死亡する．おもな死因は，閉塞性の呼吸障害や心臓弁の障害，心筋肥大，肺高血圧，冠動脈の狭小化による心不全である．

② ムコ多糖症Ⅱ型軽症型は，5〜7歳の頃に，骨変形，関節拘縮に気づかれる．重症型と同様の症状が出現し進行するが緩徐であり，知能障害はない．聴力障害，手根管症候群，関節拘縮のため，生活に支障をきたす．寿命は20〜50歳代である．

3）ムコ多糖症Ⅲ型（Sanfilippo症候群）： 表15-6-13に示すように4つの亜型に分けられる．白人においてはⅢA型が最も多く，ⅢB型がそれにつぐ．日本人では，ⅢB型の方が多い．ⅢC型，ⅢD型は，どちらもまれである．

臨床症状としては，いずれの亜型においてもたいへん似かよっており，重症の中枢神経変性症状が特徴的で，身体症状は軽度である．

初発症状は発達の遅れや行動異常であり，2〜6歳に起こる．多動，乱暴な行動，発達遅滞，粗い毛，多毛が認められる．中枢神経変性症状が急速に進行し，7〜8歳までに言語は消失する．言葉の獲得がみられないままに退行する症例もある．10歳代になると，睡眠障害，痙攣発作がみられ，周囲とのコンタクトも消失する．Sanfilippo病は，ムコ多糖症に特徴的な粗な顔貌や関節・骨の変形は非常に軽度であるため，診断が難しい．身長も，ほぼ正常範囲である．10歳代で寝たきりとなり，多くは20歳代頃に呼吸器感染症などで死亡するが，30歳，40歳にまで達する症例もある．A型が比較的重症で，C型は軽症であるといわれている．

4）ムコ多糖症Ⅳ型（Morquio病）： ⅣA型とⅣB型がある（表15-6-13）．ⅣA型が圧倒的に多い．

臨床的には，骨の変形が特徴的で，ムコ多糖症のなかで最も強い骨の変形を示す．知能は障害されない．角膜混濁がある．ⅣB型は，比較的軽症とされている．

幼児期になって，外反股，四肢の変形，亀背，低身長，短頸，短躯，角膜混濁に気づかれる．靱帯が弛緩し，関節可動域は増大するが，大きな関節では，骨の変形の影響で減少する．歯状突起の形成不全と靱帯の弛緩に加えて，頸髄周囲の硬膜が肥厚し，C_1，C_2レベルで後方より頸髄が圧迫される．同様のことは，ⅠH型，Ⅵ型，Ⅶ型にもみられるが，Ⅳ型が最も重度である．程度が進むと上下肢の麻痺や呼吸障害をきたす．

5）ムコ多糖症Ⅵ型（Maroteaux-Lamy病）： Hurler病に似た身体所見を示すが，知能は障害されない．重症型，軽症型がある．

重症型の身体所見はHurler病とよく似ている．骨の変形や関節拘縮が，すでに1歳頃より認められる．臍ヘルニア，鼠径ヘルニアも多くみられる．角膜混濁，肝脾腫，皮膚の硬化，鷲手，手根幹症候群，腰椎前弯，大動脈弁・僧帽弁の肥厚がみられ，10〜20歳代に心不全により死亡する．骨X線像もHurler病とよく似る．

6）ムコ多糖症Ⅶ型（Sly病）： 最重症型の新生児型で

は，胎児水腫として認められる．胎児期より全身の骨変形，粗な顔貌が認められ，胎児期または乳児期早期に死亡する．重症型は，Hurler病に似ており，3歳頃までにムコ多糖症に特徴的な顔貌，骨の変形，肝腫大，臍ヘルニア，鼠径ヘルニアが現れる．知的障害，角膜混濁は，Hurler病より軽度である．軽症型は，幼児期より骨変形が認められゆっくりと進行する．肝腫大，角膜混濁，知的障害，心臓弁膜症は軽度であり，認められないこともある．ムコ多糖症Ⅳ型によく似た症例もある．末梢血顆粒球中に異常な封入体がみられることがある．

7) ムコ多糖症Ⅸ型： 症状は非常に軽微である．関節周囲の軟部組織腫瘤，軽度の低身長，寛骨臼の不整を認めるが神経症状，臓器症状はない．

検査
1) 一般血液尿検査： 特異的異常値を示す疾患は，ほとんどない．肝腫大によりAST，ALTの軽度上昇，骨症状の進行のためALPの上昇を認める．

2) 放射線検査：
 a) 単純X線：椎体の楔状変形，肋骨のオール状変形など特徴的な骨変形が認められる．診断の手がかりとして最も重要である．
 b) MRI：血管周囲腔の拡大が認められる．脳梁部におけるものが特徴的である．Ⅰ型，Ⅱ型，Ⅵ型で高頻度に認められるが，Ⅲ型やⅣ型では頻度が低い．Ⅱ型の重症型では，大槽の拡大が高頻度にみられる．また，Ⅰ型，Ⅳ型では上部頸髄の圧迫像がしばしばみられる．

3) 生理検査：
 a) 呼吸機能検査：閉塞性，拘束性の呼吸障害を認める．巨舌やアデノイド，声門狭窄による気道の狭小と，胸郭の動きが悪いことが原因である．
 b) 心エコー検査：大動脈弁と僧帽弁がおもな病変部位である．初期は弁尖が肥厚して輝度が上昇する．弁の動きは次第にしなやかさを失い棍棒のようにみえる．開放制限と閉鎖不全が同時に起こってくる．大動脈弁においては，弁輪部が拡大して逆流はより顕著になる．心筋においては求心性の肥厚が起こり，駆出率は保たれるものの拡張障害が起こる．逆流による力学的負荷が長期に及ぶことにより心拡大が起こり，心筋の肥厚はむしろ減少して駆出率も低下してくる．心不全となり死因となる．

4) 眼科的検査： Ⅰ型，Ⅳ型，Ⅵ型では角膜混濁を合併する．程度は，およそⅠ型，Ⅵ型，Ⅳ型の順に重症である．病型を問わず，症例により眼圧の亢進が起こる．長期に持続すると網膜変性をきたす．

5) 耳鼻咽喉科的検査： 聴力検査で伝音性と感音性の混合性の難聴を認める．滲出性中耳炎，アデノイドを認める．声帯が肥厚，硬化するため嗄声となる．

診断・鑑別診断
特徴的な骨の変形によりムコ多糖症が疑われる．尿中のムコ多糖分析を行い異常なムコ多糖の排泄を認めたならば，末梢白血球またはリンパ球を用いて酵素活性を測定することにより確定診断を行う(表15-6-13)．よく似た骨の変形を呈する疾患に，ムコリピドーシス，GM₁-ガングリオシドーシスがある．これらは，尿中に異常なムコ多糖の排泄を認めない．

経過・予後
ほぼすべての疾患は，進行性であり，病状が進行して死に至る．寿命の長さは，病型，重症度により異なり，小児期に死亡するものから50歳以上のものまである．死因としては，Ⅰ型，Ⅱ型の軽症型では心不全が多く，重症型では呼吸器感染症が多い．Ⅲ型では中枢神経の荒廃による呼吸停止，Ⅳ型では頸髄圧迫による呼吸不全・呼吸停止が多い．

治療
1) 酵素補充療法： Ⅰ型，Ⅱ型，Ⅵ型で酵素製剤による酵素補充療法が可能である(表15-6-13)．Ⅶ型について臨床治験中である．効果は，肝臓，皮膚，毛髪，舌，気道粘膜には良好であるが，脳神経，骨，心臓弁には乏しい．ⅣA型についても，2015年2月24日よりエロスルファーゼアルファ(商品名ビミジム)が薬価収載された．脳神経に対する効果を得るために，髄腔内投与の臨床治験がⅡ型において進められており，Ⅲ型についても計画されている．

2) 造血幹細胞移植： 多くの病型で試みられたが，効果の程度，臓器種は酵素補充療法とほぼ等しい．Ⅰ型，Ⅱ型，Ⅵ型でよい条件の骨髄ドナーや臍帯血があり移植合併症が少ないことが推定される症例では，早期に行うことが望ましい．

3) 遺伝子治療： Ⅰ型において自己の骨髄細胞に正常遺伝子を導入し，それを患者に戻す *ex vivo* の遺伝子治療の臨床治験が計画されている．ⅢA型について，遺伝子を直接脳に入れる *in vivo* の臨床治験が欧州で行われている．

〔田中あけみ〕

12) 先天性ビリルビン代謝異常症

【⇒ 11-11】

13）Wilson 病

概念

Wilson 病は先天性銅過剰症であり，常染色体劣性遺伝により遺伝する．頻度は，約3万人に1人で，異常遺伝子保有者（ヘテロ接合体）は約80人に1人の割合で存在する．銅は，重要な微量元素で電子伝達系（チトクローム c），フリーラジカルの処理（スーパーオキサイドジスムターゼ），メラニン産生（チロシナーゼ），神経伝達物質の産生（ドパミンヒドロキシラーゼ），結合組織の架橋（リジルオキシダーゼ）や鉄代謝（セルロプラスミン）などに関与している．しかし，銅が過剰に存在すると活性酸素を発生し細胞を傷害する．銅の主要な排泄経路は胆汁であり，Wilson 病では肝細胞より毛細胆管への銅の排泄が障害されている．

病態生理

本疾患の原因遺伝子（*ATP7B*）は13番染色体に存在する．この遺伝子産物が，Wilson 病蛋白（ATP7B）であり銅輸送蛋白である．生体の銅代謝の中心は肝細胞が担っている．Wilson 病患者では ATP7B の機能不全により肝細胞から毛細胆管への銅の排泄が障害される．血中の銅は肝細胞類洞側膜の銅輸送体である human copper transporter 1（hCTR1）により肝細胞の細胞質に取り込まれる．ATP7B は8回膜貫通型の膜蛋白であり，その細胞内局在に関しては現在も論争中である．ATP7B は Golgi 装置に存在すると報告されたが，われわれはこの蛋白が後期エンドソームに存在することを示した．ATP7B は細胞質の銅を後期エンドソーム内へ取り込み，その銅はリソソームを介して毛細胆管へ排泄されると考えられる．ATP7B は肝細胞が産生する分泌蛋白であるセルロプラスミンへの銅の結合にも関与している．後期エンドソーム内の銅は，膜輸送により Golgi 装置へ運ばれてセルロプラスミンに結合すると考えられる（図 15-6-17）．

臨床症状

Wilson 病の発症年齢ならびに症状は多岐に及んでいる．肝型，神経型ならびに両方の症状を伴うなど多彩である．全身倦怠感，黄疸，偶然の肝機能異常，構音障害，振戦，流涎，性格変化，腎障害，内分泌障害，不整脈や関節痛などさまざまな症状をとりうる．角膜への銅の沈着による Kayser-Fleischer 角膜輪も出現する．溶血性貧血を伴う肝不全で発症することもある．症状の多様性は300以上の異なる変異が存在するためと考えられている．多くの患者は成人前に発症するが，50歳以上の高齢発症もあり注意が必要である．肝細胞癌の合併はまれであるが存在する．

診断

血清セルロプラスミン，血清銅，尿中銅，肝生検による肝銅含量の測定，Kayser-Fleischer 角膜輪（e図 15-6-F）の証明や遺伝子解析などにより総合的に診断する．典型例では診断は容易であるが，診断が困難な症例も存在する．本症患者ではセルロプラスミンに銅が結合できないため不安定となり血中のセルロプラスミン濃度が低くなる．そのため血清銅濃度は低値となる．セルロプラスミンと結合しない遊離の銅の増加のために尿中銅排泄量が増加する．Wilson 病に確定

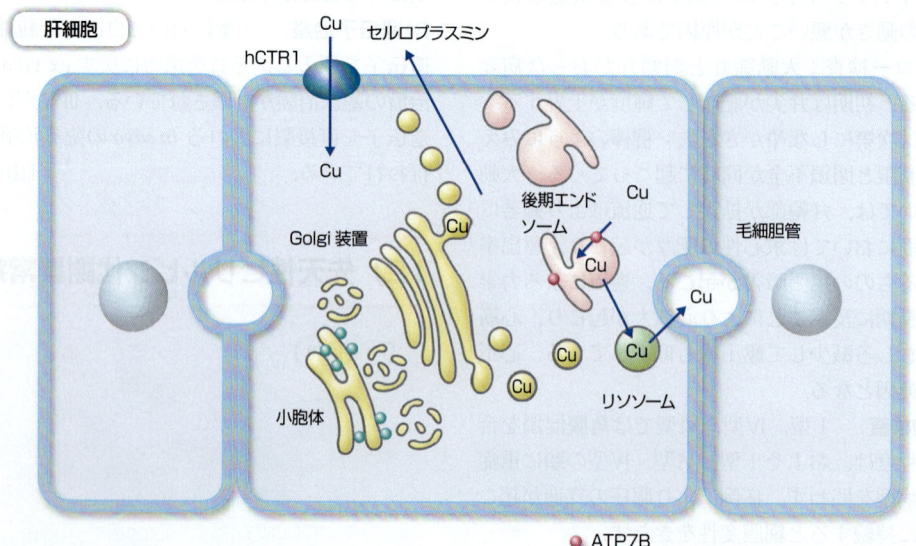

図 15-6-17 **肝細胞での銅代謝機構**
肝細胞に取り込まれた銅は細胞質から ATP7B により後期エンドソーム内腔へ取り込まれリソソームを介して胆汁中へ排泄される．一部の銅は Golgi 装置へ輸送されセルロプラスミンと結合する．

表 15-6-14 Wilson 病の診断基準

症状ならびに検査		点数
Kayser-Fleisher 角膜輪		2
神経症状もしくは頭部 MRI 所見		1
神経症状が重篤な場合		2
Coombs 陰性溶血性貧血		1
尿中銅排泄量	40～80 μg/日	1
	80 μg/日以上	2
肝銅含量	50～250 μg/g 乾肝重量	1
	250 μg/g 乾肝重量以上	2
	50 μg/g 乾肝重量以下	-1
Rhodanine 染色	陽性*	1
血清セルロプラスミン (mg/dL)	10～20	1
	<10	2
ATP7B の遺伝子検索	2 つの染色体に有意な変異	4
	1 つの染色体に有意な変異	1

*：肝銅含量測定が不能の場合．
Total score
4 以上：Wilson 病である確率が高い
2～3：Wilson 病の可能性があり，さらなる検索が必要
0～1：Wilson 病の可能性は低い

的な病理組織所見は存在しない．慢性肝炎，脂肪肝，脂肪肝炎，肝硬変などの組織像を呈しうる．そのため肝生検時には肝の銅含量の測定が必須である．ATP7B の遺伝子解析も行われ，わが国でも保険適応となっている．ときに患者においても変異が見つからないこともあり診断には総合的な判断が重要である．欧州の診断のためのガイドラインを示す（表 15-6-14）．最も大切なことは本症を思い浮かべることである．長期にわたり他疾患と診断されていた不幸な患者が存在する．

治療・予後

本疾患は治療可能な遺伝性代謝異常症である．早期に診断され，的確な治療を受けた場合の予後は良好である．しかし，診断の遅れた症例では神経症状などが不可逆的である．

食事を低銅食とするが，銅含量の多い食物はレバー，甲殻類，キノコ類，チョコレートや大豆製品などである．食事療法のみで本症の発症予防や治療を行うことは不可能で，生涯にわたる薬物療法が必要である．治療の中断（怠薬）は致命的であり，患者には十分な説明が必要である．怠薬すると治療を再開しても劇症型の経過をとることがある．

キレート薬としての第一選択は D-ペニシラミンである．空腹時に内服し，妊娠中も治療は継続する．児の奇形の発生は通常の妊娠と変わらない．約 30% に副作用が出現し，重篤なものには無顆粒球症やさまざまな自己免疫性疾患がある．副作用で D-ペニシラミンが使用できない患者にはトリエンチンを使用する．神経型には，こちらを第一選択とすることもある．本剤も空腹時に内服する．

維持療法には酢酸亜鉛が有用である．亜鉛により腸管上皮細胞の細胞質に金属結合蛋白のメタロチオネインの発現が亢進する．亜鉛より銅のメタロチオネインへの結合が強いため腸管上皮細胞内に吸収された銅は血液中へ吸収されることなく，腸管上皮細胞の脱落とともに便中へ排泄される．この機序により亜鉛は銅の吸収を抑制する．銅キレート作用はないため症状を有する患者の第一選択とはならない．スクリーニングで見つかった無症状の患者や安定期の患者の維持療法に使用される．

薬物投与量の調節は尿中銅やセルロプラスミン値の変動を参考に行う．過度の除銅は貧血などの銅欠乏症状をきたすことがある．ただし，生化学検査のみでは体の銅の状態は正確に判断できず，治療が適切か否かの判定に肝生検が必要なことがある．

急性肝不全型 Wilson 病や治療抵抗例は肝移植の適応となることがある．移植後はキレート薬による治療は必要としない．ヘテロ接合体の肉親から患者への生体部分肝移植も可能である．

〔原田　大〕

■文献

European Association for the study of the liver: EASL clinical guidelines: Wilson's disease. *J Hepatol.* 2012; 56: 671-85.
Harada M: Pathogenesis and management of Wilson disease. *Hepatol Res.* 2014; 44: 395-402.
Roberts EA, Schilsky ML: Diagnosis and treatment of Wilson disease: an update. *Hepatology.* 2008; 47: 2089-111.

14) α_1-アンチトリプシン(α_1-AT)欠乏症

概念

α_1-ATは肝臓で合成され，血液中に分泌される蛋白質分解酵素阻害因子（protease inhibitor：PI）である．α_1-AT欠乏症は血中のα_1-ATの量的減少のみならず，遺伝子レベルの変異に基づいてα_1-ATにアミノ酸置換による質的異常が認められる先天性代謝異常症である（Nelsonら，2012；Stollerら，2012）．

α_1-ATは肺においては好中球のエラスターゼ活性を阻害し，組織破壊から守っている．α_1-AT欠乏症では，蛋白分解による肺結合組織の破壊を阻止することができないために肺気腫をきたす．また，一部の遺伝子型では異常α_1-AT分子が重合し，肝細胞の小胞体に蓄積するので，その毒性効果によって肝障害が起こる[1]．

疫学

各種の遺伝子異常によりα_1-AT欠乏症が起こる．そのうちホモ接合体PI*ZZの遺伝子型のα_1-AT欠乏症はスカンジナビア人と北欧系の人々で最も頻度が高く，1600～2000人に1人の頻度であり，小児の遺伝性肝障害のなかでは最も頻度が高く，欧米ではこの疾患に対する関心が高い．この遺伝子型は成人の慢性肝障害や肝細胞癌，肺気腫の原因ともなる．世界中で1億6600万人がPI*MSまたはPI*MZの遺伝子型を有し，340万人がPI*ZZ，PI*SZまたはPI*SSの遺伝子型を有しているという推定結果も報告されている[2]．

日本ではPI*ZZの遺伝子型は1家系しか認められていない．日本ではα_1-AT欠乏症は18家系で認められているのみであり，そのうち10家系がSiiyamaである[3,4]（Saitoら，2004）．

病因

α_1-AT遺伝子は，14番染色体長腕の31～32.3の位置に7つのエクソンからなる約12200塩基対の遺伝子として存在する．おもな発現部位は肝で，炎症や組織障害時には血中濃度が数倍に増加する．ほかにマクロファージや腸管上皮でも発現が確認されている．α_1-ATは約55kDの分泌型糖蛋白であり，好中球プロテアーゼ，エラスターゼ，カテプシンG，プロテアーゼ-3を阻害する．正常のα_1-ATの血中濃度は約150～350mg/dLであり，半減期は3～5日である．構造的に類似した循環セリンプロテアーゼ阻害因子ファミリー（serpins）の1つである（eコラム1）．

肺気腫は，炎症時に好中球や肺胞マクロファージが分泌するエラスターゼ，カテプシンGなどによる蛋白分解が，α_1-ATによって十分阻害されないために肺の結合組織が破壊されることにより発症する．喫煙が発症危険因子として重要である．一方肝障害は変異α_1-AT分子が肝細胞の小胞体に蓄積し，その毒性効果によって起こる．

臨床症状

α_1-AT欠乏症の肝障害の出現の仕方はさまざまであり，乳児期の遷延性黄疸，新生児期肝炎症候群，幼児期の軽度トランスアミナーゼ上昇，小児期から思春期の重症肝機能異常，成人の慢性肝炎，肝硬変，肝細胞癌などがある（eコラム2）．

閉塞性肺疾患の頻度や重症度もさまざまであるが，20歳代までに肺気腫の症状が出現することはない．初期症状は息切れ，喘鳴，咳，痰，繰り返す呼吸器感染症である．欧米ではこのような症状があるにもかかわらず正しく診断されていないα_1-AT欠乏症患者が多数いることが問題となっている．

α_1-AT欠乏症による肺気腫患者における肝障害の頻度については，限られた情報しかない．最近の報告では，肺気腫のあるPI*ZZ患者22人中，10人でトランスアミナーゼ上昇があり，1人で胆汁うっ滞を認めている．α_1-AT欠乏症をきたす遺伝子型のなかでS遺伝子型のように，多くの遺伝子型は臨床的疾患をきたさない（表15-6-15）．

診断

α_1-AT欠乏症は血清α_1-ATの低下，異常α_1-AT分子の等電点電気泳動法における泳動の異常により診

表15-6-15 α_1-アンチトリプシン欠乏症の遺伝子型と肺・肝病変の有無（American Thoracic Societyら，2003より改変）

遺伝子型	肺病変のリスク	肝病変のリスク	血漿α_1-アンチトリプシン値(mg/dL)
MM（正常）	なし	なし	150～350
MZ	ごくわずかに上昇	報告により結論が分かれている	90～210
SS	なし	なし	100～200
SZ	わずかに上昇	報告により結論が分かれている	75～120
ZZ	高い	ある	20～45

55mg/dL以下になると肺気腫のリスクが高くなる．

断される．肝組織では肝細胞内にジアスターゼ抵抗性 PAS 染色陽性の小球状物質が認められる．家系調査を行い，遺伝的なものであることを確認する．遺伝子解析により遺伝子型を診断する．

治療

$α_1$-AT 欠乏症の治療はおもに補助的なものでしかない．重症の肝障害では肝移植が行われる．

$α_1$-AT 欠乏症による肺気腫患者に対して経静脈的な精製 $α_1$-AT 投与が行われ，生存率の向上や 1 秒量低下の改善が認められている．重症肺気腫患者では，肺移植が行われている[5]． 〔吉岡健太郎〕

■文献（e文献 15-6-14）

Nelson DR, Teckman J, et al: Diagnosis and management of patients with alpha1-antitrypsin（A1AT）deficiency. *Clin Gastroenterol Hepatol*. 2012; **10**: 575-80.

Saito A, Takizawa H, et al: Alpha-1 antitrypsin deficiency with severe pulmonary emphysema. *Intern Med*. 2004; **43**: 223-6.

Stoller JK, Aboussouan LS: A review of alpha1-antitrypsin deficiency. *Am J Respir Crit Care Med*. 2012; **185**: 246-59

15-7　栄養異常

1）肥満・るいそう

【⇨ 4-23，4-24】

2）中枢性摂食異常症

【⇨ 3-2】

16. 血液・造血器の疾患

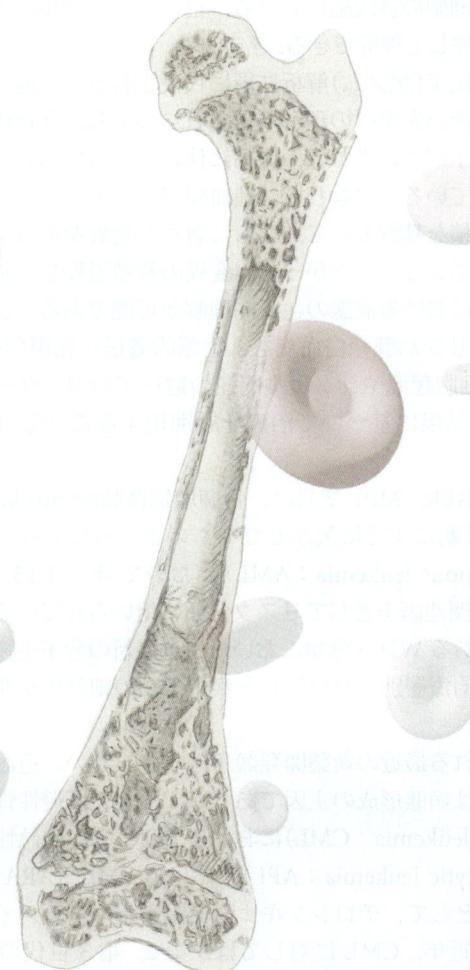

1. 内科学総論
2. 老年医学
3. 心身医学
4. 症候学
5. 治療学
6. 感染症
7. 循環器
8. 血圧の異常
9. 呼吸器系
10. 消化管・腹膜
11. 肝・胆道・膵
12. リウマチ・アレルギー
13. 腎・尿路系
14. 内分泌系
15. 代謝・栄養
16. 血液・造血器
17. 神経系
18. 環境要因・中毒

血液・造血器

16.1	血液疾患患者のみかた	1861	16.7	造血器腫瘍の発症機構と治療 … 1900
16.2	造血のしくみ	1862	16.8	造血幹細胞移植術 … 1913
16.3	血球の動態と機能	1867	16.9	赤血球系疾患 … 1927
16.4	凝固・線溶系	1878	16.10	白血球系疾患 … 1967
16.5	臨床検査	1881	16.11	血栓・止血疾患 … 2017
16.6	造血器腫瘍のWHO分類	1896	16.12	輸血 … 【⇨5-1-4】

血液・造血器疾患における新しい展開

　正常造血の仕組みや各種造血器疾患の病態に関しての理解は，造血幹細胞研究を大きな軸にして進められてきた．造血は造血幹細胞を頂点として，段階的に各系統に分化することで恒常性を保っている．したがって各種病態は，幹細胞–前駆細胞–成熟血液細胞の各段階における，自己再生と分化の破綻としてとらえることにより，整理して理解できる．

　最近では，網羅的遺伝子(ゲノム)解析技術に代表される分子遺伝学的研究法の進歩により，さらに深い病態への理解が得られつつある．次世代シーケンサーを用いた網羅的遺伝子解析によれば，加齢に伴い正常人においても造血細胞に遺伝子変異が蓄積している．すなわち，造血障害や造血器腫瘍の多くは，加齢に伴う遺伝子変異蓄積を基盤として，さらに新たな変異を獲得するというクローン進化を原因としている．したがって，変異の蓄積過程を正確に追跡することにより，各種疾患における病態の包括的理解が可能である．さらに，病理学的に診断された悪性リンパ腫や白血病を，網羅的遺伝子発現(トランスクリプトーム)解析により細胞起源やシグナル関連の遺伝子発現パターンによってさらに細分類し，その結果に基づいて治療を層別化することも試みられている．

　臨床では，JAK2，CALR，MPL 変異は，骨髄増殖性腫瘍(myeloproliferative neoplasms：MPN)の診断にすでに欠かせないものとなっており，急性骨髄性白血病(acute myelogenous leukemia：AML)においては，FLT3-ITD 変異や NPM1 変異などが予後関連因子としてリスク分類に用いられている．したがって診断の拠りどころである WHO 分類においても，最新の分子生物学的研究成果を取り入れながら，治療層別化を目指した疾患分類の細分化が進められている．

　分子標的薬に代表される最近の新薬開発競争はすさまじい．造血器腫瘍に多く見られる染色体転座は病態形成の主因であるが，たとえば慢性骨髄性白血病(chronic myelogenous leukemia：CML)における BCR-ABL や急性前骨髄球性白血病(aute promyelocytic leukemia：APL)における PML-RARA などの転座キメラ蛋白を分子標的として，チロシンキナーゼ阻害薬やレチノイン酸などが臨床応用されてきた．近年，CML に対しては，第 2，第 3 世代のチロシンキナーゼ阻害薬が，Hodgkin リンパ腫に対して抗 CD30 抗体や免疫チェックポイント阻害薬などが，骨髄腫に関しては第二世代のプロテアソーム阻害薬や免疫調整薬などが新たに導入されている．このように，各疾患の病態を分子レベルで解き明かし，それを制御するための rationale(理論的根拠)に基づいて分子標的を決定し，対応する治療薬を選択するという新しい時代が幕を開けつつある．

〔赤司浩一〕

16-1 血液疾患患者のみかた

血液疾患は全身疾患であり，血液疾患の診療にはphysician scientistとしての高い臨床能力と豊富な血液学的知識が求められる．すなわち，綿密かつ詳細な病歴の聴取と正確な身体診察による身体所見の把握，それらの情報に基づく効率的な検査計画の立案と考えられる鑑別疾患の列挙，確定診断へと至る．続いて適切な治療計画の立案，最終的に患者および家族への説明と同意に基づいた最新の標準的治療を施行する必要がある．

1）病歴聴取

病歴とは，現病歴，既往歴，家族歴，服薬歴，嗜好，宗教，学歴など，患者の履歴をまとめたものである【⇨1-2】．患者がどのような理由で来院したのかを詳細に聴取し，主訴を明確にする．血液疾患の場合には，発熱【⇨4-1】，貧血【⇨16-9-1-1】，リンパ節腫脹【⇨4-17】，出血傾向【⇨4-29】，体重減少，脾腫【⇨4-16】，黄疸【⇨4-3】などで受診することが多いが，健康診断ではじめて検査値異常を指摘されて受診する場合も少なくない．

症状の進行は急速なのか，あるいは緩徐なのかによって，鑑別すべき疾患や対応が大きく異なる．すなわち，検査値からはヘモグロビン濃度に比して貧血症状が軽度な場合には貧血は慢性に経過していると考えられ，鉄欠乏性貧血【⇨16-9-2-1】などが該当する．一方，ヘモグロビン濃度に比して貧血症状が強い場合には貧血は比較的急速に進行した可能性があり，急性の出血や溶血，急性白血病【⇨16-10-6，16-10-8】などが例としてあげられる．

血液疾患には多くの遺伝性疾患が含まれており，黄疸を伴う貧血症や，出血凝固系疾患の疑いがある場合には，病歴を聴取する際に症状の出現時期とともに家族歴の聴取が重要である．たとえば多くの遺伝性溶血性貧血【⇨16-9-5-A】やある種の骨髄不全症【⇨16-9-4-2】などの赤血球系疾患，好中球減少症や機能異常症などの非腫瘍性白血球系疾患【⇨16-10-3】，先天性血小板機能異常症【⇨16-11-6】，先天性凝固因子異常症および血栓傾向などの出血凝固系疾患【⇨16-12-1，16-12-2，16-12-6，16-12-7】などである．また，血液疾患のなかには医薬品副作用としてみられる場合がしばしばあり，抗血小板薬や抗凝固薬服薬による出血傾向や抗甲状腺薬による無顆粒球症【⇨16-10-2】，などがあげられる．造血器腫瘍のなかには過去の抗癌薬や放射線治療による二次発癌の可能性があるため，薬剤を含めた治療歴の聴取も重要である．

2）身体診察

血液疾患が疑われてはじめて受診した場合には，病歴聴取から類推される血液疾患でみられる身体所見を考慮しながら全身を診察する必要がある．全身所見としては皮膚所見，特に出血傾向を観察し，表在性のリンパ節を触診する．皮下出血であれば点状出血か紫斑などの斑状出血か，またその大きさや数も重要である．表在性リンパ節腫脹では部位，大きさ，かたさ，表面の性状，癒合，圧痛，周囲との癒着，皮膚の発赤や熱感，などの所見をとり，炎症性のリンパ節腫脹が疑われる場合には周辺や末梢に炎症性病変がないかを確認する．頭頸部では溶血性貧血や巨赤芽球性貧血の場合の眼球結膜の黄染，鉄欠乏性貧血の場合の舌萎縮や巨赤芽球性貧血の場合の舌発赤の有無をみる．胸部では高度の貧血症に合併する心不全の所見や機能性収縮雑音の聴取，造血器腫瘍にみられる呼吸器感染症や胸水貯留の有無を診る．腹部では悪性リンパ腫を代表とする各種の造血器腫瘍でみられる脾腫および肝腫大の所見をとることが重要であり，さらには悪性リンパ腫での腹腔内腫瘤にも注意して触診を行う．神経系では巨赤芽球性貧血など，ある種の貧血症にみられる神経症状，さまざまな造血器腫瘍の神経病変（圧迫や腫瘍随伴症候群など），出血性疾患や血栓性疾患でみられる神経症状など，診断・治療上重要な所見を見落としてはならない．高齢者には血管の脆弱性による老人性紫斑【⇨16-11-9】がしばしばみられるが，病的意義はない．

3）検査

初診時には血液検査，血液生化学検査，尿検査，便検査，心電図検査，胸腹部単純X線検査などの基本的スクリーニング検査に加えて，上述の病歴聴取および身体診察から想定される血液疾患の診断に必要な検査を追加する．血液検査では，赤血球数，白血球数，ヘモグロビン濃度，ヘマトクリット値，血小板数だけでなく，網赤血球数と白血球分画（血液塗抹標本）も必ず検査する．これらから得られる所見は血液疾患の診断上きわめて重要である．

網赤血球数は再生不良性貧血や赤芽球癆などの骨髄不全症の診断や，溶血性貧血の診断にも必須である．

この際に網赤血球数は%で判断するのではなく絶対数で判断することが重要である．たとえば，貧血症がある場合に，網赤血球の絶対数が増加していれば，出血か溶血を強く疑う．一方，網赤血球の絶対数が増加していなければ，骨髄の造血能は低下していると判断し，骨髄不全症を疑い，骨髄検査を施行する．白血球分画は器械法では正確な情報は得られず，視算法で行うことが必須であるが，血液内科医は単に検査室からの報告書をみるだけでなく，自分で血液塗抹標本を作製し観察する習慣をつけるべきである．

血液塗抹標本から得られる情報はきわめて大きく，各種貧血症の鑑別，たとえば鉄欠乏性貧血，巨赤芽球性貧血，さまざまな溶血性貧血などは血液塗抹標本の赤血球形態や白血球形態をみるだけで診断できることが多く，また骨髄異形成症候群，急性白血病，慢性骨髄性白血病，慢性リンパ性白血病などの造血器腫瘍の診断にもきわめて有用である．血液疾患の検査で欠かすことのできないのが骨髄検査である．骨髄検査は骨髄不全による貧血症，すべての造血器腫瘍，血小板減少症の鑑別に必須であり，血液内科医はその手技を習得するとともに骨髄像を正確に読めるようにならなければならない．

血液疾患の検査結果の読み方については，ある時点での検査結果のみで判断するのではなく，過去からその時点までの検査結果の推移をみることが重要である．たとえば診断時では，その時点までの検査結果の推移と感染症や医薬品服用歴との関係をみることによって造血障害の原因の推定に役立ち，骨髄異形成症候群ではその経過をみることが診断に役立つ．また，治療中は病態の把握に検査結果の推移をみることが重要であり，さらに治療効果の判定とそれに基づくその後の治療方法選択の判断にも欠かせない．

4）治療

治療開始にあたっては患者および家族に当該血液疾患に対する治療方法の選択肢とそれぞれの治療方法の説明，予想される治療経過，奏効率，予後などを十分に説明し同意を得る必要がある．血液疾患，特に造血器腫瘍では治療によって一時的に病状が増悪したり，さまざまな合併症を引き起こす可能性があるため，正確な病名の告知と疾患に対する患者および家族の理解を得ることが不可欠である．

血液疾患の治療方法の選択については赤血球系，白血球系，血小板/凝固系のどの疾患も標準的治療を採用するのが基本であるが，骨髄不全症や造血器腫瘍では標準的治療が確立していないことも多く，また海外での標準的治療がわが国ではいまだ保険適用上施行できない場合などがあり，エビデンスのある治療方法を患者および家族への説明と同意のもとで施行せざるをえない場合も少なくない．

〔小松則夫〕

16-2　造血のしくみ

1）血液の構成成分：細胞成分と血漿

ヒトの血液は体重の約1/13を占め，体重50 kgのヒトでは約4 Lの血液が存在する（Dacieら，1991）．血液は，赤血球，白血球，血小板などの有形成分と血漿とよばれる液体成分からなる．血漿中には，アルブミンなどの栄養物質，ハプトグロビンなど物質運搬にかかわる分子，免疫グロブリン，補体などの生体防御にかかわる分子，凝固因子など多くの蛋白が含まれる．血漿を凝結すると，細胞成分とともに血餅を形成し，血清が分離される．

2）造血細胞の発生

個体の発生過程における最初の造血は胚の体外に存在する卵黄嚢で起こる．胎生25日頃より卵黄嚢壁内に血島とよばれる造血巣が認められ，この造血を一次造血とよぶ（平野，2004）（図16-2-1）．この時期に産生される赤血球は脱核せず，グロビン遺伝子も成体型のものとは異なる．一次造血に続いて，成体型の造血（二次造血）の起源となる真の造血幹細胞が大動脈臓側中胚葉（paraaortic splanchnopleural mesoderm：P-Sp）領域で発生する．P-Sp領域は後にAGM領域（aorta-gonads-mesonephros，大動脈-生殖巣-中腎の発生する胚領域）とよばれる組織に発達する．造血幹細胞はその後AGM領域から胎児肝臓へ移動し，肝臓において赤血球系，白血球系，血小板系の3系統

の造血が開始される．胎児肝における造血は妊娠40日頃より始まり，妊娠3～6カ月では主要な造血器となる．妊娠後期には造血幹細胞は肝臓から骨髄へ移動し，出生以降の造血のほとんどは骨髄で行われる．出生直後はほとんどすべての骨髄で造血が行われるが，次第に長管骨での造血は消退し，造血巣は体の中心部(頭蓋骨，胸骨，肋骨，脊椎骨，骨盤など)の骨髄に限局してくる．出生直後は肝造血による赤血球が主体をなすので，赤血球中のヘモグロビンも $HbF[\alpha_2\gamma_2]$ が優位であるが，生後2カ月で $HbA[\alpha_2\delta_2]$ が優位となり，生後10カ月でHbFは痕跡程度となる．

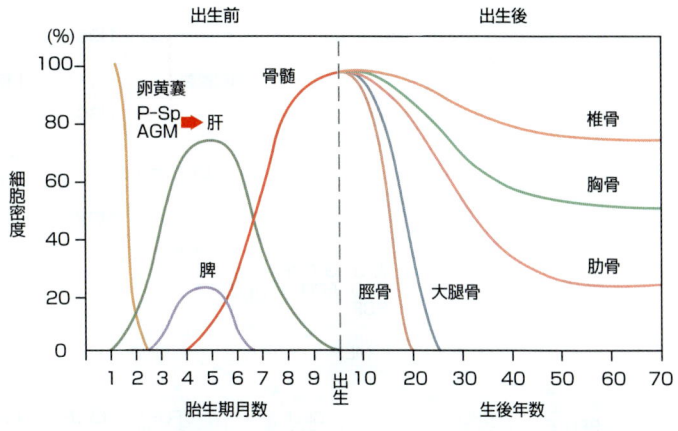

図 16-2-1 血球の発生機構(平野，2004より引用・改変)

3）造血幹細胞の機能と特性

生体内のすべての血液細胞は多能性の造血幹細胞(hematopoietic stem cell：HSC)に由来する(図16-2-2)．HSCの最も重要な特徴は自己複製能(self-renewal)と多分化能(multipotentiality)という2つの機能を兼ね備えていることである．つまり，HSCは個体が生存する間，自己複製能によって自己と同じ性格，能力を有するHSCを産生しHSC集団を維持する能力と，多分化能によって各種血球を産生する能力をもった細胞である．HSCはこれらの能力により細胞分裂の際，HSC自身またはやや分化した前駆細胞を産生する(図16-2-2)．通常の造血状態ではHSCの4～5％程度のみが増殖期に入っており，そのほとんどは細胞周期の休止期にあり，過剰な増殖によるHSCの枯渇を防いでいる[1,2]．

HSCの増殖・維持・分化の制御には，骨髄の支持細胞であるストローマ細胞とその周囲の細胞外マトリックスからなる骨髄微小環境において機能する各種の造血因子，ケモカイン，細胞接着因子が深くかかわっている[3-5]．特に，ストローマ細胞上に発現する膜結合型(一部可溶型)のSCF(stem cell factor)や可溶型のTPO(thrombopoietin)，IL-3，IL-6，FLT3L(FLT3 ligand)などの造血因子はPHSCの増殖・生存に深くかかわっている．ストローマ細胞のうちでは骨芽細胞，血管内皮細胞，細動脈周囲細胞が，PHSCにとっての生物学的適所を提供するニッチ(niche)細胞として機能することが報告されているが，個々の細胞がHSCに及ぼす影響についての詳細については議論のあるところである．

ヒトのHSCは，造血幹細胞移植術の際にはCD34陽性細胞として算定される．通常，HSCは骨髄内に存在し末梢血中にはほとんど存在しないが(CD34陽性細胞の比率：骨髄1％；末梢血0.01％)，大量の化学療法やG-CSF(granulocyte-colony stimulating factor)投与によりHSCが末梢血中に流入し，また臍帯血中にも高頻度(0.3％)に存在する．骨髄移植や末梢血幹細胞移植術の際には，$2.0～3.0×10^6$ 個/kg程度のCD34陽性細胞が用いられるが，臍帯血移植の際にはより少ない細胞数で実施されている．

4）造血臓器の構造と機能：骨髄，脾臓，リンパ節

(1) 骨髄

骨髄は骨皮質の内側で骨梁と骨梁に囲まれた部位にある組織で，成人では約1600～3700gの生体内最大の臓器であり，血球成分に富み赤くみえる赤色髄と脂肪組織が大部分を占める黄色髄とに分けられる．赤色髄は，血管系組織と造血組織から形成される．骨髄には2種類の血管系があり，1つは栄養動脈で骨皮質を貫通し，中心動脈となる(Abboudら，2006)(図16-2-3)．髄腔内で中心動脈から分岐した分枝は放射状に骨皮質に向かい骨皮質の中で毛細血管となる．一方，骨皮質からの動脈も皮質内で毛細血管となる．この2つの毛細血管が一緒になり，網目状の静脈洞となる．この洞と洞の間に造血組織が存在する．造血組織はHSCを含む種々の分化段階の血液細胞とそれらを支持するストローマ細胞によって構成される．造血組織は内皮細胞，基底膜，外膜細胞の3層によって静脈洞と隔てられ，造血組織で産生された成熟血球はこの3層の膜を通過して洞内に達する．洞の血管は集合して輸出静脈となり，骨皮質を出る．これによって洞内の血球も体循環に入る．

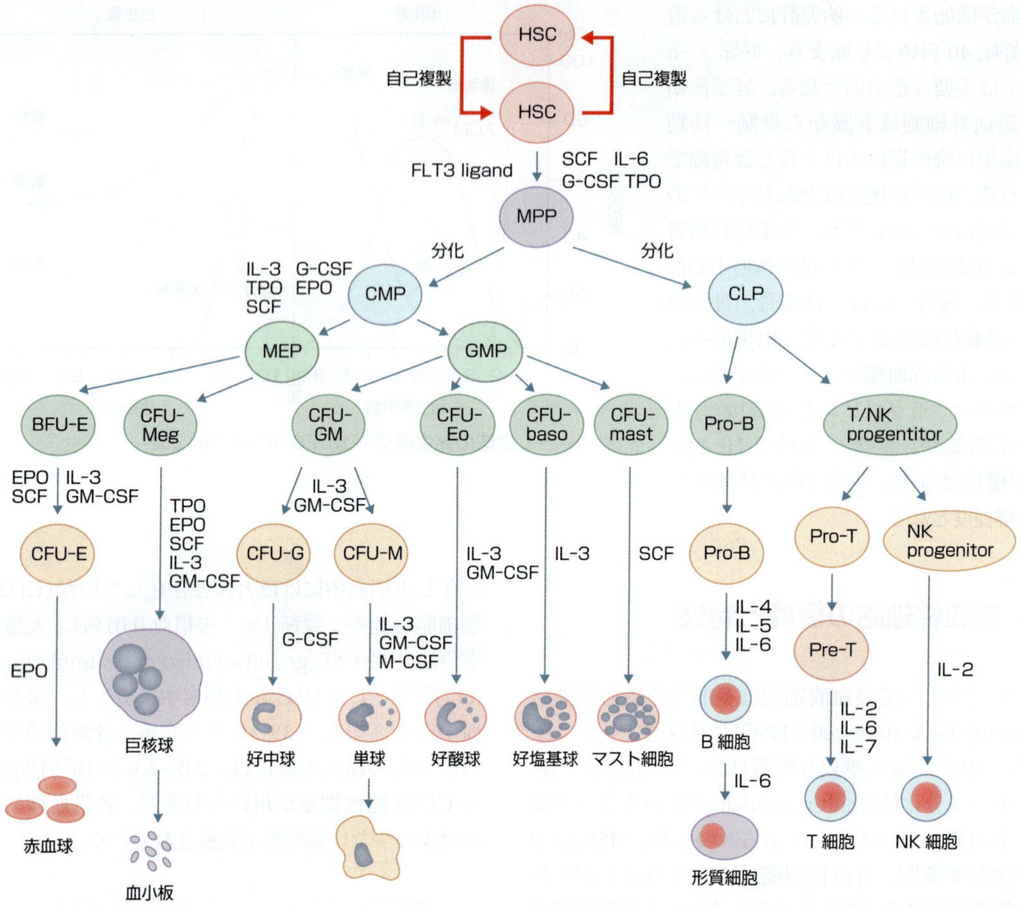

図16-2-2 血球産生におけるヒエラルキー
HSC：hematopoietic stem cell（造血幹細胞），MPP：multipotent progenitor（多能性各前駆細胞），CMP：common myeloid progenitor（骨髄系共通前駆細胞），CLP：common lymphoid progenitor（リンパ系共通前駆細胞），MEP：megakaryocyte/erythroid progenitor（赤芽球/巨核球系前駆細胞），GMP：granulocyte/monocyte progenitor（顆粒球/単球前駆細胞）．

(2) 脾臓

脾臓は，左肋骨弓下部に位置し健常成人の平均重量は100〜120gである．表面を被膜で覆われ，被膜から進入する結合組織性の脾柱が複雑に絡み合って細網を形成し，そのなかに実質である脾髄が含まれる（図16-2-4）．脾髄は灰白色の白脾髄と赤脾髄とに分かれる．白脾髄は小リンパ球からなり，動脈周囲リンパ球鞘の所々に二次小節を形成する．動脈周囲リンパ球鞘はTリンパ球からなる胸腺依存領域であり，二次小節および胚中心はBリンパ球からなる．赤脾髄は拡張した毛細血管が網状に広がる脾洞とその間をうずめる各種の血球が詰まった脾索からなる．赤脾髄では動脈は脾索内に開放しており，血液は脾索を流れたあと脾洞内へ流入する．脾臓は，異物や老化

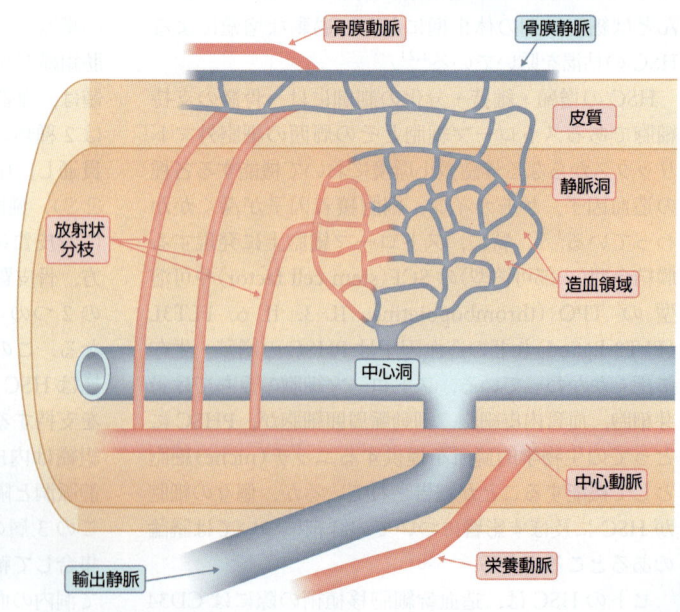

図16-2-3 骨髄の構造（Abboud, 2006より引用）

赤血球などを処理するフィルターとして機能する．

(3)リンパ節

リンパ節は被膜に覆われた直径1cm程度の小器官である．リンパ洞とリンパ実質からなり，被膜から侵入する梁柱によって細分化されている(Kipps, 2006)(図16-2-5)．被膜を貫通して入ってくる数本の輸入リンパ管は辺縁洞となり中間洞，髄洞を経て1本の輸出リンパ管として門部より出る．リンパ実質は皮質，副皮質，髄質からなる．濾胞はリンパ球の類円形集簇巣であり，小型リンパ球の集簇した一次濾胞とマントル帯と胚中心からなる二次濾胞とがある．濾胞構造を示す部分はBリンパ球優位であり，濾胞間はT細胞優位である．抗原刺激を受けていない成熟Bリンパ球はナイーブB細胞とよばれ，多くは濾胞間領域で抗原刺激を受け，その一部が髄質に移行し短命な形質細胞となる．残りは濾胞樹状細胞(follicular dendric cell)の存在する一次濾胞の辺縁部に移動し，増殖を開始する．増殖した細胞がFDC領域のほぼ全域を占めると，一次濾胞を形成していたB細胞は周辺に追いやられマントル帯となり，二次濾胞を形成する．濾胞内の胚中心においてBリンパ球は，免疫グロブリン遺伝子に体細胞突然変異を生じ，FDCの抗原刺激を受けてメモリーB細胞へと成熟していく．

(4)胸腺

胸腺は皮質と髄質から構成され，T細胞の成熟過程を担う．リンパ系共通前駆細胞(common lymphoid progenitor：CLP)の一部は骨髄から胸腺へ移動しpro-T細胞かNK前駆細胞となる．T細胞はpro-T細胞からpre-T細胞の分化段階でT細胞抗原受容体(TCR)の再構成を行い，CD4とCD8を細胞表面に発現する．このCD4$^+$CD8$^+$(double-positive)のpre-Tリンパ球の分化段階において，自己のMHCとともに提示された抗原に反応するT細胞が選択的に増幅され(positive selection)，続いて自己抗原に反応するTリンパ球が排除(negative selection)される．その後，CD4$^+$CD8$^+$T

リンパ球はCD4$^+$CD8$^-$またはCD4$^-$CD8$^+$の成熟Tリンパ球となり，末梢血中に流入する．

5)成熟血球の産生機構

生体内では日々老朽化した血液細胞が破壊され，この消費を補うために健常成人では膨大な数の血球が日々産生され，血球数は表16-2-1に示すような一定値に維持されている．

HSCから成熟細胞へと分化する過程には階層性(hierarchy)が存在し，正常の造血機構においてこの過程を逆戻りすることはない(図16-2-2)．HSCの段階から分化が選択されると自己複製能と多能性が失われた多能性各前駆細胞(multipotent progenitor：

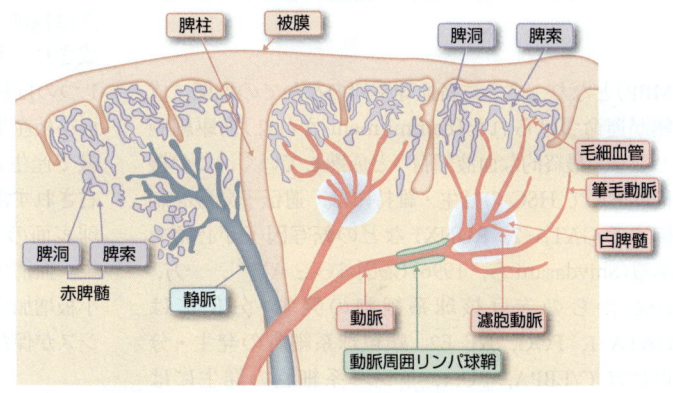

図 16-2-4 脾髄の構造

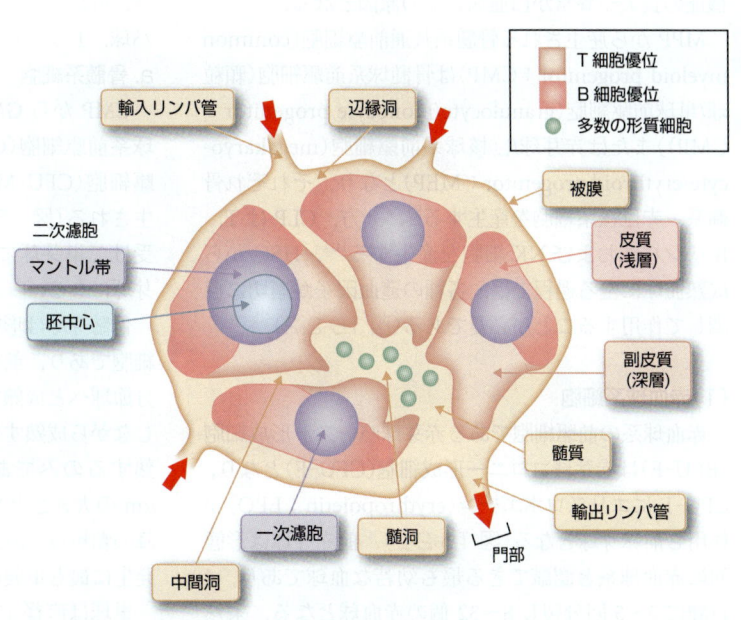

図 16-2-5 リンパ節の構造(Kipps, 2006)

表16-2-1 健常人の血球数

項目	成人男性	成人女性
赤血球数(万/μL)	550±100	480±100
ヘモグロビン濃度(g/dL)	15.5±2.5	14.0±2.5
ヘマトクリット(Ht)	47±7	42±5
MCV(fl)	86±10	
MCH(pg)	29.5±2.5	
MCHC(g/dL)	32.2±2.5	
網赤血球(‰)	2〜20	
白血球数(/μL)	7,500±3,500	
好中球(%)	40〜75	
単球(%)	2〜10	
好酸球(%)	1〜6	
好塩基球(%)	<1	
リンパ球(%)	20〜45	
血小板数(万/μL)	15〜40	

MPP)となり，さらに各血球系列のなかでの増殖・成熟が運命づけられた(commitment された)前駆細胞となり，最終的な血液細胞へと成熟していく．この機構において HSC の発生・維持には，遺伝子発現を制御する GATA-2，RUNX1 などの転写因子が必須である(Shivdasani ら，1996)(e図 16-2-A)[7,8]．一方，HSC からの赤巨核球系細胞の発生・分化には GATA-1，FOG，NF-E2，顆粒球系細胞の発生・分化には C/EBPA，PU.1，リンパ系細胞の発生には PU.1，Pax5，Ikaros などの系統特異的転写因子が必須であり，遺伝子異常などによるこれらの転写因子の機能の喪失や異常が白血病発症の原因となる．

MPP から産生される骨髄系共通前駆細胞(common myeloid progenitor：CMP)は骨髄系前駆細胞(顆粒球/単球前駆細胞(granulocyte/monocyte progenitor：GMP))または赤芽球/巨核球系前駆細胞(megakaryocyte/erythroid progenitor：MEP)となり，それぞれ骨髄系，赤巨核系細胞を産生する[9]．一方，CLP は T，B リンパ球および NK 細胞を産生する[10]．HSC から成熟血球に至る過程では，各種の造血因子が適切に協調して作用することが必要である(図 16-2-2)．

(1)赤血球系細胞

赤血球系の前駆細胞である赤芽球バースト形成細胞(BFU-E)は赤芽球コロニー形成細胞(CFU-E)となり，CFU-E にエリスロポエチン(erythropoietin：EPO)が作用し前赤芽球となる(図 16-2-2)．前赤芽球は形態的に赤血球系と認識できる最も幼若な血球であり，4日間に 3〜5 回分裂し 8〜32 個の赤血球となる．未熟な赤芽球は RNA を多量に含むため好塩基性である

が，ヘモグロビンの合成とともに多染性から正染性赤芽球へと変化する．この間に赤芽球の直径は 25 μm から 9 μm に減少する．この過程では健常人でも約 10% の赤芽球が破壊され無効造血とよばれる．その後，正染性赤芽球は脱核し網赤血球となり，網赤血球は約 24 時間後に成熟赤血球となる．健常人の赤血球寿命は約 120 日で，老化した赤血球は脾臓でマクロファージに貪食される．赤血球造血における最も重要な造血因子 EPO はおもに腎臓の尿細管周囲の間質細胞によって産生される．貧血により腎組織が低酸素状態に陥ると酸素センサーが働き，EPO の産生が増加し，貧血が改善するともとのレベルに戻る．

(2)巨核球系細胞

巨核球系の前駆細胞 CFU-Meg は増殖した後に，巨核球に特徴的な細胞分裂を伴わない DNA 合成を繰り返し，多倍体化した成熟巨核球となる．その後，成熟巨核球から proplatelet とよばれる細胞質突起が形成され，それが断片化し血小板が産生される．通常，1 つの巨核球から約 3000 個の血小板が産生される．血小板産生系における最も重要な造血因子はおもに肝臓で産生される TPO である．TPO は血小板数に左右されず常に一定量産生され，血小板表面，骨髄巨核球表面の TPO 受容体に結合し分解される．この結果，血清中の TPO 濃度は血小板減少症では高値，血小板増加症では低値となり血小板産生のホメオスターシスが保たれている．

(3)白血球系細胞

白血球は，CMP に由来する好中球，単球，好酸球，好塩基球，マスト細胞と CLP に由来する B リンパ球，T リンパ球，NK 細胞に分類される．

a. 骨髄系細胞

CMP から GMP が産生され，さらに，顆粒球・単球系前駆細胞(CFU-GM)となり，そこから単球系前駆細胞(CFU-M)と顆粒球系前駆細胞(CFU-G)が産生される(図 16-2-2)．CFU-M は M-CSF の作用を受けて単芽球になり，CFU-G は G-CSF により骨髄芽球になる．

骨髄芽球は形態的に同定できる最も幼若な顆粒球系細胞であり，前骨髄球，骨髄球，後骨髄球，桿状球，分節球へと成熟する．この過程では骨髄球までは増殖しながら成熟するが，後骨髄球以降は分裂能を失い成熟するのみである．成熟した好中球は直径 10〜15 μm の大きさとなる．通常の造血状態では，桿状球以降の顆粒球のみが末梢血に流出する．顆粒球系細胞の発生に最も重要な造血因子は G-CSF である．

単球は直径 13〜22 μm の大型細胞で細胞質内に微細なアズール顆粒を有している．血中の単球は，組織

へ移行し，その組織に適応したマクロファージ（肺胞マクロファージや肝Kupffer細胞など）となり，数カ月生存する．炎症部位に遊走し，体内に侵入した異物（抗原）を貪食処理する．

好酸球は，細胞表面のIgE受容体を介し免疫反応に関与し，その発生においてはIL-5が最も重要なサイトカインである．

好塩基球とマスト細胞は，ともに細胞表面にIgEに対する高親和性受容体FcεR1を有し，種々の刺激で活性化されるとヒスタミンやロイコトリエンを放出し，即時型（Ⅰ型）アレルギーや炎症反応を引き起こす．好塩基球は骨髄内で成熟し，その際の最も重要な造血因子はIL-3である．成熟好塩基球はおもに末梢血中に存在するが，増殖能はなく，その寿命は好中球同様に短い．一方，マスト細胞は前駆細胞の段階で骨髄から末梢血に移動し，組織に侵入後増殖してから分化する．マスト細胞は定着した組織により形質が異なり，結合組織マスト細胞，粘膜マスト細胞などとよばれ，健常人の末梢血中には通常見いだされない．

b. リンパ球

Tリンパ球は，胸腺にたどりついたCLPから発生し，胸腺内で分化する．CD4$^+$CD8$^-$細胞はヘルパー/インデューサー能をもち細胞性免疫の担い手である．ヘルパーT細胞は，IL-2やIFN-γなどを産生し細胞性免疫を増強するTh1細胞とIL-4，IL-5，IL-6，IL-10などを産生し液性免疫を亢進させるTh2細胞に分類される．また，CD25$^+$CD4$^+$細胞は制御性T細胞として生体内で自己免疫反応を抑制している．

骨髄内にとどまったCLPから発生したBリンパ球前駆細胞はIL-7，SCFなどの存在下でpro-B細胞からpre-B細胞へと分化する．pro-B細胞において免疫グロブリン重鎖遺伝子の再構成が起こり，引き続き軽鎖遺伝子の再構成が起こる．両者の再構成が終了すると免疫グロブリン分子の産生が可能となり細胞表面にIgM（sIgM）を発現する．sIgM陽性ナイーブB細胞は，体細胞変異とクラススイッチを起こし，細胞表面免疫グロブリンがIgMからIgG，IgAへと変化しメモリーB細胞になる．成熟Bリンパ球は末梢血中やリンパ節などの末梢リンパ組織に存在するが，IL-6などの作用により抗体産生細胞である形質細胞に分化すると骨髄へ戻る．

NK細胞の分化過程の詳細は明らかではない．NK細胞はGiemsa染色ではLGL（large granular lymphocyte）の形態を示す．MHCの拘束を受けずに先天性免疫，自然免疫，さらに，癌細胞の傷害やウイルス感染細胞，移植片の排除を行う．　　　〔松村　到〕

■文献（e文献16-2）

Abboud CN, Lichtman MA: Structure of the marrow and the hematopoietic microenvironment. Williams Hematology, 7th ed (Lichtman MA ed), pp35-72, McGraw-Hill, 2006.

Dacie JV, Lewis SM: Practical Haematology, 7th ed. Churchill Livingstone, 1991.

平野正美：ビジュアル臨床血液形態学．南江堂，2004.

Kipps TJ: The lymphoid tissues. Williams Hematology, 7th ed (Lichtman MA ed), pp73-81, McGraw-Hill, 2006.

Shivdasani RA, Orkin SH: The transcriptional control of hematopoiesis. Blood. 1996; 87: 4025-39.

16-3 血球の動態と機能

1）赤血球 erythrocyte

(1) 動態と機能

a. 赤血球の産生

成人の循環赤血球量は約2000 mLで，ヘモグロビン量として750 gに相当する．赤血球の寿命は平均120日で，赤血球として約20 mLが毎日崩壊し，それに応じた赤血球が，エリスロポエチンの刺激で産生される[1]（eコラム1）．骨髄には通常この2〜3倍の赤血球産生の予備力がある．骨髄中では，多能性造血幹細胞から，赤芽球バースト形成細胞（BFU-E），赤芽球コロニー形成細胞（CFU-E），前赤芽球，好塩基性赤芽球，正染性赤芽球へと分化，その後脱核し網赤血球となり，骨髄の静脈洞を通過し，末梢血中で網赤血球から赤血球へと分化する（図16-3-1）[2]．分化の初期では，細胞質内のリボソームが青く（塩基性）染まり，その後ヘモグロビンが合成されるとともに赤味を増す．骨髄での赤血球産生が亢進すると，末梢血での網赤血球が増加する．網赤血球の塩基性に染まる網目構造はリボソームRNAである．

b. 赤血球の形態と機能

赤血球は，直径8 μmの扁平な中心が凹んだ円盤状．この構造は，表面積が大きく，変形能に富むため，ガス交換と狭細な末梢血管での移動に有利である[3]．赤血球の膜は，脂質の二重層で，内側はアンキリン，スペクトリン，バンド3などの蛋白質で裏打ちされている（図16-3-2）[4]．遺伝性ないし後天性に

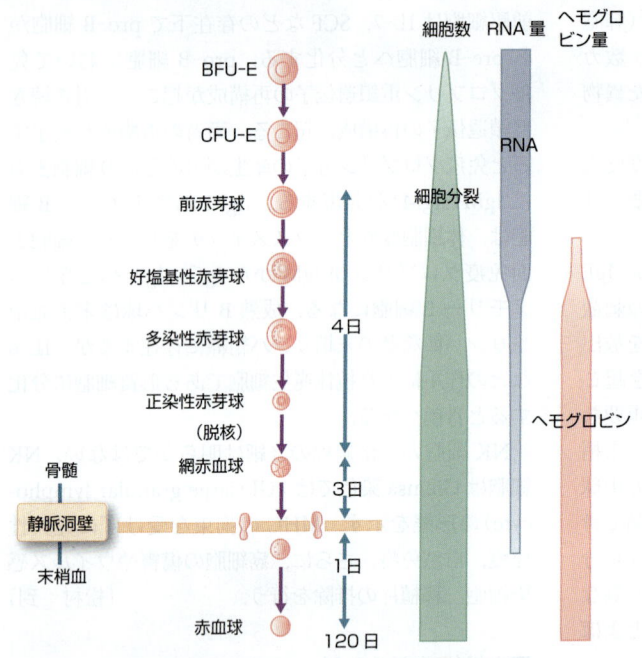

図 16-3-1 赤血球の産生
赤血球は骨髄で多能性造血幹細胞から赤芽球へ分化，脱核した後に網赤血球となり，静脈洞壁を通過した後，末梢血へ流出する．赤血球の寿命は平均120日である．

この膜蛋白に異常が起こると，赤血球の凹んだ円盤状の形態が失われ，球状ないし楕円状の形態を示す．球状赤血球症にはアンキリン，スペクトリン関連，バンド3関連，バンド4.2遺伝子などの異常が，楕円赤血球症にはバンド4.1ないしα-スペクトリン遺伝子異常が多い[5]．肝硬変などの慢性肝疾患では，膜の脂質成分の変化により，球状赤血球が出現する．

c. 赤血球の代謝

赤血球膜の形態，機能維持，Na，K，Caの能動輸送には，ATPが必要である．成熟した赤血球にはミトコンドリアがないのでエネルギー代謝は嫌気性解糖経路 (Embden-Meyerhof 経路) に依存している (図16-3-3)[6]．その中間産物であるNADHは，メトヘモグロビン還元酵素の補酵素として用いられ，ヘモグロビンのメトヘモグロビンへの酸化変性を防ぎ，酸素運搬能を回復させる．ペントース-リン酸回路で産生された NADPH は，グルタチオン還元酵素の活性化を通して，ヘモグロビンの酸化を防ぐ[7]．同様に解糖経路の中間で Rapapport-Luebering 経路で合成された 2,3-P グリセリン酸 (2,3-DPG) は，ヘモグロビンの酸素親和性を低下させ，末梢でのヘモグロビンからの酸素の遊離を容易にする[8]．

(2) ヘモグロビンの生合成と代謝
a. ヘモグロビンの生合成

ヘモグロビンは，ヘム環とグロビン蛋白からなり，赤芽球内で別々に合成され，最終的に四量体のヘモグロビンになる (図16-3-4)．ヘムの合成は，まずミトコンドリア内でサクシニル CoA とグリシンがδ-アミノレブリン酸合成酵素 (δ-ALA-S) によりδ-アミノレブリン酸となることから始まり，その後ミトコンドリアから細胞質に出て，ポルフォビリノゲン，ウロポルフィリノゲン，コプロポルフィリノゲンを経て，再びミトコンドリア内に取り込まれ，プロトポルフィリンになり，鉄が配位してヘムとなる．一方，グロビン蛋白質には，α様グロビン鎖とβ様グロビン鎖という別々の染色体にコードされた2種のサブユニットがある[9]．1つのヘモグロビンは，2つのα様グロビン鎖と2つのβ様グロビン鎖から構成される．α様グロビン遺伝子にはα鎖とζ鎖があり，16番染色体短腕上にコードされている．β様グロビン遺伝子には，β, γ, δ, ε鎖があり，11番染色体短腕上にコードされている．胎

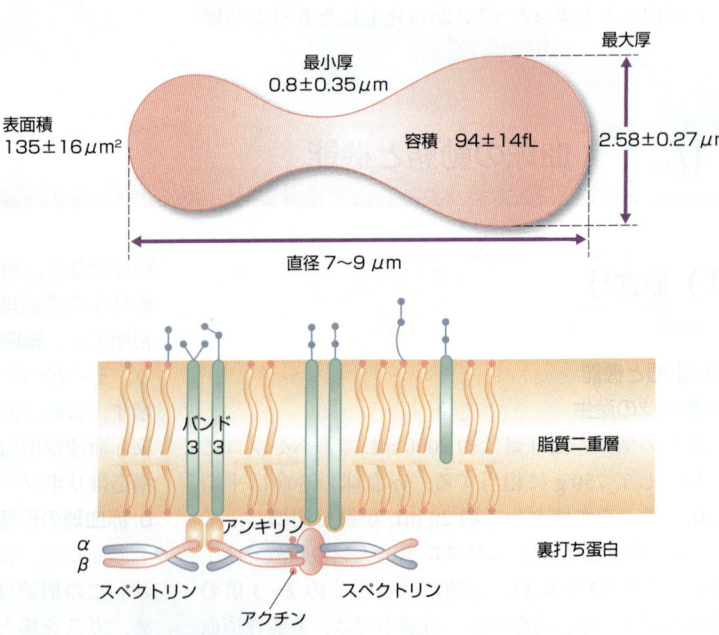

図 16-3-2 赤血球の構造
赤血球は中心が凹んだ円盤状の形態を示し，表面は脂質の二重層で，内側はバンド3,4，アンキリン，スペクトリン，アクチンなどの蛋白質，細胞骨格で裏打ちされている．

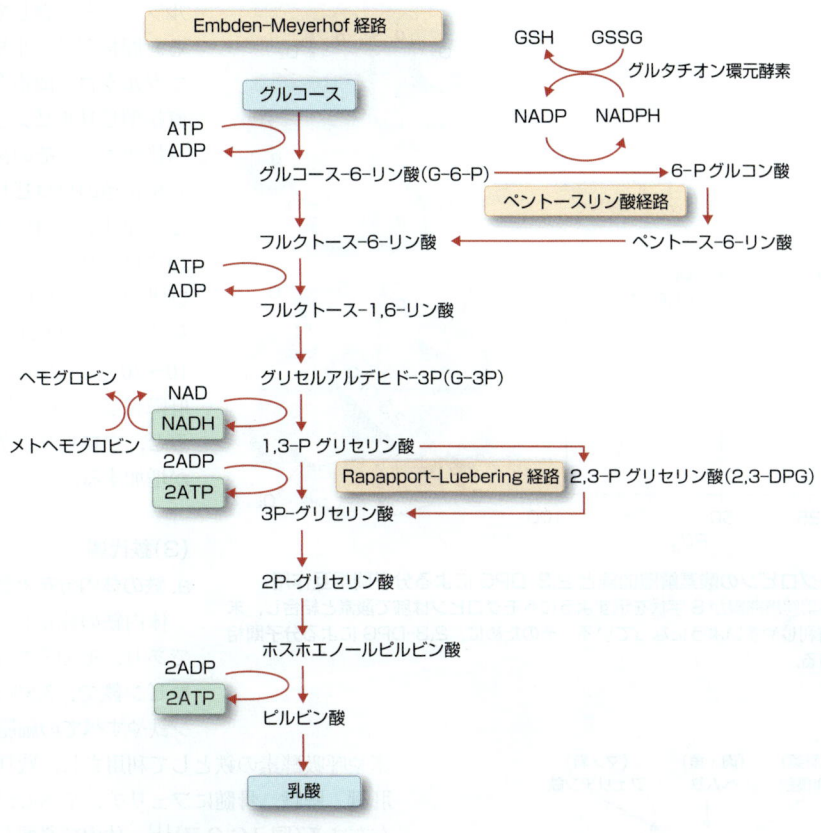

図 16-3-3 赤血球のエネルギー代謝
赤血球の形態，機能維持には ATP が産生されていることが必要である．成熟した赤血球にはミトコンドリアがないので，エネルギー代謝は嫌気性解糖経路に依存している．

生3カ月までのヘモグロビンは，HbF または HbA2 である．HbF は $\alpha_2\gamma_2$ で，HbA2 は $\alpha_2\delta_2$ で，それ以降成人ヘモグロビンのほとんどが HbA であり $\alpha_2\beta_2$ で構成される．発生の段階でヘモグロビン遺伝子発現が変化することをヘモグロビンスイッチという．

b. ヘモグロビンの機能

ヘモグロビンは，分子状酸素を肺から末梢組織へ運搬する機能を有している．ヘモグロビンの四量体構造は，pH が低くなると酸素を離しやすくする機能をより効率的に行うために，都合がよい．各ヘモグロビン分子は，1分子の酸素を結合しているが，酸素の結合と遊離に応じて α および β 様ヘモグロビン鎖の分子相互の関係が変化する（図 16-3-5）．酸素化されたヘモグロビンでは $\alpha\beta$ 鎖は相互に近接するのに対し，酸素が遊離した場合には β 鎖相互は離れ，その間隙に 2,3-DPG が入り込む．低酸素化で 2,3-DPG 濃度が上昇した場合には，S 状カーブは右方にシフトし，末梢組織で，酸素をより解離しや

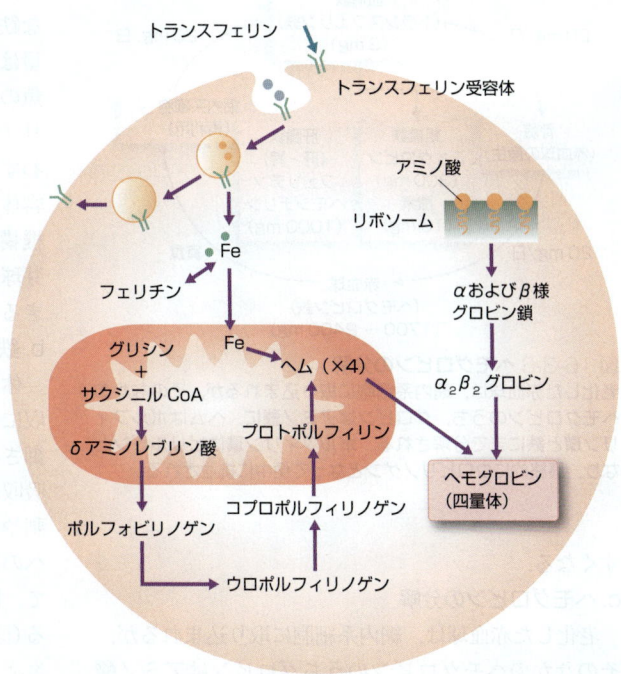

図 16-3-4 赤血球のヘモグロビン合成
ヘモグロビンは，ヘム環とグロビン蛋白からなり，赤芽球内で別々に合成され，最終的に四量体のヘモグロビンになる．グロビン蛋白質には α 様鎖と β 様鎖の2種のサブユニットがある．

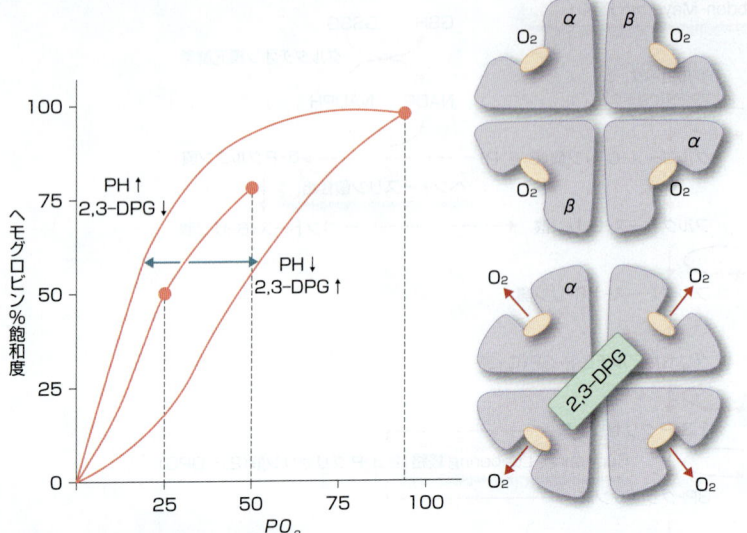

図 16-3-5 ヘモグロビンの酸素解離曲線と 2,3-DPG による分子間相互作用
ヘモグロビンの酸素解離曲線がS字状を示すようにヘモグロビンは肺で酸素と結合し、末梢組織で酸素を有利しやすいようになっている。そのために、2,3-DPG による分子間相互作用が重要である。

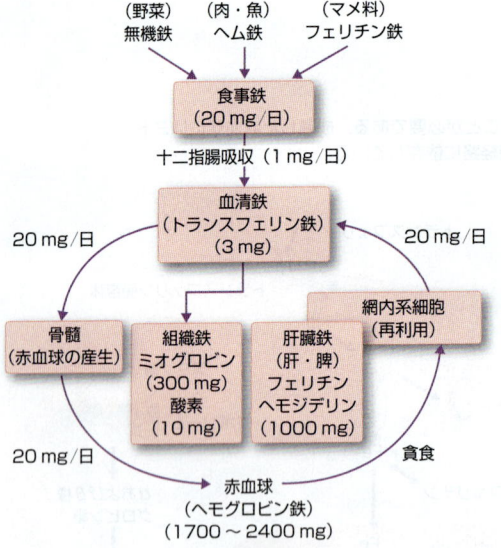

図 16-3-6 ヘモグロビンの分解
老化した赤血球は、網内系細胞に取り込まれるが、そのなかのヘモグロビンのうち、グロビンはアミノ酸に、ヘムはポルフィリン環と鉄にまで分解される。ポルフィリン環はビリルビンとなり、最終的にウロビリノゲンとなって便中に排泄される。

すくなる。

c. ヘモグロビンの分解

老化した赤血球は、網内系細胞に取り込まれるが、そのなかのヘモグロビンのうちグロビンはアミノ酸に、ヘムはポルフィリンと鉄に分解される(図 16-3-6)。アミノ酸と鉄は再利用されるが、ポルフィリンは再利用されず、間接型ビリルビンになり、血中でアルブミンと結合して肝臓へ運ばれる。間接型ビリルビンは肝細胞内でグルクロン酸抱合を受けた後、直接型ビリルビンとなり、胆汁中へ排泄され、その後腸内細菌により橙黄色のウロビリノゲンとなって、便中に排泄される[10]。一部のウロビリノゲンは消化管から再び吸収され肝に戻る腸肝循環の過程を経る。ウロビリノゲンの10〜20%は尿中に排泄されるが、肝障害などで腸肝循環が障害されると、ウロビリノゲンの尿中排泄が増加する。

(3)鉄代謝
a. 鉄の体内分布と動態

体内鉄の総量は成人男子で5gであり、そのうち65%はヘモグロビン鉄で、3.5%はミオグロビン鉄やすべての細胞の薬物代謝酵素や呼吸酵素の鉄として利用され、残りが貯蔵鉄で、肝臓、脾臓、骨髄にフェリチンやヘモジデリンとして存在する(図 16-3-7)[11]。体内で必要な鉄の多くは、赤血球ヘモグロビン鉄の再利用によってまかなわれ、消化管からの食事による鉄吸収は1 mg にすぎない。この1 mg は、皮膚や消化管粘膜の剥離などの生理的な鉄の喪失量に相当し、生理的に腸管から吸収される量はそれを補う量である。食事性の鉄としては、肉、魚のヘム鉄、野菜の無機イオン鉄やマメ科植物のフェリチン鉄がある[12]。血中でのトランスフェリン鉄はわずか3 mg であるが、トランスフェリンは細胞の受容体を介して取り込まれることを繰り返すリサイクル機構が存在するため、1日20〜25 mg の鉄を骨髄赤芽球へ運搬し、ヘモグロビン合成に利用することができる。

b. 鉄代謝の制御機構

体内の鉄は、赤血球鉄の再利用と、体外からの鉄吸収に依存するため、過不足が生じないように厳密に制御される必要がある。鉄欠乏状態では、腸管からの鉄吸収は亢進し、鉄過剰状態では低下する。また、鉄過剰や炎症状態では網内系からの赤血球由来の鉄の血中への遊離は妨げられる。その制御を調節する分子として、肝臓で産生されるヘプシジンというペプチドがある(図 16-3-8)[13]。ヘプシジンは、生体の鉄濃度、炎症、などのシグナルを感知した肝臓で産生が亢進され、鉄欠乏、低酸素、造血亢進で産生が抑制される25個のアミノ酸からなるホルモン様ペプチドである、細胞表面で細胞内から細胞外へ鉄の汲み出しに関与す

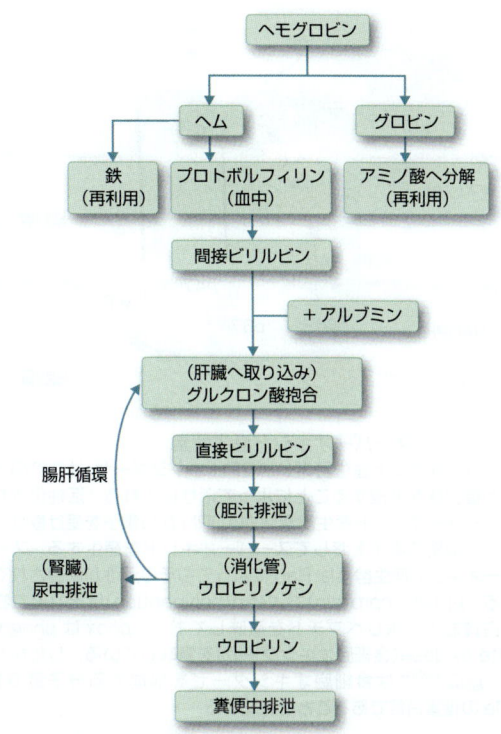

図 16-3-7 鉄の体内分布と動態
体内で必要な鉄の多くは，赤血球ヘモグロビンの再利用によってまかなわれ，消化管からの鉄吸収は，1日1mgにすぎない．血中では，トランスフェリンが鉄の輸送を担い，赤芽球産生に必要な鉄を供給している．

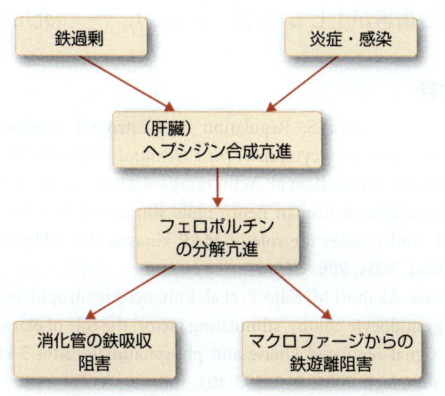

図 16-3-8 鉄代謝の制御機構
生体の鉄代謝は，過不足が生じないように厳密に制御されている．鉄欠乏状態では，消化管からの鉄吸収が亢進し，鉄過剰や炎症状態では消化管からの鉄吸収の低下と網内系細胞での鉄の遊離が妨げられる．これを制御する分子が肝臓で産生されるヘプシジンである．

るフェロポルチンと結合し，その分解を促進，結果として腸管からの鉄吸収や網内系細胞からの鉄の遊離を阻害する(eコラム 2)[14]．　　　　　　　　　〔髙後　裕〕

■文献(e文献 16-3-1)

Andrews NC: Forging a field: the golden age of iron biology. *Blood*. 2008; **112**: 219-30.

Camaschella C: Iron and hepcidin. Hematology 2013, pp1-8, American Society of Hematolgy, 2013.

Goodnnough LT, Nemeth E: Iron deficiency and related disorders. Wintrobe's Clinical Hematology, 13th ed, pp617-42, Lippincott Williams & Wilkins, 2014.

2）白血球の動態と機能

(1) 好中球の動態と機能

a. 動態

好中球の産生は顆粒球コロニー刺激因子(granulocyte colony-stimulating factor：G-CSF)によって制御されている．マクロファージ，血管内皮細胞などがG-CSFを産生する．G-CSFの作用により，好中球系前駆細胞は骨髄芽球，前骨髄球，骨髄球，後骨髄球，杆状核(好中)球，分葉核(好中)球と分化・成熟する．骨髄球までは分裂能を有しているが，後骨髄球になると分裂能を失う．骨髄芽球が増殖・分化して，成熟好中球が末梢血液中に出現するまでに 7〜14 日必要である．1日に産生される好中球は約 $0.85×10^9$/kg である．骨髄で成熟した好中球は巨大な骨髄プールを形成している．感染初期に認められる好中球増加は主として骨髄プールからの動員による．血管内の好中球は流血中に存在する循環プールと辺縁プールからなっている．流血中に存在する好中球の半減期は約 6.7 時間であり，組織に移行した好中球は 2〜3 日以内に組織内や感染巣でアポトーシスを起こして死滅する．

b. 血管外への遊出

好中球のおもな機能は生体に侵入した病原微生物を貪食，殺菌して排除することにある．流血中に存在する好中球が炎症局所に動員されるためには，まず血管内皮細胞に接着することが必要である．好中球膜上にはL-セレクチンや$β_2$-インテグリン(CD11/CD18)などの接着分子が存在する．L-セレクチンは血管内皮細胞膜上のシアル酸を含む糖鎖とゆるく結合し，好中球のころがり運動を制御している．炎症局所においては，主としてマクロファージから産生されたインターロイキン-1$β$(IL-1$β$)や腫瘍壊死因子(tumor necrosis factor：TNF)-$α$の作用により，E-セレクチンやICAM-1(intercellular adhesion molecule-1)などの接着分子が血管内皮細胞膜上に強く発現している．ICAM-1は好中球膜上の$β_2$-インテグリンと強く結合し，好中球を炎症局所にとどめる作用を果たしている．接着した好中球は炎症局所で産生された走化性因子に導かれて血管外へ遊出し，炎症局所に向けて遊走

する(e図 16-3-A, e動画 16-3-A〜E). C5a, IL-8, ロイコトリエン B_4, 血小板活性化因子などが重要な走化性因子である. これらの走化性因子に対する受容体は細胞膜を7回貫通しており, GTP結合蛋白質を介して細胞内にシグナルを伝達する. 好中球の運動は, 受容体の活性化により生じた細胞内 Ca^{2+} 濃度の増加, MAPキナーゼ(mitogen-activated protein kinase), ホスファチジルイノシトール3キナーゼ(phosphatidylinositol 3-kinase), 収縮蛋白質(アクチン, ミオシン)などによって制御されている(e図 16-3-B).

c. 貪食

被貪食粒子表面に免疫グロブリンや補体(C3b, C3bi)が結合することをオプソニン化とよぶ. オプソニン化された粒子は, IgGのFc部分に対する受容体(Fcγ受容体)や補体に対する受容体(CR1, CR3)を介して好中球に貪食され, 貪食空胞が形成される.

d. 活性酸素の産生と殺菌

好中球が貪食を開始すると好中球の酸素消費(呼吸)が急激に増加する. この現象を呼吸の爆発(respiratory burst)とよぶ. 消費された酸素のほとんどは細胞膜に局在するスーパーオキシド産生酵素により1電子のみ還元されてスーパーオキシド(O_2^-)になる. スーパーオキシドから過酸化水素(H_2O_2)やヒドロキシルラジカル($\cdot OH$)が産生される. これらの酸素代謝産物を総称して活性酸素とよび, 単独でも強い殺菌作用を示す. スーパーオキシド産生酵素は細胞膜および細胞質に局在する複数の構成要素からなっている(図16-3-9). 細胞膜に局在するチトクローム b_{558} は $gp91^{phox}$ と $p22^{phox}$ からなる二量体であり, 細胞質には $p47^{phox}$, $p67^{phox}$ および $p40^{phox}$ が存在する. 食作用に伴い $p47^{phox}$ がリン酸化されると, $p47^{phox}$, $p67^{phox}$ および $p40^{phox}$ がともに細胞膜に移行して, チトクローム b_{558} と複合体を形成することによってスーパーオキシド産生酵素が活性化される. 活性化されたスーパーオキシド産生酵素はNADPHから電子を受け取り, フラビンアデニンジヌクレオチド(FAD)および $gp91^{phox}$ に存在する2分子のヘムを介して分子状酸素に電子を渡し, スーパーオキシドを産生する. 食作用に伴い産生された過酸化水素は, ハロゲンイオン(Cl^-, I^-)およびアズール(一次)顆粒に含まれるミエロペルオキシダーゼと共同して菌体成分をハロゲン化したり, 次亜塩素酸(HOCl)を生成することによって強い殺菌能を発揮する. アズール顆粒に含まれるアズロシジンやデフェンシン, 特殊(二次)顆粒に含まれるラクトフェリンなども殺菌作用を示す. 死につつある好中球から放出される neutrophil extracellular trap(NET)も殺菌作用を示す. 顆粒が貪食空胞と癒合することによって顆粒内容物が貪食空胞内に放出される(脱顆粒). 貪食・殺菌された微生物は顆粒に含まれるリソソーム酵素により消化される. G-CSFやTNF-αなどのサイトカインは好中球機能を亢進することにより生体防御能を増強する. 一方, さまざまな炎症性疾患においては, 活性化された好中球によって組織傷害が生じる(e図 16-3-C). 〔北川誠一〕

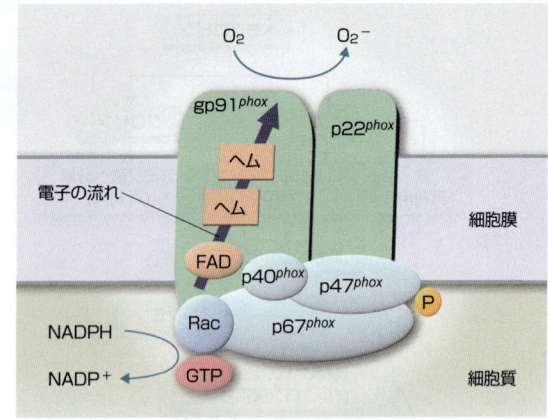

図16-3-9 スーパーオキシド産生酵素
スーパーオキシド産生酵素(NADPHオキシダーゼ)は複数の分子が複合体を形成することによって活性化される. 活性化されたスーパーオキシド産生酵素はNADPHから電子を受け取り, 分子状酸素に電子を渡してスーパーオキシドを産生する. スーパーオキシド産生酵素はRacによってもその活性が制御されている. gp(glycoprotein)およびp(polypeptide)はそれぞれ糖蛋白質およびポリペプチドを意味しており, phoxは phagocyte oxidase(食細胞オキシダーゼ)を意味している. したがって, $gp91^{phox}$ は食細胞オキシダーゼを構成する分子量91kDaの糖蛋白質であることを意味する.

■文献

Kato T, Kitagawa S: Regulation of neutrophil functions by proinflammatory cytokines. Int J Hematol. 2006; 84: 205-9.

Kutsuna H, Suzuki K, et al: Actin reorganization and morphological changes in human neutrophils stimulated by TNF, GM-CSF, and G-CSF: the role of MAP kinases. Am J Physiol Cell Physiol. 2004; 286: C55-64.

Nakamae-Akahori M, Kato T, et al: Enhanced neutrophil motility by granulocyte colony-stimulating factor: the role of extracellular signal-regulated kinase and phosphatidylinositol 3-kinase. Immunology. 2006; 119: 393-403.

(2) リンパ球の動態と機能

a. リンパ球の形態, 分類, 分布(再循環)

リンパ球は標本上で(類)円形の核を有し, 乳幼児では末梢血白血球の50%以上を占めるが, 5歳頃から比率が低下し成人では25〜45%(1000〜4000/μL)である. 直径6〜9μmで核胞体比の大きい小リンパ球が主体だが, 直径9〜15μmで比較的胞体の豊かな大リンパ球も存在する. リンパ球はTリンパ球, Bリ

ンパ球，NK 細胞に大別され，末梢血リンパ球のなかでそれぞれ約 70％，10〜15％，10〜15％を占める[1]．T リンパ球と B リンパ球は，光学顕微鏡でも電子顕微鏡でも形態的に区別できない．大リンパ球の一部は少数の大型顆粒を有し大型顆粒リンパ球(large granular lymphocyte：LGL)とよばれ，その多くは NK 細胞である．

末梢血中のリンパ球は 10^{10} 個内外だが，人体内全体ではリンパ組織（リンパ節，脾臓，消化管粘膜など）に約 10^{12} 個のリンパ球が存在する．抗原に出合っていない T 細胞や B 細胞は，リンパ組織から血流にのり，再びどこかのリンパ組織に定着する，という抗原探しの旅を続ける（リンパ球の再循環）[2]．

T リンパ球，B リンパ球，NK 細胞のそれぞれは，さまざまな細胞表面形質を示す亜集団からなる．これらの亜集団は，それぞれのリンパ球の分化段階，機能的なサブセット，活性化段階などを反映している．

b. B リンパ球（B 細胞）

B リンパ球（B 細胞）という名称は研究の歴史によるものである．すなわち，研究が先行した鳥類では骨髄の造血幹細胞に由来する細胞が Fabricius 囊（bursa Fabricii）に移行し，抗体産生細胞に分化するため，bursa の B が使われた．哺乳動物には Fabricius 囊が存在せず，B 細胞は骨髄で分化が進行することが明らかにされている（bone marrow の B と偶然一致）．

造血幹細胞由来である B 細胞の前駆細胞では，免疫グロブリン重鎖（immunoglobulin heavy chain：IgH）遺伝子再構成が誘導され，細胞内で μ 鎖蛋白が産生されるようになる．その後，免疫グロブリン軽鎖（immunoglobulin light chain：IgL）遺伝子再構成を経て，細胞表面に IgM（B 細胞受容体）を発現する細胞に分化する（未熟 B 細胞）（図 16-3-10）．

未熟 B 細胞は骨髄から血流を介して末梢リンパ組織に移動し，一次濾胞を形成する．この段階では細胞表面に IgM のほか IgD も発現し，濾胞 B 細胞（成熟 B 細胞）とよばれる．濾胞 B 細胞は表面 IgM や IgD が異物（抗原；蛋白質や糖鎖など）を認識すると活発に増殖し，二次濾胞が形成されて胚中心が出現する．その過程で Ig 遺伝子可変領域に多数の体細胞性突然変異（somatic hypermutation）が生じて，抗原に高親和性の免疫グロブリンを生成した B 細胞だけが濾胞樹状細胞からのシグナルを受け取って生き残る（affinity maturation）．さらに胚中心では，サイトカインの影響を受けて IgM から IgG あるいは IgA へのクラススイッチが進行し，さらに濾胞外に移行し形質細胞へと分化して抗体を産生する．なお，somatic hypermutation とクラススイッチの両者に，AID（activation-induced cytidine deaminase）が必須の役割を演じている．

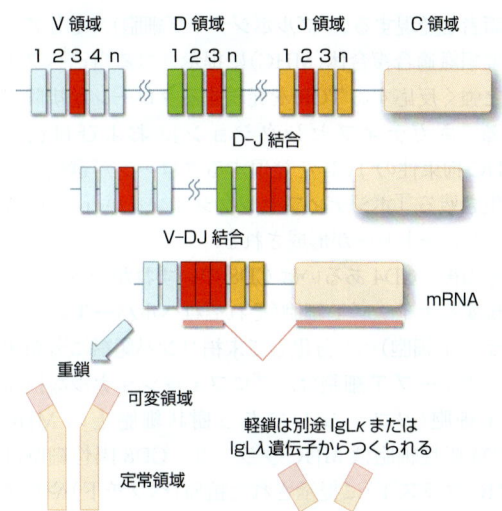

図 16-3-10　免疫グロブリン遺伝子（重鎖）の再構成
免疫グロブリン重鎖（IgH）は 1 つ，軽鎖（IgL）は 2 つ（κ鎖とλ鎖）の遺伝子座が存在する．IgH は V，D，J，C 領域から，IgL は V，J，C 領域から構成される．V，D，J 領域は可変領域，C 領域は定常領域とよばれる．V，D，J 領域はそれぞれ複数（特に V 領域は多数）の遺伝子断片をもつが，このなかからそれぞれ 1 つだけが選択されてゲノム上で結合する（V-DJ 結合）．これだけでもアミノ酸配列に大きな多様性が生まれるが，それぞれの結合部位は不正確であることからさらにアミノ酸配列の多様性は大きくなり，あらゆる抗原に対応できる抗体が産生されるようになる．

一方，クラススイッチを終えた B 細胞の一部は，メモリー細胞として長期間体内にとどまり，次の抗原侵入に備える．再び抗原を認識するとリンパ組織内で活発に増殖して形質細胞に分化し，リンパ組織内で，あるいは骨髄や炎症部位などに移動して同一の抗体分子を大量に産生する．

形質細胞への最終分化過程では，サイトカインとしてインターロイキン-6（IL-6）が，また転写因子として blimp-1 が重要な役割を演じている．形態的には，核の偏在，車軸状に凝集したクロマチン構造，核周囲に明るく染色される Golgi 装置に富む領域（核周明庭），などの特徴を示す．成熟形質細胞は正常末梢血中では同定できない．また，B 細胞を特徴づける分子（表面免疫グロブリン，リンパ腫で治療標的になっている CD20，B 細胞系列の運命を決定する転写因子 Pax5）が，もはや発現していない．

c. T リンパ球（T 細胞）

造血幹細胞由来の前駆細胞が胸腺（thymus）に移動して T リンパ球（T 細胞）になる運命が定まり（初期分化），分化・増殖して成熟した T 細胞が末梢リンパ組織に分布する．T 細胞の名称は thymus に由来する．

胸腺内の分化過程で T 細胞受容体（TCR）遺伝子の再構成が起こり，多様な TCR を発現する細胞に分化する．この段階では CD3 とともに CD4 および CD8

の両者を発現する(ダブルポジティブ細胞).そして,主要組織適合複合体(MHC)に提示される自己ペプチドと強く反応するTCRを発現するクローンが排除される「ネガティブセレクション」,および自己のMHC拘束性のTCRを発現するクローンが選択されて生き残る「ポジティブセレクション」が行われ,T細胞レパートリーが形成される.

その後,CD4あるいはCD8のいずれか一方のみを発現するナイーブT細胞(それぞれヘルパーT細胞とキラーT細胞)へと分化して末梢リンパ組織に分布する.ナイーブT細胞は,プロフェッショナルな抗原提示細胞(❷コラム1)である樹状細胞上のMHC(CD4陽性細胞はMHCクラスⅡ,CD8陽性細胞はMHCクラスⅠ)に提示された抗原(ペプチド)やサイトカイン刺激によって活性化し,エフェクター細胞へとさらに分化をとげる(図16-3-11).特にCD4陽性のヘルパーT細胞は,サイトカイン環境などによって機能的に異なる多彩なエフェクターヘルパーT細胞に分化する(Ⅰ型ヘルパーT(Th1)細胞,Ⅱ型ヘルパーT(Th2)細胞,Th17細胞,制御性T(T_{reg})細胞,濾胞ヘルパーT(T_{fh})細胞など).エフェクター細胞の一部は,メモリー細胞として長期間体内で維持されることで,同じ抗原に対して迅速に免疫反応を引き起こすことができるようになる.

CD4陽性のメモリーヘルパーT細胞は,樹状細胞やマクロファージなどの抗原提示細胞やB細胞上のMHCクラスⅡに提示されたペプチドを,CD8陽性のメモリーキラーT細胞は,抗原提示細胞のほかウイルス感染細胞や腫瘍細胞上のMHCクラスⅠに提示されたペプチドを,それぞれ認識して活性化され,再びエフェクター細胞になる.エフェクターキラーT細胞は,ウイルス感染細胞や腫瘍細胞上のMHC-抗原複合体を認識してこれらの細胞を直接傷害する(図16-3-11).

d. NK細胞(natural killer cell)

末梢血中で形態的にLGLとして認識される細胞の多くがNK細胞であり,肝臓,腹腔,胎盤などの組織に豊富に分布している.おもな機能が細胞傷害活性である,免疫染色で細胞内にCD3εが染色される,T細胞と共通の前駆細胞の存在が推定されている,など,さまざまな点で,T細胞と近縁関係にあると考えられてきた.ただし,遺伝子再構成は生じておらず,抗原特異的な受容体を有さないことが,T細胞と大きく異なる.またT細胞と異なり,細胞表面にはCD3を発現していない.

細胞表面にCD56とIL-15受容体のほか,CD161など種々のNK細胞受容体を発現している.また,IgGの低親和性受容体であるFcγRⅢ(CD16)を発現していることが多く,抗体依存性細胞傷害活性(ADCC;抗体が結合した細胞を殺傷)のエフェクターとして機能する.

NK細胞受容体には,抑制性受容体と活性化受容体がある.抑制性受容体は,自己の正常細胞を傷害しないための装置である.すなわち,抑制性受容体が自己細胞のMHCクラスⅠ抗原(おもにHLA-C)に結合すると自己細胞と認識し,NK細胞はその細胞を傷害し

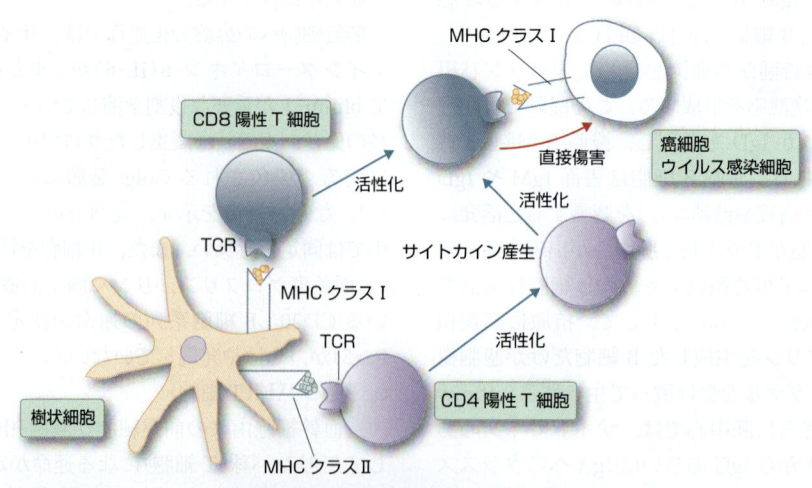

図16-3-11 MHCへの抗原提示とT細胞の活性化
樹状細胞やマクロファージなどの抗原提示細胞は,癌組織や炎症組織などで細胞を貪食する.これらの抗原提示細胞はリンパ組織に移動して,貪食した細胞が発現する分子やウイルス蛋白などのペプチドを,MHCクラスⅠおよびクラスⅡに抗原として提示する.この抗原を,それぞれCD8陽性T細胞およびCD4陽性T細胞が認識すると,これらのT細胞は活性化され増殖し,貪食された細胞がいる癌組織などに移動して,癌細胞やウイルス感染細胞などを傷害する.

ない．腫瘍細胞はしばしば MHC クラス I 抗原の発現が低下しており，その場合には NK 細胞による傷害を受ける．　　　　　　　　　　　　〔千葉　滋〕

■文献（e文献 16-3-2-2）

Kipps TJ: The organization and structure of lymphoid tissues. Williams Hematology, 8th ed（Kaushansky K, Lichtman MA, et al eds），pp75-84, McGraw-Hill, 2010.

小安重夫：T 細胞のイムノバイオロジー，羊土社，1993.

Paraskevas F: The lymphocytes. Wintrobe's Clinical Hematology, 13th ed（Greer JP, Arber DA, et al eds），pp227-370, Lippincott Williams & Wilkins, 2014.

3）血小板の動態と機能

血小板は止血機構に必要不可欠な細胞であり，さらには組織修復，創傷治癒などにも関与する．他方では血小板は，動脈硬化病変など病的状態における血栓形成にも関与する．赤血球などの大きな細胞は血管の中央を流れるが，血小板は微小な細胞であるため血管壁に近いところを流れ，血管内皮細胞や内皮下組織との相互作用を密にして，血管壁の傷害に即座に反応し，活性化し，生理的止血あるいは病的血栓を形成する．

(1)血小板産生・血小板寿命

血小板は巨核球造血の最終産物として産生される．巨核球はトロンボポエチンなどのさまざまなサイトカインにより造血幹細胞から分化・成熟する．巨核球の分化・成熟過程はきわめてユニークであり，分化・成熟とともに核の DNA 量は増加するが，細胞質の分裂は起こらず多倍体となり大型化する．さらに巨核球は分化に伴い骨髄内で骨組織辺縁から類洞周辺に移動し，最終的に血管内腔に胞体突起を伸ばすことにより血小板を産生（放出）する（図 16-3-12）[1]．産生された血小板の寿命は約 8〜10 日である．

(2)血小板の構造

血小板は，核をもたない微小な細胞で，直径約 2 μm の円盤または碁石状の形をしている．血小板はその細胞内に α 顆粒，濃染顆粒という血小板特有の細胞内顆粒を有している．α 顆粒にはフィブリノゲンや von Willebrand 因子（VWF）などが，濃染顆粒にはアデノシン二リン酸（ADP）などが存在しており，顆粒からの放出物質は血小板機能にきわめて重要である．血小板は細胞内に複雑に入り組んだ開放小管系を有しており，この小管系は細胞表面に開口する．血小板活性化時，血小板はこの開放小管系により顆粒内の物質を効率よく放出し，その止血機能を増強する．

(3)止血機構

血液は正常な血管内において血栓を形成することなく，また凝固することなく循環している．血管内腔におけるこのような抗血栓性，抗凝固性は 1 層の血管

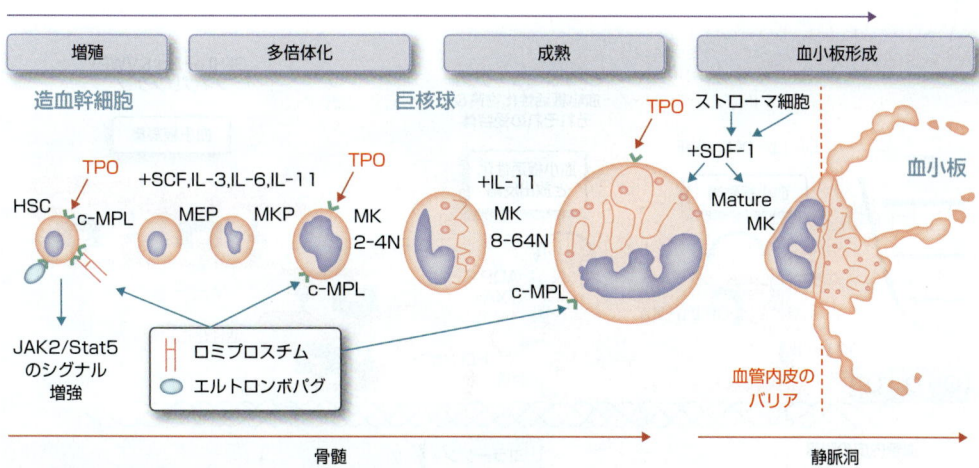

図 16-3-12　血小板産生機構（文献 1 より一部改変）
巨核球は細胞質の分裂を伴わず分化・成熟し多倍体として大型化する．最終的に血管内腔に胞体突起を伸ばすことにより血小板を産生（放出）する．この過程においてトロンボポエチン（TPO）はきわめて重要な働きを担っている．ロミプロスチム，エルトロンボパグは TPO 受容体作動薬であり特発性血小板減少性紫斑病の治療に用いられている薬剤である【⇨16-11-4】．
c-MPL：TPO 受容体，HSC：造血幹細胞（hematopoietic stem cell），MEP：赤芽球/巨核球系前駆細胞（megakaryocyte and erythroid progenitor），MKP：巨核球系前駆細胞（megakaryocyte-commited progenitor），MK：巨核球（megakaryocyte），SDF-1：stromal-derived factor-1

内皮細胞の働きにより維持されている．つまり，血管内皮細胞から産生される一酸化窒素（NO）やプロスタサイクリンなどの血小板機能抑制物質により血小板は非活性化状態を維持し循環している．

一方，血管内皮が傷害される，あるいは動脈硬化病変において動脈狭小化に伴い，ずり応力が増加するとともにプラークが破綻すると，血小板はコラーゲン線維に富む血管内皮下組織と反応し，活性化し，血栓を形成する．図16-3-13にコラーゲン線維上の粘着血小板および凝集血小板の走査電子顕微鏡写真を示している．このように，止血栓形成ならびに病的血栓形成過程は①血小板粘着 → ②血小板活性化と放出反応 → ③血小板凝集の段階により構成されている（e図16-3-D）．さらに，血小板活性化とともに凝固系が活性化されトロンビンおよびフィブリンが形成され血栓をより強固にする．粘着は，コラーゲンなどの接着蛋白と血小板の接着現象で血小板が重なり合うことはない．一方，凝集は血小板と血小板どうしが接着する現象で，通常は粘着した血小板を足場として，さらに血小板どうしの凝集が起こり，この凝集により血栓は増大する．これら粘着および凝集には血小板膜糖蛋白，特にGPⅠb-ⅨとGPⅡb-Ⅲaが重要である（図16-3-14）．

a. 血小板粘着

細動脈など速い血流下では高ずり応力が作用するため，血小板は粘着してもその場に止まれず回転する．この機序としては，血中および血管内皮産生VWFがコラーゲンと結合し，この固相化されたVWFとその受容体であるGPⅠb-Ⅸが結合し，血小板が粘着し回転する．強固な血小板粘着には，さらにGPⅡb-ⅢaとVWFとの結合が必要である（図16-3-14）．

Bernard-Soulier症候群では，先天性にGPⅠb-Ⅸが

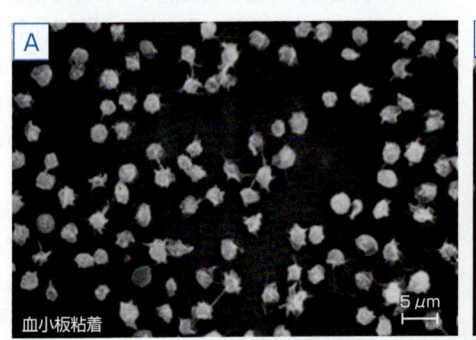
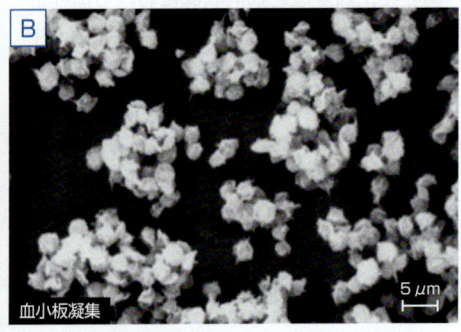

図 16-3-13 血小板粘着と血小板凝集
コラーゲンに粘着した血小板（A）および凝集した血小板（B）の走査電子顕微鏡像．

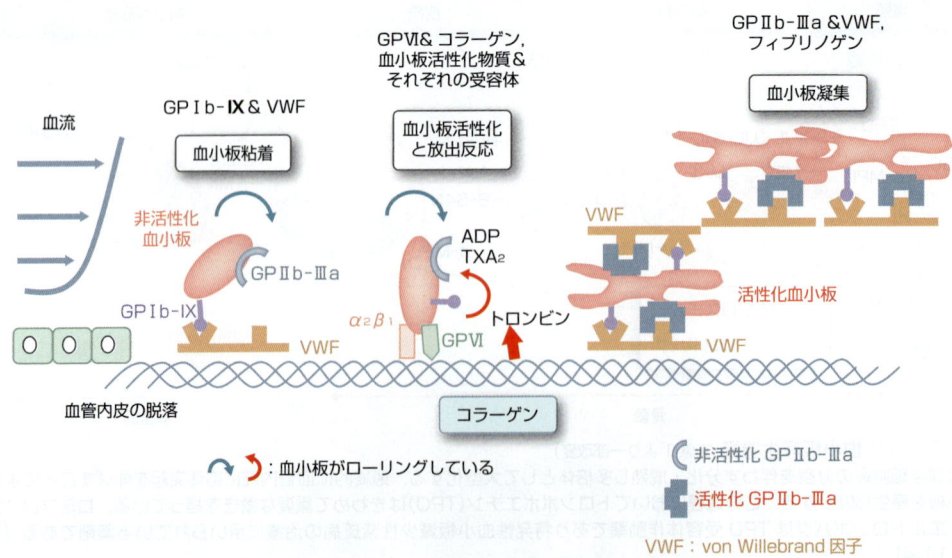

図 16-3-14 血栓形成過程の分子機構
血管内皮下組織に固相化されたVWFとGPⅠb-Ⅸの結合にて血小板粘着が誘導され，さらに強固な血小板粘着および血小板凝集には，VWFとGPⅠb-Ⅸとの結合に加えてGPⅡb-Ⅲaとの結合が必要である．

欠損しており，そのため血小板粘着が障害され出血傾向をきたす．

また，コラーゲンの受容体の1つであるGPIa-IIaが血小板粘着に重要であることも示されている．

b. 血小板凝集

血栓形成の最終段階としての血小板凝集は，粘着とは異なった機序を介して形成される．生体内における高ずり応力下での血小板凝集はおもにVWFとGPIb-IXおよびGPIIb-IIIa（インテグリン$\alpha_{IIb}\beta_3$ともよばれる）との結合を介している．一方，血小板凝集計を用いた血小板凝集は，低ずり応力下での凝集であり，フィブリノゲンとGPIIb-IIIaとの結合に依存している．いずれの場合もGPIIb-IIIaはVWFおよびフィブリノゲンの受容体として血小板凝集に必須の血小板膜糖蛋白である．

血小板無力症では先天性にGPIIb-IIIaが欠損しており，リストセチン凝集を除くすべての血小板凝集が欠如する．血流下での検討では，本症血小板は血小板粘着後の扁平，伸展化が障害され，さらに血小板凝集形成が欠如しており，このため著明な出血傾向を示す．

c. 血小板活性化

血小板凝集にはGPIIb-IIIaが必須であるが，通常GPIIb-IIIaは非活性化状態にありフィブリノゲンを結合することはない．GPIIb-IIIaは，血小板活性化物質により活性化型へと変化し，その機能を発揮する．

生理的な血小板活性化物質としては，ADP，コラーゲン，トロンボキサンA_2，トロンビンなどが知られており，それぞれの受容体も明らかにされている．コラーゲンは血小板を粘着させるのみならず活性化させる蛋白である．コラーゲンの血小板上の受容体としては，先に述べたGPIa-IIaのほかにGPVIが同定されており，GPVIはコラーゲンによる血小板活性化に作用する．ADPは比較的弱い血小板活性化物質であるが，濃染顆粒内ADPの重要性はその受容体欠損症により明らかにされている．

(4) 先天性血小板機能異常症

上述した血小板の止血機能に重要な受容体や蛋白の先天性異常症の一覧を表16-3-1に示している[2]．見方を換えると，これらの先天性血小板機能異常症の解析により，血小板機能に必須の蛋白が明らかとなった．　　　　　　　　　　　　　　　　　〔冨山佳昭〕

■文献(e文献16-3-3)

鈴木英紀：血小板の形態．図説　血栓・止血・血管学－血栓症制圧のために（一瀬白帝編），pp139-46，中外医学社，2005．

Tomiyama Y, Shiraga M, et al: Platelet membrane proteins as adhesion receptors. Platelets in Thrombotic and Non-thrombotic Disorders: Pathophysiology, Pharmacology and Therapeutics (Gresele P, Page C, et al eds), pp80-92, Cambridge University Press, 2002.

冨山佳昭：先天性血小板機能異常症－受容体異常症．別冊・医学のあゆみ，血液疾患－state of arts Ver.3（坂田洋一，小澤敬也編），pp728-32，医歯薬出版，2005．

表16-3-1 先天性血小板機能異常症

機能異常	遺伝形式	分子異常
1. 血小板粘着の異常		
Bernard-Soulier症候群	常染色体劣性	GPIb-IX
GPIa-IIa欠損症	？	GPIa-IIa
2. 血小板凝集の異常		
血小板無力症	常染色体劣性	GPIIb-IIIa
3. 血小板活性化および放出能の障害		
A) 活性化機構の異常		
1) トロンボキサンA_2受容体異常症	常染色体劣性	トロンボキサンA_2受容体
2) ADP受容体異常症	常染色体劣性	$P2Y_{12}$受容体
3) GPVI欠損症	常染色体劣性（抗GPVI自己抗体による後天性GPVI欠損症も存在する）	GPVI
B) 顆粒欠損症(storage pool disease)		
1) α顆粒欠損症(α-storage pool disease)		
灰色血小板症候群(gray platelet syndrome)	常染色体劣性	*NBEAL2*遺伝子
2) 濃染顆粒欠損症(δ-storage pool disease)		
a) Hermansky-Pudlak症候群	常染色体劣性	HPS 1, 2, 3, 4, 5, 6, 7, 8
b) Chédiak-Higashi症候群	常染色体劣性	Lyst
c) Wiskott-Aldrich症候群	伴性劣性	WASP

16-4 凝固・線溶系

1）凝固因子ならびに凝固制御因子

血液中の凝固因子ならびに凝固制御因子は，血管内皮細胞で産生されるvon Willebrand因子（VWF），プラスミノゲンアクチベーター（PA），PAインヒビターⅠ（PAI-Ⅰ），トロンボモジュリン（TM）を除き，ほとんどは肝臓で産生される蛋白である．凝固第Ⅱ，Ⅶ，Ⅸ，Ⅹ因子（FⅡ，FⅦ，FⅨ，FⅩ）と凝固制御因子であるプロテインC（PC）やプロテインS（PS）は，γ-carboxyl glutamic domainを有し，ビタミンK依存性の蛋白のため，ビタミンK欠乏時には活性が著減する．FⅧ，FⅤならびにPSは活性化酵素の補酵素として働き，直接基質を分解しない．FⅡ，FⅦ，FⅨ，FⅩ，FⅪ，FⅫは酵素であり，活性化されるとほかの凝固因子を直接活性化する（Hoffbrandら，2000）．FⅠはフィブリノゲンとよばれ，酵素活性はないが，E-ドメインと2つのD-ドメインからなり，トロンビン（FⅡ）によりE-ドメインが活性化されると，2分子のフィブリノゲンのD-ドメインと結合して，可溶性フィブリン（SF）となる．さらにトロンビンが作用すると，SFは重合を起こし，FⅩⅢの作用により安定化血栓となる（松本ら，2008）（図16-4-1）．

血中の凝固因子には，共通因子系としてFⅠ，FⅡ，FⅤ，FⅩがあり，外因系は共通因子系とFⅦと組織因子（TF）からなり，内因系は共通因子系とFⅧ，FⅨ，FⅪならびにFⅫからなる（表16-4-1）．FⅩⅢは欠乏してもAPTTならびにPTは延長しない．VWFは血小板粘着作用以外に，FⅧの安定化作用を有し，VWFの低下ならびに機能異常でFⅧは低下する．以上の凝固因子の異常あるいは低下で，種々の出血傾向が起こる．

2）凝固活性化機構とその制御因子

これらの凝固因子は上流から活性化され，次々と下流の凝固因子を活性化して，凝固反応を増幅させることから，凝固カスケードといわれてきた．しかし，生体内での凝固反応は単純でなく，血小板膜などのリン脂質上で，凝固因子は濃縮され，凝固反応は著しく増強される．すなわち，活性化FⅨ（Ⅸa），FⅧ，FⅩなどがリン脂質上に集まったⅩaナーゼやⅩa，FⅤ，FⅡ（プロトロンビン）などがリン脂質上に集まったプロトロンビナーゼで，凝固系は著しく活性化され，Ⅹaやトロンビン（Ⅱa）が大量に生成される．また，生成されたトロンビンはフィブリノゲンに作用するだけでなく，上流のFⅪやFⅧを活性化し，活性化されたⅪaやⅧaは下流の凝固因子を活性化する．このため，一旦大量のトロンビンが生成されると，Ⅺaからトロンビンへの活性化サイクルが回ることになる．したがって，TFによる外因系凝固が活性化された場合でも，FⅧやFⅪは血栓形成に重要な役割を果たす（図16-4-2）．凝固系の制御因子には，アンチトロンビン（AT），PC，PSならびに組織因子経路阻害因子（TFPI）がある．ATはヘパリンならびにヘパリン様物質にて活性が1000倍に増強し，トロンビン，Ⅹa，Ⅺa，Ⅸaなどを抑制する．PCはトロンビンとTMの複合体により活性化され，活性化PC（APC）になり，VaならびにⅧaを抑制する．

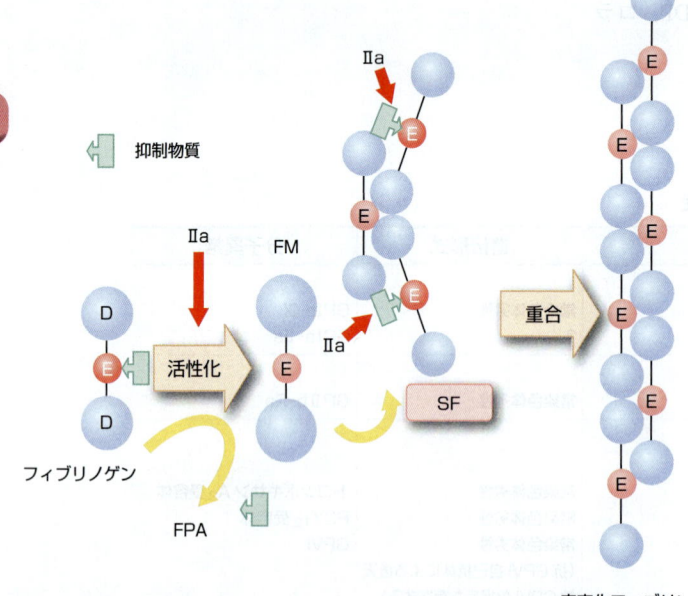

図16-4-1 フィブリノゲンの活性化と可溶性フィブリン（松本ら，2008を引用，改変）
フィブリノゲンはE分画と2つのD分画からなり，トロンビンによりFPAが放出され，E分画が活性化されると，FMとなり，2個のD分画を介してフィブリノゲンと結合して，SFとなる．Ⅱaがさらに作用して，SFどうしあるいは他のフィブリノゲンと結合して，フィブリン重合をきたす．
Ⅱa：トロンビン，FM：フィブリンモノマー，FPA：フィブリノペプタイドA

TMはPCを活性化するだけでなく，トロンビンを不活化することによっても，抗凝固作用を発揮する．TFPIはTF, VIIa, Xaなどと結合して，初期の外因系凝固活性化を抑制する(図16-4-3)．凝固制御因子の異常で，種々の血栓症発症リスクが高まる．

表16-4-1 凝固因子，凝固制御因子

	肝臓での産生	酵素	ビタミンK依存性	共通因子系	内因系	外因系	向凝固	抗凝固
FI	○			○	○	○	○	
FII	○	○	○	○	○	○	○	
FV	○			○	○	○	○	
FVII	○	○	○			○	○	
FVIII	○				○		○	
FIX	○	○	○		○		○	
FX	○	○	○	○	○	○	○	
FXI	○	○			○		○	
FXII	○	○			○			
FXIII	○	○					○	
TF						○	○	
VWF							○	
PC	○	○	○					○
PS	○		○					○
AT	○	○						○
TM								○

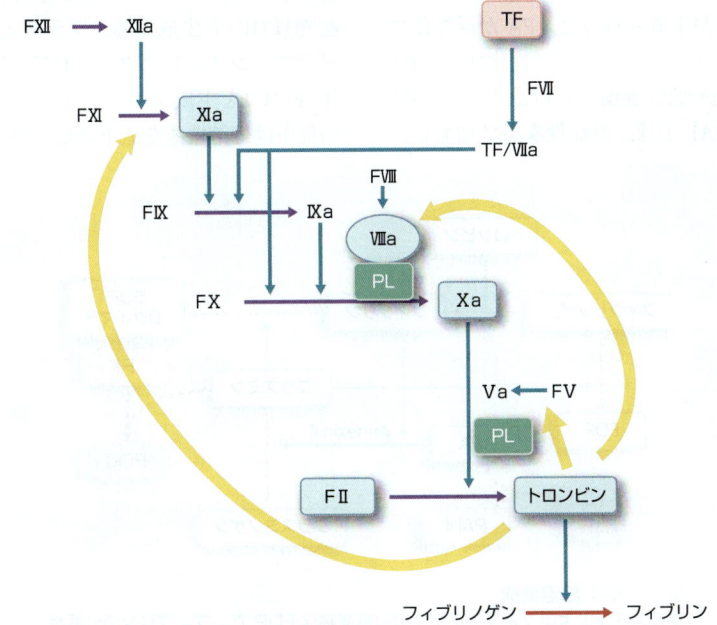

図16-4-2 凝固系活性化カスケード
凝固カスケードにはFXIIが活性化される内因系と，TFにより活性化される外因系がある．FXならびにFIIの活性化はPL上で行われる．また，トロンビンが凝固カスケード上流のFXI, FVIIIならびにFVを活性化させ，凝固反応の活性化サイクルの起点となる．
TF：組織因子，PL：リン脂質，a：活性化を示す

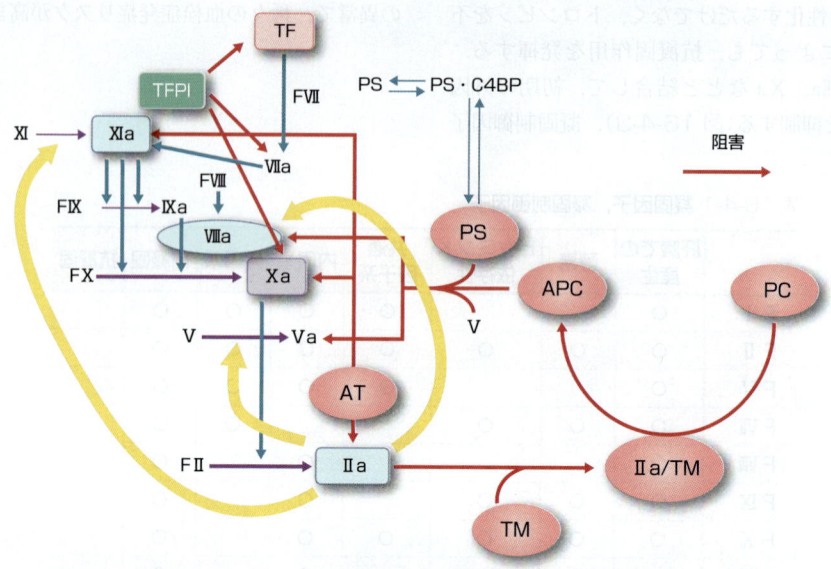

図 16-4-3 凝固抑制因子
TF による外因系の活性化は TFPI により阻害される．AT はおもに F II a，FXa，FXa を阻害する．APC は，PS や FV の助けを得て，FVa や FVIIIa を阻害する．II a は TM と結合することにより，PC を APC に活性化する．すなわち，TM は II a を阻害するとともに，II a 存在下で PC を APC に活性化する．
TF：組織因子，TFPI：TF 経路阻害因子，PC：プロテイン C，APC：活性化 PC，PS：プロテイン S：PS，C4BP：C 結合蛋白，AT：アンチトロンビン，TM：トロンボモジュリン，a：活性化を示す

3）線溶系

大量にフィブリンが生成されると，PA が活性化され，プラスミノゲンをプラスミンに活性化する．PA は正常血管内皮細胞や悪性腫瘍から放出される．PA の抑制因子である PAI-I は，炎症性疾患で増加し，臓器障害の原因となる．プラスミンはフィブリンを分解して D ダイマーに，フィブリノゲンとフィブリンを分解して，フィブリノゲンならびにフィブリン分解産物（FDP）を生成する．プラスミンを抑制するのはプラスミンインヒビター（PI）で，プラスミン-PI 複合体（PPIC）を生成する（図 16-4-4）．プラスミノゲンの低下は線溶機能を低下させるが，プラスミノゲン欠

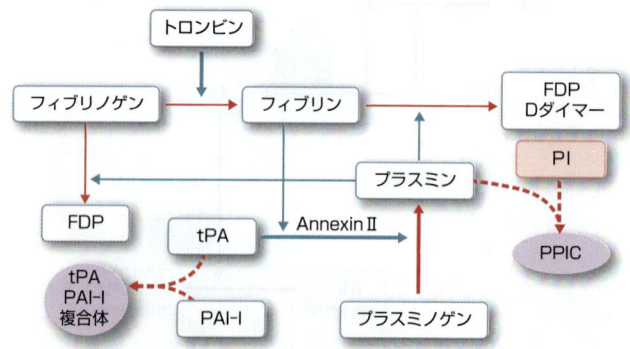

図 16-4-4 線溶機構
プラスミンによるフィブリノゲンの分解産物は FDP で，フィブリンの分解産物 D ダイマーと FDP である．すなわち，FDP は D ダイマーを含む．tPA はプラスミノゲンを活性化してプラスミンにするが，プラスミンは PI に阻害される．また，tPA は PAI-I に阻害される．
FDP：フィブリノゲンならびにフィブリン分解産物，PI：プラスミンインヒビター，PPIC：プラスミン PI 複合体，tPA：組織型プラスミンアクチベーター，PAI-I：プラスミノゲンアクチベーターインヒビター I

乏症が血栓傾向を起こすエビデンスはない．

4）細胞と凝固線溶系

病原微生物など異物が侵入してくると，炎症細胞は活性化されTFやPAI-I産生を促し，炎症性サイトカインを放出する．炎症性サイトカインは種々の細胞を活性化して，凝固系の活性化はさらに増幅される．血小板，白血球ならびに血管内皮細胞上，あるいはこれらの細胞が放出したマイクロパーティクルのリン脂質上では，TF発現とともに凝固因子が濃縮され，凝固系の活性化が飛躍的に亢進する．また，細胞死や細胞崩壊などにより核内物質が血中に放出されても，血管内皮細胞障害を起こすとともに，凝固系は活性化され，線溶系は抑制される．また，動脈硬化の過程でも，炎症細胞などが活性化され，血栓形成傾向になる．

〔和田英夫〕

■文献

Hoffbrand AV, Pettit JE: Coagulation disorders. Color Atlas of Clinical Hematology, 3rd ed, pp279-96, Mosby, 2000.
松本剛史，和田英夫：DVT/PEの診断・治療マーカー（フィブリン関連マーカーを中心に）．日本血栓止血学会誌．2008; 19: 22-5.

16-5 臨床検査

1）骨髄穿刺・生検

(1) 骨髄検査の適応と禁忌・注意点

骨髄は主たる造血組織であること，造血器腫瘍や悪性腫瘍の骨髄転移のように異常細胞増殖の場や感染巣となりうること，先天性代謝疾患の特徴が現れる場合があることなどの理由から，骨髄検査は診断や病態評価上重要である．骨髄穿刺の適応を表16-5-1に示す．

禁忌となるのは重度の凝固異常が想定される場合（原疾患の診断が優先されることもある），穿刺部位の奇形や炎症の場合である．注意点として，胸骨穿刺の際にはまれではあるが穿刺針が骨を貫通して大動脈損傷，心タンポナーデ，縦隔血腫を引き起こす危険があるので，手技に不慣れな間は上級医とともに施行するべきである．麻酔薬に対する過敏反応にも注意する．

表16-5-1 骨髄検査の目的・適応

A. 末梢血に異常がみられる場合
　1）末梢血球に数の異常がある場合
　　骨髄造血能の評価
　　造血器腫瘍の診断（病型分類も含めて）
　2）末梢血中に異常細胞が出現した場合
　　造血器腫瘍，ほかの悪性腫瘍の骨髄転移の有無
　3）骨髄感染症の診断（粟粒結核など）

B. 末梢血に異常がみられない場合
　1）悪性リンパ腫の病期評価
　2）骨髄感染症の診断（粟粒結核など）
　3）先天性代謝異常の診断

(2) 骨髄穿刺の方法

骨髄穿刺部位は成人の場合，安全面から腸骨（通常上後腸骨稜）を選択するのが望ましい[1]（日本血液学会，2015）．胸骨（正中第2肋間近傍）の方が高齢になっても造血巣が保持されやすいという利点はあるが，上述したようなリスクがある．穿刺部皮膚を消毒後，皮下から骨膜表面に十分な局所麻酔を施した後，骨髄穿刺針の先端を骨髄腔内まで押し進めて内針を抜き，代わりにシリンジを装着して，骨髄内の血液0.2〜0.3 mL程度を瞬時に吸引採取する．骨髄血は凝固しやすいので，時計皿にはき出した後手早く有核細胞・巨核球数カウント用に一部採取し，ついでスライドグラスに塗抹標本を必要枚数分（通常10枚くらい）作製する．敏速な作業のため臨床検査技師の協力が望ましい．凝固した残血は骨髄クロットとして剝離回収し，病理組織検査にまわす．染色体検査，遺伝子検査やフローサイトメトリーが必要なときは，続けて新たなシリンジに少量ヘパリンを吸ったものを用いて3〜5 mL程度を吸引する．

(3) 骨髄生検の方法

骨髄生検は骨髄穿刺と類似の手法であるが，より大型の専用針を用いて穿刺部の骨片をそのまま削取することから侵襲がやや大きい．しかし骨髄穿刺で検体が採取できない場合（dry tap 吸引不能という）には必須である．ほかに造血能の評価や悪性腫瘍の浸潤を確認するときも骨髄生検の併用が望ましい．骨髄生検の利点を表16-5-2に示す．骨髄疾患の初回診断時には積極的に骨髄生検を併用することが望ましい．

採取部位には通常後腸骨稜が選択される．骨髄穿刺と同様に進めるが，生検針が自立した時点でさらに少

表 16-5-2 骨髄生検の利点

1) 細胞密度，造血組織の構築や巨核球の分布状況を把握できる
2) 造血組織背景の状況がわかる（線維化の状況，膠様変性など）
3) 異常な細胞集簇の検出（腫瘍細胞の骨髄転移・浸潤状況の把握，治療後の微小残存腫瘍の早期検出，肉芽腫形成疾患の診断）
4) ブロックを保存することによって，後日免疫組織染色などの追加染色や遺伝子検索が可能

表 16-5-3 正常骨髄像（三輪ら, 2005）

有核細胞数（万/μL）			10～25
骨髄巨核球数（/μL）			50～150
白血球系	骨髄芽球（判別不能の芽球を含む）		0.4～2.0%
	好中球	前骨髄球	2～4%
		骨髄球	8～15%
		後骨髄球	7～22%
		桿状核球	9～15%
		分葉核球	6～12%
	好酸球		1～5%
	好塩基球		0～0.4%
	単球		2～4%
	核分裂像		まれ
赤芽球系	前赤芽球		0.2～1.3%
	好塩基性赤芽球		0.5～2.4%
	多染性赤芽球		9～19%
	正染性赤芽球		0.4～3%
	核分裂像		0～0.5%
リンパ球			10～18%
形質細胞			0.4～2.0%
巨核球			まれだが（+）
細網細胞			0.2～2.0%
M/E 比			2～3

日野，小宮，Wintrobe など諸家の報告の集積（三輪ら，2005）を参考にしたが，相当幅がある．

し押し進めて，先端が骨皮質を貫通して髄腔内に達したと思われたポイントで内針を抜きとり，外套のみを左右交互に半回転させながら髄腔中を 3 cm 程度圧進する．ここで外套を数 mm 戻して針全体を左右に激しく振り動かして，外套先端の骨髄組織を旋断し，外套内に捕捉された切断片を回収する．正しく行えば，2 cm 内外の検体が採取できる．採取された骨髄片はホルマリンまたはブアン液固定にまわすが，特に dry tap の場合は固定液に入れる前に適宜スタンプ標本を作製しておくと細胞学的評価に有用である．

(4) 骨髄所見の評価

正常な骨髄像所見を表 16-5-3 に，異常所見の要点と該当疾患を表 16-5-4 に示す．　〔通山　薫〕

表 16-5-4 異常所見の要点と該当疾患

a. 有核細胞数の増加・減少：著減している場合（骨髄低形成）は再生不良性貧血，著増している場合（骨髄過形成）は骨髄増殖性腫瘍など
b. 骨髄芽球の異常増加：急性白血病やその類縁疾患
c. 特定の細胞の減少：無顆粒球症，赤芽球癆など
d. 血球形態異常：巨赤芽球性貧血，骨髄異形成症候群など
e. 異常細胞の存在：悪性リンパ腫，多発性骨髄腫，癌細胞，血球貪食症候群，先天代謝異常症に伴う異常なマクロファージ系細胞など
f. 感染微生物の検出：結核，骨髄炎など
g. 骨髄線維化：骨髄生検標本で判定

■文献

三輪史朗，渡辺陽之輔：血液細胞アトラス 第 5 版，p15，文光堂，2005.
日本血液学会：日血ニュース診療関連情報「成人に対する骨髄穿刺の穿刺部位に関する注意」，2015 年 8 月 21 日．www.jshem.or.jp/news/150821.html

2）特殊染色

May-Grünwald-Giemsa 染色や Wright-Giemsa 染色などの普通染色に加えて，細胞内の酵素，多糖類，脂質，金属などを化学反応にて染色する細胞化学検査（特殊染色）が，しばしば診断の決め手となる．特に急性骨髄性白血病（AML）の病型診断に重要である（表 16-5-5）．ただし染色態度が表面マーカーなどほかの所見と合致しない症例や技術的問題のため適正に染色されない場合もあるので注意を要する．発色基質の違いによって色調は異なる．

(1) ミエロペルオキシダーゼ（myeloperoxidase：MPO）染色（e図 16-5-A）

ペルオキシダーゼのなかで MPO は骨髄球系・単球系細胞にのみ発現する．ただし幼若細胞や単球の染色性は低い．Auer 小体は陽性に染まる．リンパ系細胞は陰性のため AML と急性リンパ性白血病（ALL）との鑑別の基本であり，芽球の MPO 陽性率が 3% 以上であれば AML，それ未満であれば ALL と判断する．しかし AML のなかでも M0，M7 と M5a は事実上 MPO 陰性である．抗 MPO 抗体を用いたフローサイトメトリー法は高感度で，M0 でも陽性所見を示す．ズダンブラック B 染色は MPO 染色とほぼ同意義である．MPO 欠損は先天性のほか，AML や骨髄異形成症候群（MDS）由来の好中球でもときにみられる．

表 16-5-5 急性骨髄性白血病(AML)の特殊染色所見

病型	MPO 染色	クロロアセテートエステラーゼ染色（特異的エステラーゼ）	ナフチルブチレートエステラーゼ染色（非特異的エステラーゼ）	その他の所見
M0	−	−	−	
M1	+	+	−	
M2	++	+	−	
M3	++	+	−	
M4	+	+（顆粒球系）	+（単球系）	ときに両エステラーゼ陽性細胞
M5	−	−	++（NaF で阻害）	10〜20%例はエステラーゼ陰性
M6	−/+（骨髄芽球）	−/+（骨髄芽球）	−（骨髄芽球）	赤血球がときに PAS 陽性
M7	−	−	−/+	電顕血小板ペルオキシダーゼ陽性

注：ここに掲げた病型は FAB 分類に準拠したものである．所見は出典によって若干異なる．

(2) エステラーゼ(esterase：Es)染色(e図 16-5-B)

naphthol AS-D chloroacetate Es（CAE）とα-naphtylbutyrate Es（NBE, α-NB）の 2 種が一般的で，前者は顆粒球に特異的なことから特異的 Es，後者はおもに単球系で顕著に発現するが，ほかの血球系でも若干陽性になるので非特異的 Es とよばれる．さらに単球の NBE はフッ化ナトリウムで阻害される特徴があるので，細胞の起源が骨髄球系か単球系かの鑑別に有用であり，AML の M4，M5 の病型診断に必須の染色である．ただし単球性白血病の 10〜20% 例は NBE 陰性で，診断に苦慮することがある．

(3) 鉄染色

血球や組織中に存在する非ヘモグロビン鉄を濃青色顆粒として検出する．網内系の貯蔵鉄も染め出すことから，鉄欠乏や鉄過剰状態を推察できる．少数の鉄顆粒のある赤芽球を鉄芽球または担鉄赤芽球（sideroblast）とよび正常でもみられるが，ヘム合成障害をきたすと余剰の鉄顆粒が核近傍のミトコンドリア内に蓄積して，鉄染色陽性顆粒が核周囲に分布した環状鉄芽球（ring sideroblast）(e図 16-5-C)として認識される．従来からの定義は 5 個以上の鉄顆粒が核周囲の 1/3 以上にわたって配列するとされている．環状鉄芽球は先天性鉄芽球性貧血，鉛中毒や抗結核薬など薬物の影響のほか，MDS の一病型である refractory anemia with ring sideroblasts（RARS）の特徴的所見でもある．

(4) 好中球アルカリホスファターゼ(neutrophil alkaline phosphatase：NAP)染色

NAP は GPI アンカー蛋白の 1 つで，成熟好中球に発現する．顆粒球コロニー刺激因子（G-CSF）の刺激によって活性が上昇する．標本染色後，好中球 100 個について陽性顆粒をもつ好中球の比率（NAP 陽性率）を求めるか，または陽性顆粒の数・分布状況を 0〜Vの 6 段階に分類し，それぞれに 0〜5 点を配点して集計した数値（NAP スコア，最高値 500）が算出される(e図 16-5-D)．NAP スコアの基準値は施設間差があるが，おおむね 170〜300 である．NAP スコアが異常値を呈する疾患・病態を表 16-5-6 に示す．慢性骨髄性白血病（CML）の慢性期は低値であるが，急性転化時にしばしば上昇する．発作性夜間血色素尿症（PNH）における NAP 低値は，PIG-A 遺伝子の後天的異常による GPI アンカー蛋白欠損の結果である．

(5) PAS(periodic acid-Schiff)染色

グリコーゲンやムコ多糖類を検出する染色で，成熟好中球，巨核球は強陽性，リンパ球では多くの場合顆粒状・塊状に染まる．赤白血病や MDS における異常赤芽球がときに PAS 陽性を示し，診断的意義がある．

(6) 酸ホスファターゼ染色

血液細胞のリソソーム中に含まれている酵素である．臨床的意義があるのはヘアリー細胞白血病で，酒石酸抵抗性酸ホスファターゼ（tartrate-resistant acid phosphatase：TRAP）が特徴的である．ただし日本型症例では陰性のことが多い．TRAP は破骨細胞にも発現する．

〔通山 薫〕

表 16-5-6 NAP スコアが異常値を示す疾患・病態

低値	CML（慢性期），PNH
しばしば低値	MDS，AML（特に M2）
しばしば高値	真性赤血球増加症，原発性骨髄線維症，再生不良性貧血
高値	類白血病反応（重症感染症，G-CSF 産生腫瘍など），G-CSF 投与時

■文献

日本検査血液学会編:スタンダード検査血液学 第3版,医歯薬出版,2014.

Swerdlow SH, Campo E, et al: WHO Classification of Tumours of Haematopoietic and Lymphoid Tissues, IARC Press, 2008.

3)表面マーカー

(1)表面マーカー検査の目的

一見類似した形態にみえる細胞集団でも,その実まったく異なる由来や性質を示す細胞の不均一な集団であることが多い.それらを一細胞ごとに分類するための標識蛋白が表面マーカーである.特に血球を標的とした免疫学や血液学分野でよく用いられ,白血球ではリンパ球サブセットや造血器腫瘍細胞の種類の同定と占有率,赤血球ではGPIアンカー蛋白(CD55,CD59)欠損など,疾患の診断に欠かせない検査である.また,造血細胞移植療法における移植造血幹細胞(CD34陽性など)の数も移植医療成功のために非常に有益な表面マーカーによる情報である.

(2)フローサイトメトリーによる表面マーカー解析

病理組織の免疫染色により,細胞を囲むように周囲が染まる場合も表面マーカーと見なすことができるが,本項では表面マーカー解析に特化された機器としてのフローサイトメトリーについて概説する.

a. CD分類をはじめとした表面抗原

細胞表面に発現しているそれぞれの蛋白抗原には統一的CD(cluster of differentiation)番号がつけられている.先述のCD55,CD59,CD34などがこの例である.これらの蛋白それぞれに特異的に結合する抗体(多くはモノクローナル抗体)がつくられており,これをさまざまな蛍光色素で標識しておくことで,フローサイトメーターを用いて,単一の細胞について複数の表面抗原の有無を解析することができる.

b. フローサイトメーター

蛍光標識抗体を目的の細胞集団に反応させた後,細胞1つずつが順に流れていく細い流路において,レーザー光の照射により放射される散乱光や蛍光を測定することで,個々の細胞の性質(大きさと内部構造の複雑さ)や反応させた抗体による表面抗原の有無を解析していく機器である.細胞処理の段階で細胞膜透過処理を行えば,表面抗原に限らず細胞質内や核内蛋白の測定も可能である.散乱光のうち,励起光の進入方向とほぼ同じ方向に放射される前方散乱光(forward scatter:FSC)の強さは細胞の大きさを,直角方向に放射される側方散乱光(side scatter:SSC)の強さは細

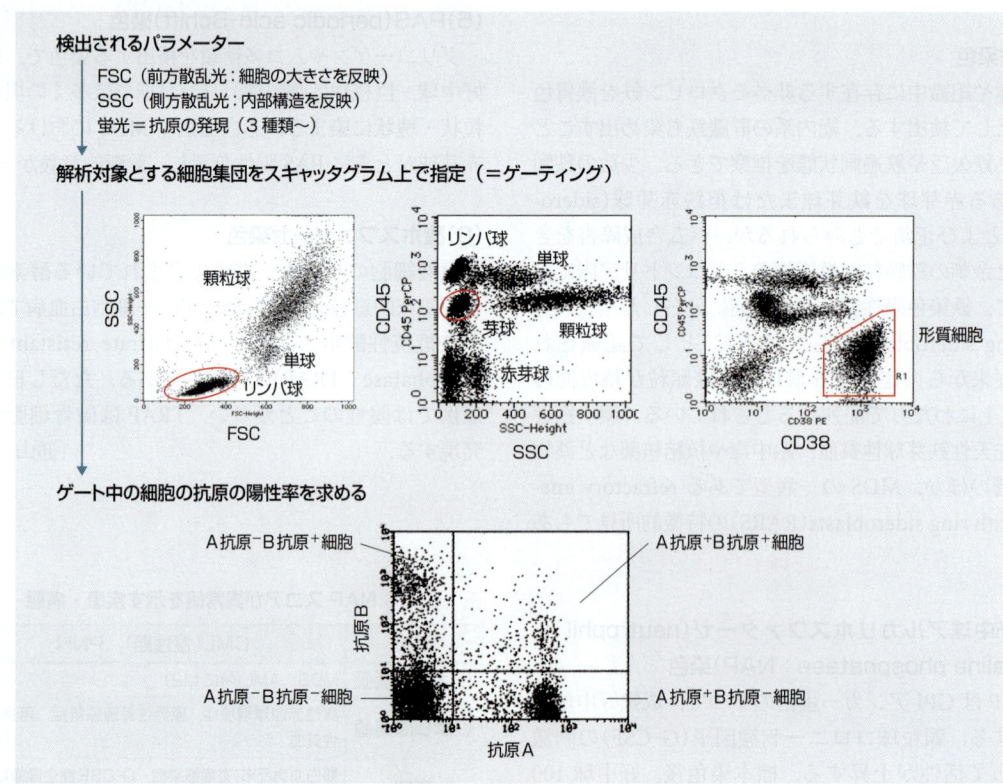

図16-5-1 フローサイトメトリー解析の概略(米山,2013)

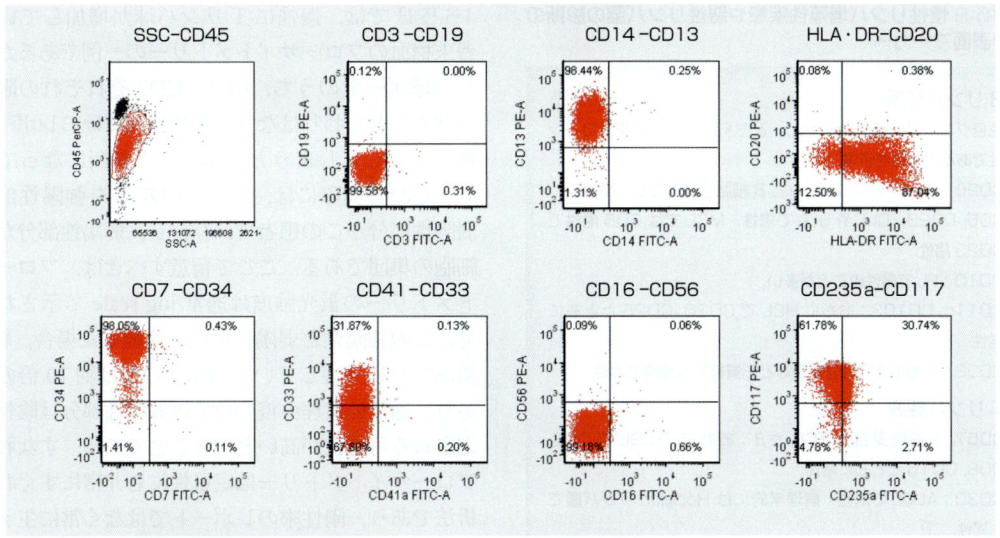

図 16-5-2 **急性骨髄性白血病患者骨髄のフローサイトメトリー解析**(米山，2013)
芽球は CD13$^+$，CD33^{dim+}，CD34$^+$，CD117$^+$，HLA・DR$^+$である．

胞内構造の複雑さ(核のねじれや細胞質の顆粒)をそれぞれ反映している．この2パラメーターだけでも血球をかなり特定することができる．たとえば末梢血の白血球のなかで，リンパ球はFSC・SSCともに小さく，好中球はFSC・SSCともに比較的大きいことで，およそ区別できる．これに抗原特異抗体から得られる蛍光のパラメーターを組み合わせることにより，目的の細胞集団の性質や全体に占めるパーセンテージ，また，解析したい集団だけを指定(ゲーティング)することで，目的以外の細胞からの情報を遮断した形でのより正確な表面マーカーの解析が可能となる．

c. 疾患におけるフローサイトメトリーの応用

　免疫学領域でよく用いられるリンパ球サブセット検査では，FSC・SCCでリンパ球分画をゲーティングして，Tリンパ球(CD3，CD4(ヘルパー/インデューサーT細胞)，CD8(サプレッサー/細胞傷害性T細胞))，Bリンパ球(CD19，CD20)などの割合を求める．

　急性白血病では，芽球では白血球共通抗原であるCD45の発現強度が一般的に正常リンパ球に比べて低いことを利用して，SCCが小さくCD45弱陽性部分にゲーティングを行い，その集団のなかの芽球の表面マーカーを特定していく(図16-5-1，16-5-2，表16-5-7)．血管内リンパ腫の微量骨髄浸潤など特殊な腫瘍の場合には，腫瘍細胞が含まれる集団が患者によって一定せず，さまざまな位置でのゲーティングを試みる必要がある．多発性骨髄腫では，形質細胞がCD38強陽性であることを利用して腫瘍細胞特異的にゲーティングしていく．慢性リンパ性白血病の末梢血や低悪性度リンパ腫のリンパ節細胞浮遊液などでは，

表16-5-7 **急性白血病の診断のための表面マーカー**

1) 骨髄球系，その他
- CD13，CD33：AMLの多くで陽性．ALLでも陽性例あり．
- CD14：おもに単球系白血病で陽性．
- CD41，CD61：巨核芽球性白血病で陽性．
- glycophorin A：赤芽球性白血病で陽性．
- CD16，CD56：NK細胞性白血病で陽性．
- CD34：造血幹・前駆細胞マーカー．未分化細胞由来AML，ALLで発現．
- HLA-DR：AML，B-ALLの多くで陽性．
- CD117：c-kit (stem cell factor 受容体)で，AMLで発現．

2) Bリンパ球系
- CD19：おもにB-ALLで陽性．AMLでも陽性例あり．
- CD20：成熟Bリンパ球由来白血病で陽性．
- CD10：おもにB-ALLで陽性．T-ALLでも陽性例あり．
- CD79a：おもにB-ALLで陽性．

3) Tリンパ球系
- CD2：おもにT-ALLで陽性．AMLでも陽性例あり．
- CD3：細胞表面だけでなく細胞質内において，おもにT-ALLで陽性．
- CD5：おもにT-ALLで陽性．
- CD7：おもにT-ALLで陽性．AMLでも陽性例あり．

AML：急性骨髄性白血病，ALL：急性リンパ性白血病．

同じB細胞性腫瘍でも複数の表面マーカーの組み合わせの違いにより診断と治療方針が異なるため，フローサイトメトリーの結果を読み解くための正確で深い知識が臨床医に求められる(表16-5-8)．

　また，陰性コントロールよりも強い蛍光強度があれば陽性として，陽性比率のみを情報としてみていると，疾患の本質を見逃すことがある．たとえば，図

表 16-5-8 慢性リンパ増殖性疾患や悪性リンパ腫の診断のための表面マーカー

1) Bリンパ球系
   免疫グロブリン軽鎖(Igκ/Igλ)：どちらかに偏れば単クローン性である可能性を示唆．
   CD20：CLL, FL, DLBCL などB細胞性腫瘍で広く陽性．
   CD5, CD23：CLL や SLL で陽性．MCL では CD5 陽性で CD23 陰性．
   CD10：FL で陽性のことが多い．
   CD11c, CD103：おもに HCL で CD20, CD25 とともに陽性．
   CD38：おもに多発性骨髄腫など形質細胞性腫瘍で陽性．

2) Tリンパ球系
   CD57, T細胞受容体 TCR-αβ：おもに T-LGL で CD3, CD8, CD16 とともに陽性．
   CD30：ALCL で陽性．病理学的には Hodgkin リンパ腫でも陽性．
   CD4, CD8：PTCLnos でともに陽性ないしは陰性のことあり．
   CD4, CD25：おもに ATLL でともに陽性．

CLL：(B細胞性)慢性リンパ性白血病，FL：濾胞性リンパ腫，DLBCL：びまん性大細胞性B細胞リンパ腫，SLL：小リンパ球性リンパ腫，MCL：マントル細胞リンパ腫，HCL：ヘアリー細胞白血病，LGL：大顆粒リンパ球性白血病，ALCL：anaplastic large cell lymphoma，PTCLnos：末梢性T細胞リンパ腫，ATLL：成人T細胞性白血病リンパ腫．

16-5-3 では，慢性に T リンパ球が増加している患者末梢血のフローサイトメトリーの一例であるが，リンパ球ゲートのうち，CD5，CD7 それぞれの陽性率は健常人と変わりはなく，陽性比率だけのレポートを鵜呑みにしてしまうと正常という判断になってしまう．しかし実際には，CD5，CD7 とも強陽性部分と弱陽性部分がこの患者では存在し，弱陽性部分が異常細胞の集団である．ここで留意すべきは，フローサイトメトリーの蛍光強度は通常 log scale で示されるので，この強陽性と弱陽性集団を比較した場合，細胞1個あたりに発現している標的蛋白量は約 10 倍の差があり，通常の病理免疫染色では弱陽性部分は陰性と判定される可能性が高いということである．すなわち，フローサイトメトリーは定量性にも非常にすぐれた解析法であり，陽性率のレポートではなく常に生データとしての dot plot を読む能力が臨床医には必要である．
〔片山義雄〕

■文献

川野宏樹，皆川健太郎，他：CD5, CD7 の両方またはいずれかの発現低下が診断の契機となった単クローン性Tリンパ球増加症．臨床血液. 2012; 53: 785-7.

Swerdlow SH, Campo E, et al ed: WHO Classification of Tumours of Haematopoietic and Lymphoid Tissues, IARC Press, 2008.

米山彰子：表面マーカー．内科学 第 10 版(矢﨑義雄総編)，pp1899-901，朝倉書店，2013.

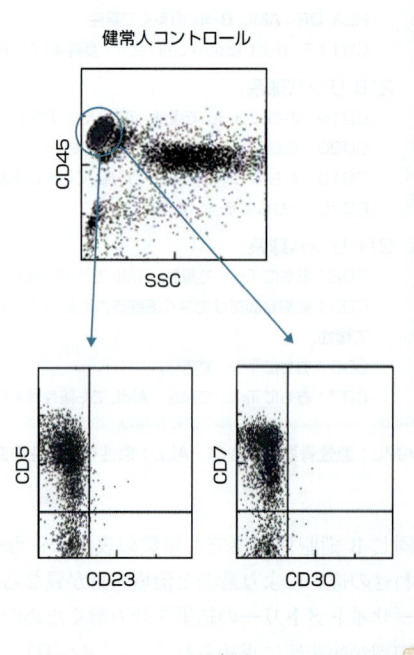
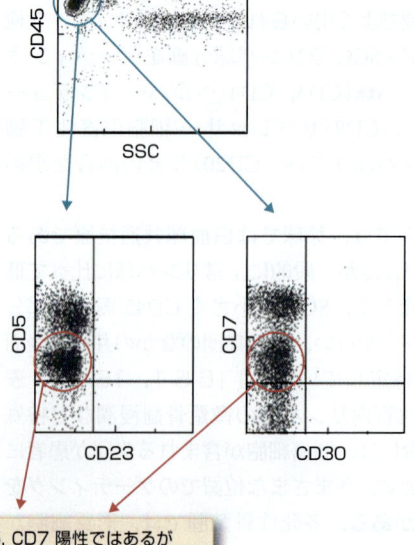

CD5, CD7 陽性ではあるが発現強度が弱い細胞集団の増殖

図 16-5-3 末梢血に単クローン性 T 細胞が増殖した症例 (川野ら，2012)

4) 染色体分析

染色体分析はスライドグラスに展開した分裂細胞を染色し，顕微鏡下に観察して異常を解析する形態学的な検査法であり，血液腫瘍の病型診断と治療選択には欠かせない(阿部，2009；谷脇，2005)．染色の方法には，染色体分染法であるG染色と1982年頃に開発された蛍光 in situ ハイブリダイゼーション(FISH)に加えて，FISHを応用した多色蛍光染色体分析(SKY)が用いられる．FISH法では分裂間期核で染色体転座や欠失を検出することができること，さらに異常細胞の定量的評価が可能であることから，治療効果の判定に有用である．

(1) 染色体分染法

染色体標本の作製には，骨髄血，リンパ節，体腔液，腫瘍などから細胞を調整し，一昼夜培養後にコルセミドで30～60分間処理し細胞を分裂期に停止させ回収する．回収した細胞を低調処理し細胞質を破壊後，カルノア液(メタノール：酢酸＝3：1)で染色体を固定，スライドグラスに展開して標本を作製する．作製した染色体標本は，G染色だけでなくFISHやSKYにも用いられる．

G染色法では染色体をトリプシン処理後にGiemsa液で染色し縞模様を描出する(図16-5-4)．染色体の大きさと縞模様パターンの特徴から各染色体とその異常を同定し配列したものは核型といわれ，染色体異常の記載は国際規約によって行われる(ISCN，2013)．縞模様に染色されるGバンド陽性領域にはA-T塩基対が，陰性領域にはG-C塩基対が多く，バンド形成機構に関与していることが知られている．A-T塩基対に特異的に結合するDAPI(4'-6-diaminido-2-phenylindole)で染色するとGバンドに一致する蛍光Qバンドが描出され，画像解析ソフトで反転して強調すると明瞭なGバンドが得られる．分染法では描出されるバンドの数が多いほど解像力が向上し，ハプロイドあたりのバンド数は中期染色体で300～500，伸展した前中期染色体で500～800である．

(2) 染色体異常の臨床的意義

染色体異常は数的異常と構造異常に大別される．数的異常には異数性と倍数性の変化が認められるが，それらに関連する遺伝子異常については不明な点が多い．一方，構造異常には，①転座，逆位，挿入，②欠失，③均一染色部位(homogeneously staining region：hsr)と二重微小染色体(double minute：dmin)がある．染色体異常には切断点や欠失の領域に局在する遺伝子に再構成の認められることが多い．hsrとdminは遺伝子増幅に関与する特異な染色体異常であるが，血液腫瘍ではまれである．

染色体異常が複数の細胞に共通して検出されることは単クローン性の証明になり，特異的な異常は，病型診断や予後推定に寄与する．細胞遺伝学におけるクロ

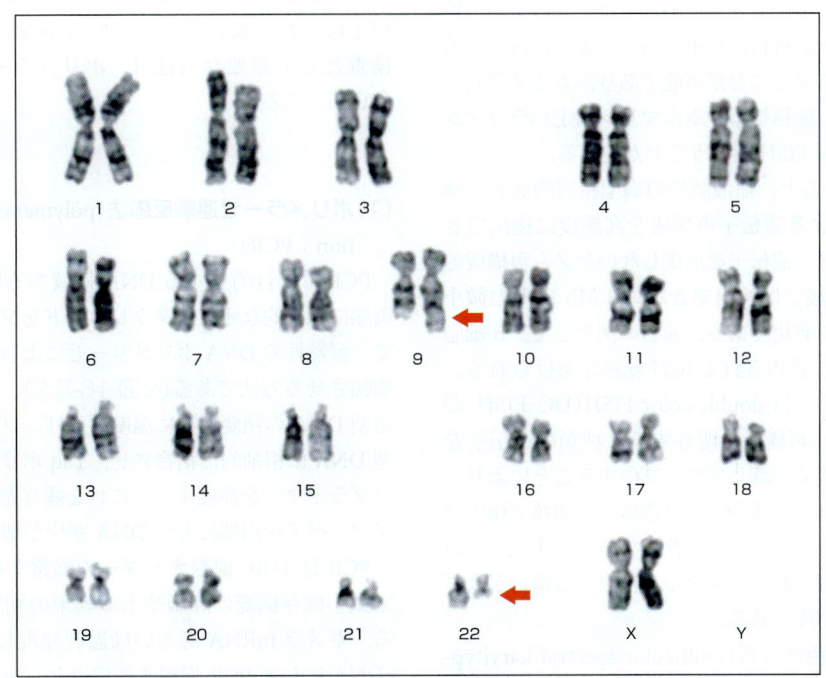

図16-5-4 トリプシン-Giemsa染色によるG分染像
t(9;22)によるPh転座を示す(矢印)．

ーン性は，少なくとも2個以上の細胞に同一の染色体異常が認められる場合に判定される．モノソミーのように1本の染色体がそのまま欠失する場合には，3個以上の細胞に同一の異常が認められた場合をクローン性異常と判定する．分析細胞のうち1個だけが異常を示すsingle cell abnormality（SCA）が疾患や病型に特異的な染色体異常である場合には，診断を補助する重要な情報になると考えられ，FISH法で間期核を解析しクローン性を証明すれば，確定診断に寄与する．腫瘍では病勢の進行に伴って染色体異常が複雑化する現象が認められ，核型進展といわれる．慢性骨髄性白血病で知られているように，核型進展にも疾患や病型に特異性が認められる．

一方，染色体分染法には，次のような問題点がある．①染色体バンド1個以下の微細な異常を同定できない．②複雑な染色体構造異常の正確な同定が困難である．③結果の客観性が乏しい．④分析細胞が少数の場合には，小集団の異常クローンを検出することが困難である．⑤分裂像が回収できなければ検査できない．これらの問題点は，FISHとSKYによって克服されている．

（3）蛍光 in situ ハイブリダイゼーション（FISH）法と多色蛍光染色体分析（SKY）法

a. 蛍光 in situ ハイブリダイゼーション（FISH）法

FISHは標識プローブと染色体DNAを1本鎖に変性し，再会合によって相補性のある部位を蛍光シグナルとして検出する方法である．したがって，細胞単位でゲノム変異を検出できるため，クローンの不均一性やサブクローンの解析に有用である．また，各種の検体を検索対象にすることが可能であり，カルノア固定細胞に加えて，塗抹標本やホルマリン固定パラフィン包埋切片上でもFISHを行うことができる．

FISHを用いると，血液腫瘍の病型特異的な染色体転座や逆位による遺伝子再構成を高感度に検出できる．特に，キメラ遺伝子を形成しないゲノム再構成の検出や，SKY法では検出できない1 Mb以下の微小な転座の検出に有用である．前者の例として，B細胞腫瘍で特異的に認められるIGH転座があげられる．臨床検査法としてはdouble color FISH（DC-FISH）が確立しており，再構成に関与する2種類の遺伝子を異なる蛍光色素で標識しプローブにすることにより，シグナルの融合や分離を中期染色体や間期核で検出できる（図16-5-5A，B）．間期核を試料としてFISHを行う場合には，融合シグナルを検出する場合がスプリットより高感度である．

b. 多色蛍光染色体分析（multicolor spectral karyityping：SKY）法

SKYは，すべての染色体を特有の色調で識別する方法である（図16-5-5C）．蛍光標識を直接ラベルしたヌクレオチドの種類と混合比を変えたプローブミックスを用いる．SKY法は，複雑な核型異常の同定に加えて，同じようなサイズと染色性を示すバンド間に生じた染色体転座の解析に威力を発揮する．感度は染色体バンド1個分の変化であり，800バンドレベルで3 Mb，500バンドレベルで5 Mbである．

SKYでは，反復配列に由来するシグナルをCot1 DNAで抑制するので，動原体領域と染色体末端部の評価は困難である．また，染色体腕内の欠失や重複あるいは逆位を検出することも不可能であるため，対比染色のDAPI像を反転強調したバンドは染色体再構成の切断点の同定に欠かせない．転座によって隣接した蛍光が境界領域で重なり合成された色調を呈する場合があり，挿入との鑑別を要する． 〔谷脇雅史〕

■文献

阿部達生編：造血器腫瘍アトラス．形態，免疫，染色体と遺伝子　第4版，日本医事新報社，2009．
ISCN: An International System for Human Cytogenetic Nomenclature. Saffer LG, McGowan-Jordan J Schmid M eds. S Karger, Basel, 2013.
谷脇雅史編著：血液腫瘍―MIC-M分類から治療まで．先端医学社，2005．

5）遺伝子検査

遺伝子検査は，血液腫瘍のWHO分類の病型診断と予後推定，さらに分子標的薬などの治療選択や効果判定に欠かせない（阿部，2009；谷脇，2005）．臨床検査として重要な方法は，ポリメラーゼ連鎖反応（PCR）である．

（1）ポリメラーゼ連鎖反応法（polymerase chain reaction：PCR）

PCRは，目的とするDNA領域あるいは遺伝子の両端に相補的なオリゴヌクレオチドをプライマーとして，耐熱性のDNAポリメラーゼによって特定領域を増幅させる方法である（e図16-5-E）．具体的には，鋳型DNAの熱変性後に温度を下げ，プライマーを鋳型DNAに相補的に結合させ，Taqポリメラーゼによりプライマーを伸展する．これを繰り返すことでプライマーペアを両端にもつDNA断片が増幅される．

PCRは$1/10^5$細胞オーダーの異常を検出できるので微小残存病変の評価や治療効果の判定に用いられる．キメラmRNAあるいは過剰発現したmRNAをcDNAにしてPCR増幅する場合と，再構成の切断点の両側にプライマーを設定してゲノムDNAを増幅す

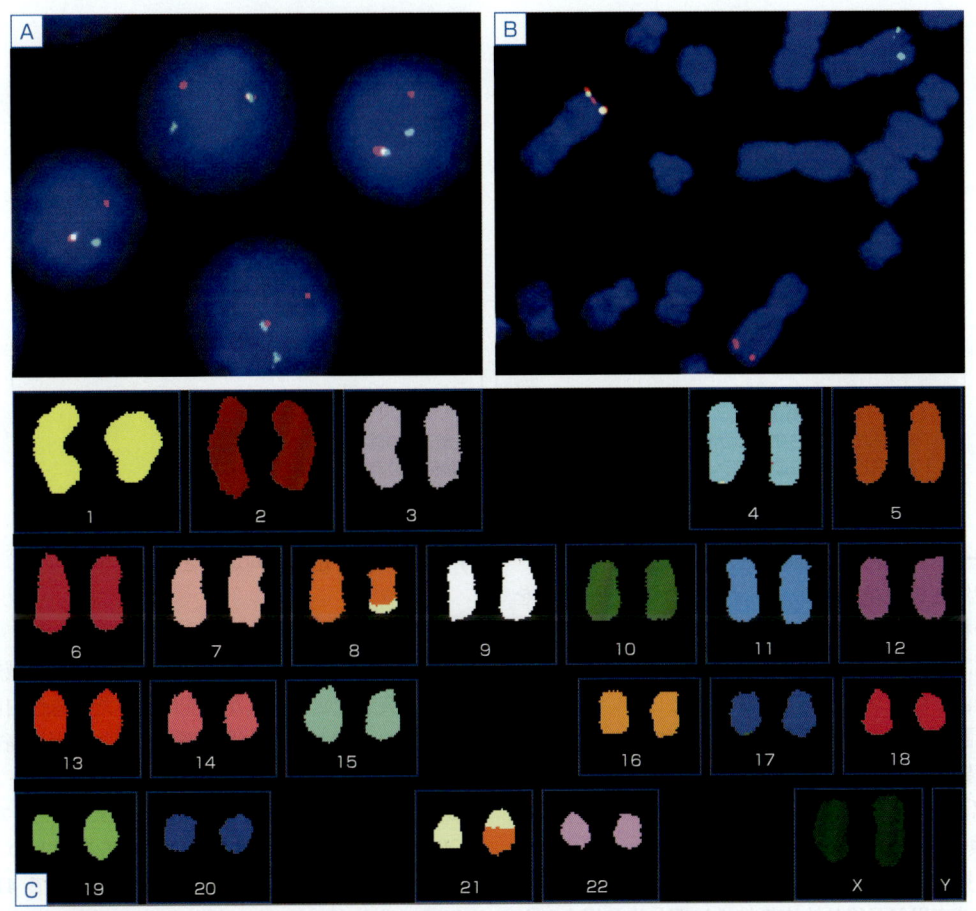

図 16-5-5 FISH と SKY 像
A：間期核 FISH．サイクリン D1 遺伝子と免疫グロブリン H 鎖遺伝子の融合を示す．
B：中期染色体 FISH．BCL6 遺伝子のスプリット．
C：急性骨髄性白血病(M2)の SKY 像．t(8;21)を認める．

る場合がある．後者では，DNA 再構成とその結果として生じたキメラ遺伝子発現を検出し，微小残存病変(MRD)の検出に用いられる．MRD の検出には nested PCR と real-time PCR が一般的に用いられる方法であり，感度は，nested PCR が 10^{-6}，real-time PCR が 10^{-4}〜10^{-5} である．しかし，腫瘍特異的キメラ遺伝子が健常人でも検出されることはまれでなく，その生物学的意義については不明な点が多い．

Real-time PCR には専用のプライマーを要し，nested PCR よりも少し感度は低いが，定量的に寛解の深さを評価できる．real-time PCR は，増幅領域に相補的なオリゴヌクレオチドの 5' 末端にレポーター蛍光色素をラベルした TaqMan プローブを作製する．TaqMan プローブを用いると，DNA ポリメラーゼの伸長反応のときにレポーター蛍光色素が発色する．この光をカウントすることによって，サイクルごとの反応数が同定できるので PCR 産物の定量が可能となる．

(2) サザンブロット法

サザンブロットは，アイソトープやアルカリホスファターゼなどで標識した DNA 配列を探索子（プローブ）として，目的とする DNA 領域や遺伝子を特異的に検出する方法である（図 16-5-6）．非アイソトープ標識を用いた方法が臨床検査として用いられる．具体的には，制限酵素で処理した DNA 断片をアガロースゲルで電気泳動した後，ニトロセルロースやナイロン膜へ転写し変性後，プローブを分子雑種させて目的の DNA 配列を検出する．遺伝子 DNA の再構成があれば，正常とは異なるサイズのバンドを検出する．

サザンブロットは，腫瘍のクローン性診断やウイルス DNA の組み込みの検出に用いられ，腫瘍細胞や感染細胞が 5〜10％存在すれば異常を検出することが可能である．クローン性と細胞系列の推定には，サザンブロット法による TCR 遺伝子や IGH 遺伝子の再構成の検出が用いられる．成人 T 細胞白血病リンパ腫では，HTLVI プロウイルスを検出することによって，感染細胞のクローン性について検討できる．

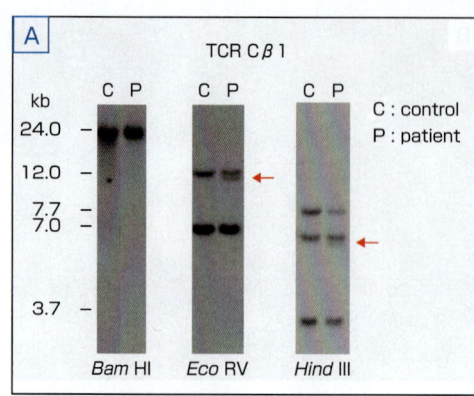
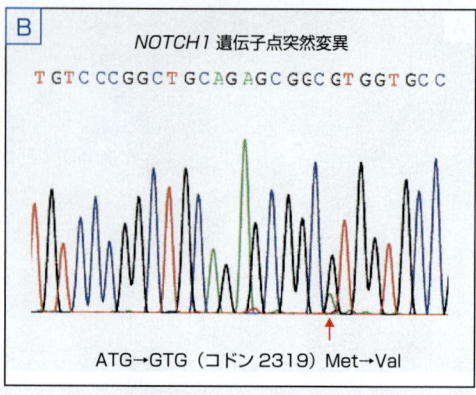

図 16-5-6 遺伝子検査
A：T細胞リンパ腫白血病のサザンブロット解析．TCR Cb1 遺伝子の再構成を認める（矢印）．
B：T細胞リンパ腫白血病のシーケンシング解析．NOTCH1 遺伝子の点突然変異を認める（矢印）．

（3）シーケンシング（塩基配列解析）

点突然変異の検出には，ジデオキシ法と PCR 法を組み合わせたサイクルシーケンシング法が用いられ，現在は，4種類の蛍光色素を用いたキャピラリー電気泳動による自動シーケンサーが一般化している．血液腫瘍で認められる点突然変異はヘテロであることが多く，変異のある部位は正常アリルと変異アリルに由来する塩基の波の重なりとして観察される（図 16-5-6）．検体に含まれる腫瘍細胞の比率が低い場合には変異を見逃すことがある．

点突然変異が予後や治療抵抗性に関与する場合がある．t(8;21) を示す急性骨髄性白血病（AML）の約40％で c-KIT 遺伝子のキナーゼ領域に突然変異が認められ，予後が不良である．また，FLT3（FMS-like tyrosine kinase 3）遺伝子でもキナーゼ領域に突然変異が報告されている．慢性骨髄性白血病における ABL 遺伝子の点突然変異 T315I はイマチニブに抵抗性に関与している．

（4）オリゴヌクレオチドアレイ解析

オリゴヌクレオチドアレイ解析は，数万～数十万に区画した基板にオリゴヌクレオチドを高密度に配置し，蛍光色素を標識した検体 DNA を分子雑種させ，各々が会合した蛍光スポットを検出して解析する方法である．遺伝子発現，ゲノムの増減，一塩基多型（SNP）などを網羅的に検索することができる．

オリゴヌクレオチドアレイ解析で得られたシグナルを，プローブの染色体上位置に基づいて再構築し仮想的な核型を作成することができる（array-based karyotyping，アレイ核型）．また，SKY 法と組み合わせることで染色体転座の DNA 切断点を詳細に解析することが可能である．加えて，オリゴヌクレオチドアレイではプローブが短くその距離も近接しているので，数 KB レベルの DNA コピー数の変化をとらえ，遺伝子内の切断点を迅速に同定できる．

（5）次世代塩基配列決定法

次世代塩基配列決定法によって全ゲノム領域規模の遺伝子突然変異の解析が可能になった．急性白血病，悪性リンパ腫，多発性骨髄腫だけでなく固形癌でも新知見が得られている．悪性リンパ腫ではヒストンと非ヒストンのアセチルトランスフェラーゼである CREBBP と EP300 の構造異常による高頻度の不活性化が発見された（DLBCL で 39％，FL で 41％）．CREBBP と EP300 はシグナル伝達経路における転写共益因子として機能している．また，アセチル化を介した BCL6 タンパク質の不活化と p53 癌抑制遺伝子の活性化が特異的に障害されていることも明らかにされた（eコラム 1）．〔谷脇雅史〕

■文献

阿部達生編：造血器腫瘍アトラス．形態，免疫，染色体と遺伝子 第4版，日本医事新報社，2009．

Stephens PJ, Greenman CD, et al: Massive genomic rearrangement acquired in a single catastrophic event during cancer development. *Cell.* 2011; **144**: 27-40.

谷脇雅史編著：血液腫瘍― MIC-M 分類から治療まで，先端医学社，2005．

6）血小板機能検査

出血傾向，特に皮膚の小出血斑や鼻出血などの粘膜出血が主症状である場合は，血小板異常の可能性を考える．

（1）出血時間

皮膚に一定の切創を加え，肉眼的に止血するまでの

時間を測定する検査法．Duke 法は耳朶に切創を加える方法で簡便ではあるが，その切創の大きさ，皮膚の緊張度，皮膚温の変化に伴う毛細血管の収縮により検査値が変動し，再現性に問題がある．Ivy 法，特に Template-Ivy 法は，上腕に血圧計の駆血帯を巻き一定の静脈圧を加えることにより毛細血管収縮の影響をなくし，さらに型板（template）を用いることにより前腕内側部の切創の形成を一定にするなど改良を加えた方法である．出血時間は，血管損傷部位への血小板による止血栓形成能を反映しており，その延長は，血小板の量的・質的異常あるいは血小板機能に関与する血漿因子（フィブリノゲンや von Willebrand 因子など）の異常，あるいは血管・血管周囲結合組織の異常により生じると考えられる．一方，血友病では出血時間の延長は認めない．

(2)血小板数

末梢血には約 15 万〜35 万/μL の血小板が存在し，血小板数が 10 万/μL 以下の場合，血小板減少とされる．出血傾向が明らかになるのは血小板数が約 5 万/μL 以下の場合である．EDTA 依存性偽性血小板減少症に留意すべきである．通常，血小板数測定には抗凝固薬として EDTA が用いられているが，まれにこの EDTA の作用により血小板が凝集塊を形成する場合があり，自動血球計数器においてこの凝集塊が 1 つの細胞と認識され，見かけ上血小板減少をきたす現象である．免疫グロブリンが，EDTA 存在下で血小板どうしを結合させるためである．塗抹標本や抗凝固薬なしの採血直後に測定し血小板数が正常であることを確認する（ⓔ図 16-5-F）．生体内では血小板数は正常であるため治療の必要はない．

(3)血小板凝集能

血小板機能検査のなかで最も一般的に用いられている検査．血小板凝集惹起物質で刺激し，血小板どうしが凝集する過程を評価する方法である．比濁法が一般的．クエン酸で採血した全血を遠心操作により，赤血球と白血球を除き，血小板が豊富な多血小板血漿（platelet-rich plasma：PRP）を分離する．この多血小板血漿は白く混濁しているが，これを 37℃で攪拌しながら一定濃度の凝集惹起物質を加えると，血小板凝集によりその濁度が透明に変化する．この濁度の変化を分光光度計にて透過度としてとらえ，経時的に測定し記録する．血小板凝集惹起物質としてはアデノシン二リン酸（ADP），アドレナリン，コラーゲンなどがあげられる．これらの物質は血小板膜 GPⅡb-Ⅲa とフィブリノゲン依存性の血小板凝集を惹起する．一方，リストセチンは，上記の物質とは異なり血小板膜 GPⅠb-Ⅸ と von Willebrand 因子との結合を惹起し血

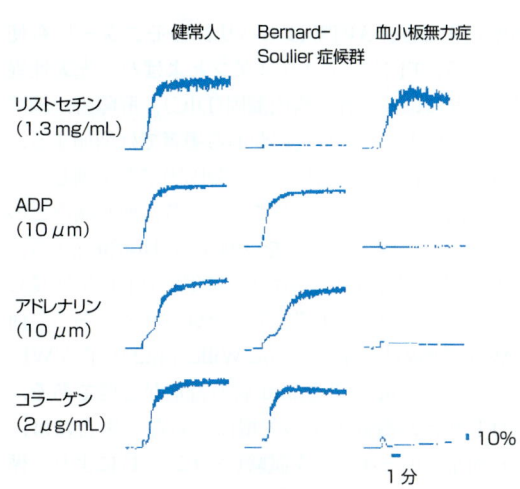

図 16-5-7 種々の疾患における血小板凝集異常
Bernard-Soulier 症候群では血小板膜 GPⅠb-Ⅸ が欠損するため，リストセチン凝集が欠如する．血小板無力症では血小板膜 GPⅡb-Ⅲa が欠損するため，ADP，アドレナリン，コラーゲンによる凝集がすべて欠如する．

小板を凝集させる（図 16-5-7）．

(4)その他の検査

上記以外に，特殊な検査として，血小板粘着能，血小板放出能がある． 〔冨山佳昭〕

■文献

尾崎由基男：血小板系検査．図説血栓・止血・血管学―血栓症制圧のために（一瀬白帝編），pp750-5, 中外医学社，2005.
高見秀樹，玉井佳子：出血時間測定．血小板生物学（池田康夫，丸山征郎編），pp719-26, メディカルレビュー社，2004.

7）凝固・線溶系検査

(1)出血傾向の検査

a. 凝固検査

日常よく使われる凝固検査には，活性化部分トロンボプラスチン時間（APTT）ならびにプロトロンビン時間（PT）がある．血中の凝固因子には，共通因子系として凝固第Ⅰ，Ⅱ，Ⅴ，Ⅹ因子（FⅠ，FⅡ，FⅤ，FⅩ）があり，これらに異常があると APTT と PT の両方が延長する．外因系は組織因子，FⅦと共通因子系からなり，これらが欠乏すると PT が延長する．また，PT は国際標準化比（INR）が用いられ，ワルファリンのモニターに使用されるとともに，肝機能障害の指標にもなる．内因系は FⅫ，FⅪ，FⅨ，FⅧならびに共通因子系からなり，これらが欠乏すると APTT

が延長するが，APTTはヘパリンのモニターにも使用される．FIはフィブリノゲンとよばれ，先天性異常のほかには播種性血管内凝固(DIC)，肝障害，線溶系亢進で低下し，炎症反応がある患者では増加する．APTTとPTから欠乏している凝固因子を推測し，その凝固因子活性を測定することにより，血友病などの先天性の凝固因子欠損症を診断する(Hoffbrandら，2000)．ただし，FⅧ欠損症はAPTTやPTが延長しないため，最初からFⅧ欠損症を疑う必要がある．血友病A診断のためには，von Willebrand因子(VWF)測定によるvon Willebrand病の否定が必要である．APTT延長が凝固因子の欠損によらない場合には，正常血漿とのミキシング試験(eコラム1)により，循環抗凝固因子や抗リン脂質抗体症候群(APS)の存在を診断できる(表16-5-9)．

b. 線溶系検査

プラスミンインヒビター(PI)，プラスミノゲンの低下ならびにプラスミン-PI複合体(PPIC)，プラスミノゲンアクチベーター(PA)の増加は，純粋に線溶系の亢進を示す．著しい二次線溶亢進では，上記検査値異常に加えて，フィブリノゲン低下やフィブリノゲンならびにフィブリン分解産物(FDP)やDダイマーの増加が認められる．頻度はきわめて少ないが，先天性のPI欠損症やPAインヒビター-Ⅰ(PAI-Ⅰ)欠損症により，出血傾向が起きることがある．

(2) 血栓症の診断

a. 血栓症あるいは血栓傾向

血栓症を示唆する検査にはFDPやDダイマーがあり，二次線溶が亢進するとこれらは著しく増加し，炎症反応などによる低線溶状態では増加は軽度である．Dダイマーが一定値より低い場合は，急性の静脈血栓塞栓症が否定できるが，Dダイマーの標準化はされておらず，キットごとのカットオフ値を設定する必要がある．可溶性フィブリンやトロンビン-アンチトロンビン(AT)複合体は，大きな血栓がなくても増加し，過凝固状態を反映する．

b. 血栓性素因

APTT延長ならびにミキシング試験が陽性であれば，APSが疑われる．APSの診断には，希釈蛇毒凝固時間(DRVT)や希釈APTTによるループスアンチコアグラント(LA)，あるいは抗カルジオリピン抗体や抗β_2GPI-カルジオリピン複合体抗体が測定される．先天性の血栓性素因には，AT，プロテインCならびにプロテインSの活性や抗原量の測定が有用であるが，確定診断には遺伝子診断が必要となる．また，ADAMTS13の著明低下は血栓性微小血管障害(TMA)の原因として注目されている．また，TMAなどの血管内皮細胞障害の病態では，トロンボモジュリン，VWF，PAI-Ⅰなどの血管内皮細胞由来の因子が増加する．

近年，選択的抗Xa薬や抗トロンビン薬が使用されるようになり，これらはAPTTやPTではモニター

表16-5-9 検査と役割

	機能	その他の役割
APTT	FⅠ，Ⅱ，Ⅴ，Ⅷ，Ⅸ，Ⅹ，Ⅺ，Ⅻを反映	ヘパリンのモニター，APSの診断
PT	FⅠ，Ⅱ，Ⅴ，Ⅶ，Ⅹを反映	ワルファリンのモニター，肝機能を反映
フィブリノゲン	FⅠ	肝障害，DICなど線溶亢進で低下，炎症反応で増加
おのおのの凝固因子	おのおのの凝固因子欠乏症の診断	
FDP	増加：血栓症の診断，線溶系も反映	線溶亢進のマーカー
Dダイマー		増加しない：VTEの除外診断
SF，TAT	増加：過凝固状態，血栓症の診断	採血条件により影響
ミキシングテスト	抗リン脂質抗体や循環抗凝固因子の診断	
LA	APSの診断(LA-DRVTやLA-APTT)	
抗カルジオリピン抗体	APSの診断(抗β_2GPI-カルジオリピン複合体抗体もよく測定されている)	
AT	先天性の血栓性素因の診断	DICの診断
PC，PS	(確定診断には遺伝子検査が必要)	
FⅩⅢ	FⅩⅢ欠乏症	
PPIC	増加：線溶亢進	DIC
PI	低下：線溶亢進	DIC
ADAMTS13	著明低下：TTP	
その他の検査	抗Xa活性，thrombin generation test，thromboelastgram	

されないため，抗Xa活性，thromboelastgramなどでの，出血リスクの評価が行われている．〔和田英夫〕

■文献

Hoffbrand AV, Pettit JE: Coagulation disorders. Color Atlas of Clinical Hematology, 3rd ed, pp279-96, Mosby, 2000.

8）画像検査

造血器疾患に対する画像診断には，単純X線検査，超音波検査，CTおよびMRI検査をはじめとする形態診断のほか，PET（positron emission tomography）検査のように腫瘍代謝などの機能診断を行う核医学検査がある．画像診断装置には，それぞれ検査できる範囲や収集できる医療情報が異なるため，適切な組み合わせや順序が重要である．また，造血器疾患では常に多臓器，すなわち全身に目を向けての有効な検査法を考慮する必要がある．

(1) 単純X線検査

造血器疾患の診断においては，骨組織に浸潤する症例も多く，X線像で最初に診断されることも多い．白血病や悪性リンパ腫の骨組織への浸潤では，びまん性で微細な，あるいは境界不明瞭な骨融解像として描出されるのが特徴である．一方，Hodgkinリンパ腫では，逆に骨硬化像として描出される．多発性骨髄腫で侵されることが多い骨には，椎体，肋骨，頭蓋骨，骨盤および大腿骨があげられ，X線所見では骨融解像や骨量の減少が重要で，頭蓋骨では打ち抜き像（図16-5-8）として描出される．胸部単純X線では，縦隔および肺門リンパ節腫大が診断され，腹部単純X線では，容易に肝腫大や脾腫を診断することができる．

(2) 超音波検査

造血器腫瘍の診断において，超音波検査は組織特異性にすぐれており，リンパ節，甲状腺，乳腺などの表在臓器の疾患のほかにも，肝臓，膵臓，腎臓，脾臓などの深部の実質臓器の診断にもきわめて有用である．特に悪性リンパ腫の診断では，まず腫瘍性か，あるいは反応性のリンパ節腫大かを診断することが重要であり，腫瘤の形状，内部のエコーレベル，あるいはドプラエコーにて血流の状態を知ることができる（Ahujaら，2005）．内部エコーレベルは，腫瘍性リンパ節，特にリンパ腫では均一な低エコーを示すことが多い．形状は，腫瘍性リンパ節では楕円から球形を呈する傾向にあるのに対し，反応性リンパ節は扁平な形状を呈

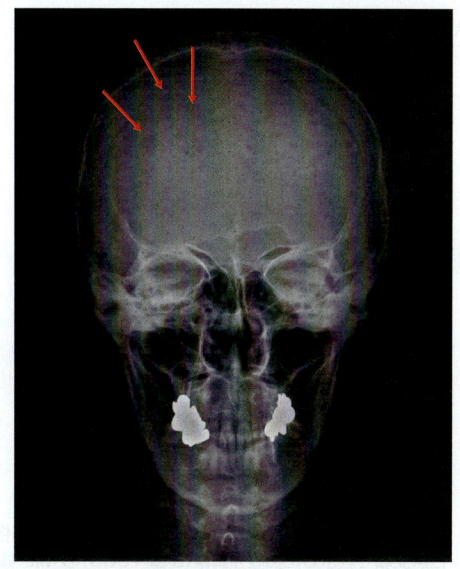

図 16-5-8 多発性骨髄腫の頭部X線像
頭蓋骨には，骨融解の所見が円形の打ち抜き像（矢印）として描出されている．

する．また，腫瘍性リンパ節では，エコーレベルのやや高いリンパ節門に変形や偏位が観察される．また，ドプラエコーを用いると反応性リンパ節では，リンパ節門から流入する血管のみがおもに描出されるのに対し，腫瘍性リンパ節ではリンパ節門から流入する血流のほかにリンパ節辺縁から流入する血流も観察される（図16-5-9）．

造血器腫瘍では，病理組織型により治療方針や予後が大きく異なるため，腫大するリンパ節の病理組織学的診断がきわめて重要であり，超音波検査は安全に組織を採取するための情報も提供する．特に腫大したリ

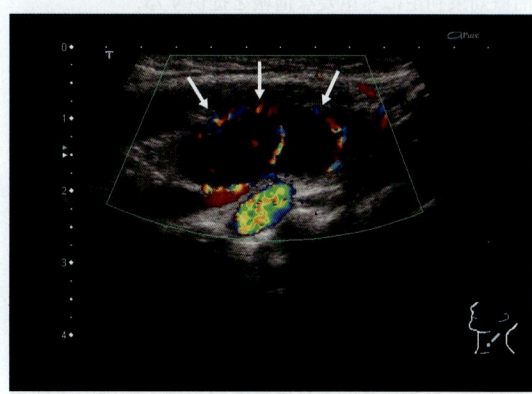

図 16-5-9 びまん性大細胞型B細胞リンパ腫の超音波画像
左頸部リンパ節は，径33×14mmと腫大し，形状は楕円形で，内部は比較的均一な低エコーを示し，後方エコーは増強している．また，リンパ節門も下方に圧排され偏位している．ドプラエコーでは，リンパ節門から腫瘍内部に分布する血流以外に，腫瘤辺縁部にも明瞭な血流エコー（矢印）が観察される．

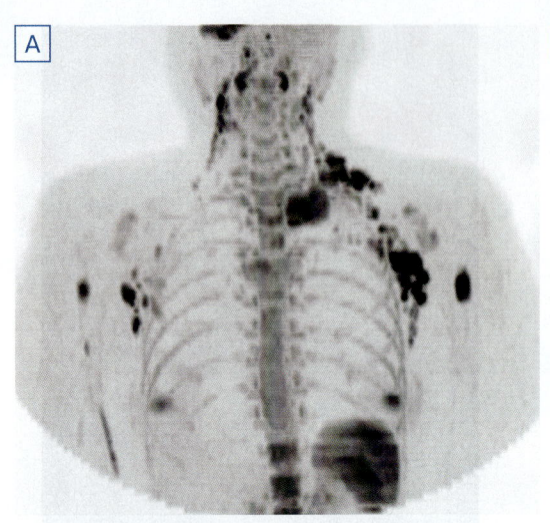
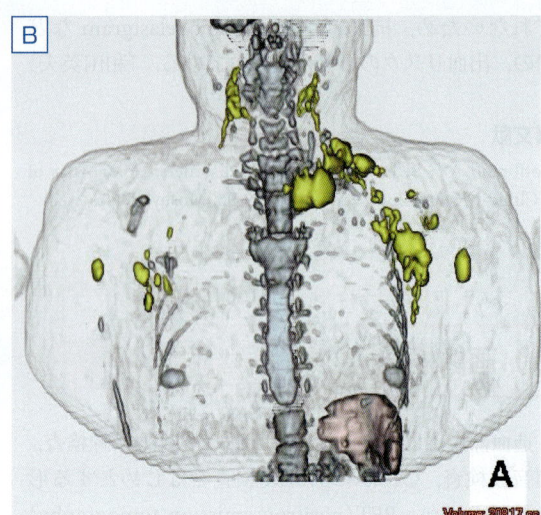

図 16-5-10 非 Hodgkin リンパ腫の MRI 拡散強調像による評価法
A：白黒反転で表示した拡散強調像(b 値 1000)の MIP 像．
B：同じデータをボリュームレンダリングで表示することにより腫大するリンパ節全体の体積を計測可能である．

ンパ節周囲に位置する血管や隣接する臓器に関する情報は，外科手技や針生検を実施する際に重要である．

(3) CT 検査

CT 検査は，造血器腫瘍においても最も実施されることの多い検査で，頸部，胸部，腹部，骨盤などの全身の検索に使用されるが，原則として造影 CT が好ましい．悪性リンパ腫では，リンパ節領域の病変のみならず，リンパ外臓器病変の診断にも有用で，最も用いられている Ann Arbor 分類による病期分類においても，病変の数，分布，リンパ外臓器病変(骨髄，肺，肝臓，脾臓，消化管，中枢神経，頭頸部など)の有無などの情報が必要である．また，最近は PET-CT との融合画像として CT 画像が用いられることが多く，治療効果判定にも重要な情報を提供する．

(4) MRI 検査

MRI 検査は，放射線被曝のない画像検査として用いられることも多く，T1 強調像，T2 強調像，造影後 T1 強調像，さらに近年では拡散強調像の有用性も知られている．最近の MRI 装置では，頸部から骨盤までの広い範囲も比較的容易に診断できるため，悪性リンパ腫の病期診断にも有用で，投影像として描出される MIP (maximum intensity projection) 像 (図 16-5-10A)，あるいはこのデータをボリュームレンダリングで表示することにより異常信号を示す腫瘤の容積を計測することができる (図 16-5-10B)．その他，脊椎病変が疑われる患者にも MRI が有用であることは広く知られている．

(5) 核医学検査

かつては悪性リンパ腫の診断には，ガリウムシンチグラフィが用いられたが，現在では ^{18}F-DG-PET が用いられることが多い．PET 検査では，病変への放射性薬剤の集積の程度を画像で計測される放射線濃度を投与量と体重で補正した定量値 SUV (standardized uptake value) として表示できる．悪性リンパ腫では，PET 検査にて一般的に FDG の取り込みが豊富で SUV の値も高く，さらに全身画像を撮影できるため病期診断にも適している．しかし，腫瘍組織型により FDG の取り込みの程度が異なるため，治療を開始する前にも PET を撮影しておくことが好ましい．また，悪性リンパ腫の正確な診断を行うには，PET-CT にて FDG の取り込み部位と CT 画像における腫瘤との相関を確認することも重要である．

治療効果判定では，節性病変か節外性病変かを問わず，CT 断面画像で長径の大きい順に選択し，最大 6 個までの病変を標的病変として選択する．測定可能でない病変や標的病変に選択されなかった測定可能な病変は，非標的病変とする．なお，長径 1.5 cm 以下のリンパ節は病変とはしない．また，骨髄浸潤の有無は骨髄穿刺や生検で診断，さらに消化管病変に対しても，内視鏡による生検でのリンパ腫細胞の有無を診断する必要がある．

治療後の追跡評価では，最近では PET を加味した総合評価 (overall response) 判定基準が用いられる (日本血液学会ら，2010)．CT 画像で計測した長径と短径の積を求める二方向積和 (sum of the products of the greatest diameters：SPD) での変化率と PET での取り込みの有無および骨髄浸潤の有無を指標とする．完全奏効 (complete response：CR) は，骨髄浸潤が陰性

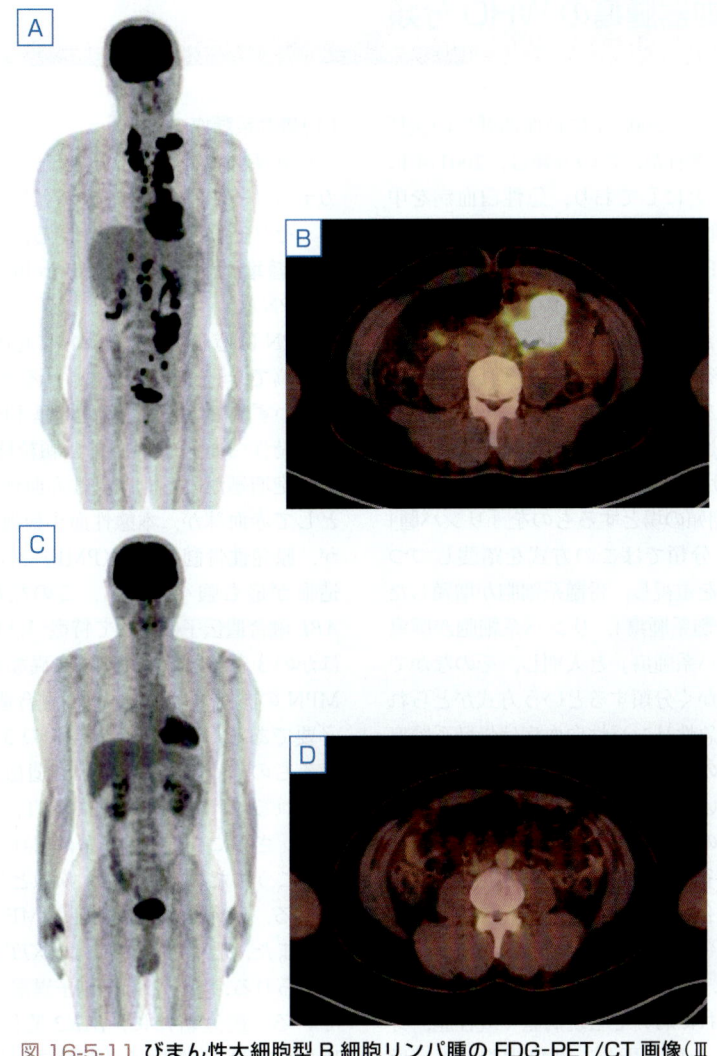

図 16-5-11 びまん性大細胞型 B 細胞リンパ腫の FDG-PET/CT 画像（Ⅲ期）
A：PET 冠状断画像では，鎖骨上窩，縦隔，腹部傍大動脈，腸間膜および両側腸骨領域のリンパ節に FDG の集積が観察される．
B：PET/CT 融合画像では，軸位断像にて腹部腸間膜の腫瘤に一致した FDG の集積であることがわかる．
C：化学療法後の PET 画像．
D：化学療法後の PET/CT 融合画像では，治療前にみられた FDG の集積は消失し，骨髄浸潤も陰性であることから効果判定規準では CR と診断される．

で，PET でも陰性であれば，CT 上いかなる腫瘤の残存も問わない（図 16-5-11）．また，骨髄浸潤が陽性でも，PET では陰性である場合，あるいは，PET で陽性でも標的病変の SPD が 50％以上縮小であれば，部分奏効（partial response：PR）とする．その他，安定（stable disease：SD），進行（progressive disease：PD）/再発（relapsed disease：RD）として評価される．

治療後の追跡頻度および期間に関しては，リンパ腫の組織型や予後因子により異なることが知られており総合的に判断する．ただし，長期の追跡検査には，定期的な PET 検査の有効性を示す明らかな根拠はなく，定期的な CT 検査が患者負担や医療経済の観点からも好ましいとされている（日本血液学会，2013）．

〔今井 裕〕

■文献

Ahuja AT, Ying M: Sonographic evaluation of cervical lymph nodes. *AJR*. 2005; **184**: 1691-9.
日本血液学会，日本リンパ網内系学会編：悪性リンパ腫．造血器腫瘍取扱い規約 第 1 版，pp97-159，金原出版，2010．
日本血液学会編：リンパ腫．悪性リンパ腫 総論．造血器腫瘍診療ガイドライン 2013 年版，pp131-2，金原出版，2013．

16-6 造血器腫瘍のWHO分類

　WHO分類(第4版)は2008年に造血器腫瘍の包括的な分類として発表された．この分類は，2001年に出された第3版をもとにしており，急性白血病を中心とした骨髄系腫瘍の分類であったFAB分類(French-American-British Classification)と，リンパ系腫瘍の分類として用いられていたREAL分類(Revised European-American Lymphoma Classification)とを合わせた形で組み立てられ，それをさらに進歩させたものである．

　以前の分類では，造血器腫瘍を腫瘍細胞の主たる増殖の場で大きく分け，骨髄で増殖するものを「白血病」，リンパ組織を増殖の場とするものを「リンパ腫」としていた．WHO分類ではこの方式を踏襲しつつも，腫瘍細胞の系統を重視し，骨髄系細胞が増殖したものをまとめて「骨髄系腫瘍」，リンパ系細胞が腫瘍化したものを「リンパ系腫瘍」と大別し，そのなかでそれぞれをさらに細かく分類するという方式がとられている．そのため，急性リンパ性白血病は骨髄系腫瘍ではなく，リンパ系の前駆細胞が腫瘍化した疾患というとらえ方になっている．骨髄系，リンパ系それぞれの分類にはいくつかの方針があるが，①腫瘍化した細胞の分子遺伝学的特徴，②腫瘍細胞の特性(おもに細胞表面マーカー，遺伝子再構成など)と正常な細胞分化段階との対応，を今後の分類の大きな軸とする方向性がみえる．しかし，原則的には包括的な分類法であり，そのため，いずれにおいても現病歴や既往歴，身体的所見を中心とした臨床所見，腫瘍細胞・組織形態，細胞遺伝学，細胞表面マーカー，分子遺伝学，免疫学的検査などの結果を総合的に判断して診断が下され，分類されることになる．ただ，現状でも多くの場合は，形態学的所見が診断の基本的な情報となっている．種々の基礎，臨床研究，診療はこのWHO分類に基づいて実施されており，血液腫瘍学の基礎的な分類として広く用いられている．

(1) 骨髄系腫瘍の分類

　骨髄系腫瘍は大きく，表16-6-1のように6個のカテゴリーに分けられそれぞれに細分類がなされている．それぞれを簡単に説明する．

a. 骨髄増殖性腫瘍 (myeloproliferative neoplasms：MPN)

　MPNは造血幹細胞の異常に起因する単クローン性の腫瘍で，表16-6-2にあげる8病型からなっている．いずれも造血細胞増殖を基本的性格とするが，慢性骨髄性白血病(CML)では顆粒球系細胞を中心とした細胞増殖がみられ，真性赤血球増加症(PV)では主として赤血球が，本態性血小板血症(ET)では血小板が，原発性骨髄線維症(PMF)では骨髄線維化と髄外造血が最も強く表れる．このなかでCMLは *BCR-ABL* 融合遺伝子によって特徴づけられる疾患単位で，ほかの3者とは病態が明確に異なるためCML以外のMPNの診断には *BCR-ABL* 融合遺伝子陰性の確認が必要である．PV，ET，PMFの3者には，頻度は異なるものの，共通して *JAK2* 遺伝子のV617F変異がみられる．PVでは95％に，ET，PMFでは約半数である．さらにこれらの病型は相互に移行することもあり，こうしたことからも，疾患としての共通性が理解できる．c-MPL変異はET，PMFに低頻度にみられる．また，肥満細胞症では *c-KIT* 変異が95％以上に認められる．こうした遺伝子異常も診断に組み込まれている．最近新たに， *JAK2* 遺伝子変異のないET，PMFに *CARL* 遺伝子異常が同定されたが，この分類では言及されていない．今後組み入れられると予想さ

表16-6-1 WHO分類2008年による骨髄系腫瘍の大分類

- 骨髄増殖性腫瘍
- 好酸球増加症と *PDGFRA*, *PDGFRB*, または *FGFR* 遺伝子異常を有する骨髄性/リンパ性腫瘍
- 骨髄異形成/骨髄増殖性腫瘍
- 骨髄異形成症候群
- 急性骨髄性白血病および関連する前駆細胞腫瘍
- 系統不明の急性白血病

表16-6-2 骨髄増殖性腫瘍の分類

- 慢性骨髄性白血病　*BCR-ABL1* 融合遺伝子陽性
  (chronic myelogenous leukemia, BCR-ABL1 positive：CML)
- 慢性好中球性白血病
  (chronic neutrophilic leukemia：CNL)
- 真性赤血球増加症
  (polycythemia vera：PV)
- 原発性骨髄線維症
  (primary myelofibrosis：PMF)
- 本態性血小板血症
  (essential thrombocythemia：ET)
- 慢性好酸球性白血病　ほかのカテゴリー以外
  (chronic eosinophilic leukemia, not otherwise specified：CEL-NOS)
- 肥満細胞症
  (mastocytosis)
- 骨髄増殖性腫瘍　分類不能型
  (MPN, unclassified：MPN-U)

れる．

b. **好酸球増加症と*PDGFRA*，*PDGFRB*，または*FGFR*遺伝子異常を有する骨髄性/リンパ性腫瘍**

　ここに含まれる腫瘍は好酸球増加を伴うだけではなく，ときにリンパ系腫瘍も生じてくる．上記のいずれかの遺伝子が再構成を起こしていることが診断に必須であり，疾患単位を遺伝子変異で規定したカテゴリーである．

c. **骨髄異形成/骨髄増殖性腫瘍**（myelodysplastic/myeloproliferative neoplasm：MDS/MPN）

　この疾患は4病型と1つの暫定病型からなる（e表16-6-A）．ここに含まれる疾患はMPNの特徴と同時に血球の異形成をもつ．*BCR-ABL*，*PDGFRA/B*，*FGFR*のような遺伝子異常はないが若年性骨髄単球性白血病（JMML）におけるRASシグナル伝達経路にある種々の遺伝子変異は特徴的である．

d. **骨髄異形成症候群**（myelodysplastic syndrome：MDS）

　造血幹細胞の異常で生じ，無効造血による血球減少と白血病移行，形態的には異形成を特徴とする造血器腫瘍で，e表16-6-Bのように分類される．末梢血，骨髄の芽球割合，異形成のみられる血球系統，環状鉄芽球といった形態所見に加えて，MDSに高頻度にみられる染色体異常によっても診断，分類されるようになった．第4版の発表後にスプライシング関連，エピゲノム関連の遺伝子を含む多数の遺伝子異常が同定されている．

e. **急性骨髄性白血病**（acute myeloid leukemia：AML）

　末梢血または骨髄中に芽球が20％以上認められると急性白血病と診断され，その芽球が骨髄系造血細胞であればAMLの診断となる．病型分類（表16-6-3）には，特異的遺伝子異常の存在，芽球背景の成熟細胞における異形成の存在，化学療法・放射線療法の既往によって分類される3つのカテゴリーと，これらでは分類できないものをまとめたAML-NOSがある．AML-NOSの細分類は基本的にはFAB分類に準じている．また，髄外に腫瘍を形成するタイプ，Down症候群にみられる造血異常，樹状細胞由来の白血病もここに含まれる．

(2) リンパ系腫瘍の分類

　リンパ系腫瘍は基本的には前駆リンパ性腫瘍，B細胞性リンパ腫，T/NK細胞性リンパ腫，Hodgkinリンパ腫，免疫不全関連リンパ増殖性疾患，組織球および樹状細胞性腫瘍に分けられている．このうち前駆リンパ性腫瘍が以前のFAB分類における急性リンパ性白血病である．本分類の出版後に多数の遺伝子異常，腫瘍化に関する研究成果が発表されている．

表16-6-3　急性骨髄性白血病および関連する前駆細胞腫瘍の分類

1　反復性遺伝子異常を伴うAML
（AML with recurrent genetic abnormalities）
　1) t(8;21)(q22;q22)または*RUNX1-RUNXT1*を有するAML
　2) inv(16)(p13.1q22)またはt(16;16)(p13.1;q22)または*CBFB-MYH11*を有するAML
　3) 急性前骨髄性白血病［t(15;17)(q22;q12)または*PML-RARA*を有する］
　4) t(9;11)(p22;q23)または*MLLT3-MLL*を有するAML
　5) t(6;9)(p23;q34)または*DEK-NUP214*を有するAML
　6) inv(3)(q21q26.2)またはt(3;3)(q21;q26.2)または*RPN1-EVI1*を有するAML
　7) t(1;22)(p13;q13)または*RBM15-MKL1*を有する(巨核芽球)性AML
　8) 遺伝子変異を伴うAML
　　暫定的カテゴリー
　　　*NPM1*遺伝子変異を伴うAML
　　　*CEBPA*遺伝子変異を伴うAML

2　骨髄異形成関連の変化を伴うAML
（AML with myelodysplasia-related change）

3　治療関連骨髄性腫瘍（therapy-related AML）

4　上記以外のAML
（AML not otherwise specified：AML-NOS）
　a. 急性骨髄性白血病最小分化型
　　（AML with minimal differentiation）
　b. 急性骨髄性白血病未分化型
　　（AML without maturation）
　c. 急性骨髄性白血病分化型
　　（AML with maturation）
　d. 急性骨髄単球性白血病
　　（acute myelomonocytic leukemia）
　e. 急性単球性白血病
　　（acute monocytic leukemia）
　f. 急性赤芽球性白血病
　　（acute erythroid leukemia）
　　赤白血病/純赤芽球型
　g. 急性巨核芽球性白血病
　　（acute megakaryoblastic leukemia）
　h. 急性好塩基球性白血病
　　（acute basophilic leukemia）
　i. 骨髄線維化を伴う急性汎骨髄症
　　（acute panmyelosis with myelofibrosis）

5　骨髄肉腫（myeloid sarcoma）

6　Down症候群に関連した骨髄増殖症
（myeloid proliferation related to Down syndrome）
　a. 一過性異常骨髄増殖
　b. Down症を伴う骨髄性白血病

7　芽球性形質細胞様樹状細胞腫瘍
（blastic plasmacytoid dendritic cell neoplasm）

表 16-6-4 成熟 B 細胞腫瘍の分類

慢性リンパ性白血病／小リンパ球性リンパ腫
chronic lymphocytic leukemia/small lymphocytic lymphoma(CLL/SLL)

B 細胞性前リンパ球性白血病
B-cell prolymphocytic leukemia(B-PLL)

脾 B 細胞辺縁帯リンパ腫
splenic B-cell marginal zone lymphoma(SMZL)

ヘアリー細胞白血病 hairy cell leukemia(HCL)

脾原発 B 細胞リンパ腫／白血病，分類不能
splenic B-cell lymphoma/leukemia, unclassifiable
　暫定分類　splenic diffuse red pulp small B-cell lymphoma hairy cell leukemia-variant(HCL-v)

リンパ形質細胞性リンパ腫
lymphoplasmacytic lymphoma(LPL)

重鎖病 heavy chain diseases(HCD)
　細分類　γ-HCD, μ-HCD, α-HCD

形質細胞腫瘍
plasma cell neoplasms
　意義不明の M 蛋白血症　monoclonal gammopathy of undetermined significance(MGUS)
　形質細胞骨髄腫　plasma cell myeloma
　孤発性骨形質細胞腫　solitary plasmacytoma of bone
　骨外形質細胞腫　extraosseous plasmacytoma
　単クローン性免疫グロブリン沈着症　monoclonal immunoglobulin deposition diseases (MIDD)

粘膜リンパ組織の節外辺縁帯リンパ腫
extranodal marginal zone lymphoma of mucosa-associated lymphoid tissue(MALT lymohoma)

節性辺縁帯リンパ腫
nodal marginal zone lymphoma(NMZL)
　暫定分類　小児の節性辺縁帯リンパ腫
　　paediatric nodal marginal zone lymphomas

濾胞性リンパ腫 follicular lymophoma(FL)
　細分類　グレード1, グレード2, グレード3A, グレード3B
　バリアント　小児の，消化管原発の，ほかの節外原発の，濾胞内"in situ"の

原発性皮膚濾胞中心リンパ腫
primary cutaneous follicle center lymphoma(PCFCL)

マントル細胞リンパ腫 mantle cell lymphoma(MCL)
　バリアント　サイクリン D1 陰性 MCL
　　cyclin D1 negative MCL

ほかに特定不能のびまん性大細胞型 B 細胞リンパ腫
diffuse large B-cell lymphoma, not otherwise specified (DLBCL, NOS)

T 細胞／組織球豊富型大細胞型 B 細胞リンパ腫
T cell/histiocyte-rich large B-cell lymphoma

中枢神経系原発のびまん性大細胞型 B 細胞リンパ腫
primary diffuse large B-cell lymphoma of the CNS (CNS DLBCL)

皮膚原発のびまん性大細胞型 B 細胞リンパ腫　足型
primary cutaneous large B-cell lymphoma, leg type (PCLBCL, leg type)

高齢者 EBV 陽性びまん性大細胞型 B 細胞リンパ腫
EBV positive diffuse large B-cell lymphoma of elderly

慢性炎症関連びまん性大細胞型 B 細胞リンパ腫
DLBCL associated with chronic inflammation

リンパ腫様肉芽腫症 lymphomatoid granulomatosis

縦隔（胸腺）原発大細胞型 B 細胞リンパ腫
primary mediastinal (thymic) large B-cell lymphoma (PMBL)

血管内大細胞型 B 細胞リンパ腫
intravascular large B-cell lymphoma(IVLBCL)

ALK 陽性大細胞型 B 細胞リンパ腫
ALK-positive large B-cell lymphoma (ALK-positive LBCL)

形質芽球性リンパ腫 plasmablastic lymphoma(PBL)

HHV-8 関連多中心性 Castleman 病に生ずる大細胞型 B 細胞リンパ腫
large B-cell lymphoma arising in HHV-8-associated multicentric Castleman disease

原発性滲出液性リンパ腫 primary effusion lymphoma

Burkitt リンパ腫 Burkitt lymphoma

びまん性大細胞型 B 細胞リンパ腫と Burkitt リンパ腫の中間型特徴を有する分類不能の B 細胞リンパ腫
B-cell lymphoma, unclassifiable, with featuers intermediate between diffuse large B-cell lymohoma and Burkitt lymphoma

びまん性大細胞型 B 細胞リンパ腫と古典的 Hodgkin リンパ腫の中間型特徴を有する分類不能の B 細胞リンパ腫
B-cell lymphoma, unclassifiable, with featuers intermediate between diffuse large B-cell lymohoma and classical Hodgkin lymphoma

a. 前駆リンパ性腫瘍（precursor lymphoid neoplasms）

骨髄または末梢血でリンパ芽球（リンパ系前駆細胞）が増殖する疾患で，骨髄でリンパ芽球が25％以上みられる場合に急性リンパ性白血病（acute lymphoblastic leukemia：ALL）とし，それ未満ではリンパ芽球性リンパ腫（lymphoblastic lymphoma：LBL）とする．両者は生物学的には同一と考えられる．芽球の系統によってさらにB細胞性，T細胞性に分ける．B-LBL/ALLの一部は特異的な染色体異常/遺伝子異常によって細分類される．

b. 成熟B細胞腫瘍（mature B cell neoplasms）

ここには，正常のB細胞分化段階でのナイーブB細胞に相当する腫瘍から，形質細胞が腫瘍化したと考えられるリンパ系腫瘍までが含まれる（表16-6-4）．疾患頻度としてはびまん性大細胞型B細胞リンパ腫（DLBCL）が最も多い．表16-6-4はWHO分類の順番に疾患名をあげているが，末梢血中に腫瘍細胞が存在する，いわゆる白血病型をとるもの，節外性リンパ腫，節性リンパ腫の順に，また，indolent lymphomaからaggressive lymphomaの順に記載されている．白血病型の代表は慢性リンパ性白血病（CLL），ヘアリー細胞白血病（HCL）であり，次に形質細胞腫瘍，indolent lymphoma（濾胞性リンパ腫（FL），MALTなど），aggressive lymphoma（DLBCL，など）の順であ

表16-6-5 成熟T/NK細胞腫瘍の分類

T細胞性前リンパ球性白血病
　T-cell prolymphocytic leukemia(T-PLL)

T細胞性大型顆粒リンパ球白血病
　T-cell large granular lymphocytic leukemia(T-LGL)

NK細胞性慢性リンパ増殖性疾患　（暫定分類）
　chronic lymphoproliferatibe disorders of NK-cells(CLPD-NK)

侵襲性NK細胞白血病
　aggressive NK-cell leukemia

小児EBV陽性T細胞増殖性疾患
　EBV-positive T-cell lymphoproliferative disorder of childhood
　　小児の全身性EBV陽性T細胞増殖性疾患　systemic EBV-positive T-cell lymphoprolierative diseases of childhood
　　種痘様水疱症様リンパ腫　hydroa vacciniforme-like lymphoma

成人T細胞白血病/リンパ腫
　adult T-cell leukemia/lymphoma(ATLL)

節外性NK/T細胞リンパ腫　鼻型
　extranodal NK/T-cell lymphoma, nasal type

腸症関連T細胞リンパ腫
　enteropathy-associated T-cell lymphoma(EATL)

肝脾T細胞リンパ腫
　hepatosplenic T-cell lymphoma(HSTL)

皮下脂肪織炎様T細胞リンパ腫
　subcutaneous panniculitis-like T-cell lymphoma(SPTCL)

菌状息肉症 mycosis fungoides(MF)

Sézary症候群 Sézary syndrome(SS)

皮膚原発CD30陽性T細胞増殖性疾患
　primary cutaneous CD30-positive T-cell lymphoproliferative disorders
　　原発性皮膚未分化大細胞リンパ腫　primary cutaneous anaplastic large cell lymphoma(C-ALCL)
　　リンパ腫様丘疹症　lymphomatoid papulosis(Ly-P)

皮膚原発末梢T細胞リンパ腫　まれな亜型
　primary cutaneous peripheral T-cell lymphomas, rare subtypes
　　皮膚原発γδT細胞リンパ腫　primary cutaneous gamma-delta T-cell lymphoma(PCGD-TCL)
　　皮膚原発CD8陽性侵襲性表皮好性細胞傷害性T細胞リンパ腫（暫定分類）　primary cutaneous CD8-positive aggressive epidermotropic cytotoxic T-cell lymphoma
　　皮膚原発CD4陽性小型/中型細胞性T細胞リンパ腫（暫定分類）　primary cutaneous CD4-positive small/medium T-cell lymphoma

ほかに特定不能の末梢T細胞リンパ腫
　peripheral T-cell lymphoma, not otherwise specified (PTCL, NOS)
　　バリアントとして　Lennertリンパ腫，濾胞性，T-ゾーン

血管免疫芽球性T細胞リンパ腫
　angioimmunoblastic T-cell lymphoma(AILT)

未分化大細胞リンパ腫　ALK陽性
　anaplastic large cell lymphoma, ALK-positive(ALCL, ALK+)

未分化大細胞リンパ腫　ALK陰性（暫定分類）
　anaplastic large cell lymphoma(ALCL), ALK-negative (ALCL, ALK−)

る．Burkitt リンパ腫は TdT 陰性であることより成熟 B 細胞腫瘍として取り扱われている．

c. **成熟 T/NK 細胞腫瘍**（mature T-cell and NK-cell neoplasms）

胸腺での分化段階を経て末梢臓器に移動した T 細胞による腫瘍，すなわち末梢性 T 細胞腫瘍がここに含まれる（表 16-6-5）．また，NK 細胞腫瘍もここに組み入れられている．欧米では非 Hodgkin リンパ腫の 5～10%程度であるが，わが国ではリンパ系腫瘍の約 1/4 を占める．ことに成人 T 細胞白血病リンパ腫（ATL），ほかに特定不能の末梢性 T 細胞リンパ腫（PTCL-NOS）が欧米と比較して多い．B 細胞性リンパ腫ほど，腫瘍細胞の特徴と正常細胞の分化段階やカウンターパートとの比較が進んでいない．発症機序，分子機構についても今後の検討が待たれる．

節外性リンパ腫では病型分類と好発部位との関連が深く，extranodal NK/T-cell lymphoma, nasal type ではほとんどが EBV 陽性の NK 細胞性である．T 細胞性と関連が深いものとして腸症を伴う enteropathy-associated 型，hepatosplenic 型がある．

ウイルスとリンパ腫との関連では，HTLV-1, EBV が関与したリンパ腫も多い．

d. **Hodgkin リンパ腫**（Hodgkin lymphoma：HL）

病理形態学的に Hodgkin（H）細胞，Reed-Sternberg（RS）細胞の存在によって定義されたリンパ腫である（表 16-6-6）．一般には多くの背景細胞のなかに少数の H/RS 細胞があることから腫瘍細胞かどうか，その起源は何かについて長い間不明であった．今日ではいずれも B 細胞起源が明らかとなり，Hodgkin 病から HL へと名称が変更された．古典的 Hodgkin リンパ腫では H/RS 細胞の CD20 は陰性で，4 病型に分けられる．

〔宮﨑泰司〕

表 16-6-6 Hodgkin リンパ腫の分類

結節性リンパ球優位型 Hodgkin リンパ腫 nodular lymphocyte predominant Hodgkin lymphoma (NLPHL)
古典的 Hodgkin リンパ腫（classical Hodgkin lymphoma）
結節性硬化型古典的 Hodgkin リンパ腫 nodular sclerosis classical Hodgkin lymphoma (NSCHL)
混合細胞型古典的 Hodgkin リンパ腫 mixed cellularity classical Hodgkin lymphoma (MCCHL)
リンパ球豊富型古典的 Hodgkin リンパ腫 lymphocyte-rich classical Hodgkin lymphoma (LRCHL)
リンパ球減少型古典的 Hodgkin リンパ腫 lymphocyte-depleted classical Hodgkin lymphoma (LDCHL)

■**文献**

Campo E, Swerdlow SH, et al: The 2008 WHO classification of lymphoid neoplasms and beyond: evolving concepts and practical applications. *Blood*. 2011; **117**: 5019-32.

Swerdlow SH, Campo E, et al eds: WHO classification of Tumors of Haematopoietic and lymphoid tissues. IARC, 2008.

Vardiman JW, Thiele J, et al: The 2008 revision of the World Health Organization（WHO）classification of myeloid neoplasms and acute leukemia: rationale and important changes. *Blood*. 2009; **114**: 937-51.

16-7 造血器腫瘍の発症機構と治療

1）造血器腫瘍発症の分子機構

(1) 癌遺伝子と癌抑制遺伝子（三谷，2013）

正常細胞のゲノム上には多数の癌遺伝子と癌抑制遺伝子が存在する．癌遺伝子は細胞増殖シグナルの伝達，細胞周期回転の促進，分化抑制，アポトーシスの回避に役割を担っている．癌抑制遺伝子は細胞増殖抑制シグナルの伝達，細胞周期回転の抑制，分化促進，アポトーシス誘導に機能する．癌遺伝子が活性化型変異を獲得する，あるいは，癌抑制遺伝子が機能的に失活することは造血器腫瘍発症の重要なワン・ヒットになる．また，従来の癌遺伝子あるいは癌抑制遺伝子といった分類には当てはめにくい，エピジェネティクスの制御関連遺伝子，RNA スプライシング遺伝子，蛋白翻訳や分解に関連する遺伝子，代謝酵素遺伝子，コヒーシン遺伝子の異常も，造血器腫瘍発症に重要な役割を担っていることが明らかになっている．さらに，蛋白翻訳の制御に役割を担う microRNA（miRNA）の発現変化も造血器腫瘍発症の重要な基盤となっている．

(2) 遺伝子変異の種類

癌遺伝子および癌抑制遺伝子の変異の機序はさまざまである（表 16-7-1）．癌遺伝子活性化の代表的な機序は染色体転座（表 16-7-2）に伴うものであり，転座

表 16-7-1 代表的な造血器腫瘍の遺伝子変異

変異の機序	遺伝子の種類	変異遺伝子	
キメラ遺伝子の形成	受容体型チロシンキナーゼ	TEL/PDGFRB（CMMoL） NPM-ALK（Ki-1 lymphoma）	
	非受容体型チロシンキナーゼ	BCR-ABL（CML） ETV6-JAK2（CML, ALL）	ETV6-ABL（AML, ALL）
	転写因子 核内受容体 基本転写因子	RUNX1-RUNX1T1（AML-M2） DEK-CAN（AML-M4） CBFB-MYH11（AML-M4Eo） PML-RARA（AML-M3） MLL-CBP（MDS） MLL-EP300（tAML）	MLL-ELL（MDS）
異所性発現亢進	細胞表面受容体/転写因子	NOTCH1（T-ALL）	
	サイトカイン受容体様	CRLF2（B-ALL）	
	転写因子	EVI1（AML-M7, MDS） MYC（B-ALL, T-ALL） LMO1, LMO2（T-ALL）	HOX11（T-ALL） TAL1（T-ALL）
	細胞周期制御因子	CCND1（MCL）	
	アポトーシス制御因子	BCL2（follicular lymphoma）	
点突然変異	受容体型チロシンキナーゼ	FLT3（AML） KIT（mast cell tumor）	
	非受容体型チロシンキナーゼ	JAK1（T-ALL） JAK2（PV, ET, MF, B-ALL）	
	サイトカイン受容体	IL7R（B&T-ALL）	
	G 蛋白	NRAS, KRAS（AML, MDS）	
	蛋白ホスファターゼ	PTPN11（AML, MDS）	
	ユビキチン化酵素	CBL（AML, MDS）	
	核-細胞質シャトル	NPM1（AML, MDS）	
	細胞表面受容体／転写因子	NOTCH1（T-ALL）	
	転写因子	RUNX1（AML-M0） CEBPA（AML, MDS） SMAD4（AML） GATA1（AML-M7）	SPI1（AML） PAX5（B-ALL） IKZF1（B-ALL）
	エピジェネティクス	TET2（AML, MDS） IDH1/2（AML, MDS）	DNMT3A（AML）
	ヒストン修飾	EZH2（AML, MDS） ASXL1（AML, MDS）	MLL（AML, MDS） CREBBP（ALL）
	転写コリプレッサー	BCOR（AML, MDS）	BCORL1（AML, MDS）
	コヒーシン	STAG2（AML, MDS） SMC3（AML, MDS）	SMC1A（AML, MDS） RAD21（AML, MDS）
	RNA スプライシング	SF3B1（MDS, RARS, CLL） SRSF2（MDS）	U2AF1（MDS） ZRSR2（MDS）
	細胞周期制御因子	TP53（MDS, CML B/C）	
LOH	転写因子	ETV6（12p13）（ALL）	
	細胞周期制御因子	TP53（17p13）（AL, MDS, CML B/C） INK4A, INK4B（9p21）（ALL）	
プロモーターメチル化	細胞周期制御因子	INK4B（MDS）	

CMMoL：慢性骨髄単球性白血病，CML：慢性骨髄性白血病，ALL：急性リンパ性白血病，AML：急性骨髄性白血病，MDS：骨髄異形成症候群，tAML：治療関連急性骨髄性白血病，MCL：マントル細胞リンパ腫，PV：真性赤血球増加症，ET：本態性血小板血症，MF：骨髄線維症，RARS：環状鉄芽球を伴う不応性貧血，CLL：慢性リンパ性白血病，B/C：急性転化，AL：急性白血病．

表 16-7-2 代表的な造血器腫瘍の染色体転座

細胞系列	病型	染色体転座	遺伝子	遺伝子
骨髄	AML/M2	t(8;21)(q22;q22)	RUNX1	RUNX1T1
	AML/M2(M4)	t(6;9)(p23;q34)	DEK	CAN
	AML/M2(M4)	t(7;11)(p15;p15)	NUP98	HOXA9
	AML/M3	t(15;17)(q22;q21)	PML	RARA
	AML/M3	t(11;17)(q23;q21)	PLZF	RARA
	AML/M3	t(11;17)(q13;q21)	NUMA	RARA
	AML/M3	t(5;17)(q35;q21)	NPM	RARA
	AML/M4Eo	inv(16)(p13q22)	CBFB	MYH11
	AML/M7	t(3;3)(q21;q26)	EVI1	RPN1
	AML/M7	inv(3)(q21q26)	EVI1	RPN1
	MDS/AML	t(1;3)(p36;q21)	MEL1	RPN1
	AML	t(11;19)(q23;p13.1)	MLL/HRX	ELL
	AML	t(11;19)(q23;p13.3)	MLL/HRX	EEN
	AML	t(11;22)(q23;q11.2)	MLL/HRX	SEPT5
	AML	t(10;11)(p12;q23)	MLL/HRX	AF10
	AML/MDS	t(5;11)(q31;q23)	MLL/HRX	GRAF
	t-AML/MDS	t(11;16)(q23;p13)	MLL/HRX	CBP
	AML	t(16;21)(q11;q22)	FUS	ERG
	AML	t(1;12)(q21;p13)	ETV6/TEL	ARNT
	AML	t(1;12)(q25;p13)	ETV6/TEL	ARG
	AML	t(12;15)(p13;q25)	ETV6/TEL	TRKC
	AML/MDS	t(12;22)(p13;q11)	MN1	TEL
	AML/MDS	t(5;12)(q31;p13)	ETV6/TEL	ACS2
	AML/MDS	t(3;5)(q25.1;q34)	NPM1	MLF1
	AML	t(1;11)(q23;p15)	NUP98	PMX1
	AML	t(9;11)(p22;p15)	NUP98	LEDGF
	t-AML	inv(11)(p15q22)	NUP98	DDX10
	t-AML	t(2;11)(q31;p15)	NUP98	HOXD13
	t-AML/MDS	t(11;17)(p15;q21)	NUP98	HOXB
	t-AML/MDS	t(11;12)(p15;q13)	NUP98	HOXC
	t-MDS	t(11;20)(p15;q11)	NUP98	TOP1
	AUL	t(9;9)(q34;q34)	SET	CAN
	CML	t(9;22)(q34;q11)	BCR	ABL
	MDS-AML/CML-BC	t(3;21)(q26;q22)	RUNX1	EVI1
	MDS-AML/CML-BC	t(3;12)(q26;p13)	ETV6/TEL	EVI1
	CMML	t(5;12)(q33;p13)	ETV6/TEL	PDGFRB
	MDS	t(9;12)(q22;p12)	ETV6/TEL	SYK
	MPN	t(5;7)(q33;q11.2)	HIP1	PDGFRB
	MPN	t(5;14)(q33;q32)	CEV14	PDGFRB
	MPN	t(5;10)(q33;q21.2)	CCDC6	PDGFRB
	SCLL	t(8;13)(p11;q11-12)	ZNF198	FGFR1
B細胞	B前駆細胞型ALL	t(9;22)(q34;q11)	BCR	ABL
	B前駆細胞型ALL	t(1;19)(q23;p13)	PBX1	E2A
	B前駆細胞型ALL	t(17;19)(q22;p13)	HLF	E2A
	B前駆細胞型ALL	t(5;14)(q31;q32)	IL3	IGH
	B前駆細胞型ALL	t(12;21)(p13;q22)	ETV6/TEL	RUNX1
	B前駆細胞型ALL	t(9;12)(q34;p13)	ETV6/TEL	ABL
	B前駆細胞型ALL	t(6;12)(q23;p13)	ETV6/TEL	STL
	ALL/AML	t(4;11)(q21;q23)	MLL/HRX	AFF1
	ALL/AML	t(6;11)(q27;q23)	MLL/HRX	AF6
	ALL/AML	t(9;11)(q21;q23)	MLL/HRX	AF9
	ALL/AML	t(11;17)(q23;q21)	MLL/HRX	AF17
	ALL/AML	t(11;19)(q23;p13.3)	MLL/HRX	ENL
	B-CLL	t(14;19)(q32;q13)	BCL3	IGH
	B細胞性リンパ腫	t(3;14)(q27;q32)	BCL6	IGH
	B細胞性リンパ腫	t(3;4)(q27;p13)	BCL6	RHOH
	B細胞性リンパ腫	t(3;7)(q27;p12)	BCL6	IKZF1
	B細胞性リンパ腫	t(3;11)(q27;q23)	BCL6	POU2AF1
	B細胞性リンパ腫	t(3;13)(q27;q14)	BCL6	LCP1
	B細胞性リンパ腫	t(3;6)(q27;p21)	BCL6	HIST1H4F
	B細胞性リンパ腫	t(10;14)(q24;q32)	NFKB2	IGH
	B細胞性リンパ腫	t(11;14)(q13;q32)	CCND1	IGH

細胞系列	病型	染色体転座	遺伝子	遺伝子
	B細胞性リンパ腫	t(14;18)(q32;q21)	BCL2	IGH
	B細胞性リンパ腫	t(9;14)(p13;q32)	PAX5	IGH
	B細胞性リンパ腫	t(1;14)(q21;q32)	MUC1	IGH
	B細胞性リンパ腫	t(11;14)(q23;q32)	RCK	IGH
	B細胞性リンパ腫	t(14;15)(q32;q11-13)	BCL8	IGH
	B細胞性リンパ腫	t(11;17)(q13;q21)	NOF	FAU
	B細胞性リンパ腫	t(1;22)(q22;q11)	FCGR2B	IGL
	MZCL/MALT	t(11;18)(q21;q21)	API2	MALT1
	骨髄腫	t(4;14)(p16.3;q32)	FGFR3	IGH
	骨髄腫	t(6;14)(p25,q32)	IRF4	IGH
	骨髄腫	t(14;16)(q32.3;q23)	MAF	IGH
	Burkittリンパ腫	t(8;14)(q24;q32)	MYC	IGH
	Burkittリンパ腫	t(2;8)(p11;q24)	MYC	IGK
	Burkittリンパ腫	t(8;22)(q24;q11)	MYC	IGL
T細胞	T-ALL	t(8;14)(q24;q11)	MYC	TRA/D
	T-ALL	t(11;14)(p15;q11)	LMO1	TRA/D
	T-ALL	t(11;14)(p13;q11)	LMO2	TRA/D
	T-ALL	t(10;14)(q24;q11)	HOX11	TRA/D
	T-ALL	t(1;14)(p32;q11)	TAL1	TRA/D
	T-ALL	t(1;7)(p34;q34)	LCK	TRB
	T-ALL	t(7;9)(q34;q34.4)	TAN	TRB
	T-ALL	t(7;9)(q34;q32)	TAL2	TRB
	T-ALL	t(7;19)(q35;p13)	LYL1	TRB
	T-ALL	t(4;11)(q21;p15)	NUP98	RAP1GDS1
	T-ALL	t(9;12)(p24;p13)	ETV6/TEL	JAK2
	T-ALL	t(14;21)(q11.2;q22)	OLIG2	TRA/D
	T-CLL	inv(14)(q11q32)	TCL1	TRA/D
	T-CLL	t(14;14)(q11;q32)	TCL1	TRA/D
	T-PLL	t(x;14)(q28;q11)	CMC4	TRA
	T細胞性リンパ腫	t(4;16)(q26;p13)	IL2	BCM
	ALCL	t(2;5)(p23;q35)	NPM	ALK
	ALCL	t(1;2)(q25;p23)	TPM3	ALK
	ALCL	t(2;3)(p23;q21)	TFG	ALK
	ALCL	inv(2)(p23q35)	ATIC	ALK

AML:急性骨髄性白血病,ALL:急性リンパ性白血病,MDS:骨髄異形成症候群,t-AML:治療関連急性骨髄性白血病,AUL:急性分類不能型白血病,CML:慢性骨髄性白血病,BC:急性転化,CMML:慢性骨髄単球性白血病,MPN:骨髄増殖性腫瘍,SCLL:stem cell leukemia/lymphoma syndrome,CLL:慢性リンパ性白血病,MZCL:辺縁帯B細胞性リンパ腫,MALT:粘膜関連リンパ組織型節外性辺縁帯B細胞性リンパ腫,PLL:前リンパ球性白血病,ALCL:未分化大細胞リンパ腫.

相手遺伝子のプロモーター/エンハンサーの制御下に異所性に癌遺伝子の発現が亢進する.また,遺伝子の翻訳領域に点突然変異が入り,癌遺伝子が活性化する場合もある.一方,癌抑制遺伝子の失活には,遺伝子座の欠失,染色体転座に伴うドミナント・ネガティブキメラの形成,点突然変異,数塩基挿入・欠失などの微細な遺伝子翻訳領域の変異,プロモーターのメチル化による遺伝子発現の低下などの機序がある.癌抑制遺伝子が完全に機能的に失活するには,2つある遺伝子座の両方が失活する必要がある(Knudsonの2段階説)が,片方の遺伝子座の欠落に伴う遺伝子量の低下(ハプロ欠失効果)のみでも腫瘍発症の原因となりうる.

(3)疾患別の腫瘍発症機構

a)骨髄性腫瘍

i)**急性骨髄性白血病**(acute myelocytic leukemia:AML)[1-5](Swerdlowら,2008)

生存および自己複製能が亢進した白血病幹細胞(leukemic stem cell:LSC)より,さかんに増殖する白血病細胞集団が産生され,AMLは発症する.Gillilandなどのtwo hit modelによれば,AMLが発症するには2種類のヒットが必要である.1つは増殖・生存を促進するClass Ⅰ変異であり,もう1つは分化あるいはアポトーシスを抑制するClass Ⅱ変異である.Class Ⅰ変異を示す遺伝子には,増殖シグナルの構成員である受容体型チロシンキナーゼをコードするFLT3遺伝子およびKIT遺伝子,シグナル伝達分子をコードするRAS遺伝子がある.いずれの変異も機能獲得型である.一方,Class Ⅱ変異に属するのは,染色体転座の結果形成されるキメラ型転写因子遺

伝子 *PML-RARA*（t（15;17）：FAB-M3）[6]，*RUNX1-RUNX1T1*（t（8;21）：FAB-M2）[7]，*CBFB-MYH11*（inv（16）：FAB-M4Eo），*MLL* キメラ（11q23 転座：FAB-M2, M4, M5），転写因子遺伝子 *CEBPA* の変異である．PML-RARA，RUNX1-RUNX1T1 および CBFB-MYH11 はそれぞれ骨髄球分化に重要な役割を果たす野生型転写因子 RARA，RUNX1 および CBFB に対してドミナント・ネガティブ効果を発揮する．MLL はヒストン・メチルトランスフェラーゼとして機能し，広範囲の HOX 遺伝子の発現を活性化させるが，MLL キメラはメニン依存性に HOXA7 および A9 の発現を特異的に亢進させる．*CEBPA* 遺伝子は顆粒球の分化に必須の遺伝子で，変異により機能が失活する．核-細胞質間シャトルリン酸化蛋白をコードする *NPM1* 遺伝子は，変異の結果細胞内局在が変化する．近年，*TET2*，*IDH1/2*，*DNMT3A*，*EZH2*，*ASXL1* などのエピジェネティクス制御因子の遺伝子変異を Class Ⅲ変異として分類する説が提唱されている[3]（三谷，2012）．

ii）**慢性骨髄性白血病**（chronic myelocytic leukemia：CML）[8]

CML も造血幹細胞レベルで発症する腫瘍であるが，慢性期には血球の分化傾向は保たれている．発症のマスター遺伝子は，フィラデルフィア転座（t（9;22））の結果形成される *BCR-ABL* 遺伝子である．BCR-ABL は酵素活性の亢進した非受容体型チロシンキナーゼである．BCR-ABL はさまざまな抗アポトーシスシグナル（RAS-MAP キナーゼ，STAT5 シグナル，PI3 キナーゼシグナル）を活性化させることにより，正常造血幹細胞を形質転換させる．BCR-ABL の存在自体が遺伝的不安定性を誘導するため，自然経過では多彩な遺伝子変異が蓄積して，急性白血病に移行する．

iii）**骨髄異形成症候群**（myelodysplastic syndrome：MDS）[9,10]

もう 1 つの造血幹細胞腫瘍である MDS では，病初期には無効造血の結果血球減少症をきたし，病後期には CML と同様に白血病化する．その病態・予後は多様であり，CML の *BCR-ABL* に相当するマスター遺伝子は同定されていない．MDS でも AML で観察される Class Ⅰ，Class Ⅱ変異およびエピジェネティクス制御遺伝子群（*DNMT3A*，*TET2*，*IDH1/2*，*ASXL1*，*EZH2*）の変異は観察されるが，RNA スプライシング制御遺伝子群（*SF3B1*，*SRSF2*，*U2AF1*，*ZRSR2*）の変異は特徴的に高頻度に観察される[11]．5q⁻ 症候群では，リボソームの合成に必須の *RPS14*，抗接着分子をコードする *SPARK*，*MIR145* および *146A* の遺伝子座がヘテロ欠失を起こしている．それぞれ，赤芽球の無効造血，幹細胞のニッチへの結合増

強，巨核球の異形成と血小板産生誘導を介して，5q⁻症候群の病態形成に関与している[12]．

b）**リンパ性腫瘍**（Swerdlow ら，2008）[13]

リンパ性腫瘍は，腫瘍細胞の分化の程度により，急性リンパ性白血病（acute lymphocytic leukemia：ALL），悪性リンパ腫，多発性骨髄腫に分類される．B 細胞由来のものと T/NK 細胞由来のものがある．特徴的な遺伝子異常は，B 細胞性腫瘍の場合には免疫グロブリン（*immunoglobulin*：*Ig*）遺伝子座の再構成を伴う，T 細胞性腫瘍の場合には T 細胞受容体（*T cell receptor*：*TCR*）遺伝子座の再構成を伴う染色体転座である．これらの染色体転座は，正常なリンパ球の初期分化に伴う *Ig* あるいは *TCR* の遺伝子再構成に誤りが生じて，ほかの遺伝子と組み換えを生じた結果出現すると考えられている．転座の結果，相手遺伝子の異所性発現亢進が起こる．このタイプの転座は，T 細胞性 ALL，B 細胞性悪性リンパ腫，多発性骨髄腫に多く観察される．代表的なものは，Burkitt リンパ腫の t（8;14）（*MYC* の活性化），マントル細胞リンパ腫の t（11;14）（サイクリン D1（*CCND1*）の活性化），濾胞性リンパ腫の t（14;18）（*BCL2* の活性化）である．*MYC* および *CCND1* は細胞周期の回転を促進する癌遺伝子であり，*BCL2* はアポトーシス抑制因子をコードする．B 細胞性 ALL では，*Ig* 遺伝子が関与しない，キメラ形成型の転座も多く観察される．t（9;22）（Philadelphia 転座：BCR-ABL を形成），t（4;11）（MLL-AFF1 を形成），t（12;21）（ETV6-RUNX1 を形成）あるいは t（1;19）（E2A-PBX1 を形成）などである．ETV6-RUNX1 は RUNX1 のドミナント・ネガティブ体であり，E2A-PBX1 は活性化型 *HOX* 遺伝子である．T-ALL には，T 細胞分化に必須の役割を担っている *NOTCH1* 遺伝子の活性化型変異が観察される．

〔三谷絹子〕

■**文献**（e文献 16-7-1）

三谷絹子：がん遺伝子/がん抑制遺伝子と発がん．カラーテキスト血液病学（木崎昌弘編），pp33-40，中外医学社，2013．

三谷絹子：発症機構とエピジェネティクス異常．造血器腫瘍とエピジェネティクス―治療への応用と新たな展開（木崎昌弘編），pp83-95，医薬ジャーナル社，2012．

Swerdlow SH, Campo E, et al eds: WHO Classification of Tumours of Haematopoietic and Lymphoid Tissues, 4th ed, pp110-23, 171-8, IARC, 2008.

2）一般的抗癌薬の分類と副作用

抗癌薬の種類には以下があり単独または複数の薬剤の組み合わせで使用される．細胞障害性抗癌薬，内分泌療法薬（ホルモン剤），生物学的応答調節薬，分子標

的薬がある．それぞれの特徴について以下，項目別に記載した．分子標的薬に関しては【⇒ 16-7-3】．また，個々の薬剤の特性，副作用などの情報はⓔ表 16-7-A〜16-7-B，16-7-C を参照されたい．【⇒ 5-1-1-4】

（1）細胞障害性抗癌薬（ⓔ表 16-7-A）

癌細胞は癌幹細胞などの特殊な分画を除いて細胞増殖が生じている．細胞障害性抗癌薬には細胞周期に入った「増殖期にある癌細胞」に作用するのが特徴である（図 16-7-1）（DeVita ら，2014；Hurley，2002）．細胞障害性抗癌薬は，①アルキル化薬，②代謝拮抗薬，③微小管阻害薬，④トポイソメラーゼ阻害薬，⑤抗癌性抗生物質，⑥プラチナ（白金）化合物などに分類されるが，多彩な作用機序をもつものもあり，分類上しばしば重複する．たとえば抗癌性抗生物質にはトポイソメラーゼ阻害薬と分類されているものがある．多種類が開発されており，一般名，商品名，その特徴と副作用などについてⓔ表 16-7-A にまとめた．細胞障害性抗癌薬の一般的な「急性毒性」としては，悪心，嘔吐，下痢，アレルギー症状などである．「遅発性毒性」としては，骨髄抑制による汎血球減少，またそれに伴う敗血症，末梢神経障害，倦怠感などの精神神経症状，脱毛や色素沈着などの皮膚症状，腎機能や肝機能の低下，生殖細胞と生殖に対する障害，二次的発癌など多彩である．

a．アルキル化薬

アルキル化とは，一般には置換反応または付加反応により化合物にアルキル基を導入する化学反応の総称である（DeVita ら，2014；Hurley，2002）．アルキル化薬はアルキル基を癌細胞の DNA に付着させ，細胞分裂時の DNA をほどけなくさせる（DeVita ら，2014；Hurley，2002）．アルキル化薬は，ナイトロジェンマスタード類（シクロホスファミド，イホスファミド，メルファランなど）[1-4]，ニトロソウレア類（ラニムスチン，ニムスチンなど），トリアゼン類（ダカルバジン，テモゾロミドなど），アルキル化スルホネート類（ブスルファン）などに細分類される[1-5]．特殊な例として，ベンダムスチン[6,7]は，アルキル化薬として作用する部分と代謝拮抗薬（プリンアナログ；後述）として作用する部分をもつ特殊な構造を有している．アルキル化薬共通の副作用は，骨髄抑制，悪心・嘔吐である．特記すべき特徴的な副作用として，シクロホスファミドの大量投与，または少量での長期間投与やウイルスの保菌者での膀胱障害がある．また，ブスルファンによる肺線維症，間質性肺炎などの肺障害にも注意を要する（DeVita ら，2014）．

b．代謝拮抗薬

代謝拮抗薬は，代謝の過程で生成する代謝物質の利用を阻害する物質で，DNA の構成材料であるプリン（アザチオプリン，メルカプトプリン）やピリミジンを装い，細胞周期の S 期（図 16-7-1）においてこれらの物質の DNA への取り込みを妨げ，通常の成長や分裂を停止させる（DeVita ら，2014）．作用する代謝過程に基づいて分類され，葉酸拮抗薬（メトトレキサート）[8]，ピリミジン拮抗薬（フルオロウラシル，シタラビン，ゲムシタビン）[9-11]，プリン拮抗薬（メルカプトプリン，フルダラビン）[12,13]などがある．副作用として骨髄抑制や発熱，倦怠感，嘔吐，食欲不振，下痢などの消化器症状がある．

c．微小管阻害薬

植物や樹脂由来の抗癌薬である．微小管阻害薬には 2 種類ある．癌細胞の分裂に重要な働きをする微小管の形成を阻害するビンクリスチンなどのビンカアルカロイド系[14]は「微小管重合阻害薬」であり，微小管の伸長を阻害する．異常な微小管の束をつくり，癌細胞の分裂を阻害するパクリタキセルなどのタキサン系は「微小管脱重合阻害薬」であり，微小管解離を阻害する[15,16]．いずれの阻害薬も分裂装置の主体である微小管の不全をもたらす（図 16-7-1）[15,16]．副作用として，骨髄抑制，悪心，嘔吐などのほかに，末梢神経に障害，手足の指のしびれや皮膚の感覚異常，便秘，麻痺性腸閉塞がある[15,16]（DeVita ら，2014）．

d．トポイソメラーゼ阻害薬

トポイソメラーゼは細胞分裂時における DNA 鎖のねじれを解消する酵素として重要である[17-20]．トポイソメラーゼ阻害薬は，細胞分裂の過程で DNA の切断と再結合を助け，癌細胞の分裂を抑制する働きをもつ．トポイソメラーゼ阻害薬の代表的な物質としてカンプトテシン（トポテカンとイリノテカン）があ

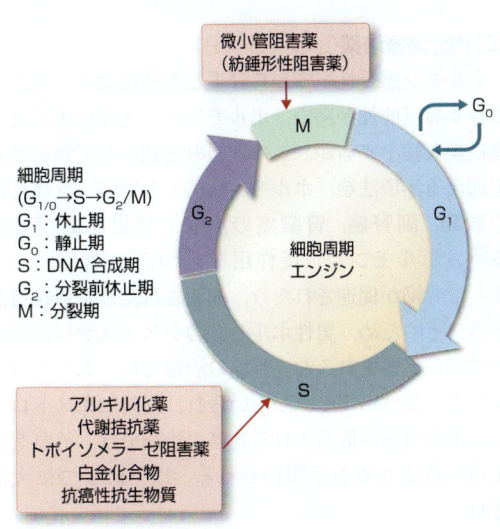

図 16-7-1 細胞障害性抗癌薬の作用点
DNA 合成期か分裂期の過程を阻害する．

り[18,19]，DNA酵素のI型トポイソメラーゼの働きを阻害する．ポドフィロトキシンであるエトポシドはトポイソメラーゼII阻害薬としてDNA合成とミトコンドリア機能を抑制する[19]．副作用としては脱毛や骨髄抑制がある．

e. 抗癌性抗生物質

細菌に対して抗生物質が毒性を示すのと同様，増殖の速い癌細胞に対して毒性を示す抗生物質も存在し，それが抗癌性抗生物質である．抗癌性抗生物質は土壌に含まれるカビなどの微生物から抽出された．DNAポリメラーゼ，RNAポリメラーゼ活性を阻害する．ドキソルビシンなどの「アントラサイクリン系抗生物質」はトポイソメラーゼII阻害薬としても働く[20]．共通の副作用としては脱毛や悪心，嘔吐，食欲不振，下痢などの消化器系の症状のほか，骨髄抑制，心筋障害がある[21,22]．

f. プラチナ（白金）化合物

白金電極周囲に細菌が繁殖しないことからヒントを得て開発された[23]．蛋白非結合プラチナは，細胞内で加水分解によりクロールがはずれてアミンラジカルとなり，活性化されDNAを架橋しDNAの複製を阻害する[24]．シスプラチンが代表薬剤であり，2つのクロール原子部位でDNAと結合するため，DNA鎖内には架橋が形成され，局所のDNAの変性をもたらす．特記すべき副作用として，腎毒性がある．

g. その他

種々の機能をもつ抗癌薬として，たとえばブレオマイシンはアルキル化薬・抗癌性抗生物質としての性質をもつ[25]．代謝拮抗薬アナログとしてL-アスパラギナーゼがある[26]．ブレオマイシンは肺線維症，間質性肺炎を[25]，L-アスパラギナーゼは膵炎，凝固障害をきたしうる[26]．

(2) 内分泌療法薬（e表 16-7-B）

ホルモン感受性組織から発生した腫瘍はホルモンに依存する可能性が高い．ホルモンの分泌が止まると，癌病巣も縮小するが，この仕組みを利用して癌の増殖を抑える治療法を「ホルモン療法」といい，乳癌，前立腺癌，副腎癌，腎臓癌の治療で効果をあげている[27]．ホルモンは，反作用をもつ別のホルモンによって分泌が促進されたり，抑制されたりする性質がある．そのため，男性ホルモンのテストステロンにより増殖が促進される前立腺癌の治療には，エストロゲンなどの女性ホルモンが用いられ，反対にエストロゲンにより増殖が促進される乳癌の治療では，それを抑える男性ホルモンが用いられる．以下の3つに大別される．

a. ホルモン類

エチニルエストラジオールなどのエストロゲンはアンドロゲン依存性前立腺癌の姑息的療法として使用されている．メドロキシプロゲステロンなどのプロゲステロンは閉経後乳癌，子宮内膜性腫瘍や腎腫瘍に使用される．メチルテストステロンは，強い男性ホルモン作用をもち，末期乳癌，女性性器癌の疼痛緩和に使用される．これらホルモンの共通かつ重要な副作用としては，血栓症がある[27]．

b. ホルモン受容体拮抗薬

「エストロゲン受容体拮抗薬」としてはタモキシフェンが代表的であり，内在性のエストロゲンに競合して受容体に結合し結果，エストロゲン応答遺伝子の転写を抑制する（Shang, 2006）．副作用としては，血栓症のほかに子宮内膜の過形成があり，悪性化する場合がある．アナストロゾールなどのアロマターゼ阻害薬はアンドロゲンからのエストロゲン合成を抑制し閉経後乳癌に有効である[28,29]．副作用としては，更年期症状があげられる．「アンドロゲン受容体拮抗薬」としては，フルタミドなどがあり，単独または多剤との併用で前立腺癌に使用される．副作用としては，肝機能障害，劇症肝炎，女性化乳房などである．

c. グルココルチコイド

デキサメタゾン，プレドニゾロンなどは，抗癌薬の副作用に対する支持療法で使われる一方で，腫瘍細胞のアポトーシスを誘発することから白血病や悪性リンパ腫などの治療薬として用いられる[3,30,31]．一般に内分泌療法は細胞障害性薬物に比較して正常組織に対する重大な危険性は少ない．副作用としては，満月様顔貌，多毛，不眠，うつ状態，免疫能低下による感染症，高血糖，副腎皮質の機能の低下などである．

(3) 生物学的応答調節薬（e表 16-7-C）

患者自身の免疫系を賦活する非特異的免疫療法薬と，特異的な腫瘍関連抗原に対するモノクローナル抗体を使用する特異的免疫療法薬【⇒ 16-7-3】がある．非特異的免疫療法薬は体内の生物学的免疫反応を引き出して抗癌作用を発揮する．免疫調節薬ともよばれ，免疫賦活薬とサイトカイン製剤に大別される．免疫賦活薬としては結核菌製剤であるBCG，シイタケから抽出された多糖体であるレンチナンなどがあげられる．免疫賦活薬の副作用は軽微である．

サイトカイン製剤は免疫担当細胞を賦活化させ腫瘍細胞を攻撃させる目的で使用する．「インターフェロン-α」は慢性骨髄性白血病，ヘアリー細胞白血病，腎細胞癌，Kaposi肉腫，皮膚原発T細胞リンパ腫などに使用される[32]．「テセロイキン」は免疫系癌細胞を攻撃する際に中心となるT細胞の増殖を促進するとともに，癌細胞を破壊するNK細胞活性を高める．皮膚原発T細胞リンパ腫などに使用されることがある[33]．サイトカイン製剤の副作用はインフルエンザ

類似症状，骨髄抑制，貧血やめまい，食欲不振，脱毛，下血などである． 〔田川博之〕

■文献（e文献 16-7-2）

DeVita VT Jr, Lawrence TS, et al eds: DeVita, Hellman, and Rosenberg's Cancer; Principles & Practice of Oncology, 10th ed, pp175-289, Wolters Klower, 2014.
Hurley LH: DNA and its associated process as targets for cancer therapy. *Nat Rev Cancer*. 2002; **2**: 188-200.
Shang Y: Molecular mechanisms of oestrogen and SERMs in endometrial carcinogenesis. *Nat Rev Cancer*. 2006; **6**: 360-8.

3）分子標的治療薬の作用機序と有効性

定義・概念

分子標的治療薬は，特定の分子を標的として開発された薬剤の総称である．癌薬物療法においては，癌細胞に発現している分子を標的とした抗癌薬として，従来の細胞毒性を有する抗癌薬と区別する呼称として用いられている．しかし，従来の抗癌薬も核酸や細胞周期にかかわる分子など，何らかの分子を標的として抗腫瘍効果を発揮しているため，分子標的治療薬の呼称は開発時点から特定の分子を標的とすることによって治療効果を得ることを目的として開発された薬剤として用いられている．

分類

現在実用化されている分子標的抗癌治療薬は抗体製剤と低分子化合物とに大別することができる．

癌細胞や血液細胞表面に発現する分子に対する多くのマウスモノクローナル抗体が作製されたが，Fc部分がマウス由来のため治療効果に乏しいことや，抗体に対する抗体の出現やアレルギー反応などから臨床応用には至らず，遺伝子工学的手法によるマウス-ヒトキメラ抗体やヒト化抗体への改変が可能となって実用化された．マウス-ヒトキメラ抗体は，抗体の可変領域はマウス由来のままであるが，定常領域はヒト由来に改変されたもの（一般名の語尾は -ximab と表記される）で 66％がヒト由来である．ヒト化抗体は可変部領域のうち相補性決定領域のみがマウス由来で，その他のフレームワーク領域はヒト由来に改変されたもの（一般名の語尾は-zumab と表記される）で 90％がヒト由来である．さらに，近年ではヒト抗体遺伝子を導入したトランスジェニックマウスを用いて作製した完全ヒト抗体が導出されている（eコラム 1）．

抗体医薬品は標的分子に対する特異性がきわめて高い特徴をもつが，細胞内分子を標的とすることができない欠点がある．低分子化合物は細胞内にも到達可能であり，細胞質や核内に存在する蛋白を標的として阻害することが可能である．低分子化合物と高分子化合物の明確な定義はないが，医薬品の領域においてはおおむね分子量数百のものが低分子化合物とよばれている．従来の医薬品のほとんどは低分子化合物であり，核酸医薬や抗体医薬品と区別する意味で用いられることもある．標的とする分子は腫瘍特異的なものに限らないが，癌の発症・進展に関与する受容体，シグナル伝達分子，血管新生，プロテアソーム蛋白分解系，転写・エピゲノム制御分子などを標的とした抗癌薬の開発が進められている．また，当初分子標的療法薬として開発されたものでない医薬品が，後に標的分子が明らかにされたものとして，全トランス型レチノイン酸（ATRA）（トレチノイン），ルアニリドヒドロキサム酸（SAHA）（ボリノスタット），アザシチジンなどがある．

(1)作用機序と有効性

a. 抗体

抗体が細胞傷害活性を示す機序として抗体依存性細胞傷害活性（antibody-dependent-cellular-cytotoxicity：ADCC）と補体依存性細胞傷害活性（complement-dependent cytotoxicity：CDC）があげられる（図 16-7-2）．また，抗体結合による直接的なアポトーシス誘導機構の存在も報告されている．ADCC 活性は，抗体が標的細胞の抗原に結合すると，マクロファージや NK 細胞などのエフェクター細胞上の Fc 受容体が抗体に結合し殺細胞効果を発揮する機序である．ADCC 活性には Fc 領域に結合している糖鎖が必要で，糖鎖の変化によっても ADCC 活性は影響を受ける．また，IgG サブクラスによっても ADCC 活性に差が認められ，ヒト抗体においては IgG1 タイプが最も強い ADCC 活性を有する．CDC 活性は抗体が標的細胞の抗原に結合すると補体系が活性化され細胞をアポトーシスに導く細胞傷害活性である．抗腫瘍効果を高めるためにアイソトープや細胞傷害活性を有する薬物を結合させた抗体薬物複合体も実用化されている．

i) リツキシマブ

リツキシマブはマウス抗 CD20 抗体の可変部領域とヒト IgG1 の定常領域からなるヒト-マウスキメラ抗体で，CD20 陽性の B 細胞性非 Hodgkin リンパ腫に対して承認されている．ADCC 活性と CDC 活性により抗腫瘍効果を発揮するが，直接的な増殖抑制，アポトーシス誘導効果もあるとされている．高齢者びまん性大細胞型 B 細胞リンパ腫（DLBCL）を対象とした CHOP 療法とリツキシマブ併用 CHOP（R-CHOP）療法の無作為比較試験により R-CHOP 療法の有用性がはじめて報告されて以降，複数の臨床試験によってリツキシマブ併用化学療法は進行期

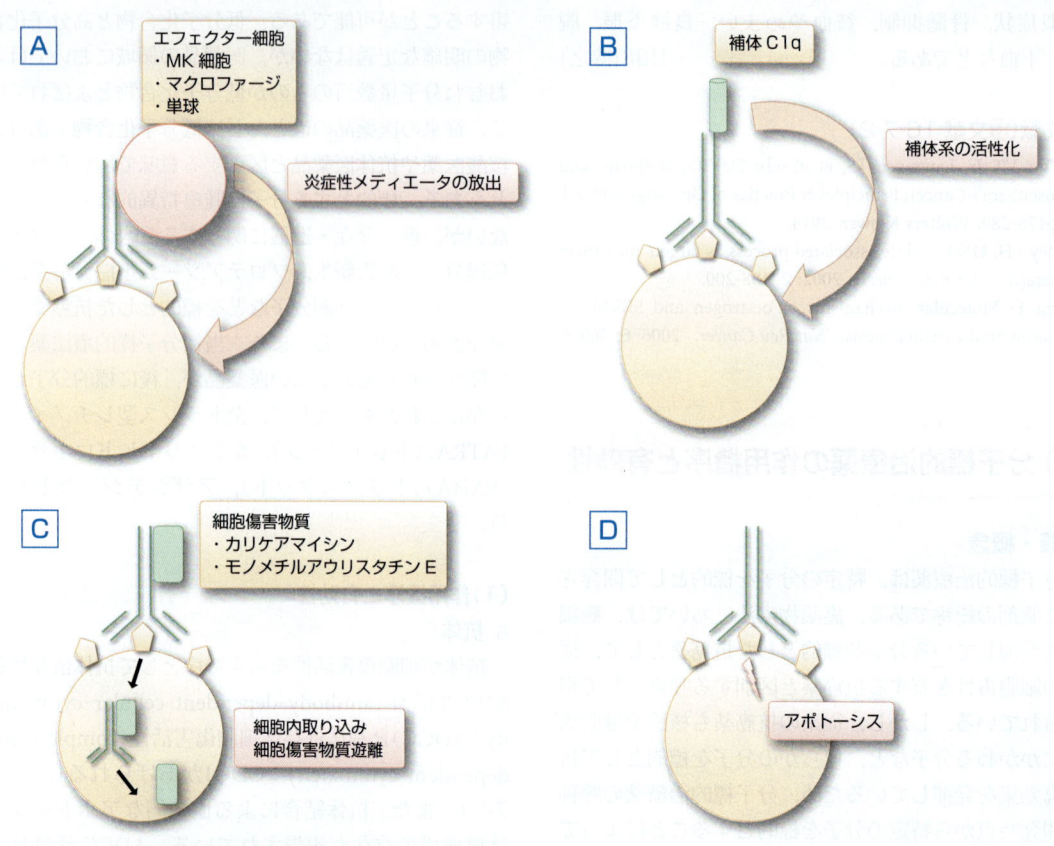

図 16-7-2 抗体医薬品の作用機序
A：抗体依存性細胞傷害活性（antibody-dependent-cellular-cytotoxicity：ADCC）．抗体が標的細胞の抗原に結合すると，マクロファージや NK 細胞などのエフェクター細胞が Fc 受容体を介して抗体に結合し，炎症性メディエータを放出することにより殺細胞効果を発揮する．
B：補体依存性細胞傷害活性（complement-dependent cytotoxicity：CDC）．抗体が標的細胞の抗原に結合すると補体系が活性化され細胞をアポトーシスに導く．
C：抗体薬物複合体．抗腫瘍効果を高めるために細胞傷害活性を有する薬物を結合させた抗体薬物複合体では，抗原に結合した抗体複合体は細胞内に取り込まれ，細胞傷害物質が細胞内で遊離し，殺細胞効果を発揮する．
D：アポトーシス誘導．抗体の結合による直接的なアポトーシス誘導機構も知られている．

DLBCL, 濾胞性リンパ腫に対する標準的治療法として確立している（Coiffer ら，2002）[1]．

ii) ^{90}Y イブリツモマブチウキセタン

^{90}Y イブリツモマブチウキセタンは抗 CD20 マウスモノクローナル抗体にキレート薬であるチウキセタンを介して ^{90}Y が結合している．^{90}Y から放出される β 線によって抗腫瘍効果を発揮する．CD20 陽性の再発または難治性の低悪性度 B 細胞性非 Hodgkin リンパ腫，マントル細胞リンパ腫に対して承認されている[2]．

iii) オファツムマブ

オファツムマブは第 2 世代の抗 CD20 抗体医薬品で，完全ヒト IgG1 型モノクローナル抗体である．再発または難治性の CD20 陽性の慢性リンパ性白血病（CLL）に対して承認されている．オファツムマブの CD20 分子における結合エピトープはリツキシマブと異なり，CD20 の細胞外小ループおよび大ループに特異的に結合する．ADCC 活性に重要な抗原結合能はリツキシマブよりも強く，また，より細胞膜に近い部分で結合するため CDC 活性が強いとされている[3]．

iv) ブレンツキシマブベドチン

ブレンツキシマブベドチンは抗 CD30 IgG1 型キメラ抗体と細胞傷害活性を有するモノメチルアウリスタチン E（MMAE）を結合させた抗体薬物複合体で，再発または難治性の CD30 陽性の Hodgkin リンパ腫（HL），未分化大細胞リンパ腫（ALCL）に承認されている．ブレンツキシマブベドチンは CD30 発現細胞に結合した後，細胞内に取り込まれ，蛋白質分解反応によって MMAE が遊離する．遊離した MMAE がチューブリンに結合することにより，微小管形成が阻害され，細胞周期の停止とアポトーシスを誘導し，抗腫瘍効果を示す[4]．

v) モガムリズマブ

モガムリズマブは抗 CCR4 IgG1 型ヒト化モノクロ

ーナル抗体で，CCR4陽性の成人T細胞白血病リンパ腫（ATLL），再発または難治性のCCR4陽性の末梢性T細胞リンパ腫（PTCL）と皮膚T細胞性リンパ腫（CTCL）に承認されている．モガムリズマブでは，Fc領域に結合するN-グリコシド結合複合型糖鎖還元末端のN-アセチルグルコサミンへのフコースの付加修飾を除去することによりADCC活性の増強がはかられている[5]．

vi）ゲムツズマブオゾガマイシン（GO）

GOは抗CD33 IgG4型ヒト化モノクローナル抗体と抗腫瘍性抗生物質であるγ-カリケアマイシンを2種のリンカーを介して化学的に結合させた抗体薬物複合体である．細胞表面のCD33抗原と抗体が結合すると，細胞内に取り込まれ，リソソーム内で加水分解を受けることによりカリケアマイシンが遊離し殺細胞効果が示される．再発または難治性のCD33陽性の急性骨髄性白血病（AML）に対して単剤での使用について承認されている[6]．

b．低分子化合物

チロシンキナーゼなどのキナーゼは，その活性を得るためにATPの結合を必要とする．キナーゼ阻害薬は，ATP結合部位に競合的に結合することによりキナーゼ活性を阻害する．ATP結合部位を取り巻く立体構造（ATP結合ポケット）はキナーゼ特異的なため，阻害薬の特異性を得ることができる．しかし，ATP結合ポケットの立体構造は不活性化状態と活性化状態では異なるために，いずれの状態においても結合可能な阻害薬と不活性化状態時のみに結合可能な阻害薬が存在する（図16-7-3）．

i）ABL阻害薬

慢性骨髄性白血病（CML）や一部の急性リンパ性白血病（ALL）に認められるフィラデルフィア（Ph）染色体の遺伝子産物であるBCR-ABLキメラ蛋白を標的とした阻害薬としてイマチニブが開発された．その後，治療効果の増強や副作用の軽減などを目指して第2世代のABL阻害薬ニロチニブ，ダサチニブ，ボスチニブが実用化されているが，それぞれの副作用や耐性変異に対する阻害活性プロフィールに従って選択する必要がある．

1）イマチニブ：イマチニブは慢性期CMLに対して，それまでの標準的化学療法であったシタラビン＋インターフェロン療法の治療成績を格段に上回る細胞遺伝学的効果と生存率の向上を示し，慢性期CMLの標準的初回治療薬となった（Drukerら，2006）．KIT，PDGFRに対しても阻害活性があり，CMLに加えてKIT（CD117）陽性消化管間質腫瘍，Ph陽性ALL，FIP1L1-PDGFRα陽性の好酸球増加症候群と慢性好酸球性白血病に対して承認されている．

2）ニロチニブ：ニロチニブはABLキナーゼに対す

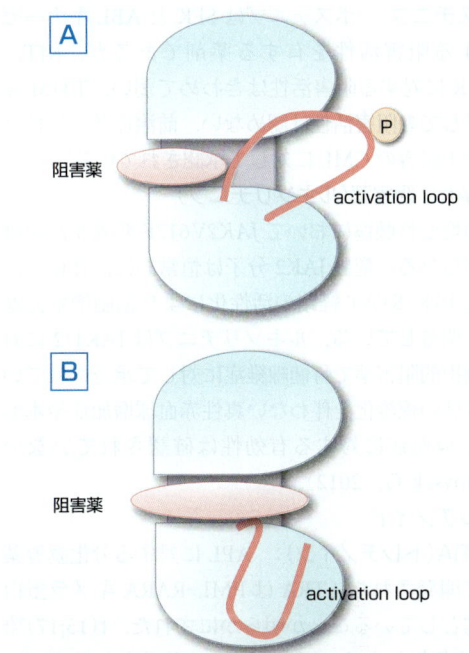

図16-7-3 キナーゼ阻害薬の作用機序
キナーゼ阻害薬は，ATP結合ポケットにATPと競合的に結合することにより，その酵素活性を阻害する．活性化状態（リン酸化状態）によってキナーゼのactivation loopの立体構造は変化する．キナーゼ阻害薬は活性化状態，不活性状態のいずれにおいても結合可能な阻害薬（A）と不活性状態のときのみに結合可能な阻害薬（B）の2種類に大別される．さらに，ATP結合ポケット周囲のアミノ酸残基の変異によっても阻害薬の結合がブロックされる場合もある．このような変異を阻害薬耐性変異という．P：リン酸．

る阻害活性と選択性を高める目的で開発された．KIT，PDGFRに対してイマチニブと同等の阻害活性を有するが，ABLに対する阻害活性は約30倍高められている．また，T315I変異を除くイマチニブ耐性変異に対しても阻害活性をもつ．慢性期または移行期CMLに対して承認されている．未治療慢性期CMLを対象としたイマチニブとの無作為比較試験により，治療開始12カ月時点での分子学的大寛解（major molecular response：MMR）達成率がイマチニブよりもすぐれていることが示されている[7]．

3）ダサチニブ：ダサチニブは，ABLに加えて，SRCファミリーキナーゼ（SFK），KIT，PDGFR，EPHA2受容体キナーゼに対する強い阻害活性を有するマルチキナーゼ阻害薬である．T315I変異を除くイマチニブ耐性変異に対しても阻害活性をもつ．CMLおよび再発または難治性のPh陽性ALLに対して承認されている．未治療慢性期CMLを対象としたイマチニブとの無作為比較試験により，治療開始12カ月以内の確定した細胞遺伝学的完全寛解（complete cytogenetic response：CCyR）達成率がイマチニブよりもすぐれていることが示されている[8]．

4）ボスチニブ： ボスチニブはSFKとABLキナーゼに対する阻害活性を有する薬剤であるが，KIT，PDGFRに対する阻害活性はきわめて弱い．T315I変異に対しての阻害活性は認めない．前治療薬に抵抗性または不耐容のCMLに対して承認されている[9]．

ii）JAK2阻害薬（ルキソリチニブ）

骨髄増殖性腫瘍において*JAK2*V617F変異が高頻度で認められる．変異JAK2分子は恒常的に活性化し，おもにJAK-STAT経路の活性化により細胞増殖促進機構に関与している．ルキソリチニブはJAK1/2に対する選択的阻害薬で骨髄線維症に対して承認されている．骨髄の線維化を伴わない真性赤血球増加症や本態性血小板血症に対する有効性は確認されていない（Verstovsekら，2012）．

iii）レチノイド

1）ATRA（トレチノイン）： APLに対する分化誘導薬として開発されたATRAはPML-RARAキメラ蛋白を標的としていることが明らかにされた．t(15;17)染色体転座を有するAPLにおいて形成されるPML-RARAは，レチノイドX受容体（RXR）とヘテロ二量体を形成し，RARA/RXRによる転写をドミナントネガティブに制御し分化抑制をもたらしている．薬理学的濃度のATRAはPML-RARAに結合し，転写抑制複合体の解離と転写促進複合体のリクルートを促すことによって分化抑制を解除するとともにPML-RARAのプロテアソームでの分解を促進する．ATRA併用化学療法の導入によりAPLの治療成績は飛躍的に向上した．APLに対して承認が得られているが，t(11;17)（*PLZF-RARA*）タイプのAPLには無効である．

2）タミバロテン： タミバロテンはわが国で開発された合成レチノイドで，ATRAよりも親水性が高く，RARAへの選択性・結合力にすぐれ，分化誘導活性が高いとされている．再発または難治性のAPLに対して承認されている．

iv）プロテアソーム阻害薬（ボルテゾミブ）

プロテアソームは細胞内に存在する蛋白質の分解を行う酵素複合体で，ユビキチン修飾を受けた蛋白質を特異的に分解することにより，細胞周期，転写制御，アポトーシス，免疫応答，シグナル伝達などの細胞内のさまざまな機能制御に関与している．プロテアソーム阻害薬は，蛋白質の分解を阻害することにより，細胞内での有害蛋白質の蓄積を招き，細胞死を誘導する．癌細胞においてはプロテアソーム活性が比較的高いことから，治療標的として阻害薬開発が行われ，多発性骨髄腫に対してボルテゾミブが承認されている[10]．ボルテゾミブは，NF-κBの抑制因子であるIκBの分解を阻害することにより，NF-κBの活性低下やp53の分解阻害によるNOXAの発現誘導などによってアポトーシスをもたらすと考えられている．

v）DNAメチル化酵素阻害薬（アザシチジン）

アザシチジンはシチジンのピリミジン環5位の炭素原子を窒素原子に変換したヌクレオシドアナログで抗癌薬として開発されたが，DNAメチル化を阻害し細胞分化を誘導することや，癌とDNAメチル化との関連性が示唆されるに伴い，骨髄異形成症候群（MDS）に対する治療薬として再評価された（eコラム2）．臨床第Ⅲ相試験により高リスクMDS症例に対して延命効果が示された．全FAB分類のMDSに対して承認されている（Fenauxら，2009）．

vi）ヒストン脱アセチル化酵素阻害薬（ボリノスタット）

ボリノスタットは，クラスⅠ（HDAC1，2および3）およびクラスⅡ（HDAC6）HDACの触媒ポケットに直接結合し，その酵素活性を阻害する．ヒストンアセチル化を誘導し，種々の培養癌細胞において細胞周期の停止，アポトーシスまたは分化を誘導することが示されている（eコラム3）．皮膚T細胞性リンパ腫に対して承認されている[11]．

〔清井 仁〕

■文献（e文献16-7-3）

Coiffier B, Lepage E, et al: CHOP chemotherapy plus rituximab compared with CHOP alone in elderly patients with diffuse large-B-cell lymphoma. *N Engl J Med*. 2002; 346: 235-42.

Druker BJ, Guilhot F, et al: Five-year follow-up of patients receiving imatinib for chronic myeloid leukemia. *N Engl J Med*. 2006; **355**: 2408-17.

Fenaux P, Mufti GJ, et al: Efficacy of azacitidine compared with that of conventional care regimens in the treatment of higher-risk myelodysplastic syndromes: a randomised, open-label, phase III study. *Lancet Oncol*. 2009; **10**: 223-32.

Verstovsek S, Mesa RA, et al: A double-blind, placebo-controlled trial of ruxolitinib for myelofibrosis. *N Engl J Med*. 2012; **366**: 799-807.

4）造血器腫瘍治療とその補助療法

造血器腫瘍に対して薬物療法を行うと治癒をはじめすぐれた治療効果が期待できる．その反面，患者の生命や日常生活の質（QOL）を損なう有害事象が起こる危険がある．安全かつ有効に治療を行うには，有害事象の予防法，対処法を熟知しておかなければならない．本項では多くの抗癌薬に共通して起こる発熱性好中球減少症と癌薬物療法に伴う悪心・嘔吐に関して解説する．

(1) 発熱性好中球減少症（febrile neutropenia：FN）
概念

癌薬物療法の最も問題となる用量制限毒性は骨髄抑

制に伴う血球減少で，特に好中球が減少すると発熱する危険が高い．好中球減少時に発熱した場合，感染巣が消化管や肺，皮膚などに明らかに認められるのは20～30％，静脈血培養で菌血症（血流感染症）が証明されるのは10～25％にすぎず，多くの場合発熱の原因は不明である．抗菌薬治療は，感染巣や原因微生物が判明し細菌感染症と診断した後に開始するのが原則である．しかし好中球減少時に発熱すると急速に重症化して死亡する危険が高く，発熱後直ちに広域スペクトラムの抗菌薬を投与すると致死率が下がることが経験的に知られている．そのため発熱性好中球減少症という病名が提唱された[1]．

癌薬物療法の効果は，単位時間あたりの抗癌薬投与量（dose intensity：DI）に相関する．FNを起こすと次サイクル治療開始の延期あるいは抗癌薬の減量を余儀なくされ，その結果癌薬物療法のDIが減弱して奏効率や生存率が低下する危険がある．

定義

好中球数が500/μL未満，または1000/μL未満で48時間以内に500/μL未満に減少すると予想される状態で，腋窩温37.5℃以上（口腔内温38℃以上）の発熱を生じた場合をFNと定義する[2]．

危険因子

FNの発症頻度・重症度は，好中球減少の程度（好中球数の最低値と持続期間）に相関する[3]．好中球数が500/μL以下になると重症感染症を起こす危険が高くなり，100/μL以下に減少すると10～20％の患者で菌血症が起こる．また好中球減少の持続期間が長くなるほどFNを起こす頻度が高くなる（e図16-7-A）．抗癌薬で口内炎や消化管の粘膜障害を起こすと病原菌の進入門戸となって菌血症の原因となる．腫瘍による気道・消化管・胆管・尿路の閉塞，中心静脈や末梢静脈へのカテーテル留置もFNの危険因子である．

初期評価

感染巣がないか症状の問診および診察を行う．口腔，鼻腔，肛門など体外と通じている部位やカテーテル穿刺部は十分に観察する．白血球分画および血小板数を含む全血球計算，腎機能（BUN，クレアチニン），電解質，肝機能（トランスアミナーゼ，総ビリルビン，アルカリホスファターゼ）を含む血清生化学検査を行う．また抗菌薬開始前に必ず静脈血培養を行う．末梢静脈の異なる部位から2セット以上採取する[4]．呼吸器症状を伴う場合は胸部X線写真を撮影，感染が疑われる症状・徴候を示す場合は同部位の培養検査を行う．

治療

FNを発症した場合は，直ちにGram陰性桿菌を抗菌スペクトラムに含むβ-ラクタム系を単剤で経静脈的に投与する．推奨される薬剤は，セフェム系のセフェピム，セフタジジム，カルバペネム系のイミペネム・シラスタチン，メロペネム，もしくは抗緑膿菌ペニシリン系のタゾバクタム・ピペラシリンである（Freifeldら，2011）．感染巣を伴う感染症を合併した場合は，感染部位に好発する微生物を考慮して抗菌薬を選択する．

抗菌薬治療は，解熱後48時間以上経ち，かつ好中球数が500/μL以上に回復した場合に中止する．解熱したものの好中球減少が持続する場合は，再び発熱する危険性が高いため好中球数が500/μL以上に回復するまで抗菌薬治療を継続する．

抗菌薬開始後3～4日経っても発熱が続く場合は，培養など微生物学的検査や胸腹部CTなど画像検査を行う．原因菌が同定された場合は，感染部位と薬剤感受性結果に基づいて抗菌薬を変更する．好中球減少が7日以上遷延すると，カンジダやアスペルギルスなど真菌感染症を合併する危険が高くなる．血清β-D-グルカンやガラクトマンナン抗原の上昇，胸部CTでhaloサインやair crescentサインの検出は，侵襲性アスペルギルス症の早期評価に有用である[5-7]．

予防

癌薬物療法を受ける患者は，手洗い，アルコールなどによる手指消毒を行う．シャワー浴などでの皮膚の清潔，うがい・歯磨きで口腔内の清潔を保つ．

癌薬物療法後早期（好中球減少が出現する前）から顆粒球コロニー刺激因子（granulocyte colony-stimulating factor：G-CSF）を予防的投与すると，好中球減

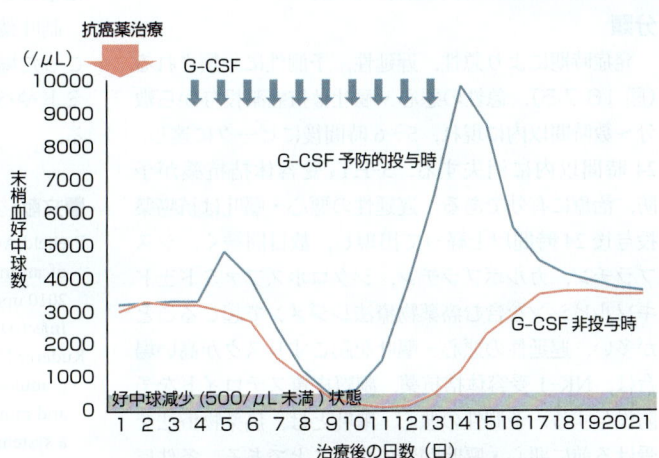

図16-7-4 G-CSFを予防的投与した場合の好中球数の推移
抗癌薬治療後早期（好中球減少が出現する前）からG-CSF投与を開始することを予防的投与とよぶ．G-CSFを予防的投与すると，非投与時に比べて好中球数の最低値が高くなり，好中球減少期間が短縮する．

少期間を短縮することができる(図16-7-4).同時にFNの発症率が低下し,感染症死を含む早期死亡が減少する(e表16-7-D)(Kudererら,2007).FNを起こす危険が高いと予想される癌薬物療法を行う場合は,G-CSFの予防的投与が推奨される[8]).

(2) 癌薬物療法に伴う悪心・嘔吐
概念
癌薬物療法に伴う悪心・嘔吐(chemotherapy induced nausea and vomiting:CINV)は,患者のQOLを著しく損なうのみならず,次サイクル以降の癌薬物療法を継続困難にする.CINVの発症頻度・重症度は,抗癌薬の種類と量,投与経路,治療スケジュールなど治療に関連した要因に加えて,女性および50歳未満の若年者,乗り物やアルコールに酔いやすい,過去の治療で悪心・嘔吐が出現した,全身状態が悪いなど患者側の要因が影響する.適正な制吐薬を予防投与することで,CINVを軽減することができる.

機序
抗癌薬やその代謝産物により第4脳室最後野の化学受容体誘発帯(chemoreceptor trigger zone:CTZ)や消化管に多数存在する神経伝達物質受容体が活性化され,求心性に延髄に位置する嘔吐中枢が刺激され,悪心・嘔吐が誘発される.また過去に経験した悪心・嘔吐による不快な感情などにより大脳皮質を介して嘔吐中枢が刺激される.嘔吐中枢から遠心性刺激が唾液分泌中枢,腹筋,呼吸中枢および脳神経に送られると,嘔吐が起こる.悪心・嘔吐反応に関与するおもな神経受容体は,セロトニン($5\text{-}HT_3$)受容体およびドパミン受容体である.その他に嘔吐に関与している神経受容体として,アセチルコリン,コルチコステロイド,ヒスタミン,カンナビノイド,オピエート,ニューロキニン-1(NK-1)受容体がある.

分類
発症時期により急性,遅延性,予測性に分類される(図16-7-5).急性の悪心・嘔吐は抗癌薬投与から数分〜数時間以内に現れ,5〜6時間後にピークに達し,24時間以内に消失する.$5\text{-}HT_3$受容体拮抗薬が予防,治療に有効である.遅延性の悪心・嘔吐は抗癌薬投与後24時間以上経って出現し,数日間続く.シスプラチン,カルボプラチン,シクロホスファミド±ドキソルビシンを含む癌薬物療法レジメンで起こることが多い.遅延性の悪心・嘔吐を起こすリスクが高い場合は,NK-1受容体拮抗薬,副腎皮質ステロイドを予防投与する.予測性の悪心・嘔吐とは,癌薬物療法を受ける前に悪心・嘔吐が発生することである.条件反射で,過去にCINVを経験した患者に生じる.

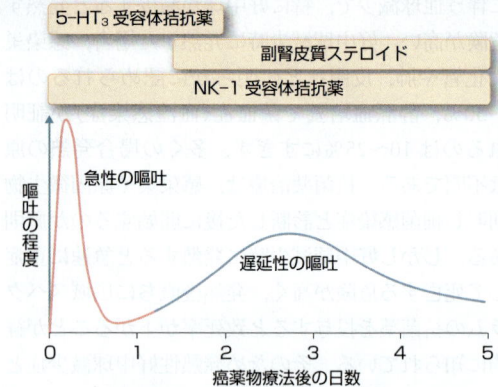

図16-7-5 癌薬物療法に伴う嘔吐の発現時期と治療薬
癌薬物療法に伴う嘔吐は,発症時期により急性および遅延性に分類される.$5\text{-}HT_3$受容体拮抗薬は急性の嘔吐,副腎皮質ステロイドは遅延性の嘔吐,NK-1受容体拮抗薬は急性および遅延性の嘔吐に有効である.

予防・治療
抗癌薬の催吐性は,制吐薬の予防を行わずに治療した場合に予測される急性嘔吐の発症頻度に基づいて高度(>90%),中等度(30〜90%),軽度(10〜30%),最小度(<10%)に分類される.この分類にしたがってCINVの予防法が推奨されている[9].高度催吐性リスクの薬物療法を受ける患者は,$5\text{-}HT_3$受容体拮抗薬,NK-1受容体拮抗薬,副腎皮質ステロイド(デキサメタゾン)を予防投与する[10].中等度催吐性リスクの薬物療法を受ける患者は,$5\text{-}HT_3$受容体拮抗薬と副腎皮質ステロイドを予防投与する.催吐性リスクが高いと予想される場合は,NK-1受容体拮抗薬を併用する.軽度催吐性リスクの薬物療法を受ける患者は,副腎皮質ステロイドを予防投与する.最小度催吐性リスクの薬物療法を受ける患者には,制吐薬の予防投与は推奨されない.

制吐薬の予防投与を行ったにもかかわらず嘔吐が起こった場合は,ドパミン受容体拮抗薬のメトクロプラミドやベンゾジアゼピン系薬のロラゼパムを使用する.

〔髙松 泰〕

■文献(e文献16-7-4)

Freifeld AG, Bow EJ, et al: Clinical practice guideline for the use of antimicrobial agents in neutropenic patients with cancer: 2010 update by the Infectious Diseases Society of America. *Clin Infect Dis*. 2011; **52**: e56-93.

Kuderer NM, Dale DC, et al: Impact of primary prophylaxis with granulocyte colony-stimulating factor on febrile neutropenia and mortality in adult cancer patients receiving chemotherapy: a systematic review. *J Clin Oncol*. 2007; **25**: 3158-67.

16-8 造血幹細胞移植術

1）造血幹細胞移植の原理と実際の流れ

(1) 造血幹細胞移植の目的と分類

造血器腫瘍のように抗癌薬の感受性が高い腫瘍は，抗癌薬の投与量を高めるほど強い抗腫瘍効果が得られやすい．しかし，放射線照射や抗癌薬は投与線量/投与量を増加させていくと，ある一定の投与量（最大耐容量，MTD）をこえた時点で何らかの毒性のために（用量制限毒性，DLT）それ以上の増量が不可能となる．多くの抗癌薬においてDLTは骨髄抑制である．造血幹細胞移植とは，抗腫瘍効果を高めるためにMTDを上回る大量の抗癌薬や全身放射線照射を用いた強力な治療（移植前処置）を行って，患者骨髄とともに悪性腫瘍を壊滅に導き，その後にドナー由来（同種）の，あるいはあらかじめ凍結保存しておいた患者自身（自家）の造血幹細胞を輸注することによって造血能を補う治療法である（図16-8-1）．さらに同種移植の場合はドナー由来の免疫担当細胞による抗腫瘍効果（GVL効果）が得られることがある．一方，再生不良性貧血などの非腫瘍性疾患に対しては，正常造血の再構築を目的として同種造血幹細胞移植が行われる．

造血幹細胞とは白血球，赤血球，血小板のすべての造血細胞に分化する能力と，自己複製能力を有する細胞である．通常は骨髄内に存在するが，化学療法後の骨髄回復期や顆粒球コロニー刺激因子（G-CSF）投与後に末梢血中に動員されること，臍帯血中にも含まれていることが判明した．そのため，造血幹細胞移植は造血幹細胞の採取方法によって骨髄移植（BMT），末梢血幹細胞移植（PBSCT），臍帯血移植（CBT）に分類される．

固形臓器の移植では免疫系は患者の免疫が維持されるのに対して，造血幹細胞移植においては免疫系もドナー細胞に置換される．移植されたドナー免疫細胞と患者臓器は免疫学的に寛容状態になり，多くの場合，長期的には免疫抑制薬を完全に中止することが可能となる．移植後の免疫抑制薬の投与の目的は，固形臓器移植においては移植片拒絶の予防であるが，造血幹細胞移植においては移植片対宿主病（graft-versus-host disease：GVHD）の予防がおもな目的となる．造血幹細胞移植では移植前処置によって患者免疫力が抑制されているため移植片拒絶の頻度は低い．

(2) 造血幹細胞移植の流れ（図16-8-2）と合併症

最初に病状や臓器機能などの全身的な評価を行って移植適応の有無を検討する．そして，自家移植の適応と判断された場合は患者本人の造血幹細胞（通常は末梢血幹細胞）を採取，凍結保存した後に，移植前処置を行い，凍結幹細胞を解凍して輸注する．

一方，同種移植の適応と判断された場合は，適切なドナーが存在するかどうかを調査する．まずは理想のドナーであるHLA適合血縁者の有無について，患者本人および血縁ドナー候補者の同意を得てからHLA型の検査を行う．HLA適合血縁ドナーが得られない場合には必要に応じて骨髄バンク，臍帯血バンクの検索やHLA不適合血縁ドナーの検索を行う．これらのドナーからの移植はHLA適合血縁ドナーからの移植よりも合併症のリスクが高くなるので，移植適応について再検討を行う．血縁ドナーの場合はドナーの健康診断を実施して，ドナーとしての適格性を判定する．移植前にもう一度患者の病状，臓器機能などの評価を行い，ドナーとの関係なども含めて総合的に判断し，移植前処置，GVHD予防法，感染症対策を決定する．

移植前処置を行い，通常は移植前日から免疫抑制薬を開始し，移植日にドナー造血幹細胞を輸注する．ドナーからの幹細胞採取は患者の移植日にあわせて行うか，あるいは末梢血幹細胞採取の場合は前処置開始前に採取して凍結保存しておくこともある．移植日以後，少なくとも数年間にわたって移植後合併症の管理が必要である（図16-8-3）．合併症の予防と治療については別項に詳述されている【⇨16-8-6】．

(3) 移植前処置

移植前処置の目的は悪性腫瘍を根絶させることと，同種移植においてはドナー造血細胞が拒絶されないようにホストの免疫を抑制することである．したがって

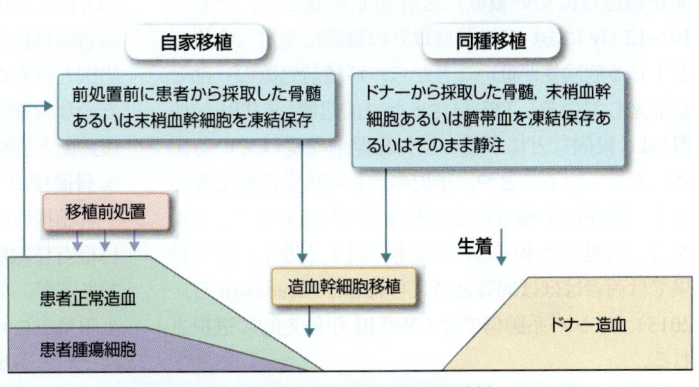

図16-8-1 **自家造血幹細胞移植と同種造血幹細胞移植**

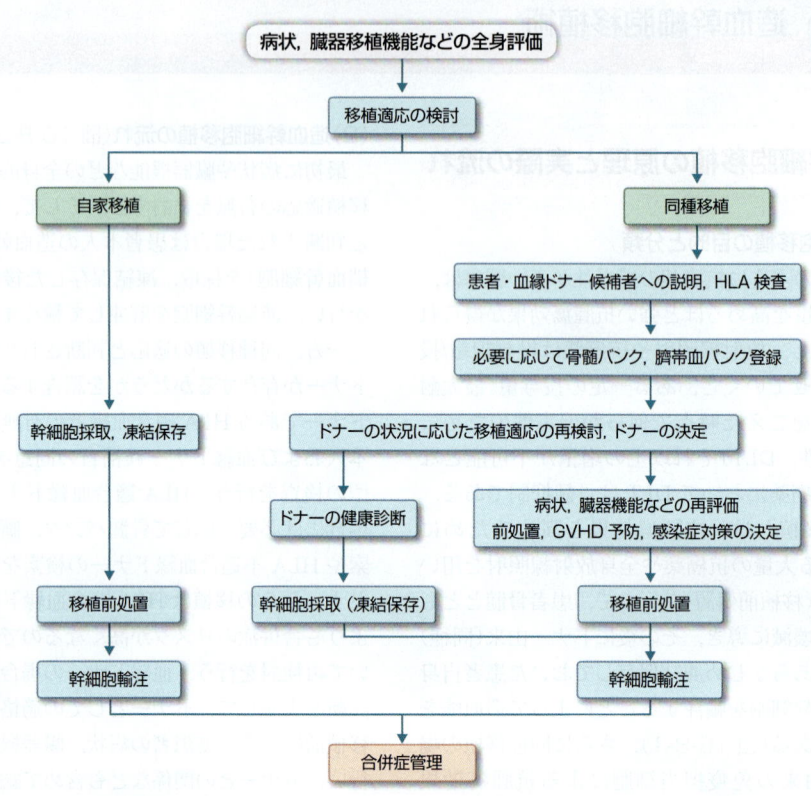

図 16-8-2 造血幹細胞移植の流れ

自家移植の場合は抗腫瘍効果だけを考えて各疾患に対して有効性の高い抗癌薬の組み合わせ，すなわち，リンパ腫に対する BEAM 療法（カルムスチン，エトポシド，シタラビン，メルファランの併用）や骨髄腫に対する大量メルファラン療法などが行われる．一方，同種移植で最も標準的に用いられている前処置法は大量シクロホスファミドと TBI の組み合わせ（CY-TBI），あるいはブスルファン（BU）と CY の組み合わせ（BU-CY）が広く用いられている．

TBI は強力な免疫抑制作用をもつこと，さまざまな腫瘍に有効であり，また，化学療法に耐性の腫瘍でも効果が期待できること，中枢神経領域などの化学療法薬が到達しにくい領域にも有効であること，そして 10〜12 Gy においては骨髄以外の臓器に重篤な合併症を生じる危険性が低いことから，移植前処置の一部として適している．TBI を含まない前処置（非 TBI 前処置）は，縦隔などに多量の放射線照射を受けている患者に適していることや，小児の成長障害を回避できること，簡便に実施できることなどの利点がある．TBI を含む前処置と BU-CY の優劣に関する近年の研究結果では両者はほぼ同等と考えられるが（Bredeson ら，2013），リンパ系腫瘍では CY-TBI が優先的に選択される．

高齢者や臓器障害を有する患者に対する同種移植では移植前処置の強度を弱めたミニ移植が行われている．多くの場合，免疫抑制効果の強いフルダラビン（FLU）にアルキル化薬を加えた前処置が行われる．また，再生不良性貧血などの非腫瘍性疾患に対する同種移植では，抗腫瘍効果を求める必要はなく，ドナー造血幹細胞を生着させるために患者の免疫力を抑制することが前処置の目的となるので，CY や FLU などの免疫抑制力の強い抗癌薬が用いられる．

(4) 造血幹細胞の採取

a. ドナーの適格性の判断

ドナーの立場からの適格性の判定と，自由意思に基づく同意取得のために，血縁者間移植においても非血縁者間移植と同様に，ドナーを担当する医師は患者担当医とは異なることが望ましい．同意が得られたら，安全な幹細胞採取が可能かどうかを判断するために健康診断と適格性判断を行う．

b. 骨髄採取

骨髄採取は全身麻酔下にて腹臥位で行う．採取する目標有核細胞数は患者体重 1 kg あたり 3.0×10^8 個であるが，ドナー体重などから計算して設定した採取上限量をこえる採取は行わない．多量の骨髄液の採取はそれと等量の出血に相当する負担となる．したがって，健常ドナーにおいては同種血輸血を避けるために

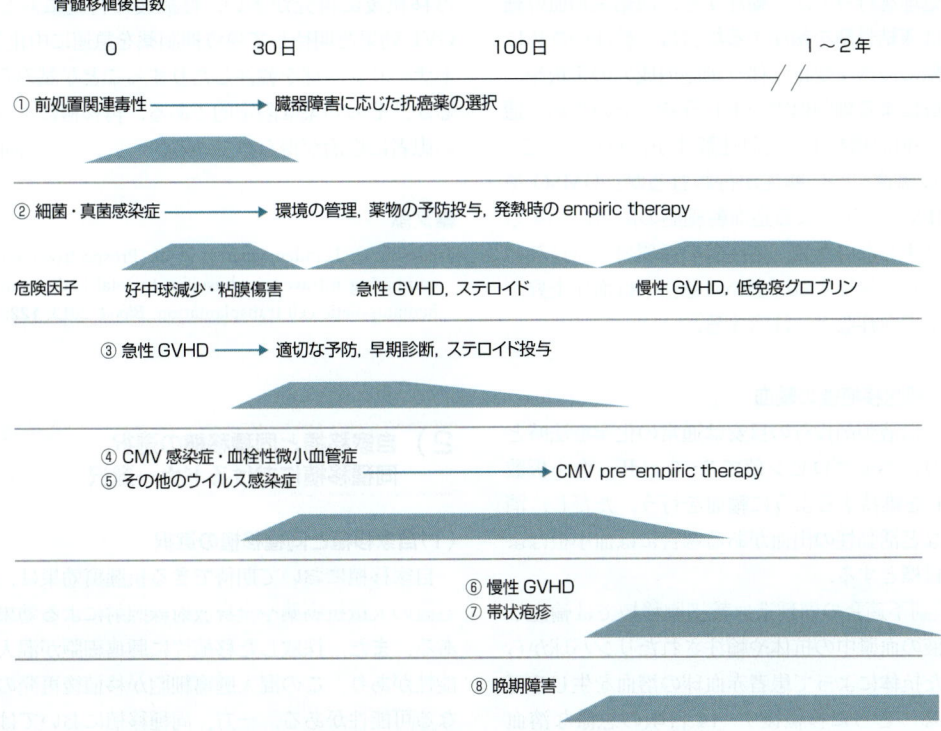
図 16-8-3 同種移植後のおもな合併症とその対策

自己血の貯血が必要となる．

c. 末梢血幹細胞採取

末梢血幹細胞採取では，まず骨髄中の造血幹細胞を末梢血中に動員しなければならない．造血幹細胞の動員は健常ドナーではG-CSF単独で行われ，自家移植の患者では通常は化学療法とG-CSFの併用で行われる．実際の採取は自動化装置に末梢血を循環させ，遠心分離によって幹細胞を多く含む層を形成し，その層だけを採取して残りの血液を体内に戻す．採取の目標はCD34陽性細胞数を指標として自家移植の場合は患者体重1 kgあたり $1.0〜2.0×10^6$ 個，同種移植の場合は患者体重1 kgあたり $1.0〜3.0×10^6$ 個を目安とする．

(5) 造血幹細胞の凍結保存と移植（輸注）

a. 造血幹細胞の凍結保存

自家造血幹細胞移植の場合，あらかじめ造血幹細胞を採取しておいて前処置を行った後に輸注するため，いったん凍結保存するという操作が必要になる．同種造血幹細胞移植でも，特に末梢血幹細胞移植では十分な細胞数が採取できたことを確認してから移植前処置を開始するという目的で凍結保存される場合がある．凍結に伴う細胞傷害の保護薬としてジメチルスルホキシド（DMSO）とヒドロキシエチルスターチ（HES）の混合液が一般的に用いられている．液体窒素ではなく−80℃での保存でも少なくとも5年間の保存が可能とされている．骨髄液を凍結保存する場合は凍結前に赤血球除去を行う必要がある．赤血球除去は通常は末梢血幹細胞採取の際に用いられる自動化装置を利用して行われる．

b. 造血幹細胞の輸注

同種造血幹細胞移植の輸注時には患者とドナーの赤血球型の不適合に注意を要する．赤血球型の不適合は，患者血漿中にドナー赤血球抗原に対する抗体が存在する場合（例：患者O型，ドナーA型）を主不適合，ドナー血漿中に患者赤血球抗原に対する抗体が存在する場合（例：患者A型，ドナーO型）を副不適合，患者血漿中にドナー赤血球抗原に対する抗体が存在し，かつドナー血漿中に患者赤血球抗原に対する抗体が存在する場合（例：患者A型，ドナーB型）を双方向不適合という．ABOの主不適合，RhDの主不適合（患者がRhD（−），ドナーがRhD（+）），その他患者が有する何らかの不規則抗体に対応する抗原がドナー赤血球に発現している場合は赤血球除去処理が必要となる．逆に副不適合が存在する場合には骨髄液中の血漿除去が必要となる．骨髄バッグを遠心分離して上清を生理食塩水に置換する方法が広く行われている．

凍結していない骨髄液を輸注する場合は，赤血球ABO型適合あるいは副不適合の場合はクロスマッチを行い，陰性であることを確認する．陽性の場合は赤

血球除去処理を行ってから輸注する．凍結末梢血幹細胞あるいは凍結骨髄を輸注する場合は，輸注のために解凍する際に浸透圧変化に伴う細胞内成分の希釈や，再氷晶形成による細胞傷害が生じうる．そのため，通常は37℃の恒温槽を用いた急速解凍が行われている．解凍した後は速やかに輸注が行われるが，DMSOやDMSO/HESの障害による造血幹細胞の障害は必ずしも急激には生じないため，輸注時の循環量の負荷などを考慮しながら輸注すればよい．輸注中は血圧上昇，徐脈，低酸素血症などに注意する．

(6) 造血幹細胞移植後の輸血

移植後の血液製剤投与の目安は通常の化学療法時と同様であり，ヘモグロビン値で7～8 g/dL，血小板数で2万/μLを維持するように輸血を行う．ただし，消化管出血など活動性の出血がある場合には血小板はより高値を目標とする．

ABO型副不適合の同種造血幹細胞移植では輸注した幹細胞液の血漿中の抗体や輸注されたリンパ球から産生された抗体によって患者赤血球の溶血を生じる可能性がある．さらに移植後7～14日頃の急激な溶血に注意が必要である．輸血を行う場合は，赤血球はドナー型，血小板とFFPは患者型を用いる．

一方，ABO型主不適合を伴う同種造血幹細胞移植後は患者体内の抗体によって，輸注した幹細胞液の赤血球や輸注された幹細胞から分化された赤芽球および赤血球の溶血を生じる可能性がある．移植後も患者抗体が長期間にわたって残存することもあり，その場合は赤芽球癆様の病態を呈する．輸血を行う場合は，赤血球は患者型，血小板とFFPはドナー型を用いる．

患者A型，ドナーB型のような双方向不適合においては副不適合，主不適合両者の合併症を生じる可能性がある．輸血を行う場合は，赤血球はO型，血小板とFFPはAB型を用いる．

これらの赤血球型不適合移植における特殊な輸血方法は移植後にA，B抗原，抗A，B抗体価などをモニターし，患者の血液型が完全にドナー型に変わるまで続ける．血液製剤は輸血後GVHDの予防のために放射線照射処理を行った後で輸注する．HLA抗体出現予防，CMV感染予防などのために白血球除去製剤を用いる．患者，ドナーともにCMV未感染の場合はCMV陰性の血液製剤の使用が望ましい．

(7) 移植後の再発

移植後のさまざまな合併症を乗り越え，そして移植後3～5年経過して原疾患の再発がないことを確認して，はじめて移植が成功したということができる．しかし，再発は移植が失敗に終わる最大の理由の1つであり，特に非寛解期の白血病や悪性リンパ腫に対する移植後に再発が多い．移植後の再発に対しては，GVL効果を期待して免疫抑制薬を急速に中止したり，ドナーリンパ球を輸注したりすることが試みられているが，その効果は限定的である．再移植によって一部の患者に根治が得られている．　　　　　　〔神田善伸〕

■文献

Bredeson C, Leradermacher J, et al: Prospective cohort study comparing intravenous busulfan to total body irradiation in hematopoietic cell transplantation. *Blood*. 2013; **122**: 3871-8.

2) 自家移植と同種移植の選択，同種移植におけるドナー選択

(1) 自家移植と同種移植の選択

自家移植において期待できる抗腫瘍効果は，移植前処置の大量抗癌薬や全身放射線照射による効果のみである．また，採取した移植片に腫瘍細胞が混入する可能性があり，この混入腫瘍細胞が移植後再発の原因となる可能性がある．一方，同種移植においては移植片に腫瘍細胞が混入する可能性がないのみならず，ドナーの免疫担当細胞による抗腫瘍効果(GVL効果)が期待できる．しかし，同種移植後は移植片対宿主病(GVHD)や感染症などによる移植関連死亡率が高くなる．すなわち，自家移植と同種移植の選択は，疾患や病期などに応じて，同種移植による抗腫瘍効果の増強と合併症や移植関連死亡率の増加のバランスを考えて選択しなければならない．一般的には白血病，骨髄異形成症候群，再生不良性貧血では同種移植が，悪性リンパ腫，多発性骨髄腫では自家移植がより多く行われている(図16-8-4)．実際，急性骨髄性白血病，急性リンパ性白血病に対する臨床試験の結果ではこれらの疾患に対する自家移植の有用性は示されていない．

(2) HLA (human leukocyte antigen)

HLAはヒトの主要組織適合性複合体(major histocompatibility complex：MHC)，すなわち，自己と非自己を認識する最も重要な抗原である．造血幹細胞移植においては，ドナーと患者の間にHLAの不適合があると，互いにより強く非自己であると見なすことによって，移植片拒絶とGVHDの頻度が増加する．

HLAを決定する遺伝子は6番染色体短腕p21.3に並んで存在し，ひとかたまり(ハプロタイプ)として遺伝する(まれに組み換えを生じることがある)．主要な抗原としてはHLAクラスIに属するHLA-A，B，CとクラスIIに属するDR，DQ，DPがあげられるが，造血幹細胞移植において特に重要なのは，HLA-A，B，DRである．それぞれ両親から遺伝した抗原を有

するため，合計6個の抗原についてドナー候補者と患者間で比較する必要があるが，近年はHLA-Cの重要性も明らかになっており，すでに非血縁者間移植においてはHLA-Cもルーチンに検査が行われている．

HLAの検査としては血清学的検査（抗原型の判定）が古くから行われているが，この方法では検出できない遺伝子レベルのHLA型（アリル型）の差異の重要性が示されている(Petersdorf, 2004)．同胞間の場合は，血清学的検査でHLA-A, B, DRの6抗原すべて適合していれば，アリル型も適合していると推定することができるが(Kandaら, 2003)，HLA適合同胞以外の血縁者間移植や非血縁者間移植の場合は，血清型で適合していてもアリル型で不適合が存在する可能性を考慮しなくてはならない．

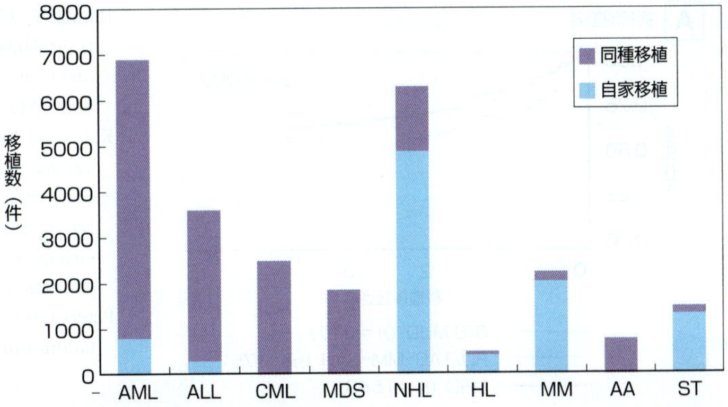

図16-8-4 疾患別移植の種類（成人）（日本造血細胞移植学会2012(平成24)年度全国調査報告書より）
同種移植は血縁者間骨髄移植，非血縁者間骨髄移植，血縁者間末梢血幹細胞移植を含む．
AML: acute myeloblastic leukemia, ALL: acute lymphoblastic leukemia, CML: chronic myelocytic leukemia, MDS: myelodysplastic syndrome, NHL: non-Hodgkin lymphoma, HL: Hodgkin lymphoma, MM: multiple myeloma, AA: aplastic anemia, ST: solid tumor.

(3) 同種造血幹細胞移植におけるドナー選択

a. HLA適合血縁者間移植とHLA一抗原不適合血縁者間移植の比較

HLA型が適合した血縁者（おもに同胞）は同種造血幹細胞移植に最も適したドナーであると考えられている．しかし，少子化の進む先進国においてそのようなドナーが得られる確率は30％未満にすぎない．一方，HLA適合血縁ドナーが得られない場合のドナーの選択肢は徐々に広がり，骨髄バンクを介した非血縁者間骨髄移植，HLA不適合血縁者間移植，非血縁者間臍帯血移植が候補としてあげられるようになった．

HLA適合血縁者間移植とHLA一抗原不適合血縁者間移植の移植成績の大規模な比較として，日本造血細胞移植学会(JSHCT)に報告された血縁者間移植（T細胞除去移植を除く）のデータを用いてHLAの一抗原不適合が血縁者間移植成績に及ぼす影響の検討が行われた(Kandaら, 2003)．グレードIII以上の急性GVHDの発症頻度は，HLA適合血縁者間移植で8％であるのに対し，一抗原不適合血縁者間移植では25％と有意に増加した．一方，移植後の再発に関しては，進行期白血病では有意に再発率が低下したが，元来移植後再発の少ない病初期移植では再発率の低下はわずかであった．その結果，進行期移植においてはGVHDの増加による移植関連死亡率の増加と再発率の低下が相殺されて生存率はほぼ同等になるが，病初期移植においてはGVHDの増加と比較して再発率の低下がわずかであるため，生存率はHLA一抗原不適合の存在によって有意に低下するという結果となった．

b. HLA一抗原不適合血縁者間移植とHLA適合非血縁者間移植の比較

次に重要になるのはHLA一抗原不適合血縁者間移植とHLA適合非血縁者間移植の比較である．前述のJSHCTデータの解析において，HLA一抗原不適合血縁者間移植とHLA適合非血縁者間移植を比較したところ，病初期白血病においても進行期白血病においても両者の成績はほぼ同等であった(Kandaら, 2003)．しかし，この研究では非血縁者間移植におけるアリルの適合度は検討されていなかった．そこで，諫田らは2001〜2008年に行われた移植データを用いて再検討を行った．非血縁者間骨髄移植をA, B, C, DRB1のすべてのアリルが適合している移植に限定して比較したところ，HLA(GVHD方向)一抗原不適合血縁者間移植よりも有意にすぐれているという結果であった（図16-8-5）(Kandaら, 2012)．

c. 非血縁者間臍帯血移植とHLA二抗原不適合血縁者間移植

以上の結果から，HLA適合血縁者について優先すべきドナーは，ドナーのコーディネートを待つ余裕があればHLA適合非血縁ドナー(HLA-A, -B, -C, -DRB1アリル型適合，あるいは1アリルのみ不適合(Kandaら, 2013))であるが，HLA一抗原不適合血縁ドナーも有力な候補となる．しかし，移植を必要としながらも，血縁者に一抗原不適合までのドナーが見つからず，日本国内のバンクでもドナーが得られない場合には，海外バンクドナーからの移植，HLA二抗原以上不適合血縁者間移植，非血縁者間臍帯血移植が候補として考えられる．海外バンクドナーからの移植は減少しているが，HLAが適合していれば国内の

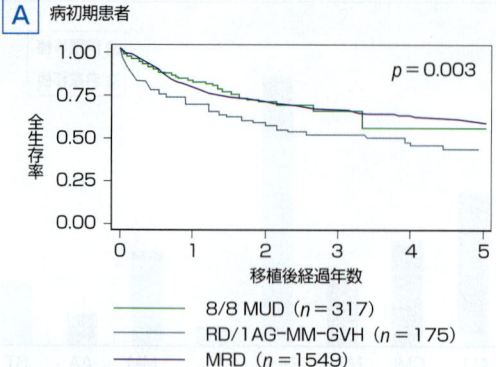

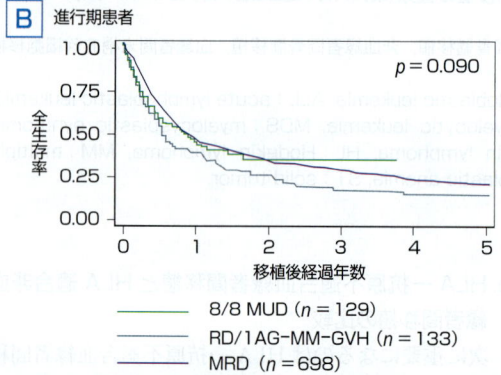

図 16-8-5 病初期患者(A)あるいは進行期患者(B)に対する移植後のドナー別の全生存率(Kandaら, 2012)
8/8MUD は HLA-A, B, C, DRB1 アリル適合非血縁ドナー, RD/1AG-MM-GVH は GVH 方向一抗原不適合血縁ドナー, MRD は適合血縁ドナー.

Kanda Y, Chiba S, et al: Allogeneic hematopoietic stem cell transplantation from family members other than HLA-identical siblings over the last decade (1991-2000). Blood. 2003; **102**: 1541-7.

Kanda Y, Kanda J, et al: Impact of a single human leucocyte antigen (HLA) allele mismatch on the outcome of unrelated bone marrow transplantation over two time periods. A retrospective analysis of 3003 patients from the HLA Working Group of the Japan Society for Blood and Marrow Transplantation. Br J Haematol. 2013; **161**: 566-77.

Petersdorf EW: HLA matching in allogeneic stem cell transplantation. Curr Opin Hematol. 2004; **11**: 386-91.

3）骨髄移植と末梢血幹細胞移植の選択

自家移植では骨髄移植(bone marrow transplantation：BMT)よりも末梢血幹細胞移植(peripheral blood stem cell transplantation：PBSCT)が優先して行われる．血縁者間移植では移植に用いる幹細胞として末梢血幹細胞と骨髄を選択することができる．非血縁者間移植は日本国内では BMT に限定されていたが，2010(平成 22)年度から限定的に PBSCT が開始されている．ドナーにはそれぞれ異なるリスクがあり，患者にとっても PBSCT の方が移植後の造血の回復は早いものの，慢性 GVHD が増加するなどの差異がある．両者の利点，欠点を患者，ドナーに説明したうえでいずれかを選択する必要がある(表 16-8-1)．

(1)ドナーの立場からの骨髄移植と末梢血幹細胞移植の比較

骨髄採取は，ドナー(自家移植の場合は患者本人)に全身麻酔をかけ，腹臥位にて両側後腸骨稜から直径 2 mm 程度の穿刺針を用いて吸引採取する．末梢血の混入による骨髄液の希釈を防ぐため，1 回の吸引あたり 5～10 mL 程度の採取を行い，ドナー，患者の体格にあわせて合計 500～1000 mL の骨髄液を採取する．ドナーにとって骨髄採取はそれと等量の出血に相当する負担を受けるため，しばしば輸血が必要となる．健常ドナーにおいては，他人からの輸血を防ぐため，あらかじめ自己血の貯血を考慮しなければならない．骨髄採取における合併症の多くは麻酔に伴う合併症であり，これまでに世界で報告された数例の採取前後の死亡事故のほとんどは麻酔に伴うものと考えられている．その他，骨髄採取自体に伴う合併症として，穿刺部からの感染症，破損穿刺針の腸骨内残存，後腹膜への出血などが報告されており，また，骨髄液の採取による循環動態の変化あるいは麻酔による一過性の血圧低下や不整脈も数％に認められる合併症である．

HLA 適合非血縁者間移植とほぼ同等の成績が得られており，金銭的な障壁がなければ検討に値する．非血縁者間臍帯血移植は一般的にはこれらにつぐ優先順位の選択肢として位置づけられる．臍帯血移植では二抗原程度の HLA 不適合があっても GVHD の頻度は許容範囲内であるが，生着不全の確率が高いこと，生着まで長期間を要することが問題点である．進行期造血器腫瘍に対して HLA 二抗原以上不適合血縁者間移植も行われている．HLA の不適合による拒絶の増加と GVHD の増加が問題となるため，重篤な GVHD の発症を抑制する方法としては体外(ex vivo)で T 細胞を除去する方法，サイモグロブリン®やアレムツズマブを使用して体内で T 細胞を除去する方法，移植後にシクロホスファミドを投与する方法などが研究されている．

〔神田善伸〕

■文献

Kanda J, Saji H, et al: Related transplantation with HLA 1-antigen mismatch in the graft-versus-host direction and HLA 8/8-allele-matched unrelated transplantation: a nationwide retrospective study. Blood. 2012; **119**: 2409-16.

末梢血幹細胞採取は末梢血中への造血幹細胞の動員方法によって①化学療法のみによる動員，②サイトカインのみによる動員，③化学療法とサイトカインを併用した動員に分類される．自家末梢血幹細胞移植においては，動員効率がよく，治療も兼ねることができる③の方法が最もよく行われているが，同種PBSCTにおいてはドナーは健常人であるので②の方法が用いられる．高用量のG-CSFをドナーに連日投与し，3～5日目から採取を開始する．採取は，末梢血を血球分離装置に流入させ，遠心分離によって単核球成分のみを分離し，残りの血液は体内に戻すという方法で行う．末梢血幹細胞採取の利点は全身麻酔を必要としないこと，自己血貯血が不要であることなどである．末梢血幹細胞採取でも複数の死亡事故が報告されており，G-CSF大量投与後の末梢血白血球数上昇時の凝固亢進に伴う心筋梗塞，狭心症，一過性脳虚血発作などの発症が報告されている．そのため，高血圧，脂質異常症，糖尿病など，動脈硬化の危険因子を有するドナーからの末梢血幹細胞採取は避けることが望ましい．また，G-CSFの投与によって自己免疫疾患が増悪する可能性があるため，自己免疫疾患を有するドナーから末梢血幹細胞採取を行ってはならない．その他，G-CSFによる骨痛，血球分離装置への血液の流出や迷走神経反射などによる血圧低下，体外での血液の凝固を防ぐためのACD液による低カルシウム血症，末梢血幹細胞採取による血小板減少や，まれな合併症としてG-CSFによる脾臓破裂も報告されている．

ドナーへの長期的な影響については，日本とEuropean Group for Blood and Marrow Transplantation (EBMT)が共同で行ったBMTドナーとPBSCTドナーの長期安全性の比較では，重篤な有害事象や白血病を含めた悪性腫瘍の発症頻度に有意な差はないことが示されている．さらに，米国骨髄バンクを介して2004～2009年に行われた移植の前方視的研究では，有害事象の頻度は，BMTドナーの方が有意に多く (2.38% vs 0.56%)，重篤な有害事象に限定した比較でもBMTドナーで有意に頻度が高かった (0.99% vs 0.31%) (Pulsipherら, 2014)．悪性腫瘍，自己免疫疾患，血栓症の発症に差はみられなかった．また，BMTとPBSCTの無作為割付比較試験に参加したドナーのアンケート調査では，採取前後の痛みの強さや持続期間は両群でほぼ同等であったが，採取後2週間の時点では，すべてのPBSCTドナーが体調は良好であると答えているのに対し，BMTドナーでは約20％が何らかの体調不良を訴えていた (Rowleyら, 2001)．

表16-8-1 BMTとPBSCTの比較のまとめ（＊は同種移植のみに認められる相違点）

		BMT	PBSCT
ドナーの立場から			
	長所	確実に細胞数が得られる 経験が多く，安定している	全身麻酔を回避できる 自己血貯血が不要
	短所	全身麻酔による副作用の出現 穿刺部の疼痛，感染，出血 自己血貯血を要することが多い＊	大量G-CSFの副作用 （骨痛，凝固亢進，自己免疫疾患の増悪） 採取中の合併症（血圧低下，低カルシウム血症など） 採取による血小板減少 十分な細胞数が得られない場合がある 大量G-CSF投与の長期的安全性が不明
患者の立場から			
	長所	経験が多く，安定している	造血回復が早い GVL効果が増強される可能性がある＊ 免疫回復が早い可能性あり 急性GVHDがわずかに増加する可能性がある＊
	短所		慢性GVHDが増加する＊ ABOマイナー不適合移植で早期溶血発作＊

(2) 患者の立場からの骨髄移植と末梢血幹細胞移植の比較

患者に対する影響については，複数の無作為割付比較試験の結果から確実になったことはBMTよりもPBSCT後の造血回復が有意に早いということである．GVHDに関しては，HLA適合同胞間移植で行われた臨床試験のメタ解析の結果，PBSCT群でグレードⅡ以上の急性GVHDの頻度が上昇する傾向が示され，グレードⅢ以上の急性GVHDや慢性GVHDは有意に増加すると結論された (Stem Cell Trialists' Collaborative Group, 2005)．一方，同じメタ解析で病初期，進行期にかかわらず移植後の再発はPBSCT群で有意に低く，非再発死亡の頻度は同等であり，最終的に進行期症例ではPBSCT群で無病生存率，生存率が有意にすぐれていることが示された．米国骨髄バンクが行った非血縁者間移植におけるBMTとPBSCTの無作為割付比較試験では，PBSCT群は生着不全の頻度が低いものの慢性GVHDが有意に多く，最終的な生存率には差がなかった．これらの結果から，患者の立場からの同種BMTと同種PBSCTの選択については，慢性GVHDの頻度の上昇と再発の低下のバランスを考えて検討する必要がある．

〔神田善伸〕

■文献

Pulsipher MA, Chitphakdithai P, et al: Lower risk for serious adverse events and no increased risk for cancer after PBSC vs BM donation. Blood. 2014; 123: 3655-63.
Rowley SD, Donaldson G, et al: Experiences of donors enrolled in a randomized study of allogeneic bone marrow or peripheral blood stem cell transplantation. Blood. 2001; 97: 2541-8.
Stem Cell Trialists' Collaborative Group: Allogeneic peripheral blood stem-cell compared with bone marrow transplantation in the management of hematologic malignancies: an individual patient data meta-analysis of nine randomized trials. J Clin Oncol. 2005; 23: 5074-87.

4) 臍帯血移植
cord blood transplantation

(1) 臍帯血移植の特徴と現状

1998年にFanconi貧血患児に対する同胞ドナーからの臍帯血を用いた移植の成功が報告された(eコラム1)(Gluckmanら，1989)．この後，世界各地で臍帯血バンクの整備が進められた．わが国でも同種造血細胞移植が必要な患者が適切な血縁ドナーが見つからない場合，骨髄バンクとともに臍帯血バンクの利用が可能となっている．先行して普及した非血縁ドナーからの骨髄移植とともに臍帯血移植は一般的な治療選択肢として，近年は国内で毎年1000例以上が実施されており，世界で最も普及している国となっている[1]．わが国では臍帯血移植全体の約8割が成人患者であり[2,3]，特に55～65歳の同種移植患者としては高齢者層が約1/3を占めている．

臍帯血移植が急速に普及した理由としては，供給の迅速性にすぐれているため適切な時期に移植が可能であり，移植片対宿主病(GVHD)が特に慢性型では重症化しにくいために移植後の患者QOLが相対的に高いこと，HLAが厳密に一致していなくても比較的安全に移植が可能であり，相対的に少ないドナープールで多くの移植適応患者をカバーできる点，などのほかに他国に比べ患者の経済的負担が少ないこともあげられる．一方で，生着不全の危険性が高いこと，造血回復に時間がかかるため移植後に感染症の発症率が高いこと，などが依然として解決すべき問題として残されている(表16-8-2)．

(2) 臍帯血に含まれる造血幹・前駆細胞，および免疫細胞の特徴

臍帯血移植では骨髄移植の約1/10程度の造血幹細胞数で移植が成り立つが，これは骨髄に比べ臍帯血中に未熟細胞が高頻度に存在することによると考えられている[4]．臍帯血由来の未熟細胞のテロメア長が骨髄細胞に比べて長い[5]ことや，細胞回転が遅く非分裂期の細胞の割合が多い[6]ことなど，骨髄中の造血幹・前駆細胞とは明らかな質的違いが存在する．

一方で，臍帯血中のTリンパ球，特に細胞傷害性T細胞(CTL)のアロ反応性が成人細胞に比べて低いことは，臍帯血移植では骨髄移植に比べHLA不一致の許容範囲が大きいことの理由の一部であると考えられている(eコラム2)．一方，臍帯血中のBリンパ球もTリンパ球と同様に未成熟な表現形質を示すが[7]，NK細胞は機能的に成熟しており細胞傷害活性は成人のものと変わらない[8]．

(3) どのような臍帯血を選ぶべきか

臍帯血ユニットを選択する場合，造血幹細胞移植情報サービスのホームページ[9]のなかの「造血幹細胞適合検索サービス」の画面で患者体重およびHLA型などを入力すると，HLA-A抗原，HLA-B抗原，HLA-C抗原の合計6抗原中，不一致抗原数が2抗原以内の臍帯血が候補として現れる．有核細胞が患者体重1kgあたり2×10^7以上の臍帯血を選択することを基本とするが，候補のなかでも細胞数がより多い臍帯血ユニットを選択する．検索画面からは有核細胞数の他に，CD34陽性細胞数とコロニー(GM-CSF)数も確認することができるが，CD34陽性細胞数は移植後の好中球生着速度との相関を示す報告が多く[10]，0.5×10^5/kg以上であることが望ましい(eコラム3)．また，患者の抗HLA抗体陽性の場合は生着に負の影響を及ぼす[11]ことも明らかであることから，抗体が対応する不一致抗原を含まない臍帯血を選択しなければならない．

(4) 臍帯血移植の方法

前処置や免疫抑制など移植の方法は，骨髄移植と基本的には変わらない．55歳以上の患者が対象の場合には，治療関連毒性の軽減目的で強度を軽減した前処置法が用いられることが一般的である．また，骨髄・末梢血移植に比べて臍帯血移植では造血回復・免疫再構築の立ち上がりが遅いため，感染症対策はより厳重に行う必要がある．一方，重症GVHDの発症頻度は相対的に低いこともあり，個々の症例での状況で異なるものの移植後

表16-8-2 非血縁ドナーからの臍帯血移植および骨髄移植の比較

臍帯血移植の利点	骨髄移植の利点
・短期間で移植細胞が入手可能	・生着の確実性が高く，早い
・重症(慢性)GVHDのリスクが低い	・感染症に対応しやすい
・HLA不一致でも移植可能	・経験が多い
・新生児・母体に対して医学的・心理的な負担がない	・同一ドナーからの細胞療法が可能

の免疫抑制時は比較的早期に減量可能となる傾向にある.

(5) 臍帯血移植の成績

臍帯血移植の成績を非血縁骨髄移植と比較してみると，臍帯血移植後の生存率は非血縁骨髄移植とほぼ同等，あるいは若干不良である．2009 年にわが国から報告された成人の急性白血病患者に対する初回移植として標準強度の前処置を用いた場合の 2 年無病生存率は，急性骨髄性白血病 (AML) では臍帯血移植で 42%，骨髄移植では 54% で骨髄移植が有意に良好であったが，急性リンパ性白血病 (ALL) 患者に対する移植では，臍帯血 46%，骨髄 44% と統計学的に差は認めなかった[12]．より最近に海外から報告された比較観察試験では，第 1・2 寛解期の ALL[13]，および 50 歳以上の寛解期 AML[14] では骨髄移植と同等の成績が得られた．臍帯血移植の対象疾患は上述の急性白血病が約半数を占めており，ほかの疾患でも移植成績は急性白血病とほぼ同様であるが，移植後生存率はほかの同種移植と同じく移植時の病期によって大きく異なる．

〔高橋 聡〕

■文献 (e文献 16-8-4)

Gluckman E, Broxmeyer HA, et al: Hematopoietic reconstitution in a patient with Fanconi's anemia by means of umbilical-cord blood from an HLA-identical sibling. *N Engl J Med*. 1989; 321: 1174-8.

5) ミニ移植，および新たな造血幹細胞移植術

(1) ミニ移植

「ミニ移植」は非骨髄破壊的 (non-myeloablative) な前処置，あるいは強度を減弱した (reduced-intensity) 前処置を用いる同種移植の通称であり，患者が高齢や臓器障害のために標準的強度の前処置を用いた場合では移植関連死亡が高くなるため本法が適応となることが多い．高齢の白血病や骨髄異形成症候群患者など対象者のほとんどが移植後再発のリスクが高いため，減弱強度前処置を用いることがほとんどであり，毒性を減弱させた (reduced-toxicity) 前処置ともいわれている．一方，非骨髄破壊的前処置では移植細胞を生着させるための免疫抑制がおもな前処置の目的であり，抗腫瘍効果は「標準的前処置」の場合ほどは期待されない．また，移植後にドナーとレシピエント由来の細胞が混在する状態 (混合キメラ) が生じることがあり，そのような場合はドナーの末梢血から採取したリンパ球の追加投与を行うことによって，より確実なドナー細胞の生着を促す場合があり，非悪性疾患に対する造血細胞移植での適応が多い．高齢層への同種移植が増えていることから「ミニ移植」例数は近年，急激な増加を示しているが，非特異的な免疫反応に頼るため，標準強度の前処置を用いた場合に比べ抗腫瘍効果には一定の限界がある．一方で，移植関連死亡率は標準的強度を用いた同種移植に比べて低く抑えられるのみならず，移植後生存率でも同等であるという報告もある[1,2]．特に，悪性疾患のなかでも慢性骨髄性白血病や低悪性度リンパ腫など進行が緩やかで GVT 効果が得られやすい疾患では比較的，その効果が期待されている (eコラム 1).

(2) HLA 半合致移植

骨髄移植では 1960 年代後半に患者とドナー間の HLA を一致させることの重要性が明らかになった後に成績が安定し急速な発展を遂げてきた．一般的には非血縁ドナーでは HLA 一抗原不適合までが許容されてきた．一方で近年，二抗原以上不適合の血縁ドナーからも移植が行われるようになり，特に親から遺伝する HLA ハプロタイプ (eコラム 2) の片方が一致するが他方が不一致である血縁ドナーからの移植 (HLA 半合致移植) が，HLA 適合ドナーが得られない患者に対する方法として行われている．90 年代の後半から欧州で始まった HLA 半合致移植は，より多くの細胞数を移植することを目的として G-CSF により動員されたドナー末梢血単核細胞から CD34 陽性分画を純化した大量の造血幹細胞が用いられることが一般的であった[3]．この方法では移植直後の T 細胞の回復は不良であるが，NK 細胞が抗腫瘍効果を担い，特に急性骨髄性白血病の場合はキラー活性抑制シグナルを伝える受容体 (killer cell immunoglobulin-like receptor: KIR) が不適合であるドナーからの移植により移植片対白血病 (graft-versus-leukemia: GVL) 効果が得られ，有意に再発率の減少および生存率の向上が得られることが明らかにされた (Ruggeri ら，1999)．一方で，CD34 陽性分画への純化という体外での細胞処理が必要となる煩雑さと，移植後の感染症と原疾患の再発が高率であることが問題であった．最近では，強力な免疫抑制療法とともに HLA 半合致ドナーの骨髄を用いる方法[4] などがわが国でも広がりを見せており，アロ反応による強力な抗腫瘍効果を期待して，移植後再発患者など，特に進行病期で移植が必要な患者でも試みられている (eコラム 3).

(3) 臍帯血移植における成績向上および適応拡大を目指した試み

臍帯血移植では，確実な生着および造血回復速度の促進が安全な臍帯血移植を普及させるうえでの臨床上の課題となっており，移植法の改良が試みられてき

た．そのなかで，複数臍帯血移植は欧米では一般臨床のなかに取り入れられてきたが，最近明らかになった前方視的比較臨床試験の結果として，単一臍帯血ユニットによる移植と比較して生着・回復促進に明らかな効果は得られていない[5]．その他にも，造血幹細胞を直接骨髄内に投与する骨髄内臍帯血移植，臍帯血細胞と同時に第3者の末梢血造血幹細胞を大量に投与する方法，Notchシグナルの刺激などの方法を用いて臍帯血を増幅させて移植する方法，間葉系幹細胞を用いた造血細胞増幅法などが試みられ，いくつかの有望な成績が報告されている(e表16-8-A)[6-21]．

〔高橋 聡〕

■文献(e文献16-8-5)

Ruggeri L, Capanni M, et al: Role of natural killer cell alloreactivity in HLA-mismatched hematopoietic stem cell transplantation. *Blood*. 1999; **94**: 333-9.

Storb RF, Champlin R, et al: Non-myeloablative transplants for malignant disease. *Hematology Am Soc Hematol Educ Program*. 2001: 375-91.

6）移植後合併症の予防と治療

造血幹細胞移植後合併症は，前処置による臓器障害（肝中心静脈閉塞症など），血管内皮傷害（肝中心静脈閉塞症，肺胞出血，移植後血栓性微小血管障害など），生着不全，免疫不全に伴う感染症，移植片対宿主病（GVHD），晩期合併症（二次癌，不妊，成長障害，肺・腎障害など），再発など多彩である．再発以外は，移植関連合併症（非再発合併症）や移植関連死亡（非再発死亡）と総称される．同種移植は同種免疫による再発抑制効果が期待できるが，移植片対宿主病や臓器障害など移植関連死亡が問題になる．一方，同系移植，自家移植後移植関連死亡は少ないが，再発死亡は多い．

(1) 感染症

同種造血幹細胞移植後I期（生着前）(図16-8-6)[1]は，好中球減少に加え，粘膜障害や中心静脈ラインを通じ微生物が侵入しやすく，致死的感染症が起こりやすい．発熱時は常に感染症を念頭に起因菌を予想しながら(e表16-8-B)，血液培養や胸部CT検査，経験的抗菌薬治療などを速やかに行う[2]．バイオクリーンルーム管理のうえ，広域抗細菌薬や抗真菌薬，抗ウイルス薬（単純ヘルペス，水痘帯状疱疹ウイルス対策），ST合剤（ニューモシスチス肺炎対策）の予防投与や，好中球回復促進を企図した顆粒球コロニー刺激因子（G-CSF）の投与が行われる．II期（生着後早期）も細胞性・液性免疫抑制が続き，細菌・ウイルス（サイトメガロウイルス[3-5]を含むヘルペス属ウイルス，アデノウイルス[6]，BKウイルスなど）・真菌感染が好発する．III期（生着後晩期）は，莢膜保持菌（肺炎球菌など）感染症（特に慢性GVHD合併時）にも留意する．サイ

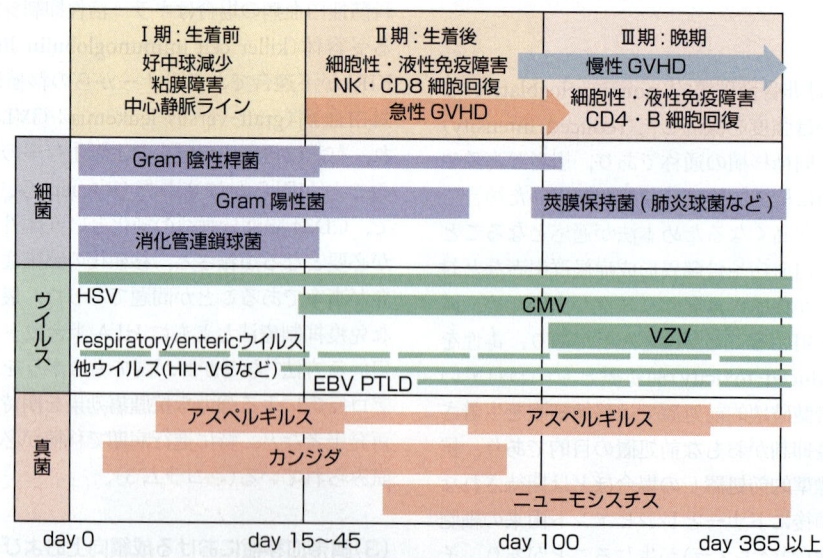

図16-8-6 同種造血幹細胞移植後日和見感染症好発時期
感染症のボックスの太さは起こりやすさを反映する．
HSV：単純ヘルペスウイルス，VZV：水痘帯状疱疹ウイルス，CMV：ヘルペスウイルス，EBV：Epstein-Barrウイルス，HHV-6：ヒト6型ヘルペスウイルス，PTLD：移植後リンパ増殖性疾患，GVHD：移植片対宿主病．

トメガロウイルス感染症はいったん発症(間質性肺炎や網膜炎など)すると,重症化しやすい.サイトメガロウイルス抗原血症の監視検査を行い,発症前治療に努める[3-5].

(2)生着不全

生着不全には,移植後一度も生着(好中球数が500/μL以上に増えない)しない一次生着不全と,生着後造血能が低下(好中球が500/μL未満になる)する二次生着不全がある[7,8].一次生着不全には,ドナー型造血が得られない「拒絶」とドナー型造血回復不十分の「移植片機能低下」がある.拒絶は,レシピエント(患者)リンパ球がドナー造血幹細胞を免疫学的に排除して生じる.生着不全頻度は移植種類により異なる.自家移植は1〜3%,同種骨髄または末梢血幹細胞移植は3〜8%にとどまるが,非血縁者間臍帯血移植は20〜30%が生着不全になる.

(3)SOS/VOD

類洞閉塞症候群(sinusoidal obstruction syndrome:SOS)は,前処置による肝類洞上皮細胞障害が類洞閉塞をきたし,肝細胞虚血や肝中心静脈閉塞へと至る合併症である.黄疸・有痛性肝腫大・体重増加を3徴とする.肝中心静脈閉塞症(veno-occlusive disease:VOD)ともよばれる.SOS/VODは移植後3週以内に好発し,通常6週以内に起こる.危険因子には,進行病期,高齢,初回以外の移植,移植前肝障害,C型肝炎ウイルスキャリア,移植直前のゲムツズマブオゾガマイシン投与,骨髄破壊的前処置移植,経口ブスルファンを含む前処置などがある.SOS/VODの診断はSeattle基準かBaltimore基準を用いる(表16-8-3).Baltimore基準診断例の約50%が死亡する[9].Seattle基準診断例の死亡率は,重症度(e表16-8-C)により異なる[10].SOS/VODの予防・治療に,ウルソデオキシコール酸,ヘパリン,defibrotide(DF)[11],リコンビナントトロンボモジュリンが用いられる(すべて保険適用外)[12-14].

(4)移植片対宿主病(graft-versus-host disease:GVHD)

a. 移植片対宿主病(GVHD)の病態と分類

GVHDは,造血幹細胞移植時に輸注されるドナーリンパ球がレシピエント(患者)の組織・臓器を攻撃する免疫反応である(e表16-8-D, 16-8-E)[15].同種移植患者の10〜30%はGVHD関連合併症で死亡することから,造血幹細胞移植におけるGVHD対策は重要である.GVHD発症頻度・重症度は,末梢血幹細胞移植≧骨髄移植>臍帯血移植,非血縁者間移植>血縁者間移植,HLA不適合移植>HLA適合移植である.危険因子には,レシピエント・ドナー間のABO血液型主副不適合や性別違い(女性ドナー,男性レシピエント),レシピエント高齢などがある[16-20].レシピエント・ドナーの免疫関連遺伝子多型との関与も知られている[21-26].同種造血幹細胞移植後のみならず,自家・同系移植後,臓器移植後にもGVHDは起こりうる[27].GVHDに伴う抗腫瘍効果(eコラム1)を期待し,自家移植後GVHD誘導も試みられている[28-31].GVHDには,移植後100日以内に起こりやすい急性GVHDと,100日を過ぎてから起こりやすい慢性GVHDがある(e表16-8-F)[32].ただし,移植100日以降の急性GVHDや,100日以内の慢性GVHDもある.急性・慢性GVHDの症状が同時に起こると慢性GVHDに分類される.

b. 移植片対宿主病の予防

GVHDの標準予防法は,カルシニューリン阻害薬(シクロスポリンまたはタクロリムス)+短期メトトレキサートである.抗胸腺グロブリン(ATG),移植片からのT細胞除去,移植後シクロホスファミド療法(PTCY)も行われている.ATGはおもに非血縁者間骨髄または末梢血幹細胞移植やHLA不適合移植で用いられ,慢性肺GVHD発症抑制など,長期予後を改善する可能性が報告されている.ただし再発増加が懸念される.PTCYは移植後感作されるドナーリンパ球の抑制を目的に,おもにHLA半合致移植後に行われる.その他,ミコフェノール酸モフェチルやアレムツズマブ(抗CD52単クローン性抗体)も用いられている[33,34].

c. 急性移植片対宿主病の診断と治療

急性GVHDのおもな標的臓器は,肝臓,皮膚,消化管である.急性肺障害もある.発熱や黄疸,皮疹(紅斑,紅皮症),嘔吐,下痢などの症候や生検で診断し,ステージ分類(表16-8-4)・重症度分類(表16-8-5)に基づき治療方針を決定する.II度以上急性GVHDは,カルシニューリン阻害薬+ステロイド全

表16-8-3 SOS/VOD診断基準

1. Seattle基準
移植後30日以内に下記2つ以上認める.
①黄疸(総ビリルビン2 mg/dL以上)
②肝腫大と右上腹部痛
③腹痛か原因不明体重増加(2%以上)

2. Baltimore基準
移植後3週以内に2 mg/dL以上の高ビリルビン血症と下記2つ以上を認める.
①肝腫大
②腹水
③5%以上の腹水増加

表 16-8-4 急性 GVHD 臓器障害のステージ分類

stage*1	皮膚 皮疹(%)*2	肝 総ビリルビン(mg/dL)	消化管 下痢*3
1	<25	2.0〜3.0	500〜1000 mL または持続する嘔気*4
2	25-50	3.1〜6.0	1001〜1500 mL
3	>50	6.1〜15.0	>1500 mL
4	全身紅皮症,水疱形成	>15.0	高度の腹痛・出血*5

*1：ビリルビン上昇,下痢,皮疹を引き起こすほかの疾患が合併すると考えられる場合は stage を 1 つ落とす.合併症が複数存在する場合や急性 GVHD の関与が低いと考えられる場合,stage を 2〜3 落としてもよい.
*2：火傷における「9 の法則」を適応.
*3：3 日間の平均下痢量.
*4：胃・十二指腸の組織学的証明が必要.
*5：消化管 GVHD の stage 4 は,3 日間平均下痢量>1500 mL かつ,腹痛または出血(visible blood)を伴う場合を指す.腸閉塞の有無は問わない.

身投与の適応である.ただし,I 度でも病状の急速進行が予想されればステロイド全身投与が考慮される.逆に皮膚限局の II 度急性 GVHD は局所ステロイド療法にとどめてよい.治療開始 5 日目の治療反応性は急性 GVHD の予後を規定するので,5〜7 日目の早期に治療効果判定を行い,改善不十分なら,速やかに二次治療を考慮する.ただし,二次治療の選択肢は限られ,一次治療を続けざるをえないことも多い.

d. 慢性移植片対宿主病の診断と治療

慢性 GVHD のおもな標的臓器は,肝,皮膚,消化管,眼・口腔(Sicca 症候群),肺,筋・関節,生殖器である.皮疹や口腔・眼球乾燥感,黄疸,呼吸困難,関節症状といった膠原病に類似した症状がみられる.慢性 GVHD の診断は,diagnostic sign か distinctive sign(e表 16-8-G)が 1 つ以上存在し,GVHD 類似疾患の除外により診断される.distinctive sign は病理診断による確認が望ましいが,臨床的診断も許される.これら以外の慢性 GVHD 所見(ネフローゼ症候群など)を認める場合,参考所見として記録する.慢性 GVHD 臓器スコア(e表 16-8-H)を指標に,軽症・中等症・重症(e表 16-8-I,e図 16-8-A)に分類する.慢性 GVHD は,先行する急性 GVHD との関連から,progressive 型,quiescent 型,de novo 型に分類される(e表 16-8-J).progressive 型が最も予後不良である.慢性 GVHD の合併と治療の成否は,移植患者の長期生存のみならず,生活の質にも大きくかかわるため重要である.標準的な一次治療はステロイドである.急性 GVHD と同様,二次治療は未確立である.

(5) 呼吸器合併症

移植後呼吸器合併症には,副鼻腔・肺感染症(細菌,真菌,ウイルスなど),特発性肺炎症候群(idiopathic pneumonia syndrome：IPS),間質性肺炎,びまん性肺胞出血,特発性器質化肺炎(chronic obstructive pneumonia：COP),閉塞性細気管支炎症候群(bronchiolitis obliterans syndrome：BOS)などがある[35-43].IPS はおもに移植後早期の非感染性肺炎で,約 10％にみられる.発熱,呼吸困難,咳,低酸素血症を伴う.危険因子には,高齢,骨髄破壊的前処置,同種移植,高線量 TBI,大量 BCNU,メトトレキサートによる GVHD 予防,GVHD などがある.通常ステロイド治療に反応しにくく,予後は不良である.抗 TNFα 治療も試みられている.BOS は 5〜15％にみられる.臨床的かつ病態的に慢性 GVHD に分類される.病初期は無症状が多く,進行とともに労作性呼吸困難,咳,喘鳴を認める.以下①〜④をすべて満たせば,臨床的に BOS と診断できる：①慢性 GVHD 合併(肺以外),②1 秒量(FEV_1)/(肺活量)FVC<0.7 未満かつ予想 1 秒

表 16-8-5 急性 GVHD の重症度分類

grade(重症度)	皮膚 stage	肝 stage	消化管 stage
0	0	0	0
I	1〜2	0	0
II	3	1	1
III	—	2〜3	2〜4
IV	4	4	—

注 1) ECOG performance status (PS) =4 の場合,臓器障害が stage 4 に達しなくとも grade IV とする.
注 2) 各臓器障害の stage のうち,1 つでも満たしていればその grade を適用する.
注 3)「—」は障害の程度が何であれ grade には関与しない.

量（% FEV₁）< 75%，③高解像度肺CT所見（エアトラッピングまたは末梢気道の肥厚または気管支拡張），または病理診断（狭窄性細気管支炎），④肺・気管支感染の除外（臨床症状，気管支肺胞洗浄検査など）．移植前後で定期的に呼吸機能検査を行い，% FEV₁が移植前より10％以上悪化すれば，BOS合併を念頭とした精査が勧められる．BOS治療にステロイドやカルシニューリン阻害薬などが試みられているが，予後は不良で，5年生存率は20％未満である．肺移植が考慮されることもあるが，適応は慎重に判断すべきである．COPは発熱，咳，呼吸困難を主訴に発症し，ステロイド治療への反応は良好である． 〔髙見昭良〕

(e文献 16-8-6)

7）移植の適応

造血幹細胞移植は化学療法や放射線治療，免疫抑制療法より高毒性である．適応は，移植以外の治療法より生存期間や生活の質が上回る場合に限られる[1]．症例ごとに日本造血細胞移植学会の最新のガイドライン[2]や移植成績[3]を参照する．さらに，全身状態と合併症（comorbidity）を評価し，造血幹細胞移植併存症（comorbidity）インデックス（HCT-CI）スコア[4-7]を算出する（e表 16-8-K）．HCT-CI スコア合計が3点以上の予後は著しく不良（e図 16-8-B）で，移植適応は慎重に判断する．

(1) 急性骨髄性白血病

同種移植適応となる予後不良因子には，診断時白血球2万/μL以上，FAB分類M0・6・7，MPO陽性率50％未満，初回寛解導入療法失敗，染色体予後中間核型（正常核型，+8，+6，+21，−Y，del(12p)）・予後不良核型（5番または7番染色体異常，11q23異常，3個以上の複雑核型異常，t(6;9)，t(9;22)など）などがある[1,8,9]．染色体正常核型の場合，遺伝子変異解析（*FLT3*，*NPM1*，*CEBPA* が推奨される）結果も参考にする．染色体予後中間核型・不良核型でHLA適合血縁ドナーが見いだせれば，同種移植の適応である．地固め療法後微小残存病変（MRD）陽性例は化学療法後再発しやすく，同種移植を考慮してよい．第1寛解期の染色体予後良好・中間核型は，自家移植も考慮される[10]．65歳以上の患者への移植適応は，HCT-CIを含め総合的に判断する．第1寛解期の急性前骨髄性白血病は分化誘導療法を含む化学療法により70〜80％の無病生存が期待できるので，第1寛解期の移植適応はない．骨髄MRD陰性の第2寛解期は自家移植の，骨髄MRD陽性の第2寛解期は同種移植の適応が考慮される．小児急性骨髄性白血病は高リスク群でも化学療法により50〜60％に長期生存が期待できるため，通常移植適応にならない．

(2) 急性リンパ性白血病

HLA適合血縁・非血縁の骨髄・末梢血ドナーを有する第1・第2寛解期例は，Ph染色体陽性・陰性を問わず，同種移植の適応と考えられる．Ph染色体陽性の場合，移植前イマチニブ使用により，同種移植予後改善効果も期待できる[11]．再発・難治急性リンパ性白血病への同種移植成績は不良だが，ほかに根治が期待できる治療法はなく，相対的適応と思われる．小児急性リンパ性白血病は化学療法だけでも長期生存が期待できるため，第1寛解期低リスク・標準リスクは移植適応にならない．ただし，高リスク，再発・難治例は同種移植の適応が考慮される．

(3) 骨髄異形成症候群

国際予後スコアリングシステム（IPSS）[12] intermediate-2/high の高リスク骨髄異形成症候群は，HCT-CI[7]や一般状態（performance status：PS）評価を参考[13,14]に，速やかに同種移植を行う[15,16]．年齢は問わない[14,17]．HLA 1座不適合以内血縁ドナーが最善だが，HLA適合非血縁骨髄・末梢血ドナーでもよい．臍帯血移植やHLA 1アリル不適合非血縁者間骨髄・末梢血幹細胞移植も考慮される．小児の場合も輸血が必要な症例や二次性の場合，同種移植の適応と考えられる．IPSS低リスクでも，新規染色体異常出現，血球減少進行，IPSS病期進行，骨髄芽球割合5％以上，高度血小板減少，赤血球輸血依存，予後不良染色体異常などの予後不良因子があれば，同種移植が考慮される[15,18,19]．ただし，移植時骨髄芽球割合5％以上[17]，HCT-CI 3点以上，中間または高リスク（RA・RARS以外，染色体予後中間群・不良群[12]）[7]，PS不良[20] のMDSは，同種移植の予後不良因子であり，移植適応や病期は慎重に判断すべきである．骨髄芽球割合が10％以上の場合，寛解導入化学療法やアザシチジンによる前治療が勧められる[21-23]．

(4) 骨髄増殖性腫瘍

慢性骨髄性白血病慢性期はチロシンキナーゼ阻害薬（TKI）により長期生存が期待できるため，移植適応にならない．第2世代TKI治療による治療抵抗例，特にT315I変異発現例は同種移植の適応と考えられる．移行期も同種造血幹細胞移植の適応が考慮されるが，診断から12カ月以内，Hb > 10 g/dL，末梢血芽球<5％の低リスク例は，TKI単独治療でも長期生存が期待できる．移行期は付加的染色体異常や抵抗性変異の有無も含め症例ごとに移植適応を考慮する．原発性骨

髄線維症の場合，若年で予後予測モデル(Lille 分類，骨髄線維症 IPSS 分類，DIPSS 分類など)上予後不良例は同種移植の適応となる．

(5)悪性リンパ腫

成人 T 細胞白血病/リンパ腫は，CCR4 抗体薬(モガムリズマブ)など化学療法の治療成績は向上しているが，長期生存には同種移植が必要と考えられる．濾胞性リンパ腫も，CD20 抗体薬(リツキシマブ)，ベンダムスチンなど新規薬剤により化学療法の治療成績は向上しているが，化学療法後再発・難治例，形質転換例は，^{90}Y・イブリツモマブチウキセタンに加え自家移植適応も考慮される(自家移植後二次性骨髄異形成症候群・白血病の危険性に留意)．同種移植は治療関連死亡も多く，適応は慎重に判断する．びまん性大細胞型 B 細胞リンパ腫は，再発・難治の化学療法感受性例は，自家移植の適応となる．マントル細胞リンパ腫は初回治療奏効後自家移植併用大量化学療法で無増悪期間延長が期待できるため，第 1 寛解期でも自家移植の適応となる．再発例には同種移植も考慮される．Burkitt リンパ腫は化学療法の治療成績が向上しており，第一寛解期は通常移植適応にならない．T/NK 細胞リンパ腫に対する自家・同種移植の有用性は不明で，病型ごとに移植適応を検討する．自家移植の有用性が期待できない病型は，同種移植の適応も考慮される．Hodgkin リンパ腫は化学療法が奏効しやすく，長期生存率は 70〜90％に達している．再発・難治の化学療法感受性例は，自家移植の適応が考慮される．自家移植後再発，自家末梢血幹細胞動員不良，化学療法不応例は同種移植を考慮するが，有用性は未確立である．初発小児悪性リンパ腫は化学療法により長期生存が期待できるため，移植適応にならない．ただし，再発・難治例は予後不良であり，移植も治療選択肢になる．

(6)多発性骨髄腫

新規薬剤の適応拡大とともに薬物療法の成績は向上しており，今後の臨床研究結果によっては移植適応も大きく変わる可能性がある．自家末梢血幹細胞移植後 very good partial response(VGPR)や near complete response(nCR)に到達しない症例は，再度自家移植を行うタンデム移植が有用とされてきた．ただしタンデム移植は治療関連死亡を高める恐れがあり，今後は新規薬剤による移植後強化・維持療法へ変遷すると思われる．65 歳以上の高齢者に対する自家移植の有用性は今のところ明らかではない．染色体 13q$^-$，t(4;11)は自家移植の予後不良因子であるが，ボルテゾミブ，レナリドマイド治療では予後因子にならないとされる．自家移植，新規薬剤も含めた再発難治例で 40 歳未満の場合，緩和的前処置同種造血幹細胞移植の適応が考慮される．ただし治療関連死亡や再発も多い．特に no change(NC)や progressive disease(PD)といった治療抵抗例の同種移植後長期生存率は低い．

(7)再生不良性貧血

G-CSF 投与後も好中球 0 の劇症型は重症感染症を合併していることも多く，免疫抑制療法自体困難である．適切なドナーが見いだせた時点で速やかに同種造血幹細胞移植を実施するのが望ましい[24]．臍帯血移植の適応も考慮される．stage 3〜5 の初発例でも，HLA 一致血縁ドナーを有する 20 歳未満患者は同種造血幹細胞移植が勧められる．20〜40 歳でも考慮すべきと思われる．40 歳以上の患者は免疫抑制療法が第一選択だが，移植関連死亡の危険性が低ければ，50 歳まで移植適応を広げてよいかもしれない．免疫抑制療法無効例や再発例も同種移植適応が考慮される．なお，末梢血幹細胞移植は慢性 GVHD が増え生存率が低下する恐れがある．骨髄採取が困難，患者・ドナー間の体格差(ドナーが小柄)，活動性感染症の現有または移植後早期致死的感染症の懸念があるなどの場合を除き骨髄移植が望まれる．最重症・重症小児再生不良性貧血の場合，初発例，再発難治例にかかわらず HLA 適合ドナーが得られれば同種移植が勧められる．一方中等症例は免疫抑制療法の効果が期待できるため，同種移植の適応になりにくい．〔髙見昭良〕

(e 文献 16-8-7)

16-9 赤血球系疾患

1）総論

(1)貧血
定義・概念

貧血は末梢血の赤血球成分が減少した状態を指し，ヘモグロビン濃度の低下で定義される．ヘモグロビン値の正常参考値は年齢，性，人種によって異なり，貧血の診断基準は国や作成団体によって微妙に異なるが，WHO 基準では成人男性で 13.0 g/dL 以下，成人女性では 12.0 g/dL 以下とされ，この基準が広く用いられている（表 16-9-1）(WHO, 2012).

原因・病因

貧血はヘモグロビン低下を示す症候名であり，必ず原因疾患が存在する．血液疾患によって起こる貧血を原発性貧血(primary anemia)とよび，血液疾患以外の疾患によって引き起こされる貧血を二次性貧血，続発性貧血(secondary anemia)とよぶことがある．貧血の原因は大きく①赤血球産生の低下，②赤血球破壊の亢進(溶血)，③赤血球の喪失(出血)のいずれかに分類される(表 16-9-2).

1）**赤血球産生の低下**：産生低下をきたす病態は，①造血細胞自体の異常，②造血環境の異常，③造血に必要な因子の不足，④その他の 4 種に大別される.

a)造血細胞の異常：白血病や骨髄異形成症候群による貧血が代表的である．これらの疾患では未分化造血細胞に変異が発生し，異常クローンは赤血球分化に異常をきたすとともに，正常造血を抑制するために貧血が発症する．サラセミアではグロビン合成異常による赤血球産生の低下が認められる．

b)造血環境の異常：自己免疫による造血幹細胞，赤芽球の障害が原因となる再生不良性貧血や赤芽球癆が代表的である．多発性骨髄腫や固形癌の骨髄浸潤では腫瘍が骨髄占拠性病変となり微小環境を障害して貧血が発症すると考えられている．

表 16-9-1 ヘモグロビン濃度による貧血の基準
（WHO）

ヘモグロビン(g/dL)	対象者
11.0 以下	6 カ月以上 5 歳未満
11.5 以下	5 歳以上 12 歳未満
12.0 以下	12 歳以上 15 歳未満
12.0 以下	15 歳以上の女性（妊婦を除く）
11.0 以下	妊婦
13.0 以下	15 歳以上の男性

表 16-9-2 貧血の病態による分類

1. **赤血球産生の低下**
   1)造血細胞自体の異常
      - 白血病(異常細胞による分化異常・正常細胞の抑制)
      - 骨髄異形成症候群(異常細胞による分化異常・正常細胞の抑制)
      - サラセミア(ヘモグロビン合成の異常)
      - 鉄芽球性貧血(ヘモグロビン合成の異常)
   2)造血環境の異常
      - 再生不良性貧血(自己免疫による造血幹細胞の障害)
      - 赤芽球癆(自己免疫による赤芽球の障害)
      - 自己免疫性疾患合併血球減少症(自己免疫による造血細胞の障害)
      - 多発性骨髄腫(骨髄占拠，骨髄微小環境の異常)
      - 固形癌の骨髄浸潤(骨髄占拠)
   3)造血に必要な各種因子の不足
      - 鉄欠乏性貧血(鉄)
      - 慢性疾患に伴う貧血(鉄利用障害)
      - ビタミン B_{12} 欠乏性貧血(悪性貧血，胃切除後貧血)
      - 葉酸欠乏性貧血(葉酸)
      - 亜鉛欠乏性貧血(亜鉛)
      - 腎性貧血(エリスロポエチン)
   4)その他
      - 甲状腺機能異常症，肝障害，アルコール多飲

2. **赤血球破壊の亢進(溶血)**
   1)赤血球自体の異常
      - 遺伝性球状赤血球症(膜異常による破壊)
      - 鎌状赤血球症(ヘモグロビン変性による溶血)
      - サラセミア(ヘモグロビン変性による溶血)
      - 赤血球酵素異常症(G6PD 欠損症など，酸化ストレスの増加)
      - 発作性夜間ヘモグロビン尿症(GPI アンカー蛋白欠損による補体感受性亢進で溶血)
   2)自己免疫・薬剤
      - 温式自己免疫性溶血性貧血(温式 IgG 自己抗体)
      - 寒冷凝集素症(冷式 IgM 自己抗体)
      - 新生児溶血性貧血(胎盤を通過した母体由来の抗赤血球抗体)
      - 薬物性溶血性貧血(薬剤の直接作用あるいは自己免疫機序を介して溶血)
   3)機械的刺激
      - 大血管の異常
         - 人工弁，心臓弁膜症(狭窄弁)，大動脈狭窄症，大動脈瘤，人工血管など
      - 微小血管の異常
         - 播種性血管内凝固症候群(DIC)
         - 血栓性血小板減少性紫斑病(TTP)
         - 溶血性尿毒症性症候群(HUS)
         - 血管炎症候群
      - 体外からの外力
         - 行軍ヘモグロビン尿症
   4)脾腫(門脈圧亢進症)

3. **赤血球の喪失(出血)**
   外傷，消化管出血，性器出血，肉眼的血尿，瀉血

c）造血に必要な各種因子の不足：鉄（鉄欠乏性貧血）やビタミンB_{12}（悪性貧血・胃切除後貧血），葉酸，亜鉛欠乏など赤血球造血に必要なビタミンやミネラルの不足によって貧血が発症する．腎臓においてエリスロポエチン産生が低下すると赤芽球増殖が低下し，腎性貧血となる．その他，慢性炎症性疾患（自己免疫疾患や悪性腫瘍）では，炎症性サイトカインを介した肝臓でのヘプシジン産生増加によって血清鉄低下など鉄の利用障害が発生し，貧血が発症する．

d）その他：甲状腺機能異常症やアルコール多飲などによっても造血が障害され，貧血を認めることがある．

2）赤血球破壊の亢進（溶血）：赤血球の破壊亢進をきたす病態は，①赤血球自体の異常，②自己免疫や薬剤，③機械的刺激，④脾腫の4種に大別される．

a）赤血球の異常：遺伝性球状赤血球症では赤血球膜の異常で血管外溶血が認められる．鎌状赤血球症では酸素分圧低下時にヘモグロビンがゲル化し，赤血球が破壊される．G6PD欠損症では発生する活性酸素により赤血球膜が壊される．発作性夜間ヘモグロビン尿症では後天的に発生したPIG-A遺伝子変異によってグリコシルホスファチジルイノシトール（GPI）の合成が不可能となり，GPIアンカー型蛋白の一種であるCD55やCD59などの補体防御因子が赤血球膜から消失することにより，赤血球が補体によって破壊され，特徴的な血管内溶血をきたす．サラセミアでは赤血球造血の低下に加えて，ヘモグロビンの変性による溶血も認められる．

b）自己免疫・薬剤：成熟赤血球に対する自己抗体が原因となる自己免疫性溶血性貧血（温式自己免疫性溶血性貧血・寒冷凝集素症）が代表的である．その他に母体からの血液型抗体流入による新生児溶血性貧血や薬物性溶血性貧血がある．薬物性の場合，薬剤の直接作用によるものと自己免疫を介した機序が想定されている．

c）機械的刺激：物理的・機械的刺激によって赤血球が破壊される病態であり，赤血球破砕症候群ともいわれる．三日月型，ヘルメット型などの特徴的な破砕赤血球が認められる．心臓弁膜症や人工弁，人工血管など大血管異常に伴うもの（macroangiopathic hemolysis）や，血栓性血小板減少性紫斑病，溶血性尿毒症性症候群などによる微小血管内溶血によるもの（microangiopathic hemolysis），体外からの外力に起因する行軍ヘモグロビン尿症などが原因疾患としてあげられる．

d）脾腫：脾臓は老化赤血球の破壊処理を担っているが，何らかの理由で脾臓が腫大すると赤血球の破壊が亢進し，貧血をきたす．脾腫をきたした場合，血小板も減少することが多い．

3）赤血球の喪失（出血）：出血は貧血をきたす重要な病態である．消化管出血，性器出血，頻度は少ないが瀉血などが該当する．長期にわたる赤血球の喪失では鉄欠乏性貧血を合併する．

臨床症状

1）自覚症状：ヘモグロビン低下に伴う組織の低酸素症状（易疲労感，めまい，頭痛，狭心痛など）と低酸素を代償する生体反応による症状（動悸，頻脈，頻呼吸など）が認められる．ただし，貧血が慢性に経過している場合はヘモグロビン値が相当低下しても症状を自覚しにくいことがある．その場合は，階段昇降時の息切れなど日常生活に基づいた症状を問診するとよい．

2）他覚症状：ヘモグロビン低下に共通した他覚所見としては，眼瞼結膜の蒼白が認められる．そして症例によっては心拡大，心雑音，静脈コマ音，浮腫など循環器系への負担を示す所見が認められる．その他，鉄欠乏性貧血では匙状爪，悪性貧血では舌炎，溶血性貧血では黄疸など，おのおのの貧血疾患に特徴的な所見が認められる．

検査所見

ヘモグロビンとヘマトクリットの低下が認められる．赤血球数もほとんどの症例で減少するが，サラセミアでは赤血球がむしろ増加することも多く，MCV（fL）/赤血球数（百万/μL）≦13はサラセミアを疑う1つの指標となる（thalassemia index）．ヘモグロビンの低下に加えて，鉄欠乏性貧血ではフェリチン値の低下，溶血性貧血ではLDHの増加など各疾患に特徴的な検査異常が認められる．

診断

ヘモグロビン値の低下で貧血は診断されるが，貧血の原因となる基礎疾患の鑑別が最も重要である．表16-9-2にあげるように数多くの疾患で貧血が認められるが，貧血の鑑別には①平均赤血球容積（mean corpuscular volume：MCV）と②網赤血球数が有用である（通山，2011；髙見，2012）．診断の流れの一例を図16-9-1に，またスクリーニングに有用な検査を表16-9-3に示す．

1）白血球，血小板異常の有無を確認する：他系統の血球に異常が認められる場合は，造血器疾患である可能性が高い．白血球像（目視による確認が必須）を確認し，芽球や異常血球の出現が認められる場合は，白血病あるいは骨髄異形成症候群の可能性を考慮し，早期に骨髄検査を施行して診断を確定する．

2）MCVを評価する：MCV低値（小球性貧血）の場合は，鉄関連検査を行う．血清フェリチン値が低値の場合は鉄欠乏性貧血と診断できる．フェリチン低下が認められず血清鉄が低下している場合は，炎症や腫瘍などの慢性疾患に伴う貧血が考えられる．それ以外の場合にはサラセミアなどを鑑別する必要がある．な

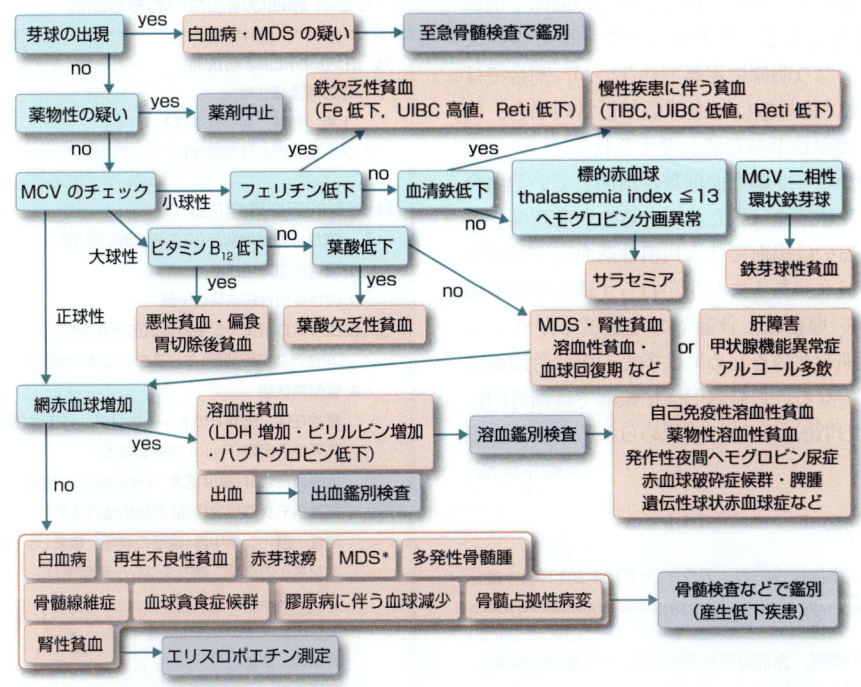

図 16-9-1 貧血診断フローチャートの例
貧血を鑑別する際は,平均赤血球容積(MCV)と網赤血球数を手がかりに診断を進めるとわかりやすい.
図にあげた手順はその一例である.
MDS:骨髄異形成症候群.
＊:MDS では網赤血球数が増加する場合がある.

お,鉄動態の評価にはフェリチンの測定が必須であり,血清鉄だけで判断してはいけない.

MCV 高値(大球性貧血)の場合は,ビタミン B_{12} や葉酸値を確認し,低値であればそれぞれの欠乏症と診断される.ビタミン B_{12} 欠乏の場合,MCV は 120 fL 以上の高値になることが多い.それ以外の原因では骨髄異形成症候群,溶血性貧血などが鑑別疾患となるが,一般に赤血球造血が亢進すると MCV は増加する傾向がある.典型例では正球性貧血となる疾患でも MCV 110 fL 程度の軽度大球性貧血を呈することはしばしば経験されるため,ビタミン B_{12} や葉酸欠乏のない大球性貧血では正球性貧血を呈する疾患も考慮する必要がある.その他,肝障害や甲状腺機能低下,アルコール多飲による貧血も大球性貧血をきたす.

MCV が正常範囲内(正球性貧血)の場合は再生不良性貧血,赤芽球癆,多発性骨髄腫,腎性貧血などさまざまな疾患が鑑別にあげられるため,次の網赤血球数による評価が必要である.

3)網赤血球数の評価: 網赤血球数は通常百分率(%)あるいは千分率(‰)で表されるが,本来は 1 μL あたりの絶対数で判断されるべきものである.ただ,絶対数は赤血球数に網赤血球割合を乗じて計算されるため正常範囲内でもばらつきが大きく,実際には割合と絶

表 16-9-3 貧血の診断に有用なスクリーニング検査(通山,2011 より改変引用)

一次スクリーニング
血算:
　白血球数,血液像,赤血球数,ヘモグロビン,ヘマトクリット
　平均赤血球恒数(MCV, MCH, MCHC),網赤血球数,血小板数
生化学一般:
　AST, ALT, LDH, T-Bil, D-Bil, BUN, Cre, TP, Alb, Fe, UIBC, フェリチン
CRP
検尿・沈渣

疾患特異的追加スクリーニング検査
ビタミン B_{12},葉酸(大球性貧血が認められる場合)
LDH アイソザイム,ハプトグロビン,Coombs 試験(溶血を疑う場合)
抗核抗体,抗 DNA 抗体など(自己免疫疾患を疑う場合)
エリスロポエチン(腎性貧血を疑う場合)
蛋白分画(多発性骨髄腫を疑う場合)
腹部超音波検査,CT など(肝脾腫,リンパ節腫大などを疑う場合)
ヘモグロビン分画検査(サラセミア,ヘモグロビン異常症を疑う場合)
骨髄検査

対数双方を考慮して，ヘモグロビン値との関係で増減を判断することになる．標準値は施設・検査機関によって微妙に異なり明確に定義できないが，割合では0.5～2.0％程度，絶対数は赤血球数が正常の場合，約5万～10万程度が標準参考値と考えられる．

貧血にもかかわらず網赤血球数が増加している場合は，骨髄の赤芽球造血は保たれていることを意味しており，溶血あるいは出血に伴う代償性造血亢進が疑われる．一方，貧血があるにもかかわらず網赤血球増加が認められない場合は，骨髄での産生低下が考えられ，さらに鑑別を進めるためには多くの場合骨髄検査が必要になる．なお，骨髄異形成症候群では例外的に網赤血球割合の増加がしばしば認められるため，注意が必要である．　　　　　　　　　　〔鈴木隆浩〕

■文献
高見昭良：貧血．臨床検査のガイドライン JSLM 2012（日本臨床検査医学会編），2012. http://jslm.org/books/guideline/index.html
通山　薫：貧血の鑑別．血液専門医テキスト（日本血液学会編），pp29-32，南江堂，2011．
WHO: Worldwide prevalence on anaemia 1993-2005, 2012. http://www.who.int/vmnis/anaemia/prevalence/en/index.html

（2）赤血球増加症

定義

赤血球増加症とは，末梢血液単位体積あたりの赤血球数，ヘマトクリット（Ht）値，ヘモグロビン（Hb）濃度が正常範囲をこえた状態を指す．通常，男性では赤血球数 600 万/μL，Hb 18.0 g/dL，Ht 55％のいずれかを，女性では赤血球数 550 万/μL，Hb 16.0 g/dL，Ht 50％のいずれかをこえた場合をいう．

分類

赤血球増加症には循環赤血球量は正常範囲だが，循環血漿量の減少による Ht 値の上昇を認める場合と身体全体の赤血球数が増加する場合があり，前者は「見かけの赤血球増加症」あるいは「相対的赤血球増加症」，後者を「絶対的赤血球増加症」とよんで区別している．赤血球増加症のおもな原因による分類を表16-9-4 に示す．

絶対的赤血球増加症は赤血球量の絶対的増加によって定義される疾患群で，一次性（primary），二次性（secondary），特発性（idiopathic）に分類される（表16-9-4）．一次性赤血球増加症は血液細胞側に異常があるもので真性赤血球増加症（真性多血症）（polycythemia vera：PV）に代表される．二次性赤血球増加症はエリスロポエチン（erythropoietin：EPO）産生亢進によって赤血球系細胞の過剰増殖をきたしたもので，基礎疾患はさまざまである．二次性赤血球増加症

表 16-9-4　赤血球増加症のおもな原因

A. 相対的赤血球増加症
　1. 赤血球濃縮状態
　　　下痢，熱傷，発汗亢進など
　2. ストレス赤血球増加症（ストレス多血症，Gaisböck 症候群）

B. 絶対的赤血球増加症
　1. 一次性赤血球増加症（造血細胞側の異常）
　　a. 真性赤血球増加症
　　b. 慢性骨髄性白血病の一部
　　c. エリスロポエチン受容体遺伝子異常症
　2. 二次性赤血球増加症（エリスロポエチンの産生亢進）
　　a. 低酸素状態
　　　高地在住，高地でのトレーニング，肺疾患（肺性心など）
　　　先天性心疾患（Fallot 四徴症など）
　　　低換気症候群（高度肥満，Pickwick 症候群）
　　　異常ヘモグロビン症（酸素親和性亢進型）
　　　慢性一酸化炭素中毒（過度の喫煙，職業（地下駐車場勤務，トンネル内作業，都内タクシー運転手））
　　　コバルト暴露
　　b. エリスロポエチン産生腫瘍
　　　腎腫瘍，腎嚢胞
　　　肝細胞癌
　　　小脳血管芽細胞腫
　　　子宮線維筋腫
　　c. 腎移植後
　　d. エリスロポエチン遺伝子発現制御分子の異常
　　　低酸素応答因子-2α（HIF-2α）遺伝子異常症
　　　von Hippel-Lindau（VHL）遺伝子異常症
　　　プロリンヒドロキシラーゼ（PHD）遺伝子異常症
　3. 特発性赤血球増加症
　4. その他：蛋白同化ホルモン薬，エリスロポエチン製剤，赤血球輸血

のなかには腎細胞癌のように生命を脅かす可能性のあるものも含まれているので，その原因を明らかにする．また真性赤血球増加症と鑑別することにより，不必要な抗腫瘍薬投与による二次性白血病を回避することができる．原因の明らかでないものを特発性赤血球増加症とよぶことがあるが，あくまでも除外診断であり，後に真性赤血球増加症に進展する症例や二次性赤血球増加症の症例が多く含まれた疾患群と考えられる．

鑑別診断

1）下痢，発汗亢進などの脱水による血液濃縮状態：
下痢，発汗亢進などの脱水や熱傷によって循環血漿量が減少すれば見かけの赤血球増加症になる．Ht 値の上昇をみた場合，はじめに下痢，発汗亢進などの脱水によって血液が濃縮状態に陥っていないかどうかを調べる必要がある．具体的には皮膚弾力の低下（handkerchief sign），眼圧低下，粘膜・皮膚の乾燥，頻脈の有無などを調べる．それが否定されれば，ストレス

赤血球増加症【⇨16-9-9】か絶対的赤血球増加症のいずれかを考える．

2）**喫煙**：喫煙について聴取することは重要である．大量喫煙者にしばしば中等度の赤血球増加症がみられる．喫煙によって酸素と結合しないカルボキシヘモグロビンが血中に増加するために，一定の酸素濃度を保つようにEPOの産生が亢進し，赤血球数が増加すると考えられている．禁煙後数ヵ月を経ても赤血球数が正常に復さない場合にはストレス赤血球増加症の可能性がある．

3）**家族歴**：家族歴をよく聴取することも重要である．異常ヘモグロビン症のなかにはヘモグロビンと酸素との親和性が高いために末梢組織での酸素受け渡しがうまくいかず，組織は酸素欠乏状態になり，腎臓でのEPO産生が亢進し，赤血球増加症をきたすものがある（Hb Hiroshima, Hb Yakima など）．最近ではEPO受容体遺伝子変異，EPO発現を促進する転写因子 hypoxiainducible factor-1α（HIF-1α）にユビキチンを付加し蛋白分解へと導くVHLの遺伝子異常による家族性赤血球増加症の症例も報告されている【⇨16-9-11】．

4）**低酸素状態**：動脈血酸素飽和度の低下は心肺疾患，動静脈短絡，低換気症候群（Pickwick症候群）などでみられる．Pickwick症候群は肥満による気道の狭小化と有効換気の減少によって生じる低換気がおもな要因で，睡眠中の舌根沈下による咽頭腔の狭小化によって生じるいびき，傾眠傾向，睡眠時無呼吸，さらには睡眠障害がみられるので，睡眠中の状態を家族によく問診する必要がある．

5）**症状**：絶対的赤血球増加症の症状は循環血液量と血液粘稠度の増加によるもので，頭痛，頭重感，めまい，倦怠感，易疲労感などを訴える．結膜の充血，赤ら顔もみられ，しばしば高血圧症を伴う．さらに真性赤血球増加症では好塩基球などの増加に伴う高ヒスタミン血症で消化性潰瘍をきたすことが多いので，胃のもたれや痛みに注意する．入浴後の皮膚瘙痒感や脾腫も真性赤血球増加症に特徴的である．

検査計画の立て方（図 16-9-2）

1）**循環赤血球量測定**：循環赤血球量は^{51}Crを用いて希釈法により計算する．真性赤血球増加症の診断基準に準拠して男性 36 mL/kg 以上，女性 32 mL/kg 以上を絶対的増加としている．増加が認められれば，ストレス赤血球増加症は除外される．最近では実施しない施設が多く，Hb値（男性 18.5 g/dL，女性 16.5 g/dLをこえる）で代用することが多いが，異論もある．

2）**JAK2チロシンキナーゼ遺伝子変異解析**：真性赤血球増加症ではサイトカインの細胞内シグナル伝達において中心的な役割を担うJAK2チロシンキナーゼの遺伝子変異がほとんどの症例で検出される【⇨16-9-10】．したがって真性赤血球増加症とほかの赤血球増加症との鑑別に有用である．

3）**血中EPO測定**：測定が容易になったため，EPO測定の検査的価値は高まっている．一次性赤血球増加症と二次性赤血球増加症との鑑別に有用で，血中EPO濃度の上昇は二次性赤血球増加症の存在を示唆する．腎細胞癌や肝細胞癌では腫瘍細胞がEPOを産生することがある（EPO産生腫瘍）．腫瘍摘出による赤血球増加症の改善がみられることや，腫瘍組織にお

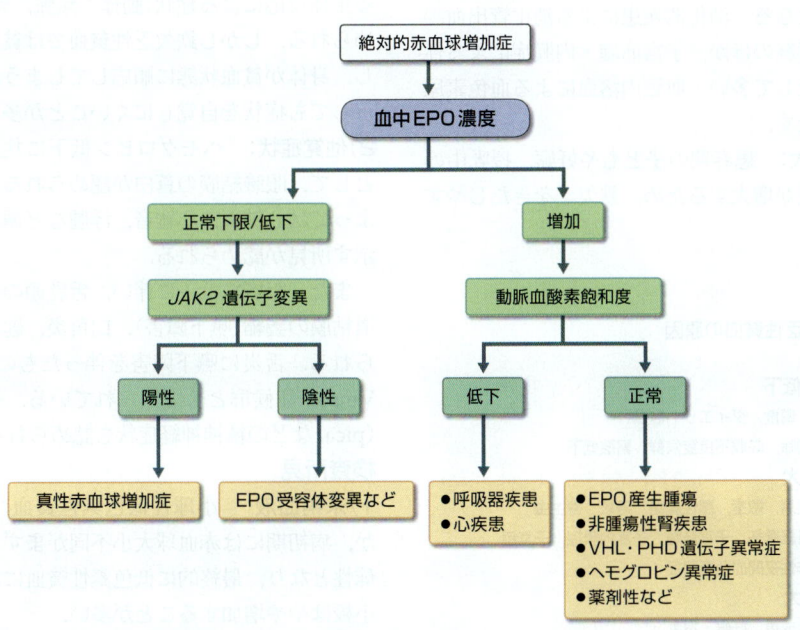

図 16-9-2 赤血球増加症の診断アルゴリズム

けるEPOmRNAや腫瘍組織培養上清中のEPO活性を検出することで診断される．

4) **動脈血酸素飽和度測定**：低酸素状態によって生じた赤血球増加症を診断するために必須の検査である．

5) **遺伝子解析**：真性赤血球増加症や二次性赤血球増加症が否定され，家族集積性があればEPO受容体遺伝子異常症などを疑い，遺伝子解析を行う【⇨16-9-11】．

〔小松則夫〕

■ 文献

Hoffman R, Xu M, et al: The polycythemias. Hematology, 5th ed (Hoffman R, Furie B, et al eds), pp1073-108, Elsevier, 2009.

2）鉄代謝異常症による貧血

(1) 鉄欠乏性貧血 (iron deficiency anemia: IDA)

定義・概念

体内鉄の絶対的欠乏によってヘモグロビン合成が低下し，発症する貧血．小球性低色素性貧血を呈し，単一の貧血症としては最も頻度が高い(Lee, 1999)．

原因・病因

体内鉄の絶対的欠乏が原因である．鉄欠乏の原因は，①鉄摂取量の低下，②鉄喪失の増大，③鉄需要の増大の3種に大別される(表16-9-5)．

1) **鉄摂取量の低下**：鉄は食事から摂取される．偏食や食事量の減少，胃切除や腸疾患による吸収不良などで鉄摂取が低下する．また，胃酸低下は鉄吸収を低下させる．

2) **鉄喪失の増大**：出血，特に繰り返す慢性出血によって鉄欠乏となる．消化器疾患による消化管出血，女性の場合は月経のほか，子宮筋腫・内膜症による性器出血が原因として多い．血管内溶血による血色素尿も鉄欠乏をきたす．

3) **鉄需要の増大**：思春期の子どもや妊娠，授乳中の女性では鉄需要が増大するため，鉄欠乏をきたしやすい．

表 16-9-5 鉄欠乏性貧血の原因

1. **鉄摂取量の低下**
   食事量の減少：偏食，ダイエットなど
   吸収障害：胃切除，吸収不良症候群，胃酸低下
2. **鉄喪失の増大**
   消化器疾患：潰瘍，憩室，悪性腫瘍，痔核，寄生虫
   婦人科疾患：月経過多，子宮筋腫，子宮内膜症，子宮癌
   血色素尿：発作性夜間血色素尿症
3. **鉄需要の増大**
   小児，思春期の成長，妊娠・授乳

疫学

鉄欠乏性貧血は世界で最も頻度の高い貧血であり，日本人女性で約8〜10％の罹患率とされる．年齢を20〜49歳に限ると20〜26％とも報告されている(小船，2015a)．

病態生理

ヒトは鉄を食物から取り入れるが，食事中の鉄はイオン化鉄(ほとんどがFe^{3+})かヘムの形で存在する．ヘムはそのまま上部小腸で効率よく(10〜30％)吸収されるが，イオン化鉄(Fe^{3+})は中性〜アルカリ性で不溶性となるためそのままでは吸収できない．イオン化鉄は胃酸(酸性溶液)で水溶性となり，小腸上皮細胞上でFe^{2+}に還元された後吸収される．このため吸収効率は低くなる(3〜10％)(図16-9-3)．

体外への鉄喪失は成人男性の場合1日1 mgで常に一定である(おもに消化管粘膜の脱落によって便中に排泄される)．また，月経のある女性や妊婦では喪失量は2〜3 mgに増加する．このため鉄摂取量の低下は容易に鉄欠乏の原因となる．

体内鉄が減少すると，まず貯蔵鉄が減少して潜在的鉄欠乏状態となる(フェリチン値が低下する)．さらに貯蔵鉄が減少すると血清鉄が低下しはじめ骨髄での鉄利用に支障が生じ，ヘモグロビンが低下して貧血が顕在化する(図16-9-4)．一方，鉄が補充されると逆の経過をたどり，まず血清鉄の増加とともにヘモグロビン値が増加し，その後貯蔵鉄(フェリチン値)が正常化する．

臨床症状

1) **自覚症状**：ヘモグロビン低下に伴う組織の低酸素症状(易疲労感，めまい，頭痛など)と低酸素を代償する生体反応による症状(動悸，頻脈，頻呼吸など)が認められる．しかし鉄欠乏性貧血では貧血が慢性に持続し，身体が貧血状態に順応してしまうため，貧血が進行しても症状を自覚しにくいことが多い．

2) **他覚症状**：ヘモグロビン低下に共通した他覚所見として，眼瞼結膜の蒼白が認められる．そして症例によっては心拡大，心雑音，浮腫など循環器系の負担を示す所見が認められる．

また，組織鉄低下に伴い，舌乳頭の萎縮(舌炎)や食道粘膜の萎縮(嚥下障害)，口角炎，匙状爪などが認められる．舌炎に嚥下障害を伴ったものは，Plummer-Vinson症候群として知られている．その他，異食症(pica)などの精神神経症状も認められる．

検査所見

1) **末梢血液**：小球性低色素性貧血が典型的であるが，病初期には赤血球大小不同がまず現れ，その後小球性となり，最終的に低色素性貧血になっていく．血小板はやや増加することが多い．

2) **生化学検査**：血清鉄低下，不飽和鉄結合能

(UIBC)の増加,トランスフェリン飽和度(血清鉄/総鉄結合能%)の減少(15%以下が異常とされる)を認める.血清フェリチン低下が重要であり,鉄欠乏の基準は 12 ng/mL 未満である(藤原ら,2015).

3) **骨髄所見**: 骨髄検査は診断に必須ではないが,典型例では赤芽球系はやや過形成となり,辺縁不整で塩基性の強い小型赤芽球が認められる.鉄芽球の著減とマクロファージ中の貯蔵鉄や組織ヘモジデリンの減少が特徴である.

診断

小球性低色素性貧血で血清フェリチンが低値(12 ng/mL 未満)であれば鉄欠乏性貧血と確定診断できる(藤原ら,2015).血清鉄の低下だけでは診断できないことに注意する.

鑑別診断

炎症や悪性腫瘍など慢性疾患に伴う貧血(anemia of chronic disorder:ACD)との鑑別が最も重要である.ACD では貯蔵鉄の利用障害のために血清鉄は低下するが,フェリチンが増加するのが大きな特徴である.その他,小球性低色素性貧血をきたす疾患としてサラセミアが重要だが,これは標的赤血球や thalassemia index(eコラム 1),ヘモグロビン分画検査で鑑別される(表 16-9-6).

合併症

鉄欠乏の原因が出血である場合,悪性腫瘍の存在には常に注意する必要がある.特に男性や閉経女性に鉄欠乏が認められた場合には,消化管出血や性器出血の有無を確認し,異常が疑われる場合には内視鏡や婦人科検査など必要な検査を行う必要がある.

治療・予防 (藤原ら,2015;小船,2015b)

鉄剤投与を行い,基礎疾患が存在する場合はその治療も行う.顕在化した鉄欠乏性貧血を食事療法のみで治療することは困難である.

鉄剤は経口投与が原則である.通常,鉄として 100〜200 mg/日の鉄剤を投与する.貧血が改善してもまだ貯蔵鉄が不足しているため,鉄剤はフェリチン値が十分に回復する(少なくとも 12〜25 ng/mL 以上)までは継続する.

注射鉄剤は,鉄による毒性が発現しやすく,容易に鉄過剰に陥る可能性もあるため,①副作用が強く,経口鉄剤の内服継続が不可能,②鉄の損失が多すぎて経口鉄剤では間に合わない,③消化器疾患があり鉄剤内服自体が困難な場合や鉄剤内服によって疾患の増悪が予想される場合,④鉄の吸収障害がある場合などに使用を考慮する.投与の際は鉄過剰を防ぐために,不足鉄量(=投与目標量)を計算して投与量を決定する.

$$[2.7 \times (16 - Hb) + 17] \times 体重 (kg)$$
$$= 不足鉄量(投与目標量)(mg)$$

なお,注射鉄剤は電解質溶液中で不安定化するた

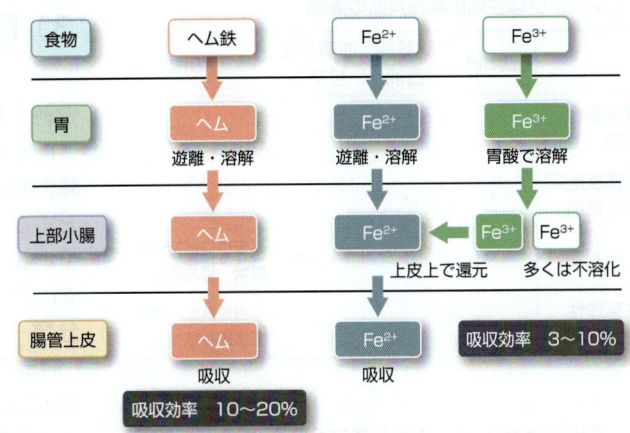

図 16-9-3 食物からの鉄吸収
食物中にはヘム鉄とイオン化鉄が含まれており,イオン価鉄のほとんどは Fe^{3+} である.ヘム鉄は小腸上皮細胞にそのまま吸収されるが,Fe^{3+} は胃液での可溶化,小腸上皮細胞上での Fe^{2+} への還元など吸収まで数段階のプロセスが必要であるため,吸収効率が悪い.

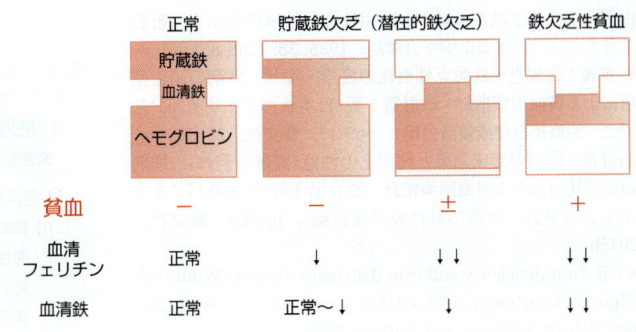

図 16-9-4 鉄欠乏から貧血発症までの経過
鉄が欠乏するとまず貯蔵鉄(フェリチン)が低下し,潜在的鉄欠乏状態となる.さらに鉄欠乏が進行すると血清鉄が下がり,ヘモグロビン合成が抑制されて鉄欠乏性貧血となる.
鉄剤による回復時は逆の経過をたどり,ヘモグロビン,血清鉄の増加後に貯蔵鉄(フェリチン)が回復する.

表 16-9-6 小球性低色素性貧血の鑑別

	血清鉄	総鉄結合能	血清フェリチン	その他
鉄欠乏性貧血	↓	↑	↓	
慢性疾患に伴う貧血	↓	↓	↑	
サラセミア	→〜↑	↓	→〜↓	ヘモグロビン分画異常，標的赤血球
鉄芽球性貧血	→〜↑	↓	↑	二相性貧血，骨髄環状鉄芽球

め，希釈にはグルコース液を使用する．また，日本茶や紅茶などタンニン含有飲料は，これまで経口鉄剤との同時飲用を避けるよう指導されてきたが，最近の研究では同時に飲用してもほとんど効果に影響しないことが報告されている（原田，1986）．

鉄欠乏性貧血の予防では，食生活を改善し，食事からの鉄摂取を適切に維持することが重要である．鉄を多く含有する食品（e表 16-9-A）や鉄吸収率（ヘムは効率がよい）について理解を深め，各個人にとって適切な鉄量を日常生活で摂取できるよう指導することが望ましい．

経過・予後

アドヒアレンスに問題がなければ鉄剤投与によって貧血は改善し，貧血自体の予後は良好である．鉄欠乏性貧血ではむしろ基礎疾患の治療が重要であり，特に悪性疾患が原因である場合，治療が遅れると予後不良になるため十分に注意すべきである． 〔鈴木隆浩〕

■文献

藤原 亨，張替秀郎：鉄欠乏性貧血の診断・診断基準（内田立身監修）．鉄剤の適正使用による貧血治療指針　改訂第 3 版（日本鉄バイオサイエンス学会　治療指針作成委員会編），pp22-6，響文社，2015．

原田契一：緑茶と鉄剤－緑茶の飲用は徐放性鉄剤の効果に影響を与えない．日本薬剤師学会雑誌．1986; 38: 1145-8．

小船雅義：鉄欠乏・鉄欠乏性貧血の疫学・症状．鉄剤の適正使用による貧血治療指針　改訂第 3 版（日本鉄バイオサイエンス学会　治療指針作成委員会編），pp9-13，響文社，2015a．

小船雅義：鉄剤の臨床効果と使用上の注意（齋藤宏監修）．鉄剤の適正使用による貧血治療指針　改訂第 3 版（日本鉄バイオサイエンス学会　治療指針作成委員会編），pp44-9，響文社，2015b．

Lee GR: Iron deficiency and iron deficiency anemia. Wintrobe's Clinical Hematology, 10th ed (Lee GR, Foerster J, et al eds), pp979-1010, Williams and Wilkins, 1999.

(2) 原発性および続発性ヘモクロマトーシス

【⇨ 15-6-2】

3) 巨赤芽球性貧血
megaloblastic anemia

定義・概念

巨赤芽球性貧血は巨赤芽球の出現を特徴とする造血障害であり，ビタミン B_{12} もしくは葉酸の欠乏を原因とする．無効造血による溶血所見を伴う大球性貧血を呈する．欠乏しているビタミン B_{12} もしくは葉酸の補充により軽快する．

分類

巨赤芽球性貧血はビタミン B_{12} 欠乏によるものと葉酸欠乏によるものに大別される．ビタミン B_{12} 欠乏による巨赤芽球性貧血のうち，自己免疫機序により発症する巨赤芽球性貧血を悪性貧血と称する．良性疾患であるこの貧血が悪性貧血とよばれる理由は，原因が不明で治療法が存在しなかった 1920 年代以前は致死的経過をたどったことによる．

原因

ビタミン B_{12} 欠乏の原因を表 16-9-7 に示す．このうち食事によるビタミン B_{12} 欠乏はまれである．胃の障害によるビタミン B_{12} 欠乏の原因は，悪性貧血，胃切除，加齢に伴う萎縮性胃炎に分けられる．加齢による萎縮性胃炎は前庭部を中心病変とし，酸分泌低下がビタミン B_{12} 欠乏の原因である．ただし，一般的に加齢による萎縮性胃炎を原因としたビタミン B_{12} 欠乏は軽度であり，巨赤芽球性貧血発症に至る症例は少ないと考えられている．巨赤芽球性貧血のなかで最も重要な疾患は悪性貧血である．悪性貧血は自己免疫性機序により発症する巨赤芽球性貧血であり，抗壁細胞抗体，抗内因子抗体といった自己抗体が認められる．抗壁細胞抗体により壁細胞が破壊されることにより粘膜は萎縮し，壁細胞が存在する胃底部・胃体部を中心とした自己免疫性萎縮性胃炎（A 型萎縮性胃炎）を発症する．その結果，胃内が低酸・無酸状態になるととも

表 16-9-7 ビタミン B_{12} 欠乏の原因

1. 摂取不足
   厳密な菜食主義
2. 吸収障害
   a) 胃の障害
      悪性貧血
      胃切除
      萎縮性胃炎（加齢による低酸性胃炎）
   b) 腸の障害
      回腸切除・回腸の炎症性疾患（Crohn 病など）
   c) 膵機能不全
   d) 先天性疾患
      内因子－ビタミン B_{12} 受容体異常症
      トランスコバラミンⅡ異常症

に内因子の分泌不全が生じる．抗内因子抗体はビタミンB_{12}と内因子の結合を阻害，もしくはビタミンB_{12}-内因子複合体と受容体との結合を阻害する．この一連の病的変化により，ビタミンB_{12}の吸収が障害される．表16-9-8に葉酸欠乏の原因を示す．葉酸欠乏の原因として，不十分な食事やアルコール依存による摂取不足，吸収障害などのほか，妊娠などによる需要の増大があげられる．また，メトトレキサートなどの葉酸代謝に拮抗する薬剤により，欠乏することがある．概して，ビタミンB_{12}欠乏の主たる原因は吸収不全であり，葉酸欠乏の主たる原因は摂取不足である．

疫学

日本の調査研究における巨赤芽球性貧血の内訳は，悪性貧血が61％，胃切除後ビタミンB_{12}欠乏が34％，その他のビタミンB_{12}欠乏2％，葉酸欠乏2％と，葉酸欠乏に比してビタミンB_{12}欠乏の頻度が高く，ビタミンB_{12}欠乏のなかでは，悪性貧血の頻度が最も高かった（小峰，2006）．発症率については，日本を含むアジアでの悪性貧血の発症率は，北欧・米国白人と比して低いとされており，10万人あたりの年間発症率は1～5人と推測されている．

病態生理

ビタミンB_{12}は動物性食品から摂取され，洋食に含まれるビタミンB_{12}は1日あたり5～7μgとされている．必要量は1日あたり2～3μgであることから，摂取不足によりビタミンB_{12}欠乏が起こることはまれである．また，体内には2～5mgの貯蔵があることから，胃切除後の巨赤芽球性貧血は発症までに平均して5，6年を要するとされている．

食物中の蛋白質と結合しているビタミンB_{12}は，胃に到達すると胃液中の塩酸の存在により遊離し，ハプトコリンと結合する．ビタミンB_{12}-ハプトコリン結合体が十二指腸に移行すると膵酵素によりハプトコリンが分解され，ビタミンB_{12}は胃の壁細胞から分泌される内因子と結合し，特異的受容体を介して回腸末端にて吸収される（図16-9-5）．ただし，1～5％のビタミンB_{12}は受動的拡散により吸収されると考えられている．細胞内に取り込まれたビタミンB_{12}はmalonyl-CoA mutaseの補酵素およびメチオニン合成酵素の補酵素として機能する．malonyl-CoA mutaseはmethyl-malonyl-CoA（メチルマロニルCoA）からsuccinyl-CoAを合成する酵素である．メチルマロニルCoAはメチルマロン酸（methyl-malonic acid：MMA）にCoAが結合したものであり，ビタミンB_{12}欠乏によりmalonyl-CoA mutaseの活性が低下するとMMAが蓄積する．メチオニン合成酵素はホモシステインをメチル化し，メチオニンを合成する酵素である．したがって，ビタミンB_{12}欠乏によりメチオニン合成酵素の活性が低下すると，ホモシステインが蓄積する．このメチオニン合成反応の際にメチル化テトラヒドロ葉酸(methyl-THF)が脱メチル化されテトラヒドロ葉酸(THF)となり，DNA合成の補酵素として用いられる(e図16-9-A)．

一方，葉酸は植物性・動物性食物に幅広く含まれており，成人の必要量は1日あたり約200μgとされており，米国における摂取推奨量は400μgである．通常の食事を摂取していれば欠乏状態になることはまれであるが，ビタミンB_{12}と比較すると所要量に対して貯蔵量が少ないため，欠乏から発症までの時間はビタミンB_{12}よりも短い．葉酸は空腸上部で吸収され，ビ

表16-9-8 葉酸不足の原因

1. **食事性**
   ダイエット，栄養障害，アルコール依存など
2. **吸収不全**
   小腸疾患
3. **需要の増大**
   a) 生理的需要
      妊娠
   b) 病的需要
      溶血性貧血，甲状腺機能亢進症など
4. **薬物**
   葉酸拮抗薬（メトトレキサート），フェニトイン，サラゾピリン，ST合剤など

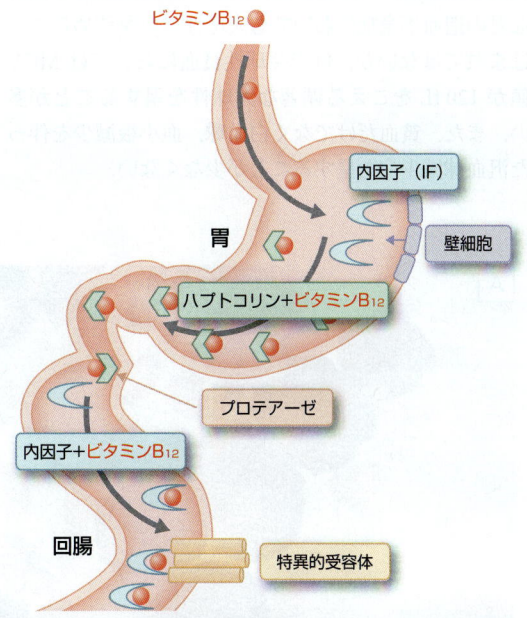

図16-9-5 ビタミンB_{12}の吸収
食物中のビタミンB_{12}は胃においてはハプトコリンと結合しているが，膵臓からのプロテアーゼによりハプトコリンが分解されると，内因子と結合し回腸末端まで運ばれ，特異的な受容体を介して吸収される．

タミンB_{12}同様，受動的拡散と能動的取り込みにより吸収される．細胞内に取り込まれた葉酸はテトラヒドロ葉酸（THF）としてDNA合成における補酵素として用いられる．

すなわち，葉酸欠乏，ビタミンB_{12}欠乏のいずれにおいてもTHFの不足によりDNA合成障害が生じることになり，この障害が巨赤芽球性貧血の発症原因である．

臨床症状

貧血の症状はほかの貧血と同様であり，易疲労感，頭痛，息切れ，動悸などを訴える．骨髄内溶血を反映し，軽度の黄疸を認めることがある．ビタミンB_{12}欠乏においては，特徴的な症状として神経学的症状が認められる．典型的な神経障害は，末梢神経障害によるしびれ感，感覚鈍麻，側索・後索障害による深部感覚障害（亜急性連合性脊髄変性症）などであり，Romberg徴候が陽性となる．さらに高齢者では認知症，抑うつなどの症状を呈することもある．これらの神経症状は貧血に先んじて発現することもある．このほか，舌乳頭の萎縮による特徴的なHunter舌炎，萎縮性胃炎に伴う消化器症状などの症状を合併する．また，若年者では，年齢不相応の白髪の増加が認められることもある．悪性貧血については，ほかの自己免疫疾患，特に慢性甲状腺炎などの甲状腺疾患の合併がしばしば認められる．また，健常人と比較した胃癌発症の相対危険度はおおよそ2倍とされている．

検査所見

1) **末梢血所見**：再生不良性貧血や骨髄異形成症候群などの造血不全症においても大球性貧血を認めることはまれではないが，巨赤芽球性貧血においてはMCV値が120 fLをこえる顕著な大球性を呈することが多い．また，貧血だけでなく白血球，血小板減少を伴った汎血球減少症を呈することが少なくない．

2) **骨髄所見**：骨髄は正形成〜過形成骨髄であり，特徴的な形態異常を呈する．赤芽球は大型で，分化に応じた核の成熟が進んでいない，すなわち，核と細胞質の成熟乖離が特徴的である（図16-9-6A）．この巨赤芽球性変化はDNAの合成障害によるものと考えられている．また，骨髄球系においても巨大後骨髄球（図16-9-7A），6分節以上の過分節好中球といった形態異常が認められ，診断上重要な所見である（図16-9-7B）．

3) **生化学所見**：血清ビタミンB_{12}もしくは葉酸が低値を呈する．ビタミンB_{12}欠乏ではメチオニン合成酵素およびmalonyl-CoA mutaseの活性が低下することから，血中ホモシステインレベルおよび血中・尿中メチルマロン酸（MMA）濃度が上昇するが，葉酸はmalonyl-CoA mutaseの作用には無関係であるため，葉酸欠乏ではMMAのレベルは上昇しない．骨髄での無効造血を反映して，間接ビリルビン優位のビリルビン上昇，LDHの上昇，ハプトグロビンの低下などの溶血所見が認められる．

4) **免疫学的所見**：悪性貧血における特異的所見として，抗内因子抗体，抗壁細胞抗体などの自己抗体が陽性となる．その検出率は抗壁細胞抗体が90％，抗内因子抗体は50〜70％とされている．

治療

胃切除後，悪性貧血いずれのビタミンB_{12}欠乏においても，吸収不全を原因とするため，注射によるビタミンB_{12}の非経口投与が原則である．初期治療として，ビタミンB_{12} 1000 μgの非経口投与を週3回，1カ月継続する．通常，網赤血球数は1週間で上昇が認められ，貧血は1〜2カ月で正常化する．舌炎，消化器症状もビタミンB_{12}投与開始から比較的早期に改善するが，神経症状の改善は時間がかかり，不可逆的な症状として残存する場合がある．造血の回復ととも

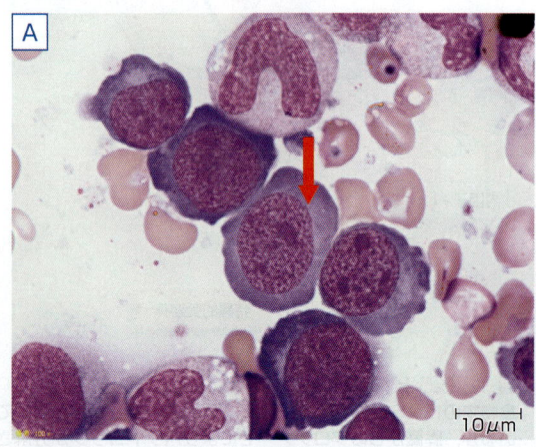 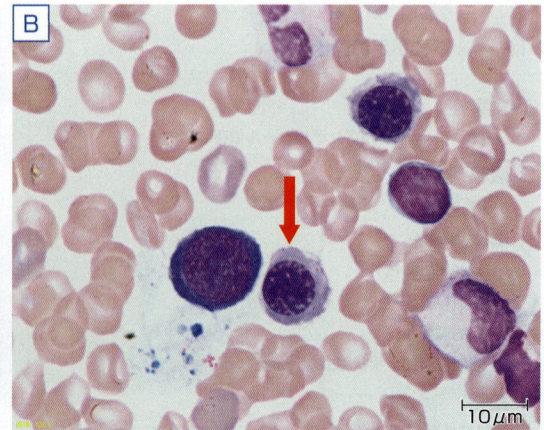

図16-9-6 巨赤芽球性貧血で認められる赤芽球の形態異常
A：巨赤芽球（×1000），B：正常赤芽球（×1000）．

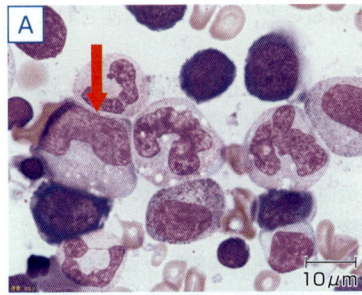 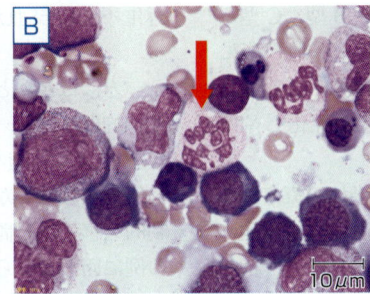 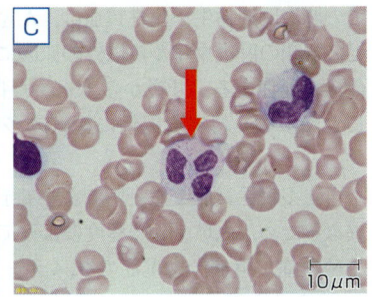

図16-9-7 巨赤芽球性貧血で認められる骨髄球系の形態異常
A：巨大後骨髄球（×1000），B：過分節好中球（×1000），C：正常好中球（×1000）．

に鉄欠乏状態が顕在化し，貧血が十分に改善しない場合があるが，その際は鉄剤の投与を行う．初期治療後，維持療法として3カ月に一度，ビタミンB_{12} 1000 μgの非経口投与を継続する．ただし，ビタミンB_{12}吸収には，受動的拡散による吸収経路があることから，内因子の非存在下でも経口投与である程度の吸収が期待できる．実際に1日あたり1000〜2000 μgの大量のビタミンB_{12}の経口投与をすれば非経口投与と同等の効果が得られるとする報告がある（Castelli, 2011）．ただし，経口投与は吸収効率にばらつきがある可能性があるため，少なくとも治療早期では効果が確実な非経口投与が望ましい．また，胃切除後，悪性貧血によるビタミンB_{12}欠乏においては生涯にわたりビタミンB_{12}の補充が必要であることから，経口投与を試みる場合は，継続的な服用を確認する必要がある．

葉酸の吸収は，吸収障害がなければ非常に良好であり，葉酸欠乏の原因は，前述のようにアルコール多飲者，高齢者にみられる摂取不足，妊娠に伴う需要増大などが多いため，通常5 mg/日程度の経口投与にて効果が認められる．

予後

適切な治療がなされれば，通常と同じ生命予後が期待できる．ただし，確定診断が遅れると，神経症状が残存しQOLの低下につながる場合があるため，注意が必要である． 〔張替秀郎〕

■文献

Castelli MC, Friedman K, et al: Comparing the efficacy and tolerability of a new daily oral vitamin B_{12} formulation and intermittent intramuscular vitamin B_{12} in normalizing low cobalamin levels; a randomized, open-label, parallel-group study. Clin Ther. 2011; **33**: 358-71.

小峰光博：DNA合成による貧血．三輪血液病学 第3版，pp972-1000, 文光堂, 2006.

4）造血不全

（1）再生不良性貧血（aplastic anemia）

定義・概念

再生不良性貧血は，末梢血でのすべての血球の減少（汎血球減少）と骨髄の細胞密度の低下（低形成）を特徴とする1つの症候群である．同じ徴候を示す疾患群から，概念のより明確なほかの疾患を除外することによってはじめて診断することができる．

分類

成因によってFanconi貧血，dyskeratosis congenitaなどの先天性と後天性に分けられる（表16-9-9）．後天性の再生不良性貧血には原因不明の一次性と，クロラムフェニコールをはじめとするさまざまな薬剤や放射線被曝・ベンゼンなどによる二次性がある．特殊型として，発作性夜間ヘモグロビン尿症（paroxysmal nocturnal hemoglobinuria：PNH）を伴うもの（再生不良性貧血-PNH症候群または骨髄不全型PNH）と，肝炎に関連して発症するものがある．

表16-9-9 再生不良性貧血の病型分類

I．先天性
1. Fanconi貧血
2. dyskeratosis congenita
3. その他

II．後天性
1. 一次性（特発性）
2. 二次性
   a. 薬剤
   b. 化学物質
   c. 放射線
   d. 妊娠
3. 特殊型
   a. 肝炎関連再生不良性貧血
   b. 再生不良性貧血-PNH症候群

この肝炎関連再生不良性貧血は，A型，B型，C型などの既知の肝炎ウイルス以外の原因による急性肝炎に伴って発症する．肝炎から1～3カ月遅れて発症することが多い．若年の男性に比較的多く重症化しやすい．

再生不良性貧血は重症度によって予後や治療方針が異なるため，血球減少の程度によって軽症，中等症，やや重症，重症，最重症の5ステージに分けられる（表16-9-10）．

原因・病因
一次性(特発性)再生不良性貧血は何らかのウイルスや環境因子が引き金になって起こると考えられているが実体は不明である．

疫学
わが国の患者数は約5000人で年間新患者発生数は100万人あたり8人前後と推測されている．性差はなく，年齢別には10歳代と70～80歳代にピークがある．

病理
腸骨からの骨髄生検では細胞成分の占める割合が全体の30％以下に減少し，脂肪細胞の割合が増加している（図16-9-8）．ステージ1～3の患者では細胞成分の多い部分が残存していることが多い．

病態生理
造血幹細胞が減少する機序として造血幹細胞自身の質的異常と，免疫学的機序による造血幹細胞の傷害の2つがある．造血幹細胞の質的異常は①再生不良性貧血と診断された患者のなかに，細胞形態に異常がないにもかかわらず染色体異常が検出される例や，後に骨髄異形成症候群(myelodysplastic syndrome：MDS)・急性骨髄性白血病に移行する例があること，②Fanconi貧血や，テロメラーゼ関連遺伝子異常による骨髄不全のように，特定の遺伝子異常によって起こる再生不良性貧血があること，などから推測されている．

一方，ほとんどの再生不良性貧血に関与している免疫学的機序は①一卵性双生児の健常ドナーから移植前処置なしに骨髄を移植された再生不良性貧血患者では，約半数にしか造血の回復が起こらないが，免疫抑制的な移植前処置後に再度骨髄を移植するとほとんどの例に回復がみられる，②抗胸腺細胞グロブリン(antithymocyte globulin：ATG)やシクロスポリンなどの免疫抑制療法が再生不良性貧血患者の約70％に奏効する，③再生不良性貧血のかかりやすさと特定のHLA-DRアレル(DR15)との間に相関がある，④6番染色体短腕の片親性2倍体により，片側のHLA発現が欠失した白血球が全体の約15％に検出される，などの所見から推測されている．しかし，免疫反応の標的となる自己抗原はまだ同定されていない．

臨床症状
1）自覚症状： 主要症状は息切れ，動悸，めまいなどの貧血症状と，皮下出血斑，歯肉出血，鼻出血などの出血傾向である．好中球減少の強い例では発熱がみられる．軽症・中等症例や，貧血の進行が遅い重症例では無症状のこともある．

2）他覚症状： 顔面蒼白，貧血様の眼瞼結膜，皮下出血，歯肉出血などがみられる．血小板減少が高度の場合眼底出血を認めることがある．

検査所見
1）末梢血所見： 赤血球，白血球(好中球)，血小板のすべてが減少する．貧血は，進行が速い急性型では正球性正色素性，進行の遅い慢性型では大球性を示し，網赤血球の増加を伴わない．軽症・中等症例では血小板減少と貧血のみで，好中球減少を認めないこともある．

2）骨髄穿刺所見： 有核細胞数の減少，特に幼若顆粒

表16-9-10 再生不良性貧血の重症度基準

ステージ1	軽症	下記以外
ステージ2	中等症	以下の2項目以上を満たす 　網赤血球　6万/μL未満 　好中球　　1000/μL未満 　血小板　　5万/μL未満
ステージ3	やや重症	以下の2項目以上を満たし，毎月2単位以上の定期的な赤血球輸血を必要とする 　網赤血球　6万/μL未満 　好中球　　1000/μL未満 　血小板　　5万/μL未満
ステージ4	重症	以下の2項目以上を満たす 　網赤血球　2万/μL未満 　好中球　　500/μL未満 　血小板　　2万/μL未満
ステージ5	最重症	好中球　200/μL未満に加えて，以下の1項目以上を満たす 　網赤血球　2万/μL未満 　血小板　　2万/μL未満

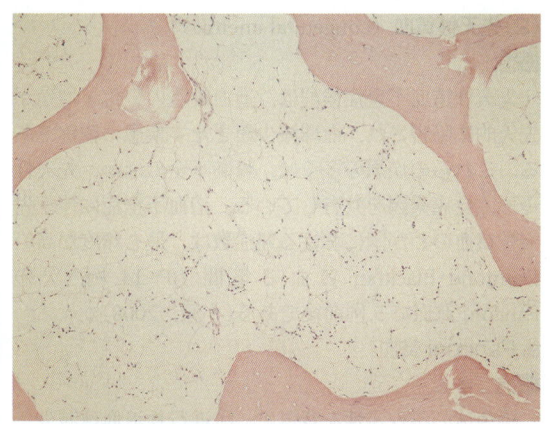

図 16-9-8 再生不良性貧血患者の骨髄生検像
骨梁間にあるべき細胞が消失し脂肪に置換されている．

球・赤芽球・巨核球の著しい減少がみられる．残存する造血巣が穿刺された場合には細胞数が正常のこともあるが，その場合でも巨核球は相対的に減少している．赤芽球が残存している場合，軽度の異形成を認めることが多い．染色体は原則として正常であるが，13番染色体長腕の欠失やその他の病的意義が明らかでない染色体異常を認めることがある．

3）**血液生化学検査所見**：血清鉄，鉄飽和率，血中エリスロポエチン値は増加している．MCV が大きい慢性進行型では無効造血による軽度の LDH 上昇がしばしばみられる．骨髄巨核球の減少を反映して血漿トロンボポエチン値が著増している．

4）**骨髄シンチグラフィおよび MRI**：^{111}In を用いたシンチグラフィでは全身の骨髄への取り込み低下がみられる．重症例の胸腰椎を MRI で検索すると STIR 法では均一な低信号となり，T1 強調画像では高信号を示す．ステージ 3 より重症度の低い例の胸腰椎 MRI 画像は，残存する造血巣のため虫食い状の不均一パターンを示す．

5）**免疫学的検査**：decay accelerating factor（DAF, CD55），homologous restriction factor（HRF, CD59）などのグリコシルホスファチジルイノシトール（GPI）アンカー膜蛋白の欠失した PNH 形質の顆粒球・赤血球（PNH 型血球）を 0.01％前後の感度で検出するフローサイトメトリーで末梢血を検索すると，約 60％の再生不良性貧血患者で PNH 型血球が検出される．この PNH 型血球陽性例は陰性例に比べて免疫抑制療法が効きやすく，また予後もよい．

診断

骨髄低形成と汎血球減少をきたすほかの疾患を除外してはじめて診断が確定される．わが国で使用されている診断基準を**表 16-9-11** に示す．

鑑別診断

鑑別が問題となるのは，MDS（2008 年 WHO 分類）のなかでも芽球割合が少ない refractory cytopenia with unilineage dysplasia（RCUD）と refractory cytopenia with multilineage dysplasia（RCMD）である．微小巨核球や，偽 Pelger 核異常をもつ成熟好中球が 10％以上に増加している例は MDS と診断する．ただし，実際には明解な区別ができない中間的な例が多いので，形態診断だけに頼るのではなく，PNH 型血球やトロンボポエチンなどの免疫病態マーカーを参考にして診断し，治療方針を決定する．

汎血球減少があっても，フローサイトメトリーによって PNH 型血球の増加が検出され，かつ LDH・間接ビリルビンの上昇やヘモグロビン尿などの溶血所見がみられる場合は骨髄不全型 PNH と診断する．ただし，溶血所見があることを除けば病態は再生不良性貧血と同じである．

経過・予後

かつては重症例の 50％が半年以内に死亡するとされていた．最近では血小板輸血・抗菌薬などの支持療法が進歩し，免疫抑制療法や骨髄移植が発症後早期に行われるようになったため，約 60％の患者が輸血不要となるまで改善し，9 割が長期生存するようになっ

表 16-9-11 再生不良性貧血の診断基準（平成 22 年度改訂）

1. 臨床所見として，貧血，出血傾向，ときに発熱を認める．
2. 以下の 3 項目のうち，少なくとも 2 つを満たす．
   ①ヘモグロビン濃度；10.0 g/dL 未満
   ②好中球；1500/μL 未満
   ③血小板；10 万/μL 未満
3. 汎血球減少の原因となる他の疾患を認めない．汎血球減少をきたすことの多い他の疾患には，白血病，骨髄異形成症候群，骨髄線維症，発作性夜間ヘモグロビン尿症，巨赤芽球性貧血，癌の骨髄転移，悪性リンパ腫，多発性骨髄腫，脾機能亢進症（肝硬変，門脈圧亢進症など），全身性エリテマトーデス，血球貪食症候群，感染症などが含まれる．
4. 以下の検査所見が加われば診断の確実性が増す．
   1）網赤血球増加がない．
   2）骨髄穿刺所見（クロット標本を含む）で，有核細胞は原則として減少するが，減少がない場合も巨核球の減少とリンパ球比率の上昇がある．造血細胞の異形成は顕著でない．
   3）骨髄生検所見で造血細胞の減少がある．
   4）血清鉄値の上昇と不飽和鉄結合能の低下がある．
   5）胸腰椎体の MRI で造血組織の減少と脂肪組織の増加を示す所見がある．
5. 診断に際しては，1.，2.によって再生不良性貧血を疑い，3.によって他の疾患を除外し，4.によって診断をさらに確実なものとする．再生不良性貧血の診断は基本的に他疾患の除外によるが，一部に骨髄異形成症候群の不応性貧血と鑑別が困難な場合がある．

ている．ただし，来院時から好中球数がゼロに近く，顆粒球コロニー刺激因子（granulocyte colony-stimulating factor：G-CSF）投与後も好中球が増加しない例の予後は，造血幹細胞移植を速やかに行えないかぎり不良である．長期生存例の約5％がMDS・急性骨髄性白血病，PNHに移行する．

治療
1）支持療法： 患者の自覚症状に応じて，ヘモグロビン値を7g/dL以上に維持するように赤血球液-LRを輸血する．予防的な血小板輸血は抗HLA抗体の産生を促すため，明らかな出血傾向や感染の徴候がなければ血小板数が1万/μL以下であっても通常輸血は行わない．感染症を併発している場合や好中球数が500/μL以下の場合にはG-CSFを投与する．

2）造血回復を目指した治療： 治療の対象になるのはステージ3以上の重症例か，ステージ1，2のうち汎血球減少が進行する例である．

　a）ステージ1，2に対する治療：蛋白同化ステロイドの酢酸メテノロンまたは免疫抑制薬のシクロスポリンを用いる．蛋白同化ホルモンは腎に作用してエリスロポエチンの産生を高めると同時に，造血幹細胞に直接作用して増殖を促すとされている．

　b）ステージ3以上の重症例に対する治療：ウサギATG（サイモグロブリン®2.5〜3.75 mg/kg/日を5日間点滴）またはウサギ抗ヒトTリンパ球免疫グロブリン（anti-lymphocyte globulin：ALG，ゼットブリン® 5 mg/kg/日を5日間点滴）とシクロスポリンの併用療法を行う．40歳未満でHLA一致同胞を有する例に対しては骨髄移植が第一選択である．

ATG・ALGは，それぞれヒト胸腺細胞・T細胞性白血病細胞株でウサギを免疫することによってつくられた免疫グロブリン製剤である．造血幹細胞を抑制するT細胞を排除することによって造血を回復させると考えられている．シクロスポリンとの併用により約60％が輸血不要となるまで改善する．成人再生不良性貧血に対する非血縁者間骨髄移植後の長期生存率は60〜70％であるため，適応は免疫抑制療法の無効例に限られる．

〔中尾眞二〕

■文献
Katagiri T, Sato-Otsubo A, et al: Frequent loss of HLA alleles associated with copy number-neutral 6pLOH in acquired aplastic anemia. *Blood*. 2011; 118: 6601-09.

厚生労働科学研究費補助金難治性疾患克服研究事業特発性造血障害に関する調査研究班：特発性造血障害疾患の診療参照ガイド 平成22年度改訂版，再生不良性貧血の診断基準と診療の参照ガイド改訂版作成のためのワーキンググループ：再生不良性貧血診療の参照ガイド．pp3-32, 2011.

Yamazaki H, Nakao S: Border between aplastic anemia and myelodysplastic syndrome. *Int J Hematol*. 2013; 97: 558-63.

（2）先天性貧血（congenital anemia）
概念
先天性造血不全症候群は，造血細胞の分化・増殖が先天的に障害され，血球減少をきたす疾患の総称である．これらの疾患の多くは，骨髄不全のほか，先天性奇形，発癌素因を共有している．造血不全症に伴う先天性貧血のわが国における発症数は，最も頻度が高いDiamond-Blackfan貧血で年間10〜14例，次のFanconi貧血で5例前後である（小原，2008）．

a. Fanconi貧血
概念
染色体の不安定性を背景に，①進行性汎血球減少，②身体奇形，③発癌素因を特徴とする血液疾患である[1-4]．Fanconi貧血の15〜20％に骨髄異形成症候群や白血病などの血液腫瘍の合併が，5〜10％に固型癌の合併が報告されている．遺伝形式は，ほとんどが常染色体性劣性である[5-8]．

診断
本疾患の表現型は多様で，汎血球減少症のみで奇形を伴わない場合もある．したがって臨床症状のみでは，本疾患を確定診断することは不可能である．小児や青年期に発症した再生不良性貧血患者に対しては，全例に末梢血リンパ球を用いてマイトマイシンCやジエポキシブタンなどのDNA架橋薬を添加した染色体断裂試験を行い，本疾患を除外する必要がある．しかし，リンパ球でreversionを起こした細胞が増殖する（体細胞モザイク）ために偽陰性例や判定困難例が生ずることがあるので，注意が必要である[8]．

病因
Fanconi貧血は遺伝的に多様な疾患であり，現在までに*FANCA*などの16の責任遺伝子が同定されている（Garaycoecheaら，2014）．遺伝子産物は3つのグループに分類され，共通の分子ネットワークにおいて働き，DNAの修復を行う（図16-9-9）．本疾患では，遺伝子変異によりDNA修復障害が生じ，骨髄不全がもたらされると考えられる．

治療
現時点では，造血幹細胞移植のみが唯一治癒が期待できる治療法である．通常の移植前処置で行われる放射線照射や大量シクロホスファミドの投与では，移植関連毒性が強く出る．このため，少量のシクロホスファミドと局所放射線照射の併用が標準的な前治療法として用いられてきたが，治療成績は不十分であった[9]．しかし，近年フルダラビンを用いた移植前処置の開発により，非血縁ドナーからの移植を含めて治療成績は著しく向上した[10-12]．

b. Diamond-Blackfan貧血
概念・臨床症状
リボソームの機能不全を背景に，①乳児期に発症す

る赤芽球癆，②身体奇形，③骨髄異形成症候群や白血病への移行や固型癌の合併を特徴とする血液疾患である（Vlachos ら，2008）．骨髄は正形成であるが赤血球系細胞のみが著減し，末梢血では網赤血球が減少し，大球性正色素性貧血を呈する．約40%の症例でさまざまな奇形を合併することが知られている．大頭，小頭などの頭部，顔部の異常が最も多く，上肢，眼，泌尿生殖器系，心臓の異常や低身長がみられる．ほとんどが散発例であるが，約10〜20%の症例では家族歴があり，おもに常染色体性優性の形式をとる．

診断

本疾患の表現型は多様で，家族内に発端者と同一の遺伝子異常をもつ貧血や身体奇形を伴わない軽症例も存在する．したがって，臨床像のみで本疾患を確定診断するのは不可能である．遺伝子変異が確認されれば診断は確定するが，わが国では約50%の患者は責任遺伝子が同定されていない[13]．

病因

約半数の患者に *RPS19* などのリボソーム蛋白遺伝子のヘテロ変異あるいは大欠失が同定されている[13-20]．その他，まれな X 連鎖の遺伝形式を示す DBA の家系で，赤血球・巨核球系転写因子 GATA1 をコードする遺伝子に変異が同定されている[21]．貧血の起こる仕組みについてはまだ完全に理解されていないが，リボソームの機能障害の結果，p53 の活性化が起こることが DBA の中心的な病因と考えられている（e図 16-9-B）[22]．

治療

副腎皮質ステロイド療法は約80%の症例で反応が認められる．しかし，ステロイド不応性の輸血依存例は，造血幹細胞移植の適応となる（Vlachos ら，2008）．わが国の移植成績は海外に比して良好である[23]．

〔伊藤悦朗〕

■文献（e文献 16-9-4-2）

Garaycoechea JI, Patel KJ: Why does the bone marrow fail in Fanconi anemia? *Blood*. 2014; **123**: 26-34.

小原　明：日本における小児特発性再生不良性貧血など造血障害性疾患の現状―日本小児血液学会再生不良性貧血委員会疫学調査 1988〜2005 年．日本小児血液学会雑誌．2008; **22**: 53-62.

Vlachos A, Ball S, et al: Diagnosing and treating Diamond Blackfan anaemia: results of an international clinical consensus conference. *Br J Haematol*. 2008; **142**: 859-76.

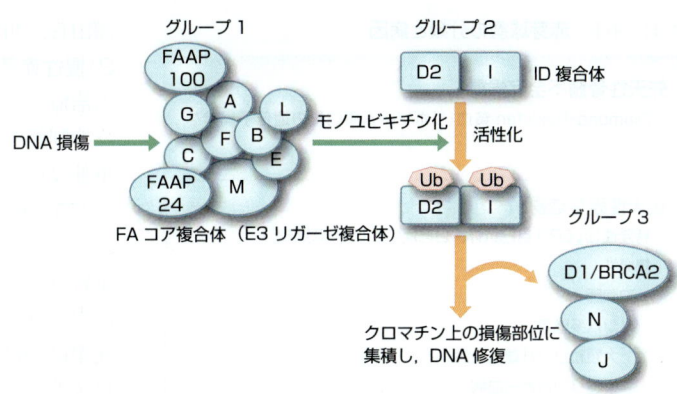

図 16-9-9　FA 蛋白による DNA 修復経路
FA 蛋白群のうち，FANCA，FANCB，FANCC，FANCE，FANCF，FANCG，FANCL，FANCM は FA 関連蛋白 FAAP24，FAAP100 とともに核内で複合体（FA コア複合体）を形成する．DNA 損傷が生じると，FA コア複合体が FANCM-FAAP24 複合体を介してクロマチンに結合する．同時に，FA コア複合体は，ユビキチン・リガーゼ FANCL を用いて FANCD2 と FANCI からなる ID 複合体をモノユビキチン化する．さらに，ID 複合体は DNA 損傷感受性キナーゼ ATR によるリン酸化を受け，活性型 D2/I 複合体となる．これは，家族性乳癌遺伝子産物である BRCA1，BRCA2/FANCD1 をはじめとする蛋白と相互作用し，DNA の修復を行う．

(3) 赤芽球癆（pure red cell aplasia）

定義

赤芽球癆は赤芽球やその前駆細胞が傷害されることにより，網赤血球の減少を伴う貧血をきたす病態である．通常，白血球数と血小板数は正常に保たれる（Dessypris ら，2014）．

分類・病因

先天性と後天性があり，後天性慢性赤芽球癆は基礎疾患の有無によって特発性と続発性に分類する．その病因を表 16-9-12 に示した．赤芽球癆の 9% に胸腺腫が合併する．

疫学・統計

赤芽球癆はまれな疾患で，年間罹病率は人口 100 万人に対し 0.3 人と推定される．男女差はないと考えられている．

臨床症状

成人の場合，赤芽球癆と診断した時点ですでに重症の貧血であることが多い．自覚症状は貧血に伴う全身倦怠感，動悸，めまいなどである．続発性の場合，基礎疾患に対応した身体所見と症状がみられる．

検査所見

末梢血中の赤血球数とヘモグロビン量が減少するとともに，網赤血球の著減が特徴である．通常は白血球数と血小板数は正常である．骨髄所見では赤血球系のみの減少を認め，通常 5% 以下となる．ヒトパルボウイルス B19 感染症では，骨髄に巨大赤芽球が認められる．

診断

末梢血で正球性正色素性貧血と網状赤血球の著減，

表 16-9-12 赤芽球癆の分類と病因

先天性骨髄不全症候群
　Diamond-Blackfan 貧血（リボソーム蛋白質の遺伝子異常など）

後天性赤芽球癆
　特発性（抗 EPO 自己抗体，自己反応性リンパ球など）
　続発性
　　胸腺腫
　　リンパ系腫瘍
　　　大顆粒リンパ球白血病
　　　慢性リンパ性白血病
　　　悪性リンパ腫
　　　多発性骨髄腫
　　慢性骨髄性白血病
　　原発性骨髄線維症
　　本態性血小板血症
　　骨髄異形成症候群
　　固形腫瘍
　　感染症
　　　ヒトパルボウイルス B19 感染症
　　　ヒト免疫不全ウイルス（HIV）感染症
　　　ウイルス性肝炎
　　自己免疫性溶血性貧血
　　自己免疫疾患
　　　全身性エリテマトーデス
　　　関節リウマチ
　　薬剤・化学物質
　　妊娠
　　その他
　　　ABO 不適合造血幹細胞移植後
　　　エリスロポエチン（EPO）治療後の抗 EPO 抗体

骨髄で赤芽球の著減を認め，貧血の原因が赤血球の産生低下であれば赤芽球癆と診断できる．

治療・経過・予後

支持療法として赤血球輸血を行う．頻回の輸血による鉄過剰症が危惧される場合には鉄キレート薬の投与を考慮する（Dessypris ら，2014；Sawada ら，2008）．

1）急性赤芽球癆の治療：赤芽球癆の確定診断が得られたらすべての薬剤を中止する．赤芽球癆との関連性が報告されている薬剤および化学物質をⓔ表 16-9-B に示した．中止が困難な場合はほかの作用機序の異なる薬剤へ変更を試みる．パルボウイルス B19 感染症は，対症的に経過を観察する．薬物性や感染性の場合は通常，1～3 週間以内に改善傾向が認められる．また，特発性赤芽球癆と診断された症例の 10～15％が全経過のなかで自然寛解することから，赤芽球癆と診断した場合，薬剤の中止とともに 1 カ月間は可及的に免疫抑制療法などの積極的治療を控えて経過を観察するのが望ましい．その間に続発性赤芽球癆の鑑別診断を行う（Dessypris ら，2014；Sawada ら，2008；澤田ら，2011）．

2）慢性赤芽球癆の治療：特発性赤芽球癆や，原疾患の治療を行っても無効の続発性赤芽球癆に対しては免疫抑制薬の使用を考慮する．特発性赤芽球癆に対する単独投与での有効率はシクロスポリン（CsA）が最も高い（75～87％）．ついで副腎皮質ステロイド（30～56％），シクロホスファミド（CY）（7～20％）である．副腎皮質ステロイドで治療した場合，80％が 24 カ月以内に再発する．シクロスポリンで治療した場合の再発率は 36％と副腎皮質ホルモンに比べて低い．シクロスポリンは寛解維持療法にも有効であり，その中止は再発と強く相関する[1]．シクロスポリンは寛解維持療法にも有効であり，その中止は再発と強く相関する．寛解維持のために必要なシクロスポリンの血中トラフ濃度は明らかではない．初期投与量の 50％程度まで減量した時期に貧血の再燃をみることが多く，2 年以上寛解を維持している症例におけるシクロスポリン維持量は初期投与量の約 40％であった[1]．胸腺腫合併赤芽球癆において，赤芽球癆に対する胸腺摘出の効果は明らかでない[2,3]．したがって，胸腺摘出の手術適応は胸腺腫そのものの治療方針に基づいて判断する．胸腺腫合併赤芽球癆のシクロスポリンに対する反応はきわめてよく，通常 2 週間以内で輸血不要となる[3]．大顆粒リンパ球白血病に対する標準的治療は現在まで確立されていない．合併する赤芽球癆に対してシクロホスファミド，副腎皮質ステロイド，シクロスポリンなどによる免疫抑制薬が有効である[4,5]．副腎皮質ステロイド併用シクロホスファミドの奏効率は 50～60％で，シクロスポリンも同等の効果を有する．特発性や胸腺腫合併赤芽球癆とともに，寛解維持療法が必要である[5]．悪性リンパ腫と赤芽球癆の同時発症例においては，原病に対して化学療法が有効であった場合，貧血の改善も期待され，赤芽球癆に対する寛解維持療法は不要になることが多い．悪性リンパ腫が先行し，化学療法開始後に赤芽球癆を発症する症例のなかには，ヒトパルボウイルス B19 の持続感染症によるものがある．したがって，化学療法後に発症した赤芽球癆をみた場合にはヒトパルボウイルス B19 の DNA 検査が必要である．陽性の場合，ガンマグロブリン製剤の投与や免疫不全の改善などによる治療が可能である[6]．

〔澤田賢一〕

■文献（ⓔ文献 16-9-4-3）

Dessypris EN, Lipton JM: Red cell aplasia: Acquired and congenital disorders. Wintrobe's Clinical Hematology, 13th ed（Greer JP, Arber DA, et al eds）, pp975-89, Lippincott Williams & Wilkins, 2014.

Sawada K, Fujishima N, et al: Acquired pure red cell aplasia: updated review of treatment. Br J Haematol. 2008; **142**: 505-14.

澤田賢一, 高後　裕, 他：赤芽球癆, 診療の参照ガイド. 特発

性造血障害疾患の診療の参照ガイド 平成 22 年度改訂版（小澤敬也研究代表者編）, pp33-55, 2011.

（4）骨髄異形成症候群（myelodysplastic syndrome：MDS）

定義・概念

MDS は多能性造血幹細胞の形質転換で生じたクローン性の造血障害で，血液系細胞の異形成像と骨髄での無効造血を特徴とする．臨床的には 1～3 系統の血球減少，骨髄もしくは末梢血の芽球比率が急性骨髄性白血病（AML）より高くない疾患群で，高齢者に多くみられ，AML への移行が約 30％と高い．

分類

2008 年 WHO 分類では①異形成の頻度が 10％未満のものは idiopathic cytopenia of undetermined significance（ICUS）として MDS より分離，② refractory cytopenia with multilineage dysplasia（RCMD）with ringed sideroblasts（RCMD-RS）を RCMD と一括，③ RA の名称を refractory cytopenia with unilineage dysplasia（RCUD）の 1 病型として RCUD に分類，④ MDS-unclassified（MDS-U）を比較的詳細に規定していることが大きな変更点である．単独の 5 番染色体長腕欠失は isolated del(5q) に分類されている（表 16-9-13）．

疫学

MDS の有病率は 10 万人あたり 2.7 人で欧米との差は顕著でなく次第に増加傾向にある．わが国での MDS 発症年齢の中央値は 64 歳で欧米に比べ 10 歳ほど若い．男女比は 1.9：1 と男性に多くみられる．

表 16-9-13 WHO の 2008 分類による骨髄異形成症候群の分類

日本語名称（仮称）	英語名称	英語略	末梢血所見	骨髄所見
1 血球系の異形成がみられる不応性血球減少	refractory cytopenias with unilineage dysplasia	RCUD	1 あるいは 2 血球減少 芽球はみられないかあるいはまれ（＜1％）	1 血球系統の異形成：異形成は 10％以上 芽球＜5％，環状鉄芽球＜15％
	RCUD には RA（refractory anemia, 不応性貧血），RN（refractory neutrophenia, 不応性好中球減少），RT（refractory thrombocytopenia, 不応性血小板減少）がある			
環状鉄芽球を伴う不応性貧血	refractory anemia with ringed sideroblasts	RARS	貧血 芽球（－）	環状鉄芽球が赤芽球系前駆細胞の 15％以上 赤血球系の異形成のみ 芽球＜5％
多系統の異形成を伴う不応性血球減少	refractory anemia with multilineage dysplasia	RCMD	血球減少（2～3 系統） 芽球はみられないかあるいはまれ（＜1％） Auer 小体（－） 単球＜1×10^9/L	2 血球系統以上におよぶ 10％以上の細胞に異形成（＋） 芽球＜5％ Auer 小体（－） 環状鉄芽球は 15％以上であっても可
芽球増加を伴う不応性貧血-1	refractory anemia with excess blasts-1	RAEB-1	血球減少 芽球＜5％ Auer 小体（－） 単球＜1×10^9/L	1～3 血球系統で異形成（＋） 芽球 5～9％ Auer 小体（－）
芽球増加を伴う不応性貧血-2	refractory anemia with excess blasts-2	RAEB-2	血球減少 芽球＜5～19％ Auer 小体（±） 単球＜1×10^9/L	1～3 系で異形成（＋） 芽球 10～19％ Auer 小体（＋）
分類不能型の骨髄異形成症候群	myelodysplastic syndrome unclassified	MDS-U	血球減少 芽球≦1％	1 血球系統以上での異形成が 10％未満にみられるが，MDS 診断に有用な染色体異常が観察されるもの 芽球＜5％
単独 del(5q) の骨髄異形成症候群	MDS associated with isolated del(5q)		貧血 通常，血小板数は正常または増加 芽球はみられないかあるいはまれ（＜1％）	低分葉核をもつ，正常～増加する巨核球 芽球は 5％未満 単独の del(5q) Auer 小体（－）

表 16-9-14 染色体異常による予後

予後分類	単独の染色体異常	2 個の異常	複雑	中央値
very good	del(11q), －Y			60.8 カ月
good	正常, del(5q), del(12p), del(20q)	del(5q)を含むもの		48.6 カ月
intermediate	del(7q), ＋8, iso(17q), ＋19, ＋21 その他	その他		26 カ月
poor	inv(3)/t(3q/del(3q), －7	－7/del(7q)を含むもの	3 個の異常	15.8 カ月
very poor			4 個以上のもの	5.9 カ月

病態生理

1) 染色体異常と遺伝子異常: MDS の半数に染色体異常がみられ，予後との関係が知られている．遺伝子異常として受容体型チロシンキナーゼ遺伝子 *FLT3*（MDS の 5%），*RAS* 癌遺伝子（10%），転写制御因子遺伝子 *AML1*（25%），*p53* 癌抑制遺伝子異常（10〜15%）がみられるが，AML とは異なる遺伝子異常を背景にもつと考えられる．

MDS では DNA やヒストンのメチル化に関与する *TET2* や *TET2* のコファクターとして働く *DH1/2* の変異が知られ，MDS の進展に重要な意義をもつ．多くの RARS（refractory anemia with ringed sideroblasts）では *SF3B1* をはじめとする RNA スプライシング関連蛋白の遺伝子変異がみられる．*TP53* 異常は複雑型染色体異常と関係し予後不良因子である．逆に *SF3B1* の変異は予後良好であり，*SETBP1* は白血病化と関係する．

臨床症状

一般に発症時は臨床所見に乏しいことも多い．血球減少の程度により貧血症状（貧血はほぼ全例で必発），出血傾向，感染症の合併がみられるが，臓器腫脹はほとんどの例でみられない．

検査所見

1) 末梢血: 貧血（正球性あるいは軽度の大球性貧血）を中心とする汎血球減少がみられる．RARS ではまれに血小板増加がみられることもある（RARS with thrombocytosis：RARS-T）．

2) 骨髄: 正形成〜過形成を原則とするが，少数例で

表 16-9-15 骨髄異形成症候群にみられる遺伝子変化

遺伝子	染色体部位	変異の頻度	機能
メチル化関連			
TET2	4q24	19〜26%	5 メチルシトシン脱水素酵素（αKG 依存酵素）
IDH1/2	2q33.3/13q12	5%	イソクエン酸脱水素酵素
DNMT3A	2p23	8%	DNA メチル化酵素
EZH2	7q35-q36	12%	ヒストンメチル化酵素（H3K27）
ASXL1	20q11	11〜20.7%	ポリコーム・トリソラックス複合体構成蛋白
UTX	Xp11.2	4〜8%	ヒストンメチル化酵素（H3K27）
従来知られていた遺伝子異常			
N-RAS/K-RAS	1p13.2/12p12	10〜15%	シグナル伝達
RUNX1/AML1	21q22.12	10〜15%	転写因子
TP53	17p13.1	5〜10%	アポトーシス関連，DNA 修復，細胞回転制御
NPM1	5q35.1	5%	核移出，シグナル伝達
JAK2	9q24	2〜5%	チロシンキナーゼ
FLT3	13q12	2〜5%	増殖因子受容体
C/EBPα		1〜4%	転写因子，骨髄造血関連
EVI1	2q26.2	2%	転写因子
その他			
CBL	11q23.3	1%	E3 ユビキチンリガーゼ（Src 分解など）
U2AF35	21q22.3	11.60%	RNA スプライシング関連蛋白
SRSF2	17q25.1	11.60%	RNA スプライシング関連蛋白
SF3B1	2q33.1	RARS: 75.3%	RNA スプライシング関連蛋白
ZRSR2	Xp22.1	7.70%	RNA スプライシング関連蛋白

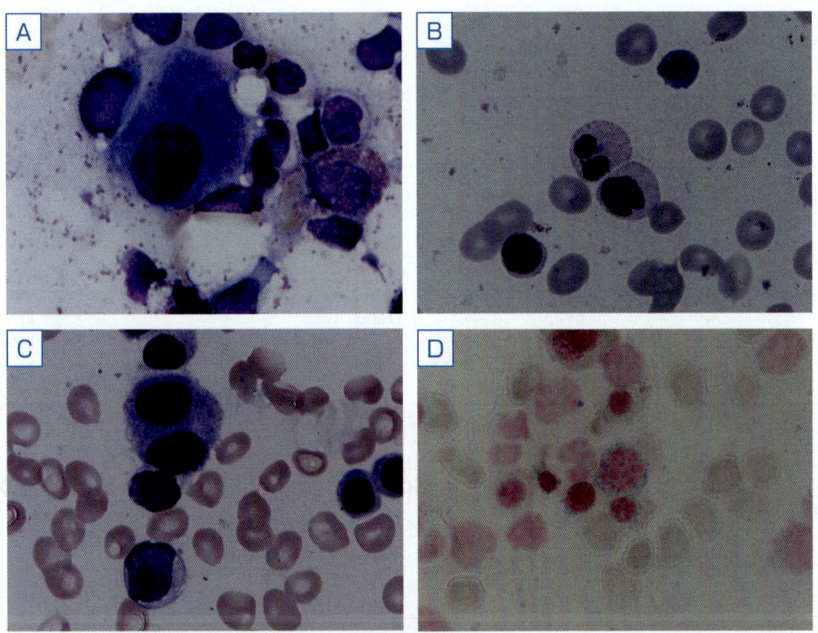

図 16-9-10 骨髄異形成症候群にみられる異形成像
A：単独 del(5q)の症例にみられた低分葉核の巨核球，B：偽 Pelger 核異常を示す好中球，C：RAEB-1 にみられた 2 核の巨核球と芽球，D：環状鉄芽球．

は低形成髄で再生不良性貧血との鑑別が問題となるため，骨髄 MRI や骨髄シンチグラムあるいは染色体異常（表 16-9-14）や遺伝子異常（表 16-9-15）の検出が必要な場合もある．

MDS の診断ではディスプラジア（dysplasia）とよばれる血球の形態異常の存在が重要であるが（図 16-9-10A〜C），巨赤芽球性貧血や抗悪性腫瘍薬投与後，骨髄増殖腫瘍（MPN）などでもみられる変化のため他の要因を十分に考慮する．RARS では特徴的な環状鉄芽球がみられる（図 16-9-10D）．また無効造血の結

表 16-9-16 骨髄異形成症候群の予後判定のための国際予後判定システム：Revised International Prognostic Scoring System (IPSS-R)

予後因子の配点	0	0.5	1	1.5	2	3	4
染色体	very good	—	good	—	intermediate	poor	very poor
骨髄での芽球	≦2%	—	2〜5%	—	5〜10%	>10%	—
ヘモグロビン (g/dL)	≧10	—	8〜10	<8	—	—	—
血小板 (/μL)	≧10万	5〜10万	<5万	—	—	—	—
好中球 (/μL)	≧800	<800	—	—	—	—	—

年齢別における 50％生存期間

リスク群	very low	low	intermediate	high	very high
予後点数	≦1.5	1.5〜3	3〜4.5	4.5〜6	>6
すべての年齢	8.8年	5.3年	3年	1.6年	0.8年
≦60歳	到達せず	8.8年	5.2年	2.1年	0.9年
60〜70歳	10.2年	6.1年	3.3年	1.6年	0.8年
70〜80歳	7年	4.7年	2.7年	1.5年	0.7年
≧80歳	5.2年	3.2年	1.8年	1.5年	0.7年
死亡頻度	27%	40%	55%	71%	86%
急性白血病による死亡頻度	13%	17%	26%	33%	31%

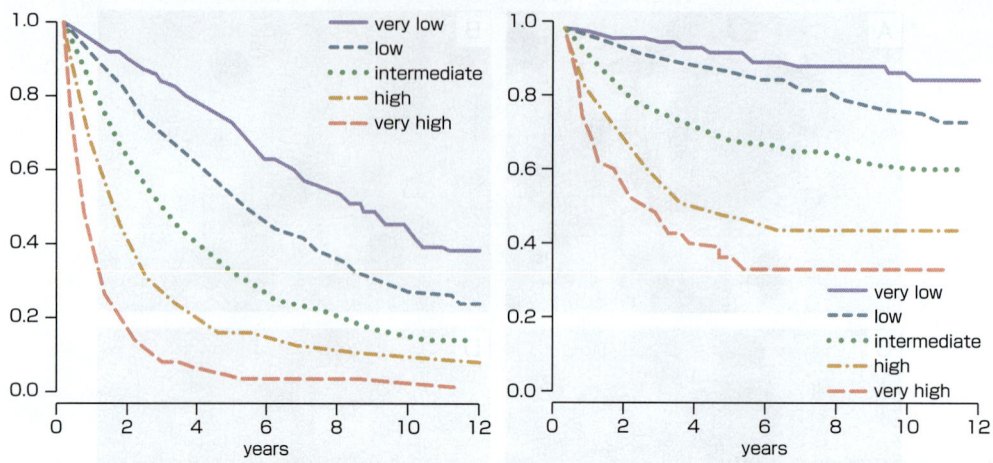

図 16-9-11 Revised International Prognostic Scoring System（IPSS-R）によるリスク別の生存期間と無白血病期間（Greenbergら，2012）
A：IPSS-Rによるリスク別の生存期間．
B：IPSS-Rによるリスク別の診断からの無白血病期間．

果として血清鉄の上昇，血清フェリチン高値，LDH上昇，エリスロポエチン上昇がみられる．

診断

血球減少をみた場合，MDSを念頭におき除外診断をすすめる．二次性貧血の除外が重要で，骨髄塗抹標本での形態異常を中心に診断を下す【⇨16-9-1-1】．約半数の患者では染色体異常が確認でき診断根拠となるが，染色体異常がなく形態診断のみとなることも多く，経過を追っての骨髄検査が必要である．

鑑別診断

血球減少をきたすすべてのものとの鑑別診断が必要である．境界領域との鑑別として再生不良性貧血があげられるが，オーバーラップする病態も知られていることより必ずしも明確な区別ができない症例もある．また再生不良性貧血に対する免疫抑制療法後にみられるMDSもある．骨髄増殖腫瘍の要素が強い場合はMDS/MPNの診断となるため，骨髄異形成と血球増加のみられる場合には鑑別に注意する．

合併症

進展様式としては約1/3にAMLへの移行がある．MDSそのものの合併症として好中球減少に基づく細菌感染症や真菌感染症がある．特に芽球の多い症例での化学療法による寛解導入療法期に注意する必要がある．血小板減少による出血，支持療法としての低リスクMDS患者における輸血療法に伴ってみられる輸血後鉄過剰症の管理も重要である．呼吸器の合併症としてまれにBO（bronchiolitis obliterans）がみられ呼吸器感染症との鑑別が必要である．

予後

予後を決定する因子としてIPSS（International Prognostic Scoring System）が用いられてきたが，2012年にRevised IPSS（IPSS-R）が提唱され，染色体異常の様式，骨髄での芽球比率および血球減少の程度が予後規定因子である（表16-9-16，図16-9-11）．さらに感染症や出血，年齢や合併症の有無が予後に大きくかかわってくる．

治療

治療方針として，低リスク群では輸血依存からの離脱，高リスク群では白血病移行の阻止を目的とするが，基本的には同種造血幹細胞が根本的な治療法である．エビデンスに基づいたEuropean LeukemiaNETの推奨治療を示す．

1）低リスク群骨髄異形成症候群（MDS）（IPSS-Rでvery low，lowおよびintermediate）：血球減少への対応が主となり，血清エリスロポエチン濃度，del(5q)の有無，輸血依存状態により治療法を選択する（図16-9-12）．intermediate-1の患者でも同種造血幹細胞移植は治癒を期待できる有望な治療法であり，高度の輸血依存，繰り返す感染症，IPSSで予後不良染色体，血球形態異常の著しい例および免疫抑制療法によっても造血回復の得られない例で考慮される（図16-9-13）．

症状を有する貧血に対しては赤血球輸血で対応するが，輸血による鉄過剰症は肝臓・心臓などの障害をきたすため鉄キレート薬が併用される．出血症状に対しては血小板輸血を行うが，反復する輸血による同種抗体の出現を防ぐため，高度の血小板減少を認める患者以外では予防的血小板輸血は最小限にする．感染症併発時には十分量の抗菌薬とともにG-CSFの併用が勧められる．

2）高リスク群骨髄異形成症候群（MDS）（IPSS-Rでintermediate，highおよびvery high）：この群は白

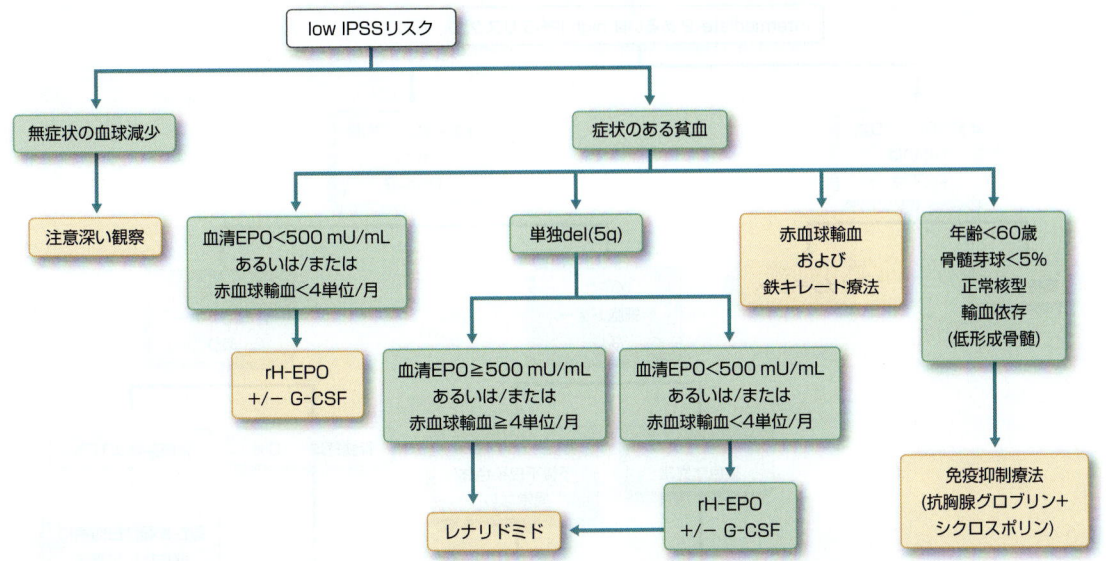

図 16-9-12 International Prognostic Scoring System (IPSS) によるリスク別の推奨治療法 (Malcovati ら, 2013)
IPSS-low の患者での推奨治療法アルゴリズム.
rH-EPO：遺伝子組換え人エリスロポエチン，G-CSF：顆粒球コロニー刺激因子.

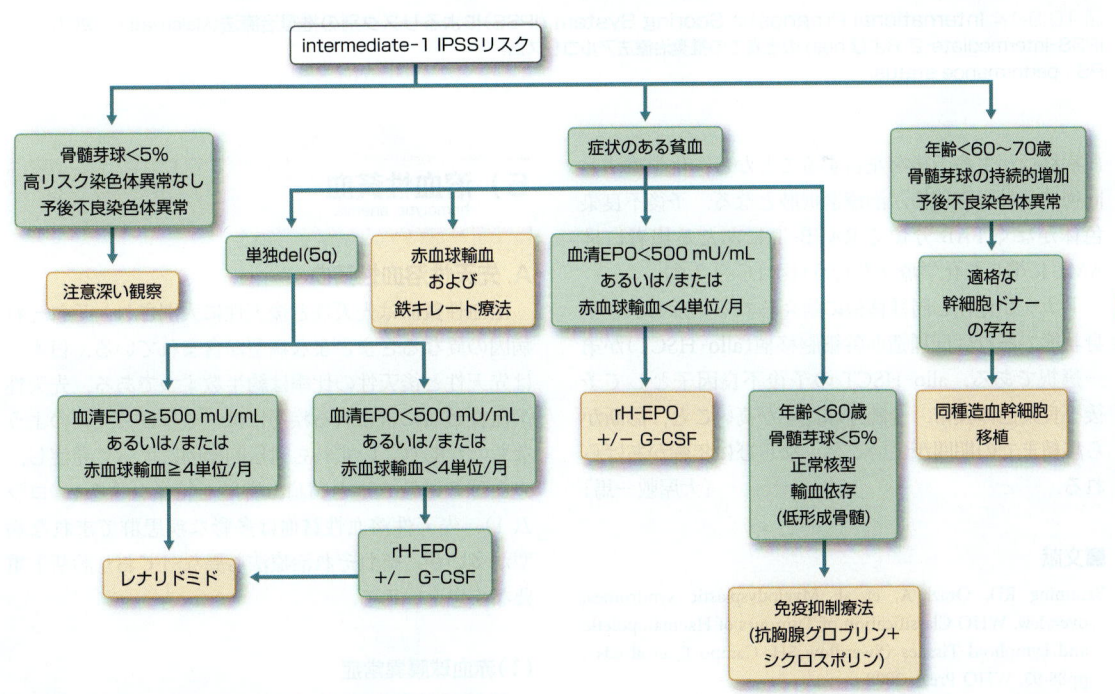

図 16-9-13 International Prognostic Scoring System (IPSS) によるリスク別の推奨治療法 (Malcovati ら, 2013)
IPSS-intermediate-1 の患者での推奨治療法アルゴリズム.
rH-EPO：遺伝子組換え人エリスロポエチン，G-CSF：顆粒球コロニー刺激因子.

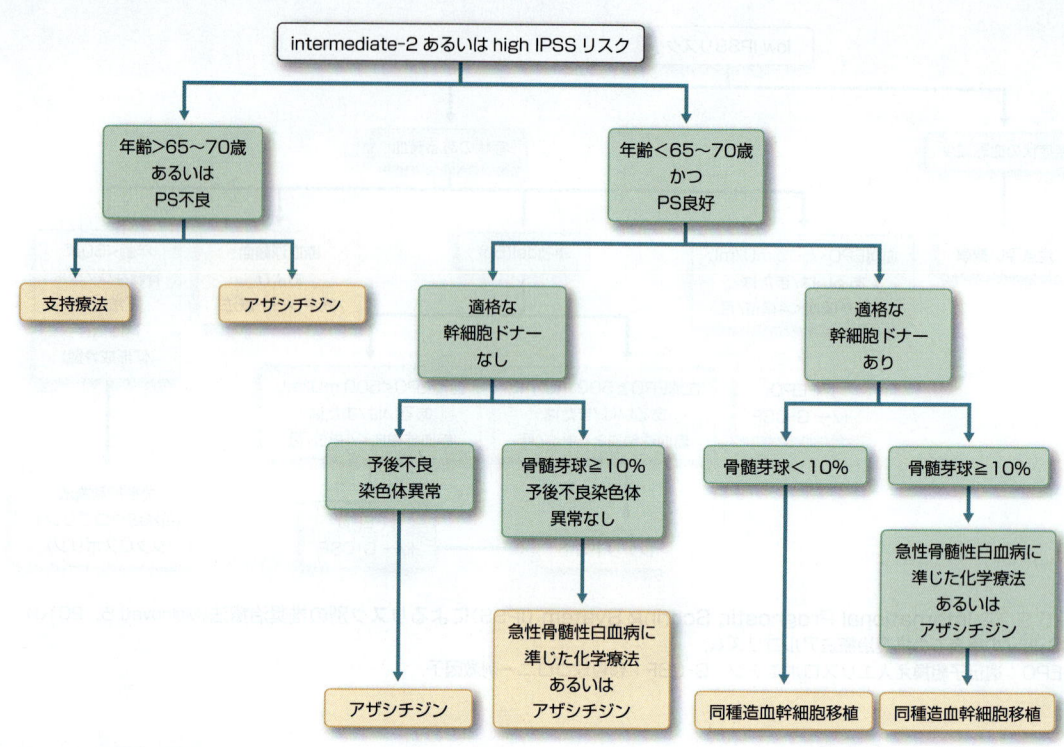

図 16-9-14 International Prognostic Scoring System (IPSS) によるリスク別の推奨治療法 (Malcovati ら, 2013)
IPSS-intermediate-2 および high の患者での推奨治療法アルゴリズム.
PS : performance status.

血病移行が生命予後を左右することから，化学療法と同種造血幹細胞移植が治療選択肢となる．予後不良染色体がなく FAB 分類で RAEB-T にあたる患者には AML に準じた化学療法を行う（図 16-9-14）．

ドナーが存在し同種移植に耐えられる年齢および全身状態であれば同種造血幹細胞移植 (allo-HSCT) が第一選択である．allo-HSCT の予後不良因子として予後不良染色体異常，骨髄芽球比率が高いこと，診断から移植までの期間が長いこと，ならびに年齢があげられる．
〔大屋敷一馬〕

■文献

- Brunning RD, Orazl A, et al: Myelodysplastic syndromes, overview. WHO Classification of Tumours of Haematopoietic and Lymphoid Tissues (Swerdlow SH, Campo E, et al eds), pp88-93, WHO Press, 2008.
- Greenberg PL, Tuechler F, et al: Revised international prognostic scoring system for myelodysplastic syndromes. *Blood.* 2012; **120**: 2454-65.
- Malcovati L, Hellström-Lindberg E, et al: Diagnosis and treatment of primary myelodysplastic syndromes in adults : recommendations from European LeukemiaNet. *Blood.* 2013; **122**: 2943-64.

5）溶血性貧血
hemolytic anemia

A. 先天性溶血性貧血

溶血性貧血は先天性と後天性に大別され，それぞれ病因の異なるさまざまな病型が含まれている．日本では先天性と後天性の比率は約半数ずつである．先天性溶血性貧血に含まれる疾患には，表 16-9-17 のようなものがあり，いずれも遺伝的素因によって発症し，赤血球の破壊亢進と黄疸，脾腫を特徴とする（eコラム 1）．先天性溶血性貧血は多彩な疾患群でまれな病型が多いが，それぞれ治療法も異なっており診断上重要な疾患といえる．

(1) 赤血球膜異常症

a. 遺伝性球状赤血球症 (hereditary spherocytosis：HS)

疫学

先天性溶血性貧血のなかで最も頻度が高く，約 1/5000 人の割合で発症する．多くは常染色体優性遺伝形式をとるが，孤発例も多い．

病理・病態生理

赤血球の細胞骨格の異常によって起こる疾患で，これまで ankyrin, spectrin, band 3, pallidin (protein

表 16-9-17 先天性溶血性貧血

- 赤血球膜異常による遺伝性球状赤血球症
- 遺伝性楕円赤血球症
- ヘモグロビン異常による不安定ヘモグロビン症
- 鎌状赤血球症
- サラセミア
- 赤血球酵素異常によるグルコース-6-リン酸脱水素酵素異常
- ピルビン酸キナーゼ異常
- ポルフィリン代謝異常によるポルフィリン症

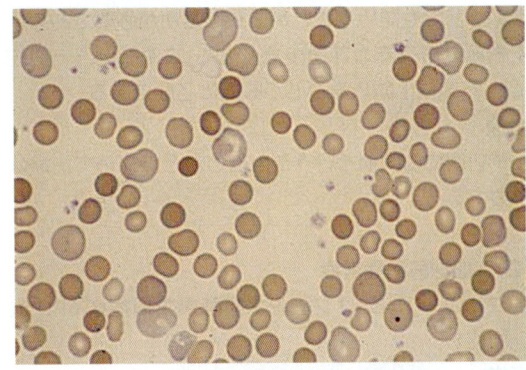

図 16-9-15 遺伝性球状赤血球症の末梢血所見

4.2)などの異常が報告されている．球状赤血球は浸透圧に抵抗する力が弱く赤血球内に Na イオンが入り込みやすくなっている．Na イオンを汲み出すため Na-K ATPase が活性化し，その結果膜のリン脂質が失われ，小球性の球形を呈した異常な赤血球に変化する．

臨床症状・検査所見

症状としては貧血，黄疸，脾腫がほとんどの症例で認められるが，重症度は症例ごとに差がある．末梢血では小型の円形の赤血球を認め（図 16-9-15），その結果細胞内脱水により平均赤血球ヘモグロビン濃度（MCHC）が上昇する．その他，赤血球の浸透圧脆弱試験（赤血球と NaCl の混合試験）で脆弱性は亢進し（e図 16-9-C），自己溶血試験（37℃，48 時間自然放置による自己溶血量の測定）で溶血は亢進するがグルコース添加で補正できる．骨髄では赤芽球の過形成がみられる．

診断

貧血に加え，網赤血球数の増加，LDH や間接ビリルビン値の上昇，血清ハプトグロビンの低下などによって溶血性貧血と診断する．さらに家族歴や上記の血液所見と検査所見で診断できる．なお自己免疫性溶血性貧血でも球状赤血球が出現するので，その除外診断として Coombs 試験を実施することが望ましい．

合併症

HS は赤血球の破壊亢進に伴い，骨髄における赤芽球の増加が認められる．しかし伝染性紅斑の原因ウイルスであるヒトパルボウイルス B19 は赤芽球前駆細胞を標的としているため，その感染により赤血球の産生異常が起こり一過性の aplastic crisis をきたす（e図 16-9-D）．発病すると急激な貧血により倦怠感や動悸を訴え，輸血が必要となる場合もある．また長期合併症としては長期の間接ビリルビン増加による胆石症がある．10 歳以下では 5%，20 歳以降で 50% 以上が胆石症を合併する．

治療

新生児期の重症貧血，感染による溶血の亢進，aplastic crisis などでは輸血が必要な場合がある．高度の貧血や頻回の輸血が必要な症例では脾摘を行うが，その時期は免疫系の発達と胆石の合併を考慮し 10 歳以降のなるべく早期に行うことが推奨される．なお脾臓でオプソニン化されて排除される髄膜炎菌や肺炎球菌による敗血症のリスクがあり，5 歳以下での脾摘は避けるべきである．また脾摘前には肺炎球菌ワクチンの接種が望ましい．脾摘後 2，3 年はペニシリン製剤を予防内服させることが多い．

b. 遺伝性楕円赤血球症（hereditary elliptocytosis：HE）

疫学

HS に比較してまれな疾患で，常染色体優性遺伝である．

病態生理

末梢血における楕円形の赤血球を特徴とする（図 16-9-16）．原因としては spectrin α chain，spectrin β chain，protein 4.1 異常などが報告されており，日本では protein 4.1 異常が大部分を占めている．

臨床症状・検査所見

ほとんどが無症状か軽度の貧血のみであるが，出生時に強い溶血をきたし奇形赤血球を認める症例がある．

診断

楕円赤血球は鉄，葉酸，ビタミン B_{12} 欠乏，サラセ

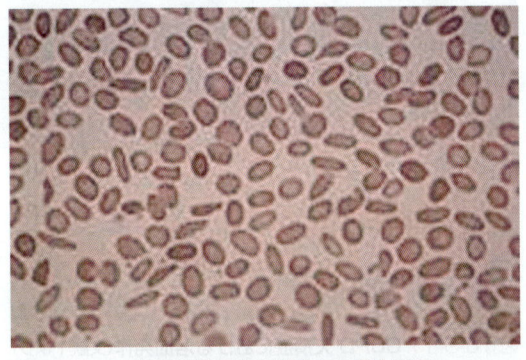

図 16-9-16 遺伝性楕円赤血球症の末梢血所見

ミアなどでも認めることがあり，鑑別が必要である．末梢血で楕円赤血球を少なくとも25%以上，一般的には75%以上認めることが診断に必要である．

治療
重症例では脾摘を行うが，ほとんどの症例で治療は不要である．

(2) 赤血球酵素異常症
a. グルコース-6-リン酸脱水素酵素欠損症(G6PD欠損症)
疫学
世界で最も多い遺伝性疾患で，熱帯地域を中心に数百万の患者がいると推計されている．G6PD欠損赤血球はマラリア感染に耐性であるため，マラリア流行地域に頻度が高い．日本での症例数は不明である(eコラム2)．遺伝子はX染色体にあるためほとんどは男児で発症するが，X染色体不活化による女性発症例もある．

病理・病態生理
G6PDはすべての細胞に含まれており，その欠損はおもに赤血球に障害をきたす．G6PD欠損の結果，$NADP^+$ が還元されずNADPHが不足する．このため酸化型グルタチオン(GSSG)を還元できず還元型グルタチオンが不足し，からだに発生する活性酸素が除去できない．酸素を媒介する赤血球の細胞膜の脂質過酸化反応により細胞膜が損傷されると溶血を起こすことになる．これまで数百種類の遺伝子異常が同定されている(e表16-9-C)．

臨床症状・検査所見
最も頻度の高い症状は酸化ストレス，薬剤，重症感染症，糖尿病性ケトアシドーシス，肝炎などによって誘発される血管内溶血である．ソラマメを食べると重篤な溶血をきたすソラマメ中毒(favism)は有名である(図16-9-17)．また重症新生児黄疸や慢性溶血性貧血で発症する症例もあり，臨床像は多様である．アフリカ系亜型よりも重症な地中海系亜型の方が溶血発作を誘発されやすい．血液所見ではHeinz小体を伴う赤血球の形態異常と血色素尿を認める．

治療
特にないが，溶血を誘発する薬剤や食品を避けることが重要である．

b. ピルビン酸キナーゼ欠損症(PK欠損症)
疫学
G6PD同様にPK欠損赤血球はマラリア感染に耐性であるため，マラリア流行地域に頻度が高い．日本人にはまれである．通常は常染色体劣性遺伝形式をとる．PK欠損症の遺伝子変異は200種類以上同定されている．

病理・病態生理
PK欠損症は解糖系の酵素欠損症であり，PKはホスホエノールピルビン酸からピルビン酸への転換を触媒し，その際ATPを産生する．PKが欠損した赤血球では代謝に必要なエネルギーを供給できないため寿命が短縮する．

臨床症状・検査所見
ほとんどの症例では特徴的な赤血球異常は認めないが，有棘赤血球がみられることがある．また感染症などのストレスによって溶血が誘発される．球状赤血球症と異なり，グルコースで補正されない自己溶血を認める．診断は酵素活性の測定で行う．

治療
重症患者では脾摘がある程度有効である．

(3) ヘモグロビン異常症
疫学
成人ヘモグロビンはα，β-グロビンの2分子ずつからなる四量体である．そのいずれかのグロビン鎖の遺伝子の変異により起こる疾患がヘモグロビン異常症である．その多く(69%)は無症候性であり，HbA1cの測定中に偶然発見されるものが多い．一方全体の31%は症候性でその頻度順に，①不安定ヘモグロビン症(17.9%)，②多血症(10.2%)，③チアノーゼ(3.8%)，④サラセミア様症状(2.5%)，⑤鎌状赤血球様症状(0.3%)，である．異常ヘモグロビンは世界で約750種類，日本で約208種類の変異が報告されている．日本では1/3000人の頻度である．またα鎖異常がβ鎖異常の約2倍である．

a. 不安定ヘモグロビン症(unstable hemoglobin disease：UHD)
病理・病態生理
ヘモグロビンの構造変異によりヘモグロビン分子が著しく不安定になった状態で，ヘモグロビンは赤血球内で容易に変性，沈殿しHeinz小体とよばれる封入体を形成する(図16-9-18)．封入体をもつ赤血球は

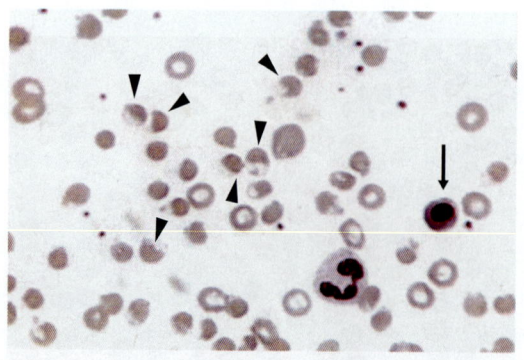

図16-9-17 G6PD欠損症における溶血発作(文献1より)
末梢血の赤芽球(矢印)と破砕赤血球(矢頭)．

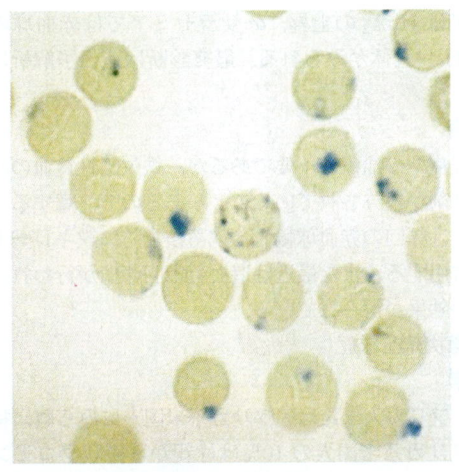

図 16-9-18 不安定ヘモグロビン症にみられる Heinz 小体（文献 1 より）

脾や骨髄で捕捉され破壊され溶血を起こす．

臨床症状・検査所見

変異の種類によって溶血の程度が異なる．① Hb Kokura などは分子的に軽い不安定性があるが溶血はなく，Heinz 小体も出現しない．② Hb Koln, Hb Buenos Aires など多くの不安定ヘモグロビン症は Heinz 小体を形成し典型的な溶血性貧血をきたす．③ Hb Hirosaki, Hb Koriyama など少数は高度の不安定性のため早急に変性し，末梢血には異常ヘモグロビンはほとんどみられない．また多くに Heinz 小体がみられ最も高度の溶血症状を呈する．④-A CD125, Cd121 ter, Hb Gunma などは Hb 二量体～四量体形成時に変性・消失し種々の程度の Heinz 小体を残す．軽度の小球性赤血球症を呈しサラセミア様となる．⑤ サラセミア様異常ヘモグロビン症：Hb Showa-Yakushiji など少数ではグロビン形成されるやいなや破壊・処理されサラセミア症状になるため溶血症状は軽減するかみられない．

診断

上記①②は溶血液の不安定試験（イソプロパノールテスト，熱変性試験）が陽性となる．また等電点電気泳動で多くの異常バンドが検出される．③④では末梢血に異常ヘモグロビンがなく不安定試験も異常バンドもないことが多く，多数の Heinz 小体があれば αβ-グロビン遺伝子の解析を行う以外に方法はない．⑤はサラセミアとして同定されるためそれに準じて解析する．溶血症状はヘモグロビンの不安定性に比例するが，高度の不安定性では変性・処理により溶血症状はみられなくなる．

したがって③④の溶血症状が最も強い（図 16-9-19）．

治療

強い溶血を起こす症例では，脾摘により軽減される場合がある．

b. サラセミア（thalassemia）

疫学

サラセミアは α または β-グロビン遺伝子に突然変異が起こって発症する遺伝性疾患であり，ヘモグロビンの合成が障害されて種々の程度の小球性貧血が現れる．α-グロビン遺伝子異常によるものを α-サラセミア，β-グロビン遺伝子異常によるものを β-サラセミアという．サラセミアは臨床的に，重症型（major），軽症型（minor），中間型（intermedia）に分類される（表 16-9-18）．日本では，β-サラセミアは 1000 人に 1 人の頻度，α-サラセミアはそれより頻度が低い．また日本でみられるサラセミアの大部分は軽症型であり，数％が中間型である．

病理・病態生理

β-サラセミアは β-グロビン遺伝子変異よって起こる．日本では 35 種類以上が同定されている．β-グロビンがまったく産生されない β^0 サラセミア染色体と少しは産生される β^+ サラセミア染色体があり，軽症型は β^0 または β^+ のヘテロ接合体，中間型は β^+/β^+，重症型は β^0 サラセミア染色体のホモ接合体または複合ヘテロ接合体である．α-サラセミアは α-グロビン遺伝子の欠失によって起こる．正常で 4 個存在する α-グロビン遺伝子のうち 1 個欠失する無症候性保因者，2 個欠失する軽症型，3 個欠失する中間型（ヘモグロビン H 病），4 個欠失し死産する α-サラセミアが存在し，欠失数が多いほど重症になる（表 16-9-18）．

臨床症状・検査所見

軽症型は無症状で，軽度の貧血のみである．小球性

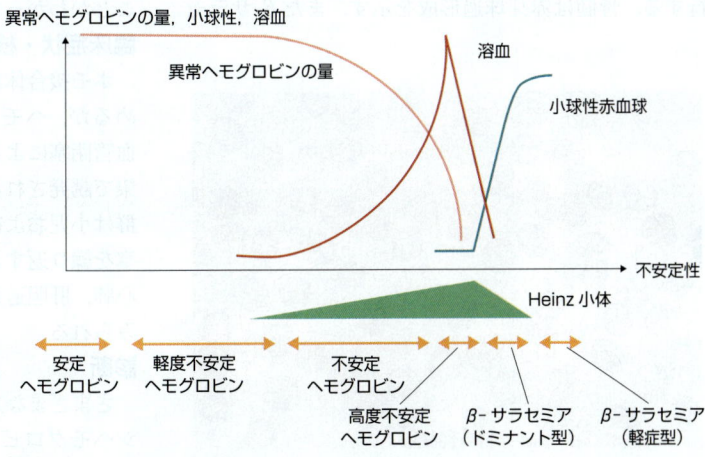

図 16-9-19 溶血の程度と表現型（文献 4 より）

表 16-9-18 サラセミアの分類と臨床的重症度

表現型	症状	ヘモグロビンレベル	β-サラセミア	α-サラセミア
無症候性キャリア	正常	正常		$α^+/α^N$, (-α/αα)
軽症型 (minor)	小球性赤血球	9〜14 g/dL	$β^O/β^N$, $β^+/β^N$	$α^O/α^N$, (--/αα) $α^+/α^+$ (-α/-α)
中間型 (intermedia)	小球性赤血球 軽度の溶血	4〜9 g/dL	$β^+/β^+$	$α^+/α^O$, (-α/--) (ヘモグロビン病)
重症型 (major)	小球性赤血球 重度の溶血 定期輸血	2〜3 g/dL	$β^O/β^O$, $β^O/β^+$	
胎児水腫	流産 (死亡)			$α^O/α^O$, (--/--)

貧血で，無効造血により間接ビリルビンが高値を示す例もある．末梢血で赤血球斑点や標的赤血球を認めることがある(図 16-9-20)．脾腫を認める例もある．一方重症型は貧血が強く，髄外造血による肝腫，脾腫を示す．頭蓋骨は赤血球系の過形成により前顎骨と上顎骨が肥大し"シマリス様顔貌"となる．障害は多岐にわたるが，主体は貧血と心不全である．さらに頻回輸血による鉄蓄積による臓器障害をきたす．

診断

軽症型では小球性赤血球であるが，その分赤血球を増やして貧血を軽減化している．これを利用したものが Mentzer index (MCV/RBC) で，この値が 13 以下であるとサラセミアの可能性が高い．鉄欠乏性貧血との鑑別が治療上重要であり，同時に血清鉄，フェリチンを測定する必要がある．一方重症型の診断は容易で，生後 6 カ月頃から輸血が必要な重症の貧血が進行する．骨髄は赤芽球過形成を示す．また β-サラセミアは HbA_2 の上昇，α-サラセミアでは赤血球内の HbH 封入体がみられる．最終診断は遺伝子解析による．

治療

軽症型の治療は不要であるが，鉄欠乏性貧血の診断で鉄剤が投与されていることがあるので注意する．重症型は頻回の赤血球輸血と鉄蓄積予防に鉄キレート薬を併用する．また最近は造血幹細胞移植が行われ，一定の効果が得られている．

c. 鎌状赤血球症

疫学

アフリカ人またはアフリカ系米国人にみられ，特にアフリカ系米国人の 10％は片親から鎌状グロビン遺伝子(βS)を，他方の親から正常のグロビン遺伝子(βA)を受け継いだヘテロ接合体である．中央アフリカではヘテロ接合体が 30％もみられる．ヘテロ接合体はほとんど問題ないが，まれにストレスのある運動などで脾梗塞，脳卒中，突然死などを起こす．一方アフリカ系米国人両親の児の 1/400 にホモ接合体が発症し，重篤な症状を引き起こす．またサラセミア同様にマラリア抵抗性の地域に多いことから，両親から鎌状赤血球遺伝子と β-サラセミア遺伝子を受け継ぐ場合もある．日本にはほとんどみられないが，今後国際化の進展により国内でも同定される可能性がある．

病理・病態生理

鎌状赤血球症は正常のヘモグロビン A の β-グロビンの 6 番目のアミノ酸であるグルタミン酸がバリンに置換されることにより生じるヘモグロビン S によって起こる遺伝子病である．ホモ接合体では鎌状赤血球ヘモグロビン($α_2β_2^S$)が脱酸素化されると重合して赤血球がかたくなり，微小循環における血流を傷害しさまざまな臓器障害をきたすことになる．なおこの赤血球には 2〜20％のヘモグロビン F が含まれており，このヘモグロビン F は重合化を阻止できるため，ヘモグロビン F の含有量が臨床症状を規定していることがわかっている．

臨床症状・検査所見

ホモ接合体症例は高度の溶血と網赤血球の増加を認めるが，ヘモグロビン S/β-サラセミア症例は軽い．血管閉塞による反復性の疼痛発作はウイルスや細菌感染で誘発される．肺血管閉塞発作である急性胸部症候群は小児および成人の死因で最も頻度が高い．血管閉塞を繰り返すと種々の臓器に障害をきたす．神経系，心肺，肝胆道系，泌尿生殖器，皮膚，眼などの障害がみられる．

診断

さまざまな方法があるが，最も簡単な方法はデオキシヘモグロビン S の溶解性が低いことを利用した方法である．米国では新生児スクリーニングが義務化さ

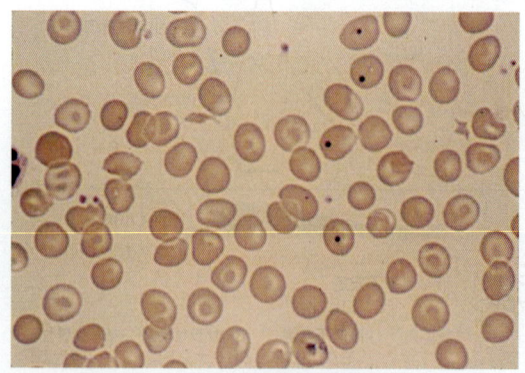

図 16-9-20 β-サラセミア軽症型の末梢血所見

れている．なお新生児はヘモグロビンF量が多いので，生後6カ月頃までに貧血やほかの臨床症状が出現する．

治療

輸血が基本である．肺血管閉塞発作は交換輸血が有効である．疼痛の治療は確立されておらず，対症療法のみである．ヘモグロビンF合成を高める方法としてヒドロキシウレアが使用されて一定の効果が得られている．またペニシリンの予防投与により患者の重症化と死亡率は減少している．造血幹細胞移植の有効性も報告されている．

(4) メトヘモグロビン血症 (methemoglobinemia)

ヘモグロビンの酸素親和性が強すぎると血液から組織への酸素の放出が悪くなる．低酸素状態にあるわけではないが，結果的に組織が低酸素状態になる．その結果エリスロポエチン産生が亢進し，赤血球が増加する．このような病態には，グロビンの構造変異（構造変異により酸素親和性が高まり，恒常的な赤血球増加症を呈する），メトヘモグロビン血症，2, 3-ジホスホグリセリン酸欠損症などがある．

疫学

先天性メトヘモグロビン血症はまれな病態である．先天性メトヘモグロビン還元酵素系の異常のうちチトクローム b_5 還元酵素 (NADH diaphorase) 欠損症は，メトヘモグロビンを代謝する酵素の先天性の異常で，常染色体劣性遺伝形式を示す．日本では数十例（沖縄），世界では約500例の報告がある．NADPH diaphorase 欠損症の報告例はない．glutathione reductase (GSSR) 酵素欠損例は2, 3症例の報告がある．その他後天性のメトヘモグロビン血症がある．

病理・病態生理

メトヘモグロビンはヘム鉄が酸化されて三価の鉄になったヘモグロビンである．通常では酸化によって生じたメトヘモグロビンをチトクローム b_5 還元酵素によって二価に還元するため，正常赤血球ではメトヘモグロビンは0.4％以内にとどまっている．メトヘモグロビン血症はメトヘモグロビンが1％以上になった病態である．メトヘモグロビンは酸素を運搬できないため，何らかの原因によりこれが体内に過剰になると，からだの臓器が酸素欠乏状態に陥る．

臨床症状・検査所見

単独のチアノーゼの所見が最も重要な症状である．単独先天性メトヘモグロビン血症はきわめてまれであり，家族性チアノーゼをきたす．血液は褐色である．チトクローム b_5 還元酵素 (NADH diaphorase) の完全欠損症では種々の神経障害や発達遅延などをきたし，予後が悪い．後天性のメトヘモグロビン血症としては新生児期にみられるチトクローム b_5 還元酵素の活性低下によるメトヘモグロビン血症，酸化薬（解熱薬，サルファ薬）や毒物（亜硝酸塩）などを服用した場合の中毒性メトヘモグロビン血症などがある．頭痛などの全身症状や呼吸困難，意識障害などがみられる．検査所見では，動脈血中酸素濃度とその色が乖離している．またパルスオキシメーターによる経皮的酸素飽和度 (S_pO_2) は動脈血酸素飽和度 (S_aO_2) より低値を示す．

診断

チアノーゼをきたし，ほかの疾患が除外できれば本症を考える．動脈血中酸素濃度から計算した S_aO_2 値と S_pO_2 値が乖離していることは saturation gap とよばれ，診断上有用である．

治療

先天性メトヘモグロビン血症の治療法はない．先天性メトヘモグロビン還元酵素系の異常ではメチレンブルーの静注が有効だが，長期投与には向かない．その他交換輸血や酸素投与が行われる．後天性メトヘモグロビン血症では原因薬剤を中止し，ビタミンC（アスコルビン酸）の経口投与またはNADPH依存性のフラビン還元酵素の働きを利用したリボフラビンの経口投与なども有効とされている．

(5) ポルフィリン症

ポルフィリン症【⇨ 15-6-1】（eコラム 3）のうち，溶血性貧血をきたす2つの亜型について簡単に記載する（e表 16-9-D）．

a. 先天性骨髄性ポルフィリン症

病理・病態生理

先天的にウロポルフィリノゲンⅢ合成酵素が欠乏しており，このため別経路を介してウロポルフィリンⅠ，コプロポルフィリンⅠが造血組織で大量につくられる．これが皮膚や赤血球に蓄積して細胞膜を破壊する．まれな常染色体劣性遺伝の疾患である．

臨床症状・検査所見

生後まもなく光線過敏症（水疱，膿疱，潰瘍，やがて瘢痕）で発症する．中間生成物が排出されるため，ワイン色の尿や黒紫色の糞便が出る．赤血球や歯，骨にも蓄積し，紅色の蛍光を示す．溶血性貧血により脾腫をきたす．

診断

生後まもなく光線過敏症と尿，赤血球，糞便中のポルフィリンの増加から診断される．

治療

治療は難しく，対症療法だけである．遮光は有効である．溶血性貧血には，脾摘が試みられる．

b. 骨髄性プロトポルフィリン症

病理・病態生理

ヘム合成経路の最後の酵素であるフェロケラターゼ遺伝子の先天的な異常による．プロトポルフィリンⅨ

のヘムへの転換が行われず，おもに骨髄の赤血球系に蓄積して発症する．

臨床症状・検査所見

通常10歳頃までに軽度の光線過敏症（熱感，疼痛，浮腫，じんま疹）で発症する．先天性骨髄性ポルフィリン症と同様に溶血性貧血を認めるが軽度である．肝内で蓄積したプロトポルフィリンが結晶化して胆汁中に排泄されるため，軽度の肝障害と胆石を認める．

診断

若年者で光線過敏性をきたし，尿，赤血球，糞便中のプロトポルフィリンの増加から診断される．

治療

治療法はない．皮膚症状はβ-カロチン投与が行われる．　　　　　　　　　　　　　　　　〔石井榮一〕

■文献（e文献 16-9-5-A）

Bunn HF, Aster JC：ハーバード大学テキスト血液疾患の病態生理（奈良信雄訳），メディカル・サイエンス・インターナショナル，2012．

小峰光博：溶血性貧血の病態生理：overview. 血液・腫瘍科. 2009; 59: 241-8.

日本小児血液学会疾患登録委員会：平成20年度日本小児血液学会疾患登録集計報告．日本小児血液学会雑誌．2009．

B. 後天性溶血性貧血

（6）免疫性溶血性貧血（immune-mediated hemolytic anemias：IHA）

概念・分類

溶血性貧血（hemolytic anemia）とは，赤血球が破壊されることによって起こる貧血を指す．溶血の場により，赤血球が脾臓などの網内系で破壊される血管外溶血と，血管内で破壊される血管内溶血に分類される．溶血性貧血のうち，抗体や補体を介する溶血をIHAとよぶ（Friedbergら，2009）．自己抗体による自己免疫性溶血性貧血（autoimmune hemolytic anemia：AIHA），薬剤起因性溶血性貧血，同種抗体による新生児溶血などが含まれる．溶血性貧血の半数を占めるAIHAは，赤血球と結合する自己抗体の至適作用温度により温式（37℃）と冷式（4℃）に，また原因不明の特発性と基礎疾患が判明している続発性に分類される．温式 AIHA を狭義の AIHA，冷式もあわせた AIHA を広義の AIHA ともよぶ．温式 AIHA は AIHA の約9割を占める．いずれも直接抗グロブリン（Coombs）試験によって，赤血球上の抗体あるいは補体成分が検出される．表16-9-19 に IHA のおもな病型の特徴をまとめた．

a. 温式自己抗体による自己免疫性溶血性貧血（狭義の自己免疫性溶血性貧血）（Friedbergら，2009；金倉ら，2015）

病態生理

温式 AIHA の自己抗体は原則 IgG（IgG1 が多い）で，多クローン性を示す．IgG 抗体を結合した赤血球は，貪食細胞の IgG Fc 受容体によって識別され，貪食により崩壊する（血管外溶血）．貪食細胞の IgG 受容体は，IgG1 と IgG3 に対するもので，IgG2 と IgG4 には活性を示さない．貪食細胞は補体第3成分（C3b）に対する受容体ももつ．IgG の補体活性化能は IgG3 が最も強く，ついで IgG1，IgG2 はわずか，IgG4 にはない．赤血球表面で補体が活性化されると C3b が沈着し，C3b 受容体を介して貪食が著しく促進される．溶血には，リンパ球や単球による抗体依存性細胞傷害（ADCC）機序も関与する．

表16-9-19 免疫性溶血性貧血（IHA）の病型比較

	自己免疫性			薬物性		
	温式自己免疫性溶血性貧血（AIHA）	冷式自己免疫性溶血性貧血		ハプテン型（ペニシリン型）	免疫複合体型（スチボフェン型）	自己抗体産生型（α-メチルドパ型）
		寒冷凝集素症（CAD）	発作性寒冷ヘモグロビン尿症（PCH）			
抗体・認識抗原	温式 IgG まれに IgA, IgM/Rh 蛋白，バンド3蛋白，グリコホリンなど	冷式 IgM（寒冷凝集素）/I 血型（90％），i 血型	IgG（二相性溶血素，DL 抗体）/P 血型	薬剤／赤血球／IgG 抗体	薬剤／補体／赤血球／IgM 抗体／免疫複合体	薬剤／赤血球／IgG 抗体／免疫反応に薬剤は関与しない
溶血型	血管外	血管内	血管内	血管外	血管内	血管外
原因・基礎疾患	特発性 続発性（リンパ増殖性疾患，膠原病）	特発性 続発性（リンパ増殖性疾患，感染症）	特発性 続発性（感染症）	ペニシリン，セファロスポリン	スチボフェン，キニジン，アミノピリン，イソニアジド，リファンピシン	α-メチルドパ，プロカインアミド

診断

臨床所見(貧血，黄疸，脾腫)と検査所見(血清間接ビリルビン値増加，尿ウロビリノゲン増加，網赤血球増加，血清LDH値高値，血清ハプトグロビン値低下)などから溶血性貧血を疑い，直接Coombs試験により診断を確定する(◉図16-9-E)．寒冷凝集素価とDonah-Landsteiner(DL)試験で冷式AIHAを除外し，病歴から薬剤起因性の可能性を除外する．温式AIHAと特発性血小板減少性紫斑病(ITP)が合併する病態をEvans症候群とよぶ．

治療(Lechnerら，2010)

特発性AIHAには副腎皮質ステロイドが第一選択であり，有効率は80％以上である．初期治療には十分量(プレドニゾロン換算1 mg/kg/日)を投与し，溶血の鎮静化の後ゆっくり減量し，10 mg/日以下の維持量を目指す．長期の経過観察を要し，溶血所見ならびにCoombs試験が陰性になれば中止を試みるが，成功例は2割にとどまる．一部の症例では溶血の再燃を反復するが，副腎皮質ステロイドを増量して再鎮静化をはかる．ステロイドに不応であったり，維持量を15 mg/日以下に減量できないときや，副作用や合併症が問題となるときは，第二，第三選択として脾摘術や免疫抑制薬(アザチオプリン，シクロホスファミド)を考慮する．続発性の場合は，基礎疾患対策が必須であるが，溶血症状に対しては特発性に準じる．近年，抗CD20モノクローナル抗体(リツキシマブ)がステロイド不応例に対する新規治療法として有望視されている．

予後

小児・若年者で感染症に続発するような場合は，急性の経過をとり，3～6カ月で軽快することが多い．その他の多くは慢性の経過をとり，しばしば再燃を繰り返す．特発性AIHAの直接Coombs試験陰転化率は5年で約50％，生存率は約80％であるが，高齢者の予後は不良であることが多い．続発性AIHAの予後は基礎疾患に依存するが，3年生存率は約50％である．

b. 冷式自己抗体による自己免疫性溶血性貧血

i) 寒冷凝集素症(cold agglutinin disease：CAD)(Friedbergら，2009；金倉ら，2015)

病態生理

寒冷凝集素はほとんどがIgMで，Iまたはi血液型特異性を示し，健常者血清中にも微量存在する．IgM抗体は低温下でもC1qを結合し，再加温でIgMは赤血球から遊離するが，古典経路を介した活性化が起り，C4b，C3b，C3dは赤血球から遊離しないため，これらに対する直接Coombs試験が陽性となる．貪食細胞はIgM受容体をもたないが，C3bを介して網内系で捕捉される．特発性は高齢者に多く，続発性は若年者に多い．続発性にはマイコプラズマ，EBウイルス，サイトメガロウイルスなどの感染に伴う多クローン性と，悪性リンパ腫に続発する単クローン性がある．CADはAIHAの1割弱を占める．

臨床症状・検査所見

臨床症状は溶血と末梢循環障害によるものからなる．感染に続発するCADは，比較的急激に発症し，ヘモグロビン尿や高度な貧血を伴う．特発性慢性CADの発症は潜行性が多く慢性溶血が持続するが，寒冷暴露による溶血発作を認めることもある．循環障害の症状としては，四肢のチアノーゼ，Raynaud現象，感覚障害などがある．脾腫はあっても軽度である．抗凝固薬共存下でも赤血球凝集を認めるので，加温後に検査を実施する．凝集活性と溶血活性は相関しない．

治療・予後

急性型では全身の徹底した保温が必要で，溶血抑制に有効である．赤血球輸血や点滴では加温器を使用する．副腎皮質ステロイドも使用されるが，効果は不確実である．慢性型では生活環境の温度管理が重要で，転地療養も選択肢の1つである．慢性特発性は長期の経過をとるが，それ以外は急性経過をとり軽快する．

ii) 発作性寒冷ヘモグロビン尿症(paroxysmal cold hemoglobinuria：PCH)(Friedbergら，2009；金倉ら，2015)

病態生理

PCHの原因となる自己抗体はP血液型特異性を示す補体結合性IgG(DL)抗体である．4℃で赤血球に結合しC1を活性化し，37℃で補体介在性血管内溶血を起こす(二層性溶血)．発症頻度はAIHAの1～3％と低い．

臨床症状・検査所見

梅毒性の定型例では，寒冷暴露が溶血発作に誘因となり，発作性反復性の血管内溶血とヘモグロビン尿をきたすが，近年ほとんどみられなくなり，小児の感染後性とごくわずかに成人の特発性病型を認めるのみである．小児の感染後性は，発作性や反復性を認めず，寒冷暴露との関連も明らかでなく，ヘモグロビン尿も必発ではない．診断には，患者血清と赤血球を低温で混合した後，体温での溶血を確認する(DL試験)．DL抗体は寒冷凝集素に比し，溶血活性はあるが赤血球凝集活性はない．

治療・予後

まず保温が大原則であるが，梅毒など続発性では，基礎疾患の治療をする．小児の感染後性では，全身管理が必要となり，副腎皮質ステロイドも溶血抑制に有効である．発症時の激しい溶血を乗り切れば，生命予後は良好である．

c. 薬剤起因性免疫性溶血性貧血（Friedbergら，2009）
概念・分類・病態生理
　薬剤が原因となる溶血性貧血には，免疫機序によるものと，そうでない非免疫性のものがある．薬剤による免疫性溶血性貧血では，溶血に伴ってしばしば直接Coombs試験が陽性になるので，AIHAとの鑑別が必要になる．薬剤起因性免疫性溶血性貧血は免疫機序によって，①ハプテン型，②免疫複合体型，③自己抗体産生型の3型に分類されるが，その区別は必ずしも明確ではなく，相互に重複することも多いようである．

1）ハプテン型（ペニシリン型）：　薬剤が赤血球膜に吸着しハプテン（eコラム 1）として働き，赤血球-ハプテン複合体に対するIgG抗体が産生される．産生抗体は赤血球に結合し，網内系で処理される（血管外溶血）．間接Coombs試験は陰性であるが，原因薬剤付着の患者赤血球を用いると陽性になる．原因薬剤としてペニシリン，セファロスポリンが有名である．

2）免疫複合体型（スチボフェン型）：　薬剤とそれに対する抗体（おもにIgM）が免疫複合体を形成し，赤血球膜のC3b受容体と結合し，さらに補体が活性化されて血管内溶血が起こる．Coombs試験は，抗補体血清を用いると陽性になる．赤血球自体は標的ではないが，反応に巻き込まれるのでinnocent bystander型ともいう．住血吸虫症薬スチボフェンが有名であるが，ほかにキニジン，アミノピリン，イソニアジド，リファンピシンがある．

3）自己抗体産生型（α-メチルドパ型）：　機序は不明だが，薬剤によって赤血球に対する自己抗体（Rh血液型抗原に対するものが多い）が産生され，温式AIHAと同様の病態により血管外溶血が起こる．降圧薬のα-メチルドパが有名であるが，使用頻度の減少によりみることは少なくなった．

臨床症状・検査所見
　溶血性貧血一般の症状であるが，血管内溶血（免疫複合体型）の方が，急性で症状も強い．診断は，薬剤使用歴，症状，Coombs試験などから行うが，病型によっては間接Coombs試験には注意が必要である．

治療・予後
　薬剤の中止により，予後は良好である．免疫複合体型の激烈な溶血には副腎皮質ステロイドは無効であるが，ほかの2型には有効である．

d. 同種免疫抗体による溶血性貧血
概念・分類
　血液型不適合輸血【⇨5-1-3】もあるが，ここでは新生児溶血性貧血について述べる．母親と胎児の血液型が異なるために，母体が感作されて胎児の血液型抗原に対する同種抗体が出現し，これが胎盤を通して胎児に移行することにより発症する溶血性貧血である．ABO血液型抗原やRh血液型抗原に対するものが知られているが，抗ABO血液型抗体は頻度は高いものの，その多くはIgMであり胎盤を通過しないため重症化することは少ない．産生抗体がIgGであり，抗原性の強いRhD抗原に対する溶血性貧血が臨床的に問題となることが多い．

病態生理
　Rh（−）の母親がRh（＋）の胎児を妊娠した場合，胎児の血液が妊娠中，あるいは出産の際母体に流入し母体を感作し，RhD抗体が出現する．同じ母親がRh（＋）の胎児を再び妊娠した場合，産生されているIgG抗体が胎児に移行することで，溶血性貧血を発症する．胎児赤血球による母体感作はおもに胎盤出血，分娩時出血，産科的処置による．

臨床症状・検査所見
　溶血に伴い増加するビリルビンは母体側で処理可能であるので胎児障害を軽減できるが，出産後は新生児黄疸が強く起こり，血中ビリルビンが高濃度（20 mg/dL以上）になると，核黄疸など脳障害が発症する．胎児は黄疸に加え，肝脾腫，貧血，網赤血球増加がみられ，代償性髄外造血により赤芽球が末梢血に多数出現する（胎児赤芽球症）．肝障害や門脈圧亢進により腹水，胸水，全身性浮腫が発生し，死に至ることがある（胎児水腫）．先天性溶血性貧血との鑑別を要するが，母体血中の同種抗体の証明と臍帯血のCoombs試験陽性から診断は比較的容易である．

治療・予後
　胎児輸血，交換輸血，光線療法，免疫グロブリン大量療法などを行うが，感作予防として母体に対して，妊娠中から分娩時にかけて抗RhD抗体陽性免疫グロブリン製剤を投与し，母体の感作を防ぐのが効果的である．

〔西村純一〕

■文献

Friedberg RC, Johari VP: Autoimmune hemolytic anemia. Wintrobe's Clinical Hematology, 12th ed, vol 1（Greer JP, Foerster J, et al eds），pp956-77, Lippincott Williams & Wilkins, 2009.

金倉 譲，他：自己免疫性溶血性貧血 診療の参照ガイド（平成26年度改訂版）．厚生労働科学研究費補助金難治性疾患克服事業 特発性造血障害に関する調査研究班，2015. http://zoket-sushogaihan.com/file/guideline_H26/AIHA.pdf

Lechner K, Jager U：How I treat autoimmune hemolytic anemias in adults. Blood. 2010; **116**: 1831-8.

（7）発作性夜間ヘモグロビン尿症（paroxysmal nocturnal hemoglobinuria：PNH）（Parkerら，2005；金倉ら，2015）

概念・分類
　PNHは，PIGA遺伝子に後天的変異をもった造血

幹細胞がクローン性に拡大した結果，補体による血管内溶血（Coombs陰性）を主徴とする造血幹細胞疾患である（Parker ら，2005）．再生不良性貧血（aplastic anemia：AA）を代表とする後天性骨髄不全疾患としばしば合併・相互移行する．血栓症はわが国例ではまれではあるが，PNHに特徴的な合併症である．またまれではあるが，急性白血病への移行もある．溶血所見を認める臨床的PNHは，溶血所見の目立つ古典型，AA-PNH症候群に代表される骨髄不全型とその混合型に分類されるが，溶血所見の明らかでないPNH型血球陽性の骨髄不全症は，臨床的PNHとは区別する．また，AAや骨髄異形成症候群（MDS）とは，造血不全と前白血病状態という共通の病態を有することから，骨髄不全症候群とよばれる．

疫学（金倉ら，2015；Nishimuraら，2004）

PNHは，自己免疫性溶血性貧血，遺伝性球状赤血球症とともに，わが国における3大溶血性疾患である．わが国の推定有病者数は420人（100万人あたり3.6人）とされてきたが，近年の調査では1000人程度の症例が把握されている．いずれにしろ，非常にまれな病気である．診断時年齢は10歳から86歳，平均45歳と幅広く，性差は乏しい．欧米に比べるとわが国の例は，溶血や血栓症より造血不全が目立つ例が多い．経過中の血栓発症は，米国31.8%に対しわが国は4.3%と著しく低い．

病態生理

PNHは，*PIGA*遺伝子に後天的変異をもった造血幹細胞がクローン性に拡大した結果，補体による血管内溶血を主徴とする造血幹細胞疾患である．*PIGA*遺伝子はGPIアンカー生合成の初期段階に重要な酵素であり，PNH型血球ではGPIアンカー型蛋白（GPI-AP）の発現の低下，あるいは欠損をきたす．補体制御因子であるCD55（decay-accelerating factor：DAF）やCD59（membrane inhibitor of reactive lysis：MIRL）もGPI-APに分類され，PNH型赤血球は，感染などを契機に補体が活性化すると，補体の攻撃を直接受けて血管内溶血を起こす．PNHクローンの拡大機序については結論には至っていないものの，健常人でもわずかながらPNHクローンが検出可能であることから，*PIGA*変異だけではPNHクローンは拡大できないと考えられる．AAでみられるような免疫学的攻撃のもと，GPI陰性のPNH型血球はこの攻撃から逃れることで相対的に増加し，さらに良性腫瘍的増殖能を付与するような付加的異常をきたし，クローン拡大につながるという多段階機序が提唱されている．

臨床症状・所見

血管内溶血（ヘモグロビン尿），血栓症，造血不全を3大症状とするが，症例によりそれぞれの症状の程度とバランスはさまざまである．典型的なヘモグロビン尿を示す症例は1/4～1/3にすぎない．PNHの臨床症状は多彩で，3大徴候以外にも，嚥下痛，嚥下困難，腹痛などの消化器症状，男性機能不全，肺高血圧といった特徴的な症状を呈する．これらの症状の発症機序はよく理解されていなかったが，溶血により血漿中に放出された遊離ヘモグロビンが，平滑筋弛緩作用や血小板凝集抑制作用をもつ一酸化窒素（NO）を強力に吸着し，NOの作用を急激に阻害するためであることが近年明らかになってきた．

検査所見

末梢血は血球減少傾向を示すが，その代償として網赤血球増加，骨髄は赤芽球過形成を示すことが多い．溶血所見として，血清間接ビリルビン値上昇，LDH値上昇，ハプトグロビン値低下を認める．また，尿上清のヘモグロビン陽性（ヘモグロビン尿）（図16-9-21A），尿沈渣のヘモジデリン陽性（図16-9-21B）は血管内溶血の直接的証拠となる．古典的には，GPI-AP発現低下の所見としての好中球アルカリホスファターゼスコア低下や赤血球アセチルコリンエステラーゼ低下，補体感受性赤血球の証明としてのHam（酸性化血清溶血）試験陽性や砂糖水試験陽性が用いられてきたが，近年ではフローサイトメトリー（FCM）によるGPI-AP欠損血球（PNH型赤血球）の検出が汎用されている（図16-9-21C）．

診断

上記臨床症状，検査所見よりPNHを疑えば，直接Coombs試験が陰性であることを確認しAIHAを否定する．そのうえで，FCMによるPNH型赤血球を検出する．溶血所見としては，血清LDH値上昇，網赤血球増加，間接ビリルビン値上昇，血清ハプトグロビン値低下が参考になる．PNH型赤血球（Ⅲ型）が1%以上で，血清LDH値が正常上限の1.5倍以上であれば，臨床的PNHと診断してよい．

治療

PNHの根治療法は造血幹細胞移植であるが，疾患の希少性もあり明確な適応基準は示されていない．致命的な血栓症や重症の造血不全など3大症状の最重症例がおもな適応と考えられる．治療の中心は，もっぱら3大症状に対する対症療法であるが，エクリズマブによる顕著な溶血抑制効果に加え（eコラム2），血栓症発症リスクの軽減，慢性腎機能障害の改善，溶血によって放出された遊離ヘモグロビンのNO捕縛に伴う平滑筋攣縮関連の臨床症状（嚥下困難，男性機能不全，腹痛，肺高血圧など）の改善など，さまざまな副次効果も明らかとなり，今後の治療戦略は大きく変貌するものと思われる．すなわち，溶血や血栓症に対するエクリズマブの役割はますます増すであろうし，それに伴ってそれらの最重症例に対する移植適応も今後，減少するものと予想される．補体介在性の溶

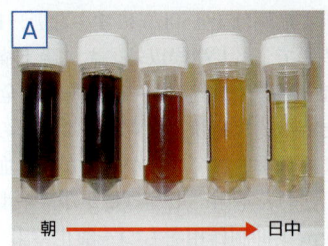
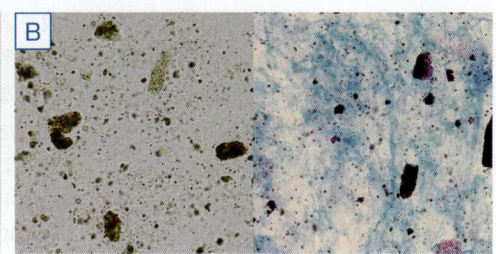
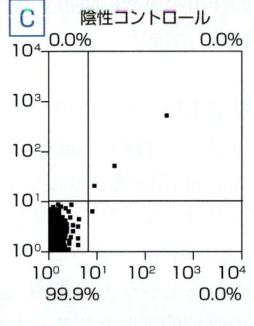
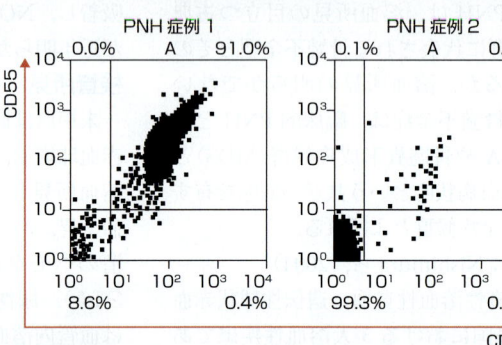

図 16-9-21 PNH の診断に有用な検査
A：典型的な肉眼的ヘモグロビン尿．早朝尿はコーラ色であるが，日中にかけて透明になっていく．典型的なヘモグロビン尿を呈する患者は 1/4〜1/3 である．
B：尿沈渣にみられるヘモジデリン顆粒．左：視野一面にみられる黄褐色のヘモジデリン顆粒（無染色）．右：Sternheimer 染色により赤褐色に染まるヘモジデリン顆粒と円柱（大阪大学医学部附属病院中央検査部堀田真希氏提供）．
C：フローサイトメトリーを用いた PNH 赤血球の検出．PNH 患者では 1〜99％の割合で GPI アンカー型蛋白（CD55，CD59）陰性の PNH 型血球を検出する．

血が根底にあり，輸血が必要なほどの貧血や，血栓症，慢性腎機能障害などが問題となる重症例は，エクリズマブのよい適応となる．溶血に対するステロイド治療については，その是非について見解が分かれる．貧血に対する輸血は，歴史的には洗浄赤血球が推奨されてきたが，赤血球濃厚液（RBC）を用いても大きな問題はないと考えられる．溶血発作時には，ハプトグロビン，補液などにより全身状態の改善と腎保護をはかり，感染などの誘因除去のための治療を行う．血栓症の急性期にはヘパリンによる抗血栓療法を行う．予防投与にはワルファリンを用いる．骨髄不全に対しては，おおむね再生不良性貧血の治療に準じる．

予後（Nishimura ら，2004）
わが国のおもな死因は造血不全に伴う重症感染症（36.8％），出血（23.7％），腎不全（18.4％），白血病化（15.8％）となっている．診断後の平均生存期間は 32.1 年，50％生存率の期間は 25.0 年と報告されているが，エクリズマブの登場により，予後の改善が期待されている．〔西村純一〕

■**文献**
金倉 譲，他：自己免疫性溶血性貧血 診療の参照ガイド（平成 26 年度改訂版）．厚生労働科学研究費補助金難治性疾患克服事業 特発性造血障害に関する調査研究班．2015. http://zokets ushogaihan.com/file/guideline_H26/PNH2015.pdf
Nishimura J, Kanakura Y, et al：Clinical course and flow cytometric analysis of paroxysmal nocturnal hemoglobinuria in the United States and Japan. *Medicine*. 2004; **83**: 193-207.
Parker C, Omine M, et al：Diagnosis and management of paroxysmal nocturnal hemoglobinuria. *Blood*. 2005; **106**: 3699-709.

(8) 赤血球破砕症候群（red cell fragmentation syndrome：RCFS）（Means Jr ら，2009；谷，2006）
概念
心血管内を循環している赤血球が物理的，機械的刺激により破壊され，破砕赤血球（red cell fragment, schistocyte）（図 16-9-22）が形成される病態を RCFS とよぶ．RCFS は，原因となる基礎病態の臨床的な表現の 1 つであり，それ自体は独立した疾患ではない．
病態生理・分類
1）**心臓・大血管の異常に起因するもの**：約 2 割．弁膜症，人工弁，人工血管，大動脈狭窄症，動静脈短絡などにより，大血管血流に乱れが生じ，赤血球が局所で機械的ストレスにより溶血を起こす．
2）**小血管・微小血管の異常に起因するもの**：約 8 割．微小血管内部での血栓形成などにより，通過する赤血球が傷害を受け，破壊される．
　a）**血栓性血小板減少性紫斑病（TTP）**：全身性血栓

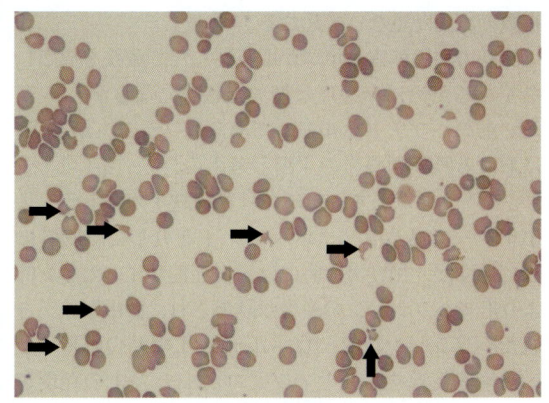

図 16-9-22 末梢血破砕赤血球（May-Giemsa 染色）
矢印に示すような変形赤血球（断片化，三日月型，ヘルメット型など）を認める（大阪大学医学部附属病院中央検査部兜森修氏提供）.

形成による血小板減少と溶血，精神神経症状を 3 徴とし，腎機能障害をきたす．von Willebrand 因子の分解酵素（ADAMTS13）活性低下が病因に関与している．

b）溶血性尿毒症症候群（HUS）：小児に多く，大腸菌（特に O157）などの感染を契機に，おもに腎臓の糸球体に微小血栓が形成され，急速に腎機能障害が進行する．

c）播種性血管内凝固症候群（DIC）：急性白血病，敗血症，癌の全身転移などの際に全身の微小血管内に血栓を生じ，赤血球が破壊される．

d）その他：行軍ヘモグロビン尿症，骨髄移植後血栓性微小血管病変（TMA），血管腫などがある．

診断

溶血所見，特に血管内溶血の所見（血中遊離ヘモグロビン，ヘモグロビン尿，ヘモジデリン尿）に加えて，破砕赤血球を確認することで診断する．

治療・予後

ほとんどの症例で基礎疾患が存在するので，基礎疾患治療が第一であり，基礎疾患の病態改善が可能であれば溶血などの改善も伴ってくる．TTP の予後は，血漿交換の普及によって著しく改善した．HUS に対する血漿交換の有効性は低く，慢性腎障害により血液透析が必要になることが少なくないが，生命予後は一般的に良好である．予後は，基礎疾患に依存することが多い． 〔西村純一〕

■文献

Means Jr RT, Glader B: Aquired nonimmune hemolytic disorders. Wintrobe's Clinical Hematology, 12th ed, vol 1 (Greer JP, Foerster J, et al eds), pp1021-37, Lippincott Williams & Wilkins, 2009.

谷　憲三朗：物理的溶血性貧血．三輪血液学 第 3 版（浅野茂隆，池田康夫，他監），pp1228-33，文光堂，2006.

(9) 脾機能亢進症 (hypersplenism)（Porembka ら，2009；谷，2006）

概念

脾機能亢進症は，何らかの原因によって脾腫をきたし，脾臓の機能が亢進したものを指す．脾臓の働きとは，老化した血球を濾過することであるが，脾臓が腫大することで，正常な血球まで捕捉・破壊し，血球減少をきたすようになる．

病態生理

原因不明の原発性脾機能亢進症と，何らかの基礎疾患に起因する続発性脾機能亢進症に分類され，続発性の原因は，感染症や白血病など幅広い疾患があげられるが，最も多いのは肝硬変による門脈亢進症である．

臨床症状・診断

軽度～中等度の脾腫では自覚症状に乏しいが，圧迫症状（腹部膨満感，左季肋部痛など）や血球減少による貧血，感染，出血などがみられる．脾梗塞が起こると上腹部痛をきたす．脾腫の程度は，腹部超音波検査，腹部 CT などで確認するが，脾腫の原因検索も合わせて行う必要がある．

治療・予後

基礎疾患を優先して治療する．さらに，脾腫による圧迫症状や高度の血球減少が問題となる場合は，摘脾を考慮する．多くの場合，摘脾が有効である．

〔西村純一〕

■文献

Porembka MR, Majella Doyle MB, et al: Disorders of the spleen. Wintrobe's Clinical Hematology, 12th ed, vol 2 (Greer JP, Foerster J, et al eds), pp1637-54, Lippincott Williams & Wilkins, 2009.

谷　憲三朗：脾機能亢進症．三輪血液学 第 3 版（浅野茂隆，池田康夫，他監），pp1238-9，文光堂，2006.

6）二次性貧血
secondary anemia

定義

造血器や赤血球の異常などの血液疾患による貧血ではなく，その他の基礎疾患があるために続発した貧血を二次性貧血あるいは症候性貧血という．これには，慢性疾患に続発する「慢性疾患に伴う貧血（anemia of chronic disorder：ACD）」と腎疾患などの随伴疾患に伴うそれぞれの疾患に特異的な貧血に分けられる（表 16-9-20）．

表 16-9-20 二次性貧血の原因

1. anemia of chronic disorder(ACD)
   (1) 慢性感染症
   (2) 慢性非感染性炎症性疾患
   (3) 悪性腫瘍
   (4) その他
2. 腎疾患
3. 肝疾患
4. 内分泌疾患
5. 悪性腫瘍
6. 感染症
7. その他
   (1) 妊娠
   (2) スポーツ
   (3) 薬物

病態生理

1) 慢性疾患に伴う貧血(ACD)： ACD は，炎症性貧血ともよばれ，慢性感染症，慢性炎症性疾患，悪性腫瘍などの患者に認められる軽～中等度の貧血である．慢性感染症としては結核，肺膿瘍，亜急性細菌性心内膜炎，尿路感染症，慢性骨髄炎，慢性真菌感染症，HIV 感染症などがある．慢性炎症性疾患としては関節リウマチ，全身性エリテマトーデスなどの膠原病が原因となり，あらゆる悪性腫瘍も貧血の原因となる（Weiss ら，2005）．貧血の原因としては鉄欠乏性貧血の次に頻度が高い．鉄の利用障害がおもな原因と考えられているが，貧血の起こる機序は複雑で，以下の複数の原因が重なって起こる．

a) 鉄の利用障害：単球が取り込んだ貯蔵鉄を放出しなくなるために赤芽球は鉄欠乏状態となるが，25 アミノ酸のペプチドホルモンであるヘプシジンが ACD における鉄代謝異常の主因と考えられている（図 16-9-23）[1]．すなわち，単球では鉄は鉄イオントランスポーターであるフェロポルチン-1 を介して細胞外に出ていくが，慢性炎症時には，炎症性サイトカインにより肝でヘプシジンの産生が誘導され，血中に放出されたヘプシジンはフェロポルチン-1 に結合して，その分解を促進することでフェロポルチン-1 の発現が低下し，単球からの鉄の排泄が障害されている[2]．さらに，ヘプシジンは十二指腸粘膜からの鉄の吸収を抑制する．これは，管腔側から腸管上皮細胞内に取り込まれた鉄がフェロポルチン-1 を介して血漿中に排出される過程を，慢性炎症で高濃度になったヘプシジンがフェロポルチン-1 の発現を低下させることにより抑制するためである[2]（小船ら，2010）．

b) 赤血球造血の抑制：赤血球産生を促進する造血因子であるエリスロポエチン(EPO)産生低下や EPO に対する反応性の低下が起こるとともに[3]，インターフェロン(INF)-γ や腫瘍壊死因子(TNF)-α などの炎症性サイトカインによって赤血球前駆細胞が抑制される[4]．

c) 赤血球寿命の短縮：活性化されたマクロファージにより赤血球系細胞が貪食され破壊が亢進する[5]．

2) 腎疾患： 慢性腎不全に合併する貧血を腎性貧血という．以下の複数の原因で貧血をきたす．

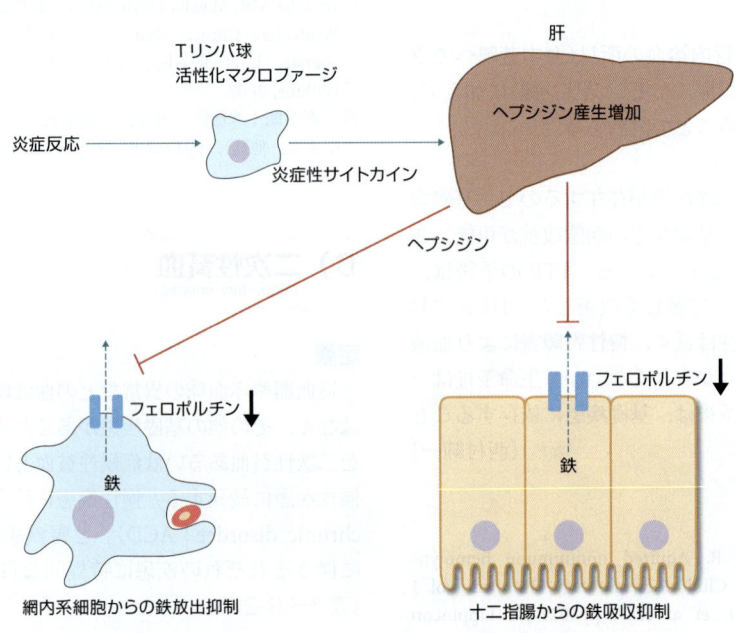

図 16-9-23 慢性炎症時のヘプシジンのフェロポルチン抑制効果

a）赤血球産生の低下：慢性腎不全患者では，腎組織の荒廃のために EPO の産生低下が起こる．これが貧血の最も大きな原因である．腎臓における EPO 産生（renal EPO producing：REP）細胞は，皮質と髄質の境界部の近位尿細管周囲の間質にあり，細長い突起を伸ばした線維芽細胞様，あるいは神経細胞様の形態をもち，尿細管と血管内皮細胞に接着して存在する[6]．健常な状態では，貧血あるいは低酸素刺激に反応して，REP 細胞は EPO の産生を開始する．しかし，腎臓が障害されると，REP 細胞が筋線維芽細胞に変換する．この筋線維芽細胞は，EPO 産生能を失い，さらに腎間質の線維化に働くと考えられる[7,8]．これに加え，造血抑制作用のある尿毒症性物質の体内貯留も関与している．

b）赤血球の破壊の亢進：腎不全患者では赤血球膜の脆弱性が亢進している．

c）その他：失血や透析による葉酸などの欠乏も貧血の原因となる．

3）肝疾患： 慢性肝炎や肝硬変などの慢性肝疾患ではしばしば貧血がみられる．特に，肝硬変患者ではその頻度が高く，半数以上に貧血がみられる．貧血の原因は溶血，脾機能亢進，循環血漿量の増加による希釈，消化管出血や鉄や葉酸欠乏症である．特に，肝硬変では赤血球膜の脂質の増加が起こり，標的赤血球や棘状赤血球などの異常赤血球が出現することがある[9]．これらの赤血球では溶血を起こしやすい．

4）内分泌疾患： 下垂体，甲状腺，副腎，副甲状腺，性腺の異常で貧血が起こる．このなかで，甲状腺疾患に伴う貧血の頻度が最も高い．

a）甲状腺機能低下症：基礎代謝の低下による酸素消費量の低下の結果，エリスロポエチン産生が低下し，貧血が起こる[10]．

b）副甲状腺機能亢進症：副甲状腺ホルモンによる赤血球造血前駆細胞の抑制や骨髄の線維化によって貧血を生じる[11]．

c）下垂体機能低下症：エリスロポエチン産生が低下し，貧血が起こることがある．

5）悪性腫瘍： 悪性腫瘍による貧血の多くは，ACD によるが，腫瘍細胞の骨髄浸潤，病変部位からの出血，栄養障害，抗癌薬による骨髄抑制などさまざまな原因によっても貧血が生じる．

6）感染症： 感染症による貧血も ACD の頻度が最も高い．しかし，それぞれの感染性微生物に特異的な機序によっても貧血が起こる．パルボウイルス B19 感染では直接赤血球産生が抑制され[12]，マイコプラズマ肺炎や感染性単核球増多症では免疫機序による溶血（寒冷凝集素性溶血性貧血）が起こる[13]．O157 などの病原性大腸菌により，溶血性尿毒症症候群が発症する．また，Helicobactor pylori 感染症では胃・十二指腸潰瘍のために出血性貧血が起こる．

検査所見・診断

一般に正球性正色素性貧血である．しかし，ACD で鉄の利用障害が強い場合には小球性低色素性貧血をきたし，鉄欠乏性貧血との鑑別が必要となる（Weiss ら，2005）．ACD では鉄欠乏性貧血と異なり，血清フェリチンは増加し血清鉄と総鉄結合能は低下する（表 16-9-21）．

治療

基礎疾患の治療を行うことが原則である．しかし，基礎疾患の治療が困難な場合，輸血が必要となることがある．腎性貧血では，赤血球造血刺激因子製剤（ESA）の投与を行う．貧血の原因が鉄欠乏や葉酸欠乏の場合はその補充を行う．　〔伊藤悦朗〕

表 16-9-21 二次性貧血と鉄欠乏性貧血の鑑別

	血清鉄	総鉄結合能	血清フェリチン
二次性貧血	↓	↓	→〜↑
鉄欠乏性貧血	↓	↑	↓

■文献（e文献 16-9-6）

小船雅義, 加藤淳二：全身疾患に伴う貧血—感染・炎症に伴う貧血. 血液診療エキスパート貧血（金倉 譲監）, pp100-6, 中外医学社, 2010.

Weiss G, Goodnough LT: Anemia of chronic disease. N Engl J Med. 2005; 352: 1011-23.

7）出血性貧血
hemorrhagic anemic

定義・分類

出血によって血液が喪失するために起こる貧血である．短期間に大量出血した場合に生じる急性出血性貧血と慢性の出血が持続したために生じる慢性出血性貧血に分類される（Hillman, 2001）．

病態生理

1）急性出血性貧血： 短期間に大量出血した場合には，はじめは循環血液量の減少による症状がおもにみられ，検査では貧血は認められない．数日すると血管内血漿量が代償されて循環血液量が回復する．その結果はじめてヘモグロビン濃度が低下し貧血が明らかとなり，酸素運搬能の低下による症状を呈する．

2）慢性出血性貧血： 急性出血性貧血とは異なり，循環赤血球量は低下しているが，循環血漿量は増加しているので循環血液量の低下は起こらない．このため，酸素運搬能の低下による症状を呈する．出血からの回復には，赤血球造血を促進するために大量の鉄が必要である．出血が起こると，赤芽球系細胞からエリスロ

フェロンが分泌され，肝でのヘプシジンの発現を抑制する．その結果，単球が取り込んだ貯蔵鉄が動員され，十二指腸粘膜からの鉄の吸収も増加する（Kautzら，2014）．

臨床症状

急性出血時の臨床症状は，出血量に依存する．正常人では，全循環血液量の10％以下の喪失では無症状であるが，失血量が20％になると体動による頻脈，起立性低血圧の症状が現れ，40％をこすと安静でも血圧低下，中心静脈圧低下をきたし，脈拍は微弱となり，発汗，呼吸促進，四肢寒冷などのショック状態を呈してくる．全循環血液量の50％が失われると致命的である．慢性出血では，症状は鉄欠乏性貧血と同様である．種々の代償機序が働き，貧血の程度のわりには症状が軽い．

検査所見

急性出血では，出血直後は血液検査に異常を示さないが，時間の経過とともに正球性貧血を呈する．慢性貧血では，小球性低色素性貧血で総鉄結合能上昇，血清鉄低下，血清フェリチン低下などの鉄欠乏性貧血の検査所見を呈する．

診断・治療

出血部位と原因病態を明らかにすることが重要である．急激な出血の場合は，必要なら手術などによって止血に努める．同時に，出血による体液喪失を輸液で補う．赤血球輸血は重症貧血には即効性がある．600 mL以上の出血がある場合には赤血球液を輸血し，1200 mL以上の場合には赤血球液と代用血漿剤を併用する．慢性出血では，原疾患があれば原疾患の治療を行いながら鉄欠乏性貧血の治療を行う．〔伊藤悦朗〕

■文献

Hillman RS: Acute blood loss anemia. Williams Hematolgy, 6th ed, p677, McGraw-Hill, 2001.

Kautz L, Jung G, et al: Identification of erythroferrone as an erythroid regulator of iron metabolism. Nat Genet. 2014; 46: 678-84.

8）未熟児貧血
anemia of prematurity

定義

従来は出生体重2500 g未満の児を在胎週数にかかわらず，未熟児とよんできたが，現在は低出生体重児と定義されている．未熟児貧血は，成熟新生児にみられる生理的貧血が，出生時体重が小さいために高度に出現したものである[1]（Brugnaraら，2009）．未熟児貧血には，生後4～8週頃にみられる未熟児早期貧血と生後3～4カ月頃にみられる未熟児晩期貧血がある．

疫学

多くの未熟児にみられるが，特に1500 g未満の極低出生体重児，1000 g未満の超低出生体重児ではほとんどの例でみられる[1]．

病態生理

未熟児早期貧血のおもな原因は，赤血球造血のおもな調節因子であるエリスロポエチンの分泌機構の未熟性にある．すなわち，エリスロポエチンは胎児では肝でおもに産生されるため，在胎期間の短い新生児ほどその産生は肝臓に依存している．しかし，肝でのエリスロポエチン産生放出機構は腎臓に比べて低酸素刺激に対する反応が鈍い．このため，低出生体重児では，貧血のレベルに見あうだけの内因性のエリスロポエチンの血中濃度の上昇が期待できない[1,2]．これに加えて成熟児の赤血球寿命は60～70日であるが，低出生体重児の赤血球は酸化損傷に弱く寿命は40～60日とさらに短い[1]．さらに，低出生体重児では採血の影響を成熟児より大きく受けやすいが，より早産の児ほど一般に重症で，出生後早期の採血量が多くなる[3]．また，早産児は止血機構が未熟で組織も脆弱なため，頭蓋内出血や肺出血をきたしやすい．

未熟児晩期貧血の原因は鉄欠乏性貧血である．胎児は胎盤を通して母体より鉄を供給されるが，それは妊娠後期3カ月間が最もさかんである．このため，低出生体重児では成熟児に比べ鉄の備蓄量が少ない．成熟新生児は外来鉄の供給を受けなくても体重が出生時の2倍になれるだけの鉄を保有しているため，生後6カ月頃から鉄欠乏性貧血が起こりやすい．これに対して，低出生体重児では保有鉄量が少なく，生後3～4カ月に鉄欠乏性貧血が起こる（長尾，1998）．

臨床症状

早期貧血では，頻脈，無呼吸，体重増加不良，哺乳力不良，不活発，蒼白などを呈する[1]．

検査所見・診断

早期貧血では，正球性正色素性貧血を呈する．網赤血球は低値で，血清エリスロポエチン濃度は，貧血の程度に不相応に低値である[1]．後期貧血では，小球性低色素性貧血で血清鉄低下，血清フェリチン低下などの鉄欠乏性貧血の検査所見を呈する．

治療

貧血の程度が高度であれば，輸血は避けられない．呼吸障害のない低出生体重児の場合，貧血によると思われる臨床症状がなければヘモグロビン濃度が8 g/dL未満で輸血の適応となるが，臨床症状があれば8 g/dL以上でも輸血の適応となることがある[4]（井上ら，2013）．胎盤血輸血は，未熟児貧血の予防策としても注目されている．特に臍帯ミルキング法は，臍帯血遅延結紮法より短時間ですみ，早産児の呼吸循環動

態を改善し，輸血回数や頭蓋内出血を減少させるなどの有用性が報告されている[5]．

わが国では1991年から多施設共同研究が行われ，現在では，エリスロポエチンを200 IU/kg/回，週2回皮下注で早期貧血の予防治療が行われている．鉄が不足するとエリスロポエチンの効果が期待できないため，鉄剤の経口投与を併用する[6]．　〔伊藤悦朗〕

■文献(e文献16-9-8)

Brugnara C, Platt OS: The neonatal erythrocyte and its disorders. Nathan and Oski's Hematology of Infancy and Childhood, 7th ed(Orkin SH, Nathan DG, et al eds), pp21-66, WB Saunders, 2009.
井上普介，大賀正一：未熟児貧血．新領域別症候群シリーズ，血液症候群 第2版, pp401-4, 日本臨牀社, 2013.
長尾 大：未熟児貧血．血液症候群I, pp405-7, 日本臨牀社, 1998.

9）相対的赤血球増加症
relative erythrocytosis

病態
赤血球増加症は，循環赤血球量の絶対的な増加が要因である絶対的赤血球増加症と循環血漿量が減少するために，見かけ上赤血球濃度が高値を示す，相対的赤血球増加症に分類される（図16-9-24）．

相対的赤血球増加をきたす病態としては，下痢や発汗の亢進，経口摂取不良などに伴う比較的急速な体液の減少に起因する場合と，いわゆるストレス多血症とよばれる，生活習慣などの慢性的な要因が関与している場合がある．後者については，中年男性において認められることが多く，しばしば高血圧症や脂質異常症などを伴う．ストレス多血症例では喫煙率が高いことも知られている（Gaisböck症候群）[1]．一方，喫煙そのものは，一酸化炭素結合型ヘモグロビン（carbocyhemoglobin）の増加やミトコンドリアの機能抑制な

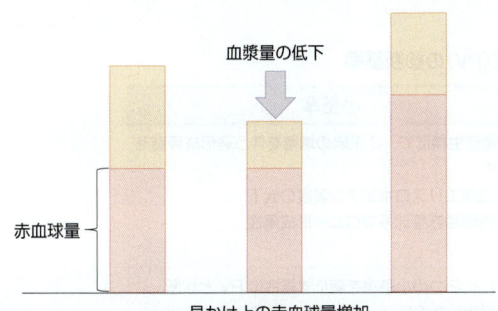

図 16-9-24 相対的赤血球増加症と絶対的赤血球増加症
相対的赤血球増加症では血漿量が低下することにより，見かけ上赤血球量が増加する．

どが要因となり組織低酸素状態を引き起こし，赤血球産生を亢進させることが知られている[2]．すなわち，喫煙者でみられる多血症のすべてが相対的赤血球増加症ではないことにも留意すべきである．

治療
脱水が原因の場合には，その補正を行う．ストレス多血症では，その要因となる高血圧症や脂質異常症の治療を行う．ストレス多血症も血栓性疾患との関連性が指摘されているが，瀉血の有効性は不明であり実地臨床での施行は推奨されない．　〔桐戸敬太〕

(e文献16-9-9)

10）真性赤血球増加症（真性多血症）
polycythemia vera：PV

定義
真性赤血球増加症（PV）は，造血幹細胞レベルで生じた遺伝子異常により，骨髄系細胞の過剰増殖をきたす骨髄増殖性腫瘍（myeloproliferative neoplasms：MPN）に分類される疾患である（Passamonti, 2012）．このため，純然たる赤血球系細胞のみの増加ではなく，しばしば白血球や血小板数など多系統の血球増加を伴う．

疫学
2013年の日本血液学会の調査では，PVの年間発症数は約350例程度である．2006年に発表された壇らのPVの調査では，発症年齢は30歳代から90歳代にまで及ぶが，50～60歳代が中心である[1]．また，男性の比率が高い．診断に至るきっかけとしては偶然に気づかれることが最も多いとされる（Passamonti, 2012）．ついで血栓を契機とする例が多い．

臨床所見
循環赤血球量および血液粘稠度の増加により，顔面紅潮，頭痛，めまいなどの症状を伴うことが多い．皮膚瘙痒感を訴える例もある．脾腫は約40％程度の症例に認められる．

予後
PV症例の生命予後についての詳細な解析については，国内では行われていない．海外のデータでは，Mayo clinicの164例をもとにした解析にて，生存期間中央値は13.5年（60歳未満では23.8年）との報告がある[2]（eコラム1）．

病態
PVでは，ほとんどの症例においてJAK2（Janus kinase 2）の遺伝子変異が関与している[3]．JAK2は細胞質チロシンキナーゼであり，エリスロポエチン（erythropoietin：EPO）受容体を含む種々の造血系サイトカインの受容体と結合し，そのシグナル伝達におい

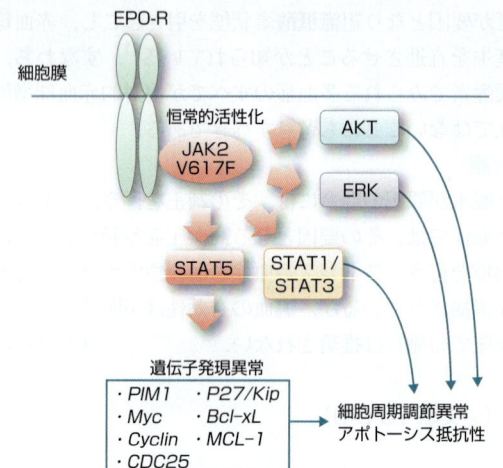

図 16-9-25 JAK2V617F の機能
JAK2V617F 変異はサイトカイン刺激非依存性に，STAT5 をはじめとする下流のシグナル伝達分子を活性化する．これにより，細胞周期やアポトーシスを制御する分子群の発現異常をきたし，細胞は不死化/過剰増殖を獲得する．

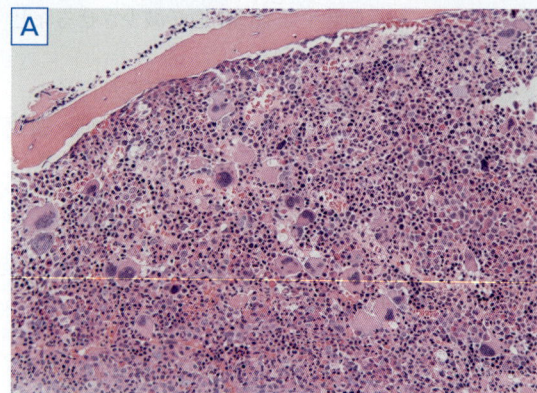

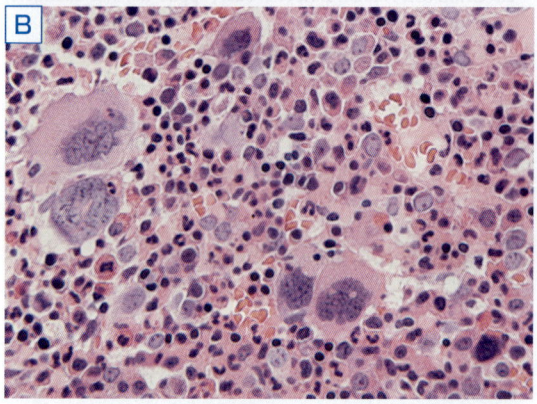

図 16-9-26 真性赤血球増加症(PV)症例の骨髄生検像(HE 染色)
A：低倍での観察では，巨核球数の増加を伴う著明な過形成像が認められる．
B：増加した巨核球は，さまざまな形態を示す．

て中心的な役割を果たしている．*JAK2* 遺伝子変異のほとんどは，エクソン 14 内の 1849 番目のグアニン(G)がチミン(T)に変異するタイプであり，PV 症例のほぼ 90％以上を占める．この塩基置換により，アミノ酸レベルでは，617 番目のバリン(V)がフェニルアラニン(F)に置換されるため，V617F 変異と称される．JAK2V617F は，恒常的なチロシンキナーゼ活性を有しており，STAT をはじめとするさまざまな細胞内シグナル伝達分子の活性化を引き起こす．これに伴い細胞の増殖や不死化にかかわる遺伝子群の発現異常をきたし，結果として造血細胞の過剰増殖を招くと考えられている(図 16-9-25)．

一方，PV 症例の約 5％程度では，エクソン 12 の遺伝子異常を伴う．この変異は，さまざまな塩基変異からなり，一様ではない(eコラム 2)．

診断

PV の診断は，2008 年に発表された WHO 第 4 版分類の診断基準(表 16-9-22)を用いることが一般的である．大基準は，①循環赤血球増加の証明，②*JAK2* 遺伝子変異の証明，の 2 項目であり，両者を満たす場合には PV と確定される(eコラム 3)．

循環赤血球量の増加は認めるが，遺伝子変異を証明

表 16-9-22 WHO 第 4 版による真性赤血球増加症(PV)の診断基準

大基準	小基準
1. 男性：Hb ＞ 18.5 g/dL， 女性：Hb ＞ 16.5 g/dL もしくはほかの赤血球量の増加を示す指標を満たす* 2. JAK2V617F 変異もしくは JAK2 exon12 などの同様な機能をもつ変異が存在	1. 骨髄生検にて，3 系統の増殖を伴う過形成骨髄を示す 2. 血清エリスロポエチン濃度の低下 3. 内因性赤芽球系コロニー形成陽性
2 つの大基準と 1 つの小基準を満たす，もしくは大基準の 1 と 2 つの小基準を満たす場合に PV と診断 ＊・Hb もしくはヘマトクリットが年齢や性，居住地などを考慮した 99 パーセンタイルをこえる ・男性で Hb ＞ 17 g/dL，女性で Hb ＞ 15 g/dL でありかつ個々の症例の通常の Hb レベルより 2 g/dL 以上の上昇が持続する ・循環赤血球量が正常予測値の 25％をこえる	

できない場合には，①骨髄生検における赤芽球系，顆粒球系および巨核球系細胞の著明な増殖，②血清エリスロポエチン値の低下，③内因性赤芽球系コロニー形成，の3項目の小基準のうち2つを満たす必要がある．PV症例の骨髄像について，図16-9-26に示す．染色体異常は，約10〜20％の症例でみられる．+8，+9，del(20q)などの異常が比較的頻度が高いが，特異的な異常はない．

治療

PVの生命予後は比較的良好であるため，治療のおもな目標は血栓・出血の予防である．同時に，治療に伴いAMLやMFの移行リスクを上昇させないことにも注意を払う必要がある．血栓・出血の予防は，その発症リスクに基づいて異なった対応を行う（図16-9-27）．PVにおける血栓症/出血発症のリスクとしては，①年齢（65歳以上）と②血栓症の既往歴の有無であることが確立されている（Passamonti, 2012）．この双方ともない場合には低リスク群，いずれかに該当する場合には高リスク群とされる（e表16-9-E）．低リスク群に対する治療としては，瀉血によるヘマトクリットのコントロールと低用量アスピリンの併用が推奨される．ヘマトクリットコントロールの目標値については，さまざまな議論があるが，最近発表された大規模な前向き研究にて45％未満に保つことにより心血管合併症が有意に低下することが確認されており（Marchioliら，2013），45％未満とすることが一般的である．高リスク群では，上記治療に加え殺細胞的治療薬としてヒドロキシカルバミドを用いることが推奨されている．ヒドロキシカルバミド抵抗例や不耐容例では，ブスルファン，ラニムスチンを用いる．最近の臨床研究では，JAK2阻害薬ルキソリチニブが瀉血回数の軽減や脾腫の改善に有効であることが示されている[4]．ヒドロキシカルバミドおよびブスルファンについては，白血病への進行を促進させる懸念が否定できないため，若年者への使用は慎重に行う．このため，若年の高リスク症例や妊娠合併例では，インターフェロン-αの使用を検討する（Passamonti, 2012）．AMLやMFに移行した場合には，それらの疾患に準じた治療を行う．低リスク症例であっても，著明な白血球や血小板増加を伴う場合や症候性の脾腫を認める例ではヒドロキシカルバミドの

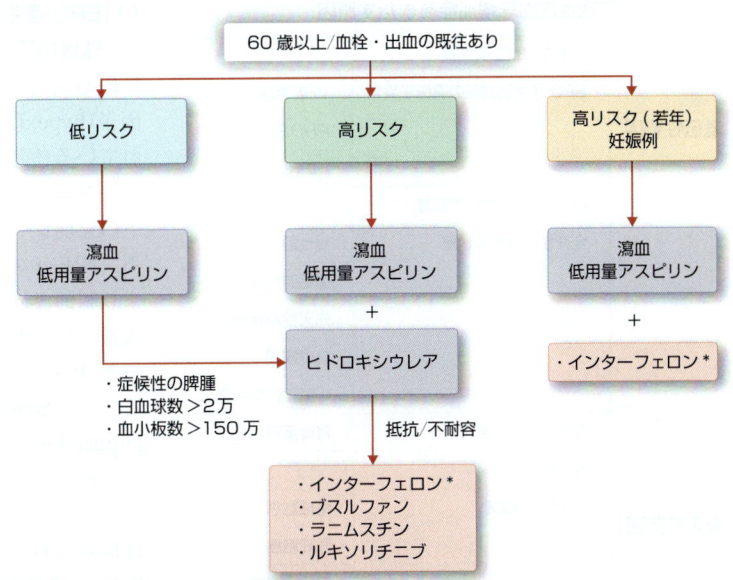

図16-9-27 真性赤血球増加症（PV）治療のアルゴリズム
血栓・出血の低リスク症例では，瀉血によるヘマトクリットのコントロールと低用量アスピリンによる治療を行う．高リスク症例では，これに加えヒドロキシカルバミドを併用する．ヒドロキシカルバミドが無効もしくは不耐容の場合には，ほかの薬剤を選択する．低リスク症例でも，症候性の脾腫を認める場合や著明な白血球や血小板増加を伴う場合にはヒドロキシカルバミドの使用を検討する．妊娠例や若年者では，インターフェロンの使用を検討する．
＊：保険適用外

使用を検討する．PV症例が妊娠した場合には，死産・流産が高率にみられることに加え，母体の合併症も高いことが知られている．瀉血によるヘマトクリット調整に加え，低分子ヘパリン，インターフェロンなどの使用が推奨されている（Passamonti, 2012）．

〔桐戸敬太〕

■文献（e文献 16-9-10）

Marchioli R, Finazzi G, et al: Cardiovascular events and intensity of treatment in polycythemia Vera. *N Engl J Med*. 2013; **368**: 22-33.

Passamonti F: How I treat polycythemia vera. *Blood*. 2012; **120**: 275-84.

11）二次性赤血球増加症
secondary erythrocytosis

絶対的赤血球増加症のうち，真性赤血球増加症（PV）以外のものは二次性赤血球増加症に分類される．表16-9-23に示すようにその要因は，EPO産生調節系分子，ヘモグロビンあるいはEPO受容体のそれぞれの遺伝子異常によるもの，全身あるいは腎局所での低酸素状態が関与するもの，EPO産生腫瘍さらには薬物性など多岐に及ぶ（Patnaikら，2009）．治療についても，その原因ごとに異なった対応が必要である．

表 16-9-23 二次性赤血球増加症をきたす原因

遺伝性要因	ヘモグロビン異常症	
	EPO 産生調整系の遺伝子異常	VHL 変異
		PHD2 変異
		HIF-2α 変異
	EPO 受容体遺伝子変異	
後天性要因	全身性の低酸素状態	慢性呼吸不全
		睡眠時無呼吸
		先天性心疾患
		高度喫煙
		一酸化炭素中毒
	腎局所の低酸素状態	腎動脈硬化症
	腎移植後	
	EPO 産生腫瘍	腎細胞癌
		肝細胞癌
		褐色細胞腫
		副甲状腺癌
		子宮腺筋症
		小脳血管芽細胞腫
	薬物性	アンドロゲン製剤
		EPO 製剤
		その他

(1) EPO 産生調整系分子の遺伝子異常による赤血球増加症

EPO の mRNA の発現はおもに低酸素応答転写因子 (hypoxia inducible factor: HIF) により制御されている (図 16-9-28)[1]。HIF は α と β の 2 つのサブユニットより構成され、このうち α サブユニットの発現レベルは酸素濃度依存性の調節を受けている。HIF-α のうち、EPO 産生はおもに HIF2-α により制御されていることが明らかになった。通常酸素濃度であれば、HIF-α はプロリンヒドロキシラーゼ (PHD) によりそのプロリン残基が水酸化される。この水酸化されたプロリン残基に対して、von Hippel-Lindau (VHL) が結合し、HIF-α のユビキチン化を促す。ユビキチン化された HIF-α はプロテアソームで分解される。このため、EPO の産生は抑制された状態にある。酸素濃度が低下すると PHD の機能が抑制され、結果的に HIF-α の分解が抑制され、HIF が活性化される。結果として、EPO の産生が増加する。この経路の分子である VHL、PHD の機能喪失型変異および HIF-2α の機能獲得型変異により、EPO 過剰産生と赤血球増加症をきたす症例が報告されているが、そのほとんどは遺伝性である[1]。

(2) 酸素親和性の高いヘモグロビン異常症

酸素親和性が高く、低酸素分圧下でも酸素飽和度が高いヘモグロビン変異が報告されている。この場合、組織は相対的に低酸素状態となるため、赤血球増加を合併することがある (Patnaik ら、2009)。

(3) EPO 受容体の遺伝子異常

EPO 受容体の C 末端にはその機能を負に調節する領域が存在する。遺伝子異常のためにこの領域を欠如し、EPO に対する反応性が増加し、赤血球増加症をきたす家系の報告がある (Patnaik ら、2009)。

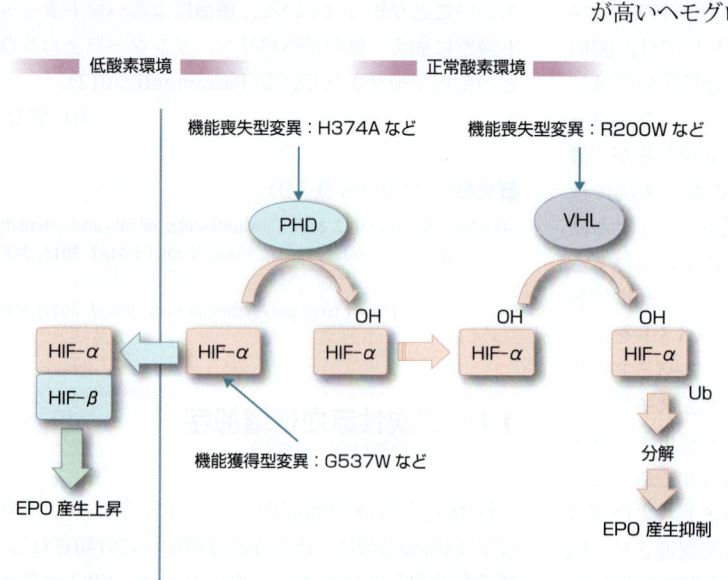

図 16-9-28 EPO 産生調節系とその異常による赤血球増加症
EPO 産生は、おもに HIF により制御される。HIF は α と β の 2 つのサブユニットから構成されており、正常酸素分圧下では PHD により α サブユニットは水酸化 (-OH) されている。水酸化された HIF-α には VHL が結合し、ユビキチン化 (Ub) を受ける。ユビキチン化された HIF-α はプロテアソームで分解される。低酸素分圧環境では、この一連の反応が停止するため HIF-α の分解が抑制され、HIF-α と HIF-β の結合が起こり、EPO の産生が増加する。HIF-α、PHD および VHL の変異により、この制御過程に異常をきたし、EPO の産生が増加する。

(4) 全身および局所性の低酸素状態

慢性的な呼吸不全、睡眠時無呼吸、短絡を伴う先天性心疾患などの全身的な低酸素状態、腎動脈硬化症などの腎における局所的低酸素状態をきたす病態では低酸素に対する反応として赤血球増加をきたすことがある。

(5) EPO 産生腫瘍

腎細胞癌，肝細胞癌，褐色細胞腫，髄膜腫などでは腫瘍組織からの EPO 過剰産生による赤血球増加症の合併例が報告されている．褐色細胞腫では，上述の EPO 産生調節分子の1つである HIF-2α の変異を認める例が報告されている．

(6) 腎臓移植後

腎臓移植後には10〜15%の頻度で赤血球増加症を合併する[2]．EPO の上昇は認めないことが多く，アンジオテンシンやアンドロゲンなどの関与が想定されている．アンジオテンシン変換酵素阻害薬やアンジオテンシンⅡ受容体拮抗薬が有効とされる．

(7) 薬剤による赤血球増加症

アンドロゲン製剤や EPO 製剤の使用は赤血球増加をきたすことがある．最近では，スニチニブやソラフェニブなどのチロシンキナーゼ阻害薬[3]，アロマターゼ阻害薬[4]などの薬剤使用時に赤血球増加症を認めたとの報告もある．

〔桐戸敬太〕

■文献（e文献 16-9-11）

Patnaik MM, Tefferi A: The complete evaluation of erythrocytosis: congenital and acquired. *Leukemia*. 2009; **23**: 834-44.

16-10 白血球系疾患

1）総論

(1) 白血球減少症

a. 白血球減少症（leukopenia）

末梢血液白血球数が 3000/μL 以下に減少した場合であるが，健常人でも 3000/μL のことがあるため，必ずしも病的意義のない場合もある．多くは一過性のものであり，複数回の検査で同様の傾向を示す場合に精査を要する．

また，白血球だけが減少して赤血球と血小板数が正常な場合と，白血球がその他の系統とともに減少した場合（3系統の減少＝汎血球減少（pancytopenia），2系統の減少（bicytopenia））では考える病態が変わってくる．すなわち 2〜3 系統に異常をきたす病態の多くは骨髄造血に異常を認めるものが多いからである．ただし，例外で末梢レベルの原因で 2〜3 系統の減少をきたす疾患もある．

好中球減少やリンパ球減少にはそれぞれ特有の原因があり，対応を要するものが多い（e表 16-10-A）．単球や好酸球，好塩基球の減少は臨床的にはほとんど問題にならない．

b. 好中球減少症（neutropenia）

末梢血好中球数が 1500/μL 以下を指し，好中球が 1000/μL 以下では易感染性となり，500/μL 以下では重症感染症を併発しやすい．好中球は，骨髄内の増殖プールと貯蔵プール，血管内の循環プールと辺縁プール（血管壁），組織プールにそれぞれ分布する（Dale, 2006）．通常の血液検査で測定してわかるのは血管内循環プールの減少である（図 16-10-1）．

急性のものはウイルス感染に伴うものが多い．細菌感染症では一般に好中球が増加するが重症の敗血症などでは好中球減少を呈することがある．重症のものとして無顆粒球症があり多くは薬物性である．

リツキシマブ投与後に遅発性好中球減少が知られている[1]．最終投与から 100 日程度に発症するとされている．多くは一過性で，ほとんどは感染症を伴わないが，まれに感染症を併発したとの報告もある．したがってあわてて入院させたり顆粒球コロニー刺激因子（granulocyte colony stimulating factor：G-CSF）を投与したりする必要はないものの，発熱や何らかの感染症状を認めた場合には直ちに受診させる，回復するまでは外来検査の頻度を密にするなどの対処が必要である．

慢性的な好中球減少として，再生不良性貧血と骨髄異形成症候群の鑑別が重要である．近年この分野の疾患解析が飛躍的に進み，再生不良性貧血や骨髄異形成症候群の不応性貧血などの骨髄不全症の一部では glycosylphosphatidylinositol（GPI）アンカー型膜蛋白の欠損血球＝発作性夜間ヘモグロビン尿症（PNH）型血球が検出され，そのような症例は免疫抑制療法（抗ヒト胸腺免疫グロブリンやシクロスポリン）が奏効する．PNH 型血球の有無は，高感度フローサイトメトリー法を用いて赤血球と好中球の CD55, CD59 の発現を検索する（Wang ら，2002）．

自己免疫性の好中球減少症は，全身性エリテマトーデス，Sjögren 症候群，Felty 症候群，原発性胆汁性肝硬変などで認められる．好中球抗原は HNA-1, HNA-2 など数種が同定されており，Fcγ 受容体 Ⅲb（FcγRⅢb, CD16b）上に存在する HNA-1 系に対する抗体が多い（小林ら，2014）[2,3]．ほかに CD11b, 補体受容体-1（CR1, CD35），FcγR Ⅱ（CD32）[4,5]，eukary-

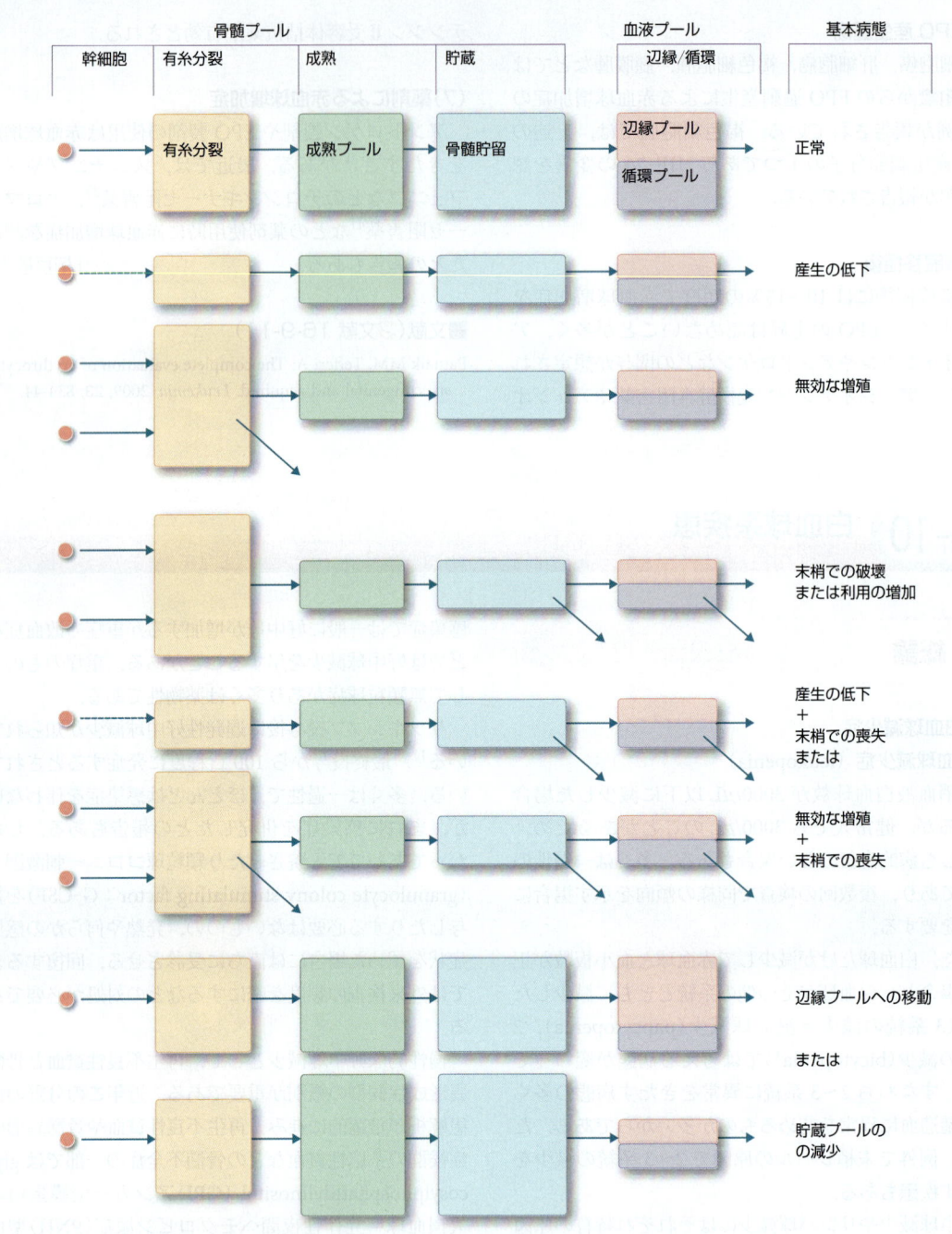

図 16-10-1 好中球減少と基本病態
通常の血液検査でわかるのは血液の循環プール（図の青部分）の減少であり，その基本病態を図示した．

otic elongation factor 1A-1 (eEF1A-1)[6]などに対する自己抗体が報告されている．抗好中球自己抗体の測定は研究レベルで行われているが，コマーシャルベースではない．

その他，脾機能亢進症，血液透析などで好中球減少が認められる．

i) 無顆粒球症（agranulocytosis）（表 16-10-1）

薬剤起因性好中球減少症と同義語であり，顆粒球（おもに好中球）数が著減し好中球 500/μL 以下の状態である．好中球数はほぼゼロになることも多く，特定の薬剤に対する特異体質の結果発症する【⇨ 16-10-2】．

ii) 発熱性好中球減少症（febrile neutropenia：FN）[7]

好中球数が 500/μL 未満あるいは 1000/μL 未満で近日中に 500/μL 未満に減少する可能性が高い状態で，1 回の腋窩温 37.5℃以上（口腔内体温 38.0℃以上）の発熱で，腫瘍熱，薬剤熱，アレルギーその他明らかな原

表16-10-1 無顆粒球症の原因となるおもな薬剤

抗炎症薬	インドメタシン, ペンタゾシン, アミノフェノール類誘導体(アセトアミノフェン, フェナセチン), ピラゾロン誘導体(アミノピリン, ジピロン, オキシフェンブタゾン, フェニールブタゾン), 金製剤, スルファサラジン*
抗菌薬	セファロスポリン, クロラムフェニコール, クリンダマイシン, ゲンタマイシン, イソニアジド, アミノサリチル酸類, ペニシリン/半合成ペニシリン類*, リファンピシン, ストレプトマイシン, スルホンアミド, テトラサイクリン, ST合剤(スルファメトキサゾール・トリメトプリム), バンコマイシン
抗真菌薬	アムホテリシンB
抗痙攣薬	カルバマゼピン, メフェニトイン, フェニトイン
抗うつ薬	アミトリプチリン, アモキサピン, デシプラミン, イミプラミン
抗ヒスタミンH2拮抗薬	シメチジン, ラニチジン
抗マラリア薬	アモジアキン, クロロキン, ダプソン, ピリメタミン, キニーネ
抗甲状腺薬	メチマゾール*, プロピルチオウラシル*
循環器製剤	カプトプリル*, ジソピラミド, ヒドララジン, メチルドパ, プロカインアミド*, プロプラノロール, キニジン, トカイニド, チクロピジン*, ジピリダモール
利尿薬	アセタゾラミド, クロルサリドン, クロロチアジド, エタクリニック酸, ヒドロクロロチアジド
血糖降下薬	クロロプロパミド, トルブタミド
催眠薬, 鎮静薬	クロルジアゼポキシドほか, ベンゾジアゼピン系製剤, メプロバメート
抗精神病薬	フェノチアジン系製剤*(クロロプロマジン, フェノチアジン)
その他	アロプリノール, クロザピン, レバミゾール, ペニシラミン, リツキシマブ*

*:比較的頻度の高い薬剤.

因の発熱を除外できる場合を発熱性好中球減少症という. 血液培養陰性菌血症とほぼ同義語であり, ほとんどは細菌感染症(一部に真菌などその他感染症)である. 多くは抗菌薬が有効であり, 骨髄抑制期から回復による好中球の増加に伴って速やかに解熱するからである.

放置すると重症化し敗血症, 全身性炎症反応症候群(systemic inflammatory response syndrome:SIRS), 多臓器不全(multiple organ failure:MOF), 播種性血管内凝固症候群(disseminated intravascular coagulation:DIC)へ進展し予後不良となるため, 早期の診断と治療が必要である. 血液培養を含め可能なかぎりの細菌培養, 胸部腹部X線検査や必要に応じてCTスキャンなどの画像検査を行うと同時に, 広域スペクトラムの抗菌薬投与を十分量より開始する(経験的治療, empiric therapy). 抗菌薬としては, 第3~4世代セフェム系製剤, あるいはカルバペネム系製剤を最初から用いる. 3日して解熱しない場合は, 血液培養の結果で起因菌が判明している場合はその菌に有効な薬剤に変更し, 起因菌が同定されない場合は抗菌薬の変更と, 抗真菌薬追加を検討する. また, G-CSF投与を行う[8]. ただし急性骨髄性白血病や骨髄異形成症候群の場合は, 骨髄芽球がG-CSF投与により増加する可能性もあり, 慎重に検討する.

バイタルサインを確認しショック状態にある場合は, 昇圧薬投与, 補液などを行う. 造血幹細胞移植後など高度の好中球減少が長期間遷延する場合には, 顆粒球輸血も行われ奏効例が報告されているが, 可能な施設は限られている.

iii)周期性好中球減少症(cyclic neutropenia)

約21日ごとに強い好中球減少を生じ, 3~6日持続した後に, 自然に好中球数が回復するという周期を繰り返す. その他の血球(好中球以外の白血球, 血小板, 網状赤血球など)も好中球と同様の周期性変動を認めるため, 造血幹細胞レベルの異常と考えられている. 好中球エラスターゼ遺伝子(ELA2)の変異が報告されているが[9], この変異は重症の先天性好中球減少症でも高頻度に検出される[10].

iv)遺伝性/家族性好中球減少症

Kostmann症候群(先天性無顆粒球症)は常染色体劣性遺伝を示し, 出生時より高度の好中球減少を示す. 骨髄は前骨髄球レベルで分化成熟が停止している. 本疾患のなかには, G-CSF受容体遺伝子に異常を認める例が報告されている[11].

Schwachman症候群は膵外分泌機能不全, 小人症を伴う先天性好中球減少症である.

c. リンパ球減少症(lymphopenia)

末梢血リンパ球数が1500/μL以下の場合と定義される. 末梢血リンパ球の80%はT細胞(CD4陽性>CD8陽性)であり, リンパ球減少症はおもにT細胞の減少による. 感染症, 悪性腫瘍(悪性リンパ腫, 固形癌), 膠原病(全身性エリテマトーデスなど), 先天性免疫不全症, 後天性免疫不全症候群(acquired immunodeficiency syndrome:AIDS), 薬物性(抗癌薬,

免疫抑制薬，副腎皮質ステロイドなど），放射線照射でリンパ球減少が認められる．

細菌感染症，ストレス，副腎皮質ステロイド投与では，体内リンパ球の分布異常によりリンパ球減少を認める．麻疹，風疹，ポリオ，HIV感染ではリンパ球破壊によりリンパ球減少が起こる．特にHIVはCD4陽性リンパ球に感染し，細胞性免疫低下を認める．Hodgkinリンパ腫でもCD4陽性リンパ球減少を認める．一方，HTLV-1感染を基盤とした成人T細胞性白血病/リンパ腫（adult T-cell leukemia/lymphoma：ATL）はCD4陽性CD25陽性の制御性T細胞（T_{reg}）の腫瘍であり，正常T細胞は減少する．慢性リンパ性白血病はCD5陽性成熟Bリンパ球の腫瘍であるが，正常のリンパ球は著減している．

正常リンパ球の著減状態が長期間持続する場合は，細胞性免疫のみならず液性免疫の低下も伴うことが多く，さまざまな感染症の予防と早期治療が重要となる．CD4陽性Tリンパ球が200/μL以下の場合にはニューモシスチス肺炎予防のためにST合剤投与が勧められる[12]．

d. 好酸球減少症（eosinopenia）

Cushing症候群や副腎皮質ステロイド投与（医原性Cushing症候群）では好酸球減少がみられるが，これで臨床的に困ることはない．逆に，処方されたステロイドをきちんと服用しているか否かを，これで推し量ることも可能である．

〔正木康史〕

■文献(e文献16-10-1-1)

Dale DC: Neutropenia and neutrophilia. Williams Hematology, 7th ed (Lichtman MA, Kipps TJ, et al eds), McGraw-Hill, pp907-16, 2006.

小林正夫，川口浩史：自己免疫性好中球減少症．日本内科学会雑誌．2014; **103**: 1639-44.

Wang H, Chuhjo T, et al: Clinical significance of a minor population of paroxysmal nocturnal hemoglobinuria-type cells in bone marrow failure syndrome. *Blood*. 2002; **100**: 3897-902.

(2)白血球増加症

a. 白血球のプール

白血球の数の異常を理解するには，白血球の体内動態を知る必要がある．好中球は，骨髄内の増殖プールと貯蔵プール，血管内の循環プールと辺縁プール（血管壁），組織プールにおのおの分布する（Dale, 2006）．通常の血液検査でわれわれが知ることができるのは，このうちの血管内循環プールだけである（図16-10-2）．

たとえば運動によって血流が速くなると白血球は辺縁プールから循環プールへの移動が起こり，見かけ上で白血球増加を生ずる．アドレナリン投与時やストレスにより内因性のアドレナリンが亢進した際も辺縁プールからの移動が起こる．一方，副腎皮質ステロイド投与時には骨髄中の貯蔵プールから末梢血循環プールへの移動と，末梢血液から組織プールへの遊出の減少が起こり白血球増加を示す．

b. 白血球増加症（leukocytosis）

末梢血白血球数の正常値はおよそ4000〜8000/μL程度であり，1万/μL以上に増加した場合を白血球増加症という（e表16-10-B）．腫瘍性と反応性があり，多くは反応性であるがその基礎疾患の鑑別が重要となる．増加する細胞の種類により，好中球増加症，好酸球増加症，好塩基球増加症，単球増加症，リンパ球増加症に分けられる（e表16-10-C）．

c. 好中球増加症（neutrophilia）

厳密な区切りはないが末梢血中好中球数が8000/μL以上の場合を一般に指し，多くは反応性である．

最も高頻度に目にするのは感染症，特に細菌感染の急性反応であり，核の左方移動を伴い増加する．一方，ウイルス感染症の多くは好中球増加を伴わない．また，細菌感染症でも重症例ではむしろ減少する場合がある．

感染症以外では，さまざまな非感染性の炎症；膠原病（関節リウマチなど）や血管炎，リウマチ熱，痛風など，あるいは内分泌疾患（甲状腺機能亢進症，Cushing症候群，褐色細胞腫など），出血や溶血などに伴う反応，喫煙，薬剤（G-CSF，副腎皮質ステロイド，アドレナリンなど）によるものがある．

腫瘍性のものとして，白血病（慢性骨髄性白血病，慢性好中球性白血病），その他の骨髄増殖性腫瘍（真性赤血球増加症，本態性血小板血症，骨髄線維症），G-CSF産生腫瘍[1,2]（さまざまな癌腫で報告があるが肺癌が多い）があげられる．

これらの鑑別のためには，ほかの血球の増加や減少を伴うか，白血球分画において増加している好中球が成熟したものだけか，あるいは未熟な細胞も伴うか（核の左方移動）を調べる．造血器腫瘍が疑わしい場合には骨髄穿刺・生検を行い，まず塗抹標本で増加している細胞の種類を判別する．腫瘍性の場合はフローサイトメトリーによる細胞表面マーカーの解析，染色体分析（G-バンド法）などを加えて診断する．また骨髄生検による病理所見も参考とする．骨髄線維症，癌の骨髄転移などは塗抹標本では診断困難で，骨髄生検で診断されることも多い．造血器以外の悪性腫瘍の診断と鑑別には各種画像検索と組織生検による病理診断が必須である．

d. 好酸球増加症（eosinophilia）

末梢血中の好酸球数が500/μL以上に増加した場合を指す．

反応性に好酸球が増加する疾患としては，種々のア

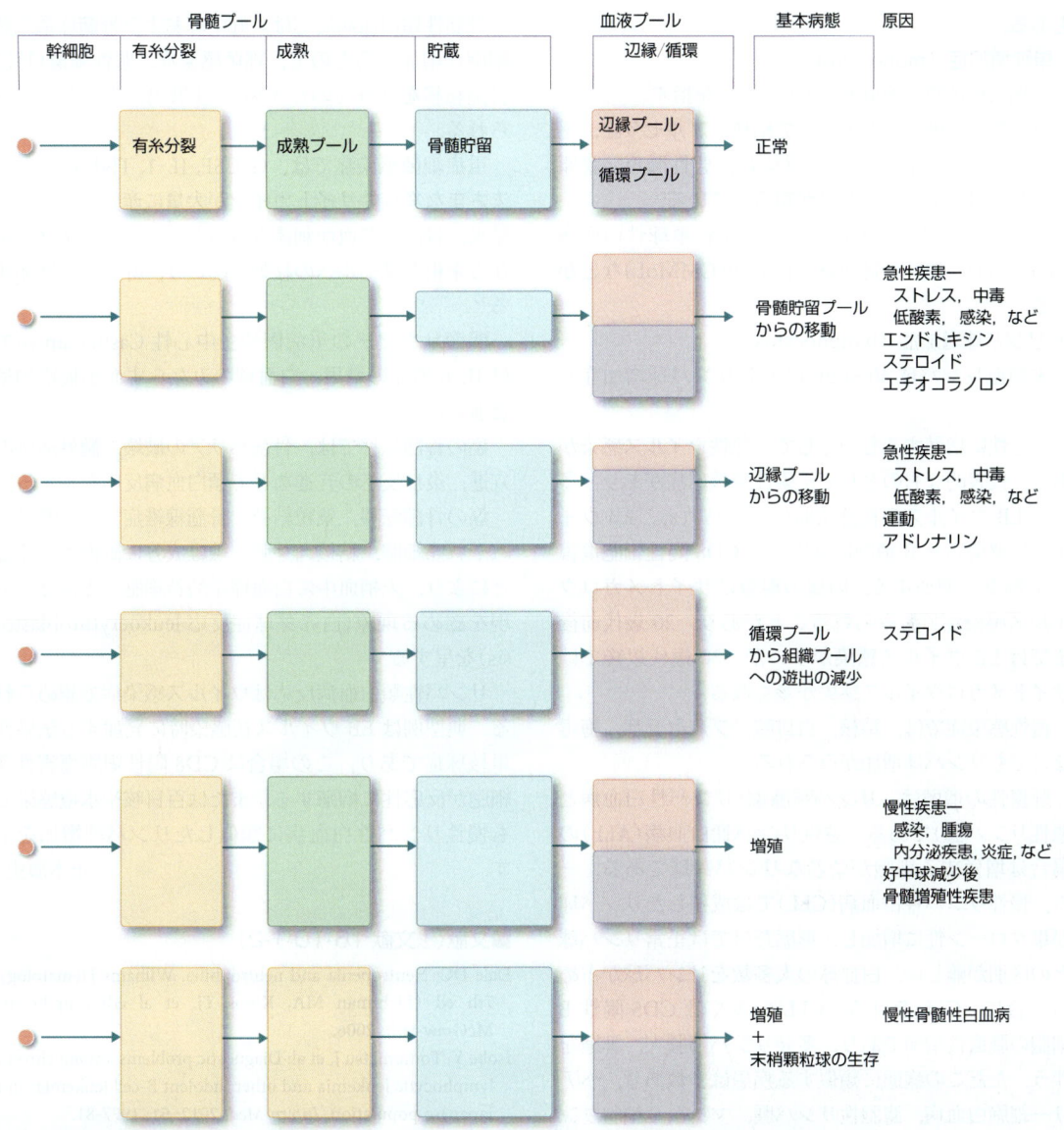

図 16-10-2 好中球増加
通常の血液検査でわかるのは血液の循環プール（図の青部分）の増加であり、その基本病態を図示した．

レルギー性疾患（じんま疹，アトピー性皮膚炎，気管支喘息，薬物アレルギーなど），寄生虫疾患などが一般的である．

その他に，好酸球性多発血管炎性肉芽腫症（旧名 Churg-Strauss 症候群），Löffler 症候群（単純性肺好酸球増加症，PIE 症候群），好酸球性胃腸炎，潰瘍性大腸炎，Addison 病，Hodgkin リンパ腫，慢性骨髄性白血病，特発性好酸球増加症（HES），その他多くの膠原病，悪性腫瘍，肉芽腫性疾患で認められる．

好酸球増加に最も重要なサイトカインは IL-5 であり，アレルギー性疾患や寄生虫疾患では重要な役割を果たしている．その他に GM-CSF や IL-3 も好酸球増加を刺激する．

慢性好酸球性白血病は，クローン性に好酸球増加症を認める骨髄増殖症候群の一病型であり，Fip 1-like 1（$FIP1L1$）遺伝子と platelet-derived growth factor receptor-α（PDGF-α）遺伝子の融合（FIP1L1-PDGFα キメラ遺伝子）を有する症例が報告されている（Pardanani ら，2004）．この遺伝子異常を認める場合はイマチニブが奏効することが知られており，従来の HES の 10〜20％ がこれに相当することがわかってきた．

e. 好塩基球増加症（basophilia）

末梢血中の好塩基球は白血球数の 1％ 以内（20〜80/μL 以内）であり，それ以上の増加は異常である．

最も頻繁に見かけるのは，慢性骨髄性白血病であり，この増加は急性転化の 1 つの指標である．

その他に，感染症や即時型過敏症で認められること

もある．

f. 単球増加症（monocytosis）

末梢血単球数が 800/μL 以上の場合を指す．

反応性に増殖するものとして結核，ブルセラ症，感染性心内膜炎，梅毒などの感染症，悪性腫瘍，膠原病，サルコイドーシスなどが知られている．

腫瘍性に増殖するものとして，急性単球性白血病（M4，M5），慢性骨髄単球性白血病（CMMoL）などがある．

g. リンパ球増加症（lymphocytosis）

末梢血リンパ球 4000/μL 以上をリンパ球増加症という．

反応性に増殖するものとして，急性ウイルス感染がある．代表的なものとして伝染性単核球症があり，多くは EB ウイルスの初感染時に認められる．EB ウイルスに感染した B 細胞に反応して CD8 陽性細胞傷害性 T 細胞が増加する．同様の現象はサイトメガロウイルス感染症でもみられることがあり，20 歳代前後までは EB ウイルス感染が多いが，30 歳代以後ではサイトメガロウイルス感染が多くなる．

慢性感染症では，結核，百日咳，ブルセラ症，梅毒などでもリンパ球増加がみられる．

腫瘍性の増殖は，リンパ系腫瘍（リンパ性白血病と悪性リンパ腫）である．急性リンパ性白血病（ALL）の場合は増殖する細胞が幼若なリンパ芽球である．一方，慢性リンパ性白血病（CLL）では成熟したリンパ球が単クローン性に増加し，形態だけでは正常リンパ球との区別が難しい．白血球の大多数をリンパ球が占める場合に，CLL を疑う．CLL の多くは CD5 陽性 B 細胞の腫瘍性増殖であり，多発リンパ節腫大，脾腫を伴う．ただこの病態に類似する疾患は多数あり，ヘアリー細胞白血病，濾胞性リンパ腫，マントル細胞リンパ腫，脾原発辺縁帯由来 B 細胞性リンパ腫などをフローサイトメトリー，細胞遺伝学的検索（G－バンド法，FISH 法など）を行い鑑別していく必要がある（Isobe ら，2012）．

T 細胞が末梢血中に単クローン性増殖する疾患として，成人 T 細胞性白血病／リンパ腫（ATL）があり，形態的に核の変形した花弁細胞（flower cell）を認める．

皮膚原発の T 細胞性リンパ腫は皮膚に限局している場合は菌状息肉症とよばれるが，白血化すると Sézary 症候群とよばれる．この際に末梢血中に出現する細胞は Sézary 細胞とよばれるが，ATL の flower cell と類似しており，HTLV-1 が陽性か否かで鑑別する．

h. 類白血病反応（leukemoid reaction）

末梢血で著しい白血球数増加が認められる場合や，未熟白血球が存在する場合，白血病に類似した血液像を呈するため類白血病反応とよばれる．

骨髄性類白血病反応は，好中球および骨髄球系未熟細胞が増加するもので，細菌感染症，悪性腫瘍（特に骨髄転移を伴うもの），CSF 産生腫瘍，中毒などでみられる．

重症細菌感染症では，G-CSF，IL-1，TNF-α などさまざまな炎症性サイトカインが大量に産生され，その結果，骨髄系造血が刺激されるとともに，骨髄プールから末梢血プールへの移動も起こり，好中球が増加する[3]．

関節リウマチの重症例や多中心性 Castleman 病では IL-6 増加の結果，白血球のみならず血小板増加や貧血も伴う[4]．

癌の骨髄転移では，骨髄バリアの破壊，髄外造血の亢進，炎症反応の亢進などで類白血病反応を呈する．

癌の骨髄転移，粟粒結核，骨髄線維症では骨髄がそれぞれ癌細胞，結核肉芽腫，線維成分に置換されることにより，末梢血中に白血球系幼若細胞と赤芽球の出現を認める現象（白赤芽球症反応 leukoerythroblastosis）を呈する．

リンパ性類白血病反応はウイルス感染症で認められる．典型例は EB ウイルス初感染時に発症する伝染性単核球症であり，この場合は CD8 陽性細胞傷害性 T 細胞が反応性に増殖する．または百日咳や水痘感染でも慢性リンパ性白血病に類似したリンパ球増加を示す．

〔正木康史〕

■文献（e文献 16-10-1-2）

Dale DC: Neutropenia and neutrophilia. Williams Hematology, 7th ed (Lichtman MA, Kipps TJ, et al eds), pp907-16, McGraw-Hill, 2006.

Isobe Y, Tomomatsu J, et al: Diagnostic problems among chronic lymphocytic leukemia and other indolent B-cell leukemias in a Japanese population. *Intern Med*. 2012; **51**: 1977-81.

Pardanani A, Brockman SR, et al: FIP1L1-PDGFRA fusion. Prevalence and clinicopathologic correlates in 89 consective patients with moderate to severe eosinophilia. *Blood*. 2004; **104**: 3038-45.

2）無顆粒球症（好中球減少症）
agranulocytosis

(1) 定義・概念・分類

無顆粒球症では，末梢白血球の顆粒球（主として好中球）絶対数が 500/μL 以下に減少し，細菌を中心とした病原体に易感染性を呈する．

表 16-10-2 に好中球減少症の分類を示す（Newburger ら，2011；Picard ら，2015）．感染症や薬物性など続発性によるものが多く，骨髄系細胞／幹細胞の異常は内因性因子による先天的の増殖・分化障害と後天性の造血障害に分けられる．好中球減少を含む

表 16-10-2 好中球減少症の分類(Newburger ら，2011 を改変)

(1) 外因性因子による続発性の骨髄系細胞の障害
　　感染症
　　薬物性
　　免疫性好中球減少症(自己免疫性，同種免疫性)
　　網内系貯留(脾腫など)
　　リンパ腫や固形腫瘍の骨髄浸潤
　　化学療法や骨髄への放射線療法
(2) 骨髄系細胞/幹細胞の後天性異常
　　再生不良性貧血
　　ビタミン B_{12}・葉酸欠乏
　　白血病
　　骨髄異形成症候群
　　慢性特発性好中球減少症
　　発作性夜間ヘモグロビン尿症
(3) 内因性因子による骨髄系細胞/幹細胞の増殖・分化の障害
　　重症先天性好中球減少症(SCN1〜5)
　　糖原病 Ib 型
　　周期性好中球減少症
　　X 連鎖性好中球減少症
　　軟骨毛髪形成不全
　　Shwachman-Diamond 症候群(SDS)
　　先天性角化不全症
　　Chédiak-Higashi 症候群(CHS)
　　Barth 症候群
　　Cohen 症候群
　　Griscelli 症候群
　　高 IgM 症候群
　　WHIM 症候群

好中球異常症を疑った場合の診断へのアルゴリズムを図 16-10-3 に示す(Bousfiha ら，2015)．好中球減少の持続期間により，一過性，慢性，周期性に分類される．3〜6 カ月以上持続する場合を慢性とする．重症度は好中球絶対数の程度で判断し，500/μL 以下を重症(無顆粒球症)とするが，臨床的に菌血症などの重症感染症の危険性が高くなるのは 200/μL 以下である．

(2) 病因・病態・臨床(診断と治療)

外因性因子による好中球減少の代表である免疫性好中球減少，先天的内因性因子による産生障害である重症先天性好中球減少症を中心に概説する．

a. 免疫性好中球減少症

病因

本症の原因は好中球抗原に対する自己抗体産生によるものであり，末梢での好中球破壊の亢進により好中球減少をきたす．好中球抗原に対する自己抗体産生の原因は不明であるが，大多数の症例が乳児期や幼児期早期に発症することから，この時期特有の免疫機構の未熟性が関与しているものと思われる．近年，制御性 T 細胞(CD4 陽性 CD25 陽性細胞)と自己免疫性疾患発症とのかかわりが明らかとされ，本症においても制御性 T 細胞に関する免疫機構の関与が推測されている．ウイルス感染を契機に制御性 T 細胞を介した，免疫機構の変化が一過性に自己抗体産生クローンの出現をもたらしている可能性が推測されている．一方，学童期以後や成人期に発症した症例は女性に多く，貧血や血小板減少などのほかの血球系の減少を伴いやすい．抗好中球抗体の好中球抗原特異性に乏しく，FcγRⅢb そのものに反応する抗体が多い．基礎疾患の存在が多く，疾患のコントロールが好中球減少の推移に関係しているので，乳幼児期発症例とは異なった病態である．

臨床症状

症状としては好中球減少に伴う易感染性を認め，上気道炎や中耳炎などの細菌感染症を反復することが特徴である．本症は好中球数の著明な減少にもかかわらず，重症先天性好中球減少症などと比較して重症感染症を合併する頻度は少ない(eコラム 1)．

診断

本症の診断には好中球抗原に対する血清中の抗好中球抗体あるいは好中球付着抗体の検出が必要である．好中球の存在しない例では好中球付着抗体の検出は困難である．

ヒト好中球特異抗原は数種類存在するが，本症への関与が大きく，解析が最も進んでいる抗原は FcγRⅢb(CD16b)を locus とする HNA-1 抗原である．FcγRⅢにはマクロファージや NK 細胞などに発現する膜貫通型の FcγRⅢa と好中球に発現し，glycosylphos-phatidylinositol(GPI)により細胞膜に結合する FcγRⅢb の 2 種類がある．好中球上に存在する FcγRⅢb 遺伝子の一部塩基配列の polymorphism により HNA-1a 抗原，HNA-1b 抗原，HNA-1c 抗原の 3 つの isoform が存在する(eコラム 2)．

本症の原因となる抗体の特異性については欧米，わが国ともに HNA-1a 抗原に対するものが 30〜70％と最多である．一方，Evans 症候群などほかの自己免疫疾患に合併する二次性自己免疫性好中球減少症では汎 FcγRⅢb 抗原に対する抗体がおもに検出される．また，ほかの自己免疫疾患に合併した二次性自己免疫性好中球減少症の鑑別のためにほかの自己抗体の検索も必要である．

骨髄検査では大部分の例では骨髄系前駆細胞は正常〜過形成であるが，成熟好中球，おもに分葉核好中球の減少が認められる．これは，抗好中球抗体により分葉核好中球が破壊されていることを示している．一部

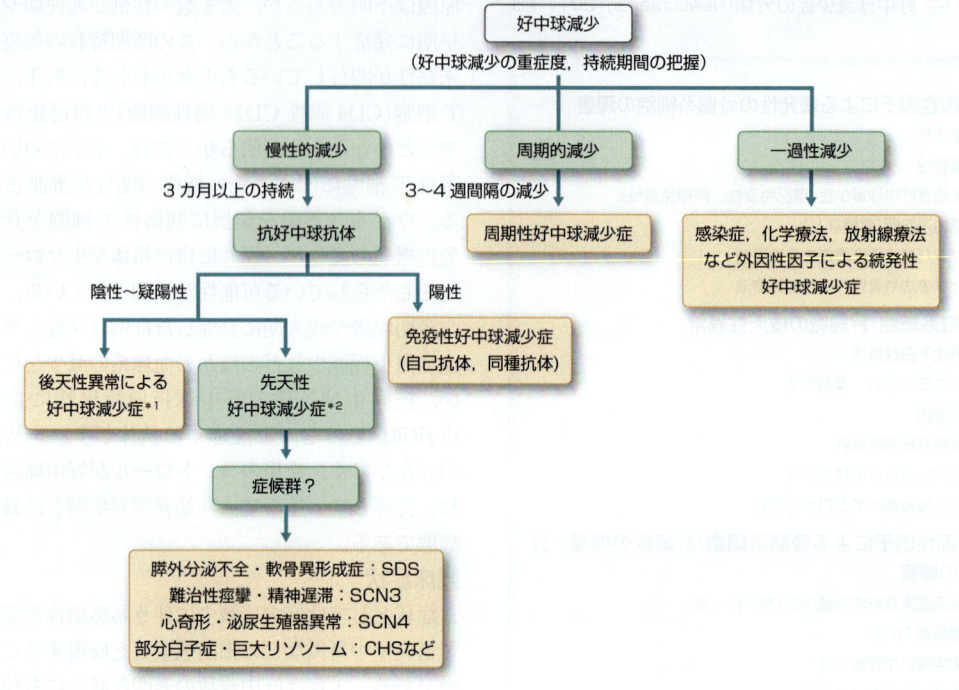

図 16-10-3 好中球減少症の診断のためのアルゴリズム
＊1：表 16-10-2(2)を参照．＊2：表 16-10-2(3), ⓔ表 16-10-D を参照．

の例では骨髄系細胞が低形成であり，骨髄前駆細胞に対する抗体の関与が疑われている．骨髄前駆細胞のコロニー形成能は正常である．

治療

本症では重症感染症の合併頻度は低いため，通常は感染症合併時の適切な抗菌薬投与で十分であり，抗菌薬の予防投与は必ずしも必要とはしない．しかし，頻回に中耳炎などの細菌感染症を合併する場合には SMX-TMP(ST 合剤)などの予防投与が有効である．

また，重症感染症の合併時には好中球増加を目的にステロイドや免疫グロブリン製剤が使用されてきており，それぞれ約 75％，50％の症例で好中球数の一時的な増加が認められている．

本症では重症先天性好中球減少症とは異なり，血清中の G-CSF 濃度や骨髄単核球における G-CSF 受容体の発現は正常であり，G-CSF の投与により，本症のほぼ全例で好中球数の増加が認められる．しかし，本症における G-CSF 投与の適応は重症感染症合併時や外科手術前の症例に限定されると思われる．

予後

本症は乳幼児に発症した場合，年齢とともに自然軽快することが知られており，3 歳までに約 80％，5 歳までにほぼ全例で好中球数の増加を認める(中村ら, 2014)(ⓔコラム 3)．

b. 重症先天性好中球減少症

病因

慢性好中球減少症，特に末梢血好中球数が 200/μL 未満，骨髄像で前骨髄球，骨髄球での成熟障害，生後より反復する細菌感染症を臨床的特徴とする遺伝性疾患である．すべての先天性好中球減少症を含めると責任遺伝子は現在までに 10 種類以上が同定されている(ⓔ表 16-10-D)(Picard ら，2015)．重症先天性好中球減少症(severe congenital neutropenia：SCN)では好中球エラスターゼ(neutrophil elastase：NE)をコードする ELANE 遺伝子のヘテロ接合性変異が最も多く，SCN の約 75％で認められる．遺伝子異常と好中球減少の関係は未だに明確ではないが，ELANE 変異により，ミスフォールディング(蛋白質の折りたたみ異常)が生じ，骨髄系細胞の分化に関与する転写因子の発現低下に伴ったアポトーシス亢進が考えられている．

HAX1 異常による SCN3 は Kostmann 病とよばれ，全例ホモ接合性変異で，常染色体性劣性遺伝形式をとる．SCN 患者の約 20％の頻度である．HAX1 は全身に普遍的に発現する分子で，おもにミトコンドリア内膜に存在しアポトーシスを制御する蛋白の 1 つである．Kostmann 症候群の家系では Q190X 変異が，わが国では R86X 変異が好発変異である．臨床的特徴として HAX1 欠損症では好中球減少症以外に発達障害，神経学的異常(精神運動発達遅滞，難治性の痙攣発作)

を合併する．その他の遺伝子異常によるSCNの頻度は非常にまれである．

診断

慢性好中球減少，骨髄像での骨髄顆粒球系細胞の軽度低形成と前骨髄球と骨髄球での成熟障害，責任遺伝子の同定で確定診断される．前述の破壊亢進による免疫性好中球減少症とは骨髄像がまったく異なる点が鑑別に有用である．

治療

乳児期早期から重症細菌感染症を反復するので，感染症に対する迅速かつ適切な抗菌薬治療を行う必要がある．SCNの診断がなされたら感染症の予防としてST合剤(0.1 g/kg)の内服とイソジン®含嗽による口腔内ケアが必要である．ときに真菌感染予防に抗真菌薬も投与する．口内炎の反復と慢性歯肉炎は必発の症状なので，小児歯科医との連携による口腔内ケアは重要である．慢性歯肉炎の悪化は永久歯の維持を困難にする場合があるので，長期予後として注意が必要である．抗菌薬などで感染症のコントロールが困難な場合や，慢性歯肉炎が悪化する症例ではG-CSFを使用して好中球数を維持する必要がある．G-CSF投与はほかの疾患で使用される投与量より高用量となるので，2〜5 μg/kgから開始し，末梢血所見や臨床症状を考慮しながら増量していく（eコラム4）．G-CSF投与による最も重要な問題は骨髄異形成症候群（MDS），急性骨髄性白血病（AML）への移行である．欧米でのSCN登録事業から明らかにされているデータから，G-CSFを8 μg/kg以上投与されている症例では有意にMDS/AML移行例が多く，10年以上の投与で40％の症例がMDS/AMLを発症している．平均では10年間投与で約10％の症例がAMDS/AML移行の危険性がある．

現段階での根治療法は造血幹細胞移植である．MDS/AML移行後の造血幹細胞移植の成績はきわめて不良であることから，G-CSF投与が必要な症例において，どの時期で造血幹細胞移植を行うか，明確な指標はないが造血幹細胞移植を視野において治療を継続しなければならないであろう．近年は骨髄非破壊的前処置による移植が中心となっており，移植の治療成績は向上してきている．

〔小林正夫〕

■文献

Bousfiha A, Jeddane L, et al: The 2015 IUIS phenotypic classification for primary immunodeficiencies. J Clin Immunol. 2015; 35: 727-38.

中村和洋，佐藤 貴，他：抗好中球抗体と乳幼児自己免疫性好中球減少症．日小血会誌．2004; 18: 17-22.

Newburger PE, Boxer LA: Leukopenia. In Nelson Textbook of Pediatrics 19th ed（Kliegman RM, Stanton BF, et al eds）pp746-52, Elsevier Saunders, 2011.

Picard C, Al-Herz W, et al.: Primary immunodeficiency diseases: an update on the classification from the international union of immunological societies expert committee for primary immunodeficiency. J Clin Immunol. 2015; 35: 696-726.

3）好中球機能異常症

定義・概念・分類

好中球（食細胞）機能（血管内皮への接着，遊走，貪食，殺菌など，図16-10-4）の破綻により，主として細菌，真菌に対して易感染性を示す疾患である．多くは先天異常であり，責任遺伝子が同定されている（e表16-10-E）．一部の疾患では根治療法として造血幹細胞移植が必要である．

本項では最も頻度が高く，代表的機能異常症である慢性肉芽腫症（CGD），白血球接着異常症（LAD），Chédiak-Higashi症候群（CHS）について述べる．

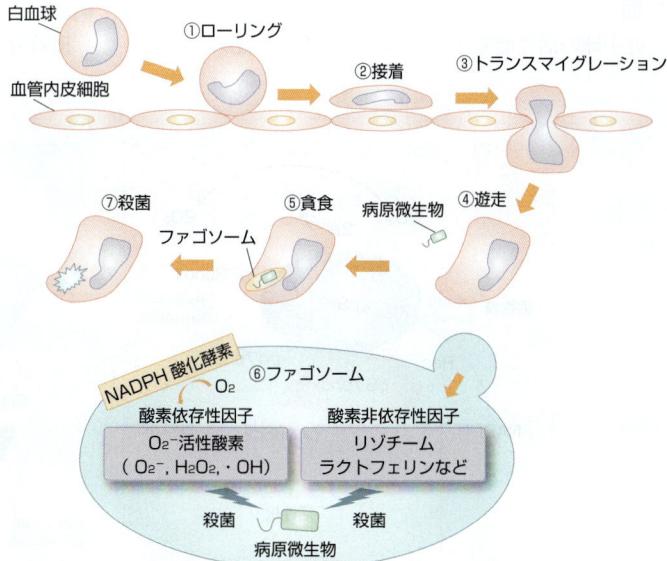

図16-10-4 好中球機能
血流中の好中球や単球は血管壁に①ローリング，②接着し，③血管外へ移行して感染巣に④遊走する．病原微生物をとらえて⑤貪食し，⑥ファゴソーム内にさまざまな抗菌物質を産生し，病原体を⑦殺菌する．抗菌物質は酸素依存性因子と酸素非依存性因子に大きく分かれる．酸素依存性因子は呼吸バーストによりNADPHオキシダーゼから生成される．

(1) 慢性肉芽腫症 (chronic granulomatous disease：CGD)

病因

好中球は酸素分子を1電子還元し，スーパーオキシドを産生し，食胞内と細胞外に放出し，活性酸素で病原体の殺菌を行う．スーパーオキシド産生酵素は2つの膜蛋白質（$gp91^{phox}$，$p22^{phox}$）と4つの細胞質蛋白（$p47^{phox}$，$p67^{phox}$，$p40^{phox}$，Racp21）の複合体として構成されており，活性化に伴って活性酸素を産生する（図16-10-5）．すべての構成蛋白質で遺伝子が同定されており，CGDではどれかの主要蛋白が欠損あるいは減少する．

臨床症状

乳児期より化膿性皮膚炎，リンパ節炎，肺炎，中耳炎，肝膿瘍，肛門周囲膿瘍などを反復する難治性細菌または真菌感染症を認める．諸臓器に肉芽腫形成を伴うこともあり，消化管の肉芽腫がCGD患者の約半数に認められる（Boxerら，2011）．残存酵素活性によりわずかでも活性酸素を産生できる場合は軽症例であり，10歳をこえてから発症することもある（eコラム1）．CGDではスーパーオキシドに続く一連の活性酸素も産生されないことに加え，ブドウ球菌，クレブシエラ菌，大腸菌，カンジダ，アスペルギルスといったH_2O_2非産生カタラーゼ陽性菌では，活性酸素がどこからも供給されないため殺菌できないが，H_2O_2産生カタラーゼ陰性菌の殺菌は可能である．臨床的にも前述の病原体による感染症がほとんどであり，死亡原因に大きく関与する（Picardら，2015）．

診断

好中球の活性酸素産生能の欠損，低下を認めることでCGDと診断される．食細胞活性酸素産生能の測定にはNBT色素還元能試験やH_2O_2を検出する蛍光プローブとしてDCFHやDHR-123を用いたフローサイトメトリー法がある．遺伝子検査により，どれかの蛋白の変異を同定する．

治療・予後

一般的には感染症予防であり，ST合剤，抗真菌薬などの投与が行われる．重症感染症では適切な抗菌薬の投与が必要であるが，肉芽腫を形成するとより難治となる．肉芽腫に対して外科的切除ができる場合はよいが，内科的治療について明確な指針なく，まだ確立されたものはない．平均寿命は25～30歳であるが，最近では抗菌療法の発展およびインターフェロン（IFN）投与などの医学的進歩とともに生命予後は改善し，30歳以上の患者が増加している（eコラム2）．真菌感染症の予防はCGD患者の予後を左右する重要な因子である．特にアスペルギルス属は肺などに肉芽腫を形成し治療に難渋する症例が多い．キャンディン系抗真菌薬，トリアゾール系抗真菌薬のイトラコナゾールは真菌感染症予防に有効とされている．

造血幹細胞移植と遺伝子治療が根治療法であるが，後者はまだ十分に確立はされていない．骨髄移植をはじめとした造血幹細胞移植は骨髄非破壊的前処置により成功例が増加しており，今後，移植時期，前処置，造血細胞源などを含めて期待される治療法である．

(2) 白血球接着異常症 (leukocyte adhesion defects：LAD)

病因

接着分子の先天性異常のために好中球の血管外への

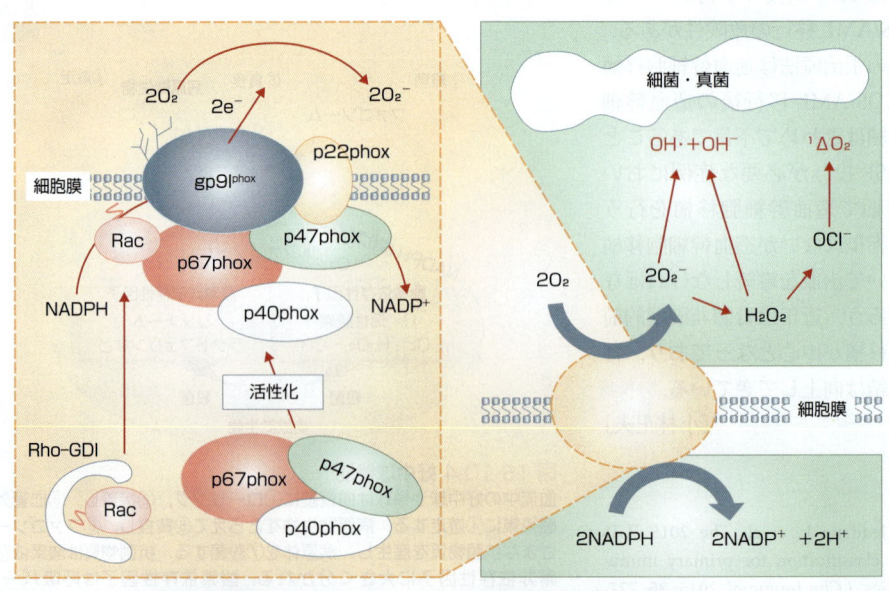

図16-10-5 好中球活性酸素産生機構（NADPH酸化酵素の構成と活性酸素種）

遊走が障害され，重症細菌感染症を反復する原発性免疫不全症である．病型としてはLAD type Ⅰ（β_2-インテグリン欠損），LAD type Ⅱ（セレクチンリガンドのフコシル化炭水化物欠損），LAD type Ⅲ（β_2-インテグリンは存在するが活性化障害）の3型に分類されている．

接着分子は細胞表面に発現し，好中球にはβ_2-インテグリンが，血管内皮細胞にはβ_2-インテグリン受容体が発現している．炎症などで血管内皮細胞が活性化されると，好中球との結合が起こり，ローリング現象が認められ，細胞の遊走が始まる．LADではこれが認められず，好中球の血管外への遊走障害が起こる．

臨床症状

生後早期から難治性の皮膚感染症が認められ，膿瘍を形成せずに潰瘍化し蜂巣炎となり，治癒の遷延が起こる．3週間以上の臍帯脱落遅延は特徴的所見である．歯周病，中耳炎，副鼻腔炎，肺炎などを反復する．血液検査で白血球，特に好中球の異常高値（数万/μL）は白血病を疑わせることになる．好中球の粘着能，遊走能，貪食能が低下するが，殺菌能は正常である．type Ⅰでは好中球表面のCD18欠損で診断が確定する．

治療・予後

重症感染症の反復のため，感染症のコントロールが重要であるが，難治性のため，造血幹細胞移植による根治療法が必要となる．

(3) Chédiak-Higashi 症候群（CHS）

CHSは白血球やその他の体細胞の原形質に巨大顆粒を有する，常染色体性劣性の原発性免疫不全症である．好中球減少と機能異常（遊走能低下，殺菌遅延）の両方を有するため，乳児期から感染症を反復する．自然経過での平均寿命は5歳前後の予後不良の疾患である．責任遺伝子として*Lyst*（lysosomal trafficking regulator）が同定されている．可溶性細胞障害因子の放出機能異常からNK細胞活性，キラー細胞活性が障害されている．増悪期には悪性リンパ腫様の病変を呈するが，全身臓器への組織球の浸潤と血球貪食がみられ，ウイルス関連の血球貪食症候群との鑑別は困難である．NK細胞を含めたウイルス排除機構も障害されているので，持続感染が増悪期に関与している可能性が高い．

臨床症状

乳児期から重篤な気道感染症や皮膚化膿症を反復する．血小板の顆粒放出異常から出血傾向をきたす．体細胞ではメラニン色素の分布異常のため，皮膚，毛髪，眼などに部分的白子症がみられ，日光過敏を呈する．神経症状は幼小児期には明らかでないが，進行性の知能障害，痙攣，小脳失調などが出現する．

治療

本症の救命，特に増悪期では造血幹細胞移植しか治療手段はない．早期での造血幹細胞移植が易感染性には有効であるが，前述した神経症状の進行は抑制できないことから，すべての症状を完治できる根治療法は開発されていない．

〔小林正夫〕

■文献

Picard C, Al-Herz W, et al.: Primary immunodeficiency diseases: an update on the classification from the international union of immunological societies expert committee for primary immunodeficiency. *J Clin Immunol.* 2015; 35: 696-726.

Boxer LA, Newburger PE: Disorders of phagocyte function. Nelson Textbook of Pediatrics, 19th ed (Kliegman RM, Stanton BF, et al eds), pp741-6, Elsevier Saunders, 2011.

4）慢性骨髄性白血病
chronic myeloid leukemia : CML

定義・概念

CMLは，多能性幹細胞レベルの細胞に，9番染色体と22番染色体の相互転座によりフィラデルフィア（Ph）染色体（t(9;22)(q34;q11)）が生じ，その結果，*BCR-ABL*融合遺伝子が形成されることにより発症する．発症後，数年間の慢性期を経て，移行期，急性転化期へと進行する．慢性期CMLの治療は，異常活性化したABLキナーゼを標的にしたイマチニブなどのチロシンキナーゼ阻害薬（tyrosine kinase inhibitor：TKI）が有効である．

原因・病因

CMLはPh染色体とよばれる特徴的な染色体異常t(9;22)(q34;q11)を有している（図16-10-6）．22番染色体上に形成される*BCR-ABL*融合遺伝子によりつくられるBCR-ABL融合蛋白は，強いチロシンキナーゼ活性を示し，造血幹細胞の腫瘍化と維持，進展に関与する（図16-10-7）．ABLは基質となる分子のチロシン残基にリン酸を付与するチロシンキナーゼであり，正常細胞ではその活性は制御されている．しかし，BCR-ABLは，細胞質のなかで恒常的に活性型チロシンキナーゼとしてSTAT3, PI3K/Akt, Ras/MAPKなどの下流のシグナル伝達分子を活性化し，これらの分子の協調作用によりCML細胞は過剰に増殖する（Deininger, 2014）．

疫学

CMLの年間発症率は人口10万人あたり1人とされ，男女比は1.3～1.4：1と男性にやや多い．患者の多くは40歳以上で，発症年齢中央値は45～55歳で年齢とともに増加する．発症機序は不明であるが，病因として証明されているのは，放射線被曝である．広

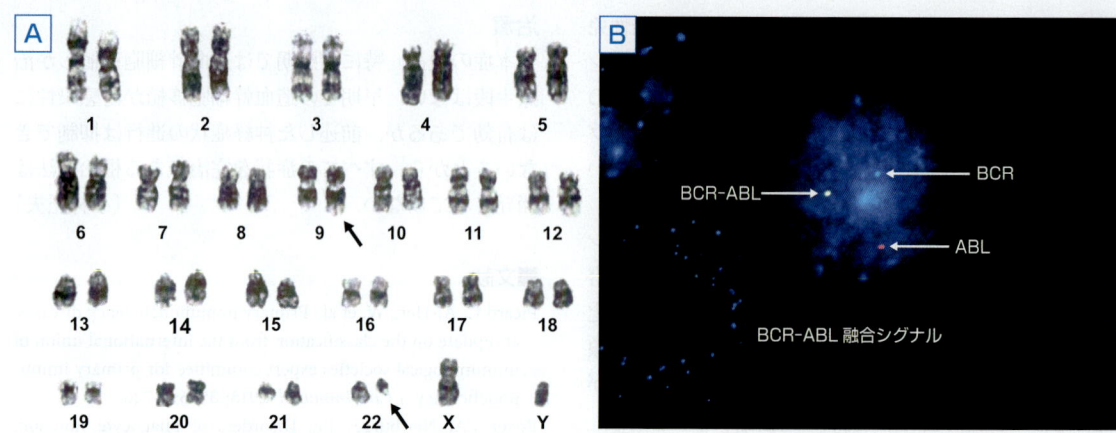

図 16-10-6 CML における染色体分析
A：染色体分析(G-バンド法)．CML においては 9 番染色体と 22 番染色体の相互転座 t(9;22)(q34;q11)によるフィラデルフィア(Ph)染色体が形成される．
B：染色体分析(FISH 法)．CML 細胞では BCR を認識する青いプローブと ABL を認識する赤いプローブの融合シグナルが認められる．

島や長崎での被爆者で 0.5 Gy 以上の線量を被曝した場合，発生頻度は数十倍とされている．

病態生理・臨床症状

CML は 3 つの病期に分けられる．大部分の患者は，白血球や血小板増加を認めるが自覚症状のない慢性期(chronic phase：CP)で診断され，無治療で経過すると数年(5〜6 年)の後に，顆粒球分化異常が進行する移行期(accelerated phase：AP)を経て，未分化な芽球が増加し急性白血病に類似する急性転化期(blast crisis：BC)へと進展して致死的となる(図 16-10-8)．

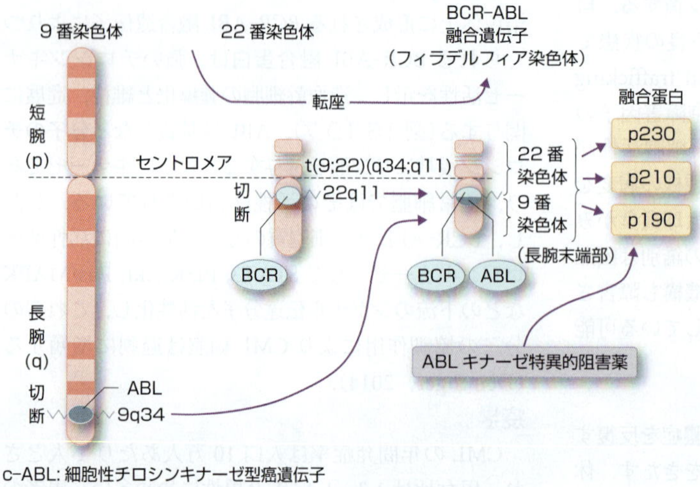

図 16-10-7 相互転座による BCR-ABL 融合遺伝子の形成
ABL 遺伝子の切断点は決まっているが，BCR 遺伝子には 3 カ所の切断点が存在し，その結果，p190, p210, p230 の 3 つの融合蛋白が形成される．CML ではほとんどが 210 kDa の融合蛋白が形成され，この ABL キナーゼに特異的阻害薬が慢性期 CML の第一選択の治療薬である．

c-ABL：細胞性チロシンキナーゼ型癌遺伝子

1)慢性期： CML は造血幹細胞レベルでの腫瘍であるが，造血系細胞は最終分化段階の細胞まで分化可能であり，骨髄芽球から成熟好中球までの各分化段階の顆粒球が増殖するのが特徴である．慢性期では通常自覚症状がないことも多いが，白血球増加による全身倦怠感や脾腫による腹部膨満感，高ヒスタミン血症による皮膚瘙痒感などを自覚することがある．最近は，健康診断などで早期に発見されることが多く，肝脾腫を認めないことも多いが，脾腫は 40〜60％，肝腫は 10〜20％の症例に認められる．

2)移行期，急性転化期： 慢性期を無治療で経過すると，付加的染色体異常(＋8, ＋Ph (double Ph), i (17q), ＋19, －Y, ＋21, －7 など)や Src ファミリーキナーゼなどの種々の遺伝子異常が蓄積し，移行期，急性転化期へと病勢が進行する．病勢の進行とともに，発熱，肝脾腫の増悪，体重減少，骨痛などの全身症状を呈するようになる．また，急性転化期は芽球が増加し急性白血病と同様に正常造血が抑制され感染，出血，貧血症状の増悪を示す．

診断・検査所見

末梢血で白血球や血小板増加を認め，末梢血白血球分画で骨髄芽球を含む幼若な骨髄系細胞を認め，骨髄検査で骨髄系細胞の過形成を認めた場合は CML を疑う．CML の 95％の症例は t(9;22)を認めるので，G-バンド法あるいは FISH 法などの染

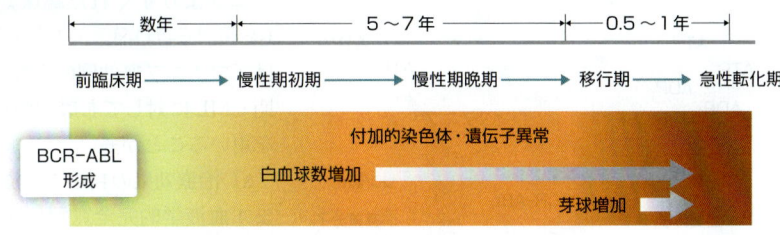

図 16-10-8 CML の病期進展

色体分析で Ph 染色体を検出するか，RT-PCR 法で BCR-ABL 融合遺伝子を検出することで確定診断される．FISH 法や RT-PCR 法は末梢血を用いて検査が可能である（Vardiman ら，2008）．

1) 慢性期： 末梢血は白血球増加（通常 1 万 5000/μL 以上），血小板増加を認める．多くの症例で軽度の貧血を認める．慢性期も進行すると白血球は数十万/μL になることがある．白血球分画は，①顆粒球系細胞が増加し，骨髄芽球から成熟好中球までのすべての分化段階の顆粒球系細胞の出現（白血病裂孔がない），②好塩基球の増加，③好中球アルカリホスファターゼ（NAP）活性低値などが特徴である．骨髄所見は，骨髄系細胞の著明な過形成を示す（図 16-10-9）．生化学検査では，細胞増殖を反映して血清 LDH，尿酸，ビタミン B_{12} の増加を認める．

2) 移行期，急性転化期： 全身症状の出現とともに貧血や血小板減少が進行する場合は，移行期，急性転化期への病勢進行が疑われる．

 a) 移行期の診断：①持続する白血球数増加（＞1 万/μL）や増大する脾腫，②治療でコントロールできない持続する血小板増加（＞100 万/μL 以上），③治療に関係ない持続する血小板数減少（＜10 万/μL），④付加的染色体異常の出現，⑤好塩基球 20％以上，⑥末梢血あるいは骨髄において骨髄芽球 10～19％，のいずれか 1 つの所見で診断する．

 b) 急性転化期の診断：①末梢血あるいは骨髄での芽球 20％以上，②髄外病変（芽球の増殖）のいずれかで診断する．

急性転化時の芽球は約 70％が骨髄系，30％がリンパ系（ほとんどが B 細胞系）の形質を示す．また，移行期，急性転化期では，慢性期では低値であった NAP スコアが上昇する．

予後因子

初診時の年齢，脾腫のサイズ，血小板数（×10^9/L），芽球（％）の 4 因子で計算される Sokal score やさらに好塩基球（％），好酸球（％）を加えた 6 因子で規定される Hasford score が用いられる[1,2]．

治療・予後

CML の治療は BCR-ABL 特異的 TKI であるイマチニブが 2002 年に臨床導入されてから一変した．それ以前には血球コントロールを目的としたブスルファン，ヒドロキシウレアが用いられていたが，病期進行を遅らせることはできなかった．慢性期における同種造血幹細胞移植は治癒を目指すことも可能であり，50～70％の症例で長期生存が可能であった．移植ができない場合はインターフェロン-α が用いられ約 10～15％の症例で Ph 染色体が消失する細胞遺伝学的効果を得ることができた．しかしながら，TKI が導入されてからは BCR-ABL 融合蛋白のもつ異常なチロシンキナーゼ活性を抑制することが慢性期 CML の第一選択の治療となり，CML に対する治療戦略は大きく変わった（Jabbour ら，2013）．

1) 慢性期： 慢性期 CML の第一選択の治療薬は BCR-ABL キナーゼ阻害薬イマチニブである[3]．イマチニブは競合的に拮抗することで，ATP（アデノシン三リン酸）の BCR-ABL 蛋白への結合を阻害し，異常に亢進したチロシンキナーゼ活性を阻害し，CML 細胞の細胞死を誘導する（図 16-10-10）．慢性期 CML

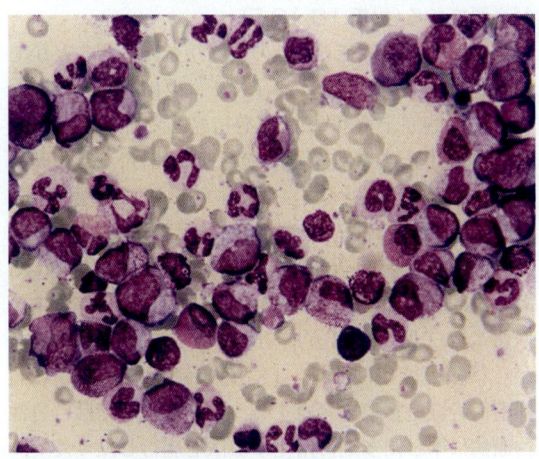

図 16-10-9 慢性期 CML の骨髄像
骨髄は顆粒球系細胞の増殖が著明で，骨髄芽球から成熟好中球までのすべての分化段階の細胞が存在する．好塩基球，好酸球の増加を認める．

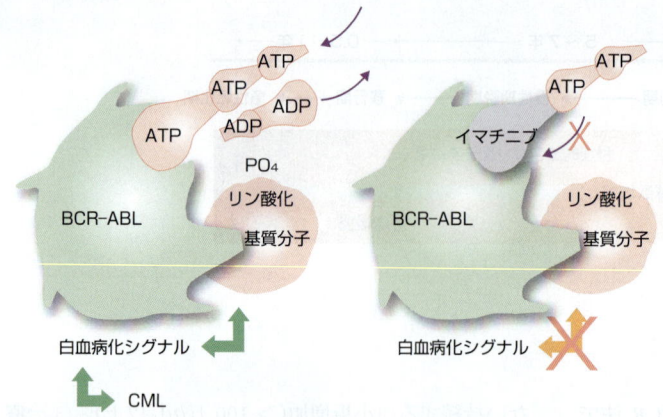

図 16-10-10 イマチニブの作用機序
イマチニブは BCR-ABL 融合蛋白に ATP が結合することを競合的に阻害することで，亢進しているチロシンキナーゼ活性を抑制する．その結果，白血病化シグナルがブロックされ，CML 細胞の細胞死が誘導される．

に対するイマチニブの治療成績は，治療 5 年で血液学的寛解 98％，細胞遺伝学的寛解（Ph 染色体の消失）87％であり，8 年間の全生存率（overall survival: OS）85％（CML 関連死亡は 7％）ときわめてすぐれたものである（e図 16-10-A）[4]．現在では，さらにすぐれた TKI 活性を有する第 2 世代 TKI ニロチニブ，ダサチニブが導入されている．これら 2 剤とイマチニブとの比較試験の結果，ニロチニブ，ダサチニブはイマチニブよりすぐれた臨床効果を示すため（e図 16-10-B，16-10-C）[5,6]，現在ではイマチニブ無効例のみならず，初発慢性期 CML に対しても最初から第 2 世代 TKI を用いることが多い．

a）治療効果の判定：治療が奏効すると，まず血液学的完全寛解（complete hematologic response：CHR）が得られ，さらに骨髄染色体検査で細胞遺伝学的完全寛解（complete cytogenetic response：CCyR）が得られる．それ以降は RQ-PCR 法にて BCR-ABL mRNA を定量することで微小残存病変を評価し分子遺伝学的効果（molecular response）を評価する（図 16-10-11）．

TKI による治療は至適な効果（optimal response）を目指すが，第 2 世代 TKI が導入されてからは，3 カ月までに BCR-ABL ＜ 10％ に到達することで長期予後がよいことが明らかにされ[7]，以後 6 カ月までに BCR-ABL ＜ 1％，12 カ月で BCR-ABL ＜ 0.1％が optimal response と定義されている．これらの基準に満たない場合は要注意（warning）となり，治療の失敗（failure）と同様にほかの TKI への変更が推奨されている[8]．ファーストラインで用いた TKI に対して治療抵抗性や副作用により不耐容の場合にはセカンドラインの治療へと変更する必要がある．現在では第 2 世代 TKI に加えて ABL キナーゼおよび Src チロシンキナーゼの両者に効果を有するボスチニブが承認され，さらに ABL 遺伝子変異でもほかの TKI が効果を示さない T315I 変異にも有効とされる ponatinib も臨床試験（治験）が進んでおり，近い将来臨床応用されることが期待されている．これらの TKI の特徴や副作用を考慮した薬剤の選択が必要である（e表 16-10-F）．

TKI による治療で CML の治癒をもたらすことができるかを検証するために，イマチニブにより長期間分子遺伝学的完全寛解（CMR）を持続した症例に，イマチニブを中止する臨床試験が行われたが，約 60％の症例が再発することより（e図 16-10-D），現段階では TKI の治療は継続することが推奨されている[9]．

2）進行期（移行期，急性転化期）： 進行期では TKI の効果は限定的である．移行期においてはイマチニブ増量や第 2 世代 TKI が有用なこともある．しかしながら移植可能症例では，TKI の反応性をみながら同種造血幹細胞移植を考慮する．急性転化期では，急性白血病に準じた多剤併用化学療法を施行したうえで，移植適応の症例では同種造血幹細胞移植が強く推奨される[10]．

〔木崎昌弘〕

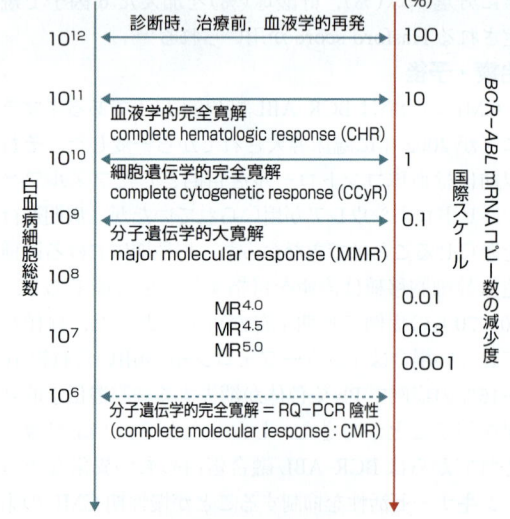

図 16-10-11 CML 治療効果判定基準
TKI の分子遺伝学的効果は RQ-PCR 法を用いて BCR-ABL mRNA 定量により行う．BCR-ABL 遺伝子量は，国際スケールで補正して表す．MMR（major molecular response）は BCR-ABL 遺伝子量が 0.1％以下，0.01％以下を MR$^{4.0}$，0.032％以下を MR$^{4.5}$，0.001％以下を MR$^{5.0}$とし，それ以下を検出感度以下とし分子遺伝学的完全寛解（CMR）としている．

■文献（e文献 16-10-4）

- Deininger MW: Chronic myeloid leukemia. Wintrobe's Clinical Hematology, 13th ed (Greer JP, Arber DA, et al eds), pp1705-21, Lippincott Williams & Wilkins, 2014.
- Jabbour E, Cortes J, et al: Targeted therapies in hematology and their impact on patient care: chronic and acute myeloid leukemia. Semin Hematol. 2013; 50: 271-83.
- Vardiman JW, Melo JV, et al: Chronic myelogenous leukaemia, BCR-ABL1 positive. WHO Classification of Tumours of Haematological and Lymphoid Tissues (Swerdlow SH, Campo E, et al eds), pp32-7, IARC Press, 2008.

5）原発性骨髄線維症
primary myelofibrosis：PMF

定義・概念
造血幹細胞レベルで生じた遺伝子異常により，骨髄において巨核球や好中球系細胞がクローン性に異常増殖する骨髄増殖性腫瘍．骨髄の線維化，髄外造血，肝脾腫などの特徴的な臨床症状を呈する．

分類
原発性骨髄線維症は，慢性骨髄性白血病，真性多血症，本態性血小板血症などとともに，骨髄増殖性腫瘍に分類される．

原因・病因
JAK2変異が約50％に，CALR変異が約30％に，MPL（トロンボポエチンの受容体）変異が約5％にみられる．正常造血においては，エリスロポエチン，トロンボポエチン，顆粒球コロニー刺激因子などのサイトカイン刺激によりJAK2が一過性に活性化され，サイトカイン依存性の細胞増殖が生じている．JAK2やMPLに変異が生じると，サイトカイン非依存性にJAK2が恒常的に活性化され，血液細胞は自律増殖能を獲得する（図16-10-12）．これらのドライバー変異に加えて，epigeneticな遺伝子調節を司るTET2，EZH2などの変異が10～20％に生じており，両者の協調作用により腫瘍性増殖をきたす[1]．

疫学
比較的まれな疾患である．高齢者に好発し，発症年齢中央値は65歳，男女比は約2：1である．

病理
病初期は前線維期ともよばれ，骨髄の線維化は認めないか，あってもごく軽度であり，異形性を伴う巨核球の増加を特徴とする．しかし，この時期に診断されることはまれであり，線維化が著明となってから診断されることがほとんどである．そのため，骨髄穿刺は採取不能（dry tap）であることが多く，診断のためには骨髄生検が必要となる．骨髄の広範な線維化（細網線維，膠原線維の増生）を伴う巨核球の増殖と異型，骨硬化を認める（図16-10-13）（Thieleら，2008）．局所的に残存する造血巣は過形成である．腫大した

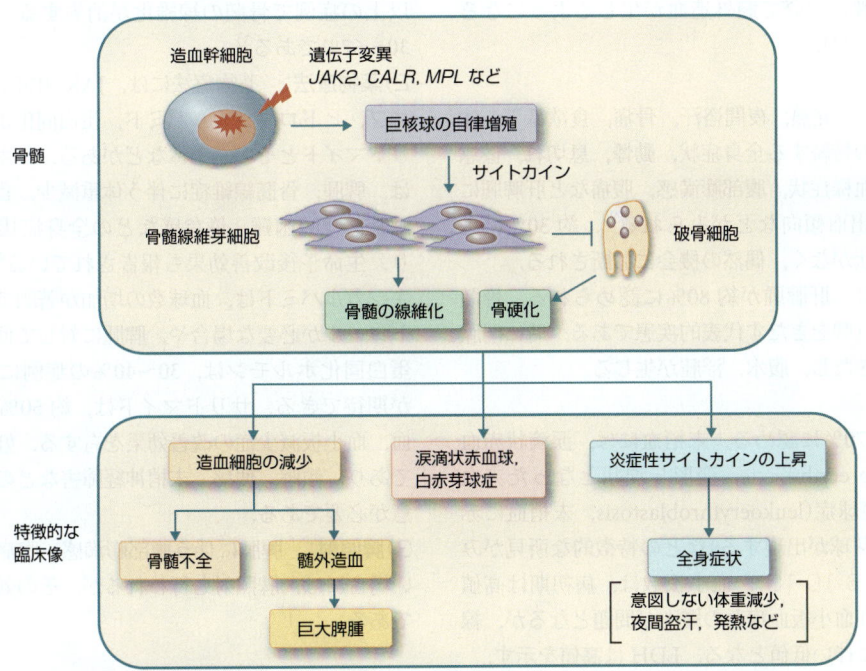

図 16-10-12 原発性骨髄線維症の病態と臨床像
造血幹細胞に生じたJAK2変異などにより，血液細胞が腫瘍性増殖をきたす．増加した血液細胞，特に巨核球が産生するTGF-βなどのサイトカインが骨髄の線維化に関与している．骨髄線維化に伴い造血能は低下し，髄外造血を生じる．末梢血に涙滴状赤血球，赤芽球，骨髄芽球の出現をみる．また上昇した炎症サイトカインが多彩な全身症状の原因となる．

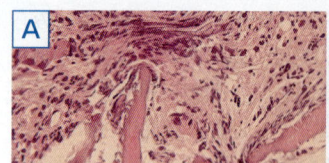
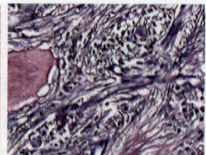
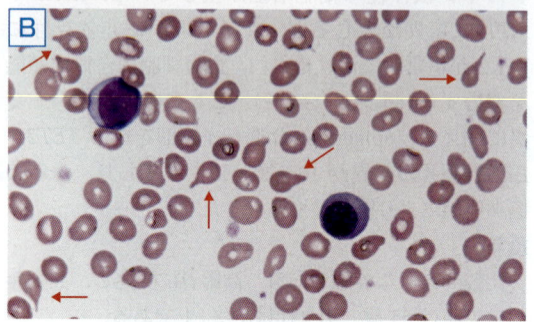

図 16-10-13 骨髄所見と末梢血所見
A：骨髄の線維化（HE 染色（左）と銀染色（右）），B：末梢血にみられる涙滴状赤血球（矢印）と，白赤芽球症（May-Giemsa 染色）．

肝，脾では，髄外造血が生じている．

病態生理

血液細胞がクローン性の腫瘍性増殖をきたしているのに対し，本疾患の特徴である骨髄の増生した線維芽細胞は多クローン性である．クローナルに増殖した血液細胞，特に巨核球が産生する TGF-β が骨髄の線維化に関与している．線維化に伴い骨髄での造血能は低下し，肝，脾において髄外造血が生じるようになる（図 16-10-12）．

臨床症状

1）自覚症状： 発熱，夜間盗汗，骨痛，食欲低下，体重減少などの持続する全身症状，動悸，息切れ，倦怠感などの貧血様症状，腹部膨満感，腹痛など肝脾腫に伴う症状，出血傾向などがみられる[2]．約 30％の患者は自覚症状がなく，偶然の機会に診断される．

2）他覚症状： 肝脾腫が約 80％に認められる．骨髄線維症は，巨脾をきたす代表的疾患である．時に門脈圧亢進症をきたし，腹水，浮腫が生じる．

検査所見

貧血を約 70％に認める．末梢血には，涙滴状赤血球（tear drop erythrocyte，変形し涙状となった赤血球）や白赤芽球症（leukoerythroblastosis，末梢血に赤芽球や骨髄芽球が出現する）などの特徴的な所見がみられる（図 16-10-13）．血小板数は，病初期は高値を示し本態性血小板血症との鑑別が問題となるが，線維化の進行に伴い低値となる．LDH は高値を示す．

診断

骨髄生検を行い，細網線維，膠原線維の増加を伴う巨核球の増殖と異形成により診断する．80％以上の患者に JAK2，CALR，MPL 変異のいずれかが認められ診断に有用であるが，これらの変異は原発性骨髄線維症に特異的ではなく，真性多血症，本態性血小板血症においても観察されることに留意が必要である．遺伝子変異が存在しない，あるいは検査できない場合は，造血細胞がクローナルな腫瘍性の増殖をきたしていることを，染色体異常などにより確認する．貧血，触知可能な脾腫，白赤芽球症，LDH 上昇なども診断の参考になる（Thiele ら，2008）．

鑑別診断

骨髄の線維化は，骨髄異形成症候群，慢性骨髄性白血病などに伴い生じることもあるので，二次性の骨髄線維症の除外が必要である（eコラム 1）．赤芽球，顆粒球系に異型がないこと（骨髄異形成症候群との鑑別），Ph 染色体や *BCR-ABL* が検出されないこと（慢性骨髄性白血病との鑑別）は必須である．真性多血症，本態性血小板血症より移行した二次性の骨髄線維症は，原発性骨髄線維症と同様の遺伝子変異を有しており，また臨床像も類似であることから，原発性骨髄線維症と同様な治療を行う．

経過・予後

5 年生存率は 43％である．感染症，白血化がおもな死亡原因である．

治療

1）同種造血幹細胞移植： 同種造血幹細胞移植は治癒的治療法である．骨髄の線維化が著明であるにもかかわらず，移植した造血幹細胞は生着可能であり，半数以上の症例で骨髄の線維化が消失する．総生存率は 30～67％である[3]．

2）薬物療法： 薬物療法には，JAK 阻害薬ルキソリチニブ，ヒドロキシカルバミド，蛋白同化ホルモン，サリドマイドとその誘導体などがある．ルキソリチニブは，脾腫，骨髄線維症に伴う体重減少，食欲低下，不眠症，呼吸困難，倦怠感などの全身症状に有効であり，生命予後改善効果も報告されている[4-7]．ヒドロキシカルバミドは，血球数の増加が著明で，そのコントロールが必要な場合や，脾腫に対して使用される．蛋白同化ホルモンは，30～40％の症例に貧血の改善が期待できる．サリドマイドは，約 50％の症例に貧血，血小板減少症の改善効果を有する．妊婦には禁忌であり，傾眠，便秘，末梢神経障害などの副作用に注意が必要である．

3）脾照射： 脾腫に伴う腹部膨満感，腹痛などが著しい場合には，脾照射も行われるが，その効果は一過性である．

〔下田和哉〕

■文献（e文献 16-10-5）

日本血液学会：造血器腫瘍ガイドライン 2013 年版．http://www.jshem.or.jp/gui-hemali/table.html
Thiele J, Kvasnicka HM, et al: Primary myelofibrosis. WHO

Classification of Tumors of Haematopoietic and Lymphoid Tissues, 4th ed (Swerdlow SH, Campo E, et al eds), pp40-50, IARC Press, 2008.

6）急性骨髄性白血病
acute myeloid leukemia：AML

定義・概念
　急性骨髄性白血病（AML）は，骨髄球系前駆細胞レベルで細胞増殖や分化に関連する遺伝子異常が起こり，分化能を失った骨髄球系前駆細胞のクローン性増殖による腫瘍である．正常造血が障害され，汎血球減少をきたす．化学療法や造血幹細胞移植によって治癒可能な疾患である．

分類
1）French-American-British（FAB）分類： 細胞形態，細胞化学検査，細胞表面抗原検査で決定する形態学的な細胞分化段階による分類である．AMLはその細胞形態から染色体異常のタイプや予後を推測可能であり，簡便で有用な分類として広く用いられている．

2）WHO分類： 本分類は，①特異的な染色体転座や遺伝子異常を有する例，②骨髄形成症候群（MDS）に特徴的な形態異常や染色体異常を伴う例，③化学療法や放射線治療歴を有する例，を独立した病型として扱う（表16-10-3）．その他の病型はFAB分類を踏襲した形態学的分類を行う．

疫学
　わが国の全白血病の年齢調整罹患率は年間（2010年）10万人あたり6.2人（男性7.6人，女性5.1人）である．その80％が急性白血病で，さらにその80％がAMLであり，AMLは年間10万人あたり4人程度の発症頻度である．発症頻度は高齢になるほど増加する．

原因・病因
　Down症候群，Fanconi貧血，Bloom症候群など，

表16-10-3 **AMLの病型分類**（WHO分類）

分類	細分類
反復性遺伝子異常を伴うAML	t(8;21), inv(16)/t(16;16), t(15;17), t(9;11)など
骨髄異形成関連AML	
治療関連AML	
その他のAML（FAB分類）	最未分化型AML（M0） 未分化型AML（M1） 分化型AML（M2） 急性骨髄単球性白血病（M4） 急性単球性白血病（M5） 急性赤白血病（M6） 急性巨核芽球性白血病（M7）

遺伝子不安定性を呈する先天異常や，放射線や有機溶剤暴露はAMLのリスクである．また癌化学療法後や，骨髄増殖性腫瘍（MPN）や骨髄形成症候群（MDS）から二次性AMLが発症する[1]．しかし，ほとんどの例で原因は明らかでない．

病態生理
1）AMLでみられる分子異常： AMLは未分化な造血前駆細胞の段階で分子異常が蓄積した白血病幹細胞が生じ，白血病が発症するものと考えられている（図16-10-14）．さらに付加的異常が蓄積したサブクローンが生じ，治療によりいったん寛解となっても，残存する白血病幹細胞あるいはサブクローンがその後の再発に関与するものと考えられる[2]．

　遺伝子変異として，細胞内増殖シグナルの恒常的活性をもたらすクラスⅠ変異（FLT3やKIT変異など）と，染色体転座などに伴う転写因子の機能喪失によって細胞分化障害に至るクラスⅡ変異が協調して白血病の発症を誘導するものと考えられる（図16-10-14）．その他，エピゲノムやRNAスプライシングを制御する分子異常などが同定されている[3,4]．エピゲノム変異はすでに白血病発症以前からみられる例がある（図16-10-14）[5]．

2）反復性遺伝子異常を伴うAML（eコラム1）： t(8;21)はAMLの10％を占める最も多い染色体異常で，FAB分類M2に多い．inv(16)/t(16;16)では芽球は顆粒球と単球への分化傾向を示し，好酸球増加を伴うFAB分類M4Eoの形態をとることが多い．これら2つはcore binding factor（CBF）白血病とよばれ予後良好である．

　t(15;17)はFAB分類M3，急性前骨髄球性白血病（APL）にみられる．白血球数は低値を示すことも多く，播種性血管内凝固（DIC）が高度で出血症状が強い．全トランス型レチノイン酸が著効し，予後良好である．

　11q23異常は単球性白血病（FAB分類M4, M5）に多く予後不良である．治療関連AMLや骨髄形成異常関連AMLにも認められる．

　遺伝子変異では，受容体チロシンキナーゼFLT3の変異がAMLの約30％と最も高頻度に認められる．染色体正常核型の例に頻度が高くアミノ酸重複変異（FLT3-ITD）を有する例は予後不良である．その他，シグナル伝達に関与する遺伝子異常としてKITなどが，転写因子に関連する遺伝子変異としてNPM1，CEBPAなどが同定されている．

3）治療関連AML： 癌治療の進歩に伴い，抗癌薬や放射線治療後に発症する治療関連AMLが増加している．アルキル化薬やトポイソメラーゼⅡ阻害薬によるものが多く，予後不良の染色体異常を伴うことが多い．

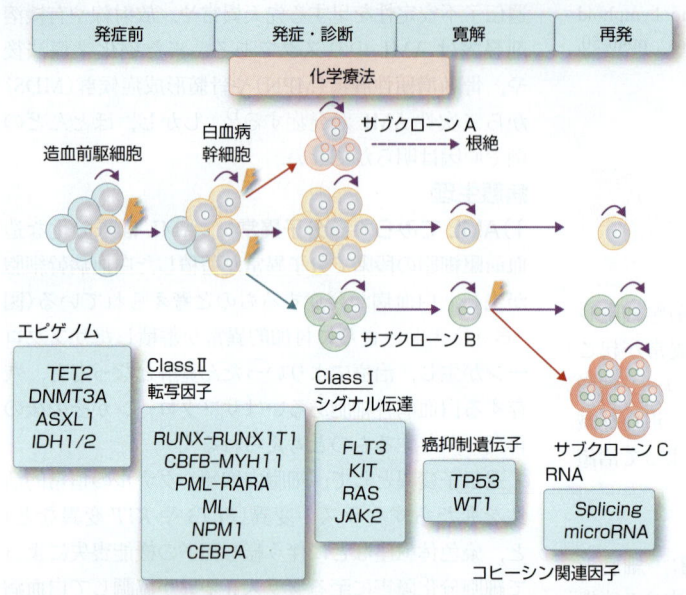

図 16-10-14 AML の発症機構
未分化な造血前駆細胞レベルで，エピゲノム変異やクラスⅠおよびクラスⅡの遺伝子変異が協調し，増殖力と分化能を喪失し白血病が発症する．その他，癌抑制遺伝子変異，RNA 制御やコヒーシン関連因子などのさまざまな分子異常が蓄積し，白血病幹細胞から，さまざまなサブクローンが派生し，治療抵抗性，再発の原因となる．

4)**骨髄異形成関連 AML**：MDS 様の細胞異形を伴う AML，MDS や MPN から進展した AML，MDS に特徴的な染色体異常（－5，－7，5q⁻，7q⁻など）を伴う AML が含まれ，高齢者に多く，予後不良である．

臨床症状
正常造血の抑制に伴う症状と白血病細胞の増殖による症状とが混在する．
1)**貧血**：倦怠感，動悸，体動時息切れがみられる．
2)**発熱**：感染症に伴う発熱と白血病随伴症状としての発熱がみられる．感染症状は咽頭，口腔，呼吸器，肛門部に多い．
3)**出血**：血小板減少に加え，DIC が合併すると高度の出血傾向がみられる．特に APL では DIC が高度で出血傾向が強い．
4)**臓器症状**：骨髄内での白血病細胞の増殖により骨痛や腰痛がみられる．肝脾腫，リンパ節腫脹，歯肉腫脹，中枢神経系浸潤は単球性白血病に多い．

検査所見
1)**末梢血検査**：貧血，血小板減少を伴い，白血球数は増加する例が多いが，APL や骨髄異形成関連 AML では低下する症例もある．白血球分画では芽球と成熟好中球からなり，中間の分化段階の白血球を認めない（白血病裂孔）．活発な細胞増殖を反映して，LDH，尿酸値の上昇を伴う．凝固異常を伴うことも多く，フィブリノゲン減少，FDP，Dダイマー上昇などの DIC の所見を示す[6]．特に APL では DIC が必発である．また単球系白血病では血中・尿中リゾチームの増加を認める．

2)**骨髄検査**（図 16-10-15）：芽球の増加を認め，Auer 小体は AML に特徴的な所見である（図 16-10-15B）．APL 細胞は豊富なアズール顆粒と Auer 小体の集簇した Faggot 細胞が特徴的である（図 16-10-15C）．芽球の 3％以上がミエロペルオキシダーゼ（MPO）陽性であるが，FAB 分類 M0，M5，M7 では MPO 陰性の場合がある．エステラーゼ染色は骨髄球（特異的エステラーゼ陽性）と単球（非特異的エステラーゼ陽性）を鑑別する．FAB 分類 M6（赤白血病）では PAS 染色陽性の異常赤芽球がみられる．細胞表面抗原検査では骨髄球系抗原である CD13，CD33 が陽性となり，未分化な場合には造血幹細胞抗原である CD34 陽性となる．CD14 は単球性で陽性となる．

診断
骨髄または末梢血中の骨髄芽球が 20％以上の場合 AML と診断する．末梢血および骨髄塗抹標本を作成し，Giemsa 染色標本で形態観察を行う．MPO 染色などの細胞化学検査とフローサイトメトリー検査による細胞表面抗原解析によって細胞系列診断を行う．染色体/遺伝子検査を行い，病型診断と予後予測を行う．AML に特徴的な染色体転座が検出された場合は芽球の割合にかかわらず AML と診断する．

鑑別診断
1)**MDS および MPN**：MDS では正常血球は異形性を伴い減少し，末梢血に芽球が出現する．骨髄と末梢血中の芽球がともに 20％以下であれば MDS と診断する．慢性骨髄性白血病（CML）などの MPN では末梢血に芽球が出現するが，さまざまな成熟段階にある骨髄球系細胞の出現を伴い，白血病裂孔を認めない．急性転化を起こした場合は白血病裂孔が消失し，AML との鑑別は困難となる．病歴と染色体異常（CML における *BCR-ABL* 融合遺伝子），遺伝子異常（骨髄線維症における *JAK2* 変異）で鑑別する．
2)**急性リンパ性白血病や悪性リンパ腫の骨髄浸潤**：芽球の MPO 陽性率が 3％未満で，フローサイトメトリー検査で骨髄球系抗原が陰性で，リンパ球系抗原や TdT 活性が確認されれば，リンパ系腫瘍が疑われる．ときに細胞系列が判然としない例があり，「系統不明

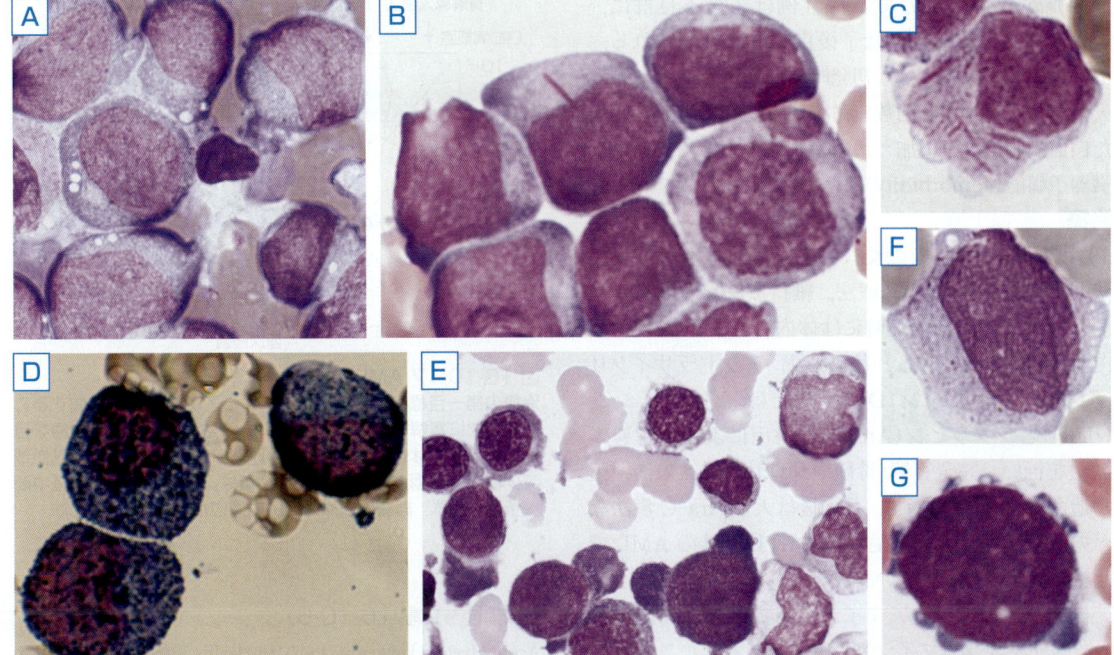

図 16-10-15 AML の細胞形態
A：AML, M1. 未分化で胞体に顆粒の乏しい芽球，B：AML, M2. 針状の Auer 小体がみられる，C：AML, M3. Faggot 細胞，D：MPO 染色陽性の芽球，E：AML, M6. 異常な赤芽球の増殖，F：AML, M5. 単芽球，G：AML, M7. 巨核芽球性白血病，胞体に小突起(bulb)がみられる．

急性白血病」に分類される．

3) 類白血病反応：重症感染症，悪性腫瘍の骨髄転移，G-CSF 投与後には末梢血に芽球が出現するが，細胞異形や白血病裂孔を認めない．

合併症

1) 感染症：好中球減少に伴う易感染状態と化学療法による骨髄抑制により感染リスクはきわめて高い．特に感染巣が同定されない発熱性好中球減少症が特徴で，速やかな広域抗菌薬による治療が必要である[7]．また，好中球減少が遷延するにつれ真菌感染症のリスクも高くなる．

2) 出血，DIC：骨髄抑制による血小板減少が必発で，予防的血小板輸血を行い，血小板数 1〜2 万/μL を維持する．DIC もしばしば合併する．特に APL 細胞は大量の組織因子やアネキシン II を発現し線溶系優位の DIC がほぼ必発であり，脳出血などの出血のリスクが高い[6]．原病の治療に加え，血小板，新鮮凍結血漿輸血の補充療法や，ヘパリン，トロンボモジュリン製剤などの抗凝固療法も行われる．

3) 貧血：症状に応じて赤血球輸血による補充療法を行う．

4) 腫瘍崩壊症候群：治療開始によって発症する腫瘍崩壊症候群は腎不全や不整脈，DIC を発症するオンコロジーエマージェンシーの 1 つである．大量輸液や尿酸減少治療で発症を予防する．

経過・予後

標準的化学療法によって 70〜80％に完全寛解が得られ，5 年生存率は 40％程度と，完全治癒が可能な疾患である．しかし，高齢などの理由で化学療法が十分実施できない場合の予後はきわめて不良である[8]．

診断時の予後因子の判断は治療方針決定にきわめて重要である．特に染色体核型が最も重要であり，予後良好群，予後中間群，予後不良群に層別される（図 16-10-16）．最近は遺伝子異常も考慮される（表 16-10-4）．正常核型 AML は従来予後中間群とされ

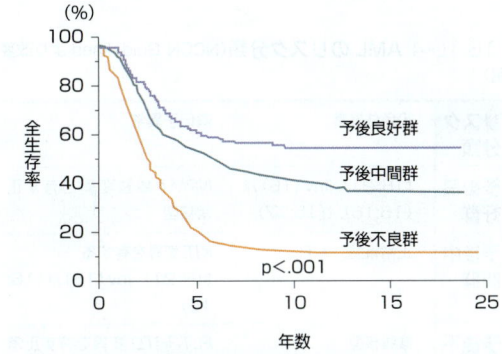

図 16-10-16 AML の予後（Slovak ML, Kopecky KJ, et al: *Blood*. 2000; 96: 4075-483）
染色体核型に基づいたリスクの層別化により，AML は 3 群に分けられる．5 年生存率は予後良好群で 55％，中間群で 38％，不良群で 11％である．

てきたが，*FLT3-ITD* 変異陽性例は予後不良群に，*NPM1* 単独変異陽性例は予後良好群に分類される．その他の予後因子には，初発時白血病細胞数，寛解導入に要した化学療法回数，微小残存病変の有無といった白血病側の因子に加え，患者側の因子として年齢，臓器予備能（comorbidity）などがある．

治療

1) 化学療法（APLを除く）： 化学療法は寛解導入療法と寛解後療法（地固め療法，維持療法）からなる（図16-10-17）[9,10]．発症時には体内におよそ 10^{12} 個の白血病細胞が存在すると考えられ，アントラサイクリン（ダウノルビシン（DNR）またはイダルビシン（IDR））とシタラビン（Ara-C）の併用による寛解導入療法を行い，完全寛解（骨髄中芽球比率5%未満，正常造血の回復）を目指す．その後は大量 Ara-C 療法などの地固め療法が継続される．APL 以外の AML では維持療法は行われない．

再発例ではカリケアマイシン結合抗 CD33 抗体ゲムツズマブオゾガマイシンも有効である．

2) 同種造血幹細胞移植： 化学療法単独では治癒が難しいと考えられる症例に対しては同種造血幹細胞移植が考慮される（図16-10-17）[11]．適応は第一寛解期の予後中間～予後不良群，非寛解例や再発例である．移植適応についてはドナーの有無とその種類（移植細胞源，HLA 適合度），患者の年齢や合併症などを考慮して慎重に判断する．

3) APL の化学療法： 骨髄球系の分化にかかわる転写を抑制する PML-RARA を標的とする全トランス型レチノイン酸（all-trans retinoic acid：ATRA）や亜ヒ酸は白血病細胞の分化を誘導する．ATRA とアントラサイクリンを主体とした化学療法を併用した寛解導入療法，地固め療法を行い，その後維持療法を行う．寛解率は90%以上，長期生存率も70～90%と良好である．再発/難治例では亜ヒ酸が有効である．

〔豊嶋崇徳〕

表 16-10-4 AMLのリスク分類（NCCN Guidelines より改変引用）

リスク分類	染色体異常	遺伝子異常
予後良好群	t(8;21), inv(16)/t(16;16), t(15;17)	*NPM1* 単独変異を有する正常核型
予後中間群	正常核型，+8	*KIT* 変異を有する t(8;21), inv(16)/t(16;16)
予後不良群	複雑核型 一染色体欠失型異常（-5，-7，5q-，7q-） 11q23 異常 inv(3)/t(3;3) t(6;9)	*FLT3-ITD* 変異を有する正常核型

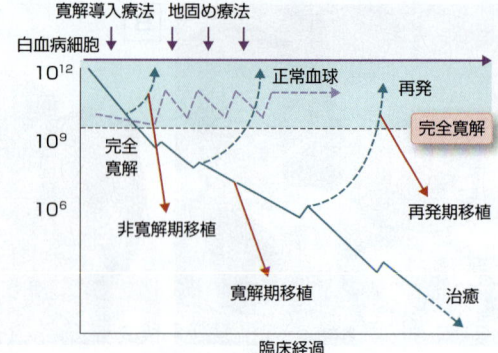

図 16-10-17 AML の治療
治療の第一目標は寛解導入療法によって完全寛解を達成することで，次に寛解後療法である地固め療法を繰り返し，治癒を目指す．治療中は化学療法による骨髄抑制によって高度の汎血球減少症を繰り返す．造血幹細胞移植は，第一寛解期の予後中間～予後不良群，非寛解例や再発例に適応が考慮される．

■文献（e文献 16-10-6）

Acute Myeloid Leukemia: PubMed Health. http://www.ncbi.nlm.nih.gov/pubmedhealth/PMH0001569/
NCCN Clinical Practice Guidelines in Oncology: Acute Myeloid Leukemia version 2.2014. http://www.nccn.org/professionals/physician_gls/f_guidelines.asp#site
Swerdlow SH, Campo E, et al eds: World Health Organization Classification of Tumours of Haematopoietic and Lymphoid Tissue, 4th ed, IARC Press, 2008.

7）好酸球増加症
eosinophilia

定義・概念

好酸球は骨髄で産生され，末梢血を循環し，後毛細管小静脈を介して組織へ遊出される．末梢血好酸球の増加は，さまざまな原因により骨髄で好酸球産生が亢進し，それらの好酸球が組織へ遊走する過程を反映している．好酸球増加とは末梢血で好酸球が $500/\mu L$ 以上になった状態であり，$500～1500/\mu L$ は軽度，$1500～5000/\mu L$ は中等度，$5000/\mu L$ 以上は高度と分類される．好酸球増加を伴うおもな疾患を表16-10-5に示す．①末梢血好酸球が $500/\mu L$ 以上を末梢血好酸球増加，②$1500/\mu L$ 以上が1カ月以上の間隔をおいて2回観察されると好酸球増加症，③好酸球増加症に好酸球の顆粒から放出される陽イオン顆粒蛋白や好酸球が分泌するサイトカインなどによる臓器障害あるいは機能不全を伴う場合を好酸球増加症候群と分類することが提案されている．好酸球増加の原因は，アレルギー疾患や寄生虫感染による二次性のものが多いが，ここでは血液内科領域にかかわるものを概説する．

表 16-10-5 好酸球増加を伴うおもな疾患

1. アレルギー疾患：アレルギー性鼻炎，アトピー性皮膚炎，気管支喘息，じんま疹，気管支肺アスペルギルス症，薬物性など
2. 感染症：寄生虫感染（熱帯性好酸球症，回虫症など），真菌感染（コクシジオイデス症など）
3. 呼吸器疾患：好酸球性肺炎など
4. 内分泌系疾患：Addison 病
5. 胃腸疾患：炎症性腸疾患，好酸球性胃腸炎/食道炎など
6. リウマチ性疾患：好酸球性多発血管炎性肉芽腫症（Churg-Strauss 症候群），好酸球性筋膜炎，関節リウマチ，Sjögren 症候群など
7. 悪性腫瘍：卵巣癌など
8. 血液腫瘍：慢性好酸球性白血病（非特定型），inv(16)(p13.1q22)，t(16;16)(p13.1;q22) あるいは t(8;22)(q22;q22) の染色体異常をもつ CBF（core binding factor）白血病，慢性骨髄性白血病，慢性骨髄単球性白血病，全身性肥満細胞症，好酸球増加と PDGFRA，PDGFRB，あるいは FGFR1 遺伝子異常を伴う骨髄系およびリンパ系腫瘍など
9. その他：特発性好酸球増加症候群（特発性好酸球増加症），好酸球増加症のリンパ系亜型

分類

2008 年版造血器とリンパ系腫瘍の WHO 分類では，好酸球増加を呈する腫瘍性疾患として，大カテゴリーの骨髄増殖性腫瘍（myeloproliferative neoplasms：MPN）のなかの一疾患としての「慢性好酸球性白血病，非特定型」，大カテゴリーの1つとしての「好酸球増加と PDGFRA，PDGFRB，あるいは FGFR1 遺伝子異常を伴う骨髄系およびリンパ系腫瘍」を含めている（e表 16-10-G）．

病態生理

反応性あるいは二次性の好酸球増加はインターロイキン（IL）-5 などのサイトカインによるが，腫瘍性の好酸球増加の機序は検出される遺伝子異常だけでは説明できない．

診断・治療

好酸球増加がみられたときの診断と治療のアルゴリズムを図 16-10-18 に示す．まずは，表 16-10-5 の 1〜7 の反応性あるいは二次的な原因の鑑別を行う．旅行歴，環境，服用薬，身体所見，検査所見から反応性あるいは二次的な好酸球増加の原因や基礎疾患が診断されれば，その治療を行う．反応性あるいは二次的な原因が除外されれば，造血器疾患を疑う．骨髄穿刺と生検を行い，標本を検鏡し，染色体検査と細胞

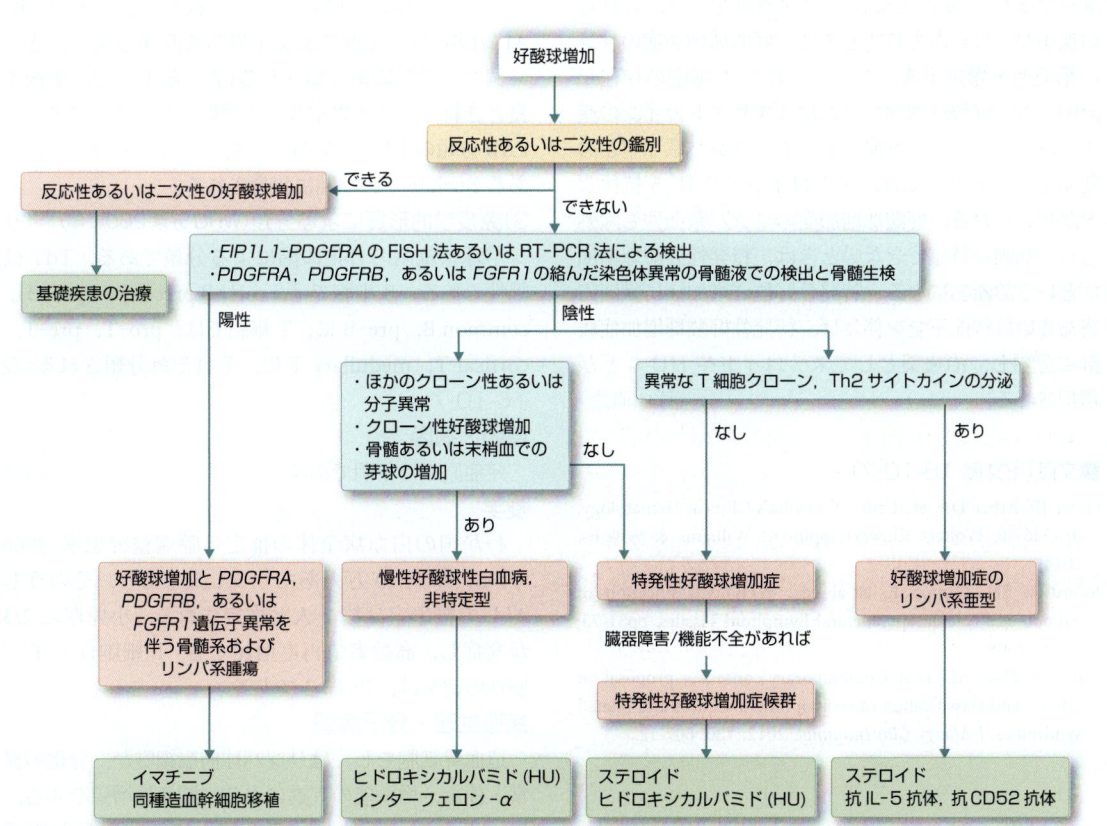

図 16-10-18 好酸球増加の診断と治療のアルゴリズム

の免疫学的表現型を解析することで，inv(16)(p13.1q22)，t(16;16)(p13.1;q22)あるいはt(8;22)(q22;q22)の染色体異常をもつCBF(core binding factor)白血病，慢性骨髄性白血病，慢性骨髄単球性白血病，肥満細胞症を鑑別する．診断が確定されれば，それぞれの治療を行う．染色体検査で *PDGFRA* (4q12)，*PDGFRB* (5q31-33)，あるいは *FGFR1* (8p11-12)の絡んだ染色体異常が検出されるか，*FIP1L1-PDGFRA* がFISH法(4q12の微小欠失)あるいはRT-PCR法により末梢血で検出されれば，チロシンキナーゼ阻害薬であるイマチニブによる治療を行う[1]．*PDGFRA* あるいは *PDGFRB* の再構成している症例はイマチニブにより通常は血液学的および細胞遺伝学的寛解に入るが，*FGFR1* の絡んだ染色体異常をもつ症例のイマチニブに対する反応性は悪く，予後不良であるため，早期の同種造血幹細胞移植を検討する．*FIP1L1-PDGFRA* の検索ができないときは，血清トリプターゼが *FIP1L1-PDGFRA* の代用マーカーになる．*PDGFRA*，*PDGFRB*，あるいは *FGFR1* の絡んだ染色体異常あるいは融合遺伝子が検出されない場合でも，ほかのクローン性あるいは分子異常の検出，クローン性好酸球増加の証明，骨髄あるいは末梢血での20%未満の芽球の増加があれば，慢性好酸球性白血病，非特定型と診断し，ヒドロキシカルバミド(HU)やインターフェロン-α などによる薬物治療を行う．これらの疾患が除外診断されたときは，好酸球増加症のリンパ系亜型を考慮する．クローン性のT細胞の存在が証明され，好酸球増加を引き起こすサイトカインの産生が確認されれば，好酸球増加症のリンパ系亜型と診断する．治療としては，ステロイド，抗IL-5抗体などが用いられる．好酸球増加症のリンパ系亜型も除外され，病因が特定できないときは，特発性好酸球増加症という診断名になる．特発性好酸球増加症に臓器障害あるいは機能不全を伴えば，特発性好酸球増加症候群に分類し，治療薬としてステロイドやHUなどが選択される． 〔片山直之〕

■文献(e文献16-10-7)

Greer JP, Arber DA, et al eds: Wintrobe's Clinical Hematology, pp1746-56, Wolters Kluwer/Lippincott Williams & Wilkins, 2014.

Swerdlow SH, Campo E, et al eds: WHO Classification of Tumours of Haematopoietic and Lymphoid Tissues. pp31-73, IARC, 2008.

Valent P, Klion AD, et al: Contemporary consensus proposal on criteria and classification of eosinophilic disorders and related syndromes. J Allergy Clin Immunol. 2012; **130**: 607-12.

8）急性リンパ性白血病
acute lymphoblastic leukemia：ALL

定義・概念
ALLは，骨髄を主座としてリンパ球への分化が方向づけられた(comitted)リンパ球前駆細胞(リンパ芽球)が，分化を停止し，単クローン性増殖をきたす腫瘍性疾患である．

分類
1）FAB分類：形態学に基づくFAB分類では，骨髄における芽球が30%以上，芽球のミエロペルオキシダーゼ(myeloperoxidase：MPO)陽性率が3%未満，リンパ球形質陽性の場合に，ALLと診断される．形態学的に，L1, L2, L3に分類される．L1は小細胞型で核小体不明瞭，L2は大細胞型で核小体明瞭，L3は大型で好塩基性の細胞質と多数の空胞を特徴とする．L3はBurkittリンパ腫の白血化したものである．

2）WHO分類2008年版：ALLは，terminal deoxynucleotidyl transferase (TdT)陽性により特徴づけられる前駆リンパ球系腫瘍のなかに分類され，Bリンパ芽球性白血病/リンパ腫(ALL/LBL)，Tリンパ芽球性白血病/リンパ腫(ALL/LBL)に分類される．

ALLとLBLは，細胞帰属が同一で，増殖の主座が骨髄(骨髄でリンパ芽球が25%以上)の場合，ALL, それ以外の場合，LBLと分類されることが多い．B-ALL/LBLは，反復性遺伝子異常を有する場合，さらに個々の異常に細分類される(表16-10-6)．予後不良とされる染色体異常は，小児に比して成人で多い．FAB分類のL3は，WHO分類では成熟B細胞腫瘍であるBurkittリンパ腫に包含される．

3）免疫学的形質による分類(WHO分類2008年)：リンパ球系細胞の分化段階による分類である．TdTは陽性である．B細胞では，early B precursor (pro-B)，common B, pre-Bに，T細胞では，pro-T, pre-T, cortical T, medullary Tに，それぞれ分類される(表16-10-7)．

原因・病因
発症原因は不明である．

疫学
わが国の白血病全体の推定年齢調整罹患率(2006年)は，年間10万人あたり5.1人であり，そのうちALLの罹患率は約1人と推定される．小児期に2/3が発症し，高齢者で再度増加する．B細胞性とT細胞性の比率は，約4：1である．

病態生理・分子病態
造血幹細胞もしくはリンパ球前駆細胞が，分化の異常・停止，増殖能の亢進により，腫瘍性増殖をする．B-ALLでは，Bリンパ球の分化に重要な転写因子 *PAX5* 遺伝子異常が約30%で観察され，DNA結合や

表 16-10-6 急性リンパ性白血病の WHO 分類と頻度・予後 (Mrozek K, Harper DP, et al: Cytogenetics and molecular genetics of acute lymphoblastic leukemia. *Hematol Oncol Clin North Am.* 2009; 23: 991-1010, v)

B リンパ芽球性白血病/リンパ腫				
非特定型				
反復性遺伝子異常を伴う B リンパ芽球性白血病/リンパ腫		頻度(%)		予後
染色体転座	関連遺伝子	小児	成人	
t(9;22)(q34;q11.2)	BCR-ABL1	1〜3	11〜29	不良
t(v;11q23)	MLL 再構成	1〜2 乳児では 55%	4〜9	不良
t(12;21)(p13;q22)	ETV6-RUNX1(TEL-AML1)	22〜26	0〜4	良好
t(5;14)(q31;q32)	IL3-IGH	<1	<1	不明
t(1;19)(q23;p13.3)	TCF3(E2A)-PBX1	1〜6	1〜3	不明
数的異常				
高 2 倍体	染色体数>50	23〜30	7〜8	良好
低 2 倍体	染色体数<45	6	7〜8	不良
T リンパ芽球性白血病/リンパ腫		8〜15	16〜25	

急性リンパ性白血病は,terminal deoxynucleotidyl transferase (TdT)陽性により特徴づけられる前駆リンパ球系腫瘍のなかに分類され,B リンパ芽球性白血病/リンパ腫,T リンパ芽球性白血病/リンパ腫に分類される.B リンパ芽球性白血病/リンパ腫は,反復性遺伝子異常を有する場合,更に個々の異常に細分類される.予後良好とされる染色体異常は小児に多く,予後不良とされる染色体異常が成人に多い.

転写制御に影響する.B 細胞系への分化を制御する転写因子 IKAROS をコードする *IKZF1* 遺伝子異常は,B-ALL でみられ,予後不良因子とされる.T-ALL では,T 細胞の分化・増殖に重要なシグナルを伝達する細胞膜蛋白質 Notch をコードする *NOTCH1* 遺伝子の活性化変異が,60%以上でみられる.

反復性遺伝子異常を伴う B-ALL

t(9;22)(q34;q11.2); *BCR-ABL1* を伴う B-ALL

9 番染色体と 22 番染色体の相互転座により 22 番染色体にフィラデルフィア(Ph)染色体を認める.*BCR-ABL1* キメラ遺伝子による BCA-ABL チロシンキナーゼが恒常的に活性化することが白血化の原因とされる.22 番染色体上の BCR 遺伝子の切断部位により,ALL に特徴的な minor BCR と ABL 遺伝子の転座は p190 *BCR-ABL1* キメラ遺伝子を形成し,major BCR

表 16-10-7 急性リンパ性白血病の免疫学的形質による分類 (Borowitz, 2008)

B 細胞性 ALL	CD19	cyCD79a	cyCD22	CD10	CD20	Cyμ	TdT	
early precoursor (pro-) B-ALL	+	+	+	−	−	−	+	
common B-ALL	+	+	+	+	−/+	−	+	
pre-B-ALL	+	+	+	+	+	+	+	
T 細胞性 ALL	cyCD3	CD3	CD7	CD2	CD1a	CD4	CD8	CD34	TdT
pro-T	+	−	+	−	−	−	−	+/−	+
pre-T	+	−	+	+	−	−	−	+/−	+
cortical T	+	−	+	+	+	+	+	−	+
medullary T	+	+	+	+	−	+/−	−/+	−	+

TdT 陽性と MPO 陰性からリンパ芽球と判定する.CD19,細胞質内 CD79a,細胞質内 CD22 陽性を B 細胞系列,細胞質内 CD3,CD7 陽性を T 細胞系列とする.
B-ALL では,common ALL が約半数を占め,CD10 を発現する.Pre-B-ALL では,細胞質内免疫グロブリン μ を発現する.
T-ALL では,pro-T,pre-T では CD4,CD8 陰性,cortical-T では CD4,CD8 ともに陽性,Medullary-T では,一方のみ陽性となる.

とABL遺伝子の転座はp210 *BCR-ABL1*キメラ遺伝子を形成し慢性骨髄性白血病とALLで認められる．Ph陽性ALLは，小児にはまれで，加齢に伴い頻度が増加し，成人ALLでは20～30％とされるが，50歳以上では50％とその頻度がさらに増加する．

臨床症状

倦怠感，発熱，感染症，出血傾向などが，初発症状であることが多い．正常造血抑制による症状として，貧血による倦怠感や息切れ，好中球減少による易感染性，血小板減少による出血傾向がある．白血病細胞の増殖・浸潤によるものとして，骨痛や関節痛，リンパ節腫大，肝脾腫，T-ALLでの縦隔腫大などがある．中枢神経浸潤により頭痛，項部硬直や意識障害が生じることがある．中枢神経浸潤や精巣浸潤は，急性骨髄性白血病に比してALLで高頻度である．

検査所見

1）末梢血所見： 白血球数は増加することが多いが，1万/μL以下と増加していないものが40％程度存在し，末梢血に芽球の存在が明らかでない症例が10％程度あることに注意する．種々の程度の貧血と血小板減少がある．

2）骨髄穿刺所見： 骨髄は，過形成～正形成で，MPO陰性，TdT陽性のリンパ芽球が増加する．細胞数が過密もしくは線維化を伴い，骨髄が吸引できない場合（dry tap），骨髄生検が必要である．

3）血液生化学所見： 白血病細胞の増殖・崩壊により，LDHの上昇，尿酸の上昇，腫瘍崩壊症候群の合併，DICの合併などに起因する所見がみられることがある．臓器浸潤，感染症合併などによる検査異常を呈する．

診断

確定診断は，骨髄穿刺および骨髄生検により行う．FAB分類では，MPO陰性のリンパ芽球が骨髄有核細胞の30％以上，WHO分類では25％以上を占める場合，ALLと診断する．リンパ芽球の同定は，染色標本による形態像（e図16-10-E），フローサイトメトリーによる細胞表面および細胞内抗原検討，染色体・遺伝子検査により総合的に判断する．Ph陽性と，Ph陰性では異なる寛解導入療法を用いる必要があり，検査結果判明に時間を要する骨髄染色体検査G-バンド法だけでなく，遺伝子検査などを行い，Phの有無を早期に決定することが必要である．

鑑別診断

伝染性単核球症などのウイルス感染症などによる反応性リンパ球増加が，ALLとの鑑別にあがることがある．骨髄での所見が乏しく，ウイルス抗体価検査から鑑別する．

慢性期の診断がない慢性骨髄性白血病のリンパ性急性転化は，ときとして鑑別が困難だが，治療方針は，Ph陽性ALLと同一である．

MPO陰性の白血病は，ALLだけでなく，急性骨髄性白血病（FAB分類，M0,5，6，7）でもみられる．フローサイトメトリーによる抗原検査により鑑別する．

経過・予後

無治療では，数日～数週間以内に死亡する．治療前の予後不良因子として，年齢（35歳以上），白血球数高値（B細胞性 3万/μL以上，T細胞性 10万/μL以上），染色体異常（t(9;22)，t(4;11)，低2倍体染色体）がある．治療反応性が重要な予後因子とされ，①初回寛解導入療法で寛解導入不能，②寛解導入療法後および地固め療法後，微小残存病変（MRD）が残存，が予後不良因子とされる．小児ALLでは，90％以上の完全寛解率，80％程度の長期生存が得られるのに比し，成人ALLの治療成績は，完全寛解率80％，長期生存率30～40％と不良である．

治療

Ph陰性ALLでは，多剤併用化学療法による白血病細胞根絶（total cell kill）を目指す．治療は，寛解導入療法，地固め療法，維持療法からなる（図16-10-19）．寛解導入療法は，白血病細胞の減少と抑制された正常造血の回復を目的に行われ，ビンクリスチン，プレドニゾロン（VP療法）を中心とした多剤併用療法を行う．寛解後療法として，地固め療法と維持療法を行う．地固め療法は，白血病細胞のさらなる減少のため，強力な多剤併用療法を数クール行う．中枢神経系への浸潤・再発予防のため，血液脳関門を通過する薬剤の投与，メトトレキサートの髄腔内投与が行われる．その後，外来治療に移行し，6-メルカプトプリン，メトトレキサート内服およびVP療法などによる維持療法を2～3年間継続する．完全寛解を達成しているが化学療法のみでは治癒の可能性が少ないと見込まれる場合は，同種造血幹細胞移植を行う．

思春期および若年成人（adolescents and young adults：AYA）のALLは，成人ではなく小児プロトコールによる治療を行うことで，予後が改善する．

Ph陽性ALLは，予後不良の白血病であったが，イマチニブなどのチロシンキナーゼ阻害薬（TKI）の出現でその短期的な予後は劇的に改善した．現在では，TKI単独もしくは化学療法の併用により90％以上の症例が完全寛解達成する．根治には同種造血幹細胞移植が必要とされてきたが，TKIを中心とした化学療法のみでの長期生存例も存在すること，Ph陽性ALLが移植の適応とならない高齢者に多いことが臨床的に問題となる．

〔長藤宏司〕

■文献

Bennett JM, Catovsky D, et al: The morphological classification of acute lymphoblastic leukaemia: concordance among observers

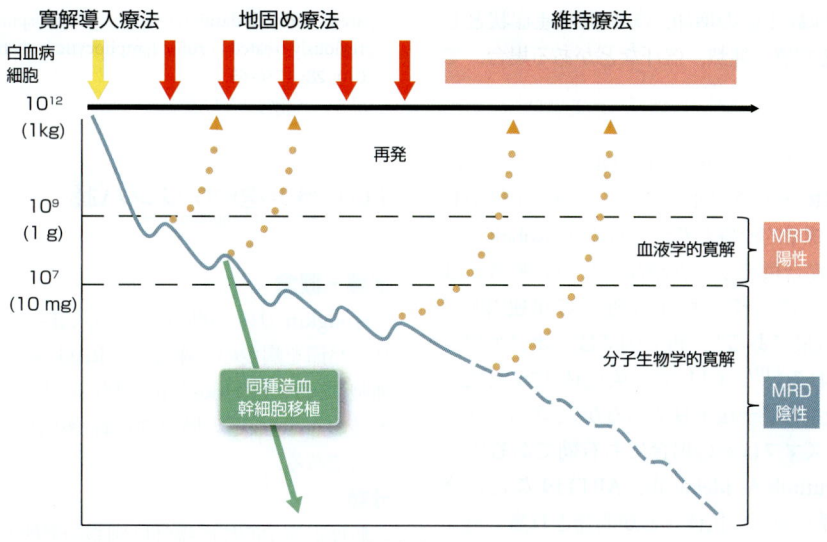

図 16-10-19 急性白血病の治療経過
白血病初診時は，10^{12} レベルの白血病細胞が存在する．寛解導入療法で白血病細胞を 10^9 レベルまで減少させると血液学的寛解に導入される．寛解導入療法，地固め療法で白血病細胞を 10^7 レベルまで減少させると，より深い寛解状態：分子生物学的寛解に到達する．地固め療法終了後は，外来での経口抗癌薬を中心とした維持療法を 2 年程度継続し，治療を終了する．
MRD：微小残存病変．

and clinical correlations. *Br J Haematol*. 1981; **47**: 553-61.
Borowitz MJ CJ: Precurosor lymphoid neoplasms. WHO classification of tumoours of haematopoietic and lymphoid tissues. pp168-78, WHO press, 2008.
Inaba H, Greaves M, et al: Acute lymphoblastic leukaemia. *Lancet*. 2013; **381**: 1943-55.

9）慢性リンパ性白血病
chronic lymphocytic leukemia：CLL

定義・概念
CLL は，小型成熟リンパ球が，末梢血，骨髄，リンパ節，脾臓などで増殖する腫瘍性疾患である．腫瘍細胞は，CD5，CD23 陽性の B リンパ球で，分化段階は記憶 B 細胞に一致し，B 細胞受容体関連抗原の CD20，CD22，CD79a/b や表面免疫グロブリンの発現が低く，活性化されたリンパ球であることが明らかである（Muller ら，2008）．

疫学
CLL は欧米では成人の白血病では最も頻度が高いが，日本では約 1/10 でまれな疾患である[1]．発症年齢の中央値は 72 歳で高齢者に多く，男女比は 2：1 で男性に多い[2]．

病因
CLL の発症原因は不明であるが，血縁者内で発症率が高く遺伝的素因が関与していると考えられる[2]．全ゲノム解析により，いくつかの遺伝子異常が発症に関与していることが明らかになっている[3]．

診断
末梢血に特徴的なマーカーをもった単クローン性 B リンパ球（e図 16-10-F）が 5000/μL 以上と増加していることが診断基準となる．2016 年の WHO 分類では，骨髄浸潤による血球減少があっても，5000/μL 未満では CLL と診断しないこととなった．CLL の基準を満たさずリンパ節腫大や脾腫などの臓器病変がある場合は，小リンパ球性リンパ腫（small lymphocytic lymphoma：SLL）と診断される（Muller ら，2008）．

臨床症状
病期分類として，表 16-10-8 に示す Rai 分類と Binet 分類が用いられる[4,5]（Muller ら，2008）．病初期は症状に乏しく，健康診断などで白血球増加を指摘されることがある．進行すればリンパ節腫大，脾腫，貧血・出血症状などをきたす．好中球減少や正常リンパ球減少により感染が起こる．自己免疫性溶血性貧血・血小板減少症を合併することがある．

治療方針
病初期で症状がない場合は watch and wait が選択肢になる．実臨床における治療適応は，IWCLL/NCI のガイドラインに従って決定される（Hallek ら，2008）．①進行性の骨髄不全による貧血/血小板減少の進行・悪化，②肋骨弓下 6 cm 以上の脾腫，進行性ないし症候性の脾腫，③長径 10 cm 以上のリンパ節腫大，進行性ないし症候性のリンパ節腫大，④ 2 カ月以内の 50％をこえるリンパ球増加，または 6 カ月

以内のリンパ球数2倍の増加，⑤疾患関連症状として体重減少，倦怠感，発熱，盗汗などがある場合，である．

治療

治療は，65歳以下の若年者ではフルダラビン(F)にリツキシマブ(R)とシクロホスファミド(C)を併用したFCR療法が標準的治療と考えられるが(Robakら，2010)[6]，感染症合併のリスクが高いため高齢者には用いられない[7]．高齢者では，F単独やC単独内服が現時点での選択肢である[8]．再発例では，オファツムマブが用いられる[9,10]．CLLでは染色体17p欠失があるとFCR抵抗性で予後不良であるが(e表16-10-H)，アレムツズマブはその場合にも有効である[11]．海外では，ibrutinibやidelalisib，ABT119などの経口の分子標的薬や新しい抗体などが開発され高い有効性と安全性が示されており[12,13]，前者は2016年に日本でも承認されており，CLL治療が大きく変わると思われる[14]．　　　　　　　　〔青木定夫〕

■文献 (e文献 16-10-9)

Hallek M, Cheson BD, et al: Guidelines for the diagnosis and treatment of chronic lymphocytic leukemia: a report from the International Workshop on Chronic Lymphocytic Leukemia updating the National Cancer Institute-Working Group 1996 guidelines. *Blood*. 2008; **111**: 5446-56.

Muller HK, Mintserrat E, et al: chronic lymphocytic leukaemia/small lymphocytic lymphoma. WHO classification of tumours of haematopoietic and lymphoid tissues, 4th ed (Swerdlow SH, Campo E, et al eds), pp180-2, Internal agency for research on cancer, 2008.

Robak T, Dmoszynska A, et al: Rituximab plus fludarabine and cyclophosphamide prolongs progression-free survival compared with fludarabine and cyclophosphamide alone in previously treated chronic lymphocytic leukemia. *J Clin Oncol*. 2010; **28**: 1756-65.

10) Hodgkinリンパ腫
Hodgkin lymphoma：HL

定義・概念

Hodgkinリンパ腫はリンパ系腫瘍の一型であり，リンパ節を病変の主座とし，Reed-Sternberg細胞(RS細胞)あるいはHodgkin細胞(Reed-Sternberg細胞の単核のもの)などの腫瘍性巨細胞の出現を特徴とする疾患である．

分類

病理組織学的に腫瘍性巨細胞の形態的特徴および背景の反応性細胞成分の構成から，WHO分類(2008)(Swerdlowら，2008)では，Hodgkinリンパ腫を古典的Hodgkinリンパ腫(classical HL：CHL)と結節性リンパ球優勢型Hodgkinリンパ腫(nodular lymphocyte predominant HL：NLPHL)の2つに分類している．NLPHLはHodgkinリンパ腫全体の5%未満とまれである．

CHLは膠原線維束によって区切られる結節構造の有無，巨細胞および反応性リンパ球の数などにより，結節硬化型CHL(nodular sclerosis CHL：NSCHL)，リンパ球豊富型CHL(lymphocyte-rich CHL：LRCHL)，混合細胞型CHL(mixed cellularity CHL：MCCHL)，リンパ球減少型CHL(lymphocyte depletion CHL：LDCHL)の4つのサブタイプに分類される．これらのうちNSCHLとMCCHLの頻度が高く，ほかはまれである．

原因・病因

すべてのNLPHL，およびほとんどのCHLで腫瘍性巨細胞は胚中心B細胞由来である[1-3]．一部の症例では腫瘍細胞にEpstein-Barrウイルス(EBV)の遺伝子が検出され，EBVの単クローン性増殖が確認される．CHLの4つのサブタイプのうち，MCCHLが最もEBVとの関連性が高い．

疫学

日本人では全悪性リンパ腫に占める割合が約5%と少ないのに対して，欧米人では約30%である．男性に多い．年齢分布は二峰性で，20歳代の若年成人層と50歳より上の中高齢層の2つのピークがみられる．

臨床症状

可動性のある弾性硬の無痛性リンパ節腫脹を初発症状とすることが多い．頸部・鎖骨上窩・

表16-10-8 CLLの病期分類(Hallekら，2008を改変引用)

改訂Rai分類	Rai分類	診断時の臨床所見	生存期間中央値(年)
低リスク	0	リンパ球増加[*1]	12
中間リスク	I	リンパ節腫大	11
	II	脾腫	8
高リスク	III	貧血(Hb<11 g/dL)	5
	IV	血小板減少(<10万/μL)	5

Binet分類		
A(低リスク)	リンパ球増加[*1]	12
B(中間リスク)	リンパ節腫大領域≧3カ所[*2]	9
C(高リスク)	Hb<10 g/dLまたは血小板<10万/μL	7

*1：リンパ球増加の定義は，リンパ球数またはBリンパ球数5000/μL以上とする．
*2：リンパ節腫大領域とは，頸部，腋窩，鼠径部のリンパ節，肝，脾の5カ所で，触診所見のみの結果で，そのうちの何カ所が腫大しているかを数える．

縦隔に好発し，隣接したリンパ節領域に連続性に進展する．肝・脾・骨髄以外の節外病変はまれである．発熱，体重減少，寝汗（盗汗）は特徴的で，B症状とよばれる．Pel-Epstein熱とよばれる間欠熱を呈することがある．皮疹や瘙痒を伴うことがある．

検査所見

好中球増加，好酸球増加，炎症所見（赤沈亢進，CRP高値など），細胞性免疫低下（ツベルクリン反応陰性など）を認める．

CTでは周辺圧排性で破壊性に乏しい腫大リンパ節，あるいはその癒合した腫瘤を認める．FDG-PETでは病変に一致して著明なFDG取り込み像を認める．

診断

生検リンパ節（あるいは腫瘤）の病理組織検査により診断される．CHLではRS細胞とHodgkin細胞を認め（図16-10-20），これらはCD30陽性であり，CD15も高率に陽性となる．CD20も一部の症例で陽性である．NLPHLの巨細胞はポップコーン様の形の核を有し，LP（lymphocyte predominant）細胞とよばれる（e図16-10-G）．LP細胞はCD30とCD15がともに陰性であり，B細胞マーカーであるCD20，CD79aが陽性である．

病期診断

Hodgkinリンパ腫では病変の広がりの程度（病期）が予後と密接に関連しており，病期の決定がきわめて重要である．病期分類にはAnn Arbor分類が用いられる（日本血液学会，2010）（表16-10-9）[4]．

病期決定のためには，問診，血液検査に加え，CTが必須である．FDG-PETは治療効果判定に必要であり，治療前にも行うことが推奨されている[5]．必要に応じて，消化管内視鏡，骨髄検査などを行う．

予後因子

限局期（Ann Arbor分類のⅠ期・Ⅱ期）CHLでは，

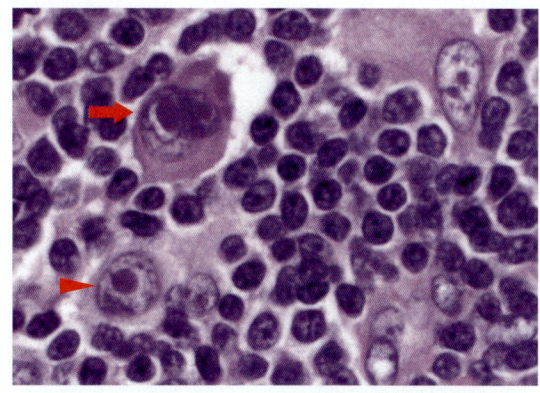

図16-10-20 HodgkinリンパのRS細胞とHodgkin細胞（埼玉医科大学総合医療センター　田丸淳一先生のご厚意による）RS細胞（矢印）とHodgkin細胞（矢頭）が認められる．周辺の小型細胞のほとんどは正常T細胞である．

縦隔の巨大病変（バルキー縦隔病変），B症状（発熱，体重減少，盗汗），赤沈亢進，リンパ節領域の数，節外病変が代表的な予後因子である（e表16-10-I）[6]．進行期Hodgkinリンパ腫の予後因子としては血清アルブミン，ヘモグロビン，性別，病期，年齢，白血球数，リンパ球数があげられる（e表16-10-J）[7]．

治療

放射線療法と化学療法の両者が有効であり，正確な病理診断と病期診断により高率に長期生存が期待できる．Hodgkinリンパ腫の標準化学療法はABVD療法（ドキソルビシン，ブレオマイシン，ビンブラスチン，ダカルバジン）である（表16-10-10）．これは進行期例を対象としたMOPP療法とMOPP-ABVD交替療法との3群比較試験の結果，有効性と安全性の双方で最もすぐれていたことに基づいている（Canellosら，1992）．

表16-10-9 病期分類（Ann Arbor分類）（日本血液学会ほか，2010より一部略）

Ⅰ期	単独リンパ節領域の病変（Ⅰ）． またはリンパ節病変を欠く単独リンパ外臓器または部位の限局性病変（ⅠE）．
Ⅱ期	横隔膜の同側にある2つ以上のリンパ節領域の病変（Ⅱ）． またはリンパ節病変と関連しているリンパ外臓器または部位の限局性病変で，横隔膜の同側にあるその他のリンパ節領域の病変はあってもなくてもよい（ⅡE）． 病変のある領域の数は下付きで，たとえばⅡ₃のように表してもよい．
Ⅲ期	横隔膜の両側にあるリンパ節領域の病変（Ⅲ）．それはさらに隣接するリンパ節病変と関連しているリンパ外進展を伴ったり（ⅢE），または脾臓病変を伴ったり（ⅢS），あるいはその両者（ⅢE, S）を伴ってもよい．
Ⅳ期	1つ以上のリンパ外臓器のびまん性または播種性病変で，関連するリンパ節病変の有無を問わない．または隣接する所属リンパ節病変を欠く孤立したリンパ外臓器病変であるが，離れた部位の病変をあわせもつ場合．肝臓または骨髄のいかなる病変，あるいは肺の小結節性病変もⅣ期とする．
全身症状は以下のように定義され，このうちの1つでもあればBと亜分類し，なければAと亜分類する． 1. 発熱．38℃より高い理由不明の発熱． 2. 寝汗．寝具（マットレス以外の掛け布団，シーツなどを含む．寝間着は含まない）を変えなければならないほどのずぶ濡れになる汗． 3. 体重減少．診断前の6カ月内に通常体重の10%を超す理由不明の体重減少．	

表 16-10-10 ABVD 療法

薬剤名	投与量	投与法	投与日
ドキソルビシン	25 mg/m²	点滴静注	day 1, 15
ブレオマイシン	10 mg/m²	点滴静注	day 1, 15
ビンブラスチン	6 mg/m²	静注	day 1, 15
ダカルバジン	375 mg/m²	点滴静注	day 1, 15

28 日間を 1 コースとする．

限局期 Hodgkin リンパ腫では ABVD 療法について病変部放射線治療（involved-field radiotherapy：IF-RT）が行われる．標準的には ABVD 療法は 4 コース，病変部放射線治療の総線量は 40 Gy であり，これらにより 90％以上の患者で治癒が期待できる（図 16-10-21）[8,9]．一方で，白血病，乳癌，肺癌などの二次性悪性腫瘍や，心血管系，生殖器，肺などへの遅発性臓器障害が新たな問題となっている．このため，より低毒性で可能な放射線治療法（involved-site radiotherapy：ISRT など）[10]，あるいは予後不良因子を有さない早期例で ABVD 療法のコース数や IF-RT の総線量を減じる治療法[11]などが検討されている．

限局期のうち，ⅡB 期で節外病変とバルキー縦隔病変のいずれか 1 つ以上を伴う場合の治療は進行期に準じて行われる．進行期 Hodgkin リンパ腫の治療では ABVD 療法 6〜8 コースが標準的な選択であり，60％程度の無病生存が得られる[12,13]（図 16-10-21）．治療成績の向上を目指し，ABVD 2 コース後など化学療法の実施期間中の FDG-PET による中間効果判定を行うことで，高リスク群を早期に同定する試みや，用量強度を高めた化学療法レジメン（BEACOPP 療法[14]など）の評価，および抗癌薬抱合抗 CD30 抗体薬（ブレンツキシマブベドチン）と化学療法との併用療法[15]などが検討されている．

再発例では救援化学療法を行い，65 歳以下の奏効例で臓器機能が保たれている場合は自己末梢血造血幹細胞移植併用大量化学療法が第一選択である[16]．腫瘍細胞が CD30 陽性の CHL では，ブレンツキシマブベドチン[17]の投与が検討される． 〔山口素子〕

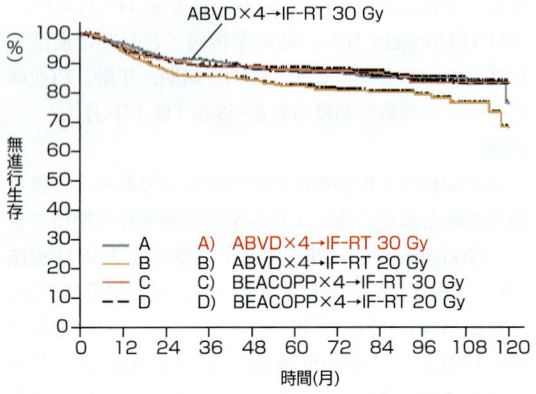

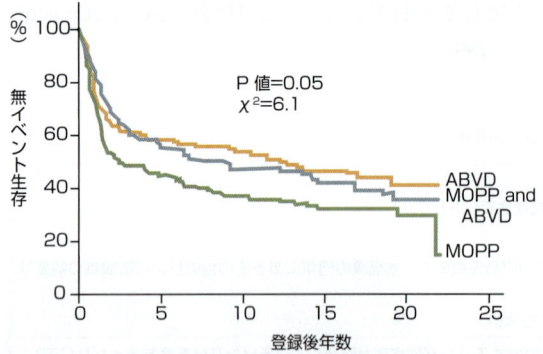

図 16-10-21 Hodgkin リンパ腫の標準治療による予後
A：German Hodgkin Study Group による早期予後不良群を対象とした 4 群比較試験（n＝1570）（文献 9 より）．予後不良群のみが登録されたにもかかわらず，高率に長期奏効が得られている．
B：米国 Cancer and Leukemia Group B による進行期例を対象とした 3 群比較試験の長期追跡結果（n＝359）（文献 13 より）．ABVD 療法は 6〜8 コース行われた．3 群のうち，ABVD 療法が最も低毒性であった．

■文献（e文献 16-10-10）

Canellos GP, Anderson JR, et al: Chemotherapy of advanced Hodgkin's disease with MOPP, ABVD, or MOPP alternating with ABVD. N Engl J Med. 1992; 327:1478-84.
日本血液学会，日本リンパ網内系学会編：造血器腫瘍取扱い規約 2010 年 3 月 第 1 版，金原出版，2010.
Swerdlow SH, Campo E, et al eds: WHO Classification of Tumours of Haematopoietic and Lymphoid Tissues, 4th ed, IARC, 2008.

11）非 Hodgkin リンパ腫
non-Hodgkin lymphoma: NHL

定義・概念

非 Hodgkin リンパ腫（NHL）は，悪性リンパ腫（リンパ球に由来する悪性腫瘍の総称）のうち，Hodgkin リンパ腫を除いたものを指す[1]．多くの疾患単位から構成されており，現在では個々の疾患単位を対象としたアプローチがなされている．

病型分類

NHL の各病型は，全造血器腫瘍を対象とする WHO 分類（第 4 版）（Swerdlow ら，2008）（2016 年小改訂[2]）に含められて分類されている（表 16-6-6〜16-6-8）

WHO 分類は成熟リンパ系腫瘍を B 細胞腫瘍，T

およびNK細胞腫瘍，Hodgkinリンパ腫に大別し，各疾患単位は基本的に，免疫学的表現型，染色体・遺伝子異常の情報から想定される細胞起源に従って分類されている．一部の疾患単位は，特徴的な病理所見や臨床所見に基づいて定義されている．

前駆細胞由来のTリンパ芽球性リンパ腫およびBリンパ芽球性リンパ腫は，それぞれT細胞性急性リンパ性白血病およびB細胞性急性リンパ性白血病と一連の疾患である【⇨16-10-8】．

臨床分類

1982年に発表された病型分類であるWorking Formulationでは，NHLの自然史（無治療での予後）により，病勢進行が年・月・週単位のおのおのに対して低・中・高悪性度に分ける悪性度分類が作成されていた[3]．1989年，米国国立がん研究所（National Cancer Institute：NCI）は，悪性度分類に疾患の悪性度，活動性や侵攻性（aggressiveness）の要素を加え，低悪性度リンパ腫をindolent lymphoma，中悪性度リンパ腫をaggressive lymphoma，高悪性度リンパ腫をhighly aggressive lymphomaとよぶことを提案した[4]．この臨床分類は，現在でも該当する病型をまとめて指す用語としてしばしば用いられている．

原因・病因

1）感染性因子： 一部の病型ではウイルス，細菌の病因的関与が知られている．代表的な例としてEBウイルス（流行域のBurkittリンパ腫，NK/T細胞リンパ腫，膿胸関連リンパ腫，臓器移植関連リンパ腫など），ヒトT細胞白血病ウイルス1型（human T-cell leukemia virus type-1：HTLV-1）（成人T細胞白血病リンパ腫，adult T-cell leukemia/lymphoma：ATL），*Helicobacter pylori*（胃MALTリンパ腫）がある．

2）免疫異常： 一部の自己免疫疾患（関節リウマチ，Sjögren症候群，慢性甲状腺炎，セリアック病など）での併発が知られている．また，遺伝性免疫不全症に併発する場合がある．

3）化学物質などへの暴露： 抗癌薬，農薬，放射線への暴露による発症が報告されている．

4）遺伝子異常： B細胞リンパ腫では，免疫グロブリン重鎖遺伝子が（*IGH*）座位する14q32関連の染色体転座が好発する．Ig軽鎖のκ鎖が座位する2p11，同λ鎖が座位する22q11関連の転座もみられる．後述するようにいくつかの病型では病型特異的な染色体異常とそれに伴う遺伝子異常が知られている．

疫学

Hodgkinリンパ腫を含む悪性リンパ腫全体でのわが国における新規罹患者数は，2011年で人口10万人あたり19.4人であり[5]，毎年増加傾向にある．

日本では米国白人よりHodgkinリンパ腫と濾胞性リンパ腫（FL）などの節性リンパ腫が少ない．TおよびNK細胞リンパ腫では，ATLと，東アジアに多発するNK/T細胞リンパ腫が多いのが特徴である．

WHO分類の病型別頻度では，国内外ともに最も多いのはびまん性大細胞型B細胞リンパ腫（DLBCL）であり[6]，ついでMALTリンパ腫またはFLが多い．

臨床症状

全身のあらゆる部位から発生する．おもにリンパ節に病変を認めるものを節性（nodal）リンパ腫とよび，リンパ節以外（消化管など）から発生するものを節外性（extranodal）リンパ腫とよぶ．

節外性リンパ腫は，発生臓器に応じて特徴的な臨床病態と腫瘍細胞所見を示す．腫瘤を形成せず，胸腹水などの体腔液中に腫瘍細胞がみられるもの（原発性滲出性リンパ腫，primary effusion lymphoma：PEL）や，全身の血管内腔あるいは類洞内に大型の腫瘍細胞が観察されるリンパ腫（血管内大細胞型B細胞リンパ腫，intravascular large B-cell lymphoma：IVL）もある（eコラム1）．

腫大リンパ節は無痛性で可動性が保たれ，弾性硬で球形である．周辺圧排性，充満性に増殖し，上皮癌とは異なり組織破壊性は小さい．体重減少，全身倦怠感，発熱などの全身症状が病型および進行度により出現する．腫瘤が巨大化すると局所の圧迫症状が出現する．節外病変を有する例では部位に応じた症状が出現し，例として消化管病変に伴う食欲不振，消化管出血，貧血，吸収不良症候群，骨髄病変に伴う貧血，血小板減少，白血化などがあげられる．CRP高値，不明熱，血球貪食症候群の原因ともなりうる．

検査所見

疾患単位および進行度により多様である．血液検査でよく認められる所見はLDH高値とCRP高値である．高ガンマグロブリン血症を認めることもある．可溶性IL-2受容体は治療反応性をよく反映し，診断時から高値であることが多い．ただし，結核などの感染症，サルコイドーシスなどほかの非腫瘍性疾患でも高値を呈しうる．

病変検索にはおもにCTが用いられる．その他，消化管検査，骨髄検査などが行われる．多くの疾患単位でFDG-PETの病変検出力が高く[7]，病期診断および治療効果判定，再発・増悪の判定に用いられている．

診断

リンパ節または腫瘤の生検を行い，WHO分類に基づいて病型診断を行う．病理組織検査に加え，免疫組織化学あるいはフローサイトメトリーによる免疫学的表現型（マーカー）の検索が行われる．必要に応じて染色体分析，遺伝子解析が追加される．

病期診断

Hodgkinリンパ腫と同じく，Ann Arbor分類に基づいて病期診断を行う．NHLの場合の巨大病変（バ

ルキー病変)は，立位 PA 胸部 X 線写真で最大横径が最大胸郭内径の 1/3 以上の縦隔腫瘤，または CT スキャン水平断で 10 cm 以上の腫瘤を指すことが多い．Ann Arbor 分類を適用することが難しい一部の節外性リンパ腫(胃，皮膚など)では，おのおの独自の病期分類が用いられている．

予後因子

Ann Arbor 病期，血清 LDH は多くの病型における予後因子である．国際予後指標(International Prognostic Index：IPI)は，aggressive lymphoma の代表的な治療前予後予測モデルである．ドキソルビシンを含む併用化学療法を受けた 3000 人をこえる aggressive lymphoma 患者での解析から提唱された[8](表 16-10-11)．

治療

WHO 分類の疾患単位に応じた治療が選択される．化学療法が基本であり，放射線療法を追加または併用することもある．一部の indolent lymphoma では，慎重な経過観察(watchful waiting)も選択肢の 1 つである．B 細胞リンパ腫の治療では，マウス・ヒトキメラ型抗 CD20 抗体薬であるリツキシマブ(rituximab，リツキサン®)が用いられる．

おもな病型の特徴と治療

1)びまん性大細胞型 B 細胞リンパ腫 (diffuse large B-cell lymphoma：DLBCL)：

a)定義・疫学：大型の B 細胞がびまん性に増殖する腫瘍である(e図 16-10-H)．腫瘍細胞は 1 つ以上の B 細胞マーカー(CD20，CD19，CD79a など)が陽性である．全悪性リンパ腫の約 30%を占め，aggressive lymphoma の約 80%を占める．細胞起源，病理組織像，遺伝子異常，臨床像など多くの点で不均一な多数の疾患の集合体と考えられている．60 歳代の男性に多い．

b)原因・病因・遺伝子異常：原因は不明である．一部で HIV 感染症や臓器移植など免疫不全との関連が知られている．ほかのリンパ系腫瘍(indolent lymphoma，Hodgkin リンパ腫，慢性リンパ性白血病など)に続いて二次性に発生することがある．最も頻度の高い染色体異常は 3q27 が関与するものである．遺伝子発現プロファイリングによる研究をもとに，DLBCL は濾胞中心 B 細胞型(germinal center B-cell (GCB) type)と活性化 B 細胞型(activated B-cell (ABC) type)に大別され，両者の分子異常が異なることが明らかにされている[2]．

c)臨床病態：病期Ⅰ/ⅡとⅢ/Ⅳがおのおの半数である．リンパ節のほか，あらゆる臓器に発生しうる．

d)治療：ドキソルビシンを含む化学療法の 4 群比較試験で，最もすぐれていると結論された CHOP 療法(シクロホスファミド，ドキソルビシン，ビンクリスチン，プレドニゾロン)[9]に，リツキシマブを併用した R-CHOP 療法(e表 16-10-K)が標準治療として広く行われている[10,11]．

治療方針は単独の照射体積(照射野)による放射線治療が可能か否かによって異なる．Ann Arbor 分類のⅠ期，または単独の照射野による病変部放射線治療(involved-field radiotherapy：IF-RT)が可能な連続性Ⅱ期のいずれかであり，かつバルキー病変(巨大腫瘤)がない場合を限局期とするのが一般的である．限局期の場合，R-CHOP 療法などの化学療法の後に IF-RT を追加するか[12]，化学療法単独により高率に治癒が得られる．進行期(Ⅲ期，Ⅳ期，非連続性Ⅱ期，バルキー病変を有する連続性Ⅱ期)では R-CHOP 療法などの標準的化学療法により約 6 割の患者が治癒可能である．

DLBCL の再発例では，シタラビンもしくは白金薬を組み入れた救援化学療法が行われる．65 歳以下で臓器機能が保たれ，救援化学療法に良好な反応性を示す初回再発 DLBCL では，自己末梢血幹細胞移植併用大量化学療法が第一選択である[13]．

2)濾胞性リンパ腫 (follicular lymphoma：FL)：

a)定義・疫学：濾胞中心(胚中心)B 細胞から構成される腫瘍であり，少なくとも一部は濾胞性のパターンを呈する(e図 16-10-I)．腫瘍細胞は CD20 陽性，BCL2 蛋白陽性であり，CD10 陽性であることが多い．indolent lymphoma の代表的な病型である．わが国では全悪性リンパ腫の約 1 割を占め[6]，欧米諸国より頻度が低いが近年増加傾向にある．わずかに女性に多い．

b)原因・病因・遺伝子異常：不明である．特異的染色体異常として t(14;18)(q32;q21)があり，これは BCL2 と IGH 間の転座である．

c)臨床病態：リンパ節のほか，脾，骨髄，末梢血，Waldeyer 輪への浸潤を認め，進行期例が多い．病勢

表 16-10-11 国際予後指標(IPI)(文献 8 より作成)

予後因子	予後不良因子
年齢	61 歳以上
血清 LDH	正常上限をこえる
performance status	2〜4
病期	ⅢまたはⅣ期
節外病変数	2 つ以上

予後因子数	リスクグループ
0 または 1	低リスク (low risk)
2	低中間リスク (low-intermediate risk)
3	高中間リスク (high-intermediate risk)
4 または 5	高リスク (high risk)

は年単位に進行する．経過中にDLBCLなどのより高悪性度のリンパ腫に移行することがあり，組織学的進展とよばれる．代表的な予後因子として，濾胞性リンパ腫国際予後指標（follicular lymphoma international prognostic index：FLIPI）の5つのリスク因子（年齢，血清LDH，ヘモグロビン，節性病変領域数，病期），およびβ₂ミクログロブリンがあげられる[14,15]（e表16-10-L）．

d）治療：I期およびII期では病変部放射線療法が一般的であり，約50％の患者で10年無病生存が得られる．III期およびIV期の標準治療は確立されていないが，無症状で低腫瘍量の場合は無治療経過観察（watchful waiting）もしくはリツキシマブ単独が，それ以外の場合はリツキシマブ併用化学療法（R-CHOP療法など）が推奨治療である（日本血液学会，2013）．再発・再燃例の治療では，リツキシマブ単独，リツキシマブ併用化学療法のほか，ベンダムスチン，フルダラビン，あるいはこれらとリツキシマブとの併用療法などが行われる．

3）**マントル細胞リンパ腫**（Mantle cell lymphoma）：リンパ濾胞のマントル層（暗殻）を構成するB細胞の特徴を示す腫瘍である（e図16-10-I）．全悪性リンパ腫の約3％とまれであり，高齢の男性に多い．進行期が多く，リンパ節のほか骨髄，脾にも高率に病変を認め，白血化もしばしばみられる．

腫瘍細胞はB細胞マーカーのほかCD5が陽性であり，免疫組織化学ではほとんどの例でcyclin D1が腫瘍細胞の核に陽性である．大部分の症例でt(11;14)(q13;q32)を認める．これはcyclin D1遺伝子（*CCND1*）と*IGH*の相互転座であり，cyclin D1遺伝子（*CCND1*）の過剰発現を生じる．

リツキシマブ併用化学療法が選択されるが，R-CHOP療法への治療反応性はDLBCLより不良であり，初回治療に続く自己末梢血造血幹細胞移植併用大量化学療法，あるいは新規治療薬（ボルテゾミブ，ibrutinibなど）の導入が進められている．

4）**粘膜関連リンパ組織型節外性辺縁帯リンパ腫／MALTリンパ腫**（extranodal marginal zone lymphoma of mucosa-associated lymphoid tissue／MALT lymphoma）：辺縁帯B細胞の特徴を示す腫瘍細胞が，主として濾胞間に浸潤する節外性リンパ腫であり（e図16-10-I），indolent lymphomaの1つである．わが国ではDLBCLについで頻度が高く，女性に多い．胃，眼付属器，大腸，甲状腺，肺，唾液腺，皮膚などに発生する．慢性炎症を背景に発生することが多く，胃では*H. pylori*の病因的関与が知られている．甲状腺での慢性甲状腺炎，唾液腺でのSjögren症候群のように自己免疫疾患を背景とした発生も知られている．

腫瘍細胞はB細胞マーカーが陽性であり，一部の症例でt(11;18)(q21;q21)を認める．これは*API2*と*MALT1*の転座である．

治療は病変部位によって異なる．限局期胃MALTリンパ腫では*H. pylori*の除菌療法[16]が第一選択である．眼付属器の場合は放射線療法あるいは無治療経過観察が選択される．進行期例ではFLに準じた治療が行われる．

5）**Burkittリンパ腫**（Burkitt lymphoma：BL）：週単位の急速な病勢進行，LDH血症，高尿酸血症が特徴的であり，骨髄や中枢神経系への浸潤をきたしやすいB細胞リンパ腫である．highly aggressive lymphomaの1つである．流行域であるアフリカでは腫瘍細胞に高率にEBウイルスが検出されるが，わが国などでの散発発生例では検出されない．

腫瘍細胞はB細胞マーカーが陽性であり，増殖分画を反映するKi-67あるいはMIB-1がほぼ100％の細胞で陽性である．*MYC*関連の染色体転座を認める．

CODOX-M/IVAC療法[17,18]，R-hyper CVAD療法[19]などの用量強度を高めた化学療法により高率に治癒が期待できる．一方で，治療早期に高率に発生する腫瘍崩壊症候群の管理および予防が必要である．

6）**末梢性T細胞リンパ腫**（peripheral T-cell lymphoma：PTCL）： WHO分類に含まれるPTCL病型のうち，世界的に頻度の高い疾患単位は，PTCL，非特定型（PTCL, not otherwise specified：PTCL-NOS），血管免疫芽球性T細胞リンパ腫（angioblastic T-cell lymphoma：AITL），未分化大細胞リンパ腫（anaplastic large cell lymphoma: ALCL）であり[20]，いずれもaggressive lymphomaに含まれる．このうちAITLは，全身リンパ節腫脹，肝脾腫，発熱，皮疹，浮腫，体腔水貯留などを呈し，多クローン性高ガンマグロブリン血症，溶血性貧血などの免疫異常を伴う特徴を有する．

同じくaggressive lymphomaであるDLBCLに準じてCHOP療法などが選択されるが，DLBCLより予後不良である[20]．ALCLの腫瘍細胞はHodgkinリンパ腫と同じくCD30陽性であり，抗癌薬抱合抗CD30抗体薬（ブレンツキシマブベドチン）が治療に導入されている[21]．

7）**節外性NK/T細胞リンパ腫，鼻型**（extranodal NK/T-cell lymphoma, nasal type：ENKL）： 鼻腔などの節外病変を特徴とするEBウイルス関連のまれなリンパ腫で，東アジアに多発する．腫瘍細胞はNK細胞またはT細胞のいずれかの特徴を示し，壊死を伴いながら進展する．不明熱や血球貪食症候群の原因疾患として診断されることがある．CHOP療法は無効であり，鼻限局例では病変部放射線療法を組み入れ

た治療が行われる[22]．

ATLについては【⇨ 16-10-12】． 〔山口素子〕

■文献（e文献 16-10-11）

The International Non-Hodgkin's Lymphoma Prognostic Factors Project: A predictive model for aggressive non-Hodgkin's lymphoma. N Engl J Med. 1993; **329**: 987-94.

日本血液学会編：造血器腫瘍診療ガイドライン 2013 年版，金原出版，2013．

Swerdlow SH, Campo E, et al eds: WHO Classification of Tumours of Haematopoietic and Lymphoid Tissues, 4th ed, IARC, 2008.

12）成人 T 細胞白血病・リンパ腫
adult T-cell leukemia-lymphoma：ATL

定義・概念

成人 T 細胞白血病・リンパ腫は，ヒト T リンパ球向性ウイルス（ヒト T 細胞白血病ウイルスともいわれる）1 型（human T-lymphotropic virus type 1：HTLV-1）が腫瘍細胞の染色体 DNA にプロウイルスとして単クローン性に組み込まれている成熟 T 細胞性の白血病・リンパ腫である．多様な病態をとるがいずれも難治性であり，HTLV-1 の endemic area 出身の成人に好発する．

予後・分類

予後因子としては，年齢，全身状態，総病変数，高カルシウム血症，高 LDH 血症が重要である．予後因子解析と臨床病態の特徴から，その自然史によって，白血化，臓器浸潤（リンパ節，皮膚，肺，肝脾，骨，消化管，胸水，腹水，中枢神経），高カルシウム血症と高 LDH 血症の有無と程度により作成された ATL の臨床病型分類（表 16-10-12）は，予後予測と治療法の選択に有用である．大きく低悪性度 ATL のくすぶり型・慢性型と，高悪性度 ATL の急性型・リンパ腫型に分けられる．生存期間中央値は急性型 6 カ月，リンパ腫型 10 カ月，慢性型 24 カ月，くすぶり型は 3 年以上であった（e図 16-10-J）．

病因

ATL の病因は，レトロウイルスの HTLV-1 である．1977 年に成人に発症する花弁状の核を有する T 細胞腫瘍として本疾患が発見されたときから，その地域偏在性，家族歴などから，ウイルスなどの病原体の関与が示唆されていたが，1981 年に日本で ATL 患者から，そして米国で皮膚 T 細胞リンパ腫（後に ATL であることが判明）患者から同時期にこのウイルスは同定された．おもに母乳を介して CD4 陽性の成熟 T 細胞どうしの接размで母児感染した HTLV-1 キャリアの数％が平均発症年齢 60 歳代で本疾患を発症すること，HTLV-1 は癌遺伝子を有さず，染色体ゲノムへの組み込み部位はランダムであることから，HTLV-1 は ATL の病因ウイルスではあるが本疾患の発症には宿主ゲノム異常の蓄積が必要であると推定されていた．実際に慢性型 ATL が急性型へ転化するときには，癌抑制遺伝子の付加的な変異・欠損を多く認める．HTLV-1 は，ATL のほか慢性炎症性疾患である HTLV-1 関連の脊髄症（HTLV-1 associated myelopathy/tropical spastic paraparesis：HAM/TSP）とブドウ膜炎の病因でもある．

疫学

HTLV-1 のキャリアと ATL 患者は，世界では，日本，中南米，中央アフリカ，中東およびその地域からの移民，日本では西南日本沿岸部出身者に多発する．日本以外の東アジアではまれである．HTLV-1 のおもな感染ルートは母乳を主とした母児感染，性交渉感染，輸血ほかの血液を介した感染の 3 つである．HTLV-1 感染者は現在，日本で約 100 万人，世界で数千万人いると推計されており，男性よりも女性，高齢者に多い．ATL 患者は日本では 30 歳代以下はまれであり，60 歳以降に多い．海外では平均発症年齢が約 10 歳若いと報告されている．HTLV-1 は同じレトロウイルスの HIV などに比べて変異が少なく，日本と海外のウイルスの相同性が高いことから，HLA などの宿主要因，あるいは環境要因がその発症年齢差に寄与していると推定されている．HTLV-1 キャリアにおける ATL 発症リスクとしては，母児感染，高齢，末梢血中の高ウイルス量，男性，ATL の家族歴，喫煙などがある．

病理

成熟 CD4 陽性 T リンパ球（おもに Th2 細胞/制御性 T 細胞）の白血病・悪性リンパ腫である．ATL 細胞は血管・リンパ管を経て全身臓器に浸潤するが，末梢血，リンパ節，皮膚病変が多く，肺，肝脾，骨髄，骨，消化管，胸水，腹水，中枢神経（e図 16-10-K）にも好発する．くすぶり型/慢性型 ATL の場合は，骨，消化管，胸水，腹水，中枢神経病変は認めない．白血化した急性型，慢性型，くすぶり型では末梢血に，リンパ腫型ではリンパ節に，特徴的な花弁状の核形態をもつ腫瘍細胞を認める（図 16-10-22）．

病態生理

1）ATL 細胞の浸潤：くすぶり型・慢性型 ATL では末梢血，皮膚または肺が多く，急性型・リンパ腫型 ATL ではリンパ節のほか，骨，消化管，胸水，腹水，中枢神経病変などの臓器まで浸潤する．急性型と慢性型は白血化しているのに対し，リンパ腫型は白血化していない．

2）日和見感染症：CD4 陽性の正常 T リンパ球が著減することから，AIDS と同様の日和見感染症を好発

表 16-10-12 ATL 臨床病型の診断規準

	くすぶり型	慢性型[*1]	リンパ腫型[*1]	急性型[*1]
抗 HTLV-1 抗体[*2]	+	+	+	+
リンパ球数(×10^3/mm^3)[*3]	＜4	≧4	＜4	
異常リンパ球数[*4]	≧5%[*7]	+[*8]	≦1%	+[*8]
flower cell	[*5]	[*5]	no	+
LDH	≦1.5N	≦2N		
補正 Ca 値(mg/dL)[*6]	＜11.0	＜11.0		
組織学的に腫瘍病変が確認されたリンパ節腫大	No		+	
腫瘍病変				
皮膚	[*7]			
肺	[*7]			
リンパ節	no		yes	
肝腫大	no			
脾腫大	no			
中枢神経	no	no		
骨	no	no		
胸水	no	no		
腹水	no	no		
消化管	no	no		

空欄はほかの病型で規定される条件以外の制約はないことを示す．
N：正常値上限
[*1]：予後不良因子を有する慢性型：BUN ＞施設基準値上限，LDH ＞施設基準値上限，血清アルブミン＜施設基準値下限の1つでも満たす場合
[*2]：PA 法あるいは ELISA 法やウエスタンブロット法のいずれかで陽性であること．
immunofluorescence 法やウエスタンブロット法により，陽性反応が確認されていることが望ましい．測定可能な施設では，サザンブロット法により，HTLV-1 provirus の ATL 細胞への組み込みを確認する．
[*3]：正常リンパ球と異常リンパ球を含むリンパ球様細胞の実数の和
[*4]：形態学的に明らかな ATL 細胞
[*5]：ATL に特徴的な flower cell が認められてもよい．
[*6]：補正 Ca 値は以下の式で求める．
　　血清アルブミン値≧4.0(g/dL)の場合：補正カルシウム値(mg/dL)=総カルシウム値(mg/dL)
　　血清アルブミン値＜4.0(g/dL)の場合：補正カルシウム値(mg/dL)=総カルシウム値(mg/dL)－0.8[アルブミン(g/dL)－4]
[*7]：末梢血中の異常リンパ球が5%未満でくすぶり型と診断されるには，皮膚あるいは肺に組織学的に腫瘍病変が確認されることが必要である．
[*8]：末梢血中の異常リンパ球が5%未満で慢性型または急性型と診断されるには，組織学的に腫瘍病変が確認されることが必要である．

する．ニューモシスチス肺炎，真菌症，結核，サイトメガロなどのウイルス感染症のほか，亜熱帯〜熱帯では糞線虫症もある．低悪性度 ATL でも起こる．

3) 高カルシウム血症：副甲状腺ホルモン関連蛋白ほかの液性因子によることが多く，急性型・リンパ腫型 ATL 患者の大多数が経過中に認める．多発性骨髄腫と異なり，骨の抜き打ち像を呈することは多くない．

臨床症状

初発症状は，病態生理の項で述べた ATL 細胞の臓器浸潤，日和見感染症，高カルシウム血症のいずれかによる．ATL の浸潤では，リンパ節腫大（e図 16-10-L），皮膚病変（e図 16-10-M〜16-10-O），肝

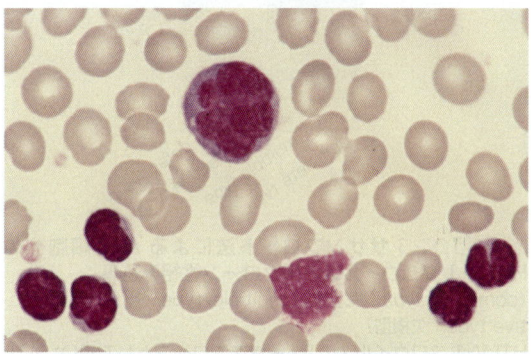

図 16-10-22 急性型 ATL 患者の末梢血病変
ATL 細胞は小型から大型まであり，核異型は軽度から著明な花弁状まである．細胞質の好塩基性は強く，空胞を有するものもある（May-Grünwald-Giemsa 染色，×1000）．

脾腫が多いが，全身臓器に浸潤するので，消化器・呼吸器・中枢神経症状ほか多彩である．ATL 細胞の産生するサイトカインによる B 症状（悪性リンパ腫の項参照）（表 16-10-9）も好発する．日和見感染症は，呼吸器，消化器，皮膚，中枢神経に好発する．高カルシウム血症は軽度の場合は口渇・多飲・多尿，重度になると傾眠などの意識障害を呈する．くすぶり型や慢性型は無症状の時期に，検診などでの末梢血液像異常により発見される場合も多い．

検査所見

前述したように花弁状の核を有する ATL 細胞を末梢血あるいはリンパ節ほか種々の臓器に認める（図 16-10-22，e図 16-10-P〜16-10-R）．さらにはその臓器障害（肝障害，腎障害，低酸素血症など）による検査値異常を呈する．血清 LDH，Ca や可溶性インターロイキン-2 受容体の上昇は ATL の病勢を示すよいマーカーである．血清学的に抗 HTLV-1 抗体が陽性であり，典型的な ATL 細胞は，活性化した成熟 Th2/制御性 T 細胞の表面形質（$CD3^+$，$CD4^+$，$CD8^-$，$CD25^+$，$CCR4^+$，$FoxP3^{+\ or\ -}$）を有する．

診断

抗 HTLV-1 抗体が陽性で，細胞学的あるいは組織学的に成熟 T 細胞腫瘍を認めれば，ATL と診断する．非典型例では，ATL 病変を用いて ATL 細胞の染色体 DNA に HTLV-1 が単クローン性に組み込まれていることをサザンブロット法などの遺伝子診断で証明して，ほかの疾患を除外する（図 16-10-23）．

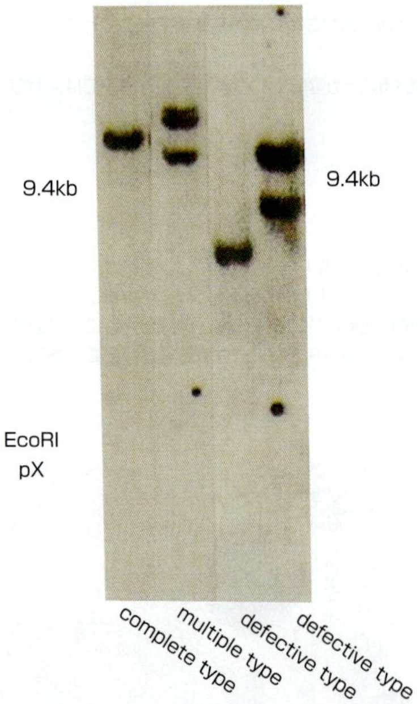

経過・予後

急性型・リンパ腫型 ATL は抗癌剤併用療法に抵抗性で数カ月内に死亡することが多い．一方くすぶり型・慢性型 ATL は，無症状なら無治療で，皮膚症状があれば局所療法で数カ月〜数年にわたり病状が安定してることが多いが，多くは経過中に病状が悪化して急性型に移行し，その後の予後はきわめて不良である．

治療（e図 16-10-S）

悪性度が高い急性型やリンパ腫型 ATL は，非 Hodgkin リンパ腫【⇒ 16-10-10】の標準的治療法である CHOP 療法などに抵抗性であるため，輸血や G-CSF を併用してほかの抗癌薬を併用し短い治療間隔で強力な化学療法を繰り返す．また，しばしば中枢神経系に再発するため予防的に抗癌薬の髄注を併用する．悪性度が低い慢性型やくすぶり型 ATL に根治可能な特効薬はなく，また数年にわたって病状が安定していることも少なくないので，予後不良因子を有さなければ急性転化するまでは，慢性リンパ性白血病の病初期と同様に watchful waiting が原則とされる．近年，移植片対 ATL 効果により同種造血幹細胞移植で長期生存が期待できるとの報告が相次いであり，有害反応は強いが検討されるべき治療法である．ATL の 90％ 以上の症例で陽性であるケモカイン受容体の CCR4 に対するヒト化モノクローナル抗体のモガムリズマブは，再発 ATL に対して高い奏効割合を示す．合併症対策としては，高カルシウム血症の治療と日和見感染症の予防/治療が重要である．

予防

ATL の病因ウイルスである HTLV-1 の感染は，日本などの多発地域では献血者の HTLV-1 抗体スクリーニング，妊婦の抗体スクリーニングで陽性であった場合の人工栄養または短期母乳により大きく低減できている．しかし HTLV-1 キャリアにおける ATL ほかの HTLV-1 関連疾患の発症予防法は確立していない．

〔塚崎邦弘〕

図 16-10-23 サザンブロット法による ATL 細胞への HTLV-1 プロウイルスの単クローン性組み込み
（complete type：完全型，multiple type：多重型，defective type：欠損型）
HTLV-1 プロウイルスの Px 領域をプローブとして用い，ATL 細胞から抽出した高分子 DNA を約 9kb の HTLV-1 内に切断点をもたない制限酵素 EcoRI で処理した．ATL 細胞における HTLV-1 の単クローン性組み込みは，完全型，多重型，欠損型に分類できる．

■**文献**（e文献 16-10-12）

Ohshima K, Jaffe ES, et al: Adult T-cell leukemia/lymphoma. WHO Classification of Tumour of Haemaopoietic and Lymphoid Tissues, 4th ed (Swerdlow SH, Campo E, et al eds), pp281-4, IARC Press, 2008.

Takatsuki K: Adult T-cell Leukemia, Oxford: Oxford University Press, 1994.

Tsukasaki K, Watanabe T, et al: Adult T-cell leukemia-lymphoma. Clinical Oncology 5th ed (NiederHuber JE ed), pp2076-

13) 菌状息肉症
mycosis fungoides：MF

定義
菌状息肉症は表皮好性のある原発性皮膚T細胞腫瘍であり，脳回様の核を有する小型から中型の成熟Tリンパ球の浸潤で特徴づけられ，進行が緩徐な低悪性度皮膚リンパ腫である．

病因・疫学
病因は不明であるが，高齢の白人・黒人男性に多く，日本人には比較的まれである．

病態
脳回様の核を有する小型から中型で，通常CD3，CD4陽性，CD8陰性の成熟T細胞が表皮好性に増殖する．皮膚親和性のある正常T細胞と同じくケモカイン受容体のCCR4なども陽性となることが多い．通常病勢はきわめて緩徐に進行し，皮疹の性状の悪化と内臓病変へのリンパ腫細胞の浸潤により，紅斑期から扁平浸潤期，腫瘤期，内臓浸潤期へと移行する．

臨床症状
各病期により上記の特徴的な皮疹を呈し，瘙痒感，落屑を伴うことが多い．

検査所見・診断
病理学的に表皮好性のある脳回様の核を有する小型から中型のTリンパ球の浸潤があり，免疫染色でリンパ腫細胞が上記の表面形質を有することで診断する．細胞・組織形態と表面形質のみではATLとの鑑別は困難であり，ウイルス学的なHTLV-1検査が必須である．また病初期で浸潤が軽微な場合，非特異的な皮膚炎との鑑別が困難である．亜型として予後不良な，白血化したSézary症候群がある（eコラム1）．

予後
紅斑期で診断された場合は，その80％以上が20年腫瘍死しない．一方，内臓腫瘤期で診断された場合は，生存期間中央値は約1年である．皮膚(T)，リンパ節(N)，内臓(M)，末梢血(B)病変の有無と程度によるTNMB病期分類は，よりよく予後を予測する（e表16-10-M，16-10-N）．

治療・予防
病初期は経過観察または局所療法が，進展期には全身療法が主体となるが，いずれも病状を改善させても完治はできない．このため，比較的若年者の場合は，同種造血幹細胞移植が検討される．局所療法としては，ステロイド外用，抗癌薬外用，紫外線，放射線が，全身療法としてはビタミンA，インターフェロン抗癌薬などが日本では用いられている．発症要因が不明なため，予防法は確立していない． 〔塚崎邦弘〕

■文献（e文献16-10-13）
Ralfkiaer E, Cerroni L, et al: Mycosis fungoides. WHO Classification of Tumour of Haemapoietic and Lymphoid Tissues, 4th ed (Swerdlow SH, Campo E, et al eds), pp281-4, IARC Press, 2008.

14) その他のリンパ増殖性疾患

良性あるいは悪性，リンパ系あるいは非リンパ系のいくつかの疾患は，臨床・病理学的に悪性リンパ腫と紛らわしいことがある．多くの非リンパ系の悪性腫瘍のリンパ節転移は，硬度の違いなどはあるが，原発巣が不明の場合はリンパ節病変の組織学的所見がなければリンパ腫に類似する点も多い．膠原病では，全身性の軽いリンパ節腫大をきたすことが多いが，臨床病態と検査値によるスコアリングで診断できればリンパ節生検は不要である．ウイルス感染症によるリンパ節腫大は，一過性の全身炎症性の病態から多くは臨床的に鑑別可能である．ただEBウイルスの初感染による伝染性単核球症は，全身リンパ節腫大が中等度のことがあり，その生検組織像のみでは病理学的にT細胞リンパ腫との鑑別は容易でなく，臨床情報がきわめて重要である．また免疫不全患者におけるEBウイルス感染症は，慢性EBウイルス感染症など悪性リンパ腫に移行しやすい病態をとることがある【⇨6-10-1-4】．
リンパ腫とまぎらわしいリンパ球・組織球の増殖性疾患を表16-10-13にあげた．以下，鑑別が重要ないくつかの疾患について概説する．

(1) Castleman病
定義
Castleman病(CD)は，形質細胞の多クローン性増

表16-10-13 リンパ腫とまぎらわしいリンパ増殖性疾患

- **感染症**
  - 伝染性単核球症
  - 慢性活動性EBウイルス感染症
- **自己免疫性疾患または免疫不全症**
  - 膠原病
  - 先天性免疫不全症候群
  - 自己免疫性リンパ増殖性症候群
- **特発性リンパ球性増殖症**
  - Castleman病
  - IgG4関連疾患
  - 木村病
  - 菊池・藤本病(亜急性組織球性壊死性リンパ節炎)
- **特発性組織球性増殖症**
  - Rosai-Dorfman病

殖性疾患であり，リンパ節腫大と多クローン性高ガンマグロブリン血症を特徴とする．おもに縦隔の孤発性病変を呈する単発性 CD と全身リンパ節腫大を呈する多発性 CD がある．IL-6 の過剰産生による全身性の炎症反応が特徴的である．

病因

単発性 CD の病因は不明である．多発性 CD は欧米では HIV 感染者に多く発症し，その場合ほぼ 100％ヒトヘルペスウイルス 8 型（HHV-8）がリンパ節の細胞に感染している．HHV-8 の IL-6(vIL-6)が IL-6 産生異常を引き起こし，多クローン性の形質細胞増生と炎症反応を惹起すると考えられている．HIV 非感染者の多発性 CD でも HHV-8 は 4 割ほど陽性とされるが，日本人ではいずれのウイルスも陰性であることが多い．

疫学

単発性 CD は 40 歳代に，多発性 CD は 60 歳代に多いが，ともに性差はない．上記のような感染症に伴うことが多い．

病態生理

単発性 CD と多発性 CD では上記のほか表に示すように異なる点が多い（ⓔ表 16-10-0）．

臨床症状

炎症反応は単発性 CD よりも多発性 CD に多い．悪性リンパ腫同様の B 症状(38℃以上の発熱，半年間で 10%以上の体重減少，盗汗)が多く，CRP やフィブリノゲンなどの急性期蛋白の産生促進に伴い低アルブミン血症による著明な全身浮腫と体液貯留を伴うことがある．単発性 CD は縦隔・腹部の巨大リンパ節腫大を伴うことが多く，そのための圧迫症状として，上大静脈症候群，腎後性腎不全を起こすことがある．

検査所見

リンパ節の病理像は，単発性 CD では硝子血管型を，多発性 CD では形質細胞型を通常呈する．硝子血管型は，反応性濾胞間に小型リンパ球・形質細胞の増生，繊維化，血管増生と硝子様物の沈着を認める．形質細胞型は，小型反応性の濾胞周囲に著明な形質細胞の増生を認める．ともにリンパ球・形質細胞は多クローン性（κ/λ ともに一部陽性）である．多クローン性の高ガンマグロブリン血症，炎症反応，低アルブミン血症，血清 IL-6 と血管内皮増殖因子（VEGF）の高値を呈する．可溶性 IL-2 受容体は高値，FDG-PET ではリンパ節病変が陽性となることが多い．

診断

リンパ節の病理像で悪性リンパ腫，その他のリンパ増殖性疾患を鑑別する．硝子血管型は胸腺腫も鑑別を要する．IgG4 関連疾患【⇨ 12-20】の鑑別は病理学的には困難な場合があり，CD では IL-6 が高値，IgG4 が通常正常であることから診断できることがある．

治療・予後

単発性 CD は緩徐進行性，多発性 CD は急速進行性のことが多いが，ともに消長を繰り返す場合もある．単発性 CD は，巨大な場合であっても切除すると炎症症状は消失し腫大が再燃することは少ない．放射線療法も有用とされる．多発性 CD に対する標準治療は確立していないが，コルチコステロイド，アルキル化薬が有用であることが多い．抗 CD20 モノクローナル抗体，抗 IL-6 モノクローナル抗体の有用性も報告されている．ただいずれの治療も休薬すると再燃することが多い．

(2) 木村病

アジア出身の若年男性に比較的多い，原因不明でまれな慢性炎症性疾患であり，通常全身症状を伴わずに，おもに頸部の数 cm 大の皮下腫瘤を呈し，過半数の症例では所属リンパ節腫大を伴う．病理学的には反応性の濾胞過形成と著しい好酸球の増生が特徴的である．形質細胞や血管の増生も目立ち，胚中心には IgE が沈着している．末梢血でも好酸球増加を呈し，IgE と IL-5 が高値となることが多い．皮下腫瘤/リンパ節の腫大は消長を繰り返すことが多く，予後は良好で死亡することはない．

(3) IgG4 関連疾患

高 IgG4 血症と種々の組織での IgG4 産生形質細胞の増多による腫瘤形成や臓器障害を特徴とする原因不明の疾患である【⇨ 12-20】．

(4) 自己免疫性リンパ増殖性症候群

幼児期に発症する全身リンパ節腫大，肝脾腫大と自己免疫性病態を主徴とし，リンパ節の傍皮質に CD3 陽性，CD4/8 ダブル陰性の T リンパ球の増生を認める．リンパ球は刺激によってもアポトーシスを生じにくくなっており，その原因としては，FAS，FAS リガンドあるいはその他のアポトーシス関連蛋白をコードする遺伝子変異が同定されている．

年長になるにつれ症候は改善することがあるが，悪性リンパ腫や膠原病を続発する場合もある．

(5) 菊池・藤本病（亜急性組織球性壊死性リンパ節炎）

良性であり，数カ月を要することがあるが自然寛解する原因不明の炎症性疾患であり，青年期の女性に多い．頸部を主とした有痛性のリンパ節腫大にときに発熱を伴う．膠原病，ウイルス感染症，悪性リンパ腫が鑑別診断にあがるが，リンパ節の皮質と傍皮質に部分的壊死と組織球，T リンパ球ほかの浸潤を認める【⇨

16-10-17].

(6) Rosai-Dorfman 病（sinus histiocytosis with massive lymphadenopathy）

類洞内の組織球増加症による著明な多発性リンパ節腫大を呈する．節外病変を主とする場合もある．病因は不明であり，比較的高齢女性に多く，予後は良好である．
〔塚崎邦弘〕

■文献

Dispenzieri A, Pittaluga S, et al: Diagnosis and management of disorders that can mimic lymphoma. Non-Hodgkin Lymphoma, 2nd ed（Armitage JO, Mauch PM, et al eds），pp 281-4, Wolters Kluwer, 2010.

15）組織球増殖症
histiocytosis

組織球とは19世紀に組織に存在するある種の細胞に対して命名されたものであり，現在のマクロファージとほぼ同義語である．単球・マクロファージ系細胞は単核貪食細胞系に属し，骨髄系樹状細胞，Langerhans細胞，形質細胞様樹状細胞などを含む．マクロファージの機能は貪食により異物を除去する自然免疫が中心で，樹状細胞の機能は適応免疫であるT細胞への抗原提示である．分化経路については完全には解明されていない細胞もあるが，ほとんどの細胞は造血幹細胞由来である．形態学，細胞化学，免疫染色による表現型，機能などにより種々の細胞に分類されている．組織球と総称されるこれらの細胞が反応性あるいは腫瘍性に増加している疾患が組織球増殖症である（表16-10-14）．非悪性組織球増殖症の樹状細胞関連で「さまざまな生物学的反応の疾患」に分類されているLangerhans細胞組織球症について概説する．非悪性組織球増殖症のマクロファージ関連では，発症頻度の高い血球貪食症候群が重要であるが解説は他項を参照されたい【⇒16-10-18】．組織球を起源とする腫瘍の2008年版WHO分類を❻コラム1に示す．

(1) Langerhans 細胞組織球症（Langerhans cell histiocytosis：LCH）

定義・概念

Langerhans細胞の異常増殖を特徴とする疾患である．クローナルな増殖が確認できることがあるが，クローナルな増殖の病理生物学的意義は不明である．同義語には，ヒスチオサイトーシスX，好酸球性肉芽腫，Letterer-Siwe病，Hand-Schüller-Christian症候群，Hashimoto-Pritzker症候群などがある．以前は

表16-10-14 組織球疾患

Ⅰ．さまざまな生物学的反応の疾患
1. 樹状細胞関連
   1) Langerhans細胞組織球症
   2) 若年性黄色肉芽腫
2. マクロファージ関連
   1) 血球貪食症候群
      i) 原発性血球貪食リンパ組織球症：家族性，ウイルス感染などによる散発性
      ii) 二次性血球貪食症候群：感染，悪性腫瘍，自己免疫疾患など
   2) Rosai-Dorfman病（広範囲のリンパ節腫脹を伴う洞組織球症）
   3) マクロファージ形質をもつ孤立性組織球腫

Ⅱ．悪性疾患
1. 単球関連
   1) 白血病：急性単球性白血病（FAB分類M5），急性骨髄単球性白血病（FAB分類M4），慢性骨髄単球性白血病
   2) 髄外性単球性腫瘍／肉腫
2. 樹状細胞関連組織球性肉腫（限局型あるいは播種性）
   濾胞樹状細胞肉腫，指状陥入樹状細胞肉腫，など
3. マクロファージ関連組織球性肉腫（限局型あるいは播種性）

好酸球性肉芽腫症，Letterer-Siwe病，Hand-Schüller-Christian症候群を総称してヒスチオサイトーシスXとよばれていた．Hashimoto-Pritzker症候群は自然治癒する．

疫学
乳幼児に多く，100万人に2〜10人に発症する．

臨床症状
病変部位は骨，皮膚，中枢神経系（下垂体），肝，脾，肺，骨髄，リンパ節，眼窩である．病変部位によるが，骨融解による疼痛，皮疹，内分泌系の異常（尿崩症など），肝脾腫，咳，血球減少，リンパ節腫脹，眼球突出がある．

診断
診断は増殖している細胞がLangerhans細胞であることを示すことである．Langerhans細胞に特異的なBirbeck（Langerhans細胞）顆粒を電子顕微鏡で確認できれば，確定診断できる．免疫組織染色でのCD1a，CD207（ランゲリン），S-100蛋白の検出は診断の補助となる．

予後
限局型と多発型がある．骨，皮膚，下垂体，リンパ節の病変は低リスクである．病変が骨，皮膚，下垂体，リンパ節に多発していても低リスクである．肝，脾，肺，骨髄に病変がある場合は高リスクである．

治療

毒性の少ない治療が選択されるが，進行すれば強力な化学療法を考慮する．皮膚病巣が限局型のときは経過観察もありうる．皮膚病巣に対しては機能障害や美容的変形を改善することが重要である．ステロイドやnitrogen mustardの局所療法を行う．抵抗例ではソラレンと紫外線による光化学療法(PUVA)を行う．骨病巣が限局性であれば，掻爬を行う．頭皮，胸腺，リンパ節などの軟部組織の病変は掻爬後も再発することがあり，化学療法を行う．部位によっては局所的な放射線照射も考慮する．化学療法で用いられる薬剤にはビンブラスチン，ビンクリスチン，シタラビン，nitrogen mustard，シクロホスファミド，プロカルバジン，chlorambucil，エトポシド，メトトレキサート，ステロイド，6-メルカプトプリンがある．高リスク群や治療抵抗性の症例に対して造血幹細胞移植が行われた報告もある．

〔片山直之〕

■文献

Favara BE, Feller AC, et al: Contemporary classification of histiocytic disorders. *Med Pediatr Oncol*. 1997; 29: 157-66.

Hoffman R, Benz EJ Jr, et al eds: Hematology: Basic Principles and Practice, pp686-700, Elsevier, 2013.

Swerdlow SH, Campo E, et al eds: WHO Classification of Tumours of Haematopoietic and Lymphoid Tissues, pp353-67, IARC, 2008.

16) 伝染性単核球症
infectious mononucleosis

定義・概念

伝染性単核球症は，Epstein-Barrウイルス(EBV)の初感染による急性感染症である(Luzurigaら，2010)．発熱・咽頭痛・頸部リンパ節腫脹を3主徴とし，白血球増加，異型リンパ球の出現，肝機能障害をきたす．通常，1～3カ月の経過で治癒する．サイトメガロウイルス(CMV)の初感染でも類似の症状を呈することがあるが，1～2週間以内に軽快するため通常は伝染性単核球症には含めない．

疫学

本症の発症頻度などの数値データはないが，比較的高頻度にみられる疾患である．医療機関を受診せずに治癒している例も相当あると考えられる．小児～思春期以降の青年期にかけての年齢層で発症するが，年齢別の疫学データもない．EBウイルスはおもに唾液を介して感染し，既感染者からの輸血などでも感染する．日本人など東洋人や途上国では欧米人より幼少期に感染し，かつてわが国では2～3歳までにEBV感染率は70％に達するとされていたが，最近は感染年齢が遅くなりつつある(Takeuchiら，2006)．EBV初感染年齢が高くなると本症の発症率が高くなるといわれている．欧米では思春期で発症する例が多くkissing diseaseの別名があるが，わが国でも該当例が増えている印象がある．

臨床症状

1)自覚症状：発熱，頸部リンパ節腫脹，咽頭痛が3主徴である[1]．熱感，悪寒，食欲不振，倦怠感などの感染様症状で発症し，発熱は38℃以上の高熱が1～2週間持続することが多い．頸部リンパ節腫脹はほぼ全例にみられるが，1～2週間で消褪する．必ずしも圧痛を伴うものではない．リンパ節腫脹が遷延する場合に生検を行うとリンパ腫と誤診されることがある[2]．病理像のみでの鑑別は困難なことがあり，臨床症状などから本疾患が疑われる場合には生検は避けた方がよい．やむをえず生検する場合には，その旨を病理医に必ず伝える．咽頭痛は扁桃の炎症によるものである．

2)他覚症状：扁桃は発赤腫脹し，口蓋に出血性の粘膜疹を呈することがある．小児では15～30％，成人で10％の症例に溶血連鎖球菌性扁桃炎の合併をみる(Luzurigaら，2010)．肝腫大(約15％)や脾腫(約半数)を伴い，急激な腫脹のために圧痛を生じることがある．まれであるが，脾破裂をきたすことがある[3]．

検査所見

末梢血の白血球数は初期には正常か減少するが，後に増加する．白血球数は1万～2万/μL程度に上昇し，小児では3万/μL以上になることもある．白血球分画ではリンパ球が増加し，異型リンパ球が高頻度に認められる．これらの細胞は大型で単球様にみえることもあるが，活性化したT細胞とNK細胞が主体である．約8割の症例で肝機能障害を呈し，肝酵素は200～400 IU/L程度に上昇するが，2000～3000 IU/L以上に達する例もある．ビリルビンは高度上昇することは少ない．過去にはPaul-Bunnel反応という検査が行われたが，これは異種赤血球(ヒツジやウマ，ウシ)に対する非特異的IgM抗体を検出する手法で，感度・特異度とも低いため今日では行われることは少ない．確定診断にはEBV特異的抗体の測定が有用である．EBV初感染の場合はVCA(viral capsid antigen)-IgM抗体が陽性となり，その後VCA-IgG抗体とEA(early antigen)-IgG抗体が陽性でEBNA(EB nuclear antigen)抗体が陰性のパターンになる(図16-10-24)．EBV感染から発症までの潜伏期間が1～2カ月あるためパターンに違いが生ずるが，このいずれかであれば本疾患の可能性が高い．EBNA抗体はEBV感染後約6カ月で陽性となるため，これが陽性の場合は通常EBV既感染を意味する．末梢血中のEBV-DNAは病初期に高く，経時的に低下する[4]．

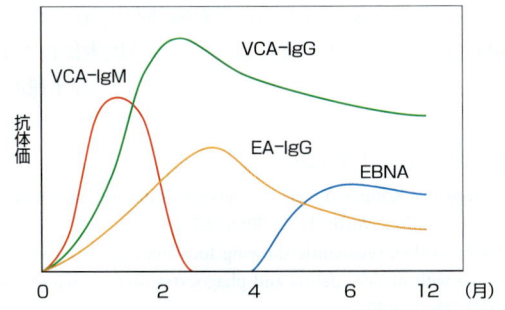

図 16-10-24 EB ウイルス感染後の各種 EBV 抗体価の推移

鑑別診断

前述のように CMV などほかのウイルスの初感染が鑑別対象となる．こういった EB ウイルス以外の原因によるものを，伝染性単核球症様疾患（infectious mononucleosis-like disease）とよぶことがある．

EB ウイルスの初感染であっても，感染症として終息せずに慢性活動性 EBV 関連リンパ増殖性疾患（chronic active EBV-associated lymphoproliferative disorder, CAEBV-LPD）に移行する例，急激な転帰をたどる fulminant EBV-LPD となる例がある（Quintanilla-Martinez ら，2000）．こういった例では末梢血中 EBV-DNA が 10^5 コピー/μL 以上と高コピーになる傾向があり，単純な感染症にとどまらない可能性がある．いずれにしても，完全な鑑別はできず注意深い観察が必要である．

病態生理

ウイルスはまず咽頭上皮細胞に感染し，続いて B 細胞に感染する．細胞感染の際の受容体は補体受容体 CD 21 抗原であり，これに EB ウイルスはエンベロープ蛋白 gp 350/220 を介して結合し，エンドサイトーシスにより細胞内に取り込まれる．このときに B 細胞上の HLA class II 分子がコレセプターとして機能する．静止期にあった B 細胞は感染により活性化，芽球化し，無限に増殖するようになる（不死化，immortalization）．一方，感染 B 細胞が増殖を始めると，細胞傷害性 T 細胞や NK 細胞が動員され，さらに EBV 特異的抗体の産生によりウイルスや感染細胞は排除される．このときの T 細胞，NK 細胞が末梢血中の増加リンパ球/異型リンパ球として観察される．しかしながら一部の EBV 感染 B 細胞は残存し，潜伏感染状態で宿主と終生共存することになる．CAEBV-LPD や fulminant EBV-LPD では単クローン性に増殖するリンパ球はほとんど T/NK 細胞であり[5]，この EBV 感染 B 細胞が腫瘍化するわけではない．

治療・経過・予後

安静と対症療法が基本である．咽頭痛が強い場合はアセトアミノフェンなどの消炎鎮痛薬を投与する．症状が遷延し重篤な合併症を併発する場合は，抗炎症目的で副腎皮質ステロイド（0.5～1 mg/kg）を用いる．併発する咽頭炎などに対しアンピシリンを投与すると薬物性の発疹を発症することが知られているので，投与は避ける．アシクロビルなどの抗ウイルス薬で EBV-DNA が減るという少数例の報告はあるが，臨床的な有効性は実証されていない[6]．一般的な予後は良好である．

〔鈴木律朗〕

■文献（e文献 16-10-16）

Luzuriaga K, Sullivan JL: Infectious mononucleosis. *N Engl J Med*. 2010; **362**: 1993-2000.

Quintanilla-Martinez L, Kumar S, et al: Fulminant EBV (+) T-cell lymphoproliferative disorder following acute/chronic EBV infection: a distinct clinicopathologic syndrome. *Blood*. 2000; **96**: 443-51.

Takeuchi K, Tanaka-Taya K, et al: Prevalence of Epstein-Barr virus in Japan: trends and future prediction. *Pathol Int*. 2006; **56**: 112-6.

17）壊死性リンパ節炎（菊池病）
necrotizing lymphadenitis (Kikuchi disease)

定義・概念

壊死性リンパ節炎は，1972 年にわが国の菊池，藤本らによりはじめて記載された原因不明のリンパ節炎で（Kikuchi, 1972；Fujimoto ら，1972），亜急性壊死性リンパ節炎（subacute necrotizing lymphadenitis）という呼称もある．病理像では壊死像とともに大型のリンパ球と組織球の増殖を認め，核崩壊産物や赤血球の貪食像を伴う．炎症であるにもかかわらず，好中球の浸潤を欠くのが特徴である（Weiss ら，2013）．原因・病因は不明だが，対症療法のみで軽快し予後は良好である．同様に原因不明の予後良好なリンパ球関連疾患に，リンパ腫様胃腸炎（竹内病）があるが，これは消化管に好発する（eコラム 1）．

疫学

本症は 10 歳代～30 歳代の若年者に好発する．男女別では女性に多く，男女比は 1：2～1：3 である．発症頻度などのデータはない．

臨床症状

圧痛を伴う表在性リンパ節腫脹で発症し，深部リンパ節腫脹をみることはまずない．頸部リンパ節病変を最も高頻度に認め，頻度は 80% 以上に達する．発熱や上気道炎様症状を伴うこともある．約 20% の例で薬疹様の皮疹を認めるほか，まれに肝脾腫を呈する例がある．

検査所見

末梢血白血球数の減少（4000/μL 以下）を約半数に認め，主体は顆粒球減少である．末梢血中に異型リン

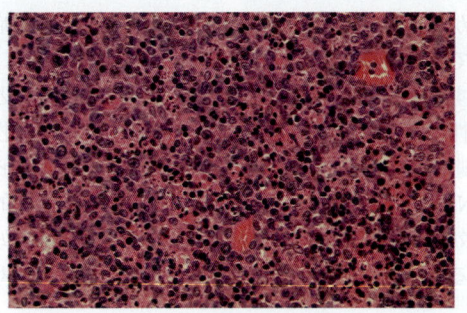

図 16-10-25 壊死性リンパ節炎（菊池病）のリンパ節生検像
大型リンパ球と組織球の増殖を認め，濃染した核崩壊産物を多数認める．好中球浸潤はみられない．

球が出現することもある．多くの例で LDH の高値や CRP の上昇がみられ，肝酵素の上昇も一部の症例でみられる．

病態生理
本症の原因は不明である．自己抗体は証明されておらず，自己免疫疾患との関連は否定的である．感染症状を伴って発症する例が多いが，通常の抗菌薬に反応を示さないこと，特定のウイルス抗体の上昇はないことから，感染症との証拠もない．

病理
病理組織学的には，リンパ節に巣状ないし癒合し地図状に分布する壊死性病変が特徴的である[1]．大型リンパ球と組織球が密に増殖し，細胞間に核崩壊産物が散見される（図 16-10-25）．大型リンパ球は CD8 陽性の T 細胞が主体である．壊死した核崩壊産物や赤血球を貪食する組織球が認められ，骨髄でも軽度の血球貪食症候群を呈することがある．好中球がみられないのが特徴で，形質細胞や好酸球などの浸潤も少ない．

治療・経過・予後
安静と対症療法が基本である．咽頭痛が強い場合はアセトアミノフェンなどの消炎鎮痛薬を投与する．一般的に経過は良好で，多くは 1〜3 カ月以内に自然治癒する[1]．

〔鈴木律朗〕

■文献（e文献 16-10-17）
Fujimoto Y, Kojima Y, et al: Cervical subacute necrotizing lymphadenitis. *Naika*. 1972; **30**: 920-7.
Kikuchi M: Lymphadenitis showing focal reticulum cell hyperplasia with nuclear debris and phagocytes. *Acta Hematol Jpn*. 1972; **35**: 379-80.
Weiss LM, O'Malley D: Benign lymphadenopathies. *Mod Pathol*. 2013; **26**: S88-96.

18) 血球貪食症候群
hemophagocytic syndrome：HPS

定義・概念
HPS は，種々の原因によって生じた過剰な免疫反応により，骨髄やリンパ節など網内系における組織球・マクロファージが自己の血球細胞を貪食する症候群で，高熱，血球貪食による汎血球減少，急性肝障害，肝脾腫などの所見や症状がみられる（Jordan ら，2011）（図 16-10-26, e図 16-10-T）．しばしば，急激に進行し，多臓器不全などの合併症を生じるため，的確な診断と，早期の治療介入が必要である．血球貪食性リンパ組織球症（hemophagocytic lymphohistiocytosis：HLH）も同義語である．

分類・原因
先天的な遺伝子異常による一次性（原発性）HLH/HPS と二次性 HLH/HPS がある（表 16-10-15）（eコラム 1）．二次性 HLH/HPS の原因としては，感染症，悪性腫瘍や自己免疫疾患などがある[1]．

疫学については eコラム 2 を参照．

病態生理
一次性 HLH/HPS で変異が認められる上述の遺伝

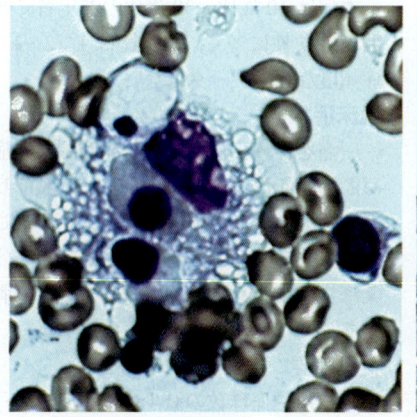
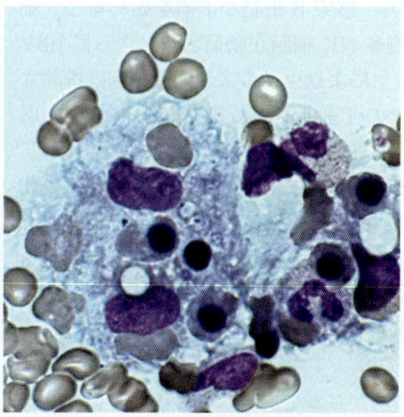

図 16-10-26 マクロファージが種々の原因により活性化され，自己の血球を貪食する

表16-10-15 HLH/HPSの分類

1. **一次性(遺伝性)**
   a. 家族性(FHL):常染色体劣性遺伝
      1) *PRF1* 異常
      2) *UNC13D* 異常
      3) *STX11* 異常
      4) *STXBP2* 異常
   b. X連鎖リンパ増殖症(XLP):伴性遺伝
   c. Griscelli症候群2型:常染色体劣性遺伝 *Rab27A* 異常
   d. Chédiak-Higashi症候群:常染色体劣性遺伝 *LYST1* 異常
   e. Hermansky-Pudlak症候群2型:常染色体劣性遺伝 *AP3B1* 異常
   f. その他

2. **二次性(反応性)**
   a. 感染症関連HLH/HPS(IAHS)
      1) ウイルス性(virus-associated HLH/HPS:VAHS)
         a) EBV(EBV-HLH)
         b) その他
      2) 細菌性(bacterial-associated HLH/HPS:BAHS)(大腸菌,結核など)
      3) 真菌性(*Pneumocystis jirovecii* など)
      4) その他(リケッチア,マラリアなど)
   b. 悪性腫瘍関連HLH/HPS(malignancy-associated HLH/HPS:MAHS)
      a) 悪性リンパ腫(LAHS)
      b) その他 4%
   c. 自己免疫疾患関連HLH/HPS(autoimmune associated HLH/HPS:AAHS)
   d. 薬物性HLH/HPS
   e. 造血幹細胞移植後(post-HSCT)HLH/HPS

子は,NK細胞や細胞傷害性T細胞(CTL)のcytotoxic granuleの形成,分泌に関与する遺伝子であり,遺伝子変異のためNK細胞やCTLの細胞傷害活性の機能低下をきたす.このため,ウイルス感染細胞などの標的細胞が除去されず,抗原刺激が持続し,過剰に活性化されたマクロファージから炎症性サイトカインが過剰に分泌され,高サイトカイン血症から,組織障害,血球減少,血球貪食などに結びつくと考えられる(e図16-10-U).一方,二次性HLH/HPSでは,感染症,悪性腫瘍,自己免疫性疾患などの基礎疾患の増悪から,T細胞やマクロファージの異常な活性化が生じ,炎症性サイトカインの放出が契機となって発症する(e図16-10-V).

血球貪食のメカニズムについてはeコラム3を参照.

臨床症状

身体所見としては,発熱,リンパ節腫脹,肝脾腫,非特異的な皮疹などがみられるが,いずれもHPS/HLHに特異的な症状ではない.一次性HLH/HPSでは,痙攣,意識障害,髄膜刺激症状などの中枢神経症状を生じる頻度が高い.

検査所見

検査所見としては,汎血球減少を認める.減少の程度は,病期によりさまざまである.また,肝機能障害(AST,ALT高値),LDH高値,CRP高値,フェリチン高値,トリグリセリド高値,可溶性IL-2受容体高値,フィブリノゲン低下などの凝固異常などが認められる.特に血清フェリチン値は病勢を反映し,HLH/HPSでは異常高値を示す.血清フェリチンはほかの炎症性疾患でも上昇するが,1万ng/mL以上の値はHLH/HPS以外では通常みられない.サイトカインでは,IFN-γ,IL-6,TNF-α,IL-12,IL-18などの炎症性サイトカインが上昇する[2].骨髄では,マクロファージによる血球の貪食像がみられる.しかし,特に病初期では血球貪食像が明らかでない症例も認められるため,注意を要する.

診断

発熱が持続し,進行性の血球減少がみられる場合には,本症は鑑別診断の1つである.HLH-2004による診断基準を示す(表16-10-16)(Jordanら,2011).上述のような特異的な遺伝子異常が認められれば,一次性HLH/HPSと診断される(eコラム4).それ以外の場合は,表16-10-16の2に示す基準を満たせばHLH/HPSと診断される.ウイルス感染に伴うHLH/HPSでは,EBウイルスが原因の場合は,急激な病勢をみることがあり,ウイルス抗体価やウイルスDNAのPCR法による定量による鑑別が必要である(e表16-10-P).特にEBV-HLH/HPSでは,定量PCRによるEBV-DNA定量などのEBVゲノムの検索が診断に必要であるとともに,治療効果判定にも有用であることが示されている[3](eコラム5).

治療・経過・予後

一次性/二次性,あるいは基礎疾患により経過や予後が異なるが,急激な病勢の変化を伴うことが多いため,治療を開始しつつ,鑑別を進めていく.病勢の変化が早いため,HLH/HPSを強く疑った場合は,確定診断を待たず,治療介入を開始する(e図16-10-W).

治療の基本は,異常に活性化したマクロファージやリンパ球の抑制と,臓器障害に対する支持療法である.

小児のHLH/HPSの場合,過剰な炎症を抑制するため,副腎皮質ステロイド,シクロスポリン,エトポシドなどが単剤あるいは併用で用いられる.

小児HPSの治療についてはeコラム6を参照.

成人HLH/HPSの場合は,その多くがLAHSなど悪性疾患に伴って発症するため,過剰な炎症に対する

表 16-10-16 HLH/HPS 診断基準：HLH-2004
(Jordanら, 2011)

以下のいずれかを満たせば HLH/HPS と診断される

1. HLH/HPS に一致する分子診断が得られる
PRF1, UNC13D, STX11, STXBP2, SH2D1A, XIAP, RAB21A 遺伝子

2. 以下の8項目中5項目以上を満たす
①発熱
②脾腫
③2系統以上の血球減少：
　ヘモグロビン 9 g/dL 未満（生後4週未満の乳児は 10 g/dL 未満）
　血小板数 10 万/μL 未満
　好中球数 1000/μL 未満
④高トリグリセリド血症および/または低フィブリノゲン血症：
　空腹時トリグリセリド 265 mg/dL 以上
　フィブリノゲン 150 mg/dL 以下
⑤骨髄または脾臓またはリンパ節における血球貪食像があり，悪性腫瘍がない
⑥NK 細胞活性の低下または消失
⑦フェリチン 500 ng/mL 以上
⑧sIL-2R 2400 U/mL 以上

付記
a. 発症時に血球貪食が明らかでなければ，さらに検索を進める．骨髄所見陰性の場合，他臓器の生検や経時的な骨髄穿刺検査を考慮する
b. 以下の所見は診断を強く支持する：髄液細胞増加（単核球）および/または髄液蛋白増加，肝生検上，慢性持続性肝炎に類似した組織所見
c. 以下の所見は診断を支持する：脳・髄膜症状，リンパ節腫脹，黄疸，浮腫，皮疹，肝酵素異常，低蛋白血症，低ナトリウム血症，VLDL 増加，HDL 低下

治療とともに，基礎疾患の診断と，引き続きそれぞれの基礎疾患に応じた治療が必要である．EBV-HLH/HPS や T/NK 細胞リンパ腫では急激に進行する場合も多く，HLH-2004 に準じた化学療法を先行させてもよい．ただし，LAHS の場合には，その後，治療強度の高い化学療法へ変更が必要である．成人例の EBV-HLH/HPS も予後不良であることが多く，治療抵抗性症例では，早期に同種造血幹細胞移植を考慮すべきである[4]．　〔竹中克斗〕

■文献（e文献 16-10-18）
今村　豊：血球貪食症候群．臨床血液．2014; **55**: 223-33.
Ishii E, Ohga S, et al: Nationwide survey of hemophagocytic lymphohistiocytosis in Japan. *Int J Hematol*. 2007; **86**: 58-65.
Jordan MB, Allen CE, et al: How I treat hemophagocytic lymphohistiocytosis? *Blood*. 2011;**118**: 4041-52.

19）血漿蛋白異常をきたす疾患

形質細胞腫瘍においては，腫瘍細胞の単クローン性増殖を反映して産生する免疫グロブリンも均一であり単クローン性免疫グロブリン（monoclonal immunoglobulin）あるいは M 蛋白とよばれる．免疫グロブリン重鎖には μ, δ, γ, ε, α の5種類があり軽鎖には κ, λ の2種類がある（図 16-10-27）．通常の M 蛋白は重鎖と軽鎖の組み合わせからなるが，重鎖が存在せず軽鎖のみの場合を Bence Jones 蛋白（Bence Jones protein：BJP）とよぶ．M 蛋白は，セルロースアセテート法による血清蛋白分画解析で γ 位から β 位に鋭いピークを形成し M ピークとよばれるが，IgM や IgA 型の場合は多量体を形成するため幅広い増高を示す場合もある．M 蛋白成分の同定は免疫グロブリンに対する抗体を用いた免疫電気泳動法や，より高感度な免疫固定法を用いる（eコラム1）．通常，形質細胞は免疫グロブリン重鎖に比して多量の軽鎖を産生している．この性質を利用して軽鎖の重鎖との結合部（hidden surface）に対する特異抗体を用いて血清中の遊離 κ 鎖，λ 鎖の濃度を測定することが可能となった．ただし，M 蛋白血症は，非腫瘍性疾患でも認められる場合があり，十分な鑑別診断を行うことが重要である．

(1) 意義不明の単クローン性ガンマグロブリン血症
（monoclonal gammopathy of undetermined significance：MGUS）

以前，良性 M 蛋白血症（benign monoclonal gammopathy：BMG）とよばれていた病態であり，血中に M 蛋白を認めるが，骨髄腫，マクログロブリン血症，リンパ腫，アミロイドーシスなどの基礎疾患を認めないものをいう．骨髄中形質細胞は 10% 未満であり，

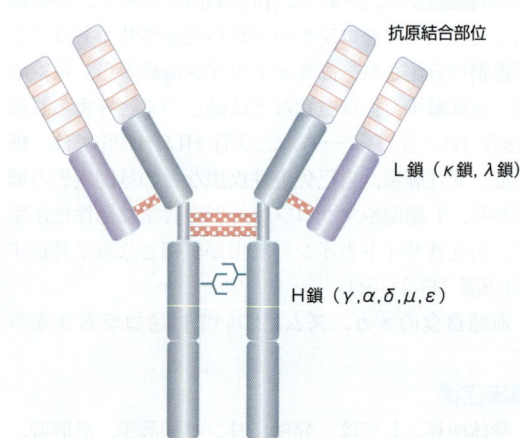

図 16-10-27 重鎖(H鎖)と軽鎖(L鎖)からなる抗体蛋白

CRAB症候(高カルシウム血症,腎不全,貧血,骨病変)で定義される臓器障害は認めず血清M蛋白濃度も3 g/dL未満と少ないものと定義されている(Rajkumarら,2014).欧米では50歳以上の人口の約3%にMGUSが認められることが報告されている.多くは腫瘍性変化であり非IgM型MGUSの場合は年1%の割合で多発性骨髄腫や原発性アミロイドーシスへと移行する(e図16-10-X)[1]).一方,IgM型MGUSは年1.5%でマクログロブリン血症やアミロイドーシスへ進展する.また軽鎖(light-chain)MGUSは,血清遊離軽鎖比が異常値(κ/λ比;0.26未満または1.65をこえる)を示し,尿中M蛋白量は24時間あたり500 mg未満と定義されている.軽鎖MGUSは年0.3%の割合でBJP型骨髄腫またはALアミロイドーシスへ進展する.一般に血清遊離軽鎖κ/λ比の異常,血清M蛋白>1.5 g/dL,そして非IgG型(IgA型やIgM型)でより進展しやすいことが報告されている[2]).化学療法を実施すべきではないが,いずれの病型も前癌病態であるため年2回以上の経過観察が推奨される.

(2)原発性マクログロブリン血症(primary macroglobulinemia)

定義・概念

原発性マクログロブリン血症は,骨髄浸潤と単クローン性IgMの産生を特徴とするリンパ形質細胞リンパ腫(lymphoplasmacytic lymphoma:LPL)である.1944年にWaldenstromが口腔・鼻腔出血,赤沈上昇,過粘稠,血球減少,リンパ節腫脹,骨髄リンパ球浸潤,正常骨X線像を呈する2例を報告したこと(このためWaldenströmマクログロブリン血症Waldenström macroglobulinemia(WM)とよばれる)に端を発する[3])(eコラム2).

分子病態

染色体3p22内に位置するトール様受容体(Toll-like receptor:TLR)の細胞内アダプター分子である*MYD88*遺伝子の体細胞変異(*MYD88* L265P)を90%の頻度で認める[4]).変異MYD88は,B細胞受容体(B-cell receptor:BCR)の下流にあるBruton型チロシンリン酸化酵素(Bruton tyrosine kinase:BTK)の活性化を介してNF-κB経路を活性化する.このように*MYD88* L265P変異は,B細胞の細胞死を抑制し増殖を亢進させることが示されている.加えてケモカイン受容体*CXCR4*遺伝子の活性化変異が30%の頻度で認められ,細胞の浸潤能や接着能の亢進,細胞死の抑制に働く[5]).

疫学

発生頻度は非常に少なく,わが国では悪性リンパ腫の0.7%にすぎない.欧米では,人口100万人あたり年間3人の発症頻度で,血液悪性腫瘍の1~2%である.発症年齢中央値は63~68歳,男性が55~70%を占める.

臨床症状

1)**腫瘍浸潤症状**: 骨髄浸潤により貧血や血小板減少をきたすが,溶骨病変はまれである.リンパ節腫脹,肝脾腫を認める(eコラム3).

2)**血清IgM値上昇による症状**: 過粘稠度症候群(hyperviscosity syndrome)は特徴的であるが,診断時の頻度は15%以下である.血清IgMが3 g/dL以上で出現し,出血傾向,眼・神経・心血管症状をきたす.血漿浸透圧上昇により循環血漿量が増加し,心不全をきたす.IgMは凝固因子や血小板と結合し,出血症状を呈する.20%にクリオグロブリンが検出される.

3)**IgMの組織沈着**: 腎糸球体,消化管,皮膚にIgMが沈着し,蛋白尿,下痢,皮膚丘疹・結節をきたす.全身にアミロイド沈着をきたすこともある.

4)**自己免疫疾患**: Schnitzler症候群(単クローンIgM血症に関連した痒疹,発熱,骨痛,関節痛)や,寒冷凝集素力価の上昇に伴う溶血性貧血をきたす.抗ミエリン関連糖蛋白(myelin-associated glycoprotein:MAG)抗体活性による脱髄性神経障害や,抗糸球体基底膜抗体による糸球体腎炎をきたすこともある.

検査所見

正色素性貧血と血小板減少を認める.赤血球の連銭形成が著明である.血清総蛋白の増加と単クローン性IgMの増加を認める(e図16-10-Y).尿中BJPを10~20%に認める.眼底所見ではおよそ3割の患者でソーセージ様と表現される網膜静脈の怒張や出血,白斑,乳頭浮腫などの所見を認める(図16-10-28).

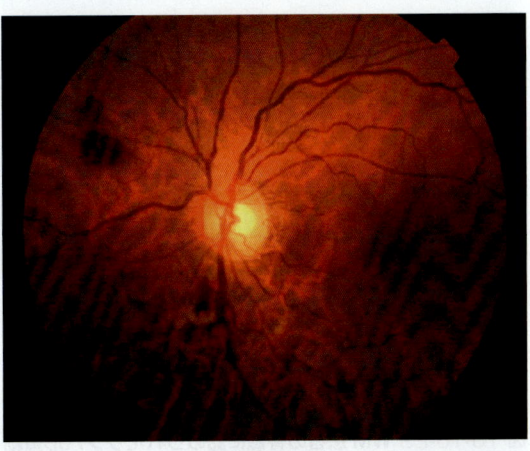

図16-10-28 WM患者の眼底写真
過粘稠症候群による網膜静脈の蛇行と出血斑,および白斑がみられる.

骨髄中の腫瘍細胞は小リンパ球から形質細胞に至る多様な形態を示す（図16-10-29）．リンパ節生検では，LPLと組織診断される（eコラム4）．

診断

単クローン性IgM血症，形質細胞分化を示す小リンパ球の骨髄浸潤，骨梁間型の骨髄浸潤，免疫形質などの所見を参考に診断する（表16-10-17）．

鑑別診断として，IgM型M蛋白を伴うB細胞腫瘍を除外する．特にB細胞性辺縁帯リンパ腫は鑑別困難なことがあるが，これらの疾患ではMYD88変異はまれである．

経過・予後

無症候性のものから急速に進行するものまでさまざまである．生存期間中央値は5〜10年であるが，治癒の望めない疾患である．予後予測に国際予後指標（International Prognostic Scoring System for WM：ISSWM）が提唱されている[6]（e表16-10-Q）．

治療

無症候性の場合は経過観察が原則である．治療開始の適応症候としては，繰り返す発熱・盗汗・体重減少や倦怠感，過粘稠度症候群，5cm以上または症状のあるリンパ節腫脹，症状のある肝脾腫大，末梢神経障害などがある．治療適応となる検査所見としては，クリオグロブリン血症，寒冷凝集素症，自己免疫性溶血性貧血や血小板減少，アミロイドーシスの合併，ヘモグロビン＜10g/dL，血小板＜10万/μLなどがある[7]．

1）薬物療法： 抗CD20抗体であるリツキシマブ（rituximab：R）と化学療法の併用療法が用いられる．リツキシマブ投与後一過性にIgMが上昇することがあり（IgM flare），血清IgM高値例では注意を要する．

表16-10-17 WMの診断規準（第2回IWWM）

- 単クローン性IgM血症（IgMの量は問わない）
- 形質細胞（様）分化を示す小リンパ球の骨髄浸潤
- 骨梁間型の骨髄浸潤
- 免疫形質*は，surface IgM$^+$ CD5$^±$ CD10$^-$ CD19$^+$ CD20$^+$ CD22$^+$ CD23$^-$ CD25$^+$ CD27$^+$ FMC7$^+$ CD103$^-$ CD138$^-$

＊：免疫形質にはバリエーションがあり，ほかのリンパ増殖性疾患を十分に除外する必要がある．特にCD5陽性例では，慢性リンパ性白血病やマントル細胞リンパ腫を除外しておく．

初回化学療法としては，DRC（デキサメタゾン＋R＋シクロホスファミド）療法やフルダラビン内服療法が選択される．再発時には，R-ベンダムスチン療法やR-ボルテゾミブ療法が選択される．ただし，わが国ではボルテゾミブは保険適用外である．65歳未満の患者で化学療法に感受性があれば，自家造血幹細胞移植（autologous hematopoietic stem cell transplantation：AHSCT）併用の大量メルファラン療法を考慮してもよい．

2）血漿交換療法（plasmapheresis）：緊急を要する過粘稠症状があれば，血漿交換を施行する．患者血漿を生理食塩水などで置換する方法や膜濾過を用いてIgMを除去する方法がある．

（3）多発性骨髄腫（multiple myeloma：MM）

定義・概念

多発性骨髄腫は，WHO分類第4版（2008年）では，骨髄を主たる病変としM蛋白を産生する多発性の形質細胞腫瘍と定義されている（Mckennaら，2008）（eコラム5）．

原因・病因

発症原因は不明であるが，放射線被曝，ベンゼンなどの有機溶媒，除草剤や殺虫剤，リン酸化自己抗原による慢性抗原刺激，そして自己免疫疾患や免疫不全症との関連が報告されている．

疫学

2010年のわが国での骨髄腫の罹患者数は6356人（男3224人，女3132人），年齢調整罹患率は10万人あたり男性2.9人，女性2.1人/年と推定されている（eコラム6）．

病態生理・臨床症状

骨髄腫細胞は，長期生存型の形質芽細胞（long-lived plasmablast）に由来する．骨髄腫は，前癌病変であるMGUSから，長期間の多段階発癌過程を経て発症する．

多発性骨髄腫に認められる主要症候は以下のとおり

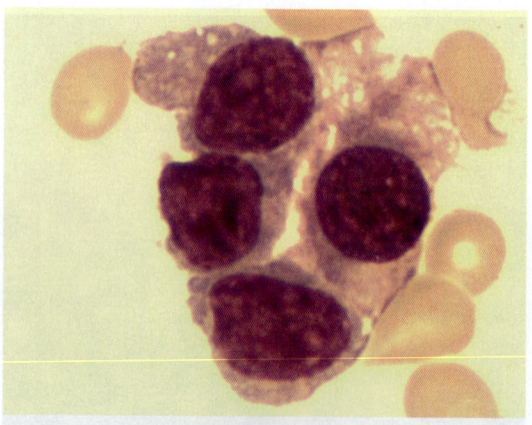

図16-10-29 WM患者の骨髄に認められたリンパ形質細胞
骨髄像：異型リンパ球から形質細胞に近いものまで，多様な腫瘍細胞が浸潤している（May-Giemsa染色，×1000）．

である（図 16-10-30）．

1）**溶骨病変**：80％の患者に認め，約半数は胸腰椎の圧迫骨折とそれによる疼痛を伴う．おもに赤色髄を侵すため，体幹骨および近位長管骨に骨打ち抜き像（punched-out lesion）とよばれる溶骨病変を形成する（eコラム 7）．

2）**高カルシウム血症**：診断時に 10％程度の患者に認める．悪心，嘔吐，口渇，多尿や倦怠感で始まり，進行すると意識レベルの低下をきたす．長期間持続すると腎機能障害をきたす．

3）**腎障害**：診断時に 10〜20％の患者で認められるが，病勢が進行すると 50％以上の患者で認められる．Bence Jones 型で高頻度であり，尿細管腔へ排泄された免疫グロブリン軽鎖が Tamm-Horsfall 蛋白と結合し円柱（cast）を形成する骨髄腫腎（myeloma kidney）による．ときに腎アミロイドーシスや軽鎖沈着病（light-chain deposition disease）による腎障害もある．

4）**血球減少症**：診断時に 50〜60％の患者でヘモグロビン値 10 g/dL 未満の貧血を認め，進行に伴い白血球減少や血小板減少も伴う．末梢血スメアでは赤血球の連銭形成（rouleau formation）が特徴的である．

5）**アミロイドーシス**：診断時に 5％の患者で，免疫グロブリン軽鎖に由来する AL 型アミロイドーシスの合併を認める．舌，筋肉，消化管，心，腎，肝などに沈着する．臨床症状としては，手根管症候群，起立性低血圧，末梢神経障害，皮疹，皮下・粘膜下出血，巨舌，吸収不良症候群，腸閉塞，ネフローゼ症候群などがみられるが，心アミロイドーシスの合併例では心不全症状や刺激伝導障害を呈する．

6）**過粘稠度症候群**：診断時 6％に過粘稠度症候群を認める．倦怠感，脱力，頭痛，めまい，精神神経症状，視力障害，呼吸障害，粘膜や皮下出血などを認め，重症化すると昏睡に陥る．

7）**感染症**：初発時，10％程度に合併する．患者死因の 70％は感染症である．呼吸器と尿路感染が多く，原因菌として肺炎球菌，インフルエンザ桿菌，Gram 陰性桿菌などの頻度が高い．帯状疱疹などのウイルス感染も高頻度に合併する．

8）**神経障害**：椎体圧迫骨折や腫瘤形成による脊髄や神経根の圧迫症状が認められる．

9）**その他**：高アンモニア血症による意識障害や高アミラーゼ血症を認めることがある．

検査所見

正球性正色素性貧血と赤血球の連銭形成を呈する．血清総蛋白高値，アルブミン低値を示し，高ガンマグロブリン血症を認める．逆に，BJP 型や非分泌型では低ガンマグロブリン血症を呈する．腫瘍量と腎障害を反映して血清中 β_2-ミクログロブリン（β_2M）値が上昇する．血清と尿の蛋白電気泳動（serum/urine protein electrophoresis：SPEP/UPEP）を行い，M ピークを確認したら免疫電気泳動法（immunoelectrophoresis：IEP）または免疫固定法（immunofixation electrophoresis：IFE）で免疫グロブリンのクラスを決定する（図 16-10-31）．M 蛋白の種類により IgG 型，IgA 型，

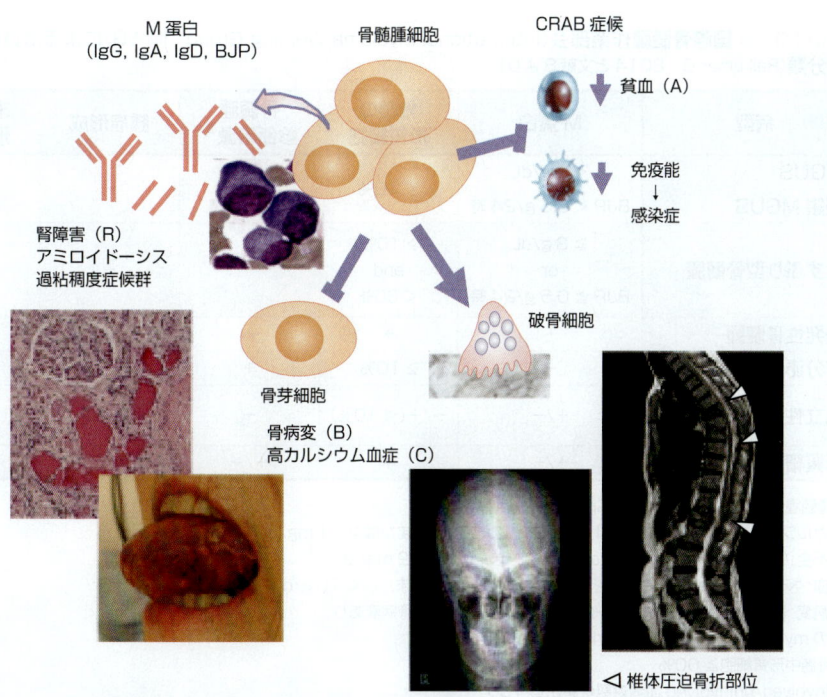

図 16-10-30 症候性（活動性）骨髄腫に認められる症候

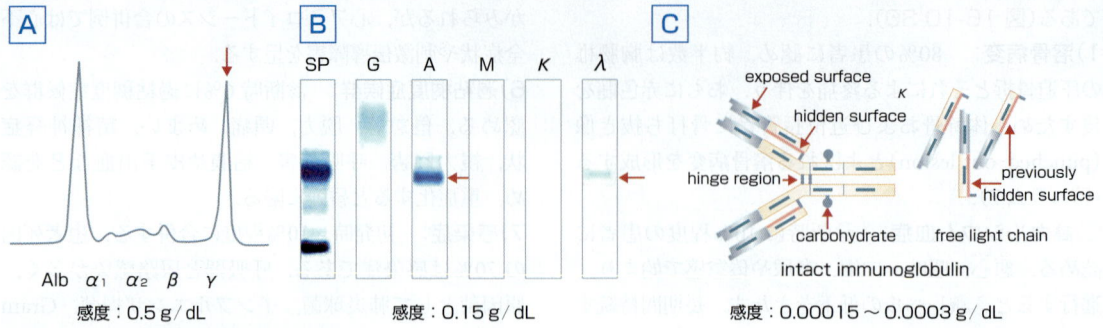

図 16-10-31 M 蛋白の同定
A：蛋白電気泳動法．矢印の箇所（γ 分画）に M ピークを認める．B：免疫固定法．IgA と λ 鎖に対するバンドを認める（矢印）．C：血清遊離軽鎖（free light chain：FLC）．FLC アッセイは，hidden surface（赤色で表示）に対する特異抗体を用い，重鎖と結合せずに遊離した κ 鎖と λ 鎖のみを定量する検査である．

IgD 型，Bence Jones 型，非分泌型に分類され，その頻度は 50%，20%，2%，15%，1〜2% である．M 蛋白以外の正常免疫グロブリンは低値となる（immunoparesis）．骨髄穿刺または生検にて異型形質細胞比率が 10% 以上であることを確認する．骨髄腫細胞の形態は楕円形で核が偏在しており，Golgi 体の発達により核周明庭を有するなど正常形質細胞に類似しているが，一般に大型で 2 核や多核の細胞もみられ核小体が目立つといった特徴がある（eコラム 8）．骨 X 線撮影では，骨融解による打ち抜き像，骨粗鬆症，骨萎縮像などを認める．まれに骨硬化像を示すこともある．脊椎骨の圧迫骨折などの病的骨折をしばしば認める．また骨髄腔からの骨皮質への浸食，骨梁の破壊，軟部組織への進展や腫瘍形成の診断に CT や MRI による画像検査も有用である．特に椎体病変の鑑別には MRI が威力を発揮する．腎障害を有する患者では血清 Cr，BUN の上昇を認め，溶骨病変の著しい患者では高カルシウム血症を示す．アミロイドーシス合併が疑われる場合には，骨髄生検，皮下脂肪組織生検，口唇生検などを施行し，コンゴーレッド染色と κ，λ 鎖に対する免疫染色を実施する．

診断

国際骨髄腫作業部会（International Myeloma Working Group：IMWG）による診断規準が用いられる（表 16-10-18）[8]．骨髄腫診断事象（myeloma-defining events：MDE）を CRAB（hypercalcemia（高カルシウ

表 16-10-18 国際骨髄腫作業部会（International Myeloma Working Group：IMWG）による形質細胞腫瘍の病型分類（Rajkumar ら，2014 と文献 8 より）

病型	M 蛋白	骨髄の形質細胞	骨髄腫診断事象*	腫瘍形成	末梢血の形質細胞
MGUS 軽鎖 MGUS	<3 g/dL BJP<0.5 g/24 時	<10%	−	−	−
くすぶり型骨髄腫	≥3 g/dL or BJP≥0.5 g/24 時	≥10% and <60%	−	−	−
多発性骨髄腫	+	+	+	+/−	−
非分泌型骨髄腫	−	≥10%	+	+/−	−
孤立性形質細胞腫	+/−	−/+（<10%）	−	骨 1 カ所	−
形質細胞白血病	+/−	+	+/−	+/−	+

＊：骨髄腫診断事象（myeloma-defining events：MDE）
1) 高カルシウム血症：正常上限値を 1 mg/dL をこえて上昇，または ＞11 mg/dL
2) 腎不全：CrCl＜40 mL/分（GFR or eGFR），または Cr＞2 mg/dL
3) 貧血：ヘモグロビン値の正常下限を 2 g/dL をこえて低下，または＜10 g/dL
4) 骨病変：骨 X 線，CT または PET-CT にて 1 カ所以上の溶骨病変あり
5) 次の myeloma-defining biomarker の 1 つ以上を有する
　① 骨髄中形質細胞≥60%
　② involved/uninvolved 血清遊離軽鎖比≥100
　③ MRI で 2 カ所以上の巣状病変あり

ム血症), renal insufficiency (腎不全), anemia (貧血), bone lesions (骨病変)) と定義し, MDE のある骨髄腫を多発性骨髄腫 (multiple myeloma) と診断し, 治療を要する骨髄腫とした. 加えて骨髄腫関連バイオマーカーとして, 骨髄中形質細胞≧60%, 血清遊離軽鎖比≧100, MRI にて2カ所以上の巣状骨病変を認める場合も早晩臓器障害が発現する骨髄腫として 2014 年の改訂で多発性骨髄腫に加えられた (Rajkumar ら, 2014).

MDE のない骨髄腫は, くすぶり型骨髄腫 (smouldering myeloma) と定義された. MGUS とは, M 蛋白量 (血清 M 蛋白≧3.0 g/dL, または尿 Bence Jones 蛋白≧0.5 g/24 時間) と骨髄形質細胞割合 (10% 以上) で区別される. くすぶり型骨髄腫は, 診断後の 5 年間で年間 10%, 診断後 5〜10 年で年間 3%, 診断後 10 年目以降は年間 1% の頻度で多発性骨髄腫に進行するため, 注意深い経過観察が必要である.

非分泌型骨髄腫 (non-secretory myeloma) は, IFE で血中・尿中 M 蛋白を検出できない症候性骨髄腫である. 免疫固定法より高感度の血清遊離軽鎖 (serum free light chain) を測定すると, 約 2/3 の患者では κ/λ 鎖比の異常を呈する.

形質細胞白血病 (plasma cell leukemia:PCL) は, 末梢血中に異型形質細胞 2000/μL 以上, または白血球分画の 20% 以上を認める骨髄腫と定義された. 原発性 (primary PCL) と, 骨髄腫の経過中に発症する二次性 (secondary PCL) とがある.

多発性骨髄腫と診断したら病期を決定する. 現在は簡便で予後の推定に有用な国際病期分類 (International Staging System:ISS) が用いられている (表 16-10-19)[9].

経過・予後

骨髄腫患者の予後は, 近年の自己造血幹細胞移植 (autologous stem cell transplan-tation:ASCT) と新規薬剤の導入により大きく改善し, 生存期間中央値は 5〜6 年に達している. 長期間にわたる疾患との共存が可能となり, 生活の質 (QOL) の維持が重要である.

治療

多発性骨髄腫患者の初期治療は, 患者年齢と重要臓器機能により異なった治療指針が推奨される (図 16-10-32). なお, 骨や髄外の孤立性形質細胞腫には,

表 16-10-19 国際病期分類 (International Staging System)

病期	規準	生存期間中央値 (新規薬剤登場前)
I 期	血清 β_2-ミクログロブリン<3.5 mg/L かつ 血清 Alb ≧3.5 g/dL	62 カ月
II 期	病期 I, II 期のいずれにも属さないもの	44 カ月
III 期	血清 β_2-ミクログロブリン≧5.5 mg/L	29 カ月

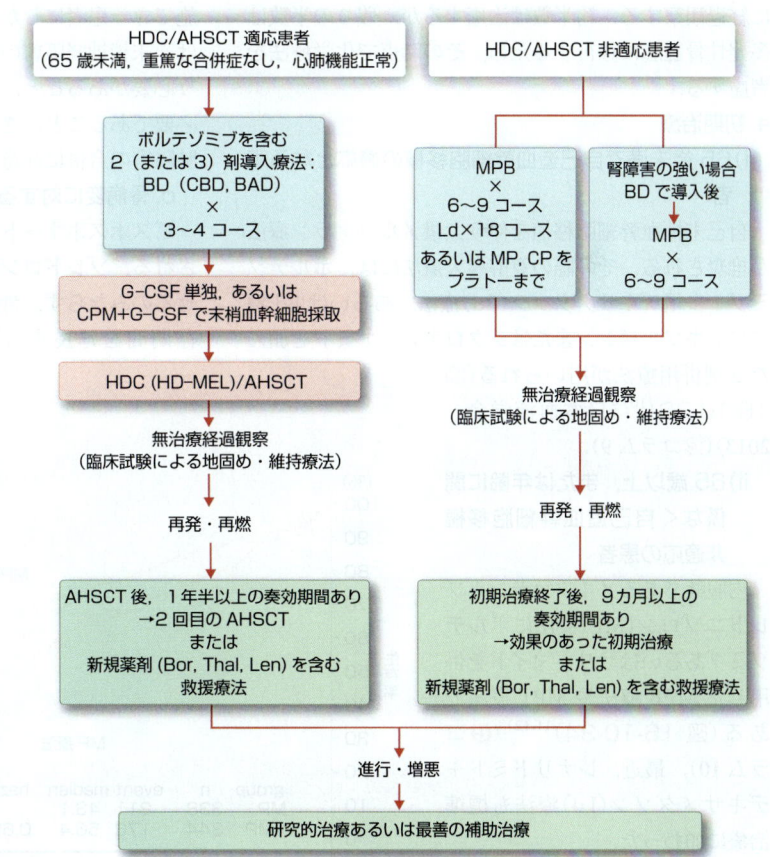

図 16-10-32 わが国における多発性骨髄腫に対する治療方針
HDC:high dose chemotherapy, AHSCT:autologous hematopoietic stem cell transplantation, BAD:ボルテゾミブ-ドキソルビシン-デキサメタゾン, CBD:シクロホスファミド-ボルテゾミブ-プレドニゾロン, BD:ボルテゾミブ-デキサメタゾン, MPB:メルファラン-プレドニゾロン-ボルテゾミブ, Ld:レナリドミド-デキサメタゾン, MP:メルファラン-プレドニゾロン, CP:シクロホスファミド-プレドニゾロン, CPM:シクロホスファミド, HD-MEL:高用量メルファラン

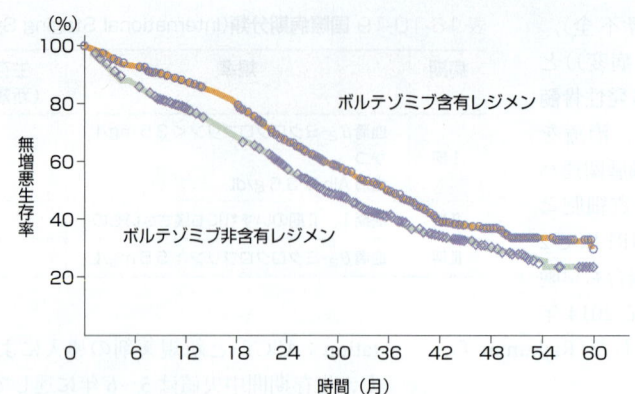

図 16-10-33 移植前の寛解導入療法としてボルテゾミブ含有レジメンとボルテゾミブ非含有レジメンを用いた場合の無増悪生存期間の比較（HOVON-65/GMMG-HD4, IFM2005-01, PETHEMA GEM05MENOS65, GIMEMA MM-BO2005 試験の併合解析）

病変部位に 40〜55 Gy の局所放射線照射を行った後に経過観察する．約半数は治癒するが，残りの半数は多発性骨髄腫に移行するため，その時点で化学療法を考慮する．

a. 初期治療

i) 65 歳未満で自己造血幹細胞移植の適応となる患者

自己末梢血幹細胞移植を伴う大量メルファラン療法が推奨される．その際の寛解導入療法には，ボルテゾミブ＋少量デキサメタゾン（Bd）療法，あるいは Bd 療法にドキソルビシンまたはシクロホスファミドを加えた 3 剤併用療法が用いられる（図 16-10-33）[10]（日本血液学会，2013）（eコラム 9）．

ii) 65 歳以上，または年齢に関係なく自己造血幹細胞移植非適応の患者

内服薬であるメルファラン＋プレドニゾロン（MP）療法にボルテゾミブあるいはサリドマイドを併用した MPB 療法や MPT 療法である（図 16-10-34）[11,12]（eコラム 10）．最近，レナリドミド＋デキサメタゾン（Ld）療法も標準治療に加わった．

b. 初期治療抵抗例，および再発・再燃例の治療法

初期治療終了後 1 年以上経過してからの再発・再燃であれば，初期治療を再度試みることにより奏効することがある．しかし，早期の再発・再燃患者に対しては，初回治療とは異なる新規薬剤を含む救援療法が推奨される（eコラム 11）．

ただし，新規薬剤には特有の毒性がある．サリドマイドの副作用として，眠気，倦怠感，末梢神経障害，便秘のほかに，深部静脈血栓症や肺血栓塞栓症，徐脈などがある．レナリドミドは，好中球減少や血栓症の合併に注意が必要であり，腎障害を有する患者に対しては減量が必要となる．ポマリドミドは好中球減少効果が強いため発熱性好中球減少症や感染症の合併に注意を要する．なお，これらの免疫調節薬には催奇形性があるため，避妊を確実に実施できる患者にしか投与は許されない．ボルテゾミブは，末梢神経障害の合併が多く適切な減量・休薬を行う必要があること，帯状疱疹の合併が多いため予防が必要であること，さらに間質性肺炎などの重篤な急性肺障害の合併に注意を要する．

c. 骨病変に対する支持療法

ビスホスホネート製剤（ゾレドロン酸）の使用が推奨される．ゾレドロン酸は，骨関連事象の発生を低下させるのみならず，骨髄腫患者の無増悪生存期間や全生存期間を延長する[13]．ただし，腎毒性や顎骨壊死

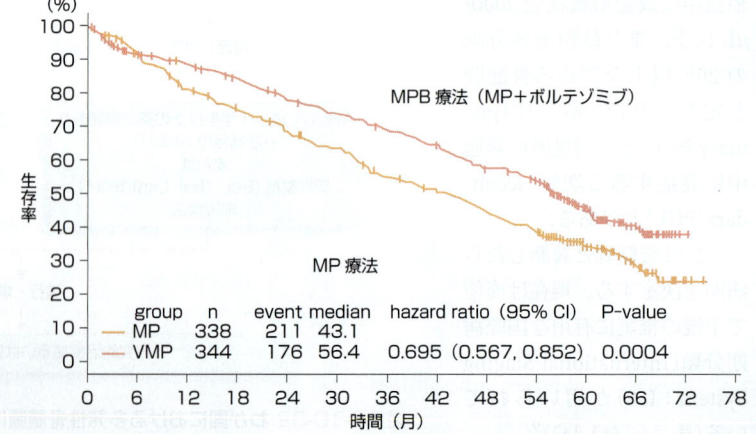

図 16-10-34 未治療移植非適応の骨髄腫患者に対して，メルファラン＋プレドニゾロン＋ボルテゾミブ（MPB/VMP）療法は，メルファラン＋プレドニゾロン（MP）療法に比して生存期間を延長する（phase 3 VISTA trial）

(osteonecrosis of the jaw：ONJ)などの重篤な副作用に注意が必要である．RANKLに対する中和抗体であるデノスマブも選択できるが，ONJに加えて低カルシウム血症に対する注意が必要となる．

椎体圧迫骨折や腫瘤形成に伴う脊髄圧迫症状に対しては，デキサメタゾン大量投与，そして局所放射線照射や外科手術などの可及的速やかな対応が必要である．骨病変の除痛目的には，オピオイド系鎮痛薬を積極的に使用する．非ステロイド系抗炎症薬(NSAIDs)は，腎障害のある患者では使用を避けるべきである．さらにコルセットや杖など適切な装具を使用し，早期から筋力低下を予防するためのリハビリテーションを行う．

(4) H鎖病 (heavy chain disease：HCD)

免疫グロブリン重鎖(H鎖)のFc部分に相当するM蛋白が血清，尿中に出現する病態でM蛋白の成分により γ鎖病，α鎖病，μ鎖病，δ鎖病がある[14]．H鎖病蛋白は完全型ではなく欠損型であり，軽鎖(L鎖)との結合ができない場合も多い．

a. γ鎖病 (γ-HCD)

IgGのH鎖のうち可変(V)部や蝶番(hinge)部の欠損のある，おもにFc部分からなるM蛋白が増加する．男性の中高年者に多い．リンパ腫様病態を呈することが多く，全身リンパ節腫大，肝脾腫，貧血，発熱などを認める．自己免疫疾患の合併を認めることもある．骨髄中に形質細胞増加をみることが多いが，骨病変は認めない．血清，尿中に分子量52〜55 kDaのγ鎖病蛋白が検出され，電気泳動上はβ〜γ中間位に出現する．BJPは陰性のことが多く，正常免疫グロブリンは通常減少する．リンパ節は非Hodgkinリンパ腫に類似しリンパ球と形質細胞の増殖をみるが，実際にはさまざまな病型を有する．ステロイド単剤から多剤併用化学療法まで病型に応じた治療選択がなされる．

b. α鎖病 (α-HCD)

IgAのFc部分相当蛋白が単クローン性に増加する．20〜30歳代の若年者に多く地中海沿岸に多い．分泌型IgA産生細胞の生理的部位に一致して腸管で増殖する場合(腸管型)が多く吸収不良症候群，慢性下痢，腹痛などを呈することが多い(immunoproliferative small intestinal disease：IPSID)．ときに肺，縦隔を増殖の場とする呼吸器型もある．小腸の粘膜固有層や腸管膜リンパ節にはびまん性に形質細胞様腫瘍細胞が浸潤する．免疫電気泳動では α〜β領域に幅広いMピークを形成する．Campylobacter jejuni 感染の関与が考えられており，病初期にはテトラサイクリン系抗菌薬の投与が効果を示す場合がある．

c. μ鎖病 (μ-HCD)

IgMのH鎖であるμ鎖が遊離型として単クローン性に存在するまれな病態である．半数以上の症例で血清，尿中にBJPを認め，この点がγ鎖病やα鎖病とは異なる．高齢者に多く，慢性リンパ性白血病類似の病態を示し，肝脾腫を呈する．無治療経過観察を含め，低悪性度リンパ増殖性疾患に準じた治療がなされる．

(5) Crow-Fukase症候群 (POEMS症候群，高月病)

定義・概念

形質細胞増殖性疾患が存在し，多発性神経炎を必須として，臓器腫大(肝脾腫)，内分泌異常(女性化乳房，甲状腺機能異常)，M蛋白血症，皮膚症状(色素沈着，剛毛，血管腫)，骨硬化病変など多彩な症状を呈する症候群である[15]．1956年にCrowらにより，そして1968年に深瀬らにより報告された疾患で，わが国においてはCrow-Fukase症候群，欧米ではPOEMS症候群とよばれることが多い．POEMSとは，本症に特徴的な症状である多発性神経炎(polyneuropathy)，臓器腫大(organomegaly)，内分泌異常(endocrinopathy)，M蛋白(M-protein)，皮膚症状(skin changes)の頭文字を表している．

原因・病因

本症候群の根底にあるのは，形質細胞の増殖である．1997年に，患者血清中の血管内皮増殖因子(vascular endothelial growth factor：VEGF)異常高値が報告された．形質細胞から分泌されるVEGFやinterleukin-12などのサイトカイン分泌が，多彩な臨床症状を引き起こしていると考えられている．VEGFは血管透過性亢進および血管新生作用を有するため浮腫，胸・腹水，皮膚血管腫，臓器腫大などを引き起こすが，必須症状である末梢神経障害の発症機序については明確になっていない．VEGFによる血管透過性亢進により血液神経関門が破綻し，神経内膜の浮腫や微小循環障害が起こるなどの仮説がある．

疫学

まれな疾患であり，形質細胞腫瘍の1〜2％と推定されている．男女比は1.5：1，年齢は20〜80歳代に分布し，診断時の年齢中央値は男女ともに48歳と多発性骨髄腫の好発年齢に比して若い．国内に約300〜400名の患者がいると推定されている．

臨床症状・検査所見

M蛋白と末梢神経障害は，ほぼすべての患者で認める．末梢神経障害は，下肢より痛みや冷感などの異常感覚から始まり，運動障害が感覚障害に続き，末梢より対称性に徐々に進行する．

M蛋白は，IgG型またはIgA型がほとんどであり，軽鎖は全例が λ型である．M蛋白は微量で，ほとんどが2 g/dL以下である．また，骨髄中の形質細胞も

少数である.

骨病変については，半数において骨硬化性病変のみを認めるが，残りの半数では，骨硬化性病変と溶骨性病変の混合した所見を認める(e図16-10-Z).

その他，臓器腫大(肝脾腫，リンパ節腫脹)，内分泌異常(性腺機能低下症，甲状腺機能異常，副腎機能障害など)，皮膚症状(色素沈着，剛毛，チアノーゼ，血管腫)，腎障害，心血管障害，肺高血圧，体重減少，浮腫，胸腹水(e図16-10-Z)，ばち指など多彩な所見を呈するが，POEMSのすべての所見を呈する患者は30%にすぎない．末梢神経障害が患者のADLを著しく障害し，末期には寝たきりの状態，多臓器不全に至る．

診断

診断基準(表16-10-20)に示すように，大項目では末梢神経障害と単クローン性形質細胞増殖疾患を診断の必須項目としている．血清VEGF高値も大項目に組み込まれている．診断には，末梢神経障害とM蛋白の存在に加えて，その他の大項目1つ以上と小項目1つ以上を満たすことが必要である．

経過・予後

臨床経過は緩徐であるが，有効な治療法が行われない場合は，心不全，心タンポナーデ，胸水による呼吸不全，感染症，DICなどを起こし生命予後は不良である．生存期間中央値は13.7年との報告があるが，ばち指または浮腫・体腔液貯留をきたす患者では，それぞれ2.6年，6.6年と予後不良である．

治療

標準治療は確立されていない．孤立性の骨病変に対しては，放射線療法の効果が期待される[16]．多発性あるいはびまん性病変に対しては，多発性骨髄腫に準じた薬物療法が試みられている．なかでも，自己造血幹細胞移植併用の大量メルファラン療法は，長期の寛解をもたらし，生命予後を改善する．移植非適応の患者，あるいは高齢患者に対しては，サリドマイド，レナリドミド，ボルテゾミブの有効性が報告されている．

(6)クリオグロブリン血症 (cryoglobuinemia)

定義・概念

クリオグロブリンは，0〜4℃の低温で可逆的に凝固し乳白色の沈殿を生ずる血清蛋白を指す．多くは免疫グロブリンを含む混合物である[17]．

分類・病因

1) I型: モノクローナルクリオグロブリンを示すもので一般には多発性骨髄腫，マクログロブリン血症，MGUSやリンパ増殖性疾患に伴う．単クローン性のIgGやIgMが本体であることが多い．

2) II型: 混合型クリオグロブリンを示すものである．一般には単クローン性で抗グロブリン活性(RF活性)を有するIgMと多クローン性のIgGからなる．C型肝炎ウイルス(HCV)やB型肝炎ウイルス(HBV)，CMV，HIVなどの各種ウイルス成分や自己蛋白が抗原となって反応し変化したIgGにIgMが反応してできた免疫複合体であることが多く補体なども巻き込まれている．

3) III型: 多クローン性の免疫グロブリンによるものである．通常は複数のアイソタイプを含んでいる．

表16-10-20 POEMS症候群の診断基準

大項目 (major criteria)	1. 多発神経炎: polyneuropathy 2. 単クローン性形質細胞増殖性疾患(ほとんどがλ鎖): monoclonal plasma cell proliferative disorder 3. 骨硬化性病変: sclerotic bone lesions 4. Castleman病 5. VEGF高値: vascular endothelial growth factor elevation
小項目 (minor criteria)	6. 臓器腫大: organomegaly(脾腫: splenomegaly, 肝腫大: hepatomegaly, リンパ節腫脹: lymphadenopathy) 7. 血管外体液貯留: extravascular volume overload(浮腫: edema, 胸水: pleural effusion, 腹水: ascites) 8. 内分泌異常: endocrinopathy(副腎: adrenal, 甲状腺: thyroid, 下垂体: pituitary, 性腺: gonadal, 副甲状腺: parathyroid, 膵臓: pancreatic) 9. 皮膚変化: Skin changes(色素沈着: hyperpigmentation, 多毛: hypertrichosis, 多血症: plethora, 血管腫: hemangioma, 白色爪: white nails) 10. 乳頭浮腫: papilledema 11. 血小板増加症: thrombocytosis/赤血球増加: polycythemia
ほかの徴候(other symptoms and signs)	ばち指: clubbing, 体重減少: weight loss, 多汗: hyperhidrosis, 肺高血圧: plumonary hypertension, 拘束性障害: restrictive lung disease, 血栓性素因: thrombotic diathesis, 下痢: diarrhea, ビタミンB_{12}低値: low VitB$_{12}$ values
関連症状(possible associations)	関節痛: arthralgia, 心筋症: cardiomyopathy(収縮障害: systolic dysfunction), 発熱: fever

多発神経炎と単クローン性形質細胞増殖性疾患以外に，少なくとも1つの大項目と1つの小項目を満たすことが診断に必要．

クリオグロブリン血症は，肝疾患(おもに HCV 関連)，感染症(HCV など)，膠原病，リンパ増殖性疾患に合併することが多い．通常 I 型と II 型は，B 細胞の単クローン性増殖に合併し，III 型は B 細胞のポリクローナルな増殖をきたす疾患に合併する(eコラム 12)．

臨床症状

無症状の場合も多いが，皮膚症状が最も特徴的である．網状皮斑，Raynaud 現象，寒冷じんま疹，血管性紫斑，四肢末端のチアノーゼなどの症状は循環障害による．また腎糸球体にクリオグロブリンと免疫複合体が沈着することによって生ずる糸球体腎炎を起こすことがありときに重篤となる．混合型の場合には加えて免疫複合体の沈着による血管炎を起こす場合も多く，関節痛，腹痛，末梢神経障害，消化管出血などを合併することもある．HCV に伴う混合型クリオグロブリン血症から後にリンパ増殖性疾患を発症する場合もあり注意を要する．

検査所見

基礎疾患に左右されるが，血清ガンマグロブリンの増加，RF 陽性，血清補体価の低下，正球性正色素性貧血などの所見を呈する(eコラム 13)．

経過・予後

基礎疾患しだいである．感染に伴うものは自然軽快することもある．腎炎合併例は重篤になることも多い．

治療

寒冷を避けた生活を心がける．基礎疾患の治療が重要であるが，腎炎や血管炎の合併例では副腎皮質ステロイド薬やシクロホスファミドなどの免疫抑制薬や，クリオグロブリン除去を目的とした血漿交換療法やクリオフィルトレーション法を行うこともある．HCV 関連混合型クリオグロブリン血症にはインターフェロン(IFN)療法＋リバビリンが，I 型のクリオグロブリン血症に対してはリツキシマブやリンパ系腫瘍に対する化学療法が選択される． 〔飯田真介〕

■文献(e文献 16-10-19)

McKenna RW, Kyle RA, et al: Plasma cell neoplasms. WHO Classification of Tumours of Haematopoietic and Lymphoid Tissues, 4th ed (Swerdlow SH, Campo E, et al eds), pp200-13, IARC Press, 2008.
日本血液学会編：造血器腫瘍診療ガイドライン 2013 年版．pp267-310，金原出版，2013．
Rajkumar SV, Dimopoulos MA, et al: International Myeloma Working Group updated criteria for the diagnosis of multiple myeloma. Lancet Oncol. 2014; 15: e538-48.

16-11 血栓・止血疾患

1) 血小板減少症
thrombocytopenia

(1) 血小板減少症の原因と分類

定義・概念

止血に関与する 4 大因子は，①血管(血管内皮細胞と内皮下組織)，②血小板，③血液凝固因子，④線溶因子である．このうち血小板が原因となって起きる止血異常には，血小板減少症と血小板機能異常症がある．

血小板減少症とは末梢血中の血小板数が正常より低値である病態を指すが，基準範囲以下でも直ちに血小板減少症とはいいがたく，通常は血小板数が 10 万/μL 以下を指す．原因のいかんにかかわらず血小板減少により出血傾向をきたすが，病態によっては血栓症状を伴うもの(抗リン脂質抗体症候群，ヘパリン惹起血小板減少症(heparin-induced thrombocytopenia：HIT)，血栓性血小板減少性紫斑病/溶血性尿毒症症候群(TTP/HUS)，播種性血管内凝固症(DIC))もある．

血小板減少による症状は一般に皮膚の点状出血，斑状出血が多いが，重症では粘膜出血をきたす．血友病などの凝固障害でしばしば観察される関節出血や筋肉内出血は血小板減少症では通常みられない．血小板数については，機能異常がなければ通常 10 万/μL 以上は正常の止血能を有すると考えてよい．10 万/μL 以下では血小板数と出血時間に逆相関がみられる．5 万～10 万/μL でも出血症状は少ないが外傷や手術時の出血量の増大がみられる．5 万/μL 以下，特に 2 万～3 万 μL 以下では紫斑，歯肉出血，鼻出血などがしばしば観察される．重症では尿路出血，消化管出血，脳出血をきたすことがある．日常臨床では口腔内出血(血腫)がみられる場合には注意を要する．

病態生理

血小板減少が起こるメカニズムとして，①骨髄での巨核球-血小板の産生低下，②末梢での消費や破壊亢進，③分布異常の 3 つが考えられる(表 16-11-1)．血小板産生の低下には先天性と後天性があるが，前者は比較的まれであり後者に遭遇する機会が多い．再生

表 16-11-1 血小板減少症の成因

1. 血小板産生の低下
　先天性
　　a. 巨核球の減少によるもの
　　　先天性無巨核球性血小板減少症
　　　Fanconi 症候群
　　b. 血小板産生障害によるもの
　　　1 巨大血小板を伴う血小板減少症(macrothrombocyto-penia)
　　　　Bernard-Soulier 症候群(血小板機能異常あり)
　　　　MYH9 異常症
　　　　　May-Hegglin 異常
　　　　　Fechtner 症候群
　　　　　Epstein 症候群
　　　　　Sebastian 症候群
　　　2 血小板サイズ正常の血小板減少症
　　　　家族性血小板減少症
　　　3 小型血小板を伴う血小板減少症
　　　　Wiskott-Aldrich 症候群
　後天性
　　a. 骨髄障害(再生不良性貧血, 白血病, 骨髄異形成症候群, 骨髄線維症, 癌の浸潤, 抗癌薬治療, 放射線障害, ウイルス感染)
　　b. 無巨核球性血小板減少症(amegakaryocytic thrombo-cytopenia)
　　c. ビタミン B_{12} 欠乏, 葉酸欠乏
　　d. アルコール

2. 末梢での破壊亢進, 消費亢進
　免疫学的機序
　　免疫性血小板減少症(特発性血小板減少性紫斑病)
　　膠原病に伴う血小板減少症
　　抗リン脂質抗体症候群
　　周期性血小板減少症
　　新生児同種免疫性血小板減少症
　　輸血後血小板減少性紫斑病
　　ヘパリン惹起血小板減少症
　　血栓性血小板減少性紫斑病
　　HIV 感染症
　非免疫学的機序
　　溶血性尿毒症症候群
　　播種性血管内凝固症
　　妊娠, HELLP 症候群
　　感染症
　　重症熱傷
　　人工弁, 人工血管
　　Kasabach-Merrit 症候群
　　タイプ 2B von Willebrand 病(先天性)
　　血小板型 von Willebrand 病(先天性)

3. 末梢での分布異常
　門脈圧亢進, 脾機能亢進, 脾腫瘍, 悪性リンパ腫

生が障害される場合に加え, 巨核球の成熟障害を呈する骨髄異形成症候群(MDS)やビタミン B_{12} 欠乏, 葉酸欠乏がしばしばみられる. 末梢での破壊亢進, 消費亢進については免疫学的機序, 非免疫学的機序ともにしばしば経験される. 前者では免疫性血小板減少症(特発性血小板減少性紫斑病)(ITP)が代表的病態である【⇒ 16-11-4】. HIT は特異な病態で, ときに致命的であり, 以前考えられていたよりも高頻度であることが最近明らかにされた(下記). また TTP は最近まで原因不明であったが, von Willebrand 因子切断酵素(ADAMTS13)に対する自己抗体が大部分の原因であることが明らかにされた【⇒ 16-11-13】. 一方, 非免疫学的機序で起こるものとして大腸菌ベロ毒素などで惹起される HUS, DIC がよく知られている. このほか妊娠, HELLP 症候群, 感染症, 重症熱傷, 人工弁, 人工血管, Kasabach-Merrit 症候群など原因はさまざまである. 多量の出血の際, 赤血球輸血による希釈で血小板数が低下することがある. 一方, 末梢での分布異常では血小板の脾臓へのプーリングが原因であり, 通常 ITP にみられるような血小板寿命の著明な短縮は認めない. 代表的な病態は肝硬変など門脈圧亢進, 脾機能亢進であり, ときに脾腫瘍, 悪性リンパ腫に合併することがある.

鑑別診断

　血小板減少患者に遭遇したら図 16-11-1 に従って鑑別診断を行う. まず偽性血小板減少症を除外する. これは採血後に試験管内で血小板が凝集する現象で, EDTA 採血でみられることが多い. 採血から測定までの時間に依存して凝集が進行する. 鑑別には塗抹標本で血小板数を確認するかクエン酸加採血で血小板数を算定する. 病歴上, 先天性が疑われる場合は塗抹標本で血小板のサイズを確認する. 後天性であり, 明らかな DIC, HIT や TTP/HUS が除外されれば骨髄穿刺を行う. 巨核球以外に異常がなく, 巨核球数が正常または増加のとき, 消費または破壊の亢進あるいは分布の異常と診断される. 薬物性血小板減少症は高頻度でみられるので薬剤服用歴の聴取は最も重要である.

血小板減少症患者への対応

　前述のように血小板数については, 機能異常がなければ通常 10 万/μL 以上は正常の止血能を有すると考える. 5 万〜10 万/μL では検査値の異常(出血時間の延長)がみられるが, 出血症状を呈することはまれである. しかし, 外傷や手術時の出血量の増大がみられる. 5 万/μL 以下, 特に 2 万〜3 万 μL 以下では紫斑, 歯肉出血, 鼻出血などがしばしば観察される. 紫斑, 皮下出血は比較的見つけやすいが, 口腔内出血斑に注意したい. 口腔内粘膜の出血斑はときに重篤な頭蓋内出血などに先行することがあるので, これを見つけた場合は直ちに対処すべきである. また自然出血がなく

不良性貧血, 白血病, 骨髄線維症, 癌の浸潤, 抗癌薬治療, 放射線障害など, 骨髄での巨核球そのものの産

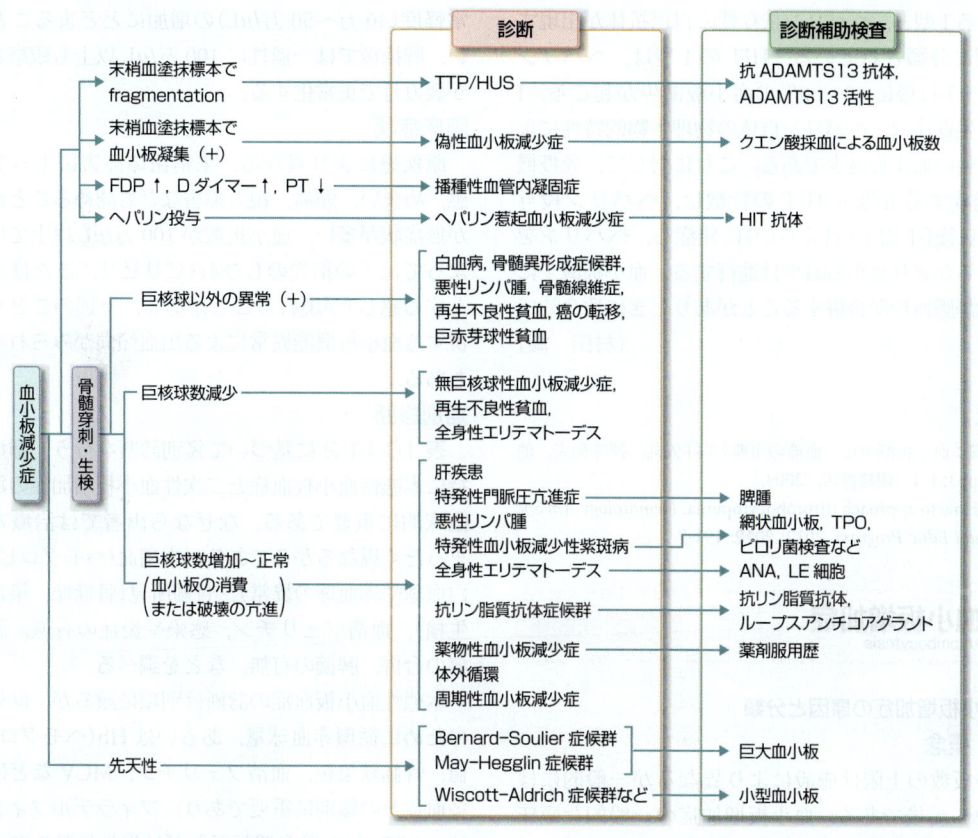

図 16-11-1 血小板減少症の診断

ても軽度の刺激で出血をきたすことが多いのでベッドサイドでの打撲などを防ぐよう注意する．血小板減少症の外来患者の場合，強い運動は控えるよう指導する．また採血，点滴部位からの出血はしばしば経験される．出血時間は血小板数が 10 万/μL 以下では延長することが明らかであるため，この検査は施行しない．

1) 外科的処置への対応： 通常，手術に必要な血小板数は他のリスクファクターの有無によっても異なるが，低リスク手術(抜歯や皮膚の小手術など)で 5 万/μL 以上，中リスク手術(腹部の一般手術など)で 7 万〜8 万/μL 以上，高リスク手術(脳外科手術など)で 10 万/μL 以上を目安にする．

薬剤による血小板減少

　薬物性血小板減少症には，骨髄における血小板産生抑制によるもの(中毒性機序)と，末梢での消費ないし破壊亢進によるもの(免疫性機序)がある．抗腫瘍薬など骨髄抑制作用のある薬物を除き，薬剤起因性の血小板減少は多くの場合，免疫学的機構が関係している．特徴は突然血小板減少が出現することであり薬剤量に依存しない．網内系による血小板の捕獲が機序として考えられている．薬物性の血小板減少症の診断に重要なことは，まずその存在を疑うこと，そして服薬歴を詳しく調べることである．ときに服薬から数週〜数カ月経過して血小板減少が出現することがあり，これは特に初回投与の場合が多い．一方，以前服薬歴があり薬剤にすでに感作されている場合は突然血小板減少が出現する．一般に薬物性血小板減少症は重症で，出血傾向が出現する．中止により血小板数は回復し，再投与しないかぎり再び血小板減少はみられないはずであるが，ときには中止しても数週〜数カ月間血小板減少が続くことがある．この際には血小板に対する自己抗体の出現が疑われる．治療は原因薬剤の中止である．出血が重症の場合，血小板輸血が行われる．輸血された血小板は抗体の存在により破壊されると考えられるが，臨床的には有効なことが多い．また網内系によるクリアランスをブロックする目的でガンマグロブリン(Fc intact)の大量療法も有効である．

　薬物性血小板減少症の特殊な病態として抗腫瘍薬マイトマイシン C による血栓性微小血管障害(TMA)や，チエノピリジン系の抗血小板薬(特にチクロピジン)による TTP が知られている．後者では薬剤開始数週以内に突然血小板が減少し，死亡することもあるので注意が必要である．HIT は，ヘパリンの重大な副作用であるにもかかわらず，わが国ではあまり注目されていないのが現状である．HIT は非免疫機序で

発生するⅠ型と，ヘパリン依存性の自己抗体が出現するⅡ型に分類されている．HITのⅠ型は，ヘパリン投与2〜3日後に10〜30％の血小板減少が起こる．Ⅰ型の発生機序は，ヘパリン自体の物理生物的特性による一過性の血小板減少である．これに対して，免疫機序で発症するⅡ型のHITの特徴は，ヘパリン投与5〜14日後(平均10日くらい)に発症し，ヘパリンを継続するかぎり血小板減少は進行する．血小板減少に伴い動静脈血栓が合併することがありときに致命的である．　　　　　　　　　　　　　　　〔村田　満〕

■文献
村田　満：血小板減少症．血液の事典(平井久丸，押味和夫，他編)，pp351-4，朝倉書店，2004．
Stasi R: How to approach thrombocytopenia. *Hematology Am Soc Hematol Educ Program*. 2012; **2012**: 191-7.

2）血小板増加症
thrombocytosis

(1) 血小板増加症の原因と分類
定義・概念

血小板数の上限は施設により異なるが一般的には40万/μL前後である．血小板増加症の一般的な臨床的目安は45万/μL以上と考えられる．腫瘍性(クローン性血小板増加症)と反応性(二次性血小板増加症)がある．腫瘍性の場合，多くは骨髄増殖性腫瘍によるものであり，反応性のものは種々の疾患や状態が原因となって起こる．一般に前者，特に本態性血小板血症では100万/μL以上となることが多く，後者では100万/μL以下がほとんどである．血小板増加により特に末梢での血液循環に障害が起こり，血栓傾向をきたすことがある．一方，血小板増加症では血小板機能異常により逆に出血傾向がみられる場合がある．これらは本態性血小板血症の場合は異常クローンの増加に由来すると考えられるが，一方で血漿von Willebrand因子(VWF)の減少やVWF高マルチマー欠損など，血小板増加が原因と考えられる異常も存在する．

病態生理

腫瘍性は骨髄増殖性腫瘍(MPN)によるものであり，本態性血小板血症【⇨16-11-3】，真性赤血球増加症【⇨16-19-1-2】，原発性骨髄線維症【⇨16-10-5】，慢性骨髄性白血病【⇨16-10-4】が含まれる．それぞれの疾患の病態は別項を参照されたい．本態性血小板血症の診断ではほかの骨髄増殖性腫瘍や反応性血小板増加症との鑑別が重要である．

反応性血小板増加症の発症機序は必ずしも明確でないものも多い．炎症性ではIL9-6などのサイトカイン放出の関与が想定されている．鉄欠乏性貧血では通常軽度(40万〜50万/μL)の増加にとどまることが多い．脾摘後では一過性に100万/μL以上も観察されるが数カ月で正常化する．

臨床症状

原疾患により異なる．末梢循環障害によって倦怠感，めまい，頭痛，視力障害なども認めることがあるが無症状が多い．血小板数が100万/μL以上では人によっては手の指先のしびれ(ピリピリ，またはじんじんする感じ)が現れることがある．上述のごとく，合併する血小板機能異常による出血傾向がみられることもある．

鑑別診断

表16-11-2に基づいて鑑別診断を行う．腫瘍性，特に本態性血小板血症と二次性血小板増加症の鑑別は臨床的に重要である．なぜなら両者では治療方針がまったく異なるからである．末梢血(ヘモグロビン値，白血球や赤血球の異常)，骨髄所見(骨髄像，染色体，生検)，血清フェリチン，感染や炎症の有無，悪性腫瘍の合併，脾摘の有無，などを調べる．

本態性血小板血症の診断は別項に譲るが，除外診断のために循環赤血球量，あるいはHb(ヘモグロビン)値，骨髄鉄染色，血清フェリチン，MCVなどは真性多血症との鑑別に重要であり，フィラデルフィア染色体，*BCR-ABL*融合遺伝子などは慢性骨髄性白血病との鑑別に重要，さらに骨髄生検で骨髄線維化の有無は骨髄線維症との鑑別に重要である．また骨髄異形成症候群で血小板増加をきたす病態が知られており，染色体異常(5q⁻，t(3;3)，inv(3)など)の検索が肝要である．*JAK2*(V617F)遺伝子変異かほかのクローナル異常の有無の検索も重要である．

一方，二次性血小板増加症との鑑別においては表16-11-2に示された病態の有無を細かく検索する必

表16-11-2 血小板増加症の原因

a. 腫瘍性血小板増加症
　1. 本態性血小板血症
　2. 真性赤血球増加症
　3. 原発性骨髄線維症
　4. 慢性骨髄性白血病
b. 反応性血小板増加症
　1. 炎症，感染症
　　慢性の経過をとる感染症，炎症性疾患
　2. 造血器疾患
　　造血亢進：出血後，溶血性貧血など
　　その他：鉄欠乏性貧血など
　3. 悪性腫瘍
　　癌，悪性リンパ腫など
　4. その他
　　脾摘後，外傷，手術後，化学療法後など
c. 家族性血小板増加症

要がある．

治療

原因により異なる．各論を参照されたい．

〔村田　満〕

■文献

Harrison CN, Bareford D, et al: Guideline for investigation and management of adults and children presenting with a thrombocytosis. Br J Haematol. 2010; 149: 352-75.

Kvasnicka HM, Thiele J: Prodromal myeloproliferative neoplasms: the 2008 WHO classification. Am J Hematol. 2010; 85: 62-9.

Kvasnicka HM: WHO classification of myeloproliferative neoplasms（MPN）：A critical update. Curr Hematol Malig Rep. 2013; 8: 333-41.

3）本態性血小板血症
essential thrombocythemia : ET

定義・概念

ETは原発性血小板血症（primary thrombocythemia）ともよばれ，多能性造血幹細胞レベルでの腫瘍化によって生じた疾患で，慢性骨髄性白血病，真性赤血球増加症，原発性骨髄線維症とともに骨髄増殖性腫瘍に分類されている．血小板数が著増，骨髄では成熟巨核球が増加する．

疫学

年間10万対1～2.5人と推定されている．診断時の平均年齢は60歳であるが，40歳未満の患者が10～25％を占め，高齢者と若年者の2つのピークを形成する．小児にはきわめてまれである．男女比は1：1～2と女性にやや多い．脳梗塞や脳出血，心筋梗塞を契機に診断されることもある．ごくまれに家族性にみられることがある（eノート1）．

病因・病態生理

巨核球系前駆細胞（巨核球コロニー形成細胞）の増加およびその自律性増殖によって骨髄巨核球の数と大きさが著明に増加し，血小板産生も著しく亢進する（正常の10～15倍）．エリスロポエチン受容体やトロンボポエチン（TPO）受容体の下流に存在し，細胞内シグナル伝達の中心的役割を担うJAK2チロシンキナーゼの遺伝子変異（JAK2V617F変異）が本症の半数例に，分子シャペロンとして機能するcalreticulin（CALR）の遺伝子変異が20～25％に検出される．【⇨16-9-10】CALR変異陽性例はJAK2V617F陽性例に比べて若年者に多い．TPO受容体をコードするc-mplの遺伝子変異を1～3％に認め，この変異によってTPO受容体は恒常的に活性化され，血小板増加をきたすと考えられる．この変異は疾患特異性がなく，原発性骨髄線維症の症例にも10％程度に認める．

臨床症状

血管運動性症状あるいは血栓出血症状を呈することが多いが，診断時1/4～1/3の患者は無症状である．血管運動性症状では，頭痛，失神，非定型胸痛，視力障害，網状皮斑，肢端紅痛症（erythromelalgia）【⇨14-9-10】などがある．

血栓出血症状では，血栓症状が出血症状より多い．血栓症は動脈血栓（心，脳，末梢）の方が静脈血栓（下肢深部静脈，腸間膜静脈，脳静脈洞）よりも起こりやすい．血栓症の発症には年齢が深く関与し，高齢者に多く，若年者では血小板数の増加にもかかわらず，血栓症は少ない．血栓症の発生と血小板数・凝固機能との間には明らかな相関がない．出血症状は消化管出血が最も多い．

中等度の脾腫を20～50％に認めるが，骨髄線維症に移行しなければ巨脾はまれである．肝腫大を認めることがある．

検査所見

1）末梢血所見： 血小板数は通常100万/μL以上で，ときに数百万/μLをこえることもある．血小板は大きさ，形，構造の異常が著しく，巨大血小板や巨核球の断片もみられる（図16-11-2）．軽度の貧血を認める．白血球の増加は認めるが，通常2万/μLをこえず，好中球が増加していることが多い．軽度の好酸球・好塩基球増加もしばしば認めるが，白赤芽球症はない．

2）骨髄所見： 骨髄は正形成ないし軽度の過形成で，大型から超大型で細胞質の豊富な成熟した巨核球の著明な増加と血小板の凝集像がシート状にみられる（図16-11-3）．深く分葉した巨核球や過剰に分葉した巨大巨核球（牡鹿の角様，stag-horn like）もみられる．赤芽球系，骨髄球系前駆細胞もしばしば増加するが，一般に軽度である．細網線維の増生はあってもごくわずかである．

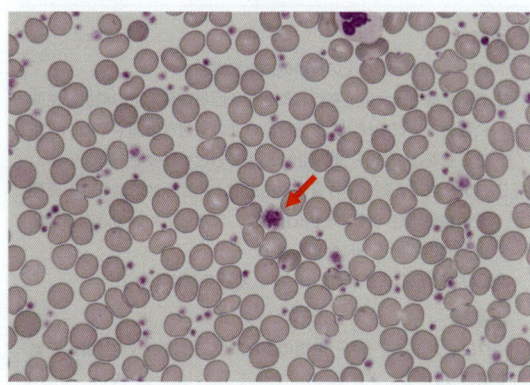

図16-11-2　本態性血小板血症の末梢血塗抹標本
血小板は大きさ，形，構造の異常が著しく，巨大血小板が中央にみられる（矢印）．

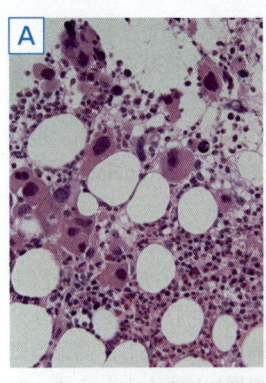 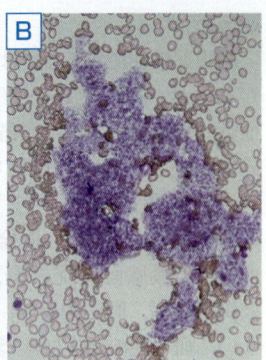

図 16-11-3 本態性血小板血症の骨髄像
A：生検標本(HE 染色)．大型で細胞質の成熟した巨核球の著明な増加がみられる．
B：塗抹標本(May-Giemsa 染色)．血小板の凝集像がシート状にみられる．

表 16-11-4 本態性血小板血症と反応性血小板増加との鑑別点

鑑別点	本態性血小板血症	反応性血小板増加
原疾患の有無	−	＋
血小板増加の持続性	＋	−
血栓，出血傾向	＋	−
脾腫	＋	−
血小板数＞100 万/μL	＋	−
巨核球巣状増加	＋	−
CRP の増加	−	＋
血小板機能および形態異常	＋	−
内因性巨核球コロニー形成	＋	−
JAK2・CALR・c-mpl 遺伝子変異	＋	−

3) その他：13q⁻，＋8，＋9 などの染色体異常を 5〜10％に認めるが，本態性血小板血症に特徴的な異常はない．

診断・鑑別診断

WHO 分類 2016 を表 16-11-3 に示す(Arber ら，2016)．慢性骨髄性白血病，真性赤血球増加症，原発性骨髄線維症を除外する．8 割の症例で JAK2V617F 変異(50％)，CALR 変異(20〜25％)，c-mpl 変異(1〜3％)のいずれかを認める．これらの変異を認めない場合には血小板増加症をきたすほかの疾患を除外する(表 16-11-2)．反応性の血小板増加症との鑑別が問題になるが，反応性では 100 万/μL をこえることはまれで，経過も一過性のことが多い(表 16-11-4)．経過中に骨髄線維症へと移行することがあり，ET 後骨髄線維症(post-essential thrombocythaemia myelofibrosis；post-ET MF)とよばれている．

表 16-11-3 本態性血小板血症診断基準(WHO 分類 2016)

大基準
1. 45×10⁴/μL 以上の持続的血小板増加
2. 骨髄生検で，大型成熟巨核球を伴う巨核球系細胞の増生を主体に認める；好中球または赤芽球造血の有意な増加やあるいは左方移動を認めない．線維化はあってもごく軽度である
3. BCR-ABL1 陽性慢性骨髄性白血病，真性赤血球増加症，原発性骨髄線維症，骨髄異形成症候群，またはその他の造血器腫瘍の WHO 診断基準に合致しない
4. JAK2，CALR，あるいは MPL 変異を認める

小基準
クローナルなマーカーを認めるか，反応性血小板増加症の所見を認めない

診断には，大基準 4 項目をすべて満たすか，大基準 1〜3 のほかに小基準を満たすことが必要．

治療

はじめに心血管系合併症の危険因子(肥満，喫煙，糖尿病，高血圧，脂質異常症など)を取り除くことが重要である．基本的な治療方針は血小板増加の抑制と血小板機能の制御にある．血栓症の危険因子(年齢，血栓症の既往)を加味したリスクの層別化が行われ，これをもとに治療方針が決定される．血栓症の高危険群は 60 歳以上または血栓症の既往歴を有する患者である．高危険群ではないが，心血管系合併症の危険因子をもつ，または JAK2V617F 陽性の患者は中間危険群に，それ以外は低危険群に分類される．

高危険群では血栓症を繰り返す危険性が高いので，おもに抗腫瘍薬やアナグレリドを使用して積極的に血小板数を減少させることが重要である．中間群は少量アスピリン投与(80〜100 mg/日)を行い，低危険群では原則経過観察とするが(日本血液学会，2013)，血管運動性症状を有する場合には少量アスピリン投与の適応となる(図 16-11-4)．

1) 化学療法：抗腫瘍薬としてヒドロキシカルバミド(ヒドロキシウレア)がおもに用いられる．ヒドロキシウレアの投与によって血栓症の発生を有意に減らすことができる．原則として血小板数 40 万/μL 以下を目標にコントロールする．

アナグレリドはホスホジエステラーゼⅢ(PDE Ⅲ)阻害活性を有することから血小板凝集阻害薬として開発された薬剤である．血小板数を減少させる効果があることから，欧米では血小板減少を目的に高危険群の本態性血小板血症の治療薬としてすでに広く用いられており，わが国でも 2014 年に本疾患への適応が承認された(eノート 2)．

インターフェロン-α と JAK2 阻害薬については eノート 3 を参照．

2）抗血栓療法：アスピリンの少量投与が最も効果的である．本態性血小板血症でみられる血栓症は真性赤血球増加症と同様に血小板活性化作用を有するトロンボキサンA_2合成の亢進がおもな誘因であるが，少量のアスピリン（100 mg/日）はトロンボキサンA_2合成を抑制するので，血栓症の予防に効果的である（ⓔノート4）．

経過・予後・合併症

多くの症例は長い間血小板数の増加にもかかわらず，良好な経過をたどり，おもな死因は血栓塞栓症である．診断後の生存期間の中央値は約 20 年である．一部の症例は急性骨髄性白血病や骨髄線維症に移行する．急性骨髄性白血病への移行は 10 年で 2.6%，15 年で 5.3%，post-ET MF は 10 年で 3.9%，15 年で 6% にみられる．*CALR* 変異陽性例は *JAK2V617F* 陽性例に比べて血栓症の合併頻度が低い．

〔小松則夫〕

■文献

Arber DA, Orazi A, et al: The 2016 revision to the World Health Organization classification of myeloid neoplasms and acute leukemia. *Blood*. 2016; 127: 2391-405.

日本血液学会編：造血器腫瘍診療ガイドライン 2013 年版, 金原出版, 2013.

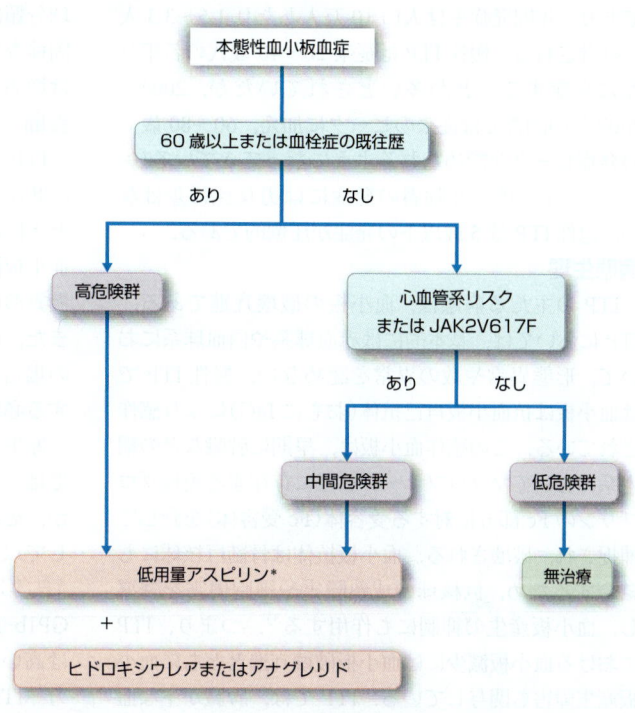

図 16-11-4 本態性血小板血症の治療アルゴリズム
*：VWF 活性 30% 以上の場合．

4）特発性血小板減少性紫斑病
idiopathic thrombocytopenic purpura：ITP

概念・分類

ITP は，ほかの基礎疾患や薬剤などの原因が明らかではないにもかかわらず，血小板の破壊が亢進し減少する後天性の疾患である．欧米では特発性（idiopathic）というよりは，免疫性（immune）あるいは自己免疫性（autoimmune）という表現が用いられることが多く，primary immune thrombocytopenia との用語が定着しつつある[1]．ITP の成因の詳細はいまだ不明であるが，主体となる血小板減少機序は，血小板に対する自己抗体により血小板が早期に網内系で破壊されるためと考えられている．本疾患は指定難病に認定されている．

ITP はその発症様式と経過より，急性型と慢性型に分類され，6 カ月以内に自然寛解する病型は急性型，それ以後も血小板減少が持続する病型は慢性型と分類される．急性型は小児に多くみられ，ウイルス感染を主とする先行感染を伴うことが多い．一方，慢性型は成人女性に多く，内科において ITP といえば一般的に慢性型を指している．しかしながら，発症時に急性型か慢性型かを区別することはきわめて困難であり，実際には発症後 6 カ月経過した時点において，6 カ月以内に寛解したものを急性型，そうでないものを慢性型として分類することになる（表 16-11-5）[1]．また最近では 1 年以上血小板減少が持続する場合を慢性型とする意見もある[1]．

疫学

わが国における ITP の登録患者数は約 2 万 4000 人

表 16-11-5 急性 ITP と慢性 ITP の特徴

	急性 ITP	慢性 ITP
好発年齢	2〜5 歳	20〜40 歳，60〜80 歳
性差	男 1：女 1	若年発症例では男 1：女 3 高齢者では性差なし
好発時期	冬〜春	特になし
発症様式	急性の発症 発症時期が明確なことが多い	発症時期が不明なことが多い 検診などで見つかることあり
先行事象	ウイルス感染 予防接種	なし
出血症状	強い	症状を欠く場合もあり
経過	6 カ月以内に寛解	慢性に経過し 6 カ月以上

であり，年間発症率は人口10万人あたり1.5～3.3人と推計される．慢性ITPは従来20～40歳代の若年女性に発症することが多いとされていたが，2004～2007年の調査では従来のピークに加え，60～80歳での発症ピークが認められるようになってきている（⊖図16-11-A）[2]．高齢者の発症には男女比に差はない．急性ITPは5歳以下の発症が圧倒的である．

病態生理

ITPの主たる病態は，血小板の破壊亢進である．ITPにおいては，基本的には赤血球系や白血球系において，形態異常や数の異常を認めない．慢性ITPでは血小板は抗血小板自己抗体（おもにIgG）により感作されている．この感作血小板は，早期に脾臓などの網内系においてマクロファージなどに存在する免疫グロブリンのFc部分に対する受容体（Fc受容体）を介して捕捉され，破壊される．血小板抗体は骨髄巨核球にも結合するため，巨核球の成熟障害や細胞傷害を誘導し，血小板産生の抑制にも作用する[3]．つまり，ITPにおける血小板減少には血小板破壊亢進とともに血小板産生障害も関与している．ITPでは，脾臓が主な血小板破壊部位であるとともに，血小板抗体産生部位でもある（図16-11-5）．血小板自己抗体の標的に関しては，血小板膜糖蛋白GPIIb-IIIaおよびGPIb-IXがその主要な標的抗原であることが示されている[4,5]．

臨床症状

皮下出血，歯肉出血，鼻出血，性器出血など皮膚粘膜出血が主症状である．血尿，消化管出血，吐血，網膜出血を認めることもある．高度の粘膜出血を認める場合は頭蓋内出血をきたす危険があり，早急な対応が必要である．血友病など凝固因子欠損症でみられる関節内出血は，ITPでは通常認めない．

検査所見

血小板減少以外に特に異常所見を認めないが，出血の持続により貧血を示すことがある．白血球数，白血球分類には特に異常を認めない．出血時間は延長．凝固検査は正常．骨髄検査では，巨核球数は正常あるいは増加しており，その他に特に異常を認めない．

診断

ITPの診断に関しては，いまだにほかの疾患の除外診断が主体となる．詳しい病歴の聴取や身体的所見，ときには骨髄穿刺により先天性血小板減少症や薬物性血小板減少症，さらには血小板産生障害に起因する骨髄異形成症候群や再生不良性貧血などの鑑別を行う．また，血小板数が3万～5万/μL以下の症例で無症状の場合には，EDTA依存性偽性血小板減少症を除外する必要がある【⇨16-5-6】．

厚生省特定疾患血液凝固異常症に関する調査研究班では，2006年に新たな診断基準（案）を提唱しているが，そのなかにはITPの病態に則した補助診断法として以下のような特異的な検査が含まれている（⊖表16-11-A）[6]．血小板膜糖蛋白GPIIb-IIIaもしくはGPIb-IXに対する自己抗体検出のITPの診断的意義は高いが，その検出感度はITPの約50％と低い．一方，ITP血小板において血小板結合IgG（platelet-associated IgG：PAIgG）が増加しているが，PAIgG上昇はITPに特異的ではなく，その診断的意義は少ない．ITPでは幼若血小板の指標としての網状血小板比率が増加しており，血清トロンボポエチン値は正常ないしは軽度増加しているのみである．他方，再生不良性貧血など造血障害による血小板減少では血清トロンボポエチン値は著増する[7,8]（⊖図16-11-B）．これらの検査はITPの病態に基づく診断法であるが，残念ながら2016年現在保険収載されていないため日常臨床での使用には至っていない．

経過・予後

ITPでは血小板数が3万/μL以上では死亡率は正常コントロールと同じであるが，3万/μL以下だと出血や感染が多くなり死亡率が約4倍に増加すると報告

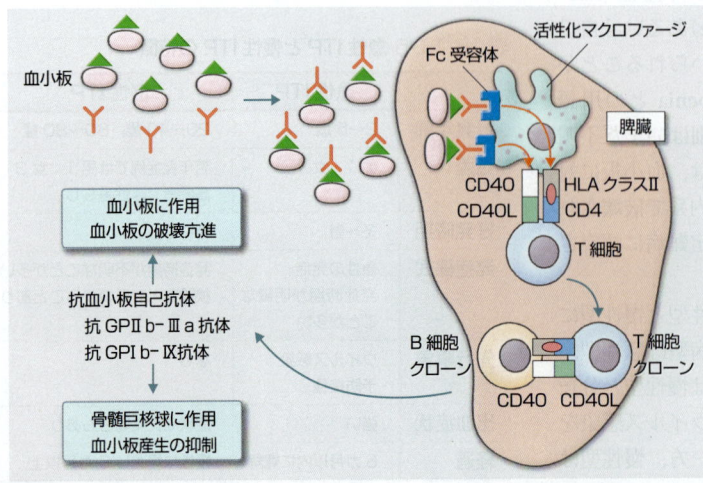

図16-11-5 ITPにおける血小板減少機序

脾臓で産生された抗血小板自己抗体（おもにIgG）は血小板膜GPIIb-IIIaあるいはGPIb-IXに結合し，感作血小板は主として脾臓内でマクロファージ上のFc受容体を介して捕捉され，破壊される．血小板を取り込んだマクロファージはGPIIb-IIIaあるいはGPIb-IXの抗原ペプチドをHLA抗原上に表出し，HLAクラスII-CD4に加え副刺激経路（ここではCD40-CD40Lを提示）などを介して自己反応性ヘルパーT細胞を活性化し，さらにはB細胞を活性化し抗体産生を誘導する．一方では，これらの抗体は巨核球の成熟障害などを誘導し，血小板産生を抑制する．

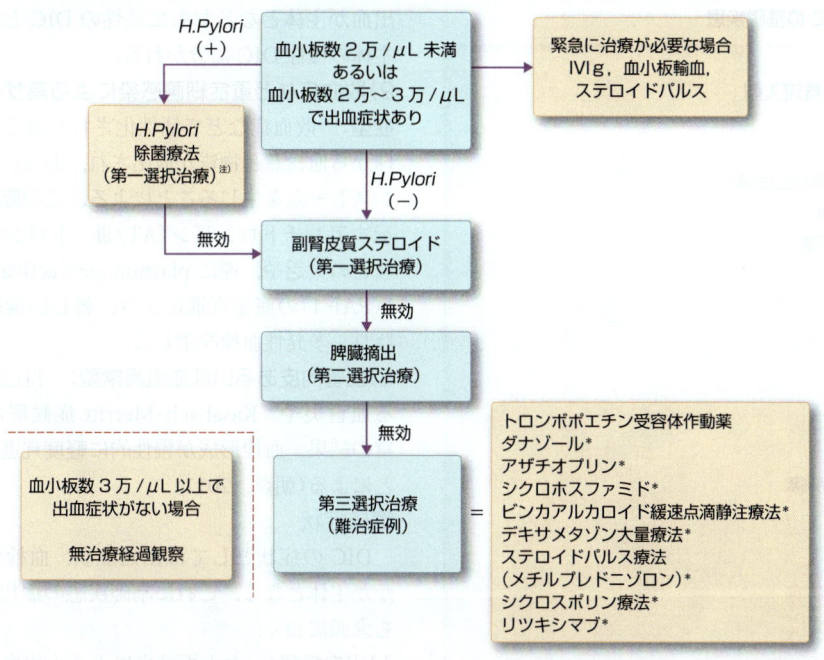

図 16-11-6 成人 ITP 治療の参照ガイド 2012 年版(文献 9 より改変)
血小板数が 2 万～3 万/μL の場合は，出血症状が軽微であればすぐに治療を開始する必要はなく，注意深く経過を観察し，血小板が減少あるいは出血症状の増悪時にはすぐに治療を行うようにする．
IVIg：免疫グロブリン大量療法．
＊：現時点で保険適用のない薬剤．
注) H. Pylori 除菌療法は血小板数 3 万/μL 以上で出血症状がない場合でも施行する．

されており，3 万/μL 以上であれば比較的予後は良好である．

治療

一般的に血小板数は 3 万/μL 以上を維持するように努める．血小板が 3 万/μL 以上で出血傾向が軽微な場合は，無治療での経過観察とする．血小板数が 3 万/μL 未満あるいは出血傾向を認める場合が治療の対象となるが，標準治療は副腎皮質ステロイド，ステロイドが無効な場合は脾摘療法である．Helicobacter pylori 除菌療法の有効性が示され，2010 年に保険適用となり，H. pylori 感染 ITP には第一選択となる．除菌療法奏効 ITP 例のうち約 60～70％において血小板増加が認められる．2011 年には，新たな分子標的薬，トロンボポエチン受容体作動薬が市販された．本剤は巨核球のトロンボポエチン受容体に作用して血小板産生を増加させる．本剤の使用は難治例に限定されるが，奏効率は約 80％と良好である．2011 年度に作成された ITP 治療の参照ガイドを図 16-11-6 に示す[9]．(血小板産生機構の図は【⇒ 16-3-12】)

重篤な出血を認める症例や脾摘など外科的処置が必要な症例には，ガンマグロブリン大量療法やメチルプレドニゾロンパルス療法にて血小板数を速やかに増加させ出血をコントロールする必要がある．血小板輸血は一般には行わないが，緊急時の場合には血小板輸血も併用する． 〔冨山佳昭〕

■文献(e文献 16-11-4)

Cines DB, Blanchette VS: Immune thrombocytopenic purpura. N Engl J Med. 2002; 346: 995-1008.
冨山佳昭：特発性血小板減少性紫斑病．臨床血液. 2008; 49: 1298-305.
冨山佳昭：トロンボポエチン受容体作動薬による難治性 ITP の治療．臨床血液. 2011; 52: 627-32.

5) 播種性血管内凝固症候群
disseminated intravascular coagulation：DIC

定義・概念

DIC は，種々の基礎疾患の進展に伴い，まず凝固系が亢進し，全身性の微小血管の血栓形成と内皮細胞の障害により，各種臓器の障害を生じ，この際に血小板や各種凝固因子が消費され欠乏状態となることに，線維素溶解反応(線溶系)の亢進が各基礎疾患により程度の差はあれ併発し，両者あいまって出血傾向を生じる疾患である．この際凝固・線溶関連因子に加え，生体内のサイトカインネットワークも活性化され，凝固

表16-11-6 DICの基礎疾患

1. 凝固惹起物質流入型
    - 悪性腫瘍
        - 造血器
            - 急性前骨髄球性白血病
            - 急性白血病
            - 悪性リンパ腫
        - 固形癌
    - 組織損傷
        - 熱傷
        - 外傷
        - 横紋筋融解
        - 術後
    - 産科的疾患
        - 常位胎盤早期剥離
        - 羊水塞栓症
        - 子癇
    - 蛇咬傷
    - 低体温
    - 不適合輸血
    - 急性膵炎
2. 高サイトカイン血症型
    - 敗血症
    - 重症感染症
3. 血管関連異常型
    - 血管内皮慢性炎症
        - 血管炎併発自己免疫疾患
    - 血流異常
        - 巨大血管腫（Kasabach-Merritt症候群）
        - 大動脈瘤
4. その他

や血管内皮の障害を主体とする臓器障害も出現し病態をいっそう複雑にしている（Rodgers, 2013）．

病因・疫学

DICを生じる代表的な疾患は，敗血症，癌すなわち白血病特に急性前骨髄球性白血病などの造血器腫瘍および固形腫瘍，常位胎盤，前置胎盤早期剥離などの産科疾患である（表16-11-6）．1998年に実施された旧厚生省研究班疫学調査によれば，わが国の243施設で7万3000人/年が報告され，死亡率は56.0%であった[1]．

病態生理

凝固系および線溶系の持続性の亢進に，高サイトカイン血症が加わることが本態であるが，そのうちどれが優位かによって異なる病態を呈する．おもに次の3型に分類される．

1) 凝固をきたす組織因子の血中流入型：羊水塞栓，腫瘍崩壊，手術・外傷，蛇毒など．その流入・反応速度により，凝固因子の消費亢進，二次線溶亢進による出血が主体となるおもに急性のDICと，血栓症状が主体の慢性DICに分かれる．

2) 敗血症など重症細菌感染による高サイトカイン血症型：敗血症などで活性化された血管内皮細胞や単球から血栓惹起物質が放出され，あるいはサイトカインストームを生じることによる．この際抗凝固作用を示すアンチトロンビン（AT）Ⅲ，トロンボモジュリンなどの欠乏や，逆にplasminogen activator inhibitor-1（PAI-1）の産生亢進により，著しい凝固亢進状態となり，多発性血栓を生じる．

3) 血管内皮あるいは血流異常型：自己免疫疾患による血管炎や，Kasabach-Merritt症候群などの血管異常の結果，血栓形成が慢性的に軽度亢進状態になることによる（朝倉, 2011）．

臨床症状

DICの症状としては出血症状，血栓症状のいずれかが主体となる．これに基礎疾患の症状が加わることも念頭におく．

1) 出血症状：血小板減少による小出血，凝固因子欠乏によるより広範な斑状出血など．創部や穿刺部の出血では，線溶活性亢進により，いったん止血後の再出血も認める．物理的に止血困難な脳出血，消化管出血，肺出血は予後不良なことも多い．筋肉内出血も起こる．

2) 血栓症状：血栓出現部位に応じて，当該臓器の虚血症状を認める．呼吸困難，肺塞栓症状などの呼吸器症状，腹痛，下血，黄疸などの消化器症状，意識障害，麻痺などの中枢神経症状，乏尿・無尿などの腎障害，心筋梗塞，ショックなどの心血管症状あるいはその合併など多彩である．DICは基礎疾患自体も重症かつ多彩な症状をもつ患者に発症するため，特に非典型的な血栓症状などについては，DICによる可能性を想起することが重要である．また出血，線溶亢進と凝固亢進両者が相拮抗して無症候的な病態を示すこともあり，通常は重篤でなく予後も比較的良好である[2]．

検査所見

各種基礎疾患による検査異常および各種臓器障害による検査異常を認める．出血・凝血・線溶系については，血小板数は，おおむね低値を示し，凝固因子の消費を反映してPT，APTT，フィブリノゲンは低下する．FDP（fibrin degradation product）は高値を示す．出血優位型と凝固優位型の鑑別にはTAT（thrombin-antithrombin complex）とPIC（plasmin-α_2 plasmin inhibitor complex）が有用である．出血優位型ではPICが亢進しやすく，凝固優位型ではTATの上昇が優位である．両型の性格を有するDICは固型腫瘍などでみられ，PIC，TATともに上昇を認める．

診断

わが国で現在最もよく用いられている1988年改訂の厚生労働省の診断基準を表16-11-7に示す[3]．基礎疾患，臨床症状，検査成績がスコア化され，血液疾患とそれ以外で異なる採点基準が用いられる．DIC早期診断のために重要な点に表16-11-7のV.5)がある．検査値が正常であってもDICの可能性がある病態下で，血小板数，フィブリノゲンの急速な低下が起これば，DICの発症を疑い注意深い観察が必要である．また一般にDICで低値を示すフィブリノゲンも，敗血症など重症感染症では炎症性サイトカインによる上昇を認める場合もあるので注意する．急性期DIC診断基準については e コラム1を参照．

経過・予後

最終的予後は基礎疾患に左右されるが，DICの予後とは区別すべきであり，後者については，早期診断・早期治療によるコントロールもある程度期待できる．

治療

基礎疾患・DICとも重篤な場合が多いため，両者並行して治療にあたることが重要である．ここでは後者について述べる．おもに抗凝固療法，抗線溶療法，補充療法に大別される（和田ら，2014）．

1) 抗凝固療法

a) ヘパリン系薬[4]：ヘパリン，低分子ヘパリン，ヘパリン様物質（ダナパロイド）は，最もよく用いられる．その機序は血中アンチトロンビン（AT）との結合によるその抗凝固活性の増強である．ヘパリン系薬は，その機序より抗トロンビン活性減弱条件下では十分な効果を示さないため，AT活性をモニターし，低値の場合AT製剤の併用が必要である．

b) 蛋白分解酵素阻害薬：ゆるやかに抗トロンビン活性を発揮し，抗線溶活性も強いため線溶優位のDICに有効である．ナファモスタット，ガベキサート[5]があり，おもにわが国で使用されている．

c) 遺伝子組み換えトロンボモジュリン製剤：近年わが国で開発された薬剤であり，トロンビンと結合してその活性を消失させ，また本複合体はプロテインC（PC）を活性化し（活性化PC），抗凝固活性を示す．リ

表16-11-7 播種性血管内凝固（DIC）の診断基準（厚生労働省，1988年改訂）

		得点
I．基礎疾患		
	あり	1
II．臨床症状		
	1) 出血症状（注1）あり	1
	2) 臓器症状 あり	1
III．検査成績		
1) 血清FDP値（μg/mL）		
	40 ≦	3
	20 ≦　　< 40	2
	10 ≦　　< 20	1
2) 血小板数（×10³/μL）（注1）		
	50 ≧	3
	80 ≧　　> 50	2
	120 ≧　　> 80	1
3) 血漿フィブリノゲン（mg/dL）		
	100 ≧	2
	150 ≧　　> 100	1
4) プロトロンビン時間		
時間比（正常対照値で割った値）		
	1.67 ≦	2
	1.25 ≦　　< 1.67	1
IV．判定（注2）		
	1) 7点以上　　DIC	
	6点　　DIC疑い（注3）	
	5点以下　　DICの可能性小	
	2) 白血病その他注1に該当する疾患	
	4点以上　　DIC	
	3点　　DIC疑い（注3）	
	2点以下　　DICの可能性小	
V．診断のための補助的検査成績，所見		
	1) 可溶性フィブリンモノマー陽性	
	2) Dダイマーの高値	
	3) トロンビン・アンチトロンビンIII複合体	
	4) プラスミン・α₂-プラスミンインヒビター複合体の高値	
	5) 病態の進展に伴う得点の増加傾向の出現，特に数日内での血小板数あるいはフィブリノゲンの急激な減少傾向ないしFDPの急激な増加傾向の出現	
	6) 抗凝固療法による改善	
VI．		
注1：白血病および類縁疾患，再生不良性貧血，抗腫瘍薬投与後など骨髄巨核球減少が顕著で，高度の血小板減少をみる場合は，血小板数および出血症状の項は0点とし，判定はIV-2)に従う		
注2：基礎疾患が肝疾患の場合は以下のとおり		
a．肝硬変およびそれに近い病態の慢性肝炎（組織上小葉改築傾向あり）の場合には，総得点から3点減点したうえで，IV-1)の判定基準に従う		
b．劇症肝炎および上記を除く肝疾患の場合は，本診断基準をそのまま適用		
注3：DICの疑われる患者で，V．診断のための補助的検査成績，所見のうち2項目以上満たせばDICと判定		
VII．除外規定		
	1) 新生児，産科領域のDICの診断には適用しない	
	2) 劇症肝炎のDICの診断には適用しない	

ポポリサッカライド（LPS）などとの結合による抗炎症作用も示すため，特に感染症由来の高サイトカイン血症型にはよい適応である[6]．

d）アンチトロンビン（AT）Ⅲ製剤：同様の生理的プロテアーゼ阻害薬に AT Ⅲがある．AT Ⅲはヘパリン・ヘパリン系薬の存在下で，活性が約1000倍増強され，トロンビンや第Ⅹ因子を阻害する．したがって，ヘパリン投与の場合，その前提として AT 活性が70％以上あること，なければ AT Ⅲ製剤投与により補充することが重要である．一方，AT Ⅲ製剤はヘパリン非併用下でも DIC の予後を改善することが報告されている[7]．

2）補充療法：血小板，各種凝固因子の消費が著しいときは，濃厚血小板輸血や新鮮凍結血漿の補充を行う．この際，基礎疾患の治療および抗凝固療法の併用による疾患の改善をあわせて行う必要がある．

3）抗線溶療法：DIC は一義的には過血栓形成状態であるので一般には推奨されず，敗血症や ATRA 併用時の APL では原則禁忌であり[8]，強い線溶亢進時にも使用は最小限に留めるべきである．〔上田孝典〕

■文献

Rodgers GM: Acquired Coagulation Disorders（Greer JP, Arber DA, et al eds），pp1186-217, Lippincott Williams & Wilkins，2013．

朝倉英策：播種性血管内凝固症候群．血液専門医テキスト（日本血液学会編），pp366-9, 南江堂，2011．

和田英夫，松本剛史，他：播種性血管内凝固．臨床血液．2014; 55: 75-82.

6）血栓性血小板減少性紫斑病
thrombotic thrombocytopenic purpura：TTP

定義・概念

TTP は血小板減少症，微小血管障害性溶血性貧血（microangiopathic hemolytic anemia：MHA），動揺する精神神経症状，腎障害，発熱を5徴とする症候群である．1924年 Moschcowitz により報告された[1]．本疾患を包含する病態として血栓性微小血管障害（thrombotic microangiopathy：TMA[2]）と総称され，臨床的には MHA，血小板減少，臓器障害を3主徴とし病理的には微小血管を中心とする広範な虚血の結果生じる多臓器の虚血を本態とする症候群があり，TTP はその一亜型である．やはり TMA の一亜型で類似の疾患に，高度の急性腎不全，MHA，血小板減少を3主徴とする溶血性尿毒症症候群（hemolytic-uremic syndrome：HUS[3]）がある（松本，2014）【⇒13-6-6】．

疫学

まれな疾患であり年間100万人に4.7人，男女比2：3程度でやや女性に多いとされる[4]．

病態生理

近年，本疾患の病因が，微小血管での止血に重要である von Willebrand 因子（VWF）の代謝に密接にかかわることが明らかとなった（Tsai，2013）．VWF は重合体として分泌され，高分子であればあるほど血小板を強く活性化するが，通常はその特異的切断酵素である ADAMTS13（a disintegrin-like and metalloproteinase with thrombospondin type 1 motifs 13）により切断されることで活性が制御されている．ところが先天性や後天性の自己抗体の出現などにより本酵素の欠損あるいは活性著減が起これば，血中に巨大な VWF 重合体が出現し，血小板膜上の VWF 受容体グリコプロテインⅠb（GPⅠb）と反応し過剰な血小板凝集による血栓を形成することとなり，本機序が後天性特発性TTPの約2/3の本態と考えられている[5,6]．HUSでは ADAMTS13 活性の著減は認めない[7]．

臨床症状

まれに先天性のものがある（Upshaw-Schulman 症候群，USS[8,9]）が，ほとんどは後天性かつ急性である．患者は先述した5徴を示す．典型例では中枢神経系の随所で血栓形成，溶解を繰り返すため精神神経症状が多彩で動揺性であるが，必発ではない．また HUS と異なり腎機能障害はあっても軽度である．

検査所見

まず貧血，網状赤血球増加，LDH 増加，間接ビリルビン増加，ハプトグロビン低値に加え，Coombs 陰性および特徴的に末梢血塗抹標本で，破砕赤血球を認める．血小板減少を示す．血小板血栓が疾患の本態でありPT，APTT は多くは正常である．腎機能については BUN やクレアチニンの異常，蛋白尿・血尿を認めることがあるが重篤ではない．確定診断には ADAMTS13 活性の著減を確認する．

診断

典型例では破砕赤血球を伴う溶血性貧血，血小板減少を中心とする5徴を示し，ADAMTS13 活性著減により診断される．その大部分は自己抗体（抗ADAMTS13 抗体[10]）の出現による．少数ながら，先天性（USS）があり，この場合遺伝子解析を行う．

経過・予後

1966年の報告[11]では10％以下であった生存率は，血漿交換の有効性が示された1991年以後改善し，約80％が生存しうる[12]と報告されている．

治療

1）血漿交換：明確なエビデンスのある治療である[12]．新鮮凍結血漿 FFP を置換液とし，ADAMTS13 の補充，VWF の補充，抗 ADAMTS13 抗体の除去，巨大 VWF 重合体の除去，過剰サイトカインなどの除去を目的とする（上田，2014）．

2）免疫抑制療法：血漿交換後も抗体産生が継続する再発例も比較的多く，免疫抑制療法の併用（副腎皮質ステロイド[13]やシクロホスファミドなど）が必要である．近年CD20陽性非Hodgkinリンパ腫治療に用いるリツキシマブ[14]の高い有効性が報告されており，実地診療への導入が期待される．血小板輸血は，ごくまれな重篤な出血時以外は，血栓傾向をさらに助長するおそれがあり禁忌である[13]．なお先天性のUSSには症状があれば定期的にFFPの補充を行う．遺伝子組み換えヒトADAMTS13[15]もHUSをはじめ，人での有効性を検討中である． 〔上田孝典〕

■文献（e文献 16-11-6）

松本雅則：血栓性血小板減少性紫斑病．日内会誌．2014; 103: 1613-21.

Tsai HM: Thrombotic thrombocytopenic purpura, hemolytic-uremic syndrome, and related disorders. Wintrobe's Clinical Hematology, 13th ed (Greer JP, Arber DA, et al eds), pp1077-96, Lippincott Williams & Wilkins, 2013.

上田恭典：血栓性血小板減少性紫斑病（TTP）の治療．臨床血液．2014; 55: 2076-86.

7）先天性血小板機能異常症
congenital disorders of platelet function

定義・概念

血小板数が正常か増加しているにもかかわらず，一次止血の異常（皮膚の点状出血などの症状，出血時間の延長）を呈する疾患を総称して血小板機能異常症とよんでいる．von Willebrand因子，フィブリノゲンの異常症など，血小板機能を補助する外因物質の異常も広義の血小板機能異常症としてまとめられる．日常臨床では血小板機能異常は後天性が多い（薬剤，骨髄増殖性腫瘍，骨髄異形成症候群，腎障害などが原因，別項参照）．先天性血小板機能異常は多くの場合幼少時より発症するため，小児科領域で発見される頻度が高い．先天性血小板機能異常症はその異常により粘着，放出，凝集の各異常症に分けられる．特定の血小板膜蛋白の欠損症/分子異常症が多く，近年その原因遺伝子異常が多数報告されている．一方，後天性先天性血小板機能異常症では複数の因子が関与しているため，粘着異常，凝集異常，放出異常などが明確に区別できないことが多い．

血小板機能異常症を疑った場合，まず血小板凝集能，血小板粘着能（血小板停滞率）を検査するとともに，von Willebrand因子抗原（VWF：Ag），von Willebrand因子リストセチンコファクター活性（VWF：RCo）を検査して頻度の高いvon Willebrand病を除外する．先天性血小板機能異常症は図16-11-7に従って鑑別する．一般に血小板機能検査は血小板に影響する薬剤の服用中止後一週間以上経過してから行う必要がある．

各論

1）血小板無力症（Glanzmann thrombasthenia）：常染色体劣性遺伝で，膜糖蛋白（GP）Ⅱb/Ⅲa複合体（イ

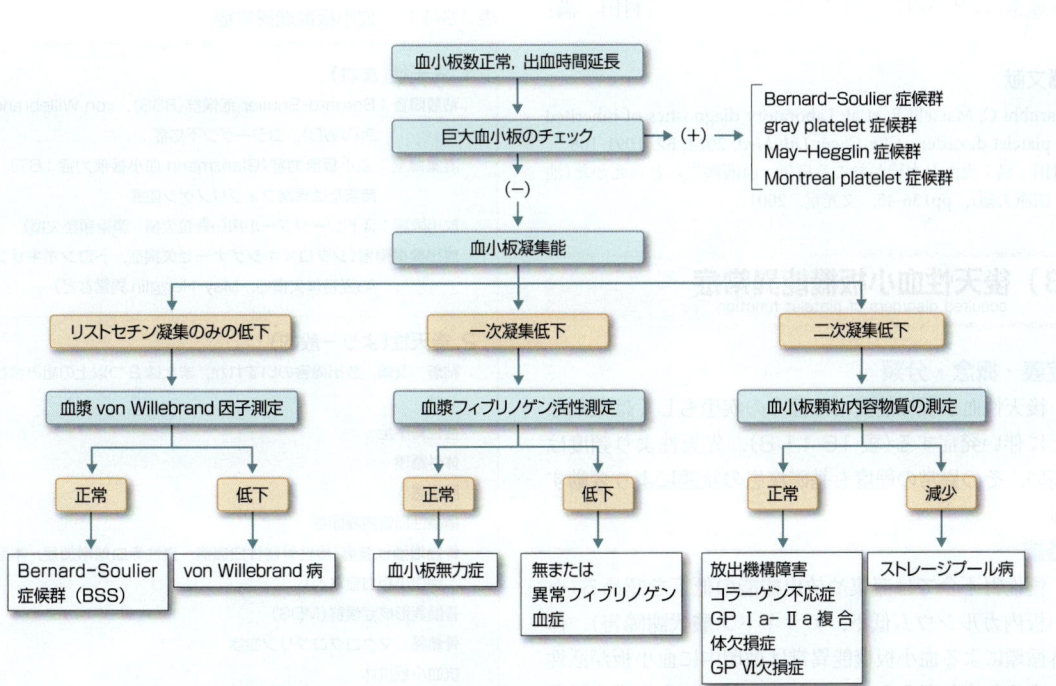

図16-11-7 先天性血小板機能異常症の鑑別診断のフローチャート

ンテグリンαⅡb/β₃,フィブリノゲン受容体)の欠損/異常により,血小板凝集機能の低下をきたし,出血傾向を呈する.血小板数,血小板形態は正常で出血時間延長,ADP,コラーゲンなどによる血小板凝集の欠如がみられ,血餅退縮能低下を認める.確定診断はGPⅡb/Ⅲa 複合体欠損の証明である.治療は出血に対する対症療法が中心となる.外科手術の際などには血小板輸血を行う.

2) Bernard-Soulier 症候群: 常染色体劣性遺伝で,GPIb/IX/V複合体(von Willebrand 因子受容体)の欠損/異常による.比較的まれな疾患であるが,出血傾向は合併する血小板減少もあるため比較的強く,紫斑,鼻出血,歯肉出血が幼少時よりみられる.検査所見では血小板減少(軽度),巨大血小板の出現を特長とし,血小板粘着能低下(ガラスビーズ法),リストセチン凝集が欠如している.May-Hegglin 異常や免疫性血小板減少症との鑑別を要す.確定診断はGPIb/IX/V複合体欠損を証明する.根治療法はなく,出血に対する対症療法が中心となる.出血症状が強い場合や外科手術の際には血小板輸血を行う.

3) 放出異常症: 放出そのものの障害(放出機構異常症)と放出物質の欠如(ストレージプール病)が含まれる.一般にこの機序による障害では出血傾向は軽微であり,出血時間も軽度の延長に留まることも多い.

このほかコラーゲン不応症,GPIa/Ⅱa複合体欠損症(コラーゲンとの結合障害による粘着能低下),GPⅥ欠損症(GPⅥとコラーゲンとの結合障害による粘着能低下),血小板プロコアグラント活性欠損症(Scott 症候群)などが報告されている. 〔村田 満〕

■文献
Carubbi C, Masselli E, et al: Laboratory diagnostics of inherited platelet disorders. *Clin Chem Lab Med*. 2014; 52: 1091-106.
村田 満:出血と血栓がおこる病気.血液疾患のとらえかた(池田康夫編),pp136-45,文光堂,2001.

8) 後天性血小板機能異常症
acquired disorders of platelet function

定義・概念・分類

後天性血小板機能異常は種々の疾患もしくは薬剤などに伴い発症する(表 16-11-8).先天性より頻度は高い.その異常の程度も基礎疾患の状態により変動する.

各論

慢性腎不全では凝集や放出機能の低下を認める(血小板内カルシウム低下,アラキドン酸代謝障害).体外循環による血小板機能異常は循環中に血小板が活性化するためと考えられ,ストレージプール病様病態を呈する.この機序も複数の因子によると考えられているが,透析の後で血小板機能が改善することより,透析により除去される物質,プロスタグランジン代謝異常などが関与しているものと考えられている.

骨髄増殖性腫瘍のうち特に血小板増加の認められる症例(慢性骨髄性白血病,本態性血小板血症,真性多血症など)および骨髄異形成症候群などで血小板機能異常が出現することがある.前者ではα-アドレナリン受容体の欠損,後天性ストレージプール病(SPD)や血小板とトロンビンの結合障害などが,後者では後天性SPDやトロンボキサンA₂の活性低下などがその機序として指摘されている.

多発性骨髄腫やマクログロブリン血症などで血小板機能低下が認められることがある.異常蛋白が血小板機能を障害すると考えられている.

また自己免疫疾患において抗血小板抗体が産生され機能異常が出現するもので,ITPやSLEなどの疾患で認められることが多い.その他肝疾患,糖尿病,食物,DICなどでも血小板機能が異常となる.

薬物性出血傾向は,日常臨床で最も頻度が高い.検査値の異常(出血時間,血小板凝集能)のみで出血傾向がない場合も多い.この場合でも手術による出血量が増加することがあり注意を要する.NSAIDs をはじめとして抗菌薬や抗不安薬など日常頻回に使用しているものも多い.アスピリンによる血小板機能阻害は非可逆的であるため,機能回復には新しい血小板に置き換

表 16-11-8 血小板機能異常症

1. 先天性(まれ)

粘着障害	Bernard-Soulier 症候群(BSS), von Willebrand 病(VWD), コラーゲン不応症
凝集障害	血小板無力症(Glanzmann 血小板無力症:GT),無または異常フィブリノゲン血症
放出障害	ストレージプール病(α顆粒欠損,濃染顆粒欠損)
放出機構障害	シクロオキシゲナーゼ欠損症,トロンボキサンA₂受容体欠損症,May-Hegglin 異常など

2. 後天性(より一般的)

粘着,凝集,放出障害のいずれか,または2つ以上の組み合わせ
慢性腎不全
体外循環
肝疾患
播種性血管内凝固症
骨髄増殖性腫瘍(慢性骨髄性白血病,真性赤血球増加症,本態性血小板血症など)
骨髄異形成症候群(MDS)
骨髄腫,マクログロブリン血症
抗血小板抗体
薬物性

わる必要がある．通常，服用中止後 7〜10 日間抑制効果が持続する．ほかの原因で出血性素因を有する患者へのこれらの薬剤の投与は注意深く行う必要性がある．アスピリン以外の多くの抗炎症薬が血小板機能を低下させることが知られている．しかし血小板凝集能の低下があっても臨床上問題となる出血は消化管出血を除くと比較的少ない．また β-ラクタム環をもつ抗菌薬に共通して血小板機能抑制作用がみられる．これらは用量および使用期間に依存しており，特に大量使用の際に血小板凝集能の低下，出血時間の延長が報告されている．詳細は不明であるがこれらは血小板膜の脂質と結合することにより膜蛋白の受容体機能を低下させると考えられている．血小板機能が回復するには抗菌薬中止後，数日を要するとされる． 〔村田　満〕

9）IgA 血管炎
IgA vasculitis：IgAV

定義・概念
IgA 血管炎（旧名：Henoch-Schönlein 紫斑病，Henoch-Schönlein purpura）は，おもに小児や若年者に認められる全身性アレルギー性血管炎に基づく疾患である．病変は多臓器にわたるが，皮下出血斑，腹部症状，関節症状，腎障害を主症状とする．

原因
ウイルスや細菌感染が先行することが多く，原因の 1 つと考えられる．

病理
IgA を主成分とする免疫複合体が血清中に認められる．皮膚血管や腎糸球体に IgA と補体 C3 の沈着をみる．腎病変は IgA 腎症と類似しており両者の関連性が示唆されている．皮膚生検では血管壁のフィブリノイド壊死，多核白血球浸潤など血管炎の所見がみられる．消化管にも粘膜下浮腫，血管炎所見がみられる．

臨床症状
3〜10 歳の小児に多い．典型的な例では，上気道感染症状の 1〜3 週間後に突然，紫斑が下肢，臀部，腕の伸側に出現する．紫斑はしばしば丘疹状（palpable purpura）で数日〜数週間持続する．足関節，膝を中心に腫脹を伴う多発関節痛がみられる．消化管症状は腹痛，悪心，嘔吐，血便がみられる．25〜50％の患者で糸球体腎炎をきたし，蛋白尿，血尿をみる．

検査所見
止血機能に異常を認めない．すなわちスクリーニング検査（血小板数，APTT，PT）は正常である．急性期に凝固XIII因子の低下を認めることがある．Rumpel-Leede 試験の陽性をみる．白血球増加（特に好酸球増加），赤沈亢進がよくみられる．また一過性の血尿，蛋白尿をみる．血清 IgA の上昇，IgA リウマトイド因子の存在，血清補体価の低下を認めることがある．

診断
典型例では診断は臨床症状から比較的容易である．典型的でない場合は皮膚生検を要する．

鑑別診断
血管炎を伴う膠原病（PN, SLE など），薬剤などによる過敏性血管炎，血小板機能異常など．腹痛は急性腹症として，ほかの疾患との鑑別が重要である．

合併症
全身の血管炎のため，まれに中枢神経障害，呼吸器，心臓，精巣に障害をきたす．小腸穿孔，腸重積，ネフローゼ症候群，IgA 腎症，ときに腎不全を起こすことがある．

経過・予後
一般に予後は良好であり，4 週程度で自然軽快することが多いが，約半数に皮疹，腹痛の再発をみる．

治療
対症療法が主体である．関節痛には NSAIDs が用いられる．副腎皮質ステロイドは腸管の浮腫を抑え腹部症状を軽減する．重症例では凝固XIII因子製剤（フィブロガミン®）が有効である． 〔村田　満〕

■文献

Saulsbury FT: Henoch-Schönlein purpura. *Curr Opin Rheumatol.* 2010; **22**: 598-602.

Yang YH, Yu HH, et al: The diagnosis and classification of Henoch-Schönlein purpura: an updated review. *Autoimmun Rev.* 2014; **13**: 355-8.

10）単純性紫斑病・老人性紫斑病
purpura simplex and purpura senilis

(1) 単純性紫斑病

概念
若年女性に好発する原因不明の紫斑で，四肢，胸部，臀部などにみられる．通常紫斑が唯一の症状でほかに出血症状を認めない．

病態生理
血管の脆弱性亢進が原因と考えられている．過労，月経と関連があり，ホルモンの血管への影響が想定されている．

臨床症状
点状出血，斑状出血をみる．通常隆起を伴わない non-palpable purpura であり，刺激を受けやすい部位に多い．devil pinches（悪魔につねられた跡）などとよばれることもある．下肢の深在性紫斑である Devis 紫斑（遺伝性）なども単純性紫斑に含まれる．

検査所見
止血機能に異常を認めない．すなわちスクリーニング検査（血小板数，APTT，PT）は正常である．出血時

間も正常範囲である．Rumpel-Leede 試験が陽性となることがある．

診断・鑑別診断
皮疹の状況，発症状況などを考慮して診断する．止血学的検査で異常がないことが重要である．IgA血管炎，薬疹，壊血病，von Willebrand 病(type 1)，免疫性血小板減少症(特発性血小板減少性紫斑病)などと鑑別を要する．

経過・予後
紫斑は自然消褪し予後は良好であるが，再発は多い．

治療
積極的な治療は必要としない．

(2) 老人性紫斑病
概念
老人の萎縮した皮膚に認められる紫斑で，血管，結合組織の異常が原因である．年齢とともに血管周囲にある結合組織(コラーゲン，エラスチン)や脂肪組織が減少し，血管の進展度が低下する結果，軽度の刺激で皮下出血を起こす．

病態生理
血管壁の変性による伸展度の減少により，血管が傷つきやすく出血を起こす．

臨床症状
手背，前腕外側など外力を受けやすい部位に，比較的大きい(1～数 cm)紫斑がみられる．境界は鮮明，形は不規則であり，暗紫紅色を呈する．

検査所見
止血機能に異常を認めない．すなわちスクリーニング検査(血小板数，APTT，PT)は正常である．Rumpel-Leede 試験が陽性となることがある．

診断
皮疹の状況，発症状況などを考慮して診断する．止血学的検査で異常がないことが重要である．造血器疾患，血小板減少性紫斑病，栄養障害などを除外する．

経過・予後
出血斑は大きいことが多いが機能的な障害は少ない．皮膚の萎縮が原因であり再発は多い．

治療
有効な治療はない．物理的刺激を避け，皮膚を保護する．　　　　　　　　　　　　　　　〔村田　満〕

11) 遺伝性出血性末梢血管拡張症(Osler病)
hereditary hemorrhagic telangiectasia：HHT

定義・概念
遺伝性出血性毛細血管拡張症，Osler-Rendu-Weber 病ともよばれる，常染色体優性遺伝形式をとる先天性疾患である．男女両性に発症し，粘膜，皮膚の局所的な毛細管拡張と同部位からの出血を特徴とする．

病理・病態生理
2つのタイプに分類される．HHT 1 は endoglin 遺伝子に，HHT 2 は activin receptor-like kinase type Ⅰ(ALK-1)遺伝子に異常を認める．両者はともに，血管形成時の血管内膜の形成に関与している．近年 HHT 3 として SMAD4 遺伝子の異常が報告されている．病理学的には小血管壁の内弾性板および平滑筋の欠損を認める．血管は脆弱であり，収縮せず出血しやすい．家族内でも表現型は異なることがある．粘膜，皮膚，内臓，中枢神経における毛細血管拡張をみる．

臨床症状
先天性の疾患であるが鼻出血は若年期に，皮膚毛細血管の拡張は壮年期に始まることが多い．特徴的な血管拡張病変は鼻粘膜，口腔粘膜に多いが，手，顔，口唇，舌，食道，胃，直腸などにもみられる．血管拡張病変は点状，くも状，小結節性など種々で，境界鮮明である．紫斑と異なり，透明プラスチック板で圧迫すると消褪する．出血は子どもよりも大人に多く，特に消化管出血は50歳以降に多いとされる．消化管の血管病変はバリウム検査では検出困難で内視鏡が必要とされる．呼吸器・尿路からの出血も起こることがある．合併症として動静脈瘻の診断は重要である．肺，脳，肝臓に多い．

検査所見
止血機能に異常を認めない．すなわちスクリーニング検査(血小板数，APTT，PT)は正常である．Rumpel-Leede 試験は軽度の異常を認めるとされる．慢性出血のため，鉄欠乏性貧血を合併することがある．

診断
皮膚粘膜の毛細血管拡張，反復する出血，家族歴などから診断は比較的容易である．皮膚症状が少ない場合は診断困難であり，消化管に対して内視鏡検査，肝臓病変に対して血管造影が必要なことがある．2000年に Shovlin らが診断基準を提唱している．①自然に起こり繰り返す鼻出血，②皮膚や粘膜に多発する毛細血管拡張(口唇，口腔，指，鼻が特徴的)，③肺，脳，肝臓，脊髄，消化管の動静脈瘻(動静脈奇形)，④一親等以内にこの病気の患者がいる．以上の4項目のうち，3つ以上あると確診(definite)，2つで疑診(probable or suspected)，1つだけでは可能性は低い(unlikely)とされる．

合併症
高齢者では肺動静脈瘻を合併し低酸素血症をきたすことがある．喀血や血胸も報告されている．肝臓の動静脈瘻や血管腫を起こし，肝硬変を合併することもあ

る．ときに脾腫大，脾動脈瘤がみられる．中枢神経系の血管奇形もみられる．

経過・予後

経過は長く，致死的出血は少ない．繰り返す出血や貧血に対し適切な処置を行えば比較的良好な経過をとる．

治療

出血に対する対症療法を行う．血管拡張部からの出血には血管収縮薬，止血薬を含ませたガーゼなどで圧迫する．鼻出血に対しレーザー治療が有効なことがある．また消化管出血に対して内視鏡によるレーザー凝固の有用性が報告されている． 〔村田　満〕

■ 文献

Fiorella ML, Ross DA, et al: Hereditary haemorrhagic telangiectasia: state of the art. Acta Otorhinolaryngol Ital. 2004; 24: 330-6.
McDonald J, Bayrak-Toydemir P, et al: Hereditary hemorrhagic telangiectasia: an overview of diagnosis, management, and pathogenesis. Genet Med. 2011; 13: 607-16.
Shovlin CL, Guttmacher AE, et al: Diagnostic criteria for hereditary haemorrhagic telangiectasia（Rendu-Osler-Weber syndrome）, Am J Med Genet. 2000; 91: 66-87.

12）血友病
hemophilia

定義・概念

血友病は幼少期より関節内出血を中心にさまざまな出血症状を反復するX連鎖劣性遺伝性の出血性疾患である．第VIII因子（FVIII）の量的・質的異常症が血友病A，第IX因子（FIX）の異常症が血友病Bである．ヘテロ接合体である女性は保因者となる．発症率は男子5000～1万人に1人である．厚生労働省委託事業「血液凝固異常症全国調査　平成27年度報告書」での生存血友病患者数は6050人（血友病A 4986人，血友病B 1064人）である．女性血友病患者は，血友病A 37人，血友病B 14人である（瀧，2012）．

病態生理

活性型第IX因子（FIXa）による第X因子活性化反応は血液凝固機構における必須の律速反応である．活性型の第VIII因子（FVIIIa）は本反応系のV_{max}を2万倍増幅する．したがってFVIIIやFIXの低下は結果的にはトロンビン産生障害をきたすために重大な出血傾向をもたらす．血友病Aの遺伝子異常は，点変異（ナンセンス，ミスセンス），逆位，欠失，スプライシング異常などが代表的である．なかでもイントロン22の逆位は血友病Aの最も特徴的な遺伝子異常で，重症型の約4割に検出される．逆位，欠失，ナンセンス変異ではFVIIIは産生されず，null変異といわれ，後述するインヒビターの発生要因になる．血友病Bの遺伝子異常は血友病Aと異なり90％以上が点変異である．

臨床症状

1）**皮下出血**：指頭大～貨幣大（ときにはそれ以上）の紫斑を呈し，しばしば，皮下硬結（bruising）として触知される皮下血腫を形成する．

2）**関節内出血**：出血頻度は膝，足，肘関節の順に高いが，その他，肩や股関節などいずれの関節にも発症する．関節の違和感や倦怠感などの前兆の後，激しい疼痛，熱感，発赤を伴う関節の腫脹が出現する．当該関節の可動域は制限される．関節内出血を反復すると，ヘモジデリンが沈着し，さらにサイトカインが作用することによって関節滑膜の変性や炎症が進行する．このために出血頻度はますます増加し，標的関節（target joints）とよばれる．関節症が進行すると，関節軟骨が減少するために関節裂隙が狭小化する．さらに骨の破壊過程により骨硬化，囊胞形成，骨棘像などがみられるようになり重度の関節運動障害をきたす．

3）**筋肉内出血**：腓腹筋やヒラメ筋，大腿筋，臀筋，腸腰筋などの下肢の筋や前腕の屈筋などに発生しやすい．外傷や過激な運動，筋肉注射後に出現することが多いが，原因が明らかでない場合もある．疼痛と腫脹が激しく，当該部位の運動障害をきたす．腸腰筋出血では股関節を屈曲する腸腰筋位（psoas position）を呈する．筋肉内出血は血管や神経を圧迫していわゆるコンパートメント症候群を発症することがある．また，骨膜下の筋肉内出血が漸次進行した場合，出血による壊死組織と凝血塊を内容とする囊胞が形成され，周囲の組織が進行性に破壊されることがある．これは偽腫瘍とよばれる（e図16-11-C）．

4）**血尿**：血尿は重症型患者で頻度が高い．出血は糸球体あるいは尿細管由来である．一般に，腰部の違和感や疼痛などの前兆を伴うことが多い．しばしば再発する．遷延化することもある．

5）**口腔内出血**：軽微な切傷や咬傷によって歯肉，上口唇小帯，舌小帯，口唇および舌に発生する．しばしば血腫を形成する．日常の齲歯および歯周囲病の予防が必要である．

6）**重篤な出血症状**：

a）頭蓋内出血：出血死の原因としては最も多い．軽微な外傷や原因不明の自然出血の場合もある．臨床症状は頭痛，嘔吐，痙攣，混迷，複視などの視力障害，昏睡などである．重症例で頭部外傷のあった場合には全例に補充療法の実施が勧められる．通常，補充療法のみで経過観察できる場合が多いが，画像で明らかな出血巣が認められた場合には，外科療法も考慮して，早期に脳神経外科にコンサルトする．

b）腹腔内出血：腹腔内出血は腹部の軽微な打撲でも発生することがある．進展は緩徐であるが，しばし

表 16-11-9 血友病治療製剤

疾患	治療製剤	製剤名	会社名	規格(単位/バイアル)	備考
血友病A	血漿由来 FVIII	クロスエイト M	日本赤十字	250, 500, 1000	
	血漿由来 FVIII /vWF	コンファクト F	化血研	250, 500, 1000	VWD にも使用
	遺伝子組換え FVIII	コージネイト	バイエル	250, 500, 1000, 2000	
		アドベイト	バクスター	250, 500, 1000, 2000	
		ノボエイト	ノボノルディスク	250, 500, 1000, 1500, 2000, 3000	
	酢酸デスモプレシン	デスモプレシン	協和発酵	4μg/アンプル	VWD にも使用
血友病B	血漿由来 FIX	ノバクト M	化血研	400, 800, 1600	
		クリスマシン M	三菱ウェルファーマ	400, 1000	
	遺伝子組換え型 FIX	ベネフィクス	ファイザー	500, 1000, 2000	
	長時間作用型遺伝子組換え型 FIX	オルプロリクス	バイオジェン	500, 1000, 2000, 3000	
	血漿由来 FIX 複合体	PPSB-HT	ニチヤク	200, 500	
血友病インヒビター	遺伝子組換え FVIIa	ノボセブン	ノボノルディスク	1 mg, 2 mg, 5 mg	
	活性化プロトロンビン複合体製剤	ファイバ	バクスター	500, 1000	
	第X因子加活性化第VII因子	バイクロット	化血研	FVIIa 1.56 mg, FX 15.6 mg	

VWD : von Willebrand 病.

ば重症の貧血を呈する．腹部に皮下出血をみたときは常に腹腔内出血を留意する必要がある．腸管壁内出血もよくみられる．

c) 頸部出血：頸部出血は窒息をきたすことがあり，致命率の高い非常に危険な出血である．まず，補充療法を行い，耳鼻咽喉科にもコンサルトし，出血巣の範囲，気道圧迫症状の程度を判断することが必要である．

検査所見

内因系を反映する活性化部分トロンボプラスチン時間(aPTT)が延長するが，外因系を反映するプロトロンビン時間(PT)は正常である．確定診断は第VIII因子あるいは第IX因子の欠乏～低下所見による．von Willebrand 因子は正常～上昇する．血友病の出血症状は第VIII因子あるいは第IX因子の凝固活性に相関する．活性が1％未満を重症型，1～5％を中等症，＞5％を軽症と分類する．

鑑別診断

第VIII因子低下を伴う von Willebrand 病，血友病 A 保因者，第VIII・V 因子合併欠乏症，後天性第VIII因子インヒビターなどが鑑別の対象となる．

合併症

製剤中の第VIII因子あるいは第IX因子を非自己と認識して抗第VIII因子あるいは抗第IX因子同種抗体(インヒビター)が発生することがある．インヒビターが発生すると以後の止血効果は激減～消失する．インヒビターは凝固1段法に基づく Bethesda 法により測定される．インヒビター力価が高値の場合(＞5 Bethesda U/mL)をハイレスポンダー(HR)，低値の場合(＜5 Bethesda U/mL)をローレスポンダー(LR)とよぶ．

HR の場合，第VIII因子や第IX因子製剤を投与すると投与5～7日後にインヒビターが急上昇する anamnestic 反応をきたすことがある．

治療

1) **インヒビター非保有患者に対する止血療法**：血漿由来あるいは遺伝子組み換え型第VIII因子，第IX因子製剤による補充療法が基本である(表 16-11-9)．製剤の投与量は出血部位や出血症状の重症度により異なる(表 16-11-10)．製剤は通常，間欠的(ボーラス)に経静脈的に投与するが，重篤な出血や大きな外科手術の際は持続輸注療法がより効率的である．インヒビター非保有例の止血療法に関するガイドラインが日本血栓止血学会標準化委員会血友病部会から発表されているが，2013年に改訂された(藤井ら，2013)．

a) 予防的投与：あらかじめ製剤を投与して出血を予防する補充療法である．出血の発現リスクが高い場合にオンデマンドで実施する予防投与と，定期的に投与することにより長期間にわたって出血を予防する定期的補充療法に分けられる．一般に，30～40 単位/kg，2～3 回/週あるいは隔日に投与することで，トラフ(最低値)を＞1％に維持する．早期定期補充療法は血友病性関節症の発症と進行を防ぐことから，小児科領域では，血友病治療の主体はオンデマンド止血療法から定期補充療法へと移行している[1]．

2) **インヒビター保有例の治療**：

a) 止血療法：インヒビターが検出された場合，インヒビター力価，反応性(HR か LR)，出血症状の重症度により止血療法を決定する．インヒビターが＜5 BU/mL で LR の場合は一般的に補充療法の続行が第一選択になる．HR ではバイパス止血療法が第一選択

表 16-11-10 血友病の止血管理指針(文献2より引用)

出血部位	目標ピーク因子レベル	追加輸注の仕方
関節内出血 　軽度 　重度	 20～40% 40～80%	 原則初回のみ 12～24時間ごとに症状が消失するまで
筋肉内出血	関節内出血に準ずる	
腸腰筋出血	80%以上	以後トラフ因子レベルを30%以上に保つように出血症状消失まで
口腔内出血	20～40%	原則1回のみ．止血困難であれば，ピーク因子レベルを20%以上にするように12～24時間おきに出血症状が消失するまで
舌や舌小体，口唇小体，口蓋裂傷	40～60%	ピーク因子レベルを40%以上にするように12～24時間おきに3～7日間
消化管出血	80%以上	トラフ因子レベルを40%以上に保つように12～24時間おきに，止血しても3～7日間継続
閉塞のおそれのある気道出血	消化管出血に準じて行う	
皮下出血　大きな血腫や頸部，顔面	原則不要 20～40%	症状に応じて12～24時間おきに1から3日間
鼻出血 　止血困難時	原則不要 20～40%	症状に応じて12～24時間おきに1から3日間
肉眼的血尿 　止血困難時	原則不要 40～60%	症状に応じて12～24時間おきに1から3日間
頭蓋内出血	100%以上	トラフ因子レベルを50%以上に保つように少なくとも7日間続ける
乳幼児の頭部打撲	50～100%	速やかに1回輸注し，必要に応じてCTスキャンを行う
骨折	100%以上	トラフ因子レベルを50%以上に保つように少なくとも7日間続ける
外傷：ごく軽微な切創 　それ以外	口腔内出血，皮下出血，鼻出血の補充療法に準じる 骨折の補充療法に準じる	
コンパートメント症候群	関節内出血(重度)に準じて行う	

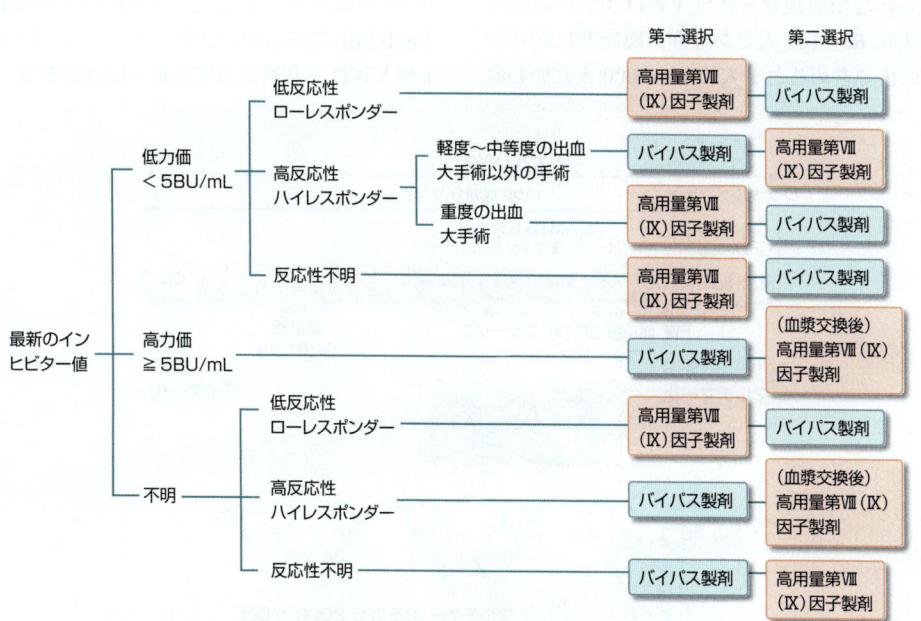

図 16-11-8 インヒビター保有血友病患者に対する治療製剤選択のアルゴリズム

になる．バイパス止血療法製剤は活性化プロトロンビン複合体製剤(APCC)，遺伝子組換え型活性型第Ⅶ因子製剤(rFⅦa)および第X因子加活性化第Ⅶ因子の3剤が使用される(図16-11-8)．インヒビター保有例の止血療法に関するガイドラインも2013年に改訂された[2]．

　b) 免疫寛容療法(immune tolerance induction：ITI)：ITIはインヒビター陽性例に凝固因子製剤の投与を継続してインヒビターの消失をはかる治療法で，インヒビター陽性例の最も重要な治療法になりつつある．過去のピークインヒビター力価とITI開始時のインヒビター力価が低いことが有意のITIの成功因子である．国際的には200 U/kgを連日投与する高用量投与法と50 U/kgを週3〜3.5回投与する低用量投与法がある．高用量の方が免疫寛容に至る期間が短いが，有効率は低用量と同等である[3]．　　　　〔嶋　緑倫〕

■文献(e文献16-11-12)

瀧　正志：厚生労働省委託事業血液凝固異常症全国調査 平成27年度報告書, 2012.

藤井輝久，天野景裕，他：日本血栓止血学会インヒビターのない血友病患者に対する止血治療ガイドライン 2013年改訂版. 日本血栓止血学会誌. 2013; 24: 619-39.

13) von Willebrand 病(VWD)

定義・概念

　VWDはvon Willebrand因子(VWF)の量的・質的異常症で，常染色体性の遺伝性出血性疾患である．臨床的に明らかな出血症状を伴うVWD患者の有病率は100万人に66〜100人であるが，臨床的に明らかでないものまで含めると1人/100〜1000人といわれている[1]．VWFは3病型に分類されている．1型および3型は量的異常で，後者は完全欠損である．2型は質的異常を伴う病型である．頻度は1型が75％，2型が20〜25％，3型は＜1％である．

病態生理

　VWFは血管内皮細胞および骨髄巨核球で産生される糖蛋白である．産生過程でさまざまな修飾を受け，プロペプチドよりN末端側が切り離される．最終的には，分子量25万の成熟VWFサブユニットが重合したマルチマー構造を呈し，第Ⅷ因子と結合して複合体を形成している(図16-11-9)．VWFの機能は，第一に出血部位の血管内皮下に露出されたコラーゲンに粘着し，血小板膜糖蛋白GPⅠbαやGPⅡb/Ⅲaを介して血小板に結合して血小板凝集を惹起する．第二に第Ⅷ因子の不活化を防御して安定化する．したがって，VWFの異常は，一次止血機構が障害されるとともに，第Ⅷ因子の低下も招いて凝固障害をきたす．図16-11-9のように各ドメインが別々の機能を有しており，2型では遺伝子変異(ほとんどがミスセンス変異)の存在する部位に一致したVWF機能障害を呈する[2]．3型は欠失，点変異などが報告されている[3]．

臨床症状

　鼻出血，異常月経出血，抜歯後出血，歯肉出血などの粘膜出血が多い．3型は血友病と同様の関節内，筋肉内出血，消化管出血，頭蓋内出血などの深部出血もみられる．

検査成績・診断

1) **検査所見**：典型例では出血時間が延長し，第Ⅷ因子の低下に伴いaPTTは延長する．診断はVWF抗原(VWF:Ag)，リストセチンコファクター活性(VWF:RCo)の低下所見による．VWFの正常範囲は50〜240 IU/dLであるが，O型血液型では25〜30％低く，1型VWDと判断されてしまう場合がある．VWDの

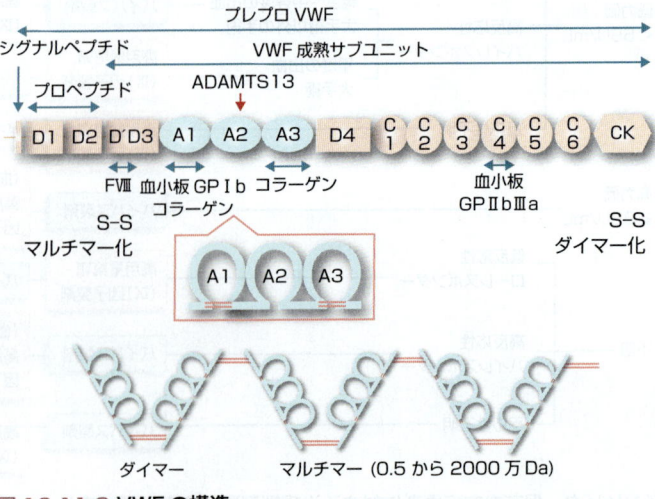

図16-11-9 VWFの構造

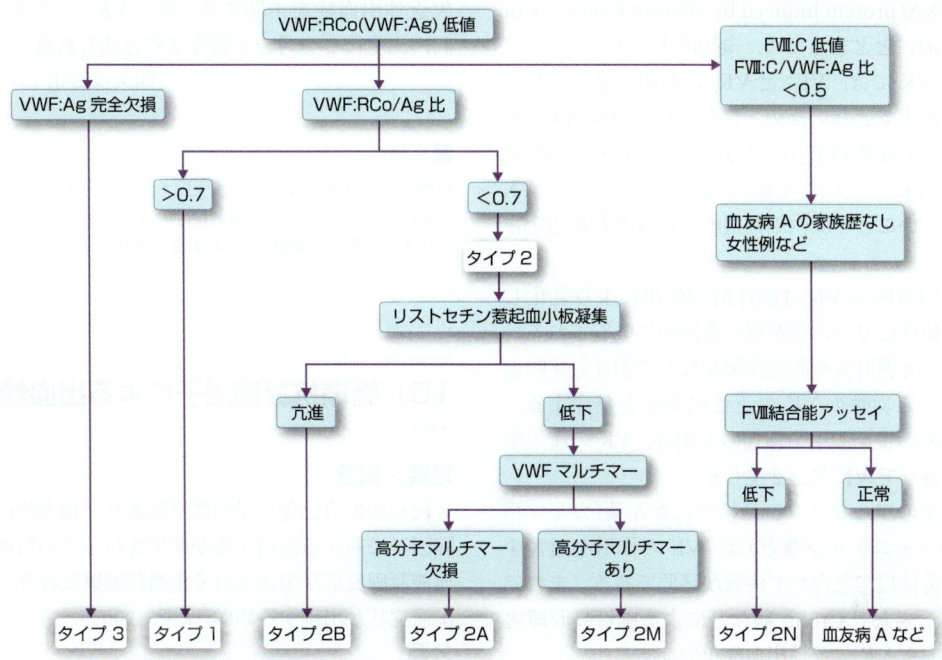

図 16-11-10 VWD サブタイプ診断フローチャート

病型分類には VWF マルチマーの評価が必要である.
2) VWD の病型分類（図 16-11-10）[4]：1 型の VWF マルチマーは正常である．2A 型はマルチマーの重合障害および高分子マルチマー（HMWM）の分解亢進などにより HMWM は減少する．2B 型では血小板膜蛋白 GPIb に対する結合能の増加により，血小板の自然凝集を惹起する．結果として HMWM は減少し，しばしば血小板減少を伴うため出血症状を呈する．2M 型は血小板への結合は低下するが，マルチマー構造は正常である．2N 型は第Ⅷ因子との結合障害により，第Ⅷ因子の分解が亢進するために第Ⅷ因子が低下し，血友病 A 様の出血症状を呈する．2N 型の確定診断には第Ⅷ因子/VWF 結合試験が必要である．3 型では VWF は欠損している.

治療

1 型の軽症出血に対してはデスモプレシン（DDAVP）を第一選択とする．中等度以上の出血や 2，3 型では第Ⅷ因子/VWF 複合製剤を使用する[5].

〔嶋　緑倫・志田泰明〕

■文献（e文献 16-11-13）

Nichols WL, Hultin MB, et al: von Willebrand disease（VWD）: evidence-based diagnosis and management guidelines, the National Heart, Lung, and Blood Institute（NHLBI）Expert Panel report（USA）. *Haemophilia*. 2008; **14**: 171-232.

14）ビタミン K 欠乏性出血症

定義・概念

ビタミン K（VK）は，血液凝固第Ⅱ，第Ⅶ，第Ⅸ，第Ⅹ因子などの産生に必須の脂溶性ビタミンである．VK 欠乏性出血症は，これらの凝固因子が低下して，新生児期や乳児期早期に，消化管出血や頭蓋内出血などを発症する.

分類

発症時期からは，生後 7 日までに発症する新生児 VK 欠乏性出血症と，それ以降に発症する乳児 VK 欠乏性出血症に分類される．また乳児 VK 欠乏性出血症は，母乳栄養以外に誘因のない特発性乳児 VK 欠乏性出血症と，先天性胆道閉鎖症に代表される胆汁分泌障害，遷延する下痢や抗菌薬の長期投与など母乳栄養以外に誘因のある二次性乳児 VK 欠乏性出血症に分類される.

病因・病態生理

VK 依存性凝固因子には，プロトロンビン（第Ⅱ），第Ⅶ，第Ⅸ，第Ⅹ因子，プロテイン C，プロテイン S などがある．これらのグルタミン酸残基（glutamate：Glu）は，VK を補酵素として γ-グルタミルカルボキシラーゼ（γ-glutamyl carboxylase）の作用で γ-カルボキシグルタミン酸残基（γ-carboxyglutamate：Gla）に変換されることで，カルシウムイオンとキレートし，凝固活性を獲得する．VK 欠乏状態では，凝固活性の

ないPIVKA(protein induced by vitamin K absence or antagonist)にとどまるため，凝固障害が生じる．

天然のVKには，VK_1とVK_2がある．どちらも生体内では産生できないため，含有食物の摂取(VK_1)や腸内細菌での産生(VK_2)によって補給される．新生児や乳児がVK欠乏になる原因として，母乳中のVK含量が少ないことや腸内細菌叢の低形成などが想定されている．

一方，腸管内のVKは胆汁酸の作用により乳化した脂質を担体にリンパ管を経て血液中に吸収される．そのため，乳児肝炎や胆道閉鎖症などで胆汁分泌障害があると，二次性のVK欠乏性出血症を発症する．また抗菌薬の長期服用や慢性の下痢は，VKの産生や吸収を阻害してVK欠乏を生じる．

抗凝固薬のワルファリンや抗てんかん薬(カルマバゼピンやフェニトインなど)は，VKの作用を阻害するため，母体投与を含めて注意が必要である．まれではあるが，成人でCrohn病などによる腸管吸収障害や低栄養でもVK欠乏性出血症を発症する．

臨床症状

新生児VK欠乏性出血症の主たる出血部位は消化管で，吐血や下血が主体である．母体血の吐血(仮性メレナ)との鑑別が必要になる．一方，乳児VK欠乏性出血症は，8割以上が頭蓋内出血で，死亡例や神経学的後遺障害を残す例が多い．不機嫌，嘔吐，痙攣，哺乳障害などがおもな症状である．胆道閉鎖症では白色便を呈するため，便の色調に注意する．

病態・診断

プロトロンビン(第Ⅱ因子)，第Ⅶ，第Ⅸおよび第Ⅹ因子の低下により，プロトロンビン時間(prothrombin time：PT)や活性化部分トロンボプラスチン時間(activated partial thromboplastin time：APTT)が延長する．また，第Ⅱ，第Ⅶ，第Ⅹ因子活性を反映するヘパプラスチンテスト(hepaplastin test：HPT)やトロンボテスト(thrombotest：TT)が延長する．VK欠乏で出現するプロトロンビンのPIVKA-Ⅱが高値を示す．

治療

1) 新生児・乳児VK欠乏性出血症の治療： VK欠乏性出血症の疑いがあれば，VK_2製剤0.5〜1 mgを静注する(成人では10〜20 mg)．最重症例では，新鮮凍結血漿10〜15 mL/kgあるいは第Ⅸ因子複合体濃縮製剤を静注する．

2) 新生児・乳児VK欠乏性出血症の予防： 新生児・乳児VK欠乏性出血症の改訂ガイドライン(修正版)が公表されている(白幡ら，2011)(e表16-11-B)．人工栄養児は，基礎疾患がなければ1カ月健診でのVK_2シロップ服用で終了する．一方，母乳栄養児に多い特発性乳児VK欠乏性出血症や，二次性のVK

欠乏性出血症を予防するため，VK_2シロップを週1回，出生後3カ月まで投与する方法もある．

〔西久保敏也・嶋　緑倫〕

■文献

白幡　聡, 伊藤　進, 他：新生児・乳児ビタミンK欠乏性出血症に対するビタミンK製剤投与の改訂ガイドライン 修正版. 日本小児科学会雑誌. 2011; 115: 705-12.

15) 循環抗凝固因子による出血傾向

定義・概念

何らかの自己免疫学的機序により，後天的に血液凝固因子に対する自己抗体が産生され，その抗体により血液凝固反応が阻害されて止血が困難になり，著しい出血症状が出現する病態(家子，2005)．

分類

凝固第Ⅷ因子(FⅧ)，FV，プロトロンビン(FⅡ)，von Willebrand因子(VWF)，FⅦ，FⅨ，FX，FXI，FXII，FXIIIなど，多くの凝固因子に対するインヒビターが報告されている．

原因・病因

一般に高齢者および分娩時に多く，自己免疫疾患，リンパ腫，慢性炎症性疾患などの基礎疾患を有する場合が約半数といわれているが，詳細な自己抗体の発症機序は不明である．

疫学

発症率は年間100万人に1.5人で，FⅧインヒビターの出現頻度が最も高い[1]．

病理

凝固因子濃度が正常範囲の人に生じる抗体は自己抗体(autoantibody)で，凝固因子製剤を投与することにより血友病患者に発症するインヒビターは，製剤由来凝固因子に対する同種抗体(alloantibody)である．抗体が凝固因子の活性部分を抑制することもあるが，抗原・抗体複合体が形成されることにより，血中からのクリアランスが早くなることも考えられる．

臨床症状(後天性血友病診療ガイドライン作成委員会，2011)

出血症状は，血友病と比べて広範囲で重篤な場合が多い．循環抗凝固因子症例で最も頻度の高い出血症状は皮下出血で，特に打撲部位，注射部位に発生しやすい．その他の出血部位では筋肉内，消化管などが多く，血友病にみられる関節内出血はまれである．

検査所見・診断

FⅦ，TFならびにFXIII以外のインヒビター症例では，APTTが延長する．正常血漿とのミキシングテ

ストで，1時間以上インキュベーションすることにより，上に凸の曲線を描く（ⓔ図 16-11-D）．可能性のある凝固因子活性を測定し，インヒビター値を検出することにより，循環抗凝固因子を診断する．凝固因子活性がある程度存在するにもかかわらず，出血症状が著明なことが多い．FXIIIやVWFのインヒビターは，FXIIIやVWFを測定することが重要である．

鑑別診断

抗リン脂質抗体症候群のループスアンチコアグラント（LA）は，凝固因子でなくリン脂質に対する抗体で，APTTは延長するが出血症状はまれで，むしろ血栓症の合併が問題とされている．LAは即時型抗体で，ミキシングテストで直ちに上に凸の曲線を示す．循環抗凝固因子は1時間以上インキュベーションすることにより，抗原抗体反応が進行して，ミキシングテストは上に凸になる．先天性の出血性素因では，ミキシングテストは下に凸になる．

治療・予後

ステロイドなどの免疫抑制薬の投与を行うが，感染症などの合併症が問題となる．出血症状が著明な場合は，凝固因子の補充は効果が弱く，活性化FVII（FVIIa）や活性化プロトロンビン複合体製剤などによるバイパス療法を行う（後天性血友病診療ガイドライン作成委員会, 2011）．〔和田英夫〕

■文献（ⓔ文献 16-11-15）

家子正裕：その他の後天性インヒビター―後天性抗凝固因子抗体．図説血栓・止血・血管学―血栓症制圧のために（一瀬白帝編著），pp422-30, 中外医学社, 2005.
後天性血友病診療ガイドライン作成委員会：後天性血友病診療ガイドライン．血栓止血学会誌. 2011; **22**: 295-322.

16）先天性凝固・線溶系因子欠乏症

定義・概念

先天的に血液凝固ならびに線溶系因子の遺伝子異常がみられ，これらの発現低下あるいは異常蛋白産生により，止血能に異常をきたす病態．

分類

先天性凝固・線溶因子欠乏症は，蛋白低下症（I型）と機能異常症（II型）に分けられる．また，凝固因子は十分量血中に存在し，血中濃度が20%以下に低下するまで，出血症状は起こらない．このため，ヘテロ接合体の異常症は通常症状が出現せず，ホモ接合体異常で出血症状が出ることが多い．

原因・病因

両親からそれぞれ遺伝子異常を受け継ぐことにより，ホモ接合性か複合ヘテロ接合性の遺伝子異常を呈するが，家族歴がなく孤発的に遺伝子異常を発生する場合もある．

疫学

先天性凝固因子欠乏症の発症率は，FXIII欠損症（惣宇利ら, 2005）は500万人に1人，FVII欠損症は50万に1人，FV欠損症は数百万人に1人であり，フィブリノゲン，プロトロンビン（山崎ら, 2005）ならびにFX欠損症の頻度はさらに少ない．プラスミノゲンの異常症は，活性は低下するが抗原量は正常なII型欠損症が，日本人の約2%に認められる．プラスミンインヒビター（PI）やプラスミノゲンアクチベーター-I（PAI-I）の欠損症はきわめてまれである．

病理

先天性凝固因子欠乏症では凝固反応が遅く弱くなり，プラスミノゲン異常症は線溶活性が低下するが，先天性PIやPAI-I欠損症は線溶反応が亢進する．

臨床症状

フィブリノゲン欠乏症（諏訪, 2005）には，無フィブリノゲン血症（I型）と異常フィブリノゲン血症（II型）があるが，前者の方が出血症状は強く，不育症の原因ともなる．FV，プロトロンビン，FVII，FX，FXI，FXIIIなどの欠損症は出血症状を呈するが，FXII異常症では出血症状はみられず，プラスミノゲン異常症も血栓症に関連するというエビデンスはない．PIやPAI-I欠損症では，著明な出血傾向を呈する．無フィブリノゲン血症，FXIII欠乏症，PIやPAI-I欠乏症では，止血後の再出血がみられる．

検査所見・診断

VII欠損症ではPTのみが，FXIやFXII欠損症ではAPTTのみが，FI，FII，FVならびにFX欠損症ではAPTTとPTの両方が延長する．先天性線溶系異常の診断には，PI，プラスミノゲン活性，PAI-Iならびにプラスミン-PI複合体などを調べる．

鑑別診断

ループスアンチコアグラント（LA）や循環抗凝固因子との鑑別が重要であり，出血に関する既往歴ならびに家族歴とともに，正常血漿とのミキシングテストで下に凸の曲線を呈する．先天性の線溶系異常は，DICとの鑑別も必要である．

治療・予後

無フィブリノゲン血症やFXIII欠損症には濃縮凝固因子製剤を投与し，その他の凝固因子欠損症には新鮮凍結血漿などにより欠乏した因子を補充する．PIならびにPAI-I欠損症にはトラネキサム酸がある程度有効である．〔和田英夫〕

■文献
- 惣宇利正善, 一瀬白帝: XIII因子の分子病態学. 図説血栓・止血・血管学―血栓症制圧のために（一瀬白帝編著）, pp286-94, 中外医学社, 2005.
- 諏訪輝子: フィブリノゲンの基礎と臨床. 図説血栓・止血・血管学―血栓症制圧のために（一瀬白帝編著）, pp280-5, 中外医学社, 2005.
- 山崎泰男, 森田隆司: プロトロンビンの基礎と臨床. 図説血栓・止血・血管学―血栓症制圧のために（一瀬白帝編著）, pp295-304, 中外医学社, 2005.

17）先天性血栓傾向

定義・概念
凝固制御因子の遺伝子異常により，血栓症発症リスクが高くなった状態．家族性に血栓症を起こし，比較的若年者に血栓症を発症することがあり，再発することが多い．

分類
おもにアンチトロンビン（AT）（辻, 2005），プロテインC（PC）（山本, 2005）ならびにプロテインS（PS）（濱崎, 2005）異常症に分けられる．

原因・病因
AT異常症はトロンビンやXaを，PC異常症はVaやVIIIaを十分抑制できず，PS異常症は活性化PC（APC）の作用を十分補助できずに，血栓傾向となる．

疫学
AT異常症ホモ接合体の報告はなく，AT異常症ヘテロ接合体の頻度は約0.02％と考えられる．PC異常症ホモ接合体の頻度は少ないが，多くの場合新生児で電撃性紫斑という非常に重篤な症状を示す．PC異常症ヘテロ接合体の頻度は約0.16％と考えられている．PS徳島変異（Lys155Glu）は日本人の約2.8％にみられ，日本人に多い遺伝子異常であるが，その他のPS異常の頻度は確定されていない．また，欧米ではFactor V Leidenやprothrombin G20210Aの遺伝子多型が血栓性素因として有名であるが，日本人での報告はない．

病理
AT，PCならびにPSなどの凝固制御因子の異常により，深部静脈血栓症（DVT），脳静脈洞血栓症，腸間膜静脈血栓症ならびに門脈血栓症などの静脈血栓塞栓症（VTE）を発症しやすくなる．肺塞栓症（PE）を合併すると致命的な経過をとることがある．AT，PC，PSなどのヘテロ接合体異常を有する患者でも，必ずしも血栓症を併発するとは限らない．多くの場合，長期臥床，手術，妊娠，ピルなどの薬剤の服用，長時間の飛行機旅行，脱水，炎症，悪性新生物などの誘因が存在することにより，VTEを併発する．

臨床症状
1）**自覚症状**：VTEを発症するまでは無症状である．DVTでは下肢の腫脹・疼痛など，脳静脈洞血栓症では頭痛・めまいなど，腸間膜静脈血栓症/門脈血栓症では腹痛などの重篤な腹部症状，PEでは胸痛・呼吸困難・意識障害など，種々の症状が病態に依存して出現する．

2）**他覚症状**：下肢，腹部，循環器系，神経系などに種々の症状をきたす．

検査所見・診断
1）**VTE**：臨床症状やDダイマーの増加などで疑い，画像診断で確診する．

2）**AT異常症**：AT活性が70％以下で，PC異常症はPC活性あるいは抗原が60％以下で，PS徳島は活性/抗原比低下で疑い，家族性や再発性を考慮しながら，遺伝子診断で鑑定診断を行う．

治療・予後
VTEを発症していない症例には定期的なフォローを行い，VTEの誘因を避けるように指導する．VTE発症例の急性期にはヘパリン治療を行い，PCホモ接合体の電撃性紫斑例ではAPC製剤を，AT異常症の重症例にはAT製剤を，必要に応じて投与する．VTE慢性期にはワルファリンが投与されるが，ワルファリンネクローシス（eコラム1）を防ぐため，PC異常症にはヘパリン投与後にワルファリンに切り替えるのが望ましい．

〔和田英夫〕

■文献
- 辻 肇: 凝固インヒビター―ATの基礎と臨床. 図説血栓・止血・血管学―血栓症制圧のために（一瀬白帝編著）, pp483-9, 中外医学社, 2005.
- 山本晃士: Protein Cの基礎と臨床. 図説血栓・止血・血管学―血栓症制圧のために（一瀬白帝編著）, pp449-55, 中外医学社, 2005.
- 濱崎直孝: Protein Sの基礎と臨床. 図説血栓・止血・血管学―血栓症制圧のために（一瀬白帝編著）, pp456-63, 中外医学社, 2005.

18）後天性血栓傾向

(1)後天性血栓傾向

定義
明らかに先天的な要因が否定できるもので，血栓症リスクが高いか，または実際に血栓症を発症している状態を指す．

原因
広く知られる環境要因としては悪性腫瘍に伴うも

の，ベッド上安静（麻痺，脳卒中を含む），中心静脈ライン，妊娠・エストロゲン高値（経口避妊薬），下半身の手術などがあるが，本項では狭義の後天性血栓傾向として，抗リン脂質抗体症候群，骨髄増殖性腫瘍（MPN）に伴うものを取り上げる．

(2) 骨髄増殖性腫瘍に伴う血栓症
定義
骨髄増殖性腫瘍（myeloproliferative neoplasm：MPN），なかでも真性赤血球増加症（polycythemia vera：PV）と本態性血小板血症（essential thrombocythemia：ET）では血栓症の合併頻度が高いことが知られている．MPN治療の中で血栓症の治療ならびに予防は治療の重要な部分を占める．これらの疾患における凝血学的異常と血栓症発症の関連性に注目が集まっており，この分野の知見は徐々に集積しつつあるが，いまだ不明の部分が多い．

病態生理・疫学
eコラム1を参照．

臨床症状
1) **微小血管塞栓症状**：PVやET患者にみられる血栓症状のうち，いわゆる微小血管塞栓症状は最も普遍的なものである．これらの血栓症状はおそらく末梢小動脈レベルでの血小板血栓によるものと考えられる．このタイプの血栓症には末梢の脳血管血栓症や視覚異常，皮膚紅痛症，Raynaud症状や頭痛なども含まれる．一方，一過性の脳虚血や視力障害が現れることがあるが，神経局所症状（発語障害，一過性の失明，麻痺などはまれである．

2) **動脈血栓症**：比較的大きな血管の血栓症が脳血管，冠状動脈に起こることがある．脳梗塞は，かつてはPVの主要な死因の1つであり，現在においてもPVに発症する血栓症の30～40%を占める．急性冠動脈閉塞症はこれに比べるともう少し頻度が低い（eコラム2）．

3) **静脈血栓症**：PVやET患者においても皮下静脈のいわゆる血栓性静脈炎はよくみられ，また下肢のDVTの発症頻度も増加する傾向にある．PVにおいては静脈血栓症は全血栓症の約1/3を占めるとされる[1]．脳静脈洞や，門脈・肝静脈の腹部内臓静脈血栓症（splanchnic vein thrombosis）も若年女性を中心によく報告されている（eコラム3）．

治療・予防
MPN患者においては血液粘稠性亢進の予防としてヒドロキシウレア（HU）などを用いた血球数コントロールが行われる．HUの血栓予防効果はETにおいても証明されており[2]，このPT1 trialでは809名のET患者をアナグレリドとHUに無作為に割り付け，予防として低用量アスピリンが投与された．血小板数の減少には両群に差はなかったがHU群の方が血栓症・出血症状の両面において頻度が少なかった．これはおそらくHUの効果が白血球数だけではなく，白血球における組織因子の発現に影響を与えた可能性がある[3]．

アスピリンが予防，治療に広く用いられる．ECLAP studyでは100 mgのアスピリンの効果をプラセボ対象で518例のPV患者に実施した．結果出血リスクを増やすことなしに優位に心血管イベントを減少させることができた（RR 0.40, 95% CI：0.18～0.91）と報告されているが[4]，少数例の検討ではあるもののETについては低用量アスピリンの効果については異論もある[5]．

静脈血栓症患者に対しては治療，再発症予防としてヘパリンの投与やワルファリンが使用されるが，DVTを発症していないMPN患者に対する予防投与は一般には行われない．

(3) 抗リン脂質抗体症候群【詳細は⇒12-10】
定義・概念
抗リン脂質抗体症候群（APS）では，いわゆるリン脂質（PL）に対する抗体（aPL）に関連して，自己免疫性の血栓症，不育症に代表される妊娠合併症が特徴である．APSは代表的な後天性の血栓傾向を示す疾患であり，頻度も高いが，静脈血栓症のみならず動脈血栓症も発症することが特徴である．

疫学・診断
eコラム4を参照．

臨床症状
静脈・動脈に血栓症を起こす．脳梗塞，一過性脳虚血発作などの脳血管障害，虚血性心疾患（比較的少ない）などがある．脳血管障害が動脈血栓症で最も多い．日本人よりも欧米白人では静脈血栓がやや多いという報告[6]もあるので，日本人だけの特徴なのかもしれない．妊娠合併症は不育症に代表され，いわゆる習慣流産，子宮内胎児発育不全などとして現れる．

検査所見・経過・予後
eコラム5を参照．

治療・予防
治療の主体は血栓症の発症予防と治療である．SLE合併症例ではSLEに対する加療が必要であるが，APS単独の場合は劇症型を除いて原則的にステロイドは使用されない．肺動脈血栓症の場合，右心負荷の評価を行うとともに，肺動脈塞栓症の予防のため下大静脈フィルター挿入や血栓除去術などが行われることがある．

抗リン脂質抗体陽性患者は外科手術，長期臥床，産褥期などの高リスク状況下では比較的強力な血栓予防を行う必要がある．SLE患者でループスアンチコア

グラント陽性，あるいは抗カルジオリピン抗体が中-高値陽性の場合はSLEの加療とともに低用量アスピリン内服が行われることが多い．APSと確定診断され，静脈血栓症の既往がある場合はワルファリン服薬が推奨される．動脈血栓症の既往がある場合はワルファリン服薬，あるいは抗血小板薬＋ワルファリン服薬が行われる．

〔松下　正〕

■文献（e文献 16-11-18）

Landolfi R, Di Gennaro L, et al: Thrombosis in myeloproliferative disorders: pathogenetic facts and speculation. *Leukemia*. 2008; **22**: 2020-8.

Levine RL, Pardanani A, *et al*: Role of JAK2 in the pathogenesis and therapy of myeloproliferative disorders. *Nat Rev Cancer*. 2007; **7**: 673-83.

Miyakis S, Lockshin MD, *et al*: International consensus statement on an update of the classification criteria for definite antiphospholipid syndrome (APS). *J Thromb Haemost*. 2006; **4**: 295-306.

16-12　輸血

【⇨ 5-1-4】

17. 神経系の疾患

神経系

- 17.1 神経疾患患者のみかた ……… 2045
- 17.2 局所診断の進め方 ……… 2049
- 17.3 おもな神経症候 ……… 2057
- 17.4 神経学的検査法 ……… 2070
- 17.5 血管障害 ……… 2100
- 17.6 神経変性疾患 ……… 2132
- 17.7 感染症 ……… 2170
- 17.8 非感染性炎症性疾患 ……… 2199
- 17.9 脱髄疾患 ……… 2204
- 17.10 代謝性疾患 ……… 2211
- 17.11 中毒性神経疾患 ……… 2220
- 17.12 内科疾患に伴う神経系障害 ……… 2234
- 17.13 先天性疾患 ……… 2249
- 17.14 脳腫瘍・脊髄腫瘍 ……… 2258
- 17.15 頭部外傷・脊髄外傷 ……… 2266
- 17.16 脳脊髄液循環異常 ……… 2270
- 17.17 発作性神経疾患 ……… 2273
- 17.18 脊椎脊髄疾患 ……… 2284
- 17.19 末梢神経疾患 ……… 2289
- 17.20 神経筋接合部疾患 ……… 2303
- 17.21 筋疾患 ……… 2307

神経系疾患における新しい展開

　神経内科学の分野では，この数年の間に分子遺伝学や神経科学の進歩を背景として病態の解明が進み，発症機序に基づいた治療法の開発に拍車がかかっている．神経変性疾患はかつては原因不明の不治の病として理解されていたが，現在，ほとんどの変性疾患は原因となる分子が明らかになっており，タウオパチー，α-シヌクレイノパチーといった病因蛋白による疾患群の再編成が一般的になりつつある．これらの原因物質の排除や分解といった本質的な治療がすべての神経変性疾患で確立するにはまだまだ時間を要すると考えられるが，たとえば Alzheimer 病では，βアミロイドの産生を抑制する BACE inhibitor や免疫学的にβアミロイドを除去するモノクローナル抗体などが次々と第Ⅱ相，第Ⅲ相の治験に入っている．また，運動ニューロン疾患の1つである球脊髄性筋萎縮症では，発症の原因となる変異アンドロゲン受容体の核内移行を阻止する薬物の治験がわが国で実施され，近日中に承認される見通しである．神経変性疾患が"治る"時代がすぐそこに来ている．

　脳血管障害は国民病であり，脳血管障害の中で脳梗塞が占める割合は年々増加の一途にある．急性期脳梗塞では，rt-PA による血栓溶解療法の適応が発症後4.5時間に延長されてこの治療法の恩恵を受ける患者の幅が広まった．また，発症後6時間以内でのステント型リトリーバーなどを用いた血管内治療による機能的予後の有意な改善と同治療の安全性が示され，急性期脳梗塞の治療はまさに新しい時代を迎えたといえる．神経内科が扱うもう1つの common disease であるてんかんの領域では，レベチラセタムなどの新規抗てんかん薬に加えて，AMPA 受容体阻害というまったく新しい作用機序をもつペランパネル水和物が使用できるようになった．薬物選択の幅が大きく広がっている．

　免疫性神経疾患の診療も着実な進歩を遂げている．多発性硬化症では2種類のインターフェロンβ，フィンゴリモド，ナタリズマブに加えて欧米で永らく実績のある薬物であるグラチラマー酢酸塩が承認され，国内で使用できる多発性硬化症の病態修飾薬（DMD）は5種類になった．また，抗アクアポリン4抗体の発見によって多発性硬化症とは異なった疾患単位として確立した視神経脊髄炎では，第2の自己抗体として抗 MOG 抗体が同定されて注目を集めている．視神経脊髄炎の再発防止を目指した薬剤も次々に開発が進んでいる．

　このように，神経内科疾患が"診断だけ"であった時代は遠い過去のものになった．病因に基づいた根本治療はこれからの10年間でさらに飛躍的に進歩していくものと考えられ，iPS 細胞などを用いた神経再生治療も大きな希望をもって注目されている．一方，残存している能力をサポートして ADL（activities of daily living）を支援する治療の進歩も見逃せない．ロボットスーツ HAL® 医療用下肢タイプが薬事承認されたのは明るい話題である．現時点での適応は ALS，CMT など8疾患に限定されているが，今後は筋力低下を主徴とする広範な神経筋疾患への応用が期待されている．　　　　　　〔神田　隆〕

17-1 神経疾患患者のみかた

神経学的診察を行う際には，病歴からある程度の解剖学的診断・臨床診断がなされていることが必要であり，鑑別診断を確認するために焦点を絞った神経学的診察を行う．すなわちすべての診察項目に同様の重みをおいて網羅的に診察するというよりも，神経学的所見により疑っていた診断を確認するという要素がある．一般的に行われる神経学的診察の順番は認知・高次機能，脳神経系，運動系，反射，感覚系，その他と進んでいくが診察項目の重点は患者により異なる．

(1) 一般状態

神経症状をきたす全身性疾患が存在するかを判断するために，栄養状態，バイタルサイン，貧血，皮膚・関節症状，リンパ節腫脹，下腿浮腫の有無，などが重要なポイントとなる．一般状態を診察する場合にも既往歴，嗜好(飲酒，喫煙)，生活歴を意識する．

(2) 精神状態

a. 意識・認知機能

病歴聴取の段階で意識・認知機能障害の存在は判断できる．神経学的診察では意識レベル(覚醒度)・変容(譫妄・アメンチア)と認知機能(見当識，記憶，判断力，計算力)などを要素的に評価する．意識障害スケールとして Glasgow Coma Scale (表 5-2-16) と Japan Coma Scale (表 5-2-15) があり，これらは昏睡の評価には有用であるが，軽度の意識障害の評価には適さない．日中傾眠，注意力低下などは軽度の意識障害として具体的な状態を記載するとよい．認知機能の評価としては見当識(時間，場所，人物認識)，記憶(即時再生，近時記憶，遠隔記憶)，計算力，判断力，抽象的思考能力(諺の意味を問うなど)，構成能力(図形の模写)などを行う．これらは Mini-Mental State Examination (MMSE) に含まれており(ⓔ表 17-1-A)，23/30 点以下で認知機能障害があると判断できる．MMSE は認知機能評価の国際標準スケールであり，内科医は習熟しておく必要がある．

b. 精神症状

認知機能障害の重要な鑑別はうつ，譫妄である．うつ状態が疑われたら，睡眠障害，食欲低下，意欲低下，罪悪感，自殺企図などをチェックする．複数の症状がある場合にはうつ病が示唆される．譫妄は比較的急性に発症し，変動しやすく，睡眠・覚醒リズムの障害を伴う．ウイルス脳炎や自己免疫性脳炎では意識障害とともに異常行動を呈することが多い．

(3) 高次大脳機能のみかた

a. 失語 (aphasia)

構音障害が咽頭・喉頭筋・舌など発声にかかわる筋の運動麻痺によるのに対して，失語では言語の構成要素である話す，聞く，書く，読む，の4要素が障害される．特に脳卒中において右片麻痺を呈する場合に失語を合併していると病変が大きいことを示すため失語の評価は重要である．失語の診察では以下の6項目をチェックする(上記4要素に呼称と復唱を加えた6項目)：

① 自発語：流暢かどうか
② 聴覚理解：「目を閉じてください」，「時計はどこにありますか？」
③ 呼称：物品(ボールペン，腕時計，鍵など)を提示してその名前を言ってもらう
④ 復唱：単音節(アなど)，単語，文章
⑤ 読み：音読，読解
⑥ 書き：自発書字，書き取り，写字

発語の流暢性と聴覚理解によって図 17-1-1 のように分類すると理解しやすい．

b. 失行 (apraxia)

失行麻痺や運動失調がないのに随意運動が障害される症状で，以下のようなものがある．

① 肢節運動失行：手指巧緻運動が拙劣になる(手袋をはめる，ボタンをはめる)
② 観念運動性失行：パントマイム(敬礼，歯磨き，バイバイなど)ができない
③ 観念性失行：日常物品の使用障害(マッチでロウソクに火をつけるなど)

c. 失認 (agnosia)

失認は体性感覚，視覚，聴覚などの要素性感覚が正常であるのにもかかわらず，これらを統合した認知ができない状態である．視覚性失認では視覚は保たれているが提示した物品がわからない．聴覚性失認，触覚性失認も同様である．ほかに身体失認，空間失認，麻痺などを認識できない病態失認，地誌的失認がある．

(4) 脳神経のみかた

特に病変の高位診断に有用であるものは動眼神経(中脳)，顔面神経(橋)，舌咽・迷走神経(延髄)である．

1) 嗅神経 (olfactory nerve)：石けん，コーヒーなどで鼻孔を1側ずつ検査する．アルコールの刺激は三叉神経をも刺激するので用いない．

2) 視神経 (optic nerve)：視力，視野，眼底を診察する．視野は対座法により同名半盲，耳側半盲などが

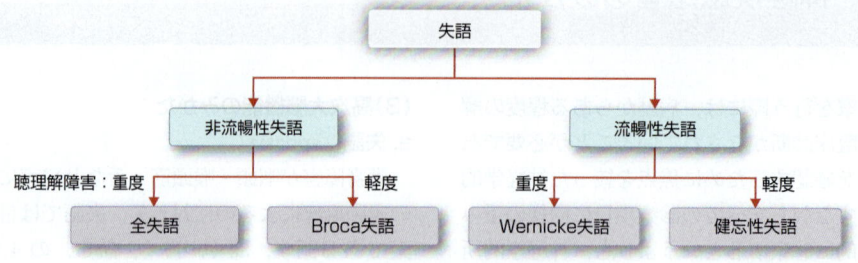

図 17-1-1 失語の分類

認められれば Goldmann 視野計で確認する．

3）眼運動神経：動眼神経（oculomotor nerve），滑車神経（trochlear nerve），外転神経（abducens nerve），正中視での眼位，左右上下の4方向への眼球運動を観察する．眼球運動は輻輳を除いて両眼が共同運動する．共同運動が障害されると複視が現れ，脳幹眼球運動中枢（傍正中橋網様体（PPRF），内側縦束（MLF）以下の病変を意味する．複視が認められる場合にはどの方向で最大となるかを確認する．動眼神経には瞳孔を支配する副交感枝が含まれるので，瞳孔の左右差，対光反応を観察する（動眼神経麻痺があると散瞳する）．

4）三叉神経（trigeminal nerve）：三叉神経は顔面と頭部前面の感覚を支配し，第1枝（眼神経），第2枝（上顎神経），第3枝（下顎神経）に分かれる．第3枝には咬筋，外側翼突筋を支配する運動枝含まれるので，筋力を評価する．咬筋は奥歯を噛み締めてもらい筋腹を触診する．外側翼突筋は開口させると麻痺側に下顎が偏倚する．角膜反射は求心路が三叉神経，遠心路が顔面神経であり，ティッシュペーパーをこより状にして角膜に触れると両側の閉眼が生じる重要な脳幹反射である．

5）顔面神経（facial nerve）：前頭筋，眼輪筋，口輪筋を観察する．前頭筋（額のしわ寄せ）は両側性支配であるため，中枢病変では麻痺しないため診断に有用である．特殊感覚として舌の前2/3の味覚（鼓索神経）と，涙腺・唾液腺を支配する副交感神経線維を含んでいる．

6）聴神経（auditory nerve）・前庭神経（vestibular nerve）：聴覚は検者が指をこする音が聞こえるかでスクリーニングする．Weber 試験では音叉を額中央に当てると，伝音性難聴では患側に偏倚する．昏睡患者では冷水あるいは温水を外耳道から注入する caloric test が重要である．正常での偏倚側は COWS（cold-opposite, warm-same）と覚えておくとよい．

7）舌咽神経（glossopharyngeal nerve）・迷走神経（vagal nerve）：一括して評価される．軟口蓋・咽頭・喉頭の運動感覚を支配する．「アッ」と短く発声させた際に咽頭後壁が健側に偏倚するのがカーテン徴候である．

8）副神経（accessory nerve）：胸鎖乳突筋と僧帽筋を支配する運動枝からなり，頸部回旋と肩の挙上の筋力を評価するが，これらの筋は上部頸髄からの支配も受けていることに留意する．

9）舌下神経（hypoglossal nerve）：舌筋群を支配する運動枝からなる．舌を前方に突出させると一側性麻痺の場合には患側に偏倚する．舌萎縮の観察も重要であり，辺縁部から始まることが多い（図 17-1-2）．

(5) 筋萎縮・筋力低下・運動麻痺のみかた

筋萎縮は視診により行う．るいそうとの鑑別が困難なことがあるが，左右差や，単一神経あるいは神経根の支配に一致する筋萎縮があれば陽性と判断しやすい．特に手の筋萎縮では第1背側骨間筋の萎縮はわかりやすいため，上肢を侵す筋萎縮性疾患では有用な所見である（図 17-1-3）．

a. 筋力のみかた

徒手筋力検査により下記の6段階に分類する．

0：筋収縮がみられない
1：筋収縮がみられるが関節運動はみられない
2：重力の影響を除けば関節運動がみられる
3：重力に抗して可動域での運動がみられる
4：ある程度の抵抗に抗して可動域での運動がみられ

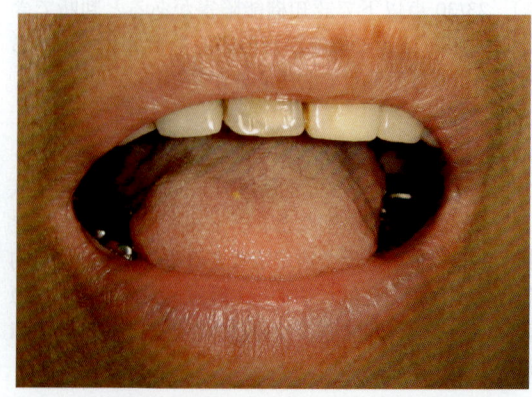

図 17-1-2 筋萎縮性側索硬化症における初期の舌萎縮
辺縁部に溝が開大する．

5：正常

軽度の運動麻痺を検出する方法として，Barré 徴候（両上肢を前方水平位に挙上して手掌を上に向けて閉眼すると，麻痺側が回内し下降する），下肢の Barré 徴候（腹臥位で膝を 90° に屈曲させると，麻痺側が下降する）などが行われる．運動麻痺の項【⇒ 4-50】に記載したように，筋力低下の分布から単麻痺，片麻痺，対麻痺，四肢麻痺に分類され，これにより解剖学的診断が可能である．

(6) 筋トーヌスのみかた

筋トーヌスは筋を受動的に伸長した際の抵抗として評価される．検者は関節の受動的屈伸を繰り返して，その際に感じる抵抗を評価する．筋トーヌスの異常には亢進と低下があり，さらに亢進は痙縮（spasticity）と筋強剛（rigidity）に分類される．正常者では生理的な筋伸長反射によってある程度の抵抗（筋緊張）が感知できる．

痙縮・筋強剛ともに筋伸長反射の亢進により起こるが，受動的筋伸長の速さをかえることによって両者をそれぞれ評価する．痙縮は上位運動ニューロン・錐体路障害で認められ，筋伸長の速度を上げるとともに抵抗が増加し，ある時点で急に抵抗の減少が起こる（折りたたみナイフ現象）．脳卒中や脊髄損傷などの急性病変では発症直後には筋緊張は低下しており（脳・脊髄ショック）数日後から痙縮が顕在化してくる．筋強剛は Parkinson 病を中心とする錐体外路系の障害で認められ，筋伸長の速度にかかわりなく一定の抵抗が認められる．筋伸長中に一様に抵抗がある場合に鉛管様，ガクガクと断続的な抵抗がある場合には歯車様と表現する．

筋緊張の低下は下位運動ニューロン・末梢神経・筋の障害でみられる．小脳障害では筋緊張は低下するとともに受動性が亢進し，関節可動域が増大することがある．

(7) 不随意運動のみかた

不随意運動は基本的に律動性と動きの速さにより分類される．律動性不随意運動は振戦であり，非律動性のものは動きの速い順にミオクローヌス，バリズム，舞踏運動，アテトーゼ，ジストニアである．典型例ではそれぞれのカテゴリーに分類できるが中間型や分類不能例も存在するので，その場合には上記の性状を，記載するに留める．必ずビデオ記録を残しておく．

振戦（tremor）は主動筋と拮抗筋が相反性（交互）に律動的に収縮する不随意運動であり，静止時振戦は Parkinson 病にみられ，動作時・随意運動に重層するものとして小脳性企図振戦，本態性振戦がある．肝性脳症など代謝性脳症では，両手首を背屈させた際に手が断続的に掌側に戻る運動が観察される．間欠的に随意的筋収縮が中断することにより生じ，陰性ミオクローヌス，アステリキシス（astrixis）ともよばれる．

非律動性不随意運動については表 17-1-1 にまとめた．四肢・体幹の不規則な動きでおもに運動の速さによって分類されているが，それぞれの境界は明確ではなく原因疾患を考慮して用いられている．

その他の特殊な不随意運動としてチック，ジスキネジアがある．チックは間欠的・突発的で不規則な，からだの一部の速い動きや発声を繰返す状態で小児に多い．ジスキネジアは抗精神薬，抗 Parkinson 病薬の副作用による不随意運動の総称であり，症候からではなく観念的に命名されている．舞踏運動様のことが多い．

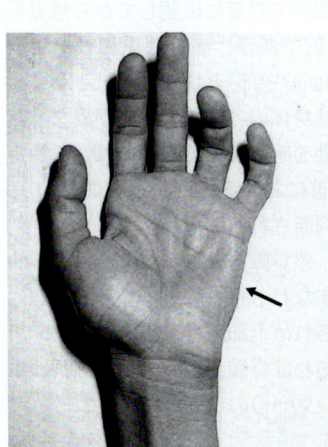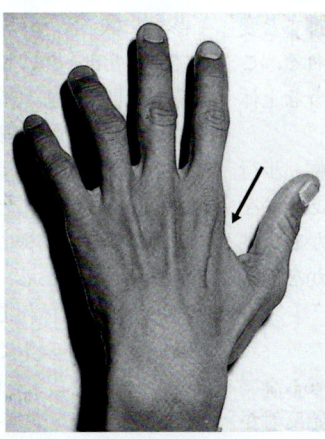

図 17-1-3 尺骨神経麻痺における背側骨間筋，小手外転筋の萎縮

表 17-1-1 非律動性不随意運動

	速さ	性質	代表的原因疾患
ミオクローヌス	速い ↕ 遅い	ピクっとする，瞬間的	Creutzfeldt-Jakob 病
バリズム		四肢を投げ出すよう，激しい（一側性）	視床下核の血管障害
舞踏運動		随意運動の断片様，気まぐれ	Huntington 病
アテトーゼ		四肢主体，くねるよう	脳性麻痺
ジストニア		体幹主体，くねるよう	遺伝性ジストニア

(8) 運動失調 (ataxia) のみかた

運動失調は一定の運動に関与する筋群の協調の障害により円滑な随意運動ができなくなる状態である．運動失調は小脳性，深部感覚障害性，前庭性に大別される．

小脳性運動失調は小脳半球の障害による四肢の協調運動障害と小脳虫部の障害による起立・歩行障害に分けられる．四肢の協調運動の診察法として，指鼻試験，回内回外運動，踵膝試験がある．上肢では示指で鼻と検者の指を往復させて測定異常（多くは行きすぎる測定過多），寄り道をする運動分解が認められる．手の回内回外運動を繰り返させると，リズム不整と遅さが目立つ．下肢では踵を膝においてから下腿を下降させると，膝への測定過多と下腿をすべらせる際のジグザグ運動がみられる．小脳性の起立歩行障害では両足の間隔があいた開脚歩行で不安定な酩酊様歩行となる．

深部感覚障害性運動失調では，視覚による代償が働いていると協調運動障害は目立たないが，閉眼すると著明となる．両足をそろえて立位を維持できるが，閉眼すると倒れる (Romberg 徴候)．

(9) 起立・歩行のみかた

起立は立位時の安定性を観察し，ついで片足，継ぎ足位で立てるかをみる．運動失調では片足，継ぎ足位で動揺が大きいか，立位が維持できない．深部感覚障害性運動失調では Romberg 徴候が陽性となる．また，立位のまま姿勢反射を観察する．Parkinson 病を中心とする錐体外路性疾患では上半身を軽く押すと姿勢反射による立ち直りがなく，特に後方に倒れる．この診察時には必ず患者の後方に立って倒れそうな上体を支える．

歩行の診察では，姿勢，両上肢の振り，歩幅，歩行リズム，安定性，ついで継ぎ足歩行が可能であるかを観察する．これらの所見を総合して歩行障害が麻痺性（痙性，垂れ足），失調性，錐体外路性であるかを判断する．

(10) 反射 (reflex) のみかた

反射には腱反射，表在反射，病的反射，原始反射がある．反射は客観的所見として解剖学的診断に非常に有用である．

腱反射は筋伸張反射であり，腱を打腱器でたたいて被検筋の筋紡錘を伸長させて筋収縮を観察する．四肢では 5 大反射として，上腕二頭筋反射 (C5〜C6)，腕橈骨筋反射 (C6)，上腕三頭筋反射 (C7〜8)，膝蓋腱反射 (L2〜L4)，アキレス腱反射 (S1) があり，それぞれ低下〜消失，正常，亢進を判断する．反射弓を含む病変では消失，それ以上のレベルでの病変では亢進する．脳神経領域では下顎反射（三叉神経，橋）があり，この亢進は橋以上の錐体路病変を意味する．

表在反射には腹壁反射，挙睾筋反射，肛門反射があり，多シナプス反射であるが，錐体路障害で消失する．

病的反射は健常成人では認められない反射であり，足底の外側縁を楊枝などでこすると母趾が背屈する Babinski 徴候は確実な錐体路病変を示す点で重要である．上肢における Hoffmann 反射，Trömner 反射，Wartenberg 反射は正常人でもみられることがあり，左右差がある場合に異常と判断する．

原始反射には，吸引反射，把握反射，手掌頤反射，緊張性足底反射があり，成人で認められる場合には前頭葉徴候としてとらえられる．

(11) 感覚障害のみかた

感覚系は表在感覚，深部感覚，複合感覚に分けられる．表在感覚は痛覚と温度覚からなり無髄あるいは小径有髄線維を経由し，深部感覚は位置覚，振動覚であり大径有髄線維により伝えられる．複合感覚は二点識別覚，立体覚，重量覚，皮膚書字覚で，体性感覚野〜連合野で統合されて認識される．

また感覚障害は自発性異常感覚（痛み・しびれ）と感覚低下として現れる．自発性異常感覚の原則は，その感覚を伝えている感覚経路の自発発射により生じ，痛みは小径線維，しびれは大径線維の徴候である．自発性感覚異常と感覚低下は共存することが多いため，痛み・しびれの分布を問診で詳細に確認してから感覚系診察に入るのが効率的である．痛覚は爪楊枝を用いて，正常部（多くは顔面や頸部）と比較して低下しているかを問う．振動覚は身体の各部位で閾値が異なるため，音叉をあてて振動を感じている時間（秒数）を測定するほうがよい．足首における振動覚はおおむね 10 秒以上あれば正常と判断される．

運動麻痺と同様に，感覚障害の分布により解剖学的診断が可能である．すなわち感覚障害が顔面を含む片側の上下肢・体幹であれば上部脳幹・視床・大脳，ある髄節レベル以下であれば脊髄，四肢末梢であれば末梢神経（多発ニューロパチー）の病変が推定される．

(12) 髄膜刺激症候のみかた

髄膜炎，くも膜下出血において重要な症候である．髄膜刺激の自覚症状としては頭痛・頸部痛，悪心，羞明がある．他覚的診察所見としては以下の徴候がある．

① 項部硬直：安静臥位で頸部を前屈する際に抵抗があり，顎が前胸部につかない．項部硬直は前屈時のみに認められるが，頸部筋強剛は全方向性である点が鑑別点になる．

② Kernig 徴候：安静臥位で踵をもって一側下肢を股関節で屈曲させていくと反射的に膝が屈曲する．
③ Brudzinski 徴候：安静臥位で頸部を前屈すると反射的に股関節と膝関節の屈曲が起こる．

(13) 自律神経系のみかた

自律神経系としては，瞳孔，心循環系，排尿・排便・性機能，発汗をみる．瞳孔系は Horner 症候群（縮瞳，眼瞼下垂：頸部交感神経障害）を観察する．心循環系は起立性低血圧が重要であり，血圧と脈拍をモニターしながら，立位をとらせて収縮期 30 mmHg 以上・拡張期 15 mmHg 以上血圧低下があれば起立性低血圧あり，と判断する．起立性低血圧は脱水や心不全でもみられるが，自律神経障害がある場合には血圧低下に対する代償性頻脈が起こらない点が重要である（自律神経による圧受容器反射の障害）．排尿障害には蓄尿障害と排出障害があるが，前者による夜間頻尿（2 回以上）で始まることが多い．近年はベッドサイドで行える超音波残尿測定が有用である．発汗系の診察では皮膚の乾燥・湿潤度を診察するが，発汗低下は下半身から始まることが多く，上半身では代償性の発汗増加がみられる点に留意する．

〔桑原 聡〕

■文献

平山惠造：神経症候学 改訂第 2 版，文光堂，2006．
水野美邦編：神経内科ハンドブック—鑑別診断と治療 第 4 版，医学書院，2010．

17-2 局所診断の進め方

1)（末梢）神経，筋疾患の特徴

(1) 筋疾患の特徴

筋疾患では近位筋優位の筋力低下，筋萎縮が一般的な特徴である．上肢では洗髪や布団の上げ下ろしなどの日常動作に困難が生じる．下肢ではしゃがみ立ちの際に登攀性起立（Gowers 徴候）が認められ，歩行時には中臀筋の筋力低下のために肩が上下に揺れる動揺性歩行を呈する．例外的に筋強直性ジストロフィー（DM1）や遠位型ミオパチーでは遠位優位の筋力低下がみられて握力低下や指先で重いものがもてないということがしばしば主訴になる．遠位型ミオパチーのなかでは，縁取り空胞遠位型ミオパチー（distal myopathy with rimmed vacuole：DMRV）は大腿四頭筋が保たれ，下腿筋では前脛骨筋優位に障害される一方，三好型筋ジストロフィーでは腓腹筋とヒラメ筋が優位に障害される特徴をもつ．

多発筋炎は頸部の屈筋や大胸筋の筋力低下が目立ち大腿四頭筋は比較的保たれる傾向にあるのに対して，封入体筋炎は大腿四頭筋または手指屈筋（特に前腕の深指屈筋）という筋力低下の分布も特徴的であり，多発筋炎・皮膚筋炎といった炎症性筋疾患との鑑別点となる．

神経筋接合部疾患の重症筋無力症の筋力低下は近位筋優位だが，さらに頸部の屈筋や腹直筋などの体幹筋の筋力低下が目立つ．筋力低下は易疲労性が認められ，筋萎縮は多くの場合認めない．

(2) 末梢神経の特徴

運動症候としての筋力低下とともに感覚障害を伴うのが特徴である．感覚障害はピリピリ感，ビリビリ感などの錯感覚症状から，痛みやアロディニア，感覚の低下・消失までさまざまな状態を示す．自律神経障害では発汗低下や起立性低血圧，皮膚潰瘍，陰萎，膀胱直腸障害などがみられる．

また，末梢神経は障害分布によって単ニューロパチー，多発性単ニューロパチー，多発ニューロパチーのタイプに分けられる（図 17-2-1）．通常，腱反射は低下・消失する．

1) 単ニューロパチー： 単一の神経が障害されて生じる．筋力低下と感覚障害の両者があるのが通常であるが，感覚障害が目立たない場合もある．一方，皮神経が障害された場合は感覚障害のみの場合もある．絞扼性や腫瘍による場合が多く，絞扼性では手根管症候群による正中神経障害，肘部管症候群による尺骨神経障害などがある．

橈骨神経麻痺では下垂手（drop hand），正中神経麻痺では説教者の手（preacher's hand），尺骨神経麻痺では鷲手（claw hand），正中・尺骨神経麻痺では猿手（ape hand）（図 17-2-2），腓骨神経麻痺では下垂足（drop foot）になる．

2) 多発性単ニューロパチー： 末梢神経が不規則多巣性に障害されて，左右非対称な運動感覚障害を生じる．原因は通常血管炎ニューロパチーであることが多い．運動障害のみの場合もあって多巣性運動ニューロパチーが知られている．

3) 多発ニューロパチー： 代謝性疾患，中毒性疾患，

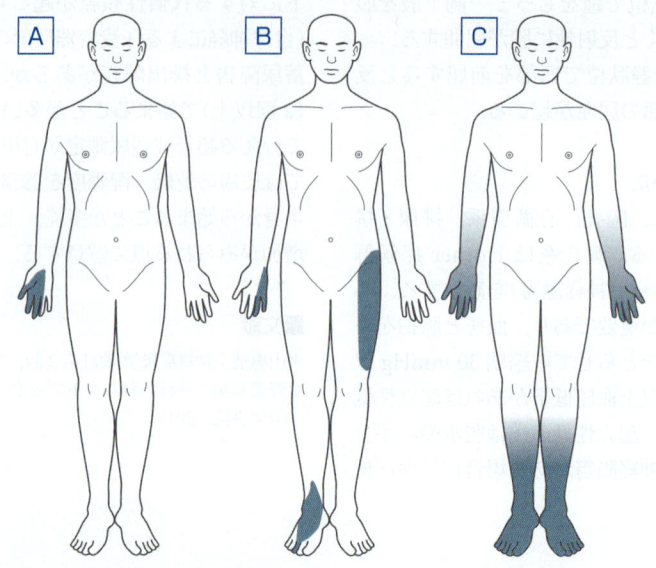

図 17-2-1 ニューロパチーの感覚障害分布
A：単ニューロパチー，B：多発単ニューロパチー，C：多発ニューロパチー．

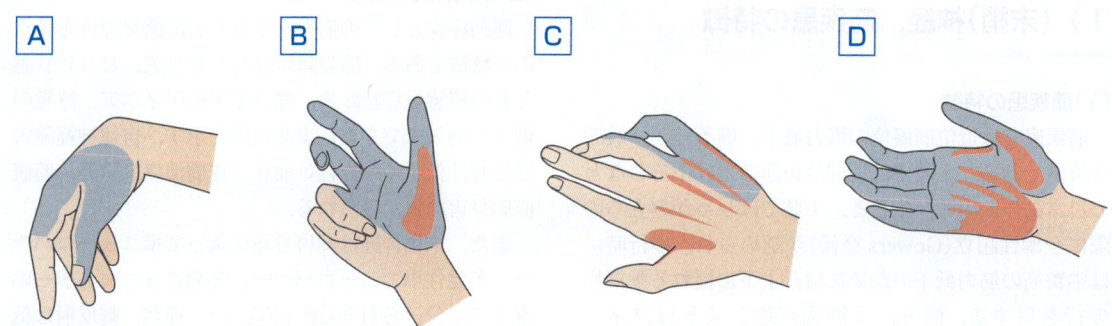

図 17-2-2 橈骨神経，正中神経，尺骨神経麻痺による手のポーズ（鈴木則宏編：神経診察クローズアップ 改訂第2版，p264，メジカルビュー社，2015）
青色は感覚障害，赤色は筋萎縮を示す．
A：下垂手(wrist drop or drop hand)，橈骨神経麻痺(radial palsy)．手首の伸筋群の筋力低下により出現．指節間関節の伸展はできるが，中手指節間関節の伸展ができない．
B：説教者の手(preacher's hand or orator's hand)，正中神経麻痺(median palsy)．正中神経近位での障害により，第2，3指の深指屈筋と母指屈筋の筋力低下が生じる．こぶしをつくろうとしても，第1，2，3指の屈曲ができない．
C：鷲手または鉤手(claw hand or ulnar claw)尺骨神経麻痺(ulnar palsy)．第4および5指の虫様筋の筋力低下により，第4および5指の中手指節間関節が過伸展し，指節間関節が屈曲変形する．
D：猿手(simian hand or ape hand)正中神経と尺骨神経麻痺(median and ulnar palsy)．正中神経と尺骨神経麻痺により，母指球と小指球が萎縮し対立が消失することにより生ずる．

遺伝性疾患，自己免疫疾患などでさまざまな原因で生じ，四肢遠位部優位の筋力低下と感覚障害(手袋靴下型)を呈する．ただし，慢性炎症性脱髄性多発根神経炎の場合は，神経根主体に障害があるために，感覚障害，運動障害は近位と遠位に障害の程度に差がないのが特徴である．

2）脊髄障害の特徴

(1) 長経路症候と髄節性症候

運動系と感覚系には，脳脊髄内を上下に走る線維路(長経路)と，核とその髄内根が存在する．長経路傷害の症候を長経路症候(long tract sign)とよび，髄節性構造傷害の徴候を髄節性徴候(segmental symptom)とよぶ．

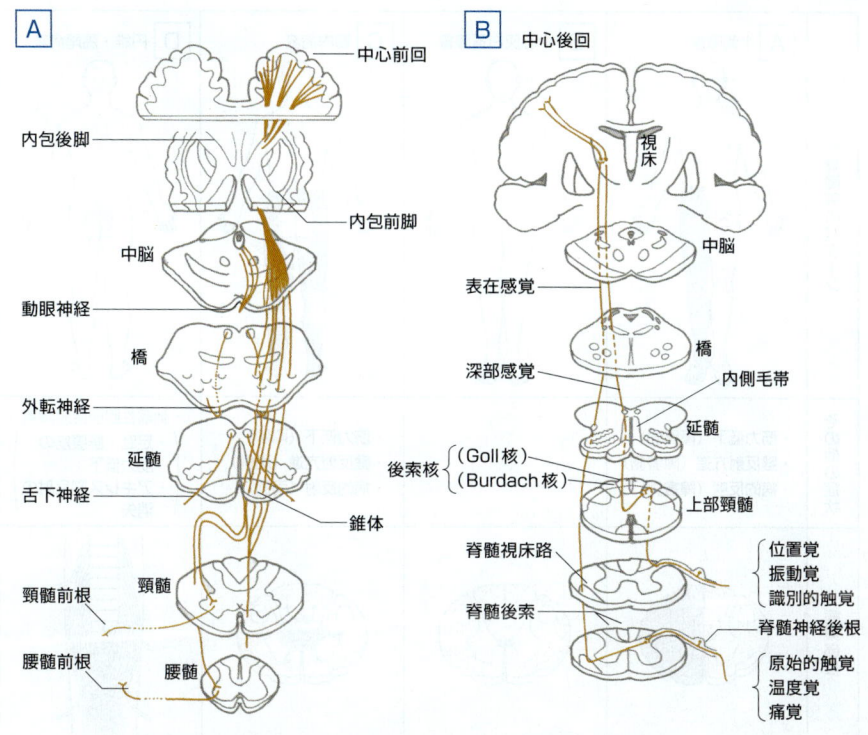

図 17-2-3 運動系の長経路と髄節性症候構造(A)と感覚系の長経路(B)

運動系では，長経路は錐体路（図 17-2-3A）であり，その徴候として痙縮，腱反射亢進，Babinski 徴候などがみられ，髄節性徴候としては四肢筋の髄節性の筋力低下と筋萎縮があげられる．

感覚系では，長経路として深部感覚を伝える後索と表在感覚を伝える脊髄視床路がある．（図 17-2-3B）．その髄節性症候は皮膚分節に沿った感覚障害として示される（図 17-2-4）．

(2) 脊髄片側症候群（Brown-Séquard 症候群）（図 17-2-5A）

脊髄の片側傷害により，同側の四肢痙性麻痺と病的反射と深部感覚障害，対側の温痛覚障害がみられる．

(3) 脊髄中心部障害（図 17-2-5B）

温痛覚線維は中心灰白質を通って対側の脊髄視床路に入るため，正中部に病変があると温痛覚障害がその髄節で両側性に障害される．脊髄空洞症や脊髄腫瘍の初期で認められる．病変が頸髄から上部胸髄にあると，両上肢，胸部上部の「宙づり型（forme suspension）」の分布の温痛覚障害を呈する．

(4) 仙髄回避（sacral sparing）（図 17-2-5C）

肛門周囲の表在覚線維は仙髄に入った後に対側の脊髄視床路の最表面を上行する（そのすぐ内側は下肢か

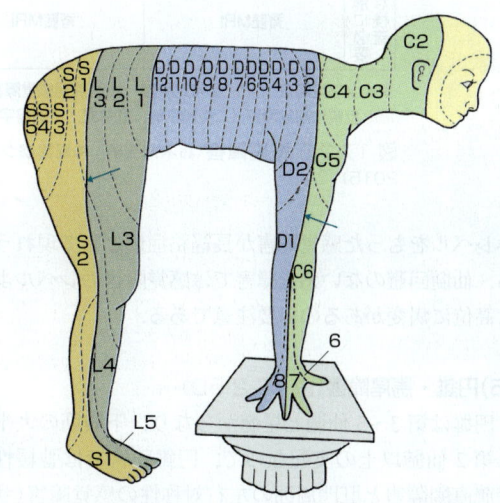

図 17-2-4 人のデルマトーム
鼻先から肛門まで輪状の髄節支配になっているのが理解できる．（←）は上肢と下肢の dorsal axial line を示す．

らの腰髄支配の線維が走る）ので，脊髄内腫瘍などによって脊髄中心部から障害される場合は両側性に脊髄視床路の外側部分が保たれ，肛門周囲の温痛覚が残存することがあり，これを仙髄回避という．脊髄外の病変はまずこの線維を侵し，ついで腰髄からの線維を侵すので，病変が頸髄の高さであっても肛門・下肢にの

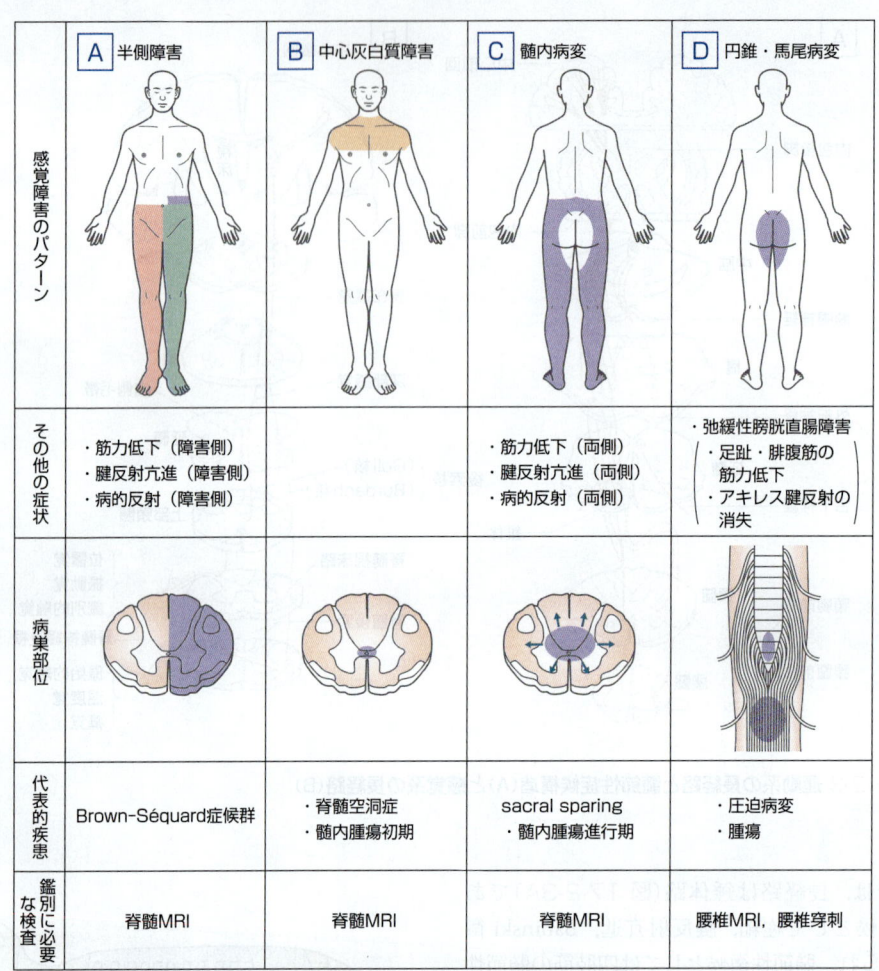

図17-2-5 脊髄障害（鈴木則宏編：神経診察クローズアップ 改訂第2版, p170, メジカルビュー社, 2015）

みレベルをもった感覚障害が長経路症候として現れうる．仙髄回避のない感覚障害では感覚障害のレベルより高位に病変があるので要注意である．

(5) 円錐・馬尾障害（図17-2-5D）

円錐は第3〜5仙髄と尾髄からなり，下肢筋の大半は第2仙髄以上の支配なので，円錐障害では弛緩性膀胱直腸障害と肛門周囲の左右対称性の感覚障害（サドル型感覚障害，saddle anesthesia）のみ呈して運動障害や腱反射の障害はない．

馬尾は第2腰髄以下の神経根になるので，上部の障害では感覚運動障害と腱反射の低下〜消失を呈するが，下部の障害では円錐障害との区別は困難である．

3）脳幹障害の特徴

脳幹の主要構造は，①脳神経Ⅲ（動眼神経），Ⅳ（滑車神経），Ⅴ（三叉神経），Ⅵ（外転神経），Ⅶ（顔面神経），Ⅷ（内耳神経），Ⅸ（舌咽神経），Ⅹ（迷走神経），Ⅺ（副神経），Ⅻ（舌下神経）の核と髄内根，②脳幹を上下降する運動・感覚路，③意識を保つ上行性網様体賦活系でⅢ，Ⅳ，Ⅵ，Ⅻの運動核は脊髄前角に相当して正中に近いところに位置し，Ⅷは後根に相当して延髄上端で最も外側に位置する．Ⅴ，Ⅶ，Ⅷ，Ⅸ，Ⅹは前根と後根の機能を併有（運動神経と感覚神経が含まれる）して前2者の中間に存在する（図17-2-6A）．

(1) 延髄の症候

1) **Wallenberg症候群（延髄外側症候群）**（図17-2-6B）：髄節性症候として舌咽・迷走神経麻痺（カーテン徴候，嚥下障害，嗄声，軟口蓋・咽頭の感覚低下），内耳神経麻痺（平衡障害，回転性めまい，悪心・嘔吐）がみられる．長経路症候として，病変と同側のHorner症候群と小脳性運動失調，同側顔面と対側頸部以下の上下肢・体幹の温痛覚低下が認められる．

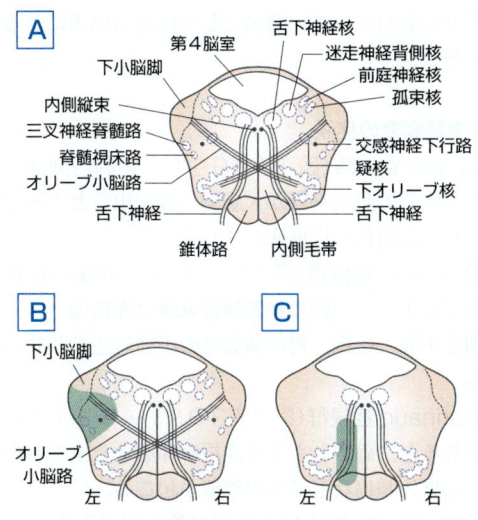

図 17-2-6 延髄の横断面
B：Wallenberg 症候群．lateral medullary syndrome ともよぶ．椎骨動脈または後下小脳動脈の閉塞によって緑色で示した部分が障害されると，延髄外側部の障害が起こって複雑な症状を呈する．左の顔面の疼痛，しびれ感，温痛覚の障害，小脳失調，Horner 症候群，嚥下障害，嗄声，構音障害，軟口蓋，咽頭と喉頭筋麻痺，および右の体幹と上下肢の温痛覚障害をみる．
なお，Horner 症候群は緑色で示した部分に含まれる交感神経下行路が障害されるために起こり，左の眼瞼下垂，瞳孔縮小，眼球陥入，顔面の発汗低下をきたす．
C：Dejerine 症候群．緑色で示した部分の障害が起こると，左の舌の麻痺，右半身の片麻痺および右の深部感覚障害をきたす．

2）Dejerine 症候群（延髄内側症候群）（図 17-2-6C）：髄節性症候として同側の舌下神経障害として舌萎縮と運動麻痺がみられ，長経路症候として，対側上下肢に麻痺と深部感覚障害がみられる．

(2) 橋病変の症候

1）Millard-Gubler 症候群： 下部橋底部の病変で生じ，髄節性症候として末梢顔面神経麻痺（ときに外転神経麻痺も）が生じ，長経路症候として対側上下肢の運動麻痺が生じる（図 17-2-7 ①）．

2）小脳橋角部症候群： 聴神経腫瘍，髄膜腫によって小脳橋角部（cerebellopontine angle）に圧迫が加わると起こる症状である．内耳神経，三叉神経が主に障害されるが，外転神経，顔面神経も障害されることがある．症状としては，難聴，耳鳴，めまい，角膜反射の消失，外転神経麻痺，顔面神経麻痺，運動失調がみられる（図 17-2-7 ②）．

3）内側縦束（MLF（medial longitudinal fasciculus）症候群，核間性眼筋麻痺）： MLF は中脳の動眼神経核と橋の外転神経を結ぶ線維連絡で（図 17-2-8），これが障害されると健側への注視の際，患側眼の内転障害と外転した健側眼の単眼性眼振がみられる（解離性眼振）（眼振の機序は不明）．核上性麻痺なので輻輳は正常である【⇒ 17-3-1】．

4）傍橋網様体（parapontine reticular formation：PPRF）障害： 側方視は前頭葉の前頭眼野から交差性に橋下部の PPRF に伝達される．PPRF 障害では側方注視障害が生じる（図 17-2-8）．

橋下部で PPRF と同時に MLF が障害されると，患側眼は内外転いずれもできず，健側眼は外転のみ可能で one-and-half syndrome とよばれる．

5）閉じ込め症候群（locked-in 症候群）： 橋底部で両側錐体路が強く障害されて生じる．意識は保たれるが，四肢麻痺となり，かつ仮性球麻痺のため発話もできない．意思表出は眼球上転（動眼神経）と開閉眼での

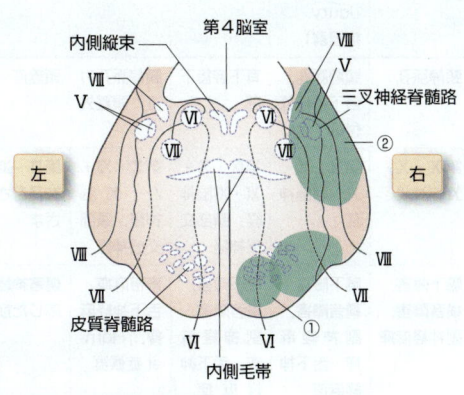

図 17-2-7 橋下部の横断面
① Millard-Gubler 症候群
右の顔面神経麻痺
左の片麻痺
② 小脳橋角部症候群
聴神経腫瘍で右小脳橋角部に圧迫が加わると起こる症状．脳神経Ⅷ，Ⅴがおもに障害されるが，図のようにⅥ，Ⅶも障害されることがある．

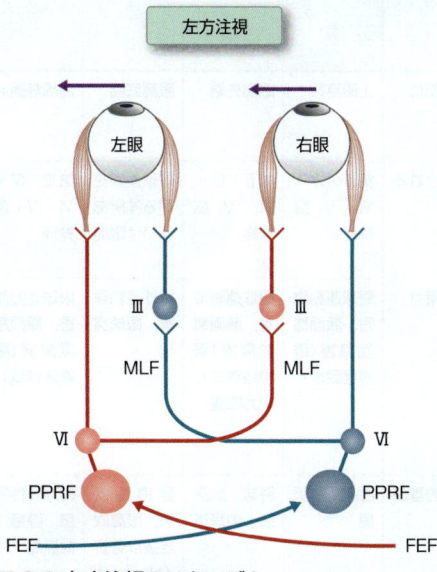

図 17-2-8 左方注視のメカニズム
FEF：前頭眼野

み可能である（顔面神経も侵されるため，この開閉瞼は上眼瞼挙筋の収縮・弛緩によってなされる）．

6）口蓋ミオクローヌス（palatal myoclonus）： 軟口蓋が規則的に1秒に1回くらい上下に動く不随意の運動がみられることがある．これを palatal myoclonus という．障害部位としては，同側の小脳歯状核-反対側の中脳赤核-下オリーブ核の3つを結ぶ Guillain-Mollaret の三角とよばれる経路の障害で起こるといわれていて，原因としては血管障害によることが多い．

(3) 中脳病変の症候

1）Weber 症候群（図 17-2-9 ①）： 中脳内側部病変により病側の動眼神経が大脳脚の間を出るところで障害され，反対側の片麻痺が生じる．

2）Benedikt 症候群（図 17-2-9 ②）： 中脳内側被蓋の病変で生じ，同側の動眼神経麻痺と赤核傷害による対側上下肢の振戦，舞踏病などの不随意運動が認められる．

3）Parinaud 症候群（図 17-2-9 ③）： 中脳上丘に病変があると，両眼とも上方注視麻痺をきたすことをいう．松果体腫瘍などでこの現象が起こる．

複数の脳神経障害による症候群を表 17-2-1 にまとめた．

(4) 上行性網様体賦活系障害

種々の程度の意識障害が生じる．ただし，延髄網様体の損傷では意識障害は生じない．

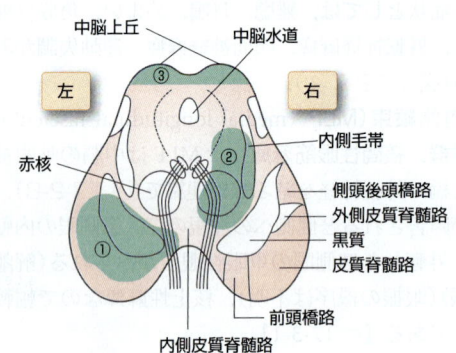

図 17-2-9 中脳の横断面
① Weber 症候群　　左の動眼神経麻痺
　　　　　　　　　　右の片麻痺
② Benedikt 症候群　右の動眼神経麻痺
　　　　　　　　　　左の顔面の感覚低下，左の振戦，舞踏病
③ Parinaud 症候群　上方注視麻痺

表 17-2-1 脳神経に関する症候群一覧（鈴木則宏編：神経診察クローズアップ 改訂第2版, p240, メジカルビュー社, 2015）

症候群名	上眼窩裂（Rochon-Duvigneau 症候群）	眼窩先端症候群	眼窩底面（Dejean 症候群）	海綿静脈洞（Foix-Jefferson 症候群）	錐体骨先端（Gradenigo 症候群）	頸静脈孔（Vernet 症候群）	Collet-Sicard 症候群（MacKenzie 症候群, Lannois-Jouty 症候群）	Villaret 症候群	Tapia 症候群	Garcin 症候群
病変部位	上眼窩裂	眼窩先端	眼窩底面	海綿静脈洞	錐体骨先端	頸静脈孔	頸静脈孔, 舌下神経管付近	耳下腺後下部	頸静脈孔付近, 頭蓋外	頭蓋底
障害される構造	第Ⅲ・Ⅳ・Ⅵ・V₁脳神経	第Ⅱ・Ⅳ・Ⅵ・V₁脳神経	眼球運動を司る神経あるいは眼筋	第Ⅲ・Ⅳ・Ⅵ・V₁脳神経	第Ⅴ・Ⅵ脳神経	第Ⅸ・Ⅹ・Ⅺ脳神経	第Ⅸ・Ⅹ・Ⅺ・Ⅻ脳神経	第Ⅸ・Ⅹ・Ⅺ・Ⅻ脳神経, 頸部交感神経	第Ⅹ・Ⅻ＋/−, Ⅺ脳神経, 頸部交感神経	第Ⅲ〜Ⅻ脳神経をさまざま
臨床所見	眼球運動障害, 顔面感覚障害（眼神経領域）	眼球運動障害, 顔面感覚障害（眼神経領域）, 視力障害	眼球運動障害, 眼球突出	眼球運動障害, 顔面感覚障害（眼神経領域）	顔面感覚障害, 眼球外転障害	嚥下障害, 構音障害, 副神経麻痺	嚥下障害, 構音障害, 副神経麻痺, 舌下神経麻痺	嚥下障害, 構音障害, 副神経麻痺, 舌下神経麻痺, Horner症候群	声帯麻痺, 舌下神経麻痺, Horner症候群	傷害神経に応じた症状
代表的基礎疾患	腫瘍, 動脈瘤	腫瘍, 動脈瘤, 中耳炎	腫瘍性疾患, 眼窩吹き抜け骨折（blowout fracture）	肉芽腫性疾患, 腫瘍, 動脈瘤	炎症, 腫瘍	腫瘍, 炎症, 外傷	頭蓋底腫瘍, Glomus 腫瘍, 動脈瘤, 動脈解離	頭蓋底腫瘍, Glomus 腫瘍, 動脈瘤, 動脈解離	耳下腺腫瘍, 頭蓋底腫瘍, 動脈瘤	頭蓋底腫瘍, 鼻咽頭腫瘍, 肉芽腫, 炎症

4) 間脳・大脳基底核障害の特徴

(1) 間脳の障害

間脳はほぼ視床と視床下部から構成される.

1) 視床の症候:

a) 感覚脱失：表在感覚・深部感覚とも四肢・体幹からは対側外側後腹側核（VPL）へ，顔面からは対側の内側後腹側核（VPM）へ投射する．視床病変では全感覚障害が生じ，古典的視床症候群（Dejerine-Roussy 症候群）として知られている．深部感覚が高度に障害されると，上肢に目立つ激しい失調性の動きが生じ，舞踏運動様の不随意運動と間違われる．視床手も深部覚障害が関与しているといわれる．

b) 視床痛：視床後腹側核（VPL，VPM）の障害により対側半身に生じる頑固な自発性または発作性の耐えがたい激しい疼痛である．

c) 手掌口症候群：対側の手掌と口周囲の感覚障害を示す．

d) 視床性失語：運動性，感覚性の混合失語で，程度は軽度〜中等度である．発語量は減少して錯語や保続があるが，流暢性や復唱は保たれる．責任病巣は外側腹側核（VL），視床枕，正中内側核（CM）で，両側性だと失語をきたしやすくなる．

e) 視床性認知症：記銘力障害，注意力障害，作話，保続，性格障害を示す．両側性の内側核群の障害で生じる．

f) 視床性無視：右視床内側核群の障害で左半側空間無視が生じる．

2) 視床下部の症候：視床下部は自律神経と神経内分泌の中枢であり，前者の障害では縮瞳，Horner 症候群，体温調節障害，が生じ，後者の障害では尿崩症，食欲障害，睡眠障害などが生じる.

(2) 基底核の障害

基底核は尾状核，被殻，淡蒼球，視床下核を指すが，黒質を含むことも多く，これらを錐体外路系とよぶ．基底核障害の症候は運動過多（舞踏運動，バリズムなど）と運動過少（Parkinson 症候）に大別される．基底核の機能は同側の上位運動ニューロン（錐体路）機能の調節である．錐体路は交差するために，基底核傷害の症候は対側上下肢に現れる．

1) Parkinson 症候：黒質に代表されるドパミン系の機能障害である．寡動，筋強剛，静止時振戦，姿勢反射障害として現れる．瞬目，唾液嚥下など無意識に行われる運動の量が減り，凝視，流涎がみられる．紐結びなど左右の手で，異なった動きをしなければならない動作が優位に障害される．

2) 舞踏運動（chorea）：線条体の障害による症状であり，脳梗塞などでは一側性に現れることがある．四肢末梢優位の不規則な速い不随意運動である．

3) バリズム（ballism）：視床下核の病変で生じる．四肢全体の反復性の激しい不随意運動で，投げ出すような，打ちつけるような動きである．

4) ジストニー（dystonia）：主動筋と拮抗筋が同時に活動することによって生じる異常な筋緊張状態で，さまざまな異常姿位を示す．振戦を伴うことが多く，dystonic tremor とよばれる．

5) アテトーゼ（athetose）：手指などからだの部位を一定姿位に保つことができず，常時ゆっくりと動かしている不随意運動である．線条体の病変による．

5) 大脳皮質障害の特徴

(1) 失語

1) 失語（aphasia）：頻度の高い失語は，次の4つである．

a) 運動性失語（Broca 失語）：図 17-2-10 の優位半球の Broca 野の障害で起こり，単語を見いだすのに時間と努力を要し，非流暢で言葉数が少ないのが特徴である．音読の障害がある．黙読はでき，他人の言葉は理解できる．反復して言葉を言うことには障害がある．

b) 感覚性失語（Wernicke 失語）：図 17-2-10 の優位半球 Wernicke 野の障害で起こり，自発言語は多い．流暢で多弁だが，錯語が多く，患者が何を言っているのかわからない（Jargon 失語）が，自分の職業でよく使う道具などの単語を繰り返し口ずさむことが多い．他人の言葉の理解ができない．読解が障害される．反復もできない．

c) 伝導性失語（conduction aphasia）：図 17-2-10 の Broca 野と Wernicke 野を結ぶ弓状束（arcuate fas-

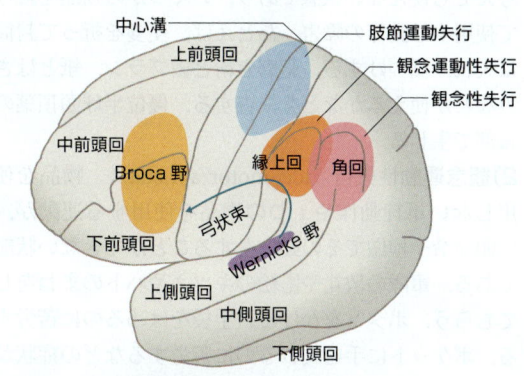

図 17-2-10 左大脳半球の模式図
Broca 野の傷害で運動失語，Wernicke 野の傷害で感覚失語，両者を結ぶ弓状束の傷害で伝導性失語が生じる．

表17-2-2 失語分類のフローチャート

復唱	流暢性	会話理解	物品呼称	失語のタイプ
×	×	×	×	全失語
	×	○	×	運動性失語（Broca失語）
	○	×	×	感覚性失語（Wernicke失語）
		○	×	伝導性失語
○	×	×	×	超皮質性混合性失語
○	×	○	×	超皮質性運動性失語
○	○	×	×	超皮質性感覚性失語
	○	○	×	健忘性失語

○：良好，×：不良．

ciculus）の障害で起こり，自発言語は流暢であるが，Wernicke失語ほど多弁ではない．言葉は乱雑で，復唱の障害が著明である．他人の言葉の理解は良好である．音読は錯語のため不能であるが，黙読をすれば理解できる．

　d）**全失語**（global phasia）：優位半球の言語中枢全体が障害された場合で，globalという用語は，大脳半球が広範に障害されているという意味で用いられる．自発言語は拙劣で，うなったり，意味のわからない発声はあるが，言葉にはならない．他人の言葉の理解もできない．

　優位大脳半球の病変によって生じる言語機能の障害である．復唱力，流暢性，理解力，物品呼称を発話や会話理解のパラメーターとして，復唱が可能か否かで大きく超皮質性失語と皮質性失語に分けて表17-2-2のように分類すると理解しやすい．

（2）失行
認知症や運動麻痺，感覚障害がないにもかかわらず，言語で命ぜられた動作ができない状態である．
1）**観念性失行**（ideational apraxia）：実際の物品を与えても使えない状態であり，いくつかの物品を続けて使用する動作の障害．たとえば，便箋を折って封筒に入れ，糊づけする，歯磨き粉と歯ブラシ，紙とはさみなどが使えるかなどを検査する．優位半球頭頂葉の後部で生じる．
2）**観念運動性失行**（ideomotor apraxia）：物品を使用しない単純動作や1つの物品を使用する運動が，口頭命令や模倣でその動作をすることができない状態である．軍隊の敬礼や影絵のキツネやハトのまねをしてもらう．ボタンをかける，手袋をはめるのに苦労する，ポケットに手を入れるのに苦労するなどの症状が出る．主として優位半球頭頂葉下部の病変でみられる．
3）**肢節運動失行**（limb-kinetic apraxia）：主として，指先の細かい動作の障害である．指折り，ボタンをはめる，本のページをめくるなどを検査する．中心前回の病変で生じるとされる．
4）**構成失行**（constructional apraxia）：図形の描写など空間的な形態が障害された状態．五角形模写など立体図形を紙に書いて，模写してもらう．優位半球頭頂-後頭葉の障害で生じる．
5）**着衣失行**（dressing apraxia）：衣服の着脱ができない．劣位半球頭頂-後頭葉の障害で生じる．
6）**口部顔面失行**（fuccofacial apraxia）：観念運動性失行が口や顔面に起こった場合と考えられている．口とがらし，口笛を吹くなど口頭命令や模倣ができない．優位半球頭頂葉下部の病変でみられる．

（3）失認
視覚や運動感覚などの感覚情報は大脳に達しているにもかかわらずそれが認識されない状態である．
1）**視空間失認**（visual agnosia）：ものが見えてもそれが何だかわからないが，触れる，音を聞くなどの視覚以外の感覚情報があるとわかる．
2）**半側空間無視**（hemispacial agnosia）：視野の左半分を無視してしまう．このような患者では眼球が右に偏倚して頭部も右に回転させた姿位をとることが多い．直線二等分テスト，線分消去テストなどで検査する．劣位半球の頭頂葉梗塞によることが多い．
3）**手指失認**（finger agnosia）：手指の名前がわからない，指示された指が指せない状態．優位半球の角回の病変でみられる．
4）**病態失認**（anosognosia）：自分のからだの片麻痺，盲などの存在を否定する状態である．麻痺の否認はしばしば半側空間無視に伴って生じる．
5）**相貌失認**（prosoagnosia）：人と顔の識別ができない．劣位半球後頭葉の障害で生じる．意味性認知症の初発症状になりうる．

〔横田隆徳〕

17-3 おもな神経症候

1）意識障害
consciousness disorder

概念

意識の根源となる神経活動の機序は正確には理解されていない．日周期リズム（circadian rhythm）を司る視床下部の神経機構と，その支配を受ける上行覚醒系（ascending arousal system）の詳細は徐々に明らかにされつつあるが，網様体賦活系の全体像を提示するには至っていない（図17-3-1A）．また，意識をとる最小限度の全身麻酔では，大脳皮質ニューロンの興奮性も上行覚醒系ニューロンの活動もほとんど抑制されないことから，意識を生み出す脳活動には，いまだ正確には解明されていないもう1つの要素が必須であることも認識されている（eコラム1）．経験論を主体とする臨床実践においては，詳細な神経科学的記載よりも単純化したモデルの方が有益である場合が多い．意識障害の臨床も例外ではなく，賦活される大脳皮質とその賦活を維持する網様体賦活系を結ぶ一元的なモデルがわかりやすく，かつ，臨床的に適合性が高い．このモデルにおいては，大脳皮質をさまざまな「機能ユニット」の集合体，網様体賦活系を，中脳から中脳吻側にかけての網様体（reticular system）近辺に存在する「賦活装置」と理解し，両者を結ぶ「配線」としては特定の経路を定めない（図17-3-1B）．

覚醒（arousal）がまったく得られなくなった状態を昏睡（coma），覚醒は得られないものの，不快刺激に対する回避行動などの反応がみられる状態を昏迷（stupor），刺激により覚醒可能で大脳皮質機能も確認できるが，自分自身では覚醒状態を維持できない状態を傾眠傾向（drowsiness, somnolence），とよぶ．脳死判定におけるあいまいさを払拭するために使われている用語が，深昏睡（deep coma）で，外的刺激に対してまったくの無反応であることを強調した用語である．覚醒が維持され大脳皮質機能も確認できるが，正常な認識力に欠けている状態を，錯乱状態（confusional state）とよぶ．大脳皮質広範囲の非特異的機能障害であり，精神疾患，認知症などの高次脳機能障害の症例でも観察されるが，急速に進行する症例では，代謝異常，薬物，感染などに伴う意識障害の初期症状である場合が多い．興奮（agitation），妄想（delusion），幻覚（hallucination），錯覚（illusion）など，強い陽性所見を呈する急性錯乱状態は，譫妄（delirium）とよばれる．網様体賦活系は正常に働いており，睡眠状態と覚醒状態の違い（sleep-awake cycle）も認められるにもかかわらず，慢性的な大脳皮質機能不全があり，自己および自己と外界との関係に対する認識が欠如したままの状態が数週間以上継続したとき，植物状態（vegetative state）とよぶ．昏睡からの移行型が主体であるが，慢性変性疾患の末期，重症の発達障害などの症例でも認められる．

病態生理

網様体賦活系モデル（図17-3-1B）によれば，昏睡とは大脳皮質の賦活障害であり，意識の座である大脳皮質の機能が広範囲に侵された場合か，網様体賦活系の機能が障害された場合に起こる．大脳皮質全体の機

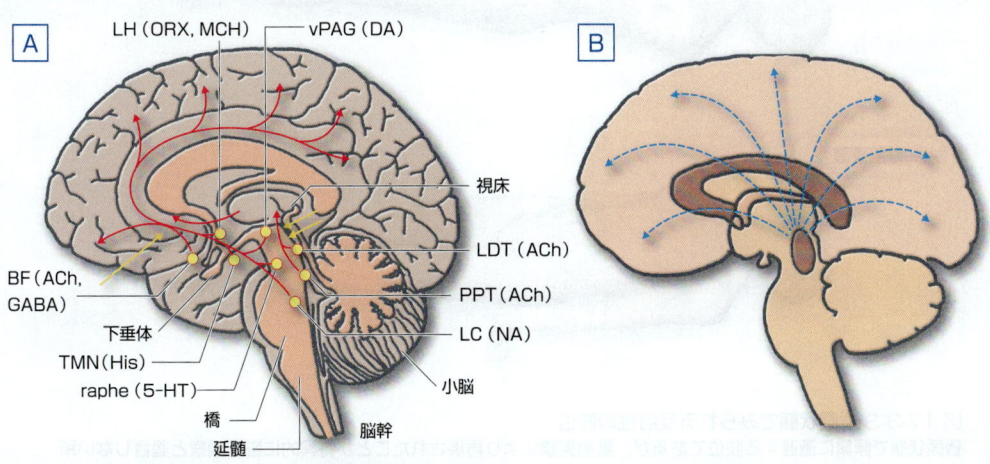

図17-3-1 A：上行覚醒系，B：網様体賦活系の概念図
ACh：アセチルコリン，PPT：脚橋被蓋核，LDT：外背側被蓋核，TMN：結節乳頭体核，His：ヒスタミン，DA：ドパミン，5-HT：セロトニン，LC：青斑核，NA：ノルアドレナリン，LH：視床下部外側野，ORX：オレキシン，MCH：メラニン凝集ホルモン，BF：前脳基底部，GABA：ガンマアミノ酪酸．

能不全から昏睡を起こしやすい疾患とは，大脳の表面全体に急速に病変が波及しやすい特徴をもつ疾患である．その代表は，くも膜下腔を介して病変の広がる細菌性髄膜炎やくも膜下出血，血流によって大脳全体にその効果が波及する代謝疾患や薬物中毒，そして，電気的にニューロンネットワーク全体に波及して大脳皮質機能不全を起こす痙攣疾患である．網様体賦活系の機能不全から昏睡を起こしやすい疾患とは，脳幹，特に，中脳から間脳にかけての部位を侵す器質性疾患である．脳底動脈上端部付近から分岐する貫通枝の閉塞による脳幹梗塞，脳底動脈閉塞，高血圧性橋出血・小脳出血に伴う脳幹圧迫，などがその代表である．大脳皮質の器質性局所障害だけでは昏睡を起こさない．したがって，大脳の器質性疾患で昏睡に至っている症例では，mass effect によるテント切痕ヘルニア（tentorial herniation）を疑う必要がある（図17-3-2）．急速に増殖する脳腫瘍，広域梗塞や外傷に伴う脳浮腫，大きな血腫などが，その代表である．

神経所見

昏睡患者で獲得可能な神経所見は極端に限られ，脳幹機能の反射経路診察が中心となる．

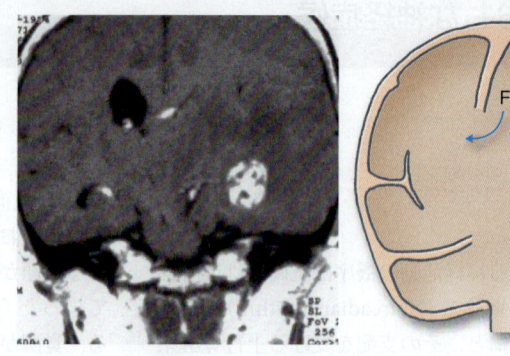

図 17-3-2 脳腫瘍に伴った脳ヘルニア
T：テント切痕ヘルニア，F：大脳鎌ヘルニア．

1）不快刺激への反応： ピンによる疼痛刺激（pin-prick）および眼窩切痕部への指による強い圧迫刺激は，現在でも人道的な不快刺激（noxious stimuli）として認められている．ただし，感染症の予防処置として，ピンは使い捨てのもの（虫ピン，安全ピン，楊枝，など）を使用する必要がある．開眼，回避行動などがみられる場合は昏迷状態で，昏睡よりは覚醒障害が軽いと判断される．昏睡状態で見られる反射性の肢位（posturing）では，除皮質硬直（decorticate posturing）と除脳硬直（decerebrate posturing）とがある（図17-3-3）．

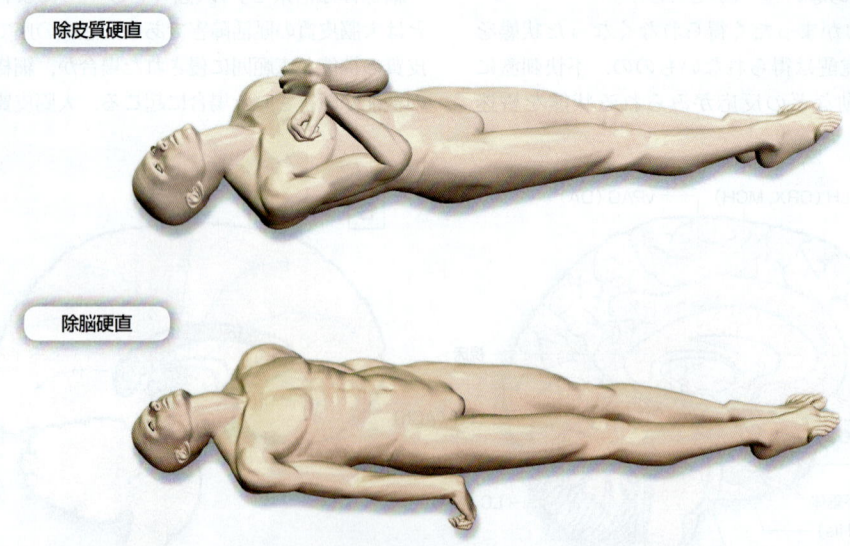

図 17-3-3 昏睡状態でみられる反射性の肢位
昏睡状態で頻繁に遭遇する肢位であるが，動物実験により再現されたことが特異的に臨床観察と適合しない所見である．歴史的には用語が示すように除皮質硬直を大脳皮質障害，除脳硬直を大脳皮質障害に間脳障害が加味された所見として捉え，後者を臨床的により重篤な所見であるとした時期もあるが，現在では，厳密な意味で予後判断に用いることは控えるのが一般的である．昏睡を扱う臨床医にとっては，むしろ，特異的肢位をつくり出す神経反射，例えば与えられた刺激の求心性回路や肢位をつくる遠心性回路が作用していると見なす材料となる．

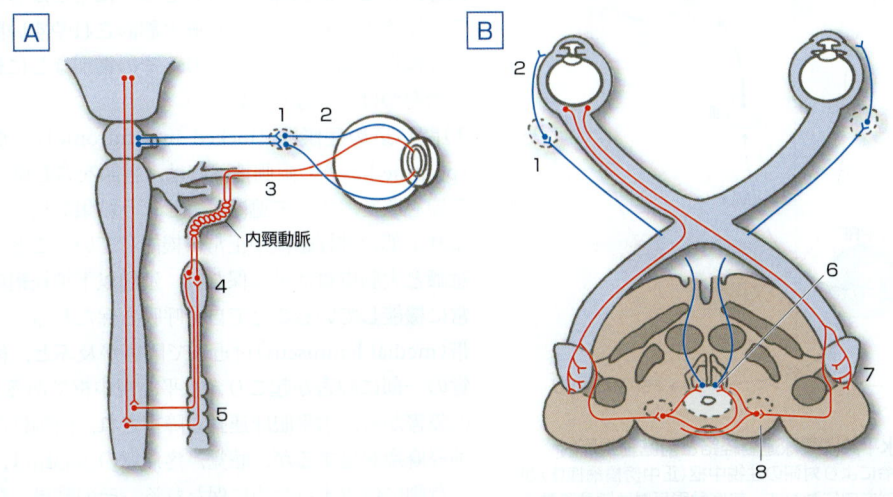

図 17-3-4 虹彩の神経支配
A：交感神経（赤）と副交感神経（青）のバランスが瞳孔の大きさを決める．交感神経の障害は縮瞳，副交感神経の障害は散瞳を呈する．
B：対光反射経路．
1：毛様体神経節，2：短毛様体神経（瞳孔括約筋），3：長毛様体神経（瞳孔散大筋），4：上頸神経節，5：胸神経節，6：Edinger-Westphal 核，7：外側膝状体，8：視蓋前核．

2）瞳孔と対光反射： 虹彩（iris）は交感神経と副交感神経の二重支配を受ける（図 17-3-4）．交感神経の興奮が散瞳を，副交感神経の興奮が縮瞳をもたらす．最終的な瞳孔の大きさは，両者のバランス状態によって決定される．交感神経中枢性遠心路は，視床下部後方から出発し，脳幹被蓋を脊髄まで下り，第 1，第 2 胸髄側角の節前神経に至る．この遠心路の障害は縮瞳をもたらす（いわゆる，中枢性 Horner 症候群）．視床出血では片側性もしくは両側性の縮瞳が，橋出血では両側性にきわめて強い縮瞳（いわゆる，pinpoint pupil）がみられる．ともに，対光反射は保たれていることが原則である．副交感神経の節前神経核（Edinger-Westphal 核）は動眼神経核内側に位置し，視神経からの信号を両側性に受け，対光反射経路を形成する（図 17-3-4）．したがって，副交感神経障害は，散瞳と対光反射の消失を同時にもたらす．卵円形で中心から偏位した瞳孔は，corectopia とよばれ，副交感神経系の不完全機能障害の徴候とされ，中脳吻側障害，動眼神経障害（特に病初期）でみられる．

3）眼球運動と前庭動眼反射： 水平注視中枢（horizontal gaze center）は，正中傍橋網様体（paramedian pontine reticular formation：PPRF）で，橋に位置する．PPRF から動眼神経核への遠心線維は，PPRF を出るとすぐに交差し，対側の内側縦束（medial longitudinal fasciculus：MLF）を上行する（図 17-3-5）．したがって，昏睡の症例において，水平方向の共同眼球運動が両側性に観察できれば，中脳から橋にかけての脳幹障害を除外できることになる．

昏睡患者で自発眼球運動がみられる場合は，ゆっくりと左右に振れる，水平性共同眼球運動である場合が多い（いわゆる，roving eye movement）．この動きは，故意に真似をすることが不可能であることから昏睡の確定診断を与えると同時に，脳幹障害が存在しないことを保証する．

自発眼球運動が観察されない場合は，前庭動眼反射（vestibulo-ocular reflex：VOR）を惹起させることで，水平方向共同眼球運動の診察を行う．人形の目現象（doll's eye phenomenon）は，頭部を水平方向に回転させることにより直接的に内リンパの動きを起こすことで，カロリックテスト（caloric test）は外耳に冷水，または温水を注入することで温度差による内リンパの動きを起こすことで，水平方向の前庭動眼反射を惹起する診察法である．前者は回転運動と反対の方向に，後者は患者の体位，冷水，温水の違いでさまざまだが，典型的な仰臥位で冷水の注入を行った場合は，注入側を注視する方向に眼球運動が起こる．前庭動眼反射経路は，厳密にいえば，随意水平方向共同眼球運動経路と同一であるわけではないが，随意運動が対側

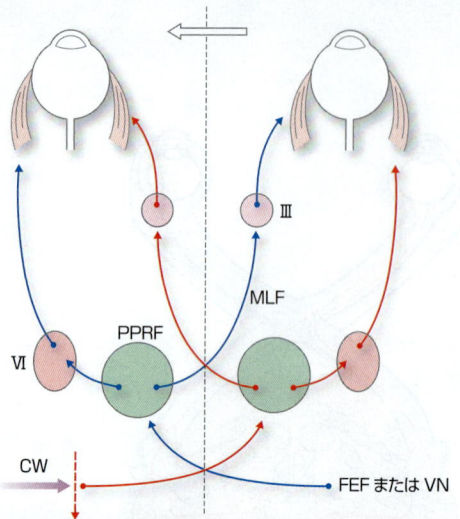

図17-3-5 随意水平共同眼球運動経路と前庭動眼反射
前頭眼野からの命令により対側の注視中枢（正中傍橋網様体）が活動し，眼球を反対方向に動かす．前庭動眼反射は随意運動の前頭眼野の代わりに前庭神経からの命令が対側の注視中枢に入ると考えれば理解しやすい．仰臥位での冷水注入（CW）は，前庭神経の緊張を低下させる（赤点線矢印）ことで対側の前庭神経の興奮と同じ結果をもたらし，注入側を注視する方向に眼球運動が起こる（青矢印）．
PPRF：正中傍橋網様体，MLF：内側縦束，Ⅵ：外転神経核，Ⅲ：動眼神経核，FEF：前頭眼野，VN：前庭神経，CW：冷水．

の前頭眼野からの命令によりPPRFの活動を促すと同様に，対側の前庭神経からの命令がPPRF活動を促すと考えると，わかりやすい（図17-3-5）．

昏睡患者で固定された凝視がみられる場合がある．水平方向へのものは，共同偏視（conjugate deviation），垂直方向へのものは持続性注視（sustained gaze）とよばれる．共同偏視は左右のPPRF活動のバランスが崩れることから起こり，片側のPPRFそのものが破壊された場合は対側に向かっての，前頭眼野（frontal eye field）の障害に伴う対側PPRFのdiaschisisによる場合は，病側に向かっての注視が起こる．

持続性注視は心停止などによる大脳皮質の広範囲の障害が起こった場合にみられる現象である．上方への持続性注視（sustained upgaze）が最も多く，下眼瞼向き眼振（downbeat nystagmus）へと移行した場合は，皮質機能の回復を示唆する所見と見なすことができる．下方への持続注視は，植物状態への移行期にみられることが多い．

自発眼球運動ではあるが，両眼が，まるで落下するかのように下方に偏位し，ゆっくりと正中に戻り，また，下方偏位を繰り返す動きは，眼球浮き運動（ocular bobbing）とよばれ，両眼の動きが共同性でない（dysconjugation）場合も多く，脳幹の広範囲な器質障害を示唆する，予後不良の所見である．

鑑別診断

昏睡は単なる症候ではなく，それ自体が臨床診断である．特に，意識障害が存在しないにもかかわらず，その反応の乏しさから，昏睡と誤診されやすい閉じ込め症候群の鑑別は必須であり，その鑑別なしに昏睡の診断をつけてはならない．

1）閉じ込め症候群（locked-in syndrome）: 橋底部（pontine base）の両側性障害は，言語を含む随意運動系遠心路を，すべて遮断してしまう結果を招く．中脳より上部の神経組織が正常に機能していることから，意識と大脳皮質活動は保たれ，延髄以下神経組織が正常に機能していることで自発呼吸も保たれる．内側毛帯（medial lemniscus）付近まで障害が及ぶと，体性感覚の一部に障害が起こり，水平注視中枢であるPPRFの障害から，水平眼球運動も障害され，両側性の顔面神経麻痺を呈するが，聴覚，疼痛覚の求心路は，さらに背側に位置するために保たれる．その結果，意識鮮明で，視覚，聴覚，疼痛覚は正常でありながら，意思表示の可能な随意運動系がほとんど活動せず，あたかも昏睡状態であるかのように錯覚されてしまう臨床状態を呈する．これが，閉じ込め症候群である．垂直注視中枢は中脳の内側縦束吻側介在核（rostral interstitial nucleus of medial longitudinal fasciculus：riMLF）で，中脳に存在するため，随意垂直眼球運動が残されている症例も多いが，PPRFの吻側のニューロン活動が随意垂直眼球運動にも必要であるため，垂直眼球運動すらも侵されており，意思表現のために残された随意運動機能は，眼瞼の開閉運動だけである症例も多い．

2）心因性無反応（psychogenic unresponsiveness）: 心因性無反応は，基本的には除外診断により確定診断を受ける疾患群に属するが，多くの場合，臨床的に鑑別可能である．代謝性脳症などで頻発する，ゆっくりと左右に振れる水平性共同眼球運動（roving eye movement）は模倣不可能な神経所見であり，観察された場合は，昏睡の確定診断となる．冷水カロリックテストにおいて，故意的に眼球の動きを防止する努力がみられることが多く，冷水刺激の不快から覚醒する場合もある．刺激側への共同偏視ではなく，corrective saccadesを含む眼振（nystagmus）を認めた場合は，大脳皮質の活動の確認として，心因性無反応の確定診断に至る場合が多い．

3）無動性無言（akinetic mutism）: 目を開けており，対面した人を見つめることもしばしばで，明らかに覚醒した状態であると考えられるが，ほとんど動かず（akinetism），かつ，声も発しない（mute）状態を，無動性無言とよぶ．錯乱状態でも植物状態でもないが，己と外界との関係を認識しているのかどうかはっきりとは判断できず，臨床記載としては役にたつ用語では

あるが，診断的価値に関しては，さまざまな議論がなされてきた症候群である．現在では，Cairns の記載に戻り[1]，前頭葉眼窩側部位（oribitofrontal area）での前脳経路（図 17-3-1A，赤の矢印），特に，中脳 A10 細胞群からのドパミン経路の局所障害による症候群とされることが多い．

同様な症例は，脳底動脈先端症候群（top of the basilar artery syndrome）においても，頻繁に遭遇する．これは，アセチルコリン系の上行覚醒経路の部分障害であると考えられている（図 17-3-1A，黄色の二重矢印）．したがって，無動性無言とは，網様体賦活系と総称される概念的機能ユニットの部分障害のうち，上行覚醒系とよばれる 2 つのおもな神経経路のうち，1 つが障害された場合に呈する臨床症候群であると考えることもできる．

4）持続性植物状態（persistent vegetative state）： 網様体賦活系は正常に働いており，睡眠状態と覚醒状態の違い（sleep-awake cycle）も認められるにもかかわらず，慢性的な大脳皮質機能不全があり，自己および自己と外界との関係に対する認識が欠如したままの状態が数週間以上継続した状態を，植物状態（vegetative state）とよぶ．また，植物状態が長期に渡って持続した場合（外傷の場合は 1 年，外傷以外の原因の場合は 3 カ月程度），持続性植物状態（persistent vegetative state）とよび，永続性（permanent）とはいい切れないものの，植物状態が恒常的なものになりつつあることを示唆する用語として用いられる．外傷によるびまん性軸索損傷（diffuse axonal injury），心停止に伴う全脳虚血，低酸素状態による層性皮質壊死（laminar cortical necrosis），髄膜炎，脳炎後のびまん性皮質障害などに伴う植物状態が，その代表例である．

病態生理学的にいえば，持続性植物状態とは，賦活の対象となるべき大脳皮質が広範囲に器質的障害を受けた状態を意味する．大脳皮質およびその下層を含む組織の古典的医学用語としては，マント（mantle）を意味する古代ギリシャ語，外套（pallium）が使われていた．ここから，脳外套（brain mantle）である大脳皮質がまったく機能しない状態を表す用語として，失外套（apallic）という表現が生まれ，持続性植物状態のように大脳皮質のびまん性器質的障害があると考えられる症例を，失外套症候群（apallic syndrome）とよんだ[2]．現在では，失外套症候群は，持続性植物状態と同義として扱われることが多い．　〔中田　力〕

■文献（e文献 17-3-1）
Leigh RJ, Zee DS: The Neurology of Eye Movements, 4th ed, Oxford University Press, 2006.
Saper CB, Schiff N, et al: Plum and Posner's Diagnosis of Stupor and Coma, 4th ed, Oxford University Press, 2007.

2）知的機能障害（認知症）
dementia, neurocognitive disorder（DSM-5）

(1) 概念・診断基準

世界保健機構（WHO）の ICD-10 の定義によれば，認知症（dementia，旧訳語は「痴呆」）とは，いったんは正常に発達した知的機能が後天的な脳器質性疾患が原因で低下した状態で，認知機能の複数領域の障害により日々の活動において自立が阻害されている障害度のものである（表 17-3-1）[1]．軽度認知障害（mild cognitive impairment：MCI）はこれよりも軽症で，認知機能の低下はあるが，日々の活動において自立が障害されていない障害度のものである．

認知症の診断基準としては，米国精神医学会の DSM-IV が広く使用されてきたが，20 年ぶりに改訂されて 2013 年に DSM-5[2] として公表された．DSM-IV からの大きな変更は，dementia と MCI に代わって major neurocognitive disorder と mild neurocognitive disorder という新しい概念と用語が使用されていることである．これらを直訳すれば「重度神経認知障害」と「軽度神経認知障害」になるが，2014 年に出版された日本精神神経学会監修による日本語版では，これらの訳語として「認知症（DSM-5）」，「軽度認知障害（DSM-5）」という用語があてられているので，本項では内容は原則として DSM-5 に従って記述した．

DSM-5 において認知症と軽度認知障害の診断は，6 つの基本的認知領域（表 17-3-2）の障害度評価に基づいて行う．診断基準（表 17-3-3，17-3-4）での大きな変更は記憶障害の扱いであり，DSM-IV では「記憶障害とほかの認知領域の 1 つ以上の障害」と定義され，記憶障害を含む複数の認知領域障害が必要であったのに対して，DSM-5 では「学習と記憶」を含む 6 領域の 1 つ以上の障害に変更された．この変更によって，初期には記憶障害が顕著でない認知症疾患にも適用しやすくなっただけでなく，ICD-10 の認知症の概念・定義（表 17-3-1）と内容的にはほとんど同じになった．

表 17-3-1 認知症（dementia）の定義（WHO の ICD-10 より）

認知症は，脳疾患による症候群であり，通常は慢性あるいは進行性で，記憶，思考，見当識，理解，計算，学習能力，言語，判断を含む多数の高次皮質機能障害を示す．意識の混濁はない．認知障害は，通常，情動の統制，社会行動あるいは動機づけの低下を伴うが，場合によってはそれらが先行することもある．この症候群は Alzheimer 病，脳血管性疾患，そして，一次性あるいは二次性に脳を障害するほかの病態で出現する．

表 17-3-2 DSM-5 の 6 つの神経認知領域（日本精神神経学会，2014 と文献 2 を参考に作成）
次の領域ごとに症状の内容と各種の認知機能評価テスト成績によって，重度(認知症レベル)か軽度(軽度認知障害レベル)かを鑑別する．

認知領域	障害の内容と具体例
複雑性注意 (complex attention)	持続性注意，分配性注意，選択性注意，処理速度の障害 (注意力と集中力の低下である．TV，ラジオに集中が困難，思考や理解が悪いなど)
実行機能 (executive function)	計画性，意思決定，ワーキングメモリー，フィードバック/エラーの訂正応答，習慣無視/抑制，心的柔軟性の障害 (複雑な計画の立案と遂行ができない，同時に 2 つのことができない，日常生活上の機器使用に援助が必要など)
学習と記憶 (learning and memory)	即時記憶，近時記憶(自由再生，手がかり再生，再認記憶を含む)，遠隔記憶(意味記憶，自伝的記憶)，潜在学習の障害 (近時記憶障害による最近の出来事の思い出し困難が特徴的で，進行すると会話で同じことを繰り返す，買い物リストやその日の予定を思い出せない，などが起こる．Alzheimer 病では近時記憶が初期から高度に障害されるが，意味記憶，自伝的記憶，手続き記憶は比較的長く保持される)
言語 (language)	表出性(運動性)言語(呼称，換語，流暢性，文法と構文)と受容性(感覚性)言語の障害 (代名詞が増えて，名称よりも一般語を使用する．重症例では文法上の誤りが出現し，反響言語と独語を経て無言症になる．前頭側頭型認知症の原発性失語症で典型的症状がみられる)
知覚-運動 (perceptional-motor)	視覚性認知，視覚構成，知覚-運動，実行行為(praxis)，認知認識(gnosis)などの障害 (失行(apraxia)による道具や乗り物の使用の困難，失認(agnosia)による熟知した風景や場所，人物の顔が認識できないなど)
社会的認知 (socical cognition)	表情からの感情を識別する能力と心の理論(他者の精神状態や体験に配慮する能力)の障害 (人の表情から感情を読み取る能力や物語カードから主人公の考えや意図を推測する能力が障害され，「空気が読めない」人になる．進行すると社会的受容範囲をこえた極端な言動(服装，政治的・宗教的・性的話題)，他人への配慮欠如，病識欠如が顕著となる．行動障害型の前頭側頭型認知症に特徴的)

表 17-3-3 認知症(DSM-5)の診断基準（日本精神神経学会，2014 と文献 2 を参考に作成）

A. 1 つ以上の認知領域(複雑性注意，実行機能，学習および記憶，言語，知覚-運動，社会的認知)において，「以前の行動水準から有意な認知機能の低下がある」という証拠が以下に基づいている．
  (1)本人，本人をよく知る情報提供者または臨床家による，有意な認知機能の低下があったという懸念，および
  (2)可能であれば標準化された神経心理学的検査に記録された評価，それがなければほかの定量化された臨床的評価によって実証された認知行動の障害
B. 毎日の活動において，認知欠損が自立を阻害する(すなわち，最小限，請求書を支払う，内服薬を管理するなどの，複雑な手段的日常生活動作に援助を必要とする)．
C. その認知欠損は，せん妄の状況でのみ起こるものではない．
D. その認知欠損は，ほかの精神疾患によってうまく説明されない
  (例：うつ病，統合失調症)．

＊認知症の診断がなされたら，次の項目を特定する．
→原因疾患
→行動障害(精神病症状，気分障害，焦燥，アパシー，その他)の有無
→重症度：軽度(家事，金銭管理のような手段的日常生活動作の困難)，中等度(食事，更衣のような基本的日常生活動作の困難)，重度(完全依存)

表 17-3-4 軽度認知障害(DSM-5)の診断基準（日本精神神経学会，2014 と文献 2 を参考に作成）

A. 1 つ以上の認知領域(複雑性注意，実行機能，学習および記憶，言語，知覚-運動，社会的認知)において，「以前の行動水準から軽度の認知機能の低下がある」という証拠が以下に基づいている．
  (1)本人，本人をよく知る情報提供者または臨床家による，軽度の認知機能の低下があったという懸念，および
  (2)可能であれば標準化された神経心理学的検査に記録された評価，それがなければほかの定量化された臨床的評価によって実証された認知行為の軽度の障害
B. 毎日の活動において，認知欠損が自立を阻害していない(すなわち，最小限，請求書を支払う，内服薬を管理するなどの複雑な手段的日常生活動作は保たれる．ただし，以前より大きな努力，代償的方略，または工夫が必要であるかもしれない)．
C. その認知欠損は，せん妄の状況でのみ起こるものではない．
D. その認知欠損は，ほかの精神疾患によってうまく説明されない
  (例：うつ病，統合失調症)．

＊軽度認知障害の診断がなされたら，次の項目を特定する．
→原因疾患
→行動障害(精神病症状，気分障害，焦燥，アパシー，その他)の有無

(2) 若年性認知症

65歳未満発症の認知症を指す概念で，原因は問わない．原因疾患の頻度は，血管性認知症が約40％，Alzheimer病が約25％，頭部外傷が約8％，前頭側頭型認知症が約4％で，高齢発症例との比較ではAlzheimer病以外の頻度が相対的に高い．

(3) 皮質性認知症（cortical dementia）と皮質下性認知症（subcortical dementia）の概念

主たる病変が解剖学的に大脳皮質にあるか皮質下核（大脳基底核，視床，脳幹諸核）にあるかによって分類した名称である．皮質性認知症では精神症状と皮質病変局在に対応した高次神経機能障害が出現する．Alzheimer病と前頭側頭葉変性症[3]が代表的疾患である．これに対して，皮質下性認知症では前頭葉-皮質下核線維連絡（fronto-subcortical fiber connection）の障害に起因する前頭葉機能の抑制症状が出現し，思考緩慢（bradyphrenia），実行機能障害，アパシー（無感情），意欲減退（abulia）などが出現し，さらに疾患特有の錐体外路症状を随伴する[4,5]．実際の疾患では病

表17-3-5 認知症の原因となる疾患

I．脳疾患

1. 中枢神経変性疾患
    皮質性
        Alzheimer病
        前頭側頭葉変性症（タウ異常症，ユビキチン異常症，その他）
    皮質下性（大脳基底核疾患）
        Lewy小体型認知症（皮質性症状だけのこともある）
        Parkinson病認知症，Parkinson病
        進行性核上性麻痺
        大脳皮質基底核変性症
        Huntington病
        Guamと紀伊半島のParkinson認知症複合
        脊髄小脳変性症
2. 脳血管障害
    虚血性
    出血性
    小血管病，遺伝性家族性脳血管障害
3. 脳神経外科疾患
    脳腫瘍
    頭部外傷
    慢性硬膜下血腫
    水頭症
4. 中枢神経脱髄疾患
    多発性硬化症，視神経脊髄炎，急性散在性脳脊髄炎
5. 中枢神経感染症
    急性ウイルス性脳炎：単純ヘルペス脳炎，日本脳炎
    遅発ウイルス感染症：進行性多巣性白質脳症，亜急性硬化性全脳炎
    HIV脳症，脳の日和見感染症
    脳髄膜炎，脳膿瘍：一般細菌，結核菌，真菌，原虫，梅毒
6. プリオン病
    Creutzfeld-Jakob病，Gerstmann-Sträussler症候群，クールー

II．全身疾患による脳障害

1. 代謝性疾患
    肝性脳症，低血糖，尿毒症，電解質異常，低酸素症，Wilson病，ミトコンドリア異常症
2. 内分泌疾患
    下垂体機能低下症，甲状腺機能低下症，副甲状腺疾患，Cushing症候群，Addison病
3. 栄養欠乏症，アルコール関連疾患
    Wernicke-Korsakoff症候群（ビタミンB_1欠乏症），ペラグラ（ニコチン酸欠乏症），亜急性脊髄連合変性症（ビタミンB_{12}欠乏症），Marchiafava-Bignami症候群
4. 全身感染症
    HIV，一般細菌
5. 自己免疫疾患・炎症性疾患・傍腫瘍症候群
    膠原病，血管炎，サルコイドーシス，Behçet症候群，辺縁系脳炎
6. 中毒
    重金属
    一酸化炭素
    有機化合物（トルエンなど）
7. 薬物
    精神神経作用薬
    その他の薬物

III．精神疾患による偽認知症

うつ病，双極性障害，統合失調症，神経症，解離性障害

変は脳全体に及ぶので，この解剖学的病変分布は相対的なものであるが，表 17-3-5 に示すように実用上はわかりやすく有用である．ほとんどの大脳基底核疾患が該当する．Lewy 小体型認知症[6]，Parkinson 病認知症，Parkinson・認知症複合[7]は，病理学的には皮質病変と基底核病変がともに高度であるが，臨床的には皮質下性認知症の特徴を示すことが多い．血管性認知症の多くを占める Binswanger 病や小血管病では皮質下白質と基底核に主病変があるので皮質下性認知症が出現するのに対して，塞栓性梗塞やアミロイド血管症の脳葉型出血では大脳皮質病変が主体で皮質性認知症が出現しやすい．

(4) 認知症の原因疾患と頻度

一次性脳疾患と全身疾患に続発する脳障害に大別される（表 17-3-5）．器質性脳疾患の多くは非可逆的であるが，脳神経外科的疾患の一部と，中毒，薬物，代謝障害，欠乏症，膠原病や血管炎，感染症などの全身疾患が原因の認知症には，原疾患の治療で回復・改善するものがあり治療可能な認知症 (treatable dementia) とよばれる．

人口の急速な高齢化により，認知症は激増している．最近の疫学調査に基づく推計によれば，2012 年時点で 65 歳以上の高齢者の認知症有病率は 15％（約 462 万人），軽度認知障害の高齢者は約 400 万人である[8]．原因疾患では，かつては血管性認知症が優位であったが，近年の推計では Alzheimer 病が 50％以上を占め，血管性認知症が約 20％，Lewy 小体型認知症が約 10％である．

(5) 認知症の中核的臨床症状

中核症状とは大脳皮質の損傷部位に対応して出現し，認知症診断の根拠となる核心的症状である．DSM-5 では 6 つの基本的認知領域（表 17-3-2）の障害として示されている[2]．

(6) BPSD (behavioral and psychological symptoms of dementia, 認知症の行動・心理症状)

BPSD は，中核症状から派生した行動面と心理面の症状であり，認知症の周辺症状，随伴症状ともよばれる．観察でわかる行動症状と面接・診察でわかる心理症状がある（表 17-3-6）．認知症者や高齢者に出現する非特異的症状であるが，介護困難の主要な原因になる．中核症状と異なり薬物療法や非薬物的介入に反応しやすく，適切な対応により消退する可能性がある一方で，放置すると悪化し，介護困難を増し，身体合併症を増やし，生命予後を悪くすることが示されている[9]．

表 17-3-6 認知症の行動心理学的症状（BPSD）

A. 行動症状
徘徊，攻撃的言動，不穏，叫声，介護への抵抗，繰り返し尋ね，つきまとい，性的逸脱行為，反社会的行為，異食，夕方症候群

B. 精神・心理学的症状
精神病症状，幻覚，妄想，誤認，攻撃性，衝動的，不安，焦燥，不眠，無気力，無関心，抑うつ

(7) 認知症，軽度認知機能障害と鑑別すべき病態

認知症 (dementia) に似た症状・徴候を特徴とする 5 つの D は，他にせん妄 (delirium)，うつ病 (depression) の偽認知症 (pseudodementia)，妄想性障害 (delusion)，薬物性 (drug-induced) 精神障害で，鑑別の対象になる．加齢性良性健忘症は記憶障害は限定的で非進行性である．臨床症状と経過，心理・知能テスト，脳波所見，画像検査所見などから鑑別する．

〔葛原茂樹〕

■文献（e文献 17-3-2）
日本認知症学会：認知症テキストブック，中外医学社，2008．
日本精神神経学会日本語版用語監：神経認知障害群（Neurocognitive disorders）．DSM-5 精神疾患の診断・統計マニュアル．pp583-634, 医学書院，2014．
日本神経学会監：認知症疾患治療ガイドライン，医学書院，2010．

3）失神
syncope, fainting

定義・概念

失神は脳血流低下による一過性の意識消失発作であり，その原因は多岐にわたるが，一般に心血管性と非心血管性に大別される（荒木，2002）（表 4-47-1）．心血管性失神は，①反射性失神，②起立性低血圧による失神，③心原性失神に大別される．また，非心血管性失神は，①脳血管性失神，②代謝性失神，③心因性失神に大別される．失神発作と自律神経の関係が特に注目されるのは，反射性失神と起立性低血圧においてである．

1) 心血管性失神：

a) 反射性失神：反射性失神（神経調節性失神）は基礎疾患を認めない心血管性の失神の総称で，発作の誘発条件により血管迷走神経性失神 (vasovagal syncope)，頸動脈洞失神 (carotid sinus syncope)，状況失神 (situation syncope) に分類される（荒木，2002）．血管迷走神経性失神は最も多くみられる失神で，疼痛，疲労，不安などの不快な刺激や精神的興奮・緊張

などが誘因となり（荒木，2002），長時間の起立などで誘発されやすい．しかし，血管迷走神経性失神は起立後20〜30分後に誘発されることが多く，起立直後に血圧が低下する起立性低血圧とは異なっている．

一方，頸動脈洞失神は高齢男性で多くみられ，洋服やネクタイで首を圧迫したときや，頸部を伸展させ頸動脈洞を圧迫したときなどに誘発される．

状況失神には，排尿，食後，くしゃみ，嚥下，咳，排便，潜水，眼球圧迫，運動など（荒木，2002）にて誘発される失神や舌咽神経痛に伴う失神などが含まれる．排尿失神は立位で排尿中あるいは排尿直後に起こる失神で，男性に多く，疲労時，睡眠不足時，飲酒時などに起こりやすい（中里ら，1994）．

b）起立性低血圧による失神：起立性低血圧に伴ってみられる失神は，起立直後に全身血圧の低下が生じ，二次的に脳灌流圧が低下するために脳血流量が減少し，失神がみられると考えられる．また，起立性低血圧を起こす原因となった自律神経障害が脳循環の自動調節能の障害を起こしている可能性もあり，脳灌流圧低下と自動調節能障害がともに関与し，その結果，失神をきたすと考えられる．

c）心原性失神：大動脈弁狭窄症など左心室拍出障害をきたす状態や心筋梗塞などによる心筋収縮障害による場合，および徐脈性不整脈による心拍出障害などによる場合がある（中里ら，1994）．特に，Adams-Stokes発作を伴う房室ブロックや洞不全症候群の際に失神がときどきみられる．

2）非心血管性失神：

a）血管性失神：subclavian steal syndromeなどによる脳幹部の血流障害による失神や，脳幹性前兆を伴う片頭痛などによる失神，椎骨動脈圧迫による失神などがある．

b）代謝性失神：低酸素血症による場合，過換気症候群によるCO_2減少による場合，低血糖による脳機能障害による場合などがあげられる．

c）心因性失神：不安発作やヒステリー発作などによる失神がある．

鑑別診断【⇨4-47】

以上のように，失神にはさまざまな基礎疾患が考えられるが，図17-3-6に失神の鑑別のためのフローチャートを示す（中里ら，1994）．

病態生理[1]（田村ら，1995）

反射性失神の臨床像についてはすでに述べたが，本失神は一般に予後良好であり，失神をベッドサイドで再現することができなかったため，1985年頃までは詳細な検討がなされてこなかった．1986年にKennyら[2]は反射性失神患者で長時間のhead-up tiltを行い，tilt開始30分前後に過半数の症例で失神発作の再現に成功した．その後もhead-up tiltについて詳細

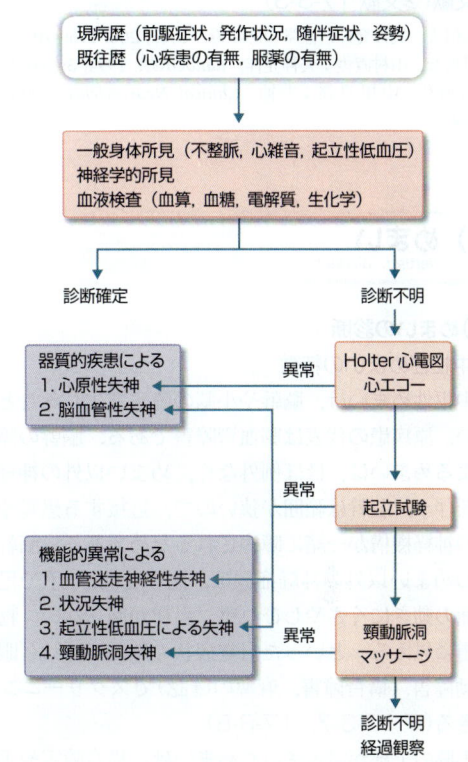

図 17-3-6 失神鑑別のためのフローチャート（中里ら，1994より改変）

な検討が行われており，Shenら[3]は60〜70°の角度のtiltで再現性が高く，平均25分前後で失神発作を起こしうると報告している．さらにAlmquistら[4]は，tiltとイソプロテレノール静注の併用により失神誘発までの時間が短縮されることを報告し，この失神を神経調節性失神（neurally mediated syncope）[4]と呼称した．神経調節性失神は血管迷走神経性失神のベッドサイドにおける再現モデルと考えられるが，その研究から得られた知見は頸動脈洞失神，状況失神にも該当し，反射性失神の多くは本質的に同一の機序で生じている可能性がある（田村ら，1995）．

その後の多くの研究により，神経調節性失神では，起立による交感神経系の賦活が過剰に生じて心機能が亢進し，その結果，左心室内のmechanoreceptorからの迷走神経求心線維を介する脳幹部自律神経諸核への上行性インパルスが発射され，迷走神経遠心路の賦活と交感神経の抑制が生じる（Bezold-Jarisch反射）と推測されている（田村ら，1995）．しかし，神経調節性失神は健常人にはみられず，限られた症例のみに誘発可能であり，何らかの器質的な自律神経障害を背景に出現する病態と考える方が（田村ら，1995），理解しやすい．

〔荒木信夫〕

■文献 ⓔ文献 17-3-3

荒木信夫：失神発作. 医学のあゆみ. 2002; **200**: 1169-70.
中里良彦, 田村直俊：失神発作. nanoGIGA. 1994; **3**: 260-3.
田村直俊, 中里良彦：失神. Clinical Neuroscience. 1995; **13**: 234-5.

4）めまい
vertigo, dizziness

（1）めまいの診断
a. 中枢性めまいの特徴

　中枢性めまいは，脳幹や小脳の障害で生じることが多い．原疾患の代表は脳血管障害である．脳幹の障害によるめまいは，ほぼ例外なく，めまい以外の神経症候を伴う．脳幹は範囲が狭いので，近接する感覚や運動の神経機構が一緒に障害されるためである．脳幹障害のめまい以外の神経症候は，簡単な問診（手や足や顔面の動きにくさやしびれ感，呂律が回らない，物が二重に見える，といった自覚症状の確認）や診察（眼球運動障害，構音障害，麻痺の確認）でスクリーニングできる（表 17-3-7, 17-3-8）．

　小脳の上部が障害されためまいは，構音障害や手足の小脳性運動失調を伴う．このため，脳幹障害の場合と同様に簡単な問診（呂律が回らない）や診察（反復拮抗運動や指鼻試験）で診断がつく．一方，小脳の下部が障害されためまいは，体幹失調が唯一の神経症候になることが多い．小脳下部障害の体幹失調は，視覚や深部感覚による補正が効きづらいため，起立や歩行の障害程度を調べれば診断が可能である（表 17-3-7, 17-3-8）．

b. 末梢性めまいの特徴

　末梢性めまいは，良性発作性頭位めまい症（後半規管型と外側半規管型）と急性一側末梢前庭障害（Ménière病や前庭神経炎など）を念頭におき，眼振により診断する．後半規管型良性発作性頭位めまい症は，座位から右下または左下懸垂頭位にした際に，どちらかで回旋性眼振が出現することが特徴であり（図 17-3-7），外側半規管型良性発作性頭位めまい症は，右下頭位と左下頭位で方向が逆転する方向交代性眼振が特徴である（図 17-3-8）．良性発作性頭位めまい症以外の末梢性めまいは，頭位によらない方向固定性水平性眼振（水平回旋混合性眼振）が特徴である（図 17-3-9, 表 17-3-9）．

c. めまいの診察法

　めまいの診察は，手順をあらかじめ決めておくと患者への負担を軽減できる（城倉, 2005）（図 17-3-10）．最初に，麻痺や感覚障害，構音障害，眼球運動障害，手足の小脳性運動失調の有無を確認する．この段階で脳幹と小脳上部の障害がスクリーニングできる．診察しえた範囲でこうしためまい以外の神経症候がない場合には，続いて頻度の圧倒的に多い末梢性めまいを鑑別する．末梢性のめまいの特徴である3種類の眼振，つまり懸垂頭位での回旋性眼振，右下および左下頭位での方向交代性眼振，および頭位によらない方向固定性水平性眼振は，Frenzel眼鏡を用いた頭位眼振検査，頭位変換眼振検査で確認する．頭位眼振検査，頭位変換眼振検査で特徴的な眼振がみられない場合には，最後に小脳下部障害由来のめまいの可能性を考慮し，体幹失調，すなわち起立や歩行の障害程度を確認する．きわめてまれに小脳下部障害で方向固定性水平性眼振や方向交代性上向性眼振が出現することがあるため，脳血管障害の危険因子を複数もつような患者の場合には，たとえ末梢性めまいを示唆する眼振を認めても，起立や歩行まで調べておく方が無難である．

（2）中枢性めまい
a. 脳血管障害

　中脳に生じた血管障害では，しばしば眼球運動障害，それも特に垂直性の眼球運動障害が生じる．橋の血管障害では，めまいとともに水平性の眼球運動障害をきたすことがある．延髄外側の血管障害では，めまいとともに構音障害，嚥下障害，患側の運動失調，健側の温痛覚低下などをきたす（Wallenberg症候群）．

　小脳は，上小脳動脈（supe-

表 17-3-8 中枢性めまいに伴うめまい以外の神経症候のスクリーニング

問診	診察
物が二重に見える（複視） 呂律が回らない（構音障害） 四肢や顔面の動きにくさ 四肢や顔面のしびれ感	視標（指）の追視 構音障害のチェック（「パタカ」の繰り返し） Barré徴候の確認 反復拮抗運動（diadochokinesis）または指鼻試験の確認 起立・歩行障害の確認

表 17-3-7 中枢性めまいの特徴（めまい以外の神経症候を伴う）

障害部位	特徴
脳幹	眼球運動障害や構音障害，上下肢や顔面の運動障害，上下肢や顔面の感覚障害を伴う
小脳上部	構音障害や上下肢の小脳性運動失調を伴う
小脳下部	体幹失調（起立・歩行障害）を伴う

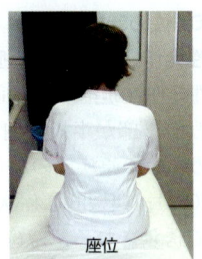
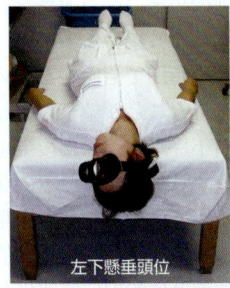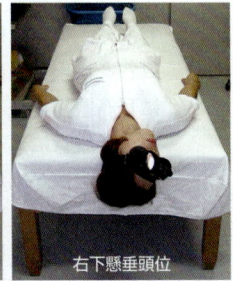

右後半規管型良性発作性頭位めまい症
（患者を正面から見た場合の眼振の急速相の方向を矢印で示した）

図 17-3-7 後半規管型良性発作性頭位めまい症の眼振
右後半規管型良性発作性頭位めまい症では，座位から右下懸垂頭位にした際に，右向き（眼球の上極が患者の右耳へ向かう方向に回旋する）回旋性眼振がみられる．座位に戻すと眼振の向きは逆転する．なお，患側が左であれば，左下懸垂頭位での左向き回旋性眼振がみられる．

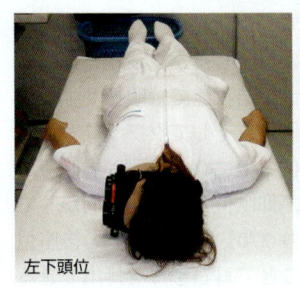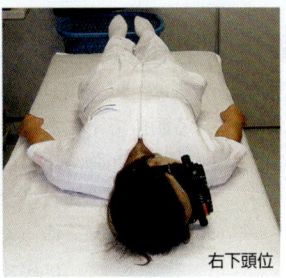

外側半規管型カナル結石症
（患者を正面から見た場合の眼振の急速相の方向を矢印で示した）

外側半規管型クプラ結石症
（患者を正面から見た場合の眼振の急速相の方向を矢印で示した）

図 17-3-8 外側半規管型良性発作性頭位めまい症の眼振
外側半規管型良性発作性頭位めまい症では，右下頭位と左下頭位で方向が逆転する方向交代性眼振がみられる．眼振の向きは，カナル結石症なら下向性（向地性），クプラ結石症なら上向性（背地性）である．ちなみに，カナル結石症は，右下頭位と左下頭位を比べたときに，眼振（下向性眼振）が目立つ方の頭位で下になった側が患側で，クプラ結石症は，眼振（上向性眼振）が目立つ方の頭位で上になった側が患側である．

rior cerebellar artery：SCA），前下小脳動脈（anterior inferior cerebellar artery：AICA），後下小脳動脈（posterior inferior cerebellar artery：PICA）により，灌流されている．SCA領域やAICA領域の梗塞によるめまいでは，患側の上下肢の小脳性運動失調や構音障害をきたす．AICA領域の梗塞では，橋外側や内耳が一緒に障害され，患側の顔面麻痺や難聴を伴うこともある（AICA症候群）．PICA領域の梗塞では，めまいとともに顕著な体幹失調をきたす．小脳の出血は，多くの場合歯状核近傍に生じるので，めまいとともに明らかな小脳性運動失調がみられることが多い．また，しばしば頭痛も伴う．

脳血管障害が疑われた場合には直ちに画像検査を行い，原因（梗塞ないし出血）に応じた対処をする（e図17-3-A〜17-3-F）．

b．その他

脳血管障害以外の疾患でも，病変の局在診断は脳血管障害の場合と変わりはない．脳幹や小脳に生じた腫瘍（e図17-3-G）は，多くの場合，数週〜数カ月かけて徐々に悪化する経過をとるが，ときに経過中の腫瘍内出血や局所の循環障害，浮腫などにより，急性めまいで受診することもある．多発性硬化症（MS）も，脳幹や小脳に脱髄が生じればめまいをきたす．脳卒中よりは若年層に多く，症状完成までの時間も脳卒中よりは長い（亜急性）．ちなみにMSによる核間性眼筋麻痺はよく知られているが，わが国における核間性眼筋麻痺の原因は，MSよりも脳梗塞の方が多い．ほかにも脳幹脳炎や小脳炎，代謝性脳症，脊髄小脳変性症などが，めまいやふらつき，歩行障害の原因になる（e図17-3-H〜17-3-J）．

（3）末梢性めまい
a. 良性発作性頭位めまい症

良性発作性頭位めまい症は，卵形囊から脱落した耳石の一部が半規管内に迷入することで生じる．めまいの原疾患のなかで最も頻度が高い（城倉，2005）．典型的な症状は，特定の頭位や頭部変換で誘発される，持続が1分以内の回転性めまいだが，持続性のめまいや浮遊感を訴えることもある．自然に軽快する場合も多いが，迷入した耳石を排出すれば短時間で治癒するため，積極的に耳石置換療法を行うことが望ましい．

後半規管に耳石小片が迷入した後半規管型は，回旋性眼振が出現する懸垂頭位で下になった側が患側である（図17-3-7）．治療は，患側下懸垂頭位からそのままゆっくり健側下懸垂頭位へ頭位を変換し，ついで頭部と体幹の位置関係をそのままにして体幹を仰臥位から健側下側臥位にし，座位に戻せば完了する[1]（Epley法）（図17-3-11，e動画17-3-A）．一方，外側半規管に耳石小片が迷入した外側半規管型は，方向交代性下向性眼振であれば耳石小片が半規管内を浮遊しているカナル結石症であり，方向交代性上向性眼振であれば耳石小片がクプラに付着したクプラ結石症である（図17-3-8）．カナル結石症では眼振が強く出る頭位で下になった側が，そしてクプラ結石症では眼振が強く出る頭位で上になった側が患側である．外側半規管型は，仰臥位から健側に向かってゆっくり270°回転し，その後座位に戻すことで耳石小片を排出できる場合が多い[2]（Lempert法）（図7-3-12，e動画17-3-B）．ちなみに外側半規管型であれば，健側下頭位保持のみでも改善が期待できる．前半規管に耳石小片が迷入することはほとんどない．

b. 急性一側末梢前庭障害（前庭神経炎，Ménière病，突発性難聴，その他）

前庭神経炎は，比較的急性に発症する蝸牛症状を伴わない末梢めまいで，日常生活に支障をきたす強いめまいが2～3日継続した後，2週間程度で徐々に軽快する．めまいの7～10日前に先行感染（感冒）を経験している場合もある．原因として，神経へのウイルス感染や血流障害が想定されている．急性一側末梢前庭障害なので，健側向き方向固定性水平性眼振（正確には水平回旋混合性

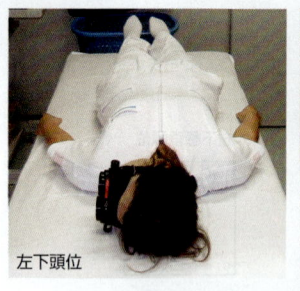
左下頭位

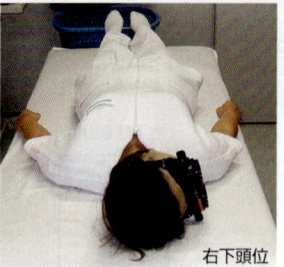
右下頭位

右末梢前庭障害
（患者を正面から見た場合の眼振の急速相の方向を矢印で示した）

右下頭位

左下頭位

図17-3-9 急性一側末梢前庭障害の眼振
前庭神経炎のような一側末梢前庭障害では，右下頭位と左下頭位で方向が変わらない方向固定性水平性眼振がみられる．眼振の向きと逆側が患側である．

表17-3-9 末梢性めまいの特徴（めまい以外の神経症候を伴わない）

原疾患	眼振
良性発作性頭位めまい症（後半規管型）	右下または左下懸垂頭位での回旋性眼振
良性発作性頭位めまい症（外側半規管型）	右下頭位と左下頭位での方向交代性眼振
急性一側前庭障害（前庭神経炎など）	頭位によらない方向固定性水平性眼振

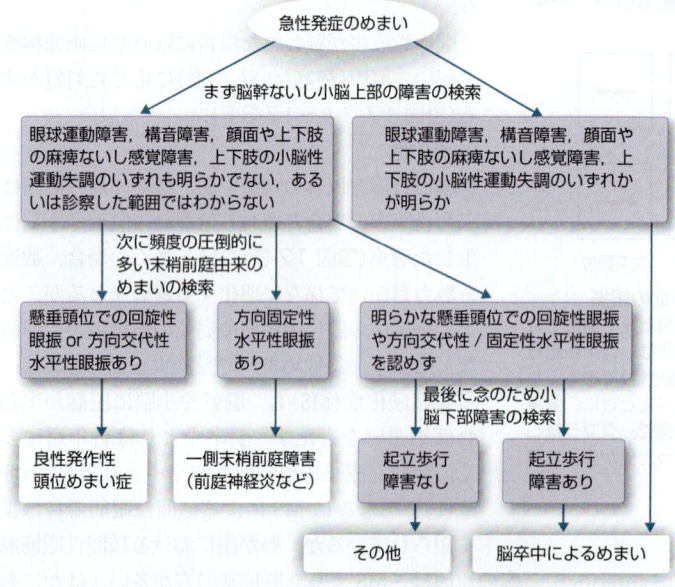

図17-3-10 実際のめまい診療の流れ（城倉，2005より，一部改変）
脳卒中の危険因子を複数もつ患者では，末梢性めまいを示唆する眼振を認めても，起立・歩行障害まで確認する．

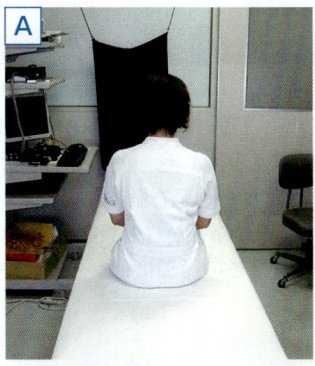
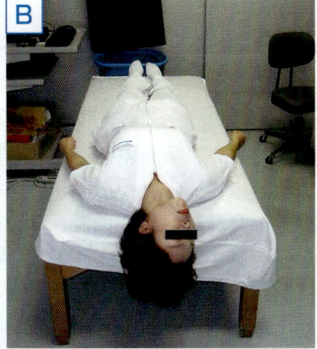
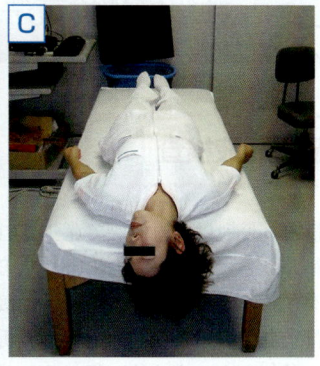
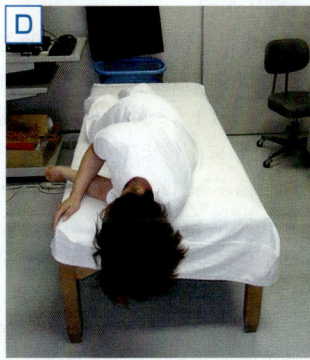
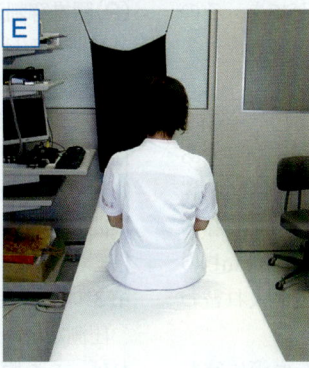

図 17-3-11 右後半規管型良性発作性頭位めまい症に対する Epley 法(e動画 17-3-A も参照)
右後半規管型良性発作性頭位めまい症の場合，座位から(A)右下懸垂頭位にして眼振を確認し(B)，そのままゆっくり左下懸垂頭位になるように頭を回し(C)，ついで頭部と体幹の位置関係をそのままにして体幹を仰臥位から左側臥位にする(この時顔は下を向いている)(D)．そしてその後座位に戻せば，耳石を半規管から排出できる(E)．

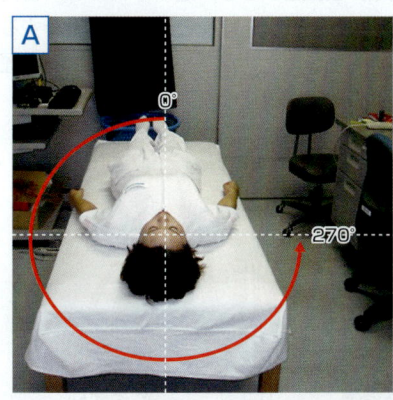
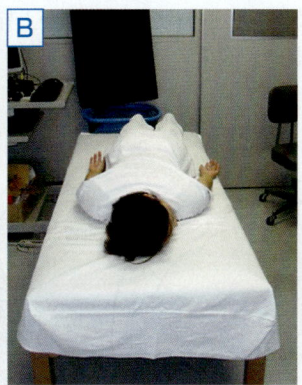
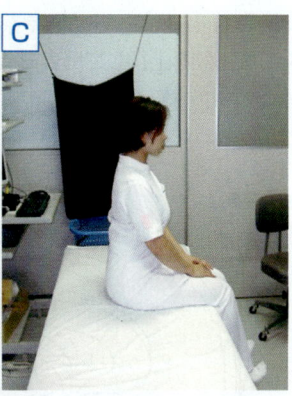

図 17-3-12 右外側半規管型良性発作性頭位めまい症に対する Lempert 法(e動画 17-3-B も参照)
右外側半規管型良性発作性頭位めまい症の場合，仰臥位から(A)左側に向かって側臥位，腹臥位，反対向きの側臥位，とゆっくり270°回転し(B)，その後座位に戻すと(C)，耳石を半規管から排出できる．

眼振)が特徴である(図 17-3-9)．症状が強ければ，対症療法として，急性期のみ，抗ヒスタミン薬や制吐薬，抗不安薬などを投与する．

Ménière 病は，難聴や耳鳴り，耳閉感などの蝸牛(かぎゅう)症状を伴うめまいを反復する疾患で，病態は内リンパ水腫と考えられている．頻度は少なく，めまい全体の数%にすぎない．女性に多く，30～40歳代に発症のピークがある．Ménière 病も一側の急性末梢前庭障害なので，前庭神経炎と同様に健側向き方向固定性水平性眼振がみられる(麻痺性眼振)．ただし，前庭神経炎と異なり，急性期には一過性に患側向き眼振が出現する(刺激性眼振)．めまいの持続は数十分から数時間程度で，聴力低下は一般に低音域に強く生じる．

突発性難聴は急性発症する感音性難聴で，3～5割にめまいを伴う．内耳の循環障害やウイルス感染などが原因として推測されている．中耳炎や中耳真珠腫などの中耳炎症性疾患も，難聴とともにめまいをきたすことがある．

〔城倉　健〕

■文献(e文献 17-3-4)

城倉　健：脳卒中とめまい．日本医師会雑誌．2005; **134**: 1485-90．

17-4 神経学的検査法

1）脳脊髄液検査

　脳脊髄液（髄液）は脳脊髄腔で産生され，脳・脊髄を物理的衝撃から保護し，浮力により脳の重量を減ずる作用を有すると考えられる．髄液は直接，脳，脊髄の周囲を灌流していることから，その分析によって中枢神経系の状態をより直接的に調べることができ，その検査は，神経疾患の診断に不可欠である．

(1) 脳脊髄液の産生・吸収と循環

　髄液は脳室上衣，くも膜下腔をはじめ脳脊髄腔のあらゆる部位で産生されるが，主たる産生臓器は側脳室，第3脳室，第4脳室の脈絡叢である．髄液腔の容量は140〜150 mLで，1時間あたり25〜30 mLの髄液が産生されており，1日3〜4回総量が入れ替わることになる．

　脈絡叢は腺構造をもち，脳室内で最も血管に富む組織である．産生された髄液は，側脳室，第3脳室，第4脳室を経て第4脳室側孔（Luschka孔）と第4脳室正中孔（Magendie孔）から脳室系を出て，脳脊髄表層のくも膜下腔を上行して脳表を流れ，硬膜下にあって静脈洞に突出しているくも膜顆粒（arachnoidal granulation）や，くも膜絨毛，軟膜毛細血管などから静脈系に入るが，その他脳脊髄神経周囲間隙，血管周囲腔，リンパ周囲腔などからも吸収される（図17-4-1）．病的状態ではこの循環に種々の障害が認められることになる．

(2) 腰椎穿刺法・髄圧測定

　髄液採取は一般的には腰椎穿刺法で行われるが，ほかに後頭下穿刺法，頸椎側方穿刺法がある．脊髄は通常第1腰椎椎体または第1・2腰椎椎間板の高さまで存在する（小児ではさらに下位まで下がっている）．両側腸骨稜の最上端を結ぶ線（Jacoby線）は第3・4腰椎椎間腔もしくは第4腰椎棘突起上を通る．この線を指標にして，穿刺部位は第4・5腰椎棘突起間または第3・4棘突起間で行う．

　圧測定用のガラス管内の液面が呼吸性に動揺していれば，くも膜下腔内の大きなブロックはないと考えられるが，Queckenstedt試験で確認してもよい．両側頸部（頸静脈）を圧迫すると，速やかにガラス管内の液面が上昇し，圧迫を取り除くと速やかに下降するのが正常で，本試験陰性という．圧の上昇，下降が遅延す

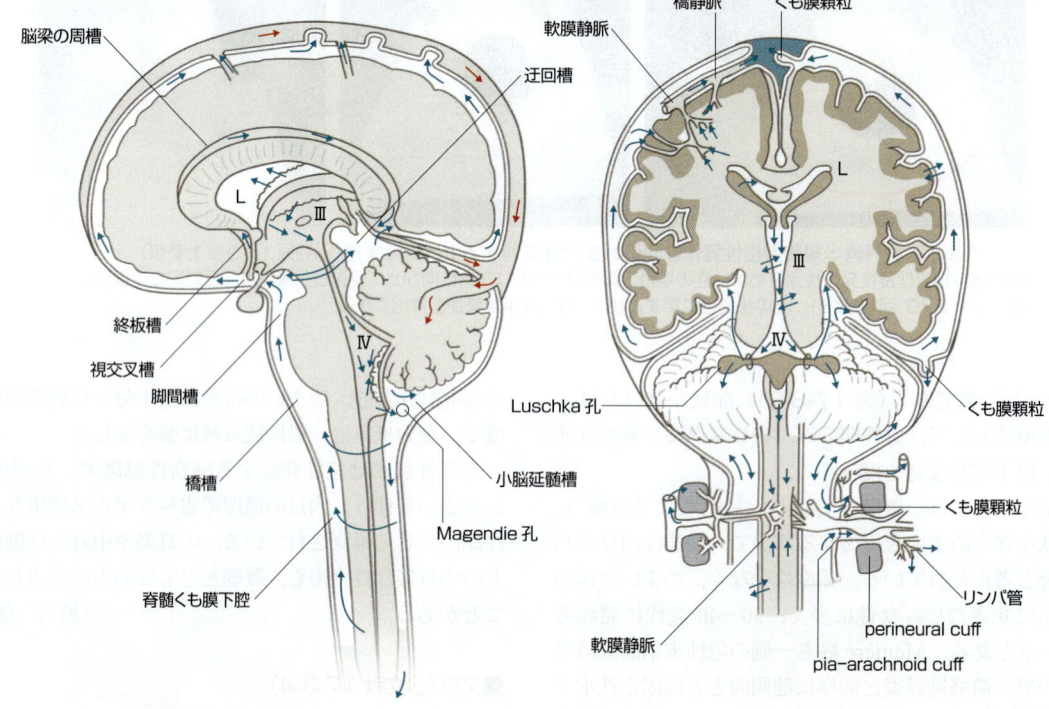

図 17-4-1 くも膜下腔の髄液循環

る場合は本試験陽性で，くも膜下腔内のブロックの存在が考えられる．次に必要量の髄液を採取する（通常5〜10 mL）．終圧を測定したら，針を抜去する．終了後は2〜3時間ベッド上安静を保たせる．

(3) 腰椎穿刺の禁忌・合併症

脳ヘルニアの徴候ないし可能性があるときは，絶対的禁忌である．したがって，腰椎穿刺前に患者を十分診察しておく必要がある．穿刺部位の感染があれば，もちろん施行できない．

腰椎穿刺後頭痛は，約半分の症例で認められる．穿刺部位からの髄液の漏れによる脳圧の低下が原因で，一種の牽引性頭痛と考えられている．悪心・嘔吐を伴い，鎮痛薬はあまり有効でなく，立位で増悪し，臥位で軽減する．1週間程度持続する場合もある．

(4) 正常髄液の性状

a. 脳脊髄液中の物質の正常値

髄液中の物質を分析して臨床的意義をもたせるには，2, 3の注意が必要である．第一に，髄液中の物質は概して微量しか存在しないことが多く，その測定には高感度定量法が要求される．第二に，血液中にも同じ物質が存在する場合，血液脳関門（BBB）の機能状態を知る必要がある．第三に，健康人から髄液を得ることは一般的には不可能なので，基準値を決めることは難しい．これらの制限に比較的耐えうる検査項目について，腰椎部髄液の基準範囲を示す（表17-4-1）．

b. 脳脊髄液総蛋白量，IgGインデックスなど

血液に比較すると髄液は希薄蛋白溶液であり，細胞数は極端に少なく，クロール値は高い．小児では成人より低値であり，成人では年齢とともに軽度増加傾向を認める．髄液に特徴的に認められる蛋白質として，プレアルブミン（トランスサイレチン）とtau分画（脳由来トランスフェリン）がある．多くの髄液蛋白質の脳内での生理的意義は不明である．

血清蛋白質・酵素のほとんどすべては髄液中にも存在すると考えられているが，なかでも臨床に最も応用されているのがIgGである．正常状態では血液から髄液へ移行したものとされている．神経疾患時に中枢神経系内IgG産生を知る目的で，IgGの髄液・血液の濃度比をとり，アルブミンの髄液・血清濃度比（albumin ratio）で除した値，すなわちIgGインデックスを使用している．同様の計算で，脳内ウイルス感染症を知るためウイルス抗体価のインデックスを求めることがある．一方，アルブミン比は，BBB破壊の有無を知るための簡便な方法として頻用されている（表17-4-1）．

c. 脳脊髄液の糖濃度

生理的条件下では，血糖値の変動と並行して髄液の値は変化する．しかし定常状態での実験結果では，髄液グルコース濃度が血中のそれと平衡に達するのは約2時間後である．そのため少なくとも4時間以上食事摂取のない状態（できれば1晩睡眠後朝の空腹時）で得られた髄液と血液について糖濃度を比較すると，腰椎部髄液は血液の6〜8割の糖値を示す．

表17-4-1 腰椎部髄液一般検査の正常所見（竹岡常行：脳脊髄液検査．日本内科学会雑誌．1996; 85: 672を一部改変）

外観：無色透明
髄圧：60〜180 mmH$_2$O
細胞数：5 mm^{3}以下（単核球のみ）
総蛋白量：45 mg/dL以下
糖濃度：45〜80 mg/dL（血糖の2/3が目安になる）
Cl$^-$：120〜130 mEq/L
IgG：上限値は4.0〜5.0 mg/dL
IgGインデックス[*1]：上限値0.6〜0.7
アルブミン比[*2]：上限値は5〜7（×10^{-3}）

[*1]：$\dfrac{CSF-IgG}{血清-IgG} \Big/ \dfrac{CSFアルブミン}{血清アルブミン}$，[*2]：$\dfrac{CSFアルブミン}{血清アルブミン}$

表17-4-2 各種髄膜炎の「平均的」髄液所見（高瀬，2009）

	細胞数[*1] (/μL)	低髄液糖症[*2] （出現率%）	総蛋白量 (mg/dL)
細菌性髄膜炎	>1000(N)[*3]	>98	100〜1000
ウイルス性髄膜炎	1000〜50(L)[*4]	20〜50[*5]	<100
クリプトコックス髄膜炎	1000〜50(L)	>90	50〜300
結核性髄膜炎	1000〜50(L)[*6]	>90	100〜500
髄膜癌腫症	<100(L)	40〜75	<200
サルコイドーシス	<50(L)	80	50〜500
Behçet症候群	<300(L, N)	50	<100

[*1]：優位に増加する細胞はN＝好中球，L＝リンパ球．
[*2]：低髄液糖症（hypoglycorrhachia，点滴中や食後ではなく，空腹時の腰椎穿刺で値が55 mg/dL以下とした場合）の現れる頻度を示す．
[*3]：発病24時間以内は細胞数の増加をみない症例もある．髄液総細胞数1000/μL以下の細菌性髄膜炎で，リンパ球優位の増加を示す場合がある．
[*4]：病初期は好中球が増加する．
[*5]：ムンプス，単純ヘルペス，帯状ヘルペス，エコーの各ウイルス感染症にて低下する．
[*6]：約3割の症例で，100/μL以下，8割の例で400/μL以下である．

(5) 脳脊髄液組成の異常
a. 外観の異常
くも膜下出血や脳出血脳室穿破で血性髄液となる．穿刺針による外傷性血性髄液では，採取後直ちに遠心沈殿を行うと上清が無色透明である（Davson ら，1987）．

髄液が黄色調を呈する場合をキサントクロミー（xanthochromia）という．くも膜下出血後4週以内，総蛋白量増加時（約150 mg/dL 以上），黄疸時に観察される．脊髄ブロック時にはキサントクロミー，総蛋白量高度増加，髄液の凝固を呈し，Froin 徴候とよばれる．

髄液細胞数が 500/μL 以上に増加すると，透過光線でも明らかな混濁を呈する．日光に向けて透かしてようやく判別できる程度の細胞数増加による混濁を，日光微塵という．

b. 脳脊髄液圧に異常をきたす疾患
頭蓋内圧亢進は，腫瘍，血管障害，膿瘍，髄膜炎，脳炎でみられる．局所神経症候を表さない脳圧亢進症の原因として，内分泌異常時（Addison 病，Cushing 病，甲状腺機能低下症，副甲状腺機能低下症，ステロイド，肥満，月経，妊娠など），ビタミンA過剰，テトラサイクリン，高度の血圧上昇，肺性脳症などがある．

髄圧が低下する場合として，髄液漏，腰椎穿刺後，脱水状態がある．

c. 細胞数が増加する疾患
細胞数の増加（pleocytosis）は，髄膜炎，脳炎，腫瘍などでみられる．代表的髄膜炎の平均的髄液所見を表17-4-2 に示す．単核球（主としてリンパ球）主体に増加する場合（表17-4-3）と多形核球（主として好中球）中心に増加する疾患（表17-4-4）がある．一般的に脳炎の細胞増加は，軽度～中等度である（丸山，2006）．

d. 髄液糖が異常値を示す疾患
髄液糖が増加する病態は臨床上問題になることは少なく，診断的価値は低い．

低髄液糖症（hypoglycorrhachia）は，感染性髄膜炎で出現率が高い（表17-4-5）．細菌性髄膜炎では，髄液糖は著明に低下するが，その低下の機序として次のことが考えられている．繁殖した細菌や白血球による糖の消費，髄液腔周辺組織による解糖作用の亢進，血液から髄液への糖の拡散障害などである．ある種のウイルス感染でも軽度の髄液糖の低下が報告されており，注意を要する．

e. 脳脊髄液総蛋白量が増加する疾患
総蛋白量が増加する疾患は多数ある（表17-4-6）．蛋白とともに細胞数が増加する疾患，蛋白は増加するが細胞数は増加しない疾患（蛋白・細胞解離）がある（表17-4-7）．

f. 蛋白・細胞解離現象を呈する疾患
本現象は Guillain-Barré 症候群，Fisher 症候群や慢性炎症性脱髄性多発神経炎などの末梢脱髄性疾患，糖尿病，家族性アミロイドポリニューロパチー，脊髄腫瘍など脊髄腔を閉塞する疾患で認められる．

g. 中枢神経系内での IgG 産生が考えられている疾患
脳内での IgG 産生の指標として IgG インデックス

表17-4-3 髄液中に単核球増加をきたす疾患（高瀬ら，2009を一部改変）

1. **感染性髄膜炎**
   ウイルス，結核，真菌，マイコプラズマ，リステリア，ブルセラ，ボレリア（Bannwarth 症候群，Lyme 病）
2. **感染性脳炎**
   ウイルス（遅発性ウイルス感染や脊髄炎を含む），マイコプラズマ，つつが虫病，トキソプラズマ
3. **神経梅毒**
   髄膜血管型，進行麻痺，脊髄癆
4. **脱髄性疾患**
   多発性硬化症，急性散在性脳脊髄炎
5. **その他**
   脳・脊髄腫瘍，転移癌，Mollaret 髄膜炎，肥厚性硬膜炎，サルコイドーシス，Sweet 病，神経 Behçet 症候群，全身性エリテマトーデス，痙攣発作，腰椎穿刺反復，Vogt-小柳-原田病，自己免疫性脳炎，くも膜下出血後など

表17-4-4 髄液中に多形核球増加をきたす疾患（高瀬ら，2009）

1. **化膿性髄膜炎**
   肺炎球菌，髄膜炎菌，インフルエンザ桿菌，ブドウ球菌，連鎖球菌，大腸菌，緑膿菌など
2. **脳・脊髄腫瘍，静脈洞炎**
3. **原発性アメーバ性髄膜脳炎**
4. **病初期ウイルス性髄膜炎**
5. **その他**
   神経 Behçet 症候群，Sweet 病など

表17-4-5 低髄液糖症をきたす疾患（高瀬ら，2009）

1. **感染症**
   化膿性髄膜炎，結核性髄膜炎，真菌性髄膜炎，急性ウイルス性脳炎・髄膜炎，遅発性ウイルス感染症（亜急性硬化性全脳炎，進行性風疹性脳炎，AIDS），アメーバ性髄膜脳炎，神経梅毒
2. **その他**
   サルコイドーシス，神経 Behçet 症候群，全身性エリテマトーデス，髄膜癌腫症，低血糖，くも膜下出血後，Sweet 病

表 17-4-6 髄液総蛋白量の増加する疾患(高瀬ら，2009 を一部改変)

1. 炎症性疾患
   髄膜炎，脳炎，脳腫瘍，硬膜下腫瘍，神経梅毒，Bannwarth 症候群(Lyme 病)，AIDS，ヒト T リンパ球向性ウイルス脊髄症
2. 脳・脊髄血管障害，脳腫瘍，脊髄腫瘍，転移性癌，癒着性くも膜炎
3. 末梢神経疾患
   Guillain-Barré 症候群，Fisher 症候群，Crow-Fukase 症候群，Dejerine-Sottas 病，アミロイドニューロパチー，糖尿病性ニューロパチー，慢性炎症性脱髄性多発神経炎，Refsum 病
1. 脱髄性疾患
   多発性硬化症，急性散在性脳脊髄炎，副腎白質ジストロフィ，異染色性白質ジストロフィー，Krabbe 病
2. その他
   変形性頸椎症，椎間板ヘルニア，筋萎縮性側索硬化症，肥厚性硬膜炎，サルコイドーシス，神経 Behçet 症候群，Kearns-Sayre 症候群，筋強直性ジストロフィー，甲状腺機能低下症，代謝性脳症，自己免疫性脳炎

表 17-4-7 蛋白細胞解離をきたす疾患

Guillain-Barré 症候群
Fisher 症候群
慢性炎症性脱髄性多発神経炎
糖尿病性ポリニューロパチー
脊髄腫瘍など，くも膜下腔の閉塞
アルコール性神経炎
家族性アミロイドポリニューロパチー
Dejerine-Sottas 病
異染性白質ジストロフィー

表 17-4-8 中枢神経系内での IgG 産生*が考えられている疾患(高瀬ら，2009 を一部改変)

1. 感染症
   亜急性硬化性全脳炎，進行性風疹性全脳炎，急性ウイルス性脳炎や髄膜炎，神経梅毒，Bannwarth 症候群(Lyme 病)，AIDS，抗 NMDA 抗体脳炎
2. その他
   多発性硬化症，神経 Behçet 症候群，全身性エリテマトーデスなど

*：IgG インデックスが 0.6〜0.7 以上．

表 17-4-9 髄液中にオリゴクローナルバンドが検出されている疾患(高瀬ら，2009 を一部改変)

1. 脱髄性疾患
   多発性硬化症，進行性多巣性白質脳炎，Guillain-Barré 症候群
2. 感染症
   神経梅毒，感染性髄膜炎(細菌性，真菌性，ウイルス性)，急性ウイルス性脳炎，亜急性硬化性全脳炎，進行性風疹性全脳炎，AIDS
3. 神経変性症
   Alzheimer 病，筋萎縮性側索硬化症，進行性ミオクローヌスてんかん，Kearms-Sayre 症候群
4. 膠原病関連
   全身性エリテマトーデス，側頭動脈炎，肉芽腫性血管炎，サルコイドーシス
5. その他

と中枢神経系内 IgG 1 日産生量を計算する式(Tourtellotte 公式)がある．表 17-4-8 に IgG インデックスが増加する疾患を示す．

h. 脳脊髄液に出現する特殊な抗体

髄液オリゴクローナルバンド(oligoclonal band：OB または OCB)は，髄液蛋白質を種々の方法(主としてアガロースゲル電気泳動法・銀染色または等電点電気泳動法)で分析したとき，免疫グロブリン出現領域に検出される均一な細い複数本のバンドをいう．原則的に血液には認められない．その意義は不明であるが，ほとんどは IgG である(表 17-4-9)．出現率は多発性硬化症と亜急性硬化性全脳炎で高いが，特異性はない．抗 VGKC 抗体脳炎や抗 NMDA 抗体脳炎ではそれぞれの抗体が出現する(高瀬，2009)．

〔安東由喜雄〕

■文献

Davson H, Welch K, et al: The Physiology and Pathophysiology of the Cerebrospinal Fluid, pp247-67, 583-656, Churchill Livingstone, 1987.
丸山勝一：脳髄液検査．神経内科学書 第 2 版，pp339-46，朝倉書店，2006.
高瀬貞夫：脳脊髄液検査．臨床神経内科学，pp608-23，南山堂，2009.

2）電気生理学的検査

(1) 脳波（electroencephalogram：EEG）

EEG とは，脳神経細胞の活動に伴って生じる電位変化を頭皮表面から記録したもので，脳波計は高感度の増幅器であり，数十 μV の微小な電位変化を記録する．EEG により脳の機能，特に大脳皮質の活動性について情報を得ることができる．表面電極によって記録できるのは脳表面の電位変化で，表層に密に分布する樹状突起のシナプス電位変化の総和を記録していると考えられている．近年脳機能画像法の発達などで，その有用性が低下したと考える人も多いが，その本来の意義を脳機能画像が行うことはできない．もともと両者は相補的に働くもので，昏睡状態の患者の予後判定，脳症における脳機能評価（脳死判定を含む），てんかんの検査などには，EEG での評価が必須である．特に脳死判定では必須項目となっており，2 μV をこえる脳由来の活動を認めない平坦 EEG が基準となる．

導出法には，単極導出法と双極導出法がある．単極導出法は，国際 10-20 法（図 17-4-2）に従い頭皮上に活動電極を装着し，同側の耳朶（$A_1 + A_2$）に基準電極を装着し，電位差をみる．双極導出法は，2 つの頭皮上活動電極間の電位差をみる．得られた波形は 7 Hz 以下を徐波（slow wave），14 Hz 以上を速波（fast wave），20 μV 以下を低電圧（low voltage），100 μV 以上を高電圧（high voltage）とよぶ．

a. 正常脳波（EEG）

i) 成人覚醒時正常 EEG

閉眼覚醒時は後頭葉優位に α 波（8〜13 Hz）が出現する．これを基礎波という．開眼にて α 波は消え，β波（14〜25 Hz），低振幅速波が主体となる．θ 波（4〜7 Hz）はみられても少量，δ 波（3 Hz 以下）はない．通常は，非対称性，徐波，突発波はみられず，これらが存在する際は何らかの異常を疑う．

ii) 小児 EEG

生後まもなく δ 波がみられ，成長とともに θ 波，α 波が加わる．およそ 3 歳を過ぎると θ 波が基礎波となり，以後 1 年に 1 Hz 程度の割で基礎波の周波数が増していく．4〜8 歳頃から α 波が基礎波となる．成人に比較し，高振幅徐波の傾向があり，左右差を認めることもある．ほぼ 20 歳で成人 EEG になる．

iii) 高齢者の EEG

60 歳を過ぎる頃から，EEG の基礎波周波数が α 波のなかでも 8 Hz に近づいていく．60〜80 歳で平均 9 Hz，80 歳以上で 8 Hz となる．θ 波も多くなる．個人差が大きいため認知症の診断などには注意して，異常の判定をする必要がある．

iv) 睡眠 EEG

睡眠による EEG 変化は 4 段階に分けられる．Ⅰ度の睡眠は，α 波が 50％以下となり，全体に波打ったような EEG，低振幅 θ 波主体となる．Ⅰ度のなかでもう少し深い睡眠になると左右の中心・頭頂部有意に，鈍く尖った，高電位の徐波が単発性もしくは 2〜3 個つらなった頭蓋頂鋭波（vertex sharp transient もしくは hump）が出現する．Ⅱ度は睡眠紡錘波（sleep spindle）および K 複合体（K-complex）が出現する stage で，12〜14 Hz の群発波を spindle とよび，spindle に先行する高振幅徐波を K 複合体とよぶ．Ⅲ度になると spindle は消え θ 波と δ 波がほぼ半々に出現する．Ⅳ度になると θ 波は少なくなり δ 波主体の EEG となる．Ⅳ度がしばらく続いた後，突然低振幅速波および θ 波を主体としたものに変わり，それと同時に rapid eye movement が出現する REM 睡眠の段階となる．

一晩の睡眠を記録すると，Ⅰ度からⅣ度，REM へとの移行を反復する．成人では一定のパターンがあり，平均 3 回の REM 睡眠が出現する．EEG に加え，呼吸，眼振，筋電図を同時に記録する終夜睡眠ポリグラフィを用いて睡眠障害の分析が行われている．

b. 異常 EEG

i) 徐波

広汎性徐波（7 Hz 以下の遅い波が全体的に出現）は最もよくみられる異常である．中毒症，代謝異常，低酸素，変性疾患，炎症などの多彩な脳症で出現する．陰（上向き）→陽（下）→陰（上）の 3 相性をなす三相波（図 17-4-3A）は，肝性脳症の患者に出現することが多い（三相波出現患者の 50％が肝性脳症），ほかの脳症でも出現することがある．局所的に出現する

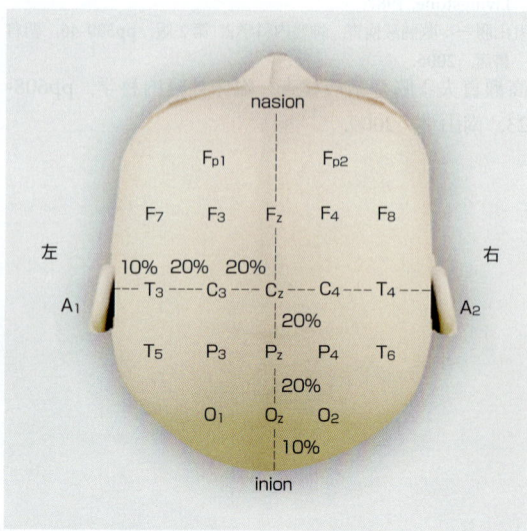

図 17-4-2 国際 10-20 法による電極配置法

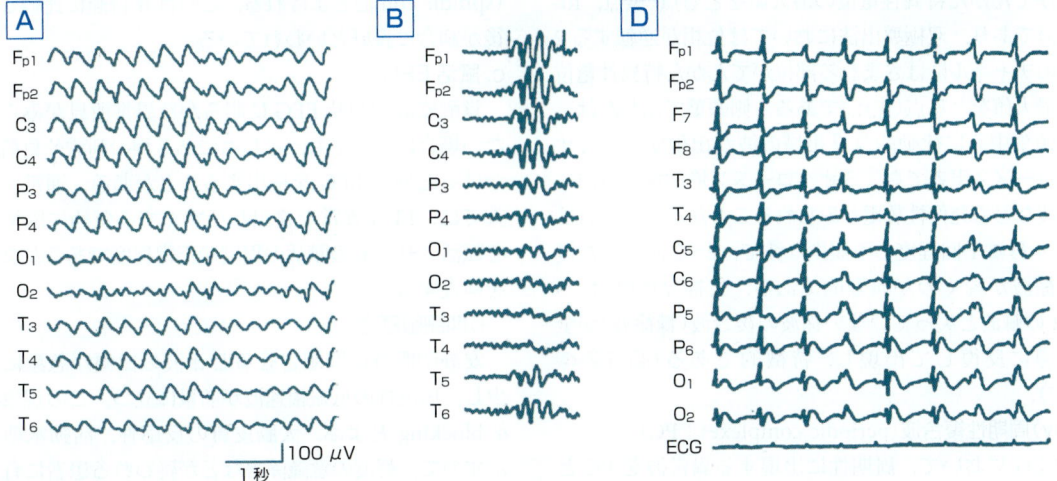

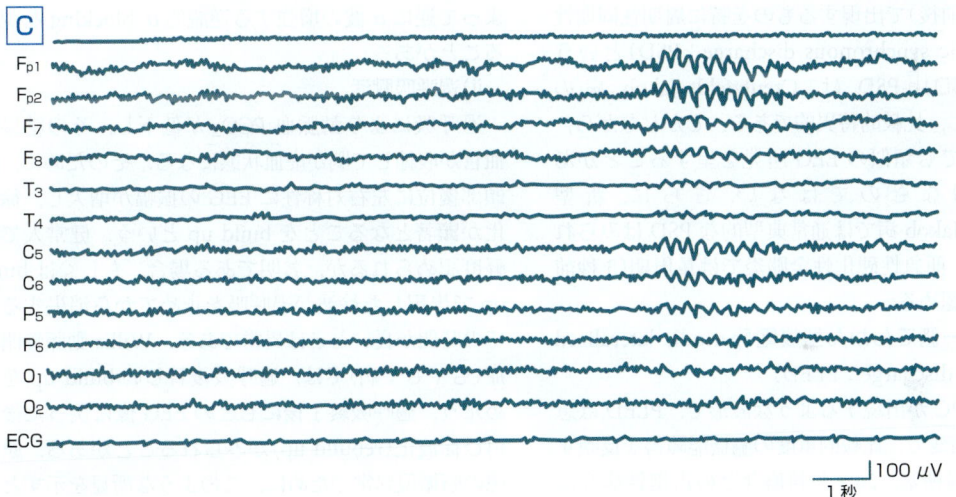

図 17-4-3 異常脳波の例
A：肝性脳症患者の脳波．三相波を示している．
B：てんかん患者の脳波．spike and wave complex が出現している．
C：てんかん（欠神発作）患者の脳波．3 Hz の spike and wave が出現している．
D：Creutzfeldt-Jakob 病患者の周期性同期性放電（periodic synchronous discharge）．

徐波は，脳腫瘍，脳梗塞など，局所的な脳機能低下を示唆し，これを呈する患者の70%以上に画像的に何らかの異常が存在する（e図 17-4-A）．周波数については遅い方が患側と考えられ，脳梗塞においては病変部位に対応した徐波を認める．脳出血，くも膜下出血では意識障害を反映した広汎性徐波を認める．

認知症にみられる EEG 変化は基本的には機能低下の所見であり，α 波の減少，徐波の増加，周波数の減少など基礎波の不規則化や徐波化がみられるようになる．しかしながら多くの認知症では，症状が強いのに EEG 所見は正常に近い．EEG と臨床症状は個人差が大きいため必ずしも一致しない．

ii）速波
β 波や γ 波（26 Hz 以上）などの速波が多い状態で，向精神薬服薬時，甲状腺機能亢進症，Cushing 症候群などの内分泌異常症の際にみられる．

iii）てんかんの EEG（epileptiform wave）（図 17-4-3B に一例を示す）
棘（きょく）波は持続時間 20〜70 msec の尖った電位，鋭波は 70〜200 msec の電位変化である．発作間欠期に棘波や鋭波がみられたときは，局所的あるいは全般的な痙攣を伴うてんかん性の活動電位があることを示唆する．

皮質焦点を有する単純部分発作の間欠期 EEG では，同部に棘波の出現をみることがある．発作期には律動性棘波が観察される．局在決定に関しては，てんかん特異性電位は通常陰性（上向き）であるので，単極導出法においては一番振幅の大きいチャネルが示す部

位がてんかん特異性電位の最大値をとる点(焦点, focus)であり，双極導出法においては位相が逆転する2つのチャネルにはさまれる部位がてんかん特異性電位の最大値をとる点(焦点)である．側頭葉てんかんは，側頭葉中心に律動的なθ帯域の波が出現する．ミオクローヌス患者でも，ミオクローヌス筋放電の直前に棘波などの発作性放電がみられることがある．これは3〜4秒に1回程度の不規則な波で，2〜3回続いた後に徐波が続くのが典型的である．欠神発作時は，3 Hzの棘波と尖っていない徐波の複合波(棘徐波)が全誘導に反復して出現し，特徴的である(図17-4-3C).

iv)周期性複合波(periodic complexes：PC)

EEGにおいて，周期性に出現する異常波をPCという．そのなかでもCreutzfeldt-Jakob病に特徴的な短周期(1秒前後)で出現するものを特に周期性同期性放電(periodic synchronous discharge：PSD)という(図17-4-3D). PSDは，Creutzfeldt-Jakob病の90％に出現し，比較的特異的である．しかしながら，代謝性脳症でも類似のEEG所見を呈することがあり，絶対的なものではない．さらに，新型Creutzfeldt-Jakob病では通常典型的なPSDはみられない．また，亜急性硬化性全脳炎では長周期(3秒前後)のPCを認める．

v)周期性一側てんかん型放電(periodic lateralized epileptiform discharge：PLED)

一側性にPCが出現するような波形で，PLEDは急性の偏在性病変で，比較的重度の脳機能障害を反映する．35％が脳梗塞，26％が腫瘍などの占拠性病変に関連し，ほかに脳炎，低酸素症などで出現する．

vi)ヒプスアリスミア(hypsarrhythmia)

点頭てんかん(West症候群)患者にみられる特異的なてんかん性異常EEGである．高振幅な徐波・棘波が不規則に出現し，大多数において覚醒・睡眠時ともに明瞭に認められる．生後まもなくから2歳頃までの間にみられ，その後はslow spike and wave patternに移行することが多い．

vii)意識障害とEEG

EEGは，意識障害患者に対する診断法として，非侵襲的かつ病室での検査が可能であることより非常に有用である．意識障害があると大脳皮質機能が低下し，α波が低い周波数帯に移行し減少する一方，びまん性あるいは多巣性に徐波が混入するようになる．意識障害の深さと対応がみられ，予後を診断する1つの指標となりうる．

橋の広範な障害(橋出血など)では，患者は深昏睡であるにもかかわらずEEGにはα波が出現していることがある．このような昏睡をα昏睡とよぶ．一方，昏睡状態で紡錘波を認めることがあり，紡錘波昏睡(spindle coma)とよばれる．これはα昏睡に比較し予後が割合に良好といわれている．

c. 賦活EEG

覚醒安静閉眼時EEGに明らかな異常所見がみられない場合においても，被検者にある種の刺激や負荷をかけると異常EEGを検出することがある．通常の検査では，EEG異常を検出しやすくするために脳細胞を賦活させ，その賦活の程度が正常程度であるかなどを検査する．

i)開閉眼賦活

安静閉眼時に開眼させるとα波の振幅が急激に減少し，広汎性の低振幅速波が前景に立つ．この現象をα-blockingとよぶ．大脳皮質の反応性，活動水準を示すので，軽度の意識障害などが疑われる患者に有用である．ナルコレプシー，認知症患者では，開眼によって逆にα波の増強する逆説的α-blockingを認めることがある．

ii)過呼吸賦活

過呼吸により動脈血PCO_2が低下し，その結果脳血管が収縮して脳が虚血状態になる．そのために，前頭部優位に左右対称性にEEGの振幅が増大し，徐波化が顕著となることをbuild upという．健常人でも軽度認められるが，著明である場合，もしくはbuild upで出現した徐波が過呼吸を止めてから消失するまでの時間が長いときは異常である．Willis動脈輪閉塞症(もやもや病)では，過呼吸後著しいbuild upを認めたり，過呼吸終了後にもとのEEG像に戻った後に再び徐波化(rebuild up)がみられることがある．原疾患の脳循環異常のために，このような所見を示すと考えられている．

iii)光賦活

健常人では，光刺激によりEEGの変化を示すことは少ない．光刺激の周波数あるいはその倍数に一致した波が出現することを光駆動(photic driving)という．これは頭頂から後頭部に出現しやすく，特に左右差があった場合に診断的価値がある．光刺激によるてんかん発作が生じる疾患を光感受性てんかんという．

iv)睡眠賦活

異常EEGは睡眠時に出現しやすいことから，EEGの睡眠による賦活も行われる．自然睡眠と薬物による睡眠の方法がある．てんかんを否定するためには，必須の検査である．

〔宇川義一・望月仁志〕

■文献

原　常勝，秋山泰子，他：脳波検査依頼の手引き—所見をどう読むか，医事出版社，1996.
大熊輝雄，松岡洋夫，他：脳波判読step by step入門編，医学書院，2006.

(2)筋電図（electromyogram）

a. 針筋電図検査（needle electromyography）

i）目的
筋電計に接続した針電極を筋内に刺入し，安静時と随意収縮時の筋線維放電を記録して，運動ニューロン，運動神経線維，筋組織の病態を知る検査である．

ii）原理
1個の前角運動ニューロンとそれに支配される筋線維群を運動単位（motor unit：MU）とよぶ．筋組織は多数のMUから構成され，個々のMU支配筋線維は筋内にモザイク状に散在する．1個の運動ニューロンのインパルスから生じた支配下筋線維電位の総和を運動単位電位（motor unit potential：MUP）（図17-4-4）とよぶ．随意運動では弱収縮では少数の，強収縮では多数のMUが動員され，そのMUPが筋電図として記録される．安静時自発放電の有無，ならびにMUPの形状変化と動員様式の変化から，運動ニューロン，運動神経線維，筋組織の病態を推察する検査が針筋電図検査である．

iii）方法
標準的検査には同心針電極（coaxial needle）を用いる．これは内壁を絶縁した注射針に直径0.1mmほどの導線を封入し，先端を活性電極として露出させたものである．活性電極の周囲約1mm範囲以内の筋線維放電が記録される．検査は，①安静時，②弱収縮時，③強収縮時の3段階で行う．

iv）所見の解釈
1）安静時：健康人の場合，力を抜いたリラックス状態では筋放電がない（silent）．ただし，筋に刺入した針先の動きや位置によって次のa），b）が誘発される．

a）刺入電位（insertion activity）：針先が筋膜を貫通して筋内に刺入されたときにみられる数十msecの一過性電位である．異常性なし．

b）終板雑音と神経電位：針先が神経筋接合部に触れたときにみられる．前者はノイズ様の低電位持続性高周波電位，後者は持続時間の短い陰性棘波である．異常性なし．

c）脱神経電位（denervation potential）（図17-4-5）：脱神経筋線維が発する病的電位で，進行性運動神経変性の重要な指標である．フィブリレーション電位（筋線維電位）（fibrillation potential）と陽性鋭波（positive sharp wave）の2つがある．前者はb）類似の棘波だが，初期陽性相を有することで鑑別される．脱神経電位は筋線維断片が発生源の場合もあり，糖原病，筋炎，Duchenne型筋ジストロフィ症など筋原性疾患でも出現する．

d）筋線維束電位（fasciculation potential）：筋線維束性攣縮に伴ってみられる自発性MUPである．健常者でもみられる場合があるが，高振幅，多相性，長持続時間の筋線維束電位は筋萎縮性側索硬化症の特徴である．

e）ミオキミア電位（myokimic potential）：MUP集団の自発性反復放電で，多くは末梢神経の異所性放電に由来する．テタニー発作などでもみられる．

f）ミオトニー電位（myotonic discharge）：振幅・周波数が漸増漸減する自発性反復放電で，筋強直性ジストロフィー症を含むミオトニー疾患にみられる．筋電計のスピーカーから急降下爆撃音（dive-bomber sound）が聴かれる．

g）複合反復放電（complex repetitive discharge）：ミオトニー電位類似の高周波反復放電だが漸増漸減せず，突然始まり突然止まる．筋線維間に生じた病的短絡によると推定される．筋炎などの筋疾患や運動ニューロン疾患でしばしばみられる．

2）弱収縮時：等尺性弱収縮で個々のMUPを分別記録する．刺入した針先の位置を変えながら施行すれ

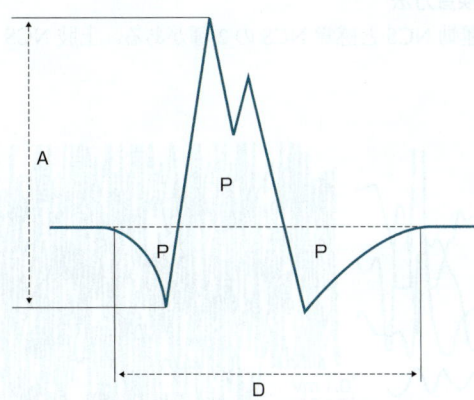

図17-4-4 運動単位電位（MUP）
1個の前角運動ニューロンの興奮によってその支配下にある数十〜数百の筋線維が一斉に興奮した結果生じる複合電位である．A：振幅，D：持続時間，P：相を示す．正常MUPは1〜3mV，数msec〜10msec，3相性以下．

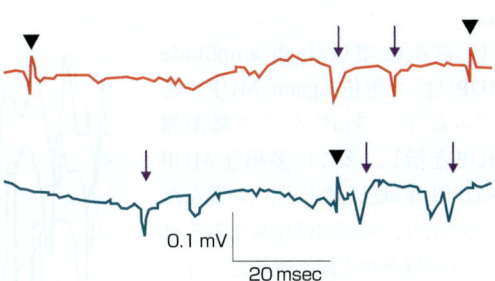

図17-4-5 陽性鋭波とフィブリレーション電位
脱神経筋線維はアセチルコリン感受性が増加する．周囲の低濃度アセチルコリンに反応して脱神経筋線維が発する自発電位のうち，下向きで緩やかな回復相をもつものを陽性鋭波（矢印），鋭い2相性波をフィブリレーション（矢頭）とよぶ．

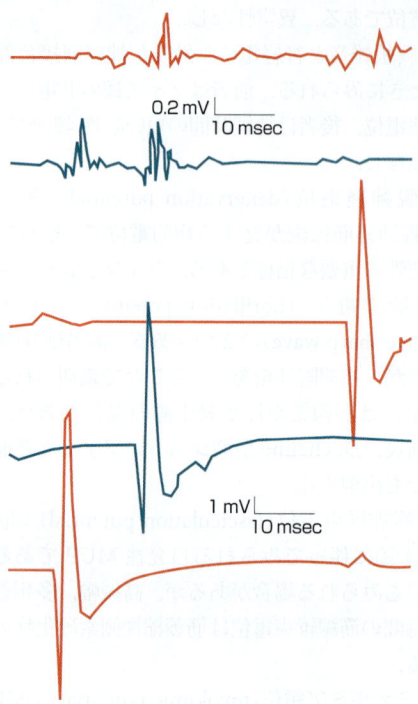

図 17-4-6 低振幅多相電位(上2段)と巨大電位(下3段)
筋疾患では運動単位を構成する筋線維数が減少し，運動単位電位が細分化し低振幅多相性となる．一方，慢性神経原性疾患では生存運動単位が脱神経筋線維を取り込み多相化し，同期化して巨大電位となる．

ば，複数の MUP を観察できる．正常四肢筋 MUP は，図 17-4-4 のように，1～3 mV，持続時間数 msec で，3 相性以下が多い．

a) 多相性運動単位電位(polyphasic MUP)：5 相性以上の異常 MUP である．筋疾患でみられるものは，振幅低下と持続時間短縮を伴い(図 17-4-6 上)，低振幅棘波様電位(low amplitude spiky MUP)である．神経原性疾患では通常型 MUP に再生神経による筋線維再支配電位が加わった形状となる．

b) 高振幅電位(high amplitude MUP)(巨大電位, giant MUP)(図 17-4-6 下)：5 mV をこす高振幅 MUP を指し，多くは多相性 MUP 内の再生線維伝導の同期化が進んだ結果であり，神経原性疾患でみられる．脱神経と再支配を繰り返すほど巨大になる．

3)強収縮時：健常者では，収縮を強めるにつれて MUP が徐々に動員され(recruitment)，最大収縮時，個々の MUP が識別不能の干渉波形(interference pattern)が形成される．

a) 運動単位電位(MUP)動員不良所見(poor recruitment pattern)：神経原性疾患では MU 数減少があるため，随意収縮を強めても新たな MUP 参入が限られる．したがって，干渉波が形成されにくい(図 17-4-7 左)．高振幅電位の動員不良所見を指して神経原性所見とよぶ．

b) 運動単位電位(MUP)早期動員所見(early recruitment pattern)：筋原性疾患では個々の MU の筋力低下があるため，弱収縮に際しても多数の MUP が動員される．筋原性変化による低振幅棘波様 MUP の早期動員は，極度に細かな干渉過多波形を形成し(図 17-4-7 右)，筋原性所見とよばれる．

b. その他の筋電図手法

i)単一線維筋電図(single fiber electromyogram：SF-EMG)

同一 MUP 内の筋線維電位を分離観察する手法である．おもに神経筋接合部疾患で個々の筋線維興奮のばらつき(jitter)を測定するために行われる．

ii)表面筋電図(surface electromyogram)

目的筋直上の皮膚に添付した表面電極によって複数筋の筋活動を記録し，筋収縮の相互関係をみる検査である．おもに不随意運動の分析に用いられる．

〔馬場正之〕

(3)神経伝導検査(nerve conduction study：NCS)

末梢神経障害診断のゴールドスタンダードとされる検査である．末梢神経に電気刺激を与え，誘発された複合神経電位や誘発筋電位の振幅，波形変化，伝導速度から，①脱髄性/軸索性障害の鑑別，②神経線維脱落程度，③潜在性病変を調べることができる．また，④無症状患者における末梢神経障害の有無を知る目的でも施行される．

a. 検査方法

運動 NCS と感覚 NCS の 2 種がある．上肢 NCS は

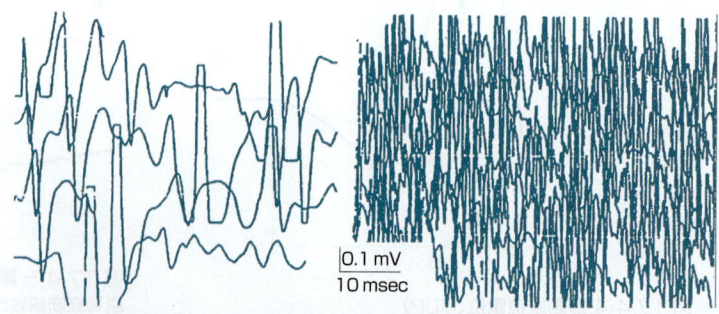

図 17-4-7 MUP 動員検査不良(左)と干渉過多(右)法(4 段ラスター記録)
神経原性疾患(左)では運動単位減少によって放電数が減少し，縦ゆれが著しく減少する．一方，筋原性疾患(右)では早期動員と運動単位電位の細分化によって縦ゆれが著明に密になる．

正中神経と尺骨神経で，下肢運動 NCS は腓骨神経と脛骨神経で，感覚 NCS は腓腹神経で行われることが多い．必要に応じ，多くの末梢神経に応用可能である．

1) 運動神経伝導検査（motor NCS）：

a) M 波による検査：神経幹に電気刺激を与え，支配筋から誘発筋電位 (compound motor action potential)（M 波）を記録する．M 波は MUP の総和である．正中神経-短母指外転筋，尺骨神経-小指外転筋，脛骨神経-母趾外転筋，腓骨神経-短趾伸筋の組み合わせで施行される．検査神経内を走るすべての運動線維を興奮させる電気刺激（最大上刺激）を用い，M 波振幅 (amplitude) と潜時 (latency)（刺激から M 波の振れ始めまでの時間）を計測する．近位部（脊髄に近い部位）と遠位部（筋に近い部位）の2部位刺激で得た M 波の潜時差(msec)で刺激点間距離(mm)を割れば，運動神経伝導速度 (motor nerve conduction velocity：MCV)(m/秒) が得られる（図 17-4-8）．一般に，上肢 MCV は肘手首間，下肢 MCV は膝足首間で測定される．遠位部刺激による潜時は遠位潜時として最遠位部伝導の指標になる．

b) F 波検査：神経幹に最大上刺激を与えると，運動神経線維に脊髄に向かう逆行性インパルスを生じ，神経根を経て運動ニューロンに至る．そこで反転した下行性インパルスが運動神経を経て筋電位を生じたものが F 波である．F 波は末梢神経系全長を伝導するので，いかなる部位の病変をも反映する．ただ，1回の電気刺激に対し一部の α 運動ニューロンしか反応しないので，多数 F 波の観察には十数〜20 回の刺激に対する記録が必要である．指標として F 波最短潜時 (minimal F-latency) が重視される．また，α 運動ニューロンの興奮に要する約 1 msec を差し引くと，(F 波潜時−M 波潜時−1)÷2 の式で刺激点・脊髄間伝導時間(msec)が求められる．刺激点と脊髄間の距離(mm)を測定すれば，F 波伝導速度 (F conduction velocity：FCV)(m/秒)を求めることもできる．

2) 感覚神経伝導検査（sensory NCS）： 感覚電位 (sensory nerve action potential：SNAP) を導出する検

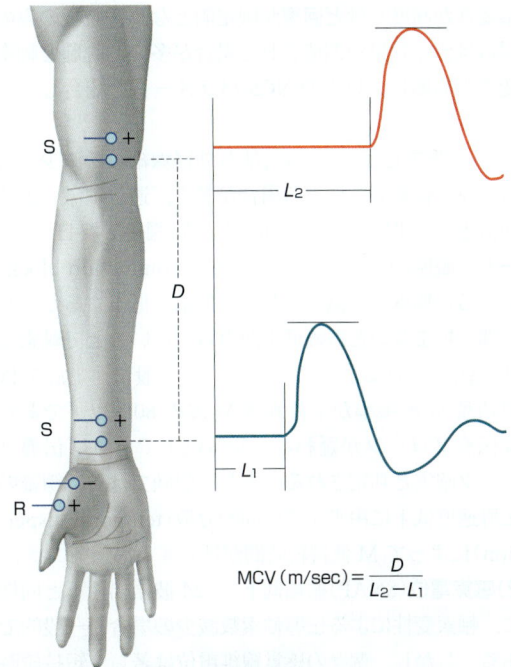

図 17-4-8 上肢運動神経伝導速度（MCV）測定法
M 波伝導距離を伝導時間で除せば MCV が得られる．L_1（遠位潜時）は運動神経遠位部伝導の指標となる．M 波振幅は基線陰性頂点間で測定することが多い．S：電気刺激，R：記録部位．

$$MCV (m/sec) = \frac{D}{L_2 - L_1}$$

査である．手指などの遠位部電気刺激により近位側で SNAP を記録する順行性測定法と，近位部刺激で遠位部から記録する逆行性測定法がある．刺激点・導出点間距離(mm)を SNAP 潜時(msec)で割れば感覚神経伝導速度 (sensory nerve conduction velocity：SCV)(m/秒) が得られる．上肢では肘や手根部と手指間で，下肢腓腹神経では外顆後縁部とその 13〜15 cm 近位のアキレス腱外縁部で測定する．

NCS のさまざまなパラメータの正常値概要を表 17-4-10 に示す．

b. 異常所見とその意義

末梢神経障害は組織学的に軸索変性 (axonal degeneration) と脱髄 (demyelination) とに大別される．軸

表 17-4-10 神経別伝導検査パラメータの基準値概要

	正中神経	尺骨神経	後脛骨神経	腓骨神経	腓腹神経
M 波振幅（mV）	3.0〜	3.0〜	5.0〜	2.5〜	―
遠位潜時（msec）	〜4.2	〜3.5	〜6.0	〜5.5	―
MCV（m/秒）	50〜70	50〜70	40〜60	40〜60	―
F 波最短潜時（msec）	〜28	〜28	〜50	〜50	―
SNAP 振幅（μV）	10〜60	10〜50	―	―	5〜30
遠位部 SCV（m/秒）	45〜60	45〜60	―	―	40〜55

索変性が高度なほど回復が限定的となり，脱髄のみの場合は治療効果が期待される場合が多い．脱髄と軸索変性の診断は，以下の NCS パラメータを総合して行う．

1) **M 波振幅低下**：伝導可能な神経線維数の減少による所見．軸索変性による場合が多く，遠位刺激・近位刺激とも同程度に振幅が低下する（図 17-4-9 上）．一方，脱髄の場合も伝導ブロック（conduction block）による伝導線維数減少のために振幅が低下するが，脱髄部を挟まないと振幅低下がみられないことで軸索変性と区別される（図 17-4-9 下）．一般に，上肢では肘刺激 M 波振幅が手首刺激 M 波の 80％以下であれば伝導ブロックが疑われ，50％以下であれば伝導ブロック確実と判定される．また，脱髄では一部線維の伝導速度低下に由来する時間的分散（temporal dispersion）によって M 波持続時間が延長する．

2) **感覚電位（SNAP）振幅低下**：M 波振幅低下と同様に，軸索変性による伝導軸索数減少の場合が一般的である．しかし，個々の感覚線維電位は著しく短持続時間であるため，脱髄による時間的分散でも振幅低下が高度になる．感覚低下がないのに感覚電位記録不能となるのは陳旧性脱髄病変の特徴である．

3) **伝導速度低下，遠位潜時延長**：有髄線維の伝導速度低下を生じる最も重要な形態学的因子は髄鞘厚の減少である．したがって，正常下限値の −20％をこす速度低下（潜時延長）は脱髄の所見と判定される．軸索変性による軸索径減少では，速度系因子の変化は正常限界値から 20％以内である．

4) **M 波・感覚電位（SNAP）の持続時間延長，多相化**：複合電位の持続時間延長は伝導遅延線維混入を示す所見で，多相性電位になる場合が多い．

5) **F 波最短潜時延長，F 波出現頻度低下**：最短潜時 F 波は最大伝導速度線維に由来する．したがって，最短潜時延長は伝導遅延の指標である．遠位部 M 波伝導が正常であれば，神経根や腕神経叢など末梢神経近位部での異常が強く疑われる．また，F 波出現頻度低下は神経根での伝導ブロックや前角運動ニューロン病変を疑う根拠になる．

〔馬場正之〕

(4) 反復刺激誘発筋電図

a. 神経筋伝達の生理機構

運動神経に最大上電気刺激を連続的に与えて，複合筋電位（M 波）の振幅と面積の変化をみる検査である．

1) **低頻度刺激による漸減所見（waning あるいは decrement）（図 17-4-10 上）**：1〜3Hz 連続刺激で M 波振幅が徐々に減少する所見で，重症筋無力症に特徴的である．3〜4 発目の低下が最も大きく，同時に M 波陰性部面積も低下する．初回刺激 M 波面積より 10％以上減少するものを異常漸減と判定する．

2) **高頻度刺激による漸増所見（waxing あるいは increment）（図 17-4-10 下）**：M 波面積・振幅が徐々に増加する所見．高頻度刺激では貯蔵アセチルコリンが神経末端に急速移動放出されるので，もともと終板電位低下がある Lambert-Eaton 筋無力症様症候群やボツリヌス中毒では筋電位が著明に漸増する．刺激 1 発目の 2 倍（200％）をこえる M 波振幅増大がある場合を確実な異常漸増所見と判定する．〔馬場正之〕

■文献

木村 淳，幸原伸夫：神経伝導検査と筋電図を学ぶ人のために 第 2 版，医学書院，2010．
Kimura J: Electrodiagnosis in Diseases of Nerves and Muscle: Principle and Practice, 4th ed, Oxford University Press, 2013．
日本臨床神経生理学会編：神経筋電気診断を基礎から学ぶ人のために，日本臨床神経生理学会，2013．

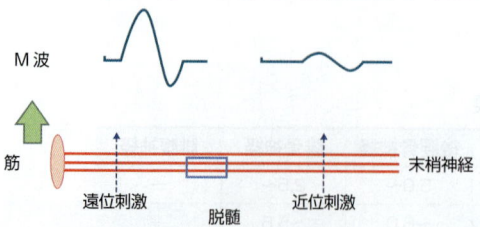

図 17-4-9 軸索変性と脱髄における M 波変化模式図
軸索変性では末梢神経のどの場所に電気刺激を加えても低振幅 M 波が得られる．一方，脱髄病変では近位側（脊髄側）電気刺激の場合に遠位側刺激より低振幅の M 波となる．

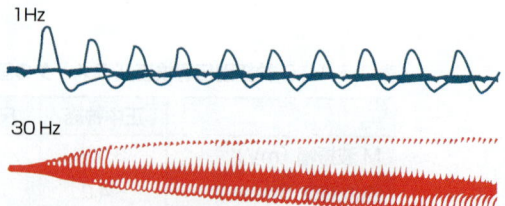

図 17-4-10 誘発筋電図にみられる異常所見
上：重症筋無力症における記録で，低頻度刺激による漸減所見を示す．4 発目以降にみられる軽度の漸増は正常所見である．下：Lambert-Eaton 筋無力症様症候群での記録で，高頻度刺激による著しい漸増所見を示す．

(5) 誘発電位 (evoked potential)

　誘発電位とはある種の感覚刺激により誘発される脳の電位である．感覚刺激としては通常，聴覚，視覚，体性感覚が用いられる．1回1回の誘発電位はきわめて小さいため，刺激と関連しない脳波や筋電図のノイズのなかから誘発電位を記録するのに，数百回以上刺激を反復し誘発電位を平均加算して求める．

a. 聴性脳幹誘発電位 (auditory brainstem evoked potential；聴性脳幹反応，auditory brainstem response：ABR)

　ヘッドホンにてクリック音を聞かせると，蝸牛神経，橋，中脳のそれぞれの部位が反応するが，その反応を記録し平均加算する（図 17-4-11A）．正常のABR（図 17-4-11B）は，刺激から 8 msec 以内に I

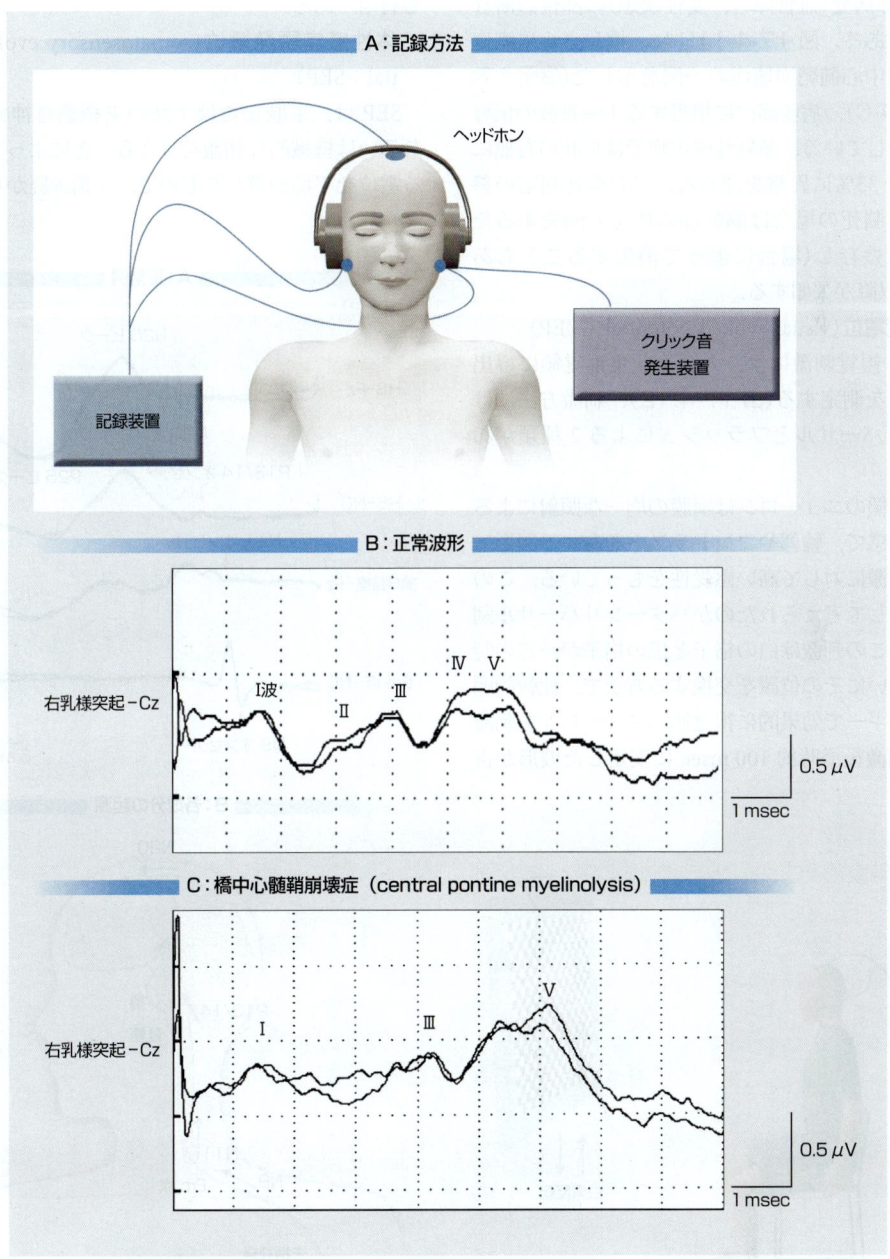

図 17-4-11 聴性脳幹誘発電位（ABR）
A：聴性脳幹反応（auditory brainstem response）の記録方法．ヘッドホンでクリック音を聞かせ，その反応を記録し，平均加算する．
B：聴性脳幹反応の波形（正常例）．I 波は聴神経末梢，III 波は橋，V 波は中脳の成分を表す．通常，I，III，V 波は明瞭だが，II，IV，VI 波は明瞭でないこともある．
C：橋中心髄鞘崩壊症（central pontine myelinolysis）の一例．I 波とIII 波間の潜時差（伝導時間）が延長している（4.23 − 1.39 = 2.84 msec；正常範囲は 2.47 msec まで）．

～Ⅶ波までの7つの成分がみられ，通常Ⅴ波までが分析される．脳幹聴覚路に沿って，Ⅰ波は第Ⅷ脳神経末梢成分，Ⅱ波は蝸牛神経核，Ⅲ波は上オリーブ核（橋），Ⅳ波は橋外側毛帯，Ⅴ波は中脳下丘，Ⅵ波は内側膝状体付近起源と推測されている．ABRは，頂点間潜時の延長・波形の欠如を指標として，障害部位の推定に使われる．他覚的聴力検査として利用されたり，脳腫瘍（特に聴神経腫瘍では90％に異常を認める）・脳幹部病変（血管障害，変性疾患）の部位診断などに有用である．図17-4-11Cに，橋レベルに病変を認める橋中心髄鞘崩壊症の一例を示した（e図17-4-B，17-4-C）．病変部位に相当するⅠ～Ⅲ波の伝導時間が遅延している．多発性硬化症では症状の有無にかかわらず33％に異常を認める．また脳死判定の参考にされ，脳死の場合は脳幹部の機能も消失するため，Ⅰ波は残存し（場合によって消失することもある），Ⅱ波以降が欠如する．

b. 視覚誘発電位（visual evoked potential：VEP）

VEPは，視覚刺激により大脳後頭葉視覚領に導出される電位を測定する（図17-4-12）．刺激方法にはパターンリバーサルとフラッシュによる2種類がある．

大脳視覚領のニューロンは網膜の均一な照射による刺激には鈍感で，輪郭やコントラストを有する図形による視覚刺激に対して高い感受性をもっている．この原理を利用して考えられたのがパターンリバーサル刺激であり，この刺激は白の格子と黒の格子が一定の時間間隔で互いにその位置を交換する方法で，比較的弱い光エネルギーで効果的に視覚領のニューロンを刺激できる．刺激後潜時約100 msecに安定した波形が得られる．全視野刺激と半視野刺激がある．ストロボを用いたフラッシュ刺激によるVEP波形は複雑で個人差も大きく，視覚神経機能との対応も難しいが，指標を凝視できない意識障害患者や乳幼児の患者に有用である．臨床応用としては，視覚系に関係した疾患が対象になり，弱視，視神経病変，多発性硬化症（全体の70％に異常所見），脳腫瘍（特に下垂体腫瘍），後頭葉病変などで有用である．また，ヒステリー盲の鑑別にも有用である．

c. 体性感覚誘発電位（somatosensory evoked potential：SEP）

SEPは，上肢または下肢の末梢感覚神経に電気的あるいは機械的な刺激を与えることによって誘発される電位を平均加算したもので，末梢神経から，脊髄，

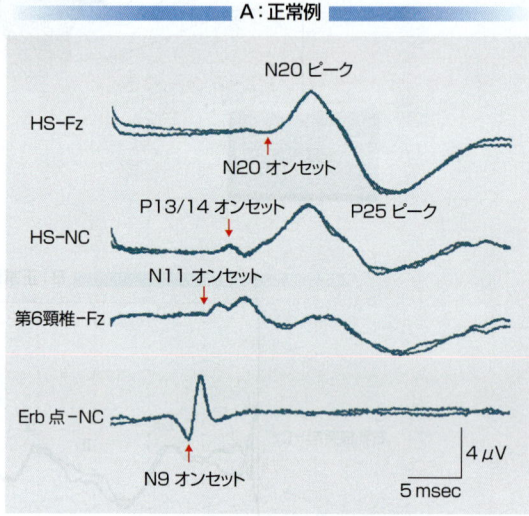

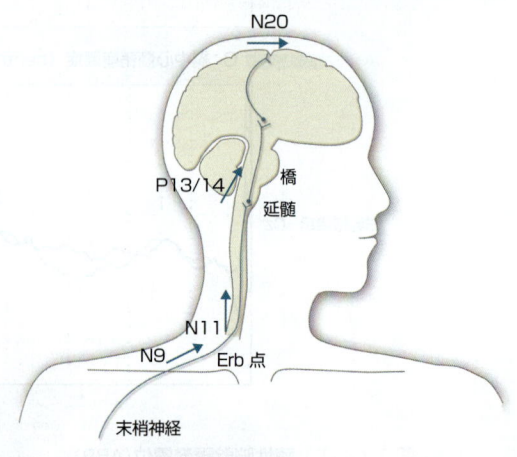

図17-4-12 視覚誘発電位（visual evoked potential：VEP）の記録方法
視覚誘発電位（visual evoked potential：VEP）の記録方法．モニター上に市松模様を呈示し，1.2～2.0秒周期で白黒を反転させる．

図17-4-13 体性感覚誘発電位（SEP）
A：右正中神経体性感覚誘発電位の一例．NCは非頭蓋基準電極（non-cephalic reference）で左Erb点，HSはhand sensory cortexで，C3の2 cm後方を利用することが多い．
B：各成分の起源を示した．Nは上向きの波形，Pは下向きの波形を表す．

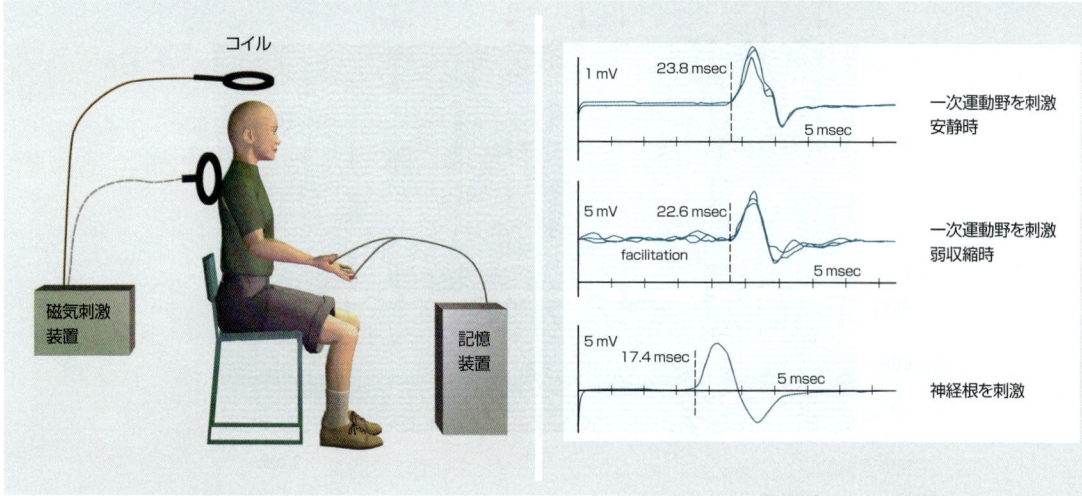

図17-4-14 経頭蓋磁気刺激法
A：磁気刺激法の概要を示した．記録筋は右第1骨間筋．磁気刺激はコイルに高圧電流を流して，磁場を発生させ，大脳一次運動野もしくは脊髄神経根に小さな電流を生じさせる．
B：磁気刺激による中枢運動伝導時間の測定法の一例を示した．上段は，筋肉を安静にした際に左一次運動野を磁気刺激した際の反応，中段は弱収縮した際の反応．下段は頸椎神経根をコイルで刺激し，潜時は17.4 msecであった．弱収縮時は1つ目に前角細胞に達したdescending volleyにより前角細胞が発火するが，安静時には2つ目以降に降りてきたdescending volleyによってはじめて前角細胞が発火するために潜時が1.2 msec長いと考えられる．中枢運動伝導時間は，22.6 − 17.4 で，5.2 msecと計算される．

脳幹，大脳皮質に至る長い神経経路の機能障害部位の検索に用いられる．最も頻繁に用いられる上肢正中神経刺激の各成分の起源を図17-4-13に示した．誘導法により波形が異なるが，Erb点（鎖骨の上の窪み部分）誘導にてN9（腕神経叢成分，末梢神経近位部），第6頸椎体誘導にてN11（頸髄後索成分），感覚皮質誘導にてP13/14（延髄成分），N20（感覚皮質成分）を記録できる．P13/14 − N20の潜時差を中枢感覚伝導時間（central sensory conduction time: CSCT）と定義し，中枢感覚系の機能を評価するときに用いられる．臨床的にはこれらの成分間潜時および振幅により病変部位の推定を行っている．ミオクローヌスてんかんや無酸素脳症（Lans-Adams症候群）などでは異常に高振幅のSEP皮質成分（giant SEP）が記録され，診断的意義を有する．多発性硬化症では症状の有無にかかわらず50〜60％に異常を認める（eコラム1）．

d. 事象関連電位（event related potential：ERP）

ERPは，刺激の種類にかかわらず，刺激の認知，判断に関連し導出される電位である．代表的なものにP300があり，これは被検者に質の異なる同種類の感覚刺激を2つ与え，両者を認知・識別させる課題を遂行させると，刺激後約300 msecの潜時で出現する誘発電位のことである．認知機能を反映するもので，加齢とともに潜時は延長するが，認知症患者においてはP300の潜時の延長，振幅の低下が認められる．

〔望月仁志・宇川義一〕

■文献
American Electroencephalographic Society: Guidelines for clinical evoked potential studies. *J Clin Neurophysiol*. 1984;1: 3-53.
黒岩義之編：臨床神経生理学的検査マニュアル，科学評論社，2006.

(6) 磁気刺激・脳磁図

電気が流れる（電流が変動する）と変動磁場が発生する．逆に変動磁場を発生させることにより電気の流れをつくることができる．磁場の変化で誘導される誘導電流を脳の刺激に用いた方法が磁気刺激法であり，小さな脳電位の変化による磁場変化を記録して増幅したものが脳磁図である．

a. 経頭蓋磁気刺激法（transcranial magnetic stimulation：TMS）

TMSは，頭蓋内の神経組織を刺激するために開発されたもので，脳内に渦電流を発生させて中枢神経を刺激する方法である．目的とする大脳皮質の位置に合わせて，コイルの位置・種類（円形と8の字型コイルがある）を決めて刺激する．広く臨床応用されているのは，中枢下行路の伝導の評価である中枢運動伝導時間（central motor conduction time：CMCT）である．これを求めるためには，大脳皮質と脊髄の磁気刺激により誘発される筋肉の反応を筋電図として記録し，それぞれの反応潜時の差を求める．この差を中枢運動伝導時間とよび，この値により，中枢下行路の障害の程

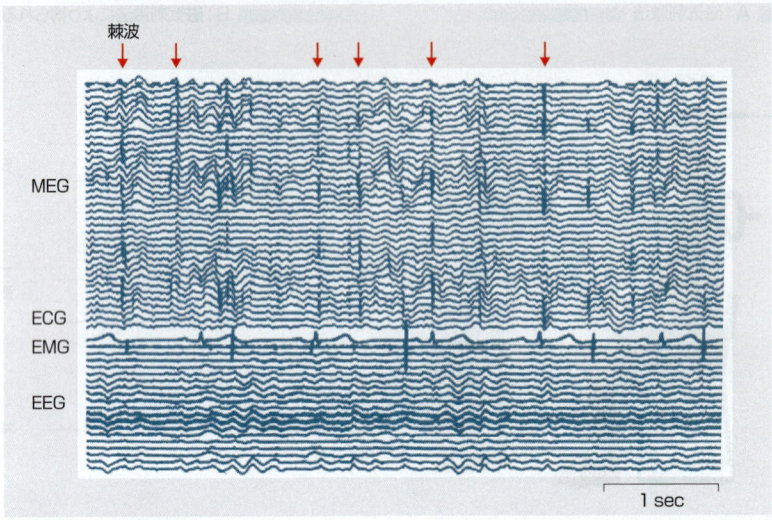

図17-4-15 脳磁図
脳磁図(magnetoencephalogram: MEG)の一例．脳波(EEG)では明らかな棘波は認めないが，MEGでは棘波を認める．脳波は脳表面に対して垂直方向の異常波検出に弱く，水平方向には強い．MEGはその逆である．電位変化の方向により，EEGで記録困難なものをMEGでとらえることができる．

度を客観的に評価できる．また，大後頭孔部の刺激法により，下行路の病変部位の同定も客観的に行える．

図17-4-14に刺激法と得られる波形の一例を示した．まずはじめに第7頸椎体付近にコイルを当て，神経根を刺激する．すると神経根から筋肉までの伝導時間が測定できる．次に大脳一次運動野にコイルを当て大脳皮質を刺激する．この場合対象となる筋肉を安静にするか・弱収縮させるか，コイルに流れる電流の方向などにより，潜時が異なるので注意が必要である（どのdescending volley(eノート1)で前角細胞が活動電位を発生するかにより，潜時が変わる）．この潜時は大脳皮質から筋肉までの伝導時間を表し，大脳皮質潜時から神経根からの伝導時間を差し引くと，中枢運動伝導時間を計算することができる．

b. 脳磁図(magnetoencephalogram：MEG)

脳は脳神経細胞の電気的活動によって，その機能を果たしている．脳波はこれらの電位を直接記録するが，脳磁図はこれらの電位が生じた際に必ず同時に発生する磁場変化を記録する方法である．頭蓋周囲にコイルを多数設置し，これにより小さな磁場の変化をとらえ，電流に変換させる．複数のコイルを設置することにより脳波と同様に幅広く脳活動をとらえることができる．

脳波と同様の時間的分解能をもち，脳波よりすぐれた空間分解能があることから，種々の大脳表面で行われている生体現象の分析に用いられている．MEGではコイルの軸が脳表に垂直であることより，脳溝に埋れ，脳溝に直交した電位変化(dipole)が見やすいのに比し，脳波(EEG)ではそのような方向のdipoleは見にくいという性質がある．このため両者を用いることにより，脳内の現象を詳細に検討できる．その例を図17-4-15に示す．この記録では，EEGでは棘波ははっきりしないが，MEGでは明確であり，互い補完する役割があることがわかる．〔望月仁志・宇川義一〕

■文献

Baker AT, Jalinous R, et al: Non-invasive magnetic stimulation of human motor cortex. *Lancet*. 1985;**1**: 1106-7.

Terao Y, Ugawa Y: Basic mechanisms of TMS. *J Clin Neurophysiol*. 2002;**19**: 322-42.

3）画像診断学

画像検査法には①X線・γ線，②磁気共鳴現象，③超音波を用いる方法がある．中枢神経系は頭蓋骨や脊椎(骨構造)に囲まれ，コントラスト分解能が高く骨の影響の少ない②MRIが画像診断法としてすぐれる．骨の影響を受ける③超音波検査法は，通常成人では用いられない．①X線は，単純X線撮影(頭部，脊椎)，CT，脳・脊髄血管撮影，脊髄造影(ミエログラフィ)で使用され，γ線は核医学検査(SPECT，PETなど)で利用される．

単純X線撮影やCTは，MRIや核医学検査などに比べ検査時間が短い．放射性医薬品を用いる核医学検査と同様，被曝への配慮が求められるが，MRIのような禁忌がなく，くも膜下出血・脳出血などの脳卒中や頭部外傷など，神経救急で最初にCT検査が行われることが多い(図17-4-16A)．

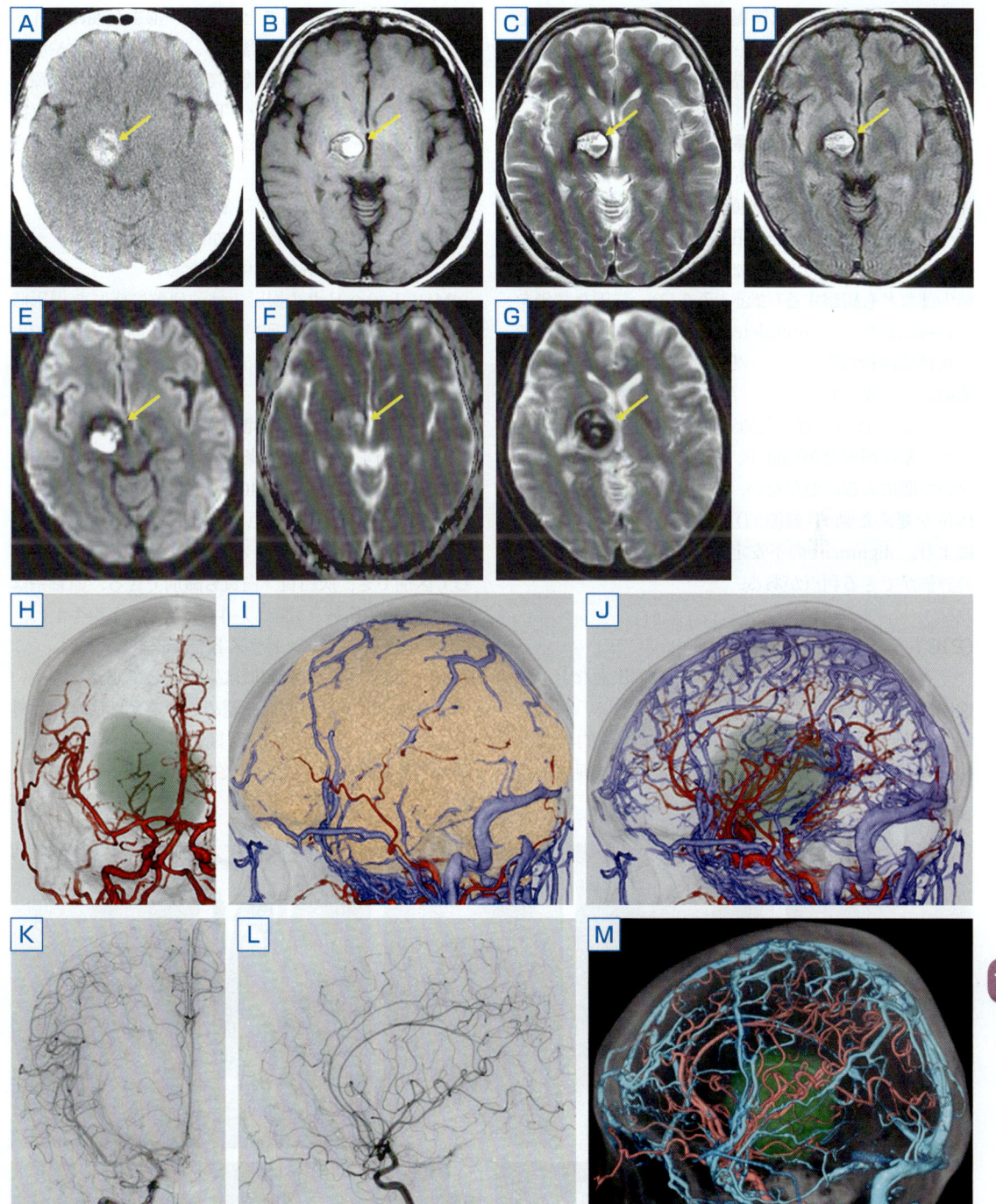

図 17-4-16 脳出血(右視床出血),海綿状血管奇形
A:単純 CT, B:MRI T1 強調画像(T1WI), C:T2 強調画像(T2WI), D:FLAIR 画像(FLAIR), E:拡散強調画像(DWI), F:ADC map, G:T2*強調画像(T2*WI), H:3D-CTA(動脈相正面像, 病変同時表示), I:3D-CTA(動脈相静脈相同時脳表表示), J:3D-CTA(動脈相静脈相病変同時表示), K:DSA(右内頸動脈撮影, 動脈相正面像), L:(同, 動脈相側面像), M:回転 DSA(同, 動脈相静脈相病変同時表示).
単純 CT(A)で右視床に高吸収域(脳出血;矢印)が認められた.出血の原因検索のため MRI(B〜G)が撮像され海綿状血管奇形と診断された.新しい出血性変化は拡散強調画像(E)で高信号を示す.辺縁部に沈着するヘモジデリンの低信号は,T2WI(C)より T2*WI(G)で明瞭に強く認められる.DSA(K,L)で病変周囲の脳血管は圧排されているが,病変に流入する動脈や動静脈短絡,濃染などは認められない.3D-CTA(H〜J),回転 DSA(M)で動脈は赤,静脈は青,病変(右視床出血,海綿状血管奇形)は緑で表示されている.

造影CT，脳・脊髄血管撮影，脊髄造影はヨード造影剤を用い，血管系，臓器・組織や病変，脳脊髄液腔をコントラストの差として描出する．

(1) 頭部・脊椎単純X線撮影

おもに骨に関する二次元情報が得られ，撮影範囲全体を俯瞰できる．正面・側面像が基本で，脊髄神経根症や脊椎分離症では，椎間孔・椎間関節間部斜位撮影を追加する．脊椎の評価に加え，撮影範囲に含まれる肺尖部なども観察する（e図17-4-D）．詳細な評価を多列検出器型CT（multidetector-row CT：MDCT）での再構成画像（図17-4-17E〜I）で行う場合，単純X線撮影は不要である．

単純X線撮影では正確な体位での撮影が重要であるが，X線照射は短時間で，CT・MRI装置のような狭い空間に入る必要がない．脊椎では前屈・後屈など体位を変えた動的（機能的）撮影（図17-4-17A〜C）により，alignmentの不安定性，すべりの有無と程度の評価ができる利点がある．

(2) CT

くも膜下出血や脳出血，外傷性頭蓋内出血など，急性期出血性変化が高吸収域として描出される．骨の詳細な評価も可能である．撮影時間も比較的短く，MRIのような禁忌がない．神経救急では，画像検査として最初に行われることが多い．撮影範囲に大孔〜頭頂部（上矢状静脈洞）を含める．くも膜下出血や脳出血などの脳卒中・脳血管障害では，原因検索・治療方針決定のため，造影CT・CT angiography（CTA）（図17-4-16H〜J），MRI（図17-4-16B〜G）が追加される．

X線吸収が極端に異なる金属（コイルやクリップ，異物）などが存在すると，周囲に強い放射状のアーチファクトを生じ，評価が困難になる．

MDCTのヘリカル撮影では，列数に応じた撮影時間短縮が可能で，320列では全脳を1回転（撮影）でカバーできる．

a. 単純CT

i) CT画像表示とCT診断の基礎

脳を評価するための脳条件表示（window level（WL）は脳実質のCT値30〜40，window width（WW）は80程度）では，脳（灰白色；等吸収），脳脊髄液（黒；低吸収），骨・石灰化（白；高吸収）がコントラストとして区別でき，灰白質＞白質も識別できる．血管系は脳と等吸収であり（図17-4-18A，表17-4-11），CTではこれらのコントラストを確認する．

病的高吸収域や低吸収域は異常として認識しやすいが，高吸収域や低吸収域を認めないことは病変の除外にならない（表17-4-12，図17-4-18A）．脳溝，脳槽の不明瞭化に注意する（e図17-4-E）．

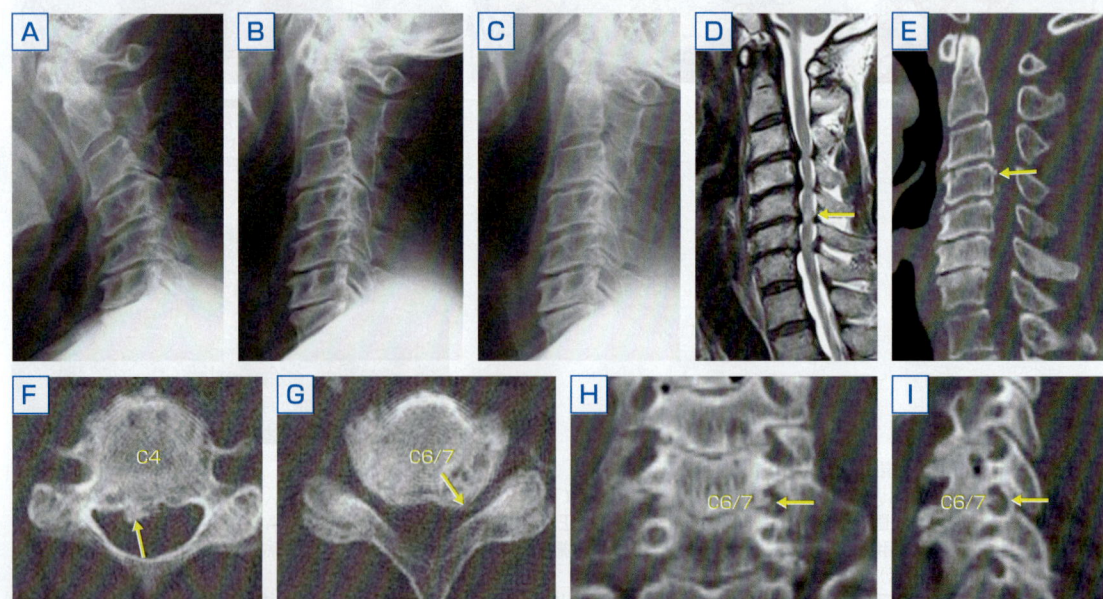

図17-4-17 頸椎症性脊髄症
A〜C：動的（機能的）頸椎X線撮影（A：前屈位，B：中間位，C：後屈位），D：MRI T2WI，E〜I：MDCT（E：正中矢状断再構成画像，F：C4レベル横断像，G：C6/7レベル横断像，H：冠状断再構成画像，I：左椎間孔部矢状断再構成画像）．
動的（機能的）頸椎X線撮影（A〜C）は，CT，MRIでは困難な前屈位（A）・後屈位（C）撮影が可能である．MRI T2WI（D）ではC5/6レベルの頸髄症が高信号として認められる（矢印）．MDCT（E〜I）ではX線撮影（A〜C）では指摘困難な後縦靱帯骨化症（E，F；矢印），左椎間孔への骨棘突出（G〜I；矢印）も把握できる．

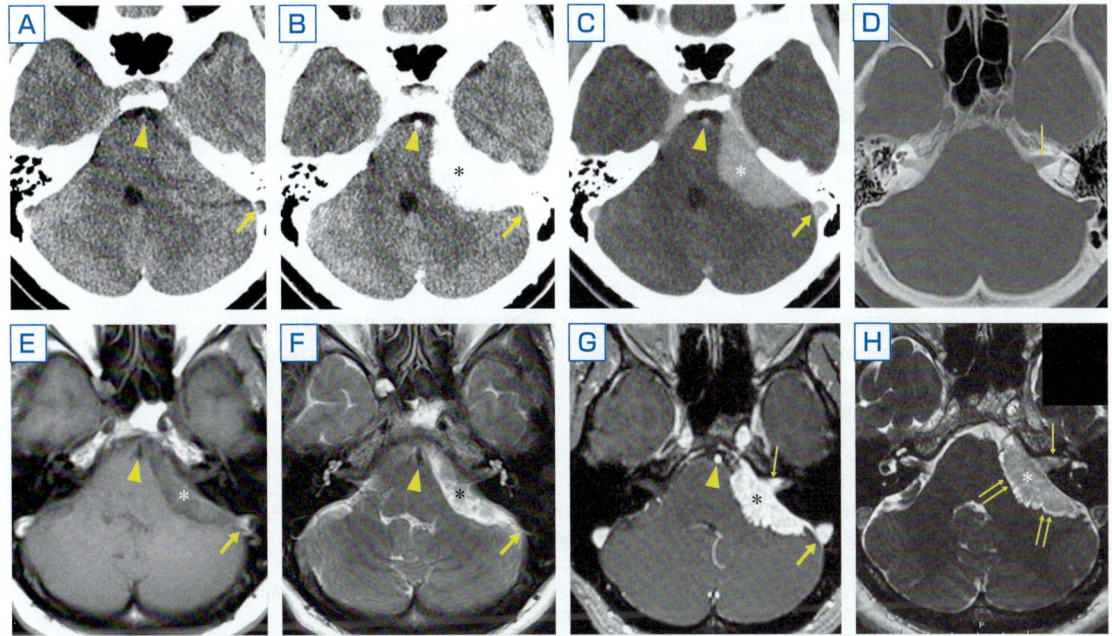

図 17-4-18 左小脳橋角部(左小脳テント)髄膜腫
A：単純 CT(脳条件表示；WL 30, WW 80)，B：造影 CT(脳条件表示)，C：造影 CT(WL 75, WW 200)，D：単純 CT(骨条件表示；WL 1300, WW 4000)，E：MRI T1WI, F：T2WI, G：GRE 法 Gd 造影後 T1WI, H：Gd 造影後 CISS 法.
単純 CT(A)では，低吸収域や高吸収域を示す病変は認められない．造影 CT(B)で髄膜腫(*)は強い増強効果を示し，左側頭骨錐体部との境界が不明瞭である．WL, WW を調整した造影 CT 表示(C)では，腫瘍の境界が明瞭である．単純 CT(骨条件表示)(D)では，左内耳道の軽度拡大が認められる(細矢印)．GRE 法 Gd 造影 T1WI(G)では，左内耳道内に進展する髄膜腫(G；*，細矢印)は比較的均一な増強効果を示す．Gd 造影後 CISS 法(H)では，内耳道内に進展する(細矢印)髄膜腫(*)は増強効果を示す．脳との境界は 1 層の高信号として認められる(細矢印 2 本)．右内耳道内では前庭神経・蝸牛神経が同定できる．単純 CT(A)で脳底動脈(矢頭)と S 状静脈洞(矢印)は脳と等吸収域，造影 CT(B,C)では強い増強効果を示す．脳底動脈(矢頭)は SE 法 MRI(E, F)では無信号であるが，S 状静脈洞(矢印)は SE 法 T1WI(E)では内部に無信号を有する軽度高信号，SE 法 T2WI では無信号である．GRE 法 Gd 造影 T1WI(G)では脳底動脈(矢頭)と S 状静脈洞(矢印)は強い増強効果を示す．

表 17-4-11 血管系の CT 所見

正常な血管系は脳と等吸収である．
・動脈の高吸収域(塞栓・血栓) 　急性期脳梗塞 hyperdense arterial sign
・静脈(洞)の高吸収域 　静脈(洞)血栓症
・血管系全体の高吸収域 　CT 検査前に造影検査が実施された場合 　ヘモグロビン濃度上昇(脱水，真性多血症など)
・血管系全体の低吸収域 　高度の貧血

頭蓋骨の評価は骨条件表示で行う．WL 500〜1500, WW 1500〜4000 に調整し，内板，板間層，外板(あるいは皮質骨，海綿骨)を識別して行う(図 17-4-17E〜I, 17-4-18D).

ii)高吸収域
急性期出血性変化(図 17-4-16A)と骨・石灰化(e図 17-4-F)は高吸収を示す．高血圧性脳出血の高吸収域内に低〜等吸収域を認める場合，血腫増大の可能性が高い(swirl-sign)[1].

出血性変化は CT 値＜100 で，CT 値＞100 は骨，石灰化である．骨条件表示での高吸収は骨・石灰化である．点状・砂粒状石灰化は部分容積現象により CT 値＞100 にならず，出血との区別が困難な場合は，経時的変化や MRI を参考にする．

薄い急性硬膜外血腫・急性硬膜下血腫では，脳条件表示で頭蓋骨と区別困難なことがある．WL 50〜100, WW 150〜300 など WL・WW を調節すると骨との区別がしやすい．

1)加齢性石灰化：成人では松果体，脈絡叢，大脳鎌・小脳天幕や靱帯，小脳歯状核，大脳基底核，くも膜顆粒などに加齢性石灰化を両側対称性に認めることがある(e図 17-4-F).

2)病的石灰化：内頸動脈や椎骨動脈などの脳動脈は，動脈硬化により石灰化する(e図 17-4-F). 長期間の血液透析患者では，頭皮下血管にも石灰化が認め

表 17-4-12 単純 CT 診断での注意点

(1) 等吸収域で指摘困難な病変
 1. 急性期脳梗塞
 2. 脳動脈瘤・脳動静脈奇形
 3. くも膜下出血*1
 4. 慢性硬膜下血腫*2

5. 腫瘍
 脳実質外腫瘍：髄膜腫(図 17-4-18)など
 脳実質内腫瘍：星細胞腫・乏突起膠腫，悪性リンパ腫，
 (小児〜若年成人)胚腫，髄芽腫など

(2) 脳溝の不明瞭化
 ・脳溝・脳槽の等吸収域化：くも膜下出血，髄膜炎，髄膜癌腫症
 ・脳溝・脳槽の狭小化：脳腫脹，脳下垂(脳脊髄液減少症・漏出症，Chiari 奇形(e図 17-4-E)，(脳実質外腫瘍(図 17-4-18A)や慢性硬膜下血腫などによる)脳の圧排

*1：等吸収域を示すくも膜下出血
 くも膜下出血は脳脊髄液腔（CT 値 0）への出血であり，脳脊髄液の CT 値が上昇する．少量のくも膜下出血は脳脊髄液で希釈される．脳脊髄液の「低吸収（CT 値 0）」がくも膜下出血により上昇して脳と「等吸収（CT 値 30〜40）」になっても，少量では「高吸収（CT 値＞40）」にならない場合がある．
 時間の経過したくも膜下出血では，当初「高吸収（CT 値＞40）」でも，脳脊髄液により次第に希釈・拡散し，濃度が低下して「低吸収（CT 値＜30）」になる過程で「等吸収（CT 値 30〜40）」の時期がある．
 いずれの場合も脳溝の不明瞭化（脳溝の等吸収域化）がくも膜下出血を示唆する重要な CT 所見である．
 脳室拡大，特に下角の拡大（急性水頭症）はくも膜下出血を示唆する．
*2：等吸収域を示す慢性硬膜下血腫
 慢性硬膜下血腫は，出血量と時期により高〜等〜低吸収域を示す．

られる．石灰化は慢性炎症性病変（肉芽腫など），器質化・瘢痕性組織，異物，腫瘍性病変などで認められ，非特異的であるが，石灰化病変では急性脱髄性病変や未治療の悪性リンパ腫は考えにくい．

iii) 低吸収域

脳脊髄液（CT 値 0）より低吸収は，脂肪（CT 値 −100〜0）と空気（CT 値 −1000）である．気脳症や空気塞栓などによる空気を除き，頭蓋内で脳脊髄液より低吸収を示すのは脂肪である．脳条件で空気と脂肪の区別困難な場合，CT 値の測定，骨条件表示で区別できる（e図 17-4-G）．頭部外傷の CT で，脂肪腫がときに気脳症と誤診される．

b. 造影 CT

造影 CT では血管系や血液脳関門などの評価が可能である．造影剤使用時は，添付文書に基づいた適応と禁忌の確認が必要である（eコラム 1）．造影剤を経静脈的に投与すると，脳血管や血管豊富な脈絡叢が高吸収域になる（増強効果）（図 17-4-18B，C）．増強効果を示さない血管は閉塞と診断できる（上矢状静脈洞の造影欠損＝empty delta sign）．正常脳実質は血液脳関門により増強効果を示さない．血液脳関門のない下垂体と松果体は造影される（図 17-4-19 参照）．血液脳関門の破綻した脳実質性病変や，血液脳関門のない新生血管増生で増強効果が認められる（図 17-4-18B，C）．

静脈洞など骨に接する構造や病変が強い増強効果を示す場合，脳条件表示では骨との区別が困難である．単純 CT で薄い急性硬膜下血腫を区別するような WL 50〜100，WW 150〜300 などに調節すると区別できる（図 17-4-18B，C）．

c. 3D-CTA

造影 CT の一種で，CT 用造影剤自動注入器（オートインジェクター）で高濃度造影剤を急速静注し，MDCT で撮影した画像を三次元再構成する．脳血管閉塞・狭窄，血管解離，動脈瘤，脳動静脈奇形など血管系の評価に用いられる．急性期脳出血で血腫内に増強効果（spot sign）が認められる場合，血腫増大の可能性が高い[1]．

動脈相のデータから造影剤が到達する前の画像データを差分すると，脳動脈を選択的に描出でき，静脈相まで撮影すると静脈系の血管表示も可能である．動・静脈系を別にあるいは同時に，病変や脳表と表示できる（図 17-4-16H〜J）．

d. dynamic 3D-CTA（4D-CTA），灌流 CT（perfusion CT）

同一断面を静脈相まで多数回撮影する dynamic 3D-CTA（4D-CTA）では，灌流 CT として regional cerebral blood flow（rCBF），regional cerebral blood volume（rCBV），mean transit time（MTT），time to peak（TTP）が得られ，血栓溶解療法適応などで応用される[2]．320 列 MDCT は全脳の灌流 CT が可能である．

e. dual energy CT（DECT）

異なる管電圧で撮影する DECT は，1 回の撮影で

CTA 画像から骨や血管壁の石灰化を除去でき，金属アーチファクトと被曝の低減ができる．血腫と造影剤増強効果を区別した画像の作成もできる[3]．

(3)MRI

MRI 検査室は常に磁場環境にある．入室者や持ち込む医療機器・付属品など，すべてに安全確認が必要である（eコラム 2）．

装置内の静磁場環境で，体内の水素原子核が磁気共鳴現象を生じるラジオ波を撮像時に照射し，水素原子核を励起させる．励起した水素原子核がもとの状態に戻る緩和の過程（縦緩和・T1 緩和の回復，横緩和・T2 緩和の消失）で出すエコー信号を受信して Fourier 変換し，位置情報を付与して画像化する．

脳・脊髄の灰白質・白質，脳脊髄液などは内因性パラメータとして異なった縦緩和時間（T1），横緩和時間（T2）をもつ．T1 強調画像（T1WI），T2 強調画像（T2WI）など強調画像では，その違いをコントラストの差として画像化する（強調画像）．一方，脂肪信号や脳脊髄液の信号を抑制する脂肪抑制法や fluid-attenuated inversion recovery（FLAIR）画像など抑制画像もある．

MRI 撮像法にはスピンエコー（SE）法，グラジエントエコー（GRE）法，反転時間回復（IR）法，エコープラナー（EPI）法など，データ収集には二次元（2D）法，3D 法がある．撮像法などにより，同じ解剖学的構造でも画像コントラスト，信号強度や増強効果が異なる（図 17-4-18E〜H，17-4-19A〜C，17-4-20A〜D，e図 17-4-H）．

MRI では形態診断に加え，機能・代謝情報も得られる．

a. 磁場強度と画質

1.5T-MRI 装置がおもに用いられるが，3T 装置も使われる．高磁場装置では信号強度が強く信号雑音比が向上し，画質向上・撮像時間の短縮が得られるが，磁化率効果が強く，1.5T と 3T では画像コントラストが変化する（e図 17-4-H）．異なる磁場強度の MRI では，コントラストの違いに注意する．高磁場装置では磁化率効果によるアーチファクトが顕在化するが，磁化率効果を利用した T2* 強調画像（T2*WI）（図 17-4-16G，17-4-20D）や磁化率強調画像（SWI）で病変検出が向上する．

高磁場では T1 が延長し，Gd 造影では増強効果が強く（e図 17-4-H の D，H）検出に有利である．time-of-flight（TOF）法による MR angiography（MRA）や，灌流 MRI（perfusion MRI）で使用される

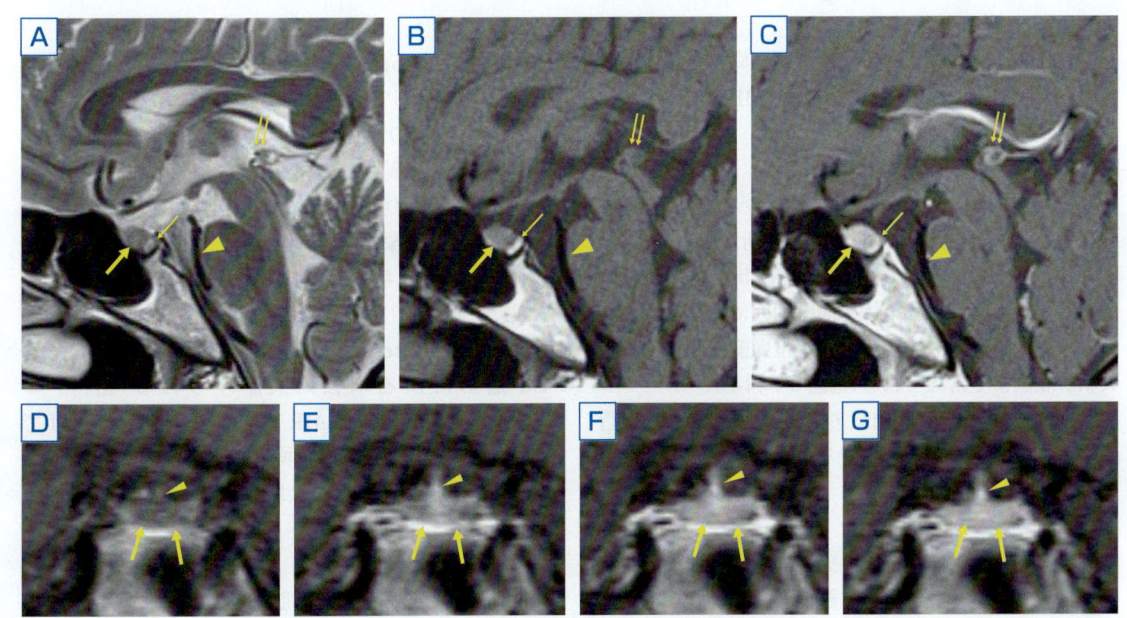

図 17-4-19 **下垂体・松果体**
A：MRI SE 法 T2WI 正中矢状断像，B：SE 法 T1WI 正中矢状断像，C：Gd 造影後 SE 法 T1WI 正中矢状断像，D〜G：dynamic 撮像（下垂体，冠状断像）．
下垂体前葉は T2WI（A；太矢印），T1 強調 WI（B；太矢印）で脳と等信号であるが，後葉は T2WI で軽度高信号（A；細矢印），T1WI では高信号（B；細矢印）で Gd 造影 T1WI で均一な増強効果を示す（C；細矢印）．松果体は内部に小さな嚢胞性部分を有するが，実質性部分は T2WI・T1WI とも脳と等信号で（A,B；細 2 本矢印），Gd 造影で増強効果を示す（C；細 2 本矢印）．脳底動脈は SE 法 T2WI，造影前後 SE 法 T1WI いずれでも無信号である（A〜C；矢印）．dynamic 撮像（D〜G）では Gd 造影到達前は下垂体茎（D；矢頭），下垂体（D；矢印）とも脳と等信号であるが，Gd 造影剤により下垂体茎が最初に造影される（E；矢頭）．下垂体では Gd 増強効果は下垂体茎直下から次第に全体に広がっていく（E〜G；矢印）．

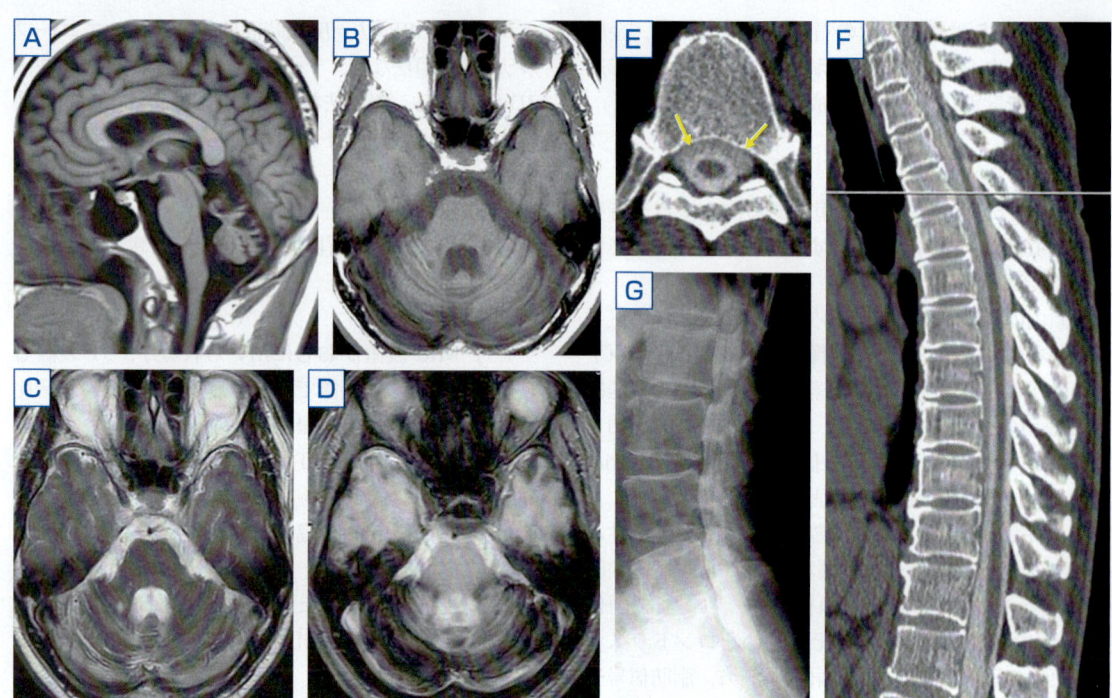

図17-4-20 脳表ヘモジデリン沈着症，脊髄硬膜欠損
A〜D：MRI（A：T1WI 正中矢状断像，B：T1WI，C：T2WI，D：T2*WI），E，F：CT 脊髄造影（F のラインの切断面が E），G：脊髄造影．
MRI T1WI 正中矢状断像（A）で小脳萎縮が認められる．T2*WI では小脳表面に強い低信号が認められ，脳表ヘモジデリン沈着症と診断された．原因検索のために脊髄造影（G）と CT 脊髄造影（E, F）が行われ，CT 脊髄造影では胸椎レベル（横線 F）の脊髄硬膜外に造影剤貯留が認められる（E；矢印）．

arterial spin labeling(ASL)法は画質が向上する．化学シフトも大きく，MR spectroscopy(MRS)では周波数分解能が向上する．

b. MRI 検査法と診断の基礎

脳では T1WI，T2WI，T2*WI，FLAIR 画像（FLAIR），拡散強調画像（DWI）を横断像で撮像し（図17-4-16B〜G），適宜各撮像法で冠状断像，矢状断像を追加する．通常脳全体を撮影範囲に含める．矢状断像，冠状断像を追加すると，上位頸髄〜頭頂部・上矢状静脈洞まで含められる（e図 17-4-E）．

各画像ごとに，脳（灰白質・白質）と脳脊髄液，血管系のコントラストを確認する（図 17-4-16B〜G，17-4-18E〜H，17-4-19，17-4-20A〜D，e図17-4-H）．

急性炎症性・脱髄性疾患，感染症，腫瘍性疾患や活動性病変の有無や病態把握，鑑別診断が必要な場合，適応と禁忌の確認後に Gd 造影を行う（eコラム 1）．CT 同様，血液脳関門の評価が可能である．Gd 造影剤による増強効果は周囲組織の緩和時間短縮による信号変化である．緩和時間短縮効果は T1 で大きく，T1WI での信号上昇（高信号化）がみられる（図 17-4-18G，17-4-19C，E〜G，e図 17-4-H の D，H）．脳実質性・腫瘍性病変の増強効果は，造影 CT より鋭敏である．しかし，SE 法では血流の速い動脈や静脈洞の一部で増強効果を示さないなど，撮像法や血流などにより増強効果が異なる（図 17-4-18G，17-4-19C，e図 17-4-H の D，H）．

造影剤注入から経時的に同一撮像面の撮像を繰り返す dynamic 撮像（図 17-4-19D〜G）は，微小下垂体腺腫の検出や，病変の多血性評価などに用いられる．

T1 が画像コントラストに関与する FLAIR や，constructive interference in steady state(CISS)法では Gd 造影による増強効果がみられる（図 17-4-18H）．Gd 造影後 FLAIR では，Gd 造影後 T1WI で指摘できない増強効果を検出できる場合もあるが，Gd 造影後 T1WI で明瞭な増強効果が逆に不明瞭なこともある．

c. 撮像法と所見

i) T1WI での高信号と脂肪抑制法

T1WI の高信号は，出血や血液成分（図 17-4-16B），高濃度蛋白質，脂質・脂肪，石灰化，マンガン，メラニンで生じる（Bonneville ら，2006）．成因はほかの撮像法の信号を参考にするが，脂質・脂肪の高信号は脂肪抑制法で低下する（e図 17-4-G）．

下垂体後葉はバソプレシンの貯留に関連し，高信号を示す（図 17-4-19B）．中枢性尿崩症では高信号が

消失する．

ii）FLAIR での脳溝・血管高信号

正常な脳溝は，脳脊髄液による低信号を示す（図17-4-16D，e図17-4-H の B，F）．くも膜下出血，髄膜炎や髄膜癌腫症，脳軟膜メラニン沈着症では高信号を示す．もやもや病では脳軟膜吻合が高信号を示し，Gd 造影剤による増強効果と同様，"ivy sign" といわれる．

高濃度酸素投与では，脳脊髄液の T1 短縮で脳溝が高信号化する．水頭症，皮質静脈・静脈洞血栓症などによる局所的脳腫脹では，狭小化した脳溝が高信号になる．脳脊髄液や血管の拍動で脳溝や脳槽が高信号化することがあり，病的状態と区別する必要がある．

主幹動脈狭窄（> 90%）や閉塞で，脳溝を走行する皮質動脈血流が遅延すると高信号を示す．脳梗塞による脳実質変化が生じる前に虚血状態を把握できる（Stuckey ら，2007）．

3D-FLAIR では，2D-FLAIR に比べ髄膜癌腫症や脳軟膜吻合が不明瞭なことがある[4]．

iii）拡散強調画像（DWI）での信号強度

急性期脳梗塞，急性脳炎・脳症，急性炎症・脱髄性病変，中毒など細胞内浮腫は DWI で高信号を示す．膿瘍，出血（図 17-4-16E），高蛋白，類表皮嚢胞など粘稠度の高い場合，細胞密度の高い脳腫瘍（悪性リンパ腫，胚腫，髄芽腫，松果体芽腫，胎児性腫瘍・膠芽腫の一部など）も高信号になる[5]．DWI の高信号には T2 延長も関与する．T2 延長による高信号は T2 shine through といわれ，見かけの拡散（apparent diffusion coefficient：ADC）値の低下（ADC map での低信号）はみられない．

嚢胞や壊死は DWI で低信号を示す．Gd 造影で強い増強効果を示す血管芽腫は，血管が豊富な組織学的特徴を反映し，DWI で低信号を示すなど，組織構築の理解を判断するうえで有用な情報が得られる[6]．

iv）T2*WI，SWI での低信号

T2*WI は感度よく出血を低信号として検出し（図 17-4-16G），脳表ヘモジデリン沈着症の診断にも有用である（図 17-4-20D）[7]．SWI は T2*WI より鋭敏に石灰化や微小出血を検出し，静脈系も低信号として描出する[8]．

反磁性の石灰化（磁化率 < 0）と常磁性の出血性変化（磁化率 > 0）は磁性が異なり，位相差画像（phase shift image）では白・黒として識別できる[9]．

v）double inversion recovery（DIR）法

白質と脳脊髄液の信号を抑制し，多発性硬化症などの皮質病変を高信号病変として感度よく検出する[10]．

vi）MR 脳槽撮像（MR cisternography：MRC）

CISS 法（図 17-4-18H），three-dimensional fast asymmetric spin-echo（FASE）法，true FISP（FIESTA）法，balanced fast-field-echo（bFFE）法など heavily T2WI による 3D-MRC で，スライス厚 1 mm 以下の薄いスライスで脳脊髄液と脳・脳神経のコントラストの良好な画像が得られる．脳槽内を走行する脳神経や脳血管の描出にすぐれる．顔面痙攣・三叉神経痛・舌咽神経痛での血管による脳神経の圧排，前庭神経鞘腫・類表皮嚢腫の診断，神経鞘腫・髄膜腫などの脳実質外腫瘍と脳神経の評価に有用である（図 17-4-18H）[11]．

d. MR angiography（MRA）

TOF 法 3D-MRA は，造影剤を用いずに脳動脈血流（注意：脳血管ではない）を描出でき，脳血管障害などのスクリーニングに用いられる．局所磁場の不均一性やアーチファクトにより血流信号が失われ，閉塞や狭窄様所見に類似することがあり，元画像での確認が必要である．正常な左側静脈洞の一部が描出されることもある[12]．Gd 造影後 TOF 法 3D-MRA では静脈系も描出される．

e. 灌流 MRI（perfusion MRI）

Gd 造影剤を用いる方法と，造影剤を用いず脳血管内血液の磁化状態を内因性トレーサーとして利用する ASL 法がある．Gd 造影剤を用いる perfusion MRI には T1 短縮効果を利用した dynamic contrast enhanced（DCE）法と，T2* 短縮効果による dynamic susceptibility contrast-enhanced（DSC）法がある[13]．

脳血流の定量的評価には SPECT や PET が用いられるが，perfusion MRI は，MRI 撮像時に追加・応用可能である．

f. 拡散情報に基づく神経路の描出

拡散情報を反映した three-dimensional anisotropy contrast（3DAC）法[14]や，拡散テンソル解析（diffusion tensor imaging：DTI）による tractography で錐体路などの神経路描出・表示が可能で，病変と錐体路などの解剖学的関係を視覚的に把握できる．DTI で多用される deterministic/probabilistic tractography algorithm は，脳幹と大脳皮質間の運動・感覚野を結ぶ錐体路などを過小評価する．より正確な神経路表示には constrained spherical deconvolution 法などが必要である[15]．

g. MR spectroscopy（MRS）

脳の代謝情報が得られる MRS で対象となる核種には ^{13}C，^{19}F，^{23}Na，^{31}P もあるが，現在臨床応用されるのは水素原子核（プロトン ^{1}H）である．撮像には stimulated echo acquisition mode（STEAM）法や point resolved spectroscopy sequence（PRESS）法がおもに用いられる．測定対象となるおもな代謝物は，神経のマーカーである N-アセチルアスパラギン酸（NAA），エネルギー代謝を反映するクレアチン（Cr），細胞膜合成の指標になるコリン（Cho），グリアの指標になる

myo-イノシトール(mI),脳(皮質)代謝を反映するグルタミン酸/グルタミン(Glu + Gln:Glx)で,酸素欠乏や虚血状態では乳酸(Lac)や脂質(Lip)などが出現・上昇する.voxel を設定した領域の代謝物のパターンや Cho/Cr, Cho/NAA などの比を指標とし(図 17-4-21A, B),あるいは LCModel を用いて定量的に評価する.multi-voxel 法による spectroscopic imaging(MRSI)・chemical shift imaging(CSI)(図 17-4-21C)では病変や周囲の脳代謝物分布が評価できる[14](Barker ら,2006).

h. functional MRI(fMRI)

運動,感覚,言語などに関する課題(task)による脳の賦活で生じる $T2^*$ 信号変化(動脈血流増加による静脈血減少を反映)をとらえ,脳機能局在部位を検出する[14].

(4)脳・脊髄血管撮影(cerebral/spinal angiography)

経皮的にカテーテルを目的とする動脈に挿入し,造影剤を注入しながら血管撮影装置で連続的に撮影する.digital subtraction angiography(DSA)は,造影剤到達後の画像データから造影剤到達前のデータを差分し,血管系を選択的に描出する(図 17-4-16K, L).動脈相~静脈相の時間的要素を含めた脳血管系の詳細な評価ができ,回転 DSA では三次元表示が可能である(図 17-4-16M).

血管撮影の手法を治療に応用する interventional radiology(IVR)/血管内治療(endovascular therapy)には,急性期脳血管閉塞に対する血栓回収術や局所血栓溶解療法,狭窄病変に対する血管形成術・ステント留置術,脳動脈瘤,脳動静脈奇形や多血性脳腫瘍に対して行われるコイルなどによる血管内塞栓術などがある.

治療手技の高度化,難易度の高い治療に伴い,X線透視時間の延長や撮影回数が増加する.透視・撮影範囲に含まれる水晶体(頸部・脊髄血管造影では甲状腺,生殖腺)や頭皮,皮膚などに対する被曝への配慮が必要である.

回転 flat panel detector 搭載型バイプレーン血管撮影装置では,CT 様の画像を再構成できる.脳と血管系の同時表示が可能で,専用の解析用ソフトウエアを用いることで,CBV map image を作成できる[16].

(5)核医学検査—single photon emission computed tomography(SPECT),positron emission tomography(PET)

放射性医薬品を用い,脳血流などの脳循環動態,脳エネルギー代謝(酸素,糖,アミノ酸など),神経伝達機能(ドパミン,ベンゾジアゼピンなど),β-アミロイドなどの沈着物質検出,脳脊髄液動態などの機能的情報が得られる.脳血管障害の外科的治療適応の判断,てんかん焦点の同定,認知症の診断・鑑別診断,脳脊髄液漏出症の診断などで行われる.

SPECT 用核種で多く用いられる ^{99m}Tc, ^{123}I の主要γ線エネルギーはそれぞれ 140 keV, 159 keV, 半減期は 6 時間,13 時間である.γ線を 360°に放出し,コリメータを装備した検出器を用いる(供給されている脳 SPECT 用製剤を◉表 17-4-A に示す).^{99m}Tc は病院で購入した ^{99}Mo-^{99m}Tc ジェネレータから抽出・標識でき,救急対応も可能である.

PET 用核種は ^{11}C, ^{15}O, ^{18}F がおもに用いられる.

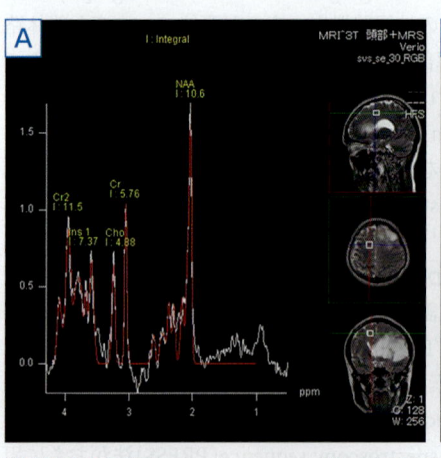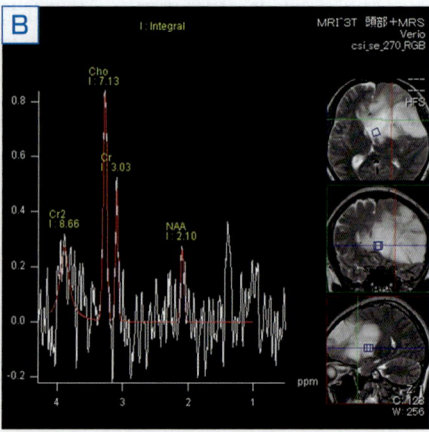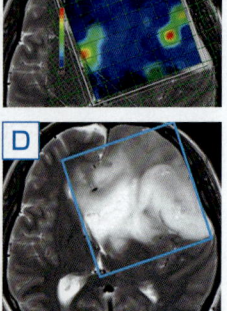

図 17-4-21 MR spectroscopy, MRS(退形成性乏突起膠腫(WHO grade Ⅲ))
A:正常右前頭葉部 single voxel MRS (TE 30 msec), B:左前頭葉腫瘍部 MRS (TE 30 msec), C:spectroscopic imaging (MRSI) (TE 270 msec), D:MRI T2WI.
正常右前頭葉部の single voxel MRS(A)では NAA のピークが高く,Cho のピークは Cr より低い.腫瘍部(C;内側の赤色部分)の MRS(B)では NAA ピークが低下,Cr より Cho のピークが上昇し,WHO grade Ⅲ 相当である.MRSI(C)では腫瘍の内側部と外側部に赤色で Cho/Cr の高い(悪性度の高い)領域が表示される.

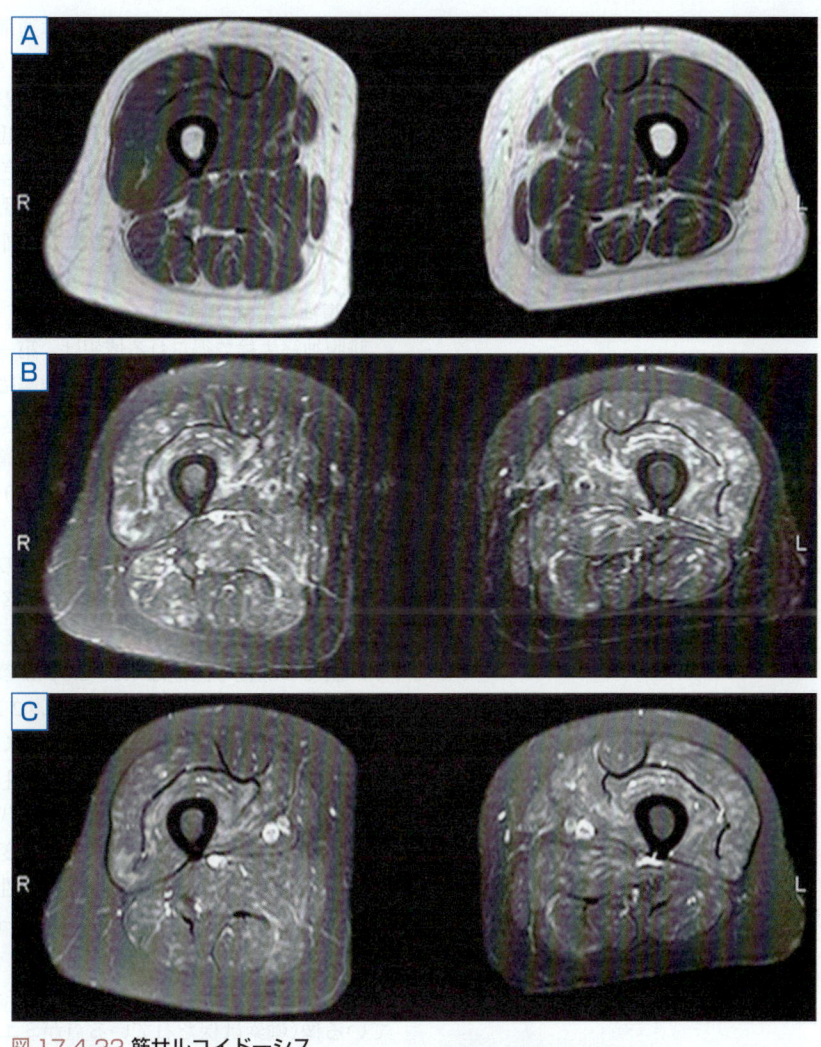

図 17-4-22 筋サルコイドーシス
A：MRI T1WI，B：脂肪抑制法併用 T2WI，C：Gd 造影後脂肪抑制 T1WI．
MRI T1WI（A）では不明瞭な筋内の小結節状病変が，脂肪抑制法併用 T2WI（B）で多数の高信号として認められる．一部の病変は Gd 造影にて増強効果を示す（C）．

半減期は ^{15}O 2 分，^{11}C 20 分，^{18}F 110 分である．180°方向に同時に放出されたエネルギー 511 keV の γ 線を，リング状に配置にされた検出器で検出する．PET 用製剤は施設内の小型サイクロトロンで製造するが，^{18}F-fluorodeoxyglucose（^{18}F-FDG）はメーカー供給がある．糖代謝 PET 検査は，血糖値 < 200 mg/dL で行う．現在 ^{18}F-FDG による認知症の保険診療は認められていない．

^{123}I-metaiodobenzylguanidine（^{123}I-MIBG）心筋シンチグラフィは，Lewy 小体型認知症とほかの認知症の鑑別に有用である[17]．しかし心筋集積（心筋/上縦隔比，H/M 比）低下は家族性アミロイドーシスによるニューロパチーや多系統萎縮症でも認められ，心筋交感神経機能は心不全，心筋梗塞や心筋症，薬剤などに影響される[17]．

核医学検査では 1 回の検査で数 mSv 程度の被曝になる．核医学検査を受けた患者の尿・便や使用したオムツの処理に留意する[18]．

(6) 脊髄造影（ミエログラフィ）

脊髄造影では，腰椎穿刺などで脊髄造影用造影剤を脊髄くも膜下腔に注入し，体位を変えて目的部位に造影剤を移動させ撮影する（図 17-4-20G）．脊髄造影を CT で撮影するのが，CT 脊髄造影（CT myelography）で，脊髄造影後に撮影されることが多い．MDCT では矢状断・冠状断像など必要に合わせた再構成画像を作成できる（図 17-4-20E，F）．

脊髄造影の手技として腰椎穿刺などが必要で，脊髄造影用非イオン性ヨード造影剤を使用する．それぞれの適応と禁忌に留意する（⒠コラム 1）．

脊髄くも膜下腔の評価はMRIででき，脊髄の観察も可能である．脂肪抑制併用T2WIによるMR myelographyなどでは，ブロックなどで脊髄造影では描出困難な部位の評価も可能で，脊髄造影が必要とされることは少ない．脳脊髄液漏出症の診断で行われることもあるが，脊髄造影やCT脊髄造影は治療や手術を前提に実施される．

CT脊髄造影では，植え込み型ペースメーカ・除細動器が撮影範囲内にある場合，誤作動する可能性に注意する．

(7) 骨格筋疾患の画像診断

筋萎縮の分布や程度の評価に骨格筋CT・MRIが用いられる．筋サルコイドーシスなどの炎症性筋疾患の診断にはMRIが有用である．脂肪抑制法を併用すると筋の浮腫性変化やGd増強効果を把握しやすい（図17-4-22）．生検部位の選択，治療効果判定に用いられる．　　　　　　　　　　　　　　〔岡本浩一郎〕

■文献（e文献17-4-3）

Barker PB, Lin DDM: In vivo proton MR spectroscopy of the human brain. *Prog Nucl Magn Reson Spectrosc*. 2006; 49: 99-128.

Bonneville F, Cattin F, et al: T1 signal hyperintensity in the sellar region: spectrum of findings. *RadioGraphics*. 2006; 26: 93-113.

Stuckey SL, Goh TD, et al: Hyperintensity in the subarachnoid space on FLAIR MRI. *AJR*. 2007; 189: 913-21.

4）生検
biopsy

(1) 末梢神経生検（nerve biopsy）

末梢神経生検には一般的に腓腹神経（sural nerve）が選ばれる．腓腹神経は第4，5腰髄および第1，2仙髄後根神経節に細胞体をもつ第一次感覚ニューロンと，交感神経節後ニューロンの軸索からなり，坐骨神経・総腓骨神経から分岐して下腿背面から外踝後方をまわり，足背外側へと至る皮神経である．腓腹神経が選択される理由は，①感覚神経と交感神経節後線維が主成分であり，切除後に運動麻痺をきたさないこと，②下肢遠位部に存在するため，各種ニューロパチーで侵されやすい（つまり所見が出やすい）こと，③解剖学的破格が少ないこと，④感覚神経伝導検査との対比ができること，⑤過去の症例の蓄積があり，比較対照が容易であること，の5点に集約される．

外踝後方で外踝上縁より約2横指上方，アキレス腱との中間の部位に縦方向に3～4cmの切開を加えて採取する．生検の詳細については他書に譲るが，同一の切開創から短腓骨筋の生検も可能である．切離し

た腓腹神経の標本作製にあたっては通常のパラフィン包埋だけでは不十分で，エポン包埋標本（光顕用のトルイジンブルー染色と電顕用超薄切片の両方が作製できる）とときほぐし標本の2種類は最低でもつくる必要がある．特に，トルイジンブルー染色を施したエポン包埋切片は美しい髄鞘染色となり，現在では末梢神経を光顕的に観察するにあたっての国際的標準である．

a. 腓腹神経生検所見

腓腹神経生検で得られる情報は，第一次感覚ニューロンおよび交感神経節後神経の遠位端に近い部分での軸索および髄鞘の変化であることを常に念頭におく．腓腹神経の有髄線維成分は大部分が感覚線維であり，健常成人では有髄線維密度はほぼ6000～1万/mm^{2}の間にある．直径分布ヒストグラムでは大径線維（直径7～12μm）・小径線維（直径1～4μm）の二峰性分布を示す．無髄線維成分は感覚線維と交感神経節後線維（割合は7：3程度といわれる）によって構成されており，個々の線維の直径は0.1～2.0μmの間にある．健常成人では無髄線維密度はだいたい2万～4万/mm^{2}の間にあることが多く，直径分布ヒストグラムでは0.8～1.2μm近辺にピークをもつ一峰性分布を示す．

軸索変性と脱髄がニューロパチーの代表的な病的過程である（図17-4-23）．急性の軸索変性であればミエリン球（myelin ovoid）の多発が，慢性の軸索変性であれば有髄線維密度の減少が前景に立った変化として観察される．急性の脱髄では髄鞘を有しない軸索（naked axon）やミエリンをマクロファージが貪食している像（軸索は保たれている点がミエリン球と異なる）が，慢性反復性の脱髄では髄鞘の菲薄な線維やオニオンバルブ（onion bulb）形成が，それぞれ主体となる病的変化である．慢性炎症性脱髄性多発根神経炎（chronic inflammatory demyelinating polyradiculoneuropathy：CIDP）などの炎症性ニューロパチーでは，神経内鞘への細胞浸潤がみられることがある．また，神経内鞘の浮腫が高頻度に観察され，間接的に炎症の存在を示唆する．

b. 腓腹神経生検が適応となる疾患

末梢神経生検が診断的に大きな価値を有し，常にその適応を念頭におくべきものは以下の4疾患である．

i) 血管炎に伴う虚血性ニューロパチー

各種膠原病に伴う血管炎では小動脈が病変の主座となる．この大きさの動脈は末梢神経幹にとっては終動脈であるため，炎症によって閉塞すると末梢神経の梗塞をきたし，ニューロパチーを発症する．小動脈のフィブリノイド変性や血管周囲の細胞浸潤を観察するにはパラフィン包埋のHE染色が適しており，血管炎のもう1つの重要な所見である弾性板の破綻の有無を確認する目的でvan Gieson染色などを追加する．

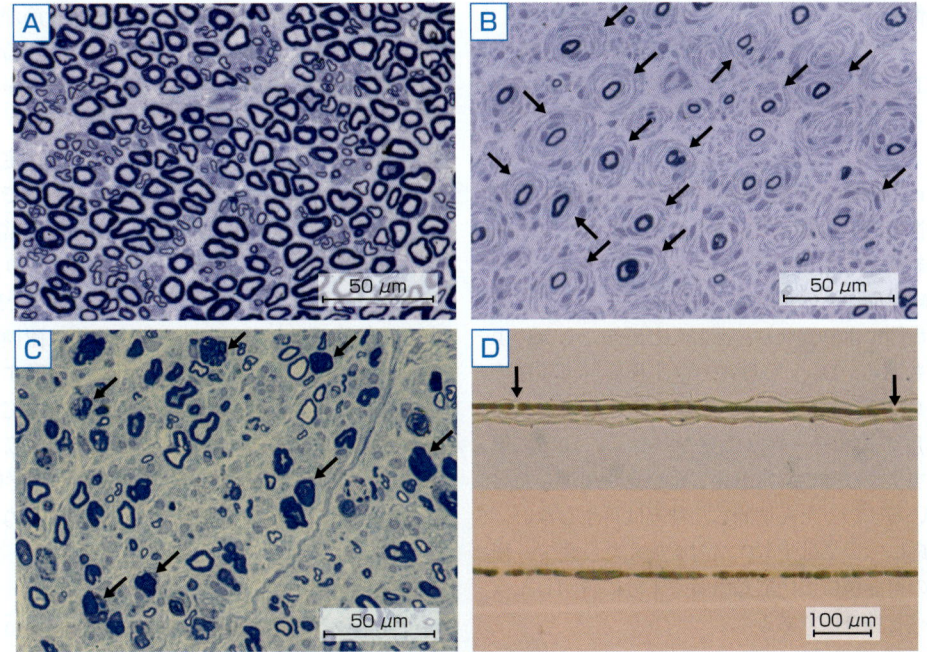

図17-4-23 末梢神経生検標本
A：正常腓腹神経．大径および小径の有髄線維が観察される．
B：Charcot-Marie-Tooth 病 1A 型．著明な onion bulb 変化が多数観察される（矢印）．
C：好酸球性肉芽腫性多発血管炎（EGPA）による虚血性ニューロパチー．正常な軸索構造を失ったミエリン球（myelin ovoid；矢印）の多発が観察される．
A〜C：エポン包埋トルイジンブルー染色．
D：ときほぐし標本．上は正常線維で，矢印は Ranvier 絞輪を示す．下は急性の軸索変性で，ミエリン球の連鎖を示す．

血管炎は検体内のすべての小動脈に一様に存在するわけではない．1枚の標本で明らかな所見が得られなかった場合は可能なかぎり多数のブロックを切って血管炎を探す必要がある．同時に採取した短腓骨筋にのみ血管炎の所見が認められることもしばしば経験する．

本症は急性ないし亜急性の軸索変性が基本的病変であるので，有髄線維は密度の減少とともに多数のミエリン球を認める．血管炎に基づくニューロパチーでは神経束ごとに，また，同一神経束内でも部位によって病変の程度に差があることが多い．これは，栄養血管の閉塞によって梗塞に陥った部位と梗塞を免れた部位の混在と考えれば理解しやすく，血管炎の存在の間接的な証拠となる重要な病理所見である．

ii）サルコイドニューロパチー（sarcoid neuropathy）
サルコイドーシスの約5％に末梢神経障害を合併するといわれているが，ニューロパチーのみが症状の場合の診断は難しい．生検で神経上膜，ときに神経内鞘内にサルコイド結節がしばしば見つかり，確定診断に寄与する．この疾患でも短腓骨筋の同時生検は有用である．

iii）アミロイドニューロパチー（amyloid neuropathy）
末梢神経障害を示すアミロイドーシスは，AL アミロイドーシスと家族性アミロイドポリニューロパチー（familial amyloid polyneuropathy：FAP）である．末梢神経幹はアミロイドの沈着しやすい部位の1つであるため本症での末梢神経生検の診断的意義はいまだに高く，コンゴーレッド染色で赤染し，偏光顕微鏡で green/orange 色の偏光を放つアミロイド物質を光顕的に認め，電顕でアミロイド細線維を確認すれば診断が確定する．同時に生検した短腓骨筋や皮膚にのみアミロイドが観察されることもしばしば経験する．小径有髄線維と無髄線維が選択的に脱落するのが大きな特徴で，これは本症で臨床的にみられる自律神経障害や温痛覚の低下と合致する病理所見といえる．

iv）Hansen 病
発展途上国ではいまだに重症ニューロパチーの重要な原因疾患である．感覚神経の障害がきわめて強く，腓腹神経内の神経線維がまったく消失してしまうような例もまれではない．神経束内にらい菌を認めることがあり，抗酸菌染色による光顕的観察と電顕的観察が必要である．

v) その他

上記の4疾患に比べると診断的な価値はやや落ちるが，CIDP，n-ヘキサン中毒によるニューロパチー，巨大軸索性ニューロパチー，遺伝性圧脆弱性ニューロパチー（hereditary neuropathy with liability to pressure palsies：HNPP），Fabry病，Krabbe病などで特異性の高い変化がみられることが多い．

c. 腓腹神経生検の合併症

腓腹神経支配領域の全感覚脱失は必発であるが，その範囲は症例により異なり，ほとんど感知できないような場合もある．Dyckら（1993）は生検施行1年後の患者について調査を行っているが，60％は無症状，30％に軽度の違和感・異常感覚が残存し，10％に患者を悩ますような強い異常感覚・錯感覚が出現したと記載している．いったん切除した神経は再生しない．生検の適応については十分に検討を加えたうえで，術後合併症の可能性についても患者に十分に説明したうえで行うべき検査法である．

(2) 筋生検（muscle biopsy）

骨格筋は全身に分布しているのでどの筋からも生検は可能であるが，一般的には筋量が豊富で体表からアプローチしやすく，また，通常生検が頻繁に行われる筋からの採取が望ましい．この点から，上腕二頭筋，三角筋，大腿直筋，外側広筋，前脛骨筋などがよく選択される．上述の神経生検時には短腓骨筋が同時に採取可能である．筋痛や筋把握痛を強く訴える場合はあわせて筋膜の採取が必要となる．生検終了後は必ず筋膜を縫合閉鎖する．

術前に十分な検討を加えて生検部位を決定する．一般的には，筋力低下や筋萎縮があまり著明でない，軽度〜中等度の罹患筋が選択される．筋力正常部位からの生検では陽性所見が得られないことがあり，一方，筋力低下・筋萎縮がきわめて著明な部位を選択すると，筋線維がほとんど脂肪や結合組織に置換され，必要な情報が得られないこともしばしば経験する．徒手筋力検査，視診，触診に加えて筋電図，筋CTからの情報が必須である．また，多発筋炎・皮膚筋炎を疑う場合は筋MRIが有用で，炎症所見が病理学的に証明される可能性が高い部位（T1高信号を伴わないT2高信号領域）を特定することが可能となる．

a. 筋生検所見

神経生検と同様，通常のホルマリン固定パラフィン標本が有用であるのは筋炎（血管炎を含む），サルコイドーシス，アミロイドーシスなど一部の疾患に限られる．凍結標本と電顕標本による観察が国際標準である．

i) 凍結標本

1) HE染色標本：最も基本的かつ重要な染色法で，診断の80％は1枚の凍結HE染色標本でつくといっ

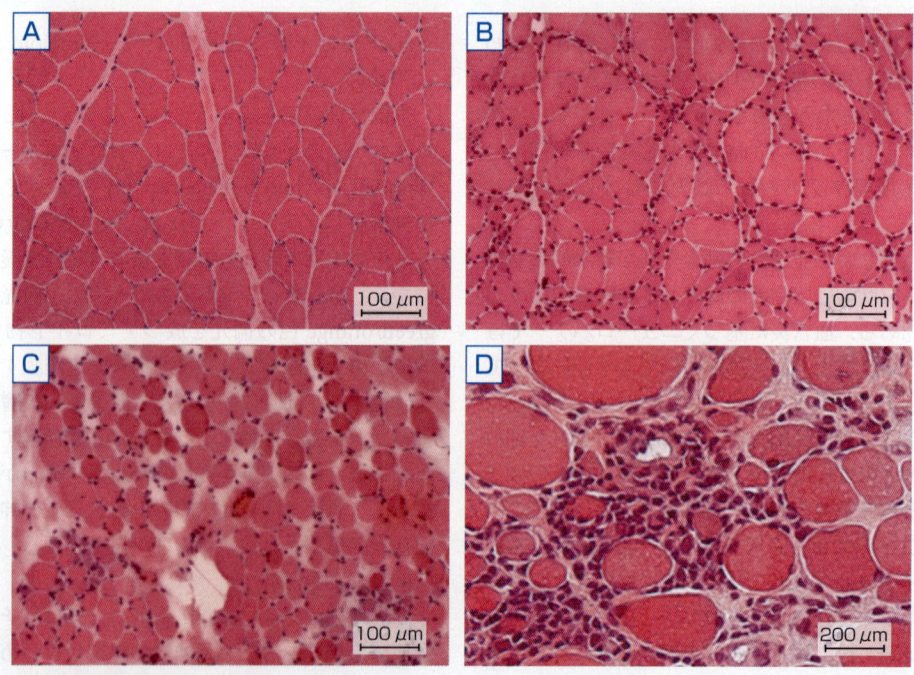

図17-4-24　筋生検凍結HE染色標本
A：正常筋組織．
B：ALS．神経原性筋萎縮の特徴である角化した線維の小群集性萎縮が多数観察される．
C：Duchenne型筋ジストロフィー．筋線維の小径化，円形化が著明である．
D：多発筋炎．小円形細胞浸潤が筋線維間に観察され，あわせて筋線維の円形化がみられる．

ても過言ではない（図17-4-24）．筋の大小不同の有無，萎縮筋の形状を観察する．一般に筋原性萎縮線維は円形を，神経原性萎縮線維は角化した形（angular fiber）をとる．神経原性の萎縮では小角化線維の集簇（じゅうぞく）が起こることが多く（grouped atrophy），筋萎縮性側索硬化症のような急速な筋萎縮では小群集萎縮が，Charcot-Marie-Tooth 病や頸椎症のようなゆっくりとした過程では大群集萎縮がみられる．筋炎では細胞浸潤のほか，筋線維の壊死（えし）再生がみられる．壊死線維はエオジンの赤色が薄くなってマクロファージによる貪食が観察され，再生線維は basophilic で核が大きく目立つという特徴を有する．筋束周辺部の筋線維の萎縮（perifascicular atrophy）は皮膚筋炎を示唆する重要な所見である．筋ジストロフィー症では筋線維の壊死再生や間質増生・脂肪化がみられ，過収縮して濃染する線維（opaque fiber）が多数観察される．サルコイド結節や血管炎の有無も HE 染色で確認できる．

2）Gomori・トリクローム変法（modified Gomori trichrome）： ミトコンドリアやリソソームなどが赤く染まるので，異常ミトコンドリアの集積するミトコンドリア病の診断に有用である．本症では赤色ぼろ線維（ragged red fiber）が多数観察される．rimmed vacuole 型遠位型ミオパチーに観察される縁どり空胞（rimmed vacuole）や，ネマリンミオパチーでみられるネマリン小体もこの染色法で観察される．

3）ミオシン ATPase 染色： 筋線維タイプの分別に用いられる．pH 10.5 前後の前処理を行ったときに染色される線維をタイプ 2 線維，染色されない線維をタイプ 1 線維という．タイプ 2 線維は白筋（速筋）に，タイプ 1 線維は赤筋（遅筋）に相当する．正常筋肉ではタイプ 1 線維・タイプ 2 線維は交互に配列している（checker-board pattern）が，長期にわたる神経原性筋萎縮では筋がどちらかのタイプにかたよって集簇し，fiber type grouping とよばれる（図 17-4-24B）．タイプ 1 線維に限局した筋萎縮（type 1 atrophy）は筋強直性ジストロフィーに比較的特異的にみられるのに対し，タイプ 2 線維に限局した筋萎縮（type 2 atrophy）は非特異的所見で，筋炎，廃用性萎縮，低栄養などで観察される．

4）免疫組織化学： 筋ジストロフィー症の診断に現在では欠くことのできないものとなっている．たとえば，Duchenne 型筋ジストロフィー，Becker 型筋ジストロフィーではジストロフィン染色で異常が認められ，前者ではジストロフィンが筋線維膜に欠損しているためまったく染色されず，後者では筋線維膜上にまだらに染色される【⇨ 17-21-3】．このほかにもジスフェルリン，カルパイン，エメリン，メロシン，α-ジストログリカンなどに対する特異抗体が市販されており，診断確定に寄与している．

5）その他： NADH-TR 染色（筋原線維内部の乱れを観察する），PAS 染色（糖質の蓄積を診断する），アセチルコリンエステラーゼ染色（神経筋接合部の形態をみる）などが汎用される染色法である．

ii）電顕標本

ほとんどの筋疾患は光顕レベルで診断可能であるが，封入体筋炎（約 10 nm の太さのフィラメント状の核内・細胞質内封入体が観察される），ネマリンミオパチー，ミトコンドリア脳筋症（異常ミトコンドリアとその内部に類結晶状封入体（paracrystalline inclusion）がみられる）をはじめとする多数の疾患で特異的な所見が観察される．

b. 筋生検の適応

遺伝性，非遺伝性を問わず広範な筋疾患が筋生検の適応となるが，末梢血からの遺伝子診断手技が確立している疾患（筋強直性ジストロフィーなど）での意義は乏しい．成人で特に重要なものは多発性筋炎・皮膚筋炎などの炎症性筋疾患とミトコンドリア病である．小児科領域を含めると膨大な種類の筋疾患が本手技の対象となる．

c. 筋生検の合併症

骨格筋は再生力に富む臓器であり，筋生検による後遺症は皆無といってよいが，筋肉採取後の圧迫止血や安静が十分でないと，局所に大きな血腫を形成することがしばしばある．筋肉の採取時や生検終了時の縫合の際に大きな血管や神経を巻き込まないようにする注意も必須である．

〔神田　隆〕

■文献

Dyck, PJ, Giannini C, et al: Pathologic alterations of nerves. Peripheral Neuropathy 3rd ed (Dyck PJ, Thomas PK, et al eds) pp514-95, Saunders, 1993.

神田　隆：医学生・研修医のための神経内科学 第 2 版，pp505-15，中外医学社，2014．

神田　隆：末梢神経疾患．神経病理カラーアトラス（朝長正徳，桶田理喜編），pp234-53，朝倉書店，1992．

埜中征哉：臨床のための筋病理 第 3 版，日本医事新報社，1999．

岡　伸幸：カラーアトラス末梢神経の病理，中外医学社，2010．

5）自律神経系の機能検査法

自律神経系は中枢，節前，節後（末梢）自律神経からなる交感神経と副交感神経に分類され，これに加えて消化管自律神経を独立した自律神経系として扱う場合がある．自律神経が調整する血圧，脈拍，発汗，瞳孔，排尿機能などを観察することで自律神経機能を評価できる．

(1) 体位変換試験(井上ら, 2012)

血圧調節機能の評価法である体位変換試験には能動的起立試験と傾斜台を用いて受動的に 60～80°の角度に傾ける head-up tilt 試験があり、起立性低血圧、神経調節性失神、体位性頻脈症候群の診断に用いられる(e図 17-4-I).

起立性低血圧は「head-up tilt 試験で 3 分以内に収縮期血圧が 20 mmHg 以上あるいは拡張期血圧が 10 mmHg 以上低下し、持続する状態」と定義され、起立直後から血圧は低下し始める(e図 17-4-I). その病態から神経原性(自律神経不全)と非神経原性に大別される. 健常者あるいは非神経原性起立性低血圧患者では起立時に交感神経終末からノルアドレナリンが分泌され、血中ノルアドレナリン濃度が上昇するが、自律神経不全患者ではこの反応が減弱している. また、交感神経節後障害では安静臥位の血中ノルアドレナリン濃度が低値となる.

神経調節性失神の代表である血管迷走神経性失神は、若い女性に多く、長時間の起立、精神的ストレス(痛み・恐怖)など交感神経活動が高まる状況で誘発され、その病態は反射性の交感神経抑制と副交感神経賦活による血圧低下と徐脈である(Bezold-Jarish 反射). 起立直後には血圧は低下せず(e図 17-4-I), 長時間(20～45分)の起立負荷が推奨される.

体位性頻脈症候群は、起立時に動悸、疲労感、立ちくらみ感などの訴えがあり、起立後 10 分以内に 30/分以上の心拍数増加を呈するが起立性低血圧を伴わない状態とされ、多くの例で起立時の心拍数は 120/分をこえる(e図 17-4-I).

(2) 心拍変動検査(林, 1999)

心拍変動の解析には心電図 R-R 間隔を用いることが多く、その解析方法は時間領域解析と周波数領域解析に大別される(e表 17-4-B). 安静臥位における時間的領域解析の指標はおもに副交感神経活動を反映し、わが国では一定数の R-R 間隔の標準偏差を平均で除した心電図 R-R 間隔変動係数(CV_{R-R})が指標として汎用されている. 周波数領域解析では一定数または一定時間の R-R 間隔をスペクトル解析し、周波数領域別の積算パワーを指標とする. 圧受容器反射による変動を含む低周波成分(0.04～0.15 Hz)はおもに交感神経活動を反映し、呼吸性変動を含む高周波成分(0.15～0.40 Hz)はおもに副交感神経活動を反映する.

(3) Valsalva 試験

Valsalva 手技は Valsalva(1666～1723)により記載された中耳内圧を増加させる「いきみ」の手技であり、この手技による胸腔内圧変化に対する心循環反応を記録して自律神経機能の評価に用いるのが Valsalva 試験である. 口腔内圧を胸腔内圧として代用し、被験者に胸腔内圧を 10 秒間 40 mmHg に維持するように指示して連続血圧を記録する(e図 17-4-J). 血圧変化からその反応は 4 相に分けられる(図 17-4-25). 第 1 相では、胸腔内圧上昇に伴う右心への一過性還流増加により心拍出量が増加し、血圧は上昇する. 血圧上昇に反応して R-R 間隔は延長する. 第 2 相前半では、胸腔内圧上昇により胸腔内に還流する静脈血が減少するため拍出量が減少し、血圧は低下する. 血圧低下に反応して R-R 間隔は短縮し、副交感神経抑制

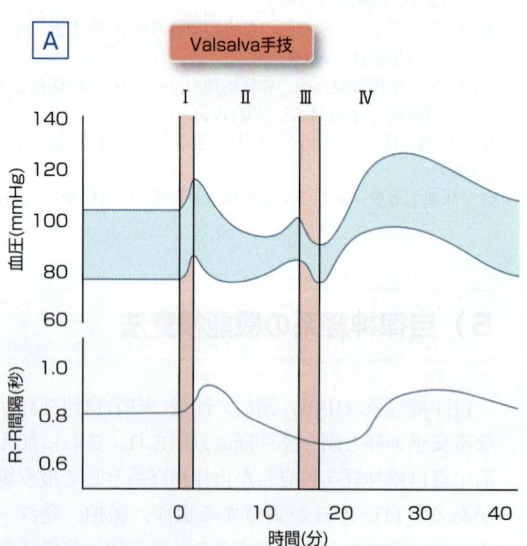
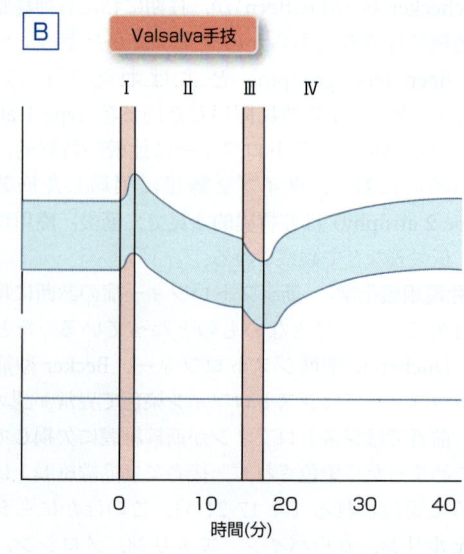

図 17-4-25 Valsalva 試験の所見の模式図
健常者(A)と自律神経不全患者(B)における Valsalva 手技による収縮期・拡張期血圧と心電図 R-R 間隔の変化. 自律神経不全患者では第 4 相で血圧が上昇せず、R-R 間隔は変動しない

と交感神経賦活により第2相後半では血圧は上昇する．第3相はいきみ終了直後の胸腔内圧低下に伴う一過性の胸腔内静脈血貯留増加によるもので，右心への還流が低下し，血圧は低下する．第4相では交感神経の賦活により血圧は上昇する．これに反応してR-R間隔は延長し，血圧は徐々に基礎値に復する．第4相の血圧上昇（overshoot）を交感神経機能の指標に用いる．

表 17-4-13 点眼試験薬による瞳孔反応と病変部位

コカイン，アドレナリン，チラミンは交感神経障害の評価に用いる．副交感神経障害の評価にはピロカルピンを用いる．1％アドレナリン，0.1％ピロカルピンは低濃度であり，健常者では反応はみられないが，慢性の節後障害があると代償性過敏を生じ，反応がみられる．

	点眼液	正常	中枢	節前	節後
交感	5％コカイン	散瞳	弱散瞳	不変	不変
	1％アドレナリン	不変	不変	弱散瞳	散瞳
	5％チラミン	散瞳	散瞳	散瞳	不変
副交感	0.1％ピロカルピン	不変	不変	弱縮瞳	縮瞳

(4) 寒冷昇圧試験

手を寒冷に曝露させると交感神経が賦活され血管が収縮し，血圧は上昇する．この昇圧反応を測定して交感神経機能を評価するのが寒冷昇圧試験である．血圧と脈拍が安定した後，被検者の一側の手を氷水に1分間浸水させる（e図 17-4-K）．頻回に血圧を測定する必要があり，非観血的連続血圧計を用いるとよい．収縮期血圧上昇が 10 mmHg 以下を反応低下と判定する．

(5) 発汗検査

発汗には，全身の有毛部にみられる温熱性発汗，手掌・足底の無毛部にみられる精神性発汗などがある．温熱性発汗試験ではヨード・デンプン反応を利用したMinor 法を用いることが多い．ヨードを混合した検査液を皮膚に塗布し，乾燥後にデンプンを薄くふりかけ，温熱負荷をかける．発汗部位は汗の水分で紫に変色する．一方，手掌・足底の皮膚電気活動は汗腺活動を反映しており，手や足の皮膚電位あるいはコンダクタンスを測定することで精神性発汗を評価できる．発汗計を用いると精神性発汗を定量的に評価することもできる．

(6) 瞳孔点眼試験

瞳孔の自律神経支配を e図 17-4-L に示す．瞳孔は交感神経（α受容体）刺激で散瞳し，副交感神経（アセチルコリン受容体）刺激で縮瞳する．点眼薬に対する瞳孔反応の評価により自律神経の病変部位を推定できる（表 17-4-13）．自律神経節後障害では効果器受容体に代償性過敏が生じ，微量の作動薬に反応する．交感神経節後障害では低濃度α作動薬で散瞳がみられ，副交感神経節後障害では低濃度コリン作動薬で縮瞳がみられる．チラミンは交感神経終末でノルアドレナリンに変換され瞳孔を散大させるが，交感神経節後障害では散瞳しない．コカインは交感神経終末へのノルアドレナリン再取込を阻害し，α受容体周囲のノルアドレナリン濃度を上昇させ，散瞳させるが，交感神経節前および節後障害では散瞳がみられず，中枢障害では散瞳が減弱する．

(7) 膀胱機能試験（服部ら，1990）

膀胱内圧測定検査は膀胱の蓄尿機能を評価するもので，内圧測定用カテーテルを尿道から膀胱内に挿入し，水を膀胱内に注入しながら圧を測定する．さらに腹腔内圧の代用として直腸圧を測定し，測定値から減じたものを膀胱内圧とする．最初に感じた尿意を初発尿意，我慢できなくなった時点を最大尿意とする．健常者では蓄尿時の膀胱内圧はほぼ一定で，初発尿意時の膀胱容量は 150〜250 mL，最大尿意時の膀胱容量は 300〜500 mL である．

尿道内圧測定検査では，先端に側孔のあるカテーテルを尿道から膀胱内に挿入し，一定速度で水を注入しながらカテーテルを引き抜きつつ尿道内圧を測定する．膀胱頸部をこえると圧は上昇し，外尿道括約筋部で最も高くなる．最高尿道閉鎖圧の正常値は 41〜82 cmH₂O である．

尿流測定検査は尿の排出機能を評価するもので，集尿器に排尿させ，重量センサーで蓄尿量の重量を測り，尿流量を算出する．排尿量が 200 mL 以上ある場合，健常者では最大尿流量は 15 mL/秒以上となる．尿の排出障害があると最大尿流量は低下する．

陰部神経支配の横紋筋である外尿道括約筋は，蓄尿時に収縮し，排尿時に弛緩する．外尿道括約筋電図でこの筋活動を評価できる．同じ陰部神経支配で刺入が容易な外肛門括約筋を代用することも多い．下位運動ニューロン障害では高振幅あるいは持続時間の長い神経原性変化がみられる． 〔朝比奈正人〕

■文献

服部孝道，安田耕作：神経因性膀胱の診断と治療 第2版，医学書院，1990．

林 博史編：心拍変動の臨床応用—生理学的意義．病態評価，予後予測 第1版，医学書院，1999．

井上 博，安部治彦，他：失神の診断・治療ガイドライン 2012年改訂版，日本循環器学会，2012. http://www.j-circ.or.jp/guideline/pdf/JCS2012_inoue_h.pdf.

17-5 血管障害

1）脳血管の支配領域と脳循環の生理

(1) 脳血管の支配領域

脳は頸動脈および椎骨動脈で灌流されている（図17-5-1）．頸動脈とその分岐は前方循環（anterior circulation），椎骨脳底動脈系は後方循環（posterior circulation）といわれる．内頸動脈は，眼動脈，後交通動脈，前脈絡叢動脈を分岐した後，中大脳動脈と前大脳動脈に分かれる（図17-5-2）．内頸動脈系は，視神経，網膜，大脳半球の前方（前頭葉，頭頂葉，側頭葉前方）を支配する．成人の15％は，後大脳動脈は内頸動脈から直接分岐する．脳動脈の走行を下面，内外側面からみたものを図17-5-3，大脳水平断での動脈支配を図17-5-4に示す（後藤ら，1992；Vinkenら，1972）．

中大脳動脈の皮質支配は，皮質の大部分を含む（島，弁蓋，前頭葉，頭頂葉，側頭葉，後頭葉を含む）．中大脳動脈は内側，外側レンズ核線条体動脈を分岐するが，これらは外包，前障，被殻，淡蒼球，尾状核頭部・体部，内包前脚・後脚の上部を支配する．

前大脳動脈の最も大きい枝はHeubner反回動脈で

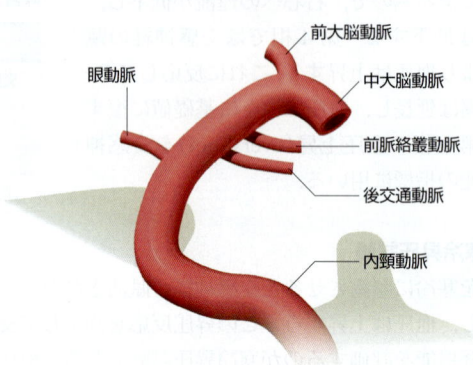

図17-5-2 左内頸動脈を側面から見た模式図

あり，そして複数の皮質枝が前頭葉の内側面，眼窩面を支配する．

椎骨動脈は鎖骨下動脈から分岐し，頭蓋内で反対側の椎骨動脈と合流する．末梢部位で前・後脊髄動脈および小脳下面を支配する後下小脳動脈が分岐する．延髄外側は，後下小脳動脈の複数の穿通枝または椎骨動脈の延髄枝で支配される．脳底動脈は左右の椎骨動脈が合流する橋延髄接合部のレベルで始まる．脳底動脈は傍正中穿通枝，短・長外側周囲穿通枝，前下小脳動脈，上小脳動脈を分枝し，2本の後大脳動脈で終わる．穿通枝は橋，中脳下部，小脳皮質腹外側面を支配する．内耳（迷路）動脈は脳底動脈または前下小脳動脈より分岐し，蝸牛，迷路，顔面神経の一部を支配する．多くの穿通枝（後内側，視床穿通，視床膝状体，視床結節）は後交通動脈および後大脳動脈より分岐し，視床下部，中脳背外側，外側膝状体，視床を支配する．後大脳動脈は側頭葉下面および後頭葉内側，下面を支配する．

(2) 脳循環の生理

脳が正常に機能するためには，酸素と主要なエネルギー代謝基質であるグルコースが血流によって常に供給されている必要がある．完全に血流が途絶すると10～12秒以内に脳機能が停止し，脳波は平坦化して2～5分で脳組織内ATPは枯渇する．脳は全体重の約2～3％の重量しかないが，心拍出量の約15％の血流を受け，全身の酸素消費量の約20％，グルコース消費量の25％を抽出している．脳にとって，安定した適切な血流供給は重要な生命線であり，種々の血流調節機構によって保護されている．

脳血流量（cerebral blood flow：CBF）の正常値は，測定法により若干異なるが，成人で全脳平均で50～

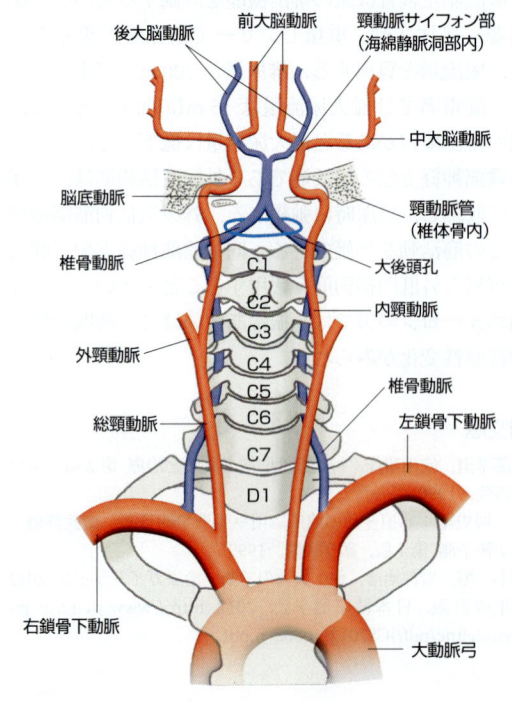

図17-5-1 脳への流入血管

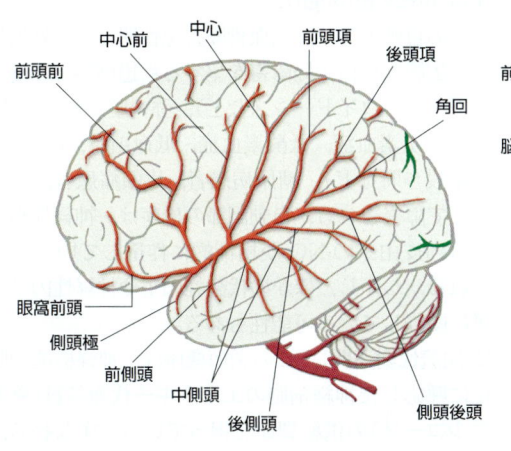
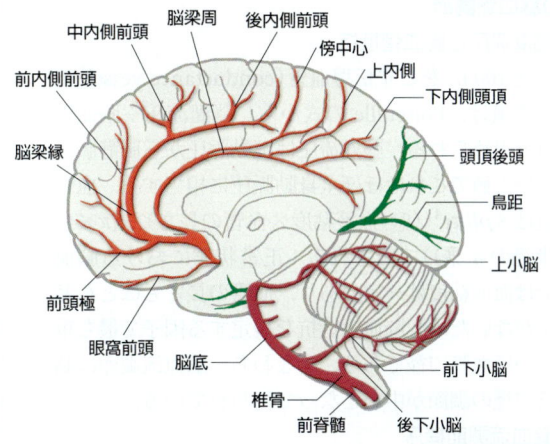

65 mL/100 g/分，大脳灰白質で 50〜80 mL/100 g/分，大脳白質で 20〜30 mL/100 g/分である．大脳灰白質血流量は白質に比し，2〜3.5 倍高い値を示す．

脳機能を評価する際に脳血流量とともに重要な脳代謝についても，脳酸素消費量と脳グルコース消費量が測定可能である．酸素消費量は，全脳平均で 3〜4 mL/100 g/分，大脳灰白質 4〜6 mL/100 g/分，大脳白質 1.5〜1.9 mL/100 g/分，グルコース消費量は全脳平均で 25〜35 μmol/100 g/分，大脳灰白質 30〜45 μmol/100 g/分，大脳白質 20〜30 μmol/100 g/分であり CBF と同様に大脳灰白質の方が大脳白質に比し 2〜4 倍高い．CBF とこれら代謝諸量の間には密接な相関があり，血流代謝関連（flow-metabolism coupling）とよばれている（田中，2000）．

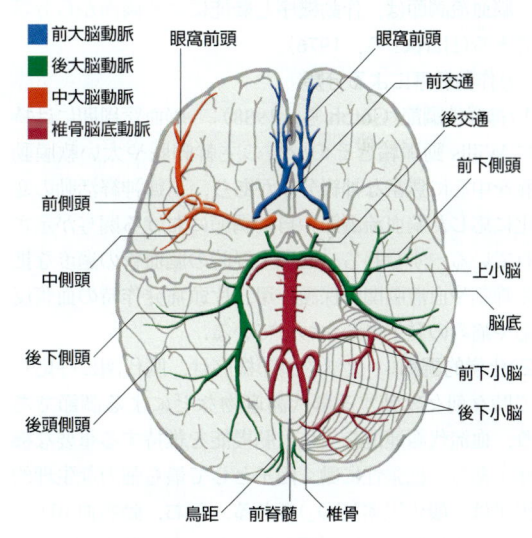

図 17-5-3 脳表動脈（後藤ら，1992）

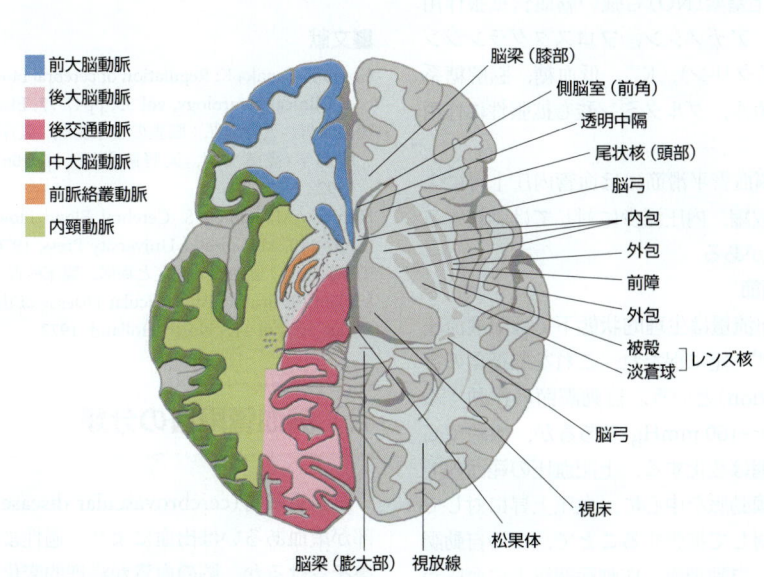

図 17-5-4 大脳の血管支配（水平断）（後藤ら，1992）

(3) 脳血管調節
a. 脳灌流圧と脳血管抵抗

直径 100 m をこす伝導血管（conductance vessel）の脳血流量は，Poiseuille の式から，脳灌流圧÷脳血管抵抗で求められる．脳灌流圧は脳動脈圧から脳静脈圧を引いた値でこれはほぼ全身動脈圧に相当する．血管抵抗は $8\rho l/\pi r^4$（（8×血液粘度×血管の長さ）÷（π×血管半径の 4 乗））で表される．正常状態における脳血管では血液粘度は一定であり，血管の長さもほとんど変化がないため，脳血管抵抗を規定する因子で最も重要なのは血管口径である．すなわち，脳血流調節は脳血管口径の調節が中心となって行われている．

b. 脳血流調節機序

脳血流調節は，作動機序と機能による両面から分類できる（Harper ら，1976）．

i) 作動機序による分類

1) 神経性調節（Gotoh ら，1988）： 脳血管周囲には特に Willis 動脈輪とその分枝の主幹動脈や太い軟膜動脈を中心に豊富な神経分布があり，自律神経活動の変化に応じた脳血流調節や自動調節における関与が示されている．すなわち，血圧上昇時の脳血管の過度な拡張抑制や血液脳関門保護作用，片頭痛発作時の血管反応や痛みの発生にかかわっている．

2) 化学的調節： 化学的調節機序は，脳代謝に呼応して時々刻々変動する脳代謝産物などによる調節であり，血流代謝連関を支え，脳機能を維持する重要な機序である．拡張性に働く因子として最も強力な生理的因子は二酸化炭素（CO_2）である．なお，動脈血 pH 自体の変化は脳血流に影響を与えないが，髄液 pH の低下は拡張性に作用する．また，P_aO_2 50 mmHg 以下の低酸素負荷も脳血流を増加させる大きな因子である．さらに，一酸化窒素（NO）も強い脳血管拡張作用を有する．その他，アデノシン，プロスタグランジン（特にプロスタサイクリン），K^+，低血糖，脳解糖系抑制，フリーラジカル，グルタミン酸も拡張性に作用する．

3) 筋原性調節： 脳血管平滑筋には血管内圧上昇による伸展に対しては収縮，内圧減少に対しては弛緩する性質（Bayliss 効果）がある．

ii) 機能による調節

1) 自動調節： 脳血流量は生理的状態下では脳灌流圧の変化にかかわらず一定に保たれ，これを脳循環の自動調節（autoregulation）という．自動調節の作動する平均動脈圧は約 50〜160 mmHg であるが，加齢や高血圧などでこの範囲は変化する．上記血圧の範囲内では，おもに太い軟膜動脈を中心に，血圧上昇に対して収縮，血圧低下に対して拡張することで，この自動調節が作動している．自動調節の作動範囲以上に血圧が上昇すると，血管が受動的に拡張し，脳血流が急上昇する（break through）．

この自動調節は，脳血管障害急性期，頭部外傷急性期，広範な自律神経障害を呈する疾患（Shy-Drager 症候群，アミロイドーシスなど），強い脳血管拡張時（高二酸化炭素血症，低酸素血症，低血糖時，Ca 拮抗薬大量投与時など），糖尿病患者，片頭痛患者，低体温などで障害される．自動調節の機序は，神経性調節と血管内皮由来の NO が相補的に作用していると考えられる．しかし，ほかの代謝性因子や神経性因子も複雑に関与している可能性もある．

2) 血流代謝連関： この調節機序は，神経機能の賦活化に呼応した神経細胞のエネルギー代謝基質（酸素とグルコース）の供給調節を担っている．すなわち，痙攣発作など，病的状態下での血流変化のみならず，生理的刺激，たとえば視覚，聴覚，痛覚などの感覚刺激や運動負荷，計算，暗唱などの大脳皮質機能の賦活刺激によって，それぞれの神経機能の中枢に相当する部位の速やかな脳血流増加（activation-dependent flow coupling）が測定されている．このカップリングもメディエータについては，代謝性調節が中心を占め，CO_2，NO，K^+，アデノシン，脳局所のグルコース濃度や ATP 濃度の減少などが考えられている．一方，中枢性コリン作動神経やグルタミン酸作動神経など脳実質内神経支配（intrinsic innervation）が局所的にカップリングに関与している可能性も考えられる．

3) 血流依存性調節： 脳局所での代謝亢進などに伴って血流量が増加する際，末梢の脳血管抵抗に呼応して近位の太い脳動脈が血流速度（shear rate）の上昇を検知して拡張する反応である．血流速度に呼応した血管内皮における NO 産生や K^+ チャネル調節などが関与しているとされる．

〔棚橋紀夫〕

■文献

Gotoh F, Tanaka K: Regulation of cerebral blood flow. Handbook of Clinical Neurology, vol 53, pp47-77, Elsevier, 1988.
後藤文男，天野隆弘：脳表の主な動脈．臨床のための神経機能解剖学（後藤文男，天野隆弘編），pp106-7，中外医学社，1992．
Harper AM, Jennett S: Cerebral Blood Flow and Metabolism, pp1-110, Manchester University Press, 1976．
田中耕太郎：脳血流の測定と病態．臨床検査．2000; 44: 163-70.
Vinken PJ, Bruyn GW: Vascular Disease of the Nervous System, Part 1, Vol 11, North-Holland, 1972．

2) 脳血管障害の分類

脳血管障害（cerebrovascular disease）とは，「脳の一部が虚血あるいは出血により一過性または持続性に障害を受けるか，脳の血管が病理的変化により一次的に侵される場合，またはこの両者が混在するすべての疾

患」と定義される．脳血管障害は，脳卒中（stroke）と同義語であり，脳梗塞，脳出血，くも膜下出血をおもに意味し，これらの総称である．この脳血管障害の分類は過去にいくつかのものが提唱されてきたが，現在では 1990 年，米国 NIH の NINDS（The National Institute of Neurological Disorders and Stroke）による脳血管障害分類（NINDS-Ⅲ，表 17-5-1）（NINDS, 1990）に沿って分類されることが多い．臨床病型は経過，機序，部位診断を含み，脳卒中の臨床診断に重要な位置を占めている．脳卒中は脳出血，くも膜下出血，動静脈奇形よりの出血，脳梗塞に病型分類される．さらに脳梗塞はアテローム血栓性脳梗塞，心原性脳塞栓症，ラクナ梗塞，その他に分類される．脳梗塞の各病型について明確な診断基準を示した TOAST 分類を示す（Adams ら，1993）（表 17-5-2）．大血管アテローム硬化は NINDS-Ⅲ のアテローム血栓性脳梗塞，心塞栓症は心原性脳塞栓症，小血管病はラクナ梗塞に該当する．大血管アテローム硬化は主幹動脈の 50％ 以上の狭窄があること，心塞栓症は塞栓源となる心疾患があることを必須としている．小血管閉塞は原因となる穿通枝の閉塞を証明することが困難であるため，ラクナ症候群と画像上の穿通枝領域の小梗塞（長径 1.5 cm 以下）の存在を診断基準としている．脳梗塞における NINDS-Ⅲ 分類と従来の病型分類との関係を表 17-5-3 に示す（藤島，1997）．

近年脳梗塞は，MRI が広く普及し，拡散強調画像による梗塞部位，MRA による血管病変が早期に把握されるようになった．さらに，24 時間心電図，心臓超音波検査などの塞栓源検索が可能となった．したがって，TOAST 分類での原因不明，複数の原因に分類される症例も増加している．また，明らかな塞栓源や主幹動脈病変がなく直径 1.5 cm をこえる穿通枝領域の梗塞（branch atheromatous disease：BAD）に該当する病変が原因不明に分類されてしまうとする問題点も指摘されている[1]．欧米では，ASCOD 分類が提唱されている[2]．脳梗塞の原因を 5 つに分け A：athro-

表 17-5-1 脳血管障害の分類（NINDS-Ⅲ）

Ⅰ．臨床的分類
  A．無症候性脳血管障害
  B．局所性脳機能障害
    1．一過性脳虚血発作
    2．脳卒中
      a．経過・病期
        1）回復期
        2）悪化期
        3）安定期
      b．脳卒中の病型
        1）脳出血
        2）くも膜下出血
        3）動静脈奇形よりの頭蓋内出血
        4）脳梗塞
          a）発症機序
            （1）血栓性
            （2）塞栓性
            （3）血行力学性
          b）臨床病型
            （1）アテローム血栓性
            （2）心原性塞栓性
            （3）ラクナ
            （4）その他
          c）閉塞血管による症候
  C．血管性認知症
  D．高血圧性脳症
Ⅱ．病理
  A．心・血管の病理的変化
  B．脳・脊髄の病理的変化
    1．梗塞
    2．出血
    3．虚血性神経細胞壊死
    4．虚血性白質障害
Ⅲ．危険因子・予防
Ⅳ．患者診察
Ⅴ．臨床検査
Ⅵ．後遺症の評価
Ⅶ．解剖

表 17-5-2 TOAST 分類に準拠した各脳梗塞病型の特徴

		AI	CE	LI	OT
臨床症状	大脳皮質や小脳の機能障害	＋	＋	−	＋/−
	ラクナ症候群	−	−	＋	＋/−
MRI/CT 画像所見	大脳皮質，小脳，脳幹，大脳皮質下の梗塞≧1.5 cm	＋	＋	−	＋/−
	大脳皮質下，脳幹の梗塞＜1.5 cm	−	−	＋/−	＋/−
その他の検査	主幹脳動脈*狭窄（≧50％），または閉塞	＋	−	−	−
	心塞栓源	−	＋	−	−
	その他の検査異常	−	−	−	＋

AI：アテローム血栓性脳梗塞，CE：心原性脳塞栓症，LI：ラクナ梗塞，OT：その他の脳梗塞．
＊：内頸動脈または椎骨脳底動脈，前中後大脳動脈主幹部（AI, MI, PI）．

表 17-5-3 脳梗塞における NINDS-Ⅲ分類と従来の病型分類との関係

NINDS 分類		従来の病型分類	
臨床病型	発症機序		
心原性脳塞栓症	塞栓性	心原性脳塞栓症	脳塞栓症
アテローム血栓性脳梗塞	塞栓性	動脈原性脳塞栓症	
	血栓性	皮質枝系脳血栓症	脳血栓症
	血行力学性		
ラクナ梗塞	細小動脈硬化	穿通枝系脳血栓症	
	微小塞栓		
	血行力学性		

表 17-5-4 閉塞脳血管と主要症状

1. 内頸動脈
   無症候から有症候まで多彩,中大脳動脈閉塞の症状,同側の視力障害
2. 中大脳動脈
   対側の運動・感覚障害,同名半盲,対側への共同偏視,意識障害,失語(優位半球),病態失認(劣位半球)
3. 前大脳動脈
   対側の運動(特に下肢)・感覚障害,離断症候群(左手の失行,失書),精神機能低下,自律神経障害
4. 椎骨脳底動脈系
   a. 椎骨動脈
      無症候または延髄外側症候群(めまい,嚥下困難,病側の小脳症状・Horner 徴候,病側顔面と対側上下肢・体幹の温痛覚の低下)
   b. 脳底動脈
      主幹部閉塞:意識障害,瞳孔不同,縮瞳,共同偏視,水平性または垂直性眼振,顔面麻痺,難聴,四肢麻痺,両側深部反射亢進
      上小脳動脈閉塞:病側の小脳失調・不随意運動・Horner 徴候,対側の顔面を含む半身の感覚障害・聴力障害
      前下小脳動脈閉塞:病側の小脳失調・顔面の温痛覚障害,難聴,末梢性顔面神経麻痺,Horner 徴候,対側の顔面を除く半身の温痛覚障害
      傍正中視床動脈:垂直注視麻痺,動眼神経麻痺,無動無言,意識障害,行動異常
   c. 後大脳動脈
      同名半盲,1/4 半盲,失読・失計算(優位半球),相貌失認・地誌的障害(劣位半球),視床症候群(対側の運動・感覚障害,疼痛,不随意運動),中脳症候群,側頭葉症候群(記憶障害)

sclerosis(動脈硬化の程度),S:small vessel disease(小血管病の有無),C:cardiac pathology(心原性要素の有無),O:other cause(その他の原因),D:dissection(脳動脈解離の有無)とし,その寄与度を3段階(1~3),および0≪可能性なし≫,9(評価困難)で評価する.この分類では,脳梗塞の症例の臨床病型の情報を詳細に表現できる.

(1)脳卒中の臨床分類(NINDS-Ⅲ)

臨床病型(clinical disorder)は無症候性(asymptomatic),局所性脳機能障害(focal brain dysfunction),血管性認知症(vascular dementia),高血圧性脳症(hypertensive encephalopathy)に分けられる.

a. 無症候性脳血管障害

神経症状あるいは網膜病変を呈さない脳血管障害で偶然に CT,MRI または剖検で発見されるものをいう.MRI T2 強調画像において辺縁が円滑な高信号病変は,病理所見上,血管周囲腔の拡大を示し,辺縁が不正な高信号病変はラクナ梗塞を示すことが多い.

b. 局所性脳機能障害

1つの血管系の灌流領域に虚血が生じることによる神経症状を示す.症状が 24 時間以内で改善すれば,一過性脳虚血発作とし,症状が持続した場合には脳梗塞という.閉塞血管による症状は表 17-5-4 に示す.

c. 血管性認知症

広範囲の脳梗塞や多発性脳梗塞などにより認知機能が障害され,認知症を呈すると考えられている.

d. 高血圧性脳症

現在では比較的稀有な疾患である.急速な血圧上昇により意識混濁や痙攣,一過性の神経学的所見の異常を呈する.拡張期血圧は 130 mmHg 以上のことが多い.髄液圧上昇,乳頭浮腫などの頭蓋内圧上昇の所見,画像上明らかな出血を認めないことなどが診断に有用である.降圧により症状は改善する.〔棚橋紀夫〕

■文献(e文献 17-5-2)

Adams HP Jr, Bendixen BH, et al: Classification of subtype of acute ischemic stroke. Definition for use in a multicenter clinicaltrial. Stroke. 1993; 24: 35-41.

Committee established by the director of the NINDS: Classification of cerebrovascular disease Ⅲ. Stroke. 1990; 21: 637-76.

藤島正敏:わが国における脳卒中の変遷と新しい分類.内科.1997; **79**: 637-40.

3)一過性脳虚血発作
transient ischemic attack:TIA

定義・概念

TIA とは,1990 年の米国国立神経疾患・脳卒中研究所による脳卒中の分類第 3 版(NINDS-Ⅲ)によれば,通常単一の脳血管灌流領域(左右頸動脈,椎骨脳底動脈領域)における局所神経症状を呈する短時間の発作で,脳虚血以外の原因が考えにくいものである.したがって,一過性脳虚血発作を診断名として用いる場合には局所脳虚血症状を認めたものに限定され,血圧低下による一過性全脳虚血を含めるべきでない.症

状は通常2～5分以内に完成し，2～15分間持続し急速に寛解することが多いが，便宜上24時間未満に後遺症を残さず回復するものをTIAとよぶ．NINDS-Ⅲ分類では，発作の持続が長いほどCT，MRIで梗塞巣が発見される可能性が高いとし，画像上の脳梗塞の有無には固執せず，その後の脳梗塞を予防するうえで重要であるとしている．

TIAは新しい定義として"局所脳虚血，脊髄虚血または網膜虚血に起因する，一過性の神経脱落症状で，急性脳梗塞の発生を伴わないもの"が2009年に米国脳卒中協会から提唱されている．症状の持続時間は問わず，画像診断による梗塞の有無を重視している（Eastonら，2009）．TIAと脳梗塞は，同一のスペクトラム上にある連続的な病態であるとの考えから，急性期のTIAと脳梗塞とを包括した急性脳血管症候群（acute cerebrovascular syndrome：ACVS）という概念も提唱されている[1]．

病因

発症機序として，微小塞栓説，血行力学説，脳血管攣縮説などが提唱されてきた．現在は，超音波ドプラ法などの検討から，その大部分はartery to arteryによる微小塞栓によるとする考えが支配的であるが，血行動態異常によるものや心原性塞栓，血液学的異常によるものなどが少なからず存在する．

1）微小塞栓説：内頸動脈起始部などに生じたアテローム硬化巣（プラーク）ではその破綻により潰瘍が形成されることが多く，血小板血栓が付着しやすい．この壁在血栓が剥離すると，微小栓子として末梢の脳内小血管を閉塞し局所神経症状を呈するが，短時間のうちに粉砕，溶解してしまうため症状が回復するものと考えられている．抗血小板療法による有意なTIA再発予防効果もこの説の大きな根拠となっている．

2）血行力学説：脳主幹動脈に狭窄あるいは閉塞病変が存在すると脳灌流圧が低下するが，通常，脳血流は側副血行路により維持され，すぐには症状は出現しない．しかし，何らかの原因で全身血圧の低下が生じたり脳循環自動調節能（autoregulation）の障害がある場合には，側副血行により灌流が維持されていた領域で容易に脳血管不全（cerebral vascular insufficiency）となり，一過性に局所症状が出現すると考えられている．特に，Willis動脈輪閉塞症（もやもや病）では両側内頸動脈終末部の閉塞により大脳前半部血流は側副血行により保たれているが，過換気時には脳血管収縮のため血流が維持できずTIAを生じると考えられる．

疫学

欧米ではアテローム血栓性脳梗塞の25～50％，心原性脳塞栓症の11～30％，ラクナ梗塞の11～14％で，TIAが先行する．TIAは，虚血性脳卒中のうち5～10％を占める．

臨床症状

症状は多彩であり，通常の脳梗塞で出現するほとんどの神経症候の要素がTIAにおいても出現しうる．TIAの主要症状を表17-5-5に示す．内頸動脈系と椎骨動脈系で症状が異なる．これらの症状のうち，構音障害および同名性半盲はいずれの系でも生じうるため注意を要する．また，一過性黒内障（amaurosis fugax）は同側内頸動脈系の症状で通常単独で生じることが多いが，わが国での頻度は欧米に比べて少ないとされる．上肢が不規則に震えるlimb shaking TIAとよばれる発作も内頸動脈系の症状として知られており，てんかん発作と区別する必要がある．内頸動脈系TIAが80％，椎骨動脈系TIAが20％といわれている．表17-5-6にNINDS-Ⅲ分類に記載された，非定型型TIA症状および非TIA症状を示す．臨床的にはあくまで脳梗塞前駆症状としてのTIAを見逃さないようにすることが必要であり断定はできないが，TIAの可能性が残る症例に関してはpossible TIAとして慎重に経過観察することが重要である．

診断

TIAは診断が遅れると脳梗塞への移行のリスクが増すため，迅速な診断・評価が必要である．

医師が発作中に居合わせることは少なく，その診断には詳しい病歴が最も重要である．診察所見では頸部雑音（bruit）は頸動脈狭窄を，網膜血管塞栓や15 mmHg以上の上腕動脈血圧の左右差は大血管病変を示唆する．24時間以内に消失する局所神経症状を呈するTIA症例の約3割が，TIA患者における頭部

表17-5-5 一過性脳虚血発作の主要症状（NINDS分類，1990）

1. **内頸動脈系**
   典型的な発作では，次の症状が単独あるいは同時に2分以内に出現する
   a. 運動障害：構音障害，半身（顔面を含まないこともある）の脱力あるいは巧緻運動障害
   b. 一眼の失明（一過性黒内障），ごくまれに同名性半盲
   c. 感覚障害：半身の感覚低下，異常感覚
   d. 失語症：優位半球側の内頸動脈系一過性脳虚血発作でみられる

2. **椎骨動脈系**
   次の症状が急激に出現する（2分以内）
   a. 運動障害：一側あるいは両側半身の脱力あるいは巧緻運動障害
   b. 感覚障害：一側あるいは両側の感覚低下，異常感覚
   c. 一側あるいは両側の同名性半盲
   d. 平衡障害，回転性めまい，複視，嚥下障害，構音障害（しかしこれらが単独で生じた場合は一過性脳虚血発作の症状とはみなさない）

表17-5-6 非定型一過性脳虚血発作，非一過性脳虚血発作症状（NINDS分類，1990）

1. 非定型一過性脳虚血発作症状
   a. 椎骨脳底動脈系の症状を伴わない意識障害
   b. 強直性および間代性痙攣
   c. 身体数力所に遷延性にマーチする症状
   d. 閃輝性暗点
2. 非一過性脳虚血発作症状
   a. 感覚障害のマーチ
   b. 回転性のめまいのみ
   c. 身体浮動感のみ
   d. 嚥下障害のみ
   e. 構音障害のみ
   f. 複視のみ
   g. 便あるいは尿失禁
   h. 意識レベルの変化に伴う視力消失
   i. 片頭痛にみられる局所神経症状
   j. 錯乱のみ
   k. 健忘のみ
   l. 転倒発作のみ

MRI DWIによる異常信号を認める[2]．TIAの持続時間とDWI陽性率との関係をみると，持続時間が6時間をこすと約50％の症例で異常信号が検出されるが，1時間以内の症例においても33.6％に異常信号が検出したとする報告もみられる（Eastonら，2009）．DWIでの異常信号は脳梗塞発症の予測因子となる[3]．

また，頸部超音波検査により頭蓋外血管病変をチェックすることが重要であるが，わが国では頭蓋内の動脈硬化性病変も比較的多いとされ，MRアンギオグラフィ（MRA）で頭蓋内血管狭窄の有無を確認することも必要である．さらに血管狭窄が判明すれば，必要に応じて血管造影を施行し，単一光子放出型CT（SPECT），Xe-CTなどによる脳血流検査，さらには24時間血圧モニタ（ABPM）による夜間降圧のチェックなどを行う．心原性TIAは約20％に認められる．心原性脳塞栓が疑われる場合には，Holter心電図，経胸壁あるいは経食道心エコー検査などを施行し，卵円孔開存の評価をすべきである．また，若年者などで特に動脈硬化危険因子がみあたらない場合には凝固系特殊検査を行う．

鑑別診断

片頭痛（定型的および片麻痺性），てんかんに留意すべきである．器質的脳病変では，脳腫瘍，慢性硬膜下血腫，血管奇形，多発性硬化症，その他に一過性全健忘，Ménière症候群，血圧低下に伴う失神（および失神前駆状態），過換気症候群，低血糖，ナルコレプシー，カタレプシー，ヒステリー，周期性四肢麻痺など，一過性単眼性症状を呈した場合には巨細胞性動脈炎・悪性高血圧症・緑内障・乳頭浮腫・眼窩および網膜の非血管性病変などがあげられる．

経過・予後

TIAは，脳梗塞の前駆症状と考えられ，約1/3が完成型脳梗塞に移行するといわれている．特に，TIAの発作後早期に最も高い．特に，発作頻度が増加してくる，いわゆるcrescendo TIAでは内頸動脈の高度狭窄によることが多く，完成型脳梗塞に移行することが多い．

TIA発症後の脳梗塞リスクを予測する尺度として$ABCD^2$スコアが用いられている．age：年齢60歳以上1点，blood pressure：高血圧（収縮期血圧＞140 mmHgまたは拡張期血圧≧90 mmHg）1点，clinical features：臨床症状；片側脱力2点，脱力を伴わない言語障害1点，duration：持続時間；≧60分2点，10～59分1点，diabetes：糖尿病1点，の合計点で評価する．TIA発症後2日以内の脳卒中リスクは，$ABCD^2$スコアが0～3点では1.0％，4～5点では4.1％，6～7点では8.1％であり，その点数が高いほど脳卒中発症リスクは高い（Johnstonら，2007）．さらに，$ABCD^2$スコアに7日以内のTIAの既往を追加した$ABCD^3$スコア，さらに同側頸動脈も50％以上の狭窄性病変の存在，急性期にDWI病変の存在を追加した$ABCD^3$-Iなどが提唱されている．

$ABCD^2$スコアが4点以上では入院が勧められる．また，心房細動や頸部動脈狭窄が認められた場合は$ABCD^2$スコアが4点未満でも脳梗塞の発症リスクが高いとする報告もあり入院治療が望ましい．

治療・予防

1) 危険因子の発見・管理： TIAの発症には動脈硬化の進展が深く関与しており，その危険因子の発見・是正が重要である．高血圧の管理，禁煙，冠疾患・不整脈・心不全・心臓弁膜症の管理，糖尿病の管理，脂質異常症の管理，節酒（アルコール30 g/日未満），適度な運動（少なくとも3～4回/週の30～60分），体重のコントロール（標準体重の120％以下）が重要である（Albersら，1999）．

2) 内科的治療：

a) 抗血小板療法：非心原性TIAでは抗血小板薬が推奨され，急性期ではアスピリン160～300 mg/日，またアスピリンとクロピドグレルの併用も推奨される．慢性期ではアスピリン75～150 mg/日，クロピドグレル75 mg/日，シロスタゾール200 mg/日が初期治療として適切である．抗血小板薬の選択が患者の危険因子，コスト，耐性，臨床的特徴に基づいて行われる．

b) 抗凝固療法：心原性塞栓によると考えられるTIAではできるだけ早期に抗凝固療法を開始する．ヘパリンは部分トロンボプタスチン（APTT）を1.5～2

倍になるように調節する．ワルファリンに移行する場合は，プロトロンビン時間 INR（international normalized ratio）が 2〜3（高齢者では 1.6〜2.6）に達するまで通常 4〜5 日の重複期間を設ける．非弁膜症性心房細動が原因と考えられる TIA では，ヘパリンを使用せずにダビガトラン，リバーロキサバン，アピキサバン，エドキサバンの経口投与を開始することも可能である．また，血行力学的機序による cresendo TIA でも低流速での凝固系亢進が関与していると考えられるため抗凝固療法の適応となる．

3）外科的治療： 狭窄率 70％以上の頸動脈病変による TIA では，頸動脈内膜剝離術（CEA）が適応となる．狭窄率 50〜69％の場合は年齢，性，併存症などを勘案し CEA を考慮する．狭窄率 50％未満では，CEA，頸動脈ステント留置術（CAS）は推奨されない．

　心臓疾患合併，高齢などの CEA ハイリスクの場合は，適切な術者による CAS を考慮する．内頸動脈閉塞および中大脳動脈閉塞，狭窄症で TIA を生じた場合は，頭蓋外-頭蓋内バイパス手術の適応を安静時脳血流，脳血管反応性検査を含め慎重に検討する必要がある．　　　〔棚橋紀夫〕

■文献（e文献 17-5-3）

Albers GW, Hart RG, et al: Supplement to the guidelines for the management of transient ischemic attacks. A statement from the Ad Hoc Committee on Guidelines for the Management of Transient Ischemic Attacks, Stroke Council, American Heart Association. Stroke. 1999; 30: 2502-11.

Easton JD, Saver JL, et al: Definition and evaluation of transient ischemic attack: a scientific statement for healthcare profrssionals from the American Heart Association/American Stroke Association Stroke Counsil; Council on Cardiovascular Surgery and Anesthesia; Council on Cardiovascular Nursing; and the Interdisciplinary Council on Peripheral Vascular Disease. Stroke. 2009; 40: 2276-93.

Johnson SC, Rothwell PM, et al: Validation and refinement of scores to predict very early stroke risk after transient ischaemic attack. Lancet. 2007; 369: 283-92.

4）脳梗塞
cerebral infarction

定義・概念

　ヒトは高度に発達した脳を駆使し，ほかの哺乳類とは一線を画す高度な生命および社会活動を行っている．そのため脳は常時大量のエネルギーを消費しながら活発な神経活動を，豊富な脳血流から供給されるブドウ糖と酸素を得て支えている．しかし，脳にはグリコーゲンなどのエネルギーの備蓄がなく，脳血管が閉塞し局所脳血流が正常の 30〜40％以下の虚血（ischemia）になるとシナプス機能障害が発生，10〜20％に至ると血流再開が短時間で得られなければ，神経細胞，次にグリア細胞の壊死，さらに血管や細胞間隙の

表 17-5-7 急性血管閉塞部位と主要症候

A. 内頸動脈系

1. 内頸動脈：意識障害，共同偏視，片麻痺，感覚障害，失語，失行・失認[*1]，Horner 徴候[*2]，黒内障[*2]，同名半盲，limb shaking

2. 前大脳動脈：下肢に強い痙性片麻痺，感覚障害，前頭葉症状（吸引反射，把握反射），精神症状（自発能低下，健忘），他人の手徴候，半球間離断症候群，道具の強迫的使用，超皮質性運動性失語

3. 中大脳動脈
 (1) 始起部：意識障害，共同偏視，上肢に強い片麻痺，失語，失行・失認[*1]
 (2) 皮質枝：
 　(2a) 前方枝：病巣側への共同偏視，失行・失認[*1]
 　(2b) 中央枝：片麻痺，運動性失語，半側空間無視・消去現象・身体病態失認・運動保持障害[*1]
 　(2c) 後方枝：同名半盲，感覚性失語，Gerstmann 症候群，着衣失行，視覚性失認[*1]
 (3) 穿通枝：上肢に強い片麻痺，感覚障害

B. 椎骨脳底動脈系

1. 後大脳動脈
 (1) 皮質枝：同名半盲，純粋失読や視覚失認，皮質盲
 (2) 深部枝：(a) 視床：意識障害，感覚鈍麻，異常感覚，不全片麻痺，不随意運動，運動失調，企図振戦，健忘性失語，偽性外転神経麻痺
 　　　　　　(b) 中脳正中：意識障害，せん妄，動眼神経麻痺[*2]，片麻痺，小脳性運動失調，振戦・不随意運動，橋性幻視

2. 脳底動脈
 (1) 主幹部：昏睡，四肢麻痺，pinpoint 瞳孔，除脳硬直，眼球運動障害
 (2) 分枝 (a) 橋上部：片麻痺，内側縦束症候群[*2]，口蓋ミオクローヌス[*2]，小脳性運動失調[*2]，斜変倚
 　　　　　(b) 橋中部：小脳失調[*2]，片麻痺，種々の感覚障害，内側縦束症候群[*2]，斜変倚
 　　　　　(c) 橋下部：片麻痺，顔面神経麻痺，病巣側への注視麻痺，触覚・深部知覚障害，小脳性運動失調[*2]，内側縦束症候群[*2]，one-and-a-half 症候群[*2]，眼振

3. 上小脳動脈：小脳性運動失調[*2]，眼振，斜変倚，温痛覚障害，病側への注視麻痺[*2]，めまい

4. 前下小脳動脈：小脳性運動失調[*2]，眼振，難聴[*2]，病側への注視麻痺[*2]，末梢性顔面神経麻痺[*2]，温痛覚障害

5. 椎骨動脈・後下小脳動脈　(1) 延髄内側：顔面を含まない片麻痺，舌の萎縮麻痺[*]
　　　　　　　　　　　　　　(2) 延髄外側：半身の解離性感覚障害（顔面と上下肢で交差することもある），小脳性運動失調[*2]，lateropulsion，Horner 症候[*2]，嚥下障害，眼振，味覚障害[*2]，めまい，しゃっくり

[*1]：病巣側に出現，記載がないものは病巣反対側に出現．
[*2]：非優位半球症状．

破壊へという段階的に非可逆的障害に至る．全身臓器のなかで虚血に対して脳，特に神経細胞は最も脆弱であり，選択的脆弱性(selective vulnerability)とよぶ．脳血管閉塞による虚血により脳組織が壊死に至る病態を脳梗塞(cerebral infarction)とよぶ．

脳梗塞の臨床像は，脳血管の狭窄や閉塞の部位，虚血部への側副血行路の発達の程度，これらによる虚血の深度と再灌流を得るまでの虚血持続時間により，梗塞巣の部位と範囲が規定され，灌流領域の脳が司る機能が障害され部位特異的な症状が動的に観察される特徴がある(表17-5-7)．

分子病態

血流低下や途絶により酸素とグルコース供給欠乏によりミトコンドリア電子伝達系における高エネルギーリン酸であるATP産生が止まる．すぐに神経細胞膜でのNa^+-K^+-ATPaseが停止，生理的なNa/Kの細胞内外のイオン勾配が維持できなくなり，神経細胞膜の脱分極状態が持続する．この異常な脱分極により平時はニューロトランスミッターのはずのグルタミン酸を主とする興奮性アミノ酸がシナプス間隙に大量放出され，そのシナプス受容体が過興奮することにより逆に毒性(glutamate toxicity)を発揮する．シナプス後神経細胞では滑面小胞体から細胞質内へカルシウムイオンが破綻的に流入する(calcium overload)．カルシウムにより活性化された種々の酵素群が，血管内皮・ミトコンドリア・細胞膜脂質を変性せしめ，同時に血管内や細胞内で産生された活性酸素や細胞死につながる遺伝子発現が複雑にかかわりながら，蛋白質・脂質・核酸等細胞構成分子を破壊する連鎖反応が誘発され，壊死(necrosis)やアポトーシス(apoptosis)のシステムを介して細胞死に至る(図17-5-5)．しかし，血流再開が早いと神経細胞は虚血から回復し，さらに耐性現象(ischemic tolerance)がさまざまな細胞内分子機序のもとに誘導され，また損傷された神経連絡部位に対して修復過程としてシナプス再生(resynaptogenesis)や神経幹細胞による再生(neurogenesis)が限定的ではあるが働き，残存健常脳組織の代償機構が賦活化され，脳梗塞後の機能回復に関与する．

病態生理・治療概念

血管閉塞急性期には，梗塞から免れない虚血中心部(ischemic core)の周辺には，周辺からの側副血行路の血流からかろうじて生きながらえている組織があり，脳血流の低下が解除されれば回復，さもなければ死に至る虚血性ペナンブラ(ischemic penumbra)がある(図17-5-6)．このペナンブラは局所脳血流量が少ないほど短時間で梗塞へと進展する(図17-5-7)．一刻も早く閉塞血栓を溶解または除去して局所脳血流を回復させ，ペナンブラ脳組織の救援により脳機能保護を目指すのがすべての病型の脳梗塞に対して共通の超急性期再灌流療法の基本治療理念である(Time is

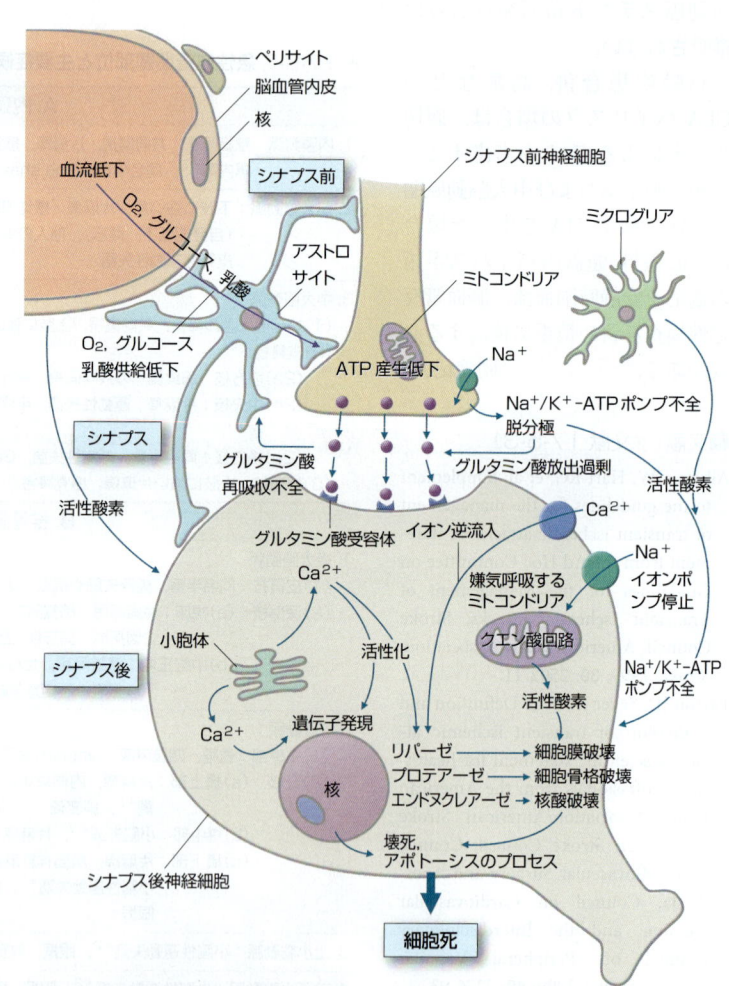

図17-5-5 虚血性神経細胞死の機序
神経細胞は，そのシナプス前部からグルタミン酸が神経伝導物質として放出され次の神経細胞に刺激を伝える情報伝達システムを用いている．虚血とは酸素とグルコース供給停止というエネルギー不全の状態であり，膜電位を維持するイオンポンプが停止し，膜イオン勾配とその機能が制御不能となってシナプス間隙へグルタミン酸が過剰に放出される．シナプス後部の神経細胞の興奮性アミノ酸受容体が過度に興奮し，細胞内カルシウム過剰負荷，同時に細胞内外の多くの部位で活性酸素が発生し，細胞成分の損傷が連鎖反応的に発生し急性壊死や遺伝子発現等を誘導しながら，アポトーシスの機序を用いて細胞死に至る．

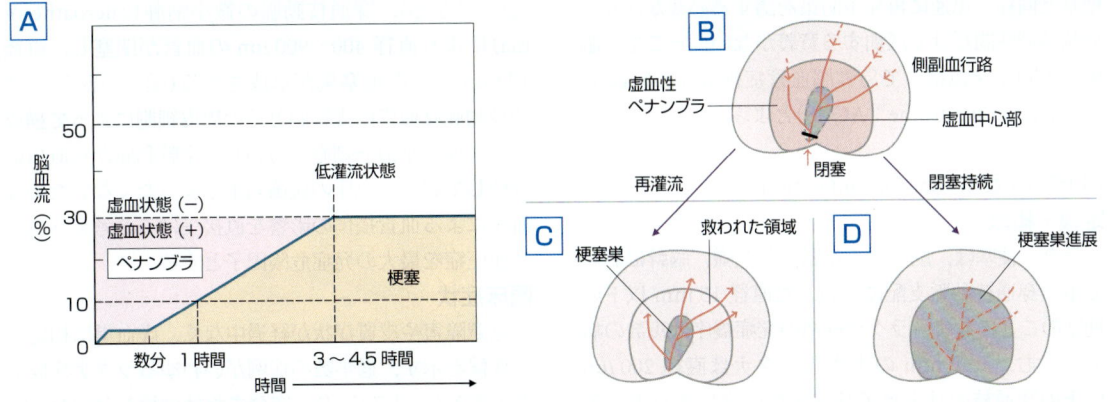

図 17-5-6 虚血中心部と虚血性ペナンブラ
脳虚血における，脳血流の低下と持続時間による組織の状態，梗塞とペナンブラを示す．脳血流が 30％低下すると約 3～4.5 時間で梗塞に進展するが，それまでは可逆的なペナンブラとなる．もし脳血流が 10％まで低下した場合 1 時間未満で梗塞に至る．虚血の重度になればなるほど梗塞に至る時間，すなわち治療可能な時間（therapeutic window）が狭いことになる(A)．脳血管が閉塞すると虚血中心部（ischemic core）は，すでに高度の虚血により急性神経細胞死や梗塞に至ることになるが(B)，不完全な閉塞や非閉塞血管からの側副血行路により中等度以下の血流低下が持続している虚血周辺部は，血管閉塞が続けば梗塞に進展するが(D)，再灌流を得られれば梗塞から免れることができる回復可能な部位があり(C)，ペナンブラ（部分日食の半陰影部のこと）とよぶ．

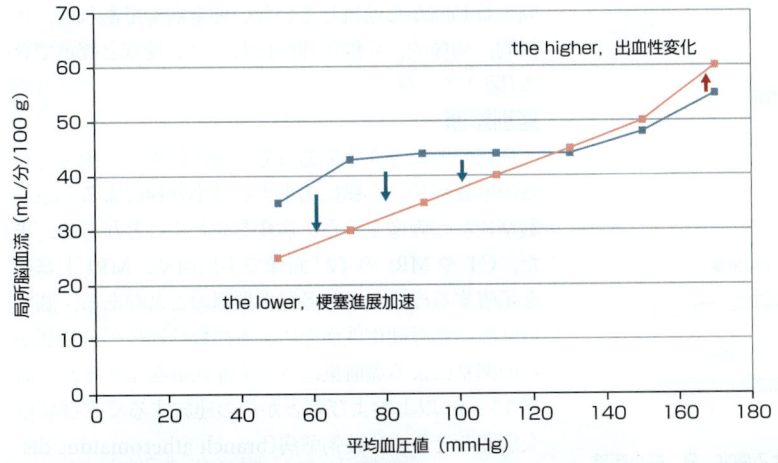

図 17-5-7 脳虚血時の脳血流自動能調整障害
正常時には血圧が変動しても脳血管は迅速に拡張したり収縮したりして対応し，脳血流が一定に維持される（青線，自動調節能，autoregulation）．脳血管閉塞や高度狭窄から脳梗塞が生じると血流維持のためのホメオスターシス機序が働き，脳血管は拡張し血流を維持しようとする．しかし，この状態で降圧を試みると脳血管はこれ以上拡張できず灌流血圧値に比例して脳血流は直線的に低下する（赤線）．降圧により虚血性ペナンブラが脳梗塞へ進展する可能性がある理由がここにある．逆に血圧が高度に上昇し，急激な再灌流により脳血管が収縮できず，過灌流（hyperperfusion）となり，脳浮腫，てんかんや脳実質内出血を生じる．虚血脳の血管は麻痺状態（vasoparalysis）のため血圧変動により脳血流の自動調節機能を維持できなくなっている．

Brain）．また，再灌流によるペナンブラ救援を得るまでの時間（therapeutic window）を稼ぐために，ペナンブラへの側副血行路の維持や，虚血性神経障害の促進因子である高体温，高血糖，アシドーシス，低酸素血症など全身状態の是正も並行して行われる．

疫学

わが国の脳卒中罹患患者数は 150 万人であり，脳卒中データバンク 2015 によると急性期脳卒中の 8 割が脳梗塞である．厚生労働省 2010（平成 22）年国民生活基礎調査によると介護が必要となった原因として脳卒中が全体の 21％と第 1 位を占める．

発生機序による分類

脳主幹動脈の粥腫，または脳穿通枝動脈の微小粥腫の血栓症を基盤として脳血管が閉塞する病態をそれぞれアテローム血栓性脳梗塞（atherothrombotic infarction），ラクナ梗塞（lacunar infarction）とよぶ．また，脳主幹動脈閉塞や高度狭窄により灌流領域の血流低下により梗塞に至るものを血行力学的脳梗塞（hemodynamic infarction）とよぶ．また心臓内に形成された血栓が遊離し，頭蓋内血管に飛来閉塞することにより生じる心原性脳塞栓症（cardiogenic embolism），このどれにもあたらないその他の脳梗塞，発症機序が複合している分類不能の脳梗塞に分類される【⇨表 17-5-1】．病型分類に合わせた治療が選択されるため，病型分類診断は必須である．神経徴候が 24 時間以内に消失すれば，画像上梗塞巣の有無を問わず一過性脳虚血発作（transient ischemic attack：TIA）と定義する．TIA は，$ABCD_2$ スコア（❷コラム 1）から 48 時間以内の脳梗塞再発リスクが高いことからその発生機序を確認して脳

梗塞と同様に迅速に再発予防策を講ずる必要があり，症状持続時間だけで区別する意義がない．そこで，脳梗塞・TIA を包括して急性脳血管症候群（acute cerebrovascular syndrome：ACVS）とよぶ．

(1) ラクナ梗塞 (lacunar infarction)
定義・概念
　ラクナ梗塞は，脳皮質下や脳深部組織，脳幹において単一穿通枝動脈支配に一致した直径 15 mm 以下の梗塞のことである．ラクナ梗塞の発症機序は複数の病態を含む．3〜7 mm の小さなラクナは直径 200 μm 以下の穿通枝のリポヒアリン変性閉塞により生じる（図 17-5-8）．穿通枝動脈の微小粥腫（microatheroma）により直径 400〜900 μm の血管が閉塞し，直径 10 mm 以上の梗塞巣が形成される（図 17-5-9）．穿通枝動脈は血管内皮細胞とその周皮細胞によって構成され，血管平滑筋細胞で覆われた主幹動脈から直角に分枝しており，血圧の緩衝効果がまったくないため高血圧による血管損傷の影響を直接受けると考えられ，高血圧症を最大の発症危険因子とする．

臨床症状
　意識障害や皮質症状が経過中なく，虚血巣に相応する症候を示す，過半数の症例がいわゆるラクナ症候群を呈する（表 17-5-8）．突発または緩徐な発症を示すが，梗塞巣が次第に拡大し錐体路にかかれば運動片麻痺が進行する．

診断
　梗塞領域を支配する頭蓋内かつ頸部の主幹動脈に狭窄や閉塞性病変がなく，大動脈弓，心臓に明らかな塞栓性病変や心房細動の合併がなく，画像上放線冠や半卵円中心，視床，基底核，橋に直径 15 mm 以下の，脳主幹動脈から連続していない梗塞病変であれば，症候的，画像的，病態生理的にもラクナ梗塞と確定できる（図 17-5-9）．

鑑別診断
　症候学的にラクナであっても内頸動脈や大動脈弓からの塞栓症や，心臓に由来する微小塞栓による心原性脳塞栓症が画像上ラクナ病変をきたすことがある．また，CT や MRI の T2* 画像で小出血や，MRI 上塞栓を示唆する皮質を含む多発性梗塞のことがある．脳主幹動脈の動脈硬化性病変による複数穿通枝の分枝部からの閉塞による虚血巣はラクナ症候群を呈するが，直径 15 mm 以上および脳表からの連続するくさび状巨大病変をきたす分枝粥腫病（branch atheromatous disease）によるものは，その他の脳梗塞と分類区別している（表 17-5-9）．若年性ラクナ梗塞の場合，家族歴

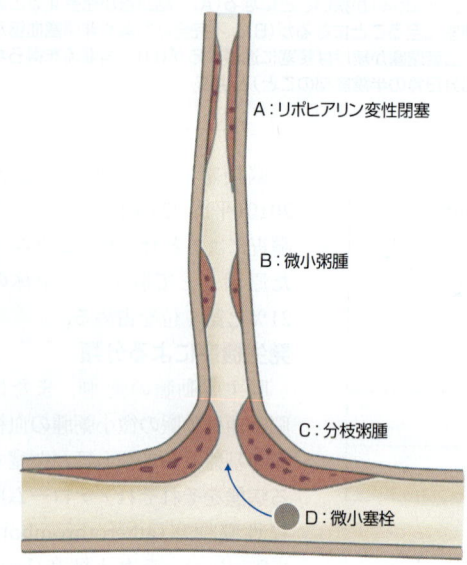

図 17-5-8　ラクナ梗塞の発生機序
A：穿通枝終末部のリポヒアリン変性による閉塞，B：微小粥腫による閉塞，C：分枝部粥腫による閉塞，D：脳血管や大動脈弓からまたは，心臓からの微小塞栓による閉塞．

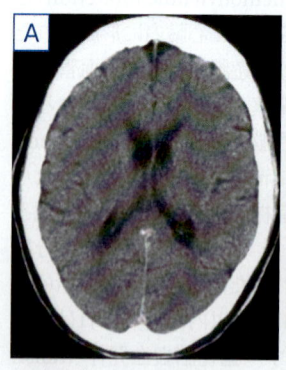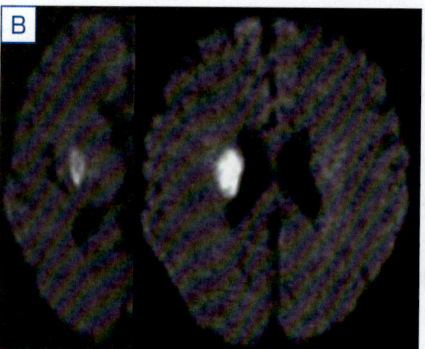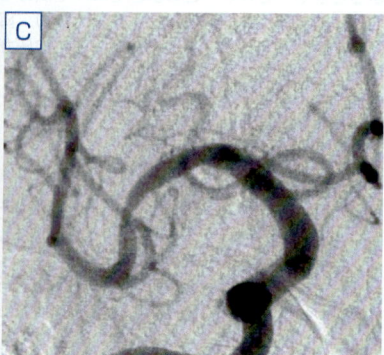

図 17-5-9　ラクナ梗塞
左顔面を含んだ上下肢の脱力を訴え，診察上軽度の純粋運動性片麻痺を示した 80 歳代女性．CT では低吸収域を検出できなかったが（A），MRI では基底核から放線冠に直径 10 mm の拡散強調画像上高信号域として梗塞を認め（B），中大脳動脈水平部には有意な狭窄病変を認めなかった（C）．

表 17-5-8 古典的ラクナ症候群

名称	症状	責任病巣
pure motor hemiplegia	顔面を含む運動性片麻痺	対側放線冠，内包後脚，橋底部
pure sensory stroke	半側の異常感覚や感覚障害	対側の視床
ataxic hemiparesis	小脳性運動失調を伴う不全片麻痺	対側放線冠，内包後脚，橋底部
dysarthria-clumsy hand syndrome	構音障害と上肢巧緻運動障害	対側放線冠，内包後脚，橋底部
sensori-motor stroke	半側の感覚障害と片麻痺	視床から内包後脚

表 17-5-9 その他の脳梗塞・まれな原因による脳梗塞

●頻度が多いもの
1. 頭蓋内および頸部脳血管解離および大動脈弓動脈解離
2. 分枝粥腫病（branch atheromatous disease）
3. 大動脈弓粥腫複合病変
4. コレステロール結晶塞栓症
5. 悪性腫瘍合併非細菌性血栓性心内膜炎・Trousseau症候群

●頻度の少ない原因による脳梗塞
1. 非炎症性血管障害：線維筋異形成，無症候性くも膜下出血後血管攣縮，妊娠高血圧症および子癇，片頭痛，可逆性脳血管攣縮症候群，放射線治療誘導性血管症，もやもや病，血管内リンパ腫，神経von Recklinghausen病，Menkes病
2. 炎症性・感染性脳血管障害：中枢神経限局性脳血管炎，側頭動脈炎，Behçet病，サルコイドーシス，川崎病，高安大動脈炎症候群，Buerger病，髄膜炎からの波及した脳血管炎，帯状疱疹・神経梅毒・結核・Lyme病・真菌症・HIV感染症に伴う脳血管炎，非合法ドラッグによる脳血管炎
3. 凝固異常：凝固制御因子欠損（プロテインS/C，アンチトロンビンⅢ，Leiden因子欠損症），経口避妊薬，悪性腫瘍，菌血症，DIC，多発性骨髄腫・Waldenströmマクログロブリン血症などによる過粘稠症候群，抗リン脂質抗体症候群，鎌状赤血球症，血栓性血小板減少性紫斑病，IgA血管炎
4. 全身疾患：結節性多発動脈炎，好酸球性多発血管炎性肉芽腫症，全身性エリテマトーデス，関節リウマチ，全身性進行性硬化症，混合結合組織病，炎症性腸疾患（潰瘍性大腸炎，Crohn病），ネフローゼ症候群，ミトコンドリア脳症，Sneddon症候群，Sweet症候群
5. 遺伝性疾患：Osler-Weber-Rendu病，肺動静脈瘻，Fabry病，CADASIL（cerebral autosomal dominant arteriopathy with subcortical infarcts and leukoencephalopathy），Marfan症候群，Ehlers-Danlos症候群，pseudoxanthoma elasticum，早老症
6. 静脈系：脳静脈血栓症，硬膜動静脈瘻，動静脈奇形

や他臓器症候を確認しFabry病やCADASILなど，まれな原因による脳梗塞も除外する（表17-5-9）．

(2) アテローム血栓性脳梗塞（atherothrombotic infarction）

定義・概念
脳表主幹動脈または頭蓋外内頸動脈や椎骨動脈の50%以上の有意狭窄または閉塞を示す動脈硬化性脳血管病変が脳梗塞の原因となっている脳梗塞である．

病理
高血圧，脂質異常症，糖尿病，肥満，喫煙などの動脈硬化の危険因子が加齢という時間的経過で積み重なり，血管内中膜に変性組織といえるプラーク・粥腫が形成される（図17-5-10）．狭窄部血栓形成，プラーク破綻と潰瘍形成，プラーク内血栓などによる急性血管閉塞などが脳虚血の発端となる．この粥腫の好発部位は血管分岐部であり（図17-5-10），高度狭窄や閉塞によりあらかじめ支配領域に低灌流があると側副血行路（Willis動脈輪における前・後交通動脈，眼動脈，経硬膜，軟膜髄膜吻合など）が活用され，不足する血流を他血管支配領域からの融通を得て虚血巣進展の抑制に働く．狭窄部での粥腫破綻（plaque rupture）による血栓形成（in situ thrombosis）からの血管閉塞による灌流領域での梗塞（図17-5-11, 17-5-12），形成血栓が灌流領域遠位へ飛来する塞栓症（artery-to-artery embolism）による遠隔部梗塞（図17-5-13），高度狭窄・閉塞があるが側副血行路による代償が破綻し灌流領域終末部での低灌流による虚血持続状態（hemodynamic ischemia）からの分水嶺梗塞（watershed infarction）という発症機序（図17-5-14）が，単独もしくは

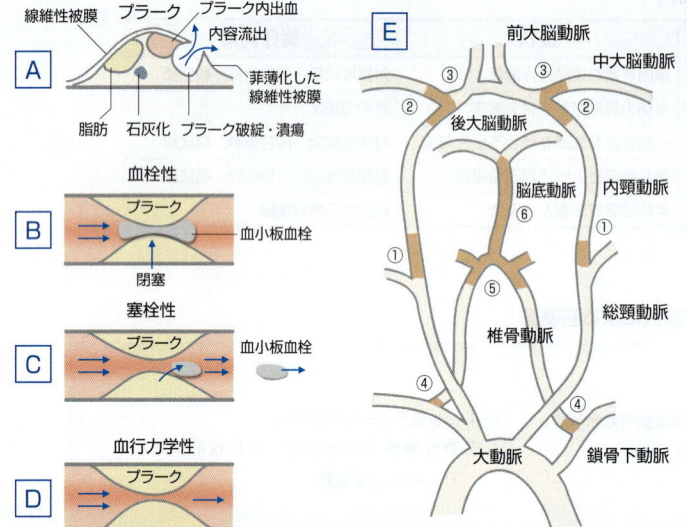

図 17-5-10 アテローム血栓性脳梗塞の病態生理
A：アテローム性プラークは線維性被膜（fibrous cap）に覆われ，酸化LDLコレステロールを取り込んだマクロファージ（泡沫細胞）が増殖因子，組織因子，プロテアーゼを分泌し，それぞれプラーク内に平滑筋細胞の増殖，プラーク表面での易血栓性，プラーク内出血や菲薄化した線維性被膜が破れプラーク内容物が血管内へ放出されるプラーク破綻（plaque rupture）を引き起こす，これらの結果急性血管閉塞が生じる．
B：狭窄を呈するアテロームがプラーク内出血や破綻などを起こし，局所の血栓形成（in situ thrombosis）による閉塞からその灌流領域の梗塞を発生する．
C：狭窄性アテロームで形成された血栓が遠位に飛来し，塞栓症による梗塞（artery-to-artery embolism）を生じる．
D：アテロームによる高度狭窄または閉塞により灌流領域が低灌流となり，中大脳動脈と前大脳動脈または後大脳動脈の分水嶺に梗塞を生じたり（hemodynamic watershed infarction），塞栓が washout されずに主幹動脈に残留し多発梗塞をきたしたりする（poor washout by hypo-perfusion）．
E：アテローム硬化の好発部位．①頸部内頸動脈始起部，②内頸動脈頭蓋内サイフォン部，③中大脳動脈始起部，④椎骨動脈始起部，⑤椎骨動脈頭蓋骨貫通部より遠位，⑥脳底動脈．

しばしば複合して発症する（図 17-5-10）．この病態生理の理解は治療戦略を練るうえで重要である．

臨床症状

運動性片麻痺，感覚障害，失調症状，眼球運動制限に加え意識障害，失語，失行・失認などの皮質症状が，突発完成，緩徐進行，または階段状に進行する．血管病変による脳梗塞にはそれぞれ特徴的な神経徴候が示される（表 17-5-7）．頸部内頸動脈狭窄症では血管雑音が聴取できることがある．動脈硬化の危険因子を有し，冠動脈・末梢動脈疾患などアテローム血栓症を合併することがしばしばある．入院後再発率・発症48時間以内の症状進行率はそれぞれ5.5%，20%とラクナ梗塞のそれ（1.6%，11%）と比較して高い（図 17-5-11）．

画像検査

CTでは発症3時間以上経過してはじめて淡い低吸収域として梗塞巣が検出できることが多い．2〜3日後に明確な低吸収域となり，2〜3週目に等吸収域（fogging effect）に復し，再び低吸収域となる．MRI検査は拡散強調画像により発症少なくとも30分以上経過すれば高信号域として梗塞巣を検出し，CTで検出できない超急性期，小病変，テント下病変の診断に力を発揮する．灌流CT，MRI灌流強調画像，脳血流SPECTにより灌流遅延や局所脳血流低下を描出することができる（図17-5-11，17-5-12）．脳血管の閉塞や狭窄の評価を頸部超音波やMRA（MR angiography），CTA（CT angiography），脳血管造影により評価し，脳梗塞の責任血管に有意狭窄（50%以上の管腔径狭窄），潰瘍形成や閉塞を確認することにより診断する（図 17-5-11〜17-5-13）．内頸動脈に

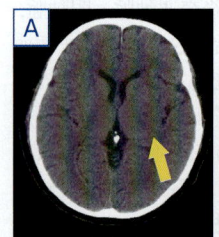 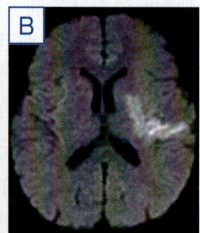 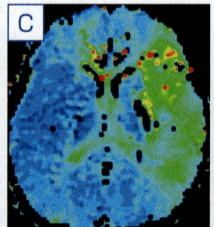 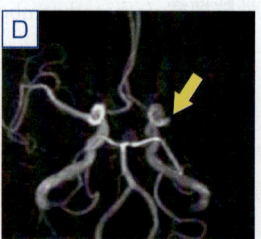 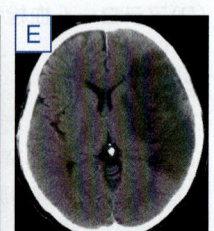

図 17-5-11 階段状症状進行型アテローム血栓性脳梗塞（progressive in situ to distal thrombosis）
起床時から進行する意識障害，右完全片麻痺と全失語を示した70歳代女性．発症4時間でのCTでは左基底核の淡い低吸収域をすでに認め（A），MRI拡散強調画像（B：diffusion MRI）では左前頭葉皮質を含む基底核の限局性梗塞だが，灌流強調画像（C：perfusion MRI）では左中大脳動脈領域全域の灌流遅延（緑から黄色部）があり，MRAでは始起部閉塞を認めた（D）．BとCの病的範囲の違い（diffusion-perfusion mismatch・diffusion-MRA mismatch）部位がペナンブラである．最適内科治療を施したが，3日後まで神経症状は階段状に進行し，中大脳動脈全域の大梗塞に至った（E）．

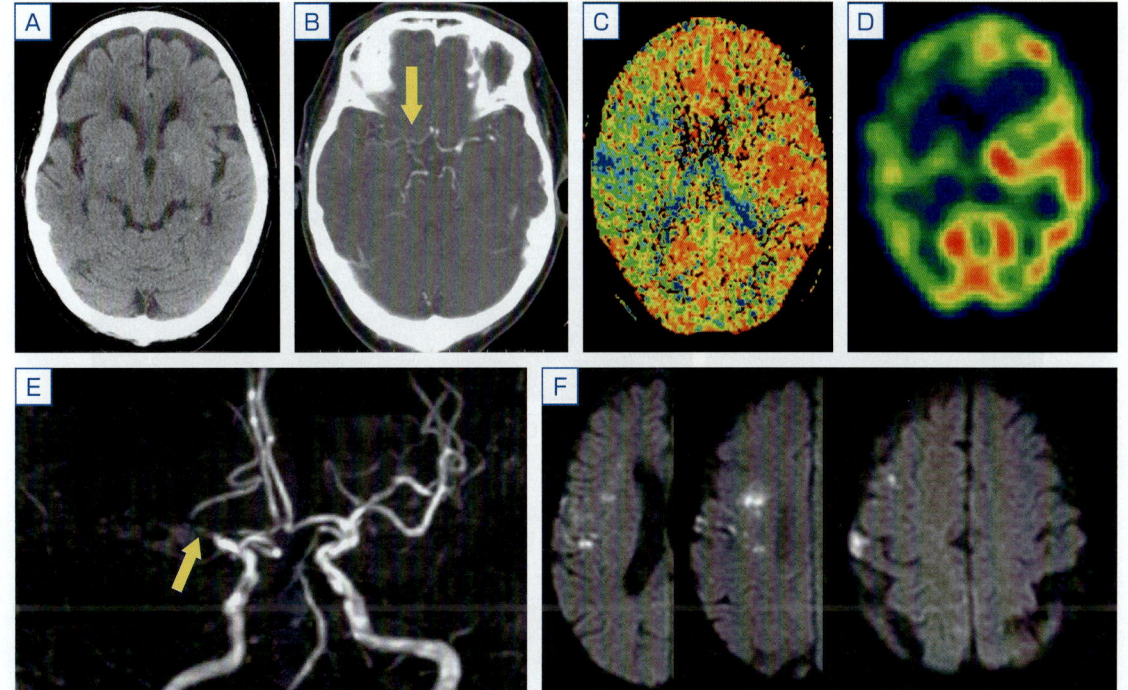

図17-5-12 アテローム血栓性脳梗塞再灌流療法成功例(*in situ* thrombosis recanalization)
意識障害,左不全片麻痺,半側空間無視・消去現象で搬送され,CT(A)で早期虚血性病変(early CT sign)陰性,造影CT(B)で右中大脳動脈始起部閉塞,灌流CT(C)で右中大脳動脈領域の低灌流が判明し,ペナンブラが広範囲に存在していると思われた.発症3時間にrt-PA治療開始,発症5時間後症状ほぼ消失した.翌日の脳血流SPECTでは中大脳動脈領域の低灌流の残存はあるが(D),MRAで中大脳動脈水平部が若干描出され(E),梗塞巣は多発散在性末梢小病変だけに終わった(F).

おける破綻しやすい不安定プラークは頸部超音波で薄い線維性被膜,低輝度高度狭窄,潰瘍形成,可動性血栓付着等で評価する(ⓔ動画17-5-A,B).またMRI black blood法でT1強調画像高信号の場合,T2強調画像が高信号プラークは脂肪豊富,低信号はプラーク内出血とプラークの質診断が可能となった.同時に経頭蓋ドプラによる狭窄部からの塞栓子HITS(high intensity transient signdls)が検出された場合,再発のリスクがさらに高く,再発予防の手術が早期に適応となる(ⓔコラム2)(図17-5-13).

鑑別診断

心原性脳塞栓症とは心房細動や塞栓性心疾患がないこと,ラクナ梗塞とは病巣の責任血管に有意狭窄(径50%以上)があり,梗塞巣が直径15 mm以上または閉塞部位からの連続性のある梗塞巣であることから,大動脈原性脳塞栓症とは,造影大動脈CTや経食道心エコーで大動脈弓複合病変がないことから鑑別できる.心臓大血管手術や血管造影後にblue toeや進行性腎不全,好酸球上昇を伴う脳梗塞は,コレステロール結晶塞栓症を疑う.頭頸部痛を伴う若年者脳梗塞やくも膜下出血を合併する脳梗塞で責任脳血管に狭窄と拡張(pearl and string sign),二重腔,内膜下血腫や内膜フラップを合併する場合は脳動脈解離を疑う(ⓔコラム3).

また,全身疾患や遺伝性疾患を合併している若年性脳梗塞や動脈硬化の危険因子を有さない症例では,まれな原因による脳梗塞で主幹動脈病変を有するものを鑑別する必要がある(表17-5-9).雷鳴様頭痛を呈し一過性多発性脳主幹動脈狭窄を認める可逆性脳血管攣縮症候群(reversible cerebral vasoconstriction syndrome)はその誘発疾患の治療により脳血管の攣縮像(beads sign,ⓔコラム4)も改善されることにより鑑別される.総頸動脈や椎骨動脈にマカロニサイン(ⓔコラム5)を示す炎症性血管病変は大動脈病変を合併する高安病や,ブドウ膜炎や粘膜アフタ病変を合併する血管Behçet病を除外する.

(3) 血行力学的梗塞(hemodynamic infarction)
定義・概念

脳血管は灌流圧による供給と脳代謝による需要に即応し拡張・収縮することにより局所脳血流を一定に保つ自動調節能(autoregulation)を有する.もし,脳主幹動脈に高度狭窄や完全閉塞があるが,その遠位の頭蓋内血管が限界まで拡張し局所脳血流をかろうじて代償維持している状態に対し,血圧の低下や脱水により脳灌流圧が低下すると局所脳血流も低下し,最も灌流圧の低い灌流終末・分水嶺領域に虚血性梗塞という破綻に至る.これを血行力学的脳梗塞とよぶ.アテロー

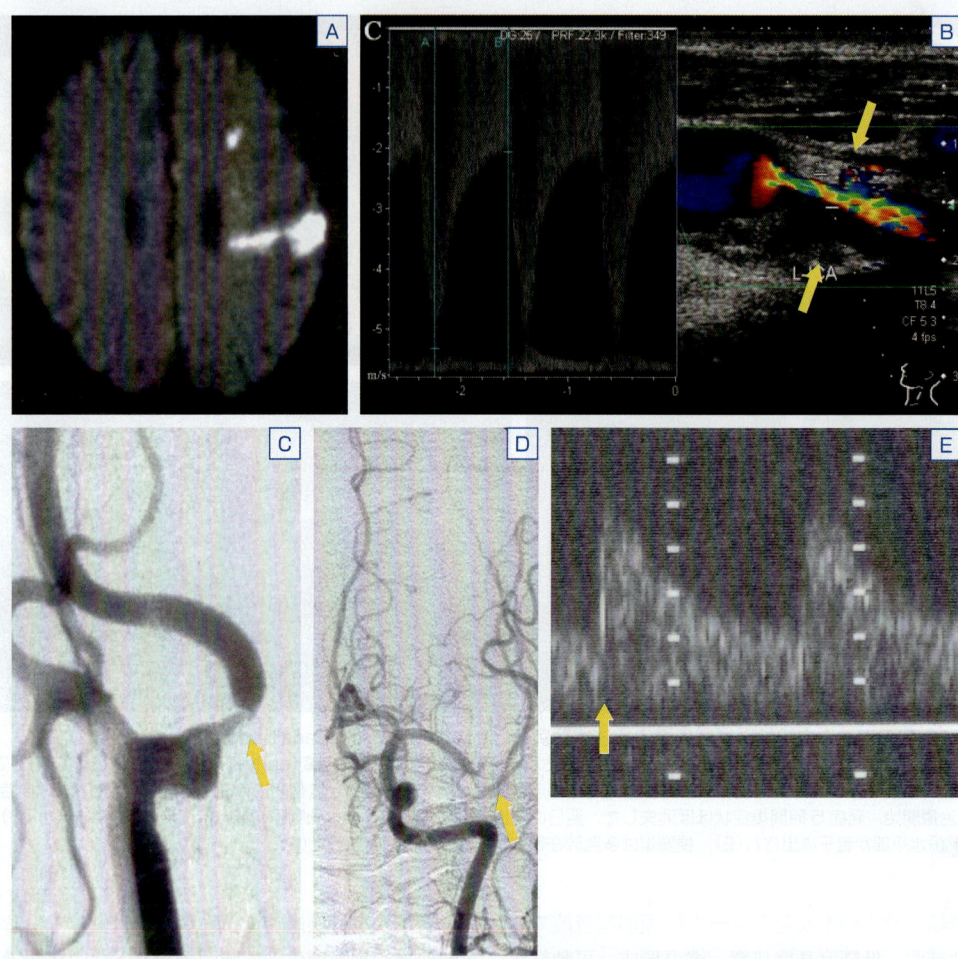

図 17-5-13 再発予防のため外科治療を必要とする内頸動脈狭窄症によるアテローム血栓性脳梗塞
右片麻痺，運動性失語を示した 60 歳代メタボリックシンドロームの男性．MRI では前頭葉に皮質を含んだ梗塞を認めた(A)．頸部超音波検査(ⓔ動画 17-5-A，B)(B)で内頸動脈始起部に直径で 80％狭窄を認め，プラークは内部一部低輝度で薄い線維性被膜で覆われ(上向き矢印)潰瘍形成を伴い(下向き矢印)，流速は 5 m/秒をこえ乱流パターン(モザイクカラー)を呈した．脳血管造影で内頸動脈始起部狭窄(C)と左中大脳動脈水平部遠位に塞栓子を認めた(D)．狭窄・潰瘍性不安定プラークからの血栓が中大脳動脈に遠位塞栓をきたしたと考えられ，経頭蓋ドプラ検査で塞栓子を high intensity transit signal(HITS)として検出した(E)．

ム血栓性脳梗塞や心原性脳塞栓症超急性期のペナンブラ領域の病態もこの血行力学的因子が強く関与し，全身血圧の低下による脳血流低下が症状動揺や進行に直結する．

臨床症状

脱水，心拍出量低下や降圧薬内服など全身血圧低下に応じて脳灌流圧が低下したときに，一過性または進行性の意識障害，言語障害，運動麻痺や，短時間の不随意かつ粗大で不規則な痙攣様ふるえ(limb shaking)を呈し，責任血管の灌流領域の虚血症状を生じる(表17-5-7)．

診断

脳灌流圧が低下したときに脳虚血症状が起き，かつ責任血管の有意狭窄や閉塞とその灌流領域の低灌流を示す(図 17-5-10)．脳 CT および MRI では，いわゆる分水嶺(中大脳動脈と前大脳動脈，または後大脳動脈との灌流境界)に帯状の梗塞巣が生じる(図 17-5-14)．低灌流のため動脈からの小塞栓子でも wash-out されず多発性分水嶺塞栓をきたすこともある．また，側副血行路からの逆行血流が優位になると主幹動脈内に血栓が停滞し，ここからの血栓化進展による広範囲の脳血管閉塞に至ることもありうる．

急性期ペナンブラの範囲に関しては超急性期血行再建術の適応の判断をするうえで重要である．MRI における拡散強調画像高信号域が血管支配領域の一部にしか認められないのに，①灌流強調画像における平均灌流時間(mean transit time)遅延が広範囲である乖離(diffusion/perfusion mismatch)，② MRA での基幹部の動脈閉塞の灌流領域との乖離(diffusion/MRA mismatch)，③重篤な臨床症状との乖離(diffusion/

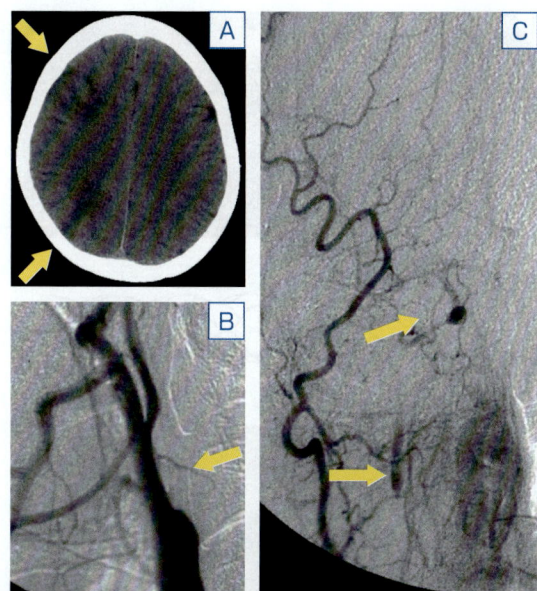
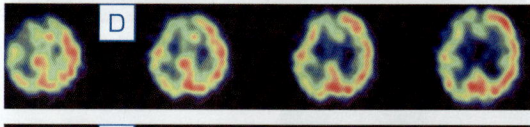
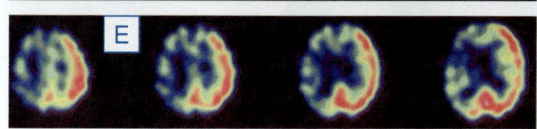

図 17-5-14 血行再建術を考慮する内頸動脈閉塞症による血行力学的脳梗塞
60歳代高血圧女性患者．視覚の左消去現象を認めた．CTで分水嶺に梗塞（A 矢印），脳血管造影で内頸動脈始起部閉塞（B），側副血行路によりサイフォン部から順行性に造影（C），脳血流 SPECT で安静時右内頸動脈領域の血流低下（D）とアセタゾラミド負荷により同部位の血流減少を認めた（E）．

表 17-5-10 心原性脳塞栓症の原疾患

血栓の形成部位	おもな心疾患
1. 左心房・左心耳	非弁膜症性心房細動（持続性および一過性ともに），弁膜症性心房細動，僧帽弁狭窄症，洞不全症候群，左心房粘液腫，ペースメーカ（VVI モード）
2. 左心室	急性心筋梗塞，心室瘤，拡張型心筋症および肥大型心筋症拡張相，ペースメーカ，結節性硬化症による心臓横紋筋腫
3. 弁	人工弁（特に機械弁），弁膜疾患（僧帽弁逸脱症，僧帽弁輪石灰化症，石灰化大動脈弁硬化症）・乳頭線維弾性腫，感染性心内膜炎（疣腫），非細菌性血栓性心内膜炎（悪性腫瘍に伴う心内膜炎，Libman-Sacks 心内膜炎や抗リン脂質抗体症候群に伴う心内膜血栓）
4. 静脈（奇異性脳塞栓症）	卵円孔開存，心房中隔欠損症，心室中隔欠損症，肺動静脈瘻

clinical mismatch）を呈することにより評価できる（図 17-5-11，17-5-12）．発症 3 週間以降経過した亜急性期での血行再建を念頭においたペナンブラ評価においては，脳血流定量 SPECT 検査で，灌流領域の安静時脳血流が正常値の 80％以下，血管拡張作用のあるアセタゾラミドを負荷しても血流増加が 10％以下，または減少（脳内盗血症候群）所見という診断基準を用いる（図 17-5-14）．また，ポジトロン CT では，同部位の局所脳血流の低下と酸素摂取率の上昇（貧困灌流状態，misery perfusion とよぶ）で診断する．

(4) 心原性脳塞栓症（cardiogenic embolism）

定義・概念
心臓内に形成された血栓が遊離し脳血管に飛来閉塞させる塞栓症を主として，心疾患を原因とする脳梗塞である．

臨床症状
突発完成型の様式を呈し，側副血行路の発達を待たずに脳主幹動脈を閉塞させるため臨床症状は重症であることが多く，また早期または遅発的に自然再灌流をきたし脳浮腫や梗塞内出血性変化（hemorrhagic transformation）や血腫形成による症状悪化を伴うことがある．閉塞血管部位に相応した脳虚血症状が生じ，片麻痺，小脳失調，視野欠損とともに，皮質症状として意識障害，失語・失行・失認症を呈することが多い（表 17-5-7）．また，急性期症候性再発率は高く，2 週間以内に 5％とされる．心房細動による脈不整や僧帽弁狭窄症による心雑音を認めたり，四肢末梢動脈や上腸間膜動脈などへ全身多発性塞栓症の症状を認めることがある．奇異性脳塞栓症を疑う長時間安静後腹圧がかかる動作での発症の場合，下肢深部静脈栓症による下腿腫脹や疼痛，肺塞栓症による呼吸苦や過呼吸症状，チアノーゼを伴うことがある．

病因
高齢者における非弁膜症性心房細動における左房または左心耳内血栓（e動画 17-5-C），僧帽弁狭窄症や広範囲急性心筋梗塞・心室瘤，拡張型心筋症や肥大型心筋症拡張期における左心室内血栓，血栓化機械弁，静脈系血栓の卵円孔開存や肺動脈静脈瘻を介した奇異性脳塞栓症，感染性心内膜炎による疣腫塞栓，心臓腫瘍として左房粘液腫の腫瘍塞栓症が原因となる（表 17-5-10）．

画像検査
心電図 12 誘導により虚血性心疾患，持続性心房細動の有無を診断する．洞調律の場合でも画像上や症候的に塞栓症を疑う場合，24 時間 Holter 心電図などの長時間心電図モニターにより一過性心房細動を検出する．経胸壁心エコー検査を迅速に行い，必要があれば経食道心エコー検査を行い，表 17-5-10 にある心疾

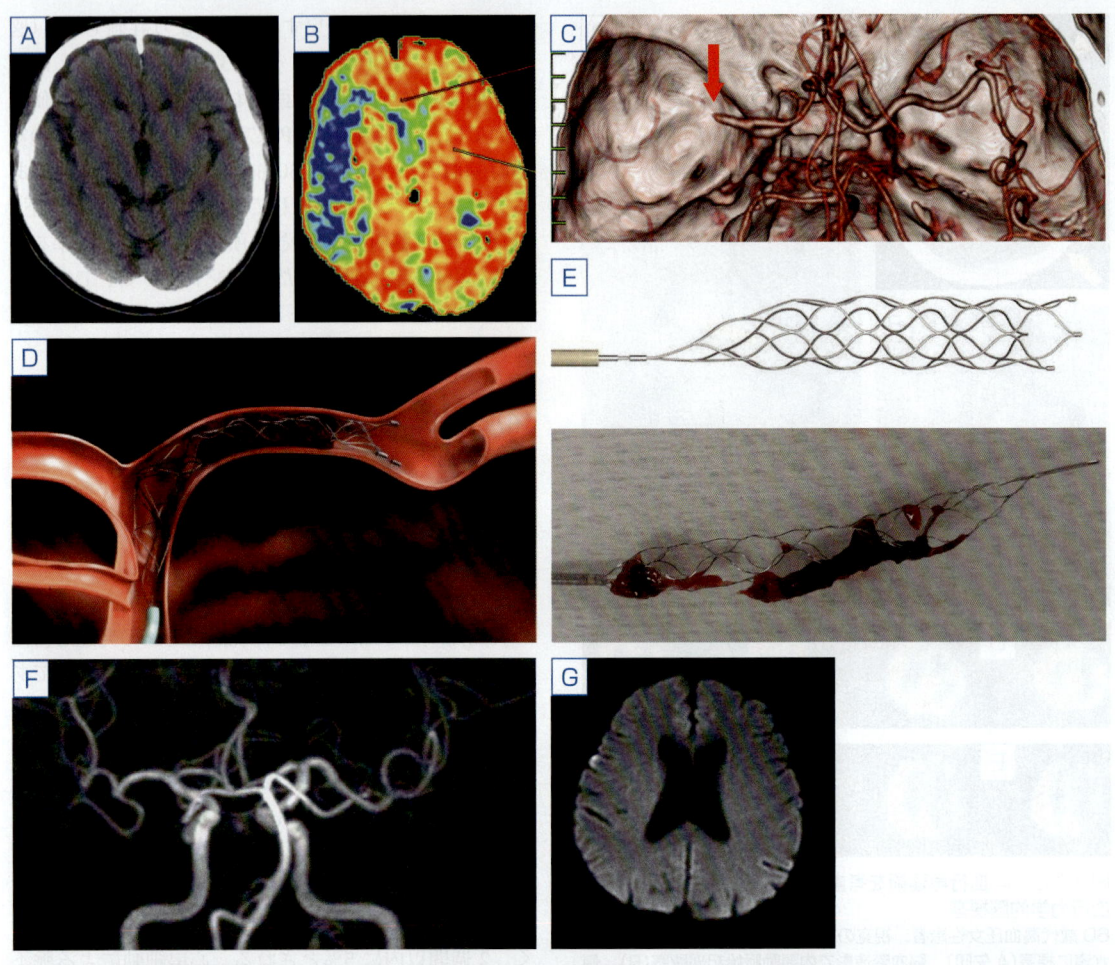

図 17-5-15 心原性脳塞栓症(rt-PA と血管内治療のハイブリッド治療例)
半昏睡，右への共同偏視，左弛緩性完全麻痺を呈した 70 歳代男性，発症 2 時間半で搬送の非弁膜症性心房細動合併 70 歳代男性，頭部 CT では早期虚血サインを認めなかった(A)が，右前頭葉広範囲灌流遅延(B)，右中大脳動脈起始部閉塞(C)を認めた．適応基準を満たし，発症 3 時間 10 分で rt-PA 開始したが，投与終了時点で症状進行し，閉塞血管の再灌流を得ることは困難と判断し，迅速に血管内治療へ進めた．緊急血管造影により中大脳動脈起始部より 2 mm の部位での動脈閉塞症と診断，ステント型リトリーバーシステム(D)である Trevo®(E)によるステントによる再開通およびその後血栓除去により発症 4 時間 45 分で完全再灌流(F)およびペナンブラ救援によると思われる症状劇的改善(G)を得た．

患を検索する．CT では重症例では発症 1 時間以上でも早期虚血サイン(early ischemic CT sign)が検出できることが多い．2～3 日後に明確な低吸収域となり，2～3 週目に等吸収域(fogging effect)に復し，再び低吸収域となる．MRI 検査は拡散強調画像により発症少なくとも 30～180 分以上経過すれば高信号域として皮質を含んだまたは多発する病変を検出する(図 17-5-15，17-5-16)．頸部超音波により内頸動脈起始部での塞栓子を oscillating thrombus として検出できることがある．MRA，CTA，脳血管造影により血管閉塞部位を診断する．脳塞栓による血管閉塞は，側副血行路が乏しく，また自然再灌流を観察することができる．また，出血性変化や血腫形成，脳浮腫・脳ヘルニアをきたすことが発症 1 日以降にしばしば検出され，神経学的悪化も同時に観察される．

鑑別診断

単一脳血管灌流領域における皮質梗塞の場合，責任血管に動脈硬化性病変がない，また自然再灌流を得やすいことからアテローム血栓性脳梗塞と鑑別する．また，複数脳血管灌流領域にわたる多発梗塞の場合，その他の脳梗塞として，大動脈原性脳塞栓症，悪性腫瘍に伴う脳塞栓症，抗リン脂質抗体症候群や血液凝固異常(アンチトロンビンⅢ，プロテイン S/C 欠損)に伴う脳塞栓症と鑑別する必要がある．また，塞栓性心疾患や心房細動と，責任血管に有意狭窄が合併する場合，分類不能の脳梗塞と診断する(表 17-5-9)．塞栓源不明脳塞栓症(embolic stroke of undetermined source)は臨床の現場でしばしば遭遇するが，長時間モニタリングによる心房細動の検出，卵円孔開存や心房中隔欠損症，肺動静脈瘻，大動脈弓粥腫複合病変の

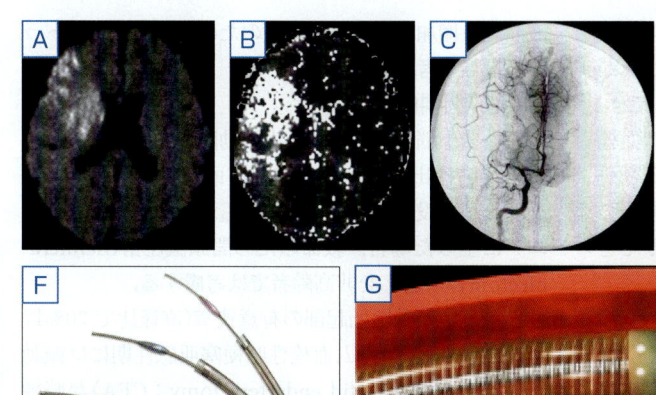
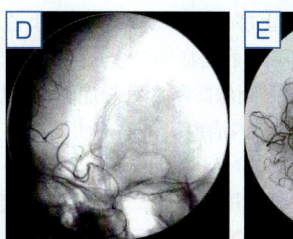
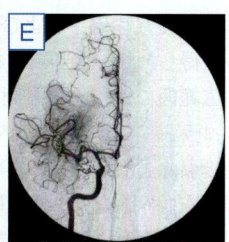
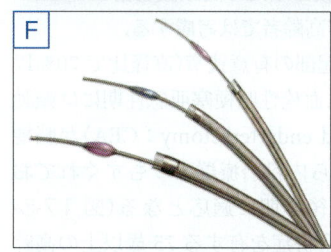
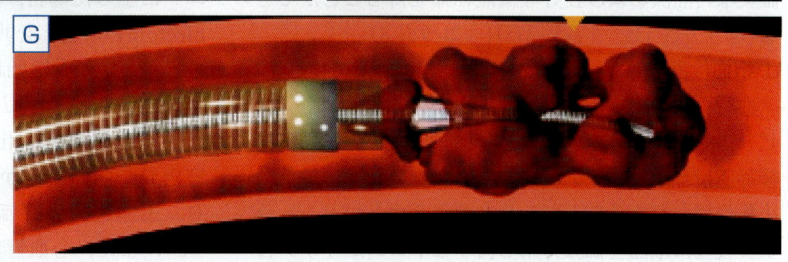

図 17-5-16 **心原性脳塞栓症**(血管内治療例)
大動脈弓部・大動脈弁置換術後ワルファリン内服中の抜歯後(PT-INR 1.5)の 50 歳代 Marfan 症候群の男性，前日に左前頭葉に塞栓性梗塞をきたし入院となっていた．病室内で突然の左片麻痺，半側空間無視，意識障害を認め，発症 40 分後の MRI 検査では右前頭葉前方に皮質を含んだ拡散強調画像高信号域を認め(A)さらに灌流強調画像では右中大脳動脈全域に高度の造影遅延を認めた(B)．広範囲の diffusion-perfusion mismatch すなわちペナンブラが存在すると判断したが，脳梗塞発症翌日かつヘパリン治療による APTT 値 45 秒ごえから rt-PA 禁忌症例となり，迅速に血管造影を行い，右中大脳動脈起始部から 7～12 mm にかけて閉塞を認め(C)，ペナンブラエースシステムのガイドワイヤーおよびセパレーターを血栓遠位へ誘導し(DF)，血栓を吸引し(G)，再灌流に成功した(E)(別症例の e 動画 17-5-D)．

検出に努力がされている．また，閉塞血管が再灌流した場合，脳動脈解離との鑑別が必要である．血管内悪性リンパ腫による多発性再発性脳梗塞症は soluble IL-2 受容体などの腫瘍マーカーやランダム皮膚生検で鑑別する(表 17-5-9)．

(5) 脳梗塞の急性期治療と再発予防

a. 基本治療

脳卒中を専門とする内科・外科・リハビリテーション科医師，看護師，理学療法士，薬剤師，栄養や嚥下評価のチームにより急性期脳卒中専門病棟 stroke care unit(SCU)への入院が推奨される．発症 24 時間，神経症候が安定するまでは，不要の頭部挙上を禁じベッド上安静を指示し，脱水予防と血液粘度低下のため持続輸液を行い，脳灌流圧を保つ．急性期は交感神経系が亢進し高血圧を示すが，脳血流の自動調節能が障害されているので降圧療法は局所脳血流を減じ(図 17-5-6，17-5-7)，梗塞巣拡大の危惧があるため収縮期血圧 220 mmHg をこえないかぎり行わないことが推奨される．症状の動揺がなければ，頭部挙上を順次許可する．意識障害が遷延し経口摂取が困難な場合経管栄養を開始，意識レベルが改善すれば，高頻度に合併する嚥下障害による誤嚥予防を考慮し，反復唾液嚥下や飲水テストによる嚥下評価後経口摂取を行う．下部呼吸器，尿路，胆道系などの感染症による発熱に対する診断と適正な抗菌薬投与，脂質異常症に対するスタチンによる不安定プラーク治療や糖尿病に対するインスリンなどによるシックデイ管理を行う．

b. 超急性期経静脈的 rt-PA 血栓溶解療法

発症 4.5 時間以内に治療が開始できる超急性期に対しては，脳梗塞の病型にかかわらず rt-PA(recombinant tissue plasminogen activator)・アルテプラーゼ 0.6 mg/kg の経静脈的全身投与治療の適応となる．投与基準(e 表 17-5-A)を満たし，CT 上早期虚血徴候(early ischemic CT sign；レンズ核構造の不鮮明化，島皮質の消失，皮髄境界の不鮮明化)が ASPECT スコア上 7 以上であり，出血性病変がなければ 0.6 mg/kg が経静脈全身投与される(図 17-5-12，17-5-15)．rt-PA による早期再灌流療法は虚血性ペナンブラを救援し，その結果症候が軽快し軽微な後遺症で社会復帰せしめる．しかし，禁忌事項からの逸脱は，梗塞部の出血性変化・血腫による症状悪化や死亡の危険が増加する．また，発症 3 時間以上 4.5 時間以内の脳梗塞に対しての慎重投与項目の確認と治療によるリスクベネフィットを考慮する．rt-PA 投与後の高度の高血圧に対しては，180/105 mmHg 以下になるように降圧を行い，梗塞部出血性変化を予防する．投与後 15～60 分間隔で神経診察を行い，症状進行した場合，頭部 CT などで出血性変化・血腫形成や脳虚血再発を鑑別し，血腫形成の場合は治療方針を転換する必要がある(e コラム 6)．

c. 超急性期血管内治療

rt-PA の適応基準を満たさない内頸動脈や脳底動脈，中大脳動脈水平部閉塞による発症 6～8 時間未満

の脳梗塞症例，およびrt-PA単独療法による再灌流が得られないと判断された症例のうち，ペナンブラが広範囲で残存すると画像診断された症例に対して(eコラム7)，緊急血管内治療によるペナンブラ型血栓吸引除去治療(e動画17-5-D)，ステント型リトリーバー血栓除去術へ迅速に進めることにより，安全かつ確実な再灌流および良好な機能転帰を得ることができる(図17-5-15，17-5-16)(eコラム8)．

d. 抗血栓療法

血行再建適応症例以外は，抗血小板療法としてアスピリン(100〜200 mg/日)の早期投与が推奨される．経静脈投与薬としてアテローム血栓性脳梗塞には抗血小板作用も有する抗トロンビン薬アルガトロバン，ラクナ梗塞には血管拡張作用も有するトロンボキサン合成酵素阻害薬オザグレルナトリウムが血栓進展や運動性麻痺進行予防のため投与される．また，rt-PA投与終了後は24時間待機して抗血栓療法を開始する．内頸動脈狭窄症や頭蓋内動脈狭窄に対してクロピドグレルやシロスタゾールをアスピリンと併用する(dual antiplatelet therapy：DAPT)．しかし，長期投与により頭蓋内や全身の出血性合併症のリスクが高まる．心原性脳塞栓症に対して，梗塞部の出血性変化，血腫形成がないことを確認してからトロンビン阻害薬ヘパリンを開始することを考慮する．凝固因子第II，VII，IX，Xa因子産生阻害による抗凝固作用を発揮するワルファリンを血液凝固検査PT-INR(prothrombin time international normalized ratio)を適正治療域2.0〜3.0に維持できるように，また70歳以上の高齢者では出血のリスクを低減するべくINRを1.6〜2.6となるように投与量調整を行う．ワルファリンは内因系凝固因子のみならず外因系凝固因子第VII因子を抑制するため，ひとたび頭蓋内出血を起こすと拡大しやすく致命的になることがある．心房細動における脳塞栓リスク指標としてCHADS₂スコア(eコラム9)，ワルファリン治療における出血リスク指標のHAS-BLEDスコア(eコラム10)を参考にする．一方，新規経口抗凝固薬は，凝固因子第Xa因子を阻害するリバーロキサバン，アピキサバン，エドキサバン，直接トロンビンを阻害するダビガトランは内因系経路のピンポイント抑制のため，脳塞栓全身塞栓症の予防はワルファリンと比較し同等または優位にもかかわらず，また出血性合併症，特に頭蓋内血腫の発症頻度は低く押さえられており，腎機能，年齢，体重，経済性など勘案して投与することが推奨される(e図17-5-A)．

e. 脳保護薬など

活性酸素消去薬エダラボンが脳保護薬として急性期再灌流療法時に使用される．意識障害が進行し画像上中等度以上の脳浮腫があるときに浸透圧利尿薬10%グリセリンを併用する．血行力学的脳梗塞に対し，血液灌流量増加かつ粘稠度低下のため低分子デキストランの投与を考慮する．

f. 急性期外科的治療

急性期小脳梗塞および中大脳動脈領域の大梗塞による脳浮腫や出血性変化に対して頭部30°挙上，10%グリセリン投与，補液量制限にもかかわらず，脳ヘルニアに至った場合，救命のため開頭減圧術(hemicraniectomy)の適応を非高齢者では考慮する．

また，内頸動脈始起部の有意狭窄(直径比で70%以上)によるアテローム血栓性脳梗塞亜急性期には頸動脈内膜剥離術(carotid endarterectomy：CEA)が脳梗塞再発予防の観点から内科治療群よりもすぐれており，迅速な全身評価後早期に適応となる(図17-5-13)．また，心血管合併症を有する75歳以上の高齢者に対しては，さまざまな脳塞栓予防デバイス(遠位filter protectionやflow reversal法)を用いた血管内ステント治療(carotid angioplasty/stenting)が直達手術CEAの代替として選択される．内科治療抵抗性の繰り返す血行力学的脳梗塞・TIAや進行性脳梗塞に対し，SPECTにより安静時低灌流かつ予備能低下を呈した症例に限定し(図17-5-14)，浅側頭動脈と中大脳動脈閉塞遠位部位とつなぐ頭蓋外動脈頭蓋内動脈吻合術(extracranial-intracranial anastomosis)や，高度狭窄症例に対する頭蓋内血管ステント術が考慮される．

g. ニューロリハビリテーション

急性期臥床時から体位変換，良肢位保持，麻痺側関節の可動を開始し，深部静脈血栓症と肺塞栓，廃用症候群の予防を行う．発症後24時間以上，神経学的徴候の進行がないことを確認してから，起座訓練，立位訓練，平行棒間歩行訓練へと積極的にリハビリテーションを推進する．促通反復療法，CI療法(constant induced movement therapy)，ロボット補助運動療法の手技が追加される．言語や作業療法も順次追加する．さらに，急性期から回復期・維持期施設へのシームレスなリハビリテーションが地域連携パスを活用して行われている．脳血管性うつ・アパシー・認知症はリハビリテーションの阻害因子となるので，心のケアや生活支援に加え，薬物療法が追加される．また，嚥下障害に伴う栄養摂取量低下とやせ・筋肉量減少(サルコペニア)，虚弱性(フレイル)やロコモティブ症候群への対応も重要である．

h. 慢性期の再発予防

非心原性脳梗塞症に対して抗血小板療法としてアスピリン，シロスタゾール，クロピドグレルが投与される．消化管や頭蓋内出血性合併症の回避にも注意を払い，急性期に2剤併用された場合，発症2週間〜3カ月以上経過した安定期に単剤投与とする．動脈硬化の危険因子の管理が必要で，禁煙，節酒，適正体重維持

と運動励行，食生活の是正を指導する．高血圧は脳卒中の最大の発症危険因子であり，回復期の神経症状が安定した発症1～3週間時点で，緩徐な降圧を導入し，維持期には早朝を含めた24時間にわたるまた日々変動の少ない安定的な降圧を行う．目標血圧140/90 mmHg未満とし，後期高齢者や両側内頸動脈狭窄症症例では150/90 mmHg未満として，再発予防を行う．長時間作用型Ca拮抗薬，アンジオテンシン変換酵素阻害薬，アンジオテンシン受容体拮抗薬，少量の降圧利尿薬の各クラスが第一選択となる．糖尿病に対する治療ではインスリン抵抗性の改善や食後高血糖の修正かつ低血糖発作を予防した，HbA1cを7%未満とする安定的な血糖管理をインスリンや経口血糖降下薬にて行う．アテローム血栓性脳梗塞予防として合併脂質異常症すなわち高LDLコレステロール血症やLDL/HDL比の是正に対して脂質低下薬スタチンの投与やEPAの併用を行う．　　　　　　〔大槻俊輔〕

■文献
小林祥泰編：脳卒中データバンク2015，中山書店，2015．
脳卒中学会脳卒中ガイドライン委員会編：脳卒中治療ガイドライン2015，協和企画，2015．
大槻俊輔：脳血管障害．循環器病学―基礎と臨床，pp1370-412，西村書店，2010．

5）脳出血
cerebral hemorrhage

　脳出血とは脳実質内の血管の破綻により脳内に出血を生じる疾患である．脳出血の原因(表17-5-11)で最も頻度が高いものは高血圧性脳出血である．

(1)高血圧性脳出血
定義
　既往もしくは発作時に高血圧が認められ，それ以外の原因が明らかでないものをいう．
分類
　高血圧性脳出血を原発性脳出血，その他の原因によるものを続発性脳出血と分類する場合がある．
原因・病因
　脳内小動脈(50～200 μm)の血管壊死，フィブリノイド変性に起因した脳内小動脈瘤の破裂に起因する．
疫学
　脳出血の発症頻度は脳卒中全体の約15%を占め[1]，年間約3万人が脳出血で死亡している．代表的な出血部位としては，被殻(24%)，視床(36%)，皮質下(19%)，橋(11%)，小脳(6%)があげられる．
病理
　急性期では，出血中心部の凝血塊と周辺部の浮腫を

表17-5-11 脳出血のおもな分類

原発性脳出血
- 高血圧性

続発性脳出血
- アミロイドアンギオパチー
- 外傷性
- 脳動脈瘤
- 脳血管奇形
- 脳動脈解離
- Willis動脈輪閉塞症(もやもや病)
- 脳静脈洞血栓症
- 硬膜動静脈瘻
- 血管炎
- 脳腫瘍
- 血液凝固異常
  - 白血病
  - 再生不良性貧血
  - 血小板減少性紫斑病
  - 血友病
  - 肝硬変
  - 腎不全
- 薬物性
  - 抗凝固薬
  - 抗血小板薬
  - 血栓溶解薬
  - 飲酒
  - 違法薬物

脳出血の原因として最も頻度が高いものは高血圧性脳出血であり，次に頻度が多いものはアミロイドアンギオパチー，外傷である．危険因子としては高齢，飲酒習慣がある．

伴う虚血性変化を示す神経細胞とグリア細胞から構成される．
病態生理
　脳実質内に血腫が形成され，脳組織を傷害する．傷害部位に応じた局所神経脱落症状が認められる．大出血の場合や脳室へ穿破し水頭症を生じた場合には頭蓋内圧が亢進し，脳ヘルニアをきたす．脳幹部を圧迫すると意識や呼吸，血圧などの中枢を障害し，生命に危険が生じる．
臨床症状
　覚醒時に発症することが多い．突然の局所神経脱落症状によって発症し，血腫の増大に伴い，意識状態の悪化や，頭蓋内圧亢進に伴う頭痛や悪心・嘔吐が出現する(図17-5-17)．
1)被殻出血：対側の片麻痺が出現する．また半側の感覚障害を認める．一般的には片麻痺の程度が感覚障害よりも強い．
2)視床出血：対側の感覚障害と片麻痺を認める．感覚障害が片麻痺よりも強い．病変が上部脳幹に及ぶと鼻先を見つめるように両眼球が内下方へ共同偏視し，

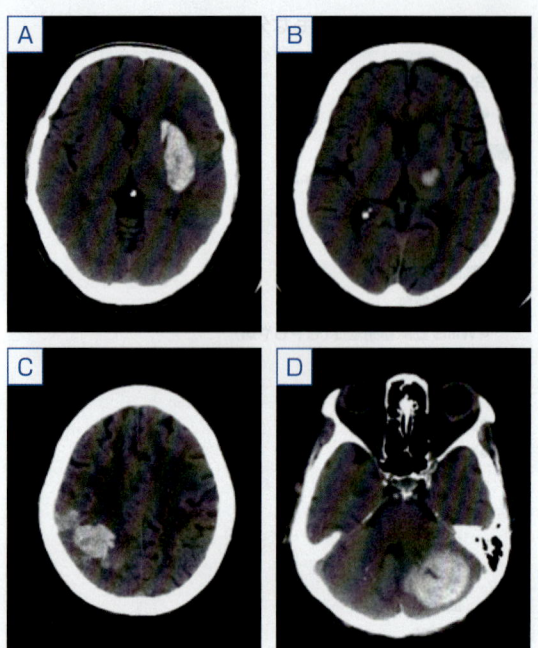

図 17-5-17 脳出血
近年，被殻出血の頻度は減少傾向にあるが，一方で視床出血の頻度は特に高齢者において増加傾向にある．

病巣側の縮瞳，対光反射消失が認められる．
3) **皮質下出血**：頭痛を伴い，発症時に痙攣発作を伴うことがある．部位により症状が異なり，後頭葉では半盲，側頭葉では優位半球の場合には失語を認める．前頭葉では対側に脱力を認める．頭頂葉の場合には半側の感覚障害を認める．
4) **橋出血**：大出血の場合，四肢麻痺を伴う深昏睡となり除脳硬直となる．対光反射は保たれたままで，瞳孔が著明に縮小した針先瞳孔（pinpoint pupil）を呈する．多くの場合，水平性眼球運動の消失を認める．過呼吸や高熱，高血圧，発汗異常が認められることがある．
5) **小脳出血**：後頭部痛，回転性めまい，嘔吐，失調性歩行を認める．血腫が増大して脳幹を圧迫し，第4脳室の圧迫や脳室穿破から水頭症をきたすと昏睡状態となる．

検査所見
　急性期の脳出血は頭部CT検査にて高信号域となる．後頭蓋窩内の病変については体動や骨によるアーチファクトにより小出血の場合には同定が困難となる場合がありMRIが有用である（eコラム1）．

診断
　臨床症状を認め，頭部CT検査にて高信号域が認められた場合には脳出血と診断される．その際に高血圧の既往などが認められた場合には高血圧性脳出血と診断される．

鑑別診断
　ほかの脳卒中とは頭部CT検査で鑑別できる．脳出血で高血圧を認めない場合，若年の場合や血腫の位置が典型的でない場合には高血圧性以外の原因を考慮する．

合併症
　脳室穿破による水頭症や脳浮腫よる脳ヘルニアをきたす．また，肺炎，痙攣，消化管出血などを合併する場合もある[2]．

経過・予後
　大出血で意識障害をきたしている場合や脳ヘルニアを呈している症例の救命は困難である．小出血は予後良好である場合が多い．部位別にみると，橋出血は死亡率50%，被殻，視床，小脳は15〜20%である．

治療・予防・リハビリテーション
　脳出血の血腫の拡大を阻止するため，高血圧の管理が必要となる．収縮期血圧を180 mmHg未満もしくは平均血圧が130 mmHg未満を維持するように管理する．頭蓋内圧亢進に対しては高張グリセロール静脈内投与を行う[3]．外科的に血腫除去を行うこともある．適応は表17-5-12を参照．

(2) アミロイドアンギオパチー
定義
　アミロイドアンギオパチー（または脳アミロイドアンギオパチー，cerebral amyloid angiopathy：CAA）とは髄膜および脳内の小〜中径動脈の血管壁にアミロイド蛋白質が沈着した状態をいう．高齢者における皮質下出血の原因として多く認められる．

分類
　沈着したアミロイド蛋白により病型分類される．孤発性と遺伝性のものがある．CAAの大部分がアミロイドβ蛋白（Aβ）の沈着である．

表 17-5-12 脳出血局在別の血腫除去術の適応

被殻出血	・神経学的所見が中等度 ・血腫量が31 mL以上 ・血腫による圧迫所見が高度
皮質下出血	・脳表からの深さが1 cm未満
小脳出血	・血腫の最大径が3 cm以上 ・神経学的症候の増悪 ・脳幹圧迫による水頭症を生じている場合
視床出血 脳幹(橋)出血	・適応なし (血腫量が10 mL未満，神経学的所見が軽微，ICSにてⅢ-300も適応なし)

わが国のガイドライン上では血腫の量と部位により適応を定めている．血腫量が10 mL未満および，神経学的所見が軽微である場合は手術の適応とならず，意識障害が深昏睡（JCSにてⅢ-300）の場合も手術適応とはならない．視床と脳幹（橋）出血も手術の適応とならない．

原因・病因
孤発性 Aβ 型 CAA は神経細胞が産生した Aβ が血管壁に沈着すると考えられている[4]．

疫学
加齢とともに有病率が上昇し，60 歳以上では約半数の例に CAA が認められる．脳出血の発症は年齢とともに上昇し，女性に多い[5]．

病理
軟膜，大脳皮質，小脳皮質の血管にアミロイド蛋白の沈着を認める．HE 染色にて濃い酸性，コンゴーレッド染色にて赤色に染色される．大脳皮質では後頭葉への沈着が最も高頻度であり，ついで前頭葉，側頭葉に多い．

病態生理
アミロイドが沈着した血管壁が脆弱化し破綻することで出血をきたす．CAA の分布に伴い，大脳皮質・皮質下を含む脳葉に起こり，多発性，再発性を示す．

臨床症状
出血時には出血部位に応じ臨床症状を呈する（高血圧性脳出血の臨床症状を参照）．認知機能障害を合併することもある．

検査所見
画像診断では頭部 MRI 画像の T2* 法や磁化率強調画像にて多発する陳旧性微小出血が認められる．

診断
CAA 関連脳出血の臨床診断基準として Boston criteria があり（e表 17-5-B），脳葉，皮質または皮質下に限局した多発性脳出血（小脳に認められてもよい），55 歳以上，ほかに出血の原因がない，という 3 項目を満たすと probable CAA とされる．確定診断は病理診断による．

鑑別診断
高齢発症の皮質下出血で認知機能障害を伴っている場合，高血圧の既往が認められない場合には CAA に伴う脳出血を疑う．

合併症
認知機能障害や症候性てんかんを合併する場合がある．

経過・予後
CAA に伴う脳出血は再発する傾向がある．死亡率に関しては 1 カ月後で 12%，12 カ月後は 19.5% とする報告がある[5]．

治療・予防
アミロイド蛋白の沈着を予防する治療法はない．脳出血をきたした場合には，保存的治療を行う場合が多い．

〔柳田敦子・西山和利〕

(e文献 17-5-5)

6）くも膜下出血
subarachnoid hemorrhage：SAH

SAH は，脳血管の破綻により脳表やくも膜下腔の脳槽に出血が生じる疾患である．年間発症率は人口 10 万人当たり約 20 人である（中山ら，1993；Inagawa ら，1995）．外傷性と非外傷性に分類され，非外傷性 SAH の原因の 80% を脳動脈瘤の破裂が占める．

(1) 脳動脈瘤
定義
動脈壁の一部が局所的に拡張したものをいう．原因は動脈壁の脆弱化や動脈解離，感染などがある．SAH の原因として最も頻度が多い．

分類
形態で囊状，紡錘状に分類され，その他に解離性，感染性，外傷性に分類される．

原因・病因
脳動脈瘤は多因子疾患である．多発性囊胞腎などの遺伝性疾患に発生しやすく，先天的因子の関与がある．高血圧や過度の飲酒習慣などの内科的・環境因子も関与する[1]．脳動脈瘤には好発部位があり，血行力学的因子も脳動脈瘤の形成を規定する[2]（Teunissen ら，1996）．

疫学
脳動脈瘤の有病率は人口の 2〜6% である[3]．わが国での約 30 年間の連続剖検例のうち 2.4% に未破裂脳動脈瘤が，2.2% に破裂動脈瘤が認められたとする報告がある[1]．

病理
未破裂の囊状動脈瘤は，薄い血管壁の動脈が外側に膨隆しており，筋層と内弾性板は動脈瘤頸部で終了し囊状部からは認められない．これらは脳動脈瘤発生の過程に血管壁の退行変性が関与することに起因している．

病態生理
囊状動脈瘤の約 90% は Willis 動脈輪の前方部に形成される．前交通動脈，内頸動脈・後交通動脈分岐部，中大脳動脈分岐部の順に好発し，後方部では，脳底動脈先端部に多い．脳動脈瘤が破裂すると，くも膜下腔へ出血し頭蓋内圧亢進をきたす．それに伴い脳灌流圧が低下し脳虚血となる．脳底部に多量の出血をきたすと脳幹が損傷され意識障害，呼吸不全，循環不全を生じる．発症から 2 週間前後の亜急性期には遅発性脳血管攣縮が生じ，脳梗塞に至る場合もある．慢性期には正常圧水頭症を認めることがある．

臨床症状
大型脳動脈瘤の場合は周囲への圧迫により症状をき

たす．内頸動脈-後交通動脈分岐部や脳底動脈-上小脳動脈分岐部に生じた脳動脈瘤は直接圧迫により動眼神経麻痺をきたす．脳動脈瘤が破裂し，SAHをきたした場合には，突発する激烈な頭痛を自覚する．頭蓋内圧亢進症状として悪心・嘔吐，めまいを認め，髄膜刺激徴候として項部硬直が認められる．

検査所見

SAHをきたした場合は頭部CT検査にて，くも膜下腔に高信号を認める（図17-5-18）．脳槽の左右差や脳室内への出血によるニボー形成が認められる．脳動脈瘤の検索には頭部MRA（e図17-5-B）や造影三次元CT撮影を施行する．

診断

突発する強い頭痛を認め，頭部CT検査にてくも膜下腔に高信号を認める場合や，腰椎穿刺で血性髄液を認めた場合にはSAHと診断する．脳動脈瘤は脳血管撮影検査（MRA，3D-CTAなど）にて診断される．

鑑別診断

血腫の圧迫などにより局所神経脱落症状を認める場合があり，頭痛を認める脳卒中疾患，特に脳出血との鑑別が必要になる．頭部CT検査にて鑑別を行う．

合併症

SAH急性期には脳灌流圧低下に伴う脳梗塞重症例では交感神経系の過剰な興奮により不整脈や，たこつぼ型心筋症を生じる．肺循環障害と透過性亢進により中枢性肺水腫を生じる．

経過・予後

未破裂脳動脈瘤の年間破裂率は0.8～0.9％前後である

表17-5-13 Hunt and Hess分類

Grade	
Grade I	無症状か，最小限の頭痛および軽度の項部硬直をみる
Grade II	中等度～強度の頭痛，項部硬直をみるが，脳神経麻痺以外の神経学的失調はみられない
Grade III	傾眠状態，錯乱状態，または軽度の巣症状を示すもの
Grade IV	混迷状態で，中等度から重度な片麻痺があり，早期除脳硬直および自律神経障害を伴うこともある
Grade V	深昏迷状態で，除脳硬直を示し，瀕死の様相を示すもの

発症時の重症度と転帰は相関することが知られている．一般にこれらのGradeが高いほど予後不良である．

る[3,4]（eコラム2）．瘤の大きさが大きくなるにつれて破裂率が高くなる．SAHの死亡率は50％程度で，発症時の重症度と転帰は相関する．重症度分類として表17-5-13などの分類がある．

治療・予防・リハビリテーション

脳動脈瘤に対する治療は脳血管内治療であるコイル塞栓術と，開頭で行うクリッピング術に大別される．SAHに対しては再出血を予防するため，鎮静，鎮痛，降圧療法を行う．重症度分類に従いクリッピング術もしくはコイル塞栓術による再出血予防処置が選択される．

（2）脳血管奇形

定義

脳内の血管に生じる先天性もしくは後天性の奇形である．

分類

脳血管奇形は異常血管の特徴で，脳動静脈奇形（arteriovenous malformation：AVM），海綿状血管腫，毛細血管拡張症，静脈血管腫の4つに分類される．なかでも脳動静脈奇形が最も頻度が高く，SAHの原因として脳動脈瘤破裂についで多い．

原因・病因

脳動静脈奇形は，胎生3週頃に発生する先天性の動静脈短絡性疾患である．

疫学

脳動静脈奇形は男性が女性の2倍生じやすい．10～30歳の間に痙攣，頭痛，脳出血やくも膜下出血を生じる．50歳代でも症状を認める場合もある[5]．

病理

脳動静脈奇形は動脈と静脈が毛細血管を介さずに短絡する血管がからまった網状の構造として認められる．この部分をnidusとよび，流入動脈，流出静脈で構成される．

病態生理

大きなものは高流量の動静脈短絡をきたし，盗血現

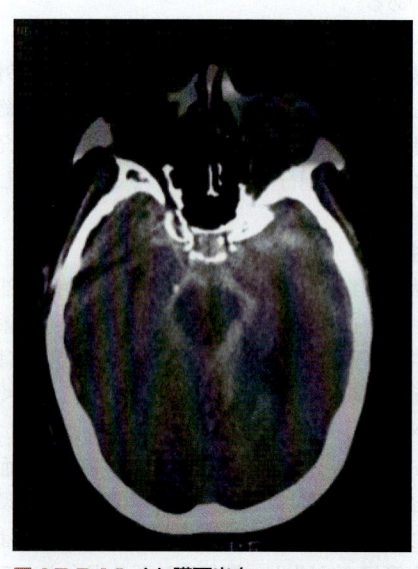

図17-5-18 くも膜下出血
脳槽に高信号を認める．突発する強い頭痛を認め，頭部CT検査にて，この写真のようにくも膜下腔に高信号を認める場合や，腰椎穿刺で血性髄液を認めた場合には，くも膜下出血と診断する．

象により隣接する脳組織の虚血を引き起こす．短絡血により血管壁に圧負荷がかかり動脈瘤や静脈瘤を形成する場合もある．これらの瘤が破裂し，SAHや脳出血をきたす．

臨床症状
脳動静脈奇形の半数は出血により発症し，脳実質やくも膜下腔へ出血をきたす．出血時には，突発する頭痛，局所神経脱落症状，意識障害などを生じる．その他，頭痛やてんかん発作を認める場合がある．

検査所見
異常血管は造影三次元CT撮影では流入動脈，nidus，流出静脈が立体的に確認される．頭部MRI検査ではT2強調画像にてnidusが蜂の巣状の血管無信号域として認められる．正確な解剖学的構造および血行動態を評価するためには脳血管造影検査が施行される．

診断
頭部MRIや脳血管撮影検査を施行し，流入動脈，nidus，流出静脈を認めた場合に脳動静脈奇形と診断される．

鑑別診断
脳出血や脳動脈瘤破裂が鑑別としてあがるが，脳動静脈奇形破裂に伴う頭痛は，脳動脈瘤破裂の頭痛に比較すると軽度である．

合併症
静脈圧が亢進することで頭蓋内圧亢進症状や中脳水道の圧迫により水頭症を認める場合がある．

経過・予後
脳動静脈奇形の初回出血率は年間2％であり，再出血率は年間18％と報告されている[6]．初回出血後の死亡率は10～30％である[7]．

治療
外科治療，血管内治療，定位放射線治療の3種類の治療法を組み合わせて施行する．血管内治療は摘出術または定位放射線治療の補助療法と施行する．

〔栁田敦子・西山和利〕

■文献（e文献 17-5-6）

Inagawa T, Tokuda Y, et al: Study of aneurysmal subarachnoid hemorrhage in Izumo City, Japan. *Stroke.* 1995; 26: 761-6.

中山正基, 朝倉哲彦, 他：亜熱帯地域（奄美大島）におけるクモ膜下出血の疫学的検討. 鹿児島大学医学雑誌. 1993; 45: 179-86.

Teunissen LL, Rinkel GJ, et al: Risk factors for subarachnoid hemorrhage: a systematic review. *Stroke.* 1996; 27: 544-9.

7）特殊な原因による脳血管障害

（1）脳静脈洞血栓症および脳静脈血栓症

概念
脳静脈洞が種々の原因による血栓で閉塞され頭痛などの脳圧亢進症状をきたすもので，血栓が静脈洞から脳表静脈に及ぶと脳局所症状を呈する．病変は脳静脈洞の血栓性閉塞が主体であるが，脳表静脈に血栓が進展した場合には大脳皮質に出血性梗塞がみられることもある．

原因は多彩であり，経口避妊薬や血液疾患などによる血液凝固能亢進が多いが，静脈洞周辺の感染（横静脈洞，海綿静脈洞），Behçet病などによる静脈炎，腫瘍による圧迫・浸潤，頭部外傷，膠原病，抗リン脂質抗体症候群，脱水，心不全，悪性腫瘍，および先天性アンチトロンビンⅢ，プロテインCおよびS欠乏症などの基礎疾患や麻薬などの薬物中毒があって妊娠や手術・外傷を契機に発症するものなどがある．

解剖
図17-5-19に示すように脳表の側面上半分の静脈は上矢状静脈洞（superior sagittal sinus）に注ぎ，下半分は浅中大脳静脈（superficial middle cerebral vein）から海綿静脈洞（cavernous sinus）へと注ぐ．一方，大脳基底核などの深部脳組織からは下矢状静脈洞（inferior sagittal sinus）やGalen大静脈を経て直静脈洞

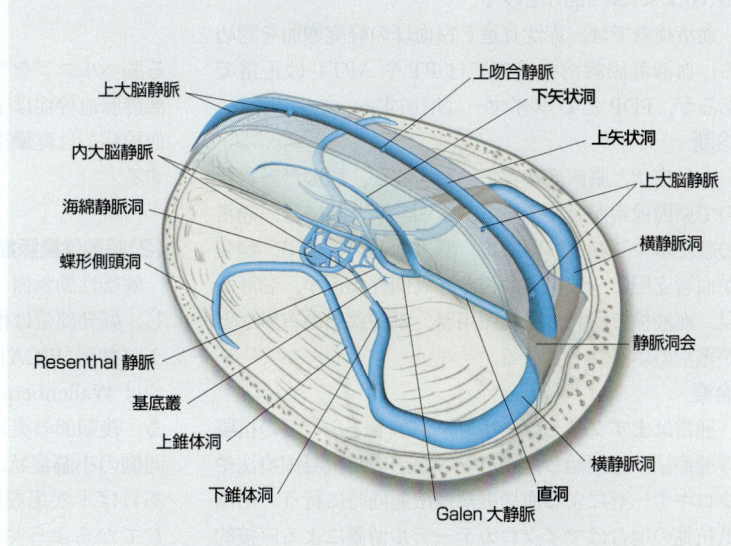

図 17-5-19 脳の静脈洞（後藤文男, 天野隆弘：臨床のための神経機能解剖学, 中外医学社, 1992より改変）

(straight sinus)に注ぐ．脳表面にはTrolard, Labbe, 浅中大脳静脈などの大きな吻合静脈がある．

臨床症状

脳静脈洞炎による血液還流障害により，頭痛・嘔吐などの頭蓋内圧亢進症状を主体とし，発熱，意識障害，脳局所症状としての四肢不全麻痺や痙攣発作などをきたす．部位別症状としては(図17-5-19)，上矢状静脈洞血栓症では痙攣発作や意識障害，下肢に強い不全片麻痺(両側性)，脳ヘルニアをきたすことがあり，横静脈洞血栓症では脳圧亢進症状に加えて難聴や半盲，Gerstmann症候群などの巣症状をみることもある．海綿静脈洞血栓症では眼球突出や眼球結膜充血，眼球運動障害(外眼筋麻痺)，三叉神経1・2枝障害(Tolosa-Hunt症候群)をきたす．脳深部静脈(内大静脈，Galen大静脈)血栓症では基底核や視床の出血性梗塞により，頭痛や発熱，意識障害，両側錐体路症状を呈し，死に至ることもある．

検査所見

CTでは，血管支配に一致しない境界不鮮明な出血性梗塞・脳浮腫を脳表中心に認めることが多い．造影CTでは上矢状静脈洞後半部での静脈洞内欠損像(empty delta sign)を呈し，MRI画像では罹患静脈洞のflow void信号が消失し，T1強調画像で等〜高信号(図17-5-20A)，T2強調画像で低信号を示す．MRA画像(静脈相＝MR venography)では閉塞した静脈洞を欠損像として描出することが可能(non-visualization)な場合があり，診断的価値がある(図17-5-20B)．静脈洞自体が高信号として描出されることもある．出血性梗塞や脳浮腫は，病変が大脳皮質静脈に及んでいることを示している．脳血管撮影静脈相やMRA画像において，静脈洞閉塞や怒張した側副血行路(cork screw sign)をみる．

血液検査では，赤沈亢進と白血球の軽度増加を認める．血液凝固線溶系検査ではPTやAPTTは正常であるが，FDPとDダイマーは増加する．

診断

上記症状と脳画像検査で診断するが，原因が多彩なので原因検索が重要である．鑑別診断としては，通常の脳梗塞や脳腫瘍，脳膿瘍，脳炎などが重要で，病変が血管支配に一致するか否か，両側性か否か，髄液所見，血液検査所見，薬物服用歴，基礎疾患の有無などが鑑別のポイントとなる．

治療

通常はまずグリセロールやマンニトールなどの抗脳浮腫療法から開始し，ヘパリンを用いた抗凝固療法やウロキナーゼによる血栓融解療法も同時に行う．治療抵抗性の場合はマイクロカテーテル留置による直接的血栓溶解療法を行うこともある．予後は急性期を乗り切れば一般に良好例であるが，急性期に脳圧亢進によ

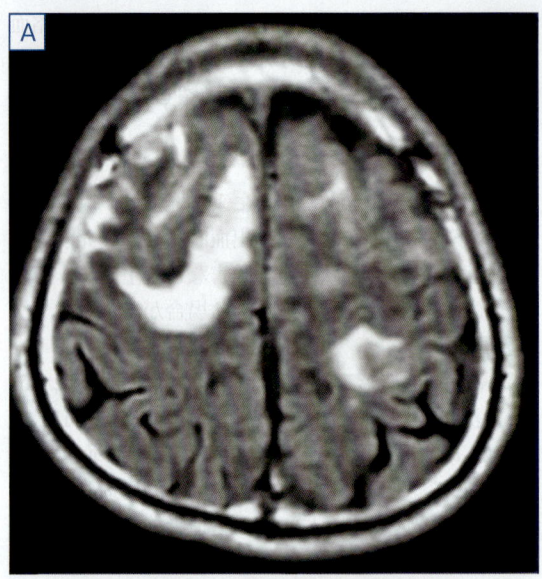

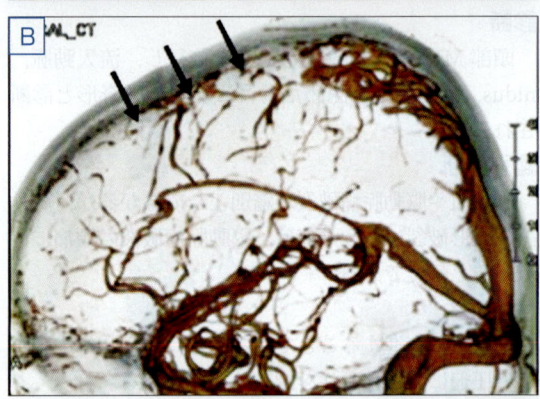

図17-5-20 上矢上静脈洞血栓症のMRI(A)とMRA画像(静脈相＝MR venography, B).
脳病変はMRIのT1強調画像で両側性に高信号を示し(A)，MR venographyでは閉塞した静脈洞が欠損像として描出されている(B, 矢印).

る脳ヘルニアをきたし死亡することがある．また脳深部静脈血栓症は予後不良のことが多く，上矢状静脈洞血栓症では痙攣重積状態をきたすこともあり注意を要する．

(2) 解離性動脈瘤

解離性動脈瘤は主として中年以降の男性に多く発症し，好発部位は椎骨脳底動脈系である．なかでも後下小脳動脈(PICA)領域が主病巣のことが多く，この場合はWallenberg症候群(延髄外側梗塞症候群)を呈する．後頸部の突発的な疼痛に続いて，回転性めまいと同側の小脳症状，Horner症候群，対側の感覚障害があれば本疾患を疑う．脳MRIでは発症から2〜3日してからようやくDWIで陽性になることがあるので，初診時脳MRIが陰性でも，繰り返して画像検査を実施することが重要である．内頸動脈系の動脈解離

は頻度は少ないが，小児～思春期に頭蓋内動脈で発症することがあるので注意する．

(3) 内頸動脈海綿静脈洞瘻（carotid-cavernous sinus fistula：CCF）

中年以降の女性に多く，先天的あるいは後天的原因で硬膜動静脈奇形が発生することによる．拍動性耳鳴や頭痛，視力障害などを主徴として，診察上は同側外眼部での収縮期雑音聴取が重要である．同側のうっ血乳頭も観察される．治療は外科的にカテーテル血管内治療による塞栓術や開頭術による流入動脈の結紮が選択される．

(4) 血管炎
a. 側頭動脈炎（temporal arteritis，giant cell arteritis）
概念

おもに60歳以上の高齢者に発症する頸動脈とその分枝動脈，特に側頭動脈に起こる巨細胞性動脈炎（肉芽腫性動脈炎）を主徴とする原因不明の血管炎である．

臨床症状

男女比はほぼ1：1.7でやや女性に多く，発症年齢は平均71.5歳と高齢者が中心で，若年者に発症する高安病と対照的．微熱や倦怠感，体重減少などの前駆症状が出現した後に，比較的急性に起こる側頭部の頭痛を主症状とする．おもな自覚症状は側頭動脈痛や限局性頭痛，頭皮部疼痛，側頭動脈の拍動性頭痛である（約70％）．頭痛の性質は拍動性・片側性で，夜間に悪化しやすい．その他に発熱，体重減少などの全身症状（約40％）や，視力・視野障害・虚血性視神経炎などの眼症状（約34％），筋肉痛（20％），関節痛（13％）なども認める．食事中の咀嚼筋痛をきたすことがある（顎跛行）．

他覚的には有痛性または肥厚性に腫脹した側頭動脈を触知し圧痛がある．リウマチ性多発筋痛症（poly-myalgia rheumatica）が約30％に合併し本症と近似した病態と考えられている．大動脈炎による間欠性跛行や解離性大動脈瘤などのほか，うつ病や不安感，記銘力低下，器質的脳症状（脳梗塞など），聴力障害，多発性ニューロパチーなどをみることがある．

検査所見

赤沈亢進とCRP陽性が最も重要で，白血球増加や軽度貧血が認められる．

治療・予後

早期のステロイド療法が有効で，プレドニゾロン30～40 mg/日より内服治療開始し，以後漸減していく．

b. 大動脈炎症候群（高安病）
概念

胸腹部大動脈とその分枝，肺動脈などの弾性型動脈に起こる慢性肉芽腫性血管炎であり，血管内膜や中膜に線維化が起こり，大動脈炎症候群あるいは脈なし病とも別称される．

臨床症状

初期症状は発熱や全身倦怠感，食欲不振，体重減少などの感冒様症状が多く，次第に筋肉痛や関節痛，結節性紅斑などが出現してくる．大動脈炎による血管狭搾・閉塞により，脳循環障害症状（めまい，立ちくらみ，失神発作，一過性脳虚血発作，脳梗塞，一過性黒内障，鎖骨下動脈盗血症候群）や，上肢循環障害症状（上肢易疲労，触脈せず）が起こる．下肢循環障害症状により間欠性跛行や歩行困難をきたすこともある．頸動脈や椎骨動脈の狭窄・閉塞のために脳梗塞を生ずることがあるが，頭蓋内血管にまで病変が及ぶことはまれである．腎動脈に病変が及べば腎血管性高血圧を引き起こす．

他覚的には脈拍の左右差や消失，血管雑音を認め，合併症として高血圧や起立性低血圧，大動脈弁閉鎖不全，腎血管障害，視神経萎縮，片麻痺，失語症などがみられる．

検査所見

赤沈亢進（85％），CRP陽性，ガンマグロブリン高値を示す．眼底検査では新生血管吻合や出血がみられ，脳血管障害合併例ではCT，MRIで梗塞巣または出血巣，SPECT・PET検査で脳血流低下がみられる．

診断・治療

上記検査成績と特徴的大動脈造影所見（大動脈弓分枝閉塞・狭窄）により診断．大動脈造影所見はCTアンギオグラフィあるいはMRAでも診断可能．

治療は副腎皮質ステロイド（プレドニゾロンなど）による炎症抑制治療と抗血栓療法を併用する．

(5) Willis動脈輪閉塞症

鈴木二郎によって「もやもや病」と命名された疾患で，脳底部Willis動脈輪部を中心とした脳動脈狭窄に伴って，代償的な細い新生血管を「たばこの煙がもやもやと立ち上るよう」だと表現したことから，世界標準的な呼称となった．好発年齢は小児期と中年以降の二峰性であり，脳梗塞やくも膜下出血を起こす．過換気によって症状が誘発されることがあり，小児におけるラーメン食事中や，成人におけるカラオケ絶唱中での発症は本症を疑う．診断は脳MRAあるいは脳血管撮影でもやもや血管を証明し，治療は外科的に脳血流改善バイパス手術を行う．

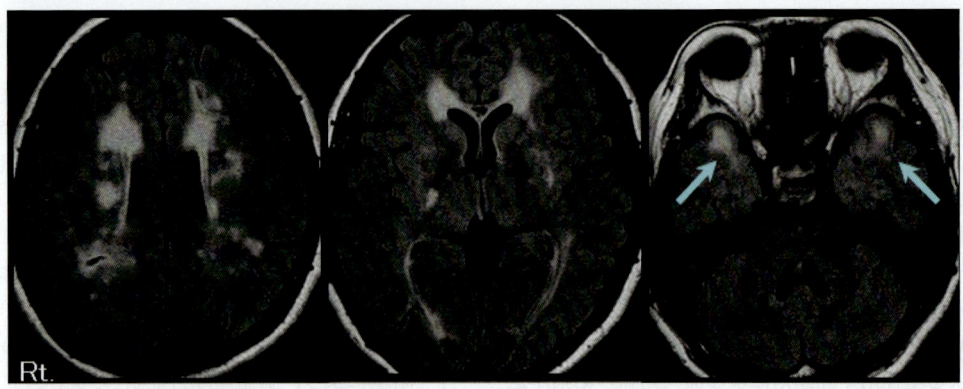

図 17-5-21 CADASIL 患者の脳 MRI 画像
FLAIR 法や T2WI 法での大脳白質と側頭葉白質の高信号化（矢印）が特徴．

(6) CADASIL・CARASIL (cerebral autosomal dominant/recessive arteriopathy with subcortical infarcts and leukoencephalopathy)

血管性危険因子（高血圧，脂質異常症，糖尿病，喫煙，肥満など）が目立たないのに，中年期から片頭痛，TIA，脳梗塞，うつ，認知症などを惹起してくる常染色体優性（CADASIL）あるいは劣性（CARASIL）に遺伝する疾患である．CADASIL は西日本に，CARASIL は東日本に多く地域差がある．CARASIL は思春期に発症し，若禿も特徴である．脳 MRI 画像は両疾患とも FLAIR 法や T2WI 法での大脳白質の高信号化が重要であり，特に側頭葉先端部白質の高信号化は診断的価値がある（図 17-5-21，矢印）．診断は CADASIL は Notch3 遺伝子，CARASIL は HTRA1 遺伝子の変異を証明する．

(7) Trousseau 症候群

悪性腫瘍に伴う血液凝固系亢進によって，脳梗塞を起こすものを Trousseau 症候群という．高齢化に伴う癌患者の増加に比例して本疾患は増加している．通常は悪性腫瘍患者の癌治療中に脳梗塞が発生するが，逆に脳梗塞の発症によって潜在性悪性腫瘍の発見に結びつくこともある．Trousseau 症候群患者の脳 MRI 画像は，図 17-5-22 に示すように特定の脳動脈領域だけではなく，複数の支配動脈領域にまたがる小梗塞病変が特徴である．本疾患の治療はワルファリンが原則であるが，原疾患である悪性腫瘍の治療が優先される．

〔阿部康二〕

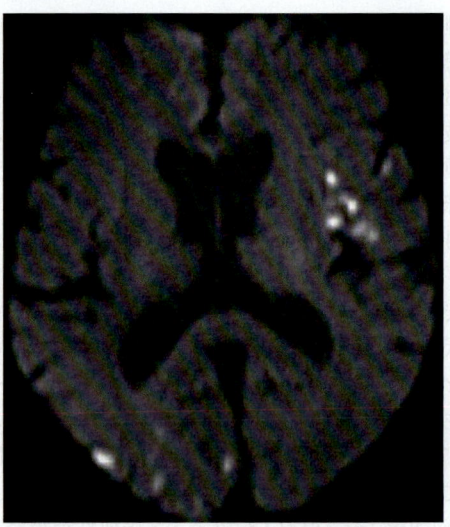

図 17-5-22 Trousseau 症候群患者の脳 MRI 画像
多支配動脈領域にまたがる小梗塞病変が特徴．

■文献

Berlit P: Clinical and laboratory findings with giant arteritis. J Neurol Sci. 1992; 111: 1-12.
厚生省疫学研究班と難治性血管炎分科会による疫学調査（1998年）
Rael JR, Orrison WWJr, et al: Direct thrombolysis of superior sagittal sinus thrombosis with coexisting intracranial hemorrhage. AJNR. 1997; 18: 1238-42.
Rafique MZ, Bari V, et al: Cerebral deep venous thrombosis: case report and literature review. J Pak Med Assoc. 2005; 55: 399-400.
Takano K, Sadoshima S, et al: Altered cerebral hemodynamic and metabolism in Takayasu's arteritis with neurological deficits. Stroke. 1993; 24: 1501-6.

8) 血管性認知症
vascular dementia：VaD

定義・概念

血管性認知症は脳梗塞や脳出血などのさまざまな脳血管障害（CVD）に起因して生じる認知症の総称である．均一した疾患ではなく複数の病態が含まれる．VaD よりも広い概念として血管性認知障害（vascular cognitive impairment：VCI）という用語があり，認知症から脳血管障害に起因した軽度認知障害（mild cognitive impairment：MCI）を含む（Gorelickら，2011）．

疫学

認知症のなかではAlzheimer病（AD）についで2番目に頻度が高い疾患である[1]．

分類・病態生理

国際的に用いられているNINDS-AIRENによる診断基準（表17-5-14）では以下のように分類されている（Románら，1993）．

1）多発梗塞性認知症：大脳皮質，白質を含む皮質枝領域にアテローム血栓性脳梗塞や心原性脳塞栓による大・中の脳梗塞が多発して認知症を発症する．梗塞巣の大きさと認知症発症は相関する報告があり，梗塞巣が100 mL以上では認知症を呈する可能性は高いとされる[2]．

2）小血管病変性認知症：小血管領域の虚血性病変による血管性認知症で皮質，皮質下ともに生じる．皮質型は脳アミロイド血管症がおもな原因である．皮質下型は，穿通枝の閉塞により15 mm以内の小梗塞が多発した多発性ラクナ梗塞と，大脳白質にびまん性あるいは局所性の虚血に起因した脱髄を生じるBinswanger病の2つに分けられる．血管病変はおもに細動脈硬化であり，多発ラクナ梗塞とBinswanger病は共存することが多い．わが国において，小血管性認知症は血管性認知症の約半数を占める最も重要な病型である[3]．

3）戦略的部位の単一梗塞による認知症：認知機能に直接関与する重要な部位の血管障害により認知症を生じる．皮質性と皮質下性に分けられ，前者として角回，後大脳動脈領域，前大脳動脈領域と後者として前脳基底部，視床がある．

4）低灌流性認知症：脳全体の循環不全により引き起こされる．心停止や高度の血圧低下などの全身の循環不全の後遺症として生じる場合と主幹動脈の高度の狭窄や閉塞により生じる場合がある．主幹動脈の境界域や脳室周囲，深部白質に虚血性脳病変が認められる．

5）脳出血性認知症：脳出血やくも膜下出血が原因となる．前頭葉皮質下や視床などの認知機能に関連する部位の脳出血による認知症と脳アミロイド血管症による皮質あるいは皮質下出血がある．

くも膜下出血では，出血自体による脳組織の損傷に加えて，続発する脳血管攣縮による脳梗塞，水頭症，脳表ヘモジデリン沈着症が認知症発症に影響を及ぼす．

6）その他：NOTCH3遺伝子異常が原因であるcerebral autosomal dominant arteriopathy with subcortical infarcts and leukoencephalopathy（CADASIL），HTRA1遺伝子異常が原因であるcerebral autosomal recessive arteriopathy with subcortical infarcts and leukoencephalopathy（CARASIL），遺伝性脳アミロイド血管症，mitochondrial myopathy, encephalopathy, lactic acidosis, and stroke-like episodes（MELAS），Fabry病などがある．

表17-5-14 血管性認知症の診断基準

A. 認知症がある
 a）記憶障害と，次の認知機能のうち2つ以上の障害がある（見当識，注意力，言語，視空間認知機能，実行機能，運動調節，学習）．
 b）臨床的診察と神経心理学的の両方で確認することが望ましい．
 c）機能障害は，日常生活に支障をきたすほど重症である．しかし，これは脳卒中に基づく身体障害にあるものを除く．
【除外基準】
 a）心理学的検査を妨げる意識障害，譫妄，精神病，重症失語，著明な感覚運動障害がない．
 b）記憶や認知機能障害の原因となるAlzheimer型認知症などのほかの脳疾患や全身疾患がない．

B. 脳血管障害がある
 a）神経学的診察で，局所神経症候（片麻痺，下部顔面筋の筋力低下，Babinski徴候，感覚障害，半盲，構音障害）がみられる．
 b）画像検査（CT, MRI）で多発性大梗塞，戦略的部位の単一病変（角回，視床，前脳基底部，後大脳動脈領域，前大脳動脈領域），多発性の基底核や白質のラクナ梗塞あるいは広範な脳室周囲白質病変を認める．

C. 上記の両者に関連がみられる．下記基準の1つ以上を満たす．
 a）脳血管障害発症後3カ月以内に認知症が起こる．
 b）認知機能が急激に低下するか，認知機能障害が動揺性ないし階段状に進行する．

臨床症状

VaDはADに比べ記憶障害がより軽度で，遂行機能低下は高度の傾向がある[4]．語想起，呼称，復唱の障害などの言語障害がみられる．うつ，不安が多い傾向があり，意欲低下，感情失禁や精神運動遅滞がみられる[5]．偽性球麻痺やパーキンソニズムなど神経症状を呈することが多く，早期からの尿失禁や歩行障害や転倒を認めることがある[6,7]．

1）多発性梗塞性認知症：閉塞血管支配領域に一致した失語，失行，失認，視空間障害，構成障害，運動麻痺などの大脳皮質症状が出現する．

 a）前大脳動脈領域：帯状回では記憶障害，補足運動野の障害による失語や半球離断症状がみられる．

 b）中大脳動脈領域：優位半球障害では失語，失行，Gerstmann症候群が出現し，劣位半球障害では，半側空間無視，病態失認，着衣失行などが出現する．

 c）後大脳動脈領域：純粋失読，相貌失認，視覚性失

認，地誌的見当識障害，Anton症候群などが生じる．海馬を含む側頭葉内側の障害により記憶障害が生じる．

2) 小血管病性認知症： 局所神経症状は目立たず，緩徐進行性の経過を示すことが多いため，認知症と脳血管障害の時間的つながりが不明確な場合がある．

　a) 認知機能障害：記憶障害は比較的軽症で，想起の障害が主体であり（ⓔコラム1），再認は保たれやすい（ⓔコラム2）．遂行機能障害，注意障害，思考緩慢，自発性低下，興味の喪失など前頭葉機能障害が中心となる．

　b) 神経徴候：錐体路障害，パーキンソニズム，歩行障害，偽性球麻痺，強迫泣き笑い，失禁を伴うことがある．

3) 戦略的部位の単一梗塞による認知症：

　a) 視床梗塞：急性期の傾眠，記銘力障害，意欲や自発性低下を呈する．

　b) 前大脳動脈領域：無為，超皮質性失語，失行などがみられる．

　c) 後大脳動脈：記憶障害のほか，興奮，激越，混乱，視覚異常を認める．

　d) 角回病変：失算，失書，見当識障害，記銘力障害がありADに類似する．

　e) 前脳基底部病変：記銘力障害，行動障害やKorsakoff症候群などを呈する．

診断

　問診，診察所見，神経心理学的検査，画像検査（図17-5-23，ⓔ表17-5-C[8]）を参考に①認知症の存在，②脳血管障害の存在ならびに③両者の時間的関連性を確認して臨床診断する．いくつか診断基準がある．

経過・予後

　一般的に段階的に症状が進行することが特徴であるが，緩徐進行性の経過をたどる場合もある[9]．VaDでは非認知症者よりも生命予後が短い[10]．死因としては呼吸器疾患が多いが，心疾患や脳血管障害などの全身の動脈硬化に起因する死因も特徴的である[11]．

治療・予防

1) 認知機能障害： 認知機能障害に対してAD治療薬であるコリンエステラーゼ阻害薬やメマンチンがVaDに対して有効性があると報告されており，「脳卒中治療ガイドライン2015」や「認知症疾患治療ガイドライン2010」において推奨されているが，VaDに対して保険では承認を受けていない[12]（認知症疾患治療ガイドライン作成合同委員会，2010）．認知症の行動・心理症状（BPSD）に対する非定型抗精神病薬，脳梗塞後の意欲低下に対してニセルゴリン，意欲・自発性低下にシンメトレルが投与される．

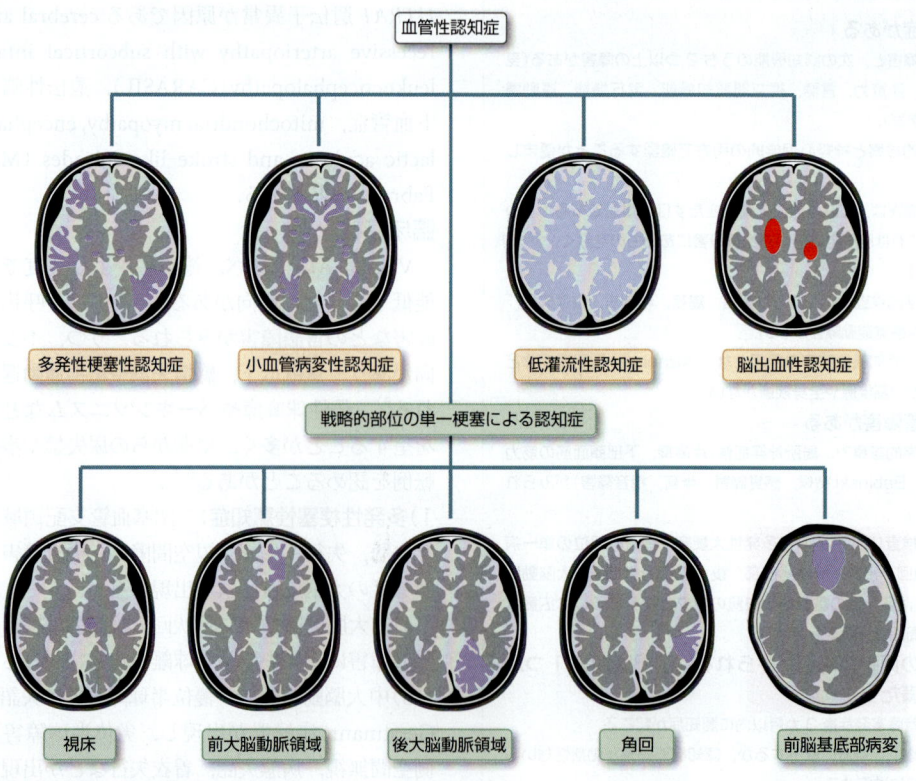

図17-5-23　血管性認知症の分類

2)脳血管障害の危険因子と予防: VaDの危険因子(e表17-5-D)の治療・管理とともに,発症機序を考慮して脳梗塞再発予防として抗血小板薬や抗凝固薬が投与される.　　　　　　　　　　〔和田健二・中島健二〕

■文献(e文献17-5-8)

Gorelick PB, Scuteri A, et al: Vascular contributions to cognitive impairment and dementia: A Statement for Healthcare Professionals from the American Heart Association/American Stroke Association. *Stroke.* 2011; 42: 2672-713.

認知症疾患治療ガイドライン作成合同委員会編:血管性認知症(VaD).認知症疾患治療ガイドライン2010, pp251-94, 医学書院,2010.

Román GC, Tatemichi TK, et al: Vascular dementia: diagnostic criteria for research studies. Report of the NINDS-AIREN International Workshop. *Neurology.* 1993; 43: 250-60.

9）高血圧性脳症

定義・概念

高血圧性脳症とは,著しい血圧上昇に伴い,頭痛,悪心,嘔吐,視覚障害,意識障害,痙攣などを呈する病態である.通常,高血圧が速やかに治療されれば症状は可逆的であるが,診断が遅れた場合は後遺症を残すことや死に至ることもあるため,早期の適切な診断が重要である.

原因・病因

本症の原因疾患としては,本態性高血圧のほかに腎性高血圧,褐色細胞腫などの内分泌疾患,妊娠中毒症,頸動脈内膜剥離術後の圧受容体感受性異常などが報告されている(e表17-5-E).

病態生理

脳血管は通常,全身の血圧が変動しても血流量を一定に保つ自動調節能が働いている.しかし,血圧の急激な上昇や慢性で著しい高血圧により自動調節能の閾値をこえると,血管内皮細胞の障害,血液脳関門の破綻をきたし,血管透過性が亢進した結果,血管原性浮腫を生じる[1,2](Chesterら,1978).慢性で重度の高血圧が起因となって発症した場合,病理学的には細動脈の中膜のフィブリノイド壊死を認めることが多いとされている.慢性的な高血圧患者では220/110 mmHg以上で,急性の高血圧患者では160/100 mmHg以上で本症を発症しやすい(Vaughanら,2000).

臨床症状

激しい頭痛,悪心,嘔吐,意識障害,痙攣,うっ血乳頭,視力障害などを呈する.ごくまれに巣症状をきたす場合もある.

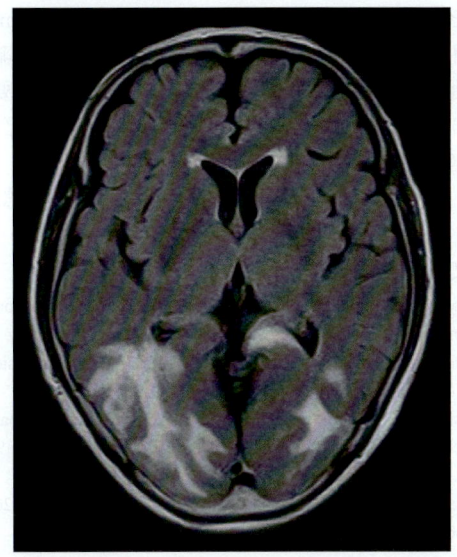

図17-5-24 高血圧性脳症の頭部MRI画像（FLAIR画像）
頭部MRIのFLAIR画像において,両側後頭葉の白質～皮質にかけて高信号域を認める.

検査所見

頭部MRIのT2強調画像,FLAIR画像において両側の頭頂葉～後頭葉の白質を中心に皮質に及ぶ高信号域を認める[2,3](図17-5-24).この所見は高血圧性脳症以外の疾患でも認めることがあり,総称してposterior reversible encephalopathy syndrome (PRES)とよばれる[4](Caseyら,2000).病変は血管原性浮腫による変化が主体であるため,拡散強調画像では等信号～軽度高信号,ADC mappingでは高信号を呈することが多く,脳梗塞など他疾患との鑑別に有用である[2].

診断

異常な高血圧を背景として上記症状を呈し,頭部MRIにて特徴的な画像所見を認めれば本症の可能性が高い.ただし,PRESの画像を呈する他疾患(子癇,免疫抑制治療,骨髄移植,輸血,エリスロポエチン投与など)の除外は重要である.脳梗塞との鑑別を要する場合もある.

経過・予後

早期に適切に降圧治療が行われれば,神経症状,画像所見ともに可逆的であり,予後は比較的良好である.しかし,治療が遅れた場合は,神経症状は不可逆的となり,意識障害が進行し,最悪の場合死に至ることもある.

治療

速やかに降圧をはかることが最も重要であり,即効性があり用量調節しやすい静注の降圧薬(ジルチアゼム,ニカルジピンなど)の持続静注で治療を開始する.開始2～3時間で25％程度の降圧がみられるように用

量を調整し，次の 2〜6 時間で 160/100〜110 mmHg を目標とする．降圧目標に達したら，内服の降圧薬を開始し，静注降圧薬は漸減しながら中止する．必要に応じ，抗浮腫薬（グリセロール，マンニトールなど）や抗痙攣薬を使用する場合もある．

〔松本昌泰・青木志郎〕

■文献（e文献 17-5-9）

Casey SO, Sampaio RC, et al: Posterior reversible encephalopathy syndrome: utility of fluid-attenuated inversion recovery MR imaging in the detection of cortical and subcortical lesions. *AJNR Am J Neuroradiol.* 2000; **21**: 1199-206.

Chester EM, Agamanolis DP, et al: Hypertensive encephalopathy: a clinicopathologic study of 20 cases. *Neurology.* 1978; **28**: 928-39.

Vaughan CJ, Delanty N: Hypertensive emergencies. *Lancet.* 2000; **356**: 411-7.

10）脊髄の血管障害

（1）脊髄血管の解剖

脊髄の動脈は前面を縦走し脊髄腹側 2/3 の領域を灌流する 1 本の前脊髄動脈と，背面の傍正中溝を縦走し脊髄背側 1/3 を灌流する 2 本の後脊髄動脈からなる（図 17-5-25A）．また前脊髄動脈は 1 本のために閉塞が直ちに脊髄梗塞という臨床症状を惹起しやすいが，後脊髄動脈は 2 本あるので 1 本の閉塞では脊髄梗塞に陥りにくいことが解剖学上の特徴である．前脊髄動脈へ流入する血管には個体差があり，その数は 6〜10 本のことが多い．流入血管のうちで最大のものは Adamkiewicz 動脈で（図 17-5-25B），その 75％ は Th9〜Th12 から，15％ は Th5〜Th8 の高位から，10％ は L1 または L2 の脊髄根とともに脊髄に流入する．脊髄円錐部には前脊髄動脈と後脊髄動脈とを結ぶ吻合血管がある．

（2）脊髄梗塞（前脊髄動脈症候群，抗リン脂質抗体症候群）

概念・臨床症状

前脊髄動脈症候群は同動脈領域の虚血障害によりその支配領域である脊髄腹側 2/3 にある側索（錐体路）と脊髄視床路が障害され，そのレベル以下の対麻痺や感覚障害，膀胱直腸障害を急性にきたす．原因としては前脊髄動脈自体の動脈硬化に伴う血栓性閉塞はほとんどみられず，胸腰髄領域（Th8〜L3）を支配する Adamkiewicz 動脈起始部のアテローム硬化性狭窄・閉塞（＋血圧低下）や同部を巻き込んだ解離性大動脈瘤，大動脈炎などによるものが多く，頸髄レベルではアテローム硬化性病変による椎骨動脈の閉塞や解離性動脈瘤

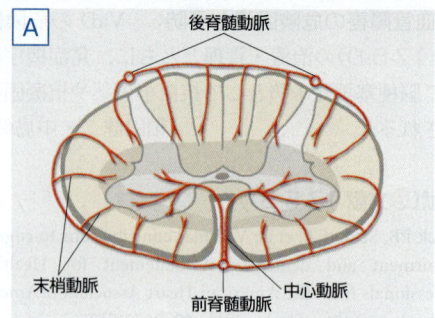

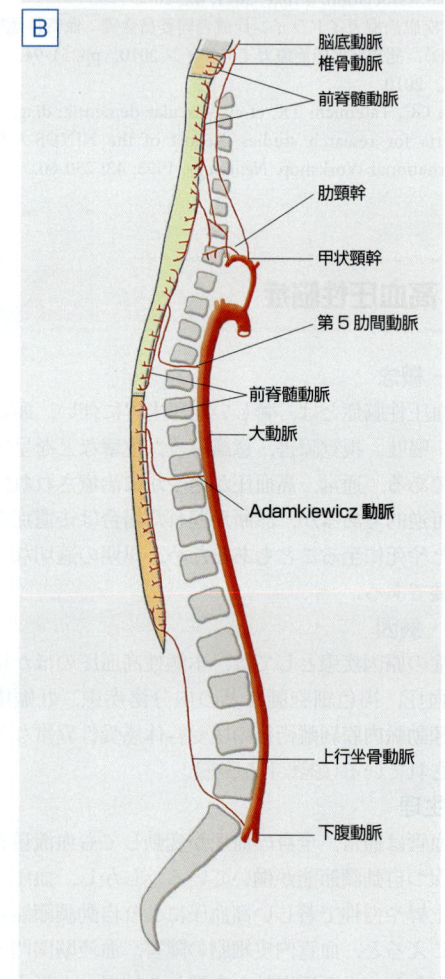

図 17-5-25 脊髄横断面から見た血管構築（A），脊髄縦断面から見た血管構築（B）（後藤ら，1992 より改変）

などによることが多い．症状は両下肢の急性筋力低下を主とし，通常は起立できなくなり，下肢の腱反射は低下・消失する．感覚障害については脊髄背側 1/3 にある後索が保たれるので，温痛覚や触覚などの表在感覚は傷害されるが，振動覚や位置覚などの深部感覚が傷害されない解離性感覚障害を呈することが特徴である．後脊髄動脈症候群は前述した理由で直接的な動脈閉塞は起こりづらくまれであるが，脊髄血管奇形や脊

髄後索を傷害しやすい多発性硬化症や Sjögren 症候群などとの鑑別が重要となる．

一方，抗リン脂質抗体症候群による脊髄梗塞も臨床的には重要である【⇨ 12-10】．抗リン脂質症候群は細胞のリン脂質膜成分に対する自己抗体によって，中枢神経系を中心とした血栓症をきたす．病態としてはホスファチジルセリンに富んだ凝固促進性表面の生成や自己抗体による血小板活性化が背景にあり，血液検査において血液凝固能は延長し，抗リン脂質抗体や抗カルジオリピン抗体，ループスアンチコアグラントは陽性となる．本症の臨床的特徴は，前脊髄動脈症候群とも類似しているが，動脈硬化性ではなく若年者に多くみられること，自己抗体が陽性であること，脊髄の血管支配に一致しない症候と MRI 画像(図 17-5-26)を呈することである．

診断・治療

脊髄 MRI 検査が診断上重要であるが，大動脈や Adamkiewicz 動脈などの血管撮影は所見を得られにくいことも多い．早期診断には Gd 造影 MRI が有用である．急性発症の脊髄症状で解離性感覚障害を伴う対麻痺があれば前脊髄動脈症候群を疑い，痛みと深部覚障害主体の場合は後脊髄動脈症候群を疑う．若年者で膠原病などの基礎疾患があり，前脊髄動脈の血管支配に一致しない症状・画像所見がある場合は抗リン脂質症候群などを疑う．鑑別診断としては，急性発症の脊髄病変として多発性硬化症，Sjögren 症候群，脊髄動静脈奇形，脊椎腫瘍，硬膜外膿瘍，椎間板ヘルニアなどがあげられる．

治療・予後

前脊髄動脈症候群の急性期にはエダラボンなどの脳脊髄保護療法を開始しつつ，速やかに血栓融解療法を行う．抗リン脂質抗体症候群の場合は，副腎皮質ステロイド療法(プレドニゾロン 40～60 mg)に加えて，急性期のヘパリン療法も併用する．その他，大動脈炎でのステロイド療法の併用や梅毒性血管炎でのペニシリン大量投与など基礎疾患への対応も併用する．また上位頸髄レベルの障害では呼吸筋麻痺や肺炎，胸腰髄レベルの障害では排尿障害や尿路感染，麻痺性イレウス，褥瘡などの合併症に注意する．

一般に早期に診断し上記の治療法を施行すれば予後は比較的良好であるが，前脊髄動脈症候群では種々の程度の対麻痺や温痛覚障害，膀胱直腸障害が残存することが多い．抗リン脂質抗体症候群では基礎疾患自体の治療も予後を左右する．

(3) 脊髄出血
概念

頭蓋内出血と同様に出血の部位によって硬膜下・硬膜外出血，くも膜下出血，実質内出血に分類される．また原因によって外傷性や腹圧性，腫瘍性，血管奇形性，特発性などに分類される．硬膜下・硬膜外出血は急性の space-occupying lesion により脊髄圧迫性の病態となり，胸椎部に多いため激烈な背部痛と急性の下肢麻痺で発症する．これに対して脊髄くも膜下出血は，急激な背部痛と急性下肢麻痺を呈するが，Kernig 徴候や Bruzinski 徴候などの髄膜刺激症候を伴うことが特徴である．脊髄実質内出血は，出血部位に応じて臨床症状がみられる．脊髄出血は一般に外傷によるものが大半を占め，脊髄動静脈奇形破裂(図

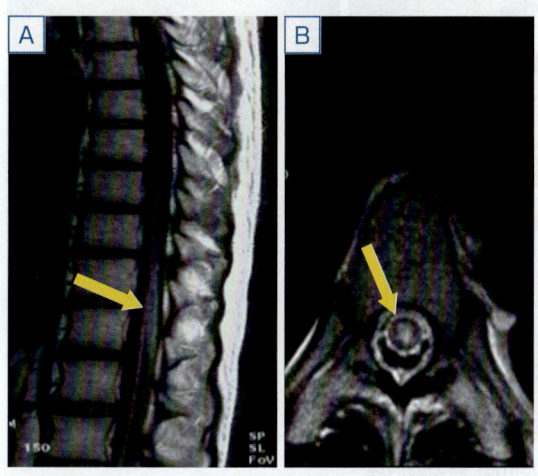

図 17-5-26 抗リン脂質抗体症候群による脊髄梗塞例の MRI 画像
A：脊髄縦断面で腰髄部に Gd 造影される腫脹病変(矢印)がある．
B：脊髄横断面では中心部に病変(矢印)がある．

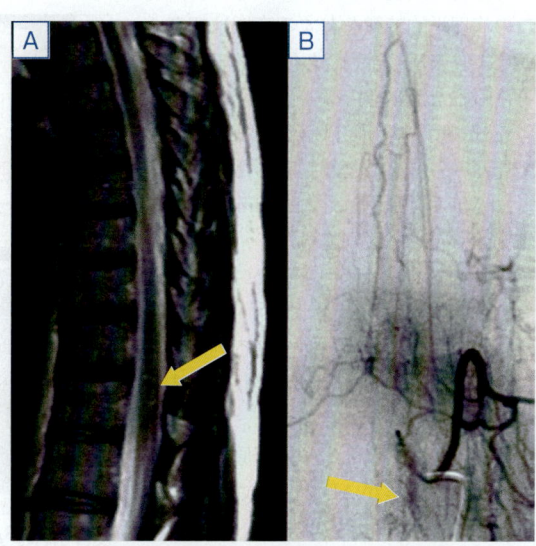

図 17-5-27 脊髄動静脈奇形破裂例の MRI 画像
A：脊髄縦断面での Gd 造影で腰髄部に不規則な点状造影(矢印)がみられる．
B：Adamkiewicz 動脈造影により，不規則な動静脈奇形が描出されている(矢印)．

17-5-27)によるものがこれにつぐ．まれに血液疾患や膠原病，抗凝固薬使用，脊髄腫瘍，静脈性脊髄梗塞，妊娠後期などが原因となる．脊髄動静脈奇形は脊髄腫瘍の 4.4％を占め，そのうち 31％が出血をきたす．

臨床症状・治療

突発性の背部痛と対麻痺などの脊髄横断症状で発症することが多い．脊髄横断面で全体的に傷害されれば，横断性脊髄障害（下肢完全麻痺）となるが，脊髄半側障害の場合は Brown-Séquard 症候群となる【⇨ 17-2-2】．

検査所見としては，CT で脊髄腔内に高吸収域を認め脊髄の腫大を認める．MRI ではより詳細な空間的位置関係が明らかとなり，部位診断（横断面と縦断面）が可能となる．髄液検査ではくも膜下出血や実質内出血ならば血性となり，炎症細胞や悪性細胞の検出ができれば鑑別診断上も有用である．

治療は出血部位と程度により，保存的治療あるいは外科的手術を選択する．特に硬膜下・硬膜外出血や破裂動静脈奇形，腫瘍内出血では発症後速やかに血腫や原因病巣の外科的除去を行えば比較的予後は良好であるが，時間経過とともに脊髄麻痺症状は固定化する．

〔阿部康二〕

■文献

後藤文男，天野隆弘：臨床のための神経機能解剖学，pp122-3，中外医学社，1992．
Shephard RH: Spinal arteriovenous malformations and subarachnoid haemorrhage. *Br J Neurosurg.* 1992; 6: 5-12.

17-6　神経変性疾患

1）大脳変性疾患

(1) Alzheimer 病
定義・概念

1907 年，ドイツの Alois Alzheimer は進行性の認知症で死亡した 50 歳代の女性を報告した．この患者の脳には老人斑と神経原線維変化という特徴的な構造物がみられた．当初，この病理学的特徴を有する病態は初老期（65 歳未満）発症のまれな認知症と考えられたが，その後，老年期に発症する認知症にも，しばしば同様の病理所見がみられることが判明した．かつて，老年期発症例は「Alzheimer 型老年痴呆」として区別されたが，発症年齢では本質的には区別されないことから，現在では，発症年齢にかかわらず，Alzheimer 型認知症，あるいは単に Alzheimer 病（AD）と称される．すなわち，進行性認知症を呈し，神経細胞脱落とともに老人斑や神経原線維変化を認める病態が AD と定義される．

病理・病因・病態生理

1）病理：　脳萎縮は側頭葉，頭頂葉，前頭葉にみられるが，特に側頭葉内側部の海馬領域に強調される（図 17-6-1A, B）．組織学的には，嗜銀性の構造物である老人斑，神経原線維変化とともに，神経細胞やシナプスの脱落を認める．老人斑や神経原線維変化は健常高齢者でも少量みられるが，AD では大量かつ広範に分布する．典型的老人斑は電顕的に線維構造を示すアミロイドのコアの周囲に変性神経突起が集簇している．神経原線維変化は電顕的にはペアになったらせん状フィラメント（paired helical filament:

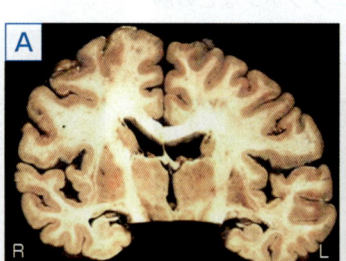
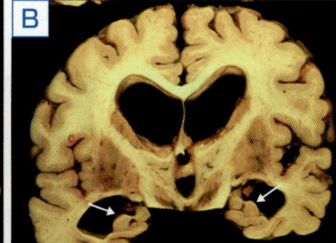
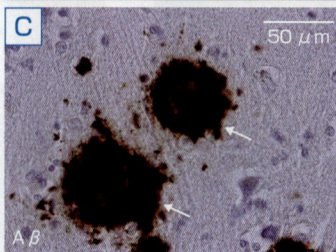
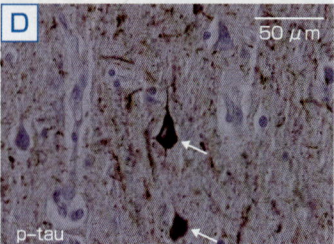

図 17-6-1 Alzheimer 病の脳病理
正常対照（A）および Alzheimer 病（B）脳の前額断．Alzheimer 病脳はびまん性萎縮，脳室拡大を示すが，萎縮は特に側頭葉内側部の海馬領域（矢印）に顕著である．Alzheimer 病脳にはアミロイドβ蛋白（老人斑（矢印））(C) およびリン酸化タウ蛋白（神経原線維変化（矢印）および neuropil threads（糸屑状構造））の蓄積（D）がみられる．

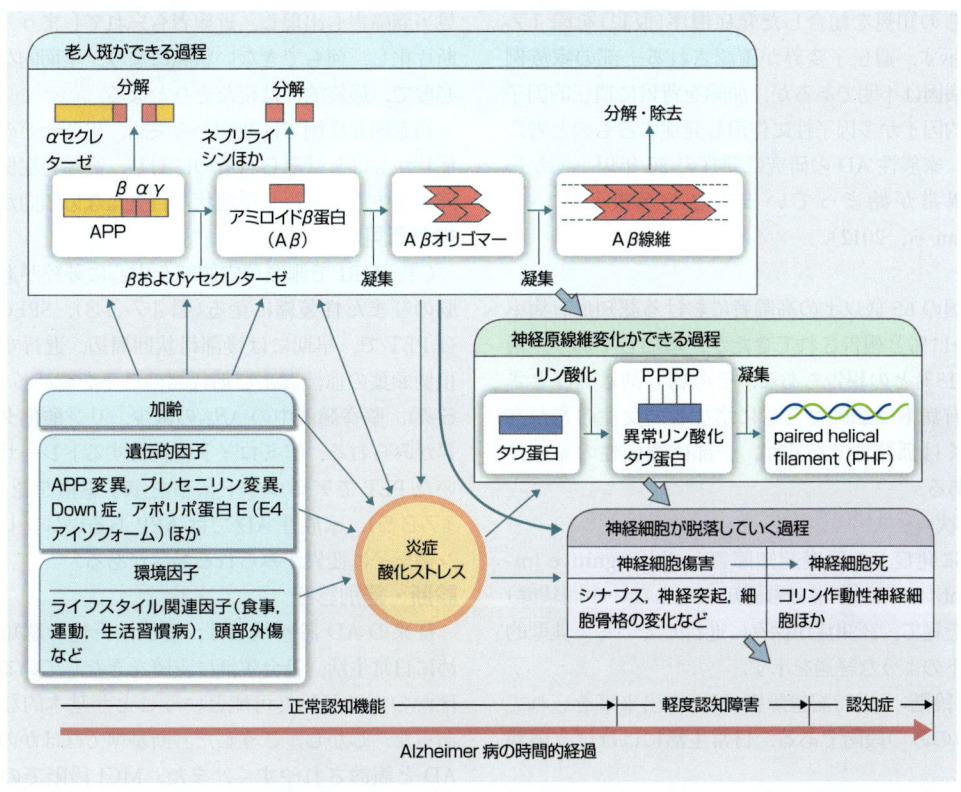

図17-6-2 Alzheimer病の発症メカニズム(仮説)

PHF)構造を示す．コリン作動性神経細胞(Meynert基底核から大脳皮質に投射)が特に侵されやすい．

2) 病因・発症機序：

a) 生化学：老人斑の主成分は40あるいは42個のアミノ酸からなるアミロイドβ蛋白($A\beta：A\beta_{40}/A\beta_{42}$)である(図17-6-1C)．$A\beta$は21番染色体上に存在する遺伝子によってコードされている$A\beta$前駆体蛋白(APP)に由来する．膜貫通型蛋白であるAPPの大部分は，APPの$A\beta$構成部分の中央でαセクレターゼによって切断されて$A\beta$産生に至らないが，α切断を受けずに，βセクレターゼおよびγセクレターゼによって次々と切断された場合には$A\beta$が産生される(図17-6-2)．$A\beta$は凝集し最終的にアミロイド線維を形成する．$A\beta$凝集体は神経毒性を有し，特にオリゴマーとよばれる小さい凝集体は毒性が強い．また，脳内にはネプリライシンなどの$A\beta$分解酵素を含む分解・除去機構も存在する．一方，神経原線維変化のPHFの主成分は微小管関連蛋白タウである(図17-6-1D)．AD脳では過剰にリン酸化され不溶化したタウ蛋白(3および4リピートタウとよばれるアイソフォーム)が凝集・蓄積し，神経細胞体と突起にPHF構造が出現する．

b) 分子遺伝学：常染色体優性遺伝を示す家族性ADが一部にみられ，APP，プレセニリン1，プレセニリン2遺伝子の変異が報告された．APP遺伝子の変異によりAPPのプロセッシングが変化しADが発症することは，APPから$A\beta$蓄積に至る経路が発症機構において中心的な役割を果たしていることを示している(アミロイドカスケード仮説)．プレセニリンは膜貫通型蛋白で，細胞内シグナル伝達に重要な役割を果たす細胞表面受容体ノッチ切断にかかわっている．APPのプロセッシングにおいて，プレセニリンはγセクレターゼの活性部位であり，APPを細胞膜内でγ切断する(図17-6-2)．プレセニリン変異はγセクレターゼ活性を変化させ$A\beta_{42}$産生を増加させる．一方，孤発性ADについては，アポリポ蛋白E遺伝子が疾患感受性遺伝子である．アポリポ蛋白EにはE2，E3，E4の3つのアイソフォーム(それぞれに対応する$\varepsilon 2$，$\varepsilon 3$，$\varepsilon 4$アリル)がある．$\varepsilon 4$は孤発性ADの危険因子であり，$\varepsilon 4$の数に比例してADのリスクは高まり，発症年齢も低くなる．

c) 疫学：頭部外傷や生活習慣病(糖尿病，高血圧，脂質異常症)が高いリスク，低カロリー・低脂肪，魚・野菜，抗酸化作用を有する栄養因子を豊富に含む食事および運動が低いリスク，抗炎症薬，エストロゲン，スタチン類などの服薬歴が低いリスクと関連することが報告され，ライフスタイルなどに関連する因子の作用機序の解明が進んでいる．

これらの知見を総合した発症機序(仮説)を図17-6-2に示す．遺伝子変異が確認される一部の家族例を除き病因は不明であるが，加齢を背景に遺伝的因子や後天的因子が多因子性に作用し発症するものと考えられる．家族性ADの研究は発症の20年以上前からAβの異常が始まっていることを示唆している(Batemanら，2012)．

疫学
わが国の65歳以上の高齢者における認知症有病率は3.8〜11％と報告されてきたが，増加しており，最近では15％との報告もある．その約6割はADとされる．有病率は加齢とともに増加し，女性の方が高い．多くは孤発性であるが，一部に遺伝性の家族性ADがある．

臨床症状
緩徐に発症し，軽度認知障害(mild cognitive impairment：MCI)(正常でも認知症でもない中間状態)の段階を経て，認知症が徐々に進行していく．典型的には以下のような経過を示す．

1)MCI段階： 近時記憶障害(最近の出来事を忘れてしまう)のみの段階である．日常生活にはほぼ支障がない．

2)初期(軽度認知症)： 近時記憶障害が目立つようになり(数分前に話したことやエピソードを思い出せない)，さらに時間に関する見当識の障害(日付を思い出せない)，実行機能障害(段取りをつけて物事を実施できない)が出現する．自発性減退，うつ気分がみられ，物盗られ妄想が目立つ場合もある．

3)中期(中等度認知症)： 認知機能全体の低下が著しくなる．時間ばかりでなく，場所に関する見当識の障害が現れる．さまざまな高次脳機能の障害(大脳巣症状)がみられ，失語(語健忘，錯語，反響言語，語間代など)，失行(構成失行，観念運動性失行，観念性失行，着衣失行など)，失認(視空間失認など)，計算力低下などが明らかになる．妄想，徘徊，夕暮れ症候群(夕方になると落ち着かなくなり，自宅にいても自分の家に帰りたいという)，食行動の異常(何でも食べようとする(口運び傾向，oral tendency))など，認知症の行動・心理症状(behavioral and psychiatric symptoms of dementia：BPSD)が目立つようになる．食事，排便，着衣など，身のまわりのことに介護が必要になる．

4)後期(重度認知症)： 重度の認知障害を示す．人物に関する見当識障害も出現し，近親者も忘れてしまう．思考も断片化し，何もできない状態になり，全面的な介護が必要で，最終的には寝たきりとなる．

初老期発症例では初期から失語，失認などの大脳巣症状がしばしばみられるのに対し，高齢発症例は記憶障害を中心に進行し巣症状が目立たない傾向がある．

検査所見
CT，MRIで側頭葉内側部を中心に萎縮が進行し大脳のびまん性萎縮に至る(図17-6-3)．SPECTおよびPETで，早期には後部帯状回周辺，進行すると頭頂側頭葉の血流および糖代謝の低下を認める(図17-6-4)．脳脊髄液中のAβ_{42}の減少，リン酸化タウの上昇がみられる．アミロイドに結合するトレーサーを用いたPETでアミロイド蓄積を示す集積を認める(図17-6-5)．家族性ADではAPPあるいはプレセニリン遺伝子に変異がみられる場合がある．

診断・鑑別診断
従来のAD診断基準は，緩徐進行性の認知症のために日常生活，社会生活に支障をきたしていること，ほかの疾患が除外可能ということが基本的な骨子であった．しかし，こうした診断基準ではほかの疾患がADと誤診されやすく，また，MCI段階での早期診断が求められるようになった．そのため，診断カテゴリーに"ADによる認知症"ばかりでなく"ADによるMCI"を含み，ADの診断確実度を画像(MRI，糖代謝・アミロイドPET)や脳脊髄液マーカーで評価する診断基準に改訂された(NIA-AA診断基準2011)(Jackら，2011)．

せん妄，抑うつなどの認知症以外の病態，認知症をきたすほかの疾患(血管性認知症，非Alzheimer型変性型認知症(Lewy小体型認知症，前頭側頭型認知症など)，認知症をきたす内科的・脳外科的疾患)を鑑別する．内科疾患(甲状腺ホルモン低下症，ビタミンB_1・B_{12}欠乏症，神経梅毒など)や脳外科疾患(慢性硬

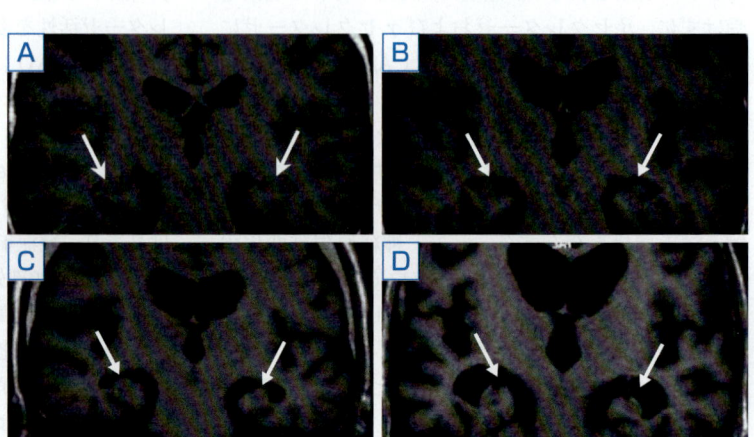

図17-6-3 Alzheimer病の頭部MRI冠状断T1強調画像
海馬領域(矢印)の萎縮がみられない状態(A)から高度萎縮(D)への進展を示す．

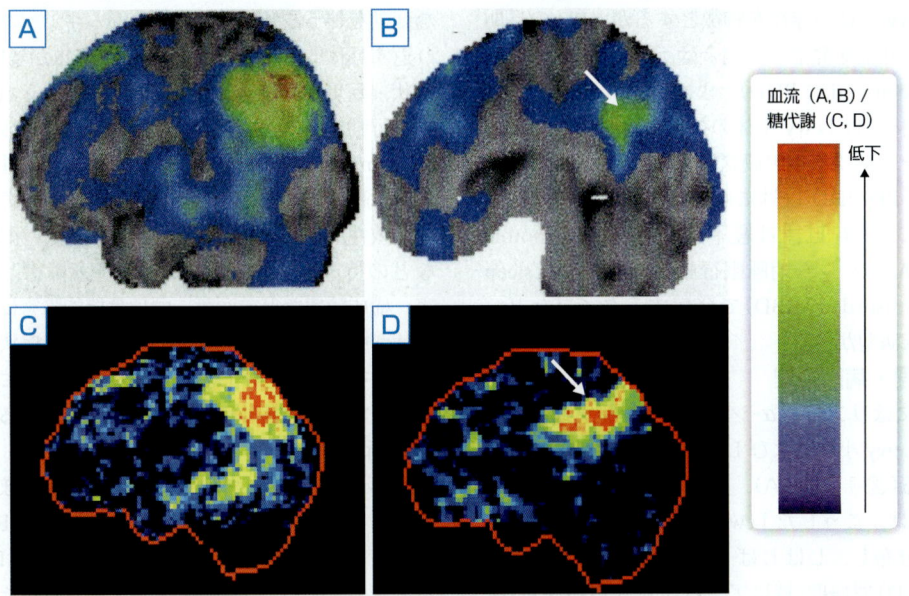

図 17-6-4 MRI で脳萎縮がみられない早期 Alzheimer 病患者の脳血流(ECD)SPECT(A, B)および糖代謝(FDG)PET(C, D)
大脳外側面(A, C), 内側面(B, D)の統計処理画像で黄〜赤色の部分が血流・代謝低下を示す. 内側面の後部帯状回〜楔前部(矢印)に最も早期から代謝・血流低下がみられる.

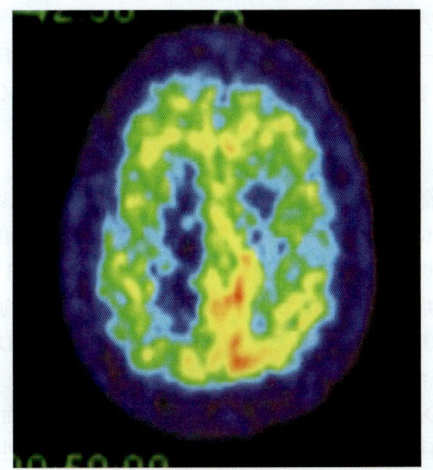

図 17-6-5 Pittsburgh Compound B (PIB) による Alzheimer 病のアミロイドイメージング
アミロイド蓄積を示す PIB の集積がみられる.

膜下血腫, 正常圧水頭症など)に伴う治療可能な認知症を見逃してはならない.

経過・予後

発症後約 10 年で寝たきりとなり, 全身衰弱や感染症などの合併により死亡する.

治療

治療は薬物療法と非薬物療法に大別される. 介護サービスや家族支援の提供などを含む非薬物療法(ケア, リハビリテーション)が症状の軽減や BPSD の出現予防のために重要である. 薬物療法は認知症に対する薬剤(抗認知症薬)と BPSD に対する対症療法(抗精神病薬の適応外使用など)に大別される. 抗認知症薬にはコリンエステラーゼ阻害薬のドネペジル, ガランタミン, リバスチグミン, NMDA 受容体拮抗薬のメマンチンがある. これらは神経伝達を標的とする症状改善薬であり, 疾患そのものの進行を阻止しえない. 発症過程(図 17-6-2)の上流に位置するアミロイドやタウを標的とした疾患修飾薬(β あるいは γ セクレターゼ阻害による Aβ 産生抑制, Aβ 凝集阻害, Aβ 免疫療法による Aβ クリアランス促進, タウ蛋白リン酸化阻害, タウ蛋白凝集阻害など)が開発中である.

〔山田正仁〕

■文献

Ballard C, Gauthier S, et al: Alzheimer's disease. *Lancet*. 2011; **377**: 1019-31.

Bateman RJ, Xiong C, et al: Clinical and biomarker changes in dominantly inherited Alzheimer's disease. *N Engl J Med*. 2012; **367**: 795-804.

Jack CR Jr, Albert MS, et al: Introduction to the recommendation from the National Institute on Aging and the Alzheimer's Association working group on diagnostic guidelines for Alzheimer's disease. *Alzheimers Dement*. 2011; **7**: 257-62.

(2) Lewy 小体型認知症(dementia with Lewy body: DLB)

定義・概念・分類

DLB は大脳における Lewy 小体の存在を特徴とする認知症である. 一方, Parkinson 病(PD)は脳幹に

おけるLewy小体の存在を特徴とするが，PDの長期経過後に認知症を発症した場合は，認知症を伴うPD（PD with dementia：PDD）とよばれる．

Lewy小体病はLewy小体の存在を特徴とするすべての病態を包括する疾患概念である．Lewy小体病には，DLB，PD/PDD以外にも，自律神経症状で発症するタイプ（純粋自律神経不全症（pure autonomic failure：PAF）），レム期睡眠行動異常症（REM sleep behaviour disorder：RBD）で発症するタイプなど，多彩な臨床病型がある．

病因・病理・病態生理

DLB脳にはリン酸化α-シヌクレイン凝集物を主成分とするLewy小体およびLewy神経突起が広範に分布している（図17-6-6A）．高度の認知症症状を有するDLBでは，こうしたLewy関連病理が大脳皮質に広範囲に分布し，しばしばAlzheimer病（Alzheimer disease：AD）型病理（特にアミロイドβ蛋白沈着）を随伴する．Lewy関連病理はPDと同様に黒質などの脳幹にもみられる．Lewy小体病の病変進展形式として①延髄から上行するタイプ，②扁桃核から大脳皮質あるいは脳幹へ進展するタイプ，③大脳皮質から脳幹方向に下降していくタイプなどが推定されており，進展形式の多様性がDLBとPDDとの経過の違いを含むLewy小体病の表現型の多様性をもたらしていると考えられる．

α-シヌクレインはシナプス前終末に豊富に発現し，シナプス小胞と関連し，シナプス機能に関与している．遺伝性Lewy小体病でみられるα-シヌクレイン遺伝子異常や翻訳後修飾（リン酸化，ニトロ化など）が凝集に影響することが報告されている．

疫学

DLBは認知症全体の約15～20％を占め，血管性認知症と並んでADについで頻度の高い認知症の原因疾患である．

臨床症候

進行性認知障害を中心に，注意や覚醒レベルの顕著な変動を伴う認知機能の動揺，パーキンソニズム，繰り返す具体的な幻視（ヒト，小動物，虫が多い），うつ症状，妄想，アパシーなどの精神症状とそれらに関連する行動症状（行動・心理症状（behavioral psychological symptoms of dementia：BPSD）），転倒や失神の病歴，RBD（悪夢をみて暴れる），抗精神病薬に対する過敏性，自律神経障害（起立性低血圧，尿失禁など）などの特徴を示す．認知障害は注意障害，視空間障害，構成障害など前頭葉・頭頂葉機能障害に由来する症状が強い．認知症はDLBの中心的な症状ではあるが，病初期には必ずしも認知症症状は前景に立たず，うつ症状などの精神症状が目立つ場合がある．

検査所見

頭部MRIでは内側側頭葉の萎縮はADほど目立たない場合が多い．脳血流SPECT，糖代謝PETでは，後頭葉の血流低下，代謝低下がみられる．DLBでは黒質線条体ドパミン神経が変性・脱落するため，ドパミントランスポーター（DAT）に高い親和性を示す^{123}I-イオフルパンを用いたDATシンチグラフィでは，線条体で集積が低下する．DLBでは末梢自律神経系にもα-シヌクレインが蓄積し交感神経節後線維も障害されるため，心臓交感神経検査である^{123}I-メタヨードベンジルグアニジン（MIBG）心筋シンチグラフィでMIBG取り込みが低下する（図17-6-6B, C）．

診断・鑑別診断

特徴的な臨床症候に基づき検査所見を参考に診断する（McKeithら，2005）．進行性の認知障害に加え，認知機能の変動，幻視，パーキンソニズムの3つの中核症状のうち2つ以上がみられれば，臨床的にほぼ確実なDLBである．中核症状以外では，RBD，抗精神病薬による過敏性，うつ症状・妄想などのBPSD，自律神経症状などに注目する．AD，血管性認知症，進行性核上性麻痺や大脳皮質基底核変性症などのパーキンソニズムと認知症を呈する疾患，Creutzfeldt-Jakob病などを鑑別する．

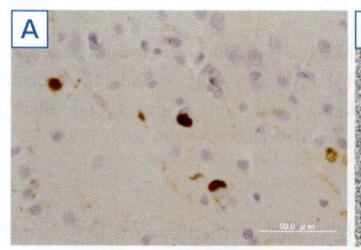 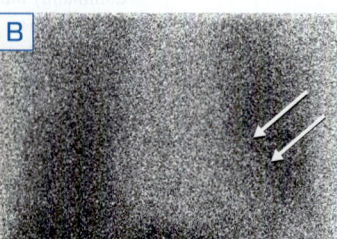 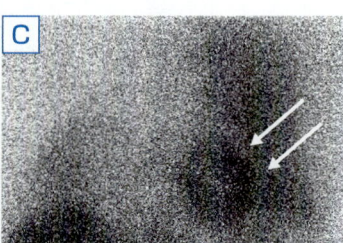

図17-6-6 Lewy小体型認知症（DLB）の脳病理（A）およびMIBG心筋シンチグラフィ（B）
心臓の交感神経節後線維機能をみるMIBGシンチグラフィでは，Alzheimer病（C）ではMIBGの集積が保たれる（矢印）のに対し，DLB（B）では集積が著しく低下している（矢印）．
大脳皮質の神経細胞にリン酸化α-シヌクレイン陽性のLewy小体およびLewy神経突起がみられる（A）（A：リン酸化α-シヌクレイン免疫染色）．

経過・予後

認知障害，運動障害，BPSD，自律神経症状などの多彩な症状が進行する．ADに比べて進行が速く，発症後の平均生存期間は10年未満である．

治療

DLBではアセチルコリン系，ドパミン系，セロトニン系などが障害されやすく，それらに基づく神経精神症候を呈することから，それらの神経伝達機能を修飾する薬物が用いられる．認知障害やBPSDに対してコリンエステラーゼ阻害薬，メマンチン，パーキンソニズムに対してレボドパなどを用いる．また，ケアやリハビリテーションなどの非薬物療法が重要である．Lewy病理そのものを標的とする疾患修飾療法は現在なく，研究開発が行われている． 〔山田正仁〕

■文献

McKeith IG, Dickson DW, et al: Diagnosis and management of dementia with Lewy bodies. Third report of the DLB consortium. *Neurology*. 2005; **65**:1863-72.

(3) 前頭側頭型認知症 (frontotemporal dementia: FTD)

定義・概念・分類

FTDは人格変化や行動異常に特徴づけられる症候群であり，大脳の前方部（前頭側頭葉）に限局性変性を示す疾患群に認められる．症候および病理学的違いから，大脳の後方部の障害が目立つAlzheimer病（Alzheimer disease: AD）と対比される．

前頭側頭葉の変性という観点からは，FTDは前頭側頭葉変性症（frontotemporal lobar degeneration: FTLD）に含まれる．FTLDの臨床病型は脳病変部位の機能局在に対応して，FTD，進行非流暢性失語（progressive non-fluent aphasia: PA），意味性認知症（semantic dementia: SD）の3型を主要な臨床病型として含む（図17-6-7）．

一方，最近では，FTDがFTLDの同義語として使用されることがしばしばある．その場合，"FTD（広義）"は，上記のFTD，PA，SDを含む複数の症候群の集合体（syndromes）を意味し，上記のFTLDの一臨床亜型としてのFTDは，behavioral variant FTD（bvFTD）とよばれる．

病因・病理・病態生理

FTLDには病理学的にさまざまな疾患が含まれるが，それらは凝集し不溶化した蛋白質が神経細胞やグリアに封入体を形成して異常蓄積するという共通の特色を有する．蓄積蛋白質にはタウ蛋白，TDP-43（transactive response DNA binding protein of 43 kD），FUS（fused in sarcoma）があり，それらに対応して，FTLDはFTLD-Tau，FTLD-TDP，FTLD-

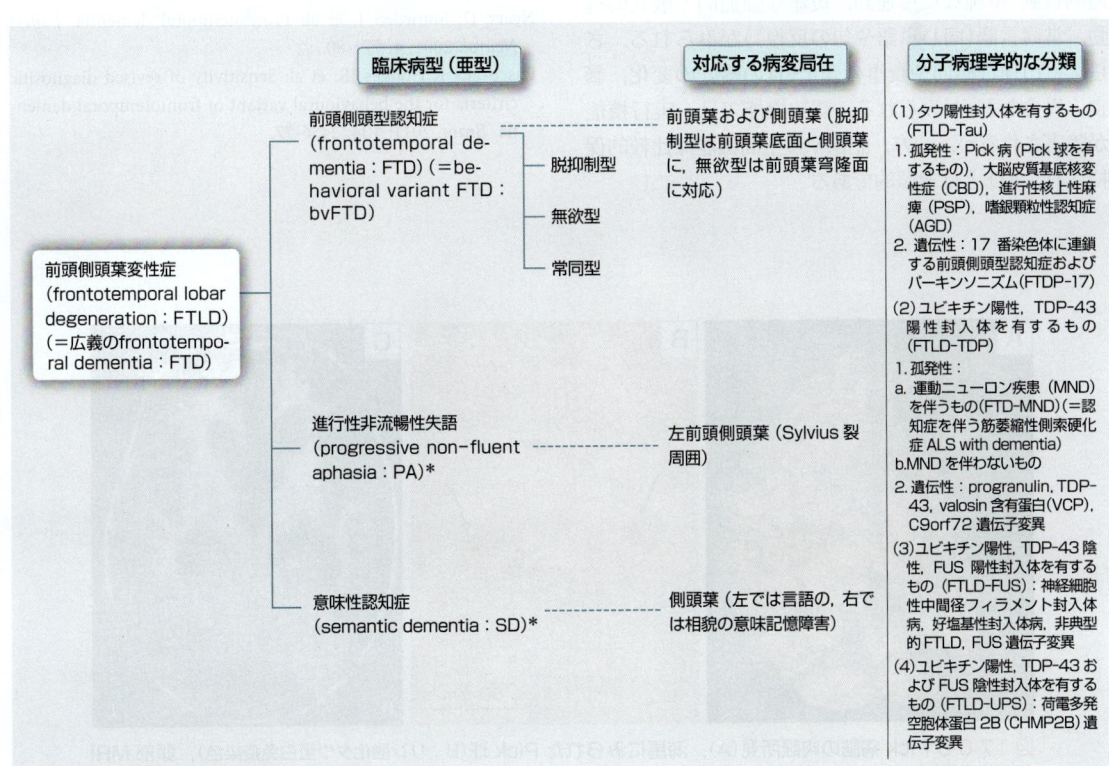

図17-6-7 前頭側頭葉変性症/前頭側頭型認知症の分類
(Lund-Manchester分類(1998)を改変)

FUSなどの病型に分類される（図17-6-7）（Josephsら，2011）．

FTLD-Tauには，孤発性のPick病や，遺伝性でタウ遺伝子変異に伴う17番染色体に連鎖するFTDとパーキンソニズム（frontotemporal dementia and parkinsonism linked to chromosome 17：FTDP-17）などがある．Pick病は1892年Arnold Pickにより前頭側頭葉に限局性の高度の萎縮を呈する疾患として報告され，神経細胞内に嗜銀性の封入体（Pick球，Pick小体）がみられ，封入体には3リピートタウとよばれるタウアイソフォームが凝集している（図17-6-8A，B）．FTLD-TDPはFTLDの約半数を占め，孤発性のものが多く，そのなかには運動ニューロン疾患を伴うFTD（FTD-MND）が含まれる．

疫学

50～60歳代を中心に発症し，男女差はなく，有病率では45～64歳の人口10万対15の報告がある．欧米では30～40%が家族例であるが，わが国では家族例はきわめてまれである．

臨床症状

早期から行動上の脱抑制（社会的に不適切な行動，マナーや礼儀正しさの喪失，衝動的，軽率あるいは不注意な行動），無関心・無気力，同情・共感の欠如（他人の必要や感情に対する反応の減少，社会的関心・人間関係・人間的温かさの減少），常同的・保続的・強迫的行動（単純な反復運動，複雑な強迫的・儀式的行動，常同言語（同じ単語や句の反復））がみられる．さらに，口運び傾向や食事の変化（食の嗜好の変化，暴食，異食など）がみられる．認知機能では，実行機能が障害されるが，一方，記憶や視空間機能は比較的保持され，ADとは対照的である．

検査所見

頭部CT，MRIで特徴的な前頭側頭葉の限局性萎縮がみられ（図17-6-8C），局所脳血流や糖代謝の低下がSPECTやPETで鋭敏に検出される．遺伝性ではタウ遺伝子などに変異を認める場合がある．

診断・鑑別診断

FTDの診断は脱抑制的行動や人格変化，進行性の経過，限局性前頭・側頭葉萎縮を特徴とする臨床，画像所見による．病初期からの記憶障害を主徴とするAD他の疾患を鑑別除外する（Rascovskyら，2011）．FTDの原因疾患（図17-6-7）の診断については，運動ニューロン疾患や大脳皮質基底核変性症などを示唆する所見の有無を検討するが，診断マーカーが未確立であり，確定診断は病理による．

経過・予後

緩徐進行性で，平均約8年で寝たきり状態になり死亡する．運動ニューロン疾患を有する場合は平均約4年で死亡する．

治療

根本的な治療法はなく，対症的治療およびケアが中心となる．

〔山田正仁〕

■文献

Josephs KA, Hodges JR, et al: Neuropathological background of phenotypical variability in frontotemporal dementia. Acta Neuropathol. 2011; **122**:137-53.

Neary D, Snowden J, et al: Frontotemporal dementia. Lancet Neurol. 2005; **4**: 771-80.

Rascovsky K, Hodges JR, et al: Sensitivity of revised diagnositic ciriteria for the behavioural variant of frontotemporal dementia. Brain. 2011; **134**: 2456-77.

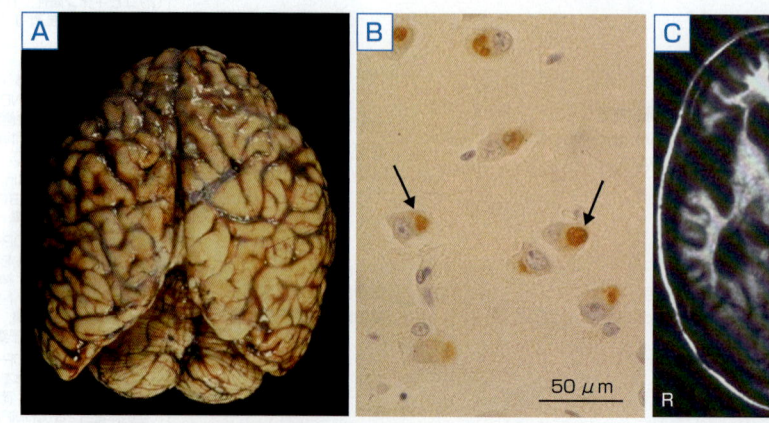

図17-6-8 Pick病脳の肉眼所見(A)，海馬にみられたPick球(B：リン酸化タウ蛋白免疫染色)，頭部MRI（T1強調画像）(C)
顕著な前頭葉および側頭葉前部の萎縮(A, C)がみられ，神経細胞にリン酸化タウ蛋白陽性の封入体（Pick球）（矢印）を認める(B)（土谷邦秋博士のご厚意による）．

2）錐体外路系の変性疾患

(1) Parkinson 病
定義・概念については e コラム1を参照．

原因・病因
90〜95％が孤発性 Parkinson 病で，多くの遺伝子と環境因子が関与する多因子疾患と考えられている．ゲノムワイド関連解析により疾患感受性遺伝子として SNCA, LRRK2, BST1, RAB25 などが同定されている．Gaucher 病の原因遺伝子 GBA 変異は，頻度は低いが発症の関与が知られている．残りの5〜10％は，遺伝性疾患で，1997 年に α-シヌクレインの点変異の常染色体優性遺伝性の家族性 Parkinson 病が同定されて以来多数報告されている（表 17-6-1）．

孤発性 Parkinson 病では，除草剤（パラコート），殺虫剤（ロテノン）などの農薬の曝露が環境因子のなかで重要視されている．

二次性パーキンソニズムとしては，血管障害性，薬物性，脳炎後，中毒性，外傷性パーキンソニズム，正常圧水頭症がある．

金属の曝露もパーキンソニズム発症の原因となる．溶接業者などがマンガン中毒性パーキンソニズムを発症することがある．精神症状に引き続きパーキンソニズムが出現し，ジストニーを伴うことが特徴である．

1920 年頃に嗜眠性脳炎に感染し発症したパーキンソニズムが脳炎後パーキンソニズムとして知られた．現在では，日本脳炎感染後にパーキンソニズムを認めることがある．

疫学
Parkinson 病の有病率は年々増加傾向で，わが国では人口 10 万人あたり 100〜150 人とされ，欧米では10 万人あたり 150〜200 人と報告されている．増加の理由として，高齢化，診断率の向上，治療の進歩による患者寿命の延長などが考えられている．

病理
中脳黒質のメラニン含有ドパミン神経細胞の脱落（図 17-6-9）を主体とし，残存神経細胞に Lewy 小体が認められる（図 17-6-10）．青斑核，迷走神経背側核，Meynert 基底核においても神経細胞脱落と Lewy 小体を認める．Lewy 小体は，末梢の自律神経系（交感神経節や内臓神経）に加え嗅球，唾液腺，心臓，副腎，皮膚にも認められる．Lewy 小体の主要構成成分は，α-シヌクレインであり，神経突起内にも α-シヌクレインの異常蓄積があり Lewy ニューライトとよぶ（e コラム 2）．

病態生理
錐体外路系のネットワークを図 17-6-11 に示す．Parkinson 病では，黒質から線条体への抑制性入力が枯渇する．その結果，D_2 受容体への入力が低下し淡蒼球外節への抑制ニューロンが興奮する．その結果視床下核から淡蒼球内節/黒質網様体への興奮性ニューロンが過剰となり，視床への抑制ニューロンの活動が過剰となる．その結果，視床から大脳皮質への興奮性が低下し運動過小すなわち無動となる．

発症機序
黒質のドパミン神経細胞の脱落が，Parkinson 病の主症状の原因ではあるが，非運動症状の嗅覚障害，便秘，末梢神経障害なども病理学的には α-シヌクレイン蓄積部位と一致し，α-シヌクレインの凝集蓄積と神経細胞障害の関連が示唆される．実際に，PARK4 では，α-シヌクレインの二重重複（duplication），三重重複（triplication）の家系で Parkinson 病の発症が確認され，α-シヌクレイン蛋白の過剰発現が発症リスクを高める．

ドパミン自体が酸化ストレス源となるために，その細胞死には酸化的ストレスの関与も指摘されている．ミトコンドリアの呼吸鎖の

表 17-6-1 遺伝性（家族性）Parkinson 病

名称	遺伝子座	遺伝子	遺伝形式
PARK1	4q21-23	α-シヌクレイン	AD
PARK2	6q25.2-27	parkin	AR
PARK3	2p13	不明	AD
PARK4(1)	4q21-23	α-シヌクレイン	AD
PARK5	4p14	UCH-L1	AD
PARK6	1p35-36	PINK1	AR
PARK7	1p36	DJ-1	AR
PARK8	12p11.2-q13.1	LRRK2, dardarin	AD
PARK9	1p36	ATP132A	AR
PARK10	1p32	不明	SP
PARK11	2q36-37	不明	SP
PARK12	Xq21-25	不明	SP
PARK13	2p12	HTRA2	AD
PARK14	22q13.1	PLA2G6	AR
PARK15	2p12	FBXO7	AR
PARK16	1q32	Rab7L1	SP
PARK17	16q11.2	VPS35	AD
PARK18	3q27.1	EIF4G1	AD
PARK19	1q31.3	DNAJC6	AR
PARK20	21q22.11	SYNJI	AR
GAB	1p11	グルコセレブロシダーゼ	SP

AD：常染色体優性，AR：常染色体劣性，SP：感受性．

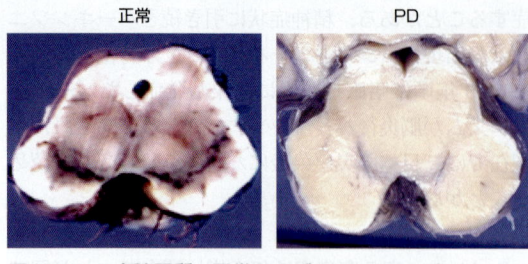

図17-6-9 **中脳黒質，正常およびParkinson病**

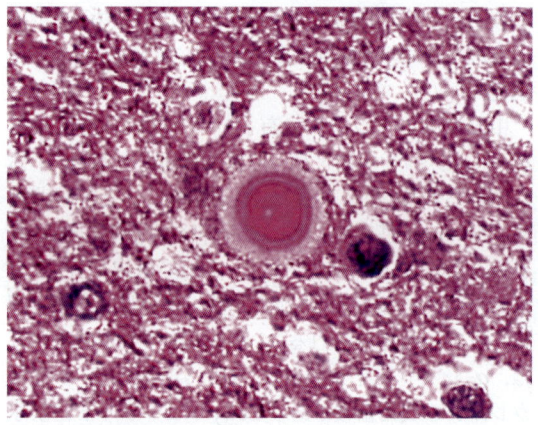

図17-6-10 **Lewy小体**

活性低下は，Parkinson病の剖検脳で報告されており，病態機序の重要な役割が示唆される．また，ミトコンドリア障害も活性酸素種の漏洩を生じさせる．さらに，家族性Parkinson病の原因遺伝子であるparkinやPINK1は，障害ミトコンドリアを除去する機能を有していることが判明し，ミトコンドリアの品質管理がParkinson病発症に関与していると思われる．

その他の家族性Parkinson病の原因遺伝子では，蛋白分解に関与するリソソーム関連分子（ATP13A2，GBA1，LRRK2，VPS35など）の障害が重要である．これらの障害は，α-シヌクレインなどの蛋白凝集を阻害できず，異常蓄積し細胞障害を生じると考えられる．

臨床症状

発症年齢は，55〜70歳が多いが，家族性疾患では20歳代からの報告があり，80歳発症の例もある．

1）運動症状： 振戦，筋強剛，無動，姿勢反射障害を主体とする．振戦は，静止時に強い毎秒5〜6サイクルで，左右差があることが特徴である（e動画17-6-A）．姿勢をとると消失することが多い．しかし，re-emergent tremorといって，姿勢をとってから約10秒後に次第に振幅が強くなる振戦のタイプがある（e動画17-6-B）．筋強剛は，受動的に筋を伸展したときに感じる抵抗である．ガクガクとした歯車様筋強剛

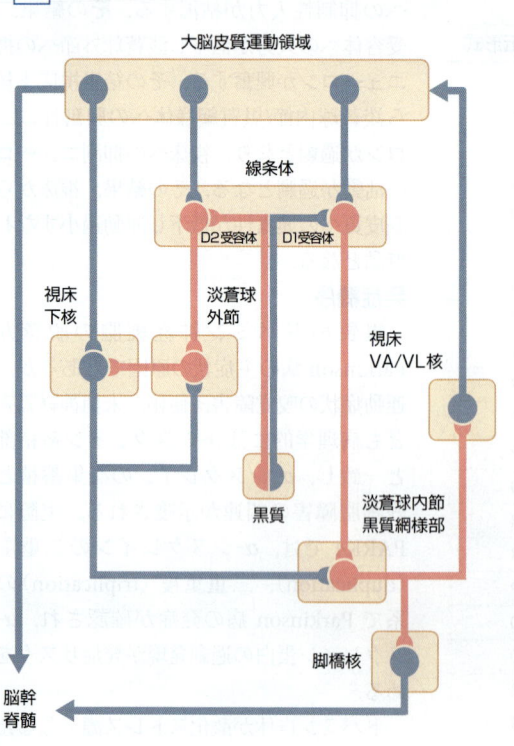

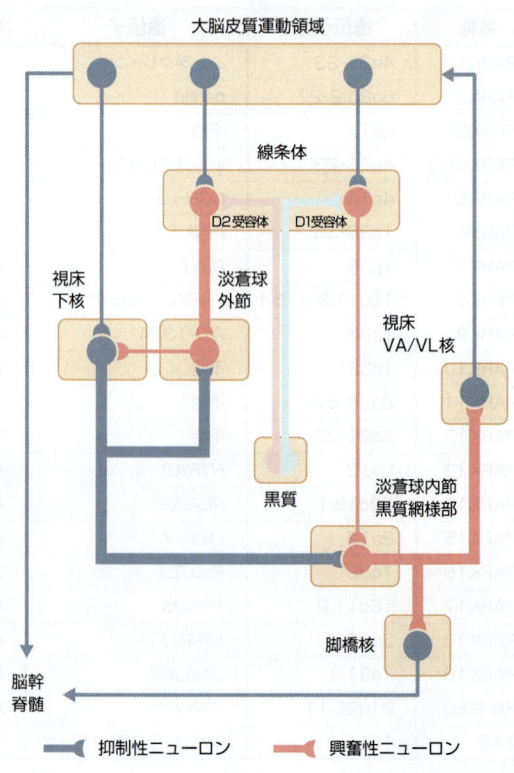

図17-6-11 **Parkinson病の病態生理**

と，一定の抵抗をもつ鉛管様筋強剛がある．上肢では，手首で観察するとわかりやすいが，初期で軽度の場合は，対側の上肢を上げて指折りなどの筋強剛増強法が診断に有用である（e動画17-6-C）．無動（e動画17-6-D）は，動作緩慢になり，無意識の動作が減少する．顔面の表情がなくなり，仮面様顔貌となる．書字は，字が次第に小さくなる小字症を呈する．歩行は，小刻みで前傾姿勢となる．姿勢反射障害（e動画17-6-E）は，外力が加わったときに姿勢をもとに戻すことが障害され倒れてしまう現象である．そのため，うしろに支えが効かなくなると後方突進現象を認め，転倒する．また，歩き出しや狭い場所ですくみ，動かなくなることがある．このようなすくみ足は転倒の原因となることが多い．進行期には，首下がり，腰曲がりなどの姿勢異常をきたすことがある．体幹が左右に傾くときはPisa症候群とよばれる．

2）非運動症状：　自律神経症状，感覚障害，精神障害，認知機能障害，睡眠障害および衝動制御障害がある．自律神経症状は，α-シヌクレイン蓄積，神経変性など早期の病変と一致した早期病変である．便秘，頻尿，発汗異常，起立性低血圧が認められる．感覚障害としては，約50〜90％に早期もしくは発症前から嗅覚障害を認める．嗅球におけるα-シヌクレインの蓄積も早期から認めている．痛みは，腰と下肢に多いが症状は多彩で，レボドパが無効なものもある．精神障害としては，うつ症状があり大部分は反応性のうつ症状である．うつ症状の頻度は高いが，大うつ病の頻度は一般人口と同程度である．不安状態，アパシー（意欲，興味，思考の減退），アンヘドニア（無快感，無快楽）は，うつ症状の一部のこともあるが，それぞれ単独で認めることもある．幻覚は，大部分が幻視であり夜間に多く認められ，壁などのシミが動物に見えるものから，進行すると大きくなり人影などが見えることがある．薬剤の副作用で発症することが多いが，発症初期から認められ，認知機能障害が加わりLewy小体型認知症に進展することもある．認知機能障害の特徴は，遂行機能障害で行動計画などの遂行が難しくなる，注意力や関心などが低下する，記憶力や計算力は比較的保たれているなどである．睡眠障害には，レム睡眠行動異常症，過度の睡眠，突然の入眠，中途覚醒など多彩な症状がある．REM睡眠行動異常症は，Parkinson病の15〜50％に合併し，REM睡眠行動異常症の約30〜50％がParkinson病に進展する．REM睡眠の間に活発な夢を見て，大声を出す．夢のなかの行動をし，殴りかかることもある．過度の睡眠は日中に見られ，前駆症状がある．薬物，夜間の睡眠障害が原因となる．前駆症状のない突然の入眠は，非麦角系ドパミンアゴニストの服用による副作用のことが多い．事故の原因となるため，非麦角系ドパミンアゴニスト服用の際には，車の運転は避ける．中途覚醒の原因としては，頻尿，夜間時オフ症状によるからだの痛み，寝返りができないことが原因となる．衝動制御障害は，病的賭博，病的性欲亢進，病的な買い物行為，病的摂食などがある．がドパミンアゴニストの使用が契機となり発症することが多い．punding（情動的な行動異常）も認められ，1日中機械の分解をしたり，ガーデニングに没頭するなどの症状が出現する．これらの症状は，ドパミンによる調整障害（dopamine dysregulation syndrome）としても生じ，レボドパ，ドパミンアゴニストなどを必要以上に服用することがある．

検査所見
血液・尿検査は正常．Parkinson病のバイオマーカーとなる検査はない．

画像検査
頭部CT，MRI正常．MIBG（^{123}I-meta-iodobenzylguanidine）は，心臓交感神経でノルアドレナリンと同様の摂取・貯蔵・放出が行われる．Parkinson病やLewy小体型認知症では取り込み低下を認め，交感神経節後線維の障害を反映する．DatScan（^{123}I-ioflupane）は，ドパミントランスポーターへの結合能を評価することで，黒質線条体のドパミン神経の変性・脱落を評価する．Parkinson症候群，Lewy小体型認知症で取り込み低下を認める．

診断
約半数は早期に左右差のある静止時振戦を認める．その際に，早期に出現する嗅覚障害，便秘，REM睡眠行動異常症などの非運動症状の合併を確認することが有用である．軽度の筋強剛は，他側の指折りによる増強法で確認する．足タップは，踵を床につけて行い，拙劣の左右差を確認する．

鑑別診断
症候性パーキンソニズムおよび二次性パーキンソニズムが鑑別になる．症候性では，薬物性，中毒性，脳炎後，傍腫瘍性，正常圧水頭症などがある．二次性パーキンソニズムでは，多系統萎縮症，進行性核上性麻痺，大脳基底核変性症，前頭葉側頭型認知症などがあげられる．振戦のみの場合，本態性振戦，甲状腺機能亢進症，アルコール振戦，薬物性振戦を鑑別する．歩行障害のみの場合は，膝関節症やリウマチなども鑑別する．YahrⅢまでのParkinson病では，継脚歩行が可能である．

診断基準
診断基準（ガイドライン）はイギリスのブレインバンクのものが使用されることが多い．

重症度分類としては，Yahrの分類（e表17-6-A）は簡単で使いやすい．MDS-UPDRSは，2008年に発表され，日本語訳もある．非運動症状は，パートⅠ，

日常生活をパートⅡ，パートⅢは，運動症状を評価する．

合併症

嚥下障害は，進行期に出現し肺炎を合併する．誤嚥性肺炎が死因のうち最も頻度が高い．転倒による大腿骨頸部骨折，慢性硬膜下血腫の合併も非常に多い．転倒が頻回な場合は，頭部CTなどで経過を観察することが必要である．転倒の際に頭部を打撲しないよう，ヘルメットを装着し，家具の角にはパットを取り付けるよう指示する．Parkinson病では，発症初期に便秘の出現が多い．さらに薬剤の服用で便秘が重症化しイレウスを併発することがあり，緊急で入院加療が必要なこともある．

経過・予後

現在は，薬物療法により寿命をまっとうする．しかし，転倒による骨折などで寝たきりになることもる．

治療・予防・リハビリテーション

治療法は，レボドパ補充療法が主体となる．早期からレボドパを使用するとジスキネジアを生じるリスクが高いことから，初期治療としてはドパミンアゴニスト，セレギリン，アマンタジンなどを使用する．ただし，認知症を合併する場合，70歳以降で発症した場合，患者にとって症状改善の必要度が高い場合は，レボドパからの開始が推奨される．長期使用によりレボドパの効果時間が減少し，オフ時間が出現することをwearing offという．ジスキネジアは，長期レボドパ使用で誘発される舞踏病，ジスキネジア様の不随意運動である．音楽療法を含み，リハビリテーションも有用である．薬剤治療のほかに，深部脳刺激療法DBSや視床凝固術などの手術療法がある．DBS療法は，薬剤療法でも改善しない wearing off，ジスキネジアが出現したときに適応を考える．

禁忌

抗Parkinson病薬の突然の中断は悪性症候群を発症する．高熱，意識障害，脱水，発汗，横紋筋融解症などを主症状とする．血清CKが高値になる．そのために，抗Parkinson病薬の突然の中止は禁忌である．治療は，補液，レボドパ（ドパストン®）点滴静注，ブロモクリプチンを投与する．　　〔望月秀樹〕

（2）進行性核上性麻痺（progressive supranuclear palsy：PSP）

概念

PSPは，40歳以降に発病する徐々に進行する孤発性神経変性疾患である．

疫学

有病率（10万人あたり）はわが国では米子市での調査で5.8であった．欧米での有病率は1.4～14人/10万人との報告があり[2,3]，好発年齢は60～65歳で，男性に多かった[2]が，男女差は認めないとの報告がある[2,3]．

病理

基底核，脳幹，小脳の諸核の神経細胞が変性脱落する（eコラム1）．タウ陽性神経原線維変化（neurofibrillary tangle：NFT）やタウ陽性グリアを広範に認める4リピート（4R）タウオパチーを認め，タウオパチー（tauopathy）に分類される疾患である．神経原線維変化はねじれのない直細管からなる．嗜銀性を示す房状アストロサイト（tuft-shaped astrocyte：TA）の出現は本症に特徴的である．異常リン酸化タウ蛋白がアストロサイトとオリゴデンドロサイト内に沈着する．

臨床症状

症状は表17-6-2に示すように病期により異なるが，初期症状は姿勢反射障害により転倒しやすくなることから始まることが多い．

垂直性眼球運動障害はほぼ必発であるとされてきたが核上性注視麻痺を認めない患者が30～40％程度存在する．上方視の方が下方視よりも早くから出現する．核上性注視麻痺とは頭部を他動的に上下転すると眼球が上下方に動く現象をいう（人形の目現象）．しかし，最終的には全方向に眼球運動が不可能となる．易転倒性を伴う姿勢反射障害は初発症状としても出現する重要な症状である．すくみ足を認めしばしば転倒の原因ともなる．

認知機能障害や行動異常は初期には認めないものが大部分であるが，発病1年以内に約70％に認められるようになる．進行に伴い，意欲の低下，語彙流暢性低下，無言，無動などを示し，皮質下性認知症の代表的な症状を示す．

項部を後屈する姿勢（項部後屈ジストニア）は本症に特有な姿勢とされるが，初期には認めず，出現率は50％以下である．パーキンソニズムとして，無動，筋固縮，歩行障害などは必発であるが，静止時振戦は

表17-6-2　進行性核上性麻痺の病期分類（Steel JC, Richardson JC, et al: Progressive supranuclear palsy. Arch Neurol, 10: 333-359, 1964）

第1期の症候
不安定歩行，後方への転倒傾向，動作緩慢，霧視，発語障害，物忘れ，易怒性
第2期の症候
垂直性眼球運動障害，項部ジストニア，歩行障害，構音障害，知能低下，仮面様顔貌，腱反射の亢進と病的反射陽性
第3期の症候
随意性および反射性眼球運動消失，筋強剛・姿勢反射異常による起立・寝返り困難，強制把握・ゲーゲンハルテンなどの前頭葉徴候，認知症，無言，無動

まれである．その他，進行に伴い，構音・嚥下障害，錐体路徴候（腱反射亢進，Babinski 反射），前頭葉徴候（強制把握反射）もしばしば認める．言語障害，小音，不明瞭言語，吃音，同語反復，反響言語，早口などが出現する．

検査所見

進行性核上性麻痺に特有な血液生化学的検査はない．髄液検査は正常であり，ドパミン代謝産物のHVA（ホモバニリン酸）の低下例がある．髄液中（総，およびリン酸化）タウ蛋白は正常である．

補助検査法としてMRI，CT検査で中脳被蓋部の萎縮および進行期には脳梁部，前頭葉の萎縮も認める（図 17-6-12）．PET，SPECT検査では両側前頭葉の血流低下を認める．線条体ドパミントランスポーターはPSPでもドパミン神経の脱落を示すためParkinson病との鑑別には有用性が低い(e図 17-6-A)．

MIBG心筋シンチグラムでは病初期では早期，後期のMIBG取り込みは正常である(e図 17-6-A)．経時的検査では多くは正常値を示すが，低下例もみられる．

臨床病型分類

PSPの臨床症状は多彩であり，病理的に確定したPSPでの臨床亜型を表 17-6-3 に示す．臨床亜型の多様性はほかの疾患との鑑別が困難なことが多いことを示す．病初期にはParkinson病と診断される例はまれではない．

診断

米国NIH研究班によるNINDS-SPSP臨床診断基準が世界基準である．特異度はすぐれている（100％）が感度は低い（50％）とされる（表 17-6-4）．

すくみ足や転倒などの姿勢反射障害を呈する場合にはPSPを考慮する必要がある．NINDS-SPSP診断基準では「発症1年以内の転倒を伴う著明な姿勢保持障害」は必須項目の1つにあげられている．わが国では純粋無動症（pure akinesia）の存在は以前より認識されていたが[4]，欧米では2008年になり，これが認識された[5]．そしてPSPの臨床病型の多様性の存在が明らかにされている．英国の報告ではRichardson症候群は全体の54％で男性に多い[6]．PSP-パーキンソニズムは32％であり，非対称発症，男女差はなく予後は前者より良好とされる．片側性症状を呈した場合にはParkinson病，大脳皮質基底核変性症の可能性を考える必要がある．初期診断はしばしば困難である．古典的なPSPは病理診断的には25％程度であるとの報告もある(eコラム 2)．

進行・予後

徐々に進行し，平均罹病期間は約10年[7]で，多くは呼吸器疾患で死亡する．わが国での報告はこれより短い[8]．

治療

三環系抗うつ薬，セロトニン受容体1Aの拮抗薬であるタンドスピロンなどが有効であった例の報告があるが，一時的なものであり，根治療法はない．現在もいくつか治験が行われているが有効薬剤の報告はない．PSP-パーキンソニズムの病型ではレボドパへの反応性は病初期に軽～中等度症状を改善することがあるが次第に効果は消失する．このため生前にはParkinson病と異同が問題となる例がある． 〔山本光利〕

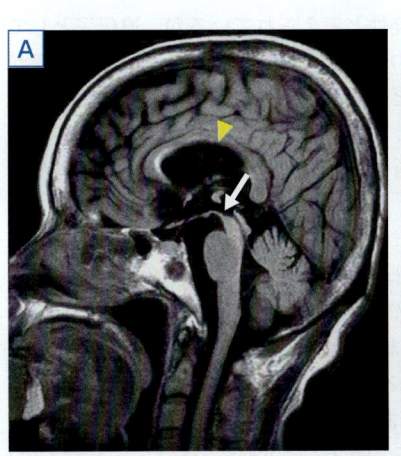
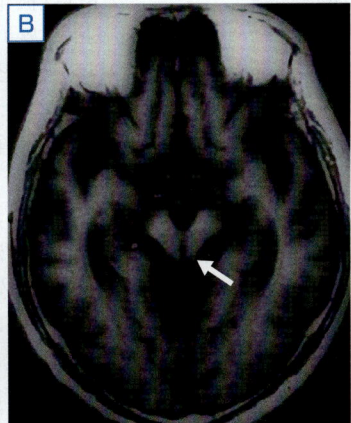

図 17-6-12 進行性核上性麻痺のMRI像
A：中脳被蓋部（humming-bird sign）と脳梁の萎縮を認める．
B：中脳被蓋部の萎縮を認める．

表 17-6-3 進行性核上性麻痺の臨床亜型（subtype）

PSP-RS	Richardson症候群，古典的PSP
PSP-PI	postural instability
PSP-OM	PSP-oculomotor型
PSP-P	パーキンソニズム型
PSP-FTD	frontotemporal-dysfunction型
PSP-CBS	corticobasilar syndrome型
PSP-C	cerebellar ataxia
PAGF	pure akinesia gait with freezing（すくみ足を呈する純粋無動症）
PNFA	progressive nonfluent aphasia（進行性非流暢性失語）

(e文献 17-6-2-2)

表 17-6-4 進行性核上性麻痺(PSP)診断基準(NINDS-SPSP；1996)

1. 必須事項
   - 臨床的ほぼ確実(possible PSP)：以下のいずれか
     A＋B_1＋D，または A＋(B_2＋C)＋D
   - 臨床的確実(probable PSP)：A＋B_1＋C＋D
   - 確実(definite PSP)：臨床的に probable か possible ＋典型的病理所見
     A：緩徐進行性，40歳以降の発症
     B_1：垂直性核上性眼球運動障害(上方視または下方視の注視麻痺)
     B_2：垂直性衝動性眼球運動の緩徐化
     C：顕著な姿勢反射障害(発症から1年以内に転倒が始まる)
     D：必須除外項目に示されているようなほかの疾患が否定される

2. 支持的所見
   - 左右差のない無動あるいは筋強剛が，近位部優位にある
   - 頸部の異常姿勢(特に後屈位)
   - レボドパはパーキンソニズムに対して効果が乏しいか無効
   - 早期から偽性球麻痺症状(嚥下障害や構音障害)が出現する
   - 早期から認知機能障害が出現し，以下の少なくとも2項目を含む：無感動，抽象的思考の障害，発話の流暢さの障害，道具の使用行為や模倣行為，前頭葉徴候

3. 必須除外項目
   - 最近の脳炎罹患歴：脳炎後パーキンソニズム
   - 顕著な小脳症状や自律神経症状(低血圧や排尿障害)：多系統萎縮症
   - 顕著な左右差のみられるパーキンソニズム：Parkinson病
   - 神経放射線学的な脳の形態異常(基底核や脳幹の梗塞，脳葉萎縮)：脳血管性パーキンソニズム，皮質基底核萎縮症，前頭側頭葉型認知症
   - 他人の手(足)徴候，皮質性感覚障害，画像上で前頭葉や側頭・頭頂葉の限局性萎縮：皮質基底核変性症
   - 抗 Parkinson 薬投与なしに出現する幻覚や妄想：Lewy小体型認知症
   - Alzheimer型認知症(高度の記銘障害と大脳皮質症状)
   - Whipple病(可能性があれば PCR 法で遺伝子診断を行う)

(3) 大脳皮質基底核変性症(corticobasal degeneration：CBD)

概念

CBD は1968年に Rebeiz らにより corticodentatenigral degeneration with neuronal achromasia として報告された，潜行性で発症し徐々に進行する孤発性神経変性疾患である．症候は基底核障害による固縮，無動などと，大脳皮質障害による高次認知機能障害による失行失認，ミオクローヌス，振戦などの不随意運動などが出現する．この臨床症候の多様性および多彩性のために臨床診断名としては皮質基底核症候群(corticobasal syndrome：CBS)とよばれる．一方，皮質基底核変性症(CBD)は神経病理学的に確立された概念である．

疫学

通常，孤発性で50～70歳代に発病する．CBS，CBD はまれな疾患とされているが正式な疫学的調査報告は少ない．米子市での疫学調査では有病率は10万人あたり2.24人であった(1999年)．米国での発病率は0.62～0.92/10万人，有病率1.3～2.0/10万人であったとの報告がある[1]．男女差は不明である．

病因

CBD は孤発性と考えられているが，遺伝子としてはタウ変異の報告がある．しかし，遺伝子異変がCBD 病理へどのように関与するかについてのコンセンサスはない．多様な臨床病型は遺伝子変異から感染症や大脳器質性病変まで多彩な病因との関連がある[2]．

病理

病理学的には前頭頭頂葉に強い非対称性の大脳萎縮で基底核と黒質の変性を示す．組織学的には神経細胞およびグリア細胞内に異常リン酸化タウ(4リピートタウとよばれるアイソフォーム)が蓄積するタウオパチーの1つである．CBD 病理を示す疾患は多彩である(表 17-6-5，図 17-6-13)[2]．表 17-6-6は CBDの現在の病理診断基準である[3]．生前の CBD との診断は25～56％と低い[4-10]．生前の診断が CBS または CBD であっても病理所見が CBD でないものは CBD mimic とよばれることがある[11]．現在の CBS と CBD の臨床および病理の相互関係を図 17-6-14 に示す[12]．

臨床症状

典型的な CBD-CBS の臨床像は，片側から始まる大脳皮質症候(失語，失行，皮質性感覚障害，他人の手徴候，ミオクローヌス)，基底核症候(筋強剛，無動，振戦，ジストニア)である．特徴症状を表 17-6-7 に示すがこれらの症状のすべてが出現するわけではない．しかし，病理所見で CBD を示しても表 17-6-5 に示すようなきわめて多彩な疾患と診断されて

表17-6-5 病理診断から見たCBDにおける臨床像の多様性(文献2より)

1. 大脳皮質基底核症候群(CBS)
2. 前頭葉性行動空間症候群(FBS)
3. 原発性進行性失語 非流暢性/失文法 異型(naPPA)
4. 進行性核上性麻痺症候群(PSPS)

表17-6-6 CBDの病理診断基準(文献3より)

1. CBDは神経細胞とグリア細胞の双方に及ぶタウオパチーであり、大脳皮質におけるグリア病変(astrocytic plaque)は診断的な価値を有する構造物である
2. CBDでは、大脳皮質と皮質下神経核(特に黒質)に神経細胞脱落がみられる
3. 大脳皮質におけるballooned neuronは出現していることに意味があり、その数は問わない

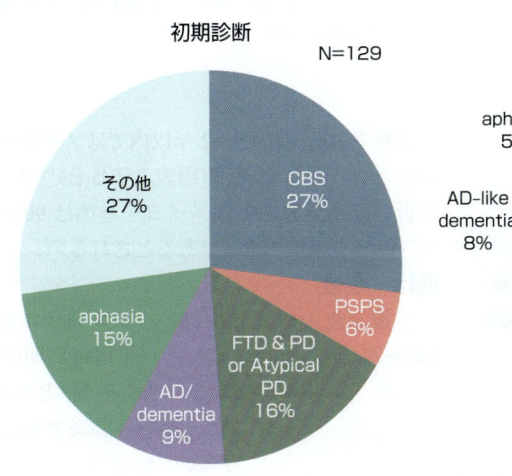
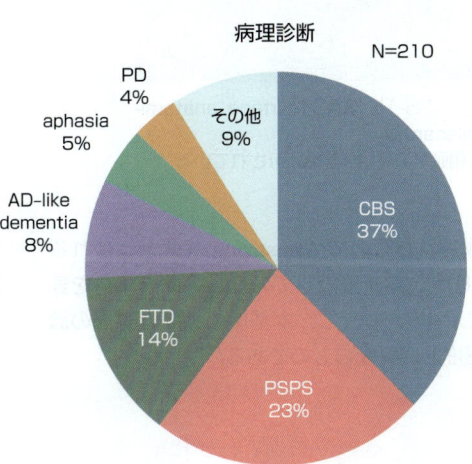

図17-6-13 CBDの初期臨床診断と病理診断(文献2より作成)
(PD:Parkinson病、FTD:前頭側頭型認知症、その他の略語は表17-6-5を参照)

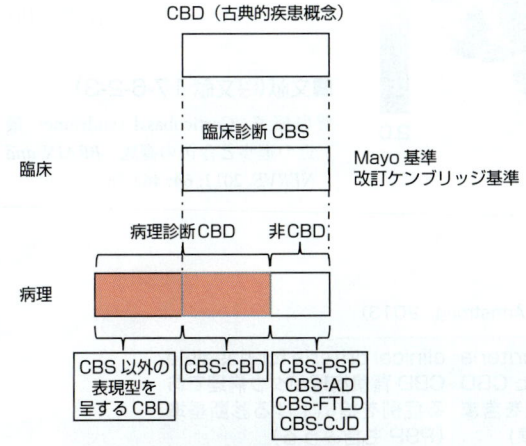

図17-6-14 CBSとCBDの関係(下畑、西澤:Brain and Nerve 2013; 65; 31-40)

表17-6-7 皮質基底核症候群(CBS)の臨床症状

運動症状	非対称性無動固縮
	ジストニア
	ミオクローヌス
	姿勢反射障害・転倒
高次脳機能障害の症状	認知・行動障害
	失語
	失行(顔面・四肢)
	他人の手徴候
	皮質感覚障害

検査所見

CT、MRIでは片側半球の萎縮を呈する(図17-6-15)。脳血流SPECTでは病側の血流低下を示す(図17-6-16)。PETでは代謝の低下を示す。MIBG心筋シンチグラムでは早期、後期のMIBG取り込みは正常で経時的検査も正常値を示す。

診断

いくつかのCBDの診断基準が示されているが感度、特異性の高い診断基準はない。このために病理診断されていない例では現在ではCBSと記載されている。最新の診断基準は2013年に国際コンソーシアム

きたことがわかってきた。いくつかの診断基準があるが共通している点はCBSでは進行性で、非対称的症候であること、失行を伴う無動・筋強剛症候群(akinetic-rigid syndrome)である。

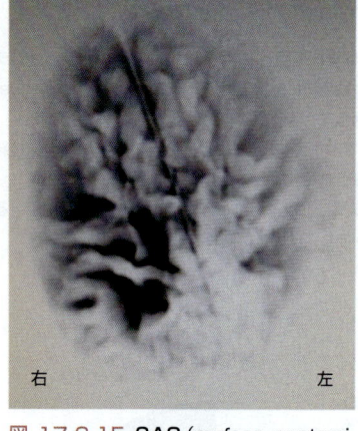

図 17-6-15 SAS (surface anatomical scan) 像
右側頭葉の著明な萎縮が示されている.

により作成されたもので Armstrong 基準とよばれる(表 17-6-8)[2]. 診断に際しての症状の除外項目を表 17-6-9 に示す[2]. しかし，本基準の感度は過去の診断基準の感度と同程度のものである[11].

表 17-6-9 CBD 診断除外項目 (文献 2 より引用)

1. Lewy 小体病：4Hz PD 振戦，顕著かつ持続的なレボドパの反応あるいは幻覚
2. 多系統萎縮症：自律神経機能不全あるいは著明な小脳徴候
3. ALS：上位および下位運動ニューロン徴候
4. 語義失語あるいは logopenic 型原発性進行性失語
5. 局所症状を説明しうる限局性病変
6. グラニュリン遺伝子変異あるいは血漿グラニュリン値低下，TDP43 変異，FUS 変異
7. Alzheimer 病：髄液 Aβ42/tau 低下，11C-Pittsburgh Compound B PET，Alzheimer 病を示唆する遺伝子変異 (プレセニリンや APP 遺伝子)

診断率の感度は発病 2 年以内ではメイヨー基準[13]，改訂ケンブリッジ基準 (e表 17-6-B)[14] とも約 10％と低いが，全経過ではメイヨー基準は 90％，改訂ケンブリッジ基準 100％であるとされる[15].

進行・予後

予後調査の研究は少ない．平均発病年齢は 64 歳 (45～77 歳)，徐々に進行し，平均罹病期間は 6.6 年間 (2～12.5 年間) との報告がある[2]．誤嚥性肺炎で死亡することが多い[14].

治療

錐体外路症状，不随意運動，ジストニアに対しては対症的治療を行う．高次脳機能障害，認知障害には有効な治療薬はない．

〔山本光利〕

■文献 (e文献 17-6-2-3)

饗場郁子：Corticobasal syndrome—最近の進歩と今後の課題．*BRAIN and NERVE*. 2012; 64: 462-76.

図 17-6-16 ECD-SPECT 画像
右半球に強い血流の低下がみられる.

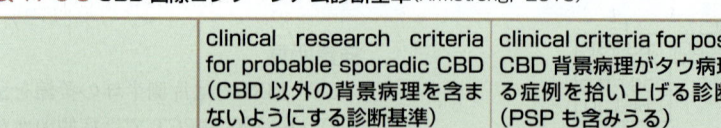

表 17-6-8 CBD 国際コンソーシアム診断基準 (Armstrong, 2013)

	clinical research criteria for probable sporadic CBD (CBD 以外の背景病理を含まないようにする診断基準)	clinical criteria for possible CBD 背景病理がタウ病理である症例を拾い上げる診断基準 (PSP も含みうる)
臨床像	潜行性の発症緩徐進行	潜行性の発症緩徐進行
最短罹病期間	1 年	1 年
発症年齢	50 歳以上	最少年齢の制限なし
家族歴 (2 人以上)	除外	あってもよい
臨床病型との関連	1) probable CBS 2) FBS or naPPA 　＋≧ CBS の特徴 1 つ	1) possible CBS 2) FBS or naPPA 3) PSPS ＋≧ CBS の特徴 1 つ
遺伝子変異	除外	あってもよい

Armstrong M, Litvan I, et al: Criteria for the diagnosis of corticobasal degeneration. *Neurology*. 2013; 80: 496-503.

下畑享良, 饗場郁子, 他：大脳皮質基底核変性症の臨床診断基準と治療. *BRAIN and NERVE*. 2015; 67: 513-23.

(4) 本態性振戦（essential tremor）

概念

原因不明の振戦を主訴とする疾患である．40 歳以上では最もよくみられる運動障害疾患の 1 つである．本態性振戦では振戦は手指に最もよくみられ，頸部振戦や音声振戦もみられる．単一疾患というよりは疾患群のなかの 1 つと理解される．

疫学

有病率は不明．欧米では家族歴を有することが多いがわが国では家族歴は少なく，孤発例が多い．通常 40 歳以降に発病する．欧米での有病率は，厳格な診断基準に従ったものでは人口の 0.4〜3.9％との報告がある．40 歳以上に限れば 2.8〜6％と理解され老齢者には珍しくない[1,2]．

病因・危険因子

多くの研究は有病率と発現率ともに年齢とともに増加することを示している．人種ではアフリカ系米国人に多いことが報告されている．コーカソイドの頻度はアフリカ系米国人の 5 倍との報告もある．半数ないしそれ以上の患者は遺伝歴を有すると理解されているが，患者の半数以上は遺伝歴をもたないという報告もある．疾患の原因遺伝子は同定されていないが 2 つの遺伝子にリンクの可能性が報告されている．

病理

確立された病理所見はない．

病態生理

振戦は骨格筋が，作動筋と拮抗筋が相反性，律動性に収縮することにより生じる．姿勢時に出現する振戦が特徴である．振戦発現の機序は中枢性か末梢性かは不明である．

臨床症状

本態性振戦の振戦は通常，上肢に出現する．頭部振戦との合併例が多く 34〜53％との報告があるが，頭部振戦だけでは 1〜10％といわれる．

臨床表現型を表 17-6-10 に示す．症状は姿勢時（両上肢を水平に保持するなど）に出現する 8〜12 Hz の細かい振戦を特徴とし，ほかの神経症状は伴わない．しかし，静止時振戦は 18.8％に認めるとの報告もある．遅い姿勢時振戦は企図振戦となる．また，手指，頭部の振戦が多い．書字の際に手が震えて書字困難なものは書家振戦（writer's tremor）とよび，本態性振戦の臨床型の 1 つである．書家振戦は書痙とは異なり，書字以外にも振戦が出現することがある．頸部振戦は首を左右に振るもので，この症状のみで独立して出現し，高齢者に多い．起立性振戦は起立時に下肢と体幹がガタガタと大きく揺れたり，震えたりする．歩行時，座位，臥位では消失する特徴がある．音声振戦は本態性振戦に特徴的なものである．アルコールの摂取により振戦が消失することが多いがこの原因は不明である．振戦は本態性振戦に限らず，肉体的疲労，精神的緊張，発熱により通常増強される．

予後

一般には緩徐進行性であり，書字，食事，業務などの日常生活に支障をきたすようになる．

検査所見

診断に参考となる特有な検査はない．

診断

症状を参考として，甲状腺機能亢進症などの鑑別診断を行う．除外診断となる（表 17-6-11）．まれに本態性振戦は後に Parkinson 病を発病することがある．表 17-6-12 に本疾患と Parkinson 病の症候の差異を示す．

治療

α, β 遮断薬であるアロチノロールの有効性が確認されている．β 遮断薬であるプロプラノロールも有効である．抗てんかん薬であるプリミドン，クロナゼパムも使用されることがある．激しい振戦で薬物抵抗性の場合は深部脳刺激の適応対象となる．　〔山本光利〕

表 17-6-10 本態性振戦の臨床表現型

1. 頭頸部の振戦
2. 速い姿勢時振戦
3. 遅い姿勢時振戦（企図振戦）
4. 書家振戦（writer's tremor）
5. 起立性振戦
6. 音声振戦

表 17-6-11 Movement Disorder Society による本態性振戦の診断基準

診断基準
両側の姿勢時振戦（動作時振戦はあってもなくてもよい）
手指，上肢に出現して持続する
病歴は 5 年以上ある

除外基準
ほかの異常な神経症候（Froment 徴候を除く）
既知の原因で起きている生理的振戦
振戦を生じる薬剤の服薬歴（過去，現在）
発症の 3 カ月以内の直接的，間接的な神経系への外傷歴
心因性との根拠があるもの
急性発症または段階的に悪化していることが明らかなもの

表17-6-12 本態性振戦とParkinson病の主要な鑑別点

	本態性振戦	Parkinson病
動作時振戦（上肢，手指，頭）	++	++
身体半側の振戦	−	++
動作時振戦＞静止時振戦	+	+
筋強剛，動作緩慢	−	++

■文献

Deuschl G, Bain P, et al: Consensus statement of the movement disorder society on tremor. Ad Hoc Scientific Committee. *Mov Disord*. 1998; 13: 2-23.

岩田　誠：神経症候学を学ぶ人のために，pp130-132, 医学書院，1994.

Louis ED: Essential tremor. *Lancet Neuro*. 2005; 4: 100-10.

山本光利：老年者の症状別診断ポイント―振戦. 老年医学. 1999; 37: 179-81.

(5) Huntington病

定義・概念

1872年のGeorge Huntingtonの報告（Huntington, 1872）を契機に疾患単位として確立した疾患である．常染色体優性遺伝形式をとる進行性の中枢神経変性疾患で，おもに中年期に発症し，舞踏運動，認知症，精神障害などを呈する．

分類

前景に立つ運動症状によって，古典型と固縮型（rigid form, Westphal variant）とがある．全体の90%は古典型で，多くは成人発症で舞踏運動を呈する．固縮型は筋強剛（固縮）を呈し，病初期からParkinson病を思わせる例もある．20歳以前の発症例は若年性Huntington病といわれ，全体の約10%を占める．若年性Huntington病の1/3は固縮型を呈し，おもに父親からの遺伝である．

原因・病因

4番染色体短腕4p16.3に位置するハンチンチン（*HTT*）遺伝子のCAGリピートの異常伸長が病因となる突然変異である（The Huntington's Disease Research Collaborative Group, 1993）．*HTT*は，348 kDのハンチンチンをコードしている（e図17-6-B）．遺伝形式は常染色体性優性遺伝で，ほとんどの症例は突然変異のヘテロ接合体である．まれにホモ接合体の症例もあるが，臨床像はヘテロ接合体と区別はつかない．CAGリピートの異常伸長は，世代間で不安定で，世代を経るごとに，特に父親から遺伝する場合に，より伸長しやすい．またCAGリピート長と発症年齢との間には負の相関がある（e図17-6-C）．このため，発症年齢が世代を経るごとに早くなる表現促進現象が認められる．

疫学

特定疾患医療受給者証交付件数による単純計算では，罹患率は人口10万人あたり0.6人である[1,2]．民族差が顕著で，欧米人に多く，欧米では人口10万人あたり3～8人で，スウェーデン北部，スコットランドのマリフェルス（Moray Firth），ベネズエラのマラカイボ湖畔など人口10万人あたり100人以上の集積地が知られている[3,4]．

病理（eノート1）

線条体の萎縮にて始まり，遅れて大脳皮質，前頭葉・側頭葉の広範な萎縮が進む．線条体においては中型有棘神経細胞の脱落が著明である．大脳皮質においても神経細胞の変性脱落を認め，正常の層構造が失われる．神経細胞に，異常ハンチンチン蛋白質を含む核内封入体が認められる．

病態生理

神経細胞死に至る詳細な分子細胞学的機序は必ずしも十分に解明されているわけではないが，CAGリピートの異常伸長に対応するポリグルタミンストレッチの伸長したハンチンチンの毒性によると考えられている．症状は，病理学的な分布より理解可能で，舞踏運動などの不随意運動は線条体萎縮により，また認知症などは大脳皮質の萎縮による．

臨床症状

症状があっても，必ずしも自覚症状として訴えるとは限らないが，病初期あるいは，特徴的な不随意運動を呈する前に，性格変化ないし軽度の精神障害といえる状態を呈することが少なくない．臨床像として以下のような症状を呈する．

1) **運動症状**：舞踏運動を中心とする不随意運動が典型的で，四肢末端に始まり全身に及ぶ．固縮型では，筋強剛を呈する．

2) **性格変化**：無関心，注意障害，易怒性，易刺激性，強迫神経症様状態などを呈する．

3) **うつ状態，不安状態**：自殺することが多いとされる（おおよそ10%）．

4) **統合失調症様症状**：幻聴，妄想などを呈することがある．

5) **知的機能障害**：皮質下認知症のタイプを呈する．

臨床評価スケールとしてUHDRS（Unified Huntington's Disease Rating Scale）（Huntington Study Group, 1996）がある（eコラム1）．

検査所見

一般的な検体検査では異常を認めない．

1) **画像検査**：

a) 形態画像（CT, MRI）：疾患の進行に伴って，線条体特に尾状核の萎縮，遅れて大脳皮質の萎縮，脳室拡大を認める（図17-6-17, e図17-6-D）．

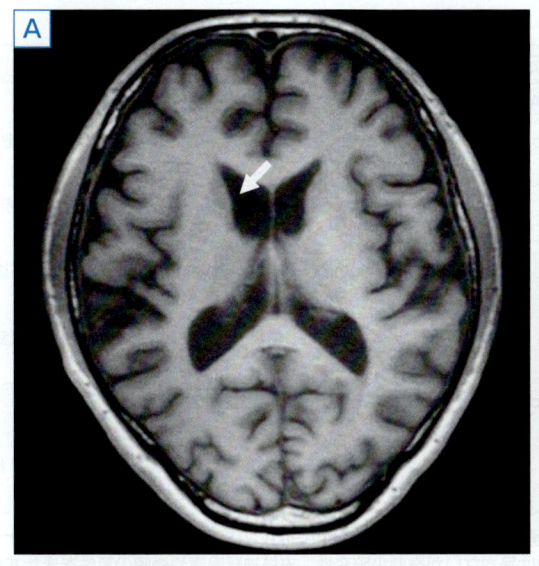
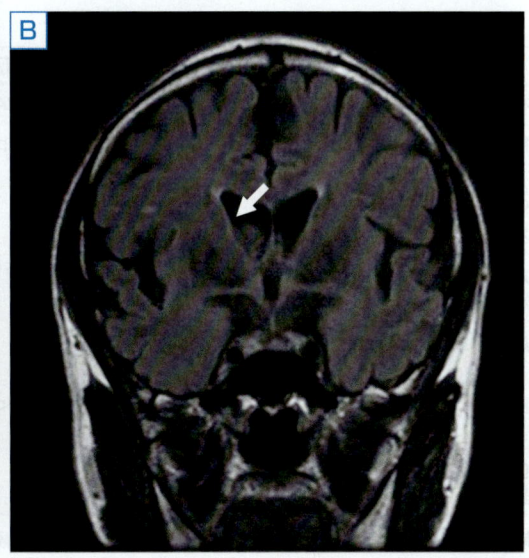

図 17-6-17 Huntington 病患者の MRI
62 歳，数年前より不随意運動を周囲より指摘されている．ハンチンチン遺伝子の伸長 CAG リピートは 41 回．
A：水平断，B：冠状断，尾状核の萎縮を認める．

b）機能画像（SPECT, PET）：病初期ないし発症前より線条体の機能低下を認める（e図 17-6-D）．

2）遺伝子検査：ハンチンチン（HTT）遺伝子の CAG リピートの異常伸長を認める．40 回以上では 100% 発症する．36～39 回では不完全浸透を呈する．正常一般はおおかた 20 回以下である．

診断

家族歴が確実で，典型的臨床像を呈する場合は，臨床像より診断できる．その他の場合は，他疾患との鑑別診断が必要であり，確定診断に遺伝子診断が必要なことも少なくない．

鑑別診断

舞踏運動を中心とする不随意運動を呈する疾患があげられる．歯状核赤核・淡蒼球 Luys 体萎縮症，脊髄小脳失調症 17 型，類 Huntington 病 1 型，類 Huntington 病 2 型，フェリチノパチー，良性遺伝性舞踏病，有棘赤血球舞踏病などの遺伝性疾患，老年性舞踏病などの孤発性疾患，Sydenham 舞踏病，妊娠舞踏病，高血糖に伴う舞踏病，SLE に伴う舞踏病などの一過性の疾患がある．また，精神症状に関連して，精神疾患との鑑別が必要なこともある．

経過・予後

発症年齢は，40～45 歳をピークとし，5 歳未満の小児から 80 歳の高齢まで分布する（e図 17-6-E）．経過は緩徐進行性で，経過年数にはかなり幅があるが平均 15 年前後で死に至る．

治療・予防

根本的な治療法，予防法は確立していない．対症療法として，舞踏運動に対してテトラベナジン（保険適用）が有効である．ハロペリドール（保険適用外）やペルフェナジン（保険適用外）も有効である．精神症状に対して，適宜精神科治療薬を処方する．〔後藤 順〕

■文献（e文献 17-6-2-5）

Harper P: Huntington's Disease, 2nd ed, Saunders, 1996.
Hayden MR: Huntington's Chorea. Springer Verlag, 1981.
Huntington G: On chorea. *Med Surg Report*. 1872; **26**: 317-21.
Huntington Study Group: Unified Huntington's disease rating scale: reliability and consistency. *Mov Dis*. 1996; **11**: 136-42.
The Huntington's Disease Research Collaborative Group: A novel gene containing a trinucleotide repeat that is expanded and unstable on Huntington's disease chromosome. *Cell*. 1993; **72**: 971-83.

(6) 有棘赤血球舞踏病（chorea acanthocytosis：ChAc）

神経有棘赤血球症（neuroacanthocytosis）は，おもに常染色体劣性遺伝性の ChAc と伴性劣性遺伝性を示す McLeod 症候群を指して使われる用語であるが，その他にも Huntington disease-like 2（HDL2）やパントテン酸キナーゼ関連神経変性疾患（pantothenate kinase-associated neurodegeneration：PKAN）のように有棘赤血球症と不随意運動をきたす疾患が存在する．また，血清リポ蛋白質異常疾患のなかには，β-リポ蛋白質欠損症のように有棘赤血球症と脊髄小脳変性，末梢神経障害や網膜の変性をきたすものがあるが，舞踏運動をもたらす大脳基底核の変性はみられない．これらの疾患群は，いずれも疾患原因遺伝子が同定されており，遺伝子診断が可能である（表 17-6-

表 17-6-13 有棘赤血球舞踏病の鑑別診断

	臨床遺伝形式	疾患遺伝子，座位	症状
有棘赤血球舞踏病	常染色体劣性	VPS13A 9q21	有棘赤血球症，舞踏運動，てんかん，精神症状
McLeod 症候群	伴性劣性	XK Xp21.1	有棘赤血球症，舞踏運動，精神症状，McLeod 表現型（赤血球 Kell 抗原低発現）
Huntington disease-like 2(HDL2)	常染色体優性	JPH3 16p24	Parkinson 症状，舞踏運動，精神症状，ときに有棘赤血球症
パントテン酸キナーゼ関連神経変性症（PKAN）	常染色体劣性	PANK2 20p13	Hallervorden-Spatz 症候群（ジストニア），大脳基底核に鉄沈着，ときに有棘赤血球症
β-リポ蛋白質欠損症	常染色体劣性	APOB 2p23-p24	有棘赤血球症，脊髄小脳変性，末梢神経障害，網膜変性，舞踏運動の原因となる大脳基底核の変性はない
Huntington 病	常染色体優性（表現促進現象）	HD 4p16.3	舞踏運動，精神症状，認知症症状
歯状核赤核淡蒼球 Luys 体萎縮症（DRPLA）	常染色体優性（表現促進現象）	ATN1 12p13.31	小脳失調，ミオクローヌス，てんかん，舞踏・アテトーゼ運動，知的障害・認知症症状

有棘赤血球症と舞踏運動を呈する有棘赤血球舞踏病，McLeod 症候群，Huntington disease-like 2(HDL2)，パントテン酸キナーゼ関連神経変性症（PKAN）のほかに，有棘赤血球症は呈し舞踏運動は呈さないが脊髄小脳変性，末梢神経障害や網膜の変性をきたすβ-リポ蛋白質欠損症，有棘赤血球症は呈さず舞踏運動を呈する Huntington 病や歯状核赤核淡蒼球 Luys 体萎縮症（DRPLA）などが鑑別の対象としてあげられる．

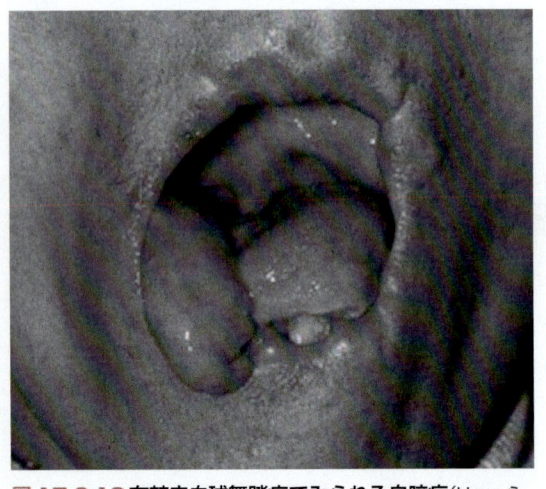

図 17-6-18 有棘赤血球舞踏病でみられる自咬症（Ueno ら，2001）
多くの症例で，不随意運動に伴って舌や口唇を噛み切ってしまう．

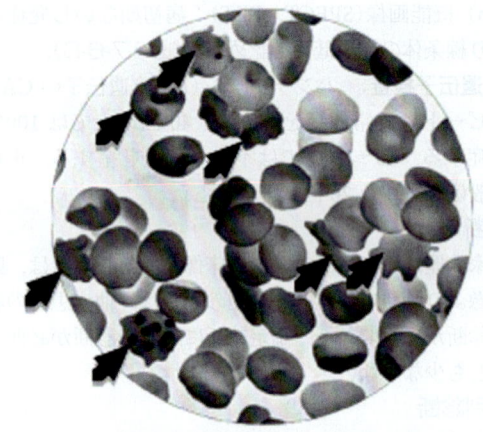

図 17-6-19 有棘赤血球症の走査型電子顕微鏡像（Ueno ら，2001）

13）．2014 年に制定された「難病の患者に対する医療等に関する法律（難病法）」では，神経有棘赤血球症が難病として新たに指定された．

有棘赤血球舞踏病は常染色体劣性遺伝性を示し，国際的にも数百例の報告がある程度のまれな疾患で，わが国からの報告例が比較的多い．成人期早期の発症例が多く，舞踏運動を主とした不随意運動，てんかん，軽度の筋力低下，腱反射低下などの神経筋症候，情動不安定，強迫～強同症状，脱抑制，人格変化，統合失調症および皮質下認知症などの精神神経症状を多彩に示し，Huntington 病の症状と類似する（Walker ら，2007）．不随意運動の性状としては，口腔舌のジスキネジア / ジストニア運動が激しく，自咬症を伴う例も多い（図 17-6-18）．頸部や体幹を屈曲伸展させる運動や頭部をドロップさせる点頭性の運動も特徴的である．また，瞬間性の顔面のしかめ眉などの不随意運動からチック症（障害）と診断されている例も存在する．末梢血には種々の程度の有棘赤血球症を呈する（図 17-6-19）が，貧血には至らない程度であることが多い（eノート 1）．神経病理学的には，Huntington 病に類似して，尾状核および被殻に強い神経細胞脱落とグリオーシスが認められる．画像診断的には，MRI では尾状核，被殻の萎縮が顕著に認められ（図 17-6-20），側脳室前角の開大をきたし，Huntington 病症

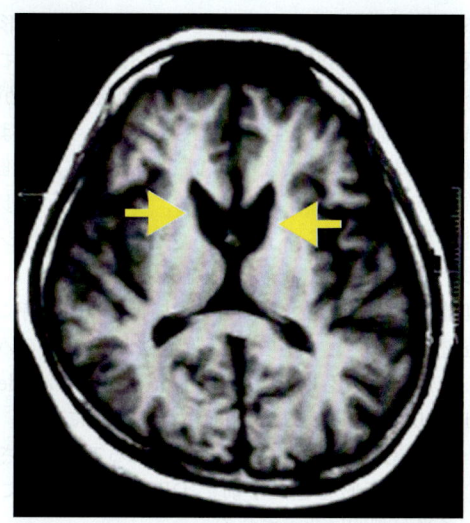

図 17-6-20 有棘赤血球舞踏病症例の MRI 画像
(T1 強調画像)(Ueno ら,2001)
両側性に尾状核頭部の萎縮とそれに伴う側脳室拡大がみられる(矢印).

例のそれと酷似する．疾患原因遺伝子として9番染色体長腕 9q21 に存在する VPS13A が同定されたが(Ueno ら，2001)，遺伝子産物蛋白質 chorein の機能はいまだ詳細不明である(eコラム1)．治療的には，舞踏運動に対してはドパミン D_2 受容体阻害作用のある抗精神病薬やモノアミン小胞トランスポーター2型阻害薬のテトラベナジンが使用される(eノート2)．予後は不良で，緩徐に慢性進行性に経過し，筋力低下や認知症症状から臥床傾向となり，口腔舌の不随意運動に基づく摂食嚥下障害などから感染症を引き起こして死亡する例が多い． 〔佐野　輝〕

■文献(e文献 17-6-2-6)

Ueno S, Maruki Y, et al: The gene encoding a newly discovered protein, chorein, is mutated in chorea-acanthocytosis. *Nat Genet*. 2001; 28: 121-2.

Walker RH, Jung HH, et al: Neurologic phenotypes associated with acanthocytosis. *Neurology*. 2007; 68: 92-8.

(7) 遺伝性ジストニア

a. ジストニアとは

　ジストニア(dystonia)とは中枢神経系の障害に起因する運動障害の1つで，骨格筋の持続のやや長い収縮，もしくは間歇的な筋収縮によって生じる症候で，異常な——しばしば反復性の要素を伴う——運動：ジストニア運動(dystonic movement)とこれによって生じるジストニア姿勢(dystonic posture)，あるいは両者よりなる症候である．ジストニア運動はその症例にとっては定型的(stereotype)で，ねじれ，もしくは振戦様である．ジストニアにより，随意運動の遂行がさまざまな程度に妨げられる．ジストニアはしばしば特定の随意運動により生じ，増悪することがある．これを動作性ジストニア(action dystonia)とよぶ．ジストニアは筋活動のオーバーフローを伴い，ジストニアを生じた部位の近隣にジストニアが広がっていく傾向を有し，また，ほかの不随意運動(ミオクローヌスなど)を伴うことがしばしばある．

　ジストニアの発症機序として大脳基底核の異常が第一に想定されている．しかし，感覚系入力の異常によると思われるジストニア，小脳起源が想定されるジストニア，脊髄性ジストニア(painful tonic spasm など)，外傷誘発性ジストニアなども存在し，これらの発症病理については不明な点が多く残されている．さらに，心因性ジストニア(機能性ジストニアとよぶこともある)のように，ジストニアの心因性因子による増悪についての判断は困難なことが少なくない．また，偽性ジストニア(pseudodystonia)とよばれる群もある(e表 17-6-C)．

b. ジストニアの分類 (e表 17-6-C)

　ジストニアは発症年齢，ジストニアがみられる身体部位の分布様式，経時的変化，随伴する症候，病理学的変化の有無，病因により分類する．以前，一次性ジストニアとよばれる群があったが，定義が不明確なため使用しない傾向にある．

　ジストニアの発症年齢による分類では幼児期，小児期，青年期，成人期発症に分ける．時間的パターンによる分類は時間変化による分類として固定性，進行性，発現パターンによる分類として，持続性，動作特異性，日内変動性(diurnal)，発作性に分ける．また，随伴する症候による分類としては純粋型ジストニア(振戦は含む)と複合型ジストニア(ミオクローヌスやパーキンソニズムを含む)とに分ける．病因による分類としては病理学的分類として神経変性所見あり群，構造学的病変群，神経変性や構造変化がない群とに分ける．ついで遺伝性の有無による分類では遺伝性として常染色体優性，常染色体劣性，伴性劣性，ミトコンドリア遺伝性とに分け，後天性ジストニアとしては周産期障害(外傷を含む)，感染性，薬物性，中毒性，血管障害性，腫瘍性，頭部外傷性，機能性に分類する．遺伝性，後天性に含まれない群としては特発性ジストニアがあり，孤発性と家族性とに分けられる(e表 17-6-D)．

　ジストニアには明らかな痙縮，筋強剛，拘縮，痙攣による異常姿勢・異常運動は含めない(たとえば錐体路障害による Wernicke-Mann の肢位など)．

c. 遺伝性ジストニア総論

　最近のジストニアの分類における遺伝性ジストニアは多岐にわたっており(e図 17-6-F)，本項では遺伝性ジストニアは一連の DYT ジストニアと脳鉄沈着変

性症(neurodegeneration brain iron accumlation)に属する疾患群(OMIMでNBIAシリーズ)の一部にのみに触れる．Wilson病などの代謝性疾患，脊髄小脳変性症，Huntington病，神経有棘赤血球症などについては他項を参照されたい．

DYTジストニアには現在20疾患以上が登録されているが(ⓔ表17-6-D)，日本で多いのはDYT1ジストニア(捻転ジストニア(torsion dystonias)，変形性筋ジストニア(dystonia musclorum deformance)，Oppenheimジストニア，いずれもほぼ同義)とDYT5ジストニア(瀬川病(Segawa disease)，日内変動を伴う遺伝性進行性ジストニア(hereditary progressive dystonia with marked diurnal fluctuation：HPD)は同義，ドパ反応性ジストニア(dopa responsive dystonia)はやや広義)について概説する．NBIAシリーズについては10疾患程度含まれているが(ⓔ表17-6-E)，いずれも非常な希少疾患でわが国の患者数はNBIAすべてで100人程度である．ここではパントテン酸キナーゼ関連神経変性症についてのみふれるが，このほか神経軸索ジストロフィー症(PLAN：NBIA2)，神経フェリチン症(NBIA3)，ミトコンドリア蛋白質関連神経変性症(MPAN：NBIA4)，SENDA(BPAN：NBIA5)その他神経系に鉄沈着をきたす神経変性症が含まれる．

DYTシリーズおよびNBIAに属する疾患の臨床像は多彩である．病因遺伝子が明らかとされている疾患は遺伝子診断により確定できる可能性が高いが，遺伝子変異部位はDYT1を除いて多数あり，診断が困難であることも少なくない．臨床像により有用な薬物治療が可能となることもあり，的確な臨床診断により，症状が緩和されることがある．全身性ジストニアについてはまずレボドパを使用すること，発作性ジストニアの場合にはカルバマゼピンやクロナゼパムの投与を試みる．全身性ジストニアの場合には脳深部刺激療法を考慮することも，患者の機能予後について重要である(ⓔ表17-6-C)．

i)DYT1ジストニア

常染色体優性遺伝様式を示し，多くは20歳以前に発症する(平均発症年齢は約12歳)遺伝性全身性ジストニアを代表する疾患である．遺伝子座は9番染色体9q34にあり，遺伝子産物をtorsin Aとよぶ．DYT1ジストニアでは*DYT1*遺伝子にGAG欠失があり，torsin Aにグルタミン酸が1個不足する．torsinAはニューロン特異的に発現し脳に広く分布するが，機能についてはいまだ不明な点が多い．浸透率は30%とされる．アシュケナージ系ユダヤ人で頻度が高いが，すべての民族でみられる．

多くは一側下肢に発症し，全身にジストニアが広がるが，局所性ジストニアにとどまることもある．一般に5～10年で進行し，進行により罹患部位が変形し内反尖足など異常肢位をきたす．からだの各部位にジストニアがみられ，頸部では屈曲，捻転を生じるが，瞬間的な頭部の動きを伴うこともある．上半身では捻転運動，異常姿勢により著明な屈曲をきたす．脊椎側弯症，後弯症，骨盤捻転が生じる．歩行困難から歩行不能になる例もある．上肢発症型では動作特異性ジストニアにとどまることもある．

知能は正常である．画像所見や検査所見では特に異常を認めない．さまざまな薬物療法が行われているが，有効性には乏しい．近年，脳深部刺激療法(deep brain stimulation：DBS)が行われるようになり，ジストニア運動と姿勢の双方が改善されることが示された．四肢の変形をきたす前にDBSを行うことにより，予後が劇的に改善される．

ii)DYT5ジストニア

常染色体優性遺伝様式を示し，多くは10歳以下で発症する．遺伝子座は14q22.1-q22.2で，病因はGTP cyclohydrolase l(*GCH1*)遺伝子の変異で，多くは点変異である．GCH1の酵素活性低下が生じ，髄液ビオプテリンやネオプテリン濃度の低下がみられる．不完全浸透で，女性優位(4：1またはそれ以上)に発症する．確定診断は*GCH1*の遺伝子変異の同定によるが，遺伝子変異部位は家系によって異なるため，遺伝子変異の同定はやや困難である．髄液ビオプテリン，ネオプテリン濃度の低下はDYT5ジストニアに特異性が高い．

下肢優位の一側優位の姿勢ジストニア(下肢の尖足あるいは内反尖足)が主症状であるが，立位時に腰椎前弯や頸部後屈位，後膝反張を認める．症状には日内変動があり，昼から夕方にかけて症状が悪化し，睡眠によって改善する．これらの症状はレボドパにより著明に改善し，長期にわたり有効で，いわゆる長期レボドパ症候群は示さない．

成人発症例もあり，年齢とともに日内変動の程度は減少する．体幹の捻転ジストニアは示さない．10歳以降になると姿勢時振戦(8～10 Hzが多い)が出現するが，静止時振戦はない．軽度の筋強剛を認めるが，伸張反射を繰り返し行うと筋強剛の程度は変動する．腱反射は亢進する．高齢で発症するとパーキンソニズムを呈することもある．知能は正常である．一般的血液生化学検査，画像所見には異常所見はない．鑑別疾患としては常染色体劣性若年発症パーキンソニズム(PARK2パーキンソニズム)，痙性対麻痺，Parkinson病，ほかの局所性ジストニアなどがあげられる．最近，*GCH1*遺伝子変異がParkinson病発症のリスク遺伝子であることが明らかとされた．

iii)パントテン酸キナーゼ関連神経変性症(pantothenate kinase associated neurodegeneration：

PKAN)

常染色体劣性遺伝様式を示し，ジストニアを主体とする錐体外路症状と知的機能低下を主症状とする進行性の神経変性疾患で，病因は PANK2 遺伝子変異である．かつてははじめの報告者の名前により Hallervorden-Spatz 症候群とよばれた．典型例は 6 歳以下で歩行障害，姿勢障害により発症し，進行性のジストニア，構音障害，筋強剛を示す．進行すると四肢の変形をきたし，錐体路徴候も明らかとなる．発症後 10～15 年で歩行不能となる．知的機能は退行を示し，最終的には全介助の状態となる．進行期に網膜色素変性症，視神経萎縮，痙攣発作を合併する．病態生理は未解明な点が多いが，神経系の鉄代謝異常が想定され，大脳基底核に鉄が沈着し神経変性が生じる．この鉄沈着像が MRI 画像で PKAN の特徴的所見である eye of the tiger 徴候がある．特異的治療法はない．

〔長谷川一子〕

(8) 眼瞼痙攣，眼瞼攣縮(blepharospasm), Meige 症候群

眼瞼痙攣は孤発性局所性ジストニア(眼部の局所性ジストニア, ocular dystonia)の 1 つで，有病率が高い．発症は 50 歳代が最も多く，男女比は約 1：2～3 である．閉眼に関与する眼瞼裂周囲の筋の両側性の間欠性または持続性異常筋収縮により，不随意な閉眼が生じ，円滑な開眼に支障をきたす．眼輪筋の不随意収縮が主体であるが，皺眉筋，鼻根筋，鼻筋など，眼瞼裂周囲筋の不随意収縮がしばしば合併する．軽症例では瞬目増加のみを呈する場合もあるが，重症化に伴い開瞼が不自由になる．重症例では終始閉瞼する(機能的盲となる)．眼輪筋の収縮により，眉毛は眼窩上縁よりも下方に位置する(Charcot 徴候)．なお，光や風などの刺激で増悪することが多く，逆に暗所では軽快する．また，片目を覆うことで症状が軽減することがあり，一種の感覚トリック(sensory trick)と考えられる．臨床検査所見や画像所見には異常はない．

治療方法は抗コリン薬が 1/5 の症例で有用であるが，ボツリヌス毒素注射が最も有効である．眼筋の不随意収縮が改善しない難治例では，眼輪筋切截術(ocular myectomy)の対象になる．また，ボツリヌス毒素注射後に上眼瞼皮膚余剰により眼瞼下垂を呈する例では，上眼瞼挙上術を考慮する．

Meige 症候群とは隣り合う複数部位のジストニア，すなわち分節性ジストニア(segmental dystonia)の 1 つで，両側性の眼瞼痙攣に加えて顔面正中部の舌，口輪筋などにみられる攣縮を示す．上方視で誘発，下方視で軽快，暗所や安静で軽快し，睡眠で消失する．一般には眼瞼痙攣と口・下顎ジストニアを合わせて示す病態を Meige 症候群とよぶが，正確ではなく，実際には眼瞼痙攣と咽頭筋，顎部の筋群，口底筋，舌筋がさまざまな程度に障害されている場合が多い．

〔長谷川一子〕

(9) 痙性斜頸，頸部ジストニア，攣縮性斜頸(spasmodic torticollis, cervical dystonia)

頸部の局所性ジストニアでは，持続の長い異常筋収縮(tonic spasm)を示す症例，あるいは短い収縮の繰り返し(clonic spasm)を部分的に生じる症例がある．30～40 歳代で発症することが多い．海外では女性に多いとされるが，日本では男性の方が多い．頸部筋の常同的な異常収縮により，頭位の偏倚をきたし，正常頭位の維持が困難である例が多く，頭部の随意運動障害や頭位に異常をきたす．頭部の振戦や速い動きを伴うこともある．偏倚は明らかでないが，頭部の随意運動障害を示す場合，頭頸部の痛みのみを主体とする場合もある．頭頸部の一部(頬や後頭部など)を触れることで症状が軽快する現象が多くの例でみられる(感覚トリック)．実際に触れなくても，触れることを想像するだけで症状が軽快する例もある．また，起床直後症状が軽快または消失している現象がしばしばみられ，これを早朝効果(morning benefit)という．通常は頸部筋に緊張亢進を認めるが，視診・触診上明らかでない場合もある．臨床検査所見特異的な異常はない．

鑑別診断で最も注意が必要な病態は筋性斜頸で，出生時または乳児期早期に胸鎖乳突筋に器質的変化(血腫など)を生じ，同筋の硬結・短縮により斜頸位をきたす病態である．陳旧例では胸鎖乳突筋の綱状硬結がみられる．同筋の不随意収縮は認めない．

痙性斜頸の治療はボツリヌス毒素注射が第一選択である．注射を施行する際には，症例の痙性斜頸がどの筋の異常収縮によるかを見きわめ，適切な部位に，適切な用量を注射する必要がある．このほか，選択的末梢神経遮断術，定位脳手術などが試みられる．muscle afferent block 療法(MAB 療法)も有効である．内服薬は種々試みられているが，有効率はおおむね低い．

〔長谷川一子〕

(10) 書痙(writer's cramp), 上肢ジストニア(upper limb dystonia)

上肢ジストニアは，上肢筋の常同的な異常収縮により，上肢の肢位異常や運動異常をきたす．全身性ジストニアの初発症状，または頓挫型(forme fruste)の場合もある．書痙や，大半の奏楽手痙(musician's cramp)は上肢ジストニアに含まれる．書痙や奏楽手痙では，発症早期にはほかの動作は正常に行えることが多い(動作特異性, task specificity)が，多くの症例では動作特異性は次第に消失する．また，使用する上

肢を対側に変えても（利き腕交換など），しばらくして対側にも発症することが多い．からだの一部（多くは罹患部(りかんぶ)）を触れることで症状が軽快することがある（感覚トリック）．

書痙は男性に多く，発症年齢は30〜40歳代に多い．書字の際に上肢筋活動の随意調節困難を生じ，書字が円滑にできなくなる．当初は患者にとって特異的な運動を開始したときに生じる．特定の筋の緊張亢進を呈する場合が多いが，明らかな筋緊張亢進を伴わない随意運動困難のみの場合もある．また，書字には直接使用しない筋の異常収縮を呈する例もある（オーバーフロー現象，overflow phenomenon）．なお，書痙は職業性ジストニア，動作特異性ジストニア（task specific dystonia）の1つである．

職業性ジストニアにはいわゆるmusician's cramp（手，口など）や，調理師，床屋などで手，上腕などにみられる．動作特異性ジストニアは①からだの一部に局所性もしくは分節性ジストニアが存在する．②一定の作業姿勢を持続する必要がある作業やからだの一部を反復して使用する作業を行っており，その作業に携わる以前にはジストニア症状が出現していない．③その作業において常態とする姿勢や動作と，ジストニア運動やジストニア肢位との間に，位置や動作における関連性が認められる．④病初期においてはその作業によりジストニア症状が出現もしくは増悪する．⑤ジストニアを呈しうる疾患（脳血管障害，脳性麻痺，頭部外傷など）が存在せず，薬物性ジストニアが否定できる．以上①〜⑤のすべてを満たす場合に診断する．

鑑別診断では他種の運動異常症，特に書字振戦，遺伝性全身性ジストニアの頓挫型があげられる．

ボツリヌス毒素注射が有効であるが，日本では未承認．muscle afferent block療法（MAB療法）も有効である．また一部では，定位脳手術も試みられている．

〔長谷川一子〕

■文献

Brin MF, Comella CL, et al: Etiology, Clinical Features, and Treatment, Lippincott Williams and Wilkins, 2004.
長谷川一子編著：ジストニア2012，中外医学社，2012．
目崎高広，梶 龍兒：ジストニアとボツリヌス治療 改訂第2版，診断と治療社，2005．

3）脊髄小脳変性症

(1) 多系統萎縮症(multiple system atrophy：MSA)
概念

成年期に発病する非遺伝性脊髄小脳変性症のなかでは，代表的な疾患である．おもに小脳系，黒質線条体系，自律神経系が障害される．発病時点での病変分布により病期前半の症候が異なるが，進行期には病像は類似し，病理所見にも重複の多いことから，多系統萎縮症と総称される．歴史的な経緯から，疾患名は発症初期から前半期の前景症候に対応して用いられることが多い．すなわち，主たる症状が小脳性運動失調であるものはオリーブ橋小脳萎縮症(olivopontocerebellar atrophy：OPCA)，パーキンソニズムであるものは線条体黒質変性症(striatonigral degeneration：SND)，自律神経障害であるものはShy-Drager症候群(Shy-Drager syndrome：SDS)として，臨床診断名としても用いられている．

疫学

わが国の全脊髄小脳変性症の40％を占める頻度の高い疾患である[1]．病因については不明である．多系統萎縮症の病型別頻度でみた場合，わが国では小脳性運動失調で初発するものが多く多系統萎縮症の70％を占める．パーキンソニズムで初発するものがこれにつぐ[2,3]．

病理

多系統萎縮症の主要な系統病変は被殻，黒質，橋，小脳皮質，下オリーブ核，脊髄の中間外側柱などであり，同部位に神経細胞脱落とグリオーシス，ならびに関連する投射系に髄鞘淡明化を伴う．小脳系の病変は下オリーブ核，橋核，小脳皮質であり，オリーブ橋小脳萎縮症で顕著である．なかでも橋核の神経細胞脱落変性は高度であり，橋核から小脳皮質への投射線維が密に分布している橋横走線維，中小脳脚，小脳白質も強く変性する．黒質線条体系は線条体黒質変性症において病初期より強く変性する．線条体において被殻病変は吻側よりも尾側に，かつ外包に接する背外側部に病変が強い．この部分にフェリチンが沈着し，肉眼で黄褐色を呈する．黒質では緻密帯のメラニン色素含有細胞が脱落し，網状帯に線維性グリオーシスを伴う．自律神経系において主要な病変は起始核にある．すなわち，迷走神経背側核，脊髄中間外側柱，仙髄副交感神経核，Onuf核などに神経細胞脱落変性とグリオーシスをきたす．これらはSDSにおいては顕著である．

以上の所見に加えて，多系統萎縮症では不溶化したα-シヌクレイン(SNCA)が乏突起グリア細胞や神経終末に過剰蓄積する．これらはGallyas染色を行うと乏突起グリア細胞にはglial cytoplasmic inclusion

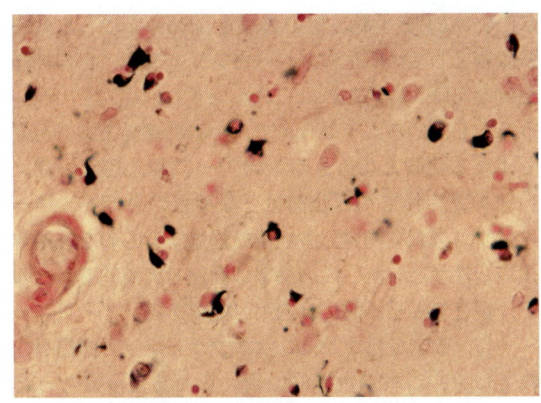

図 17-6-21 乏突起グリア細胞に認められる嗜銀性封入体
（Gallyas 染色，被殻，中拡大）

(GCI)，神経細胞には neuronal cytoplasmic inclusion (NCI) として知られる嗜銀性封入体として観察される（図 17-6-21）．これらの封入体は中枢神経系の白質，特に病変の強い部位に密に分布する．乏突起グリア細胞に出現する嗜銀性封入体は遺伝性脊髄小脳変性症には認められず，しかもその程度や分布が圧倒的であることから，診断的意義がある[4]．

病態生理・病因

SNCA は通常はシナプス終末に発現することから，シナプスの可塑性や機能維持にかかわっていると推定されている．SNCA 蛋白の一次構造に異常はないが，翻訳後にリン酸化やニトロ化などの修飾を受けて難溶性となり，凝集して細胞内封入体を形成する．多系統萎縮症では神経細胞のみならず，本来には痕跡程度にしか発現していない乏突起グリア細胞にも SNCA が過剰に蓄積している．この機序は，神経細胞で産生された SNCA がエキソサイトーシスあるいはエクソソームなどの機構により細胞外に分泌され，それを乏突起グリア細胞が取り込んで細胞内に蓄積することに因ると考えられている（長谷川ら，2014）．この SNCA の過剰発現と蓄積が多系統萎縮症の病態機序に深くかかわっていると推定されているが，発症の原因については不明である．このように SNCA の過剰発現が病態機序に密接にかかわっていることから多系統萎縮症は，Parkinson 病やびまん性 Lewy 小体病とともに α-シヌクレイノパチーと総称されることがある．

臨床症状

多系統萎縮症の基本的な神経症候は，小脳性運動失調，パーキンソニズム，自律神経障害である．小脳症候は頻度が高く，発病初期から主要症候である場合にはオリーブ橋小脳萎縮症と診断される．経過中にパーキンソニズムが出現してくると，先行する小脳性運動失調は不明瞭となる．すでに述べたようにパーキンソニズムで初発するものは線条体黒質変性症と診断されることがある．なかには本態性 Parkinson 病に矛盾しない程度の静止時振戦，固縮，運動緩慢をみる場合がある．この場合，初期には抗 Parkinson 病薬にある程度は反応するが，被殻病変の進展に伴いレボドパ製剤やドパミン受容体作動薬の効果は減弱する．この特徴は，後で述べる診断基準の 1 項にあげられている．線条体黒質変性症では進行に伴い画像診断においては小脳や脳幹萎縮が認められるが，小脳症候はパーキンソニズムにマスクされて明瞭ではない．このような場合でも仔細に観察すると起立は不安定であり，歩行が開脚不安定であるなど典型的 Parkinson 病とは相違しているので鑑別診断の糸口になることがある．

自律神経障害は多系統萎縮症においては病型を問わず経過中に出現しうる症候の 1 つである．顕著な自律神経障害で初発するものを特に SDS と称することがある．頻度の高いものは尿閉，残尿，頻尿，失禁など神経因性膀胱によるもの，立ち眩みや失神など起立性低血圧によるもの，インポテンスなどがある．発汗減少とそれに伴う体温調節障害，食事性低血圧，消化管運動低下に伴う便秘，なども無視できない．末梢の血流低下に伴い手指が紫色を呈することがある．これは cold hand sign として知られているもので，血管運動神経の障害による．進行期には頸部の過度の前屈 (antecollis)，痙笑，異常姿勢などの錐体外路徴候，情動失禁，歯ぎしり，呼吸障害などを呈する場合がある．パーキンソニズムを呈する多系統萎縮症では，悪性症候群を併発する場合がある．後輪状披裂筋の萎縮により声門の開大が障害されると，吸気障害を呈し，吸気性喘鳴や睡眠時無呼吸をきたす．これは Gerhartd 症候群として知られているものである．また，脳幹病変の進展によっては中枢性無呼吸もある．いずれも突然死の原因として重要である．さらには REM 睡眠時に通常は筋弛緩するところを筋緊張が反対に出現したり，ときには睡眠時に不随意運動や行動異常をみることも知られている．これはレム睡眠行動異常症（REM sleep behavior disorder：RBD）として知られている．多系統萎縮症の一部に，RBD で発病する例がある．

検査所見

血液検査に診断的価値のある特異なものはない．多系統萎縮症の補助診断として重要なものは自律神経機能検査と画像診断である．最近注目されているものに ^{123}I-メタヨードベンジルグアニジン (metaiodobenzyl-guanidine：MIBG) 心筋シンチグラフィがある．MIBG はノルアドレナリントランスポーターにより交感神経終末に取り込まれる．本態性 Parkinson 病では MIBG の集積率が早期から低下するのに比して多系統萎縮症では保たれていることが多い．これは多系統萎縮症における自律神経障害が節前成分に強いことを反映している．

多系統萎縮症においてはX線CTやMRIなどの画像診断では小脳と脳幹の萎縮が認められる．MRIにおいては，T2強調画像などの撮像条件によっては被殻外縁に高信号，背尾側に信号強度の低下，橋や中小脳脚に信号強度の亢進などが検出される（図17-6-22A）．これらの変化は病型により相違がある．小脳脳幹萎縮はオリーブ橋小脳萎縮症においては早期から認められる．橋の萎縮は，尾側から明瞭となる．橋底部や中小脳脚においてT2強調画像で白質の信号強度が亢進する（図17-6-22B）．一方，線条体黒質変性症やSDSにおいては，小脳と脳幹の萎縮は進行期に認められる．被殻におけるMRI信号強度の異常は，パーキンソニズムで発病する線条体黒質変性症に多いが，経過の途中にパーキンソニズムが加わってくる病態においても同様に認められることがある．

SPECTによる脳血流シンチグラムでは，小脳や脳幹の血流が早期から低下する．黒質線条体系のドパミン作動性神経は，多系統萎縮症では節前成分（黒質），節後成分（被殻）ともに変性する．ドパミン作動性神経終末の指標としてドパミントランスポーター，節後マーカーとしてドパミンD_2受容体を適切なリガンドを用いて画像化することができる．多系統萎縮症においては節前マーカー，節後マーカーともに低下することから，節後マーカーが保たれているParkinson病とは相違している．

診断

わが国では旧厚生省特定疾患運動失調症調査研究班により1991年に公表された診断基準が長く用いられてきた．その基準は初発となる前景症候を重視したものである．すなわち多系統萎縮症の共通の特徴として，非遺伝性で中年以降に発病すること，頭部X線CTやMRIで小脳，橋の萎縮を認めること，3大系統障害として小脳症候，パーキンソニズム，自律神経症候をあげ，経過中にはこれらいずれの症候も出現しうるとしている．そのうえで，小脳性運動失調で初発し主たる症候となるものをオリーブ橋小脳萎縮症，自律神経症候で初発し前景となるものをSDS，パーキンソニズムで初発し主症候で経過するものを線条体黒質変性症とした．この基準は簡便で実用的であるので，現在でも基本的には適用可能である．

一方，欧米ではコンセンサスクライテリアが提唱されて以来，これが世界的に用いられるようになった（Gilmanら，1999）．2008年にその改訂版が発表された（Gilmanら，2008）．その特徴は画像診断の進歩をふまえて早期診断への応用を考慮したものである．その概要を表17-6-14に示した．MSAは30歳以降に発症する非遺伝性疾患であることを基本として，病理診断で確定したものをdefininite MSA，臨床診断の確実さにより，自律神経障害にパーキンソニズム，もしくは小脳性運動失調を伴うものをprobable MSAとし，これらの臨床所見を満たさないものをpossible MSAとして大別される．診察時の前景症候が小脳性運動失調であるものはMSA-C，パーキンソニズムであるものはMSA-Pとして分類される．この診断基準においては自律神経障害，小脳症候，パーキンソニズムが3大症候として重視されていること，自律神経障害においては起立性低血圧と神経因性膀胱に明確な基準が設定されていること，レボドパ抵抗性パーキンソニズムが基準の1つとして重視されていること，錐体路徴候は疾患特異性に欠けるとして付帯徴候の1つに取り入れられていること，自律神経障害は多系統萎縮症の必発障害と見なしているのでSDSなる概念

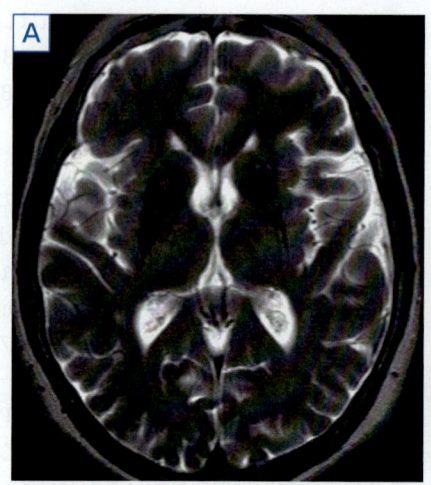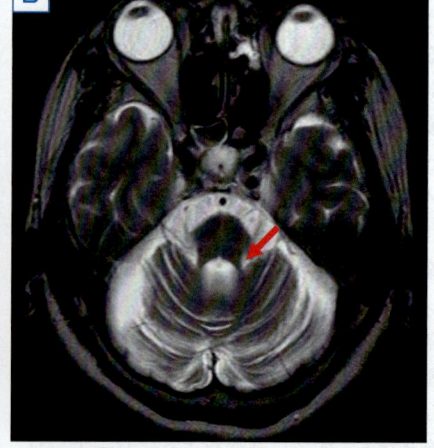

図17-6-22 多系統萎縮症のMRI所見
A：被殻における信号強度の低下（1.5 T MRI T2WI）．
B：橋と小脳の萎縮，中小脳脚（矢印）における信号強度の亢進および橋の十字徴候（1.5 T MRI T2WI）．

表 17-6-14 多系統萎縮症(MSA)のコンセンサスクライテリア(第2版)

分類	基本事項	孤発性，30歳以降の発症，進行性経過
probable MSA		
必要項目	自律神経障害	抑制困難な尿失禁，勃起障害(男性)，もしくは起立性低血圧(起立後3分以内に血圧が収縮期で30 mmHg，もしくは拡張期で15 mmHg以上下降)
いずれか1項目	レボドパ低反応のパーキンソニズム	運動緩慢と筋強剛，振戦，もしくは姿勢保持障害
	小脳症候	運動失調性歩行と小脳性構音障害，四肢運動失調，もしくは小脳性眼球運動障害
possible MSA		
いずれか1項目	パーキンソニズム	運動緩慢と筋強剛，振戦，もしくは姿勢保持障害
	小脳症候	運動失調性歩行と小脳性構音障害，四肢運動失調，もしくは小脳性眼球運動障害
必須項目	自律神経障害(1項目以上に症候)	尿失禁，頻尿，残尿，勃起障害(男性)，probable MSAの基準に満たない起立性低血圧
	付帯症候から少なくとも1項目以上	
付帯症候		
possible MSA-C or MSA-C		Babinski徴候と腱反射亢進，喘鳴
possible MSA-P		進行の速いパーキンソニズム，レボドパ低反応，運動症候発現後3年以内の姿勢保持障害，小脳症候(運動失調性歩行，小脳性構音障害，四肢運動失調，小脳性眼球運動障害)，運動症候発現後5年以内の嚥下障害，MRIでの萎縮所見(被殻，中小脳脚，橋，小脳)，FDG-PETでの代謝低下(被殻，脳幹，小脳)
possible MSA-C		パーキンソニズム(運動緩慢と筋強剛)，MRIにおける被殻，中小脳脚，橋，もしくは小脳の萎縮，FDG-PETにおける被殻の代謝低下，PET/SPECTで検出される黒質線条体系ドパミン作動線維のシナプス前脱神経所

がないことなど，わが国の診断基準とは異なる部分もあることを認識して利用する必要がある．起立性低血圧はSchellongテストで判定する．起立不能であれば座位での体位変換で判定する．体位変換して3分以内に基準を満たす血圧の変動があれば陽性とする．起立性低血圧を示唆する症状があれば，1回の試験で判定基準を満たさなくとも繰り返して行う必要がある．

鑑別診断

成人発症の小脳性運動失調という面からは，非遺伝性の皮質性小脳萎縮症(CCA)，遺伝性脊髄小脳変性症，アルコール性小脳失調など二次性運動失調症が鑑別の対象となる．パーキンソニズムという点では，Parkinson病，びまん性Lewy小体病，進行性核上性麻痺，大脳皮質基底核変性症などが鑑別の対象となる(森松，2004)．

治療・合併症・予後

治療法としては，発病や進行を阻止できるような効果的治療法は知られていない．リハビリテーションによる機能維持，薬物療法，全身管理が中心となる．薬物療法としては起立性低血圧，神経因性膀胱，食事性低血圧，パーキンソニズム，睡眠時運動障害などに対して，ある程度の薬物調節が可能である．また運動失調に対してはTRH製剤が用いられている．排尿障害の程度によっては間欠自己導尿やカテーテル留置が必要になる．一般的経過としては発病して数年～10年前後で臥床状態になる．生命予後は進行期の療養と全身管理により異なるが，尿路感染や肺炎を併発して死亡することが多い．声帯外転麻痺による呼吸困難がある場合には気管切開を行う．また，睡眠時無呼吸などにより突然死する可能性があり，注意を要する．

〔佐々木秀直〕

■文献(e文献 17-6-3-1)

Gilman S, Low PA, et al: Consensus statement on the diagnosis of multiple system atrophy. *J Neurol Sci.* 1999;**163**: 94-8.

Gilman S, Wenning GK, et al: Second consensus statement on the diagnosis of multiple system atrophy. *Neurology.* 2008,**71**: 670-6.

長谷川隆文，菅野直人，他：αシヌクレイン—in vitro 実験から．神経内科．2014; **81**: 610-6.

森松光紀：二次性パーキンソニズム—Parkinson病との鑑別診断．医学のあゆみ．2004; **208**: 547-53.

(2) 皮質性小脳萎縮症（cortical cerebellar atrophy：CCA）

概念・病理・病因
中年期に発症する非遺伝性脊髄小脳変性症である．症候学的には小脳症状を呈するのみで，ほかの神経系統の障害を伴わない．晩発性皮質小脳萎縮症（late cortical cerebellar atrophy：LCCA）と称されることがある．病理学的には小脳皮質の選択的な変性をきたす．変性は虫部，特に上面に強い．組織学的には皮質Purkinje細胞が選択的に脱落する．原因は不明である（滝山ら，1999）．

臨床症状・診断
発病から全経過を通じて小脳症候のみを呈する．構音障害や起立・歩行のふらつきで発病するものがほとんどである．進行すると運動失調は四肢・体幹に及び，起立独歩困難となる．臨床的には，成人発症で，非遺伝性であり，緩徐進行性の小脳性運動失調を主徴としてほかの神経系統の障害を伴わず，画像診断で萎縮が小脳に限局しているものを皮質性小脳萎縮症として診断する．

検査所見
血液，尿検査で特異的な異常を認めない．画像診断では萎縮は小脳皮質に限局する．萎縮は虫部に強い．脳SPECTでは小脳の血流が低下する．

鑑別診断
薬物中毒や遺伝性脊髄小脳変性症などを鑑別するうえで，家族歴や生活歴から得られる問診情報にまさるものはない．二次性小脳失調症が疑われる場合には，基礎疾患を考慮して鑑別診断を進める．よく知られているものとしては薬物中毒や甲状腺機能低下症に伴う小脳性運動失調，アルコール性小脳変性症，慢性小脳炎，免疫介在性小脳萎縮症，特に傍腫瘍性小脳変性症などである．神経変性疾患ではオリーブ橋小脳萎縮症（MSA-C）との鑑別が問題となる．MSA-Cは発病初期には運動失調のみであり，ほかの系統症候がなく，画像診断においても脳幹萎縮は認められない場合には，MSA-CとCCAの鑑別は難しい．ついで鑑別対象となるものは成人発症する遺伝性脊髄小脳変性症の一群である．その多くは小脳性運動失調で発病し，前半期の主要症候である．特に高齢発症では進行も緩慢となり，運動失調が前景となる疾患が多い．これらの疾患を慎重に鑑別した場合，皮質性小脳萎縮症は比較的まれな疾患である．

経過・治療
緩慢進行性の経過をとり，特異的な治療法は知られていない．ほかの脊髄小脳変性症と同様に，リハビリテーションによる機能維持が中心となる．

〔佐々木秀直〕

■文献
滝山嘉久，中野今治：晩発性皮質小脳萎縮症．別冊日本臨牀領域別症候群シリーズNo 27．神経症候群Ⅱ，pp 247-50，日本臨牀社，1999．

(3) 遺伝性脊髄小脳失調症（hereditary spinocerebellar ataxia）

概念
わが国の脊髄小脳変性症（spinocerebellr degeneration：SCD）のなかで遺伝性のものは約30％で，ほかの神経変性疾患と比べその割合が大きい[3]．そのほとんどは常染色体優性遺伝性で，現在，約40と非常に多数の疾患が知られており原因遺伝子（座）の発見順に脊髄小脳失調症1型（spinocerebellar ataxia type 1：SCA1），2型（SCA2），…と命名され，現在SCA41まで記載されている（表17-6-15）．SCDは人種差や地域差が大きく，わが国ではMachado-Joseph病（MJD）あるいはSCA3，SCA6，SCA31，歯状核赤核淡蒼球Luys体萎縮症（dentatorubral-pallidoluysian atrophy：DRPLA）が大部分を占め，ほかの病型はまれである．常染色体劣性遺伝性では欧米人で最も多い遺伝性SCDであるFriedreich失調症が有名であるが，日本人種には存在せず，低アルブミン血症を伴う早発性失調症あるいは眼球運動失行を伴う失調症1型，単独ビタミンE欠損症を伴う失調症などが少数みられるのみである．伴性劣性遺伝性では脆弱X染色体関連振戦・失調症候群（FXTAS）がまれにみられる．

病因・病態生理
遺伝子変異としては，①エクソンのCAGの3塩基繰り返し配列（リピート）の異常伸長（ポリグルタミン病ともよばれる），②通常の点変異や欠失，③非翻訳領域のリピートの異常伸張に大別される（表17-6-15）[1]．①ではリピート数が大きいほど発症年齢が若く（図17-6-23），重症化する．世代が降りるごとに発症年齢が若くなる表現促進現象（anticipation）はCAGリピートが不安定で世代間で異常伸長することに対応している．変異蛋白は凝集しやすく，核内や細胞質内に凝集体あるいは封入体を形成するが，その過程で細胞機能を障害し最終的には神経細胞死をきたすと考えられる（図17-6-24，17-6-25）．

臨床症状
SCA6，SCA31などでは，ほぼ小脳失調症状（失調性歩行，四肢協調運動障害，書字障害，失調性構音障害，眼振）と筋トーヌス低下に終始し純粋小脳失調型ということができる．一方，MJD/SCA3，SCA1，SCA2，DRPLAでは小脳系以外の系統も障害され（多系統障害型），小脳症候に加えてパーキンソニズム，

表 17-6-15 おもな脊髄小脳変性症の分類（原因遺伝子や遺伝子座が未同定の疾患が多数存在することに注意）

孤発性

皮質性小脳萎縮症
多系統萎縮症（オリーブ橋小脳萎縮症，線条体黒質変性症，Shy-Drager 症候群）

遺伝性

病型	遺伝子座	遺伝子	変異形式	変位部位	蛋白	機能
常染色体優性遺伝性						
脊髄小脳失調症 1 型（SCA 1）	6 p 23	ATXN 1	CAG repeat	coding exon	ataxin 1	?
脊髄小脳失調症 2 型（SCA 2）	12 q 24	ATXN 2	CAG repeat	coding exon	ataxin 2	?
Machado-Joseph 病（MJD/SCA3）	14 q 24.3-q 31	ATXN 3	CAG repeat	coding exon	ataxin 3	?
歯状核赤核淡蒼球 Luys 体萎縮症（DRPLA）	12 p 13.31	DRPLA	CAG repeat	coding exon	atrophin 1	?
脊髄小脳失調症 5 型（SCA 5）	11 p 11-q 11	SPTBN 2	missense, in-frame deletion	coding exon	βⅢ-spectrin	vesicle traffiking
脊髄小脳失調症 6 型（SCA 6）	19 p 13.1	CACNA 1 A	CAG repeat	coding exon	α 1A-Ca channel	
脊髄小脳失調症 7 型（SCA 7）	3 p 21.1-p 12	ATXN 7	CAG repeat	coding exon	ataxin 7	?
脊髄小脳失調症 8 型（SCA 8）	13 q 21	ATXN 8	non-coding CTG repeat	3'-UTR	ataxin 8	?
脊髄小脳失調症 10 型（SCA 10）	22 q 13	ATXN 10	non-coding AATCT repeat	intron	ataxin 10	?
脊髄小脳失調症 11 型（SCA 11）	15 q 14-q 21.3	TTBK 2	missense		TTBK 2	tau tubulin kinase
脊髄小脳失調症 12 型（SCA 12）	5 q 31-q 33	PPP 2 R 2 B	non-coding CAG repeat	5'-UTR	protein phosphatase 2	serine/threonine phosphatase
脊髄小脳失調症 13 型（SCA 13）	19 q 13.3-q 13.4	KCNC 3	missense	coding exon	VGKC	K channel(Kv 3.3)（protein kinase）
脊髄小脳失調症 14 型（SCA 14）	19 q 13.4	PRKCG	missense	coding exon	PKC γ	protein kinase
脊髄小脳失調症 15 型（SCA 15）	3 p 24.2-p 25.3	ITPR 1	deletion	exon	ITPR 1	inositol triphosphate receptor
脊髄小脳失調症 17 型（SCA 17）	6 q 27	TBP	CAG repeat	coding exon	TBP	basic transcription factor
脊髄小脳失調症 19 型（SCA 19）	1 p 21-q 21	KCND 3	missense	coding exon	KV 4.3	K channel(Kv 4.3)
脊髄小脳失調症 20 型（SCA 20）	11 p 12.2-3	?	ch. dupli			
脊髄小脳失調症 21 型（SCA 21）	7 p 21-15	TMEM240	missense	coding exon	transmembrane protein 240	transmembrane domain containing protein
脊髄小脳失調症 23 型（SCA 23）	20 p	PDYN	missense		prodyneorphin	opioid peptide precursor
脊髄小脳失調症 26 型（SCA 26）	19 p 13.3	EEF2	missense	coding exon	EEF2 protein	eukaryotic translation elongation
脊髄小脳失調症 27 型（SCA 27）	13 q 34	FGF 14	missese, frame shift	coding exon	FGF 14	fibroblast growth factor
脊髄小脳失調症 28 型（SCA 28）	18 p 11.2	AFG3L2	missense		AFG3L2	mitochondrial protein
脊髄小脳失調症 31 型（SCA 31）	16 q 22.1	BEAN/TK 2	TGGAA repeat insertion	intron	?	
脊髄小脳失調症 34 型（SCA 34）	6q14.1	ELOVL4	missense	coding exon	ELOVL4	fatty acid elongase
脊髄小脳失調症 35 型（SCA 35）	20 p 13	TGM 6	missense	coding exon	TGM 6	transglutaminase
脊髄小脳失調症 36 型（SCA 36）	20 p 13	NOP 56	GGCCTG repeat	intron	NOP 56(NOL 5 A)	nucleolar protein
脊髄小脳失調症 38 型（SCA 38）	6p12.1	ELOVL5	missense	coding exon	ELOVL5	fatty acid elongase
脊髄小脳失調症 40 型（SCA 40）	14q32.11	CCDC88C	missense	coding exon	coiled-coil domain containing 88C	
脊髄小脳失調症 41 型（SCA 41）	4q27	TRPC3	missense	coding exon	TRPC3	transient receptor protein channel
伴性劣性遺伝性						
脆弱 X 関連振戦/運動失調症候群（FXTAS）	X q 27.3	FMR 1	CGG repeat	intron		RNA transport
常染色体劣性遺伝性						
常染色体劣性遺伝性 Friedreich 失調症（FRDA）	9 q 13-21.1	FRTXN	GAA repeat, missense	intron	frataxin	mitochondrial iron metabolism
ビタミン E 単独欠乏性失調症（VED）	8 q 13.1-13.3	α TTP	missense, nonsense	coding exon	TTP	vit. E transport
眼球運動失行と低アルブミン血症を伴う早発性失調症（EAOH）	9 p 13.3	APTXN	missense, frame shift	coding exon	aprataxin	DNA repair?

□ ポリグルタミン病　□ 非翻訳領域リピート病　□ 点変異，欠失など．

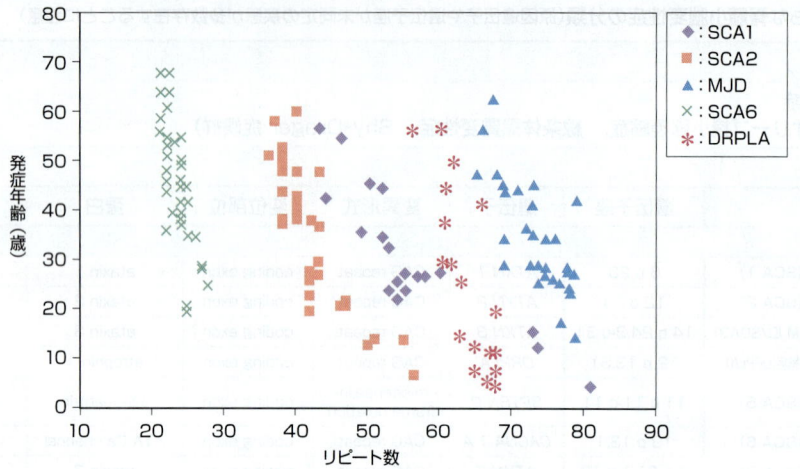

図 17-6-23 CAG リピートの異常伸長による遺伝性脊髄小脳失調症におけるリピート数と発症年齢(Zoghbi の図[*Nat Genet*.1996; **14**: 237-8]に筆者らの SCA 6 のデータを加えたもの)
リピート数が大きいほど発症年齢は若年化する.

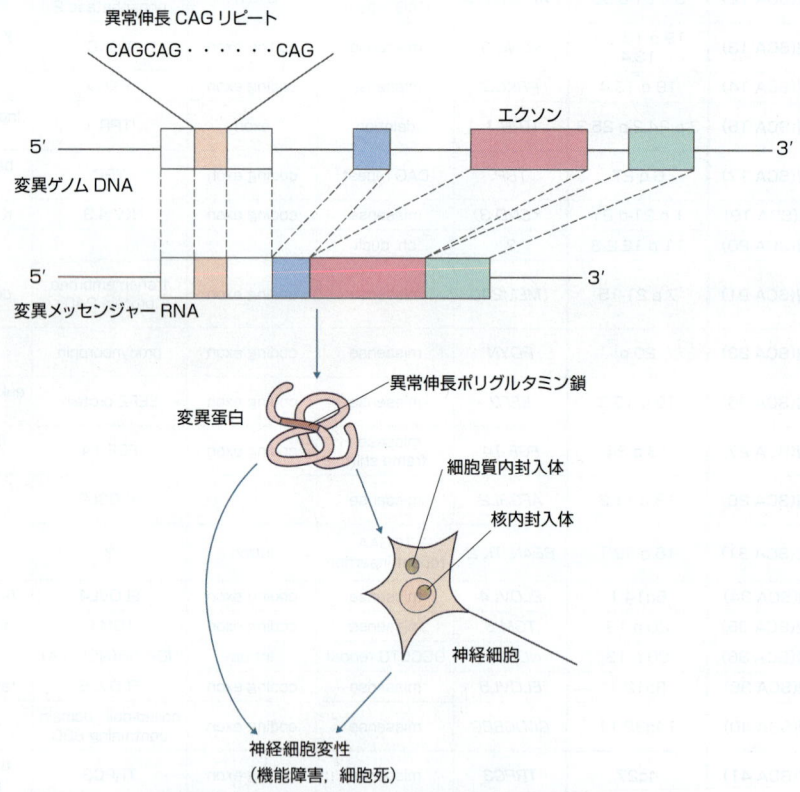

図 17-6-24 CAG リピート(ポリグルタミン)病の発症機序
異常伸長した CAG リピートはポリグルタミン鎖に翻訳され,それをもつ変異蛋白は三次構造が変化して凝集しやすくなるとともに細胞の変性(機能障害や細胞死)をきたす.

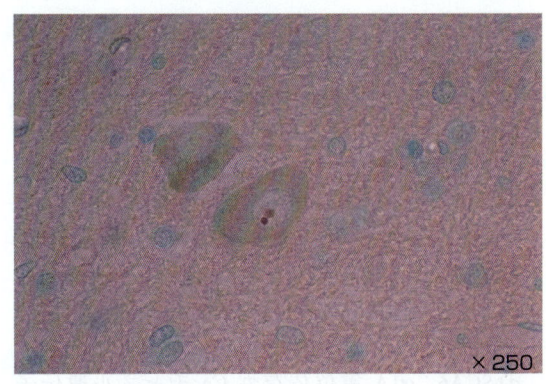

図 17-6-25 Machado-Joseph 病(SCA3)の橋核神経細胞にみられた核内封入体(抗 ataxin 3 抗体による染色)

不随意運動,錐体路症候,自律神経症候,末梢神経症候などがさまざまな程度に,しかしながら一定の特徴をもった組み合わせで出現する.これらの症候は,一度に出現するわけではなく時間経過とともに加わってくることが多く,経過とともに既存症状の重症化のみではなく病像そのものが変化することがある.

検査所見

最も重要なのは脳 MRI であり,血管障害,炎症性疾患など二次性の小脳疾患の鑑別はもちろん,小脳,脳幹,大脳基底核,大脳皮質,大脳白質,脊髄などにつき萎縮の有無・程度と内部の信号強度の変化をチェックする(Brusse ら,2007).SCA6 や SCA31 では小脳虫部前方優位に小脳皮質の萎縮がみられ(図 17-6-26),多系統障害型では脳幹の萎縮などが加わる.電気眼振検図では小脳性眼球運動障害を定量的に評価できる.その他,障害される神経系統に応じて神経伝導検査,誘発電位,筋電図などさまざまな検査で

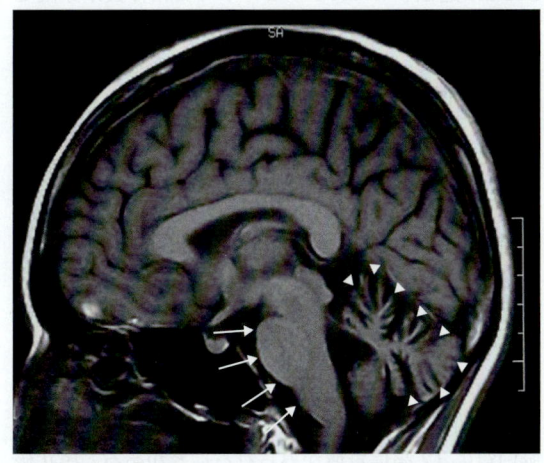

図 17-6-26 SCA 6 の脳 MRI T1 強調矢状断像
小脳は虫部を中心に萎縮が目立つ(矢頭)が脳幹はよく保たれている(矢印).

異常がみられることがあるが,血液,尿,脳脊髄液などの一般検査では普通異常はみられない.

診断・鑑別診断

家族歴が重要であるが,ときに家族歴がないこともあり,そのときは孤発性 SCD として,まず原因治療が可能な二次性小脳失調症を鑑別することが必要である[2].特徴的症候の組み合わせと経過により,各病型を臨床的にある程度診断することは可能であるが,経過を適切に予測し,遺伝相談を正しく行うためには遺伝子レベルで診断することが望ましい.なお,孤発性のときの遺伝子診断は陽性のときの対応を十分に考えたうえで慎重に判断する必要がある.なお,多くのミトコンドリア病では小脳系が障害 SCD ということも可能である.また,Gerstmann-Sträussler-Scheinker 病(GSS)はプリオン蛋白遺伝子の変異によるプリオン病に分類されるが,コドン 102 番がプロリンからロイシンに変換する病型では最初の 2〜3 年は運動失調症しか目立たず優性遺伝性 SCD と診断されることが多い.

治療

まだ根本的治療は確立してはおらず対症療法と生活指導あるいはリハビリテーションが中心である(西澤,2015).運動失調に対しては TRH 製剤である酒石酸プロチレリン 0.5〜2.0 mg の筋注や静注,TRH 誘導体のタルチレリン水和物の 5 mg 錠 1 日 2 回経口投与が行われる.本症そのものが死因となることはまれであり,多くは臥床するようになってからの感染などにより死亡する.したがってできるかぎり寝たきりになるのを防ぐことが生命予後の観点からも重要であり,日常生活においては転倒防止などさまざまな工夫により自立した生活をできるかぎり持続させる努力が大切である.その他,パーキンソニズムには抗 Parkinson 病薬,痙性麻痺には抗痙縮薬,不随意運動にはそれぞれの対症療法薬を用いる.

おもな病型

1)常染色体優性遺伝性:

a)SCA1: 1974 年わが国の Yakura らがはじめて 6 番染色体に存在する HLA に連鎖することを報告し,後に *ATAXIN1* 遺伝子の CAG リピートの異常伸長が原因と判明した.発症年齢は若年〜中年と幅が広い.臨床病理学的には従来の遺伝性オリーブ橋小脳萎縮症に属し,小脳失調症候に加えて注視眼振,眼球運動制限,錐体路徴候,不随意運動などを呈するが,進行すると顔面・四肢筋の萎縮や腱反射低下も認められる.わが国では比較的まれである.

b)SCA2: *ATAXIN2* 遺伝子の CAG リピートの異常伸長により生じ,発症年齢は若年〜中年と幅広い.臨床病理学的には従来の遺伝性オリーブ橋小脳萎縮症に属し,小脳失調症候に加えて眼球運動制限,緩徐眼

球運動，振動覚低下，腱反射低下・消失，病的反射陽性，不随意運動（振戦，舞踏病様運動，ジストニア），人格変化，認知症，四肢筋萎縮などがみられる．特に眼球運動が非常にゆるやかになる緩徐眼球運動が特徴的である．わが国では比較的まれである．

　c）Machado-Joseph 病（SCA3）：優性遺伝性脊髄小脳失調症のなかで世界的に最も頻度が高い．わが国で遺伝子座・遺伝子が同定され *MJD1* 遺伝子の CAG リピートの異常伸長により生じる．若年～中年に幅広く発症する．小脳失調症が主体であるが顔面筋のミオキミア，びっくり眼，注視眼振，眼球運動制限，下肢痙縮，ジストニア・アテトーゼなどが特徴的である（図17-6-27）．神経症候は多彩で錐体路・錐体外路徴候が中心のⅠ型，小脳徴候・錐体路徴候が中心のⅡ型，小脳徴候と筋萎縮・感覚障害・腱反射低下などがおもなⅢ型に分類される．神経病理学的にはおもに脊髄小脳路，橋小脳路，歯状核，赤核，淡蒼球，視床下核（Luys 体），黒質，脊髄前角が障害されるが小脳皮質，大脳皮質，下オリーブ核は保たれるため，MRI でも小脳半球の萎縮は目立たず脳幹の萎縮が目立つ（図17-6-28）．

　d）SCA6：α1A 電位依存性 Ca チャネル遺伝子（*CACNA1A*）の CAG リピートの 4～18 から（19）20～33 への異常伸長によって生じる．臨床病理学的にはほぼ純粋な小脳失調症を呈する皮質性小脳萎縮症であり，わが国の遺伝性皮質性小脳萎縮症の約半数を占め，Machado-Joseph 病についで多く，特に西日本に高頻度である．高齢発症で予後も比較的良好である．小脳性失調症状のほか，めまいの訴えや下眼瞼向き眼振が比較的多く，失調も含めときに反復発作性に現れることが特徴的である．同じ遺伝子の別の変異により反復発作性失調症 2 型（episodic ataxia type 2：EA2）や家族性片麻痺性片頭痛 1 型（familial hemiplegic migraine：FHM）が生じる．世代間や各組織間でリピート数がきわめて安定で，核内封入体はなく Purkinje 細胞質内封入体がみられるなどほかの CAG リピート病と異なる特徴を有する．

　e）SCA7：*ataxin7* 遺伝子の CAG リピートの異常伸長が原因である．臨床的には網膜黄斑部変性症を伴う遺伝性オリーブ橋小脳萎縮症であり，視力低下で発症することもあり注意が必要である．小脳失調症のほか，腱反射亢進，下肢の痙縮，緩徐眼球運動，外眼筋麻痺などを伴う．わが国では非常にまれである．

　f）歯状核赤核淡蒼球 Luys 体萎縮症（DRPLA）：*DRPLA* 遺伝子の CAG リピートの異常伸長が原因である．わが国に多く，わが国で記載され原因遺伝子も発見されたが，欧米では非常にまれである．表現促進現象が著明で発症年齢は小児～中年まで幅広く，発症年齢によって臨床症状が異なる．20 歳未満の発症（若年型）ではミオクローヌス，てんかん，精神発達遅滞または認知症，小脳性運動失調症が主で，40 歳以降の発症（遅発成人型）では小脳性運動失調症，舞踏病様不随意運動，性格変化，認知症が中心となり，20～40 歳の発症（早発成人型）では両者の中間の特徴を有する．眼振や錐体路徴候を呈することはあるが，外眼筋麻痺，筋萎縮，感覚障害などはみられない．脳 MRI で小脳と脳幹の萎縮を認め，長期経過例では大脳白質に T2 高信号域がみられることがある．尾状核の萎縮がみられない点が Huntington 病との鑑別上重要である．

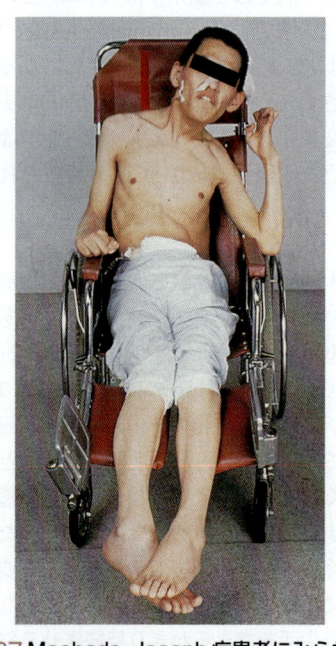

図 17-6-27 Machado-Joseph 病患者にみられた顔面・頸部・上肢・体幹のジストニア，下肢の痙縮

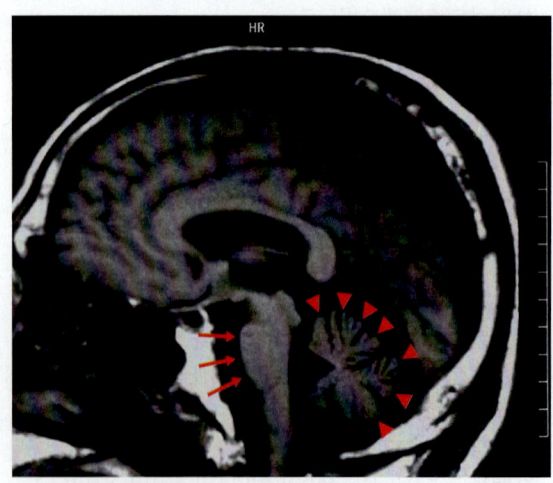

図 17-6-28 Machado-Joseph 病の脳 MRI T1 強調画像
小脳皮質の萎縮は軽度（矢頭）でむしろ橋の萎縮が目立つ（矢印）．

e）SCA31：16番染色体長腕にある*BEAN*および*TK2*のおのおの反対方向に読まれる遺伝子のイントロンにTGGAAの5塩基リピートの異常伸張したものが挿入されて発症すると考えられている．SCA6と同様に緩徐進行性のほぼ純粋な小脳失調症候，MRIでの小脳萎縮を呈するが，発症はより高齢である．

2）常染色体劣性遺伝性：

a）Friedreich失調症：1863年にFriedreichによりはじめて記載され，脊髄小脳失調症の概念を確立するきっかけとなった疾患である．欧米では遺伝性脊髄小脳失調症の半数以上を占めるが，わが国では遺伝子診断された例は存在しない．常染色体劣性遺伝性で*FRATAXIN*遺伝子の変異により生じる．変異としては第1イントロンのGAAリピートの異常伸長のホモ接合体が主であるが，まれに点変異とのヘテロ複合体がみられる．frataxinはミトコンドリア内の鉄代謝にかかわる蛋白であり，本症は広義のミトコンドリア病ともとらえられる．25歳以下，平均約10歳で後索性運動失調症，深部感覚障害，構音障害などで発症するが，心筋症，脊柱側弯，凹足，遠位部筋萎縮，糖尿病なども伴う．

b）ビタミンE単独欠乏性失調症：Friedreich失調症とよく似た後索型失調症状を呈する．α-トコフェロール転移蛋白（α-tocopherol transfer protein：α-TTP）の点変異などで生じ，多くはナンセンス変異により20歳以下で発症するが，ミスセンス変異では成人発症でしばしば網膜色素変性症による夜盲を伴う．早期のビタミンEの補充で治療できる可能性があり，鑑別診断が重要である．

c）眼球運動失行と低アルブミン血症を伴う早発性失調症（early onset ataxia with optic apraxia and hypoalbuminemia：EOAH）：眼球運動失行を伴う失調症1型（Ataxia with optic apraxia type 1：AOA1）ともよばれ，*APRATAXIN*遺伝子の変異で生じる．幼小児期に運動失調で発症し眼球運動失行も伴うが，経過とともに成人期には低アルブミン血症や末梢神経障害が明らかとなる．わが国で従来Friedreich失調症として報告されていた症例の多くは，本症であると思われる．脊髄後索や脊髄小脳路がおかされ症状はFriedreich失調症に類似するが，小脳が高度に障害される点は大きく異なっている．

3）伴性劣性遺伝性：

a）脆弱X関連振戦/運動失調症候群（fragile X tremor / ataxia syndrome：FXTAS）：精神発達遅滞を呈する脆弱X症候群の原因遺伝子変異であるCGGリピートの異常伸長が55〜200程度と軽度のときに，成人男性に発症し，主に振戦と小脳失調を呈する．

〔水澤英洋〕

（4）家族性痙性対麻痺

家族性あるいは遺伝性痙性対麻痺（familial/hereditary spastic paraplegia：FSP/HSP）は，緩徐進行性の両下肢の痙縮と筋力低下を主徴とする神経変性疾患で，1880年のStrümpellの記載に始まる．わが国では行政的に脊髄小脳変性症のなかに分類されている（Blackstone，2012）．錐体路徴候に加えて深部感覚障害がみられることが多いが（純粋型），さらに視神経萎縮，網膜変性症，錐体外路症状，精神発達遅滞，認知症，眼振，運動失調，難聴などを呈することがあり複合型とよばれることがある．正確な頻度は不明であるが10万人あたり0.2人程度とまれである．MRIでは脊髄の萎縮が疑われる程度で所見に乏しいが，一部に脳梁の低形成を伴う病型が知られている．電気生理検査では後索や錐体路の病変を反映して感覚神経誘発電位や磁気刺激による運動神経誘発電位などの異常がみられる．遺伝形式としては常染色体優性，常染色体劣性，伴性劣性が存在するが孤発例も少なくない．近年，*PARAPLEGIN*，*SPASTIN*，*L1CAM*，*PLP*（proteolipid protein）などの原因遺伝子あるいは遺伝子座があいついで同定されており，現在SPG1からSPG76まで70以上の疾患が知られているが，*SPASTIN*の変異によるSPG4が約40％と最も多い．治療は，現在のところは抗痙縮薬の経口投与，ボツリヌス毒素の注射，バクロフェンの髄腔内投与などによる対症治療が主体であるが，末梢神経縮小術・後根侵入部遮断術などの機能外科的試みも行われている．

〔水澤英洋〕

（5）Unverricht-Lundborg病

いわゆる進行性ミオクローヌスてんかん（progressive myoclonus epilepsy：PME）の疾患概念をもたらすきっかけとなった疾患であり，常染色体劣性遺伝性で遺伝子座は21q22.3にあり*EPM1*とよばれ，蛋白分解酵素阻害分子のcystatin Bをコードする（Shahwanら，2005）．同遺伝子*CSTB*の12塩基リピートの異常伸長や点変異が原因である．フィンランド，エストニア，スウェーデンに多くバルト海型PMEともよばれる．6〜14歳にミオクローヌスあるいはてんかんで発症し，1〜2年でもう一方の症状が加わる．小脳失調，企図振戦などの小脳症状が主体で精神症状や認知症はあっても軽度である．平均約14年の経過で約24歳（15〜43歳）で死亡する．PMEをきたすほかの疾患としてLafora病（*EPM2A*），神経セロイドリポフスチン症，シアリドーシス，ミトコンドリア脳筋症のMyoclonus Epilepsy with Ragged-Red Fiber（MERRF），前述の歯状核赤核淡蒼球Luys体萎縮症などが鑑別にあがる．抗てんかん薬による対症療法が中心となる．

〔水澤英洋〕

■文献（e文献 17-6-3-3）

Blackstone C: Cellular pathways of hereditary spastic paraplegia. *Annu Rev Neurosci*. 2012; **35**: 25-47.

Brusse E, Maat-Kievit JA, et al: Diagnosis and management of early- and late-onset cerebellar ataxia. *Clin Genet*. 2007; **71**: 12-4.

西澤正豊監：脊髄小脳変性症マニュアル決定版！，日本プランニングセンター，2015.

Shahwan A, Farrell M, et al: Progressive myoclonic epilepsies: a review of genetic and therapeutic aspects. *Lancet Neurol*. 2005; **4**: 239-48.

4）運動ニューロン疾患
motor neuron disease：MND

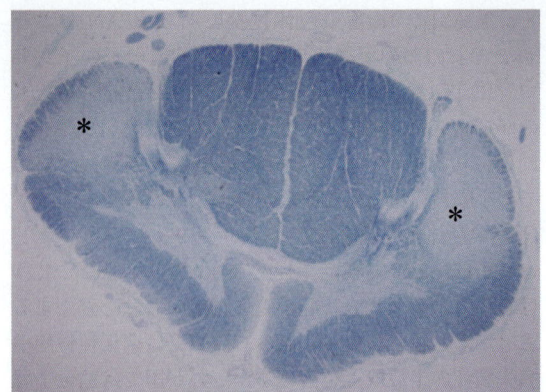

図 17-6-29 筋萎縮性側索硬化症患者の腰髄（Klüver-Barrera 染色）
錐体路の変性による側索の淡明化（*）が顕著である．下位運動ニューロン脱落による前角萎縮を認める．

大脳皮質運動野から錐体路を下行する上位運動ニューロン，および脳幹運動神経核と脊髄前角から骨格筋につながる下位運動ニューロンのいずれか，あるいは両方が障害される変性疾患を運動ニューロン疾患と総称する．

（1）筋萎縮性側索硬化症（amyotrophic lateral sclerosis：ALS）

定義・概念

ALS は，成人発症の神経変性疾患であり，上位および下位運動ニューロンが進行性に変性，脱落することを特徴とする．進行すると全身の骨格筋に高度の萎縮と筋力低下が生じ，呼吸筋麻痺による呼吸不全が死因となることが多い．平均 3～5 年で死亡もしくは永続的な人工呼吸器装着が必要な状態となる．人工換気により長期生存する患者もいる．大部分は孤発性であるが，約 5～10％の患者は家族歴を有する．

原因・病因

孤発性 ALS について，現在のところ確定的な病因は判明していない．想定される病因としてグルタミン酸による興奮毒性，ミトコンドリア異常，軸索輸送障害，酸化ストレス，RNA 編集異常，神経炎症としてミクログリアやアストロサイトの関与などがあげられている．近年 *SOD1*，*FUS*，*TARDBP*，*C9ORF72*，*optineurin*，*UBQLN2*，*ERBB4* など数多くの家族性 ALS 原因遺伝子が同定されており，まれではあるが一見孤発性にみえる例でもこれらの遺伝子異常が認められる場合がある．

疫学

わが国における ALS の有病率は人口 10 万人あたり 7～11 人，発生率は人口 10 万人あたり 1.1～2.5 人と見積もられている．男女比は約 3：2 で男性が多い．発症は成人の全年齢層で可能性があるが，40 歳未満はまれで 60～70 歳代が最も多く，70 歳代前半に発症のピークがある（eノート 1）．

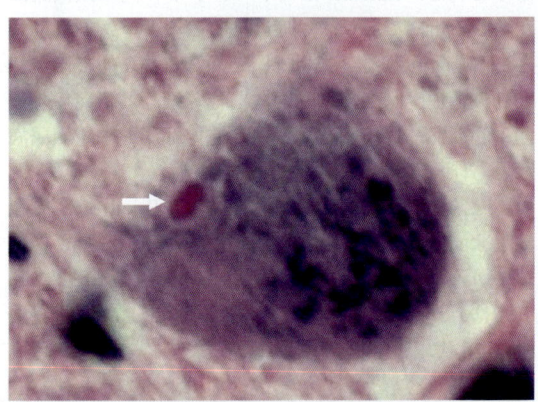

図 17-6-30 腰髄前角細胞の Bunina 小体（HE 染色）
残存前角細胞の細胞質内にエオジン好性封入体である Bunina 小体を認める．筋萎縮性側索硬化症に特徴的である．

病理

大脳皮質では運動野第 5 層の Betz 細胞および大型錐体細胞の変性脱落，脳幹では眼筋支配以外の脳幹運動神経核の変性脱落，脊髄では側索と前索の錐体路に線維脱落（図 17-6-29）とグリオーシス，前角の扁平化と大型前角細胞の変性・脱落を認める．残存する前角細胞に，胞体内のエオジン好性封入体である Bunina 小体（図 17-6-30）や，skein-like inclusion など種々の形態のユビキチン陽性封入体を認め，ALS に特徴的である．抗 TDP-43 抗体での免疫組織染色では，通常，核に認められる染色が認められず，細胞質の封入体が染まることが特徴である（図 17-6-31）（eノート 2）．

臨床症状

1）自覚症状： 全身の骨格筋力低下による症状が自覚されるが，初発症状およびその後の進展様式は患者ごとに多様である．片側の上肢遠位部筋力低下で発症する例が最も多いが，構音障害などの球麻痺症状で発症

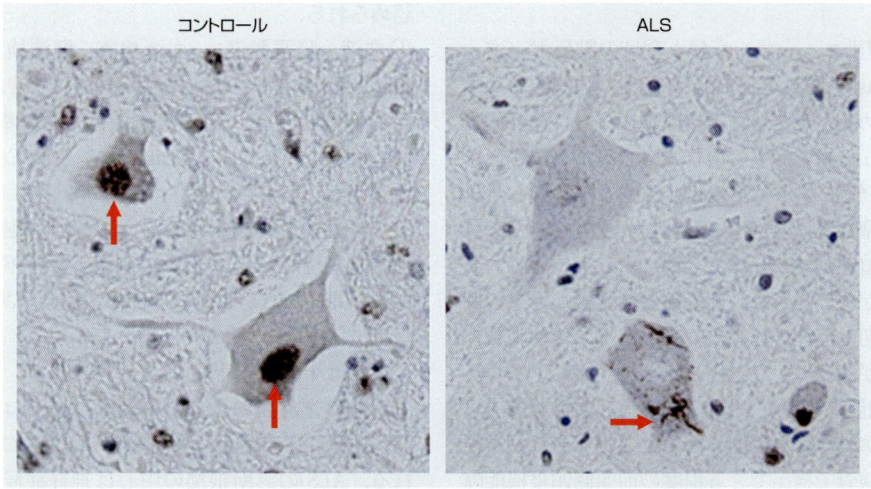

図 17-6-31 腰髄前角細胞の TDP-43 陽性封入体(抗 TDP-43 抗体，免疫染色)
残存前角細胞の抗 TDP-43 抗体による免疫染色で，通常は核が染まる(コントロールの矢印)．筋萎縮性側索硬化症患者では核は染まらず，細胞質の封入体が染色される(ALS の矢印)点が特徴的である．

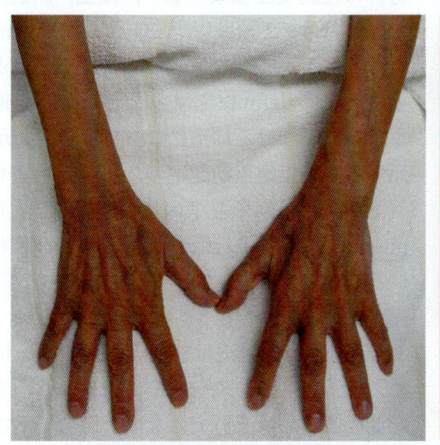
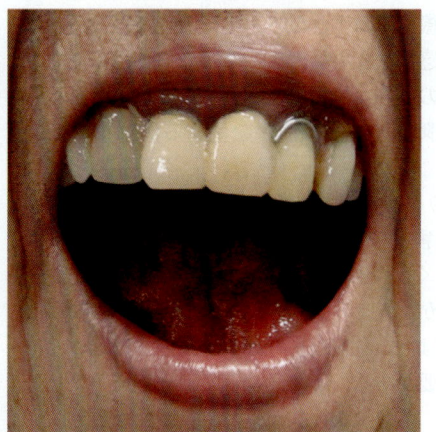

図 17-6-32 筋萎縮性側索硬化症患者の筋萎縮
両上肢びまん性の筋萎縮，舌の萎縮を認める．

する例，下肢筋力低下で発症する例などさまざまである．また，筋力低下は遠位部から始まるとは限らず，近位部から始まる場合もある．初発症状，主症状によって古典型(上肢型)，球麻痺型，下肢型(偽多発神経炎型)などに病型分類されることがある．まれに，頸部筋力低下や呼吸筋麻痺症状から始まる場合もある．高齢発症例では球麻痺発症の割合が高くなる．筋萎縮の進行に伴い体重減少が目立つ．

症状は一貫して進行性である．進行速度は相当の個人差があるが，週単位や月単位で悪化を自覚することが多い．進行すると身のまわりの動作，入浴，整容，移動，摂食さらには排泄など日常生活動作の自立が困難となり，構音障害や書字困難によるコミュニケーション障害が問題となる．

2)他覚症状：

a) 下位運動ニューロン症候：視診，触診および徒手筋力検査により，髄節や末梢神経支配領域をこえて広がる筋萎縮，筋力低下をとらえることができる．左右非対称性の場合が多い．球麻痺の所見として構音障害，嚥下障害，舌萎縮を認める(図 17-6-32)．呼吸筋麻痺により，胸郭の動きの減少，呼吸補助筋の利用，起座呼吸，換気不全が生じる．通常，末期においても外眼筋，肛門括約筋，排尿筋，心筋，平滑筋は障害されない．

安静時に筋腹にみられる細かな筋収縮である線維束性収縮が，筋萎縮が進行しつつある筋で生じる．舌筋，大胸筋，上腕，前腕，手内筋，大腿筋群などに認めやすい．筋萎縮が進行してしまうと次第に認めなく

なる.

　b）上位運動ニューロン症候：全身の腱反射亢進，痙性，Babinski徴候，Chaddock反射，強制泣き・笑いなどを認める．ただし，上位運動ニューロン症候と下位運動ニューロン症候の現れ方は患者ごとにさまざまであり，経過によっても変化する．すなわち，全身の痙性が顕著で筋トーヌスの亢進が目立つ例もあれば，強い下位運動ニューロン変性により上位運動ニューロン症候が覆い隠され，筋萎縮と筋弛緩が目立つ例もある．当初は痙性が目立っても，進行に伴い弛緩性になることが多い．

　c）認知機能低下：従来，ALS患者では認知機能障害は一部の例外を除いて認めないとされてきたが，神経心理学的検査で検出できる程度の前頭側頭葉機能障害が約半分程度の患者において認められることが明らかとなってきた．多くのALS患者は認知症が顕在化することなく生涯を終えるが，一部の患者は前頭側頭型認知症の合併と診断される．認知機能低下は筋力低下に先行する場合と，後から顕在化する場合がある．前頭側頭葉機能の障害として，遂行機能障害，行動異常，相手の感情や立場などを読みとる情動認知能力の低下，意欲の低下，言語機能の低下などがみられる．重度の記憶障害や見当識障害を呈する例はまれである．

　d）起こりにくい症状：眼球運動障害，感覚障害，膀胱直腸障害は，ALSでは通常認めない．また褥瘡は生じにくく，合わせて4大陰性症状とされることがある．しかし人工呼吸器を装着した例など長期経過例においては，これらがまれならず認められることに留意する必要がある．

検査所見

1）針筋電図： 下位運動ニューロン障害をとらえるための検査として重要である．急性脱神経所見として線維性収縮電位（fibrillation potential），線維束性収縮電位（fasciculation potential），陽性棘波（positive sharp wave），慢性脱神経所見として運動単位の振幅増大や多相化および持続時間延長などが認められ，これらの所見が混在する．所見は萎縮筋のみならず，萎縮の明確でない筋でも認められることがある．

2）末梢神経伝導検査： 複合筋活動電位の振幅低下，F波出現率低下が認められることがある．検査のおもな目的は脱髄性ニューロパチー（多巣性運動ニューロパチーなど）を除外することである．

3）MRI： 頭部MRIにてT2強調画像での錐体路高信号，運動野皮質の低信号などを認めることがあるが，感度は低く，診断に用いる所見として確立されたものではない．ただし，脳・脊髄MRIは鑑別診断のために一度は施行しておく必要がある．前頭側頭葉変性症（FTLD）合併例においては，前頭側頭葉の萎縮が認められる．

4）血液，脳脊髄液： 血液検査，髄液検査ではALS診断において特異的なマーカーはない（eノート3）．

5）呼吸機能検査： 呼吸筋機能低下を反映して，努力性肺活量（%forced vital capacity：%FVC）の低下を認める．

6）中枢性運動神経伝導時間： 磁気刺激装置による運動誘発電位（MEP）を用いて測定した中枢性運動神経伝導時間（CMCT）の延長を認める場合がある．

診断

　診断は十分な病歴聴取と診察により，①上位運動ニューロン症候および下位運動ニューロン症候の存在，②進行性の経過，③他疾患の除外，によってなされる．ALSの診断根拠の中心は神経症候と経過であり，下位運動ニューロンの変性をとらえる検査として針筋電図が重要である．世界標準とされるALSの診断基準は，改訂El Escorial診断基準（Airlie House診断基準）（表17-6-16）である．この診断基準では，身体の運動支配領域を脳幹，頚髄，胸髄，腰仙髄の4領域に分け，2領域以上で上位および下位運動ニューロン変性を示す神経症候があればprobable，3領域以上にあればdefiniteとするなど，診断の確からしさにグレードをつける構造になっている．わが国における厚生労働省指定難病認定のための診断基準は，この改訂El Escorial診断基準の考え方を取り入れているが，possibleに相当する患者を認定できる形で定められている．

鑑別診断

1）頸椎症： 頸椎症は一般人口における頻度が高いため，ALS患者においても，MRIなどで頸椎症の所見を認めることはまれではない．画像で示された頸椎症の部位，所見と症候が合致するかどうか，慎重に見きわめる必要がある（eノート4）．

2）多巣性運動ニューロパチー（multifocal motor neuropathy：MMN）： 末梢神経伝導検査にて伝導ブロックを認めるかどうか確認することが重要である（eノート5）．

3）多発筋炎，封入体筋炎： 針筋電図で筋原性変化を示すことから鑑別できる（eノート6）．筋炎を疑ったら筋生検を実施する．

4）球脊髄性筋萎縮症： 手指の姿勢時振戦が筋力低下出現にかなり先行して生じる，上位運動ニューロン症候がみられない，女性化乳房を伴うことが多い，男性のみに発症する，線維束性収縮が目立つが安静時ではなく筋収縮時に目立つ（contraction fasciculation）といった特徴がある．伴性劣性タイプの遺伝形式をとる．ただし実地臨床では家族歴が認められない例も多い．疑った場合にはアンドロゲン受容体遺伝子検査により診断を確定する．

表 17-6-16 改訂 El Escorial 診断基準（抜粋）

ALS 診断における必須事項
A．以下が必要
　（A：1）下位運動ニューロン症候が臨床所見，電気生理検査，神経病理学的検査で示される．
　（A：2）上位運動ニューロン症候が臨床所見で示される．
　（A：3）症状，症候が一領域内あるいは他の領域に進行性に広がることが，病歴あるいは所見から示される．
B．以下が存在しない
　（B：1）上位・下位運動ニューロン症候を説明する他疾患を示す電気生理学的あるいは病理学的所見
　（B：2）臨床所見，電気生理学的所見を説明する他疾患を示す神経画像所見

診断グレード
身体を脳幹（脳神経）領域，頸髄領域，胸髄領域，腰仙髄領域の 4 領域に分ける

clinically definite ALS
　臨床所見で，3 領域以上に上位および下位運動ニューロン症候を認める．

clinically probable ALS
　臨床所見で，2 領域以上に上位および下位運動ニューロン症候を認め，上位運動ニューロン症候のある部位の一部が，下位運動ニューロン症候のある部位よりも頭側にある．

clinically probable ALS-laboratory-supported
　臨床所見で，上位および下位運動ニューロン症候が 1 領域のみ，もしくは上位運動ニューロン症候のみが 1 領域にあり，かつ針筋電図で示された下位運動ニューロン障害の所見を 2 領域以上で認める．

clinically possible ALS
　臨床所見で，上位および下位運動ニューロン症候が同一の 1 領域のみにある，もしくは上位運動ニューロン症候のみを 2 領域以上に認める．下位運動ニューロン症候を上位運動ニューロン症候の頭側にのみ認め，clinically probable ALS-laboratory-supported の基準を満たさないものも含む．十分な除外診断を必要とする．

6）**若年性一側上肢筋萎縮症（平山病）：** 15～17 歳をピークにした若年男性に多く発症し，上肢遠位筋の緩徐進行性筋萎縮・筋力低下をきたす．筋萎縮は手内筋や前腕尺側において著明であるが，橈側ではほとんど認めないという特徴がある．ALS とは好発年齢が大きく異なり，臨床的特徴からも鑑別可能である．

7）**ほかの鑑別疾患：** 単クローン性高ガンマグロブリン血症（monoclonal gammopathy），リンパ腫など悪性腫瘍に伴う運動ニューロン障害，ヘクソサミニダーゼ欠損症，甲状腺機能亢進症，脳幹・脊髄などの腫瘍，多発性硬化症，脊髄空洞症，ポリオ後症候群，糖尿病性筋萎縮症，重症筋無力症などの神経筋接合部疾患などがあげられる．

経過・予後

症状は一貫して進行性であり，人工換気を行わない場合，発症から死亡までの期間は平均 3～5 年程度である．死因は呼吸筋力低下による換気不全や嚥下性肺炎が多い．進行速度，進展様式は患者ごとのばらつきがかなりあり，生命予後不良因子としては球麻痺発症，呼吸障害発症，栄養状態不良，高齢発症などがある．人工呼吸器装着により，長期生存が可能となる場合がある．呼吸器装着後に ALS の進行により，眼球運動を含め全身が動かなくなる状態（totally locked-in state：TLS）になる例もある一方で，コンピュータ機器などを用いたコミュニケーションを維持し，社会とのかかわりを持ち続ける患者もいる．

治療

治療薬としてはグルタミン酸拮抗薬であるリルゾールが承認されており，3 カ月程度 ALS 患者の生存期間を延長する効果が認められている．栄養状態が不良の場合，症状進行が速くなるため，積極的な栄養確保を行う．摂食嚥下機能評価を適宜行い，機能に見あった食形態を指導する．胃瘻造設のリスクは % FVC が 50% 以下で中リスク，30% 以下で高リスクとされる．摂食嚥下機能低下による食事量の減少や，肺活量の減少傾向がみられたら，早めに胃瘻造設を考慮する．非侵襲的陽圧換気（non-invasive positive pressure ventilation：NPPV）により呼吸苦の軽減，睡眠の改善などが得られる場合がある．ただし呼吸不全が進行した場合に NPPV で長期の生存は得られない．侵襲的人工換気（気管切開＋人工呼吸器）を導入するか否かについて，本人を主体とした意思決定が必要である．なるべく早期から十分に情報提供を行い，意思決定を支援する（eノート 7）．

球麻痺，上肢機能障害の進行により意思表出困難となるので，コンピュータ，文字盤などを用いたコミュニケーション支援機器の導入を行う．介護保険，身体障害申請などの社会資源活用を積極的に進め，訪問看護，ケースワーカー，ケアマネージャー，ヘルパーなどの多職種による支援体制を構築する．

(2) 原発性側索硬化症（primary lateral sclerosis：PLS）

定義・概念

PLS は，運動ニューロン疾患のうち病変が上位運動ニューロンのみに限定されるものである．孤発性で原因は不明であり，進行性の全身の痙性がおもな症状である．ALS の一亜型であるとの考え方もある．

疫学

2006 年度に厚生労働省の研究班によって実施された全国調査では，全国の患者数は 150 人程度，人口 100 万人に 1 人程度の有病率と推定された．

病理

肉眼的に中心前回のみの萎縮を認める例，前頭葉全体に萎縮を認める例がある．中心前回では Betz 細胞

の変性を認め，内包後脚，中脳大脳脚の錐体路に一致して限局した変性を認める．脊髄では側索の錐体路に一致して変性が認められるが，前角の萎縮はなく，前角細胞は保たれる（ⓔノート8）．

臨床症状

進行性の全身の痙性がおもな症状である．痙性による歩行障害，上肢の巧緻運動障害，偽性球麻痺などが出現する．広範な痙性により動作緩慢，筋トーヌスの上昇，歩行障害，転倒が認められ，あたかもパーキンソニズムのようにみえることがまれではない．患者の過半数は両下肢の痙性で発症し，緩徐に進行して上肢痙性や偽性球麻痺が出現する．構音障害や上肢機能障害で発症する例もある．全身の筋萎縮や線維束性収縮は原則として認めず，筋力は比較的よく保たれる．高次脳機能は保たれるが，なかには前頭側頭葉変性症を合併する例がある．

検査所見

頭部MRIまたはCTにて，中心前回に限局した脳萎縮が認められることがある．また，前頭側頭葉の萎縮がみられる例がある．針筋電図では脱神経所見を認めない．

診断

進行性の全身の痙性を認め，原因となりうる他疾患を慎重に除外することで診断する．

経過・予後

緩徐進行性であり，ALSに比して経過は長い．

治療

根本的な治療法はない．バクロフェン，ダントロレンなどの抗痙縮薬が痙性改善に有用な場合がある．日常生活活動度の維持や拘縮予防にリハビリテーションは有用である．

(3) 脊髄性筋萎縮症 (spinal muscular atrophy：SMA)

定義・概念

SMAは小児期発症の「狭義のSMA」と成人発症で下位運動ニューロン症候のみを呈する運動ニューロン疾患を含む「広義のSMA」がある．狭義のSMAは常染色体劣性遺伝性の神経変性疾患であり，下位運動ニューロンの変性，骨格筋萎縮と全身の筋力低下が特徴である．おもにⅠ～Ⅲ型が相当する．大部分でSMN1 (survival motor neuron 1) 遺伝子の欠失が認められる．

分類

最重症型はⅠ型 (Werdnig-Hoffmann病) であり，生後6カ月までに発症し，首が定まることはなく，支えなしに座位を維持することができない．人工呼吸器導入をしなければ2歳までに死亡する．Ⅱ型 (Dubowitz病) は中間型であり，発症は1歳6カ月までで，座位保持は可能であるが支えなしの起立，歩行ができない．Ⅲ型 (Kugelberg-Welander病) は1歳6カ月以降に発症し，自立歩行を獲得するが，次第に歩行や立位が困難となる．成人期以降に発症した場合，Ⅳ型に分類される．Ⅳ型にも小児期発症のⅠ～Ⅲ型と同様にSMN1遺伝子異常によるものが含まれるがそれらはまれである．成人発症の運動ニューロン疾患で，臨床的に下位運動ニューロン症候のみを認め，進行性脊髄性筋萎縮症 (spinal progressive muscular atrophy：SPMA) という病名でよばれていた例が，現在の厚生労働省指定難病ではSMA Ⅳ型とされている．

原因・病因

ヒトのSMN遺伝子は複数のコピーが存在する．SMN1遺伝子のmRNAはほぼ100%適切なスプライシングを受けるが，SMN2遺伝子のmRNAは10%ほどしか適切なスプライシングを受けない．SMN1遺伝子が欠失した場合，SMN2遺伝子由来のSMN蛋白しか発現しないことが病因であり，SMN2遺伝子がどの程度の量のSMN蛋白を発現できるかによってⅠ～Ⅲ型の重症度の差が生まれると考えられている．SMN遺伝子異常のないⅣ型について，原因は不明である．

疫学

Ⅰ～Ⅲ型について，わが国では出生10万人あたり1～2人，患者数は全国で1000人程度と推定されている．

臨床症状

Ⅰ型は筋力低下が重症であり，フロッピーインファントを呈する．肋間筋に比して横隔膜の筋力が維持されるため，奇異呼吸を呈する．支えなしに座れるようにならず，哺乳困難，誤嚥，呼吸不全をきたす．Ⅱ型は支えなしに立てるようにならない．舌萎縮，手指振戦を示し，腱反射は低下，消失する．座位保持が可能となることが多いが，次第に側弯や関節拘縮が目立つようになる．Ⅲ型はいったん歩行可能となるが，運動発達の遅れ，転倒しやすいなどの症状で気づかれる．筋萎縮・筋力低下は体幹，四肢近位筋に強く，上肢より下肢に強い．顔面筋の罹患はあっても軽度である．手指振戦，腱反射減弱を認める．知能障害，知覚障害，膀胱直腸障害は認めない．Ⅳ型の症状はALSに類似するが，全身の腱反射は減弱，消失する．

検査所見

筋電図で高振幅電位や多相性電位などの神経原性所見を認める．

診断

Ⅰ型～Ⅲ型についてはSMN1遺伝子の欠失が証明されれば診断は確定する．遺伝子異常が見いだされない例については進行性の下位運動ニューロン症候を認

め，上位運動ニューロン症候を認めないことを確認し，針筋電図で上記の神経原性所見を認め，かつ慎重な除外診断を行うことにより診断する．鑑別診断についてはALSの場合とほぼ同様である．

合併症

Ⅰ～Ⅲ型について，拘縮が足関節から始まりやすく，関節可動域が制限されてくる．側弯，胸郭変形や腰椎前弯の進行も避けがたいことが多い．

経過・予後

Ⅰ型の死亡年齢は平均6～9カ月，95%は18カ月までに呼吸不全や呼吸器感染症で死亡する．Ⅱ型は2歳以上の生存が可能であるが，呼吸不全が次第に目立ってくる．Ⅲ型は慢性の経過で20歳以前の死亡はまれである．経過には個人差がある．Ⅳ型の経過はALSに類似するが，ややALSより進行が遅い．

治療・予防・リハビリテーション

根治的治療法は未開発である．関節可動域訓練を中心としたリハビリテーションは拘縮予防，日常生活活動の維持に有用である．呼吸障害に対して，NPPVや人工呼吸器を用いる例もある．

(4) 球脊髄性筋萎縮症 (spinal and bulbar muscular atrophy：SBMA)

概念

成人期に発症する緩徐進行性の遺伝性下位運動ニューロン疾患であり，主症状は四肢の筋力低下・筋萎縮と球麻痺である．発症には男性ホルモンであるテストステロンが深く関与しており，男性のみに発症する．報告者にちなんでKennedy-Alter-Sung症候群，Kennedy病ともよばれる．

病因

X染色体上にあるアンドロゲン受容体(AR)遺伝子のCAG繰り返し配列の異常延長が原因である．正常では繰り返し数が36以下だが，患者では38～62程度に延長している．CAG繰り返し数が多いほど早く発症する傾向がある．CAG繰り返し配列が延長することで，構造異常を有する変異蛋白質(変異AR)が生じて下位運動ニューロンなどの核内に集積し(図17-6-33)，最終的には神経細胞死に至る．CAG繰り返し配列延長による遺伝子変異はHuntington病や脊髄小脳変性症などでも認められ，CAGはグルタミンに翻訳されることから，これらの疾患はポリグルタミン病と総称される．SBMAモデルマウスを用いた研究から，変異ARの核内集積が男性ホルモンであるテストステロンに依存していることが示された．女性はAR遺伝子変異を有していても発症しない．

疫学

有病率は10万人あたり1～2人程度である．人種や地域による有病率の差はないとされている．

病理

下位運動ニューロンである脊髄前角細胞や顔面神経核，舌下神経核の変性，脱落が認められる．残存する

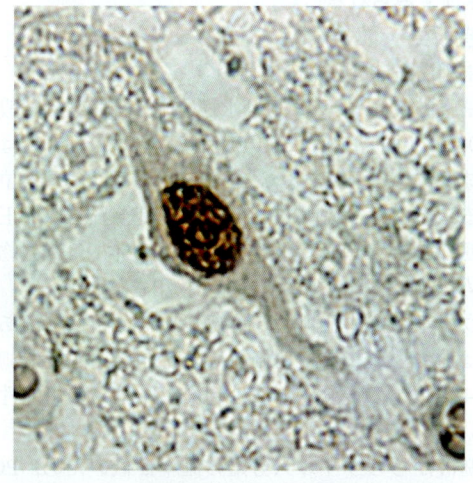

図17-6-33 球脊髄性筋萎縮症の脊髄前角細胞(抗ポリグルタミン免疫染色)
脊髄前角にある下位運動ニューロンの核内に変異アンドロゲン受容体の集積を認める．

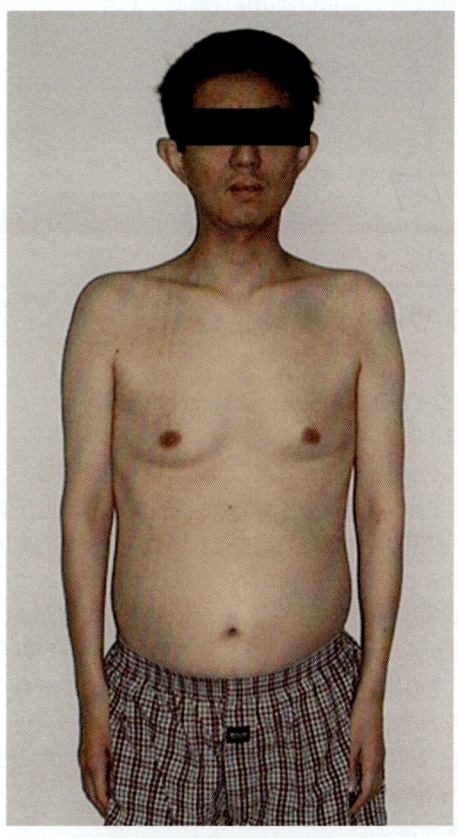

図17-6-34 球脊髄性筋萎縮症患者の上半身
女性化乳房を認める．大胸筋や上肢近位部の筋萎縮もみられる．

神経細胞では，病因蛋白質である変異ARの核内集積がみられる（図17-6-33）．後根神経節の感覚神経細胞では細胞体の萎縮小型化がみられ，細胞質に変異ARの凝集体を認める．腓腹神経でも大型有髄神経を中心に線維脱落がみられる．筋では小角化線維や群性萎縮などの神経原性所見に加え，中心核の存在など筋原性変化もみられる．

臨床症状

初発症状として手指の振戦を自覚することが多く，しばしば筋力低下に先行する．四肢の筋力低下は30〜50歳代から自覚され，下肢から始まることが多い．同時期から下肢の有痛性筋痙攣が頻発する．脳神経では咬筋の萎縮，顔面筋力低下，球麻痺症状を認める．線維束性収縮は安静時には軽度であるが，筋収縮時に著明となり（contraction fasciculation），口周囲や舌，四肢近位部に認められることが多い．眼球運動障害はない．感覚系では下肢遠位部で振動覚の低下を認めることがある．腱反射は低下，消失し，Babinski徴候は陰性である．随伴症状として女性化乳房を半数以上に認め（図17-6-34），肝機能障害，耐糖能異常，脂質異常症，高血圧症などがしばしばみられる．女性様皮膚変化，睾丸萎縮などを認めることもある．ほかのポリグルタミン病とは異なり，世代を経るに従って発症が早くなる表現促進現象は軽度である．

検査所見

血清CK値はほぼ全例で上昇している．髄液検査は正常である．筋電図では高振幅・多相性運動活動電位などの神経原性変化を認める．感覚神経伝導検査では活動電位の低下や誘発不能がみられることが多い．

診断

AR遺伝子のCAG繰り返し配列数で確定診断できる．ALS，Kurgelberg-Welander病，多発筋炎などが鑑別診断としてあげられる．

経過・予後

筋力低下は20年ほどの経過で緩徐に進行する．進行とともに球麻痺による誤嚥性肺炎を繰り返し，死因となることが多い．

治療

現在のところ根本的治療はなく，耐糖能異常や脂質異常症など合併症に対する治療や，リハビリテーションが治療の中心である． 〔祖父江 元〕

■文献

Brooks BR, Miller RG, et al: El Escorial revisited: revised criteria for the diagnosis of amyotrophic lateral sclerosis. Amyotroph Lateral Scler Other Motor Neuron Disord. 2000; **1**: 293-9.
「筋萎縮性側索硬化症診療ガイドライン」作成委員会：筋萎縮性側索硬化症診療ガイドライン2013，南江堂，2013．
Sobue G, Hashizume Y, et al: X-linked recessive bulbospinal neuronopathy. Brain. 1989; **112**: 112-32.

17-7 感染性疾患

1）ウイルス感染症

(1) ウイルス性髄膜炎（viral meningitis）

概念

ウイルス感染した髄膜の炎症により発症する．

ウイルス性髄膜炎は細菌性髄膜炎より頻度が高いが，原因ウイルスを特定できないことが多い．原因ウイルスとして85％がエンテロウイルス属でエコーウイルスとコクサッキーB群ウイルスの頻度が高い．初夏から増加しはじめ夏〜秋にかけて流行がみられる．その他手足口病の起因病原体であるエンテロウイルス71や，ムンプスウイルス，単純ヘルペスウイルス1，2型などがあげられる．予後は良好で2〜3週間で治癒することが多い．

臨床症状

発熱と頭痛，悪心・嘔吐があり，髄膜刺激症状（項部硬直，Kernig徴候，Brudzinski徴候，羞明）を認める．意識障害はあっても傾眠程度で軽い．腹痛，下痢もよくみられる．

検査所見

末梢白血球は正常のことが多い．

脳脊髄液（eコラム1）は水様透明で細胞数は一般に1000/μL以下，100〜500/μL程度が多い．病初期は好中球優位のこともあるが，3日以内にリンパ球優位となる．蛋白は50〜100 mg/dLと軽度上昇，糖は正常範囲のことが多い．髄液の塗抹染色標本では微生物は認められず，一般細菌培養でも検出されない．

ウイルス抗体価測定で髄液中のIgM抗体検出あるいは血清ウイルス抗体価を入院時と2週間後に測定し4倍以上の変動があれば起炎ウイルスの可能性が高い．

髄液からのウイルス分離の確率が低いため，PCR法によるウイルス遺伝子の検出を行う．

頭部MRIでは髄膜のT2 FLAIR画像で高信号（図17-7-1），特に造影増強効果が特徴で，評価には造

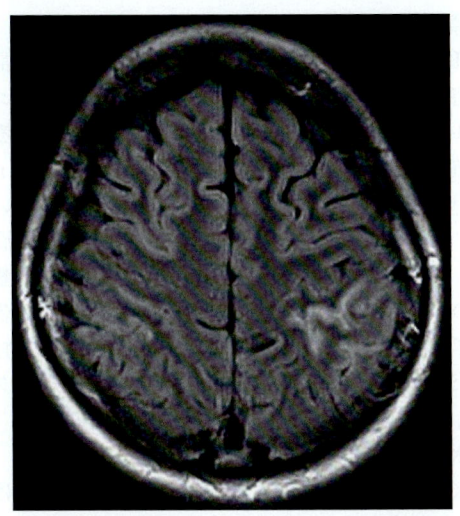

図 17-7-1 髄膜炎
T2 FLAIR 画像で脳溝に沿った高信号を認める．

影後 FLAIR が有用である．

診断

発熱と頭痛，髄膜刺激症候を示す場合，本症を疑う．髄液所見がリンパ球優位で 1000/μL 以下，糖が正常範囲の場合に細菌，結核菌，真菌などが検査で否定されたときに無菌性髄膜炎と診断される．PCR 法によるウイルス核酸の検出，血清ウイルス抗体価の 4 倍以上の変動があれば起炎ウイルスを特定できウイルス性髄膜炎と診断される．

原因不明の再発性無菌性髄膜炎は Mollaret 髄膜炎とよばれ，多くは HSV-2 が原因である．

鑑別診断として *Mycoplasma pneumoniae* は一見ウイルス様の髄膜炎を呈することがある．マイコプラズマ血球凝集抗体価（HA 抗体価）160 倍以上，寒冷凝集素価 128 倍以上ある場合は，マイコプラズマとしての治療（テトラサイクリン，エリスロマイシン）を行う．

治療・予後

脱水のために輸液療法が必要で安静にし，頭痛・発熱への対処療法を行う．多くは後遺症なく 2〜3 週間で自然治癒することが多い．

HSV や水痘・帯状疱疹ウイルスの可能性が疑われる場合は，アシクロビルを投与することが多い．

〔原　英夫〕

■文献

Parmar H, Sitoh YY, et al: Contrast-enhanced flair imaging in the evaluation of infectious leptomeningeal diseases. *Eur J Radiol*. 2006; **58**: 89-95.

Splendiani A, Puglielli E, et al: Contrast-enhanced FLAIR in the early diagnosis of infectious meningitis. *Neuroradiology*. 2005; **47**: 591-8.

(2) ウイルス性脳炎（viral encephalitis）

概念

ウイルス感染による脳実質の炎症が起こり髄膜刺激徴候に加え，意識障害や痙攣を示す．ウイルス性脳炎の原因として，単純ヘルペスウイルスが最も多く，続いて水痘・帯状疱疹ウイルスが一般的な原因で，その他インフルエンザウイルス，および麻疹ウイルス，風疹ウイルス，エンテロウイルス，Epstein-Barr ウイルスなどがある．地域流行性のウイルスとしては東〜東南アジアでは日本脳炎，欧米でウエストナイル脳炎，オーストラリアでエンテロウイルス 71（EV71）脳炎が発生している．

症状は発熱，頭痛，髄膜刺激症候に加え，意識障害，精神異常，痙攣，脳局所徴候（片麻痺，失語，半盲など）を示す．

ウイルスの証明には PCR 法によるウイルス核酸の検出や，ウイルス抗体価が補体結合反応（CF），中和反応（NT）などの 2 段階希釈法で 2 管以上の上昇がある場合または髄腔内抗体産生を示唆する所見（血清/髄液抗体比 ≦ 20）または抗体指数；（髄液抗体価/血清抗体価）÷（髄液アルブミン濃度/血清アルブミン濃度）> 1.91 が認められた場合，原因ウイルスが決定される．

予後は死亡率が高く，重篤な後遺症を残すことが多い．

鑑別には脳症，神経膠腫，神経梅毒，脳梗塞と急性散在性脳脊髄炎（acute disseminated encephalomyelitis：ADEM）が重要である．特に ADEM はウイルス感染（麻疹，風疹，水痘・帯状疱疹，インフルエンザなど）に伴って起こる自己免疫機序の脱髄性炎症で，脳 MRI では白質に多巣性の病変を認める．

最近では抗 NMDA（N-methyl-D-aspartate）受容体脳炎や抗 VGKC（voltage-gated potassium channel）複合体抗体関連脳炎など自己免疫介在性脳炎の報告例も増えており，鑑別が重要である．

a. 単純ヘルペス脳炎（herpes simplex encephalitis：HSE）

概念

ヘルペスウイルス（単純ヘルペスウイルス（HSV），水痘・帯状疱疹ウイルス，サイトメガロウイルス，Epstein-Barr ウイルス，human herpes virus（HHV）-6，7，8）のなかでは HSV による脳炎が最も発生頻度が高く，わが国では脳炎全体の約 20％を占める．死亡率は抗ウイルス薬の導入により 10％程度に減少したが後遺症が残る例が多い．ヘルペスウイルスは粘膜・皮膚に感染後，神経行性に伝播し神経節など神経細胞に潜伏感染する．

年長児，成人では三叉神経節などに潜伏していた単純ヘルペスウイルス 1 型（口唇ヘルペス）が再活性化し神経を上行して脳炎を起こす回帰発症が多い．

新生児ではHSV-2(性器ヘルペス)でも起こり，産道感染による全身のウイルス感染で発症する．成人例ではHSV-2の再活性化により再発を繰り返す場合がある(Mollaret脳炎)．

疫学
わが国における発症頻度は年間100万人あたりに3〜4人とされている．

臨床症状
1週以内の経過で発熱，頭痛，項部硬直に精神症状，記憶障害，意識障害，痙攣などが起こる．

検査所見
1) 髄液所見： 細胞数は一般にリンパ球が優位で1000/μL以下．蛋白は50〜100 mg/dL，糖は正常のことが多い．炎症が激しい場合，キサントクロミーを呈する．

ウイルスの証明には治療前に髄液中のHSV-DNAをPCR法で検出する(陽性率70〜80％)．PCR法で陰性であってもHSEを否定するものではないので注意が必要である．

髄液ウイルス抗体価(CF法，ELISA法)が2段階希釈法で2管以上の上昇を示す．

MRI画像では拡散強調画像，T2 FLAIR画像で海馬を含む側頭葉内側面，前頭葉眼窩回，島回皮質，角回を中心に高信号を示す(図17-7-2)．CTでは低吸収域となる．出血を伴うことも多く，MRI T1強調画像高信号，T2強調画像低信号を伴う．

2) 脳波： 局所性に徐波の出現．一側性，ときに両側性の周期性てんかん型放電は約30％の症例で認める．

診断
発熱，頭痛とともに意識障害，痙攣などが起こり，髄液中のHSV-DNAがPCRで検出され，髄液HSV抗体価の経時的かつ有意な上昇がみられた場合，または髄液内抗体産生を示唆する所見がみられた場合本症と確定される．

治療・予後
HSEは高い致命率と重篤な後遺症(人格変化，記憶障害，症候性てんかんなど)を残すことが多いため，"疑い例"の段階から早期に抗ウイルス薬を開始する．

抗ウイルス薬としてアシクロビルを投与(10 mg/kg，1日3回点滴静注，14日間)し，改善しない場合，ビダラビンを投与(15 mg/kg，1日1回点滴静注，10〜14日間)する．副腎皮質ステロイドの治療効果のエビデンスはないが，成人例では有効例も報告されている．脳浮腫にはグリセロール，痙攣には抗痙攣薬(ジアゼパム，フェニトイン，フェノバルビタール)，脳萎縮予防(ノイロトロピン®)を投与する．

b. 水痘・帯状疱疹ウイルス脳炎
水痘脳炎では急性小脳失調症の頻度が高く予後はよい．帯状疱疹では髄膜炎の頻度が高い．

c. サイトメガロウイルス脳炎
サイトメガロウイルスは上皮性細胞に親和性が高く，脳室上衣炎を引き起こす．感染細胞に巨大なCowdry A型核内封入体がみられる．免疫不全状態で発症することが多い．

診断
PCRによる髄液中のサイトメガロウイルスを証明する．

治療
ガンシクロビル，ホスカルネットの静注．

d. HHV-6脳炎
概念
HHV-6は乳幼児の突発性発疹の原因ウイルスであるが，初感染後潜伏し，免疫不全状態の際に再活性化して脳炎・髄膜炎を起こす．

臓器移植や幹細胞移植などの免疫不全状態に合併することがある．

臨床症状
主として辺縁系が障害され記憶障害が強い．重篤な場合は痙攣発作，意識障害がみられる．

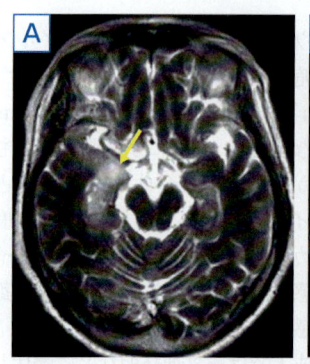 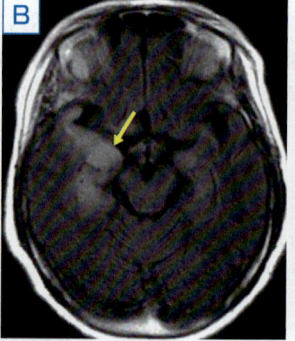 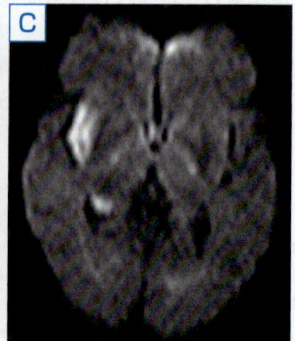

図17-7-2 ヘルペス脳炎患者MRI画像
A：T2強調画像，B：T2 FLAIR，C：拡散強調画像．側頭葉内側部(A, B)，島回皮質(C)に高信号を認める．

検査所見
髄液中の HHV-6 DNA が PCR で検出された場合，確定診断となる．
頭部 MRI では両側の海馬と扁桃体に T2 高信号を認める．

治療・予後
HHV-6 はヘルペスウイルスに属するがチミジンキナーゼをもたないためアシクロビルは無効であり，ガンシクロビルまたはホスカルネットを早期から投与する．

e. 日本脳炎
日本脳炎については，eコラム 2 または【⇨ 6-10-8】．

f. インフルエンザ脳炎・脳症（eコラム 3）
概念
インフルエンザウイルス感染を契機に起こる急性の脳炎・脳症である．1 歳をピークとして幼少期に起こるが成人例もある．A 型および B 型インフルエンザウイルスが血行性または嗅神経を経由して中枢神経へ侵入する．脳の炎症自体は活性化されたアストロサイトやミクログリアが産生する複数の炎症性サイトカインの関与が報告されている（cytokine storm）．

疫学
日本においては冬季のインフルエンザ流行期に 5 歳以下の乳幼児～小児に発症し，毎年数百人が罹患している．

臨床症状
インフルエンザによる発熱の数時間～1 日後に始まることが多い．一般に有熱期に発症する．インフルエンザ脳症のおもな初発症状として意識障害，痙攣が起こり，初期には異常言動・行動，幻視，幻覚などがしばしば認められる．

検査所見
髄液細胞数は正常範囲内であることが多い．炎症性サイトカイン（TNF-α，IL-6，IL-1β）が高値を示す．
MRI 画像では浮腫性変化やときに両側視床に拡散強調画像，FLAIR 画像で高信号域を認める．

診断
迅速診断キットを用いたインフルエンザ抗原検査が広く使われている．ウイルス分離やウイルス RNA 遺伝子検査，ペア血清による抗インフルエンザ抗体価測定も行われる．迅速診断キットには一定の頻度で偽陰性・偽陽性が起こることがあるため，確実ではない．特に脳症の症例については，複数の検査（たとえば，迅速診断キットとウイルス分離）の実施が勧められる．

治療・予後
抗ウイルス薬として，ノイラミニダーゼ阻害薬のオセルタミビルを投与する．アマンタジンは A 型インフルエンザウイルスに有効である．

呼吸・循環器の管理を行い，脳浮腫の治療と痙攣発作には抗痙攣薬を投与し重積状態では人工呼吸器管理を行う．
凝固異常や代謝異常（低血糖，高アンモニア血症）にも注意が必要である．
高サイトカイン血症に対しメチルプレドニゾロンパルス療法早期投与が推奨されている．
その他，血漿交換療法，低体温療法，大量免疫グロブリン投与などの有効性も報告されている．
後遺症としててんかん，精神発達遅滞などの精神症状や運動麻痺，視力，聴力障害がみられる．

〔原　英夫〕

■文献
日本神経感染症学会：単純ヘルペス脳炎診療ガイドライン．
　http://www.neuroinfection.jp/guideline001.html

（3）レトロウイルス感染症（retrovirus infection）
定義・概念
レトロウイルスは逆転写酵素をもつ 1 本鎖 RNA ウイルスである．外在性レトロウイルスのレンチウイルス亜科の HIV-1，HIV-2，オンコウイルス亜科のヒト T 細胞白血病ウイルス（human T cell lymphotropic virus type 1：HTLV-1），HTLV-2 などがヒトに感染して，神経疾患である neuroAIDS（HIV 感染に伴う神経合併症）や HTLV-1 関連脊髄症（HTLV-1 associated myelopathy：HAM）を引き起こす．

a. neuroAIDS（HIV 感染に伴う神経合併症）【⇨ 6-10-2-10】
定義・概念
HIV 感染によって引き起こされる神経障害の総称である．抗レトロウイルス療法（combination antiretroviral therapy：cART）の普及により神経系の日和見感染症が減少したが，長期に cART を受けている HIV 感染者における HIV 関連神経認知障害（HIV-associated neurocognitive disorders：HAND）が増加している[1,2]．長期生存する HIV 感染者は加齢とともに増加する神経疾患に対して脆弱性をもっていることが指摘されている（中川，2014）．

分類
neuroAIDS は，HIV 脳症や末梢神経障害などきわめて多彩である（表 17-7-1）．

疫学
2013 年の HIV 感染者と AIDS 患者を合わせた新規報告数は 1590 件で過去最多となっている．東京，大阪，名古屋の 3 大都市を含む地域からの報告数が 8 割以上である．凝固因子製剤による感染例を除いた 2013 年 12 月 31 日までの累計は，HIV 感染者 15812

表 17-7-1 HIV 感染による神経合併症（neuroAIDS）

AIDS 脳症
軽度認知機能障害
脊髄症
Parkinson 病/症候群
脳梗塞・脳出血
トキソプラズマ脳炎
進行性多巣性白質脳症
脳原発リンパ腫
サイトメガロウイルス脳炎
アメーバ脳炎
クリプトコックス髄膜炎
ヘルペス髄膜炎
単純ヘルペス
水痘ヘルペス
無菌性髄膜炎
結核性髄膜炎
運動ニューロン病
末梢神経障害
感覚優位多発神経炎
Guillain-Barré 症候群
慢性炎症性脱髄性神経炎（CIDP）
サイトメガロウイルス関連神経炎
脳神経炎（顔面神経麻痺など）
薬剤関連
筋疾患
多発性筋炎
ネマリンミオパチー
薬剤関連ミオパチー

件，AIDS 患者 7203 件である（ⓔ図 17-7-A）．AIDS 指標疾患における割合は，HIV 脳症 4.1％，トキソプラズマ脳炎 1.8％，進行性多巣性白質脳症（PML）1.2％である．

b. HIV 脳症[3-5]（ⓔコラム 1）

原因・病因

HIV 脳症は HIV 感染により引き起こされる認知運動障害であり，おもに AIDS 発症時期に著明となり亜急性に進行するが，緩徐進行性の経過を示す例もある．脳内血管周囲に存在する HIV-1 感染マクロファージとミクログリアが病態の中心である．

疫学

HIV 脳症は AIDS 指標疾患の 4.1％ を占める．HAND が増加している（図 17-7-3）．

病理

HIV 脳症では，多核巨細胞を伴う HIV 脳炎と大脳皮質の神経変性病態が知られている．大脳皮質変性病態では EAAT-2 の発現低下とミクログリアの活性化が生じている．IL-1β が多核巨細胞に一致して強く発現しており，炎症の持続，組織の変性に関与していることが示唆されている[6-8]．

病態生理

HIV 脳症患者脳組織からは CCR5 をコレセプターとするマクロファージ指向性 HIV-1 が検出され，神経細胞やオリゴデンドログリアへの感染はなく，間接的細胞障害が病態の中心である．

臨床症状

急性感染期には，発熱，発疹，リンパ節腫脹などを示す．その後，数年の無症候期を経て，CD4 陽性 T リンパ球が 200/μL 以下になると AIDS 指標疾患（ⓔ表 17-7-A）を併発し AIDS 期になる．HIV 脳症に特異的な症状はないが，認知機能低下，抑うつ，巧緻運動障害，運動麻痺などを示すことが多い．

検査所見

頭部 MRI で大脳萎縮と白質変化を認めることが多い．脳血流 SPECT では前頭部の集積低下が報告されている．HIV 感染者の高次脳機能検査では前頭葉機能低下が示唆される（中川，2014）．

診断

わが国のエイズ動向委員会では下記の診断基準を定めている．

1）HIV 感染症の診断： HIV の抗体スクリーニング検査法（酵素抗体法（ELISA），粒子凝集法（PA），免疫クロマトグラフィー法（IC）など）で陽性で，抗体確認検査（Western blot 法，蛍光抗体法（IFA）など）または HIV 病原検査（HIV 抗原検査，ウイルス分離および核酸診断法）のいずれかが陽性の場合に HIV 感染症と診断する．ただし，周産期に母親が HIV に感染していたと考えられる生後 18 カ月未満の児の場合を除く．

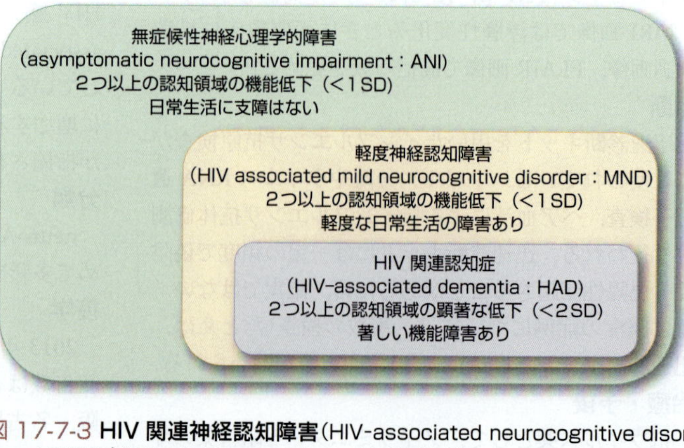

図 17-7-3 HIV 関連神経認知障害（HIV-associated neurocognitive disorders：HAND）（2007 年 Frascati Criteria より引用作成）

無症候性神経心理学的障害（asymptomatic neurocognitive impairment：ANI）
2 つ以上の認知領域の機能低下（＜1 SD）
日常生活に支障はない

軽度神経認知障害（HIV associated mild neurocognitive disorder：MND）
2 つ以上の認知領域の機能低下（＜1 SD）
軽度な日常生活の障害あり

HIV 関連認知症（HIV-associated dementia：HAD）
2 つ以上の認知領域の顕著な低下（＜2 SD）
著しい機能障害あり

cART により HIV 感染者の免疫機能は改善し，HAD は減少したが ANI，MND が大きな問題となっている．

2) AIDS の診断：
1)の基準を満たし，指標疾患（e 表 17-7-A）の 1 つ以上が明らかに認められる場合に AIDS と診断する．

鑑別診断
Alzheimer 病などの認知機能低下を示す疾患との鑑別が必要である．

経過・予後
HIV 脳症の予後は不良であるが，cART で免疫力が改善し認知機能の改善がみられることもある．

しかし，長期に cART を受けている HIV 感染者における HAND の増加や加齢に伴って増加する神経変性疾患などに罹患しやすいのではないかといわれている．

治療・予防
CD4 陽性 T リンパ球数が 350/μL より多い段階での治療開始が推奨されている．ヌクレオシド系逆転写酵素阻害薬，非ヌクレオシド系逆転写酵素阻害薬，プロテアーゼ阻害薬，インテグラーゼ阻害薬，侵入阻害薬などの抗ウイルス薬を 3～4 種類組み合わせて治療する（HIV 感染症及びその合併症の課題を克服する研究班，2015）．服薬率 100％を目標に基本的に生涯にわたって継続する．

c. 免疫再構築症候群（immune reconstitution inflammatory syndrome：IRIS）
ART 開始後に HIV ウイルス量が減少し，CD4 陽性 T リンパ球が上昇する過程でみられる感染・炎症の再燃・顕在化をいう．その病理学的特徴は，白質を中心に小血管周囲への CD8 陽性 T 細胞を主体とする著明な細胞浸潤，軸索・髄鞘の変性である．一般的に致死的である[9,10]．

d. HIV-1 関連脊髄症
緩徐進行性の痙性対麻痺で感覚性運動失調，神経因性膀胱を合併することが多い．側索・後索にマクロファージの活性化と空胞変化が多くみられる（vacuolar myelopathy）．

e. HIV-1 関連末梢神経障害[11,12]
HIV-1 感染による末梢神経障害には表 17-7-1 に示す疾患があるが，感覚優位多発神経炎（HIV-SN）が最も多い．歩行時や夜間に悪化する"痛み"，"不快な異常感覚"が特徴的である．

f. HTLV-1（ヒト T 細胞白血病ウイルス）感染症
【⇨ 6-10-2-11】

定義・概念
HTLV-1 はおもに CD4 陽性 T リンパ球に感染し，さまざまな免疫異常を引き起こす．代表的疾患として，HAM と成人 T 細胞白血病（ATL）がある．

i. HTLV-1 関連脊髄症（HAM）[13,14]

定義・概念
HAM は，HTLV-1 感染者の一部に発症する錐体路障害が前景に立つ緩徐進行性の脊髄疾患で，髄液・血清の抗 HTLV-1 抗体が陽性である．末梢血の感染細胞数（HTLV-1 プロウイルス量）が健康な HTLV-1 保因者（キャリア）より高値である．2015 年 1 月から「難病の患者に対する医療等に関する法律」に基づいて「指定難病」となっている．

原因・病因
HAM は脊髄病巣部に HTLV-1 感染 CD4 陽性 T リンパ球が侵入することによって引き起こされる．HAM の発症にはホスト側とウイルス側の発症関連要因（HLA，ウイルスタイプなど）が関与している．HTLV-1 プロウイルス量が高いことと発症リスク，予後との相関が示唆されている．

疫学
HTLV-1 感染者は全国で約 108 万人存在し，感染者の数％に HAM あるいは ATL を発症する．最近，関東，関西などの都市圏での HAM 患者が増加している（図 17-7-4）．感染経路は，母乳を介する母子間垂直感染，輸血，性交渉である[16]．男女比は 1：2.4．

病理
胸髄中下部の左右対称性の側索，前側索，後索腹側部の変性，血管周囲から実質内に広がる小円形細胞の浸潤がみられる（図 17-7-5）．HTLV-1 mRNA およびプロウイルス DNA は浸潤単核細胞内の CD4 陽性 T リンパ球内にのみ確認される．

病態生理（e コラム 2）
脊髄病巣部の HTLV-1 感染 CD4 陽性 T リンパ球とそれを攻撃する HTLV-1 特異的 CD8 陽性 T リンパ球との相互作用により種々のサイトカインが持続的に放出され，神経組織を傷害していると想定されてい

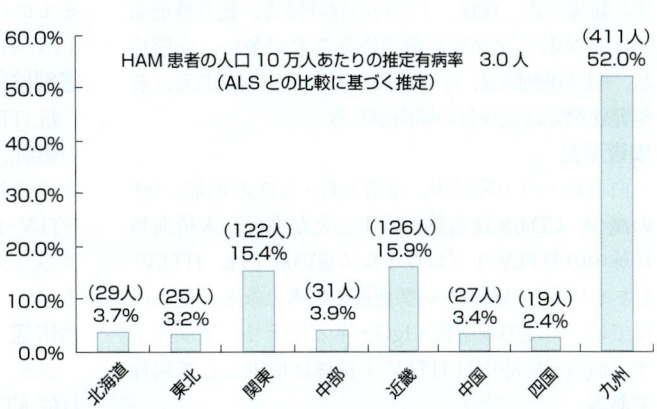

図 17-7-4 第三次 HAM 全国調査で登録された HAM 患者 790 名の地域分布（文献 17 より）
2004 年以降は毎年約 30 名以上が新規に HAM が発症しており，その発症率は 3～5 人/キャリア 10 万人/年と推定される．

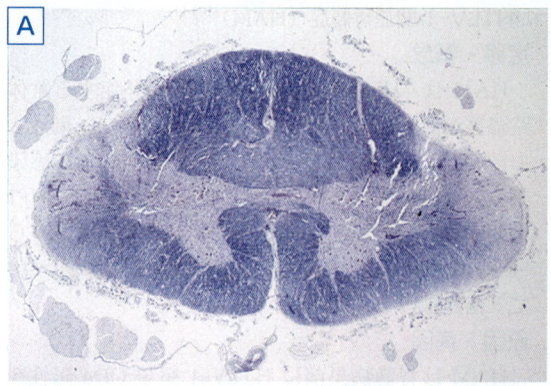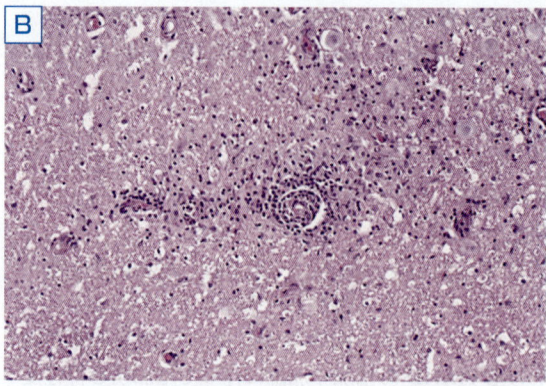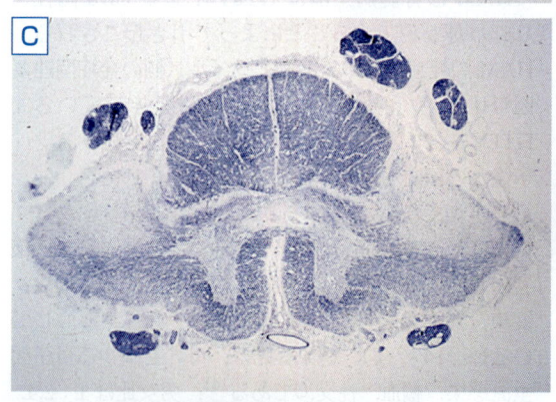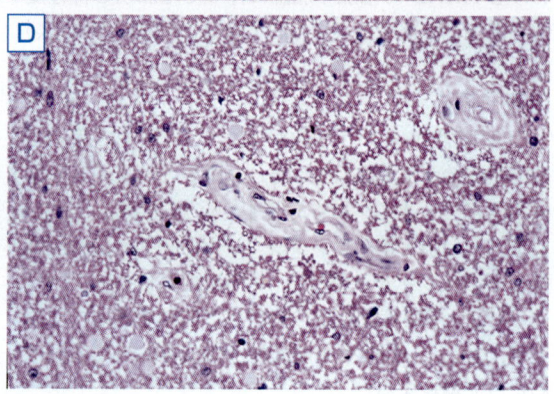

図 17-7-5 HAMの脊髄病理所見(文献21より)
A：発症後 2.5 年の中部胸髄．左右対称性に側索，後索腹側部の淡明化がみられる．
B：発症後 2.5 年の中部胸髄．血管周囲から実質にひろがる炎症細胞浸潤がみられる．
C：発症後 10 年の中部胸髄．側索・前索の萎縮と髄鞘の脱落が著しい．
D：発症後 10 年の胸髄側索．炎症細胞の浸潤はなく，血管周囲の線維性肥厚が著明．

る（bystander 効果）[17,18]．

臨床症状

痙性対麻痺，腰帯部の筋力低下を認める．腱反射亢進，腹壁反射消失，Babinski 徴候を認める．下顎反射は通常正常である．HAM の末期には，下肢の腱反射低下・筋萎縮を示すこともある．下肢優位の感覚障害，排尿障害，便秘，下半身の発汗障害，起立性低血圧，インポテンツなどを認めることが多い．小脳症状，眼球運動障害，手指振戦などを示す例もある．若年発症例では低身長の傾向がある．

検査所見

白血球・血小板減少，血清 IgG・IgD の増加，IgE の減少，CD4/8 比高値を示すことが多い．末梢血単核球中の HTLV-1 プロウイルス量の測定は，HTLV-1 キャリアとの鑑別や病勢把握の参考となる．髄液所見では，軽度の細胞数・IgG・ネオプテリン増加を示す．血清・髄液中抗 HTLV-1 抗体は原則として陽性である．

頭部 MRI では T2 強調画像，FLAIR 画像にて多発性白質病変を認めることがある．脊髄 MRI では，数～十数％に脊髄内信号異常を認める．傍脊柱筋の針筋電図では障害レベルに対応して脱神経所見を認める．末梢神経伝導検査異常を示す例もある．

診断

以下の 3 条件を満たすことで HAM と診断される．緩徐進行性で対称性の錐体路障害所見が前景に立つミエロパチー．髄液・血清中抗 HTLV-1 抗体が陽性．ミエロパチーをきたすほかの疾患を除外できる（ⓔ表 17-7-B，17-7-C）．

鑑別診断

抗 HTLV-1 抗体陽性の症例において以下の疾患との鑑別が問題となる．多発性硬化症，視神経脊髄炎，頸椎症性脊髄症など．いずれの疾患においても抗 HTLV-1 抗体価，HTLV-1 プロウイルス量，抗アクアポリン 4 抗体，電気生理学的検査所見が参考となる．

合併症

ⓔ表 17-7-B に示す HTLV-1 関連病変がある．まれに ATL の合併例もある．

経過・予後

一般的に緩徐進行性であるが，ときに急速に進行する例がある．

治療・リハビリテーション（eコラム3）

比較的急速に症状が進行している例には，ステロイドホルモン大量投与，インターフェロン-α注射（保険適用あり）などを行う．合併症の治療，リハビリテーション，排便・排尿ケア，心理的サポートが重要である[19]．新規治療法として，プロスルチアミン療法，フコイダン療法，バクロフェン髄注療法（ITB療法）などが試みられている．また，ロボットスーツHAL®はCYBERDYNE社により開発された装着型動作支援機器であり，HAMを対象とした医師主導治験が進行中である．　　　　　　　　　　　〔中川正法〕

■文献（e文献 17-7-1-3）

HIV感染症及びその合併症の課題を克服する研究班：抗HIV治療ガイドライン, 2015. http://www.haart-support.jp/pdf/guideline2016.pdf

中川正法：レトロウイルスと神経疾患. Annual review 神経2014（鈴木則宏，祖父江元，他編），pp121-132, 中外医学社，2014.

納　光弘，山口一成，他：HAM（HTLV-1 associated myelopathy）．神経内科. 2011; 75: 356-401.

(4) 遅発性ウイルス感染症 (slow virus infection)

定義・概念

ウイルス感染後，数カ月～数年の潜伏期後に発症し，進行性で多くは致死的である疾患の総称である．

a. 亜急性硬化性全脳炎 (subacute sclerosing panencephalitis：SSPE)

定義・概念

麻疹ウイルス感染後，6～8年の潜伏期間を経て発病し，発病後は数月～数年の経過で神経症状が進行する予後不良の小児期の遅発性ウイルス感染症である．

疫学

わが国のSSPE患者数は約150人，年間の新規発症者数は5～10例である．男女比は2：1．

病理

大脳皮質，海馬，視床，脳幹，小脳に広範に炎症性リンパ球の浸潤がみられ，神経細胞やグリア細胞にCowdryA型の好酸性核内封入体を認める．

病態生理

麻疹ウイルスの膜蛋白質の一部（M蛋白質）が欠損しているウイルスが中枢神経系で持続感染することが原因と考えられている．免疫能力に関する宿主側の要因も指摘されている．

臨床症状

第Ⅰ期：軽度の知的障害，性格変化，脱力発作，歩行異常など．第Ⅱ期：四肢のミオクローヌスの出現，知的障害・歩行障害などの進行．第Ⅲ期：歩行・食事摂取不能となる．ミオクローヌス・筋トーヌス亢進，自律神経症状が顕著となる．第Ⅳ期：意識は消失．筋緊張は亢進し，ミオクローヌスは消失する．

検査所見

髄液検査で，細胞増加，蛋白上昇，IgGとIgGインデックスの上昇，麻疹ウイルス特異的オリゴクローナルバンドの出現，髄液麻疹抗体価の上昇を認める．脳波検査では，3～10秒間隔で出現する周期性同期性高振幅徐波結合が特徴的である．頭部MRI検査では，びまん性進行性の皮質萎縮と頭頂葉・後頭葉優位の白質変化を認める（図17-7-6）．

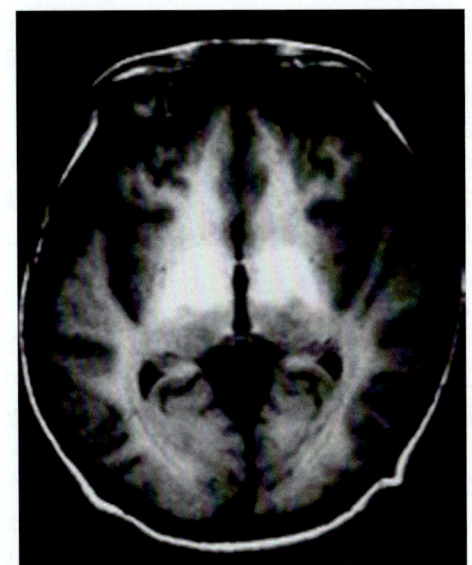

図 17-7-6 亜急性硬化性全脳炎の脳MRI
T1強調画像で広汎な白質病変を伴う大脳萎縮を認める．

診断

血清・髄液中麻疹抗体価の上昇で確定診断できる．「プリオン病及び遅発性ウイルス感染に関する調査研究」班からSSPE診療ガイドライン（案）が出されている．

経過・予後

通常，全経過は数年であるが，3～4カ月でⅣ期に至る急性型（約10％），数年以上の経過を示す慢性型（約10％）がある．

治療・予防

イノシンプラノベクス経口投与（保険適用），インターフェロン脳室内投与（保険適用），リバビリン脳室内投与（非保険適用）の延命効果が報告されている．発症予防には，麻疹ワクチン接種が最も重要である．

b. 進行性多巣性白質脳症 (progressive multifocal leukoencephalopathy：PML)

定義・概念

血液系悪性腫瘍，膠原病などの患者で免疫力が低下した場合に発症する日和見感染症であり，ポリオーマ

ウイルスに属するJCウイルスがアストロサイトやオリゴデンドロサイトに感染することによって起こる脱髄性疾患である.

原因・病因
JCウイルスが中枢神経系に感染することが原因である. 幼小児期に不顕性感染し, Bリンパ球や腎臓に潜伏感染している. 健康成人の80%以上が感染しているが無症状である.

疫学
わが国では患者数は約100名で年間10人前後が発症している. しかし, AIDS患者に限るとPMLの発症率は約4%である. ヒトからヒトに感染することはない.

病理
大小の脱髄病巣が大脳白質全体に多発するが, 小脳や脳幹には少ない. 腫大した核内にウイルス封入体をもつオリゴデンドログリアが脱髄病巣辺縁部にみられる.

病態生理
腎臓に潜伏感染しているウイルスが, 宿主の免疫力低下に応じて病原性の強いウイルスに変異し, アストロサイトとオリゴデンドログリアに感染し脱髄が生じる.

臨床症状
半盲, 片麻痺, 認知機能障害, 失語症などで発症する. 言語障害, 嚥下障害, 脳神経麻痺などのさまざまな症状が出現し, 数カ月の経過で無動・無言の状態となる.

検査所見
脳脊髄液からJCウイルス遺伝子を検出すれば本症の確率が高い. 頭部MRI T2強調画像で大脳白質に大小不同の高信号域を認め, 通常は造影効果を示さない(図17-7-7).

診断
患者の脳組織でJCウイルス抗原の存在を免疫組織学的証明する, またはPCR法でJCウイルスDNAを検出すれば診断は確定する. PMLが疑われる場合は初回髄液PCR検査が陰性の場合でも間隔をおいて再度検査する必要がある(厚生労働省「プリオン病及び遅発性ウイルス感染に関する調査研究」班, 2013).

鑑別診断
ほかのウイルス性脳炎, 中枢神経原発リンパ腫, 原発性・転移性腫瘍, 脳膿瘍などとの鑑別が必要である.

経過・予後
亜急性〜慢性に経過し, 80%は9カ月以内に死亡する. AIDS患者の場合, 抗レトロウイルス療法(ART)が奏功し, 症状の進行停止・改善する例もあるが高度な後遺症を残す.

治療
AIDS患者のPMLではHIV感染に対するARTとシタラビンやcidofovirとの併用が延命や症状改善に有効なことがある. AIDS以外のPMLでは有効な治療法はなく, 悪性腫瘍などの基礎疾患の治療が重要である.

〔中川正法〕

■文献
厚生労働省「プリオン病及び遅発性ウイルス感染に関する調査研究」班:亜急性硬化性全脳炎(SSPE)診療ガイドライン(案). http://prion.umin.jp/guideline/guideline_sspe.html
厚生労働省「プリオン病及び遅発性ウイルス感染に関する調査研究」班:進行性多巣性白質脳症(PML)の診断および治療ガイドライン, 2013. http://prion.umin.jp/guideline/guideline_PML.html

(5) その他のウイルス感染症
a. 狂犬病(rabies)【⇨6-10-2-7】

定義・概念
狂犬病ウイルスによる中枢神経系人獣共通伝染病の1つである.

原因・病因
罹患動物(アジアではイヌがおもな感染源)による咬傷の部位から, 唾液に含まれる狂犬病ウイルスが侵入し発症する. 通常, ヒトからヒトに感染することはない.

疫学
日本国内では1956年を最後に発生がない. 輸入感染事例として, 2006年に海外旅行中にイヌに咬まれ帰国後に死亡した2例がある. 全世界で狂犬病による死亡者約5.5万人/年であり, 万一の侵入に備えた対策が重要である.

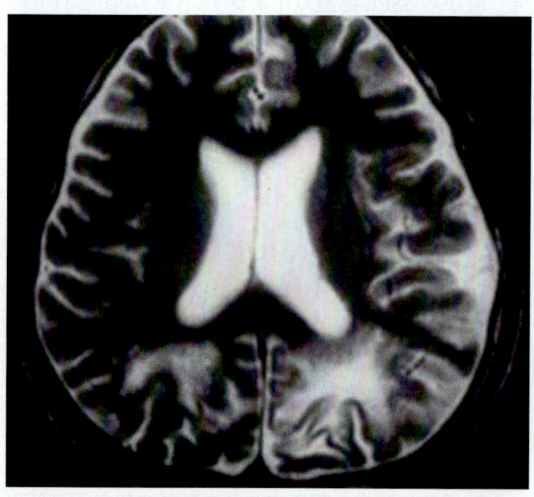

図17-7-7 進行性多巣性白質脳症の脳MRI
T2強調画像で両側後頭葉の皮質下白質に脱髄病巣を認める.

病理
大脳のアンモン角の錐体細胞，延髄，小脳のPurkinje細胞などにエオジン好性の細胞質内封入体（Negri小体）がみられる．

病態生理
咬傷部位から侵入した狂犬病ウイルスが末梢神経末端から神経系に入り，脊髄・脳組織に達し，ウイルス性脳炎を引き起こす．

臨床症状
3週〜3カ月の潜伏期後に，発熱，食欲不振，咬傷部位の痛みや瘙痒感で発症する．約8割が狂躁型狂犬病で精神的興奮状態，恐水症状（水を飲む際の苦痛を伴う嚥下困難や水をみるだけでも苦しむ），恐風症状（扇風機の風などを避ける）を呈し，腱反射・瞳孔反射も亢進する．病初期から麻痺症状を呈する麻痺型狂犬病もある．

診断
PCR法による病原体遺伝子の検出，蛍光抗体法によるウイルス抗原の検出，間接蛍光抗体法/ELISA法による抗ウイルス抗体の検出などで行う．狂犬病ウイルス迅速診断キットが開発されている．

鑑別診断
ほかのウイルス性脳炎，Guillain-Barré症候群との鑑別が必要である．動物咬傷が不明な場合には最終診断に苦慮することがある．

経過・予後
呼吸障害によりほぼ100%が死亡．

治療・予防
罹患動物に咬まれた場合には暴露後ワクチン接種などを行う．狂犬病発症後の有効な治療法はない．

b. 急性灰白髄炎（acute poliomyelitis）（ポリオ，polio）【⇒ 6-10-2-6】

定義・概念
急性灰白髄炎は，エンテロウイルスの1つであるポリオウイルスによって起こされる急性の弛緩性麻痺を主症状とする疾患である．ポリオウイルスは一度感染すると終生免疫を獲得でき，またワクチンの効果が高い．WHOを中心にポリオ根絶の取り組みが進行している．

分類
脊髄型，Landry麻痺型，球・橋型，髄膜・脳炎型に分類される．

原因・病因
ポリオウイルスは経口感染し咽頭や腸管上皮細胞で増殖するが，一部は中枢神経系の主に運動神経細胞である脊髄前角細胞に感染し弛緩性麻痺をきたす．

疫学
感染者の1%以下に麻痺を生じる．わが国ではポリオワクチンの導入により1981年を最後に野生株による急性灰白髄炎は報告がない．好発年齢は0〜2歳である．

病理
病変の主座は脊髄灰白質で，頸髄と腰・仙髄の膨大部の前角内側部に強く認められる．大脳，小脳，脊髄の中間質外側核，後根神経節も傷害される．臨床的には無侵襲と思われた髄節でも，残存する神経細胞は10%程度であるが，7〜10日後には大部分の神経細胞は外見上正常化する．

病態生理
ポリオウイルスは経口感染後，咽頭粘膜，腸管上皮で増殖し，扁桃などの局所リンパ節で二次増殖し，ウイルス血症を介して中枢神経系に到達しおもに脊髄前角を破壊する．

臨床症状
感染後7日目頃に風邪症状を呈し，12〜14日目頃に片側の単肢の弛緩性麻痺をきたす．知覚は正常である．

検査所見
急性期と3〜6週間後のペア血清で抗体価の上昇をみる．中和抗体としてのIgGは生涯持続する．咽頭拭い液や便検体を急性期に採取しポリオウイルスを分離する．

診断
血清学的検査，ウイルス学的検査，臨床症状，神経生理検査などを参考に診断する．

鑑別診断
Guillain-Barré症候群，脳卒中，末梢神経炎，急性ウイルス性筋炎，急性脳脊髄炎，横断性脊髄炎，脊髄圧迫，痙攣後麻痺（Todd麻痺）などの鑑別が必要である．

合併症
まれに横隔膜神経麻痺や延髄麻痺を生じて呼吸不全を起こし死亡することがある．

経過・予後
野生株のポリオウイルスに感染しても90%以上は不顕性感染に終わり，麻痺をきたすものは1%以下である．運動麻痺は緩徐進行または停止性である．

1）ポリオ後筋萎縮症（post-polio muscular atrophy）：ポリオ罹患後15〜40年後にそれまでの罹患筋の部位に一致して，緩徐進行性に筋力低下・筋萎縮をきたす状態をいう．小児期に罹患した神経筋単位の負荷に対する予備能力の低下，持続ウイルス感染，免疫学的機序などにより神経終末が脱落すると推定されている．

治療・予防・リハビリテーション
特異的治療法はなく対症療法とリハビリテーションを行う．経口ポリオワクチンは3つの型のウイルス株がすべて含まれており，通常接種後4〜6週間で終生免疫が得られる．

c. 帯状疱疹（herpes zoster）【⇨ 6-10-1-2】

定義・概念
小児期に水痘として感染した水痘・帯状疱疹ウイルス（VZV）が，三叉神経節，脊髄神経節に潜伏感染し，壮年以降に再活性化し頭頸部や胸部に帯状の発疹を形成する．神経学的後遺症として，帯状疱疹後神経痛（postherpetic neuralgia：PHN）が起こる．

疫学
60歳代を中心にみられるが，過労やストレスが引き金で若い人に発症することもある．

病態生理
三叉神経節，脊髄神経節に潜伏感染し，免疫力の低下に伴ってVZVが再活性化する．活性化したウイルスは神経軸索を介してその支配領域の皮膚に運ばれる．皮疹は原則として片側性であるが，免疫不全患者の場合には両側性に出現することがある．

臨床症状
片側の神経分布領域に一致して神経痛様疼痛が数日～7日間続き，浮腫性の紅斑，水疱，膿疱，潰瘍が出現する．治癒後にその神経支配領域にPHNが起こることがある．その患者の抵抗力により重症度が決まる．

検査所見
Tzanck試験： 水疱の水痘蓋を破りスライドグラスに水疱底を当て，Giemsa染色で変性した細胞（Tzanck細胞）を証明する．ペア血清で血清抗体価の上昇が診断の一助となる．

診断
片側性の痛みを伴う発疹とその広がりから診断する．ただし，ごく初期の皮疹で痛みのない場合は診断が難しい．逆に痛みだけの場合は診断が困難である．血中VZV抗体価の上昇も参考となる．

鑑別診断
接触皮膚炎，単純ヘルペス，Gibertバラ色粃糠疹，乾癬などの疾患と鑑別を要することがある．

合併症
Ramsay Hunt症候群： VZV感染による第Ⅶ・第Ⅷ脳神経障害で，外耳道，耳介周辺の帯状疱疹，顔面神経麻痺，耳鳴，難聴，めまいなどの症状を示す．治療は，抗ウイルス薬とステロイドの併用投与がおもに行われる．予後は一般的にベル麻痺に比べて不良である．

帯状疱疹性脳脊髄炎，再発性髄膜炎（Mollaret髄膜炎）などが合併することがある．悪性腫瘍，膠原病，AIDSなどの免疫力低下をきたす基礎疾患の検索が必要である．

経過・予後
帯状疱疹は約2～3週間で治癒する．PHNは難治性の場合がある．

治療
帯状疱疹に対して，アシクロビル，バラシクロビル，ファムシクロビルなどの抗ウイルス薬が有効である．PHNを予防するためには帯状疱疹の早期治療が重要である．PHNには，三環系抗うつ薬，プレガバリン，ガバペンチン，麻薬，リドカインパッチが推奨されている（日本ペインクリニック学会，2011）．

〔中川正法〕

■文献

厚生労働省：狂犬病対応ガイドライン2013．http://www.mhlw.go.jp/bunya/kenkou/kekkaku-kansenshou18/pdf/05-01.pdf.
厚生労働省保健医療局結核感染症課HP：www.mhlw.go.jp/bunya/kenkou/polio/
国立感染症研究所HP：http://idsc.nih.go.jp/disease/polio/index.html
西園 晃：狂犬病．*Brain Nerve.* 2009; 61: 135-44.
日本ペインクリニック学会：神経障害性疼痛薬物療法ガイドライン，真興交易医書出版部，2011.

2）プリオン病
prion disease

概念
プリオン病とは正常プリオン蛋白（PrP^C）の立体構造が変化して難溶性，凝集性となった異常プリオン蛋白（PrP^{Sc}）が脳内に生成され神経細胞を障害する致死性疾患である．PrP^{C}はすべての動物の細胞膜，特に神経細胞に多く存在する糖蛋白であるが，その機能は十分には解明されていない．プリオン病の特徴はまず感染因子がPrP^{Sc}そのものと考えられていることであり，prion（蛋白性感染粒子［proteineceous infectious particle］の意味でウイルス感染のときのビリオンに準

表17-7-2 プリオン病の分類

特発性プリオン病：孤発性Creutzfeldt-Jakob病（孤発性CJD）
古典型［MM1, MV1］，失調型［MV2, VV2］
視床型［MM2A］，皮質型［MM2A］，皮質型［VV1］
プロテアーゼ感受性プリオン病
獲得性（environmentally acquired/感染性）プリオン病：
クールー（kuru）
医原性CJD（硬膜移植後CJD，下垂体製剤投与CJD，ほか）
変異型CJD（vCJD）［MM2B］
遺伝性プリオン病：
遺伝性CJD
Gerstmann-Sträussler-Scheinker病（GSS）
致死性家族性不眠症（FFI）
その他

えた造語)という名称にその意味が込められている．また，ヒツジのスクレイピー(scrapie)，ウシの海綿状脳症(bovine spongiform encephalopathy：BSE)，シカの慢性消耗病(chronic wasting disease：CWD)など人獣共通感染症であり，遺伝性もあることである．成因により特発性(孤発性)，遺伝性，獲得性(感染性)に分類されるが(表17-7-2)，すべてのPrP^{Sc}には伝達(感染)性がありわが国では五類感染症として保健所に届け出る必要がある．プリオン病はまれな疾患であるが，PrP^{C}が次々にPrP^{Sc}に変えられて脳内で広がる(伝達する)機序はほかの神経変性疾患の病原蛋白でも証明されつつあり近年注目されている．

(1)特発性プリオン病
疫学
特発性プリオン病はPrP^{Sc}の由来が不明で，孤発性Creutzfeldt-Jakob病(sCJD)に相当する．sCJDはプリオン病の約75％を占め，有病率は世界各地で等しく人口100万対約1である．患者脳内に蓄積したPrP^{Sc}はその蛋白分解酵素分解後断片のパターンから1型と2型に分けられ，プリオン蛋白遺伝子のコドン129がメチオニン(M)かバリン(V)かという多型と組み合わせて，MM1，MV1などと6つに分類されるが，sCJDの臨床病型とよく一致する．典型的な病像を示す古典型sCJD(MM1，MV1)が大部分であるが，自律神経障害の目立つ視床型(MM2視床型)，認知症が前景に立ち進行がやや緩徐な皮質型(MM2皮質型，VV1)などの病型も存在する．

病理
古典型では，死亡時脳は高度に萎縮し，皮質，基底核，視床などの灰白質で神経細胞の脱落と無数の空胞形成(海綿状変性)，アストログリアの増生を認める(図17-7-8)．免疫染色で灰白質にびまん性にPrP^{Sc}の蓄積を認めシナプスパターンとよばれる．

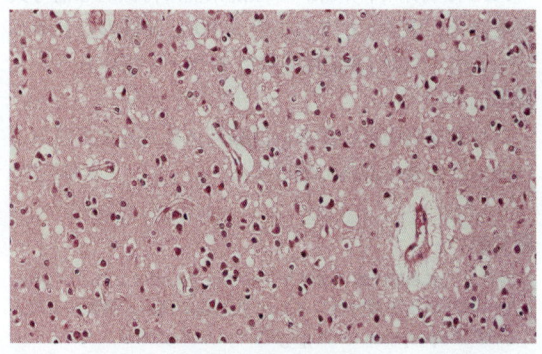

図17-7-8 古典型孤発性Creutzfeldt-Jakob病の大脳皮質
神経細胞の減少，アストログリア，空胞形成がみられ典型的な海綿状脳症の所見である．

臨床症状
古典型では，発症は60歳代に，抑うつ，無関心など不定愁訴で発症することが多く，やがて記憶障害が始まると亜急性に進行して，失調性歩行，構音障害，ミオクローヌス，錐体外路症候，錐体路症候，視覚異常などが加わり数カ月で無動性無言症に至り，感染症などにより約1年で死亡する．

検査所見
MRI・拡散強調画像で大脳皮質，基底核などの灰白質に斑(ムラ)のある高信号領域を認める(図17-7-9)．髄液で14-3-3蛋白，タウ蛋白が増加し，RT-QUIC法でPrP^{Sc}の検出も可能である．これらの特徴的所見を認めない非典型例が少数ながら存在するので注意が必要である．脳波では周期性同期性放電が特徴

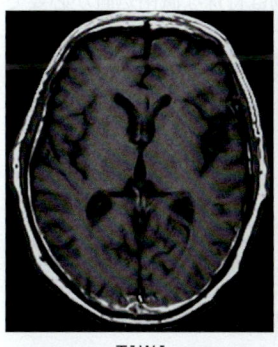 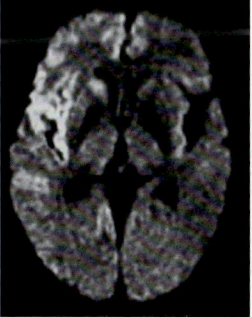

T1WI　　　　　　　DWI

図17-7-9 プリオン病のMRI画像
古典型の孤発性CJD症例のMRI．T1強調画像ではまったく異常は認められないが(左)，拡散強調画像では大脳皮質と基底核にムラのある高信号病変が認められる(右)．

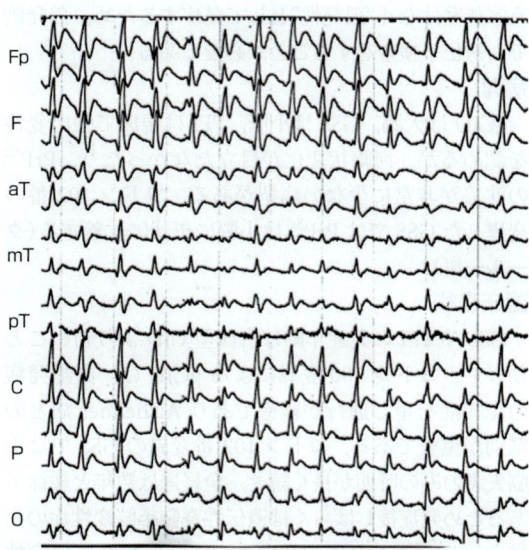

図17-7-10 プリオン病の脳波
全誘導にわたって同期する放電が周期的にみられる(周期性同期性放電)．

的であるが感度はあまり高くない(図17-7-10).
診断
初老期発症の急速進行性認知症ではまずsCJDを考える．ミオクローヌスを伴う，特徴的MRI所見，脳波の周期性同期性放電があれば診断はほぼ確実であるが，非典型例ではこれらの所見がないことがあり，髄液検査，遺伝子検査，SPECTなども必要となる．
鑑別診断
辺縁系脳炎特に傍腫瘍性や免疫介在性脳炎，Alzheimer病などの認知症，意識障害などを呈する疾患を鑑別する．MRI・拡散強調画像で高信号を呈するてんかん，ミトコンドリア病，無酸素脳症，などとの鑑別も重要である．
治療・予防
有効な治療はない．PrP^{Sc}の感染性は通常の滅菌処置では除去できず，汚染物は特殊な滅菌処置が必要である．感染性は脳・脊髄，髄液などにはあるが，患者の汗，尿，便，唾液で感染することはなく，患者を隔離する必要はない．また，衣服，食器は通常の洗浄でよい．

(2) 遺伝性プリオン病
概念
わが国では約20％弱を占め，PrP遺伝子のコドン200番など点変異が最も多いが，反復配列の伸張変異でも起きる．遺伝子変異と臨床症候はある程度関連しており，Gerstmann-Sträussler-Scheinker病(GSS)，遺伝性CJD(gCJD)，致死性家族性不眠症(fatal familial insomnia：FFI)などの臨床病型がある．常染色体優性遺伝性でGSSやFFIの浸透率は高いが，わが国で最も多いコドン180番変異によるgCJDにはふつう家族歴はなく"孤発性"として発症するため，孤発例でも遺伝子検査をすることが必要である．
病理
gCJDは大脳，GSSは小脳，FFIは視床で強い変性を認めるが，海綿状変化が目立たなかったり，PrP^{Sc}の沈着が非常に少ない病型がある．コドン102番の変異したGSSではPrP^{Sc}は小脳に斑状に沈着する(クールー斑)．
臨床症状
GSSやFFIの発症年齢は古典型CJDより若いことが多い．コドン180変異によるgCJDは，高齢発症の認知症を呈し進行が緩徐でありAlzheimer病との鑑別が重要である．コドン102番変異のGSSでは小脳失調のみの時期が長く続き，全経過は数年と緩徐であるため発症後しばらくは遺伝性脊髄小脳変性症の病像を呈しうることに注意する．GSSのなかには痙性対麻痺やパーキンソニズムが目立つ変異もあり注意が必要である．FFIは視床型sCJDと似ており不眠，発熱，頻脈，発汗などの自律神経症候が目立つ．非常にまれながら末梢神経障害を示す病型も報告されており，診断の難しい遺伝性神経疾患ではプリオン病をチェックすることが必要である．
検査所見
症候，MRI・脳波・髄液所見が典型的でないことがあり，PrP遺伝子検査を行う．
診断
家族歴のある認知症，小脳失調症では必ずプリオン病も考え鑑別を進め，必要に応じてPrP遺伝子検査を行う．特にコドン180番や232番の変異によるgCJDはふつう家族歴がないため注意が必要である．

(3) 獲得性プリオン病(感染性プリオン病)
概念
わが国では約5％を占め，PrP^{Sc}の感染源が明瞭なプリオン病である．パプアニューギニアの先住民族の人食儀式によるクールー，BSEプリオンの汚染食品による変異型CJD(vCJD)，ヒト屍体からの硬膜移植後CJD(dCJD)，成長ホルモン関連CJDなどがあり，dCJDなど医療行為で感染したものは医原性CJDとよばれる．現在，クールー，BSE，vCJDの症例はほぼなくなり，dCJDの新規発症も非常にまれである．
病理
クールーでは海綿状変性は乏しく，無数のクールー斑の沈着を特徴とする．vCJDではクールー斑を花弁状に空胞が取り囲むflorid斑が特徴的所見である．
臨床症状
dCJDは古典型sCJDと同様に認知症とミオクローヌスを呈するものと，失調症がやや目立ち経過の緩徐な非典型的病型がある．vCJDは若年者に多く，精神症状や痛みで発症し，その後認知症が加わり経過が長い．クールーは小脳失調で発症し，認知症は顕著ではない．
検査所見
MRIが有用で，vCJDでは視床枕に特徴的な信号異常を認め，dCJDでは古典型sCJDと同様のことが多い．vCJDでは口蓋扁桃生検でPrPScを認める．
診断
プリオン病の疑いがあれば脳外科などの手術歴および海外居住歴を詳細に聴取する． 〔水澤英洋〕

■文献
黒岩義之，水澤英洋編：プリオン病感染予防ガイドライン2008．プリオン病及び遅発性ウイルス感染症に関する調査研究班，2009. http://prion.umin.jp/guideline/index.html
水澤英洋編：プリオン病および遅発性ウイルス感染症．厚生労働省難治性疾患克服研究事業プリオン病及び遅発性ウイルス感染症に関する調査研究班，金原出版，2010.
Nozaki I, Hamaguchi T, et al: Prospective 10-year surveillance of

human prion disease in Japan. *Brain*. 2010; 133: 3043-57.
山田正仁, 水澤英洋編：プリオン病診療ガイドライン 2014. プリオン病及び遅発性ウイルス感染症に関する調査研究班, プリオン病のサーベイランスと感染予防に関する調査研究班, 2015. http://prion.umin.jp/guideline/index.html

3）細菌感染症

(1)細菌性髄膜炎 (bacterial meningitis)

概念
くも膜・軟膜およびくも膜下腔の細菌による炎症. 急性の頭痛・発熱を主徴とし, 髄膜刺激徴候を認め, 脳脊髄液検査で多形核球優位の細胞増加を示す. 初療が転帰に大きく影響する緊急対応疾患である. 初期治療は発症年齢と宿主の有するリスクにより決定する.

病因（e図 17-7-B）
新生児や 3 カ月以下では, 出産時垂直感染による発症が多く, B 群溶連菌・大腸菌が多い. 4 カ月〜5 歳では, インフルエンザ菌ワクチン定期接種化により, インフルエンザ菌の発症数は低下し, 相対頻度としては肺炎球菌が多い. 6〜49 歳は肺炎球菌が最も多く, インフルエンザ菌が続く. 耐性肺炎球菌の割合は小児・成人ともに増加している. 50 歳以上や消耗性疾患や免疫不全では, 通常の起炎菌に大腸菌・黄色ブドウ球菌・緑膿菌・リステリア菌など新生児・幼児期の起炎菌が再び増加する. 一方, 外科的手術の既往患者では, 黄色ブドウ球菌（メチシリン耐性黄色ブドウ球菌 MRSA も含め）, コアグラーゼ陰性ブドウ球菌, 緑膿菌がみられる.

疫学
わが国の発症頻度は, 年間約 1500 例. 2013 年 4 月からの本症ワクチンの定期接種化後, 接種率が急速に向上（90％以上）し, 導入後小児においてインフルエンザ菌 b 型髄膜炎は約 90％, 肺炎球菌髄膜炎は約 70％減少したが, 細菌性髄膜炎の全体数に大きな変化はない. 非ワクチンタイプの血清型をもつインフルエンザ菌や肺炎球菌の増加が予想される.
新ワクチンに関しては e ノート 1 を参照.

病理
くも膜の白濁を認め, 脳浮腫を呈する. 光顕ではくも膜下腔に滲出液, 多数の好中球がみられ, 軽度の赤血球・フィブリン・単核細胞も出現する. さらに血管炎に伴う脳実質の軟化や壊死がみられる場合もある.

病態生理
本症の感染経路は, ①菌血症からの血行性と②中耳炎や副鼻腔炎など頭蓋近傍感染巣からの直達性がある. 細菌性髄膜炎の病態は病原菌の侵襲だけではなく, 宿主免疫応答に基づくサイトカイン・ケモカインなどのカスケードも作用し, 浮腫・炎症の惹起, さらに脳血管障害の併発もみられる. したがって, この制御も治療上重要である.

臨床症状
1）自覚症状：　急性発症で, 発熱と髄膜刺激症状（頭痛, 悪心, 嘔吐）を認める.
2）他覚症状：　神経学的に髄膜刺激症候（項部硬直, Kernig 徴候, Burudzinski 徴候, および neck flexion test の陽性）を認める.

急速に意識障害を呈し, 髄膜脳炎の病型に進展する場合もある. 一方, 乳幼児や老齢者では典型的な症状・症候を認めず, 易刺激性や譫妄などで発症する場合もある.

検査所見
髄膜炎・脳炎は検査を実施し, その所見から病因を推定して治療し, 病因診断で確定する. 細菌性髄膜炎を疑った場合の検査手順を示す（図 17-7-11）. 最も重要な所見は髄液所見である. しかし, 巣症状（片麻痺など）・意識障害を伴っている場合やうっ血乳頭を認める場合は, 頭部 CT にて頭蓋内占拠性病変の有無を確認し, 髄液検査の可否を判断する. 検査の詳細は e コラム 1 を参照.

診断
確定診断は髄液から起炎菌の同定である. 塗抹・培養は信頼性が高いが, 塗抹の最小検出感度は 10^5 colony forming units (CFU)/mL で, 毎視野に菌を検出するには 10^7 CFU/mL 以上必要である. たとえば, リステリア菌は通常 10^3 CFU/mL 以下であり, 塗抹の検出率は低い. 主要起炎菌の塗抹像を示す（図 17-7-12）. 培養の検出率は未治療 70〜80％だが, 抗菌薬の前投与例では 50％以下である. したがって, 細菌抗原検出や PCR 法が有用となる. 本症は未治療では致死的であり, 培養結果を待たずに治療を開始する.

鑑別疾患には, ウイルス性髄膜炎・髄膜脳炎, 結核・真菌性髄膜炎, 髄膜癌腫症, 寄生虫による髄膜炎, 脳膿瘍などがあげられる. これらとの鑑別は, 発症経過, 髄液所見, さらに神経放射線学的検査などの結果に基づき行われる.

合併症
経過中の合併症として, DIC, 水頭症, ADH 分泌異常症（SIADH）, 硬膜下水腫があげられる.

経過・予後
死亡率 15〜35％, 後遺症率 10〜30％. 予後影響要因として, 年齢, 発症から適切な治療までの期間, 意識障害の程度, 敗血症の有無, 基礎疾患の有無, 入院時の限局性神経症候の有無, 痙攣, 白血球や血小板数の減少, 髄液糖濃度低下, および血圧低下があげられる.

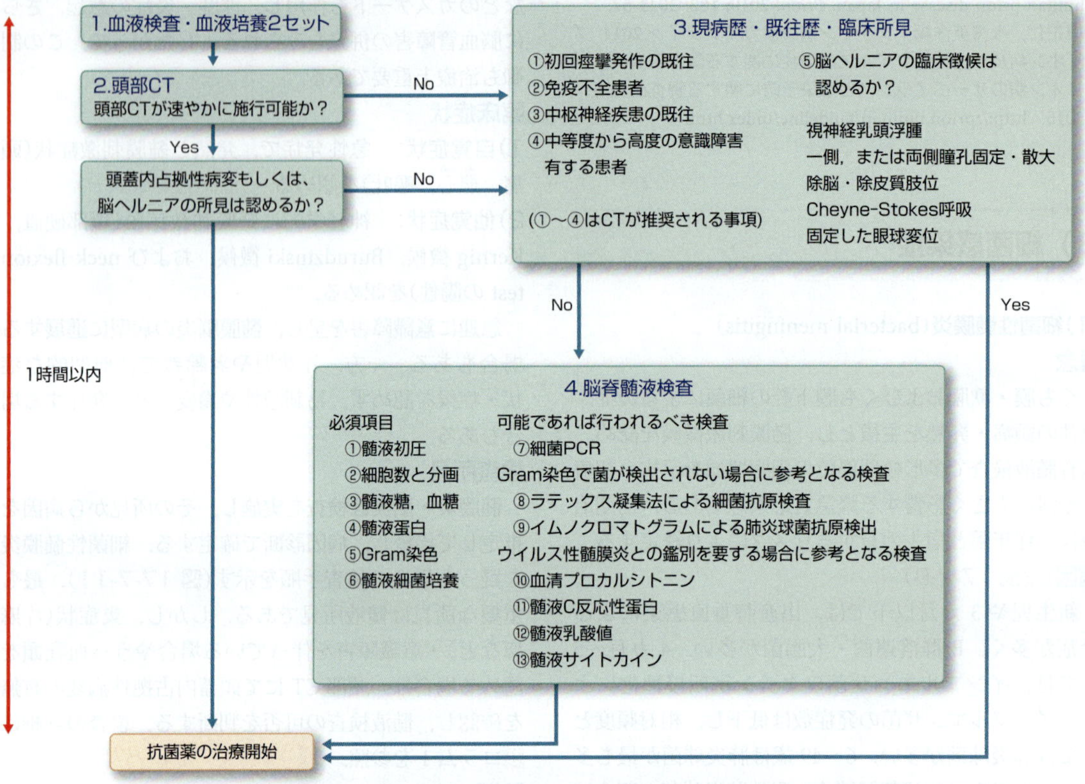

```
                                   ┌─────────────────────────────────┐
                                   │ 3.現病歴・既往歴・臨床所見           │
┌──────────────────────┐           │ ①初回痙攣発作の既往   ⑤脳ヘルニアの臨床徴候は │
│ 1.血液検査・血液培養2セット  │           │ ②免疫不全患者             認めるか？    │
└──────────────────────┘           │ ③中枢神経疾患の既往                  │
          │                        │ ④中等度から高度の意識障害   視神経乳頭浮腫   │
┌──────────────────────┐    No     │   有する患者             一側，または両側瞳孔固定・散大 │
│ 2.頭部CT              │──────────▶│                        除脳・除皮質肢位   │
│ 頭部CTが速やかに施行可能か？│           │ (①～④はCTが推奨される事項)    Cheyne-Stokes呼吸 │
└──────────────────────┘           │                        固定した眼球変位   │
          │ Yes                    └─────────────────────────────────┘
┌──────────────────────┐    No
│ 頭蓋内占拠性病変もしくは，  │──────────┐                              │Yes
│ 脳ヘルニアの所見は認めるか？│           │                              │
└──────────────────────┘           ▼
                              ┌──────────────────────────────────┐
                              │ 4.脳脊髄液検査                      │
                              │ 必須項目          可能であれば行われるべき検査 │
                              │  ①髄液初圧         ⑦細菌PCR           │
                              │  ②細胞数と分画     Gram染色で菌が検出されない場合に参考となる検査 │
                              │  ③髄液糖，血糖      ⑧ラテックス凝集法による細菌抗原検査 │
                              │  ④髄液蛋白         ⑨イムノクロマトグラムによる肺炎球菌抗原検出 │
                              │  ⑤Gram染色         ウイルス性髄膜炎との鑑別を要する場合に参考となる検査 │
                              │  ⑥髄液細菌培養      ⑩血清プロカルシトニン    │
                              │                   ⑪髄液C反応性蛋白       │
                              │                   ⑫髄液乳酸値           │
                              │                   ⑬髄液サイトカイン       │
                              └──────────────────────────────────┘
```

図 17-7-11 臨床症状より細菌性髄膜炎が疑われた場合の検査手順（細菌性髄膜炎診療ガイドライン 2014 より改変）

病院到着から適切な抗菌薬開始まで平均 4 時間といわれ，6 時間以上になると死亡率が高くなる．この遅れの主因は神経放射線検査の実施にある．頭部 CT・MRI が迅速にできない場合，まず抗菌薬を開始する．髄液所見は重要であるが，巣症状・意識障害・うっ血乳頭などを認めた場合，頭部 CT で頭蓋内占拠性病変を確認し，検査の可否を判断する．欧州のガイドラインと同様に，病院到着から経験的な抗菌薬開始までの時間を 1 時間以内として推奨されている．

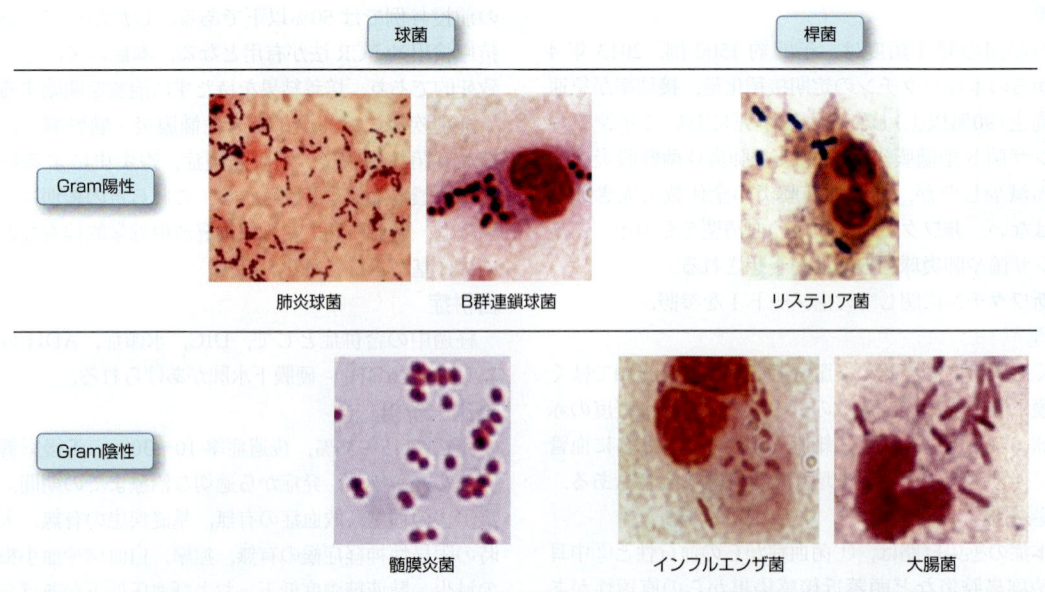

図 17-7-12 主要起炎菌の塗抹像

治療

1) 抗菌薬選択： 経験的抗菌薬治療を直ちに開始する．その際，年齢・基礎疾患・発症状況などから起炎菌を想定し経静脈的に投与する．わが国における本症の治療選択を示す（@図 17-7-C・@表 17-7-D，17-7-E）．起炎菌が同定され，抗菌薬の感受性結果を得られたら変更する．

2) 副腎皮質ステロイドの併用： 医療資源の整っている先進国では副腎皮質ステロイド導入は小児・成人ともに有用性が確立している．肺炎球菌はエビデンスがあるが，その他の起炎菌の適応に慎重な意見もある（@ノート 2）．ただし，新生児および頭部外傷や外科的侵襲に併発した細菌性髄膜炎では，副腎皮質ステロイドの併用は推奨しない．

■文献

Kamei S, Takasu T: Nationwide survey of the annual prevalence of viral and other neurological infections in Japanese inpatients. Intern Med. 2000; 39: 894-900.

細菌性髄膜炎診療ガイドライン 2014 作成委員会（亀井 聡，他）：細菌性髄膜炎診療ガイドライン 2014, pp1-123, 南江堂, 2014.

Tunkel AR, Hartman BJ, et al: Practice guidelines for the management of bacterial meningitis. Clin Infect Dis. 2004; 39: 1267-84.

(2) 結核性髄膜炎（tuberculous meningitis）

概念

亜急性経過で発症し，頭痛・発熱を主徴とし，髄液でリンパ球優位の細胞増加，蛋白濃度上昇，髄液/血清糖濃度が 50％未満を呈する．標準的早期診断法として PCR 法が一般化している．本症は，初療が患者の転帰に大きく影響する神経学的な緊急対応疾患であり，治療の遅れは強く死亡と関連する．したがって，本症を疑ったら直ちに多剤による抗結核薬の治療を開始する．

疫学

わが国の発症頻度は，年間 264 ± 120 例，小児例はその 15％を占める．致死率 14～28％，後遺症 20～30％と高い．

病理

肉眼的には脳底部を中心とした軟膜・くも膜の白濁（脳底髄膜炎）を認める．光顕では，Langhans 巨細胞を伴った肉芽腫性髄膜炎を呈し，血管炎を伴う場合もある．

病態生理

感染巣から髄膜へ結核菌が播種し発症．感染経路は肺結核，結核性脊椎骨髄炎，腎結核などの他の結核巣からの血行性播種による．しかし，肺結核併発は 25～50％のみで感染巣不明も多い．一方，血管炎・血栓・攣縮による内頸動脈と中大脳動脈基幹部に脳血管障害を呈する場合がある．

臨床症状

1) 自覚症状： 通常，約 2～3 週間の亜急性発症するが，1/3 の症例は急性発症である．進行すると意識障害を呈し髄膜脳炎の病型を示す．意識障害は入院時で 55％，抗結核薬開始時で約 8 割と高い．

2) 他覚症状： 髄膜刺激症候を認める．初期は髄膜炎のみだが，その後髄膜脳炎に進展する．脳底部髄膜炎が多く，脳神経麻痺（特に，Ⅲ，Ⅵ）が 20～30％と多い．さらに，血管炎による脳梗塞や閉塞性水頭症で片麻痺・意識障害を示す．

検査所見

1) 脳脊髄液所見： 髄液でリンパ球優位の細胞増加，蛋白濃度の上昇，髄液/血清糖濃度が 50％未満を呈したら本症を疑い，直ちに抗結核薬を開始する．しかし，初回髄液の 28％は多形核球優位を示すので留意する．診断は，髄液の塗抹・培養における結核菌検出で確定する（@ノート 3）．結核菌の検出率は，塗抹 10～22％，培養 43～50％と高くない．検出率は髄液採取量に依存する．

2) 早期迅速診断法：

a) 髄液中アデノシンデアミナーゼ（adenosine deaminase：ADA）値の上昇：感度 65～95％，特異性 75～92％．髄液 ADA は早期診断上一定の有用性はあるが，細菌性髄膜炎などで偽陽性を認めるので注意を要する．

b) PCR 法による結核菌 DNA 検出：感度 57～100％，特異性 90～100％である．陽性の持続は約 3～4 週間．ただし，PCR の最小検出感度が不十分だと検出できない．したがって，高感度の nested PCR や定量性のある nested real-time PCR による検索が必要．

c) クオンティフェロン（QFT）検査：結核菌の特異蛋白 ESAT-6 や CFP-10 抗原に対し特異的に産生されるインターフェロンを ELISA で検出する（@ノート 4）．髄液で測定することはできない．一方，QFT と同様な原理で結核菌の特異蛋白に対する IFN を分泌するリンパ球を測定する方法として，T-SPOT®.TB（Oxford Immunotec, Oxford, UK）が開発された．現在，わが国でも測定が可能となっている．この T-SPOT 法は QFT 法と異なり，末梢血以外の胸水・髄液でも測定できる．

3) 頭部 CT・MRI： 造影 CT や MRI で脳底部の造影増強効果や結核腫を伴う場合がある（図 17-7-13）．また，血管炎による脳梗塞（図 17-7-13B）を呈しやすい（併発頻度 30～50％）ので，定期的な観察が重要である．画像は脳内結核腫や脊髄結核症の検出に有用．しかし，画像所見で病因を確定するわけではな

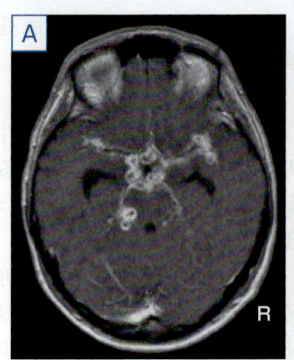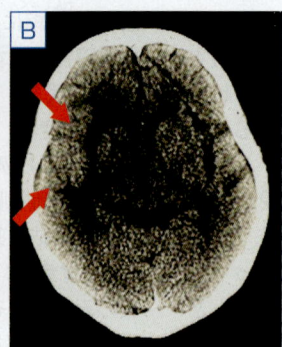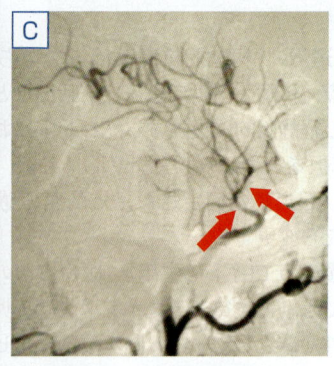

図17-7-13 脳底部の造影増強効果と結核腫および血管炎による脳梗塞を伴った結核性髄膜炎
A：頭部MRI造影で認めた脳底部の造影増強効果と結核腫．いわゆるbright central coreを有する結節病変を示している．
B：頭部CTで左大脳白質に低吸収域（矢印）を認め，脳梗塞の併発を認めている．
C：Bと同一症例の左頸動脈撮影にて，内頸動脈末端部から中大脳動脈基幹部にかけて狭細化像（矢印）を認め，血管炎を考え副腎皮質ステロイドを投与し著効した．

4）その他の臓器：脳以外の肺，胃液，リンパ節，肝臓，骨髄の組織診断は可能なかぎり試みる．

5）その他：血液検査（SIADHによる低ナトリウム血症など）のほか，胸部単純X線やCT，尿検査，脊椎単純X線やMRIなど原発巣の検索を行う．

診断

確定診断は髄液から結核菌同定で，塗抹と培養は信頼性が高い．しかし，菌検出率は高くなく，培養は通常4～8週間を要する．したがって，結果を待たずに治療を開始する．髄液のADA活性など結果を参考に臨床症状や髄液所見とあわせ，治療効果から診断されることも多い．

鑑別疾患としては，細菌性や真菌性髄膜炎，髄膜癌腫症，ウイルス性髄膜炎などがあげられる．鑑別は，発症経過，髄液所見，さらに神経放射線学的検査などに基づき行われる．

合併症

水頭症，SIADHがあげられる．

経過・予後

死亡率20～57％（先進国でも14～28％），後遺症20～30％と高い．転帰不良要因として，免疫不全，水頭症，治療時の重症度，痙攣，意識障害などが知られている．

治療（eコラム2）

抗結核薬：現在の抗菌薬選択［成人の標準的投与量］は，イソニアジド（INH）［300 mg/日・経口］，リファンピシン（RFP）［体重＜50 kg 450 mg/日，≧50 kg 600 mg/日・経口］，EB［体重＜50 kg 1.5 g/日，≧50 kg 2.0 g/日・経口］，ピラジナミド（PZA）［15 mg/kg/日・経口］の4者併用で2カ月，その後INH，RFPは10カ月間継続投与である．抗結核薬の副作用として，INHの末梢神経障害・肝障害，RFPの肝障害，PZAの肝障害・関節痛，EBの視神経障害による視力低下，SMの難聴・平衡機能障害が知られている．INHによる末梢神経障害はピリドキシン（ビタミンB_6）［INH 100 mgあたり10 mgで投与］で予防可能であり併用する．PZAの肝障害は2.0 g/日以下で2カ月間では問題がない．

HIV陰性の本症では重症度にかかわらず全例で副腎皮質ステロイド併用が推奨される．本薬の有用性の機序は，脳浮腫の軽減，血管炎の抑制，髄膜の癒着・線維化に伴う脳神経障害・閉塞性水頭症の防止のほか，matrix metalloproteinase 9や血管内皮成長因子にも作用する．一方，脳梗塞は血管炎が基盤にあり，血小板凝集抑制薬のみならず，副腎皮質ステロイドを併用する．

■文献

Kamei S, Takasu T: Nationwide survey of the annual prevalence of viral and other neurological infections in Japanese inpatients. *Intern Med.* 2000; **39**: 894-900.

Prasad K, Singh MB: Corticosteroids for managing tuberculous meningitis. *Cochrane Database Syst Rev.* 2008; **23**: CD002244.

Thwaites G, Fisher M, et al: British Infection Society guidelines for the diagnosis and treatment of tuberculosis of the central nervous system in adults and children. *J infect.* 2009; **59**: 167-87.

(3) 脳膿瘍（brain abscess）
概念

脳実質内の病原体による限局性膿貯留．頭蓋内圧亢進による頭痛と占拠性病変による巣症状が主徴で，発熱は認めない場合もある．病因は，細菌や真菌などが耳鼻科・眼科的感染巣・外傷からの直撞性と肺感染巣や心内膜炎からの血行性で発症．治療は抗菌薬と脳外科的手技である．

疫学

人口10万あたり年間0.4〜0.9人の発症だが，免疫不全宿主では頻度は増加する．最近の臓器移植・AIDSなどの増加により，真菌による本症は増加している．

病態生理

感染経路は近傍感染巣からの直達浸潤と血行性感染の2つに区分される．直達性感染として，副鼻腔炎・中耳炎・乳突炎からの波及，穿通性頭部外傷や脳の手術からの感染があげられる．一方，血行感染として肺感染症(肺膿瘍・気管支拡張症)，感染性心内膜炎のほか，右→左短絡を形成するFallot四徴症・両大血管右室起始症・心室中隔欠損症や肺動静脈瘻があげられる．しかし，約1/4の患者は原発巣不明である．病原体として，脳外科的手技や外傷に伴う場合にはGram陰性菌や黄色・表皮ブドウ球菌が多い．中耳炎や副鼻腔炎に伴う場合には連鎖球菌・ブドウ球菌および混合感染(嫌気性菌とGram陰性菌)が多い．血行性感染では連鎖球菌属やブドウ球菌属が多い．一方，真菌ではカンジダとアスペルギルスが多い．また，トキソプラズマもみられる．

脳膿瘍の形成過程は，①早期限局性脳炎期：限局性炎症を伴った膿の貯留のない壊死巣で脳実質炎の初期段階(発症1〜3日)，②晩期限局性脳炎期：壊死巣の拡大とともに，周囲に炎症を伴った膿が貯留する(発症4〜9日)，③早期被膜形成期：壊死巣の周囲に被膜を形成しはじめる被膜形成の初期段階(発症10〜13日)，および④晩期被膜形成期：中心部の壊死，辺縁の炎症細胞と線維芽細胞，密なコラーゲン層からなる被膜，被膜の外の新生血管，および被膜の外に浮腫とグリオーシスを認める(発症14日以後)(図17-7-14A)に区分される．

臨床症状

症状は頭痛と巣症状(運動麻痺，痙攣，視野障害，記憶・注意障害，小脳失調など)が基本．頭痛は75%以上でみられる．しかし，発熱は約半数であるため発熱がなくても脳膿瘍の可能性を除外してはならない．

検査所見

1)**頭部CT・MRI**：CTは，被膜形成前の限局性脳炎では低吸収域を示し，被膜が形成されると中心部が低吸収で，造影により被膜が輪状増強効果を示し，周囲の浮腫や炎症が低吸収域を示す(図17-7-14B)．MRIは高感度に限局性脳炎や小さな脳膿瘍も検出する．また，病巣分布の把握もできる(図17-7-14C)．

2)**血液検査**：白血球増加・CRP高値を呈する場合があるが，呈さない場合も多い．

3)**髄液検査**：通常，圧上昇・軽度細胞数と蛋白増加を呈するが，正常の場合も多い．髄液からの菌培養は陰性が多い．なお，膿瘍による頭蓋内圧亢進が想定される場合，腰椎穿刺は禁忌である．

診断

頭痛，発熱，巣症状を認め，血液で炎症所見があり，画像上輪状増強効果を示す占拠性病変あれば，診断は容易である．しかし，発熱がなく，血液や髄液で炎症所見がない場合，脳腫瘍との鑑別が難しい．確定診断は，髄液では病原体検出できないことも多く，外科的に脳膿瘍の内容物や被膜から病原体の同定を試みる．このような場合，脳膿瘍ではMRI拡散強調で均一な高信号域を呈し，96%の症例で脳腫瘍(原発性および転移性)と鑑別が可能である．さらにプロトンスペクトロスコピーも鑑別に有用である．

予後

死亡率約10%であるが，生存例の20%に痙攣・運動麻痺・失語・認知機能障害などの後遺症を呈する．ただし，免疫不全例や真菌性脳膿瘍は予後不良である．予後不良要因として，脳深部の膿瘍，破裂性脳膿瘍，重度の神経障害があげられる．

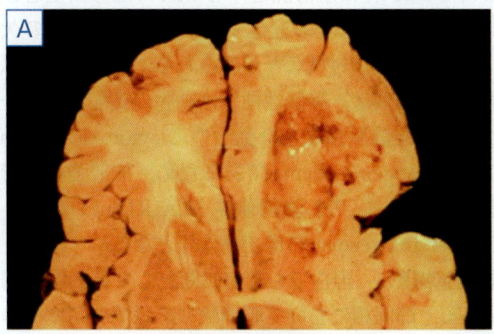
脳膿瘍の肉眼所見

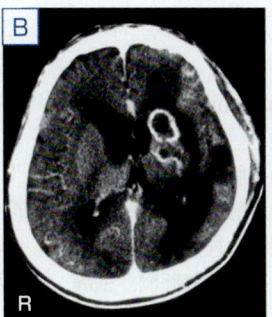
頭部CT造影所見

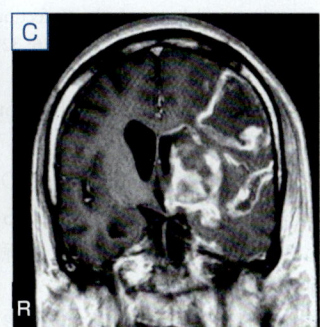
頭部MRI Gd造影(前額断)

図17-7-14 脳膿瘍の肉眼所見(A)と画像所見(B，C)
A：前頭葉実質に，被包性膿を認める．
B，C：真菌(ムコール菌)による膿瘍．B：頭部CT造影にて左大脳にリング上の増強効果を認め，周囲も低吸収域を呈している．
C：同一例のMRIガドリニウム造影でより明瞭に病巣が判断できる．

治療

　抗菌薬を基盤とし，直径1cm以上の脳膿瘍では脳外科的にCTやMRIガイド下でのドレナージを適応により併用する．たとえ，多発性脳膿瘍でも適応を踏まえ考慮すべきである．抗浮腫薬や抗痙攣薬は適時併用する．

　抗菌薬は，脳膿瘍の形成過程のすべてで用いる．通常，起炎菌が不明のことも多いので広域，特に嫌気性菌をカバーする抗菌薬で，髄液移行のよい薬剤を用いる．また，感染原発巣と考えられる耳鼻科疾患や肺疾患にて判明している菌種や主要起因菌を参考にして決める．免疫正常の市中感染では，第3世代セフェム系抗菌薬（セフォタキシムなど）とメトロニダゾールの併用．高齢者や糖尿病・慢性消耗性疾患を有する患者，頭部外傷・頭部術後では，緑膿菌および耐性ブドウ球菌（MRSA）を考慮し，メロペネムとバンコマイシンを併用する．一方，真菌では，クリプトコックスとカンジダはアムホテリシンB脂質製剤とフルシトシンの併用，アスペルギルスはボリコナゾールが第一選択薬となる．トキソプラズマはピリメタミンとスルファジアジンの併用が勧められる．

　脳外科的治療は，限局性脳炎期や径2cm以下の非破裂性脳膿瘍では抗菌薬による治療を第一選択とするが，抗菌薬を投与しても膿瘍が増大する場合は，定位脳手術で吸引，ドレナージを行う．膿瘍径1cm以上（単一，多発性にかかわらず）や状態の不良な患者では，最初から抗菌薬と外科的吸引，ドレナージを併用する．

■文献
Brouwer MC, Tunkel AR, et al: Brain abscess. *N Engl J Med.* 2014; **371**: 447-56.
Perfect JR, Dismukes WE, et al: Clinical Practice Guidelines for the Management of Cryptococcal Disease: 2010 Update by the Infectious Diseases Society of America. *Clin Infect Dis.* 2010; **50**: 291-322.
Walsh TJ, Anaissie EJ, et al: Treatment of aspergillosis: clinical practice guidelines of the Infectious Diseases Society of America. *Clin Infect Dis.* 2008; **46**: 327-60.

(4) 静脈洞感染症（cerebral venous sinus phlebitis）
概念
　細菌性髄膜炎および頭蓋近傍の化膿性病変，敗血症や心内膜炎，および頭部外傷から脳静脈洞への感染で起きる．発熱・頭痛を呈し，静脈洞血栓症を続発し，静脈性脳梗塞を伴う場合もある．上矢状静脈洞，横静脈洞と海綿静脈洞に好発する．診断は画像で確定し，治療は頭蓋内圧亢進の抑制と抗菌薬である．

病態生理
　細菌性髄膜炎，硬膜下膿瘍，硬膜外膿瘍，さらに中耳，乳様突起，副鼻腔，顔面皮膚の感染巣からの直達性が多い．敗血症や心内膜炎からの血行伝播，頭部外傷からでも発症する．したがって，起炎菌は副鼻腔や鼻・顔面の皮膚常在菌である連鎖球菌属やブドウ球菌属が多い．しかし，起炎菌不明の場合もある．

臨床症状
　発熱と頭痛（静脈還流障害による頭蓋内圧亢進），静脈血栓に起因した巣症状を呈する．

1) **上矢状静脈洞血栓症**：発熱と頭痛に巣症状として錯乱や部分痙攣・全般性痙攣を伴い，意識障害を呈する．さらに，Babinski徴候を伴う両側対麻痺や片麻痺を呈する場合もある．

2) **海綿静脈洞血栓症**：頭痛，発熱に加え閉塞部位で特徴的症候を呈する．眼静脈閉塞では結膜浮腫，眼球突出，同側の眼瞼・額・鼻の浮腫を認め，網膜静脈では静脈怒張，乳頭浮腫および網膜出血を呈し，視力喪失する場合もある．海綿静脈洞壁の外側にⅢ，Ⅳ，Ⅵ脳神経とⅤ脳神経の第1枝が通るため，これらの障害（海綿静脈洞症候群）を呈する．

3) **横静脈洞血栓症**：発熱と頭痛・耳痛が多く，うっ血乳頭を呈する．横静脈洞に限局している場合は局所症状を認めにくい．しかし，頸静脈球に及ぶと頸静脈孔症候群（Ⅸ，Ⅹ，Ⅺ脳神経障害）を呈し，静脈洞交会に及ぶと頭蓋内圧亢進が進む．さらに，上矢状静脈洞まで進展すると痙攣や巣症状が出現する．

検査所見・診断
1) **脳脊髄液検査**：髄膜炎や硬膜下膿瘍を伴わない場合，正常が多い．軽度の細胞増加と中等度の蛋白増加を示すこともある．

2) **頭部CT・MRIとMRA（MRV）**：CTでは静脈血栓は索状高信号域として，横静脈洞内のdense vein signや上矢状静脈洞のdense triangle signを示す．造影CTでは，血栓が欠損像として抜けるempty delta signが知られている．静脈性梗塞が低吸収域としてみられることがあり，ときには出血性梗塞を呈する．MRIやMRA（特に脳静脈をみるMRV）は診断上必須である．脳静脈還流の遅延・障害やflow voidの欠如，血栓の異常信号域などがみられる．静脈性と動脈性梗塞との鑑別は，静脈性梗塞は動脈の支配領域に一致せず，また静脈性梗塞は動脈性のcytotoxic edemaでなく，vasogenic edemaであるため，拡散強調像で高信号にならず，T2強調像やFLAIR（fluid attenuated inversion recovery）像で高信号となる．

3) **脳血管撮影**：現在でも確定診断として行われる場合がある．静脈相において脳静脈や静脈洞の閉塞や静脈還流時間の遅延を呈する．

　診断は，発熱，頭痛があり髄液所見で異常がない場合，本症を疑い画像にて上述の所見を確認する．

治療

十分な水分補給と通常6週以上の長期高用量抗菌薬治療を基盤とし，血栓に抗凝固療法を行う．なお，抗浮腫薬や抗痙攣薬は適時併用する．

■ 文献

Adams RD, Victor M, et al: Intracranial septic phlebitis. Priciples of Neurology, 6th ed, pp710-2, McGraw-Hill, 1997.

(5) 脊髄硬膜外膿瘍 (spinal epidural abscess)

概念

脊髄硬膜外腔に膿が貯留した状態．背部痛・腰痛で発症し，発熱と膿瘍による圧迫・虚血で脊髄・神経根症状を呈する．近傍の感染巣や外傷・穿通創からの感染，菌血症からの血行性で起きる．治療は抗菌薬と脊髄障害に対する迅速な外科的減圧やドレナージを行う．迅速な診断と治療が重要な神経救急疾患である．

疫学・病態生理

1万入院患者中0.2〜1.2例とまれだが，最近は高齢化・薬物乱用やHIVの増加に伴い増加傾向にある．2:1でやや男性に多い．感染経路には，①直達性：脊椎骨髄炎・椎間板炎，腸腰筋膿瘍，体幹・背部の褥瘡や皮膚化膿巣，体幹脊椎外傷や手術などからの感染，②血行性：菌血症を介した場合，③医原性：硬膜外麻酔や硬膜外カテーテル留置からの感染がある．①が最も多く，③は5.5％と低い．起炎菌は黄色ブドウ球菌が70％と最も多い（図17-7-15）が，連鎖球菌属・Gram陰性桿菌や結核菌および真菌でも起こす．血液や感染巣の培養での菌同定率は30〜40％で，感染巣からのclosed biopsyで60〜70％程度となる．発症部位は硬膜外腔の脂肪組織中の静脈叢が発達している腰椎・胸椎・頸椎の順で多い．脊髄障害は膿瘍による圧迫や血流障害で起きる．

臨床症状

初発は背部痛が70〜90％と最も多く，発熱が60〜70％で続く．病像の進展により4期に区分され，第1期は発熱と腰・背部の自発痛と圧痛，第2期は神経根痛など局所の根症状（12〜47％）と髄膜刺激徴候の出現，第3期は両下肢の脱力，感覚障害，膀胱直腸障害など脊髄症状の出現，第4期は両下肢の対麻痺（34％）を呈する．危険因子として糖尿病が最も多く，外傷，薬物乱用，アルコール中毒が続く．このほか，末期の腎障害，HIV感染，悪性腫瘍などがあげられる．しかし，20％の患者は危険因子を有さない．

診断・検査所見

背部痛・腰痛と発熱をみたら本症の可能性を考慮する．診断には脊椎のMRIが必須である．血清CRPの上昇・末梢白血球数増加・赤沈の亢進を伴う．

1) 脊椎MRI：病変はT2強調像で高信号，T1強調像で等〜低信号を認め，Gd-DTPA造影でびまん性

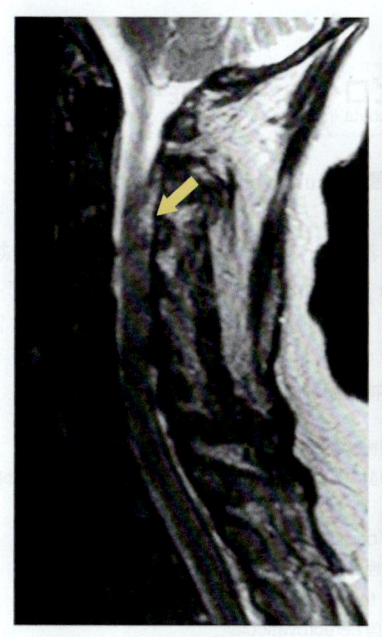
T2（矢状断）

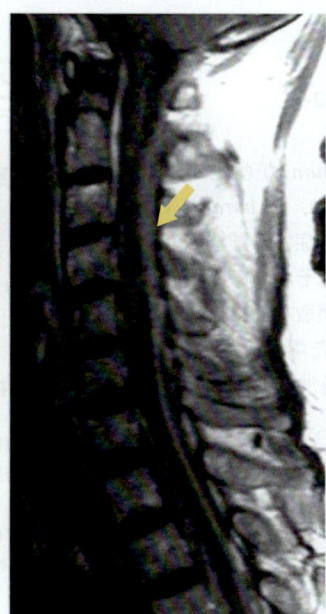
T1-Gd造影（矢状断）

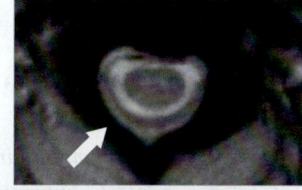
C3レベルのT2（水平断）

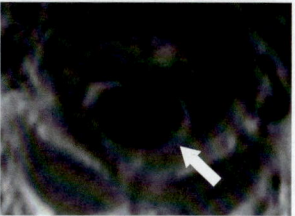
C3レベルのT1-Gd造影（水平断）

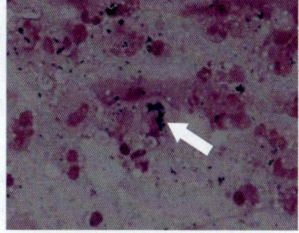
Gram染色で検出された
Staphylococcus aureus

図 17-7-15 脊髄硬膜外膿瘍
腸腰筋の化膿性筋炎から発症した症例．MRIで頸椎硬膜外腔にT2強調像で高信号，ガドリニウム造影で増強効果（矢印）を認めている．起炎菌は黄色ブドウ球菌．

あるいはリング状の増強を示す（図 17-7-15）．MRI は病巣分布の把握，骨髄炎や椎間板炎などの感染原発巣の確定の点からも重要．

2）**脊椎 X 線，CT**：骨髄炎など原発巣の検索をするために行う．

3）**髄液検査**：通常，軽度〜中等度の細胞増加と蛋白増加を示す．糖濃度は通常正常である．

治療

進行性の対麻痺を呈する場合を除き，安静と抗菌薬投与で治療を行う．ブドウ球菌や Gram 陰性桿菌を想定した高用量の抗菌薬治療を長期要するが，膿瘍による圧迫などで脊髄障害を呈した場合は，迅速なドレナージや椎弓切除を含めた外科的減圧が必要となる．しかし，完全麻痺から 48〜72 時間以上を経過した症例や膿瘍が広範囲に及ぶ場合の外科的処置は勧められていない．実際，外科的減圧術を施行した 41％の患者で治療奏効せず，その転機不良要因として，糖尿病と菌血症が指摘されている．現在の死亡率は 10〜23％．

■文献

Patel AR, Alton TB, et al: Spinal epidural abscesses: risk factors, medical versus surgical management, a retrospective review of 128 cases. *Spine J.* 2014; **14**: 326-30.

Reihsaus E, Waldbaur H, et al: Spinal epidural abscess: a meta-analysis of 915 patients. *Neurosurg Rev.* 2000; **23**: 175-204.

Tompkins M, Panuncialman I, et al: Spinal epidural abscess. *J Emerg Med.* 2010; **39**: 384-90.

（6）その他の細菌感染症

a. ボツリヌス症（botulism）【⇨ 6-3-2-3】

概念

ボツリヌス菌（*Clostridium botulinum*）が産生するボツリヌス毒素，または *C. butyricum*，*C. baratii* などが産生するボツリヌス毒素により発症する神経，筋の麻痺性疾患．ボツリヌス毒素またはそれらの毒素を産生する菌の芽胞が混入した食品の摂取などによって発症する．潜伏期は，毒素を摂取した場合（食事性ボツリヌス症）には，5 時間〜3 日間（通常 12〜24 時間）とされる．

神経筋接合部，自律神経節，神経節後の副交感神経末端からのアセチルコリン放出の阻害により，弛緩性麻痺を生じる．種々の症状（全身の違和感，複視，眼瞼下垂，嚥下困難，口渇，便秘，脱力感，筋力低下，呼吸困難など）が出現し，適切な治療を施さない重症患者では死亡する場合がある．

感染経路の違いにより，以下の 4 つの病型に分類される．①食事性ボツリヌス症（ボツリヌス中毒）：食品中でボツリヌス菌が増殖して産生された毒素を経口的に摂取することによって発症，②乳児ボツリヌス症：1 歳以下の乳児が菌の芽胞を摂取することにより，腸管内で芽胞が発芽し，産生された毒素の作用によって発症，③創傷ボツリヌス症：創傷部位で菌の芽胞が発芽し，産生された毒素により発症，④成人腸管定着ボツリヌス症：ボツリヌス菌に汚染された食品を摂取した 1 歳以上のヒトの腸管に数カ月間菌が定着し毒素を産生し，乳児ボツリヌス症と類似の症状が長期に持続する．

治療は早期の抗毒素血清の投与．本症は四類感染症であり，届け出が必要．なお，ボツリヌス毒素は美容・眼瞼痙攣やジストニアなどに対する医療用薬剤として応用されている．一方，強い毒性のため生物テロや生物兵器として利用されることが危惧されている．

ボツリヌス症の病態生理，臨床症状，診断・検査所見，治療に関しては *e* コラム 3 を参照． 〔亀井 聡〕

■文献

Cai S, Singh BR, et al: Botulism diagnostics: from clinical symptoms to in vitro assays. *Crit Rev Microbiol*. 2007; **33**: 109-25.

Chalk C, Benstead TJ, et al: Medical treatment for botulism. *Cochrane Database Syst Rev*. 2011; **16**: CD008123.

厚生労働省：ボツリヌス症．http://www.mhlw.go.jp/bunya/kenkou/kekkaku-kansenshou11/01-04-32.html

b. 破傷風【⇨ 6-3-2-1】
c. Hansen 病【⇨ 6-4-3】

4）スピロヘータ感染症
Spirocheta infection

（1）神経梅毒（neurosyphilis）

概念

神経梅毒は，スピロヘータの一種である *Treponema pallidum*（TP）が神経系へ直接浸潤することにより引き起こされる神経障害である．表 17-7-

表 17-7-3 神経梅毒の分類

1. 無症候型神経梅毒 asymptomatic neurosyphilis
2. 髄膜血管型神経梅毒 meningieal and vascular neurosyphilis
   a. 脳膜型 cerebral meningeal
      びまん性 diffuse cerebral meningeal
      限局型 focal cerebral meningeal
   b. 脳血管型 cerebrovascular
   c. 脊髄髄膜血管型 spinal meningeal and vascular
3. 実質型神経梅毒 parenchymatous neurosyphilis
   a. 脊髄癆 tabes dorsalis
   b. 進行麻痺 paretic neurosyphilis
   c. 視神経萎縮 optic atrophy

3のごとく，多彩な臨床症候を示すことが特徴で，なかでも「髄膜血管型神経梅毒」は神経梅毒の病型で最も高頻度に診断されている．また，近年，不十分な抗菌薬の治療により，非典型的な症状を呈する患者も少なくないことに注意する必要がある．

病因・病態

TPは，通常，感染後3〜18カ月以内に神経系に侵入すると考えられ，早期梅毒（第1期梅毒，第2期梅毒）の時期に25〜60％の患者でTPの中枢神経系への浸潤が生じるとされている．初期には髄膜に単核球の浸潤がみられ，この炎症反応が脳実質に及ぶと軸索変性をきたす．さらに髄膜の細動脈に及ぶとともに梅毒に特徴的な動脈内膜炎を起こし，内膜の閉塞，さらには脳や脊髄の虚血および脱髄などが生じる．晩期梅毒（第3期梅毒）のなかで進行麻痺の臨床経過はきわめて緩徐である．病理学的には髄膜の炎症反応の後，皮質細血管にリンパ球や形質細胞の浸潤がみられ，それは皮質実質にも波及する．このため皮質神経細胞の変性消失，グリア細胞の増生が起こる．肉眼的にも脳は萎縮が顕著である．脳室は拡大し，その壁面は顆粒状上衣炎とよばれるように砂状の肉芽がみられる．異なる病型の脊髄癆では，髄膜血管の炎症の後，脊髄の後根や後索の変性が起こる．

臨床症状

1）無症候性神経梅毒（asymptomatic neurosyphilis）：血清，髄液中の梅毒反応が陽性であるにもかかわらず神経学的には無症状である．脳脊髄液所見において，細胞増加はリンパ球主体で100/μL未満，蛋白は100 mg/dL未満が通常である．

2）髄膜血管型神経梅毒（meningeal and vascular neurosyphilis）：髄膜型神経梅毒は，感染後1〜2年で発症する．臨床症候は，頭痛，項部硬直，脳神経障害，痙攣および精神状態の変化をきたす．障害される脳神経は，視神経，顔面神経，および蝸牛・前庭神経が多く，視力障害，顔面神経麻痺，および聴力低下，耳鳴りを呈する．髄膜血管型神経梅毒は，典型的には梅毒に感染後6〜7年後に発症する．特徴は髄膜の広範な炎症と，局所的または広範な，小，中，大血管系の脳動脈障害である．若年成人の中大脳動脈領域の脳梗塞が特徴である．まれに脊髄梗塞を合併する．髄液細胞数はリンパ球主体で10〜100/μL，蛋白は100〜200 mg/dL程度が多い．

3）進行麻痺（paretic neurosyphilis）：抗菌薬が普及した現在では進行麻痺の発症はまれであるが，典型的には梅毒の感染から15〜20年以上経過した後に発症する．症状は，精神症状が主体である．立ち振る舞いの異常，易怒性などで発症し，徐々に記憶障害や判断力の低下を呈する．また，神経梅毒に特徴的なArgyll Robertson瞳孔（ARP）を認める．ARPでは，瞳孔は縮小し辺縁不整であり，対光反射は消失するが，近見反射は保たれる．「進行麻痺」の名称は末期には四肢麻痺を呈することに由来する．

4）脊髄癆（tabes dorsalis）：脊髄癆は，後索の脱髄性障害や後根および後根神経節を含む障害を呈する．梅毒の感染から15〜20年経過した後に発症し，主症状は，電撃痛，失調性の歩行障害，尿失禁，インポテンツ，腱反射の消失，Romberg徴候陽性などである．電撃痛は，おもに下肢に生じる短時間の激しい痛みで，脊髄癆の80〜90％に認める．また90％以上に瞳孔異常を認め，その半数はARPである．その他，視神経萎縮，栄養障害によるCharcot関節，内臓クリーゼ，アキレス腱を強く握っても痛みを感じないAbadie徴候などがみられる．

脳脊髄液所見・梅毒反応

梅毒反応には，RPR法，ガラス板法，凝集法など脂質抗原を用いるSTS法（serologic test for syphilis）と梅毒スピロヘータを用いる間接赤血球凝集反応（treponema pallidum hemagglutination：TPHA）や蛍光トレポネーマ抗体吸収反応（fluorescent treponema antibody absorption：FTA-ABS）などがある．治療の指標にはSTSが鋭敏であるが，生物学的偽陽性がみられる．FTA-ABSは鋭敏かつ特異度が高い．STSは後期梅毒に，TPHAは初期梅毒に陽性率が低いため，STSとTPHAをスクリーニングとして行い，いずれか一方が陽性であれば必要に応じてFTA-ABSを確認することが望ましい．

治療

無症候性でも症候性と同様に治療を行う．第一選択は水溶性ペニシリンGカリウム®で，1日総量1800万〜2400万単位の点滴静注を10〜14日間行う．ペニシリンアレルギーの患者では代替療法としてセフトリアキソンを投与する場合があるが十分なエビデンスが提供されていないため，脱感作を行ったうえで水溶性ペニシリンGを投与することが推奨されている．ペニシリン治療の初期に発熱，悪寒などを起こすJarisch-Herxheimer反応がある．

（2）Weil病

概念

レプトスピラによる感染症で，代表例が*Leptospira icterohaemorrhagiae*である．Weil病は黄疸出血性レプトスピラ症ともよばれ，*L. icterohaemorrhagiae*を病原とし世界中に分布する．病原体はネズミ，イヌ，ウシ，ブタなどの尿から排泄され，汚染された下水，水田で働く人の皮膚の小さな傷から侵入する．夏〜秋にかけて発生が多い．

臨床症状

1）第Ⅰ期：5〜7日の潜伏期を経て発熱，頭痛，筋

痛，結膜の充血を呈す．

2）第Ⅱ期： 第2週に入ると解熱とともに黄疸，急性腎不全，鼻出血，皮下出血，50～90％の症例に髄膜刺激症状と髄液細胞増加がみられる．

3）第Ⅲ期： 第3週には黄疸が消退しはじめ改善に向かう．この時期になると特異抗体が有意に上昇する．

無黄疸型はレプトスピラ病の約50％を占め，比較的軽症で，感冒様症状または無菌性髄膜炎のみで終始することも多い．

診断・治療

特異な病歴や臨床経過より Weil 病を疑い，血液，尿，脳脊髄液よりレプトスピラを証明する（病原分離，特異抗体，PCR など）．治療は，ストレプトマイシンが第一選択薬である．

(3) Lyme 病【⇨ 6-9-3】

概念

ボレリア属スピロヘータ（*Borrelia burgdorferi*）により，皮膚，神経系，心臓，関節など多臓器が障害される全身感染症である．マダニによって媒介される（四類感染症，全数把握）．

病期・臨床症状

第1～3期に分けられる．第1期（感染初期）は，マダニ刺咬部を中心とする紅斑性丘疹で始まり，この部分を中心とする限局性の遊走性紅斑に発展することが多い．第2期（播種期）には，血行性あるいはリンパ行性に播種することにより，心病変，神経病変，皮膚病変など多彩な症状が現れる．神経障害は，髄膜炎，脳神経炎（特に顔面神経麻痺），根神経炎などを認める．心臓障害は，房室ブロック，心筋・心囊炎が多い．第3期（慢性期）の特徴は関節炎である．慢性関節炎あるいは慢性萎縮性指端皮膚炎，慢性脳脊髄炎を引き起こす．

診断・治療

病歴聴取（流行地での野外作業やキャンプ），咬傷部の観察から疑い，診断は血清中の特異抗体の測定により行う．間接蛍光抗体法（IFA）と ELISA 法がある．患者からの病原体の培養は非常に困難である．治療は，テトラサイクリン系やペニシリン系の抗菌薬を投与する． 〔坪井義夫〕

■文献

Nadelman RB, Wormser GP: Lyme borreliosis. *Lancet*. 1998; 352: 557-65.

5）真菌感染症
fungal infection

(1) クリプトコックス髄膜炎（cryptococcal meningitis）

概念

真菌性髄膜炎は，緩徐な経過を示し，ときに脳実質内に肉芽腫や膿瘍を形成したり，血管内に侵入して血栓や動脈瘤を生じることがある．起炎菌は，クリプトコックスが最も多いが，その他にカンジダ，アスペルギルス，ムコールがある．ステロイドや免疫抑制薬の長期投与，AIDS などに伴い，その発生頻度は増加している．30～50％は AIDS，白血病，腎不全，膠原病，糖尿病などの基礎疾患を有する．クリプトコックス（*Cryptococcus neoformans*）は，世界中の土壌や鳥の排泄物，特にハトの糞で増殖することが知られている．

臨床症状・検査所見

クリプトコックス髄膜炎は，亜急性，慢性髄膜炎の臨床経過をとることが多い．脳実質内に肉芽腫を形成する場合は，髄膜刺激症状に加えて脳局所症状を呈する．この場合，頭部 CT や MRI で占拠性病変として描出され，造影剤による増強効果を有する．髄液圧は上昇し，単核球優位の細胞数増加，蛋白上昇，糖の減少など結核性髄膜炎に類似した所見を示す．

診断

髄液中の菌の検出が重要で，特に，墨汁染色で莢膜を有する *C. neoformans* を証明する（図17-7-16）．また，血中 β-D-グルカンもスクリーニング検査として有用である．深在性真菌感染症は一般に血液および髄液培養の陽性率が低く，抗原・抗体を検出するラテックス凝集反応も一般化している．

治療

アムホテリシン B の点滴静注を行う．10 mg/日より始め，約1週間で 0.5～1 mg/kg/日まで漸増する．

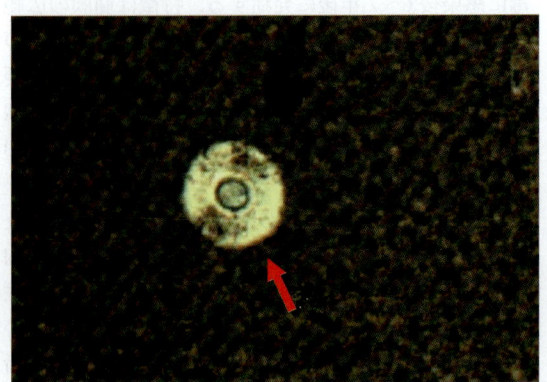

図 17-7-16 クリプトコックス患者の髄液墨汁染色
厚い莢膜をもつ酵母様真菌が観察される（矢印）．

このときフルシトシン（5-FC, 経口）の併用が推奨されている．しかし，最近では，副作用が比較的少なく，脳脊髄液への移行がよいフルコナゾールが使用されることが多くなっている．400 mg，1日1回点滴静注あるいは経口を10～12週間継続する．

(2) 脳アスペルギルス症（cerebral aspergillosis）

アスペルギルス属菌種（*Aspergillus* sp.）による中枢神経感染症である．副鼻腔などの一次感染巣から血行性播種，あるいは局所的拡大を起こす．前者では，前・中大脳動脈領域を中心に多発性病巣をつくり，壊死性または膿性となる．後者では，慢性に経過し肉芽腫を形成する．CT・MRIでの副鼻腔病変の有無を診断上参考にし，組織診断，分離培養が確定診断となる．

治療法は，アゾール系抗真菌薬ボリコナゾールが第一選択薬として用いられる．次に，アムホテリシンBが選択される．病巣が副鼻腔にみられる場合，局所的処置が必要である．

(3) ムコール菌症（mucormycosis）【⇨ 6-5-4】

ムコール菌は，自然界に広く分布し，通常，非病原性の真菌とみなされている．しかし，糖尿病患者，あるいは白血病やAIDSなどで免疫能が低下した患者において病原性を有し発症する．深存性では，脳型，肺型，消化管型，全身播種型などに分けられている．脳型ムコール菌症は，口腔内や副鼻腔を侵入門戸とし眼窩部や動脈に侵入・血栓形成し，局所破壊病変や脳病変を引き起こす．

神経症状では，眼球突出，眼筋麻痺，片麻痺が多く，眼窩内症状と髄膜刺激症状を認めたらまず本疾患を疑う．海綿静脈洞，眼動脈，内頸動脈の血栓症を随伴し，血管への親和性が強い特徴がある．鼻腔，結膜の分泌液の培養，罹患部位の生検により診断する．

治療はアムホテリシンBと5-FCの併用療法を行う．　　　　　　　　　　　　　　　　　〔坪井義夫〕

■文献

Spellberg B, Ibrahim A, et al: Combination therapy for mucormycosis: why, what, and how? *Clin Infect Dis*. 2012; **54** Suppl1: S73-8.

6）リケッチア感染症

神経症状をきたすおもなリケッチア感染症にはつつが虫病，ロッキー山紅斑熱や日本紅斑熱などの紅斑熱群リケッチア症などがある．

(1) つつが虫病（tsutsugamushi disease）【⇨ 6-8-1】

概念・病因

野ネズミなどに寄生するツツガムシリケッチア（*Orientia tsutsugamushi*）のヒトへの刺咬により経皮感染し，発症する．

疫学

古典型つつが虫病はリケッチアをもつアカツツガムシ（*Leptotrombidium akamushi*）というダニに吸着されて発症し，春～夏にかけて多い．古くは山形県，秋田県，新潟県などで夏季に河川敷で感染する風土病であったが，1950年頃から患者発生数は減少している．これに対し新型つつが虫病はタテツツガムシ（*L. scutellare*）やフトゲツツガムシ（*L. pallidum*）というダニが媒介して発症し，第2次世界大戦後に北海道を除く全国で秋～初冬にかけ発生している．

臨床症状

刺し口・発熱・発疹は主要3徴候とよばれ，90%程度の患者にみられる．刺し口は腹部・背部に多く，刺咬部の局所に水疱，膿疱，潰瘍を形成し，所属リンパ節が腫脹する．5～14日の潜伏感染の後，39℃以上の高熱と顔面や体幹の紅斑性，丘疹状発疹，食欲不振などの臨床症状が出現する．患者の多くは頭痛，筋肉痛や全身倦怠感を訴える．重症例では髄膜炎・脳炎[1]，播種性血管内凝固症候群[2]や多臓器不全で死亡する例もある．

頭痛，発熱と髄膜刺激症状を呈する場合もあるが，髄膜刺激症状がなく軽症の経過でも強い頭痛を訴える．髄液検査は圧上昇，軽度～中等度の蛋白増加，糖正常，単核球優位の細胞数増加があり，髄膜炎をときに合併する．治療が遅れ重症化すると，意識障害，痙攣，四肢のミオクローヌスを呈し，髄液検査にて高度の蛋白増加があり，脳炎を併発する場合もある．

検査所見

一般検査ではCRP強陽性，肝酵素の上昇がほとんどの例にみられる．脳炎では頭部CTで脳溝の狭小化などびまん性の脳腫脹を認める．

診断

持続する発熱，発病1～3週間前の野外での生活歴，刺し口の証明，発疹などから本症を疑う．臨床症状が後出の日本紅斑熱と酷似しており，また感染初期にはインフルエンザ症状とも類似しているため，注意が必要である．血液検査にて間接蛍光抗体法（IFA）または間接免疫ペルオキシダーゼ法（IPA）を使って血清型を調べる．ツツガムシリケッチアにはおもに6種類の血清型（Gilliam, Karp, Kato, Kawasaki, Kuroki, Shimokoshi）がある．前3者は標準型とよばれ保険適用であり，一般的な商業的検査機関の検査ではこの3種の検査が行われる[3]．Proteus OKX株に対するWeil-Felix反応は陽性率50%程度と低く補助的に用

いられるにすぎない．末梢血や病理組織からの分離同定による病原体の検出およびPCR法による病原DNA検出は重要で，特に後者は高感度で迅速な診断法として有名である．

治療
第一選択薬はテトラサイクリン系抗菌薬（ミノサイクリン，200 mg/日）．初期であれば経口でも十分有効である．テトラサイクリン系薬剤が使用できないときには，第二選択薬であるクロラムフェニコールを用いる．重症例には播種性血管内凝固症に対する処置などが必要である．リケッチアは細胞壁にペプチドグリカンをもたないため，ペニシリンなどのβ-ラクタム系抗菌薬は無効である．感染症法の四類感染症に指定されているため，確定例・無症状病原体保有者および死体検案をした場合は法第12条1項の規定による届け出を直ちに行う．

(2) ロッキー山紅斑熱（Rocky Mountain spotted fever）【⇨ 6-8-3】

概念・病因・疫学
本来北米のロッキー山脈地方の地方病であるが，最近は米国東海岸地方で患者が多発している．わが国には存在しない．小齧歯類，鳥類，ウサギ，ヒツジあるいはイヌをリザーバーとするロッキー山紅斑熱リケッチア（*R. rickettsii*）がマダニ類（カクマダニ，チマダニなど）を媒介して人に感染する．マダニの活動期である春〜夏にかけて発生しやすい．

臨床症状
3〜12日間の潜伏期間の後，突然悪寒とともに発熱し，激しい頭痛，筋肉痛，関節痛，衰脱感を伴う．発熱とほぼ同時に紅色斑丘疹が手足の末梢部から求心性に多発し，ときに点状出血を伴う．通常刺し口は生じず，発疹は90％以上に認められる．ときにリンパ節腫脹がみられ，約2〜3週間高熱が持続した後解熱する．重症では髄膜炎ないし髄膜脳炎を併発し不穏，興奮，不随意運動，痙攣，片麻痺，難聴，意識障害などを起こし，腎不全，間質性肺炎，循環器症状も高度となる場合がある．

検査所見
血液所見は正常のことが多いが，初期には白血球数減少，後に軽度増加をみることがある．髄液は正常または軽度細胞増加を示す．

診断
初期には臨床症状による鑑別は困難である．血液および病理組織より分離同定による病原体の検出，PCR法による病原体遺伝子の検出，および血清学的診断法（間接蛍光抗体法，ELISA法，Weil-Felix反応）が有用である．確定例・無症状病原体保有者および死体検案をした場合は法第12条1項の規定による届け出を直ちに行う．

治療
ドキシサイクリンなどの抗菌薬が用いられる．

(3) 日本紅斑熱（Japanese spotted fever）【⇨ 6-8-1】

概念
わが国でも1984年に紅斑熱群リケッチア症患者がはじめて報告され，日本紅斑熱とよばれるようになった．本症は紅斑熱群リケッチアの一種 *R. japonica* を起因病原体とし，野山に入りマダニに刺咬されることにより感染する．

疫学
本症はキチマダニ（*Haemaphysalis flava*），フタトゲチマダニ（*H. longicornis*），ヤマトマダニ（*Ixodes ovatus*）などのダニ媒介性疾患の1つである．ヒトは野山に入ったときにこれらのリケッチアをもつマダニ（有毒ダニ）に刺咬され，感染する．また，マダニは幼虫，若虫，成虫のいずれも哺乳動物を刺咬し，吸血する．この感染巣として，齧歯類や野生のシカなどが重要である．

症例数は1994年まで年間10〜20名程度であったが，1995年頃より増加に転じ，1999〜2001年には年間40名近くになった．発生時期は，夏を中心に発生するといわれているが，全国的に春〜秋の長い間注意が必要である．

臨床症状
頭痛，発熱，倦怠感を伴って発症する．潜伏期は2〜8日と，つつが虫病の10〜14日に比べやや短い．また，つつが虫病と同様に発熱，発疹，および刺し口が主要3徴候であり，ほとんどの症例にみられる．

つつが虫病との臨床的な鑑別は困難である．しかし詳細に観察すると，つつが虫病では発疹がおもに体幹部にみられるのに対し，本症では体幹部より四肢末端部に比較的強く出現すること，またつつが虫病に比べ，刺し口の中心の痂皮部分が小さいなどの特徴がある．検査所見では，つつが虫病と同様にCRPの上昇，肝酵素（AST，ALT）の上昇，白血球減少および血小板減少などがみられる．

診断
確定診断はおもに，間接蛍光抗体法による血清診断で行われている．紅斑熱群リケッチアは種間で血清学的交差反応が強く，*R. japonica* を抗原として用いればすべての紅斑熱群リケッチア症の診断が可能であるため，輸入感染症にも対応できる．また，類似疾患の鑑別のため，ツツガムシリケッチアの抗原を併用することが望ましい．

また病原体診断としては，末梢血中からのリケッチアDNA検出が行われている．つつが虫病の場合と同様にEDTA加全血からbuffy coat分画を単離し，

DNAを抽出，PCR法による検出を行っている．リケッチアの分離はマウスや培養細胞を用いて行われるが，P3実験施設が必要であり，時間がかかるので診断には実用的ではない．

治療

ダニ媒介性リケッチア症の一般的な治療および予防法に準じて行う．治療には，本症を早期に疑い適切な抗菌薬を投与することがきわめて重要である．第一選択薬はテトラサイクリン系の抗菌薬である．また，ニューキノロン系薬が有効であるとの報告もある（つつが虫病には無効）．β-ラクタム系の抗菌薬はまったく無効である． 〔三浦義治〕

■文献（e文献17-7-6）

川並 透，溝口二郎，他：オリエンチャツツガムシ．日本臨床 領域別症候群シリーズ No26．神経症候群―その他の神経疾患を含めて，pp532-4，日本臨牀社，1999．

小川基彦，萩原敏且，他：わが国のツツガムシ病の発症状況―臨床所見．感染症学会誌．2001；75：359-64．

Walker DH, Raoult D : Rickettsia and other spotted fever group Rickettsias: Rocky Mountain spotted fever and other spotted fever. Principles and Practice of Infectious Diseases, 6th ed (Mandell GL, Bennett JE, et al eds), pp2287-95, Elsevier Churchill Livingstone, 2005.

7）原虫感染症

原虫は単細胞生物であり，核膜や染色体構造をもち，ヒトの細胞と類似している．侵入した原虫は，生体内にて抗体や細胞性免疫で処理されるが，原虫は細胞内寄生や表面抗原の変異など免疫回避機構をもち，感染が持続する．中枢神経病変をきたす原虫症にはトキソプラズマ，赤痢アメーバ，マラリアが知られている．

（1）トキソプラズマ脳炎（toxoplasma encephalitis）

概念・病因・分類

経口感染で腸管から侵入した病原体 *Toxoplasma gondii* は，おもに血行性で全身に播種され，骨以外のすべての組織・臓器に感染し，寄生する．

先天性トキソプラズマ症では，妊婦のトキソプラズマ感染（特に初感染）により，血行性に急増型虫体が経胎盤感染して胎児に感染する．症状としては網脈絡膜炎，小眼球症，水頭症や小頭症，精神・運動障害，脳内石灰化像，肝脾腫，黄疸，リンパ節腫脹，発疹，発熱などである．

後天性トキソプラズマ症として，免疫能正常者が感染した場合には普通は無症状に経過するが，ときに斑点状丘疹，肝・脾腫を呈する．まれにびまん性，髄膜脳炎などの神経症状を呈する．

免疫不全患者，AIDS患者では代表的日和見感染症であり，慢性潜在性感染の再燃から発症する．病変は脳膿瘍が多く，片麻痺，失語，視野障害，脳神経麻痺，半側感覚障害，痙攣，人格障害，錐体外路症状，小脳症状などの巣症状が頭痛や脳圧亢進症状を伴って，数日～数週間の亜急性の経過で出現する．ときに巣症状を伴わず，急速に致死的となるびまん性脳炎を呈することがある．

診断

血清学的診断，トキソプラズマ原虫の分離，組織学的診断，髄液PCRによる原虫の検出などで診断する．免疫不全者では脳CT/MRIでは輪状に造影される病変としてみられ（図17-7-17），大脳基底核，皮髄境界部が好発部位である．髄液検査では，蛋白は軽～中等度の上昇，リンパ球優位の細胞増加，糖正常を示す．髄腔内でのトキソプラズマ特異IgGあるいはIgM抗体産生の証明は脳炎の診断に有用である．

治療

AIDSに伴う脳炎では，初期標準治療としてピリメタミンとスルファジアジンの併用投与，スルファジアジンが使用できない場合にはピリメタミンとクリンダマイシンの併用投与でも前者と同等の効果が得られる．AIDS患者では強力な抗レトロウイルス療法を早期に併用する．初期治療が奏効した場合，免疫再構成が生じないかぎり，終生のピリメタミンとスルファジアジン，ロイコボリンの併用投与による維持療法が推奨されるが，初期治療が奏効し，脳炎の徴候がなく，CD4陽性リンパ球 > $200/\mu L$ が6カ月以上持続した場合に，維持療法が中止できると考えられる．

（2）脳赤痢アメーバ症（cerebral entamebiasis）

脳アメーバ症は赤痢アメーバ（*Entamoeba histolytica*）の部分症（腸外アメーバ症）の1つである．中枢神経障害をきたすのは全赤痢アメーバ症の1～8％といわれており，脳赤痢アメーバ症のほぼ全例で肝膿瘍を合併している．頭痛，嘔吐，痙攣，意識障害，局所症状など脳膿瘍としての所見や髄膜刺激症状がみられる．髄液は正常ないし非特異的所見を示す．免疫血清学的検査は本症のほとんどの場合，全身性アメーバ感染を伴っているので陽性となり，診断の参考になる．脳CTでは造影剤増強効果のみられない不整形な病巣がみられる．確定診断は組織学的にアメーバの検出からなる．治療としては可及的早期のメトロニダゾールの投与とともに頭蓋内圧亢進に対する外科的除圧術を行う．

（3）アメーバ性脳炎

アメーバ性脳炎は，自然環境中に生息する自由生活

性のアメーバによる中枢神経感染症で，寄生性の赤痢アメーバによる脳膿瘍とは一般に区別される．

a. 原発性アメーバ性髄膜脳炎（primary amoebic meningoencephalitis：PAM）

病原体 Naegleria fowleri は鼻腔内より嗅神経を経由して脳に感染する．健康な若年層が湖水などの水泳などの後に突然発症する例が多い．2～5 日の潜伏期の後，突如として劇症型の化膿性，ときに出血性壊死性脳底髄膜炎の病像を呈する．臨床的特徴は嗅覚異常，味覚異常，高熱，激しい頭痛，項部硬直，痙攣や意識障害などをとり，急激に死に至ることが多い．脳 CT/MRI では，脳溝や脳槽の閉塞，髄膜の造影がみられ，脳皮質の一部にも造影がみられることがある．髄液所見は膿性であり，出血性変化を伴う．圧の上昇，好中球主体の細胞数の高度増加，蛋白増加，糖の著明減少がみられる．髄液の直接鏡検で運動性を有するアメーバを同定することが診断につながる．確定診断は病理組織学的診断が一般的で，PCR などの手法も利用される．治療としてはアムホテリシン B，ミコナゾールの最大耐容量静注が勧められているが，致命率が高い．

b. 肉芽腫性アメーバ性髄膜脳炎（granulomatous amoebic meningoencephalitis：GAE）

病原体アカントアメーバ属アメーバ Acanthamoeba spp. あるいは Balamuthia mandrillaris が経口的あるいは外傷部位を介して侵入し，血行性に中枢へ感染する．AIDS，腎移植，ステロイド治療，化学療法など免疫能の低下した患者にみられる．頭痛，発熱が徐々に増強し，さまざまな神経症状が出現，昏睡に陥る．限局性かつ多発性の慢性脳脊髄炎，脳膿瘍あるいは脳腫瘍の病像を呈する．数カ月～1 年の経過で進行する．髄液所見は無菌性髄膜炎の所見を呈するが非特異的である．脳 CT/MRI で局所病変がみられる．確定診断は病理組織学的診断が一般的で，PCR などの手法も利用される．治療としてはアムホテリシン B，ミコナゾールの最大耐容量静注が勧められているが，致命率が高い．

（4）脳マラリア（cerebral malaria）

概念・病因・疫学

ヒトに感染するマラリア原虫のうち，熱帯熱マラリア原虫（Plasmodium falciparum）の感染にて発症する．マレーシア，タイ，アフリカなど全熱帯地域に広く分布している．マラリアは雌ハマダラ蚊の中腸で有性生殖期が進み，唾液腺にスポロゾイトとして集まり，吸血時に感染する．感染赤血球は脳の毛細血管内皮に粘着するようになり，塞栓や出血などを引き起こす．脳マラリアは熱帯熱マラリア患者の 1～3％に合併し，死亡率は 5～20％にのぼる．熱帯熱マラリアは典型的には 5～10 日の潜伏期の後に悪寒，発熱，頭痛，譫妄など一般の感染症と同様の症状で発症し，さらに 1～2 週間にわたりさまざまな神経精神症状を呈する．神経症状として，傾眠から昏睡に至る意識障害，痙攣，錯乱，見当識障害，急性精神症状，不随意運動，局所神経症状，軽度な髄膜刺激症状，網膜出血などがみられる．神経学的検査では通常上位運動ニューロン徴候を示す．髄液検査は通常正常であるが，まれに細胞数と蛋白増加をみる．脳 MRI T2 強調像で高信号の脳浮腫や脳梗塞と思われる所見の報告がある．

診断

流行地滞在歴を有する発熱患者で，末梢血塗抹標本の Giemsa 染色で病因原虫を認めれば診断が確定される．熱帯熱マラリア原虫感染赤血球の特異的蛋白を検出する dip stick 法が迅速性，特異性，簡便性にすぐれ，有用である．

治療

以下の 3 点に配慮すべきである．

1) **抗マラリア療法**：重症マラリアに対しては，塩酸キニーネの点滴投与が有効である．軽快したら経口療法に切り換える．ほかにクロロキン，メフロキン，ファンシダール，プリマキン，アルテミシニンがある．

2) **全身管理**：抗痙攣薬，低血糖の是正，代謝性アシドーシスの是正，貧血に対する輸血，腎不全に対する透析などが必要である．

3) **細菌感染症**：敗血症あるいは誤嚥性肺炎などに対する治療を行う．

〔三浦義治〕

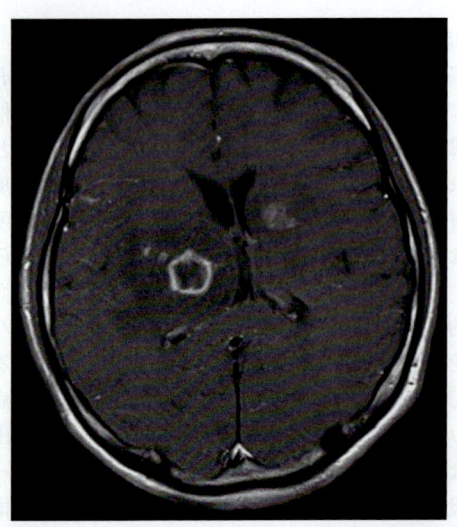

図 17-7-17 AIDS に合併したトキソプラズマ脳炎の頭部 MRI（ガドリニウム増強）
右視床にリング状に造影される病変を認め，周囲に浮腫を伴っている．左尾状核にもガドリニウムで造影される病変を認める．

■文献（e文献 17-7-7）

Durack DT: Amebic infections. Infection of the Central Nervous System, 2 nd ed (Scheld WM, Whitley RJ, et al eds), pp 831-44, Lippincott-Raven, 1997.
Fairhurst RM, Wellems T: *Plasmodium* species (Malaria). Principles and Practice of Infectious Diseases, 6 th ed (Mandell GL, Bennett JE, et al eds), pp3121-44, Elsevier Churchill Livingstone, 2005.
藤井明弘, 栗山　勝：トキソプラズマ脳炎. 臨床神経科学 Vol 28, pp316-8, 中外医学社, 2010.

8) 寄生虫感染症

本項ではおもに中枢神経病変を生じる寄生虫疾患をまとめた（eコラム1）．

(1) 吸虫症 (trematodiasis)

住血吸虫，モクズガニからの肺吸虫，アユなどから感染する横川吸虫，コイなどからの肝吸虫などがある．一般的には下痢や腹痛，頭痛などを伴う．

a. 脳日本住血吸虫症 (cerebral schistosomiasis japonicum)

病原体

日本住血吸虫（*Schistosomiasis japonicum*）は哺乳類の門脈内に寄生し，赤血球を栄養源にする．中間宿主は淡水に生息するミヤイリガイであり，最終宿主はヒト，ネコ，イヌ，ウシなどの哺乳類である．日本（山梨，福岡，佐賀，広島）を含む東アジア，東南アジアに分布する．皮膚炎，かぜ様症状，肝脾腫，腹痛，下痢，好酸球増加などを呈し，肉芽腫を形成する．疾患の主座は門脈系および肝臓であるが，ときに虫卵の脳内侵入により中枢神経症状を呈する．

臨床症状・検査所見

1) 急性脳日本住血吸虫症：虫卵に対する異物反応とアレルギー性血管炎所見を示し，発熱，頭痛，嘔吐，痙攣などがみられる脳炎型，虫卵により脳塞栓を示し，部分痙攣発作，上肢単麻痺や片麻痺，失語，視野障害など高次脳機能障害を示す脳塞栓型，両者の混合型がみられる．検査所見では便から虫卵を認める．末梢血では好酸球増加がある．髄液は軽度の圧上昇，蛋白，細胞数の増加を示し，糖値は正常のことが多い．脳波所見ではθ波やδ波の左右差所見で，発作波はほとんど認めない．

2) 慢性脳日本住血吸虫症：この期の病理組織像は浸潤後の壊死巣や虫卵を核とした肉芽腫，それらの混在など多彩である．症状は急性期の症状が持続する．ほとんどの症例に発作を示す．検査所見では血清免疫学的検査で全例陽性に認められる．脳波所見は汎性αパターンで，左右差のある徐波を混在させ，発作波はまれである．CT/MRIにて日本住血吸虫卵塞栓による脳表層の単発ないし多発する塞栓巣や肉芽腫が描出されることがある．

診断

糞便検査による虫卵の検出，直腸・肝生検による虫卵の検出．補助診断として，血清学的検査，虫卵周囲沈降反応，ゲル内沈降反応，ELISA法も有用である．

鑑別診断

急性では，ほかの寄生虫疾患，アレルギー性脳脊髄炎，てんかんなど，慢性ではてんかん，脳腫瘍，真菌症・梅毒性肉芽腫，陳旧性脳梗塞など．

治療

プラジカンテル，50～60 mg/kg を分3にて1～2日経口投与することで，80％以上の治癒率が得られている．

b. 肺吸虫症 (paragonimiasis)

おもに東南アジア・インド，韓国，アフリカ，中南米に分布するが，わが国ではウェステルマン肺吸虫，宮崎肺吸虫，大平肺吸虫，小型大平肺吸虫，佐渡肺吸虫，ベルツ肺吸虫の5種がある．このうち人に感染して肺に到達するのはウェステルマン肺吸虫，宮崎肺吸虫，ベルツ肺吸虫の3種である．ウェステルマン肺吸虫では第2中間宿主である淡水産のモクズガニに生息するメタセルカリアの経口摂取により感染する．感染したメタセルカリアは小腸上部から腹腔内に移行し，その後肺へと移行する．無症状の場合もあるが，腹痛，下痢，胸痛，咳，痰，喀血などがみられる．慢性気管支炎，気管支拡張症，胸水，肺線維症の合併がある．また，一部症例では脳に迷入し，脳肺吸虫症とよばれる．急性髄膜炎，肉芽腫による腫瘤病変となり，麻痺，頭痛や痙攣，視力障害などをきたし，後遺症を残す．診断は糞便および痰から MGL 法や AMS Ⅲ法などの沈澱虫卵法で，虫卵を検出する．血清もしくは胸水の免疫診断が有効であり，好酸球増加，IgE の上昇を伴う．

治療はプラジカンテルやビチオノールが有効である．

(2) 条虫症 (taeniasis)

ヒトを終宿主として腸管に成虫が寄生する腸管内条虫症と，ヒトが中間宿主となる腸管外条虫症に大別される．腸管内条虫症には裂頭条虫，円葉目条虫，無鉤条虫，有鉤条虫があり，海産の天然サケ，マスなどにいるサナダムシが有名で，小腸内で発育し，2 m 以上に成長する．一方，腸管外条虫症には有鉤嚢虫症，包虫症があり，神経疾患としてはこの2疾患が重要である．

a. エキノコックス症（echinococcosis）

北海道などの寒冷地に分布する多包条虫と牧羊地帯に分布する単包条虫がある．前者は野生動物で，後者は家畜間で伝播する．世界ではシベリア，南米，地中海地域，中東，中央アジア，アフリカ，米国に多く，危険因子はウシ，ヒツジ，ブタ，シカとの接触，イヌ，オオカミ，コヨーテの糞との接触である．発症は10万人に1人程度である．

多包条虫はキツネやイヌを終宿主とし，成虫はその腸管で発育する．ヒトは中間宿主として虫卵を摂取して肝臓に多包虫を形成する．臨床症状は肝腫大や上腹部痛があり，末期には肝硬変，閉塞性黄疸，浮腫をきたす．肝臓癌と誤診される場合もある．肺に侵入した場合は咳，血痰，胸痛，発熱などを引き起こす．一部は脳に転移し，神経症状では痙攣発作，脳局所症状を呈する．診断は超音波検査（肝臓に粒状石灰化），MRI，CTが有用で，ELISA法やウエスタンブロット法による血清中エキノコックス抗体を検出する免疫学的診断も有効である．末梢血では好酸球が増加する．脳CTで単包虫では孤発性，多包虫では多発性の囊胞を認める．治療は外科的完全切除が基本であるが，完全にとりきれない場合も多い．化学療法ではアルベンダゾールまたはメベンダゾールを投与する．放置した場合の5年生存率は30％といわれている．

b. 脳有鉤囊虫症（cysticercosis）

虫卵を経口摂取することで感染する．この六鉤幼虫が孵化し，小腸壁から侵入して全身に伝播して囊虫を形成する．おもにラテンアメリカ，アフリカ，アジアに分布する．無症状に経過する場合が多いが，神経巣症状を引き起こすほか，数年の経過で間欠的に局所での炎症反応を繰り返し，一過性の神経巣症状を呈することもある．小児てんかんの原因となる場合もある．検査では好酸球増加があり，血清学的検査が有用である．

脳実質内石灰化，脳内囊胞，脳炎，水頭症，巨大くも膜囊胞，脳室内囊胞，脊髄囊胞，眼内囊胞などが知られており，脳CT/MRIで散在する囊胞石灰化像，肝囊胞を示し，髄液好酸球も増加する．石灰化を伴う脳腫瘍との鑑別は困難であるが，摘出組織では乾酪壊死を伴わない類上皮肉芽腫を呈し，組織から遺伝子学的検査により診断を行う．

一般に有効な治療はない．アルベンダゾールと副腎皮質ステロイドの併用が試みられるが治療は困難である．

(3) 広東住血線虫症（angiostrongyliasis）

台湾，東南アジア，南太平洋諸島に分布し，沖縄での報告もある．幼虫を有するアフリカマイマイなどのカタツムリ，ナメクジ，カニ，エビ，カエル，リンゴガイなどを摂取することで感染する．幼虫はネズミ体内では脳に集まり，その後肺動脈に至る．非固有宿主であるヒトに感染すると，多くは脳内で発育は停止し，脳実質，くも膜下，脊髄に寄生し，急性好酸球性髄膜炎または脳炎を発症する．頭痛，発熱，顔面麻痺，四肢麻痺，昏睡，痙攣などが2週間の潜伏期の後に出現する．虫体を確認することによる診断は難しく，臨床診断が基本である．髄液で好酸球増加，まれに幼虫がみられる．治療にはチアベンタゾールやメベンタゾールが用いられ，プレドニゾロンなども対症療法として使用される．

(4) 旋毛虫症（trichinosis）

世界的に分布し，ほぼすべての肉食および雑食動物が宿主になりうるが，ヒト以外では臨床上問題になることはない．旋毛虫は同一宿主が終宿主であると同時に中間宿主であるという特徴的な生活環を有する．感染した野生動物や家畜のブタの生肉摂取などで感染する．日本人の発症例では熊肉が原因であった．

経口的に摂取された旋毛虫が小腸内で有性生殖を行い，その幼虫が横紋筋筋線維内で被囊を形成する．顔面浮腫と筋肉痛が出現し，筋炎や脳炎，出血，血管炎など中枢神経障害が起こる．著明な好酸球増加症を呈し，髄液好酸球増加があり，筋生検，特異抗体が診断に有用である．治療はメベンタゾール，チアベンタゾールを使用する．

〔三浦義治〕

■文献

林 正高：吸虫症．日本臨牀領域別症候群シリーズNo26，神経症候群―その他の神経疾患を含めて，pp676-80，日本臨牀社，大阪，1999．

Shakir RA, Pfister HW: Parasitic infections. Neurological Disorders: Course and Treatment（Brabdt T, Caplan LR, et al eds），pp433-52, Academic Press, 1996.

WHO: World health report 1996: Fighting disease, fostering development. Geneva, 1996.

17-8 非感染性炎症性疾患

1）急性散在性脳脊髄炎
acute disseminated encephalomyelitis：ADEM

【⇨ 17-9-3】

2）小舞踏病
chorea minor

概念
A群連鎖球菌感染後に生じる急性リウマチ熱の主症状の1つで，免疫学的機序で生じる筋緊張低下を伴う不随意な舞踏運動であり，Sydenham舞踏病ともよばれる．

原因・疫学
A群連鎖球菌感染に伴う免疫反応と考えられている．菌体成分とヒト組織との交差抗原性が指摘されており，患者血清中の菌体成分に対する抗体がヒトの尾状核や視床下核と特異的に交差反応したとする報告がある[1]（林ら，2013）．神経細胞膜表面のlysoganglioside や細胞内蛋白である tubulin が重要な標的抗原と考えられている[2,3]．

おもに小児期から思春期にみられ成人ではまれである．女性に多い．小舞踏病は急性リウマチ熱の3割程度に発症するが，先進国では抗菌薬使用の広がりによって急性リウマチ熱そのものが減少している．

臨床症状（楢崎ら，2014）
急性リウマチ熱発症から1～8カ月後に，舞踏運動といわれる急速で不規則な動きが，多くの例では手先から始まり，顔面，舌，体幹部，両下肢に広がる．覚醒時には持続するが睡眠で消失する．ときに片側性に出現する．声の変化，顔のしかめ，乳搾り様の握力の動揺，巧緻運動障害，書字拙劣，筋力低下，筋トーヌス低下がみられる．精神症状として，情動不安定，強迫神経症，注意欠如多動症などの精神症状を伴うことがある．急性リウマチ熱の主症状として，心炎，多関節炎，輪状紅斑，皮下結節などが生じるが，これらはA群連鎖球菌感染による咽頭扁桃炎の数週後に起こり，舞踏運動が出現する1～8カ月後には消失していることが多い．本症の亜型として小児期において強迫神経症などの精神症状を前景とする一群がPANDAS（pediatric autoimmune neuropsychiatric disorder associated with streptococcal infections, 小児自己免疫性溶連菌関連性精神神経障害）とよばれ，A群連鎖球菌感染後の免疫介在性機序で生ずると考えられている（Williamsら，2015）．

診断・鑑別診断・検査所見
特異的な検査マーカーはなく，舞踏運動を主とする臨床症状から本症を疑い，連鎖球菌感染による咽頭扁桃炎の先行，心エコーによる心弁膜異常がとらえられれば支持的である．小舞踏病は急性リウマチ熱の1～8カ月後に発症するので，その時点では上気道からA群連鎖球菌は培養できない．ASLOなどの血清抗体も感染前の状態に戻っていることが多いが，抗DNAse-B抗体が診断に有用である．通常，脳画像や髄液に異常はみられない．全身性エリテマトーデスに伴う舞踏病，NMDA受容体脳炎，Huntington病，Wilson病，チック，Tourette症候群，家族性良性舞踏病，甲状腺中毒症，発作性舞踏アテトーゼ，妊娠や経口避妊薬による不随意運動などが鑑別にあがる[4]．

治療・予後
予後は一般に良好で無治療でも徐々に改善し3～4カ月で完治する．対症療法としてバルプロ酸，フェノバルビタール，ハロペリドールが用いられる．ステロイドが病期の短縮に有効であるという報告がある[5]．30％の症例で2～3年以内に再発することが多い．再発の場合は抗菌薬によるA群連鎖球菌による再感染の予防を行う．

〔犬塚 貴〕

■文献（e文献17-8-2）
林 雅晴：抗大脳基底核抗体．*Brain Nerve*. 2013;**65**: 377-84.
楢崎秀彦，藤野 修：リウマチ熱．神経症候群 第2版Ⅱ, pp584-8, 日本臨牀社，2014.
Williams KA, Swedo SE：Post-infectious autoimmune disorders: Sydenham's chorea, PANDAS and beyond. *Brain Res*. 2015; **1617**:144-54.

3）急性小脳炎
acute cerebellitis

概念
感染徴候，ワクチン接種に引き続き，あるいは原因不明の急性小脳失調をきたし急性小脳失調症ともいわれる．小児期に多いが成人にもみられ，一般的には予後良好な疾患であるが，腫瘍随伴性や非随伴性の小脳失調症を含めた自己免疫性神経疾患との鑑別が重要である．

病因・疫学
小児ではウイルス，特に水痘感染後が多いが，成人では特発性が多く，病原体を確定できたものではEBウイルスが多い．ワクチン接種後，腫瘍随伴性や非随伴性の小脳失調症など小脳を主座とした自己免疫性神経疾患，小脳に波及する炎症・腫瘍，薬物中毒，栄養

代謝異常によるものがある．

臨床症状（伊藤，2009；山田，2014）

上気道炎，消化器症状，皮膚症状などの感染徴候に引き続いて，急性の体幹失調による歩行障害が目立ち，2〜3カ月で消退することが多い．前駆症状を欠くこともある．四肢失調，構音障害，眼球運動異常，眼振や，周辺への病態の広がりによって聴力障害，視力障害，髄膜刺激症候，意識障害などを生じることもある．腫瘍随伴性では急性・亜急性に進行し，オプソクローヌス，ミオクローヌスを伴うことがある．

検査所見

髄液検査で単核球優位の細胞数軽度増加，蛋白上昇がみられることが多い．髄液の培養検査，ウイルス抗体価やPCR法による病原体DNAの検出が試みられる．MRIで小脳の腫脹やT2強調・FLAIR画像で高信号をみることもあるが，有意な所見をとらえられないことが多い．脳血流シンチグラフィで急性期に小脳の血流増加がみられることがある．腫瘍随伴性では抗Yo，抗Hu，抗Ri抗体など，非随伴性小脳失調症（三苦ら，2013）では抗GAD[1]，抗甲状腺，抗グリアジン抗体，抗contactin-associated protein 2[2]，抗hormer-3抗体[3]の検出が報告されている．

診断・鑑別診断

感染やワクチン接種の病歴と，急性の小脳失調から本症を考える．腫瘍随伴性では特徴的な上記抗体や，婦人科癌，乳癌，肺小細胞癌などの検索が必要である．Fisher症候群，多発性硬化症，急性散在性脳脊髄炎，脳幹脳炎，橋本脳症，セリアック病，進行性多巣性白質脳症，脳幹部腫瘍，髄膜癌腫症，フェニトインなどの抗てんかん薬，シタラビン，フルオロウラシルなどの抗癌薬，アルコール，トルエンの中毒，Wernicke脳症，ビタミンE欠乏症，甲状腺機能低下症などを鑑別する．病歴，薬歴，髄液所見，脳MRI，全身PET-CT，ステロイド治療に対する反応が診断に重要である．

治療・予後

症状が強い場合にはステロイドのパルス療法と後療法を行う．特発性では，一般的に予後良好で2〜3カ月で後遺症なく軽快する．まれに小脳腫脹により水頭症や小脳扁桃ヘルニア，脳幹部の圧迫により外科的処置を必要とする．特定のウイルス，細菌などが同定された場合には病原体特異的な治療を行う．腫瘍随伴性の多くは治療に抵抗性で急性・亜急性に進行し障害を残して停止することが多い．　　　　　〔犬塚　貴〕

■文献（e文献 17-8-3）

伊藤義彰：急性小脳炎．Clinical Neuroscience. 2009; 27: 1426-28.
三苦　博，南里和紀：脊髄小脳変性症と自己抗体．Brain Nerve. 2013; 65: 355-64.

山田　猛：(成人)急性小脳炎．神経症候群 第2版Ⅱ，pp705-8，日本臨牀社，2014.

4）オプソクローヌス・ミオクローヌス症候群
opsoclonus-myoclonus syndrome

概念

オプソクローヌス（リズム，方向，振幅が不規則で，不随意な衝動的眼球運動）とミオクローヌス（不随意で律動性のない，衝動的な筋収縮による運動）を主症状として，しばしば運動失調を伴うものである．

病因・疫学（Batellerら；2001；松本ら，2014）

成人期では傍腫瘍性，傍感染性，その他によるものがある．傍腫瘍性ではより高齢発症で，随伴腫瘍は小細胞肺癌が最も多く[1]，婦人科癌，乳癌，胃腺癌，非小細胞肺癌，卵巣奇形腫などが報告されている．本症において，抗神経抗体である抗Hu抗体を伴うもの，女性では乳癌に抗Ri抗体を伴うものが知られているが，多くの例では既知の自己抗体は検出されない．傍感染・感染後性では，Lyme病，エンテロウイルス，EBウイルス，HIV，サイトメガロウイルス，連鎖球菌などさまざまな感染によるものがある．また風疹の予防接種後に生じる場合もある．いずれも自己免疫学的機序によるものと考えられている．非傍腫瘍性でもさまざまな抗神経抗体が報告されているが，神経症状の関連は明らかではない．その他として，多発性硬化症，髄膜炎，頭蓋内腫瘍，高浸透圧性昏睡，中毒や薬物の副作用などでみられることがある．小児では半数以上が神経芽腫に伴うものであり，腫瘍はしばしば自然退縮する．オプソクローヌスの発現機序としては，小脳室頂核の脱抑制によるという説が有力である[2]．

臨床症状

ほとんどの症例でオプソクローヌスとミオクローヌスの両方が，急激に生じ2〜3週で極期に至る．体幹失調が先行し，歩行困難，転倒が生じる場合があり，ときに意識障害など脳症を伴うこともある．

診断・鑑別診断・検査所見

症候学的に診断され，特異的な検査法はない．髄液の細胞数，蛋白は正常またはわずかな増加がみられる．ガドリニウム造影MRIはテント下病巣の除外診断に重要である．傍腫瘍性ではしばしば神経症状が先行するので，特に50歳以上や，脳症を伴う場合には傍腫瘍性を考え，胸腹部CT，婦人科的検査，マンモグラフィ，FDG-PETなど悪性腫瘍の検索を精力的に行う．また感染徴候の有無を確認する．肝障害の有無，フェニトインなどの薬剤の副作用や中毒を鑑別する．小児では神経芽腫の検索を行う．

治療・予後

傍腫瘍性では腫瘍の早期発見と治療を行う．神経

状に対してステロイドや大量ガンマグロブリン療法を試みる．傍感染性のものや，小児の神経芽腫に伴うものは反応が良好で軽快することが多い．成人の傍腫瘍性では免疫療法に反応しにくく後遺症が多いが，シクロホスファミド，プロテインAカラムを用いた血液浄化療法による有効例がある．対症的にはクロナゼパム，トピラマート[3)]，レベチラセタムなど抗てんかん薬が有効である． 〔犬塚　貴〕

■文献（e文献 17-8-4）

Bateller L, Graus F, et al: Clinical outcome in adult onset idiopathic or paraneoplastic opsoclonus-myoclonus. *Brain*. 2001; **124**: 437-43.

松本英之, 宇川義一：傍腫瘍性オプソクローヌス・ミオクローヌス症候群（POMS）．神経症候群 第2版Ⅱ, pp755-8, 日本臨牀社, 2014.

5）Tolosa-Hunt 症候群

概念

海綿静脈洞内の特発性炎症性肉芽腫による有痛性眼筋麻痺で，ステロイドが著効するが再発も多い．頭痛という観点から国際頭痛分類（ICHD-3 β）にも位置づけられている（Haoら，2015）．

病因・病態・疫学

リンパ球，形質細胞，巨細胞，線維芽細胞の増殖による非特異的な炎症性肉芽腫が海綿静脈洞，ときには上眼窩裂，眼窩先端に広がる．眼窩の周辺や奥の痛みとともに動眼神経，滑車神経，外転神経，三叉神経第1枝，眼動脈周囲の交感神経，ときには三叉神経第2枝，視神経にも障害が及ぶことがある．自然寛解，再発を繰り返す．発症は各年代にわたり性差はない．

臨床症状（Gladstone, 2007；鎌田, 2014）

眼の周囲や奥がえぐられるような持続性の激しい痛みで始まり，多くは数日の間に動眼・滑車・外転神経麻痺による複視が生じる．交感神経に障害が及ぶとHorner 徴候がみられる．多くは片側性である．

検査所見・診断・鑑別診断

本症に特異的な診断マーカーはない．造影MRIで海綿静脈洞から眼窩先端部にかけて，造影効果を有する軟部組織の腫瘤様変化をみる．海綿静脈洞を貫く内頸動脈断面の不整や狭窄がみられることがある．血液，髄液では軽度の炎症性変化を示すことがある．ステロイドで72時間以内に痛みが改善される．MRI所見やステロイドの効果は，その他の原因による有痛性眼筋麻痺でも起こりうるので，除外診断がきわめて重要である．海綿静脈洞内の脳腫瘍，リンパ腫，動脈瘤，頸動脈海綿静脈洞瘻，頸動脈解離，海綿静脈洞血栓，細菌・真菌・ウイルス・梅毒などの海綿静脈洞感染症，サルコイドーシス，血管炎，多発血管炎性肉芽腫症，肥厚性硬膜炎，眼筋麻痺性片頭痛，側頭動脈炎，糖尿病性眼筋麻痺，甲状腺眼症など多岐にわたる鑑別が必要である．

治療・予後

ステロイドで痛みは72時間以内に劇的によくなるが，脳神経障害は2～8週間続き，MRI画像上の改善はさらに遅れることがある．ステロイドをパルス投与後または1 mg/kgから漸減投与するが，約半数で再発がみられる．

症状改善後も，海綿静脈洞内の悪性腫瘍や感染の可能性も含めMRIを駆使した継続的な注意深い観察が必要である．再発，難治例には免疫抑制薬や放射線療法が有効なこともある． 〔犬塚　貴〕

■文献

Gladstone JP: An approach to the patient with painful ophthalmoplegia, with a focus on Tolosa-Hunt syndrome. *Curr Pain Headache Rep*. 2007; **11**: 317-25.

Hao R, He Y, et al: The evaluation of ICHD-3 beta diagnostic criteria for Tolosa-Hunt syndrome: a study of 22 cases of Tolosa-Hunt syndrome. 2015; **36**: 899-905.

鎌田智幸：Tolosa-Hunt 症候群（Painful ophthalmoplegia）．神経症候群 第2版Ⅱ, pp696-9, 日本臨牀社, 2014.

6）外眼筋炎
ocular myositis

概念

単一または複数の外眼筋の亜急性の炎症で筋腫脹が生じ，眼球運動制限による複視や，眼球運動時に増悪する眼窩部の痛みなどを特徴とする疾患で，特発性眼窩炎の一部である．

原因・疫学

特定できる全身または局所性の原因がなく，特発性で非特異的な外眼筋の炎症性変化である．Lyme 病，連鎖球菌，帯状疱疹など細菌やウイルス感染に伴う自己免疫学的機序が想定されている．若年～中年期に多く，女性にやや多い．従来，続発性とされるものにはサルコイドーシス，全身性エリテマトーデス，Crohn病，ANCA関連血管炎，多発筋炎などが知られていたが，近年，IgG4関連疾患に伴うにものが報告された（Lindfieldら，2012）．

臨床症状（Fraserら, 2013；川村ら, 2014）

急性ないし亜急性の眼窩部，眼窩後部の痛みで，眼球運動時に増強する．複視，結膜充血・浮腫，眼球突出，眼瞼下垂などが，片側あるいは両側性に起こる．半数近くが再発性である．

検査所見・診断・鑑別診断

　眼窩の造影 MRI（冠状断，軸位断，脂肪抑制）が，眼筋の腫脹，信号変化，造影効果をとらえるのに最も感度がよい[1]．免疫療法に対する反応性も参考になる．甲状腺眼症，Tolosa-Hunt 症候群，眼窩内の感染・悪性腫瘍，眼窩先端部症候群，内頸動脈海綿静脈瘻，眼筋型重症筋無力症，動眼神経麻痺等が鑑別にあがる．

治療・予後

　ステロイドのパルス・漸減療法，または局所注射で，多くは急速な改善と寛解が期待される．再発例や長期化する場合にはアザチオプリンやシクロスポリンなど免疫抑制薬，大量ガンマグロブリン療法，インフリキシマブ，リツキサン，放射線療法[2]などの有効例が報告されている．また自然寛解もある．〔犬塚　貴〕

■文献(e文献 17-8-6)

Fraser CL, Skalicky SE, et al: Ocular myositis. *Curr Allergy Asthma Rep*. 2013; **13**: 315-21.

川村和之，三ツ井貴夫：外眼筋炎（眼窩筋炎）．神経症候群 第 2 版 II，pp700-4，日本臨牀社，2014．

Lindfield D, Attfield K, et al: Systemic immunoglobulin G4 (IgG4) disease and idiopathic orbital inflammation; removing 'idiopathic' from the nomenclature? *Eye*. 2012; **26**: 623-9.

7）Vogt-小柳-原田病

概念

　メラノサイトに対する自己免疫学的機序により，両眼性のブドウ膜炎による虹彩炎，脈絡膜炎，漿液性網膜剥離に加え，無菌性髄膜炎，内耳障害による感音性難聴，皮膚や毛髪の色素脱失などを伴う疾患である．

病因・疫学

　網膜はじめ全身のメラノサイトのチロシナーゼ関連蛋白を抗原とする自己免疫反応が原因で，炎症性サイトカインを産生する CD4 陽性 T リンパ球が大きな役割を果たしていると考えられている．免疫学的遺伝素因の観点から，関連するヒトリンパ球抗原（HLA）ゲノタイプとして，HLA-DRB1＊0405，HLA-DQA1＊03014 などが報告されている[1]．本症は日本人の全ブドウ膜炎のおよそ 7％で[2]，Behçet 病につぐ疾患である．女性にやや多く 30 歳代に発症のピークがある．アジア人，ヒスパニックに多いが白人や黒人では少ない．

臨床症状（熊本，2014；Pan ら，2011）

　メラノサイトを含む眼，内耳，中枢神経，皮膚の障害による症状が種々の程度に出現する．神経症状として髄膜刺激症状，意識障害，痙攣，多発脳神経障害，片麻痺，対麻痺，膀胱直腸障害，精神症状として性格変化などがみられることがある．前駆期である数日間の頭痛，羞明，耳鳴，聴力低下，感冒様症状に引き続き，眼病期には，急激な両眼性視力低下，脈絡膜炎，多発性漿液貯留と網膜剥離，虹彩毛様体炎，硝子体炎，網膜浮腫やうっ血乳頭などが数週にわたりみられる．回復期は数カ月～年に及び，頭髪や眉毛，睫毛の色素脱失，白斑，脱毛，脈絡膜の色素上皮の色素脱出による夕焼け状眼底がみられる．慢性・再発期には網膜下線維症，網膜剥離，脈絡膜新生血管，緑内障が生じる．免疫療法が不十分な例では再発しやすい．

検査所見

　髄液中の単核球増加，蛋白増加，ときにメラニン貪食マクロファージが出現する．眼窩部 MRI では網膜，脈絡膜の肥厚と造影効果を認める[3]．光干渉断層計（OCT）による網膜変化の評価，経過観察は欠かせない．

診断・鑑別診断

　眼症状に先行して頭痛など感冒様症状で始まるので，プライマリケアで原因不明の頭痛として治療されることがある．神経所見を伴うブドウ膜炎という観点からは，サルコイドーシスや Behçet 病との鑑別が重要である．眼底観察，OCT，蛍光眼底造影検査で，虹彩炎，脈絡膜炎，網膜下の多発性漿液貯留と網膜剥離，視神経乳頭の浮腫を認め，回復期に至れば脈絡膜の色素脱失による夕焼け状眼底が観察される．無菌性髄膜炎と聴神経障害の有無を確認する．橋本甲状腺炎などほかの自己免疫疾患を伴うことがある．

治療・予後

　ステロイドのパルス療法後，プレドニゾロン（PLS）1～2 mg/kg 投与から半年～1 年かけて緩徐に減量する．再発例にはシクロスポリン，アザチオプリンなどの免疫抑制薬の併用を試みる．初期の重度視力低下，PSL の急激な減量は再発のリスクを上げる．わが国での再発率は 25％と報告されている（Iwahashi ら，2015）．〔犬塚　貴〕

■文献(e文献 17-8-7)

Iwahashi C, Okuno K, et al: Incidence and clinical features of recurrent Vogt-Koyanagi-Harada disease in Japanese individuals. *Jpn J Ophthalmol*. 2015; **59**: 157-63.

熊本俊秀：Vogt-小柳-原田病（ぶどう膜髄膜炎髄膜炎）．神経症候群 第 2 版 II，pp678-82，日本臨牀社，2014．

Pan D, Hirose T: Vogt-Koyanagi-Harada syndrome: review of clinical feature. *Semin Ophthalmol*. 2011; **26**: 312-5.

8）肥厚性硬膜炎
hypertrophic pachymeningitis

概念

　硬膜の一部あるいは広範囲な炎症性肥厚によって，

慢性頭痛と，視力障害や難聴などの多発性脳神経障害，ときに四肢の麻痺や失調，痙攣発作などをきたし，しばしば再発性で治療に抵抗性の疾患である．

病因・疫学（喜多，2014；植田ら，2011）

特発性と続発性に分けられる．続発性では，梅毒，結核，その他の細菌，真菌，ウイルスなどの感染症によるもの，悪性リンパ腫，悪性腫瘍の転移などの腫瘍性疾患によるもの，多発血管炎性肉芽腫症などの抗好中球細胞質抗体（ANCA）関連疾患，多巣性線維性硬化症，IgG4関連疾患，サルコイドーシス，神経Behçet病，関節リウマチ，全身性エリテマトーデス，混合性結合組織病などの自己免疫性炎症疾患によるものがある．わが国では MPO-ANCA 陽性で上気道に限局的な病巣をもつ多発血管炎性肉芽腫症にみられる肥厚性硬膜炎が，高齢の女性に多く，治療にも比較的よく反応すると報告されている（Yokosekiら，2014）．厚生労働省研究班の報告[1]によると10万人に約1人，平均発症年齢は59歳で，全体では明らかな性差はないが ANCA 関連疾患では女性，IgG4関連疾患では男性に多い．

臨床症状

頭痛は70%以上の症例にみられ，典型例では持続する慢性頭痛に脳神経障害，特にⅡ，Ⅴ，Ⅵ，Ⅶ，Ⅷ，Ⅻの障害がみられる．なかでも視力障害，難聴などが多い．硬膜肥厚の好発部位は小脳テント，頭蓋窩と海綿静脈洞部，大脳鎌，大脳硬膜で，肥厚部位や炎症の波及によっては，痙攣，運動失調，うっ血乳頭などが数カ月〜数年の経過で進行する．脊椎部の肥厚性硬膜炎では神経根症状，脊髄症状が出現する．続発性の場合は基礎疾患による特有の症状が加わる．

病理・病態生理

肥厚した硬膜にはリンパ球，形質細胞，線維芽細胞が浸潤しており，類上皮細胞，多核巨細胞，線維芽細胞による肉芽腫の形成がみられる．感染性では起炎菌が検出されることがある．肥厚硬膜の神経への直接圧迫，神経周膜への炎症細胞浸潤，髄膜刺激，水頭症，静脈洞の狭窄や脳圧亢進により，さまざまな症状が出現すると考えられている．

検査所見

血液では白血球増加，赤沈亢進，CRP陽性，免疫グロブリン増加などの炎症性所見がみられる．続発性の場合は基礎疾患に特徴的な好中球細胞質抗体などの自己抗体が陽性になる．IgG4関連疾患ではIgG4の増加がみられることがある．髄液では圧の上昇，蛋白増加，細胞増加をみることが多い．

診断

持続する頭痛と原因不明の多発性脳神経障害を認めた場合に本症を疑う．MRIでは肥厚した硬膜がT2強調画像で通常高信号であるが，線維成分の増加につれて低信号となり，ガドリニウムで明瞭に造影される．造影パターンは結節状，線状いずれもある．悪性腫瘍の場合は骨実質の破壊をみることがある．感染性や腫瘍性の硬膜炎が除外できない場合には硬膜の生検を行う．続発性のものは原疾患の診断が重要であり，各種の疾患特異的な自己抗体の検出が役立つ．髄液減少症は硬膜のMRI所見が似ているが，小脳扁桃の下垂が多いこと，起立性頭痛であることが特徴的である．

治療

感染や腫瘍による場合は対応する治療を行う．自己免疫性や特発性ではステロイドのパルス療法や大量療法が有効であるが，慎重な減量によっても再発を繰り返すことがある．シクロホスファミド，アザチオプリンなどの免疫抑制薬の併用が奏効する例がある．肥厚硬膜による圧迫除去を目的に外科的治療も行われる．

〔犬塚 貴〕

■文献（e文献 17-8-8）

喜多也寸志：肥厚性硬膜炎．神経症候群 第2版Ⅱ，pp689-92，日本臨牀社，2014．

植田晃広，上田真努香，他：肥厚性硬膜炎の臨床像とステロイド治療法に関する1考察—自験3症例と文献例66症例からの検討．臨床神経．2011; 51: 243-7．

Yokoseki A, Saji E, et al: Hypertrophic pachymeningitis: significance of myeloperoxidase anti-neutrophil cytoplasmic antibody. Brain. 2014; 137: 520-36.

9）横断性脊髄炎
transverse myelitis

概念

感染後などの免疫介在性の炎症による脊髄障害である．感染性，血管性，腫瘍性，外傷性のものは除外する．感覚，運動，膀胱直腸障害が急性に生じる．必ずしも両側対称性ではないが髄節レベルをもっており，病変はしばしば長軸方向への広がりをもつ．近年，視神経脊髄炎（NMO）は重要な原因疾患として注目されている【⇨ 17-9-5】．

病因・病理

感染後あるいは傍感染性，まれにワクチン接種後脊髄炎，急性播種性脳脊髄炎，多発性硬化症，NMO，その他の自己免疫疾患（全身性エリテマトーデス（SLE），Sjögren症候群，混合性結合組織病など）に伴う脊髄炎である．数年の経過をみても原因が特定されない特発性のものも多い．組織学的には血管周囲性のリンパ球浸潤，軸索変性，脱髄など，免疫介在性の病態と多様な病因を反映している．

臨床症状（礒部ら，2014；松井，2010）

病巣レベル以下の両側性筋力低下と全感覚種の障害

がある．非対称性，半側性のこともある．膀胱直腸障害など自律神経障害も起こる．頸髄レベルの病巣であれば上下肢の筋力低下がみられ急性期には弛緩性，その後痙性になる．ときに呼吸不全に陥ることもある．感覚低下とともに痛み，しびれ，錯感覚がよく出現し，しばしば帯状の締めつけ感，背部痛，根痛もみられる．症状発現〜ピークまでは数時間〜数日である．病巣の部位は胸・頸髄に多い．

検査所見・診断・鑑別診断

経過やMRI画像から髄内血管障害，髄外からの圧迫性病変を除外する．典型例ではMRI造影効果を有し，脊髄の腫大がみられる．髄液検査では，細胞数のやや増多（<100/μL），蛋白の軽度増加（<100 mg/dL），IgGインデックスの上昇など約半数で異常所見をみる．頭部MRIによる頭蓋内病変や，視覚誘発電位などによる視神経病変を確認し，多発性硬化症やNMOの可能性を検討する．造影MRIは炎症性脱髄巣の新旧評価に有用である．脊髄病変が3椎体以上の長さの場合はNMOの可能性がある．NMOでは抗アクアポリン4抗体陽性のことが多い．NMOは多発性硬化症より再発率が高い．除外すべきものとして血管性（脊髄梗塞，脊髄動静脈瘻など），感染性（HSV-2，VZV，EBV，マイコプラズマ，HTLV-1，HIVなど），腫瘍性（リンパ腫，転移性脊髄腫瘍），その他（放射線障害，傍腫瘍性，遺伝性痙性対麻痺，脊髄空洞症，ビタミンB_{12}欠乏症，銅欠乏症など）がある．

治療・予後（Borchersら，2012）

急性期にはステロイドのパルス療法を行い，数日内に改善のきざしがない場合には後療法を追加，あるいは血漿交換を行う．経過が遷延する場合には免疫抑制薬も考慮する．NMOが強く疑われる場合は血漿交換を行う．痙性，しびれや神経性疼痛，排尿障害には対症療法を行う．初診時ヘルペスウイルスやマイコプラズマによる感染が否定できない場合はそれぞれアシクロビル，マクロライド系抗菌薬を併用する．通常，発症〜数週以内に回復が始まり，約1/3の症例では半年以内に後遺症なく改善する．再発も多く，特発性で1/4，自己免疫疾患関連の症例では70％にのぼる．再発抑制には，NMOではステロイドの少量維持，アザチオプリンの併用，多発性硬化症ではインターフェロン-βやフィンゴリモドの投与を行う．〔犬塚　貴〕

■文献

Borchers AT, Gershwin ME: Transverse myelitis. *Autoimmun Rev.* 2012; **11**: 231-48.
礒部菜摘，鳥巣浩幸，他：横断性脊髄炎．神経症候群 第2版 II，pp827-30，日本臨牀社，2014.
松井　真：横断性脊髄炎．*Clin Neurosci.* 2010; **28**: 108-9.

17-9　脱髄疾患
demyelinating disease

1）総論

脱髄疾患とは，炎症性機転により髄鞘が脱落しても軸索が比較的保たれる疾患をいう．中枢神経を侵す脱髄性疾患には，多発性硬化症（MS），急性散在性脳脊髄炎（ADEM），同心円硬化症，視神経脊髄炎（NMO）などがある．いずれも自己免疫機序により発症すると考えられているが，それぞれ病態機序や経過，治療への反応性が異なっている．

2）多発性硬化症
multiple sclerosis：MS

定義・概念

多発性硬化症（MS）は，中枢神経の白質を侵す非化膿性炎症性疾患である．髄鞘が脱落した病巣でも，軸索が比較的保たれることから脱髄性疾患に分類される．中枢神経のみが障害され末梢神経は障害されないことから，中枢神経髄鞘抗原を標的とした自己免疫疾患と考えられている．本症では中枢神経髄鞘に反応する自己反応性T細胞や自己抗体産生性B細胞が存続するために，いったん発症すると終生にわたり上気道感染などのさまざまな誘因に引き続いて，あるいは誘因なしに，再発と寛解を繰り返す（時間的多発という）．中枢神経系のさまざまな部位が侵されるため，侵された部位により多彩な臨床症候を呈する（空間的多発という）．時間的・空間的多発性を示すことが，本症の大きな特徴である．

分類

再発と寛解を繰り返す病型を，再発寛解型といい，大部分を占める（図17-9-1）．一方，病初期から再発なく，慢性進行性の経過を呈するものを一次性進行型といい，欧米白人で10〜25％，日本人で5〜10％程度を占める．MSは，病初期には比較的軸索が残存し急性炎症が終息すると再髄鞘化が起こるので，麻痺はほぼ完全に近く回復することが多い．しかし，再発を反復するうちに軸索もオリゴデンドログリアも失わ

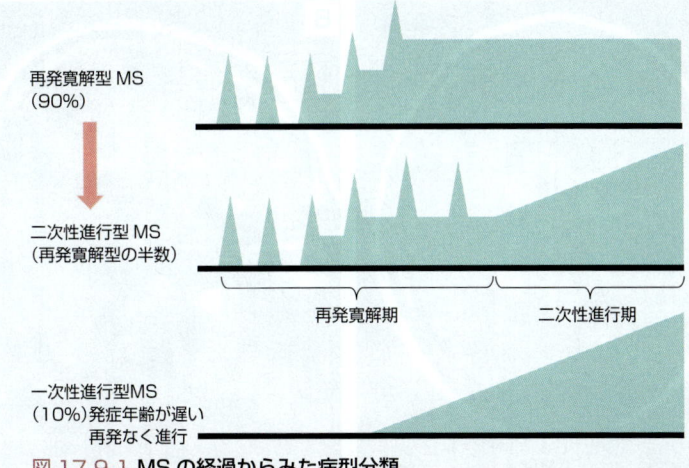

図 17-9-1 MSの経過からみた病型分類
病初期から再発を反復する再発寛解型，初期には再発を反復するが，次第に再発なく障害が進行するようになる二次性進行型，病初期から再発なく慢性進行性の経過を呈する一次性進行型に分類される．再発寛解型と一次性進行型は同一の病気か否かは結論が出ていない．縦軸は，障害の重さを表す．

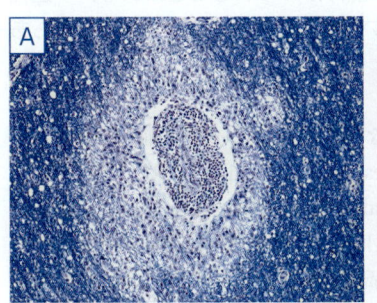 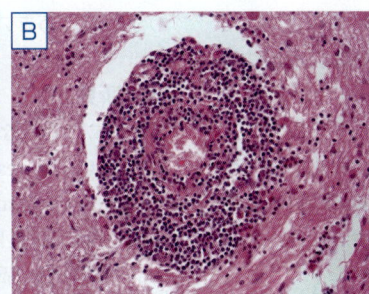 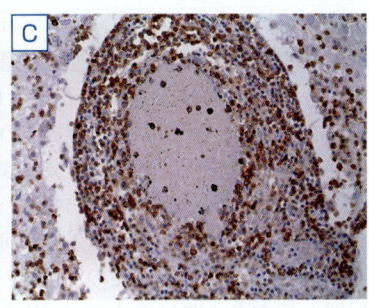

図 17-9-2 MSの病巣
A：髄鞘染色，B：HE染色，C：T細胞染色．血管周囲性に脱髄がみられる．リンパ球やマクロファージなどの炎症細胞浸潤がみられる．血管周囲の浸潤リンパ球は，T細胞が主体である．

れ，神経機能が回復しなくなり後遺症が次第に蓄積する．再発寛解型で発症しても，約半数では10～20年の経過で再発なく次第に障害が進行するようになり，二次性進行型といわれる．

原因・病因

病因は確定していないが，インターフェロン-γの投与で再発が誘導されることから，Th1細胞やTh17細胞が寄与する自己免疫疾患と考えられている．末梢血や髄液では，再発時にTh1細胞やTh17細胞，それらが産生するサイトカインの上昇がみられる．末梢血から樹立されるT細胞株は，各種髄鞘蛋白に対して反応するエピトープの拡大を呈することから，髄鞘蛋白抗原に感作されていると考えられている．障害が次第に進行するのは，脱髄に加えて軸索の障害が二次的に蓄積していくためとされる．

疫学

MSの有病率は人種差が大きく，欧米白人では10万人あたり50～100人程度の有病率であるのに対し，東アジア人では10万人あたり1～10人程度にすぎない．温帯地域では同一人種であっても緯度により有病率は異なり，高緯度であるほど有病率が高い．男女比は，1対2～4で，若年女性に多く，平均発病年齢は約30歳である．近年，わが国ではMSの増加が著しく，最近30年間で有病率は約4倍増えており，環境の近代化や欧米化が影響を及ぼしていると考えられる．

病理・病態生理

急性期病巣には，リンパ球やマクロファージなどの炎症細胞が血管周囲から中枢神経実質内に多数浸潤し，髄鞘を貪食したマクロファージが散在する（図17-9-2）．慢性期病巣では，炎症細胞浸潤は減少し，脱髄に加えて軸索の脱落が顕著になる．慢性期病巣ではグリオーシスが著しくなるため，肉眼的にも脳脊髄に硬化した病巣が多発しているのが認められる．急性

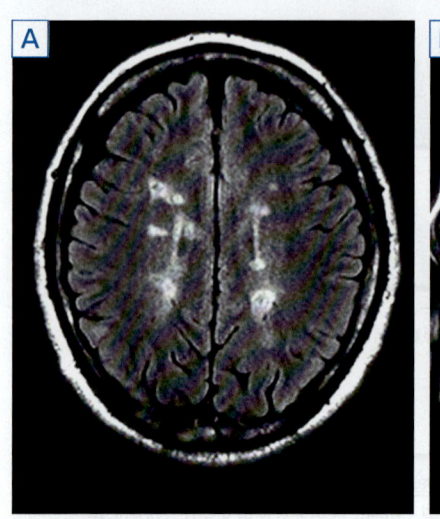
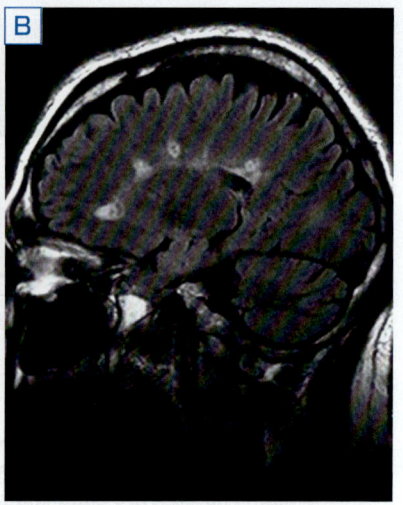

図 17-9-3 MS の脳 MRI 病巣
側脳室より周囲白質へ放射状に分布する長楕円形病巣（ovoid lesion）や線状の病巣（subcallosal streak）がみられる．FLAIR 画像軸位断（A）と矢状断（B）を示す．

期には，軸索は残存していても髄鞘が脱落した軸索では跳躍伝導がもはや起こらず伝導ブロックをきたすために神経機能が失われる．急性期を過ぎて炎症が沈静化すると，再髄鞘化が起こり伝導ブロックは回復する．このため，急性期には神経機能の脱落がみられ，炎症が終息した寛解期には神経機能は回復する．しかし，細胞傷害性 T 細胞やマクロファージが脱髄軸索を切断すると，神経機能は恒久的に回復しない．

MS の疾患感受性は特定の HLA クラスⅡアリルと相関しており，欧米白人では HLA-DRB1*150：1 と，日本人では HLA-DRB1*04：05 と最も強く相関する．

臨床症状

中枢神経のさまざまな部位が障害されうるので，中枢神経白質の障害に基づく多彩な症候が出現する．錐体路障害による痙性対麻痺，片麻痺，四肢麻痺，後索路や脊髄視床路の障害による感覚レベルのある触覚・温痛覚障害や振動覚・関節位置覚障害（感覚性失調），内包レベルの障害による顔面を含む半身の感覚障害，自律神経下行路の障害による括約筋障害（排尿困難，残尿，尿閉，尿失禁，便秘，便失禁）や陰萎，脳幹・小脳障害による眼振，複視，核間性眼筋麻痺，小脳性運動失調，顔面神経麻痺，構音障害などがみられやすい．大脳障害により軽度〜中等度の皮質下性認知障害やうつ，多幸などの情動障害もみられる．灰白質は障害されにくいので，高度の認知障害，痙攣，パーキンソニズム，強い筋萎縮はまれである．

頸髄後索障害により Lhermitte 徴候（頸部前屈時に電撃痛が背部から下肢へ走り抜ける）が認められる．また脊髄障害による刺激症状として有痛性強直性痙攣（約 1 分程度の意識消失を伴わない一肢または二肢の有痛性の筋強直発作）がみられることがある．一過性のかゆみ，めまい，構音障害などがみられることもある．

検査所見

MS に特異的な検査所見はないが，補助検査としては，magnetic resonance imaging（MRI），誘発電位（evoked potential），髄液検査が有用である．脳脊髄 MRI では，病巣は T2 強調画像や FLAIR 画像，プロトン強調画像で高信号，T1 強調画像で低信号を呈する．T2 強調画像の高信号域は脱髄や炎症に伴う浮腫を反映し，T1 強調画像の低信号域は浮腫や軸索の脱落を反映する．T2 強調画像では T1 強調画像より，鋭敏かつ広範に病巣が描出される．急性増悪期には血液脳関門が破綻するために，病巣はガドリニウムで造影されることが多い．通常 4〜8 週間で造影効果は消失する．病巣は中枢神経白質のどこにでも生じうるが，MRI 画像上は大脳では側脳室周囲の白質に病巣を認めることが多く，これは病巣が残存しやすいためと考えられている．炎症細胞浸潤は，後毛細管静脈から起こるので，側脳室から放射状に走行する後毛細管静脈に沿って長楕円形の病巣（ovoid lesion）や線状の病巣（subcallosal streak）がみられるのが特徴である（図 17-9-3）．脳幹では第 4 脳室周囲白質や橋底部など髄液に接するところに病巣を認めることが多い．脊髄では頸髄に病巣を認める頻度が高い．罹病期間が長くなると軸索の脱落が顕著になるため，T1 での低信号域（black hole）が増え，脳が萎縮する．MRI は MS の潜在性病巣の検出にすぐれ診断に有用であるばかりでなく，病勢や治療効果の判定にも利用価値が高い．

誘発電位検査は特定の中枢神経伝導路に脱髄が起こっているかを調べるのに有用である．体性感覚誘発

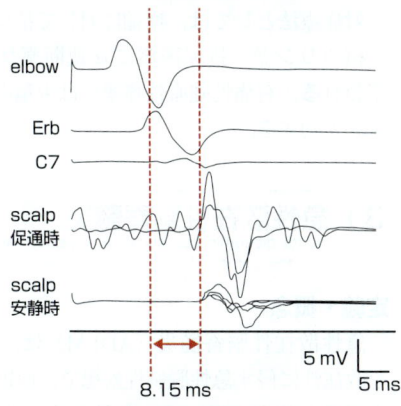
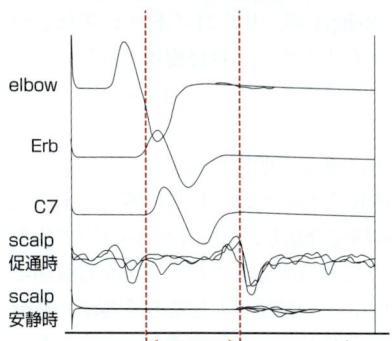

図 17-9-4 MS の運動誘発電位
右上肢への錐体路刺激では，中枢伝導時間は 14.35 ms と遅れているが，左上肢への錐体路刺激では，8.15 ms と正常．

電位検査（somatosensory evoked potential：SEP）では，後脛骨神経または正中神経を反復刺激し背部および頭皮上に記録電極を置いて記録する．後索路に脱髄が生じると，誘発電位が伝導ブロックのために誘発されなかったり，中枢神経伝導時間が延長したりする（図 17-9-4）．ほかに視覚路の機能を調べる視覚誘発電位（visual evoked potential：VEP），聴覚路の機能を調べる聴性脳幹誘発電位（brainstem auditory evoked potential：BAEP）がある．さらに，大脳皮質一次運動野と頸部（または腰部）を磁気刺激し，四肢筋での活動電位を記録する運動誘発電位（motor evoked potential：MEP）がある．頭皮刺激時と頸部または腰部刺激時の活動電位が誘発されるまでの時間の差が中枢神経伝導時間に相当し，錐体路に脱髄があると遅延する．

髄液検査では，急性期には軽度の単核球増加（50 個/μL 以内）と軽度の蛋白上昇を認めることが多い．形質細胞が中枢神経系に浸潤し，限られた特異性を有する免疫グロブリン（IgG）を産生するため，髄液蛋白を電気泳動するとガンマグロブリン領域に 1～数本の明瞭なバンドを認めることがある．これをオリゴクローナルバンド（oligoclonal band：OB）という（図 17-9-5）．欧米白人の MS では 90％以上でみられるとされるが，日本人では約 60％の陽性率である．OB は MS に特異的というわけではないが，陽性であればその診断を支持する．また本症では髄液中の IgG 量（IgG index）も増加することが多い．脱髄のために髄液ミエリン塩基性蛋白が上昇することが多い．全身性の炎症反応は通常みられない．低力価の抗核抗体が陽性になることがあるが，その他の自己抗体がみられることはまれである．

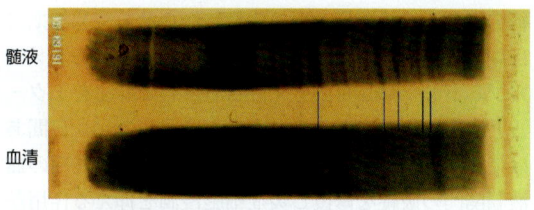

図 17-9-5 髄液オリゴクローナルバンド（OB）
等電点電気泳動法．血清には存在せず髄液にのみ存在するバンド（バーの位置）がみられる．

診断

MS は，中枢神経白質の障害に基づく神経症候が時間的，空間的に多発するときに疑う．本症に特異的な検査所見はないので，神経症候から中枢神経の異なる部位が繰り返し障害されていると考えられ，ほかの疾患が除外されるときにはじめて MS と診断される．脳脊髄 MRI，誘発電位，髄液 OB などは補助的検査として有用である．最近の欧米の MS 診断基準では，1 回の発作であっても，MRI で造影される病巣と造影されない病巣が混在している場合は，時間的多発性と見なして，次の顕在性の再発を待たずに本症と診断することが提唱されている．これは早期に本症の診断を下し，早期に disease modifying drug による治療を開始しようとすることによる．

鑑別診断

中枢神経を多巣性に侵す疾患や，再発を繰り返す疾患が鑑別診断にあげられる．急性散在性脳脊髄炎は多巣性に中枢神経白質を侵すが，基本的に成人では単相性の経過をとる点が異なる．後述の抗アクアポリン 4（AQP4）抗体が陽性の場合は，視神経と脊髄を選択的に侵す視神経脊髄炎と考え，MS とは区別して考える．各種膠原病や血管炎に伴う中枢神経障害は重要な

鑑別となる．これには，Sjögren症候群，全身性エリテマトーデス，Behçet病，サルコイドーシスなどがある．感染性のものとしては，神経梅毒，神経ボレリア症，HTLV-1関連脊髄症などを除外する．

経過・予後
本症により平均寿命が著明に短縮することはない．同等か10年程度短くなるといわれている．欧米白人では平均30歳前後で発症し，10年以上の経過で約半数が二次性進行型に移行するとされる．再発寛解期には再発は中枢神経のどの部位にも起こりうるが，進行期には錐体路の遠位部や小脳が障害されやすく，このため痙性対麻痺や小脳性運動失調が次第に進行する．平均的には約15年で杖歩行，約20年で車椅子生活になるといわれている．一般に一次性進行型は発症年齢が遅いが進行がより速い．

治療
MSの治療は，①急性期の短縮，②再発と障害の進行の抑制，③後遺症への対症療法からなる．急性期には副腎皮質ステロイドのパルス療法が行われる．メチルプレドニゾロン1gを3日間連日点滴静注を1クールとし，回復傾向がみられないときは，7～10日間あけて1～2クールさらに追加する．これは急性期の血液脳関門の破綻を修復し炎症細胞浸潤を抑える作用があり，急性増悪期を短縮できる．後療法として経口プレドニゾロンを40～60mg/日より開始し漸減する．

再発防止には，disease modifying drugを用いる．これには，インターフェロンベータ(IFN-β)(リコンビナントIFNβ-1bまたはβ-1a)，グラチラマー酢酸塩，フィンゴリモド，ナタリズマブなどがある．IFN-βやグラチラマー酢酸塩は皮下または筋肉内注射薬で，Th1シフトを改善し，再発率を約30%減少させ，脳MRI上の病巣の増加を抑える作用がある．フィンゴリモドは経口薬で，リンパ節からセントラルメモリーT細胞が移出するのを抑制し，再発率を60%抑制し，新規病巣の出現を80%抑える．ナタリズマブは，ヒト化抗α4インテグリンモノクローナル抗体で，リンパ球がVLA-4(α4/β1インテグリン)を介して血管内皮に発現するVCAM-1に接着するところを阻止する．これにより，自己反応性リンパ球が脳実質内に浸潤するのを防ぐため治療効果を発揮する．再発率を70%，脳MRI病巣の出現を90%程度抑制する．ナタリズマブは，脳へのT細胞の移動を著明に制限するため免疫監視機構が障害され，JCウイルスによる進行性多巣性白質脳症が18カ月の使用で約1000人に1人の頻度で発生しうる．したがって，JCウイルス抗体が陽性の例では，長期の使用は慎重にする必要がある．また少数例ではあるが，フィンゴリモドでも進行性多巣性白質脳症の発生が報告されている．二次性進行型でも再発が重畳する例では有用とされるが，一次性進行型では効果は期待できない．

対症療法としては，痙縮に対して抗痙縮薬，尿失禁に抗コリン薬，排尿困難にα遮断薬などの治療薬が使われる．有痛性強直性痙攣には少量のカルバマゼピンが著効する．

3) 急性散在性脳脊髄炎
acute disseminated encephalomyelitis：ADEM

定義・概念
急性散在性脳脊髄炎（ADEM）は，中枢神経白質を散在性に侵す急性脱髄性疾患で，原則的に単相性の経過をとるものをいう．急性発症のMSの初回発作とは鑑別が困難であるが，一般にADEMは，発熱や意識障害などの脳症が高度であることが多い．

分類
特発性のものと，感染後性・傍感染性，ワクチン接種後性のものに分けられる．感染後性・傍感染性では，麻疹，風疹，水痘・帯状疱疹などに引き続いて発症する．ワクチン接種後性では，種痘，狂犬病ワクチン接種後のものが知られている．

また，侵される部位により，脳炎型，脊髄炎型，脳脊髄炎型がある．まれに小児では再発性経過をとることがある．この場合は，MSとの異同が問題となるが，意識障害などの脳症を繰り返す場合は，再発性ADEMの可能性がある．成人では再発性ADEMはきわめてまれである．

原因・病因
感染後性・傍感染性では，病原微生物と髄鞘抗原との交差反応・分子相同性(molecular mimicry)により，ワクチン接種後性では接種ワクチンに含有される微量の脳抗原により，髄鞘抗原に対する自己免疫が誘導され，発症するとされる．ワクチン接種後性は製法の改良により近年ではきわめてまれとなっている．

病理・病態生理
病理学的には，脳脊髄など中枢神経白質に散在性に小静脈周囲性のリンパ球浸潤と脱髄巣がみられる．髄鞘抗原に対する自己免疫機序によって起こると考えられている．

疫学
ADEMは，3～9歳の小児に多い．男女比は，2：1とされる．日本の小児のADEMは，10万人対0.3人/年とされる．

臨床症状
急性に38℃以上の発熱，頭痛，嘔吐などで発症し，意識障害，片麻痺，痙攣，半盲，失語などの大脳症状や，対麻痺・四肢麻痺，あるレベル以下の全感覚障害，膀胱直腸障害などの脊髄症状で発症する．脊髄炎型では，あるレベル以下の運動，感覚，自律神経がす

べて障害される横断性脊髄炎を呈することが多い．髄膜刺激症状を伴うことがある．下肢の腱反射の低下がみられることがある．

検査所見

MRIで脳，脊髄にT2強調画像で高信号，T1強調画像で低信号を呈する散在性の病巣がみられる．大脳深部白質，皮質下白質が侵されやすい．大脳基底核，視床，脳幹，小脳に病巣がみられることもある．典型例ではおおむね左右対称性で，ガドリニウムでも一様に病巣が造影されることが多い．髄液は，細胞増加，蛋白増加が，MS例より顕著にみられることが多い．脱髄のために髄液ミエリン塩基性蛋白が上昇することが多い．MSでみられるOBの陽性率は低い(4%程度)．

治療・予後

副腎皮質ステロイドパルス療法に引き続いて経口ステロイドの内服漸減が行われ，有効である．ワクチン接種後性，感染後性・傍感染性では，重篤な後遺症を残すことも多い．ステロイド療法に反応しない場合，血液浄化療法が行われることもある．

4）同心円硬化症（Baló病）
concentric sclerosis

定義・概念

同心円硬化症は，神経病理学的に，大脳白質に脱髄部位と髄鞘残存部位が交互に同心円状に層状構造を呈する脱髄巣が認められるものについて命名された．当初は病理学的に診断されていたが，MRI画像の進歩によりMRIで層状構造が明瞭に認められた場合，本症と生前診断が可能になった（図17-9-6）．わが国ではきわめてまれである．フィリピンや中国で比較的よくみられていたが，最近では激減したとされる．

臨床症状

小児，若年成人を侵すことが多く，両性が侵される．急性発症し，片麻痺，意識障害，除皮質硬直など重篤な大脳症状を呈し単相性の経過をとることが多い．痙攣発作，失語，失行，失認などの大脳巣症状を呈することもある．

検査所見

脳MRI上，大脳白質に層状構造を呈する脱髄病巣がみられる．髄液は細胞数，蛋白ともに正常か軽度の上昇にとどまる．髄液OBは陰性のことが多い．

治療・予後

予後不良で，高度の後遺症を残すか，死亡するに至る．しかし，最近ではMRIで診断し，大量の副腎皮質ステロイドの投与を早期に開始することにより改善する例がある．このような例では再発性の経過を呈することがあり，再発時にはMS様の病巣を呈し，MSへの移行がみられる．

5）視神経脊髄炎
neuromyelitis optica：NMO

定義・概念

視神経脊髄炎は，視神経と脊髄が選択的に障害されるものとして，多発性硬化症（MS）とは異なる疾患として提唱された．典型的には両側性視神経炎と横断

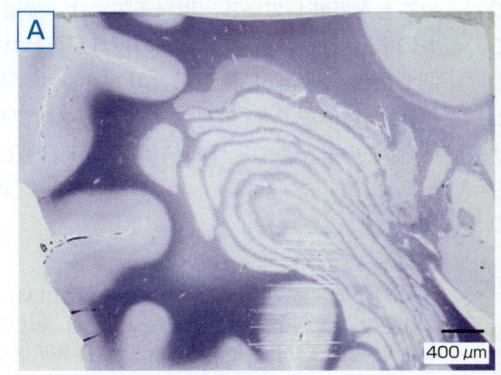 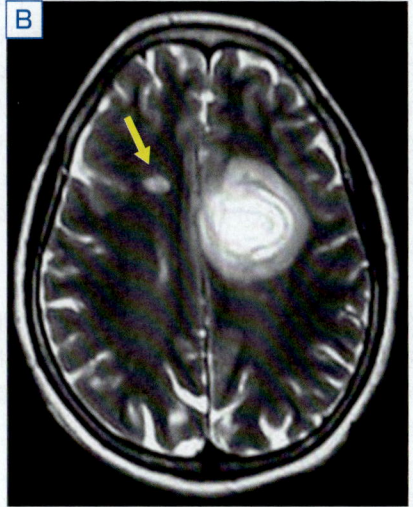

図17-9-6 同心円硬化症の病巣
A：髄鞘染色では，脱髄層と髄鞘残存層が交互に同心円状に配列している．
B：脳MRI（T2強調画像）では，同心円状の病巣と，MS様の小さいovoid lesionの併存（矢印）がみられる
（中国江西省人民医院，呉暁牧教授提供）．

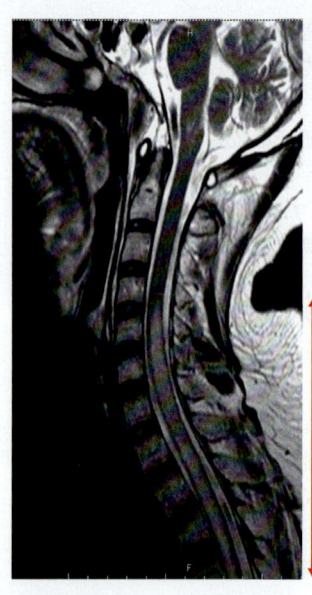

図 17-9-7 NMO の長大な脊髄病巣
脊髄 MRI (T2 強調画像) で，頸髄から胸髄にかけて，3 椎体をこえる長大な病巣を認める．

性脊髄炎が数週以内に相ついで生じ，単相性に経過するものを Devic 病としていた．その後，再発性のものも存在するとされ，そのような例で，アストロサイトの足突起に存在するアクアポリン 4 (AQP4) に対する自己抗体がみられることが明らかになった．このため，NMO は，MS とは異なり，アストロサイトを標的とした自己免疫疾患で脱髄は二次的に起こると考えられるようになった．

分類・病因

単相性のものと再発性のものがある．また抗 AQP4 抗体陽性 NMO と抗 AQP4 抗体陰性 NMO がある．単相性のものでは，抗 AQP4 抗体は陰性のことが多い．抗 AQP4 抗体陽性 NMO では，IgG_1 クラスの抗 AQP4 抗体が中枢神経に侵入してアストロサイトの足突起の AQP4 と結合し補体を活性化し炎症を起こすと考えられている．しかし，抗 AQP4 抗体がどのようにして血液脳関門をこえて中枢神経内に入るかは，不明である．Th1 細胞や Th17 細胞の産生するサイトカインが髄液で上昇していることから，T 細胞の関与も示唆される．抗 AQP4 抗体陰性例では，どのような機序であるかはわかっていない．

病理

病理学的にも，視神経と脊髄に組織破壊の高度な脱髄性病巣を認め，脊髄では白質，灰白質ともに侵され一部は壊死性になる．脊髄では，AQP4 の脱落が髄鞘の脱落より高度にみられることが多い．

臨床症状

急性に視神経炎または脊髄炎を発症する．単相性の古典的な Devic 病のタイプでは，両側性の視力障害と横断性脊髄炎症状を数週以内に相ついで発症する．再発性の場合は，脊髄炎と視神経炎がさまざまな間隔で反復する．視力障害は高度で失明となることが多い．脊髄障害は，対麻痺または四肢麻痺，レベルのある全感覚障害，膀胱直腸障害を呈する．抗 AQP4 抗体陽性例では，延髄背側が障害されることがあり，難治性の吃逆や嘔吐を呈する場合がある．また，大脳白質に広範な病巣を呈する例もある．

検査所見

脊髄 MRI で 3 椎体をこえる長大な病巣をしばしば呈するのが特徴である (図 17-9-7)．MRI で視神経がガドリニウムで造影されることがある．髄液は多形核球を含む著明な細胞増加 (100 個/μL 以上)，高度の蛋白増加を呈することが多い．OB は陰性の例が大部分である．脳 MRI は正常なことが多いが，抗 AQP-4 抗体陽性例では，約半数で脳 MRI 上も病巣を認める．これらには，延髄背側・第 4 脳室周囲，第 3 脳室周囲の視床下部・視床，側脳室周囲に帯状の病巣がみられやすい．MS 類似の脳の潜在性病巣を認めることもある．

診断

急性視神経炎，脊髄炎を呈し，抗 AQP4 抗体が陽性で，脊髄 MRI で 3 椎体をこえる長大な病巣がある場合に本症と診断される．抗 AQP4 抗体が陽性で脊髄炎のみの場合や視神経脊髄炎のみの場合は，NMO spectrum disorder (NMOSD) とされる．アジア人の MS (抗 AQP4 抗体陰性例) では約 1 割で長大な脊髄病巣がみられるため，抗 AQP4 抗体陰性 NMO は，MS との異同が問題となることがある．

治療・予後

急性期には副腎皮質ステロイドパルス療法，または血液浄化療法が行われ，有効である．失明，対麻痺など高度の障害を残すことがあり，これは軸索障害が強いことを反映している．再発予防には，少量ステロイドの維持量投与や免疫抑制薬の投与が行われる．難治例では，B 細胞を標的としたリツキシマブ (抗 CD20 抗体)，補体成分を標的としたエクリズマブ (抗 C5 抗体) などのモノクローナル抗体療法が有効なことがある．

〔吉良潤一〕

■文献

原　寿郎，鳥巣浩幸：急性散在性脳脊髄炎 (ADEM)．免疫性神経疾患ハンドブック (楠　進編)，pp108-20，南江堂，2013．
吉良潤一編：多発性硬化症の診断と治療，新興医学出版社，2008．
吉良潤一編：多発性硬化症と視神経脊髄炎，中山書店，2012．
多発性硬化症治療ガイドライン作成委員会編：多発性硬化症治療ガイドライン 2010，医学書院，2010．

17-10 代謝性疾患

1）脂質代謝異常症，糖蛋白代謝異常症，ムコ多糖症

リソソームは膜で包まれた細胞内小器官の1つで，水溶性の酸性加水分解酵素を含み，高分子を消化している．これらの加水分解酵素は，小胞体で前駆体が生合成され，Golgi体でマンノース-6-リン酸（M6P）が付加された後，輸送小胞の受容体に結合してリソソームに運ばれ，活性化蛋白質や保護蛋白質の作用により酸性下で酵素活性を示す（図17-10-1）．これらの酵素の遺伝的異常によりその基質がリソソーム内に蓄積して起こるのが「リソソーム病」である．日本人で多いのは，脂質代謝異常症のFabry病（600人以上），Gaucher病（約150人），ムコ多糖症のHunter症候群（約250人）である．ここでは神経症候について概説する．

(1) 脂質代謝異常症 (lipidosis) 【⇨ 15-4-1】

多くは乳幼児期の精神発達遅滞，筋緊張の低下に始まり，徐々に痙性麻痺に移行して球麻痺や痙攣などをきたす．

a. Gaucher病

1型（非神経型）では肝脾腫，貧血などを認めるが神経症状は伴わない[1]．2型（急性神経型）は，肝脾腫に加えて神経症状（斜視，開口困難，痙攣）を伴い2歳頃までに亡くなる[2]．3型（亜急性神経型）は，全身症状に遅発性の神経症状を伴いゆっくりした経過をたどる[2]．

病因であるグルコセレブロシダーゼ（GBA）遺伝子の変異は，人種に関係なく孤発性のParkinson病の重要な危険因子である[3,4]．日本人の場合，GBA変異のキャリアーはそうでない人と比べると28倍Parkinson病にかかりやすく，変異がある人はない人と比べて発症が約6年早い[5]．酵素補充療法による神経症状の改善は難しい[6,7]．

b. Fabry病

学童期の男性で反復性の四肢の灼熱様疼痛発作，感覚異常を発症し，体幹の被角血管腫，角膜混濁，腎・心機能障害を呈する[8]．海外では，病因であるα-ガラクトシダーゼ（GLA）遺伝子の変異が若年成人の脳血管障害の約5％に同定された[9]．日本人男性でも脳梗塞の重要な遺伝性危険因子であることが判明した[10]．その多くはラクナ梗塞で，椎骨・脳低動脈の拡張・蛇行が特徴的である[11,12]．若年成人の原因不明の腎不全，心不全，あるいは脳血管障害では，GLA遺伝子変異を調べることが重要である．女性保因者でもしばしば角膜混濁が認められ，心筋障害，脳血管障害を起こす[8]．酵素補充療法の脳神経系への効

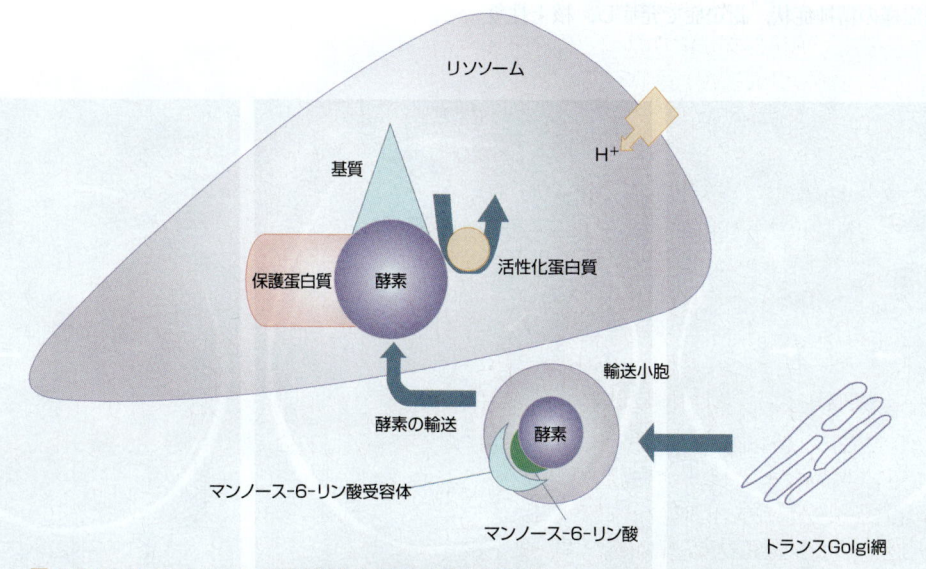

図 17-10-1 リソソームの酸性加水分解酵素の発現と活性
酵素は粗面小胞体で合成され，Golgi体で付加されたマンノース-6-リン酸がシグナルとなり輸送小胞のマンノース6-リン酸受容体に認識され，リソソームに運ばれる．そして活性化蛋白質や保護蛋白質の作用により酸性下で酵素活性を示す．

果は少ない[13]．

c. GM₁ガングリオシドーシス

日本人では発達が正常で知能障害が少ない成人型（3型）が多い[14]．学童期から構音障害が現れ，ジストニアなどの進行性の錐体外路症状が特徴的である[14,15]．日本人の成人型ではIle51Thrの遺伝子変異が多い[16]．ケミカルシャペロン療法がわが国で開発されつつある[17]．

d. GM₂ガングリオシドーシス

3つの遺伝子が関与し，HEXA遺伝子異常はTay-Sachs病（B variant），HEXB遺伝子異常はSandhoff病（O variant），GM2Aの遺伝子異常はGM₂活性化蛋白質欠損症（AB variant）という[18,19]．

GM₂ガングリオシドはおもに神経細胞に蓄積し，進行性の精神運動障害や眼底黄斑部のチェリーレッド斑（cherry-red spot）をきたす[20]．肝脾腫，骨変化は認めないことが多い[20]．遺伝子変異による3病型を臨床症状で区別することは難しい[21]．神経症状の発症時期で乳児型，若年型，成人型に分類するが，ほとんどは乳児型である．近年，脊髄小脳変性症，あるいは脊髄性筋萎縮症類似の若年成人発症例が海外で報告されている[22,23]．また，Tay-Sachs病とAlzheimer病，Parkinson病との関連が注目されている[24]．中枢神経症状に対する酵素補充療法の効果はあがっていない[25]．

e. Niemann-Pick病C型

発症年齢は新生児から成人まで多様で進行性の神経症状，肝脾腫をきたす．幼児期からの精神発達遅滞，失調，カタプレキシー（笑うと力が抜ける），垂直方向の眼球運動障害がみられる[26]．思春期から成人期に統合失調症様の精神症状，認知症で発症し，核上性垂直性眼球運動障害，運動失調，嚥下・構音障害をきたす緩徐進行性の遅発症例では，神経原線維変化を認める[27]．また蓄積した脂質にリン酸化α-synucleinの共存がみられ，一部ではアミロイドβ蛋白質の沈着が認められる[28]．糖脂質グリコシルセラミドの合成阻害薬ミグルスタットが神経症状の改善，進行抑制に有効である[29]．

f. 異染性白質ジストロフィー

蓄積するスルファチドは髄鞘を構成する糖脂質で，cresyl violetで染色すると褐色に染まる異染性を示す[30,31]．中枢神経と末梢神経の脱髄により白質ジストロフィー＋末梢神経障害の臨床像を示し，Krabbe病や副腎白質ジストロフィーと類似する[31]．乳幼児は歩行障害で発症することが多く，発症が遅い場合は精神運動発達遅滞，行動異常，痙性麻痺をきたす[32,33]．成人では緩徐進行性の知能低下，精神症状がみられ，末梢神経伝導速度が著明に低下するのが特徴である[32,33]．髄腔内酵素補充療法などの新たな治療法が開発中である[34]．

g. Krabbe病（globoid cell leukodystrophy）

中枢と末梢神経の両方に脱髄をきたすのが特徴である[35]．蓄積したガラクトセレブロシドから脂肪酸が離脱したサイコシンは神経毒性があり脱髄を引き起こす[36]．精神運動障害，視神経萎縮などをきたす乳児発症がほとんどである．痙性麻痺（痙性歩行），末梢神経障害（下肢筋力低下）を初発症状とする成人発症例では，運動ニューロン疾患の鑑別が必要である[37,38]．脳のMRI（FLAIR画像）では大脳白質のびまん性あるいは錐体路に一致した高信号域が特徴的である[39]（図17-10-2）．

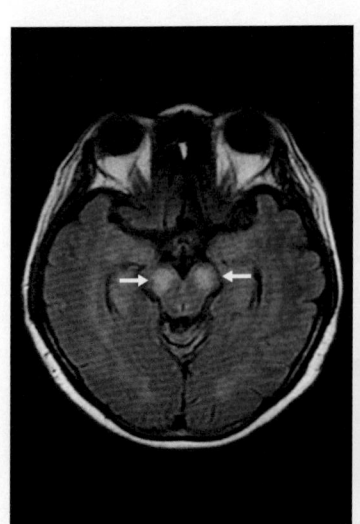 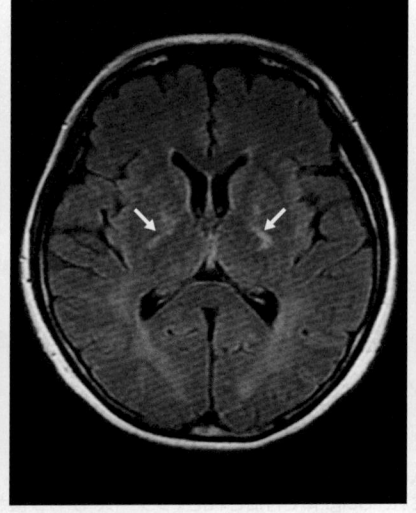 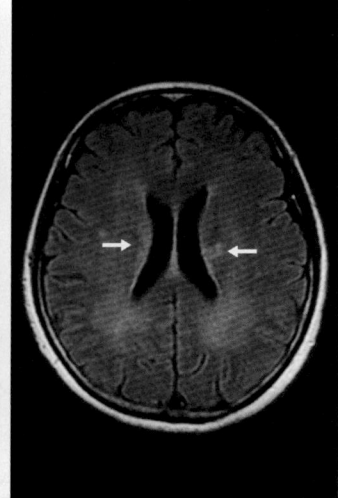

図17-10-2 Krabbe病の頭部MRI（FLAIR画像）
両側の錐体路に高信号域の脱髄像が認められる（矢印）．

(2) 糖蛋白代謝異常症 (oligosaccharidosis)
【⇨ 15-6-10】

神経系や腹部臓器に糖蛋白質やオリゴ糖の蓄積を認める一群の疾患である. ムコ多糖症と類似の症候を呈する.

a. シアリドーシス

Ⅰ型は cherry-red spot-myoclonus 症候群とよばれており, チェリーレッド斑とミオクローヌス, 小脳性の運動失調, 痙攣が特徴である[40,41]. Ⅱ型ではこれらの症状と Hurler 症候群類似のガーゴイリズム (gargoylism) や骨格変形が特徴的である[42,43].

b. ガラクトシアリドーシス

保護蛋白質カテプシン A の異常によりシアリドーシス類似の臨床症状をきたす[44,45]. 若年/成人型の症例のほとんどが日本人である. 10 歳以降に視力障害で発症し, 小脳性の運動失調, ミオクローヌスなどの神経症状と眼底のチェリーレッド斑, 角膜混濁, 被角血管腫, ガーゴイリズム, 骨の変形, リンパ球の空胞化, 腎障害, 心障害など多彩な臨床症状を呈する[45,46].

(3) ムコ多糖症 (mucopolysaccharidosis: MPS)
【⇨ 15-6-11】

Ⅰ型〜Ⅸ型の病型に分けられている. Ⅱ型だけが X 染色体連鎖劣性遺伝でほかの型はすべて常染色体性劣性遺伝をとる. 臨床症状は多様であるが, ガーゴイリズム, 骨格変形, 関節拘縮や内臓の腫大を認め, 角膜混濁, 精神発達遅滞を伴う. 近年, ムコ多糖症Ⅰ型, Ⅱ型, Ⅵ型では酵素補充療法が行われている[47].

a. MPS Ⅰ型

重症型の MPS Ⅰ H 型 (Hurler 症候群), 中間型の MPS Ⅰ H-S 型 (Hurler-Scheie 症候群), 軽症型の MPS Ⅰ S 型 (Scheie 症候群) に分類される[48].

Hurler 症候群は, 生後 6 カ月〜2 歳頃にガーゴイリズム, 肝脾腫, 臍あるいは鼠径ヘルニアが認められ, 徐々に発達障害, 角膜混濁, 交通性水頭症をきたす[49,50]. 頭蓋骨の肥厚も特徴的である[51]. Scheie 症候群は, 5 歳以降に関節拘縮, 大動脈弁狭窄・閉鎖不全, 角膜混濁, 肝脾腫大などをきたすが, 知能は正常である[49,52].

b. MPS Ⅱ型 (Hunter 症候群)

日本人のムコ多糖症の約半数を占める[53,54]. MPS Ⅰ型と類似した症候をとるが進行はゆるやかで角膜混濁はない. 知能障害はないが, 聴覚障害, 手指の知覚障害がみられる[55,56].

c. MPS Ⅲ型 (Sanfilippo 症候群)

原因酵素の違いから 4 つの亜型があり, 日本人は B 型が多い[57]. いずれの亜型も臨床症状は類似しており進行性で重度の精神神経症状が特徴的である. ムコ多糖症に特徴的な顔貌や骨の変形は軽微である[58,59]. 3〜5 歳頃から睡眠障害, 精神運動発達遅滞が現れ, 多動で攻撃的となり痙攣発作を伴う[58,59].

(4) ペルオキシソーム病

ペルオキシソームは細胞小器官の 1 つで, 20〜26

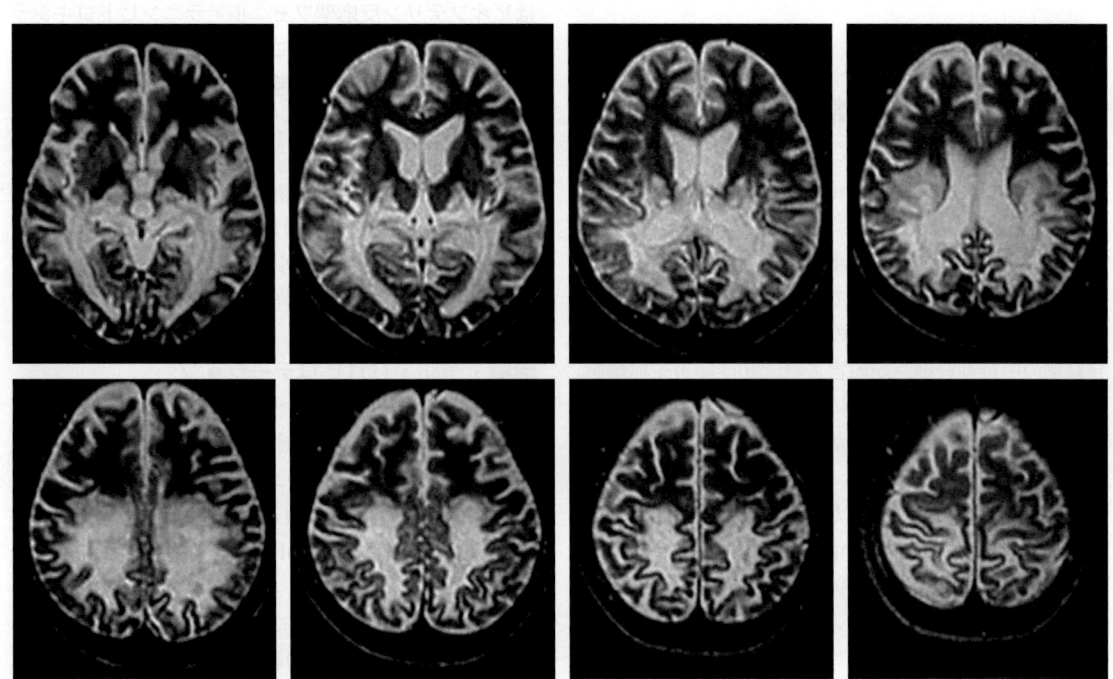

図 17-10-3 副腎白質ジストロフィー (ALD) の頭部 MRI (T2 強調画像)
側脳室三角部周辺, 脳梁に高信号域の脱髄像が認められる.

の炭素鎖をもつ極長鎖脂肪酸(VLCFA)のβ酸化を行う．ペルオキシソームの形成異常症(Zellweger症候群など)と単独酵素欠損症(副腎白質ジストロフィーなど)に大別される．

a. 副腎白質ジストロフィー

ペルオキシソームの膜輸送蛋白質遺伝子 *ABCD1* の変異による伴性劣性遺伝病である[60]．中枢神経系の進行性脱髄，ときに副腎機能不全や末梢神経障害を伴うのが特徴である[61]．40％を占める脳型は，4～8歳頃に皮膚の色素沈着，易疲労などの副腎機能不全と注意欠陥障害で発症し，重度の行動異常，知能低下，皮質聾，皮質盲，四肢痙性麻痺をきたす[62]．また，約45％は副腎脊髄ニューロパチー(adrenomyeloneuropathy：AMN)とよばれる軽症型で，20～30歳代から進行性の痙性対麻痺，排尿障害，性機能障害と末梢神経障害を生じる[63]．脱髄は後頭葉から頭頂葉，側脳室周囲に好発する[64](図17-10-3)．血清や赤血球の脂肪酸分析で極長鎖脂肪酸の増加により診断する[65]．造血幹細胞移植が小児大脳型軽症例の進行抑制には有効である[66]．エルカ酸とオレイン酸の混合物(Lorenzo's oil)は血清中の極長鎖脂肪酸を正常化するが，神経症状には無効である[67]．　〔宮嶋裕明〕

■文献(e文献 17-10-1)

Scriver CR, Beaudet AL, et al eds: The Metabolic and Molecular Bases of Inherited Disease, 8th ed, McGraw-Hill, 2001.
先天代謝異常．12．ペルオキシソーム病．および 13．ライソゾーム病．新領域別症候群シリーズ No. 28．別冊日本臨牀，神経症候群 第2版Ⅲ，pp728-799，日本臨牀社，2014.

2) アミノ酸代謝異常

(1) フェニルケトン尿症(phenylketonuria：PKU)

定義・概念

フェニルアラニンヒドロキシラーゼの機能低下によりフェニルアラニンが代謝できないためフェニルアラニンは過剰となる．高濃度のフェニルアラニンにより発育期の中枢神経細胞が障害され，知能障害や痙攣をきたす．またチロシン欠乏により，メラニン色素欠乏による皮膚色素の低下などが起こる．

分類

血中フェニルアラニン値が 20 mg/dL の古典型フェニルケトン尿症，10～20 mg/dL の軽症型フェニルケトン尿症，10 mg/dL 以下の軽症型フェニルアラニン血症と重症度分類される．フェニルアラニン水酸化酵素の補酵素のテトラヒドロビオプテリン(BH$_4$)代謝異常症も同様にフェニルアラニン高値となる【⇨15-3-4】．

原因・病因

フェニルアラニンヒドロキシラーゼの先天的な機能低下による．

疫学

フェニルケトン尿症は，欧米人で約 1/1 万人，中国人で約 1/1 万 6000 人，日本人で約 1/8 万人と発生頻度に地域差がある．

病態生理

脳内の高フェニルアラニン状態がアミノ酸インバランスを起こし中枢神経細胞障害をきたすとされる．大脳皮質の階層化障害，神経細胞の遊走不全や異所性灰白質が生じる．ドパミン代謝産物の偽ペルオキシダーゼ反応などにより黒質緻密部の消耗性色素沈着などが起こる[1-3]．

臨床症状

無治療の場合，特有なネズミ様尿臭を認め，知能障害，痙攣，行動異常が出現する．チロシン欠乏により色白な皮膚，赤茶けた頭髪が出現する．

検査所見

血中フェニルアラニン高値とチロシン低値が特徴的検査所見である．

診断

血中フェニルアラニン値の高値により診断される．

鑑別診断

フェニルケトン尿症と BH$_4$ 欠損症が高フェニルアラニン血症の病因となるため鑑別が必要である．BH$_4$ 内服負荷試験を行い BH$_4$ に反応して血中フェニルアラニンが低下する場合，ビオプテリン代謝異常症またはビオプテリン反応型フェニルアラニンヒドロキシラーゼと考えられる．さらに体液中プテリジン分析と血液中ジヒドロプテリジン還元酵素(DHPR)活性の測定を行い鑑別をすすめる．

経過・予後

新生児濾紙血を用いた新生児マススクリーニングの該当疾患の1つであり通常は新生児期に無症状で発見される．早期にフェニルアラニン制限食による治療を開始することで中枢神経症状などの出現が予防できる．

治療・予防・リハビリテーション

新生児期に早期発見し，フェニルアラニン除去ミルクと低蛋白食による食事療法が中心となる[5]．診断後は速やかにフェニルアラニン除去ミルクにより血中フェニルアラニン濃度 10 mg/dL 以下に管理する．ビオプテリン反応型では BH$_4$ 治療も併用する．その後に1日に摂取できるフェニルアラニン量を推定し年齢ごとの適正な濃度範囲に維持する．高フェニルアラニンの中枢神経細胞への影響は幼少時ほど大きいため，乳幼児期は 2～4 mg/dL，幼児期後半～学童期前半 3～6 mg/dL，小学生後半 3～8 mg/dL，中学生以

降3〜10 mg/dLに維持する． 〔井原健二〕

■文献(e文献 17-10-2-1)

National Institutes of Health Consensus Development Panel: National Institutes of Health Consensus Development Conference Statement: phenylketonuria: screening and management, October 16-18, 2000. Pediatrics. 2001; **108**: 972-82.

Scriver CR, Kaufman S: The hyperphenylalaninemias. Phenylalanine hydroxylase deficiency. The Metabolic and Molecular Bases of Inherited Disease, 8th ed (Scriver CR, Beaudet AL, et al eds), p1667, McGraw-Hill, 2001.

(2) テトラヒドロビオプテリン(BH_4)欠乏症 (tetrahydro-biopterin deficiency)

定義・概念
3種類の芳香族アミノ酸(フェニルアラニン，チロシン，トリプトファン)ヒドロキシラーゼに共通する補酵素であるBH_4の生合成系または再生系の酵素欠損によりBH_4欠乏をきたす疾患である．一般には高フェニルアラニン血症を伴う疾患を指す．

原因・病因
ビオプテリンの代謝が障害されるおもな酵素欠損として，GTPシクロヒドロラーゼI(GTPCH)欠損症，6-ピルボイルテトラヒドロプテリン合成酵素(PTPS)欠損症，ジヒドロプテリジン還元酵素(DHPR)欠損症，プテリン-4α-カルビノールアミン脱水酵素欠損症(PCD)欠損症などがある．

疫学
PTPS欠損症は世界で300例以上，DHPR欠損症は200例以上，GTPCH欠損症は20症例以上，PCD欠損症は20症例以上が報告されている．わが国ではPTPS欠損症は32症例，DHPR欠損症は5症例，GTPCH欠損症は1例，PCD欠損症はいまだ報告されていない．

病態生理
BH_4は3種類の芳香族アミノ酸素酸化酵素の補酵素である．そのためBH_4欠乏によりフェニルアラニンヒドロキシラーゼ異常による高フェニルアラニン血症，チロシンヒドロキシラーゼの障害によるカテコールアミン低下，トリプトファンヒドロキシラーゼ異常によるセロトニン低下などの神経伝達物質の欠乏をきたすため重篤な中枢神経症状を発症する[1,2]．

臨床症状
未診断例あるいは不十分な治療により，発達障害，四肢の鉛管状硬直，筋緊張低下や痙攣，睡眠障害などが出現する．実際には新生児マススクリーニングにより発症前に発見され適切な治療を受けることにより臨床症状を認めることはない．

検査所見
血中フェニルアラニン高値により発見される．

鑑別診断
高フェニルアラニン血症の鑑別を行う．体液中プテリジン分析(ネオプテリン，ビオプテリンなどの測定)と血液中DHPR活性の測定を行う．またBH_4内服負荷試験を行い血中フェニルアラニン濃度の反応性を基に鑑別をする．

経過・予後
新生児マススクリーニングの該当疾患の1つであり通常は新生児期に無症状で発見される．早期に治療を開始することで中枢神経症状などの出現の予防が期待できる．

治療・予防
BH_4は血液脳関門を通過しにくいため，単独では中枢神経症状を予防することは難しく，BH_4，レボドパ，5-ヒドロキシトリプトファン(5-HTP)の3剤投与が必要である．BH_4により高フェニルアラニン血症のコントロールが難しい場合(特にDHPR欠損症)，フェニルアラニン除去ミルクなどの食事療法も併用する[1]．DHPR欠損症の場合，葉酸を補充することが多い． 〔井原健二〕

■文献(e文献 17-10-2-2)

Blau N, Thony B, et al: Disorders of tetrahydrobiopterin and related biogenic amines. The Metabolic and Molecular Bases of Inherited Disease, 8th ed (Scriver CR, Beaudet AL, et al eds), p1725, McGraw-Hill, 2001.

Smith I, Clayton BE, et al: New variant of phenylketonuria with progressive neurological illness unresponsive to phenylalanine restriction. Lancet. 1975; **1**: 1108-11.

(3) メープルシロップ尿症 (maple syrup urine disease: MSUD) (楓糖尿症)【⇨15-3-4-2】

定義・概念
分岐鎖アミノ酸(ロイシン，イソロイシン，バリン；いずれも必須アミノ酸)のα-ケト酸酸化的脱炭酸反応が障害され，体内に分岐鎖アミノ酸や分枝α-ケト酸が蓄積する疾患である．

分類
①古典型，②間欠型，③中間型，④チアミン反応型に分類されている．

原因・病因
α-ケト酸酸化的脱炭酸酵素欠損．

疫学
わが国の発生頻度は出生約50万人に1人と推定されている．

病態生理
無治療の場合の乳児患者における中枢神経の構造変化は，フェニルケトン尿症における変化に類似するが重症である．急性代謝不全で死亡した患者の脳組織はびまん性浮腫を認め大脳皮質の階層化障害などを認め

る[1-3].

臨床症状
重症度は血中ロイシン値とほぼ相関する．血中ロイシン値が10〜20 mg/dLでは哺乳力が低下し嘔吐も出現する．ロイシン値が20 mg/dL以上では意識障害，筋緊張低下，痙攣，呼吸困難，後弓反張などが出現する．長期的な分枝鎖アミノ酸濃度の上昇はミエリン合成の障害をきたし不可逆的な中枢神経の障害から，精神運動発達遅滞の原因となる．

検査所見
血清および尿中の分岐鎖アミノ酸3種の著増とアラニンの低下を認める．新生児マススクリーニング該当疾患であり，濾紙血中のロイシンの増加を指標としてスクリーニングする．

診断
血中ロイシン値が4 mg/dL（300 μmol/L）以上であれば本症の診断を進める．尿有機酸分析では分枝鎖α-ケト酸の増加を認め，尿ジニトロフェニルヒドラジン反応が陽性を示す．白血球・培養皮膚線維芽細胞の分岐鎖α-ケト酸脱炭酸反応や分岐鎖α-ケト酸脱水素酵素活性を測定し，診断を確定する．なおアロイソロイシンの出現も特徴的であるが，質量分析計によるアミノ酸分析では測定できない．

鑑別診断
ケトーシスやチアミン欠乏状態で分岐鎖ケト酸の上昇を認めるため鑑別が必要である．分岐鎖アミノ酸の上昇はさまざまな病態の低血糖に伴うことがある．いずれも，血中・尿中アミノ酸分析と尿有機酸分析によって鑑別を行う．

治療・リハビリテーション
急性発作時は，ブドウ糖液を中心とした輸液管理，炭酸水素ナトリウムによるアシドーシス補正，電解質管理を行う．重症な発作時は，血液濾過透析，腹膜透析，血漿交換などにより過剰に産生された分岐鎖アミノ酸・分岐鎖α-ケト酸を除去する．長期治療としては，血液中のロイシン値などを指標にしながら低分岐鎖アミノ酸食を中心とした栄養管理を行う．ビタミンB₁（チアミン）が有効な場合がある． 〔井原健二〕

■文献(e文献 17-10-2-3)
Naylor EW: Newborn screening in maple syrup urine disease (branched-chain ketoaciduria). Neonatal Screening for Inborn Errors of Metabolism, (Bickel H, Guthrie R, et al eds), p19, Springer Verlag, 1980.
Chuang DT, Shih VE: Maple syrup urine disease (branched-chain ketoaciduria). The Metabolic and Molecular Bases of Inherited Disease, 8th ed (Scriver CR, Beaudet AL, et al eds), p1971, McGraw-Hill, 2001.

（4）ホモシスチン尿症（homocystinuria）
【⇨ 15-3-4-3】

定義・概念
ホモシスチン尿症は，メチオニン代謝産物であるホモシステインが血中に増加し体内に蓄積することで発症する．

原因・病因
I型，II型，III型が知られ，I型はホモシスチンをシスタチオニンに変換するシスタチオニン合成酵素欠損，II型はホモシスチンをメチオニンに再メチル化する5-メチルテトラヒドロ葉酸-ホモシスチン-メチルトランスフェラーゼ欠損，III型はホモシスチンをメチオニンに再メチル化するのに必要な5-メチルテトラヒドロ葉酸を生成するメチレンテトラヒドロ葉酸還元酵素欠損によるホモシスチン尿症である．狭義のホモシスチン尿症はシスタチオニンβ合成酵素（CBS）欠損症を指し，これが新生児マススクリーニングの対象疾患となっている．

疫学
わが国の新生児スクリーニングではI型は約80万人に1人の頻度である．

病態生理
ホモシステインの重合体がホモシスチンである．ホモシステインはチオール基を介し，生体内の種々の蛋白質とも結合する．その過程で生成されるスーパーオキサイドなどにより血管内皮細胞障害などをきたす．多くの動脈では内膜肥厚や線維化が認められ，大動脈やおもな動脈の弾性線維の不整を認める．またさまざまな器官において動脈・静脈血管の血栓症を認める．

臨床症状
I型の未診断・未治療例は3歳以降に水晶体亜脱臼にて発見されることが多いとされる．知的障害は進行性で70%に認められ，精神症状は50%以上，痙攣は20%に観察される[1,2]．Marfan症候群様の骨格異常があり，大・小血管の血栓・塞栓が発生する[3]．

検査所見
血液中メチオニン高値，高ホモシステイン血症，尿中ホモシスチン排泄が特徴的である．

診断
1）血中メチオニン高値： 1.2 mg/dL（80 μmol/L）以上（基準値 0.3〜0.6 mg/dL（20〜40 μmol/L））．
2）高ホモシステイン血症： 60 μmol/L以上（基準値：15 μmol/L以下）．
3）尿中ホモシスチン排泄：基準値：検出されない．

確定診断は，白血球や培養皮膚線維芽細胞のCBS酵素活性測定により行われるが，遺伝子診断も有用である．新生児マススクリーニングは血中メチオニンを指標としI型が対象となる．

鑑別診断
1）高メチオニン血症をきたす疾患：
①メチオニンアデノシル転移酵素欠損症
②シトリン欠損症
③新生児肝炎などの肝機能異常
2）高ホモシステイン血症をきたす疾患：
①メチオニン合成酵素欠損症
②メチレンテトラヒドロ葉酸還元酵素(MTHFR)欠損症
③ホモシスチン尿症を伴うメチルマロン酸血症(コバラミン代謝異常症C型など)

治療・予防・リハビリテーション
Ⅰ型は，低メチオニン・シスチン強化食療法を行う．治療にはメチオニンを除去し，シスチンを強化した特殊ミルクを用いる．血液中のメチオニン濃度は1 mg/dL以下を目標にする．約40％は，ビタミンB_6大量投与が有効である．食事療法とビタミンB_6に加えベタインも有効である． 〔井原健二〕

■文献(e 17-10-2-4)
Mudd SH, Levy HL, et al: Disorders of transulfuration. The Metabolic and Molecular Bases of Inherited Disease, 8th ed (Scriver CR, Beaudet AL, et al eds), pp2016-40, McGraw Hill, 2001.

3）プリン代謝異常
【⇨ 15-6-9】

4）Leigh脳症，Reye症候群

(1) Leigh脳症
定義・概念
Leigh脳症は，1951年にLeighが亜急性壊死性脳脊髄症(subacute necrotizing encephalomyelopathy)として報告したのが最初であり，本症の診断は基本的に病理所見をもってなされてきた．しかし画像診断の進歩により，特徴的な画像所見と臨床所見から本症と診断される症例が多い．

病理
病理学的には視床，基底核，被蓋，脳室周囲，脳幹中脳水道周囲および脊髄後柱に，対称性の巣状壊死病変を認め，海綿状変性，ニューロンの消失，脱髄などを伴う[1]．

臨床症状
乳児期から哺乳不良，嚥下困難，嘔吐，体重増加不良があり，精神運動の発達遅滞，全身痙攣，筋力・筋緊張低下，眼振，振戦，錐体外路症状を示す．呼吸障害，外眼筋麻痺，眼瞼下垂，視神経萎縮を伴う場合もある[2]．

診断
頭部CT・MRI検査による大脳基底部両側対称性病変が特徴的であり，また血中や髄液中の乳酸・ピルビン酸高値の上昇が特徴的である．遺伝子診断法の進歩によりmtDNAのATP 6領域の8993変異と9176変異がLeigh脳症全体の約20％を占めることが明らかにされている．一方，約8割は核DNA上の遺伝子の変異が原因であり，ピルビン酸脱水素酵素複合体欠損，複合体Ⅰ欠損，複合体Ⅳ(COX)欠損，複合体Ⅴ(ATPase)欠損などの電子伝達系酵素異常症の頻度が高い．

治療・予防・リハビリテーション
本症の根本的な治療法はないが，ミトコンドリア内の代謝経路で各種のビタミンが補酵素として働いていることから，水溶性ビタミン類(ナイアシン，ビタミンB_1，ビタミンB_2，リポ酸など)が用いられる．コエンザイムQ10の効果は明らかではないが使用することが多い[3]． 〔井原健二〕

■文献(e 文献 17-10-4-1)
Rahman S, Blok RB, et al: Leigh syndrome: clinical features and biochemical and DNA abnormalities. Ann Neurol. 1996; 39: 343-51.
Finsterer J: Leigh and Leigh-like syndrome in children and adults. Pediatr Neurol. 2008; 39: 223-35.

(2) Reye症候群
定義・概念
ミトコンドリアの膨化と多形性を伴う急性脳症と，肝臓を中心とする全身諸臓器の脂肪変性を特徴とする，致死率の高い急性疾患である．急性ウイルス感染に続発し，特定の薬剤(特にサリチル酸塩)との関連性が示唆されている．1～2歳の幼若児に好発し性差はない．治療は対症療法が中心である．

原因・病因
ウイルス感染，特に水痘，インフルエンザA・Bなどに引き続き発症することが多い．サリチル酸が誘引となる説やバルプロ酸治療に伴い発症することがあるが，因果関係は不明である[1]．ウイルス感染や薬剤によるミトコンドリア脂肪酸β酸化障害やカルニチン代謝異常などが誘因として示唆されている[2]．

疫学
欧米を中心に報告されていたが，米国では1980年代中頃からサリチル酸の使用が控えられ，相関してReye症候群の発生率も激減した[3,4]．

病理
剖検例の脳病理所見としては，浮腫，微細な脂肪沈

着とミトコンドリアの膨化と変性が特徴である．肝細胞は肥大化し高度の脂肪沈着，ミトコンドリアの肥大と変形を認める．

臨床症状

先行感染に引き続き，嘔吐，嗜眠，活気低下などの症状があり，不機嫌，易刺激性，意識障害，痙攣などを認める．肝臓の腫大があるが黄疸を伴わない特徴がある．

検査所見

血清 AST・ALT・LDH・アンモニア値上昇，血清 CK 上昇，低血糖，プロトロンビン時間延長を認める．前述のように黄疸は伴わないため，血清ビリルビン値は正常範囲である．髄液中の細胞数や蛋白の増加はない．

診断

特有の症状と血清 AST・ALT およびアンモニアの上昇により本症を疑う．確定診断は，肝生検による肝細胞脂肪沈着，電顕のミトコンドリアの膨化と多形性の証明による．肝生検は発症後72時間以内でなければ診断的意義は乏しいとされている．そのため①肝生検で組織の確定された「確定 Reye 症候群」，②組織所見の異なる「Reye 様症候群」，③組織学的確認のない「臨床的 Reye 症候群」と分類することもある．

鑑別診断

Reye 様症候群を示す先天代謝異常（遺伝性果糖不耐症，グリコーゲン合成酵素欠損症，全身カルニチン欠損症，グリタール酸尿症，中鎖・長鎖アシル-CoA 脱水素酵素欠損症，グリセロールキナーゼ欠損症），小児急性壊死性脳症，各種ウイルス性脳症，肝性脳症，アスピリンやバルプロ酸などの薬物中毒などが鑑別の対象となる．

経過・予後

重症例は死亡率が高く，生存例の90％に神経学的後遺症を残すとされる．

治療

急性脳症に準じて脳浮腫，高アンモニア血症，低血糖，出血傾向，電解質異常に対する対症療法が中心であり，血漿交換や持続濾過透析などが行われる．

〔井原健二〕

■文献（e文献 17-10-4-2）

Pugliese A, Beltramo T, et al: Reye's and Reye's-like syndromes. Cell Biochem Funct. 2008; **26**: 741-6.
Hurwitz ES, Barrett MJ, et al: Public Health Service study on Reye's syndrome and medications. Report of the pilot phase. N Engl J Med. 1985; **313**: 849-57.
Belay ED, Bresee JS, et al: Reye's syndrome in the United States from 1981 through 1997. N Engl J Med. 1999; **340**: 1377-82.

5）銅代謝異常症

Menkes 病，Wilson 病，無セルロプラスミン（CP）血症があり，いずれも中枢神経症状をきたす．CP は血中の90％以上の銅を結合する蛋白質で，3疾患の共通した特徴は低～無セルロプラスミン血症である（図 17-10-4）[1]．Menkes 病では消化管上皮の銅輸送膜蛋白質 ATP-7A の異常により吸収障害を生じ，銅欠乏による神経症状をきたす．Wilson 病では銅輸送膜蛋白質 ATP-7B の異常により肝臓から胆汁への銅排泄が行われず，銅過剰による神経症状をきたす．CP 遺伝子変異による無 CP 血症では CP の鉄酸化活性の欠損により，鉄過剰による神経症状をきたす（表 17-10-1）．

（1）Wilson 病

a. 神経症状

発症は10～40歳で，多くは15～20歳頃である．初発症状は発語が緩徐で不明瞭となる言語障害，動作時または姿勢時の振戦が多い[2]．10代以下の発症ではジストニアやアテトーゼがみられ，進行が比較的速く，それ以降の発症では振戦や構音障害が目立ち，進行が比較的緩徐の傾向がある[3]．進行するとジストニアによる姿勢運動障害を生じ，高度な腰部前彎をとり，易転倒性がみられる[2]．神経型では Kayser-Fleischer 角膜輪が72～100％と高頻度に認められる[4]．

b. 精神症状

集中力低下・注意力減弱，突然の気分変調などから性格・人格変化に至る．また統合失調症様の症状，異常行動，認知機能障害をきたし，反社会的行動を繰り返すこともある[5]．

（2）Menkes 病

銅含有酵素（eコラム 1）の活性低下により，生後3カ月頃から低体温，難治性痙攣，精神運動発達遅滞などの中枢神経症状をきたす[6]．脳血管上皮の ATP-7A の異常により脳への銅の移行は悪く，また銅の非経口投与により肝臓で生合成された CP は血液脳関門が通過できず，神経症状の改善は難しい．運動失調・筋力低下・皮膚過伸展・膀胱憩室を呈し，後頭骨が下方に角状に突出する特徴的な X 線像を認める occipital horn syndrome は Menkes 病の軽症型である[7]．

（3）無セルロプラスミン（CP）血症

鉄酸化酵素活性をもつ CP の欠損のため，各組織から血液への鉄排出障害が生じ，脳，肝など全身臓器への鉄過剰蓄積をきたす．鉄不応性貧血，糖尿病をきた

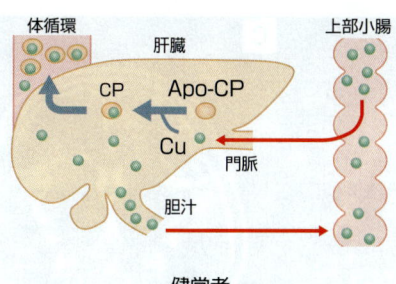
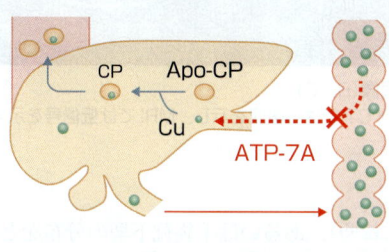
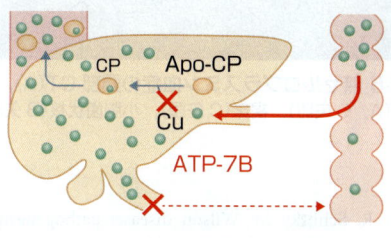

図 17-10-4 低〜無セルロプラスミン(CP)血症をきたす機序の比較
Menkes 病では消化管上皮の銅輸送膜蛋白質 ATP-7A の異常に起因する銅欠乏による．Wilson 病ではゴルジ装置の膜にある銅輸送膜蛋白質 ATP-7B の異常により CP 前駆体蛋白質に銅が輸送されないことによる．無セルロプラスミン血症では CP 遺伝子変異による．

表 17-10-1 Menkes 病，Wilson 病，無セルロプラスミン(CP)血症の比較

	Menkes 病	Wilson 病	無セルロプラスミン血症
遺伝形式	伴性劣性	常染色体劣性	常染色体劣性
原因遺伝子(遺伝子座)	ATP-7A (Xq13.3)	ATP-7B (13q14.3)	CP (3q21-q25)
病態	銅欠乏症	銅過剰症	鉄過剰症
頻度	1/5 万〜10 万人	1/3 万人	1/150 万〜200 万人
発症年齢	乳児期(重症型)〜学童期(軽症型)	小児期(肝型)思春期以降(肝神経型)	成人以降 神経症状は 40 歳代から
症状	毛髪異常，血管脆弱 痙攣，精神発達遅滞 低体温	肝障害(肝炎，肝硬変) 神経症状(錐体外路症状) Kayser-Fleischer 角膜輪 腎機能障害	糖尿病，網膜変性 神経症状(運動失調，不随意運動，認知機能障害) 鉄不応性貧血
検査所見	血清 CP 低値 血清銅低値 血清鉄正常 血清フェリチン正常 肝銅含有量は低値 尿中銅排泄は低値	血清 CP 低値 血清銅低値 血清鉄正常 血清フェリチン正常 肝銅含有量は高値 尿中銅排泄は高値	血清 CP の欠失 血清銅低値 血清鉄低値 血清フェリチン高値 肝銅含有量は正常 尿中銅排泄は正常
治療	非経口的な銅補充	銅キレート薬，亜鉛	鉄キレート薬，亜鉛

し，40〜50 歳代で小脳性の運動失調，顔面・上肢の不随意運動，認知機能障害などの神経症状を発症，緩徐に進行する[8]．また沈着鉄による網膜変性症をきたす．血清銅と鉄は著減するが，フェリチンは著増する[9]．頭部 CT では大脳基底核，視床，小脳歯状核に一致した左右対称性の高吸収を示し，MRI の T1・T2 強調画像で低信号を示す(図 17-10-5)[9]．

〔宮嶋裕明〕

■文献(e17-10-5)

宮嶋裕明，高橋良知，他：セルロプラスミンと銅，鉄代謝．神経内科．2004; 61: 130-9.

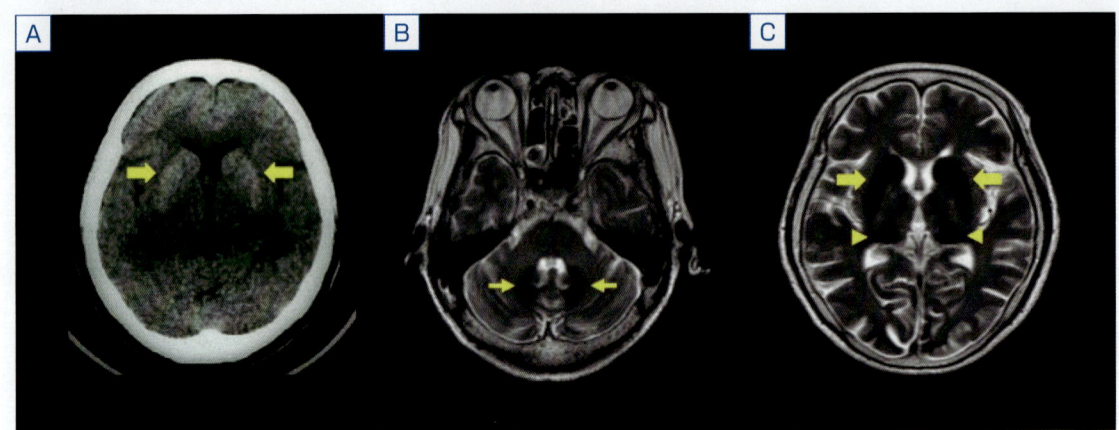

図 17-10-5 無セルロプラスミン血症の頭部 CT(A)，MRI T2 強調画像(B, C)
大脳基底核(A, C 矢印)，視床(C 矢頭)，小脳歯状核(B 矢印)に一致して頭部 CT では高吸収を示し，MRI では低信号を示す．

Rosencrantz R, Schilsky M: Wilson disease: pathogenesis and clinical considerations in diagnosis and treatment. *Semin Liver Dis.* 2011; 31: 245-59.

6）ポルフィリン症
porphyria

　ポルフィリン症に伴う神経障害は自律神経障害，末梢神経障害，中枢神経障害がある[1,2]．急性型において神経障害をきたすが，責任酵素の違いによる精神神経症状に差はない[2]．急性の自律神経障害の 90％以上は腹痛をきたす．末梢神経障害は急性の軸索型運動神経障害で，腹痛後数日して上肢近位筋の筋力低下をきたす．感覚障害は近位型のいわゆる bathing-trunk 型(水着型)，あるいは手袋靴下型の分布をとる．中枢神経障害では精神状態の変化をきたし，発作ごとにまったく異なる精神症状を出現しうる[3]．急性発作の 70％にさまざまな程度に脳症がみられ，複雑部分発作を伴うことが多い[3]．頭部 MRI では発作早期において可逆性後頭葉白質脳症(posterior reversible encephalopathy syndrome：PRES)様の可逆性な信号変化をみることがある[4]．
〔宮嶋裕明〕

■文献（e17-10-6）
小西高志，宮嶋裕明：ポルフィリン症と神経疾患．Annual Review 2013 神経(鈴木則宏，祖父江元，他編)，pp196-203，中外医学社，2013.

17-11　中毒性神経疾患

1）重金属中毒

　現在地球上には約 84 種類の金属元素の存在が知られているが，そのなかで産業界で広く利用され，労働環境・生活環境に比較的高濃度に存在し，神経系を障害する可能性のある重金属としては，鉛，水銀，ヒ素，マンガン，タリウムなどがあげられる(e表 17-11-A)．

(1)鉛中毒（lead poisoning）
定義・概念
　有機鉛，無機鉛による中毒があり，成人では多発神経炎，小児では脳症を起こしやすい．有機鉛は主として脳症を起こす．

原因・病因
　容器などから溶出した鉛や鉛を含む色素などの経口摂取，ペンキや塗料の塗装作業や陶磁器からの経皮吸収，粉じんの吸入による経気道的吸収が原因である．多くは消化管から吸収されて脳，肺，腎，脾，血管や骨に輸送され，骨に蓄積された鉛は慢性中毒の原因となる(eノート 1)．

疫学
　現在わが国ではまれになっている(eコラム 1)．ただ，発展途上国では多く，民間薬・漢方薬による中毒の報告もある．

病理・病態生理

体内に入った無機鉛はほとんどが骨に蓄積し，体外排泄の80％近くは腎臓からであり，15％が糞便，残りが毛髪，汗，爪などからである．無機鉛の造血障害の機序としては，ポルフィリン代謝（ヘム合成）の阻害がある（ⓔ図17-11-A）．末梢神経障害では軸索変性が主体となる．

臨床症状

1）自覚症状： 有機鉛の急性曝露では症状の発現が早く，数時間で顔面蒼白，全身倦怠感，盗汗，頭痛，めまいなどの症状を呈し，慢性期には性格変化，無気力などの精神症状を呈す．重症例では幻覚，妄想，錯乱などの症状を呈し，ショック状態になることもある．無機鉛は小児では脳症が主となり，成人では貧血と多発ニューロパチーが主体となる．

2）他覚症状： 成人の慢性鉛中毒では多発ニューロパチーは運動神経優位で左右非対称的に起こりやすく，屈筋群よりも伸筋群に起こりやすい（図17-11-1）．鉛疝痛は成人の鉛中毒に最も多くみられる症状で，食欲不振や嘔吐を伴う．また，歯肉縁に暗青灰色に着色した線状の鉛縁（lead line）がみられることもある．

検査所見

慢性鉛中毒では通常鉄欠乏性貧血が加わった小球性貧血がみられ，網状赤血球が増加して赤血球寿命は短縮する．これは鉛がヘム合成代謝系のδ-アミノレブリン酸脱水素酵素（ALAD）のSH基に結合して酵素活性を阻害し，その結果血色素の低下が起こるためである（ⓔ図17-11-A）．血清鉛濃度は必ずしも体内の蓄積量を正確に反映するものではないが，血中鉛濃度が高く，24時間蓄尿，尿中鉛濃度が10μg/dL以上で鉛中毒を疑う．多発ニューロパチーでは末梢神経伝導速度遅延を認める．

診断

臨床的に腹部症状，神経症状，貧血があれば鉛中毒を疑う．ALAD酵素活性測定が最も感度の高い検査であるが，測定が容易でないために，通常血中・尿中のδ-ALA濃度が高ければ鉛中毒と判定する．また，尿中コプロポルフィリンや全血中の赤血球プロトポルフィリンが上昇しており，鉄欠乏や骨髄性プロトポルフィリン症の合併のない場合に鉛中毒と診断する（ⓔ図17-11-A）．EDTAなどのキレート薬による鉛排泄試験を診断のために行うこともある．

鑑別診断

鑑別を要する疾患としては，運動ニューロン疾患，多発性単神経炎，てんかん発作，脳血管障害，鉄欠乏性貧血，急性腹症，慢性糸球体腎炎，精神科的疾患などがあげられる．

合併症

多発ニューロパチー，脳症，近位尿細管障害，小球性貧血などがある．

経過・予後

曝露期間が長いほど予後が悪く回復も遅れる．呼吸筋麻痺や鉛脳症，中等度以上の腎障害があった場合は死亡，もしくは後遺症が残ることが多い．多発ニューロパチーは回復に数カ月〜数年を要することがある．

治療・予防・リハビリテーション

曝露からの隔離が最も重要である．皮膚接触時には皮膚洗浄，小児の経口摂取時には牛乳などを飲ませて嘔吐させる．

無機鉛中毒では鉛の排泄目的にエデト酸カルシウム二ナトリウム（CaNa2EDTA）（ブライアン®）やジメルカプロール（バル®）などのキレート薬を投与する．欧米ではジメルカプトコハク酸（DMSA）の経口投与が行われるが，わが国では未承認である．これらのキレート薬治療に引き続いてD-ペニシラミンの経口投与も行われる．脳症に対しては抗痙攣薬の投与や，脳圧亢進に対する治療を行う．

（2）水銀中毒（mercury poisoning）

定義・概念

有機水銀と無機水銀の中毒がある．自然界の有機水銀のほとんどがメチル水銀で，大脳や小脳が高度に障害されるのに対して，脊髄の病変は乏しく，末梢神経系では後根神経節や感覚神経優位に障害される．

原因・病因

金属水銀に含まれる水銀蒸気には毒性があり，肺から吸収されるため，無機水銀中毒（inorganic mercury intoxication）はこれによって起こる．自然界の有機水銀のほとんどがメチル水銀で，有機水銀中毒（organic mercury intoxication）はこれが食物連鎖により濃縮蓄積した魚介類を反復摂取することで発症する．

疫学

1950年代後半に熊本県のチッソ水俣工場のアセトアルデヒド排水に含まれていた微量水銀が自然界で有機水銀となり，食物連鎖によって魚介類に濃縮して蓄

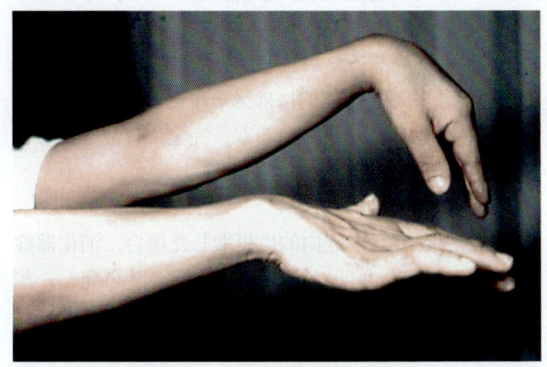

図17-11-1 鉛中毒による左橈骨神経麻痺

積され，それを摂取したヒトやネコに有機水銀中毒が多発した（水俣病）（❷コラム2）．

病理・病態生理
無機水銀は経気道，経皮，経口的に侵入する．無機水銀は生体内ではほとんど二価イオンとして存在し，蛋白質のSH基と強く結合して各種酵素活性を阻害して毒性を発揮する．有機水銀は沈着しやすい部位として大脳では後頭葉（鳥距野の前半部），側頭葉上側頭回，中心後回などがあげられ，この部分で神経細胞の脱落が起こる．小脳では新旧小脳ともに中心性に深部が障害されやすく，Purkinje細胞層直下の顆粒細胞の脱落が特徴的である．

臨床症状
1）**無機水銀中毒**：急性中毒では曝露直後に消化器症状（嘔吐，腹痛，下血）がみられ，2～3日後に近位尿細管障害による急性腎不全が発生する．低濃度水銀蒸気の長期間曝露による慢性中毒では，歯肉炎，口唇・歯肉の色変化，振戦，譫妄などがみられる．慢性中毒では腎障害は少ない．

2）**有機水銀中毒**：ほとんどが慢性中毒であり，1950年代後半の魚介類の濃厚汚染時期に罹患した典型的水俣病症例では比較的急性ないし亜急性にHunter-Russell症候群（求心性視野狭窄，聴力障害，小脳症状，感覚障害）が多かったが，1970年代以降の慢性軽症例では手足のしびれ感，脱力感，頭重感，めまい，視力低下などの症状が主体となっている．その他企図振戦，味覚嗅覚障害，重症例では性格変化，知能低下，妄想などの精神症状，痙攣などもみられる．慢性軽症例では手袋靴下型の表在感覚障害を認める．

検査所見
無機水銀中毒の急性期には毛髪，血液，尿中水銀が高値である（慢性期では有用でない）．また尿中水銀，尿中コプロポルフィリンが増加し，血尿・蛋白尿をみる．水俣病の典型例では両側後頭葉の鳥距野，中心後回，小脳の著明な萎縮を認める．典型例では指標追試検査で，滑動性追従運動の異常，短潜時体性感覚誘発電位でN20（感覚野の電位）の消失をみる．

診断
無機水銀の急性中毒は自殺企図で昇汞水（塩化第2水銀）などを服用した場合にみられる．口腔，咽頭，食道・胃粘膜の腐食による流涎，胸骨下の激しい疼痛，腹痛，吐血，下血，下痢，急性腎不全症状を呈す．慢性中毒は口腔粘膜症状と精神症状を認める．有機水銀中毒は患者の居住地区，生活歴，魚介類の摂取状況などを調査し，臨床症状を分析して（特に運動失調・求心性視野狭窄の有無，高音部に著しい感音性難聴（後迷路性難聴）），感覚障害パターンに注意する．毛髪・血液・尿中水銀の測定．頭部CT，MRI，短潜時体性感覚誘発電位などを参考にする．

治療・予防・リハビリテーション
1）**無機水銀中毒**：経口摂取の急性期には牛乳を飲ませて吐かせるか，胃洗浄，下剤投与を行う．体内に入った水銀の排泄にはできるだけ早くキレート薬（DMSA，D-ペニシラミン，ジメルカプロール）などを投与し，必要に応じて血漿交換などを行って腎障害を防ぐ．

2）**有機水銀中毒**：急性・亜急性期の中毒に関しては，まず血漿交換とキレート薬併用を行う．発症早期にはDMSAなどのキレート薬は有効と思われるが，慢性期には効果は期待できない．対症療法として神経細胞障害を抑制するためにビタミンE，B，Cなどを投与し，姿勢時振戦などには対症療法，小脳失調が目立つ例ではリハビリテーションを行う．

(3) ヒ素中毒 (arsenic poisoning)
定義・概念
急性ヒ素中毒は三酸化ヒ素（亜ヒ酸）などを故意または事故で経口摂取することによって起こり，慢性中毒は生活水汚染などで起こる環境性曝露と職業性曝露がほとんどである．

原因・病因
ヒ素は元素状態では溶解性がなく，毒性はないが，無機ヒ素化合物の三価と五価の化合物に毒性があり，三価は五価に比べると数十倍毒性が強い（三価ヒ素のヒト経口致死量は100～300 mg）．三酸化ヒ素は殺虫剤，殺鼠剤，除草剤などに使用されており，産業ではガラス製造や携帯電話などにも使われている．

疫学
欧米では歴史上暗殺のために用いられたこともある．日本では1955年の森永ヒ素ミルク事件（❷コラム3）で誤飲されたり，1998年の和歌山ヒ素カレー事件（❷コラム4）などで使用されたことがある．

病理・病態生理
経口摂取では，速やかに消化管より吸収される．最初は血流中に存在しているが，24時間以内には肝臓，腎臓，膵臓，肺，消化管などに分布する．無機ヒ素はスルフヒドリル基（SH基）と結合しやすく，それらの酵素活性を阻害し細胞が傷害される．特にケラチンはSH基が豊富であるため数週間以内に皮膚，毛髪，爪に取り込まれる．最終的にはメチル化されて大部分は数日以内に尿中に排泄されるが，完全に排泄されるまでには何週間も要する．

臨床症状
1）**急性ヒ素中毒**：経口的に摂取した場合，消化器症状として悪心，嘔吐，腹痛，下痢がほぼ必発し，頻脈，血圧低下のようなショック症状，致死性不整脈，脳浮腫による頭痛，傾眠，譫妄，昏睡，痙攣などの神経症状，紅斑，丘疹，結膜炎，脱毛などの皮膚粘膜症

状などが組み合わさってみられる．有機ヒ素中毒では手足の振戦，ミオクローヌス，小脳失調，記銘力低下，不眠などを認める．

2) **慢性ヒ素中毒**：初期には手掌・足底の角化，体幹のびまん性の黒褐色色素沈着，爪のMees線条（図17-11-2）などがみられ，長期経過例ではBowen病，皮膚癌の発症，鼻中隔穿孔，肺線維症，肺癌などを認める．神経症状としては，急性曝露から1～2週間過ぎた頃より，下肢末梢優位に異常感覚を伴う運動感覚性多発ニューロパチーが起こり，四肢遠位筋筋力低下，腱反射の低下・消失を認める．

検査所見

尿中ヒ素濃度が100～200 mg/L以上でヒ素中毒が疑われる．頭部毛髪のヒ素濃度が2 mg/g以上で異常値と考える．

診断

経口摂取の急性中毒では悪心，嘔吐，下痢などの消化器症状を初期症状として認め，症状が進行すれば呼吸・循環器症状，各種神経症状などが出現する．呼気のニンニク臭や，ヒ素のX線不透過による腹部単純X線撮影での不透過像の検出は診断の一助となる．確定診断は血中および尿中の高濃度のヒ素検出である．

治療・予防

呼吸・循環管理を含めた集中治療を行う．必要に応じて人工呼吸管理を行う．摂取後早期（約1時間）であれば胃洗浄を行う．また有効性の是非があるものの，活性炭投与および腸洗浄も考慮する．なお解毒拮抗薬としてキレート薬のジメルカプロール（バル®）を投与する．

(4) マンガン中毒 (manganese poisoning)
定義・概念・疫学

粉じんやフューム（揮発性粒子）の呼吸器系よりの吸入による中毒．大部分は慢性的な職業性曝露で，以前は工場や鉱山などでの長期吸入による中毒例がみられたが，近年は職場環境の改善により発生件数は激減している．

病理・病態生理

経口摂取で毒性を示した例もあるが，ほとんどは職場でのマンガン吸入により発症する．マンガンは必須元素で，血中ではトランスフェリンと結合してリン酸化やコレステロールと脂肪酸の生成に関与する酵素反応の補因子として作用するが，大量に摂取した場合は血液脳関門を通過し，中枢神経系では特にトランスフェリン受容体が豊富な大脳基底核に集積し，神経細胞の変性を起こす．

臨床症状

ほとんどが慢性中毒．精神症状として睡眠障害（夜間不眠，昼間傾眠），情動失禁，性格変化（刺激性，攻

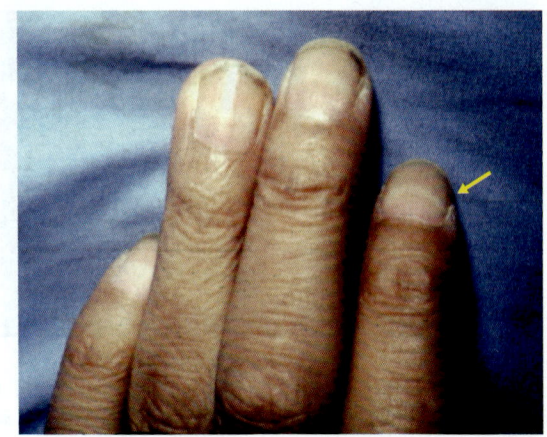

図17-11-2 Mees線条（Mees line）

撃性），行動異常，幻覚・妄想などがみられる．錐体外路症状としてParkinson症候群とジストニアが特徴的である．

治療・予防

曝露からの隔離とParkinson病に準じた治療を行う．レボドパは効果がある．EDTA療法（ブライアン®）はマンガンの排泄効果はあるが，慢性中毒者の症状改善にはあまり効果はない． 〔古谷博和〕

■文献

Stojeba N, Meyer C, et al: Recovery from a variegate porphyria by a liver transplantation. *Liver Transpl.* 2004; **10**: 935-38.

2) 有機物質中毒

現在約100万種類以上の有機化合物が存在し，工業などで用いられているが，特に神経系を傷害する可能性のある代表的な有機物質としては，*n*-ヘキサン，トルエン，トリクロールエチレン，エチレンオキサイド，アクリルアミドなどがある（e表17-11-B，17-11-C）．

(1) *n*-ヘキサン中毒（*n*-hexane poisoning）
定義・概念・疫学

以前は接着剤やシンナーの主成分として含まれていた時期があり，ビニールサンダル製造従事者などの間で中毒例が多発した．現在では接着剤やシンナーは，トルエンが主体のものにおきかえられ，*n*-ヘキサン中毒は減ったが，シンナー遊びの常習者で散発的にみられる．

病理・病態生理

末梢神経遠位部に強い軸索変性を生じ，大径有髄線維が傷害されやすく軸索の一部に著明な腫大がみられ，

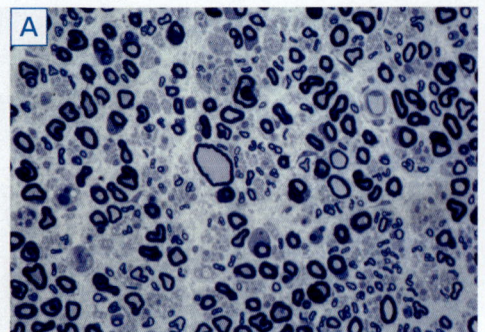 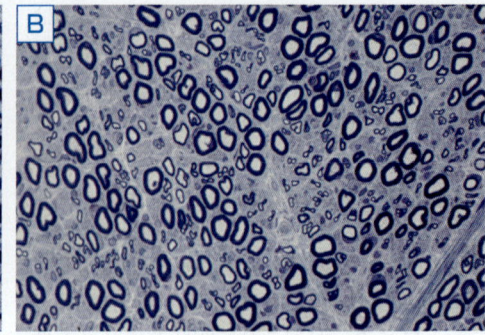

図 17-11-3 *n*-ヘキサン中毒の腓腹神経生検
エポン包埋トルイジンブルー染色（A：*n*-ヘキサン中毒，B：正常コントロール）．有髄神経線維密度は減少し，軸索変性所見と軸索腫大がみられる．ミエリンが菲薄化し，高度に腫大した軸索が散見される．

中にニューロフィラメントの集積をみる（図 17-11-3）．これは *n*-ヘキサンの代謝産物 2,5-ヘキサンジオンが末梢神経のニューロフィラメントと結合して軸索流を障害し，末梢神経障害を引き起こすからである．

臨床症状
急性中毒では頭のふらつき，めまい感，頭痛，粘膜刺激症状，眠気，倦怠感などの症状が一過性，可逆性に出現する．慢性中毒の症状は多発ニューロパチーの症状が主体となり，手袋靴下型の異常感覚と表在・深部感覚鈍麻がみられる．進行するに従い筋力低下と筋萎縮がみられ，腱反射は減弱・消失し，感覚運動性多発神経炎の病像となる．皮膚の冷感，紅潮，視力低下などもみられる．皮質脊髄路の障害により，ときに近位部の腱反射が亢進することもある．重症例では近位筋の筋力低下も加わり独歩不能となる．

検査所見
神経伝導速度は遠位での遅延がみられ，筋電図では神経支配が断たれて 2〜3 週で脱神経所見と，干渉波の減少，数カ月して神経再支配が進めば高振幅・多相性運動単位の出現をみる．

診断・鑑別診断
病歴と，慢性や亜急性の多発ニューロパチーを呈する Guillain-Barré 症候群や，慢性炎症性脱髄性多発ニューロパチー（CIDP）などを除外診断して総合的に判断する．シンナー遊びなどの場合は本人や家族がそれを否定することも多く，問診には注意を要する．

治療・予防・リハビリテーション
特別な薬物療法はなく，曝露中止と多発ニューロパチーに対する一般的治療やリハビリテーションが中心となる．軽症の場合は 1 年以内に完全回復するが，重症症例の場合完全回復は困難で，後遺症を残す．

(2) トルエン中毒（toluene intoxication）
定義・概念・疫学
シンナー（塗料，ラッカー薄め液）などに含まれ，吸引事故や依存症による乱用で中毒が生じる．

病理・病態生理
①尿細管性アシドーシスに伴う低カリウム血症によるミオパチー，横紋筋融解症，②白質病変などの中枢神経障害，③腹痛や悪心，嘔吐の消化器症状を起こす．亜急性・急性には四肢麻痺や横紋筋融解症をきたす．トルエンはチトクローム P450 で安息香酸に酸化され，グルクロン酸抱合で馬尿酸になり，尿中排泄されるが，半減期が短く早期に採取しないと診断困難である．

臨床症状
n-ヘキサンと異なり末梢神経障害は生じないが，四肢麻痺で呼吸筋麻痺を伴うと CO_2 ナルコーシスから呼吸停止，心停止に至ることもある．再曝露で急速に悪化したり，曝露中止後無症状期間を経て幻覚妄想状態が一時的にみられることもある．

急性曝露では脱抑制と陶酔感，巨視，変形視などの錯覚，幻覚が起こり，錯乱，不安，不眠，被害妄想，易刺激性，攻撃性などの精神症状のために問題行動や犯罪につながる．その他，意識消失，運動麻痺，呼吸抑制が生じ，尿細管性アシドーシスに伴う低カリウム血症による筋力低下や横紋筋麻痺が生じる．

慢性曝露では大脳や小脳が萎縮して白質脳症を伴い，認知・記憶障害，人格変化，不眠症，構音障害，小脳失調，痙性麻痺，視力低下，視野狭窄，耳鳴り・感音性難聴，嗅覚低下などが生じる．自発性や意欲が減退し，無関心・無為，注意力や判断力の低下が起こる．

検査所見
視神経障害は緩徐発症が多く，中心暗点をきたしやすく，入浴後や運動後の一過性視力低下（Uhthoff 現象），求心性視野狭窄の報告もあり，中心フリッカー値は低下する．また視覚誘発電位，聴性脳幹反応の異常も認める．眼球運動障害（動揺視，眼振，オプソクローヌス），歩行障害（小脳失調，痙性対麻痺），姿勢反射障害，後方突進現象，上肢優位の意図動作時運動

過多（企図振戦様），下肢腱反射亢進，まれに感覚失調が生じる．

頭部MRIでは大脳・小脳萎縮のほかに内包後脚や大脳脚の皮質脊髄路と中小脳脚が左右対称性にT2強調画像高信号になる．T2強調画像低信号が視床，基底核淡蒼球，中脳赤核や黒質にみられることが多い．白質病変は両側側脳室周辺と放線冠にみられやすい．

診断
病歴と比較的典型的な画像所見，検査所見で代謝性アルカローシスではない低カリウム血症，尿中K排泄増加，高クロル血症を伴う遠位尿細管アシドーシスを生じ，代償性過換気で呼吸性アルカローシスになっていれば診断できる．

治療・予防
曝露中止と予防が重要．急性期には全身管理，腎不全には透析を行う．振戦やミオクローヌスに対してはクロナゼパム，姿勢反射障害などに対してはレボドパの内服，精神症状に対しては対症的に向精神薬を使用する．

(3) 二硫化炭素中毒（carbon disulfide poisoning）
定義・概念・疫学
レーヨンおよびセロファン製造で溶剤として使われており，蒸気の吸入や皮膚への付着による中毒が多い．

臨床症状
おもに中枢神経系に障害を起こし，急性中毒では頭痛，興奮，失調性歩行，四肢麻痺，痙攣，意識障害などをきたし，亜急性中毒では意識障害，統合失調症様の精神症状を特徴とする．低濃度慢性曝露の慢性中毒では，脳，心臓，腎臓の血管障害や多発ニューロパチー，網膜症，網膜の細動脈瘤の出現などを認める．

治療・予防
急性期には必要に応じて酸素吸入，人工呼吸，輸液（10％チオ硫酸ナトリウムおよび10％グルコン酸カルシウムの投与）を行う．

(4) トリクロルエチレン中毒（trichloroethylene poisoning）
定義・概念・疫学
トリクロルエチレンは塗料の溶剤，レンズ磨き，ドライクリーニングで汚れ落としとして使用されており，これらの作業中に高濃度蒸気を吸入することにより発症する．

病理・病態生理
末梢神経の脱髄や軸索変性をきたす．

臨床症状
急性曝露では多幸感，さらに高濃度では意識障害をきたす．慢性曝露では末梢優位の運動・感覚性多発ニューロパチーや単神経麻痺（三叉神経障害など），振戦，小脳失調，視力障害などをきたす．また不整脈が誘発され，腸管嚢腫様気腫も多く認められるので，動悸，下血，腹痛，腹部膨満感，便通異常（便秘と下痢），頻発する排ガスなども症状として出現する．

治療・予防
特に薬物療法はなく，対症療法が主体になる．

(5) エチレングリコール中毒（ethylene glycol poisoning）
定義・概念・疫学
ポリエステル繊維，不凍液，電解コンデンサー用電解液，不飽和ポリエステルに用いられる無色透明無臭の粘稠な吸湿性液体．水に溶けやすく，融点が低いので溶媒，不凍液，保冷剤などに用いられるが，無臭で甘みがあるために子どもやペットが誤飲したり，吸入，経皮的に吸収されることがある．過去，ワインの食品添加物に誤用されたことがあり中毒が発生した．

病理・病態生理
経口摂取では中枢神経抑制（酩酊状態），代謝物のシュウ酸による低カルシウム血症，代謝性アシドーシスなどが起こる．

臨床症状
吸入，経皮的に吸収された場合には眼，皮膚，気道を刺激する．嘔吐を繰り返し，急速に意識レベルの低下，四肢筋緊張の低下をみる．進行すれば著明な代謝性アシドーシス，高カリウム血症や腎不全により死亡する．

治療・予防
早期の胃洗浄，呼吸管理，アシドーシスおよび電解質バランスの補正を行う．拮抗薬としてエタノールを投与する（経口または点滴静注）．厳重な呼吸管理と必要に応じて血液透析を行う．代謝物を無毒化するビタミンB_1，B_6やグルコン酸カルシウムを投与する．

(6) アクリルアミド中毒（acrylamide poisoning）
定義・概念・疫学
アクリルアミドは重合体として接着剤，塗料，紙や繊維の仕上げ加工に用いられ，電気泳動の支持体などに広く使用されており，職業性中毒のほか，かつては土壌硬化剤としても用いられ，井戸水の汚染により集団中毒が発生したこともある．

病理・病態生理
中毒症状は量，曝露時間に比例する．アクリルアミドの単量体は毒性が強く，接触局所の皮膚障害や中枢および末梢神経障害を起こし，アクリルアミド神経炎（acrylamide neuropathy）とよばれている．末梢神経の軸索変性を認め，大径有髄線維優位で特に遠位部に強く発症する．重症例では中枢神経（脊髄後索，脊髄小脳路，錐体路）にも変性を起こす．

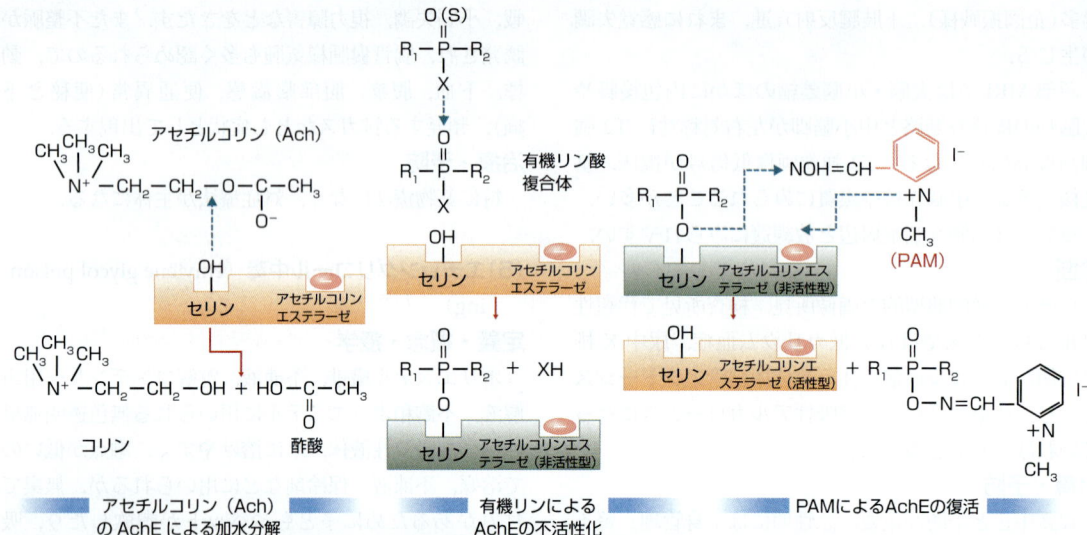

図 17-11-4 有機リン中毒の発症機序と治療模式図
アセチルコリンエステラーゼ(AchE)にはエステル分解部位と陰イオン部位(-で表示)の2つの結合部位があり，そこに神経伝導で生じたアセチルコリン(Ach)が結合して，コリンと酢酸に分解される(図左)．そのエステル分解部分に有機リン酸複合体が結合するとAchEの不活性化が生じる(図中央)．PAM療法を行うと，PAMは非活性型AchEの陰イオン部位に結合し，エステル分解部位に結合している有機リン化合物と結合して非活性型AchEを活性型に復元する(図右)．

臨床症状

低濃度のアクリルアミドの長期曝露による中毒では感覚優位の末梢神経障害が前景に立ち，四肢末梢に異常感覚，表在・深部感覚鈍麻，発汗過多，腱反射の低下，ときに筋力低下・筋萎縮もみられる．短期間に大量のアクリルアミドに曝露された症例では精神症状として，精神錯乱，幻覚，集中力低下，体幹失調がみられ，時間経過とともに末梢神経症状も認める．

検査所見

感覚神経伝導速度が遅延し，早期に誘発不能となる．運動神経活動電位の低下をみることもある．

治療・予防

特殊な治療法はないが，曝露中止で急性中毒症状は回復する．慢性中毒の重症例では，感覚障害が長時間持続する．

(7)有機リン中毒 (organophosphate poisoning)

定義・概念・疫学

有機リン系農薬や有機リン系殺虫剤による中毒で，わが国では強毒性のパラチオンの使用が禁止となり，現在では弱毒性の製剤が開発・使用されているが，自殺企図などの中毒や，職業的曝露が発生している．サリンは有機リン系化合物で代表的な神経毒ガスの1つで，世界各地の紛争や意図的事件で用いられ大きな問題となっている(eコラム1)．

表 17-11-1 急性コリン作動クリーゼ

受容体サブタイプ	臨床症状
ムスカリン作用 (副交感神経刺激症状)	下痢，頻脈，縮瞳，徐脈，気管支からの粘液過剰分泌，嘔吐，流涙，流涎，低血圧，不整脈
ニコチン作用	筋攣縮，骨格筋麻痺や呼吸筋麻痺，散瞳，頻脈，高血圧
中枢神経系*	意識障害，呼吸不全，痙攣など

*：アセチルコリンの過剰とそれに伴うグルタミン，カテコールアミン系の伝達途絶によって生じると考えられている．

病理・病態生理

中毒はコリンエステラーゼ(AChE)活性阻害作用によるアセチルコリン過剰によって発症する(図17-11-4)．過剰刺激としてムスカリン様・ニコチン様症状および中枢神経症状が出現する(表17-11-1)．

臨床症状

急性中毒の場合，軽症では頭痛，倦怠感，悪心，嘔吐，流涎，発汗．中等症では縮瞳，筋線維束攣縮，言語障害．重症になると中枢神経症状として意識混濁，昏睡，ニコチン様症状の全身痙攣，呼吸筋麻痺などを認める．

検査所見・診断

農薬中毒の場合，患者の曝露状況など問診による調査，乳白色の吐物，独特のガソリン様の臭気，上記臨床症状からほぼ診断がつく．診断の確定ができないときにはブチルコリンエステラーゼかアセチルコリンエステラーゼ活性の測定が有用である．活性の低下は臨床症状に先行することが多い．

治療・予防

AChEの活性復活の緊急処置としてPAM(ヨウ化

プラリドキシム)の静脈注射を行う(図17-11-4).誤飲して4時間以内ならば胃洗浄の効果も期待できる.コリン作動性の諸症状に対する拮抗療法としてはアトロピンが有効である.重症例に対しては呼吸管理,血液透析も考慮する.慢性中毒の症状としては,視力低下,視野狭窄などの眼症候や,異常発汗,消化管運動異常などの自律神経障害などが出現する.

(8)有機塩素中毒(organochlorine poisoning)
定義・概念・疫学
有機塩素剤は殺ダニ剤,殺虫剤として用いられており,誤飲のほか自殺目的の服用により発症する.

臨床症状
おもに神経系を侵し,軽ければ悪心やめまい,頭痛,倦怠感を生じ,中等度であれば感覚異常,不安,興奮,振戦を呈し,重症例ではてんかん様痙攣発作,散瞳,意識障害などをきたす.

治療
胃洗浄,抗痙攣薬投与,ステロイド投与など対症療法が主になる.

(9)一酸化炭素中毒(carbon monoxide poisoning)
定義・概念・疫学
一酸化炭素(CO)は炭素化合物の不完全燃焼により発生する.CO中毒はガス中毒のなかで最多の頻度を占め,火災での曝露のほか,室内での石油ストーブや七輪を用いた調理,ガス給湯器,囲炉裏や練炭炬燵,換気ダクトの閉塞などさまざまな事例がある.以前は炭鉱事故(eコラム2)が有名であったが,現代でも工事現場など屋内でのコンロの使用などで発生するケースもある.また一方,練炭での自殺企図などが社会問題となっている.

病理・病態生理
COは赤血球中のヘモグロビン(Hb)と結合して一酸化炭素ヘモグロビン(COHb)となり,末梢組織への酸素運搬を阻害する.COのヘモグロビン親和性は酸素の約250倍であり,このため酸素消費量の多い臓器,すなわち中枢神経と心臓などに低酸素障害をきたす.またCOは,ミオグロビンやミトコンドリアのチトクローム酸化酵素とも結合して細胞呼吸障害を引き起こす.

臨床症状
COHbの血中濃度に応じて臨床症状は頭重感,皮膚血管の拡張(顔面紅潮)から昏睡,痙攣,Cheyne-Stokes呼吸,呼吸停止に至るまでさまざまな症状を呈する(表17-11-2).CO中毒では手あてが早ければ後遺症なく回復するが,発見が遅くなると死亡に至る.一部の例で自発性の低下,Parkinson症候群,あるいは失外套症候群などのさまざまな後遺症を残す.また,急性期症状から回復した後,数日〜数週間の無症状の潜伏期間を経て意欲低下,注意障害,見当識障害,記憶障害,異常行動,Parkinson症候群,意識障害などの精神神経症状が急速に出現する遅発性脳症(間欠性CO中毒)が生じて,失外套症候群に至ることもある.これは遅発性の大脳白質の脱髄が原因と考えられている.

検査所見・診断
CO中毒が疑われる場合は血中COHb濃度の測定

表17-11-2 急性一酸化炭素中毒の程度と臨床症状

大気中のCO濃度*	血中COHb濃度	臨床症状
0.007%	0〜10%	無症状
0.012%	10〜20%	頭重感,皮膚血管の拡張(鮮紅色の肌),息切れ
0.022%	20〜30% 30〜40%	拍動性頭痛,倦怠感,情緒不安定 強度の頭痛,判断力低下,倦怠感,錯乱,悪心・嘔吐,視力障害
0.035〜0.052%	40〜50%	幻覚を伴う錯乱,運動失調,呼吸亢進,意図的動作に対しての脱力・虚脱,発汗
0.052〜0.080%	50〜60%	間代性痙攣,失神,昏睡,呼吸速迫,頻脈,体温低下
0.080〜0.122%	60〜70%	失禁,深昏睡,痙攣,著明な発汗,ときに心停止
0.122〜0.195%	70〜80%	反射のない昏睡,瞳孔散大,不規則呼吸,心停止,呼吸停止

＊:灯油の不完全燃焼した排気中にCOは5%ぐらい含まれる.

を行うことが重要で，10％以上あればCO中毒とみなされる．数日経過した症例では，MRI T2強調画像で淡蒼球内節の高信号，白質の脱髄，大脳皮質に層状の高信号を認める．

治療・予防

吸収されたCOを早く体外に排出するためにリザーバーマスクなどを使用して高濃度酸素を吸入し，血中COHb濃度が20％以下になるまで続ける．COHbの血中半減期は室内気で約6時間，100％酸素吸入で約1時間であり，高圧酸素療法では約20〜30分程度に短縮する．軽症であればCOHbが5％以下に改善するまで酸素吸入を行う．中等症以上であれば入院し全身管理を行う．遅発性脳症に対する高圧酸素療法の効果は明確ではない．

(10) 生物毒素による中毒

a. フグ中毒（tetrodotoxin poisoning）

最も高頻度にみられる魚介毒性中毒で，フグの卵巣や肝臓に多く含まれるテトロドトキシン（TTX）を摂取することで発症する．TTXは神経筋の膜電位依存性ナトリウムチャネルを細胞外側から阻害する神経毒で，全身の末梢運動感覚神経障害および自律神経障害を生じる．ヒトの致死量は0.5〜1 mg程度で，摂食後数時間で口唇や指先から始まり全身に広がる感覚障害，骨格筋麻痺，構音嚥下障害，呼吸筋麻痺が生じる．心筋は骨格筋より障害されにくいが，重症例では意識障害が起こり，血圧も著明に低下する．入院下で呼吸管理を行い，輸液を含む適切な処置を行う．

TTXは，海洋細菌の産生したものが生物濃縮でフグに蓄積したものと考えられており，TTX中毒はバイ，キンシバイ，ボウシュウボラなどの貝類でも起こりうる．

b. シガテラ中毒（ciguatera poisoning）

熱帯，亜熱帯海域の珊瑚礁に生息する有毒魚介類による食中毒の総称で，カリブ海地方では小型巻貝のシガによって起こることからこうよばれる．日本では沖縄で発生する．特徴的な症状は，物に触れるとドライアイスに触れたようなショックと痛みを感じる感覚異常で，下痢，倦怠感，関節痛などの症状を伴う．シガトキシンやマイトトキシンが原因毒で，これらの毒は渦鞭毛藻によって産生されたものが，生物濃縮で魚介類へ蓄積することが原因と考えられる．

c. ボツリヌス食中毒（botulism）

Gram陽性，芽胞産生の嫌気性桿菌のボツリヌス菌により生じる神経毒中毒で，ボツリヌス菌のA〜Gの7型毒素のうち，主としてA，B，E，F型がヒトに食中毒を起こす．ボツリヌス毒素は神経筋接合部や自律神経節およびその末端に作用してアセチルコリン放出を阻害するために弛緩性の麻痺が起こる．肉類や缶詰が不十分な処理しかされていないとき，嫌気的条件にあるため菌が増殖し毒素を放出する．潜伏期は10〜20時間で，悪心，嘔吐，頭痛などの症状で始まり，複視，眼瞼下垂などの症状が現れて，構音・嚥下障害が起こり，腹部膨満，便秘，脱力，四肢麻痺を起こし，やがて呼吸筋の麻痺による呼吸困難により死亡する．早期であれば抗毒素療法や，催吐，胃洗浄を行い，吸着剤を投与し，下剤や浣腸で消化管内のボツリヌス毒素を排出する．必要に応じて呼吸管理を行う．

d. 毒キノコ中毒（mushroom poisoning）

毒キノコは種類によって中毒症状が多岐にわたり，症状の発現時期も異なるため，摂取したキノコの同定が必要となる（e表17-11-D）（eコラム3）．一般に症状の発現が比較的短期間（3時間以内）であるものは軽症，長い潜伏期（6時間以上）であるものは重症といわれている．キノコ中毒が疑われたときの基本的な鑑別は，キノコの残りがあれば持参してもらい形態学的特徴を調べるが，中毒の原因となったキノコはすでに食しているため，持参したキノコが必ずしも原因であるとは限らない．最近では吐物中のキノコのDNA分析を行って同定する方法もある．キノコ中毒の基本的治療としては，吸収を阻害するための催吐，胃洗浄，活性炭・下剤投与，脱水を補正するための輸液を行うとともに，アトロピン症状にはネオスチグミンを，ムスカリン症状にはアトロピンを，暴れる患者などにはクロルプロマジンなどを投与する．　　〔古谷博和〕

■文献（e文献17-11-2）

Blain PG: Organophosphorus poisoning (acute). *BMJ Clin Evid.* 2011; 2011: 2102.
Roberts DM, Aaron CK: Management of acute organophosphorus pesticide poisoning. *BMJ.* 2007; 334: 629-34.
高須 朗：有機リン中毒．コリン作動性シナプスの病態と治療．*Clin Neurosci.* 2012; 30: 707-9.

3) アルコール中毒

アルコールは体内に入ると，主として肝のアルコール脱水素酵素（ADH）によってエタノール（エチルアルコール；C_2H_5OH）はアセトアルデヒドに，メタノール（メチルアルコール；CH_3OH）はホルムアルデヒドになる．これらはさらにアルデヒド脱水素酵素（ALDH）によってそれぞれ酢酸，ギ酸になる．酢酸は二酸化炭素と水に分解されるが，ギ酸はきわめて毒性が高い．

急性エタノール中毒はエタノールとアセトアルデヒドの直接毒性によるが，慢性中毒は離脱症状，栄養障害などが加わって多彩な病像を呈する．

(1) 急性エタノール中毒

エタノールは化粧品や工業用溶剤などに広く使われているが，急性中毒のほとんどは短時間大量飲酒である．

エタノールは胃および上部小腸から吸収されて血中に入るが，血液脳関門を容易に通過するため，血中濃度と脳内濃度は速やかに平衡化し，中枢神経症状ともよく相関する（表17-11-3）．エタノールは強い中枢神経抑制作用をもち，酩酊状態を呈する．さらに体温調節中枢，血管運動中枢，抗利尿ホルモン分泌を抑制し，アセトアルデヒドの自律神経作用と相まって，低体温，血圧低下，頻脈，脱水などの中毒症状を呈する．

中毒症状の出現には民族差，個人差があり，遺伝因子が関与している[1]．主要なALDHであるALDH2をコードする遺伝子型には正常活性型のN型と，変異により活性を失ったD型（ALDH2*2型）がある．ND型はNN型の1/16のALDH2活性しかなく，DD型はまったく活性がない．日本人は欧米人に比べてD遺伝子型をもつ人が多く[1]，急性中毒を生じやすい．

治療は輸液，血圧管理，血糖・電解質・アシドーシス補正を行い，重症では血液透析，人工呼吸器管理を行う．

(2) 離脱症候群

飲酒常習者が突然飲酒を中断すると，エタノールによる中枢神経抑制がとれ過活動状態になる．離脱症候群は身体依存症状であり，患者がアルコール依存症に陥っていることを示す．

早期離脱症候群は断酒後48時間以内に起こる．手指の姿勢時振戦，不眠，不安，嘔吐，発汗，頻脈，幻覚などが出現する．離脱痙攣[2]は全般性強直間代性痙攣で，数回以内で消失し，脳波にてんかん波はみられない．これらはベンゾジアゼピン内服[3]により数日で消失するが，一部は振戦譫妄に移行する[4]．

振戦譫妄は断酒後48〜96時間に出現する重篤な離脱症候群である．全身の粗大振戦と譫妄（幻覚妄想，錯乱，興奮，変動する意識障害）に自律神経過興奮（頻脈，発汗，発熱など）を認める．数時間〜数週で回復するが，死に至ることもある．

輸液とビタミン補給，電解質管理を行い，ベンゾジアゼピンやハロペリドールで鎮静をはかる．

(3) 慢性アルコール性神経・筋障害
（Harrisら，2008）

a. Wernicke-Korsakoff症候群[5]

Wernicke脳症とKorsakoff症候群は臨床像は異なるが，いずれもチアミン（ビタミンB_1：VB_1）欠乏によって生じ，神経病理所見も同一である．視床内側核，視床下部，乳頭体，中脳水道周囲灰白質，小脳虫部などに細胞脱落，点状出血，血管増生を認める．頭部MRIでは同部位がT2強調像（T2WI）で高信号を呈する．

Wernicke脳症は急性，亜急性に発症し，意識障害，眼筋麻痺，体幹失調を3徴とするが，すべてそろう例は20％程度である．血液検査では，赤血球中トランスケトラーゼ活性が低下するが，VB_1は低値でないこともある．治療が遅れれば昏睡に陥り死亡するため，飲酒常習者が急性に意識障害を呈して来院すれば，診断用採血を行った後，直ちにVB_1を投与する．眼筋麻痺は数時間以内，体幹失調は数日以内に軽快し，意識障害も徐々に改善するが，80％以上が前向性健忘，逆行性健忘，失見当識，作話傾向を特徴とするKorsakoff症候群に移行する．

Wernicke脳症は低栄養状態や妊娠悪阻など，非アルコール性でも発症するが，Korsakoff症候群への移行はアルコール性の方が高頻度であり，エタノール毒性が関与している．Wernicke脳症を経ないKorsakoff症候群の有無については議論があり，臨床的にWernicke脳症が確認できなかっただけとの意見もある．

b. アルコール性大脳萎縮と認知症

飲酒常習者の半数以上で脳萎縮が認められる．臨床的な認知症との関連は明らかでなく，禁酒と栄養管理によりある程度改善する[6]．過量のエタノールとVB_1欠乏による複合作用と考えられる．一方，栄養障害を伴わずエタノール単独の毒性によって認知機能が低下するかどうかは議論がある[7,8]．

表17-11-3 エタノール血中濃度と神経精神症状（Brust, 2010を一部改変）

エタノール血中濃度（mg/dL）	症状
20〜50	爽快感，高揚感，認識力低下
50〜150	多幸感か不安感，内気か誇大的，友好的か論争的，注意力・判断力低下，性的脱抑制
150〜250	言語不明瞭，失調性歩行，複視，悪心，頻脈，眠気，情緒不安定，突然の激怒，反社会行動
300	混迷と好戦的・支離滅裂な発言の繰り返し，深呼吸，嘔吐
400	昏睡
500	呼吸麻痺

c. ペラグラ

ニコチン酸欠乏症である．飲酒常習者やトウモロコシを主食とする地域に生じる．日光露出部に水疱，痂皮，色素沈着，皮膚肥厚（ペラグラ疹）などの皮膚炎（dermatitis），下痢（diarrhea）や口内炎などの消化管症状，健忘，譫妄，抑うつなどの精神症状や認知症（dementia）が急性に出現し，3Dとされる．錐体路・錐体外路・小脳・末梢神経症状も現れる．血中ニコチン酸値は低下する．ニコチン酸を含むビタミン剤投与と禁酒を行う．

d. Marchiafava-Bignami 病

赤ワインを多飲するイタリアの中年男性で報告され，その後酒精の種類を問わず世界中から報告があるまれな疾患である．脳梁の最外層を残した中心性脱髄壊死を生じ，前交連，後交連，半卵円中心，皮質下白質，中小脳脚へと対称性に広がる．大部分は飲酒常習者に生じるが，7.2%は非アルコール性栄養障害患者であり[9]，栄養因子が関与している．

急性例では痙攣，譫妄，歩行障害，記銘力低下などを呈し，しばしばWernicke脳症を併発する．慢性例では進行性の認知症や脳梁離断症状（左手の失行，失書と触覚性呼称障害など）を認める．

頭部MRIでは病巣部がT1WIで低信号，T2WIで高信号を呈し，脳梁の前方に強い．脳梁膨大部に病変が強い mild encephalitis with a reversible splenial lesion（MERS）と鑑別が必要である[9,10]．

ビタミン剤投与やステロイドパルス療法を行うが，アルコール性では後遺症を残しやすい．

e. 橋中心髄鞘崩壊症

急性に進行する四肢麻痺と仮性球麻痺，外眼筋麻痺，重症例では意識障害や閉じ込め症候群を呈するが，無症状のこともある．病理学的には橋底部の対称性脱髄病変である．頭部MRIでは同部位に円形〜三角形のT1WIで低信号域，T2WIで高信号域を認める．さらに小脳，大脳基底核，視床，外側膝状体などにも異常がみられる（橋外髄鞘崩壊症）ことがあり，小脳失調やパーキンソニズム，舞踏アテトーゼ，ジストニアなどを呈する．

アルコール多飲者以外でも，高度の脱水症や水中毒による低ナトリウム血症とその急速な（12 mmol/L/日以上）補正の過程で生じる[11]ため，ナトリウムの補正速度は8 mmol/L/日以下に抑える．

f. アルコール性小脳変性症

飲酒常習者で数週〜数カ月の経過で小脳萎縮が進行する．萎縮は前葉と虫部に強く，Purkinje細胞が脱落する．体幹・下肢失調による歩行障害が主体で，上肢の失調は軽い．栄養障害とエタノール毒性によると考えられ，VB_1投与による改善は乏しい．

g. アルコール性ニューロパチー

純粋なアルコール性ニューロパチーとVB_1欠乏性ニューロパチーがある[12]．前者は下肢末端の疼痛や灼熱痛，表在感覚障害を主体とする感覚優位・緩徐進行性のニューロパチーで，おもに小径線維が障害される．後者は急速進行性，運動優位の感覚・運動性ニューロパチーで，大径線維を中心に軸索変性と節性脱髄を示す．

アキレス腱反射低下と踝での振動覚低下が初期徴候で，末梢神経伝導速度の遅延や筋電図で神経原性変化を認める．自律神経症状は軽いが，直腸膀胱障害，低血圧，低体温，発汗異常，消化管蠕動障害などがみられる．

断酒と栄養指導，VB_1投与を行う．

h. アルコール性ミオパチー

3型に分けられる．無症候性ミオパチーは血清クレアチンキナーゼ上昇と筋電図で筋原性変化を認めるが，こむら返りや一過性の筋力低下を呈するのみである．慢性ミオパチーは進行性で近位筋優位の筋力低下を認める．急性横紋筋融解症は飲酒中に急激に脱力と筋痛，筋腫脹，ミオグロビン尿を呈する．

アルコール性ミオパチーは栄養障害よりエタノールの直接毒性が重要であるが，しばしば随伴する低カリウム血症が病態に関与する[13]．アルコール性心筋症が併存することが多い[14]．断酒を指導する．

i. 視神経ニューロパチー（タバコ・アルコール性弱視）

栄養障害の強い飲酒常習者に発症するが，エタノール毒性やタバコ煙シアン化物の関与も疑われる．数週の経過で両眼視力低下，中心暗点，視神経萎縮を呈する．ビタミンB群を投与する．

(4) メタノール中毒（Bruynら，1994）

メタノールは接着剤やシンナーの成分として身近にある．アルコール依存者が代用酒として飲用したり，自殺目的の飲用，シンナーの吸入や経皮的にも吸収される．代謝は遅く，摂取後12〜24時間経って頭痛，腹痛，悪心などが出現する．数日中にホルムアルデヒドの網膜神経毒性による視力低下と，ギ酸による代謝性アシドーシス，意識障害，痙攣がみられる．頭部MRIでは被殻に壊死所見を認め，膵障害によって血糖，アミラーゼが上昇する．診断には曝露歴と臨床症状に加えて血液，尿からメタノール，ギ酸を検出する．治療はアシドーシス補正のため重炭酸ナトリウム投与，ギ酸産生抑制のためエタノール投与，重症例は血液透析を行う．

〔伊東秀文〕

■文献（e 17-11-3）

Harris J, Chimelli L, et al: Nutritional deficiencies, metabolic disorders and toxins affecting the nervous system. Greenfield's Neuropathology, 8th ed (Love S, Louis DN, et al eds), pp 675-731, Hodder Arnold, 2008.

Brust JCM: Alcoholism. Merrit's Neurology, 12th ed (Rowland LP, Pedley TA, eds), pp1076-84, Lippincott Williams & Wilkins, 2010.

Bruyn GW, Al-Deeb SM, et al: Methanol intoxication. Handbook of Clinical Neurology, Vol. 20 (64), Intoxications of the Nervous System, Part I (Vinken PJ, Bruyn GW eds), pp 95-106, Elsevier, 1994.

4）薬物中毒
drug poisoning

中毒とは毒物によって引き起こされる有害事象を指す．本来薬物は毒物ではないが，過剰投与や犯罪目的，誤飲や静脈内への誤投与などによって中毒を起こす．一方，薬物は生体に作用する物質であり，適正な使用を行っても治療ターゲット以外への作用や，慢性投与による体内蓄積，併用薬との相互作用，アレルギー体質などによって副作用が起こりうる．また，抗Parkinson病薬による不随意運動や抗凝固薬による出

表 17-11-4 薬物によるおもな中枢神経障害

1．痙攣の誘発
抗菌薬（ペニシリン系，セフェム系，カルバペネム系，ニューキノロン系），抗ウイルス薬（ガンシクロビル，ビダラビン），ベンザミド系薬（メトクロプラミド，スルピリド），抗うつ薬（三環系，四環系，選択的セロトニン再取り込み阻害薬，炭酸リチウム），免疫抑制薬（シクロスポリン），気管支拡張薬（テオフィリン）など

2．無菌性髄膜炎
非ステロイド系抗炎症薬（イブプロフェン，ジクロフェナクナトリウム，スリンダク，ナプロキセン，セレコキシブ），抗菌薬（ペニシリン系，セフェム系，アミノグリコシド系，ニューキノロン系，ST合剤），血液製剤（免疫グロブリン），抗てんかん薬（カルバマゼピン，ゾニサミド，ラモトリギン），駆虫薬（メトロニダゾール），抗結核薬（ピラジナミド），サルファ薬（サラゾスルファピリジン），ワクチン（麻疹，風疹，ムンプス，B型肝炎），生物学的製剤，免疫抑制薬（アザチオプリン，レフルノミド），抗潰瘍薬（ラニチジン，ファモチジン），血管拡張薬（トラピジル），睡眠薬（ゾピクロン），抗腫瘍薬（メトトレキサート）など

3．白質脳症・脊髄症
抗腫瘍薬（メトトレキサート，フルオロウラシル，テガフール，シタラビン，カペシタビン），免疫抑制薬（インフリキシマブ），抗ウイルス薬（アシクロビル），抗うつ薬（炭酸リチウム），免疫抑制薬（シクロスポリン，タクロリムス）

4．小脳失調症
抗てんかん薬（フェニトイン，バルプロ酸，カルバマゼピン，エトスクシミド，ガバペンチン），抗腫瘍薬（フルオロウラシル，シタラビン，カルモフール，テガフール，ドキシフルリジン），抗ウイルス薬（ビダラビン），抗うつ薬（ノルトリプチリン，アモキサピン，炭酸リチウム），睡眠薬（ブロムワレリル尿素），抗Parkinson病薬（ビペリデン，トリヘキシフェニジル）など

5．パーキンソニズム
抗精神病薬（フェノチアジン系，ブチロフェノン系，非定型抗精神病薬），抗うつ薬（三環系，四環系，選択的セロトニン再取り込み阻害薬，炭酸リチウム），認知症治療薬（ドネペジル），抗てんかん薬（バルプロ酸），消化薬（メトクロプラミド，スルピリド，チアプリド，トリメブチン，オンダンセトロン），降圧薬（メチルドパ，レセルピン，Ca拮抗薬），抗潰瘍薬（シメチジン，ファモチジン），免疫抑制薬（シクロホスファミド，シクロスポリン）など

6．不随意運動
抗てんかん薬（フェニトイン，バルプロ酸，カルバマゼピン），抗精神病薬（フェノチアジン系，ブチロフェノン系），三環系抗うつ薬，抗Parkinson病薬，降圧薬（フルナリジン），消化器用薬（メトクロプラミド，スルピリド）など

7．悪性症候群
抗精神病薬（フェノチアジン系，ブチロフェノン系，非定型抗精神病薬，ベンザミド系，インドール系，イミノベンジル系），抗うつ薬（三環系，四環系，炭酸リチウム），カルバマゼピン，抗Parkinson病薬の中断　など

8．Reye症候群
解熱鎮痛薬（アスピリン），NSAIDs　など

9．脳血管障害
抗腫瘍薬（サリドマイド），抗ホルモン薬（リュープロレリン），抗凝固薬，抗血小板薬，経口避妊薬　など

血など，ある程度のトレードオフを受け入れねばならない場合もある．

神経系は血液脳・神経関門によって保護されており，物質交換は選択的に制御されているが，関門を通過できる薬物は神経細胞を傷害する可能性がある．また，感染や炎症によって関門の機能が低下すると，通常では通過しない薬物が通過し，中枢神経系，末梢神経系，自律神経系などに障害が生じる（表17-11-4～17-11-6）．

神経症状は特異体質性あるいは濃度依存性に出現する．診断や予防には薬物アレルギーの既往の有無や服薬状況の把握，血中濃度測定を行う．治療は薬物の種類や服薬時期と量，症状の重篤さを考慮し，胃洗浄や活性炭吸着療法などによる未吸収薬物除去，強制利尿や血液透析による既吸収薬物の排泄促進，全身管理を行う．通常これらの処置によって改善するが，後遺症を残すことも多い．

(1) 中枢神経障害（表17-11-4）

中枢神経系に作用しうる薬物は痙攣を誘発する可能性があるが，特に痙攣の既往のある患者では誘発されやすい．薬物性無菌性髄膜炎も非ステロイド系抗炎症薬や抗菌薬，免疫グロブリン製剤などさまざまな薬物でみられる[1]．

白質脳症の症状は原因薬物や投与量・経路などによって異なるが，多くの場合，ふらつきやれつ困難，物忘れ，性格変化などで始まり，徐々に意識障害，痙性四肢麻痺，筋強剛，運動失調，痙攣を呈して無動無言，昏睡に至る．頭部MRIでは両側大脳白質に広範な病変がみられる．全身管理とともにステロイドパルス療法を行う．

最近，可逆性後白質脳症症候群（reversible posterior leukoencephalopathy syndrome：RPLS）[2]の原因としてシクロスポリンやタクロリムスなどが報告されている[3]．小脳失調症には，過量内服による中毒症として急性小脳失調症と，慢性長期内服によって小脳萎縮を呈するものがある．

薬物性パーキンソニズムは，抗精神病薬や抗うつ薬，制吐薬などによって線条体ドパミン受容体が遮断され，無動，筋強剛，姿勢反射障害などを生じる．Parkinson病とは異なり，左右対称性で，進行が速く，静止時振戦は目立たず，ジスキネジアやアカシジアを伴うことがある．抗Parkinson病薬の効果は乏しい．ドパミン神経終末に局在するドパミントランスポーター（DAT）を標識する^{123}I-FP-CIT SPECT（DAT SPECT）がParkinson病との鑑別に有用である[4]．原因薬物を中止し，抗コリン薬やアマンタジンを投与する．

不随意運動は，向精神薬による遅発性ジスキネジア，抗Parkinson病薬による薬剤誘発性ジスキネジ

表17-11-5 **薬物によるおもな末梢神経，神経筋接合部障害**

1. 末梢性ニューロパチー 抗腫瘍薬（ビンクリスチン，シスプラチン，ボルテゾミブ，シタラビン，ブレオマイシン，ドキソルビシン，ドキシフルリジン，プロカルバジン，パクリタキセル，サリドマイド），抗菌薬（クロラムフェニコール，メトロニダゾール，ダプソン，スラミン，ミノマイシン），抗てんかん薬（フェニトイン，カルバマゼピン），抗結核薬（イソニアジド，エタンブトール），抗ウイルス薬（インターフェロン-α），抗不整脈薬（アミオダロン，プロパフェノン，プロカインアミド，ヒドララジン），HMG-CoA還元酵素阻害薬，抗マラリア薬（クロロキン）
2. スモン 整腸薬（キノホルム）
3. 視神経障害 抗結核薬（エタンブトール，イソニアジド），クロラムフェニコール，抗腫瘍薬（メトトレキサート，シスプラチン，ビンクリスチン，シタラビン），抗マラリア薬（塩酸キニーネ），抗不整脈薬（アミオダロン），抗リウマチ薬（D-ペニシラミン）
4. 聴神経障害 抗菌薬（テトラサイクリン系，アミノグリコシド系），抗腫瘍薬（シスプラチン），抗マラリア薬（塩酸キニーネ）
5. 自律神経障害 麻酔薬（リドカイン），抗精神病薬（フェノチアジン系），抗うつ薬（三環系抗うつ薬）
6. 神経筋接合部障害 抗菌薬（テトラサイクリン系，アミノグリコシド系），解毒薬（プラリドキシムヨウ化物），抗リウマチ薬（D-ペニシラミン，ブシラミン），筋弛緩薬（サクシニルコリン），抗てんかん薬

表 17-11-6 薬物によるおもな筋障害

1. 横紋筋融解症
麻酔薬(バルビツレート,オキセサゼイン),鎮咳薬(コカイン,コデイン),脂質異常症(クロフィブラート系,HMG-CoA還元酵素阻害薬),免疫抑制薬(アザチオプリン,シクロスポリン),筋弛緩薬(サクシニルコリン),気管支拡張薬(テオフィリン),抗真菌薬(アムホテリシンB),抗精神病薬(アンフェタミン,メタンフェタミン),抗てんかん薬(バルプロ酸),止血薬(ε-アミノカプロン酸),角化症治療薬(エトレチナート),抗アレルギー薬(グリチルリチン),抗菌薬(バクトラミン配合薬)

2. 悪性高熱
麻酔薬(ハロタン,イソフルラン,セボフルラン),筋弛緩薬(サクシニルコリン)

3. 壊死性ミオパチー
脂質異常症(クロフィブラート系,HMG-CoA還元酵素阻害薬),止血薬(ε-アミノカプロン酸)

4. 急性四肢麻痺性ミオパチー
副腎皮質ステロイド(デキサメタゾン,トリアムシノロン,ベタメタゾン),骨格筋弛緩薬(ベクロニウム,パンクロニウム)

5. 低カリウム性ミオパチー
グリチルリチン,利尿薬(サイアザイド系,ループ利尿薬),クロフィブラート系薬,抗酒薬(ジスルフィラム),アムホテリシンB,抗うつ薬(炭酸リチウム)

6. ステロイドミオパチー
デキサメタゾン,トリアムシノロン,ベタメタゾン,プレドニゾロン

7. 抗微小管性ミオパチー
痛風治療薬(コルヒチン),抗腫瘍薬(ビンクリスチン,ビンブラスチン),抗真菌薬

8. 炎症性ミオパチー
抗リウマチ薬(D-ペニシラミン,ブシラミン),抗ウイルス薬(インターフェロン-α),抗不整脈薬(プロカインアミド),抗甲状腺薬(プロピルチオウラシル),抗Parkinson病薬(レボドパ),抗てんかん薬(フェニトイン),抗潰瘍薬(シメチジン),HMG-CoA還元酵素阻害薬

9. 蓄積性ミオパチー
抗マラリア薬(クロロキン),抗不整脈薬(アミオダロン),抗狭心症薬(ペルヘキシリン)

10. 好酸球増加筋痛症候群
L-トリプトファン

11. ミトコンドリアミオパチー
抗ウイルス薬(ジドブジン),サプリメント(ゲルマニウム)

ア,抗てんかん薬による振戦や舞踏運動などがある.

悪性症候群は抗精神病薬・抗うつ薬の投与中や,抗Parkinson病薬の急激な中断後に起こる.高熱,筋強剛,意識障害,発汗,頻脈などが急激に出現し,横紋筋融解症を伴って血清クレアチンキナーゼ(CK)値,血中・尿中ミオグロビン値が上昇する[5].重症例では死亡することもあるが,軽症例もある.補液と身体冷却を行い,ダントロレンやブロモクリプチンを投与する.

(2) 末梢神経,神経筋接合部障害(Harrisら,2008)

抗腫瘍薬,抗菌薬をはじめ非常に多くの薬物で生じる[6](表17-11-5).手袋靴下型の左右対称・遠位優位の多発ニューロパチーを呈するが,薬物によって感覚優位,運動優位,混合型となる.四肢末端のしびれや異常感覚で発症し,感覚障害や筋力低下,筋萎縮を生じる.腱反射は低下し,神経因性膀胱や起立性低血圧などの自律神経障害を伴うこともある.病理学的には軸索障害型と節性脱髄型がある.筋電図,末梢神経伝導検査,必要に応じ腓腹神経生検を行う.

イソニアジドはピリドキシンを阻害するので,投与中はビタミン B_6 を予防投与する.

スモンは1955年頃からわが国に多発した,整腸薬のキノホルムが原因で起こる亜急性脊髄視神経ニューロパチーである.subacute myelo-optico-neuropathyの頭文字からSMONとよばれる.腹部症状に続いて脊髄症と末梢神経障害による感覚障害と下肢脱力,視力低下が生じる.病理学的には脊髄後索や錐体路の変

性がみられる．1972年には11127人の患者が存在していたが，1970年に本薬剤の使用禁止後，新たな患者の発生はない．しかし現在も多数の後遺症患者が残されている．

神経筋接合部障害では重症筋無力症様の症状を呈する．

(3) 筋障害（Sieb, 2004）（表17-11-6）

横紋筋融解症は，薬物により筋線維が急激に壊死に陥り，筋痛，筋腫脹，筋力低下とともに，筋線維内のCK，ミオグロビンが血中に逸脱し，高クレアチンキナーゼ血症，ミオグロビン尿を生じる．軽症であれば回復はよく，筋力は数週間で正常に戻るが，重症例では腎不全を伴い，播種性血管内凝固，多臓器不全を合併して死亡する．最も頻度が高いのはHMG-CoA還元酵素阻害薬である．

悪性高熱症は全身麻酔中に横紋筋融解症を生じる常染色体優性遺伝性疾患である．大部分の患者は筋小胞体にあるリアノジン受容体1型の点変異による[7]．全身麻酔の術中に骨格筋の硬直，頻脈，異常な高熱，不整脈，分時換気量の増加などが生じ，横紋筋融解症を併発する．原因薬剤を中止し，ダントロレンを投与する．

薬物による低カリウム性ミオパチーは日常診療でまれならず遭遇する．血清カリウム値は変動するので，1回の採血で否定せず，被疑薬があれば中止して経過をみる．

その他の薬物性筋障害（表17-11-6）では[8]いずれも，こわばり，筋痛，筋力低下，筋萎縮を認めるが，血中CKの軽度上昇のみを認める無症候性から，高度の筋力低下や筋萎縮を認め，急性腎不全をきたして死に至る重症例までさまざまである．診断には血液中の筋原性酵素の測定や筋電図のほか，筋生検が必要な場合もある．

〔伊東秀文〕

■文献（ⓔ文献17-11-4）

Harris J, Chimelli L, et al: Nutritional deficiencies, metabolic disorders and toxins affecting the nervous system. Greenfield's Neuropathology, 8th ed（Love S, Louis DN, et al eds），pp 675-731, Hodder Arnold, 2008.
Sieb IP: Myopathies due to drugs, toxins, and nutritional deficiency. Myology, 3rd ed（Engel AG, Franzini-Armstrong C, eds），pp 1693-712, McGraw-Hill, 2004.
Weimer LH, Rowland LP: Iatrogenic disease. Merrit's Neurology, 12th ed（Rowland LP, Pedley TA, eds），pp1089-91, Lippincott Williams & Wilkins, 2010.

17-12　内科疾患に伴う神経系障害

1）ビタミン欠乏症
vitamin deficiency

(1) ビタミン B_1 欠乏症

ビタミン B_1（チアミン）は臓物，牛豚肉，全粒の穀類などに多く含まれ，経口摂取後に小腸から吸収される．人体には骨格筋を中心に25～30 mgのビタミン B_1 が貯蔵されている．偏食，吸収不良（アルコール中毒，葉酸欠乏症，肥満外科手術を含む消化管切除），喪失量増加（下痢，利尿薬），需要量増加（妊娠，過度の肉体労働，甲状腺機能亢進症），高カロリー輸液内へのビタミン剤の入れ忘れなどにより欠乏症が出現する．

a. 脚気（beriberi）
概念

長期間のビタミン B_1 欠乏後に発症する．心不全をきたす浮腫型（wet beriberi）と心不全を伴わない末梢神経障害型（dry beriberi）に分類されるが，重複例もある．

臨床症状

浮腫型では顔面や下肢の浮腫，心肥大，頻脈，心拍出量増加による心不全，食欲不振などを呈する．末梢神経障害として，四肢特に下肢末梢に強いビリビリとした異常感覚，進行すると感覚鈍麻，腱反射の減弱～消失，四肢遠位部の筋力低下などを生じる．

検査所見

血中ビタミン B_1 の低値（20 ng/mL未満），ビタミン B_1 を補酵素とするトランスケトラーゼ活性値の低下，低下したトランスケトラーゼにチアミンを添加してその活性値の上昇（>25%）をみるチアミンピロリン酸塩効果，乳酸アシドーシス，末梢神経伝導検査で軸索障害型の障害を認める．

治療

10～100 mgのビタミン B_1 を3～7日間静注する．25～50 mg/日の経口投与も有効である．

b. Wernicke 脳症
概念

多くは慢性のアルコール多飲者，ほかに悪性腫瘍，ビタミン補給なしでの長期間の経静脈栄養，妊娠悪阻

などで比較的急速に発症する神経障害である．

臨床症状
外眼筋麻痺，小脳性運動失調，意識障害を3主徴とするが，すべての症状を呈するのは全症例の1/3以下である．両側の外転神経麻痺や水平性眼振，進行すると完全な外眼筋麻痺となる．失調性歩行，体幹失調，構音障害を認め，意識障害は傾眠〜昏睡まで多様である．意識障害はアルコール離断症状の振戦，譫妄と鑑別が困難なこともある．覚醒時に見当識障害，記銘力低下，作話などのKorsakoff症候群を示す．

検査所見
視床内側，中脳水道近傍，乳頭体にMRIのT2強調画像で高信号，急性期には造影効果をもつ病変が特徴で，診断的価値がある．

治療
臨床症状から本疾患を疑ったら検査結果を待たずに早急にビタミンB_1を100〜200 mg静注することが重要である．以降は50〜200 mgを経口または筋注で継続投与する．ビタミンB_1の補充が早いほど予後は良好であり，外眼筋麻痺，運動失調は数日〜数週間で回復する．しかしKorsacoff症候群は持続することが多い．ビタミンB_1なしにブドウ糖を投与するとWernicke脳症を悪化させることがあるので，必ずブドウ糖投与前にビタミンB_1を投与する．

(2) ビタミンB_6欠乏症

概念
ビタミンB_6はピリドキシン関連化合物の総称で，アミノ酸代謝の補酵素としてGABA，セロトニン，ドパミンなどの神経伝達物質の合成や分解に関与している．食物中に広く分布しているので単独欠損症はまれであるが，妊娠，吸収不良，拮抗する薬剤の投与（イソニアジドやレボドパ）などで欠乏症をきたす．

臨床症状
感覚障害優位の軸索変性型の末梢神経障害を示す．中枢神経症状として痙攣を生じることがある．

検査所見
血漿中のビタミンB_6濃度の低値（< 4 ng/mL未満）．

治療
ビタミンB_6を50〜100 mg/日経口投与する．イソニアジドの投与時は通常予防的にビタミンB_6を100 mg/日併用する．

(3) ビタミンB_{12}欠乏症

概念
ビタミンB_{12}（コバラミン）は動物性食品にのみ含まれる補酵素で，葉酸やメチルマロン酸の代謝に関係する．悪性貧血との関連は別項を参照【⇨ 10-10-3-1-a】．食事摂取不足で欠乏症が生じることはまれで，最も多い原因は吸収不良（悪性貧血，胃切除後，コルヒチン投与，膵機能不全，プロトンポンプ阻害薬などの長期服用）である．

臨床症状
巨赤芽球性貧血に伴う全身倦怠感，食欲不振，動悸やHunter舌炎などに加え，脊髄の側索と後索，末梢神経および大脳病変による神経症状として四肢遠位部の針で刺すような異常感覚，しびれ感，下肢の振動覚低下，Romberg徴候陽性，下肢の脱力，失調性歩行，アキレス腱反射の消失や低下，膝蓋腱反射亢進，Babinski徴候陽性，進行例での膀胱直腸障害，意識障害，夜間譫妄，行動異常，視神経萎縮などがみられる．脊髄側索と後索に対称的にみられる病変を亜急性脊髄連合変性症とよぶ．

診断
悪性貧血の存在（抗内因子抗体陽性，抗胃壁細胞抗体陽性），血中ビタミンB_{12}低値（< 100 pg/mL），尿中メチルマロン酸排泄量増加．

治療
最初の2週間はビタミンB_{12} 1 mgの筋注を行い，その後は月に1回同量の筋注を継続する．神経症状が発症して3カ月以内に治療が開始されれば四肢の感覚障害などの回復はよい．しかし長期間続いた神経症状は残存する可能性がある．

(4) ニコチン酸（ナイアシン）欠乏症

概念
ニコチン酸はミトコンドリアなどの酸化還元反応に必須の補酵素で，損傷されたDNAの修復過程にも関与する．ニコチン酸を中心にビタミンB_1, B_2, B_6欠乏やアミノ酸欠乏を伴う栄養障害性疾患をペラグラ（pellagra）とよぶ．アルコール多飲，カルチノイド症候群，イソニアジド投与などが発症要因である．

臨床症状
典型的な症状は認知症（dementia），下痢（diarrhea），皮膚炎（dermatitis）で3Dとよばれる．認知症以外の精神神経症状として筋力低下，抑うつ，痙攣，末梢神経障害などがみられ，舌炎も認める．

診断
血中ニコチン酸は正常下限にとどまる場合が多い．尿中の代謝産物であるN-methylnicotinamide（NMN）やNMN-6-pyridone-3-carboxylamideの減少，ニコチン酸アミド投与による治療的診断も有用である．

治療
ニコチン酸アミド300〜1000 mg/日× 5日間の経口投与．ほかのビタミンも不足している場合が多いので，ビタミンB_1, B_2, B_6, B_{12}なども併用投与する．通

常は治療開始後数日で症状は改善する．

(5) 葉酸欠乏症
概念
慢性アルコール中毒などによる摂取不足，吸収障害（盲管症候群，吸収不良症候群），メトトレキサートなどの葉酸拮抗薬投与などで発症する．
臨床症状
ビタミン B_{12} 欠乏症と同様に巨赤芽球性貧血による症状および多発ニューロパチーなどを呈する．
診断
血中葉酸の低値（正常範囲は 2〜10 ng/mL）．
治療
葉酸 5〜15 mg/日を経口投与する．

(6) ビタミン E（トコフェロール）欠乏症
概念
活性型ビタミン E は脂溶性で，細胞膜に存在して脂質の過酸化を抑制する．慢性膵炎，胆管閉塞症，胃・小腸切除などにより脂肪吸収障害が長期間続くと発症する．α-トコフェロール輸送蛋白の変異はビタミン E 欠乏症をきたし，遺伝性運動失調を伴う．
臨床症状
後索性の運動失調で腱反射低下，深部感覚低下，歩行時のふらつきなどを認める．その他，眼筋麻痺や骨格筋ミオパチーを認める．
診断
血清ビタミン E の低値（< 0.5 mg/dL 未満）．
治療
ビタミン E 100 mg の筋注． 〔中里雅光〕

2）代謝・内分泌疾患に伴う神経系障害

(1) 糖尿病
概念
糖尿病に由来する神経障害で，左右対称性下肢遠位優位に感覚運動障害を生じる多発神経障害，自律神経障害，単発性に末梢神経や脳神経の麻痺を生じる単神経障害，下肢近位筋の筋力低下を特徴とする糖尿病性筋萎縮症に分類される．
頻度
血糖コントロールの悪化とともに発症するが，通常は 5〜10 年間以上の罹病期間をもつ糖尿病患者にみられる．有病率は報告者や国により異なるが，糖尿病患者の 15〜50% とするものが多い（Ang ら，2014）．
病因
ポリオール代謝経路の亢進，酸化ストレス，高血糖による蛋白の非酵素的糖化（グリケーション），プロテインキナーゼ C 活性の変化，種々の成長因子，血流障害などの仮説があるが，全容は不明である．一方，統計学的に証明された危険因子としては血糖コントロール不良，高血圧，喫煙，飲酒，アルドース還元酵素の遺伝子多型などがある．
臨床症状
多発神経障害の症状としては，下肢末梢から左右対称性に始まり徐々に上行する感覚異常（しびれ感，感覚低下，足底に薄皮が 1 枚張りついている・砂利の上を歩いているといった錯感覚，疼痛）として出現する．進行すると靴下型の分布となり，さらに進行すると上肢にも症状が広がり，手袋靴下型の分布となる．おもにやせ型で血糖コントロール不良の患者が急速に血糖値の改善をみた後に神経障害が増悪して激しい疼痛を生じることがあり，治療後有痛性神経障害とよばれる．自律神経障害として起立性低血圧，心筋梗塞発症時にも胸痛などの症状に乏しいこと（無痛性心筋梗塞），無自覚性低血糖，胃無力症，弛緩性膀胱，発汗異常，便通異常，インポテンツなどを生じるが，自覚していないことも多い．単神経障害としては動眼神経麻痺や外転神経麻痺による複視，腓骨神経麻痺による下垂足などがある．
診断
糖尿病性多発神経障害の診断は，ほかの多発神経障害を鑑別したうえでの除外診断となる．いくつかの簡易診断基準が提唱されており，自覚症状とアキレス腱反射の低下や消失などの他覚所見の組み合わせとなっているが，統一された診断基準はない．スクリーニングに有用な検査としては，腱反射（特にアキレス腱反射），振動覚，モノフィラメントを用いたタッチテスト，温痛覚，神経伝導検査での運動神経伝導速度，感覚神経伝導速度，F 波伝導速度などがある．自律神経障害の評価には心電図 R-R 間隔変動係数の減少，起立試験にて収縮期血圧の 20〜30 mmHg 以上の低下，アセトアミノフェン法などでの胃排出能低下などが用いられる．
治療
多発神経障害の治療法としては，血糖コントロールの改善，アルドース還元酵素阻害薬（エパルレスタット），高血圧の改善，禁煙，禁酒，ビタミン剤（B_1，B_6，B_{12}），循環改善を目的としたプロスタグランジン系製剤，抗セロトニン製剤などがある．異常感覚や疼痛に対する対症療法としては，非ステロイド系抗炎症薬のほか，メキシレチン，抗痙攣薬（カルバマゼピンなど），プレガバリン，デュロキセチン，抗うつ薬（トリプタノールなど）などが用いられる．起立性低血圧にはドロキシドパなど，胃無力症にはエリスロマイシンやモサプリドなどが用いられる．

(2) 低血糖
概念
多くは糖尿病患者に対するインスリンや経口血糖降下薬投与下で発症するが，アルコール多飲，ダンピング症候群，インスリノーマ，副腎不全などでも生じる．

臨床症状
血糖値がおよそ 60 mg/dL 以下になると低血糖症状を生じ，交感神経刺激症状と中枢神経系低血糖症状に分類される．前者としては不安感，動悸，冷汗，振戦，頻脈など，後者としては空腹感，頭痛，倦怠感，眠気，錯乱，興奮，譫妄，傾眠などがみられ，一般に血糖値が低いほど症状は重篤である．高齢者では意識障害の鑑別として重要である．糖尿病の罹病期間が長く，神経障害が進行している症例などでは，低血糖の警告症状がないまま意識障害などの無自覚性低血糖をきたすこともあるので注意が必要である．

診断
血糖値の低値．測定が不可能な場合はブドウ糖投与による治療的診断も有用である．

治療
50％ブドウ糖液 30～50 mL を静注する．血糖値が改善後にも意識レベルの改善や摂食が不十分な場合，長時間作用型の経口血糖降下薬やインスリンを使用している場合は引き続き 5～10％ブドウ糖液を持続点滴静注する．グルカゴン 1 mg の筋注も有効であるが，作用持続時間は約 25 分間である．

(3) 甲状腺機能亢進症
概念・臨床症状
本症の多くは Basedow 病であり，甲状腺ホルモンの過剰に伴って易興奮性，神経質，集中力低下などの精神症状，手指振戦，頻脈，多汗などがみられる．甲状腺機能亢進症患者の 61～82％に近位筋優位の筋力低下，筋萎縮，やせを生じ，甲状腺中毒性ミオパチーとよばれる．また，低カリウム性の周期性四肢麻痺を発症することがあり，その多くは 20～40 歳代の男性患者である．周期性麻痺は軽い脱力や筋痛を前駆症状として，数分～数時間で四肢の脱力に至る．麻痺は左右対称性で下肢から始まって上行し，起立や歩行が困難となる．夜間から早朝にかけての発症が多い．重症筋無力症に Basedow 病を合併する例が 3～10％ある．甲状腺眼症は甲状腺機能亢進だけでなく，機能正常の場合にもみられる．両側の眼球突出と外眼筋麻痺，複視を生じることがある．

診断
ミオパチーがあっても筋原性酵素は正常で，筋電図も正常．眼症では MRI で眼球突出と外眼筋の腫大を認める．

治療
甲状腺機能亢進症の治療が基本で，チアマゾールやプロピルチオウラシルを用いる．詳細は Basedow 病の項を参照【⇨ 14-4-4-1】．周期性四肢麻痺ではカリウム製剤の補給も検討する．眼症では副腎皮質ホルモン薬の大量療法や放射線治療を行うこともある．

(4) 甲状腺機能低下症
概念・臨床症状
甲状腺機能低下症の多くは慢性甲状腺炎(橋本病)で発症する．甲状腺ホルモンの慢性的な不足により，神経症状としては精神活動の低下，意欲低下，無気力，記銘力低下，末梢神経障害，ミオパチーなどがある．甲状腺機能低下が高度の場合は意識障害，粘液水腫徴候(浮腫状顔貌，皮膚の乾燥と粗造)，低血圧，低体温，呼吸不全など重篤な症状を呈することもある．神経症状で頻度の高いものとして甲状腺機能低下性ミオパチーがあり，近位筋の脱力，筋痛，動作緩慢から始まり，腱反射の減弱，反射の戻りが遅い，筋肥大，筋膨隆現象，全身の粘液水腫，巨舌などを呈する．進行すると筋の痙攣や硬直，著明な全身の脱力をきたす．末梢神経障害としては手袋靴下型の知覚障害，振動覚低下，腱反射消失などがみられる．重症筋無力症を合併することもある．

一方で，甲状腺機能異常によらない精神神経症状を呈する病態もあり，橋本脳症とよばれている．自己免疫的機序により発症し，急性に意識障害や精神症状を呈するタイプが最多で，その他に慢性にうつ，不安，無気力などを認めるタイプや小脳失調を呈するタイプもある．

診断
ミオパチーでは CK や肝逸脱酵素の上昇を認め，筋電図では筋原性変化を示す．橋本脳症では高率に脳波の異常，脳血流シンチグラムでの血流低下を認める．

治療
甲状腺ホルモンを経口投与する．下垂体性の甲状腺機能低下症では副腎不全に注意し，副腎皮質ホルモン薬の補充を先行させる．橋本脳症の多くでは副腎皮質ホルモン薬が奏効する．

(5) 副甲状腺機能亢進症
概念
副甲状腺の腺腫，癌，過形成などにより副甲状腺ホルモン(PTH)の産生が亢進し，高カルシウム血症と低リン血症をきたす．

臨床症状
高カルシウム血症により多飲，多尿，尿路結石のほか，神経筋症状として対称性近位筋優位の筋力低下，易疲労感，無気力，腱反射低下などがあり，高度の高

カルシウム血症では錯乱，傾眠，昏睡などをきたす．
診断
高カルシウム血症，低リン血症，高クロル性代謝性アシドーシス，血清 PTH 高値，ALP 高値，腎原性サイクリック AMP 上昇，尿細管 P 再吸収率低下，頸部エコーでの副甲状腺病変，^{99m}Tc-MIBI によるシンチグラフィ．
治療
病的副甲状腺の外科的摘出，脱水の補正やビスホスホネート製剤．

(6) 副甲状腺機能低下症
概念
PTH の作用不足により低カルシウム血症と高リン血症をきたした状態．PTH の分泌不全による特発性または続発性副甲状腺機能低下症と，PTH に対する不応性による偽性副甲状腺機能低下症に分類される．
臨床症状
低カルシウム血症によるテタニー症状（てんかん様の四肢の強直性痙攣，Chvostek 徴候，Trousseau 徴候），精神障害などを認める．一方，ビタミン D 欠乏症でも低カルシウム血症をきたし，テタニーや痙攣を起こすことがある．
診断
低カルシウム血症と高リン血症，頭部 CT で大脳基底核や大脳白質内に異常石灰化，心電図で QT 延長，PTH が特発性または続発性では低値，偽性では高値，腎原性サイクリック AMP 低下，活性型ビタミン D_3 低下．偽性では知能低下，低身長，肥満，第 4・5 中手足骨短縮などを認める．
治療
活性型ビタミン D_3 の経口投与，緊急時には Ca の静注．

(7) 副腎皮質機能亢進症
概念・臨床症状
副腎腫瘍，副腎過形成，下垂体腺腫などによりコルチゾールが過剰に分泌されている状態．コルチゾール過剰による高血圧，左右対称性・下肢近位筋優位の筋力低下や筋萎縮，精神異常などを認める．
診断
筋原性酵素は正常，筋電図は筋原性変化または正常．コルチゾール過剰の改善による筋症状の改善．
治療
腫瘍に対しては外科的摘出術が基本で，メチラポンなどのステロイド合成酵素阻害薬を用いる場合もある．

(8) 原発性アルドステロン症
概念
多くはアルドステロン産生腺腫，その他副腎癌，特発性副腎結節性過形成により過剰にアルドステロンが分泌された状態．本症による神経症状は高血圧症に合併する脳内出血や高血圧性脳症，低カリウム血症に伴う周期性四肢麻痺や低カリウム性ミオパチー，テタニーに分類される．
臨床症状
脳出血は別項を参照．高血圧性脳症は通常発症時の拡張期血圧が 120 mmHg をこえており，頭痛，悪心，嘔吐といった頭蓋内圧亢進症状，痙攣，意識障害などを呈するが，局所症状はない．低カリウム性ミオパチーでは近位筋の脱力をきたす．
診断
高血圧，低カリウム血症，血漿アルドステロンの高値，血漿レニン活性低値を認める．甘草を含む漢方薬の使用で偽性アルドステロン症となり同様の症状を示すことがある．
治療
腺腫や癌なら外科的切除術が基本であるが，手術不能例ではスピロノラクトン，Ca 拮抗薬，アンジオテンシン II 受容体拮抗薬，選択的アルドステロン阻害薬であるエプレレノンなどの降圧薬を使用する．

(9) 副腎皮質機能低下症
概念
副腎皮質ホルモンが不足した病態．副腎皮質の病変による原発性および下垂体や視床下部の病変による続発性に大別される．
臨床症状
神経筋症状としては全身性筋力低下，筋痙攣，倦怠感，低血糖による意識障害などを認める．
診断
筋原性酵素は正常，筋電図も正常．グルココルチコイドの補充で症状が軽快する．
治療
ヒドロコルチゾン 20〜30 mg/日程度を経口投与する．急性副腎不全の場合はヒドロコルチゾン 100 mg の静注と 5％程度のブドウ糖を含む細胞外液の点滴静注を行う．

〔中里雅光〕

■文献

Ang L, Jaiswal M, et al: Glucose control and diabetic neuropathy: lessons from recent large clinical trials. Curr Diab Rep. 2014; **14**: 528-42.

3）肝疾患に伴う神経系障害

(1) 肝性脳症 (hepatic encephalopathy)
概念
高度の肝機能異常に伴う代謝異常によって生じる意識障害などの精神神経症状で，大きく急性型と慢性型に分類される．

臨床症状
急性型は劇症肝炎に代表され，急性(8週以内)に広範囲の肝細胞が壊死に陥る急性肝不全に伴って認める神経症状である．倦怠感，食欲不振などの急性肝炎症状で発症し，黄疸，頻脈，血圧低下などの肝不全症状とともに，意識障害を中心として，アステリキシス (asterixis)，構音障害，錐体外路徴候，錐体路徴候，運動失調なども認める．慢性型は肝硬変などの慢性肝疾患に伴って認める神経症状で，症状の変動や再燃がしばしばみられる．おもな症状は意識障害，精神症状(初期には記銘力障害，見当識障害，感情の易変容性，経過が長くなると認知症や人格障害)，運動障害，アステリキシスなどである．

病因
慢性型では腸管内で生じるアンモニアなどの神経毒作用物質が肝で解毒されずにシャントを通って大循環を経て直接脳内に達する．アンモニアが肝性脳症を引き起こす原因としては TCA 回路を介する ATP 産生低下，脳内セロトニン系への関与，アンモニア代謝で産生されるグルタミンの関与などがいわれているが不明な点も多い．アンモニア以外のメルカプトン，芳香族アミノ酸などの関与も示す報告もあるが詳細は不明である．急性型では高アンモニア血症に加えて，脳浮腫も関与する．

診断
肝不全を示す血液データ，血中アンモニアの高値，分岐鎖アミノ酸/芳香族アミノ酸比(Fisher 比)の低下，脳波所見，臨床症状から診断する．脳波は肝性脳症の重症度をよく反映し，初期には α 波の徐波化，不規則化，その後 5〜7 Hz の高振幅 θ 波が前頭部から後頭にかけて全体に広がる．前昏睡期になると特異的な所見である三相波(図 17-12-1)が前頭優位，左右対称性に出現するが，昏睡期になると消失する．また，脳 MRI の T1 強調画像にて淡蒼球を中心にした大脳基底核に高信号域を認める．

治療
急性型では急性肝不全の治療とともに，脳浮腫の治療としてマンニトールやグリセロールの投与を行う．慢性型では血中アンモニア上昇の誘因(蛋白の過剰摂取，便秘，消化管出血)の除去，ラクツロースまたはラクチトールの経口投与を行う．それでもアンモニア

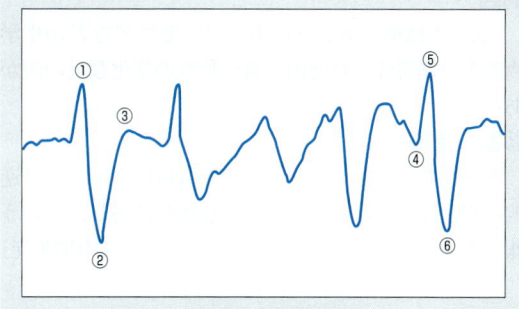

図 17-12-1 肝性脳症でみられる三相波
陽性波②をはさんでその前後の陰性波①③を合わせたもの，または陰性波⑤をはさんでその前後の陽性波④⑥という三相性の波形を三相波とよぶ．三相波は腎障害や麻酔時にもみられることがある．

の低下をみない場合はネオマイシン，ポリミキシン B などの抗菌薬の投与を行う．分岐鎖アミノ酸製剤は意識覚醒効果や脳症の予防に有効である(Leise ら, 2014)．

(2) 門脈下大静脈シャント脳症
概念
おもに肝細胞が広範に破壊される肝硬変症でみられ，肝線維化に伴う門脈圧亢進の結果，門脈-大循環系シャントが形成されてアンモニアなどが肝で解毒されずに直接脳に達する病態である．肝性脳症の一病型と考えられているが，なかには肝硬変がなく門脈圧が高くない症例にもみられる．その原因として Eck 瘻症候群などの手術時の癒着でシャントが形成されるもの，胎生期の門脈系と大循環系の交通が遺残しているものなどが考えられている．

臨床症状・病因・診断
肝性脳症と同様．

治療
肝性脳症に記載したことに加えて，シャントを閉塞する経皮経肝門脈側副血行路塞栓術やバルーン閉鎖下逆行性経静脈的塞栓術，門脈-大循環分流術が行われる．

(3) 肝性ミエロパチー
概念
肝硬変に伴ってまれに痙性対麻痺を認めることがあり，肝性脳症を合併することが多い．

臨床症状
進行性の痙性対麻痺を認めるが，感覚障害や膀胱直腸障害は認めないか，あっても軽症とされる．病理組織学的には皮質脊髄路に左右対称性の脱髄変性，二次性の軸索変性を認める．脱髄変性は通常頸髄に始まり，全長にみられる．

病因
門脈-大循環シャントによるアンモニアなどの化学物質の脊髄毒性，脊髄内の血行動態の変化などの説がある．

診断・治療
臨床症状や肝硬変，肝性脳症の合併による．不可逆的な場合が多いが，肝移植後に症状が改善したという報告もある．

〔中里雅光〕

■文献
Leise MD, Poterucha JJ, et al: Management of hepatic encephalopathy in the hospital. Mayo Clin Proc. 2014; 89: 241-53.

4）心・肺疾患に伴う神経系障害

(1)心原性脳梗塞
心原性脳梗塞は脳梗塞全体の約 1/6 にみられ，最近増加傾向にあり，特に 75 歳以上の高齢者で頻度が高い．基本的に脳塞栓症が大部分を占め，塞栓原は心臓内の壁在血栓であることが多い．突発的に血栓が脳血管に詰まり，側副血行が未発達のため，広範囲の脳細胞が急速に壊死していき，皮質を含む脳梗塞が広範に出現し，脳血栓症よりも重篤になりやすく死亡率も高い．超早期に t-PA 治療や血管内治療が奏効し，栓子が超早期に再開通すると症状が劇的に改善し，spectacular shrinking deficit とよばれるが，ほかのアテローム血栓性脳梗塞に比べ適応となることが少なく，血栓も溶けにくい．一方，出血性脳梗塞となる率も高い．高リスクファクターを表 17-12-1 に示した．おもな原因としては非弁膜性心房細動，リウマチ性心弁膜症，虚血性心疾患，先天性心疾患，僧帽弁狭窄症，心房粘液腫，心臓人工弁，洞不全症候群，感染性心内膜炎などがある．最も多いのは非弁膜性心房細動で，全体の約 45％を占め，特に心房細動が洞調律に復したときに壁在血栓が飛びやすい．ついで 4 週間以内の心筋梗塞の 15％が多い．心原性脳梗塞の予防のため，心房細動を有する場合には積極的に抗凝固療法を行うことが推奨されている[1]．

(2)心不全【⇨ 7-3-4】
心拍出量低下によるショック状態で脳循環不全や，低酸素血症（脳症）をきたした場合に種々の程度の意識障害をきたす．脳波で徐波化がみられる．診断は意識障害，脳局所症状の有無と血圧，血液ガス，画像診断による．上矢状静脈洞血栓症などと鑑別する．ショックが改善すれば通常回復する．神経細胞は低酸素に感受性が高く，無酸素状態が数分続くと非可逆的となり，心臓が停止した場合には 4〜6 分以内に心蘇生術を施す必要がある．蘇生直後に瞳孔反応のみられない症例では植物状態となる可能性が高い．

(3)心臓手術時の神経合併症
手術方法，麻酔法，体外循環などの進歩にもかかわらず，心臓手術後に発生する神経障害は数％にみられる．意識回復遅延，痙攣，瞳孔異常などの神経障害がみられる．脳神経障害もみられ，特に虚血性視神経症の発症には注意が必要である．体外循環中の脳灌流圧低下，低酸素血症，体外循環回路中に発生した栓子による微小塞栓などに起因する．脳血管障害のリスクを有する場合には人工心肺の灌流圧を高めに設定したり，心拍動下での冠動脈バイパス術を施行するなどの対応が必要である．

(4)Adams-Stokes 症候群（発作）
不整脈により心拍出量の急激な低下をきたし，それに伴う脳血流減少により生じた意識消失（失神），めまいなどの一過性の脳虚血症状を呈する病態を指す．循環停止後，3〜10 秒後に Adams-Stokes 発作が起こる．通常は失神することが多く，めまい症状だけの場合もある．数秒〜数分で回復し，神経症状などの後遺症はない．古くは完全房室ブロックに伴う失神や痙攣に対してのみ用いられていたが，現在では，洞房ブロックなどほかの徐脈性不整脈によるものに加えて，心室頻拍などの頻脈性不整脈によるもの，洞機能不全症候群（sick sinus syndrome）など徐脈・頻脈混合型不整脈による場合も含めている．原因疾患は多く，洞不全症候群，房室ブロック，上室性頻拍，心室頻拍，心停止，大動脈弁狭窄，肥大型心筋症，急性心筋梗塞，Fallot 四徴症，左房粘液腫などがある．これらは致死的な原因であることが多く，Adams-Stokes 症候群を

表 17-12-1 心原性脳梗塞をきたす高リスクファクター

左房血栓
左室血栓
心房細動
発作性心房細動
洞不全症候群
心房粗動
4 週間以内の心筋梗塞
僧帽弁狭窄症またはリウマチ性心弁膜症
心臓人工弁
低収縮能（＜28％）の慢性心筋梗塞
拡張型心筋症
非細菌性血栓性心内膜炎
感染性心内膜炎
心臓腫瘍（乳頭状フィブロエラストーマ，左房粘液腫）

(5) 肺性脳症（pulmonary encephalopathy）

肺の機能異常に基づいて中枢神経症状を呈する病態を肺性脳症といい，高二酸化炭素血症（hypercapnia）による CO_2 ナルコーシス（CO_2 narcosis）と低酸素脳症（hypoxic encephalopathy）がある．呼吸不全による低酸素血症と CO_2 ナルコーシスは，慢性閉塞性肺疾患（chronic obstructive pulmonary disease：COPD）の末期あるいは感染合併時に多い．また筋萎縮性側索硬化症，重症筋無力症などの神経筋疾患に伴う呼吸筋麻痺でも低酸素脳症と CO_2 ナルコーシスをきたす．高濃度酸素吸入，呼吸器感染，うっ血性心不全，鎮静薬による呼吸抑制などが誘因となる．高濃度の CO_2 には麻酔作用があり，呼吸抑制作用がある．高二酸化炭素血症によって，脳血管が拡張し，血圧が上昇する．急な CO_2 上昇は脳組織にアシドーシスをきたし，神経症状を発現するとされる．P_aCO_2 50〜60 Torr 以上では頭痛，筋痙攣，振戦が出現し，急激に 80 Torr 以上に上昇すると意識レベルが低下し，見当識障害，昏迷がみられ，自発呼吸がさらに減弱する．

脳の酸素需要量は全身の 20％以上にも及び，脳は酸素欠乏で他臓器より障害を受けやすく，直接神経細胞が障害される．動脈血の O_2 低下は脳血管を拡張させ，血流量の増加に働くが，実際の動脈血の O_2 低下はそれを上回り，脳への酸素不足を代償できなくなり，低酸素脳症をきたす．P_aO_2 が 50 Torr 以下で心理検査上の異常，40 Torr 以下で知的活動の障害が現れるとされる．P_aO_2 が 20 Torr 以下になると酸素の細胞内取り込みが不可能となり，譫妄，意識障害，視力障害をきたす．慢性低酸素血症例では多幸症や幻覚・妄想などの精神症状や夜間譫妄が起こりやすい．高度な低酸素血症後あるいは前駆して全身性ミオクローヌス（Lance-Adams 症候群）がみられることがある．CT で両側淡蒼球に低吸収病変，MRI で線条体などに T2 強調画像で高信号がみられる．呼吸不全をきたす疾患があり症状を呈したら血液ガスで診断する．予後は COPD の重症度による．治療は誘引の除去，気道の確保，酸素吸入，人工呼吸管理，感染の治療，気管支拡張薬などで一時的には改善する．〔髙 昌星〕

■文献

1) Kasper D, Fauci A, et al: Harrison's Principles of Internal Medicine, 19 th ed, McGraw-Hill, 2015.

5）腎疾患に伴う神経系障害

(1) 尿毒症性脳症（uremic encephalopathy）

高度の尿毒症に伴う脳症を尿毒症性脳症といい，急性腎不全でみられることが多く，血液尿素窒素（BUN）が 60 mg/dL 以上になると明らかな症状が現れる．初期から目立つのは精神症状であり，易疲労感，無感情，うつ状態，性格変化を示し，さらに進行すると，注意力低下から記憶障害，錯乱，意識障害に至る．幻視，幻聴がみられることも多い．神経症状は変動することが特徴で，構音障害，歩行障害，動作時振戦，アステリキシス，筋痙攣，ミオクローヌス（uremic twitching），テタニー，筋トーヌス亢進，髄膜刺激症状，痙攣（末期）などを伴う．有機酸などの uremic toxin 蓄積によるグリア細胞の輸送障害，二次性副甲状腺機能亢進による脳内 Ca 増加，水中毒，代謝性アシドーシス，解糖系障害，アミノ酸，神経伝達物質代謝異常，さらに脳膜透過性の亢進などが複雑に絡みあって生じるとされている．

脳波では徐波化，発作波がみられる．CT で基底核，深部白質の可逆性低吸収域，MRI で同部の可逆性 T2 高信号域がみられる．髄膜蛋白上昇は 60％以上にみられる．脳症を呈し尿毒症所見があれば本症を疑う．ほかの代謝性，中毒性脳症，髄膜脳炎などと鑑別する．透析により BUN を低下させると尿毒症性脳症の症状は速やかに改善するが，重症の場合は急激な是正による透析不均衡症候群に注意する．比較的早期に透析を導入すれば予後は悪くない．

(2) 透析不均衡症候群（dialysis dysequilibrium syndrome）

急速な血液透析時や透析導入時に起こりやすい．維持透析ではまれである．特に BUN が著しく高値である者，高齢者，小児，てんかんなどの中枢神経疾患を有する患者では透析導入時に透析不均衡症候群を伴いやすい．急速な血液透析や腹膜灌流により血中の尿素などの浸透圧物質が急激に除去され，血液と脳組織の間の浸透圧較差が生じ，水が脳組織に移行し，脳浮腫が生じるためと考えられている．水中毒様症状は抗利尿ホルモンの不適切な分泌も関与していると考えられている．頭痛，悪心などの頭蓋内圧亢進症状，筋痙攣は 50％以上にみられ，5％以上に，もうろう，痙攣，譫妄がみられる．乳頭浮腫，脳波の徐波化がみられることもある．症状は透析開始後 3〜4 時間で出現し，数時間持続し，一過性で透析終了後数時間以内に改善するが，譫妄は数日間持続することもある．導入期には緩徐な透析を行い，症状がみられる場合は一時透析を中止し，グリセリン（グリセロール），ジアゼパムな

などを投与する．

(3) 透析脳症 (dialysis encephalopathy)

3年以上の透析歴をもつ慢性透析患者にみられる亜急性，進行性の症候で，吃り（95％），構音障害，運動性失語などの言語障害，顔面や全身のミオクローヌス（81％），焦点性発作，全身痙攣，人格変化，姿勢保持困難，記銘力低下などの精神症状をきたし，ついには無言の認知症に進行し，発症後6〜9カ月で死亡する．透析認知症（dialysis dementia）ともよばれる．病初期には透析と関連して症状がみられるが，進行すると持続性となる．透析脳症剖検例で大脳アルミニウム含量が多いことから，アルミニウム中毒であることが明かとなり，現在では透析液中のアルミニウムが除かれた結果，発症は激減した．尿毒症性脳症と異なり意識は末期まで比較的保たれる．脳波では高振幅徐波の群発や棘波がみられる．ほかの脳症，脳血管性認知症やAlzheimer病などの認知症疾患と鑑別する．アルミニウムに親和性が高く，その排泄を促進するキレート薬のデフェロキサミンが有効である．

(4) 尿毒症性ニューロパチー (uremic neuropathy)

尿毒症に伴って起こる感覚・運動混合性ポリニューロパチーであり，下肢遠位から始まる左右対称性の痛みや灼熱感を伴う上行性異常感覚（burning feet），感覚鈍麻，運動障害，筋萎縮が起こる．長期腹膜透析患者では多発ニューロパチーの発症が少なく，腎移植などにより改善することから透析可能物質による中毒性ニューロパチーと考えられている．起立性低血圧，インポテンツ，発汗異常などの自律神経ニューロパチーの症状を伴うことも多い．神経伝導速度の遅延がみられ，筋電図で神経原性変化，神経生検で軸索変性が主体であるが節性脱髄主体型もある．糖尿病性ニューロパチー，慢性炎症性脱髄性多発ニューロパチーなどとの鑑別が必要である．腎障害の改善に伴い改善し，腎移植で比較的罹病期間の短い例では全快するが，長期例では部分的に改善するにとどまる．足の灼熱感にはビタミンB群を用いる．クロナゼパムも有効であり，痛みが強い場合にはカルバマゼピンを用いる．

不穏脚症候群（restless legs syndrome）が約40％にみられ，ニューロパチーに先行する．これは両下肢に不快な異常感覚が生じ，紛らわすために下肢をさかんに動かし静止しておれないことから下肢静止不能症候群あるいはむずむず脚症候群ともよばれている．不穏脚症候群には抗Parkinson病薬の受容体アゴニスト（刺激薬）が有効で保険適用となっている．鉄欠乏性貧血を伴っている場合には鉄剤の投与により，症状が改善することがある[1]．

(5) 手根管症候群 (carpal tunnel syndrome)

慢性腎透析患者では正中神経の単神経炎である手根管症候群の頻度が高く，女性は男性の3倍みられる．ほとんどが透析のための内シャントをつくった側に発生し，シャント血流が多い例に発生頻度が高い．原因は浮腫が発生しやすいことや虚血，β_2-ミクログロブリンからなるアミロイドの沈着などが考えられている．このほか腎障害末期にみられる単神経炎（uremic mononeuropathy）として障害されるのには尺骨神経，顔面神経，内耳神経がある．

〔髙　昌星〕

■文献

1) Kasper D, Fauci A, et al: Harrison's Principles of Internal Medicine, 19 th ed, McGraw-Hill, 2015.

6) 膠原病・炎症性疾患に伴う神経系障害

(1) 膠原病 (collagen disease)

膠原病が神経系を侵す機序としては，自己抗体の標的として末梢神経や中枢神経組織が実際に傷害されるか，合併する血管炎や凝固系異常に起因する虚血性病変の形成よるものなどがあげられる．膠原病の全身症状の発現に先立ち，神経症状で初発する患者が存在するため，炎症性神経疾患の背景疾患としての膠原病は，常に念頭におく必要がある．

a. 全身性エリテマトーデス (systemic lupus erythematosus：SLE) 【⇨12-4】

SLEの50％の患者は何らかの神経症状あるいは精神症状を呈するとされ，neuropsychiatric SLEと称される．症状の発現は疾患活動性の高さを示唆するが，一方では他臓器障害の影響や治療薬の副作用に起因するものも少なくない．中枢神経系合併症としては，無菌性髄膜炎（10％），横断性脊髄炎（1〜2％），脳梗塞（20〜30％），てんかん発作（20〜25％），舞踏病（〜2％），認知機能障害（〜80％，重度の認知症3〜5％），気分障害（10〜20％），精神病様状態（〜5％）などがあげられる．このうち，横断性脊髄炎と脳梗塞は，患者の40％程度に随伴する抗リン脂質抗体が関与している．また，Libman-Sacks心内膜炎から脳塞栓症をきたす可能性もある．末梢神経系合併症としては，Guillain-Barré症候群，多発性単神経炎，神経叢障害，脳神経障害（特に三叉神経障害）が知られている．SLE患者で神経・精神系合併症をきたす機序としては，抗リボソームP抗体が精神病様状態に，抗NMDAR抗体がうつ状態や認知機能障害の発現に関連している可能性が指摘されている．補助診断として，髄液IgGインデックス（髄液IgG値/髄液アルブミン値×血清アルブミン値/血清IgG値）や髄

液中の IL-6，IL-8，IFN-α の上昇，さらに血清および髄液の抗 U1 RNP 抗体陽性所見が有用であるが，単核球主体の髄液細胞増加や髄液蛋白の上昇は非特異的で確定診断には寄与しない．脳波は高率に徐波化を認め，頭部 MRI では大脳皮質の萎縮や，皮質下白質あるいは傍側脳室領域に非特異的な病変を呈する．治療は通常，メチルプレドニゾロン 1000 mg による 3 日間程度のパルス療法や中等量の副腎皮質ステロイドの内服が行われるが，重症例にはシクロホスファミド静注を試み，不応例には血液浄化療法や抗 CD20 抗体製剤による治療を考慮する必要がある．

b. Sjögren 症候群【⇨ 12-3】

本疾患の中枢神経系合併症は 0.3～48％と報告により大きな差があるが，無菌性髄膜炎，横断性脊髄炎，視神経炎，急性小脳炎，てんかん発作，認知機能障害などがあげられる．多発性硬化症では，Sjögren 症候群に特異的な抗 Ro/SS-A や抗 La/SS-B 抗体が陽性に出る患者が存在し，無菌性髄膜炎以外の症状を呈しうる．治療の第一選択薬がおのおの異なるため，両者の鑑別は重要であるが，抗 α-fodrin 抗体の存在が Sjögren 症候群診断の一助となる．さらに，Sjögren 症候群の診断基準を満たす脊髄炎の患者では，抗アクアポリン 4 抗体が陽性の場合，視神経脊髄炎との異同が問題となる．一方，末梢神経症状は 30％未満の患者で認められ，脳神経障害，多発神経障害，多発性単神経障害，有痛性ニューロパチー，感覚神経ニューロン症，さらに筋炎などを呈することがある．欧米患者では絞扼性神経障害や多発神経障害が多いが，日本人患者では，三叉神経障害が最も多く（50％），多発性単神経障害（31％）がそれにつぐという特徴がある．まれな病態ではあるが，感覚ニューロン症は重度の深部知覚障害を生じ，上肢や手指の偽性アテトーシスの原因となる．横断性脊髄炎や視神経炎の急性期治療は，メチルプレドニゾロン 1000 mg による 3 日間程度のパルス療法が選択され，その他の症状には中等量の副腎皮質ステロイドの内服が行われる．抗アクアポリン 4 抗体陽性患者では，初期治療に対する反応が不良の場合には，血液浄化療法を試みる意義がある．

c. 関節リウマチ（rheumatoid arthritis：RA）

RA における神経合併症は 1％以下であるが，必ずしも軽症ではない．たとえば，頸椎の環軸関節の亜脱臼は，軸椎の歯状突起後面と環軸横靱帯間に存在する滑膜組織の炎症による脆弱化により起こるが，高位脊髄の損傷により重篤な場合は四肢麻痺をきたしうる病態である．その他，硬膜外パンヌスの形成や硬膜外脂肪腫症による圧迫に起因する脊髄症や，舌咽神経や迷走神経，舌下神経などの下位脳神経障害を呈する場合がある．硬膜への炎症細胞浸潤やリウマトイド結節の形成による肥厚性硬膜炎を合併すると，頭痛や痙攣発作，脳神経障害などをきたす原因となる．末梢神経症状としては，絞扼性神経障害としての手根管症候群が多い．悪性 RA と称される病態は血管炎に起因し，感覚運動性の多発神経炎を呈するが，抗 RA 薬の投与に加えて大量の副腎皮質ステロイドやシクロホスファミドの投与が必要である【⇨ 12-2-1】．

d. 全身性強皮症（scleroderma, systemic sclerosis：SSc）【⇨ 12-5】

神経合併症は強皮症患者の 19～40％に出現し，抗トポイソメラーゼ I（Scl-70）抗体との関連が指摘されている．中枢神経合併症は 10％以下の患者に認められ，脊髄症や若年性脳梗塞などを呈する．筋炎の合併はまれではなく（～20％），また，末梢神経障害（18％）を呈する患者の多くは遠位軸索型感覚運動性の神経障害をきたし，治療に抵抗性である．その他，手根管症候群，腕神経叢障害，多発性単神経障害，脳神経障害（特に三叉神経）などが出現する可能性がある．神経合併症の治療には，副腎皮質ステロイドやメトトレキサート，シクロスポリンなどが使用される．

e. 混合性結合組織病（mixed connective tissue disease：MCTD）【⇨ 12-7】

MCTD は，SLE，強皮症，多発筋炎の特徴をあわせもつオーバーラップ症候群の 1 つで，抗 U1 RNP 抗体が陽性である疾患と定義される．中枢神経系合併症は比較的まれであるが，無菌性髄膜炎，精神症状，横断性脊髄炎などを伴う可能性がある．一方，末梢神経系合併症は比較的よく認められる．三叉神経障害や三叉神経痛が特徴的で，緊張性瞳孔や多発神経炎を呈する場合もあるが，副腎皮質ステロイドによる治療に抵抗性であることが多い．

f. 抗リン脂質抗体症候群（anti-phospholipid antibody syndrome：APS）【⇨ 12-10】

本症候群のうち，SLE などの膠原病に合併するものを除いた原発性 APS においても，一過性脳虚血発作や動脈閉塞による脳梗塞，静脈閉塞による深部静脈血栓症などが生じる．その他，横断性脊髄症や舞踏病を呈する場合がある．50 歳以下で発症した脳梗塞や，一般的な危険因子を有しない脳梗塞患者では，IgG あるいは IgM 抗カルジオリピン抗体，および抗 β_2-GPI 抗体の測定を行い，あわせて血中ループスアンチコアグラントを検査して，本症合併の有無を確認する必要がある．抗体陽性者では脳梗塞の再発率が高く，再発予防のための治療としては，ワルファリンによる抗凝固療法が選択される．

g. リウマチ性多発筋痛症（polymyalgia rheumatica：PMR）【⇨ 12-2-4】

PMR は，50 歳以降の発症が多く，70 歳代にピークのある疾患である．約 20％の患者は巨細胞性動脈炎を合併する．ひと月以上，頸部や肩甲帯あるいは腰

帯に30分以上続く痛みや朝のこわばりを自覚するという病歴が診断の端緒となる．患者の多くは近位筋や関節周囲の不快感を訴え，その部位の筋肉の動きで疼痛が増強する．このため，筋力低下があるようにみえるが，治療により疼痛が解消すると正常範囲であることが判明する．その他，手根管症候群や手指の腫脹を伴う場合がある．1/3の患者では，発熱や倦怠感，食欲不振や体重減少などの全身症状を伴っている．赤沈1時間値が40 mmをこえていれば，診断は容易である．10〜20 mgのプレドニゾロン経口投与で，症状は2〜3日以内に劇的に改善するが，再発する場合が多く，1〜2年かけて漸減中止を試みる必要がある．

(2) 血管炎症候群【⇨ 12-8】

血管炎症候群は，おもに侵される血管の径に従って分類されているが，いずれの疾患においても，すべての血管が病変の場となりうる．血管炎は血管内腔の狭窄や閉塞に起因する虚血性病変形成により，さまざまな臓器や神経組織障害の原因となるほか，拡張により動脈瘤が生ずる場合もある．

a. 巨細胞性動脈炎（giant cell arteritis）

側頭動脈炎（temporal arteritis）という名称でも知られている．中〜大血管の肉芽腫性血管炎で，通常50歳以上の世代に発症する．大多数の患者では，側頭〜後頭部にかけて自覚する，今まで経験したことのない頭痛を訴えるが，発熱，体重減少などの全身症状を伴う場合が少なくない．40％の患者でPMRの合併が認められる．浅側頭動脈の前頭または頭頂枝は肥厚し，圧痛や発赤を伴う．外頸動脈系血管の狭窄のため，咀嚼時に咬筋の疼痛を生ずる顎跛行（jaw claudication）を呈する場合がある．霧視や一過性黒内症をはじめとする眼症状は，視神経を栄養する動脈の血管炎を強く示唆する所見であり，早急に治療を開始しないと失明に至る危険性がある．片眼の症状は，1〜2週以内に他眼にも及ぶ．確定診断は側頭動脈生検によるが，眼症状を伴う場合には，早急にメチルプレドニゾロン1000 mgによるパルス療法を開始する．それ以外の場合，中等量のプレドニゾロン経口投与を行い，1〜2年かけて漸減中止する．

b. 結節性多発動脈炎（polyarteritis nodosa：PN）

中〜小型の筋型動脈の壊死性血管炎により，過半数の患者で多発性単神経障害を呈する．下肢，特に坐骨神経やその分枝が侵されることが多い．筋痛も約半数の患者に認めるが，CKは正常である．脳神経障害は2％以下とまれであるが，複視や顔面神経麻痺などをきたす．その他，血管炎に起因する脳梗塞のほか，脳出血をきたす場合がある．治療は大量の副腎皮質ステロイドとシクロホスファミドを併用する．

c. 多発血管炎性肉芽腫症（granulomatosis with polyangiitis，旧名Wegener肉芽腫症）

PR3-ANCAが疾患活動性の指標となる中〜小細動脈の壊死性血管炎であるが，壊死性肉芽腫性炎症による上気道や肺の症状が特徴的である．多発性単神経障害や肥厚性硬膜炎に起因する多発性脳神経障害を呈する．治療は大量の副腎皮質ステロイドと，シクロホスファミドあるいはほかの免疫抑制薬を併用して行われる．

d. 好酸球性多発血管炎性肉芽腫症（eosinophilic granulomatosis with polyangiitis，旧名Churg-Strauss症候群）

MPO-ANCAが高率に陽性で，血管壁に好酸球浸潤を伴う肉芽腫を形成する壊死性血管炎である．気管支喘息の合併に特徴があり，高率に認められる多発性単神経炎は難治性である．その他，脳神経障害，脳梗塞や脳症などが合併することがある．多発性単神経炎は中等量以上の副腎皮質ステロイドで治療するが，反応不良の場合は免疫グロブリン大量静注療法が行われる．

(3) Behçet病【⇨ 12-11】

10％程度のBehçet病患者が神経症状を呈する．神経Behçet病は20〜40歳の発症が多く，男女比は2.8：1である．頭痛はよくみられる症状であり，急性あるいは亜急性に経過する無菌性髄膜炎や，橋・中脳病変に起因する複視や構音障害，小脳失調などは，中等〜大量の副腎皮質ステロイドに反応する．脳幹部や視床を中心とした脳実質病変は，主として小静脈の炎症に起因する．その他，てんかん発作や精神症状を伴う脳症，横断性脊髄炎などを呈する場合がある．しかし，慢性に経過する進行性の認知症はしばしば治療に抵抗性であり，予後不良である．難治例には，種々の免疫抑制薬が使用されるが，効果に乏しい場合，TNF-α阻害薬であるインフリキシマブ療法が考慮される．

(4) サルコイドーシス【⇨ 12-9】

神経サルコイドーシスは，サルコイドーシスの5％に認められ，中枢神経合併症としては尿崩症，水頭症，無菌性髄膜炎，脊髄症，認知機能障害やてんかん発作などがあげられる．また，末梢の症状としては脳神経麻痺（おもに顔面神経）や筋力低下（サルコイドミオパチー）がよく知られている．神経サルコイドーシスは中等量の副腎皮質ステロイドによる治療の対象となる．

〔松井　真〕

■文献

Nouh A, Carbunar O, et al: Neurology of rheumatologic disorders. Curr Neurol Neurosci Rep. 2014; **14**: 456.

7）血液疾患に伴う神経系障害

(1) 真性赤血球増加（polycythemia vera）
臨床症状
赤血球増加による血液粘度上昇や血小板増加による循環障害からアテローム血栓性脳梗塞，一過性脳虚血発作などを生じる．まれに脳出血もきたす．血栓症は脳動脈系だけでなく，脳静脈系にも生じる．また，微小循環障害による頭痛，頭重感，めまい，顔面紅潮，耳鳴りなどの非特異的な症状を認める．ときに，肢端紅痛症，皮膚瘙痒感，閃輝暗点を伴う片頭痛などを認める．

治療
本疾患に伴う脳血栓に対する明確な治療方針はない．通常の脳血管障害同様に対処する．出血リスクが高くなければ，低用量アスピリンを併用する．アスピリンは肢端紅痛症にも有効である．

(2) 血小板増加症（thrombocytosis）
臨床症状
血小板増加による血液粘度上昇，血小板凝集亢進などから虚血性脳血管障害を生じる．まれに脳出血もきたす．血液粘度上昇による頭痛，頭重感，めまい，顔面紅潮，耳鳴りを，また末梢循環不全による肢端紅痛症や網状皮斑を認める．脳血栓症は静脈系より動脈系に生じやすく，また大血管より小血管に多い．

治療
通常の脳血栓症と同様に対処しつつ，血小板機能抑制と血小板数減少をはかる．低用量アスピリンに加えて，ヒドロキシカルバミドを併用することで再発が抑制される．

(3) 白血病（leukemia）
臨床症状
1) **直接浸潤によるもの**：白血病細胞がくも膜下腔に浸潤し，髄膜や脳神経へ広がる．慢性髄膜炎による頭痛，悪心，嘔吐，髄膜刺激徴候や脳神経麻痺（第Ⅱ，Ⅲ，Ⅵ，Ⅶ脳神経障害が多い）などを認める．診断は髄液中白血病細胞の証明だが，脳神経麻痺型では白血病細胞が脳神経に沿って浸潤し，髄液異常を認めないことがある．治療はメトトレキサートまたはシタラビンの髄腔内注射や放射線照射を行う．
2) **凝固異常によるもの**：播種性血管内凝固症候群（DIC），血小板減少，血管壁への白血球浸潤などによる出血と血栓症を認める．
3) **治療に伴うもの**：化学療法による末梢神経障害やメトトレキサートによる白質脳症などが問題となる．また，骨髄抑制による日和見感染症をきたしやすく，重篤化しやすい．細菌および真菌性髄膜炎，脳膿瘍，トキソプラズマ感染症，帯状疱疹，進行性多巣性白質脳症などをきたす．幹細胞移植後2～4週間では，ヒトヘルペスウイルス6B再活性化による移植後急性辺縁系脳炎を認めやすい．記憶障害，痙攣重積，意識障害で発症する．MRIの拡散強調画像やFLAIR画像で，海馬に高信号を認めることが多い．慢性移植片対宿主病としては，Guillain-Barré症候群，慢性炎症性脱髄性多発神経障害，重症無力症，皮膚筋炎などを認めることがある．移植片対宿主病予防のために用いられるシクロスポリンやタクロリムスは可逆性後頭葉白質脳症の誘発因子になる．脳血管透過性亢進による血管性浮腫から頭痛，皮質盲，痙攣，意識障害などを生じる．MRIのT2WIとFLAIR画像で両側後頭葉皮質下白質を中心とした高信号域を認める．

(4) 悪性リンパ腫（malignant lymphoma）
臨床症状
中枢神経浸潤には，全身性リンパ腫からの直接浸潤，原発性中枢神経系リンパ腫（primary CNS lymphoma：PCNSL），血管内悪性リンパ腫（intravascular lymphomatosis：IVL）がある．大半はびまん性大細胞型B細胞リンパ腫である．IVLは小血管や毛細血管内にリンパ腫細胞が浸潤する一方，血管外組織や末梢血からはリンパ腫細胞が検出されないまれな疾患である．

全身性リンパ腫からの直接浸潤やPCNSLでは意識障害，麻痺，感覚障害，失語などを認める．脊髄硬膜外腫瘤形成では脊髄圧迫による対麻痺や膀胱直腸障害を認める．脳神経障害は第Ⅲ，Ⅳ，Ⅵ，Ⅶ脳神経障害が多い．中枢神経病変は多発性のことが多く，頭部MRIのT1WIで等～高信号，T2WIで低～高信号，DWIで高信号を呈し，比較的均一に増強される．脳室近傍深部白質，大脳基底核，脳梁に好発する．FDG-PETで著明な集積を認める．IVLでは，増殖腫瘍細胞による血管閉塞に応じた症状を呈する．亜急性かつ急速進行性に，不明熱や倦怠感などの全身症状に加え，皮疹，多発性脳血管障害，認知機能障害や意識障害を含む脳症，脊髄障害，末梢神経障害などを認める．頭部MRIにて大脳白質に多発脳梗塞やT2強調画像でびまん性高信号を認め，病変が経時的に変化する．FDG-PETにて長管骨に沿ったびまん性集積を認めることがある．

末梢神経浸潤（neurolymphomatosis）は，末梢神経原発のものと全身性リンパ腫の浸潤によるものがある．どちらも軸索障害型末梢神経障害を呈し，障害神経に応じた症候を認める．多くは多発性単神経障害で，非対称性の疼痛を認めやすい．末梢神経MRIにてT2強調画像高信号と造影効果，神経腫大を認め

る．FDG-PET での集積亢進も認める．

筋肉浸潤では，筋腫大のみ認めることがある．どの筋肉にも生じうるが，大腿四頭筋に好発する．MRI での筋肉高信号は，筋肉浸潤だけでなく，末梢神経浸潤による二次的変化の場合がある．

ときに傍腫瘍症候群による辺縁系脳炎，亜急性感覚性ニューロパチー，亜急性小脳変性症，Guillain-Barré 症候群など多彩な症状を呈する．

診断

確定診断には生検が必要であるが，全身状態が不良で，施行できないことも多い．その場合，他臓器での診断や MRI 所見から総合的に診断する．IVL では，皮疹あるいは一見正常にみえる皮膚からのランダム皮膚生検が有用である．筋膜直上の皮下組織に存在する血管を含んだ組織より，最低 3 カ所以上採取する．

治療

悪性リンパ腫自体の治療については別項に譲る．血液脳関門の影響で，抗癌薬は中枢移行性が悪く，治療有効濃度を確保するには髄腔内投与も必要となる．抗癌薬や放射線療法は，可逆性後頭葉白質脳症や JC ウイルス再活性化による進行性多巣性白質脳症などの原因にもなる．

(5) 骨髄腫関連疾患
臨床症状

多発性骨髄腫では，骨破壊に伴う圧迫性神経障害や高カルシウム血症，M 蛋白血症による末梢神経障害を生じる．高カルシウム血症や骨髄腫腎による尿毒症性脳症は，意識障害，痙攣，ミオクローヌス，振戦などの原因となる．また，二次性アミロイドーシスによる多発性末梢神経障害や手根管症候群，血液過粘稠による血栓塞栓症状などもきたす．CT や MRI にて骨溶解や神経根・脊髄圧迫の評価を行う．神経根・脊髄圧迫には，外科的除圧や放射線療法を行う．骨痛にはビスホスホネート製剤やカルシトニンを用いる．多発性骨髄腫の治療に用いるビンクリスチンやボルテゾミブでは，薬物性末梢神経障害が高率に発生する．

monoclonal gammopathy of undetermined significance(MGUS)では，脱髄性末梢神経障害を生じ，緩徐進行性に四肢遠位優位の感覚運動障害を認めることがある．末梢神経ミエリン構成糖蛋白の 1 つである myelin-associated glycoprotein(MAG)に対する抗 IgM 抗体を約半数で認める．MGUS に伴う末梢神経障害では，免疫グロブリン大量静注療法，ステロイドパルス療法，血漿交換療法を行うが，一般的に難治性である．

POEMS 症候群では，緩徐進行性に四肢遠位優位の感覚運動障害を認め，四肢末梢の疼痛が多い．初期には脱髄性神経障害を呈し，CIDP と誤認されやすい．ほぼ全例で血清中血管内皮増殖因子(vascular endothelial growth factor：VEGF)が高値であるが，神経障害をきたす詳細な機序は不明である．末梢神経障害には，自己末梢血幹細胞移植を伴う大量化学療法が有効であり，移植後数カ月で著明に改善するが，移植関連死や再発が多いことが問題である．

(6) 血友病 (hemophilia)
臨床症状

深部血腫による圧迫性障害を認める．頭蓋内・外血腫では，意識障害，痙攣，片麻痺などをきたす．脊髄血腫では，背部痛や脊髄圧迫レベル以下の脊髄障害を認める．筋肉内血腫では，コンパートメント症候群から単あるいは多発性単神経障害をきたす．特に，腸腰筋内出血による大腿神経麻痺が多い．

治療

頭蓋内・筋肉内出血では血友病 A は第Ⅷ因子製剤，血友病 B は第Ⅸ因子製剤による補充療法を行う．

(7) 血栓性血小板減少性紫斑病 (thrombotic thrombocytopenic purpura：TTP)
臨床症状

細動脈や毛細血管内に微小脳血栓が形成されては，再開通することを繰り返すことで，固定されない変動する精神神経症状を認める．譫妄，錯乱，見当識障害などの意識障害や痙攣，片麻痺，失語症，視力障害などの巣症状を認める．頭部 MRI にて多発性脳梗塞を認めるが，正常のこともある．

治療

基本的には血漿交換療法と新鮮凍結血漿補充を行う．治療効果は血小板増加，精神神経障害の改善，LDH 正常化などを参考にする．

(8) 播種性血管内凝固症候群 (disseminated intravascular coagulation：DIC)
臨床症状

敗血症，ショック，悪性腫瘍など，さまざまな生体へのストレスが原因となり，生体内で凝固系が過剰に活性化し，全身性に微小血栓が形成されることで，多発脳梗塞や脳出血，脳症に伴う意識障害，痙攣などを認める．

治療

神経障害に対する特異的な治療法はないため，原因となった基礎疾患の治療および本疾患に対する凝固系抑制と凝固線溶因子の補充を行う．

(9) 過凝固状態と神経障害
臨床症状

何らかの要因で，止血促進要素が止血阻害要素より

優位になり，血栓症を生じやすくなった状態である．先天性には，先天性アンチトロンビンⅢ異常症，プロテインCおよびプロテインS異常症，ホモシスチン尿症などがある．後天性には，血液過粘稠症候群，悪性疾患，薬物性，抗リン脂質抗体症候群などがある．診断は危険因子が乏しい若年性脳血栓症や反復する静脈血栓症などから疑う．脳静脈洞血栓症では，MRIやMR・CT venographyで静脈閉塞を確認する．MRIのT2WIやFLAIR画像にて静脈洞内flow void消失やT2*WIでの脳表静脈内血栓低信号を認める．個々の疾患の治療については他項に譲る．

〔中村友紀・有村公良〕

■文献(e文献 17-12-7)

Artoni A, Bucciarelli P, et al: Cerebral thrombosis and myeloproliferative neoplasms. Curr Neurol Neurosci Rep. 2014; **14**:496.
Dispenzieri A, Kyle RA: Neurological aspects of multiple myeloma and related disorders. Best Pract Res Clin Haematol. 2005; **18**: 673-88.
Gerstner ER, Batchelor TT: Primary central nervous system lymphoma. Arch Neurol. 2010;**67**:291-7.

8）悪性腫瘍に伴う神経系障害
neurological syndromes associated with cancer

概念

悪生腫瘍にはさまざまな病態に基づく神経障害が合併する．すでに悪性腫瘍が存在する患者に生じた神経障害であれば，腫瘍の原発/転移病巣による局所神経障害，放射線照射・化学療法に伴う神経障害，担癌状態に伴う栄養・代謝異常，凝固機能異常による血管障害，日和見感染症などについて，画像を含めた各種検査により診断を進める必要がある．転移性腫瘍としては，肺癌が最も多く，乳癌，メラノーマ，大腸癌などが続く．頻度の高い症状は，頭痛，認知機能障害，半身麻痺などであり，また，腫瘍の骨転移による強い疼痛が生じる場合もある．腫瘍細胞が髄腔内に播種する髄膜癌症では，髄膜刺激症候や神経根部の圧迫・絞扼による神経根症状を呈する．化学療法に伴う神経障害の頻度も高い．メトトレキサート（MTX），5-フルオロウラシル（5-FU），シスプラチン，ビンクリスチンなどの薬剤投与により，急性症状として無菌性髄膜炎，横断性脊髄症，片麻痺，遷延症状として白質脳症による精神症状や痙攣，失調，Guillain-Barré症候群様の末梢神経障害などを呈する．日和見感染症としては，細菌，ウイルス，真菌，原虫などによる髄膜炎や脳膿瘍に加え，担癌患者の免疫力低下により，潜在するJCウイルスが脳白質に脱髄病変を生じる進行性多巣性白質脳症も注意が必要である．

一方，悪性腫瘍の発見に先立ち，亜急性に進行する高度の神経障害が生じる場合がある．腫瘍発見後に生じる場合もあるが，神経症状に関与する明らかな原因病態がなく，腫瘍に対して生じた免疫反応が共通の抗原を発現する神経組織を傷害すると考えられているもので，傍腫瘍性神経症候群（paraneoplastic neurological syndrome：PNS）と称される（表17-12-2）．主たる神経症候から以下のような症候群が知られ，多くの場合，それぞれの群に関連して，特徴的な自己抗体が検出される．この場合，潜在する悪性腫瘍の原発巣も比較的一定であることが多い．

（1）辺縁系脳炎 （limbic encephalitis：LE）
臨床症状

亜急性に記銘力低下，興奮・うつ・譫妄などの精神症状，痙攣，意識障害などが出現・進行する．多くは中高年に好発するが，後述する抗N-methyl-D-aspartate receptor（NMDAR）抗体陽性群は若年女性に多い．voltage-gated potassium channel（VGKC）複合体に反応する自己抗体を生じる群では，低ナトリウム血症を呈することがある．その他不随意運動，呼吸障害，自律神経症状など多彩な症候を呈する．

検査所見・診断・鑑別診断

髄液細胞数や蛋白の増加がみられる．頭部MRIでは，側頭葉内側面にFLAIR画像で高信号病変を認める．約60％に自己抗体がみられ，細胞内蛋白に対する抗体（抗Hu，Ma/Ta，CV2/CRMP5，amphiphysin抗体など），細胞表面受容体・チャネルに対する抗体（VGKCを形成するleucine-rich glioma inactivated 1（LGI-1），NMDARに対する抗体など）が検出される．抗Hu抗体陽性LEは肺小細胞癌に伴うことが多い．抗NMDAR抗体を生じる若年女性では，約半数が卵巣奇形腫を有し，腫瘍摘出や免疫療法に反応して症状の改善が得られる．抗VGKC複合体抗体が関連するLEは高齢の男性に経過が緩徐な脳症を呈することが多く，胸腺腫や小細胞肺癌，前立腺癌などに伴う．

治療・予後

合併腫瘍は，肺癌，精巣癌，乳癌，Hodgkinリンパ腫，未分化奇形腫，胸腺腫が多いため，これらの腫瘍の早期発見および治療に努める．同時に，メチルプレドニゾロンパルス療法，ガンマグロブリン大量投与，血漿交換療法など，抗体除去および産生抑制療法を行う．細胞内抗原に対する抗体陽性例では，治療反応性が不良の傾向があるが，細胞表面抗原に対する抗体陽性例では免疫療法に良好に反応することが多い．

表 17-12-2 傍腫瘍性神経症候群の主たる病型

病型	神経症候	腫瘍	抗体	鑑別すべき病態
脳脊髄炎	記銘障害，意識障害 錐体路症候，不随意運動 筋力低下，感覚障害	小細胞肺癌 胸腺腫・乳癌 精巣癌	Hu, CRMP5 amphiphysin	感染症，脱髄疾患（ADEM） 腫瘍，代謝障害
小脳変性症	小脳失調	卵巣癌，乳癌 肺小細胞癌	Yo, Hu Ri, GAD VGCC	脊髄小脳変性症 ウイルス性/感染後性小脳炎 薬物性，内分泌代謝異常
辺縁系脳炎	記銘障害，意識障害 精神症状，痙攣	小細胞肺癌，精巣癌 奇形腫，胸腺腫	Hu, Ma2 NMDAR, LGI1	ウイルス性髄膜脳炎，てんかん 代謝異常，CJD，薬物中毒
オプソクローヌス・ ミオクローヌス	オプソクローヌス ミオクローヌス 小脳失調	神経芽細胞腫 乳癌，肺癌	mGluR5 Ri	ウイルス性脳幹脳炎・小脳炎 薬物中毒
感覚性運動失調型 ニューロパチー	異常感覚・ 深部感覚障害	小細胞肺癌	Hu	CIDP，後根神経節炎 糖尿病性神経障害
LEMS	易疲労性，筋力低下 自律神経症状	小細胞肺癌	VGCC	重症筋無力症
stiff person 症候群	体幹・四肢近位筋硬直	乳癌，胸腺腫 小細胞肺癌	amphiphysin GAD GlyR	破傷風，里吉病 ミオトニア症候群 悪性高熱症

ADEM：Acute disseminated encephalomyelitis，LEMS：Lambert-Eaton myasthenic syndrome，CJD：Creutzfeldt-Jakob disease，CIDP：chronic inflammatory demyelinating polyneuropathy，GAD：glutamic acid decarboxylase，NMDAR：*N*-methyl-D-aspartate receptor，LGI1：leucine-rich glioma-inactivated protein 1，GlyR：glycine receptor，mGluR：metabotropic glutamate receptor，VGCC：voltage gated calcium channel．

(2) 傍腫瘍性小脳変性症（paraneoplastic cerebellar degeneration：PCD）

臨床症状

中高年男女に亜急性の経過で高度の小脳失調が生じる．オプソクローヌス・四肢ミオクローヌス，頭痛などを伴い，歩行困難に至る例が多い．Lambert-Eaton 筋無力症候群（LEMS）を伴うこともある．

検査所見・診断・鑑別診断

髄液細胞・蛋白増加を伴う場合が多いが，病初期には頭部 CT/MRI には異常がみられない．血清中に抗 Hu, Ri, GAD, 代謝調節型グルタミン酸受容体抗体，また婦人科領域の癌を伴う女性例では抗 Yo 抗体が陽性になる．LEMS を合併する例では，抗 voltage-gated calcium channel（VGCC）抗体が陽性となる．

治療・予後

小細胞肺癌に伴うことが多いが，女性の場合は半数以上が卵巣癌，子宮癌，卵管癌，乳癌を有するため，腫瘍の早期治療が必要である．発症時すでに，小脳 Purkinje 細胞が広範に消失し，神経症状は各種治療への反応が乏しいことが多い．

(3) 脊髄障害（spinal cord disturbance）

臨床症状

中枢神経系の広汎な症候をさまざまな組み合わせで生じる脳脊髄炎の部分症として，高度の脊髄障害を生じることがある．まれに脊髄前角細胞の傷害が強く，運動ニューロン病様症候を呈する例がある．視神経炎を合併する脊髄症や stiff person 症候群類似の症候を呈する例の存在も知られる．

検査所見・診断・鑑別診断

頭部・脊髄 MRI T2 強調像や FLAIR 像で，ときに造影効果を伴う高信号病変を認める．髄液にリンパ球主体の軽度の細胞・蛋白増加，IgG インデックスの上昇やオリゴクローナル IgG バンド（OCB）を認めることがある．脳波ではびまん性の低電位や焦点性のてんかん性放電を認めることがある．

最も出現頻度が高い自己抗体は抗 Hu 抗体であり，その他，抗 CRMP5, Ma2, amphiphysin 抗体などが報告されている．また，細胞表面抗原である VGKC 複合体に対する抗体も出現する．抗 Ma2（Ta）抗体陽性例は，亜急性に進行する過眠，高体温などの視床下部症状や辺縁系・上部脳幹症状を呈し，MRI で側頭葉内側面，視床下部，基底核，視床，四丘体領域にも信号異常を認める．

治療・予後

小細胞肺癌に伴うことが最も多く，その他乳癌，胸腺腫，精巣腫瘍などが報告されている．一般に，各種免疫療法の効果が乏しく神経症状の予後は不良である．しかしながら，精巣腫瘍に合併する若年男性の場合は，癌の摘出・免疫療法により症状の軽快が得られ

る場合が多い．ときに再発を繰り返す．

(4) 傍腫瘍性ニューロパチー（paraneoplastic neuropathy）
臨床症状
PNSでは末梢神経障害の頻度が最も高く，特に感覚性運動失調型ニューロパチー（sensory ataxic neuropathy/sensory neuronopathy：SSN）の病型を呈する．

女性に多く，異常感覚・深部感覚障害を中心とした多発単ニューロパチーが上肢から全肢に広がり，高度障害に至る．起立性低血圧やイレウスなどの自律神経症状を主体とすることもある（chronic gastrointestinal pseudo-obstruction：CGP）．

検査所見・診断・鑑別診断
Sjögren症候群や慢性炎症性脱髄性ニューロパチーとともに，SSNの鑑別疾患上重要な病型である．末梢神経の病変は軸索変性および脱髄病変が混在する．

感覚運動型多発ニューロパチーを呈する場合もあり，単クローン症を呈する血液細胞由来の癌に伴う例が知られる．SSNの病型は，小細胞肺癌に合併し，抗Hu抗体を伴うことが多い．また，小細胞肺癌を有し，自律神経系が広範に障害され，neuronal autonomic ganglionic acetylcholine receptorに対する抗体が検出されることがある．

治療・予後
SSNでは90％に小細胞肺癌を合併し，神経症状の改善は期待できないことが多い．癌の進行により生命予後も不良である．
〔田中惠子〕

■文献
Leypoldt F, Wandinger KP: Paraneoplastic neurological syndromes. *Clin Exp Immunol.* 2014; **175**: 336-48.

田中惠子：傍腫瘍性神経症候群と抗神経抗体．臨床神経学．2010; **50**: 371-8.

17-13　先天性疾患

1) 染色体異常，先天異常症候群

(1) 染色体異常
概念
染色体の数（トリソミー，モノソミーなど）または構造（欠失，重複，転座など）の異常によって，多発奇形およびさまざまな程度の認知障害を呈する．重度の障害は，妊娠早期での自然流産の原因となり，新生児のなかでの頻度は1/150程度と推定される．

病因
染色体異常は妊娠母体の年齢が高齢になると率が上昇し，たとえばDown症候群では21番染色体の第1成熟分裂時の不分離によってトリソミーが引き起こされることが多いが，35歳以上で発生率は増加し，40歳以上で1％程度となる．構造の異常の場合には，親のどちらかが均衡型転座などの染色体異常をもつ場合がある．

臨床症状
最も頻度の多いDown症候群では，特異顔貌（眼瞼裂斜上，内眼角贅皮，鼻根部扁平，眼間開離），短頸，手掌の単一手掌線，筋緊張低下，先天性心疾患，消化管奇形を新生児期より認める．その後の発達では，中等度〜重度の精神遅滞を認める．その他の神経症状としては，West症候群，類もやもや病，環軸椎亜脱臼などを呈する．成人期では認知症を含む早発老化がみられる．

診断
染色体検査としては，まずG-band検査が行われ，その後必要に応じてSky法，FISH，マイクロアレイ法などが行われる．なお，検査を提出する際から，十分な情報提供と遺伝カウンセリングが重要であり，児の染色体異常の結果によっては次の妊娠での再発の可能性があり，両親の染色体検査を希望により行う．

(2) 脆弱X症候群
概念
X染色体上の*FMR1*遺伝子のCGHコドンの反復延長による疾患である．

臨床症状
男性で知的障害，自閉症，てんかんをきたし，大頭，大きな耳介，長顔，巨大精巣（思春期以降），筋緊張低下などの身体特徴を認める．X連鎖性優性遺伝を示す．女性では軽症であり，知的にも正常である場合がある．

(3) 先天異常症候群
概念
先天的な原因で精神遅滞を呈している児のなかで，特異的な顔貌を含む身体特徴と一群の合併奇形を組み合わせて呈する症候群が提唱され，その原因として微細な染色体欠失による隣接遺伝子症候群や単一遺伝子

異常などが同定されてきている．また，Pradar-Willi症候群やAngelman症候群では，インプリンティング遺伝子が隣接している領域での片親ダイソミーの状態が隣接遺伝子症候群の原因となることも知られている．

診断

精神遅滞を伴う児に，身体特徴や身体臓器の奇形を認めた場合には，その特徴から既知の先天異常症候群の可能性がないかを検討する．原因となる遺伝的異常が明らかとなっている疾患については検索を行うことで診断を進めることが可能である．〔岡　明〕

2）先天奇形

(1)先天性水頭症(e図17-13-A)

病因

小児の水頭症の過半数は先天性であり，最近では胎児エコーにて脳室拡大を指摘され診断される例も多くなってきている(表17-13-1)．

臨床症状

胎児期には超音波にて頭囲拡大と脳室拡大を指摘され出生前診断をされる．出生後，頭囲拡大と大泉門膨隆，頭蓋骨縫合の開大，頭皮静脈の拡張，落陽現象(下方への間欠的な眼球運動)を認める．頭蓋骨縫合癒合後は，頭蓋内圧亢進による哺乳力低下，不機嫌，嘔吐，眼球運動障害(外転運動障害)，視力障害などを呈する．

検査所見

画像検査では，非交通性水頭症の通過障害部位の頭側の脳室の拡大，側脳室の前角部などの脳実質への脳脊髄液の染み出し(periventricular "halo")を認める．交通性水頭症では，脳室系とともに髄膜下腔の拡大も認める．

治療

脳室-腹腔シャント手術や第3脳室底開窓術などを行う．

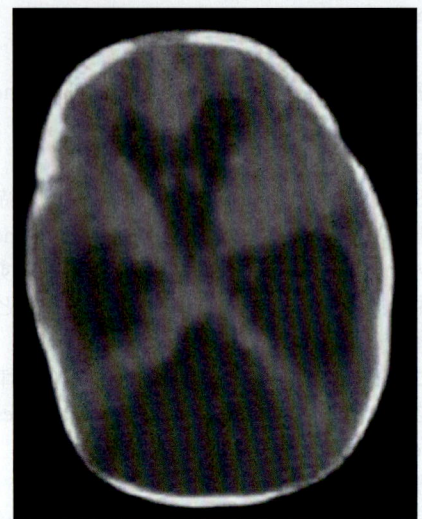

図17-13-1 Dandy-Waiker症候群
頭部CT．テント下第4脳室の嚢胞状の著明な拡大と小脳虫部欠損，テント上の水頭症を認める．

(2)Dandy-Walker症候群(図17-13-1)

概念

小脳虫部の欠損または低形成，第4脳室の嚢胞状拡大，小脳テントの拡張を3徴とする後脳の形成異常で，単独およびほかの先天奇形を伴う場合もある．

臨床症状

本症が単独で認められる場合には正常発達を認める場合もあるが，ほかの合併する先天異常を伴う場合には，一般に発達遅滞を呈する．一部に水頭症を合併することがある．

治療

水頭症を合併する場合には，脳室-腹腔シャントおよび，必要に応じて嚢胞-腹腔シャントを行う．

(3)Joubert症候群(図17-13-2)

概念

特徴的な小脳部の画像所見(molar tooth sign)を呈し先天性小脳失調を呈する疾患群で，新生児期からの著明な筋緊張低下，無呼吸を含む中枢性呼吸障害，眼球運動失行，精神遅滞を伴う．網膜・腎臓などの異常を合併することがあり，原因であることが明らかにされた遺伝子群の機能から，繊毛の異常による形成異常(ciliopathy)であることが明らかとなってきている．

診断

頭部MRIでは中脳下部レベルの水平断にて，上小脳脚が肥厚し水平に延ばされたような形態を示しmolar tooth signとして診断的価値がある．また，小脳虫部の欠損または低形成を認め，第4脳室の背側は深く切れ込みがありbat wing sign(umbrella sign)として診断上有用である．

表17-13-1 先天性水頭症のおもな原因

分類	代表的な疾患名
遺伝性	L1CAM欠損
脳奇形	中脳水道狭窄，Dandy-Walker症候群，Chiari II型奇形，脳瘤，全前脳胞症，Walker-Warburg症候群
先天異常症候群	染色体異常，頭蓋骨早期癒合，軟骨形成不全症
血管性	Galen大静脈奇形
出血後	新生児脳室内出血(上衣下出血)，硬膜下出血，くも膜下出血
感染症後	胎内感染

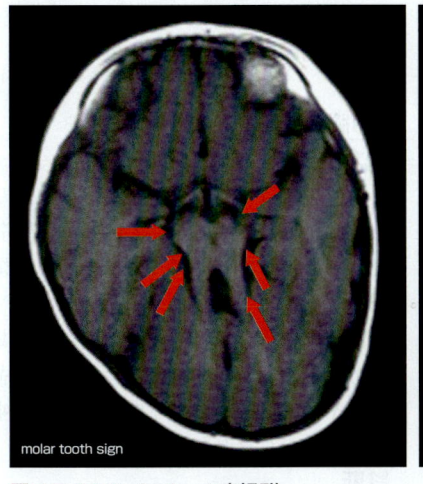
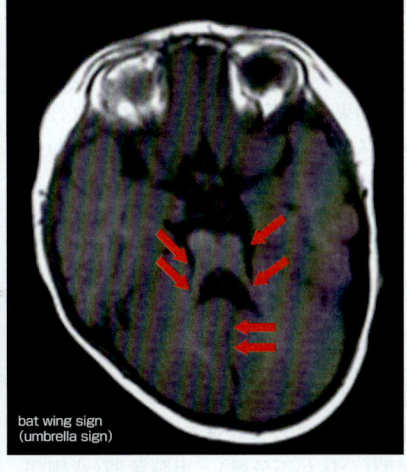

図 17-13-2 Joubert 症候群
MRI T1 強調画像, 水平断. molar tooth sign では, 上小脳脚が水平に延ばされた形態で大臼歯状の形態を示す. bat wing sign(umbrella sign)では, 小脳虫部が低形成または欠損し, 第 4 脳室背側の切れ込みを含めた第 4 脳室の形態が特徴的である.

(4) 二分脊椎 (spina bifida), 脊髄髄膜瘤 (meningomyelocele) (図 17-13-3), Chiari Ⅱ型奇形 (図 17-13-4)

概念
胎芽期の神経管の閉鎖不全により脊椎弓が開放され, 脊髄および脳の形成異常の原因となる. 腰仙部に好発し, 結果として胎生期に髄膜および脊髄が背部へ脱出し脊髄髄膜瘤を形成する. また, 髄膜瘤が破裂することにより髄液が漏出し, 脳幹延髄が大後頭孔内に嵌入すると Chiari Ⅱ型 (Arnold-Chiari) 奇形となる.

潜在性二分脊椎 (腰仙部の脊椎弓の形成不全のみ), 囊胞性髄膜瘤 (腰部背側に突出した囊胞状の腫瘤), 脊髄披裂 (生下時に髄膜瘤部は破裂し脊髄組織が露出), 脳瘤 (後頭部正中などに生じる) などの分類がある.

病因
神経管の閉鎖に葉酸が関係し, 葉酸代謝異常や妊婦の抗てんかん薬内服 (特にバルプロ酸) の関与が知られている. わが国での発生頻度は少なく 6 人/1 万人の頻度である.

臨床症状
脊髄髄膜瘤は生下時に隆起として直接観察され, 腰部背中の皮膚に管状のくぼみである皮膚洞や異常毛髪などの所見を認めた場合には, 二分脊椎の存在を示唆する所見である.

腰仙部脊髄髄膜瘤により下肢の弛緩性麻痺, 腱反射消失, 内反足, 痛覚消失, 膀胱直腸障害による神経因性膀胱や便失禁または便秘を認める. Chiari Ⅱ奇形では, 延髄障害として, 嚥下障害, 声帯麻痺, 息止めなどを認め, 高頻度に水頭症を合併する.

治療
新生児期に修復術および水頭症が合併すればシャン

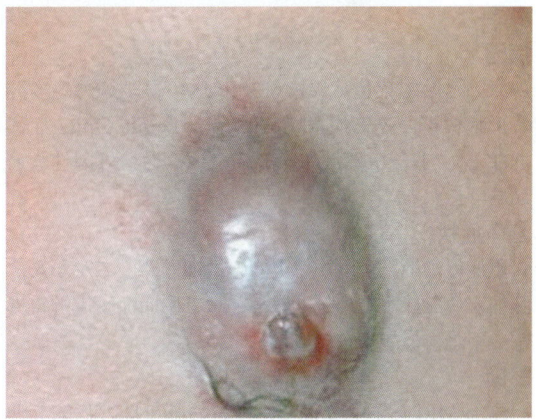

図 17-13-3 腰仙部脊髄髄膜瘤 (杏林大学医学部小児科保科弘明先生提供)
生下時に腰仙部に皮下の膨隆と一部皮膚欠損を認める.

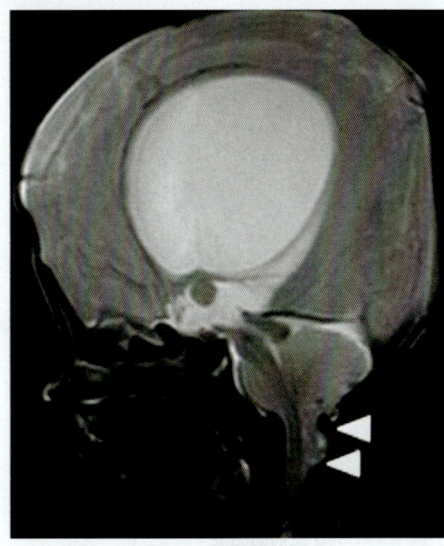

図 17-13-4 Chiari Ⅱ型奇形
MRI T2 強調画像, 矢状断. 小脳下部の大後頭孔への嵌入を認める.

ト術を行う．神経因性膀胱に対しては間欠的導尿を行う．

予防
二分脊椎の予防効果を期待して，妊娠可能な女性が葉酸を含むバランスのとれた食事をとることとあわせて葉酸サプリメントを1日400μg（= 0.4 mg）内服することも推奨されている．

(5) 全前脳胞症（holoprosencephaly）（図 17-13-5）
概念
胎児期初期に脳原器である前脳が左右に分離して大脳半球と間脳を形成する．この機転が障害され，左右の大脳あるいは間脳が病的な連続性を示す脳形成異常である．無脳葉型（全体が不分離），半脳葉型（背側部分は分離），脳葉型（ほぼ分離しているが前頭部一部のみ連続）に分類され，重症例では眼間狭小，単眼，鼻梁低形成などの顔面正中部の低形成を合併することが多い．

病因
原因として染色体異常（13トリソミーなど），多発奇形症候群，先天代謝異常（Smith-Lemli-Opitz症候群など），遺伝子異常（SHH，ZIC2など），外因性などがあげられる．

臨床症状
重症度に応じ軽度から重度の精神遅滞，てんかん，脳性麻痺を伴う．内分泌異常として尿崩症や電解質異常，下垂体機能不全を呈しやすい．

診断
頭部MRIの冠状断面で，左右の脳半球の病的な連続性を確認する．無脳葉型では側脳室が融合した単一脳室を呈し，しばしば背側に囊胞形成（dorsal sac）を認め，高頻度に水頭症を合併する．

(6) 脳梁欠損症（図 17-13-6）
概念
脳梁欠損は単独の場合と，ほかの脳の構造異常を伴う場合がある．原因としては染色体異常や先天代謝異常，外因として胎児アルコール症候群などがある．

臨床症状
脳梁欠損は無症状で偶然発見される場合もある．皮質形成異常などの大脳皮質などほかの構造異常を伴う場合や症候群に合併する場合には，精神遅滞，脳性麻痺，てんかんなどを呈する．

診断
画像検査で，著明に拡張した側脳室の三角部と狭小化した前角（colpocephaly）が本症に特徴的で，さらにMRIでは，脳梁および周囲脳回の構造異常，冠状断でのProbst束の存在で診断される．半球間裂囊胞，脂肪腫，脳皮質成異常などの合併する所見もあわせて確認する．

(7) 脳皮質形成異常（cortical dysplasia），滑脳症（lissencephaly），多小脳回（polymicrogyria），異所性灰白質（ectopic graymatter）（e図 17-13-B〜17-13-D）
概念
胎生22週頃までの皮質形成の際の神経細胞遊走の異常により，脳皮質の正常な層構造が形成されず機能障害を呈するもので，局所から全体までさまざまな程度がある．形態的には皮質の厚みが増し，脳溝は減少

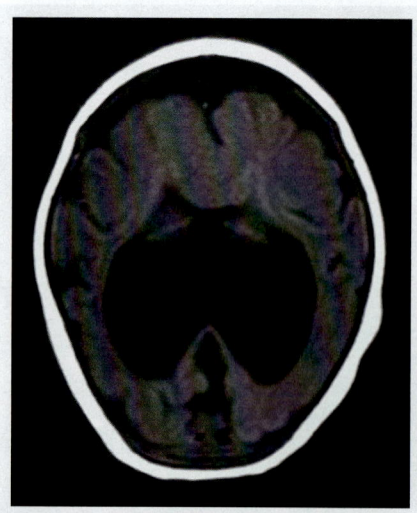

図 17-13-5 全前脳胞症
頭部MRI T1強調画像，水平断．大脳半球の左右の分離が不完全で皮質が連続し，単一の側脳室となっている．

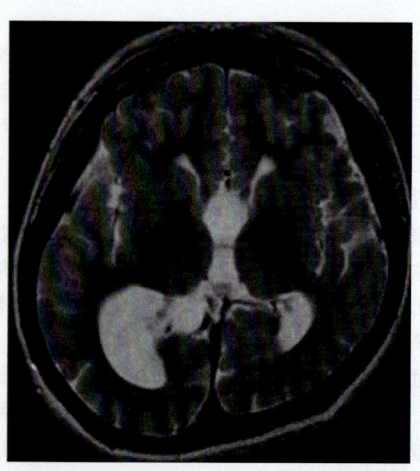

図 17-13-6 脳梁欠損（東京大学大学院発達医科学水口雅先生提供）
頭部MRI T2強調画像，水平断．狭小化した側脳室前角と拡張した三角部を認めるcolpocephalyの所見．

し脳回の幅が広い所見を呈する．全体に異常がある滑脳症は無脳回あるいは厚脳回ともよばれている．多小脳回では，本来の脳溝が癒合し敷石状と表現される細かく浅い脳溝のみが脳表に認め，結果として厚い脳回になっている．異所性灰白質は，脳室周囲からの神経細胞の遊走の異常により，皮質まで到達しなかった細胞が脳室周囲あるいは白質内に集簇している所見である．

病因

滑脳症は LIS1，DCX，ARX，RELN，VLDLR などの遺伝子異常が原因となり，DCX 遺伝子異常は前頭部優位，LIS1・ARX 遺伝子異常では後頭部優位の傾向がある．LIS1 遺伝子領域を含む染色体欠失による Miller-Dieker 症候群は，重度の滑脳症に加えて特有の顔貌（額が目立ち側頭部が陥凹，上向きの鼻など）を認める．

多小脳回は，福山型に代表される先天性筋ジストロフィーに合併する丸石様皮質異形成の群と，先天性サイトメガロウイルス感染などの胎生期の感染や血管障害などの外因や先天異常症候群，染色体異常（22q11.2 欠失など）や先天性代謝異常（ペルオキシソーム病など）に伴ってみられる場合がある．感染や虚血などによる多小脳回は，両側の Sylvius 裂周囲にみられることが多い．

異所性灰白質は，フィラミン A 遺伝子異常による脳室周囲結節状病変や，DCX 遺伝子などの滑脳症の原因遺伝子による皮質下帯状病変などがある．

臨床症状

病変の部位と広がりによりさまざまな程度の精神遅滞，脳性麻痺，てんかんを呈するが，特に病変が広範な滑脳症では重症心身障害の病像となる．局所性の皮質形成異常は，てんかんの原因として診断される場合が多い．

(8) 裂脳症（schizencephaly），孔脳症（porencephaly）
（e図 17-13-E，17-13-F）

概念

胎生期の脳の形成段階で，循環障害により側脳室から脳表くも膜下腔に至る組織欠損を生じたもので，皮質形成がされる時期に生じた裂脳症は，欠損部の壁部分に限局性の多小脳回がみられる．それ以降の孔脳症では，壁部分はグリア化した白質組織である．損傷の原因としては虚血，先天感染，外傷など多様である．病変は，中心溝付近にみられることが多く，脳性麻痺，てんかんなどを呈することが多い． 〔岡 明〕

3）ファコマトーシス（母斑症，神経皮膚症候群）
phakomatosis, neurocutaneous syndrome

神経系および皮膚の先天異常に，腫瘍化傾向を伴う疾患群を，母斑症あるいは神経皮膚症候群と総称している．1923 年に van der Hoeve により提唱された疾患群の概念で，遺伝性を示す疾患では癌抑制遺伝子の異常が明らかにされている．非遺伝性の疾患で腫瘍化も伴わない Sturge-Weber 症候群が含まれ，一方で von Hippel-Lindau 病では皮膚所見を呈さないなど，あくまでも便宜的な疾患群の定義となっている．

(1) 神経線維腫症（neurofibromatosis）1 型（von Recklinghausen 病）（Gutmann ら，1997；Williams ら，2009）

概念

小児期の皮膚の茶褐色のカフェオレ斑の多発と，生後に緩徐に進行する末梢神経組織からの神経線維腫の多発を特徴とする遺伝性疾患で，皮膚，神経，骨，内分泌，消化管，血管系など多彩な症状を呈する．

病因・疫学・病態

17 番染色体上にある neurofibromin 蛋白をコードする NF1 遺伝子の異常による疾患で，常染色体優性遺伝を示す．頻度は 1 人/3000 人程度で，約半数は新規の突然変異による．NF1 遺伝子は癌抑制遺伝子に分類され，末梢神経の Schwann 細胞にて他方のアリルに新たな遺伝子変異が生じ，loss of heterozygosity の状態で神経線維腫となると考えられている．

臨床症状・検査所見

診断基準（表 17-13-2）に主要な症状が列記されている．

1) **皮膚所見：** カフェオレ斑は 2 歳までに出現し，次第に大きさを増す．その他に白斑や，皮下の神経線維腫の隆起を認める．鼠径部や腋窩には特徴的なそばかす様皮膚斑（雀卵斑様色素斑）を認める．

2) **中枢神経系：** 良性の星状細胞腫である視神経膠腫

表 17-13-2 神経線維腫症 1 型の診断基準（NIH1988）
（Thiele ら，2012）

1) カフェオレ斑 6 個以上（最大径春期前で 5 mm 以上，それ以降は 15 mm 以上）
2) 2 個以上の神経線維腫（どの型でもよい），あるいは蔓状神経線維腫
3) 腋窩や鼠径部の雀卵斑様色素斑（Crowe's sign）
4) 視神経膠腫
5) 2 個以上の虹彩小結節（Lisch 結節）
6) 特徴的な骨病変：蝶型骨の異形成，長管骨の変形（偽関節を伴うこともある）
7) 親・同胞・子どもに診断基準で明らかな患者がいる

は，学童期には15%程度にみられるといわれているが，通常は無症状で進行も認めない場合が多い（e図17-13-GのA）．その他髄膜腫などの脳腫瘍を認めることがある．なお，学童期から10歳代では，頭部MRI所見にて，大脳基底核，脳幹，小脳に，T2強調画面で高信号を呈する円形の信号異常（unidentified bright object）を一時的に認め，本疾患に特徴的である（e図17-13-GのB）．

3）神経線維腫：神経線維腫は末梢神経に生じる良性腫瘍で，巨大化し蔓状となって脊髄・血管・気管・骨などを圧迫することがある．成人期に急激に大きくなる，あるいは痛みが出現する場合には，悪性化を考える必要がある．

4）眼所見：光彩のメラノサイトの過誤腫である虹彩小結節（Lisch結節）は乳児期にも出現し診断的価値がある．眼窩部の神経線維腫により緑内障をきたすことがある．

その他，大頭，低身長，斜視，学習障害，軽度精神遅滞，てんかんを合併する場合がある．また，髄膜腫や神経膠腫などの脳腫瘍やクロム親和性細胞腫などの腫瘍性病変，類もやもや病，Noonan症候群の身体特徴の合併がまれに認められる．

診断
診断基準によるが，皮膚所見・家族歴などから比較的容易である．なお，脊髄近傍に神経線維腫が多発する脊髄型神経線維腫症では，皮膚所見が軽度であることが知られている．

経過・治療
症状を呈する神経線維腫に対しては外科的な対症療法を行う．小児期の視神経膠腫については，経過をみながら治療の適応を慎重に検討する．基本的に，対症療法を行う．

(2) 神経線維腫症2型（Gutmannら，1997）
概念・病因・疫学
2型ではおもに中枢神経系に腫瘍の発生をみる．22番染色体に存在するmerlin（Schwannomin）遺伝子の異常が原因で，遺伝型は常染色体優性を示す．1型に比し頻度はまれである．

臨床症状
両側性の聴神経の神経鞘腫が特徴的で，10歳代後半〜20歳代に好発する．難聴，めまい，耳鳴りなどの症状を呈する．その他には，三叉神経鞘腫，中枢および脊髄の髄膜腫，神経膠腫などの腫瘍を高率に認め，顔面の知覚障害などの症状で発症する．若年発症例では，両側聴神経鞘腫以外の腫瘍の多発を認める傾向がある．

皮膚所見として，カフェオレ斑を半数に認めるが，1型の患者に比して数は少ない．皮下の神経鞘腫，神経線維腫を2/3の例に認める．眼所見としては，若年発症の白内障を半数の例に認め，視力障害の原因となる．

診断
神経線維症2型の診断基準（NIH1988）：以下の1または2を満たす．
1）MRIにて両側性の聴神経腫瘍（前庭神経鞘腫）
2）親・同胞・子どもが2型の患者で，かつ次のいずれかを満たす．
①一側性の聴神経腫瘍（30歳未満で診断）
②以下の症候のうち2つ以上；神経線維腫，髄膜腫，神経膠腫，神経鞘腫，若年性白内障

治療
腫瘍の増大性などを評価して，手術適応が検討される．両側性聴神経腫瘍では，術後の難聴や顔面神経麻痺が問題となる．

(3) 結節性硬化症（tuberous sclerosis, Pringle病）
（Northrupら，2013）

定義・概念
顔面の血管線維腫，精神遅滞，てんかんを主徴とし，大脳・腎臓・心臓・肺などの臓器に形成異常や過誤腫を呈する常染色体優性遺伝を示す疾患である．

病因・疫学・病態
*TSC1*遺伝子（hamartin；9q34）と*TSC2*遺伝子（tuberin；16p13.3）の2つの原因遺伝子の異常による疾患で，これらは複合体を形成し，細胞増殖に関係するmammalian target of rapamycin complex 1（mTOR-C1）を抑制性に調節している．頻度は7000人に1人であるが，新規の突然変異による孤発例が2/3である．

臨床症状
結節性硬化症の主要病変と臨床症状を表17-13-3に示す（Northrupら，2013）．同一家系内でも，患者の表現形の差が大きいのが特徴であり，すべての病変がそろわなくとも，病変が複数認められれば，本症と診断される．

検査所見
大脳皮質結節は，頭部MRIにて皮質の肥厚，皮質下白質のT2強調・FLAIR高信号の所見を呈し，まれに石灰化を伴う．また，大脳白質のradial migration lineも本症に特徴的な所見である（e図17-13-HのA）．側脳室周囲上衣下結節は，頭部CTにて，脳室周囲の点状の石灰化像として描出される（e図17-13-HのB）．腎血管筋脂肪腫は腹部超音波検査にてある程度評価が可能であるが，詳細な評価にはCTまたはMRIを施行し，内部構造が不均一な腫瘍として認められる（e図17-13-HのC）．

表17-13-3 結節性硬化症の腫瘍病変と臨床症状

部位	名称	臨床症状など
皮膚	血管線維腫	特徴的な赤色の丘疹で，幼児期から鼻頬部に出現する．
	白斑	乳児期より認められ，典型的には木の葉状の形態を示す．
	皮下爪部線維腫	爪甲部の皮膚色の腫瘤でおもに成人期にみられる．
	粒起皮様皮膚	体幹部に出現し軽度隆起した皮膚局面を呈する．
脳	大脳皮質結節	多発性の皮質形成異常で，症状としてはてんかん，精神遅滞，発達障害を呈する．特にてんかんは乳児期からWest症候群として発症することも多く，本症と診断されるきっかけとなる．
	側脳室周囲上衣下結節	側脳室壁の小結節で高頻度に石灰化する．Monro孔付近の結節はしばしば腫瘍化して上衣下巨細胞星細胞腫となり，閉塞性水頭症の原因となる．
心臓	横紋筋肉腫	新生児期に多く，心不全や不整脈の原因となりうるが，その後は退縮する．
腎臓	血管筋脂肪腫	学童期以降に両側性に多発性にみられ，巨大化することがある．腹痛，出血などの症状を呈する．
	腎嚢腫	*TSC2*遺伝子近傍の*PKD1*遺伝子に関連した多発性嚢胞で小児期より発症する．
目	網膜多発性結節性過誤腫	半数以上の患者にみられるが，通常は無症状である．
肺	リンパ血管筋腫症	成人の女性患者にみられ，無症状であることが多いが，進行例では気胸や呼吸不全を呈する．

治療
　脳腫瘍，腎腫瘍，リンパ血管筋腫症に対してはmTOR阻害薬による治療が行われるようになった．てんかんに対しては抗痙攣薬による治療が行われるが，しばしば治療抵抗性であることが多い．

予後
　患者間で表現形の差が大きく，個々の合併症による．

(4) von Hippel-Lindau病（執印，2011）
概念・病因・病態
　小脳・網膜・腎臓などに家族性に腫瘍が多発する疾患で，3番染色体に存在する*VHL*遺伝子の異常による常染色体優性遺伝の疾患である．

臨床症状
　脳脊髄，腎などの多臓器に腫瘍性あるいは嚢胞性の病変の発生がみられる．小脳・脳幹・脊髄の血管芽腫，網膜血管腫，褐色細胞腫，腎細胞癌，膵神経内分泌腫瘍，嚢胞性病変（膵臓，腎臓，精巣上体），内耳リンパ嚢腫などが成人期に両側性に多発する．小脳血管芽腫は，脳圧亢進症状や小脳失調を呈する．網膜血管腫は出血から網膜剥離をきたすことがある．

診断
　家族歴がある場合には本症にみられる病変が1つでもあれば診断され，家族歴がない場合には，本症でみられる腫瘍が異なる2つ以上の臓器で認められれば診断される．

治療・予後
　本症と診断された場合，また遺伝子検査にて異常が認められた場合には，定期的な画像検査などを行うことが推奨されている．

(5) 末梢血管拡張性小脳失調症（ataxia telangiectasia, Louis-Bar症候群）
概念
　眼球結膜の毛細血管拡張，進行性の小脳失調，免疫不全，発癌性を示す多系統疾患である．

病因・病態
　11番染色体（11q23）にある*ATM*遺伝子の異常による疾患で，常染色体劣性遺伝を示す．ATM蛋白は遺伝子損傷の修復に重要な役割を果たし，本疾患ではないが*ATM*遺伝子異常のヘテロ接合体では，乳癌の発生率が正常の5倍に上昇するなど，発癌に関連した遺伝子として注目されている．

臨床症状
1) **毛細血管拡張**：幼児期より眼球結膜，頬部や耳介にみられる．
2) **神経症状**：幼児期より進行性の小脳失調が発症し，眼球運動失行を呈する．舞踏病様アテトーゼやジストニア，軽度精神遅滞を伴うこともある．
3) **免疫不全**：細胞性免疫と液性免疫の両方にさまざまな程度の異常が認められる．

4）悪性腫瘍： おもにリンパ球系の白血病・悪性リンパ腫を発症する．その他の固形腫瘍の頻度も高い．

5）その他： 糖尿病（インスリン抵抗性），性腺機能障害，早老症（毛髪，皮膚など）がしばしば認められる．

検査所見
染色体検査では，7番と14番染色体の切断・転座・挿入などの脆弱性を示す．免疫系では，血中IgA，IgE，IgG2の低下，末梢血T細胞の減少，CD4/CD8比低下，リンパ球減少，リンパ球幼若化試験低値などの免疫不全の所見を認める．また血清α-フェトプロテイン（AFP）高値は診断の参考となる所見である．皮膚線維芽細胞の放射線感受性亢進がみられ，頭部MRIでは小脳に萎縮像が認められる．

診断
特徴的な毛細血管拡張が小児期に出現すれば，診断は比較的容易である．その他前述の検査所見も参考になる．

治療・予後
感染症に対する対症療法が中心となる．小児期より車椅子での生活となり，10〜20歳代に，呼吸器感染，悪性腫瘍にて死亡することが多い．

(6) Sturge-Weber症候群

概念
顔面の三叉神経第1枝領域を含むポートワイン血管腫と，同側の脳軟膜の血管腫と眼脈絡膜血管腫を生じ，神経症状および眼症状を呈する．ほかの母斑症とは異なり，患者は孤発例であり遺伝性は一般に明らかではない．

病因・病態
GNAQ遺伝子の体細胞モザイク変異が原因として報告されている．脳軟膜の毛細血管・静脈の血管腫が，顔面の母斑と同側の，頭頂・後頭・側頭部に存在し，同部の皮質は循環不全により萎縮をきたす．約10%では，両側性に血管腫を認める．組織像として，障害された皮質に石灰化がみられるのが特徴的である．

臨床症状
1）顔面ポートワイン血管腫： 生下時より認められ，圧迫によりやや退色傾向がある．片側三叉神経第1枝領域を含み，さらに広範に広がり対側に及ぶこともある．

2）神経症状： 乳幼児期より高率にてんかんを認め，通常は顔面血管腫と反対側の部分痙攣である．半身麻痺は通常は痙攣後に一過性にみられ，発作を繰り返すとともに症状は進行する．てんかん合併例では精神遅滞もしばしば認める．

3）眼症状： 脈絡膜に血管腫が存在する場合には，緑内障，牛眼を合併する．

検査所見
頭部画像検査：MRIでは造影による脳表の造影効果を認め，同側の側脳室内脈絡叢の造影効果の増強を呈する．幼児期以降では皮質の萎縮像や，脳表の石灰化像（tram sign）が認められる（e図17-13-l）．

治療
顔面の血管腫に対するレーザー治療を行う．乳児期にてんかんを合併した例では，薬剤による治療を積極的に行う．てんかんの難治例は，精神遅滞をきたすという視点から，早期の病変部の脳外科的切除による予後の改善も試みられている．

〔岡　明〕

■文献

Gutmann DH, Aylsworth A, et al: The diagnostic evaluation and multidisciplinary management of neurofibromatosis 1 and neurofibromatosis 2. *JAMA*. 1997; **278**: 51-7.

Northrup H, Krueger DA: International Tuberous Sclerosis Complex Consensus Group. Tuberous sclerosis complex diagnostic criteria update: recommendations of the 2012 International Tuberous Sclerosis Complex Consensus Conference. *Pediatr Neurol*. 2013; **49**: 243-54.

執印太郎：フォン・ヒッペル・リンドウ（VHL）病診療ガイドライン，中外医学社，2011.

Williams VC, Lucas J, et al: Neurofibromatosis type 1 revisited. *Pediatrics*. 2009; **123**: 124-33.

4）胎内感染症

定義・概念
胎児がウイルス・原虫に感染し，特徴的な全身症状や中枢神経病変を呈する．代表的な病原体の頭文字をとってT（toxoplasma）O（others，梅毒やHIV）R（rubella）C（cytomegalovirus）H（herpes simplex）症候群と総称されることが多い．

病態
サイトメガロウイルス，トキソプラズマ，風疹，梅毒，HIVは，血流を介して経胎盤的に感染を起こす．サイトメガロウイルスはウイルスの再活性化による場合もあるが，その他は妊婦の初感染による．感染の時期が早いほど一般に重症であり，脳の形成異常を伴う．ただし，単純ヘルペスとHIVの一部は，おもに分娩時の産道での感染であり，厳密には胎児期の感染とは異なる．

臨床症状
胎児期から胎児水腫などの重篤な症状を呈することもある．新生児期以降には下記のような症状を呈する．各病原体に特徴的なものは括弧内に示した．

1）中枢神経系： 精神遅滞，脳性麻痺，てんかん，小頭症，水頭症，髄膜脳炎など．

2）難聴（サイトメガロウイルス，風疹）： 多くは先天

性であるが遅発性に発症することもある．
3）**眼症状**：白内障，網膜脈絡膜炎，視神経萎縮など．
4）**全身症状**：子宮内発育遅延，胎児水腫，先天性心疾患（風疹），肝腫大，黄疸，紫斑，肺炎など．

単純ヘルペスウイルスは，おもに産道感染にて新生児期に全身感染や脳炎をきたし，発熱，哺乳力低下などの敗血症様症状や痙攣で発症し，重篤な病状を呈する．単純ヘルペスに特有の皮膚，口腔の所見を認めない場合もある．

検査所見

新生児期に黄疸，溶血性貧血，血小板減少などの所見を認める場合がある．頭部 CT, MRI では，サイトメガロウイルスやトキソプラズマ感染では，頭蓋内石灰化，大脳白質病変，脳皮質形成異常，上衣下偽性嚢胞，水頭症などの所見を認める．特に点状の石灰化所見は胎児期の感染に特徴的な所見である．

診断

サイトメガロウイルス感染は，生後 3 週間までは尿でのウイルスの核酸同定が一般的である．風疹感染では，児の IgM 抗体陽性または PCR でのウイルス同定が行われる．トキソプラズマ感染では臨床症状と，IgG 抗体の上昇が 1 歳過ぎまで持続することで診断される．単純ヘルペス感染では PCR でのウイルス同定が行われる．

治療

単純ヘルペスにはアシクロビルを，トキソプラズマにはスルファジアジンとピリメタミンによる治療を行う．サイトメガロウイルス感染では，バルガンシクロビルによる治療が難聴や発達に有効であることが示されている．
〔岡 明〕

5）周産期脳損傷
perinatal brain damage

定義・概念

周産期脳障害は，胎児期後期から新生児期にかけて未熟な脳に生じる破壊性の病変を総称している．基本的な病態は，低酸素性虚血性脳障害と脳出血で，後遺症として精神遅滞，脳性麻痺，てんかんなどの障害をきたす．しばしばこうした障害を重複した重度心身障害の像を呈する．

病因・病態

胎児期後期に脳障害をきたす原因としては，胎児仮死や，未熟児低出生体重児での呼吸循環障害があげられる．新生児期には，難産（児頭回旋異常，遷延分娩など）や異常分娩（胎盤早期剥離など）による新生児仮死・分娩障害，易感染性による重症細菌感染症，高ビリルビン血症などが原因となる．多胎妊娠もリスクとして重要である．

胎児心拍モニターの使用など分娩管理の進歩により，分娩中の脳障害の頻度は低下してきている．また，新生児のビリルビン検査の徹底で，高ビリルビン血症による核黄疸の頻度も激減している．その一方で，早産児・低出生体重児として出生した児にみられる周産期脳障害患者の相対的な増加がみられる．

病態は低酸素性虚血性脳障害と脳出血であるが，未熟な脳の解剖学的な特性もあり，成人とは異なる病像を呈する．

1）**脳室周囲白質軟化症**：胎生 25〜34 週頃に生じた循環不全や炎症などは側脳室周囲の白質の虚血・壊死をきたし，病巣が脳室壁に沿って左右対称性に広がる．痙性両麻痺の原因となる（e図 17-13-J の A）．
2）**脳室上衣下-脳室内出血**：胎生 28 週以下では側脳室壁での出血をきたしやすく，穿破して脳室内出血となる．脳実質内に出血が広がった場合には重度の後遺症をきたしやすい．
3）**視床基底核壊死**：成熟児の高度の脳循環不全では，しばしば視床や基底核に壊死巣を生じ，アテトーゼ型（ジスキネジア型）の脳性麻痺の原因となる（e図 17-13-J の B）．隣接する内包部も巻き込まれることも多く，錐体路障害による痙性麻痺を伴った混合性麻痺の脳性麻痺となる．
4）**脳梗塞，傍矢状脳障害**：中大脳動脈などの特定の動脈領域の梗塞巣は，胎生期から新生児期のいずれにも起こることがあり，病変部は嚢胞化し片麻痺の原因となる．成熟児で，低酸素状態が遷延する部分仮死による脳循環障害では，主要動脈の支配領域の境界部に左右対称性の梗塞を起こすことがある．こうした傍矢状脳障害は，痙性四肢麻痺の原因となる（e図 17-13-J の C）．

臨床症状

1）**脳性麻痺**：乳児期より運動発達障害がみられ，満 2 歳頃までに病像が明らかとなる．その後，症状は二次的な修飾は受けるが，基本的には非進行性で停止性である．痙性麻痺および錐体外路徴候がみられ，病変の分布により両麻痺，四肢麻痺，片麻痺，アテトーゼ，小脳失調などの病像を呈する．
2）**精神遅滞**（知的障害）：発達全般に遅れがみられ，知能検査にて知能年齢が生活年齢の 70% 以下となる．言語障害や認知障害などをきたす．
3）**てんかん**：脳損傷の部位を焦点とする症候性てんかんが合併することがある．重度の場合には，乳児期に West 症候群（点頭てんかん）で発症する．
4）**重症心身障害**：病変が広範に及んだ場合には，症状が重複し，最重症の児は重度心身障害の状態で寝たきりとなる．こうした児では，壊死巣が脳幹被蓋部にもしばしばみられ，呼吸機能障害や球麻痺による嚥下

障害を伴う．
治療
脳性麻痺に対しては，乳幼児期からのリハビリテーションを行う．重症心身障害者は，呼吸器系などの感染を反復しやすく，摂食も障害されており栄養面も含めた全身的な管理が必要である．てんかんに対しては抗痙攣薬の内服を行う．痙性などの筋緊張亢進に対して，筋弛緩薬やボツリヌス毒素の局所注射，脊髄後根神経部分切除術や内転筋群の筋切り術などの治療が行われている．

〔岡　明〕

17-14　脳腫瘍・脊髄腫瘍

1）脳腫瘍総論

概念
脳腫瘍（brain tumor）とは，頭蓋内に発生する新生物である．脳，くも膜，硬膜など頭蓋内の組織から発生するものを原発性脳腫瘍，他臓器の悪性腫瘍が頭蓋内に転移したものを転移性脳腫瘍とよぶ．

分類
中枢神経系には神経上皮組織以外に中胚葉，外胚葉組織が存在するため，原発性脳腫瘍の分類も中枢神経系の組織発生を基準に行われる．脳腫瘍の標準的な分類法であるWHO分類2016年版では，脳腫瘍をびまん性星細胞腫系・乏突起膠細胞腫系腫瘍，その他の星細胞腫系腫瘍，上衣腫系腫瘍，その他の神経膠腫，脈絡叢乳頭腫系腫瘍，神経細胞性・神経膠腫系腫瘍，松果体部腫瘍，胎児性腫瘍，脳神経・末梢神経由来の腫瘍，髄膜種，非髄膜細胞性間葉系腫瘍，色素細胞性腫瘍，リンパ腫，造血細胞由来の腫瘍，胚細胞系腫瘍，トルコ鞍近傍腫瘍，転移性腫瘍の17に大分類，さらにそれらを一部分子生物学的特徴を加味して135種類の腫瘍に細分類した．ただし，このWHO分類では，従来脳腫瘍に分類されていた下垂体腺腫，上皮腫，類上皮腫などが除外されているが，本項では従来どおりこれらも脳腫瘍として取り扱うことにする．

原発性脳腫瘍はグリア細胞や神経細胞など神経組織を構成する細胞由来の腫瘍と，それ以外の腫瘍に大別することができる．前者には，いわゆるグリオーマ（神経膠腫）とよばれる星細胞腫，退形成性星細胞腫，膠芽腫，乏突起細胞腫，上衣腫などの一群の腫瘍のほか，神経細胞由来のガングリオサイトーマ，胎児性腫瘍の髄芽腫などが含まれる．後者すなわち神経組織以外を発生母地とする腫瘍には，髄膜腫，神経鞘腫，下垂体腺腫，血管芽腫，悪性リンパ腫，頭蓋咽頭腫，胚細胞系腫瘍などが含まれる．

転移性脳腫瘍では，他臓器に発生するあらゆる悪性腫瘍がその原発巣になりうるが，肺癌，乳癌，消化器癌，泌尿器癌の頻度が高い．

疫学
原発性脳腫瘍の発生頻度は，人口10万人あたり8〜10人程度とされている．転移性脳腫瘍に関しては，原発性に比べその発生頻度は低いとされてきたが，近年増加の傾向にある．

1）脳腫瘍別の発生頻度（表17-14-1）：脳腫瘍全国集計調査報告（第13巻，2014年）によると，神経膠腫：26.5％（星細胞腫，退形成性星細胞腫，膠芽腫，乏突起神経膠腫，上衣腫などをまとめたもの），髄膜腫：24.2％，下垂体腺腫19.3％，神経鞘腫：10.1％，悪性リンパ腫：3.5％，頭蓋咽頭腫：2.5％，胚細胞系腫瘍：2.3％の順である．近年，髄芽腫が減少し，悪性リンパ腫が増加している．

2）脳腫瘍の好発年齢：あらゆる腫瘍があらゆる年齢の患者に発生しうるが，その発生頻度をみると小児と成人との間に大きな差がある．小児期に多い腫瘍とし

表17-14-1　脳腫瘍組織別頻度（脳腫瘍全国集計調査報告（第13巻，2014年）より改変）

神経節膠腫	0.4％
退形成性神経節膠腫	0.1
星細胞腫	4.6
退形成性星細胞腫	3.8
膠芽腫	10.8
乏突起神経膠腫	0.9
上衣腫	0.5
脈絡叢乳頭腫	0.2
その他の神経膠腫	5.2
髄芽腫	0.7
髄膜腫	24.2
下垂体腺腫	19.3
神経鞘腫	10.1
頭蓋咽頭腫	2.5
血管芽腫	1.4
胚細胞系腫瘍	2.3
類皮腫，類表皮腫	1.0
悪性リンパ腫	3.5
その他	8.5

（神経節膠腫〜その他の神経膠腫を合わせて神経膠腫26.5％）

ては，星細胞腫，髄芽腫，頭蓋咽頭腫，胚細胞系腫瘍，上衣腫があげられる．一方，成人に多い腫瘍は，神経膠腫，髄膜腫，下垂体腺腫，神経鞘腫，悪性リンパ腫，転移性脳腫瘍などである．

3）脳腫瘍の好発部位： 神経膠腫，髄膜腫，転移性脳腫瘍など，成人に好発する腫瘍は一般にテント上に多く，一方，小児では髄芽腫や小脳星細胞腫などテント下腫瘍が多い．したがって，前述のWHO分類にあるように病理組織学的に細かく分類される脳腫瘍も，臨床的には腫瘍の好発部位を念頭におき，その局在から鑑別診断を行うことが重要になってくる．たとえば大脳半球の脳実質外腫瘍であれば髄膜腫を，脳実質内腫瘍であれば星細胞腫，退形成性星細胞腫，膠芽腫，転移性脳腫瘍，悪性リンパ腫などを考える必要がある．またトルコ鞍内あるいは傍鞍部腫瘍としては，下垂体腺腫，頭蓋咽頭腫，胚細胞系腫瘍，髄膜腫，視神経膠腫などを鑑別しなくてはならない．脳室系には脈絡叢乳頭腫，上衣腫などが，頭蓋底部には骨由来の脊索腫や軟骨腫，さらに副鼻腔，鼻咽頭由来の癌腫が発生する．後頭蓋窩には脳実質外腫瘍として神経鞘腫，髄膜腫，類表皮腫が，また脳実質内腫瘍としては髄芽腫，星細胞腫，血管芽腫が発生する．

病因

近年の分子生物学の進歩により，脳腫瘍の発生や悪性変化に癌遺伝子や癌抑制遺伝子の発現異常が関与していることが判明した．また，神経線維腫症やvon Hippel-Lindau病などの神経皮膚症候群に伴う脳腫瘍の発生についても，遺伝子異常の関与が明らかになった．しかし，これらの脳腫瘍に伴うさまざまな遺伝子異常を引き起こす真の病因は依然として不明である．脳腫瘍を惹起する外的要因としては，外傷，放射線，化学物質，ウイルスなどが想定されているが，放射線治療後に二次的発生する髄膜腫，肉腫，グリオーマ以外には明確な因果関係は証明されていない．

臨床症状

頭蓋内圧亢進症状と腫瘍の発生部位に対応する局所脳症状とに分類されるが，これらの臨床症状は数週間～数年間にわたり徐々に進行・増悪することが一般的である．組織学的に悪性度の高いものでは，症状は急速に進行するが，特に腫瘍内出血を伴った場合には，脳血管障害を思わせるような急性増悪もありうる．

1）頭蓋内圧亢進症状： 腫瘍自体あるいはそれに伴う脳浮腫によって頭蓋内容が増加するために起こるが，後頭蓋窩に発生する腫瘍ではしばしば水頭症を併発するので，これが頭蓋内圧亢進の原因になる．患者は頭痛を訴え，嘔吐し，眼底にはうっ血乳頭を認める．病態が進行して脳ヘルニアを起こせば，意識障害も起こる．

2）局所脳症状：

　a）てんかん発作：一般に脳腫瘍患者の30％程度が，てんかん発作をきたすとされている．特に成人で初発するてんかん発作に関しては，脳腫瘍の存在を強く疑う必要がある．てんかん発作はテント上腫瘍に圧倒的に多く，前頭葉，側頭葉，頭頂葉の腫瘍に高頻度にみられる．

　b）前頭葉障害：腫瘍が前頭葉後半に発生すると反対側の片麻痺，腱反射亢進をみるが，優位側半球の場合には運動性失語をみることもある．両側の前頭葉に障害が及ぶと，無関心，認知症，尿失禁などの抑制障害をみる．

　c）側頭葉障害：腫瘍が優位側半球側頭葉の後方に発生すると，感覚性失語をきたす．また，視放線が障害されると同名性上四分盲をみる．

　d）頭頂葉障害：腫瘍が中心溝に近いと対側の感覚障害をきたす．頭頂葉連合野の障害では失行・失認を認めるが，優位側半球角回付近の病変ではGerstmann症候群をみる．

　e）後頭葉障害：病変と反対側の同名性半盲をきたす．視野欠損は左右同等で，黄斑回避を伴う．

　f）トルコ鞍，傍鞍部腫瘍（表17-14-2）：視神経，視交叉の圧迫により視力・視野障害をきたす．下垂体腺腫が鞍上部に伸展して視交叉を下方より圧迫する

表17-14-2 傍鞍部腫瘍の鑑別診断

	好発年齢	トルコ鞍の変化	腫瘍の石灰化	尿崩症	その他
下垂体腺腫	成人	拡大	なし	なし	ホルモン産生下垂体腺腫では内分泌徴候あり
頭蓋咽頭腫	小児・成人	皿状（saucer-like pattern）	あり	ときにあり	画像診断上，腫瘍に嚢腫を伴うことが多い
胚細胞系腫瘍	小児	なし	なし	あり	卵黄嚢腫瘍ではAFPが，絨毛癌ではhCGが上昇
鞍結節部髄膜腫	成人	鞍結節部の骨肥厚 blistering	まれにあり	なし	一側性の視力視野障害で発症することが多い
視神経膠腫	小児	J字型変形	なし	なし	神経線維腫症1型との合併

と，初期の段階では両耳側上四分盲，そして最終的には左右対称の両耳側半盲を呈することになる．一方，頭蓋咽頭腫など下垂体腺腫以外の傍鞍部腫瘍では，視野障害はしばしば左右非対称になる．胚細胞系腫瘍や頭蓋咽頭腫などにより視床下部・下垂体系が障害されると，副腎皮質の機能低下症，小人症，尿崩症などが起こる．髄膜腫が海綿静脈洞に発生あるいは浸潤すると，眼球運動障害，顔面知覚障害（三叉神経第1枝領域）が生じる．ホルモン産生下垂体腺腫では，プロラクチン，成長ホルモン，副腎皮質刺激ホルモンなどの異常分泌に伴うさまざまな臨床症状をみる．

g）松果体部腫瘍：中脳水道狭窄あるいは閉塞による水頭症，上方注視麻痺（Parinaud 徴候）や Argyll Robertson 瞳孔をきたす．

h）小脳橋角部腫瘍：顔面，蝸牛，前庭神経のいずれもが障害されうるが，聴神経鞘腫では聴力低下が初発症状のことが多い．腫瘍が大きくなり，橋や中小脳脚さらに小脳半球へ圧迫が加わると，Bruns 眼振や小脳症状を伴ってくる．

i）脳幹部腫瘍：運動・感覚の神経線維，第Ⅲ〜Ⅻ脳神経の神経核とその髄内線維が錯綜するため，中脳・橋・延髄と病変の部位によりさまざまな神経症状を呈することになる．橋神経膠腫では，顔面神経麻痺や外転神経麻痺をしばしば伴うが，これに交差性の片麻痺が加わり Millard-Gubler 症候群を呈することもある．脳幹部神経膠腫が発育し脳幹が腫大すると，最終的には第4脳室が閉塞され水頭症が発生する．しかし，このような水頭症は次に述べる第4脳室腫瘍とは対照的に，病期のかなり進行した段階ではじめてみられるのがふつうである．

j）第4脳室腫瘍：上衣腫と髄芽腫が代表的なものであるが，ともに腫瘍により第4脳室は容易に占拠・閉塞されるため，かなり早い時期から水頭症を併発する．したがって，ほとんどの患者は頭蓋内圧亢進症状で発症することになるが，髄芽腫では腫瘍が小脳虫部より発生するため，しばしば体幹失調をみる．一方，上衣腫の多くは第4脳室底から発生するが，外転神経麻痺や顔面神経麻痺を呈することは比較的まれである．

k）頭蓋底腫瘍：前頭蓋底腫瘍では嗅覚障害や視力視野障害を，中頭蓋窩の腫瘍では三叉神経障害や眼球運動障害を認める．腫瘍が後頭蓋窩に伸展すれば，顔面神経，内耳神経，さらに下部脳幹神経や舌下神経までが障害されることになる．鼻咽頭腫瘍が頭蓋底に広汎に浸潤すると，錐体路徴候なしに一側の脳神経が多発性に障害される Garcin 症候群を呈する．

診断

1）脳腫瘍と腫瘍マーカー： ホルモン産生下垂体腺腫におけるプロラクチン，成長ホルモン，副腎皮質刺激

表 17-14-3 各種胚細胞系腫瘍と検出される腫瘍マーカー

	hCG	AFP
胚細胞腫（germinoma）	−	−
奇形腫（mature and immature teratoma）	+/−	+/−
胎児性癌（embryonal carcinoma）	+	+
卵黄嚢腫瘍（yolk sac tumor）	−	+
絨毛癌（choriocarcinoma）	+	−

hCG：ヒト絨毛ゴナドトロピン，AFP：α-フェトプロテイン．

ホルモンはその典型であるが，胚細胞系腫瘍におけるヒト絨毛ゴナドトロピン（hCG）とα-フェトプロテイン（AFP）が腫瘍マーカーとして重要である（表 17-14-3）．絨毛癌では血中 hCG が，卵黄嚢腫瘍では血中 AFP が上昇するが，これらは髄液中にも高濃度で検出される．

2）脳腫瘍の画像診断： MRI（magnetic resonance imaging）と CT によって行われる．特に MRI の有用性に疑問の余地はなく，腫瘍の局在や周辺の解剖構造の偏位・変形について詳細な情報を提供するばかりでなく，その病理診断に関しても，術前にかなり正確に予測できるようになった．動脈や静脈の描出には，MR angiography（MRA）や MR venography（MRV）が用いられる．さらに最近では MR spectroscopy（MRS）を利用して，腫瘍再発と放射線壊死の鑑別や腫瘍の悪性度を評価する試みもなされている（e図 17-14-A）．また，functional MRI を用いて運動野や言語野を同定することにより，これらの領域の近傍に発生する腫瘍の手術がより安全に行えるようになった．

治療

手術，放射線治療，化学療法，免疫療法などがある．髄膜腫，下垂体腺腫，神経鞘腫などでは，手術によって腫瘍が全摘出されれば完治を期待することができる．脳実質に浸潤性に発育する神経膠腫などでも，腫瘍の 90％以上が切除された場合と部分摘出に終わった場合とでは，その予後に差のあることが知られており，やはり外科的治療の役割は大きいものと考えられている．また，MRI の出現により脳腫瘍の術前診断の精度はかなり高いものになったが，腫瘍の病理診断を確定するために生検を含めた外科的処置が必要になることも少なくない．従来の放射線治療は手術後の補助療法として行われることが多く，退形成性星細胞腫，膠芽腫，髄芽腫，胚細胞系腫瘍などでは一定の治療効果のあることが実証されてきた．一方で，これ

までの経験の蓄積から発達期の脳に対する放射線の悪影響が明らかとなり，現在では3歳以下の症例に対する放射線治療は極力避けるべきと考えられている．また，最近では腫瘍の直径が3cm以下ということを条件に，ガンマナイフやLINACを用いた放射線外科治療（radiosurgery）がさかんに行われるようになった．転移性脳腫瘍などがそのよい適応と考えられているが，髄膜腫や神経鞘腫などの良性腫瘍に対しても放射線外科治療が施行されており，腫瘍発育を抑制するなどの治療効果が確認されている．化学療法には，ニトロソウレア系薬物（カルムスチン，ロムスチン，ニムスチンなど），ビンクリスチンなどのアルカロイド系，シスプラチンやカルボプラチン，プロカルバジン，ブレオマイシンなどの薬剤が使用される．手術・放射線治療と組み合わせて行う多剤併用療法が一般的であるが，小児例では化学療法を併用することにより，放射線治療の開始時期をできるだけ遅らせる，あるいは照射線量を可能なかぎり減少させるなどの試みがなされている．

2）脳腫瘍各論

(1) 星細胞腫（astrocytoma），退形成性星細胞腫（anaplastic astrocytoma），膠芽腫（glioblastoma）

3者を合わせると，全脳腫瘍の約25％を占める．組織学的にはいずれも星細胞類似の腫瘍細胞からなる．星細胞腫，退形成性星細胞腫，膠芽腫の順に組織学的な悪性度は高くなるが，臨床経過もこれに準じ膠芽腫は脳腫瘍のなかで最も予後不良なものの1つである．膠芽腫のなかには最初から（*de novo*）膠芽腫として発病するものと，もともとは星細胞腫や退形成性星細胞腫であった腫瘍が，膠芽腫として再発するものとがある．

好発部位・性差・好発年齢

いずれの腫瘍も大脳半球に好発する．男性にやや多い傾向にあり，好発年齢のピークは星細胞腫ではおおよそ30～40歳代，退形成性星細胞腫では40～50歳代，膠芽腫では50～60歳代となるが，脳幹や小脳の星細胞腫に関しては小児発症例もけっしてまれではない．

臨床症状

痙攣発作や腫瘍発生部位に応じた脳局所症状をみるが，膠芽腫では腫瘍周辺の脳浮腫が著明なため，しばしば頭蓋内圧亢進症状を伴う．

診断

星細胞腫はCT上低吸収域，T1強調MRIでは低信号域，T2強調MRIでは高信号域として描出されるが，基本的には造影剤による増強効果を受けない（図17-14-1A）．これに対して，退形成性星細胞腫では腫瘍は部分的であっても造影され（図17-14-1B），さらに膠芽腫になると腫瘍内壊死巣を取り囲むリング状の増強効果をみるようになる（図17-14-1C）．

治療・予後

神経機能を温存しつつ可及的に腫瘍を摘出し，術後に放射線治療を行う．手術と放射線治療に加え，退形成性星細胞腫や膠芽腫に対しては，ニトロソウレア系薬物を中心とする多剤併用の化学療法を行う場合もあるが，最近では第2世代のアルキル化薬であるテモゾラミド（temozolomide：TMZ）が広く用いられている．TMZは経口摂取でき，副作用の発現頻度，程度もほかの抗腫瘍薬剤と比較して一般に軽度であるという利点がある．現在では世界的にTMZと放射線療法の併用療法が退形成性星細胞腫や膠芽腫に対する治療の主流になりつつある．このような治療を行っても，膠芽腫の2年生存率は30％以下であり，患者が5年以上生存することはまれである．退形成性星細胞腫の5年生存率は50％以下，また星細胞腫であっても5年生存率は50～80％とされており，完治を期待することは難しい腫瘍である．

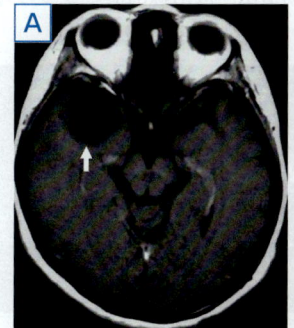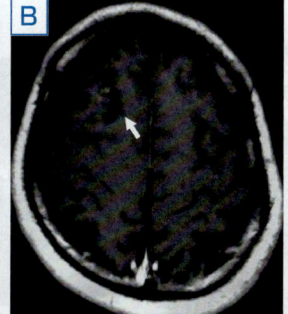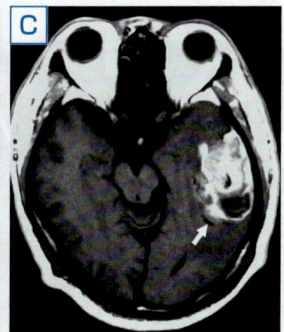

図17-14-1 神経膠腫の画像診断（造影MRI）
A：星細胞腫，B：退形成性星細胞腫，C：膠芽腫．

(2) 髄膜腫（meningioma）

全脳腫瘍の約26%を占める良性の腫瘍である．くも膜細胞由来の腫瘍とされており，そのほとんどは硬膜に接して発生，脳を実質外より圧排する．

好発年齢・性差・好発部位

成人に圧倒的に多く，女性に多い（約2倍）．腫瘍発生部位は，傍矢状部，大脳鎌，大脳半球円蓋部，蝶形骨縁，嗅窩，鞍結節，小脳橋角部，小脳テント，斜台，小脳半球円蓋部，大孔，側脳室など多岐にわたる．

臨床症状

腫瘍発生部位に応じたさまざまな脳局所症状をみるが，腫瘍は非常に緩徐に増大するので，症状の発現は腫瘍がかなり大きくなってからのことが多い．

診断

CT，MRI 上，造影剤によって均一に造影される脳実質外腫瘍として描出されるが，側脳室内に発生するような例外を除き，腫瘍は硬膜との付着部を有している（図17-14-2A，B）．腫瘍周辺にしばしば脳浮腫を認めるが，これは腫瘍サイズの大きなもので顕著である．

治療

治療の原則は開頭術による腫瘍の全摘出であり，これにより完治を期待することができる．腫瘍は付着硬膜やこれに接する骨にもしばしば浸潤しているため，硬膜・骨を含めた広範囲の切除が必要となる．海綿静脈洞など頭蓋底部に発生する髄膜腫では，内頸動脈や各種脳神経が腫瘍に巻き込まれていることも多く，腫瘍の全摘出が不可能な場合も少なくない．髄膜腫は良性の腫瘍であるが，術後に腫瘍が残存すれば5年後の再発率は30%以上になるとされている．最近では，開頭術によって全摘出が達成されなかった症例に対して，ガンマナイフやLINACを用いた放射線外科治療を追加施行することもある．

(3) 下垂体腺腫（pituitary adenoma）

下垂体前葉から発生する良性の腫瘍で，全脳腫瘍の約17%を占める．ホルモン産生腫瘍（60%）とホルモン非産生腫瘍（40%）に分類できるが，前者にはプロラクチン（PRL）産生腫瘍，成長ホルモン（growth hormone：GH）産生腫瘍，副腎皮質刺激ホルモン（adrenocorticotropic hormone：ACTH）産生腫瘍などが含まれる．また，腫瘍のサイズにより，トルコ鞍内に限局している最大直径10mm以内のものをミクロアデノーマ（microadenoma），鞍上部伸展を伴う大きなものをマクロアデノーマ（macroadenoma）とよぶ．

好発年齢・性差

20〜50歳の成人に好発する．ホルモン非産生腫瘍では性差はないが，PRL産生腫瘍，ACTH産生腫瘍は女性に多く，GH産生腫瘍は男性にやや多い．

臨床症状

ホルモン過剰分泌によるホルモン異常症候群と，腫瘍による局所圧迫症状とがある．女性のPRL産生腫瘍では乳汁分泌と無月経，男性では性欲低下などの症状をみる．GH産生腫瘍では発病の時期が骨端線の閉鎖以前であれば巨人症，以後であれば末端肥大症を，またACTH産生腫瘍ではCushing症候群を呈することになる．ミクロアデノーマは，これらのホルモン異常症候群の存在によってはじめて診断されることになるが，マクロアデノーマでは，視力低下や両耳側半盲で発症する．下垂体腺腫内に急に出血が起こり，突然の激しい頭痛や視力・視野障害，さらに眼球運動障害をきたすことがあるが，これを下垂体卒中（pituitary apoplexy）とよぶ．

診断

マクロアデノーマでは，頭蓋単純撮影上トルコ鞍の拡大（ballooning）を認め，CT，MRI上，鞍内から鞍上部に伸展する腫瘍を確認する（図17-14-3A）．腫瘍は通常，造影剤により均一に造影されるが，造影効果を受けない囊胞成分を腫瘍内に認めることもある．ミクロアデノーマは通常造影効果を受けないので，腫瘍は均一に造影される正常下垂体のなかに円形の低信号域として描出される（図17-14-3B）．

治療

手術，薬物療法，放射線治療の3つの方法がある．

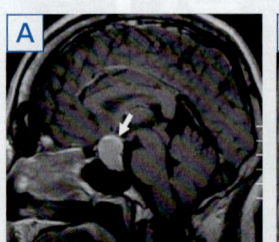

図17-14-2 髄膜腫の画像診断（MRI）
A：蝶形骨縁髄膜腫，B：円蓋部髄膜．

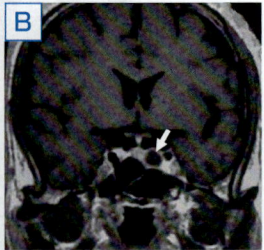

図17-14-3 下垂体腺腫の画像診断（MRI）
A：下垂体腺腫（マクロアデノーマ），B：下垂体腺腫（ミクロアデノーマ）．

手術には開頭による腫瘍摘出術と，経蝶形骨洞到達法によるものとがあるが，ほとんどの腫瘍は後者によって摘出可能である．一般に PRL 産生腫瘍以外では，手術が治療の第一選択になる．ブロモクリプチンはドパミン作用を有する麦角薬で，PRL 産生腫瘍を縮小させ血中 PRL 値を低下させるため，PRL 産生腫瘍の治療に広く用いられている．近年，ソマトスタチン類似体であるオクトレオチドが GH 産生腫瘍の治療薬として用いられるようになったが，これは術後に血中 GH 値が十分に低下しない場合や，手術をより安全確実に行うために術前に腫瘍の縮小をはかる目的で使用される．

(4)神経鞘腫（neurinoma）（Schwann 細胞腫（schwanoma））

Schwann 細胞由来の良性腫瘍で，全脳腫瘍の約 11％を占める．前庭神経から発生する聴神経鞘腫が最も多く，ついで三叉神経，顔面神経，下部脳幹神経と続く．聴神経鞘腫は小脳橋角部腫瘍の 80％を占め，臨床上または画像診断上，同部に発生する髄膜腫や類表皮嚢腫（epidermoid cyst）と鑑別される．神経線維腫症 2 型では，左右両側に聴神経鞘腫の発生をみる（図 17-14-4A）．

好発年齢・性差
成人に発生し，女性に多い．

臨床症状
聴神経鞘腫では難聴，耳鳴り，ふらつき，めまい，三叉神経鞘腫では顔面の知覚障害を認める．

診断
MRI 上は著明に造影される脳実質外腫瘍として描出され，しばしば嚢胞性の変化を伴う（図 17-14-4B）．聴神経鞘腫では内耳道の拡大，三叉神経鞘腫では錐体骨先端部の骨侵蝕像が CT や頭蓋単純撮影で確認される．

治療
開頭術によって腫瘍を全摘出すれば，完治を期待することができる．ただし聴神経鞘腫では，腫瘍に接して走行する蝸牛神経と顔面神経をいかに温存するかが問題となる．最近では開頭術によって全摘出が達成されなかった症例や，比較的小さな腫瘍に対しては，ガンマナイフや LINAC を用いた放射線外科治療が施行されることもある．

(5)頭蓋咽頭腫（craniopharyngioma）

Rathke 嚢（craniopharyngeal duct）の遺残上皮から発生したと考えられる上皮性の腫瘍で，全脳腫瘍の 3.4％を占める．腫瘍はトルコ鞍上部から鞍内にかけて存在するが，10％程度の症例では鞍内に限局する．8 割以上の腫瘍は嚢胞を伴い，嚢胞の内容液はモーターオイル様である．一般的には小児に発生する腫瘍であるが，成人症例もけっしてまれではない．

臨床症状
視力・視野障害，下垂体前葉の機能低下症（小児例では下垂体性小人症が問題となる），体温低下や尿崩症などの視床下部症状をみる．視野障害に関しては，下垂体腺腫とは異なり左右非対称で不規則な欠損パターンを呈する傾向にある．術前から尿崩症を呈する症例は，約 10％程度である．

診断
頭蓋単純撮影上，トルコ鞍は皿状（saucer-like pattern）を呈する．頭蓋単純撮影，CT で鞍上部に散在する石灰化を認めるが，その発現率は小児例ほど高い．MRI では鞍上部に嚢胞を伴う腫瘍を認め，嚢胞壁は著明に造影される（図 17-14-5）．一部の症例では，腫瘍は嚢胞を伴わず充実性のこともある．

治療
腫瘍全摘出により治癒が期待できるが，周囲組織との癒着が強く一部腫瘍を残さざるをえない場合も少なくない．全摘出が達成されなかった症例では，術後に放射線治療を行うのが一般的である．

(6)胚細胞系腫瘍（germ cell tumor）

生殖器原発のきわめて多彩な組織像を呈する腫瘍群の総称で，わが国の統計では全脳腫瘍の約 3％を占

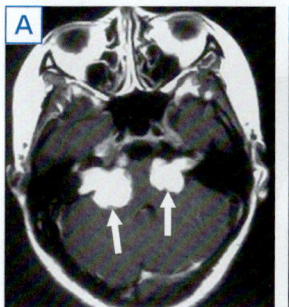
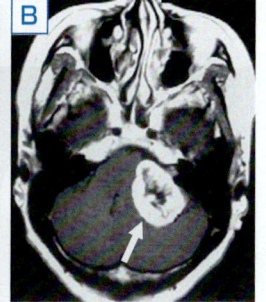

図 17-14-4 聴神経鞘腫の画像診断（MRI）
A：両側聴神経鞘腫（神経線維腫症 2 型），B：聴神経鞘腫．

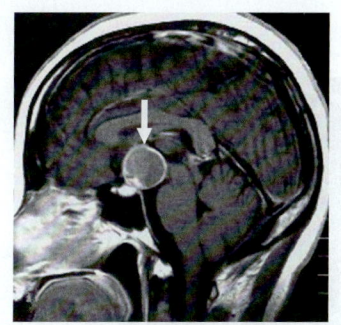

図 17-14-5 頭蓋咽頭腫の画像診断（MRI）

め，欧米に比べ発生頻度の高い腫瘍である．胚細胞腫 (germinoma)，卵黄嚢腫瘍 (yolk sac tumor)，絨毛癌 (choriocarcinoma)，奇形腫 (teratoma)，胎児性癌 (embryonal carcinoma) の5組織型と，おのおのの成分が混ざる混合型がある．胚細胞腫以外の腫瘍を non-germinomatous germ cell tumor と一括するが，成熟型の奇形腫を除くといずれもきわめて悪性度の高い腫瘍である．

好発部位・好発年齢・性差

松果体と鞍上部に好発する．20歳以下に多く，男性に圧倒的に多いが，鞍上部に発生するものにはほとんど性差をみない．

臨床症状

松果体部に発生するものでは，中脳水道狭窄あるいは閉塞による水頭症，上方注視麻痺 (Parinaud 徴候) や Argyll Robertson 瞳孔をみる．鞍上部に発生するものは，視力・視野障害，尿崩症，下垂体前葉の機能障害が特徴的である．hCG 産生腫瘍では，男性例でときに思春期早発症をみることがある．

診断

MRI 上，胚細胞腫は境界明瞭で強く均一に造影される病変として描出される（図 17-14-6）．奇形腫は石灰化や嚢胞を伴う．その他の腫瘍は，不整形で不均一に造影されることが多いが，その鑑別には前述の腫瘍マーカー (hCG，AFP) を参考にする必要がある (表 17-14-3)．

治療・予後

成熟型の奇形腫に関しては，手術による全摘出で治癒を期待することが可能である．胚細胞腫は放射線感受性が高く，手術によって組織診断を得た後に放射線治療を行えば，10年生存率80%以上が期待できる．未熟型の奇形腫を含むその他の腫瘍はきわめて悪性で，手術と放射線治療に加えシスプラチンやカルボプラチンを中心に多剤併用の化学療法を行う．しかし，その治療成績は必ずしも満足できるものではなく，卵黄嚢腫瘍，絨毛癌，胎児性癌の再発率は90%以上に及ぶ．

(7) 転移性脳腫瘍

転移性脳腫瘍は全脳腫瘍の約15%を占めるが，近年その発生頻度は増加傾向にある．原発巣としては肺癌が半数を占め，ついで乳癌，大腸・直腸癌，胃癌，頭頸部癌，腎癌，子宮癌と続く．約半数の症例では単発性病変，残りは多発性で約10%の症例では5個以上の病変を認める．

好発部位

テント上が75%，残り25%はテント下に発生する．

臨床症状

痙攣発作，比較的急速に進行する局所症状，精神症状をみる．

診断

CT，MRI 上，リング状あるいは均一に造影される円形の病変を認め，腫瘍の周囲には著明な浮腫を伴う（図 17-14-7）．単発性の場合には膠芽腫，多発性の場合には脳膿瘍との鑑別が問題となる．

治療

脳転移が単発性である，原発巣がコントロールされている，ほかの臓器への転移がない，3～6カ月以上の生命予後が期待できる，血液凝固異常がないなどの条件を満たせば開頭術による腫瘍摘出を行う．一方，多発例などで手術適応のない症例では放射線治療を行うが，病変のサイズが3cm以下の場合には放射線外科治療が有効である．

(8) その他の腫瘍

a. 髄芽腫（medulloblastoma）

小脳に発生する腫瘍で，神経外胚葉性の未分化な小型細胞よりなる．全脳腫瘍の約1.2%を占める．小児脳腫瘍の代表的なものの1つであるが，近年減少傾向にある．腫瘍が第4脳室を閉塞し水頭症を併発するため，頭蓋内圧亢進症状で発症することが多い．これに加え，小脳虫部障害による体幹失調をしばしば認める．腫瘍摘出術と放射線治療，さらに化学療法を行う．術後に全脳全脊髄照射を施行することにより，

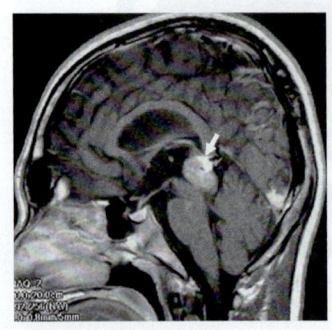

図 17-14-6 胚細胞腫（松果体部）の画像診断 (MRI)

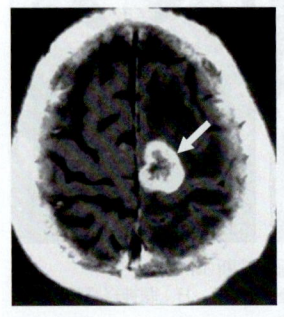

図 17-14-7 転移性脳腫瘍（肺原発）の画像診断 (MRI)

50％以上の5年生存率を得ることができる．

b. 血管芽腫（hemangioblastoma）

良性の腫瘍で，豊富な毛細血管と間質細胞（stroma cell）からなる．成人の小脳に好発し，全脳腫瘍の約2％を占める．孤発例とvon Hippel-Lindau病の一部として発生する場合がある．頭蓋内圧亢進症状，小脳症状で発症するが，一部の症例で多血症を伴う．画像診断上，嚢胞形成と著明に造影される壁在結節が特徴的である．手術で病変を摘出することにより，治癒が期待できる．

c. 悪性リンパ腫（malignant lymphoma）

頭蓋内原発の悪性リンパ腫は，ほとんどがB細胞リンパ腫である．全頭蓋内腫瘍の2.7％程度を占めるが，臓器移植後の免疫抑制状態，HIV感染に伴う免疫不全などの増加により，近年その発生頻度も上昇傾向にある．50歳以上に好発し，男性に多い．大脳皮質，基底核，脳梁などのテント上に好発するが，1割はテント下に発生する．また，約2割程度の症例では，腫瘍は多発する．腫瘍の発生部位に応じた局所症状を呈するが，頭痛を訴える症例が多い．CT，MRI上，腫瘍の多くは均一に造影される脳実質内病変として描出される．ときに，リング状の造影効果を呈することもあるので，その場合には膠芽腫との鑑別が問題となる．

一般的には生検などで組織診断を得た後に，放射線治療を行う．放射線治療により腫瘍は一時的には縮小するが，必ず再増大をきたし，その生存期間の平均は約1年である．全身悪性リンパ腫に有効な化学療法を，放射線治療に追加施行することにより，予後が改善するとの報告も多い．

3）脊髄腫瘍
spinal cord tumor

概念
脊髄腫瘍とは，脊椎管内に発生・伸展する新生物である．脊髄および脊髄神経，くも膜，硬膜，さらに脊椎，その周囲の軟部組織などを発生母地とする．

疫学
脊髄・脊椎腫瘍の発生頻度は，人口10万人あたり3人程度とされている．

分類・頻度
脊髄腫瘍は発生部位により硬膜外腫瘍と硬膜内腫瘍に分類されるが，その比率はほぼ2：3である．硬膜外腫瘍としては転移性腫瘍が代表的であるが，硬膜内腫瘍には髄外腫瘍と髄内腫瘍がある．髄外腫瘍としては神経鞘腫と髄膜腫，髄内腫瘍としては上衣腫と星細胞腫の頻度が高い（表17-14-4）．

1）**硬膜外腫瘍**：転移性腫瘍，リンパ腫などの悪性腫瘍がほとんどを占めるが，仙骨部には脊索腫が好発する．また，神経鞘腫の一部では，硬膜内と硬膜外両方に腫瘍が存在しダンベル型を呈することがある．

2）**硬膜内髄外腫瘍**：神経鞘腫は全脊髄レベルにほぼ等しく発生し，30～50歳代に多く性差はあまりない．神経線維腫症2型では，しばしば脊髄に神経鞘腫が多発する．これに対して髄膜腫は，大孔付近と胸椎部に好発し，40～60歳代の女性に多い．

3）**硬膜内髄内腫瘍**：星細胞腫は頸髄，頸胸髄に好発し，小児から20歳代に発生のピークがある．10歳以下の症例では，髄内腫瘍の約90％は星細胞腫とされている．小児例では良性のものが圧倒的に多いが，成人例では約25％は悪性（退形成性星細胞腫，膠芽腫）である．上衣腫は，成人の髄内腫瘍のうち発生頻度が最も高い．

臨床症状
脊髄腫瘍の初発症状は，腫瘍の局在にかかわらず痛みであることが多い．悪性腫瘍の硬膜外転移では，背部痛や根性痛が出現した後に，数日場合によっては数時間の経過で両下肢麻痺が出現する．これに対して硬膜内腫瘍では，症状の進行は比較的緩徐で症状発現から診断までに1～2年を経ることもめずらしくない．硬膜内髄外腫瘍は通常，脊椎管内に偏在するため脊髄への圧迫は非対称性に起こり，その結果Brown-Séquard症候群をきたすことになる．すなわち，腫瘍の脊髄レベル以下に，病変と同側の運動麻痺，深部知覚低下，対側の温痛覚低下をみる．一方，硬膜内髄内腫瘍では，病変の脊髄レベル以下の運動・感覚機能が全般的に障害されるが，仙髄領域の温痛覚は保たれるといったsacral sparingをみることがある．

診断
脊髄腫瘍の診断には原則的にMRIが用いられるが，腫瘍の存在に伴う骨変化の診断には脊椎単純X線撮影，CTが有用である．転移性腫瘍では，造影される腫瘍が硬膜外から脊髄を圧迫ないし絞扼する様をとらえることができるが，しばしば椎体などの骨組織にも転移病巣をみる．神経鞘腫，髄膜腫はともによく

表17-14-4 脊髄硬膜内腫瘍別頻度（％）

髄外腫瘍（2/3）	
神経鞘腫	40
髄膜腫	40
その他	20
髄内腫瘍（1/3）	
上衣腫	45
星細胞腫	40
血管芽腫	5
その他	10

造影され，脊髄は腫瘍によって偏位する．神経鞘腫は神経根の走行に沿うように伸展し，ときに硬膜外にまで及ぶが，腫瘍は脊髄の側方に位置する（図17-14-8A）．一方，髄膜腫では脊髄の腹側あるいは腹外側の硬膜に付着する腫瘍を認める．硬膜内髄内腫瘍では，脊髄は腫瘍により紡錘状に腫大する．上衣腫は腫大した脊髄のほぼ中央に強く造影される病変として描出され（図17-14-8B），その上極と下極には囊胞を高頻度に合併する．これに対して星細胞腫では，症例により腫瘍の造影効果にかなりの差があり，また病変の辺縁は上衣腫に比べ不明瞭である．

治療・予後

悪性腫瘍の硬膜外転移に対する治療には，外科的治療，放射線治療，さらに化学療法などがある．このなかで放射線治療は有効性も高く，転移性脊髄腫瘍に対して第一義的に行われる治療法である．ただし，両下肢麻痺が比較的急激に発症した場合など，患者を歩行可能な状態にすることを目的に外科的治療が選択されることもある．これに対して，神経鞘腫や髄膜腫では外科的摘出が唯一の治療選択になる．上衣腫に関しては，症例によっては脊髄を損傷することなく腫瘍の全摘出が可能である．一方，星細胞腫では腫瘍の境界が不明瞭なため，根治的な腫瘍除去は困難で生検で終わらざるを得ない場合が多い．上衣腫，星細胞腫ともに，手術後に腫瘍が残存していれば放射線治療を行うこともある．

〔新井　一〕

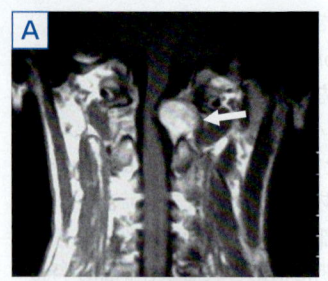
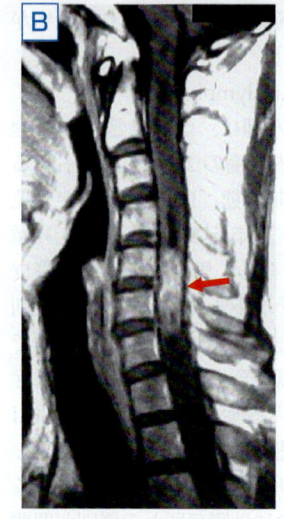

図17-14-8 脊髄腫瘍の画像診断（MRI）
A：神経鞘腫，B：上衣腫

■文献（e文献17-14）
Louis DN, Ohgaki H, et al: WHO Classification of Tumors of the Central Nervous System. IARC Publication, 2016.
太田富雄総編集：脳神経外科学．金芳堂，2012.

17-15　頭部外傷・脊髄外傷

1）頭部外傷
traumatic brain injury

病態生理・分類（eコラム1）

頭部外傷はその受傷機転により，尖った物体が刺さるなどの穿通性（penetrating）外傷と道路に衝突するなどの鈍的（blunt）外傷とに分けられる．脳への感染の危険性という観点から，硬膜より深部に外傷が及べば開放性損傷，硬膜が損傷を免れていれば非開放性損傷である．穿通性外傷は開放性損傷であることが多い．

また，鈍的外傷の場合，脳損傷の生じる機序には2つあり，1つは頭蓋への直接的外力による外傷であり，もう1つは加速度ないし慣性の法則による外傷（acceleration-deceleration injury）である．これは，頭部が壁や道路に衝突する，またはボクシングで殴られる，鞭打ちのような外力を受けるなどにより，直進性ないし回転性の加速・減速が脳実質損傷を引き起こすものである．前者では，衝撃（直接的外力）を受けた側の脳実質に生じた著しい陽圧により，その部位に挫傷（coup injury）が，またその反対側では逆に著しい陰圧により同様の病変（contrecoup injury）が生じる．後者においては，脳の歪み（shearing injury）がびまん性脳損傷を生ずるとされる．実際にはこれらの機序が複合した状況にある．

時系列で考えれば頭部外傷の病態は，直接外力により生じる一次性損傷と，受傷後に時間の経過とともに全身的な因子の影響を受ける二次性損傷とに分けられる（表17-15-1）．また頭部外傷の種類についての最近の考え方は，脳損傷の生じる機序にかんがみて，局

表 17-15-1 頭部外傷による一次性損傷と二次性損傷

一次性損傷	二次性損傷
頭皮裂創，割創など	脳浮腫，脳腫脹 ↑↓ 脳ヘルニア，脳血管拡張 ↑↓ 脳組織の虚血，低酸素
頭蓋骨骨折	
頭蓋内血腫	
脳挫傷	
びまん性脳損傷	

表 17-15-2 頭部外傷の分類

1. 頭蓋骨骨折 (skull fracture)
   a. 頭蓋冠骨折（線状骨折，陥没骨折）
   b. 頭蓋底骨折
2. 局所性病変 (focal injury)
   a. 硬膜外血腫
   b. 硬膜下血腫
   c. 脳挫傷
   d. 脳内血腫
3. びまん性脳損傷 (diffuse injury)
   a. 脳震盪
   b. 脳深部～脳幹出血
   c. びまん性軸索損傷
   d. びまん性脳腫脹

所性損傷とびまん性損傷に大きく分類される（表 17-15-2）．実際にはこれらが混在していることが多い．

1) 軟部組織の損傷：成人において，頭皮の外傷はそれ自体が問題となることは少ない．小児の頭皮は，成人に比し伸展性，弾性に富み，開放創は生じにくいが，腱膜と骨膜，骨膜と骨との間が疎であり，帽状腱膜下血腫，骨膜下血腫が生じやすい．小児では著しい貧血を生じたり，頭皮の開放創のみで出血性ショックをきたすこともあるので注意する．

2) 頭蓋骨骨折：

a) 円蓋部：円蓋部に頭蓋骨骨折があればその約 2/3 に頭蓋内病変を伴うとされる．外力が小さければ，線状骨折のみである．大きな外力が加われば打撃部位を中心とする円形線状骨折と放射状の線状骨折が生じる．打撃を受けた面積が相対的に小さければ，陥没骨折となる．

b) 頭蓋底部：頭蓋底骨折は，円蓋部の骨折が頭蓋底部に延びて生じることがあるが，それとは別に頭蓋底骨折のみが頭蓋底の孔をつなぐように生じることも多い．髄液鼻漏ないし同耳漏により，頭蓋内に感染が波及すれば髄膜炎，硬膜下膿瘍，脳膿瘍を合併しうる．これら以外に，嗅覚（篩骨）・視覚（視神経管），聴力，前庭神経・顔面神経（錐体骨）の各脳神経障害が合併する可能性もある．外転神経（斜台）や下位脳神経（大孔周囲，頸静脈孔縁）の損傷も起こりうる．いわゆる眼瞼皮下出血（black eye）またはパンダの目（raccoon eye）徴候は前頭蓋底の骨折，Battle 徴候（耳介後部の皮下出血）は中頭蓋底（錐体骨）の骨折をそれぞれ示唆する．内頸動脈と海綿静脈洞との交通が生じると，外傷性内頸動脈海綿静脈洞瘻となる．

3) 頭蓋内血腫などの局所性損傷：

a) 急性硬膜外血腫：中～後硬膜動脈ないし静脈洞を横切る骨折により出血し生じる．意識清明期を経てからの意識障害が典型的な症状としてよく知られているが，意識清明期のはっきりしない場合もある．CT では，両凸レンズ型の高吸収域が特徴である（図 17-15-1）．

b) 急性硬膜下血腫：加速・減速に伴って橋静脈（脳表面と硬膜のズレ）や，小皮質動脈（脳皮質の出血

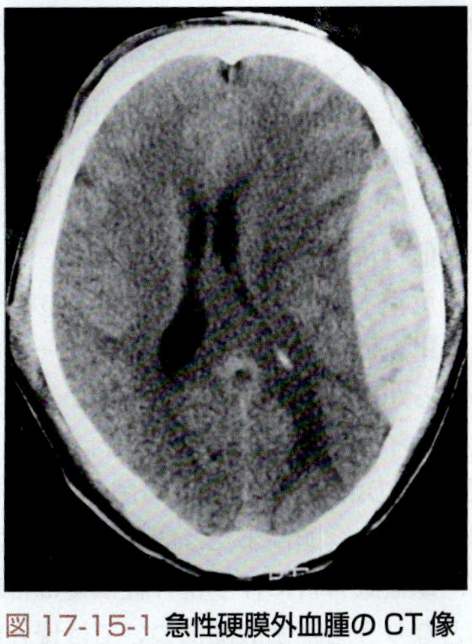

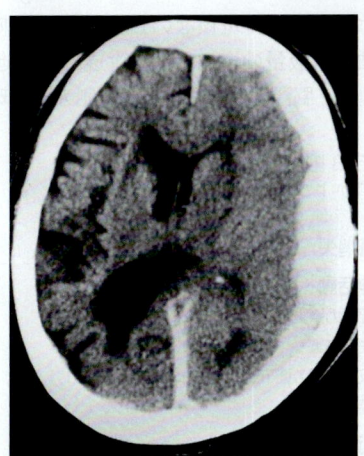

図 17-15-1 急性硬膜外血腫の CT 像
両凸レンズ状の高吸収域の病変として認められる．病変側の側脳室が圧排され，正中線も健側に偏倚している．

図 17-15-2 急性硬膜下血腫の CT 像
三日月状の高吸収域の病変として認められる．mass effect（側脳室の圧排，正中線の偏倚，脳溝の消失）を伴っている．

性挫傷）の破綻，脳内血腫の脳表面への破裂などが原因となる．典型的なCT所見は三日月状の高吸収域である（図17-15-2）．

c）脳内血腫：急性に生ずるものは深部の血管の破綻による．しかし，脳挫傷に伴う挫傷性出血の融合により時間を経て生成されるものもあり，受傷後6〜12時間以上してから，挫傷脳を基盤にして，CT上の高吸収域の占拠性病変が生じる（遅発性外傷性脳内血腫，delayed traumatic intracerebral hematoma）．

d）脳挫傷：脳実質の挫滅（出血，浮腫，壊死）が限局性（前頭葉・側頭葉底面など）または広範に生じたもので，やはり脳実質の加速・減速の機序による．

4）びまん性脳損傷：

a）脳震盪：びまん性脳損傷の最軽症型であるが，画像診断，特にMRIの発達により異常を示す所見が少なくないこと，意識消失，健忘，一過性の意識障害など典型的な症状を伴わない例の方が多く，頭痛や気分障害などの多様な症状を呈する症候群（表17-15-3）であり，近年スポーツ外傷における復帰基準，脳震盪の繰り返しによる短期〜長期的な悪影響などが問題となっている[1]．通常症状は短時間で消失するが，小児や若年者では数週間程度継続することもある．脳震盪後数日〜数週間以内に2回目の頭部外傷を負い，これが致死的な脳腫脹（死亡率30〜50％）をきたす場合があり，これをセカンドインパクト症候群とよぶ．後遺症をきたす場合も多く，慢性的に頭部外傷を繰り返すことで高次脳機能障害，認知症などに至る．そのため，最初の脳震盪の診断とその復帰基準を順守することが強調されている（e図17-15-A）[2]．

b）びまん性脳損傷（diffuse brain injury）：回転加速度により，基底核部，脳室周辺，脳梁，脳幹に挫傷や出血が引き起こされ，より重症である．

c）びまん性脳腫脹（diffuse brain swelling）：同様の機序により，脳幹青斑核ないし網様体への刺激により，脳循環血液量の増加，毛細管透過性亢進が起こり，脳腫脹，脳浮腫が一側または両側大脳半球に生じるものと推測される．

d）びまん性軸索損傷（diffuse axonal injury）：びまん性脳損傷のうち，病理学的に白質の神経軸索のびまん性損傷（retraction ball）が特徴的で，臨床像はまさに「一次性」脳幹部損傷と見なすことができる．CTでは，脳梁，上小脳脚付近の高吸収域がよくみられる．確定診断はMRIによる．びまん性軸索損傷それ自体は頭蓋内圧を亢進させる要素を含まない．

5）外傷性脳血管障害：頭部外傷における画像診断のゴールデンスタンダードがCTになって以来，脳血管撮影が施行される症例は減少したが，①外傷からは説明困難な神経症状，②遅発性の新たな神経症状，③画像上，新たに出現した出血，脳梗塞，④頸部損傷，⑤頭蓋底骨折，⑥CT，MRI上の局所またはびまん性の厚いくも膜下出血，などがあれば，CTA，MRAなどで血管損傷を鑑別する[3]．重症例を扱う施設では30〜40％に外傷性の脳血管障害が認められるという報告[4]もあり，症状出現後の早期診断と対処が重要である．

6）慢性硬膜下血腫：受傷3週間以上を経て，硬膜下に血液が貯留した病態である．硬膜下水腫様の所見から高吸収域に転じる場合もある．大酒家の男性に多く，60歳以上が約半数を占める．軽微な外傷の既往歴を聴取するが，外傷歴が明瞭でない場合も多い．CTでは三日月状の低吸収域，または重層した高・低吸収域が認められる．CTで等吸収を示す場合（mass effectのみ）はMRIを用いるか，または造影剤を用いたCTにて，血腫またはその辺縁（被膜）の増強効果（contrast enhancement）を確認する．

治療

治療はおのおのの一次性損傷に対する固有の治療法と，二次性損傷に対する一般的治療法とを行う．

1）頭部外傷患者の初期治療：交通外傷や高所からの転落外傷においては，特に低酸素血症・高炭酸ガス血症・ショックを防ぐために，外傷初期診療ガイドライン日本版 Japan advanced trauma evaluation and care（JATEC）の手順に従い，①気道の確保，②酸素の投与，③呼吸の補助，④外傷による外出血と内出血の制御，⑤その他の合併外傷への処置を行う．これらと並行して，①意識水準，②瞳孔の左右差，③運動麻痺の有無などを迅速に確認する．気管挿管は一般的に経口的に行われるが，頸椎ないし頸髄損傷が否定できないときにはファイバー下に行う．

2）一次性損傷の治療：頭蓋内血腫が mass effect を有する場合には，穿頭術または開頭術により血腫除去術を行う．頭蓋底骨折に伴う視神経損傷は神経減圧手術の適応となりうる．髄液漏については優先的に感染対策が必要となる．一次性の脳実質損傷については，受傷と同時にほぼ完成される病変であり，手術的治療

表17-15-3 脳震盪の症候
以下のどれか1つでも存在すれば脳震盪を疑う．

1. 意識消失
2. 精神活動・認知機能の障害
    - （ア）記憶力障害（逆行性健忘，外傷後健忘）
    - （イ）失見当識
    - （ウ）反応時間の低下（霧のなかにいるような感じ）
    - （エ）易刺激性
3. 平衡感覚障害
4. 種々の自覚症状
    - （ア）頭痛，めまい，耳鳴り，複視
    - （イ）睡眠障害など

を除けば治療の優先度は低い.

3）二次性損傷の治療：二次性損傷の本質は，脳ヘルニアと脳組織の低酸素・虚血である（表17-15-1）．治療としては持続的頭蓋内圧測定，占拠性病変の除去，髄液ドレナージ，高浸透圧療法，過換気療法，低体温療法，減圧開頭術が適宜選択される（e図17-15-B）．

脳組織の虚血性障害については，脳灌流圧（平均動脈圧と頭蓋内圧との較差）の維持と脳自動調節能の正常化が基本である．脳灌流圧は70 mmHg以上に維持すべきであるが，自動調節能の障害が強い症例では血圧を上げると，頭蓋内圧も上昇し，これを維持できない可能性が高い．

重症度・予後判定

頭部外傷の重症度・予後はさまざまな因子により左右される.

1）神経症状：来院時のGlasgow Coma Scale（GCS）とmortality, morbidityとはよく相関している．両側の対光反射がなければ約80〜90％，片側異常で50〜60％が死亡ないし植物状態となる．

2）年齢：60歳をこえると治療結果は急速に悪化する.

3）その他の予後悪化因子：CT所見によれば，脳槽の圧排ないし消失，さらに5 mm以上の正中偏倚は所見のないものに比し死亡率が高い．頭蓋内圧，脳灌流圧などの循環動態の推移では，頭蓋内圧20 mmHg以上は治療を要し，40 mmHg以上ないし脳灌流圧40 mmHg以下は最重症と見なされる．聴性脳幹反応上V波の延長，消失，体性感覚誘発電位にてN_{20}の延長，消失も最重症と見なされる．ショック，低酸素症も予後悪化因子として知られるが，収縮期血圧80 mmHg以下，P_aO_2 60 mmHg以下は重症とみて対処すべきである．

このほか，死亡の可能性がより高い場合として，急性硬膜下血腫があること，びまん性脳損傷があること，他部位損傷など解剖学的な重症度がより高いこと，患者が男性であることがあげられる．

頭部外傷後の長期にわたる諸問題

1）外傷性てんかん：受傷後1週間以上経て生じるてんかんを指し，その頻度は，成人で1％以下，小児で1〜2％とされる．受傷後2年以上経て発症する外傷性てんかんの比率はきわめて低いので，これについての追跡は2年間でほぼ十分といえよう．

2）心理学的支援の重要性：長期予後の追跡により，知的〜情動面での障害が残る例があることが指摘され，「脳損傷による高次脳機能障害」として交通事故などによる賠償の問題としても注目されつつある．典型的には認知障害と性格・人格変化とが家庭ないし社会復帰にあたり問題となる．

2）脊髄外傷
spinal cord injury

日本外傷データバンク（JTDB）2014による5年間の10万1877例の登録症例中，1万9243例（18.9％）に脊髄・脊椎外傷を認めた．

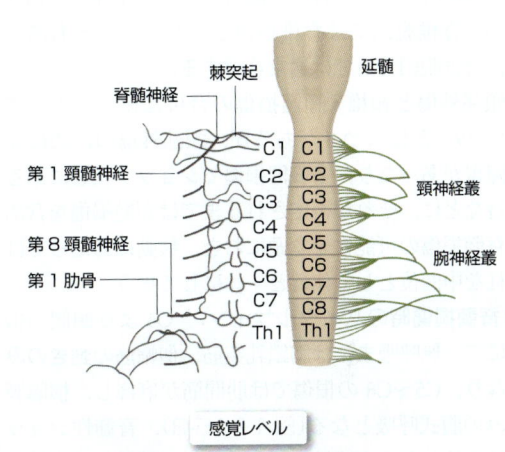

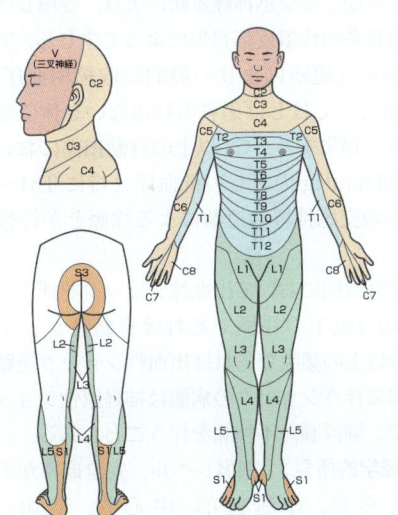

図17-15-3 頸椎・頸髄レベルの感覚・運動支配

概念

交通事故，高所からの転落，スポーツ外傷など，種々の原因による．胸腰部では長軸方向の外力が，頸部では過屈曲ないし過伸展が主たる機序として知られる．

診断・初期治療

脊椎外傷は椎体圧迫骨折，椎体破裂骨折，脊椎脱臼，脊椎脱臼骨折，脊椎突起骨折，脊椎捻挫に分類される．脊椎脱臼では脊椎損傷を伴わないこともあるが，脊椎脱臼骨折では通常合併する．

頭部外傷と頸椎・頸髄損傷の合併は報告によって1.2～19%とばらつきがあるが，頭部外傷のために意識障害があったり，多臓器損傷でショック状態にある場合などに，それが否定されるまでは頸髄損傷を含めた脊髄損傷の可能性を念頭におき，移動にあたっては脊柱を中間位として体幹と一体にして扱う．

1) **脊髄損傷時のバイタルサイン**：C4 より頭側の損傷にて，無呼吸または胸鎖乳突筋，僧帽筋の動きのみとなり，C5～C8 の損傷では肋間筋が麻痺し，横隔膜のみの腹式呼吸となる（図 17-15-3）．脊髄性ショックは高位からの交感神経遮断により，受傷レベル以下の心血管系の代償反応喪失によって生じる．Th1～L2 の交感神経遮断により一般的に収縮期血圧 60～80 mmHg で，しばしば患者の移送ないし体位変換時にショックが生ずる．C8 以上の脊髄損傷においては，同約 40 mmHg の著しい低血圧と特に Th1～Th4 から心への交感神経の遮断による徐脈とが特徴的である．

多発外傷例において出血性ショックを伴うことがある．60/分以下の徐脈であれば脊髄性ショックを，100/分以上の頻脈であれば出血性ショックを疑う．脊髄損傷に伴うショックの病態は神経原性ショックであるので，肺浮腫，不整脈を伴うこともある．

2) **神経学的所見**：損傷レベル，完全麻痺か不全麻痺か，さらに，脊髄前部，中心性，半切（Brown-Séquard 症候群），脊髄後部障害かを判定するために表在ならびに深部感覚，運動障害，錐体路徴候をみる．sacral sparing は不全麻痺を知るのに役立つ．意識障害患者において，肛門反射，球海綿体反射のチェックは簡便で有用である．

3) **重症度分類**：よく使用される重症度分類には Frankel の分類と ASIA（American Spinal Cord Injury Association）の分類がある（e表 17-15-A）．

4) **画像診断**：椎体の配列，変形，ならびに棘突起間や椎体前面の軟部組織の拡大をみる．中心性脊髄損傷はしばしば骨傷が認められないことが特徴とされ，その際，咽頭後壁と頸椎椎体前面との距離（正常は 7 mm 以下），気管後壁と頸椎椎体前面との距離（正常は成人 22 mm，小児 14 mm 以下）の拡大があれば，頸椎に強い外力の加わった傍証となる．また，外傷以前に存在する脊椎管狭窄症，変形性脊椎症などが病態に関与することはけっして少なくない．脊椎 3D-CT，MRI が有用である．

治療

神経原性ショックに対しては，適度の輸液，カテコールアミンの投与が必要となり，徐脈に対し，アトロピンが用いられる．頸椎脱臼骨折などがあれば脊髄の二次性損傷を予防するために，早期に頭蓋牽引法により整復を試みる．不全麻痺でこれが進行性であれば，できるだけ速やかに脊髄の除圧術を行う適応となる．脊髄への圧迫，脊髄自体の腫大がなければ減圧術の必要はないが，不安定損傷に対して内固定または外固定を行う．これにより早期からのリハビリテーションを計画する．脊髄浮腫に対する薬物療法では，マンニトールなどの浸透圧利尿薬が知られている．

合併症

呼吸器・尿路感染症，褥瘡，深部静脈血栓症，肺梗塞，麻痺性イレウスなどが知られている．〔三宅康史〕

（e文献 17-15）

17-16　脳脊髄液循環異常

1) 特発性正常圧水頭症
idiopathic normal pressure hydrocephalus : iNPH

定義・概念

水頭症（hydrocephalus）とは髄液が過剰に蓄積し，脳室の拡大をきたした状態をいい，脳室間あるいは脳室出口の髄液通過に異常があるか否かで非交通性と交通性に分けられる．正常圧水頭症は，歩行障害，認知障害，尿失禁の 3 徴を呈する症候群で，脳室拡大はあるが脳脊髄液圧は正常範囲内で，脳脊髄液短絡術によって症状改善が得られる病態をいう．一般に交通性水頭症によると考えられている．正常圧水頭症はさらに，くも膜下出血や髄膜炎に続発する二次性正常圧水頭症と，原因の明らかでない特発性正常圧水頭症（iNPH）とに分けられる．そのなかで iNPH は，高齢者に緩徐に進行する歩行障害や認知障害をもたらすた

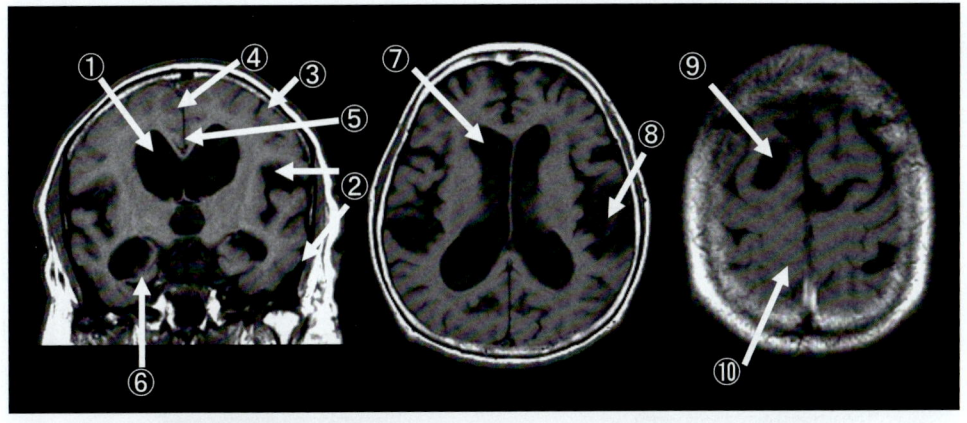

図 17-16-1　特発性正常圧水頭症に特徴的な MRI 所見(文献 1 より改変)
①著明な脳室拡大，②Sylvius 裂の拡大，③高位円蓋部のくも膜下腔(脳溝)の狭小化，④半球間裂のくも膜下腔の狭小化，⑤脳梁角の鋭角化，⑥海馬および海馬傍回は圧排伸展されて萎縮しているかのようにみえる，⑦著明な脳室拡大，⑧Sylvius 裂のくも膜下腔の拡大，⑨高位円蓋部のくも膜下腔の狭小化はこの断面では確認できない，⑩高位円蓋部と半球間裂のくも膜下腔の狭小化，⑪局所的な脳溝の半卵円形の拡大．

め，超高齢社会においてきわめて重要な位置を占める（ⓔコラム 1）．

疫学

地域住民を対象とし，MRI を用いたコホート研究をまとめると，平均 70.8 歳の 61 歳以上の地域住民で iNPH の可能性のあるものは 1.1%（95%信頼区間：0.6〜1.8%）であったとされている[1]（ⓔコラム 2）．

臨床症状・病態

歩行障害，認知障害，尿失禁の 3 徴を示す．歩行障害はまず必発，あるいは最も早く出現する症候であり，失行性-失調性歩行とよばれる特徴的なものである[2]．すなわち，単位時間あたりの歩数が少なく，歩幅が減少し，足の挙上が低下し，歩隔が拡大し，しかも外股で，ゆっくりとした不安定な歩行である．姿勢反射障害も強く，起立時や方向転換時には特に不安定になり転倒しやすい．歩行開始困難を示すこともある．このような歩行障害は前頭葉障害に起因すると考えられている．手や足の把握反射，四肢の筋緊張異常（パラトニア）など前頭葉障害を示す徴候がしばしば認められる．

認知機能障害のなかでは前頭葉機能障害がやや特徴的である．注意障害，思考速度の低下，概念転換機能障害が目立つ．記憶障害のなかでも再生は侵されているが再認は比較的保たれがちである[3,4]．多くの例で自発性低下，易疲労性，焦燥，情動不安定を含む何らかの精神症状がみられる[5]．

排尿障害として，頻尿および尿失禁がみられ，過活動性膀胱と表現されているが，歩行障害や認知障害も尿失禁に関与している[6]．

画像所見

画像上脳室拡大を認めることが水頭症診断においては必須である．CT や MRI では，脳室の拡大がみられ，Evans index（両側側脳室前角間最大幅/その部位における頭蓋内腔幅，ⓔ図 17-16-A）は 0.3 をこえる．さらに，iNPH の大多数は，それに加え，くも膜下腔が高位円蓋部および正中部で狭小化し，Sylvius 裂以下では拡大し，くも膜下腔の脳脊髄液が不均一な分布を示す[7]．このような形態的特徴をもった水頭症はくも膜下腔の不均衡な拡大を伴う水頭症（disproportionately enlarged subarachnoid-space hydrocephalus：DESH）とよばれ，iNPH に特異的な所見である（図 17-16-1，ⓔコラム 3）．

検査所見

一時的に脳脊髄液を排除し，それに対する反応を検討することを脳脊髄液排除試験という．特発性正常圧水頭症診療ガイドラインでは最も簡便かつ有効な方法として腰椎穿刺で髄液を排除して症候の変化をみるタップテストを推奨している．この試験の感度は高くないが[8]，診断に疑義があるとき，あるいは併存症の関与が疑われるときには必要である[9]．具体的には，単回，1 回髄液排除量 30 mL を行い，その前後で症候の改善の有無を評価する．同時に圧測定と髄液検査を行い，髄液圧（20 cm 水柱以下），蛋白・細胞数は正常範囲内であることを確認する．髄液排除後の症候の改善は数日以内に起こり，特に歩行障害の改善すなわち歩行の速度，歩幅の改善がよくみられる．

診断

診断は特徴的な臨床症候と画像の両者によってなされる．診断から手術に至る流れを図 17-16-2 に示す．脳脊髄液の性状および圧は正常であることの確認も要する．必要に応じて脳脊髄液排除試験を行い，反応をみる．鑑別診断の要点は，高齢者を侵し，認知障害をきたす疾患，歩行障害をきたす疾患，およびその両方をきたす疾患，ときに排尿障害をきたす疾患との

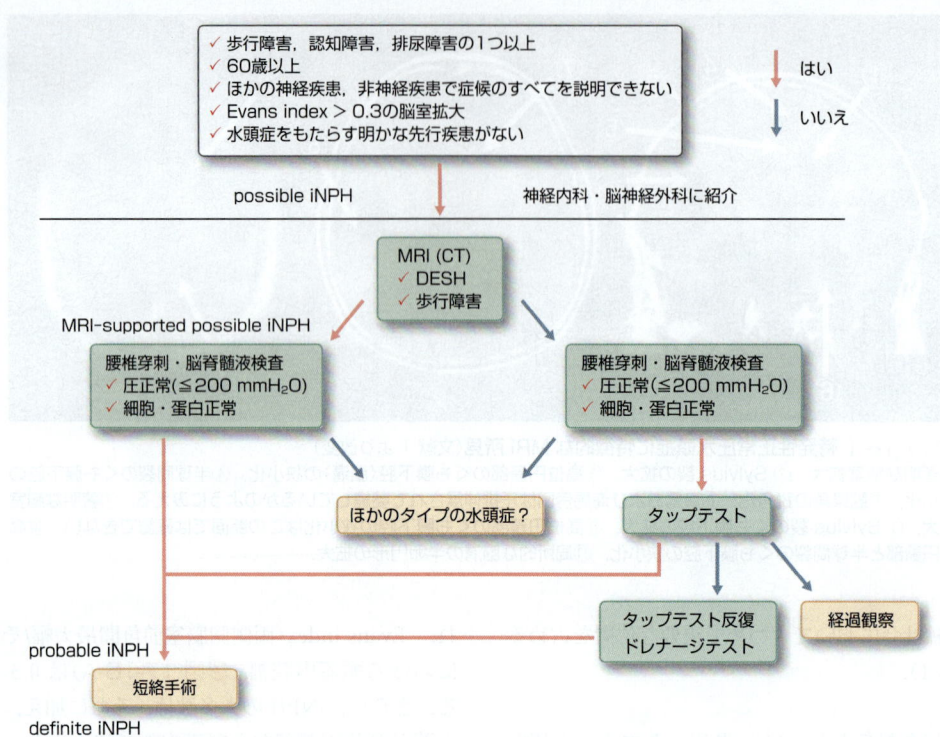

図 17-16-2 特発性正常圧水頭症の診断から治療に至るフロー（日本正常圧水頭症学会特発性正常圧水頭症診療ガイドライン作成委員会，2011）．

間で，画像的には脳室拡大をきたす病態，すなわち脳萎縮と二次性正常圧水頭症（非交通性水頭症も含む）との鑑別である（ⓔコラム 4）．

治療

iNPH に対するエビデンスのある有効な治療は脳脊髄液短絡術のみである．脳室・腹腔短絡術（ventriculo-peritoneal shunt：VP シャント）と腰部くも膜下腔・腹腔短絡術（lumbo-peritoneal shunt：LP シャント）が多く行われている（ⓔコラム 5）．脳脊髄液短絡術における合併症として，過剰髄液ドレナージによる頭痛，硬膜下血腫・水腫，まれにシャント感染，シャントチューブ閉塞や断裂などがある．過剰髄液ドレナージに対しては可変式圧バルブの圧設定を変更することによって対処できることが多い． 〔森 悦朗〕

■文献（ⓔ文献 17-16-1）

Hashimoto M, Ishikawa M, et al: Diagnosis of idiopathic normal pressure hydrocephalus is supported by MRI-based scheme: a prospective cohort study. *Cerebrospinal Fluid Res*. 2010; 7: 18.
Kazui H, Miyajima M, et al: Effect of lumbo-peritoneal shunt surgery in idiopathic normal pressure hydrocephalus (SINPHONI-2): an open-label randomised controlled trial. *Lancet Neurol*. 2016; 14: 585-94.
日本正常圧水頭症学会特発性正常圧水頭症診療ガイドライン作成委員会：特発性正常圧水頭症診療ガイドライン 第 2 版，メディカルレビュー社，2011．

2）本態性頭蓋内圧亢進症
idiopathic intracranial hypertension

定義・概念

本態性頭蓋内圧亢進症は，原因不明の頭蓋内圧亢進症状により生ずる症状（頭痛，乳頭浮腫，視力低下）を呈する症候群である．

原因・病因

原因は不明である．髄液吸収障害，静脈還流障害，内分泌代謝性疾患（Addison 病，Cushing 病，甲状腺機能低下症，副甲状腺機能低下症，ビタミン A 過剰症など），全身性エリテマトーデス，慢性腎不全，抗菌薬（テトラサイクリン系，ナリジクス酸），副腎皮質ステロイドなどが頭蓋内圧亢進の原因となることが知られているが，本態性では明らかではない．

疫学

欧米では 10 万人に 1～2 人の発症率で，妊娠可能年齢の肥満女性に高頻度に認められる（10 万人に 4～21 人）[1, 2]．

病態生理

脳脊髄液の吸収障害がその原因として推定されている（Biousse ら，2012）．

臨床症状

1）自覚症状： 頭痛は 9 割以上の例で出現する．その性状・強度はさまざまで，しばしば悪心・嘔吐を伴

う．さらに一過性視朦（数秒間の視力消失），光視症，眼痛，複視，視力低下などの眼症状を認める．拍動性の耳鳴も特徴的である（Wall，1991）．

2）**他覚症状**：　うっ血乳頭は最も重要な症状であり，多くは両側対称性である．周辺視野から徐々に視野障害が進行する．まれに片側性あるいは両側性の外転神経麻痺を生ずる．これらはいずれも脳圧亢進に関連している．

検査所見

脳脊髄液検査での初圧の上昇（200 mmH$_2$O以上）および脳脊髄液の組成が正常であることは診断に必須の所見である．鉄欠乏性貧血の合併が多く，末梢血検査を行う．頭部MRI検査で，眼球後壁の扁平化，視神経鞘の膨隆，視神経乳頭の顕性化，トルコ鞍空虚化（empty sella），眼窩内視神経の蛇行などが特徴的である．MR venographyで横静脈洞やS状静脈洞の狭窄を認めることがある．眼科学的検査では，視野検査，散瞳眼底検査，視神経撮影を行う．視野検査で盲点の拡大，全般性視野狭窄，下鼻側視野欠損などが特徴的である．

診断

Dandyの診断基準を参考に診断する（Friedmanら，2002）（表17-16-1）．病歴と症状で本疾患を疑えば，二次性に頭蓋内圧亢進をきたす疾患を鑑別するために，直ちに神経画像検査を行う．できればMR venographyを含むMRI検査が望ましい．そこで器質的疾患がなければ，腰椎穿刺を行い脳圧測定と液組成の検査により診断を確定する．

鑑別診断

頭蓋内圧亢進をきたす疾患が鑑別対象となる．腫瘍や膿瘍などの頭蓋内占拠性病変，静脈洞閉塞などの静脈還流障害，閉塞性水頭症，髄膜炎やくも膜下出血による脳脊髄液の吸収障害，脈絡叢乳頭腫などによる脳脊髄液産生亢進，悪性高血圧などを鑑別する．片頭痛も鑑別すべき疾患である．

経過・予後

多くは緩徐進行性の経過をとるが，急速に悪化する場合もある．治療により徐々に改善あるいは安定化するが，視力低下や視野狭窄などの視機能障害が後遺症として問題となる[3]．男性，肥満，高血圧，貧血，若年，乳頭浮腫の存在などが視覚障害の危険因子である．再発は8～38％に認められる[4]．

治療・予防・リハビリテーション

頭痛などの頭蓋内圧亢進症状の軽減と視機能の保持が治療の目標である．そのため頻回の視機能検査のフォローが必要である．肥満者では減量により脳圧の減少が期待できる．睡眠時無呼吸症候群，貧血が合併しているときにはその治療を行う．

薬物治療としては炭酸脱水素酵素阻害薬のアセタゾラミドが第一選択となる（Biousseら，2012）．それで効果が乏しい場合には，ループ利尿薬のフロセミドが使用される．急速な経過をとる場合には副腎皮質ステロイドが短期間使用されるが[5]，長期の副腎皮質ステロイドの使用と頻回の腰椎穿刺は推奨されない．進行性の視力低下を示す例では，経眼窩的視神経鞘開放術，ときに脳脊髄液短絡術が適応となる[6]．

〔山口修平〕

表17-16-1　本態性頭蓋内圧亢進症の診断基準（Friedmanら，2002）

1. 頭蓋内圧亢進による症状あるいは症候（頭痛，一過性視朦，拍動性耳鳴，うっ血乳頭，視力低下）を認める
2. 局所病変を示唆する神経学的異常あるいは意識レベルの障害がない
3. 脳脊髄液圧の上昇があり，その組成は正常である
4. 神経画像検査で頭蓋内圧亢進の原因が見あたらない
5. 頭蓋内圧亢進のほかの原因が明らかでない

■文献（e文献17-6-2）

Biousse V, Bruce BB, et al: Update on the pathophysiology and management of idiopathic intracranial hypertension. *J Neurol Neurosurg Psychiatry*. 2012; 83: 488-94.

Friedman DI, Jacobson DM: Diagnostic criteria for idiopathic intracranial hypertension. *Neurology*. 2002; 59: 1492-5.

Wall M: Idiopathic intracranial hypertension. *Neurol Clin*. 1991; 9: 73-95.

17-17　発作性神経疾患

1）てんかん
epilepsy

定義・概念

てんかん（epilepsy）は，てんかん発作（epileptic seizure）を反復して生じる脳疾患である．てんかん発作は脳の神経細胞の同期した過剰な異常放電によって一過性の症状（発作）が発現するものと定義されている．国際抗てんかん連盟（ILAE）による，てんかんの概念的定義（表17-17-1）および臨床的定義（表17-

表17-17-1 てんかん，てんかん発作の定義(ILAE 2007)

てんかん発作(epileptic seizure)
　脳の異常な過剰もしくは同期した神経活動に基づく，一過性の症状・徴候が生じること．
てんかん(epilepsy)
　てんかんは，てんかん発作が生じやすい状態が持続している脳の慢性疾患と定義される．その状態により神経生物学的，認知的，心理的，社会的な影響が生じる．てんかんの定義には，少なくとも1回以上の発作の出現が必要とされる．

表17-17-3 てんかん発作型分類(国際分類，ILAE 2010)

全般発作	焦点発作
強直間代発作	前兆
欠神発作	運動徴候
間代発作	自律神経症状
強直発作	意識・反応性が変容または低下
脱力発作	両側性痙攣発作への進展
ミオクロニー発作	**分類不能てんかん発作**
	てんかん性スパスム
	その他

表17-17-2 てんかんの操作的(実用的)臨床定義(ILAE 2014)

てんかんとは，以下のいずれかの状態と定義される脳の疾患である．
1. 24時間以上の間隔で2回以上の非誘発性(または反射性)発作が生じる．
2. 1回の非誘発性(または反射性)発作が生じ，その後10年間にわたる発作再発率が2回の非誘発性発作後の一般的な再発リスク(60%以上)と同程度である．
3. てんかん症候群と診断されている．

17-2)を示した[1,2]．てんかん発作には，異常放電をきたす脳領域とその伝播の仕方の違いによって発作症候が異なる．そのためてんかん発作では多彩な症状がみられ，患者本人にしか知覚されない軽微な前兆(aura，アウラ)から，両側半球の広範なてんかん活動による激しい全身痙攣発作までさまざまな発作症候がある．

　てんかんの原因は多岐にわたり，病因が特定できない場合もある．てんかん発作以外には併存する症状がまったくない場合から，種々の医学的合併症をもつ場合がある．てんかんは何らかの神経疾患(病変)の症状として理解すべきで，単一の疾患ではない．てんかんはすべての年齢でみられ，小児と高齢者での発病率が高い．代謝障害(尿毒症，低血糖，高血糖，肝不全など)，薬物中毒，感染(脳炎など)などが原因となり，急性にてんかん発作が誘発されることがある．これらは急性症候性発作(acute symptomatic seizure)とよばれ，慢性疾患のてんかんとは区別される．

　てんかんの分類は国際抗てんかん連盟(ILAE)が1970年代から改訂を行い用語の変遷がある．最新の分類を表17-17-3に示した．発作型分類では，まず焦点発作と全般発作に大別する．

疫学

　てんかんの発病率は年間1000人あたり0.5人程度である[6]．てんかんの有病率は，各国ほぼ同じとされており，1000人あたり5～10人である．発展途上国では，感染(寄生虫を含む)や外傷などのためやや有病率が高い．世界で約4000万～5000万人の患者が存在するとされている．日本では1000人あたり8人の有病率であり，患者数約100万人と推定されている．てんかん発症はすべての年齢でみられるが，小児・思春期と高齢者での発症率が高い．

病因

　てんかんの病因は，脳腫瘍，血管障害，皮質形成異常，先天性障害，外傷，低酸素脳症，感染，自己免疫をはじめとして多岐にわたる．これらの脳の特定される器質病変によるてんかんが症候性てんかんである．てんかん発作以外に明らかな症状がなく，症候性となる原因がない場合が特発性てんかんである．分子生物学の進歩により，特発性と考えられていたてんかんで多くの遺伝子異常が明らかにされている．これらの遺伝子異常の多くが神経のイオンチャネルに存在するため，これらのてんかんはチャネル病ととらえることができる．特発性てんかん(idiopathic epilepsy)という用語に代えて，素因性てんかん(genetic epilepsy)というよび方も提唱されている．

てんかん発作型分類(seizure classification)

　てんかんの分類には，てんかん発作型とてんかん症候群の分類がある．発作型は臨床発作症状と脳波をもとに診断する．脳の限局した領域から発作活動が起始するものが焦点発作であり，発作の最初から両側半球が同時に発作活動をきたすのが全般発作である．

1)焦点発作：　焦点発作のうち，意識が保たれるのが単純部分発作であり，意識減損をきたす発作が複雑部分発作である．単純部分発作で意識が保持されるのは，てんかん放電が及ぶ皮質領域が限られており，てんかん放電が伝播していない脳領域で意識が十分維持できているからである．側頭葉てんかんで複雑部分発作をきたすのは，記憶や情動に関与する側頭葉領域に広く発作活動が伝播するためである．全般てんかん発作で前兆なく意識消失をきたすのは(ミオクロニー発

作を除く），最初から両側半球にてんかん放電が広く生じるからである．

　a）意識減損のない焦点発作：運動発作は，身体の一部が痙攣をきたすものである．大脳皮質の運動野にてんかん放電が生じることにより，その運動皮質に支配される筋群が痙攣をきたすものである．Jacksonian march はてんかん放電活動が近接する運動皮質に連続して伝播していくことにより，痙攣が手→腕→肩というように筋痙攣が広がっていく発作である．感覚発作は発作症状が感覚症状であるもので，患者は発作を知覚するが他者の観察では通常発作症状が明らかでない．頭頂葉皮質（第一次感覚野）に起始する発作では，身体の一部に，びりびりする，しびれるといった体性感覚が生じる．後頭葉の視覚野に起始する発作では，視野の一部から始まる光が見えるといった発作症状をきたす．聴覚野が焦点の発作では幻聴をきたす．その他の特殊感覚発作としては，金属のような味がするというような味覚発作，変なにおいがするといった嗅覚発作などが知られている．自律神経発作は，上腹部不快感，悪心，嘔吐，発汗，立毛，頻脈，徐脈などの自律神経症状をきたす発作であり，多くは大脳辺縁系のてんかん焦点に起因する．精神発作は，既視感，未視感，恐怖感，離人感などの多彩な症状があり，多くは側頭葉にてんかん活動が生じるための大脳高次機能の一過性の機能障害の発作である．感覚発作・自律神経発作・精神発作は，単独で出現することもあるが多くは意識減損発作の最初の症状（前兆）として出現する．

　b）意識減損のある焦点発作（認知障害発作，複雑部分発作，精神運動発作）：意識減損があるので患者は発作中に話かけても応答はできず，発作後に発作中のことを覚えていない．発作持続時間は通常 1〜3 分である．発作中には衣服をまさぐる，口をもぐもぐ動かす，ぺちゃくちゃと鳴らすといった，自動症（automatism）がみられる．てんかん活動が基底核に伝播することにより，発作起始側と対側上肢にジストニア肢位をきたす．約 80％は発作起始焦点が側頭葉にあるが，隣接部位から側頭葉へのてんかん活動の伝播によっても生じる．前頭葉に発作起始のある意識減損のある焦点発作は側頭葉起始と比較すると，発作持続時間が短い，激しい自動症をきたす，発作頻度が多い，などの特徴がある．2010 年国際分類の焦点性認知障害発作は，1981 年分類では複雑部分発作，それ以前は精神運動発作とよばれていた．

2）全般発作：

　a）欠神発作（小発作）：突然行っている動作が止まる，ボーとして凝視する，反応がなくなる，という症状の発作である．持続時間は通常 2〜10 秒くらいである．軽度の自動症や顔面の間代痙攣やミオクローヌスを伴うことも多い．脳波で全般性 3 Hz 棘徐波複合がみられる．小発作（petit mal）ともよばれる．

　b）強直間代発作（大発作）：最もよく知られているてんかん発作型で，前兆なしに全身痙攣発作をきたす．突然全身の筋の強直痙攣で始まり，呼吸筋や咽頭筋の強直によるうめき声や叫び声を発作の最初にきたすこともある．転倒するので外傷をしばしばきたす．失禁や咬舌がみられることがある．発作は強直相から間代相に移行し，多くは 1 分間程度で発作は終息する．発作中には呼吸筋も痙攣をきたすので，チアノーゼもみられる．発作後は，発作後もうろう状態に移行する．発作に引き続いて睡眠に移行することもある．発作間欠期脳波では全般性棘波もしくは棘徐波複合がみられる．

　c）ミオクロニー発作：ミオクロニー発作は，突然のショック様のピクっとした筋痙攣である．全身に生じることもあれば一部の筋群のこともある．ミオクロニーは単発で生じることも，反復性に生じることもある．脳波では全般性多棘波もしくは多棘徐波複合がみられる点が，不随意運動のミオクローヌスと異なる．

　d）強直発作：全身の筋の強直をきたす発作であり間代相に移行しない．

　e）間代発作：最初から間代痙攣をきたす全身痙攣発作である．

　f）脱力発作：突然の筋脱力をきたす発作である．頸部筋の脱力のため，頭部ががくんと垂れ，四肢筋群の脱力のために転倒をきたす．

3）てんかん症候群：
年齢，てんかん発作型，検査所見をもとにてんかん症候群診断を行う．代表的なてんかん症候群を示す．

　a）West 症候群：大部分が 1 歳未満に発症し，頸部・体幹・四肢の短い（2 秒以下）の急激な屈曲をきたす発作（infantile spasm，礼拝痙攣）で，点頭てんかんとよばれる．精神発達の遅滞がみられ，脳波ではヒプスアリスミアを呈する．原因疾患は多岐にわたる．ACTH 療法が発作軽減に有効であるが，精神発達の予後は不良のことが多い．

　b）Lennox-Gastaut 症候群：1〜6 歳に発症するてんかん症候群である．発作型は多彩で，短い強直発作，ミオクロニー発作，脱力発作などを呈する．脱力発作は本症候群に特徴的な発作であり，頻回で難治なことが多いが，脳梁離断術での治療効果が高い．脳波は，全般性遅棘徐波が特徴である．知能障害の合併や難治例が多い

　c）小児良性部分てんかん（Roland てんかん）：2〜14 歳で発症し，単純部分発作の運動発作をきたす．二次性全般化発作がみられることもある．脳波は特徴的な中心・側頭部てんかん波を認める．16 歳までに寛解する予後良好な症候群である．

　d）小児欠神てんかん：4〜12 歳に発症し，欠神発

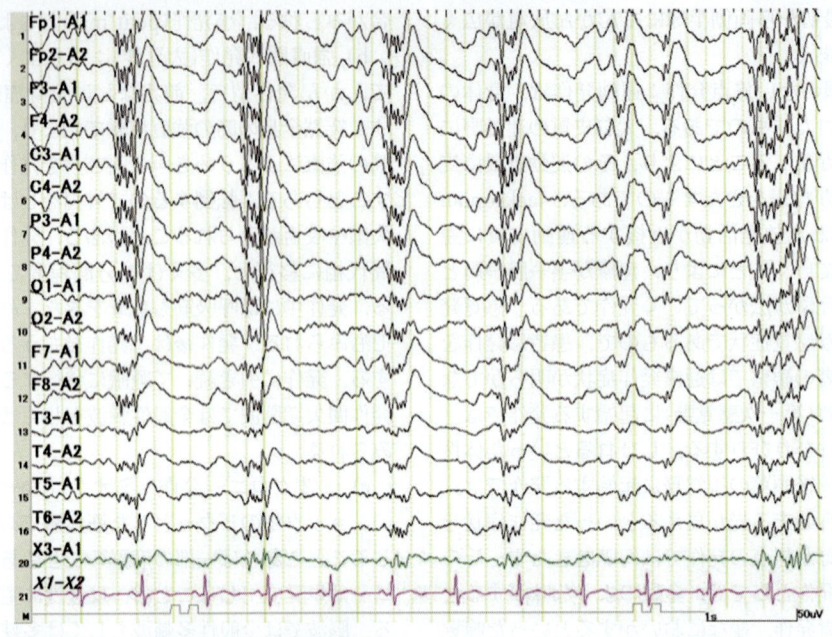

図 17-17-1 脳波, 全般性多棘徐波複合
若年ミオクロニーてんかんで, ミオクロニー発作と全般性強直間代発作をきたす症例の発作間欠期の所見である.

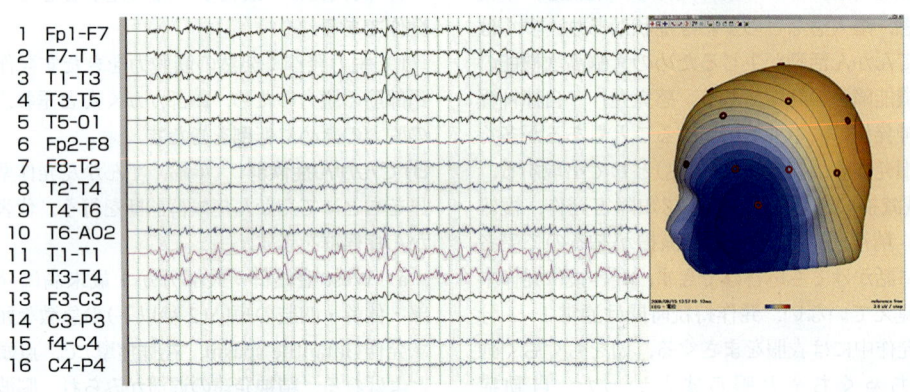

図 17-17-2 脳波, 左側頭部棘波, および頭皮上電位分布図
左内側側頭葉てんかんで複雑部分発作の症例である. 左前側頭部に最大の電位分布を示す.

作をきたす. 脳波は全般性 3 Hz 棘徐波複合を示す（図 17-17-1）. バルプロ酸が第一選択薬でエトスクシミドも効果がある. 成年するまでに多くは寛解する.

e）若年性ミオクロニーてんかん：12～20 歳に発症し, ミオクロニー発作, 強直間代発作をきたす. ミオクロニー発作は起床後すぐに起こることが多く, ピクンと震えて朝食時に物をこぼすといった訴えになることがある. 強直間代発作の初発時に病院受診することが多い. 脳波で全般性多棘徐波複合がみられる. 抗てんかん薬としてはバルプロ酸, ラモトリギン, レベチラセタム, クロナゼパムを選択する. 病因としては遺伝的要因のことが多く, 年余にわたる治療が必要なこ

とも多い.

f）海馬硬化症を伴う内側側頭葉てんかん：半数以上に熱性痙攣の既往がある. 初発年齢は 5～10 歳が多いが, 思春期以降の発症もある. 前兆および意識減損のある焦点発作をきたす. 脳波で側頭部に発作間欠期に棘波がみられる（図 17-17-2）. 発作時の脳波では律動性のてんかん波がみられる. 最も多い病因は海馬硬化症で, MRI 画像検査で海馬萎縮と信号変化がみられ, FDG-PET では糖代謝低下をきたす（図 17-17-3, 17-17-4）. 発作は抗てんかん薬では難治性であるが, 病変側の海馬切除が非常に有効である.

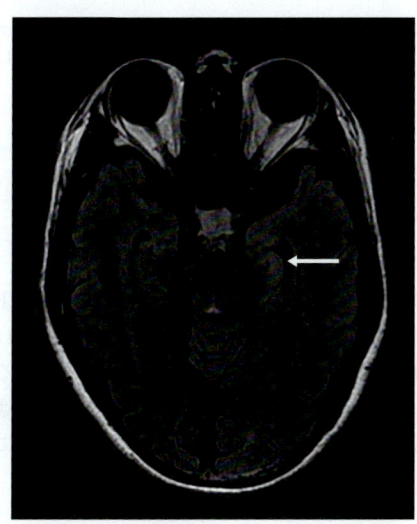

図 17-17-3 頭部 MRI
左海馬の萎縮と高信号化がみられる．難治性側頭葉てんかんで複雑部分発作をきたした患者である．本例の手術標本病理所見は，海馬硬化症であった．

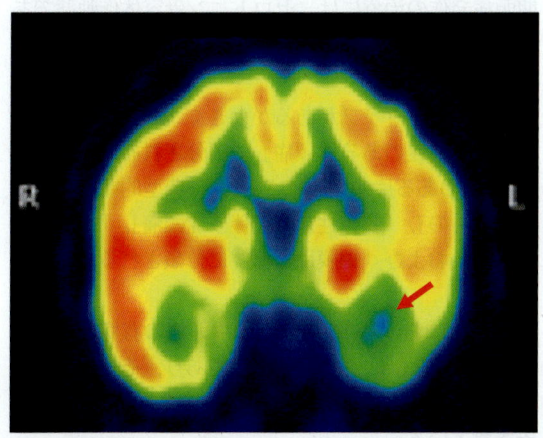

図 17-17-4 FDG-PET
左内側側頭葉てんかん，複雑部分発作．左側頭葉の糖代謝低下を認める．加えて左半球の広範に軽度の糖代謝低下所見も認める．

検査所見

1）脳波：てんかん発作の病態は電気的現象であるので，脳波が確定的な診断となる．脳波の棘波・鋭波はてんかん性放電とよばれ，てんかんの診断と分類の根拠になる．てんかん患者で1回の脳波検査でてんかん波が記録されるのは50～70％程度とされている．睡眠賦活や繰り返し検査を行うことにより，最終的には約90％の患者でてんかん性放電が記録できる．脳波で発作間欠期にてんかん波がないことは，てんかん診断の否定の根拠にはならない．

てんかんの病因および焦点の検索としてはMRIが有用な検査である．CTは緊急時の検査としては適当であるが，病変の検出感度はMRIが高い．ベンゾジアゼピン受容体分布を反映するイオマゼニルSPECT，糖代謝を反映するFDG-PET検査はてんかん外科術前検査などにおいて焦点検索に用いられる．

診断

発作性疾患の診断においては，発作の情報が最も重要である．発作の状況について詳細に問診する．意識を失う場合が多いので，目撃者からの病歴が必須である．診察時に同行しているとは限らないので，電話で発作の様子を目撃者に聞くこともある．てんかん発作と鑑別が必要な疾患は，失神発作，一過性全健忘，一過性脳虚血発作，片頭痛，過呼吸発作，パニック障害，心因性非てんかん性発作（擬似発作）などがある．てんかん発作か否かの診断は，発作の病歴と脳波所見から行う．てんかん発作とみなされる病歴があり脳波でてんかん性放電が確認されれば，てんかんの診断は確定するといってよい．脳画像やその他の検査はてんかんの病因の診断に用いる．発作型，病歴，検査所見をもとにてんかん症候群の診断を行う．長時間持続ビデオ脳波同時記録（モニター）検査は，てんかん手術治療を行う場合の焦点決定および心因性非てんかん性発作の診断確定（非てんかん発作では発作時にてんかん性放電がない）のために行う．

経過・予後

てんかん症候群診断および病因の特定が予後の推定に重要である．West症候群やLennox-Gastaut症候群は，予後不良の場合が多い．小児良性部分てんかんは，通常16歳までには治癒する予後良好なてんかんである．若年性ミオクロニーてんかんは大部分が抗てんかん薬治療で発作が抑制されるが，中止により再発し生涯の治療が必要なことも多い．焦点性てんかんでは，50～70％で抗てんかん薬治療により発作が寛解する．

てんかん患者全体では，約70％の患者で抗てんかん薬により発作は完全に抑制される．しかしながら，30％では薬物治療で発作が寛解しない難治性てんかんである．

表 17-17-4 発作型に基づく抗てんかん薬の選択

焦点発作	全般発作
カルバマゼピン	バルプロ酸
フェニトイン	ラモトリギン
バルプロ酸	トピラマート
フェノバルビタール	フェノバルビタール
ゾニサミド	ゾニサミド
ガバペンチン	レベチラセタム
トピラマート	クロナゼパム
ラモトリギン	
レベチラセタム	

治療・予後

抗てんかん薬による発作抑制が，てんかん治療の主体である．抗てんかん薬により70％の患者で発作が完全に抑制され，通常の生活を送ることができる．抗てんかん薬は発作型に基づいて選択する（表17-17-4）．部分発作にはカルバマゼピン，ラモトリギン，レベチラセタムを，全般発作にはバルプロ酸を第一選択薬とする場合が多い[7,8]．患者個別の要因によりほかの薬剤を選択することもある．長期の治療を行うので薬剤の副作用に注意する．長期発作が抑制されている場合は，抗てんかん薬の減量または中止が可能か検討する．

睡眠不足や過度のアルコールは発作の誘発因子となりうるので，生活指導を行う．危険な作業や入浴についても，発作抑制の状況に合わせた適切なアドバイスが必要である．自動車運転免許については，道路交通法に基づいたアドバイスを行う．法規の条件のもとで（一定期間発作がないなど），運転が許可される．

妊娠可能年齢に女性については，適切なカウンセリングが必要である．抗てんかん薬の新生児に対する催奇形性と発達に対する影響を考え，妊娠中は発作抑制に必要最小限の薬剤で治療を目標とする．バルプロ酸は脳の発達遅滞および神経管閉鎖障害による奇形のリスクが比較的高い[9,10]．葉酸補充が奇形リスク低減のために推奨される．

抑うつ症状などの精神症状の合併が，てんかん患者では正常と比べて増加する．抗てんかん薬による副作用としての精神症状もあるので，精神症状の合併にも気をつける．てんかんは，歴史的に疾患に対する誤解，偏見，スティグマ（烙印）があった疾病であり，正しいてんかんの理解を得ることも重要である．

外科治療

抗てんかん薬治療抵抗性てんかん（難治てんかん），においては手術治療が可能か検討する．限局性脳病変によるてんかん，海馬硬化症を基にする内側側頭葉てんかん，小児の片側巨脳症，視床下部過誤腫は，代表的な手術治療可能なてんかんである[11]．生活に支障をきたす後遺症がない範囲の脳切除で発作治療ができる場合は手術治療の適応がある．内側側頭葉てんかんでは，海馬を含む側頭葉切除手術で約80％の患者で発作が消失する（図17-17-2～17-17-4）．新皮質てんかんでは，有効率はやや低い．Lennox-Gastaut症候群の脱力発作には，脳梁離断術が有効である．難治てんかん緩和療法として，迷走神経刺激術，ケトン食療法が行われている．　　　〔赤松直樹〕

■文献（e文献 17-17-1）

French JA, Pedley TA: Initial management of epilepsy. *N Engl J Med*. 2008; **359**: 166-76.

Schuele SU, Luders HO: Intractable epilepsy: management and therapeutic alternatives. *Lancet Neurol*. 2008; **7**: 514-24.

2）頭痛
headache

（1）頭痛について

「国際頭痛学会頭痛分類第3版 beta版」（ICHD-3β）（日本頭痛学会・国際頭痛分類委員会，2014）により頭痛は一次性頭痛と二次性頭痛に分類される【⇨4-48】．二次性頭痛の原因となる疾患については他項で解説されており，ここでは一次性頭痛を中心に説明する．

（2）片頭痛（migraine）

概念
片側性，拍動性の頭痛で，随伴症状として悪心・嘔吐や光過敏・音過敏を伴う症例が多い．発作急性期には中枢神経系のセロトニン活性の低下が存在し，急性期頭痛発作の治療には，セロトニン受容体作動薬であるトリプタンを用いる．

分類
さまざまなタイプがあるが大きく「前兆のない片頭痛」と「前兆のある片頭痛」に二分される．
「前兆のある片頭痛」はさらに，「典型的前兆に頭痛を伴うもの」，「脳幹性前兆を伴う片頭痛」，「片麻痺性片頭痛」および「網膜片頭痛」に分類される．

疫学
わが国における15歳以上の片頭痛の有病率は，約8.4％（男性3.6％，女性13.0％）であり，その傾向は欧米諸国でも同様で女性が男性に対し約3倍多いと報告されている．

病因・病態生理
片頭痛の病因および病態はいまだに明らかにされていない．片頭痛における前兆には，cortical spreading depression（大脳皮質拡延性抑制）とよばれる現象が関与していると考えられている．頭痛は三叉神経血管系の活性化による脳血管および脳硬膜動脈の拡張や脳硬膜の神経原性炎症に起因するとされている（図17-17-5）．

臨床症状
片頭痛は，片側性・拍動性で，中等度～重度の強さもち，4～72時間持続する頭痛である．また動作による増悪を認め，随伴症状として悪心や光過敏・音過敏を有する．

前兆は5～20分にわたり徐々に進展し，かつ持続時間が60分未満の可逆性脳局在神経症状と定義される．前兆のある片頭痛のなかで視覚症状，感覚症状あ

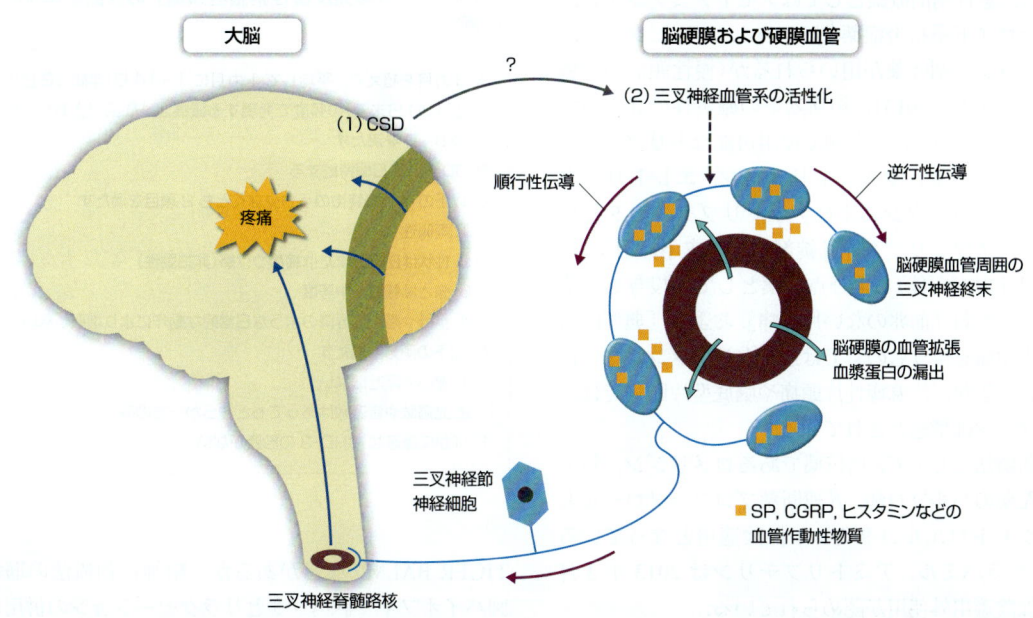

図 17-17-5 片頭痛の病態生理(清水ら,2012 より改変)
(1) 皮質拡延性抑制 cortical spreading depression (CSD)
CSD は,脳局所の神経細胞やグリア細胞の細胞膜に 30〜60 秒の脱分極が生じた後,15〜30 分間電気的活動が抑制された状態が約 2〜3 mm/分の速さで周囲に伝播する現象であり,ヒトにおいても片頭痛発作前兆期に観察され,片頭痛発作への関与が明らかにされている.
(2) 三叉神経血管系の活性化
硬膜血管や脳血管には三叉神経節由来の神経線維が分布し頭蓋内の痛覚を中枢へ伝えている.CSD による三叉神経の興奮により substance P (SP) や calcitonin gene-related peptide (CGRP) などが遊離され,硬膜の血管拡張および神経原性炎症が起こり,逆行性に興奮が伝播される.三叉神経終末の興奮は順行性に伝えられ三叉神経脊髄路核を介し,視床から大脳に至り,頭痛として認識される.

るいは言語症状のいずれか 1 つ以上からなる片頭痛は「典型的前兆に片頭痛を伴うもの」に分類される.視覚性の前兆は最も一般的な前兆で,閃輝暗点として出現する場合が多く,患者は「眼前のチカチカ」と表現することが多い.なお片頭痛に特徴的な他覚症状はない.

診断・鑑別診断

ICHD-3 β 版の「前兆のない片頭痛」の診断基準を表 17-17-5 に記す.項目 B〜D には発作時間,頭痛の性状および随伴症状などが列挙され,項目 E には二次性頭痛の可能性を鑑別することが記載されている.「前兆のある片頭痛」の診断基準を◉表 17-17-A に記す.その他の片頭痛の診断基準については ICHD-3 β(日本頭痛学会・国際頭痛分類委員会,2014)を参照されたい.

経過・予後

片頭痛発作頻度の多い症例では,慢性片頭痛への移行が報告されている.慢性片頭痛は,片頭痛の特徴とされる光・音過敏や悪心・嘔吐などが減少し,拍動性の要素はあるがその他は緊張型頭痛に類似した性質の

表 17-17-5 「前兆のない片頭痛」の診断基準(ICHD-3 β 版)

A. B〜D を満たす発作が 5 回以上ある
B. 頭痛発作の持続時間は 4〜72 時間(未治療もしくは治療が無効の場合)
C. 頭痛は以下の 4 つの特徴の少なくとも 2 項目を満たす
 1. 片側性
 2. 拍動性
 3. 中等度〜重度の頭痛
 4. 日常的な動作(歩行や階段昇降などの)により頭痛が増悪する,あるいは頭痛のために日常的な動作を避ける
D. 頭痛発作中に少なくとも以下の 1 項目を満たす
 1. 悪心または嘔吐(あるいはその両方)
 2. 光過敏および音過敏
E. ほかに最適な ICHD-3 の診断がない

頭痛が月の半分以上かつ 3 カ月以上の頻度で出現するものである.

治療

片頭痛の薬物療法は,急性期治療と予防療法に分け

られる．急性期治療薬としてはアセトアミノフェン，非ステロイド系抗炎症薬（NSAIDs），エルゴタミン，トリプタン，制吐薬が用いられるが（慢性頭痛の診療ガイドライン，2013），鎮痛効果の確実性の高いのはトリプタンである．わが国で使用可能なトリプタンはスマトリプタン，ゾルミトリプタン，エレトリプタン，リザトリプタンおよびナラトリプタンの5種類である．スマトリプタンは錠剤のほか皮下注射薬（在宅自己注射が可能）および点鼻薬としての投与も可能である．なお「前兆のない片頭痛」および「典型的前兆に片頭痛を伴うもの」では通常トリプタンが第一選択薬となるが，片麻痺性片頭痛や脳底型片頭痛では，トリプタンは禁忌とされている．

予防療法としてCa拮抗薬であるロメリジン，抗てんかん薬のバルプロ酸，β遮断薬プロプラノロールおよびジヒドロエルゴタミンが保険適用となっているが，ベラパミル，アミトリプチリンは2013年3月より保険適用外使用が認められている．

(3) 緊張型頭痛 (tension-type headache)

概念
圧迫感または締めつけ感を呈する頭痛で，頭頸部筋肉における緊張が関係するとされている．

分類
発作の出現頻度により稀発反復性緊張型頭痛，頻発反復性緊張型頭痛，慢性緊張型頭痛および緊張型頭痛の疑いの4型に分類される．

疫学
わが国での有病率は22.3％（男性18.1％，女性26.4％）とされている．

病因・病態生理
緊張型頭痛の発生機序については不明な部分が多いが，精神的，社会的ストレスが誘因といわれている．その他，不安，抑うつ，神経症などの精神的な因子，姿勢異常，頸椎病変，顎関節異常，眼科疾患など頭頸部の筋肉に緊張を与える病態が影響し緊張型頭痛を引き起こすと考えられている．

臨床症状・診断
両側性に出現する圧迫感または締めつけられる感じをもつ軽度～中等度の頭痛で，日常的な動作による増悪はない．悪心はないが，光過敏または音過敏を呈することがある．緊張型頭痛においても片頭痛と同様に特徴的な他覚症状はない．頻発反復性緊張型頭痛のICHD-3β版の診断基準を表17-17-6に記す．

治療
薬物療法として鎮痛薬（アセトアミノフェン，NSAIDs），筋弛緩薬（塩酸エペリゾン，塩酸チザニジン）および抗不安薬（ジアゼパム）などが用いられる．非薬物療法として精神行動療法，理学療法，鍼灸，

表17-17-6 「頻発反復性緊張型頭痛」の診断基準（ICHD-3β版）

A. 3カ月を超えて，平均して1カ月に1～14日（年間12日以上180日未満）の頻度で発現する頭痛が10回以上あり，かつB～Dを満たす
B. 30分～7日間持続する
C. 以下の4つの特徴のうち少なくとも2項目を満たす
　1. 両側性
　2. 性状は圧迫感または締めつけ感（非拍動性）
　3. 強さは軽度～中等度
　4. 歩行や階段の昇降のような日常的な動作により増悪しない
D. 以下の両方を満たす
　1. 悪心や嘔吐はない
　2. 光過敏や音過敏はあってもどちらか一方のみ
E. ほかに最適なICHD-3の診断がない

TIGER BALM®などがあるが，精神行動療法の筋電図バイオフィードバックとリラクセーションの併用は有用であるとされている．

(4) 群発頭痛 (cluster headache)

概念
片側の眼窩周囲や眼窩に生じる疼痛（とうつう）で群発期と寛解期をもつ．頭痛と同側に流涙・結膜充血・鼻閉・鼻汁などの自律神経症状を伴うことが特徴である．

疫学
群発頭痛の有病率は約0.07～0.09％とされており片頭痛と比べると少ない．男性の有病率は女性の3～7倍である．アルコール，ヒスタミンまたはニトログリセリンにより誘発される．

病因・病態生理
疼痛部位がおもに三叉神経第1枝領域を中心とすることや自律神経症状を呈することから，病変として内頸動脈分岐部遠位から海綿静脈洞付近が想定されている．このような末梢性の病変を視床下部が時間的な調節を行い頭痛が発生するのではないかと考えられている．

臨床症状・診断
片側の眼窩周囲や眼窩など三叉神経第1枝領域を中心に1時間程度続く激しい疼痛で，就寝直後に認められることが多く，毎日のように頭痛が生じる群発期と，頭痛を認めない寛解期がある．激痛のため頭痛発作中はじっとしていることができず，興奮した様子で落ち着きなく動き回る症例が多い．これは同様部位に痛みを生じるが，痛みのために安静を保つ三叉神経痛の症例と対照的である．頭痛と同側に結膜充血，流涙，鼻閉，鼻漏，眼瞼浮腫，前額部および顔面の紅潮と発汗亢進，耳閉感，縮瞳，眼瞼下垂などの副交感神経機能亢進を示す自律神経症状が出現するため，

表 17-17-7 「群発頭痛」の診断基準(ICHD-3β版)

A. B〜D を満たす頭痛発作が 5 回以上ある
B. 未治療の場合，重度〜きわめて重度の一側の痛みが眼窩部，眼窩上部または側頭部のいずれか 1 つ以上の部位に 15 分〜180 分持続する
C. 以下の 1 項目以上を認める
　1. 頭痛と同側に少なくとも以下の症状あるいは徴候を 1 項目伴う
　　a) 結膜充血または流涙(あるいはその両方)
　　b) 鼻閉または鼻漏(あるいはその両方)
　　c) 眼瞼浮腫
　　d) 前頭部および顔面の発汗
　　e) 前頭部および顔面の紅潮
　　f) 耳閉感
　　g) 縮瞳または眼瞼下垂(あるいはその両方)
　2. 落ち着きがない，あるいは興奮した様子
D. 発作時期の半分以上においては，発作の頻度は 1 回/2 日〜8 回/日である
E. ほかに最適な ICHD-3 の診断がない

表 17-17-8 典型的三叉神経痛の診断基準(ICHD-3β版)

A. B と C を満たす片側顔面痛発作が 3 回以上ある
B. 三叉神経枝の支配領域(2 枝領域以上に及ぶことあり)に生じ，三叉神経領域をこえて広がらない痛み
C. 痛みは以下の 4 つの特徴のうち少なくとも 3 つの特徴をもつ
　1. 数分の 1 秒〜2 分間持続する発作性の痛みを繰り返す
　2. 激痛
　3. 電気ショックのような，ズキンとするような，突き刺すような，あるいは鋭いと表現させるような性質
　4. 患側の顔面への非侵襲刺激により突発する
D. 臨床的に明白な神経障害は存在しない
E. ほかに最適な ICHD-3 の診断がない

ICHD-3β版では群発頭痛およびその近縁疾患について，三叉神経・自律神経性頭痛として分類している．表 17-17-7 に「群発頭痛」の診断基準を記す．

治療

急性期治療としては，スマトリプタンの皮下注射，純酸素投与(7 L/分で 15〜20 分間)が有効である．スマトリプタン鼻腔やゾルミトリプタンの経口投与の有効性も報告されており選択肢に考慮してもよい．群発頭痛の発作回数が多い場合予防療法として，Ca 拮抗薬を用いる場合もある．

(5)三叉神経痛 (trigeminal neuralgia)

概念

三叉神経第 2 枝および第 3 枝支配領域に出現する短時間の電撃痛である．

分類

ICHD-3β版では，舌咽神経痛などとともに「13 有痛性脳神経ニューロパチーおよび他の顔面痛」に含まれる．血管性圧迫以外の器質的病変が原因となる場合は「有痛性三叉神経ニューロパチー」，それ以外は「典型的三叉神経痛」に分類される．

疫学

10 万人あたりの年間発症数は 4.3 人で，男女比は 1：1.73 と女性に多い．年齢が進むにつれ発症者が増加する．

病因・病態生理

「典型的三叉神経痛」の原因は，三叉神経の root entry zone での血管による圧迫とされている．「有痛性三叉神経ニューロパチー」は，帯状疱疹，外傷，多発性硬化症プラークあるいは占拠性病変などによる．

臨床症状・診断

三叉神経支配領域の第 2 枝および第 3 枝領域に好発する一側性電撃様あるいは穿刺様の疼痛である．持続時間は数秒〜2 分と短い．多くの症例で，顔面の特定の部位に触れると神経痛が誘発されるトリガー域といわれる部位を有する．トリガー域は，口唇・鼻翼・鼻唇溝・頬・歯肉などに認められる．診断は ICHD-3β版の診断基準に従う(表 17-17-8)．

治療

薬物療法が試みられ，不応例に対して神経血管減圧術などの外科的治療が考慮される．第一選択薬はカルバマゼピンであり，その他の選択薬としてはバクロフェン，クロナゼパム，フェニトイン，バルプロ酸などがある．

〔鈴木則宏〕

■文献

日本神経学会・日本頭痛学会監，慢性頭痛の診療ガイドライン作成委員会編：慢性頭痛の診療ガイドライン 2013，医学書院，2013．
日本頭痛学会・国際頭痛分類委員会訳：国際頭痛分類 第 3 版 beta 版，医学書院，2014．
清水利彦，鈴木則宏：片頭痛病態研究の展開と新たな治療への展望．BRAIN and NERVE 64: 59-64, 2012．

3) 睡眠異常 dyssomnia

(1)不眠症 (insomnia)

定義・概念

不眠の訴えすなわち入眠障害，中途覚醒，熟眠障害，早朝覚醒のどれかがあり，これは週 3 回以上，かつ少なくとも 3 カ月間は持続する．不眠のためみずからが苦痛を感じるか，社会生活または職業的機能が妨げられる，など QOL の低下がみられるものをい

表 17-17-9 不眠症(慢性不眠障害)の診断基準(ICSD3)
A〜Fのすべてを満たすこと.

> A. 以下の1つ以上を,患者が訴えるか,もしくは患者の両親か介助者が観察している
> 1. 睡眠開始の困難(入眠困難)
> 2. 睡眠維持の困難(いわゆる中途覚醒)
> 3. 望む時刻よりも早く覚醒してしまう(早朝覚醒)
> 4. 適切な時刻に就床することができない
> 5. 両親や介助者の介在なしで眠ることができない
>
> B. 夜間睡眠の困難に関連した以下の項目のうち1つ以上を,患者が訴えるか,もしくは患者の両親か介助者が観察している
> 1. 疲労/倦怠感
> 2. 注意,集中力,または記憶力の低下
> 3. 社会生活上,家庭生活上,職業上,もしくは学業上の成績の低下
> 4. 気分障害/焦燥感
> 5. 日中の眠気
> 6. 行動上の問題(例えば過活動,衝動性,攻撃性)
> 7. 意欲,気力,自発性の低下
> 8. 失敗や事故を起こす傾向
> 9. 睡眠について心配したり睡眠に不満をもつこと
>
> C. 睡眠-覚醒に関する訴えは,十分な機会(例えば十分な時間が睡眠に割り当てられている)がないか,睡眠にとって適切な環境(睡眠環境が暗く,静かで快適)ではない,といったことでは説明できない
>
> D. 睡眠に関する問題や,それに関連して生じる日中の問題は,少なくとも週に3回以上生じる
>
> E. 睡眠に関する問題や,それに関連して生じる日中の問題は,少なくとも3カ月以上続いている
>
> F. この睡眠-覚醒の困難は,ほかの睡眠障害ではよりうまく説明することができない

わゆる「不眠症」とする(表17-17-9).成人の約5人に1人の割合でみられる.

原因
夜眠ろうとしても寝つけず,それ以来また眠れないのではないかという不安感と緊張が著しく強まり,眠ろうとあせりすぎるため,かえって興奮して寝つきが悪くなることが原因の精神生理性不眠症(psychophysiological insomnia)に代表される不眠障害あるいは慢性不眠症(表17-17-9)と,それ以外の原因による続発性不眠(薬物などの物質または一般身体疾患の直接的な生理学的作用によるもの)がある.

診断
不眠症の診断基準を表17-17-9に示す.

治療
1)非薬理学的な手法: 睡眠薬に比較しても同様の効果がありまず先に考慮されるべきである.

　a)睡眠衛生指導:良質な睡眠をとるために睡眠に関する適切な知識をもち,生活を改善するための指導法で,定期的な運動,寝室環境の整備,規則正しい食生活,刺激物の摂取制限などがある.

　b)認知行動療法:心理・行動的介入,早期からの導入も視野に入れる.

2)薬物療法:

　a)GABA受容体作動薬:ベンゾジアゼピン系,非ベンゾジアゼピン系薬があり,作用時間により超短時間作用型,短時間作用型,中時間作用型,長時間作用型に分類される.したがって,入眠困難には超短時間作用型,中途覚醒や早朝覚醒には中時間作用型を用いる.同じくGABA受容体に作用するアルコールとの併用は相加作用を強める.高齢者など転倒の可能性のある者には非ベンゾジアゼピン系薬が適するとされている.

　b)オレキシン受容体拮抗薬:わが国発の覚醒系を遮断する新しいタイプの睡眠導入薬である.GABA受容体作動薬の欠点を補うとの考えもあるが,実際の使用経験が少なく世界的な評価はこれからといえる.

　c)メラトニン受容体作動薬:概日リズムを改善させて入眠をはかる.

(2)過眠症
定義・概念
日中に過剰な眠気または実際に眠り込むことが毎日のように繰り返してみられる状態が1カ月間は持続し,そのため社会生活または職業的機能が妨げられるもの.

眠気の自覚的な評価には,Epworth Sleepiness Scale(ESS)が用いられ,通常11点以上が病的水準とされている.また,客観評価にあたっては,1日に5回実施する脳波検査での入眠潜時を指標にする反復睡眠潜時検査(multiple sleep latency test:MSLT)が用いられる.

1)原発性過眠症(primary hypersomnia): ほかの睡眠障害,器質的原因によるものは除外したうえで,過眠症の診断基準を満たすが情動脱力発作は認められないもので,広義には2)を含む.

治療としては夜間睡眠の異常があれば規則正しい睡眠習慣に戻し,日中残る過眠に対しては覚醒効果をもつ向精神薬を投与する.

2)反復性過眠症(recurrent hypersomnia),周期性傾眠症(periodic somnolence): 多くは青年期の男性に好発し,数日間〜2週間程度傾眠状態が続き,この間通常毎日15時間以上昼も夜も眠り続ける.外部から刺激を与えても不機嫌で強い眠気を訴えるばかりで,放置するとすぐに眠り込んでしまう.亜型としてKleine-Levin症候群があり,これは傾眠期に食欲の著しい亢進・過食,性欲亢進などの抑制障害がみられる一群を指す.炭酸リチウムなどで治療する.

(3) ナルコレプシー（narcolepsy）

定義・概念
ナルコレプシーの最も基本的な症状は日中反復する居眠り（daytime sleep episodes）がほぼ毎日，何年間にもわたり続くことである．通常10〜20分くらい眠ると覚醒しさっぱりするが，2〜3時間で再び眠気が襲う．

疫学
本症の発生頻度は0.02〜0.18％である．わが国の有病率は0.16〜0.18％とされ，世界的にみると日本は高い地域といえる．男女に発症の差はなく，発症は幼少から50歳代までさまざまであるが，ピークは14歳頃である．一般的に初発の症状は眠気であり，情動脱力発作は遅れて出現することが多い．

臨床症状
以下の代表的な4症状がある．1）以外は，すべての患者にあるわけではない．

1) 睡眠発作（sleep attacks）：ふつうの人であれば緊張してまず居眠りなどしない場面，たとえば試験中とか商談中などでも急に強い眠気が起こり数分間程度眠り込んでしまうことがある．

2) 情動脱力発作（cataplexy）：大笑いしたり，興奮して怒ったりするなど，感情の動きをきっかけにして，全身あるいは膝，腰，頸，顎，頰，眼瞼などの姿勢筋の力が両側性に突然抜けてしまう．この間意識は清明に保たれ，周囲の状況はよく記憶されて，呼吸困難は起こらない．

3) 入眠時幻覚（hypnagogic hallucinations）：就床後まもなく，自覚的には半分目が覚めているにもかかわらず，生々しい現実感を伴った鮮明な夢で，睡眠開始時レム睡眠期に一致する．

4) 睡眠麻痺（sleep paralysis）：入眠時，通常入眠時幻覚による不安・幻覚体験に一致して，全身の脱力状態が起こること．全身が金縛り状態となって身動きできず，声もほとんど出すことができない．

診断
ナルコレプシーの診断基準を表17-17-10に示す．

検査所見
睡眠ポリグラフ（polysomnography：PSG）では睡眠潜時の短縮と睡眠開始時レム睡眠期（sleep-onset REM period：SOREMP）が出現することが特徴的（表17-17-10）．
オレキシン（ヒポクレチン）分泌低下を髄液検査により知ることができる．ただ，情動脱力発作を有する症例ではきわめて高頻度に認められるものの，情動脱力発作を有さない症例では半数以上が正常である．日本人ナルコレプシー患者においては白血球の血清学的型判定でHLA-DR2とDQ1がほぼ全例陽性．これを

表17-17-10 ナルコレプシーの診断基準（ICSD3）（AASM, 2009より改変）
タイプ1と2に分けられる．

タイプ1：基準AとBが満たされること
- A. 3カ月以上　毎日耐え難い眠気や居眠りがある．
- B. 下記の1つあるいは両方を満たす．
  1. 情動脱力発作が存在し，かつ睡眠潜時反復検査（MSLT）での平均睡眠潜時が8分以下で入眠後15分以内に生じる入眠時レム睡眠期が2回以上であること，ただしMSLT前夜のPSGでSOREMPがあれば1回分として代えてよい．
  2. 脳脊髄液オレキシン値が110 pg/mL以下あるいは同一の検査法で得られた正常者の平均値の1/3未満であること．

タイプ2：基準Aから基準Eのすべてが満たされること
- A. 3カ月以上，毎日耐え難い眠気や居眠りがある．
- B. MSLTでの平均睡眠潜時が8分以下で入眠後15分以内に生じる入眠時レム睡眠期が2回以上あること．ただしMSLT前夜のPSGで入眠時レム睡眠期があれば1回分として代えてよい．
- C. 情動脱力発作が存在しないこと．
- D. 脳脊髄液オレキシン値が測定されていないか，測定した場合は110 pg/mLをこえるか，同一の検査法で得られた正常者の平均値の1/3をこえる．
- E. 過眠症状やMSLT所見は，その他の原因ではよく説明できない．

注：睡眠潜時反復検査（multiple sleep latency test：MSLT）は，日中の眠気の程度，レム睡眠の出現の有無を評価するものである．1日に4〜5回の睡眠検査を行う．具体的には，2時間ごとに15〜20分の昼寝の機会を与え，眠るまでの時間（入眠潜時）とレム睡眠の有無を評価する．

DNAレベルで解析すると6番染色体短腕にあるDRB1*1501とDQB1*0602という対立遺伝子がほぼ全症例で陽性である．このHLA遺伝子は発症に必要な素因であるものの十分条件とはいえない．

治療
睡眠衛生の促進はもちろんである．治療環境の促進を目指す患者会として，なるこ会（http://www2s.biglobe.ne.jp/~narukohp/）がある．日中の居眠りに対しては覚醒効果をもつ精神賦活薬（モダフィニル，メチルフェニデートなど）が，情動脱力発作，入眠時幻覚，睡眠麻痺に対しては三環系抗うつ薬が投与される．

(4) 睡眠時無呼吸症候群（sleep apnea syndrome：SAS）

閉塞性睡眠時無呼吸症候群については別項で示すので，中枢性睡眠時無呼吸症候群について説明する．
原因・病因としては気道の閉塞的機序によらず，代謝性アシドーシス，うっ血性心不全，延髄障害などによる．

(5) 睡眠相遅延症候群（delayed sleep-phase syndrome：DSPS）

睡眠時間は正常であるが，入眠と覚醒の著しい遅れ（睡眠相の遅延）が慢性的に続き，そのために通学や通勤に支障をきたす．入眠はしばしば午前2時を過ぎ，目覚めも正午過ぎになる．不眠症と異なって睡眠薬を服用しても睡眠の時間帯は正常化しない．

(6) レム睡眠行動障害（REM sleep behavior disorder：RBD）

定義・概念
レム睡眠行動障害（RBD）は，鮮明な夢見体験に一致した荒々しい異常行動を示す．その病態生理として筋活動低下を伴わないレム睡眠（REM sleep without atonia：RWA）が存在する．

疫学
RBDの一般人口での有病率は0.5％程度とされているが，特発性RBDと診断された症例の30〜60％が経過中に神経疾患特にα-シヌクレイノパチーであるParkinson病（PD）とLewy小体型認知症（DLB）に発展する可能性があることが近年注目されており，PD，DLBの診断早期マーカーになりうると考えられている．

診断
A. REM sleep without atoniaの存在．
B. 以下の少なくとも1項目：
　①病歴上に睡眠に関連したけが，あるいはけがをしてもおかしくないような行動や破壊的な行動がある．
　②睡眠ポリグラフ中に異常なレム睡眠中の行動が記録される．
C. レム睡眠関連てんかんと区別することが容易でない場合，レム睡眠中の脳波にてんかん原性異常波が認められない．
D. 睡眠の問題がほかの疾患によらない．

治療
現在のところ，クロナゼパムなどが多少効果があるとされているのみである．α-シヌクレイノパチー疾患への進展の可能性を念頭においた経過観察が重要といえる． 〔平田幸一〕

■文献
American Academy of Sleep Medicine（AASM）: International Classification of Sleep Disorders, 3rd ed, American Academy of Sleep Medicine, 2014.
日本睡眠学会編：睡眠学，朝倉書店，2009．

17-18 脊椎脊髄疾患

1）頸椎症
cervical spondylosis

定義・概念
頸椎症とは頸椎の椎間板，鉤関節（Luschka関節），椎間関節などに生じた加齢変性が原因で椎間板膨隆，靱帯の肥厚，骨棘の形成が起こった状態をいう．神経根や脊髄が圧迫されて障害を受けると神経症候を起こす．

疫学
手にしびれを訴える患者で最も高頻度の疾患である．症候性の頸椎症は50歳以降に発症しやすく[1]，男性の発症が女性の約2倍とする報告が多い[2]．

病理
脊髄は圧迫により扁平化すると病理学的な変化はまず灰白質から起きる．前角がまず扁平化し，高度になると前角，中間質，後角などの中心灰白質から後索の腹外側部にcystic cavityを形成する[3]．

病態生理
本症の神経障害は神経根が障害される神経根症と，脊髄が障害される脊髄症に大別される．脊髄症の場合には，灰白質障害が先行することが多く，ついで錐体

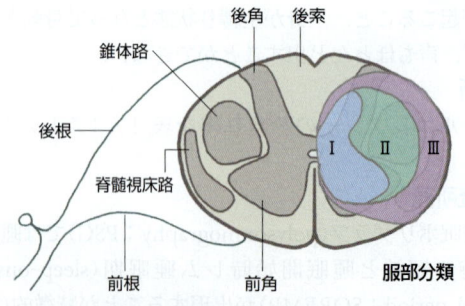

図17-18-1 脊髄横断面上の障害部位と服部分類
図の左側は障害部位，右側は服部分類．前根（運動），後根（感覚）が障害されると神経根症となる．中心灰白質の前角（運動），後角（感覚）が障害されると上肢に髄節症候が起こる．白質の錐体路，前脊髄視床路，後索が障害されると索路症候が起こる．頸髄が圧迫されると服部Ⅰ型：脊髄中心部障害（上肢筋萎縮，上肢運動障害，上肢反射低下，上肢知覚障害），Ⅱ型：Ⅰ型＋後側索部（Ⅰ型の症候＋下肢反射亢進）Ⅲ型：Ⅱ型＋前側索部（Ⅱ型の症候＋下肢・体幹の温痛覚障害）の順で進行しやすい．

路，前脊髄視床路の順で障害が広がることが多い（服部ら，1979）（図 17-18-1）．脊髄症発現には静的な圧迫だけでなく動的な圧迫が重要である[4]．頸椎の後屈により椎体の後方すべり，椎間板の膨隆，後方の黄色靱帯のたわみが起こって脊髄の圧迫が増強する．

臨床症状

1）神経根症： 神経根症は一側の頸部，肩甲部，上肢の神経根痛で初発する場合が多い[5]．神経根痛は頸椎後屈や病変側への側屈によって誘発される．自覚的なしびれが一側上肢にみられることが多い．他覚的な感覚障害は，おおむね C6 は母指，C7 は中指，C8 は小指に存在することが多い（図 17-18-2）．前根障害があると支配筋の筋力低下がみられる．障害レベルでの腱反射低下または消失があり，その他の腱反射は正常である．

2）脊髄症： 脊髄症は神経根痛を伴わず，一側性または両側性の上肢のしびれで発症する場合が多い．脊髄症は軽微な外傷・不適切な姿勢などの動的障害により急性〜亜急性に発症する場合と，緩徐に発症する場合がある．頸部，肩甲部の神経痛様の疼痛は伴わないことが多く，痛みを訴える場合も「筋肉がこる」程度である．脊髄障害が進行すると下肢の痙性麻痺，体幹下肢の感覚障害，排尿障害を認める．

脊髄の髄節障害で上肢の髄節性の筋力低下，筋萎縮を主症候として，感覚障害がないか軽微なことがあり，頸椎症性筋萎縮とよばれる[6-9]．この場合には筋萎縮性側索硬化症との鑑別が問題になる．

3）脊髄の障害高位診断： 頸椎症の診断には，髄節症候・神経根症候から障害高位を診断し，その高位が画像上でみられる脊髄圧迫におおむね一致するかどうかの判断が重要である．頸椎と頸髄の高位には約 1.5 髄節のずれがあり，C3/4 椎間は C5 髄節，C4/5 椎間は C6 髄節，C5/6 椎間は C7 髄節，C6/7 椎間は C8 髄節におおむね相当する（図 17-18-2）[10,11]．神経根はその髄節から約 1 椎体下方に走行して，椎間孔から脊柱管外に出る．たとえば C5/6 椎間高位においては，髄節症候として C7 の症候が出現し，神経根症候としては C6 の症候が出現しうる．

検査所見

1）画像診断： 頸椎単純 X 線では，側面像で全体のアライメントと椎間腔の狭小化，発達性脊柱管狭窄の有無を確認する（図 17-18-3）．C5 椎体の中間のレベルで脊柱管前後径が 12 mm 以下あるいは椎体と脊柱管の前後径の比（Torg-Pavlov 比）が 75％以下ならば，発達性脊柱管狭窄と判断される（e図 17-18-A）[12]．側面像では前屈位と後屈位も撮影して不安定性を評価する．斜位像では Luschka 関節の骨棘，椎間関節の骨性増殖による椎間孔狭窄を評価する．

頸椎 MRI では椎間板の突出，黄色靱帯の膨隆による脊髄圧迫の程度，また T2 強調画像で髄内の高信号の有無が評価できる[13,14]．

2）脳脊髄液検査： 圧迫による髄液流通障害のため軽〜中等度の髄液蛋白濃度の上昇がみられることが多い．

3）電気生理学的検査： 筋電図にて障害された髄節の筋肉に神経原性変化を認める．障害されていない髄節の筋に広範囲に脱神経所見や神経原性変化を認めた場合には，運動ニューロン疾患の可能性を考慮する必要がある．上肢の神経伝導検査は，頸椎症では異常を示さないので末梢神経障害との鑑別に有用である[15]．

鑑別診断

上肢に運動・感覚障害を起こすあらゆる疾患との鑑

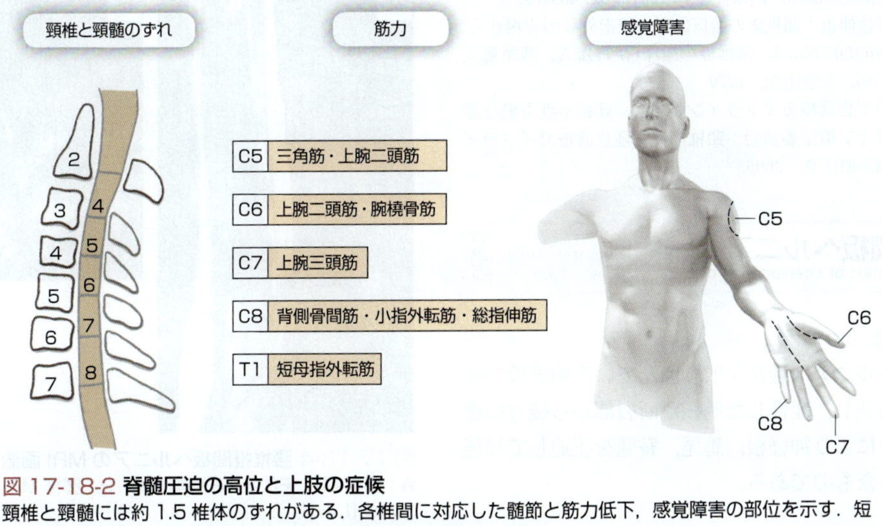

図 17-18-2 脊髄圧迫の高位と上肢の症候
頸椎と頸髄には約 1.5 椎体のずれがある．各椎間に対応した髄節と筋力低下，感覚障害の部位を示す．短母指外転筋はおもに T1 髄節支配であり，頸椎症では障害されにくい．

髄節	筋力
C5	三角筋・上腕二頭筋
C6	上腕二頭筋・腕橈骨筋
C7	上腕三頭筋
C8	背側骨間筋・小指外転筋・総指伸筋
T1	短母指外転筋

別診断が必要である．特に手根管症候群，肘部管症候群，橈骨神経麻痺などの末梢神経障害，上肢から初発した筋萎縮性側索硬化症，脳血管障害との鑑別が臨床的に重要である．

筋萎縮性側索硬化症では，頸椎症では出現しない球麻痺，舌萎縮，頸部屈曲力低下が重要である．また上肢の筋萎縮はびまん性であり，本症の髄節性の分布とは異なる．

経過・予後

頸椎症の神経障害は必ずしも慢性的に進行しない[16]．間欠的な悪化期があるがその他の期間は症状が固定性のことが多い．特に軽症例では悪化しないことが多い[17]．

治療・予防

予防には頸椎のよい姿勢を保持して動的障害を除くことが重要である．上を見上げる姿勢はとらない．首をぐるぐる回す運動は避ける．就寝時には頸部までしっかり固定できる面積の広い枕を使用する．このような注意により神経症候の悪化を防ぐことがある程度可能である[18]．頸椎カラーが有効な場合がある．

外科的な除圧術は軽症例では保存的治療と優位差がないとする報告がある[19-21]．神経症候が高度で圧迫が強く今後も悪化が予測される場合には，外科的治療を考慮する．　〔安藤哲朗〕

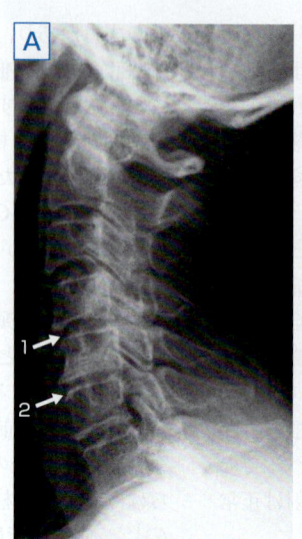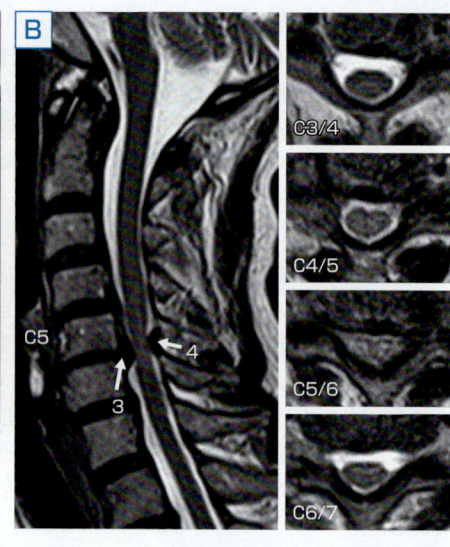

図 17-18-3 頸椎症の画像所見
A：単純X線側面像．C4/5 椎間に軽度の前方への変位(1)を認め，C5/6 の椎間板腔の狭小化(2)を認める．
B：MRI T2 強調画像．脊髄が C5/6 椎間で前方からの椎間板突出(3)と後方からの黄色靱帯膨隆(4)により圧迫されている．横断像では C5/6 にて脊髄が扁平化しており，C5/6 の横断像では髄内高信号を認める．

■文献（e文献 17-18-1）
安藤哲朗：頸椎症の診療．臨床神経学．2012; 52: 469-79.
服部 奨，河合伸也：頸椎症の臨床診断－整形外科の立場から．整形外科 MOOK No. 6，頸椎症の臨床（伊丹康人，西尾篤人編），pp13-40，金原出版，1979.
日本整形外科学会診療ガイドライン委員会，頸椎症性脊髄症診療ガイドライン策定委員会：頸椎症性脊髄症診療ガイドライン，pp1-84，南江堂，2005.

2）椎間板ヘルニア
herniation of intervertebral disk

定義・概念

椎間板ヘルニアは髄核を取り囲んでいる線維輪の後方部分が断裂し，変性した髄核が断裂部から後方に逸脱することにより神経根，馬尾，脊髄を圧迫して神経症候を呈したものである．

疫学

発症好発年齢は 20〜40 歳代で，頸椎症や腰部脊柱管狭窄症よりも若い．男女比は 2〜3：1 で男性に多い[1]．腰椎に圧倒的に多く，頸椎は少ない．胸椎はまれである．

臨床症状

1）**腰椎椎間板ヘルニア**：急性の神経根症として下肢の痛み，しびれ，腰痛で発症することが多い[2]．好発高位は L4/5，L5/S1 椎間である[1]．L4/5，L5/S1 椎間では，臀部大腿後面の坐骨神経領域の疼痛を起こし，

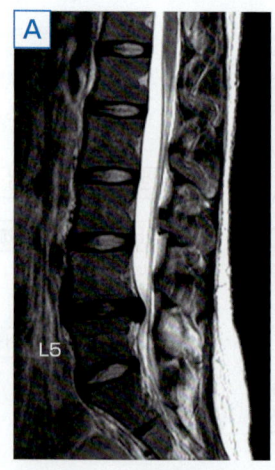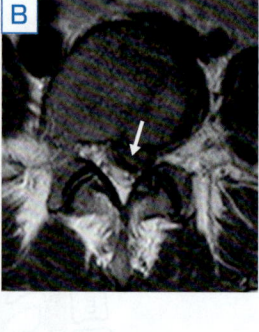

図 17-18-4 腰椎椎間板ヘルニアの MRI 画像
A：腰椎 MRI 矢状断 T2 強調画像，B：腰椎 MRI 横断像 T2 強調画像(L4/5)．
左傍正中に椎間板ヘルニア（矢印）を認める．

下肢伸展挙上テストで70°以下にて下肢後面に疼痛が起きる(Lasègue徴候陽性)(e表17-18-A).

2)頸椎椎間板ヘルニア： 多くは外側にヘルニアが脱出して神経根を障害し，頸部痛，肩甲部痛と障害神経根領域の運動感覚障害を起こす．また正中部のヘルニアで脊髄症を起こすことがある(e図17-18-B).

検査所見
MRIにて脱出椎間板を描出できる(図17-18-4).

経過・予後
椎間板ヘルニアの半数程度は3カ月以内に自然退縮する[3,4].

治療
疼痛が強い場合は鎮痛薬，さらには神経根ブロックを行う．症状が高度の場合や3カ月経っても改善しない場合には手術治療を考慮する[5,6].　〔安藤哲朗〕

■文献(e文献17-18-2)
日本整形外科学会診療ガイドライン委員会，腰椎椎間板ヘルニア診療ガイドライン策定委員会：腰椎椎間板ヘルニア診療ガイドライン2011 改訂第2版, pp1-94, 南江堂, 2011.

3) 脊柱靱帯骨化症
ossification of spinal ligaments

定義・概念
脊柱靱帯骨化症とは，脊椎を支持する靱帯のうち椎体の後方にある後縦靱帯や上下の椎弓を支持する黄色靱帯が骨化し肥厚する病態で，無症候のこともあるが，脊髄，神経根を圧迫すると神経症候を呈する[1].

後縦靱帯骨化症は頸椎に多く(e図17-18-C)，黄色靱帯骨化症は中下位胸椎に多い[2].

疫学
日本人に多い．女性よりも男性に約2倍多く，50歳代の発症が多い[3].

臨床症状
1)頸椎後縦靱帯骨化症： 誘因なく発症することが多いが，転倒や頭部外傷を契機に急性に脊髄症を起こすこともある．上肢のしびれ感で初発することが多く，進行すると下肢の感覚障害，痙性麻痺となる[4,5].

2)胸椎黄色靱帯骨化症： 下肢の運動感覚障害が緩徐進行性に起きる．中位胸椎の病変の場合は痙性対麻痺が主症候になる．T11/12椎間では大腿四頭筋の筋萎縮，T12/L1椎間では下腿の筋萎縮を呈して弛緩性両下肢麻痺となることがある．

検査所見
画像診断では，靱帯骨化は単純X線，CT画像で高吸収となり，MRIでは低信号となる．MRIでは脊髄圧迫の程度を評価できる(図17-18-5, e図17-18-D).

経過・予後
無症状の段階で見つかった場合，その後症状が発現する比率は20%程度である[2]．すでに脊髄症が発現している場合には，半数程度は進行性の経過をとる[6].

治療
中等度以上の脊髄障害がある場合には，手術的治療を考慮する必要がある[7,8].　〔安藤哲朗〕

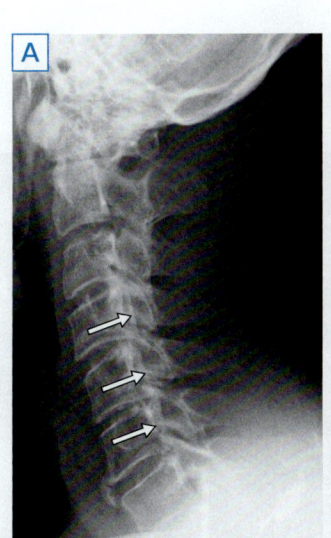
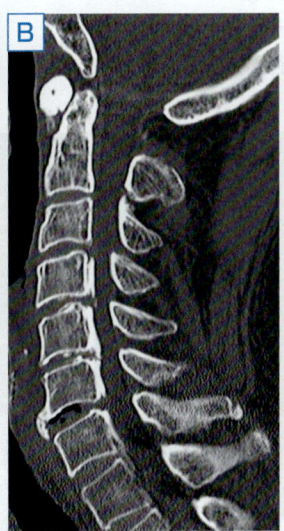
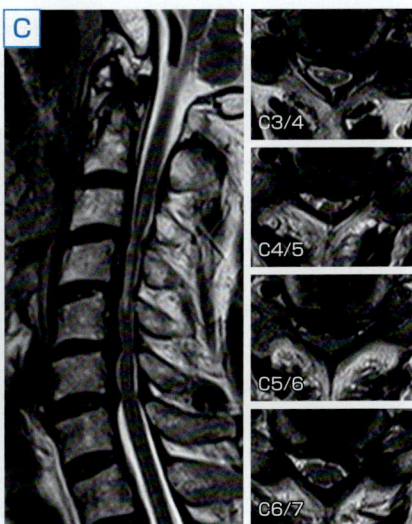

図17-18-5 頸椎後縦靱帯骨化症の画像所見
A：単純X線側面像，B：CT再構成画像矢状断，C：MRI T2強調像(矢状断，横断).
頸椎後縦靱帯骨化症(ossification of the posterior longitudinal ligament：OPLL)をC4〜C7椎体レベルに分節性に認める(矢印). OPLLは椎体後方でX線，CTでは高吸収，MRIでは低信号として認める．脊髄はC3/4椎間からC5/6椎間まで圧迫されており，C3/4，C4/5椎間では髄内高信号を両側の脊髄中心部に認める．

■文献（e文献 17-18-3）

日本整形外科学会診療ガイドライン委員会，頸椎後縦靱帯骨化症診療ガイドライン策定委員会：頸椎後縦靱帯骨化症診療ガイドライン 2011 改訂第2版，pp1-63，南江堂，2011．

4）腰部脊柱管狭窄症
lumbar spinal stenosis

定義・概念
　腰部脊柱を構成する骨性要素や椎間板，靱帯性要素などによって腰部の脊柱管や椎間孔が狭小となり，馬尾あるいは神経根の絞扼性障害をきたして症状の発現したもの[1,2]．臨床症状として間欠性跛行が出現する．

分類
　原因により先天性と後天性に分類されるが，ほとんどは変形性脊椎症，変性性すべり症などの加齢による後天性である．

疫学
　50歳以上の男性に多い．高齢者の増加とともに本症も増加している．狭窄の好発部位はL4/5椎間である．

病態生理
　本症では椎間板高位にて，前方からの椎間板の膨隆，後方からの椎間関節の変形，黄色靱帯の肥厚により狭窄が起きる．この狭窄の程度は腰椎の動きにより変化し，通常は腰椎の前屈で軽減して後屈で増強する．

臨床症状
1）自覚症状： 腰痛，下肢痛，下肢のしびれが起きる．これらの症状は立位，歩行によって悪化して臥位や座位で軽快する[3]．歩き始めはよいが歩いているうちに脱力，しびれ，疼痛が起こって歩行の持続が困難となるが，短時間座って休息することで再び歩行可能となる間欠性跛行が特徴的である．腰椎を前屈位にしていれば間欠性跛行は起きないので，乳母車やショッピングカートを押しての歩行や自転車ならば症状が発現しない．馬尾の圧迫により排尿障害を伴うことがある．

2）他覚症状： 障害神経根の分布に従った感覚障害があることもあるが，安静時には他覚的な運動感覚障害を認めないことも多い．アキレス腱反射は低下することが多い．腰椎を30秒程度後屈させると，臀部痛，下肢痛が増強することがある．

検査所見
　腰椎単純X線では，脊椎症性変化（椎体の骨棘，椎間板の狭小化，椎間関節の硬化・変形）を認める．腰椎MRIでは狭窄による馬尾，神経根の圧迫の程度が明らかになる（図17-18-6）．脊髄造影では腰椎前後屈による動的な狭窄を評価できる．

鑑別診断
　間欠性跛行の鑑別診断では，下肢の慢性動脈閉塞症による血管性間欠性跛行が重要である．血管性では腰椎の姿勢を問わず下肢の運動負荷で症状が発現し，立位での休息でも症状が軽快する．負荷時の症状は腓腹筋の痙攣性疼痛のことが多い．また血管性では安静時に足背動脈，後脛骨動脈などの拍動が触知できないことが多い（e表17-18-B）．

経過・予後
　すべての患者が悪化するわけではなく，軽度・中等度の患者の半数程度では手術をしなくても良好な経過が期待できる[4,5]．

治療
　薬物療法としては，疼痛軽減のために非ステロイド系鎮痛薬，筋弛緩薬が使用される．硬膜外ブロックや神経根ブロックは腰痛および下肢痛に有効である．経口プロスタグランジンE_1が少なくとも短期間は神経症状に有用である[6]．保存的治療が奏効せず日常生活に不自由を感じる場合には狭窄部位の除圧術を考慮する．

〔安藤哲朗〕

■文献（e文献 17-18-4）

日本整形外科学会診療ガイドライン委員会，腰部脊柱管狭窄症診療ガイドライン策定委員会：腰部脊柱管狭窄症診療ガイドライン 2011 改訂第2版，pp1-164，南江堂，2011．

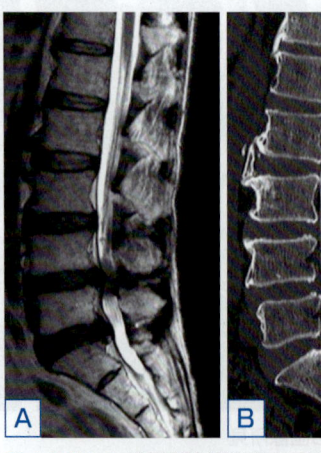
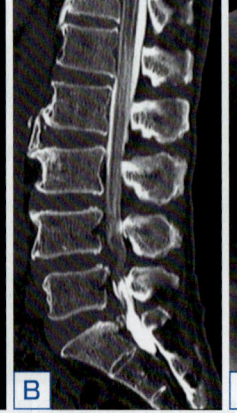
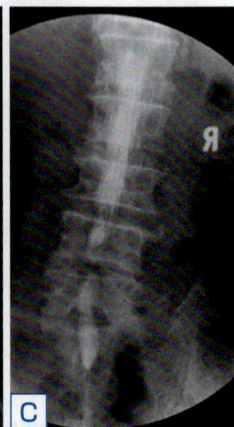

図17-18-6 腰部脊柱管狭窄症の画像所見
A：腰椎MRI矢状断T2強調画像，B：CT myelography再構成画像矢状断，C：myelography正面像．
L4/5の狭窄によって馬尾が絞扼されている．

5) 若年性一側上肢筋萎縮症（平山病）
juvenile muscular atrophy of distal upper extremity(Hirayama disease)

定義・概念
若年者に一側の手，前腕に限局する筋力低下，筋萎縮が潜行性に発症し，緩徐に進行するが数年後に停止性となる疾患である．頸椎前屈位で下部頸髄硬膜後壁が前方移動して頸髄を圧迫することによる下部頸髄前角の慢性循環障害が原因である（平山ら，2013）．

疫学
発症年齢は11～26歳．特に16～18歳が多い[1]．男女比は9：1で圧倒的に男性に多い[1]．原則として遺伝歴はない．

病理
下部頸髄の前角の前後径は著明に扁平化し，壊死性変化を認める．前根は前角病変に相応して細小化している．後角，側角，後根，脊髄白質には異常を認めない[2,3]．

臨床症状
手指を伸ばしにくい，曲げにくい，ボタンをはめにくいなどの一側の手指の脱力で発症する[4,5]．寒冷時に手指の脱力が増強する（寒冷麻痺）．筋萎縮の分布はC7，C8，T1髄節筋にわたり特にC8髄節が高度で小手筋の萎縮が目立つ（図17-18-7）．前腕ではC5,6髄節支配の腕橈骨筋が障害されないので，前腕は尺側のみ萎縮して斜め型筋萎縮（oblique amyotrophy）を呈する．筋萎縮は一側性のものが2/3で，残りの1/3は両側性である．姿勢性の振戦を認める．感覚障害は通常みられない．

腱反射は上肢では上腕二頭筋反射，腕橈骨筋反射は保たれているが，上腕三頭筋反射は低下する場合がある．下肢に病的な反射亢進やBabinski徴候を認めない．

検査所見
筋電図では罹患筋に神経原性変化を認める．正中神経，尺骨神経の神経伝導速度は正常である[6]．

前屈位の頸椎MRIでは下部頸髄硬膜後壁が前方移

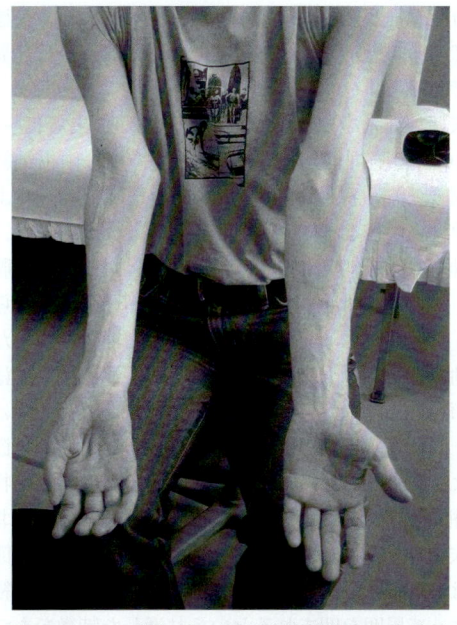

図 17-18-7 若年性一側上肢筋萎縮症の上肢筋萎縮
右上肢の前弯・手に筋萎縮を認める．前腕は肘頭～手関節橈側に斜めの線を引いた尺側に筋萎縮が顕著にみられる（oblique amyotrophy）．手は母指球，小指球ともに萎縮している．

動して頸髄を圧迫して，硬膜後方には静脈うっ滞を認める（e図17-18-E，17-18-F）[7,8]．

myelographyでも前屈時の硬膜後壁の移動を描出できる（e図17-18-G）[9]．

治療
頸部前屈姿勢を避けることにより進行を停止させる[10]．頸部前屈位を避けるように指導し，過度の前屈を制限する頸椎カラーを処方する．〔安藤哲朗〕

■文献（e文献17-18-5）

平山惠造，田代邦雄：平山病－発見から半世紀の歩み 診断・治療・病態機序，pp1-133，文光堂，2013．

17-19 末梢神経疾患

1) 末梢神経の形態と機能

(1) 末梢神経系の構成と機能
中枢神経系と身体末梢部を連絡する投射伝導路は，機能的には，①興奮を中枢へと伝える一次性感覚ニューロン（primary sensory neuron），②興奮を末梢へ伝える二次性（下位）運動ニューロン（secondary (lower) motor neuron），③自律神経ニューロン（autonomic neuron）の3者によって構成される．このうち，中枢神経系内に存在する部分を除いた全体が末梢神経系である．運動神経線維は有髄線維であり，知覚神経線維

は有髄線維と無髄線維とから成り立っている．交感神経では節前線維は有髄線維であり，節後線維は無髄線維である．

　末梢神経系をマクロでみると，脳から出るⅢ～Ⅻの10対の脳神経（Ⅰ嗅神経とⅡ視神経は中枢神経系に属する），脊髄から出る31対の脊髄神経，および自律神経からなっていると表現できる．ヒトでは，脊髄神経は8対の頸神経，12対の胸神経，5対の腰神経，5対の仙骨神経，および1対の尾骨神経からなる．脊髄神経では前・後根と後根神経節，神経叢から運動終板や感覚受容器に至る神経路が，脳神経では神経節を含めた脳幹外の部分全体が，自律神経系では脊髄・脳幹より末梢に位置する節前線維・自律神経節・およびすべての節後線維といった広い範囲の構造物が"末梢神経"に含まれる．末梢神経系の軸索は，根および末梢神経幹ではSchwann細胞によって，神経節内ではSchwann細胞のアナログであるサテライト細胞によって周囲を囲まれるという共通した特徴をもつ．希突起膠細胞（oligodendrocyte）が軸索を囲む中枢神経系とは際だった相違点である．

(2) 末梢神経系の形態

　末梢神経幹は，神経上膜（epineurium）とよばれる厚い結合組織で包まれた複数の縦走する神経束（腓腹神経では通常5～15本である）からなる．神経上膜内の構造物としては神経束のほか神経束を栄養する中小血管（vasa nervorum）があり，血管炎によるニューロパチーの際にはこれが病変の主座となる．個々の神経束は，数層の同心円上に配列する扁平な細胞（perineurial cell）によって囲まれている．これを神経周膜（perineurium）という．神経周膜の内側には神経内鞘（または神経内膜，endoneurium）とよばれる横断面が円形ないし類円形の空間があり，有髄・無髄の神経線維はこのなかを通過する（図17-19-1, 17-19-2）．

　神経内鞘は中枢神経系と同じく特殊なバリアシステムによって全身循環系から隔絶されている．このバリアの主体をなすのはperineurial cellと神経内膜内の微小血管内皮細胞で，血液神経関門（blood-nerve barrier）とよばれる．中枢神経系のバリアである血液脳関門（blood-brain barrier）の維持には隣接する星状膠細胞（astrocyte）からの液性因子が重要といわれているが，末梢神経神経内鞘には星状膠細胞に相当する細胞は存在せず，血液神経関門では内皮細胞に隣接して存在する血管周細胞（pericyte）がその役割を担っていると考えられている．

　神経内鞘内の構成線維は各神経の機能によって異なる．たとえば頸膨大部の前根では大径有髄線維（α運動線維）が大部分を占め，同部位の後根では小径線維

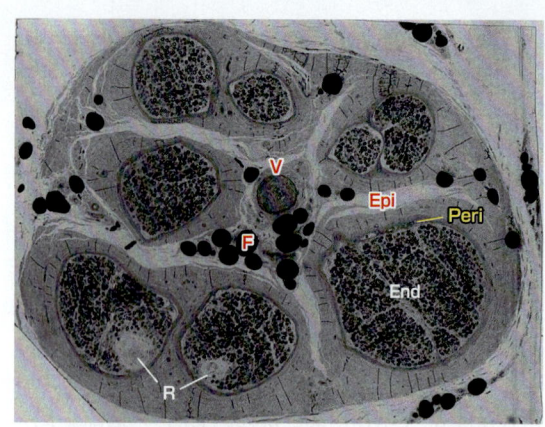

図17-19-1　末梢神経の基本構造
神経上膜（Epi）の結合織中には多数の血管（V）と脂肪組織（F）がみられる．神経周膜（Peri）によって囲まれた円形または類円形の空間が神経内鞘（End）で，神経周膜とその内側の神経内鞘を合わせた単位が神経束である．この標本上には計8個の神経束が観察される．神経束内の神経内鞘部分を有髄線維，無髄線維が縦走する（図17-19-2）．左下の2つの神経束内にはRenaut小体（R）とよばれる構造物が観察される．生検腓腹神経標本．エポン包埋トルイジンブルー染色．

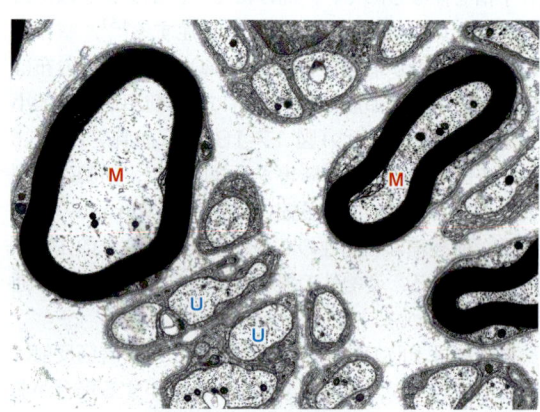

図17-19-2　末梢神経神経内鞘の超微形態
神経内鞘内には有髄線維（M）と無髄線維（U）が存在し，それぞれSchwann細胞の胞体で囲まれる．無髄線維は群をなして走行する傾向をもつ．1つのSchwann細胞は有髄線維は1つしかもてないが，無髄線維であれば2本以上囲むことができる．生検腓腹神経標本．

の割合が高くなる．胸髄レベルの脊髄前根では交感神経節前線維の機能をもつ小径有髄線維が多数認められる．

〔神田　隆〕

2) 末梢神経疾患の分類と診断の進め方

　末梢神経疾患（ニューロパチー）の分類には，障害される神経の種類によるもの（運動神経，感覚神経，自律神経のいずれが障害されているか），障害される成分によるもの（軸索の障害か脱髄か），障害分布による

表 17-19-1 病態機序による末梢神経疾患の分類

炎症性	自己免疫	Guillain-Barré 症候群, 慢性炎症性脱髄性多発根ニューロパチー, 多巣性運動性ニューロパチー, IgM パラプロテイン血症を伴うニューロパチー, Crow-Fukase 症候群（POEMS） など
	感染	帯状疱疹, HIV, Lyme 病, ジフテリア など
	血管炎	結節性多発動脈炎, 好酸球性多発血管炎性肉芽腫症, 多発血管炎性肉芽腫症, Sjögren 症候群, nonsystemic vasculitis など
	特発性	サルコイドーシス, Bell 麻痺, 神経痛性筋萎縮症 など
代謝性	内分泌	糖尿病, 甲状腺機能低下症 など
	ビタミン	ビタミン B_1 欠乏, ビタミン B_{12} 欠乏など
	アミロイド	アミロイドニューロパチー
腫瘍		悪性リンパ腫・白血病などの浸潤, 傍腫瘍性ニューロパチー
中毒性	薬物	エタンブトール, イソニアジド, ビンクリスチン, シスプラチンなど
	重金属	砒素, 鉛 など
	有機溶剤	n-ヘキサン, アクリルアミド など
	アルコール	アルコール性ニューロパチー
遺伝性		Charcot-Marie-Tooth 病, 遺伝性感覚性自律性ニューロパチー, Fabry 病, ポルフィリン症, アドレノミエロニューロパチー など
圧迫性		橈骨神経麻痺, 手根管症候群, 肘部管症候群 など

もの（単神経障害, 多発性単神経障害, 神経叢障害, 多発神経障害のいずれか）, 発症様式によるもの（急性, 亜急性, 慢性, 再発性）などがあるが, 表 17-19-1 には病態機序による分類を示す.

詳細な病歴を聴取し, 障害の分布パターンや神経学的診察（特に腱反射の消失）から末梢神経障害を疑ったら, 電気生理学的な末梢神経伝導検査を施行して末梢神経障害の有無を確認する. 必要があれば脳や脊髄の CT や MRI などにより中枢神経疾患の, また血中 CK 値や針筋電図などにより筋疾患の鑑別を行う. 脳脊髄液検査や, 各種の抗体検査を含む血液検査が, 病因の検索に有用の場合がある. さらに十分に適応を検討したうえで腓腹神経などの生検を行うこともある.

〔楠 進〕

3）免疫性多発ニューロパチー

(1) Guillain-Barré 症候群（GBS）
定義・概念・分類

急性に発症する自己免疫機序による末梢神経障害であり, 運動麻痺が主たる症状である. 約 6〜7 割の症例で, 神経症状発症の 1〜2 週間前に呼吸器系や消化器系の感染が先行する. 症状は急速に増悪するが, 4 週以内にピークとなりその後改善するという単相性の経過をとる.

従来, 末梢神経ミエリンを標的とする脱髄疾患と考えられてきたが, 近年では軸索をプライマリーに障害する軸索型も存在することがわかってきた[1]. 脱髄型の方が多く, 欧米では大部分を占めるが, わが国では軸索型の頻度が欧米に比べると多い[2]. さらに急性の眼球運動麻痺と運動失調を呈する Fisher 症候群など, いくつかの亜型の存在も知られている.

原因・病因

GBS の病因については, 自己抗体を中心とする液性免疫と細胞性免疫の両面から多くの検討が行われてきた. そのなかで, 神経系の細胞膜表面に存在するガングリオシドなどの糖脂質の糖鎖を認識する抗体が 60％程度の症例で急性期血清中に認められることが明らかとなり[3], 本疾患に特徴的な因子として注目されている. 抗体価は発症直後の検体で最も高く, 経過とともに低下・消失していく. 糖脂質抗体には, 軸索型にみられる GM1, GD1a, GalNAc-GD1a などに対する抗体[4], 亜型である Fisher 症候群にみられる GQ1b 抗体[5], 運動失調に関連してみられる GD1b 抗体[6] など, 特定の臨床病型との関連の強いものがある. 近年単独のガングリオシドではなく, 2 種類のガングリオシドが形成する抗原（ガングリオシド複合体）を認識する抗体も報告されている（Kaida ら, 2010）.

糖脂質抗体の産生機序には, 先行感染が関連する. 感染の病原体は同定できないことが多いが, 同定されるものとしては消化器感染を引き起こす *Campylobacter jejuni* が多く, 続いてサイトメガロウイルス, *Mycoplasma pneumoniae* などが知られる[4]. GBS の

先行感染因子となった C. jejuni の菌体表面にはガングリオシドに類似した糖鎖構造の存在が示されている[7]．またミエリンの抗原であるガラクトセレブロシドに対する抗体はマイコプラズマ肺炎後の GBS にみられるが，M. pneumoniae 菌体にガラクトセレブロシド様糖鎖の存在が明らかになっている[8]．したがって先行感染因子のもつ糖鎖に対して産生された抗体が，神経細胞の糖脂質の糖鎖に反応するというのが GBS での抗糖脂質抗体産生の主要な機序の1つと考えられる．

一方，細胞性免疫も GBS の病態に重要な役割を果たすと考えられるが，疾患特異性と高い陽性率をもった特定の抗原に対する細胞性免疫反応として確立されたものはまだない．

疫学

GBS の 10 万人あたりの年間発症率は 1〜2 人と報告されている[4,9]．どの年齢層にもみられ，男性が女性よりもやや多い．亜型の Fisher 症候群は，欧米の文献では GBS の約 5% を占めるとされるが，わが国での発症率はそれより高い[2]．

病理

脱髄型では末梢神経へのリンパ球やマクロファージの浸潤と，節性脱髄がみられ，重症例では二次的な軸索変性もみられる．軸索型では脱髄がみられず，軸索周囲腔でのマクロファージの存在が示されている．

病態生理

近年，GBS の病態における抗糖脂質抗体の役割が解明されてきた．軸索障害型では，GM1，GD1a，GalNAc-GD1a などのガングリオシドに対する抗体が上昇することが多いが，末梢神経の軸索膜に存在するこれらのガングリオシドへの抗体の結合と，続いて起こる補体経路（おもに古典的経路）の活性化が神経障害をきたすとされている[10]．脱髄型でも，ミエリンに局在するガラクトセレブロシド[11]や LM1 などに対する抗体が報告されており，抗体のミエリンへの結合が同様に脱髄を引き起こす可能性が示唆される．一方，細胞性免疫の関与も考えられるが，解析は十分なされていない．

Fisher 症候群では，GQ1b ガングリオシドに対する IgG 抗体が，85% 以上の陽性率で認められる[12]．GQ1b モノクローナル抗体によるヒト組織の免疫染色により，眼球運動を支配する脳神経である，動眼神経・滑車神経・外転神経の髄外部分（末梢部分）の Ranvier 絞輪周囲のミエリンに GQ1b の高濃度の局在が示された[13]．傍絞輪部は神経伝導にきわめて重要な部分であることから，GQ1b 抗体の同部位への結合が眼球運動麻痺を引き起こすと考えられる．また GQ1b モノクローナル抗体による，後根神経節大型細胞や筋紡錘内神経終末の免疫染色も報告されており，これらの部位への抗体の結合による感覚入力の障害によって運動失調が引き起こされる可能性が考えられる．

一方，マウスの横隔膜を用いた実験では，GQ1b 抗体による末梢神経終末からの伝達物質の放出阻害が示された[14]．GQ1b 抗体陽性の GBS で人工呼吸器装着の頻度が高いこと[15]，GQ1b 抗体がマウスで呼吸筋麻痺を引き起こすこと[16]なども考え合わせると，この作用は眼球運動麻痺のみでなく，GBS における呼吸筋麻痺にも関与することが考えられる．

臨床症状・診察所見

GBS は急性に増悪する四肢の筋力低下を主症状とする．顔面神経麻痺，眼球運動麻痺，嚥下・構音障害などの脳神経障害を伴うこともある．感覚も障害され，特に異常感覚（しびれ感）はしばしばみられる．また急性期には脈拍や血圧の異常などの自律神経症状がみられることがあり，十分な注意が必要である．さらに症状のピーク時には，呼吸筋麻痺をきたすことがあり，人工呼吸器を必要とする例がある．腱反射は低下ないし消失する．亜型である Fisher 症候群は，急性の眼球運動麻痺，運動失調，腱反射消失を3徴とする．

検査所見

電気生理学的な末梢神経伝導検査で，複合筋活動電位の低下，伝導ブロック，運動神経伝導速度の低下，遠位潜時の延長，F 波の出現頻度の低下，などがみられる．脳脊髄液検査では，蛋白が上昇するが細胞数は正常という「蛋白細胞解離」がみられるが，多くは発症後1週間程度経過してからみられ発症早期にはみられないことがあるので注意が必要である．前述の抗糖脂質抗体は，約 60% の症例で急性期血清にみられ[3]，発症早期が最も抗体価が高く，経過とともに低下・消失する．Fisher 症候群では，前述のように 85% 以上の症例で抗 GQ1b 抗体が陽性となる[12]．

診断

特徴的な臨床症状と臨床経過，電気生理学的検査，抗糖脂質抗体，脳脊髄液検査などの結果に基づいて診断する．Asbury and Cornblath の診断基準（e表 17-19-A）が一般に用いられている（Asbury ら，1990）．

鑑別診断

急性に四肢の運動麻痺をきたす疾患を鑑別する．ビタミン欠乏性ニューロパチー，中毒性ニューロパチー，ポルフィリア，周期性四肢麻痺，頸椎症，脳や脊髄の血管障害，脳脊髄炎，重症筋無力症，筋炎などが鑑別の対象となる．また，慢性炎症性脱髄性多発ニューロパチーの急性増悪も鑑別疾患として考慮する必要がある．

経過・予後

GBSは単相性の経過で軽快することが多い．しかし後遺症が残る場合もあり，欧米の報告では，約15％は自力歩行ができず，死亡例も約5％あるとされている[17]．一方2000（平成12）年度のわが国の厚生労働省免疫性神経疾患調査研究班の調査では，症状が固定した時点での独歩不能は約10％，死亡例は1％未満であった[9]．この欧米とわが国の違いについては，今後さらに検討が必要である．Fisher症候群は大部分が良好な経過をとる．

治療・リハビリテーション

GBSの急性期には病態である自己免疫のコントロールのために，軽症例を除き血液浄化療法や免疫グロブリン大量療法（IVIg）を行う．どちらも大規模スタディにより有効性が証明されており，両者は同じ程度に有効とされている[17]．なおステロイドは経口投与・パルス療法とも，単独での有効性は認められていない．Fisher症候群については大規模なスタディはまだ行われていない．経過観察のみで改善する場合も多いが，血液浄化療法やIVIgを行うこともある．

症状のピーク時には呼吸筋麻痺や高度の自律神経障害をきたすなど全身状態が重篤となる場合もあることから，急性期の全身管理がきわめて重要である．また長期臥床による褥瘡や関節拘縮の予防，および回復期の運動機能の改善にはリハビリテーションが必要となる．

（2）慢性炎症性脱髄性多発根ニューロパチー
（chronic inflammatory demyelinating polyradiculoneuropathy：CIDP）

定義・概念・分類

四肢に対称性の運動・感覚障害をきたす，脱髄性の末梢神経障害であり，2ヵ月以上にわたって進行する．

原因・病因

末梢神経のミエリンを標的とする自己免疫である．細胞性免疫，液性免疫のどちらも病態に関与すると考えられるが，明らかな発症因子はわかっていない．GBSと異なり糖脂質抗体の陽性率は低い．

疫学

有病率は10万人あたり約1～2人程度であり[18]，男性が女性よりやや多い．

病理・病態生理

神経根および末梢神経に，炎症性脱髄性病変がみられる．病態生理の詳細は不明の点が多いが，自己抗体，リンパ球，サイトカイン，マクロファージ，補体などの関与が示唆されている．病態は一様ではなく多様な病態が含まれる．

臨床症状・診察所見

四肢の筋力低下と感覚障害（感覚鈍麻，異常感覚など）がみられる．障害は通常対称性である．腱反射は低下・消失する．脳神経麻痺，呼吸筋麻痺，自律神経障害は比較的まれである．

検査所見

末梢神経伝導検査で，伝導ブロック，運動神経伝導速度の低下，遠位潜時の延長，F波の異常など脱髄を示唆する所見がみられる．脳脊髄液検査では「蛋白細胞解離」が，またMRIでは馬尾神経，頸髄の神経根，腕神経叢などの神経肥厚やガドリニウム造影効果がみられる．腓腹神経生検で，脱髄，再髄鞘化，オニオンバルブ，神経周膜下浮腫などを認める．

診断

臨床症状，診察所見と末梢神経伝導検査の結果が重要であり，さらに脳脊髄液検査・MRI所見，腓腹神経生検なども合わせて診断する．免疫療法による改善の経過もCIDPの診断を支持する（e表17-9-B）．近年最もよく使われるのはEFNS/PNSの診断基準である（Joint Task Force of the EFNS and the PNS, 2010）．

鑑別診断

よい診断マーカーがない疾患であり，表17-19-1に記載のほかのニューロパチーの鑑別が重要である．頸椎症，運動ニューロン疾患，筋疾患なども鑑別の対象となる．

経過・予後

再発・寛解型，慢性進行型が多い．症例ごとに臨床経過は多様である．

治療・リハビリテーション

IVIg，ステロイド，血液浄化療法の3通りの治療が，有効性の確立した第一選択の治療である．しかしそれぞれに無効例が存在する．これらがいずれも無効

表 17-19-2 GBSとCIDPの対比

	GBS	CIDP
症状がピークになるまでの期間	4週以内	2カ月以上
プライマリーな病態	脱髄あるいは軸索障害	脱髄
抗糖脂質抗体	高頻度に陽性	陽性率は低い
脳神経麻痺，呼吸筋麻痺，自律神経障害	CIDPより多い	GBSより少ない
経過	単相性	再発・寛解型あるいは慢性進行型が多い
治療	IVIg 血液浄化療法	IVIg ステロイド 血液浄化療法

な場合は，免疫抑制薬の使用を考慮する．リハビリテーションは運動機能の維持・改善のために，また褥瘡や関節拘縮の予防のためにも重要である．

GBSとCIDPの対比を表17-19-2に示す．

(3) 多巣性運動性ニューロパチー (multifocal motor neuropathy：MMN)

CIDPの亜型として，MMNがある．MMNは上肢の遠位部優位に非対称性に筋萎縮を伴った筋力低下をきたすのが特徴であり，運動ニューロン疾患との鑑別が問題となる．末梢神経伝導検査で多巣性の伝導ブロックがみられ，しばしば抗GM1抗体が陽性となるのが特徴である[19]．CIDPと異なりステロイドは無効でIVIgが第一選択となる． 〔楠 進〕

■文献 ⓔ文献17-19-3

Asbury AK, Cornblath DR: Assessment of current diagnostic criteria for Guillain-Barré syndrome. Ann Neurol. 1990; 27: S21-4.

Joint Task Force of the EFNS and the PNS: European Federation of Neurological Societies/Peripheral Nerve Society Guideline on management of chronic inflammatory demyelinating polyradiculoneuropathy: Report of a joint task force of the European Federation of neurological Societies and the Peripheral Nerve Society - First Revision. J Peripher Nerv Syst. 2010; 15: 1-9.

Kaida K, Kusunoki S: Antibodies to gangliosides and ganglioside complexes in Guillain-Barré syndrome and Fisher syndrome: Mini-review. J Neuroimmunol. 2010; 223: 5-12.

4) 遺伝性多発ニューロパチー
hereditary polyneuropathy

遺伝性ニューロパチーは，遺伝子異常により末梢神経障害を呈する疾患の総称で，運動神経系，感覚神経系，自律神経系の障害を引き起こす．それらの組み合わせに応じて命名され，臨床的および遺伝的にきわめて多様である（表17-19-3）．

運動神経および感覚神経が障害されるものは，遺伝性運動感覚性ニューロパチー (HMSN) とよばれ，その多くが下肢の萎縮や変形を主症状とするCharcot-Marie-Tooth病 (CMT病) の病型をとる．

感覚神経を中心に障害されるものは，遺伝性感覚性ニューロパチー (HSN)，さらに自律神経障害を合併するものは遺伝性感覚自律神経性ニューロパチー (HSAN) と名づけられる．

その他に運動神経のみが障害されるものは遺伝性運動性ニューロパチー (hereditary motor neuropathy：HMN) とよばれる．

わが国に多いアミロイドの蓄積がみられる家族性ア

表17-19-3 遺伝性ニューロパチーの分類

遺伝性運動感覚性ニューロパチー
　(hereditary motor and sensory neuropathy：HMSN)
Charcot-Marie-Tooth病 (CMT)
Dejerine-Sottas症候群 (DSS)
先天性髄鞘形成不全
　(congenital hypomyelinating neuropathy：CHN)

遺伝性感覚自律神経性ニューロパチー
　(hereditary sensory autonomic neuropathy：HSAN)
遺伝性感覚性ニューロパチー
　(hereditary sensory neuropathy：HSN)
遺伝性運動性ニューロパチー
　(hereditary motor neuropathy：HMN)
感覚障害を伴う近位筋優位型神経原性筋萎縮症
　(hereditary motor and sensory neuropathy with proximal dominant involvement：HMSN-P)

家族性アミロイドポリニューロパチー
　(familial amyloid polyneuropathy：FAP)
遺伝性神経痛性筋萎縮症
　(hereditary neuralgic amyotrophy：HNA)
脊髄性筋萎縮症
　(spinal muscular atrophy：SMA)
Werdnig-Hoffmann病
Kugelberg-Welander病
球脊髄性筋萎縮症
　(spinal and bulbar muscular atrophy：SBMA)
　(Kennedy-Alter-Sung病)

ミロイドニューロパチー (FAP) は自律神経や感覚神経が障害される．特殊なタイプとして圧刺激により誘発される圧脆弱性ニューロパチー (hereditary neuropathy with liability to pressure palsies：HNPP) や家族性に上肢の疼痛および筋萎縮を呈する遺伝性神経疼痛性萎縮症 (hereditary neuralgic amyotrophy：HNA) などがある．

HMNや脊髄性筋萎縮症 (spinal muscular atrophy：SMA)，球脊髄性筋萎縮症 (spinal and bulbar muscular atrophy：SBMA) は運動ニューロン病と遺伝性ニューロパチーの両方の側面をもつ．

劣性遺伝性の軸索型ニューロパチーを呈するものには，小脳障害や白質病変など中枢神経症状を合併するものが多い．

(1) 遺伝性運動感覚性ニューロパチー (hereditary motor and sensory neuropathy：HMSN；Charcot-Marie-Tooth病)

定義
HMSNは，遺伝性の運動および感覚性のニューロパチーの総称であるが，その多くがCMTであり，遺

表 17-19-4 遺伝性ニューロパチーの原因遺伝子と病型

遺伝子	疾患分類	遺伝形式	臨床病型
AARS	CMT	AD	CMT2N
DHTKD1	CMT	AD	CMT2Q
DYNC1H1	CMT	AD	CMT2O
	SMA	AD	SMA-LED
DNM2	CMT	AD	CMT2M, CMT-DIB
EGR2	CMT	AD	CMT1D
FGD4	CMT	AR	CMT4H
FIG4	CMT	AR	CMT4J
	CMT	AR	ALS11
GARS	CMT	AD	CMT2D
	HMN	AD	HMN5
GDAP1	CMT	AD	CMT2K
	CMT	AR	CMT-RIA
	CMT	AR	CMT4A
GJB1	CMT	XR	CMTX1
GNB4	CMT	AD	CMT-DIF
HARS	CMT	AD	CMT2 (sensory predominant)
HK1	CMT	AR	CMT4G (russe type)
HSPB1	CMT	AD, AR	CMT2F
	HMN	AD, AR	HMN2B
HSPB8	CMT	AD	CMT2L
	HMN	AD	HMN2A
INF2	CMT	AD	CMT-DIE
KARS	CMT	AD, AR	CMT-RIB
KIF1B	CMT	AD	CMT2A1
LITAF	CMT	AD	CMT1C
LMNA	CMT	AR	CMT2B1
LRSAM1	CMT	AD, AR	CMT2P
MARS	CMT	AD	CMT2 (sensory predominant)
MED25	CMT	AR	CMT2B2
MFN2	CMT	AD	CMT2A2
	CMT	AD	HMSN6 (optic atrophy)
	HMSN-V	AD	HMSN5 (pyramidal features)
	CMT	AR	AR-CMT2
MPZ	CMT	AD	CMT-DID
	CMT	AD	CMT1B
	CMT	AD	CMT2I
	CMT	AD	CMT2J
	HMN	AD	HMN
	CHN	AD	CHN
MTMR2	CMT	AR	CMT4B1
NDRG1	CMT	AR	CMT4D
NEFL	CMT	AD, AR	CMT1F
	CMT	AD, AR	CMT2E
PDK3	CMT	XD	CMTX6
PMP22	CMT	AD	CMT1A
	CMT	AD	CMT1E
	HMN	AD	HMN
	CMT	AD	HNPP
PRPS1	CMT	XR	CMTX5
PRX	CMT	AR	CMT4F
	HMN	AR	HMN, AR
RAB7A	CMT	AD	CMT2B
SBF1	CMT	AR	CMT4B3
SBF2	CMT	AR	CMT4B2
SH3TC2	CMT	AR	CMT4C
TRIM2	CMT	AR	AR-CMT2
TFG	HMSN-P	AD	HMSN-P
YARS	CMT	AD	CMT-DIC
HOXD10	CMT	AD	CMT, with congenital vertical talus
KIF1A	HSN	AR	HSN2C
	CMT	AR	CMT, with acrodystrophy
	HSP	AR	spastic paraplegia 30
TRPV4	CMT	AD	CMT2C
	SMA	AD	scapuloperoneal SMA
	SMA	AD	SMA, distal, congenital

伝子学的に原因が発見され，分類が進んでいくにつれて CMT が基本的な疾患名として用いられるようになった．

CMT は元来，逆シャンペンボトル様下垂足や凹足などを呈する遺伝性ニューロパチーを指していたが，臨床病型にかかわらず，運動感覚障害を伴う遺伝性ニューロパチーを指す HMSN と同様の意味に使われる．

分類

CMT は，髄鞘の障害が主体（脱髄型）のものと軸索の障害が主体（軸索型）のものに分けられる．さらに遺伝形式（常染色体性優性，常染色体性劣性，X 染色体性），遺伝子座および原因遺伝子により分類される．大きな分類では，髄鞘の障害が主体で常染色体性優性遺伝形式のものは CMT1，髄鞘障害性で劣性遺伝形式のものは CMT4，軸索の障害によるもので優性遺伝性のものは CMT2，劣性遺伝性のものは AR-CMT2 とよばれる．すなわち，CMT の名称は，

CMT1A というように，CMT の後に数字とアルファベットを並べて記載される．また，X 染色体性遺伝形式のものは CMTX とよばれる．さらに遺伝子座や遺伝子異常の違いを，アルファベットで表記する．現在，判明している遺伝子と臨床病型を表 17-19-4 に示した．

脱髄型 CMT の臨床分類

脱髄型 CMT においては，臨床的に発症年齢や重症度でも分類され，先天性で生後から重症呼吸障害を呈する最重症型が先天性髄鞘形成不全，生後から幼少時期（通常 2 歳以下）に発症する重症型は Dejerine-Sottas 病とよばれる．また，圧迫などにより繰り返し起こる一過性の脱髄型のニューロパチーは，圧脆弱性ニューロパチーと名づけられる．本例の予後はよいが，軽微な圧迫でも単神経麻痺が起こる．

臨床症状

最も多い CMT である CMT1A においては，わが国の報告では，平均発症年齢 20.3 歳で 35％は 10 歳以下の発症であるが，60 歳以上での発症も数％みられる．遺伝性ニューロパチーのなかで最も代表的な疾患であり，運動，感覚性のポリニューロパチーによる，四肢遠位部の筋力低下と筋萎縮，感覚障害が認められる．筋萎縮による足の変形（凹足）や逆シャンペンボトルとよばれる下肢遠位筋萎縮で特徴づけられる．病初期は，足指の骨間筋や虫様筋などの最遠位部の筋が障害され，前脛骨筋が障害されれば下垂足になる．感覚低下は，自覚的にはわかりにくいが，振動覚や触覚，温痛覚の低下がみられる．異常感覚による疼痛，足の冷えもよくみられる．下肢の障害によりしゃがみ立ちや階段昇降に支障が出る．

CMT は多様で，小児期から発症し，上下肢の遠位部の運動感覚障害を呈するもの，成人発症して下肢のみの症状にとどまる例，発症は遅いが筋萎縮が進行する例，CK 上昇，筋痙攣を伴う例などがある．軽症または未発症の未受診者の存在もあり，同じ遺伝子異常でありながら，重症度の差は大きい．

病態生理

CMT では，少なくとも 50 の原因遺伝子が報告され，増加し続けている（表 17-19-4）．脱髄型の原因分子の多くは髄鞘のおもな構成蛋白や Schwann 細胞で重要な蛋白が多い．ミエリン主構成蛋白の 20％を占める PMP22 の質的な異常も末梢神経障害を引き起こす．また，CMT の原因となる MPZ（P0）は，髄鞘の 50％を占め，髄鞘の接着に関与する．GJB1（Cx32）は髄鞘と軸索間の結合をとりもち，栄養物質の交換にも関与している．このほかにも Schwann 細胞で働くさまざまな遺伝子の異常が脱髄型 CMT を引き起こす．

軸索型 CMT（CMT2）についても，多くの病型と遺伝子異常がある．CMT2 の原因としては，体のエネルギーを生み出すミトコンドリアに関連したもの，軸索の構造を支える神経線維（ニューロフィラメント），軸索内の物質輸送にかかわるもの，DNA，RNA 関連，アミノアシル tRNA 合成酵素および核膜蛋白など神経細胞を支える蛋白合成とかかわるもの，末梢神経の発生分化に関連するもの，イオンチャネルなどがある．

遺伝性ニューロパチーの原因別の頻度については，最も頻度の高い CMT は，CMT1A とよばれる型で常染色体優性遺伝形式（AD）であり，欧米から CMT 全体の約 50％，脱髄型の約 30～70％を占めると報告されている．CMT1A はミエリン構成蛋白である PMP22（peripheral myelin protein 22）を含む染色体 17p11.2 領域の 1.4 Mb のゲノム（染色体の一部分）の重複により起こる．脱髄型で 2 番目に頻度の高いものは GJB1/Cx32 の異常で，X 染色体性遺伝形式のため CMTX とよばれる．軸索型（CMT2）では，MFN2 が多い．

検査所見・鑑別診断

末梢神経障害において脱髄か軸索障害かは診察所見では容易には決められない．神経生検所見と電気生理検査に差異がある場合が多々あるが，CMT においては上肢の正中神経の運動神経伝導速度（MCV）38 m/秒を境として臨床分類が決定される．それゆえ，CMT の臨床分類には，電気生理学的検査（神経伝導検査）が必須となる．この時点で，遺伝形式の情報を加えると，CMT1，2，4 の型は決定される．さらに遺伝子診断を行うことにより詳細な病型が決定される．髄液では，蛋白上昇がみられる例が多い．

末梢神経生検標本では，CMT1，4，Dejerine-Sottas ニューロパチーなどの脱髄型では異常な形態の髄鞘がみられ，有髄線維を Schwann 細胞が玉ねぎ状に取り囲む onion bulb 形成がみられる．軸索型ではおもに大径有髄線維密度の低下をみる．

神経伝導検査の結果から脱髄型と考えられる場合，これまでの報告では 30～70％が CMT1A であり，PMP22 の重複をスクリーニングする．この PMP22 の重複を調べるために，わが国では，FISH（fluorescence in situ hybridization）法を用いた検査が提供されている．これは，直接蛍光顕微鏡で細胞核に PMP22 遺伝子がいくつあるかをみる方法で，通常 2 コピーの遺伝子が，CMT1A 場合には 3 コピーみられる．また，HNPP は同じ領域の PMP22 遺伝子の欠損により引き起こされ，1 コピーとなる．それ以外の遺伝子に対する検査は，現在は，次世代シークエンサーを用いた配列解析が研究機関において集中的に行われている．

診断は，臨床症状，神経学的所見によりニューロパ

チーを疑い，家族歴や発症年齢からCMTを疑う．神経伝導検査の所見により，軸索型か脱髄型または中間型を決定する．鑑別が難しいのは慢性炎症性脱髄性多発ニューロパチー（CIDP）であり，CMTと症状的に類似している部分も多い．一般的にCIDPは電気生理学的に診断する疾患であり，通常は鑑別が可能である．しかし，CIDPもCMTも多様であり，鑑別困難な場合には，神経生検が診断に役立つ．CMTは免疫性ニューロパチーの合併が起こりやすく，急な悪化時には，免疫グロブリン大量療法を中心とした免疫治療を考慮する．

先天性髄鞘形成不全はfloppy infant（筋緊張低下児）を呈し，全身の筋力低下を呈し，脊髄性筋萎縮症（spinal muscular atrophy type1；Werdnig-Hoffmann病）と鑑別が必要になる．

治療・リハビリテーション

根治的療法はないため，対症的に行われる．下垂足になりやすく，転倒の原因になるため，足関節のサポーターや足首まで覆う靴を用いる．より重症では，短下肢装具を装着する．足の変形には，足底板の利用，調節，および手術療法で足の形を整える場合がある．リハビリテーションは，アキレス腱短縮の予防やその他変形の予防，筋力の維持，歩容の改善を行う．

将来の治療については ⓔコラム1 を参照．

(2) 遺伝性感覚自律神経ニューロパチー（hereditary sensory and autonomic neuropathy：HSAN），遺伝性感覚性ニューロパチー（hereditary sensory neuropathy：HSN）

概念

小径有髄神経や無髄神経線維の障害により感覚神経がおもに障害され，温痛覚障害による外傷や熱傷を繰り返し，無痛性潰瘍や手指，足趾の変形を伴う遺伝性のニューロパチーは，遺伝性感覚性ニューロパチー（HSN），または遺伝性感覚自律神経ニューロパチー（HSAN）とよばれる．遺伝性や臨床像からⅠ～Ⅴ型に分類されたが，遺伝子異常が明らかになるにつれ，遺伝形式，原因遺伝子（または遺伝子座），発症年齢，臨床症状の特徴により細かく分類されるようになった．現在はⅦ型まで分類されている．実際には，小径有髄神経や無髄神経線維の障害に加え，中大径有髄神経の脱落を呈する場合も多く，選択的に障害されていないことも多いが，痛覚の障害による下肢の外傷に起因する感染により，骨髄炎を起こし，指，足指の切断に至る病状が特徴的である（ⓔ図17-19-A）．基本的には運動障害を伴わないことがCMTとの違いである．

病因

原因遺伝子/蛋白が10以上報告され，ニューロンにおいてそれらは，DNA複製，DNAメチル化，転写，クロマチンなどDNA関連，シナプス顆粒のリサイクル，ミトコンドリア関連，軸索輸送，細胞骨格関連蛋白，Golgi蛋白，RNA転写，クロマチンヒストン関連，スフィンゴリピッド生成関連酵素，感覚神経発達のシグナル因子，ナトリウムチャネル，神経成長因子などと関連した役割をもつ．

1）HSN Ⅰ，HSAN Ⅰ：　常染色体優性遺伝形式のHSANはⅠ型に分類される（表17-19-5）．少なくとも5つの原因が明らかにされた．一概に症状を論じることはできないが，HSAN IAは，10～35歳に灼熱痛様の下肢疼痛で発症．その後，温痛覚障害が上行し，足底の無痛性潰瘍が特徴的で骨の融解やCharcot関節を生じるものが多い．神経伝導検査では，感覚神経活動電位の低下，消失がみられる．多様な症状がみられるHSAN IEでは，HSANの症状に加え，知能低下，難聴，小脳失調，ナルコレプシーの症状を呈する．ほかのHSANと同様に下肢の骨髄炎や足指の切除に至ることが多い．

2）HSN Ⅱ，HSAN Ⅱ：　常染色体性劣性遺伝形式のもので，現在はHSAN ⅡA～ⅡDまでの4型があり，今後も増加すると思われる．病型はさまざまで，これまでに4つの遺伝子が同定されている．幼少期発症のものが多く，感覚障害による四肢末端の壊疽，潰瘍がみられる．表在覚，深部覚も低下する．自律神経障害はあるものとないものがある．このなかで，HSAN ⅡD型はわが国ではじめて報告され，HSANに伴う無痛無汗症に加えて，嗅覚，味覚の異常，関節変形，手指骨の長さの異常などを認める．SCN9A（電位依存性ナトリウムチャネル Nv1.7）のloss of functionにより，神経伝導の障害が起こることにより引き起こされる．

3）HSN Ⅲ，HSAN Ⅲ，Riley-Day症候群：　ユダヤ人に多い病気である．生下時より，低体温，嘔吐発作を呈し，肺炎を合併しやすい．温痛覚欠失または低下，発汗過多をみる．舌の茸状乳頭の欠如が特徴的である．精神発達遅滞をみる．

4）HSN Ⅳ，HSAN Ⅳ（先天性無痛無汗症）（congenital insensitivity to pain with anhidrosis：CIPA）：　CIPAとよばれ，乳幼児発症で，温痛覚の欠如のためやけどや外傷が多発する．無汗が特徴的で体温上昇をきたしやすい．精神発達遅滞を伴う．原因は，わが国の犬塚らにより，チロシンキナーゼ型神経成長因子受容体遺伝子 TRKA（NTRK1）が報告された．皮膚生検表皮におけるエクリン汗腺神経支配と小神経線維の欠損がみられる．腓腹神経生検大径神経線維の数は正常であるが，有髄小径線維と無髄小径線維の数は減少している．

5）HSN Ⅴ，HSAN Ⅴ：　幼少時の発症で，痛覚のみが選択的に障害される．ほかの感覚障害はなく，小径

表 17-19-5 遺伝性感覚・自律神経性ニューロパチーの特徴と原因遺伝子

型	原因遺伝子	遺伝形式	発症年齢	臨床的特徴
HSAN IA HSAN IC	SPTLC1 SPTLC2	常染色体性優性	10歳〜成人	温痛覚著明に低下，まれに疼痛，ときに自律神経障害，遠位筋力低下
HSAN ID	ATL1	常染色体性優性	青年期	温痛覚，振動覚の著明な低下，温痛覚振動覚低下，皮膚潰瘍誘発性切断，痙性対麻痺
HSAN IE	DNMT1	常染色体性優性	小児〜成人	著明な感覚障害，無痛性潰瘍，感覚性難聴，若年性認知症，骨融解
HSN IF	ALT3	常染色体性優性	青年期〜成人	温痛覚，触覚の著明な低下，温痛覚振動覚低下，皮膚潰瘍誘発性切断
HSAN ⅡA	WNK1	常染色体性劣性	先天性〜幼少期	四肢末梢の触覚，温痛覚低下，手足の切断，ごく軽度の自律神経障害
HSAN ⅡB	FAM134B	常染色体性劣性	幼少期	著明な温痛覚障害，皮膚潰瘍誘発性切断，自律神経障害
HSAN ⅡC	KIF1A	常染色体性劣性	幼少期	著明な温痛覚，振動覚，位置覚障害，皮膚潰瘍誘発性切断，遠位筋力低下，発達障害，低身長
HSAN ⅡD	SCN9A	常染色体性劣性	先天性〜成人	著明な温痛覚障害，皮膚潰瘍誘発性切断，自律神経障害，嗅覚障害，発汗障害
HSAN Ⅲ	IKBKAP	常染色体性劣性	先天性	Riley-Day症候群，自律神経障害，嘔吐発作，肺炎，側弯，温痛覚欠失
HSAN Ⅳ	NTRK1	常染色体性劣性	先天性〜幼少期	無痛無汗症，非感染性発熱，軽度知能低下，関節変形
HSAN Ⅴ	NGF	常染色体性劣性	先天性〜成人	温痛覚低下，軽度自律神経障害，無痛性骨折，関節変形，知能低下
HSAN Ⅵ	DST	常染色体性劣性	先天性	自律神経障害，筋緊張低下，痛覚低下，関節拘縮，知能低下，呼吸不全，早期死亡
HSAN Ⅶ	SCN11A	常染色体性優性	幼少期	著明な温痛覚障害，皮膚潰瘍誘発性切断，自律神経障害，多発骨折，自傷

有髄線維のみ選択的に脱落している．自律神経障害は軽度．NGF-β が原因として報告されている．

6）HSAN Ⅵ型：先天性の致死性自律神経感覚ニューロパチーが，新しい病型としてⅥ型とされ，原因遺伝子として DST（dystonin）が同定された．高度の精神発達遅滞があり，予後不良の疾患である．

検査

診断基準はなく，遺伝形式，発症年齢，臨床症状，特殊感覚検査，自律神経検査，電気生理検査，神経病理検査，遺伝子診断により診断される．最終的には，原因遺伝子を同定することで病型が決定する．

治療・予後

根本的な治療法は確立していない．重症例や精神発達遅滞を呈する例は，生命の危険がある．痛覚完全欠如の場合には，四肢のみならず，内臓での膿瘍などの感染症の発見が遅れて重篤な状態に陥ることもあり，注意を要する．軽症例では平素よりの手指の清潔を保ち，視覚による外傷の確認が重要である．〔髙嶋 博〕

■文献（e文献 17-19-4）

橋口昭大，髙嶋 博：シャルコー・マリー・トゥース病200例のマイクロアレイDNAチップによる遺伝子診断．末梢神経．2011; 22: 64-71.

髙嶋 博：遺伝疾患としての側面．シャルコー・マリー・トゥース病診療マニュアル（CMT診療マニュアル編集委員会編），金芳堂，2010.

Thomas PK, Dyck PJ eds: Peripheral Neuropath, 4th ed, WB Saunders, 2005.

5）代謝性多発ニューロパチー
metabolic polyneuropathy

(1) 家族性アミロイド多発ニューロパチー（familial amyloidotic polyneuropathy：FAP）

概念

FAPは，全身性のアミロイドーシスに分類され，トランスサイレチン（TTR），ゲルソリン，アポリポ蛋白A-Ⅰ，β_2-ミクログロブリンなどの蛋白が，遺伝子異常により変異し，線維状構造のアミロイドが末梢神経系，腎，心など全身の臓器に蓄積し，臓器障害を起こす疾患である．わが国では，熊本県，長野県を中心にTTR遺伝子変異によるFAPが多く認められている．

分類

FAPは，常染色体性優性遺伝形式をとり，トランスサイレチン関連アミロイドーシス（Ⅰ，Ⅱ型），アポリポ蛋白A-Ⅰ関連アミロイドーシス（Ⅲ型），ゲルソリン関連アミロイドーシス（Ⅳ型）など臨床的に4型

に分類されてきたが，事実上トランスサイレチン型が圧倒的に多く，遺伝子変異も年々増えて130以上が報告された．ここでは，トランスサイレチン関連アミロイドーシスについて記載する．

1）トランスサイレチン関連アミロイドーシス：
TTRの30番目のバリンがメチオニンに変異した，Val30Met（I型）は，わが国にみられる大部分を占め，1960年後半に熊本県で大家系が発見され，ついで長野県で別の家系が報告された．集積地では成人期に発症し，その他の地域では高齢発症が多い．20～30歳代で自律神経症状（下痢，便秘，陰萎）や末梢神経障害による下肢の疼痛性しびれ感により発症する．その後，進行とともに心症状（心伝導障害，不整脈），腎障害，嗄声，眼症状（硝子体混濁）が出現し，末梢神経障害（感覚障害の上行と運動障害），自律神経障害（起立性低血圧，発汗障害，排尿障害，皮膚潰瘍）の悪化をみる．未治療では，発症後約10年の経過で，心不全，腎不全，るいそうなどにより死亡する．Ile84Ser（II型）は，20～50歳代に手根管症候群で発症し，進行すると四肢の末梢神経障害，硝子体混濁が起こり，心筋障害で死亡する．ほかの遺伝子変異では，遺伝子異常の種類および同じ遺伝子異常でも症状には個人差があり，I型やII型類似の臨床像のもの，筋萎縮性側索硬化症類似の症候を示すものなど，実際には，より幅の広い全身性の症候を呈する．

検査所見・診断
生検検査（腹壁脂肪吸引による脂肪細胞，末梢神経生検，胃，大腸粘膜生検組織）において，アミロイド物質の沈着が認められる．さらに抗TTR染色で染まることを確認して診断される．病理学的にアミロイドの沈着が認められた場合や，原因不明のニューロパチーや自律神経障害患者に対して，専門施設では，TTR遺伝子のDNAシークエンス解析や血清の蛋白質量分析装置での解析により正確に診断が行われている．TTRはおもに肝臓で合成され，血中に放出される．脳脊髄型のFAPでは，脳造影MRI T1強調画像で髄膜の増強像やT2*画像にて髄膜の低信号やmicro bleedsが認められる．

治療
肝移植が現在最も有効な治療であるが，トランスサイレチン四量体の安定化薬が市販された．肝移植は脳死肝移植および生体部分肝移植が行われ2013年までに2000例以上に施行されている．早期に肝移植を行うと，全身症状の進行が停止することが確認されている．本症の摘出肝をほかの肝臓疾患の患者に移植するドミノ移植も行われている．肝移植は，ドナーの問題，免疫抑制薬の服用の問題がある．また，網膜色素上皮から作られる異型TTRによる硝子体アミロイドの沈着や緑内障の進行は止められない．それゆえ，それに代わる方法として，遺伝子治療や免疫治療で異型TTRを取り除く研究が行われている．

四量体の安定化薬は，異常なトランスサイレチンを四量体の状態で安定化させることで，TTRの沈着を抑制するものである．タファミジスやdiflunisalの有効性が証明され，わが国では，タファミジスが市販されている．その他，自律神経症状や心伝導障害，腎不全などに対して対症療法が行われる．

(2) 糖尿病性末梢神経障害（diabetic peripheral neuropathies：DPNs）

概念
DPNsは，経年的に引き起こされるため，糖尿病の罹患者が爆発的に増加するのに伴い，最も多い末梢神経障害の原因となった．本症は，糖尿病という1つの病因であるが，全身性にも局所性にも多彩な末梢神経障害を引き起こす．

分類
代表的な分類では，DPNsを①全身性（多発性），②局所性・多巣性に大別し，全身性神経障害を(a)定型的な感覚・運動性多発神経障害（diabetic sensorimotor polyneuropathy：DSPN）と糖尿病性自律神経障害（diabetic autonomic neuropathy：DAN）を含む病型と，(b)非定型的糖尿病性末梢神経障害（atypical DPNs）に分類している．

病態
高血糖という代謝障害は末梢神経全体に及ぶが，代謝異常による神経障害は軸索の長い神経の末端から生じる溯行変性（dying back degeneration）のパターンをとるため，臨床的には左右対称性に下肢末端から症状が出現する．糖尿病に伴う代謝異常や虚血では，大径有髄神経で構成される運動神経障害よりも小径有髄神経や無髄神経などの小径線維で構成される感覚，自律神経の障害が前景に立って進行する．DPN患者にみられる神経症状は，感覚神経障害においては痛みやしびれ，運動神経障害においてはこむら返り（muscle cramp）である．

一方，陰性症状は神経細胞機能低下による欠落症状であり，感覚神経障害では感覚鈍麻・感覚脱失，運動神経障害では筋萎縮，筋力低下がみられる．DPNは，血糖コントロールの状態，罹病期間を反映し，きわめて緩徐に進行する．DPNの運動障害は，下肢遠位筋群の萎縮，特に下肢最遠位筋である短趾伸筋（extensor digitorum brevis muscle：EDB）が障害されやすい．

足部筋萎縮により足部の変形がもたらされると，特定部位に圧がかかりやすくなり，糖尿病足病変や壊疽につながる危険性が増加する．さらに足趾筋群の萎縮が進行すると母趾外転筋などの足内側部の筋肉が萎縮

し凹足になる．

1）局所性神経障害（単神経障害）： 糖尿病患者には絞扼性神経障害を主とする単神経障害が生じやすいことが古くから指摘され，局所性神経障害として分類される[6,7]．糖尿病患者において最も頻度の高いのは手根管症候群（carpal tunnel syndrome：CTS）である．肘部管症候群（cubital tunnel syndrome：CuTS），足根管症候群（tarsal tunnel syndrome：TTS）などもみられる．

2）多巣性神経障害，糖尿病性筋萎縮症（DLRPN）： わが国でも糖尿病性筋萎縮症として広く認知されているが，本症は腰仙部神経根・神経叢障害による神経原性筋萎縮であり，最近は糖尿病性腰仙部神経根・神経叢障害（diabetic lumbosacral radiculoplexus neuropathy：DLRPN）という病名が認知されつつある．躯幹神経障害として知られる胸部神経根障害（diabetic thoracic radiculoneuropathy：DTRN）や頸部神経根・神経叢障害（diabetic cervical radiculoplexus neuropathy：DCRPN）とともに多巣性神経障害に分類される．

LRPN は急性・亜急性に臀部・大腿に激しい疼痛を伴う筋力低下，筋萎縮を呈する近位運動性神経障害であり，発症初期は片側性でも多くが両側性に広がる．約半数に自律神経障害を伴い，蛋白細胞解離を伴う中等度の髄液蛋白上昇を認める．LRPN 患者の生検神経において，神経上膜・周膜血管周囲の炎症細胞浸潤や微小血管炎が指摘され，ステロイドや免疫グロブリン大量静注療法（IVIg）など免疫療法の有用性が相次いで報告されている．

(3)アルコール性ニューロパチー，ビタミン欠乏性ニューロパチー

概念
アルコール性ニューロパチーは，アルコール多飲者に認められるため，アルコールが悪いのか，栄養障害によるものなのか議論になっていた．しかし，近年の報告では，アルコール性ニューロパチーは，ビタミン B_1 の欠乏している例と欠乏していない例で臨床像，病理像が異なり，アルコールによる末梢神経毒性が明らかになってきている．ビタミン欠乏を伴う場合には，より強い神経障害がみられる．

病理
慢性の軸索変性所見が認められる．

臨床症状
アルコール性ニューロパチーは，下肢遠位部の左右対称性の感覚運動ニューロパチーである．感覚障害が優位であり，ビタミン B_1 欠乏を伴わない場合は慢性の経過をとる．ビタミン B_1 欠乏を合併する場合は，脚気の合併や急性・亜急性に進行する運動障害の強いニューロパチーが認められる．ビタミン欠乏性は，若年者の大量の炭水化物摂取やつわりなどによる摂食障害でもみられることも注意が必要である．

検査所見
障害の程度によるが，運動神経伝導検査では，複合筋活動電位（CMAP）の振幅の軽度低下，遠位潜時の延長がみられる．感覚神経伝導検査において，感覚神経活動電位の振幅の低下が認められる．

ビタミン B_1 欠乏性では，神経伝導検査で感覚神経の活動電位の導出が悪い場合が多い．血中のビタミン B_1 の低値および赤血球トランスケトラーゼ活性のビタミン B_1 投与による増加の確認が重要である．

治療
治療の原則は，アルコール摂取の中止とビタミンなど十分な栄養の補給が重要である．特にビタミンB群の投与を行う．軽症ではある程度改善されるが，数カ月から数年を要する．異常感覚の緩和に対しては，抗痙攣薬（カルバマゼピン，ガバペンチンなど）や抗うつ薬（デュロキセチン，アミトリプチリン，パロキセチンなど），抗不整脈薬（メキシレチンなど）が用いられる．

〔髙嶋 博〕

■文献（e文献 17-19-5）
Koike H, Iijima M, et al: Alcoholic neuropathy is clinicopathologically distinct from thiamine-deficiency neuropathy. Ann Neurol. 2003; 54: 19-29.

6）多発性単神経障害

【⇒ 17-12-6，17-19-5】

7）神経叢障害
plexopathy

神経叢には，頸神経叢，腕神経叢，腰神経叢，仙骨神経叢がある．このうち，臨床で最も重要なのは腕神経叢である．神経叢障害はいずれもまれな疾患である．

(1)腕神経叢障害概観
腕神経叢は C5〜T1 の 5 つの神経根から形成されるが，C5/6 由来の成分がおもに障害され上肢挙上・肘屈曲障害を呈する上位型（Erb-Duchenne 麻痺），C8/T1 由来の成分がおもに障害され固有手筋麻痺を呈する下位型（Klumpke 麻痺），両者が障害される全体型に分けられる．原因として，外傷（特にオートバ

イ事故），分娩麻痺（上位型が多い），放射線性，腫瘍性などがあげられる．その他の重要な疾患については(2)で解説する．

(2) 腕神経叢の疾患
a. 胸郭出口症候群（thoracic outlet syndrome：TOS）

上肢に向かう神経（腕神経叢）と血管（鎖骨下動静脈）が，胸郭上部から出て鎖骨の下を通って腋窩に向かう部分で，圧迫を受ける疾患が TOS と総称される．大きく血管性 TOS と神経性 TOS（neurogenic TOS）に分けられ，特に後者が多いと考えられてきたが，その概念をめぐって今日大きな論争がある[1-3]．すなわち真の神経性 TOS（true neurogenic TOS）は確立された疾患概念だが，従来 TOS として広く診断・治療されていた例は，疾患概念に疑問点が多くその存在すら疑わしいとする批判があり，非特異的 TOS（nonspecific TOS），あるいは disputed neurogenic TOS とよばれている（Ferrante, 2012）．

真の神経性 TOS は非常にまれな疾患で，若年〜中年の女性に多い．頸肋を多く伴い，線維性構造の圧迫によって下神経幹が T1 成分優位に障害される．主訴は慢性の母指球萎縮や手指の巧緻運動障害であり，母指球優位の固有手筋や前腕屈筋群の萎縮と筋力低下を呈する（e図 17-19-B）．前腕内側の感覚鈍麻，ときにしびれ・痛みを伴うこともあるが，症候は運動優位である．神経伝導検査が診断に有用で[4]，内側前腕皮神経が強く障害される．治療は通常手術が行われる．

非特異的 TOS の臨床像は，古典的に TOS として記述されてきたもので，なで肩の若年女性に多い．交通事故後の発症例もある．通常感覚症状が主訴で，上肢・指のしびれが必発，上肢痛・肩痛・肩こり，頸部痛なども伴う．他覚的神経所見や検査異常は一般に乏しく，Adson 試験，Wright 試験，Morley 試験，Roos の 3 分間挙上試験などの種々の誘発試験を根拠に診断される．保存療法抵抗例で，第 1 肋骨切除術を中心とする手術療法が広く行われてきたが，手術が有効なエビデンスはまったくない[5]．

b. 神経痛性筋萎縮症（neuralgic amyotrophy）

肩周囲や上腕の急性の激痛に引き続いて，上肢筋萎縮・筋力低下をきたす．先行感染やワクチン接種が誘因となることがあり，自己免疫機序が想定されている．長胸・腋窩・肩甲上神経支配筋などの近位筋障害例が典型だが，後骨間・前骨間神経など遠位筋が侵される例も多い．急性腕神経叢炎ともよばれるが，多発性単神経障害とする説が近年有力である[6]．副腎皮質ステロイドが有効とする報告があり[7]，免疫グロブリン療法も用いられるが，エビデンスは十分でない[8]．

c. 糖尿病性筋萎縮症（diabetic amyotrophy）

腰仙骨神経叢を侵す疾患はまれだが，糖尿病性筋萎縮症（近年は糖尿病性腰仙部根神経叢ニューロパチー（diabetic lumbosacral radiculo-plexus-neuropathy）とよばれる）が特筆される[9]．血糖コントロールや罹病期間と関連なく，急性〜亜急性に片側優位の下肢疼痛・筋萎縮をきたす．L2〜4 の腰神経叢支配筋主体に障害され，大腿四頭筋の筋萎縮・筋力低下が目立つ．自己免疫性と推測され，免疫療法が行われる．

〔園生雅弘〕

■文献（e文献 17-19-7）

Ferrante MA: The thoracic outlet syndromes. *Muscle Nerve*. 2012; 45: 780-95.

8）単ニューロパチー（単神経障害）
mononeuropathy

単ニューロパチー（単神経障害）は，1 本の末梢神経のみが，圧迫，外傷，虚血などによって障害されるものである．脳神経に起こるものと四肢に起こるものに大別できる．頻度の高いプライマリケア疾患がいくつか含まれる．

(1) 脳神経の単神経障害
a. 動眼神経麻痺（oculomotor paralysis）

鉤ヘルニア，内頸動脈-後交通動脈分岐部（IC-PC）動脈瘤，糖尿病性などが代表的原因となる．前 2 者のような圧迫性麻痺では瞳孔異常（散瞳と対光反射消失）がまず起こる．これは，外部からの圧迫では，動眼神経の表面に位置する副交感神経線維が先に障害されるためである．これに対し，糖尿病性では外眼筋麻痺のみを通常呈する．

b. 三叉神経痛（trigeminal neuralgia）

中年以降に好発する，一側三叉神経領域の発作性の電撃痛で，持続は数秒から 2 分以内，第 2・3 枝領域（頬〜口部）に多い．会話，摂食，歯磨きなどで誘発される．特発性と症候性（多発性硬化症，腫瘍など）があるが，特発性の症例は，橋に入る直前の三叉神経が血管（上小脳動脈が最も多い）に圧迫されて脱髄を生じ，異所性発火を起こすと考えられている．対症療法としては抗てんかん薬（カルバマゼピン）が第一選択である．根本療法として，神経血管減圧手術（Janetta 手術）が行われる[1]．

このほか，持続性の顔面感覚障害をきたす三叉神経ニューロパチーもあり，混合性結合組織疾患や Sjögren 症候群に合併する例が知られている．

c. 特発性顔面神経麻痺（Bell 麻痺）

急性一側性の末梢性顔面神経麻痺の 70％以上を占める．年間発症率が人口 10 万あたり 20 人程度の頻度の高い疾患で，性差はなくすべての年齢で発症する

が，40歳代にピークをもつ．予後は一般に良好だが，3割近くの例で回復遷延する(Hollandら，2011)．副腎皮質ステロイドの有効性が確立されている[2]．病因として単純ヘルペスウイルス1型の再活性化が有力であり，これに基づいて抗ウイルス薬投与が行われてきたが，その効果は証明されていない[3]．

d. Ramsay-Hunt症候群

帯状疱疹ウイルス感染による急性顔面神経麻痺であり，外耳道・耳介の疱疹を伴う．Bell麻痺と比べて回復不良であり，抗ウイルス薬(アシクロビル)とステロイドの早期投与が行われる[4]．

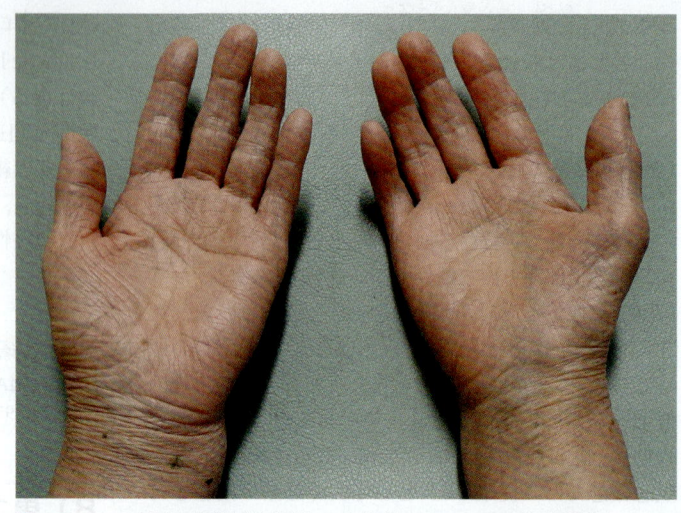

図17-19-3 重症手根管症候群(CTS)患者でみられた母指球萎縮
患側の右手で母指球の萎縮・陥凹がみられる．

(2) 絞扼・圧迫性ニューロパチー (entrapment and compression neuropathy)

末梢神経が，かたい組織に囲まれているあるいは骨の直上にあるなどの解剖学的理由で圧迫を受けやすい部位で障害される単ニューロパチーを，絞扼・圧迫性ニューロパチーと総称する．頻度の高いプライマリケア疾患が含まれる．特徴的な臨床症候から診断されるが，神経伝導検査が各疾患で確定診断に有用である[5,6]．病巣をはさんで伝導ブロックや伝導遅延の所見が得られ(e図17-19-C)，また圧迫部位以遠の刺激でWaller変性の程度がわかり，予後判定に役立つ．近年神経超音波検査の診断上の役割が示されつつある[7]．

a. 手根管症候群 (carpal tunnel syndrome)

正中神経の手関節部での絞扼性ニューロパチーであり，最も頻度が高く有病率は全人口の5%とされる[8]．女性に多い．手根管は底部を手根骨，上部を横手根靱帯で区切られたトンネルであり，ここを9本の手指屈筋腱と正中神経が通過する．先天的に同部が狭いことを基盤に，労作，肥満，浮腫(妊娠)，糖尿病，甲状腺機能低下症)，骨変化(関節リウマチ)などが加わって手根管内圧が上昇することで発症に至るが，多くの例は特発性である．約半数は両側性に症状を呈する．

特徴的な病歴として，早朝や夜間の手のしびれの増悪，車の運転など手を使う動作での増悪，手を振ると症状が軽快すること(flick sign)などがある．他覚的感覚障害は正中神経支配域の母指・示指・中指と環指橈側にみられ，環指の橈側と尺側の解離(ring finger splitting)が特徴である．手関節掌屈保持(Phalen徴候)や手関節の叩打(Tinel徴候)でしびれが増強する．進行例では母指球筋脱力・萎縮(猿手)をきたす(図17-19-3)．軽症例では手首の安静指示のみで軽快す

る場合がある．保存療法として副腎皮質ステロイドの内服あるいは手根管内注入などが行われる．保存療法無効で，痛みが強いないし運動障害高度の例で，手根管開放術の適応となる[9](小林ら，2008)．

b. 肘部尺骨神経障害

尺骨神経は肘部で上腕骨内側上顆後面の尺骨神経溝を通り，弓状靱帯部(狭義の肘部管)を通過する．圧迫部位としては肘部管よりも尺骨神経溝などの近位の方が多いために，肘部管症候群ではなく，肘部尺骨神経障害の名称が最近は推奨される．若年時の上腕骨骨折により外反肘変形を生じて，数十年後に発症するのを遅発性尺骨神経麻痺(tardy ulnar palsy)という．固有手筋萎縮により鷲手変形をきたす．一般に慢性の経過で自然軽快は少なく，除圧や神経前方移行術が行われる．

c. 橈骨神経麻痺

上腕骨の橈骨神経溝部で橈骨神経が急性圧迫されて生ずる．飲酒後のうたた寝(Saturday-night palsy)，腕枕(honeymoon palsy)などが誘因となる．手関節・手指の伸筋の麻痺のために下垂手を呈する．ほとんどは自然軽快する．

d. 総腓骨神経麻痺

腓骨頭部での総腓骨神経の急性圧迫により下垂足を呈する．脚組み，スキー靴などのほか，術中やICUでの抑制帯が医原性の原因となる．自然軽快が多いが，遷延例もある．

〔園生雅弘〕

■文献(e文献 17-19-8)

Holland J, Bernstein J: Bell's palsy. *BMJ Clin Evid.* 2011; 1204.
小林祥泰，内尾祐司，他：標準的神経治療―手根管症候群(CTS)．神経治療学．2008; **25**: 63-84.

17-20 神経筋接合部疾患：重症筋無力症とLambert-Eaton筋無力症候群

1) 重症筋無力症
myasthenia gravis : MG

概念

重症筋無力症(MG)は，神経筋接合部のシナプス後膜上に存在するアセチルコリン受容体(acetylcholine receptor：AChR)とその関連蛋白質に対する病原性自己抗体の作用により神経筋接合部の刺激伝達が障害されて生じる自己免疫疾患である(e図17-20-A)．神経筋接合部疾患(e表17-20-A)のなかでは最も多く，外眼筋，嚥下筋，および体幹・四肢の筋力低下が易疲労性と日内変動を呈し，寛解・増悪を特徴とする．

分類

病原性自己抗体と臨床病型による分類がある．病原性自己抗体の種類によって，①AChR抗体陽性MG，②筋特異的受容体型チロシンキナーゼ(muscle-specific receptor tyrosine kinase：MuSK)抗体陽性MG，③低比重リポ蛋白質受容体関連蛋白質4(low density lipoprotein-receptor related protein 4：Lrp4)抗体陽性MG，およびこれらの抗体が検出されないsero-negative MGに分類される．

臨床病型による分類は，Osserman分類1971の代わりに米国重症筋無力症財団(Myasthenia Gravis Foundation of America：MGFA)分類が汎用されている(e表17-20-B)．

疫学(eコラム1)

重症筋無力症・診療ガイドライン2014によると，わが国には推定2万人のMG患者が存在する．その2万人のMG患者を病原性自己抗体で分類すると，AChR抗体陽性MGが約85％，MuSK抗体が5％弱，Lrp4抗体が1％以下，そしてその残り約10％がsero-negative MGと推定される．

病因・病態・病理

MGの神経筋接合部の病理は，運動終板に補体介在性膜破壊があるかどうかで大別される．実際にAChR抗体陽性MG患者の神経筋接合部を電子顕微鏡で観察すると運動終板に補体が作用してAChRを含む膜が破壊されている[1](e図17-20-B)．一方，MuSK抗体陽性MG患者では，運動終板に膜破壊像がなく，機能的に障害されていることが推測される[2](e図17-20-CのD)．

1)アセチルコリン受容体(AChR)抗体陽性重症筋無力症(MG)： その病態の主体は，補体介在性シナプス後膜破壊に伴ってAChRおよびその関連の蛋白質の数が減少することがある(e図17-20-B)．抗体の標的であるAChRは，$2\alpha \cdot \beta \cdot \varepsilon$(胎生期は$\gamma$)・$\delta$サブユニットからなる糖蛋白質である．特に$\alpha$サブユニットが免疫学的に重要で，その立体構造上の外側端に位置する67～76領域を含むN末端領域が補体介在性破壊を引き起こす主要免疫病原性領域(main immunogenic region：MIR)と推測されている[3]．一方，AChR抗体陽性MGと因果関係が深い胸腺は，抗体産生B細胞やヘルパーT細胞，そして，抗原提示細胞を有し，AChR発現の重要な臓器と位置づけられているが，その詳細な発症機序は不明のままである．

2)筋特異的受容体型チロシンキナーゼ(MuSK)抗体陽性重症筋無力症(MG)： MuSK抗体は補体活性能力がないIgG4サブクラスに分類され[4]，電子顕微鏡による微細構造観察で運動終板に膜破壊像はみられない[2](e図17-20-CのD)．MuSK抗体陽性MG患者の運動終板の病理やMuSK免疫動物モデルの研究より，その病原性は証明され，MuSK抗体のMIRは，細胞外のドメイン1と2と推定されているが，その作用機序は判明しない(eコラム2)[4,5]．

3)低比重リポ蛋白質受容体関連蛋白質4(Lrp4)抗体陽性重症筋無力症(MG)： 2011年わが国から，運動終板に位置する膜貫通蛋白質であるLrp4の細胞外領域に対する自己抗体が一部のMG患者血清中に存在することを世界に先駆けて報告された[6]．その後，その追試報告がなされ[7-9]，自己免疫性動物モデルの作成にも成功した[10]．しかしながら，その頻度が1％以下と低く，現在，さらなる症例の蓄積が行われている．

臨床症状

自己抗体によるMG症状の特徴はあるが，自己抗体測定を除く診療で，AChR抗体，MuSK抗体，およびLrp4抗体かを鑑別することは困難である(e表17-20-C)．

AChR抗体陽性MGの症状は，外眼筋が障害されやすい．物が二重に見えたり(複視)，まぶたが無意識に下がったままの状態(眼瞼下垂)などの眼症状で発症し，全経過中ほとんどの症例にみられる．眼症状以外には，構音障害，嚥下障害，四肢麻痺が初期症状として多い．運動を反復することにより筋力低下をきたし休息によって改善する(易疲労性)，朝より夕方に症状が出やすい(日内変動)などが特徴である．増悪因子として，ストレス，感染，月経，妊娠，分娩などがあげられ，これらを契機に，急激な呼吸困難をきたし呼吸不全に陥り気管内挿管・人工呼吸器管理が必要になる状態，いわゆるクリーゼに移行する．

MuSK抗体陽性MGは，胸腺腫の合併はなく，筋

萎縮を伴いやすく，嚥下障害が主体でクリーゼになりやすいという特徴をもつが，AChR 抗体陽性で嚥下障害を主体とする群との区別はできない．

検査所見
1) 病原性自己抗体測定： AChR は，MG 全体の 85% で陽性となるが，眼筋型では陽性率は約 50% と低い．AChR 抗体陰性患者のうち 30～60% 程度で MuSK 抗体が陽性となる．AChR 抗体価と MG 症状の相関は，個々の症例で経時的にみると抗体価と疾患の重症度が相関する例があるが，患者を集団でみると抗体価と重症度は相関しない．一方，MuSK 抗体価は抗体価と重症度は相関すると報告されている(eコラム 3)．

2) 塩酸エドロフォニウム（テンシロン，アンチレクス®）試験： シナプス間隙のアセチルコリンの濃度を上げるコリンエステラーゼ阻害薬であるアンチレクス® 2～5 mg を静脈注射して MG 症状が改善する反応をみる(eコラム 4)．MuSK 抗体陽性患者では，AChR 抗体陽性患者より著効することは少なく，過敏反応がみられることがある．

3) 反復刺激検査と単線維筋電図： 顔面や四肢の筋を支配する末梢神経を反復刺激して，誘発筋活動電位を記録する Harvey Masland 試験では，低頻度刺激(3 Hz)で waning 現象（初発刺激による振幅はほぼ正常で以後数発の刺激で振幅が 10% 以上減衰する）がみられる（図 17-20-1）．また単一筋線維筋電図では，jitter（発射間隔の変動）の異常やブロッキング現象がみられる．

4) 神経筋接合部障害を示す検査： 眼瞼の易疲労性試験とアイスパック試験が MG 診断基準案 2013 に追加された．

5) その他： AChR 抗体陽性 MG では，胸腺腫や胸腺過形成が存在することが多いため，胸部 CT/MRI 画像検査などで評価する．

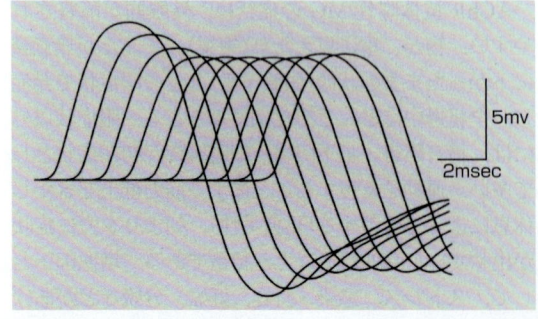

図 17-20-1 waning 現象
正中神経を 3 Hz で刺激し，短母指外転筋で記録した．通常，2 発目から振幅は低下し，4～5 発目まで徐々に振幅が減衰し，それ以後は横這いあるいはやや回復傾向を示す．本例でも，5 発目以後に軽度の振幅の上昇がみられる．

診断
上記の臨床症状，神経学的診察，および検査所見に基づいて診断する．臨床症状と AChR，あるいは，MuSK 抗体のいずれかが陽性となれば診断が確定する（e表 17-20-D）．一方，病原性自己抗体を証明できない場合は，塩酸エドロフォニウム試験や反復刺激検査などで神経筋接合部障害を証明し，ほかの疾患を鑑別できることが診断に必要である．

鑑別診断
症候学的に，眼症状，球麻痺，および四肢・体幹の筋力低下を呈する多くの疾患を鑑別する必要がある．

合併症
最も多い合併症である胸腺腫は 50 歳をピークに 20～30%，2 番目に Basedow 病が数% から十数%，次いで，全身性エリテマトーデス，関節リウマチなどの自己免疫疾患を合併する[11]．胸腺腫合併例では赤芽球癆，円形脱毛，低ガンマグロブリン血症，味覚異常，および心筋炎などを合併しやすい．まれではある胸腺腫合併例で心筋炎によると考えられる突然死の報告例があるため，注意が必要である[12]．

治療
わが国では，①コリンエステラーゼ阻害薬，②胸腺摘除，③ステロイド，④免疫抑制薬（タクロリムスとシクロスポリンが認可），⑤血漿交換，そして，⑥免疫グロブリン大量点滴（IVIg）（2011 年認可）などが MG の治療として保険適用になっている．しかしながら，これらの治療を駆使しても，MG 患者が完全寛解に至る割合は全体の 10% 以下である[13]．よって，今日の MG 治療目標は，発症時は「できるだけ早く薬理学的寛解へ」，慢性期には，「経口プレドニゾロン 5 mg/日以下で，軽微な MG 症状はあるが日常生活には支障ない状態を維持する」とする．また，長期にステロイドを使用する場合が多く，骨粗鬆薬などの内服投与を併用する．さらには，使用禁忌薬剤（ベンゾジアゼピン系薬，アミノグリコシド系抗菌薬，ダントロレンナトリウム，D-ペニシラミン，インターフェロン-α など）が多数あるため注意を要する．

1) コリンエステラーゼ阻害薬： すべての MG 患者に適応となる．特に嚥下障害がある患者には食事の 1 時間前に内服させる．クリーゼの危険因子である誤嚥性肺炎を予防することがコリンエステラーゼ阻害薬の最も大切な使用目的である．ステロイド導入後は，MG 症状を評価しながら減量・中止にもっていく．

2) 胸腺摘除： 胸腺腫を合併する症例では胸腺摘除が治療上最優先される．わが国では，過去に胸腺腫を合併していない全身型患者に胸腺摘除が第一選択とされてきたが，有用性のエビデンスがないことが判明した[14]．現在，そのエビデンスの有無が世界的治験，MGTX 研究で検討中である．現状では，胸腺腫非合

併では，年齢，罹病期間，病型，重症度，胸腺画像，自己抗体の種類，そして合併症によって個々の症例で十分に検討されなければならない（MG 診療ガイドライン 2014：CQ-4-2 を参照）．

3）**副腎皮質ステロイド**：ほぼすべての症例で用いられる MG 治療の根幹をなす薬である．以前の経口プレドニゾロン内服治療は，漸増・維持・漸減法で数ヵ月の治療期間が必要であったが，最近は，ステロイドパルス療法，血液浄化療法，IVIg などを併用して短期に寛解状態に改善させることが多い．いずれにせよ，ステロイド治療ははじめて行う場合には導入時に一過性の症状増悪（初期増悪）があり，特に球麻痺を伴った症例の場合はこれによりクリーゼになることもある．そのため全身型 MG には，経口プレドニゾロンを 5 mg から開始し，10～20 mg 程度まで漸増，初期増悪がみられないのを確認することが大切である．

4）**免疫抑制薬**：免疫抑制薬は副腎皮質ステロイドの効果増強，もしくはステロイド投与量の減量を目的に使用される．わが国では，カルシニューリン阻害薬であるシクロスポリンとタクロリムスが保険収載されている（eコラム 5）．

5）**血漿交換**：血液内から自己抗体を取り除くことで MG 病状を最も急速に改善させる治療法である．この治療法自体は，自己抗体を取り除く結果として抗体産生に働く．よって，ステロイドや免疫抑制薬で免疫抑制状態にしてから施行すべきである．現在，MG 治療に用いられる血液浄化療法には，単純血漿交換，二重膜濾過，および免疫吸着の 3 種類がある．

6）**大量免疫グロブリン静注療法**：健常人の血漿から精製された免疫グロブリンを投与する治療法である．その作用機序としては自己抗体との競合作用，補体カスケード反応の抑制などが推測されているが，はっきりとしたことは証明されていない．投与方法としては 0.4 g/kg/日を 5 日間連続投与する．効果としてはステロイドパルス療法や血液浄化療法と同等であるが治療効果は一過性である．

6）**クリーゼ**：MG の臨床で一番問題になるのは，10 人の MG 患者に 1 人の頻度で経験するクリーゼである．クリーゼには筋無力性とコリン作動性の 2 種類があり，テンシロン試験で改善すれば筋無力性と診断できるが，実際には区別が困難な場合が多い．コリンエステラーゼ阻害薬は，シナプス間隙のアセチルコリン濃度を高めるが運動終板のアセチルコリン受容体の数を減らすので直ちに中止し，気道を確保し呼吸管理を行うことが重要である（eコラム 6）．

予後

MG の自然経過は明らかではないが，1965 年以前の MG 症例の検討によるとコリンエステラーゼ阻害薬のみの治療では約 1/4 の症例が MG のため発症 3 年以内に死亡している．その後，ステロイドと免疫抑制薬の導入により，MG 患者の生命予後は劇的に改善した．現在，免疫治療で MG 患者の半数は生活などに支障がない状態まで改善する．ただし，長期にわたる完全寛解率は 10％以下で，ほとんどの MG 患者は，一生涯ステロイドなどの免疫治療を継続する必要がある．さらに，わが国の MG クリーゼの頻度は，16.0％（1973 年），14.8％（1987 年），10.9％（2002 年），13.3％（2006 年）と報告され，まったく減少していない．今後は，重症かつ難治性 MG を完治させる治療法の開発が望まれる．

2）Lambert-Eaton 筋無力症候群
Lambert-Eaton myasthenic syndrome：LEMS

概念

Lambert-Eaton 筋無力症候群（LEMS）は，神経終末の活性帯（active zone，e図 17-20-A の A）に高密度に分布している P/Q 型膜電位依存性カルシウムチャネル（P/Q-type voltage-gated calcium channel：P/Q-type VGCC）に対する自己抗体の作用により神経筋接合部と自律神経系の刺激伝達が障害されて生じる自己免疫疾患である．かつ，傍腫瘍性神経症候群の代表で，約 50～60％に小細胞肺癌（small cell lung cancer：SCLC）を合併する．臨床的には，四肢近位筋優位の筋力低下と口渇などの自律神経症状を主症状とし，その 10％弱では小脳失調症を合併する[15,16]．

病因・病態

SCLC が P/Q-type VGCC を発現していて，免疫学的交差反応により P/Q-type VGCC 抗体が産生されると考えられている．その P/Q-type VGCC 抗体により神経終末の P/Q-type VGCC が減少し，カルシウムイオンの流入が阻害され，アセチルコリンの遊離が減少して筋力が低下する．神経筋接合部の神経終末では，AChR 抗体陽性 MG でみられるような補体介在性膜破壊は認められない[17]．また，10％弱の LEMS では P/Q-type VGCC 抗体が血液脳関門を通過し，小脳分子層の神経終末の P/Q-type VGCC を減少させ小脳失調症（paraneoplastic cerebellar degeneration：PCD）を引き起こすと推定されている[18,19]（e図 17-20-C）．

分子レベルの研究についてはeコラム 7 を参照．

疫学

その希少性より正確な頻度は不詳であるが，一般的に MG の 1/100 の頻度であるといわれている．これまでの LEMS 患者 50 例以上の 3 つの臨床研究[15,16,20]で共通しているのは，男性優位で平均発症年齢は 50～60 歳代にピークを認め，SCLC を 42～61％と高頻度に合併していることである（e表

17-20-E）(eコラム8).

臨床症状
わが国の報告では，初発神経症状の90％以上が下肢近位筋の筋力低下に起因する歩行障害であり，ついで易疲労感，上肢筋力低下を自覚する．症状のピーク時には球症状，眼瞼下垂を含む全身の筋力低下が現れ，人工呼吸を要する呼吸不全に至る例が約5％ある[15]．その他，約30％に口渇や散瞳，霧視，膀胱直腸障害などの自律神経障害を合併する．神経学的初見としては post-tetanic potentiation，腱反射消失が特徴的である．また，10％弱に小脳性運動失調を合併することがある．MGのように，眼筋のみに症状が限局することはほとんどない．

検査所見
1）**反復刺激検査**： LEMSでは複合筋活動電位（compound muscle action potential：CMAP）の振幅が著明に低下する．これはMGにはみられない変化である．反復刺激の刺激頻度は2～50 Hzで行う．2～5 Hzの低頻度刺激ではMGと同様に振幅の漸減がみられる．50 Hz高頻度刺激でLEMSに特異的な反応，waxing現象がみられる（図17-20-2）．

2）**P/Q-type VGCC抗体測定**： SCLC合併LEMSのほぼ全例，non-SCLC LEMSの90％近くでP/Q型VGCC抗体が陽性となる．

3）**サクソン試験**： LEMSの自律神経系の評価として最も有用である．滅菌ガーゼを2分間咀嚼させ，その後ガーゼの重さを測定する．通常は，4 g/2分間の唾液が分泌されるが，LEMS患者では有意に低下する．後述する3,4-diaminopyridineを内服投与すると，低下していた唾液量が増加する．

診断
臨床症状と電気生理検査で診断する．P/Q-type VGCC抗体陰性のLEMSが約10～15％存在する．

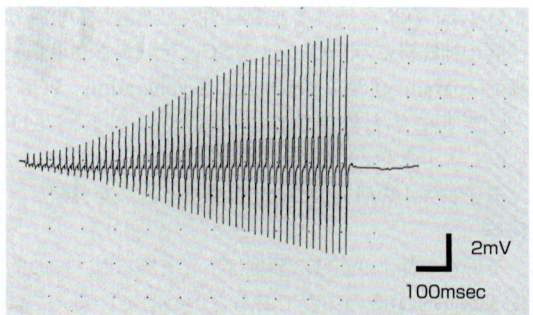

図 17-20-2　waxing 現象
正中神経を50 Hzで刺激し，短母指外転筋で記録した．1発目の筋活動電位の振幅は低下しており，2発目以降の振幅が徐々に漸増する waxing 現象が認められる．LEMSでは，通常，1発目の振幅の2倍以上になる．

鑑別診断
四肢近位筋優位の筋力低下をきたす疾患，MG，多発筋炎，末梢神経障害などが鑑別の対象となる．

合併症
わが国では，その60％にSCLCを合併する．また，10％弱であるが，小脳失調を合併する[19]．

治療
LEMS治療の基本原則は，SCLCの発見とその根治的治療である．なぜなら，LEMS患者のSCLCを化学療法，放射線治療，外科手術などで治療し根治させると，LEMS症状も著明に改善するからである．この原則にしたがって，LEMSの治療方針が提唱された（e図17-20-D）[21,22]（eコラム9）．わが国のLEMSでは約60％に悪性腫瘍の合併（そのほとんどはSCLC）が認められ，その80％以上が悪性腫瘍発見前にLEMSを発症している．したがって，LEMSと診断した後は，SCLCを主体とした悪性腫瘍の検索を積極的に行う．癌合併例に強力に副腎皮質ホルモン剤や免疫抑制剤による治療を行うと，癌の進行を促進させる可能性が高くなる．したがって，癌合併LEMS患者には，3,4-diaminopyridine[23]とコリンエステラーゼ阻害薬による対症療法でLEMS症状を薬理学的に改善させる程度にとどめ，免疫抑制療法は行わずに，SCLCの治療に専念すべきである．原則，LEMS発症後2年間は，LEMS自体の治療より悪性疾患検索を積極的に行うことが望ましい[20]．

癌を合併していないLEMSとは，その診断後少なくとも2年間，SCLCの検索をしても見つからない症例が対象となる．わが国のLEMSでは，約30％が癌非合併例である．このような症例では，すでに3,4-diaminopyridineとコリンエステラーゼ阻害薬などで治療されている．その効果が不十分であれば，副腎皮質ステロイドや免疫抑制薬で治療する（eコラム10）．

予後
LEMSの予後は，SCLCをはじめとする悪性腫瘍を合併するか否かで大きく異なる．LEMS発症早期にSCLCが発見されSCLCに対する治療が奏効した場合には，生命予後だけでなくLEMS症状自体も著明に改善する．一方，SCLCの治療が上手くいかなかった場合には，生命予後が数年間と限られる．〔本村政勝〕

■**文献**（e文献 17-20）

Cossins J, Belaya K, et al: The search for new antigenic targets in myasthenia gravis. Ann N Y Acad Sci. 2012; **1275**: 123-8.

本村政勝，成田（枡田）智子：重症筋無力症の自己抗体．Brain and Nerve. 2013; **65**: 433-9.

本村政勝，福田　卓：Lambert-Eaton筋無力症候群．Brain Nerve. 2011; **63**: 745-54.

17-21 筋疾患

1）骨格筋の形態と機能

（1）形態

骨格筋は筋線維（横紋筋細胞）の集合体であり，随意筋として身体の運動を司る．筋線維は胎生期に単核の筋芽細胞が融合してできた多核細胞であり，直径20〜100 μm，長さ数mm〜15 cmに及び，結合組織性の薄い筋内膜で包まれる．集合した個々の筋線維は筋束を形成し，筋周膜で被われる．この筋束はさらに集合して筋膜で包まれて紡錘形の骨格筋を形成する（図17-21-1）．成熟した筋線維の核は筋形質膜（細胞膜）直下に偏在している．筋線維の細胞質である筋形質の大部分は筋原線維で占められる．筋原線維はおもにミオシンからなる太いフィラメントとアクチンからなる細いフィラメントの2種類が存在し，交互に配列している（図17-21-2）．筋原線維はアクチンフィラメントのみの電顕で明るく見えるI帯とミオシンフィラメントが存在し，暗く見えるA帯が交互に繰り返す構造をとり，I帯の中央部にはZ線があり，アクチンを固定する．Z線とZ線までの距離は約2.2 μmであり，これを収縮単位のサルコメア（筋節）とよぶ．ミオシンは分子量48万でATPを分解するATPase活性を有し，数多くのアイソフォームが筋の発育過程に従って変化する．その他の重要なフィラメント構造として，Z線どうしを縦につなぎサルコメアの構造を維持している巨大分子（分子量約300万）であるα-コネクチンおよびZ線から伸びアクチンの長さを規定するネブリンがある．

筋細胞膜はジストログリカンやサルコグリカン複合体が存在する筋形質膜とその外側でラミニンやIV型コラーゲンが存在する基底膜からなっている．形質膜直下にジストロフィンがありジストログリカンと結合している．VI型コラーゲンは基底膜と細胞外マトリックスの線維性コラーゲン（I型，III型）をつなぐように広範に分布している（図17-21-3）．

神経筋接合部は前角運動ニューロンの終末が接する部分を指し，その構造を運動終板とよぶ．このシナプス間隙の距離は約50 nmであり，シナプス後膜にはアセチルコリン受容体がある．

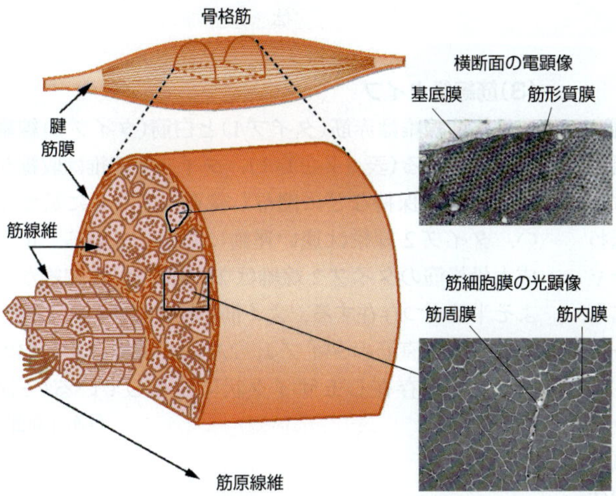

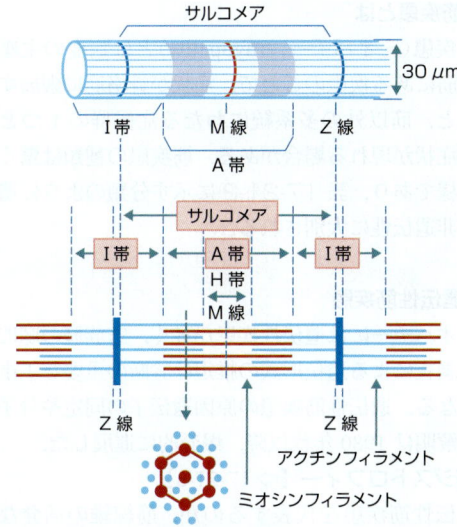

図17-21-1 骨格筋の構造模式図

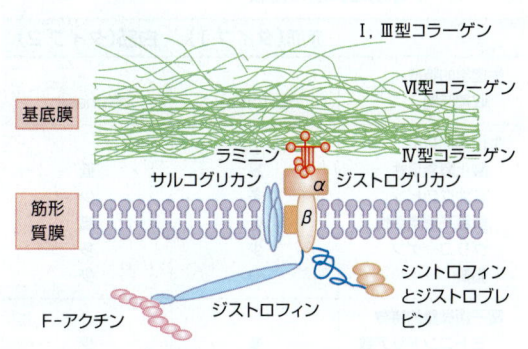

図17-21-2 筋原線維の構造

図17-21-3 筋細胞膜

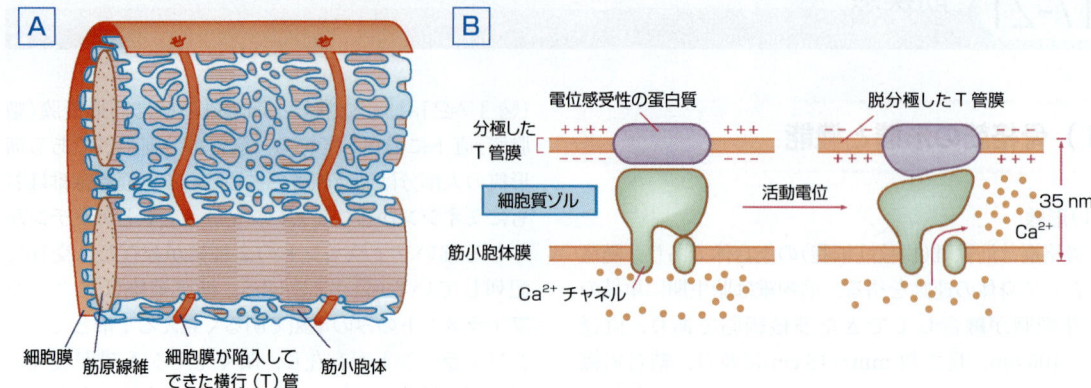

図 17-21-4 筋の収縮
筋小胞体は，筋線維内に存在する膜系構造の1つで，Ca^{2+} 貯蔵に特殊化した滑面小胞体である．Ca^{2+} の細胞質への放出，取り込みで筋の収縮，弛緩の調節を行っている．Ca^{2+} の放出を調節するリアノジン受容体と ATP を加水分解して Ca^{2+} を取り込む Ca^{2+}-ATPase が膜に存在する．

(2) 筋の収縮と弛緩

筋の収縮機構には筋形質膜が陥入した T 管(横管)とこれをはさむ筋小胞体の終末槽からなる3つ組構造(トライアド)が重要である．形質膜の脱分極は T 管側にある電位感受性蛋白である Ca チャネルに伝わり，さらに小胞体側のリアノジン受容体(Ca 放出チャネル)へと伝わり，ついで小胞体内の Ca^{2+} が放出されてアクチン上のトロポニンに結合してアクチン-ミオシン相互作用を可能とし，筋を収縮させる(図 17-21-4)．これらを総称して興奮収縮連関(E-C カップリング)とよぶ．筋が弛緩しているときには細胞質の Ca^{2+} は筋小胞体の Ca ポンプによって再び筋小胞体に取り込まれる．したがって筋は収縮にも弛緩にもエネルギーが必要であり，この ATP 産生系にはクレアチンリン酸，グルコース・グリコーゲン，脂質などが利用される．

(3) 筋線維タイプ

骨格筋線維は赤筋(タイプ 1)と白筋(タイプ 2)線維に分類される(表 17-21-1)．タイプ 1 線維は収縮が遅く姿勢の保持などに関与し傍脊柱筋などに数が多い．タイプ 2 線維は速い運動に関係している．正常成人骨格筋のタイプ 2 線維は 2A 線維と 2B 線維がおよそ半数ずつ存在する．よく筋生検がなされる上腕二頭筋や大腿直筋のタイプ 1，2A，2B 線維はおのおの約 1/3 ずつ存在しモザイク状に分布している(e図 17-21-A)．

〔樋口逸郎〕

2) 筋疾患の分類

(1) 筋疾患とは

筋疾患(ミオパチー，myopathy)とは病変の主座が骨格筋にある疾患のことで，症状が骨格筋に限局する場合と，筋以外の多系統にわたる症候群の1つとして筋症状が現れる場合がある．筋疾患の種類は驚くほど多様であり，表 17-21-2 に示す分類のように遺伝性と非遺伝性に大別される．

(2) 遺伝性筋疾患

ミオパチーには遺伝性疾患が多く，家族歴の聴取や家系調査による遺伝形式の推定は診断の重要な手掛かりとなる．遺伝性筋疾患の原因遺伝子の同定や分子病態の解明は 1980 年代以降，爆発的に進展した．

a. 筋ジストロフィー【⇨ 17-21-3】

遺伝性筋疾患を代表するのが，筋線維の活発な壊死・再生を特徴とする筋ジストロフィーである．幼児

表 17-21-1 赤筋と白筋の比較

	赤筋(タイプ 1)	白筋(タイプ 2)
生理学的特徴		
収縮時間	遅(tonic)	速(phasic)
生化学的特徴		
酸化酵素活性	高	低
ミオグロビン	多	少
解糖系酵素活性	低	高
グリコーゲン	少	多
脂質	多	少
電子顕微鏡的特徴		
ミトコンドリア数	多	少
Z 線幅	広	狭

表 17-21-2 筋疾患の分類

A. 遺伝性ミオパチー
1. 筋ジストロフィー
    a. 進行性筋ジストロフィー
        ・Duchenne 型/Becker 型筋ジストロフィー
        ・肢帯型筋ジストロフィー
        ・顔面肩甲上腕型筋ジストロフィー
        ・Emery-Dreifuss 型筋ジストロフィー
        ・眼咽頭型筋ジストロフィー　　　その他
    b. 先天性筋ジストロフィー
        ・福山型先天性筋ジストロフィー
        ・Ullrich 型先天性筋ジストロフィー
        ・メロシン欠損型先天性筋ジストロフィー
        　　　　　　　　　　　　　　　その他
2. 遠位型ミオパチー
    ・三好型遠位型筋ジストロフィー
    ・GNE ミオパチー
    ・Welander 型
    ・Laing 型
    ・tibial muscular dystrophy
    ・眼咽頭遠位型ミオパチー　　　　その他
3. 先天性ミオパチー
    ・ネマリンミオパチー
    ・ミオチュブラーミオパチー
    ・セントラルコア病
    ・先天性筋線維タイプ不均等症
    ・筋原線維性ミオパチー　　　　　その他
4. ミオトニア症候群
    a. 筋強直性ジストロフィー
    b. 非ジストロフィー性ミオトニア
        ・先天性ミオトニア
        ・先天性パラミオトニア
        ・ナトリウムチャネルミオトニア　その他
5. イオンチャネル病
    a. 非ジストロフィー性ミオトニア
    b. 原発性周期性四肢麻痺
    c. 悪性高熱
6. 代謝性ミオパチー
    a. 糖原病
        ・Pompe 病
        ・McArdle 病
        ・垂井病　　　　　　　　　　　その他
    b. 脂質代謝異常症
        ・アシル CoA 脱水素酵素欠損症
        ・カルニチンパルミトイルトランスフェラーゼ欠損症
        ・カルニチン欠乏症　　　　　　その他
    c. ミトコンドリアミオパチー
        ・MELAS
        ・MERRF
        ・Kearns-Sayre 症候群/CPEO
        ・Leber 病　　　　　　　　　　その他
    d. その他の遺伝性代謝異常に伴うミオパチー

B. 炎症性ミオパチー
1. 筋感染症（ウイルス，細菌，寄生虫など）
2. 自己免疫性ミオパチー
    ・多発筋炎/皮膚筋炎
    ・封入体筋炎
    ・SRP 抗体陽性壊死性筋症
    ・膠原病に合併するミオパチー　　その他
3. その他の疾患に合併する炎症性ミオパチー
    ・サルコイドミオパチー
    ・好酸球性筋膜炎
    ・リウマチ性多発筋痛症
    ・Weber-Christian 症候群　　　その他

C. 内分泌性・代謝性疾患に伴うミオパチー
・甲状腺中毒性ミオパチー
・甲状腺機能低下に伴うミオパチー
・副甲状腺機能亢進症に伴うミオパチー
・Cushing 症候群に伴うミオパチー
・Addison 病に伴うミオパチー
・電解質異常：低カリウム血性ミオパチー
　　　　　　　　　　　　　　　その他

D. 周期性四肢麻痺（続発性・症候性）
a. 低カリウム血性周期性四肢麻痺
b. 高カリウム血性周期性四肢麻痺

E. 外因性筋障害
1. 物理的外因
2. 薬物
3. 毒物

期以降に発症する進行性筋ジストロフィーと生下時から発症している先天性筋ジストロフィーに大別される．典型的な進行性筋ジストロフィーが X 染色体劣性遺伝の Duchenne 型筋ジストロフィー（DMD）であり，その軽症型として Becker 型筋ジストロフィー（BMD）がある．歴史的にみると筋ジストロフィーは，この DMD/BMD に臨床的・病理学的に類似性をもつ疾患として定義されてきた．常染色体遺伝形式で BMD 類似の症候を呈するものとして肢帯型筋ジストロフィー（LGMD）があり，特異な罹患筋パターンを呈するものに，顔面肩甲上腕型筋ジストロフィー（FSHD）や三好型遠位型筋ジストロフィー，Emery-Dreifuss 型筋ジストロフィー（EDMD）などがある．

先天性筋ジストロフィーは，中枢神経系病変（脳奇形）を伴うものと伴わないものに大別され，わが国では高度な精神遅滞を伴う福山型先天性筋ジストロフィー（FCMD）が最も多い．この疾患は日本人の常染色体劣性疾患のなかでも最も多く，また日本人以外にはほとんどない．

b. 遠位型ミオパチー

筋疾患のなかで，下肢遠位筋の筋力低下で発症するものを遠位型ミオパチーとして区別する．三好型遠位型筋ジストロフィーは遠位型ミオパチーにも位置づけられる．わが国では三好型と GNE ミオパチー（従来，縁どり空胞を伴う遠位型ミオパチーとよばれていた）が多いが，その他にも多くの筋疾患が遠位型ミオパチーの臨床像をとる．

c. 先天性ミオパチー【⇨ 17-21-8】

通常，筋緊張低下児（floppy infant）として発症し，きわめて進行のゆるやかな経過をとる．筋病理上，速筋線維萎縮と遅筋線維優位を共通の特徴とする．主要な疾患に，ネマリンミオパチー，セントラルコア病，ミオチュブラーミオパチー，先天性筋線維タイプ不均等症，筋原線維性ミオパチーなどがあり，それぞれ特徴的な筋病理所見を有する．

d. ミオトニア症候群【⇨ 17-21-4】

ミオトニア（筋細胞膜の被刺激性亢進のため，わずかな刺激で容易に筋収縮が生じ，弛緩しにくくなる現象）を主要徴候とする疾患群である．代表的な疾患に進行性の筋萎縮と筋力低下をきたす筋強直性ジストロフィーがある．他方，筋萎縮をきたさないものは非ジストロフィー性ミオトニア（nondystrophic myotonia）と総称され，先天性ミオトニア，先天性パラミオトニアなどが含まれるが，これらは骨格筋に発現するイオンチャネル遺伝子異常による，いわゆるイオンチャネル病である．またイオンチャネル病はミオトニア以外にも周期性四肢麻痺【⇨ 17-21-7】や悪性高熱を呈する．

e. 代謝性ミオパチー【⇨ 17-21-6】

代謝性筋疾患の多くは筋収縮のためのエネルギー産生経路に異常があり，糖原病，脂肪酸代謝異常などが含まれる．代表的な症候として運動不耐症や横紋筋融解症（ミオグロビン尿症）を呈する．

f. ミトコンドリア病【⇨ 17-21-9】

ミトコンドリア異常症では多臓器に及ぶ多彩な症状（精神発達遅滞やてんかん発作，脳卒中様発作，心筋症，糖尿病，腎症など）を呈する．3 大病型として MELAS，MERFF，慢性進行性外眼筋麻痺症候群（CPEO）がある．

表 17-21-3 **中毒性筋疾患の分類**

起因物質/薬剤	筋疾患/症候群
スタチン系脂質異常症治療薬 　ロバスタチン，プラバスタチン，シンバスタチン フィブラート系脂質異常症治療薬 　クロフィブラートなど εアミノカプロン酸 アルコール ビタミン E 過剰 有機リン系農薬 蛇毒	壊死性ミオパチー
副腎皮質ステロイド	ステロイドミオパチー
利尿薬 緩下薬 甘草 アムホテリシン B トルエン アルコール	低カリウム性ミオパチー
クロロキンなどの抗マラリア薬，アミオダロン	縁どり空胞を伴う中毒性ミオパチー
コルヒチン ビンクリスチン	抗微小管性ミオパチー
D-ペニシラミン，プロカインアミド，フェニトイン，レボドパ，シメチジン，レウプロリド，プロピルチオウラシル	炎症性ミオパチー
トリプトファン製品	好酸球性筋膜炎
ジドブシン ゲルマニウム	ミトコンドリアミオパチー
シクロスポリン ラベタトール アントラサイクリン系抗生物質 　ドキソルビシン	その他のミオパチー

(3) 非遺伝性筋疾患

後天的な要因により発症する筋疾患で表 17-21-2 では B〜E に相当する．

a. 炎症性ミオパチー【⇨ 17-21-5】

炎症性ミオパチーの多くは膠原病に伴うもので，筋症状を中核とするものとして多発筋炎/皮膚筋炎(polymyositis/dermatomyositis：PM/DM) がある．ほかの膠原病でも，筋炎や筋内の血管炎をきたすが，特に結節性多発動脈炎は筋内血管を好んで侵す．全身性エリテマトーデス，関節リウマチ，全身性強皮症(硬化症)，混合性結合組織病，Sjögren 症候群，サルコイドーシス，クリオグロブリン血症などでも部分症状として筋炎を起こす．その他の自己免疫筋疾患としてリウマチ性多発筋痛症がある．封入体筋炎(inclusion body myositis：IBM)は副腎皮質ステロイド治療に抵抗性で，特異な障害筋分布を呈し，炎症と変性(縁どり空胞の出現)をあわせもつ疾患である．

感染性筋疾患として頻度が高いのは，インフルエンザウイルスやコクサッキーウイルスによる急性ウイルス性筋炎や C 型肝炎ウイルス HCV に伴う筋炎である．細菌感染としては，化膿性筋炎，クロストリジウム属によるガス壊疽，A 群 β 溶連菌による壊死性筋炎，寄生虫感染ではトキソプラズマ症やトリコモナス症があるが，いずれもまれである

b. 内分泌障害性ミオパチー【⇨ 17-21-6】

甲状腺機能の亢進および低下，Cushing 症候群，Addison 病などはそれぞれ特徴的なミオパチーを起こす．電解質異常では低カリウム血症によりミオパチーを生じる．

c. 薬物性・中毒性ミオパチー

種々の薬物や化学物質が中毒性ミオパチーを引き起こす(表 17-21-3)．　　　　　　　　　　〔砂田芳秀〕

3) 筋ジストロフィー

筋ジストロフィーは骨格筋細胞が壊死・再生を繰り返しながら次第に筋萎縮と筋力低下が進行していく遺伝性筋疾患の総称である．遺伝学的にも臨床的にも多様な病型がある(表 17-21-4)．

(1) Duchenne 型筋ジストロフィー (Duchenne muscular dystrophy：DMD)

概念

X 染色体短腕 Xp21.2 にあるジストロフィン遺伝子の異常による疾患(ジストロフィノパチー)で，小児筋ジストロフィーで最重症であり，腓腹筋肥大を特徴とする．

原因・病因

ジストロフィンが完全欠損するため発症する．患者の 60％はエクソンの欠失で，10％は重複，30％が点変異などの微小変異である．ジストロフィン遺伝子は 79 個のエクソンからなり，欠失の好発部位(hot spot)はエクソン 45〜55 である．Duchenne 型では欠失エ

表 17-21-4 おもな筋ジストロフィー

	遺伝子座位	遺伝子産物	臨床的特徴
X 連鎖劣性遺伝			
Duchenne 型(DMD)	Xp21	ジストロフィン	腓腹筋肥大
Becker 型(BMD)	Xp21	ジストロフィン	腓腹筋肥大
Emery-Dreifuss 1 型(EDMD 1)	Xq28	エメリン	早期関節拘縮，心伝導障害
常染色体劣性遺伝			
肢帯型(LGMD 2)	(e)表 17-21-A 参照		
三好型遠位型	2p13	ジスフェリン	下腿三頭筋萎縮
先天性：福山型(FCMD)	9q31	フクチン	精神運動発達遅滞，てんかん発作
：メロシン欠損型(MDC1A)	6q22.33	ラミニンα2	floppy infant，関節拘縮
：Ullrich 型(UCMD)	2p37.3, 21q22.3	コラーゲンⅥ	遠位関節過伸展
常染色体優性遺伝			
筋強直性ジストロフィー(DM 1/2)	19q13.5	DMPK	ミオトニア，遠位筋優位
顔面肩甲上腕型(FSHD)	4q35		顔面・肩甲帯・上腕筋萎縮
肢帯型(LGMD 1)	(e)表 17-21-A 参照		
Emery-Dreifuss 2 型(EDMD 2)	1q21.2	ラミニン A/C	早期関節拘縮，心伝導障害
眼咽頭型(OPMD)	14q11.2	PABPN1	眼瞼下垂・眼筋麻痺，嚥下障害

クソンの塩基数が3の倍数ではないので，翻訳時にフレームシフトが生じ premature termination codon が出現する結果，ジストロフィンが完全欠損する．

X連鎖劣性遺伝形式をとり，基本的に男児に発症するが，まれながら染色体異常（X染色体と常染色体の相互転座やTurner症候群）があると女性も発症する．患者の2/3は保因者である母親からの遺伝だが，1/3の患者は家族歴を欠き新規突然変異により発症する．

疫学

人種を問わず発生率は新生男児3500人に1人，有病率は人口10万人に5人で，遺伝子異常の浸透率は完全であり，きわめて定型的な臨床像を呈する．

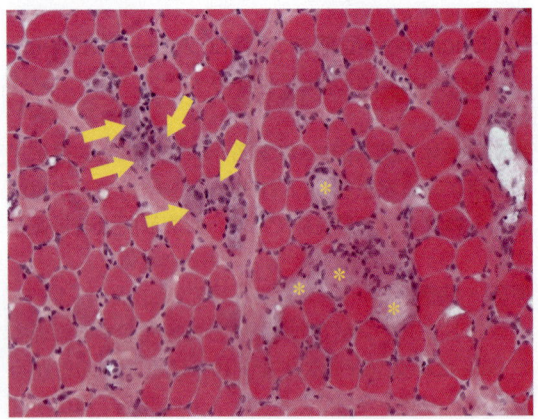

図 17-21-5 Duchenne 型筋ジストロフィーの筋病理組織像（HE染色）
活発な筋線維の壊死・再生像を認める．壊死線維（*）は染色性が低下し，周辺にマクロファージが浸潤する．小径の再生線維（矢印）は大型の核と好塩基性の胞体をもつ．

病理

DMD筋にみられる活発な筋線維の壊死・再生像はジストロフィー変化とよばれる．壊死線維の周辺にはマクロファージが浸潤する（図17-21-5）．間質には結合組織や脂肪組織が増加する．末期には筋線維の数が著明に減少し，筋肉は結合組織や脂肪組織で置換される．

病態生理

ジストロフィンは筋鞘膜直下に局在する分子量42万7000の巨大な桿状蛋白で，N末端ドメインで細胞骨格のFアクチン線維と結合する．またC末端側のドメインで細胞膜蛋白（ジストログリカンやサルコグリカン複合体など）と結合して細胞膜を貫通するジストロフィン糖蛋白複合体を形成する（図17-21-6）．このなかでα-ジストログリカンは糖鎖構造を介して基底膜成分ラミニンと結合しており，ジストロフィン糖蛋白複合体は細胞外マトリックスと細胞膜下細胞骨格を架橋し，筋収縮に伴う機械的なストレスから細胞膜を保護している．ジストロフィンが欠損すると正常な複合体が形成されないため，筋鞘膜が脆弱化し細胞内へCa^{2+}が流入し，筋細胞が変性・壊死に陥ると考えられている．

臨床症状

生下時には異常をみない．歩行開始が遅延しても，いったんは歩行能力を獲得する．2～4歳頃になって転びやすい，走れない，階段が昇りにくいなどの症状に気づかれる．病初期から腰帯部の筋肉が強く侵されるため，歩行は動揺性となり（waddling gait），膝に手をついて自分の体をよじ登るような立ち上がり方（登攀性起立，Gowers 徴候）が特徴である（e動画 17-21-A）．腰帯や大腿の筋肉が萎縮するのとは対照的に，腓腹筋肥大（calf hypertrophy）を呈する（図 17-21-7）．これは本症の hallmark とされる．当初は真性肥大であるが，進行すると結合組織が増生し偽性肥大となる．また，アキレス腱が短縮して尖足となる．進行とともに尖足拘縮や脊柱の側弯変形を生じる．12歳までに自力歩行不能となり，車椅子での生活となる．いったん歩行不能となると股関節や膝関節など全身の関節に拘縮が広がり，著しい脊柱の変形が進行するために，やがて寝たきり状態となる．軽度で非進行性の知能障害が約30％で認められる．

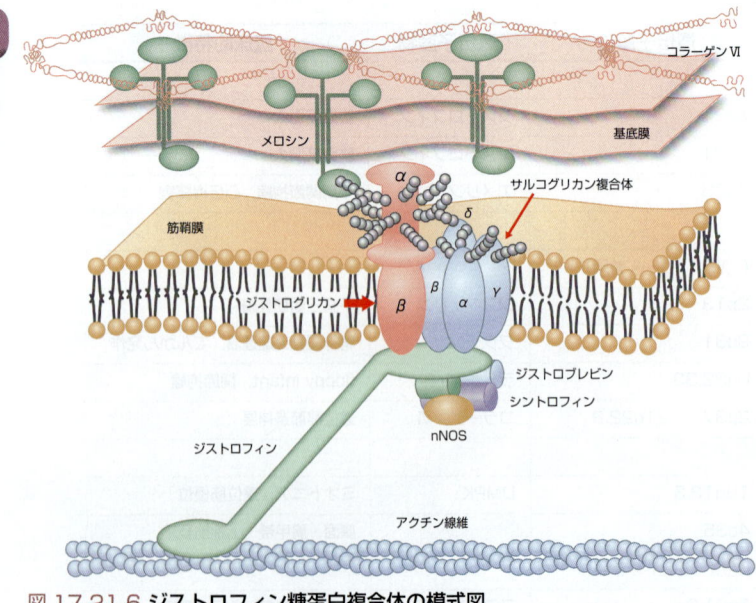

図 17-21-6 ジストロフィン糖蛋白複合体の模式図
ジストロフィンはジストログリカンやサルコグリカン複合体などの細胞膜糖蛋白と複合体を形成し細胞内のアクチン線維と細胞外の基底膜成分メロシンをつないでいる．

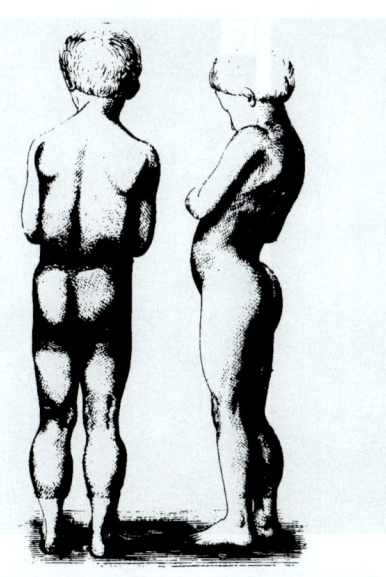

図 17-21-7 Duchenne 型筋ジストロフィーの腓腹筋肥大(*Arch Gen Med.* 1868; **11**: 8)
腓腹筋肥大は Duchenne 型の hallmark といえる特徴である．Duchenne による original case.

検査所見

　筋障害マーカーである血清クレアチンキナーゼ（CK）の値が通常の 10～100 倍以上に上昇する．これに伴って，LDH，AST，ALT，アルドラーゼ，ミオグロビン値も上昇する．CK 値は筋の壊死・再生が活発な 3～6 歳をピークとし，年長になるにつれ骨格筋量の減少とともに低下する傾向がある．筋電図検査では，運動電位は低振幅で持続時間が短く，干渉波形が形成されやすい典型的な筋原性パターンがみられる．壊死を反映して安静時の豊富な線維自発電位（fibrillation potential），陽性鋭波（positive sharp wave）を認める．骨格筋 CT 検査は筋萎縮・筋脂肪変性の程度や分布を知るのに有用である．本症では特徴的な障害分布パターンがみられ，大腿の屈筋群，内転筋群のなかで薄筋と縫工筋はよく保たれるという特徴がある．

診断

　男児で腓腹筋肥大があれば家系内に男性発症者の有無を問わず，ジストロフィノパチーを疑う．確定診断には遺伝子検査を行う．79 個のエクソンを PCR で増幅し，欠失や重複の有無を調べる（MLPA 法）．異常が検出されない場合は微小変異が疑われるので，筋生検を行いジストロフィン免疫染色で欠損を確認したうえで（図 17-21-8B），ジストロフィン遺伝子の全シークエンス解析で微小変異を同定する．

鑑別診断

　脊髄性筋萎縮症のうち，主として幼児型（Kugelberg-Welander 病；常染色体劣性遺伝）が鑑別の対象となるが，遺伝形式，腓腹筋肥大の有無，針筋電図や筋生検の所見で鑑別できる．筋疾患では肢帯型筋ジストロフィー，糖原病，緩徐進行性の多発筋炎などが鑑別にあげられる．

合併症

　心筋症と呼吸不全の合併が予後を規定する．呼吸不全の初期には，自覚症状として早朝覚醒時の頭痛を訴えることがある．夜間の動脈血酸素飽和度（SpO_2）モニターが呼吸不全の早期診断に有用である．

予後

　歩行不能になると 10 年以内に呼吸不全や心不全が顕在化し，以前は 20 歳前後で死亡していたが，近年は呼吸管理技術の進歩により平均寿命が 30 歳代へと延長している．

治療・リハビリテーション

　現在なお根本的な治療法はない．薬物療法としては少量の副腎皮質ステロイド内服が歩行可能期間を延長するエビデンスを有する．関節拘縮や脊柱変形を予防するために早期からリハビリテーションを行う．呼吸不全に対しては鼻マスクによる間欠的陽圧人工呼吸器（NIPPV）が推奨される．心不全に対し ACE 阻害薬，β 遮断薬が使われる．エクソン欠失例に対してはエクソンスキップ治療，ミスセンス変異例に対してはリードスルー治療の開発が進行しており臨床応用が期待されている．

■文献

Emery AE: The muscular dystrophies. *Lancet.* 2002; **359**: 687-95.
石垣景子，大澤真木子，他：DMD/BMD．筋疾患診療ハンドブック（内野　誠監），pp115-38，中外医学社，2013．
砂田芳秀：筋ジストロフィーの病態．神経内科．2011; **74**: 327-32．
砂田芳秀，清水輝夫：ジストロフィノパチー．*Clin Neurosci.* 1999; **17**: 1123-8．

(2) Becker 型筋ジストロフィー（Becker muscular dystropny：BMD）

　DMD 型と同じジストロフィノパチーでも，発症年齢が遅く歩行可能期間も長い良性の経過をとる病型である．BMD では欠失塩基数が 3 の倍数でありフレームシフトを生じないため，短縮された不完全なジストロフィン蛋白が合成され軽症化する．発症年齢は小児期から中高年までさまざまである．腓腹筋肥大がみられ，病初期からしばしばふくらはぎの筋痛を訴える．筋症状は軽度でも高度の心筋症を合併することがある．DMD との区別は 15 歳で歩行可能であることが目安とされる．診断には遺伝子検査（MLPA 法）でジストロフィン遺伝子のエクソン欠失/重複の有無をチェックする．異常が検出されない場合には筋生検を行う．生検筋の免疫組織化学では筋鞘膜に不連続なジストロフィン発現がみられ（図 17-21-8C），ウェス

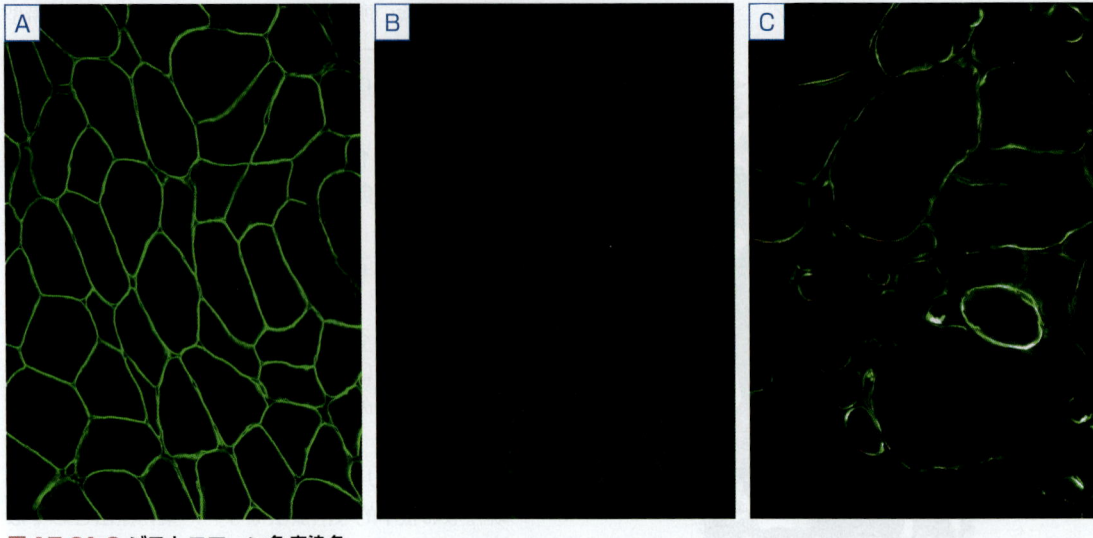

図17-21-8 ジストロフィン免疫染色
A：正常筋ではジストロフィンは筋鞘膜に沿って均一に染色されるが，B：Duchenne 型では完全に欠損する．C：Becker 型ではやや弱く不均一（faint and patchy）に染色される．

タンブロットでは分子量が正常とは異なるジストロフィンが検出される．

(3) 肢帯型筋ジストロフィー（limb-girdle muscular dystrophy：LGMD）

概念
特有な罹患筋分布や腓腹筋肥大などの特徴的な臨床像を欠き，腰帯や肩甲帯の筋萎縮で発症する筋ジストロフィーは肢帯型筋ジストロフィーと総称される．

原因・病因
近年になって遺伝子座位や原因遺伝子が次々に同定され，e表 17-21-A のように分類されている．常染色体優性遺伝を LGMD 1，常染色体劣性遺伝を LGMD 2 とし，前者は 1A〜H の 8 型，後者は 2A〜T の 20 型が同定されている．

疫学
わが国での患者数は約 2000 人と推定される．優性遺伝である LGMD 1 は 5％とまれで大半は劣性遺伝の LGMD 2 である．ジスフェルリン遺伝子異常によるジスフェルリノパチー（LGMD 2B）とカルパイン 3 遺伝子異常によるカルパイノパチー（LGMD 2A）が多い．いまだに約 60％の患者では原因遺伝子が同定されていない．

病理
壊死・再生像や結合組織増生の程度には軽度から高度まで幅がある．緩徐な経過をとる例では肥大線維や fiber splitting（肥大線維の分割）がみられる．分葉線維（e図 17-21-B）はカルパイノパチーで高頻度にみられる．

病態生理
原因蛋白により分子病態は多様で，ジスフェルリノパチーは筋鞘膜の修復機構の異常，カルパイノパチーはプロテアーゼ活性低下，サルコグリカノパチーはジストロフィノパチー類似の膜異常が推定されている．

臨床症状
通常は青年期に腰帯筋の筋萎縮・筋力低下で発症する．症状の進行とともに上肢の筋萎縮もきたす．サルコグリカノパチーではジストロフィノパチー様の腓腹筋肥大を呈するように，病型により特徴的な症候がみられることがある（e表 17-21-A）．小児期に発症する DMD 様の重症例〜中年以降に発症してくる軽症例まで，病気の重症度には大きな幅がある．呼吸障害と心筋障害の有無が生命予後には重要な因子となる．

診断
代謝性ミオパチー，炎症性ミオパチー，脊髄性筋萎縮症などが鑑別対象となる．おのおのの病型を臨床症候のみで診断することは不可能で，筋生検が必要となる．上述した 3 つの主要病型では特異抗体を用いた免疫組織染色やウェスタンブロット解析により診断することができるが，最終的には遺伝子検査により確定診断がなされる．

■文献

Guglieri M, Straub V, et al: Limb-girdle muscular dystrophies. Curr Opin Neurol. 2008; 21: 576-84.

Mathews KD, Moore SA: Limb-girdle muscular dystrophy. Curr Neurol Neurosci Rep. 2003; 3: 78-85.

砂田芳秀:肢帯型筋ジストロフィーの発症機序と治療への展望. 神経治療学. 2004; 21: 503-9.

(4) 顔面・肩甲・上腕型筋ジストロフィー (facio-scapulo-humeral dystrophy:FSHD)

概念
エピジェネティックな機序により発症し,顔面・肩甲・上腕の筋を侵す筋ジストロフィーである.

疫学
有病率は 2/10 万人で,遺伝性筋疾患のなかではDMD,筋強直性ジストロフィーについで多い.浸透率の高い(90〜95%)常染色体優性遺伝の疾患だが,約 30% は新規突然変異による孤発例である.

原因・病態生理
患者の約 95% では 4 番染色体長腕テロメア近傍 4q35 にある D4Z4 とよばれる 3.3 kb の繰り返し配列の欠失を認める(FSHD 1A).健常人では繰り返し配列が 11 から 100 個タンデムに並んでいるが,患者では欠失によりこの配列の繰り返し数が 10 以下になっている.D4Z4 繰り返し配列は DNA メチル化により上流にある遺伝子群の発現を制御している.繰り返し配列数が減少するとこの領域の低メチル化とヘテロクロマチンの減少(いわゆる chromatin relaxation)により,ホメオティック遺伝子である DUX4 が過剰発現し,筋細胞を傷害すると考えられている.

4q35 に連鎖しない FSHD 1B は 5% 以下とまれであるが,D4Z4 のメチル化に関与する *SMCHD 1* 遺伝子の変異により発症する.

臨床症状
多くは 10〜20 歳代で発症する.初発症状は肩甲帯の筋力低下で次第に上肢の挙上が困難となり,代償性に肩甲挙筋が肥大する.肩甲骨周囲の筋肉が萎縮し,翼状肩甲(scapula alata)を呈する(図 17-21-9).しばしば筋萎縮や筋力に著しい左右差がみられる.顔面筋が侵されミオパチー顔貌を呈する.しかし,咬筋や咽頭筋,舌筋は侵されないので,構音や嚥下機能は障害されない.体幹筋では腹直筋が弱くなり,腹筋を使って起き上がろうとするときに,臍が上方に移動する Beevor 徴候がみられることが多い.呼吸障害や心筋障害の合併はなく,生命予後は良好である.その他の症状として,網膜血管異常,感音性難聴(第Ⅷ脳神経障害)がある.

検査所見
血清 CK 値は半数以上が正常域で,上昇しても 5 倍程度にとどまる.針筋電図ではしばしば筋原性変化に神経原性変化の混入がみられる.筋生検でしばしば細胞浸潤がみられ,筋炎と間違われることもある.

診断
特徴的な罹患筋分布と症状の左右差が診断の手がかりとなる.特異的プローブを用いてサザンブロット解析を行い,欠失を示す短い断片が検出されれば遺伝子診断できる.ただし,FSHD 1B では欠失が認められないことに注意する.

■文献

Ehrlich M, Lacey M: Deciphering transcription dysregulation in FSH muscular dystrophy. J Hum Genet. 2012; 57: 477-84.
林由起子,後藤加奈子,他:ここまでわかった筋疾患 顔面肩甲上腕型筋ジストロフィー.臨床神経,2012; 52: 1154-7

(5) 遠位型ミオパチー (distal myopathies)
通常,筋ジストロフィーは近位筋優位の障害分布パターンを呈するが,遠位筋優位のパターンをとる筋疾患の一群は遠位型ミオパチーと総称される.代表的な疾患として,三好型遠位型筋ジストロフィーと縁どり空胞を伴う遠位型ミオパチーがある.

a. 三好型遠位型筋ジストロフィー
2 番染色体短腕 2p13 にあるジスフェルリン遺伝子の変異により発症し,常染色体劣性遺伝形式をとる.ジスフェルリンは筋鞘膜に局在する膜蛋白で損傷した膜の修復機構に関与する.ジスフェルリン欠損では筋鞘膜の修復が障害されている.

10 歳代後半〜30 歳代の若年成人に歩行障害で発症する.下腿屈筋(腓腹筋,ヒラメ筋)が病初期から最も強く侵されるため(e図 17-21-C),患者はつま先立ちができなくなる.病気の進行とともに大腿,腰帯筋も徐々に侵され,発症後約 10 年で車椅子生活となる.心筋,呼吸筋が侵されることはなく,生命予後は良好である.肢帯型筋ジストロフィー LGMD 2B もジスフェルリン遺伝子異常で発症する allelic disease であり,同じ変異でありながら,表現型(臨床像)が異なる機序は解明されていない.

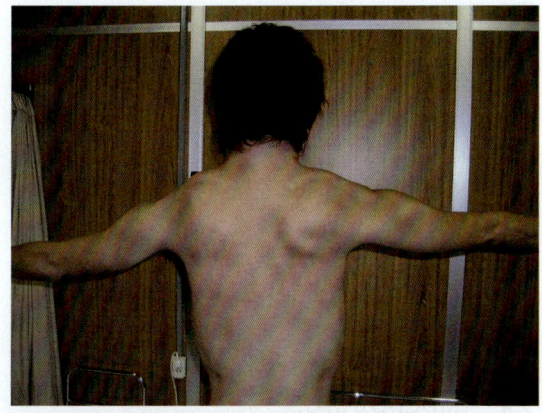

図 17-21-9 顔面・肩甲・上腕型筋ジストロフィー患者
上肢挙上が困難で翼状肩甲を呈する.

■文献
Liu J, Aoki M, et al：Dysferlin, a novel skeletal muscle gene, is mutated in Miyoshi myopathy and limb-girdle muscular dystrophy. *Nat Genet.* 1998; **20**: 31-6.
三好和夫：三好型ミオパチーの臨床．神経内科．2000; **52**: 265-74.
Takahashi T, Aoki M, et al: Dysferlin mutations in Japanese Miyoshi myopathy: relationship to phenotype. *Neurology.* 2003; **60**: 1799-804.

b. GNEミオパチー（縁どり空胞を伴う遠位型ミオパチー, distal myopathy with rimmed vacuoles：DMRV）

若年成人で発症し前脛骨筋筋力低下を特徴とする常染色体劣性遺伝の遠位型ミオパチーで，9番染色体長腕9q1のシアル酸合成酵素UPD-*N*-acetylglucosamine 2-epimerase/*N*-acetylmannosamine kinase（*GNE*）遺伝子の変異（大半はミスセンス変異）に起因する．GNEはシアル酸代謝経路の律速酵素であり，活性低下によるシアル酸合成障害のため発症する．わが国では400人程度の患者がいると推察されている．

筋病理では萎縮筋線維に縁どり空胞（図17-21-10）が散見され，βアミロイド蛋白の沈着を伴う．電顕では核内封入体を認める．本症は前脛骨筋の障害が強いため，つまずきやすさや鶏歩などの歩容異常で発症する．対照的に大腿四頭筋は相対的に保持される傾向がある．心筋障害はみられない．シアル酸生合成最終産物補充療法の治験が進行中である．

■文献
Nishino I, Carrillo-Carrasco N, et al: GNE myopathy: current update and future therapy. *J Neurol Neurosurg Psychiatry.* 2014; [Epub ahead of print]
野口　悟，他：縁取り空胞を伴う遠位型ミオパチーのモデルマウスと糖化合物による治療．*Brain and Nerve.* 2010; **62**: 601-10.

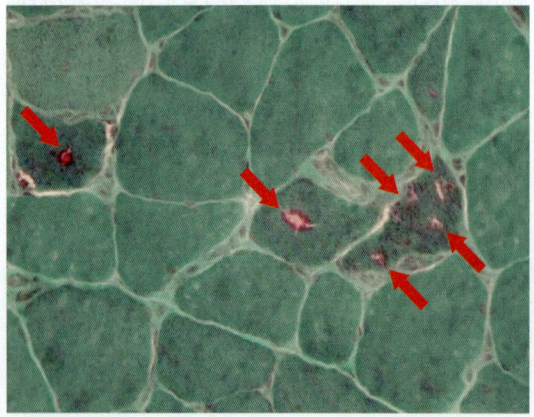

図17-21-10 縁どり空胞（Gomori-トリクローム変法染色）
GNEミオパチー患者生検筋で縁どり空胞（矢印）を認める．

(6) Emery-Dreifuss型筋ジストロフィー（EDMD）

①上腕-腓骨型の筋萎縮・筋力低下，②肘・足関節・後頸部の早期関節拘縮，③心伝導障害を3徴とする筋ジストロフィーで，X連鎖劣性のEDMD 1はXq28にあるエメリン遺伝子（*EMD*）変異により，核膜蛋白エメリンが欠損するため発症する．常染色体優性のEDMD 2は1番染色体1q21.2上の核膜マトリックス蛋白ラミンA/Cの遺伝子（*LMNA*）変異により発症する．また，ネスプリン-1/-2，*FHLX*，*TMEM43*などの遺伝子変異をもつ症例が相ついで報告され，本症は遺伝的に多様な疾患群であることが判明してきた．核膜異常を共通基盤とするが，詳細な分子病態の解明には至っていない．

関節拘縮は筋力低下が明らかとなる前からみられ，ときに傍脊柱筋が侵され脊椎強直症候群（rigid spine syndrome）を呈することもある．進行は緩徐であるが，致死的不整脈による突然死のリスクが高い．心伝導障害に対しては早期に心臓ペースメーカを挿入することで，突然死を回避できる．

■文献
林　由起子：Emery-Dreifuss型筋ジストロフィー．筋疾患診療ハンドブック（内野　誠監），pp160-4，中外医学社，2013．

(7) 眼咽頭型筋ジストロフィー（oculopharyngeal muscular dystrophy：OPMD）

常染色体優性遺伝で，40歳以降に眼瞼下垂と嚥下障害が緩徐進行する．外眼筋麻痺は比較的軽く，四肢筋はあまり侵されない．14q11.2にあるpoly A binding protein nuclear 1をコードする遺伝子（*PABPN1*）の翻訳領域にあるGCG（アラニン）トリプレット・リピートの異常伸長による．筋病理では筋核内にみられる8.5 nm冠状フィラメント状の封入体が疾患特異的である．筋疲労現象がない点で重症筋無力症と鑑別され，高度な眼瞼下垂に比し外眼筋麻痺が軽度であることと家族歴があることで進行性外眼筋麻痺と鑑別される．

(8) 先天性筋ジストロフィー（congenital muscular dystrophy：CMD）

生下時あるいは乳児期早期から筋緊張低下・筋力低下（いわゆるfloppy infant）を呈する病型はCMDに分類され，脳奇形を合併するタイプと筋ジストロフィー病変のみを呈するタイプに大別される．前者の代表がわが国特有の病気である福山型先天性筋ジストロフィー（FCMD）で，後者にはUllrich型先天性筋ジストロフィー（UCMD）やメロシン欠損型先天性筋ジストロフィー（MDCIA）がある．

a. 福山型先天性筋ジストロフィー（Fukuyama-type congenital muscular dystrophy：FCMD）

概念
日本人に特有の常染色体劣性の遺伝疾患であり、筋ジストロフィーに加えて脳奇形と眼病変の合併を特徴とする。

原因
9番染色体長腕9q31にあるフクチン(fukutin)遺伝子の変異により発症する。大半の患者では3'非翻訳領域に約3kbのレトロトランスポゾン配列が挿入されているためエクソントラップというスプライシング異常が惹起される。このきわめて特異な変異は縄文時代の日本人祖先の1人（創始者）に生じたとされ、約100世代を経た現在では日本人の90人に1人がヘテロ接合の保因者となっており、約3万出生に1人の割合で発症する。

疫学
わが国の小児筋ジストロフィーのなかではDMDについで2番目に多く、有病率は10万人あたり3人とされる。

病理
筋線維の壊死・再生像に加え、間質の結合組織が著しく増生しており、早期から激しいジストロフィー変化が生じている。また筋線維は円形・小径であり筋分化が遅延している。脳の形成段階で神経細胞の移動が障害され、多小脳回(polymicrogyria)を基本とする高度の脳奇形(敷石滑脳症)を呈する。

病態生理
フクチンは筋鞘膜と基底膜を繋ぐ糖蛋白α-ジストログリカンのo-マンノース型糖鎖修飾を司っている。患者ではこの糖鎖修飾が欠損するため細胞膜-基底膜の結合が破綻し、重度の筋ジストロフィーを発症する。FCMD以外にも脳奇形を合併するCMDでは共通病態としてα-ジストログリカンの糖鎖異常がみられ、これらの疾患はα-ジストログリカノパチーと総称されている。

臨床症状
典型例は頸定の遅れや運動発達遅滞で気づかれる。重症例では生下時から呼吸不全、哺乳力低下がみられ、floppy infantを呈する。顔面筋罹患のため、表情に乏しく口を開けていて、高口蓋がある。早期から手指・股・足関節に拘縮が始まり、進行すると全身の関節が拘縮する。頸定は平均8カ月、座位までは獲得できるが、多くの例で最高到達運動機能はいざりまでである。全例に中〜高度の知的発達遅滞があり、IQ50をこえることはまれである。

診断
フクチン遺伝子検査により確定診断できる。日本人のFCMD患者のほとんどは3kbのレトロトランスポゾン挿入変異のホモ接合であるが、ときにミスセンス変異の複合ヘテロ接合がある。ミスセンス変異の場合は一般的に重症化するが、心筋症のみの軽症例の報告もある。

鑑別診断
筋症状、脳奇形、眼病変が共通する疾患に、筋・眼・脳病、Walker-Warburg症候群があり、いずれもα-ジストログリカンの糖鎖異常症(α-ジストログリカノパチー)である。

合併症
てんかん発作の合併は約50%であり、近視、白内障、視神経萎縮、網膜剥離などの眼病変は約70%にみられる。

経過・予後
10歳以降になると、心筋症による心不全、肺炎、呼吸不全などを合併するようになり、平均寿命は15歳程度とされる。近年、遺伝子検査が普及し歩行可能な軽症例や日本人以外の症例も報告されている。

治療・リハビリテーション
現時点では有効な治療法はなく、関節拘縮予防や呼吸筋のリハビリテーションが主体となる。スプライシング異常を是正するアンチセンスオリゴ核酸医薬が開発中で、臨床応用が期待される。

■文献

Fukuyama Y, Osawa M, et al: Congenital progressive muscular dystrophy of the Fukuyama type—clinical, genetic and pathological considerations. Brain Dev. 1981; 3: 1-29.

池田真理子, 戸田達史：福山型先天性筋ジストロフィー. 筋疾患診療ハンドブック(内野　誠監), pp139-44, 中外医学社, 2013.

Kobayashi K, Nakahori Y, et al: An ancient retrotransposal insertion causes Fukuyama-type congenital muscular dystrophy. Nature. 1998; 394: 388-92.

b. メロシン欠損型先天性筋ジストロフィー（MDC1A）

概念
精神発達遅滞を欠く西洋型先天性筋ジストロフィーの代表疾患で、骨格筋基底膜成分メロシン欠損に起因する。

原因・病態生理
メロシンはラミニンα_2, β_1, γ_1鎖から構成されるヘテロ三量体で、本症は6q22.33にあるラミニン$\alpha2$鎖の遺伝子(LAMA2)変異による。メロシンは糖鎖構造を介してα-ジストログリカンと結合しており、その欠損によりジストロフィン糖蛋白複合体を介する細胞骨格と細胞外マトリックスの連結が断たれる。

疫学
欧米では最も頻度の高い(約50%を占める)先天性

筋ジストロフィーであるが，わが国での頻度はその1/10程度である．

臨床症状
生後早期からfloppy infantを呈し，顔面筋も含め全身性（近位筋・遠位筋とも）に筋萎縮と筋力低下があり，関節拘縮を認める．運動発達は座位までは獲得できても，歩行能力獲得には至らない．FCMDのような知的発達遅滞はみられない．メロシンの部分欠損例は軽症で，歩行可能となり肢帯型筋ジストロフィーに類似する．

検査所見
血清CK値は福山型と同じ程度に上昇する．筋病理では，円形で小径の筋線維と壊死・再生像，間質結合組織の増生など強いジストロフィー変化を認め，ときに間質に炎症細胞浸潤がみられ筋炎と間違われることもある．脳MRIでは大脳白質全体の髄鞘形成不全のため白質ジストロフィー様の所見を呈する．末梢神経においても髄鞘形成が障害され，神経伝導速度が遅延する．

診断
メロシン抗体で筋線維の基底膜が染色されないことで診断に至る．

■文献
Bertini E, D'Amico A, et al: Congenital muscular dystrophies: a brief review. *Semin Pediatr Neurol*. 2011; **18**: 277-88.
Tome FM, Evangelista, T. et al: Congenital muscular dystrophy with merosin deficiency. *C R Acad Sci III*. 1994; **317**: 351-7.

c. Ullrich型先天性筋ジストロフィー（UCMD）
概念
筋線維間の細胞外マトリックス成分であるコラーゲンⅥの欠損による疾患で，近位関節の拘縮と遠位関節の過伸展（図17-21-11）を特徴とする．CMDの10%弱を占め，FCMDについで多い．

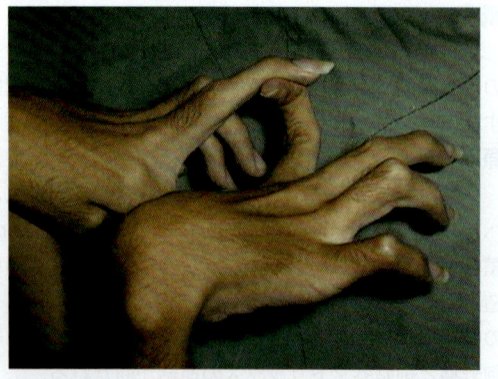

図17-21-11 **Ullrich型先天性筋ジストロフィー患者における遠位関節の過伸展**（写真は鹿児島大学樋口逸郎先生のご厚意による）

原因
コラーゲンⅥの欠損が原因であり，コラーゲンⅥを構成する3つのサブユニット（α1，α2，α3鎖），それぞれの遺伝子（*COL6A1*，*COL6A2*，*COL6A3*）に変異が報告されている．

臨床症状
出生早期から筋力と筋緊張の低下（floppy infant）で発症し，運動発達が遅れる（約半数は歩行不能）が，知的発達は正常である．本症の特徴は①近位関節の拘縮（頸部前屈制限，側弯），②遠位関節（足，手，手指）の過伸展，③踵骨の突出，④高口蓋である．病気は緩徐進行性であるが，呼吸筋が侵されやすい．

診断
生検筋のコラーゲンⅥ免疫染色で欠損が確認されれば確定診断できる．コラーゲンⅥの完全欠損と筋鞘膜特異的欠損の2つのパターンがある．

鑑別診断
常染色体優性遺伝のBethlemミオパチーは，やはりコラーゲンⅥ遺伝子異常に起因する疾患である．幼少期に発症し関節拘縮を伴いながら近位筋優位の筋萎縮・筋力低下が緩徐に進行する．両者はコラーゲンⅥ関連筋疾患の連続したスペクトラムに位置する疾患ととらえられる．
〔砂田芳秀〕

■文献
樋口逸郎：Ullrich，ベスレムミオパチー．筋疾患診療ハンドブック（内野　誠監），pp165-70，中外医学社，2013．
Higuchi I, Shiraishi T, et al: Frameshift mutation in the collagen VI gene causes Ullrich's disease. *Ann Neurol*. 2001; **50**: 261-5.

4）ミオトニア症候群

筋強直（ミオトニア，myotonia）とは収縮した筋肉が弛緩しにくい現象である．針筋電図では刺入時に高頻度放電が持続し徐々に減衰するミオトニア放電（myotonic discharge）を特徴とする（e動画17-21-B）．この放電は筋電計のスピーカーを通して「モーターバイク音」あるいは「急降下爆撃音」に例えられる独特の音として聞こえる．筋強直現象を呈する疾患は筋強直症と総称され，筋強直性ジストロフィー（DM）とチャネロパチーである非ジストロフィー性筋強直症（nondystrophic myotonias）に大別される．

（1）筋強直性ジストロフィー（myotonic dystrophy, dystrophia myotonica：DM）
概念
常染色体優性の遺伝性疾患で，筋力低下・筋萎縮に加えて筋強直症を特徴とするが，多臓器障害により多

彩な症候を呈する．3ないし4塩基リピートが異常伸長したtoxic RNAによるRNA病ととらえられる．次世代でリピートがさらに伸長し発症が早期化，症状も重症化する表現促進現象が認められる．表現促進現象は母親由来の場合に顕著となり，先天型のほとんどは母親由来である．

原因

遺伝子座の異なる2つのタイプがある．ほとんどの症例はDM1で，19番染色体長腕19q13.3にあるDMキナーゼ(*DMPK*)遺伝子の3'非翻訳領域にあるCTGリピートが異常伸長している．通常CTGリピート数は38回程度だが，患者ではこれが50～数千にまで伸長し，そのリピートの長さが重症度とある程度相関している．DM2はまれで3番染色体3q21上の*ZNF9*遺伝子のイントロン1にあるCCTGリピートの異常伸長により発症する．

疫学

有病率は10万人あたり約5人で，成人発症の筋ジストロフィーでは最も多い．

病理

筋病理所見は壊死・再生像に乏しく，筋線維の大小不同，中心核線維の増加，タイプ1型筋線維の萎縮が特徴的である．中心核は筋線維の長軸方向に鎖状に連なり（図17-21-12），小径筋線維でこのような核が集合したpyknotic nuclear clampがみられる．筋鞘膜下にはしばしばsarcoplasmic massとよばれる無構造物が観察される．

病態生理

CTGリピート伸長は3'非翻訳領域にあり，患者のDMPK蛋白自体には異常はない．しかし，pre-mRNAへ転写された伸長CUGリピートがスプライシングを制御するRNA結合蛋白をトラップするため，さまざまな遺伝子の転写過程において正常なスプライシングが障害される（図17-21-13）．患者の筋

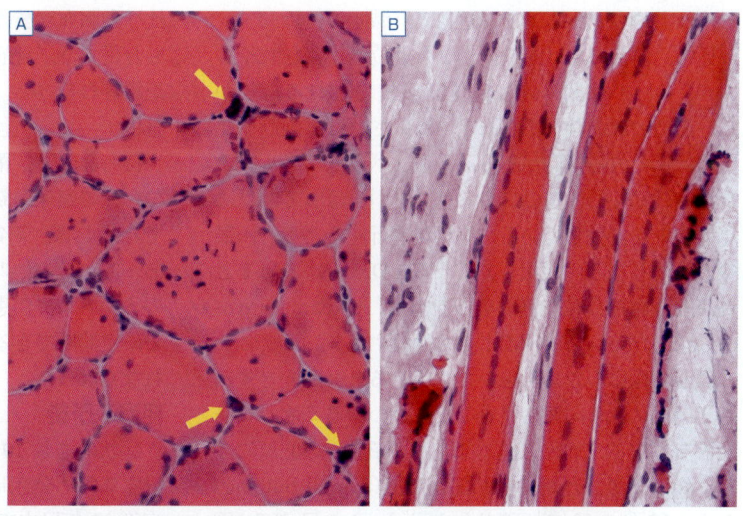

図17-21-12 筋強直性ジストロフィー患者の筋病理組織（HE染色）
A：中心核の増加，pyknotic nuclear clamp（矢印），B：核の鎖状配列を認める．

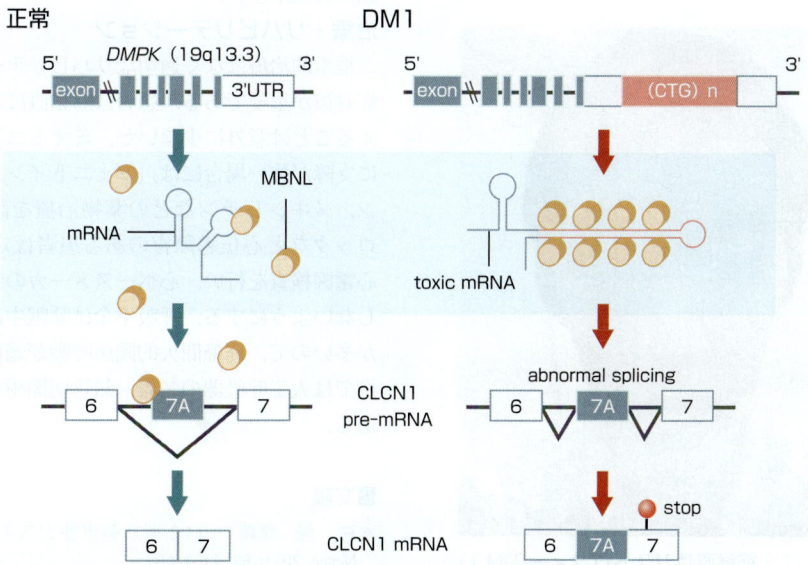

図17-21-13 筋強直性ジストロフィーの分子病態
異常伸長したCTGリピートが転写されたRNAはスプライシング制御蛋白MBNLをトラップし，Cl⁻チャネル*CLCN1*遺伝子などのスプライシング異常を引き起こす．

肉ではCl⁻チャネル（CLCN1）遺伝子発現で異常スプライシングが起こり，幼若型CLCN1ができるためミオトニアが生じる．また，インスリン受容体もスプライシング異常により幼若型受容体が優位になっていて，インスリン耐性の原因と考えられる．

臨床症状

中核をなす症候はミオトニア現象と全身の筋力低下・筋萎縮である．強く手を握った後，直ちに拳を開けず（把握ミオトニア，grip myotonia），母指球筋をハンマーで叩打したときに母指の内転が持続する（叩打ミオトニア，percussion myotonia）(e動画17-21-C)．また，強く閉眼するとすぐに開眼できない（眼瞼ミオトニア）こともある．筋強直は寒冷で悪化し，保温やウォームアップ運動で軽減する．

通常，筋疾患では遠位筋よりも近位筋が侵されやすいが，DM 1は例外的に遠位筋優位とされる．しかし，正確には前腕・下腿筋優位に侵され，手内筋や足内筋は保たれる傾向がある．患者はペットボトルのふたを開けにくい，缶のプルトップを引っぱって開けにくいことを自覚している．病気が進行すると歩行困難や首下がりなどの症状もでてくる．DM 2はDM 1と異なり近位筋優位の筋力低下を呈し，proximal myotonic dystrophy（PROMM）ともよばれる．

顔面筋罹患のため目をかたく閉じることができず口も半開きになり眼瞼も下垂した，いわゆるミオパチー顔貌を呈する．加えて前頭部禿頭，頭蓋骨の肥厚により，顔の下半分が細く前頭部が突出（frontal bulging）した，特有の斧様顔貌（hatched face）を呈する（図17-21-14）．顔面筋，咀嚼筋に加えて，胸鎖乳突筋が高度に萎縮する．

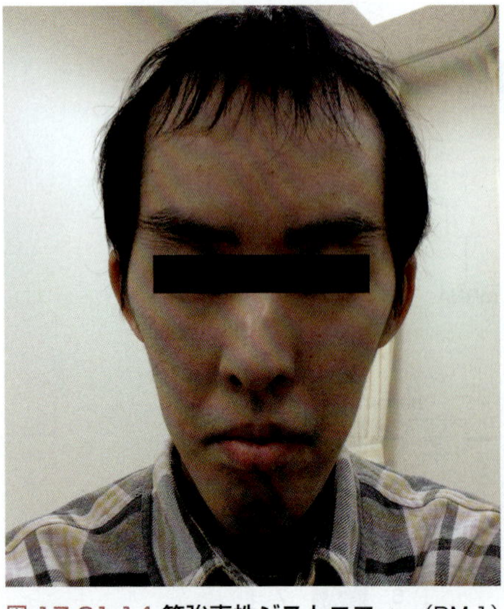

筋症状以外では，白内障，知能低下，過眠，心伝導障害，肺換気障害，性腺萎縮，耐糖能障害，消化管平滑筋障害など多臓器障害の多彩な症候を呈する．

先天型（先天性筋強直性ジストロフィー）は生後早期からfloppy infantを呈し，呼吸障害や哺乳力低下がみられる重症型である．筋分化の遅延を顕著に認める．

検査所見

血清CK値は軽度～中等度の上昇を示す．高血糖，血清IgG低値を呈する．心電図では房室ブロックや洞不全症候群などの心伝導障害がみられる．肺機能検査では肺換気障害がみられるが，肺活量低下の程度に比べ動脈血炭酸ガス分圧が高く，中枢性低換気の機序も合併する．針筋電図では刺入時にミオトニア放電が記録される．

診断

特有な顔貌，罹患筋分布パターン，ミオトニア現象の存在で臨床診断する．ミオトニアが臨床的に明らかでなければ，筋電図検査で確認する．ミオトニアがあってもその他の多臓器症状がみられなければ，ほかのミオトニア疾患との鑑別が問題になる．遺伝子検査で確定診断できることから，診断目的の筋生検は行われなくなった．

経過・予後

症状は通常10歳代以降に現れ，きわめて緩徐に進行するため発症時期を特定することが困難である．発症後30年以内で約半数が歩行不能となる．生命予後は症例によるばらつきが大きく一概にはいえないが，死因は不整脈による突然死，心不全，誤嚥による窒息・肺炎が多い．

治療・リハビリテーション

根本的治療はなく適切なリハビリテーションと合併症対策が重要である．患者は筋強直による不自由を訴えることは意外に少ないが，ミオトニアが著しく生活に支障が強い場合には，フェニトイン，カルバマゼピン，メキシレチンなどの薬物治療を試みる．房室ブロックなど心伝導障害のある患者は定期的なHolter心電図検査を行い，心ペースメーカの装着の時期を失しないようにする．呼吸不全は睡眠中に悪化することが多いので，経鼻間欠的陽圧呼吸が適応となる．重症例では人工呼吸器の装着，気管切開術が必要な場合がある．

図 17-21-14 筋強直性ジストロフィー（DM 1）患者に特有な斧様顔貌
顔面筋罹患とともに側頭筋，咬筋が萎縮し，前頭部禿頭を認める．

■文献

木村 隆，齋藤 司：2型筋強直性ジストロフィー．Brain Nerve. 2011; 63: 1151-60.

高橋正紀：筋強直性ジストロフィー——RNA病としての病態から将来の治療へ向けて．臨床神経学．2012; 52: 1393-6.

Udd B, Krahe R: The myotonic dystrophies: molecular, clinical, and therapeutic challenges. *Lancet Neurol.* 2012; **11**: 891-905.

(2)先天性ミオトニア（myotonia congenita）
概念
生後早期から全身性の筋強直症を呈する常染色体優性筋疾患で，Cl⁻チャネル遺伝子の異常に起因する．常染色体劣性のものは Becker 型とよばれるが，同一遺伝子の異常である．いずれもまれな疾患である．

原因・病態生理
7番染色体長腕7q35の電位依存性Cl⁻チャネル遺伝子（*CLCN1*）の変異（ミスセンスやナンセンス変異）のためチャネル機能が変化（Cl⁻コンダクタンスが低下）して発症する．劣性遺伝の Becker 型はチャネル機能低下がより顕著で症状も強い．

臨床症状
ミオトニア現象と筋肥大であり，筋萎縮や筋力低下はきたさない．むしろ過度の筋強直のため筋肉は肥大傾向を示し，"ヘラクレス様"と表現されるように筋骨隆々としている．動作の遅さを主訴として受診することが多い．ミオトニアは運動開始時に顕著であり，運動を繰り返すうちに改善してくる（ウォームアップ効果）．

治療
ミオトニアに対して DM1 に準じた治療を行う．

■文献
久保田智哉，佐々木良元，他：骨格筋チャネル病 ミオトニー症候群と周期性四肢麻痺．神経内科．2011; **75**: 65-74.
Lossin C, George AL Jr: Myotonia congenital. *Adv Genet*. 2008; **63**: 25-55.

(3)先天性パラミオトニア（paramyotonia congenital：PMC）
概念
寒冷によって出現する筋強直と，四肢脱力発作を主症状とするまれな遺伝性（常染色体優性）筋疾患である．高カリウム性家族性周期性四肢麻痺と同様に電位依存性 Na⁺チャネル（*SCN4A*）遺伝子に変異がある．

臨床症状
通常は目立たないが，寒冷曝露によりミオトニアが誘発され，脱力を伴うのが特徴である．パラミオトニアとは通常のミオトニアが反復運動で軽快するのに対して，逆に増悪する（paradoxical myotonia）ことから名づけられた．

診断
先天性ミオトニアとの鑑別は寒冷でミオトニアが増悪することと，筋肥大がないことが重要である．脱力発作と高カリウム血症が見いだされれば診断は容易である．確定診断は遺伝子診断による．

合併症
高カリウム性周期性四肢麻痺【⇨ 17-21-7】に合併することもある．

治療・予防
寒冷を避けるよう指導する．また，寒冷期にはメキシレチンを服用するとミオトニアが軽減される．四肢麻痺発作に対してはグルコン酸カルシウムの投与で高カリウム血症を補正する．
〔砂田芳秀〕

■文献
Matthews E, Fialho D, et al: The non-dystrophic myotonias: molecular pathogenesis, diagnosis and treatment. *Brain*. 2010; **133**: 9-22.

5）炎症性ミオパチー
inflammatory myopathy

(1)多発筋炎（PM），皮膚筋炎（DM）
定義・概念
特発性炎症性筋疾患は骨格筋を標的とする自己免疫疾患であり，そのなかには PM，DM，封入体筋炎が含まれる．このなかで封入体筋炎は変性機序関与し臨床像や病態が異なるので，PM，DM とは別に扱う．PM，DM は両者をまとめて「筋炎」として扱うことが多い．またサルコイドーシスによる筋炎やウイルス性感染による筋炎は病態が異なるために「筋炎」とは別に扱う．

筋炎は，臨床的にはおもに亜急性の経過で四肢近位筋優位に対称性の筋力低下を生じ，血清中のクレアチンキナーゼの上昇を認めるといった共通の特徴を有する．しかし症例によりさまざまな臨床像（皮疹の有無，合併疾患としての膠原病，間質性肺炎，癌）を認め，血清中には臨床像と関係する筋炎特異自己抗体が出現し，筋組織ではやはり臨床像と関連する筋線維傷害機序を反映する病理所見を認める．筋炎は単一の疾患というよりもさまざまな背景病態をもつ症候群といえる．

分類（eコラム1）
1)**厚生労働省の基準**：典型的な皮疹（ヘリオトロープ疹，Gottron 徴候，Gottron 丘疹）を有する筋炎を DM とし，それ以外を PM とする（e表 17-21-B）．
2)**Bohan と Peter の分類**：典型的な皮膚症状の有無で PM と DM を区別したうえで，筋炎全体を PM，DM，膠原病合併筋炎（CTM）（PM または DM），悪性腫瘍合併（PM または DM），小児筋炎（PM または DM）の5つに分類する[1,2]．
3)**ヨーロッパ神経センターの分類基準**：臨床像と組織所見を重視する分類であり，封入体筋炎を除外した

後に，筋炎をPM(病理学的PM)，DM，amyopathic DM(無筋症型皮膚筋炎)，壊死性筋炎，非特異的筋炎の5つに分類している．この分類でのPM(病理学的PM)は，典型的な皮疹がないという臨床的なPMではなく，CD8陽性T細胞がMHCクラスⅠ分子(MHC-Ⅰ)を異常に発現している非壊死筋線維を取り囲む，または侵入する組織像(CD8/MHC-Ⅰ複合体)を認めるものとしている点に注意を要する(ⓔ図17-21-DのA)．DMは，典型的皮疹を有し筋生検組織で筋束周辺部萎縮を含む炎症性変化を認めるもの(ⓔ図17-21-DのB)，無筋症型皮膚筋炎は典型的な皮疹を示すが筋所見を伴わないものとしている．なお，この分類ではじめて，壊死性筋炎が定義され分類されたが，壊死性筋炎組織像では多数の壊死線維の存在が目立ち炎症細胞浸潤は目立たないものとしている(ⓔ図17-21-DのC)．そして，非特異的筋炎は典型的な皮疹がなく筋組織内に炎症性変化を認めるが特徴的な病理所見を認めないものとしている(ⓔ図17-21-DのD)[3](ⓔコラム2)．

病理

ヨーロッパ神経センターの分類基準に従い，病理所見から分類される筋炎の病理像を示す(ⓔ図17-21-5-A)．

その他，原因や臨床症状，診断・治療などについては【⇨12-6】を参照．

(2)封入体筋炎

定義・概念

中高年以降に緩徐進行性の経過で四肢，特に大腿部や手指・手首屈筋の萎縮と筋力低下を生じ，骨格筋では筋組織への炎症細胞浸潤と筋線維の縁どり空胞を伴う筋変性像の両方の特徴を認める炎症性筋疾患である．難治性でありステロイドによる効果はないかあっても一時的である．特徴的な病理像に基づき診断される(ⓔ表17-21-C)[4,5]．

原因・病因

封入体筋炎の原因は不明である．本疾患ではCD8陽性T細胞がMHCクラスⅠ分子(MHC-Ⅰ)を異常に発現している非壊死筋線維を取り囲み侵入する像(CD8/MHC-Ⅰ複合体)を特徴の1つとしている．この病理学的特徴は組織学的なPMでも認める特徴であり，封入体筋炎と組織学的PMではT細胞による細胞傷害機序が関与していると考えられている．細胞傷害性T細胞には筋線維傷害を起こすパーフォリンやグランザイム顆粒が含まれており筋線維に接着することで筋線維壊死を誘発すると推定されている[6]．本疾患のもう1つの病理像の特徴は縁どり空胞を伴う変性筋線維である．変性筋線維内にはアミロイド前駆蛋白，リン酸化タウ，プリオン蛋白などの変性蛋白の他沈着を認め，Alzheimer病との相同性が指摘されている．変性筋線維内には家族性ALSの原因遺伝子産物であるTDP-43，ユビキチン結合蛋白であるp62の沈着も認めるが，これらは縁取り空胞のない筋線維にも認める．封入体筋炎筋組織の変性機序には蛋白分解経路の異常が病態に関与していると推定されている[7]．

疫学

50歳以上の中高年で発症することが多く，女性より男性に多いとされている[4,5]．わが国においての有病率が増加傾向にあり，2003年の時点で100万人あたり9.83との報告がなされている[8]．欧米の有病率は100万人あたり4.9〜14.9とされ，男女比は3：1で男性に多く，50歳以降発症の筋疾患のなかでは最も頻度が高いといわれている[4,5]．

病理

本疾患は病理像で定義される疾患であり診断のためには筋生検による病理所見の確認は必須である(図17-21-15)．筋線維に対する炎症像と筋変性像を特徴とする．炎症像としてはMHCクラスⅠ分子(MHC-Ⅰ)を発現亢進した非壊死筋線維を細胞傷害性CD8陽性T細胞が取り囲み侵入する像(CD8/MHC-Ⅰ複合体)を特徴とする．筋束周辺部萎縮像や壊死再生線維の多発は認めない．筋変性像としては，縁取り空胞を伴う変性筋線維の存在を特徴とし，ユビキチン陽性封入体とアミロイド沈着を認める．また，免疫染色をすることで変性筋線維内に前述のとおりアミロイド関連蛋白など各種の変性蛋白の存在を確認できる．ユビキチン結合蛋白であるp62/SQSTM1は縁どり空胞を認める前の筋線維にも染色性を認め診断的な価値がある[9]．また，チトクロームCオキシダーゼ(COX)染色が陰性でミトコンドリア異常を認める筋

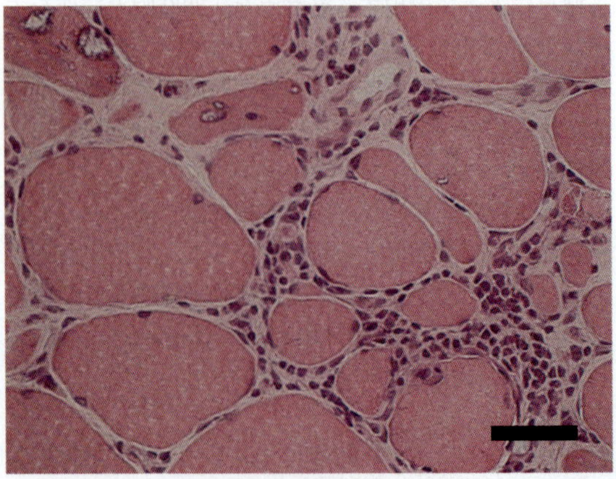

図17-21-15 封入体筋炎組織像，HE染色（スケールバー：50 μm）
筋組織内に非壊死筋線維を取り巻くリンパ球と縁どり空胞を伴う変性筋線維を認める．

線維を年齢に比して高頻度で認める[7]．変性筋線維を電子顕微鏡で観察すると核や細胞質内に本疾患の名前の由来である 16～20 nm のフィラメント状封入体を認める[10]．

臨床症状
1）自覚症状： 1 年以上の経過で緩徐に進行する筋萎縮と筋力低下を認め，発症時期を正確に特定できない場合もある．初発症状は，上肢の場合は手指・手首屈筋の筋力低下でありペットボトルのキャップや缶のプルの開けにくさ，下肢の場合は床からの立ち上がりにくさや膝折れ，階段昇降困難を訴えることが多い．また，嚥下困難は多く認める症状であり，初期より目立つ例もある[4,5,9]．

2）他覚症状： 筋力低下や萎縮を認める障害筋の分布が特徴的である．緩徐進行性のために多くの症例で受診時に障害筋の萎縮を認めている．多発筋炎や皮膚筋炎と異なり上肢の遠位筋，特に手指屈筋の障害が目立つのが特徴である．手指や手首の屈筋の筋力が伸筋側に比較して弱く，手指の屈筋の筋力が肩関節での外転筋の筋力より弱い場合が多い．下肢は大腿四頭筋の障害が目立つ．左右差が目立つ症例も多い．四肢の筋力低下や嚥下障害は進行性である[9]．

検査所見
血清 CK 値の上昇を認めるが，十分に安静をとらせた後に評価する安静時の血清 CK 値は 2000 IU/L（正常の 15 倍）をこえることはない．筋電図検査では線維自発放電を安静時に認め随意収縮時には早期動員を伴う筋原性変化を認める．骨格筋 CT 検査は筋障害の分布を把握するのに有用である[9]．近年，抗 cytosolic 50′-nucleotidase 1A（cN1A）抗体が本疾患の自己抗体として発見された[11,12]．本抗体の封入体筋炎の診断や病体における意義には今後の検討が必要とされている．

診断
臨床像と筋病理像の特徴から診断する．厚生労働省の診断基準（e表 17-21-C）とヨーロッパ神経筋センターの診断基準[9]がある．診断のためには筋生検が必須であるが，最初の筋生検では変性線維を認めず，治療反応性不良のため行った再生検で典型的な病理像を認める場合がある[13,14]．

鑑別診断
縁どり空胞を伴う筋疾患，その他の炎症性筋疾患（多発筋炎，皮膚筋炎），筋萎縮性側索硬化症などの運動ニューロン病などを鑑別する．

また，封入体筋炎の臨床像をとりながら縁どり空胞を伴う変性筋線維を認めない例が存在し，組織学的な多発筋炎との異同が問題になっている[6,14]．

合併症
HIV，HTLV-1，C 型肝炎ウイルス感染症を合併することがある[15]．

経過・予後
難治性であり四肢の筋萎縮や筋力低下は緩徐に進行する．発症後数年～10 年以上の経過で車椅子が必要になる[4,5]．

治療・リハビリテーション
現時点で有効な治療法は確立されていない[9]．ステロイドの効果はないばかりか，患者は高齢であり副作用による合併症も認めるため安易な投与は避けるべきである．免疫抑制薬の使用がかえって病態を悪化させたとの報告もある[16]．作業療法や運動療法などのリハビリテーションや補助装具などを筋力の状況で活用する．

〔清水　潤〕

（e文献 17-21-5）

6）代謝性・内分泌障害性ミオパチー

代謝性・内分泌障害性ミオパチーとよばれるミオパチーにはさまざまな種類がある[1]．ここでは代表的なものを取り上げる．このほかに副甲状腺機能障害によるもの，スタチンなどの薬物性，アルコールによるもの，脂肪代謝異常により筋線維内に脂肪が蓄積して筋症状を呈する脂肪蓄積ミオパチーなどもある．

(1) 甲状腺機能障害
甲状腺機能低下によるミオパチーは橋本病（慢性甲状腺炎）によるものが多く，その他悪性腫瘍の転移などでも起こる．小児期の子どものクレチン病に伴うものもある．中等度に CK の上昇が認められる．腱反射の弛緩相の遅延および筋をハンマーなどで叩打すると局所的に膨隆する mounding 現象も有名である．ときに筋肥大が認められる．甲状腺機能亢進症に伴うミオパチーでは易疲労性や体重減少，振戦などの甲状腺機能亢進症としての症状に加えて，近位筋の筋力低下や筋萎縮をきたす．

甲状腺眼症は甲状腺刺激ホルモン受容体抗体による眼窩組織の自己免疫異常で，外眼筋の炎症，線維化をきたす（Bahn, 2010）．重症例では複視や視力障害をきたす．本症の発症は甲状腺機能亢進症とほぼ同時期が多いが，甲状腺機能異常を伴わないこともある．眼科および MRI による評価を行う．治療としては喫煙が増悪因子として知られており禁煙を勧める．甲状腺機能の正常化をはかると同時にステロイドを使用し，病態に応じて放射線照射療法も考慮される．

(2) 副腎皮質機能障害およびステロイドミオパチー

Cushing症候群では副腎皮質ステロイドの過剰が原因で近位筋優位の筋力低下，筋萎縮が認められる．

外因性のステロイド投与でも同じような病態を生じて，ステロイドミオパチーとよばれる[2]（Pereiraら，2011）．血清CK値は上昇しない．ステロイドミオパチーでは％クレアチン尿や3-メチルヒスチジンの尿中排泄が増加することが報告されているが腎機能による影響や基礎値の個人差が大きく信頼できるマーカーとはいいがたい．特に炎症性筋疾患などの筋脱力を伴う疾患に対するステロイド治療開始後に生じた筋力低下の場合には診断に苦慮することが多い．

(3) 低カリウム血性ミオパチー

血清カリウム値の低下に伴い四肢筋力低下をきたす症候群であり，血清カリウム値は2.0 mEq/L以下という報告がある．その原因としては原発性アルドステロン症，K排泄性の利尿薬，甘草の服用，アルコール多飲，コーラなどのカフェインを含む清涼飲料水の大量摂取などがある．薬物が原因であれば投与を中止する．四肢筋力低下ではなく，首下がりを呈した症例も報告されている．

(4) サルコイドミオパチー

サルコイドーシスは非乾酪性類上皮細胞肉芽腫があらゆる臓器に形成される全身性疾患である．筋に肉芽腫が形成されると筋サルコイドーシスとよばれる．無症候性のものを含めると全身性サルコイドーシスにおける頻度は低くない．サルコイドーシスの診断は指定難病の診断基準に従うが，筋サルコイドーシスの病型としては①急性〜亜急性筋炎型，②慢性ミオパチー，③腫瘤型ミオパチーの3つに分類されている[3]．多発筋炎様症状で急性に発症した例ではわが国での報告例は比較的高齢者の発症が多く，女性に多い傾向がある．②の慢性ミオパチー型は比較的まれとされているが，肢帯型筋ジストロフィーなどとの鑑別が必要となる．腫瘤型は頻度が最も高く，筋内に限局性に種々の大きさの1〜数個の無痛性の腫瘤を形成し，触知される．確定診断には筋生検が必要となるが，ガリウムシンチグラフィやMRIによる画像診断も非常に有用である．特に腫瘤型のMRI所見は周辺部が高信号，中心部は低信号を示す結節像を認める．水平断では中心部の等信号はしばしば星形を示し，dark starとよばれる．冠状断では筋線維に沿った3層構造の帯状の病変を示し，three stripesとよばれる（Otake, 1994）．

〔青木正志〕

■文献 ⓔ文献17-21-6）

Bahn RS: Graves' ophthalmopathy. *N Engl J Med*. 2010; **362**: 726-38.

Otake S: Sarcoidosis involving skeletal muscle: imaging findings and relative value of imaging procedures. *AJR Am J Roentgenol*. 1994; **162**: 369-75.

Pereira RM, Freire de Carvalho J: Glucocorticoid-induced myopathy. *Joint Bone Spine*. 2011; **78**: 41-4.

7）周期性四肢麻痺
periodic paralysis

発作性の骨格筋筋細胞膜の興奮性異常により脱力・麻痺をきたす疾患で，血清カリウム値の異常を伴うことが多い．遺伝性のものは骨格筋細胞膜イオンチャネルの変異によるチャネル病であることが明らかとなっている[1]（Venanceら，2006）．脱力発作は下肢から上肢に広がるが，程度は下肢のみといった限局性筋力低下から完全四肢麻痺まであり，その持続は1時間未満から数日まである．発作頻度も毎日から生涯に数回までとかなり幅がある．眼球運動障害や顔面・嚥下・呼吸筋の麻痺はあまりみられず，感覚や膀胱直腸障害はない．発作時の血清カリウム値から，低カリウム性，高カリウム性に分類され，それぞれ家族性と症候性に分類される．遺伝性（家族性）では常染色体優性遺伝を示し，骨格筋型カルシウムチャネルαサブユニット（*CACNA1S*）や骨格筋型ナトリウムチャネルαサブユニット（*SCN4A*）の遺伝子異常が原因となる（Rojasら，1991）．高カリウム性は低カリウム性より程度も軽く持続も短い．一方，初回発作は低カリウム性が思春期頃であるのに対し，高カリウム性は小児期と早い．発作の誘発因子として，低カリウム性では高炭水化物食，過剰な運動など，高カリウム性であれば寒冷，安静などがある．特殊なタイプとして周期性四肢麻痺に不整脈（QT(U)延長）と骨格奇形を合併するAndersen-Tawil症候群がある．

(1) 低カリウム性周期性四肢麻痺

遺伝性のものは厚生労働省研究班（高橋正紀，他：平成21年度厚生労働省難治性疾患克服研究事業，本邦における筋チャネル病の実態に関する研究班；現希少難治性疾患に関する調査研究班）で作成した診断基準を参考にする（ⓔ表17-21-D）．発作間欠期にprolonged exercise test（運動試験）で振幅の漸減現象を認め（McManisら，1986），遺伝子診断で骨格筋型カルシウムあるいはナトリウムチャネルαサブユニットの遺伝子に本疾患特異的な変異を認める．症候性のものは，甲状腺機能亢進症によるものと低カリウム血症をきたすサイアザイド系利尿薬や原発性アルドステロン症，Bartter症候群，腎尿細管性アシドーシスあるいは下痢や吸収不良症候群によるものが知られている（ⓔ表17-21-D）．発作は夜間〜早朝に起きや

すく，前日の過剰な運動や飲酒，炭水化物の過剰摂取が誘因となる．甲状腺機能亢進症によるものは若年男性に多く，しばしば救急外来で遭遇する．発作急性期の治療はカリウムの経口投与を行う．発作予防にはアセタゾラミドが有効な例がある．

(2) 高カリウム(正カリウム)性周期性四肢麻痺

遺伝性のものは厚生労働省研究班で作成した診断基準を参考にする(e表 17-21-E)．筋強直現象を臨床的にあるいは電気生理学的にしばしば認める．遺伝子診断では骨格筋型ナトリウムチャネルのαサブユニットの遺伝子に本疾患特異的な変異を認め，先天性パラミオトニーの類縁疾患である．10歳以下で初発することが多い．症候性のものはカリウム保持性の利尿薬，Addison 病，腎不全などが知られている．昼間に起こる軽症で持続時間の短い発作が特徴である．寒冷，運動後の安静などが誘因となる．高カリウムによる不整脈，心停止に注意する必要がある．

〔青木正志〕

■文献(e文献 17-21-7)

McManis PG, Lambert EH, et al: The exercise test in periodic paralysis. *Muscle Nerve*. 1986; **9**: 704-10.

Rojas CV, Wang JZ, et al: A Met-to-Val mutation in the skeletal muscle Na + channel alpha-subunit in hyperkalaemic periodic paralysis. *Nature*. 1991; **354**: 387-9.

Venance SL, Cannon SC, et al: The primary periodic paralyses: diagnosis, pathogenesis and treatment. *Brain*. 2006; **129**: 8-17.

8) 先天性ミオパチー
congenital myopathy

定義・概念

骨格筋は，発生・分化や再生のように正常筋構造を形成する過程と筋細胞壊死などの崩壊とのバランスを保ちながら正常な収縮活動を担っている．先天性ミオパチーは筋の発生・分化や再生の障害が本態であり，先天性筋ジストロフィーは筋の崩壊の方に病気の本態がある．先天性ミオパチーは，①特徴的な筋細胞内の構造的変化，②新生児ないしは乳幼児期からの筋力低下での発症，③非進行性(緩徐進行性)，④遺伝性，の4つの特徴をもつ病気の総称である．

分類

特徴的な筋細胞内の構造異常に基づいて分類されている(e表 17-21-F)．

原因・病因

ネマリンミオパチーでは，筋原線維の収縮蛋白質であるα-アクチンや骨格蛋白質であるネブリンの遺伝子変異が同定され，また収縮を調節する蛋白質群(α-トロポミオシン，β-トロポミオシン，トロポニンTなど)の遺伝子変異も同定されている．また，ミオチュブラーミオパチー(中心核ミオパチーともいう)では，X連鎖性の遺伝形式をとる最重症型で*MTM1*遺伝子の変異が同定されている．遺伝子産物であるミオチュブラリンは，チロシン脱リン酸酵素の1つである．セントラルコア病では，リアノジン受容体遺伝子(*RYR1*)の変異が報告されている．104個のエクソンからなるこの巨大遺伝子の産物は筋小胞体膜上に位置し，カルシウムチャネルの開閉に関係している．同じ遺伝子の変異は全身麻酔薬投与で起こる悪性高熱と関連する．*RYR1*遺伝子の変異は，セントラルコア病以外に，ミオチュブラーミオパチー，マルチミニコア病，先天性筋線維型不均等症など複数の表現型をきたすことが判明し，これら構造異常によるミオパチーの病因の共通性が明らかになった[1]．

疫学

筋ジストロフィーに比較してまれな病気であり，厚生労働省小児慢性特定疾患治療研究事業での患者登録数は年間20人程度である．

病理

先天性ミオパチーの共通の筋病理所見として，萎縮したタイプ1線維(赤筋)が55％以上の優位に存在し，タイプ2線維(白筋)が欠損もしくは部分欠損，また未分化な筋線維を認める．この共通所見に加え，存在している特徴的な構造異常をもって診断名となり，共通所見だけの場合は先天性筋線維型不均等症という診断名がつけられる．代表的な病気で認める骨格筋の構造異常を図 17-21-16 に示す．

病態生理

先天性ミオパチーのそれぞれの病気は，構造異常をもつ筋細胞が直接臨床症状という臓器レベルの病態を反映しているのではない．たとえば，ネマリンミオパチーにおいてはネマリン小体の大きさや出現頻度などと症状との相関は認められない．筋力低下という臨床症状を引き起こしている基本病態は，筋線維数の絶対数，すなわち筋量の減少である．

筋細胞の分化・成熟には，筋の幹細胞自体から発現される筋分化因子以外に，神経性の因子(末梢神経側から与えられる活動電位など)が必要なことが知られている．また，腱の切断，局所的持続的な収縮刺激，脱神経後の神経再支配過程，逆に関節固定や完全な脱神経でも筋細胞内にコアなどの形態変化が認められることがあることから，先天性ミオパチーにおいても神経性因子の関与を考える必要がある．

臨床症状

先天性ミオパチーは，いずれも臨床症候に共通点があり，病歴，遺伝形式，身体的所見だけでは，各病気の鑑別は困難である．臨床経過から重症型，良性型，

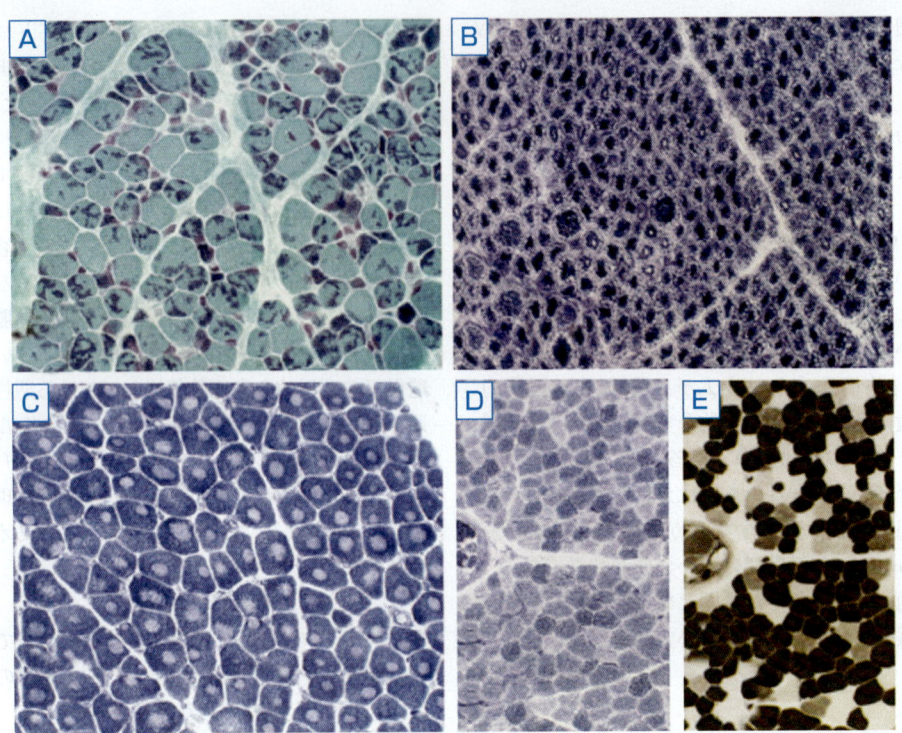

図 17-21-16 代表的な先天性ミオパチーの病理像
A：ネマリンミオパチーの病理像で，Gomori-トリクローム変法染色で桿状の構造物がタイプ1線維優位に認められる．
B：ミオチュブラーミオパチーの病理像で，NADH染色で筋線維の中心部分が濃染し周辺部が染まらない．
C：セントラルコア病の病理像で，NADH染色で中心部が染まらないためコア（芯）のように見えることからその名がついた．
D，E：先天性筋線維型不均等症の場合で，NADH染色(D)では特徴的な所見がないが，ATP染色(pH 4.5)(E)では，タイプ1線維（黒い線維）優位，タイプ1線維の大小不同（萎縮）が明らかで，先天性ミオパチーの共通の所見を有している．

成人発症型に分けられるが，セントラルコア病では重症型は認められていない．

重症型は，新生児期から呼吸障害，嚥下障害を認め，ほとんどが1歳以下で死亡する．良性型は最も多い型で，乳児期早期からの筋緊張低下と筋力低下があり，定頸，寝返り，処女歩行などの運動発達の遅れで気づかれる．その後，転びやすい，階段昇降が困難である，走るのが遅いなどの症状が続く．体格は細く，顔も細長いことが多い．顔面筋罹患があるため口蓋の発達が不十分で高口蓋となり，表情も乏しい．尖足などの関節拘縮や側弯などの姿勢異常も認める．知的発達は正常であることがほとんどである．

各病気の特異的な症候として，ネマリンミオパチーの良性型では比較的呼吸筋が侵されやすいという特徴がある．セントラルコア病では，顔面筋罹患が少なく高口蓋もないことがある．しかし悪性高熱の合併をみることがあるので，診断がついた後の全身麻酔時には特に注意が必要である．ミオチュブラーミオパチーの良性型では，比較的顔面筋が侵されやすく，上眼瞼下垂や眼球運動障害を認めることがある．また約10％程度に知的発達障害やてんかんを合併することがある．ミオチュブラーミオパチーの重症型は，新生児期から重篤な呼吸障害を伴い致死的である．先天性筋線維型不均等症でも，約30％に中枢神経系の異常を認める．

検査所見

筋ジストロフィーと異なり，血清クレアチンキナーゼ，アルドラーゼなどの筋逸脱酵素の値は正常もしくは軽度に上昇するのみである．筋電図は筋原性変化を示す．筋CTは全身の筋量を評価するのに有用である．

診断

原因遺伝子の相つぐ発見により遺伝学的検査によって診断がつく可能性が高まっているが，臨床症状からはほかの運動ニューロン疾患や先天性筋ジストロフィーとの鑑別が困難であることなどから，確定診断には筋生検が必要である[2]．

合併症

新生児期から発症する重症型の場合は，自発呼吸が出ずに生直後から人工呼吸管理が必要になる．良性型

でも進行すると呼吸筋が障害され，人工呼吸管理が必要となることが多い．

ミオチュブラーミオパチーや先天性筋線維型不均等症などでは，知的発達障害やてんかんが合併することがある．デスミン関連ミオパチーでは，骨格筋以外に心筋も侵される．

経過・予後

筋症状は非進行性であったり，緩徐進行性であったりするが，ときに呼吸障害が急速に進むことがあるので注意を要する．重症型は，中枢神経症状がなければ，呼吸管理とその合併症である呼吸器感染症への対処の善し悪しによってその予後が決まるといってよい．

良性型は，粗大運動発達の遅れが主訴で診断に至ることがふつうであり，その後も発達が遅れ，ついには次第に運動機能が低下してくる．

治療・予防・リハビリテーション

原病の治療として有効なものはなく，合併症の予防やその早期治療が目標となる．患者がもつ運動機能に対応した，適切な補助器具の使用や関節拘縮の防止のためのリハビリテーションが必要になる．〔後藤雄一〕

■文献（e文献 17-21-8）

埜中征哉：先天性ミオパチー．臨床のための筋病理 第4版，pp110-31，日本医事新報社，2011．

9）ミトコンドリア病
mitochondrial diseases

定義・概念

ミトコンドリアは成熟赤血球以外のあらゆる細胞に存在しており，ミトコンドリア病は，ミトコンドリアの機能低下によって起こる疾患の総称である．ミトコンドリア機能は，細胞内のエネルギー産生，活性酸素発生，アポトーシス，シグナル伝達，感染防御など多様であり，その機能低下も当然多様である．エネルギー産生能の低下と活性酸素発生がおもに病態にかかわることが知られており，種々の細胞の機能低下や細胞死を引き起こす．したがって，症状は多彩であるが，比較的エネルギー依存度の高い細胞が障害を受けやすく，中枢神経や骨格筋の症状が前景に出ることが多いためにミトコンドリア脳筋症とも称される．

分類

ミトコンドリア病の分類は，その診断に用いた方法により，遺伝子変異による分類，生化学的異常による分類，臨床症状による分類がある（表17-21-5）．これらの分類は，互いに1対1に対応せず，同じ臨床病型でありながら，複数の遺伝子の変異がかかわったり，生化学異常も異なったりする．

原因

ミトコンドリア内には，エネルギー代謝にかかわる多くの酵素が存在しており，いずれもがミトコンドリア病の原因になりうる．なかでも電子伝達系の機能低下を示す症例が最も多い．電子伝達系酵素複合体は5種類あり，それぞれが複数のサブユニットでできており，その一部はミトコンドリア内に存在するミトコンドリア DNA（mtDNA）上にコードされている[1]．よって病因としては，核 DNA 上の遺伝子変異の場合と mtDNA 異常の場合とがある．

mtDNA は核 DNA と異なり，1細胞に数千コピー存在することから，単にその数が減っても病的状態になる（mtDNA 欠乏症候群[2,3]）．また，質的には mtDNA の欠失と点変異が知られているが，変異型と野生型が細胞内で任意の比率で存在する（ヘテロプラスミー）場合があり，核 DNA 上の遺伝子変異で認めるホモとヘテロという概念とは基本的に異なっている[2]．また精子に存在する mtDNA は受精の際に卵のなかに侵入できないか，侵入しても消失することが知られており，受精卵の mtDNA はすべて卵由来になる[4]．したがってもともと卵のなかに変異 mtDNA が存在する場合にだけ，それが子に伝わっていく（母系遺伝）．しかし，すべてが母系遺伝ではなく，単一欠失の場合はほとんどが散発例であり遺伝性を認めることが少ない[5]．これは，卵の成熟の過程で欠失をもつ卵細胞が積極的に排除される機構が想定されている．しかし，多重欠失を起こさせる核 DNA 上の遺伝子の変異がある場合は遺伝性になる[6]．一方，点変異の場合は，母系遺伝であることがほとんどであるが，なかには突然変異で起きていると考えられる症例が報告されている[1]．注意すべきことは，変異率が高くないと病気を発症しないのであり，母から子に変異 mtDNA が伝わったからといって，必ずしも病気になるとは限らず，変異率の高い細胞や細胞群が形成されないと発症しないことである[7]．

病因として核 DNA 上の遺伝子変異の同定が飛躍的に増加している[2]．mtDNA の複製に関連する分子は，mtDNA の欠失や量に影響して病気を惹起する．mtDNA の翻訳，ミトコンドリアの融合/分離，ミトコンドリア膜の構造，ミトコンドリアへの分子輸送などに関係する遺伝子に変異をもつ病気も報告されている．電子伝達系酵素のサブユニットやそのアッセンブリーにかかわる分子，脂肪酸代謝やピルビン酸脱水素酵素などの電子伝達系以外の酵素欠損は核 DNA 上に存在する遺伝子変異であり，通常は常染色体劣性遺伝形式である．

臨床症状（e表 17-21-G）

代表的な臨床病型としては，慢性進行性外眼筋麻痺症候群（chronic progressive external ophthalmople-

表17-21-5 ミトコンドリア病の分類

Ⅰ. 生化学的分類
　a) 電子伝達系酵素欠損症
　　・複合体Ⅰ欠損症
　　・複合体Ⅱ欠損症
　　・複合体Ⅲ欠損症
　　・複合体Ⅳ欠損症
　　・複合体Ⅴ欠損症
　　・複数の複合体欠損症
　b) コエンザイムQ10欠乏症
　c) ピルビン酸脱水素酵素欠損症
　d) ほかの酵素欠損症（ETF欠損症など）

Ⅱ. DNA変異による分類
　1. 核DNA変異
　　a) 電子伝達系酵素サブユニットの遺伝子変異
　　b) 電子伝達系酵素のアッセンブリーに関係する分子の遺伝子変異
　　c) ミトコンドリアへの輸送に関係する分子の遺伝子変異
　　d) mtDNA複製に関係する分子の遺伝子変異
　　e) mtDNA転写・翻訳に関係する分子の遺伝子変異
　　f) ミトコンドリア膜に関する分子の遺伝子変異
　　g) ミトコンドリアの融合/分離に関係する分子の遺伝子変異
　　h) その他の遺伝子変異
　2. ミトコンドリアDNA異常
　　a) 欠失，重複
　　b) 点変異
　　c) 欠乏状態

Ⅲ. 臨床症状による分類
　1. 3大病型
　　a) 慢性進行性外眼筋麻痺（Kearns-Sayre症候群を含む）
　　b) ミオクローヌスを伴うミトコンドリア病：MERRF
　　c) 卒中様症状を伴うミトコンドリア病：MELAS
　2. その他の病型
　　a) Leber遺伝性視神経萎縮症
　　b) Leigh脳症
　　c) Pearson病
　　d) NARP
　　e) MNGIE
　　f) その他（Wolfram症候群，Alzheimer病など）

MERRF：myoclonus epilepsy associated with ragged-red fibers, MELAS：mitochondrial myopathy, encephalopathy, lactic acidosis, and stroke-like episodes, NARP：Neuropathy, ataxia and retinitis pigmentosa, MNGIE：mitochondrial neurogastrointestinal encephalomyopathy.

gia：CPEO），赤色ぼろ線維・ミオクローヌスてんかん症候群（myoclonus epilepsy associated with ragged-red fibers：MERRF），ミトコンドリア脳筋症・乳酸アシドーシス・脳卒中様発作症候群（mitochondrial myopathy, encephalopathy, lactic acidosis, and stroke-like episodes：MELAS）がある．これら3病型は主症状である中枢神経症状によって分類されている．

1) 慢性進行性外眼筋麻痺症候群：慢性進行性外眼筋麻痺症候群は眼瞼下垂・眼球運動制限（もしくは麻痺）を特徴とする．眼筋症状のみの症例は少なく，骨格筋症状（筋力低下，筋萎縮），中枢神経症状（網膜色素変性，知能低下，感音性難聴，下垂体障害など），心症状（伝導障害など），腎症状（Bartter症候群やFanconi症候群など），内分泌症状（低身長，糖尿病，副甲状腺障害など），皮膚症状（多毛症，無汗症など）などを合併し，全身の多臓器が障害されることが多い．特に若年者で網膜色素変性と心伝導障害を伴う慢性進行性外眼筋麻痺症候群をKearns-Sayre症候群（KSS）[8]とよんでいる．Kearns-Sayre症候群は慢性進行性外眼筋麻痺症候群に比して，症状が多臓器に及ぶ傾向があり，若年発症が多いことなどから慢性進行性外眼筋麻痺症候群の重症型と考えられる．慢性進行性外眼筋麻痺症候群およびKearns-Sayre症候群では，単一欠失をもつmtDNAを正常mtDNAとあわせもつ例が多く，このような変異DNAと正常DNAが共存する状態をヘテロプラスミーとよんでいる[9]．このヘテロプラスミーは慢性進行性外眼筋麻痺症候群では40～65％，Kearns-Sayre症候群では90％以上の症例で認められ，両者の病因は同一のものと予想されている[10]．また，複数の種類の欠失（多重欠失）が同定される症例もある[11]．その一部の症例ではmtDNAの複製に関連する分子の遺伝子変異が明らかにされている．

2) MERRF：MERRFは通常10歳前後に発症し，ミオクローヌスもしくはミオクローヌスてんかんと小脳失調を特徴とし，多くの例で精神運動発達障害を伴う[12]．病名に含まれる赤色ぼろ線維（ragged-red fiber：RRF）とは，ミトコンドリア脳筋症患者の骨格筋

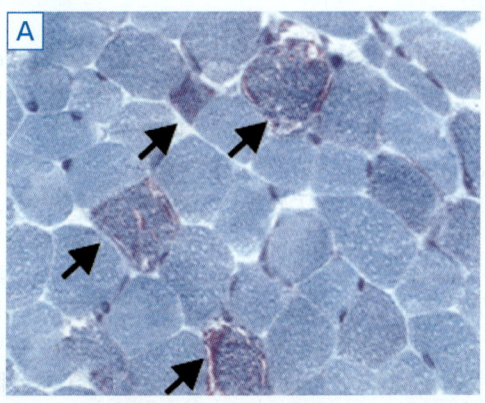 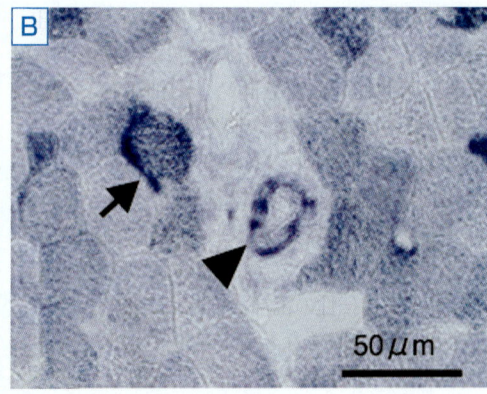

図 17-21-17 ミトコンドリア脳筋症で認める病理所見
A：Gomori-トリクローム染色でミトコンドリアは赤く染まる．赤色ぼろ線維(ragged-red fiber：RRF)は特に筋鞘膜直下にミトコンドリアの集積が著明で赤みが強い(矢印)．
B：コハク酸脱水素酵素(succinate dehydrogenase：SDH)染色でも，RRF は高い活性を示す(矢印)．また，MELAS では小動脈の血管平滑筋細胞内のミトコンドリアが増加した高 SDH 反応性血管(strongly SDH-reactive blood vessel：SSV)を認めることが多い(矢頭)．

表 17-21-6 MELAS の臨床症状

症状	%
脳卒中様痙攣	100
痙攣	87
意識障害(一過性)	82
視野・視力障害	62
運動麻痺(一過性)	33
頭痛・嘔吐発作	79
進行性知能障害	62
筋力低下	61
低身長	60
感音性難聴	44
心筋症	22
高クレアチンキナーゼ血症	20
ミオクローヌス	17
腎障害	17
心伝導障害	17
糖尿病	13
小脳失調	13
眼瞼下垂	12
視神経萎縮	10

で特徴的に出現するミトコンドリアの形態異常(図 17-21-17A)のことである．この病理変化は 3 大病型のいずれにも認められるものであり，MERRF だけの特異的所見ではない．生化学的に検出される変化のほとんどは，複合体Ⅳ活性低下である．mtDNA のリジン tRNA 内の 8344 変異が MERRF 患者の 80％に存在する[13]．

3) MELAS： MELAS は脳卒中様症状を主徴とするミトコンドリア病であり，比較的若年で発症する(80％が 20 歳以前)[14]．臨床症状はきわめて多彩である(表 17-21-6)[15]．卒中様症状を示すときの脳画像検査(e図 17-21-E)では血管の支配領域とは必ずしも一致しない梗塞に似た像を認め，また症状の回復とともに画像所見も正常化することが多い．明らかな局所病変を認めないままに，徐々に大脳萎縮が進む例も多い．生化学的には複合体Ⅰ欠損が最も多く，複合体ⅣやⅠ＋Ⅳ欠損も認められ一定していない[15]．

この疾患の病理所見として特徴的なことは，全身の小動脈，特に血管平滑筋細胞が強く侵されていることである．この所見は，生検筋のコハク酸脱水素酵素(succinate dehydrogenase：SDH)染色で容易に検出できることから，高 SDH 反応性血管(strongly SDH-reactive blood vessel：SSV)とよばれ，RRF とともにミトコンドリア形態異常を示す重要な所見である(図 17-21-17B)[16]．また MELAS においては，ミトコンドリア転移 RNA の 1 つ，tRNA-Leu(UUR)内の 1 塩基置換が次々に明らかにされた．そのなかでも塩基番号 3243 の A が G に変異している症例が 80％の患者で認められる[17]．

tRNA-Leu(UUR)は翻訳後修飾を受けて，アンチコドンのウォブルの位置にあたる U34 にタウリンが付加されることが発見され，3243 変異が存在するとその修飾が阻害されることが明らかになった[18]．またこの転移 RNA 内には 20 個以上の病的と考えられる点変異が発見されているが，そのうち MELAS の臨床病型を示す変異はタウリン修飾に異常がみられ，臨床症状との関係が強く示唆されている[18]．

4) Leigh 症候群： Leigh 症候群は，おもに乳幼児の

神経変性疾患であり，ミトコンドリア病のなかでも重症の病型と考えられている[19]．脳画像上，大脳基底核，脳幹部に両側性の病変を認め，精神運動発達遅滞，筋力・筋緊張低下，痙攣，呼吸障害を伴う．原因は75種類以上のミトコンドリアDNA変異，核DNA上の遺伝子変異が同定されている[20]．

5）Leber遺伝性視神経萎縮症(Leber病)：Leber病は，思春期〜成人期にかけて急性あるいは亜急性に視力低下で発症する遺伝性の視神経萎縮症である．視神経以外でもWPW症候群などの心症状やジストニアなどの神経症状を伴うことがある．日本人のLeber病患者の90％に11778変異を認める[21]．

6）糖尿病/難聴：中枢神経症状はなく糖尿病と難聴だけが存在している患者が報告された．それらには，MELASと同じ3243変異が認められた[22]．糖尿病患者の約1％がミトコンドリア異常によることが，日本を含め諸外国から報告されている[23]．

7）アミノグリコシド感受性難聴：ストレプトマイシンやゲンタマイシンなどのアミノグリコシド系抗菌薬の投与により難聴をきたす家系で，mtDNAの1555変異が発見された[24]．1回の投与で遅発性進行性に難聴を起こす例も報告されており，臨床の現場でもアミノグリコシド系抗菌薬の投与前にこの変異を調べておくことが必要になるであろう．2012(平成24)年度から先進医療に収載された難聴遺伝子検査のなかに，3243変異とともに含まれている[25]．

検査所見・診断

検査は，障害がどの臓器に，どの程度及んでいるかを調べる検査と，ミトコンドリア異常の有無を確認する検査とに分けられる．前者の検査は，各臓器特有の検査法に従うことになり，状況に応じて各専門医の協力を得る必要がある．後者の検査は，ミトコンドリア病の確定診断に不可欠な検査であり，血液のpHや乳酸・ピルビン酸値，中枢神経症状がある場合は髄液の乳酸・ピルビン酸値の測定が重要である．確定診断に至るうえで最も情報量が多いのが筋生検である．Gomori-トリクローム染色でのRRF，コハク酸脱水素酵素染色でのRRFやSSV，チトクローム c 酸化酵素染色での欠損像が診断に有用である．生検筋や線維芽細胞で酵素活性を測定することができる．

診断は生化学的検査，病理学的検査(筋生検)，分子遺伝学的検査(mtDNAや核DNA)などを行い，総合的に診断する．ミトコンドリア病はミオパチーばかりでなく，中枢神経や心臓の症状など多彩な症状を示すことが特徴であり，多彩な臓器症状をもつ患者を診たときは本症を疑うことが診断の端緒になる．

2014(平成26)年度に制定された難病に関する法律において，ミトコンドリア病は指定難病に登録されている．

経過・予後

臨床経過は進行性のことが多いものの，症状の進行度やほかの臓器症状の出現の予想はまったく不可能である．定期的な検診による経過観察が重要である．

治療・予防・リハビリテーション

ミトコンドリア異常そのものに対する治療に，現在のところ特効薬はない．エネルギー代謝に影響を与える薬物，たとえば，コエンザイムQ10，補酵素である各種ビタミン類などを使用するが，その効果は明確でない．しかし，最近は新しい臨床試験が世界で始まっている[25]．日本でもMELASの発作を予防する薬剤として，アルギニンやタウリンを用いる治療が医師主導型治験として行われ，その効果の確認が行われているところである．またミトコンドリア内の代謝に悪影響を与える薬剤などを避けるべきであり，抗痙攣薬のバルプロ酸は，カルニチン代謝を通じてミトコンドリア内エネルギー産生を阻害する．アルコールがそもそもエネルギー代謝に悪いので，患者では禁忌である．

〔後藤雄一〕

■文献(e文献 17-21-9)

後藤雄一：ミトコンドリア病(広義)の概念と分類，ミトコンドリアとミトコンドリア病．日本臨牀．2002; 60: 213-7.

岡 芳知，後藤雄一：ミトコンドリア糖尿病，pp1-86，診断と治療社，1997．

Zeviani M, DiDonato S: Mitochondrial disorders. *Brain*, 2004; **127**: 2153-72.

10) 糖原病(グリコーゲン病)
glycogen storage disease, glycogenosis

糖原病はグリコーゲン代謝に関与する酵素の先天的異常のため，組織内に異常な量または質のグリコーゲンが蓄積する疾患群であり(表17-21-7，図17-21-18)大部分が常染色体劣性遺伝である．骨格筋障害を呈する代表的なものは，Ⅱ，Ⅲ，Ⅴ型であり，この3型で筋型糖原病の約70％を占める．症候はグリコーゲンやその中間代謝産物の蓄積による筋障害，あるいはグリコーゲン分解の最終産物であるグルコースの欠乏によるエネルギー危機によって出現する．筋症状としては運動時の筋痛やクランプ，進行性の筋力低下および筋萎縮などがみられる．リソソーム以外の解糖代謝異常の場合には，前腕阻血運動負荷試験(forearm ischemic exercise test)で乳酸増加を認めない．確定診断は酵素欠損証明によるが遺伝子診断も併用されている．

表 17-21-7 筋症状を呈する糖原病

欠損症	染色体位置	通称	重度呼吸不全	セカンドウインド現象
α-グルコシダーゼ欠損症（Ⅱ型）	17q25	Pompe 病	+	
脱分枝酵素欠損症（Ⅲ型）	1p21	Forbes 病	±	
筋ホスホリラーゼ欠損症（Ⅴ型）	11q13	McArdle 病		+
ホスホフルクトキナーゼ欠損症（Ⅶ型）	12q13	垂井病		±
ホスホリラーゼ b キナーゼ欠損症（Ⅷ型） 　X 染色体性 　常染色体性	 Xq12-q13 16q12-q13			
ホスホグリセリン酸キナーゼ欠損症	Xq13			
ホスホグリセリン酸ムターゼ欠損症	7p12-p13			
ホスホグルコムターゼ欠損症	1p31 (PGM 1)			
M 型乳酸脱水素酵素欠損症	11p15	菅野・西村病		
A 型アルドラーゼ欠損症	16p11			

(1) Pompe 病（糖原病Ⅱ型，リソソーム α-グルコシダーゼ欠損症）

lysosomal acid α-glucosidase（α-1,4-グルコシダーゼ，酸性マルターゼ）欠損による常染色体劣性遺伝疾患である．本酵素はリソソーム酵素でマルトースやグリコーゲンからグルコースを遊離する．本症は発症年齢，障害臓器，予後などの違いから 3 病型に分類される．

1) 乳児型： 生後数カ月以内に筋力低下（筋緊張低下児，floppy infant）が明らかになり，病変は全身に及び心臓，肝臓，舌などの臓器腫大が進行する．呼吸困難や哺乳困難が著明で無治療の場合半年から 2 年で呼吸不全や心不全で死亡する．先天性筋ジストロフィーなどとの鑑別が必要である．

2) 小児型： 小児期早期より筋力低下や筋萎縮が進行し，無治療の場合，呼吸不全で成人するまでに死亡する．臓器腫大はまれである．男子例では Duchenne 型筋ジストロフィーなどとの鑑別を要する．

3) 成人型： 20〜30 歳以降に緩徐進行性のミオパチーとして発症する．約 30% の症例で呼吸不全が出現する．多発筋炎や肢帯型筋ジストロフィーとの鑑別が必要である．

診断

血清 CK，LDH，AST などの筋原性酵素が上昇する．前腕阻血運動負荷試験は正常である．筋電図では筋原性変化のほかに筋線維の異常興奮がありミオトニア放電（myotonic discharge）がみられるが，臨床的にはミオトニアは認められない．筋病理所見は，酸性ホスファターゼの活性亢進を伴う空胞変性，PAS 陽性物質の蓄積がみられ（e図 17-21-F〜17-21-I），電顕的には限界膜で囲まれたグリコーゲン顆粒の増加が認められる（e図 17-21-J）．確定診断は骨格筋やリンパ球における酵素欠損あるいは遺伝子異常を証明することによる．残余酵素活性と病型が関連している（e図 17-21-K）．

治療

遺伝子操作により生成した α-グルコシダーゼ（一般名アルグルコシダーゼアルファ）の経静脈投与による酵素補充療法の有効性が証明され，特に乳児型に劇的な効果を示し[1]，保険承認されている．隔週で体重あたり 20 mg/kg を点滴静注する（糖原病Ⅱ（ポンペ病）型ガイドライン編集委員会，2007）．心筋への効果に比べて骨格筋への効果は十分ではない（杉江ら，2014）が，成人型でも骨格筋症状と呼吸障害の進行を遅延させることが報告されている．

(2) 糖原病Ⅲ型（脱分枝酵素欠損症，Forbes 病）

脱分枝酵素（debranching enzyme）はアミロ-1,6-グルコシダーゼとオリゴ-1,4-1,4-グルカントランスフェラーゼの 2 つの作用をもっている．本酵素の欠損により分枝の多い異常構造のグリコーゲン（limit dextrin）が蓄積する．臨床症状は乳幼児期においては肝腫大，空腹時低血糖，発育障害を主徴とするが，成人では緩徐進行性の筋力低下を主徴とする．中年期以降に筋症状が出現する遅発型も存在する．筋力低下，筋萎縮は近位筋優位の症例と遠位筋優位の症例が存在する．

診断

血清 CK が上昇するが，成人では低血糖や肝腫大を認めることは少ない．前腕阻血運動負荷試験で乳酸の上昇を認めずグルカゴン負荷試験で血糖値が上昇しない．筋病理ではグリコーゲン蓄積を伴う空胞変性像を呈する（e図 17-21-L）．蓄積するグリコーゲンの異常構造を証明すれば診断的価値は高い．

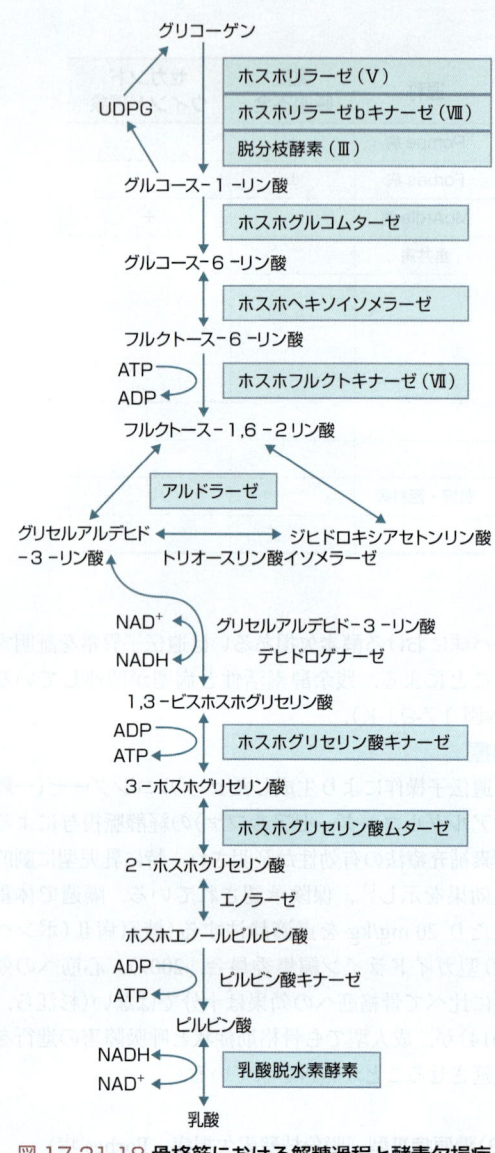

図17-21-18 骨格筋における解糖過程と酵素欠損症
　　はミオパチーをきたすもの，(　)は糖原病の病型を示す．
UDPG：ウリジンニリン酸グルコース．

時早期に，疲労，筋こわばり，脱力が出現するが，運動を続けるうちに症状が軽くなることがある（セカンドウインド現象）．激しい運動は筋壊死，ミオグロビン尿さらに急性腎不全をきたすことがある．若年者では筋萎縮，筋力低下はみられないことが多い．

診断

血清CKの上昇は運動後に特に著明である．前腕阻血運動負荷試験で有痛性筋拘縮を起こす．筋電図では活動電位が記録されない（electrical silence）拘縮である．阻血運動負荷試験で乳酸の上昇を認めない．筋病理では主に筋形質膜下にグリコーゲン蓄積を伴う空胞変性像を呈する．ホスホリラーゼに対する組織化学的染色で酵素欠損が証明できる(e図17-21-M)．

治療

根治的な治療法はない．過激な運動は避けゆっくりとした持続運動を主体としたトレーニングを実施する．ビタミンB_6補充療法[2]や，スクロースの経口投与の有効性[3]も報告されている．

(4) 筋ホスホフルクトキナーゼ欠損症（垂井病，糖原病VII型）

ホスホフルクトキナーゼは解糖系の律速酵素であり，筋型，肝型，血小板型の3種類のアイソザイムが存在し，それぞれ独立した遺伝子に支配されている．臨床症状はMcArdle病に類似した運動時の疲労，脱力，疼痛，拘縮，ミオグロビン尿などがみられる．さらに本症では溶血亢進による間接ビリルビン上昇や網状赤血球増加を伴うのが特徴である．筋原性高尿酸血症も高頻度に認められる．McArdle病と異なりセカンドウインド現象はまれである．阻血運動負荷試験で乳酸の上昇を認めない．

(5) その他の糖原病

ホスホリラーゼbキナーゼ欠損症では，不活性型のホスホリラーゼを活性型に変換できないためMcArdle病と類似の症状を呈する．

ホスホグリセリン酸キナーゼ欠損症は溶血性貧血，運動後の筋痛，脱力，ミオグロビン尿，中枢神経症状などを呈する．阻血運動負荷試験で乳酸の上昇を認めない．筋病理はグリコーゲンの増加は少なく正常所見を示す．

ホスホグリセリン酸ムターゼ欠損症は筋型サブユニットの欠損により運動後の筋痛，筋拘縮，ミオグロビン尿を呈し血清CK上昇を伴う．阻血運動負荷試験で乳酸の上昇を認めない．筋病理ではグリコーゲンの軽度の蓄積を認める．

M型乳酸脱水素酵素欠損症は運動後の筋痛，筋拘縮，ミオグロビン尿を呈する．筋疾患では通常血清CKとともに上昇するLDHが本症では上昇しないの

治療

頻繁に少量ずつ炭水化物を摂食することで低血糖と乳酸アシドーシスが予防できる．高蛋白食が筋症状に有効とする報告もある．

(3) 筋ホスホリラーゼ欠損症（糖原病V型，McArdle病）

ホスホリラーゼには異なる遺伝子に支配される筋型，脳型，肝型のアイソザイムが存在する．本症の遺伝子変異には人種差があり，わが国では708〜709番目コドンが変異する例が多い．主要な臨床症状は小児・学童期に始まる筋運動持続能の低下である．運動

が特徴である．阻血運動負荷試験でピルビン酸が著明に上昇するが乳酸の上昇を認めない．LDH は心筋型（H型）と骨格筋型（M型）のサブユニットからなる四量体であるが，本症では骨格筋型のサブユニットのみ欠損している．

その他まれではあるが筋萎縮，筋脱力を呈するホスホグルコムターゼ欠損症や溶血性貧血，筋力低下，ミオグロビン尿などを呈する A 型アルドラーゼ欠損症も報告されている．また近年，グリコーゲン合成に関与するグリコーゲン合成酵素 1[4] やグリコゲニン 1[5] の欠損によりグリコーゲン欠損をきたし骨格筋や心筋の障害を生ずることが明らかになった．〔樋口逸郎〕

■文献（e 文献 17-21-10）

杉江秀夫編：代謝性ミオパチー，診断と治療社，2014．
糖原病Ⅱ型（ポンペ病）ガイドライン編集委員会（代表 衞藤義勝）：糖原病Ⅱ型（ポンペ病）診断治療ガイドライン，イーエヌメディックス，2007．

11）筋痙攣とミオグロビン尿症

(1) 筋痙攣 (muscle cramp)

運動中に「足がつる」，「こむら返りする」ことがある．これが狭義の筋痙攣 (true muscle cramp) で，痛みを伴う不随意の筋収縮である[1]．一方 Isaacs 症候群や里吉病など筋痙攣類似の特異な疾患があり，その病態はさまざまである（表 17-21-8）．

a. 筋痙攣

概念・症状

下肢筋，特に腓腹筋に数十秒～数分間持続する有痛性の筋収縮を生じる．母指球筋に発症することもある．痙攣している筋はかたく触れ，筋を伸展すると痙攣が止まる．針筋電図検査では，痙攣中に高頻度の運動単位の反復（筋痙攣放電，cramp discharge）を認め，末梢運動神経終末部の過剰興奮を示す．筋痙攣は健康者でも運動負荷や寒冷で誘発されるが（特発性），筋萎縮性側索硬化症や腎不全などさまざまな疾患に続発する（表 17-21-8）．

表 17-21-8 筋痙攣と類似症状を呈する疾患

疾患	筋症状	病変部位（病態）	病因	その他の特徴
筋痙攣	限局性（腓腹筋，母指球筋など）の有痛性痙攣 筋電図（痙攣時）クランプ放電	末梢神経（過剰興奮）	1) 代謝異常 低ナトリウム血症，脱水，腎不全，肝不全，甲状腺機能低下症，妊娠 2) 末梢神経障害 糖尿病性，神経根症，多発ニューロパチー 3) 下位運動ニューロン障害 筋萎縮性側索硬化症	健常者でも発症（特発性）1) 高齢者の夜間筋痙攣 2) 運動中，後および寒冷で誘発
糖原病	四肢近位筋 筋電図（発作時）electrically silent	筋（筋拘縮）	McArdle 病[*1] 垂井病[*2] （常染色体劣性遺伝）	運動負荷が筋拘縮を誘発 痙攣後に CK 上昇
Schwartz-Jampel 症候群	四肢筋	筋（ミオトニアの持続）	*Perlecan* 遺伝子異常（常染色体劣性遺伝）	低身長，眼裂狭小，骨・関節異常
rippling muscle disease	四肢筋	筋（被刺激性の亢進）	*Caveolin-3* 遺伝子異常（常染色体優性遺伝）	肢体型筋ジストロフィー 1C に含まれる
Isaacs 症候群 cramp-fasciculation 症候群 Morvan 症候群	四肢遠位筋 筋電図（安静時）ミオキミア放電，ニューロミオトニア放電	末梢神経（興奮性の亢進）	自己免疫性チャネロパチー（抗 VGKC 複合体抗体）	自己免疫疾患の合併（重症筋無力症など） 傍腫瘍性症候群（肺癌など）
stiff-person 症候群	傍脊柱筋，四肢近位筋 筋電図 MPU[*3] の高頻度発射	GABA 作動性介在抑制ニューロンの障害	自己免疫性疾患（抗 GAD，$GABA_A$ 受容体，amphiphysin, gephyrin, グリシン受容体α1 抗体）	自己免疫疾患の合併（糖尿病，甲状腺疾患など）傍腫瘍性症候群（肺癌，乳癌など）
里吉病	四肢筋	介在運動ニューロン	自己免疫性	脱毛，下痢，無月経など

[*1]：筋型ホスホリラーゼ欠損，[*2]：ホスホフルクトキナーゼ欠損，[*3]：motor unit potential（運動単位電位）．

診断

罹患筋は一側の腓腹筋など限局性で，筋伸展による症状消失が特徴である．針筋電図上の筋痙攣放電は筋痙攣類似疾患との鑑別点になる[1]．

予後・治療

痙攣時には，筋伸展が有効である．予防は原疾患の治療と筋弛緩薬や抗てんかん薬を投与する[2,3]．わが国では芍薬甘草湯を使うことがある．

b. 筋疾患に伴う筋痙攣類似症状

筋型糖原病（McArdle病や垂井病など）では，四肢近位筋が収縮したまま弛緩せず痛みを伴う．運動負荷によりATPが枯渇し，筋弛緩に必要なエネルギー供給ができないため筋拘縮とよぶ[4]．筋電図上は，筋は収縮しているのに運動単位放電がない（electrically silent）．Schwartz-Jampel症候群は常染色体劣性遺伝性疾患で，ミオトニアの持続が長く筋痙攣類似の症状を呈する．Rippling muscle病は常染色体優性疾患で叩打などの軽い刺激で筋痙攣を生じる（表17-21-8）．

c. peripheral nerve hyperexitabilityによる筋痙攣類似症状（Isaacs症候群，cramp-fasciculation症候群，Morvan症候群）

概念・病態

電位依存性カリウムチャネル（VGKC）複合体に対する自己免疫性チャネロパチーである[5]．末梢神経終末部でVGKCが減少し，末梢神経が過剰興奮するため筋症状に加え疼痛や自律神経症状の合併例もある．

臨床症状

四肢遠位筋優位に有痛性の筋収縮とミオキミア，およびニューロミオトニアによる手指の開排障害が出現する．筋症状は持続性で睡眠により消失しない．筋電図所見の特徴はニューロミオトニア性放電とミオキミア性放電である．自己免疫疾患の合併，または傍腫瘍性症候群としての発症もある．

診断

臨床症状，筋電図所見から診断する（eコラム1）．抗VGKC複合体抗体の陽性率は30％程度なので陰性でも否定できない[5]．筋症状が下肢に限局する軽症型はcramp-fasciculation症候群[6]，不眠，うつ状態などの精神症状と自律神経障害が強い場合はMorvan症候群[7]と診断する．

治療

血漿交換による自己抗体除去が一過性だが有効である．

d. stiff person(man)症候群（全身硬直症候群）

概念・病態

神経伝達物質GABAの合成にかかわるグルタミン酸脱水素酵素（GAD）やシナプスに存在するGABA受容体やamphiphysin, gephyrinに対する抗体が出現し，脳・脊髄のGABA作働性神経細胞を障害する自己免疫性疾患である[8]．

臨床症状

全身性の筋硬直と痙攣を呈する．筋症状は睡眠で消失し，刺激（叩打など）で体幹・下肢筋が硬直する反射性ミオクローヌスが特徴である[9]．体幹筋硬直により前屈姿勢になり，歩行障害を呈する．筋電図検査では持続的で高頻度の運動単位放電を示す．抗GAD抗体陽性の1型糖尿病の合併，または傍腫瘍性症候群（小細胞性肺癌と乳癌が多い）としての発症例もある．

診断

睡眠で消失する全身性の筋硬直と反応性ミオクローヌスから本症を疑う．抗GAD抗体の陽性率は70％で診断に有用である（eコラム2）．

治療

ジアゼパムやバクロフェン（GABA誘導体）を投与する．ガンマグロブリン大量療法や血漿交換など免疫抑制療法が行われる．

e. 里吉病（全身こむら返り病）

概念・病態

全身の筋痙攣，脱毛，および下痢を3主徴とする．小児期〜思春期の女性に多い．下肢の筋痙攣で初発し，経過とともに全身の筋痙攣を呈する．無月経，糖吸収障害，骨病変などの合併症がある[10]．免疫異常が推定されているが，疾患特異的な自己抗体は未発見である．

表17-21-9 ミオグロビン尿症の原因

原因	代表的な病態・疾患
遺伝性筋疾患	1) 筋型糖原病（McAlder病，垂井病） 2) 脂質蓄積ミオパチー（CPT[*1]欠損症） 3) ミトコンドリア異常症 4) 筋ジストロフィー症（Duchenne/Becker型） 5) 悪性高熱（RyR1[*2]異常）
直接障害	1) 外傷，クラッシュ（挫滅）症候群，熱傷 2) 虚血（動脈閉塞，コンパートメント症候群） 3) 炎症（ウイルス・細菌感染，多発筋炎・皮膚筋炎）
運動負荷	1) 行軍，長距離走，熱中症 2) 全身痙攣（てんかん発作重積）
電解質異常	低カリウム血症，低ナトリウム血症，低カルシウム血症，低リン血症
薬剤	1) 脂質異常症治療薬（スタチン系，フィブラート系） 2) 悪性症候群（抗精神病薬の服用，抗Parkinson病薬の中断） 3) アルコール，コカイン

*1: carnitine palmitoyl transferase, *2: Ryanodine受容体遺伝子．

診断
特異な臨床症状から診断する．

治療
ダントロレンナトリウムおよびステロイド大量療法が有効である．

(2) ミオグロビン尿症（myoglobinuria）

概念
骨格筋 200 g 以上が急性に障害されると罹患筋の脱力・筋痛に加え，褐色（コーラ様）尿が出現する[11]．筋由来のミオグロビンが尿中に排泄されるためでミオグロビン尿という．血中のクレアチニンキナーゼ（CK）濃度は正常値の数十～重症例では数万倍に及ぶ．ミオグロビン尿症は横紋筋融解症（rhabdomyolysis）と同義で，尿の色調が重篤な筋疾患を示唆する症候である．

病態
外傷や感染などの直接的障害と電解質異常などの内科的原因，および遺伝性筋疾患に大別される（表17-21-9）．頻度が高い原因は外傷，熱中症，てんかん重積，脂質異常症治療薬などである．遺伝性筋疾患は糖原病など酵素欠損症が多く，ミオグロビン尿が運動後などに繰り返し出現する[12]．

臨床症状
障害筋に脱力，筋痛，筋腫脹を認める．筋から遊出したミオグロビンは腎尿細管を障害し，急性腎不全が続発する．筋由来のカリウム遊出により高カリウム血症から致死的不整脈を生じることもある．

治療・予防
原疾患の治療と並行して補液とループ利尿薬を投与し，腎不全発症を予防する．腎不全や高カリウム血症の悪化があれば血液透析を考慮する．

〔加藤丈夫・川並　透〕

■文献（e文献 17-21-11）

Ropper AH, Samuels MA, et al: Disorders of muscle characterized by cramp, spasm, pain and localized masses. Adams and Victor's Principles of Neurology, 10th ed, pp1462-6, McGraw Hill, 2014.

渡邉　修：抗 VGKC 複合体抗体が関連する Isaacs 症候群，Morvan 症候群，辺縁系脳炎．Annual Review 神経，2015, pp93-9, 中外医学社，2015.

Zutt R, van der Kooi AJ, et al: Rhabdomyolysis: review of the literature. Neuromuscl Disord. 2014; 24: 651-9.

18. 環境要因と疾患・中毒

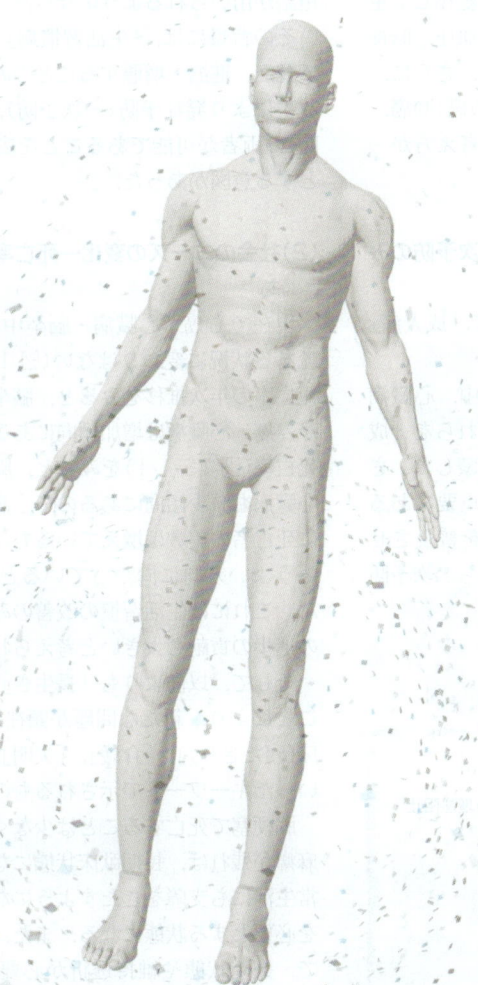

1. 内科学総論
2. 老年医学
3. 心身医学
4. 症候学
5. 治療学
6. 感染症
7. 循環器
8. 血圧の異常
9. 呼吸器系
10. 消化管・腹膜
11. 肝・胆道・膵
12. リウマチ・アレルギー
13. 腎・尿路系
14. 内分泌系
15. 代謝・栄養
16. 血液・造血器
17. 神経系
18. 環境要因・中毒

環境要因と疾患・中毒

- 18.1 生活・社会・環境要因 ……… 2338
  1) 生活習慣病　2338
  2) 喫煙関連疾患　2342
  3) アルコール関連疾患　2345
  4) 温熱・寒冷による疾患　2347
  5) 減圧症　2353
  6) 放射線障害　2355
  7) 災害・避難生活における疾患　2357
  8) 化学物質過敏症　2362
  9) VDTによる障害　2363
  10) 動揺病　2365
  11) 電撃傷　2367

- 18.2 中毒 ……………………………… 2369
  1) 重金属中毒　【⇨17-1-11】
  2) ガス・その他の工業中毒　2369
  3) 食中毒　2370
  4) 農薬中毒　2374
  5) 有毒動物による咬刺傷　2375
  6) 薬物中毒・依存症　2378
  7) 麻薬・覚醒剤を含む精神作用物質による依存と中毒　2382

18-1 生活・社会・環境要因

1）生活習慣病
lifestyle-related disease

食事，運動，飲酒，喫煙，睡眠などの「生活習慣」に関連して，発症，進展・増悪する疾患を総称して生活習慣病とよぶ．糖尿病，脂質異常症，高血圧，脳梗塞・脳出血，虚血性心疾患などが含まれる．さらに，喫煙習慣や食生活・肥満と関連する一部の癌（肺癌，大腸癌，子宮体癌など）も含まれるという考え方が一般的である（表18-1-1）．

（1）「成人病」から「生活習慣病」へ―二次予防のみならず一次予防も

1957年の成人病予防対策連絡会において「成人病」という用語が示された．

この時代，40歳頃から悪性腫瘍，脳卒中，心臓病による死亡率が高くなることを憂慮し，これらを「成人病」と名づけ，広く国民にその存在を啓蒙した．さらに，「成人病」は早期発見・早期治療が重要であることを示し，健康診断・人間ドックなどを普及させた．これは，疾患の重症化の予防，すなわち二次予防が主体であった．

その後，「成人病」は発病前の生活習慣と深く関係すること，生活習慣の改善により発症予防ができることが理解されるようになり，1996年厚生省公衆衛生審議会で「成人病」にかわって「生活習慣病」という用語が用いられるようになった．

その背景には，「生活習慣病」が生活習慣に関連して発症，進展・増悪することのみならず，生活習慣の改善により発症予防（一次予防），重症化予防（二次予防）の両者が可能であることを広く国民に啓蒙しようとする意図があった．

（2）社会のニーズの変化―死亡率のみならず生活の質も

現在でも癌・心臓病・脳卒中がわが国の3大死因である状況に変わりはない（図1-1-1）．この15年の死亡率の年次推移をみると，脳卒中は減少傾向にあるが，癌・心臓病は増加傾向にある．しかし，年齢調整死亡率（図18-1-1）をみると，脳卒中は著減し，癌・心臓病も減少傾向にあるので，高齢者が増加したために死亡者の実数は増えているものの，いずれも減少というよい方向に向かっていると推察される．もちろん，これには生活習慣の改善のみならず，医学・医療の進歩の貢献も大きいと考えられる．

そして，以前よりも「長生き」できるようになったことにより，新たな問題が顕在化してきた．「長期臥床（寝たきり）」，「介護」，「失明」，「人工血液透析」といったキーワードで示されるものである．

脳梗塞で死亡することは少なくなっても，後遺症で麻痺が残れば，長期臥床状態になり，就労どころか日常生活にも支障をきたすようになり，他者からの介護を必要とする状態になる．また，糖尿病網膜症や腎症で，失明状態や維持透析が必要な腎不全状態に至れば，生きてはいても生活に制限が出てしまう．

このように，生きてはいても，若くて元気なときは1人でできていたようなことが，何らかの理由でできなくなることによる損失が本人ばかりでなく，家族などの周囲の人々にも大きな影響を与えることが問題となった．

このような状況のなかで，生活の質（quality of life：QOL）ということばが生活習慣病領域でも用いられるようになった．麻痺による長期臥床，失明，維持透析が必要な状態はいずれもQOLを著しく低下させる重大な問題であり，このような状態に至るのを予防することは大きな意義のあることである，という認識が広がった．

表18-1-1 生活習慣病

1）生活習慣が発症，進展・増悪に関係するもの
（生活習慣の改善が発症予防（一次予防）のみならず，増悪阻止・合併症予防（二次予防）にも有効である）
- 2型糖尿病
- 脂質異常症
- 高血圧
- 肥満症
- メタボリックシンドローム
- 動脈硬化性疾患（脳梗塞，虚血性心疾患（狭心症・心筋梗塞），閉塞性動脈硬化症）
- 非アルコール性脂肪性肝疾患（脂肪肝・NASH）
- アルコール性肝疾患（肝炎・脂肪肝・肝硬変）
- 痛風・高尿酸血症
- 歯周病
- 慢性閉塞性肺疾患（COPD）
- 慢性腎臓病（CKD）

2）生活習慣がおもに発症に関係するもの
（生活習慣の改善が一次予防には有効であると考えられている）
- 癌の一部（肺癌，大腸癌，子宮体癌，乳癌など）
- 骨粗鬆症

NASH：nonalcoholic steatohepatitis, COPD：chronic obstructive pulmonary disease, CKD：chronic kidney disease.

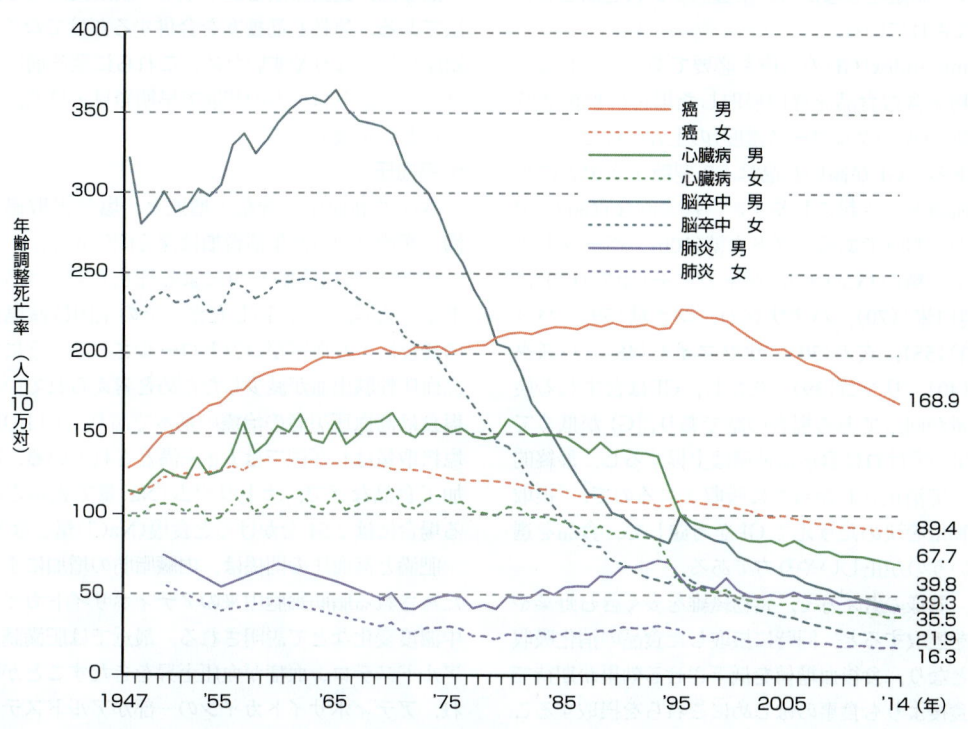

図 18-1-1 3大死因別にみた性別年齢調整死亡率の年次推移(厚生労働省大臣官房統計情報部「平成28年　我が国の人口動態　平成26年度までの動向」より引用)

(3) 生活習慣病に含まれる疾患の広がり

このような社会のニーズの変化のなかで，生死に直接かかわらなくてもQOLを低下させる疾患・状態は予防すべきものとして認識されるようになり，その予防に生活習慣の改善が有効であるものはすべて生活習慣病としてとらえられるようになった．

その結果，食事，運動，飲酒，喫煙，睡眠などの「生活習慣」に関連して，発症，進展・増悪する疾患を総称して生活習慣病とよぶことになった．表 18-1-1 には，現在，生活習慣病としてコンセンサスが得られていると考えられるものを列挙したが，今後新たな知見が加われば，含まれる疾患・病態は増えてくると予想される．

(4) 生活習慣病の各論

a. 2型糖尿病【⇨ 15-2-2】

生活習慣病の代表である．過食，肥満，運動不足などの生活習慣と発症，増悪・進展が深くかかわりがあることは多くの基礎・臨床研究で明らかとなっている．

血糖コントロール不良の状態が長期間続くと，合併症として動脈硬化性疾患(虚血性心疾患，脳梗塞，閉塞性動脈硬化症など)，細小血管合併症(網膜症，腎症，神経障害)などのさまざまな合併症を引き起こす．

また，免疫力の低下などにより肺炎などの感染症を合併しやすい．さらに，Alzheimer型認知症の合併率が高いことが報告されている．

治療の基本は，食事・運動療法である．食事療法は栄養バランスのとれたエネルギー制限食が基本であり，通常，「糖尿病食事療法のための食品交換表(日本糖尿病学会編)」を用いて指導される．主たる栄養素によって食品を分類(表 18-1-2)し，1単位を 80 kcal として同じ分類のなかでは食品を交換可能とし，

表 18-1-2 糖尿病食事療法のための食品交換表での食品の分類(日本糖尿病学会, 2013)

I群　おもに炭水化物を含む食品
表1：穀物，イモ，炭水化物の多い野菜と種実，豆(大豆を除く)
表2：果物
II群　おもに蛋白質を含む食品
表3：魚介，肉，卵・チーズ，大豆とその製品
表4：牛乳と乳製品(チーズを除く)
III群　おもに脂質を含む食品
表5：油脂，多脂性食品
IV群　おもにビタミン，ミネラルを含む食品
表6：野菜(炭水化物の多い一部の野菜を除く)，海藻，キノコ，コンニャク

エネルギー制限をしながら、栄養バランスを崩さない工夫がなされている.

glycemic index(GI)の考慮も必要である. これは、炭水化物を含む食品を経口摂取した場合に食後2時間の血糖値(血中グルコース濃度)の上昇の程度を示す指標である. GIが高い食品は、2型糖尿病患者に食後の高血糖を引き起こしやすい. 代表的な食品のGIは以下のとおりである：ブドウ糖(100), ベークドポテト(95), 精白パン(95), ジャガイモ(ゆで)(70), 米飯(精白米)(70), バナナ(62), ショ糖(59), パスタ(精白)(55), 玄米(50), サツマイモ(48), パスタ(全粒)(40), リンゴ(39). ただし、GIは含まれる炭水化物量が同じである場合の話であり、GIが低くても摂取量が多ければ食後血糖値は上昇するし、最終的にはすべて消化されからだに吸収されるので、「摂取炭水化物量を決めたうえでGIを考慮して、食品を選ぶ」というのが正しいやり方である.

また、同様の考え方で、食物繊維を多く含む野菜や海藻類を摂取すると、同時に摂取した食品の消化吸収が緩徐となり、食後血糖値を低下させる効果が期待できる. 食後よりも食事のはじめにこれらを摂取することが望ましいとされる.

b. 脂質異常症【⇒ 15-4-2】

虚血性心疾患などの動脈硬化性疾患を合併する.

治療としては、高トリグリセリド(triglyceride：TG)血症や低HDLコレステロール血症の場合は、過食・肥満・インスリン抵抗性が関与していることが多く、2型糖尿病と同様に、栄養バランスのとれたエネルギー制限食による食事療法と運動療法が基本である.

高LDLコレステロール(LDL-C)血症では、摂取する脂肪の種類にも注意が必要である. 飽和脂肪酸(おもに獣肉類の脂肪)は血中LDL-Cを上昇させ、逆に不飽和脂肪酸(おもに植物性脂肪や魚の脂)は低下させる作用がある. 前者を1, 後者を1.5～2の割合で摂取するとよいとされる. 特に、イワシ・サンマなどの青魚(背の青い魚)に含まれるn-3系の多価不飽和脂肪酸は血中TGを低下させる作用も期待できる. ただし、過量の摂取はエネルギー過剰となり禁物である.

また、LDLコレステロール血症患者では摂取コレステロール量は300 mg/日以下が推奨されている. ただし、コレステロールは体内で合成されるため、摂取量を控えて血中LDL-C濃度を低下させるというよりは過量摂取を避けるといった意味合いである. 卵・レバー・イカ・タコ・エビなどがコレステロールを多く含む食品である.

c. メタボリックシンドローム【⇒ 15-5】

内臓脂肪の蓄積を本態として、糖・脂質代謝異常、血圧上昇のそれぞれは軽度であっても、虚血性心疾患などの動脈硬化性疾患を合併する.

治療は、運動療法とエネルギー制限食による食事療法である. 急性心筋梗塞を合併するだけでなく、2型糖尿病にもなりやすいため、これらに至る前にメタボリックシンドロームの状態で早期発見・早期治療をすることが重要である.

d. 高血圧

本態性高血圧の発症・増悪と、塩分摂取過多・肥満・喫煙といった生活習慣は深く関係する.

1970年代以降脳卒中による死亡が著しく減少(図1-1-1と図18-1-1)したが、その主因は減塩食指導の普及により血圧がコントロールされるようになり、高血圧性脳出血が減少したためと考えられている. 減塩食は高血圧患者の治療の基本であり、1日の適性食塩摂取量はわが国では6g未満とされている. 飲料や加工食品などで、ナトリウム(Na)量で表示されている場合には2.54をかけると食塩(NaCl)量となる.

肥満と高血圧の関係は、内臓脂肪の増加によってもたらされる脂肪細胞由来のアディポサイトカインの血中濃度変化などで説明される. 最近では肥満誘発性高アルドステロン血症が血圧上昇をきたすことが注目され、アディポサイトカインの一部がアルドステロン分泌を刺激することも明らかとなっている. 肥満者の高血圧では、体重の適性化(減量)による血圧低下が期待できる.

喫煙は血圧を上昇されるため、高血圧患者では禁煙が必要である. タバコに含まれるニコチンが副腎髄質からのアドレナリン・ノルアドレナリン分泌を促進し、交感神経の興奮をもたらすことが血圧上昇をきたす一因として知られている. さらに、喫煙により引き起こされる動脈硬化も血圧上昇に関与する.

(5) 生活習慣病における運動療法の役割

生活習慣病には、メタボリックシンドローム、2型糖尿病、脂肪肝、脂質異常症などの内臓脂肪蓄積と関連したものが多い. 内臓脂肪を減少させることは、これらの治療として有効であるが、現在、内臓脂肪を減少させる薬剤はない.

エネルギー制限食により、消費エネルギー量より摂取エネルギー量を少なくすることにより、体脂肪を減少させることができるが、同時に筋肉などの体内の蛋白質成分も減少してしまう危険性を伴う. 筋肉量が減少してしまうと、基礎エネルギー代謝量が減少し、消費エネルギー量が減少し摂取エネルギー量との差が小さくなるため、効果が出にくくなるばかりでなく、日常生活でも疲れやすくなってしまう. この状態で、食事療法に耐えられず、摂取エネルギー量が増えてしまうと、以前よりも消費エネルギーが減少しているため、エネルギー過剰状態になりやすく、体脂肪を蓄積し太りやすい. いわゆる「リバウンド」である.

このような状態に陥らないためには，運動療法が必須である．運動によりエネルギーを消費することも大切であるが，継続的な運動によって筋肉を増強し基礎エネルギー代謝量を増加させることがより重要である．生活のなかで，運動が習慣となるような計画を立てることが成功の秘訣である．週3～4日以上，スポーツジムやプールに行くことができればベストであるが，それができなくても通勤・通学・買い物などの日常生活のなかで，早歩き，ジョギング，階段昇降，ステップ（または足踏み）運動，自転車走行などを取り入れることは十分に有効である．

運動療法に対するモチベーションを維持し，運動を習慣化するためには，効果や成果を数値で示すことが大切である．歩数計や活動量計を用いて運動量や消費カロリーを測定したり，体組成計で体脂肪量や筋肉量を測定したりするとよい．運動を継続していることや，改善している数値（体脂肪量が500 g減った，など）があることを賞賛する姿勢が医療者側に必要である．ある程度運動を継続していると，目に見えて体重・腹囲が減少したり，検査数値が改善したり，体調のよさや疲れにくさを実感できるようになることが多く，患者のモチベーションを維持しやすいが，そこまで到達するには時間がかかる．

(6) わが国における最近のトピックス

21世紀における国民健康づくり運動（通称，健康日本21）が2000年（平成12年）に厚生省（当時）により始められた．生活習慣病の予防（特に一次予防）を目的として，その原因である生活習慣を改善する運動である．食生活・栄養，身体活動・運動，休養・心の健康づくり，タバコ，歯の健康，糖尿病，循環器病（心臓病・脳卒中），癌の9分野にわたり，2010年（平成22年）に達成する具体的目標を設定し，目的達成のために，自己管理能力の向上，専門家などによる支援と定期的管理，保健所などによる情報管理と普及啓発の推進が行われた．

わが国における肥満者（BMI 25以上）の割合（図18-1-2）をみると，男性（20～60歳代）では増加傾向にあるが，健康日本21開始前と比較して，その増加傾向は鈍化している．女性（40～60歳代）では，肥満者の割合は明らかに減少傾向にある．一方，運動習慣のある者の割合（図18-1-3）をみると，女性はほぼ横ばいであるが，男性は増加傾向にある．

さらに，2008年4月から特定健診制度（糖尿病などの生活習慣病に関する健康診査）が始まり，40歳から74歳までの健康保険加入者を対象に健康保険者が特定健診（いわゆる「メタボ健診」）を実施し，メタボリックシンドローム，またはその予備群と判定された人に対して特定保健指導（食事や運動などの生活習慣指導）を行うことが義務化された．厚生労働省の調査（2012年2月，「保険者による健診・保健指導等に関する検討会（第7回）」で報告）によれば，2008年度に特定保健指導を終了した233125人の2008，2009年度の特定健診結果を比較すると，「メタボ該当者」の割合は29.0％から21.3％に，「メタボ予備群」の割合は48.9％から31.3％に，いずれも減っていた．

2013（平成25）年から開始された健康日本21（第二次）でも基本的な方向の1つとして「生活習慣病の発症予防と重症化予防の徹底」があげられている．

(7) 生活習慣病診療における医師の役割

a. 医学的評価者としての役割

生活習慣病の診療に携わる医師は，生活習慣の改善が個々の患者（あるいは介入対象者）にもたらすであろう，あるいは，もたらした効果について，医学的・科学的に推測・評価する必要がある．たとえば，肥満者

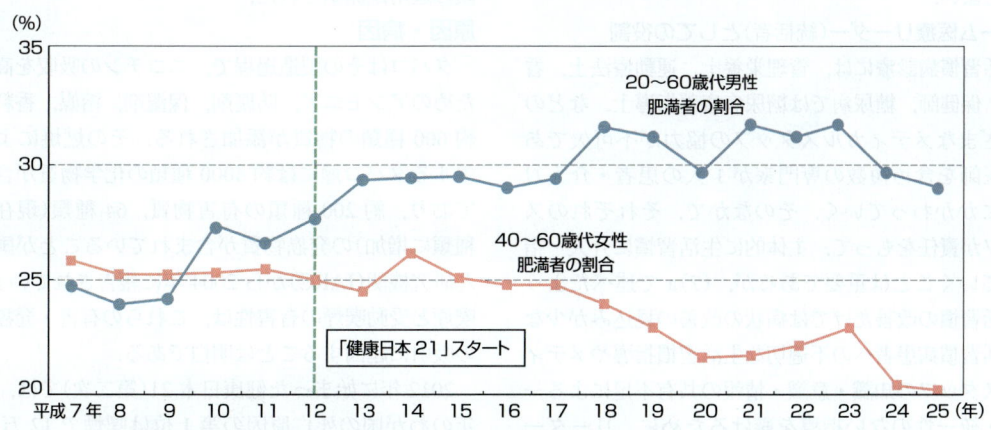

図 18-1-2 肥満者の割合の年次推移（20歳以上）（厚生労働省，2014のデータを用いて作図）
BMI 25以上を肥満者とした．

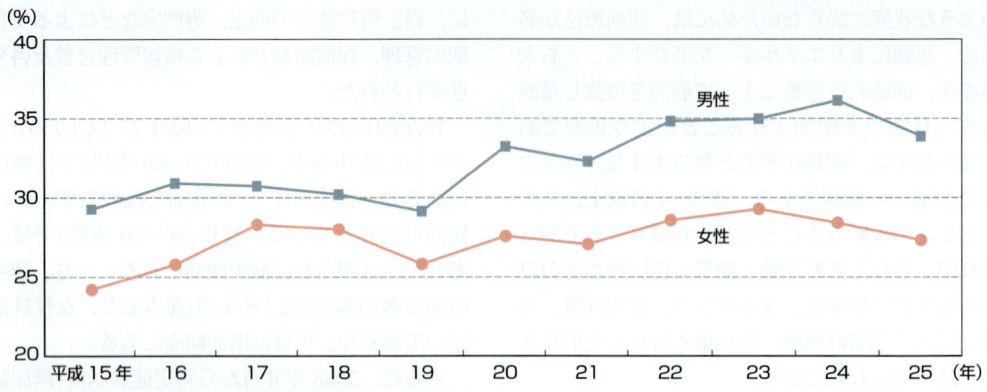

図 18-1-3 **運動習慣のある者の割合の年次推移**(20歳以上)(厚生労働省,2014のデータを用いて作図)
※運動習慣のある者:1回30分以上の運動を週2日以上実施し,1年以上継続している者.

やメタボリックシンドロームの人のなかに,Cushing症候群や甲状腺機能低下症などが存在しないか鑑別する必要がある.また,糖尿病でもインスリン分泌が著明に低下している(1型,膵性,一部の2型糖尿病)やせ型の患者の場合,まずインスリン補充(薬物治療)が優先される.

生活習慣病は「生活習慣の改善により予防・治療が可能」であるが,個々の患者における病態・病状はさまざまで,「遺伝的要因や臓器・組織の機能障害(たとえば糖尿病における膵β細胞機能障害)の影響が強い場合は生活習慣改善によりもたらされる効果は限定的である」ことを知っておくべきである.2型糖尿病患者のHbA1cが改善しない場合,生活習慣の改善ばかりを指導し続け,病態に応じた薬物治療(インスリンや経口血糖降下薬)の検討を怠ってはいけない.

また,生活習慣に対する介入を行っていて,ある程度,生活習慣の改善がなされていると見なされるにもかかわらず,生活習慣病が改善してこない場合は,生活習慣以外の病態悪化要因(内分泌疾患,肝・膵・筋疾患,炎症性疾患,悪性疾患)を再検討する習慣をつけるとよい.

b. チーム医療リーダー(統括者)としての役割

生活習慣病診療には,管理栄養士,運動療法士,看護師,保健師,糖尿病では糖尿病療養指導士,などのさまざまなメディカルスタッフの協力が不可欠であり,医師を含め複数の専門家が1人の患者・介入対象者にかかわっていく.そのなかで,それぞれのスタッフが責任をもって,主体的に生活習慣に介入・指導していくことは重要であるが,(7)aで述べたような生活習慣の改善だけでは病状の改善の見込みが少ない生活習慣病患者への不適切な生活習慣指導やメディカルスタッフの知識・意識・情報の共有不足による一貫性・統一性のない指導を避けるために,リーダー(統括者)として医師が果たす役割は大きい.

〔矢藤 繁・島野 仁〕

■文献

厚生労働省:平成25年国民健康・栄養調査結果の概要,2014.
糖尿病食事療法のための食品交換表(第7版)(日本糖尿病学会編),文光堂,2013.

2)喫煙関連疾患

定義・概念

喫煙と受動喫煙により発症リスクが上昇する各種の癌,動脈硬化による心血管系疾患,慢性閉塞性肺疾患(COPD),気管支喘息,糖尿病などの疾患群を喫煙関連疾患とよぶ.2005年,日本循環器学会が中心となり,喫煙関連疾患にかかわりの深い医科,歯科の9学会が合同で禁煙ガイドラインを作成した(藤原ら,2005).この禁煙ガイドラインで「喫煙は"喫煙病(依存症+喫煙関連疾患)"という全身疾患であり,喫煙者は"積極的禁煙治療を必要とする患者"」と定義されたことにより,翌2006年から医科の禁煙治療に医療保険の適用が開始された.

原因・病因

タバコはその製造過程で,ニコチンの吸収を高めるためのアンモニア,防腐剤,保湿剤,溶媒,香料など約600種類の物質が添加される.その燃焼により発生するタバコ煙には約4000種類の化学物質が含まれており,約200種類の有害物質,64種類(現在,70種類に増加)の発癌物質が含まれていることが国際がん研究機関(IARC)から2004年に報告されている[1].喫煙と受動喫煙の有害性は,これらの有害・発癌物質の吸引に起因することは明白である.

2012年に始まった健康日本21(第二次)では,2007年のわが国の死亡原因の第1位は喫煙で12万8900件,第2位は高血圧で10万3900件としている(ⓔ図18-1-A).喫煙による死亡のうち,約半数は癌,1/3

は循環器疾患，残りはCOPDなどの呼吸器疾患であった．なお，受動喫煙に曝露される非喫煙者の肺癌と心筋梗塞による超過死亡は6800人と推定されている．

その他の喫煙関連疾患として，歯周病，うつ病やAlzheimer病など精神神経疾患，妊婦の喫煙と受動喫煙の曝露による胎児と小児期の発達障害，小児期の中耳炎が知られている．日本医師会が「ほとんどの医師にとって，タバコは，日常診療を通じて遭遇する疾病の原因のうち，最大の予防可能なものである」と記載しているとおりである (http://dl.med.or.jp/dl-med/nosmoke/dandt.pdf).

臨床症状・診断

喫煙の本質はニコチン依存症である．肺で吸収されたニコチンは血液脳関門を通過し，数秒後には中脳のニコチン受容体に結合し，ドパミンをはじめとした種々の神経伝達物質を放出して覚醒効果や多幸感を得る．脳内報酬系の刺激，摂取の欲求，耐性と離脱症状を生じるという点ではアルコールや覚醒剤などの依存性物質と同じである．

ニコチンはおもに肝臓でコチニンに代謝され尿中に排泄される．血中ニコチンの半減期は約2～3時間とされているが，血中濃度の減少による離脱症状（渇望感）から逃れるために頻繁に喫煙する状態となる．

2006年，ニコチン依存症管理料が新設された際に，禁煙治療の手順と方法を具体的に解説した禁煙治療標準手順書が作成された（2014年に改訂された第6版が日本循環器学会等のHPよりダウンロード可能）．この手順書では，WHOの「国際疾病分類第10版」や米国精神医学会の「精神疾患の分類と診断の手引き」に準拠して，精神医学的な見地からニコチン依存症を診断することを目的としたスクリーニングテスト (Tobacco Dependence Screener：TDS) が用いられており (表18-1-3)，各設問1点で5点以上をニコチン依存症としている．設問の内容がすなわちニコチン依存症の臨床症状である．

禁煙治療

米国保健社会福祉省は，日常の外来・健診で短時間に実施できる禁煙治療として「5Aアプローチ」という指導手順を紹介している (表18-1-4).

近年，問題のある行動を改善し，それを維持させることは一連のプロセスであるとする行動変容の考え方が普及してきた．たとえば，喫煙から禁煙に向かう行動変容の過程にはステージがあり (表18-1-5)，医療者は喫煙している患者の立場を理解し，そのステージを上げるための対応が求められる．

薬物治療では，ニコチンを含むガムやパッチにより口腔粘膜や皮膚からニコチンを補充することで離脱症状を緩和するニコチン代替療法が開発され，2001年

表18-1-3 ニコチン依存症のスクリーニングテスト，TDS (Tobacco Dependence Screener)

- 問1．自分が吸うつもりよりも，ずっと多くタバコを吸ってしまうことがありましたか．
- 問2．禁煙や本数を減らそうと試みて，できなかったことがありましたか．
- 問3．禁煙したり本数を減らそうとしたときに，タバコがほしくてほしくてたまらなくなることがありましたか．
- 問4．禁煙したり本数を減らしたときに，次のどれかがありましたか（イライラ，神経質，落ちつかない，集中しにくい，憂うつ，頭痛，眠気，胃のむかつき，脈が遅い，手のふるえ，食欲または体重増加）．
- 問5．問4でうかがった症状を消すために，またタバコを吸い始めることがありましたか．
- 問6．重い病気にかかったときに，タバコはよくないとわかっているのに吸うことがありましたか．
- 問7．タバコのために自分に健康問題が起きているとわかっていても，吸うことがありましたか．
- 問8．タバコのために自分に精神的問題*が起きているとわかっていても，吸うことがありましたか．
- 問9．自分はタバコに依存していると感じることがありましたか．
- 問10．タバコが吸えないような仕事やつきあいを避けることが何度かありましたか．

＊：禁煙や本数を減らしたときに出現する離脱症状（いわゆる禁断症状）ではなく，喫煙することによって神経質になったり，不安や抑うつなどの症状が出現している状態．

表18-1-4 禁煙治療の5Aアプローチ

- ステップ1 (Ask)：喫煙状況をすべての患者・受診者に尋ねる．
- ステップ2 (Advise)：すべての喫煙する患者・受診者に，「はっきりと」，「強く」，「個別性のある」メッセージにより，禁煙を強く促す．
  その際に，「禁煙した方がよい」という弱い言い方や，「本数を減らしなさい」という誤った指導，軽いタバコに変えたことを容認してはいけない．
- ステップ3 (Assess)：禁煙する意志を評価し，意志がある場合にはステップ4へ，ない場合には禁煙への動機づけを行う．
- ステップ4 (Assist)：禁煙を支援する．
- ステップ5 (Arrange)：フォローアップの診察の予定を決める．

表18-1-5 喫煙から禁煙に至るステージと医療者の対応

- ①無関心期（禁煙することを考えていない）：喫煙を継続することの不利益を説明する．
- ②関心期（6カ月以内に禁煙しようと考えている）：禁煙することのメリットや禁煙の妨げとなるものを確認し，解決策をアドバイスする．
- ③準備期（1カ月以内に禁煙しようと考えている）：禁煙開始日を決め，離脱症状への対応方法を説明し，禁煙治療を提案する．
- ④実行期（禁煙を開始した）：禁煙の実行を賞賛し，禁煙の効果（特に，健康面）を確認する．
- ⑤維持期（禁煙が6カ月以上継続している）：再喫煙を防止する注意を与える．

にはガムがOTC化され，2006年にはパッチが保険適用となり，2008年には脳内のニコチン受容体を遮断し，かつ，部分的に刺激する内服薬（バレニクリン）が保険適用に追加され，外来時から処方を開始すれば入院中も医療保険の適用が受けられるようになった．また，2008年，ニコチン含有量の少ないパッチもOTC化されており，薬局で薬剤師の指導のもとにOTC薬を用いた禁煙治療も可能になった．

医療保険を用いて薬剤を用いた禁煙治療を行うためには，患者側の要件として，①直ちに禁煙しようと考えている準備期であること，② TDS が5点以上でニコチン依存症と診断されること，③ 35歳以上の者については，Brinkman指数（喫煙本数×年数）が200以上であること（2016年若年者への保険適用が緩和された），④禁煙治療を受けることを文書により同意していることが必要である．また，「保険医療機関の敷地内が禁煙であること」が施設基準となり，医療施設の敷地内全面禁煙化が進んだ．

わが国の喫煙率

2014年の国民健康・栄養調査によると，わが国の成人喫煙率は19.6%であり，未成年の喫煙者を含め，2000万人以上が喫煙していることになる（図 18-1-4）．ほかの先進国と比較して，男性喫煙率が32.2%と高いこと，特に，喫煙防止教育を受けていない30〜40歳代の男性の喫煙率が約44%と高いことが特徴である（厚生労働省，2012）（e図 18-1-B）．さらに，低所得者ほど喫煙率が高いことも示された（e図 18-1-C）．

世界の喫煙対策

世界保健機関（WHO）は，能動喫煙だけでなく受動喫煙も死亡，疾病，障害を引き起こすことは科学的証拠により明白に証明されている，という認識に基づき，現在および将来の世代を保護することを目的とした「たばこの規制に関する世界保健機関枠組条約」を発効させ（2005年），価格の大幅な引き上げ（第6条），パッケージの警告の強化（第11条），広告の禁止（第13条），禁煙治療の普及（第14条）などの対策を各国の政府に求めている．第8条では，飲食店などのサービス産業を含む屋内施設を全面禁煙とする法律を施行することが求められており，すでに49カ国でレストランや居酒屋を含む屋内の全面禁煙化が行われている（2014年12月時点）[2]．そのような国では，国民の喫煙関連疾患が減少しており，しかも，一般職場だけでなく，屋内禁煙化の範囲がレストランや居酒屋を含めて広範囲であるほど疾患の減少の度合いが大きいことが報告されている（Tanら，2012）（図 18-1-5）．

このように，生活・社会・環境中の有害物質の曝露により疾患リスクが上昇し，曝露の除去によりそのリスクが低下することまで証明されているのは唯一，喫煙と受動喫煙だけである．

わが国の喫煙対策

2012年に告示された厚生労働省の第4次国民健康づくり対策「健康日本21（第二次）」では，従来，生活習慣病と呼称されてきた癌，循環器疾患，糖尿病，COPDなどの発症・進展には，個人の生活習慣だけでなく，個人を取り巻く地域や職場における環境要因や経済的要因による影響が大きいことから，「非感染性疾患（noncommunicable diseases：NCDs）」として包括的な施策を展開すべきことが述べられた．NCDs の最大の原因は喫煙である．e表 18-1-A に健康日本21（第二次），および，がん対策推進基本計画（2012年）で示された喫煙と受動喫煙対策に関する数値目標を示す．

さらに，喫煙者の呼気や衣服から発生するタバコ臭（ガス状物質）が気管支喘息や化学物質過敏症の発作の原因となる現象は三次喫煙（thirdhand smoke）として知られていたが，2012年の厚生労働省健康局長通知「受動喫煙防止対策について」（健発 0225 第2号，2010（平成22）年2月25日）で「残留タバコ成分」と定義され，啓発に努めるべきことが示された．また，

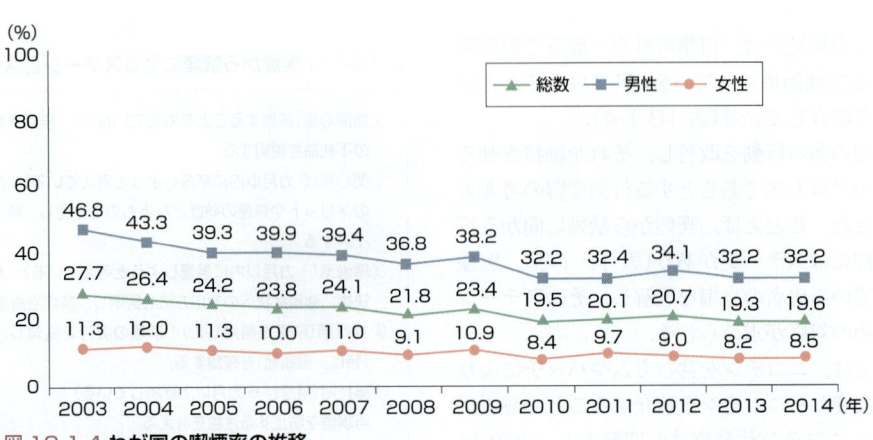

図 18-1-4 わが国の喫煙率の推移

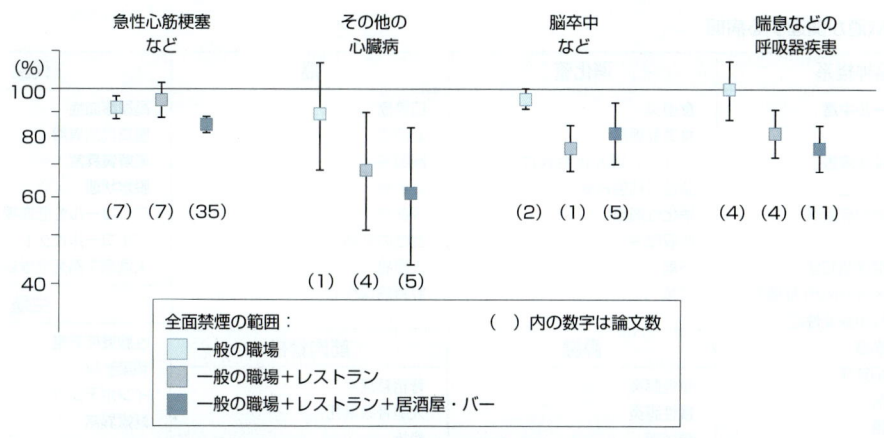

図 18-1-5 屋内施設を全面禁煙とする法律による喫煙関連疾患の減少

果物などの風味をつけたリキッドを電熱コイルを備えた蒸発ユニット（アトマイザー）で加熱し，その蒸気・ミストを吸引する電子タバコが販売されている．ニコチン入りの商品もあること，リキッドを加熱する段階で有害物質が発生することが指摘されているが，現状では医薬品としての規制もタバコ製品としての規制も逃れている状況である[3]．WHO は「健康上の利益，被害削減，禁煙における使用を説く主張は，科学的に証明されるまで禁止すべきである」としている[4]．

今後，あらゆる診療と健診の場において，禁煙を勧奨し，非喫煙者には受動喫煙を忌避すべきことを周知し，国民の喫煙関連疾患の減少をはかることが重要である．　〔大和　浩〕

■文献（e文献 18-1-2）

厚生労働省：健康日本 21（第二次），2012.
藤原久義，阿彦忠之，他：禁煙ガイドライン．*Circ J.* 2005; **69**: 1005-124.
Tan C, Glantz S: Association between smoke-free legislation and hospitalizations for cardiac, cerebrovascular, and respiratory diseases. A meta-analysis. *Circulation.* 2012; **126**: 2177-83.

3）アルコール関連疾患

飲酒はアルコール依存症，肝障害，膵炎，脳神経障害などの多くの病態に関係し（表 18-1-6），2002 年の WHO の報告によると，先進国ではすべての疾病の負担の 9.2％が飲酒に起因する[1]．これはタバコの 12.2％，血圧の 10.9％につぐ 3 番目の数値である．有害な飲酒は多くの心身の疾患や，交通事故，暴力，自殺，外傷と関連が深く，本人だけでなく他人への身体的・精神的・社会的な害も大きい．他者への有害性も含めたイギリスの現状評価ではタバコやヘロインを含むすべての薬物のなかでアルコールは最大の有害性があるとされている[2]．2010 年に WHO は「アルコールの有害使用低減のための世界戦略」の決議を行い施策の実行を加盟各国に求めている．2013 年にわが国ではアルコール健康障害対策基本法が成立し，アルコール関連問題に対するさまざまな施策を実現していくことが期待されている．

(1) 国民の飲酒様態
a. 習慣飲酒者の割合

2012 年度の国民健康栄養調査では，週 3 回以上 1 回に日本酒換算 1 合以上飲酒する飲酒習慣者の割合は，男性 34％，女性 7％であり，過去 10 年間で男女ともほぼ横ばいである．

b.「健康日本 21（第二次）」

2000～2012 年度に行われた厚生労働省の第三次国民健康づくり運動「健康日本 21（第一次）」では「節度ある適度な飲酒」を，男性で 1 日平均純アルコールで約 20 g 程度（女性と少量飲酒で顔が赤くなる人や 65 歳以上の高齢者ではさらに少ない量）としてきた．2013 年から始まった「健康日本 21（第二次）」では，未成年の飲酒と妊娠中の飲酒をなくすことと並んで，1 日男性 40 g 以上，女性 20 g 以上の「生活習慣病のリスクを高める飲酒者」を減らすことを目標としている．20 g とはビール 500 mL，缶酎ハイ 350 mL，日本酒 180 mL（1 合），ワイン 200 mL，ウイスキー 60 mL（ダブル 1 杯）に相当する．

(2) アルコール代謝
a. アルコール代謝と薬物代謝[3]

アルコールは大部分肝臓で代謝される．アルコール脱水素酵素（ADH）とミクロソームエタノール酸化酵素系（MEOS）によりアセトアルデヒドへと酸化され，次にアルデヒド脱水素酵素（ALDH）により酢酸にな

表 18-1-6 飲酒が関連する病態

脳神経系	消化管	癌	代謝
急性アルコール中毒 二日酔い アルコール使用障害 アルコール依存症 アルコール離脱症候群 脳萎縮 アルコール関連認知症 Wernicke-Korsakoff 症候群 アルコール性小脳変性症 橋中心髄鞘崩壊 アルコール幻覚症 二次性うつ病 パニック障害 不眠症 末梢神経障害	食道炎 食道静脈瘤 Mallory-Weiss 症候群 急性胃粘膜病変 消化性潰瘍 吸収障害 下痢 痔核	口腔癌 咽頭癌 喉頭癌 食道癌 肝臓癌 女性の乳癌 大腸癌 膵臓癌(疑い)	高尿酸血症 脂質代謝異常 電解質異常 脱水状態 アルコール性低血糖 アルコール性ケトアシドーシス 大酒家突然死症候群
	膵臓	**筋肉骨格**	**生殖**
	急性膵炎 慢性膵炎 糖尿病	骨粗鬆症 大腿骨頭壊死 骨折 アルコール性ミオパチー 横紋筋融解症	性腺機能異常 精巣萎縮 インポテンツ 妊娠異常 胎児アルコール症候群 胎児アルコールスペクトラム障害
	心血管系		**自殺**
肝臓	高血圧 不整脈 冠動脈疾患(少量では抑制) アルコール性心筋症 出血性脳卒中 脳梗塞(少量では抑制)	**血液**	**外傷**
脂肪肝 アルコール性肝炎 アルコール性肝線維症 アルコール性肝硬変		大赤血球症 大球性貧血 血小板減少 顆粒球減少	**暴力**
			事故
			ニコチン依存症の併発

る．1 時間の体重 kg あたりのアルコール分解能力は 100 mg 前後である．体重 60 kg の人で 1 時間に 6 g のアルコールを分解し，5％ビール 500 mL の分解には 3 時間以上が必要となる．MEOS は薬物代謝酵素チトクローム P450 を含む酵素群である．大酒家では P450 が強く誘導されアルコール分解能力が亢進する．脳の耐性と並んで，"酒に強くなった"と感じる一因である．この酵素誘導は断酒 1 週間以内に消失する．P450 を介して代謝される薬剤（ジアゼパム，クロルプロマジン，ワルファリンなど）とアルコールを併用すると，拮抗阻害や薬物代謝の亢進により薬効が増減し危険である．

b. アルコール代謝酵素の遺伝子多型[4]

ALDH2 には東アジア人特有の遺伝子多型がある．国民の約 40％は活性が欠損した ALDH2 を有し，飲酒後に高アセトアルデヒド血症を生じる．そのためごく少量の飲酒で顔面紅潮，動悸，眠気などのフラッシング反応を起こす．また ALDH2 活性型の人よりも少ない飲酒量で二日酔いを起こしやすい．ALDH2 ホモ欠損者（日本人の 7％前後）は飲酒できない．ALDH2 ヘテロ欠損者では飲める人も多く，アルコール依存症者の 90％弱は ALDH2 活性型であるが，10％強はヘテロ欠損者である．ALDH2 欠損の推定方法には，フラッシングに関する質問法やエタノールパッチテストがある．

ADH1B にも遺伝子多型があり，白人と黒人の約 90％が有するホモ低活性型と異なり，東アジア人の 90％以上が超高活性型 ADH1B をもっている．アルコール代謝速度が遅いホモ低活性型 ADH1B は，フラッシング反応を抑制し，多量飲酒した翌朝に酒臭い体質となる．そのため人口の 3〜4％しかいないホモ低活性型 ADH1B と活性型 ALDH2 の組み合わせをもつ人が飲酒家になるときわめてアルコール依存症になりやすく，アルコール依存症患者の約 30％がこの遺伝子型である．多量飲酒者では ADH1B と ALDH2 遺伝子型が肝障害，やせ，大球性貧血，食道・頭頸部癌などさまざまなアルコール関連障害のリスクにも影響することが明らかとなってきており（eコラム 1）[4,5]，安価な遺伝子解析が普及すれば，遺伝子型を知って飲酒関連問題を予防する時代となるであろう．

(3) 飲酒による健康障害

a. 総死亡率への J 型効果

総死亡率は，非飲酒者と比べて適度の飲酒者では若干低下し，多量の飲酒者では大幅に上昇する．飲酒量を横軸，死亡リスクを縦軸にとると J 型のカーブとなる．わが国の男性約 2 万人の前向きコホート研究（JPHC 研究）でも，純アルコールで週 1〜149 g の飲酒で総死亡リスクが 0.64 倍に低下し，J 型の関係がみられた．喫煙者では飲酒によるリスク低下はみられなかった[6]．リスクが最も低くなるのは，男性で 1 日 20 g 前後，女性で 10 g 以下とするものが多い[7,8]．

b. 飲酒と循環器疾患

飲酒は冠動脈疾患のリスクを下げる．飲まない人と比べて 20 g 程度の飲酒でリスク減少が最大となり，飲酒量の増加に伴ってリスクが漸増し J 型や U 型の

カーブとなる[9]．適度の飲酒による予防機序は，HDLコレステロールの増加，血小板凝集の抑制，フィブリノゲンの低下など凝固線溶系への影響，抗炎症作用の関与が推測されている．冠動脈疾患の罹患後の患者の再発や死亡に関しても飲酒のJ型効果がみられる．飲酒は高血圧の危険因子であり20g程度でもリスクとなる[9]．多量飲酒はアルコール性心筋症や心房細動などの不整脈の原因にもなる．

c．飲酒と脳卒中

飲酒量の増加とともに出血性脳卒中（くも膜下出血と脳出血）のリスクは高まるが，少量の飲酒は脳梗塞の発症率を低下させJカーブ効果がみられる．JPHC研究では週に1〜149g飲酒する人では，月に1〜3回飲酒する人と比べ出血性脳卒中を発症リスクが1.73と上昇したが，脳梗塞では0.59と低下した[10]．

d．飲酒と癌

飲酒が原因で発生する癌は，口腔・咽頭・喉頭・食道の扁平上皮癌，肝細胞癌，直腸・結腸癌，女性の乳癌である．膵臓癌との関連も疑われている．頭頸部（口腔，咽頭，喉頭）と食道の癌はALDH2ヘテロ欠損型とADH1Bホモ低活性型と飲酒・喫煙習慣の組み合わせで相乗的にリスクが上昇し，わが国では特に多発・重複癌となることが多い．WHOはアルコール飲料自体，飲料中のエタノール，飲酒と関連したアセトアルデヒドの3つをヒトへの発癌性が確実なgroup 1の発癌物質に認定している．

e．機会的な多量飲酒の影響と休肝日

普段は適度な飲酒をする人でも，月に1回以上60g以上などの機会的な多量飲酒をする人では冠動脈疾患のリスクが上昇し，適度な飲酒によるリスク減少効果を打ち消してしまうことが明らかとなってきている[11]．またわが国で広く知られている"休肝日"は，1週間の総飲酒量が同じでも死亡リスクを下げる可能性が指摘されている．JPHC研究では，3日以上の休肝日を設けていない男性は週3日以上休肝日を設けている男性と比べて，週300g以上の飲酒群の中で総死亡リスクが1.5〜1.8倍高いと報告している[12]．

f．女性の飲酒[13]

妊婦の飲酒の胎児への影響は広範であり，特に中枢神経系への影響が深刻である．胎児アルコール症候群や成長後のさまざまな身体的行動的障害が出現する危険性が高まる．女性は男性より少量で肝障害などの健康障害が起こりやすいとする研究が多い．若年女性アルコール依存症では摂食障害の合併頻度が非常に高い．

g．アルコール依存症，アルコール使用障害

アルコール依存症は，飲酒量の調節ができない，アルコール離脱症状がある，飲酒による身体的，精神的，社会的問題が存在する，の3点で特徴づけられる慢性再発性の疾患である．2013年の全国調査では，国際傷病疾病分類（ICD-10）によるアルコール依存症者は約60万人と推計された[14]．アルコール依存症として治療を受けている患者は年間約4万人と報告されており，多くの患者が診断されずに治療のチャンスを逃している．2013年に改訂された米国精神医学会の診断基準DSM-5は，「アルコール依存症」と「アルコール乱用」を「アルコール使用障害（alcohol-use disorder）」という1つの概念にまとめ，スコアにより重症度分類している．これにより治療対象者が拡大し，早期の予防的介入の実現が期待される．重症者の治療の基本は断酒する努力を続けることであり，長期間断酒に成功しても再飲酒すればもとに戻る場合が多い．早期に専門治療につなげるべきである．断酒会とAA（alcoholic anonymous）という自助組織の活動への参加も有効である．

h．アルコール関連認知症[15]

人口の高齢化に伴いアルコール関連認知症の頻度は増加している．アルコール関連認知症は，多量飲酒に加え，Korsakoff症候群に代表されるビタミンB_1欠乏などの栄養不良，肝障害，脳血管障害，頭部外傷などの多因子が関与し，60歳代など比較的若年で発症する．長期の断酒によりいくらかの改善が期待できるが，進行性の認知症患者にアルコール問題が併発した場合との鑑別は難しい．

i．大酒家の突然死[16]

自宅で死後発見されるなどの異状死体の検案では，急病死と診断されたわが国の中年男性の35%が大酒家やアルコール依存症者と報告されている．心血管疾患に加え，食事をあまりとらない多量飲酒は，脱水，貧血，低カリウム血症，低血糖，アルコール性ケトアシドーシスなどの種々の生命を脅かす状態をきたす．

〔横山　顕〕

■文献（e文献 18-1-3）

アルコール関連問題とその対策：進歩と展望．Prog Med. 2013; 33: 801-919.

国立がん研究センターがん予防・検診研究センター予防研究部：多目的コホート研究（JPHC Study）．http://epi.ncc.go.jp/jphc/
IARC: Alcohol consumption and ethyl carbamate. IARC Monogr Eval Carinog Risks Hum. 2010; 96: 3-1383.

4）温熱・寒冷による疾患

ヒトなどの生物の活動は温度に影響されるので，体温を一定の範囲内に調節することは，生命活動にとって重要である．ヒトの体温調節中枢は視索前野/前視床下部にあり，この体温調節中枢に核心部（視床下部，

延髄，脊髄，内臓）や皮膚に分布する温度受容器から全身の温度情報が集められる．ヒトの身体の温度分布は一様ではなく，温度の高いからだの中心部（核心部，core）と外側の温度の低い部分（外殻部，shell）がある．核心部の温度を核心温といい，核心部には脳などの重要臓器があるため，環境温の変動にかかわらずほぼ一定（37℃）である．一般に体温とは核心温を指し，深部体温ともよばれる．体温調節のおもな目的は核心部「特に脳」の温度を一定に保つことである．これに対し，からだの外殻部は体温調節の効果器として，体表からの熱の放散を調節する．この温度を外殻温といい，環境温などに影響され，核心温を維持するために変動する．深部体温は直腸温，鼓膜温，膀胱温，食道温など測定した部位でのよび方が望ましく，一般に測定される腋窩温は厳密には核心温ではない．

体温の調節は，体内で産生される熱産生量と生体から外界へ移動する熱放散量が平衡を保つことで核心温が一定に維持されるが，そのバランスが崩れると体温は変動する．熱産生にはふるえ熱産生（骨格筋が不随意的に細かく収縮）と非ふるえ熱産生（骨格筋の収縮によらない熱産生で，褐色脂肪組織が熱産生に関与）がある．通常，体内で産生された熱は，放射（55～65％の喪失），伝導（10～15％の喪失），対流，蒸発（呼気からの不感蒸散と発汗）のメカニズムにより喪失する（Dinarello ら，2013）．発汗時の気化熱による熱の放散を蒸散性熱放散といい，それ以外の皮膚血管拡張による皮膚血流量の調節と立毛を非蒸散性熱放散という．

ヒトは環境温が 27～32℃程度の場合，発汗もふるえも起こらず，体温は皮膚血管の収縮・拡張だけで調節される．環境温がこの範囲より高くなると蒸発（発汗）による熱放散がおもに働き，環境温がこの範囲より下がると，熱平衡が維持できず熱産生が増して体温を維持する．

また，高体温（hyperthermia）は，熱喪失の能力の限界をこえて体温が調節できないほど上昇することで，発熱物質を介する発熱とは異なる．両者を鑑別することは重要で，発熱は解熱薬で抑制できるが，高体温は解熱薬が有効でなく，即座に致命的になることがあり，有効な方法はからだを冷却することである．高体温をきたす原因を表 18-1-7 に示す．

(1) 熱中症：温熱による疾患
概念
熱中症（heat illness）とは，暑熱環境に対する適応障害により発生する病態をいい，暑熱環境を避けることができれば予防が可能である．
疫学（eコラム 1）
近年，熱中症に関して社会的な関心が高まり，行政

表 18-1-7 高体温の原因

- **熱射病**
  - 労作性：通常よりも高い気温または湿度のなかでの運動や労働
  - 非労作性：抗コリン薬（抗ヒスタミン薬を含む），抗 Parkinson 病薬，利尿薬，フェノチアジン系
- **薬物誘発性高体温**
  アンフェタミン類，コカイン，フェンシクリン，メチレンジオキシメタンフェタミン（MDMA，エクスタシー），リセルグ酸ジエチルアミド（LSD），サリチル酸，リチウム，抗コリン薬，交感神経作用薬
- **神経遮断薬悪性症候群**
  フェノチアジン系，ブチロフェノン系（ハロペリドール，ブロムペリドールを含む），フルオキセチン，ロキサピン，三環系抗うつ薬，メトクロプラミド・ドンペリドン
- **セロトニン症候群**
  選択的セロトニン再取り込み阻害薬（SSRI），モノアミノオキシダーゼ（MAO）阻害薬，三環系抗うつ薬
- **悪性高熱症**
  吸入麻酔薬，スキサメトニウム
- **内分泌疾患**
  甲状腺中毒症，褐色細胞腫
- **中枢神経障害**
  脳出血，てんかん重積持続状態，視床下部損傷

(Curley FJ, et al: Intensive Care Medicine, 3rd ed, Little Brown, 1996)

機関でも各省の HP などにおいて熱中症情報を提供しているが[1-3]，毎年約 4 万人以上が熱中症で救急搬送されている（eコラム 2）．

病態生理
前述したように，体温は熱産生と熱放散のバランスで核心温を一定（37℃前後）に維持する．環境温や核心温が高くなると，まず服を脱いだり，エアコンのスイッチを入れるなどの行動性調節が起こり，これで体温を維持できないと，体温調節中枢が交感神経を介して皮膚血管拡張（血流増加）や発汗を促し，体温を一定に保っている．しかし，体温維持機能が破綻すると体温は上昇し熱中症に陥る．熱中症の本態は，熱そのものによる臓器障害と，臓器への血流低下による虚血である．ヒトの体温が 40.0℃になると酵素が変性し，41.0℃でミトコンドリア機能低下により酸化的リン酸化が滞ると，細胞の機能停止から臓器障害に至る（表 18-1-8）．高熱による臓器障害は軽症では筋肉，消化管に，重症化するに伴い中枢神経，循環器，肝，腎，凝固系に生じる．一方，環境温の上昇とともに発汗などで脱水が進行し，血管内容量が低下する．心臓への負担が増加し，ポンプ機能が低下して虚血により臓器が障害される．腸管粘膜のバリア機能が障害され，腸内細菌やそこから生じるエンドトキシンが腸管壁を通過して門脈から肝臓を経て全身に回り敗血症様

表 18-1-8 熱中症によって影響を受ける各重要臓器の反応（三宅康史：熱中症に関する最新の話題．2013；臨床体温．31：2-14）

循環器系	心拍数増加 心拍出量増大（深部体温 1.0℃上昇につき 3 L/分増加） 末梢血管拡張（通常皮膚表層の血流は 0.2 L/分，最大 8 L/分まで増加） 血管内脱水（汗は通常 0.5 L/日，最大 15 L/日まで分泌可能） 心機能にもともと障害があれば，負荷増大による急性心不全に陥る危険がある
中枢神経系	脳虚血と脳浮腫（高体温そのもの，グルタミンの上昇・高サイトカインによる血管内皮障害と循環不全による二次的影響）．小脳，大脳皮質などの神経細胞は特に熱に弱い
消化器系	下痢，嘔吐の一般的な症状に加え，運動や高体温に伴い，腸管粘膜の透過性が亢進し，消化管から門脈・肝経由で全身性の敗血症を惹起する．消化管出血の併発もみられる
呼吸器系	過呼吸，サイトカインによる肺血管拡張＋透過性亢進からARDSへ進行
腎	循環障害，脱水と横紋筋融解症から急性腎障害（AKI）
肝	腸管から門脈経由の高サイトカイン血症により肝細胞障害
凝固線溶系	DIC，中枢神経を含むさまざまな臓器の微小血栓と出血傾向
その他	電解質異常（低カリウム，低リン，低マグネシウム），低血糖，代謝性アシドーシスと代償性の呼吸性アルカローシスなど

の症状が加わる（図 18-1-6）．

分類

熱中症は，従来，症状を診断名とした日射病，熱失神，熱痙攣，熱疲労，熱射病などと分類されており（表 18-1-9），英語病名に対応する日本語表記が統一されていないためわかりにくかった．1999 年安岡らの分類をもとに日本救急医学会，日本神経救急学会が軽症から重症まで I 度，II 度，III 度と重症度に従い分類する「熱中症重症度分類法」を発表した．2012 年改訂では体温を重症度の指標にしていない（eコラム4）．

臨床症状

1）熱中症 I 度： 軽症群で，脱水に伴う症状と筋肉の症状である．めまい，失神（立ちくらみ），筋肉の痛み，筋肉の硬直（こむら返り）を伴うもので，意識障害は認めない．

2）熱中症 II 度： 中等症で，高体温，虚血による生体側の恒常性がくずれはじめた状態で，症状は悪心・嘔吐，頭痛，倦怠感，虚脱感，集中力や判断力の低下（JCS 1 まで）などである．

3）熱中症 III 度： 重症群で，明らかな臓器障害がある．症状は①中枢神経症状（不穏をはじめとする意識障害，痙攣，運動失調など小脳症状），②肝・腎機能障害（AST，ALT，BUN，クレアチニンの上昇），③血液凝固障害（DIC）である．III 度熱中症の後遺症は III 度熱中症生存例の約 3%に，小脳症状，嚥下障害，高次脳機能障害，四肢麻痺などほぼ中枢神経障害に限って認められる（三宅，2013）．肝・腎機能障害は熱中症の治療により回復する可能性が高い．DIC 単独の熱中症はほぼなく，併発すれば生存率が低下する[4]．

鑑別診断

鑑別すべき疾患は，敗血症，髄膜炎，マラリア，薬物の過量服用，悪性高熱症，悪性症候群，甲状腺クリーゼ，褐色細胞腫，セロトニン症候群，腫瘍熱などである．

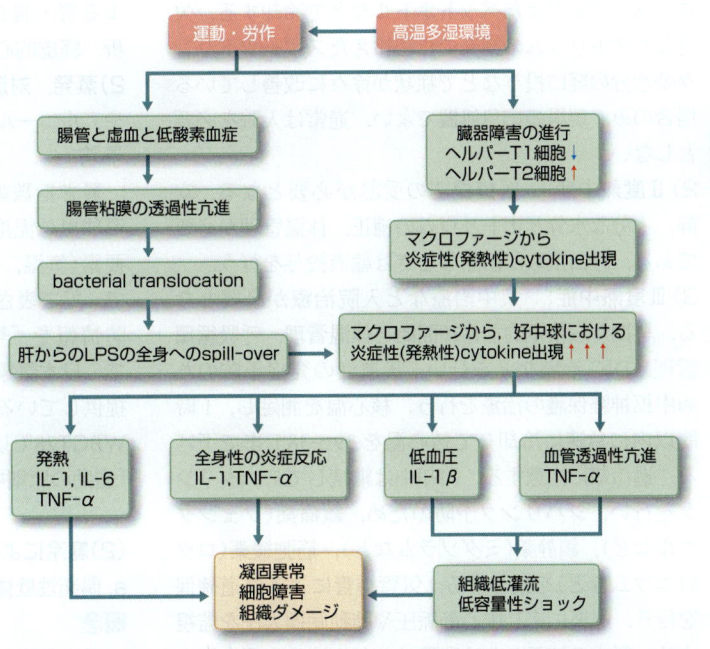

図 18-1-6 bacterial translocation が加わり高サイトカイン血症をきたす熱中症の病態（三宅康史，有賀 徹：熱中症の病態と対策．総合臨床．2006；55：1970-5 より）

表 18-1-9 日本救急医学会「熱中症に関する委員会」の推奨する分類(注意事項はⓔコラム 3 を参照)(日本救急医学会熱中症分類 2015 より)

分類	症状	治療	臨床症状からの分類	注
Ⅰ度 (応急処置と見守り)	めまい,立ちくらみ,生あくび,大量の発汗,筋肉痛,筋肉の硬直(こむら返り) 意識障害を認めない(JCS=0)	通常は受診を必要としない →安静,冷却,経口的に水分とNaの補給	熱失神 熱痙攣	Ⅰ度の症状が徐々に改善している場合のみ,現場の応急処置と見守りでOK
Ⅱ度 (医療機関へ)	頭痛,嘔吐,倦怠感,虚脱感,集中力・判断力の低下(JCS≦1)	受診が必要 →体温管理,安静,十分な水分とNaの補給(経口摂取が困難なときには点滴にて)	熱疲労	Ⅱ度の症状が出現したり,Ⅰ度に改善がみられない場合,すぐ病院へ搬送する(周囲の人が判断)
Ⅲ度 (入院加療)	下記の3症状のうちいずれか1つ (1)中枢神経症状 意識障害JSC≧2,小脳症状,痙攣発作 (H/K)肝・腎機能障害(入院経過観察,入院加療が必要な程度の肝または腎障害)	入院加療(場合により集中治療)が必要 →体温管理(体表冷却に加え体内冷却,血管内冷却などを追加) 呼吸・循環管理 DIC治療	熱射病	Ⅲ度か否かは救急隊員や病院到着後の診察・検査により診断される
	(D)血液凝固異常(急性期DIC診断基準(日本救急医学会)にてDICと診断)⇒Ⅲ度のなかでも重症型			

治療・予後

治療の基本は冷却と障害臓器のサポートである.

1) **Ⅰ度熱中症**: 日陰などの涼しい場所で安静を保ち,保冷剤や冷えたペットボトルなどで冷却する.欠乏したナトリウムの補充のため冷えたスポーツドリンクや水分の経口投与などで症状が徐々に改善している場合のみ,現場の応急処置でよい.通常は入院を必要としない.

2) **Ⅱ度熱中症**: 医療機関の受診が必要となる.安静,十分な水分とナトリウムの補正,体温管理が必要である.経口摂取が困難なときは輸液投与を行う.

3) **Ⅲ度熱中症**: 集中治療など入院治療が必要となる.早期から積極的な冷却開始と体温管理,呼吸循環管理,DIC治療などを行い,後遺症の発症予防のため中枢神経保護の治療を行う.核心温を測定し,1時間以内に急速に冷却して核心温を39〜38℃まで下げる.過冷却に注意する.冷却中は継続してモニタリングを行い,シバリング予防のため,鎮痛薬(フェンタニルなど),鎮静薬(ミダゾラムなど),筋弛緩薬(ロクロニウムなど)を投与する.気管挿管による気道確保を行う.必要に応じ中心静脈圧や肺動脈楔入圧を監視する.脱水の補正のため乳酸リンゲル液や生理食塩水を急速輸液する.

冷却法

1) **体表,体腔冷却**: ①体表冷却;冷水,氷嚢,冷却ブランケット,冷却ゲルパッド,②体腔冷却;冷水による胃・膀胱洗浄や腹腔灌流,③体外循環;人工透析,経皮的心肺補助(PCPS).

2) **蒸発,対流による冷却**: 室温の低下,体表へ温水やアルコール噴霧後扇風機で皮膚表面の対流を継続.

予防

暑さ指数のWBGT(wet-bulb globe temperature,湿球黒球温度)は,人体の熱収支にかかわる環境の4要素(気温,湿度,輻射熱,気流)を取り入れた指標で,℃で表される(ⓔ図 18-1-D).環境省は熱中症予防情報を「熱さ指数(全国のWBGTの速報)」として,日本気象協会もWBGT熱中症予防情報を市民に提供している(ⓔ表 18-1-B).また,日本体育協会はWBGT28℃以上で「激しい運動の中止」,31℃以上で「運動の原則中止」を勧告している.

(2)寒冷による疾患

a. 偶発性低体温症(accidental hypothermia)

概念

低体温症(hypothermia)とは,生体が不慮の事態や事故により寒冷環境に曝露され,核心温が35℃以下に低下した病態をいう.事故や不慮の事態に起因する

低体温を，脳保護を目的とした全身低温療法のような意図的な低温と区別して，偶発性低体温症(accidental hypothermia)とよぶ．低体温症の原因には，①寒冷環境，②熱喪失状態，③熱産生低下，④体温調節能低下などがあり，これらが単独あるいは複合して発症する[5]．偶発性低体温症は，健常者に発症した一次性と内因性疾患などがきっかけとなり発症した二次性とがある．前者は，健康であった人が山岳遭難や海難事故など直接低温に曝露されることによって発症する．後者は低体温を起こしやすくする背景に熱産生低下(低栄養，重症外傷，重症感染症)，熱喪失増大(アルコール中毒，薬物中毒，寒冷)，体温調節障害(中枢神経障害，意識障害)がある．高齢者では温度覚が低下，活動量が減少し，低栄養状態や熱産生などに影響する全身疾患を合併しやすいため，また新生児は熱喪失率が高いため，ともに低体温症になりやすい．

疫学 (eコラム 5)

病態生理

寒冷時にはまず，皮膚血管を支配する交感神経活動が高まり，血管が収縮すると，皮膚血流が減少し，体表面からの非蒸散性熱放散を抑制する．さらに体温が低下すると積極的な熱産生が起こる．ふるえ反応や甲状腺ホルモン・副腎髄質ホルモン分泌による熱産生を促進させて，体温を維持する．熱の喪失が熱産生を上回ると，ふるえ反応は消失し体温は急速に低下する．

低体温症は，寒冷環境に曝露されなくても夏季や屋内でも発生する．危険因子には，年齢(高齢者，新生児)，アルコールや薬物(バルビツール酸類，フェノチアジン系，抗うつ薬など)，内分泌疾患(低血糖，甲状腺機能低下症，副腎不全など)，神経疾患(Parkinson病，視床下部病変など)，外傷による中枢神経障害，脳血管障害，広範囲熱傷，敗血症，ショックなどがある(e表 18-1-C)．

分類

一般的に，核心温により，軽度(核心温32℃以上35℃未満)，中等度(28℃以上32℃未満)，重度(28℃未満)の3つに分類される(表18-1-10)．

臨床症状(表18-1-10)

1) **軽度低体温**：骨格筋の戦慄(シバリング)．脳代謝の直線的な低下．中枢神経の抑制，健忘，無気力，構音障害，運動失調など．血管収縮による血圧上昇と心拍出量増加，頻脈後の進行性の徐脈，過呼吸後の進行性の分時換気量低下，酸素消費量低下．利尿，カテコールアミン・副腎ステロイド・チロキシンの増加，ふるえに伴う代謝量増加．

2) **中等度低体温**：戦慄の消失．進行性の意識レベル低下，散瞳，幻覚．心拍出量・心拍数も進行性の低下，不整脈(心房細動，房室ブロック，心室性期外収縮など)の頻発．QT間隔延長．J波(Osborn波)は低体温症の80％に出現するが，診断や予後に関してはほとんど価値がない．酸素消費量50％低下．咳嗽反射消失．寒冷利尿(抗利尿ホルモン分泌抑制，尿細管再吸収障害などによる)．低換気状態．腎血流低下．腱反射低下．

3) **重度低体温**：筋硬直．脳血管の自動調節消失，脳血流低下，昏睡，眼球反射消失，脳波は平坦化．血圧・心拍数・心拍出量低下，心室細動，心静止．肺うっ血，肺水腫，酸素消費量75％低下，呼吸停止．高度の尿量減少，基礎代謝量80％減少．22℃以下では脳波は平坦化し心停止(仮死)，無動，角膜反射・眼球頭反射消失．

表 18-1-10 偶発性低体温症による身体機能の変化

重症度(体温)[2]	軽度(32[2]～35℃)	中等度(28～32[2]℃)	重度(28℃未満)
中枢神経系	脳代謝の直線的な低下，健忘混迷，構音障害，無感情，判断力低下	進行性の意識レベル低下，脳波異常，幻覚，散瞳，譫妄	脳血流低下，眼球反射消失，進行性の脳波平坦化，昏睡
心・血管系	頻脈後の進行性の徐脈，心拍出量増加と血圧上昇，血管収縮，PR間隔延長	脈拍数・心拍出量の進行性の低下，上室・心室性不整脈の増加，虚血の可能性を示す心電図変化(J波)	血圧・脈拍数・心拍出量の進行性の低下，リエントリー性不整脈，心室細動の高リスク状態，心静止
呼吸器系	過呼吸後の進行性の分時換気量低下，酸素消費量の低下，気管支攣縮	低換気状態，体温が8℃低下するごとに50％の二酸化炭素産生低下，気道反射の消失	肺うっ血・肺水腫，酸素消費量75％低下，無呼吸
腎臓・内分泌系	基礎代謝量増加，利尿，カテコールアミン・副腎皮質ステロイドなど増加	腎血流量50％低下，腎臓の自動調節は維持，インスリンの効果減少	心拍出量減少に伴う腎血流減少，高度の尿量減少，超低体温症，基礎代謝量80％減少
末梢神経・筋肉	震えの前の筋緊張増加と倦怠感	腱反射低下，震えによる熱産生の減少，筋固縮	無動，神経伝導速度遅延，反射消失(角膜反射や眼球頭反射)

1) Danzl DF, Pozos RS: Accidental hypothermia. *N Engl J Med.* 1994; 331: 1756-60 より一部改変．引用
2) Petrone P, Asensio JA, et al: Management of accidental hypothermia and cold injury. *Curr Probl Surg.* 2014; 51: 417-31 より引用

治療
1）初期対応： さらなる熱喪失の防止の処置に焦点をあてて，直ちに復温を開始する．意識障害または心肺停止の患者には気管挿管を行う．濡れた衣服を脱がし，寒冷環境から隔離し，蒸発による熱喪失を防ぐ．核心温および呼吸・循環動態をモニタリングしながら全身管理を行う．心肺停止患者が自己心拍を再開した後も，約32～34℃の温度を目標に継続加温する．心停止した重症低体温患者では心肺バイパスで迅速に復温する．

体温30℃以下の重症低体温症では，初期評価において臨床的に死亡しているように見えることがある．低体温は酸素消費量を著明に抑制し脳保護作用があるため，長時間の心停止例でも回復する可能性がある．安易に蘇生をあきらめてはいけない（eコラム6）．

2）復温法： 受動的体外加温（passive external rewarming），能動的体外加温（active external rewarming），能動的体内加温（active internal rewarming）がある．復温は厳重な循環管理下で行う．

a）受動的体外加温（保温）（passive external rewarming）：熱の喪失を防ぐ．温暖環境への移動，濡れた衣服の除去，加温毛布での被覆．この方法のみで対処できるのは軽症．

b）能動的体外加温（active external rewarming）：中等度以上の低体温に適応される．体表から加温する簡便な復温法．電気毛布，温水式循環式マット，温水ブランケット，赤外線ヒーター，温浴など．核心温のafterdrop（末梢組織が十分に加温されないと，冷却した末梢の血流が中枢に還流し，核心温が再び低下する）の発生率や臨床的意義は不明である．表面加温は，rewarming shock（afterdropに起因する心臓再冷却による心機能低下と末梢血管拡張による相対的な循環血液量減少によりショックとなる）が発生する危険があるといわれているが，実際には起きないという報告もある（Vasslら，2001）．

c）能動的体内加温（active internal rewarming）：中等度～重度低体温に適応される．体腔内から加温する方法．復温効率がよいが，熱移動は迅速でないため，補助的役割と考える．加温・加湿した酸素投与，加温輸液投与，加温生理食塩液による胃・膀胱，胸腔内，腹腔内の洗浄．

d）体外血液加温（extracorporeal blood rewarming）：心停止状態や重症低体温症例に適応される．持続的動静脈加温法（CAVR），腹膜透析，血液透析，経皮的心肺補助装置（PCPS）など．

b．凍傷（frostbite）
凍傷とは寒冷環境への曝露などで生じる組織の凍結と氷の結晶形成による組織損傷である．凍傷の発生は外気温，風速，湿度に影響され，風が強く湿度が高いと発生しやすい．末端部（指，趾，耳，鼻）は凍結しやすく，四肢，特に手より足の方が障害されやすい．

病態生理
凍傷は，0℃を下回る寒冷に暴露されて生じる組織の傷害である．外気温以外，風が強く湿度が高い方が発生しやすい．その他，金属や揮発性液体のような熱伝導しやすいものに接触しても発生する．組織の温度が0℃以下になると氷の結晶形成により細胞構造が破壊され，一方で血栓形成や血液のうっ滞など末梢循環不全をきたし，壊死が生じる．組織における血栓形成，虚血，壊死がその本態である．凍傷のリスクファクターとして，喫煙，末梢血管障害，脱水，飲酒などがある．

臨床症状
初期症状は，痛覚，触覚，温度覚などの知覚消失で，四肢末端の感覚消失がみられる．四肢が動かしにくい，「棒になった」ような感覚を訴える．特徴は進行性に症状が悪化することで，気づかないうちに凍傷が進むことが多い．凍傷の深度が表在性（Ⅰ度：表皮のみ，Ⅱ度：真皮まで）のものと深在性（Ⅲ度：皮下組織まで，Ⅳ度：骨・筋組織まで）のものがある．前者は発赤，腫脹，浮腫，疼痛，水疱などを認め，後者は潰瘍，壊死などを認める．軽度の場合はしびれ感，チクチクする疼痛や瘙痒，蒼白がみられる．重症になると深部組織まで傷害が及び，皮膚は白色から黄色を呈し，弾力を失い，動かなくなる．出血性水疱は微小血管への強い傷害を意味し重症である．生存組織と壊死部の境界線が明確になるのに2～3週間かかり，診断には磁気共鳴血管造影（magnetic resonance angiography：MRA）が有用である．

治療
合併する低体温症の治療を行う．濡れた衣服，手袋，靴や靴下を除去し，圧迫や緊縛をとる．凍結した創部は速やかに40～42℃の循環する温水につけ，急速に完全に解凍する．急速な加温で初期に充血がみられ，血流の再開により激しい痛みを伴うため，鎮痛薬が必要になる．組織が完全に解凍されるまでは中断しない．凍結が融解した後の再凍結は組織の壊死を増悪させる．組織のマッサージや摩擦など初期の理学療法は禁忌である．加温後もチアノーゼが続く場合はコンパートメント症候群を疑い，組織圧を測定する．抗血小板薬や血管拡張薬（ホスホジエステラーゼ阻害薬）は効果があるとされている．壊死部のデブリドマンや植皮術が必要となるが，回復に時間を要するため，四肢切断術は60～90日程度待つ方がよいとされる．

c．凍瘡
いわゆる「しもやけ」は，繰り返す乾燥した寒冷刺激（氷点以上の温度）で生じる神経と血管内皮細胞の傷害で起こり，手指指尖部や足背部に生じやすい．若年

女性に多く，体質が関与する．持続する血管収縮と血管炎により紅斑，瘙痒感，浮腫が生じる．痛がゆさを伴い赤く腫れた状態となるが，短期間で改善し，多くは重症ではない．凍傷とは異なり，寒冷環境による血管収縮と血管炎に起因する局所傷害である．

〔和田貴子〕

■文献(e文献 18-1-4)

Dinarello CA, Porat R: 発熱および高体温．ハリソン内科学，第4版，pp123-7，メディカルサイエンスインターナショナル，2013.

三宅康史：特集体温，熱中症．救急医学．2013; **37**: 1040-5.

Vassl T, Benoit-Gonin B, et al: Severe accidental hypothermia treated in an ICU: prognosis and outcome. *Chest*. 2001; 120: 1998-2003.

5) 減圧症
decompression sickness : DCS

定義

DCSとは，潜水など高気圧下で体内に溶解した不活性ガス(窒素，ヘリウムなど)が，減圧に伴い過飽和となって形成された気泡によって引き起こされる一連の身体症状の総称である．レジャーダイバーでは0.01～0.02％程度，職業ダイバーでは0.1％程度の頻度で生じるとされる(Bove, 2014; Vannら，2011)．動脈内に混入したガスによって引き起こされる動脈ガス塞栓症と鑑別が困難なことが多く，両者を総称して減圧障害(decompression illness)とよぶ．動脈ガス塞栓症は減圧障害の4％程度と報告されている(Vannら，2011)．

病態生理

組織での気泡の膨張による圧迫による痛みや血管閉塞による徴候(虚血など)を呈する(Vannら，2011)(図18-1-7)．二次的影響として，血管内の気泡による血管内皮細胞傷害は，毛細管からの血漿の血管外漏出をきたし，血液濃縮，脱水，低血圧を生じる(Vannら，2011)．また血小板の活性化，細胞接着因子の発現は，血栓形成をきたし，虚血-再灌流障害などを起こす．

動脈ガス塞栓症は，肺胞の過膨張により肺胞壁に破綻をきたし動脈内にガスが混入する場合と，卵円孔などを通して静脈系から動脈系へガスが流入することによっても生じる(DeGorordoら，2003)．動脈系に混入したガスは，脳・脊髄，心臓(冠動脈)，その他重要臓器に塞栓し，重篤な症状をきたす．

潜水業務従事者などでは，潜水を繰り返しているうちに，骨壊死を生じることがあり，減圧性骨壊死もしくは慢性減圧症とよぶ．減圧性骨壊死の病態として，

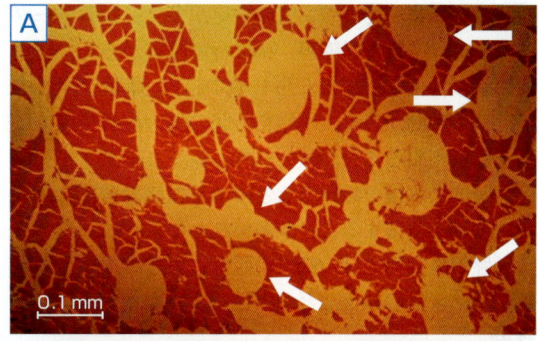

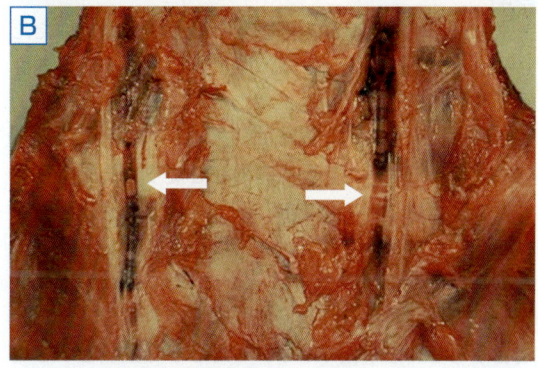

図 18-1-7 減圧症の原因とされる気泡
A：ラットによる実験的減圧症モデル．筋肉中に気泡痕が点在している．これらの気泡が集合拡大して知覚神経を刺激することでベンズを発症させる．
B：減圧症で死亡した男性ダイバーの頸部．比較的大きい両側静脈血が気泡により寸断されている．

①骨髄内に貯留した窒素ガスにより骨コンパートメント症候群が発生すること，②凝固系活性化が，骨髄の微小循環を障害することなどがあげられている[1]．

臨床症状

減圧症はタイプⅠとタイプⅡに分類される(Bove, 2014; DeGorordoら，2003)．

タイプⅠは紅発疹や大理石斑，かゆみといった皮膚症状，関節・筋肉痛(ベンズ，bends)を呈するものである．皮膚や関節内の気泡が原因となる．レジャーダイバーでは上肢，職業ダイバーでは膝などの下肢に多く，これは高気圧曝露中や減圧中に運動量の多い部位が侵されやすいためである．

タイプⅡは重症型で，中枢神経障害，呼吸循環障害，内耳障害などをきたす．中枢神経障害では，脊髄，特に低位脊髄が障害されることが多く，四肢の感覚異常や膀胱直腸障害，麻痺などを生じる．脳が障害されると，麻痺，めまい，失調，失禁，言語障害，意識障害などを起こす．呼吸循環障害(チョークス，chokes)では大量の気泡が肺循環に入り，咳，呼吸苦，チアノーゼ，ときに心停止に至ることがある．内耳障害では，めまいや聴覚障害を起こす．最初軽症でも，数時間を経て重症化することがある．

職業ダイバーではベンズの発症が多く，レジャーダイバーでは中枢神経障害，特に脊髄障害が多く，運動麻痺より深部知覚麻痺が生じやすい[2]．職業ダイバーでは潜水時間が長く，半飽和時間の長い皮膚や筋肉に気泡が蓄積することが多い一方，レジャーダイバーでは短時間潜水後の急浮上などにより血流の豊富な神経系に気泡が蓄積することが多いことによる．

動脈ガス塞栓では，脳血管閉塞による脳損傷，冠動脈閉塞による心停止などが生じる．

診断

潜水後，上記症状がみられたら減圧症を疑う．ただし6mより浅い単回潜水では生じず，10m以上の潜水で発症することが一般的である(Vannら，2011)．もし浅い潜水からの上昇後に，急激かつ重篤な中枢神経症状をみたならば，動脈塞栓症を疑う．また減圧症のほとんどは24時間以内に発症する．中枢神経障害はさらに早く，ほとんどが4時間以内に発症する．

神経学的検査が最も重要であり，特に，レジャーダイバーの場合，深部知覚麻痺に本人が気づいていない場合がある．潜水後のしびれやだるさを主訴とする場合には，深部知覚の部分麻痺を伴っていることが多い．

たとえば関節・筋肉痛では整形外科的疾患(すでに罹患している場合やダイビング中に新たに受傷した場合)，内耳障害では耳鼻科疾患(内耳や中耳の気圧外傷など)との鑑別も重要である(Vannら，2011)．酸素中毒でも，痙攣，麻痺，見当識障害などの中枢神経障害がみられる(DeGorordoら，2003; Vannら，2011)．

画像診断では気泡を関節内や脳内に見つけることは困難である．中枢神経障害に対してMRIなどの有用性は確立されておらず(Vannら，2011; Bove, 2014)，画像診断に時間をとられた結果，その後の治療を遅らせてはならない．

治療

ランダム化比較試験の結果はないが，動脈ガス塞栓を含めた減圧障害では高気圧酸素による再圧治療が第一選択とされている[3]．再圧によって，気泡体積を縮小するとともに，純酸素吸入により組織と肺胞の不活性ガス分圧較差を増大させ，体外への排出を促す．また，障害された組織の酸素化により炎症反応を抑制する(Vannら，2011)．発症から2時間以内の再圧治療は成績がよく，逆に重症神経障害例は4時間をこすと後遺症が増加する[4,5]．また，初回できるだけ症状をなくすことが大原則であり，治療時間の延長は，症状があるかぎり積極的に行う．やむをえず，症状が残存したまま初回治療を終了しても，早期に再開し，症状が消失するか固定するまで行う．

標準治療法として，米国海軍酸素再圧治療表5，6が世界的に使用されている(図18-1-8)．絶対圧力(ATA)が2.8(18m潜水に相当)の治療下で，10分以内に症状が消失するタイプⅠ減圧症では治療表5が，それ以外は治療表6の使用が推奨されている．患者の容体急変への対応が可能なこと，治療時間が長いため酸素中毒を予防するための空気加圧(エアブレイク)が必要なことから，主室・副室の2室構造で複数の人員を収容できる第2種装置(図18-1-9)を使用するのが基本である．

再圧治療を行う前の初期治療として，できるだけ早期に純酸素投与を開始する．脱水を伴うことが多く，輸液も推奨されるが，グルコースを含む輸液は神経障害の悪化の危険性，低張液は細胞内浮腫を助長する危険性があるため，使用しない(Vannら，2011)．重篤な中枢神経障害や呼吸循環障害を呈する場合は，心肺蘇生などの救急処置が必要となる．ステロイド，NSAIDs，リドカイン，抗凝固薬などの補助治療の有用性は確立していない[3](DeGorordoら，2003; Vannら，2011)．

高気圧酸素治療が可能な施設に搬送する際，移動中の高度変化に注意する．標高300m以下の高度を維

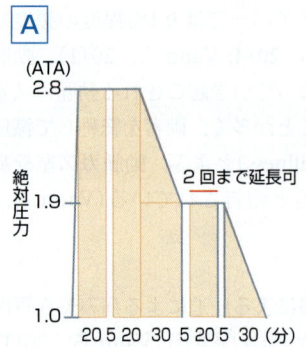

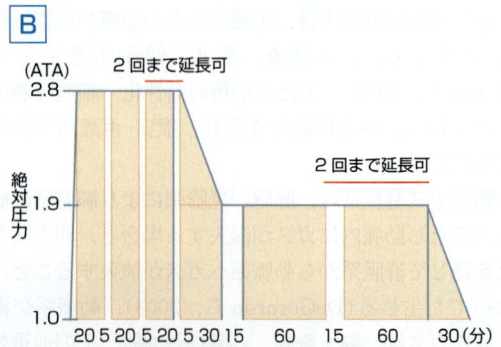

図18-1-8 米国海軍酸素再圧治療表5，6
絶対圧力(ATA)2.8の治療下で，10分以内に症状が消失するタイプⅠ減圧症では治療表5(A)が，それ以外は治療表6(B)の使用が推奨されている．図の白枠の部分はエアーブレイクの期間である．初回できるだけ症状をなくすことが大原則であり，治療時間の延長は，症状があるかぎり積極的に行う．

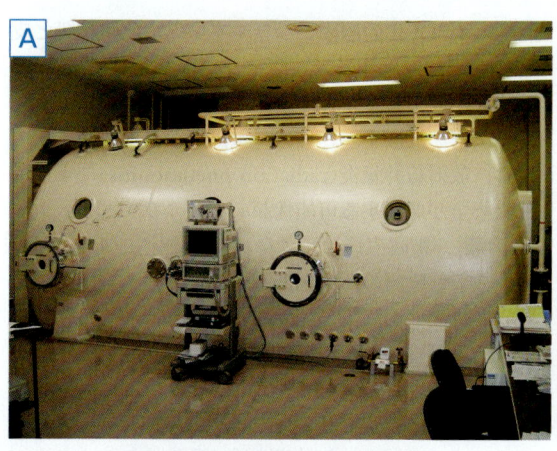
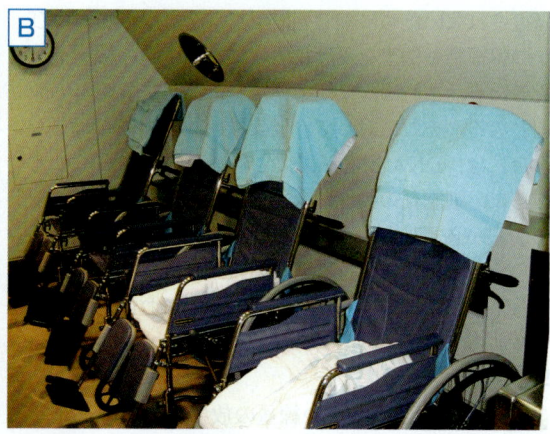

図 18-1-9 高気圧酸素治療装置(北海道大学病院)
川崎エンジニアリング株式会社製(KHO-301B)第2種装置で主室と副室の横円筒形2室構造となっている(A).直径と全長は,それぞれ2.8mで6.0m,8名の収容が可能である(B).

持するのが原則である[2]．

予防

　レジャーダイバーでは無減圧潜水を行うことを原則として，浮上時は安全停止時間をとるなど，できるだけ時間をかけて浮上することを心がける．急浮上や息こらえは，動脈ガス塞栓症の誘因となる．レジャーダイバーにおいては，DAN(divers alert network：http://www.danjapan.gr.jp/)が，国内のみならず国際組織として確立されており，減圧症発症時の救急ネットワークとしてのホットラインを有している．〔森本裕二〕

■文献(e文献 18-1-5)

Bove AA: Diving medicine. *Am J Respir Crit Care Med*. 2014; **189**: 1479-86.
DeGorordo A, Vallejo-Manzur F, et al: Diving emergencies. *Resuscitation*. 2003; **59**: 171-80.
Vann RD, Butler FK, et al: Decompression illness. *Lancet*. 2011; **377**: 153-64.

6）放射線障害
radiation injury

概念

　放射線は，線量に依存して生体に多様な影響を与える．現代社会においては，医療において多用されている放射線のみならず，原子力災害などの原因によって環境中に存在する放射線の影響についても考慮する必要がある．医原性疾患による放射線障害は【⇒1-5-4】．

分類

　放射線に被曝した場合には，被曝線量に応じて多様な症状が時間依存的に発現するために，放射線影響については複数の分類方法が存在する(図 18-1-10)．まず，放射線障害は身体的影響と遺伝的影響に大別される．さらに，身体影響は症状が発現する時期によって，被曝後数カ月以内に発症する早期影響と，それ以降に発症する晩発影響に分類される．また，被曝時に妊娠している場合には，胎児への影響も発生することがある．これらの分類とは別に，放射線防護の観点から，症状の発現に閾値が存在する確定的影響(deterministic effects)と，閾値がはっきりとしない確率的影響(stochastic effects)に分類することもある(図 18-1-11)．

病因

　高線量の放射線に被曝した細胞では，DNA損傷は

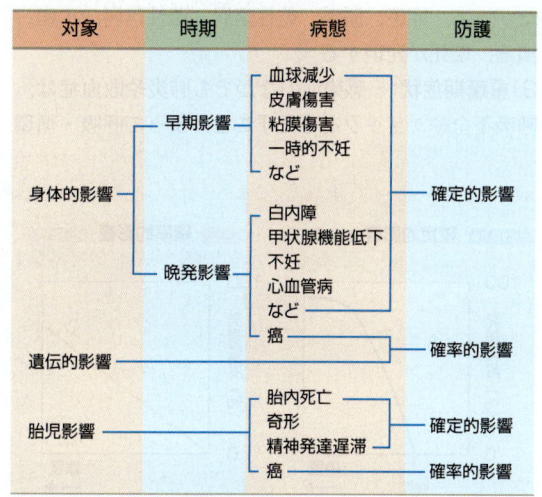

図 18-1-10 放射線障害の分類
多様な放射線被曝による病態は，対象，発症時期，放射線防護の観点によって，異なる分類がなされる．胎児影響は広義の身体的影響に含まれる．

修復されないために細胞死に至り，それが広範に及びかつ幹細胞も傷害を受けた場合には，組織の機能不全をきたす．これは，早期影響における重篤な障害の原因となる．それに対して，低線量の放射線に被曝した場合には，DNA損傷が修復される可能性が高くなるために，細胞死の頻度は少なくなるが，修復された遺伝情報が必ずしももとのものと完全に同じであるとは限らないために，異常な遺伝情報が生成されることによって細胞の機能異常が誘導される．これは，晩発影響である癌や遺伝的影響の原因となる．

早期影響

0.5 Gy程度よりも高い線量の放射線に全身被曝した場合には，被曝直後から発症する症状によって特徴づけられる前駆期が存在し，いったんこれらの症状が軽快する潜伏期を経て，発症期に入ると放射線感受性に高い臓器の障害による症状が出現する[1]．これらが軽快しない場合には重篤期に入り，4 Gyよりも高い線量の全身被曝では半数以上が致死に至る可能性が高い．

1）前駆期症状： 悪心，嘔吐，下痢の消化器症状，頭痛と意識障害の神経症状，全身症状である発熱が，線量に応じて発現する（図18-1-12）[1]．線量が高いほど，発現頻度は高く，発現時期は早くなる傾向がある．また，耳下腺腫脹も特徴的な症状である．なお，リンパ球は放射線感受性が高く，この時期において減少が始まるために，末梢血リンパ球数は線量を推定するために重要な検査となる[1]．

2）発症期症状： 造血器の障害は血球減少によって顕在化するが，早期からのリンパ球減少に引き続いて，好中球と血小板の減少が進行する．粘膜傷害は，放射線感受性の高い小腸で発現頻度が高く，傷害部位から出血しやすくなる．皮膚傷害は，線量が高くなるにしたがって，紅斑，脱毛，乾性落屑，湿性落屑，水疱，潰瘍，壊死が発現する[1]．

3）重篤期症状： 感染症のなかでも肺炎や敗血症は，呼吸不全やショックをきたすことによって呼吸・循環動態の不安定化の原因となりやすい．消化管粘膜と皮膚の傷害が遷延すると，障害部位からの体液漏出と感染症が発生しやすくなる．これらも不安定な循環動態に影響を及ぼす．さらに，重篤期が長期に及ぶ場合には，放射線肺臓炎（radiation pneumonitis）によって呼吸不全が悪化する可能性がある【⇨9-5-6】．

4）治療： 被曝直後は，全身状態を安定に保つとともに，放射性物質の汚染を軽減することが重要である．脱衣と体表面の除染に加えて，体内への放射性物質の取り込みが疑われる場合には，それらの体外への除去を促進する対応が必要である[2]．セシウムに対してはフェロシアン化第二鉄（プルシアンブルー）が，プルトニウムやアメリシウムに対してはキレート剤であるジエチレントリアミン五酢酸（DTPA）が有効である．また，放射性ヨウ素の甲状腺への取り込みを予防するために，ヨウ化カリウムが用いられる．造血器障害による血球減少に対しては，顆粒球コロニー刺激因子（G-CSF）や輸血が必要となることが多いが，高線量被曝では造血幹細胞移植の適応も検討される[1]．感染症に対しては，細菌，真菌，ウイルスなどの原因に応じた治療が必要である．消化管粘膜傷害に対しては，補液によって消化管を保護するとともに，L-グルタミン大量投与などによって粘膜再生を促進し，また高線量被曝においては，消化管滅菌も必要となる．重症化した場合には，厳密な呼吸・循環動態の管理が必要である．

晩発影響

放射線の晩発影響は，被曝後長時間経過してから発現する影響であり，一生涯に及ぶものである．その病態の機序については確立していないが，DNA損傷が最初の原因であったとしても直接的な役割を果たすのではなく，染色体不安定性，慢性炎症，加齢などが関与することが想定されている．

1）癌： 原爆被爆者の疫学調査によって，1 Gyあたりの過剰相対リスクは，全癌では0.5であると報告されている（Prestonら，2007）．多くの臓器由来の癌でリスクの増加がみられるが，癌の種類によって過剰相対リスクには差がある．造血器腫瘍，膀胱癌，乳癌，肺癌などは，リスクの高い代表である．また，放射線発癌のリスクは，被曝時年齢に大きく依存し，若年期の被曝ほどリスクは高くなる．

2）白内障： 放射線被曝によって発症する白内障は，水晶体の後極の後嚢下の混濁から発生することが特徴であると報告されている[3]．発症の閾値は，以前考えられていた値より低い報告もあり，現在も詳細な調査が進行中である．

3）不妊： 低線量被曝では男女とも一時的に不妊になるが，高線量被曝では男女とも永久不妊となり，閾値は個人差が大きい[4]．

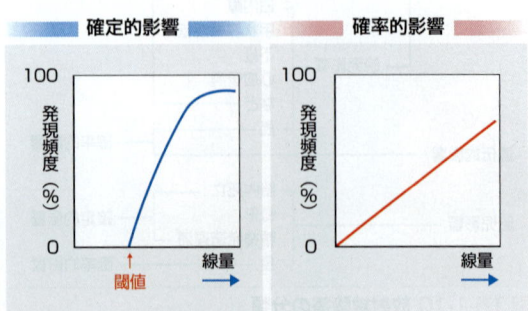

図18-1-11 確定的影響と確率的影響
確定的影響では，閾値以上の線量で症状が発現するのに対して，確率的影響では，閾値の存在ははっきりとしない．

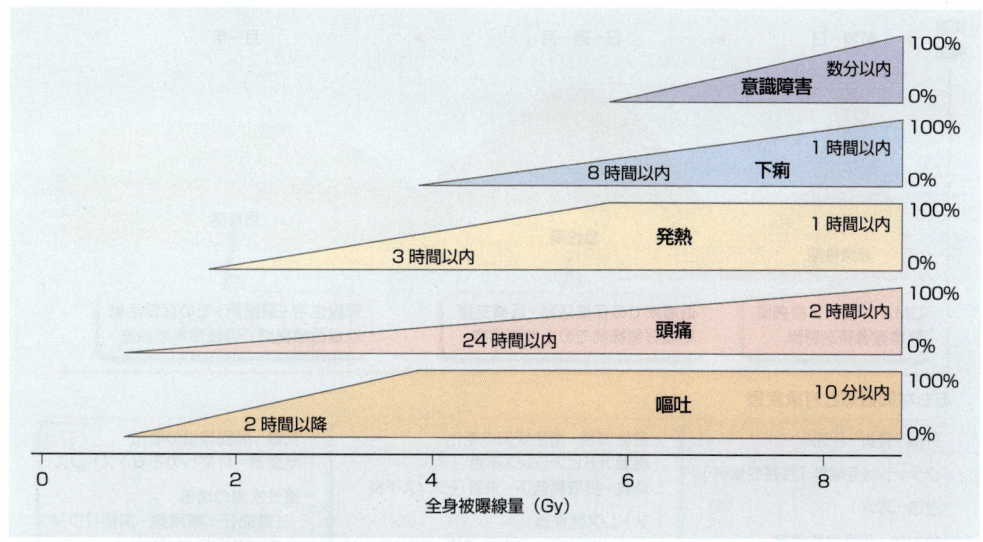

図 18-1-12 放射線被曝直後の前駆期の症状の発症パターン
全身被曝線量を吸収線量の単位であるグレイ（Gy）で示し，各症状の発現頻度を%で示す．また，被曝線量に応じて各症状が発現する時間を，被曝からの時間で枠内に示す．たとえば，嘔吐は 1 Gy 以上の全身被曝で起こることがあるが，4 Gy 以上ではほぼ 100%の症例でみられる．また，2 Gy 程度の被曝では 2 時間以上経過しないと嘔吐は起こらないが，8 Gy 程度の被曝では 10 分以内に嘔吐が起こる．このように，全身において高線量被曝した場合には，被曝直後から前駆症状が発現し，発症時間によっておおよその被曝線量が推定できる．

4）その他： 放射線の晩発障害として，甲状腺機能低下症と子宮筋腫などの良性腫瘍が知られている（Yamada ら，2004）．これらに加えて，最近の原爆被爆者の調査では，脳血管障害と心疾患のリスクが放射線被曝によって増加することが報告されている（Shimizu ら，2010）．

胎児への影響

放射線の胎児への影響は，胎児の被曝時期に大きく依存する[5,6]．着床前期である受精から妊娠 9 日程度までの放射線被曝は死亡の原因となり，閾値は 100 mGy 程度である．器官形成期である妊娠 2 週から 8 週までにおいては，放射線被曝は奇形の発生の原因となり，閾値は 100 mGy 程度である．妊娠 8 週から 25 週までの胎児期においては，放射線被曝は精神発達遅滞の原因となり，特に妊娠 15 週までにおける頻度が高く，閾値は 300 mGy 程度である．また，胎内原爆被爆者の癌のリスクが増加することが報告されている[7]．

遺伝的影響

これまでの原爆被爆者の子どもを対象とした調査においては，限られた調査項目では遺伝的影響は明らかではないが，加齢に伴ってどのような健康影響が発現するのかについては，長期間にわたる調査が必要である[8]．

〔宮川 清〕

■文献（e 文献 18-1-6）

Preston DL, Ron E, et al: Solid cancer incidence in atomic bomb survivors: 1958-1998. *Radiat Res.* 2007; **168**: 1-64.

Shimizu Y, Kodama K, et al: Radiation exposure and circulatory disease risk: Hiroshima and Nagasaki atomic bomb survivor data, 1950-2003. *BMJ.* 2010; **340**: b5349.

Yamada M, Wong FL, et al: Noncancer disease incidence in atomic bombs survivors, 1958-1998. *Radiat Res.* 2004; **161**: 622-32.

7）災害・避難生活における疾患

(1) 災害後の時間経過と医学的問題点（図 18-1-13）

大災害時には，直後（超急性期）の物理的・化学的な身体障害に対する救命・救急医療，急性期（日～週）においては，生命維持に必須な医療手段の喪失や災害・避難によるストレスに関連した慢性疾患の急性増悪が主たる問題で，さらに慢性期には，災害の体験や生活環境の悪化による身体的，精神的障害があり，これらは年余にわたって継続する場合がある．これらの障害の重症度や継続時間は，災害の大きさと居住地の災害の中心からの距離，体験した人的・物的損害の甚大さ・悲惨さ，避難生活と災害後の居住環境などによって規定されることが過去の災害における調査・研究から判明している．一方，災害時の障害の病態と保健・医療的対応は，災害の種類と時相によって異なる（eコラム 1）．

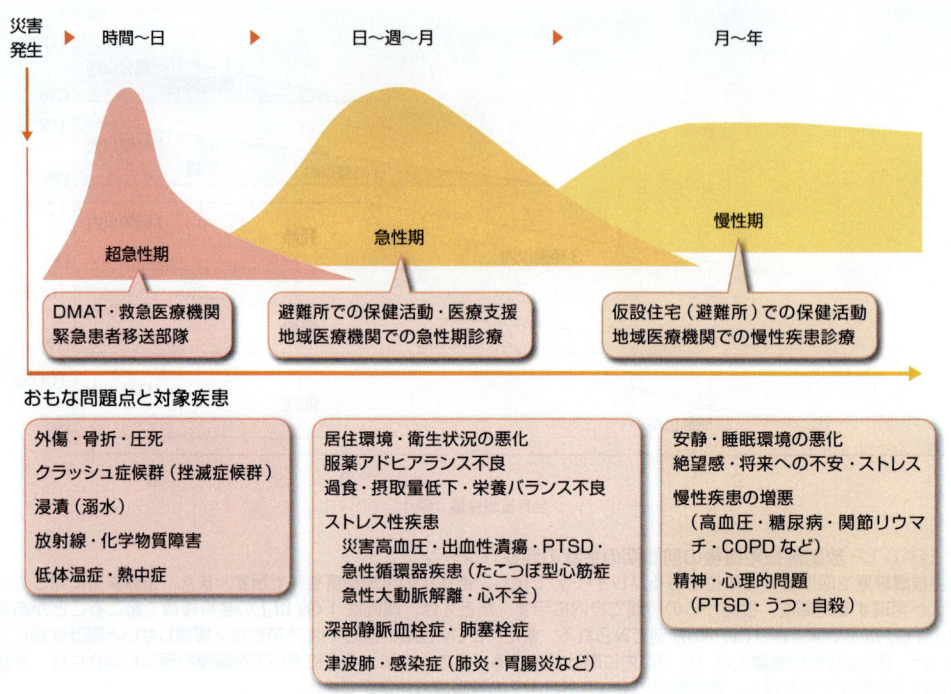

図18-1-13 災害発生後の時相別医学的問題点

(2) 災害地での超急性期医療
a. 超急性期の外傷性疾患

災害のタイプによって多様な物理的な身体損傷が発症する.地震・台風(竜巻)による外傷・骨折(圧死),津波・洪水による浸漬・溺水(溺死),火災による熱傷(焼死)などの直接的な身体損傷以外に,倒壊した建物などによって身体の一部,特に四肢の長時間圧迫による筋肉の損傷・壊死に引き続く圧迫解放後に,壊死筋細胞から大量に血中に漏出するカリウム(心室細動,心停止),ミオグロビン(急性尿細管壊死),乳酸(代謝性アシドーシス)などによる症候を惹起するクラッシュシンドローム(挫滅症候群)【⇨13-10】は,阪神淡路,新潟,中越などの大震災時には外傷死につぐ高頻度の死因であった.長時間圧迫による筋肉の損傷・壊死を伴う患者では,急性腎傷害(AKI)の高リスク患者(白血球増加,血清CPK,LDH,カリウム,尿酸値,AST高値,アルブミン低値,尿の濃染)に対する予防(筋膜減張切開,細胞外補液)など,代謝異常早期発見やRIFLE分類などによるAKI早期診断に基づく適切な対処(体液管理,高カリウム血症治療,アシドーシス是正,透析)を要する.また,高度の高カリウム血症,感染症,DIC,ARDSなどの死因につながる合併症に対する治療も迅速に行う必要がある[1]【⇨13-11-1】.一方,東日本大震災では,津波による溺水(溺死)が死因の90%以上を占めた.一般に,溺水は,低浸透圧(淡水)または高浸透圧(海水)による化学的肺胞傷害による肺水腫がおもな病態であり,ステロイド治療や予防的抗菌薬投与の有効性の証拠はないとされる.また,着衣が濡れた状態で屋外にて過ごさざるをえない条件下では,必ずしも冬季に限らず低体温症が発症する.これは,中心体温(直腸温)が35℃以下に低下し,筋硬直,心室細動,イレウス,仮死などの症状を呈する病態で,重症例や自律神経障害のある場合は,安静と適切な加温(保温)が救命に必須である.東日本大震災でも,被災後に野外の寒い環境に長時間さらされた結果,多発した.

放射性物質,生物剤,化学剤による災害(NBC災害)では,通常の集団災害対応に加え,ゾーニング,防護措置,除染が必要となる.ゾーニングでは,汚染の拡大を防ぎ,二次災害を防止すること,より多くの命を救うために,被災者の動線を整理し,救助救護活動を効率的にすることを目的に,消防・警察によって危険区域,準危険区域(緩衝区域)と患者の動線設定が行われる.防護措置は,医療従事者などの作業者の二次災害を防ぐ目的で,危険物への暴露時間を最小化,および可能なかぎり距離をとること,遮蔽(防護服など)が原則である.除染は,危険物質の体内への取り込みの減少,医療従事者などへの二次汚染の防止をおもな目的に,GMサーベイメータなどによる検知を実施しながら,除染エリアでのトリアージ,必要な応急処置の後,脱衣,皮膚表面の除染(洗浄)を行う(ⓔコラム2).

b. 超急性期の医療対応と医療支援体制

大災害直後には，多様な物理的，身体障害によって救命・救急医療が必須な多数の住民が発生する．災害時医療は，トリアージ(triage)，治療(treatment)，搬送(transport)が，最も重要な3要素(3T)であり，被害を免れた限られた医療資源(医療スタッフ，医薬品など)を最大限に活用し，救助可能な傷病者を確実に救い，可能なかぎり多数の傷病者の治療を行う必要がある．

i) トリアージ

傷病者の緊急性や重症度に応じた治療の優先順位を決定し，この順位に従って患者搬送，病院選定，治療の実施を行うもので，実施責任者は傷病の緊急性・重症度に応じ，総傷病者数，医療機関の許容量，搬送能力，重症度・予後，現場での応急処置，治療に要するまでの時間などを考慮して，取り扱いを区分する．日本では，阪神・淡路大震災の教訓に対するexpert opinionに基づき，総務省消防庁によって，世界に先んじて4区分に分類したトリアージタッグによっての書式が規格とされている(eコラム3)．搬送や救命処置の優先順位はカテゴリーⅠ→Ⅱ→Ⅲ→0となり，0は搬送・救命処置が行われないことがある．救助者に対し傷病者の数が特に多い場合に対し，判定基準を外傷初期診療ガイドライン日本版のPrimary SurveyでのABCDEアプローチに基づいた客観的，簡素な手順がSTART法(simple triage and rapid treatment)である．しかし，トリアージの根底にある「最大多数の最大幸福」の概念は「すべての患者を救う」という医療の原則からみれば例外中の例外で，医療を施すことができない患者が必ず発生してしまうことが明らかな極限状況においてのみ是認される．また，限られた医療スタッフ，医薬品などの医療機能を最大限に活用し，可能なかぎり多数の傷病者の治療を行うため，災害規模，時相，医療供給体制の状況などにより，運用は変更される(eコラム4)．

ii) 災害時医療支援

迅速性が重要な災害医療では，隣接地域にてできるかぎり多数の被災者に対応できることが望ましい．しかし，被災地域では，多くの医療需要にもかかわらず，医療機関の損壊，医療スタッフの減少，医療器材の損害，水・薬品の不足，情報・交通の遮断・混乱による地域医療連携機能の喪失によって，災害地域内または近接地域の医療機関のみでは救命・救急医療の3Tの実施が不可能な場合が多い．災害時医療支援チーム(disaster medical assistance teams：DMAT)は，阪神・淡路，中越大震災後に厚生労働省によって発足された医師，看護師，業務調整員(医師，看護師以外の医療職および事務職員)で構成され，大規模災害や多傷病者が発生した事故などの現場に，超急性期(おおむね48時間以内)に活動できる機動性をもった，専門的な訓練を受けた少人数で構成される医療チームである[2]．DMATは，東日本大震災時にもトリアージ，蘇生と外傷治療，救急医療，放射線被曝者の評価と搬送の4つのミッションを果たしたが，従来の日本の大災害と異なり，津波による溺死が主たる死因であった教訓から，さらに幅広い活動が可能な見直しが始まっている[3]．日本DMAT，都道府県DMATがあり，前者は大規模災害時に全国から派遣され，広域医療搬送，SCU(ステージングケアユニット)，病院支援，域内搬送，現場活動などがおもな活動となる．後者は域内災害時において現場医療活動を分担する．また，広域搬送には，官民の救急医療支援チームの派遣と行政，自衛隊，警察組織による移送手段の確保などの支援が必須である．

(3) 地域における急性期医療対応

a. 生命維持手段の確保

大災害後，被災一般住民に対して緊急に確保されるべきは，住居(避難所)，食事，清潔な飲料水と心理的支援(心のケア)である．一般に食品供給者の回復までもちこたえられる数日分程度の保存食の公的な備蓄が必要とされるが，回復までの期間は災害ごとに異なり予測困難である．栄養学的に注意を要する住民(栄養弱者)に関しては，アテネ地震(1999年)の摂取栄養調査から，小児も成人・高齢者も災害後短期間での栄養状態の悪化はないが，高齢者では小児，成人よりエネルギー摂取が少ない傾向があることから，長期的には高齢者が低栄養に陥りやすい弱者と考えられる[4]．また，乳幼児(粉ミルク，離乳食(ベビーフード))，嚥下困難な人(粥や形態調整食)，食事制限が必要な慢性疾患患者(腎臓病，糖尿病，植物アレルギー)，病院などの被災給食施設でふつうの食事ができずに食事療法が必要な人などへの対策がより緊急を要する(eコラム5)．

地域医療機関では，施設・医療器材の損害，医療スタッフの人的減少，水・薬品の不足によって，生命維持に必要な治療の確保が困難となる場合がある．例としては，透析不可能となった血液透析患者に関しては，透析不能施設の患者数や透析可能施設の受け入れ可能数や人工呼吸器などの情報の集約と患者搬送が必要である．また，透析施設の復旧のために，個々の施設の必要機材，薬品，透析液，給水などの情報把握と輸送体制の復旧が必要である．このためには，緊急時に使用可能な行政や民間業者も組み込んだ地域医療ネットワークを平時から構築することが重要ある．また，インスリン治療中の1型糖尿病患者では，避難時にインスリンを含む薬品と薬剤情報の不携帯によって避難先医療機関での治療が困難となる例が多い．ま

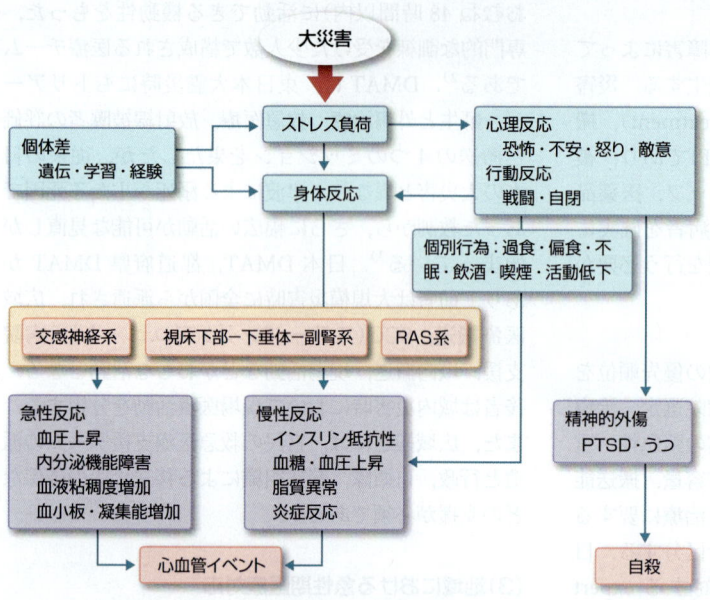

図 18-1-14 災害時のストレス関連疾患の発症機序
RAS系：レニン-アンジオテンシン系．

た，津波などの甚大災害では医療機関の診療情報が消失する事態も生じた．患者の診療手帳・服薬手帳の常時携帯と診療情報の保管体制改善（高台での医療施設建設，第三者的機関での保存など）などが必要である．

b. 災害（disaster）関連の急性期疾患

i）災害急性期に認められる感染症

1）避難生活における感染症： 大災害後，上下水道の不備による清潔な飲料水の不足，洪水や津波などによる食品の汚染，停電・保管施設の損壊などによる食品の腐敗などによって，特に避難所では，ノロウイルスなどの経口的な消化管感染症の集団発症（outbreak）が多く報告されている．これらの消化器感染症，食中毒の予防（primary prevention）には，汚染食品の廃棄，ペットボトル以外の飲料水の消毒（煮沸，フィルター）と手指衛生（手洗い，次亜塩素酸ナトリウムによる消毒）などが基本である．また，衛生状態の悪い隔壁のない集団生活，慣れない生活環境による不眠や栄養の偏りによる体力低下などにより，高齢者，慢性疾患患者を中心に肺炎が高率に発症し，ついでインフルエンザ，結核，非結核性抗酸菌症などの呼吸器感染症や麻疹，破傷風の流行も報告されている[5-7]．呼吸器感染症予防には，マスク着用，体力の低下した高齢者を中心にインフルエンザワクチン，肺炎球菌ワクチンなどの予防策と感染症のサーベイランスによる早期治療が重要である[8]．災害時の感染症予防に関する詳細は，米国 Centers for Disease Control and Prevention（CDC）の emergency preparedness and response（www.bt.cdc.gov/disasters/handhygiene.asp）を参照する

る．

2）津波肺： 津波に巻き込まれたが，一命を取り留めた人を悩ます特異な肺疾患は「津波肺」とよばれる．水や汚泥（ヘドロ），土砂，重油，崩れた建物の破片などが口から肺に入り，同時にレジオネラ属菌，糸状菌であるスケドスポリウムなどの真菌に感染して引き起こされる感染症と化学的傷害が共存する病態である．治療は抗菌薬とシベレスタットを投与し，炎症が治まらない場合にステロイドパルス療法を追加するなどが行われる．スケドスポリウムは，ボリコナゾール，アムホテリシンBのみ有効とされるが，多くは抗真菌薬に対して耐性が存在し，感染すると死亡する可能性が高い[9]．2004年のスマトラ島沖地震や，2011年の東日本大震災など，大きな津波被害が起きた際に多数発症し，高い致死率を示した．スマトラ島沖地震では，津波発生後1年程度経過後に発症した例も報告された．

ii）急性ストレス関連疾患

大地震などの自然災害時には，急性冠症候群（ACS），心不全，大動脈解離，脳血管障害などの心血管イベントの発症と死亡，心的外傷後ストレス障害（PTSD）・うつによる自殺が増加し，災害関連死と認識されている．また，喘息など慢性閉塞性肺疾患（COPD）の増悪，NSAIDs 使用や *Helicobacter Pylori* 感染に無関係な出血性胃潰瘍発症の増加も報告されている[10,11]．これらは，震災時の強い恐怖に伴う心理ストレス・傷害の関与が大きく，それに伴う身体反応としての交感神経系，視床下部-下垂体-副腎系およびレニン-アンジオテンシン系の活性化による血液凝固・線溶系亢進，血管内皮細胞傷害，糖代謝障害，炎症反応などが要因となって生じるため，ストレス関連疾患ととらえられる[12]．災害時のストレス関連疾患は，高齢者および高血圧，糖尿病，慢性腎臓病（CKD），COPD などの非感染性慢性疾患（non-communicable disease：NCD）をもつ患者に高頻度で，性差，被害の種類・程度，避難生活など生活環境変化に関連することが報告され，高齢者，NCD 患者を中心に急性期〜亜急性期における心理的サポートや血圧，血糖管理などのリスクファクター管理の重要性が示唆されている（図 18-1-14）[13,14]．

1）心血管イベント：

急性冠症候群（ACS），急性心不全：阪神・淡路大震災，新潟中越沖地震および東日本大震災，クライス

トチャーチ大震災後の数週～数カ月間に，ACS関連死，病院外での突然死，脳梗塞発症，心不全の増悪，急性大動脈解離と死亡率が有意に増加した．高齢，性差，NCDの合併，津波とそれによる浸水などの災害の種類と程度などが増悪要因である[15,16]が，発症率増加の持続期間は災害ごとに異なっていた[17]．

2）災害高血圧（disaster hypertension）：阪神・淡路大地震の際，激震地に居住していた高血圧患者においては地震直後より有意な血圧上昇をきたし，数週間～数カ月持続したことから命名された．東日本大震災では，津波被害など直接的な物的被害を受けた地域の被災者のみならず，周辺の地域住民においても数週間～数カ月持続する血圧上昇が認められた．災害後の血圧上昇は，心拍数の増加を伴い，日内変動は認められなかった（non-dipper型）．血圧上昇度と持続期間の規定要因は，被害の大きさ，災害地からの居住地間の距離，避難生活，高齢，女性，アルブミン尿陽性，白衣現象陽性，肥満，耐糖能異常などで，交感神経抑制薬使用例や糖尿病患者では震災後上昇は認められなかったとの報告がある[18,19]．震災後の環境変化や身体的疲労に伴う慢性的ストレスが主要因と考えられるが，睡眠障害，生活習慣の変化，特に塩分摂取量の増加，食塩感受性などの要因が血圧上昇をより遷延させると考えられ，適切な栄養指導・管理と降圧療法が心血管イベント予防のために望まれる[20]．

3）たこつぼ型心筋症（stress cardiomyopathy）：中年の女性に多く，外科的侵襲や脳出血・ストレスの後に発症し，突然の胸痛発作，呼吸困難，心電図も急性心筋梗塞症と類似の所見を呈するが，急性期の冠動脈造影では冠動脈の狭窄や閉塞などの異常所見がない．急性期の左室造影で心尖部に高度な収縮不全を認め，その収縮異常の形態的特徴からこの呼称が用いられている．急性ストレス解消後は速やかに治癒することから予後は比較的良好である[21]．新潟中越，クライストチャーチおよび東日本大震災の発生後2～3週間に，多数例が報告された．地震や余震，避難生活でのストレスによる交感神経亢進と微小循環障害による可能性（カテコールアミンとの関与）が示唆されているが，原因の詳細は不明である[15]．

4）急性肺塞栓症（エコノミークラス症候群）：中越沖地震後，避難所生活を送る被災者の死亡例が報告され，その後の調査によって高度な避難地域，女性に高頻度で，長時間の自動車内での滞在も要因となるとされるが，災害後の発症頻度の全体像は不明である．

大災害後の避難所などでの長時間同じ姿勢での生活に，血液凝固能亢進，炎症反応，脱水による血液粘稠度（viscosity）増加などが加わり下肢の深部静脈血栓が発症を惹起すると想定される[22,23]．避難所では，同じ姿勢を保ち続けずときどき下肢を動かし，水分補給を適度に行い，リスクの高い人には弾性ストッキングの使用などによる予防とDダイマー測定によるスクリーニングから深部静脈血栓の早期発見による血栓除去と血行動態改善のための治療（抗凝固，血栓溶解，血管内治療（IVR））や肺塞栓予防治療（大静脈フィルター）の適応を判断することが望ましい．

iii）心的外傷後ストレス障害（PTSD）

PTSDは，災害などの脅威的，破局的な出来事を経験した後，長く続く心身の病的反応で，①精神的不安定による不安，不眠などの過覚醒症状，②トラウマの原因や関連する事物に対しての回避傾向，③目撃体験などの一部や，全体にかかわる追体験（フラッシュバック）を3徴候とする．ハリケーンKatrina，チェルノブイリ原発事故および福島第一原発事故後，小児を含む被災者に数週間～数カ月の間に発症し，MRIによる脳の構造的変化も指摘されている[24]．その後は年ごとに軽快していくが，長く持続する例も報告され，自殺や将来的な精神障害原因とされた[25]．東日本大震災後の解析では，女性，津波体験，家財の喪失・経済的困窮，避難生活，社会関係の喪失，精神疾患の既往などの要因が有意に相関した[26]．また，PTSDは，心血管イベントの発症・死亡率，慢性疲労の発症とも相関した[27]．2001年の厚生労働省「災害時地域精神保健医療活動ガイドライン」に基づく予防，早期の適切な精神療法や薬物療法が必要である【⇨3-5】．

(4) 被災者・避難者における慢性期の保健・医療対応

大災害による医療の急性期が経過した後も，災害の大きさ，悲惨さに比例して，被災者の慢性的な心身の健康問題が年余にわたって継続する．

a. 慢性疾患（高血圧，糖尿病，関節リウマチ，閉塞性肺疾患など）の増悪・重症化

慢性期にも被災・避難者には，糖尿病，高血圧，関節リウマチ，閉塞性肺疾患などの慢性疾患の増悪・重症化およびACSなどの心血管イベント発症が，数カ月～数年経過後でも持続する場合がある[13,28,29]．慢性疾患の増悪の持続は，災害での住居損壊と近親者の死亡や傷害などの体験の大きさに相関する．個々の疾患に対する治療とともに悪化要因である衛生状況（瓦礫による粉じんなど），経済困難，生活環境（室温，安静・睡眠環境，リラクゼーション），医療環境（服薬・通院アドヒアランス）などに対する社会福祉・公衆衛生的施策，慢性的疲労や身体活動の低下，絶望感・将来への不安・ストレスへのメンタルケアや慢性的な栄養学的な問題（エネルギー過剰摂取，食塩摂取増加，Ca, Mg, K摂取不足，アルコール多飲など）の解決のための持続的な栄養指導が重要と考えられる．

b. 精神・心理的問題（PTSD，うつ，自殺，アルコー

ル依存症）

過去の大災害やテロ攻撃後数年にわたって，PTSD，specific phobia，うつの症状が多くの被災者（それぞれ数％〜20％程度）に認められた．その結果として，大災害後の被災者の慢性期の死因として自殺，および逃避としてのアルコール依存が問題となる．心血管イベントの発症・死亡とPTSDおよびうつなどの精神・心理的異常との相関も指摘されている．PTSDとうつの予知因子は，被災の目撃などによる心的外傷時の恐怖感と隔絶感の大きさが共通であり，うつでは家族の喪失や精神科治療歴なども有意な因子となる．また，災害後年余にわたって，消化器症状（腹痛，悪心・嘔吐，鼓腸），偽神経症状（不眠，麻痺，失神，複視）や慢性疲労などの非特異的な身体的不定愁訴も経験される．精神・心理的回復には，社会的な連帯感，生活と仕事への満足感，年齢（若年），教育レベルの高さ，性（男性）などが予知要因となる[30,31]．

〔渡辺 毅〕

(e)文献 18-1-7）

8）化学物質過敏症
（chemical sensitivity：CS）

定義・概念

CS（multiple chemical sensitivity：MCS ともいう）は，生活環境中のきわめて微量な化学物質に接することにより多彩な不定愁訴を呈する症候群であるとされている．シカゴ大学の Cullen ら[1]のグループの定義が一般的であり，「過去にかなり大量の化学物質に一度接触し急性中毒症状が出現した後か，または生体にとって有害な化学物質に長期にわたり接触した場合，次の機会にかなり少量の同種または同系統の化学物質に再接触した場合にみられる臨床症状群」とされ，いったん過敏性を獲得してしまうと，その後は一般的な毒性学の概念では説明できないほどのきわめて微量な化学物質に反応を示すようになるとされる．その主たる症状は①気道過敏などの粘膜刺激症状を中心とする例，②頭痛，めまい，悪心などを中心とする身体表現性自律神経機能障害を有する例，③精神神経症状を主体とする例，④元来のアレルギー疾患が悪化する例など，きわめて多彩で多種類の器官にまたがっているが，程度はさまざまなものの，嗅覚過敏症状は大多数の症例に認められる．

原因・病因

CSの原因はいまだ不明な点が多い．また，慢性疲労症候群や線維筋痛症との合併も指摘されており，湾岸戦争症候群[2]の病態を本症で説明している学者もいる．きわめて微量な化学物質暴露と多彩な不定愁訴との関連性については未解明な点が多いが，心理社会的ストレスによる心身相関が，本症の発症・経過・転帰に強く影響している可能性が示唆されており，ライフイベントが患者にとってどれほどストレスフルなのかを客観的に評価し病態を把握する必要性が指摘されている[3]．心身医学の見地から，本症と診断された症例が詳細に検討されており，発症には，化学物質の曝露のほかに心理社会的ストレスが関与している可能性が示唆されているが，発症および経過にかかわる特徴的なパーソナリティやストレス対処スタイルなどの個人的要因は認められず，特別な傾向をもたない誰もが本症を発症している．しかしながら，発症後には身体症状を主とするさまざまな自覚症状が認められ，精神疾患の合併も多いこともわかっている．すなわち，発症後の病態には，身体面と心理面の間に密接な関連が認められる[3]．

疫学

わが国では，人口の約7.5％がCS対象者であるとする大規模な疫学調査が近年報告されている[4]．ノースカロライナ大学の Meggs らの米国における調査[5]によれば，アレルギー患者はわが国とほぼ同様人口の約35％，CSは約14％と報告している．

病態生理

いまだ不明な点が多いが，気管支喘息，アレルギー性鼻炎，アトピー性皮膚炎，じんま疹などのいずれかのアレルギー疾患との合併は60〜80％と高率であり，わが国における一般的なアレルギー疾患有病率である30％を大きく上回っている[6]．よって，病態生理学的にアレルギー反応を主体とした何らかの免役応答との関連性が示唆され[7]，①発症様式，②皮膚・粘膜症状，③原因物質の回避が有効，という点が本症とアレルギー疾患との共通点といえる．すなわち，免疫感受性が本症発症に関する個人の感受性と強く関連している．また嗅覚過敏症状は，本症の特徴的な所見であり[8,9]，大脳辺縁系を中心とした何らかの機能異常が指摘されている[10]．

臨床症状

症状を誘発させるものとして，農薬，自動車の排気ガス，建材，建材関連品および家具・日用品などから放散する揮発性有機化合物，暖房などの燃焼ガス，日用品（整髪剤，香料，柔軟剤など）などがあげられ，いずれも健康人では許容できる程度のきわめて微量な化学物質との接触で生じる．認められる症状としては，嗅覚過敏，眼・鼻・喉の刺激症状をはじめ皮膚の紅斑・瘙痒感，易疲労感，頭痛，集中力の低下，めまい，悪心など，多臓器にわたる自律神経症状を中心に多彩な非特異的症状を示す[11]．また重症例では，強い精神神経症状を呈する場合もある．

診断

標準化された診断基準・診断ガイドラインの作成・確立までには至っていないが，CS の診断には，「化学物質過敏症：1999 年の合意事項」が便利である (No authors listed，2008)．多彩な症状を説明しうるほかの器質的疾患が除外されていることが大前提であるが，以下の 6 項目からなっている．

① 慢性の経過をたどる
② 再現性をもって症状が出現する
③ 微量な化学物質に反応を示す
④ 関連性のない多種類の化学物質に反応を示す
⑤ 原因物質の除去で症状は改善される
⑥ 症状は複数の器官，臓器にまたがる

また Miller らが提案した Quick Environmental Exposure Sensitivity Inventory（QEESI）とよばれる質問用紙（日本語版）が補助診断的に用いられる（Miller ら，1999）．自覚症状のスコア（100 点満点），化学物質対する不耐性に対するスコア（100 点満点），マスキングに対するスコア（10 点満点）からなり，それぞれ 40 点，4 点がカットオフ値となっている（e表 18-1-D）．患者の訴える症状と化学物質に対する耐性に関する情報を得るのに適しており，初診時の診断に有用であるばかりではなく，症状経過の把握にも有用である．

臨床検査

本症の確定診断につながる客観的検査はいまだ存在しない．しかし，患者の多くが「嗅覚過敏」に伴う不快な症状を訴えることから，嗅覚伝導路・大脳辺縁系に関する脳科学的評価方法が最近注目を浴びている．Azuma らは，一般的な嗅覚検査キットを用いて CS 患者での嗅覚反応時の脳血流量の変動を，近赤外分光法（near-infrared spectroscopy：NIRS）を用いて健常者と比較している（Azuma ら，2015）（e図 18-1-E）．CS 患者では，嗅素負荷時と回復時における脳血流の活性化部位について，負荷時は前頭前皮質（prefrontal cortex：PFC），回復時は眼窩前頭皮質（orbitofrontal cortex：OFC）の領域が健常者に比して強く活性化していることが証明されている．また，Chiaravalloti ら[12] は，嗅覚刺激時の大脳皮質各部位におけるグルコース消費量が，CS 患者と健常者では異なったパターンを示すことを明らかにしている．

経過・予後

予後不良例が多い．特に職業性曝露など，高濃度の化学物質暴露を受けて中毒症状をきたした経緯を有する場合予後が悪く，また初診から化学物質曝露状況の回避までの期間が予後不良例で長い．

治療

病態生理に不明な点が多いため，本症に特化した治療法はいまだ確立されていない．現時点での対応としては，症状を誘発させると考えられる原因物質からの回避が最も有効な対処法である．また本症ではアレルギー疾患の合併率が高いため，アレルギー症状を十分コントロールすることも QOL を高めるために必要である．さらに，精神疾患の合併率が 80％ と高いため，心身医学・精神医学的アプローチも有効である．

〔坂部　貢〕

■文献（e文献 18-1-8）

Azuma K, Uchiyama I, et al: Assesment of cerebral blood flow in patients with multiple chemical sensitivity using near-infrared spectroscopy-recovery after olfactory stimulation: a case-control study. *Environ Health Prev Med.* 2015; **20**: 185-94.

Miller CS, Prihoda TJ: The environmental exposure sensitivity inventory（EESI）：a standardized approach for measuring chemical intolerances for research and clinical applications. *Toxicol Ind Health.* 1999; **15**: 370-85.

No authors listed: Multiple chemical sensitivity: a 1999 consensus. *Arch Environ Health.* 1999; **54**: 147-9.

9）VDT による障害

概念

VDT とは，visual display terminal のそれぞれの頭文字をとったものである．CRT（cathode ray tube，陰極線管），液晶，プラズマディスプレイなどのディスプレイ，キーボード，マウスなどの装置を使用して，データ入力・検索・照合，文書の作成，プログラミング，ネットワーク作業などを行う作業を VDT 作業とよんでいる．また近年はタッチパネルや，携帯用の機器も多用されている．印刷されたものを対象とする作業より「拘束性」が強く，眼，上肢，中枢神経系・精神症状を誘発するため，作業の方法を適正に行うことが必要である．過度な VDT 作業によって引き起こされる体調不良を VDT 症候群という（宮尾，2013）．

臨床症状

厚生労働省において 1998（平成 10）年に実施した「技術革新と労働に関する実態調査」によれば，VDT 作業を行っている作業者のうち，精神的疲労を感じている者が 36.3％，身体的疲労を感じている者が 77.6％ に上っている[1]．

1）眼症状：　眼の疲れ（58.9％），ものがぼけて見える（21.4％），ピントがぼける（19.0％），眼が痛い（13.4％）などの症状が，非 VDT 作業者に比べ VDT 作業者で多く認められる（相澤ら，1989）（図 18-1-15）．自覚的には視力が低下したという訴えは多く，可逆的な調節機能の低下も指摘されているが，長期間の観察により明らかな近視などの屈折異常は認められていない．また涙液が眼の表面を保護する力が低下し，角結

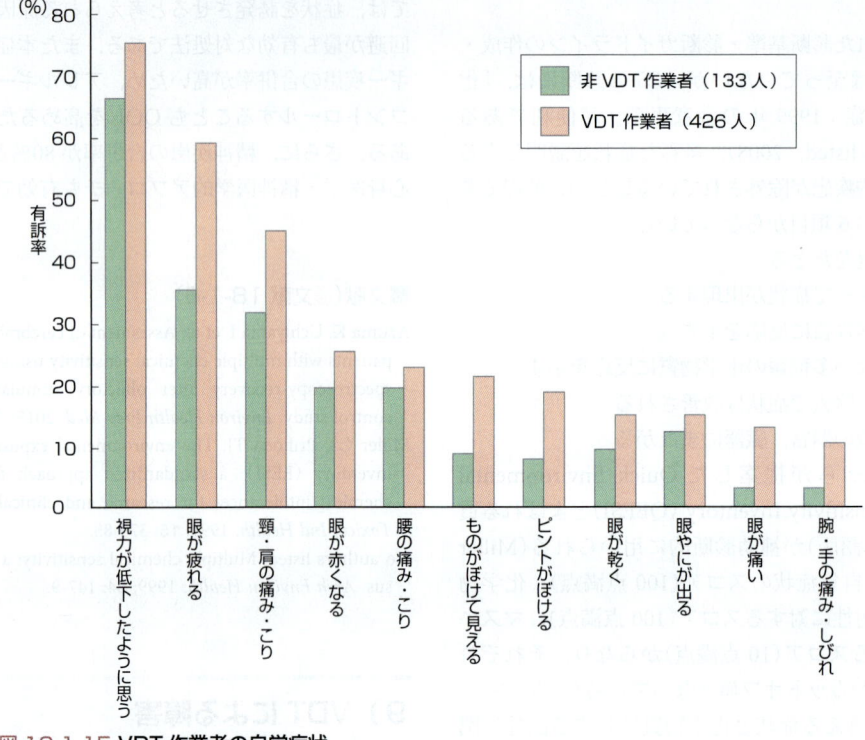

図 18-1-15 VDT作業者の自覚症状

膜上皮の障害により眼の違和感，疲れ，乾燥感，痛みなどを訴える状態をドライアイ症候群（dry eye syndrome）という．過去に本症候群と診断されたり，上記の症状を常にもつVDT作業者は男性で10.1％，女性で21.5％とされており，1日4時間以上のVDT作業とコンタクトレンズの使用が重症ドライアイ症候群のリスク要因となっている[2]．VDT作業者におけるドライアイ症候群は，注視による瞬目（まばたき）回数の減少により涙液の蒸発量が増えて乾燥するために発生すると考えられており，コンタクトレンズの着用は，自然な眼への涙液の供給を妨げるとされている[3]．

2)筋骨格症状： 座位姿勢の長時間維持による脊柱支持筋・上肢帯筋への負荷，脊椎の生理的前弯の消失，肩甲骨外転，前腕の支持不足により，頸・肩の痛み，こり（42.3％），腕・手の痛み，しびれ（11.0％）がVDT作業者で多くみられる（図18-1-15）．頸の症状は1日6時間以上VDT作業をする者で特に多い[4]．

3)中枢神経症状： VDT作業者では，頭痛，下痢，食欲不振，不眠，いらいら感，うつ症状が多いとの報告もあるが，VDT作業自体の影響とともに，作業内容やシステム，人間関係などの問題に起因すると思われる．睡眠障害については，1日6時間以上のVDT作業で多くみられ，総睡眠時間，日中の眠気の症状が特にVDT作業と関連する[5]．

作業要因

VDT作業では，ディスプレイや原稿を見ながらキーボードを操作するため，従来の事務作業より姿勢や視線が拘束されやすく，そのため心身の疲労が起きやすいと考えられる．

1)作業環境： VDTでは，ドットとよばれる光点による表示であるために，文字そのものの輝度，ちらつきが見えやすさに影響を与えている．また，光源が視野にあると直接グレア（まぶしさ）を生じ，表示面の反射グレア（映り込み）も眼の疲れを生じる．映り込みがあるか，部屋の照明が適当でないと感じている作業者群では，問題のない群より眼や運動器の症状の頻度が高い．

低湿度環境やVDT作業による涙の分泌低下，瞬目回数の低下，乾燥などによる症状なども報告されている．電磁波やX線などによる妊娠への影響が当初取り上げられたが，現在まで特に健康上の問題は起こっていない．

2)作業空間（ワークステーション）： VDT作業では，姿勢や視線の拘束性が強いので，机・椅子の高さ，機器のレイアウト，空間が筋骨格系の症状に影響する．特にキー操作を行う際に上肢を浮かす場合，手首や前腕を支持できるスペースがないと肩こりなどの筋骨格系の症状を生みやすい．

3)屈折異常による眼の疲れ，肩こりなど： 作業者の眼屈折異常やその矯正が不適切な場合，眼の疲れや，

肩こりなどを引き起こす誘因となる．中高年齢者では調節力低下のため眼疲労を起こしやすい．

4）作業時間： VDT作業の視覚負担や姿勢の拘束，連続的なキー操作などの要因のため，1日の作業時間や1連続作業時間が眼や筋骨格系の症状の発現に影響を与える．VDT作業時間が1日4時間以上で週5日以上の作業者群では，4時間未満で5未満の群より眼の症状を訴える頻度が高い．

予防対策

2002（平成14）年に厚生労働省から発表された「VDT作業における労働衛生管理のためのガイドライン」によれば，労働安全衛生マネジメントシステムでの自主的な活用の推進と作業区分に基づいた労働衛生管理が勧められている（厚生労働省基準局，2002）．VDT作業の種類と作業時間の組み合わせで，作業の「拘束性－負荷の大きさ」を指標にA，B，Cの作業区分を設定し，これに応じた労働衛生管理を行う（e表18-1-E）．

1）照明および採光： 室内はできるだけ明暗対照が著しくなく，まぶしさを生じないようにする．ディスプレイ画面，書類，キーボード面の明るさと周辺の明るさの差はなるべく少なくする．直接太陽光が入射するなど高輝度の場合，ブラインド，カーテンなどで輝度を低下させる．作業者の視野内に高輝度の照明器具，窓，壁面や点滅する光源などがなく，ディスプレイ画面にこれらが映り込まないような場所に設置する．

2）ワークステーション： 椅子は安定しており，容易に移動でき，床から座面の高さは少なくとも35～45cmの範囲で調節可能なものを使用する．また適当な背もたれ，肘かけのあるものがよい．作業台は，キーボード，書類，書見台などVDT作業に必要なものが適切に配置できる広さであり，脚周り空間は作業中窮屈でない広さを保つ．

3）作業時間： 作業区分Aで連続的VDT作業に常時従事する者については，単位作業時間の最小限化をはかり，非VDT作業の挿入，ローテーション化に努める．

4）労働衛生教育： VDT作業に1週20時間以上就いている作業者に人間工学的介入をするとビラのみ渡した作業者より，作業姿勢が改善し筋骨格系の症状の改善がみられる．連続的VDT作業に常時従事する者については1連続作業時間を1時間以内にし，次の連続作業までの間に10～15分の作業休止時間を設け，1連続作業時間内において1,2回程度の小休止を設ける．

5）健康管理： 作業区分Aに該当する作業者に対する配置前の健康診断では，①業務歴の検査，②既往歴，自覚症状の調査，③視力検査，眼位検査，調節機能検査，屈折検査などの眼科的検査，④筋骨格系に関する他覚的検査，⑤その他医師が必要と認める検査を行う．定期健康診断でも視力検査が行われるが，作業区分BおよびCでは③と④の検査の一部を省略することが可能である．また就業の前後または就業中に，体操，ストレッチ，リラクゼーション，軽い運動などを行うことが望ましい．

〔相澤好治〕

■文献（e文献18-1-9）

相澤好治, 巽 洋, 他：VDT作業者の自覚症状と影響因子の検討. 日本の眼科. 1989；60: 792-8.
厚生労働省労働基準局：VDT作業における労働衛生管理のためのガイドラインについて, 基発0405001号, 2002. http://www.mhlw.go.jp/houdou/2002/04/h0405-4.html
宮尾 克：VDT症候群. 産業安全保健ハンドブック（小木和孝編代表）, pp730-3, 労働科学研究所, 2013.

10）動揺病
motion sickness

定義・概念

動揺病は，一般には乗り物酔いとよばれるが，適応刺激が加速度であることから加速度病（acceleration sickness）（長谷川，1977）ともいわれる．

車，船，飛行機や遊園地のジェットコースターなどに乗ることによって生じる乗り物酔いのほか，バーチャルリアリティや無重力状態で生じる宇宙酔いなどでも認められる．動揺病では，しだいに悪心，冷汗，顔面蒼白，嘔吐などの自律神経症状が誘発される（伊藤，2009）．

疫学（伊藤，2009）

動揺病の易罹患性には個体差が大きいが，2歳以下や50歳以上ではほとんど発症しない．一般に男性より女性の方が発症しやすく，年齢に関していえば学童期以降に生じやすい．6～7歳にかけて発症頻度が急激に上昇していき9～10歳でピークとなり，その後は20歳前後まで減少していき，50歳以上ではほとんど生じなくなる．小中学生の児童・生徒の約40％は乗り物に酔いやすいといわれている．

病態生理

乗り物に乗ると前庭系，視覚系，自己受容器系からの入力情報が入り，脳内で統合されて空間識（spatial orientation）と運動感覚を感知する．動揺病は，これら入力情報に矛盾が生じた場合や，過去に経験したことがない運動環境にさらされ過去に習得した入力パターンと異なった場合に症状が引き起こされる（Takedaら，2001）．これを神経ミスマッチ理論（neural mismatch theory）という．神経ミスマッチ理論の仮説を図18-1-16に示す（Takedaら，2001）．

両側前庭神経機能廃絶症例では乗り物酔いは起こら

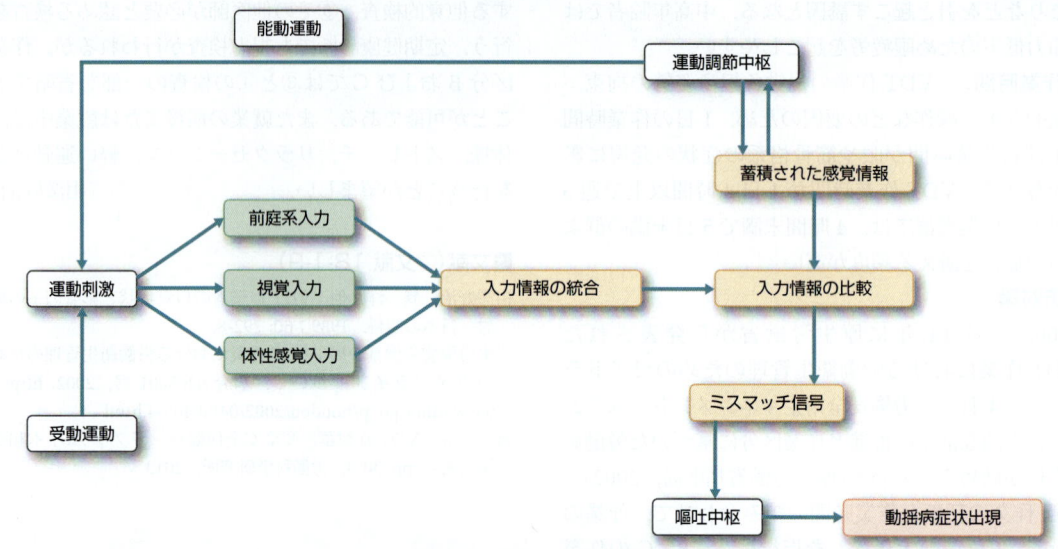

図 18-1-16 神経ミスマッチ理論に基づいた動揺病の発症機序の考え方（Takeda ら，2001 を改変）

ないが，全盲症例では乗り物酔いがみられることから，前庭系の情報は動揺病の発症に必要であると考えられる（伊藤，2009）．

一般に，動揺の周期，振幅，頻度や加速度の変化が大きいほど酔いやすいと考えられているが，ゆっくりした回転刺激でも頭部を前後左右に動かすコリオリ刺激を同時に与えると動揺病が生じやすいため，動揺病の生じやすさは強い前庭刺激にのみ依存するわけではない．視運動刺激と頭部運動による偽コリオリ刺激は動揺病実験で用いられる．また身体状況，低血糖，満腹，睡眠不足，疲労，換気不全なども脳活動を左右する要因になると考えられている．これは脳活動の低下に伴って脳内の統制機構機能が減弱するために，前庭，視覚および深部知覚からくる空間認知に関する情報の統合が不十分となって，動揺病が生じやすくなると理解されている（伊藤，2009）．

神経ミスマッチが生じると，不快感が誘発され，自律神経系の症状として血圧の変動，冷汗が生じるとともに，嘔吐中枢が刺激されて悪心，嘔吐が出現する．

臨床症状

動揺病では，自律神経反射による悪心・嘔吐が主症状である．初期は，めまい，生理的不快感，顔面蒼白などの症状を呈するが，次第に冷汗，動悸，頭痛などの症状が生じてくる．この状態になると，周囲に対して無関心となり，活動性が低下する．さらに悪化し悪心・嘔吐を繰り返すと，脱水状態に陥る場合もある（長谷川，1977）．このような症状は，刺激がなくなれば数時間から1日以内に，また刺激が続いても2〜3日で自然回復する．これは動揺病の慣れの現象である．

治療・予防

発症した場合にはまず換気をよくし，可能であれば乗り物から降り，抗ヒスタミン薬や鎮吐薬を内服する．嘔吐を繰り返して脱水に陥ったときには，補液が必要となる．

予防には薬物治療と訓練がある．視床下部から嘔吐中枢へは多数の H_1 受容体を介したヒスタミン性の神経伝達がなされるため，抗ヒスタミン（H_1 受容体阻害）薬が用いられている．抗ヒスタミン薬はジフェンヒドラミン（トラベルミン®）あるいはジメンヒドリナート（ドラマミン®）を1回1錠で1日3回まで内服する（伊藤，2009）．乗車30分〜1時間前に服用するのが効果的である．これらの薬は血液脳関門を通過して中枢神経系全体の興奮も抑制するので，眠気の副作用を有する．欧米では抗コリン薬のスコポラミンが経皮吸収薬として用いられているが，わが国では未承認である．

訓練の目的は乗り物刺激に対する"慣れ"であり，最も効果的な予防効果をもたらすとされている（伊藤，2009）．高橋らは動揺病に対する訓練では酔いを誘発するほどの刺激ではなく，感覚・動作を能動的に移行させる受動刺激の反復が重要であると述べている．

1）**乗り物前の対策**： 前日に十分な睡眠をとる．空腹を避けるが脂肪分の多い食事は控え，乗る前に排便をすませる．体を圧迫するような衣服は避け，ネクタイやベルトなどはゆるめる．

2）**乗り物中の対策**： 揺れの少ない座席を選ぶ．後ろ向きの座席を避け進行方向に向かって座り，前方の景色が見えるようにする．遠くの景色を眺めるようにして，読書やゲームなど下を向いての細かい作業はしな

い．悪臭，高温，高い湿度なども悪影響を与えるので，換気するのがよい．眠るように心がける．

〔鈴木光也〕

■文献

長谷川高敏：加速度病―乗り物の酔い，永井書店，1977．
伊藤八次：予防医学からみた動揺病．JOHNS. 2009; 25: 1743-46.
Takeda N, Morita M, et al: Neural mechanisms of motion sickness. J Med Invest. 2001; 48: 44-59.

11）電撃傷 electrical injury

定義

電撃傷は生体の体表，体内を電気が通電し起こる損傷の総称をいう．したがって，電流そのものの通過による組織の傷害（真性電撃症）のみならず，通電後の衣服の着火による熱傷（電気熱傷）や，感電後の転落，転倒に基づく二次的外傷も電撃傷に含まれる．

原因・分類

電撃による傷害は，原因により電撃傷と雷撃傷に分類される．電撃傷は年間に2400人程度の入院があり，1500人が死亡する死亡率の高い損傷である．多くが夏場の電気就労中の事故であり変電所や送電ケーブルに流れる1000 V以上の高圧電流による障害（重症）と家庭用に用いられている1000 V以下の低圧電流による障害（軽症）の2種類に分類される．一方，雷撃傷は雷による障害の総称をいう．

病態生理

人体を電気が通電（感電）する場合，影響を与える因子として，電流強度を示す①電流量，②電圧，③通電時間（曝露が長いほど重症度が増す），④体組織の電気抵抗値（骨＞脂肪＞腱＞皮膚＞筋肉＞血管＞神経の順に高い），⑤電流の種類（直流または交流），⑥電流の通過経路がある．高電圧，高電流，高抵抗，交流，長時間通電では，生体に高いジュール熱を発生し組織傷害が発生する．電撃傷はこのジュール熱による組織の変性障害・壊死が組織の病態の本態である．電撃は接触した入口部の皮膚に電気の通過による傷害（熱傷；電流斑）を起こした後，より抵抗の低い神経，血管，筋肉を通過，そこで組織傷害を発生し，出口部から接地する．創の程度は受傷時の条件により異なるため創の大きさと重症度は一致しない．体内を電気が通過する際に心室細動などの致命的な不整脈，急性腎不全，神経系障害，筋骨格系障害が生じる．

一般に低電圧での事故は家庭内で最も頻度が多く（100 V，50～60 A），電気コンセントや電気製品のケーブルを噛むなど乳児や小児の口唇部に起こりやすい事故である．低電圧では電気のスパークなど表層皮膚の浅い熱傷が多い半面，筋痙攣，神経麻痺によって，交流電源からの離脱ができなくなり（膠着電流），障害が重症化したり心室細動を発生することも少なくない．逆に高電圧での事故は，高電圧を用いる工場，変電所，高圧電線などの電気作業中の事故が多く，皮膚表層のみならず皮下の神経，血管，筋肉の障害を伴う．特に心筋への通電は心室細動を引き起こし致死的である．一般に交流10 mAの通電は筋攣縮を引き起こし，50～100 mAでは重度の不随意筋収縮による呼吸筋麻痺や心室細動などを起こすといわれている．また直流では痙攣性収縮が起こり，アーク放電によって跳ね飛ばされると外傷を受けることがあるが，この場合，通電時間が短いため，熱傷そのものは浅いものが多い．しかしこのアーク放電が大規模となると，電紋（図18-1-17）という電気のスパークの跡に伴った皮膚の樹脂状熱傷が起きる．

高電圧では接触部（入口部），接地部（出口部）で電流密度が高く，皮膚に電気入口部でエネルギーが一点に集約され，高熱を発生し皮膚の炭化，凝固壊死が起こる（図18-1-18）．これを電流斑という．

一方，雷が原因となる雷撃傷では，落雷など，数万ボルトといった，ごく短時間にきわめて高い電圧の電流が流れるが，実際は雷撃傷の電流の多くは体表を流れるため，体内の深部損傷は少なく，鼓膜の破裂や爆風による外傷または体表の浅在性Ⅱ度熱傷を認める．しかし，落雷の場所によって生命予後が異なるといわれ，頭部に通電すると脳神経麻痺による一過性意識障害や脊柱管通電による雷撃傷性神経麻痺といわれる神経障害が残ることがある．胸部への通電は心室細動や呼吸停止をきたし致死的である．

臨床症状・診断

重症度と緊急度に応じた診断と治療が重要である．まず傷者と電源の接触を絶ち，救助者は絶縁するなどで安全を確保する．電撃症の場合，緊急度・重傷度の高い合併症が，心室細動の発生である．心停止の発生

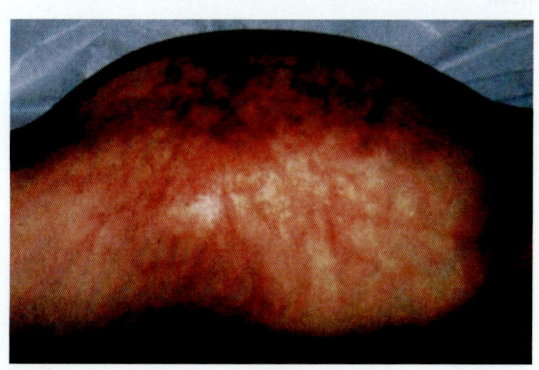

図 18-1-17 電紋

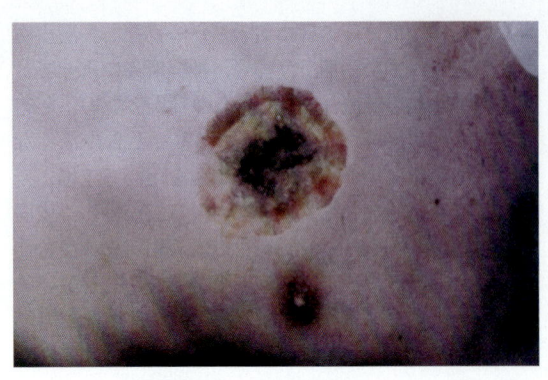

図 18-1-18 電流斑

の確認のため，意識の確認，気道(A)，換気(B)の確認，循環(C)といった初期評価でショックの有無を確認し，並行して心電図モニタを開始する．心室細動を認めたら AED を使用する．次に外傷または広範囲熱傷のプライマリーサーベイ(ABCDE)による生理的評価とセカンダリーサーベイによる評価に準じた全身の詳細な観察を行う．初期輸液を開始する．特にミオグロビン尿に伴う腎不全の合併，全身の神経障害の有無，筋障害の有無を素早くチェックする．通電時の転落や衝撃によって起こる副損傷(多発外傷)の合併に注意する．並行して体表の創，電撃傷の入口部，出口部の確認，熱傷部分の確認，電紋や電流斑の確認，また，通電した原因・電圧と時間などの損傷局所の情報を入手する．これらの情報入手の後，全身の身体的所見をとる．

一般的に血液検査では白血球の上昇，ヘモグロビン値の低下，生化学的検査所見としては AST の上昇，特に心筋・骨格筋障害の指標として CPK(MB，MM 双方)の上昇，LDH の上昇をみる．尿は筋崩壊によるミオグロビン尿の合併をみることが多く，尿の色調はポートワイン状に変化する．不整脈，胸痛，または何らかの心臓障害の疑いを有する患者に心臓モニタリングが適応となる．意識障害のある患者では，頭部 CT または MRI が必要となる．

治療

治療は全身管理と局所管理に大別される．全身管理で最も優先されるのが心肺蘇生である．

1) 心停止(心室細動)の場合： 心室細動の場合はまず蘇生ガイドライン 2 次救命処置(ALS)に準拠して胸骨圧迫と AED を含めた心肺蘇生を開始する．心筋のダメージが存在するため心肺蘇生に成功しても循環動態が安定するまでは昇圧剤や電解質・血糖コントロールに対しての集中治療が必要である．また，心電図上不整脈がある場合も 48 時間まで継続モニタリング下に抗不整脈薬の投与を行う．必要に応じて人工呼吸管理，胃管による胃内トレナージを 2 日間行う．

2) 輸液療法： 電撃傷では体表の熱傷に加えて，皮下組織や筋組織の傷害によって予想以上の組織外液が失われ，乳酸化リンゲルの補充が必要となる．中心静脈ルート確保の後，CVP モニタリング下で尿量を 0.5〜1.0 mL/kg を保つべく輸液を増減する．ミオグロビン尿が認められる場合，急性尿細管壊死を起こす可能性が高いと判断され，腎不全予防のために利尿剤を併用し尿量を 1.0〜2.0 mL/kg/時とやや多目に維持すると腎不全のリスクが軽減できる．

3) 局所治療(含外科治療)： (破傷風トキソイドや抗菌薬の投与による感染管理および局所的な熱傷管理が必要である．電撃症で最も大事なのが局所創の治療である．原則として温熱熱傷の処置と同様に，深達性熱傷ではゲーベン®クリーム，浅達性熱傷では抗菌薬含有軟膏を用いる．高圧電流では受傷後 2 週まで進行性に筋壊死や血行障害が進む．この壊死に対し皮下組織の筋層デブリドマンや減張切開，筋膜切開が数週にわたって必要になる．受傷して 1〜2 週で壊死創が剥がれるときに起こる遅発性動脈出血に注意する．この進行性壊死は予後ときわめて大きく関係するので受傷後早期に熱傷センターや形成外科専門医のコンサルテーションを受けるべきである．電気の入り口として多いのが上肢である．したがって血行障害・神経障害から切断に至る症例も少なくない

4) リハビリテーションと機能障害： 重度の電撃症患者ではたとえ生存したとしても長期間のリハビリテーションが必要となる．したがって末梢神経障害の対処をしつつ，早期からの離床と関節可動域の保持が重要となる．

5) 予後： 早期の合併症としては，心筋障害や大動脈内障害，大動脈破裂または内臓血管の断裂などがある．心不整脈は 10〜13％のケースに認められる．一方，遅発性中枢神経症状として 6〜9 カ月後に突然，半身麻痺や脳幹損傷を認めることがある．末梢神経障害は受傷後から 3 年くらいまでは出現する可能性がある．また末梢神経障害に加え多彩な神経症状を呈する．さらに，ゆっくりと進行する白内障もしばしば受傷後数年を経て出現する合併症である．

いずれにしても重症の電撃症の患者では形成外科的な観点から長期の綿密な経過観察が必要である．

〔田中秀治〕

18-2 中毒
poisoning

　中毒は生体内に入った薬物，化学物質，生物毒などが臓器や組織を傷害し，生体の機能に障害を起こすことである．発症経過から急性と慢性中毒に分けられる．依存症とは，薬物や化学物質の摂取により快楽などを感じ，それらに依存し，それがないと種々の離脱症状などの身体的・精神的症状を生じる状態をいう．

1）重金属中毒

【⇨ 17-11-1】

2）ガス・その他の工業中毒

定義・概念
　ガスや重金属・化学物質が，それを扱う作業現場，環境汚染，公害や不慮の事故（嗜好，誤飲，大量摂取，事件）などで体内に入り，中毒症状を生じたもの．原因物質は経口，経気道（吸入），経皮膚など，それぞれの物質により異なる侵入経路で体内に入る．

(1) 一酸化炭素中毒（carbon monoxide poisoning）
【⇨ 17-11-2-9】

(2) 二硫化炭素中毒（carbon disulfide poisoning）
【⇨ 17-11-2-3】

(3) アクリルアミド中毒（acrylamide poisoning）
【⇨ 17-11-2-6】

(4) シアン化合物中毒（cyanide poisoning）
　シアン化合物（青酸化合物）が経口，経皮，経気道的に体内に入って起こる中毒で，これにはシアン化水素（青酸ガス），シアン化カリウム（青酸カリ），シアン化ナトリウム（青酸ソーダ）などがある．これらを摂取するとCN^-は細胞内ミトコンドリアのチトクローム酸化酵素の活性中心にあるヘム鉄（Fe^{3+}）と結合して酵素を失活させる．このためにミトコンドリアの好気性代謝（細胞呼吸）が阻害され，細胞内ATPが急速に枯渇する．中毒濃度は0.5～1.0 mg/L，致死量は2.5～3.0 mg/Lである．
　シアン化合物を吸入すると数秒で症状が出現し，数分で死亡する．経口摂取時には吸入に比べてやや症状の発現は遅れるが，胃が空の場合は速やかに症状が出現する．軽症では頭痛，めまい，不安，錯乱，悪心，嘔吐などのほかに顔面紅潮，呼吸促進，頻脈，代謝性アシドーシスが生じる．重症の場合は，初期には組織性低酸素症としての口腔灼熱感，頭痛，過換気，呼吸促迫，動悸，頻脈，高血圧が生じ，組織が低酸素を代償できなくなると昏迷，昏睡，痙攣発作，下顎呼吸，呼吸・循環不全が生じて死に至る．重症例では救命できても低酸素脳症の後遺症としての記銘力障害，Parkinson様症状がみられることがあり，一酸化炭素中毒でみられるような間欠型中毒が生じることもある．【⇨ 17-11-2-9】
　診断は呼気や胃内容物の「苦いアーモンド臭」（eコラム1），著しいアニオンギャップ開大性代謝性（乳酸）アシドーシス，静脈血酸素飽和度の上昇（静脈血は一酸化炭素中毒のように動脈血鮮紅色を呈する），チアノーゼを伴わない低酸素症状がみられた場合にシアン化合物中毒を疑う．治療は100% O_2を投与し，亜硝酸アミルの吸入，亜硝酸ナトリウム，チオ硫酸ナトリウム（デトキソール®）やシアンが結合しやすいヒドロキソコバラミンを静注する．

(5) 硫化水素（H_2S）**中毒**（hydrogen sulfide poisoning）
　硫化水素は常温で無色の腐卵臭が特徴的な気体で，空気より重く，低所に滞留する性質がある．火山，下水やヘドロなどの自然界のほか，石油精製，革靴，農薬，医薬品，ゴムや合成繊維製造などの工場から発生する（eコラム2）．吸入すると気道粘膜から吸収されてミトコンドリア内のチトクローム酸化酵素を阻害することにより，細胞呼吸を阻害する．低濃度（50～100 ppm）の長時間暴露で眼，気道，皮膚粘膜の刺激症状が生じる．高濃度曝露（200 ppm以上）では，頭痛，発汗，めまい，失見当識，傾眠，脱力，譫妄，頻脈，血圧変動などがみられる．さらに高濃度（300 ppm以上）では直ちに気道浮腫や肺水腫による呼吸困難，500 ppm以上では痙攣発作，昏睡，循環不全，呼吸停止をきたす．治療は，速やかに新鮮な空気環境に移動させ，直ちに100% O_2吸入を行う．亜硝酸塩の投与により生成するメトヘモグロビンには硫化物と結合し硫化ヘモグロビンになり，硫化水素を不活性化する作用があるので，亜硝酸アミルの吸入と亜硝酸ナトリウムの静注を並行して行う．

(6) 有機リン中毒（organophosphate poisoning）
【⇨ 17-11-2-7】

(7) 有機溶剤中毒・依存症 (organic solvent poisoning and dependence)

有機溶剤中毒には偶然の急性中毒事故と慢性中毒があるが，一般生活環境でも誤飲ないし自殺企図による経口摂取中毒が発生する．その他に，いわゆる「シンナー遊び」とよばれる反復性の吸入乱用もみられ，依存に陥って離脱できなければ人格が崩壊する．この目的では純度の高いトルエンが用いられることが多く，それを供給する闇流通も存在する．

産業界における有機溶剤の使用範囲は広く，中毒も多かったが，最近では法的規制により，職場での発生は減少している．一方，有機溶剤の吸入で多幸感が得られることから，若い世代を中心にシンナー，ボンド，トルエンなどの吸入による依存や中毒が発生しており，これらの主成分の n-ヘキサン中毒【⇨ 17-11-2-1】，トルエン中毒【⇨ 17-11-2-2】が多い．

急性中毒の治療は基本的には特別の治療は必要なく，吸引効果が消えるのを待つ．慢性中毒の治療では，有機溶剤中毒・依存症の治療は，覚醒剤精神病と同様に抗精神病薬による幻覚妄想，精神運動興奮などの鎮静を行う．薬物療法としては，統合失調症の陰性症状にも効果があるとされる非定型抗精神病薬や，SSRIなどの抗うつ薬を使用する． 〔古谷博和〕

3) 食中毒

(1) 細菌性食中毒
【⇨ 6-2-4】

(2) 自然毒による食中毒

a. 有毒魚介類

i) フグ毒

わが国におけるフグ食中毒は過去10年間で277件（患者数：387名）発生しているが，年々発生件数，患者数とも減少している．死者数は12名，致死率は3.1％である（2004～2013年）．

フグ毒のテトロドトキシン（tetrodotoxin：TTX；$C_{11}H_{17}O_8N_3$）は肝臓や卵巣に多く分布し，フグの種類によっては皮，筋肉にも含まれる．TTXは加熱調理によっても分解しない．ヒトの致死量は2 mgといわれている．神経や筋細胞の膜表面にあるNaチャネルの活性化機構を選択的に阻害する．おもな症状は運動麻痺で，食後20分～3時間で発現する．口唇，舌端，指先のしびれに始まり，頭痛，腹痛などを伴い，嘔吐，四肢の運動筋肉麻痺，知覚麻痺，言語障害，呼吸困難となり，血圧低下が起こる．意識は死の直前まで明瞭で，意識消失後，呼吸・心臓が停止し，死に至る（表18-2-1，おもな症状はⓔ表18-2-Aを参照）．

摂取直後であれば催吐，胃洗浄が有効であるが，時間経過によっては誤嚥の原因となる．速やかな人工呼吸の実施，長時間の呼吸・循環管理により救命することがある．テトロドトキシンは巻貝のバイ，キンシバイ，ボウシュウボラ，ヒョウモンダコ，スベスベマンジュウガニなどからも検出され，中毒を引き起こす．

ii) シガテラ

シガテラ毒魚による中毒例は多く，毒化魚としてはバラフエダイ，バラハタ，ドクウツボ，ドクカマス，サザナミハギなどが知られており，主毒成分はシガトキシン（ciguatoxin：CTX；$C_{59}H_{84}O_{19}$）で内臓に多く含まれ猛毒である．食後30分～24時間以内に発症し，下痢，嘔吐，腹痛に続き，知覚異常，徐脈，血圧低下がみられる．顕著に現れる症状として，ドライアイスセンセーション（ふつうの水が極端に冷たく感じたり，温かいものが冷たく感じたりする）とよばれる知覚異常がある．神経系障害により，麻痺，痙攣，昏睡を呈し，死亡に至る場合がある．

iii) その他

イシナギ，メヌケなどの肝臓を多食すると，ビタミンA過剰症になり，腹痛，悪心，嘔吐，めまい，過敏症が発現した後，全身の皮膚の落屑がみられる．近年，流通の発達とともに南方魚類を食べる機会が多くなったため，アオブダイによる中毒の報告が増加している．主毒性成分はパリトキシン（palytoxin）で，テトロドトキシンより毒性が強い．舌や全身のしびれ感，筋肉痛，筋力低下が起こり，不整脈，呼吸抑制，腎不全を呈することもある．

iv) 貝毒

貝類の自然毒としては，有毒プランクトンから食物連鎖を経て二枚貝に蓄積される麻痺性貝毒（paralytic shellfish poison）や下痢性貝毒（diarrhetic shellfish poison）および巻貝類（軟体動物腹足類）の毒に分類される．麻痺性貝毒は渦鞭毛藻，藍藻類が産生し，マガキ，ホタテガイ，ムラサキイガイ，アサリなどに蓄積毒化したものをヒトが摂取し中毒を引き起こす．主毒素はサキシトキシン（saxitoxin：STX）で，致死量は約2 mgである．口唇，口内，舌，顔面，四肢のしびれ感，運動麻痺，頭痛，めまい，球麻痺などが起こり，発症後1～12時間で呼吸不全による死亡例がみられる．下痢性貝毒は，東日本を中心にホタテガイ，アサリ，ムラサキイガイによる食中毒の原因として同定された．オカダ酸（okadaic acid），ジノフィシストキシン（dinophysistoxin），ペクテノトキシン（pectenotoxin），イェッソトキシン（yessotoxin）などが同定されている．水様下痢，嘔吐，腹痛などが主症状であり，発熱はない．喫食から発症までの時間は短く，45分～7時間である．通常3日以内に回復し予後は良好で，重症・死亡例はない．

表 18-2-1 魚介類の毒（厚生労働科学研究「自然毒のリスクプロファイル作成を目指した調査研究」より）

有毒魚類名	毒の種類 （代表的な成分）	毒を多く含む臓器
フグ類	フグ毒 （テトロドトキシン）	卵巣，肝臓
アオブダイ，ハコフグ，ブダイ，ウミスズメ，ソウシハギ	パリトキシンおよび関連毒	肝臓
ドクウツボ，オニカマス，バラハタ，バラフエダイ	シガテラ毒 （シガトキシン，マイトトキシン）	筋肉，内臓
イシナギ，メヌケ	ビタミンA	肝臓
アブラボウズ，アブラソコムツ，バラムツ	異常脂質 （グリセリド，ワックスエステル）	筋肉
ナガズカ	卵巣毒	卵巣
コイ類	胆囊毒	胆囊
ウナギ類	血清毒	血液

主な症状は e表 18-2-A を参照．

バイ（*Babylonia japonica*, ivory shell）は，エゾバイ科に属する肉食性小型巻貝で，ときに毒化し食中毒を起こす．喫食して3～18時間後に視力減退，瞳孔散大，口渇，腹部膨満，便秘，排尿困難，嘔吐など，視覚障害を特徴とするタイプ（沼津型）と，激しい腹痛，嘔吐，下痢，四肢の痙攣，意識障害，チアノーゼを呈するタイプ（寺泊型）が報告されている．

b. 有毒植物
i）毒キノコ

わが国におけるキノコ中毒は，例年約20件（患者数70～80名），10月をピークに秋季に集中して発生する（2004～2014年：死亡率0.51％）．夏の気温が高く，その後の適度な降雨と朝晩の気温の低下がある年は特にキノコの生育がよく，キノコ中毒の発生数も多い．食用キノコと誤って摂取する中毒例の多いキノコには，ツキヨタケ，クサウラベニタケ，ドクササコ，ニガクリタケ，カキシメジなどがある（表18-2-2）．ドクツルタケ，タマゴテングタケなどのアマニタトキシンを含むキノコは中毒死亡例の80～90％を占める．主毒性成分はアマニチン（amanitin）とファロイジン（phalloidin）である．特にアマニチンは猛毒であり，耐熱性のため加熱・調理によっても毒性は損なわれない．

1）マジックマッシュルーム（*Psilocybe cubensis*）:
ワライタケ（*Panaeolus papilionaceus*），シビレタケ（*Psilocybe venenata*）など，幻覚（幻視，幻聴），精神錯乱，筋弛緩作用を現すキノコを通称，マジックマッシュルーム（幻覚キノコ）と総称する．幻覚成分はシロシビン（psilocybin），サイロシン（psilocin）であり，成分は麻薬として，キノコ本体は麻薬原料として規制されている．

2）スギヒラタケ（*Pleurocybella porrigens*, angel's wing）（e図18-2-A）：
2004年秋，新潟・山形・秋田など日本海側地方を中心に急性脳症が多発した．多くの症例に共通するのは，中・高年齢者で腎機能障害を有し，スギヒラタケを喫食していること，9月末～10月初旬に限定して発生している点であった．

臨床症状は，ふらつき，全身倦怠感，歩行困難などの前駆症状の後，数日後，振戦様の不随意運動，ミオクローヌスが出現し，24時間以内に治療抵抗性の痙攣重積状態に陥っている．60例の脳症患者が報告され，腎疾患を合併した19例が死亡した．

スギヒラタケは，キシメジ科スギヒラタケ属のキノコで，秋，スギの古い切り株に多数重なって発生する古くは食用していたキノコである．現在，原因解明中であり，「可溶性，耐熱性の高分子毒性物質」である可能性が高い．腎疾患，腎機能障害患者にスギヒラタケを摂食しないように注意し予防することが重要である．

ii）その他
山菜採りで，食用植物と違って有毒植物を採取し中毒事故を起こし，死に至ることもある（表18-2-3）．過去10年で死亡例が報告されている有毒植物には，トリカブト，イヌサフラン，グロリオサなどがある．発生数の多いものとしては，バイケイソウ，スイセン，チョウセンアサガオ，トリカブト，クワズイモ，コバイケイソウ（e図18-2-B）などがある．

わが国では，バイケイソウ（veratrum album），コバイケイソウを同じユリ科の食用山菜オオバギボウシと誤食した中毒例が多数報告されている．主毒性成分のベラトルムアルカロイド（veratrum alkaloids）は，通常根，種子，葉から分離される．ヒトでの致死量は約20mg（乾燥根1～2g），経口摂取により消化管から容易に吸収され，調理などの加熱には安定である．興奮性細胞膜においてNaイオンの透過性を増すことにより，迷走神経，頸動脈洞，中枢神経，末梢神経，肺，心臓を直接刺激する．症状として，徐脈，血圧低下，嘔吐，下痢を呈し，重篤な場合は意識障害，呼吸抑制，不整脈，痙攣を起こす．症状は24時間程度持

表 18-2-2 おもな毒キノコの概要

代表的な毒キノコ（学名）	間違えやすい食用キノコの例	症状・特徴
クサウラベニタケ（Rhodophyllus rhodopolius）	ウラベニホテイシメジ，ホテイシメジ，ハタケシメジ	食用のウラベニホテイシメジの近辺に発生し，形状も似ていることから，最も中毒事故が多い．食後30分〜3時間くらいで嘔吐，下痢，腹痛などを起こす．中毒成分はムスカリン，コリンといわれる．
ツキヨタケ（Lampteromyces japonicus）	ヒラタケ，ムキタケ，シイタケ	食用のシイタケ，ヒラタケ，ムキタケなどと間違って採取し中毒となる．食後30分〜1時間程度で嘔吐，下痢，腹痛などの中毒を起こす．
ニガクリタケ（Hypholoma fasciculare）	ナメコ，クリタケ，ナラタケ，ナラタケモドキ	食後3時間程度で強い腹痛，激しい嘔吐，下痢，悪寒などの中毒を起こす．重症の場合は，脱水症状，痙攣などの症状が現れて死亡する場合がある．
カキシメジ（Tricholoma ustale）	ニセアブラシメジ，チャナメツムタケ，シイタケ	摂取後30分〜3時間で嘔吐や下痢などの消化器系症状が出現し，大量の水様性下痢により著しい体液や電解質の喪失がみられる．3〜4時間でほとんどの症状は消失する．
ドクササコ（Clitocybe acromelaga）	カヤタケ，ナラタケ，ホテイシメジ，アカマツ，チチタケ	末端紅痛症（erythromelalgia）を起こす．早い場合は食後6時間程度，遅い場合は1週間程経過してから，四肢末端の腫脹，壊死，末梢神経障害による激痛をもたらす．この症状が1カ月以上続く．冷やすと症状は軽減する．局所麻酔薬を用いた硬膜外神経ブロックによって疼痛コントロールする．
ウラベニタケ（Rhodophyllus rhodopolius）		腹痛，嘔吐，下痢などの症状を呈する．発症まで30分〜3時間．
アマニタトキシン群 ドクツルタケ（Amanita virosa），タマゴテングタケ（Amanita phalloides），シロタマゴテングタケ（Amanita verna），コレラタケ（Galerina fasciculate）	シロマツタケモドキ，ハラタケ，ツクリタケ	摂取後7〜16時間に嘔吐，水様便，腹痛を呈する．1〜2日後には肝機能障害が認められる．摂取後3〜7日後に肝不全，腎不全，および心機能低下，昏睡をきたして死亡する．
テングタケ（Amanita pantherina），ベニテングタケ（Amanita muscaria）	タマゴタケ	食後20分〜2時間で下痢，嘔吐，腹痛の消化器系症状が現れ，めまい，錯乱，運動失調，幻覚，興奮，抑うつ，傾眠，昏睡を伴う精神錯乱痙攣など神経系症状も現れる．まれに，ムスカリン中毒で死亡することがある．
ホテイシメジ（Clitocybe clavipes），ヒトヨタケ（Coprinus atramentarius）		血中アセトアルデヒドの分解を阻害するため，キノコを食べる前後に飲酒すると発赤，心悸亢進などを呈する（ジスルフィラム様反応）．発症まで20分〜2時間．
カエンタケ（Podostroma cornu-damae）	ベニナギナタタケ	食後30分から，発熱，悪寒，嘔吐，下痢，腹痛，手足のしびれなどの症状を起こす．2日後に，消化器不全，小脳萎縮による運動障害など脳神経障害により死に至ることもある．

続するため，入院加療が必要である．

c．食材による中毒

i）ジャガイモ

ジャガイモの新芽や緑色の未熟な部分に含まれるソラニン（solanine）は，溶血，コリンエステラーゼ阻害作用があり，胃腸障害や中枢神経症状を引き起こす．多くは軽微な胃腸障害であるが，呼吸困難，精神錯乱，昏睡などの重篤な症状に至る例もあり，致死例もある．中毒症状は下痢，嘔吐，発熱，腹痛，めまい，発語障害，痙攣などである．通常のジャガイモには100 g に数 mg〜数十 mg のソラニン類が含まれるといわれる．中毒量は200〜400 mg である．調理の際，除芽，剥皮により，その約70％が除去され，加熱などにより約50％が減少する．ソラニンは高温や光暴露下での保存時に増加するため，収穫後できるだけ早く食用とし，低温・暗所での保存が必要である．

ii）ギンナン

ギンナン中毒は，イチョウ（Ginkgo biloba）の種子の可食部分を過量摂取することにより起こる．強直性・間代性痙攣が必発症状で，嘔吐，意識障害を伴うことがある．小児が中毒量（10〜30個）を炒って摂取した数時間後に痙攣を発症することが多く，致死例も存在する．患者の80％以上が10歳未満の小児であり，3歳未満が全体の60％を占める．原因物質はビタミン B_6 誘導体の4-O-メチルピリドキシン（methyl-pyridoxine：MPN）である．MPN はビタミン B_6 と化学構造が類似し本来の生理作用を拮抗する性質をもつことから，結果的にビタミン B_6 欠乏状態を引き起こし，特に中枢神経系の急性中毒症状を呈する．治療は抗痙攣薬（ベンゾジアゼピン系）の投与とビタミン B_6

表 18-2-3 有毒植物の誤食

有毒植物名	類似するおもな食用植物名	類似する部位	症状	毒性成分
トリカブト	モミジガサ, ヨモギ, ニリンソウ	若葉	食後10～20分以内で, 口唇, 舌, 手足のしびれ, 嘔吐, 腹痛, 下痢, 不整脈, 血圧低下, 痙攣, 呼吸不全に至って死亡することもある.	アルカロイド(アコニチン, メサコニチン, ヒパコニチンなど)
イヌサフラン	ギボウシ, ギョウジャニンニク, ジャガイモ, タマネギ	葉, 球根	嘔吐, 下痢, 皮膚の知覚減退, 呼吸困難. 重症の場合は死亡することもある.	アルカロイド(コルヒチン)
グロリオサ	ヤマノイモ	塊状根	口腔・咽頭灼熱感, 発熱, 嘔吐, 下痢, 背部疼痛などが発症し, 臓器の機能不全などにより, 死亡することもある.	
バイケイソウ, コバイケイソウ	オオバギボウシ, ギョウジャニンニク	若葉	食後30分～1時間で, 悪心, 嘔吐, 手足のしびれ, 呼吸困難, 脱力感, めまい, 痙攣, 血圧低下など. 重症の場合は意識不明になり, 死亡する.	アルカロイド(プロトベラトリン, ジェルビン, ベラトラミンなど)
ジギタリス	コンフリー*	若葉	胃腸障害, 嘔吐, 下痢, 不整脈, 頭痛, めまい, 重症になると心臓機能が停止して死亡することがある.	強心配糖体(ジゴキシン, ジギトキシンなど)
チョウセンアサガオ	ゴボウ	根	散瞳, 意識障害, 興奮, 幻覚, 頻脈, 口渇, 痙攣など.	アルカロイド(l-ヒオスチアミン, アトロピン, スコポラミンなど)
	オクラ	蕾		
	ゴマ	種子		
ハシリドコロ, フクジュソウ	フキノトウ	新芽	誤食するとほろ苦く, 後に嘔吐や痙攣, 昏睡などの中毒症状を発症する. 根茎はロート根といい, 鎮痛薬などに用いる	
ヨウシュヤマゴボウ	モリアザミ(市販の「ヤマゴボウ漬」の材料)	根	腹痛・嘔吐・下痢を起こし, ついで延髄に作用し, 痙攣を起こして死亡する.	アルカロイド(フィトラクシン), 硝酸カリウム
スイセン, タマスダレ	ノビル, ニラ,	葉	食後30分以内で, 悪心, 嘔吐, 下痢, 流涎, 発汗, 頭痛, 昏睡, 低体温など.	アルカロイド(リコリン, タゼチンなど), ほかにシュウ酸カルシウム
	タマネギ	鱗茎		
ドクゼリ	セリ, ワサビ	若葉, 地下茎	めまい, 流涎, 嘔吐, 頻脈, 呼吸困難などの症状が現れ, 死亡する危険も大きい. 皮膚からも吸収される.	ポリイン化合物(シクトキシン)
シキミ	ダイウイキョウ, シイ, ツブラジイ	実	悪心, 嘔吐, 下痢, 顔面蒼白, 発熱, 傾眠, 全身痙攣, 意識障害.	アニキサチン
アジサイ	青シソ 料理の飾りにアジサイの葉や花が使われる	葉	食後30分で, 嘔吐, めまい, 顔面紅潮など.	成分未確定
クワズイモ	サトイモ	根茎	悪心, 嘔吐, 下痢, 麻痺, 皮膚炎など. 針状結晶による口腔内の刺激.	シュウ酸カルシウム

＊：コンフリーは以前, 食用とされてきたが, 過剰に摂取すると肝障害を引き起こすピロリジジンアルカロイドを含むことがわかり, 厚生労働省から摂食しないよう注意勧告が出ている.

製剤の併用が有効である. 〔福本真理子〕

■文献(e文献 18-2-3-2)

厚生省生活衛生局食品保健課編：全国食中毒事件録, 日本食品衛生協会, 1974-1997.

登田美桜, 畝山智香子, 他：昭和36年～平成22年に報告された高等植物による食中毒事例の傾向. 中毒研究. 2014; 28: 280-1.

塩見一雄, 長島裕二：新・海洋動物の毒—フグからイソギンチャクまで, 成山堂書店, 2013.

4）農薬中毒

　農薬（pesticide）は農業の効率を上昇させる薬剤で病害昆虫（insect）を殺傷（cide）する insecticides や雑草（herb）を殺傷する herbicides（除草薬）など英語圏では生物毒性が強調される．この毒性がヒトに対して表面化したのが農薬中毒で，自殺死の1/3がこれらの薬剤を用いたものとの報告もある．昆虫が標的の insecticides の作用機序は有機リン薬やカーバメートに代表されるアセチルコリンエステラーゼ（Ach-E）阻害などによる神経毒性である．そのプロトタイプは第2次大戦中に開発されたサリン，ソマンなどの神経毒にさかのぼる．一方除草薬の代表とされるパラコートは非選択的な細胞障害を基本とし死亡率はきわめて高い．

診断・治療（農薬工業会，2014）

　診断は①農薬暴露歴，②症候（特異的，非特異的），③薬物血中濃度，④検査所見を含む二次的変化から行う．作用機序から推定できる症候に，二次的変化が加わり，双方の混在した病態が速い時間経過で変化する点に注意を要する．農薬に添加されることのある界面活性薬は末梢血管拡張や血管透過性亢進などの毒性を発揮する．

　治療は①全身状態を管理しながら，②腸管，皮膚からの吸収阻止（eコラム1），③拮抗薬，解毒薬の投与，④血液からの除去を迅速に進める．薬物の吸収を阻止し，治療を開始した後でも症状が進行することを想定しないと対応が後手に回る可能性がある．

(1) 有機リンとカルバメート

　有機リン薬やカルバメートは Ach-E に結合して阻害する結果アセチルコリンの過剰が起こるので，臨床症状の多くは神経系を介して表面化する．経口のみならず，経皮や経気道的吸収のみでも中毒につながる．体表面や衣服に残留するこれらの薬剤は経皮的に吸収されるとともに，拡散して周囲の医療スタッフを曝露させ，重篤な症状を起こしうる．十分な換気を行いながら，農薬の付着した衣服の廃棄や体表面の洗浄を進める．脂溶性の有機リンは体脂肪にいったん取り込まれて効果を遷延させるので，より長期の治療が必要となる場合がある．

診断・治療

　神経系を介して起こる症状の代表は副交感神経系のムスカリン受容体を介した徐脈，気管支分泌の増加，末梢気道の spasm，縮瞳，（bradycardia, bronchorrhea, Bronchospasm：BBB, Salivation, Lacrimation, Urination, Defecation, Gastric Emptying：SLUDGE）などが強調されるが，実際はより広範で，散瞳や頻脈も起こりうる（eコラム2）．ムスカリン受容体特異的なアトロピンは，過剰なアセチルコリンに拮抗して症状を軽減させるのでまず投与する（eコラム3）．パム®（PAM，プラリドキシム）は Ach-E に結合して，有機リン薬により失活したその活性を回復させる解毒薬である．単独で投与すると一過性に症状が増悪するので，アトロピンとの併用が原則だが混注では力価が低下する．まずパム® 2g（4A）を15〜30分かけてゆっくり静注し，以後0.5g/時間で持続点滴あるいは1〜2gを4〜8時間おきにゆっくり静注するのが一般的な投与法とされる．有機リン薬と Ach-E の結合が持続すると conformational change が非可逆的（aging）となるので，発症後24〜36時間以内のパム®投与が必要とされる．通常の生化学検査に含まれる血漿コリンエステラーゼ活性は有機リン剤中毒で低下するが，重症度との関連は乏しい．赤血球真性コリンエステラーゼ活性がよりよい指標とされるが，日常臨床で測定できる施設は少ない．意識障害があれば挿管下で100% O_2 吸入が推奨される．痙攣に対してジアゼパムを用いる．筋弛緩薬サクシニルコリンは Ach-E で分解されるが，この活性が低下する有機リン剤中毒では，分解が遅れ筋弛緩が遷延するので禁忌とされる（eコラム4）．

後遺障害

　急性の有機リン中毒を乗り越えても，頸部・近位筋脱力，腱反射低下，呼吸障害などが遷延することがあり，intermediate syndrome（中間症候群）とよばれる．数週間後に，運動障害優位の delayed and long-term neuropathy が起こる場合があり，neuropathy-target esterase などが関与しているとの報告がある．

　カルバメートは有機リン同様に Ach-E を阻害するが，その結合はより弱く，水溶性で体内での解毒と排泄は有機リンより速く，効果の持続はより短い点で異なる．パム®の効果は期待できないがその他の治療は有機リン薬に準ずる

(2) パラコート（Nagami, 2010）

　非特異的に細胞内に入り，superoxide radical 形成を介して，lipid peroxidation，ミトコンドリア機能不全，細胞死を起こす．皮膚からの吸収は限定的で，医療者の二次曝露は通常起こらない．除草薬として当初発売された製剤は24%と高濃度のパラコートを含み死亡例が多発した．1986年に5%製剤に変更されたが，死亡率は80%前後と高いまま減少につながっていない．

臨床症状

　自殺や誤飲の場合，口腔，咽頭粘膜のびらんと急速進行性の多臓器不全が臨床像の前景となる．血流が多く，酸素エネルギー消費の多い，肺，腎，肝の障害が並行して進行し，非可逆的な臓器不全が次第に増えて

いくことへの対処が追いつかないと救命できない．腸管からの吸収は急速だが，血液脳関門は通過しにくく，神経系特異的な症候は基本的にみられない点有機リン剤と異なる．パラコート中毒者に神経症状がある場合は，別の原因の合併を想定すべきである．

診断・治療

添加された催吐薬により嘔吐が起こり，指標として添加された青緑の色素と着臭剤を確認し，尿中のパラコートを試薬で検出すれば診断は確定する．来院時の全身状態が保たれていても多臓器不全は急速かつ確実に進行するので，摂取量やパラコート濃度にかかわらず，包括的な治療を直ちに開始する．パラコートに特異的な拮抗薬や解毒薬はなく，臨床試験によるエビデンスが確立された治療法もない．消化管からの吸収を抑え，血液吸着法などで血中からパラコートを除去することが主眼になる．酸化ストレスを軽減することを期待してビタミンC，ビタミンE大量投与，組織障害を軽減することを期待してステロイドパルス療法などが試みられている(eコラム5)．

(3) グルホシネート

グルタミンに構造式が類似し，植物でその合成酵素を阻害しアンモニアを蓄積することで枯死に至らしめる．ヒトでもグルタミンの関与する神経伝達物質系が阻害される．摂取後数時間は症状がないが，色覚異常，不穏，痙攣，意識障害などが起こり24時間以内に呼吸停止に至ることもある．グルホシネート中毒の場合，最初の処置が終了しても帰宅させず，呼吸，循環管理が可能な施設で厳重な管理を行う．

(4) グリホサート

芳香族アミノ酸経路を阻害し，クロロフィルなど植物特有の代謝を阻害するとされるが，ヒトで嘔吐，咽頭痛，消化管出血，麻痺性イレウス，肺水腫，低血圧，hypovolemic shockなどの症状を起こす．誘導されるメトヘモグロビン血症にメチレンブルーを解毒薬として投与(1 mg/kg静注)する(eコラム6)【⇒ 16-9-5-4】．

(5) 慢性農薬中毒 (Council on enriromental health, 2010)

大量の農薬を摂取して急速に致死的になる急性中毒についての知見は蓄積されてきた．一方環境に放出されたこれらの農薬が長期にわたって，環境の生物やヒトに与える影響については，解明された部分が少なく，予防・診断・治療の対象として日常臨床の俎上にあがりにくい．小児への影響はより顕著なことが予想され，発達障害，自閉症などとの関連性を疑う研究者が増えているが，科学的な因果関係の立証と対策をどうするかは今後の問題である．〔内原俊記〕

■文献(e文献18-2-4)

Council on environmental health: Pesticide exposure in children. *Pediatrics*. 2012 ; 130: e1757-63.
Nagami H: Historical perspective of pesticide poisoning in Japan and measures taken by the Japanese Association of Rural Medicine. *J Rural Med* 2010; 5: 129-33.
農薬工業会(農林水産省消費安全局農産安全管理課監)：農薬中毒の症状と治療法(第15版平成26年4月改訂). http://www.midori-kyokai.com/pdf/tyudoku2014.pdf

5) 有毒動物による咬刺傷(毒蛇，ハチ)

日本における有毒動物による咬刺傷としては，毒蛇咬傷(マムシ，ハブ，ヤマカガシ)，魚刺傷(オコゼ，ゴンズイなど)，刺胞動物による刺傷(クラゲ，イソギンチャク)，ハチ刺傷，毒クモ咬傷(セアカゴケグモ，ハイイロゴケグモなど)がある．

(1) 毒蛇咬傷
概念・疫学

マムシ(ニホンマムシ，ツシマムシ)は九州以北に生息しており，ヤマカガシは九州，四国，本州，ハブは鹿児島県トカラ列島以南に生息している[1]．日本での毒ヘビによる死亡者数は，2005〜2013では2011年の8名を除いて，4〜6名で，マムシによるものと推定される．マムシは年間1000〜3000件の咬傷[2]が，ハブは年間100名前後の咬傷患者が発生している．ハブによる死亡は2000年以降確認されていない．

病態生理

マムシ，ヤマカガシ，ハブの毒成分は，多種類の蛋白質からなり，出血作用，壊死作用，血管透過性亢進作用，血液凝固促進または抑制作用，神経毒性などをもつ．ヤマカガシ毒は，特に強いプロトロンビン活性化作用をもつため，血管内で微小血栓の形成を引き起こし，フィブリノゲンが消費される．

臨床症状

各毒蛇咬傷の症状を表18-2-4に示す．マムシ咬傷では，受傷直後から，局所の強い疼痛が生じ，30分前後から腫脹が体幹方向に拡大する(上條，2009)．マムシ咬傷による腫脹の程度は表18-2-5[3]のように分類されており，早いときには数時間で，遅いときには2日程度かけて1肢全体に進行する．腫脹はハブ咬傷ほど強くないため，コンパートメント症候群による横紋筋融解は比較的少ない．咬傷時に血管内に毒液が直接注入されたケースでは血小板が1時間以内に1

表 18-2-4 マムシ，ヤマカガシ，ハブ咬傷の症状

		マムシ	ヤマカガシ	ハブ
局所症状	咬傷部	・受傷直後から生じる局所の腫脹，強い疼痛． ・腫脹の広がる速さは数時間〜2日であり，重症度とは相関しない[1]．	・局所の腫脹や疼痛はほとんどないかわずか(マムシ，ハブとの違い)．	・受傷後直ちに電撃性の疼痛が生じ，腫脹もマムシに比べて急激で高度． ・受傷部の内出血や水疱形成，壊死． ・コンパートメント症候群．
	その他	・吸収されたマムシ毒の神経作用から外眼筋麻痺が生じ，複視や斜視，眼瞼下垂(重症例)．	・受傷後，30分前後で一過性の激しい頭痛(重症例)． ・ヤマカガシ頸腺の毒が直接目に入った場合には，眼痛，流涙，角膜びらん，開眼不能，視力低下，結膜充血，霧視．	・吸収されたハブ毒による視力低下，外眼筋麻痺による複視，眼瞼下垂．
全身症状		・重症例では，横紋筋融解による急性腎障害(AKI)，皮下や消化管などの全身性の出血． ・毒液が直接血管内に注入された場合には，急激な血小板減少により短時間で全身の出血傾向．	・数時間〜1日程経過して，全身的な出血傾向(歯肉，牙痕，血尿，全身の出血斑，消化管出血，脳出血)． ・DIC(血液凝固異常は，マムシ，ハブより高度)． ・溶血によるヘモグロビン尿と循環血液量減少による急性腎障害(AKI)[1]．	・悪心，嘔吐，腹痛，意識障害，血圧低下，急性腎不全．

万/μL以下に急激に減少し，全身性の出血を生じることがある．ヤマカガシ咬傷では，毒液の注入量が多いと咬傷後に一過性の激しい頭痛が生じるが，局所の腫脹や疼痛はほとんどなく，全身症状としての出血傾向がおもな症状である．ハブ咬傷では，電撃性の疼痛が持続し，腫脹が強く，コンパートメント症候群を生じやすく，減張切開が必要となることも多い．

診断
マムシは上顎の先端に2本の長い毒牙をもっているため，典型例では牙痕は針で刺したような痕が1つまたは8〜10 mm前後の間隔で2つみられるが，咬まれ方によって異なる場合も多い．ヤマカガシは上顎の奥に毒牙があるため，顎の深い部分で咬まれなければ，毒液は注入されない．また，ヤマカガシ咬傷では血小板減少に比べて，フィブリノゲンの減少が早期に生じる．ハブ咬傷では，受傷から30分くらい経過しても，咬傷部にまったく腫れが認められない場合は，ハブ咬傷以外か毒が組織内に入らなかったことを意味する．

治療
以前から経験的に，中枢側の緊縛，局所の切開・吸引，冷却などが行われてきたが，現在では否定的とされている．ただし，咬まれた直後に，現場で咬傷専用の携帯型吸引器(Extractor®)などを用いて咬傷部の毒を吸引することは，ある程度有効と考えられる．いずれの毒蛇咬傷においても，咬傷部を生理食塩水で十分に洗浄し，輸液を開始して，腫脹や血管透過性亢進による体液の喪失を補い，尿量の確保に努める．各蛇毒に対する抗毒素を投与する際は，アナフィラキシーショックと血清病に注意が必要で，アナフィラキシー予防のために，投与前にステロイド薬と抗ヒスタミン薬を投与すべき，あるいは低用量のアドレナリン(0.1％アドレナリンを0.25 mL)を皮下注すべき[4,5]との考えもある．各毒蛇咬傷に対する治療について，表18-2-6にまとめる．

(2)ハチ刺傷
概念・疫学
ハチ刺傷は昆虫による刺傷の中では，比較的多く，局所の疼痛，腫脹とともに，全身性のアナフィラキシーを引き起こし，毎年20人前後が死亡している[6]．ハチの種類によって毒成分は若干異なるが，スズメバチ，アシナガバチ，ミツバチの順に毒作用は強い．死亡事例は，キイロスズメバチかオオスズメバチのいずれかがほとんどである．

病態生理
ハチ毒には，アミン類(ヒスタミン，セロトニン，

表 18-2-5 マムシ咬傷による腫脹の Grade 分類（文献3より引用）

Grade I	受傷局所のみの腫脹
Grade II	手関節または足関節までの腫脹
Grade III	肘関節または膝関節までの腫脹
Grade IV	1肢全体に及ぶ腫脹
Grade V	1肢をこえる腫脹または全身症状のみられるもの

表 18-2-6 マムシ，ヤマカガシ，ハブ咬傷に対する治療

	マムシ	ヤマカガシ	ハブ
共通	●咬傷部を生理食塩水で洗浄 ●血管透過性亢進や腫脹による循環血液量減少に対して細胞外液補充液を尿量を目安に投与 ●破傷風予防のため，沈降破傷風トキソイド投与，必要に応じて抗破傷風免疫グロブリン投与 ●広域抗毒素投与 ●コンパートメント症候群では減張切開（ハブ咬傷で多い）		
抗毒素投与	受傷後6時間以内に腫脹のGrade分類でGrade Ⅲ以上，褐色尿の出現，出血傾向や血小板の低下のいずれかが認められれば投与する．乾燥まむしウマ抗毒素（乾燥まむし抗毒素"化血研"®）6000単位を添付の溶剤20 mLに溶解して，さらに生理食塩水で10〜20倍に希釈して，1分間1〜2 mLの速さで点滴静注．症状が軽減しない場合は，2〜3時間後にさらに3000〜6000単位を点滴静注する．	フィブリノゲンの減少や歯肉，鼻粘膜，牙痕などから持続性の出血がある場合に投与する． 抗毒素は（財）日本蛇族学術研究所（Tel:0277-78-5193, http://www.sunfield.ne.jp/snake-c/）へ問い合わせが必要．	疼痛，腫脹が咬傷部位に限局せず拡がってくる場合や症状が進行性である場合に投与する（上條，2009）．乾燥はぶウマ抗毒素（乾燥はぶ抗毒素®）1バイアル（6000単位）を添付の溶剤20 mLに溶解し，さらに生理食塩水で10〜20倍に希釈して，1分間1〜2 mLの速さで点滴静注．効果が不十分な場合は，2〜3時間後に3000〜6000単位を点滴静注する．
その他の薬剤	セファランチン（セファランチン®）は，従来からマムシ咬傷に用いられてきたが，現在では重症化の予防には無効であるとされており，重症の場合には，抗毒素を必ず使用する．		

カテコラミンなど），低分子ペプチド，酵素類（ホスホリパーゼA_2，ヒアルロニダーゼ，プロテアーゼなど）が含まれている．主としてセロトニンによって，局所の疼痛，腫脹が生じ，スズメバチやアシナガバチの毒にはセロトニンが多く含まれているため，痛みが強い（谷口ら，2007）．また，ハチ毒に含まれる酵素類は抗原として作用して，ハチ毒に対する特異的IgE抗体を産生するようになり，後のハチ刺傷で，Ⅰ型アレルギー反応（即時型アレルギー反応）を呈する．これによって全身症状としてのアナフィラキシー反応が数分〜30分以内に生じ，致命的となることがある．また，初回の刺傷でも，多数のハチに刺された場合などでは，全身症状を呈する場合があり，ハチ毒に含まれるヒスタミンなどの直接作用による，IgEを介さないアナフィラキシー様反応と考えられる．

臨床症状

刺傷部の局所症状としては，疼痛，発赤，腫脹が認められる．全身症状は，アナフィラキシー反応またはアナフィラキシー様反応によるもので，皮膚症状（じんま疹，発赤，紅斑），消化器症状（腹痛，悪心，嘔吐，腸蠕動亢進，下痢），呼吸器症状（喉頭浮腫，喘鳴，咳，呼吸困難，頻呼吸，SpO_2低下），循環器症状（血圧低下，頻脈，冷汗，顔面蒼白，不整脈），その他（頭痛，胸痛）などに，さらに進行すると，意識障害，チアノーゼの出現，心肺停止状態となる．

治療

局所症状に対しては，まず針の皮膚への残存を確認して，残存しているときは毒嚢をつままないようにして，人差し指ではじくようにして除去する．そのうえでステロイドや抗ヒスタミン薬の軟膏を塗布する．全身症状が出現している場合は，直ちに心電図およびSpO_2モニタ，血圧計を装着し，高濃度酸素の投与と生理食塩水や乳酸リンゲル液など細胞外液補充液を急速に点滴する．呼吸器症状や循環器症状が出現している場合には，直ちに大腿部中央の前外側に0.1％アドレナリン（1 mg/mL）を0.01 mg/kg（最大量：成人0.5 mg，小児0.3 mg）筋注する（日本アレルギー学会Anaphylaxis対策委員会，2014）．必要に応じて5〜15分ごとに同量を再投与する．アナフィラキシーが重篤で生命の危険が切迫しているときには，0.1％アドレナリン（1 mg/mL）1 mgを500 mLの生食に溶解し，その50 mL（アドレナリン量として0.1 mg）を5分以上かけてゆっくりと静脈内投与する．アドレナリンを静脈内投与する場合には，不整脈や血圧上昇のリスクがあり慎重なモニタリングが重要である．静脈路の確保に手間取る場合には，アドレナリンの筋注を優先する．続いて，抗ヒスタミン薬のH_1受容体拮抗薬（クロルフェニラミンマレイン酸塩5 mg），副腎皮

質ステロイド（ヒドロコルチゾン 100 mg，メチルプレドニゾロン 40 mg）の投与を考慮する．同時に H_2 受容体拮抗薬（シメチジン，ラニチジンなど）の併用も効果があるとされている[7]．喉頭浮腫が認められれば，早期の気管挿管が必要であり，挿管困難な症例で緊急性があれば，甲状輪状靱帯切開の可能性もある．

医療機関へ来る前のアナフィラキシー反応に対する自己注射キットとして，エピペン®がある．ハチ刺傷に関しては，主として林業従事者や養蜂業者など，ハチ刺傷によるアナフィラキシーのリスクの高い人に対して処方されている．エピペン®には，アドレナリン 0.3 mg と 0.15 mg の製剤があり，成人に対しては 0.3 mg が使用される．
〔岩崎泰昌〕

■文献（e文献 18-2-5）

上條吉人：咬傷．臨床中毒学 第 1 版（相馬一亥監），pp498-506，医学書院，2009．

日本アレルギー学会 Anaphylaxis 対策特別委員会：アナフィラキシーガイドライン 第 1 版，2014．http://www.jsaweb.jp/modules/journal/index.php?content_id = 4

谷口裕子，大滝倫子：ハチとアナフィラキシー．皮膚アレルギーフロンティア．2007; 5: 139-44．

6）薬物中毒・依存症

中毒（poisoning）という概念は，「毒物（化学物質のなかで生物系に有害反応を引き起こしてその機能を大幅に損傷させ，ときには死を招くことさえあるもの）によって引き起こされる有害な事象」と定義することができる．中毒は急性中毒と慢性中毒に分類されるが，医療の場で緊急の診断・治療を要するのは急性中毒である．厚生労働省人口動態統計によれば，中毒による死亡件数は年間約 7000 件である．起因別頻度をみると，一酸化炭素およびガス類による中毒が全体の約 70％を占めており，次に医薬品，農薬と続く．

社会的にはよく用いられる「覚醒剤中毒」という表現は，厳密には「依存症（dependence）」を意味しており，医療従事者は両者を区別して取り扱う必要がある．依存症とは「生体と薬物の相互作用から生ずる精神状態および身体症状で，薬物の精神効果を再び体験したいとか，あるいは薬物の投薬中止によって生ずる苦痛状態を取り除くために，薬物を強迫的に欲求すること」（WHO，1969）と定義され，その状態や程度により，精神依存と身体依存に分類される．依存症は慢性中毒や薬物乱用（drug abuse）に関連しており，その離脱や社会復帰のためには長期間の治療や支援が必要となる．近年社会的問題となっている危険ドラッグは，指定薬物制度などにより，販売や使用に対する規制が厳しくなる反面，急性毒性の強い新規の依存性物質が含有される傾向があり，急性中毒および依存症の両面による治療が必要となってきている．
〔⇒ 17-11-4〕

（1）急性薬物中毒

診断

1）臨床症状：薬物による急性中毒は，起因となる薬物の種類が膨大であること，特異的な中毒症状のない薬物が多いこと，中毒発生からの経過時間が不明な場合が多いことなどから，中毒であるか否かの診断，中毒の起因物質の確定，重症度の判定が困難な場合が多い．患者自身や家族，救急隊員からの情報や，現場に残された容器や空の包装なども重要な手がかりとなる．自殺企図で処方薬を多剤摂取した場合，中毒による意識障害が最もよくみられる症状である．原因不明の意識障害患者に対しては，急性中毒の可能性を念頭において鑑別診断すべきである．アヘン誘導体，ベンゾジアゼピン系薬，一酸化炭素の急性中毒害が疑われた場合，それぞれ塩酸ナロキソン，フルマゼニル，酸素を投与して覚醒するか否かで起因を鑑別することができる．鑑別診断として，アルコール関連疾患（急性アルコール中毒，Wernicke 脳症），糖尿病関連疾患（糖尿病性昏睡，糖尿病性ケトアシドーシス），尿毒症，脳疾患，麻薬・鎮静薬・向精神薬中毒，外傷性頭蓋内病変，感染症，精神障害，脳血管障害などによる意識障害があげられる．表 18-2-7 に，特徴的な中毒症状と代表的な起因薬物をまとめた．

2）中毒起因物質の分析：日本中毒学会によって選定された，急性中毒の診断・治療に分析が有用な 15 品目の中毒物質は簡易検査キットで定性分析をすることができる（e表 18-2-B）．このうちの 13 品目の分析は，診療報酬改定により，2014 年 4 月から一般の救命救急センターにおいても「急性薬毒物中毒加算」が認められた．血中濃度値が毒性の指標，予後の判定，治療の選択に有用な 8 品目については，積極的な定量分析が望ましい．そのうち，アセトアミノフェンと除草剤のパラコート，グルホシネートは，摂取後経過時間-血中濃度グラフによるノモグラムが診断や治療に用いられる．また，8 種類の尿中乱用薬物とその代謝物を短時間で測定できる Triage DOA® というキットは，乱用薬物（フェンシクリジン類，コカイン系麻薬，アンフェタミン類，大麻，アヘン誘導体）以外に，急性中毒の起因となりやすいベンゾジアゼピン系薬，バルビツール酸系薬，三環系抗うつ薬を簡便に測定できることから蘇生室で繁用されている．

合併症

1）誤嚥性肺炎：急性中毒の場合，意識障害時に気道保護反射が減弱または消失した状態で，胃内容物が逆

表 18-2-7 特徴的な中毒症状と起因薬物

中枢神経系	痙攣	交感神経刺激薬(アンフェタミン類,カフェイン,コカイン,テオフィリン),抗うつ薬・抗精神病薬(アモキサピン,ハロペリドール,オランザピン,フェノチアジン類,三環系抗うつ薬),ジフェンヒドラミン,カルバマゼピン,β遮断薬
	昏睡	中枢神経抑制薬(抗コリン薬,抗ヒスタミン薬,バルビツール酸類,ベンゾジアゼピン類,カルバマゼピン,エタノール,フェノチアジン類,鎮静催眠薬,三環系抗うつ薬,バルプロ酸ナトリウム) 交感神経遮断薬(クロニジン,メチルドパ,アヘン誘導体)
体温	低体温	バルビツール酸類,エタノール,血糖降下薬,アヘン類,フェノチアジン類,鎮静催眠薬,三環系抗うつ薬,血管拡張薬
	体温上昇	アモキサピン,アンフェタミン,コカイン,リチウム,サリチル酸,抗コリン薬,フェノチアジン類,MAO阻害薬
電解質異常	低カリウム血症	β遮断薬,カフェイン,アドレナリン,テオフィリン
	高カリウム血症	α作動薬,ACE阻害薬,ジギタリス製剤,リチウム,カリウム,フッ化物
心血管系	QRS延長	β遮断薬,クロロキン,ジギタリス製剤,ジフェンヒドラミン,フェノチアジン類,三環系抗うつ薬,キニジン
	心室性不整脈	アミオダロン,ヒ素化合物,シサプリド,キニジン,非定型抗精神病薬,三環系抗うつ薬,フッ化物,ハロペリドール
	低血圧,徐脈	β遮断薬,クロニジン,メチルドパ,アヘン誘導体,レセルピン,フレカイニド,キニジン,三環系抗うつ薬,カルシウム拮抗薬(ベラパミル,ジルチアゼム)
	低血圧,頻脈	ヒ素化合物,α拮抗薬,β2刺激薬,カフェイン,Ca拮抗薬(ニフェジピン,ニカルジピン),ヒドララジン,フェノチアジン類,テオフィリン,三環系抗うつ薬
肝障害	AST,ALT,ALP,血中ビリルビンの上昇	アセトアミノフェン,ヒ素化合物,エタノール,タリウム,バルプロ酸ナトリウム,ハロセン
急性腎不全	乏尿,無尿,浮腫,倦怠感,クレアチニンやBUNの上昇	NSAIDs(ロキソプロフェン,ジクロフェナク),アミノグリコシド系抗菌薬(ゲンタマイシン,ストレプトマイシン),ニューキノロン系抗菌薬(ノルフロキサシン,エボキサシン),ヨード造影剤(イオン性,非イオン性),抗癌薬(シスプラチン等の白金錯体,メトトレキサート)
瞳孔	瞳孔散大	交感神経刺激薬(アンフェタミン類,ドパミン,コカイン,ニコチン),抗コリン薬(抗ヒスタミン薬,アトロピン,三環系抗うつ薬),アミノフィリン,デキストロメトルファン
	縮瞳	交感神経遮断薬(クロニジン,メチルドパ,アヘン類,クロニジン,フェノチアジン類,バルプロ酸ナトリウム),コリン作動薬(ニコチン,有機リン剤,フィゾスチグミン)
横紋筋融解症	筋肉痛,筋力低下,ミオグロビン尿	麻酔薬(バルビツール酸類,オキセサゼイン),鎮咳薬(コカイン,コデイン),脂質異常症薬(クロフィブラート系薬,HMG-CoA還元酵素阻害薬),免疫抑制薬(アザチオプリン,シクロスポリン),筋弛緩薬(スキサメトニウム),テオフィリン,抗真菌薬(アムホテリシンB),抗精神薬(アンフェタミン,メタンフェタミン),抗てんかん薬(バルプロ酸),抗うつ薬・抗精神病薬(ハロペリドール,オランザピン,リスペリドン,フェノチアジン類,クロミプラミン)

流や嘔吐により肺に誤って吸引されたり,石油製品などの粘膜刺激作用のある物質が肺に吸引され発症することがあり,重篤で頻度も高い合併症である.二次的に細菌感染に移行する場合がみられる.

2)偶発性低体温症: 偶発性低体温症とは生体が寒冷環境に暴露されて深部体温が35℃以下に低下した状態をいう.中毒患者はしばしば低体温を併発することがあり鑑別診断が必要となる.低体温を誘発する薬物としては,エタノール,フェノチアジン系抗精神病薬,環系抗うつ薬,麻薬,鎮静薬,経口血糖降下薬やインスリン製剤などがある.

3)横紋筋融解症: 横紋筋融解症は,多彩な起因により骨格筋の壊死が起こり,クレアチンキナーゼ(CK)などの筋原性酵素やミオグロビンが循環系へ流出する病態で,赤褐色尿(ミオグロビン尿),筋肉痛,四肢脱力感,しびれなどの自覚症状や,筋肉の腫脹,圧痛,患部や全身の筋力低下,皮膚の壊死などがみられる.血中CK,AST,ALT,LDH,アルドラーゼの上昇,血中および尿中ミオグロビン値の上昇が検出される.薬物起因性の運動亢進状態(振戦,譫妄,アルコールによる痙攣),直接的な筋細胞傷害(カフェイン,一酸化炭素),フェノチアジン系抗精神病薬による筋緊張状態,コカインに伴う高体温などが原因となる場合がある.

治療
中毒患者の初期治療は,救急初期治療(全身管理),中毒起因物質の除去(吸収の阻害,排泄の促進)および解毒薬・拮抗薬の投与の3つに分けることができる.日本中毒学会では,EBMに基づいた中毒治療の標準化を目指して「急性中毒の標準治療」の指針を作成した.その詳細については日本中毒学会ホームページより参照することができる.

1）救急初期治療（全身管理）： 中毒患者に限らず，救急センターに搬入された救急患者に対しては心肺蘇生のABC（気道の確保，呼吸管理，循環管理）に基づいた初期処置が行われる．さらに痙攣に対してはジアゼパム，バルビツール酸の投与や体温異常に対する体温調節など，迅速で適切な対症療法が重要である．長期的には，感染対策，栄養管理も含まれる．

2）中毒起因物質の除去： 中毒起因物質は，経皮，経口，経気道，経静脈，経粘膜（眼）などの経路で暴露される．最も頻度の高い経口摂取では，薬物は消化管から吸収され，全身循環に入り標的臓器に至り，中毒症状を発現する．そのため，消化管に残存する薬物（未吸収薬物）は体外に速やかに除去して吸収を阻害することが肝要である．この消化管からの除染（gastrointestinal decontamination）法には，催吐，胃洗浄，活性炭吸着療法，緩下薬投与，腸洗浄がある．催吐は意識障害や痙攣がある場合は禁忌である．誤嚥のおそれもあることから，中毒事故現場での初期処置としては推奨されていない．救急医療機関では胃洗浄または活性炭投与が選択される．

胃洗浄の適応は，生命の危機を招くほどの大量を摂取し，しかも摂取後1時間以内の場合に考慮する．欧米および日本において，EBMに基づいた評価により，近年，適応される症例は限定されてきた．

活性炭は強力な吸着力を示すため，経口摂取によるほとんどの薬物中毒に対して適応となる．中毒量を摂取し，摂取後1時間以内の場合，積極的に投与すべきである．投与方法は，成人の場合活性炭（薬用炭）50 g（1 g/kg）を300〜400 mLの微温湯で懸濁し下剤を添加後，胃管より胃内容物を十分吸引後に注入する．ただし，アルコール類，アルカリ類，無機酸類，フッ化物，ヨウ化物，鉄，カリウム，リチウムなどは吸着されないため無効である．

一方，すでに吸収された薬物（既吸収薬物）については，体外への排泄を促進する方法，すなわち強制利尿や，活性炭の繰り返し投与，血液浄化法が行われる．強制利尿は大量の輸液と利尿薬投与により，尿量を増やすことで薬物の排泄を促進させるものである．酸性物質のフェノバルビタールやサリチル酸の中毒では，炭酸水素ナトリウム投与（200 mEqを1時間以上かけて点滴）により尿をアルカリ化（尿pH > 7.5）して排泄を促進させる．腎不全，心不全は禁忌となる．

腸肝循環をする薬物（フェノバルビタール，カルバマゼピン，キニーネ）や分布容積が小さいテオフィリンは，単回の活性炭吸着療法を行った後も血中濃度が遷延することが多いため，排泄を促進するために活性炭の繰り返し投与が選択される．活性炭の初期投与の後，4時間ごとに0.5〜1.0 g/kgを微温湯との懸濁液を胃管より注入するか，経口投与する．

血液浄化法とは，血液を体外のカラムに通し薬物を除去して再び血液を体内へ戻す方法で，除去の機序により血液吸着（灌流），血液透析，血液濾過に分かれる．血液を活性炭フィルタに灌流し，薬物を吸着させる血液灌流は分子量や蛋白結合率の制限なしに除去でき，フェノバルビタール，フェニトイン，テオフィリン，カルバマゼピンに有効である．血液透析は，透析膜を介して血液と透析液との濃度勾配による拡散を利用して薬物を排泄させるため，分子量が小さく（<500）蛋白結合率の低い薬物（リチウム，アスピリン，メタノール，エチレングリコール）が適応となる．

3）解毒薬・拮抗薬： 急性中毒の原因となる薬物は膨大であるが，特異的解毒薬・拮抗薬は限られている．表18-2-8に代表的な解毒薬・拮抗薬をまとめた．

（2）急性中毒を引き起こしやすい薬物

a. 抗うつ薬

抗うつ薬は環系抗うつ薬（三環系，四環系，複素環系），非環系抗うつ薬（選択的セロトニン再取り込み阻害薬（SSRI）など），モノアミン酸化酵素（MAO）阻害薬に大別される．SSRIなど新規抗うつ薬は使用頻度の増加により中毒例も増加したが，致死的な予後を呈するのは三環系抗うつ薬（tricyclic antidepressant：TCA）である．そのおもな中毒症状は，3 C's（cardiotoxicity：心毒性，coma：昏睡，convulsion：痙攣）and A（acidosis：アシドーシス）である．胃洗浄，胃内容物の吸引，活性炭の投与を行うとともに，心電図モニタによりQRS時間の延長がある場合（QRS ≧ 0.12秒）は，炭酸水素ナトリウム投与（1〜2 mEq/kg，静注）により，全身アルカリ化（pH 7.45〜7.55）を行う．

b. 解熱鎮痛薬（アセトアミノフェン）中毒

アセトアミノフェンは，わが国において1500品目以上の総合感冒薬や解熱鎮痛薬に含有されているため，小児の誤食事故や自殺目的での摂取による中毒が起こりやすい．家庭内で起こる解熱鎮痛薬による中毒は，医薬品中毒の約7%にあたる．

アセトアミノフェンの代謝図はe図18-2-C参照．治療量（成人1回量：300〜500 mg）を経口摂取すると，1〜2%が未変化体として尿中に排泄され，90〜95%が肝臓でグルクロン酸および硫酸抱合を受け，腎臓から排泄される．残りの5〜10%がチトクロームP450酸化酵素（CYP2E1）によりN-アセチルパラベンゾキノニミン（NAPQI）となる．これが肝毒性の本体である．この毒性代謝物はグルタチオン（GSH）抱合を受け無毒化される．

しかし，大量摂取の場合は，グルクロン酸および硫酸による抱合過程は飽和状態となり，CYP2E1による代謝が促進されNAPQI生成が増加する．その無毒

表 18-2-8　代表的な解毒薬・拮抗薬

治療薬名(略号)	対象となる中毒起因物質	投与方法
フルマゼニル	ベンゾジアゼピン系薬剤	初回 0.2 mg を緩徐に静注．投与後 4 分以内に望まれる覚醒状態が得られない場合はさらに 0.1 mg 追加．以後，必要に応じて，1 分間隔で 0.1 mg ずつ総投与量 1 mg まで，ICU 領域では 2 mg まで繰り返す．
塩酸ナロキソン	麻薬性鎮痛薬，フェンタニル，ペチジン	1 回 0.2 mg 静注，効果不十分の場合はさらに 2〜3 分間隔で同量を 1〜2 回追加(増減)．
メチルチオニニウム塩化物水和物(メチレンブルー)	亜硝酸塩類，アニリン，フェナセチン，スルホンアミド類	1〜2 mg/kg を 5 分以上かけて静注する．投与 1 時間以内に症状が改善しない場合は，必要に応じて同量を繰り返し投与できるが，累積投与量は最大 7 mg/kg までとする．
エタノール*	メタノール，エチレングリコール	750 mg/kg を静注した後，100〜200 mg/kg で点滴静注し，血中濃度を 100 mg/dL 前後に維持する．
ホメピゾール	メタノール，エチレングリコール	15 mg/kg の初回静注後，10 mg/kg を 12 時間ごとに 4 回投与．その後 15 mg/kg を 12 時間ごとに 30 分以上かけて点滴投与する．血液透析を併用する場合は別途考慮する．
8.5%グルコン酸カルシウム	クエン酸ナトリウム，フッ化物	20 mL の静注を必要に応じて繰り返す．
N-アセチルシステイン(NAC)	アセトアミノフェン	初回 140 mg/kg を負荷量として，5%に希釈して経口投与．用時希釈をし，1 時間以内に使用する．負荷量投与 4 時間後から，4 時間ごとに 70 mg/kg を維持量として 17 回，72 時間まで同様に経口投与する．全量として 72 時間で 1330 mg/kg 投与する．
ヨウ化プラリドキシム(PAM)	有機リン系殺虫剤	1 アンプル(20 mL)中 500 mg．最初，1 g を 30 分かけて静注し，その後は 500 mg/時の速度で 24 時間点滴静注する．
硫酸アトロピン		軽症には 0.5〜1 mg を皮下注または内服．中等症には 1〜2 mg を皮下・筋注または静注．必要があれば，その後 20〜30 分ごとに繰り返し注射．重症には初回 2〜4 mg を静注，その後症状に応じアトロピン飽和の徴候が認められるまで繰り返し注射．
亜硝酸ナトリウム*	シアン化合物	300 mg をゆっくり 5 分以上かけて静注する．小児には 10 mg/kg を 10 分以上かけて静注．
10%チオ硫酸ナトリウム		成人には 1 回 12 g を静注する．小児には 50 mg/kg を静注．
酢酸ヒドロキソコバラミン		5 g を 30 分かけて点滴静注．15 g まで投与可能．小児には 70 mg/kg を点滴静注．
ジメルカプロール(BAL)	ヒ素，水銀，鉛，銅	1 回 2.5 mg/kg，第 1 日目は 6 時間間隔で 4 回，第 2 日目以降 6 日間は 1 日 1 回筋注する．鉄，カドミウムまたはセレンは禁忌．
ヘキサシアノ鉄(Ⅱ)酸鉄(Ⅲ)水和物(プルシアンブルー)	タリウム，タリウム化合物	1 回 3 g を 1 日 3 回経口投与する．臨床症状のほか，血中，尿中，または糞便中タリウム量を測定し，本剤の投与継続の必要性を検討する．
エデト酸カルシウム二ナトリウム(EDTA)	鉛	1 回 1 g を 5%ブドウ糖注射液または生理食塩水 250〜500 mL で希釈して約 1 時間かけて点滴静注する．
メシル酸デフェロキサミン	鉄	1 日 1000 mg を 1〜2 回に分けて筋注．
ペニシラミン	鉛・水銀・銅	1 日 1000 mg，食前空腹時数回に分割経口服用する．
塩酸ピリドキシン	イソニアジド，放射線照射	1 日量 10〜100 mg 内服する．または 1 日量 10〜100 mg を 1〜2 回に分けて皮下・筋注または静注する．
フェイトナジオン	ワルファリンカリウム，抗菌薬	薬剤投与中に起こる低プロトロンビン血症などには 20〜50 mg を分服または皮下，筋注または静注する．
硫酸プロタミン	ヘパリン	投与に際しては，1 回につき 50 mg をこえない量を生理食塩水または 5%ブドウ糖注射液 100〜200 mL に希釈し，10 分間以上かけて徐々に静注する．

*：試薬より無菌的に院内調製され注射薬として用いられる．

化に必要なGSHは枯渇し，NAPQIの蓄積が始まる．このNAPQIは細胞蛋白の高分子物質と共有結合し肝細胞の壊死を起こすため，重篤な肝障害が生じる．

成人での中毒量の目安は150〜250 mg/kgで，350 mg/kg以上では重篤な肝障害を起こす．経口致死量は13〜25 gである．臨床的には成人で7.5 g，小児では150〜200 mg/kgが肝毒性発現の目安である．

肝毒性の予後を決定する重要な因子は血中濃度である．摂取後4時間以降の血中濃度を測定し，Rumack-Matthewのノモグラム(e図18-2-D)の治療ライン(treatment line；4時間値150 μg/mL)以上であれば，GSHの前駆体であるアセチルシステインの投与が勧められる．

c. 催眠薬(ブロムワレリル尿素，ジフェンヒドラミン)中毒

ブロムワレリル尿素は，催眠鎮痛薬として医療用と一般用薬が販売されている．解熱鎮痛薬(OTC)にも含有されているため注意が必要である．服用後速やかに吸収され，20〜30分で催眠鎮痛作用を発現する．血中に入るとブロムイオン(Br^-)を遊離し，体内のクロルイオン(Cl^-)と置換する．脳脊髄中に大量に移行して，大脳の興奮を抑制し，鎮静・催眠作用と抗痙攣作用を示す．作用の発現が早く，持続時間は短い．ヒトにおける中毒量は6 g，致死量は20〜30 gである．意識障害が主症状であるが，重症では呼吸中枢抑制による換気障害や末梢血管拡張による低血圧を生じる．Br^-がX線不透過性であるため，胃内に残存すると薬物塊の陰影がみられることがある．この場合は，内視鏡にて細く砕きながら積極的な胃洗浄を行う．また活性炭吸着療法も有効である．大量の生理食塩水の点滴により，Cl^-が体内のBr^-と置換し，腎からのBr^-の排泄を促す．さらにループ利尿薬投与や血液透析により排泄は促進される．

ジフェンヒドラミンは，ヒスタミンH_1受容体拮抗薬のなかでも，特に催眠鎮静作用の強いことから，近年，睡眠導入用のOTC薬に含まれるようになり，中毒例が増加している．中毒症状の発現は，摂取量に比例する．成人致死量は20〜40 mg/kgである．大量摂取時はムスカリン様アセチルコリン受容体拮抗作用(アトロピン様作用)が増強し，抗コリン様症状(散瞳，口渇)を呈する．成人では，眠気，混迷，混乱，昏睡などの中枢神経抑制の症状を呈しやすい．小児は抗コリン作用からの回復は速く，振戦，高熱，強直間代性痙攣などの中枢神経興奮作用を呈することが多い．血圧上昇，頻脈，心室性不整脈，心停止などの心血管系症状を呈することもある．心電図をモニターし，QRS間隔が延長した場合は，アシドーシスの予防に炭酸水素ナトリウムを投与する．

(3)薬物依存症

依存性は精神依存と身体依存に分類できるが，これらは連続した状態であり，中枢興奮性作用をもつ覚醒剤，コカイン，幻覚剤は精神依存にとどまり身体依存まで進展しない．一方，中枢抑制作用をもつ麻薬性鎮痛薬，アルコール，バルビツール酸誘導体類は身体依存まで進展する(eコラム1)．薬物依存症に常時みられるのは薬物への精神依存と薬物を求める衝動である．薬物摂取による快感や満足感の獲得(正の強化効果・報酬効果)や，不安，苦痛からの解放(負の強化効果)により，薬物探索行動が始まる．この強化効果，報酬効果は脳内ドパミン神経系，特に中脳辺縁系が深く関与している．

依存性に留意が必要な医薬品としては，向精神薬(ベンゾジアゼピン類，塩酸メチルフェニデート)，中枢性鎮痛薬(塩酸ブプレノルフィン)，抗Parkinson薬(ビペリデン)，食欲抑制薬(マジンドール)などがあげられる．これらの薬物は連用後に中止した際，薬物血中濃度が低下し効果が減弱したとき，退薬症候(離脱症状)が発現するおそれがあるため，注意を要する．

〔福本真理子〕

■文献(e文献 18-2-6)

Baselt, Randll C: Disposition of Toxic Drugs and Chemicals in Man, 10th ed, Biomedical Pubns, 2014.

Kearney TE: Therapeutic Drugs and Antidotes. Poisoning & Drug Overdose, 6th ed (Olson KR ed), pp404-509, McGraw-Hill, 2011.

Klaassen CD: Casarett and Doull's Toxicology; The Basic Science of Poisons, 8th ed, McGraw-Hill Professional Pub, 2013.

7) 麻薬・覚醒剤を含む精神作用物質による依存と中毒

少なからぬ精神作用物質(以下，薬物と称する)は，その使用の結果として，依存(dependence)や中毒(intoxication)を引き起こす．この依存を理解するためには，薬物の乱用，依存，中毒の違いと，これら3つの概念の関係性を理解することが重要である(図18-2-1)．

概念・臨床症状・病態・経過

1)薬物乱用(drug abuse)：薬物を社会的許容から逸脱した目的，方法で自己使用することをいう．

この乱用には，以下のような場合がある．①覚醒剤，麻薬(コカイン，ヘロイン，LSD，MDMAなど)，大麻などのように，使用そのものが法律により規制(原則禁止)されている薬物の使用．②飲酒・喫煙のように未成年者に対する法規制がある場合の未成年者による使用．③シンナーなどの有機溶剤，各種ガス

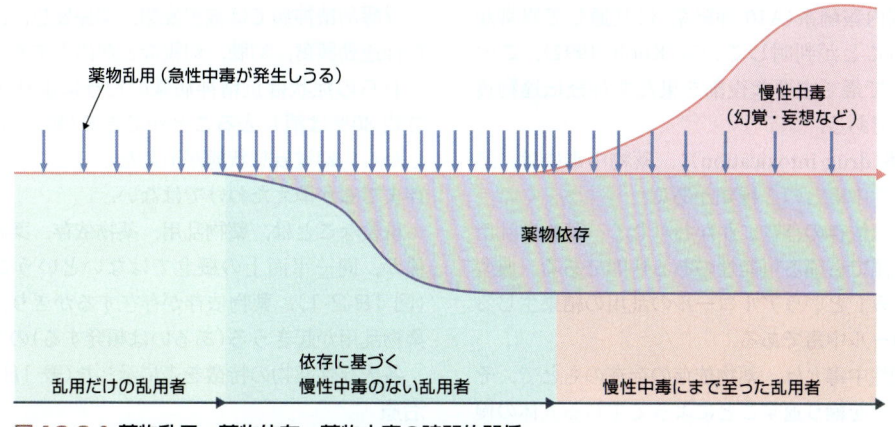

図18-2-1 薬物乱用・薬物依存・薬物中毒の時間的関係

類の本来用途以外の吸引．④医薬品の治療目的外使用．⑤医薬品の服用量，服用回数の逸脱的使用．これらの場合，その行為は1回でも乱用である．

ただし，わが国では成人に対する飲酒の法規制はないが，イスラム文化圏では飲酒自体が禁じられていることが多く，この乱用という概念は社会規範からの逸脱という尺度で評価した用語であり，医学用語としての使用には難がある．そのため，国際疾病分類第10版（ICD-10）では文化的・社会的価値基準を含んだ薬物乱用という用語を廃し，精神的・身体的意味での有害な使用パターンに対して「有害な使用（harmful use）」という用語を使うことになっている（WHO, 1993）．

2）薬物依存（drug dependence）（図18-2-2）： 薬物乱用の繰り返しの結果生じた脳の機能異常のために，薬効が切れてくると薬物を再度使いたいという渇望（craving）に打ち勝てずに，その薬物を再使用してしまう状態をいう．

薬物依存を理解するためには，身体依存（physical dependence）と精神依存（psychic dependence）の2つに分けて考えると理解しやすい．

身体依存とは，長年の薬物使用により生じた人体の馴化の結果であり，その薬物が体内に入っているときにはさほど問題を生じないが，これが切れてくると，いろいろな症状（離脱症状（退薬徴候．禁断症状ともいう）が出てくる状態である．断酒による手の震えや振戦譫妄（意識障害）が典型である．身体依存に陥ると，退薬時の苦痛を避けるために薬物を手に入れようと行動する．この薬物入手のための行動を薬物探索行動（drug seeking behavior）という．

一方，精神依存とは，その薬効が切れても離脱症状は出ない（ないしは，実生活上，問題とはならない）．ただし，薬効が切れると，その薬物を再度使用したいという渇望が湧いてきて，その渇望をコントロールできずに薬物探索行動に走り，薬物を再使用してしまう状態である．

身体依存であろうが，精神依存であろうが，必ず薬物探索行動という形で表面化する．しかも，薬物依存の本態は精神依存であり，身体依存は必須ではない．アルコール，モルヒネ，ヘロインなど多くの中枢神経抑制系の精神作用薬物には身体依存と精神依存の両方があるが，覚醒剤，コカイン，LSDなどの多くの中枢神経興奮系の精神作用物質には身体依存はない（ないしは，実生活上，問題とはならない）とされている．

以上とは別に，多くの精神作用物質では，その使用を繰り返すうちに，その薬物に対する人体の慣れが生じ，同じ効果を得るためには摂取量を増やす必要が出てくる（耐性，tolerance）．ただし，耐性自体は薬物依存の必須条件ではない．コカインには耐性はないとされている．

薬物ごとに脳での作用部位は異なるが，依存という病態に陥っているからには，中脳腹側被蓋野から側坐

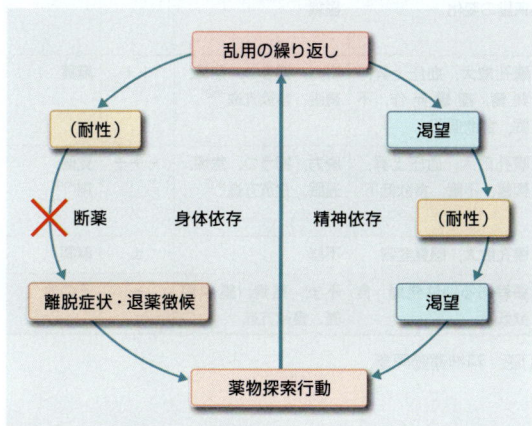

図18-2-2 精神依存と身体依存
薬物依存の本態は精神依存である．精神依存とは渇望に対する自己コントロールの喪失である．身体依存とは断薬によって離脱症状（退薬徴候）が出現する病態である．精神依存であろうが，身体依存であろうが，薬物探索行動によって表面化する．

核に至る脳内報酬系（A10神経系）に共通して異常が起きていることが判明している（Koob, 1992）．このA10神経系で最も主要な役割を果たす神経伝達物質がドパミンである．

3）薬物中毒（drug intoxication）： 薬物中毒には，急性中毒と慢性中毒との2種類がある．

急性中毒は依存の存在にかかわりなく，薬物を乱用さえすれば誰でも陥る可能性のある病態である．典型は「一気のみ」というアルコールの乱用の結果生じる急性アルコール中毒である．

一方，慢性中毒とは，薬物依存の存在のもとで，その薬物の使用を繰り返すことによって生じる人体の慢性的異常状態である．依存に基づく飲酒，喫煙による肝硬変，肺癌は慢性中毒として理解できる．幻覚妄想状態を主症状とする覚醒剤精神病や無動機症候群を特徴とする有機溶剤精神病も慢性中毒である．

覚醒剤精神病では被害妄想，関係妄想，注察妄想，精神運動興奮，幻聴，幻視などが出現する．しかし，これらの症状は抗精神病薬の投与により3カ月以内で約80％は消し去ることができる（和田ら，1990）．しかし，幻覚妄想状態が消えたからといって，薬物依存までもが消えたわけではない．

重要なことは，薬物乱用，薬物依存，薬物中毒の関係が，同一平面上の概念ではないということである（図18-2-1）．薬物依存が存在するかぎり，いつでも薬物乱用が起きうる（あるいは頻発する）のである．

各依存性薬物の特徴を表に示した（表18-2-9）．

治療

薬物依存を「治す」特効薬はない．いったん異常となったA10神経系は半永久的にもとには戻らない可能性があるとされている．

これは糖尿病などの慢性疾患に近い病態だと考えら

表 18-2-9 依存性薬物の心身に及ぼす作用の特徴

中枢作用	薬物のタイプ	精神依存	身体依存	耐性	催幻覚	乱用時のおもな症状	離脱時のおもな症状	精神毒性	分類[※1]
抑制	あへん類（ヘロイン，モルヒネなど）	+++	+++	+++	−	鎮痛，縮瞳，便秘，呼吸抑制，血圧低下，傾眠	瞳孔散大，流涙，鼻漏，嘔吐，腹痛，下痢，焦燥，苦悶	−	麻薬
	バルビツール類	++	++	++	−	鎮静，催眠，麻酔，運動失調，尿失禁	不眠，振戦，痙攣発作，譫妄	−	向精神薬
	アルコール	++	++	++	−	酩酊，脱抑制，運動失調，尿失禁	発汗，不眠，抑うつ，振戦，吐気，嘔吐，痙攣発作，譫妄	+	その他
	ベンゾジアゼピン類（トリアゾラムなど）	+	+	+	−	鎮静，催眠，運動失調	不安，不眠，振戦，痙攣発作，譫妄	−	向精神薬
	有機溶剤（トルエン，シンナー，接着剤など）	+	±〜+	+	+	酩酊，脱抑制，運動失調	不安，焦燥，不眠，振戦，	++	毒物劇物
	大麻（マリファナ，ハシッシなど）	+	±〜+	+	++	眼球充血，感覚変容，情動の変化	不安，焦燥，不眠，振戦	+	大麻
興奮	コカイン	+++	−	−	−	瞳孔散大，血圧上昇，興奮，痙攣発作，不眠，食欲低下	脱力，抑うつ，焦燥，過眠，食欲亢進[※2]	++	麻薬
	アンフェタミン類（メタンフェタミン，MDMAなど）	+++	−	+	−[※3]	瞳孔散大，血圧上昇，興奮，不眠，食欲低下	脱力，抑うつ，焦燥，過眠，食欲亢進[※2]	+++	覚醒剤[※4]
	LSD	+	−	+	+++	瞳孔散大，感覚変容	不詳	±	麻薬
	ニコチン（タバコ）	++	±	++[※5]	−	鎮静あるいは発揚，食欲低下	不安，焦燥，集中困難，食欲亢進	−	その他

（注）精神毒性：精神病を引き起こす作用．譫妄：不安，不眠，幻視，幻聴，精神運動興奮．
* 1：法律上の分類．
* 2：離脱症状とはいわず，反跳現象という．
* 3：MDMAでは催幻覚＋．
* 4：MDMAは法律上は麻薬．
* 5：主として急性耐性．
+−：有無および相対的な強さを表す．ただし，各薬物の有害性は，上記の＋−のみで評価されるわけではなく，結果として個人の社会生活および社会全体に及ぼす影響の大きさをも含めて，総合的に評価される．

れる．「治す」のではなく，コントロールする必要がある．薬物依存の場合には，まずは薬物の使用を断ち，その後は再使用しないように自己コントロールし続けることが治療となる．そのために実行すべきことは，それまでの薬物使用に関係していた状況（人間関係，場所，お金，感情，ストレスなど）を整理・清算し，薬物を使わない生活を持続させることである．ただし，1人での決意はほとんど持続しない．持続させるためには，これらの整理・清算を認知行動療法を用いて体系的に習得させてくれる医療施設，相談施設に通い続けるか，ダルク（Drug Addiction Rehabilitation Center）やNA（Narcotic Anonymous）などの自助活動に参加し続け，同時に，薬物を使わない新しい仲間をつくることが大切である．また，「認知行動療法をひと通り受けたからもう大丈夫」ということでもない．参加し続けることが糖尿病治療でのインスリン治療と同じ意味をもつと考える必要がある．〔和田　清〕

■文献

Koob GF: Drugs of abuse: anatomy, pharmacology and function of reward pathways. *Trends Pharmacol Sci*. 1992; **13**; 177-84.

和田　清，福井　進：覚せい剤精神病の臨床症状―覚せい剤使用年数との関係．アルコール研究と薬物依存．1990; **25**: 143-58.

WHO: Expert Committee on Drug Dependence, Twenty eight Meeting. pp4-5, 1993.

基準値

臨床検査の位置づけと数値データ解釈の基本

(1) 臨床検査の位置づけ

日常診療における病歴情報と診察所見の重要性は論を待たない．日常初期診療において，これらの情報だけにより，最終診断が予測できることは少なくない．しかし，それに加え，これらと相補的かつ客観的なデータを提供してくれる臨床検査の重要性も同じように論を待たず，臨床検査医学の進歩により，その重要性は着実に増している．

日本臨床検査医学会では，以前より，診察の一部として利用する「基本的検査」を提案してきている．表1，表2には，2003年の「基本的検査」改訂案を示す．病歴情報と診察所見に加えて基本的検査所見を総合的に評価し，どの系統の疾患ないし病態かを推定し，仮の診断を行い，次に患者の問題点を明確化し，問題解決に必要な臓器系統別検査を行い診断を得るというプロセスをふむものである．必要ならば診断確定のための検査を追加する．確定診断のための検査で陽性所見が得られなければ，次の可能性を考えてそれに必要な検査を選択するという直列的検査選択が効果的，経済的で診療能力の向上にもつながるとされている．むやみに多くの臨床検査データの結果を並べる姿勢は厳に慎まねばならない．一方，最近では包括医療が進み，逆の意味での粗悪診療，つまり，必要な検査が行われないという心配もある．

以上のように，臨床検査が適正に使用されることの必要性・重要性はますます高まっている．その意味で，日本臨床検査医学会(ガイドライン作成委員会)が，「臨床検査のガイドライン JSLM2015 検査値アプローチ/症候/疾患」(日本臨床検査医学会, 2015)を発刊していることは意義深いと考えられる．このガイドラインは，日常診療の基本となる臨床検査の最大公約数的なもので，かつ，学問的な診断的付加価値を加えた実用的な必要最小限の検査指針の作成を目指しており，有用なものである．

(2) 数値データを解釈するための目安

臨床検査は，血液，尿，髄液などの検体の成分を分析する検体検査と，患者の生体活動を直接記録する生理(生体)検査に大別される．検査特に検体検査の結果の大部分は数値として出されるが，その評価の際によりどころとなるものとして，基準範囲と臨床判断値がある．

基準範囲

基準範囲は，基準個体(一般には健康個体)の示す基準値を多数集めて，基準個体が属する母集団の測定値分布を統計学的に推計し，その分布の中央約95.5%(正規分布をとる場合は平均±2標準偏差の範囲)を含む数値範囲を算出したものである(図1)．基準範囲の実際の算出方法に関しては既報(日本臨床検査医学会標準委員会基準値・基準範囲特別委員会，2002)を参照されたい．イメージ的には，正常範囲(正常値)というべきものである．しかし，正常範囲(正常値)ということばには，従来多くの混乱や誤解があり，最近では，使用されなくなってきている(日本臨床検査医学会標準委員会基準値・基準範囲特別委員会，2002)．

基準範囲は，個体間での測定値のばらつき(個体間変動)，健康な個体における生理的な変動幅(個体内変動)，測定技術上の誤差(技術的変動)が合わさったものと考えられる．近年では，検査技術の進歩により，技術的変動が基準範囲幅の主成分であるような項目はほとんどないと考えてよい．したがって，基準範囲は，個体間変動と個体内変動が合成されたものとなるが，この両者の比率が検査項目によってかなり変わることは知っておくべきである．表3は，血清生化学検査項目の平均的な生理的個体内・個体間変動を推定し，その大きさを変動係数(CV%)で示したものである．個体内変動/個体間変動の数値から理解されるように，血清電解質類は個体間変動つまり個体差が小さいことが理解できる．この電解質のように，個体内変動幅が個体間変動幅に比べ十分に大きい項目では，基準範囲は主として個体内変動を反映して決定されることになる．基準範囲は個々の個体が健康状態で示しうる生理的変動幅とほ

表1 基本的検査(1) (いつでもどこでも必要な検査)

1. 尿検査：蛋白，糖，潜血
2. 血液検査：白血球数，ヘモグロビン，ヘマトクリット，赤血球数，赤血球恒数(指数)
3. CRP
4. 血液生化学検査：血清総蛋白濃度，アルブミン[アルブミン/グロブリン比(A/G 比)]

表2 基本的検査(2) (入院時あるいは外来初診時でも必要のあるとき行う)

1. 尿検査：色調，混濁，pH，比重，蛋白，糖，潜血，尿沈渣
2. 血液検査：白血球数，ヘモグロビン，ヘマトクリット，赤血球数，赤血球恒数(指数)，血小板数，末梢血液像
3. 血液生化学検査：血清総蛋白濃度，血清蛋白分画，随時血糖(またはHbA1c)，総コレステロール，トリグリセリド，AST，ALT，LD，ALP，γ-GT，コリンエステラーゼ，尿素窒素，クレアチニン，尿酸
4. 糞便検査：潜血反応
5. 血清検査：CRP，HBs抗原・抗体検査，HCV抗体，梅毒血清反応
6. 胸部単純X線撮影
7. 腹部超音波検査
8. 心電図検査

表3 純粋な生理的個体内・個体間変動の推定値（CV%）とその割合（金井正光監：臨床検査法提要 改訂第34版, p58, 金原出版, 2015）

成分	個体内変動 CV_W	個体間変動 CV_B	CV_W/CV_B	成分	個体内変動 CV_W	個体間変動 CV_B	CV_W/CV_B
Na	1.1	0.6	1.83	クレアチニン	9.9	17.0	0.58
血清鉄	28.2	19.8	1.42	遊離コレステロール	10.6	18.3	0.58
IP	11.0	8.0	1.38	尿酸	9.8	17.5	0.56
Ca	2.8	2.1	1.33	CK	15.2	27.3	0.56
K	5.6	4.3	1.30	LD	6.4	12.6	0.51
Cl	1.2	1.0	1.20	総コレステロール	7.9	17.2	0.46
アルブミン	3.7	3.5	1.06	ZTT	14.5	32.0	0.45
総蛋白	3.4	4.0	0.85	LAP	5.6	13.2	0.42
BUN	13.4	15.9	0.84	ALP	9.0	25.9	0.35
TTT	32.1	44.6	0.72	γ-GT	17.1	51.8	0.33
トリグリセリド	33.1	46.7	0.71	ALT	12.2	36.8	0.33
総ビリルビン	18.8	26.9	0.70	コリンエステラーゼ	6.3	20.1	0.31
AST	11.9	17.0	0.70	アミラーゼ	7.2	23.3	0.31

ぼ一致することになり，したがって，ここからはずれることは，比較的「異常」としやすい．

一方，大多数の項目，特に酵素類は個体間変動に対して個体内変動が小さい．このような個体間変動幅が個体内変動幅より大きい項目では，基準範囲の幅は主として個体間変動を反映して決定される．基準範囲は各個体の異常を判定する指標としては検出感度が低い．このタイプの項目では，各個体が健康なときに検査を繰り返して変動幅（個人の基準範囲）を求めておき，それを測定値の判定指標とするのが理想的である．しかし，現実には，多くの臨床検査項目に関して，個人の基準範囲が把握されていることは少なく，やむをえず，集団の基準範囲に照らし合わせて判定せざるをえないという限界を頭に入れておく必要がある．たとえば，白血球数（集団の基準範囲が3300〜8600 /μL）を例にとる．毎年の健康診断でいつも白血球数が3500〜4500 /μLを推移していた人が，ある年に白血球数8500 /μLとなった場合は，その数値には（集団の基準範囲内におさまっていても）注意が必要である．一方，白血球数が9500 /μLで基準範囲をこえていても，過去の白血球数がいつも9000台/μLであれば，特に問題なしとしてよい場合が多い．

いずれにしても，基準範囲は病態判別指標としては本質的な限界を有しており，あくまで汎用的な「物差し」と考えるべきである．しかし，以下に述べる臨床判断値が定まっていない項目などを含め，日常診療における検査結果の判定において重要なよりどころになっていることは間違いない．最近，わが国においても，質・汎用性の高い基準範囲が提唱されており，これらを有効に利用することは大切である．

日本臨床検査標準協議会（JCCLS）は最近，共用基準範囲を提唱している．その際に用いられた基準個体の条件を表4に示す．ある程度の肥満を許容し，飲酒や喫煙習慣にも大きな制限を設けておらず，一般にはゆるい基準と考えられる．総計8793例から男女比・年齢分布を調整した6345例の基準個体の選別基準や採血条件はほぼ同じであり，測定値は標準化・調和化が達成された状態にあると考えられ，日本国内で，測定値に地域差はないことも確認されている．したがって，これはたいへん質の高い共用基準範囲と考えられる．

一方，日本人間ドック学会（人間ドック学会）および健康保険組合連合会（健保連）が2014年4月に公表した「新たな健診の基本検査の基準範囲」も，膨大な数の人間ドック受診者データをもとにした基準範囲であり，その際の基準個体の条件を表5に示す．

この2つの基準範囲は，基準個体の選別基準から異なっており，当然ながらその数値範囲は同じではない．たとえば，白血球の基準範囲はJCCLS共用基準範囲では3300〜8600 /μLであるが，人間ドック学会・健保連の基準範囲は白血球3000〜7600 /μLである．対象者として，前者は喫煙に大きな制限を設けていない（表4）．一方，後者は喫煙なし（表5）としているのも1つの理由と思われる．喫煙者では白血球数が増加することはよく知られている．

臨床判断値

以上のように，基準範囲は，健常個体の検査値の分布に基づき設定され，特定の疾患や病態，さらには治療の目標などを特に考慮して算出されていない．これに対し，臨床判断値は，特定の疾病の診断基準・有無の判別，さらには治療の目標に用いられるものであり，概念自体が基準範囲と異なる．また，同じ検査項目に関しても，検査値の使用目的により，臨床判断値は異なってくる．いくつかある臨床判断値のなかで，以下を区別して理解しておくとよい．

診断閾値（カットオフ値）は，特定の疾患を診断する検査閾値であり，通常は疾患特異的な検査に対して設定される．対象疾患が決まっているので，症例対照研究などにより，疾患群と非疾患群の検査値の分布を調べ，両者を判別するために最適なカットオフ値を設定する．この値は，検

表4 JCCLS 共用基準範囲における基準個体

自分で健康と自覚する医療従事者をおもな対象とし，次の6つの除外基準に該当しないもの
1) BMI ≧ 28
2) 飲酒量（エタノール換算）≧ 75 g/日
3) 喫煙 > 20 本/日
4) 定期的な薬物治療
5) 妊娠中または分娩後1年以内
6) 術後，急性疾患で入院後2週以内
7) HBV, HCV, HIV のキャリア

表5 人間ドック学会・健保連が公表した「新たな健診の基本検査の基準範囲」における基準個体

1) 既往歴に悪性腫瘍，慢性肝疾患，慢性腎疾患などの疾患のない者，ないしは入院歴のない者
2) 退院後1カ月以上経過している者
3) 現病歴で下記の事象がない者
   ・薬物の常用（高血圧，糖尿病，脂質異常症，高尿酸血症などの疾患の治療のため）
   ・B型肝炎あるいはC型肝炎
4) BMI値：25 未満
5) 喫煙なし
6) 飲酒1合/日未満
7) 血圧 130/85 mmHg 未満

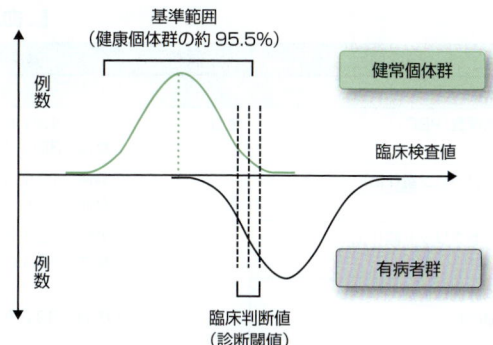

図1 臨床検査の基準範囲と臨床判断値

査実施の目的，対象疾患の有病率，偽陰性・偽陽性のコストなどにより変化する．具体的には，腫瘍マーカー，自己抗体，感染症マーカーなどの検査結果の判定に用いる場合を想定するとよい．

予防医学的閾値は，疫学的調査研究に基づいて将来の発症が予測され，予防医学的な見地から一定の対応が要求される検査の閾値である．個々の疾患の診断，治療目標設定のために，学会などにより提唱されている臨床検査に関する診断基準がこれにあてはまる．診断「基準」となっているが，基準範囲とは関係ない．具体的には，虚血性心疾患の発症リスクが増加することに基づく日本動脈硬化学会の脂質異常症の診断基準などである．

治療閾値は，医学的な介入を必要とする検査の閾値であり，いわゆる緊急報告検査値（パニック値）とよばれているものがこれに相当する．原疾患とは無関係に決まる数値であり，診断的な意義はない．

基準値を巡る誤解と混乱

人間ドック学会・健保連が2014年4月に「新たな健診の基本検査の基準範囲」を公表して以降，この解釈を巡って誤解が生じ，医療現場に混乱が生じてしまった．

通常，検査の「基準値」という場合，「基準範囲」，「臨床判断値」のどちらを指すかがあいまいな場合が多い．しかし，上述のとおり，両者の意味するところはまったく違っており，明確に区別すべきものである．人間ドック学会・健保連が公表したのは「基準範囲」であり，これは，多くの健常個体から得られた検査値を集めて，その分布の中央約95.5％を含む数値範囲を統計学的に算出したもので

あり，病態判別指標としては本質的な限界を有している．これを疾病の診断，将来の疾病発症の予測，治療の目標などの目的に使用することは一般的には難しい．

一方，各種専門学会などにより提唱されている診断基準のなかで用いられている検査の基準値は「臨床判断値」である．たとえば，日本動脈硬化学会の脂質異常症の診断基準に記載されているものなどがその代表で，これは，疫学的調査研究に基づいて将来の虚血性心疾患の発症が予測され，予防医学的な対応が要求される検査の閾値，つまり，予防医学的閾値という臨床判断値である．

このように，基準範囲と臨床判断値はまったく異なる概念から生まれた数値であり，基準範囲（の上限値・下限値）と臨床判断値は異なるのが当然である（図1）．同一の検査項目に関して，基準範囲と臨床判断値の両者が存在する場合，疾病の診断，将来の疾病発症の予測，治療の目標に用いられるべきは臨床判断値と考えられる．

以上のことが理解されない状況で，混乱が起きたことは残念であったと考えられ，基準値に関する正しい理解が強く求められる．これに関して，日本医師会と日本医学会は的確な見解を示している．（日本医師会，2014）

（3）まとめ，本書の検査一覧について

以上，臨床検査の数値データを解釈するための基準範囲と臨床判断値について略述した．多くの施設で，各臨床検査項目の基準値（範囲）欄には，基準範囲と臨床判断値が混在しているのが実情と理解しているが，以下の基準値表も例外ではない．なお，上述したJCCLSの共用基準範囲に関しては，＊で示した．また，基本的項目に関しては下線で示した．

〔矢冨　裕〕

■文献

日本医師会：日本人間ドック学会・健保連が示す健診の検査基準に対する見解（補足）日医白クマ通信．2014; **1799**. http://www.med.or.jp/shirokuma/no1799.html

日本臨床検査医学会：臨床検査のガイドライン JSLM2015, 2015. http://www.jslm.org/books/guideline/index.html

日本臨床検査医学会標準委員会基準値・基準範囲特別委員会：「基準値」，「基準範囲」について．臨床病理．2002; **45**: 1154-9.

I. 血液学的検査

検査項目	試料	基準値と注意点	おもな疾患・病態との関連
1. 赤血球系			
赤血球数(RBC)	全血	男性：435-555 × 10^4/μL* 女性：386-492 × 10^4/μL*	[高値]（真性）赤血球増加症 [低値] 貧血
ヘモグロビン量(Hb)		男性：13.7-16.8 g/dL* 女性：11.6-14.8 g/dL*	
ヘマトクリット値(Ht)		男性：40.7-50.1%* 女性：35.1-44.4%*	
平均赤血球恒数 MCV MCH MCHC		83.6-98.2 fL* 27.5-33.2 pg* 31.7-35.3 g/dL*	[MCV 増加, MCH 増加, MCHC 正常] 巨赤芽球性貧血（悪性貧血, ビタミン B$_{12}$ 欠乏性貧血, 葉酸欠乏性貧血） [MCV 正常, MCH 正常, MCHC 正常] 各種の溶血性貧血, 出血性貧血, 再生不良性貧血, 骨髄癆性貧血（白血病, 多発性骨髄腫）, 続発性貧血 [MCV 減少, MCH 減少, MCHC 減少] 鉄欠乏性貧血, サラセミア, 鉄芽球性貧血, 無トランスフェリン血症
網赤血球(Ret)		0.5-2.0% 2-10 × 10^4/μL 絶対数での評価が重要である	[高値] 溶血性貧血, 大量出血, 貧血からの回復期 [低値] 再生不良性貧血, 白血病, 骨髄機能低下
エリスロポエチン	血清・血漿	8-36 mU/mL 夜間に高値	[高値] 低酸素状態, エリスロポエチン産生腫瘍 [低値] 腎性貧血, 真性赤血球増加症
赤血球寿命	全血	T$_{1/2}$：25-40 日	[低値] 溶血性貧血, 出血
赤血球浸透圧抵抗試験 （Parpart 法）	全血	新鮮血：溶血開始点 0.50-0.45% NaCl, 溶血完了点 0.30-0.20% NaCl 24 時間孵置血：溶血開始点 0.70-0.60% NaCl, 溶血完了点 0.40-0.20% NaCl	[低値] 赤血球の表面積/体積比の減少（遺伝性球状赤血球症など） [高値] 赤血球の表面積/体積比の増大（鉄欠乏性貧血, サラセミアなど）
Ham 試験（酸溶血試験）	赤血球浮遊液	陰性（溶血率 5%以下） 溶血率 10%以上で陽性	[陽性] 発作性夜間ヘモグロビン尿症
ヘモグロビン F	全血	1.3%未満	[高値] 異常ヘモグロビン症の一部, ヒドロキシウレア服用
ヘモグロビン A2	全血	1.5-3.6%	[高値] β-サラセミア
2. 白血球系			
白血球数(WBC)	全血	3300-8600/μL*	[高度高値]（50000/μL 以上）白血病, 骨髄増殖性腫瘍, 重篤な感染症, 悪性腫瘍 [軽度～中等度高値]（10000-50000/μL 以上）感染症, 自己免疫性疾患, ストレス, 重症の代謝異常, 薬物中毒, 白血病, 骨髄増殖性腫瘍, 妊娠, ステロイド服用 [低値] 再生不良性貧血, 抗癌薬投与, 薬物アレルギー, 放射線照射, 癌の骨髄転移, 骨髄異形成症候群, 巨赤芽球性貧血, 脾機能亢進症, 腸チフス, ウイルス感染症, 骨髄線維症, 粘液水腫, AIDS, 無顆粒球症
白血球百分率 好中球 好酸球 好塩基球 リンパ球 単球	全血 全血 全血 全血 全血	40.0-60.0%(1800-7200) 2.0-4.0%(0-500) 0-2.0%(0-150) 26.0-40.0%(1500-4000) 3.0-6.0%(200-950) 絶対数での評価が重要である	
好中球アルカリホスファターゼ （NAP スコア）	全血	200-320（朝長法）	
3. 止血・血栓系			
血小板数(Plt)	全血	15.8-34.8 × 10^4/μL*	[高値] 本態性血小板血症, 真性赤血球増加症, 慢性骨髄性白血病, 骨髄線維症 [低値] 特発性血小板減少性紫斑病, 薬物性血小板減少症, 再生不良性貧血, 白血病, 巨赤芽球性貧血, 脾機能亢進症, 遺伝性血小板減少症
血小板粘着能（血小板停滞率）	クエン酸加全血	30-70%（コラーゲンビーズカラム法）	[高値] 虚血性心疾患, 糖尿病, 高脂血症 [低値] 種々の血小板機能低下症

検査項目	試料	基準値と注意点	おもな疾患・病態との関連
血小板凝集能	クエン酸加全血より多血小板血漿を調整	たとえば，2-5 μg/mL コラーゲン刺激で 40-80%．健常コントロールとの比較が望ましい	[低値] 種々の血小板機能低下症
von Willebrand 因子(VWF)	血漿（クエン酸血漿）	65-135%（リストセチンコファクター活性，抗原量）	[低値] VW 病
出血時間		1-5 分(Duke 法) 3-10 分(Simplate 法) 再現性に乏しく，次第に行われなくなっている	
β-トロンボグロブリン(β-TG)	血漿（抗血小板剤カクテル CTAD 入り）	7-50 ng/mL 測定キットにより異なる	[高値] 生体における血小板活性化亢進状態
血小板第 4 因子(PF4)		2-18 ng/mL 測定キットにより異なる	
プロトロンビン時間(PT) 　凝固時間 　INR 　PT比 　PT活性	血漿（クエン酸血漿）	11-13 秒 0.9-1.1 0.85-1.15 70%以上	[凝固時間延長] 重症肝疾患，DIC，薬剤（ワルファリン，アルガトロバン），ビタミンK欠乏症，凝固因子欠乏・異常症（フィブリノゲン，第Ⅱ・Ⅴ・Ⅶ・Ⅹ因子），循環抗凝血素
活性化部分トロンボプラスチン時間(APTT)	血漿（クエン酸血漿）	25-36 秒	[延長] 重症肝疾患，DIC，薬剤（ヘパリン，ワルファリン，アルガトロバン），ビタミンK欠乏症，凝固因子欠乏・異常症（フィブリノゲン，第Ⅱ・Ⅴ・Ⅷ・Ⅸ・Ⅹ・Ⅺ・Ⅻ因子，高分子キニノゲン，プレカリクレイン），ループスアンチコアグラント，第Ⅴ・Ⅷ・Ⅸ因子に対する循環抗凝血素
フィブリノゲン	血漿（クエン酸血漿）	186-355 mg/dL	急性期相蛋白質 [高値] 炎症，悪性腫瘍，ネフローゼ症候群 [低値] 重症肝疾患，DIC，無・異常フィブリノゲン血症，薬剤(L-アスパラギナーゼ，バトロキソビン，線溶療法)
トロンボテスト(TT)	血漿・全血（クエン酸加）	70-130%	PIVKA の影響を受けて延長しやすい
ヘパプラスチンテスト(HPT)	血漿・全血（クエン酸加）	70-130%	PIVKA の影響を受けにくい
アンチトロンビン(AT)	血漿（クエン酸血漿）	70-130%	[低値] 先天性アンチトロンビン欠損症，DIC，敗血症，血栓症，肝硬変，劇症肝炎
トロンビン・アンチトロンビン複合体(TAT)	血漿（クエン酸血漿）	3.0 ng/mL 以下	[高値] 凝固亢進状態
プロトロンビンフラグメント F_{1+2}	血漿（クエン酸血漿）	69-229 pmol/L	[高値] 凝固亢進状態
可溶性フィブリンモノマー複合体	血漿（クエン酸血漿）	7 μg/mL 未満 キットごとに異なる	[高値] 凝固亢進状態
血液凝固因子活性 　Ⅱ因子，Ⅴ因子，Ⅶ因子，Ⅷ因子，Ⅸ因子，Ⅹ因子，Ⅺ因子，Ⅻ因子，ⅩⅢ因子	血漿（クエン酸血漿）	70-120%	[低値] 各因子欠乏症（先天性，後天性）
プロテイン C	血漿（クエン酸血漿）	活性：64-146% 方法により異なる	[低値] プロテイン C 欠乏症（先天性，後天性）
プロテイン S	血漿（クエン酸血漿）	活性：60-150% 方法により異なる	[低値] プロテイン C 欠乏症（先天性，後天性）
プラスミノゲン	血漿（クエン酸血漿）	75-125%	[低値] プラスミノゲン欠乏症（先天性，後天性）
フィブリン・フィブリノゲン分解産物(FDP)	血清	10 μg/mL 以下．キットごとに異なる	[高値] 線溶亢進状態(DIC，劇症肝炎，肝硬変，血栓症，悪性腫瘍，ウロキナーゼ投与，手術後)
血漿 FDP(P-FDP)	血漿（クエン酸血漿）	5 μg/mL 未満．キットごとに異なる	
D ダイマー	血漿（クエン酸血漿）	1.2 μg/mL 以下．キットごとに異なる	[低値] 二次線溶亢進状態(DIC，静脈血栓塞栓症)
$α_2$ プラスミンインヒビター	血漿（クエン酸血漿）	85-115%	[低値] 産生低下（先天性，肝障害），消費亢進（DIC，血栓症）
プラスミン・$α_2$-プラスミンインヒビター複合体(PIC)	血漿（クエン酸血漿）	0.8 μg/mL 以下	[高値] 線溶亢進状態

検査項目	試料	基準値と注意点	おもな疾患・病態との関連
4. 全血液			
赤沈(赤血球沈降速度, ESR)	クエン酸加全血	成人男性：3-10 mm/時 成人女性：4-15 mm/時	[高値] 感染症, 炎症性疾患, 心筋梗塞, 悪性腫瘍 [低値] 赤血球増加症, DIC
血球回転 　循環赤血球量 　赤血球寿命 　血漿鉄消失半減時間 　血漿鉄交代率 　赤血球鉄利用率 　赤血球鉄交代率	全血	29.7 ± 0.6 mL/kg 25-40 日($T_{1/2}$) 60-120 分($PID_{1/2}$) 26-30 mg/日 80-90% 15-30 mg/日	

Ⅱ. 血液生化学的検査

検査項目	試料	基準値と注意点	おもな疾患・病態との関連
1. 糖質および関連物質			
グルコース(ブドウ糖)	全血・血漿	73-109 mg/dL*（空腹時, 静脈血漿）. 全血で測定すると血漿の測定値より低くなる	[高値] 糖尿病(日本糖尿病学会の診断基準では空腹時 126 mg/dL, 随時血糖 200 mg/dL 以上が糖尿病型), その他の耐糖能障害 [低値] インスリノーマ, 糖尿病治療薬の使用, 反応性低血糖
ガラクトース(果糖)	全血(除蛋白上清)	4.3 mg/dL 以下	[高値] 高ガラクトース血症
ピルビン酸	全血(除蛋白上清)	0.3-0.9 mg/dL	[高値] 循環不全, 肝疾患, 糖尿病, 乳酸脱水素酵素欠損症
乳酸	全血(除蛋白上清)	4-16 mg/dL 小児では成人よりやや高値	[高値] ショックなどによる循環不全, 骨格筋の過剰運動, 心筋梗塞, 肺栓塞, 呼吸不全, 肝不全・尿毒症・糖尿病などの全身性代謝異常
シアル酸	血清	44-71 mg/dL	急性期反応性物質として, 炎症や悪性腫瘍などの活動性病態を反映
ケトン体 　総ケトン体 　アセト酢酸 　β-ヒドロキシ酪酸	血清	120 μmol/L 以下 68 μmol/L 以下 74 μmol/L 以下	肝で脂肪酸の酸化により生成される [高値] 糖尿病, 栄養不良, 飢餓状態, 妊娠中毒症
2. 脂質および関連物質			
トリグリセリド(中性脂肪)(TG)	血清	(空腹時) 男性：40-234 mg/dL* 女性：30-117 mg/dL* 日本動脈硬化学会の脂質異常症の診断基準は 150 mg/dL 以上. 食後高値を示す	[高値] 家族性高リポ蛋白血症, 肥満, 甲状腺機能低下症, Cushing 症候群, 糖尿病, 妊娠 [低値] β-リポ蛋白欠損症, 甲状腺機能亢進症, 副腎不全, 肝硬変
遊離脂肪酸(FFA)	血清	100-800 μEq/L 生理的変動が激しい	[高値] 糖尿病, 重症肝障害, 甲状腺機能亢進症, 褐色細胞腫, 急性心筋梗塞, Cushing 症候群 [低値] 甲状腺機能低下症, 下垂体機能低下症, インスリノーマ, Addison 病
リン脂質(PL)	血清	150-240 mg/dL	[高値] 閉塞性黄疸, 原発性胆汁性肝硬変, 家族性高リポ蛋白血症, ネフローゼ症候群, 甲状腺機能低下症 [低値] β-リポ蛋白欠損症, 重症肝障害, Tangier 病, 甲状腺機能亢進症, 吸収不良症候群
総コレステロール(TC)	血清	142-248 mg/dL* 20 歳以降, 加齢に伴い徐々に増加. 特に女性は更年期以降急速に増加. 患者カテゴリー別に管理目標値がある	[高値] 家族性高コレステロール血症, 糖尿病, 妊娠, Cushing 症候群, ステロイド長期投与, 甲状腺機能低下症, ネフローゼ症候群, 閉塞性黄疸 [低値] β-リポ蛋白欠損症, 甲状腺機能亢進症, Addison 病, 重症肝障害, 吸収不良症候群
遊離型コレステロール	血清	30-60 mg/dL	コレステロールのエステル化は LCAT が担う. 肝障害では, LCAT 合成・分泌の低下により, エステル比が低下する
エステル型コレステロール	血清	90-200 mg/dL	
コレステロールエステル比	血清	73-77%	
HDL-コレステロール(HDL-C)	血清	(空腹時) 男性：38-90 mg/dL* 女性：48-103 mg/dL* 日本動脈硬化学会の脂質異常症の診断基準は 40 mg/dL 未満	[高値] コレステロールエステル転送蛋白欠損症, 肝性リパーゼ欠損症, アルコール摂取, 原発性胆汁性肝硬変, 薬剤 [低値] Tangier 病, LCAT 欠損症, 糖尿病, 慢性腎不全, 肥満, 喫煙

検査項目	試料	基準値と注意点	おもな疾患・病態との関連
LDL-コレステロール(LDL-C)	血清	(空腹時) 65-163 mg/dL* 日本動脈硬化学会の脂質異常症の診断基準は 140 mg/dL 以上	[高値] 家族性高コレステロール血症，特発性高コレステロール血症，糖尿病，甲状腺機能低下症，先端巨大症，下垂体機能低下症，閉塞性黄疸 [低値] 低β-リポ蛋白血症，甲状腺機能亢進症，栄養障害，重症肝疾患
リポ蛋白分画 　α-リポ蛋白 　preβ-リポ蛋白 　β-リポ蛋白	血清	アガロース電気泳動法 男　29-50%　　女　34-53% 　　8-29%　　　　3-23% 　　30-55%　　　33-53%	
リポ蛋白分画 　HDL 　LDL 　VLDL	血清	ポリアクリルアミドゲル電気泳動法 男　22-47%　　女　27-50% 　　46-68%　　　44-66% 　　3-19%　　　　2-12%	
アポ蛋白分画 　アポ A-I 　アポ A-II 　アポ B 　アポ C-II 　アポ C-III 　アポ E	血清	男(mg/dL)　　女(mg/dL) 119-155　　　126-165 25.9-35.7　　24.6-33.3 73-109　　　　66-101 1.8-4.6　　　　1.5-3.8 5.8-10.0　　　5.4-9.0 2.7-4.3　　　　2.8-4.6	
リポ蛋白(a)(LP(a))	血清	40 mg/dL 以下 同一個人の値は遺伝的に規定されており，おおむね一定である	[高値] インスリン抵抗性状態，III型高脂血症
レムナント様リポ蛋白コレステロール(RLP-C)	血清	7.5 mg/dL 未満	[高値] 虚血性心疾患，脳血管障害，閉塞性動脈硬化症，糖尿病，腎疾患
酸化LDL	血清・血漿	MDA-LDL：110 U/mL 未満 酸化LDL：13.6 U/mL 未満 加齢とともに増加	[高値] 動脈硬化症，脳梗塞，脳出血，心筋梗塞，狭心症，肺結核，間質性肺炎，肝障害，糖尿病，肥満，腎不全など
総胆汁酸(TBA)	血清	10 μmol/L 以下 食後に上昇	[高値] 肝硬変，肝炎，肝内・肝外胆汁うっ滞，体質性黄疸
3. 蛋白質および窒素化合物			
総蛋白(TP)	血清	6.6-8.1 g/dL* 臥位よりも立位で高値．運動で高値	[高値] ガンマグロブリン増加時(肝硬変，多発性骨髄腫ほか) [低値] ネフローゼ症候群，吸収不良症候群，蛋白漏出性胃腸症，重症肝障害，悪液質
アルブミン(Alb)	血清	4.1-5.1 g/dL* 臥位よりも立位で高値．運動で高値．脱水で高値	[低値] ネフローゼ症候群，栄養障害，重症肝疾患，火傷，無アルブミン血症，蛋白漏出性胃腸症，炎症性疾患
アルブミン/グロブリン比(A/G比)	血清	1.32-2.23* セルロースアセテート膜電気泳動法による蛋白分画から算出した場合は高めとなる	[高値] グロブリンの減少 [低値] アルブミンの減少またはグロブリンの増加
蛋白分画 　アルブミン(Alb) 　α₁-グロブリン 　α₂-グロブリン 　β-グロブリン 　γ-グロブリン	血清	 60.5-73.2% 1.7-2.9% 5.3-8.8% 6.4-10.4% 11-21.1%	M蛋白の有無を知るためには，各分画の数値のみでなく，実際の泳動像やデンシトメトリー像を確認することが重要である
プレアルブミン(トランスサイレチン)	血清	21-43 mg/dL 女性は男性より高い傾向を示す	rapid turnover protein(血中半減期は2日) [高値] ネフローゼ症候群，甲状腺機能亢進症，妊娠後期 [低値] 栄養不良，重症感染症，肝障害，吸収不良症候群
α₁-酸性糖蛋白	血清	40-100 mg/dL	急性期相蛋白質 [高値] 急性・慢性炎症，膠原病，悪性腫瘍など [低値] 肝障害，栄養不良
α₁-アンチトリプシン(α₁-AT)	血清	94-150 mg/dL	急性期相蛋白質 [高値] 感染症，膠原病，悪性腫瘍，妊娠，避妊薬服用 [低値] α₁-AT欠損症，新生児呼吸促迫症候群，劇症肝炎，栄養失調，蛋白漏出性胃腸症
α₂-マクログロブリン	血清	120-320 mg/dL	[高値] 糸球体腎炎，ネフローゼ症候群，慢性肝炎，肝硬変，糖尿病 [低値] α₂-マクログロブリン欠損症，造血器腫瘍，前立腺癌，末期癌，DIC，関節リウマチ

検査項目	試料	基準値と注意点	おもな疾患・病態との関連
セルロプラスミン	血清	21-37 mg/dL	急性期相蛋白質 [高値] 感染症，膠原病，妊娠，悪性腫瘍，急性心筋梗塞 [低値] Wilson病，蛋白漏出性胃腸症，ネフローゼ症候群，低栄養
ハプトグロビン	血清	45-320 mg/dL 新生児期は低値	急性期相蛋白質 [高値] 炎症疾患(感染症，膠原病など) [低値] 溶血性疾患，無効造血，肝疾患，先天的ハプトグロビン欠損
トランスフェリン	血清	202-386 mg/dL	[高値] 貯蔵鉄が減少する場合(鉄欠乏性貧血，妊娠など) [低値] 肝障害，栄養障害，蛋白漏出性胃腸症，ネフローゼ症候群，感染症．先天性無トランスフェリン血症
ヘモペキシン	血清	50-100 ng/mL 新生児では著明に低値	急性期相蛋白質 [高値] 悪性腫瘍(特に悪性黒色腫)，急性・慢性感染症 [低値] 溶血性疾患，肝疾患，ネフローゼ症候群
フィブリノゲン	「I．血液学的検査」の「3．止血・血栓系」を参照		
ムコ蛋白(酸可溶性糖蛋白)	血清	60-140 mg/dL	[高値] 悪性腫瘍(胃癌，結腸癌，膵癌，胆嚢癌など)，炎症性疾患 [低値] 肝硬変，ネフローゼ症候群
クリオグロブリン	血清(37℃で調整)	陰性(80 μg/dL 以下)	[陽性] 本態性クリオグロブリン血症，骨髄腫，マクログロブリン血症，リンパ増殖性疾患，膠原病，自己免疫疾患など
α_1-ミクログロブリン	血清	男：12.5-25.5 mg/L 女：11.0-19.0 mg/L	[高値] 腎機能低下(間質性腎炎，糸球体腎炎，尿細管障害など) [低値] 重症肝疾患
β_2-ミクログロブリン	血清	1.0-1.9 mg/L	[高値] 腎機能低下(間質性腎炎，糸球体腎炎，尿細管障害など)，悪性疾患(多発性骨髄腫，慢性リンパ性白血病ほか)，自己免疫疾患
レチノール結合蛋白(RBP)	血清	男性：3.4-7.7 mg/dL 女性：2.2-6 mg/dL	rapid turnover protein(血中半減期は12時間) [高値] 慢性腎不全 [低値] 栄養障害，ビタミンA欠乏症，吸収不良症候群，肝疾患など
ミオグロビン	血清	男性：60 ng/mL 以下 女性：35 ng/mL 以下 筋肉注射や運動により上昇	[高値] 糖原病，悪性高熱，挫滅症候群，心筋梗塞，筋ジストロフィー，多発性筋炎，皮膚筋炎
ヒト心臓由来脂肪酸結合蛋白(H-FABP)	ヘパリン・EDTA加全血	6.2 ng/mL 以下	[高値] 心筋の壊死・破壊(急性冠症候群など)
心筋ミオシン軽鎖	血清	2.5 ng/mL 以下	[高値] 心筋の壊死・破壊(急性冠症候群など)，広範な骨格筋傷害(筋ジストロフィーなど)，腎不全
心筋トロポニンT	血清・血漿	0.25 ng/mL 以下	
心筋トロポニンI	血清・血漿	0.01 ng/mL 以下	
非蛋白性窒素(NPN)	血清	25-40 mg/dL	
血中尿素窒素(BUN)	血清	8-20 mg/dL* 男性は女性より10-20%高値．強度の運動で上昇	[高値] 腎不全，心不全，血管内脱水，消化管出血，高蛋白食，絶食など [低値] 妊娠，低蛋白食，肝不全，多尿(マンニトール利尿，尿崩症など)
尿酸(UA)	血清	男性：3.7-7.8 mg/dL* 女性：2.6-5.5 mg/dL* 絶食，脱水，強い運動で高値	[高値] 痛風，無症候性高尿酸血症，腎不全，造血器腫瘍 [低値] 尿酸生合成の低下(アロプリノール服用，各種酵素欠損症)，尿酸排泄亢進，尿細管性アシドーシス
クレアチニン	血清	男性：0.65-1.07 mg/dL* 女性：0.46-0.79 mg/dL* 筋肉量に比例する	[高値] 腎不全，尿路閉塞，ショック，心不全，先端巨大症 [低値] 筋ジストロフィー，尿崩症，妊娠
シスタチンC	血清	0.53-0.95 mg/L キットにより異なる	[高値] 腎不全(糸球体濾過率の低下)
ペントシジン	血清・血漿	0.00915-0.0431 μg/mL	[高値] 腎不全，糖尿病
クレアチン	血清	0.2-0.9 mg/dL 溶血により高値	[高値] 筋疾患(筋ジストロフィー，多発性筋炎など)，甲状腺機能亢進症 [低値] 肝硬変，甲状腺機能低下症，蛋白制限食

検査項目	試料	基準値と注意点	おもな疾患・病態との関連
アンモニア	全血(除蛋白液上清)	40-80 μg/dL 採血後速やかに除蛋白液と混合，遠心分離．高蛋白食や強度の運動で上昇	[高値] 重症肝障害，ショック，先天性高アンモニア血症 [低値] 低蛋白食，貧血など
ホモシステイン	血漿	男性：8.2-16.9 nmol/mL 女性：6.4-12.2 nmol/mL	[高値] 遺伝性ホモシスチン尿症，ビタミン B_{12}/ビタミン B_6/葉酸欠乏症
4. 電解質・無機質			
ナトリウム(Na)	血清	138-145 mmol/L* 採血後の全血放置により，血清濃度は低下する	[高値] 脱水，尿崩症 [低値] 嘔吐・下痢による体外への Na 喪失，慢性腎不全，尿毒症，利尿薬投与，Addison 病，SIADH，心不全
カリウム(K)	血清	3.6-4.8 mmol/L* 偽性高カリウム血症(白血球増加症，血小板増加症)を除外する．採血後の全血放置により，血清濃度は上昇する	[高値] 腎不全，透析患者，糖尿病，慢性腎不全，薬剤(スピロノラクトンほか) [低値] K 摂取不足，嘔吐・下痢による K の体外喪失，薬剤(利尿薬ほか)，原発性アルドステロン症
塩素(Cl)	血清	101-108 mmol/L* 採血時のうっ血により，血清濃度は低下する．採血後の全血放置により，血清濃度は上昇する	[高値] Cl 大量投与あるいは摂取，脱水症，Cl 排泄の低下(尿細管アシドーシス，腎盂腎炎) [低値] Cl 摂取不足，水分過剰投与，嘔吐，胃液吸引，原発性アルドステロン症，呼吸性アシドーシスの代償
カルシウム(Ca)	血清	8.8-10.1 mg/dL* 補正血清 Ca 値＝ Ca 実測値＋(4-血清アルブミン)	[高値] 原発性副甲状腺機能亢進症，悪性腫瘍，ビタミン D 過剰症，サルコイドーシス，薬剤 [低値] 副甲状腺機能低下症，ビタミン D 欠乏症，慢性腎不全，膵炎
マグネシウム(Mg)	血清	1.8-2.4 mg/dL 低アルブミン血症では低値となる	[高値] 腎不全 [低値] 大酒家，ループ利尿薬，糖尿病
無機リン(IP)	血清	2.7-4.6 mg/dL*	[高値] 腎不全，副甲状腺機能低下症，ビタミン D 中毒 [低値] 原発性副甲状腺機能亢進症，ビタミン D 欠乏症，吸収不良症候群，Fanconi 症候群
動脈血ガス・酸塩基平衡 　重炭酸イオン 　P_aCO_2 　P_aO_2 　pH	血漿 動脈血 動脈血 動脈血	22-26 mEq/L 35-45 Torr(加齢に伴い上昇) 80-100 Torr(加齢に伴い低下) 7.38-7.42	
浸透圧	血清	275-295 mOsm/kgH$_2$O	[高値] 高張性脱水，糖尿病，メタノール中毒 [低値] SIADH，低張性脱水，慢性腎不全，浮腫性疾患，心因性多飲，嘔吐，下痢
鉄(Fe)	血清	男性：64-187 μg/dL 女性：40-162 μg/dL 朝高く，夜低い．発育期や高齢で低値．溶血で上昇	[高値] 再生不良性貧血，鉄芽球性貧血，ヘモクロマトーシス，急性肝炎 [低値] 鉄欠乏性貧血，真性赤血球増加症，慢性疾患に伴う貧血
総鉄結合能(TIBC)	血清	男性：238-367 μg/dL 女性：246-396 μg/dL	トランスフェリン濃度と関連
不飽和鉄結合能(UIBC)	血清	男性：117-275 μg/dL 女性：159-307 μg/dL	UIBC ＝ TIBC-Fe
フェリチン	血清	男性：15-220 ng/mL 女性：10-80 ng/mL	[高値] 悪性疾患(急性白血病，悪性リンパ腫，肝癌，膵癌，肺癌，乳癌など)，ヘモクロマトーシス，ヘモジデローシス，再生不良性貧血，肝炎 [低値] 鉄欠乏性貧血，潜在性鉄欠乏状態
銅(Cu)	血清	男性：70-90 μg/dL 女性：75-100 μg/dL 早朝空腹時に低値	[高値] 悪性腫瘍，妊娠，血液透析ほか [低値] 銅代謝異常(Wilson 病など)
亜鉛(Zn)	血清	66-118 μg/dL 採血後の全血放置により，血清濃度は上昇する．食後に低下	[高値] 各種内分泌・血液疾患 [低値] 摂取不足(低栄養，経管栄養，菜食主義など)，吸収不良症候群，下痢，肝硬変
5. 酵素			
アデノシンデアミナーゼ(ADA)	血清	5-20 U/L 乳児期に高値．溶血で上昇	[低値] ADA 欠損症
AST(GOT)	血清	13-30 U/L* 採血以降の溶血で偽高値．激しい運動で上昇	[高値] 肝疾患(急性肝炎，慢性肝炎，肝硬変，アルコール性肝炎，脂肪肝など)，筋疾患，心筋梗塞，溶血性疾患

検査項目	試料	基準値と注意点	おもな疾患・病態との関連
ミトコンドリア-AST(AST-m, GOT-m)	血清	7.0 U/L 以下 健常者では，総 AST 活性の 1-2 割を占める	細胞の傷害が強いとき，血中レベルが上昇する [高値] 急性肝炎，劇症肝炎，アルコール性脂肪肝，アルコール性肝炎
ALT(GPT)	血清	男性：10-42 U/L* 女性：7-23 U/L*	[高値] 肝疾患(急性肝炎，慢性肝炎，肝硬変，アルコール性肝炎，脂肪肝など)
AST/ALT 比(GOT/GPT 比)	血清	0.87 を基準として判断．以前の Karmen 単位では 1 が基準	急性肝炎：AST > ALT → AST < ALT 慢性肝炎：AST < ALT 肝硬変，肝癌，脂肪肝，心筋梗塞，閉塞性黄疸，アルコール性肝障害：AST > ALT
アミラーゼ(AMY)	血清	44-132 U/L*	[高値] 急性膵炎，慢性膵炎，アミラーゼ産生腫瘍，総胆管結石，急性耳下腺炎，唾石，マクロアミラーゼ血症
アルドラーゼ	血清	2.5-5.8 U/L 激しい運動，筋肉注射で上昇．溶血検体では偽高値	[高値] 急性心筋梗塞，急性肝炎，筋ジストロフィー，多発性筋炎，悪性腫瘍 [低値] 果糖不耐症
エラスターゼ I	血清	70-430 ng/dL	[高値] 急性膵炎，膵癌，慢性膵炎(再燃期) [低値] 膵実質の荒廃
グアナーゼ	血清	1.3 IU/L/37℃以下	[高値] 急性肝炎，慢性肝炎の急性増悪
γ-GTP(γ-GT)	血清	男性：13-64 U/L* 女性：9-32 U/L*	胆道系酵素 [高値] 肝内胆汁うっ滞，急性肝炎，慢性肝炎，肝硬変，アルコール性肝障害，薬物性肝障害
クレアチンキナーゼ(CK または CPK)	血清	男性：59-248 U/L* 女性：41-153 U/L* 激しい運動，筋肉注射で上昇	[高値] 急性心筋梗塞，筋ジストロフィー，多発性筋炎，皮膚筋炎，悪性高熱症，甲状腺機能低下症 [低値] 甲状腺機能亢進症
CK-MB または CPK-MB	血清	25 U/L 以下	[高値] 急性心筋梗塞，筋ジストロフィー，多発性筋炎，皮膚筋炎
CK アイソザイム	血清	CK-MM(骨格筋由来)：88-96% CK-MB(心筋由来)：1-4% CK-BB(脳・平滑筋由来)：1%未満	
コリンエステラーゼ(ChE)	血清	男性：240-486 U/L* 女性：201-421 U/L*	[高値] ネフローゼ症候群，脂肪肝，肥満，甲状腺機能亢進症など [低値] 肝硬変，慢性肝炎，肝癌，悪性腫瘍，消耗性疾患，栄養失調，有機リン中毒，抗 ChE 薬投与時など
トリプシン	血清	28-105 ng/mL キットにより基準値が異なる	[高値] 急性膵炎，慢性膵炎の急性増悪 [低値] 慢性膵炎の非代償期，進行した膵癌，インスリン依存性糖尿病
乳酸脱水素酵素(LDH, LD)	血清	124-222 U/L* 溶血により高値．運動，筋肉注射により上昇することがある	[高値] 急性肝炎，急性心筋梗塞，白血病，悪性リンパ腫，悪性腫瘍，筋ジストロフィー，皮膚筋炎，心不全，慢性肝炎，肝硬変など
LDH アイソザイム 　LDH_1 　LDH_2 　LDH_3 　LDH_4 　LDH_5	血清	 20-35% 30-40% 20-30% 5-15% 2-15%	
プロリルヒドロキシラーゼ	血清	80 ng/mL 以下	[高値] 肝硬変，原発性胆汁性胆管炎，肝細胞癌
アルカリホスファターゼ(ALP)	血清	106-322 U/L* 血液型 B 型・O 型の分泌型では食後に上昇する．成長期，妊娠後期に上昇する	胆道系酵素 [高値] 肝・胆道系疾患，骨疾患，甲状腺機能亢進症，悪性腫瘍など
ALP アイソザイム 　高分子 ALP(ALP_1) 　肝性 ALP(ALP_2) 　骨性 ALP(ALP_3) 　胎盤性 ALP(ALP_4) 　小腸性 ALP(ALP_5) 　免疫グロブリン結合 ALP (ALP_6)	血清	 感度以下 20.5-54.5% 43.4-78.3% 感度以下 0.0-5.7% 感度以下	
酸性ホスファターゼ(ACP)	血清	14.4 U/L 以下 前立腺の機械的刺激で上昇	[高値] 前立腺癌，前立腺肥大症，副甲状腺機能亢進症，Paget 病

検査項目	試料	基準値と注意点	おもな疾患・病態との関連
前立腺ACP(PAP)	血清	3 ng/mL以下 前立腺の機械的刺激で上昇	[陽性または高値] 前立腺癌, 前立腺肥大症
リゾチーム	血清	5.0-10.2 μg/mL	[高値] 単球性白血病, 腎不全
リパーゼ	血清	5-55 U/L	[高値] 急性膵炎, 慢性膵炎, 腎不全
レシチン・コレステロール・アシルトランスフェラーゼ(LCAT)	血清	73-130 nmol/mL/時	[高値] 原発性高リポ蛋白血症, 脂肪肝, ネフローゼ症候群 [低値] LCAT欠損症, 肝障害, 心筋梗塞
ロイシンアミノペプチダーゼ(LAP)	血清	20-70 U/L 女性より男性が高値. 妊娠時に活性の上昇あり	胆道系酵素 [高値] 肝細胞癌, 転移性肝癌, 胆道閉塞, 急性肝炎
6. ビリルビン			
総ビリルビン	血清	0.4-1.5 mg/dL*	直接ビリルビン+間接ビリルビン
直接ビリルビン	血清	0-0.4 mg/dL 男性の方が高値を示す	[高値] 肝胆道系疾患(肝炎, 肝硬変, 閉塞性黄疸など), 体質黄疸(Dubin-Johnson症候群, Rotor症候群)
間接ビリルビン	血清	0-0.8 mg/dL 絶食, 感染等で上昇	[高値] 溶血性疾患, 体質性黄疸(Gilbert症候群, Crigler-Najjar症候群), 新生児黄疸
7. ビタミン			
ビタミンA	血清	レチノール:30-80 μg/dL レチノールパルミテート:5 μg/dL未満	[高値] ビタミンA過剰症, 腎不全, 甲状腺機能低下症 [低値] ビタミンA欠乏症, 吸収不良症候群, 肝疾患など
ビタミンB$_1$	全血	25-75 ng/mL	[低値] ビタミンB$_1$欠乏症, 肝障害, 糖尿病, 甲状腺機能亢進症, 副腎皮質機能低下症
ビタミンB$_2$	全血	58-110 ng/mL	[低値] ビタミンB$_2$欠乏症, 肝障害, 糖尿病, 甲状腺機能亢進症, 副腎皮質機能低下症
ビタミンB$_6$	血清	ピリドキシン換算:4-17 ng/mL ピリドキサールリン酸換算:6-25 ng/mL	[低値] ビタミンB$_6$欠乏症, 低栄養, 吸収不良症候群, アルコール依存症, 気管支喘息など
ビタミンB$_{12}$	血清	260-1050 pg/mL	[高値] 慢性腎疾患, うっ血性心不全, 糖尿病, 白血病など [低値] 巨赤芽球性貧血, 胃切除後
ビタミンC	血清	0.55-1.5 mg/dL	[低値] ビタミンC欠乏症(壊血病), 血液透析など
パントテン酸	血清	0.2-1.8 μg/mL	[低値] パントテン酸欠乏症(burning feet syndrome)
ナイアシン(ニコチン酸)	全血	285-710 μg/dL	[低値] ペラグラ(ニコチン酸欠乏症)
ビタミンE	血清	0.58-1.8 mg/dL	[低値] ビタミンE欠乏症, 脂肪性下痢, 胆道閉塞, 肝硬変, 慢性膵炎, 限局性腸炎など
葉酸	血清	4.8-12 ng/mL	[低値] 巨赤芽球性貧血

III. 肝機能検査

検査項目	試料	基準値と注意点	おもな疾患・病態との関連
チモール混濁試験(TTT)	血清	0.5-6.5 U 臨床的意義は薄れてきている	[高値] 急性肝炎, 慢性肝炎, ルポイド肝炎, 肝硬変, 慢性感染症, 膠原病, 伝染性単核球症 [低値] 多発性骨髄腫(IgAやBence Jones型)
硫酸亜鉛混濁試験(ZTT)	血清	2.3-12 U 臨床的意義は薄れてきている	[高値] 急性肝炎, 慢性肝炎, 肝硬変, 慢性感染症, 膠原病, IgG骨髄腫 [低値] 多発性骨髄腫(IgAやBence Jones型)
ブロムスルホフタレイン(BSP)試験	血清	5%以下(45分値)	[高値] 肝炎, 肝硬変, Dubin-Johnson症候群
インドシアニングリーン(ICG)試験	血清	10%以下(15分停滞率) 0.168-0.206(血中消失率)	[高値] 慢性肝炎, 肝硬変

IV. 腎機能検査

検査項目	試料	基準値と注意点	おもな疾患・病態との関連
腎血流量(RBF)	全血・尿	男性:1044±118 mL/分 女性:890±195 mL/分	

検査項目	試料	基準値と注意点	おもな疾患・病態との関連
腎血漿流量(RPF)	血漿・尿	男性：562 ± 83 mL/分 女性：526 ± 104 mL/分	
糸球体濾過量(GFR)	血清・尿	男性：129 ± 26 mL/分 女性：97 ± 13 mL/分	
濾過率(FF)	血清・尿	0.2-0.22	
尿素クリアランス(C_{urea}) 　Cm 　Cs	 血清・尿 血清・尿	 62-77（平均 70）mL/分 45-55（平均 50）mL/分	
クレアチニンクリアランス(C_{cr})	血清・尿	91-130 mL/分	
PSP試験	尿	25-50%	[低値] 腎不全，間質性腎炎，近位尿細管障害
Fishberg濃縮試験	尿	尿比重：1.022 以上 尿浸透圧：850 mOsm/kg 以上	[低値] 腎不全，尿崩症，腎盂腎炎
尿細管最大排泄量	血漿・尿	80.9 ± 11.3 mg/分	
尿細管最大再吸収量	血漿・尿	340 ± 18.2 mg/分	

V. 内分泌機能検査

検査項目	試料	基準値と注意点	おもな疾患・病態との関連
1. 下垂体機能			
副腎皮質刺激ホルモン(ACTH)	EDTA加血漿	9-52 pg/mL	[高値] Cushing病，異所性ACTH症候群 [低値] 下垂体機能低下症，ACTH単独欠損症
甲状腺刺激ホルモン(TSH)	血清	0.38-4.31 μU/mL キットにより基準値が異なる	[高値] 原発性甲状腺機能低下症 [低値] 甲状腺機能亢進症(Basedow病)
成長ホルモン(GH)	血清	男性：0.003-0.971 ng/mL 女性：0.01-3.607 ng/mL キットにより基準値が異なる．変動要因も多く，単発の測定では診断的価値が少ない．分泌刺激試験や抑制試験が有用	[高値] 先端巨大症，下垂体性巨人症 [低値] 下垂体機能低下症，下垂体性小人症
卵胞刺激ホルモン(FSH)	血清	男性：思春期 4 mIU/mL 以下，成年期 4-15 mIU/mL，老年期 15 mIU/mL 以上 女性：思春期前 4 mIU/mL 以下，（月経周期）卵胞期初期 4-10 mIU/mL，排卵期ピーク 16-23 mIU/mL，黄体期 4-7 mIU/mL，妊娠時 1 mIU/mL 以下，閉経後 15 mIU/mL 以上	[高値] Turner症候群，アンドロゲン不応症，Klinefelter症候群 [低値] 下垂体機能低下症
黄体形成ホルモン(LH)	血清	男性：思春期 1.2 mIU/mL 以下，成年期 1.5-55 mIU/mL，老年期 4 mIU/mL 以上 女性：思春期前 1.2 mIU/mL，（月経周期）卵胞期初期 1.5-5 mIU/mL，排卵期ピーク 10-50 mIU/mL，黄体期 1-3 mIU/mL，妊娠時 0.2 mIU/mL 以下，閉経後 15 mIU/mL 以上	[高値] 多嚢胞卵巣症候群，Turner症候群，Klinefelter症候群 [低値] 下垂体機能低下症，黄体機能不全
プロラクチン(PRL)	血清	女性：30-65 ng/mL 男性：15-30 ng/mL	[高値] 視床下部障害，下垂体疾患，甲状腺機能低下症
抗利尿ホルモン(ADH)	血漿	0.3-3.5 pg/mL	[高値] SIADH（悪性腫瘍，肺疾患，中枢神経系疾患，薬物），腎性尿崩症 [低値] 中枢性尿崩症
オキシトシン	血漿	女性：妊娠時 3-200 μU/mL，妊娠時以外 5 μU/mL 以下 男性：5 μU/mL 以下	
ソマトメジン-C(IGF-I)	血清	成人男性：100-315 ng/mL 成人女性：79-383 ng/mL	
ソマトスタチン	血漿	1.0-12 pg/mL	
2. 甲状腺機能			
トリヨードサイロニン(T_3)	血清	0.8-1.8 ng/mL	[高値] 甲状腺機能亢進症，亜急性甲状腺炎，T_3甲状腺中毒症，T_3製剤内服，トリヨードサイロニン中毒症 [低値] 甲状腺機能低下症
リバースT_3(rT_3)	血清	190-370 pg/mL	

検査項目	試料	基準値と注意点	おもな疾患・病態との関連
遊離トリヨードサイロニン(FT$_3$)	血清	2.10–3.80 pg/mL	[高値] 甲状腺機能亢進症，亜急性甲状腺炎，T$_3$甲状腺中毒症，T$_3$製剤内服 [低値] 甲状腺機能低下症
トリヨードサイロニン摂取率	血清	20–32 %	[高値] 甲状腺機能亢進症 [低値] 甲状腺機能低下症
総サイロキシン(T$_4$)	血清	5–12 μg/dL	[高値] 甲状腺機能亢進症，亜急性甲状腺炎，TSH産生腫瘍，甲状腺ホルモン大量服用 [低値] 甲状腺機能低下症
遊離サイロキシン(FT$_4$)	血清	0.82–1.63 ng/dL	
サイログロブリン(Tg)	血清	5–30 ng/mL	[高値] 甲状腺癌，甲状腺腫，Basedow 病，亜急性甲状腺炎
抗サイログロブリン抗体(TgAb)	血清	0.3 U/mL 以下	[高値] 橋本病，Basedow 病
抗甲状腺ペルオキシダーゼ抗体(TPOAb)	血清	0.3 U/mL 以下	[高値] 橋本病，Basedow 病
抗TSH受容体抗体(TRAb)	血清	TRAb：1.0 U/L 未満 TSAb：180%未満	[高値] Basedow 病
サイロキシン結合グロブリン(TBG)	血清	14–28 μg/mL	[高値] エストロゲン投与，甲状腺機能低下症 [低値] 甲状腺機能亢進症
3. 副甲状腺機能			
副甲状腺ホルモン(PTH) 　intact 　C末端 　中央部 　高感度 PTH (HS-PTH)	血漿	15–50 pg/mL 0.5 ng/mL 以下 0.3–1.0 ng/mL 160–520 pg/mL	[高値] 原発性副甲状腺機能亢進症，偽性副甲状腺機能亢進症，骨軟化症 [低値] 術後副甲状腺機能低下症，特発性副甲状腺機能低下症，悪性腫瘍の骨転移
副甲状腺ホルモン関連蛋白(PTHrP)	血漿	1.1 pmol/L 未満	[高値] 悪性腫瘍に伴う高カルシウム血症(HHM)
カルシトニン(CT)	血清	15–86 pg/mL	[高値] 甲状腺髄様癌，悪性腫瘍(異所性 CT 産生腫瘍など)
尿細管リン再吸収率試験	血清・尿	80–96%	副甲状腺機能亢進症で低値
4. 膵内分泌機能			
血糖		「Ⅱ.血液生化学的検査」の「1.糖質および関連物質」を参照	
75g 経口グルコース負荷試験(OGTT) 　2 時間値	全血・血漿	140 mg/dL 未満(静脈血漿)	200 mg/dL 以上が糖尿病域
インスリン(IRI) 　空腹時 　OGTT 　　30 分 　　60 分 　　90 分 　　120 分	血漿	5–10 μU/mL 57.2 ± 4.94 μU/mL 50.5 ± 4.14 μU/mL 42.5 ± 3.28 μU/mL 40.4 ± 3.03 μU/mL	[高値] インスリノーマ，肥満，インスリン治療中，インスリン自己免疫症候群，腎不全 [低値] 糖尿病，膵炎，膵摘出後
ヘモグロビン A1c(HbA1c)	全血	4.9–6.0%(NGSP 値)*	[高値] 糖尿病(日本糖尿病学会の診断基準では 6.5% 以上が糖尿病型)，腎不全，アルコール多飲 [低値] 赤血球寿命の短縮，肝硬変
ヘモグロビン A1(HbA1)	全血	6–8%	
フルクトサミン	血清・血漿	205–285 μmol/L	[高値] 糖尿病 [低値] アルブミン代謝亢進状態
グリコアルブミン	血清・血漿	11–16%	
1,5-アンヒドロ-D-グルシトール(1,5-AG)	血清・血漿	14 μg/mL 以上	[低値] 糖尿病，慢性腎不全
抗インスリン抗体	血清	結合率 0.4%未満	[高値] インスリン自己免疫症候群，インスリン投与，1 型糖尿病
抗インスリン受容体抗体	血清	阻害率 24.0%未満	[高値] type B インスリン受容体異常症
グルカゴン	血漿	40–180 pg/mL	[高値] グルカゴン産生腫瘍，糖尿病性ケトアシドーシス，熱傷，重症感染症 [低値] 膵摘，不安定型糖尿病
C-ペプチド(CPR)	血清	食前：0.5–2.0 ng/mL 食後：5–10 ng/mL	[高値] インスリノーマ，インスリン自己免疫症候群，肥満 [低値] 糖尿病
抗GAD抗体	血清	1.5 U/mL 未満	[陽性] 1 型糖尿病
抗IA-2抗体	血清	0.4 U/mL 未満	[陽性] 1 型糖尿病

検査項目	試料	基準値と注意点	おもな疾患・病態との関連
5. 消化管機能			
ガストリン	血清	30-150 pg/mL	[高値] 萎縮性胃炎, ガストリノーマ, 胃潰瘍, 過形成性ポリープ, 胃腺腫, 胃癌 [低値] 胃底腺ポリープ, 胃切除
セクレチン	血漿	60-120 pg/mL	[高値] ガストリノーマ [低値] 悪性貧血
6. 副腎皮質機能関連検査			
コルチゾール	血清 尿	2.7-15.5 μg/dL 30-100 μg/日	[高値] Cushing 症候群 [低値] Addison 病, 下垂体機能低下症
11-ヒドロキシコルチコステロイド(11-OHCS)	血清	7-23 7g/dL	
17-ヒドロキシコルチコステロイド(17-OHCS)	尿	男性：2.1-11.5 mg/日 女性：2.6-7.8 mg/日	[高値] Cushing 症候群, 異所性 ACTH 症候群, 副腎癌 [低値] Addison 病, 下垂体機能低下症
17-ケトジェニックステロイド(17-KGS)・総	尿	男性：6.00-18.4 mg/日 女性：3.55-11.2 mg/日	
17-KGS・2 分画 　11-オキシ-17-KGS 　11-デオキシ-17-KGS	尿	男性：3.86-13.8 mg/日 女性：3.25-8.10 mg/日 男性：1.54-3.91 mg/日 女性：0.84-2.77 mg/日	
17-ケトステロイド(17-KS)・総	尿	成人男性：3.5-13 mg/日 成人女性：3-8 mg/日	[高値] Cushing 症候群, 精巣腫瘍, 卵巣腫瘍 [低値] 下垂体機能低下症, Addison 病
アンドロステロン	血清	男性：0.18-0.91 ng/mL 女性：0.14-1.03 ng/mL	
アルドステロン	血清・EDTA 血漿	安静臥位：30-160 pg/mL 随時：36-240 pg/mL	[高値] 原発性アルドステロン症, Bartter 症候群, ネフローゼ症候群 [低値] Addison 病
レニン活性	血漿	臥位：0.3-2.9 ng/mL/時 立位：0.3-5.4 ng/mL/時	[高値] 腎血流量の減少 [低値] 腎血流量の増加
アンジオテンシン I	血漿	110 pg/mL 以下	
アンジオテンシン II	血漿	13-25 pg/mL	[高値] 腎血流量の減少 [低値] 腎血流量の増加
アンジオテンシン変換酵素(ACE)	血清	8.3-21.4 IU/L	[高値] サルコイドーシス, 甲状腺機能亢進症, 肝硬変, 慢性肝炎, 糖尿病 [低値] ACE 阻害薬服用
7. 副腎髄質機能			
カテコールアミン 3 分画 　アドレナリン 　ノルアドレナリン 　ドパミン	血漿	100 pg/mL 以下 100-450 pg/mL 20 pg/mL 以下	[高値] 褐色細胞腫, 神経芽腫
カテコールアミン 3 分画 　アドレナリン 　ノルアドレナリン 　ドパミン	尿(酸性蓄尿)	3-15 μg/日 26-121 μg/日 190-740 μg/日	
メタネフリン 2 分画 　メタネフリン 　ノルメタネフリン	尿(酸性蓄尿)	0.05-0.23 mg/日 0.07-0.26 mg/日	
バニリルマンデル酸(VMA)	血漿	3-9 ng/mL	[高値] 褐色細胞腫, 神経芽腫, 神経節細胞腫
VMA	尿(酸性蓄尿)	1.3-5.1 mg/日	
ホモバニリル酸(HVA)	尿(酸性蓄尿)	1.5-6.6 mg/日	[高値] 悪性黒色腫, 神経芽腫, 交感神経芽腫, 交感神経節細胞腫, 褐色細胞腫 [低値] Parkinson 症候群, Alzheimer 病, Down 症
5-ヒドロキシインドール酢酸(5-HIAA)	尿	0.6-4.1 mg/日	[高値] カルチノイド症候群, ダンピング症候群
セロトニン(5-HT)	全血	57-230 ng/mL	

検査項目	試料	基準値と注意点	おもな疾患・病態との関連
8. 性腺機能			
総エストロゲン	尿	妊婦：32-36週 15 mg/日以上，37-38週 20 mg/日以上，39-42週 25 mg/日以上 非妊婦：卵胞期 3-20 μg/日，排卵期 10-60 μg/日，黄体期 8-50 μg/日，閉経後 10 μg/日以下 男性：2-20 μg/日	[高値] 多胎妊娠 [低値] 妊娠中毒症，無脳児妊娠，子宮内胎児死亡例，胞状奇胎
エストラジオール(E_2)	血清	妊婦：前期(10-20週) 0.05-15 ng/mL，中期(21-30週) 6-29 ng/mL，後期(30-42週) 9-40 ng/mL 非妊婦：卵胞期前期 11-82 pg/mL，卵胞期後期 52-230 pg/mL，排卵期 120-390 pg/mL，黄体期 9-230 pg/mL 男性：20-50 pg/mL	[高値] エストロゲン産生卵巣腫瘍，卵巣過剰刺激症候群，思春期早発症，先天性副腎皮質過形成，エストロゲン産生副腎腫瘍，多胎妊娠，異所性ゴナドトロピン産生腫瘍 [低値] 卵巣機能低下・不全症，神経性食欲不振症，胎盤機能不全症
エストリオール(E_3)	血清	妊婦：前期(13-20週) 1-41 ng/mL，中期(21-32週) 4-217 ng/mL，後期(33-40週) 23-231 ng/mL	[高値] 多胎妊娠 [低値] 胞状奇胎，無脳児妊娠，子宮内胎児死亡，胎児赤芽球症，重症妊娠中毒
	尿	妊婦：32-36週 15 mg/日以上，37-38週 20 mg/日以上，39-41週 25 mg/日以上	
プロゲステロン	血清	妊婦：1-16週 4.2-39.2 ng/mL，17-28週 19.6-143 ng/mL，29-40週 34.5-390 ng/mL 男性：0.7 ng/mL以下	[高値] 妊娠，先天性副腎皮質過形成，Cushing症候群 [低値] 無月経，絨毛上皮腫，下垂体機能低下症，Addison病，黄体機能不全
プレグナンジオール	尿	妊婦：前期 1.29-6.08 mg/日，中期 3.05-24.22 mg/日，後期 9.1-60.51 mg/日 非妊婦：排卵期 0.28-1.42 mg/日，黄体期 0.79-6.83 mg/日 男性：0.16-0.79 mg/日	[高値] 妊娠，先天性副腎皮質過形成，副腎性器症候群，Cushing症候群，副腎癌 [低値] 非妊娠時：卵巣機能低下症，黄体機能不全，下垂体機能低下症，Addison病．妊娠時：胎盤機能不全症
テストステロン	血漿	男性：250-1000 ng/dL 女性：10-60 ng/dL	[高値] 先天性副腎皮質過形成，Cushing症候群，卵巣腫瘍，多嚢胞卵巣症候群，特発性多毛症，甲状腺機能亢進症 [低値] 下垂体機能低下症，肝硬変，Klinefelter症候群
ヒト絨毛性性腺刺激ホルモン (hCG)(絨毛性ゴナドトロピン) αβコンプレックス β-サブユニット	血清	 0.7 mIU/mL以下 0.1 ng/mL以下	[高値] 胞状奇胎，絨毛癌
9. 利尿ペプチド			
心房性ナトリウム利尿ペプチド (ANP)	アプロチニン入りEDTA血漿	43 pg/mL以下	[高値] うっ血性心不全，腎不全，心房細動などの頻脈性不整脈
脳性ナトリウム利尿ペプチド (BNP)	EDTA血漿	18.4 pg/mL以下	[高値] 心不全・心肥大・心筋障害，腎不全
NT-proBNP	血清・血漿	55 pg/mL以下	

VI. 血清学的検査

検査項目	試料	基準値と注意点	おもな疾患・病態との関連
C反応性蛋白(CRP)	血清	0.00-0.14 mg/dL* 冠動脈疾患のリスクファクターとして微量(低濃度)の血清CRP測定値の臨床的意義あり	最も鋭敏に変動する急性期相蛋白質として体内の炎症，組織傷害を反映する
血清アミロイドA(SAA)	血清	8 μg/mL以下	
プロカルシトニン	血清	0.1 mg/mL以下	[高値] 細菌感染症

検査項目	試料	基準値と注意点	おもな疾患・病態との関連
抗ストレプトリジンO抗体(ASO価)	血清	成人：160 IU/mL以下 小児：250 IU/mL以下	[高値] 溶血性連鎖球菌の感染が病因となる疾患(リウマチ熱，急性扁桃炎，猩紅熱，亜急性細菌性心内膜炎，敗血症，急性糸球体腎炎)
抗ストレプトキナーゼ抗体(ASK価)	血清	1280倍以下	
抗デオキシリボヌクレアーゼB抗体	血清	0-5歳：60倍以下 6-15歳：480倍以下 16歳以上：320倍以下	[高値] 溶連菌感染症，リウマチ熱，急性糸球体腎炎
寒冷凝集反応	血清	128倍以下	[高値] 非定型肺炎，寒冷凝集素症，自己免疫性溶血性貧血，悪性リンパ腫
マイコプラズマ抗体	血清	陰性	[陽性] マイコプラズマ感染あるいはその既往
β-D-グルカン	ヘパリン化全血	陰性(11 pg/mL以下)	[陽性] 深在性真菌感染症，ニューモシスチス肺炎
梅毒血清反応(STS) 　CL抗原法 　TP抗原法	血清	陰性(ガラス板法，RPR) 陰性(TPHA，TPLA，FTA-ABS)	[陽性] 梅毒 [生物学的偽陽性(CL抗原陽性，TP抗原陰性)] 膠原病，麻疹などのウイルス性疾患，結核，麻薬常用者，インフルエンザ予防接種など
リウマトイド因子(RF) 　RAテスト 　RF定量	血清	陰性 15 IU/mL以下	[陽性・高値] 関節リウマチ(RA)，各種膠原病
抗CCP抗体	血清	RA診断のためのカットオフ値：4.5 U/mL	[陽性・高値] 関節リウマチ(RA)
MMP-3	血清	男性：36.9-121 ng/mL 女性：17.3-59.7 ng/mL	[高値] 関節リウマチ(RA)，SLE，ステロイド内服
LE細胞	全血	陰性	[陽性] SLE
LEテスト	血清	陰性	[陽性] SLE
抗核抗体(ANA)	血清	陰性(40倍未満．施設の基準に従う)	[陽性] SLE，混合性結合組織病(MCTD)，強皮症，関節リウマチ，自己免疫性肝炎
抗DNA抗体	血清	PHA法：陰性(80倍未満) RIA法：7 IU/mL以下	[陽性] SLE，MCTD，Sjögren症候群，強皮症，関節リウマチ，多発性筋炎
抗ds-DNA抗体	血清	10 IU/mL以下	[高値] SLE
抗ss-DNA抗体	血清	20 IU/mL以下	[高値] SLE，その他の膠原病
抗RNP抗体	血清	ELISA：20 index以下 DID：陰性	[高値] MCTD，SLE，強皮症，Sjögren症候群，皮膚筋炎，多発性筋炎
抗Sm抗体	血清	ELISA：15 index以下 DID：陰性	[高値] SLE
抗Jo-1抗体	血清	ELISA：10 index以下 DID：陰性	[陽性] 多発性筋炎，皮膚筋炎
抗ミトコンドリア抗体(AMA)	血清	陰性(20倍未満)	[陽性] 原発性胆汁性胆管炎，薬物性肝障害
抗平滑筋抗体	血清	陰性(20倍未満)	[陽性] 自己免疫性肝炎，原発性胆汁性胆管炎
抗肝腎マイクロソーム抗体(抗LKM-1抗体)	血清	陰性(20倍未満)	[陽性] 自己免疫性肝炎(Ⅱ型)
抗糸球体基底膜抗体(抗GBM抗体)	血清	陰性(10 EU未満)	[陽性] 抗GBM抗体腎炎，Goodpasture症候群
抗デスモグレイン抗体	血清	陰性	[陽性] 天疱瘡
抗胃壁細胞抗体，抗内因子抗体	血清	陰性	[陽性] 悪性貧血
抗好中球細胞質抗体(ANCA)	血清	MPO-ANCA：20 EU未満 PR3-ANCA：10 EU未満	[陽性] MPO-ANCA：顕微鏡的多発血管炎，好酸球性多発血管炎性肉芽腫症，PR3-ANCA：多発血管炎性肉芽腫症
ループスアンチコアグラント	クエン酸加血漿	陰性	[陽性] 抗リン脂質抗体症候群
抗カルジオリピン(CL)抗体	血清	抗CL抗体：IgG 10 U/mL未満，IgM 8 U/mL未満 $β_2$-GPI依存性抗CL抗体：3.5 U/mL未満	[陽性] 梅毒，($β_2$-GPI依存性の場合)抗リン脂質抗体症候群，SLE
抗血小板同種抗体	血清	陰性	[陽性] 血小板輸血患者における血小板輸血不応状態，新生児血小板減少性紫斑病
血小板関連IgG(PAIgG)	EDTA加全血	5.0-25.0 ng/10^7血小板	[高値] ITP，SLEなどの膠原病
抗SS-A/Ro抗体	血清	ELISA：20 index以下 DID：陰性	[高値] Sjögren症候群，SLE
抗SS-B/La抗体	血清	ELISA：25 index以下 DID：陰性	[高値] Sjögren症候群，SLE

検査項目	試料	基準値と注意点	おもな疾患・病態との関連
抗 Scl-70 抗体	血清	ELISA：15 index 以下 DID：陰性	[高値] 強皮症
抗アセチルコリン受容体(AChR)抗体	血清	陰性(0.3 nmol/L 以下)	[高値] 重症筋無力症
抗 GM1 抗体, 抗 GQ1b 抗体	血清	陰性	[陽性] 抗 GM1 抗体：Guillain-Barré 症候群, 抗 GQ1b 抗体：Fisher 症候群
免疫複合体(IC)	血清	Clq 法：3 μg/mL 以下 抗 C3d 抗体法：13 μg/mL 以下 モノクローナル RF 法：4.2 μg/mL 以下	[陽性] SLE, 関節リウマチ, Sjögren 症候群, 血管炎症候群, 糸球体腎炎, 感染症
直接 Coombs 試験	血液	陰性	[陽性] 自己免疫性溶血性疾患, 新生児溶血性貧血, 赤血球膜への免疫複合体・補体付着
間接 Coombs 試験	血液	陰性	[陽性] 自己免疫性溶血性疾患, 血液型不適合輸血後, 血液型不適合妊娠後
A 型肝炎ウイルス(HAV)	血清	HA 抗体：陰性 IgM-HA 抗体：陰性	[陽性] A 型肝炎ウイルス感染あるいはその既往. IgM 抗体は初感染で上昇
HBs 抗原	血清	陰性	[陽性] 急性・慢性 B 型肝炎, 無症候性キャリア
HBs 抗体	血清	陰性	[陽性] HBV 感染の既往, HBV ワクチンの接種後
HBe 抗原	血清	陰性	[陽性] HBV(野生株)の多い状態
HBe 抗体	血清	陰性	[陽性] HBe 抗原の産生が低下した状態
HBc 抗体	血清	陰性	[陽性] B 型肝炎発症後の状態
HBV DNA	血清・血漿	陰性	[陽性] HBV の多い状態
HBV ポリメラーゼ	血清	陰性	[陽性] HBV の多い状態
HBV コア関連抗原(HbcrAg)	血清	陰性	[陽性] HBV の多い状態. 核酸アナログ製剤治療の中止の目安となる
HCV 抗体	血清	陰性	[陽性] C 型肝炎ウイルス感染あるいはその既往
HCV RNA 定量	血清	検出せず	[陽性] C 型肝炎ウイルス感染
E 型肝炎ウイルス(HEV)	血清	陰性	[陽性] E 型肝炎ウイルス感染
HIV 抗体	血清	陰性 (PA 法・ELISA 法・CLEIA 法・IC 法などのスクリーニング検査陽性例は, ウエスタンブロット法などの確認検査を実施する)	[陽性] HIV 感染
HTLV-I 抗体	血清	陰性(PA 法・ELISA 法・CLEIA 法などのスクリーニング検査陽性例は, ウエスタンブロット法などの確認検査を実施する)	[陽性] ATLV(HTLV-I)感染
インフルエンザウイルス抗体	血清	陰性	[陽性] インフルエンザウイルス感染あるいはその既往
インフルエンザウイルス抗原(迅速検査)	鼻腔拭い液, 咽頭拭い液	陰性	[陽性] インフルエンザウイルス感染
EB ウイルス(EBV)	血清	陰性	[陽性] EB ウイルス感染あるいはその既往. 抗 VCA 抗体, 抗 EA 抗体, 抗 EBNA 抗体があり, それぞれ意義を有する
サイトメガロウイルス(CMV) pp65 抗原	血液(白血球)	陰性	[陽性] CMV の活動性感染
CMV 抗体	血清	陰性	[陽性] CMV 感染あるいはその既往
IgG	血清	761-1747 mg/dL*	[高値] 膠原病・自己免疫疾患, 肝疾患, 慢性感染症, リンパ増殖性疾患, IgG 型骨髄腫 [低値] 原発性免疫不全症候群, ステロイドホルモン・免疫抑制薬投与, 放射線照射, ネフローゼ症候群, 蛋白漏出性胃腸症, 低栄養
IgA	血清	93-393 mg/dL*	[高値] IgA 型骨髄腫, 慢性炎症性疾患, リンパ増殖性疾患, 慢性肝疾患, IgA 腎症 [低値] IgA 型以外の骨髄腫, 原発性免疫不全症候群, ステロイドホルモン・免疫抑制薬投与, ネフローゼ症候群, 蛋白漏出性胃腸症, 低栄養
IgM	血清	男性：33-183 mg/dL* 女性：50-269 mg/dL*	[高値] 伴性高 IgM 症候群, マクログロブリン血症 [低値] 原発性免疫不全症候群, 多発性骨髄腫, ステロイドホルモン・免疫抑制薬投与, 蛋白漏出性胃腸症, 低栄養

検査項目	試料	基準値と注意点	おもな疾患・病態との関連
IgD	血清	2-12 mg/dL	[高値] IgD 型骨髄腫 [低値] 原発性免疫不全症候群，IgD 欠損症
IgE	血清	RIST：250 IU/mL 以下 RAST：0.34 PRU/mL 以下	[高値] 気管支喘息，アトピー性疾患，寄生虫感染症，IgE 型骨髄腫，木村病
補体価(CH_{50})	血清	33-48 U/mL	[高値] 炎症性疾患，悪性腫瘍 [低値] SLE，悪性関節リウマチ，急性糸球体腎炎，膜性増殖性糸球体腎炎，肝硬変，先天性補体欠損症
C3	血清	73-138 mg/dL*	急性期相蛋白質 [高値] 炎症性疾患，悪性腫瘍 [低値] SLE，悪性関節リウマチ，急性糸球体腎炎，膜性増殖性糸球体腎炎，肝硬変，先天性補体欠損症
C4	血清	11-31 mg/dL*	
T細胞・B細胞百分率	全血	T細胞百分率：60-83% B細胞百分率：5-17%	[T細胞増加] 伝染性単核球症，T細胞白血病 [T細胞減少] ウイルス感染，SLE，白血病，リンパ腫，AIDS，免疫抑制薬・副腎皮質ステロイド投与，先天性免疫不全症候群 [高値] B細胞白血病，胸腺無形成症，反応性高ガンマグロブリン血症 [低値] 重症複合免疫不全症，無または低ガンマグロブリン血症

Ⅶ. 腫瘍マーカー検査

検査項目	試料	基準値と注意点	おもな疾患・病態との関連
癌胎児性抗原(CEA)	血清	IRMA：2.5 ng/mL 以下 CLIA：5.0 ng/mL 以下	[高値] 結腸・直腸癌，膵癌，胆道癌，胃癌，肺癌，その他の癌
α-フェトプロテイン(AFP)	血清	9 ng/mL 以下	[高値] 肝細胞癌，ヨークサック腫瘍，肝芽腫，乳児肝炎，先天性胆道閉鎖症，肝硬変，慢性肝炎，妊娠
AFP レクチン反応性分画 (AFP-L3 分画)	血清	10%未満	[高値] 肝細胞癌
PIVKA-Ⅱ	血漿，血清	40 mAU/mL 以下	[高値] 肝細胞癌，ビタミン K 欠乏症
シアリル Tn 抗原(STN)	血清	45 U/mL 以下	[高値] 卵巣癌，胃癌，その他の癌
シアリル SSEA-1(SLX)	血清	38 U/mL 以下	[高値] 肺癌，膵癌，胆道癌，胃癌
前立腺特異抗原(PSA)	血清	4.0 ng/mL 以下(EIA 法)．測定法によって異なる	[高値] 前立腺癌，前立腺肥大症
γ-セミノプロテイン(γ-Sm)	血清	4 ng/mL 以下	[高値] 前立腺癌，前立腺肥大症
前立腺 ACP(PAP)	「Ⅱ．血液生化学的検査」の「5．酵素」を参照		
BCA225	血清	160 U/mL 未満	[高値] 乳癌
塩基性フェトプロテイン(BFP)	血清	75 ng/mL 以下	[高値] 生殖器系癌，肝癌，各種の悪性腫瘍
CA15-3	血清	30 U/mL 以下	[高値] 乳癌，卵巣癌，その他の癌
CA19-9	血清	37 U/mL 以下	[高値] 膵癌，胆道癌，消化管癌，胆管炎など [低値] 血液型 Le^a 陰性者(本検査の適応なし)
CA50	血清	35 U/mL 以下	[高値] 膵癌，胆道癌，消化管癌，その他の癌
CA125	血清	男性，閉経後の女性：25 U/mL 以下． 閉経前の女性：40 U/mL 以下	[高値] 卵巣癌，子宮内膜症，肝癌，胆道癌，膵癌
CA130	血清	男性，閉経後の女性：19 U/mL 以下． 閉経前の女性：35 U/mL 以下	[高値] 卵巣癌，子宮内膜症，肺癌，肝癌，胆道癌，膵癌
DUPAN-2	血清	150 U/mL 以下	[高値] 膵癌，胆道癌，肝細胞癌
IAP	血清	500 μg/mL 以下	[高値] 胆嚢癌，白血病，食道癌，膵癌，卵巣癌，肺癌，胃癌，その他の癌
神経特異エノラーゼ(NSE)	血清	10 ng/mL 以下	[高値] 神経芽細胞腫，小細胞肺癌
SCC	血清	RIA ビーズキット，EIA：1.5 ng/mL 以下 RIA：2.6 ng/mL 以下	[高値] 各種扁平上皮癌(子宮頸癌，膣癌，外陰癌，皮膚癌，肺癌，食道癌)
ガストリン放出ペプチド前駆体 (ProGRP)	血清	46 pg/mL 未満 腎機能低下では排泄障害により高値となる	[高値] 小細胞肺癌

検査項目	試料	基準値と注意点	おもな疾患・病態との関連
サイトケラチン 19 フラグメント（CYFRA）	血清	3.5 ng/mL 以下 男性は女性に比し高値．加齢により上昇	[高値] 肺扁平上皮癌をはじめ各種扁平上皮癌
SPan-1	血清	30 U/mL 以下	[高値] 膵癌，胆道癌
ポリアミン	尿	46.2 μmol/g クレアチニン以下	[高値] 胃癌，大腸癌，肝癌，肺癌，食道癌など
組織ポリペプチド抗原（TPA）	血清	110 U/mL 以下	
抗 p53 抗体	血清	1.3 U/mL 以下	[高値] 大腸癌，食道癌，乳癌
CA72-4	血清	4 U/mL 以下	[高値] 大腸癌，胃癌，卵巣癌など
妊娠特異 $β_1$ 糖蛋白（SP_1）	血清	7 ng/mL 以下 正常妊娠で上昇	[高値] 絨毛癌，胞状奇胎，精巣腫瘍
可溶性 IL-2 受容体（sIL-2R）	血清	167-497 U/mL	[高値] 非 Hodgkin リンパ腫，成人 T 細胞白血病

Ⅷ．線維化・骨代謝マーカー検査

検査項目	試料	基準値と注意点	おもな疾患・病態との関連
ヒアルロン酸	血清	50 ng/mL 以下	肝線維化マーカー（コラーゲン合成の指標） [高値] 肝線維化
Ⅳ型コラーゲン	血清	150 ng/mL 以下	
Ⅲ型プロコラーゲンペプチド	血清	0.3-0.8 U/mL	
シアル化糖鎖抗原 KL-6（KL-6）	血清	500 U/mL 未満	肺線維化マーカー [高値] 間質性肺炎，その他の肺の線維化
サーファクタントプロテイン A（SP-A）	血清	43.8 ng/mL 未満	
サーファクタントプロテイン D（SP-D）	血清	110 ng/mL 未満	
デオキシピリジノリン（Dpyr）	尿	2.8-7.6 nmol/mmol・Cr（閉経前女性）	骨吸収マーカー [高値] 骨吸収亢進時（骨粗鬆症など）
Ⅰ型コラーゲン架橋 N-テロペプチド（NTx）	血清 尿	7.5-16.5 nmolBCE/L（閉経前女性） 9.3-54.3 nmolBCE/mmol・Cr（閉経前女性） BCE：bone collagen equivalent	
β クロスプラス（CTx）	血清 尿	26.7%（参考カットオフ値） 40.3-301.4 μg/mmol・Cr（閉経前女性）	
Ⅰ型コラーゲン C 末端テロペプチド（ⅠCTP）	血清	4.5 ng/mL 未満	
TRAP-5b	血清・ヘパリン血漿	120-420 mU/dL（閉経前女性）	
骨型アルカリホスファターゼ（BAP）	血清	7.9-29.0 U/L（閉経前女性）	骨形成マーカー [高値] 骨形成亢進時（ucOC を除く）
オステオカルシン（BGP）	血清・血漿	3.1-12.7 ng/mL	
低カルボキシル化オステオカルシン（ucOC）	血清	4.5 ng/mL（ビタミン K 不足のカットオフ値）	
Ⅰ型プロコラーゲン C 末端プロペプチド（PICP）	血清	30-182 ng/mL	

Ⅸ．尿・糞便検査

検査項目	試料	基準値と注意点	おもな疾患・病態との関連
尿量	尿	800-1600 mL/日	[高値] 等張性利尿，低張性利尿 [低値] 尿路閉鎖，腎前性・腎後性乏尿
尿比重	尿	通常：1.015-1.025 水制限時：1.03-1.035 水負荷時：1.001-1.005	[高値] 脱水，糖尿病，ネフローゼ症候群 [低値] 腎不全，低カリウム血症，低カルシウム血症，尿崩症
尿 pH	尿	4.6-7.8	
尿蛋白	尿	定性：陰性 定量：0.044-0.295 g/日	[陽性] 腎炎，起立性蛋白尿
尿微量アルブミン	尿	蓄尿：30 mg/日未満，22 mg/g クレアチニン未満，15 μg/分未満 随時尿：30 mg/L 未満，27 mg/g クレアチニン未満	

検査項目	試料	基準値と注意点	おもな疾患・病態との関連
尿糖(尿グルコース)	尿	定性：陰性(感度 0.1 g/dL 未満) 定量：0.029-0.257g/日	[陽性] 糖尿病，甲状腺機能亢進症，胃切除後，腎性糖尿
尿ウロビリノーゲン	尿	±～+	[増加] 急性肝炎，慢性肝炎，肝硬変，アルコール性肝障害，薬物性肝障害，心不全，溶血性貧血 [減少] 肝内胆汁うっ滞，閉塞性黄疸，胆汁瘻
尿ビリルビン	尿	−(感度 0.8 mg/dL)	[増加] 急性肝炎，劇症肝炎，肝硬変，薬物性肝障害，アルコール性肝障害，肝内胆汁うっ滞，閉塞性黄疸
尿アセトン体(ケトン体)	尿	陰性 (アセト酢酸として 15 mg/dL 以下)	[陽性] 糖尿病性ケトアシドーシス，飢餓，嘔吐
尿潜血(潜血反応)	尿	陰性 (感度 0.015-0.062 mg/dL ヘモグロビン)	[血尿] 急性腎炎，尿路結石，尿路腫瘍，出血性素因
尿 Bence Jones 蛋白	尿	陰性	[陽性] 多発性骨髄腫
尿 β_2-ミクログロブリン	尿	蓄尿：30-370 µg/日 随時尿：16-518 µg/L，4-180 µg/g クレアチニン	[高値] 慢性腎不全，糖尿病性腎症，間質性腎炎，慢性糸球体腎炎，急性尿細管壊死，アミノグリコシド系抗菌薬投与時
尿中 N-アセチルグルコサミニダーゼ(NAG)	尿	CPR-NAG を基質として測定した場合 蓄尿：1.8-6.8 U/日 随時尿：1-4.2 U/L，1.6-5.8 U/g クレアチニン 用いる合成基質により異なる	[高値] 間質性腎炎，ネフローゼ症候群，糸球体腎炎，糖尿病性腎症，急性尿細管壊死
尿浸透圧	尿	100-1300 mOsm/kgH$_2$O 尿量によって大きく変化し，ほぼ 100-1300 mOsm/kgH$_2$O の範囲にある	
尿アミラーゼ	尿	尿中総アミラーゼ濃度：267-2104 U/L 尿中総アミラーゼ排泄量：20-60 U/時 膵型アミラーゼ：15-50 U/時 唾液腺型アミラーゼ：5-30 U/時	
尿クレアチニン	尿	成人男性：1.1-1.9 g/日 成人女性：0.5-1.6 g/日	
尿クレアチン	尿	成人男性：0.2-100 g/日 成人女性：0.2-200 g/日	
尿中尿酸	尿	通常食：0.4-0.95 g/日 プリン体制限食：0.3-0.6 g/日	
尿中カリウム排泄量	尿	25-100 mEq/日	
尿 δ-アミノレブリン酸(ALA)	尿	5 mg/L 以下	[増加] ポルフィリン症
尿沈渣検査			
赤血球数	尿	1 個 1 視野以内	[増加] 腎疾患，尿路疾患
白血球数	尿	1-3 個 1 視野以内	[増加] 腎盂腎炎，膀胱炎
上皮数	尿	1 個 10 視野以下	
硝子円柱数	尿	1-2 個全視野以内	
細菌，真菌，原虫	尿		[増加] 尿路感染症
便中ヘモグロビン	便	陰性(カットオフ値は検査目的により異なる)	[陽性] 下部消化管出血(大腸癌など)

X. 脳脊髄液検査

検査項目	試料	基準値と注意点	おもな疾患・病態との関連
液圧		70-180 mmH$_2$O	[高値] 脳腫瘍，脳膿瘍，脳内出血，静脈洞血栓症，上大静脈閉塞，脳梗塞，頭部外傷，脳髄膜炎，髄液産生過剰，髄液吸収障害 [低値] 重症脱水状態，高浸透圧血症，バルビタール中毒，髄液漏
外観	脳脊髄液	水様無色透明	
比重	脳脊髄液	1.005-1.007	
pH	脳脊髄液	7.31-7.34	

検査項目	試料	基準値と注意点	おもな疾患・病態との関連
細胞数	脳脊髄液	5個/μL以下	[高値] 細菌性髄膜炎, 脳膿瘍, 硬膜下腫瘍, 脊髄硬膜下腫瘍, ウイルス性髄膜炎, ウイルス性脳炎, 脳脊髄炎, 脳脊髄腫瘍, 真菌性髄膜炎, サルコイドーシス, Behçet病, 多発性硬化症
総蛋白	脳脊髄液	15–45 mg/dL	[高値] 細菌性髄膜炎, 結核性髄膜炎, 脳脊髄腫瘍, 脳膿瘍, 脳出血, Guillain-Barré症候群, Behçet病, 多発性神経炎 [低値] 慢性髄液漏, 良性頭蓋内圧亢進症
糖	脳脊髄液	50–75 mg/dL	
非蛋白窒素	脳脊髄液	12–30 mg/dL	
尿素窒素	脳脊髄液	6–15 mg/dL	
ナトリウム	脳脊髄液	130–150 mEq/L	
カリウム	脳脊髄液	2.5–3.5 mEq/L	
塩素	脳脊髄液	120–130 mEq/L	
カルシウム	脳脊髄液	2.2–3.5 mEq/L	

略語表

*定訳がないものは意味を [ ] で示した．

略語	正式名	日本語
▶A		
AAA	abdominal aortic aneurysm	腹部大動脈瘤
A–aDO_2	alveolar arterial difference of oxygen	肺胞気–動脈血酸素（O_2）分圧較差
ABI	ankle–brachial pressure index	足関節上腕血圧比
ABPA	allergic bronchopulmonary aspergillosis	アレルギー性気管支肺アスペルギルス症
ABPM	allergic bronchopulmonary mycosis	アレルギー性気管支肺真菌症
ABR	auditory brainstem response	聴性脳幹反応
ACE	angiotensin–converting enzyme	アンジオテンシン変換酵素
ACEI	angiotensin–converting enzyme inhibitor	アンジオテンシン変換酵素阻害薬
ACh	acetylcholine	アセチルコリン
ACLS	advanced cardiovascular life support	二次救命処置
ACS	acute coronary syndrome	急性冠症候群
ACTH	adrenocorticotropic hormone	副腎皮質刺激ホルモン
ADA	adenosine deaminase	アデノシンデアミナーゼ
ADAMTS13	a disintegrin–like and metalloprotease with thrombospondin type 1 motifs 13	[von Willebrand 因子切断酵素]
ADCC	antibody–dependent cell–mediated cytotoxicity	抗体依存性細胞介在性細胞傷害
ADEM	acute disseminated encephalomyelitis	急性散在性脳脊髄炎
ADH	antidiuretic hormone	抗利尿ホルモン
ADL	activities of daily living	日常生活動作，日常生活活動
ADP	adenosine diphosphate	アデノシン二リン酸
ADPKD	autosomal dominant polycystic kidney disease	常染色体優性多発性囊胞腎
AED	automated external defibrillator	自動体外式除細動器
AF(Af, af)	atrial fibrillation	心房細動
AFL	atrial flutter	心房粗動
AFP	alpha fetoprotein	α–フェトプロテイン
AG	anion gap	アニオンギャップ
AGDML	acute gastroduodenal mucosal lesion	急性胃・十二指腸粘膜病変
AGE	advanced glycation end–product	終末糖化産物
AgRP	agouti–related protein	アグーチ関連蛋白
AHI	apnea–hypopnea index	無呼吸/低呼吸指数
AICA	anterior inferior cerebellar artery	前下小脳動脈
AIDS	acquired immunodeficiency syndrome	後天性免疫不全症候群，エイズ
AIHA	autoimmune hemolytic anemia	自己免疫性溶血性貧血
AKI	acute kidney injury	急性腎障害
ALA	aminolevulinic acid	アミノレブリン酸
ALCL	anaplastic large cell lymphoma	未分化大細胞リンパ腫
ALI	acute lung injury	急性肺損傷
ALL	acute lymphoblastic leukemia	急性リンパ性白血病
ALP	alkaline phosphatase	アルカリホスファターゼ
ALS	advanced life support	二次救命処置
ALS	amyotrophic lateral sclerosis	筋萎縮性側索硬化症
ALT	alanine aminotransferase	アラニンアミノトランスフェラーゼ
AMA	antimitochondrial antibody	抗ミトコンドリア抗体
AME	apparent mineralocorticoid excess	ミネラルコルチコイド過剰
AMI	acute myocardial infarction	急性心筋梗塞
AML	angiomyolipoma	血管筋脂肪腫
AML	acute myeloid leukemia	急性骨髄性白血病
AMP	adenosine monophosphate	アデノシン一リン酸
ANA	antinuclear antibody	抗核抗体

略語	正式名	日本語
ANCA	antineutrophil cytoplasmic antibody	抗好中球細胞質抗体
ANP	atrial natriuretic peptide	心房性ナトリウム利尿ペプチド
APC	argon plasma coagulation	アルゴンプラズマ凝固
APC	activated protein C	活性化プロテインC
APECED	autoimmune polyendocrinopathy with candidiasis and ectodermal dysplasia	自己免疫性多腺性内分泌不全症
APL	acute promyelocytic leukemia	急性前骨髄球性白血病
APS	antiphospholipid syndrome	抗リン脂質抗体症候群
APSGN	acute poststreptococcal glomerulonephritis	溶連菌感染後急性糸球体腎炎
APTT(aPTT)	activated partial thromboplastin time	活性化部分トロンボプラスチン時間
AR	aortic regurgitation	大動脈弁逆流，大動脈弁閉鎖不全症
Ara-C	cytosine arabinoside, cytarabine	シタラビン
ARB	angiotensin Ⅱ receptor blocker	アンジオテンシンⅡ受容体拮抗薬
ARC	AIDS-related complex	AIDS関連症候群
ARDS	acute respiratory distress syndrome	急性呼吸促迫症候群
ARF	acute renal failure	急性腎不全
ARPKD	autosomal recessive polycystic kidney disease	常染色体劣性多発性嚢胞腎
ARR	aldosterone-to-renin ratio	血漿アルドステロン濃度/血漿レニン活性比
ARVC	arrhythmogenic right ventricular cardiomyopathy	不整脈源性右室心筋症
AS	ankylosing spondylitis	強直性脊椎炎
AS	aortic stenosis	大動脈弁狭窄症
ASD	atrial septal defect	心房中隔欠損症
ASH	asymmetric septal hypertrophy	非対称性中隔肥大
ASK	antistreptokinase	抗ストレプトキナーゼ抗体
ASO	antistreptolysin-O	抗ストレプトリジンO抗体
ASO	arteriosclerosis obliterans	閉塞性動脈硬化症
AST	aspartate aminotransferase	アスパラギン酸アミノトランスフェラーゼ
AT	angiotensin	アンジオテンシン
AT	antithrombin	アンチトロンビン
ATG	antithymocyte globulin	抗胸腺細胞グロブリン
ATL	adult T-cell leukemia	成人T細胞白血病
ATLL	adult T-cell leukemia/lymphoma	成人T細胞白血病/リンパ腫
ATN	acute tubular necrosis	急性尿細管壊死
ATP	adenosine triphosphate	アデノシン三リン酸
ATRA	all-*trans* retinoic acid	オールトランス型レチノイン酸
AVM	arteriovenous malformation	動静脈奇形
AVP	arginine vasopressin	アルギニンバソプレシン
▶B		
BAL	bronchoalveolar lavage	気管支肺胞洗浄
BBB	blood-brain barrier	脳血管関門
BCAA	branched chain amino acid	分枝鎖アミノ酸
BCG	bacillie Calmette-Guérin	[ウシ型結核菌ワクチン]
BFP	biological false positive	生物学的偽陽性
BHL	bilateral hilar lymphadenopathy	両側肺門リンパ節腫脹
BJP	Bence Jones protein	Bence Jones蛋白
BLI	blue laser imaging	短波長狭帯域光観察
BLM	bleomycin	ブレオマイシン
BLS	basic life support	一次救命処置
BMI	body mass index	体格指数
BMT	bone marrow transplantation	骨髄移植
BNP	brain natriuretic peptide	脳性ナトリウム利尿ペプチド
BO	bronchiolitis obliterans	閉塞性細気管支炎
BOOP	bronchiolitis obliterans organizing pneumonia	器質化肺炎を伴う閉塞性細気管支炎
BPH	benign prostatic hyperplasia	前立腺肥大症

略語	正式名	日本語
BPSD	behavioral and psychological symptoms of dementia	認知症の行動・心理症状
BRTO	balloon-occluded retrograde transvenous obliteration	バルーン閉塞下逆行性経静脈的塞栓術
BSA	body surface area	体表面積
BSE	bovine spongiform encephalopathy	ウシ海綿状脳症（狂牛病）
BSP	bromosulphophthalein	ブロモスルホフタレイン
BUN	blood urea nitrogen	血液尿素窒素
▶C		
CABG	coronary artery bypass graft	冠動脈バイパスグラフト
CAD	cold agglutinin disease	寒冷凝集素症
CAG	coronary angiography	冠動脈造影
cAMP	cyclic AMP	サイクリック AMP，環状アデノシン－リン酸
CAPD	continuous ambulatory peritoneal dialysis	連続携行式腹膜透析
CART	cell-free and concentrated ascites reinfusion therapy	腹水濾過濃縮再静注法
CBT	cord blood transplantation	臍帯血移植
CCK	cholecystokinin	コレシストキニン
C_{Cr}	creatinine clearance	クレアチニンクリアランス
CCU	coronary care unit	冠動脈疾患集中治療部
CD	cluster of differentiation	分化抗原群
CDC	complement-dependent cytotoxicity	補体依存性細胞傷害
CDCA	chenodeoxycholic acid	ケノデオキシコール酸
CDDP	cisplatin	シスプラチン
CEA	carcinoembryonic antigen	癌胎児性抗原
CF	complement fixation	補体結合反応
CF	cystic fibrosis	囊胞性線維症
CFU-E	colony-forming unit-erythroid	赤芽球コロニー形成細胞
CGM	continuous glucose monitoring	持続血糖モニター
cGMP	cyclic GMP	サイクリック GMP
CGN	chronic glomerulonephritis	慢性糸球体腎炎
CH50	50% hemolytic unit of complement	血清補体価，補体 50%溶血単位，補体半溶血単位
CHD	congenital heart disease	先天性心疾患
CHDF	continuous hemodiafiltration	持続的血液濾過透析
ChE	cholinesterase	コリンエステラーゼ
CHF	congestive heart failure	うっ血性心不全
CIDP	chronic inflammatory demyelinating polyradiculoneuropathy	慢性炎症性脱髄性多発根ニューロパチー
CJD	Creutzfeldt-Jakob disease	Creutzfeldt-Jakob 病
CK	creatine kinase	クレアチンキナーゼ
CKD	chronic kidney disease	慢性腎臓病
cLBBB	complete left bundle branch block	完全左脚ブロック
CLL	chronic lymphocytic leukemia	慢性リンパ性白血病
CML	chronic myelogenous leukemia	慢性骨髄性白血病
CMML	chronic myelomonocytic leukemia	慢性骨髄単球性白血病
CMT 病	Charcot-Marie-Tooth disease	Charcot-Marie-Tooth 病
CMV	cytomegalovirus	サイトメガロウイルス
cNOS	constitutive nitric oxide synthase	構成型一酸化窒素合成酵素
CNP	C-type natriuretic peptide	C 型ナトリウム利尿ペプチド
CNS	coagulase-negative staphylococci	コアグラーゼ陰性ブドウ球菌
CNSDC	chronic non-suppurative destructive cholangitis	慢性非化膿性破壊性胆管炎
CO	cardiac output	心拍出量
COP	cryptogenic organizing pneumonia	特発性器質化肺炎
COPD	chronic obstructive pulmonary disease	慢性閉塞性肺疾患
COX	cyclooxygenase	シクロオキシゲナーゼ

略語	正式名	日本語
CPAP	continuous positive airway pressure	持続陽圧呼吸，持続的気道陽圧法
CPEO	chronic progressive external ophthalmoplegia	慢性進行性外眼筋麻痺症候群
CPK	creatine phosphokinase	クレアチンホスホキナーゼ
CPPV	continuous positive pressure ventilation	持続陽圧呼吸（換気）
CPR	cardiopulmonary resuscitation	心肺蘇生法
CPR	C-peptide immunoreactivity	C ペプチド
CR	computed radiography	デジタル X 線撮影法
CR	complete remission	完全寛解
cRBBB	complete right bundle branch block	完全右脚ブロック
CRE	carbapenem-resistant enterobacteriae	カルバペネム耐性腸内細菌科
CREST 症候群	calcinosis, Raynaud phenomenon, esophagus dysmotility sclerodactylia and telangiectasia syndrome	石灰沈着，Raynaud 現象，食道病変，指端硬化，毛細管拡張症候群
CRF	chronic renal failure	慢性腎不全
CRF	corticotropin-releasing factor	コルチコトロピン放出因子
CRH	corticotropin-releasing hormone	コルチコトロピン放出ホルモン
CRP	C-reactive protein	C 反応性蛋白
CRT	cardiac resynchronization therapy	心臓再同期療法
CSA	coronary spastic angina	冠攣縮性狭心症
CSF	colony-stimulating factor	コロニー刺激因子
CSF	cerebrospinal fluid	脳脊髄液
CSII	continuous subcutaneous insulin injection	持続皮下インスリン注入
CT	computed tomography	コンピュータ断層撮影
CTL	cytotoxic T lymphocyte	細胞傷害性 T 細胞
CTR	cardiothoracic ratio	心胸郭比
CTZ	chemoreceptor trigger zone	化学受容体誘発帯
CVA	cerebrovascular accident, cerebral vascular accident	脳血管障害，脳血管発作
CVA	costovertebral angle	肋骨脊椎角
CVC	central venous catheter	中心静脈カテーテル
CVID	common variable immunodeficiency	分類不能型免疫不全症
CVP	central venous pressure	中心静脈圧
CYFRA	cytokeratin 19 fragment	シフラ（サイトケラチン 19 フラグメント）
CYP	cytochrome P450	チトクローム P450
▶D		
DAD	diffuse alveolar damage	びまん性肺胞傷害
DAG	diacylglycerol	ジアシルグリセロール
DAS	disease activity score	疾患活動性スコア
DC	dendritic cell	樹状細胞
DCM	dilated cardiomyopathy	拡張型心筋症
DCT	distal convoluted tubule	遠位曲尿細管
DDAVP	1-deamino-8-D-arginine vasopressin	酢酸デスモプレシン
DDS	drug delivery system	薬剤の投与法
DES	drug-eluting stent	薬剤溶出性ステント
DHEA	dehydroepiandrosterone	デヒドロエピアンドロステロン
DI	diabetes insipidus	尿崩症
DI	drug information	医薬品情報学，ドラッグインフォメーション
DIC	disseminated intravascular coagulation	播種性血管内凝固症
DIHS	drug-induced hypersensitivity syndrome	薬剤性過敏症症候群
DIP	drip infusion pyelography	点滴静注腎盂造影
DIP	desquamative interstitial pneumonia	剥離性間質性肺炎
DIP joint	distal interphalangeal joint	遠位指節間関節
DKA	diabetic ketoacidosis	糖尿病性ケトアシドーシス
DLB	dementia with Lewy bodies	Lewy 小体型認知症
DLBCL	diffuse large B-cell lymphoma	びまん性大細胞型 B 細胞リンパ腫
DLco	diffusing capacity of the lung for carbon monoxide	肺拡散能

略語	正式名	日本語
DM	dermatomyositis	皮膚筋炎
DM	diabetes mellitus	糖尿病
DMARDs	disease-modifying antirheumatic drugs	疾患修飾性抗リウマチ薬
DMAT	disaster medical assistance team	災害時医療支援チーム
DMD	Duchenne muscular dystrophy	Duchenne 型筋ジストロフィー
DNA	deoxyribonucleic acid	デオキシリボ核酸
DOTS	directly observed treatment, short course	直接監視下短期化学療法
DPB	diffuse panbronchiolitis	びまん性汎細気管支炎
2,3-DPG	2,3-diphosphoglycerate	ジホスホグリセリン酸
DRI	direct renin inhibitor	直接レニン阻害薬
DSA	digital subtraction angiography	デジタルサブトラクション血管撮影法
DTR	deep tendon reflex	深部腱反射
DVT	deep vein thrombosis	深部静脈血栓症
DWI	diffusion-weighted image	拡散強調画像
▶E		
EBD	endoscopic biliary drainage	内視鏡的胆管ドレナージ術
EBM	evidence-based medicine	科学的な根拠に基づいた医療
EBV	Epstein–Barr virus	Epstein–Barr ウイルス
E–C coupling	excitation–contraction coupling	興奮収縮連関
ECD	endocardial cushion defect	心内膜床欠損症
ECF	extracellular fluid	細胞外液
ECG	electrocardiogram	心電図
ECM	extracellular matrix	細胞外マトリックス
ECMO	extracorporeal membrane oxygenation	体外式膜型人工肺
ECUM	extracorporeal ultrafiltration method	体外濾過法
EDCF	endothelium-derived contracting factor	内皮由来収縮因子
EDHF	endothelium-derived hyperpolarizing factor	内皮由来過分極因子
EDRF	endothelium-derived relaxing factor	内皮由来弛緩因子
EEG	electroencephalogram	脳波
EF	ejection fraction	駆出率，駆出分画
EFS	event-free survival	無イベント生存
EGD	esophagogastroduodenoscopy	上部消化管内視鏡検査
EGFR	epidermal growth factor receptor	上皮成長因子受容体
EGPA	eosinophilic granulomatosis with polyangiitis	好酸球性多発血管炎性肉芽腫症
EHEC	enterohemorrhagic Escherichia coli	腸管出血性大腸菌
EIA	enzyme immunoassay	酵素免疫測定法
EIS	endoscopic injection sclerotherapy	内視鏡的硬化療法
ELISA	enzyme-linked immunosorbent assay	酵素結合免疫吸着測定法，エライザ法
EMG	electromyogram	筋電図
EMR	endoscopic mucosal resection	内視鏡的粘膜切除術
ENaC	epithelial sodium channel	上皮型ナトリウムチャネル
ENBD	endoscopic nasobiliary drainage	内視鏡的経鼻胆管ドレナージ術
eNOS	endothelial nitric oxide synthase	内皮型一酸化窒素合成酵素
ENPD	endoscopic nasopancreatic drainage	内視鏡的経鼻膵管ドレナージ術
EPBD	endoscopic papillary balloon dilatation	内視鏡的乳頭バルーン拡張術
EPO	erythropoietin	エリスロポエチン
ERBD	endoscopic retrograde biliary drainage	内視鏡的逆行性胆管ドレナージ術
ERCP	endoscopic retrograde cholangiopancreatography	内視鏡的逆行性胆道膵管造影
ESA	erythropoiesis-stimulating agent	赤血球造血刺激因子製剤
ESBL	extended-spectrum β-lactamase	基質拡張型βラクタマーゼ
ESD	endoscopic submucosal dissection	内視鏡的粘膜下層剥離術
ESR	erythrocyte sedimentation rate	赤血球沈降速度（赤沈，血沈）
EST	endoscopic sphincterotomy	内視鏡的乳頭括約筋切開術
ESWL	extracorporeal shockwave lithotripsy	体外衝撃波結石破砕療法
ET	essential thrombocythemia	本態性血小板血症

略語	正式名	日本語
EUS	endoscopic ultrasonography	超音波内視鏡
EUS-FNA	endoscopic ultrasonography-guided fine needle aspiration	超音波内視鏡下吸引針生検
EVD	Ebola virus disease	エボラウイルス病
EVL	endoscopic variceal ligation	内視鏡的静脈瘤結紮術
▶F		
FAP	familial adenomatous polyposis	家族性大腸腺腫症
FAP	familial amyloid polyneuropathy	家族性アミロイドポリニューロパチー
FBS	fasting blood sugar	空腹時血糖
FD	functional dyspepsia	機能性ディスペプシア
FDG	^{18}F-fluoro-2-deoxy-D-glucose	フルオロデオキシグルコース
FDP	fibrin/fibrinogen degradation products	フィブリン/フィブリノゲン分解産物
FE$_{Na}$	fractional excretion of sodium	尿ナトリウム分画排泄率
FEV$_1$	forced expiratory volume	1秒量
FFA	free fatty acid	遊離脂肪酸
FFP	fresh frozen plasma	新鮮凍結血漿
FGF	fibroblast growth factor	線維芽細胞成長(増殖)因子
FL	follicular lymphoma	濾胞性リンパ腫
FMF	familial Mediterranean fever	家族性地中海熱
fMLP	formy-methionyl-leucyl-phenylalanine	ホルミルメチオニルロイシルフェニルアラニン
FN	febrile neutropenia	発熱性好中球減少症
FNA	fine needle aspiration	穿刺吸引法
FNAB	fine needle aspiration biopsy	穿刺吸引細胞診
FPG	fasting plasma glucose	空腹時血糖
FRC	functional residual capacity	機能的残気量
FS	fractional shortening	左室内径短縮率
FSGS	focal segmental glomerulosclerosis	巣状分節性糸球体硬化症
FSH	follicle stimulating hormone	卵胞刺激ホルモン
FTD	frontotemporal dementia	前頭側頭型認知症
FTLD	frontotemporal lobar degeneration	前頭側頭葉変性症
FUO	fever of unknown origin	不明熱
FVC	forced vital capacity	努力肺活量
▶G		
G6PD	glucose-6-phosphate dehydrogenase	グルコース-6-リン酸デヒドロゲナーゼ
GABA	γ-aminobutyric acid	γアミノ酪酸
GAVE	gastric antral vascular ectasia	胃前庭部毛細血管拡張症
GBM	glomerular basement membrane	糸球体基底膜
GBS	Guillain-Barré syndrome	Guillain-Barré症候群
GCS	Glasgow Coma Scale	Glasgow昏睡尺度
G-CSF	granulocyte colony-stimulating factor	顆粒球コロニー刺激因子
GDM	gestational diabetes mellitus	妊娠糖尿病
GERD	gastroesophageal reflux disease	胃食道逆流症
GFR	glomerular filtration rate	糸球体濾過率
GGO	ground-glass opacity	すりガラス状陰影
γ-GTP	γ-glutamyl transferase, γ-glutamyl transpeptidase	γグルタミルトランスフェラーゼ, γグルタミルトランスペプチダーゼ
GH	growth hormone	成長ホルモン
GHRH(GRH)	growth hormone releasing hormone	成長ホルモン放出ホルモン
GIP	gastric inhibitory polypeptide	胃抑制性ポリペプチド
GIST	gastrointestinal stromal tumor	消化管間質腫瘍
GLP	glucagon-like peptide	グルカゴン様ペプチド
GLUT	glucose transporter	グルコーストランスポーター
GM-CSF	granulocyte-macrophage colony-stimulating factor	顆粒球マクロファージコロニー刺激因子
GMP	guanosine monophospate	グアノシンーリン酸
GnRH	gonadotropin-releasing hormone	ゴナドトロピン(性腺刺激ホルモン)放出ホルモン
GOT	glutamate oxaloacetate transaminase	グルタミン酸オキサロ酢酸トランスアミナーゼ

略語	正式名	日本語
GPA	granulomatosis with polyangiitis	多発血管炎性肉芽腫症
GPI	glycosylphosphatidylinositol	グリコシルホスファチジルイノシトール
GPT	glutamate pyruvate transaminase	グルタミン酸ピルビン酸トランスアミナーゼ
GR	glucocorticoid receptor	グルココルチコイド受容体
GTT	glucose tolerance test	ブドウ糖負荷試験
GVHD	graft-versus-host disease	移植片対宿主病
GWAS	genome-wide association study	ゲノムワイド関連解析
▶H		
HAART	highly active antiretroviral therapy	高活性抗レトロウイルス療法
HAM/TSP	HTLV-1 associated myelopathy/tropical spastic paraparesis	HTLV-1 関連脊髄症
HAV	hepatitis A virus	A 型肝炎ウイルス
Hb	hemoglobin	ヘモグロビン，血色素
HBE	His bundle electrogram	His 束心電図
HBV	hepatitis B virus	B 型肝炎ウイルス
HCC	hepatocellular carcinoma	肝細胞癌
HCG(hCG)	human chorionic gonadotropin	ヒト絨毛性ゴナドトロピン（性腺刺激ホルモン）
HCM	hypertrophic cardiomyopathy	肥大型心筋症
HCV	hepatitis C virus	C 型肝炎ウイルス
HD	hemodialysis	血液透析
HDAC	histone deacetylase	ヒストン脱アセチル化酵素
HDF	hemodiafiltration	血液濾過透析
HDL	high density lipoprotein	高比重リポ蛋白
HDV	hepatitis D virus	D 型肝炎ウイルス
HER2	human epidermal growth factor receptor type 2	ヒト上皮増殖因子受容体 2 型
HES	hypereosinophilic syndrome	好酸球増加症候群
HEV	hepatitis E virus	E 型肝炎ウイルス
HHM	humoral hypercalcemia of malignancy	体液性悪性腫瘍性高カルシウム血症
HHS	hyperglycemic hyperosmolar syndrome	高血糖高浸透圧症候群
HHV	human herpesvirus	ヒトヘルペスウイルス
5-HIAA	5-hydroxyindoleacetic acid	5-ヒドロキシインドール酢酸
HIT	heparin-induced thrombocytopenia	ヘパリン起因性血小板減少症
HIV	human immunodeficiency virus	ヒト免疫不全ウイルス
HL	Hodgkin lymphoma	Hodgkin リンパ腫
HLA	human leukocyte antigen	ヒト白血球抗原
HMG CoA	3-hydroxy-3-methyl-glutaryl coenzyme A	ヒドロキシメチルグルタリル CoA
HNCM	hypertrophic nonobstructive cardiomyopathy	非閉塞性肥大型心筋症
HNPCC	hereditary non-polyposis colorectal cancer	遺伝性非ポリポーシス大腸癌
HOCM	hypertrophic obstructive cardiomyopathy	閉塞性肥大型心筋症
HOT	home oxygen therapy	在宅酸素療法
HPA 系	hypothalamus-pituitary-adrenal axis	視床下部・下垂体・副腎系
HPF	high power field	高倍(率)視野
hPL	human placental lactogen	ヒト胎盤性ラクトーゲン
HPLC	high-performance liquid chromatography	高速液体クロマトグラフィ
HPRT	hypoxanthine-guanine phosphoribosyltransferase	ヒポキサンチン・グアニンホスホリボシルトランスフェラーゼ
HPS	hemophagocytic syndrome	血球貪食症候群
HPT	hepaplastin test	ヘパプラスチンテスト
HPV	human papilloma virus	ヒトパピローマウイルス
HRCT	high resolution CT	高分解能 CT
HS	hereditary spherocytosis	遺伝性球状赤血球症
HSC	hematopoietic stem cell	造血幹細胞
HSCT	hematopoietic stem cell transplantation	造血幹細胞移植
HSV	herpes simplex virus	単純ヘルペスウイルス
5-HT	5-hydroxytryptamine	セロトニン
Ht(Hct)	hematocrit	ヘマトクリット

略語	正式名	日本語
HTLV	human T-cell leukemia virus	ヒトT細胞白血病ウイルス
HUS	hemolytic uremic syndrome	溶血性尿毒症症候群
▶I		
IABP	intraaortic balloon pumping	大動脈内バルーンパンピング
IBD	inflammatory bowel disease	炎症性腸疾患
IBS	irritable bowel syndrome	過敏性腸症候群
IC	immune complex	免疫複合体
ICD	implantable cardiac defibrillator	植え込み型除細動器
ICF	intracellular fluid	細胞内液
ICG	indocyanine green	インドシアニングリーン
ICU	intensive care unit	集中治療部
IDA	iron deficiency anemia	鉄欠乏性貧血
IDDM	insulin-dependent diabetes mellitus	インスリン依存性糖尿病
IDL	intermediate density lipoprotein	中間密度(比重)リポ蛋白
IE	infective endocarditis	感染性心内膜炎
IEP	immunoelectrophoresis	免疫電気泳動法
IFE	immunofixation electrophoresis	免疫固定法
IFN	interferon	インターフェロン
IGF	insulin-like growth factor	インスリン様増殖因子
IgG	immunoglobulin G	免疫グロブリンG
IgH	immunoglobulin heavy chain	免疫グロブリン重鎖
IgL	immunoglobulin light chain	免疫グロブリン軽鎖
IGT	impaired glucose tolerance	耐糖能異常
IHD	ischemic heart disease	虚血性心疾患
IIP	idiopathic interstitial pneumonia	特発性間質性肺炎
IL	interleukin	インターロイキン
ILD	interstitial lung disease	間質性肺疾患
iNOS	inducible nitric oxide synthase	誘導型一酸化窒素合成酵素
INR	international normalized ratio	国際標準化比
IPF	idiopathic pulmonary fibrosis	特発性肺線維症
IPH	idiopathic portal hypertension	特発性門脈圧亢進症
IPMN	intraductal papillary mucinous neoplasm	膵管内乳頭粘液性腫瘍
IPPB(V)	intermittent positive pressure breathing(ventilation)	間欠陽圧呼吸法
IQ	intelligence quotient	知能指数
IRI	immunoreactive insulin	免疫反応性インスリン
ITP	idiopathic thrombocytopenic purpura	特発性血小板減少性紫斑病
ITP	immune thrombocytopenia	免疫性血小板減少症
IVC	inferior vena cava	下大静脈
IVH	intravenous hyperalimentation	中心静脈栄養
IVIG	intravenous immunoglobulin	免疫グロブリン大量静注療法
IVL	intravascular large B-cell lymphoma	血管内大細胞型B細胞リンパ腫
IVP	intravenous pyelography	経静脈性腎盂造影,排泄性尿路造影法
IVR	interventional radiology	インターベンショナルラジオロジー
▶J		
JAK	Janus kinase	ヤヌスキナーゼ
JCS	Japan Coma Scale	日本式昏睡尺度(3-3-9度方式)
JEV	Japanese encephalitis virus	日本脳炎ウイルス
JRA	juvenile rheumatoid arthritis	若年性関節リウマチ
▶K		
17-KS	17-ketosteroid	17-ケトステロイド
KSHV	Kaposi's sarcoma-associated herpesvirus	Kaposi肉腫関連ヘルペスウイルス
KUB	kidney, ureter and bladder	腎・尿管・膀胱単純X線撮影
KW	Keith-Wagner classification	Keith-Wagner分類
▶L		
LAD	Leukocyte adhesion defects	白血球接着異常症

略語	正式名	日本語
LAM	lymphangioleiomyomatosis, lymphangiomyomatosis	リンパ脈管筋腫症
LAO	left anterior oblique	左前斜位
LAP	leucine aminopeptidase	ロイシンアミノペプチダーゼ
LBBB	left bundle branch block	左脚ブロック
LBL	lymphoblastic lymphoma	リンパ芽球性リンパ腫
LCA	left coronary artery	左冠動脈
LCAT	lecithin-cholesterol acyltransferase	レシチン・コレステロールアシルトランスフェラーゼ
LCH	Langerhans cell histiocytosis	Langerhans 細胞組織球症
LCX	left circumflex coronary artery	左冠動脈回旋枝
LDH, LD	lactate dehydrogenase	乳酸脱水素酵素
LDL	low density lipoprotein	低比重リポ蛋白
LDL-C	LDL-cholesterol	LDL コレステロール
LEMS	Lambert-Eaton myasthenic syndrome	Lambert-Eaton 筋無力症候群
LES	lower esophageal sphincter	食道下部括約筋
LGL	large granular lymphocyte	大型顆粒リンパ球
LH	luteinizing hormone	黄体形成ホルモン
LHRH	luteinizing hormone-releasing hormone	黄体形成ホルモン放出ホルモン
LMT	left main trunk	左冠動脈主幹部
LOH	local osteolytic hypercalcemia	局所性骨融解性高カルシウム血症
LOHF	late onset hepatic failure	遅発性肝不全
Lp(a)	lipoprotein little A antigen	リポ蛋白 A 抗原
LPL	lipoprotein lipase	リポ蛋白リパーゼ
LPS	lipopolysaccharide	リポポリサッカライド
LV	left ventricule	左室
LVH	left ventricular hypertrophy	左室肥大
▶M		
MAC	*Mycobacterium avium* complex	マイコバクテリウム・アビウムコンプレックス
MALT	mucosa-associated lymphoid tissue	粘膜関連リンパ組織
MAO	monoamine oxidase	モノアミンオキシダーゼ
MCH	mean corpuscular hemoglobin	平均赤血球ヘモグロビン量
MCHC	mean corpuscular hemoglobin concentration	平均赤血球ヘモグロビン濃度
MCI	mild cognitive impairment	軽度認知障害
MCLS	mucocutaneous lymphnode syndrome	急性熱性粘膜皮膚リンパ節症候群(川崎病)
MCNS	minimal change nephrotic syndrome	微小変化型ネフローゼ症候群
MCP joint	metacarpophalangeal joint	中手指節関節
M-CSF	macrophage-colony stimulating factor	マクロファージコロニー刺激因子
MCTD	mixed connective tissue disease	混合性結合組織病
MCV	mean corpuscular volume	平均赤血球容積
MDCT	multi-detector CT	多列検出器 CT
MDR	multidrug resistance protein	多剤耐性蛋白
MDRP	multiple-drug-resistant *Pseudomonas aeruginosa*	多剤耐性緑膿菌
MDS	myelodysplastic syndrome	骨髄異形成症候群
MELAS	mitochondrial myopathy, encephalopathy, lactic acidosis and stroke-like episodes	ミトコンドリアミオパチー,脳症(エンセファロパチー),乳酸アシドーシス,脳卒中様発作
MEN	multiple endocrine neoplasia	多発性内分泌腺腫症
MERRF	myoclonus epilepsy associated with ragged-red fibers	赤色ぼろ線維・ミオクローヌスてんかん症候群
MF	mycosis fungoides	菌状息肉症
MG	myasthenia gravis	重症筋無力症
MGUS	monoclonal gammopathy of undetermined significance	意義不明の単クローン性ガンマグロブリン血症
MHA	microangiopathic hemolytic anemia	微小血管障害性溶血性貧血
MHC	major histocompatibility complex	主要組織適合遺伝子複合体
MIBG	metaiodobenzylguanidine	メタヨードベンジルグアニジン
MIC	minimum inhibitory concentration	最小発育阻止濃度

略語	正式名	日本語
MLCK	myosin light chain kinase	ミオシン軽鎖リン酸化酵素
MLCP	myosin light chain phosphatase	ミオシン軽鎖脱リン酸化酵素
MLF	medial longitudinal fasciculus	内側縦束
MM	multiple myeloma	多発性骨髄腫
MMC	mytomycin	マイトマイシン C
MMP	matrix metaloproteinase	マトリックスメタロプロテイナーゼ
MMSE	mini-mental state examination	簡易認知機能検査
MMT	manual muscle testing	徒手筋力試験
MN	membranous nephropathy	膜性腎症
MODY	maturity-onset diabetes of youth	若年発症成人型糖尿病
MOF	multiple organ failure	多臓器不全
MPA	microscopic polyangiitis	顕微鏡的多発血管炎
MPGN	membranoproliferative glomerulonephritis	膜性増殖性糸球体腎炎
MPN	myeloproliferative neoplasms	骨髄増殖性腫瘍
MPO	myeloperoxidase	ミエロペルオキシダーゼ
MR	mitral regurgitation	僧帽弁閉鎖不全症
MRA	magnetic resonance angiography	磁気共鳴血管造影(法)
MRA	malignant rheumatoid arthritis	悪性関節リウマチ
MRCP	magnetic resonance cholangiopancreatography	磁気共鳴胆膵造影
MRI	magnetic resonance imaging	磁気共鳴画像
MRSA	methicillin resistant *Staphylococcus aureus*	メチシリン耐性黄色ブドウ球菌
MS	mitral stenosis	僧帽弁狭窄症
MS	multiple sclerosis	多発性硬化症
MSA	multiple system atrophy	多系統萎縮症
MSH	melanocyte-stimulating hormone	メラニン細胞刺激ホルモン
MTX	methotrexate	メトトレキサート
MVP	mitral valve prolapse	僧帽弁逸脱症
MVR	mitral valve replacement	僧帽弁置換術
▶N		
NAD	nicotinamide adenine dinucleotide	ニコチンアミドアデニンジヌクレオチド
NADH	reduced NAD, dihydronicotinamide adenine dinucleotide	還元型 NAD, ジヒドロニコチンアミドアデニンジヌクレオチド
NADP	nicotinamide adenine dinucleotide phosphate	ニコチンアミドアデニンジヌクレオチドリン酸
NAFLD	non-alcoholic fatty liver diseases	非アルコール性脂肪性肝疾患
NAG	N-acetyl-β-D-glucosaminidase	N-アセチル-β-D-グルコサミニダーゼ
NAP	neutrophil alkaline phosphatase	好中球アルカリホスファターゼ
NASH	non-alcoholic steatohepatitis	非アルコール性脂肪肝炎
NBI	narrow band imaging	狭帯域光観察
NCS	nerve conduction study	神経伝導検査
NET	neuroendocrine tumor	神経内分泌腫瘍
NGSP	national glycohemoglobin standardization program	(HbA1c の)国際標準値
NHL	non-Hodgkin lymphoma	非 Hodgkin リンパ腫
NIDDM	non-insulin dependent diabetes mellitus	インスリン非依存性糖尿病
NIPPV	noninvasive positive pressure ventilation	非侵襲的陽圧換気
NK 細胞	natural killer cell	ナチュラルキラー細胞
NMO	neuromyelitis optica	視神経脊髄炎
NOS	NO synthase	一酸化窒素合成酵素
NPH	normal pressure hydrocephalus	正常圧水頭症
NSAIDs	non-steroidal anti-inflammatory drugs	非ステロイド系抗炎症薬
NSCLC	non-small cell lung cancer	非小細胞肺癌
NSE	neuron specific enolase	神経特異的エノラーゼ
NSIP	nonspecific interstitial pneumonia	非特異性間質性肺炎
NST	nutrition support team	栄養サポートチーム
NSTEMI	non-ST elevation myocardial infarction	非 ST 上昇型心筋梗塞
NTM	non-tuberculous mycobacteria	非結核性抗酸菌

略語	正式名	日本語
▶O		
OAB	overactive bladder	過活動膀胱
OAS	oral allergy syndrome	口腔アレルギー症候群
OCT	ornithine carbamoyltransferase	オルニチンカルバモイルトランスフェラーゼ
OGTT	oral glucose tolerance test	経口ブドウ糖負荷試験
17-OHCS	17-hydroxycorticosteroid	17-ヒドロキシコルチコステロイド
OMI	old myocardial infarction	陳旧性心筋梗塞
OP	organizing pneumonia	器質化肺炎
OPCA	olivopontocerebellar atrophy	オリーブ橋小脳萎縮症
OPLL	ossification of posterior longitudinal ligament	後縦靱帯骨化症
OS	opening snap	僧帽弁開放音
OSAS	obstructive sleep apnea syndrome	閉塞型睡眠時無呼吸症候群
▶P		
PAC	plasma aldosterone concentration	血漿アルドステロン濃度
PAD	public access defibrillation	一般市民による除細動
PAF	platelet-activating factor	血小板活性化因子
PAH	pulmonary arterial hypertension	肺動脈性肺高血圧症
PAIgG	platelet-associated IgG	血小板結合 IgG
PAN	polyarteritis nodosa	結節性多発動脈炎
PAS	periodic acid-Schiff(stain)	過ヨウ素酸 Schiff(染色)
PBC	primary biliary cholangitis	原発性胆汁性胆管炎
PBG	porphobilinogen	ポルホビリノゲン
PBP	penicillin binding protein	ペニシリン結合蛋白質
PBSCT	peripheral blood stem cell transplantation	末梢血幹細胞移植
PC	platelet concentrate	血小板濃厚液
PCH	paroxysmal cold hemoglobinuria	発作性寒冷ヘモグロビン尿症
PCI	percutaneous coronary intervention	経皮的冠動脈インターベンション
PCP	*Pneumocystis* pneumonia	ニューモシスチス肺炎
PCPS	percutaneous cardiopulmonary support	経皮的心肺補助
PCR	polymerase chain reaction	ポリメラーゼ連鎖反応法
PCWP	pulmonary capillary wedge pressure	肺毛細血管楔入圧
PD	peritoneal dialysis	腹膜透析
PDA	patent ductus arteriosus	動脈管開存症
PDE	phosphodiesterase	ホスホジエステラーゼ
PDGF	platelet-derived growth factor	血小板由来増殖因子
PE	plasma exchange	血漿交換
PEEP	positive end-expiratory pressure	呼気終末陽圧
PEG	percutaneous endoscopic gastrostomy	経皮内視鏡的胃瘻造設術
PEIT	percutaneous ethanol injection therapy	経皮的エタノール注入療法
PET	positron emission tomography	ポジトロン断層撮影
PG	prostaglandin	プロスタグランジン
PH	pulmonary hypertension	肺高血圧
PHA	para-aminohippuric acid	パラアミノ馬尿酸
PHN	postherpetic neuralgia	帯状疱疹後神経痛
PHP	pseudohypoparathyroidism	偽性副甲状腺機能低下症
PI-3K	phosphatidylinositol 3-kinase	ホスファチジルイノシトール 3-キナーゼ
PIC	plasmin-α_2 plasmin inhibitor complex	プラスミン・プラスミンインヒビター複合体
PICA	posterior inferior cerebellar artery	後下小脳動脈
PID	pelvic inflammatory disease	骨盤内炎症性疾患
PIP joint	proximal interphalangeal joint	近位指節間関節
PIVKA	protein induced by vitamin K absence(antagonist)	ビタミン K 欠乏時産生蛋白質
PKD	polycystic kidney disease	多発性囊胞腎
PKU	phenylketonuria	フェニルケトン尿症
PLA2	phospholipase A2	膵ホスホリパーゼ A2
PM	polymyositis	多発性筋炎

略語	正式名	日本語
PMD	progressive muscular dystrophy	進行性筋ジストロフィー
PML	progressive multifocal leukoencephalopathy	進行性多巣性白質脳症
PMR	polymyalgia rheumatica	リウマチ性多発筋痛症
PN	polyarteritis nodosa	結節性多発動脈炎
PNH	paroxysmal nocturnal hemoglobinuria	発作性夜間ヘモグロビン尿症
POMR	problem-oriented medical record	問題志向型診療記録
POS	problem-oriented system	問題志向型システム
PPD	purified protein derivative of tuberculin	精製ツベルクリン蛋白体
PPI	proton pump inhibitor	プロトンポンプ阻害薬
PPN	peripheral parenteral nurition	末梢静脈栄養
PPRF	paramedian pontine reticular formation	傍正中橋網様体
PR	partial response	部分奏効
PRA	plasma renin activity	血漿レニン活性
PRCA	pure red cell aplasia	赤芽球癆
PRL	prolactin	プロラクチン
ProGRP	pro-gastrin releasing peptide	ガストリン放出ペプチド前駆体
PRP	platelet-rich plasma	多血小板血漿
PrP	prion protein	プリオン蛋白
PRSP	penicillin resistant *Streptococcus pneumoniae*	ペニシリン耐性肺炎球菌
PS	performance status	全身状態
PS	pulmonary stenosis	肺動脈狭窄症
PSA	prostate specific antigen	前立腺特異抗原
PsA	psoriatic arthritis	乾癬性関節炎
PSC	primary sclerosing cholangitis	原発性硬化性胆管炎
PSD	periodic synchronous discharge	周期性同期性放電
PSG	polysomnography	ポリソムノグラフィー, 夜間睡眠検査
PSP	progressive supranuclear palsy	進行性核上性麻痺
PSVT	paroxysmal supraventricular tachycardia	発作性上室性頻拍
PT	prothrombin time	プロトロンビン時間
PTA	percutaneous transluminal angioplasty	経皮経管血管形成術
PTBD	percutaneous transhepatic biliary drainage	経皮経肝胆道ドレナージ
PTC	percutaneous transhepatic cholangiography	経皮経肝胆道造影
PTCA	percutaneous transluminal coronary angioplasty	経皮的冠動脈形成術
PTE	pulmonary thromboembolism	肺(動脈)血栓塞栓症
PTEG	percutaneous transesophageal gastro-tubing	経皮経食道胃管挿入術
PTH	parathyroid hormone	副甲状腺ホルモン
PTHrP	parathyroid hormone-related peptide	副甲状腺ホルモン関連ペプチド
PTMC	percutaneous transluminal mitral commissurotomy	経皮的経静脈的僧帽弁交連裂開術
PTSD	posttraumatic stress disorder	心的外傷後ストレス障害
PV	polycythemia vera	真性赤血球増加症
PVC	premature ventricular contraction	心室性期外収縮
PVH	periventricular hyperintensity	脳室周囲高信号域
PVL	periventricular lucency	脳室周囲低吸収域
▶Q		
QOL	quality of life	生活の質
▶R		
RA	right atrium	右房
RA	refractory anemia	不応性貧血
RA	rheumatoid arthritis	関節リウマチ
RAA系	renin-angiotensin-aldosterone system	レニン-アンジオテンシン-アルドステロン系
RAEB	refractory anemia with excess blasts	芽球増加を伴う不応性貧血
RANKL	receptor activator of nuclear factor-kappa B	破骨細胞分化因子
RAO	right anterior oblique	右前斜位
RARS	refractory anemia with ring sideroblasts	環状鉄芽球を伴う不応性貧血

略語	正式名	日本語
RAST	radioallergosorbent test	放射性アレルゲン吸着試験，ラスト法
RBBB	right bundle branch block	右脚ブロック
RBC	red blood cell	赤血球
RBF	renal blood flow	腎血流量
RB-ILD	respiratory bronchiolitis-associated interstitial lung disease	呼吸細気管支炎随伴間質性肺炎
RBP	retinol binding protein	レチノール結合蛋白
RCA	right coronary artery	右冠動脈
RCM	restrictive cardiomyopathy	拘束型心筋症
RCMD	refractory cytopenia with multilineage dysplasia	多血球系異形成を伴う不応性血球減少症
RCT	randomized controlled trial	無作為化対照試験
REM	rapid eye movement	急速眼球運動
RF	rheumatic fever	リウマチ熱
RF	rheumatoid factor	リウマトイド因子
RFA	radiofrequency ablation	ラジオ波焼灼療法
RI	radioisotope	放射性同位元素
RIA	radioimmunoassay	ラジオイムノアッセイ
RIST	radioimmunosorbent test	放射性免疫吸着試験，リスト法
RNA	ribonucleic acid	リボ核酸
RNP	ribonucleoprotein	リボヌクレオ蛋白質
ROD	renal osteodystrophy	腎性骨ジストロフィー
RPGN	rapidly progressive glomerulonephritis	急性進行性糸球体腎炎
RTA	renal tubular acidosis	腎尿細管性アシドーシス
RV	right ventricule	右室
RV	residual volume	残気量
▶S		
SAA	serum amyloid A	血清アミロイドA
SABA	short-acting β_2 agonist	短時間作動性吸入 β_2 刺激薬
SAH	subarachnoid hemorrhage	くも膜下出血
SAPHO 症候群	synovitis, acne, pustulosis, hyperostosis, osteitis syndrome	滑膜炎，痤瘡，膿疱症，骨化症，骨炎症候群
SARS	severe acute respiratory syndrome	重症急性呼吸器症候群
SAS	sleep apnea syndrome	睡眠時無呼吸症候群
SBMA	spinal and bulbar muscular atrophy	球脊髄性筋萎縮症
SBP	spontaneous bacterial peritonitis	特発性細菌性腹膜炎
SBS	sinobronchial syndrome	副鼻腔気管支症候群
SCC	squamous cell carcinoma	扁平上皮癌
SCD	spinocerebellar degeneration	脊髄小脳変性症
SCF	stem cell factor	幹細胞因子
SCID	severe combined immunodeficiency	重症複合免疫不全症
SCLC	small cell lung cancer	小細胞肺癌
SCV	sensory nerve conduction velocity	感覚神経伝導速度
SDR	simple diabetic retinopathy	単純糖尿病網膜症
SEP	somatosensory evoked potential	体性感覚誘発電位
SERM	selective estrogen receptor modulator	選択的エストロゲン受容体モジュレーター
SFTS	severe fever with thrombocytopenia syndrome	重症熱性血小板減少症候群
SGLT	sodium-glucose cotransporter	ナトリウム-グルコース共輸送体
SIADH	syndrome of inappropriate secretion of antidiuretic hormone	抗利尿ホルモン不適合分泌症候群
sIL-2R	soluble interleukin-2 receptor	可溶性インターロイキン2レセプター
SIRS	systemic inflammatory response syndrome	全身性炎症反応症候群
SITSH	syndrome of inappropriate secretion of TSH	TSH不適切分泌症候群
SjS	Sjögren syndrome	Sjögren症候群
SLE	systemic lupus erythematosus	全身性エリテマトーデス
SLR	straight leg raising test	下肢進展挙上テスト
SMA	spinal muscular atrophy	脊髄性筋萎縮症

略語	正式名	日本語
SMON	subacute myelo-optico-neuropathy	スモン，亜急性脊髄視神経症
SMT	submucosal tumor	粘膜下腫瘍
SNAP	sensory nerve action potential	知覚神経活動電位
SND	striatonigral degeneration	線条体黒質変性症
SNP	single nucleotide polymorphism	一塩基多型
SNRI	serotonin–noradrenaline reuptake inhibitor	セロトニン・ノルアドレナリン再取り込み阻害薬
SNRT	sinus nodal reentrant tachycardia	洞結節リエントリー性頻拍
SNRT	sinus node recovery time	洞結節回復時間
SPECT	single photon emission CT	シングルフォトンエミッションCT
SPMA	spinal progressive muscular atrophy	脊髄性進行性筋萎縮症
SR	sarcoplasmic reticulum	筋小胞体
SSc	systemic sclerosis	全身性強皮症
SSPE	subacute sclerosing panencephalitis	亜急性硬化性全脳炎
SSRI	selective serotonin reuptake inhibitor	選択的セロトニン再取り込み阻害薬
SSS	sick sinus syndrome	洞不全症候群
SSSS	staphylococcal scalded skin syndrome	ブドウ球菌熱傷様皮膚症候群
STAT	signal transducers and activation of transcription	シグナル伝達/転写活性化因子
STD	sexually transmitted disease	性感染症
STEMI	ST elevation myocardial infarction	ST上昇型心筋梗塞
SVC	superior vena cava	上大静脈

▶T

略語	正式名	日本語
T_3	3, 3′, 5-L-triiodothyronine	3, 3′, 5-L-トリヨードサイロニン
T_4	3, 3′, 5, 5′-L-tetraiodothyronine, thyroxine	3, 3′, 5, 5′-L-テトラヨードサイロニン，サイロキシン
TAA	thoracic aortic aneurysm	胸部大動脈瘤
TACE	transcatheter arterial chemoembolization	経カテーテル肝動脈化学塞栓療法
TAE	transcatheter arterial embolization	経カテーテル動脈塞栓術
TAO	thromboangiitis obliterans	閉塞性血栓血管炎
TAT	thrombin–antithrombin complex	トロンビン・アンチトロンビン複合体
TAVI	transcatheter aortic valve implantation	経カテーテル的大動脈弁留置術
TBB	transbronchial biopsy	経気管支生検
TBG	thyroxine–binding globulin	サイロキシン結合グロブリン
TBLB	transbronchial lung biopsy	経気管支肺生検
TCR	T-cell receptor	T細胞受容体
TDM	therapeutic drug monitoring	治療薬物モニタリング
TdP	torsade de pointes	多形性心室頻拍
TEE	transesophageal echocardiography	経食道心臓超音波検査
TEN	toxic epidermal necrolysis	中毒性表皮壊死症
TG	triglyceride	トリグリセリド
TGA	transposition of the great arteries	大血管転位症
TGF	transforming growth factor	トランスフォーミング増殖因子
TIA	transient ischemic attack	一過性脳虚血発作
TIBC	total iron binding capacity	総鉄結合能
TIPS	transjugular intrahepatic portosystemic shunt	経頸静脈的肝内門脈静脈短絡術
TKI	tyrosine kinase inhibitor	チロシンキナーゼ阻害薬
TLC	total lung capacity	全肺気量
TLR	Toll-like receptor	トール様受容体
TMA	thrombotic microangiopathy	血栓性微小血管障害
TNF	tumor necrosis factor	腫瘍壊死因子
TOF	tetralogy of Fallot	Fallot四徴症
TP	total protein	総蛋白
TPA(t-PA)	tissue plasminogen activator	組織プラスミノゲン活性化因子
TPHA test	*Treponema pallidum* hemagglutination test	梅毒トレポネーマ赤血球凝集テスト
TPN	total parenteral nutrition	完全静脈栄養
TPO	thrombopoietin	トロンボポエチン
TPO	thyroperoxidase	甲状腺ペルオキシダーゼ

略語	正式名	日本語
TR	tricuspid regurgitation	三尖弁閉鎖不全症
TRAb	anti-TSH receptor antibody	TSH 受容体抗体
TRALI	transfusion-related acute lung injury	輸血関連急性肺障害
TRH	thyrotropin-releasing hormone	甲状腺刺激ホルモン放出ホルモン
TS	tricuspid stenosis	三尖弁狭窄症
TSAb	thyroid-stimulating antibody	甲状腺刺激抗体
TSBAb	TSH-stimulation blocking antibody	甲状腺刺激阻害抗体
TSH	thyroid stimulating hormone	甲状腺刺激ホルモン
TTA	transtracheal aspiration	経気管吸引法
TTKG	transtubular kalium gradient	尿細管内外カリウム濃度勾配
TTP	thrombotic thrombocytopenic purpura	血栓性血小板減少性紫斑病
TUR-Bt	transurethral resection of bladder tumor	経尿道的膀胱腫瘍切除術
TV	tidal volume	1 回換気量
▶U		
UC	ulcerative colitis	潰瘍性大腸炎
UCG	ultrasonic cardiography	超音波心臓検査
UIBC	unsaturated iron binding capacity	不飽和鉄結合能
UIP	usual interstitial pneumonia	通常型間質性肺炎
US	ultrasonography	超音波検査
UTI	urinary tract infection	尿路感染症
▶V		
VAHS	virus-associated hemophagocytic syndrome	ウイルス関連血球貪食症候群
VAP	ventilator-associated pneumonia	人工呼吸器関連肺炎
VATS	video-assisted thoracoscopic surgery	ビデオ補助胸腔鏡手術
VC	vital capacity	肺活量
VD	venereal disease	性病
VEGF	vascular endothelial growth factor	血管内皮増殖因子
VF	ventricular fibrillation	心室細動
VGCC	voltage-gated calcium channel	電位依存性カルシウムチャネル
VGKC	voltage-gated kalium channel	電位依存性カリウムチャネル
VIP	vasoactive intestinal peptide	血管作動性腸管ペプチド
VLDL	very low density lipoprotein	超低比重リポ蛋白
VOD	veno-occlusive disease	肝中心静脈閉塞症
VPC	ventricular premature contraction	心室性期外収縮
VSA	vasospastic angina	冠攣縮性狭心症
VSD	ventricular septal defect	心室中隔欠損
VT	ventricular tachycardia	心室性頻拍
VUR	vesicoureteral reflux	膀胱尿管逆流
VWD	von Willebrand disease	von Willebrand 病
VWF	von Willebrand factor	von Willebrand 因子
VZV	varicella-zoster virus	水痘・帯状疱疹ウイルス
▶W		
WBC	white blood cell	白血球
WDHA syndrome	watery diarrhea-hypokalemia-achlorhydria syndrome	水様性下痢・低カリウム血症・無酸症候群
WPW syndrome	Wolff-Parkinson-White syndrome	Wolff-Parkinson-White 症候群（WPW 症候群）
▶Y		
YAM	young adult mean	若年成人平均値

索引［日本語］

ア

アイリシン	1713
アウトブレイク	343
アカラシア	911, 912
アカントーシス	899
アキレス腱肥厚	1705
アクアポリン2	1559
アグーチ関連蛋白	74
アクチン	2307
アクネ症候群	1297
アコーディオンサイン	253
アジア条虫症	360
アシドーシス	126, 1365, 1764, 1765
呼吸性──	729, 1367, 1369
腎尿細管性──	1478, 1791
代謝性──	729, 1368, 1478, 1766
乳酸──	1721, 1767
乳酸性──	1368
アストロサイト	2210
房状──	2142
アスパルチルグルコサミン尿症	1849
アスペルギルス症	291
アレルギー性気管支肺──	292, 770
侵襲性肺──	291
脳──	2193
慢性進行性肺──	291
アズール顆粒	1866
アセチルコリン受容体	2303
アセトアルデヒドアダクト	1101
アゾール系薬	150
アタマジラミ症	364
アディポカイン	1713, 1729
アディポサイトカイン	100, 682, 1814
アディポサイトカイン異常	1743
アディポネクチン	100, 682, 1710, 1729, 1814
アテトーゼ	2055
アデノウイルス感染症	315
アデノシンデアミナーゼ	733, 2185
アデノシンデアミナーゼ欠損症	1846
アテローム硬化性病変	2130
アトピー	1300
アドヒアランス	56
アトピー性角結膜炎	1339
アトピー素因	1336
アドヘジン	274
アドレノメデュリン	390
アトロピン様作用	2382
アナフィラキシー	1312, 1320, 1329, 1333
食物依存性運動誘発──	1328
アナフィラキシー反応	174
アナフィラトキシン	1320
アニオンギャップ	1479
アニサキス症	356
胃──	203, 921
アパシー	2063, 2141
アフェレシス療法	158
アフリカ睡眠病	352
アヘン系麻薬過剰投与	207
アヘン誘導体	2378
アポトーシス	732
アポリポ蛋白	1800
アマニチン	2371
アミノグリコシド系薬	149
アミノ酸	1718, 1782
──の代謝	1785
ケト原性──	1784
糖原性──	1784, 1787
必須──	1784
非必須──	1784
分岐鎖──	1723, 1784
アミロイド	628, 801
アミロイドアンギオパチー	2120
アミロイドーシス	85, 203, 801, 1016, 1445, 1792, 2102
家族性──	1792
気管気管支──	801
気管支・肺──	801
結節性肺──	801
原発性あるいは骨髄腫合併──	1792
消化管──	1021
心──	627
続発性──	1235
続発性/反応性──	1792
透析──	1022, 1395, 1793
トランスサイレチン関連──	2299
びまん性間質型──	801
老人性全身性──	627, 1793
アメリカトリパノソーマ	353
アラームサイン	923
アリルスルファターゼA	1842
アルカローシス	1365
呼吸性──	830, 1369
代謝性──	1369
低カリウム血症性──	677
低クロール性代謝性──	918
アルギニン	2330
アルコール依存症	1029, 1828, 2347
アルコール使用障害	2347
アルコール性肝線維化	1099
アルコール性小脳変性症	2230
アルコール性大脳萎縮	2229
アルドステロン	1363, 1611, 1613, 1618
アルドステロンエスケープ現象	1613
アルドステロン症	
家族性──	675
偽性低──	1479
偽性低──状Ⅱ型	677
グルココルチコイド奏効性──	676
原発性──	698, 1633, 2238
続発性──	1639
アルブミン	163, 171, 1571, 1788
アルブミン製剤	1056
アルブミン尿	689, 1403, 1434
微量──	1372, 1435, 1761
アルボウイルス	330
アレイ比較ゲノムハイブリダイゼーション	12
アレルギー	174, 1308
──性疾患	1300
抗──薬	1312
口腔──症候群	1309, 1328
昆虫──	1332
消化管──	991
職業性──	1331
食物──	1328
ペット──	1333
薬物──	1324
アレルゲン	1300
アレルゲン免疫療法	1312, 1313, 1320
アロイソロイシン	2216
アンジオテンシン受容体拮抗薬	393
アンジオテンシン変換酵素阻害薬	391
アンチトロンビン	1878
アンチトロンビンⅢ製剤	2028
アンチバイオグラム	220
アンドロゲン不応症	1666
アンドロスタン	1614
アンドロステロン	1618
アンドロステンジオン	1614
アンフェタミン	208
アンヘドニア	2141
アンモニア	1070
──の輸送	1785
亜鉛欠乏症	1830
亜急性壊死性脳脊髄症	2217
亜急性脊髄連合変性症	2235
亜急性組織球性壊死性リンパ節炎	2002
亜急性連合性脊髄変性症	1936
悪性萎縮性丘疹症	1016
悪性関節リウマチ	1231, 1237
Bevans型──	1237
Bywaters型──	1235
全身動脈炎型──	1237
肺臓炎型──	1237
末梢動脈炎型──	1237
悪性胸膜中皮腫	852
悪性高体温(熱)症	67
悪性黒色腫	893, 909
悪性腫瘍	731, 1456
胃──	934
甲状腺──	1582
十二指腸──	947
食道──	905
大腸──	978
悪性症候群	68
神経遮断薬──	67
悪性線維性組織球腫	1018
足白癬	296
圧-容積曲線	375
安息香酸ナトリウム	1798
暗殺	88

イ

イェッソトキシン	2370
イオンチャネル病	2310
イオントランスポータ	377
イオンポンプ	377
イチョウ	2372
イヌ回虫	356
イヌサフラン	2371
イムノキャップ	1329
イムノラジオメトリックアッセイ	1521

イレウス……872, 974, 995, 1018	異所性脂肪……1814	医療関係法……5
機械的―― ……995	異所性ヒト絨毛性ソマトマンモトロピン	医療事故……4, 30, 39
機能的―― ……995	産生腫瘍……1677	医療面接……6
痙攣性―― ……995	異所性プロラクチン産生腫瘍……1676	居眠り……2283
絞扼性―― ……995	異所性ホルモン産生腫瘍……1674	閾値……2355
単純性―― ……995	異所性レニン産生腫瘍……1678	石垣状乳頭増殖……1339
複雑性―― ……995	異染性白質(ロイコ)ジストロフィー	泉熱……270
麻痺性―― ……995	……1842, 2212	一塩基多型……417
インクレチン……1687, 1710, 1729	異物誤嚥……1322	一次救命処置……190
インクレチン効果……1742, 1744	移植関連合併症……1922	一次止血……109
インスリノーマ……1771, 1772	移植関連死亡……1922	一次性感覚ニューロン……2289
インスリン……1707, 1710, 1727, 1740	移植後リンパ増殖性疾患……653, 1399	一次性静脈瘤……662
インスリン感受性……1731	移植心冠動脈病変……653	一類感染症……343
インスリン拮抗ホルモン	移植片機能低下……1923	一過性黒内障……2105
……1712, 1728, 1764	移植片対宿主病	一過性全脳虚血……2104
インスリン欠乏……1765, 1767	……1025, 1132, 1419, 1913, 1922	一過性脳虚血発作……2104, 2109
インスリン自己免疫症候群……1771	輸血後―― ……175	一酸化窒素……104
インスリン受容体異常症……1771	移動性皮下腫瘤……356	咽頭炎……1298
インスリン抵抗性	維持輸液……162	咽頭結膜熱……315
……100, 185, 681, 1729, 1743	維持療法……1990	飲酒……691
インスリン抵抗性改善系薬剤……1751	胃運動異常……1021	院内感染対策……227
インスリン皮下注入プログラム……1756	胃癌……203, 934	
インスリン分泌顆粒蛋白……1741	残―― ……951	**ウ**
インスリン分泌障害……1741	胃酸分泌……927	
インスリン分泌促進系薬剤……1750	胃酸分泌機能検査……885	ウイルス血症……232
インスリン分泌反応障害……1743	胃静脈瘤……206, 914, 916	ウイルス性呼吸器感染症……339
インスリン分泌不全……1742	胃食道逆流症……76, 898, 906, 1021	ウイルス性出血熱……343
インターフェロン-γ遊離試験……733	非びらん性―― ……77	ウイルス性水疱性疾患……319
インターフェロン-γ遊離測定法……287	胃切除後骨障害……950	ウェステルマン肺吸虫……357, 2197
インピーダンス法……882	胃切除後症候群……949	ウエストナイル熱……330
インフォームドコンセント	胃切除後胆石……951	ウェルシュ菌……231, 251
……5, 32, 38, 175, 369	胃腺腫……932, 939	ウォームアップ効果……2321
インフルエンザ……320, 734	胃洗浄……2380	ウレアーゼ……274
――ウイルス……215, 320, 736, 742	胃腸炎	ウロビリノゲン……1045, 1371
――脳炎・脳症……2173	ウイルス性……231	うつ……46, 64, 2362
季節性―― ……320	好酸球性……991	うっ血肝……1130
抗――ウイルス薬……151	胃肉腫……944	うつ病……101, 2064
新型―― ……320	胃粘膜下腫瘍……939, 944	右胸心……582
鳥―― ……320, 321	胃排泄能検査……882	右室梗塞……546
インフルエンザ菌……228, 261, 2183	胃良性腫瘍……932	打ち抜き像……1893
――感染症……261	萎縮性胃炎……1934	齲歯……1274
いびき……116, 831	萎縮性舌炎……893	植込み型除細動器……499
いんきんたむし……296	遺伝医学……10	運動失調……2048
1秒量……725	遺伝カウンセリング……21, 1217	小脳性―― ……2048, 2306
5日熱……283	遺伝子組み換えトロンボモジュリン製剤	深部感覚障害性―― ……2048
位相差画像……2091	……2027	運動終板……2307
依存症……2369, 2378	遺伝子検査……1888	運動神経伝導速度……2079
意識減損発作……138	遺伝子疾患……1570	運動単位……2077
意識障害……136, 207, 1766, 1767,	遺伝子診断……1217	運動単位電位……2077
2057, 2349, 2378	遺伝子多型……1216	運動単位電位早期動員所見……2078
異型腺管……981	遺伝子治療……2	運動単位電位動員不良所見……2078
異常呼吸……117	遺伝性オロト酸尿症……1847	運動ニューロン疾患……2164
異常自動能……480	遺伝性球状赤血球症……1948	運動によらない熱産生……186
異常薬物反応……1324	遺伝性痙性対麻痺……2163	運動麻痺……138, 658
異食症……1932	遺伝性出血性末梢血管拡張症	運動療法……183, 2341
異所性1,25-ジヒドロキシビタミンD₃産	……1023, 2032	
生腫瘍……1678	遺伝性神経疼痛性萎縮症……2294	**エ**
異所性ACTH産生腫瘍……1675	遺伝性進行性関節眼症……1281	
異所性ADH産生腫瘍……1676	遺伝性楕円赤血球症……1949	エアトラッピング……809
異所性CRH産生腫瘍……1676	遺伝性フルクトース不耐症……1782	エイコサノイド……216
異所性GHRH産生腫瘍……1676	遺伝的影響……2357	エイコサペンタエン酸……1749
異所性hCG産生腫瘍……1677	医学的リハビリテーション……183	エキソトキシンA……276
異所性PTH産生腫瘍……1677	医原性疾患……29	エキノコックス症……362, 2198
異所性エリスロポエチン産生腫瘍……1677	医の倫理……5	エキンキャンディン系薬……150
異所性灰白質……2252	医薬品情報学……144	エキソン……2311
異所性カルシトニン産生腫瘍……1678	医療過誤……4, 30, 39	エクソンスキップ治療……2313

エコーウイルス	340
エコノミークラス症候群	2361
エステラーゼ染色	1883
エストラン	1614
エストロゲン	1571, 1690
エストロゲン過剰	94
エストロゲン受容体	1692
エチオコラノロン	1618
エネルギー摂取基準	1709
エネルギー代謝	1714
エピジェネティクス	1900, 1904
エビデンス	3
エフェクター細胞	1306
エボラウイルス病	344
エボラ出血熱	343
エラスチン	401
エラストグラフィ	1574
エリスロポエチン	1357, 1866
エルゴメーター負荷心エコー	446
エルシニア属菌感染症	269
エンザイムイムノアッセイ	1521
エンテロウイルス感染症	340
エンテロトキシン	214, 230, 231, 244
エンドウロロジー	1508
エンドクライン機構	1540
エンドセリン	104, 390, 397
エンドトキシン	214
エンドトキシン血症	232, 1129
壊死	2091
壊死心筋	532
壊死性筋膜炎	235
壊死性リンパ節炎	2005
壊疽性膿瘡	277
栄養	1706
栄養アセスメント	1704
栄養アセスメント蛋白	1792
栄養異常	1703
栄養障害	1491
栄養スクリーニング	1703
液性免疫	217
円錐障害	2052
円板状ループス疹	1251
円葉目条虫	360
延髄外側梗塞症候群	2124
延髄外側症候群	2052
延髄内側症候群	2053
炎症カスケード	768
炎症細胞浸潤	1250, 1252, 2206
炎症性サイトカイン	214, 1232, 1881
炎症性サイトカイン産生	1027
炎症性腸疾患	1132
遠位指節間関節	1241
遠位尿細管・集合管機能検査	1374
遠隔部梗塞	2111
鉛管様筋強剛	2141
塩基損傷	180
塩基配列解析	1890
嚥下困難	79
器質的──	80
機能性──	80
口腔咽頭性──	80
食道性──	80
嚥下障害	2142

オ

オウム病	300
オカダ酸	2370
オキシトシン	1557, 1560
オキシントモジュリン	886
オステオポローシス	1831
オートクライン	1515
オニオンバルブ	2094
オーバーフロー現象	2154
オーバーラップ症候群	827, 1262
オプソクローヌス・ミオクローヌス症候群	2200
オプソニン	1250
オプソニン化(作用)	216, 217
オプソニン効果	214, 1429
オリゴクローナルバンド	2207
髄液──	2073
オリゴヌクレオチドアレイ解析	1890
オリーブ橋小脳萎縮症	2154
オルニチントランスカルバミラーゼ欠損症	1798
オレキシン	74
オロト酸	1847
オンコセルカ症	355
おくび	76
おたふくかぜ	324
悪寒戦慄	710
悪心	72
折りたたみナイフ現象	2047
横隔神経電気刺激試験	860
横隔神経ペーシング	860
横隔膜	858
横隔膜位置異常	859
横隔膜炎	860
横隔膜弛緩症	859
横隔膜腫瘍	860
横隔膜ペーシング	860
横隔膜麻痺	859
横臥呼吸	119
横静脈洞血栓症	2124, 2188
横紋筋腫	640
横紋筋肉腫	640
横紋筋融解症	2379
黄色腫	1705
黄色ブドウ球菌	214, 243, 2183
──感染症	244
黄染	71
黄体化ホルモン	1528
黄体ホルモン受容体	1611
黄疸	71, 950, 1042, 1070, 1104
肝外閉塞性──	85
肝細胞性──	1045
肝実質性──	71
顕性──	71
新生児──	1138
体質性──	1043, 1104
胆汁うっ滞型──	71
非閉塞性──	1043
不顕性──	71
閉塞性──	72, 891, 1149, 1194
黄熱	331
黄熱病	343
嘔吐	72
斧様顔貌	2320
親指徴候	648, 1280

音響陰影	1146

カ

カイロミクロン	100, 1717, 1800
カイロミクロンレムナント	1802
ガス壊疽	251
ガス壊疽菌群	251
ガストリン	885, 929
ガストリン産生腫瘍	886
カタプレキシー	2212
カテコールアミン	102, 1024, 1650, 1712
カテーテル関連感染症	1394
カテーテル関連血流感染症	233
ガドリニウム造影剤	462
カナル結石症	2068
ガラクトシアリドーシス	1848, 2213
ガラクトシルセラミダーゼ	1842
ガラクトース代謝異常症	1781
カラードプラ法	437
カリウム	1765
ガリウムシンチグラフィ	1894
カルシウムサイン	450
カルシウム摂取基準	1709
カルシトニン遺伝子関連ペプチド	77
カルシニューリン	1389
カルチノイド	837, 974, 977, 1200
カルチノイド腫瘍	1672
カルチノイド症候群	592, 1828
カルニチン代謝異常	2217
カルパイノパチー	2314
カルバペネム系薬	149
カロリックテスト	2059
ガングリオシド	2292
ガングリオシド複合体	2291
カンジダ血症	290
カンジダ症	289
口腔──	290, 893
食道──	290, 1021
腟──	239
内臓──	290
皮膚──	296
皮膚粘膜──	290
慢性皮膚粘膜──	1348
ガンビアトリパノソーマ	352
カンピロバクター感染症	231, 273
かぜ	340
かぜウイルス	341
かぜ症候群	734
かぶれ	1337
下位運動ニューロン	2289
下肢完全麻痺	2132
下肢循環障害症状	2125
下肢障害	1227
下肢静脈瘤	662
下肢静止不能症候群	2242
下肢動脈造影	473
下垂体	2088
下垂体後葉	1556, 2090
下垂体後葉ホルモン	1557
下垂体腺腫	2262
甲状腺刺激ホルモン産生性──	1551
非機能性──	1554
微小──	2090
ホルモン産生──	2260

下垂体前葉	1523
下垂体前葉機能低下症	1534
下垂体前葉ホルモン	1526
下垂体前葉ホルモン単独欠損症	1537
下垂体卒中	2262
下垂体ホルモン	1525
下部食道括約筋弛緩	77
――一過性――	898
下部尿路症状	130, 1382
下部尿路通過障害	1399
化学物質過敏症	2362
化学放射線療法	182
化膿性病変	216
仮面様顔貌	2141
加速度病	2365
加齢	43, 2356
可逆性脳血管攣縮症候群	2113
可動性狭窄	124
可溶性IL-2受容体	1571
夏季痤瘡	297
家族性Parkinson病	2139
家族性痙性対麻痺	2163
家族性欠陥アポB-100血症	1807
家族性血球貪食性リンパ組織球増殖症	1346
家族性高カイロミクロン血症	1808
家族性高トリグリセリド血症	1808
家族性腺腫性ポリポーシス	1584
家族性大腸腺腫症	1006
家族性大動脈瘤解離	650
家族性低ベータリポ蛋白血症	1809
家族性複合型高脂血症	1808
寡免疫	1269
花粉症	1316
過活動(性)膀胱	130, 1507
過換気	118
――後無呼吸	117
――症候群	830, 1322
中枢神経性――	117
過形成	1570
過呼吸	118
過誤腫	845
過食性障害	60
過粘度症候群	2009
過敏性腸症候群	58, 992, 1011
過眠症	2282
原発性――	2282
反復性――	2282
葛西手術	1161
顆粒球	1205
顆粒球系前駆細胞	1866
顆粒球減少症	893
顆粒球コロニー刺激因子	1911, 1967
顆粒球/単球前駆細胞	1866
顆粒細胞腫	904
顆粒状沈着	1405
牙関緊急	250
鵞口瘡	290
解剖学的修復術	579
解剖学的リエントリー	482
解離性動脈瘤	2124
回帰熱	308
回旋糸状虫	355
回虫症	354, 1157
塊状線維化巣	796
改訂ケンブリッジ基準	2146

海綿静脈洞	2123
海綿静脈洞血栓症	2124, 2188
海綿静脈洞症候群	2188
開頭減圧術	2118
貝毒	2370
下痢性――	2370
麻痺性――	2370
潰瘍	920
アフタ性――	1274
胃――	927, 939
胃・十二指腸――	206
――穿孔	930
急性壊死性――性歯肉炎	893
急性出血性直腸――	959
憩室内――	948
シールド――	1339
縦走――	960
十二指腸――	927
出血性――	929
消化性――	102, 927
ストレス――	1023
単純性――	957
非ステロイド系抗炎症薬起因性――	928
非特異性多発性小腸――症	958
非特異性腸管――	957
皮膚――	183
吻合部――	203, 927, 950
疥癬	363
外殻温	2348
外眼筋炎	2201
外転神経	2046
外毒素A	214
外反膝	1230
外部寄生虫(感染)症	150, 363
外部照射	182
外膜細胞	1863
外瘻	1199
咳嗽	121
乾性――	122, 709
湿性――	122, 123, 709
概日リズム	1715
楓糖尿症	1797, 2215
顧みられない熱帯病	241
拡散強調画像	881
拡散テンソル解析	2091
拡張期ランブル	593
拡張不全	405
核医学検査	37, 881
核間性眼筋麻痺	2053
核型解析	12
核酸アナログ治療	1078
核酸合成阻害薬	147
核磁気共鳴画像	458
核心温	2348
核内受容体	1518
獲得免疫	216, 400, 1207
確定的影響	2355
確率的影響	2355
覚醒	207
角回病変	2128
喀痰	123
喀血	124
顎口虫症	356
括弧状構造物	295
活性化部分トロンボプラスチン時間	170, 1891

活性酸素種	400
活性炭	2380
活動係数	1718
活動電位	377
滑車神経	2046
滑脳症	2252
滑膜細胞	1232
褐色細胞腫	700, 1655
脚気	1826, 2234
鎌状赤血球症	1952
硝子体手術	1760
川崎病	550, 1292
乾酪壊死	747
冠血流量調節	511
冠循環	511
冠状動脈瘻	583
冠動脈	511
冠動脈CT血管造影	459
冠動脈起始異常	582
冠動脈疾患	694
冠動脈障害	550
冠動脈造影	473
冠動脈大動脈バイパス手術	532
冠動脈病変	550
冠動脈攣縮	515, 533
冠予備能	512
寒冷凝集素	1955
寒冷昇圧試験	2099
寒冷麻痺	2289
完全経腸栄養	964
完全静脈栄養(法)	964, 1719
完全奏効	1894
寛解導入療法	1990
幹細胞	2356
患者教育	1228
感覚障害	2048
サドル型――	2052
感覚脱失	2055
感覚電位	2079
感覚トリック	2153
感染症	335
感染症の予防及び感染症の患者に対する医療に関する法律	224
感染症法	224, 225
感染性合併症	1179
感染性結石	1508
感染性膵壊死	1177
感染防御機構	216
換気血流比	820
換気刺激	114
柑皮症	71
環境ホルモン	1692
環軸亜脱臼	1233
環軸椎亜脱臼	1230
管腔内超音波	1148
簡易酸素マスク	197
緩徐拡張期脱分極	378
緩和	2089
緩和ケア	63, 186
肝萎縮	1071
肝移植	1048, 1056, 1071
死体――	1048
生体――	1048
全――	1048
脳死――	1048

部分――	1048	
肝逸脱酵素	1034	
肝炎		
アルコール性――	1099	
アルコール性――重症度スコア	1101	
ウイルス性――	341, 1492	
急性――	85, 342	
虚血性――	1128	
劇症――	159, 1057, 1062, 1068	
自己免疫性――	1083	
低酸素性――	1128	
特発性新生児――	1140	
非アルコール性脂肪――	1087	
慢性――	85, 342, 1075	
肝炎ウイルス	215, 341, 1057	
肝炎ウイルス関連腎炎	1455	
肝外門脈閉塞症	913, 1127	
肝芽腫	1116	
肝癌		
アルコール性――	1099	
混合型――	1115	
転移性――	85	
肝吸虫症	358, 1094, 1133, 1158	
肝グリコーゲンホスホリラーゼ	1778	
肝頸静脈逆流	1130	
肝好酸球性肉芽腫症	1134	
肝梗塞	1001	
肝硬変	85, 913, 925, 1055	
アルコール性――	95, 1099	
ウイルス性――	1090	
うっ血性――	1130	
――による門脈亢進症	1959	
寄生虫性――	1094	
原発性胆汁性――	1095	
心臓性――	1093, 1130	
胆汁性――	1094	
特殊型――	1093	
肝再生不全	1070	
肝細胞	1086	
肝細胞癌	1108	
原発性――	85	
肝細胞腺腫	1117	
肝周囲炎	302	
肝腫大	85, 192	
肝腫瘍	1108	
転移性――	1118	
肝障害	1721	
アルコール性――	85, 1099	
急性――	1103	
低酸素性――	1128	
薬物性――	85, 1102	
肝静脈閉塞症	126	
肝腎症候群	1051, 1055, 1452	
肝性口臭	1070	
肝性トリグリセリドリパーゼ	1802	
肝性ミエロパチー	2239	
肝濁音界	86	
肝中心静脈閉塞症	1923	
肝蛭	358	
肝鉄指数	1823	
肝蛭症	358, 1133, 1158	
肝鉄濃度	1822	
肝内胆汁うっ滞症		
進行性家族性――	1045	
良性反復性――	1046	
肝内門脈閉塞症	1128	

肝肺症候群	1051	
肝庇護療法	1077	
肝脾腫	304	
肝不全	1046	
急性――	1068	
遅発性――	1046, 1072	
肝包虫症	1134	
鑑別診断	9	
間欠性跛行	657	
間欠的血液透析	1486	
間欠的陽圧人工呼吸器	2313	
間欠導尿	1507	
間在細胞	1478	
間質コラーゲン	401	
間質性腎炎	1483	
急性――	1462	
尿細管――	1186	
慢性――	1464	
間質性肺炎	733, 782, 1924	
急性――	790	
呼吸細気管支炎随伴――	792	
通常型――	784, 1237	
特発性――	783, 784	
特発性リンパ球性――	792	
剥離性――	792	
非特異型――	1237	
非特異性――	783, 787	
間質性肺疾患	1256	
間質線維化	1465	
間接蛍光抗体法	1219	
間代発作	2275	
間脳	1523	
関節炎	133	
ウイルス性――	1287	
化膿性――	236	
化膿性無菌性――	1297	
乾癬性――	1241	
感染性――	1287	
結晶誘発性――	133, 1285	
血清反応陰性――（関節症）	1219	
細菌性――	1287	
若年性特発性――	1289	
真菌性――	1287	
脊椎――	1239	
仙腸――	1240	
体軸性脊椎――	1240	
腸炎関連――	1241	
反応性――	303, 1241	
びらん性多発性――	1241	
末梢性脊椎――	1240	
関節滑膜炎	1232	
関節症	133	
関節破壊	1227	
関節リウマチ	133, 592, 775, 1019, 1020, 1131, 1216, 1225, 1231, 1251, 1438, 2243	
関連痛	200	
広東住血線虫症	356, 2198	
神崎病	1849	
渙散性解熱	66	
癌	37	
胃――	203, 934	
陰茎――	1511	
――遺伝子	27, 731, 1900	
――遺伝子依存	732	
――細胞	26	

――性リンパ管症	843	
――胎児性抗原	1571	
口腔――	893	
甲状腺――	1571	
子宮頸――	316, 1698	
子宮体――	1698	
歯肉――	893	
十二指腸――	947	
十二指腸乳頭部――	948	
小腸――	974	
食道――	905	
腎細胞――	1377, 1379, 1509	
膵――	974, 1143, 1193, 1198	
膵体尾部――	1194	
髄膜――腫症	2091	
髄様――	1582	
舌――	893	
腺――	836, 1511	
腺様嚢胞――	837	
前立腺――	1511	
大細胞――	836	
大腸――	203, 968, 978	
胆管――	1169	
胆道――	1143, 1166	
胆嚢――	1167	
低分化――	1582	
二次――	183	
乳――	1693	
乳頭――	1571, 1582	
尿膜管――	1510	
粘表皮――	837	
肺――	834, 974	
表在――	905	
副腎――	1646	
扁平上皮――	836	
膀胱――	357, 1509	
膀胱上皮内――	1509	
未分化――	1575, 1582	
卵巣――	1699	
濾胞――	1571, 1582	
癌抑制遺伝子	28, 731, 732, 1900	
眼運動神経	2046	
眼球浮き運動	2060	
眼球突出	1577	
眼瞼下垂	2303	
眼瞼後退	1577	
眼瞼遅延	1577	
眼瞼皮下出血	2267	
眼瞼攣縮	2153	
眼輪筋切截術	2153	
顔面神経	2046	

キ

キサントクロミー	2072
キノロン系	1056
キレート療法	1823
ぎっくり腰	135
黄色爪症候群	812
危険ドラッグ	2378
基礎代謝	1718
基底核症候	2144
基底膜	1863, 2307
奇異性呼吸運動	860
奇異性塞栓症	829
奇形	2357

腎動静脈——	1468	拮抗薬	2380	超急性——	1398
膵——	1175	客観的栄養評価	1704	慢性——	1049, 1398
先天——	2250	逆シャンペンボトル	2296	慢性抗体関連——	1398
直腸肛門——	953	逆流感	76	虚血	121, 2107
脳血管——	2122	逆流ジェット	604	虚血肝	1128
脳動静脈——	2122	逆行性腎盂造影(法)	1375, 1503	虚血再灌流障害	372
希釈蛇毒凝固時間	1892	逆行性腎盂尿管造影	1385	虚血性合併症	1179
希突起膠細胞	2290	逆行性内視鏡的胆管膵管造影検査	1187	虚血性僧帽弁逆流	591
既吸収薬物	2380	逆行性尿道造影法	1503	虚血性腸疾患	203
期外収縮	493	丘疹	69	虚血性ペナンブラ	2108
上室——	493	吸気性笛声	262	虚弱高齢者	695
心室(性)——	493, 544	吸収不良症候群	102, 985	鋸歯状腺腫	975
心房——	485	吸着法	159	鋸歯状波	488
機械工の手	1259	吸虫症	357, 2197	魚眼病	1809
機械的合併症	546	急降下爆撃音	2077	共通肺静脈腔	580
機能性神経症状症	59	急性胃炎	920	強心薬	195, 376
機能性膵神経内分泌腫瘍	1200	急性胃・十二指腸粘膜病変		強制把握反射	2143
機能的甲状腺濾胞性腫瘍	1579		203, 920, 927	強直間代発作	2275
機能の残気量	727	急性一側末梢前庭障害	2068	全般性——	138
機能の身体症候群	1283	急性胃粘膜病変	206, 920, 1025	強直性脊椎炎	1217, 1240
機能的リエントリー	482	急性灰白髄炎	2179	強直性脊椎骨増殖症	80
気管・気管支肺胞洗浄液	292	急性肝疾患	159	強直発作	2275
気管支拡張症	811	急性冠症候群	529	強皮症	1254
続発性——	812	急性冠動脈症候群	401	恐水症	329
気管支鏡検査	721	急性気管支炎	228, 736	橋出血	2120
気管支胸膜瘻	849	急性硬膜外血腫	2267	橋中心髄鞘崩壊症	2230
気管支腔内超音波断層法	722	急性呼吸器系感染症	341	狂犬病	328, 2178
気管支・細気管支攣縮	124	急性呼吸促迫症候群	174, 178, 197,	狭窄後拡張	574
気管支喘息	733, 736, 766	790, 805, 1178, 1179		狭心症	516
気管支透亮像	740	急性細気管支炎	737	冠攣縮(性)——	475, 517, 555, 694
気管支内視鏡治療	724	急性散在性脳脊髄炎	2199, 2208	器質性——	113
気管支ナビゲーション	724	急性上気道炎	228	梗塞後——	546
気管支肺胞洗浄	722	急性症候性発作	2274	微小血管(性)——	515, 516
気管支閉鎖症	864	急性腎炎症候群	1404	不安定——	529, 533
気管(気管支)食道瘻	864, 894	急性腎傷害	2358	狭心痛	113
気管支漏	123	急性増悪	197	狭帯域光観察	877
気胸	851, 1721	急性大腸偽性腸閉塞症	997	胸郭出口症候群	2301
医原性——	851	急性中耳炎	228	胸水	106, 897
外傷性——	851	急性尿細管壊死	1463, 1481, 1483	——貯留	358, 452
緊張性——	851	急性尿路閉塞	1502	滲出性——	107
月経随伴性——	851	急性脳血管症候群	2105, 2110	肺炎随伴——	848
自然——	358, 851	急性肺障害	178	良性石綿——	850
続発性自然——	851	急性肺塞栓症	2361	漏出性——	107
特発性自然——	851	急性鼻副鼻腔炎	228	胸腺	1865
気絶心筋	515, 549	急性反応性蛋白	1792	胸腺腫	2304
気道過敏性	767	急性腹症	199	胸腺低形成	1345
気道感染症	228	急性副腎不全	1632	胸椎黄色靭帯骨化症	2287
気道狭窄	908	急速進行性腎炎症候群	1389, 1404	胸痛	112, 897
気道抵抗	728	急速輸液	1180	胸部 X 線写真	448
気脳症	2088	球麻痺	1817, 2305	胸部圧迫感	112
気腹	93	嗅神経	2045	胸部神経根障害	2300
記憶	45	牛乳不耐症	950, 989	胸部単純 X 線撮影	713
起坐呼吸	119, 408, 709	巨核球	1875	胸膜炎	739, 745, 848
起立	2048	巨核球系細胞	1866	癌性——	850
木村のダイヤモンド吻合	919	巨細胞性動脈炎	1266, 2125, 2244	結核性——	848
木村病	2002	巨大肝蛭症	358	胸膜腫瘍	851
偽性 Cushing 症候群	1548	巨大肝嚢胞	85	原発性——	852
偽性 Hurler ポリジストロフィー	1849	巨大後骨髄球	1936	転移性——	853
偽性腸閉塞	997	巨大肺嚢胞症	810	胸膜摩擦音	713
偽乳び胸	850	巨脾	86	莢膜	214
擬葉目条虫	360	拒絶	1923	莢膜抗原	291
菊池(・藤本)病	2002, 2005	拒絶反応		凝固因子	1878
吃逆	78	急性——	1049, 1398	凝固カスケード	1878
喫煙	692, 1385	急性抗体関連——	1398	凝固制御因子	1878
喫煙関連疾患	2342	抗体関連——	653	凝集	1876
喫煙関連肺	791	細胞性——	653	蟯虫症	355

局所血栓溶解療法	2092
局所腫瘤様病変	291
局所性脳機能障害	2104
局所脳虚血症状	2104
局注法	889
曲面変換表示法	460
極型 Fallot 四徴症	573
均一染色部位	1887
筋萎縮	2046
下肢遠位──	2296
斜め型──	2289
筋萎縮症	
球脊髄性──	2166, 2169, 2294
若年性一側上肢──	2167, 2289
神経痛性──	2301
進行性脊髄性──	2168
脊髄性──	2168, 2294
糖尿病性──	2300, 2301
ポリオ後──	2179
筋炎	
壊死性──	2311
急性ウイルス性──	2311
多発(性)──	
158, 1258, 2166, 2311, 2321	
封入体──	2166, 2311, 2322
筋強剛増強法	2141
筋強直	2318
筋強直性ジストロフィー	633, 2318
筋緊張異常	2271
筋緊張低下児(フロッピーインファント)	
	2310
筋グリコーゲンホスホリラーゼ──	1778
筋形質膜	2307
筋原性腫瘍	977
筋拘縮	2334
筋ジストロフィー	2308
眼咽頭型──	2316
顔面・肩甲・上腕型──	2310, 2315
肢帯型──	2310, 2314
進行性──	2310
先天性──	2310, 2316
福山型先天性──	2310, 2317
三好型遠位型──	2310, 2315
メロシン欠損型先天性──	2317
筋疾患	2308
遺伝性──	2308
非遺伝性──	2311
筋障害	2234
筋腎代謝症候群	660
筋性防御	200, 201, 1178
筋節	2307
筋線維	2307
筋線維束性攣縮	2077
筋線維束電位	2077
筋電図	2077
単一線維──	2078
反復刺激誘発──	2080
表面──	2078
筋トーヌス	2047
筋特異的受容体型チロシンキナーゼ	
	2303
筋ホスホフルクトキナーゼ欠損症	2332
筋ホスホリラーゼ欠損症	2332
菌球	811
菌血症	232, 267
菌状息肉症	2001

近位尿細管機能検査	1374
銀線動脈	688

ク

クエン酸回路	1708
クジラ複殖門条虫症	360
クプラ結石症	2068
クラッシュシンドローム	2358
クラミジア	1505
オウム病──	300
クラミジア・トラコマティス感染症	302
クリオグロブリン血症	1218, 2016
クリオピリン関連周期性症候群	
	1296, 1297
グリコカリックス	91, 1428
グリコーゲン	1725, 1727
グリコーゲン代謝異常症	1773
グリコーゲン脱分枝酵素	1777
グリコーゲン病	1731, 2330
グリコーゲン分枝酵素	1777
グリコサミノグリカン	604
クリーゼ	2303, 2305
高カルシウム血症──	1600
甲状腺──	1577
正常血圧腎──	1440
副腎──	1632
グリセオール	1799
グリセロール	102
グリセンチン	886
クリッピング	889
クリッピング術	2122
クリニカルシナリオ	193
クリーピング現象	1587
クリプトコックス	215
クリプトコックス症	290, 754
肺──	291
クリプトスポリジウム症	353, 1159
グリホサート	2375
クリミア・コンゴ出血熱	344
グルカゴン	886, 1712
グルカゴン過剰状態	1765
グルクロノキシロマンナン	291
グルクロン酸抱合	1616
グルココルチコイド	
	1024, 1455, 1611, 1612, 1712
グルココルチコイド受容体	1611
グルコシダーゼ欠損症	1777
グルコース	1707, 1717
グルコース-6-リン酸脱水素酵素欠損症	
	1950
グルコース-アラニン回路	1785
グルコース再吸収機構	1473
グルコース代謝	456
グルコース代謝異常	1731
グルコース毒性	1744
グルコース輸送体	1612
クルーズトリパノソーマ	353
クレアチニン	689, 1374
クレアチニンクリアランス	1374, 1392
クレチン症	1579
クレブシエラ属	265
グレリン	74, 102, 887
グルタミン酸デカルボキシラーゼ	1740
グルホシネート	2375
クロストリジウム・ディフィシル感染症	

	252
グロブリン	1789
クロモグラニン A	1200
グロリオサ	2371
クローン性異常	1888
クワシオコール	1703, 1718
マラスムス性──	1703, 1718
クワズイモ	2371
くも膜下出血	
	209, 2086, 2091, 2121, 2127
くる病	1825, 1836
家族性低リン血症性──	1472
駆出音	433
空間識	2365
空気嚥下症	76
空気感染	226
空気恐怖症	329
空気塞栓	2088
空気の三日月	804
空洞性肺疾患	809
空腹時血糖異常	1739
空胞変性	1430
偶発腫瘍	1521
副腎──	1647
口すぼめ呼吸	119

ケ

ケジラミ症	364
ケトアシドーシス	1368, 1767
糖尿病(性)──	1368, 1764
ケトン体	1766
ケノデオキシコール酸	1805
ゲノム薬理学	144
ケミカルシフト画像	1378
ケモカイン	339, 1863
ケラチン	2222
ケラチン化	899
げっぷ	76
下血	203
下痢	83, 183
急性──	84
抗菌薬関連──症	231
米のとぎ汁様の──	272
滲出性──	83
浸透圧性──	83
水様──	986
糖尿病性──	1021
分泌性──	83
慢性──	84
流行性嘔吐──症	231
解毒薬	2380
傾眠傾向	136, 207, 2057
珪肺	796
形質転換	1465
憩室	1010
胃──	1010
胃・十二指腸──	948
咽頭食道──	910, 1010
仮性──	910
空腸・回腸──	1010
──炎	1010, 1012
──出血	1011
──症	1010
──穿孔	948
十二指腸──	948, 1010

小腸──	1010	
食道──	909	
大腸──	948, 1011	
大腸──出血	203	
中部食道──	1010	
傍乳頭──症候群	1010	
経カテーテル的塞栓術	1468	
経頚静脈的肝内門脈静脈短絡術（大循環シャント術）	1052, 1056, 1453	
経口内視鏡的筋層切開術	912	
経口輸液療法	163	
経静脈栄養	1719	
経静脈性腎盂造影	1375	
経静脈的降圧治療	697	
経食道心エコー法	446	
経腸栄養	1721, 1722	
経頭蓋磁気刺激法	2083	
経尿道的前立腺切除術	1511	
経尿道的尿管砕石術	1400, 1508	
経尿道的膀胱腫瘍切除術	1510	
経皮経管冠血管形成術	1379	
経皮経肝胆道鏡	891	
経皮経肝胆道造影法	1121	
経皮経肝胆道ドレナージ	891, 1199	
経皮的冠動脈インターベンション	526	
経皮的経静脈的僧帽弁交連裂開術	597	
経皮的酸素分圧	658	
経皮的腎砕石術	1401, 1508	
経皮的心肺補助装置	654	
経皮的腎瘻造設術	1399	
経皮的僧帽弁形成術	603	
蛍光 in situ ハイブリダイゼーション	12, 1887, 1888	
軽鎖重鎖沈着症	1448	
軽鎖沈着症	1448	
軽度認知障害	2061, 2127	
痙笑	250	
痙性斜頚	2153	
痙攣	138	
眼瞼──	2153	
顔面──	2091	
急性症候性──発作	138	
筋──	2333	
筋──放電	2333	
──発作	2153	
──様ふるえ	2114	
熱性──	138	
礼拝──	2275	
頚静脈怒張	192	
頚静脈波	433	
頚椎後縦靭帯骨化症	2287	
頚椎症	2166, 2284	
変形性──	80	
頚動脈内膜剥離術	2107, 2118	
頚動脈波	434	
撃発活動	480	
欠神発作	138, 2275	
結核	285	
一次──症	746	
胸囲──	745	
──菌	285, 746	
粟粒──	286, 749	
腸──	286, 969	
二次──症	747	
肺外──	286	
肺──	286	

肺──症	746	
皮膚──	286	
結合組織病	1209	
混合性──	776, 827, 1262, 2243	
結石	1376	
結節	69	
過形成性──	977	
珪肺──	796	
甲状腺機能性──	1576	
細葉性──	747	
自律性機能性──	1582, 1585	
腺腫様──	1585	
大脳皮質──	2254	
リウマトイド──	1233	
結節性硬化症	2254	
結節性多発動脈炎	1016, 1019, 1020, 1268, 2244	
結膜炎		
アレルギー性──	1338	
巨大乳頭──	1339	
血圧	677	
拡張期──	671	
家庭──	673	
家庭──変動性	686	
収縮期──	671	
診察室──	673	
24時間自由行動下──	673, 684	
血圧異常	671	
血圧コントロール不良	693	
血圧調節機構	386, 387	
血圧日内変動	685	
血圧モーニングサージ	686	
血液型	171	
血液型検査	172	
血液吸着法	159	
血液凝固	385	
血液凝固能	1429	
血液疾患	1861	
血液浄化(療)法	1391, 1485, 2293, 2380	
血液神経関門	2290	
血液製剤	168	
血液透析療法	1392	
血液塗抹標本	1861	
血液尿素窒素	1374	
血液脳関門	384, 2088, 2290	
血液媒介病原体	227	
血管	383	
──の収縮・弛緩	386	
血管 Behçet 病	1275	
血管炎	1021, 1250, 2125	
アレルギー性肉芽腫性──	1270	
大型──	1264	
関連──	779	
──症候群	1131, 1264, 2244	
顕微鏡的多発──	779, 1268, 1408	
抗 C1q──	1271	
小型──	1264	
腎限局型──	1408	
じんま疹様──	1271	
中型──	1264	
正補体血症性じんま疹様──	1271	
低補体血症性じんま疹様──	1271	
閉塞性血栓──	657, 659	
免疫複合体性──	1265	
リウマトイド──	1235, 1237	
血管外傷	668	

血管拡張因子	104	
血管拡張性失調症	37, 181	
血管芽腫	2091, 2265	
血管型 Ehlers-Danlos 症候群	650	
血管狭窄	683	
血管形成術	2092	
血管細胞	383	
血管細胞接着因子-1	385	
血管作動性腸管ペプチド	77	
血管腫	904, 975, 1959	
海綿状──	2122	
肝──	1116	
顔面ポートワイン──	2256	
くも状──	94	
硬化性──	845	
細菌性──	282	
静脈──	2122	
ポートワイン──	2256	
網膜──	2255	
血管周細胞	2290	
血管収縮因子	104	
血管性腫瘍	976	
血管性認知障害	2126	
血管内塞栓術	2092	
血管内超音波	469	
血管内治療	2092	
血管内皮細胞障害	1881	
血管内皮増殖因子	384, 1458	
血管肉腫	640, 985	
血管平滑筋細胞	401	
血管リモデング	404	
血管攣縮	1025	
血球貪食症候群	304, 1132, 1251, 2006	
血球貪食性リンパ組織球症	2006	
血胸	108	
血行再建術	659	
血行性播種	2185	
血行力学説	2105	
血行力学的梗塞	2113	
血色素尿	1932	
血漿	1787, 1862	
新鮮凍結──	159, 170	
多血小板──	1891	
血漿吸着法	159	
血漿交換	2028	
血漿交換療法	2010	
血漿コリンエステラーゼ活性	2374	
血漿浸透圧	1557	
血小板	1875	
血小板機能異常症	2029	
血小板機能検査	1890	
血小板凝集能	1891	
血小板減少症	2017	
血小板数	1891	
血小板増加症	2020, 2245	
血小板粘着	1876	
血小板濃厚液	169	
血小板無力症	1877, 2029	
血小板由来増殖因子	103	
血漿レニン活性	1468	
血清	1787, 1862	
血清 α-フェトプロテイン	2256	
血清クレアチンキナーゼ	2313	
血清腫瘍マーカー	734	
血清蛋白質異常	1787	
血清病	1323	

血清マーカー	1411	
血清薬物運搬蛋白	1789	
血清遊離軽鎖	1445	
血栓	1876	
血栓回収術	2092	
血栓形成	385, 1878	
血栓性微小血管症	1461	
血栓塞栓症	546, 596	
静脈——	661	
肺——	822, 1380	
肺動脈——	661	
血栓溶解療法	543, 2088	
血痰	124	
血中グルコース濃度	2340	
血中膵酵素	1142	
血中半減期	148	
血柱反射	688	
血糖コントロール	1756	
血糖コントロール指標	1746	
血糖値	1711	
血尿	125, 1354, 1356, 1373, 1407	
顕微鏡的——	1356	
糸球体性——	1356	
持続性——	1404	
特発性——	1356	
肉眼的——	1356	
反復性——	1404	
非糸球体性——	1356	
無症候性肉眼的——	1509	
血友病	203, 2033, 2246	
血流依存性調節	2102	
血流代謝連関	2102	
嫌気性菌	284	
嫌気性菌感染症	283	
牽引性気管支拡張	803	
腱反射	2048	
腱反射亢進	2143	
腱反射消失	2306	
原始反射	2048	
原子力災害	2355	
原虫(感染症)疾患	345, 2195	
原爆被爆者	2356	
原発性骨髄線維症	1925, 1981	
原発性線毛運動不全症	814	
原発性皮膚T細胞腫瘍	2001	
原発性マクログロブリン血症	1449, 2009	
原発性免疫不全症候群	1341	
幻覚キノコ	2371	
幻覚剤	2382	
減圧症	2353	
慢性——	2353	
減圧障害	2353	
減圧性骨壊死	2353	
減塩	691	
減感作療法	1313, 1320	
減負荷療法	545	
現在進行形の体液喪失	162	
限界デキストリン	1777	
限局性結節性過形成	1117	
限局的小腸ガス像	1178	

コ

コアグラーゼ	243	
コイルアップサイン	895	
コイル塞栓術	2122	
コカイン	208, 2382	
コカインアンフェタミン調節転写産物	74	
コクサッキーウイルス	340	
コクシジオイデス症	297	
急性肺——	297	
播種型——	297	
慢性肺——	297	
ゴナドトロピン	1528	
ゴナドトロピン産生腺腫	1551	
ゴナドトロピン単独欠損症	1537	
コバイケイソウ	2371	
ゴム腫	307	
コモンバリアント	1216	
コラーゲン	1877	
コリンエステラーゼ阻害作用	2372	
コルク栓抜き像	659	
コール酸	1805	
コルチコステロン	1614	
コルチゾール	1611, 1612, 1614, 1616	
コルチゾン	1616	
コレシストキニン	102, 886	
コレステリルエステル転送蛋白	1803	
コレステロール	1614, 1717, 1803	
——の代謝	1803	
コレステロールエステル転送蛋白欠損症	1808	
コレステロール逆転送経路	1803	
コレステロールクレフト	1469	
コレステロール側鎖切断酵素	1614	
コレステロール塞栓症	1463, 1469	
コレラ	271, 955	
コロナウイルス	325	
コントラスト心エコー法	447	
コンパートメント症候群	2352, 2375	
こむら返り	2349	
こわばり感	1232	
古典的Fontan術	590	
呼吸管理	176	
呼吸器合併症	1924	
呼吸筋の長さ-張力不均衡仮説	114	
呼吸困難	113, 758, 1843	
発作性夜間——	408	
労作時——	592, 798	
呼吸細気管支	818	
呼吸抵抗	728	
呼吸不全	176, 1129	
Ⅰ型——	176, 178, 196, 865	
Ⅱ型——	176, 178, 196, 865	
急性——	196	
慢性——	177, 196, 865, 867, 1129	
固定性分裂	433	
孤在性胸膜線維性腫瘍	852	
孤発性Parkinson病	2139	
弧状圧痕	1017	
股関節障害	1227	
股部白癬	296	
鼓腸	93	
誤認	38	
患者——	38	
左右——	38	
興奮収縮連関	373, 2308	
後弓反張	250	
後縦隔	853	
後脊髄動脈症候群	2130	
後大脳動脈	2100	
後大脳動脈領域	2127	
後天性血小板機能異常症	2030	
後天性血栓傾向	2040	
後天性腎嚢胞性疾患	1509	
後天性胆道閉塞	1161	
後天性嚢胞腎	1459	
後天性免疫不全症候群	333, 1131	
後頭葉障害	2259	
後負荷	375, 376	
後腹膜腫瘍	1018	
後腹膜線維症	1186, 1294, 1378	
後腹膜病変	1375	
後方循環	2100	
交感神経系刺激薬	394	
交感神経系遮断薬	393	
交差適合試験	172	
光線過敏症	329	
厚脳回	2253	
口渇	79	
口腔ケア	55	
口腔扁平苔癬	892	
口唇ヘルペス	309, 893	
口内炎	183	
アフタ性——	892, 1298	
急性疱疹性歯肉——	893	
ヘルペス性歯肉——	310	
向精神薬	2382	
好塩基球	1206, 1320, 1867	
成熟——	1867	
好塩基球増加症	1971	
好酸球	1206, 1867	
好酸球減少症	1970	
好酸球浸潤	1293	
好酸球性多発血管炎肉芽腫	1016	
好酸球性多発血管炎肉芽腫症	158, 779, 781, 1270, 2244	
好酸球増加症	1970, 1986	
単純性肺——	756	
熱帯性肺——	355, 757	
好酸性細胞腫	1582	
好中球	1205, 1871	
過分節——	1936	
好中球アルカリホスファターゼ活性	1979	
好中球アルカリホスファターゼ染色	1883	
好中球異常症	1973	
好中球エラスターゼ	1974	
好中球減少症	1967, 1972	
遺伝性/家族性——	1969	
周期性——	1969	
重症先天性——	1974	
先天性——	1347	
発熱性——	294, 1910, 1968	
慢性——	1974	
免疫性——	1973	
好中球増加症	1970	
孔脳症	2253	
抗CCP抗体	1219	
抗GAD抗体	1741	
抗GQ1b抗体	2292	
抗HIV薬	151	
抗IA-2抗体	1741	
抗MRSA薬	150	
抗Parkinson薬	2382	
抗RSウイルス薬	151	

抗SS-A/Ro抗体	1219
抗SS-B/La抗体	1219
抗TSH受容体抗体	1577
抗U1RNP抗体	1219
抗アセチルコリン受容体抗体	857
抗アルドステロン薬	195, 1056
抗インスリン抗体	1741
抗ウイルス薬	150
抗うつ薬	2380
三環系	2380
非環系	2380
抗核抗体	1219
抗カルジオリピン抗体	1892
抗環状シトルリン化ペプチド抗体	1233
抗癌薬	151, 1904
細胞傷害性	732
抗寄生虫薬	150
抗凝固療法	2027, 2106
抗菌薬	146
――療法	146
セフェム系	1056
テトラサイクリン系	903
ペニシリン系	148
抗結核薬	2186
抗血小板療法	2106, 2118
抗原特異的IgE抗体	1329
抗甲状腺ペルオキシダーゼ抗体	1572
抗好中球細胞質抗体	779, 1219, 1403, 1408
抗サイトメガロウイルス薬	151
抗サイログロブリン抗体	1571
抗酸菌	285
抗糸球体基底膜抗体病	1451
抗糸球体基底膜腎炎	1451
抗真菌薬	150
抗線溶療法	2028
抗体依存性細胞傷害機序	1954
抗ヘルペスウイルス薬	150
抗リウマチ薬	1235
抗利尿ホルモン	163, 1361, 1557, 1613
抗利尿ホルモン不適合分泌症候群	1563
抗リン脂質抗体	1219
抗リン脂質抗体症候群	1219, 1272, 2041, 2130, 2243
梗塞内出血性変化	2115
溝状舌	893
甲状腺	1565, 2092
甲状腺炎	1586
亜急性	1576, 1587
萎縮性	1588
急性化膿性	1586
分娩後	1589
慢性	1579, 1588, 2237
無痛性	1576, 1589
薬物性	1590
甲状腺癌	1571
転移性	1576
甲状腺機能検査	1570
甲状腺機能亢進症	121, 701, 1571, 1576, 2237
原発性	1576
潜在性	1571
非自己免疫性	1576
甲状腺機能障害	2323
甲状腺機能低下症	91, 701, 1571, 1579, 2237, 2357
原発性	1580, 1581
潜在性	1571, 1581
先天性	1573
中枢性	1572, 1580, 1581
甲状腺刺激抗体	1573, 1577
甲状腺刺激阻害抗体	1573
甲状腺刺激ホルモン	1527, 1570
甲状腺疾患	1024
甲状腺腫	80, 97, 1582
アミロイド	1586
結節性	98
腺腫様	1585
単純性	1582
中毒性多(発)結節性	1573, 1576
びまん性	97, 1582
卵巣	1576
甲状腺組織破壊	1576
甲状腺ホルモン	102, 1579
甲状腺ホルモン合成阻害作用	1579
甲状腺ホルモン受容体遺伝子変異	1579
甲状腺ホルモン不応症	1580
下垂体型	1576
甲状腺ホルモン分泌抑制作用	1579
甲状腺ヨウ素摂取率	1571
甲状腺濾胞腫瘍	1579
硬膜外腫瘍	2265
硬膜下血腫	
急性	2267
慢性	2268
硬膜内髄外腫瘍	2265
硬膜内髄内腫瘍	2265
紅斑	68
頬部	1251
結節性	1274
手掌	94
浸潤性	68
足蹠	95
伝染性	318
落屑性	363
行軍ヘモグロビン尿症	1959
降圧	690
降圧薬療法	692
項部硬直	2048, 2122
高IgD症候群	1299
高IgE症候群	1345
高IgG4血症	1293
高IgM症候群	1346
高LDLコレステロール血症	558, 2340
高SDH反応性血管	2329
高アミラーゼ血症	950, 1142
高アンモニア血症	1799
高位精巣摘除術	1512
高回転骨	1370
高カリウム血症	126, 1363, 1387, 1483
高カルシウム血症	1366, 1999
悪性腫瘍随伴(に伴う)―	1608, 1677
液性悪性腫瘍性	1608
局所骨融解性	1608
高カロリー輸液	1719
高グリシン血症	1799
高血圧	558, 671, 680, 1407
遺伝性	675, 701
仮面	674
――緊急症	697
――治療	690, 1466
高齢者	695
災害	2361
糸球体	1760
食塩感受性	681
腎血管性	697, 1354, 1467
腎実質性	697, 1354
ストレス下	674
早朝	674
内分泌性	698
二次性	674, 697, 1467
肺	588
白衣	674
昼間	674
本態性――(症)	674, 677, 696
夜間	674
薬剤誘発性	701
高血圧性心血管病変	1466
高血糖	1764, 1766, 1767
食後	1745
高血糖高浸透圧症候群	1766, 1767
高ケトン体血症	1764, 1766
高コレステロール血症	
家族性	1806
常染色体優性	1806
常染色体劣性遺伝性	1807
高サイトカイン血症	2026
高身長	1615
高振幅電位	2078
高体温	2348
高蛋白	2091
高トリグリセリド血症	2340
高ナトリウム血症	163, 1360, 1362
高二酸化炭素血症	196, 865
高尿酸血症	1846
高比重リポ蛋白	1801
高非抱合型ビリルビン血症	1045
高ビリルビン血症	1043
高フェニルアラニン血症	1795
高プロラクチン血症	1549
高分解能CT	716
高リン血症	1366, 1483
高齢者総合的機能評価	53
膠芽腫	2091, 2261
膠原病	550, 773, 1019, 1209, 1213, 2242
鉤虫症	354
合成グルココルチコイド	1236
合成抗リウマチ薬	1235, 1236
国際10-20法	2074
国際生活機能分類	50
国際前立腺症状スコア	1382, 1510
国際予後指標	2010
国際予後スコアリングシステム	1925
黒色菌糸症	297
黒色真菌症	297
黒色表皮腫	1705
黒色分芽菌症	297
骨格筋	2307
骨格筋障害	2330
骨格筋線維	2308
骨・関節感染症	236
骨形成不全症	1279
骨条件表示	2087
骨髄	1863
骨髄異形成症候群	1904, 1925, 1938, 1943, 1975

骨髄移植	175, 1918	
骨髄移植後血栓性微小血管病変		1959
骨髄炎		
化膿性		236
慢性再発性多発性		1297
骨髄腫		
くすぶり型		2013
多発性	1132, 1904, 1926, 2010	
非分泌型		2013
骨髄芽球		1866
骨髄球系前駆細胞		1866
骨髄系共通前駆細胞		1866
骨髄系細胞		1866
骨髄腫腎	1447, 1458	
骨髄腫診断事象		2012
骨髄穿刺		1881
骨髄増殖性疾患		2041
骨髄増殖性腫瘍	1925, 1963	
骨髄不全症		1957
骨髄不全症候群		1957
骨性隆起		1234
骨粗鬆症	1244, 1613, 1615, 1831	
原発性		1834
ステロイド性		1832
閉経後		1832
骨代謝マーカー		1833
骨軟化症	1370, 1836	
腫瘍原性		1677
骨盤内炎症症候群	237, 302	
昏睡	136, 207, 1766	
肝性		1046
高浸透圧非ケトン性		1766
深		207
糖尿病		1764
粘液水腫性	1579, 1580, 1581	
非ケトン性高浸透圧		1766
昏迷	136, 207, 2057	

サ

サイアザイド系利尿薬		397
サイクロスポーラ症		353
サイクロトロン		2093
サイコオンコロジー		63
サイトカイン	214, 339, 391	
サイトケラチン		1016
サイトメガロウイルス感染症		
	311, 343, 903, 921, 1131, 1922, 2257	
先天性		312
日和見感染症としての		312
サイトメガロウイルス単核症様症候群		
		312
サイロイドテスト		1572
サイロキシン		1570
サイロキシン結合性グロブリン		1571
サイログロブリン		1571
サイロシン		2371
サキシトキシン		2370
サクソン試験		2306
サザンブロット		1889
サージ状分泌		1529
サーチュイン		49
サブクリニカル Cushing 病		1545
サムサイン		648
サラセミア		1951

サルコイドーシス	203, 504, 733, 776, 1132, 2244, 2324	
筋	2094, 2324	
若年性		1298
心		629
サルコグリカノパチー		2314
サルコペニア	52, 185	
サルコメア		2307
サル痘ウイルス感染症		319
サルモネラ感染症		267
III音	368, 433	
III型高脂血症		1808
III型分泌装置		215
左室自由壁破裂		546
左室心筋緻密化障害		422
左室造影法		470
左室肥大	688, 694	
左室流出路狭窄		623
左心低形成症候群		581
砂糖水試験		1957
鎖肛		953
作業心筋		377
嗄声		1843
挫滅症候群	1483, 2358	
再栄養症候群		61
再灌流療法		499
再生医療		2
再発性多発軟骨炎		1277
再分極		377
最高血中濃度		148
最小発育阻止濃度		220
細菌性赤痢	268, 955	
細菌性膣症		239
細菌性膿疱		69
細菌培養検査		218
細小血管症		1757
細胞外マトリックス		401
細胞間接着分子-1		385
細胞周期		181
細胞傷害性 T 細胞	217, 401, 1740	
細胞障害毒素		230
細胞性免疫		217
細胞接着因子		1863
細胞内移行性		147
細胞分裂		180
細胞膜機能阻害薬		147
細胞密度		2091
臍帯血移植		1920
在宅酸素療法	177, 867	
崎田分類		927
錯乱状態		136
匙状爪		1932
刷子縁膜病		985
雑音		
拡張期	368, 593	
灌水性		433
機能性		433
金属性有響性		201
頸部		2105
収縮期		368
収縮後期		604
心尖部心房収縮性		593
前収縮期		593
大動脈弁硬化性		433
捻髪性		897
汎収縮期		826

連続性	369, 433	
里吉病		2334
三叉神経		2046
三叉神経痛	2091, 2281, 2301	
三次元心エコー法		435
三尖弁狭窄症		608
三尖弁閉鎖症		576
三尖弁閉鎖不全症		608
三相波		1071
珊瑚状結石		1508
酸塩基平衡異常		1367
酸化ストレス	104, 1758	
酸素療法		197
酸ホスファターゼ染色		1883
残気量		727
残尿感		130
残尿測定		1382
塹壕熱	282, 283	

シ

ジアシルグリセロール産生経路		1758
シアリドーシス	1848, 2213	
ジアルジア症	349, 1159	
ジエチレントリアミン五酢酸		2356
シガテラ		2370
シガトキシン(志賀毒素)	954, 2370	
ジカ熱		332
シクロオキシゲナーゼ		155
p, p'-ジクロロジフェニルトリクロロエタン		
		1692
シーケンシング		1890
ジスキネジア	2047, 2142	
シスタチオニン β 合成酵素欠損症		
		2216
シスタチン C		1374
シスチン結石		1377
シスチン蓄積症		1471
シスチン尿症		1471
ジストニア(ジストニー)	2055, 2151	
遺伝性進行性		2152
偽性		2151
機能性		2151
局所性		2152
頸部		2153
項部後屈		2142
姿勢		2152
上肢		2153
職業性		2154
心因性		2151
脊髄性		2151
動作性		2151
ドパ反応性		2152
捻転		2152
分節性		2153
変形性筋		2152
ジストニア運動		2151
ジストニア姿勢		2151
ジストロフィノパチー		2311
ジストロフィー変化		2312
ジストロフィン		2311
ジストロフィン蛋白		2313
ジストロフィン糖蛋白複合体		2312
ジスフェルリノパチー		2314
ジスフェルリン欠損		2315
シックデイ		1748

シトステロール血症	1807	
シトリン欠損症	1798	
シナプス再生	2108	
シナプトフィジン	1200	
シネ撮影	462	
ジノフィシストキシン	2370	
シビレタケ	2371	
ジフテリア	256	
シミター症候群	581	
シャント	196	
肺内	196	
腹腔-静脈——	1056	
シュードモナス属菌	278	
ショック	166, 414, 702	
アナフィラキシー——	221, 356, 1320, 2376	
エンドトキシン——	214	
血液分布不均衡性——	415	
血液量減少性——	1025	
循環血液量減少性——	415	
——肝	1128, 1129	
心原性——	415	
敗血症性——	233, 1025, 1129, 1483	
閉塞性——	415	
シラミ症	364	
シルエットサイン	449, 715	
シロシビン	2371	
しだれ柳状所見	1054	
しぶり腹	269	
しもやけ	2352	
しゃっくり	78	
じん肺	796	
じんま疹	174, 1334	
18 トリソミー	1512	
刺激伝導系心筋	377	
刺入電位	2077	
四肢切断術	2352	
四肢痛	131	
四肢麻痺	139, 1817	
痙性——	2257	
高カリウム性周期性——	2325	
周期性——	2324	
正カリウム性周期性——	2325	
低カリウム性周期性——	2324	
四肢冷感	192	
姿勢反射障害	2142	
子癇	1136	
子宮筋腫	2357	
子宮頸管炎	239, 260, 302	
クラミジア性——	239	
淋菌性——	239	
子宮収縮	1560	
志賀毒素(シガトキシン)	954, 2370	
思考緩慢	2063	
思春期早発症	1532	
止血機構	1875	
死戦期呼吸	190	
死の交差	68	
糸球体基底膜菲薄化病	1431	
糸球体係蹄壁	1428	
糸球体硬化症		
肝性——	1454	
巣状分節性——	1405, 1416	
糸球体疾患	1404, 1419	
一次性——	1427	
原発性——	1403, 1427	
——による臨床症候群分類	1404	
続発性——	1427	
二次性——	1427	
糸球体障害	1404, 1451	
糸球体上皮細胞	1430	
糸球体腎炎	1460	
管外増殖性壊死性——	1408	
管内増殖性——	1405	
急性——	1406	
急速進行性——	1252, 1408, 1463	
クリオグロブリン血症性——	1448	
細線維性——	1449	
半月体形成性壊死性——	1405, 1408	
膜性増殖——	1405, 1421	
膜性増殖——Ⅲ型	1420	
慢性——	1412	
メサンギウム増殖性——	1405	
溶連菌感染後急性——	1406	
糸球体病変	1457, 1458, 1483	
糸球体濾過量	1373	
糸状虫症	355	
イヌ——	757	
リンパ系——	355	
紙幣状皮膚	94	
紫斑	68	
紫斑病		
アレルギー性——	1425	
急性感染性電撃性——	304	
血管性——	1425	
血栓性血小板減少性——	159, 171, 1251, 1958, 2028, 2246	
細菌性——	282	
単純性——	2031	
特発性血小板減少性——	158, 2023	
老人性——	2031	
紫斑病性腎炎	1424	
脂質	1800	
脂質異常症	695, 1390, 1429, 1705, 1806, 2340	
脂質摂取基準	1709	
脂質代謝異常(症)	1744, 1800, 2211	
先天性——	1839	
脂肪肝	85, 1086, 1745	
アルコール性——	1099	
過栄養性——	1086	
低栄養性——	1086	
内分泌性——	1086	
妊娠性急性——	1137	
脂肪酸代謝	456	
脂肪腫	904, 975, 977, 2088	
肝血管筋——	1118	
腎血管筋——	2254	
脂肪沈着	1430	
脂肪滴	1086	
脂肪肉腫	1018	
脂便定量法	884	
脂肪抑制画像	1378	
脂肪抑制法	2089	
視覚誘発電位	2082	
視索上核	1557	
視床下部	1523	
視床下部・松果体部腫瘍	1533	
視床下部症候群	1530	
視床基底核壊死	2257	
視床梗塞	2128	
視床出血	2119	
視床性無視	2055	
視床痛	2055	
視神経	2045	
歯周病	1764	
歯状核赤核淡蒼球 Luys 体萎縮症	2158, 2162	
自然抗体	171	
自然免疫	216, 400, 1205	
弛緩性麻痺	328	
嗜銀性封入体	2155	
事象関連電位	2083	
持続的腎代替療法	1486	
時間的分散	2080	
次世代塩基配列決定法	1890	
痔核	1003	
痔疾	203	
痔瘻	1003	
磁化率強調画像	2089	
磁化率効果	2089	
磁気刺激法	2083	
自家蛍光気管支鏡	722	
自己炎症性症候群	1296, 1348	
自己抗体検査	1218	
自己消化性合併症	1178	
自己心拍再開	191	
自己調節能	512	
自己導尿	1507	
自己複製	1863	
自己分泌系	1515	
自己免疫疾患	1570	
多腺性——	1588	
自己免疫性萎縮性胃炎	1934	
自己免疫性自律神経節障害	702	
自己免疫性水疱症	69	
自己免疫性リンパ増殖性症候群	2002	
自動症	2275	
自動体外式除細動器	189, 500	
自動能	478	
自由水クリアランス	1613	
自律神経	1713, 2097	
自律神経系	2290	
自律神経ニューロン	2289	
自律神経不全	2098	
地固め療法	1990	
色素性母斑	892	
色素斑	68	
敷石像	960	
軸索変性	2079	
七條分類	1565	
失語	2045, 2055	
運動性——	2055	
感覚性——	2055	
視床性——	2055	
全——	2056	
伝導性——	2055	
失行	2045, 2056, 2062	
観念運動性——	2056	
観念性——	2056	
構成——	2056	
口部顔面——	2056	
肢節運動——	2056	
着衣——	2056	
失行-失調性歩行	2271	
失神	137, 2064, 2349	
頸動脈洞——	2065	
血管性——	2065	

血管迷走神経性――	2064, 2098	
状況――	2065	
心因性――	2065	
神経調節性――	2065	
心血管性――	137, 2064	
心原性――	2065	
咳――	122	
代謝性――	2065	
排尿――	2065	
反射性――	2064	
非心血管性――	137, 2065	
失調性呼吸	118	
失認	2045, 2056, 2062	
視空間――	2056	
手指――	2056	
相貌――	2056	
病態――	2056	
室傍核	1557	
湿球黒球温度	2350	
実行機能障害	2063	
射乳	1560	
瀉血療法	1823	
若年性脊椎関節症	1241	
雀卵斑様色素斑	2253	
主観的包括的評価	1704, 1718	
主細胞	1479	
主要組織適合遺伝子複合体	217	
主要組織適合抗原	1216	
主要免疫病原性領域	2303	
手根管症候群	1233, 2242, 2300, 2302	
手指徴候	648	
手術部位感染症	271	
手掌口症候群	2055	
腫瘍随伴症候群	837, 1608	
腫瘍性疾患	1570	
腫瘍崩壊症候群	1458, 1997	
腫瘍マーカー	1143	
受動的体外加温	2352	
樹状細胞	1206, 1304	
収縮期クリック	433	
収縮不全	405	
周期性一側(片側性)てんかん型(様)放電		
	208, 2076	
周期性傾眠症	2282	
周期性呼吸	117	
周期性発熱	1298	
周産期脳損傷	2257	
周辺症状	2064	
就寝前夜食療法	1723	
修正 Borg スケール	710	
修正 MRC スケール	114	
修正大血管転換症	578	
終末期ケア	186	
終末細気管支	818	
終末滴下	130	
終末糖化産物	47, 1758	
住血吸虫症	357	
十二指腸乳頭部腫瘍	1008, 1173	
十二指腸病変	1008	
十二指腸良性腫瘍	946	
縦隔	853	
縦隔陰影	448	
縦隔炎	854, 908	
急性――	854	
降下性壊死性――	855	
硬化性――	855	
心疾患術後――	855	
線維性――	855	
特発性線維性――	855	
縦隔気腫	853, 897	
特発性――	854	
縦隔疾患	853	
縦隔腫瘍	856	
縦隔線維症	855	
縦隔内血腫	856	
縦隔病変	719	
重鎖沈着症	1448	
重症化予防	2338	
重症急性呼吸器症候群	325	
重症虚血肢	659	
重症筋無力症	2303	
アセチルコリン受容体抗体陽性――		
	2303	
筋特異的受容体型チロシンキナーゼ抗体陽性――		
	2303	
低比重リポ蛋白質受容体関連蛋白質 4 抗体陽性――		
	2303	
重症心身障害	2257	
重症熱性血小板減少症候群	338	
重症複合免疫不全症	1343	
重積状態	210	
痙攣性てんかん発作	138	
重複症候群	1262	
重複腎盂尿管	1512	
粥腫	400	
粥腫破綻	2111	
出血	908, 2091	
出血傾向	109, 1053	
循環抗凝固因子による――	2038	
出血時間	1890	
出産時垂直感染	2183	
術後障害	38	
術中・術後合併症	38	
春季カタル	1339	
循環不全	1025, 1128	
急性――と潰瘍性病変	1025	
局所――	1025	
純粋無動症	2143	
順行性腎盂造影法	1503	
書家振戦	2147	
書痙	2153	
女性ホルモン受容体	1611	
徐波	2074	
徐脈頻脈症候群	501	
除細動	189	
除染法	2380	
除鉄療法	1823	
除脳硬直	2058	
除皮質硬直	2058	
小胃症状	949	
小径線維	2290	
小径有髄線維	2290	
小血管病	2064	
小血管閉塞	2103	
小細胞癌		
混合型――	835	
小細胞性ニューロン	1524	
小線源治療	182	
小腸細菌増殖	991	
小腸腫瘍	973	
小痘瘡	318	
小脳橋角部腫瘍	2260	
小脳橋角部症候群	2053	
小脳血管芽腫	2255	
小脳失調症	2305	
遺伝性脊髄――	2158	
末梢血管拡張性――	2255	
小脳出血	2120	
小脳症状	2124	
小粒状陰影散布	1252	
松果体	2088	
松果体芽腫	2091	
松果体部腫瘍	2260	
消化管		
――の血管性病変	1002	
――の超音波診断	879	
消化管異物	1029	
消化管間質腫瘍	944, 973	
消化管感染症	229	
消化管狭窄	890	
消化管重複症	952	
消化管出血	203, 1011	
消化管障害	1492	
機能性――	992	
薬剤起因性――	1026	
消化管粘膜傷害		
顕微鏡的大腸炎による――	1028	
非ステロイド系抗炎症薬/アスピリンによる――		
	1026	
消化管ポリポーシス	1006	
消化管ホルモン	885	
消化管ホルモン関連疾患	1024	
消化吸収機構	985	
消化吸収障害	102, 950	
消化酵素欠損症	1781	
消化不良	985	
消耗性疾患	102	
焦点発作	2274	
硝酸薬	396	
漿液性鼻汁	339	
猩紅熱	247	
上位運動ニューロン性麻痺	138	
上行性網様体賦活系障害	2054	
上肢循環障害症状	2125	
上矢状静脈洞	2086	
上矢状静脈洞血栓症	2124, 2188	
上腸間膜静脈・門脈閉塞	1001	
上腸間膜動脈症候群	919	
上腸間膜動脈閉塞	1001	
上皮型 Na チャネル	1479	
上皮細胞	1304	
上皮小体疾患	1024	
上皮性腫瘍	975	
上皮成長因子受容体	730	
上皮内乳頭内ループ状血管	907	
上部消化管 X 線検査	914	
上部消化管出血	930	
上部消化管内視鏡検査	914	
上部尿路通過障害	1399	
上方注視麻痺	2264	
上腕筋囲	1718	
常染色体優性遺伝病	14	
常染色体優性多発性嚢胞腎	1500	
常染色体劣性遺伝病	15	
条虫症	360, 2197	
蒸散性熱放散	2348	
静脈	383	
静脈炎	1719	

静脈血栓後症候群 661	心因性リウマチ 1283	1492
静脈血栓症 2041	心エコー法 435	成人先天性―― 584
腎―― 1429, 1470	心音図 431	二心室修復術後成人先天性―― 585
深部―― 661, 1429	心外傷 666	肺性―― 663
脳―― 2123	穿通性―― 666	心室細動 500, 544
脳深部―― 2124	鈍的―― 666	特発性―― 500
静脈洞 1863	心窩部痛 897	心室中隔欠損 566
静脈洞感染症 2188	心窩部痛症候群 923	心室中隔破裂 546
静脈洞内欠損像 2124	心機図 431	心室内興奮伝導異常 539
植皮術 2352	心機能 375	心室内伝導障害 544
植物状態 136, 2057, 2061	心胸郭比 448	心室肥大 430
持続性―― 2061	心筋	心室頻拍 493, 496, 544
職業性アレルギー 1331	――の構造 373	カテコラミン誘発多形性―― 426
――性鼻炎 1331	――の収縮弛緩機構 373	器質的―― 496
――性皮膚疾患 1332	――の収縮性 375	偽性―― 491
職業性喘息 1331	心筋壊死 532	多形性―― 496
食行動 100	心筋炎 634	単形性―― 496
食後愁訴症候群 923	急性―― 634	反復性―― 496
食事摂取基準 1708	巨細胞性―― 634	リエントリー性―― 498
食事誘発性熱産生 185	劇症型―― 634	心室リモデリング 402, 547
食事療法 1386	好酸球性―― 634	心周期 375
食中毒 229, 231, 244, 2370	特発性―― 635	心身医学 58
ウイルス性―― 231, 336	肉芽腫性―― 634	心身症 58
感染型細菌性―― 231	慢性―― 634	心尖拍動 434
毒素型細菌性―― 231	リンパ球性―― 634	心臓移植 651
ボツリヌス―― 252, 2228	心筋虚血 514, 547	心臓核医学検査 452
食道 1010	無症候性―― 516, 527, 555	心臓カテーテル検査 463
食道・胃静脈瘤 913	無痛性―― 527	心臓血管ホルモン 1681
食道一次蠕動波 898	心筋血流シンチグラフィ 452	心臓交感神経機能 458
食道運動障害 911	心筋梗塞 515	心臓再同期療法 549
食道炎 183	急性―― 202, 529, 531	心臓脂肪酸結合蛋白 539
カンジダ―― 229	――後症候群 549	心臓腫瘍 638
感染性―― 903	陳旧性―― 547	転移性―― 640
逆流性―― 77, 80, 1019	非ST上昇型急性―― 533	心臓振盪 667
好酸球性―― 901	非ST上昇型―― 529	心臓電気生理学的検査 482
術後逆流性―― 950	心筋挫傷 667	心臓突然死 532
腐食性―― 903	心筋酸素供給量 512	心臓粘液腫 639
薬物性―― 903	心筋酸素消費量 512	心臓ペースメーカ 120
食道癌 905	心筋症 420	心臓リハビリテーション 546
胸部―― 908	アルコール性―― 632	心タンポナーデ 616
頸部―― 908	拡張型―― 421, 620	心停止 190
早期―― 905	拡張相肥大型―― 420	心的外傷後ストレス障害 63, 2361
腹部―― 908	虚血性―― 549	心電図 427
食道気道瘻 908	グリコーゲン蓄積性―― 422	12誘導―― 427
食道狭窄 1019	拘束型―― 422, 624	心電図波形 379
食道腫瘍 80	心室中部閉塞性―― 622	心内膜炎 281, 611
食道静脈瘤 203, 914, 916	心尖部肥大型―― 622	感染性―― 596, 611, 1460
食道静脈瘤破綻 206	たこつぼ(型)―― 633, 2361	非細菌性血栓性―― 611
食道穿孔 855	鉄過剰性―― 632	心内膜床欠損症 563
食道重複症 896	特定―― 627	心肺蘇生法 189, 540
食道内圧測定 882	特発性―― 509	心肺停止 189
食道肉腫 909	二次性―― 627	心肺補助装置 196
食道排泄能検査 882	肥大型―― 420, 622	心拍出量 373, 375
食道離断術 917	頻脈誘発性―― 487	心拍数 120, 375, 376
食道良性狭窄 909	不整脈原性右室―― 422, 626, 633	心破裂 546
食道良性腫瘍 903	閉塞性肥大型―― 622	心肥大 380, 403
食道裂傷 896	ミトコンドリア―― 633	遠心性―― 382
食品媒介疾患 229	心筋/上縦隔比 2093	求心性―― 382
食物経口負荷試験 1330	心筋代謝 370	生理的―― 380, 381
食欲低下 101	心筋特異的トロポニン 538	病的―― 380, 381
食欲不振 74	心血管陰影 448	心不全 85, 91, 121, 405, 539, 547,
食欲抑制薬 2382	心血管造影検査 470	585, 694, 1025, 1129, 1370, 1492,
信号雑音比 2089	心血管リモデリング 402	2240
心Fabry病 422	心雑音 433	右―― 405
心因性非てんかん性発作 138	心疾患	右――症状 593
心因性無反応 207, 2060	虚血性―― 430, 508, 553, 1370	急性―― 191, 405

左——	405
——徴候	548
慢性——	405
心房細動	486, 596
永続性——	486
持続性——	486
発作性——	486
慢性——	486
心房周期長	502
心房粗動	485
心房中隔欠損症	433, 561, 596
心房中隔裂開術	578
心房頻回刺激	502
心房頻拍	485
心房補足現象	499
心房リエントリー性頻拍	485
心膜液貯留	616
慢性——	616
心膜炎	546, 615
ウイルス性——	615
急性——	615, 616
収縮性——	618
特発性——	615
尿毒症性——	1370
心膜腫瘍	641
心膜損傷	667
心膜摩擦音	369
振戦譫妄	2229
新生児Basedow病	1573
新生児ループス	1253
浸透圧調節	1557
浸透圧調節系	1558
浸透圧利尿	128
深部感覚	2048
深部静脈血栓	1420
深部体温	2348
深部脳刺激療法	2142
深部皮質下白質病変	687
真菌感染症	2192
真菌球	292
真菌血症	232
真性多血症(真性赤血球増加症)	1963
神経Behçet病	1275
神経因性膀胱	1506
神経芽細胞腫	1660
神経筋接合部疾患	2303
神経筋接合部障害	2233
神経系原生腫瘍	977
神経根症	2285
神経周膜	2290
神経障害	183
感覚・運動性多発——	2299
感覚/自律——	1762
局所障害性および多巣性——	1762
局所性——	2300
小児自己免疫性溶連菌関連性精神——	2199
自律——	1745, 1763, 2220
対称性多発——	1762
多巣性——	2300
多発——	1745
多発性単——	2300
単——	1762, 2300, 2301
中枢——	2220, 2232
肘部尺骨——	2302
糖尿病——	1731

糖尿病性自律——	2299
糖尿病性末梢——	1745, 2299
非定型的糖尿病性末梢——	2299
末梢——	209, 2220, 2233
神経鞘腫	2091, 2263
前庭——	2091
神経上膜	2290
神経性過食症	60
神経性食欲不振症	101
神経性やせ症	60
神経節細胞	953
神経線維腫症	2253
脊髄型——	2254
——2型	2254
神経叢障害	2300
頸部神経根・——	2300
神経伝導検査	2078
運動——	2079
感覚——	2079
末梢——	2292
神経毒素	230
神経内鞘	2290
神経内分泌腫瘍	946, 1200, 1672
膵——	1200
非機能性膵——	1202
神経内膜	2290
神経皮膚症候群	2253
神経ペプチドY	74
神経ミスマッチ理論	2365
神経有棘赤血球症	2149
診断的脾臓摘出	87
診療	6
診療ガイドライン	3
進行性核上性麻痺	2142
進行麻痺	2191
針筋電図検査	2077
人工肝補助	1072
人工呼吸	190
気管内挿管下——	198
人工呼吸管理	198
人工呼吸器関連肺障害	198
人工心臓	654
左室補助——	652
補助——	196, 655
人工膵島	1755
人獣共通感染症	343, 349, 1067
腎萎縮	1466
腎移植	1395
血液型不適合——	1399
生体——	1396
先行的——	1395
腎盂腫瘍	1509
腎盂腎炎	1504
急性——	1377
慢性複雑性——	1504
腎盂尿管鏡	1385
腎炎関連プラスミン受容体	1406
腎外傷	1401
腎下垂	1512
腎癌	
囊胞性——	1378
腎灌流圧低下	1481
腎機能低下	1373
腎血管造影	1379
腎血漿流量	1374
腎結石	1376, 1508

腎硬化症	689
悪性——	1467
腎梗塞	1377, 1468
腎糸球体病理分類	1404
腎疾患	
実質性——	1376
腫瘤性——	1376
囊胞性——	1377, 1379, 1500
腎実質造影像	1375
腎腫瘍	1508
腎症	1760
アテローム塞栓性——	1463
アミロイド——	1445
イムノタクトイド——	1449
円柱——	1447
造影剤——	1377, 1496
糖尿病性——	1426, 1433
特発性膜性——	1389
妊娠高血圧——	1136
放射性——	1465
膜性糸球体腎炎・膜性——	1405
膜性——	1419
腎障害	1456
急性——	126, 1457, 1462, 1481
腎後性急性——	1481
腎性急性——	1481
腎前性急性——	1481
中毒性——	1496
腎症候性出血熱	344
腎シンチグラフィ	1379
腎生検	1380
腎性全身性線維症	1378
腎性糖尿	1473
腎動静脈瘻	1468
腎動脈造影	1379
腎動脈瘤	1467
腎毒性物質	1483
腎内動静脈瘻	1380
腎乳頭壊死	1505
腎・尿管結石	1507
腎尿細管異常	1836
腎皮質壊死	1468
腎不全	1368
急性——	1392, 1399, 1430
末期——	1487, 1490
慢性——	1392, 1487
腎瘻	1399
靱帯付着部炎	1240

ス

スカベンジャー受容体A	400
スカベンジャー受容体B1	1803
スクウィーク	713
スクウォーク	713
スタニング	487
スタンバイ緊急治療	348
ステノトロホモナス属	278
ステロイド(ホルモン)	160, 1389, 1611, 1614
ステロイド座瘡	297
ステロイド全身療法	160
ステロイド17α-ヒドロキシラーゼ	1614
ステロイドホルモン産生急性調節蛋白質 欠損症	1641

ステント血栓症	532	
ステント留置(術)	725, 890, 2092	
内視鏡的膵管——	891	
内視鏡的胆管——	891	
ストライダー	713	
ストレイン法	438	
ストレス係数	1718	
ストローマ細胞	1863	
スネア	888	
スパイロメトリー	725	
スーパーオキシドジスムターゼ	47	
スーパースプレッダー	325	
スピロヘータ感染症	2190	
スピンエコー法	462	
スフィンゴ脂質活性蛋白	1843	
スプライシング異常	2320	
スプーン状爪	950	
スポロゾイト	345	
スポロトリコーシス	297	
スモン	2233	
スリット膜	1428	
スルホニル尿素薬	1750	
すりガラス状胞体	1075	
頭痛	137, 2278	
緊張型——	2280	
群発——	2280	
片——	2278	
垂直性眼球運動障害	2142	
水牛様肩	1626	
水晶体	2092	
水腎症	1375, 1502	
水素呼気試験	884	
水中運動	1228	
水痘	311	
水頭症	2270, 2271	
交通性——	2270	
正常圧——	2270	
先天性——	2250	
特発性正常圧——	2270	
二次性正常圧——	2270	
水痘・帯状疱疹ウイルス感染症	310	
水尿管症	1375	
水平回旋混合性眼振	139	
水平性共同眼球運動	2060	
水疱	69	
表皮下——	69	
表皮内——	69	
水泡音	712	
睡眠	136	
睡眠異常	2281	
睡眠呼吸障害	833	
睡眠時無呼吸症候群	101, 117, 700, 831, 2283	
閉塞型——	116, 179	
睡眠障害	2141	
睡眠相遅延症候群	2284	
睡眠麻痺	2283	
錐体路	2091	
膵炎	1186	
壊死性——	1177	
間質性浮腫性——	1177	
急性——	1142, 1143, 1176, 1177, 1722	
自己免疫性——	1162, 1186, 1293, 1443	
慢性——	102, 1143, 1180	

膵管内乳頭粘液性腫瘍	1189	
膵管癒合不全	1176	
膵酵素	1177, 1194	
膵充実性偽乳頭腫瘍	1192	
膵腫瘍	102	
膵漿液嚢胞性腫瘍	1192	
膵石症	1180	
膵全摘術	1196	
膵臓移植	1754	
膵体尾部切除術	1196	
膵・胆管合流異常	1164	
膵島移植	1754	
膵島細胞症	1771	
膵頭十二指腸切除術	1195	
幽門輪温存——	1195	
幽門輪切除——	1195	
膵内分泌腫瘍	1772	
膵粘液嚢胞性腫瘍	1191	
随意性呼吸調節	830	
髄液	2070	
髄外造血	87	
髄芽腫	2091, 2264	
髄節性徴候	2050	
髄洞	88	
髄膜炎	2091	
ウイルス性——	2170	
クリプトコックス——	2192	
結核性——	2185	
好酸球性——	356	
細菌性——	209, 2183	
—菌感染症	258	
脳——	80	
無菌性——	324, 340	
髄膜刺激症候	2131, 2183, 2185	
髄膜腫	2091, 2262	
髄様癌	1582	
家族性甲状腺——	1671	
家族性——	1574, 1584	
甲状腺——	1574	

セ

セカンドインパクト症候群	2268	
セカンドウインド現象	2332	
セクレチン	886	
セシウム	2356	
セパシア症候群	278	
セフェム系薬	148	
セミノーマ	1511	
セリアック病	988	
セルロプラスミン	1791	
セレウス菌	231	
セロトニン	104, 887	
セントラルコア病	2325	
瀬川病	2152	
是正輸液	162, 163	
制御性T細胞	1212, 1293	
——の異常症	1347	
性感染症	238, 302	
性器ヘルペス	309, 310	
性早熟症	1532	
性病	238	
性分化	1662	
性分化疾患	1661, 1662	
成人Still病	1131, 1244	
成人成長ホルモン分泌不全症	1539	

成人病	2338	
成人副腎	1610	
成長障害	140	
成長ホルモン	1526, 1689, 1713	
成長ホルモン分泌不全性低身長症	1537	
星細胞腫	2261	
正常血糖域クランプ法	1756	
正の強化効果	2382	
清涼飲料水ケトーシス	1764	
生活機能障害の分類	50	
生活習慣病	2, 185, 691, 1087, 2338	
生活の質	2338	
生殖細胞系列塩基配列	730	
生殖細胞系列多型	730	
生殖細胞系列変異	730	
生殖腺	2092	
生存シグナル	732	
生着不全	1923	
生物学的抗リウマチ薬	1235, 1236	
生物学的製剤	1223	
精上皮腫	1511	
精神腫瘍学	63	
精神遅滞	2257	
精神発達遅滞	2357	
精巣炎	325	
精巣腫瘍	1511	
精巣上体炎	239	
声帯機能異常症	124	
声帯機能不全	1322	
静止膜電位	377	
静態シンチグラフィ	1379	
静脈コンプライアンス	727	
脆弱X関連振戦/運動失調症候群	2163	
脆弱X症候群	2249	
咳	121	
石綿肺	797	
石灰化	48	
加齢性——	2087	
血管——	1370	
心血管の——	452	
腎——	1476	
石灰化病変	1377	
脊髄炎		
横断性——	209, 2203	
視神経——	2209	
脊髄外傷	2269	
脊髄梗塞	2130	
脊髄出血	2131	
脊髄腫瘍	2265	
脊髄症	2285	
脊髄障害	2050, 2248	
横断性——	2132	
脊髄小脳変性症	139, 2154, 2158	
脊髄神経	2290	
脊髄髄膜瘤	2251	
脊髄中心部障害	2051	
脊髄動静脈奇形破裂	2131	
脊髄披裂	2251	
脊髄片側症候群	2051	
脊髄瘻	2191	
脊柱靱帯骨化症	2287	
脊柱の側弯変形	2312	
脊椎カリエス	286	
脊椎強直症候群	2316	
赤芽球	1866	
担鉄——	1883	

赤芽球/巨核球系前駆細胞	1866
赤芽球系前駆細胞	1357
赤芽球癆	1941
慢性――	318
赤色髄	1863
赤色ぼろ線維・ミオクローヌスてんかん症候群	2328
赤脾髄	1864
赤痢アメーバ症	348
赤痢菌	268
赤血球	1867
糸球体型――	1356
成熟――	1866
破砕――	1958
涙滴状――	1982
赤血球酵素異常症	1950
赤血球真性コリンエステラーゼ活性	2374
赤血球増加症	1930
一次性――	1930
真性――	1963, 2041, 2245
絶対的――	1930
相対的――	1930, 1963
特発性――	1930
二次性――	1930, 1965
見かけの――	1930
赤血球造血刺激因子製剤	1357
赤血球大小不同	1932
赤血球沈降速度（赤沈）	1218
赤血球濃厚液	168
赤血球破砕症候群	1958
赤血球膜異常症	1948
癤	235
癤腫症	235
接合菌症	293, 754
接触感染	226
摂食障害	60
舌咽神経	2046
舌咽神経痛	2091
舌下神経	2046
舌下免疫療法	1314
仙髄回避	2051
先端巨大症	701, 1540
先天異常症候群	2249
先天性 QT 延長症候群	423
先天性アミノ酸代謝異常症	1795
先天性胃・十二指腸疾患	918
先天性肝線維症	1125
先天性凝固・線溶系因子欠乏症	2039
先天性筋線維型不均等症	2325
先天性グルコース・ガラクトース吸収不全症	1473
先天性結合組織疾患	648, 1279
先天性血小板機能異常症	1877, 2029
先天性血栓傾向	2040
先天性十二指腸閉鎖・狭窄症	919
先天性小腸閉鎖・狭窄症	951
先天性食道狭窄症	895
先天性食道疾患	894
先天性食道閉鎖症	894
先天性腎尿路奇形症候群	1512
先天性膵形成不全	1175
先天性髄鞘形成不全	2297
先天性代謝異常	85
先天性腸疾患	951
先天性糖質代謝異常症	1779
先天性ビリルビン代謝異常症	1853
先天性風疹症候群	323
先天性無痛無汗症	2297
尖圭コンジローマ	240, 316
尖足拘縮	2312
染色体	11
染色体異常	13, 1887, 2249
染色体転座	1900
染色体微細欠失症候群	14
染色体不安定性	2356
染色体分析	1887
多色蛍光――	1887, 1888
潜伏期間	241
旋毛虫症	2198
穿通枝	2100
穿通枝梗塞	686, 2103
線維筋痛症	1281
線維自発電位	2313
線維腫	640, 904
線維腺腫	1696
線維毛包腫	811
線条体黒質変性症	2154
線状爬行疹	356
線虫症	354
線溶能	1429
線量限度	36
腺癌	
胆管嚢胞――	1116
腹膜漿液性乳頭状――	1016
ムチン産生性――	1017
腺腫	904, 946, 974, 975
選択的セロトニン再取り込み阻害薬	63, 2380
遷延性排尿	1503
疝痛	200, 1502
譫妄	46, 2057, 2064
前角	2252
前駆細胞	1866
前縦隔	853
前赤芽球	1866
前脊髄動脈症候群	2130
前大脳動脈	2100
前大脳動脈領域	2127
前庭神経炎	139
前庭動眼反射	2059
前頭葉機能障害	2271
前頭葉障害	2259
前脳基底部病変	2128
前負荷	375, 376
前方循環	2100
前房蓄膿	1275
前立腺炎	239
前立腺生検	1383
前立腺特異抗原	1382
前立腺肥大症	1503, 1510
前腕阻血運動負荷試験	2330
全身管理	2380
全身硬直症候群	2334
全身こむら返り病	2334
全身性エリテマトーデス	203, 504, 776, 1016, 1019, 1131, 1217, 1250, 1419, 1436, 2242
神経精神――	1251
全身(性)炎症反応症候群	233, 1070, 1178
全身性強皮症	827, 1019, 1131, 1254, 1440, 2243
限局皮膚硬化型――	1255
びまん皮膚硬化型――	1255
全身性動脈炎 Bevans 型	1235, 1237
全前脳胞症	2252
全般発作	2274
全末梢血管抵抗	376
喘息性気管支炎	736
喘鳴	124

ソ

ソフトドリンクケトーシス	1764
ソマトスタチン	887, 929
ソラニン	2372
そばかす様皮膚斑	2253
疎通	819
組織因子経路阻害因子	1878
組織球増殖症	2003
組織弾性評価	1574
組織ドプラ法	438
組織破壊法	888
組織プラスミノゲン活性化因子	385
阻害型抗 TSH 受容体抗体	1580
鼠径部肉芽腫症	266
溯行変性	2299
僧帽弁逸脱症	121, 603
僧帽弁開放音	368, 433, 593
僧帽弁狭窄(症)	433, 592
僧帽弁装置	597
僧帽弁乳頭筋断裂	546
僧帽弁複合体	592
僧帽弁閉鎖音	593
僧帽弁閉鎖不全症(MR)	597
一次性――	602
二次性――	602
僧帽弁様顔貌	593
双球菌	246
双極肢誘導	428
奏楽手痙	2153
早期虚血サイン	2116
早期興奮症候群	493
早期再分極症候群	427
早期障害	37
早期リモデリング	547
早期老化症候群	47, 48
早朝効果	2153
早発性失調症	2163
早老症	47, 48
相対的僧帽弁狭窄	595
相同組み換え	181
総蛋白質	1787
総動脈幹遺残症	580
総肺静脈還流異常症	580
蒼白	658
増強効果	2088
臓器障害	
関節外――	1232
高熱による――	2348
造影欠損	2088
造影剤	2088
造血因子	1863
造血幹細胞	1863
――移植	1913, 1957, 1975, 2356
――移植後合併症	1922

――移植併存症インデックススコア ……… 1925	体外式超音波 ……………………… 879	大動脈造影法 ……………………… 473
造血器腫瘍 …………………… 170, 1893	体外式膜型人工肺 ………………… 199	大動脈臓側中胚葉 ………………… 1862
側臥呼吸 …………………………… 119	体外衝撃波砕石術 ………… 1400, 1508	大動脈内バルーンパンピング
側索硬化症	体幹失調 …………………………… 2260	…………………………… 196, 546, 654
筋萎縮性―― …………………… 2164	体腔鏡補助下食道切除術 ………… 908	大動脈弁狭窄(症)… 433, 574, 591, 605
原発性―― ……………………… 2167	体細胞遺伝病 ……………………… 20	大動脈弁置換術 …………………… 606
側頭動脈炎 ………………… 2125, 2244	体細胞変異 ………………………… 731	大動脈弁閉鎖不全(症) ……… 433, 606
側頭葉障害 ………………………… 2259	体重減少率 ………………………… 1704	大動脈瘤 …………………………… 642
側脳室周囲白質病変 ……………… 686	体重増加不良 ……………………… 140	胸部―― ………………………… 642
側副血行路 ………… 514, 2111, 2124	体心室右室不全 …………………… 587	腹部―― ………………………… 642
足関節上腕血圧比 ………………… 689	体心室不全 ………………………… 589	大脳皮質拡延性抑制 ……………… 2278
足根管症候群 ……………………… 2300	体性感覚誘発電位 ………………… 2082	大脳皮質基底核変性症 …… 2143, 2144
足病変 ……………………………… 1763	体性痛 ……………………………… 199	大脳皮質症候 ……………………… 2144
速効型インスリン分泌促進薬 …… 1751	体内時計 …………………………… 1715	大脳変性疾患 ……………………… 2132
	体部白癬 …………………………… 296	第 4 相脱分極 …………………… 378
タ	耐性アシネトバクター感染症 …… 278	第 4 脳室腫瘍 …………………… 2260
	耐糖能障害 ………………………… 1757	第 5 病 …………………………… 318
タイ肝吸虫 ………………………… 358	帯状体 ……………………………… 346	高月病 ……………………………… 2015
ダイナミック CT ………………… 880	帯状疱疹 …………………… 311, 893, 2180	高安動脈炎(高安病) …… 646, 697, 2125
ダイナミック MRI ………………… 1378	帯状疱疹後神経痛 ………………… 2180	竹節様脊椎 ………………………… 1241
タウオパチー ……………………… 2142	胎児アルコール症候群 …………… 2252	脱色素斑 …………………………… 68
タウ陽性神経原線維変化 ………… 2142	胎児水腫 …………………… 318, 1956	脱神経電位 ………………………… 2077
タウリン …………………………… 2330	胎児性腫瘍 ………………………… 2091	脱水 ………………………… 129, 918, 1767
タップテスト ……………………… 2271	胎児赤芽球症 ……………………… 1956	高張性―― ………………… 129, 163
ダニ刺症 …………………………… 363	胎児副腎 …………………………… 1610	――症 …………………………… 162
タバコ・アルコール性弱視 ……… 2230	胎内感染症 ………………………… 2256	低張性―― ……………………… 129
ダブルレイヤーサイン …………… 1120	胎盤 ………………………………… 820	等張性―― ……………………… 129
ダルベポエチンアルファ ………… 1358	退形成性星細胞腫 ………………… 2261	脱髄 ………………………………… 2079
ダンピング症候群 ………………… 949	退薬症候 …………………………… 2382	脱髄疾患 …………………………… 2204
後期―― ………………………… 949	代謝 ………………………………… 1706	脱髄性病変 ………………………… 2091
早期―― ………………………… 949	代謝異常 …………………………… 1703	脱分極 ……………………………… 377
たむし ……………………………… 296	代謝亢進作用 ……………………… 102	脱分枝酵素欠損症 ………………… 2331
ため息 ……………………………… 119	代謝調節 …………………………… 1709	脱毛 ………………………………… 183
多因子遺伝病 ……………………… 19	大径有髄線維 ……………………… 2290	脱力発作 …………………………… 2275
多クローン性増殖疾患 …………… 2001	大血管アテローム硬化 …………… 2103	縦緩和 ……………………………… 2089
多系統萎縮症 ……………………… 2154	大血管症 …………… 1757, 1763, 1767	縦緩和時間 ………………………… 2089
多剤併用 …………………………… 55	大血管損傷 ………………………… 668	垂井病 ……………………… 1778, 2332, 2334
多小脳回 …………………… 2252, 2317	大血管転換症 ……………………… 577	丹毒 ………………………………… 235
多相性運動単位電位 ……………… 2078	大孔 ………………………………… 2086	単一遺伝子病 ……………………… 14
多糖外被 …………………………… 1428	大細胞性ニューロン ……………… 1524	単核球症 …………………………… 314
多尿 ………………………………… 127	大腸炎	伝染性―― …………… 1131, 2004
多能性前駆細胞 …………………… 1865	アメーバ性―― ………………… 956	単球 ………………………… 1206, 1866
多発血管炎性肉芽腫症	潰瘍性―― …………… 203, 964, 1241	単球系前駆細胞 …………………… 1866
…………………… 779, 780, 1269, 2244	虚血性―― ……………………… 971	単球増加症 ………………………… 1972
多発性 Castleman 病 ……………… 2002	病原大腸菌性―― ……………… 954	単クローン性免疫グロブリン
多発性肝嚢胞 ……………………… 85	大腸癌 …………………… 203, 968, 978	………………………………… 1447, 2008
多発性硬化症 ………… 139, 2091, 2204	遺伝性―― ……………………… 980	単クローン性免疫グロブリン軽鎖 1447
多発性内分泌腫瘍症 ……… 1668, 1772	散発性―― ……………………… 980	単クローン性免疫グロブリン沈着症
――2 型 ………………………… 1574	大腸菌 ……………………………… 2183	………………………………………… 1448
多発性内分泌腺腫症 ……………… 1584	腸管凝集性―― ………………… 265	単純血漿交換法 …………………… 158
多発性嚢胞腎 ……………………… 1379	腸管出血性―― …… 214, 231, 265, 954	単純性肺アスペルギローマ ……… 292
多脾症候群 ………………………… 584	腸管侵入性―― ………………… 265	単純性肺動静脈瘻 ………………… 828
多分化能 …………………………… 1863	腸管毒素原性―― ……………… 265	単純ヘルペスウイルス …… 215, 2257
多包条虫 …………………………… 362	腸管病原性―― ………………… 265	単純ヘルペスウイルス感染症 …… 309
多包虫症 …………………………… 362	病原性―― ……………………… 954	単純疱疹 …………………………… 893
多面的効果 ………………………… 548	大腸菌感染症 ……………………… 265	単心室症 …………………………… 582
多列検出器型 CT(コンピューター断層装	大腸内圧測定 ……………………… 883	単心房症 …………………………… 581
置) ……………………… 458, 2086	大腸肉腫 …………………………… 984	単独自己免疫性副腎機能低下症 … 1646
唾液腺腫瘍 ………………………… 894	大腸良性腫瘍 ……………………… 974	単包条虫 …………………………… 362
体位性起立頻脈症候群 …………… 703	大痘瘡 ……………………………… 318	単包虫症 …………………………… 362
体位性頻脈症候群 ………………… 2098	大動脈炎症候群 …………… 646, 697, 2125	単麻痺 ……………………………… 139
体温中枢 …………………………… 66	大動脈解離 ………………………… 644	炭鉱夫肺 …………………………… 797
体温調節 …………………………… 66	偽腔閉塞型―― ………………… 644	炭水化物 …………………………… 1709
体温調節障害 ……………………… 2351	大動脈基部拡大 …………………… 648	炭疽 ………………………………… 257
体外血液加温 ……………………… 2352	大動脈基部置換術 ………………… 608	吸入―― ………………………… 258
	大動脈縮窄症 ……………… 579, 700	腸―― …………………………… 258

肺――	258
皮膚――	257
炭素イオン線	182
短趾伸筋	2299
短腸症候群	952
短絡血	2123
胆管炎	1154
急性	1141, 1154
急性閉塞性化膿性――	1150
原発性硬化性――	1097, 1161
原発性胆汁性――	1095
硬化性――	1186
胆管拡張	1166
胆管癌	1169
肝内――	1113
胆管狭窄	1161
胆管結石	890
胆管内乳頭状腫瘍	1173
胆管良性腫瘍	1173
胆汁うっ滞	1045, 1141
肝外――	1045
妊娠性肝内――	1136
胆汁酸腸管循環障害	987
胆汁酸負荷試験	884
胆石症	1150
胆道拡張症	1165
先天性――	1165
胆道感染症	1154
胆道寄生虫症	1157
胆道ドレナージ	1199
胆道閉鎖症	1159
胆嚢炎	1154
急性――	1154
胆嚢機能障害	951
胆嚢腺筋腫症	1169
胆嚢胆管瘻	1162
蛋白機能喪失性バリアント	730
蛋白合成阻害薬	146
蛋白細胞解離	2292
蛋白質消化吸収率補正アミノ酸スコア	1783
蛋白質摂取基準	1709
蛋白尿	1354, 1371, 1420, 1426, 1428, 1458
顕性――	1760
糸球体性――	1354
持続性――	1761
生理的――	1354
チャンス――	1354
特発性尿細管性――症	1479
尿細管性――	1354
ネフローゼレベルの――	1354
病的――	1354
無症候性――	1354
蛋白分解酵素阻害薬	2027
蛋白分画	1218
蛋白漏出性胃腸症	102, 988, 1005, 1020
痰	123, 286
漿液性――	123
膿性――	123
弾性抵抗	114
断層心エコー法	435
断続性ラ音	736
男性化副腎腫瘍	1629
男性ホルモン受容体	1611

チ

チアゾリジン	1751
チアノーゼ	103, 192, 339, 573, 589
解離性――	103
中枢性――	103
末梢性――	103
チェリーレッドスポット-ミオクローヌス症候群	1848
チック	2047
チーム医療	4
チョウセンアサガオ	2371
チョークス	2353
治療抵抗性	180
知覚神経線維	2289
知的機能障害	2061
知的障害	2257
地域包括ケアシステム	183
地図状舌	893
地中海紅斑熱	306
地中海熱	281
家族性――	1297
痴呆	2061
致死因子	257
遅発性ウイルス感染症	2177
遅発性尺骨神経麻痺	2302
遅発性溶血性副作用	174
蓄尿障害	1507
蓄尿症状	130
膣トリコモナス症	239, 351
中核症状	2064
中間症候群	2374
中間比重リポ蛋白	1801
中縦隔	853
中小血管	2290
中心動脈	1863
中枢神経浸潤	2245
中枢性 Horner 症候群	2059
中枢性摂食異常症	1857
中枢性鎮痛薬	2382
中大脳動脈	2100
中大脳動脈領域	2127
中腸	952
中東呼吸器症候群	325
中毒	208, 2091, 2369, 2378
アクリルアミド――	2225
アセトアミノフェン――	2380
一酸化炭素――	2227
エチレングリコール――	2225
キノコ――	2371
急性エタノール――	2229
ギンナン――	2372
解熱鎮痛薬――	2380
甲状腺――症	1576
催眠薬――	2382
シアン化合物――	2369
シガテラ――	2228
重金属――	2220
食――	229, 231, 244, 2370
水銀――	2221
――起因物質	2380
――性巨大結腸症	968
――性表皮壊死症	1325
――物質	2378
毒キノコ――	2228
トリクロルエチレン――	2225
トルエン――	2224
鉛――	2220
二硫化炭素――	2225
農薬――	2374
ヒ素――	2222
フェニトイン――	139
フグ――	2228
ボツリヌス――	252, 2080
マンガン――	2223
無機水銀――	2222
メタノール――	2230
薬物――	1368, 2231, 2384
有機塩素――	2227
有機水銀――	2222
有機物質――	2223
有機溶剤――	2370
有機リン――	2226
硫化水素――	2369
注射鉄剤	1933
虫垂炎	871
壊疽性――	998
カタル性――	998
急性――	879, 998
蜂窩織炎性――	998
虫垂腫瘍	999
虫垂粘液瘤	1000
肘部管症候群	2300
張力-刺激頻度関係	375
聴神経	2046
聴性脳幹反応	2081
聴性脳幹誘発電位	2081
腸炎	953
ウイルス性――	955
感染性――	203, 954
カンピロバクター――	955
偽膜性――	956
急性出血性――	956
虚血性――	971
クラミジア――	956
抗菌薬(抗生物質)起因性――	203, 956
サルモネラ――	955
出血性――	214
放射性(線)――	203, 957
メチシリン耐性黄色ブドウ球菌――	956
薬物性――	956
ループス――	1020, 1251, 1252
腸炎ビブリオ	271
――感染症	272
腸回転異常症	952
腸管 Behçet 病	957, 1275
腸管鬱血	986
腸管外条虫症	361
腸管虚血	1001
腸管重複症	952
腸管内条虫症	360
腸間膜静脈閉塞症	1025
腸間膜動脈閉塞症	1025
腸球菌感染症	248
腸真菌症	955
腸チフス	267, 955
腸内細菌異常増殖症候群	1004
腸内細菌科細菌	271
腸閉塞	995
腸リンパ管拡張症	1005
蝶形陰影	807

超音波ガイド下経気管支針生検……… 723
超音波気管支鏡下リンパ節生検……… 854
超音波検査……………………… 872, 1145
　　甲状腺……………………………… 1574
　　造影………………………………… 1146
超音波内視鏡下穿刺吸引生検法……… 1147
超音波内視鏡検査……… 876, 914, 1147
超音波法……………………………… 882
超過死亡……………………………… 320
超硬合金肺…………………………… 797
超低比重リポ蛋白…………………… 1801
長期酸素療法………………………… 177
長経路徴候…………………………… 2050
直接的血栓溶解療法………………… 2124
直腸炎………………………………… 239
直腸肛門内圧検査…………………… 953
直腸指診……………………………… 871
直腸障害……………………………… 183
鎮咳薬………………………………… 737

ツ

ツベルクリン反応……………… 287, 750
つつが虫病……………………… 303, 2193
2ヒット仮説………………………… 21
津波肺………………………………… 2360
対麻痺………………………………… 139
椎骨動脈……………………………… 2100
椎体靱帯骨化………………………… 1241
痛風…………………… 1285, 1823, 1846
　　偽…………………………………… 1285
爪白癬………………………………… 296

テ

ディスプラジア……………………… 1945
ディスペプシア……………………… 922
　　機能性……………………… 922, 993
ディンプル徴候……………………… 1607
デオキシコルチコステロン………… 1614
11-デオキシコルチゾール………… 1614
デオキシリボ核酸…………………… 10
テオフィリン………………………… 208
テストステロン……………………… 1689
デスモイド腫瘍……………………… 1008
テタニー症状…………………… 830, 2238
テトラクロロジベンゾジオキシン… 1692
テトラサイクリン系薬……………… 149
テトラヒドロアルドステロン……… 1618
テトラヒドロビオプテリン………… 1795
テトラヒドロビオプテリン欠乏症… 2215
テトラヒドロビオプテリン代謝異常症
　……………………………………… 2214
テトロドトキシン……………… 2228, 2370
テネスムス…………………………… 269
デヒドロエピアンドロステロン
　…………………………………… 1611, 1688
デブリドマン………………………… 2352
テロメア……………………………… 47
デング熱………………………… 241, 331
デンスデポジット病………………… 1404
てんかん……… 138, 2075, 2253, 2257,
　　　　　　　　　　　　2259, 2273
　　外傷性…………………………… 2269
　　海馬硬化症を伴う内側側頭葉―
　　……………………………………… 2276

持続性部分…………………………… 210
若年性ミオクロニー………………… 2276
小児欠神……………………………… 2275
小児良性部分………………………… 2275
素因性………………………………… 2274
側頭葉………………………………… 138
　―焦点……………………………… 2092
　―発作……………………………… 138
点頭…………………………………… 2257
特発性………………………………… 2274
手足口病……………………… 340, 893
手首徴候……………………………… 1280
手白癬………………………………… 296
低アルブミン血症…… 1426, 1428, 1788
低回転骨……………………………… 1370
低カリウム血症……………… 1365, 2311
低カルシウム血症…………… 1366, 1483
低カルボキシル化オステオカルシン
　……………………………………… 1833
低換気………………………………… 118
低換気症候群………………………… 830
　原発性肺胞―…………………… 830
　肥満―………………………… 101, 831
低血圧………………… 675, 702, 1492
　一過性…………………………… 675
　起立性………………… 675, 702, 2098
　初期起立性……………………… 703
　食後……………………………… 675
　食事性…………………………… 704
　進行性起立性…………………… 703
　遅延性起立性…………………… 703
　二次性…………………………… 675
　本態性……………………… 675, 704
低血糖………………………………… 2237
　食後―症候群………………… 949
　―症……………… 207, 1731, 1768
　反応性…………………………… 1771
　非β細胞腫瘍による―……… 1770
低酸素環境…………………………… 181
低酸素血症…………… 176, 179, 197
低酸素症……………………………… 176
低酸素症状…………………… 1928, 1932
低酸素性肺血管収縮………………… 820
低酸素発作…………………………… 573
低脂血症……………………………… 1810
低体温症……………………………… 2350
　偶発性………………… 2350, 2351, 2379
低蛋白血症…………………… 1005, 1428
低トリヨードサイロニン症候群…… 1580
低ナトリウム血症
　……………… 163, 1055, 1360, 1362, 1494
低リン血症…………………………… 1366
適応免疫……………………………… 216
鉄芽球………………………………… 1883
　環状……………………………… 1883
鉄過剰症……………………… 1820, 1933
鉄剤…………………………………… 903
鉄染色………………………………… 1883
天然痘………………………………… 318
天疱瘡………………………………… 892
　尋常性…………………………… 892
　落葉状…………………………… 892
転写因子……………………………… 1866
転写共役因子複合体………………… 1611
点滴静注腎盂造影…………………… 1375
伝染性軟属腫………………………… 319

伝染性膿痂疹………………… 214, 235
伝導血管……………………………… 2102
伝播予防策…………………………… 226
電解質異常…………………………… 430
電解質代謝…………………………… 1719
電気的勾配…………………………… 377
電撃傷………………………………… 2367
電紋…………………………………… 2367
電流斑………………………………… 2367
癜風…………………………………… 297

ト

トキシックショック症候群毒素…… 214
トキシックメガコロン……………… 252
トキソカラ症………………… 356, 755
トキソプラズマ症…………………… 350
ドコサヘキサエン酸………………… 1749
ドナー特異的抗HLA抗体………… 1397
ドノヴァン症………………………… 266
ドパミン……………………… 1485, 2092
　―による調整障害…………… 2141
ドパミン神経細胞…………………… 2139
ドブタミン負荷心エコー…………… 446
ドプラ法……………………………… 435
ドライアイ症候群…………………… 2364
ドライバー遺伝子変異……………… 734
ドライバー変異……………………… 27
トラコーマ…………………………… 302
ドラッグインフォメーション……… 144
トラムライン………………………… 813
トランスサイレチン………………… 1789
トランス脂肪酸……………………… 1749
トランスフェラーゼ欠損症………… 1777
トランスフェリン…………… 1705, 1789
トランスフェリン飽和度…………… 1933
トリアージ…………………………… 2359
トリカブト…………………………… 2371
トリグリセリド……… 100, 1717, 1805
トリグリセリド合成………………… 1707
トリグリセリド分解亢進…………… 1727
トリコスポロン症…………………… 293
トリコモナス症……………………… 351
トリコモナス膣炎…………………… 351
トリソミー…………………………… 2249
トリパノソーマ症…………………… 352
トリプシン…………………… 1142, 1177
トリプトファン代謝異常症………… 1828
トリヨードサイロニン……………… 1570
トルコ鞍……………………………… 2259
トルコ鞍空洞………………………… 1536
トレーニング効果…………………… 185
トロンビン…………………… 385, 1878
トロンボキサンA2………………… 104
トロンボモジュリン
　…………………… 385, 404, 1878, 1892
とびひ………………………………… 214
戸谷分類……………………………… 1165
吐・下血……………………… 930, 1053
吐血………………………… 125, 203, 897
時計遺伝子…………………………… 1715
閉じ込め症候群…… 136, 207, 2053, 2060
努力呼気曲線………………………… 725
登攀性起立…………………………… 2312
冬眠心筋……………………………… 515
凍傷…………………………………… 2352

凍瘡	2352
投射痛	200
盗血現象	2122
痘瘡	318
糖原病	1731, 1773, 2330
筋型――	2334
――Ⅱ型	2331
――Ⅲ型	2331
――Ⅴ型	2332
――Ⅶ型	2332
糖脂質抗体	2291
糖代謝異常	1725, 1744
糖代謝経路	1725
糖蛋白(質)代謝異常症	1848, 2213
糖尿病	558, 694, 1021, 1086, 1132, 1732, 1744, 2236, 2330
1型――	1733, 1740, 1764
緩徐進行性1型――	1741
劇症1型――	1741, 1764
――合併妊娠	1740
――細小血管合併症	1757
――性骨症	1757
――性腰仙部神経根・神経叢障害	2300
2型――	58, 1730, 1733, 1741, 1744, 1764, 2339
妊娠	1735
糖輸送担体	1707
透析心	1394
透析不均衡症候群	2241
頭囲拡大	2250
頭蓋咽頭腫	2260, 2263
頭蓋外動脈頭蓋内動脈吻合術	2118
頭蓋骨骨折	2267
頭蓋底骨折	2267
頭蓋底腫瘍	2260
頭蓋内圧亢進	2259
頭蓋内出血	1826
外傷性――	2086
頭頂葉障害	2259
頭皮	2092
頭部外傷	2266
頭部白癬	296
橈骨神経麻痺	2302
疼痛緩和	1228
疼痛のゲートコントロール理論	1228
動眼神経	2046
動眼神経麻痺	2122, 2301
動悸	119
動作特異性	2153
動態シンチグラフィ	1379
動脈	383
――の触診	369
動脈管開存	568
動脈血栓症	2041
動脈硬化	1491, 2087
冠――	531
従来の閉塞性――症	657
粥状――症	1430
動脈周囲リンパ球鞘	86
動揺病	2365
同時性重感染	1059
同種造血幹細胞移植	1946, 1990
同心円硬化症	2209
洞機能不全症候群	500
洞結節回復時間	502

補正――	502
洞(性)徐脈	500, 544
洞停止	500
洞不全症候群	120, 500
洞様毛細血管	86
瞳孔点眼試験	2099
銅欠乏症	1830
銅線動脈	688
銅代謝異常症	2218
特異顔貌	2249
特異体質反応	1325
特定健診制度	2341
特定保健指導	2341
特発性顔面神経麻痺	2301
特発性食道破裂	896
特発性粘液水腫	1588
毒キノコ	2371
毒蛇咬傷	2375
毒素	214
毒素性ショック症候群	244
突然死	508
突発性発疹	314
届け出疾患	225
呑酸	899
貪食細胞	1954

ナ

ナイアシン欠乏症	1828
ナイーブB細胞	1865
ナットクラッカー症候群	1376
ナトリウム	162
ナトリウム・グルコース共役輸送体2阻害薬	1752
ナトリウム摂取基準	1709
ナトリウム排泄障害	91
ナトリウム利尿ペプチド	395, 1681
心房性――	1388
脳性――	532, 1681
ナルコレプシー	2283
内圧尿流測定	1382
内科学	2
内頸動脈	2100
内頸動脈海綿静脈洞瘻	2125
内頸動脈系	2100
内視鏡	874
拡大	877
画像強調	877
カプセル	873, 875
呼吸器	721
色素	877
小腸	875
上部消化管	874
大腸カプセル	876
大腸	876
ダブルバルーン	873
バルーン	875
内視鏡的胃瘻造設術	891, 1722
内視鏡的インターベンション	888
内視鏡的逆行性膵胆管造影	1148
内視鏡的経鼻膵管ドレナージ	891, 1148
内視鏡的経鼻胆道ドレナージ	1148
内視鏡的硬化療法	206, 890
内視鏡的止血法	205
内視鏡的十二指腸乳頭切開術	1149
内視鏡的静脈瘤結紮術	206, 890

内視鏡的胆管ドレナージ	891
内視鏡的胆道ステント挿入術	1148
内視鏡的胆道ドレナージ	1199
内視鏡的乳頭切開術	890
内視鏡的粘膜下層剥離術	888, 908
内視鏡的粘膜切除術	888, 908
内視鏡的ポリペクトミー	978
内耳動脈	2100
内臓脂肪	1814
内臓静脈血栓症	
腹部――	2041
内臓痛	200
内側縦束症候群	2053
内皮細胞	1863
内皮由来過分極因子	513
内部障害	185
内分泌攪乱物質	1692
内分泌系	1515
内分泌疾患	1520
内瘻	1199
中條-西村症候群	1299
南米バルトネラ症	283
軟骨形成不全症	1281
軟骨無形成症	1281
軟部組織の損傷	2267
難聴	139, 325, 2330
アミノグリコシド感受性――	2330
突発性――	139

ニ

ニクズク肝	1130
ニコチン酸	2235
ニッチ細胞	1863
ニボー	73, 996
ニューキノロン系薬	149
ニューマトセル	810
ニューモシスチス症	753
ニューロパチー	
圧脆弱性――	2294, 2296
アミロイド――	2095
アルコール性――	2230, 2300
遺伝性運動感覚性――	2294
遺伝性運動性――	2294
遺伝性感覚自律神経(性)――	2294, 2297
遺伝性感覚性――	2294, 2297
遺伝性多発――	2294
遺伝性――	2294
家族性アミロイド多発――	2298
家族性アミロイド――	2294
虚血性――	2094
絞扼・圧迫性――	2302
サルコイド――	2095
視神経――	2230
代謝性多発――	2298
多巣性運動(性)――	2166, 2294
多発性単――	2049
多発――	2049
単――	2049, 2301
尿毒症性――	2242
ビタミン欠乏性――	2300
傍腫瘍性――	2249
慢性炎症性脱髄性多発根――	2293
免疫性多発――	2291
ニューロフィジン	1525

ニューロリハビリテーション	2118
2型サイトカイン	1306
2型免疫反応	1304
21トリソミー	13
24時間pHモニタリング	885
二次救命処置	191
二次止血	109
二次性運動ニューロン	2289
二次性静脈瘤	662
二次性パーキンソニズム	2139
二重微小染色体	1887
二重膜濾過法	159
二分脊椎	2251
潜在性	2251
二方向飽和	1894
二命名法	213
西ナイルウイルス	330
日常生活動作（活動度）	50, 184
日光過敏症	1705
日本海裂頭条虫症	360
日本紅斑熱	304, 2194
日本住血吸虫症	357, 1094, 1133
急性脳—	2197
脳—	2197
慢性脳—	2197
日本脳炎	330, 2173
乳酸	1768
乳酸サイクル	1768
乳腺症	1697
乳頭腫	903
乳頭状弾性線維腫	640
乳頭内血管拡張	899
乳糖負荷試験	884
乳糖不耐症	989
乳び胸	108, 850, 1721
入眠時幻覚	2283
尿意切迫感	130
尿管カテーテル	1399
尿管腫瘍	1509
尿検査	1371
尿細管障害	1458, 1502
遠位—	1478
近位—	1478
尿細管蛋白	1373
尿細胞診検査	1383
尿失禁	130, 1507
溢流性—	1503
腹圧性—	1382
尿ジニトロフェニルヒドラジン反応	2216
尿浸透圧	1371
尿潜血	1373
尿線途絶	130
尿線分割・散乱	130
尿素回路	1786
尿素回路異常症	1795
尿素窒素	1481
尿蛋白クレアチニン比	1354
尿蛋白検査	1371
尿蛋白選択指数	1420
尿蛋白定量	1372
尿沈渣	1373
尿定性試験	1372
尿糖	1371
尿道炎	238, 302, 1505
クラミジア性—	238
非クラミジア性非淋菌性—	238
非淋菌性—	238, 1505
淋菌性—	238, 260, 1505
尿道括約筋過活動	1507
尿道カテーテル	1507
尿道癌	
原発性—	1510
尿道腫瘍	1510
尿道内圧測定検査	2099
尿毒症	126, 1369
尿毒症性口臭	1371
尿毒症性肺	1370
尿比重	1371
尿崩症	79, 1560
遺伝性腎性—	1473
後天性腎性—	1474
腎性—	1473, 1559
中枢性—	1558, 2090
尿膜管腫瘍	1017
尿流測定検査	2099
尿流低下	130
尿流動態検査	1507
尿流量検査	1382
尿路感染症	1504
カテーテル関連—	271
単純性—	1504
複雑性—	1504
尿路結石症	1376, 1399, 1507
尿路内視鏡手術	1508
尿路閉塞	1502
人形の目現象	2059, 2142
妊娠	1571
—悪阻	1135
—高血圧症候群	696, 1136, 1494
認知機能	2061
認知機能障害	46, 2128, 2141
認知行動療法	59
認知症	2061, 2092
アルコール関連—	2347
偽—	2064
血管性—	2104, 2126
視床性—	2055
若年性—	2063
小血管病（変）性—	2127
前頭側頭型—	2137
戦略的部位の単一梗塞による—	2127
多発(性)梗塞性—	2127
治療可能な—	2064
低灌流性—	2127
脳出血性—	2127
皮質下性—	2063
皮質性—	2063

ネ

ネガティブフィードバック	1516
ネコ回虫	356
ネコ肝吸虫	358
ネコノミ	282
ネーザルハイフロー	197
ネブリン	2307
ネフログラム	1375
ネフローゼ症候群	1005, 1252, 1390, 1404, 1416, 1419, 1426, 1436, 1470, 1788
難治性—	1405
微小変化型—	1354, 1404, 1413
ネマリンミオパチー	2325
猫ひっかき病	282
熱凝固法	889
熱産生低下	2351
熱傷様皮膚症候群	214
熱喪失増大	2351
熱中症	2348
捻髪音	712
粘液腫様変性	598, 604
粘液栓	813
粘着	1876
粘稠度	2091
粘膜外筋層切開術	918
粘膜下腫瘍	976
粘膜脱症候群	1004

ノ

ノイラミニダーゼ	320
ノイラミニダーゼ阻害薬	151, 736
ノカルジア症	254
脳—	255
肺—	255
播種性—	255
皮膚—	255
ノロウイルス感染症	215, 231, 336
乗り物酔い	2365
囊腫	904
囊胞	808, 2091
仮性—	1177
肝—	1122
気腫性—	851
気腫性肺—	809
甲状腺舌管—	1586
後天性腎—	1502
真性—	1586
膵—	891
続発性—	1586
単純性腎—	1502
囊胞性髄膜瘤	2251
囊胞性線維症	731, 816
囊胞性肺疾患	808
濃染顆粒	1875
能動的体外加温	2352
能動的体内加温	2352
脳アミロイドアンギオパチー	2120
脳アミロイド血管症	2127
脳炎	2091
亜急性硬化性全—	323, 2177
アメーバ性—	2195
ウイルス性—	2171
急性小—	2199
原発性アメーバ性髄膜—	2196
サイトメガロウイルス—	2172
水痘・帯状疱疹ウイルス—	2172
ダニ媒介性—	363
単純ヘルペス—	2171
トキソプラズマ—	2195
肉芽腫性アメーバ性髄膜—	2196
辺縁系—	2247
脳幹障害	2052
脳幹部腫瘍	2260
脳灌流圧	2113
脳グルコース消費量	2101

脳血管	2113
脳血管障害	80, 139, 694, 1492, 2086, 2102
外傷性――	2268
無症候性――	686, 2104
脳血管不全	2105
脳血流調節	2102
脳血流量	2100
脳梗塞	2103, 2107, 2108, 2257
アテローム血栓性――	2109, 2111
アテローム性――	686
急性期	2091
血行力学的――	2109
心原性――	2240
非心原性――症	2118
脳挫傷	2268
脳酸素消費量	2101
脳磁図	2083, 2084
脳室拡大	2250
脳実質外腫瘍	2091
脳実質内神経支配	2102
脳室周囲結節状病変	2253
脳室周囲白質軟化症	2257
脳室上衣下-脳室内出血	2257
脳室内出血	2257
脳室・腹腔短絡術	2272
脳出血	2086, 2119
原発性――	2119
高血圧性――	2119, 2120
続発性――	2119
脳腫瘍	2258
原発性――	2258
転移性――	2258, 2264
脳循環障害症状	2125
脳循環の自動調節	2102
脳症	2091
海綿状――	2181
可逆性後頭葉白質――	2220
可逆性後白質――症候群	2232
肝性――	208, 1046, 1053, 1069, 2239
高血圧性――	2104, 2129
進行性多巣性白質――	2177
腎性――	208
代謝性――	208
低酸素――	2241
透析――	2242
尿毒症性――	2241
肺性――	2241
門脈下大静脈シャント――	2239
脳条件表示	2086
脳静脈洞炎	2124
脳静脈洞血栓症	2123
脳神経	2290
脳神経麻痺	329
脳震盪	2268
脳深部刺激療法	2152
脳ステロイド	1616
脳性麻痺	2257
脳脊髄液	2070
脳脊髄液排除試験	2271
脳脊髄液漏出症	2092
脳赤痢アメーバ症	2195
脳塞栓(症)	
心原性――	686, 2109, 2115
塞栓源不明――	2116

脳卒中	2086, 2103
脳底動脈	2100
脳動脈	2100
脳動脈瘤	2121
脳内血腫	2268
遅発性外傷性――	2268
脳内盗血症候群	2115
脳軟膜吻合	2091
脳軟膜メラニン沈着症	2091
脳波	2074
脳皮質形成異常	2252
脳表ヘモジデリン沈着症	2091
脳保護薬	2118
脳有鉤嚢虫症	2198
脳瘤	2251
脳梁欠損症	2252
膿胸	108, 745, 849
有瘻性――	849
膿腎症	1504
膿皮症	235
壊疽性――	1297
膿疱	69
膿疱性乾癬	69
膿瘍	908, 2091
アメーバ性肝――	1121
横隔膜下――	860
化膿性肝――	1120
肝――	85, 1120
肛門周囲――	1003
腎――	1377, 1379, 1505
脊髄硬膜外――	2189
脳――	2186
肺――	739, 742
非破裂性脳――	2188
卵巣――	240
農薬中毒	2374
慢性――	2375

ハ

バイ	2371
バイオフィルム	214
バイオマーカー	732
バイタルサイン	871
ハイフローシステム	177
ハイリスク一般的医療行為	35
ハエ症	364
偶発――	364
真性――	364
皮膚――	364
ハエ幼虫症	364
バクテロイデス属	283
パークロレート放出試験	1572
バソプレシン	390, 1361, 1429, 1557, 2090
バソプレシン拮抗薬	195
ハチ刺傷	2376
パッセンジャー変異	27
パッドテスト	1382
パーテクネテート	1572
パニック症	62
パニック障害	62, 120
パピローマウイルス感染症	316
ハプテン	1956
ハプトグロビン	1789
ハプトグロビン消失	1252

ハプロ欠失効果	1903
ハマダラカ	345
パラガングリオーマ	1655
パラクライン	1515
パラクライン機構	1540
パラコクシジオイデス症	298
パラコート	2374, 2378
パラシュート僧帽弁	592
バラ疹	267
パラチフス	267, 955
パラトニア	2271
パラ百日咳	262
パラプロテイン血症	1447
バリアント	730
バリズム	2055
パリトキシン	2370
パルス状分泌	1529
パルスドプラ法	436
パルス療法	160
バルトネラ感染症	282
バルビツール酸誘導体類	2382
パルボウイルス感染症	317
バルーン下逆行性経静脈の塞栓術	917
バルーン拡張術	890
内視鏡的十二指腸乳頭――	1149
内視鏡的乳頭――	891
バルーン肺動脈形成術	662
バロスタット法	883
バンクロフト糸状虫	355
パンダの目	2267
パンデミック	320
パントテン酸キナーゼ関連神経変性症	2152
パンヌス	302
ばち指	102
羽ばたき振戦	208, 1046
歯車様筋強剛	2141
播種性血管内凝固症候群	270, 1178, 1469, 1959, 2025, 2246
波状熱	281
破骨細胞	1232
破傷風	249
馬蹄鉄腎	1512
馬尾障害	2052
排泄障害	1043
排泄性尿路造影法	1385, 1503
排尿筋括約筋協調不全	1507
排尿筋低活動	1507
排尿後症状	130
排尿後滴下	130
排尿時膀胱尿道造影	1385
排尿障害	130, 1507, 2271
排尿症状	130
排尿遅延	130
排尿日誌	1382
排便障害	1021
排便造影	883
敗血症	233, 1131, 2026
背痛	135
肺 Langerhans 組織球症	845
肺 MAC 症	752
肺 *Mycobacterium abscessus* 症	753
肺 *Mycobacterium kansasii* 症	752
肺うっ血	450
肺炎	737, 908
医療・介護関連――	737

院内——	271	
ウイルス細菌混合性——	321	
壊死性——	244	
過敏性——	771, 1332	
急性好酸球性——	769	
好酸球性——	769	
誤嚥性——	244, 695, 2142, 2378	
市中——	737	
純インフルエンザウイルス——	321	
人工呼吸(器)関連——	198, 244, 271	
特発性器質化——	741, 789, 1924	
特発性——症候群	1924	
二次性細菌性——	321	
ニューモシスチス——	295	
——桿菌	265	
——球菌感染症	246	
——クラミジア感染症	300	
非定型——	737	
閉塞性——	802	
慢性好酸球性——	769	
薬剤性——	794	
ループス——	776, 1252	
レジオネラ——	263	
肺炎球菌	228, 2183	
耐性——	2183	
肺外 NTM 感染症	288	
肺化膿症	739	
肺癌	834, 974	
小細胞——	835, 2305	
非小細胞——	732, 836	
肺肝境界	86	
肺気腫	809	
肺寄生虫症	755	
肺吸虫症	357, 755, 2197	
肺形成不全	862	
肺血管抵抗	818	
肺血流減少群	582	
肺血流増加群	582	
肺血流分布	819	
肺高血圧症	824	
肺動脈性——	823, 824, 1256	
慢性肺血栓塞栓性——	661	
肺腫瘍	834	
原発性——	834	
転移性——	843	
肺静脈圧	820	
肺真菌症	753	
アレルギー性気管支——	770, 1311	
肺心室右室不全	585	
肺水腫	820	
間質性——	451	
高地——	821	
混合型——	820	
再膨張性——	821	
神経原性——	821	
心原性——	196, 820	
静水圧性——	820	
透過性亢進型——	820	
肺胞性——	452	
非心原性——	820	
肺性心	663, 824	
肺線維症	183	
特発性——	784	
放射線——	793	
肺損傷	198	
肺動静脈瘻	828	
肺動脈圧	820	
肺動脈カテーテル	192	
肺動脈閉鎖	573	
肺動脈弁狭窄症	609	
肺動脈弁閉鎖不全(症)	433, 609	
肺動脈末梢狭窄	572	
肺粘性抵抗	114	
肺非結核性抗酸菌症	751	
肺分画症	863	
肺胞	178	
肺胞外血管	818	
肺胞出血	1252	
びまん性——	765, 1924	
肺胞蛋白症	733, 797	
遺伝性——	797	
自己免疫性——	797	
先天性——	797	
肺胞内圧	820	
肺胞破裂	854	
肺胞微石症	799	
肺ムーコル症	293	
肺門部病変	718	
肺野陰影	450	
肺野結節性病変	717	
胚細胞系腫瘍	2263	
胚腫	2091	
胚中心	88	
梅毒	307	
神経——	2190	
心血管——	307	
髄膜血管型神経——	2191	
無症候性神経——	2191	
白赤芽球症	1982	
白癬	296	
白癬菌性毛瘡	296	
白内障	183	
白斑	68	
白板症	892	
白脾髄	1864	
白血球	1866, 1871	
多形核——	1205	
——の接着	385	
白血球・顆粒球除去療法	159	
白血球減少症	1967	
白血球接着異常症	1347, 1976	
白血球増加症	1970	
白血病	85, 203, 893, 1022, 1132, 2245	
急性骨髄性——	1903, 1975, 1983	
急性前骨髄球性——	2026	
急性前骨髄性——	1925	
急性リンパ性——	1904, 1925, 1988	
形質細胞——	2013	
再発・難治急性リンパ性——	1925	
小児急性骨髄性——	1925	
小児急性リンパ性——	1925	
成人 T 細胞——	1609	
——幹細胞	1903	
——細胞根絶	1990	
——裂孔	1979	
ヒト T 細胞——ウイルス	335, 1998, 2173	
ヘアリー細胞——	1883	
慢性骨髄性——	1904, 1977	
慢性リンパ性——	1991	
類——反応	1972	
薄層造影 CT	716	
橋本病	1574, 1579, 1588, 1589, 2237	
発育障害	1476	
発汗検査	2099	
発症予防	2338	
発疹チフス	306	
発疹熱	306	
発熱	66, 174	
鳩胸	862	
花キャベツ様変形	1543	
花むしろ状	1293	
鼻カヌラ	197	
針先瞳孔	2120	
針刺し・切創防止対策	227	
半減期	2092	
半側空間無視	2056	
反射	2048	
反跳痛	200, 201	
反復睡眠潜時検査	2282	
汎血球減少症	1936	
瘢痕狭窄	903	
晩期障害	37	
晩期リモデリング	547	

ヒ

ヒアルロン酸	1016
ビオチン欠乏症	1829
ビオプテリン	2215
ビグアナイド	1751, 1767
ヒスタミン受容体拮抗薬	928
ヒスタミン遊離試験	1330
ヒスチオサイトーシス X	2003
ヒステリー神経症	59
ヒストプラズマ症	298, 855
ビスホスホネート製剤	903
ヒゼンダニ	363
ヒ素中毒	2222
急性——	2222
慢性——	2223
ビタミン A 過剰症	1824
ビタミン A 欠乏症	1705, 1823
ビタミン B_1 欠乏症	1826, 2234
ビタミン B_2 欠乏症	1705, 1827
ビタミン B_6	1798
ビタミン B_6 欠乏症	1827, 2235
ビタミン B_{12}	1800
ビタミン B_{12} 吸収異常	988
ビタミン B_{12} 欠乏症	1828, 2235
ビタミン C 欠乏症	1829
ビタミン D 依存症	1825
ビタミン D 過剰症	1825
ビタミン D 欠乏症	1824
ビタミン D 代謝物作用障害	1836
ビタミン E	2236
ビタミン E 欠乏症	1825
家族性特発性——	1826
ビタミン E 単独欠乏性失調症	2163
ビタミン K 欠乏症	1826
ビタミン K 欠乏性出血症	2037
ビタミン欠乏症	2234
ヒト顆粒球アナプラズマ症	306
ヒトゲノム参照配列	730
ヒト中球特異抗原	1973
ヒトコロナウイルス感染症	326
ヒトサル痘	319
ヒト心房性利尿ペプチド	1485

ヒト単球エーリキア症 306	皮膚真菌症 296	アレルギー性 1316
ヒトTリンパ球向性ウイルス 1998	深在性 297	鼻疽 278, 279
ヒト白血球抗原 659, 1218	表在性 296	光干渉断層法 469
ヒトパピローマウイルス 316	皮膚線条 1548, 1626	光凝固療法 1760
ヒトパルボウイルス 317	皮膚組織灌流圧 658	久山町研究 553
ヒトボカウイルス 317	皮膚・軟部組織感染症 235, 288	左冠動脈 511
ヒトメタニューモウイルス感染症 340	肥厚性硬膜炎 2202	左冠動脈回旋枝 511
ヒト免疫不全ウイルス 1131	肥厚性幽門狭窄症 918	左冠動脈主幹部 511
ヒドロキシウレア 2041	肥大線維 2314	左冠動脈前下行枝 511
3β-ヒドロキシステロイド脱水素酵素 1614	肥満 99, 691, 695, 1086, 1385, 1857	左冠動脈肺動脈起始症 583
11β-ヒドロキシステロイド脱水素酵素欠損症 676, 701	内臓脂肪 1741	必須脂肪酸欠乏 1724
	——遺伝子 99	百日咳 262
11β-ヒドロキシラーゼ欠損症 676, 701	——症 99, 1814	百日咳菌 736
17α-ヒドロキシラーゼ欠損症 676, 701	被殻出血 2119	標準予防策 227
21-ヒドロキシラーゼ欠損症 1644	被嚢性腹膜硬化症 1394	表現促進現象 2319
ヒプスアリスミア 2076	被曝 2093	表在感覚 2048
ビブリオ属菌感染症 271, 272	医療 36	表在反射 2048
ヒューマンエラー 30, 33	公衆 36	表皮剝脱毒素 214, 244
ピラジナミド 750	職業 36	表面マーカー 1884
ビリオン 1057	——障害 37	病原体 213
ビリベルジン 1043	被包化壊死 1177	病的反射 2048
ビリルビン 1042, 1371, 1956	避難生活における感染症 2360	平山病 2167, 2289
ビルハルツ住血吸虫 357	非Q波梗塞 532	昼間頻尿 130
ピルビン酸キナーゼ欠損症 1950	非アルコール性脂肪性肝疾患 1086, 1087	貧血 109, 1053, 1927, 1933
ピルビン酸脱水素酵素 1744		悪性 1022, 1934
ひきつり笑い 250	非開胸食道切除術 908	胃切除後 950
びまん性結合組織疾患 1213	非結核性抗酸菌(感染)症 287, 751	炎症性 1960
びまん性軸索損傷 2268	非再発併症 1922	巨赤芽球性 893, 1828, 1934
びまん性脳腫脹 2268	非再発死亡 1922	原発性 1927
びまん性脳損傷 2268	非蒸散性熱放散 2348	最重症・重症小児再生不良性 1926
びまん性肺疾患 718	非上皮性腫瘍 975	
びまん性肺胞傷害 791	非侵襲的陽圧換気 179, 198, 831, 867	再生不良性 893, 1926, 1937, 1957
びまん性汎細気管支炎 731, 762	非侵襲的陽圧呼吸 179	出血性 1961
びらん 920, 928	非ステロイド系抗炎症薬 155, 701, 903, 1235	小球性低色素性 1932
胃—— 939		腎性 1357
プラーク—— 529	非ステロイド系抗炎症薬起因性消化管病変 1020	正球性正色素性 1015
日和見感染症 1998	非セミノーマ 1511	先天性 1940
泌尿生殖隆起 1610	非相同末端結合 181	続発性 1927
皮下気腫 897	非チフス性サルモネラ属菌感染症 267	大球性 1934
皮下脂肪厚 1718	非特異的炎症マーカー 539	鉄欠乏性 893, 1932
皮下免疫療法 1314	非特異的自己抗体 1187	二次性 1927, 1959
皮質下出血 2120	非トレポネーマ検査 307	未熟児 1962
皮質下帯状病変 2253	非ふるえ熱産生 2348	貧困灌流状態 2115
皮質基底核症候群 2144	非閉塞性腸管虚血 1001	
皮質基底核変性症 2144	非閉塞性腸管梗塞 1025	**フ**
皮質性小脳萎縮症 2158	非リウマチ性僧帽弁狭窄症 597	
皮疹 68	飛沫核感染 286	ファコマトーシス 2253
皮膚炎 183	飛沫感染 226	ファーマコキネティクス 144
アトピー性 1336	脾機能亢進症 1959	ファーマコゲノミクス 144
アレルギー性接触 1337	原発性 1959	ファーマコジェネティクス 144
光線過敏性 1819	続発性 1959	ファーマコダイナミクス 144
刺激性接触 1337	脾梗塞 1001	ファロイジン 2371
刺激性 1338	脾腫 86, 1238	フィードバック 1516
脂漏性 1705	脾髄 1864	フィブリノゲン 1877, 1878, 2026
新生児皮膚剝脱性 244	脾臓 1864	フィブリノゲン値測定 170
接触 1337	腓腹筋肥大 2312	フィブリリン 648
接触——症候群 1337	微小血管障害 686	フィブリレーション電位 2077
全身性接触 1337	血栓性 1025, 1458, 2028	フィブリン分解産物 1880, 1892
皮膚乾燥症 1705	微小血管塞栓症状 2041	フィラデルフィア染色体 1977, 1989
皮膚筋炎 158, 1258, 2311, 2321	微小残存病変 1980	フィラデルフィア転座 1904
多発性筋炎・—— 775	地固め療法後 1925	フィラメント 2307
無筋症性 1258	微小糸球体変化 1404	フェニルアラニン 2214
皮膚血管拡張 2348	微小塞栓説 2105	フェニルケトン尿症 1705, 1795, 2214
皮膚糸状菌症 296	微量元素欠乏症 1830	フェニル酪酸ナトリウム 1798
皮膚障害 37	鼻炎	フェリチン 1928, 1932, 2219

フェリチン値	1928
フェロシアン化第二鉄	2356
フェロポーチン	1820
フクチン	2317
フグ毒	2370
フコシドーシス	1849
ブドウ球菌	243
コアグラーゼ陰性――	2183
メチシリン感性――	245
メチシリン耐性――	244
ブドウ球菌感染症	243
ブドウ球菌性熱傷様皮膚症候群	244
ブドウ糖毒性	1731
ブドウ糖非発酵性 Gram 陰性桿菌	278
ブドウ膜炎	1998
ブニヤウイルス	338
ブラ	809, 851
プラーク	400
胸膜――	797
不安定――	529
――破綻	529
――破裂	401
プラスミノゲン	1892
プラスミノゲンアクチベーター	1878, 1892
プラスミノゲン欠乏症	1880
プラスミン	1880
プラスミン-PI 複合体	1880, 1892
プラスミンインヒビター	1892
ブラッドアクセス	1393
プリオン病	2180
遺伝性――	2182
獲得性――	2182
感染性――	2182
特発性――	2181
プリン・ピリミジン代謝異常症	1844
フルクトース	1717
フルクトース代謝異常症	1781
ブルクホルデリア属	278
プルシアンブルー	2356
ブルセラ症	281
慢性――	281
プルトニウム	2356
プール熱	315
プレアルブミン	1571, 1705, 1789
ブレイクスルー感染症	294
フレイル	45, 51, 695
プレグナン	1614
プレグネノロン	1614
プレセプシン	733
プレッシャーワイヤー	468
ブレブ	809, 851
プロオピオメラノコルチン	74
プロカルシトニン	733
プログラム説	46
プロゲステロン	1614
プロスタグランジン	929
フロッピーインファント(筋緊張低下児)	2168
プロテイン C	1892
プロテイン S	1892
プロテオグリカン	401
プロテオミクス	1788
プロテオーム	1788
プロドラッグ	156
プロトロンビン	1878
プロトロンビン時間	170, 1069, 1103, 1891
プロトンポンプ阻害薬	899, 903, 928
プロピオン酸血症	1799
フローボリューム曲線	727
プロラクチン	1526
ふるえ熱産生	2348
不安神経症	120
不安定ヘモグロビン症	1950
不穏脚症候群	2242
不規則抗体	171
不規則抗体スクリーニング	172
不均衡症候群	1393
不死化	2005
不随意運動	1251, 2047, 2151
不随意呼吸調節	830
不整脈	120, 430, 478, 493, 544, 548, 1492
遺伝性――	509
Ⅲ群抗――薬	495
上室性――	484
徐脈性――	500
心室性――	493
成人先天性心疾患に生じる――	587
不ぞろいな敷石	796
不釣り合い炎症	961
不適切 TSH 分泌症候群	1580
不妊症	303
不飽和脂肪酸	2340
不飽和鉄結合能	1932
不眠症	2281
精神生理性――	2282
致死性家族性――	2182
不明熱	66
不連続変異	320
付属器炎	240
浮腫	90, 1015, 1252, 1407, 1428
圧痕性――	90
下肢の――	1053
虚血性――	1252
血管――	1334
細胞内――	2091
腎性――	1354
脳――	330, 1070
非圧痕性――	90
――因子	257
末梢――	192
負荷心エコー法	446
負の強化効果	2382
舞踏運動	2055
舞踏病	2142
小――	2199
有棘赤血球――	2149
部分奏効	1895
部分的早老症候群	48
部分肺静脈還流異常症	581
風疹	323
伏在静脈ストリッピング術	663
副血行路	514
副甲状腺機能亢進症	2237
原発性――	701, 1599
二次性――	1395, 1601
副甲状腺機能低下症	1604, 2238
偽性――	1606
副甲状腺疾患	1024
副甲状腺ホルモン	1365, 1591
副甲状腺ホルモン関連蛋白	1608
副腎アンドロゲン	1611, 1613
副神経	2046
副腎疾患	1024
副腎髄質	1649
副腎性サブクリニカル Cushing 症候群	700
副腎白質ジストロフィー	2214
副腎皮質	1610
副腎皮質機能亢進症	2238
副腎皮質機能障害	2324
副腎皮質機能低下症	2238
副腎皮質刺激ホルモン	1527
副腎皮質刺激ホルモン放出ホルモン	75, 100
副腎皮質ステロイド	161, 1236, 2029
副腎皮質ステロイド合成異常症	1641
副鼻腔気管支症候群	731, 813
副鼻腔・肺感染症	1924
服薬管理	56
福祉的リハビリテーション	183
福原病	20
腹圧排尿	130
腹臥位療法	199
腹腔・骨盤内感染症	237
腹水	93, 95, 1015, 1053, 1055, 1071
肝性――	95
好酸球性――	991
心性――	96
腎性――	96, 97
――穿刺	1056
腹痛	199, 871
腹部アンギーナ	1025
腹部血管造影	915
腹部実質臓器虚血	1001
腹部腫瘤	1166
腹部大動脈造影	1379
腹部内臓動脈瘤	1001
腹部膨満感	1011, 1053
腹部膨隆	93
腹膜炎	871, 1013
家族性地中海熱に伴う――	1016
癌性――	1014, 1017
奇異性細菌性――	237
結核性――	97, 1015
血管炎に伴う――	1016
血性――	1016
原発性細菌性――	237
原発性――	1013
硬化性被嚢性――	1015
好酸球性――	1016
骨盤――	240
続発性細菌性――	237
続発性――	1014
特発性細菌性――	97, 1013, 1051, 1055
腹膜偽粘液腫	1000, 1017
腹膜機能低下	1394
腹膜疾患	1013
腹膜腫瘍	1016
原発性――	1016
続発性――	1017
腹膜性鼓腸	93
腹膜中皮腫	1016
腹膜透析	1393
腹膜播種	1018

複合感覚	2048	
複合筋活動電位	2306	
複合反復放電	2077	
複視	1577, 2303	
縁どり空胞	2316	
吻合血管	2130	
糞線虫症	355, 756	
糞便検査	884	
糞便脂肪染色法	884	
糞便注入法	253	
分割照射	182	
分極	377	
分枝粥腫病	2110	
分子標的治療薬	1907	
分水嶺梗塞	2111	
分葉線維	2314	
分利性解熱	66	
分類不能型免疫不全症	1346	

ヘ

n-ヘキサン中毒	2223	
ヘキソサミン経路	1758	
ペクテノトキシン	2370	
ペスト	269	
腺──	270	
敗血症──	270	
肺──	270	
ペースメーカ	506	
ヘテロプラスミー	2328	
ペニシリナーゼ産生	243	
ペニシリン結合蛋白質	146, 244	
ペーパーバック法	830	
ヘパリン起因性血小板減少症	823	
ヘパリン系薬	2027	
ヘプシジン	1820	
ヘマグルチニン	320	
ヘマトキシリン体	1250	
ヘム	1043, 1932	
ヘム合成経路	1816	
ヘモグロビン	1043, 1791	
ヘモグロビン異常症	1950	
ヘモグロビン尿	1373, 1957	
ヘモクロマトーシス	632, 1820	
若年性──	1821	
特発性──	1820	
ヘモジデローシス	1820	
特発性肺──	765	
ヘモジュベリン	1821	
ヘモフィルス感染症	261	
ヘモリジン	214	
ペラグラ	1705, 1828, 2230, 2235	
ベラトルムアルカロイド	2371	
ペリオスチン	733	
ヘリオトロープ疹	1259	
ペルオキシソーム病	2213	
ペルオキシダーゼ	123	
ベルツ肺吸虫	357, 2197	
ヘルニア	135, 871	
横隔膜──	858	
外傷性横隔膜──	858	
胸骨後部──	859	
頸椎椎間板──	2287	
鉤──	209	
食道裂孔──	858, 909	
心臓──	667	

鼠径──	201	
大腿──嵌頓──	201	
中心──	209	
椎間板──	2286	
テント切痕──	208, 2058	
非外傷性横隔膜──	858	
傍胸骨──	859	
腰椎椎間板──	2286	
ヘルパー T 細胞	217, 1250, 1867	
1 型──	1300	
2 型──	1300	
ナイーブ──	400	
ヘルパンギーナ	340, 893	
ヘルペスウイルス	309, 903	
ヘルペス性角結膜炎	310	
ベロ毒素	214, 954	
ベンズ	2353	
ベンゾジアゼピン系薬	2378	
ベンチュリーマスク	197	
平滑筋型ミオシン重鎖	401	
平滑筋腫	904	
平滑筋肉腫	909, 985, 1018	
平均赤血球容積	1928	
平均肺動脈圧	818	
平衡電位	377	
閉塞性細気管支炎	762	
閉塞性細気管支炎症候群	1924	
閉塞性腎・尿路疾患	1502	
閉塞性腸管虚血	1001	
閉塞性尿路障害	357	
壁内外圧差	818	
変換症	59	
変形性関節症	133	
片麻痺	139	
辺縁帯	86	
扁桃炎	1274	
扁平な細胞	2290	
便潜血反応	872	
便秘	81, 1492	
器質性──	81	
機能性(原発性)──	81	
痙攣性──	81	
結腸通過時間正常型──	81	
結腸通過時間遅延型──	81	
弛緩性──	81	
症候性──	81	
続発性──	81	
直腸性──	81	
排泄障害型──	81	
薬物性──	81	
弁下狭窄	572	
大動脈──	575	
弁狭窄	572	
弁上狭窄	572	
大動脈──	576	
弁損傷	667	
弁膜症	1492	
後天性──	591	
心臓──	509, 592	
リウマチ性──	591	
連合──	591, 610	
鞭虫症	354	

ホ

ポジティブフィードバック	1516	
ホスピス	187	
ホスファチジルセリン依存性抗プロトロンビン抗体	1219	
ホスホエノールピルビン酸カルボキシキナーゼ	1728	
ホスホグリセリン酸キナーゼ欠損症	2332	
ホスホグリセリン酸ムターゼ欠損症	2332	
ホスホグルコムターゼ欠損症	2333	
ホスホジエステラーゼⅢ阻害薬	395	
ホスホフルクトキナーゼ	2332	
ホスホリパーゼ A_2 受容体	1419	
ホスホリラーゼ	2332	
ホスホリラーゼ b キナーゼ欠損症	1779, 2332	
ボタン熱	306	
ポックスウイルス感染症	318	
ポックリ病	425	
ボツリヌス症	252, 2190	
食餌(事)性──	252, 2190	
成人腸管定着──	252, 2190	
創傷──	2190	
乳児──	252, 2190	
ボツリヌス毒素注射	2153	
ホメオスターシス	1709	
ホメオスターシス異常	1488	
ホモシスチン尿症	1797, 2216	
ホモシステイン	1936, 2216	
ポリエン系薬	150	
ポリオ	327, 2179	
ワクチン関連麻痺型──	327	
ポリオウイルス	327	
伝播型ワクチン由来──	327	
ポリオール経路	1757	
ポリオール代謝経路	1731	
ポリオール代謝障害	1731	
ポリニューロパチー	1762	
家族性アミロイド──	627	
ポリープ	203	
胃底腺──	932	
胃──	932, 939	
炎症性──	977	
過形成性──	932, 977	
化生性──	977	
偽──	977	
大腸──	974, 975	
胆嚢──	1169	
──型器質化病変	789	
良性リンパ濾胞性──	977	
ポリペクトミー	888	
ポリメラーゼ蛋白	1058	
ポリメラーゼ連鎖反応法	12, 1888	
ポルフィリン症	1705, 1815, 1953, 2220	
急性間欠性──	1022	
急性──	1817	
骨髄性プロト──	1953	
先天性骨髄性──	1953	
皮膚──	1818	
ホルモン	1515	
ホルモン感受性リパーゼ	101	
ホルモン受容体異常症	1678	
ボレリア感染症	308	
ポンティアック熱	263	
ポンプ失調	544	

索引[日本語] I 27

保存的治療	1401	
歩行開始困難	2271	
歩行障害	1227, 2048	
歩行スピード	55	
歩容異常	2316	
補充輸液	162	
補充療法	2028	
補助循環	654	
補正血小板増加数	169	
補体	1218	
補体欠損症	1349	
母斑症	2253	
報酬効果	2382	
放散痛	200	
放射性テクネシウム甲状腺摂取率	1572	
放射性同位元素	37	
放射性無機ヨウ素治療	1578	
放射性ヨウ素	2356	
放射性ヨードシンチグラフィ	1579	
放射線感受性	180	
放射線障害	36, 2355	
放射線治療	37	
画像誘導──	182	
強度変調──	182	
高精度──	182	
定位──	182	
病変部──	1994	
放射線肺臓炎	793, 2356	
放射線防護	2355	
放射線療法	180	
放線菌症	254	
腸──	956	
蜂窩織炎	235	
蜂巣炎	235	
蜂巣肺	785	
乏尿	126, 192	
傍鞍部腫瘍	2259	
傍横隔膜尖頭	804	
傍胸骨拍動	593	
傍橋網様体障害	2053	
傍矢状脳障害	2257	
傍腫瘍性小脳変性症	2248	
傍腫瘍性神経症候群	702	
傍尿細管毛細血管系	1483	
傍分泌系	1515	
房室解離現象	499	
房室中隔欠損症	563	
房室ブロック	503, 544	
完全──	120	
膨疹	69	
防御抗原	257	
膀胱炎	1504	
出血性──	315	
複雑性──	1504	
ループス──	1251	
膀胱拡大術	1506	
膀胱癌	357, 1509	
浸潤性──	1510	
膀胱結石	1508	
膀胱腫瘍	1509	
膀胱造影検査法	1507	
膀胱知覚	130	
膀胱内圧測定	1382, 2099	
膀胱内薬物注入療法	1507	
膀胱尿管逆流(症/現象)	1375, 1505, 1512	
原発性──	1505	
続発性──	1505	
膀胱尿道鏡	1385	
膀胱粘膜下トンネル法	1506	
膀胱留置カテーテル	1399	
発作後もうろう状態	209	
発作性寒冷ヘモグロビン尿症	1955	
発作性上室頻拍	489	
発作性夜間ヘモグロビン(血色素)尿症	1791, 1937, 1956	
発赤毒	247	
本態性血小板血症	2021, 2041	
本態性振戦	2147	
本態性頭蓋内圧亢進症	2272	
本態性フルクトース尿症	1782	

マ

マイオカイン	185
マイクロソームテスト	1572
マイコバクテリア易感染症	1348
マイコプラズマ	299, 736
マイコプラズマ感染症	299
マクロアデノーマ	2262
マクロファージ	401, 1206, 1867
ヘモジデリン貪食──	765
マクロライド	736
マクロライド・クリンダマイシン系薬	149
マジックマッシュルーム	2371
マスト細胞	1206, 1320, 1867
マダニ媒介性ウイルス感染症	338
マッピング解析	484
マラスムス	1703, 1718
マラセチア感染症	297
マラセチア毛包炎	297
マラリア	345
多剤耐性──	348
熱帯熱──	241
熱帯熱──原虫	2196
脳──	2196
三日熱──原虫	345
卵形──原虫	345
マルタ熱	281
マルチスライス CT	914
マルチミニコア病	2325
マルネッフェイ型ペニシリウム症	299
マールブルグ病	343
マレー糸状虫	355
マンソン孤虫症	362
マンソン住血吸虫	357
マンノシドーシス	1849
麻疹	322
麻薬性鎮痛薬	2382
膜受容体	1517
末梢血幹細胞移植	1918, 1926
末梢静脈栄養法	1719
末梢神経系	2289
末梢神経疾患	2289
末梢神経浸潤	2245
末梢性麻痺	138
末梢動脈炎 Bywaters 型	1235, 1237
末梢動脈疾患	657, 1492
末梢動脈塞栓症	660
丸石様皮質異形成	2253
慢性アルコール性神経・筋障害	2229
慢性胃炎	922
慢性炎症	2356
慢性炎症状態	1491
慢性炎症性脱髄性多発神経炎	158
慢性合併症	1757
慢性偽性腸閉塞	997
慢性消耗病	2181
慢性腎炎症候群	1404
慢性進行性外眼筋麻痺症候群	20, 2327, 2328
慢性腎臓病	558, 689, 694, 1377, 1385, 1395, 1401, 1464, 1482
──に伴う骨・ミネラル代謝異常	1359
慢性的血流不足	549
慢性肉芽腫症	1347, 1976
慢性副鼻腔炎	813
慢性閉塞性肺疾患	118, 736, 757, 858, 1723, 2241
慢性ベリリウム症	797
満月様顔貌	1548

ミ

ミエリン球	2094
ミエロペルオキシダーゼ	1219, 1988
ミエロペルオキシダーゼ染色	1882
ミオカイン	1713
ミオキミア電位	2077
ミオクロニー発作	2275
ミオクローヌス	2151
口蓋──	2054
ミオグロビン	539, 1483
ミオグロビン尿(症)	1373, 2332, 2335, 2379
ミオシン軽鎖	539
ミオチュブラリン	2325
ミオトニア	2310, 2318
眼瞼──	2320
叩打──	2320
先天性パラ──	2321
先天性──	2321
把握──	2320
パラ──	2321
非ジストロフィー性──	2310
──症候群	2310, 2318
──放電	2318, 2331
ミオトニー電位	2077
ミオパチー	2308
アルコール性──	2230
遠位型──	2310, 2315
炎症性──	2311, 2321
空胞遠位型──	2049
サルコイド──	2324
ステロイド──	2324
先天性──	2310, 2325
代謝性──	2310, 2323
中心核──	2325
中毒性──	2311
低カリウム血性──	2324
デスミン関連──	2327
内分泌障害性──	2311, 2323
縁どり空胞を伴う遠位型──	2316
ミオチュブラー──	2325
ミクロアデノーマ	2262
ミクロソームトリグリセリド輸送蛋白	

………………………………	1802
ミトコンドリア………………	1614
ミトコンドリア異常症………	2310
ミトコンドリア遺伝子異常……	1767
ミトコンドリア遺伝病………	20
ミトコンドリア機能不全……	2374
ミトコンドリア脂肪酸β酸化障害・	2217
ミトコンドリア障害…………	2140
ミトコンドリア脳筋症………	20
ミトコンドリア脳筋症・乳酸アシドーシス・脳卒中様発作症候群……	2328
ミトコンドリア病………	2310, 2327
ミニ移植………………………	1921
ミネラルコルチコイド……	1024, 1611
ミネラルコルチコイド過剰症候群…	675
ミネラルコルチコイド作用……	1613
ミネラルコルチコイド受容体…	1611
ミルメシア……………………	316
みずむし……………………	296
味覚障害……………………	950
未吸収薬物…………………	2380
右冠動脈……………………	511
右冠動脈肺動脈起始症………	583
耳鳴り………………………	139
宮崎肺吸虫…………………	357, 2197
脈圧減少……………………	192
脈なし病……………………	646, 2125
脈拍消失……………………	658
脈波伝導速度………………	689

ム

ムコ多糖……………………	1850
ムコ多糖症…………………	2213
先天性——…………………	1850
ムコリピドーシス……………	1848
ムコール菌症………………	2193
ムーコル症…………………	293, 754
ムスカリン様アセチルコリン受容体拮抗作用………………………	2382
ムンプス……………………	324
むずむず脚症候群…………	1371, 2242
無芽胞嫌気性菌感染症………	283
無顆粒球症…………………	1968, 1972
無感情………………………	2063
無ガンマグロブリン血症……	1345
無気肺………………………	802
円形——……………………	803
荷重部——…………………	803
吸収性——…………………	802
弛緩性——…………………	802
瘢痕性——…………………	803
閉塞性——…………………	802
癒着性——…………………	803
無月経・乳汁漏出症候群……	1549
無鉤条虫症…………………	360
無効造血……………………	1866, 1943
無呼吸・低呼吸指数………	833
無精子症……………………	812
無セルロプラスミン血症……	2218
無動・筋強剛症候群………	2145
無動性無言…………………	2060
無尿…………………………	126, 1503
無脳回………………………	2253
無脾症候群…………………	583
無ベータリポ蛋白血症………	1809

胸やけ………………………	76, 899
機能性——…………………	76

メ

メイズ手術…………………	488
メイヨー基準………………	2146
メサンギウム間入…………	1422
メタボリックシンドローム……	101, 556, 695, 1087, 1385, 1814, 2340
メチオニン制限食…………	1472
4-O-メチルピリドキシン……	2372
メチルマロン酸……………	1936
メチルマロン酸血症………	1799
メデューサの頭……………	1054
メトヘモグロビン血症……	1953
メープルシロップ尿症……	1797, 2215
メラニン細胞刺激ホルモン…	1524
メラニン色素沈着症………	892
メラノサイト………………	2202
メリオイドーシス…………	278, 279
メロシン……………………	2317
めまい………………………	139, 2066
回転性——…………………	2124
中枢性——…………………	139
末梢性——…………………	139
迷走神経……………………	2046
迷路動脈……………………	2100
免疫芽球……………………	88
免疫寛容……………………	1210
中枢性——…………………	1211
末梢性——…………………	1211
免疫グロブリン……	1218, 1272, 1788
免疫グロブリン遺伝子座……	1904
免疫グロブリン大量静注療法…	157, 2293
免疫再構築症候群…………	2175
免疫疾患……………………	1024
免疫性血小板減少症………	1251
免疫増殖性小腸疾患………	973
免疫調整経腸栄養剤………	1723
免疫賦活経腸栄養剤………	1723
免疫複合体…………………	1218
免疫不全……………………	181

モ

モチリン……………………	887
モノアミン酸化酵素阻害薬……	2380
モノソミー…………………	1888
モラクセラ・カタラーリス感染症…	264
モントリオール定義………	898
もやもや病…………	2091, 2105, 2125
妄想性障害…………………	2064
毛細血管……………………	383, 1863
毛細血管拡張症……………	2122
胃前庭部——………………	926
遺伝性出血性——…………	828
毛細血管拡張性失調症……	1344
毛舌…………………………	893
毛嚢炎様皮疹………………	1274
盲係蹄症候群……	950, 987, 1004, 1828
網赤血球数…………………	1861, 1928
網膜色素変性症……………	2153
網膜症………………………	1759
増殖前糖尿病——…………	1759
増殖糖尿病——……………	1759

単純糖尿病——……………	1759
糖尿病——…………………	1746, 1759
網膜動脈の狭細化…………	688
網膜内細小血管異常………	1759
網膜変性症…………………	2219
網様体賦活系………………	136
門脈圧亢進症………	95, 1052, 1055
特発性——…………………	913, 1123
——性胃症…………………	925
門脈造影……………………	915
門脈閉塞症…………………	1127

ヤ

夜間尿………………………	1466
夜間頻尿……………………	130
野兎病………………………	280
薬剤インシデント…………	33
薬物依存……………………	2383
薬物依存症…………………	2382
薬物間相互作用……………	1324
薬物性過敏症症候群………	314, 1325
薬物中毒…………	1368, 2231, 2384
急性——……………………	2378
フェニトイン系——………	208
薬物動態学…………………	144
薬物不耐性…………………	1324
薬物溶出性ステント………	404
薬物乱用……………………	2378, 2382
薬物療法……………………	33, 55
薬理遺伝学…………………	144
薬力学………………………	144

ユ

ユビキチン・プロテアソーム系……	1782
癒合腎………………………	1512
輸液療法……………………	162
輸血…………………………	168
血小板——…………………	1946
自己血——…………………	175
成分——……………………	168
赤血球——…………………	1946
非溶血性——副作用………	174
——関連急性肺障害………	174
——副作用…………………	175
溶血性——副作用…………	172
輸送蛋白質…………………	1044
輸入感染症…………………	240, 1067
輸入脚症候群………………	950
輸入真菌症…………………	297
優性遺伝性多発性囊胞腎……	1464
優性遺伝性尿細管間質性腎臓病…	1464
幽門狭窄……………………	930, 948
有害事象……………………	224
有機化障害…………………	1572
有機酸代謝異常症…………	1795
有鉤条虫症…………………	360
有鉤囊虫症…………………	361
脳——………………………	2198
播種性——…………………	362
有酸素運動…………………	1228, 1750
有窓細胞……………………	1428
誘発筋電位…………………	2079
誘発電位……………………	2081
遊走…………………………	385

遊離脂肪酸 102, 1765
疣腫 611
疣贅 611
　尋常性—— 316
　扁平—— 316

ヨ

ヨウ化カリウム 2356
ヨウ素 1572
Ⅳ音 368
予防接種 222
腰仙部脊髄髄膜瘤 2251
腰痛 135
　非特異的—— 135
腰部くも膜下腔・腹腔短絡術 2272
腰部脊柱管狭窄症 2288
蠅蛆症 364
幼線虫移行症 356
溶血
　血管外—— 173, 1954
　血管内—— 173
　新生児—— 1954
　二層性—— 1955
　補体介在性血管内—— 1955
溶血性尿毒症症候群
　　214, 265, 268, 1449, 1959, 2028
　非典型 1449
溶血性貧血 893, 1251, 1948, 1954
　自己免疫性—— 1791, 1954
　同種免疫抗体による—— 1956
　微小血管障害性—— 1467, 2028
　免疫性—— 1954
　薬剤起因性免疫性—— 1956
　薬剤起因性—— 1954
葉酸欠乏(症) 1829, 1935, 2236
葉酸合成阻害薬 147
陽子線 182
陽性鋭波 2077, 2313
癰 235
翼状頸 1663
翼状肩甲 2315
横川吸虫症 359
横緩和 2089
横緩和時間 2089
横静脈洞 2123
四類感染症 343

ラ

ライノウイルス感染症 341, 736
ラクターゼ欠乏(症) 884
　原発性—— 989
　続発性—— 989
ラクナ梗塞 686, 2109, 2110, 2211
　多発性—— 2127
ラジオアイソトープ法 882
ラジオイムノアッセイ 1521
ラジオ波焼灼療法 1111
ラッサウイルス 344
ラッサ熱 344
ランブル鞭毛虫症 349, 1159
落陽現象 2250
卵胞刺激ホルモン 1528

リ

リウマチ性疾患 1210, 1213
　小児—— 1289
リウマチ性多発筋痛症
　　1243, 2125, 2243, 2311
リウマチ熱 591, 1290
リウマチ肺 1235
リウマトイド因子 1218, 1237
リエントリー性頻脈 481
リケッチア感染症 303, 2193
リーシュマニア症 241, 352
　内臓—— 352
　皮膚—— 352
リステリア感染症 254, 2183
リストサイン 648
リソソーム α-グルコシダーゼ欠損症
　　2331
リソソーム病 1419, 1839, 1850, 2211
リードスルー治療 2313
リハビリテーション 183, 1228
リフィーディング症候群 1724
リベド皮疹 1235
リポ蛋白 1800
リポ蛋白リパーゼ 100, 1802
リポ蛋白リパーゼ欠損症 1808
リポ蛋白粒子 400
リポヒアリン変性閉塞 2110
リポポリサッカライド 214
リラクセーション法 59
リンゴ病 318
リンパ管小孔 106
リンパ球 216, 1232, 1872
　成熟 B—— 1867
　成熟 CD4 陽性 T—— 1998
リンパ球減少症 1969
リンパ球サブセット 1218
リンパ球刺激試験 1327
リンパ球増加症 1972
リンパ球抑制 1253
リンパ系共通前駆細胞 1865
リンパ腫 1584
　悪性—— 85, 847, 893, 939, 948, 973, 1023, 1132, 1904, 2001, 2091, 2245, 2265
　胃悪性—— 941
　血管内悪性—— 2245
　結節性リンパ球優勢型 Hodgkin——
　　1992
　原発性滲出性—— 850
　原発性中枢神経系—— 2245
　甲状腺原発悪性—— 1571
　古典的 Hodgkin—— 1992
　小リンパ球性—— 1991
　初発小児悪性—— 1926
　心臓原発性—— 640
　成人 T 細胞白血病・—— 1926, 1998
　大腸悪性—— 984
　低悪性度皮膚—— 2001
　粘膜関連—— 847
　粘膜関連リンパ組織型節外性辺縁帯
　　—— 1584, 1997
　膿胸関連—— 849
　非 Hodgkin—— 847, 1994
　びまん性大細胞型 B 細胞(性)——
　　847, 941, 942, 973, 1584, 1926, 1996
　末梢性 T 細胞—— 1997
　マントル細胞—— 1997
　リンパ形質細胞—— 2009
　濾胞性—— 973, 1926, 1996
リンパ上皮性病変 847
リンパ節 88, 1865
　腫瘍性—— 1893
　反応性—— 1893
リンパ節炎症候群 1298
リンパ節腫脹 88, 304, 2001
　頸部—— 80
　無痛性—— 1992
リンパ脈管筋腫症 846
裏急後重 269
離脱症候群 2229
離脱症状 2382
流行性角結膜炎 315
流行性耳下腺炎 324
粒子線 182
旅行者医療 240
両大動脈右室起始症 579
良性 M 蛋白血症 2008
良性健忘症 2064
良性腎硬化症 1466
良性非上皮性腫瘍 974
良性発作性頭位めまい症 139, 2068
緑色連鎖球菌 247
緑内障 1759
緑膿菌
　多剤耐性—— 276
緑膿菌感染症 276, 278, 2183
淋菌感染症 260, 303
臨床推論 7
臨床薬学 144
輪状膵 1175
鱗屑 69

ル

ループスアンチコアグラント
　　1219, 1892
ループス腎炎 1373, 1426, 1436, 1437
ループスバンドテスト陽性 1250
ループ利尿薬 194, 397, 1056, 1485
るいそう 101, 1857
類洞 1044
類洞閉塞(性)症候群 1130, 1923
類鼻疽 278, 279
類表皮嚢腫 2091
類表皮嚢胞 2091

レ

レアバリアント 1216
レーザー焼灼術 663
レジオネラ症 262
レジスタンス運動 1750
レスベラトロール 49
レチノール結合蛋白 1705, 1791
レッドマン症候群 150
レトロウイルス感染症 2173
レニン-アルドステロン亢進症 677
レニン-アンジオテンシン-アルドステロン系 1682
レニン-アンジオテンシン系阻害薬 391

レニン阻害薬	393
レノグラム	1379
レプチン	75, 1710
レプチン産生異常	99
レプトスピラ症	308, 2191
黄疸出血性――	2191
レボドパ補充療法	2142
レム睡眠行動障害(異常症)	2155, 2284
冷汗	192
裂肛	203
裂脳症	2253
連鎖球菌感染症	247
連鎖球菌性発熱性外毒素	248
連鎖球菌発熱毒素	1406
連銭形成	2011
連続性ラ音	736
連続波ドプラ法	437
連続変異	320
攣縮性斜頸	2153

ロ

ロイコシジン	214
ロイコトリエン	768
ロタウイルス感染症	337
ロッキー山紅斑熱	306, 2194
ローデシアトリパノソーマ	352
ローフローシステム	177
ローリング	385
濾胞	88, 1865
濾胞樹状細胞	1865
濾胞腺腫	1582
労作時息切れ	758
漏斗胸	861
老化	43, 46
老化因子	46
老年症候群	54
肋骨脊柱角叩打痛	1504, 1508

ワ

ワクチニアウイルス	319
ワクチン	217
経鼻	223
5価組み換え体――	337
単価――	337
痘瘡	319
生――	222, 223
肺炎球菌	247
皮内	224
風疹――	324
不活化ポリオ――	328
不活化――	223
麻疹――	323
四種混合――	251, 262

索引[外国語]

A

5α-還元酵素欠損症	1666
α 運動線維	2290
α 顆粒	1875
α-グルコシダーゼ阻害薬	1752
α-ケト酸酸化的脱炭酸酵素欠損	2215
α-コネクチン	2307
α 鎖病	2015
α-ジストログリカノパチー	2317
α-シヌクレイノパチー	2155
α-シヌクレイン	2139
α 溶血性連鎖球菌	247
α-HCD	2015
α-N-アセチルガラクトサミニダーゼ欠損症	1849
α_1-アンチトリプシン	1791
α_1-アンチトリプシン欠乏症(欠損症)	731, 1856
α_1 酸性糖蛋白:AAG	1789, 1791
α_2-マクログロブリン:α_2-M	1791
A 型アルドラーゼ欠損症	2333
A 型胃炎	923
A 型肝炎ウイルス	1057
A 型急性肝炎	1060
A 群 β 溶血性連鎖球菌	247
AA アミロイドーシス	627, 1022
ABCD² スコア	2106, 2109
abdominal aortic aneurysm:AAA	642
abdominal distension	93
abdominal pain	199
abdominal swelling	93
abducens nerve	2046
aberrant crypt foci:ACF	977
abetalipoproteinemia:ABL	1809
ABL 遺伝子	1890
abnormal origin of left coronary artery from pulmonary artery	583
abnormal origin of right coronary artery from pulmonary artery	583
abnormal respiration	117
abnormality in adrenal steroidogenesis	1641
abnormality of diaphragmatic position	859
ABO 型抗原系	171
ABO 血液型抗原	1956
ABPM	770
abrupt narrowing	823, 895
absorptive phase	1706
ABVD 療法	1993
Acanthamoeba	2196
acceleration sickness	2365
accessory nerve	2046
accidental hypothermia	2350, 2351
acetylcholine receptor:AChR	2303
achondroplasia	1281
Achromobacter xylosoxidans	278
AChR 抗体陽性 myasthenia gravis	2303
acinar nodule	747
Acinetobacter baumannii	278
acoustic shadow	1146
acquired biliary obstruction	1161
acquired cystic disease of kidney:ACDK	1502, 1509
acquired cystic kidney disease:ACKD	1459
acquired disorders of platelet function	2030
acquired immunodeficiency syndrome:AIDS	333, 1010, 1131
acromegaly	701, 1540
acrylamide poisoning	2225
ACTH	1527, 1559
ACTH 単独欠損症	1537
Actinomyces israelii	255
actinomycosis	254
action dystonia	2151
activation-dependent flow coupling	2102
activation-induced cytidine deaminase:AID	274
activator protein-1	1612
active external rewarming	2352
active internal rewarming	2352
activities of daily living:ADL	50, 184
acute abdomen	199
acute adrenal insufficiency	1632
acute antibody mediated rejection:AABMR	1398
acute appendictis	998
acute bronchitis	736
acute cerebellitis	2199
acute cerebrovascular syndrome:ACVS	2105, 2110
acute coronary syndrome:ACS	401, 529
acute disseminated encephalomyelitis:ADEM	2199, 2208
acute eosinophilic pneumonia	769
acute fatty liver of pregnancy	1137
acute gastric mucosal lesion:AGML	920
acute gastritis	920
acute gastroduodenal mucosal lesion:AGDML	920
acute glomerulonephritis	1406
acute heart failure	191
acute hemorrhagic rectal ulcer:AHRU	959
acute hepatitis A	1060
acute hepatitis B	1062
acute hepatitis C	1064
acute hepatitis D/E	1067
acute herpetic gingivostomatitis	893
acute infectious purpura fulminans	304
acute interstitial nephritis:AIN	1462
acute interstitial pneumonia:AIP	790
acute kidney injury:AKI	126, 1457, 1462, 1481
acute liver failure	1068
acute lung injury:ALI	178
acute lymphoblastic (lymphocytic) leukemia:ALL	1988, 1904
acute mediastinitis	854
acute myeloid (myelocytic) leukemia:AML	1903, 1983
acute myocardial infarction:AMI	531
acute necrotizing ulcerative gingivitis:ANUG	893
acute nephritic syndrome	1404
acute obstructive suppurative cholangitis:AOSC	1150
acute pancreatitis	1176
acute pericarditis	615
acute phase reactant	1791
acute poliomyelitis	2179
acute porphyria	1817
acute poststreptococcal glomerulonephritis:APSGN	1406
acute rejection	1398
acute respiratory distress syndrome:ARDS	174, 178, 197, 790, 805, 1178
acute respiratory failure	196
acute rheumatic fever	1290
acute suppurative thyroiditis	1586
acute symptomatic convulsive seizure	138
acute symptomatic seizure	2274
acute tubular necrosis:ATN	1481, 1483
acute-on-chronic kidney disease	1484
Adamkiewicz 動脈	2130, 2131
Adams-Stokes 症候群	2240
Adams-Stokes 発作	501
ADAMTS13	171, 2028
adaptive immunity	400
Addison 病	1024, 1364, 1630
adenocarcinoma	836
adenoid cystic carcinoma	837
adenoma	932
adenomatous goiter	1585
adenomatous nodule	1585
adenosine deaminase:ADA	733, 2185
adenovirus	315
adhesive atelectasis	803
ADH 不適合分泌症候群	837
adrenal incidentaloma	1647
adrenal medulla	1649
adrenocortical carcinoma	1646
adrenomyeloneuropathy:AMN	2214
adult CHD (congenital heart disease):ACHD	584
adult onset Still diseace:AOSD	1131
adult T-cell leukemia-lymphoma:ATL	1998
advanced glycation endproduct:AGE	47, 1758
advanced life support:ALS	191
adverse drug reaction:ADR	1324
adverse events	224
adverse reaction	224
AED	191
aerophobia	329
afferent loop syndrome	950
afterdrop	2352

afterload	376	
Afzelius 症候群	815	
agammaglobulinemia	1345	
AGM 領域	1862	
agnosia	2045, 2062	
agranulocytosis	1968, 1972	
AIDS	333, 1015, 1024	
air bronchogram	740, 741, 747	
air trapping	758, 809	
airborne transmission	226	
Airlie House 診断基準	2166	
airway pressure release ventilation	199	
AKI	126, 1457, 1462, 1481	
akinetic mutism	2060	
akinetic-rigid syndrome	2145	
alanine aminotransferase：ALT	1034	
Albright 遺伝性骨異栄養症	1603	
alcoholic cardiomyopathy	632	
alcoholic liver disease	1099	
alcoholic liver injury	1099	
aldosterone	1611	
ALL	1988	
ALL/LBL	1988	
Allagille 症候群	1046	
allergic bronchopulmonary aspergillosis：ABPA	292, 770	
allergic bronchopulmonary mycosis：ABPM	1311	
allergic conjunctivitis	1338	
allergic granulomatous angiitis	1270	
allergic rhinitis	1316	
allergy	1308	
Alport 症候群	1404, 1430	
ALS	2164	
alveolar echinococcosis	362	
Alzheimer 病	2132	
AL アミロイドーシス	1022	
AM	390	
amanitin	2371	
amaurosis fugax	2105	
ambulatory blood pressure monitoring：ABPM	684	
amebiasis	348	
amebic liver abscess	1121	
amenorrhea-galactorrhea syndrome	1549	
AME 症候群	675	
AMI	529, 531	
AML	1903	
ampulla cardiomyopathy	633	
amyloid neuropathy	2095	
amyloidosis	1792	
amyopathic dermatomyositis：ADM	1258	
amyotrophic lateral sclerosis：ALS	2164	
ANA	1219	
anal fistula	1003	
anaphylaxis	1320	
Anaplasma phagocytophilum	306	
anaplastic astrocytoma	2261	
ANCA	1219, 1408	
ANCA 関連血管炎	779, 1264	
ancylostomiasis	354	
Andersen-Tawil 症候群	2324	
Andersen 病	1777	
andorostenedione	1614	
androgen	1611
androgen receptor：AR	1611
androstane	1614
androsterone	1618
anemia of chronic disorder：ACD	1933
anemia of prematurity	1962
aneurysm of sinus Valsalva	582
angel's wing	2371
Angelman 症候群	2250
angina pectoris	516
angiodysplasia	1002
angioectasia	1002
angioedema	1334
angioma	1116
angiostrongyliasis	356, 2198
Angiostrongylus cantonensis	356
anisakiasis	356
Anisakis simplex	356
ankle-brachial pressure index：ABI	658, 689
ankylosing spondylitis：AS	1239
Ann Arbor 分類	1894, 1993
annular pancreas	1175
annulo-aortic ectasia	648
anomalous origin of coronary arteries	582
Anopheles	345
anorexia	74
anorexia nervosa	60
anosognosia	2056
ANP	390, 1681
anteriorcirculation	2100
anthrax	257
antibacterial drug	146
anti-C1q vasculitis	1271
antidiuretic hormone：ADH	163, 1361
antimicrobial stewardship	222
anti-neutrophil cytoplasmic antibody：ANCA	779, 1403, 1408
anti-phospholipid (antibody) syndrome：APS	1272, 2243
antiviral drug	150
anuria	126
aorta-gonads-mesonephros	1862
aortic aneurysm	642
aortic dissection	644
aortic regurgitation：AR	606
aortic stenosis：AS	574, 605
aortic valvular AS (aortic stenosis)：vAS	574
aortography	473
AP-1	1612
aphasia	2045, 2055
apheresis	158
apical hypertrophic cardiomyopathy	622
aplastic anemia：AA	893, 1937, 1957
aplastic crisis	318
apnea-hypopnea index：AHI	833
apolipoprotein	1800
apparent diffusion coefficient：ADC	2091
appendiceal tumor	999
apple core sign	981
apraxia	2045, 2062
APRV	199
APS	1219, 2041
APTT	1891
AQP2	1559
arcificial heart	654
AR-CMT2	2295
area under curve：AUC	148
area-length 法	472
Argyll Robertson 瞳孔	2260, 2264
arm muscle circumference：AMC	1718
Armstrong 基準	2146
arousal	207, 832
arrhythmogenic right ventricular cardiomyopathy：ARVC	422, 626, 633
arsenic poisoning	2222
ART	489
arterial embolism	660
arterial spin labeling：ASL	2090
arteriosclerosis obliterans：ASO	657
arteriovenous malformation：AVM	1002, 1468, 2122
artery-to-artery embolism	2111
arthralgia	133
artificial endocrine pancreas	1755
arylsulfatase A：ASA	1842
asbestosis	797
ascariasis	354
ascites	93, 95
ASCOD 分類	2103
ASIA の分類	2270
aspartate aminotransferase：AST	1034
aspergillosis	291
Aspergillus fumigatus	291
asplenia syndrome	583
assisted circulation	654
asterixis	208, 2239
astrocytoma	2261
asymptomatic myocardial ischemia	527
asymptomatic neurosyphilis	2191
AT (antithrombin)	1878
ataxia	2048
ataxia telangiectasia	1344, 2255
ataxia vitamin E deficiency：AVED	1826
atelectasis	802
atherothrombotic infarction	2109, 2111
athetose	2055
ATM	181
ATM 遺伝子	2255
atopic dermatitis	1336
ATP 産生	1726
ATPase 活性	2307
atrial fibrillation：AF	486
atrial flutter：AFL	488
atrial natriuretic peptide：ANP	390, 1388
atrial premature contraction：APC	485
atrial septal defect：ASD	561
atrial tachycardia：AT	485
atrioventricular block	503
atrioventricular septal defect：AVSD	563
atrophic glossitis	893

atrophic thyroiditis ······················ 1588
attenuated familial adenomatous polyposis：attenuated FAP ················ 1007
atypical DPNs（diabetic peripheral neuropathies）···························· 2299
atypical hemolytic uremic syndrome：aHUS ···································· 1449
atypical hump ························· 1406
auditory brainstem response：ABR ···································· 2081
auditory nerve ························· 2046
Austin Flint 雑音 ················ 369, 595
autocrine system ······················ 1515
autoimmune autonomic ganglionopathy ···································· 702
autoimmune hemolytic anemia：AIHA ···························· 1791, 1954
autoimmune hepatitis：AIH ········ 1083
autoimmune pancreatitis：AIP ···························· 1162, 1186, 1293
autoinflammatory syndrome 1296, 1348
autolysin ································· 246
automated external defibrillator：AED ······························· 189, 500
automatism ···························· 2275
autonomic neuron ····················· 2289
autonomously functioning thyroid nodule(s)：AFTN ········· 1582, 1585
autoregulation ················· 512, 2102
autosomal dominant hypercholesterolemia：ADH ······························ 1806
autosomal dominant polycystic kidney disease：ADPKD ········· 1464, 1500
autosomal dominant tubulointerstitial kidney disease：ADTKD ······· 1464
autosomal recessive hypercholesterolemia：ARH ······························ 1807
AVNRT ·································· 489
AVP ······························ 390, 1557
AVRT ··································· 489
axial spondyloarthritis：axSpA ······ 1240
axonal degeneration ··················· 2079

B

3β-HSD ································ 1614
β-アミロイド ························· 2092
β 遮断薬 ······························· 394
β 溶血性連鎖球菌 ······················ 247
β$_2$-ミクログロブリン ·············· 1791
B 型胃炎 ······························· 923
B 型肝炎ウイルス ······ 1057, 1067, 1075
B 型肝炎ウイルス（HBV）腎症 ··· 1455
B 型急性肝炎 ·························· 1062
B 型慢性肝炎 ·························· 1075
B 群 β 溶血性連鎖球菌 ················ 247
B 群溶連菌 ···························· 2183
B 細胞 ·························· 216, 1306
B 細胞除去 ···························· 1253
B 症状 ································· 1993
B リンパ芽球性白血病/リンパ腫 ··· 1988
B リンパ球前駆細胞 ·················· 1867
B cell activating factor belonging to the tumor necrosis factor family ··· 1294
Babinski 徴候 ··········· 2048, 2176, 2188
Babinski 反射 ························· 2143

baby lung ······························· 198
Babylonia japonica ····················· 2371
bacillary angiomatosis ················· 282
bacillary dysentery ····················· 268
bacillary peliosis ······················· 282
Bacillus anthracis ······················ 257
backache ································ 135
bacteremia ······························ 232
bacterial meningitis ············ 209, 2183
bacterial overgrowth 症候群 ·········· 997
BAD ···························· 2103, 2110
BAFF ·································· 1294
Balamuthia mandrillaris ·············· 2196
B-ALL ································· 1988
ballism ································· 2055
balloon atrioseptostomy ··············· 578
balloon pulmonary angioplasty：BPA ··· 662
balloon-assisted endoscopy ··········· 875
balloon-occluded retrograde transvenous obliteration：B-RTO ········· 917
Baló 病 ································· 2209
Baltimore 基準 ························ 1923
bamboo spine ························· 1241
band form ······························ 346
Banff 分類 ···························· 1398
Bardet-Biedl 症候群 ··················· 1531
Barlow 病 ······························ 603
barotrauma ······························ 198
Barrett 腺癌 ··························· 901
Barthel Index ··························· 50
Bartonella bacilliformis ··········· 282, 283
B. henselae ······························ 282
B. quintana ······························ 282
bartonellosis ···························· 282
Bartter 症候群 ·········· 677, 1365, 1475
Basedow 病 ········· 58, 1576, 2237, 2304
Basedow 病眼症 ··············· 1573, 1577
basic ADL（activities of daily living）：BADL ······························· 50
basic FGF（fibroblast growth factor）· 515
basic life support：BLS ··············· 190
basophilia ······························ 1971
bat wing sign ················· 452, 2250
bathing-trunk 型 ····················· 2220
Battle 徴候 ···························· 2267
Bayliss 効果 ··························· 2102
BCG 接種 ······························ 287
BCR-ABL 融合（キメラ）遺伝子 ···························· 1904, 1977, 1989
Becker 型筋ジストロフィー ···························· 632, 2310, 2313
Beck の 3 主徴 ························ 617
beef tapeworm ························· 360
Beevor 徴候 ·························· 2315
Behçet 病 ······ 139, 1019, 1021, 1217, 1274, 2123, 2244
belching ································· 76
Bell 麻痺 ······························ 2301
Bence Jones 蛋白：BJP ··············· 1372, 1447, 1458, 2008
bends ·································· 2353
Benedikt 症候群 ······················ 2054
benign asbestos-related pleural effusion ··· 850
benign esophageal stricture ··········· 910

benign gastric tumor ················· 932
benign monoclonal gammopathy：BMG ··· 2008
benign nephrosclerosis ··············· 1466
benign prostatic hyperplasia：BPH 1510
benign reccurent intrahepatic cholestasis：BRIC ······························ 1046
Bentall 手術 ···························· 608
beriberi ································· 2234
Bernard-Soulier 症候群 ······ 1876, 2030
Bernoulli の定理 ······················· 437
Bethlem ミオパチー ·················· 2318
Bevans 型（全身性動脈炎）··· 1235, 1237
Bezold-Jarisch 反射 ············ 2065, 2098
BHDS ··································· 811
Bicaval 法 ······························ 653
bile duct cancer ······················ 1169
bile duct cystadenocarcinoma ······ 1116
biliary atresia ························· 1159
biliary cirrhosis ······················· 1094
biliary tract infection ················ 1154
biliobiliary fistula ···················· 1162
bilirubin ······························· 1042
bilirubin diglucuronide：BDG ······ 1044
bilirubin monoglucuronide：BMG ·· 1044
bilirubin UDP-glucuronosyltransferase（UGT1A1）······················· 1044
binge-eating disorder ··················· 60
Binswanger 病 ·············· 2064, 2127
biological DMARD（disease modifying anti-rheumatic drag）············ 1235
biopsy ································· 2094
biotin deficiency ····················· 1829
Biot 呼吸 ························ 117, 711
Birbeck 顆粒 ··························· 846
Birt-Hogg-Dubé 症候群 ············· 811
bizarrely shaped ······················· 622
BJP ···································· 1447
BL ···························· 1926, 1988, 1997
black eye ······························ 2267
bladder tumor ························ 1509
Blau 症候群 ··························· 1298
bleb ···································· 809
bleeding tendency ······················ 109
blepharospasm ························ 2153
blind loop syndrome ·········· 884, 1004
blocked APC（atrial premature contraction）································· 485
blood brain barrier：BBB ······ 384, 2290
blood component transfusion ········· 168
blood transfusion ······················ 168
blood urea nitrogen：BUN ··· 1374, 1481
blood-nerve barrier ··················· 2290
bloody sputum ························· 124
blue diaper 症候群 ··················· 987
blue toe ······················ 1469, 2113
Blumberg 徴候 ·········· 200, 999, 1178
BMD ······················· 632, 2310, 2313
BMI ····································· 99
BNP ······················ 390, 532, 1681
BO ···································· 1946
Bochdalek 孔ヘルニア ················ 858
body mass index ······················· 99
Boerhaave 症候群 ···················· 896
Boolean 寛解 ························· 1235

Bordetella parapertussis	262	
B. pertussis	262	
Borrelia afzelii	309	
B. burgdorferi	308, 2192	
B. garinii	309	
Boston criteria	2121	
botulism	2190, 2228	
boutonneuse fever	306	
bovine spongiform encephalopathy：BSE	2181	
Bowman 嚢	1051, 1408	
Boyle-Charles の法則	810	
BPSD	2064	
bradyarrhythmia	500	
bradyphrenia	2063	
Bragg ピーク	182	
brain abscess	2186	
brain natriuretic peptide	390	
brain tumor	2258	
branch atheromatous disease：BAD	2103, 2110	
branched chain amino acid：BCAA	1723	
break through	2102	
bridging fold	945	
Brill-Zinsser 病	306	
Bristol 便形状尺度	82	
Broca 失語	2055	
Brockenbrough 現象	624	
bronchial asthma	766	
bronchiectasis	811	
bronchiolitis obliterans：BO	764, 1946	
bronchiolitis obliterans organizing pneumonia：BOOP	764	
bronchiolitis obliterans syndrome：BOS	1924	
bronchoalveolar lavage fluid：BALF	292	
bronchoalveolar lavage：BAL	722	
bronchopleural fistula	849	
bronchopulmonary sequestration	863	
Brown-Séquard 症候群	2051, 2132, 2265, 2270	
Brucella abortus	281	
B. canis	281	
B. melitensis	281	
B. suis	281	
brucellosis	281	
Brudzinski 徴候	2049	
Brugada 症候群	425, 500	
bruit	2105	
Bruli 潰瘍	288	
Brunner 腺腺腫	946	
brush border membrane disease	985	
Bruzinski 徴候	2131	
Budd-Chiari 症候群	85, 913, 1049, 1126, 1130	
Buerger 病	659	
buffalo hump	1626	
bulimia nervosa	60	
bulla	809	
bullous emphysema	811	
Bunina 小体	2164	
Burger 病	657	
Burkholderia mallei	278, 279	
B. psedomallei	278, 279	
Burkitt リンパ腫	1926, 1988, 1997	
burned-out NASH（non-alcoholic steatohepatitis）	1089	
butterfly shadow	452	
Byler 病	1045	
Bywaters 型（末梢動脈炎）	1235, 1237	

C

C 型肝炎ウイルス	1059
C 型肝炎ウイルス（HCV）腎症	1455
C 型急性肝炎	1064
C 型ナトリウム利尿ペプチド	1681
C 型慢性肝炎	1078
^{13}C 呼気試験法	882
C 反応性蛋白	1218
C3 glomerulopathy	1421
C3 糸球体腎炎	1422
C3 腎症	1421
Ca 拮抗薬	396
Ca 放出チャネル	2308
CABG	532
CADASIL	2126
cag pathogenicity island：PAI	274
CAG 繰り返し配列	2169
calcitonin gene-related peptide：CGRP	77
calf hypertrophy	2312
caliber change	953
caloric test	2059
Campylobacter	273
C. coli	273
C. fetus	273
C. jejuni	273
cancer of the stomach	934
cancerous pleural effusion	850
Candida albicans	289
candidemia	290
candidiasis	289
candidosis	289
canon-ball	844
Caplan 症候群	775, 1239
capsule endoscopy	875
CARASIL	2126
carbon disulfide poisoning	2225
carbon monoxide poisoning	2227
carcinoembryonic antigen：CEA	1571
carcinoid	837
carcinoid tumor	1672
carcinoma *in situ*：CIS	1509
carcinoma of the breast	1693
cardiac allograft vasculopathy：CAV	653
cardiac amyloidosis	627
cardiac cirrhosis	1130
cardiac dilatation	380
cardiac failure	405
cardiac hypertrophy	380
cardiac liver cirrhosis	1093
cardiac neoplasm	638
cardiac recychronization therapy：CRT	549
cardiac sarcoidosis	629
cardiac tamponade	616
cardial trauma	666
cardioangiography	470
cardiogenic embolism	2109, 2115
cardiogenic pulmonary edema	820
cardiogenic shock	415
cardiomyopathy	420
cardiopulmonary arrest	189
cardiopulmonary resuscitation：CPR	189, 540
cardiorascular remodeling	402
cardio-renal-anemia syndrome	1357
cardio-thoracic ratio：CTR	448
Carey Coombs 雑音	369, 595, 599
carotid endarterectomy：CEA	2118
carotid-cavernous sinus fistula：CCF	2125
carpal tunnel syndrome：CTS	2242, 2300, 2302
Carpentier 分類	603
Carrion 病	283
caseous necrosis	747
CASPAR の基準	1242
cast nephropathy	1447, 1458
Castleman 病	2001
catamenial pneumothorax	851
catastrophic antiphospholipid syndrome	1272
catecholaminergic polymorphic VT：CPVT	426
catheter related blood stream infection：CRBSI	233
cat-scratch disease：CSD	282
cauliflower like tufting	1543
cavitary lung disease	809
CBD	2144
CBD mimic	2144
CBV map image	2092
cccDNA 量	1076
CD203c	1330
CD4 T 細胞	217
CD4 陽性 T リンパ球数	334
CD25$^+$CD4$^+$ 細胞	1867
CD34 陽性細胞	1863
CD55	1957
CD59	1957
CD8 T 細胞	217
CEA	2107
celiac disease	988
Celsus 禿瘡	296
central echo complex：CEC	1376
central herniation	209
cerebral amyloid angiopathy：CAA	2120
cerebral aspergillosis	2193
cerebral autosomal dominant/recessive arteriopathy with subcortical infarcts and leukoencephalopathy	2126
cerebral blood flow：CBF	2100
cerebral entamebiasis	2195
cerebral hemorrhage	2119
cerebral infarction	2107, 2108
cerebral malaria	2196
cerebral schistosomiasis japonicum	2197
cerebral vascular insufficiency	2105
cerebral venous sinus phlebitis	2188
cerebrovascular disease	2102
cervical cancer	1698
cervical dystonia	2153

cervical spondylosis	2284	
CFTR 遺伝子	731	
CFU-G	1866	
CFU-M	1866	
CGD	1975	
CHADS₂ スコア	487	
Chagas 病	353	
chancre	353	
Charcot 3 徴	1150, 1155, 2153	
Charcot-Leyden 結晶	1134	
Charcot-Marie-Tooth 病	2294	
Charcot 熱	68	
Chédiak-Higashi 症候群	1347, 1977	
chemical sensitivity：CS	2362	
chemical shift imaging：CSI	2092	
chenodeoxy holic acid：CDCA	1805	
cherry-red spot-myoclonus syndrome	1848	
chest oppression	112	
chest pain	112	
Cheyne-Stokes 呼吸	117, 118, 711, 831	
Chiari II 型(Arnold-Chiari)奇形	2251	
Chlamidophila pneumoniae	300	
Chlamydia trachomatis	238, 302	
C. trachomatis infection	302	
Chlamydophila	300	
C. psittaci	300	
chokes	2353	
cholangiocarcinoma	1169	
cholangiocellular carcinoma	1113	
cholecystokinin：CCK	886	
cholelithiasis	1150	
cholera	271	
cholesterol embolism	1469	
cholesteryl ester transfer protein：CETP	1803	
cholicacid：CA	1805	
chondrodysplasia	1281	
chorea	2055	
chorea acanthocytosis：ChAc	2149	
chorea minor	2199	
chromoblastomycosis	297	
chromomycosis	297	
chronic antibody-mediated rejection	1398	
chronic berylliosis	797	
chronic eosinophilic pneumonia：CEP	769	
chronic glomerulonephritis	1412	
chronic granulomatous disease：CGD	1347, 1976	
chronic inflammatory demyelinating polyradiculoneuropathy：CIDP	2293	
chronic interstitial nephritis	1464	
chronic intestinal pseudo-obstruction	997	
chronic kidney disease：CKD	689, 1395, 1401, 1482	
chronic kidney disease-mineral and bone disorder：CKD-MBD	1359	
chronic lymphocytic leukemia：CLL	1991	
chronic mucocutaneous cadidiasis disease：CMCD	1348	
chronic mucocutaneous candidiasis：CMCC	290	
chronic myeloid (myelocytic) leukemia：CML	1904, 1977	
chronic nephritic syndrome	1404	
chronic obstructive pneumonia：COP	1924	
chronic obstructive pulmonary disease：COPD	118, 757, 858, 1723, 2241	
chronic pancreatitis	1180	
chronic pericardial effusion	616	
chronic progressive external ophthalmoplegia：CPEO	2327	
chronic progressive pulmonary aspergillosis：CPPA	291	
chronic rejection	1398	
chronic renal failure：CRF	1487	
chronic respiratory failure	865	
chronic thyroiditis	1588	
chronic wasting disease：CWD	2181	
chronis gastritis	922	
CHS	1977	
Churg-Strauss 症候群	1270	
Chvostek 徴候	1366	
chylomicron remnant：CM-r	1802	
chylomicron：CM	1801	
chylothorax	850	
cicatrization atelectasis	803	
ciguatera poisoning	2228	
ciguatoxin：CTX	2370	
ciliopathy	2250	
CIPO	997	
cirrhotic ascites	1055	
citrin deficiency	1798	
CK	538, 2313	
CK アイソザイム CK-MB	539	
CKD	558, 1377, 1385, 1464	
CKD-mineral and bone disorder	1491	
CKD に伴う骨・ミネラル代謝異常	1359	
c-KIT 遺伝子	1890	
Class I 変異	1903	
Class II 変異	1903	
Class III 変異	1904	
classic prolapse	604	
classical HL(Hodgkin lymphoma)：CHL	1992	
classical/atriopulmonary connection (APC)-Fontan	590	
Clayton 法	1227	
clear cell	1611	
clinical DAI (disease activity index)：CDAI	1234	
clinical diagnostic reasoning	7	
clinical pharmacy	144	
clinically amyopathic dermatomyositis：CADM	1258	
clonic spasm	2153	
clonorchiasis	1133	
Clonorchis sinensis	358	
closely covalent circular DNA：cccDNA	1058	
Clostridium botulinum	252, 2190	
C. difficile	227, 252, 872	
C. difficile infection：CDI	252	
C. perfringens	231, 251	
C. tetani	249	
clubbed fingers	102	
clubbing of fingers	102	
cluster headache	2280	
CML	1904	
CMT 病	2294	
CMT1	2295	
CMT1A	2296	
CMT2	2295	
CMT4	2295	
CMV	311	
CNP	390, 1681	
CNS(coagulase-negative staphylococci)感染症	244	
CNSU	958	
CO_2 ナルコーシス	179, 197, 2241	
coagulase-negative staphylococci：CNS	243	
coal worker's pneumoconiosis	797	
coarctation of the aorta	579, 700	
coarse crackle	813	
cobblestone appearance	960	
Coccidioides immitis	297	
C. posadasii	297	
coccidioidomycosis	297	
Cohn の分類	527	
cold agglutinin disease：CAD	1955	
cold hand sign	2155	
colic pain	200	
colitic cancer	981	
collagen disease	1209, 1213, 2242	
colon capsule endoscopy	876	
colon cut-off sign	1178	
colon diverticulum	948	
colonic mucosabmucosal elongated polyp：CMSEP	978	
colonoscopy	876	
colony forming unit-erythroid：CFU-E	1357	
colorectal cancer	978	
colorectal malignant lymphoma	984	
colorectal malignant tumor	978	
colpocephaly	2252	
coma	136, 207	
coma cocktail	207	
combined hepatocellular and cholangiocarcinoma	1115	
combined small cell carcinoma	835	
comet tail sign	850	
common atrium	581	
common chamber	580	
common lymphoid progenitor：CLP	1865	
common myeloid progenitor：CMP	1866	
common variable immunodeficiency：CVID	1346	
community-acquired MRSA (methicillin-resistant *Staphylococcus aureus*)：CA-MRSA	244	
compartment syndrome	209	
complement deficiency	1349	
complete obstruction	823	
complete response：CR	1894	
complex repetitive discharge	2077	
compound motor action potential	2079	
compound muscle action potential：CMAP	2306	

comprehensive geriatric assessment：CGA ……… 53
computed tomography：CT ……… 458
concentric sclerosis ……… 2209
conductance vessel ……… 2102
conduction aphasia ……… 2055
conduction block ……… 2080
confusional state ……… 136
congenital anemia ……… 1940
congenital anomalies of kidney and urinary tract：CAKUT ……… 1512
congenital anomalies of the pancreas ……… 1175
congenital disorders of platelet function ……… 2029
congenital duodenal atresia and stenosis ……… 919
congenital esophageal disease ……… 894
congenital esophageal stenosis ……… 895
congenital hepatic fibrosis：CHF ……… 1125
congenital insensitivity to pain with anhidrosis：CIPA ……… 2297
congenital muscular dystrophy：CMD ……… 2316
congenital myopathy ……… 2325
congenital neutropenia ……… 1347
congenital pancreas hypoplasia ……… 1175
congenitally corrected transposition of the great arteries ……… 578
congestive liver ……… 1130
connective tissue disease ……… 1210
consciousness disorder ……… 2057
constipation ……… 81
constitutional hyperbilirubinemia ……… 1104
constrictive pericarditis ……… 618
constructional apraxia ……… 2056
constructive interference in steady state：CISS ……… 2090
contact dermatitis ……… 1337
contact transmission ……… 226
continuous positive airway pressure：NCPAP ……… 833
continuous renal replacement therapy：CRRT ……… 1486
contractility ……… 375
controlled oxygen therapy ……… 177
conventional Rastelli 法 ……… 579
convex 型超音波気管支鏡 ……… 723
convulsion ……… 138
Coombs 試験 ……… 1955
cor pulmonale ……… 663, 824
cord blood transplantation ……… 1920
Cori 回路 ……… 1768
cork screw ……… 659
corkscrew sign ……… 952, 2124
Cornell 電位基準 ……… 688
coronary arteries ……… 511
coronary artery fistula ……… 583
coronary circulation ……… 511
coronary spasm ……… 533
coronary spastic angina：CSA ……… 517
coronary T ……… 536
corrected count increment：CCI ……… 169
corrected sinus node recovery time：CSNRT ……… 502
cortical cerebellar atrophy：CCA ……… 2158

cortical dementia ……… 2063
cortical dysplasia ……… 2252
cortical rim enhancement ……… 1377
cortical rim sign ……… 1468
cortical spreading depression ……… 2278
corticobasal degeneration：CBD ……… 2144
corticobasal syndrome：CBS ……… 2144
corticosterone ……… 1614
corticotropin releasing hormone：CRH ……… 100
cortisol ……… 1611
Corynebacterium diphtheriae ……… 256
C. ulcerans ……… 256
costamere ……… 382
costvertebral angle tenderness：CVA tenderness ……… 1504
cough ……… 121
cough syncope ……… 122
Courvoisier 徴候 ……… 1033, 1170
COX ……… 155
Coxiella burnetii ……… 305
Cr ……… 1374
cramp discharge ……… 2333
cramp-fasciculation 症候群 ……… 2334
craniopharyngeal duct ……… 2263
craniopharyngioma ……… 2263
crazy paving ……… 796
crazy paving pattern ……… 799
CREBBP ……… 1890
creeping eruption ……… 356
crescendo TIA（transient ischemic attack） ……… 2106
crescent form ……… 346
crescentic (extracapillary) and necrotic glomerulonephritis ……… 1408
CREST 症候群 ……… 827
Crigler-Najjar 症候群 ……… 1045, 1104
crisis ……… 66
critical limb ischemia：CLI ……… 659
Crohn 病 ……… 927, 959, 988, 1003, 1722
Crohn's Disease Activity Index：CDAI ……… 961
Cronkhite-Canada 症候群 ……… 1005, 1009
Crooke cell adenoma ……… 1546
Crooke 変成 ……… 1546
Crow-Fukase 症候群 ……… 2015
CRP ……… 1218
cryoglobuinemia ……… 2016
cryptococcal meningitis ……… 2192
cryptococcoma ……… 291
cryptococcosis ……… 290
Cryptococcus gattii ……… 290
C. neoformans ……… 290
cryptogenic organizing pneumonia：COP ……… 741, 789
cryptosporidiosis ……… 353
Cryptosporidium hominis ……… 353
C. paruvum ……… 353
crystal-induced arthritis ……… 1285
C_{st} ……… 728
CT ……… 37, 716, 1144
CT 血管造影（撮影） ……… 880, 1377
CT 上早期造影徴候 ……… 2117
CT 脊髄造影 ……… 2093
CT 尿路造影 ……… 1503
CT myelography ……… 2093

Ctenocephalides felis ……… 282
CTLN2 ……… 1798
CTR ……… 448
C-type natriuretic peptide ……… 390
cubital tunnel syndrome：CuTS ……… 2300
Cullen 徴候 ……… 1178
Curling 潰瘍 ……… 920, 1023
Cushing 潰瘍 ……… 920, 1023
Cushing 症候群 ……… 683, 699, 1612, 1623, 1814, 1832, 2324
Cushing 病 ……… 1545
cushion sign ……… 978
cutaneous candidiasis ……… 296
cutaneous myiasis ……… 364
cutaneous porphyria ……… 1818
cut-off sign ……… 920
CVA（costovertebral angle）knocking pain ……… 1508
cyanide poisoning ……… 2369
cyanosis ……… 103
cyclic neutropenia ……… 1969
Cyclospora cayetanensis ……… 353
cyclosporiasis ……… 353
CYP11A1 ……… 1614
CYP17A1 ……… 1614
cystic echinocccosis ……… 362
cystic fibrosis：CF ……… 816
cystic lung disease ……… 808
cysticercosis ……… 361, 2198
cystitis ……… 1504
cytomegalovirus：CMV ……… 343
cytotoxic antitumor agents ……… 732
cytotoxin ……… 230

D

D 型肝炎 ……… 1067
D 型肝炎ウイルス ……… 1059, 1067
D ダイマー ……… 1892
D4Z4 ……… 2315
Dalrymple 徴候 ……… 1577
Dandy-Walker 症候群 ……… 2250
Dane 粒子 ……… 1057
dark star ……… 2324
DASH（dietary approach to stop hypertension）食 ……… 691
Dauglas 窩膿瘍 ……… 240
DAX1 異常症 ……… 1645
DBP ……… 671
DBS ……… 2142
DDAVP ……… 1560
de novo B 型肝炎 ……… 1070
de novo 肝炎 ……… 1063, 1076
DeBakey 分類 ……… 644
debranching enzyme ……… 2331
decay-accelerating factor：DAF ……… 1957
decerebrate posturing ……… 2058
decompression illness ……… 2353
decompression sickness：DCS ……… 2353
decorticate posturing ……… 2058
deep and subcortical white matter hyperintensity：DSWMH ……… 687
deep brain stimulation：DBS ……… 2152
deep coma ……… 207
deep dermatomycosis ……… 297
deep vein thrombosis：DVT ……… 661

deepening of the voice ············· 1541	DSPN ···································· 2299	13 ··· 2028
defense musculaire ··················· 201	diabetic thoracic radiculoneuropathy： DTRN ···································· 2300	disorders of sex development ········ 1661
definite AS (ankylosing spondylitis) 1242		disposition index：DI ··············· 1731
definite RA (rheumatoid arthritis) · 1233	diagnostic sign ······················· 1924	disproportional inflammation ········ 961
definitive therapy ···················· 218	diagnostic splenectomy ················· 87	disproportionately enlarged subarachnoid-space hydrocephalus：DESH ··· 2271
Degos 病 ································ 1016	dialysis amyloidosis ·················· 1395	
dehydration ····················· 129, 162	dialysis dysequilibrium syndrome ··· 2241	
dehydroepiandrosterone：DHEA ··· 1611	dialysis encephalopathy ············· 2242	disseminated intravascular coagulation：DIC ················ 270, 2025, 2246
Dejerine-Roussy 症候群 ············· 2055	Diamond-Blackfan 貧血 ············· 1940	
Dejerine-Sottas 病 ··················· 2296	diaphragm pacing ······················ 860	distal myopathies ···················· 2315
Dejerine 症候群 ······················ 2053	diaphragmatic hernia ·················· 858	distal myopathy with rimmed vacuole：DMRV ···················· 2049, 2316
delayed and long-term neuropathy ··· 2374	diaphragmatic paralysis ················ 859	
	diarrhea ································· 83	distal pancreatectomy：DP ········ 1196
delayed hemolytic transfusion reaction：DHTR ························· 174	diarrhetic shellfish poison ············ 2370	distension ······························· 819
	diastolic augmentation ················ 654	distinctive sign ······················· 1924
delayed (progressive) orthostatic hypotension ······························· 703	diastolic pressure time index：DPTI ·· 512	distributive shock ····················· 415
		disturbance of consciousness ··· 136, 207
delayed sleep-phase syndrome：DSPS ··· 2284	diastolic rumbling murmur ············ 593	dive-bomber sound ··················· 2077
	DIC ····························· 1178, 1959	dizziness ·························· 139, 2066
delayed traumatic intracerebral hematoma ···································· 2268	dietary-induced thermogenesis：DIT ·· 185	DM ···································· 2321
		DMD ···················· 19, 632, 2310, 2311
delirium ·························· 2057, 2064	Dieulafoy 病変 ······················· 1002	DNA ···································· 10
delusion ······························· 2064	differences of sex development：DSD ··· 1661	DNA 1 本鎖切断 ······················· 180
dementia ······························ 2061		DNA 2 本鎖切断 ······················· 180
dementia with Lewy body：DLB ··· 2135	diffuse alveolar damage：DAD ····· 791	DNA シーケンシング ··················· 13
demyelinating disease ················ 2204	diffuse alveolar hemorrhage ·········· 765	DNA 損傷 ······························· 180
demyelination ························ 2079	diffuse antral vascular ectasia：DAVE ··· 889	DNA 複製 ······························· 180
denervation potential ················ 2077		docosahexaenoic acid：DHA ······· 1749
dengue fever ··························· 331	diffuse axonal injury ················ 2268	Döderlein 乳酸菌 ······················ 351
dense deposit disease：DDD ········ 1404	diffuse brain injury ·················· 2268	Doege-Potter 症候群 ··················· 852
dense triangle sign ··················· 2188	diffuse brain swelling ················ 2268	doll's eye phenomenon ·············· 2059
dense vein sign ······················· 2188	diffuse connective tissue diseases ··· 1213	donor specific（anti-HLA）antibody：DSA ································· 1397
dentatorubral-pallidoluysian atrophy：DRPLA ························· 2158	diffuse cutaneous leishmaniasis：DCL ·· 352	
		dopa responsive dystonia ············ 2152
Dent 病 ·························· 1472, 1479	diffuse cutaneous SSc (systemic sclerosis)：dcSSc ························ 1255	dopamine dysregulation syndrome ··· 2141
Denver shunt ························ 1056		
11-deoxycorticosterone：DOC ······ 1614	diffuse esophageal spasm：DES ······ 911	double bubble sign ············ 919, 1175
11-deoxycorticsol ···················· 1614	diffuse large B-cell lymphoma：DLBCL ··············· 847, 941, 973, 1584, 1996	double contour sign ················· 1286
dependence ··························· 2378		double filtration plasmapheresis：DFPP ··· 159
depression ···························· 2064	diffuse panbronchiolitis：DPB ····· 731, 762	
dermatomycosis ······················· 296		double minute：dmin ··············· 1887
dermatomyositis：DM ·············· 1258	diffuse peritoneal carcinomatosis ··· 1014	double switch operation ·············· 579
dermatophytosis ······················· 296	diffusion tensor imaging：DTI ····· 2091	double-outlet right ventricle ········· 579
DES ···································· 404	digital subtraction angiography：DSA ·································· 1379, 2092	Down 症 ································· 919
descending necrotizing mediastinitis ··· 855		Down 症候群 ············· 13, 568, 2249
	dilated cardiomyopathy：DCM ··· 421, 620	DPNs ·································· 2299
desquamative interstitial pneumonia ··· 791		dressing apraxia ····················· 2056
	dilated intercellular space：DIS ······ 77	Dressler 症候群 ························ 549
Devic 病 ······························ 2210	dinophysistoxin ······················ 2370	drip infusion pyelography：DIP ·································· 1375, 1385
dextrocardia ··························· 582	DIP ······························· 791, 792	
DHEA-S ·························· 1611, 1613	dip and plateau ······················· 619	droplet transmission ·················· 226
DHEA-sulfate ························ 1611	dipeptidyl peptidase-4 (DPP-4) 阻害薬 ··· 1751	drowsiness ················ 136, 207, 2057
diabetes ······························· 1732		DRPLA ································ 2162
diabetes insipidus：DI ·············· 1560	diphtheria ····························· 256	drug abuse ······················ 2378, 2382
diabetes mellitus ····················· 1732	diphyllobothriasis nihonkaiense ······ 360	drug allergy ··························· 1324
diabetic amyotrophy ················ 2301	*Diphyllobothrium nihonkaiense* ······ 360	drug dependence ···················· 2383
diabetic autonomic neuropathy：DAN ··· 2299	diplogonoporiasis balaenopterae ····· 360	drug induced enterocolitis ············ 956
	Diplogonoporus balaenopterae ······ 360	drug information：DI ················ 144
diabetic cervical radiculoplexus neuropathy：DCRPN ···················· 2300	dirty fat sign ························ 1012	drug intoxication ···················· 2384
	disaster hypertension ················ 2361	drug lymphocyte stimulation test：DLST ································ 1327
diabetic lumbosacral radiculoplexus neuropathy：DLRPN ·············· 2300	disease activity score (DAS) 28 ······· 1234	
	disease modifying anti-rheumatic drug：DMARD ···················· 1235	drug poisoning ······················· 2231
diabetic nephropathy ················ 1433		drug-induced hypersensitivity syndrome：DIHS ···················· 1325
diabetic peripheral neuropathies：DPNs ································· 2299	disequilibrium syndrome ············ 1393	
	disintegrin-like and metalloproteinase with thrombospondin type 1 motifs 13	drug-induced liver injury：DILI ··· 1102
diabetic sensorimotor polyneuropathy：		drug-induced pneumonia ············· 794

drug-induced thyroiditis······ 1590
DRVT······ 1892
dry cough······ 122
dry eye syndrome······ 2364
DSD······ 1662
DSM-5······ 2061
DTPA······ 2356
dual antiplatelet therapy：DAPT··· 2118
dual insult hypothesis······ 1027
Dubin-Johnson 症候群······ 1106
Dubowitz 病······ 2168
Duchenne 型筋ジストロフィー
······ 19, 632, 2310, 2311
Duke 法······ 1891
dumping syndrome······ 949
duodenal benign tumor······ 946
duodenal cancer/carcinoma······ 947
duodenal diverticulum······ 948
duodenal malignant tumor······ 947
duplication of the renal pelvis and ureter
······ 1512
DWI······ 881
dying back degeneration······ 2299
dynamic compression······ 759
dynamic contrast enhanced：DCE
······ 2091
dynamic 撮像······ 2090
dyslipidemia······ 1806
dyspepsia······ 922
dysphagia······ 79
dysplasia······ 1945
dyspnea······ 113
dyssomnia······ 2281
dystonia······ 2055, 2151
dystonia musclorum deformance······ 2152
dystonic movement······ 2151
dystonic posture······ 2151
dystrophia myotonica：DM······ 2318
DYT1 ジストニア······ 2152
DYT5 ジストニア······ 2152
DYT ジストニア······ 2152

E

E 型肝炎······ 1067
E 型肝炎ウイルス······ 1060, 1067
early carcinoma of the esophagus······ 905
early ischemic CT sign······ 2116, 2117
early onset ataxia with optic apraxia and hypoalbuminemia：EOAH······ 2163
early recruitment pattern······ 2078
early repolarization syndrome：ERS
······ 427
eating disorders······ 60
EBM······ 3
Ebola virus disease：EVD······ 344
Ebstein anomaly······ 577
Ebstein 病······ 577
EBUS using a guide sheath：EBUS-GS
······ 723
EBUS-TBNA 後縦隔炎······ 855
EBV······ 343
E-C カップリング······ 2308
ECG······ 427
echinococcosis······ 362, 2198
Echinococcus granulosus······ 362

E. multilocularis······ 362
echocardiography······ 435
ecthyma gangrenosum······ 277
ectopic ACTH-producing tumor······ 1675
ectopic ADH-producing tumor······ 1676
ectopic calcitonin-producing tumor
······ 1678
ectopic CRH-producing tumor······ 1676
ectopic EP-producing tumor······ 1677
ectopic GHRH-producing tumor······ 1676
ectopic graymatter······ 2252
ectopic hCG-producing tumor······ 1677
ectopic hCS-producing tumor······ 1677
ectopic hormone—producing tumor
······ 1674
ectopic PRL-producing tumor······ 1676
ectopic PTH-producing tumor······ 1677
ectopic renin-producing tumor······ 1678
edema······ 90
edema factor······ 257
EDMD······ 2316
eGFR······ 1374
EGFR 阻害薬······ 730
EGPA······ 779
Ehlers-Danlos 症候群······ 644, 1216, 1280
EHO······ 1127
Ehrlichia chaffeensis······ 306
eicosapentaenoic acid：EPA······ 1749
Eisenmenger 症候群······ 565, 570
El Escorial 診断基準······ 2166
electrical injury······ 2367
electrocardiogram······ 427
electroencephalogram：EEG······ 2074
electromyogram······ 2077
Elizabethkingae meningosepticum······ 278
emaciation······ 101
Embden-Meyerhof 経路······ 1868
embolic stroke of undetermined source
······ 2116
Emery-Dreifuss 型筋ジストロフィー
······ 2310, 2316
empiric therapy······ 218
empty delta sign······ 2088, 2124, 2188
empty sella······ 1536
ENaC······ 1479
ENBD······ 1148
encapsulating peritoneal sclerosis：EPS
······ 1394
end stage renal failure：ESRD······ 1487
endemic typhus, murine typhus······ 306
endobronchial ultrasonography：EBUS
······ 722
endobronchial ultrasound guided transbronchial needle aspiration：EBUS-TBNA······ 723
endocardial cushion defect：ECD······ 563
endocrine diseases······ 1520
endocrine disrupting chemical······ 1692
endocrine hypertension······ 698
endocrine system······ 1515
endometrial cancer······ 1698
endoneurium······ 2290
endoscopic biliary drainage：EBD······ 891
endoscopic biliary stenting：EBS······ 891
endoscopic injection sclerotherapy：EIS

······ 206, 890
endoscopic mucosal resection：EMR
······ 888, 908
endoscopic nasobiliary drainage：ENBD
······ 891, 1199
endoscopic nasopancreatic drainage：ENPD······ 891
endoscopic pancreatic stenting：EPS
······ 891
endoscopic papillary balloon dilation：EPBD······ 891
endoscopic retrograde cholangiopancreatography：ERCP······ 1148
endoscopic sphincterotomy：EST··· 890
endoscopic submucosal dissection：ESD
······ 888, 908
endoscopic ultrasonography：EUS
······ 876, 1147
endoscopic ultrasonography guided biliary drainage：EUS-BD······ 1199
endoscopic variceal ligation：EVL
······ 206, 890
endotoxemia······ 232
endovascular therapy······ 2092
ENPD······ 1148
Entamoeba histolytica······ 348, 2195
enteroaggregative *Escherichia coli*：EAEC
······ 265
enterobiasis······ 355
enterococcal infection······ 248
Enterococcus faecalis······ 248
E. faecium······ 248
enterocolitis······ 953
enterohemorrhagic *Escherichia coli*：EHEC······ 214, 231, 265
enteroinvasive *Escherichia coli*：EIEC
······ 265
enteropathogenic *Escherichia coli*：EPEC
······ 265
enteroscopy······ 875
enterotoxigenic *Escherichia coli*：ETEC
······ 265
enterotoxin······ 230
enterotoxins······ 214
entrapment and compression neuropathy
······ 2302
enzyme immunoassay：EIA······ 1521
eosinopenia······ 1970
eosinophilia······ 1970, 1986
eosinophilic esophagitis······ 901
eosinophilic gastroenteritis······ 991
eosinophilic granuloma······ 1134
eosinophilic granulomatosis with polyangiitis：EGPA 158, 781, 1270, 2244
eosinophilic meningitis······ 356
eosinophilic pneumonia：EP······ 769
EP300······ 1890
EPBD······ 1149
epidemic typhus······ 306
epidermal growth factor receptor：EGFR
······ 730
epigastric pain syndrome：EPS······ 923
epilepsia partials continua：EPC······ 210
epilepsy······ 2273
epileptic seizure······ 138
epineurium······ 2290

epithelial-mesenchymal transitions：EMT ········· 1465
Epley 法 ········· 2068
EPO 産生 ········· 1357, 1961
Epstein-Barr ウイルス ····· 88, 343, 2004
Epstein-Barr ウイルス感染症 ········· 313
Epworth Sleepiness Scale：ESS ········· 833, 2282
ERCP ········· 873, 1187
ERCP 後膵炎 ········· 1149
Erlenmeyer フラスコ型変形 ········· 1840
ERP ········· 2083
eructation ········· 76
eruption ········· 68
erythema subitum：ES ········· 314
erythrocyte ········· 1867
erythrocyte sedimentation rate：ESR ········· 1218
erythrogenic toxin ········· 247
erythropoiesis-stimulating agents：ESA ········· 1357
erythropoietin：EPO ········· 1357, 1866
eschar ········· 304
Escherichia coli infection ········· 265
esophageal atresia ········· 894
esophageal cancer ········· 905
esophageal candidiasis ········· 290
esophageal diverticulum ········· 910
esophageal perforation ········· 855
esophageal sarcoma ········· 909
esophageal varices：EV ········· 914
esophagogastroduodenoscopy：EGD ········· 874
ESS ········· 833
essential hypotension ········· 704
essential thrombocythemia：ET ········· 2021, 2041
essential tremor ········· 2147
EST ········· 1149
estrange ········· 1614
estrogen receptor：ER ········· 1692
estrogen receptor α と β：ERα/β ········· 1611
ET ········· 390
ET 後骨髄線維症 ········· 2022
ethylene glycol poisoning ········· 2225
etiocholanolone ········· 1618
euglycemic-hyperinsulinemic glucose clamp 法 ········· 1756
European LeukemiaNET ········· 1946
EUS-guided fine needle aspiration：EUS-FNA ········· 1147
EUS 下膵囊胞ドレナージ ········· 891
EV ········· 916
Evans 症候群 ········· 1955, 1973
Evans index ········· 2271
event related potential ········· 2083
eventration of diaphragm ········· 859
evidence based medicine：EBM ········· 3
evoked potential ········· 2081
excitation-contraction coupling：E-C coupling ········· 373
exfoliative toxin ········· 214, 244
exoerythrocytic schizogony ········· 345
exon 19 欠失 ········· 732
Exophiala dermatitidis ········· 297
exotoxin A ········· 214

exotoxin S ········· 215
"expected" antibody ········· 171
extensor digitorum brevis muscle：EDB ········· 2299
extra-alveolar vessel ········· 818
extracardiac TCPC（total carvo-pulmonary connection）術 ········· 590
extracellular matrix：ECM ········· 400
extracorporeal blood rewarming ········· 2352
extracorporeal membrane oxygenation：ECMO ········· 199
extracorporeal shock wave lithotripsy：ESWL ········· 1400, 1508
extracranial-intracranial anastomosis ········· 2118
extrahepatic portal vein obstruction ········· 1127
extramedullary hematopoiesis ········· 87
extranodal marginal zone lymphoma ········· 1584
extranodal marginal zone lymphoma of mucosa-associated lymphoid tissue ········· 1997
extranodal NK/T-cell lymphoma, nasal type：ENKL ········· 1997
eye of the tiger 徴候 ········· 2153

F

F スケール ········· 899
F 波最短潜時 ········· 2079
F 波伝導速度 ········· 2079
F conduction velocity：FCV ········· 2079
FA ········· 633, 2158, 2163
FAB 分類 ········· 1988
Fabry 病 ········· 592, 631, 1432, 1843, 2211
facial nerve ········· 2046
facio-scapulo-humeral dystrophy：FSHD ········· 2315
Faget の徴候 ········· 331
failure to thrive ········· 140
fainting ········· 137, 2064
Fallot 四徴症 ········· 573
familial adenomatous polyposis：FAP ········· 1006
familial amyloidotic polyneuropathy：FAP ········· 627, 2298
familial chylomicronemia syndrome ········· 1808
familial combined hyperlipidemia：FCHL ········· 1808
familial defective apoB-100：FDB ········· 1807
familial hemophagocytic lymphohistiocytosis ········· 1346
familial hypercholesterolemia：FH ········· 1806
familial hypertriglyceridemia：FHTG ········· 1808
familial hypobetalipoproteinemia：FHBL ········· 1809
familial medullary carcinoma ········· 1584
familial medullary thyroid carcinoma：FMTC ········· 1671
Fanconi 症候群 ········· 1442, 1470, 1478
Fanconi 貧血 ········· 181, 1940

FAP ········· 2294
Farber 病 ········· 1843
fasciculation potential ········· 2077
Fasciola gigantica ········· 358
F. hepatica ········· 358
fascioliasis ········· 1133, 1158
fatal familial insomnia：FFI ········· 2182
fatty liver ········· 1086
FCMD ········· 2310
FDG ········· 881
FDG-PET/CT ········· 1575
FDP ········· 1892, 2026
febrile neutropenia：FN ········· 1910, 1968
fecal microbiota transplant ········· 253
Felty 症候群 ········· 1238
ferroportin：FPN ········· 1820
FEV$_1$ ········· 725
fever ········· 66
fever of unknown origin：FUO ········· 66
^{18}F-fluorodeoxyglucose（^{18}F-FDG） ········· 2093
FGF-23 関連低リン血症性くる病・骨軟化症 ········· 1836
FH ········· 1806
fiber splitting ········· 2314
fibrillary glomerulonephritis ········· 1449
fibrillation potential ········· 2077, 2313
fibrin degradation product ········· 2026
fibroadenoma ········· 1696
fibroblast growth factor-2：FGF-2 ········· 515
fibrocystic change ········· 1697
fibrocystic disease ········· 1697
fibroelastic deficiency disease ········· 603
fibrofolliculoma ········· 811
fibromyalgia：FM ········· 1281
fibrosing cholestatic hepatitis ········· 1046
fibrosing mediastinitis ········· 855
Fick の原理 ········· 464
finger agnosia ········· 2056
FISH（fluorescence *in situ* hybridization）法 ········· 12, 1887, 1888, 2296
Fisher 症候群 ········· 2292
fissured tongue ········· 893
Fitz-Hugh-Curtis 症候群 ········· 237, 240, 302
5q 症候群 ········· 1904
Flamm の式 ········· 466
Fletcher-Hugh-Jones 分類 ········· 709
floppy infant ········· 2310, 2316
FLT3（FMS-like tyrosine kinase 3）遺伝子 ········· 1890
fluid replacement therapy ········· 162
fluid-attenuated inversion recovery：FLAIR ········· 2089
fluoresent treponemal antibodies：FTA-abs ········· 307
focal and multifocal neuropathies ········· 1762
focal brain dysfunction ········· 2104
focal nodular hyperplasia ········· 1117
focal segmental glomerulosclerosis：FSGS ········· 1405, 1416
Fogarty カテーテル ········· 660
folded lung ········· 803
follic acid deficiency ········· 1829
follicular adenoma ········· 1582
follicular carcinoma ········· 1582

follicular dendric cell 1865
follicular lymphoma：FL 973, 1996
Fonsecaea pedrosoi 297
Fontaine の重症度分類 657
Fontan 手術 576
Fontan 術後症候群 576
food allergy 1328
food impaction 902
food poisoning 229
foodborne disease 229
food-dependent exercise-induced anaphylaxis：FDEIA 1328
Forbes 病 2331
Forbes-Cori 病 1777
forced expiratory volume 725
force-frequency relationship 375
Fordyce 病 1843
forearm ischemic exercise test 2330
Forkhead box O 1612
forme fruste 2153
Forrester 分類 192, 410, 465
FoxO 1612
Fox 徴候 1178
FPN 遺伝子変異 1821
fragile X tremor / ataxia syndrome：FXTAS 2163
frailty 51
Framingham 研究 553
Francisella tularensis 280
Frankel の分類 2270
Frank-Starling の法則 374, 383
free air 1013
free fatty acid：FFA 100, 102
free light chain：FLC 1445
free reflux 898
fresh frozen plasma：FFP 159, 170
Friedander 肺炎 266
Friedreich 失調症 633, 2158, 2163
Friedreigh 徴候 434
Friedwald の式 1706
Fröhlich 症候群 1531
Froin 徴候 2072
frontal bulging 2320
frontotemporal dementia：FTD 2137
frostbite 2352
FSH 1528
FSHD 2310
fuccofacial apraxia 2056
Fukuyama-type congenital muscular dystrophy：FCMD 2317
fulminant hepatitis 1068
functional dyspepsia：FD 922, 993
functional gastrointestinal disorders：FGIDs 992
functional somatic syndrome 1283
fundic gland polyp 932
funeral cross 68
fungal infection 2192
fungemia 232
fungus ball 292, 811
fused kidney 1512

G

γ 鎖病 2015
γ 線 182
γ-HCD 2015
G 群 β 溶血性連鎖球菌 247
G 染色法 1887
G6PD 欠損症 1950
^{67}Ga シンチグラフィ 1575
Gaisböck 症候群 1963
galactosylceramidase：GALC 1842
GALE 欠損症 1781
GALK 欠損症 1781
gallbladder adenomyomatosis 1169
gallbladder carcinoma 1167
gallbladder polyp 1169
GALT 欠損症 1781
Garcin 症候群 2260
Gardnerella vaginalis 239
Gardner 症候群 947, 1008
gas gangrene 251
gasping 190
gastric antral vascular ectasia 926
gastric cancer 934
gastric hyperplastic polyp 932
gastric malignant lymphoma 941
gastric outlet obstruction：GOO 1199
gastric sarcoma 944
gastric submucosal tumor：SMT 944
gastric varices：GV 914
gastrinoma 886
gastroduodenal ulcer 927
gastroesophageal reflux disease：GERD 76, 898, 906
gastrointestinal allergy 991
gastrointestinal bleeding(hemorrhage) 203
gastrointestinal decontamination 2380
gastrointestinal polyposis 1006
gastrointestinal stromal tumor：GIST 944, 973, 975
GATA-2 1866
Gaucher 病 1840, 2211
GAVE 926
GBV-C 342
G-CSF 1863
GDM 1735
GDS15 53
genetic defect of regulatory T cells 1347
genetic epilepsy 2274
geographic tongue 893
GERD 76, 898
Gerd Q 899
geriatric depression scale 53
germ cell tumor 2263
germinal center 88
Gerstmann-Sträussler-Scheinker 病 2182
Gerstmann 症候群 2124, 2127, 2259
gestational diabetes mellitus 1735
GH 1526
GH 単独欠損症 1537
giant bulla 810
giant cell arteritis：GCA 1266, 2125, 2244
giant splenomegaly 86
Giardia duodenalis 349
G. intestinalis 349
G. lamblia 349
giardiasis 349

Gilbert 症候群 1045, 1104
Ginkgo biloba 2372
Giordano-Giovannetti 食 1387
GIP 886
GIST 973, 975, 984
Gitelman 症候群 677, 1365, 1475
glanders 279
Glanzmann thrombasthenia 2029
Glasgow Coma Scale：GCS 207, 208
Glasgow-Blatchford bleeding score 204
glial cytoplasmic inclusion：GCI 2154
glioblastoma 2261
global phasia 2056
globoid cell leukodystrophy 2212
glomerular filtration rate：GFR 1373
glossopharyngeal nerve 2046
GLP-1 886
GLP-2 886
glucocorticoid 1611
glucocorticoid induced osteoporosis 1832
glucocorticoid receptor：GR 1611
gluconeogenesis 1725
glucose transporter type 4：GLUT4 1612, 1707
glutamic acid decarboxylase：GAD 1741
glycemic index：GI 2340
glycocalyx 1428
glycogen branching enzyme：GBE 1777
glycogen debranching enzyme：GDE 1777
glycogen storage disease：GSD 1773, 2330
glycogenosis 2330
GM$_1$-ガングリオシドーシス 1842, 2212
GM$_2$-ガングリオシドーシス 1842, 2212
Gnathostoma 356
gnathostomiasis 356
GNE 2316
GNE ミオパチー 2310, 2316
goiter 97
Golden's S sign 803
gonadotropinoma 1553
gonococcal infection 260
Goodpasture 抗原 1451
Goodpasture 症候群 781, 1405, 1451
goose neck sign 565
Gordon 症候群 675, 677
Gorlin の式 595
Gottron 丘疹 1259
Gowers 徴候 2049, 2312
GPA 779
GPI-AP 1957
GPI アンカー型蛋白 1957
gradient echo 法 462
graft-versus-host disease：GVHD 1025, 1132, 1913, 1923
Graham Steell 雑音 433, 593, 610, 664, 826
granulocytapheresis：GCAP 159
granulocyte colony-stimulating factor：G-CSF 1863, 1911, 1967
granulocyte/monocyte progenitor：GMP 1866
granulomatosis with polyangiitis：GPA

... 780, 1269, 2244
granulomatous amoebic meningoencephalitis：GAE ... 2196
Graves 病 ... 1576
gravity dependent atelectasis ... 803
Grey-Turner 徴候 ... 1178
grip myotonia ... 2320
Gross の分類 ... 894
ground glass appearance ... 1075
growth hormone deficiency：GHD ... 1537
growth retardation ... 140
Guillain-Barré 症候群（GBS） ... 80, 158, 273, 2291
Guillain-Mollaret の三角 ... 2054
Guyton 説 ... 681
GV ... 916
GVHD ... 1025, 1419, 1922, 1923

H

H 鎖病 ... 2015
H/M 比 ... 2093
Haemophilus ducreyi ... 240, 261
H. influenzae ... 261
H. parainfluenzae ... 261
hairy tongue ... 893
halo sign ... 293
Ham 試験 ... 1957
hamartoma ... 845
hamartoma-adenoma-carcinoma sequence ... 1009
Hamman 徴候 ... 851, 897
HAND ... 2173
hand-assisted laparoscopic splenectomy：HALS ... 917
hand-foot-mouth disease ... 893
Hand-Schüller-Christian 病 ... 845
hANP ... 1485
Hansen 病 ... 288, 2095
haptoglobin：Hp ... 1789
hard metal lung disease ... 797
Hartnup 病 ... 987
Harvey Masland 試験 ... 2304
Hassab 手術 ... 917
hatched face ... 2320
HAV ... 341
Hayflick の限界 ... 43, 47, 49
HbA1c ... 1747
HbA1c の判定基準 ... 1736
HBc 抗体 ... 1076
HBe 抗原 ... 1075
HBe 抗原陰性慢性肝炎 ... 1076, 1077
HBe 抗体 ... 1075
HBs 抗原 ... 1075
HBs 抗体 ... 1075
HBV ... 341, 1057
HBV DNA ... 1076
HBV genotype ... 1076
HBV 感染 ... 1075
HBV キャリア ... 1076
HB コア関連抗原 ... 1076
HCG ... 1579
HCMV ... 343
HCV ... 341, 1057
HDV ... 341

HE 染色 ... 2096
headache ... 137, 2278
head-up tilt 試験 ... 703, 2098
health assessment questionnaire-disability index：HAQ-DI ... 1234
heart failure ... 405
heart fatty acid binding protein：hFABP ... 539
heart rate ... 376
heartburn ... 76
heat illness ... 2348
heaved pattern ... 599
heavy chain deposition disease：HCDD ... 1448
heavy chain disease：HCD ... 2015
Heberden 結節 ... 1234
Heinz 小体 ... 87
Helicobacter pylori ... 273, 872, 922, 927, 934, 1026
H. pylori 感染症 ... 229
H. pylori の病原因子 ... 274
H. pylori 陽性潰瘍 ... 930
HELLP 症候群 ... 1137
hemangioblastoma ... 2265
hematodiasis ... 354
hematopoietic stem cell：HSC ... 1863
hematuria ... 1356
hemicraniectomy ... 2118
hemispacial agnosia ... 2056
hemoadsorption ... 159
hemochromatosis ... 632
hemodynamic infarction ... 2109, 2113
hemoglobin：Hb ... 1791
hemojuvelin：HJV ... 1821
hemolysin ... 214
hemolysis, elevated liver enzyme and low platelet syndrome ... 1137
hemolytic anemia ... 893, 1948, 1954
hemolytic uremic syndrome：HUS ... 214, 265, 268, 1449, 2028
hemophagocytic lymphohistiocytosis：HLH ... 2006
hemophagocytic syndrome：HPS ... 304, 2006
hemophilia ... 2033, 2246
hemoptysis ... 124
hemorrhagic anemic ... 1961
hemorrhagic transformation ... 2115
hemorrhoid ... 1003
hemosiderosis ... 1820
Henderson-Hasselbach の式 ... 1367
Henle の太い上行脚 ... 1475
heparin-induced thrombocytopenia：HIT ... 823
hepatic angiomyolipoma ... 1118
hepatic coma ... 1046
hepatic echinococcosis ... 1134
hepatic encephalopathy ... 208, 2239
hepatic failure ... 1046
hepatic glomerulosclerosis ... 1454
hepatic hemangioma ... 1116
hepatic iron concentration：HIC ... 1823
hepatic iron index：HI ... 1823
hepatic triglyceride lipase：HTGL ... 1802
hepatic tumor ... 1108

hepatic vein occulsion ... 1126
hepatitis A virus：HAV ... 341, 1057
hepatitis B virus：HBV ... 341, 1057, 1067
hepatitis C virus：HCV ... 341, 1059
hepatitis D virus：HDV ... 341, 1059, 1067
hepatitis E virus：HEV ... 341, 1060, 1067
hepatitis virus ... 1057
hepatitis virus-associated nephropathy ... 1455
hepatoblastoma ... 1116
hepatocellular adenoma ... 1117
hepatocellular carcinoma ... 1108
hepatoglomerular reflex ... 95
hepatojugular reflux ... 1130
hepatomegaly ... 85
hepatopulmonary syndrome ... 1051
hepatorenal syndrome ... 1051, 1452
hepcidin：HEPC ... 1820
hereditary disorders of connective tissue ... 1279
hereditary elliptocytosis：HE ... 1949
hereditary hemochromatosis ... 1820
hereditary hemorrhagic telangiectasia：HHT ... 2032
hereditary motor and sensory neuropathy：HMSN ... 2294
hereditary motor neuropathy：HMN ... 2294
hereditary neuralgic amyotrophy：HNA ... 2294
hereditary neuropathy with liability to pressure palsies：HNPP ... 2294
hereditary polyneuropathy ... 2294
hereditary progressive arthro-ophthalmopathy ... 1281
hereditary progressive dystonia (HPD) with marked diurnal fluctuation ... 2152
hereditary sensory and autonomic neuropathy：HSAN ... 2297
hereditary sensory neuropathy：HSN ... 2297
hereditary spastic paraplegia：HSP ... 2163
hereditary spherocytosis：HS ... 1948
hereditary spinocerebellar ataxia ... 2158
Herman 法 ... 472
hernia through the foramen of Bochdalek ... 858
hernia through the foramen of Larrey ... 859
hernia through the foramen of Morgagni ... 859
herniation of intervertebral disk ... 2286
herpangina ... 893
herpes labialis ... 893
herpes simplex ... 893
herpes simplex encephalitis：HSE ... 2171
herpes simplex virus ... 309
herpes zoster ... 893, 2180
Hers 病 ... 1778
Hertoghe 徴候 ... 1336
Heubner 反回動脈 ... 2100
HEV ... 341, 1057
HFE 遺伝子 ... 1821

HFE 関連ヘモクロマトーシス 1820
HFOV 199
HGV 342
HHV-6, 7 感染症 314
HHV-6 脳炎 2172
HHV-8 感染症 314
hiatus hernia 909
Hib 261
hibernating myocardium 515, 549
hiccup 78
HIF1 181
high amplitude MUP 2078
high frequency oscillatory ventilation 199
high intensity transient signdls：HITS 2113
high-altitude pulmonary edema 821
high-density lipoprotein: HDL 1801
Hirayama disease 2289
Hirschsprung 病 953
His-Purkinje 系 377
histiocytosis 2003
histiocytosis X 846
Histoplasma capsulatum 298
H. duboisii 298
histoplasmosis 298
HIV 295, 1024, 2173
HIV-1 RNA 量 334
HIV-1 関連脊髄症 2175
HIV-associated nephropathy：HIVAN 1460, 1461, 2175
HIV 感染症 333
HIV 感染に伴う神経合併症 2173
HIV 関連神経認知障害 2173
HIV 関連腎症 1460, 1461
HIV 関連免疫複合体形成糸球体腎炎 1461
HIV 脳症 2174
HIV 免疫複合体腎臓病 1461
HIVICK 1461
HLA 1218, 1916
HLA 半合致移植 1921
HLHS 581
HMSN 2294
hNTCP 1058
Hodgkin リンパ腫 847, 1457, 1926, 1992
"hole-with-a-dot" sign 362
holoprosencephaly 2252
Holter 心電図 431
home oxygen therapy：HOT 867
homocystinuria 1797, 2216
homogeneously staining region：hsr 1887
homologous recombination 181
honeycomb stomach 926
hookworm infection 354
Hoover 徴候 118, 758
hormone 1515
hormone receptor disease 1678
hormone sensitive lipase：HSL 101
Horner 症候群 2049, 2124
horseshoe kidney 1512
Howell-Jolly 小体 87
HPD 2152
HPV 820

HPV 316
HRCT 716
HSAN 2294
HSN 2294
HSV 309
HSV-1 309
HSV-2 309
HTLV-1 335, 1998
HTLV-1 感染症 2175
HTLV-1 関連脊髄症 1998, 2175
HTLV-1 associated myelopathy/tropical spastic paraparesis：HAM/TSP 1998
human chorionic gonadotropin：hCG 1571, 1579
human cytomegalovirus 343
human error 30
human granulocytic anaplasmosis：HGA 306
human herpesvirus：HHV 314
human immunodeficiency virus：HIV 333, 1131
human leukocyte antigen：HLA 659, 1916
human monkeypox 319
human monocytic ehrlichiosis：HME 306
human sodium taurocholate cotransporting polypeptide 1058
human T cell leukemia virus type 1 335
human T cell lymphotropic virus type 1：HTLV-1 1998, 2173
humoral hypercalcemia of malignancy：HHM 1608
hump 1406
Hunt and Hess 分類 2122
Hunter-Russell 症候群 2222
Hunter 症候群 2213
Hunter 舌炎 950, 1022, 1936
Hunter 病 1852
Huntington 病 2148
Hurler/Scheie 病 1852
Hurler 症候群 592
Hurler 病 1852
Hürthle 細胞腫 1582
HUS 1959
Hutchinson-Gilford プロジェリア症候群 49
HUV 1271
hydrocephalus 2270
hydrogen sulfide poisoning 2369
hydronephrosis 1502
hydrophobia 329
21-hydroxylase deficiency 1644
hyper acute rejection 1398
hyper IgE syndrome 1345
hyper IgM syndrome 1346
hyperemesis gravidarum 1135
hyperosmolar non-ketotic coma 1766
hyperplastic polyp 977
hyperpnea 118
hyperprolactinemia 1549
hypersensitivity pneumonitis 771
hypersplenism 1959
hypertensive encephalopathy 2104
hypertensive LES (lower esophageal

sphincter) 911
hyperthermia 2348
hyperthyroidism 701, 1576
hypertrophic cardiomyopathy：HCM 420, 622
hypertrophic obstructive cardiomyopathy：HOCM 622
hypertrophic pachymeningitis 2202
hypertrophic pyloric stenosis 918
hyperventilation 118
hyperventilation syndrome 830
hyperviscosity syndrome 2009
hypervitaminosis A 1824
hypervitaminosis D 1825
hypnagogic hallucinations 2283
hypocomplementemic urticarial vasculitis：HUV 1271
hypoglossal nerve 2046
hypoglycemia 1768
hypomyopathic dermatomyositis 1258
hypoparathyroidism 1604
hypopituitarism 1534
hypoplastic left heart syndrome：HLHS 581
hypopyon 1275
hypotension 702
hypothalamic and pineal tumor 1533
hypothalamic syndrome 1530
hypothalamus-pituitary-adrenal (HPA) axis 1613
hypothermia 2350
hypothyroidism 701, 1579
hypoventilation 118
hypoventilation syndrome 830
hypovolemic shock 415
hypoxemia 176
hypoxia 176
hypoxia-inducible factor 1 181
hypoxic encephalopathy 2241
hypoxic hepatitis 1128
hypoxic liver injury 1128
hypoxic pulmonary vasoconstriction：HPV 820
hypsarrhythmia 2076

I

iatrogenic disease 29
IC 沈着 1250
ICA-512/IA-2 1741
ICAM-1 385
ICD-10 1703
ICDC 1187
I-cell 病 1848
icterus 71, 1042
IDA 893, 1932
ideational apraxia 2056
ideomotor apraxia 2056
idiopathic epilepsy 2274
idiopathic fibrosing mediastinitis 855
idiopathic interstitial pneumonias：IIPs 783, 784
idiopathic intracranial hypertension 2272
idiopathic lymphoid interstitial pneumonia：LIP 792

idiopathic myxedema ················· 1588
idiopathic normal pressure hydrocephalus：iNPH ·················· 2270
idiopathic pneumonia syndrome：IPS ································ 1924
idiopathic portal hypertension：IPH ································ 1123
idiopathic pulmonary fibrosis：IPF ·· 784
idiopathic pulmonary hemosiderosis ································· 765
idiopathic thrombocytopenic purpura：ITP ················ 158, 2023
idiosyncratic reaction ················ 1325
IDUS ··································· 1148
IED ···································· 1723
IEE ····································· 877
IFN 製剤 ······························· 1077
IFN-γ 遊離測定法 ······················ 287
IF-RT ································· 1994
IgA 血管炎：IgAV
 ················ 1023, 1270, 1425, 2031
IgA 腎症 ······················ 1389, 1423
IgE 抗体 ························ 1320, 1328
IgG ···································· 1420
IgG4 関連硬化性胆管炎 ··············· 1162
IgG4 関連疾患 ··· 782, 1132, 1293, 2002
IgG4 関連腎臓病 ············· 1443, 1464
IgG4 陽性形質細胞 ···················· 1293
IGH 転座 ······························ 1888
IκB ····································· 1612
IKZF1 遺伝子異常 ····················· 1989
IL-1 受容体アンタゴニスト欠損症
 ································ 1296, 1297
ileus ····································· 995
image enhanced endoscopy ··········· 877
IMD ··································· 1723
¹²³I-metaiodobenzylguanidine 心筋シンチグラフィ ························· 2093
immortalization ······················ 2005
immortile cilia 症候群 ················· 814
immune complex vasculitis ········· 1265
immune complex-associated MPGN（membranoproliferative glomerulonephritis） ·························· 1421
immune reconstitution inflammatory syndrome：IRIS ······················ 2175
immune-enhancing diet：IED ····· 1723
immune-mediated hemolytic anemias：IHA ································ 1954
immune-modulating diet：IMD ··· 1723
immunization ························· 222
immunoblast ···························· 88
immunoglobulin ······················ 1788
immunoproliferative small intestinal disease：IPSID ························ 973
immunoradiometric assay：IRMA 1521
immunotactoid glomerulopathy ····· 1449
impaired fasting glucose：IFG ····· 1739
implantable cardioverter-defibrillator：ICD ································ 499
imported infectious disease ·········· 240
imported mycoses ····················· 297
incidentaloma ························ 1521
inclusion body myositis：IBM ······ 2311
induced pluripotent stem cell ········· 2
ineffective esophageal motility：IEM

 ······································· 911
infantile spasm ······················· 2275
infection ································ 309
infection of diaphragm ··············· 860
infection with *Campylobacter* spp. ·· 273
infection with *Vibrio* spp. ············ 271
infectious arthritis ··················· 1287
infectious colitis ······················· 954
infectious mononucleosis：IM
 ···························· 313, 1131, 2004
infective endocarditis：IE ············ 611
inflammatory bowel disease：IBD
 ································ 959, 1132
inflammatory bowel disease-related or enteropathic arthritis：EnA ··· 1239
inflammatory fibroid polyp：IFP ···· 978
inflammatory myoglandular polyp：IMG polyp ···························· 978
inflammatory myopathy ············· 2321
influenza ······························· 320
inhibitor of NF-κB ··················· 1612
initial orthostatic hypotension ········ 703
innate immunity ······················ 400
innocent bystander ·················· 1956
insect allergy ························· 1332
insertion activity ····················· 2077
insomnia ······························ 2281
instrumental ADL（activities of daily living）：IADL ························ 50
insulinoma ···························· 1772
interactions between drugs ········· 1324
intercellular adhesion molecule-1：ICAM-1 ······························ 385
interferon-γ release assay：IGRA ···· 287
intermediate syndrome ·············· 2374
intermediate-density lipoprotein：IDL ································ 1801
intermittent claudication ············· 657
intermittent hemodialysis：IHD ··· 1486
International Classification of Functioning, Disability and Health：ICF ···································· 50
international consensus diagnostic criteria ······························· 1187
International Prognostic Scoring System for WM：ISSWM ············· 2010
International Prostate Symptom Score：IPSS ···················· 1382, 1510
International Staging System：ISS · 2013
interstitial lung disease：ILD ······ 1256
interventional radiology：IVR
 ····························· 37, 872, 2092
intestinal actinomycosis ·············· 956
intestinal Behçet's disease ··········· 957
intestinal failure ····················· 997
intestinal tuberculosis ················ 969
intimal flap ····················· 644, 646
intimal irregularities ················· 823
intolerance ···························· 1325
intra-aortic balloon pumping：IABP
 ································ 546, 654
intraductal papillary mucinous neoplasm：IPMN ····················· 1189
intra-epithelial papillary capillary loop：IPCL ································ 907
intrahepatic cholangiocarcinoma ··· 1113

intrahepatic cholestasis of pregnancy ································ 1136
intraluminal papillary neoplasm of the bile duct：IPNB ················· 1173
intraretinal microvascular abnormality：IRMA ························· 1759
intravascular lymphomatosis：IVL 2245
intravascular ultrasound：IVUS ····· 469
intravenous immunoglobulin：IVIG 157
intravenous pyelography：IVP
 ································ 1375, 1385
intrinsic innervation ················· 2102
invasive pulmonary aspergillosis：IPA ······································· 291
involved-field radiotherapy：IF-RT ································ 1994
IPF ····································· 784
IPH ···································· 1123
iPS 細胞 ·································· 2
IPS ···································· 1924
IPSS ··································· 1925
IPSS-R ································ 1946
IRIS ··································· 2175
iron deficiency anemia：IDA · 893, 1932
iron overload ························· 1820
irritable bowel syndrome：IBS
 ································ 992, 1011
Isaacs 症候群 ·························· 2334
ischemia ······························ 2107
ischemic cardiomyopathy ············ 549
ischemic colitis ························ 971
ischemic enterocolitis ················· 971
ischemic hepatitis ···················· 1128
ischemic liver ························ 1128
ischemic penumbra ·················· 2108
ischemic preconditioning ············· 515
isolated pituitary hormone deficiency ································ 1537
ITP ···························· 158, 2023
IVIG ··································· 157
IVL ··································· 2245
IVP ···························· 1375, 1385
IVUS ··································· 469
ivory shell ···························· 2371
ivy sign ······························· 2091

J

Jacksonian march ···················· 2275
Jackson 発作 ·························· 138
Janeway 斑 ···························· 233
Japan Coma Scale：JCS ······· 207, 208
Japanese encephalitis ················· 330
Japanese spotted fever ········ 304, 2194
JAS ··································· 1101
jaundice ························ 71, 1042
JCS ······························ 207, 208
Jervell & Lange-Nielsen 症候群 ···· 423, 425
JIS スコア ····························· 1091
jitter の異常 ··························· 2304
Jones の診断基準 ······················ 591
Joubert 症候群 ························ 2250
JRC 蘇生ガイドライン 2015 ·········· 190
jump up 現象 ·························· 490
juvenile hemochromatosis ··········· 1821

juvenile idiopathic arthritis：JIA … 1289
juvenile muscular atrophy of distal upper extremity … 2289
juvenile ポリープ … 975, 977
juxtaphrenic peak … 804

K

K 保持性利尿薬 … 397
Kallmann 症候群 … 1531, 1537
Kaposi sarcoma-associated herpesvirus：KSHV … 314
Kaposi 水痘様発疹症 … 310
Kaposi 肉腫 … 314, 985
Kartagener 症候群 … 815
Kasabach-Merritt 症候群 … 1116, 1117
Katz Index … 50
Kawasaki disease … 1292
Kayser-Fleischer 角膜輪 … 2218
Kearns-Sayre 症候群 … 2328
Keith-Edwards の分類 … 576
Kennedy-Alter-Sung 症候群 … 2169
Kennedy 病 … 2169
Kerckring 襞 … 996
Kerley line … 451
Kernig 徴候 … 2049, 2131
Kernohan-Woltman 症候群 … 209
Kikuchi disease … 2005
Killip 分類 … 410
Kimmelstiel-Wilson 病変 … 1434
kissing disease … 240
Klebsiella glanulomatis … 265
K. oxytoca … 231, 265
K. pneumoniae … 265
Kleine-Levin 症候群 … 2282
KLF15 … 1612
Klinefelter 症候群 … 13, 1664
Knudson の 2 段階説 … 1903
Koplik 斑 … 322
Korsakoff 症候群 … 2229, 2235, 2347
Kostmann 症候群 … 1969, 1974
Kostmann 病 … 1974
Krabbe 病 … 1842, 2212
Kruckenberg 腫瘍 … 1014
Krüppel-like factor 15 … 1612
KS … 314, 985
KSS … 20, 2328
KUB … 1375
Kugelberg-Welander 病 … 2168
Kupffer 細胞 … 1045
Kussmaul 呼吸 … 115, 117, 711, 1765
Kussmaul 大呼吸 … 1368
Kussmaul 徴候 … 368

L

L858R … 732
LA … 1892
lactase non-persistence … 989
lactase persistence … 989
lactose intolerance … 989
lacunar infarction … 2109, 2110
LAD … 1347, 1975, 1976
Lambert-Eaton 筋無力症候群 … 2080, 2305
Lance-Adams 症候群 … 2241

Landsteiner の法則 … 171
Langerhans 細胞組織球症 … 846, 2003
Langhans 巨細胞 … 2185
Lanz 点 … 999
laparoscopic splenectomy：LS … 917
Laplace の法則 … 381, 758
large cell carcinoma … 836
large granular lymphocyte … 1867
large vessel vasculitis：LVV … 1264
Larrey 孔ヘルニア … 859
Larsen grade … 1226
Lasègue 徴候陽性 … 2287
late evening snack：LES … 1723
late onset hepatic failure：LOHF … 1046, 1072
late systolic murmur … 604
laterally spreading tumor：LST … 976
LCAT 欠損症 … 1809
LCDD … 1448
LCH … 846, 2003
LCModel … 2092
LE 現象 … 1250
Le Veen shunt … 1056
lead poisoning … 2220
Leber 遺伝性視神経萎縮症 … 2330
Leber 病 … 20, 2330
left anterior descending coronary artery：LAD … 511
left circumflex coronary artery：LCX … 511
left coronary artery：LCA … 511
left ventricular assist device：LVAD … 652
left ventricular non-compaction：LVNC … 422
left ventriculography … 470
Legionella pneumophila … 263
legionellosis … 262
Leigh 症候群 … 2329
Leigh 脳症 … 20, 2217
leiomyosarcoma … 909
Leishmania … 352
leishmaniasis … 352
Lelievre 法 … 1227
Lemmel 症候群 … 948, 1010
Lempert 法 … 2068
Lennox-Gastaut 症候群 … 2275
Leptospira … 308
L. icterohaemorrhagiae … 2191
leptospirosis … 308
Lesh-Nyhan 症候群 … 1845
lethal factor … 257
Lettere-Siwe 病 … 845
leucocidin … 214
leucopenia … 893
leukemia … 893, 1132, 2245
leukemic stem cell：LSC … 1903
leukemoid reaction … 1972
leukocytapheresis：LCAP … 159
leukocyte adhesion deficiency：LAD … 1347, 1976
leukocytosis … 1970
leukopenia … 1967
leukoplakia … 892
Lewy 小体 … 2139
Lewy 小体型認知症 … 2064, 2093, 2135
Lewy ニューライト … 2139

Leydig 細胞 … 1610
LGL … 1867
LGL(Lown-Ganong-Levine)症候群 … 493
LGMD … 2310
LGMD 2A … 2314
LGMD 2B … 2314
LH … 1528
Lhermitte 徴候 … 2206
Libman-Sacks 心内膜炎 … 1250, 2242
lichen planus … 892
Liddle 症候群 … 676, 1477
lifestyle-related disease … 2338
light and heavy chain deposition disease：LHCDD … 1448
light chain deposition disease：LCDD … 1448
Light の診断基準 … 848
limb pain … 131
limb shaking … 2114
limb shaking TIA (transient ischemic attack) … 2105
limb-girdle muscular dystrophy：LGMD … 2314
limbic encephalitis：LE … 2247
limb-kinetic apraxia … 2056
limited cutaneous SSc (systemic sclerosis)：lcSSc … 1255
LIP … 792
lipid peroxidation … 2374
lipidosis … 2211
lipooligosaccharide：LOS … 259
lipopolysaccharide：LPS … 214
lipoprotein lipase：LPL … 100, 1802
Lipscomb 法 … 1227
Lisch 結節 … 2254
lissencephaly … 2252
Listeria monocytogenes … 254
liver abscess … 1120
liver cyst … 1122
liver failure … 1046
liver glycogen phosphorylase：LGP … 1778
liver transplantation … 1048
local osteolytic hypercalcemia：LOH … 1608
locked-in 症候群 … 136, 207, 2053, 2060
Loeys-Dietz 症候群 … 648, 649
Löffler 症候群 … 756
LOHF … 1046, 1072
long tract sign … 2050
longitudinal ulcer … 960
LOS … 259
loss of appetite … 74
loss of heterozygosity … 2253
Louis-Bar 症候群 … 2255
low attenuation plaque：LAP … 530
low backache … 135
low density lipoprotein-receptor related protein 4：Lrp4 … 2303
lower urinary tract dysfunction … 130
lower urinary tract symptom：LUTS … 130, 1382
Lower-Shumway 法 … 653
Lowe 症候群 … 1479
LP(lymphocyte predominant)細胞

………………………………………	1993
LPL 欠損症 ………………………	1808
LPL ……………………………	100, 1802
LPS ………………………………	214
luftsichel sign …………………	804
Lugano(国際)分類 ……………	943, 984
lumbar spinal stenosis ………	2288
lumbo-peritoneal shunt：LP シャント	
………………………………………	2272
lung abscess ……………………	742
lung fluke ………………………	357
lung tumor ………………………	834
lung-liver border ………………	86
lupus anticoagulant：LA ……	1272
lupus nephritis …………………	1436
lupus pneumonitis ……………	776
Lutembacher 症候群 ……………	592
Lyme 関節炎 ……………………	1287
Lyme 病 ……………	308, 1287, 2192
lymph follicle …………………	88
lymphadenopathy ………………	88
lymphangioleiomyomatosis：LAM	846
lymphatic filariasis ……………	355
lymphatic stoma ………………	106
lymphocyte depletion CHL (classical Hodgkin lymphoma)：LDCHL	
………………………………………	1992
lymphocyte-rich CHL(classical Hodgkin lymphoma)：LRCHL	1992
lymphocytosis …………………	1972
lymphoepithelial lesion：LEL	847
lymphogranuloma venereum：LVG	
………………………………………	302
lymphoma ………………………	1584
lymphopenia ……………………	1969
lymphoplasmacytic lymphoma：LPL	
………………………………………	2009
lysis ………………………………	66

M

μ 鎖病 ……………………………	2015
M 型乳酸脱水素酵素欠損症 …	2332
M 蛋白 ……………………………	2008
M ピーク …………………………	2008
M モード法 ………………………	435
Machado-Joseph 病 ……	2158, 2162
Macklin 効果 ……………………	854
macroadenoma …………………	2262
macroangiopathy ………………	1757
macrophage-colony stimulating factor：M-CSF	400
magnetic resonance imaging：MRI	458
magnetoencephalogram ………	2084
magnicellular neuron …………	1524
Maillard 反応 ……………………	1758
main immunogenic region：MIR	2303
major histocompatibility complex：MHC	
………………………………………	217
major hydrophilic region ……	1058
major neurocognitive disorder	2061
major shunt ……………………	926
malabsorption …………………	985
malabsorption syndrome ……	985
malaria …………………………	345
Malassezia folliculitis …………	297
Malassezia globosa ……………	297
Malassezia infection ……………	297
maldigestion ……………………	985
malignancy-associated hypercalcemia：MAH	1608, 1677
malignant fibrous histiocytoma：MFH	
………………………………………	1018
malignant lymphoma	
…………………	893, 1132, 2245, 2265
malignant melanoma …………	893, 909
malignant nephrosclerosis ……	1467
malignant pleural effusion ……	850
malignant pleural mesothelioma	852
malignant rheumatoid arthritis：MRA	
……………………………	1231, 1236
Mallory-Weiss 症候群 ……	203, 206, 896
MALT リンパ腫 …	942, 973, 1584, 1997
mammalian target of rapamycin：mTOR	
………………………………	49, 1612
manganese poisoning …………	2223
Mantle cell lymphoma ………	1997
mantle zone ……………………	88
maple syrup urine disease：MSUD	
……………………………	1797, 2215
Marchiafava-Bignami 病 ………	2230
Marfan 症候群 …………	604, 644, 648, 1216, 1279, 1798, 2216
marginal zone …………………	86
Maroteaux-Lamy 病 ……………	1852
mastopathy ……………………	1697
matrix metalloproteinase：MMP	28, 401
maximum concentration ……	148
maximum intensity projection	1894
McArdle 病 …………	1778, 2332, 2334
McBurney 点 ……………………	999
McCune-Albright 症候群 ………	1574
MCTD ……………………………	776
MDC1A …………………………	2317
MDCT ……………………………	872
MDS ………………………………	1904
mean transit time：MTT ………	2088
measles …………………………	322
mechanical heart ………………	654
Meckel 憩室 ……………	952, 1010
Meckel シンチグラフィ ………	952
mediastinal disease ……………	853
mediastinal fibrosis ……………	855
mediastinal hematoma ………	856
mediastinal tumor ……………	856
mediastinitis …………………	854
mediastinum ……………………	853
medical injury …………………	30
medical malpractice …………	30
Mediterranean spotted fever …	306
medium vessel vasculitis：MVV	1264
medullary carcinoma …………	1582
medulloblastoma ………………	2264
Mees 線条 ………………………	2223
MEG ………………………………	2084
megakaryocyte/erythroid progenitor：MEP	1866
megaloblastic anemia ………	893, 1934
Meige 症候群 ……………………	2153
melanocyte-stimulating hormone：MSH	
………………………………………	1524
melanosis ………………………	892
MELAS …………………………	20, 2328
melioidosis ……………………	279
membrane inhibitor of reactive lysis：MIRL	1957
membranoproliferative glomerulonephritis：MPGN	1405, 1421
membranous nephropathy：MN	
……………………………	1405, 1419
Mendelian susceptibility to mycobacterial disease：MSMD	288, 1348
Mendel 遺伝病 …………………	14
Ménétrier 病 ……………………	1005
Ménière 病 ………………………	139
meningeal and vascular neurosyphilis	
………………………………………	2191
meningioma ……………………	2262
meningo myelocele ……………	2251
meningococcal infection ……	258
meniscus sign …………………	848
Menkes 病 ………………	1830, 2218
mercury poisoning ……………	2221
merlin(Schwannomin)遺伝子 …	2254
MERRF …………………………	20, 2328
MERS ……………………………	325
Merseburg 3 徴候 ………………	1577
mesangial interposition ………	1422
metabolic encephalopathy ……	208
metabolic polyneuropathy ……	2298
metabolic syndrome …………	1814
metabolism ……………………	1706
metachromatic leukodystrophy：MLD	
………………………………………	1842
metagonimiasis ………………	359
Metagonimus yokogawai ………	359
metallic sound …………………	201
metaplastic polyp ……………	977
metastatic liver tumor ………	1118
metastatic lung tumor ………	843
meteorism ………………………	93
methemoglobinemia …………	1953
methicillin-resistant coagulase-negative staphylococci	243
methicillin-resistant *Staphylococcus aureus*：MRSA	243
methylpyridoxine：MPN ………	2372
MGUS ……………………………	2246
μ-HCD ……………………………	2015
MIBI (meta-iodobenzylguanidine)シンチグラフィ	1585
micorobubble …………………	1146
microadenoma …………………	2262
microangiopathic hemolytic anemia：MHA	2028
microangiopathy ………………	1757
microcolon ……………………	952
microRNA ………………………	1900
microscopic colitis：MC ……	1028
microscopic polyangiitis：MPA	
……………………………	779, 1268
microscopic polyangitis ………	1408
microsomal triglyceride transfer protein：MTP	1802
microvascular angina …………	515
Middle East respiratory syndrome：MERS	325
midventricular obstruction …	622

migraine ······································ 2278
Mikulicz 病 ····················· 894, 1186, 1443
mild cognitive impairment：MCI
　······································· 2061, 2127
mild neurocognitive disorder ········ 2061
mild PHG (potal hypertensive gastropathy) ··································· 925
milk intolerance ······························ 989
Millard-Gubler 症候群 ········· 2053, 2260
Miller-Dieker 症候群 ···················· 2253
Miller-Jones 分類 ···························· 123
mineralocorticoid ························ 1611
mineralocorticoid receptor：MR ··· 1611
minimal change disease ·············· 1413
minimal change nephrotic syndrome：MCNS ···································· 1404
minimal F-latency ························ 2079
minimum inhibitory concentration: MIC
　··· 220
minor glomerular abnormality 1404
Minor 法 ······································· 2099
MIP ·· 1894
Mirizzi 症候群 ······················· 72, 1162
miRNA ··· 1900
misery perfusion ························· 2115
mitochondrial cardiomyopathy ···· 633
mitochondrial disease ················· 2327
mitochondrial myopathy, encephalopathy, lactic acidosis, and stroke-like episodes：MELAS ············· 20, 2328
MitraClip ······································· 603
mitral apparatus ···························· 597
mitral complex ······························ 592
mitral face ···································· 593
mitral opening snap ······················ 593
mitral regurgitation：MR ············· 597
mitral stenosis：MS ······················ 592
mitral valve prolapse：MVP ········· 603
mixed cellularity CHL (classical Hodgkin lymphoma)：MCCHL ········ 1992
mixed connective tissue disease：MCTD
　······································· 1262, 2243
MLF (medial longitudinal fasciculus) 症候群 ······································ 2053
MLPA 法 ······································· 2313
MMP ·· 28
mobile erythema ··························· 356
modified BT (Blalock-Taussig) shunt 573
modified Simpson 法 ····················· 439
molar tooth sign ························· 2250
Mollaret 髄膜炎 ···························· 2171
Mollaret 脳炎 ······························· 2172
Möller-Barlow 病 ·························· 1829
molluscum contagiosum ·············· 319
monoclonal gammopathy of undetermined significance：MGUS
　······································· 2008, 2246
monoclonal immunoglobulin ······ 2008
monoclonal immunoglobulin deposition disease：MIDD ··················· 1448
monocyte chemoattractant protein：MCP-1 ······································ 400
monocytosis ································ 1972
mononeuropathy ················ 1762, 2301
mononucleosis ······························ 314
Monospot test ······························ 313

Moraxella catarrhalis ············· 228, 264
Morgagni 孔ヘルニア ····················· 859
morning benefit ·························· 2153
Morquio 病 ··································· 1852
Morvan 症候群 ····························· 2334
motion sickness ·························· 2365
motor NCS (nerve conduction study)
　··· 2079
motor nerve conduction velocity：MCV
　··· 2079
motor neuron disease：MND ······· 2164
motor unit：MU ·························· 2077
motor unit potential：MUP ········· 2077
mounding 現象 ····························· 2323
MPA ····································· 779, 1408
MPGN ································· 1405, 1421
MPO ··· 1219
MPR ··· 880
MR ··· 597
MR 血管造影 ······················· 881, 1378
MR 尿路造影：MRU ···················· 1503
MR cholangiopancreatography：MRCP
　····································· 872, 1145
MR hydrography ··························· 881
MR myelography ························ 2094
MR-CNS ··· 243
MRCP ··· 1145
MRC 息切れスケール ····················· 709
mRF ··· 1218
MRI ······························· 461, 719, 880
MRSA ·· 243
mtDNA 欠乏症候群 ······················ 2327
mTOR ·· 1612
mucinous cystic neoplasm：MCN
　··· 1191
mucocele ····································· 1000
mucocutaneous leishmaniasis (MCL) 352
mucoepidermoid carcinoma ········· 837
mucoid impaction ························· 813
mucopolysaccharidosis：MPS
　······································· 1850, 2213
mucormycosis ······················ 293, 2193
mucosa-associated lymphoid tissue：MALT ······································ 941
mucosa-associated lymphoid tissue (MALT) lymphoma ······ 847, 973
mucosal tag ·································· 978
muddy brown cast ······················ 1484
Müller 管形成不全症 ··················· 1667
multicolor spectral karyotyping 1888
multi-detector computed tomography：MDCT ························· 458, 2086
multidisciplinary discussion：MDD
　·· 788
multidrug resistance associated protein (MRP) 2 ························· 1044
multifocal motor neuropathy：MMN
　······································· 2166, 2294
multiplanar reconstruction ············ 880
multiple chemical sensitivity：MCS
　··· 2362
multiple endocrine neoplasia：MEN
　······························· 1584, 1668, 1772
multiple myeloma：MM ····· 1132, 2010
multiple sclerosis：MS ················ 2204
multiple sleep latency test：MSLT

　··· 2282
multiple system atrophy：MSA ···· 2154
multiple-drug-resistant Pseudomonas aeruginosa：MDRP ······················· 276
multipotent progenitor：MPP ······ 1865
multipotentiality ························· 1863
multi-voxel 法 ······························ 2092
mumps ··· 324
Murphy 徴候 ······················ 1033, 1152
muscle cramp ······························ 2333
muscle glycogen phosphorylase：MGP
　··· 1778
muscle-specific receptor tyrosine kinase：MuSK ································· 2303
muscular defense ·························· 201
mushroom poisoning ·················· 2228
musician's cramp ············· 2153, 2154
myasthenia gravis：MG ············· 2303
Mycobacterium ······························ 285
M. avium ······································· 288
M. leprae ······································· 289
M. tuberculosis ······················ 285, 746
Mycoplasma genitalium ·················· 238
M. pneumoniae ······························ 299
mycoplasmal infection ·················· 299
mycoses by dematiaceous fungi 297
mycosis fungoides：MF ·············· 2001
myelin ovoid ······························· 2094
myelodysplastic syndrome：MDS
　······························· 1904, 1938, 1943
myeloma kidney ·························· 1447
myeloma-defining events：MDE ·· 2012
myeloperoxidase：MPO ·············· 1988
myeloperoxidase (MPO)-ANCA 関連腎炎
　··· 1405
myeloproliferative neoplasm：MPN
　··· 2041
Myocardial Blush Score ················· 477
myocardial hibernation ················· 515
myocardial infarction ···················· 515
myocardial squeezing ··················· 624
myocardial stunning ····················· 515
myocarditis ··································· 634
myoclonus epilepsy associated with ragged-red fibers：MERRF ····· 2328
myoedema ····································· 329
myoglobinuria ····························· 2335
myokimic potential ······················ 2077
myokine ·· 185
myonephropathic metabolic syndrome：MNMS ······································ 660
myopathy ···································· 2308
myosin light chain：MLC ············ 539
myotonia ····································· 2318
myotonia congenita ···················· 2321
myotonic discharge ···· 2077, 2318, 2331
myotonic dystrophy：DM ··· 633, 2318
myxomatous degeneration ··········· 598

N

Na 喪失 ··· 128
Na$^+$/I$^-$ 共輸送体 ····························· 1571
Naegleria fowleri ·························· 2196
narcolepsy ·································· 2283
narcoleptic malignant syndrome ······· 67

narrative based medicine	5	
nasal continuous positive airway pressure (CPAP)療法	179	
nasal CPAP	833	
"natural" antibody	171	
natural killer (NK) 細胞	216, 1206, 1867	
nausea	72	
NBM	5	
NCPAP	833	
nCR	1926	
near complete response	1926	
NEC	1200	
necrotizing lymphadenitis	2005	
needle electromyography	2077	
neglected tropical diseases	241	
Negri 小体	328, 2179	
Neisseria gonorrhoeae	238	
N. meningitidis	258	
Nelson 症候群	1545	
neonatal hepatitis	1140	
neonatal jaundice	1138	
nephritis-associated plasmin receptor：NAPlr	1406	
nephrogenic systemic fibrosis：NSF	1378	
nephroptosis	1512	
nephrotic syndrome	1404, 1426	
nerve conduction study：NCS	2078	
nested PCR(polymerase chain reaction)	1889	
NET	946, 1672	
neural mismatch theory	2365	
neuralgic amyotrophy	2301	
neurally mediated syncope	2065	
neuraminidase	246	
neurinoma	2263	
neuroacanthocytosis	2149	
neuroAIDS	2173	
neuroblastoma	1660	
neurocutaneous syndrome	2253	
neurocysticercosis	361	
neuroendocrine carcinoma：NEC	1200	
neuroendocrine tumor：NET	946, 1672	
neurofibrillary tangle：NFT	2142	
neurofibromatosis	2253	
neurogenesis	2108	
neurogenic bladder	1506	
neurogenic pulmonary edema	821	
neurolymphomatosis	2245	
neuromyelitis optica：NMO	2209	
neuronal cytoplasmic inclusion：NCI	2155	
neuropathy-target esterase	2374	
neuropsychiatric SLE (systemic lupus erythematosus)	2242	
neurosyphilis	2190	
neurotoxin	230	
neutropenia	1967	
neutrophil elastase：NE	1974	
neutrophilia	1970	
NF1 遺伝子	2253	
NF-κB	1612	
NFT	2142	
NHCAP	737	
n-hexane poisoning	2223	
niacin deficiency	1828	
NICCD	1798	
nidus	2122	
Niemann-Pick 病 A 型	1840	
Niemann-Pick 病 B 型	1841	
Niemann-Pick 病 C 型	1841, 2212	
Nikolsky 現象	892	
NINDS-SPSP 臨床診断基準	2143	
NKT 細胞	217	
NK 細胞	216, 1867	
NOAC	487	
Nocardia asteroides	255	
nocardiosis	254	
nodular lymphocyte predominant HL：NLPHL	1992	
nodular sclerosis CHL (classical Hodgkin lymphoma)：NSCHL	1992	
Nohria-Stevenson 分類	193, 411, 545	
non-*albicans Candida*	289	
non-alcoholic fatty liver disease：NAFLD	1087	
non-alcoholic steatohepatitis：NASH	1087	
nonbacterial thrombogenic endocarditis：NBTE	611	
non-cardiogenic pulmonary edema	820	
nonclassic prolapse	604	
nondystrophic myotonia	2310	
non-erosive reflux disease：NERD	77, 898	
non-exercise activity thermogenesis：NEAT	186	
nonfunctioning pituitary adenoma	1554	
non-Hodgkin lymphoma: NHL	1994	
nonhomologous end joining	181	
noninvasive positive pressure ventilation：NPPV	198, 831, 867	
non-islet cell tumor hypoglycemia	1770	
non-ketotic hyperosmolar coma	1766	
non-occlusive mesenteric ischemia：NOMI	1001	
non-pitting edema	90	
non-radiographic axSpA	1242	
non-secretory myeloma	2013	
non-small cell lung cancer：NSCLC	836	
nonspecific esophageal motility disorder：NEMD	911	
nonspecific interstitial pneumonia：NSIP	783, 787, 1237	
nonspecific intestinal ulcer	957	
nonsporulating anaerobic infection	283	
non-ST elevation myocardial infarction：NSTEMI	533	
non-steroid anti-inflammatory drugs：NSAIDs	155, 1235	
nonsyndromic MVP (mitral valve prolapse)	603	
nonthyroidal illness syndrome	61	
nontuberculous mycobacteriosis：NTM	287, 751	
normocomplementemic urticarial vasculitis：NUV	1271	
normotensive renal crisis	1440	
Norwood 手術	581	
NOTCH1 遺伝子	1989	
NPPV	179, 198, 831, 867	
NQMI	532	
NREM 睡眠	118	
NSAIDs	701	
NSAIDs 潰瘍	930	
NSTEMI	529, 533	
nuclear factor-κB	1612	
nueroendocrine tumor：NET	1200	
nutcracker esophagus：NE	911	
nutmeg liver	1130	
nutrition	1706	

O

ω-5 グリアジン特異的 IgE 抗体価	1329
O-グリケーション	1744
OABSS	1382
OATP	145
OB	2073
obesity	99
obesity paradox	413
obesity-hypoventilation syndrome：OHS	831
objective data assessment：ODA	1704
oblique amyotrophy	2289
obscure gastro-intestinal bleeding：OGIB	1011
obstructive atelectasis	802
obstructive pneumonitis	802
obstructive shock	415
obstructive sleep apnea：OSA	116
obstructive uropathy	1502
OCB	2073
occlusive mesenteric ischemia	1001
occupational allergy	1331
ocular bobbing	2060
ocular dystonia	2153
ocular myectomy	2153
ocular myositis	2201
oculocerebrorenal syndrome	1479
oculomotor nerve	2046
oculomotor paralysis	2301
oculopharyngeal muscular dystrophy：OPMD	2316
Ogilvie 症候群	997
O-GlcNAc	1744
okadaic acid	2370
old myocardial infarction	547
olfactory nerve	2045
oligoclonal band：OB	2073, 2207
oligodendrocyte	2290
oligosaccharidosis	2213
oliguria	126
olivopontocerebellar atrophy：OPCA	2154
Omenn 症候群	1344
OMI	547
onchocerciasis	355
oncogene	27
oncogene addiction	732
onconephrology	1456
ongoing fluid loss	162
onion bulb	2094
onion skin lesion	1467

onion-skin fibrosis 1098
opening snap 368
Opisthorchis felineus 358
O. viverrini 358
Oppenheim ジストニア 2152
opsoclonus-myoclonus syndrome 2200
optic nerve 2045
optical coherence tomography：OCT 469
oral allergy syndrome：OAS 1309, 1328
oral appliance：OA 833
oral candidiasis 290, 893
oral rehydration therapy：ORT 163
organic anion transporting polypeptide C：OATP C 1044
organic anion transporting polypeptides 145
organic cation transporter 1458
organic solvent poisoning 2370
organochlorine poisoning 2227
organophosphate poisoning 2226
Orientia tsutsugamushi 303
Oroya 熱 283
orthopnea 119
orthostatic hypotension 702
OS 368
Osler 結節 233
Osler 病 1023, 2032
osmoregulation 1557
ossification of spinal ligaments 2287
osteogenesis imperfecta 1279
osteomalacia 1836
osteoporosis 1831
osteoprotegerin 1613
OT 1557, 1560
OT 受容体 1560
ovarian cancer 1699
Overactive Bladder Symptom Score 1382
overactive bladder：OAB 130, 1507
overdrive suppression test 502
overfill 仮説 1429
overflow phenomenon 2154
overflow 説 95
oxyphilic cell variant 1582

P

p22cr 抗原 1076
P450 オキシドレダクターゼ欠損症 1645
p53 181, 732
PA 1878, 1892
PA インヒビター I 1878
pacemaker 506
PAI-I 1878
painful tonic spasm 2151
painless or silent thyroiditis 1589
palatal myoclonus 2054
Palla サイン 822
pallor 658
palmar erythema 95
palpitation 119
palytoxin 2370
Panaeolus papilionaceus 2371
pancreas divisum 1176
pancreatic cancer 1193
pancreatic neuroendocrine tumor 1772
pancreaticobiliary maljunction 1164
pancreaticoduodenectomy：PD 1195
pancreatolithiasis 1180
PANDAS 2199
panic disorder 62
pantothenate kinase-associated neurodegeneration：PKAN 2149, 2152
"paper bag" 仮説 810
paper money skin 94
papillary carcinoma 1582
paraaortic splanchnopleural mesoderm：P-Sp 1862
Paracoccidioides brasiliensis 298
paracoccidioidomycosis 298
paracrine system 1515
paradoxical embolism 829
paradoxical myotonia 2321
paragonimiasis 357, 2197
Paragonimus miyazakii 357
P. westermani 357
paralysis 658
paralytic shellfish poison 2370
paramyotonia congenital：PMC 2321
paraneoplastic cerebellar degeneration：PCD 2248, 2305
paraneoplastic glomerulopathy 1457
paraneoplastic neuropathy 2249
paraneoplastic syndrome 837
parapneumonic effusion 848
parasitic liver cirrhosis 1094
parasternal hernia 859
parasternal impulse 593
parathyroid hormone：PTH 1365, 1591
parathyroid hormone-related protein：PTHrP 1608
paratyphoid fever 267
parenteral nutrition 1719
paretic neurosyphilis 2191
Parinaud 症候群 2054
Parinaud 徴候 2260, 2264
Parkinson・認知症複合 2064
Parkinson 症候 2055
Parkinson 病 2139, 2143
Parkinson 病認知症 2064
paroxysmal cold hemoglobinuria：PCH 1955
paroxysmal nocturnal hemoglobinuria：PNH 1791, 1937, 1956
paroxysmal supraventricular tachycardia：PSVT 489
partial anomalous plumonary venous drainage 581
partial response：PR 1895
parvicellular neuron 1524
passive external rewarming 2352
PAS 染色 1883
patent ductus arteriosus：PDA 568
pathogen-associated molecular pattern：PAMP 339
Patterson-Kelly 症候群 910
pauci-immune 1269
Paul-Bunnell 反応 313
PAX5 遺伝子異常 1988

PCR 12, 1888
PDE Ⅲ阻害薬 195
pearl and string sign 2113
Pearson 病 20
pectenotoxin 2370
pectus carinatum 862
pectus excavatum 861
pediatric autoimmune neuropsychiatric disorder associated with streptococcal infection 2199
pediculosis 364
PEEP 178
Pel-Epstein 熱 1993
pellagra 2235
pelvic inflammatory syndrome：PID 302
pemphiligus vulgaris 892
pencil in cup 変形 1241
Pendred 症候群 1566
penicillin binding protein：PBP 244
Penicillium marneffei 299
penile cancer 1511
PEP 1149
peptic ulcer 927
peptide histidine methionine：PHM 887
perchlorate discharge test 1572
percussion myotonia 2320
percutaneous cardiopulmonary support：PCPS 654
percutaneous coronary intervention：PCI 526
percutaneous endoscopic gastrostomy：PEG 891, 1722
percutaneous nephrolithotripsy：PNL 1401, 1508
percutaneous transhepatic biliary drainage：PTBD 891, 1199
percutaneous transhepatic choangiography：PTC 1121
percutaneous transhepatic cholangioscopy：PTCS 891
percutaneous transluminal angioplasty：PTA 1379
percutaneous transluminal mitral commisurotomy：PTMC 597
performance status：PS 1925
perianal abscess 1003
periarteriolar lymphoid sheath：PALS 86
pericostal tuberculosis 745
pericyte 2290
perineurial cell 2290
perineurium 2290
periodic lateralized epileptiform discharge：PLED 208, 2076
periodic paralysis 2324
periodic somnolence 2282
periostin 733
peripheral arterial disease：PAD 657
peripheral arterial vasodilation hypothesis 95
peripheral spondyloarthritis：pSpA 1240
peripheral T-cell lymphoma：PTCL 1997

periratal brain damage	2257	
peritoneal dialysis：PD	1393	
peritoneal disease	1013	
peritoneal serous papillary carcinoma	1016	
peritoneal tumor	1016	
peritonitis	1013	
peritonitis carcinomatosa	1014	
peritubular capillary：PTC	1483	
perivascular fibrosis	402	
periventricular hyperintensity：PVH	687	
permanent form of junctional reciprocating tachycardia：PJRT	493	
permissive hypercapnia	178	
per-oral endoscopic myotomy：POEM	912	
persistent hematuria	1404	
persistent vegetative state	2061	
pertussis	262	
Peru 疣症	283	
PET	720, 881, 1893	
pet allergy	1333	
PET/CT	881	
Peutz-Jeghers 症候群	974, 975, 1008	
Peutz-Jeghers ポリープ	977	
PH	588	
PHA	1479	
phaeohyphomycosis	297	
phakomatosis	2253	
phalloidin	2371	
pharmacodynamics：PD	144	
pharmacogenetics：PGt	144	
pharmacogenomics：PGx	144	
pharmacokinetics：PK	144, 148	
phase shift image	2091	
phenylketonuria：PKU	1795, 2214	
pheochromocytoma	700	
PHG	925	
Philadelphia 転座	1904	
PHLDA3 遺伝子異常	1200	
phosophoenolpyruvate carboxykinase：PEPCK	1728	
phosphorylated limit dextrin：PLD	1777	
photodynamic therapy：PDT	724	
phrenic nerve pacing	860	
phrenic nerve stimulation test	860	
phycho-oncology	63	
PI	1892	
PIC	2026	
pica	1932	
Pick 球	2138	
Pick 小体	2138	
Pickwick 症候群	830	
PIGA 遺伝子	1957	
pigeon chest	862	
pigmentation	68	
pigmented nevus	892	
PIH	1136, 1494	
pinpoint pupil	2059, 2120	
pinworm infection	355	
Pisa 症候群	2141	
pit pattern	978	
pitting edema	90	
pituitary adenoma	2262	
pituitary adenylate cyclase activating peptide：PACAP	887	
pituitary apoplexy	2262	
PJS	1008	
PK	148	
PK 欠損症	1950	
PKC 活性化	1758	
PLA2R	1419	
plantar erythema	95	
plaque erosion	529	
plaque rupture	529, 2111	
plasma	1787	
plasma adsorption	159	
plasma cell leukemia：PCL	2013	
plasma exchange：PE	159	
plasma refilling	1486	
plasmapheresis	2010	
plasmin-α_2 plasmin inhibitor complex	2026	
Plasmodium	345	
P. falciparum	240, 2196	
plastic stent：PS	1199	
platelet concentrate：PC	169	
platelet-derived growth factor：PDGF	103, 401	
pleiotropic effect	548	
pleural effusion	106	
pleural friction rub	713	
pleurisy	745	
pleuritis	745	
Pleurocybella porrigens	2371	
plexopathy	2300	
Plummer-Vinson 症候群	910, 1932	
Plummer 病	1573, 1576, 1579, 1582	
PM	2321	
PM/DM	775	
PN	1019	
pneumatocele	810	
pneumoconiosis	796	
Pneumocystis jirovecii	295	
P. jirovecii pneumonia：PCP	753	
pneumocystis pneumonia	295	
pneumolysin	246	
pneumomediastinum	853	
pneumonia	737	
pneumoniae infection	300	
pneumothorax	851	
POEMS 症候群	2015, 2246	
point resolved spectroscopy sequence：PRESS	2091	
Poiseuille の式	2102	
poisoning	2369, 2378	
polio	2179	
pollinosis	1316	
polyarteritis nodosa	1020, 1268, 2244	
polycythemia vera：PV	1963, 2041, 2245	
polyglandular autoimmune disease	1588	
polymerase chain reaction：PCR	1888	
polymicrogyria	2252, 2317	
polymyalgia rheumatica：PMR	1243, 2125, 2243	
polymyositis：PM	1258	
polymyositis/dermatomyositis：PM/DM	2311	
polyneuropathy	1762	
polyphasic MUP	2078	
polysplenia syndrome	584	
polyuria	127	
Pompe 病	1419, 1776, 2331	
poor recruitment pattern	2078	
poorly differentiated carcinoma	1582	
porencephaly	2253	
pork tapeworm	360	
porphyria	1815, 2220	
portal hypertensive gastropathy	925	
portal vein obstruction	1127	
positive end-expiratory pressure	178	
positive sharp wave	2077, 2313	
positron emission tomography	1893	
post antibiotic effect：PAE	149	
post transfusion-graft versus host disease：PT-GVHD	175	
posttraumatic stress disorder：PTSD	63, 2361	
post-absorptive phase	1706	
post-cardiac injury syndrome	549	
posterior reversible encephalopathy syndrome：PRES	2220	
posteriorcirculation	2100	
post-essential thrombocythaemia myelofibrosis (ET MF)	2022	
postgastrectomy syndrome	949	
postherpetic neuralgia：PHN	2180	
posthyperventilation apnea	117	
postictal confusional state	209	
postmenopausal osteoporosis	1832	
postpartum thyroiditis	1589	
post-polio muscular atrophy	2179	
postprandial distress syndrome：PDS	923	
postprandial hypotension	704	
post-tetanic potentiation	2306	
posttransplant lymphoproliferative disorder：PTLD	653, 1399	
postural (orthostatic) tachycardia syndrome：POTS	703	
potassium competitive acid blocker：PCAB	901	
pouch defect	823	
PPIC	1880, 1892	
Prader-Willi 症候群	1531, 2250	
precocious puberty	1532	
preemptive kidney transplantation	1395	
preexisting diabetes	1740	
pregnane	1614	
pregnenolone	1614	
preload	376	
premature atrial contraction：PAC	485	
premature ventricular contraction	493	
preproliferative diabetic retinopathy：PPDR	1759	
prerenal azotemia	1481	
presepsin	733	
pressure rate product	512	
pressure-flow study	1382	
presystolic murmur	593	
primary aldosteronism：PA	698, 1633	
primary alveolar hypoventilation syndrome：PAHS	830	

primary amoebic meningoencephalitis：PAM ... 2196
primary biliary cholangitis：PBC ... 1095
primary biliary cirrhosis：PBC ... 1095
primary ciliary dyskinesia：PCD ... 814
primary CNS (central nervous system) lymphoma：PCNSL ... 2245
primary effusion lymphoma ... 850
primary glomerular disease ... 1403
primary hyperparathyroidism：pHPT ... 701, 1599
primary hypersomnia ... 2282
primary immunodeficiency syndrome ... 1341
primary lateral sclerosis：PLS ... 2167
primary lung tumor ... 834
primary macroglobulinemia ... 2009
primary MVP (mitral valve prolapse) 603
primary myelofibrosis：PMF ... 1981
primary sclerosing cholangitis：PSC ... 1097, 1161
primary sensory neuron ... 2289
principal cell ... 1479
Pringle 病 ... 2254
prion disease ... 2180
PRL ... 1526
PRL 単独欠損症 ... 1537
probable AS (ankylosing spondylitis) ... 1242
probable CAA (cerebral amyloid angiopathy) ... 2121
procalcitonin：PCT ... 733
productive cough ... 122
progesterone ... 1614
progesterone receptor：PR ... 1611
progressive familial intrahepatic cholestasis：PFIC ... 1045
progressive massive fibrosis：PMF .. 796
progressive multifocal leukoencephalopathy：PML ... 2177
progressive supranuclear palsy：PSP ... 2142
proliferative diabetic retinopathy：PDR ... 1759
proliferative glomerulonephritis with monoclonal IgG deposits：PGNMID ... 1449
PROMM ... 2320
proplatelet ... 1866
proportional pulse pressure ... 192
prosoagnosia ... 2056
prostacyclin I_2：PGI_2 ... 385
prostate specific antigen：PSA ... 1382
prostatic carcinoma ... 1511
protective antigen ... 257
protein-digestibility-corrected amino acid score：PDCAAS ... 1783
protein-losing gastroenteropathy ... 1005
proteinuria ... 1354
proteome ... 1788
proteomics ... 1788
proton pump inhibitor：PPI ... 903
proximal myotonic dystrophy ... 2320
pseudodementia ... 2064
pseudodystonia ... 2151
pseudohypoaldosteronism ... 1479

pseudohypoparathyroidism：PHP .. 1606
Pseudomonas aeruginosa ... 276, 278
pseudomyxoma peritonei ... 1000, 1017
pseudo-obstruction ... 997
pseudopolyp ... 977
Pseudoterranova decipiens ... 356
pseudo-ventricular tachycardia ... 491
psilocin ... 2371
Psilocybe cubensis ... 2371
P. venenata ... 2371
psilocybin ... 2371
psittacosis ... 300
psoriatic arthritis：PsA ... 1239
PSP-パーキンソニズム ... 2143
psychogenic non-epileptic seizure：PNES ... 138
psychogenic rheumatism ... 1283
psychogenic unresponsiveness ... 207, 2060
psychophysiologic disorders ... 58
psychophysiological insomnia ... 2282
psychosomatic disorders ... 58
PT ... 1891
PTSD ... 63, 2361
public access defibrillation：PAD ... 189
pulmonary alveolar microlithiasis：PAM ... 799
pulmonary alveolar proteinosis：PAP ... 797
pulmonary arterial hypertension：PAH ... 823, 824, 1256
pulmonary arteriovenous malformation：AVM ... 828
pulmonary cryptococcosis ... 754
pulmonary edema ... 820
pulmonary encephalopathy ... 2241
pulmonary heart disease ... 663
pulmonary hypertension：PH ... 824
pulmonary Langerhans cell histiocytosis：PLCH ... 845
pulmonary mucormycosis ... 754
pulmonary mycosis ... 753
pulmonary parasitosis ... 755
pulmonary regurgitation：PR ... 609
pulmonary stenosis：PS ... 572, 609
pulmonary thromboembolism ... 661, 822
pulmonary tuberculosis ... 746
pulmonary tumor ... 834
pulselessness ... 658
punding ... 2141
pure akinesia ... 2143
pure red cell aplasia ... 1941
purified protein derivative of tuberculin ... 750
purpura senilis ... 2031
purpura simplex ... 2031
PVN ... 1557
pyelonephritis ... 1504
pyknotic nuclear clamp ... 2319
pylorus-ring preserved pancreaticoduodenectomy：PpPD ... 1195
pylorus-ring resecting pancreaticoduodenectomy：PrPD ... 1195
pyoderma ... 235
pyogenic liver abscess ... 1120
pyothorax ... 745, 849

pyothorax-associated lymphoma ... 849
pyrosis ... 76

Q

Q 熱 ... 305
Q 波梗塞 ... 532
QEESI ... 2363
QMI ... 532
QRS ... 429
QT 短縮症候群 ... 427
quality of life：QOL ... 2338
QUEST ... 899
Quick Environmental Exposure Sensitivity Inventory ... 2363

R

R on T 型心室期外収縮 ... 495
RA ... 775, 1019
RAAS ... 1055
rabies ... 328, 2178
raccoon eye ... 2267
radial migration line ... 2254
radiation enteritis ... 957
radiation injury ... 36, 2355
radiation pneumonitis ... 793
radiation pulmonary fibrosis ... 793
radiation therapy ... 180
radioactive iodine uptake：RAIU ... 1571
radiofrequency ablation：RFA ... 1111
radioimmunoassay：RIA ... 1521
radioisotope examination ... 452
radiotherapy ... 180
Ramsay-Hunt 症候群 ... 311, 2180, 2302
Ramstedt 手術 ... 918
randomized controlled trial ... 3
RANKL ... 1613
Ranvier 絞輪 ... 2095
Rapapport-Luebering 経路 ... 1868
rapid and shallow breathing ... 118
rapid plasma reagin：RPR ... 307
rapid turnover protein：RTP ... 1704, 1792
rapidly progressive glomerulonephritis：RPGN ... 1404, 1408
RARS ... 1944
Rasmussen 症候群 ... 210
Rasmussen 動脈瘤 ... 748
Rastelli 手術 ... 579
Rathke 嚢 ... 2263
Raynaud 現象 (症状) ... 104, 1256, 1262
RBD ... 2141, 2155, 2284
RB-ILD ... 791, 792
RCT ... 3
reactive airway disease：RAD ... 340
reactive arthritis：ReA ... 1239
reactive oxygen species：ROS ... 400
real-time PCR (polymerase chain reaction) ... 1889
receptor activator of nuclear factor kappa-B ligand ... 1613
receptor for AGEs (advanced glycation endproducts)：RAGE ... 1758
recombinant tissue plasminogen activator ... 2117

recruitment	819	
recurrent hematuria	1404	
recurrent hypersomnia	2282	
red cell concentrate：RCC	168	
red cell fragment	1958	
red cell fragmentation syndrome：RCFS		
	1958	
red flag	135	
re-emergent tremor	2140	
reexpansion pulmonary edema	821	
refeeding syndrome	61	
reference sequence	730	
referred pain	200	
reflex	2048	
reflux esophagitis：RE	77	
regional cerebral blood flow：rCBF		
	2088	
regional cerebral blood volume：rCBV		
	2088	
rehabilitation	183, 1228	
reimplantation	608	
Reiter 症候群	1241	
relapsing fever	308	
relapsing polychondritis	1277	
relative erythrocytosis	1963	
relaxation atelectasis	802	
remitting seronegative symmetrical synovitis with pitting edema	1243	
remodeling	608	
REM 睡眠	118	
REM 睡眠行動異常症	2141, 2155, 2284	
renal abscess	1505	
renal amyloidosis	1445	
renal anemia	1357	
renal artery aneurysm	1467	
renal biopsy	1380	
renal cell carcinoma	1509	
renal cortical necrosis	1468	
renal infarction	1468	
renal limited vasculitis	1408	
Renal Optimization Strategies Evaluation in Acute Heart Failure 試験	195	
renal papillary necrosis	1505	
renal parenchymal hypertension	697	
renal pelvic tumor	1509	
renal stone	1507	
renal transplantation	1395	
renal tubular acidosis：RTA	1478, 1791	
renal tumor	1508	
renal vein thrombosis	1470	
Rendu-Osler-Weber 病	203, 828	
renin-angiotensin-aldosterone system		
	1055	
renovascular hypertension	697, 1467	
replacement fibrosis	402	
resorption atelectasis	802	
respiratory bronchiolitis-associated interstitial lung disease	791	
respiratory care	176	
restless legs syndrome	1370, 2242	
restrictive cardiomyopathy：RCM		
	422, 624	
resynaptogenesis	2108	
RET 遺伝子	1574	
reticular activation system：RAS	136	
retinol binding protein：RBP	1791	

retrograde pyelography：RP	1385	
retroperitoneal tumor	1018	
retrosternal hernia	859	
retrovirus infection	2173	
return of spontaneous circulation：ROSC		
	191	
reversed halo sign	293	
reversible cerebral vasoconstriction syndrome	2113	
reversible posterior leukoencephalopathy syndrome：RPLS	2232	
Revised IPSS (International Prognostic Scoring)	1946	
rewarming shock	2352	
Reye 症候群	2217	
Reynolds 5 徴	1150, 1155	
RF	1218, 1237	
Rh 血液型	172	
Rh 血液型抗原	1956	
rheumatic diseases	1213	
rheumatic valvular disease	591	
rheumatoid arthritis：RA		
	1020, 1131, 1225, 1231, 1438, 2243	
rheumatoid vasculitis	1237	
Rhinovirus-induced asthma	341	
rhonchi	813	
Richardson 症候群	2143	
rickets	1836	
Rickettsia conorii	304	
R. japonica	304	
R. prowazekii	304	
R. rickettsii	306	
R. typhi	306	
rickettsiosis	303	
right coronary artery：RCA	511	
rigid spine syndrome	2316	
Riley-Day 症候群	2297	
ring form	346	
ring sideroblast	1883	
Rippling muscle 病	2334	
Ritter 病	244	
Rivero-Carvallo 徴候	368, 608, 664, 826	
RNA スプライシング	1900, 1904	
RNA 病	2319	
Rocky Mountain spotted fever	306, 2194	
Rokitansky 憩室	910, 1010	
Roland てんかん	2275	
Romaña 徴候	353	
Romano-Ward 症候群	423, 425	
Romberg 徴候	1936, 2048	
Rome IV 診断基準	993	
Rosai-Dorfman 病	2003	
ROSE 試験	195	
Rosenberg の診断基準	770	
Rosenstein 徴候	999	
Rotor 症候群	1045, 1106	
rouleau formation	2011	
round atelectasis	803	
rounded atelectasis	803	
roving eye movement	2060	
Rovsing 徴候	999, 1512	
RPF	1374	
RPGN	1252, 1408	

RS₃PE 症候群	1243	
RS ウイルス	736	
RS ウイルス感染症	339	
RTP	1705	
rt-PA	2117	
RT-PCR 法	326, 344	
Runbenstein の分類	500	
RUNX1	1866	
rupture	401	
Rutherford 分類	657	

S

sacral sparing	2051	
saddle anesthesia	2052	
SAH	2121	
Salmonella	267	
salmonellosis	267	
Sanderson polster	1585	
Sandhoff 病	1842	
Sanfilippo 症候群	1852, 2213	
Sanfilippo 病	1852	
SAPHO 症候群	1241	
sarcoid neuropathy	2095	
sarcoidosis	776	
sarcopenia	51	
sarcoplasmic mass	2319	
SARS	325	
SARS コロナウイルス：SARS-COV		
	325	
Sauve-Kapandji(SK)法	1226	
saxitoxin：STX	2370	
SBP	671	
scabies	363	
scalloping	1017	
scapula alata	2315	
scarlet fever	247	
scavenger receptor type B-I：SR-BI		
	1803	
Scheie 症候群	2213	
Scheie 病	1852	
Scheie 分類	688	
Schindler 病	1849	
schistocyte	1958	
Schistosoma	357	
S. haematobium	357	
S. japonicum	357	
S. mansoni	357	
schistosomiasis	357	
schistosomiasis japonica	1133	
Schistosomiasis japonicum	2197	
schizencephaly	2253	
Schnitzler 症候群	2009	
Schnitzler 転移	981, 1014	
Schwann 細胞	2290	
Schwann 細胞腫	2263	
schwanoma	2263	
Schwartz-Jampel 症候群	2334	
scimitar syndrome	581	
scintigraphy	452	
SCIT	1314	
scleroderma, systemic sclerosis：SSc		
	2243	
sclerosing encapsulating peritonitis：SEP		
	1015	
sclerosing hemangioma	845	

sclerosing mediastinitis 855
sclerosing pneumocytoma 845
scrub typhus 303
Seattle 基準 1923
secondary erythrocytosis 1965
secondary anemia 1959
secondary hyperparathyroidism : sHPT 1601
secondary hypertension 697
secondary (lower) motor neuron 2289
secondary MVP (mitral valve prolapse) 603
seconday aldosteronism 1639
Segawa disease 2152
segmental dystonia 2153
segmental progeroid syndrome 48
segmental symptom 2050
Seldinger 法 1379
selectivity index 1354, 1420
self-expandable metallic stent : SEMS 1199
self-renewal 1863
self-tolerance 1210
Sellers 分類 472, 473
senile systemic amyloidosis : SSA 627
sensory NCS (nerve conduction study) 2079
sensory nerve action potential : SNAP 2079
sensory nerve conduction velocity : SCV 2079
sensory trick 2153
sensory/autonomic polyneuropathy 1762
sentinel loop sign 1178
SEP 2082
sepsis 232
septic shock 233
seronegative MG (myasthenia gravis) 2303
serous cystic neoplasm : SCN 1192
SERPINA1 遺伝子 731
serrated adenoma 975
seruloplasmin 1791
serum 1787
serum sickness 1323
serum-ascites albumin gradient : SAAG 1056
sessile serrated adenoma/polyp 976
severe acute respiratory syndrome : SARS 325
severe combined immunodeficiency : SCID 1343, 1846
severe congenital neutropenia : SCN 1974
severe fever with thrombocytopenia syndrome : SFTS 338
severe PHG (portal hypertensive gastropathy) 925
severe pulmonary hemorrhage syndrome : SPHS 308
sexual precocity 1532
sexually transmitted infection : STI 238, 302
Sézary 症候群 2001
SF1 異常症 1665
SFTS ウイルス 338

Sheehan 症候群 1534
Shigella 268
shigellosis 268
shock 414
shock liver 1128, 1129
short bowel syndrome 884
short QT syndrome : SQTS 427
Shy-Drager 症候群 675, 2102, 2154
SIAD 1563
Sicca 症候群 1924
sick sinus syndrome 500
sideroblast 1883
sigh 119
sIgM 陽性ナイーブ B 細胞 1867
silent corticotroph adenoma 1545
silent myocardial ischemia : SMI 527
silicosis 796
silicotic nodule 796
simple diabetic retinopathy : SDR 1759
simple goiter 1582
simple pulmonary aspergilloma : SPA 292
simple renal cyst 1502
simple ulcer of the intestine : SU 957
simplified disease activity index : SDAI 1234
single cell abnormality : SCA 1888
single fiber electromyogram : SF-EMG 2078
single filtration plasmapheresis : SFPP 158
single nucleotide polymorphism 417
single organ vasculitis : SOV 1265
single ventricle 582
sinobronchial syndrome : SBS 813
sinosoidal obstructive syndrome : SOS 1130
sinus cycle length : SCL 502
sinus histiocytosis with massive lymphadenopathy 2003
sinus node recovery time : SNRT 502
sinusoidal obstruction syndrome : SOS 1923
SITSH 1580
6min walking distance : 6MWD 658
Sjögren 症候群 79, 504, 894, 1131, 1217, 1246, 1442, 1478, 1479, 2243
skin prick test 1329
skinperfusion pressure : SPP 658
skip lesion 960
Skoda 打診音 848
SKY 1887, 1888
SLE 592, 776, 1019, 1250
sleep apnea syndrome : SAS 101, 700, 831, 2283
sleep paralysis 2283
sleep-disordered breathing : SDB 833
SLIT 1314
slow virus infection 2177
slow-in and slow-out space 811
Sly 病 1852
small cell lung cancer : SCLC 835, 2305
small intestinal bacterial overgrowth :

SIBO 991, 1004
small intestinal tumor 973
small lymphocytic lymphoma : SLL 1991
small vessel vasculitis : SVV 1264
smallpox 318
smoking-related interstitial lung disease 791
SMON 2233
smouldering myeloma 2013
sniff test 860
snoring 116
SNP 417
SNRT 490
sodium glucose cotransporter 2 : SGLT2 1744, 1752
sodium-iodide symporter : NIS 1571
Sokolow-Lyon 電位基準 688
solanine 2372
solid pseudopapillary neoplasm : SPN 1192
solitary fibrous tumor of the pleura 852
soluble IL-2 receptor 1571
somatic mutation 731
somatic pain 199
somatosensory evoked potential 2082
somatostatin : SST 887
somnolence 136, 207, 2057
SON 1557
sonographic Murphy 徴候 1152
South American bartonellosis 283
space-occupying lesion 2131
sparganosis 362
spasmodic torticollis 2153
spatial orientation 2365
specific phobia 2362
SPECT 881
SPECT/CT 881
spectroscopic imaging : MRSI 2092
spell 573
sphingolipid activator protein-1 : SAP-1 1843
Spigelman 病期分類 1008
spina bifida 2251
spinal and bulbar muscular atrophy : SBMA 2169, 2294
spinal cord disturbance 2248
spinal cord injury 2269
spinal cord tumor 2265
spinal epidural abscess 2189
spinal muscular atrophy : SMA 2168, 2294
spinal progressive muscular atrophy : SPMA 2168
spinocerebellr degeneration : SCD 2158
spirocheta infection 2190
spirometry 725
splanchnic vein thrombosis 2041
splenomegaly 86
spoke-wheel pattern 1041
spondyloarthritis : SpA 1239
spontaneous bacterial peritonitis : SBP 1013, 1051, 1055
spontaneous pneumomediastinum 854
spontaneous pneumothorax 851

spoon nail	950	
Sporothrix schenckii	297	
sporotrichosis	297	
sporozoite	345	
spot sign	2088	
SPT	1329	
sputum	123	
squamous cell carcinoma	836	
square root sign	619	
squawk	713	
squeak	713	
SSA/P	975	
SSc	1019, 1254, 1440	
ST elevation myocardial infarction：STEMI	532	
standard precaution	227	
Stanford 分類	644	
staphylococcal infection	243	
staphylococcal scalded skin syndrome：SSSS	214, 244	
StAR 蛋白質	1614	
STAR deficiency	1641	
Starling の式（法則）	90, 820	
starry sky appearance	1405	
START 法	2359	
STAR 欠損症	1641	
static lung compliance	728	
status epilepticus	210	
STEMI	529	
Stenotrophomonas maltophilia	278	
steroidogenic acute regulatory protein	1614	
Stevens-Johnson 症候群	1325	
Stickler 症候群	1281	
stiff person(man)症候群	2334	
stimulated echo acquisition mode：STEAM	2091	
stone street	1400	
strain reflux	898	
streptococcal pyogenic exotoxin：SPE	248	
streptococcal pyrogenic exotoxin B：SPEB	1406	
Streptococcus pneumoniae	246	
S. pyogenes	247	
stress cardiomyopathy	2361	
striatonigral degeneration：SND	2154	
stridor	124, 713	
string-of-sausages sign	1001	
stroke	2103	
strongly SDH-reactive blood vessel：SSV	2329	
Strongyloides stercoralis	355	
strongyloidiasis	355	
struma ovarii	1576	
stunned myocardium	515, 549	
stupor	136, 207, 2057	
Sturge-Weber 症候群	2253, 2256	
ST 合剤	149	
ST 上昇型急性心筋梗塞	532	
ST 上昇型心筋梗塞	529	
sub aortic stenosis	575	
subacute necrotizing encephalomyelopathy	2217	
subacute sclerosing panencephalitis：SSPE	323, 2177	
subacute thyroiditis	1587	
subarachnoid hemorrhage：SAH	209, 2121	
subclinical Cushing syndrome	700	
subcortical dementia	2063	
subcutaneos immuno-therapy：SCIT	1313	
subjective global assessment：SGA	1704, 1718	
sublingual immuno-therapy：SLIT	1313	
subphrenic abscess	860	
sudden death	508	
sum of the products of the greatest diameters：SPD	1894	
superficial carcinoma	905	
superficial dermatomycosis	296	
superior mesenteric artery syndrome：SMA syndrome	919	
superoxide dismutase：SOD	47	
supravalvular aortic stenosis	576	
supraventricular tachyarrhythmia	484	
surface electromyogram	2078	
Swan-Ganz カテーテル	192, 464, 595	
Sweet 病	1276	
SWI	2089	
swirl-sign	2087	
Sydenham 舞踏病	2199	
symmetric polyneuropathy	1762	
syncope	137, 2064	
syndesmophyte	1241	
syndrome malin	68	
syndrome of inappropriate antidiuresis	1563	
syndrome of inappropriate secretion of ADH：SIADH	837, 1362, 1563	
syndrome of inappropriate secretion of TSH：SITSH	1579	
syndromic MVP（mitral valve prolapse）	603	
synthetic DMARD（disease modifying anti-rheumatic drag）	1235	
syphilis	307	
systemic inflammatory response syndrome：SIRS	233, 1014, 1070, 1178	
systemic lupus erythematosus：SLE	1020, 1131, 1250, 1436, 2242	
systemic scleroderma	1131	
systemic sclerosis：SSc	1019, 1254, 1440	
systemic vessel resistance：SVR	376	
systolic pressure time index：SPTI	512	
systolic unloading	654	

T

T 細胞	216, 1207	
T 細胞受容体遺伝子座	1904	
T 細胞抑制	1253	
T 波陰転	536	
T 波交互現象	431	
T リンパ芽球性白血病/リンパ腫	1988	
T リンパ球	1867	
T/NK 細胞リンパ腫	1926	
T1 緩和	2089	
T1 強調画像	1378	
T2 shine through	2091	
T2 緩和	2089	
T2 強調画像	462, 1378	
T2*WI	2089	
T2* 強調画像	2089	
tabes dorsalis	2191	
tachy-/brady-arrhythmias	532	
Taenia asiatica	360	
T. saginata	360	
T. solium	360	
taeniasis	360, 2197	
taeniasis asiatica	360	
taeniasis saginata	360	
taeniasis solium	360	
takayasu arteritis	646	
takotsubo cardiomyopathy	633	
Talbot の安全輸液理論	166	
T-ALL	1989	
Tamm-Horsfall 蛋白	1373, 1458	
Tangier 病	1809	
tardy ulnar palsy	2302	
tarsal tunnel syndrome：TTS	2300	
task specificity	2153	
TAT	2026	
tauopathy	2142	
Taussig-Bing 奇形	579	
Tay-Sachs 病	1842	
TCF2L7	1743	
TcO₄	1572	
TDM	144	
TEF	894	
Template-Ivy 法	1891	
temporal arteritis	2125, 2244	
temporal dispersion	2080	
TEN	1325	
tension pneumothorax	851	
tension time index：TTI	512	
tension-type headache	2280	
tentorial herniation	208, 2058	
terminal bulb	274	
testicular tumor	1511	
tetanus	249	
tetrachlorodibenzodioxin：TCDD	1692	
tetrahydroaldosterone	1618	
tetrahydro-biopterin deficiency	2215	
tetralogy of Fallot：TOF	573	
tetrodotoxin poisoning	2228	
tetrodotoxin：TTX	2370	
TFPI	1878	
TGF-β	401	
TGF-β シグナル	649	
TG-rich lipoprotein	1801	
Th1 細胞	1300	
Th2 細胞	400, 1300	
thalassemia	1951	
thalassemia index	1928, 1933	
therapeutic drug monitoring：TDM	149, 221	
thin basement membrane nephropathy：TBMN	1431	
thirst	79	
thoracic aortic aneurysm：TAA	642	
thoracic empyema	849	
thoracic outlet syndrome：TOS	2301	

thoracoabdominal aortic aneurysm：TAAA ················· 642
three stripes ····················· 2324
three-dimensional anisotropy contrast：3DAC ················ 2091
thrombin-antithrombin complex ··· 2026
thromboangiitis obliterans：TAO ················ 657, 659
thrombocytic thrombocytopenic purpura：TTP ············· 171
thrombocytopenia ················ 2017
thrombocytosis ············ 2020, 2245
thrombospondin type-1 domain containing 7A：THSD7A ········ 1419
thrombotic microangiopathy：TMA ················ 1025, 1461, 2028
thrombotic thrombocytopenic purpura：TTP ······ 159, 2028, 2246
thrush ·························· 290
thumb sign ······················ 1280
thymic hypoplasia ··············· 1345
thyroglossal duct cyst ··········· 1586
thyroid tumors ·················· 1582
thyroiditis ····················· 1586
thyrotoxic [thyroid] storm or crisis ································ 1577
thyrotropinoma ················· 1551
thyrotropin-releasing hormone：TRH ···························· 1570
TIA ···························· 2104
time above MIC（minimum inhibitory concentration）············ 148
time to peak：TTP ··············· 2088
TIMI 分類 ······················· 477
tinea ··························· 296
tinea versicolor ················· 297
Tinel 徴候 ······················ 132
tinnitus ························ 139
tissue plasminogen activator：t-PA ································· 385
201Tl 甲状腺シンチグラフィ ······· 1575
TLR signal pathway deficiency ··· 1348
TLR シグナル伝達欠損症 ········ 1348
TM ···························· 1878
TMA ····················· 1458, 1959
TMS ··························· 2083
TNF 受容体関連周期性症候群 ····· 1297
TNM 分類 ······················ 1646
TOAST 分類 ···················· 2103
Tolosa-Hunt 症候群 ······· 2124, 2201
toluene intoxication ············· 2224
tonic spasm ···················· 2153
Torg-Pavlov 比 ················· 2285
Torricelli の法則 ················· 467
torsade de pointes ··············· 499
torsin A ······················· 2152
torsion dystonias ················ 2152
total anomalous pulmonary venous return：TAPVR ············ 580
total cell kill ··················· 1990
total pancreatectomy：TP ········ 1196
total parenteral nutrition：TPN ··· 1719
total protein：TP ················ 1787
toxic epidermal necrolysis：TEN ·· 1325
toxic multinodular goiter：TMNG ·························· 1576, 1585

toxic shock syndrome toxin：TSST-1 ································ 214
toxic shock syndrome toxin-1 ····· 244
Toxocara canis ·················· 356
T. cati ························· 356
toxocariasis ····················· 356
Toxoplasma gondii ········ 350, 2195
toxoplasma encephalitis ········· 2195
toxoplasmosis ··················· 350
TP53 ··························· 732
TPOAb ························ 1572
TRAb アッセイ ················· 1577
tracheoesophageal fistula：TEF ··· 894
traction bronchiectasis ··········· 803
tractography ··················· 2091
tram sign ······················ 2256
trans-annulus plane systolic excursion：TAPSE ··············· 585
transcatheter aortic valve implantation：TAVI ················ 606
transcranial magnetic stimulation ·· 2083
transtaneous oxygen tension：TcPO$_2$ ·························· 658
transferrin：Tf ·················· 1789
transfusion-related acute lung injury：TRALI ··············· 174
transient ischemic attack：TIA ················ 2104, 2109
transient lower esophageal relaxation：TLESR ················ 77
transient lower esophageal sphincter relaxation：TLESR ······· 898
transjugular intrahepatic portosystemic shunt：TIPS ··· 1052, 1056, 1453
transmural pressure ············· 818
transposition of the great arteries：TGA ···················· 577
transrectal ultrasound：TRUS ··· 1383
transthyretin：TTR ·············· 1789
transurethral resection of bladder tumor：TUR-Bt ············· 1510
transurethral resection of prostate：TUR-P ····················· 1511
transurethral ureterolithotripsy：TUL ·················· 1400, 1508
transverse myelitis ········ 209, 2203
Trantas 斑 ····················· 1339
Traube 三角 ····················· 87
traumatic brain injury ··········· 2266
travel medicine ·················· 240
treatable dementia ·············· 2064
Treg ··························· 1293
trematode ······················ 357
trematodiasis ············· 357, 2197
trench fever ···················· 282
Treponema pallidum ······· 307, 2190
T. pallidum latex agglutination：TPLA ······················· 307
TRH 受容体遺伝子 ·············· 1573
triceps skinfold thickness：TSF ·· 1718
trichinosis ····················· 2198
trichloroethylene poisoning ····· 2225
Trichomonas vaginalis ····· 238, 351
trichomonas vaginitis ············ 351
trichomoniasis ·················· 351
Trichophyton mentagrophytes ····· 296

T. rubrum ······················ 296
Trichosporon asahii ·············· 294
trichuriasis ····················· 354
tricuspid atresia ················· 576
tricuspid regurgitation：TR ······ 608
tricuspid stenosis：TS ············ 608
tricyclic antidepressant：TCA ··· 2380
trigeminal nerve ················ 2046
trigeminal neuralgia ······ 2281, 2301
triggered activity ················ 480
trochlear nerve ················· 2046
Trousseau 症候群 ··············· 2126
Trousseau 徴候 ················· 1366
truncus arteriosus communis：TAC ·························· 580
Trypanosoma ··················· 352
trypanosomiasis ················· 352
TSAb ·························· 1577
TSC1 遺伝子 ··················· 2254
TSC2 遺伝子 ··················· 2254
TSH ··························· 1527
TSH 結合抑制免疫グロブリン ···· 1573
TSH 産生下垂体腫瘍 ············ 1576
TSH 産生腫瘍 ·················· 1579
TSH 産生性下垂体腺腫 ·········· 1551
TSH 単独欠損症 ················ 1537
TSH 分泌症候群 ················ 1579
TSH binding inhibitory immunogulobulin：TBII ··············· 1573
T-SPOT 法 ···················· 2185
TSS ··························· 244
TSST-1 ························ 244
tsutsugamushi disease ····· 303, 2193
TTP ··························· 1958
TTR アミロイドーシス ·········· 1022
TTV ··························· 343
tuberculosis ···················· 285
tuberculous meningitis ·········· 2185
tuberculous peritonitis ·········· 1015
tuberculous pleuritis ············ 848
tuberous sclerosis ·············· 2254
tuft-shaped astrocyte：TA ······ 2142
tularemia ······················ 280
tumbling motility ················ 254
tumor ingrowth ················ 1199
tumor lysis syndrome：TLS ···· 1458
tumor of the small intestine ····· 973
tumor overgrowth ·············· 1199
tumor-induced hypophosphatemic osteomalacia ················ 1677
tumors of the diaphragm ········ 860
Turner 症候群 ····· 14, 1512, 1662, 2312
Turner 身体徴候 ················ 1663
TWA ··························· 431
T-wave alternans ················ 431
type 2 immunity ················ 1304
type III secretion system ········ 215
typhoid fever ··················· 267

U

UA ···························· 529
UCMD ························ 2318
UGT1A1 ······················· 734
Uhl 化 ························· 577
Uhthoff 現象 ··················· 2224

UIBC ························· 1933
ulcerative colitis ··············· 964
Ullrich 型先天性筋ジストロフィー
 ·································· 2318
umbrella sign ················ 2250
uncal herniation ················ 209
undercarboxylated osteocalcin：ucOC
 ·································· 1833
underfill 仮説 ················· 1428
undifferentiated carcinoma ··· 1582
unexpected antibodies ········· 171
unidentified bright object ··· 2254
unilateral hyperlucent lung ··· 716
unrecognized myocardial infarction
 ··································· 555
unstable angina：UA ········ 533
unstable hemoglobin disease：UHD
 ·································· 1950
Unverricht-Lundborg 病 ···· 2163
upper limb dystonia ·········· 2153
up-side down stomach ········ 909
urachal cancer ················ 1510
uremia ························· 1369
uremic encephalopathy ······ 2241
uremic neuropathy ············ 2242
ureteral stone ·················· 1507
ureteral tumor ················· 1509
urethral tumor ················· 1510
urethritis ······················· 1505
urinary tract infection：UTI ··· 1504
uroflowmetry ·················· 1382
urogenital ridge ················ 1610
urticaria ······················· 1334
urticarial vasculitis：UV ····· 1271
usual interstitial pneumonia：UIP
 ···························· 784, 1237
uvulopalatopharyngoplasty：UPPP ··· 833

V

V_{1a} 受容体 ···················· 1559
V_{1b} 受容体 ···················· 1559
V_2 受容体 ····················· 1559
V_2 受容体拮抗薬 ··············· 397
VacA ···························· 274
vaccine preventable diseases：VPD ··· 222
vagal nerve ···················· 2046
Valsalva 試験 ·················· 2098
Valsalva 洞破裂 ·················· 611
Valsalva 動脈瘤 ·················· 582
Valsalva 法 ······················· 120
van der Bergh 試験 ··········· 1043
vanishing lung ·················· 810
vanishing tumor ········ 356, 452
variable vessel vasculitis：VVV ··· 1265
variant ··························· 730
varicose vein ···················· 662
variola ··························· 318
variola major ···················· 318
variola minor ···················· 318
vasa nervorum ················ 2290
vasa vasorum ··················· 383
vascular cell adhesion molecule-1：
 VCAM-1 ················ 385, 400
vascular cognitive impairment：VCI
 ·································· 2126

vascular dementia：VaD ···· 2104, 2126
vascular endothelial growth factor：VEGF
 ······················ 384, 515, 1458
vascular spider ··················· 94
vascular trauma ················ 668
vasculitis associated with probable etiology ························· 1265
vasculitis associated with systemic disease ························· 1265
vasculitis syndrome ·········· 1264
vasoactive intestinal peptide：VIP
 ···························· 77, 887
vasospastic angina：VSA ····· 517
VATER 連合 ···················· 894
VDT 症候群 ···················· 2363
vegetation ······················ 611
vegetative state ··· 136, 2057, 2061
venereal disease ················ 238
veno-occlusive disease：VOD
 ·························· 1126, 1923
venous thromboembolism ··· 661
ventilator-associated lung injury：VALI
 ··································· 198
ventilator-associated pneumonia：VAP
 ··································· 198
ventricular arrhythmia ······· 493
ventricular assist device：VAD ··· 655
ventricular fibrillation ········ 499
ventricular remodeling ······· 402
ventricular septal defect：VSD ··· 566
ventricular tachycardia ······· 495
ventriculo-peritoneal shunt：VP シャント
 ·································· 2272
VEP ····························· 2082
Veratrum album ············· 2371
veratrum alkaloids ············ 2371
verotoxin ······················· 214
verruca ························· 611
verruga peruana ················ 283
vertigo ···················· 139, 2066
very good partial response ··· 1926
very low-density lipoprotein：VLDL
 ·································· 1801
vesicoureteral reflux：VUR
 ···················· 1375, 1505, 1512
vestibulo-ocular reflex：VOR ··· 2059
VGPR ·························· 1926
VHL 遺伝子 ··················· 2255
Vibrio ··························· 271
V. cholerae ······················ 271
V. fluvialis ······················ 272
V. mimicus ····················· 272
V. parahaemolyticus ············ 271
V. vulnificus ···················· 272
vicious cycle ·················· 1744
viral encephalitis ············· 2171
viral hemorrhagic fever：VHF ··· 343
viral meningitis ··············· 2170
Virchow 転移 ·············· 89, 981
Virchow の 3 徴候 ········ 661, 822
viremia ·························· 232
viridans group streptococci ··· 247
visceral pain ···················· 200
visual agnosia ················· 2056
visual evoked potential ····· 2082
Vitality Index ··················· 53

vitamin A deficiency ········· 1823
vitamin B_1 deficiency ······· 1826
vitamin B_2 deficiency ······· 1827
vitamin B_6 deficiency ······· 1827
vitamin B_{12} deficiency ······ 1828
vitamin C deficiency ········ 1829
vitamin D deficiency ········ 1824
vitamin D dependency ······ 1825
vitamin deficiency ··········· 2234
vitamin E deficiency ········ 1825
vitamin K deficiency ········ 1826
vocal code dysfunction ······ 1322
VOD ···························· 1126
Vogt-小柳-原田病 ············· 2202
voiding cytourethrography：VCG
 ·································· 1385
volume depletion ······· 129, 162
volume rendering(VR)像 ····· 460
vomiting ························· 72
von Gierke 病 ················· 1775
von Graefe 徴候 ··············· 1577
von Hippel-Lindau 病 ··· 2253, 2255
von Recklinghausen 病 ······ 2253
von Willebrand 因子
 ············· 111, 1878, 1892, 2028
von Willebrand 病 ··········· 2036
vulnerable plaque ······· 402, 529
VWD ··························· 2036
VWF ················ 1878, 1892, 2028
VWF 特異的切断酵素 ········ 171
VZV ···························· 310

W

waddling gait ················· 2312
Waldenström マクログロブリン血症
 ·························· 1449, 2009
Wallenberg 症候群 ··· 2052, 2066, 2124
waning 現象 ··················· 2304
Warburg 効果 ················· 1731
warm ショック ··············· 1483
watchful waiting ············· 2000
Waterhouse-Friderichsen 症候群 ··· 259
watershed infarction ········· 2111
wave-front phenomenon ····· 515
waxing 現象 ··················· 2306
WBGT ·························· 2350
WDHA 症候群 ····· 102, 1024, 1202
wearing off ···················· 2142
Weber 症候群 ················· 2054
Weber-Christian 病 ·········· 1278
webs and bands ················ 823
Wegener 肉芽腫症 ············ 1269
Weigert-Meyer の法則 ······ 1512
weight loss ······················ 101
Weil-Felix 反応 ·················· 306
Weil 病 ····················· 308, 2191
Werdnig-Hoffmann 病 ······ 2168
Werner 症候群 ·············· 47, 48
Wernicke 失語 ················ 2055
Wernicke 脳症 ··· 139, 207, 208, 950, 1826, 2229, 2234
Wernicke-Korsakoff 症候群 ··· 2229
West Nile fever ················ 330
Westergren 法 ················ 1218
Westermark サイン ····· 450, 822

West 症候群	2257, 2275
wet purpura	110
wet-bulb globe temperature	2350
wheeze	115
wheezing	124
Whipple 症候群	592
Whipple 病	988
whipworm infection	354
whirlpool sign	952
whoop	262
whooping cough	262
Wickham 線条	892
Wilkins スコア	597
Williams-Campbell 症候群	812
Williams 症候群	576
Willis 動脈輪	2102
Willis 動脈輪閉塞症	2105, 2125
Wilson の中心電極	428
Wilson 病	1854, 2218
window period	539
Winterbottom 徴候	353
Wiskott-Aldrich 症候群	1344
Wolff-Chaikoff 効果	1567, 1579
WPW 症候群	491
wrist sign	1280
writer's cramp	2153
writer's tremor	2147

X

X 線	182
X 線 CT	458
X 線不透過マーカー法	882
X 連鎖優性遺伝病	16
X 連鎖劣性遺伝病	17
xanthochromia	2072
X-linked lymphoproliferative disease	314

Y

Yahr の分類	2141
yellow fever	331
Yersinia enterocolitica	269
Y. enterocolitica 感染症	270
Y. pestis	269
Y. pseudotuberculosis	269
Yersinia species infections including plague	269
yessotoxin	2370
Young 症候群	812

Z

Zarit 負担尺度	54
zebra body	1839
Zenker 憩室	910, 1010
Zika fever	332
zinc deficiency	1830
Zollinger-Ellison 症候群	102, 886, 927, 987, 1024, 1200
zoonosis	349

索引［薬品名］

ア

- アコチアミド………… 923
- アザシチジン……… 155, 1910, 1925
- アザチオプリン…… 776, 779, 964, 969, 1021, 1085, 1138, 1188, 1237, 1257, 1261, 1269, 1390, 1398, 1412, 1426, 1438, 1496, 1955, 2202, 2203, 2204
- アシクロビル…… 126, 150, 310, 311, 314, 903, 2171, 2172, 2180, 2204, 2257, 2302
- アジスロマイシン…… 269, 282, 283, 303, 353, 736, 814, 1159
- アスコルビン酸……………… 1953
- アスナプレビル………………… 1083
- L-アスパラギナーゼ…………… 154
- アスピリン……… 157, 525, 540, 541, 543, 546, 547, 552, 558, 659, 735, 1026, 1235, 1274, 1291, 1325, 1327, 1426, 1495, 1965, 2022, 2041, 2042, 2106, 2118, 2245
- アセタゾラミド………… 2273, 2325
- アセチルコリン…… 761, 2061, 2374
- アセチルシステイン…… 786, 2382
- アセチルスピラマイシン……… 351
- アセトアミノフェン…… 203, 332, 735, 882, 1220, 1223, 2005, 2006, 2280
- アゾセミド………………… 412
- アタザナビル………………… 1460
- アダラート………………… 696
- アダリムマブ …… 958, 964, 969, 1236, 1276
- アデノシン………………… 616
- アデホビル…………… 1078, 1455
- アトバコン………………… 295, 753
- アトバコン・プログアニル合剤 ………… 347, 348
- アドリアマイシン……………… 842
- アドレナリン…… 191, 395, 416, 959, 1312, 1315, 1322, 1330, 1333, 1363, 2376, 2377
- アトロピン…… 416, 446, 502, 505, 541, 544, 918, 2227, 2228, 2270, 2374
- アナキンラ………………… 1297
- アナグレリド………………… 2022
- アナストロゾール……………… 1695
- アバカビル………………… 1325
- アバタセプト………………… 1236
- アピキサバン……… 487, 2107, 2118
- アファチニブ…………… 155, 841
- アプレゾリン………………… 696
- アマンタジン…… 151, 321, 329, 2142, 2173, 2232
- アミオダロン…… 191, 399, 487, 495, 500, 510, 544, 624, 627
- アミカシン…………… 146, 276
- アミトリプチリン…… 1284, 2280, 2300
- アミノグリコシド…… 282, 1056, 1327
- アミノフィリン………………… 416
- アミロライド………… 397, 677, 1477
- アムホテリシン B…… 126, 150, 293, 298, 299, 352, 614, 2188, 2192, 2193, 2196, 2360
- アムルビシン………………… 840
- アムロジピン………………… 696
- アムロジン………………… 696
- アモキシシリン …… 206, 256, 261, 275, 309, 931
- アルガトロバン………………… 2118
- アルギニン………………… 1530
- アルグルコシダーゼアルファ … 2331

- アルテプラーゼ……………… 2117
- アルドメット………………… 696
- アルファカルシドール……… 1835
- α-トコフェロール…………… 1826
- アルブミン………………… 1052
- アルプラゾラム……………… 62
- アルベカシン………………… 150
- アルベンダゾール …… 354, 356, 362, 363, 1134, 2198
- アレクチニブ………………… 155
- アレムツズマブ…… 1918, 1923, 1992
- アレンドロネート……… 1834, 1835
- アレンドロン酸ナトリウム…… 1610
- アロチノロール……………… 2147
- アロプリノール …… 1286, 1325, 1776, 1845, 1846
- アンピシリン…… 220, 249, 254, 256, 261, 270, 273, 614, 1325
- アンピシリン・スルバクタム … 261, 743
- アンブリセンタン…… 397, 571, 1258

イ

- イオマゼニル………………… 2277
- イコサペント酸エチル…… 659, 1813
- イソソルビド………………… 194
- イソニアジド…… 286, 750, 753, 970, 2186, 2233, 2235
- イソプロテレノール …… 394, 395, 426, 427, 502, 505
- イダルビシン………………… 1986
- イトラコナゾール …… 150, 296, 297, 298, 903, 1976
- イノシンプラノベクス………… 2177
- イバンドロネート……… 1834, 1835
- イビリムマブ………………… 155
- イブプロフェン………… 157, 1263
- イブリツモマブチウキセタン ………… 1908, 1926
- イベルメクチン …… 150, 355, 356, 363, 364
- イホスファミド……………… 1464
- イマチニブ…… 155, 946, 974, 985, 1890, 1909, 1925, 1971, 1977, 1979, 1980, 1988, 1990
- イミダフェナシン…………… 1507
- イミペネム………………… 276
- イミペネム・シラスタチン … 1911
- イリノテカン…… 154, 734, 840, 841, 940, 983, 1106, 1197, 1202
- イロプロスト………………… 397
- インジナビル………………… 1460
- インスリン …… 1363, 1684, 1686, 2117, 2119
- インターフェロン …… 66, 216, 342, 1113, 1458, 2204
- インターフェロンアルファ …… 1082, 1509, 1965, 1979, 1988
- インターフェロンアルファ-2b…1082
- インターフェロンベータ 1082, 2208
- インターロイキン-2…………… 857
- インデラル………………… 696
- インドメタシン …… 156, 570, 957, 1475, 1641
- インフリキシマブ…… 647, 779, 964, 969, 1236, 1276, 2244

ウ

- ウサギ ATG………………… 1940
- ウサギ抗ヒト T リンパ球免疫グロブリン……………… 1940
- ウラリット………………… 1480
- ウルソデオキシコール酸……… 884,

1104, 1077, 1085, 1097, 1136, 1141, 1153, 1923

エ

- ALTA………………… 1004
- Egaten………………… 359
- エキセメスタン……………… 1695
- エクリズマブ … 1398, 1423, 1451, 1957, 2210
- ST 合剤…… 149, 236, 254, 256, 264, 270, 278, 280, 295, 753, 1323, 1327, 1345, 1346, 1347, 1348, 1399, 1922, 1970, 1975, 1976
- エゼチミブ… 419, 558, 1421, 1430, 1813, 1826
- エソメプラゾール……… 275, 1028
- エタネルセプト……… 1236, 1754
- エタノール………………… 2225
- エダラボン…………… 2118, 2131
- エタンブトール…… 286, 750, 752, 970
- エデト酸カルシウム二ナトリウム ………… 2221
- エドキサバン……… 487, 2107, 2118
- エトキシスクレロール………… 206
- エトスクシミド……………… 2276
- エトドラク………………… 156
- エトポシド…… 154, 840, 1202, 1629, 1647, 1700, 1914, 2004, 2007
- エナラプリル………………… 696
- エノキサパリン………………… 823
- エパルレスタット……………… 1763
- エピトープ………………… 1219
- エピネフリン………………… 224
- エピペン …… 1313, 1323, 1330, 1333, 2378
- エプラジノン………………… 737
- エプレレノン …… 195, 397, 676, 699, 1639, 2238
- エペゾリン………………… 2280
- エベロリムス …… 653, 1202, 1673, 1696, 1773
- エリグルスタット……………… 1844
- エリスロマイシン…… 146, 262, 273, 736, 763, 814, 887, 2236
- エルカトニン………………… 1610
- エルゴタミン………………… 2280
- エルデカルシトール………… 1835
- エルロチニブ…………… 155, 841
- エレトリプタン……………… 2280
- エロスルファーゼアルファ … 1853
- エンテカビル………………… 1455

オ

- OK-432………………… 842
- 桜皮エキス………………… 737
- オキサシリン………………… 244
- オキサリプラチン……… 983, 1197
- オキシブチニン……………… 1507
- オクトレオチド…… 704, 949, 1014, 1052, 1202, 1530, 1544, 1545, 1673, 1773, 2263
- オザグレルナトリウム………… 2118
- オセルタミビル …… 151, 321, 735, 736, 2173
- オファツムマブ……… 1908, 1992
- オフロキサシン……………… 289
- オペプリム……………… 1628, 1647
- オマリズマブ…………… 1312, 1313
- オメプラゾール……… 275, 1027
- オルシプレナリン……… 502, 505
- オンコビン………………… 973

カ

- カスポファンギン……………… 150
- 活性型ビタミン D …… 1360, 1604, 1825
- カテコールアミン……… 416, 638
- カナキヌマブ……… 1297, 1349
- カナマイシン………………… 1048
- ガバペンチン …… 1284, 1845, 2180, 2277, 2300
- カフェイン………………… 704
- カプトプリル…………… 696, 1441
- カプトリル………………… 696
- ガベキサート………………… 2027
- カペシタビン…… 940, 983, 1198
- カベルゴリン…………… 1545, 1551
- ガランタミン………………… 2135
- カルシトニン…………… 1601, 2246
- カルシトリオール…………… 1835
- カルバペネム………………… 280
- カルバマゼピン…… 66, 504, 1325, 1844, 1845, 2152, 2208, 2236, 2277, 2278, 2281, 2300, 2301, 2320
- カルベジロール……………… 412
- カルペリチド……… 194, 195, 821
- カルボプラチン…… 154, 841, 1017, 1700, 1912, 2261, 2264
- カルムスチン…………… 1914, 2261
- カルモフール………………… 983
- ガンシクロビル …… 151, 312, 903, 1399, 2172, 2173
- 甘草…………………… 701, 1619
- ガンマグロブリン……………… 1398
- カンレノ酸カリウム…………… 397

キ

- キニジン…… 399, 426, 427, 1325
- キニーネ………………… 2196

ク

- グラチラマー………………… 2208
- クラブラン酸………………… 261
- クラリスロマイシン…… 206, 262, 273, 275, 282, 289, 736, 752, 763, 814, 931
- グリセリン…………… 843, 2118
- グリセロール（グリセオール） …… 331, 2120, 2124, 2172, 2239
- クリゾチニブ…………… 155, 842
- グリチルリチン………… 1104, 1619
- クリンダマイシン…… 149, 248, 252, 285, 743, 956, 2195
- グルカゴン…………… 1530, 2237
- グルコン酸カルシウム… 2225, 2321
- クロナゼパム…… 62, 1284, 1818, 2147, 2152, 2201, 2225, 2276, 2277, 2281, 2284
- クロニジン………………… 1530
- クロピドグレル…… 541, 2106, 2118
- クロファジミン……………… 289
- クロモグリク酸ナトリウム…… 1313
- クロラムフェニコール…… 146, 147, 260, 280, 283, 304, 306, 955, 2194
- クロルフェニラミン………… 2377
- クロルプロマジン… 1818, 1827, 2228
- クロロキン…… 305, 357, 2196

ケ

- ケタミン………………… 329
- ゲフィチニブ…………… 155, 841

ゲムシタビン……… 841, 1115, 1172, 1175, 1196, 1197, 1458, 1510
ゲムツズマブオゾガマイシン
……………… 1909, 1923, 1986
ゲンタマイシン
… 249, 254, 270, 283, 614, 1499

コ

コカイン……………………… 971
コデイン……………………… 737
コデインリン酸塩…………… 737
コートリル………………… 1628
コラーゲン………… 1451, 2318
コリスチン………… 147, 277, 278
ゴリムマブ………………… 1236
コルヒチン………… 616, 1276, 1286, 1297, 1828, 1846
コレスチラミン…………… 1136

サ

サイモグロブリン…… 1754, 1918, 1940
酢酸亜鉛………………… 1855
サクシニルコリン………… 2374
ザナミビル…… 151, 321, 735, 736
サラゾスルファピリジン
…………… 957, 969, 1236, 1276
サリドマイド
… 1021, 1446, 1982, 2014, 2016
サルポグレラート………… 659
サンドスタチン…………… 1628

シ

G-CSF………… 1915, 1919, 2356
ジアゼパム………… 830, 1102, 2172, 2241, 2280, 2334, 2374, 2380
ジアゾキシド……………… 1673
ジアフェニルスルホン…… 289
3,4-ジアミノピリジン……… 2306
ジエチルカルバマジン… 355, 356
ジエチルスチルベストロール 1692
ジギタリス…………… 395, 413
シクロスポリン…… 126, 653, 701, 776, 789, 969, 1049, 1238, 1242, 1245, 1261, 1276, 1278, 1340, 1389, 1398, 1416, 1418, 1421, 1426, 1430, 1496, 1497, 1923, 1938, 1940, 1942, 1967, 2007, 2202, 2245, 2304, 2305
ジクロフェナク…………… 156
シクロホスファミド… 154, 766, 776, 789, 943, 973, 1020, 1212, 1218, 1221, 1236, 1237, 1238, 1249, 1253, 1257, 1261, 1268, 1270, 1277, 1278, 1390, 1411, 1416, 1418, 1421, 1423, 1426, 1430, 1438, 1448, 1456, 1912, 1914, 1918, 1923, 1940, 1942, 1955, 1992, 1996, 2004, 2010, 2014, 2017, 2029, 2201, 2203, 2243, 2244
ジゴキシン……………… 195, 488
ジスチグミン…………… 1507
シスプラチン…… 73, 126, 154, 840, 841, 842, 853, 908, 940, 1113, 1172, 1175, 1202, 1458, 1464, 1499, 1510, 1512, 1629, 1647, 1698, 1700, 1912, 2261, 2264
ジソピラミド…………… 399, 624
シタラビン…… 956, 1914, 1986, 1996, 2004, 2178, 2245
ジドブジン………………… 334
シナカルセト…………… 1493
ジヒドロエルゴタミン…… 2280
ジピリダモール
…………… 1271, 1390, 1413, 1426
ジフェンヒドラミン……… 2366

シプロフロキサシン
…………… 258, 260, 269, 276
シプロヘプタジン………… 949
シベレスタット……… 808, 2360
シベンゾリン………… 487, 624
シメチジン………… 1298, 2378
シメプレビル…………… 1083
ジメモルファン…………… 737
ジメルカプロール… 2221, 2222, 2223
ジメンヒドリナート…… 2366
ジラゼプ………… 1390, 1413, 1426
ジルチアゼム… 397, 421, 488, 491, 624, 696, 2129
シルデナフィル… 398, 571, 1257
シロスタゾール
……… 502, 659, 1274, 2106, 2118
シロリムス………………… 847
シンメトレル…………… 2128

ス

スクラルファート………… 932
スコポラミン…………… 2366
スタチン………… 1418, 1430, 1493
ステブナール…………… 1133
ステロイド……………… 2199
ストレプトゾシン………… 1673
ストレプトマイシン
…………… 270, 286, 750, 1827, 2192
スニチニブ
……… 946, 1202, 1673, 1773, 1967
スピロノラクトン… 195, 397, 676, 699, 1056, 1477, 1639, 1640, 2238
スペクチノマイシン… 260, 1505
スマトリプタン……… 2280, 2281
スリンダク………………… 157
スルバクタム……………… 278
スルファサラジン………… 1327
スルファジアジン… 2188, 2195, 2257

セ

セツキシマブ………… 155, 983
ゼットプリン…………… 1940
セビメリン……………… 1249
セファクロル…………… 1323
セファゾリン……………… 614
セフェピム……………… 1911
セフォジジム…………… 1505
セフォタキシム… 261, 1056, 2188
セフカペンピボキシル…… 261
セフタジジム…………… 1911
セフテラムピボキシル…… 261
セフトリアキソン
… 249, 260, 261, 309, 1505, 2191
セフメタゾール………… 285
セリプロロール………… 650
セルトラリン……………… 62
セルトリズマブ………… 1236
セレギリン……………… 2142
セレコキシブ……………… 156

ソ

ソタロール……………… 510
ゾニサミド……………… 2277
ソマトスタチン
…… 926, 1202, 1552, 1553, 1773
ソラフェニブ……… 1113, 1585, 1967
ソリフェナシン………… 1507
ゾルミトリプタン……… 2280, 2281
ゾレドロン酸………… 1610, 2014

タ

ダウノルビシン………… 1986
ダカルバジン…………… 1993

タクロリムス……… 653, 701, 969, 1049, 1245, 1253, 1261, 1313, 1340, 1389, 1398, 1438, 1496, 1754, 1923, 2245, 2304, 2305
ダサチニブ………… 1909, 1980
タゾバクタム・ピペラシリン
…………… 261, 266, 1056, 1911
タダラフィル……… 398, 571, 1257
ダナゾール……………… 1697
ダナパロイド…………… 1055
ダビガトラン…… 487, 2107, 2118
タファミジス……… 1795, 2299
タファミジスメグルミン… 629
ダプトマイシン……… 150, 249
タミバロテン…………… 1910
タモキシフェン…… 847, 1087, 1695
タルチレリン……………… 2161
ダルテパリン……………… 823
炭酸水素ナトリウム
…………… 1473, 2380, 2382
タンドスピロン………… 2143
ダントロレン
…… 67, 2168, 2233, 2234, 2304, 2335

チ

チアマゾール……… 1578, 2237
チアミン…………………… 207
チアラミド………………… 156
チオ硫酸ナトリウム…… 2225
チカグレロル……………… 541
チクロピジン……… 1426, 2019
チザニジン……………… 2280
チニダゾール…… 349, 350, 351

テ

テイコプラニン……… 150, 249
テオフィリン……………… 761
テガフール・ウラシル配合薬… 983
テガフール・ギメラシル・オテラシル
カリウム…………… 983, 1172
デキサメタゾン… 261, 1446, 1447, 1530, 1547, 1639, 1794, 1912, 2010, 2014, 2015
デキストラン……… 1813, 2118
テストステロン………… 1536
デスモプレシン
………… 79, 128, 1555, 1562, 2037
テトラサイクリン…… 280, 281, 282, 283, 285, 309, 956, 1827
テトラベナジン……… 2149, 2151
デノスマブ………… 1835, 2015
テノホビル…………… 1138, 1460
デパケン………………… 1628
デフェラシロクス………… 1823
デフェロキサミン…… 293, 1823
テモゾロミド…………… 2261
デュロキセチン
………… 1284, 1763, 2236, 2300
テラプレビル…………… 1083
デラマニド……………… 287
テリパラチド…………… 1835
テルグリド……………… 1551
テルビナフィン…………… 296

ト

ドキシサイクリン…… 149, 282, 283, 303, 305, 308, 309, 2194
ドキシフルリジン………… 983
ドキソルビシン… 315, 847, 943, 1629, 1647, 1912, 1993, 1996, 2014
トシリズマブ…… 647, 1236, 1237, 1245, 1257, 1440
トシル酸スプラタスト…… 1313
ドセタキセル…………… 841, 842
ドネペジル……………… 2135

ドパミン… 174, 195, 394, 416, 545, 546, 888
トピラマート……… 2201, 2277
トピロキソスタット…… 1286
トファシチニブ……… 1222, 1236
ドブタミン… 195, 394, 395, 545, 546, 602, 666
トポテカン………………… 840
トラスツズマブ…… 155, 940, 1696
トラニラスト…………… 1313
トラネキサム酸…… 206, 2039
トラベルミン…………… 2366
トラマドール………… 1223, 1284
トランデート……………… 696
トリアムテレン
………… 397, 677, 1477, 1640
トリエンチン…………… 1855
トリクラベンダゾール…… 359
トリクロルメチアジド…… 397
トリプタノール………… 2236
トリフルリジン・チピラシル… 983
トリメトプリム…………… 147
トリロスタン…………… 1676
トルテロジン…………… 1507
トルバプタン…… 195, 397, 412, 1056, 1430, 1454, 1501
トレチノイン…………… 1910
トレプロスチニル………… 397
ドロキシドパ…………… 2236
トロンビン……………… 206

ナ

ナタリズマブ…………… 2208
ナファモスタット……… 2027
ナブパクリタキセル…… 1197
ナラトリプタン………… 2280
ナロキソン……………… 207

ニ

ニカルジピン……… 696, 2129
ニコチン酸アミド… 1829, 2235
ニコランジル…… 194, 525, 526
ニセルゴリン……………… 2128
ニタゾキサニド…………… 353
ニトログリセリン… 194, 206, 396, 518, 523, 524, 525, 646
ニフェカラント……… 191, 495
ニフェジピン……………… 696
ニフルチモックス………… 353
ニボルマブ…………… 155, 842
ニムスチン……………… 2261
ニロチニブ………… 1909, 1980
ニンテダニブ……………… 786

ネ

ネオスチグミン………… 2228
ネオマイシン…………… 2239

ノ

ノイロトロピン……… 1284, 2172
ノルアドレナリン
… 195, 395, 416, 1052, 1453
ノルバスク……………… 696
ノルフロキサシン……… 1454

ハ

パクリタキセル
…… 154, 841, 1017, 1700
バクロフェン… 1845, 2163, 2168, 2177, 2281, 2334
破傷風トキソイド…… 251, 2368
バシリキシマブ………… 1754
バゼドキシフェン……… 1834
バソプレシン……… 416, 926
パニツムマブ………… 155, 983

パニプレビル……………… 1083
パミドロン酸二ナトリウム……… 1610
パム………………………… 2374
パラシクロビル… 150, 310, 311, 2180
パリビズマブ……………… 151, 340
パル………………………… 2221, 2223
バルガンシクロビル
　　　……… 151, 312, 1399, 2257
バルビツール酸……………… 2380
バルプロ酸…… 2199, 2276, 2277, 2278, 2280, 2330
バレニクリン……………… 558, 2344
パロキセチン……………… 62, 2300
ハロタン………………………… 68
パーロデル………………………… 1628
ハロペリドール… 2149, 2199, 2229
パロモマイシン…… 349, 352, 353
バンコマイシン…… 150, 245, 247, 249, 253, 254, 614, 956, 2188

ヒ

ビオチン……………………… 1829
ヒスタミン……………… 1319, 1335
ヒストアクリル…………… 206, 1055
ビスホスホネート………………… 1825
ビソプロロール……… 412, 488, 491
ビタミン A ……………………… 1824
ビタミン B₁ ……………………… 2300
ビタミン B₂ ……………………… 1827
ビタミン B₁₂ …… 1797, 1828, 1936
ビタミン C ……………………… 1829
ビタミン D 1480, 1604, 1605, 1825
ビタミン K …………… 1826, 2037
ビダラビン………………………… 150
ビチオノール…………… 1133, 2197
ヒト免疫グロブリン……………… 277
ヒドララジン………………… 396, 696
ヒドロキシウレア………………… 1979
ヒドロキシカルバミド
　　　…… 1965, 1982, 1988, 2022, 2245
ヒドロキシクロロキン…… 1220, 1438
ヒドロクロロチアジド…………… 397
ヒドロコルチゾン
　　　… 1536, 1549, 1632, 2238, 2378
ビノレルビン………………………… 841
ピペラシリン………………………… 743
ビペリデン……………………… 2382
ピボキシサンチン………………… 1845
ピモベンダン………………………… 196
ピラジナミド
　　　……… 286, 750, 753, 970, 2186
ピランテル…………………… 354, 355
ピリドキシン…………… 1828, 2186
ピリメタミン… 351, 2188, 2195, 2357
ビルシカイニド……………………… 487
ビルトリシド…………… 357, 358, 359, 360
ピルフェニドン……………………… 786
ピロカルピン……………………… 1249
ビンクリスチン…… 154, 847, 943, 957, 1990, 1996, 2004, 2246, 2261
ビンブラスチン…… 154, 1993, 2004

フ

ファビピラビル…………… 151, 321
ファブラザイム…………………… 1844
ファムシクロビル………… 150, 2180
ファンシダール………………… 2196
フィプロガミン…………………… 2031
フィンゴリモド………… 2204, 2208
フェソテロジン………………… 1507
フェナセチン…………………… 1505
フェニトイン… 66, 1602, 1829, 1844, 2038, 2172, 2200, 2277, 2281, 2320
フェノトリン…………………… 363, 364
フェノバルビタール
　　　……… 1104, 2172, 2199, 2277

フェブキソスタット…………… 1286
フェンタニル……………………… 2350
フェントラミン……………………… 700
フォンダパリヌクス………………… 823
副腎皮質ステロイド… 958, 969, 1421, 1912, 2172, 2243, 2302
フコイダン……………………… 2177
ブシラミン……………… 1439, 1497
ブスルファン
　　　… 154, 1914, 1923, 1965, 1979
ブデソニド……………… 903, 1028
ブプレノルフィン………………… 2382
ブライアン…………… 2221, 2223
プラジカンテル… 357, 358, 359, 360, 361, 362, 1094, 1133, 1158, 2197
プラスグレル……………………… 541
プラリドキシム………… 2227, 2374
プリマキン………… 348, 1325, 2196
プリミドン……………………… 2147
フルオロウラシル…… 956, 983, 1197
フルオロコルチゾン……………… 1632
フルクトース…………… 1744, 1758
フルコナゾール
　　　……… 150, 290, 298, 903, 2193
フルシトシン
　　　……… 150, 291, 754, 2188, 2193
フルダラビン… 943, 1914, 1940, 1992, 1997, 2010
フルチカゾン……………………… 903
フルドロコルチゾン……………… 1481
ブレオマイシン
　　　… 154, 842, 1700, 1993, 2261
フレカイニド…………… 426, 487
プレガバリン
　　　……… 1284, 1763, 2180, 2236
プレドニゾロン… 160, 647, 753, 769, 771, 776, 779, 789, 794, 943, 963, 969, 992, 1085, 1187, 1220, 1237, 1243, 1245, 1249, 1253, 1268, 1269, 1270, 1271, 1272, 1295, 1324, 1411, 1415, 1418, 1588, 1832, 1955, 1990, 1996, 2014, 2125, 2131, 2198, 2202, 2208, 2244, 2304, 2305
ブレンツキシマブベドチン
　　　……… 1908, 1994, 1997
プロカルバジン…………… 2004, 2261
プロゲステロン……………………… 847
プロスタグランジン E₁
　　　……… 576, 577, 578, 581
プロスタサイクリン… 104, 385, 397
プロスルチアミン……………… 2177
フロセミド… 194, 412, 1056, 1476, 1477, 1641, 2273
プロチレリン…………………… 2161
プロパフェノン……………………… 487
プロピベリン…………………… 1507
プロピルチオウラシル… 1578, 2237
プロブコール………………………… 558
プロプラノロール
　　　……… 696, 926, 2147, 2280
プロベネシド……………………… 1286
プロマック……………………… 1830
ブロモクリプチン
　　　……… 1530, 1551, 2142, 2233, 2263

ヘ

ペグインターフェロンアルファ 1083
ペグインターフェロンアルファ-2a
　　　……… 1078, 1082
ペグインターフェロンアルファ-2b
　　　……… 1082
ペグビソマント………………… 1545
ベザフィブラート……… 1097, 1099
ベタイン………………………… 1798
ベタネコール…………………… 1507
ベタメタゾン…………………… 160
ペニシラミン

　　　… 957, 1138, 1439, 1472, 1497, 1855, 2221, 2222, 2304
ペニシリン…… 244, 307, 308, 1827, 1956, 2131, 2191, 2194
ペニシリン G …… 243, 249, 251, 256, 259, 307, 614, 2191
ベバシズマブ
　　　… 155, 842, 983, 1458, 1696, 1700
ヘパリン…… 170, 543, 597, 823, 1274, 1393, 1421, 1470, 1923, 1958, 2019, 2027, 2040, 2041, 2106, 2118, 2124, 2131
ペメトレキセド…………… 841, 853
ベラパミル
　　　… 397, 399, 488, 491, 624, 2280
ベラプロスト……… 397, 571, 1257
ベラピル…………… 151, 321, 735, 736
ペリアクチン……………………… 1628
ペルジピン………………………… 696
ペルツズマブ……………………… 1696
ペルフェナジン………………… 2149
ペルフルブタン…………… 1039, 1042
ヘルベッサー……………………… 696
ベンズブロマロン……………… 1286
ベンゾジアゼピン………… 2092, 2229
ペンタサ…………………………… 964
ペンタミジン…… 295, 352, 353, 753
ベンダムスチン
　　　… 943, 1926, 1997, 2010

ホ

ホスカルネット
　　　……… 151, 312, 2172, 2173
ボスチニブ……………………… 1910
ホスホマイシン
　　　……… 146, 147, 232, 265, 955
ボセンタン……… 397, 571, 1258
ボツリヌス毒素………………… 2163
ボノプラザン……………………… 275
ポマリドミド…………………… 2014
ホモクロルシクリジン…………… 949
ポラプレジンク………………… 1830
ボリコナゾール
　　… 150, 292, 294, 2188, 2193, 2360
ホリナートカルシウム………… 1197
ボリノスタット………………… 1910
ポリミキシン B
　　　……… 147, 278, 1074, 2239
ボルテゾミブ…… 155, 1446, 1447, 1910, 1926, 1997, 2010, 2014, 2016, 2246

マ

マイトマイシン C …… 983, 1510, 2019
マシテンタン……………… 397, 1258
マジンドール……………………… 2382
マラロン………………………… 347
マンニトール
　　　… 331, 843, 2124, 2130, 2239, 2270

ミ

ミカファンギン……………………… 150
ミグルスタット……………… 1841, 1842
ミコナゾール……………………… 2196
ミコフェノール酸モフェチル… 653, 1049, 1221, 1253, 1390, 1398, 1423, 1426, 1438, 1455, 1496, 1754, 1923
ミソプロストール………… 157, 1028
ミゾリビン… 1390, 1398, 1416, 1418, 1426, 1438
ミダゾラム……………… 329, 2350
ミトタン
　　　… 1549, 1628, 1629, 1647, 1676
ミドドリン………… 704, 1052, 1453
ミノサイクリン…… 146, 149, 256, 272, 285, 289, 307, 1325, 2194
ミノドロン酸…………………… 1834
ミノマイシン…………… 236, 1123
ミラベグロン…………………… 1507
ミルリノン……………………… 195

メ

メキシレチン…… 399, 425, 1763, 2236, 2300, 2320, 2321
メサラジン… 969, 1009, 1021, 1276
メチシリン……………………… 244
メチラポン…… 1549, 1628, 1676, 2238
メチルドパ………………… 696, 957
メチルフェニデート…… 2283, 2382
メチルプレドニゾロン…… 776, 1253, 1261, 1411, 2025, 2172, 2208, 2243, 2244, 2247, 2378
メチレンブルー…………… 1953, 2375
メテノロン……………………… 1940
メトクロプラミド………… 1660, 1912
メトトレキサート… 126, 154, 779, 956, 1222, 1235, 1239, 1242, 1245, 1257, 1261, 1276, 1278, 1290, 1829, 1923, 1990, 2004, 2245
メトピロン……………… 700, 1628
メトホルミン…………… 1768, 1828
メトロニダゾール… 206, 253, 275, 285, 303, 349, 350, 351, 931, 956, 1005, 1122, 1159, 1799, 2188, 2195
メナテトレノン………………… 1835
メファキン……………………… 347
メフェナム酸…………………… 156
メフロキン……… 347, 348, 2196
メベンダゾール…… 354, 355, 2198
メマンチン…… 2128, 2135, 2137
メルカプトプリン
　　　… 964, 969, 1990, 2004
メルファラン…… 801, 1446, 1794, 1914, 2010, 2014, 2016
メロキシカム…………………… 156
メロペネム
　　　… 254, 261, 276, 1911, 2188

モ

モガムリズマブ
　　　… 155, 1908, 1909, 1926, 2000
モサプリド………… 888, 901, 2236
モダフィニル…………………… 2283
モルヒネ………………… 540, 1014
モンテプラーゼ…………………… 824

ヨ

葉酸…… 1236, 1797, 1829, 1937, 2236, 2252, 2278

ラ

ラクチトール…………………… 2239
ラクツロース…… 1048, 1074, 2239
ラスブリカーゼ………………… 1458
ラニチジン…………… 1028, 2378
ラニナミビル… 151, 321, 735, 736
ラパチニブ……………………… 1696
ラベタロール……………………… 696
ラベプラゾール………… 275, 1028
ラマトロバン…………………… 1313
ラミブジン……………… 1064, 1455
ラモセトロン……………………… 994
ラモトリギン…… 2276, 2277, 2278
ラロキシフェン………………… 1834
ランジオロール………………… 488
ランソプラゾール… 84, 275, 1028
ランレオチド…………………… 1773

リ

リオシグアト	1257
リオチロニン	1572
リザトリプタン	2280
リスペリドン	1845
リセドロネート	1834, 1835
リツキサン	1996, 2202
リツキシマブ	155, 847, 943, 973, 1049, 1188, 1212, 1218, 1237, 1253, 1257, 1269, 1270, 1278, 1390, 1398, 1412, 1416, 1430, 1448, 1456, 1907, 1926, 1955, 1992, 1996, 1997, 2010, 2017, 2029, 2210
六君子湯	901, 949
リドカイン	191, 399, 544, 2180, 2354
リネゾリド	146, 150, 249
リバーロキサバン	487, 2107, 2118
リバスチグミン	2135
リバビリン	329, 345, 1066, 1083, 1093, 1138, 1456, 2017, 2177
リピオドール	1113
リファブチン	752
リファンピシン	147, 260, 282, 286, 289, 357, 750, 752, 970, 2186
リプレガル	1844
リルゾール	2167
リンコマイシン	147, 956
リン酸コデイン	737
リンデロン	1261

ル

ルキソリチニブ	1910, 1965, 1982
ルビプロストン	994

レ

レゴラフェニブ	983
レジン	1481
レトロゾール	1695
レナリドミド	1447, 1926, 2014, 2016
レニベース	696
レフルノミド	1222, 1236, 1455
レベチラセタム	2201, 2276, 2277, 2278
レボチロキシン	1536, 1572, 1581
レボドパ	2137, 2142, 2152, 2223, 2225
レボフロキサシン	147, 276, 303

ロ

ロイコボリン	2195
ロキシスロマイシン	763
ロキソプロフェン	156
ロクロニウム	2350
ロコイド	1261
ロサルタン	421
ロムスチン	2261
ロメリジン	2280
ロラゼパム	62, 1912
ロラゼプ酸エチル	62

ワ

ワルファリン	171, 487, 489, 525, 597, 602, 656, 660, 662, 666, 823, 1274, 1390, 1426, 1470, 1958, 2038, 2040, 2041, 2042, 2107, 2118, 2126, 2243

内　科　学　第11版		定価は外函に表示
1977年6月30日	初　版第1刷	
1980年9月15日	第2版第1刷	
1984年1月15日	第3版第1刷	総編集者　矢﨑義雄
1987年11月6日	第4版第1刷	
1991年11月25日	第5版第1刷	
1995年9月25日	第6版第1刷	
1999年10月15日	第7版第1刷	発行者　朝倉誠造
2003年3月1日	第8版第1刷	発行所　株式会社　朝倉書店
2007年9月4日	第9版第1刷	
2013年6月10日	第10版第1刷	東京都新宿区新小川町6-29
2017年3月20日	第11版第1刷	郵便番号　162-8707
		電話　03(3260)0141
		FAX　03(3260)0180
〈検印省略〉		http://www.asakura.co.jp

© 2017〈無断複写・転載を禁ず〉

基本デザイン：セットスクエアー・ワン
装幀：佐々木由美［デザインフォリオ］
三菱製紙・大日本印刷・大日本製本
函印刷：中央印刷

ISBN 978-4-254-32270-5　C3047　(机上版)　　Printed in Japan
ISBN 978-4-254-32271-2　C3047　(分冊版)

JCOPY 〈(社)出版者著作権管理機構　委託出版物〉

本書の無断複写は著作権法上での例外を除き禁じられています．複写される場合は，そのつど事前に，(社)出版者著作権管理機構（電話 03-3513-6969, FAX 03-3513-6979, e-mail: info@jcopy.or.jp）の許諾を得てください．

国際医療福祉大 北島政樹総編集	保健医療福祉に携わる17の専門職に各々必要な臨床推論の考え方を学ぶとともに他職種の思考過程も理解，よりよいチーム医療・チームケアの実践を目指す教科書。〔内容〕一般情報とその見方／医学情報とその見方／臨床推論の実践／事例検討
保健医療福祉のための 臨床推論 ―チーム医療・チームケアのための実学― 33505-7 C3047　　B5判 240頁 本体3200円	
元相模原病院 秋山一男・東京病院 大田 健・平成医療短大 近藤直実編 **メディカルスタッフから教職員まで アレルギーのはなし** ―予防・治療・自己管理― 30114-4 C3047　　A5判 168頁 本体2800円	患者からの質問・相談に日常的に対応する看護師・薬剤師，自治体相談窓口担当者，教職員や栄養士などに向けてアレルギー疾患を解説。〔内容〕アレルギーの仕組みと免疫／患者の訴えと診断方法／自己管理と病診連携／小児疾患と成人疾患
杉崎紀子著　神崎史絵著 **からだのしくみ** ―ナースの視点― 33009-0 C3047　　A5判 184頁 本体2200円	看護師を目指して学ぶ人のために，苦手とされやすい解剖生理，生化学を基本に身体のしくみとその変化について，わかりやすく解説。各テーマは，二色刷りのイラストとともに見開き2ページでまとめ，目で見ても理解しやすい構成とした。
東京福祉大 澤口彰子他著 **人体のしくみとはたらき** 33008-3 C3047　　B5判 164頁 本体2500円	福祉・介護系学生のための解剖生理テキスト。わかりやすい図に基づく丁寧な解説で，人体の機能を理解する。〔内容〕人体の機能／骨格系／筋系／消化器系／呼吸器系／生殖器系／内分泌系／神経系／小児のからだ／生体の恒常性／他
日本再生医療学会監修 京大 山中伸弥・東大 中内啓光編 再生医療叢書1 **幹　細　胞** 36071-4 C3347　　A5判 212頁 本体3500円	移植などに頼ることなく疾病のある部位を根本から治療し再生させる再生医療にとり，幹細胞研究はその根幹をなしている。本書は，幹細胞研究の世界的な研究者たちにより編集・執筆され，今後の幹細胞研究に不可欠な最先端の成果を集めた。
日本再生医療学会監修 東京女子医大 岡野光夫・東京女子医大 大和雅之編 再生医療叢書2 **組　織　工　学** 36072-1 C3347　　A5判 196頁 本体3500円	失われた組織を再生する際に，移植に必要となる新たな組織・臓器を，高分子や各種の細胞から培養し作り上げるための技術が必要となる。本書は移植手術で，数々の成功を収めている細胞シートの第一人者の編集により，その技術を紹介する。
日本再生医療学会監修 阪大 澤 芳樹・東京女子医大 清水達也編 再生医療叢書3 **循　環　器** 36073-8 C3347　　A5判 184頁 本体3500円	かつては困難をきわめた心臓手術も，細胞シートなど，組織工学の驚異的発展により，目覚ましい進歩を遂げ，手術を成功させつつある。本書は，心臓や血管，弁などの循環器系臓器を再生する最先端の技術を，実績ある執筆者たちが紹介する。
日本再生医療学会監修 阪大 西田幸二・理研 高橋政代編 再生医療叢書4 **上　皮・感　覚　器** 36074-5 C3347　　A5判 232頁 本体3500円	ヒトに外部のさまざまな情報をもたらす視覚や聴覚などの感覚器，そして皮膚などの上皮の特異な構造を明らかにし，その疾患例と再生のための手法を，移植手術などで数多くの成功を収めてきた研究者たちの編集・執筆によりその技術を紹介。
日本再生医療学会監修 福島県立医大 後藤満一・阪大 大橋一夫編 再生医療叢書5 **代　謝　系　臓　器** 36075-2 C3347　　A5判 212頁 本体3500円	代謝系臓器（膵臓，肝臓，腎臓）のさまざまな疾病と，その臓器をES細胞やiPS細胞などを使って拒絶反応を起こさない方法で，根本から治療・再生する先端的な手法を，治療に携わる医師のみならず学生にもわかりやすく解説する。
日本再生医療学会監修 武庫川女大 脇谷滋之・東大 鄭 雄一編 再生医療叢書6 **骨　格　系** 36076-9 C3347　　A5判 200頁 本体3500円	軟骨や骨などの骨格系を再生するためには，医学のみならずさまざまな工学技術も要求されてくる。本書は，軟骨・骨・骨格筋・半月板などの骨格系臓器を，多能性幹細胞などの最先端の技術を使って再生しようとする試みを紹介する。
日本再生医療学会監修 慶大 岡野栄之・東北大 出澤真理編 再生医療叢書7 **神　経　系** 36077-6 C3347　　A5判 208頁 本体3500円	事故で脊髄を損傷した場合，生涯，車椅子での生活を余儀なくされると思われてきた。しかし，神経や脳も幹細胞やニューロンの研究により，再生・回復への道が見えはじめてきている。本書は，神経系についての最先端の再生医療を紹介する。
日本再生医療学会監修 名大 上田 実・長崎大 朝比奈泉編 再生医療叢書8 **歯　学　系** 36078-3 C3347　　A5判 208頁 本体3500円	歯を中心とした口腔，顎骨や周りの神経などを，ES細胞やiPS細胞など，これまでの治療とは，まったく異なる手法で拒絶反応を起こすことなく再生する。その先端的な手法を，歯科医のみならず学生にもわかりやすく解説する。

上記価格（税別）は2017年2月現在